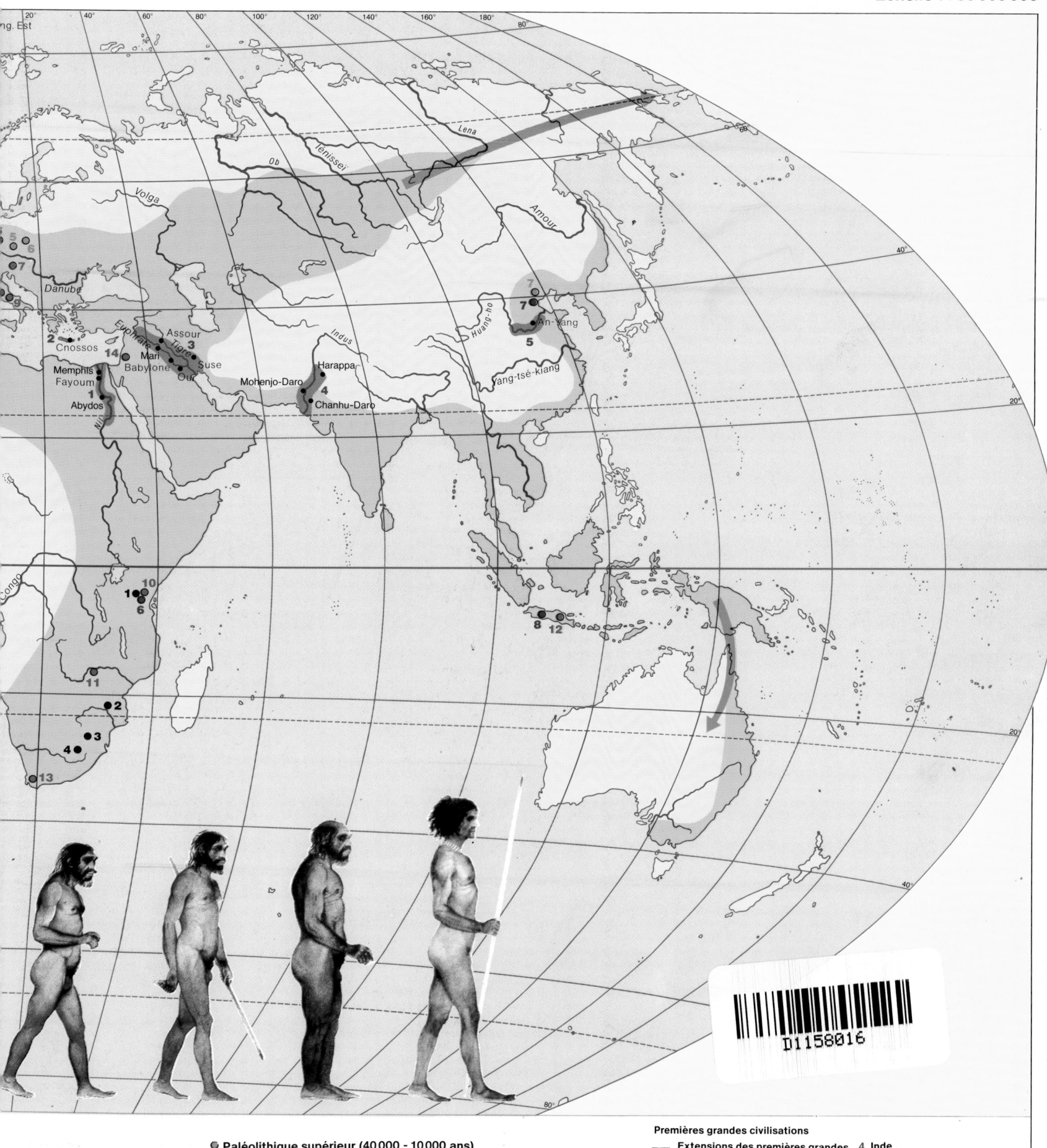

Échelle 1 : 80 000 000

Paléolithique supérieur (40 000 - 10 000 ans)

Homme de Cro-Magnon (premier homo sapiens)

→ Direction des migrations

Extension de l'homme de Cro-Magnon

1. Cro-Magnon
2. Laussel
3. Grimaldi
4. Oberkassel
5. Brunn
6. Predmost
7. Chou-kou-tien

11. Broken Hill
12. Ngandong
13. Saldanha
14. Mont Carmel

Premières grandes civilisations

Extensions des premières grandes civilisations

1 Égypte (début vers 3000 av. J.-C.)

2 Crète (début vers 2000 av. J.-C.)

3 Mésopotamie (début vers 3000 av. J.-C.)

4 Inde (début vers 2500 av. J.-C.)

5 Chine (début vers 1700 av. J.-C.)

6 Olmèques (début vers 1100 av. J.-C.)

7 Culture chavin (début vers 1200 av. J.-C.)

Chronique de l'humanité

Chronique

de l'humanité

Larousse

Ce deuxième ouvrage de la série « Chronique » a été conçu et réalisé par les Editions Jacques Legrand S.A., Paris.

© 1986 Jacques Legrand S.A. – Editions Chronique S.A. 40, rue du Cherche-Midi, Paris 6e pour l'édition en langue française

© 1984 Harenberg Kommunikation Dortmund pour l'édition en langue allemande

I.S.B.N. : 2 03 503209 1
Dépôt légal : 4e trimestre 1986   13620

Imprimé par : CARLINO à Bologne
DIDIER à Château-Thierry
MAURY à Malesherbes
PRINTER à Barcelone
Relié par : S.I.R.C. à Marigny le Châtel

Préface

L'histoire se lit en tout sens. Qu'elle s'exprime par le long temps des mouvements profonds de la vie économique ou des évolutions culturelles, par le temps bref des aperçus quotidiens ou par le temps moyen dans lequel s'inscrit l'expérience des générations successives, la chronologie donne son échelle à la succession des faits et des observations qui entrent dans la logique des causes et des conséquences.

En tournant les pages, le lecteur de ce livre verra se dérouler le film des jours dont chacun est fils de la veille. Mais le jour vécu doit rester riche de sa diversité. La presse quotidienne en donne l'exemple sans cesse renouvelé, notre horizon est à la fois fait de l'événement politique, d'une inflexion de la tendance des prix ou de l'emploi, de la sortie d'un livre ou d'un film, d'un affrontement ou d'une prouesse sportive. Notre journée est faite de la guerre et de la paix, du travail et du loisir. Bien plus, elle est marquée de l'événement qui restera sans conséquence aussi bien que de celui qui trouvera sa place dans les mouvements à long terme.

Chacun, dans son vécu propre, fait ses choix et subit ceux que lui impose son milieu. Le coup de bourse ou le record sportif frappe l'un et laisse l'autre indifférent. Dans la diversité du jour et à travers celle de l'information qui effectue déjà le premier tri, l'homme façonne l'idée personnelle qu'il se fait de sa journée.

De même, chacun choisira-t-il ici pour composer sa propre vue d'un passé qui doit être le sien. Alors même que, seules, nous le savons, les analyses dans le temps long permettent d'affiner notre perception de phénomènes qui échappent dans le jeu rapide des échéances et des événements journaliers, les coupes en large dans l'immédiat laissent appréhender ce que fut le tableau des réalités et des préoccupations dans le large horizon du monde connu. L'avènement d'un nouvel outillage, l'apparition d'une œuvre d'art sont également présents dans la vie d'un homme, avec les conflits du jour et les décisions politiques du moment.

Les réalisateurs de ce livre ont heureusement intégré dans leur propos ces phénomènes historiques qui, par leur nature comme par l'effet de notre documentation, échappent à tout classement chronologique et rigoureux. Nul ne donnera jamais date certaine à l'invention du moulin à vent, à l'éclosion du baroque ou à la naissance du nationalisme. Il n'est pas interdit de penser que nos ancêtres, chacun à son moment, a pris un jour conscience des lentes mutations. L'ère atomique est-elle née dans le laboratoire des Curie, dans le désert du Nevada, dans le ciel d'Hiroshima ou sur l'atoll de Bikini? Pourtant, chacun l'a ressentie un jour. De même les incidentes de la chronologie ouvriront-elles au lecteur le droit à sortir un instant du quotidien pour faire le point sur les mouvements de fond. Ils ne sont pas nés ce jour-là, mais des hommes y ont ce jour-là pensé. De même que chacun a le droit de s'arrêter quand il veut pour réfléchir à son chemin et à celui d'autrui, c'est bien notre droit que de vivre le passé et de le comprendre comme nos prédécesseurs l'ont vécu et compris. Ainsi l'histoire prend-elle place parmi les réflexions de l'homme sur lui-même.

Jean FAVIER

Membre de l'Institut
Directeur général des Archives de France

Chronique de l'humanité

Direction éditoriale Anik Blaise

Rédacteur en chef Robert Maillard

Chefs de période Jean-Christophe Balouet Christian Bachelier
Christian Jacob Serge Cosseron
Bernard Klein Richard Dubreuil
BrunoTeissier

Spécialistes *Orient ancien* : Jean-Jacques Glassner ; *Monde musulman* : Lotfallah Soliman ;
Civilisations asiatiques : Véronique Crombé, Cécile Léon ; *Inde* : Régine Ginestet ;
Afrique noire : Dominique Froelich, Régine Osbert ; *Civilisations amérindiennes* :
Jean-Paul Zuniga ; *Monde slave* : Eric Bachelier ; *XVIIᵉ-XVIIIᵉ siècles européens* : Yves
Sansonnens ; *Sciences et techniques* : Jean-René Louvet, Paul Mengal.

Collaborateurs Mathieu Arnoux, Jean-Noël Audras, Christophe Badel, Isabelle Belas, Stéphane
Benoist, Jean-Pierre Bentaberry, Fabienne Blondel, Anne Borrel, Henri-Philippe
Boulard, David Bouvier, Jean-François Chanet, Monique Chanussot, Alexis Charan-
sonnet, Patrick Cingolani, François Comba, Hélène Coulonjou, Diane Coutadeur,
Pascal Darcque, Ariane Eissen, Nasser Elamoune, Isabelle Fessard, Jérôme Grevy,
Lise Haddad, Mustapha Hadjarad, Isabelle Idzikowski, Bernard Laguerre, Jocelyne
Langlois, Hélène Leroy, Serge Leroy, André Libioulle, Hélène Montsacré, Brice
Moulin, Emile Ologoudou, Pierre-Etienne Pagès, Gilles Pécout, Nathalie Perche,
Caroline de Peyronnet, Marie-Jeanne Racine, Annanka Raghel, Philippe Rekacewicz,
Marc Rives, Dominique Roussel, Guy Sabatier, Pierre-François Souyri, Alain Tarrieu,
Sophie Teissier, Pascale Thumerelle, Matthieu Vermeersch, Patrice Vermeren

Service rédactionnel Frédérique Hatt, Jean-Michel Ribettes, Isabelle Calabre, Agnès Carbonell ; Jean-Marc
Nothias *(L'histoire des pays)*.

Correction-révision Bruno Durand, Denis Coursin, Bernard Rousselot, Jean-Michel Vallantin, Charles
Guilleux, Jean-François Busguet

Informatique *Direction :* Catherine Balouet
Conseiller : Dominique Klutz
Saisie : Martine Colliot, Véronique Gronnier

Secrétariat Nathalie Dubois, Brigitte Bro.

Direction artistique **Henri Marganne**
Maquette : Nicole Zadorogny, Véronique Marganne
Iconographie : Françoise Breton ; Martine Courtauld *(établissement des légendes)*
Cartes : Christian Baude, Michel Colley, Jean-Jacques Mauvieux
Photocomposition : Maury SA
Photogravure : PHIP, IDL Graphic
Fabrication : Martine Toudert

Avant-propos

Chronique de l'humanité repose sur une idée simple qui consiste, par le biais de la chronologie, à replacer dans un contexte aux dimensions de la planète l'ensemble des événements et des hommes qui ont façonné l'histoire. Pour la première fois, en effet, un véritable synchronisme dans la présentation et l'exposé des faits (politiques, économiques, sociaux et culturels) est concrètement réalisé : ce qui permet d'obtenir à chaque page, à la manière d'un instantané photographique, une image du monde. Idée simple, mais qui suffit pour renouveler en profondeur la vision de ce que nous connaissons, la pondérer d'un certain relativisme, tout en l'enrichissant des apports qui constituent le patrimoine de l'humanité.

Chronique de l'humanité : c'est aussi une manière nouvelle de lire l'histoire, non plus comme un récit du passé, mais comme une «actualité» qui se déroule sous nos yeux, tous les événements étant écrits au présent. Cette exigence, qui touche à la nature même du livre et en fonde l'originalité, nous a conduit à rechercher, dans tous les domaines de l'activité humaine, les événements qui furent, *à un moment donné*, déterminants ou représentatifs, de façon à pouvoir les insérer à leur juste place dans la trame serrée de la chronologie. Par la même occasion, nous évitions de transformer cette chronique en une vaste nécrologie.

Les encadrés. Si les choix étaient relativement simples lorsqu'il s'agissait de cerner au plus près l'œuvre d'un écrivain, d'un artiste, d'un philosophe ou même d'un scientifique, voire d'un homme de guerre ou d'un roi, la tâche était moins évidente en matière d'histoire politique, économique et sociale, où l'aspect ponctuel des faits ne permet pas toujours de rendre compte d'une réalité complexe et mouvante. C'est pour répondre à cette difficulté que nous avons résolu de faire apparaître les faits de société non réductibles à une date précise dans des «encadrés», qui leur permettent d'échapper aux rigueurs de la chronologie.

Les pages bleues. De la même façon, pour remédier aux inconvénients et aux limites d'une information dispersée et fragmentaire, il a été prévu de rythmer le déroulement des siècles par un certain nombre de pages (imprimées sur fond bleu), où le lecteur est assuré de trouver cette continuité du récit historique dont notre mémoire a besoin pour comprendre l'enchaînement des faits. Rassemblées en un volume, ces pages formeraient à elles seules un résumé de l'histoire universelle, saisie dans ses lignes fondamentales.

Les pays. Quant au lecteur qui souhaiterait pénétrer plus avant dans l'histoire particulière d'un pays et en suivre notamment l'évolution jusqu'à nos jours, il pourra se reporter, en fin de volume, aux articles de synthèse qui sont consacrés à cent soixante-douze d'entre eux.

Un atlas. Une bonne lecture de l'histoire suppose une perception claire des limites géographiques dans lesquelles elle s'inscrit. C'est pourquoi ce livre, en dehors des cartes ponctuelles illustrant directement certains événements et qui prennent place dans le corps du livre, s'achève sur un atlas. Mais, loin de se suffire à elles-mêmes et de prétendre à une existence autonome, les cartes qui le composent n'ont d'autre objectif que de servir d'accompagnement aux textes et d'en rendre la portée plus concrète.

L'histoire immédiate. Les critères de sélection applicables à des époques révolues et conçus à cet effet ne pouvaient, par la force des choses, être retenus dès l'instant que l'on abordait l'histoire immédiate, celle en train de se faire. Changer de registre et ne pas changer de méthode revenait à menacer gravement l'unité et la cohérence de l'ouvrage. Aussi cette chronologie, dans la forme que nous lui avons donnée, s'arrête-t-elle au lendemain de la Seconde Guerre mondiale. Les quarante dernières années (1946-1986) ne sont pas absentes pour autant. Mais si la prudence nous a inspirés, c'est qu'il nous a paru présomptueux de vouloir déterminer les événements qui apparaîtront, aux historiens à venir, comme essentiels pour la compréhension de notre époque.

Robert MAILLARD

Des origines à nos jours

La Terre avant l'apparition de l'homme

L'Univers est né il y a douze milliards d'années d'une gigantesque déflagration cosmique. L'expansion de la matière, consécutive au « big bang », commença dans la demi-heure qui suivit l'explosion.

Naissance de la Terre

L'âge de notre planète serait de sept milliards d'années. A l'origine, la température élevée du globe maintenait la matière en état de fusion. Ce n'est que deux milliards et demi d'années plus tard que son refroidissement progressif permit le durcissement des premières roches. Cette solidification de l'écorce terrestre intervint lorsque la température à la surface descendit au-dessous de 800 °C. L'eau, en tant qu'élément liquide, n'apparut que tardivement, lorsque la température, qui continuait de descendre, atteignit 100 °C. A cette époque, l'atmosphère était composée de vapeur d'eau, d'acide cyanhydrique, de méthane et d'hydrogène. Il n'y avait pas d'oxygène gazeux. Tandis que l'eau se condensait pour former les mers initiales, les premières molécules complexes nécessaires à la vie (enzymes, acides et graisses) commencèrent à se développer. L'énergie indispensable à ces réactions chimiques était fournie par la chaleur de l'écorce terrestre, les rayons du soleil et les éclairs. Les mers constituaient alors de véritables laboratoires où s'élaboraient tous les éléments constitutifs de la vie. Dans cette « soupe primitive », de grosses molécules donnèrent naissance il y a quatre milliards d'années aux premiers « êtres vivants », éléments qui ressemblaient à nos bactéries actuelles : une simple membrane délimitait la cellule sans qu'il y eût encore de noyau à l'intérieur de celle-ci.

Les continents africain et asiatique (photo NASA).

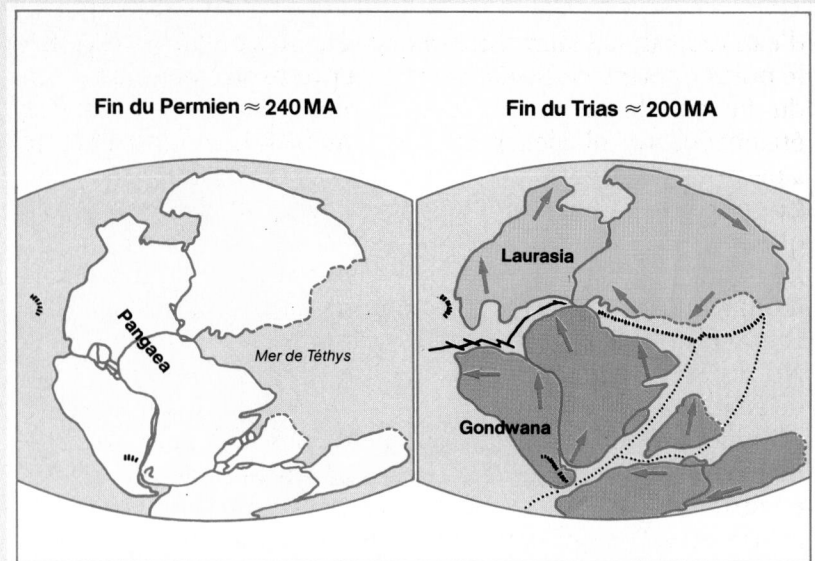

D'un continent autrefois unique (La Pangaea) se sont formés 2 nouveaux continents aux environs de 300 M.A.

La formation des continents

Il n'existait à l'origine qu'une seule terre, la Pangée. La fragmentation de ce gigantesque continent débuta il y a environ 300 millions d'années. Deux sous-continents, le Gondwana au sud et la Laurasia au nord, furent séparés par une nouvelle mer, la Téthys, qui se resserrera par la suite pour devenir la Méditerranée telle que nous la connaissons. Le Gondwana se divisa à son tour pour donner naissance à l'Australie, à l'Amérique du Sud, à l'Antarctique, à l'Inde et à l'Afrique. L'Inde se déplaça vers le nord, jusqu'à buter sur le continent asiatique, collision qui provoqua la surrection de l'Himalaya. La séparation de l'Afrique et de l'Amérique du Sud engendra l'océan Atlantique qui s'agrandit au rythme de deux centimètres par siècle. Les différentes « plaques » continentales et océaniques se déplacent les unes par rapport aux autres. Lorsqu'elles s'affrontent, les montagnes surgissent. Quand une plaque continentale rencontre une plaque océanique, leur friction provoque des séismes. La plaque océanique, plus lourde, s'enfonce, entre en fusion et engendre des volcans. C'est le cas, par exemple, au Japon. Les failles résultant de ces contraintes considérables dans l'écorce terrestre connaissent parfois des réajustements, d'une ampleur variable. La faille de San Andreas, à San Francisco, est par contre d'une telle dimension et sujette à de telles contraintes qu'elle ne peut être que très meurtrière pour l'homme.

L'évolution de la Terre

Notre planète n'a cessé d'évoluer durant les quatre derniers milliards d'années. Les mouvements géologiques se sont lentement poursuivis, à l'échelle de millions d'années, et ont parfois connu une ampleur remarquable : les Pyrénées, par exemple, ont émergé en 80 millions d'années d'une mer profonde d'un millier de mètres. Les espèces animales et végétales se sont succédé et transformées en fonction des conditions de l'environnement, des changements climatiques et géographiques. Les périodes glaciaires ont alterné avec des périodes plus chaudes. La succession des glaciations fut particulièrement nette au cours du quaternaire, avec quatre phases importantes : Günz, Mindel, Riss et Würm. L'immobilisation d'une telle masse d'eau réduisit le volume des océans et, dans certaines régions, le poids énorme de la glace enfonça provisoirement le niveau du sol qu'elle recouvrait. Les derniers glaciers scandinaves étaient épais de plusieurs milliers de mètres. Leur fonte récente a permis à l'écorce terrestre de reprendre son équilibre initial. Le golfe actuel de Botnie continue malgré tout de remonter de quelques centimètres par siècle.

Le champ magnétique terrestre a connu lui aussi d'importantes modifications d'intensité et surtout de direction, puisqu'à une centaine de reprises au cours de l'histoire de l'humanité, le pôle Nord s'est inversé pour marquer le sud avant de reprendre sa direction habituelle.

L'homme n'est apparu qu'aux environs de 2,5 millions d'années, ce qui est dérisoire à l'échelle des temps géologiques. Son environnement connut de nouvelles variations, guère différentes de celles qui se produisaient en son absence. L'écorce terrestre subit encore à l'heure actuelle de profondes modifications, comme en témoignent les séismes et les éruptions volcaniques qui détruisent fréquemment biens et vies humaines ou les mouvements plus difficilement mesurables de surrection des montagnes ou d'ouverture des océans. L'homme a en outre ajouté d'autres contraintes à ces phénomènes naturels. S'il parvient à maîtriser quelque peu la nature, il ne semble pas toujours contrôler les conséquences fâcheuses de ses activités industrielles.

Les méthodes de datation

Le problème de la datation est primordial puisqu'il s'agit d'intégrer les découvertes de toutes sortes dans une suite chronologique soit relative, soit absolue. Avant l'apparition de l'étude des éléments radioactifs, expérimentée à partir de 1950, géologues et paléontologues utilisaient la méthode de datation relative, qui repose sur l'étude de la faune et de la flore. Différentes espèces s'étant succédé au cours des temps, leurs fossiles sont de précieux repères chronologiques. Ainsi l'association du renne, du mammouth et du rhinocéros laineux permet de dater les gisements qui les contiennent du Paléolithique moyen au Paléolithique supérieur. Les outils fabriqués par l'homme, parce qu'ils se sont eux aussi modifiés au fil des âges, jouent un rôle identique à celui des fossiles. L'évolution des industries fut particulièrement remarquable au Paléolithique supérieur et la découverte, par exemple, d'un outil appelé « feuille de laurier » caractérise l'époque solutréenne. Les datations absolues reposent pour la plupart sur le principe de la radioactivité. C'est par exemple la méthode du carbone 14, isotope instable du carbone 12, qui est absorbé par les plantes et transmis aux êtres vivants. Après la mort, le stock de carbone 14 ne se renouvelle plus et se décompose pour moitié tous les 5 568 ans. L'analyse des fossiles permet, en mesurant leur taux de carbone 14, d'en évaluer l'âge. Plus l'échantillon est ancien, moins il recèle de l'isotope instable. La méthode du carbone 14 donne la possibilité de remonter environ jusqu'à 100 000 ans. Pour les périodes plus anciennes, on utilise d'autres couples radioactifs comme le potassium-argon ou l'uranium-thorium, dont les transformations sont beaucoup plus lentes (1,3 milliard d'années pour le potassium). Les mesures ainsi effectuées, souvent précises, ne sont jamais parfaites et s'accompagnent d'une marge d'erreur d'environ 5 %. Leur précision peut, en effet, varier en fonction de la quantité et de l'état de l'échantillon analysé qui a pu être altéré ou remanié. En outre, les trouvailles

paléontologiques peuvent être antérieures au gisement auquel on les a associées pour leur donner un âge. Aussi, ne serait-ce que dans cet ouvrage, doit-on lire avec prudence les dates avancées et ne pas oublier que de nouvelles découvertes peuvent les modifier, voire les bouleverser quand on les croyait acquises. Le choix de couples radioactifs est fonction de la nature de l'échantillon (lattes, ossements, charbon de bois...) et de la période où demi-vie du couple qui doit être du même ordre de grandeur que l'âge attendu. L'emploi d'accélérateur de particule permet toutefois de dater des événements de plus en plus anciens : c'est le cas du carbone-14, qui permet de remonter environ jusqu'à 100 000 ans.

Périodes	Formation des chaînes de montagnes		Les êtres vivants			
Quaternaire	PLEISTOCÈNE – 1,5		Flores et faunes actuelles			
Tertiaire	NÉOGÈNE – 25	Paroxysme alpin				1er Homme / Prédominance des mammifères
	PALÉOGÈNE – 65	Phase pyérénéo-provençale				
Secondaire	CRÉTACÉ – 135	Phase antésénonienne	Montagnes Rocheuses	Ammonites	Bélemnites / Grands Reptiles	1ers Oiseaux / 1ers Mammifères
	JURASSIQUE – 190	Sierra Nevada	Andes			
	TRIAS – 225					
	PERMIEN – 280	Plissements hercyniens	Plissements appalachiens			1ers Reptiles
Primaire	CARBONIFÈRE – 345	Plissements hercyniens				1ers Batraciens
	DÉVONIEN – 395		Pl. acadiens (Appalaches)			1ers Poissons
	SILURIEN – 440	Plissements calédoniens				1ers Vertébrés
	ORDOVICIEN – 500		Pl. Taconiques (Appalaches)	1ers végétaux Terrestres connus		
	CAMBRIEN – 570			Algues	Trilobites	
Précambrien	INFRA-CAMBRIEN – 70	M. Armoricains	Pl. Keweenaviens Canada	Végétaux inférieurs		
	ALGONKIEN – 1000	Scandinavie	Canada			
	ARCHÉEN – 2000	Pl. svécofenniens (Scandinavie)	Pl. laurentiens			
	– 3000	Naissance des continents		Apparition de la vie		
	– 5000 ?	Naissance de la Terre				
Millions d'années						

Géologues et paléontologues ont aujourd'hui daté nombre des événements ayant marqué l'histoire de la Terre. Dans ce tableau où sont indiqués les ères géologiques et les âges absolus figurent également les phases de surrection des montagnes, l'apparition des principaux animaux et végétaux.

Jacques Boucher de Perthes.

Le naturaliste Georges Cuvier.

Marcellin Boule.

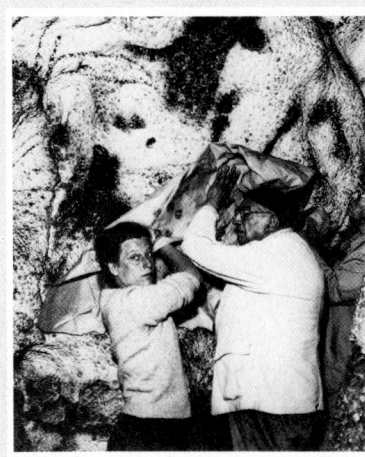

L'abbé Henri Breuil.

Comparées aux autres connaissances scientifiques, celles qui touchent au passé de l'homme sur la Terre sont d'un développement très récent, puisque la notion d'une humanité ancienne et différente de la nôtre est reconnue depuis cent cinquante ans seulement. Au début du XIXᵉ siècle encore, l'ancienneté que l'on assignait à l'homme se comptait tout au plus en millénaires. Les principes philosophiques et religieux ne se prêtaient guère aux audaces et, si l'on ne pensait plus que la création du monde pût remonter à 40 000 ans comme l'enseignait la Bible, il n'était pas davantage concevable de compter en millions d'années comme on le fait aujourd'hui.

Certains outils préhistoriques étaient pourtant connus depuis longtemps : le minéralogiste allemand Agricola avait décrit en 1558 des haches polies et des pointes de flèches, ces fameuses « pierres de foudre » que l'on tint longtemps pour des talismans aux vertus thérapeutiques et protectrices. A la fin du XVIᵉ siècle, Michele Mercati rétablit la vérité en affirmant qu'il s'agissait des armes des « plus anciens hommes », mais ses ouvrages ne furent publiés qu'au début du siècle suivant.

Des espèces disparues

Que notre ancêtre ait été contemporain d'espèces animales disparues est une notion fondamentale qui s'est imposée difficilement au milieu du XIXᵉ siècle. En 1767, John Frere avait pourtant bel et bien découvert à Hoxne, dans le Suffolk, des silex taillés dans un terrain renfermant des ossements d'animaux disparus. « Ils datent d'une période certainement très reculée, bien plus lointaine que la nôtre », déclara-t-il. Des fouilles pratiquées dès le début du siècle dans des grottes d'Angleterre et de Belgique corroborèrent ce jugement : en 1823, de la caverne Paviland, au pays de Galles, Buckland exhuma avec des restes d'animaux disparus le premier squelette humain de l'âge du Renne, comme l'attestait la teinte ocre des ossements. Dix ans plus tard, le Belge Schmerling mit au jour dans la grotte d'Engis, près de Liège, des fragments osseux humains et des silex « travaillés de la main de l'homme » ; il démontra dans son livre *Sur les ossements fossiles de la région de Liège* la contemporanéité de l'homme avec des espèces disparues.

Ces remarques passèrent presque inaperçues. C'est au Français Jacques Boucher de Perthes (1788-1868) que revient le mérite d'avoir fait triompher cette notion capitale. S'intéressant de près aux ossements d'animaux et aux outils découverts par les ouvriers des gravières d'Abbeville, il adressa en 1846 à l'Académie des sciences un traité, *Antiquités celtiques et antédiluviennes,* dans lequel il démontrait avec force la très haute antiquité de l'homme. Ses propos furent mal accueillis et ses preuves contestées au point qu'à sa mort ses ouvrages furent retirés du commerce et mis au pilon.

Les disciples de Georges Cuvier (1769-1832), à qui l'on doit la découverte d'ossements supposés d'hommes diluviens *(Homo diluviitestis),* s'opposèrent farouchement à cette thèse. En 1859, pourtant, les savants britanniques Prestwich, Lyell et Falconer, intrigués par les trouvailles d'Abbeville, traversèrent la Manche pour étudier le site sur place. Ils poursuivirent leurs recherches sur celui de Saint-Acheul, découvert depuis peu par le docteur Rigollot, et finirent par prendre position en faveur de Boucher de Perthes. Le paléontologue français Albert Gaudry (1827-1908) opéra de son côté des vérifications qui abondèrent dans le même sens. La contemporanéité de l'homme avec les animaux disparus était enfin reconnue.

La notion d'évolution

Les trouvailles se poursuivirent : en 1836, le Français Edouard Lartet (1801-1871) exhuma à Sansan, dans le Gers, les restes du premier singe fossile qu'il baptisa « Pliopithèque ». En 1848, l'Anglais Busk découvrit le crâne de Gibraltar et, en 1856, dans une grotte du vallon de Néanderthal, l'Allemand Fuhlrott déterra une calotte crânienne qu'il prétendit être d'une espèce intermédiaire entre le singe et l'homme. Cette affirmation fit scandale dans les milieux scientifiques où l'on préféra y reconnaître le crâne d'un idiot.

C'est dire que les savants commençaient à brasser un nombre important d'idées et de preuves lorsqu'en 1859, dans son traité, *De l'origine des espèces,* Charles Darwin (1809-1882) posa enfin l'indispensable notion d'évolution des espèces qui allait permettre de reconnaître et de classifier les preuves paléontologi-

Pierre Teilhard de Chardin.

Raymond Dart.

André Leroi-Gourhan.

Louis Seymour Leakey.

ques de l'ancienneté de l'humanité. Dès lors, les découvertes d'hommes fossiles ne cessent de se multiplier en Europe et en Asie : l'homme de Cro-Magnon en 1868 ; l'homme de Grimaldi en 1872 ; les dents du Sinanthrope en 1903 ; l'homme de La Chapelle-aux-Saints en 1908, dont le paléontologue Marcellin Boule (1861-1942) fit une étude demeurée célèbre, *L'Homme de Combe-Capelle*, en 1910. A toutes ces trouvailles qui agrandirent le domaine de la paléontologie, il faut ajouter les importantes recherches que mena en Chine, dans les années 1920, le philosophe Pierre Teilhard de Chardin (1881-1955). Mais c'est du sol d'Afrique que devaient être retirés les plus anciens hommes fossiles. Les recherches débutèrent en 1925 après que Raymond Dart, de l'université de Witwatersrand en Afrique du Sud, eût identifié dans le crâne d'un enfant découvert à Taung (Botswana) une forme intermédiaire entre les grands singes et l'homme. C'était le premier Australopithèque connu. Quelques années plus tard, un couple de paléontologues, les Leakey, découvrit coup sur coup plusieurs fossiles humains dans la région d'Oldu-vai : le Zinjanthrope en 1959 et, l'année suivante, le crâne du plus vieil « homme » connu. Plus récemment, en 1975, l'équipe internationale Johanson-Coppens-Tobias fit sensation, en annonçant avoir mis au jour dans la vallée de l'Omo (Ethiopie) le squelette d'une jeune Australopithèque qu'ils baptisèrent « Lucy ». A cette recherche des restes de l'homme préhistorique s'ajoute celle des peintures rupestres et de l'art mobilier : en 1834, on découvrit dans l'abri Chaffaud (Vienne) un fragment de bois de renne sur lequel étaient gravées deux biches. Plus tard, en 1878, étaient découvertes les fresques d'Altamira (Espagne), puis, en 1922, la Vénus de Lespugue (Haute-Garonne) et, en 1940, les fresques de Lascaux auxquelles l'abbé Henri Breuil consacra l'essentiel de son œuvre. Le professeur André Leroi-Gourhan s'est lui aussi fortement intéressé à l'art préhistorique, tout en menant parallèlement une étude sur les acquisitions humaines, comme le culte, le geste et la parole.

Les méthodes d'investigation

Si les premières découvertes furent pour la plupart fortuites et leur interprétation souvent difficile, les paléontologues d'au-

jourd'hui disposent de moyens de prospection et d'analyse qui ont considérablement évolué, tant sur le terrain qu'en laboratoire. La physique des isotopes appliquée à la recherche en laboratoire permet la datation des fossiles et la mesure des températures, paramètre important pour l'étude des climats. Grâce au microscope électronique, on a la possibilité de déterminer, par exemple, le régime alimentaire de nos ancêtres par l'observation de leurs dents. Quant aux fossiles, ils subissent des traitements modernes autant que variés qui font appel à la chimie, à la mécanique et à la physique : utilisation d'acides, de fraises de dentiste, de microburins, de microsableuses et d'ultra-sons. Les palynologues ont désormais la possibilité de reconstituer l'environnement végétal des fossiles, d'identifier par exemple la nature des premières litières de l'homme ou encore les différentes espèces de fleurs sur lesquelles les Néanderthaliens enterraient leurs morts. Ces multiples possibilités d'investigation, qui permettent au paléontologue moderne de reconstituer avec précision le mode de vie de nos ancêtres, supposent des fouilles extrêmement minutieuses. Les différents niveaux sont soigneusement distingués les uns des autres et la situation des trouvailles exactement repérée dans la couche qui les enveloppe. Les remblais sont lavés et tamisés pour récupérer les plus petites pièces. Si ces méthodes de fouilles sont désormais traditionnelles, il n'en reste pas moins que l'œil et le « flair » du paléontologue demeurent souvent déterminants. La recherche scientifique dans le domaine de la Préhistoire, dont la France a été et demeure le carrefour, a pris un bel essor depuis les premières découvertes d'outils fabriqués par l'homme, il y a plus de 150 ans. Comme lors d'une enquête criminelle, le chercheur doit accumuler les hypothèses et les présomptions, en s'appuyant sur des moyens d'expertise qui ont considérablement évolué ces dernières décennies. Mais l'étude de la Préhistoire et les disciplines qui s'y rattachent, par le fait même de l'« explosion » récente de ses moyens d'investigation, n'en est encore qu'à ses débuts. D'où vient l'homme ? Pourquoi y a-t-il des hommes ? Comment évoluent-ils ? Telles sont les questions que se posent les paléontologues et qui nous concernent tous, car l'histoire de nos ancêtres est aussi celle des civilisations modernes et, pourquoi pas, pourrait éclairer celle de nos civilisations à venir.

Des bactéries aux primates

Les plus anciens fossiles remontent à plus de 3,5 milliards d'années. La vie sur la Terre est apparue sous des formes qui, bien que très simples, possédaient déjà les principales caractéristiques du « vivant » : la capacité à se reproduire, à s'alimenter, à respirer, à synthétiser les produits qui lui sont nécessaires et à engendrer la dissymétrie. En l'absence de générations spontanées, l'extrême diversité des êtres vivants n'a d'autre explication qu'une longue série de transformations. Certes, les mêmes caractères se sont transmis de génération en génération : les mammifères, les oiseaux et les poissons sont tous des vertébrés, particularité qui leur a été léguée par leur ancêtre commun. Mais la simple transmission d'un patrimoine héréditaire ne peut suffire à expliquer les différences opposant, par exemple, le poisson à l'oiseau. Les modifications de ce patrimoine relèvent de mécanismes génétiques qui permettent l'adaptation à un environnement, l'acquisition de nouvelles spécificités et la transmission de celles-ci. Le contrôle de ces caractères inédits est opéré par la sélection naturelle qui élimine les individus les plus fragiles, ceux qui ne sauraient s'adapter aux changements constants de l'environnement. Cette évolution s'effectue, bien sûr, à l'échelle de millions d'années. Les milliards d'années qui séparent la première cellule de l'homme ont été le siège d'une aventure biologique innovatrice mais sans pitié. La cellule initiale, simple membrane contenant le matériel génétique, s'est adjoint une seconde membrane délimitant un noyau et ses organites. Cette nouvelle cellule s'est ensuite divisée, donnant naissance il y a 600 millions d'années aux premiers êtres vivants pluricellulaires. Les poissons, premiers vertébrés, sont apparus 100 millions d'années plus tard. Puis, vers 360 millions d'années, les premiers amphibiens, dotés de poumons et de membres, se sont lancés à la conquête du milieu terrestre. Les reptiles ont succédé aux amphibiens, les oiseaux à un certain groupe de reptiles ; enfin, il y a plus de 120 millions d'années, sont apparus les premiers mammifères.

Des prosimiens aux primates supérieurs (hominoïdes), une évolution possible : le Plésiadapis, le Propliopithèque, l'Oréopithèque, le Ramapithèque.

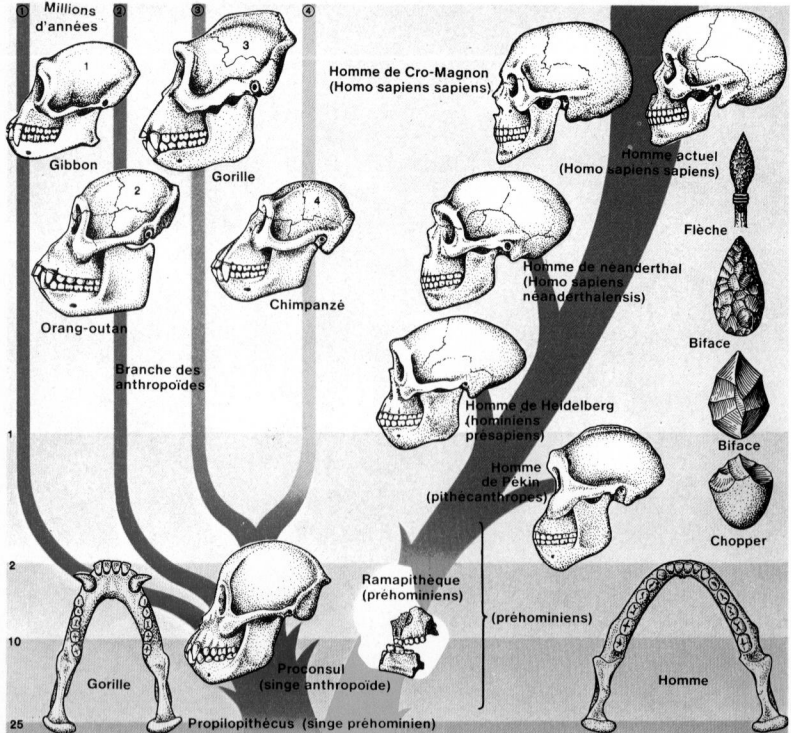

Les étapes présumées de l'évolution de l'homme et des singes anthropoïdes.

Qu'est-ce qu'un primate ?

Les primates constituent l'ordre zoologique sous lequel sont rassemblées deux cents espèces de mammifères telles que les lémuriens, les tarsiers, les singes et l'homme. Tous possèdent deux mamelles pectorales. Cette remarque peut paraître étrange, mais c'est l'une des rares caractéristiques qu'ils possèdent en commun, avec le développement du cerveau, particulièrement remarquable chez l'homme. Autre trait pertinent, la mobilité des doigts qui facilite le maniement des objets. Les plus anciens primates connus datent de 70 millions d'années et sont contemporains des derniers dinosaures. Ces fossiles, appelés *Purgatorius*, descendent d'insectivores dont ils ont gardé un certain nombre de traits distinctifs. Les primates *Anthropoidea*, dont la taille peut aller de 15 cm à 2 m, habitent l'Afrique, l'Amérique, l'Asie et l'Europe. Les plus célèbres sont les grands singes, les orangs-outans, les gorilles et aussi les chimpanzés qui sont nos plus proches parents. Ces derniers ne diffèrent de l'homme que par 1 % de leur patrimoine génétique. La frontière séparant les hommes des autres primates est souvent difficile à évaluer, mais notre parenté commune rend particulièrement intéressante l'étude de leurs comportements.

Des primates à l'homme

L'évolution des primates, groupe auquel l'homme appartient, révèle deux tendances principales : la modification des membres et l'important développement du crâne. Il y a environ 35 millions d'années, les grands singes tels que les gorilles, les chimpanzés et les orangs-outans commencèrent à se différencier des hominiens. Restés arboricoles pour la plupart, leurs mains et leurs bras se développèrent pour mieux s'adapter à leur habitude de courir de branche en branche. Les primates fossiles sont rares, même si d'importantes découvertes ont eu lieu dernièrement. Certains d'entre eux se placent sur la ligne évolutive qui mène à l'homme. C'est le cas, par exemple, de l'Ægyptopithèque, vieux de plus de 20 millions d'années. Il possédait encore une queue mais sa dentition évoluée permet de le placer dans la lignée humaine. De même, le Ramapithèque, vieux de 12 à 14 millions d'années, connu de façon très fragmentaire en Inde et en Afrique, semble être un intermédiaire entre la famille des grands singes et l'homme. Les ancêtres de l'homme les mieux connus sont sans aucun doute les Australopithèques, dont les plus anciens sont âgés de 5,5 millions d'années. Exclusivement africaines, les découvertes de ces hominidés attestent un net développement du cerveau et une bipédie parfaite.

La notion de conscience

La distinction entre l'homme et les grands singes est souvent difficile à préciser. Physiquement, nos ancêtres diffèrent des autres primates par l'extraordinaire développement du cerveau, le raccourcissement de la face et une bipédie parfaite. La dentition présente également des caractères singuliers, comme la forme parabolique de l'arcade dentaire, la réduction des canines et les deux « bosses » des prémolaires inférieures. Le physique n'est bien évidemment pas le seul critère d'appréciation. L'homme est bipède, mais il est aussi intelligent, capable de langage articulé et créateur d'outils. Certes, la branche qu'effeuille le chimpanzé pour récolter les termites dont il est friand peut être considérée comme un outil, en ce sens qu'elle est directement utilisée par la main. Mais ce genre d'instrument est sans commune mesure avec ceux des hommes, fabriqués en grande quantité, réutilisés et parfois même transportés. L'intelligence n'est pas un critère suffisamment précis pour que l'on soit amené à en exclure toute forme chez les animaux. C'est la raison pour laquelle certains chercheurs préfèrent utiliser la notion de conscience qui, bien qu'encore assez vague, leur permet d'affirmer que si l'animal « sait », l'homme « sait qu'il sait ».

Les races humaines

La « conscience », cette connaissance de soi, est une faculté partagée par tous les hommes, quel que soit le groupe apparemment homogène auquel ils appartiennent. La notion de race chez l'homme, résultat d'isolements géographiques, n'est qu'un critère arbitraire en terme d'évolution. Seules comptent les espèces. La définition des variétés au sein d'une espèce s'est faite traditionnellement à partir du caractère le plus apparent : la peau. Distinction sommaire qui avait l'avantage de correspondre à peu près à des répartitions par continents : Blancs pour l'Europe, Jaunes pour l'Asie, Noirs pour l'Afrique, etc. Mais on aurait pu tout aussi bien se baser sur l'étude du groupe sanguin ou la couleur des yeux, critères tout à fait fiables pour distinguer les variétés entre elles. En outre, pour corroborer l'arbitraire de la notion de race, les études anthropologiques portant sur ce problème sont en général orientées en faveur de la thèse qui sous-tend ces recherches. Certaines populations sont d'apparition très récente, comme les Canaques, Mélanésiens de Nouvelle-Calédonie, dont l'histoire remonte à 3 000 ans, ou les Maoris, Polynésiens de Nouvelle-Zélande, 700 ans après Jésus-Christ. Sans cette variété humaine qu'offrent les races, notre passé aurait été infiniment moins riche, et notre avenir moins prometteur.

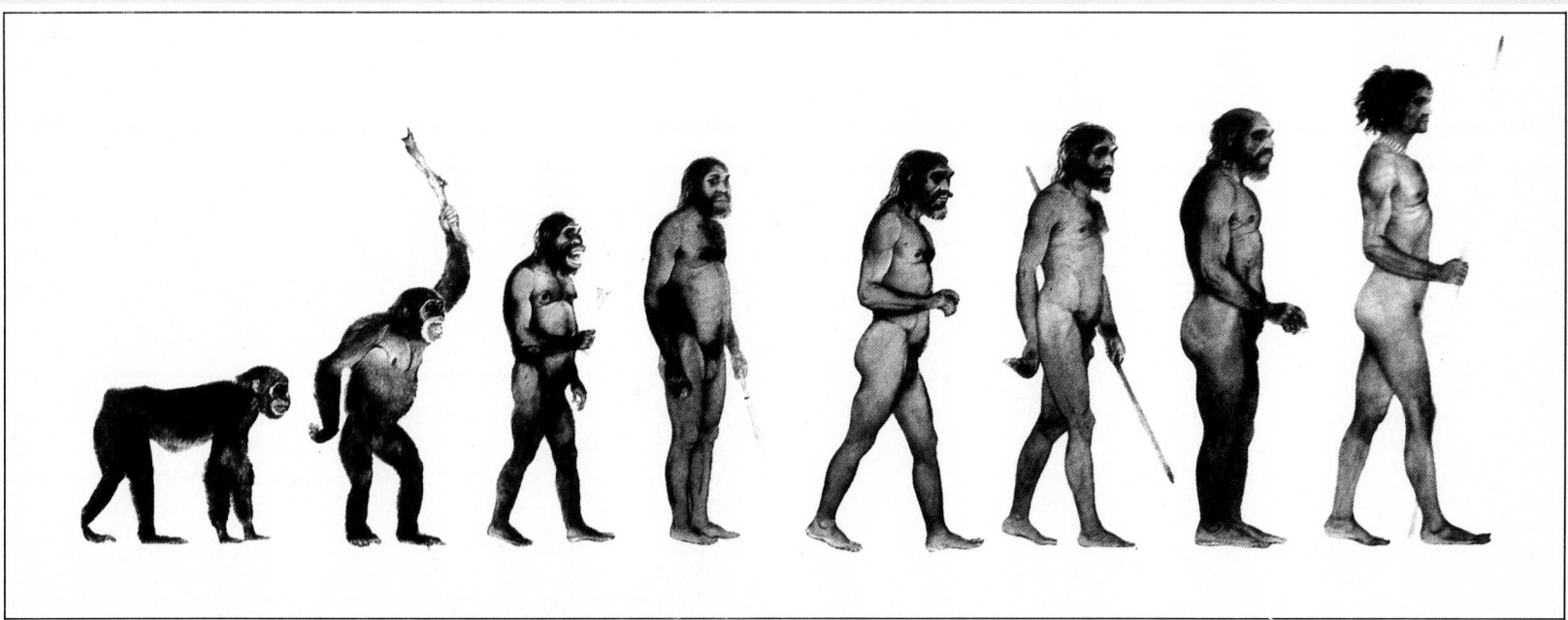

Les étapes de l'évolution (à partir d'un ancêtre commun aux singes anthropoïdes et à l'homme) : Primate arboricole, Ramapithèque, Australopithèque, « Homo habilis », « Homo erectus », « Homo sapiens », « Homo sapiens neandertalensis » et « Homo sapiens sapiens ».

4 000 000

Awash Valley, Ethiopie
Pour la première fois dans l'histoire de l'humanité, un primate supérieur se tient debout. Les éléments que l'on possède sur le squelette de ce pré-homme permettent de le distinguer nettement des grands singes, sans que l'on puisse certifier le succès futur de la marche bipède.

Massif central
Le volcan du Mont-Dore est en éruption et répand des coulées de lave longues de plusieurs dizaines de kilomètres. A l'inverse, les volcans du Cantal voisin se sont quasiment éteints.

3 700 000

Laetoli, Afrique
Dans cette vallée de la Tanzanie, où la végétation est luxuriante et les lacs nombreux, des pré-hommes ont laissé les empreintes de leurs pas. Les cendres du volcan voisin, le Sandiman, ont peu à peu recouvert le sol des environs, au fur et à mesure des éruptions, et ont ainsi protégé de l'érosion ces traces antiques. →

3 100 000

Omo, Afrique orientale
Lucy, une jeune Australopithèque gracile de vingt-cinq ans, est morte noyée. L'espèce à laquelle elle appartient, Australopithèque *afarensis*, est exclusivement limitée à l'immense vallée d'effondrement qui va de l'Ethiopie à l'Afrique du Sud. Elle se nourrit de noix, de fruits, de racines et sans doute de proies occasionnelles. →

3 000 000

Omo, Afrique orientale
Nos ancêtres ont inventé l'outil. Les premiers instruments sont rudimentaires mais assez diversifiés. De petits galets de quartz, grossièrement fracturés, procurent pointes et tranchants. Les éclats sont eux aussi parfois utilisés, retouchés en burins et en grattoirs. Ce type d'outils sera exploité pendant deux millions d'années. →

Afrique du Sud
Une nouvelle espèce apparaît en Afrique du Sud : l'Australopithé-

que *africanus*. Son espérance de vie est limitée à vingt-deux ans. Contrairement à l'espèce *afarensis*, au régime vraisemblablement omnivore, les Australopithèques sud-africains sont presque exclusivement végétariens.

2 800 000

Afrique
L'Australopithèque *afarensis* disparaît, laissant vraisemblablement place à l'*Homo habilis*. Ses habitudes auront contrasté avec celles des autres espèces d'Australopithèques, comme son contemporain l'*africanus*.
Après avoir eu depuis 900 000 ans le nord pour pôle, le champ magnétique terrestre s'inverse. De telles inversions sont relativement fréquentes : elles se répètent à l'échelle du million d'années. Quant au temps nécessaire à cette inversion, il est de l'ordre de 2 000 à 3 000 ans. En premier lieu, l'intensité du champ magnétique terrestre se réduit au tiers de sa valeur, puis les pôles s'inversent par un mouvement de rotation, jusqu'à occuper leur nouvelle position. Le champ magnétique terrestre reprend alors progressivement son intensité initiale.

Hadar, Afrique orientale
L'usage des outils est devenu pour les « hommes » africains une réalité quotidienne. Ils sont taillés dans la pierre et quelquefois dans l'os. Dans cette région verdoyante où les arbres fruitiers et le gibier abondent, l'homme s'installe à proximité d'un point d'eau et taille ses outils sur place. Une vie sociale devait exister et des rudiments de langage permettre aux premiers hommes quelques échanges sonores articulés.

2 200 000

Hadar, Afrique
L'*Homo habilis* a probablement peuplé cette région. A l'est du lac de Turkana, quelques ossements traduisent sa présence, ainsi que des outils dont le modernisme (1 800 000) semble être le fait de vrais hommes.
Le refroidissement des pôles provoque un accroissement considérable du volume (multiplié par trois) et une extension des glaces polaires dont les conséquences sont multiples : le niveau des mers s'abaisse de près de 100 m et la planète s'assèche progressivement.

Les premiers pas de l'homme

La marche verticale est sans aucun doute l'une des plus importantes acquisitions humaines. Parce qu'elle libérait les mains de l'homme de toute contrainte, elle peut être considérée comme étant à l'origine du développement des industries et, par consé-

Empreintes de pas humains, vieilles d'environ 3 680 000 ans, à Oduvai en Tanzanie.

Les cousins de l'homme

Les Australopithèques, longtemps considérés comme des singes, comptent quatre espèces distinctes, toutes africaines : *Australopithecus africanus*, *afarensis*, *boisei* et *robustus* qui ont vécu entre deux et un million d'années et sont restés sans descendance. Ces deux dernières espèces, contemporaines mais séparées géographiquement, semblent avoir réalisé la même

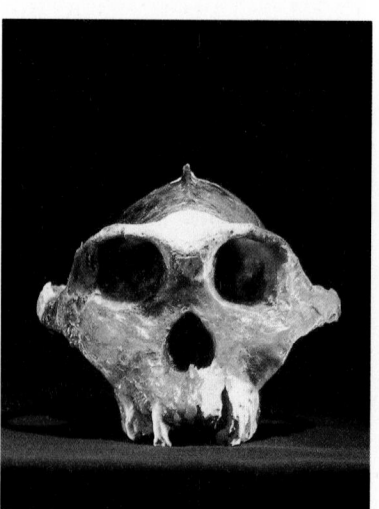

Crâne d'Australopithèque. Végétarien, l'Australopithèque possédait une très forte mâchoire.

quent, d'une évolution au profit de l'intelligence. La bipédie était pourtant un moyen de locomotion assez répandu chez les animaux : certains mammifères, comme le suricate d'Afrique du Sud, utilisaient depuis longtemps leurs membres inférieurs. Mais elle n'intervint que relativement tard chez l'homme. On sait que les Australopithèques possédaient une station érigée parfaite. Trois d'entre eux ont laissé des empreintes de leurs pas dans la cendre volcanique de Laetoli, en Tanzanie. La plus grande d'entre elles mesure 21,5 cm et la plus petite 18,5 cm. La taille de ces hommes était assez réduite : 1,4 m pour le plus grand et 1,2 m pour le plus petit, vraisemblablement une femme. L'un d'entre eux s'est arrêté pour se tourner sur sa gauche alors qu'il marchait vers le nord. Sans doute voulait-il se garder des prédateurs, nombreux en cette région. Ces empreintes de pas peuvent être datées de 3 680 000 ans mais il existe vers 5 500 000 ans des preuves plus anciennes de la bipédie humaine : des restes d'Australopithèques vieux de cinq millions d'années et demie présentent en effet les principales adaptations morphologiques nécessaires à ce nouveau mode de locomotion : les os des membres et du bassin, le *foramen magnum* à la base du crâne, sont autant d'indices de la position verticale adaptée par les premiers hommes, même si la tête portée de façon si humaine conserve des traits simiesques.

adaptation. L'Australopithèque *boisei* ou Zinjanthrope, habite l'Afrique orientale. Il mesure 1,4 m, son cerveau est à peine plus grand que celui des gorilles, le crâne en équilibre sur la colonne vertébrale. Sa forte mâchoire est nantie de muscles puissants qui s'insèrent jusqu'au sommet du crâne qui porte une crête médiane. Ce paisible hominidé est végétarien, comme en témoignent les traces d'usure relevées sur ses grosses molaires. L'Australopithèque *robustus* habite l'Afrique du Sud, l'Ethiopie, la Tanzanie et le Kenya. Il est plus grand que le *boisei*, plus vigoureux aussi, mais est soumis au même régime végétarien. Leur espérance de vie devait être probablement inférieure à vingt ans. Dans la grotte de *Swarktrans*, en Afrique du Sud, les restes de cent trente *robustus* ont été retrouvés, associés avec ceux de divers animaux. Les traces de dents de carnivores relevées sur certains ossements préhominiens prouvent qu'ils auraient été victimes de prédateurs, sans doute de léopards. Quelques outils ont également été retrouvés non loin de ces restes humains, mais il ne semble pas que les *robustus* en aient été les auteurs. Leur présence doit plutôt être attribuée aux *Homo habilis*.

Lucy, une jeune Australopithèque gracile, est morte noyée

Omo, Afrique orientale, vers 3 100 000

Il y a 3,1 millions d'années, la vallée de l'Omo, en Éthiopie, était dévastée par une violente crue. A cette époque, le climat de l'Afrique de l'Est était relativement doux et les pluies fréquentes. Une jeune Australopithèque de vingt-cinq ans périt noyée dans cette inondation. L'espèce *afarensis* à laquelle elle appartenait est la plus ancienne des espèces d'Australopithèques connues : certains ossements remontent à 3,7 millions d'années. Ce sont d'ailleurs les mêmes hominidés qui ont laissé les empreintes de leurs pas à Laetoli, en Tanzanie. Lucy, ainsi que la baptisa l'équipe de chercheurs qui la mit au jour, était bipède. De la taille d'un pygmée, un peu plus d'un mètre de haut, elle devait peser environ trente kilos. Son port était légèrement voûté, ses bras un peu plus longs que ses jambes. La capacité crânienne moyenne de l'espèce *Afarensis* est encore faible. Elle varie entre 300 et 400 cm³. Il ne semble pas qu'elle ait taillé des outils dont l'invention doit plutôt être attribuée à l'*Homo habilis*. Ces hommes habitaient la vallée du Rift, où la luxuriante végétation leur offrait des fruits en abondance. Pour améliorer cet ordinaire, ils chassaient des animaux de petite taille et s'attaquaient parfois à de gros mammifères, comme l'éléphant, lorsqu'ils étaient malades ou mourants et présentaient donc peu de danger. Cette espèce gracile contraste avec les autres formes africaines contemporaines beaucoup plus robustes et massives, dont elle ne possède d'ailleurs ni les grosses molaires, ni la crête sagittale. Les formes graciles du type de Lucy ont longtemps été considérées comme celles d'individus féminins dont les formes robustes auraient été la réplique masculine. Cette idée n'a plus cours aujourd'hui, des différences trop nombreuses ayant été relevées entre ces deux types humains. Aussi préfère-t-on parler d'« espèces » distinctes.

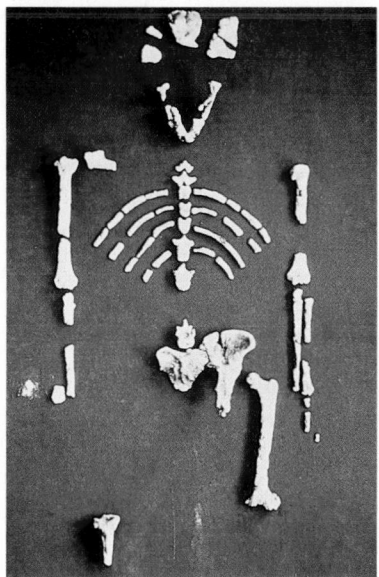

Le squelette dit de Lucy (environ 3 millions d'années), découvert dans la vallée de l'Omo en Éthiopie.

Végétariens contre omnivores

La région des lacs africains, géographiquement isolée, offrait les conditions idéales à l'émergence de l'homme et à sa survie. Les moyens de subsistance y étaient extrêmement variés ; il semble pourtant que nos étranges parents, les Australopithèques, aient été essentiellement végétariens. Leur crâne et leur denture sont en effet modelés comme pour mieux moudre et s'adapter à une alimentation coriace, à base de bulbes et de racines. Leur forte mâchoire est pourvue de grosses molaires qui présentent des traces d'usure révélatrices d'un tel régime. Les muscles des mandibules s'insèrent fortement sur les côtés du crâne. Toutes ces caractéristiques se sont développées au maximum chez l'espèce *boisei* qui, sans doute plus que les autres, a dû s'adapter à l'aridité progressive de l'Afrique orientale. Il est vrai que le régime omnivore présenta de grands avantages lorsque ces régions autrefois boisées prirent l'aspect de steppes désertes. Des quatre espèces d'Australopithèques, seules l'*afarensis* et l'*africanus* semblent avoir pris goût à la viande, jusqu'à expérimen-

ter une alimentation mixte. L'espèce *Africanus* développa une forte denture composée d'incisives et de canines relativement grandes, de prémolaires et de molaires assez développées, le tout constituant un ensemble capable de venir à bout aussi bien de plantes fibreuses que de petites proies occasionnelles. Ces hommes primitifs vivent de chasse et de cueillette. D'ordinaire, ils tuent à main nue ou à l'aide de pierres et de pieux des petits animaux comme le porc-épic, le porc sauvage, le lièvre, les oiseaux et les petits rongeurs. Mais, lorsque l'occasion s'en présente, ils n'hésitent pas à achever de gros mammifères blessés ou mourants, ni à consommer la chair des animaux morts ou brûlés. L'*Homo habilis* développa par la suite, avec une denture bien adaptée à une alimentation désormais largement omnivore, des techniques de chasse et de dépeçage beaucoup plus sophistiquées. Sur le plan culturel, il est considéré comme le créateur de la culture dite de « galets aménagés » et peut-être également, des premières sociétés humaines. Ses outils lui garantirent bien sûr sa survie, mais ils lui permirent également de partir à la conquête de l'Asie et de l'Europe.

Les premiers outils

Omo, Afrique orientale, vers 3 000 000

Les plus anciens outils façonnés par la main de l'homme ont été découverts en Afrique. A Oldoway a été découvert un crâne humain associé à des galets-outils, des éclats non retouchés, une massue de pierre. Les premiers outils sont des galets de lave et de quartz, grossièrement taillés en pointes aplaties ou en arêtes tranchantes. On en reconnaît deux types principaux : les *choppers*, dont une seule face a été modifiée, et les *chopping tools*, dont les deux faces ont été taillées. Ces industries assez rudimentaires correspondent à la civilisation dite des galets ou *pebble culture*. Les galets sont taillés par percussion sur une autre roche ou enclume, généralement très résistante, comme le quartz, le basalte ou l'obsidienne. Dans les endroits où ces pierres dures sont nombreuses, l'homme s'installe et taille ses outils sur place. Le cas échéant, il se contente de ramasser des galets sur son parcours de chasse, en les choisissant soigneusement. Les éclats de pierre obtenus par la frappe du galet sont également utilisés, parfois retouchés en grattoirs ou en racloirs. L'homme fait ainsi, si l'on peut dire, d'une pierre deux coups : les galets lui servent à tuer ses proies et les éclats à les dépecer. Ces instruments lui sont précieux puisqu'il n'hésite pas à les transporter à des kilomètres de l'endroit où ils ont été taillés. Ces outils sont fabriqués selon un sché-

Des galets à peine dégrossis, tels sont les outils des Australopithèques il y a 3 millions d'années.

ma préétabli et, chose curieuse, en « série », en grande quantité. Dans la vallée de l'Omo, on a retrouvé sur un lieu de taille jusqu'à cent cinquante de ces outils au mètre carré. Les galets n'ont pas été la seule matière de base : en Afrique du Sud, à Swarktrans, les Australopithèques utilisaient également des os longs dont ils se servaient comme d'une pioche pour déterrer leur nourriture, des racines et des tubercules. L'Australopithèque pourrait être le premier hominidé à fabriquer les instruments dont il a besoin. C'est en frappant une matière sur une autre matière qu'est en effet né l'outil au sens propre, celui que l'on aménage avant de l'utiliser. En dehors de l'Afrique, on possède peu de preuves de l'existence de communautés qui fabriquaient des outils. En Angleterre cependant, dans les régions du Norfolk et du Suffolk, quelques silex grossièrement taillés ont peut-être été taillés par des hominidés contemporains, des Africains inventeurs de la *pebble culture*.

L'Afrique, berceau de l'humanité

Rift Valley

La région des lacs (*Rift Valley*), est généralement considérée comme le berceau de l'humanité. Aucun Australopithèque n'a été découvert en dehors de cette zone qui, c'en est sans doute l'explication, est délimitée par des barrières naturelles. Les préhommes sont apparus

il y a environ 6 millions d'années. Plusieurs espèces ont par la suite cohabité, dans des conditions naturelles au départ très favorables. Mais l'aridité qui s'installe et la désertification progressive de l'Afrique, résultant d'importants changements climatiques à l'échelle de la planète, ont contraint nos ancêtres à quitter la vallée originelle pour rechercher de nouveaux territoires.

Le site d'Olduvai en Tanzanie. La steppe d'Afrique orientale est le milieu naturel d'où vient l'« Homo habilis », qui utilisait déjà des outils.

2 000 000

Afrique

L'Australopithèque *robustus* est né. Son imposante stature (1,5 m pour 50 kg) constitue pour l'époque un argument dissuasif. Cet homme est pourtant d'un naturel paisible. Il se nourrit de racines et son espérance de vie est limitée à dix-sept ans.

L'espèce Australopithèque *africanus*, distincte de la lignée des Australopithèques *afarensis*, disparaît. Sa présence sur la Terre aura donné naissance à deux nouvelles espèces, les Australopithèques *robustus* et *boisei*. →

Chine

Des *Homo erectus* parmi les plus anciens connus habitent le comté de Jiang Xi.

Chilhac, Haute-Loire

Des « hommes » ont chassé l'éléphant et le mastodonte. Ils ont abandonné une demi-douzaine de galets taillés à côté des restes de ces gros mammifères.

Chine

Les *Homo erectus* qui habitent le comté de Jiang Xi ont inventé un outil bien plus perfectionné que ceux de leurs ancêtres, les *Homo habilis* : le biface, remarquable par sa symétrie, est un silex en forme d'amande taillé sur deux faces. Ces hommes sont, en outre, de véritables conquérants d'espaces nouveaux.

1 800 000

Olduvai, Tanzanie

L'Australopithèque *boisei*, issu vraisemblablement de l'Australopithèque *robustus*, fait son apparition. Cette nouvelle espèce est essentiellement végétarienne, mais l'aridité croissante de l'Afrique la contraint à une alimentation de plus en plus coriace.

Kenya et Ethiopie

Enfin l'homme, ou presque, avec l'*Homo habilis* qui doit son nom à son habileté manuelle. Si son intelligence est encore faible, le volume crânien augmente en même temps que le front se développe et que la dentition se transforme. C'est que l'homme est désormais largement omnivore. →

Indonésie

Les premiers Indonésiens, des *Homo erectus*, taillent leurs outils en *chopping tool* et utilisent les éclats en racloirs pour dépecer leurs proies.

Ethiopie

L'homme africain construit des abris de plein air, sortes de huttes rudimentaires. Dans d'autres régions, il s'abrite dans les grottes, lorsqu'elles existent et peuvent lui procurer une protection suffisante. →

Lac de Turkana, Rift Valley, Kenya

Les premiers hommes chassent et pêchent mais ne s'attaquent le plus souvent qu'à de petites proies. Pour la première fois pourtant, ils s'en sont pris à des gros mammifères comme l'éléphant ou encore l'hippopotame. Sans doute s'attaquaient-ils de préférence à des animaux fatigués ou malades.

1 700 000

Chine

Après le comté de Jiang Xi, habité depuis 300 000 ans, les *Homo erectus* occupent désormais Yuanmou, et également Java. →

Makapangsat, Transvaal

Fait surprenant, des Australopithèques ayant trouvé asile dans une grotte ont rapporté dans leur intérieur pour les manger de nombreux mammifères. Ils ont même utilisé les cornes, les os et les dents pour fabriquer des outils.

1 600 000

Afrique orientale

Alors que les *Homo erectus* ont déjà conquis l'Asie depuis 400 000 ans, les derniers *Homo habilis* sont en train de disparaître.

1 500 000

Afrique

L'espèce Australopithèque *robustus* disparaît sans laisser de descendance, anéantie par la désertification progressive des régions africaines et par le succès de ses cousins *Homo*. →

Les hommes sont désormais plus d'un million sur la Terre.

1 200 000

Orce, Espagne

Le premier homme européen est espagnol.

Afrique

L'espèce Australopithèque *boisei* s'éteint sans laisser de descendance directe. →

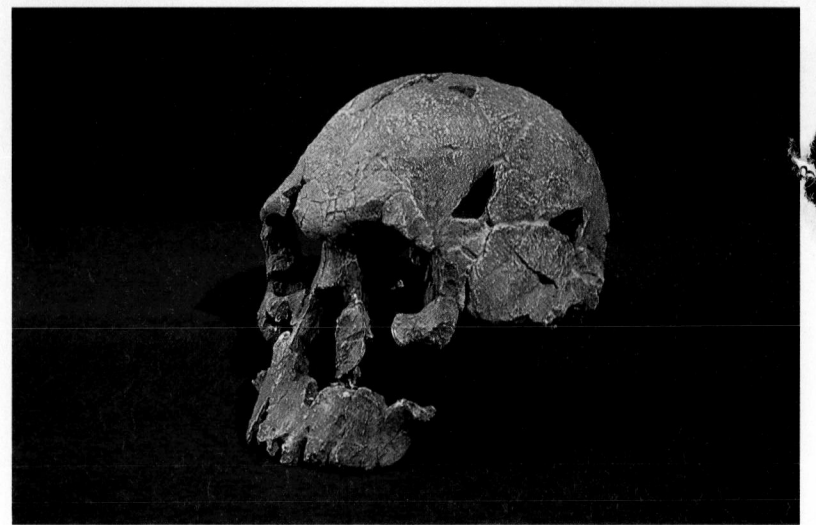

Crâne d'« *Homo habilis* » trouvé au Kenya. Moulage. Omnivore, l'«*Homo habilis* » est la première espèce du genre Homo.

Le règne de l'"Homo habilis" et l'avènement de l'"Homo erectus"

Parmi les ancêtres des hommes, une espèce africaine présente de nombreux caractères qui la distingue déjà des Australopithèques et la rapproche des *Homo erectus*. Cette espèce, la plus ancienne du genre Homo, a été dénommé *habilis* (homme habile) en raison de ses capacités techniques et de son ingéniosité. De 4 millions d'années à 1,6 million d'années environ, on rencontre cette forme nouvelle en Ethiopie, en Tanzanie, au Kenya et en Afrique du Sud où elle devait cohabiter pacifiquement avec les Australopithèques. L'*Homo habilis* est petit, environ 1,3 m pour une quarantaine de kilos. Sa capacité crânienne, plus importante que celle des Australopithèques, varie entre 650 et 750 cm³. La voute crânienne est haute, le front bombé, la projection de l'arcade sourcillière réduite. A l'inverse de ses prédécesseurs, l'arrière-crâne est arrondi et dépossédé de la crête saggitale qui caractérisait les grands singes et le Zinjanthrope. La nature de sa denture le rapproche de l'homme moderne : l'ensemble constitue en effet une arcade continue, harmonieuse, et annonce les transformations révélatrices d'une alimentation désormais largement omnivore. Le développement du cerveau de l'*Homo habilis* va de pair, semble-t-il, avec celui de ses facultés. Cette espèce est en effet si brillante que certains savants l'ont choisie pour dater l'apparition du langage et de la réflexion. Les premiers outils fabriqués de la main de l'homme lui sont généralement attribués. A Garba, en Ethiopie, des hominidés de cette forme ont, à plusieurs reprises, occupés une plage de l'Awash où ils chassaient l'hippopotame et l'antilope, dont ils convertissaient ensuite les ossements en outils. L'*Homo habilis* pourraient également être l'auteur des premiers bifaces, de facture encore très archaïque. Son génie inventif ne s'arrête pas là : il construit ses propres abris. Lorsqu'un groupe d'*habilis* souhaitait s'établir quelques temps dans une région particulièrement giboyeuse et riche en arbres fruitiers, il délimitait une aire circulaire à l'aide de petits tas de cailloux qui devaient probablement servir à caler des poteaux. Les restes de campements similaires découverts à Olduvai, en Tanzanie, témoignent peut-être des premières sociétés humaines. L'*Homo erectus* pourrait être une forme développée de l'*Homo habilis*. Les restes les plus anciens qui lui sont attribués datent de 1,5 million d'années pour l'Afrique, et de 1,7 million d'années pour la Chine, quoique dans ce dernier cas, ils sont associés à des outils beaucoup plus antiques. Cet hominidé se caractérise par l'incroyable épaisseur des parois du crâne dont la capacité moyenne est estimée à 1 000 cm³ (elle équivaut à celle de l'homme actuel). La face est étroite et haute, le front fuyant avec des arcades sourcillières très fortement marquées et une arcade dentaire parabolique. Artisan d'une industrie relativement diversifiée, l'*Homo erectus* a su maîtriser le feu. Omnivore comme l'*Homo habilis*, il n'est pas impossible que la quête du gibier l'ait entraîné à se déplacer. Par conséquent, cette espèce qui couvre deux continents, offre une ample variabilité : l'*Homo erectus* de Chine n'est pas le même que ceux découverts en Europe et en Afrique. Autre particularité, nous ne sommes pas passés de l'*Homo habilis* à l'*Homo erectus* de façon nette, comme ce fut le cas, par exemple, de l'*Australopitecus africanus* à l'*Australopitecus boisei*. L'évolution fut lente et progressive, les traits se sont transformés à des vitesses différentes. Aussi, les formes appelées *habilis* et *erectus* ne sont peut-être pas de véritables espèces, mais plutôt des stades morphologiques, des grades d'une sorte de « super-espèce » qui donnera une extraordinaire impulsion aux inventions techniques et culturelles.

Extinction des Australopithèques

L'extinction des espèces est un fait fréquent dans l'histoire de l'humanité. Elle est liée à une sélection naturelle des êtres. Le dernier million d'années, s'est révélé être une époque particulièrement funeste aux hommes primitifs. Aucune espèce d'Australopithèques n'y a survécu. Les causes de ces extinctions sont certainement très nombreuses, mais la principale est l'assèchement du climat qui affecte l'ensemble de l'Afrique. Les Australopithèques ont dû s'adapter à un paysage ouvert, déboisé. Des espèces végétariennes très spécialisées comme le Zinjanthrope ou le Paranthrope auraient pu ainsi disparaître par manque de nourriture. Ce changement de conditions naturelles a également eu d'importantes conséquences sur l'évolution humaine et provoqua leur migration en direction de l'Asie. Il est pratiquement certain que l'émergence en Afrique de l'*Homo erectus*, déjà largement omnivore, a augmenté la compétition entre les espèces, auparavant fort peu dissemblables, et favorisé leur disparition. L'Australopithèque *afarensis* s'est montré de loin le plus résistant : il aura survécu cinq millions d'années contre deux millions d'années pour l'*Homo habilis* et seulement un million d'années pour le *boisei*. Seul l'*Homo erectus* survivra à toutes ces extinctions. Il peuplera l'Afrique et l'Asie il y a plus de 1 million d'années et donnera naissance à l'*Homo sapiens*. L'étude des restes d'Australopithèques est intéressante car elle nous apprend que dans l'évolution vers la forme humaine, la denture a atteint un degré précoce de spécialisation, alors que l'appareil locomoteur n'est pas encore achevé et que l'évolution du cerveau paraît en retard, même si sa morphologie laisse à penser que les premiers hommes ont passé le cap de la pensée réfléchie.

L'Australopithèque "africanus"

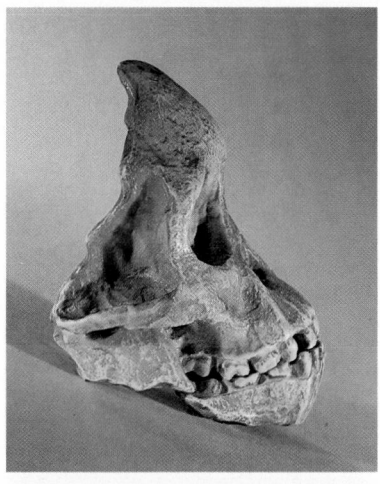

Crâne d'enfant. Australopithèque « africanus ». On remarquera la puissance de la mâchoire.

L'Australopithèque *africanus* est la plus ancienne des espèces graciles d'Australopithèques. Elle est aussi la plus méconnue. Cet hominidé semble avoir vécu à la fois en Afrique du Sud dans la région du Transvaal et en Afrique de l'Est, entre 3 et 1 million d'années. De taille moyenne, environ 1,3 m, son cerveau est placé très en arrière d'une face projetée, sans menton, dotée d'arcades sourcilières peu développées. L'espèce *africanus* était vraisemblablement omnivore et ne fabriquait pas d'outils, ce qui rend plus difficile sa compréhension. Ses fossiles les plus célèbres sont l'enfant de Taung, découvert en 1924 en Afrique du Sud, et les hommes de Makapangsat et de Sterkfontein, dans le Transvaal.

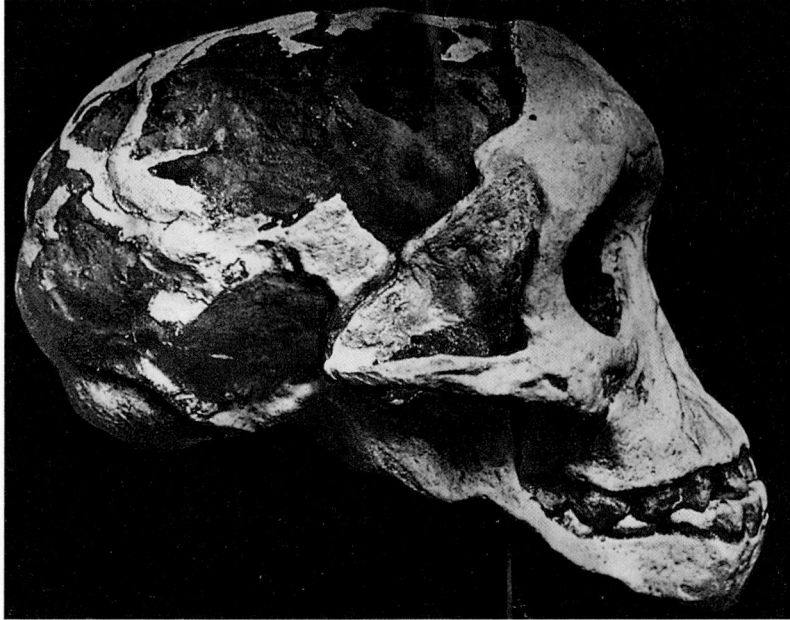

C'est en 1924 à Taung, en Afrique du Sud, que fut découvert ce crâne d'enfant, témoin de l'espèce Australopithèque « africanus ».

Les premiers abris humains

Si les Australopithèques d'Afrique du Sud ont pu trouver asile dans les grottes de Taung, de Makapansgat et de Sterkfontein, leurs frères qui vivaient en plein air dans les savanes d'Ethiopie et de Tanzanie ne pouvaient disposer de tels refuges naturels. A Olduvai, au nord de la Tanzanie. Ces hommes se sont donc construit des abris à l'aide de petits tas de cailloux disposés en demi-cercle devant une murette de pierres sèches qui servait de coupe-vent. Des poteaux étaient calés entre les cailloux et supportaient vraisemblablement des branchages. Les plus vieilles traces de ces abris primitifs sont vieilles d'entre 1,8 et 1,5 million d'années.

Amas artificiels de galets de basalte, sur le site fossilifère d'Olduvai, dans le nord de la Tanzanie. Archives D Louis Leakey.*

L'homme atteint l'Europe et l'Asie

Il y a environ deux millions d'années, notre ancêtre direct, l'*Homo erectus*, désormais bien assuré sur ses deux jambes, entreprit la conquête du monde à partir de l'Afrique. Il se mit en marche vers le nord, c'est-à-dire vers l'Europe et l'Asie, vraisemblablement poussé par la recherche du gibier. Mais cette migration ne s'est accomplie que très lentement : par toutes petites étapes (quelques dizaines de kilomètres par génération), les hommes ont suivi le gibier qui remontait vers le nord. L'*Homo erectus* quitte ainsi son berceau africain, la Rift Valley, où naquirent les Australopithèques. Il y a un million d'années, on en trouve des traces en Israël, en Chine et également en France. Pourtant, certaines barrières comme les bras de mer, les fleuves, restent infranchissables pour les hommes primitifs. Durant des centaines de milliers d'années, l'Europe et l'Asie, de même que l'Amérique et l'Australie, étaient uniquement peuplées d'animaux. L'homme n'avait pas encore pénétré dans ces terres apparemment vierges de toute trace humaine. Les premiers *Homo erectus* qui, venant d'Afrique, peuplèrent l'Asie ont été les auteurs d'une industrie sur galets identique à celle connue en Afrique (*choppers* et *chopping tools*). Tandis qu'en Afrique les précurseurs de l'*Homo sapiens* perfectionnaient cette méthode en imaginant le célèbre biface, l'Asie prenait un grand retard dans le domaine des industries. De fait, jusqu'à la période correspondant à la fonte des glaces qui suivit la glaciation de Günz, les chercheurs n'ont que très peu de preuves de la présence d'hommes fabriquant des outils en dehors de l'Afrique, l'origine des premiers Européens est encore mal connue, mais elle pourrait être asiatique. Avec la première phase interglaciaire et le début de la deuxième glaciation, la répartition des peuples commence à se dessiner de façon plus nette. Aux environs de 450 000 ans, apparaissent les premiers *Homo sapiens* et il y a environ 100 000 ans, l'homme de Néandertal occupait l'Europe et une grande partie de l'Asie. A la fin de la dernière période glaciaire (Würm II), il y a environ 40 000 ans, seuls subsistaient les hommes modernes : *Homo sapiens sapiens*. Néanmoins, l'homme va se disperser sur une aire extrêmement étendue, et avec le temps, des populations isolées vont se différencier d'une région à l'autre. Ainsi le peuplement de l'Amérique du Nord par les Indiens n'a débuté qu'aux environs de 40 000 ans, et celui de l'Amérique du Sud vers 10 000 ans.

950 000

Europe occidentale
Un froid très vif a contraint les hommes à se réfugier dans la grotte du Vallonet, en Provence, qui est ainsi la plus vieille habitation européenne de cette sorte. Les outils qu'ils y ont abandonnés sont très primitifs et correspondent surtout à des *choppers*, silex taillés sur un seul tranchant. On y a trouvé des os, qui étaient rangés contre les parois de la grotte. →

800 000

Solheilhac, France
Des chasseurs ont provisoirement établi leur campement à Solheilhac. Ils se nourissent d'éléphants, de rhinocéros et d'hippopotames, preuve qu'ils n'éprouvent plus aucune hésitation à s'attaquer à de gros mammifères.

700 000

Ternifine, Algérie
Les *Homo erectus* qui habitent la région de Ternifine ont une allure massive et lourde. Ils présenteraient, en outre, un important dimorphisme sexuel.
Avec la naissance d'un nouvel outil, le biface, les hommes semblent avoir acquis l'importante notion de symétrie. Si les *chopping tools* étaient eux aussi produits à partir de l'enlèvement d'éclats sur les deux faces du galet, le biface se distingue par le complet dépouillement de sa surface initiale et surtout par la remarquable symétrie de ses deux faces. Au biface s'associe le hachereau à double face en Europe, sur éclats en Afrique, et des outils sur éclats plus ou moins spécialisés.

650 000

Heildelberg, vallée du Neckar
A cette époque, l'homme a encore une allure très massive, comme en témoigne la lourdeur de la mâchoire retrouvée à Heidelberg. Pourtant, l'évolution de la denture lui donne un aspect tout à fait moderne, même si son visage est disgracieusement dépourvu de menton. Cet homme, qui chassa dans la vallée du Neckar, appartient à la race des Pithécanthropes, mais il en représente une variante légèrement plus évoluée.

500 000

Les hommes primitifs évoluent, certes, mais ils se multiplient également. L'essor démographique humain est un incontestable succès : la population mondiale a d'ores et déjà franchi le cap des cinq millions d'habitants.

Chou-K'ou-Tien, Chine
La grande grotte de Chou-K'ou-Tien, près de Pékin, est habitée pour la première fois par des *Homo erectus*. L'occupation de ce site, le plus important de toute l'Asie en ce qui concerne l'histoire de l'homme paléolithique, durera 250 000 ans.

Auvergne
Le Mont-Dore est entré en éruption pour la dernière fois. L'arrêt de toute activité volcanique semble devoir s'appliquer à l'ensemble des volcans du Massif central. Elle survient après plus de dix-huit millions d'années d'activité. On ne peut, toutefois, considérer cet arrêt comme définitif, même si les flancs des volcans se couvrent d'une végétation rassurante. →

450 000

Pyrénées
Des *Homo sapiens* archaïques ont pris pied dans la région pyrénéenne. Un groupe de chasseurs-cueilleurs de cette espèce s'est abrité dans la petite grotte de Tautavel. Ils ramènent leurs proies (daim, cheval, rhinocéros...) dans cette habitation pour les consommer et y taillent également leurs outils. →

L'homme maîtrise enfin le feu. Depuis plusieurs centaines de milliers d'années, il avait appris à s'en servir occasionnellement, en récupérant notamment le feu des incendies. Le plus ancien foyer connu est celui de Vertesszöllös en Hongrie. Désormais, il le produit à volonté et cette conquête va non seulement bouleverser ses habitudes et sa vie sociale, mais aussi le séparer du monde animal pour qui le feu reste inconnu. →

400 000

Région pyrénéenne
Des *Homo sapiens* archaïques, morphologiquement très proches des hommes de la Caune de l'Arago (Tautavel), ont habité la grotte d'Atapuerca. Vraisemblablement issus de l'*Homo erectus*, ils se rapprochent de l'homme moderne.

Les "Homo sapiens" archaïques

Europe
L'*Homo sapiens*, issu de l'*Homo erectus*, apparaît vers 450 000. Il a les pommettes saillantes, les orbites larges et basses, surmontées d'arcades sourcilières très proéminentes. Seuls le volume de son crâne, le développement de son intelligence et sa stature, bien qu'assez massive, le rapprochent de l'homme

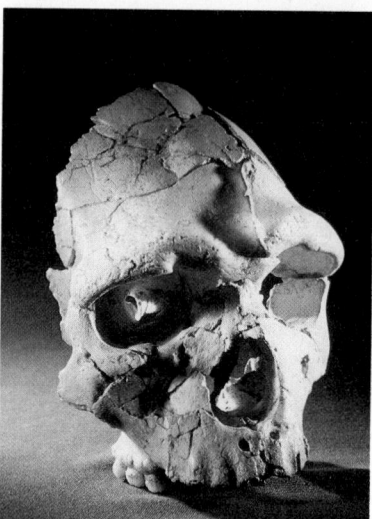

Crâne de « l'Homme de Tautavel », type d'« Homo sapiens » archaïque.

moderne ; les individus de cette nouvelle espèce peuplent l'Europe et la Russie où il est mieux connu que ses prédécesseurs. L'un des plus anciens habitait la Caune de l'Arago, à Tautavel, dans les Pyrénées orientales, il y a 450 000 ans. Parmi d'autres trouvailles célèbres, celles de Swanscombe en Angleterre, de Petralona en Grèce, d'Atapuera en Espagne et d'Azich en Russie. L'*Homo sapiens* réalise des progrès techniques décisifs : le feu est maîtrisé, l'habitat se transforme avec l'installation de litières pour dormir, de foyers pour s'éclairer et se chauffer, et même de dallage comme à Tautavel pour se protéger de l'humidité. La chasse s'organise également : les hommes n'hésitent plus à s'attaquer à de gros mammifères. A Torralba, en Espagne, certains d'entre eux ont allumé un feu pour chasser un troupeau d'éléphants vers un marais où ces gros pachydermes se sont enlisés, pris au piège, incapables de s'enfuir. Les chasseurs ont achevé leurs victimes à coup de pierres et de pieux, les ont dépecées sur place puis ont ramené au campement de gros quartiers de viande destinés à nourrir le reste du groupe.

Des "Homo erectus" occupent la colline des Dragons en Chine

Chou-K'ou-Tien, Chine
Entre 500 000 et 250 000, la grotte de la colline des Dragons, en Chine, a abrité à plusieurs reprises des hom-

Crâne de « l'Homme de Pékin », appartenant aux « Homo erectus » qui habitèrent la colline des Dragons.

mes de l'espèce *erectus*. Les cendres qui recouvrent le sol prouvent qu'ils connaissaient le feu. Leur visage aux arcades sourcillières proéminentes et au front fuyant est étonnant. Dans ces grottes on a retrouvé des restes humains mutilés, la face et la base du crâne brisées, comme si l'on avait voulu effacer le visage des morts. Peut-être s'agit-il là d'une des premières formes de cannibalisme ?

Un des plus vieux habitats européens : la grotte du Vallonet

Alpes maritimes
Dans la région de Monaco, la grotte du Vallonet, située à proximité de la mer, est sans doute l'une des

Ce chopper de la grotte du Vallonet représente une des formes les plus frustres de l'outillage lithique.

plus vieilles habitations d'Europe. Elle aurait été habitée entre 950 000 et 900 000. Les hommes qui s'y abritaient ne connaissaient pas encore le feu et utilisaient un outillage très rudimentaire (*choppers* et *chopping tools*). Les rigueurs du climat les ont sans doute contraints, la chasse achevée, à se réfugier dans cette grotte où ils ont rangé les os des grands mammifères contre les parois.

L'un des plus anciens foyers trouvés à ce jour en Europe : Terra Amata. Il date de 380 000 ans environ.

Dernières éruptions au Mont-Dore

Auvergne, 500 000

L'activité des volcans français est particulièrement intense dans la région du Massif central. Le Mont-Dore, actif depuis une vingtaine de millions d'années, vient pourtant de s'éteindre, tout comme ses voisins du Velay et du Bas-Languedoc. Des kilomètres de lave d'une ampleur inégalée dans le reste de l'Europe se sont répandus sur les terres alentour, sans compter la cendre et les pierres projetées à grande distance par la violence des explosions. L'extinction du Mont-Dore semble n'être qu'une accalmie. D'importants réservoirs de lave couvent dans ses entrailles et peuvent un jour rejaillir, même si le sommet est occupé par un paisible lac et ses flancs recouverts par la végétation. Par ailleurs, preuve que les catastrophes géologiques n'ont pas cessé pour autant, de nombreux tremblements de terre ont secoué les Pyrénées, les Alpes et la Provence.

La maîtrise du feu bouleverse la vie de l'homme

Vers 450 000

Le feu, longtemps redouté par l'homme, est maîtrisé aux environs de 450 000. Sa production et son usage vont bouleverser la vie des hommes primitifs. C'est sans aucun doute l'une des premières et des plus importantes réussites humaines. Nos ancêtres utilisaient certainement depuis fort longtemps cette énergie en recueillant le feu naturel des incendies ou de la foudre. Du moins en tiraient-ils parti en consommant la chair cuite des animaux morts dans les feux de brousse. Le Pithécanthrope de Java, le premier à utiliser le feu, ne savait probablement pas l'allumer, mais ils l'entretenait lorsqu'il jaillissait naturellement. Désormais, ils produisent eux-mêmes cette énergie, selon deux techniques principales. L'une consiste à choquer deux silex l'un contre l'autre, les étincelles arrachées sont immédiatement recueillies sur une matière très inflammable. La seconde méthode procède du frottement de deux pièces de bois, l'une (la partie dormante) placée sur le sol, l'autre fichée dans une fente et roulée rapidement au creux des paumes. Il en résulte un échauffement suffisant pour allumer un feu. Le bois est le combustible le plus courant mais, dans les régions pauvres en forêts, on brûle également des ossements ou encore des graisses animales qui produisent une flamme jaune et lumineuse. Le plus ancien foyer connu est celui de Vertesszölös, en Hongrie, vieux de 450 000 ans. Celui de Terra Amata, près de Nice, est plus récent. Il date de 380 000 ans. Le foyer était situé à l'intérieur d'un abri construit par l'homme au fond d'une dépression creusée dans le sable. Les pierres disposées autour de lui devaient probablement le protéger du vent. A partir de 300 000, la présence de foyers dans l'habitat se généralise en Europe et en Chine, tandis que leur apparition en Afrique est plus tardive. A Chou-K'ou-Tien, on a retrouvé les traces de plusieurs foyers ayant accumulé d'importants dépôts de cendres (l'un d'entre eux mesure plus de 6 m d'épaisseur). La domestication du feu est la première source d'énergie que l'homme peut utiliser à son profit. Grâce à elle, il pénètre dans les profondeurs des grottes qui lui assurent une protection supplémentaire contre les carnivores et les rigueurs du climat. C'est à la maîtrise du feu que l'homme doit probablement de s'être lancé à la conquête de terres nouvelles comme les régions montagneuses du Nord de la Chine et de l'Europe, autrefois inaccessibles à cause du froid. Dans les endroits humides, où il est long et difficile d'allumer un feu, il transporte des braises dans un récipient. Les foyers, sources de lumière et de chaleur, permettent également à l'homme de cuire ses aliments. Le passage d'une alimentation crue à une alimentation cuite a certainement eu d'importantes répercussions sur l'organisme humain et sur les conditions d'hygiène. Il est même vraisemblable que ce feu domestique a eu une incidence non négligeable sur le psychisme de l'homme et sur sa vie sociale qui s'organise désormais autour du foyer. L'individu appartenait à sa tribu. Les familles doivent désormais attendre que le gibier soit cuit avant de le consommer collectivement. Cette contrainte n'a pas été sans favoriser l'échange et la collectivisation du travail. D'autre part, l'homme a désormais la possibilité de veiller au coin du feu en y taillant par exemple ses outils et peut-être en y racontant ses exploits. Le rythme de ses activités n'est plus immédiatement subordonné au lever et au coucher du soleil. Une vie sociale s'organise ainsi autour de ce point de chaleur qui rassemble les familles ou les groupes. La maîtrise du feu, inconnue de l'animal, par les perspectives nouvelles qu'elle ouvre à l'homme, est sans doute l'un des facteurs les plus importants de l'évolution de l'humanité.

Le frottement de deux pièces de bois pour allumer un feu est une technique encore utilisée de nos jours par certaines tribus.

380 000

Terra Amata, près de Nice
Dans les dunes, près de la mer, des hommes ont construit de grandes huttes de sept à quinze mètres de long sur quatre à six mètres de large. Ces habitations sont entourées de poteaux sur lesquels repose un toit de branchages.

350 000

Chou-K'ou-Tien, Chine
Maîtrisé de façon certaine il y a maintenant 50 000 ans, l'usage du feu se généralise : les habitants de la Chine ont à leur tour appris à le contrôler. Tous les primitifs modernes ont désormais des moyens pour allumer le feu.

300 000

Nouvelle et très brève inversion du champ magnétique terrestre.

Chou-K'ou-Tien, Chine
L'homme de Pékin, un *Homo erectus*, utilise le feu et taille quelques outils en quartz.

250 000

Java
Comme pour la plupart des *Homo erectus* du Sud-Est asiatique, la face et la base du crâne de l'homme de Java sont brisées, sans doute de façon rituelle. →

200 000

Steinheim, Allemagne
De véritables *Homo sapiens* habitent l'Europe. Leur taille est encore petite, leur physionomie massive, avec une arcade sourcilière proéminente, mais les traits de leur visage commencent à ressembler à ceux de l'homme moderne.

130 000

Grotte du Lazaret, Europe occidentale
Des chasseurs ont construit dans la grotte du Lazaret une cabane de onze mètres de long. Sept cercles de pierres bloquent les poteaux de soutien. Cette tente, ouverte par deux portes, servait de lieu de repos : les hommes s'allongeaient sur des litières d'herbes marines recouvertes de peaux de bêtes. →

120 000

Fin de la période glaciaire du Riss.

100 000

Chine
Les derniers *Homo erectus* disparaissent, remplacés par les *Homo sapiens*. Ils auront peuplé l'Asie pendant plus d'un million et demi d'années.

Apparition probable de l'homme de Néandertal. →

85 000

Début de la phase glaciaire de Würm.

70 000

Krapina, Yougoslavie
Les os d'une vingtaine d'hommes de Néandertal ont été intentionnellement brisés et certains carbonisés. Les os longs ont été fracturés dans le sens de la longueur, sans doute pour en extraire la moelle. Il s'agit sans aucun doute d'un acte de cannibalisme, de caractère peut-être rituel.

60 000

Shanidar, Irak
Le culte des morts est né. Un éboulement survenu dans la grotte de Shanidar a tué l'un des membres de la tribu qui s'y abritait. La dépouille a été allongée au fond d'une fosse, sur un lit d'anémones, de roses et de muscaris. →

55 000

Europe
Les climats européens sont de plus en plus continentaux. Ce refroidissement intervient parallèlement à la diminution des pluies. L'Europe est en grande partie recouverte de steppes.

50 000

Molodova, Ukraine
Les rapides modifications des climats européens ont contraint les hommes à suivre les grands troupeaux dans leurs migrations, parfois sur des centaines de kilomètres. Des nomades chasseurs de mammouths ont construit une grande hutte dans laquelle cohabitent une dizaine d'individus.

Le culte de l'ours chez l'homme de Néandertal

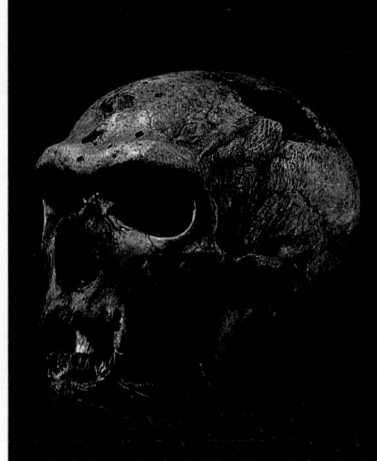

Crâne de Néandertalien ayant subi une trépanation. Abri sous roche de La Chapelle-aux-Saints, Corrèze.

L'homme de Néandertal apparaît aux environs de 100 000 et disparaît vers 35 000, tandis qu'émergent les premiers hommes modernes. Il prédomine en Europe et dans les régions voisines d'Afrique du Nord et d'Asie. Les hommes de cette espèce sont petits, trapus et fort disgracieux : le crâne, d'une capacité moyenne de 1 450 cm³, est aplati, le nez large, les mâchoires saillantes, le menton fuyant et les arcades sourcilières très développées. Le climat froid rend leurs conditions de vie extrêmement difficiles. Un sur deux seulement atteint l'âge de quinze ans. L'homme de la Chapelle-aux-Saints, avec ses exceptionnels quarante ans, fait vraiment figure de vieillard. Le monde qui les entoure leur inspire sans doute les premiers cultes. Ils enterrent leurs morts selon des rites funéraires assez précis, et gravent sur les parois de leurs grottes des symboles qui pourraient avoir une signification magique ou religieuse, tels la vulve et les triangles retrouvés à La Ferrassie, en Dordogne. Dans la même région, la vingtaine de crânes d'ours découverts dans la grotte du Regourdou reste par contre un sujet d'étonnement. Les crânes étaient rangés dans une fosse entourée de dalles. Cette étrange disposition aurait-elle une signification rituelle, ou bien s'agit-il là de trophées de chasse ou encore de symboles de résurrection ? Le mystère reste entier. Leur disparition brutale sans descendance directe reste un mystère auquel les *Homo sapiens sapiens* pourraient être mêlés.

Activité primordiale, la chasse, et en particulier celle à l'ours, donna naissance à de nombreux rites chez les Néandertaliens.

L'outillage des Néandertaliens

Après une longue période dominée par la production de bifaces, les Néandertaliens innovent enfin. Leurs techniques de taille sont très élaborées ; la plus célèbre est dite « levalloisienne ». Elle consiste à préparer un bloc de pierre en frappant le pourtour et l'une des faces à l'aide d'un bâton. Les éclats enlevés sont parfaits, immédiatement réutilisables en burins, racloirs, perçoirs, sans oublier les pointes et bien adaptés au découpage de la viande et à la préparation des peaux. Cette méthode de taille permet d'obtenir des outils dont la forme prédéterminée suppose une transmission orale de la procédure à suivre. Les Néandertaliens continuent par ailleurs à produire des bifaces, mais d'une façon beaucoup plus habile qu'auparavant : la forme des outils est plus régulière et symétrique. De tels progrès techniques et le nombre d'outils obtenus à partir d'une petite quantité de matériaux suggèrent une volonté d'économiser la matière première et de réduire le poids des outils.

Exemple de taille d'un biface en silex, appelé à servir de hache. Musée de l'Homme, Paris.

La fin de la glaciation du Riss

Vers 9 500 av. J.-C.
L'ère quaternaire se caractérise par quatre importantes phases glaciaires (Günz, Mindel, Riss et Würm), séparées par des périodes plus chaudes. Les calottes glaciaires des pôles vont s'étendre considérablement, jusqu'à recouvrir l'Angleterre, la Scandinavie, la Sibérie et le Canada. Les glaciers des latitudes moyennes s'étendent à leur tour : celui du Rhône va atteindre 240 kilomètres de long.

La congélation de toute cette masse d'eau a pour conséquence l'abaissement du niveau des mers. La faune et la flore évoluent et se répartissent en fonction des variations du climat. Dans les périodes froides, l'Europe est envahie par les loups, les rennes, les rhinocéros laineux et les mammouths. La grande glaciation de Würm laissa la place, vers 9 500, au climat actuel.

Les derniers Pithécanthropes de Java

Java
Les derniers Pithécanthropes se sont éteints aux environs de 150 000, mais la conquête du Sud-Est asiatique est très ancienne : elle remonte sans doute à plus d'un million et demi d'années. Le Méganthrope, d'une taille de géant, vivait à Sangiran il y a plus d'un million huit cent mille ans. Il est connu de nos jours par une seule de ses mâchoires et ses affinités sont très mal connues, mais l'on sait néanmoins que sa stature devait le rapprocher des grands singes. Les hommes de Ngandong, en Malaisie, âgés de 150 000 ans, sont bien mieux connus. Morphologiquement, ils semblent être intermédiaires entre l'homme de Pékin et les hommes modernes, même s'ils ne connaissent apparemment pas le feu. Leurs outils, éclats et lames, auxquels il faut ajouter des pointes d'os, sont taillés dans la calcédoine et le jaspe. Ils chassent de gros mammifères tels que les buffles géants dont les cornes, à leur extrémité, étaient dis-tantes de plus de deux mètres. Si tous les ossements des mammifères dont ils se nourrissaient ont été conservés, il reste peu de choses des humains. Sans doute, comme les hommes de Pékin, se livraient-ils à un cannibalisme rituel, à moins qu'ils n'aient brisé la face des morts pour en effacer le souvenir.

Calotte crânienne d'un Pithécanthrope. La face des morts était systématiquement mutilée.

Une hutte dans la grotte du Lazaret

Alpes maritimes, vers 130 000
La grotte du Lazaret a abrité le temps d'un hiver un groupe d'une dizaine de chasseurs, il y a quelque 130 000 ans. Ces hommes y ont construit une habitation de 11 m de long sur 3,50 de large. Des cercles de pierres espacés d'un mètre environ paraissent avoir servi au blocage de perches verticales qui supportaient une toiture en peaux de bêtes. A l'entrée de la grotte, un muret de pierres de 50 cm de hauteur servait de coupe-vent. Une cloison isolait l'intérieur de la cabane. Deux foyers étaient allumés près des parois de la grotte, alimentés par les braises d'un troisième foyer situé à l'extérieur. Les hommes fabriquaient leurs outils, nettoyaient les peaux, cousaient les vêtements à l'extérieur, devant le porche, et pre-naient leurs repas à l'entrée de la grotte. La tente semble avoir été exclusivement réservée au repos, comme en témoignent les litières d'herbes marines recouvertes de peaux de bêtes. L'édification de huttes ou de tentes devait dépendre des possibilités de l'environnement et du climat. Quelques-unes ont été construites à Terra Amata, non loin de la grotte du Lazaret. Des piquets de bois plantés dans le sable de la dune étaient entourés de pierres qui consolidaient l'ensemble et réduisaient les courants d'air. Le foyer était installé au centre de la cabane. Ces abris fragiles devaient être reconstruits à chaque déplacement du groupe. Pendant la saison chaude, les hommes se déplacent sans cesse, et ne construisent que des abris temporaires.

Reconstitution de l'habitat de la grotte du Lazaret, vers 130 000. Des perches de bois supportaient une toiture en peaux de bêtes.

Les hommes enterrent leurs morts

Shanidar, Irak, vers 60 000
Les Néandertaliens enterrent leurs défunts selon un cérémonial tendant à prouver qu'ils croient à la pérennité de l'existence au-delà de la mort. L'une des plus anciennes tombes connues est celle de Shanidar, en Irak, vieille de 60 000 ans. Une famille s'y était installée lorsqu'un tremblement de terre occasionna la mort de l'un de ses membres. Le groupe cueillit des brassées de fleurs, anémones, muscaris, roses trémières, en tapissa le fond d'une fosse et allongea le défunt sur cette litière parfumée. Le mort est souvent enterré à l'intérieur des habitations, preuve qu'il n'est pas un objet de crainte. À la Chapelle-aux-Saints, en Corrèze, la dépouille était accompagnée d'outils de silex, d'un fragment de cristal de roche et d'une pièce de gibier, comme si ses proches avaient souhaité qu'il ne manque de rien. Même chose à la Ferrassie, où d'autres outils de silex ont été déposés près du mort. Par contre, en Ouzbekistan et à Quafzeh (Israël), deux enfants ont été enterrés avec six paires de cornes de bouquetins pour l'un et des restes de cervidés pour l'autre. Les Néandertaliens semblent porter une grande attention à la façon dont ils enterrent leurs morts. Les fosses sont souvent de dimensions réduites et les corps placés sur le côté dans l'attitude du sommeil, en position fœtale. Il n'est pas impossible qu'ils soient en outre ligotés ou cousus dans des sacs de peau. Ces rites funéraires ne sont pas les seules pratiques métaphysiques auxquelles se livrent les hommes. Le cannibalisme rituel est également de rigueur, comme en témoigne le crâne du mont Circé, en Italie, dont la cervelle a vraisemblablement été mangée. Les crânes d'autres dépouilles ont été trépanés, les os longs brisés pour en extraire la mœlle, comme si les Néandertaliens avaient voulu s'approprier ainsi les « vertus » de leurs morts. Les hommes primitifs avaient-ils déjà conçu l'idée d'une continuité par delà la mort, les défunts demeurant parmi les vivants ?

45 000 av. J.-C.

Grotte de l'Hortus, Languedoc
Suivant les saisons, des groupes de chasseurs néandertaliens se succèdent dans la grotte de l'Hortus. Ils se livrent à un cannibalisme rituel, comme en témoigne l'accumulation au même endroit des ossements humains et des déchets culinaires.

40 000 av. J.-C.

Méditerranée
Les glaciations du Würm II ont provoqué un important retrait de la mer qui est descendue jusqu'à 80 ou 90 m en-dessous de son niveau habituel.

Abri de La Quina, Charentes
A La Quina, le crâne d'une enfant a été enterré à côté d'outils moustériens où prédominent les racloirs.

Amérique du Nord
Début du peuplement de l'Amérique du Nord : des chasseurs-cueilleurs, d'origine sibérienne, ont franchi à pied sec le détroit de Béring.

36 000 av. J.-C.

Mungo, Australie
L'Australie est habitée par des aborigènes. Originaires du Sud-Est asiatique, ces hommes ont franchi à pied sec le détroit de Torres. →

35 000 av. J.-C.

Dordogne
L'un des plus vieux *Homo sapiens sapiens* est enterré à Combe-Capelle.

Israël
Treize Néandertaliens, dont six enfants, ont été enterrés dans la grotte de Qafzeh, en Basse Galilée. →

32 000 av. J.-C.

Europe
Fin de l'industrie moustérienne.

30 000 av. J.-C.

Les Eyzies, Dordogne
Cinq hommes de Cro-Magnon ont été enterrés sous un niveau de foyers contenant des silex taillés, des restes d'animaux et des coquilles marines.

Grotte de Grimaldi, Italie
Des hommes et des enfants sont enterrés dans des tombes.

Europe
Les Néandertaliens disparaissent sans laisser de descendance. Leur disparition résulte peut-être de leur fusion avec les *Homo sapiens*, à moins qu'ils n'aient été exterminés par ceux-ci.

Europe
Pendeloques et coquillages-amulettes font leur apparition.

Tachikawa, Japon
Les *Homo sapiens sapiens* colonisent le Japon par la voie des mers.

29 000 av. J.-C.

Dolni Vestonice, Europe centrale
Au pied du mont Pavlov, des hommes construisent une hutte de 6 m de diamètre. La forte déclivité du terrain les a obligés à terrasser le sol de l'habitation en creusant la partie haute et en remblayant la partie basse, soutenue par un muret. Des figurines en argile, dont une statuette féminine et une tête de rhinocéros, sont modelées et cuites dans un four en voûte. Non loin de là, dans un marais, des chasseurs ont accumulé les restes de plus d'une centaine de mammouths.

28 000 av. J.-C.

Nouvelle-Guinée
Krosipe, le plus ancien site de Nouvelle-Guinée, est habité par des chasseurs-cueilleurs.

27 000 av. J.-C.

Europe
Début de l'industrie aurignacienne.

25 000 av. J.-C.

Amérique du Nord
Fin de la colonisation de l'Amérique du Nord (→ 40 000).

Europe
Naissance de l'art pariétal paléolithique : l'homme peint sur les parois des grottes. Figuratives ou abstraites, les premières peintures rupestres ont vraisemblablement une valeur symbolique.

L'homme de Cro-Magnon, un homme moderne

Vers 40 000 av. J.-C., tandis que les Néandertaliens occupent l'Europe et le Proche-Orient depuis plusieurs dizaines de milliers d'années, une nouvelle race d'hommes apparaît, d'allure résolument moderne : les *Homo sapiens sapiens*. Leur stature est haute, 1,80 m en moyenne, leur face

Crâne d'un homme de Cro-Magnon (« Homo sapiens sapiens »). Musée de l'Homme, Paris.

est enfin dotée d'un véritable menton, le nez est long et étroit, les orbites basses et rectangulaires ; c'est une race puissante, dotée d'un volumineux cerveau, habile de ses mains et douée pour les arts. Comme leurs prédécesseurs, ils trouvent refuge à l'intérieur de grottes ou d'abris sous roche, mais hésitent à s'aventurer dans les profondeurs. Ils sont très adroits et savent tailler la pierre avec délicatesse et efficacité. La chasse occupe une place importante dans leur vie et ils en ont amélioré la technique en inventant de nouvelles armes, telles que la fronde et le propulseur. Sans doute pratiquaient-ils également des battues. Les *Homo sapiens sapiens* les plus célèbres sont l'homme de Cro-Magnon, de Chancelade, de Combe-Capelle, de Menton, de Predmost en Moravie, et de Grimaldi en Italie (un géant celui-ci : 1,95 m). Leur apparition sur le territoire des Néandertaliens a peut-être accéléré l'extinction de ces derniers. Mais ces deux espèces humaines ont sans nul doute cohabité. Les hommes modernes vont poursuivre la conquête du globe en peuplant l'Amérique quelque 40 000 ans avant l'arrivée de Christophe Colomb, après être passés par le détroit de Béring, asséché par la dernière glaciation. Le Japon et l'Amérique du Sud seront à leur tour peuplés, environ 30 000 ans av. J.-C.

Les premières Vénus sculptées par l'homme

Europe, vers 20 000 av. J.-C.
La féminité inspire à l'homme ses premières sculptures. Les Néandertaliens avaient déjà gravé le sexe d'une femme sur les parois de la grotte de La Ferrassie mais, avec ces minuscules statuettes, un art est véritablement en train de naître, d'ores et déjà soumis à des conventions : la tête est coiffée, la silhouette ronde et les caractéristiques sexuelles très accentuées. Ce sont, par exemple, la Dame de Brassempouy, en ivoire, ou la Vénus de Willendorf, les bras posés sur la poitrine. Il ne s'agit nullement de représentations réalistes ; leur caractère symbolique ne fait aucun doute.

Tête de femme, dite de Brassempouy, Landes. Ivoire. Env. 20 000 av. J.-C. Musée de Saint-Germain-en-Laye.

La « Vénus » de Willendorf. Fin du gravettien, vers 20 000 av. J.-C. Naturhistorisches Museum, Vienne.

Développement des rites funéraires

Au Paléolithique supérieur, les rites funéraires se multiplient en même temps qu'ils deviennent de plus en plus complexes. Le défunt est souvent inhumé avec des pendentifs et des colliers de coquillages ou d'autres parures, parfois même avec des œuvres d'art. Le corps est généralement protégé par des pierres. La tête de l'enfant de Grimaldi (Italie) était abritée sous quatre dalles de pierres formant une sorte de tombe rudimentaire. A Pavlov (Tchécoslovaquie) se sont des omoplates de mammouths qui ont assuré cette protection. Les sépultures occupent un petit espace à l'intérieur des grottes et sont souvent placées parallèlement les unes aux autres ou transversalement à leur axe. Plusieurs corps peuvent être déposés au fond du même tombeau : cinq squelettes enfouis ensemble ont été retrouvés à Cro-Magnon, en Dordogne, une vingtaine à Predmost, en Moravie. La position des corps a une importante signification. Ils sont souvent fléchis, les genoux au menton, vraisemblablement ligotés ou enfermés dans des sacs. Le bras droit d'un enfant de Grimaldi avait été placé sous le corps d'une femme. A Menton, dans les Alpes-maritimes, un crâne humain était entouré d'une résille où sont accrochés des dizaines de coquillages. A Sungir, en Biélorussie, la tête d'un homme de soixante ans était ceinte de trois bandeaux en perles d'os. Outre une pierre percée en guise de pendentif, il portait une vingtaine de bracelets d'ivoire de mammouth. Sur ses vêtements, pantalon, veste et chausses, 3 500 perles d'os avaient été cousues. Ce mort à la parure d'une richesse inhabituelle était allongé sur un lit de charbon et recouvert de plusieurs couches d'ocre rouge représentant peut-être les propriétés du sang. Les corps étaient fréquemment saupoudrés de cette matière, qui devait avoir une grande signification pour les hommes primitifs. Ces derniers se livraient à d'étranges pra-

Un des squelettes trouvés dans la grotte de Qafzeh, Israël. Période moustérienne, vers 35 000 av. J.C.

tiques : les crânes sont parfois détachés du reste du corps. Dans les orbites d'une enfant de treize ans avaient été déposées des rondelles d'os. Le crâne d'un autre enfant, mort à l'âge de trois ans, a été trépané. Ces rites singuliers laissent supposer que les enterrements s'accompagnaient d'une cérémonie.

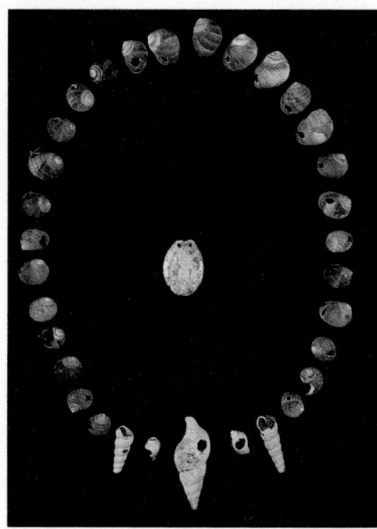

Parure funéraire composée de coquillages. Dordogne. Cro-Magnon.

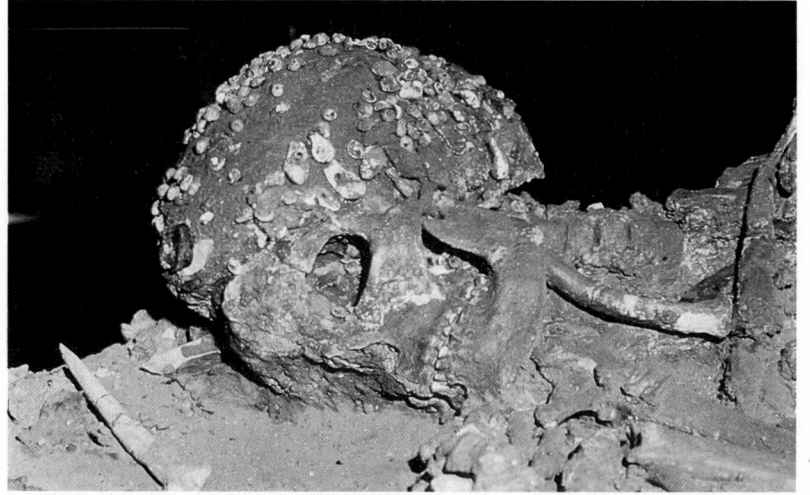

« L'Homme de Menton ». Grotte du Cavillon. Période aurignacienne, vers 28 000 av. J.-C. Crâne recouvert d'ocre rouge, de coquillages et de dents percées.

Harpons, aiguilles, couteaux : l'outillage se diversifie

Les nouvelles méthodes de taille de la pierre, correspondant à l'émergence de l'*Homo sapiens sapiens*, sont un des facteurs de l'essor du Paléolithique supérieur. Avec des moyens simples mais des concepts de plus en plus complexes, l'homme invente le débitage standardisé de fines lames à partir desquelles il obtient des burins, des racloirs, des perçoirs et de très belles pointes comme celles de Chatelperron, de la Gravette ou de La Font-Robert. Au même moment apparaissent les premiers outils en os, taillés pour la plupart dans des os de rennes frottés sur une surface rugueuse. On sut bientôt percer des trous. Cette innovation donna naissance aux premiers harpons et aux aiguilles à chas.

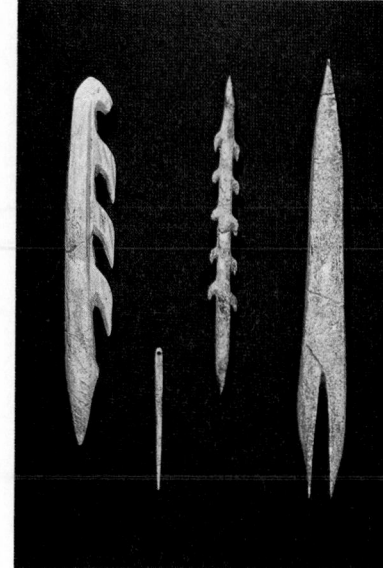

Harpons, sagaie et aiguille, taillés dans des os de rennes. Paléolithique supérieur (période magdalénienne).

De gauche à droite : pointe de La Font Robert en silex, Laussel, long. 6,7 cm ; pointe de la Gravette en silex et burin multiple mixte de l'abri Labattut.

Les premiers aborigènes en Australie

Australie, 36 000 av. J.-C.
Le peuplement de l'Australie aurait débuté il y a plus de 36 000 ans. Des hommes venus de Nouvelle-Guinée ou de Timor ont franchi à pied sec le détroit de Torres, performance possible à l'époque de la glaciation de Würm car le niveau de la mer a chuté de 50 m au moins par rapport à celui de l'époque précédente. L'Australie, la Nouvelle-Guinée et la Tasmanie ne forment qu'une seule terre émergée. Les aborigènes ont allumé des feux dans la région de Mungo, près de l'ancien lac Arumpo. Dans la terre d'Arnhem, certains d'entre eux ont peint sur les parois de plusieurs grottes. L'art des aborigènes est imprégné de multiples significations. Les motifs sont le plus souvent géométriques, rarement figuratifs. Ces populations, très iso-

lées géographiquement, ont maintenu longtemps de vieilles traditions. Il y a 16 000 ans, la méthode de débitage levalloisienne pour la taille des outils était encore utilisée, alors qu'en Europe elle avait été abandonnée depuis plus de 20 000 ans. En revanche, en s'adaptant à leurs nouvelles conditions d'environnement, les aborigènes ont inventé de nouveaux types d'outils ou d'armes, comme les boomerangs. Ces instruments meurtriers sont d'une remarquable diversité : leur taille varie en fonction de celle de leurs victimes. Les aborigènes, suivant la région d'Australie où ils se sont installés, ont donné naissance à plusieurs races distinctes d'hommes. Les chasseurs du désert sont grands et minces, ceux des régions tempérées du Sud-Est, plus robustes.

20 000 av. J.-C.

Europe
Début de l'industrie périgordienne ou gravettienne.

18 000 av. J.-C.

Pair-non-Pair, Gironde
Une flûte en os, le plus ancien des instruments de musique connus a été abandonnée sur le sol de cette grotte. →

Europe
Début de l'industrie protosolutréenne.

Europe occidentale
Les premières lampes font leur apparition : du suif ou de la graisse animale est versé dans des cupules de grès ou de pierre calcaire. La mèche est en poils tressés ou en fibres végétales. Plusieurs d'entre elles ont été abandonnées à proximité de peintures rupestres.

Lascaux, Dordogne
Début des peintures de la grotte de Lascaux. Certaines d'entre elles sont peut-être légèrement antérieures.

17 000 av. J.-C.

L'homme utilise pour la première fois des aiguilles à chas, progrès consécutif au développement de l'industrie osseuse.

Europe occidentale
Les hameçons apparaissent et les harpons se multiplient.

Europe
Des pointes de flèches pédonculées, taillées dans le silex, attestent l'existence des premiers arcs et flèches.

16 500 av. J.-C.

Laugerie-Haute, Dordogne
Couteaux et poignards en os se multiplient.

Europe occidentale
Les « feuilles de laurier », outils caractérisan l'industrie solutréenne, sont d'une telle finesse qu'il est difficile de déterminer leur véritable usage. →

16 000 av. J.-C.

Amérique du Sud
Les hommes entreprennent la conquête de la partie septentrionale de l'Amérique du Sud en traversant Panama.

Kostienski, Russie
Une cheminée verticale est construite pour la première fois dans des habitations creusées à même le sol et dont le toit en peaux de bêtes est retenu par les os de gros mammifères.

15 000 av. J.-C.

Europe
Début de l'industrie solutréenne.

Apparition des premiers propulseurs : taillés dans des bois de renne, parfois décorés, ils sont principalement utilisés pour le lancement des sagaies.

13 000 av. J.-C.

Europe
Début de l'industrie magdalénienne récente.

12 850 av. J.-C.

Chamalières, Auvergne
Une éruption volcanique s'est produite à Chamalières.

12 000 av. J.-C.

Europe occidentale
Les hommes consacrent de plus en plus de temps à la pêche. Le saumon constitue une part importante de l'alimentation des populations implantées à proximité d'un cours d'eau.

Ile-de-France, Pincevent
Des chasseurs de rennes installent un campement provisoire à proximité du gué de Pincevent.

Dordogne
Apparition de l'homme de Chancelade.

11 000 av. J.-C.

Afrique
Les Néo-Guinéens sont les plus anciens agriculteurs. Sans abandonner la chasse, ils ont développé un système de culture en terrasses irriguées.

Un "cimetière" de chevaux au pied de la falaise de Solutré

Solutré, Bourgogne
La roche de Solutré, dont un côté domine la vallée par un à-pic assez brutal, a depuis longtemps attiré les hommes. Les Néandertaliens s'y sont installés bien avant que des Solutréens viennent y tailler les remarquables outils que sont les « feuilles de laurier » comme en témoignent les outils abandonnés sur ce site. En utilisant une nouvelle technique de taille par pression, par retouches parallèles et rasantes, ils ont obtenu des outils d'une telle finesse que l'on se demande s'ils étaient vraiment destinés à être utilisés ou s'ils n'étaient pas plutôt porteurs d'une signification rituelle. Solutré est également célèbre pour son gigantesque « cimetière » de chevaux. Les squelettes de plus d'une centaine de bêtes gisent au pied de la falaise, étrangement intacts. Quelques chercheurs ont tenté de résoudre ce mystère en avançant l'hypothèse d'une vaste battue : des hommes auraient cerné et pourchassé des troupeaux entiers jusqu'au bord de la falaise et les chevaux se seraient jetés dans le vide. Mais pourquoi un tel carnage, puisque les hommes n'ont pas touché à leurs victimes ? Les quelques outils retrouvés dans le cimetière n'ont apporté aucun éclaircissement. L'explication la plus probable est celle d'un incendie qui aurait provoqué la panique et le « suicide » des chevaux.

La roche de Solutré (Saône-et-Loire). Un des sites les plus importants du Paléolithique occupé dès la période moustérienne.

Lame de silex taillée en forme de « feuille de laurier ». Industrie typiquement solutréenne. Certaines de ces lames, très minces, peuvent atteindre jusqu'à 30 cm.

Un joueur de flûte "périgordien"

Pair-non-Pair, Gironde. Une flûte en os a été abandonnée il y a 18 000 ans environ dans la grotte de Pair-non-Pair. Des instruments à vent plus anciens ont sans doute existé. Mais, taillés dans le bois, ils n'ont pu résister aux ravages du temps.

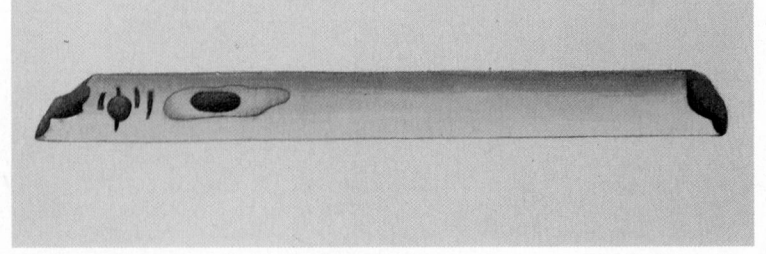

Flûte taillée dans un os de cervidé. Périgordien ou protomagdalénien.

Une panoplie d'outils au service de l'homme

La fin du Paléolithique supérieur, entre 20 000 et 10 000 av. J.-C. (époque où le froid est encore très rigoureux), est caractérisée par l'extraordinaire développement des industries humaines.

Outillage et harpon. Recherche de la technique mais aussi naissance de l'art Magdalénien.

maines. L'art s'épanouit également, qu'il s'agisse de figurations mobilières, telles que les Vénus sculptées, ou de peintures rupestres. Presque inconnu jusqu'alors, par manque d'outils spécialisés, le travail de l'os, des bois de cervidés et de l'ivoire prend un remarquable essor. Avec ces nouvelles matières, l'homme fabrique des outils aussi complexes que les têtes de harpons, les sagaies, les redresseurs de flèches ou les propulseurs, souvent décorés. La lame reste le support de base mais, contrairement aux périodes précédentes, elle est débitée systématiquement. Les grattoirs, les burins et

les perçoirs, fabriqués en petites quantités au Paléolithique moyen, sont réalisés sous des formes extrêmement variées. L'homme imagine, crée, invente constamment de nouveaux types d'outils. Les instruments doubles ou composites font leur apparition : ils associent sur un même support deux ou plusieurs techniques de façonnage, comme les grattoirs-burins ou les grattoirs multiples. De nouvelles techniques de retouche sont inventées. Le Solutréen, par exemple, est célèbre pour son usage de la retouche par pression, méthode par laquelle il obtient des pointes à crans ou ces « feuilles de laurier » et ces « feuilles de saule ». A en juger par leur étonnante perfection, ces objets semblent avoir joui d'un statut autre que celui d'instruments purement utilitaires. Leur présence dans quelques tombes pourrait les apparenter à des instruments rituels.

Pincevent : un gué sur la Seine occupé par des chasseurs

Ile-de-France, 12 000 av. J.-C.

Pincevent, site de plein air, est situé sur la rive gauche de la Seine, près de Montereau. Dans cette vallée soumise à un climat froid et sec, l'activité principale des Magdaléniens est la chasse au renne, animal vital puisqu'il leur fournit, outre la nourriture et des outils par le travail des os, des fourrures et du cuir. A la belle saison, lorsqu'est venu le temps des migra-

Les deux foyers principaux du site de Pincevent. Vers 12 000 av. J.-C. Débris culinaires et, entre les deux foyers, stockage de déchets de silex.

tions, les chasseurs guettent leurs proies, postés à proximité d'un gué de la Seine. Grâce aux propulseurs dont ils sont désormais équipés, ils peuvent lancer leurs harpons avec précision, même à grande distance. Les hommes ne sont plus contraints de s'approcher des animaux. Les rennes sont pris au piège et capturés

par centaines. Les Magdaléniens se sont installés à plusieurs reprises à proximité du gué de Pincevent. Leurs foyers étaient allumés à l'entrée des tentes. A proximité de celles-ci se trouvaient les « poubelles », aires de dépôt où les hommes accumulaient les déchets (ossements de renne calcinés, éclats de silex) après avoir soigneusement nettoyé l'intérieur de leurs habitations. Les outils étaient abandonnés sur le site lorsque les chasseurs quittaient l'endroit pour un autre ; ils servaient essentiellement à la chasse au renne, à son dépeçage et à la pré-

paration des peaux. Quelques énigmes demeurent, comme les étranges taches d'ocre rouge sur le sol. Les chasseurs-cueilleurs magdaléniens ont abandonné le gué de Pincevent vers 12 000 av. J.-C. Grâce aux crues de la Seine qui recouvrent et conservent leurs traces, ce site demeure l'un des plus célèbres de la Préhistoire.

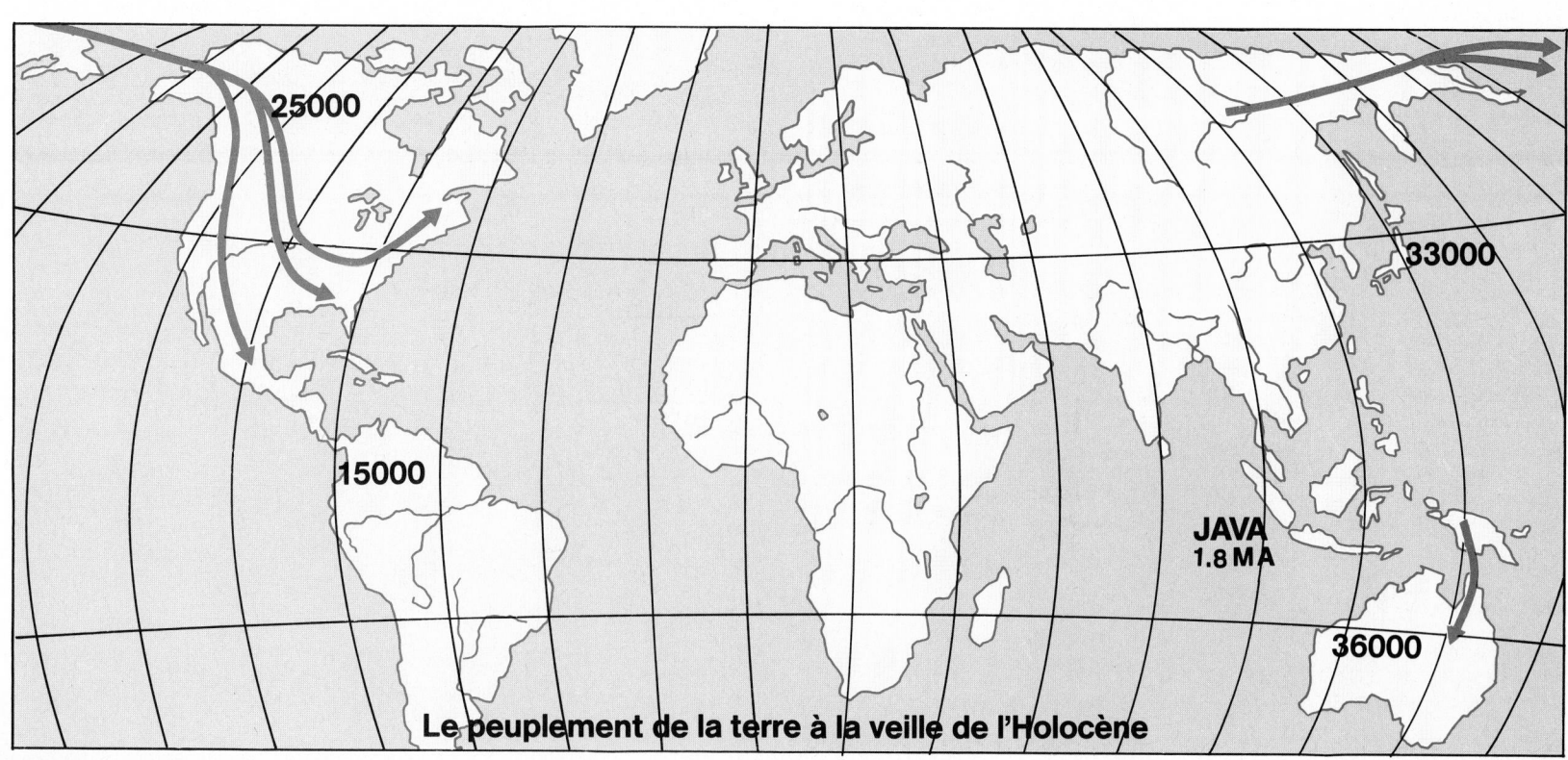

Le peuplement de la terre à la veille de l'Holocène

Les premiers chefs d'œuvres de l'art

Deux bouquetins affrontés. Fragment de propulseur. Bois de renne. Grotte des Trois-Frères, Ariège. Musée de l'Homme, Paris.

Fragment d'os portant deux biches gravées. Découvert dans la grotte du Chaffaud (Vienne) vers 1834, quand la notion de préhistoire n'était par encore admise.

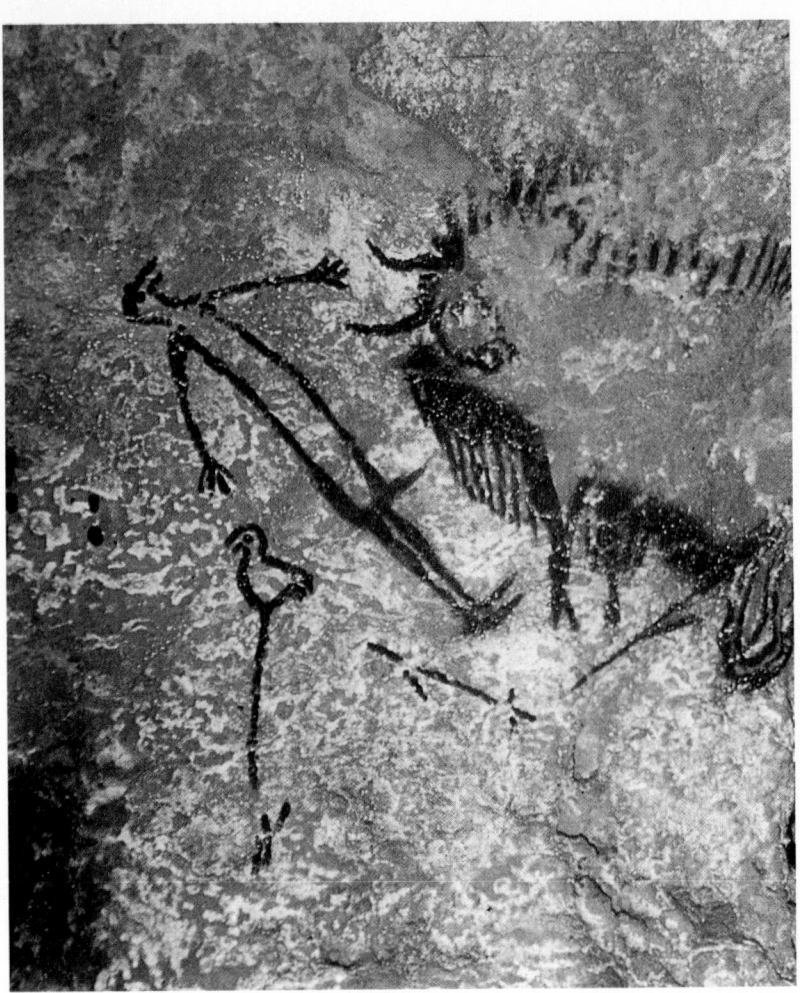

La célèbre scène du « Puits » de Lascaux représentant un bison éventré avec un homme étendu ; à ses côtés, un propulseur surmonté d'un oiseau. Vers 13 500 av. J.-C.

Un des bisons modelés en argile du Tuc-d'Audoubert (Ariège). Magdalénien moyen, vers 12 000 av. J.-C.

La « Vénus » de Lespugue (Haute-Garonne). Ivoire de mammouth. Vers 19 000 av. J.-C. Musée de l'Homme, Paris.

Groupe de chevaux avec empreintes négatives de mains. Grotte de Pech-Merle (Lot). Magdalénien ancien, vers 18 000 av. J.-C.

Deux bisons décorant les parois du « Salon noir » de la grotte de Niaux (Ariège). Magdalénien moyen, vers 14 000 av. J.-C.

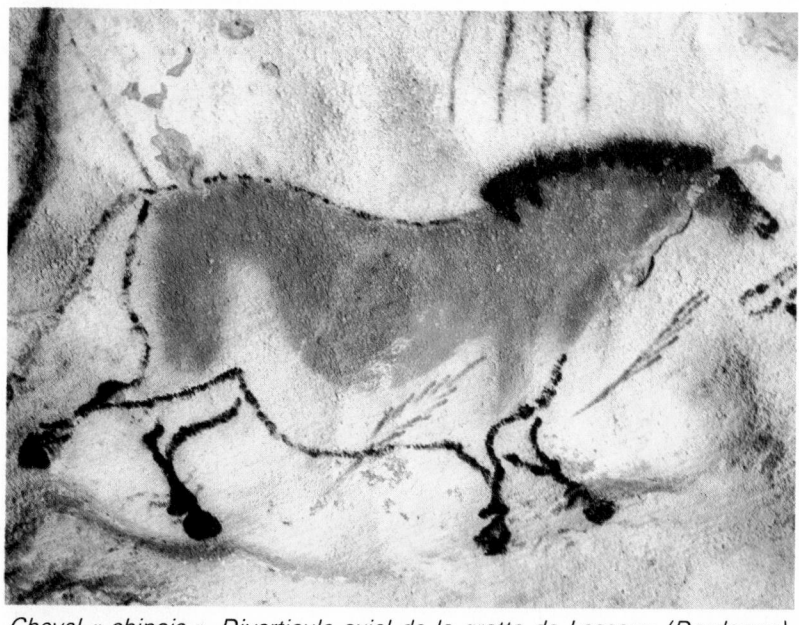

Cheval « chinois ». Diverticule axial de la grotte de Lascaux (Dordogne). Magdalénien ancien, vers 14 500 av. J.-C.

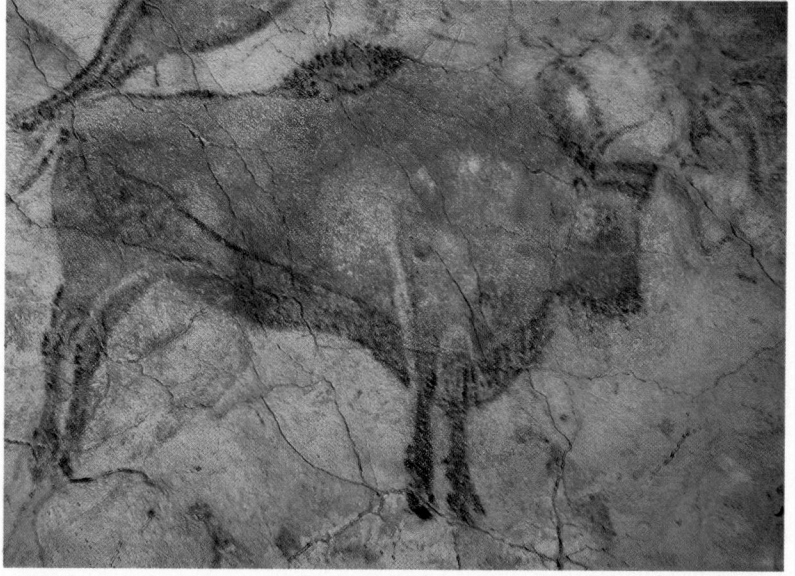

Bison peint au plafond de la grotte d'Altamira (Santander). Magdalénien moyen, vers 14 000 av. J.-C. Fait partie d'une vaste composition de 18 × 9 m.

10 000 av. J.-C.

Europe

Le climat tempéré modifie le paysage écologique de l'Europe. La forêt de bouleaux, de noisetiers et de chênes remplace la steppe. Le renne s'éloigne vers le nord et le mammouth disparaît définitivement. Le bœuf et le cheval sauvage s'adaptent à ces nouvelles conditions climatiques qui favorisent le sanglier et le cerf.

Proche-Orient, de 10 000 à 8300 av. J.-C.

Les maisons enfouies dans des fosses circulaires témoignent de la sédentarisation progressive d'une population de chasseurs-cueilleurs exploitant les ressources naturelles de leur territoire à partir d'un habitat fixe. Ils fabriquent toujours des outils en os et des microlithes. La pierre polie fait son apparition à des fins décoratives plus qu'utilitaires.

9000 av. J.-C.

Europe

La Manche n'a pas encore complètement recouvert la bande de terre reliant les territoires qui formeront par la suite la France et l'Angleterre.

8300 av. J.-C.

Proche-Orient

Dans les villages, on construit les premières maisons en surface, reposant sur un soubassement de pierres. Autour du village, des camps temporaires abritent les chasseurs. On fabrique des pointes de flèches et des outils plus massifs. La pêche, les céréales sauvages (blé et orge) ainsi que les petits herbivores fournissent l'essentiel de l'alimentation. →

8000 av. J.-C.

Proche-Orient

La population augmente, les villages s'agrandissent. D'importants progrès techniques améliorent la construction des maisons (utilisation de pierres taillées, de briques et de rondins). On fabrique des outils en os, des haches polies, des flèches et aussi les premiers objets en terre cuite. Mais l'innovation majeure réside dans la maîtrise progressive des techniques agricoles : les premières cultures céréalières modifient le régime alimentaire. →

La population humaine augmente et essaime dans de nouvelles régions. L'humanité, vers 8000 av. J.-C., avoisine sans doute les dix millions d'individus.

7500 av. J.-C.

Jéricho, 7500 à 6800 av. J.-C.

Dès le début du IXᵉ millénaire, l'oasis de Jéricho, dans la vallée du Jourdain, à proximité de la mer Morte, a été habitée. Succédant à des campements semi-nomades, un village primitif, fait de huttes, s'y développe, qui laisse place à son tour, vers 8000 av. J.-C., à une petite agglomération de maisons en pierre circulaires. Soucieux de se protéger d'un ennemi puissant, les habitants entreprennent, vers 7500 av. J.-C., de fortifier leur village et le dotent d'une muraille de pierre (de 1,70 m d'épaisseur et de 5 m de haut), complétée par une tour massive de 9 m de diamètre et de 8,50 m de hauteur. Cette muraille entoure l'ensemble de la zone habitée, sur une longueur avoisinant les 700 m. Dans ce village fortifié, deux mille personnes au moins vivent en sécurité. L'ampleur des travaux collectifs, le souci de la sécurité commune, tout indique une organisation sociale élaborée.

Proche-Orient, de 7500 à 6500 av. J.-C.

Les maisons rectangulaires remplacent les cabanes rondes. Les villageois sont des agriculteurs et des éleveurs. Même dans la steppe iranienne, les populations deviennent sédentaires. On fabrique des petits objets en terre cuite et des statuettes. Parmi celles-ci, les figurines féminines vont connaître une diffusion considérable. Dans l'aire syro-palestinienne, le culte des crânes humains est à son apogée.

7000 av. J.-C.

Amérique du Nord, de 7000 à 5000 av. J.-C.

Vers 7000 av. J.-C., un changement climatique affecte l'Amérique du Nord. Le climat tempéré et la végétation disparaissent peu à peu, la sécheresse s'impose. Dans l'Ouest et au Mexique, la population doit modifier son genre de vie. Les mammouths ont disparu ; il faut piéger le petit gibier du désert, stocker les graines et les végétaux. C'est ainsi que les Indiens nomades s'orientent vers une vie sédentaire et agricole.

Premiers villages au Proche-Orient

Proche-Orient, 10 000 à 6000 av. J.-C. L'un des traits caractéristiques de la « révolution néolithique » en Syrie, en Palestine et dans la vallée de l'Euphrate, est le développement de l'habitat sédentaire et collectif : des maisons dans un village. De 10 000 à 8300 av. J.-C., les hommes quittent les abris naturels et construisent les premières maisons : une fosse circulaire dans le sol, ceinte d'un muret de soutènement, couverte d'une toiture en végétaux ou en bois. L'aménagement interne (enduits muraux, peintures, sols dallés) souligne l'importance de la vie domestique. La période suivante (8300-7000 av. J.-C.) voit le développement et le perfectionnement de ce type d'habitat. La construction de la tour monumentale de Jéricho est un travail collectif, ce qui suppose une organisation sociale. On commence à cimenter des murs de pierre avec du mortier. A Mureybet (moyen Euphrate), la maison circulaire est parfois subdivisée par des cloisons orthogonales ; on rencontre aussi des maisons en damier composées de cellules carrées. Les maisons rectangulaires, aux nombreuses cellules, s'ouvrant parfois sur des cours intérieures, au sol d'argile recouvert de chaux, vont se généraliser de 7600 à 6500 av. J.-C. et s'organiser en de véritables villages à la superficie souvent considérable. De 6500 à 6000 av. J.-C., les populations abandonnent les zones les plus arides. Dans les nouvelles régions habitées, on retrouve les mêmes formes d'habitat. Les villages de l'Euphrate témoignent d'un progrès technique important : l'usage de briques crues moulées. Des cours et des ruelles organisent l'espace villageois.

Site de Khirokitia, dans le sud de Chypre (vers 5675 av. J.-C.).

Vestige de la tour monumentale de Jéricho, oasis dans la vallée du Jourdain. Néolithique précéramique, vers 7500 av. J.-C. Cette tour faisait partie d'un rempart protégeant la cité.

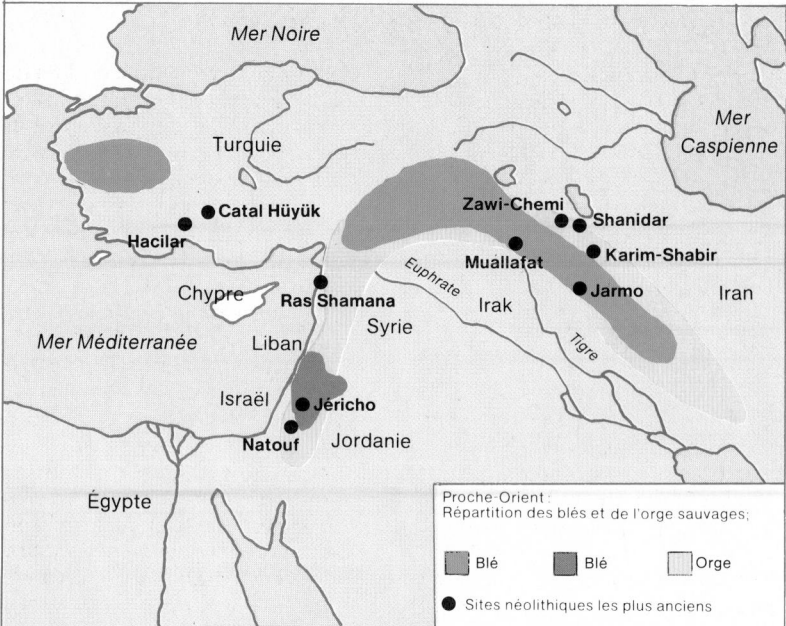

Répartition du blé et de l'orge sauvages au Néolithique ancien.

Les dunes du site de Bir Hasan dans les sables de Beyrouth.

Elevage et agriculture au Proche-Orient

8000-7500 av. J.-C.
La culture natoufienne offre le paradoxe d'un développement villageois pré-agricole : ce n'est qu'à partir de 8000 av. J.-C. qu'apparaissent les premières traces d'agriculture, puis d'élevage : deux innovations qui permettent à l'homme d'agir sur son milieu naturel. De la cueillette des céréales sauvages au travail de la terre, c'est une évolution plus qu'une révolution à laquelle on assiste, qui suppose une organisation sociale nouvelle, la concentration du travail collectif en un point du territoire villageois et des sites de stockage pour les fruits de la récolte. L'agriculture, après 7500 av. J.-C., semble généralisée dans cette aire géographique. Dû peut-être à une modification climatique, le déplacement des zones habitées, entre 6500 et 6000 av. J.-C., loin d'interrompre le progrès de l'agriculture, va susciter au contraire les premières tentatives d'irrigation artificielle des champs. La domestication des bovins, capridés et ovins sauvages institue des rapports nouveaux entre l'homme et l'animal : propriété transmissible se prêtant à l'échange, le bétail introduit aussi une planification nouvelle dans l'alimentation carnée.

Les chasseurs cèdent du terrain

Europe, vers 7500 av. J.-C.
Avant la phase décisive du Néolithique et l'établissement définitif du réchauffement climatique (fin du boréal et début de la phase atlantique), les derniers groupes de chasseurs-collecteurs mènent une vie semi-nomade : s'abritant sous des huttes grossières, à l'entrée des grottes ou dans des clairières, ils vivent de cueillette, de pêche et de chasse. Ils s'attaquent au bœuf sauvage et au cerf, au sanglier, aux animaux à fourrure (martres, loutres, renards) qui demeurent leurs proies essentielles ; les petits animaux (lièvres, écureuils, oiseaux) sont moins prisés. Ils établissent leurs campements près des rivages marins et des zones marécageuses où la faune aquatique et le gibier d'eau assurent leur subsistance. Bien vite, l'accroissement régulier de la population et la raréfaction du gibier obligent l'homme à modifier son mode de vie par l'apprentissage de techniques nouvelles (disparition de certains instruments, industrie de la pierre, domestication des animaux) et à tirer sa nourriture carnée des troupeaux. C'en est fini des redoutables chasseurs de mammouths du Paléolithique. Désormais, les tribus vont se fixer sur des territoires restreints, avant de se sédentariser presque totalement en donnant à l'agriculture une place essentielle.

Crânes d'hommes, crânes de taureaux

Proche-Orient, vers 7500 av. J.-C.
Dès le Natoufien, les rites funéraires mettent en évidence un phénomène religieux très particulier : le culte des crânes, dont on retrouve des témoignages aussi bien en Palestine qu'en Irak ou en Anatolie. Ces crânes devaient être séparés du reste du corps après la mort. Il en résulte que de nombreux squelettes sont privés de leur tête et qu'inversement, dans certaines sépultures, crâne et squelette n'appartiennent pas au même individu. L'une des formes les plus étranges de ce culte nous est fournie par les crânes de Jéricho : l'intérieur est rempli d'argile, l'extérieur est recouvert d'une sorte d'enduit reproduisant le visage du défunt. Des coquillages viennent marquer l'emplacement des yeux. La peinture donne à l'ensemble la couleur de la peau humaine. Les crânes ainsi isolés et parfois décorés remplissent une fonction précise. Après 7500 av. J.-C., on les rencontre sur le sol des maisons, disposés sur un petit piédestal en argile rouge : il ne s'agit pas, à proprement parler, d'une sépulture, mais plutôt d'une sorte de « mobilier cultuel » visant à l'édification des vivants qui habitent cet espace. Le culte des crânes répond, en fait, à un culte des ancêtres. À ce culte il est tentant de comparer celui des crânes de taureaux. Vers 8300 av. J.-C., dans la vallée du Moyen-Euphrate, les habitants du village de Mureybet dissimulent dans l'argile des murs des crânes et des os de taureaux. Or cet animal n'est pas utilisé pour l'alimentation (on chasse surtout la gazelle). Le taureau est donc valorisé pour sa signification symbolique. Plus tard, vers 6500 av. J.-C., le site de Çatal-Hüyük, en Anatolie, montre l'importance que revêt encore ce culte du taureau, dont l'image est partout présente, taureaux géants peints sur les murs des sanctuaires ou bucranes en argile auxquels ont été ajoutées des cornes réelles. Dans les religions du Proche-Orient néolithique, la figure d'un

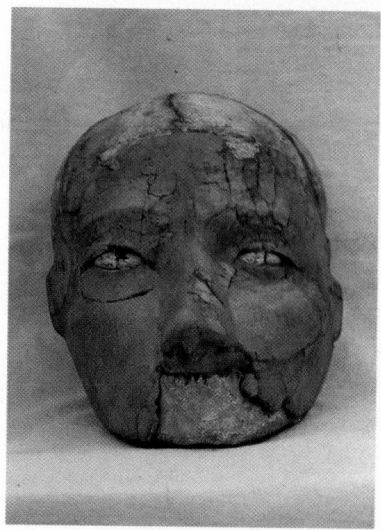

Crâne d'homme surmodelé. Jéricho, Néolithique précéramique. Archeological Museum, Amman.

« Dieu-taureau » s'impose ainsi aux côtés de la Grande Déesse. Cet animal incarne une énergie encore incontrôlable, que seuls les premiers éleveurs parviendront à maîtriser.

Les microlithes : des outils miniatures

Vers 8000 av. J.-C.
C'est à partir du Paléolithique supérieur que des instruments de pierre taillée de petites dimensions font leur apparition : les microlithes. Mais cette technique ne va véritablement s'imposer que pendant les périodes mésolithique et néolithique : du Proche-Orient à l'Europe occidentale, du Sahara au monde égéen, l'outillage miniaturisé est le plus répandu. De forme géométrique très variable : triangles, trapèzes, segments de cercle, rectangles, losanges, obtenus par fragmentation des lames au moyen d'outils minuscules (microburins), d'une longueur ne dépassant pas parfois le centimètre, les microlithes permettent la fabrication d'outils composites à hampe aisément remplaçable (petites armatures insérées sur un manche et tenant lieu de têtes de flèches). Il était dès lors possible de concevoir l'arc et des armes de jet fines et légères, de petite dimension, dont la structure symétrique garantissait une bonne trajectoire. Les lames de faucilles, à l'éclat lustré si caractéristique, apparaissent aussi à cette époque qui voit naître les premières tentatives agricoles. Entre le Paléolithique et le Néolithique, ce n'est donc pas seulement la technique du travail de la pierre qui change, mais aussi la conception même de l'outil. Les outils paléolithiques, massifs, répondent à quelques besoins élémentaires : gratter, percer, racler. Les microlithes témoignent d'un rapport nouveau de l'homme avec son environnement naturel, allant de pair avec un affinement de ses réalisations techniques.

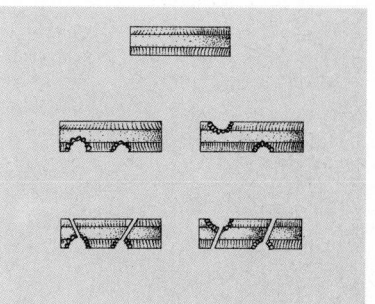

Les microlithes : les outils miniatures du Paléolithique supérieur.

7000 av. J.-C.

Proche-Orient

La maîtrise de la céramique modifie sensiblement le mode de vie des populations du Proche-Orient. Dans ces régions pauvres en pierre, l'argile, présente en abondance, constitue un matériau privilégié pour façonner et rendre étanche une vaisselle que le manque de cuisson fragilisait. Lorsque la population se sédentarise définitivement, l'art de la céramique connaît un progrès décisif. Les potiers professionnels apparaissent. La production est fine, solide et diversifiée. Les récipients clos améliorent l'hygiène et l'isolation.

Europe occidentale

La chasse étant pratiquement la seule source de subsistance, c'est la grande époque de l'arc. Apparu au Magdalénien, c'est désormais l'arme par excellence.

6800 av. J.-C.

Europe : la phase boréale

Le climat et le paysage changent. La température se réchauffe considérablement. Les pins et les noisetiers en profitent pour se développer ; le chêne, l'orme et le tilleul font leur apparition. Commencée vers 7000 av. J.-C., la phase boréale s'achève un millénaire plus tard.

6500 av. J.-C.

Grèce

C'est en Grèce que s'épanouit la première civilisation néolithique d'Europe. Des agriculteurs y défrichent progressivement les forêts. Ils cultivent dans leurs champs le blé, l'orge et le millet. Les lentilles et les pois font aussi leur apparition. Si l'on continue comme par le passé à cueillir des fruits sauvages, l'arboriculture fait par contre de sérieux progrès : la poire, l'amande, la figue et l'olive font partie désormais de l'alimentation quotidienne. Les bergers conduisent à la pâture des troupeaux de chèvres, de bœufs ou de porcs.

Méditerranée

L'homme commence à s'aventurer sur la mer. A bord de pirogues rudimentaires, il longe les rivages et se rend d'île en île : il peut ainsi coloniser de nouvelles terres, tout en favorisant la diffusion de certains modes de vie.

L'apparition de la céramique dans différentes régions de l'Europe et surtout sa rapide diffusion dans tout le bassin méditerranéen sont certainement à porter au crédit des hommes qui, venant du Proche-Orient ou d'Anatolie, osèrent ainsi s'aventurer sur les mers.

6300 av. J.-C.

Europe occidentale

L'Europe occidentale connaît à son tour la révolution néolithique, c'est-à-dire le développement de l'agriculture et de l'élevage. Tout en continuant à chasser, les hommes se mettent à produire eux-mêmes leur nourriture et à se répartir les tâches dans cet objectif commun. Ces premiers paysans n'ont pas tout à fait rompu avec le nomadisme d'antan : ils défrichent par le feu les zones de culture et, lorsqu'un sol est épuisé, ils partent à la recherche d'autres terres. Il s'agit, évidemment, d'une agriculture rudimentaire et ils ne produisent que des céréales ou des légumineuses qui ne nécessitent pas de labour.

Crète

Venus par voie de mer, vraisemblablement d'Asie mineure, des hommes longeant la côte nord se sont établis sur le site de Cnossos. Ils vivent dans des cabanes de boue séchée, travaillent la terre et cultivent des céréales. A côté de récipients en céramique, allant du grès au rouge-brun, décorés parfois d'incisions, ils se servent de grandes jarres pour stocker leurs provisions.

6000 av. J.-C.

Provence

La Méditerranée envahit la dépression de Berre. Son niveau augmente régulièrement, mais se trouve encore à 20 m au-dessous de son niveau actuel. Dans l'abri de Châteauneuf-les-Martigues, vivent des éleveurs de moutons ; ils disposent d'un outillage relativement rudimentaire.

Europe occidentale

Les premiers chiens domestiques dans les habitats du Néolithique.

Anatolie

Commerçants, artisans, paysans et bergers, une population de 6000 personnes habite la prospère cité de Çatal Hüyük. →

Japon : naissance de la céramique cordée

Japon, vers 6500 av. J.-C.
Vers la fin du Mésolithique, l'archipel abrite une société primitive relativement évoluée, organisée autour de la chasse, de la pêche et de la cueillette. On a trouvé à côté d'objets en pierre et en os des pièces de céramique en très grande quantité. Cette technique remonterait au VIIIe millénaire, avant la découverte de l'agriculture. Les poteries sont décorées de motifs géométriques. On suppose que les potiers entouraient l'argile fraîche de cordes. Quelques petites figurines en terre cuite attestent de pratiques magiques ou funéraires.

Vase en terre cuite. Epoque Jômon, Japon. Ier millénaire av. J.-C.

En Provence, on domestique les moutons

Provence, vers 6000 av. J.-C.
Des groupes humains, éleveurs de bétail, se sont installés sur les bords de la Méditerranée et occupent le site de Châteauneuf-les-Martigues, près de l'actuel étang de Berre. Même si le gibier sauvage constitue encore l'essentiel de leur alimentation carnée, ils se sont déjà habitués à consommer du mouton domestique. Cet animal, qui figure à leur menu, est sans doute originaire d'Asie ou de Grèce. Les troupeaux de moutons qu'ils conduisent vont modifier petit à petit le paysage provençal. L'outillage dont disposent ces éleveurs est plutôt rudimentaire : ce sont essentiellement des grattoirs massifs et des rabots. Ces hommes ignorent la technique de la poterie, mais confectionnent volontiers des colliers de coquillages. Gagnant progressivement les terres du Nord, les moutons se dissémineront et finiront par atteindre la Bretagne vers le milieu du Ve millénaire. Cette révolution économique aura des conséquences capitales. En libérant l'homme de la nécessité de la chasse, l'élevage, même rudimentaire, a permis l'apparition des grandes civilisations.

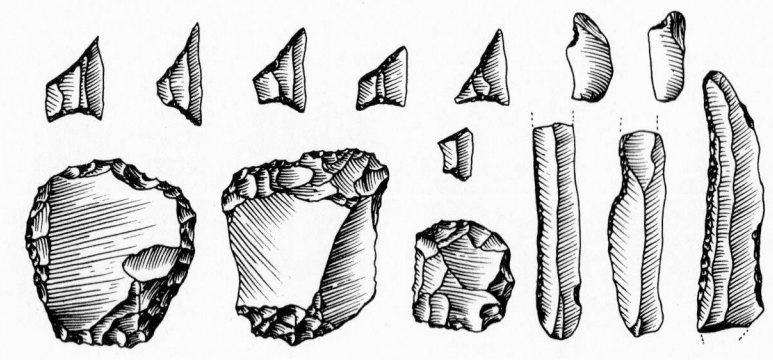

Différentes formes d'outils façonnés dans le silex.

Apparition de la pirogue

Méditerranée, vers 6300 av. J.-C.
Les débuts de la navigation en Méditerranée sont antérieurs à la céramique. L'homme a navigué en mer Egée dès le IXe millénaire, témoins ces dépôts d'obsidienne, provenant de Mélos, qui ont été retrouvés sur certains sites du Péloponnèse. Dès le VIIe millénaire, la Crète et la Corse ne sont plus des terres inaccessibles. C'est sans doute la pirogue « monoxyle » (taillée dans un tronc d'arbre évidé) qui offrit à l'homme son premier moyen de navigation : l'un des plus anciens spécimens est daté de 6315.

Une arme nouvelle : l'arc et les flèches

Europe, vers 7000 av. J.-C.
On utilise l'arc depuis la fin du Paléolithique supérieur mais, à cette époque qui précède le temps des premiers agriculteurs, cette arme connaît soudain un développement considérable. Sans doute l'arc bénéficie-t-il alors du déclin d'autres armes, comme les harpons et les pointes en os, et des progrès de l'art des microlithes. Son efficacité tient en effet à la qualité des pointes de flèche : de forme géométrique (plutôt triangulaire), celles-ci sont fixées sur des baguettes de bois qui peuvent être aisément remplacées.

Çatal-Hüyük, une grande cité néolithique

Grand taureau rouge entouré de chasseurs. Peinture murale d'un des sanctuaires de Çatal-Hüyük, Anatolie.

Bas-relief de plâtre représentant un couple de léopards s'affrontant, dans une des maisons-sanctuaires de Çatal-Hüyük. Vers 6000 av. J.-C.

Anatolie, vers 6000 av. J.-C.
Les premiers pas de l'agriculture et de l'élevage facilitèrent la fixation des hommes sur certains territoires. Ainsi Jéricho, dans la vallée du Jourdain, témoigne de l'importance que prirent très tôt les établissements humains. Retranché derrière une imposante muraille en pierre, un village s'y développe, où furent retrouvés des crânes humains (de la fin du VIIe millénaire), dont la face était modelée à l'aide de stuc peint et que l'on suppose être liés à un culte des ancêtres. A mesure que s'écoulèrent les siècles, les agglomérations se multiplièrent, comme Tépé Sialk en Iran, Tell Halaf en Mésopotamie et surtout Çatal-Hüyük en Anatolie. Ce site du VIe millénaire paraît avoir été divisé en quartiers, chacun s'agençant autour d'un sanctuaire. Le décor de ces édifices représente essentiellement des taureaux, des bucranes, des parturientes mettant au monde des animaux. On trouve également des cerfs, des léopards et des béliers ; mais alors que cerfs et léopards sont souvent représentés en entier, ainsi que les taureaux, les béliers ne le sont jamais et ils n'apparaissent que sous forme de têtes. La présence de figurines en argile ou en pierre, principalement une déesse assise sur un trône flanqué de léopards, met l'accent sur un culte lié vraisemblablement à des rites de chasse.

Diffusion de la poterie et de la céramique

Gobelet à décor animalier. Suse, IVe millénaire.

Proche-Orient, vers 6500 av. J.-C.
C'est vraisemblablement pour avoir constaté que les parois d'un foyer creusé dans un sol argileux se solidifiaient ou encore que l'argile qui recouvrait les branchages de leurs cabanes durcissait au soleil que les hommes en vinrent à inventer la technique de la poterie. Celle-ci rendit désuets les vases creusés à même la pierre et proposait une alternative plus fiable aux corbeilles en osier recouvertes d'un revêtement en argile qui, malheureusement, ne suffisait pas à en assurer l'étanchéité. Paradoxalement, les premières expériences de travail de l'argile (vers 7500 av. J.-C. au Proche-Orient) semblent avoir une finalité religieuse et esthétique (statuettes) plus qu'utilitaire. Les premières poteries, à cause de leur fragilité et de leur lourdeur, servaient au stockage des denrées dans la maison ou dans le village. Le progrès technique les rendit plus solides et plus mobiles. Leur fonction utilitaire s'accompagna d'une fonction esthétique : le potier en effet se fit peintre et décorateur ; il inventa des motifs géométriques ou animaliers aux couleurs vives. La production des vases s'effectua pendant longtemps dans le milieu familial. Avec l'apparition du tour de potier, vers le milieu du IVe millénaire, cette activité deviendra le fait de professionnels regroupés dans des ateliers. La technique de la poterie est née dans des foyers géographiques distincts dès le milieu du VIIe millénaire ; elle s'est répandue très rapidement en Iran (Kurdistan), en Irak et en Anatolie. Vers 5700 av. J.-C., elle fait son apparition dans les villages néolithiques de Thessalie et de Grèce centrale. Par contre, c'est seulement au cours du IVe millénaire qu'elle apparaît au Baloutchistan.

Premières traces humaines en Corse

Corse, VIIe millénaire
Plus de 6000 ans av. J.-C., la Corse a vu débarquer ses premiers occupants, sans doute les premiers marins de la Méditerranée. De cette époque date la sépulture de l'abri d'Araguina-Sennola, où fut inhumée une femme handicapée par une paralysie du bras gauche. Les plus anciens habitants vivaient de chasse et de cueillette. Les premières tentatives d'agriculture se généralisent au IVe millénaire, de même qu'apparaissent des maisons en pierres sèches. On importe de l'obsidienne de Sardaigne pour confectionner des lames tranchantes et l'on fabrique des vases aux formes et aux décors variés. Meules, molettes, cuvettes taillées dans le roc témoignent de l'importance de la meunerie.

Le culte de la "Grande Mère"

Proche-Orient, vers 6000 av. J.-C.
Un culte, dit de la « Grande Mère », semble régner à cette époque sur la majorité des sites du Proche-Orient, culte dont témoignent diverses statuettes de « déesses mères ». A Çatal-Hüyük par exemple, on prisait des figurines de femmes opulentes dans l'attitude de l'enfantement, au corps traité par grandes masses, soulignant les seins, le ventre et les fesses, et laissant dans le flou la tête et les membres. Ces figurines étaient aussi parfois associées à des animaux. Au cours de la seconde moitié du IVe millénaire, on leur préféra des figurines debout, au corps élancé et svelte, au visage de reptile et portant perruque, avec souvent un enfant dans les bras. Ces figurations, où le rapport entre la femme et les bêtes soulignait à l'origine sa qualité de « maîtresse des animaux », exprimaient peut-être aussi la crainte de la stérilité ? Il faudrait alors y voir une figure de l'Aïeule, celle qui recevait les morts, délivrait les enfants, acceptait les animaux sacrifiés et assurait la continuité des espèces ?

Déesse mère accouchant : « Maîtresse des Animaux », elle est soutenue par deux félins. Çatal-Hüyük, vers 6000 av. J.-C.

6000 av. J.-C.

Mexique
Un climat aride règne sur la région de Tamaulipas. Depuis 7000 av. J.-C., des hommes habitent dans les cavernes. Ils vivent de cueillette : ils font sécher les plantes sauvages et les stockent dans des paniers. La chasse apporte un complément alimentaire. On s'initie au travail de la terre en cultivant des courges, des piments et des potirons. Blancs ou rouges, les haricots apparaissent un peu plus tard. Quant au maïs, il ne sera pas vraiment cultivé avant le IIIe millénaire.

5800 av. J.-C.

Chypre
De la côte d'Asie à l'île de Chypre, il n'y a guère que cent kilomètres. Voie d'accès, la mer est aussi une barrière qui isole les premiers occupants de l'île, des agriculteurs qui vivent dans des villages. Les maisons sont des cabanes rondes de 3 à 8 m de diamètre, avec des fondations en pierre et des murs en pisé ou en boue séchée. Les habitants fabriquent des outils en pierre taillée et confectionnent aussi des vases de pierre, faute de connaître l'art de la poterie.

Europe : la phase Atlantique
De 5800 à 3000 av. J.-C., règne un climat atlantique doux et humide, qui tend au réchauffement. Les conditions climatiques sont favorables au développement de l'agriculture.

5400 av. J.-C.

Mésopotamie et Susiane
Les premiers colons se sont installés dans le sud de la Mésopotamie, sur les bords de l'Euphrate, à Kish et Ur. Ils connaissent l'art de la céramique (des poteries de couleur chamois, en général, avec une décoration en rouge).

Le sanctuaire d'Eridu, petit bâtiment carré d'environ 3 m de côté, en briques crues, est divisé en deux au moyen de saillants. Dans le mur du fond, une niche a été aménagée. Un podium se dresse au milieu de la pièce. La présence de ce podium, l'orientation des angles, la situation de la construction elle-même, tout suggère qu'il s'agit d'un édifice religieux.

Sumer
On utilise la brique crue moulée, faite de boue additionnée de paille. Elle épouse la forme d'un pain allongé. →

5000 av. J.-C.

Sahara
Début de l'élevage itinérant. Le désert impose le nomadisme pastoral.

Mésopotamie
Débuts de l'irrigation artificielle. Etant donné l'insuffisance des pluies, mais compte tenu aussi de l'irrégularité des crues du Tigre et de l'Euphrate, qui intervenaient aux moments les plus défavorables pour l'agriculture, les hommes se virent très tôt contraints d'endiguer les fleuves et de drainer les zones inondables.

Egypte
Des communautés villageoises commencent à travailler la terre.

Europe méridionale
Début de la civilisation cardiale. Des villages d'agriculteurs apparaissent dans les régions méditerranéennes. Ces paysans sont aussi des potiers ; leurs vases sont décorés de motifs, imprimés dans la pâte au moyen d'un coquillage du genre *cardium* (d'où le nom de « cardial »). →

Europe orientale
Les fermiers d'Europe orientale, installés sur les rives du Danube et de ses affluents, se déplacent vers l'ouest à la recherche de nouvelles terres fertiles. Ils apprennent aux populations qu'ils rencontrent un nouvel art de vivre : fermes en bois, troupeaux dans des enclos, vaisselle et récipients en terre cuite. →

Mexique
Les habitants de la caverne de Tehuacan récoltent un maïs sauvage aux épis minuscules.

Pérou
Apparition de villages. Les paysans cultivent la pomme de terre et la patate douce.

Brésil
Les hommes sont installés sur le littoral. Ignorant encore l'agriculture, ils vivent de cueillette et de pêche.

4600 av. J.-C.

Lepenski-Vir
Des pêcheurs, installés sur les rives du Danube, sculptent d'étranges têtes en pierre. →

Paysans et potiers en Europe méridionale
Vers 5000 av. J.-C.
De la Toscane à l'Espagne, le littoral méditerranéen voit se développer une civilisation néolithique uniforme, signe de la circulation des hommes et des techniques. La Corse et le sud de la France actuelle sont très représentatifs de la culture « cardiale », portant le nom d'un coquillage, le *cardium*, qui servait à imprimer un décor régulier sur les poteries. Tel est, en effet, l'un des acquis majeurs de cette période : la maîtrise de la céramique. Les premiers potiers actifs dans ces régions fabriquent des bols, des bouteilles, des marmites, des louches et des amphores. Ils modèlent l'argile à la main, la décorent en y imprimant des coquillages et en l'incisant avec l'ongle ou le peigne. Vient ensuite le temps de la cuisson qui donne à la pâte sa dureté.
Le travail de la pierre n'est pas abandonné pour autant : taillé ou poli, le silex offre l'essentiel des outillages quotidiens et des armes de chasse. Les hommes du Cardial continuent à occuper des grottes et des abris naturels, mais on constate aussi l'apparition des premiers habitats en plein air, cabanes circulaires, parfois regroupées en villages. Les terres alentour se prêtent à la culture du blé et de l'orge, avec des instruments certes encore bien rudimentaires : on laboure avec un bâton durci au feu, on moissonne avec une faucille en silex, on broie le grain sur une meule en pierre. Ces paysans élèvent des moutons et domestiquent déjà les premiers bœufs et porcs. Le Languedoc et la Provence connaissent ainsi à leur tour cette « révolution néolithique » qui s'est développée beaucoup plus tôt au Proche-Orient. Des mutations profondes affectent les techniques de la vie quotidienne et bouleversent la vie sociale : la répartition des tâches devient la règle et les hommes commencent à se spécialiser dans certains métiers. La communauté exploite toutes les ressources de son territoire, c'est-à-dire la chasse, la cueillette, la collecte d'escargots et de coquillages, la pêche, l'élevage, autant d'activités qui rappellent la vie itinérante des hommes d'autrefois. La vie s'organise désormais autour du point fixe d'un habitat permanent et de champs cultivés.

Poterie à décor cardial. V-VIe millénaire.

Coquille de cardium utilisée pour le décor des vases.

Le Néolithique en Thessalie

Thessalie, vers 5000 av. J.-C.
Le Néolithique grec nous est connu grâce aux fouilles menées dans les sites de Thessalie, Sesklo et Dimini. Les premiers tessons de céramique apparaissent dans ces villages vers 6500 av. J.-C. Les Thessaliens maîtrisent l'agriculture et l'élevage. Ils fabriquent des microlithes avec l'obsidienne des Cyclades. Les maisons sont fort rustiques : cabanes aux murs de bois et de branchages mêlés de boue. Vers 5000 av. J.-C., Sesklo est un centre urbain important : certaines maisons sont construites autour d'un foyer central (le *mégaron*), préfigurant l'architecture des Mycéniens. Les Thessaliens se distinguent par la qualité de leurs céramiques.

Coupe en terre cuite trouvée près de Larissa. Néolithique thessalien. Musée de Larissa.

Vase sphérique en terre cuite trouvé à Lianokladi. Néolithique thessalien. Musée national, Athènes.

Des fermiers céramistes en Europe orientale

Europe, vers 5000 av. J.-C.

Dans les vallées du Danube et de ses affluents, une civilisation originale se développe à l'instigation de fermiers organisés en villages et particulièrement habiles dans les arts de la céramique. Les Danubiens vont influencer l'ensemble de la culture néolithique européenne. En effet, la nécessité de trouver de nouvelles terres ou de nouveaux pâturages, l'importance de l'expansion démographique conduisent ces fermiers à progresser vers l'ouest pour atteindre, vers 4000 av. J.-C., le Bassin parisien et les pays de la Loire. Population paisible, ces fermiers s'établissent d'ordinaire sur des pentes ensoleillées ou des terrasses fluviales. Ils ne redoutent ni les invasions, ni les brigandages, car les palissades et les fossés qui entourent parfois leurs villages ne servent qu'à retenir le bétail. En effet, les hommes du Danube sont avant tout des paysans, des cultivateurs et des éleveurs. Tout chez eux évoque le travail de la terre, depuis les faucilles en silex, les meules et les socs de pierre, jusqu'aux grains de céréales imprimés sur les poteries. Ces hommes domestiquent des animaux tels que le bœuf, la chèvre, le mouton, le porc et le chien. A l'intérieur du village, de grands bâtiments sont disposés selon un agencement identique : on trouve des granges, des étables et des greniers, mais aussi de véritables fermes au plancher de bois. Des fosses circulaires, recouvertes d'un toit, servent de remises pour les outils ou d'abris pour le bétail.

Les Danubiens enterrent leurs morts dans une ferme désaffectée ou dans un cimetière à l'écart du village, parfois avec des offrandes, une poterie ou de menus objets en silex. D'un village à l'autre, on échange des vases et des outils. Les Danubiens se servent du silex pour confectionner des lames, des grattoirs et des faucilles. Ils polissent aussi des blocs de

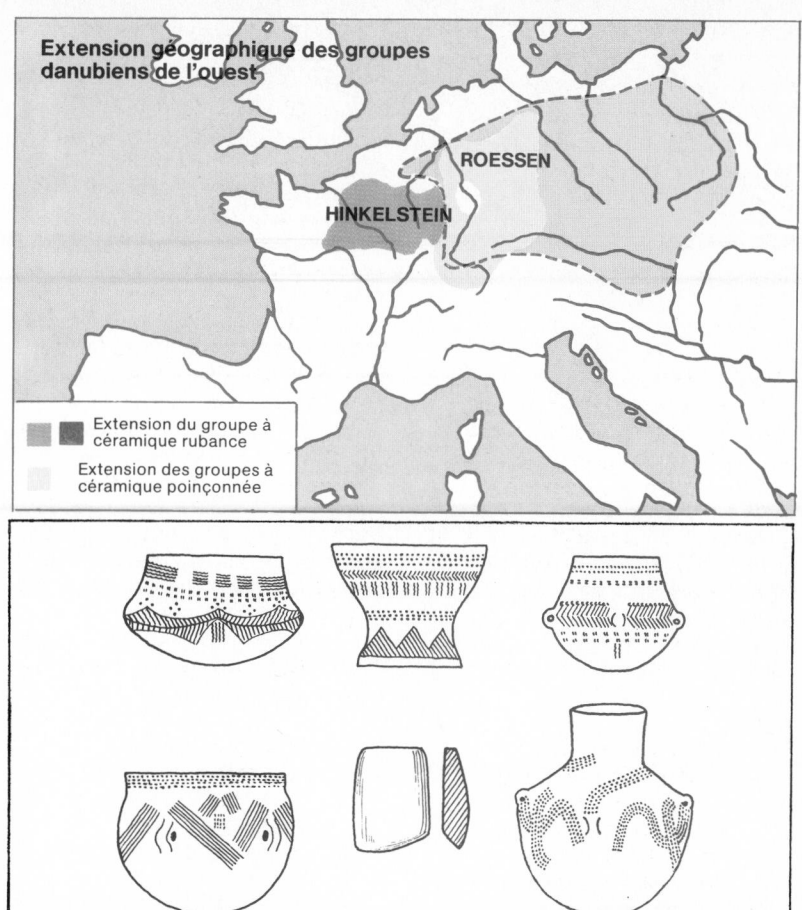

Extension géographique des groupes danubiens de l'ouest

ROESSEN
HINKELSTEIN

Extension du groupe à céramique rubanée
Extension des groupes à céramique poinçonnée

Céramiques néolithiques. Au centre, un poinçon (profil et coupe).

pierre dure, parfois percés d'un trou et utilisés comme socs de charrue ou comme houes. Mais c'est dans la technique de la terre cuite qu'ils font preuve de la plus parfaite maîtrise : grands récipients pour les travaux quotidiens ou vaisselle de table, dont les décors permettent de distinguer deux phases dans la civilisation danubienne. La plus ancienne correspond aux décors rubanés, tracés linéaires en spirales, en demi-cercles, en bandes continues, en chevrons, avec des rangées de points incisés. La plus récente offre des décors poinçonnés : bandes horizontales ou verticales, guirlandes, motifs en arêtes de poisson, parfois rehaussés de blanc.

Vase à décor « rubané ». Terre cuite.

Un lieu d'élection : Eridu, la demeure du dieu Enki

Mésopotamie, vers 5400 av. J.-C.

Le mythographe sumérien a conservé dans ses écrits le souvenir des origines lointaines de son histoire. Il se rappelle, en effet, le temps où il avait fallu arracher aux sables, aux marais et aux lagunes le sol même sur lequel se sont élevés les premiers foyers de sa propre civilisation. Une ville, à ses yeux, tenait une place de choix : Eridu, la demeure du dieu Enki, l'organisateur du monde, et la première résidence royale après que la royauté, comme disait la légende, fut descendue du ciel. C'est à Eridu que la tradition fixa la demeure des Sept Sages qui avaient transmis leur savoir à l'humanité. La Bible elle-même rapporte une autre tradition qui faisait d'Enoch le fondateur de la première ville à laquelle il aurait donné le nom de son fils, Ered. Ces traditions millénaires ont aujourd'hui pris corps depuis que Eridu a été mis au jour par les archéologues et qu'on y a découvert les plus anciens vestiges architecturaux connus en Mésopotamie (→ 3900 av. J.-C.).

Des têtes sculptées par des pêcheurs

Lepenski-Vir, vers 4600 av. J.-C.

Sur les rives du Danube, à la frontière de la Yougoslavie et de la Roumanie, vivait à Lepenski-Vir un peuple de pêcheurs du Néolithique, que rien ne distinguait de leurs homologues en d'autres régions. Leur habitat, des maisons de forme trapézoïdale, appartenait à la plus ancienne culture danubienne et répondait à ses normes. La particularité de ces hommes est d'avoir sculpté des statues en pierre au visage énigmatique et inhabituel : les yeux grand ouverts, les lèvres accentuées, elles évoquent, en effet, une tête de poisson plus qu'une tête humaine.

Tête sculptée en pierre, trouvée sur le site néolithique de Lepenski-Vir, au bord du Danube.

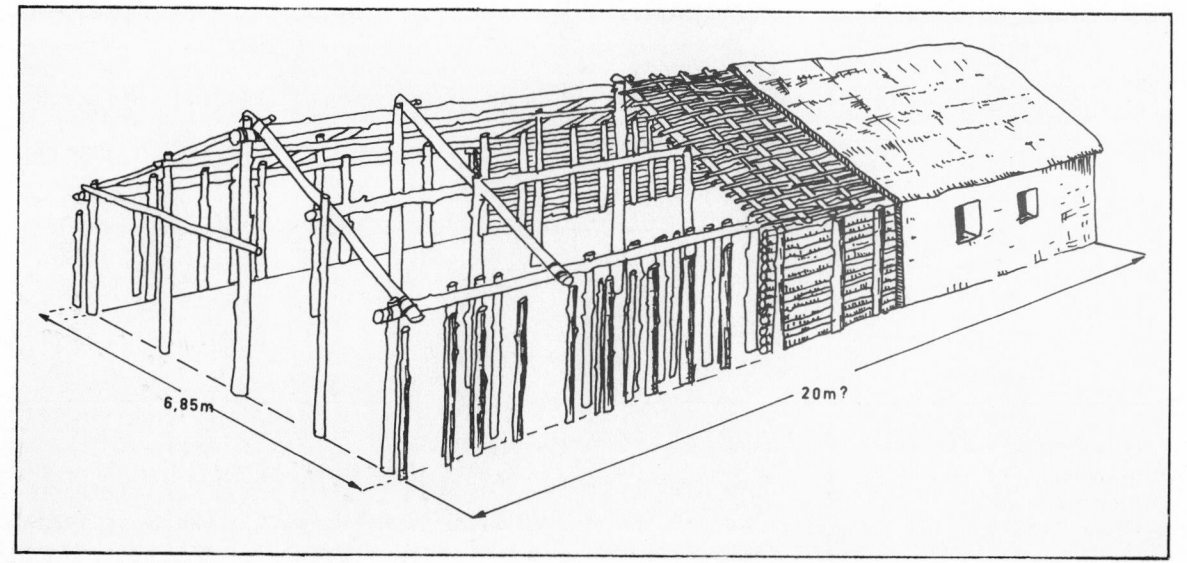

Habitat fermier à l'époque néolithique. Matériaux utilisés : clayonnage enduit d'un torchis fait de paille et de terre argileuse.

4500 av. J.-C.

Iran
La découverte de gisements de cuivre natif presque pur avait incité les hommes à marteler cette « sorte de pierre » au moins dès le VIIᵉ millénaire. C'est toutefois vers le milieu du Vᵉ millénaire seulement que l'on s'aperçut que, si l'on portait le cuivre à une haute température, il pouvait être fondu et coulé dans des moules. Découverte capitale aux conséquences innombrables, la métallurgie était née.

Crète
D'intenses échanges commerciaux commencent à se développer entre la Crète et les différentes îles de la mer Egée, contribuant ainsi à répandre les dernières inventions de la civilisation néolithique.

4000 av. J.-C.

Grèce
Le travail du cuivre se développe. Les gisements de cuivre, mais aussi de plomb, d'argent et d'étain attirent les mineurs et les forgerons d'Anatolie.

Europe centrale
Les fermiers danubiens, avec leurs troupeaux et leurs vases rubanés, s'en vont à la recherche de nouvelles terres : ils franchissent le Rhin et commencent à s'implanter dans le Palatinat, la plaine d'Alsace et le nord de la France.

Chine
D'abondants vestiges néolithiques jonchent la grande plaine centrale du Fleuve jaune et témoignent d'une densité d'occupation assez semblable à celle que l'on trouve dans la vallée du Nil à la même époque ou dans les zones à vocation agricole de la Mésopotamie. Les peuples de Chine commencent à cultiver le millet et à élever des porcs.

3700 av. J.-C.

Provence
Des paysans et des éleveurs donnent naissance à une nouvelle civilisation, dite civilisation de Chassey (du nom d'un village de Saône-et-Loire où furent découverts, pour la première fois, des témoins de leur activité). Occupant indifféremment des abris naturels ou des habitats construits, ils devaient progressivement étendre leur territoire

vers le nord, jusqu'au Jura. La particularité de cette civilisation est de joindre à un outillage lithique, qui plonge ses racines dans le Mésolithique local, une forme développée de céramique.

Europe occidentale
C'est la période du Néolithique moyen. L'agriculture et l'élevage s'imposent désormais, au détriment de la chasse et de la pêche. Les immigrants et les populations indigènes confrontent leurs techniques et leurs cultures. La fusion s'opère lentement. Au nord, les paysans danubiens défrichent la forêt. Ils travaillent avec des outils massifs. Au sud, les populations du Cardial et du Chasséen se tournent davantage vers l'élevage et achèvent la domestication de certains animaux, en particulier du cheval.

Egypte
De vastes groupements culturels se forment et se mettent en place le long de la vallée du Nil, selon deux axes principaux. Les uns se concentrent dans le Delta et dans la région du Fayoum, tandis que les autres occupent la haute vallée du Nil. Ainsi voit-on se dessiner les contours de deux royaumes, d'où sortira l'Egypte pharaonique.

3500 av. J.-C.

Corse
La Corse n'échappe pas à la « révolution néolithique ». Les paysans se regroupent en petits villages.

3400 av. J.-C.

Europe atlantique
D'Andalousie jusqu'en Suède, tout le long des côtes de l'Atlantique, commence à apparaître un type de sépultures collectives, construites à même le sol et dont la couverture est constituée généralement par un amas de pierres empilées (cairn), qui leur donne l'aspect d'un tumulus.

Sites d'exploitation du silex
De véritables mines de silex sont exploitées à Spiennes (Belgique), Rijksholt-Sint-Geertrui (Limbourg hollandais) et Grimes Graves (Angleterre) par des tribus qui semblent s'être spécialisées dans ce travail et dont la vie économique n'est plus fondée ni sur l'agriculture, ni sur l'élevage. C'est le début d'une industrie et d'un commerce de troc à une large échelle.

La médecine au Néolithique

Peu nombreux sont les ossements qui nous sont parvenus du Vᵉ ou du IVᵉ millénaire. On dispose, par contre, de témoignages beaucoup plus importants pour les périodes du Néolithique tardif ou du Bronze moyen (IIIᵉ et IIᵉ millénaires). Une étude attentive a permis d'y relever divers types de fractures (fractures mandibulaires et fractures de membres), mais aussi des traces de maladies infectieuses (ostéites et tuberculoses osseuses), de maladies dégénératives (nombreuses vertèbres déformées) et certaines maladies du sang affectant les os. Les maladies dentaires n'y étaient pas inconnues, bien qu'elles aient été, semble-t-il, plus rares que de nos jours. Face à ses souffrances, l'homme du Néolithique n'est pas resté inactif. Il a tenté de réduire ses fractures à l'aide d'une attelle. Remarquables sont les indices d'une chirurgie crânienne. De nombreux crânes du Néolithique ont subi des trépanations : les traces de cicatrisation témoignent que le patient survivait parfois à l'opération. En cas de décès, le « chirurgien » pratiquait une seconde ouverture pour comprendre les raisons de son échec.

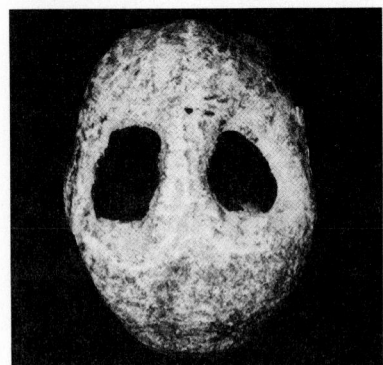

Crâne trépané. Epoque chalcolithique. Il s'agit certainement d'une intervention « in vivo ». Montpellier-le-Vieux.

Des architectes au bord de l'Atlantique

Massif armoricain, 3400 av. J.-C. Répandu dans toute l'Europe entre le Néolithique et l'âge du Bronze, le phénomène mégalithique apparaît d'abord sur la façade atlantique. Présentant des variantes, par leur forme ou par leur volume, ces « pierres sacrées » se classent en trois catégories : le menhir, le cromlech et le dolmen. Tout d'abord, le menhir, bloc monolithique dressé, demeure la forme la plus simple. La plupart des menhirs ne dépassent pas 3 m ; il en est toutefois qui atteignent 7 à 11 m. Le Men-er-Hroeg, à Locmariaquer, aujourd'hui brisé, devait mesurer dans les 20 m. Certains portent des gravures géométriques, d'autres plus rares (Midi de la France) laissent apparaître des figures anthropomorphes. Ces statues-menhirs sont tardives et remontent à la fin du IIIᵉ millénaire. Leur destination demeure mystérieuse. Souvent isolés, les blocs sont aussi parfois regroupés en alignements (Carnac), ou selon une figure géométrique. Le cromlech en est un exemple : c'est un groupement de menhirs en cercle. Quant au dolmen, c'est une tombe qui se compose de quatre pierres dressées, surmontées par une dalle tabulaire. Ce schéma primitif a connu des variantes : l'allée couverte n'est qu'une succession de dolmens simples ; le dolmen à couloir associe les deux types précédents, abritant ainsi une chambre funéraire, précédée d'une galerie. L'ensemble était généralement couvert par un tumulus (aujourd'hui effondré, ce qui laisse à nu le squelette de pierre). Les dolmens avaient une destination funéraire attestée.

Chambre de la nécropole mégalithique de Bougon (Deux-Sèvres) construite vers 3500 av. J.-C. On y a retrouvé quelque deux cents squelettes.

La vie quotidienne dans la ferme de Cuiry

Vallée de l'Aisne, vers 4000 av. J.-C.
Cuiry-les-Chaudardes, dans la vallée de l'Aisne, est un village typique de la « culture danubienne ». Il est composé de fermes dont la longueur varie entre 10 et 40 m, tandis que leur largeur ne dépasse guère 6 à 8 m. La présence dans le sol de cercles de terre d'une couleur plus foncée indique la position occupée par les poteaux qui servaient à soutenir les murs et les toits à double pente. A proximité de l'habitation, un dépotoir recueillait les restes de l'activité domestique. La maison familiale est intégrée dans un village dont la population s'élevait tout au plus à 200 habitants : ces derniers étaient avant tout des paysans. Ils cultivaient des céréales et les récoltaient avec des faucilles en silex. Il arrivait qu'un village entier se déplace vers d'autres terres, lorsque les champs venaient à s'épuiser. On élevait des troupeaux de bœufs et de porcs dans des enclos. La chasse, toujours pratiquée, n'apportait plus l'essentiel de l'alimentation. Rien, dans les sépultures ou l'habitat, n'indique l'existence d'une hiérarchie sociale dans le village néolithique de Cuiry. La famille semble être l'unité de base d'une société égalitaire, où seules les femmes, d'après les parures qu'elles portent, se distinguent de l'uniformité générale.

Ferme reconstituée de la vallée de l'Aisne. Habitat de la « culture danubienne ».

Les fosses funéraires en Bretagne

Vers 3400 av. J.-C.
La Bretagne néolithique voit la coexistence des tombes individuelles et collectives. Ces dernières prédominent largement. Les nécropoles mégalithiques supposent, par leur caractère monumental, une complète sédentarisation de la population ; destinées à être réutilisées pendant des siècles, elles étaient communes à une famille ou à un village entier ; leur datation demeure donc difficile. Au contraire, les tombes individuelles, moins visibles et donc moins vulnérables, présentent un intérêt chronologique et informatif plus sûr. Les corps étaient déposés couchés, accroupis ou assis ; parfois les cadavres étaient incinérés ou décharnés, et seuls les ossements recevaient une sépulture. Ils étaient munis d'un viatique, mobilier funéraire plus ou moins riche, composé d'armes, d'outils, de parures, de vivres, témoignant ainsi d'une croyance à la survie dans l'au-delà, ou, pour le moins, d'une répugnance à réutiliser les objets usuels du mort. Le culte des morts est sans doute déjà inséparable du culte des divinités de l'au-delà.

Derniers vestiges du Mésolithique

Europe occidentale, vers 4000 av. J.-C.
La culture néolithique prédomine en Europe occidentale. En l'espace de quelques siècles, on a vu apparaître des innovations décisives qui bouleversent non seulement les conditions de la vie matérielle, mais aussi les structures de la société et les mentalités : ainsi les villages, qui abritent une population de sédentaires, l'agriculture, qui nécessite de nouveaux outils (meules, faucilles...), l'élevage, la technique de la pierre polie, la maîtrise de l'art de la poterie. Mais ce tableau général ne doit pas dissimuler les disparités régionales et la spécificité des cultures locales. Vers 4000 av. J.-C., la Provence connaît les derniers développements de la culture cardiale. A l'est, il y a du nouveau, puisque les premières vagues de colons danubiens ont entamé leur progression à la recherche de nouvelles terres. Dans ce monde en pleine évolution, les derniers représentants du Mésolithique continuent leur vie de prédateurs. Mais, plus pour très longtemps, car il leur faut désormais choisir : s'adapter ou disparaître.

Néolithique français : la culture chasséenne

Du Midi au Bassin parisien
De 3700 à 2700 av. J.-C la culture chasséenne règne sur la quasi-totalité du territoire français actuel. Elle est née en Provence, sur les bords de la Méditerranée. L'importance de l'essor démographique favorise son expansion vers le nord, par la vallée du Rhône. Les grains et les outils agricoles, l'élevage de chèvres et de moutons sont autant de traits caractéristiques d'une économie agropastorale. Par contre, la chasse et la pêche sont des activités d'appoint. Les Chasséens vivent parfois dans des grottes, parfois sous des abris naturels : ils en organisent l'espace par des cloisons et en pavent le sol. Mais ils habitent également dans de véritables villages, entourés d'une palissade ou d'un fossé. Au fond des vallées ou sur les plateaux, ces camps retranchés regroupent des maisons en pierre, serrées les unes contre les autres. Le foyer est toujours placé à l'extérieur de l'habitat. De la Provence au Bassin parisien, cette population fabrique des vases en argile de la meilleure qualité, à la pâte fine et homogène, aux formes arrondies. Ce peut être aussi bien des bols ou des assiettes que des louches ou des coupes à socle. Le décor se compose de motifs géométriques (losanges, cercles, triangles) et les vases sont hachurés et incisés à l'ongle. Le travail de la pierre n'est pas abandonné pour autant : on débite des lames de silex et on polit des outils. La culture chasséenne influença durablement le Néolithique en Europe occidentale.

Développement de la métallurgie en Orient

Hache en bronze ornée. Azerbaïdjan, vers 1400 av. J.-C.

Iran, vers 4500 av. J.-C.
Le cuivre fut le premier métal utilisé par l'homme. On en retrouve des traces dès le IXe millénaire ; il était alors traité plus comme une pierre semi-précieuse que comme un métal. Dès le VIe millénaire, certains vestiges donnent à penser qu'une technique de fonte était déjà connue mais, à vrai dire, la métallurgie n'apparaît pleinement développée que vers 4500 av. J.-C. sur le plateau iranien, notamment dans la région de Kerman : objets fabriqués, scories et fragments de minerai attestent d'une activité spécialisée dans le cadre de cultures villageoises. En Mésopotamie, la métallurgie ne se développa qu'au IIIe millénaire.

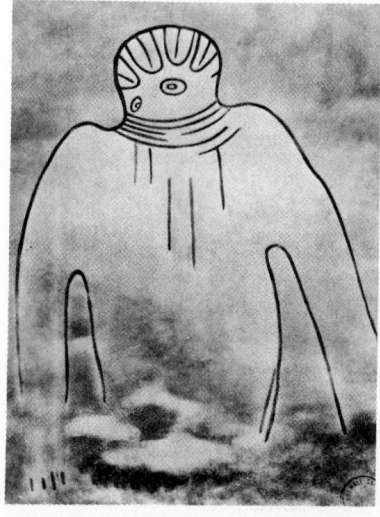
Bol en argile. Culture chasséenne. Bassin parisien. Musée des Antiquités nationales, Saint-Germain-en-Laye.

Néolithique saharien : l'abri de Jabbaren

Sahara, vers 3500 av. J.-C.
Dès 8000 av. J.-C., une civilisation originale se développe dans le Tassili. Avant de connaître la céramique, les habitants peignent les parois des grottes, y représentant des personnages humains et des animaux de la faune africaine. Ces peintures reflètent bien souvent des scènes de la vie religieuse (prières et danses rituelles). Dès 5500 av. J.-C., le mode de vie néolithique s'impose : on pratique l'élevage, on construit des maisons, et la diversification de l'outillage apparaît, ainsi que la poterie. L'art rupestre connaît un renouveau important : les peintures représentent dès lors des scènes de la vie quotidienne, scènes de chasse et d'élevage notamment.

Le « Grand Dieu » : une des peintures rupestres de l'abri de Jabbaren, Tassili n'Ajjer, Sahara.

3400 av. J.-C.

Mésopotamie

Déjà ancienne, l'invention de la roue a rendu possible la fabrication des premiers chariots : non seulement ceux-ci ont révolutionné l'art de la guerre, mais ils ont représenté un apport essentiel dans le développement des travaux agricoles et surtout dans le transport des denrées alimentaires. →

Egypte

Les premiers voiliers apparaissent sur le Nil. →

Proche-Orient

Le bronze fait son apparition : il est obtenu en mélangeant un peu d'étain au cuivre en fusion. Les outils et les armes ainsi fabriqués présentent une solidité et un tranchant incomparables. Ces premiers essais de métallurgie du bronze ont été rendus possibles grâce à la présence des gisements d'étain de l'Elam et du plateau iranien.

Europe occidentale

On assiste, tout le long des côtes de l'Atlantique, à un développement spectaculaire des tumulus et des sépultures mégalithiques. Il est de règle désormais que les hommes utilisent des architectures complexes pour enterrer leurs morts. Celles-ci se composent généralement d'une chambre funéraire, de forme ronde ou rectangulaire, à laquelle on accède par un couloir. Le défunt est entouré de haches polies et d'objets en pierres précieuses, de colliers et de céramiques. La piété envers les morts s'accompagne probablement d'un culte pour les divinités qui veillent sur leur sort dans l'au-delà.

3300 av. J.-C.

Proche-Orient

La naissance d'une « civilisation urbaine » constitue une étape importante dans le développement de l'humanité. Le phénomène urbain a, en effet, des implications sociales et politiques. Il suppose une économie diversifiée, pouvant assurer l'existence de chacun, et une société composée de différentes classes et corps de métiers. Mais la ville favorise aussi l'instauration d'un pouvoir centralisé et fort. En fait, chaque ville est à la fois un centre religieux et militaire et les deux principaux monuments en sont le temple et le palais royal. Les villes sont aussi des centres commerciaux, où paysans et citadins échangent leurs produits.

Egypte

La métallurgie est bien apparue en Egypte au début du IVe millénaire, importée sans doute du plateau iranien, sans qu'aient été vraiment renouvelés pour autant l'outillage ou l'armement. Assez curieusement, l'Egypte s'en tiendra pendant longtemps encore à un outillage de pierre finement polie ou encore de silex si minutieusement taillé qu'il aura le tranchant du bronze. Polis avec une virtuosité sans égale, des vases de calcaire, d'albâtre, de schiste ou de diorite continueront à imiter pendant des siècles et des siècles les formes les plus élégantes et les plus raffinées de la poterie. Au point que la civilisation pharaonique elle-même pourra être regardée comme une « hypertrophie monumentale de la civilisation néolithique ». Vers 3300 av. J.-C., une sorte d'accélération se fait soudain sentir : tandis qu'une architecture de briques se développe et prend des proportions imposantes, on voit ce qui deviendra le style égyptien s'affirmer avec éclat dans des œuvres comme la palette du roi Narmer, qui coiffa les couronnes du Nord et du Sud et unifia les royaumes de Basse et Haute-Egypte, servant ainsi de modèle au légendaire Ménès, considéré par la tradition comme le premier homme ayant régné après les demi-dieux. (→ 3000)

Mer Egée

Si la Thessalie est le foyer de la culture néolithique en Grèce, le début de l'âge du Bronze consacre le développement des Cyclades, qui entourent Délos comme une couronne. Cette région insulaire, la « Polynésie grecque », accélère les échanges culturels entre les Balkans et l'Anatolie. Eleveurs, paysans et pêcheurs, les hommes des Cyclades sont aussi des artistes épris d'abstraction et de perfection formelle. →

3200 av. J.-C.

Mésopotamie

Sur des tablettes d'argile ou de pierre, on trace les premiers signes graphiques : des pictogrammes représentant des objets du monde réel, puis les premiers signes d'une écriture, abstraite et non figurative, l'écriture dite cunéiforme.

Les industries de la pierre polie : l'atelier de Plussuliens

Bretagne, vers 3400 av. J.-C.
A Plussuliens (Côtes-du-Nord), la production industrielle de haches polies est à son apogée. Sur ce site néolithique, les artisans fabriquent puis exportent des outils en dolérite (une roche éruptive très dure). Un atelier conçu à cet effet a fourni près de la moitié des haches polies de Bretagne. De 4000 à 2000 av. J.-C., plus de six millions d'objets ont ainsi été fabriqués, puis exportés vers les Vosges, les Ardennes, les Pyrénées et même l'Angleterre. Des périodes de pleine activité alternent avec des phases d'abandon total de la production. Commencée à la surface de la carrière, l'exploitation s'étend en profondeur, à partir de 3000 av. J.-C.. Les ateliers sont alors délaissés et envahis par la végétation. Vers 2800 av. J.-C., l'activité reprend. La production atteint alors plus de 500 000 pièces par an. Une vingtaine de personnes y travaillent en permanence. La concurrence accrue des outils métalliques entraîne alors la fermeture définitive de l'atelier vers 2000 av. J.-C. Le travail peut se décomposer en trois phases : l'extraction et le dégrossissage du bloc de pierre, la régularisation de l'ébauche taillée et le polissage. La pierre polie pouvait alors être montée et fixée sur un manche en bois.

Exemples de haches en pierre dure polie. Vers 3400 av. J.-C.

Des voiliers dans la vallée du Nil

Egypte, vers 3400 av. J.-C.
La navigation fluviale sur le Nil, principale artère du nord au sud, connaît un essor très précoce. Les radeaux primitifs cèdent la place dès 3400 av. J.-C. à de véritables bateaux, combinant deux forces motrices, musculaire (avirons) et éolienne. Ils nous sont connus par de nombreux documents : de forme effilée, ils présentent des extrémités relevées, grâce à une corde tendue de la proue à la poupe qui renforce la rigidité. La voile carrée est soutenue par un court mât, pour mieux répartir les charges.

Art égyptien. Décoration d'un vase de l'époque prédynastique (vers 3400 av. J.-C.).

Le chariot : une invention mésopotamienne ?

Mésopotamie, vers 3400 av. J.-C.
Un petit quadrige en cuivre du début du IVe millénaire, tiré par quatre onagres, montre qu'on se servait déjà de chariots. Les roues étaient formées de trois pièces de bois arrondies assemblées par des tirants en fer.

Modèle de chariot en argile.

Un personnage barbu, accompagné d'une femme, présente une offrande votive (vase à pied ou statue). Palette de schiste bleu. Dernière période d'Uruk, vers 3300 av. J.-C. British Museum, Londres.

Invention de l'écriture cunéiforme à Sumer

Mésopotamie, vers 3200 av. J.-C. C'est approximativement à la même époque que deux systèmes d'écriture virent le jour : le premier, parfois appelé proto-sumérien, fut inventé à Uruk ; le second, dit proto-élamite, le fut vraisemblablement à Suse. L'un fut adopté en Mésopotamie du Nord et dans la vallée de l'Euphrate, l'autre fut en usage sur tout le plateau iranien. Le cadre linguistique, en effet, était complexe et nous n'avons aucune certitude quant aux langues dont ils furent les supports : en Mésopotamie même, aux côtés de la langue d'une population inconnue dont on ignorerait l'existence sans les noms de lieux et de cours d'eau qu'elle a laissés, on découvre le sumérien, langue totalement isolée, de type agglutinant, et l'akkadien, une langue sémitique. Une autre langue sémitique (identifiée voici une dizaine d'années seulement et en cours de déchiffrement) était parlée en Syrie du Nord : l'éblaïte, du nom de la ville d'Ebla où elle est attestée. Des langues du Khuzistân et du plateau iranien, on ne connaît que l'élamite. A ses débuts, l'écriture n'était pas cunéiforme, mais linéaire et pictographique, faite de signes gravés sur un support, la pierre ou l'argile, et composant de véritables dessins, des silhouettes d'objets facilement discernables : produits manufacturés, végétaux, têtes ou parties du corps de l'homme ou d'animaux. Si une certaine schématisation ou stylisation s'y dévoile, elle reste du domaine du concret et reflète les pratiques en usage dans l'art pictural contemporain. Pour exprimer des notions moins directement traduisibles à l'aide

d'un pictogramme simple, on avait recours à des compositions évocatrices : par exemple un œuf auprès d'un volatile suggérait la notion d'enfantement, des hachures sous un arc de cercle l'obscurité de la nuit. L'écriture proto-élamite n'eut qu'une existence éphémère et fut vite évincée par l'écriture cunéiforme sumérienne. L'invention de l'écriture à Uruk était, en fait, l'aboutissement d'une longue histoire plusieurs fois millénaire. Ce système graphique qui comportait plus de 1 500 caractères, peut-être même le double, n'était pas apte à rendre les flexions grammaticales ; il se bornait à noter les points essentiels du message que l'on voulait transmettre et péchait par son aspect tout à la fois rudimentaire et trop complexe.

Dès 2900 av. J.-C., on renonça au tracé continu du pictogramme et on opta pour l'impression sur l'argile, à l'aide d'un roseau à l'extrémité taillée en biseau, de marques dont les associations plus ou moins

complexes servirent à créer des caractères d'écriture (celle-ci était alors utilisable pour transcrire le sumérien). C'est de la forme en « coin » qu'est née l'appellation « cunéiforme » réservée à cette écriture. Au cours des trois millénaires qui suivirent, celle-ci évolua vers un degré d'abstraction toujours plus grand et une réduction du nombre de ses signes. En même temps, on remédia aux défaillances inhérentes à la pictographie et on mit fin à la relation privilégiée du signe avec l'objet qu'il figurait, le considérant désormais comme un élément sonore du langage articulé, un phonème. La systématisation de cette découverte, le phonétisme, fut sans doute l'événement le plus décisif dans l'histoire de l'écriture avant l'invention de l'alphabet. Elle permit de restituer de façon plus satisfaisante la langue parlée et de noter n'importe quelle autre langue, outre le sumérien.

Sceaux-cylindres mésopotamiens avec leurs empreintes. Ils servaient à marquer ou à sceller tous documents précieux, notamment les documents comptables.

La civilisation du Cycladique ancien

Vers 3300 av. J.-C.
Le Cycladique ancien caractérise la civilisation qui s'est épanouie de 3200 à 2000 av. J.-C. dans les Cyclades. L'insularité a stimulé l'inventivité dans l'exploitation des ressources, puis la navigation et le commerce ont permis des échanges culturels déterminants pour l'éveil des civilisations postérieures. Si le contenu des tombes atteste un artisanat audacieux (céramiques aux formes diversifiées, armes d'obsidienne, objets de marbre poli, vases et idoles stylisés), l'architecture quant à elle, rudimentaire et en matériaux périssables, nous est moins connue.

Art cycladique. Vase en marbre provenant d'Antiparos. IIIᵉ millénaire. Musée national, Athènes.

Idole cycladique en marbre provenant de Syros. Vers 2000 av. J.-C. Musée national, Athènes.

La civilisation mésopotamienne

3200-331 av. J.-C.

La terre que les Sumériens ont désignée du nom d'« Eden », ce qui veut dire, banalement, le « plat pays », et que les Grecs, plus tard, ont appelée le « pays entre les fleuves », porte encore aujourd'hui ce nom de « Mésopotamie ». Il s'étend entre les cours du Tigre et de l'Euphrate. Pourtant, derrière l'unicité du nom, se révèle une profonde diversité. Entre la steppe syrienne et le désert de l'Arabie d'un côté, la chaîne montagneuse du Zagros de l'autre, la Mésopotamie forme comme un long boulevard qui va du nord de la Syrie et des abords de la Méditerranée jusqu'au golfe arabo-persique. D'une région à l'autre, le climat change : méditerranéen ici, plus sec ailleurs. Le régime des pluies varie, qui suffit aux besoins de l'agriculture dans le nord-ouest et les hautes vallées de l'Assyrie, mais condamne ailleurs la même agriculture à recourir à l'irrigation artificielle. Le comportement des fleuves, enfin, est fluctuant et expose le pays à leurs caprices imprévisibles. Le Tigre, aux crues soudaines et violentes, ne charrie que très peu d'alluvions, alors que l'Euphrate, beaucoup plus long et aux eaux plus lentes, dépose tout au long de son parcours quantité d'alluvions qui exhaussent son lit et, par voie de conséquence, entraînent une modification constante de son tracé. Très schématiquement, la Mésopotamie se divise en cinq régions, elles-mêmes formées d'oasis plus ou moins étendues et séparées les unes des autres par des steppes désertiques ou des marécages. La haute Mésopotamie, au nord-ouest, comprend les oasis de l'Assyrie et la steppe de la Djézireh qui sert de pâturages. Viennent ensuite la très fertile vallée de l'Euphrate, dont le paysage est modelé par les alluvions, et la plaine elle-même, traversée de toutes parts par un réseau extrêmement dense et complexe de canaux d'irrigation. A l'extrême sud, enfin, se trouvent la région des grands marais, véritable mer de roseaux qui borde le golfe arabo-persique, et, au sud-est, la plaine de Susiane, sorte de prolongement de la plaine mésopotamienne mais arrosé par les rivières Kârun et Kerkha. Toutes ces régions n'ont en commun que l'absence de minerais, de métaux, de pierres et de bois de construction. Le peuplement est également très varié. Il est fait de vagues successives : Sumériens et Akkadiens, Amorites et Guti, Kassites et Hourrites, Araméens et Chaldéens, Perses, Grecs et Parthes enfin, qui s'emparent à leur tour des leviers du pouvoir. Le mode de vie sédentaire y est la norme. L'unité d'habitation est généralement la ville. L'essor urbain, ponctué par les fondations de cités, est l'un des traits originaux de la civilisation mésopotamienne. Mais il existe un second élément de peuplement, les éleveurs de troupeaux de moutons semi-nomades, qui occupent l'espace séparant les villes les unes des autres.

Une culture complexe

La civilisation mésopotamienne naît de la rencontre de deux sociétés, à l'origine très éloignées l'une de l'autre, la société sumérienne et la société akkadienne. Les Sumériens s'établissent à demeure en Mésopotamie méridionale à une date indéterminée. On les reconnaît grâce à leur langue, qui ne se rattache à aucun groupe linguistique connu ; elle est d'un type que l'on nomme agglutinant, c'est-à-dire qu'elle exprime les rapports grammaticaux par l'adjonction aux substantifs, verbes et adjectifs qui demeurent phonétiquement immuables, de préfixes, d'infixes ou de suffixes, ceux-ci pouvant apparaître isolés ou en chaîne. On ignore de même l'époque à laquelle les Akkadiens s'installent en Mésopotamie. Leur langue appartient au groupe sémitique encore largement parlé de nos jours (hébreu, arabe, etc.). Cette langue est de type flexionnel, c'est-à-dire qu'elle exprime les rapports grammaticaux par des modifications phonétiques jouant sur l'aspect des mots eux-mêmes. Elle est le plus ancien témoin connu de ce groupe de langues, avec sa voisine d'Ebla parlée en Syrie du Nord au IIIe millénaire av. J.-C. S'agissant de la langue d'Ebla, la découverte sur ce site, non loin d'Alep dans le nord de la Syrie, d'une bibliothèque qui date du XXVIe siècle av. J.-C. et qui comporte plusieurs milliers de tablettes cunéiformes, est certainement l'une des trouvailles archéologiques majeures de ce siècle. Les deux sociétés d'Ebla et d'Agadé (Akkad) entretiennent entre elles des rapports qu'il est encore difficile de débrouiller. A l'origine, les Sumériens occupent la partie méridionale de la plaine, les Akkadiens la partie plus au nord ; mais, très vite, sous l'effet d'échanges constants et de liens toujours plus étroits, le rapprochement entre eux est tel qu'il donne naissance à une culture complexe. Certes, la part des Sumériens est la plus grande ; n'est-ce pas à eux que l'on doit l'invention de l'écriture cunéiforme ? Et, témoignage de la marque indélébile qui sera la leur, malgré la disparition de la langue sumérienne en tant que langue parlée, à l'orée du IIe millénaire av. J.-C., celle-ci restera le véhicule de culture pendant deux millénaires, auprès des akkadophones, un peu comme le sera le latin de notre propre Moyen Age.

Du morcellement à l'unité

A la fin du IVe millénaire av. J.-C., la civilisation mésopotamienne s'invente un art de vivre : la vie urbaine. La ville devient alors le centre d'attraction où séjournent les dieux, les chefs et les prêtres, où s'érigent les édifices publics et où s'accumulent les richesses. Autour des principales cités se constituent des territoires aux limites bien définies. Au milieu du IIIe millénaire, la Mésopotamie est divisée en un certain nombre de principautés dont les plus importantes sont Mari, Kish, Adad, Umma, Lagash, Uruk et Ur. Elles entretiennent entre elles des relations tour à tour pacifiques et conflictuelles ; entre les forces en présence, se révèle en dernière analyse une sorte d'équilibre. Au cours de la seconde moitié de ce même millénaire, cet équilibre est cependant rompu par les ambitions impérialistes de plusieurs souverains : le Sumérien Lugalzagesi (vers 2300 av. J.-C.), lui-même vaincu par l'Akkadien Sargon l'Ancien, le fondateur de l'empire d'Agadé et le premier monarque capable d'unifier toute la Mésopotamie sous sa seule autorité. L'empire d'Agadé dure près de deux siècles et demi. Sa chute ouvre une période de crise où la Mésopotamie est à nouveau divisée ; mais, rapidement, vers 2100 av. J.-C., le roi d'Ur Ur-Nammu rétablit un régime centralisé et impose sa loi à Sumer et Agadé, à nouveau réunies. L'empire d'Ur tombe à son tour après un siècle d'existence, vers 2000 av. J.-C.. Deux dynasties tentent d'en recueillir l'héritage ; elles ont pour capitales Isin et Larsa, mais elles doivent renoncer, voyant leurs territoires submergés par les vagues d'invasions amorites. Vers 1900 av. J.-C., la Mésopotamie est une nouvelle fois politiquement morcelée en une infinité de petits États. Pendant un très court moment, au XVIIIe siècle av. J.-C., deux États se partagent la suprématie : l'Assyrie du roi Shamshi-Adad et la Babylonie du roi Hammurabi, cette dernière avec sa jeune et toute nouvelle capitale, Babylone. Pendant quelques années, Hammurabi parvient même à dominer l'Assyrie. Le régime des cités-États est dès lors condamné ; l'heure de son agonie a sonné. Désormais, de grands États centralisés vont se succéder sur le sol mésopotamien : Empires mitannien, assyrien, babylonien et perse. La royauté est jugée comme la forme normale de l'État. Descendue du ciel, elle est selon les Sumériens un don des dieux. Au IIIe millénaire, les cités-États constituent autant de systèmes monarchiques dont les institutions, à dire vrai, sont complexes. Selon les lieux, le pouvoir du roi est variable. A ses côtés, plusieurs assemblées siègent qui ont pour nom le Palais, la Ville, l'Assemblée des anciens, l'Assemblée des jeunes hommes. Plus tard, dans le cadre des grands États, seule l'institution royale survit, mais le souverain y est entouré d'un nombre plus ou moins grand de conseillers parmi lesquels le plus proche joue un peu le rôle d'un grand vizir. Représentant les dieux sur la terre, le roi remplit une triple fonction : il est bâtisseur de temples pour célébrer et honorer les dieux ; il assure sur la terre le bien-être et le progrès, bref la prospérité, principalement en veillant au creusement et à l'entretien des canaux d'irrigation ; enfin, il conduit les guerres ; cet aspect guerrier n'est nulle part exalté avec autant d'éclat qu'en Assyrie. Le roi vit dans un palais, véritable centre politique du pays, où les intrigues et les complots agitent les cercles restreints qui l'entourent. L'investiture, ainsi que les principales fêtes annuelles, se déroulent cependant dans les temples, demeures des dieux, et cela dit assez le rôle que le clergé peut tenir dans ces antiques monarchies. Quant à la succession, le principe de l'hérédité et de la légitimité familiale semble avoir été acquis très tôt. Enfin, un appareil bureaucratique, lourd et tatillon, atteint à certaines époques par un gigantisme tentaculaire, assure la coordination des activités politiques, économiques et administratives.

L'économie et la société

La véritable richesse est essentiellement terrienne et l'on peut diviser la société mésopotamienne en trois états bien distincts. Il y a, tout d'abord, les propriétaires et usufruitiers de grandes exploitations à dominante agricole : ce sont les rois et les dieux, autrement dit les palais et les temples ; mais l'existence d'une grande propriété privée est établie dès les premiers documents écrits. En second lieu, on distingue une petite paysannerie qui vit dans des conditions relativement précaires ; elle est composée d'une caste de petits propriétaires terriens, de métayers auxquels sont comptés des lots relativement modestes et de fonctionnaires de second rang, qui jouissent de prébendes d'importance moyenne ; ils sont les uns et les autres, et c'est le lien qui les unit, condamnés à pratiquer une agriculture de subsistance. Il y a enfin la masse laborieuse de tous ceux qui n'ont d'autre ressource que de vendre leur force de travail à autrui. Le commerce et l'artisanat, qui font leurs premiers pas à l'ombre des grands propriétaires fonciers, se développent de façon indépendante dès la fin du IIIe millénaire. Dès le XVIIIe siècle av. J.-C. naissent des banques et des affaires familiales. Mais le grand commerce international, et surtout celui du métal, reste sous l'étroite surveillance de l'État. Cette économie se caractérise notamment par l'absence d'une monnaie estampillée et commode. La première monnaie véritable est frappée au VIIIe siècle av. J.-C., sans doute émise par des banques d'Ionie ou de Lydie.

La famille

On sait peu de chose sur la vie quotidienne des anciens Mésopotamiens et les relations qu'entretiennent entre eux les membres de la société. La famille, fondée par le mariage, est la cellule de base. Le caractère inégalitaire de la relation entre les hommes et les femmes en est le trait dominant. L'homme est maître : maître de son épouse, chef de famille, propriétaire des biens, détenteur de l'autorité. Nanti, marié et père, tout lui sourit. L'autorité qu'il exerce sur ses proches est quasiment sans limites. Il peut punir et pardonner, vendre ses enfants en esclavage ou les gager en cas de dettes. C'est dans l'Assyrie du IIe millénaire que les privilèges de l'époux sont les plus étendus, puisqu'il exerce sur sa femme un droit de « correction » qui atteint une rare brutalité : il peut en effet la battre, la fouetter et aller jusqu'à lui amputer le nez ou les oreilles, dans certains cas le bout des seins ; en cas de flagrant délit d'adultère, il peut la tuer. La femme est, toute sa vie durant, celle d'un autre : d'abord de son père, ensuite de son beau-père et de son époux, enfin, en cas de veuvage, de ses enfants. Sans doute, le droit à posséder quelques biens propres lui est-il reconnu, mais sa liberté de mouvement et d'activité lui est comptée. On connaît cependant quelques femmes d'affaires. Le mariage obéit à un cérémonial plus ou moins complexe, selon le degré de richesse des familles qui s'allient. Il n'est qu'une seule formalité indispensable à sa constitution, le contrat oral, qui se réduit à la déclamation de paroles solennelles : « Toi, sois mon épouse ; moi, je serai ton époux. » Il s'accompagne habituellement d'un échange de biens de prestige, de banquets et de festins. Quant au divorce, seul l'époux peut y accéder. Il lui suffit pour l'obtenir de prononcer la formule : « Tu n'es plus mon épouse, je ne suis plus ton époux », et d'indemniser la femme. L'épouse qui se risquerait à prononcer la même formule serait attachée et jetée à l'eau.

Vie religieuse et intellectuelle

Les maîtres du monde sont les grands dieux du panthéon : An, Enlil et Enki, respectivement les maîtres du ciel, de l'atmosphère et de la terre. Au cours du IIe millénaire, Marduk seul remplace cette triade en posant pour exigence devant ses pairs, avant d'engager le combat contre le monstre, incarnation des forces du chaos, d'être en cas de victoire désigné comme l'unique souverain des dieux. Il existe, à vrai dire, à côté de ces dieux souverains, une multitude de divinités, masculines et féminines, qui sont autant d'explications des phénomènes naturels. Le recours à la divinité est, en effet, le moyen dont dispose la pensée mésopotamienne pour rendre compte de l'ordre universel et l'expliquer. Toutes ces divinités sont immanentes, c'est-à-dire que le principe de leur existence est contenu dans leur personne même, et elles exigent la satisfaction d'un certain nombre de besoins. L'humanité est créée, précisément, pour leur seul service et sa fonction consiste à leur assurer le logement, le boire et le manger, en un mot à leur permettre de vivre sans le souci constant des contingences matérielles. Car, tout comme les hommes, les dieux boivent, mangent, s'habillent et dorment. Le culte quotidien, dans les temples, pare à l'ensemble de ces besoins. Mais les exigences des dieux sont plus complexes et, en d'autres domaines, comme la justice sociale, elles sont plus impénétrables. Il importe donc de connaître leurs désirs, de les prévoir et d'accorder sa conduite en conséquence. C'est de cette préoccupation que naît une science qui devient, en Mésopotamie, synonyme de savoir par excellence : la divination, principalement sous la forme de l'interprétation des songes, de la lecture des entrailles, notamment le foie, et de l'astrologie. Cette science atteignit alors un rare degré de développement, de précision et de rationalité.

3100 av. J.-C.

Mésopotamie

Les villes se développent au pays d'Uruk.

3000 av. J.-C.

Corse

On commence à travailler les métaux : entre 3000 et 2500 av. J.-C., les Corses font les premières tentatives de métallurgie du cuivre, non loin d'Aléria.

Chine

Deux cultures néolithiques se développent en Chine. La culture de Yangshao (Henan) se caractérise par des poteries peintes à dessins géométriques. La culture de Longsham (Chine de l'Est et du Nord-Est) a pour particularité l'usage d'une fine céramique noire. La pâte est montée au tour pour créer des coupes à pied, des vases à anse et à bec verseur. Cette population fait aussi un grand usage de l'os et de la pierre polie. Elle cultive le millet et le blé et élève le chien, le porc, le mouton et le bœuf. Les villages de ces paysans sédentaires sont parfois entourés de remparts de terre battue. On pratique déjà la divination, à base d'os soumis à l'action du feu. Dans le région du fleuve Bleu apparaissent les premières rizières.

Mexique

Dans la région de Tehuacan, les hommes vivent dans des cavernes. Ils connaissent depuis longtemps déjà le maïs sauvage, mais ils sont maintenant parvenus à sélectionner une espèce aux épis plus grands et à la développer par l'agriculture. Le maïs constitue très vite la principale nourriture de cette population qui connaît un important accroissement démographique.

Bretagne

Les alignements de menhirs de Carnac ne sont que l'une des manifestations les plus spectaculaires du phénomène mégalithique en Bretagne : ce dernier témoigne de la maîtrise technique des architectes et carriers, mais aussi de préoccupations intellectuelles nouvelles qui se matérialisent dans ces monuments gigantesques (religion, culte des morts...). →

Région alpine

Premières cités au bord des lacs. Dans les régions du Jura et des Alpes, des paysans s'établissent au bord des lacs et construisent des maisons en bois bâties sur pilotis. Ils vivent d'agriculture, de chasse et de pêche. →

Sud-ouest du Massif central

A Capdenac, au-dessus du Lot, un campement de Chasséens conserve une mystérieuse statue figurant un personnage féminin. C'est, en France, la plus ancienne statue en pierre connue. →

Egypte

Unification des deux royaumes. On attribue à Ménès (ou Horus Narmer) ce que les légendes des Egyptiens eux-mêmes lui attribuent : la fondation de Memphis, à la limite de la Basse et de la Haute-Egypte qu'il a réunies pour former un seul et même royaume. →

Europe

Premiers chevaux domestiques. Jusque vers 3000 av. J.-C., on continue à chasser les chevaux sauvages, mais de moins en moins. Alors qu'en Asie centrale, on a entrepris la domestication de l'animal depuis 4000 av. J.-C. et que les Européens néolithiques pratiquent depuis longtemps l'élevage des bovins et des moutons, ce n'est que vers 3000 que l'on commence à utiliser le cheval pour sa force et sa viande. Mais ce n'est pas avant l'âge du Bronze que le cheval sera pleinement domestiqué et qu'il deviendra un animal de trait, puis de selle.

Europe septentrionale, 3000-2800 av. J.-C.

Alors que l'Europe orientale et l'Europe occidentale ont été « néolithisées » dès la fin du Ve millénaire, une partie des Pays-Bas, le nord de l'Allemagne, l'ensemble de la Scandinavie sont restés en dehors de ce courant et ont continué, pendant plus d'un millénaire, à être occupés par des tribus restées fidèles au mode de vie mésolithique : chasse, pêche et cueillette. Si les bienfaits de la phase atlantique se sont fait sentir plus tardivement qu'ailleurs, encore fallait-il pour que les techniques de l'agriculture soient adoptées et connaissent le succès qu'elles soient suffisamment évoluées pour permettre l'exploitation des terres ingrates et souvent sablonneuses de ces régions. Une brusque évolution se produit à l'orée du IIIe millénaire avec l'apparition d'une civilisation dite « aux gobelets en entonnoir », d'après la forme caractéristique de la poterie. Ornés d'une simple ligne en pointillé, ces gobelets sont accompagnés d'amphores et de bouteilles à collerettes sans décor.

Palette de Narmer. Hiérakonpolis, Ire dynastie. Schiste. (Victoire du roi unificateur des deux Egypte).

Le roi Ménès unit les deux Egypte

Egypte, vers 3000 av. J.-C.

Le premier roi légendaire de l'Egypte, Ménès (Horus Narmer), fonde la dynastie thinite, du nom du district de Thinis en Haute-Egypte, dont il est originaire. Il réunit les deux Egypte sous une autorité unique. Le nouvel Etat rassemble la Haute et la Basse-Egypte (respectivement la haute vallée du Nil et la région du Delta). Il a pour capitale Memphis (le « Mur blanc »), sur le delta du Nil. Les insignes royaux symbolisent l'unification politique : la mitre blanche de la Haute-Egypte est complétée par la couronne rouge de la Basse-Egypte. L'époque thinite correspond aux deux premières des trente ou trente et une dynasties de l'histoire égyptienne. Elle s'achève vers 2640 av. J.-C. Selon la tradition, les Egyptiens inventent les hiéroglyphes sous le règne de Ménès.

La vie quotidienne dans une cité lacustre

Région alpine, vers 3000 av. J.-C.

Les premières cités lacustres apparaissent dans les régions des Alpes et du Jura, au bord de lacs glaciaires ou de tourbières. Du Néolithique à l'âge du Bronze, elles constituent un habitat relativement stable. Les maisons étaient-elles construites sur des pilotis, au-dessus des eaux, ou sur la terre ferme ? Cette dernière hypothèse paraît aujourd'hui la plus vraisemblable. Au bord du lac, le village est protégé de l'intérieur des terres par une palissade de bois. Les maisons néolithiques sont accolées les unes aux autres ; à l'âge du Bronze, elles sont construites isolément : l'autonomie architecturale révèle l'autonomie sociale et familiale. Ces maisons de bois sont très vulnérables au feu. Les habitants défrichent les forêts des alentours pour cultiver les champs. La chasse et la pêche devaient constituer le complément essentiel de l'alimentation. Submergées par l'élévation du niveau des eaux, les cités lacustres ont livré des documents uniques sur la vie quotidienne, certes (outils de pierre et d'os, céramiques) mais aussi des objets beaucoup moins courants : ici, une cuillère en bois, là un poignard en silex avec son manche en osier soigneusement enroulé ou, comme sur le site de Charavines (Isère), un fond de panier tressé, une pelote de fil, des aiguilles à chas et des peignes en bois. Plus étonnante encore, la découverte de fèves et de noix, voire de céréales et de fruits, permet de reconstituer le régime alimentaire, mais aussi le milieu naturel des hommes des cités lacustres : hêtres, sapins, tilleuls et noisetiers...

Reconstitution d'une cité lacustre de l'âge du Bronze. Vers 2000 av. J.-C. Musée en plein air d'Unteruhldingen, lac de Constance.

Villes et temples au pays d'Uruk

Mésopotamie, vers 3100 av. J.-C.
Uruk, l'Erech biblique, est, après Eridu, le second haut lieu de la culture mésopotamienne. C'est à Uruk que la déesse Inanna, symbole de la féminité exaltée, apporta les pouvoirs divins qui règlent l'ordre du monde, après en avoir spolié le dieu Enki, ivre mort, à la fin du banquet qu'il offrait en son honneur, à Eridu. La ville naquit vers 3200, de la fusion de deux bourgs à l'origine distincts, Kulaba et Eana. C'est à Eana qu'apparaît l'architecture monumentale : une vaste esplanade délimitée par quatre bâtiments dont deux temples et une salle à colonnes. Un troisième temple, plus grand encore que les deux premiers, aux dimensions impressionnantes de 80 m sur 30 m, se dressait au nord-est de cette esplanade. Ces temples présentaient tous le même plan : une grande

Tête de femme. Marbre blanc. Uruk, début du IIIᵉ millénaire. Musée de Bagdad.

salle cruciforme flanquée de nombreuses pièces latérales. Certains édifices étaient ornés de mosaïques.

Un sculpteur dans la vallée du Lot

Vers 3000 av. J.-C.
A Capdenac-le-Haut, une terrasse domine la vallée du Lot : c'est l'emplacement privilégié que choisirent des hommes du Chasséen pour établir leur campement. Dans leurs bagages se trouvait une sculpture massive, haute de 27 cm, d'une largeur de 17 cm et d'une épaisseur de 25 cm. Cette pierre sculptée représente un être humain de sexe féminin dont seuls la tête, le tronc et les bras sont figurés. Le visage est partagé par un nez très allongé. Deux pastilles rondes en relief suggèrent les yeux, élément marquant et expressif de cette tête qui dévisage celui qui la regarde aujourd'hui. Le corps lui-même se présente comme un cube d'où se dégagent une poitrine opulente et des bras. Les seins au relief accentué et les mains aux trois doigts écartés prenant appui sur le ventre

renvoient au symbolisme d'une féminité féconde, gage de la fertilité des terres et des familles humaines.

La déesse de Capdenac-le-Haut, vallée du Lot. Vers 3000 av. J.-C., culture chasséenne.

L'énigme des alignements de Carnac

Bretagne, IIIᵉ millénaire
Nul site ne peut mieux illustrer le phénomène mégalithique que Carnac, dans le Morbihan. Aménagé au cours du IIIᵉ millénaire, remarquable par la densité de ses alignements qui s'étendent sur plus de 4 km, associant menhirs, dolmens, cromlechs et tumulus, le site se divise en trois vastes champs où se concentrent près de 3 000 monuments : les alignements de Le Ménec comportent 1 169 menhirs se déployant sur une longueur de 1 138 m et une largeur moyenne de 97 m ; disposés en onze rangées, ils sont précédés par un cromlech de 70 pièces. A environ 300 m de ces premiers alignements, ceux de Kermario comptent 1 029 blocs, serpentant sur dix rangées, longues de 1 092 m ; leur largeur moyenne est la même que celle constatée à Ménec. Il se peut qu'un cromlech ait complété ces alignements, il n'en subsiste aucune trace. A leur extrémité orientale, les alignements de Kermario enjambent un long tumulus, de forme rectangulaire, surmonté d'un menhir plus haut que la plupart de ceux qui l'environnent. A nouveau un espace de 300 m sépare ces alignements de ceux de Ker-

lescan : un cromlech, d'une forme inhabituelle, à peu près carré, sert de point de départ à treize files parallèles de 555 menhirs. La hauteur des mégalithes varie : plus ils sont anciens, plus ils sont hauts. Le menhir le plus important de Le Ménec atteint 11,70 m, le petit ne mesure que 60 cm ; les dimensions sont plus modestes à Kermario et se répartissent entre 6,30 m de haut et 45 cm. Parmi

toutes les hypothèses émises à propos de ces alignements, aucune ne peut être véritablement retenue. Objets de légende, ces pierres monumentales ont été considérées tour à tour comme des personnages pétrifiés, des autels de sacrifice, des maisons de fées, des indicateurs de sources ou de filons, des monuments religieux utilisés à des fins funéraires et destinés à conférer l'immortalité.

Enfin, des théories astronomiques ont été proposées, fondées sur des calculs, sans qu'aucune hypothèse ait pu être vérifiée : ni celle d'un culte solaire ou lunaire, peu crédible à cause du caractère peu rectiligne des alignements qui convergent parfois ; ni celle d'un observatoire que les mutilations et restaurations successives du site ne permettent pas de confirmer.

Les alignements de menhirs de Kerlescan, à Carnac (Morbihan). Répartis sur treize files, ils comportent 504 pierres levées.

Des inscriptions sur les mégalithes

Bretagne, vers 3 000 av. J.-C.
Le dolmen à couloir de Gavrinis (Morbihan) remonte au IIIᵉ millénaire. Son architecture associe le dolmen simple et l'allée couverte constituant une chambre funéraire précédée par une galerie de 13 m.

Tombe à décor de Gavrinis, Morbihan.

L'ensemble est surmonté d'un tumulus en accentuant le caractère monumental. Il présente une décoration pariétale gravée, exécutée avec des outils en pierre dure, avant la construction de la quasi-totalité des dalles intérieures. Ces caractéristiques déjà exceptionnelles sont accentuées par la combinaison de motifs géométriques stylisés et figuratifs. Ce sont, dans la galerie, des courbes et des spirales concentriques à valeur sans doute symbolique, représentant soit des cornes de bovidés, soit des serpents (culte de la déesse mère), soit des organes féminins. La chambre présente des personnages vêtus de costumes plissés. Ces pétroglyphes étaient-ils cultuels ou purement ornementaux ?

3000 av. J.-C.

Mésopotamie
Le développement des villes révolutionne le genre de vie. →

2900 av. J.-C.

Egypte
Au cours de la première dynastie thinite, sous le règne d'Oumidou, apparaît le titre de *Nesoutbiti*, « celui qui appartient au roseau et à l'abeille », les souverains thinites instaurent les grandes valeurs de la civilisation de l'Egypte pharaonique : travail des métaux, art du dessin, élaboration de l'écriture hiéroglyphique, tombes réservées aux personnages importants.

2840 av. J.-C.

Nouvelle-Calédonie
La première migration de Canaques atteint les îles de la Nouvelle-Calédonie.

2800 av. J.-C.

Egypte
Sous le règne de Djéser, assisté de son conseiller et ministre Imhotep, l'Egypte connaît d'importants progrès. Cette période est notamment marquée par la construction de la première pyramide, la pyramide à degrés de Saqqara, œuvre d'Imhotep le Sage, ministre, bâtisseur et intellectuel. En son honneur, les scribes versent toujours quelques gouttes d'eau de leur godet avant de se mettre au travail. →

Mésopotamie
La tradition affirme que c'est l'époque du déluge. Au lendemain de la catastrophe, la royauté serait descendue du ciel et les listes royales énumèrent les noms des souverains qui auraient régné sur le pays. La réalité est sans doute moins poétique.

Europe occidentale
Soudain se développe, entre la Loire et la Garonne, un nouveau type d'habitat. La population vit à présent dans des villages retranchés, entourés de deux fossés creusés de part et d'autre d'un rempart. Des travaux de fortification aussi colossaux devaient mobiliser tous les efforts de la communauté. Ainsi protégés, les villageois fabriquent des outils en pierre taillée et polie, ainsi que des poteries à fond rond ou plat, caractérisées par leurs décors géométriques.

2750 av. J.-C.

Inde
Les montagnards du Bélouchistan et de l'Afghanistan méridional commencent à s'établir dans la vallée de l'Indus. Celle-ci est couverte de forêts où abondent les bêtes sauvages. Les habitants défrichent des espaces cultivables, profitant d'un terrain fertile et bien irrigué. Très vite, les villages deviennent des cités, régies par un pouvoir solidement établi. Tout donne à penser qu'une aristocratie puissante règne sur une population de paysans et d'artisans proche de la condition servile.

2700 av. J.-C.

Mésopotamie
Gilgamesh, le « Seigneur de Kulaba », est le plus illustre des souverains d'Uruk. Est-ce un personnage historique réel ou n'a-t-il d'existence que dans la légende et dans l'épopée qui nous ont transmis ses hauts faits ? Gilgamesh a, dit-on, construit en briques cuites la puissante muraille longue de près de neuf kilomètres qui entoure la cité. Roi et bâtisseur, il a aussi mené plusieurs guerres difficiles contre le royaume de Kish. →

Mer Egée
Les îles de Kéros et de Syros illustrent une nouvelle phase de la civilisation cycladique, caractérisée notamment par la maîtrise du travail des métaux. Les vases, fabriqués à la main, s'ornent de décors complexes, tel ce bateau à rames incisé, parmi les volutes des vagues, sur un plat de Syros. C'est aussi la grande époque des « idoles » cycladiques.

Europe occidentale
Le déclin de la culture néolithique chasséenne s'amorce lentement, tandis que s'annonce la civilisation des Campaniformes.

2600 av. J.-C.

Massif central
Les régions riches en gisements de cuivre, comme le sud-est du Massif central, deviennent des foyers de la métallurgie. La situation dans les Causses reflète ce qui se passe simultanément en Italie et en Espagne. On fabrique des lames de poignards, des haches plates et des perles.

Statues d'orants découvertes dans une cachette du sanctuaire consacré à Abu, dieu de la végétation, Ashnunnak (Tell Asmar). Première moitié du IIIe millénaire.

Des dieux et leurs fidèles à Sumer

Sumer, vers 2 700 av. J.-C.
L'homme sumérien avait de l'univers une vision médiate. Pour rendre compte des énergies qui s'y manifestaient, il imagina plusieurs divinités, chacune incarnant un secteur ou un mouvement de la nature : An, le ciel ; Ki, la terre ; Enlil, l'atmosphère ; Enki, les eaux souterraines ; Utu, le soleil ; Nanna, la lune ; Innanna, l'amour, etc. Tous ces êtres divins furent hiérarchisés. Chaque cité avait son panthéon local autour du dieu souverain de la ville, avec son épouse, ses enfants et sa suite. Mais toutes les cités sumériennes vivant du même fonds culturel, les panthéons locaux se fondaient en un panthéon commun, structuré selon des principes rigoureux avec, à sa tête, une triade de trois dieux à laquelle s'ajoutait la figure d'une déesse-mère. Les trois dieux étaient An, Enlil et Enki ; le premier n'était que l'ultime recours en cas de difficulté, le pouvoir revenant de fait à Enlil ; Enki incarnait l'intelligence et la ruse. Les rapports entre les hommes et les dieux reproduisaient ceux de soumission et de respect des sujets à leur roi, les premiers procurant aux seconds tout ce dont ils avaient besoin pour leur bien-être.

La révolution urbaine en Mésopotamie

Mésopotamie, vers 3000 av. J.-C.
L'apparition de la ville coïncide avec un déferlement de nouveautés : la découverte du tour de potier, l'essor considérable de la métallurgie et l'invention de l'écriture. Le rôle des forgerons fut sans doute capital dans le processus d'urbanisation de la Mésopotamie. Selon la Genèse, le fondateur de la première ville aurait été Caïn, c'est-à-dire le « forgeron », et la ville qu'il fonda, Tubal-caïn, terme dont l'étymologie serait : « Celui qui martèle le tout saillant ». Mais il est difficile d'adhérer sans réserve à cette façon de voir, encore que les noms de certaines villes évoquent le cuivre et l'art du forgeron, comme Sippar et Badtibira ; de telles interprétations restent évidemment sujettes à caution.

Imhotep construit la pyramide à degrée du roi Djéser

Egypte, vers 2 800 av. J.-C.

Imhotep vécut sous le règne du roi Djéser de la IIIᵉ dynastie (2 800 av. J.-C.) : il semble le modèle même de l'homme polyvalent. Novateur en maints domaines, il s'illustra à la fois comme médecin (il mit au point la technique de l'embaumement), mais aussi comme ministre et grand prêtre, par la sagesse de ses conseils et sa piété, enfin et surtout comme architecte du roi en concevant et réalisant pour la première fois un ensemble funéraire monumental en pierre, situé sur le plateau désertique de Saqqara, au sud du Caire, en amont de la capitale Memphis et à proximité des tombeaux des anciens souverains. La pyramide et son temple funéraire s'étendent sur une surface de 15 hectares, accolés au nord d'un petit *mastaba* ; au sud, un second tombeau noyé dans le mur d'enceinte rivalise avec les autels et chapelles consacrés aux différents dieux. Ce-

pendant, malgré le gigantisme d'une telle entreprise, la pyramide ne constitue pas en soi une nouveauté absolue : elle trouve son origine dans le tumulus de sable qui recouvrait les tombes creusées à l'époque prédynastique. Cet amas fut ensuite consolidé par une structure de briques, puis finalement remplacé par un tertre rectangulaire aux parois inclinées vers le centre : c'est le *mastaba* qui symbolisait la butte émergeant du chaos liquide et qu'Atoum avait modelée, aux premiers jours du monde, pour créer l'univers.

Imhotep reprit donc ce principe de base en le transposant pour la première fois en pierre, matériau destiné à conférer l'éternité au tombeau royal. Il accentua par ailleurs le symbolisme du *mastaba*, en lui ajoutant plusieurs étages : il évoquait ainsi l'escalier dressé vers le ciel qu'empruntait l'âme du pharaon pour s'élever vers son père Rê. La pyra-

mide concrétisait en effet le faisceau pétrifié des rayons dardés par le soleil. Le *mastaba* de base fut étendu à l'est pour incorporer les puits d'accès aux tombes des enfants royaux. Imhotep recouvrit, dans un premier temps, ce rectangle par une pyramide à quatre degrés ; puis il y ajouta encore deux degrés pour élever l'édifice à 61 m d'altitude. Les tranches légèrement inclinées assuraient une grande stabilité. A la mort de Djéser, la pyramide resta inachevée. Elle devait recevoir un revêtement calcaire dont on a retrouvé quelques blocs soigneusement ajustés. Un large puits descendait à 28 m de profondeur pour accéder au caveau royal. Le bouchon de granit et le réseau complexe de galeries menant à l'appartement funéraire ne découragèrent pas les pilleurs de tombes ; la momie fut profanée. Mais les faïences bleues sur les murs, les sculptures des chambranles, les fausses portes et les niches de la façade témoignent encore du soin apporté à la réalisation d'un monument éternel, qui compta d'emblée parmi les merveilles de l'art antique. La pyramide et son temple funéraire accolé formaient le centre d'un ensemble limité par une enceinte de 10 m de hauteur, à redans, imitant un mur fortifié. L'entrée véritable se situait au sud-est, mais quatorze fausses portes créaient un trompe-l'œil. Un deuxième tombeau, préparé dans l'enceinte, au sud, comportait comme la pyramide, caveau et appartement souterrains, décorés avec autant de soin que le tombeau principal. Imhotep avait imaginé pour parachever l'ensemble la transposition dans la pierre d'éléments végétaux ou provenant de l'architecture primitive en bois ; ainsi, les colonnes représentant des bottes de roseaux sont couronnées de chapiteaux en forme de lotus. L'ampleur exceptionnelle de cet ensemble architectural devait suffire à élever Imhotep au rang d'un dieu.

Gilgamesh, roi divinisé d'Uruk, maîtrisant un lionceau. Dûr-Sharrukin, VIIIᵉ siècle av. J.-C.

Gilgamesh : l'épopée d'un prince babylonien

Mésopotamie, après 2750 av. J.-C.

Gilgamesh est le roi de la ville sumérienne d'Uruk. Il parvient à obtenir son indépendance du royaume de Kish. Ses exploits lui valent d'être honoré à l'égal d'un dieu après sa mort et surtout de devenir le personnage central d'une épopée qui porte son nom. Ce grand récit de la littérature babylonienne raconte les efforts du roi semi-divin d'Uruk pour accéder à l'immortalité. Accompagné de son ami Enkidu, Gilgamesh accomplit plusieurs exploits héroïques. Enkidu parvient à tuer Huvava, le gardien de la forêt de cèdres ; le taureau céleste envoyé par la déesse Inanna (Ishtar) à la poursuite des deux héros doit payer son audace de sa vie. Gilgamesh, profondément troublé, réussit à rencontrer Ziusudra, qui, après avoir échappé au déluge, a été rendu immortel par les dieux ; grâce à la plante miraculeuse de celui-ci, Gilgamesh redevient un jeune homme ; sur le chemin du retour, alors qu'il se baigne, un serpent lui vole le remède. Déprimé à nouveau et toujours préoccupé par la mort, le roi d'Uruk obtient de Nergal, le dieu des Enfers, qu'il laisse monter l'esprit d'Enkidu. Puis Gilgamesh se met à la recherche de son aïeul Utnapishtim, duquel il pense obtenir le secret de l'immortalité. Utnapishtim lui demande de veiller six jours et sept nuits, mais Gilgamesh s'endort. Il réalise alors que l'immortalité n'est pas accessible à l'homme, mais que ses hauts faits lui vaudront une gloire éternelle.

Le roi Djéser. Calcaire peint. Détail de la statue, grandeur nature, du pharaon trouvée à Saqqara dans le « serdab » (chambre close) de son temple funéraire.

La pyramide à degrés du roi Djéser à Saqqara. Vers 2800 av. J.-C. Premier tombeau royal en forme de pyramide. Architecte : Imhotep.

Colonnes papyriformes. Cour de la « Maison du Nord ». Complexe funéraire de Djéser, Saqqara.

2600 av. J.-C.

Mésopotamie

Vers 2600 av. J.-C., le roi de Kish, Me-bara-si est l'auteur de la plus ancienne inscription royale de l'histoire. Cette inscription est de peu antérieure aux tombes royales d'Ur, autre marque de l'apparition de monarchies sumériennes qui se taillent chacune une part dans la plaine des deux fleuves. Située non loin de la lagune d'eau douce qui borde le fond du golfe Persique, Ur est dotée d'installations portuaires autorisant des relations commerciales suivies avec les hautes cultures de la vallée de l'Indus. La première apogée de sa puissance est associée à un certain nombre de rois que la tradition regroupe en une dynastie, ainsi qu'aux noms des princes inhumés dans les célèbres tombes royales. →

Malte

L'hypogée de Hal-Saflieni est un labyrinthe qui s'étend sur plus de 500 m² et se développe sur trois étages. Il a sans doute une fonction cultuelle.

Egypte

Comprenant plus de sept cents signes, l'écriture hiéroglyphique repose sur l'usage des idéogrammes (représentation directe d'un objet, de son contenant ou de sa cause) et des phonogrammes (la valeur visuelle est subordonnée à la valeur phonétique des signes). →

La quatrième dynastie de pharaons (Chéops, Chéphren et Mykérinos) est surtout connue grâce aux pyramides que ses souverains ont fait édifier sur le plateau de Gizeh. La première, celle de Chéops, s'élève à 147 m de hauteur. La seconde, celle de Chéphren, est un peu moins haute puisqu'elle n'atteint que 143 m. Quant à celle de Mykérinos, elle ne dépasse guère 66 m, mais renferme dans le temple funéraire de magnifiques statues du roi. Chéops, selon la tradition, est un pharaon autoritaire et cynique, mais aussi très érudit. Chéphren, aussi tyrannique que son prédécesseur, a fait construire le Sphinx de Gizeh. Mykérinos, quant à lui, se distingue par sa piété envers les dieux. →

2550 av. J.-C.

Mésopotamie

Lagash est l'une de ces cités-Etats qui se partagent le pays de Sumer. Jusque vers 2550 av. J.-C., elle est gouvernée par des princes locaux qui se succèdent apparemment sans grandes difficultés et consacrent toute leur activité à la mise en valeur du territoire et à la guerre. Vers 2550 av. J.-C., un clan arrive de la steppe occidentale et son chef, Ur-nanshé, s'empare de Lagash. Il fonde une dynastie qui gardera le pouvoir pendant plusieurs générations et dont le représentant le plus célèbre est E-anna-tum (vers 2450 av. J.-C.). Celui-ci a laissé à la postérité une stèle de victoire, la *Stèle des Vautours*, le document le plus précieux qui nous ait été livré sur cette période. Le récit de ses guerres victorieuses montre qu'il tente de dominer tout le pays de Sumer et conduit ses armées jusqu'à Mari à l'ouest et en Elam à l'est.

Inde, vallée de l'Indus

Suivant un processus identique à celui observé en Mésopotamie ou en Egypte, de puissantes communautés agricoles installées dans la vallée de l'Indus, riches d'une expérience déjà millénaire, donnent naissance à une civilisation urbaine.

2530 av. J.-C.

Egypte

Les compagnons du pharaon reposent à Saqqara. Jusqu'à la IIIᵉ dynastie, aucune distinction architecturale n'existe entre la tombe du roi et celles des nobles. Tous sont pareillement inhumés dans un *mastaba* (mot arabe signifiant « banquette » et s'expliquant par l'inclinaison prononcée des murs). Quand les pharaons se feront construire des pyramides, les nobles continueront à se faire enterrer dans des mastaba. Ce type de monument comporte deux parties indépendantes : le caveau et la chapelle. Le caveau contient le sarcophage et le matériel indispensable à la vie du défunt dans l'au-delà. C'est un puits profond, obstrué et inaccessible. Le lieu accessible aux vivants, la chapelle était décorée de scènes de la vie quotidienne reproduisant pour le défunt l'univers qu'il vient de quitter. En pénétrant dans cette chapelle, les vivants rencontraient la statue du défunt et la stèle « fausse porte » qui permettaient d'entrer en contact avec lui. C'est là qu'on lui apportait de l'encens, de la nourriture, des boissons. Par un couloir sans issue, le *serdab*, le défunt pouvait s'alimenter et respirer l'encens apporté en son honneur.

Art sumérien. « L'Etandard d'Ur » : l'acheminement des tributs au festin de la victoire. Détail. Vers 2600 av. J.-C. Coquille et lapis-lazuli.

Dans la cité d'Ur, les serviteurs suivent le roi dans la mort

Mésopotamie, vers 2600 av. J.-C.
L'histoire de la ville d'Ur est marquée par une énigme, celle des célèbres tombes royales. On a conservé les noms des rois et des reines qui y sont enterrés : Mes-kalam-du, son fils A-kalam-du et leurs épouses respectives, Pû-abî et A-shu-sikil-dingira. Ils reposent dans des chambres funéraires, au milieu d'un mobilier somptueux et d'une richesse rarement égalée : pièces d'orfèvrerie, vases en métaux précieux, armes de parade en or, instruments de musique à incrustation de nacre, tables de jeux et étendards incrustés sur fond de lapis-lazuli. Ils sont accompagnés dans la mort par quantité d'hommes et de femmes ; l'une des tombes ne comprend pas moins de soixante-quatorze cadavres ! Ceux-ci gisent dans les couloirs et les puits d'accès, à proximité des chars funèbres et de leurs attelages. De telles hécatombes sont uniques dans l'histoire mésopotamienne. Les rares textes qui peuvent nous éclairer sur ce cérémonial sont plus récents et peu explicites. On pense au récit de la mort de Gilgamesh, où le héros présente aux dieux des offrandes pour lui-même et tous ceux qui reposent à ses côtés, ses épouses, concubines, fils et serviteurs. On pense aux rites funéraires assyriens décrits dans les récits bibliques, avec leurs longues processions de pleureurs et de pleureuses. Les tombes d'Ur rappellent les temps anciens où les acteurs du rite étaient mis à mort.

Conflits et guerres entre les communautés paysannes d'Occident

Europe, vers 2500 av. J.-C.
Durant le IIIᵉ millénaire, les premiers conflits guerriers éclatent entre des communautés villageoises. Ce n'est certes pas l'apparition de la violence entre les hommes ou les groupes humains, mais, indéniablement, son développement sous une forme plus organisée et systématique. Les sépultures collectives de cette époque, notamment les hypogées du Vaucluse (Roaix), reçoivent les corps des victimes de ces affrontements : les ossements percés, les pointes de flèches encore fichées sur le squelette, voire les lames de couteaux en silex enfoncées entre deux vertèbres témoignent de la violence de ces conflits. Les archers commençaient le combat de loin, mais la rencontre se terminait au corps à corps. Cette violence organisée, engageant le destin d'une communauté entière, s'explique sans doute par un ensemble de conditions nouvelles, propres à cette phase finale de la civilisation néolithique. L'accroissement régulier de la population rend problématique la subsistance de petites communautés agricoles souvent très proches les unes des autres. La rivalité pour les meilleures terres cultivables et les meilleurs pâturages est dès lors inévitable. Un autre facteur déterminant réside dans la volonté de s'assurer l'exploitation des mines métallifères et des gisements de silex. La production d'outillage et d'armement assurait d'importants débouchés commerciaux, donnant lieu à une âpre concurrence. Dans ces conditions, seul l'affrontement armé était à même de résoudre de telles rivalités. Ce climat nouveau modifie les conditions de la vie quotidienne. Un double souci s'impose désormais : protéger le village contre un coup de force éventuel d'agresseurs extérieurs ; se donner les moyens d'éliminer des concurrents directs. A cette fin, les agriculteurs, les éleveurs et les artisans doivent se transformer en guerriers et prendre les armes pour défendre leurs intérêts.

Les pyramides de Gizeh. De gauche à droite : pyramides de Chéops (147 m), Chéphren (143 m) et Mykérinos (66,40 m). Ancien Empire, IVᵉ dynastie.

Les pyramides : demeures d'éternité pour les pharaons

Egypte, vers 2600 av. J.-C.

Les Egyptiens de l'Ancien et du Moyen Empire inhumaient leurs rois dans des tombes colossales : les pyramides. L'origine du tombeau pyramidal remonte sans doute au tas de sable qui recouvrait les tombes de l'époque prédynastique. Ce tertre évoque la colline qui émergea des eaux primordiales lors de la naissance de la Terre. Il protégeait pour l'éternité le pharaon défunt. Le premier pharaon à affronter l'éternité de cette façon fut Djéser (vers 2600 av. J.-C.). Au cours du Nouvel Empire, aucune pyramide comparable ne sera plus érigée. D'abord construites en blocs de pierre, les pyramides seront par la suite en briques d'argile. La plus grande est celle de Chéops à Gizeh. Les outils utilisés lors de leur construction sont rudimentaires : marteaux de diorite, scies et haches de cuivre, pierres de quartzite polies. Les pierres sont transpor-

tées des carrières vers le chantier à l'occasion des crues du Nil ; le reste du chemin est parcouru grâce à des rondins de bois. Les blocs de pierre, lourds en moyenne de 50 demi-quintaux (2,5 t.), sont hissés et déposés à leur emplacement grâce à un système de poutres et de cordes, monté sur un plan incliné. Près de chaque pyramide est, en outre, construit un temple funéraire où ont lieu les cérémonies. Une salle des barques est associée à la pyramide de Chéops ; elle permettait au pharaon de se promener dans l'autre monde. Son sarcophage était apporté par le Nil, de la capitale jusqu'à proximité des pyramides et, de là, amené à sa propre pyramide par un canal spécialement aménagé. Les ouvriers employés pour les travaux ne sont pas des esclaves, mais des Egyptiens libres qui ne peuvent travailler la terre pendant la période de crue du Nil. Le travail à la pyramide est un travail

sacré : le peuple l'accomplit pour son roi, dieu incarné dont l'influence bénéfique sur le pays doit se faire sentir aussi après sa mort. Le pouvoir absolu et sans limite du dieu-roi ne garantit pas seulement la paix civile et l'ordre, mais aussi la mise en harmonie du pays avec le cosmos. Les Egyptiens croient à une vie après la mort : le pharaon conduit le jour le char solaire à travers le ciel et, la nuit, le char lunaire. Pour ce faire, il est indispensable que le corps du pharaon soit préservé et ait à sa disposition tout ce qui est nécessaire à la vie. Des aliments et des boissons, des instruments, des serviteurs et des bijoux ou, plus tard, leurs représentations, sont laissés à sa portée. Le corps royal est momifié : le cerveau et les viscères sont retirés, le corps est démembré et traité à l'aide de drogues, puis rempli de substances aromatiques et entouré de bandelettes. Grâce à l'air sec du désert, le

corps peut ainsi se conserver indéfiniment. Selon la croyance égyptienne, Pharaon se conçoit lui-même de nouveau avec l'aide d'une déesse au moment de sa mort, ce qui lui permet de réoccuper son trône divin. Le rituel funéraire est entièrement basé sur un symbolisme de la fécondité. Une symbolique identique met en relations semailles et phases lunaires. L'ordre social terrestre se poursuit dans l'au-delà : l'épouse du pharaon et ses fonctionnaires les plus importants possèdent également leur tombe près de la pyramide, afin qu'ils restent près de lui après leur mort. Afin que la vie *post mortem* se poursuive normalement pour le défunt, ses descendants doivent accomplir régulièrement les offices consacrés. Au cas où le rite n'est pas scrupuleusement observé, le défunt peut soit « vraiment » mourir, soit revenir hanter les vivants.

Art égyptien. Scribe accroupi. Vᵉ dynastie. Vers 2400. Calcaire peint.

Entre le dessin et l'écriture : les hiéroglyphes

Egypte

De la fin du IVᵉ millénaire av. J.-C. jusqu'à la fin du IVᵉ siècle de notre ère, est utilisé en Egypte le système hiéroglyphique. C'est une écriture indissociablement liée à l'art, que l'on rencontre partout gravée sur les parois des temples. Parallèlement se développe une écriture cursive, l'hiératique (c'est l'écriture utilisée sur les papyrus), dont on se sert pour les besoins de la vie courante. Au IIᵉ millénaire, la langue classique (le moyen égyptien) utilise environ sept cents signes. Sous la domination gréco-romaine, l'écriture ptolémaïque comprend plus de cinq mille hiéroglyphes. Ces signes-images sont dis-

posés en lignes horizontales ou verticales qui se lisent tantôt de droite à gauche, tantôt de gauche à droite (la tête d'un personnage ou d'un animal indique le sens de la lecture). Les mots ne sont pas séparés, la ponctuation n'existant pas, pas plus que la

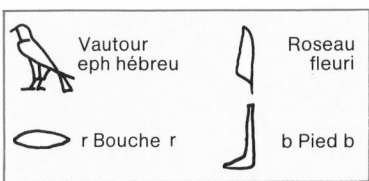

Vautour eph hébreu	Roseau fleuri
r Bouche r	b Pied b

majuscule. De plus, le scribe dispose les hiéroglyphes en fonction de la beauté de l'ensemble. Il cherche à grouper les signes dans un carré fictif. Ainsi peut-il varier la position des signes d'un mot pour des raisons esthétiques ou honorifiques (par

exemple, le signe du roi est placé en tête). Un signe a plusieurs valeurs : il peut exprimer une idée, un son ou servir de déterminatif. Un signe servant à écrire le nom d'un objet ou d'une action s'appelle un idéogramme. Les notions abstraites (pensées, sentiments, relations familiales et professionnelles, noms propres) ne peuvent pas être rendues par des idéogrammes. Le signe qui représente un son s'appelle un phonogramme. Ces signes expriment uniquement des consonnes, les voyelles ne sont pas notées. Des signes déterminent le sens des phonogrammes qui précèdent : ce sont les déterminatifs. Ils ne se prononcent pas. Ils peuvent aussi avoir la valeur d'un phonogramme. La phrase verbale est construite selon un ordre rigoureux : verbe - sujet - complément d'objet direct - compléments.

2500 av. J.-C.

Mésopotamie

Les noms des deux sites de Fara et d'Abu Salabikh sont associés aux premières bibliothèques littéraires de l'histoire. Et leur richesse est immense : voici quelques proverbes où l'on découvre, déjà, les préoccupations et la misère des pauvres gens, la difficulté de vivre, la plainte d'un époux négligé, bref, les tours et détours de la vie quotidienne : « Ma femme est au temple, ma mère au bord de la rivière et moi je suis ici, mourant de faim. » « Une femme dépensière, à la maison, ajoute la maladie aux ennuis. » « Tu peux avoir un maître, tu peux avoir un roi, mais l'homme à redouter, c'est le percepteur. »

Egypte

Ptahhotep est le vizir du pharaon Djedkarê. Il est représentatif de la littérature des *Sagesses*, textes didactiques transmettant l'expérience et la tradition, une morale pratique exaltant la réserve, la soumission et la prudence. →

Proche-Orient

Début du travail du bronze. Vu la fragilité des armes et des outils de cuivre, on décide de procéder à des alliages, pour le renforcer : on ajoute au cuivre du zinc, de l'arsenic, du plomb ou de l'étain.

Europe occidentale

La période qui s'étend de 2500 à 700 av. J.-C. correspond à l'âge du Cuivre, puis à l'âge du Bronze. Elle est caractérisée par le climat sub-boréal : la température se refroidit légèrement, mais l'air est cependant plus sec. Le ciel est un peu plus nuageux. Dans les montagnes, le sapin, le hêtre et l'épicéa en profitent pour gagner du terrain.
Le temps n'est plus aux sépultures individuelles, en particulier dans la région méditerranéenne : l'usage s'est imposé d'enterrer les morts dans des sépultures collectives : dolmens, cavités naturelles (grottes) ou chambres funéraires artificiellement creusées. Là, réunis au cours des inhumations successives, reposent les membres d'un clan ou d'une famille, sans que rien ne vienne signaler des différences de statut ou de hiérarchie. Les bijoux, les armes et les poteries accompagnent ordinairement les défunts. Les hypogées, creusés de main d'homme, se généralisent et atteignent parfois des dimensions considérables. Des divinités re-présentées sur la pierre veillent au sort des défunts et témoignent peut-être du culte des morts et de croyances eschatologiques.

Ile-de-France

Entre 2500 et 1800 av. J.-C., la civilisation de « Seine-Oise-Marne » règne sur le Bassin parisien. Des agriculteurs établissent leurs villages dans les vallées et l'essentiel de l'outillage est destiné au travail de la terre. L'abondance des pointes de flèche indique que les villageois devaient se défendre contre leurs voisins et, le cas échéant, les attaquer. Ils fabriquent des poteries grossières et sans décorations. Pour la parure, ils possèdent des colliers de coquillages, de pierres et de perles de métal. Ils enterrent leurs morts dans des tombes collectives, de types divers.

Saône et Rhône

De 2500 à 1800 av. J.-C., les régions de la vallée de la Saône, du Rhône et de l'Isère présentent des caractéristiques culturelles identiques. Les habitants s'établissent de préférence sur les rives des lacs et des cours d'eau et vivent dans des maisons en bois. La poterie est de qualité médiocre. Ils taillent le silex, mais travaillent aussi l'os et le bois. Ils vivent essentiellement de l'élevage des bovins, d'où ils tirent leur alimentation : viande et laitages. La culture des céréales n'est pas non plus négligée. Les hommes de la « culture Saône-Rhône » sont également en contact avec leurs voisins pour s'approvisionner en outils et en matières premières.

2400 av. J.-C.

Europe occidentale

La métallurgie se diffuse. Le foyer du travail du cuivre se situe initialement dans le midi de la France. Vers 2400, cette nouvelle technique commence à remonter vers le nord : de petites perles de cuivre trouvées dans le Poitou, le Limousin et les Charentes montrent que l'on apprend à couler et à fondre le cuivre.

2365 av. J.-C.

Egypte

La plus ancienne trace des Textes des Pyramides se trouve conservée sur les parois de la chambre funéraire, et certains compartiments de la pyramide d'Ounas. La théologie est alors basée sur un culte solaire et un culte osirien.

Les fellahs et les travaux de la terre

Egypte, vers 2530 av. J.-C.
Paysans et pêcheurs sont à la base de la société égyptienne. Ils vivent tous grâce au Nil, qui leur apporte eau, limon et poissons. Le fellah cultive la terre, arrosée et nourrie par la crue annuelle du Nil et par le système d'irrigation mis en place dès le règne de Ménès et géré par l'Etat. La répartition de l'eau dans tout le pays fonctionne bien quand le pharaon est puissant. C'est de lui et du corps des fonctionnaires que dépendent le creusement et l'entretien des canaux et des bassins d'irrigation : ces installations sont destinées à emprisonner l'eau et le limon apportés par la crue. En temps de crise, l'agriculture s'en ressent : l'économie s'effondre et la famine menace le pays. Dans les champs, toujours de petite taille, on sème, une fois l'an, le blé ou le lin. On laboure avec l'araire en bois traînée par deux bœufs. Près de sa maison en brique, le paysan élève aussi quelques porcs et quelques moutons. Vergers et potagers au bord du fleuve sont arrosés par de grands bassins alimentés toute l'année. A partir du Nouvel Empire, on en extrait l'eau grâce au chadouf, système de balancier dont l'usage s'est perpétué à travers les siècles. Dans ces jardins, on cultive des fèves, des lentilles et des pois chiches, des salades et des concombres en grande quantité. Le paysan est parfois aussi vigneron, puisque la culture de la vigne est importée très tôt d'Asie Mineure en Egypte : les Egyptiens connaissent en effet le vin depuis 3000 av. J.-C. Le système d'irrigation mis en place laisse libres de grandes zones marécageuses, sites de chasse et de pêche. Les populations des marais et des lacs côtiers, organisées en équipes, pêchent au filet de nombreuses variétés de poissons. Le produit de la pêche, séché ou conservé, accompagné de pain et de bière, constitue une part importante de l'alimentation des Egyptiens.

Bas-relief égyptien. Les travaux des champs juste avant les semailles. Tombe de Néfer. V[e] dynastie. Nécropole de Saqquara.

La sagesse du vizir Ptahhotep

Egypte, vers 2500 av. J.-C.
« Que ton cœur ne soit pas orgueilleux à cause de ton savoir ; consulte l'ignorant et le sage... » Ainsi commence la *Sagesse* du vizir Ptahhotep, dont la version la plus complète est inscrite sur le papyrus Prisse (conservé à la Bibliothèque nationale de Paris). La Sagesse est un genre littéraire bien connu des Egyptiens. Elle permet à l'homme âgé de transmettre son expérience à son fils sous la forme de maximes. Dans un prologue, le vizir se plaint des méfaits du grand âge : « On somnole le jour ; les yeux sont malades, les oreilles sont sourdes... la bouche silencieuse se tait, le cœur est vide, il ne se souvient plus du passé. » Puis, dans les trente-sept maximes qui suivent, il dévoile à son fils le mode de vie qu'il doit adopter s'il veut atteindre le bonheur au sein de sa famille, en étant respecté des autres. L'homme idéal qui nous y est dépeint est pacifique, modéré, juste, franc, généreux et gentil : « Entretiens tes amis avec ce que tu possèdes, car tu l'as par la grâce des dieux... Ne répète pas la calomnie ni ne l'écoute... Maîtrise ton cœur, contrôle ta bouche, ainsi ta condition sera d'être parmi les Grands... » Si Ptahhotep enseigne à son fils les moyens pour devenir un chef, le respect de la hiérarchie est aussi très présent : « Courbe le dos devant ton supérieur... Il est mauvais de résister à un chef ; on vit aussi longtemps que l'on est souple. » Lorsque son fils aura atteint la vieillesse grâce à ses conseils, il devra, à son tour, transmettre le message à son propre fils.

Fragment d'une tablette de comptabilité. Sumer. Terre cuite. IIe millénaire. Musée de Bagdad.

Une guerre de cent ans entre les Etats de Lagash et d'Umma

Mésopotamie, 2550-2350 av. J.-C.
Il est alors un principe essentiel à la vie politique internationale : la guerre est l'expression normale de la rivalité qui préside aux rapports entre les Etats. La paix n'est jamais qu'une parenthèse, une interruption accidentelle. La règle consiste à exercer une pression sur l'ennemi, mais sans jamais chercher à l'abattre, à le déstabiliser ou à l'éliminer. Les relations entre les deux Etats voisins de Lagash et d'Umma sont une illustration exemplaire de ce principe : le jeu consiste à occuper à tour de rôle une frange de terre primitivement sous le contrôle de l'adversaire et à déplacer d'autant les bornes frontière. Vers 2550, le roi de Kish, Me-salim, impose un arbitrage entre les deux parties ; il mesure le terrain à la corde d'arpentage et y fait ériger des stèles afin de matérialiser avec plus de netteté le tracé de la frontière. Vers 2500, un premier conflit oppose Ur Nanshé de Lagash et Pabilgaltuk d'Umma. Le roi de Lagash l'emporte

et Umma doit attendre le règne du roi Ush, vers 2460, pour reprendre les hostilités ; Ush déplace à son avantage les stèles qui délimitent la frontière et impose sa force. C'est à Eannatum de Lagash qu'il revient, quelques décennies plus tard, de rétablir les stèles aux places que leur avait autrefois assignées Me-salim. Une trêve est alors conclue entre les deux puissances. Elle est de courte durée. Le successeur d'Eannatum, Enanatum, est vaincu par Ur-lumma d'Umma ; les stèles sont incendiées ou déplacées une nouvelle fois. Enmetena, le petit fils d'Eannatum, rétablit vers 2400 la situation en sa faveur. Dans l'intervalle, un certain Ila, originaire de Lagash, avait pris le pouvoir à Umma et, une fois solidement installé sur le trône de cette ville, avait tourné ses armes contre son ancienne patrie ; mais le sort lui fut contraire et il fut vaincu. Enfin, vers 2350, Lugal-zage-si d'Umma chasse le dernier roi de Lagash, Uru-inim-ìgina. La victoire d'Umma paraît définitive, mais les temps ont changé. Lugal-zage-si est mû par d'autres ambitions, autrement plus élevées, et cherche à unifier sous sa seule et unique autorité toute la Mésopotamie.

Les archives politiques du royaume d'Ebla

Syrie du Nord, vers 2500 av. J.-C.
La découverte, non loin de la ville actuelle d'Alep, de l'antique cité d'Ebla révolutionne la connaissance que l'on a des premiers moments de l'histoire en cette région du globe. On croyait jusqu'ici que la culture urbaine s'était développée dans le Sud mésopotamien et que, de là, elle avait rayonné partout et imposé son modèle. Or, il n'en est rien, la Syrie du Nord a connu un essor urbain original. La ville d'Ebla s'étend sur plus de cinquante hectares, dominée par une acropole avec son palais royal et défendue par une massive enceinte de forme ovale, percée de quatre portes fortifiées. Les salles du palais abritent l'une des plus anciennes bibliothè-

ques de l'histoire ; les étagères de bois qui servaient de support pour le rangement des ouvrages n'ont pas résisté à l'incendie du site, mais les tablettes d'argile, cuites lors de l'incendie et, de ce fait, préservées, se laissent aujourd'hui découvrir dans l'ordre même où elles furent classées, voici près de 4 500 ans ! Cette bibliothèque est le témoin d'une langue sémitique dont on avait depuis longtemps oublié jusqu'à l'existence et la révélation d'une puissance politique dont l'hégémonie s'étend de la Méditerranée à l'Euphrate et où la reine, aux côtés du roi, tient une place de premier plan. Une lettre d'un redoutable voisin, le roi de Mari, semble cependant les mettre en garde contre toute tentation d'aventure militaire, en évoquant les exploits de trois de ses prédécesseurs à la tête de leurs armées.

Stèle dite « des vautours » : le roi Eannatum à la tête de ses troupes. Détail. Lagash, vers 2430 av J.-C. Louvre, Paris.

Une civilisation d'agriculteurs sur les bords de l'Indus

Inde, vers 2500 av. J.-C.
Au nord-ouest de l'Inde, dans le Sind, le long de l'Indus, ainsi que dans le Panjâb, sur le cours du Ravi, un affluent de l'Indus, s'est développée une civilisation agraire, dont les deux grands pôles d'attraction sont les villes de Mohenjo-Dâro et d'Harappâ. Couvrant un périmètre de 5 km de tour, elles sont toutes deux bâties sur un même modèle : disposées en damier et divisées en blocs de 200 m sur 400 m séparés par de larges rues, elles sont chacune dominées par un tertre artificiel de 15 m de haut, surmonté d'une citadelle à l'ombre de laquelle

sont regroupés de gigantesques silos. Si le fleuve permet échanges et commerce, l'eau n'en reste pas moins le principal fléau local et un important système de digues est entretenu pour se protéger des crues du fleuve. Les habitants tirent leur nourriture de la culture du froment, de l'orge et des fèves sauvages ; on connaît aussi le melon, les dattes, le sésame. L'artisanat produit une très belle céramique, finement décorée, en particulier des jarres. On trouve aussi des statuettes de bronze, d'une grâce étonnante, ainsi que des sceaux en stéatite, et dont l'une des faces est ornée de figures animales, la plus courante étant un taureau unicorne. Ces dessins s'accompagnent de pictogrammes, dont la signification nous échappe.

Danseuse. Mohenjo-Dâro. Bronze.

Civilisation de l'Indus. Sceau de stéatite décoré d'un animal fabuleux. Harappâ, vers 2500 av. J.-C.

2335 av. J.-C.

Egypte
Le règne de Pépi Ier s'étend sur un demi-siècle. Il voit réaffirmée la puissance pharaonique dans le cadre de cette VIe dynastie fondée par Téti. Pépi Ier apparaît comme un pharaon bâtisseur qui entreprend de grands travaux, notamment à Abydos, Dendéra et Bubastis.

2320 av. J.-C.

Mésopotamie
Uru-inim-gina monte sur le trône de Lagash et, dès son avènement, il entreprend une politique de réformes qui consiste principalement à offrir aux dieux les biens des rois, ses prédécesseurs, accusés d'avoir spolié les temples et fait régner un régime favorisant l'inégalité sociale, l'injustice et la corruption. Sa tentative se solde par un échec. Après deux ans, les biens remis aux dieux sont repris en main par l'administration royale. Quoi qu'il en soit, la tentative est vouée à l'échec. Uru-inim-gina est vaincu par son puissant voisin d'Umma. Chassé de sa capitale, il trouve la mort dans des circonstances obscures. Un prince d'Umma, plus ambitieux que d'autres, étend son pouvoir sur la ville d'Uruk. Sentant ses arrières suffisamment assurés, il tente alors d'unifier sous sa loi l'ensemble de la Mésopotamie, déclarant que, de la Méditerranée au golfe Persique, il rend les routes sûres et permet au peuple de vivre en toute quiétude. Sans doute, faut-il faire la part de l'exagération ; il reste que Lugal-zage-si conquiert les principaux Etats de Sumer. Sa tentative est cependant brisée en plein élan : sur la route du pouvoir suprême, il rencontre plus fort que lui : vaincu par Sargon d'Agadé, il finit ses jours en prison.

2300 av. J.-C.

Mésopotamie
Sargon, l'échanson du roi de Kish Ur-zababa, décide, avec quelques compagnons, de quitter la cour qui l'emploie et de fonder une ville nouvelle, Agadé. Il y rassemble les premiers éléments d'une armée, évince son ancien suzerain et s'attaque à Lugal-zage-si, qu'il écrase après avoir livré trente-quatre batailles. La route vers le pouvoir est alors grande ouverte. →

2285 av. J.-C.

Egypte
Pépi II est à peine âgé de six ans quand il monte sur le trône. Il quittera le pouvoir après 94 ans de règne. L'unité de l'Egypte va se désagréger après une période très glorieuse où ce pays connaît des échanges commerciaux intenses, notamment avec Byblos et le pays de Pount.

2260 av. J.-C.

Egypte
La fin du règne de Pépi II est très troublée. La vieillesse du roi l'écarte peu à peu des affaires. Sa mort va marquer la fin de l'Ancien Empire, la guerre civile et surtout l'invasion des Bédouins affaiblissant le pays. Ainsi commence ce qu'on appelle la première Période intermédiaire. Pendant près d'un siècle et demi, l'Egypte va connaître la violence, le désordre et la récession économique. Installées à Memphis, les VIIe et VIIIe dynasties vont tenter vainement de maintenir un semblant d'autorité. L'Etat ne tarde pas à se disloquer et le royaume s'effrite en une multitude de principautés batailleuses. L'une d'elles, sous la conduite de Khéty Ier, originaire de la ville d'Héracléopolis, à l'entrée du Fayoum, et qui fut un des plus cruels tyrans de l'Egypte pharaonique, finira par s'imposer et donnera naissance aux IXe et X^e dynasties, dites héracléopolitaires. Mais celles-ci auront, à leur tour, à faire face à la puissance montante des Antef, installés dans le sud, à Thèbes, et la lutte tournera, en dernier ressort, à l'avantage de ces derniers, qui restaureront l'unité du royaume et inaugureront ainsi le Moyen Empire. Si, durant cette Période intermédiaire, les arts sont en complète décadence, il n'en va pas de même pour la littérature, qui gagne en profondeur, les incertitudes du sort invitant poètes et scribes à méditer sur la brièveté de la vie. Mais, tandis que certains se lamentent (« L'Egypte se bat dans la nécropole », « Rê n'a plus qu'à recommencer la création »), d'autres prônent les vertus de l'espérance et de la foi, ou bien encore invitent à profiter du jour qui passe : « Que celle que tu chéris soit assise à ton côté ; qu'il y ait chant et musique devant ton visage... Songe à te réjouir jusqu'à ce que vienne le jour d'aborder à la terre qui aime le silence », ainsi chante le Harpiste.

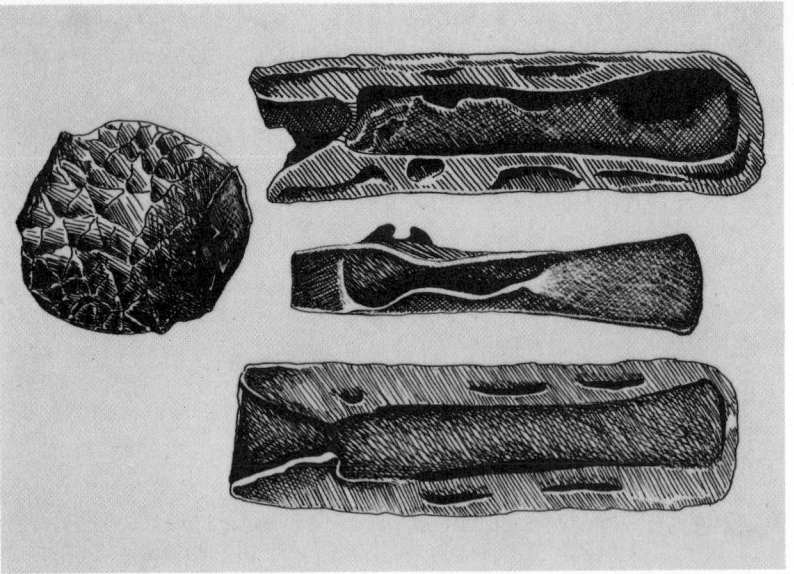

Une hache de bronze avec le moule ayant servi pour la fonte et un lingot, tous objets trouvés à Petit-Villate (Loir-et-Cher). Des expériences ont prouvé que ces moules pouvaient resservir plusieurs fois, d'une manière quasi industrielle. Age de Bronze. IXe siècle av. J.-C. Musée des Antiquités nationales, Saint-Germain-en-Laye.

Céramique et travail du cuivre en Europe

Europe occidentale vers 2200
Depuis 2600 av. J.-C., on pratique la métallurgie dans le sud-est du Massif central, comme en Italie ou dans la péninsule Ibérique. Ces premiers foyers de travail du cuivre répondent à la demande locale. Or, à la fin du IIIe millénaire, la situation se modifie avec l'apparition en Europe d'une population mystérieuse, caractérisée par la production de vases à la forme typique de cloche renversée, d'où leur nom de « Campaniformes ». Les groupes représentatifs de cette culture vont se répandre dans l'ensemble de l'Europe et s'implanter dans certaines communautés villageoises, puisque leurs morts sont parfois enterrés dans les sépultures collectives des indigènes. Les hommes du Campaniforme semblent être des marchands itinérants qui vendent leurs vases et leurs objets métalliques. Les poteries se caractérisent non seulement par la forme, mais aussi par le décor : figures géométriques incisées au peigne, impression cordée, estampage. Les objets métalliques comprennent notamment des poignards en cuivre munis d'une lame triangulaire, des perles et des éléments de bijoux en or. Accompagnant ces marchandises caractéristiques, des pointes de flèche en silex et des protège-poignets en pierre ou en os indiquent que les Campaniformes sont aussi des archers. Ces productions témoignent d'un phénomène commercial à l'échelle de l'Europe néolothique tout entière.

Protection dans la mort

Egypte, vers 2300 av. J.-C.
Pour les Egyptiens, le rituel de l'embaumement et le mobilier funéraire ne sont pas des protections suffisantes dans l'au-delà. Les inscriptions hiéroglyphiques gravées sur les tombeaux des pharaons sont destinées à protéger ceux-ci, après leur mort, contre le malheur et la maladie. On peut voir, parmi les inscriptions funéraires de la tombe du pharaon Sahourê, les hiéroglyphes succédant à son nom et symbolisant la santé et le bonheur, de même que l'*ankh,* la croix ansée, symbole d'éternité. Ces symboles magiques ont une valeur prophylactique.

Cartouche au nom du roi Sahourê, précédé de la croix ansée, symbole d'éternité. Temple funéraire du roi, Abousir. Vers 2450 av. J.-C.

Maîtrise des orfèvres au royaume d'Agadé

Mésopotamie, vers 2200 av. J.-C.
Tout comme le légendaire roi d'Uruk Lugal-banda, qui était allé quérir à l'étranger des objets ouvragés ainsi que les spécialistes capables de les exécuter, le roi d'Agadé fait venir d'ailleurs artisans et main-d'œuvre spécialisée. Depuis l'époque des tombes d'Ur, les techniques de l'orfèvrerie n'ont plus de secrets pour les maîtres qui travaillent dans les ateliers des palais et des temples ; le travail au repoussé et en filigrane, le grènetis, mais aussi le cloisonné, la ciselure et la soudure ne présentent plus aucun mystère. Il ne nous est presque rien parvenu des objets fabriqués par les orfèvres d'Agadé qui pourtant travaillent sans relâche, car les commandes sont quotidiennes, multiples et variées. Un atelier de la ville de Nippur reçoit une commande de plusieurs milliers de petits croissants et soleils en or et se voit délivrer, à cette fin, vingt-neuf kilos d'or fin.

Tête royale. Bronze. Royaume d'Agadé, deuxième moitié du IIIᵉ millénaire. Musée de Bagdad. On ne sait s'il s'agit de Sargon (fondateur de l'empire) ou de son petit-fils, Naram-Sin.

La stèle de Naram Sin, roi d'Agadé, trouvée à Suse. Seconde moitié du IIIᵉ millénaire. Le roi piétine deux cadavres enchevêtrés.

Naram-Sin détruit l'empire d'Ebla

Proche-Orient, vers 2200 av. J.-C.
Avec la fondation de la dynastie d'Agadé, la guerre prend une dimension nouvelle et les conflits de voisinage sont relégués au rang de vieux souvenirs. La guerre est désormais conduite dans une double perspective : d'une part déstabiliser les forces adverses et assurer la sécurité des grands axes commerciaux, d'autre part rapporter le plus possible de butin. La guerre devient ainsi une activité économique régulière. Dans ce bruit de batailles et ce concert de combats, la guerre contre Ebla tient une place particulière : Naram-Sin ne se contente pas d'en incendier le palais après l'avoir livré au pillage, il s'y établit en vainqueur et met les vaincus en demeure d'accomplir pour lui les corvées les plus diverses.

Sargon fonde l'empire d'Agadé

Mésopotamie, vers 2300 av. J.-C.
Sargon, un obscur échanson du royaume de Kish, fait sécession et fonde avec quelques fidèles, à l'écart des sites urbains, la ville d'Agadé. On ne sait pas très bien si cet officier choisit pour s'y établir un site totalement inhabité ou s'il aménage, agrandit et embellit un établissement déjà existant. Quoi qu'il en soit, par sa seule volonté et la force de son bras, la ville d'Agadé est érigée au rang de capitale unique de toute la Mésopotamie. Jetant les fondements du premier empire à vocation universelle, Sargon ouvre sans le savoir une ère nouvelle dans l'histoire de l'humanité. L'impression qu'il laisse dans les esprits est telle qu'il devient une figure de légende, le prototype du héros civilisateur. Le récit mythique de ses origines conte comment, né des amours illicites de son père avec une grande prêtresse, il est abandonné dès sa naissance dans une corbeille en jonc au caprice d'un cours d'eau. Recueilli par un puiseur d'eau, il apprend le métier de jardinier. C'est alors que la déesse Ishtar le remarque et l'élève à la dignité royale. Tous ces épisodes symbolisent en réalité autant d'épreuves d'habilitation, dont le héros doit sortir vainqueur et qui le légitiment en tant que souverain universel. Du reste, le nom sous lequel il choisit de régner, Sargon, ne signifie-t-il pas « roi légitime » ? Le règne de son petit-fils, Naram-Sin, marque l'apogée de la dynastie fondée par Sargon. Le prestige du souverain, qui est « roi d'Agadé et des quatre régions du monde », parfois « dieu d'Agadé et roi des quatre régions du monde », prend ses racines dans ses vertus militaires ; il réside dans la répétition de l'exploit guerrier victorieux et dans ses conséquences : la capacité d'amasser quasiment sans limite les richesses de toutes sortes en dépouillant les vaincus et, davantage encore, de les redistribuer habilement, avec une générosité savamment calculée. De la Méditerranée aux frontières de l'Afghânistân, des piémonts du Caucase à l'océan Indien, rien ni personne ne sait lui résister.

La prodigalité royale est l'assise économique de la politique impériale ; elle place la communauté mésopotamienne tout entière en position de débitrice, car chaque don instaure un rapport de solidarité et crée une obligation de fidélité et de loyalisme. En outre, à mesure que se succèdent les victoires et les triomphes militaires, les souverains d'Agadé s'adjugent, pour eux-mêmes ou les personnes de leur suite, des surfaces de terre toujours plus importantes ; ce faisant, et par la multiplication des grandes propriétés à dominante agricole mais qui monopolisent aussi de larges secteurs de la production manufacturière, ils œuvrent en faveur du développement d'une économie de type « palatial ». Le domaine royal, car il s'agit principalement de lui, devient, par son extraordinaire expansion, une

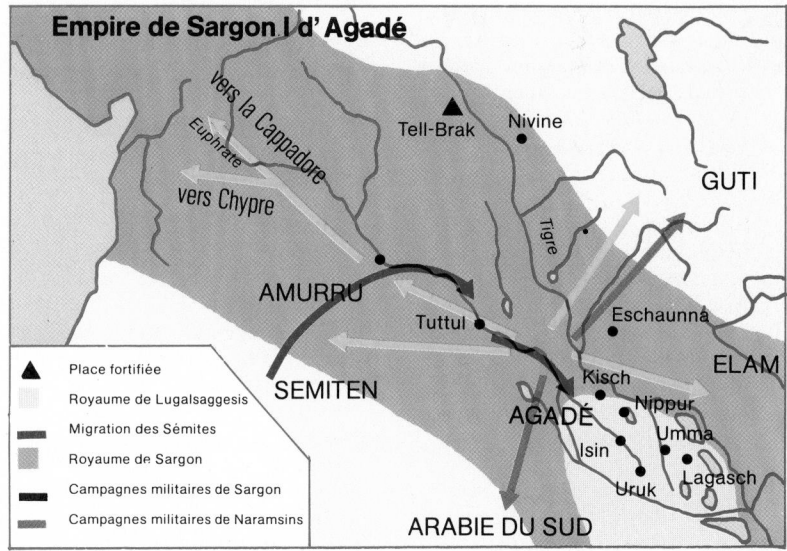

Empire de Sargon I d'Agadé

vers la Cappadore
Euphrate
vers Chypre
Tell-Brak
Nivine
GUTI
AMURRU
Tigre
Tuttul
Eschaunná
ELAM
SEMITEN
Kisch
AGADÉ
Nippur
Umma
Isin
Lagasch
Uruk
ARABIE DU SUD

▲ Place fortifiée
Royaume de Lugalsaggesis
Migration des Sémites
Royaume de Sargon
Campagnes militaires de Sargon
Campagnes militaires de Naramsins

nier. C'est alors que la déesse Ishtar le remarque et l'élève à la dignité royale. Tous ces épisodes symbolisent en réalité autant d'épreuves d'habilitation, dont le héros doit sortir vainqueur et qui le légitiment en tant que souverain universel. Du reste, le nom sous lequel il choisit de régner, Sargon, ne signifie-t-il pas « roi légitime » ? Le règne de son petit-fils, Naram-Sin, marque l'apogée de la dynastie fondée par Sargon. Le prestige du souverain, qui est « roi d'Agadé et des quatre régions du monde », parfois « dieu d'Agadé et roi des quatre régions du monde », prend ses racines dans ses vertus militaires ; il réside dans la répétition de l'exploit guerrier victorieux et dans ses conséquences : la capacité d'amasser quasiment sans limite les richesses de toutes sortes en dépouillant les vaincus et, davantage encore, de les redistribuer habilement, avec une générosité savamment calculée.

unité de production et de consommation de tout premier plan. Mais le fait central est la position éminente du roi. Par l'autorité et les richesses qui émanent de sa personne, il tient la première place. Tout procède de lui ; il est le roi du monde, il est au sommet de la hiérarchie sociale ; il est l'ami des dieux ; ses richesses sont incommensurables, sa puissance inégalable. On le voit prendre lui-même en main toutes les affaires de l'Etat et, sachant la crainte qu'inspire la redoutable splendeur qui émane de lui, il fait de sa présence physique l'un des moyens les plus sûrs pour imposer sa volonté et son autorité : il est ainsi le premier monarque absolu. Les palais, celui d'Agadé, mais aussi ceux des provinces qui servent de relais, deviennent des foyers artistiques dont les produits sont répartis selon la générosité du monarque. On s'explique mieux ainsi la diffusion de l'art officiel.

2150 av. J.-C.

Mésopotamie

Dans la chaleur de la plaine mésopotamienne meurent les bêtes et les troupeaux. Pour régénérer le cheptel, il faut chercher ailleurs le bétail indispensable, et le pays des Guti, les montagnes du Zagros, s'avèrent une terre de prédilection pour l'élevage : on y procède à l'achat et à la razzia des troupeaux. Aux belles heures de l'empire d'Agadé, les Guti sont attirés par la plaine et les splendeurs des rois qui les dépouillent. Ils s'engagent comme mercenaires ou employés. Mais le vent de l'histoire tourne, le règne du dernier roi de la dynastie fondée par Sargon devient synonyme de défaites et de difficultés. Un fonctionnaire envoie à son supérieur une lettre pour se plaindre du mauvais fonctionnement de la machine administrative, ses employés ne touchant plus leurs rations alimentaires et mourant de faim alors que « même les Guti ont à manger ! » Finalement, quelques armées Guti pénètrent en Mésopotamie pour se mêler aux querelles de succession, mais elles sont refoulées.

Sorties du désert d'Arabie, les tribus amorites de langue sémitique progressent en Syrie du Nord et obliquent vers la Mésopotamie où elles se heurtent aux armées d'Agadé qui les refoulent. Mais la chute d'Agadé va leur ouvrir toutes grandes les portes du pays.

2130 av. J.-C.

Egypte

Prenant la succession des Antef, Mentouhotep, premier du nom, a fort à faire : il doit mettre fin au royaume rival d'Héracléopolis, réunifier l'Egypte et mettre fin à une période troublée et confuse. Un règne qui s'étale sur une cinquantaine d'années lui permet de mener cette tâche à bien, de fonder le Nouvel Empire et de faire de Thèbes la capitale du royaume. Montou est le dieu dynastique.

2120 av. J.-C.

Mésopotamie

Un obscur roi d'Uruk chasse l'ultime bande armée de Guti qui erre encore sur le territoire d'Umma. L'événement est décrit avec emphase dans les inscriptions où le roi fait figure de sauveur de l'ordre cosmique face à l'incarnation du chaos. En quelques années, les Guti sont devenus le symbole du mal et du désordre.

2112 av. J.-C.

Mésopotamie

Ur-Nammu, un officier d'Utu-hégal chargé de gouverner la ville d'Ur, renverse son roi et fonde une dynastie nouvelle, avec la ville d'Ur pour capitale. Fort de l'expérience d'Agadé qui lui révèle les faiblesses d'un système politique, Ur-Nammu met sur pied un Etat bureaucratique et puissamment centralisé qui ne laisse pas de place aux initiatives d'éventuels compétiteurs. Avec son fils et successeur, Shulgi, il restaure l'autorité royale un moment dissoute. →

2000 av. J.-C.

Egypte

Vizir du dernier Mentouhotep de la XIe dynastie, Aménemhat Ier s'empare du trône après quelques années d'interrègne et met en place une des plus glorieuses dynasties de l'Egypte. Durant les trente années de son règne, il va réorganiser le pays et refouler les envahisseurs nomades. Amon est le protecteur officiel de la dynastie. A la fin de son règne, Aménemhat associe au pouvoir son fils Sésostris Ier. →

Sahara

C'est vers 2700 av. J.-C. que s'est ouverte dans la région saharienne la période de désertification. A peu près contemporain de la première dynastie en Egypte, ce processus a conduit les éleveurs à émigrer vers la vallée du Nil.

Mer Egée

Le Cycladique moyen qui débute présente deux traits contradictoires : d'une part, la fin de cette originalité artistique qui caractérisait les idoles en marbre du Cycladique ancien ; d'autre part, les céramistes subissent désormais l'influence de leurs voisins égéens. Mais cette influence s'arrête là : les Cyclades ne sont pas marquées par la civilisation des palais crétois ou mycéniens. Jalouses de leur spécificité, les Cyclades durant l'âge du Bronze, développeront une civilisation insulaire très raffinée, qui trouvera son apogée dans l'urbanisme et les fresques de Théra (Santorin).

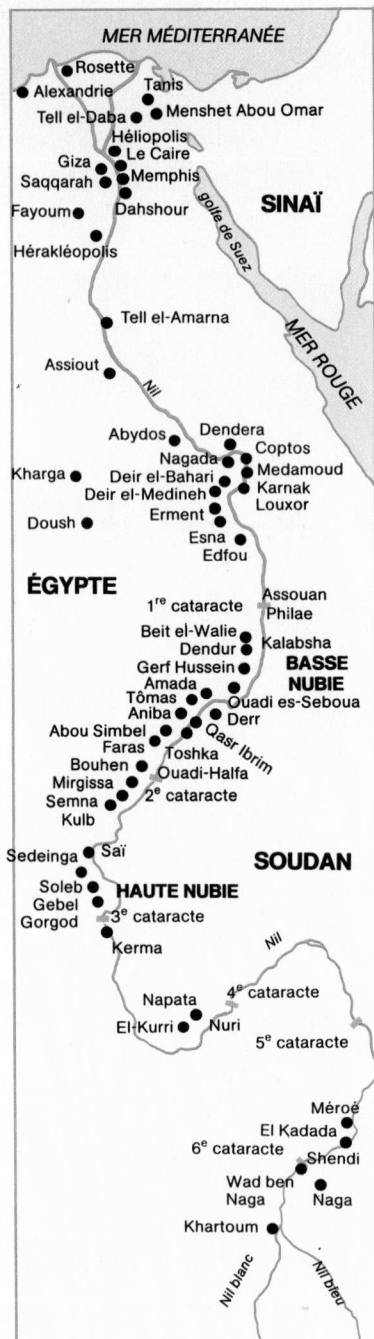

Thèbes, capitale d'Empire et résidence du dieu Amon

Egypte, vers 2000 av. J.-C.
Thèbes et Amon sont indissociables et leur histoire est toujours liée au pouvoir royal. Selon la légende, Thèbes est le lieu où est apparu le tertre initial, né des eaux primordiales (ce symbole est à rapprocher du paysage de la vallée du Nil au moment de la décrue du fleuve) ; c'est aussi la résidence d'Amon, dieu terrestre et céleste incarnant le mystère de la création. La ville de Ouaset (Thèbes est le nom gréco-romain) existait sous l'Ancien Empire, mais se développa surtout sous Mentouhotep (Moyen Empire), qui y fixa sa capitale. Les Sésostris, quant à eux l'abandonnèrent et s'installèrent plus au nord. La ville ne redevint la capitale qu'après la victoire remportée sur les Hyksôs par les princes thébains de la XVIIe dynastie, qui inaugurent ainsi le Nouvel Empire ou Second empire thébain. La ville va alors s'embellir d'importants monuments sans cesse agrandis. Les temples de Karnak et de Louqsor s'élèvent, reliés par un *dromos* (une avenue) de deux kilomètres, aménagé par Hatshepsout. Karnak devient la maison d'Amon qui se rend chaque année dans sa barque au temple de Louqsor, « le harem du Sud ». C'est l'occasion de la grande procession de la « belle fête d'Opet », la plus grande fête de Thèbes. Non seulement les pharaons du Nouvel Empire agrandiront Karnak et Louqsor, mais ils se feront aussi construire leurs temples funéraires sur la rive gauche du Nil et se feront enterrer dans les falaises désertiques de la Vallée des Reines et de la Vallée des Rois. Mais, après le règne de Ramsès II (1290-1224), la ville déclinera et verra peu à peu son prestige décroître.

Sous les Aménemhat, l'Egypte retrouve tout son éclat

Egypte, 2000 av. J.-C.
Cinquante ans après la réunification de l'Egypte par Mentouhotep Ier qui met fin à deux siècles d'anarchie, l'Egypte entre dans « l'âge d'or » du Moyen Empire. Les Aménemhat et les Sésostris poursuivent la réorganisation du royaume. Leur ambition est de consolider l'unité politique autour du pharaon et de remettre en valeur le pays avec l'aide d'une administration soumise et efficace. Cependant, la centralisation est moins excessive que par le passé et l'on assiste au triomphe des classes moyennes, désormais intégrées dans les cadres de l'Etat. Aménemhat Ier inaugure la XIIe dynastie en déplaçant la capitale de Thèbes à Lisht, à l'entrée du Fayoum. Sobek, le dieu crocodile local, joue un rôle important. La montée du culte d'Osiris, commencé dès la fin de la VIe dynastie, s'intensifie. Chaque défunt est maintenant identifié à Osiris, comme le montrent les statuettes dédiées au dieu d'Abydos et les sarcophages. Avec ces pharaons recommencent les grands programmes de construction : l'aménagement du Fayoum en zones de chasse et terres asséchées pour la culture ; les pyramides de Lisht, Dahshour, les temples d'Abydos, Héliopolis, Médamoud, Tôd, ainsi que la « chapelle blanche » de Karnak. Les relations diplomatiques avec la Syrie et la Palestine sont renouées. Le trésor trouvé à Tôd atteste de contacts avec la Mésopotamie et le monde égéen. Les problèmes de succession sont écartés par un système de co-régence qui associe le pharaon et son fils aîné.

Ziggurat de la IIIe dynastie d'Ur, œuvre des rois Ur-Nammu et Shulgi. Vers 2100. Elle était dédiée au dieu lunaire Nannar.

L'essor de la bureaucratie dans les cités sumériennes

Mésopotamie, vers 2100 av. J.-C.
Tout l'Orient vit encore sous le choc de la chute d'Agadé. La faiblesse du pouvoir sous les derniers rois de la dynastie, puis l'absence de centralisation avaient conduit à l'éclatement et, à brève échéance, l'autorité royale elle-même menaçait d'être remise en question. C'est le moment que choisissent Ur-Nammu, le fondateur de l'empire d'Ur, et après lui son fils et successeur Shulgi, pour réagir avec fermeté. Ils font reposer leur pouvoir sur une bureaucratie tentaculaire, dont l'importance est si frappante qu'elle restera la marque essentielle de leur Etat. Le nouvel empire se dote en outre de limites solides. En deçà de cette frontière, les rois imposent leur justice, leur administration, leur fiscalité, la standardisation des poids et des mesures, en un mot leur ordre, grâce à des agents nombreux

et spécialisés que contrôlent des services administratifs importants. A la tête de l'Etat, chef de l'exécutif, le roi détient tous les pouvoirs et prend toutes les initiatives. Maître de l'administration, il nomme les gouverneurs et les fonctionnaires ; tout un culte royal fait son apparition, renforçant la cohésion de l'édifice impérial. La chancellerie est placée sous les ordres d'une sorte de grand vizir qui a la haute main sur tous les services administratifs. A la tête de chaque province se trouve un gouverneur civil, parfois doublé d'un gouverneur militaire. Afin de pourvoir à l'approvisionnement de la capitale, Ur, tous les gouverneurs de provinces sont astreints, à tour de rôle, à une contribution régulière, en têtes de bétail. La bureaucratie surveille de son œil sourcilleux jusqu'aux unités de production les plus mo-

destes. Voici, à titre d'exemple, la liste du personnel administratif chargé du contrôle de la gestion d'un temple d'importance moyenne ; elle s'établit comme suit : un administrateur ou préfet ; un responsable des archives ; un chef du cadastre ; un chef des entrepôts ; un capitaine de la troupe ; un scribe chargé du service des labours ; un fonctionnaire en relation avec le service du cadastre ; un chef jardinier ; l'équipe des intendants chargés de la surveillance des bœufs de labour ; un chef des courriers ; plusieurs « portes-trône » ; les chefs des équipes de laboureurs. Pour mieux surveiller les rouages de cette administration, les rois d'Ur ont recours à des chargés de mission dont l'aptitude s'exerce dans tous les domaines. Ils servent de relais entre les différents niveaux de la pyramide bureaucratique.

Promulgation des lois d'Ur-Nammu

Mésopotamie, vers 2112 av. J.-C.
Le roi Ur-Nammu restaure la royauté sur Sumer et Agadé et fonde l'empire d'Ur, du nom de la capitale. Sa personne est associée à deux œuvres principales : la promulgation du plus ancien code de lois et l'érection de la première tour à étages, la ziggurat. Après avoir fondé le monde, les dieux désignèrent le dieu de la lune comme roi d'Ur et celui-ci, à son tour, nomma Ur-Nammu pour être son représentant sur terre. Le roi humain se montre soucieux de bannir la violence et la haine et d'établir la justice et l'équité. Il révoque les accapareurs qui s'appropriaient les biens d'autrui, protège les pauvres, la veuve et l'orphelin contre la rapacité des nantis et institue pour certains délits des peines de compensation, prévoyant notamment de fortes amendes en argent. La ziggurat du temple du dieu de la lune, à Ur, est une masse immense de briques crues de 60 sur 45 m, revêtue d'un parement de briques cuites. Elle comporte trois étages auxquels donnent accès plusieurs escaliers. Les ziggurats se caractérisent, précisément, par la superposition de plusieurs niveaux, toujours plus petits à mesure que l'on s'élève de palier en palier vers le sommet. Au premier millénaire, celle de Babylone, autrement dit la tour de Babel, en comportera sept. Une toute petite chapelle couronne le sommet de cette tour, car la fonction du monument est d'établir un plan intermédiaire qui facilite la relation entre les dieux et les hommes.

Un roi pieux : Gudéa de Lagash

Sumer, 2144-2124 av. J.-C.
Dans la tourmente qui sévit et entraîne l'empire d'Agadé dans sa chute, le règne de Gudéa fait figure de havre de paix et de sérénité. Si l'on en croit ses multiples et longues déclarations publiques, il ne se vante que d'un seul succès militaire. Son activité de bâtisseur retient toute son attention, tout au long des vingt années de son règne. Il fait construire une quinzaine de temples dans la cité de Lagash, mais il consacre tout particulièrement ses efforts et ses soins au premier d'entre eux, appelé E-ninnu, la demeure du dieu de la cité, Ningirsu. Il ne lésine ni sur les dépenses, faisant venir à grands frais les matériaux les plus rares, ni sur la main-d'œuvre qu'il va chercher au loin, jusqu'en Elam. Le temple est la maison terrestre du dieu, maison que les hommes sont chargés de construire. Cette tâche incombe, en premier lieu, au roi. C'est lui qui préside à la fondation et à l'érection du temple, lesquelles sont précédées et accompagnées de nombreuses prescriptions rituelles et donnent lieu à d'importantes cérémonies. La déci-

sion de bâtir un temple répond au désir de la divinité, clairement exprimé sous la forme d'un rêve : il n'y a plus qu'à le mettre en pratique. Prélude indispensable cependant, il faut consulter les oracles afin de déterminer le moment propice pour l'inauguration des travaux. A l'aide de rites propitiatoires, tout l'espace est alors purifié : celui, agreste, des champs et des prés ; celui, urbain, de la cité, celui, enfin, plus restreint et particulièrement sacré où va s'élever le temple lui-même. A l'inspiration du dieu, le roi, architecte et maître d'œuvre, dessine alors le plan et fabrique le moule qui servira à façonner la première brique. Du temple superbe érigé par Gudéa, il ne reste rien , si ce n'est la description imagée qu'en donne le roi lui-même. De grands mâts sont plantés qui délimitent l'espace sacré et Gudéa, ainsi qu'il le dit lui-même, « se mit à construire le temple, posa le couffin du temple, tiare pure, sur sa tête et posa les fondations, planta le mur et le sol ». Il dresse sept niveaux successifs et fait orner les portes de représentations de démons et d'animaux protecteurs : lion à sept têtes, bisons et dragons de toute espèce.

Petite statue de Gudéa assis, « patési » de Lagash, dédiée au dieu Ningizzida. Vers 2150. Diorite. Musée du Louvre, Paris.

La révolution néolithique

10 000-3000 av. J.-C.

Naissance de l'agriculture

L'agriculture est l'un des moteurs de la « révolution néolithique ». La culture volontaire des plantes est en effet la condition nécessaire à l'apparition de formes sociales complexes qui préparent les premières civilisations élaborées (vers 3000 av. J.-C.). L'homme du néolithique réussit à adapter son environnement naturel à ses propres besoins humains et à le transformer selon ses desseins.

Développement de l'agriculture

Le foyer de la révolution néolithique se trouve en Mésopotamie, en Egypte et au bord de la Méditerranée orientale.
Les premières cultures apparaissent vers 8000 av. J.-C. au Proche-Orient, dans la région du Croissant fertile, ces contreforts vallonnés des montagnes de Taurus et de Zagros qui entourent la plaine du Tigre et de l'Euphrate. L'agriculture se développe presque en même temps dans trois autres régions du monde indépendantes les unes des autres : en Asie orientale, au Mexique et au Pérou.
Le préhistorien britannique Gordon Childe explique le développement de l'agriculture par les changements de climat de la dernière période glaciaire, qui auraient entraîné une forte concentration de groupes humains dans les régions encore habitables, c'est-à-dire ni desséchées ni dévastées, dans la vallée du Nil par exemple vers 4500 av. J.-C. La concentration de population et le manque de nourriture auraient forcé les hommes à cultiver les champs.

Des travaux plus récents, comme ceux de Robert J. Braidwood (1960), montrent que les transformations climatiques ne furent pas si profondes. D'après cette théorie, l'agriculture se développe dans des régions favorisées où hommes, animaux et plantes vivent ensemble depuis un certain temps. Les chasseurs et les cueilleurs de la fin du paléolithique apprennent à mieux connaître leur environnement proche, animal comme végétal. Dans des régions riches, les cueilleurs ainsi spécialisés peuvent devenir plus ou moins sédentaires.
Dans la région du Croissant fertile pousse une herbe aux graines très grosses et faciles à récolter, le blé sauvage. Ce blé sauvage pousse si dru que les essais de l'agronome Jack R. Harlan montrent que, à mains nues ou avec les instruments de l'époque, une famille de cueilleurs pouvait, en trois semaines, faire une récolte suffisante pour plus d'un an de consommation.

Le processus de la domestication

Les premiers produits des champs ensemencés par les hommes sont différentes espèces de blé et d'orge.
Le blé sauvage possède une propriété naturelle : les épis mûrs s'ouvrent et les grains se répandent. Ce processus ne favorise pas le cueilleur de blé sauvage car la récolte s'en trouve fortement diminuée. On doit ramasser des céréales pas encore mûres ou faire face, pendant le mûrissement, à de lourdes pertes. Mais cet inconvénient va conduire à la plante cultivée. De nombreux plants de blé ne peuvent disperser leurs épis à cause de défauts

génétiques, et ainsi ne peuvent pas se reproduire. On ramasse ces graines en plus grande quantité que les graines normales. À la fin de la récolte, il est probable que seules les plantes « anormales » aient porté des graines.
Lors de la rentrée de la récolte au village, on perd des grains en chemin et ceux-ci peuvent trouver un terrain favorable pour pousser. Les plantes fleurissant l'année suivante sont de la même espèce et se trouvent plus près du village, c'est donc elles qu'on préfère récolter. La répétition involontaire de cette sélection conduit finalement à des champs de blé toujours plus grands et fertiles à proximité du village. Le tournant décisif vers une agriculture véritable se produit quand les grains sont conservés et semés selon un plan précis.
Dans les civilisations agricoles se développent les premières communautés humaines. Les excédents agricoles permettent la spécialisation des tâches pour la réalisation de travaux à grande échelle, par exemple l'intensification de l'agriculture par des installations d'irrigation, la construction de fortifications et l'entretien de groupes de prêtres et de guerriers.

Maison, village, ville

Les campements de chasseurs se transforment en villages d'agriculteurs. Ce processus débute au Proche-Orient vers 7000 av. J.-C. Les villages et les villes néolithiques comprennent plusieurs centaines et parfois plusieurs milliers d'habitants.

Les premières maisons sont des constructions circulaires. Sur une fondation circulaire s'élève un échafaudage de perches recouvertes de peaux ou de paille. D'abord fabriquées uniquement en torchis, les constructions sont placées plus tard sur un socle de pierre fixe. Les maisons carrées apparaissent ensuite : elles permettent l'agrandissement à volonté de la surface habitable par l'adjonction d'annexes. Les portes ne se trouvent généralement pas à hauteur du sol, mais sont surélevées ; parfois il y a une ouverture dans le toit plat, qu'on atteint par un escalier en bois.

Les sols et les murs sont blanchis de plâtre ou d'argile pilonnée et il n'est pas rare qu'ils soient décorés de bandes rouges ou d'autres peintures. Les habitants utilisent des nattes tissées ou des bancs surélevés pour dormir et des emplacements séparés pour la cuisine. Généralement, un large fossé et un remblai entourent le village. Les maisons deviennent plus spacieuses et comportent deux étages ; la forme circulaire est conservée pour les nombreux greniers à céréales. L'existence de maisons variées de taille différente indique que des différences sociales commencent à apparaître dans la population. En Chine, on trouve aussi bien des bâtiments ronds que carrés dont les murs s'inclinent pourtant à partir du milieu et se transforment en un toit en coupole.

Les colonies du sud de l'Europe se trouvent le plus souvent sur des hauteurs protégées par des remblais et des fossés. Plus les civilisations agricoles progressent vers le Nord, plus la tendance vers des bâtiments très grands en forme de trapèze s'affirme.

Les paysans de l'Europe centrale et du Nord vivent dans des villages qui comptent jusqu'à 300 habitants. Leurs maisons en bois atteignent une longueur de 30 à 45 m (au maximum 65 m) et une largeur de 6 à 7 m. Au centre du village est aménagée une grande construction pour les réunions des habitants.

Propriété et guerre

Les objets retrouvés dans les tombes témoignent d'abord d'une large égalité à l'intérieur du village et entre les sexes. Les enfants font partie de la communauté à part entière. Les travaux d'irrigation et l'agriculture mobilisent la communauté. Des artisans spécialisés se chargent du travail de la pierre, de la céramique et des métaux.

La guerre fait son apparition entre ces différents groupes. C'est la propriété durable, son acquisition, son agrandissement et sa défense, qui conduisent au développement d'une mentalité guerrière. Pour la première fois les artisans fabriquent des armes et innovent techniquement pour le combat. On observe aussi un changement dans les objets retrouvés dans les tombes : les hommes, surtout s'ils étaient de grands guerriers, sont de plus en plus souvent enterrés avec leurs armes. Vers 3000 av. J.-C., la dignité de souverain (la royauté) commence à se développer, ce qui indique un changement profond dans la vie sociale. D'une structure marquée auparavant par une vie communautaire égalitaire, on passe, par un mélange de puissance religieuse et économique, à une royauté absolue et à un état bureaucratique.

Représentations religieuses

Les changements profonds du Néolithique ne touchent pas seulement l'économie, mais aussi les idées religieuses et leur expression dans l'art.

Pour les nomades éleveurs sans domicile fixe, le dieu masculin du Paléolithique est représenté par la force d'un animal mâle, souvent un taureau. Dans la société des agriculteurs, la maison, le foyer, les grains et la terre fertile se rapportent tous à une divinité féminine. Au lieu d'un dieu masculin, on honore une Grande Mère. Les statues de cette Grande Mère sont placées dans des niches, certainement dans chaque maison de paysan. La divinité se transforme et perd sa forme concrète pour être le symbole de la fertilité de la femme ou de la vie ; de la même façon, l'art se détourne de l'objet réel, devient plus abstrait. Les formes se transforment en abstractions géométriques (cercle, ovale, ligne). Les silhouettes de la divinité féminine ne représentent pas une femme véritable mais le concept général de la reproduction. La spirale ou la ligne en zig-zag indiquent l'eau ; des signes triangulaires signifient la fertilité. Ainsi les ornements sur les récipients ne sont pas une simple décoration mais ils possèdent leur valeur, sens propre.

L'art plastique en Egypte, au Proche-Orient, en Anatolie, en Europe et en Asie développe le thème de la femme fertile. Les thèmes des peintures murales et rupestres sont des modèles abstraits et des hommes petits, souvent représentés par de simples silhouettes, faisant de violents mouvements, certainement des scènes de guerre.

Découverte de l'écriture

Parmi les créations techniques du Néolithique, on peut compter une nouvelle façon de travailler la pierre, la construction en argile et en pierre, le développement de la menuiserie, ainsi que la poterie, tour de potier inclus, et le travail du métal.

La connaissance de différentes variétés de pierres conduit à une nouvelle technique de polissage et de perçage pour produire des bijoux, des couteaux, des récipients et des hâches. Les pierres sont d'abord taillées, puis polies pour que le centre de gravité soit le plus près possible du tranchant.

Le travail du métal, commencé dès 8000 av. J.-C., ne s'étend cependant que 2000 ans plus tard en Iran. C'est seulement depuis 4000 av. J.-C. que les artisans produisent des outils en métal. Ils ont la possibilité, avec l'invention de la fonte et de la coulée, de concevoir librement les formes d'instruments.

Cette évolution est causée par le fait que certains métaux fondent dans les fours de potiers : par un échauffement léger, on peut les marteler en une tôle fine et polie. Le travail du métal s'épanouit alors vers 3000 av. J.-C. dans les villes de Mésopotamie. L'homme apprend à produire des métaux coulés compliqués à l'aide d'un moule. Grâce à l'adjonction d'étain au cuivre utilisé, on obtient un alliage, le bronze, qui est plus facile à couler tout en donnant des instruments plus solides.

L'écriture va se développer à la suite du progrès matériel et intellectuel de la fin du Néolithique. Les villes sumériennes très développées en sont le centre. Les prêtres utilisent des signes : ils gravent des images simples d'objets sur des tables d'argile humide. Le mélange de signes icôniques et d'abréviations est bientôt suivi par une véritable écriture dans laquelle on ne représente pas l'objet mais son concept.

On reconnaît dans les premiers écrits non pas la glorification de faits individuels mais une fonction purement économique, comme l'enregistrement de biens ou les travaux effectués pour le service du temple. Le caractère abstrait des signes augmente avec le temps. Un seul signe ne représente pas un seul mot, mais des concepts aux sons proches.

C'est du Proche-Orient que commencent à se répandre l'ensemble des apports de la révolution néolithique. L'agriculture et la civilisation qui en découle s'étendent vers 5000 av. J.-C. jusqu'en Grèce et Hongrie actuelles. En particulier naît une civilisation danubienne que l'on nomme « civilisation de la céramique rubanée ». Les connaissances de ces cultivateurs européens s'étendent jusqu'à la côte de la mer du Nord (vers 4000 av. J.-C.). D'autres groupes traversent la Méditerranée à peu près en même temps et colonisent l'Italie, la Sicile, Malte et l'Afrique du Nord. Vers 3500 av. J.-C., la civilisation agricole a progressé jusque dans la plaine basse d'Allemagne du Nord et dans le sud de la Scandinavie. Il ne reste des chasseurs et des cueilleurs que dans les régions non fertiles du nord de la Scandinavie. A l'époque de la colonisation de l'Europe, il existe déjà en Mésopotamie des villes souveraines hautement organisées avec une irrigation communautaire et une agriculture, ainsi qu'une société structurée de cultivateurs, d'artisans, de commerçants, de prêtres et de rois ; ces villes deviennent bientôt les premiers grands empires.

2000 av. J.-C.

Mésopotamie

En 2004 av. J.-C., le gouverneur militaire commandant les marches occidentales, Ishbi-erra, se révolte contre le dernier roi d'Ur et fonde à Isin une dynastie nouvelle. En même temps, les Elamites prennent d'assaut la ville d'Ur ; le dernier roi est emmené en captivité. L'exemple que laisse la monarchie d'Ur en matière de gouvernement est trop prégnant pour se perdre d'un coup et, tout au long des deux siècles à venir, à Isin mais aussi à Larsa, deux dynasties royales s'efforcent d'en faire revivre le souvenir.

Provence

Pionniers dans la métallurgie du cuivre, les habitants de la plaine du Languedoc vivent dans des maisons dont les murs en pierres sèches sont soutenus par des piliers en bois et supportent une toiture de branchages. Ils vivent surtout de l'élevage des moutons.

1970 av. J.-C.

Egypte

D'abord co-régent avec Aménhemat, son père, Sésostris Ier mène de brillantes campagnes militaires contre les ennemis du royaume. Il parvient à garder le pouvoir après la mort de son père. Son règne est marqué par une politique extérieure extrêmement active. Sésostris contrôle la Haute-Egypte jusqu'à la troisième cataracte. Les circuits commerciaux conduisent au cœur de l'Egypte les denrées venues de Nubie et du Soudan. La vallée du Nil se couvre de monuments. →

C'est l'époque où est rédigé le Conte de Sinouhé. Durant plusieurs siècles, les scribes d'Egypte apprendront l'écriture en recopiant ce grand « classique ». →

1900 av. J.-C.

Mésopotamie

La concentration toujours croissante de la population exige une intensification toujours accrue de la production agricole : en d'autres termes, en ces régions où le régime des pluies est insuffisant, on assiste au développement d'un réseau d'irrigation toujours plus dense. Dans l'Etat de Larsa, un bureau de l'irriga-

tion, chargé de l'entretien des canaux et du développement du réseau, est donc créé, car le roi et l'administration veillent au bon fonctionnement du système. Ce bureau est aussi chargé de réparer les dégâts causés par la guerre.

Asie Mineure

Commerçants du monde oriental qui mettent leurs armées au service des échanges, les Assyriens s'établissent partout en colonies marchandes d'importance plus ou moins grande. Le réseau le plus dense de ces établissements se rencontre en Cappadoce.

Crète

Les premiers palais sont construits en Crète durant l'époque du Minoen moyen. Ce qui caractérise les édifices de Cnossos, Mallia et Phaistos, ce sont les remaniements successifs de leur architecture. Les différents bâtiments s'organisent autour d'une cour centrale. Au rez-de-chaussée se trouvent les entrepôts et les ateliers, tandis qu'à l'étage se situent les parties habitables. Dans les ateliers de Phaistos et du palais de Cnossos, agrandi et réaménagé, on fabrique une céramique aux décors caractéristiques : géométriques ou réalistes, les motifs sont peints en blanc, jaune, vermillon, brun sur un fond sombre ou chamois.

1887 av. J.-C.

Egypte

Le règne de Sésostris III est le plus brillant de la dynastie. A l'intérieur, le pharaon réduit les velléités d'indépendance de la noblesse provinciale. A l'extérieur, il annexe définitivement la Basse-Nubie à l'Egypte. De la deuxième cataracte à Eléphantine, il protège les voies de communication par un ensemble de fortifications. Au nord, il s'assure le contrôle de la Palestine et de la Syrie. Tous ces exploits vaudront à Sésostris d'être divinisé.

1850 av. J.-C.

Egypte

Le successeur de Sésostris III, Aménhemat III, est un pharaon pacifique qui se soucie de bien administrer l'important royaume qui lui a été légué. Il entreprend de grands travaux d'aménagements au Fayoum, où il construit sa pyramide et son temple funéraire, qu'Hérodote décrira comme le Labyrinthe.

Portrait du légendaire empereur Yu le Grand, fondateur de la dynastie des Xia.

Avec Yu le Grand débute la première dynastie chinoise

Chine, vers 2000 av. J.-C.
Le prince Yu, fondateur de la dynastie Xia (Hia), la première dynastie chinoise, est considéré par la tradition comme le sauveur de la Chine, Il aurait réussi à combattre les effets dévastateurs d'une inondation gigantesque (le Déluge ?), en canalisant les fleuves et en faisant percer les montagnes. Yu est le troisième fondateur légendaire de l'empire de Chine, aux côtés des princes Yao et Shur. Sa personnalité, non seulement ses compétences d'ingénieur hydraulicien mais aussi ses qualités morales, sont un modèle pour tous ses successeurs, comme lui « Fils du Ciel ». La civilisation chinoise, contrairement aux autres grandes civilisations contemporaines du règne de l'empereur Yu, s'appuie sur un système féodal : de nombreuses principautés limitent la réalité du pouvoir impérial.

Epanouissement de la littérature à Sumer

Mésopotamie du Sud, de 1900 à 1800 av. J.-C.
La langue sumérienne devient progressivement une langue morte. Elle n'est plus usitée que comme un véhicule de culture, un peu comme le latin dans l'Europe médiévale. On décide alors d'immortaliser sa production intellectuelle et les scribes se mettent à l'œuvre pour copier, classer et ranger dans des bibliothèques tous les fleurons de la littérature écrite en cette langue. C'est à cette fin qu'est créée la célèbre « maison des Tablettes », laquelle est conçue et organisée à l'instar d'une cellule familiale, avec le professeur en guise de « père », les élèves en qualité de « fils » et la hiérarchie interne qui distingue les meilleurs et les plus experts, les « frères aînés », des débutants malhabiles, les « frères cadets ». Le premier temps de l'ins-

truction est réservé à l'apprentissage de l'écriture, au maniement du vocabulaire et à l'enseignement de la grammaire ; le second, auquel peu atteignent, est dévolu à la copie, l'imitation et la création littéraire. De telles institutions se multiplient et, partout où s'élève un temple ou un palais, on s'adonne intensément au travail de copiste. Ainsi nous est légué un fonds inépuisable et varié d'œuvres dont la composition se perd, parfois, dans la nuit des temps. Il en est ainsi des mythes, ces longs discours où sont exprimées les croyances sur la nature, les origines et les destinées de l'univers ; des hymnes composés à la gloire des dieux et des rois ; des lamentations décrivant les malheurs du temps ; des prières ; des fables où s'affrontent en des joutes oratoires des animaux, des plantes ou des hommes ; des proverbes et des maximes, des épopées enfin comme celle narrant les exploits des rois d'Uruk.

Des idoles de marbre dans les Cyclades

Cyclades, vers 2000 av. J.-C.
Les idoles de marbre suivent l'évolution de la civilisation cycladique sans perdre leurs caractéristiques fondamentales : frontalité de la figuration humaine, pureté et abstraction des formes, régies par un strict rapport de proportions mathématiques. Les idoles de Kéros et de Syros représentent des personnages debout, les bras repliés sous la poitrine. Sur la tête de forme ovale, légèrement penchée en arrière, seul le nez est en relief. Le triangle pubien est indiqué par une incision. Les détails du corps et du visage étaient sans doute marqués par des rehauts de couleur (noir, rouge).

Le cithariste de Kéros. Idole de marbre. Vers 2000 av. J.-C. Musée national, Athènes.

Pharaon coiffé de la couronne blanche de la Haute-Egypte se présentant devant le dieu Amon (à droite). XVIIIᵉ dynastie. Relief du temple d'Amon, Karnak.

De la religion à la politique : le culte d'Amon-Rê en Egypte

Amon « le Caché », « le Roi des dieux » vénéré dans toute l'Egypte, avait son sanctuaire principal à Karnak dès le Moyen Empire. Dieu de l'air et de la fécondité, son image et sa personnalité sont faites d'emprunts aux trois grands systèmes théologiques héliopolitain, héracléopolitain et memphite. Devenu le noyau de la triade thébaine, il est entouré de Mout, son épouse, et de Khonsou son fils. Au départ petit dieu local de la région de Thèbes, son importance grandit au Moyen Empire au cours de la XIIᵉ dynastie et son ascension est prodigieuse au Nouvel Empire. Les pharaons thébains qui ont repoussé les Hyksôs vénéraient Amon. Après la victoire, ils en font le dieu suprême de l'Etat et accordent d'immenses privilèges à son clergé. Les temples qui lui sont consacrés grossissent en même temps que leurs richesses et le clergé d'Amon devient une force politique indiscutable. Amon éclipse les autres dieux du panthéon égyptien. Akhna-ton tentera sans succès de modifier cette situation. Les dynasties suivantes soutiendront d'autres dieux, mais Amon sera toujours le dieu national. Sous Ramsès II, le domaine d'Amon aura encore à son service plus de 80 000 personnes et comprendra 2 000 km² de terres et 500 000 têtes de bétail. Toutefois, sa puissance ne sera plus jamais ce qu'elle a été. Amon est le plus souvent représenté sous la forme lunaire, coiffé d'un mortier surmonté de deux hautes plumes, signe des dieux aériens. Son corps est parfois ithyphallique, symbole de fertilité. Le bélier et l'oie blanche sont les deux animaux qui lui sont associés. A la fin du Nouvel Empire, « les premiers prophètes d'Amon », maîtres des biens du dieu thébain, règnent en Thébaïde. Ces généraux religieux tiennent leur pouvoir d'Amon qui établit les lois. Son culte se répand en Libye et en Ethiopie. Ce sont les Assyriens qui mettront fin à la puissance d'Amon en Egypte en détruisant Thèbes. Les autres divinités, notamment Osiris, reprendront alors leur place vers 664 av. J.-C.

Les aventures d'un Egyptien dénommé Sinouhé

Egypte, vers 1970 av. J.-C.
Sinouhé est un des grands héros de la littérature universelle et son histoire a conservé toute sa fraîcheur. Œuvre d'un auteur inconnu du Moyen Empire, ses aventures ont bénéficié d'une telle audience qu'elles étaient encore recopiées huit cents ans après leur publication initiale par les scribes du Nouvel Empire qui nous les ont transmises. Elles relèvent d'un des trois genres littéraires qui furent à l'honneur en Egypte : le conte, les deux autres étant les prophéties et les enseignements. Les prophéties regroupent des événements dramatiques du passé présentés comme à venir, à la manière des prophéties hébraïques. Les enseignements sont des recueils de principes politiques et moraux attribués à un roi, un haut personnage ou un particulier. Les contes sont des histoires fictives, comiques ou dramatiques, qui présentent d'une manière vivante la vie quotidienne de certains personnages de la société égyptienne, comme les marins (le *Conte du naufragé*) ou les paysans, ou encore des personnages historiques comme Sinouhé. Ce dernier est présenté comme un courtisan du fondateur de la XIIᵉ dynastie (Moyen Empire), Aménemhat Iᵉʳ. Lorsque celui-ci meurt, afin d'éviter les troubles de succession, Sinouhé s'enfuit d'Egypte. Après avoir traversé le Delta et l'isthme de Suez, il découvre le désert, d'abord hostile, dangereux, peuplé de bêtes fantastiques. Sinouhé risque de mourir de soif, mais il est accueilli par des Bédouins dont il deviendra plus tard le chef après avoir fondé une famille. Aucune des étapes de son voyage et de sa nouvelle vie ne nous échappe. Ses sentiments sont également abondamment décrits. Malgré sa réussite, il n'a pas oublié sa patrie. Et lorsque lui parvient un édit d'amnistie du nouveau souverain Sésostris Iᵉʳ, il est heureux de pouvoir rentrer. D'autant plus qu'une belle situation l'attend et qu'une sépulture lui sera réservée au milieu de celles des enfants royaux.

Un art original : les modèles réduits

Dès l'Ancien Empire, les Egyptiens déposent dans les tombes des figurines en calcaire représentant des personnages dans les gestes du travail quotidien (brasseur, boulanger, boucher, porteur, musicien...). Mais c'est surtout au Moyen-Empire que vont se développer les modèles réduits en bois, représentant des scènes complexes restituées dans des décors miniatures ; maisons et jardins, ateliers, greniers et bateaux abritent une multitude de petits personnages en pleine activité, minutieusement sculptés puis peints de couleurs vives.

« Scène d'offrande ». Petit modèle en terre cuite qui faisait parti du mobilier funéraire d'une tombe de l'Egypte ancienne.

L'essor du commerce assyrien en Cappadoce

Assyrie et Cappadoce, vers 1900 av. J.-C.
Des marchands assyriens quittent leur cité d'Assur et s'établissent en Cappadoce, au cœur de la sauvage Anatolie morcelée en petites principautés relativement faibles. A l'inverse, le commerce assyrien, dirigé depuis Assur par quelques grandes familles particulièrement riches et puissantes, est fortement structuré et organisé. Les marchands se groupent en petites colonies qui disposent elles-mêmes d'un réseau d'agences qui essaiment dans tout le pays. Un organisme central contrôle toutes les activités ; il est situé dans la ville de Kanesh (l'actuelle Kültépé). Chaque colonie est dotée de magasins et de banques ; elle est autorisée à percevoir des taxes, dispose de prérogatives judiciaires ; elle est en outre fondée à entamer toute transaction utile avec les pouvoirs locaux. Le centre de Kanesh est lui-même placé sous l'autorité de la ville d'Assur. Là, ce sont les hauts magistrats et le roi, c'est-à-dire les hommes les plus riches et les plus influents, qui avancent les fonds et surveillent les réseaux. Les marchands font le reste. Habituellement, les maisons de commerce ont un caractère familial et les moyens mis en œuvre sont modestes, à l'opposé des tarifs pratiqués qui assurent des profits substantiels puisqu'ils peuvent voisiner les 100% d'intérêt ! Les échanges commerciaux sont à double sens ; les Assyriens exportent des étoffes et de l'étain, importent du cuivre et rapatrient les capitaux, en or ou en argent, provenant des ventes.

1800 av. J.-C.

Assyrie

Fils d'un roi de Terqa, sur l'Euphrate, qui avait été chassé de son trône par un ambitieux voisin, Samsi-addu, de souche amorite, trouve refuge à Babylone avant de prendre le pouvoir en Assyrie, d'où il lance des opérations militaires pour conquérir Mari et rentrer en possession de Terqa.

Mésopotamie

La vague de nomades amorites (« amorite » signifie simplement « de l'Ouest ») qui a submergé l'empire d'Ur est à présent sédentarisée. Les anciens nomades sont établis en maîtres dans la plupart des grandes cités d'Agadé et de Sumer. L'ultime Etat de langue akkadienne, celui d'Eshnunna, sera détruit par l'Amorite Hammurabi de Babylone.

La chute des dynasties d'Isin et de Larsa, qui avaient prolongé l'effort politique des rois d'Ur, marque l'abandon de la structure étatique mise en place par ces rois et ouvre la voie à la division de la Mésopotamie en de nombreuses cités-Etats qui ont pour noms Kazallu, Marad, Sippar, Kish, Malgium, Isin, Uruk, Iamutbal, Idamaras, Mari. Cependant, par le jeu d'une diplomatie savamment dosée et la force des armes sur les champs de batailles, deux Etats se placent au-dessus du lot commun : Larsa et Babylone. Rapidement, entre eux deux, le conflit devient inévitable : Larsa finira par y perdre son indépendance.

Avec le règne de Hammurabi, la ville de Babylone connaît une gloire politique, culturelle et artistique qui marquera de son sceau toute l'histoire ultérieure de la Mésopotamie. Désormais, on ne cherchera pas pour ce pays une autre capitale qu'elle. Après trente neuf années de batailles, Hammurabi jette les bases d'un empire éphémère qui ne lui survivra que quelques années. →

Europe occidentale

Fin de l'âge du Cuivre. Expérimenté au Moyen-Orient dès la fin du IVe millénaire, le bronze supplante le cuivre en Europe occidentale. Il faut, pour fabriquer cet alliage, disposer de l'étain : des circuits commerciaux se créent à cette fin.

Egypte

Moins abstraites qu'en Mésopotamie, les mathématiques des Egyptiens ont un caractère utilitaire. Mais le papyrus Rhind montre qu'un Egyptien savait raisonner : après chaque démonstration mathématique intervient la formule : « C'est bien cela ». Le système de calcul égyptien est décimal et additif. Aucun signe particulier n'existe pour figurer les opérations, sauf pour les fractions, dont le numérateur est toujours 1. Les mathématiques servaient à la comptabilité des temples, à l'architecture et à l'arpentage des champs.

1785 av. J.-C.

Egypte

La deuxième Période Intermédiaire est la plus obscure de l'histoire égyptienne. Les rois sont sans grande envergure et se succèdent à une cadence effrénée (trente rois constituent les XIIIe et XIVe dynasties !).

Proche-Orient, 1780-1750

Pendant plus d'un siècle, le Proche-Orient va être plongé dans un âge obscur, l'équilibre précaire qu'avaient réalisé les royaumes d'Alep et de Babylone étant rompu. Les sources font silence : il n'est pas un document qui ait survécu de cette époque. Des mouvements de peuples ont lieu mais, cette fois-ci, l'invasion est le fait de peuples nordiques et leur mouvement s'étend jusqu'aux rives de la Méditerranée ; ils ont pour nom Kassites, Hurrites et Indo-Iraniens.

1730 av. J.-C.

Egypte

Les Hyksôs, des envahisseurs asiatiques, déferlent sur l'Egypte. Ils s'installent dans le Delta et fondent une dynastie qui va dominer le nord de l'Egypte pendant presque un siècle. →

1700 av. J.-C.

Crète

C'est peut-être un séisme qui renverse les palais crétois. C'est, en tout cas, l'occasion de relever ces édifices selon des plans rénovés. Représentatif de cette nouvelle architecture, le palais de Cnossos couvre un rectangle de 150 sur 100 m, et se présente comme un dédale de salles et de couloirs : magasins, salles d'apparat, logements constituent autant de quartiers distincts, à l'image des quartiers d'une ville. C'est l'apogée de la civilisation minoenne. →

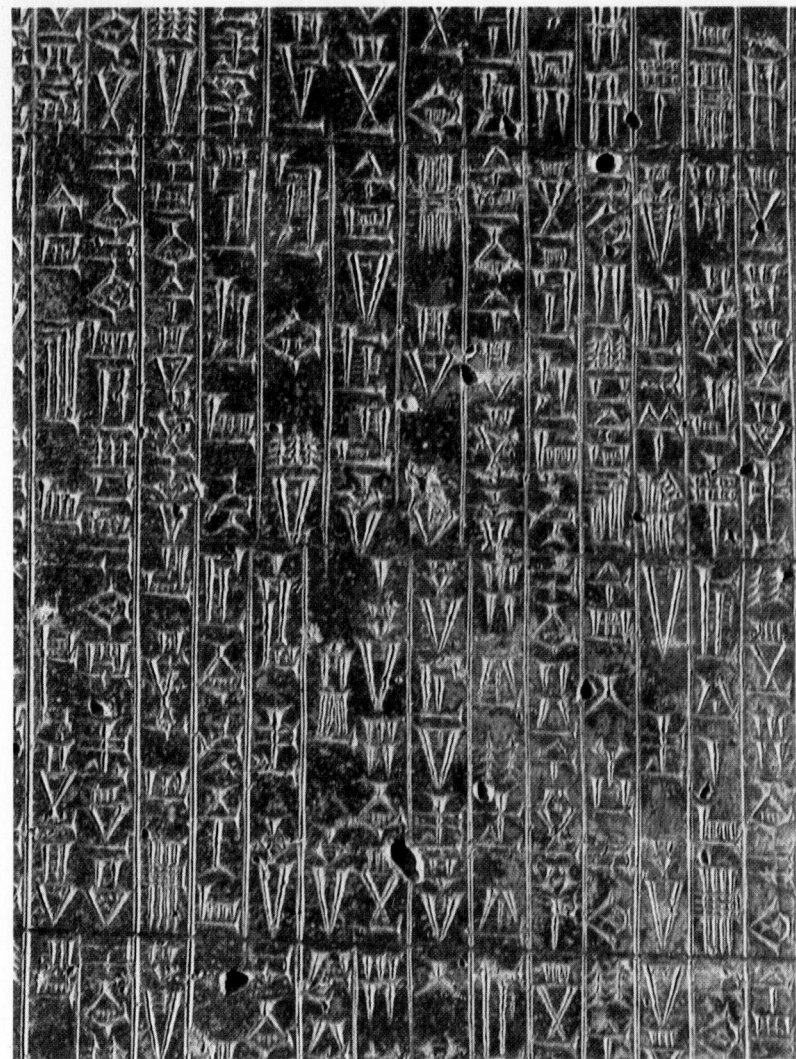

« Code » de Hammurabi. Détail. Stèle de basalte (2,25 m de haut) trouvée à Suse. Vers 1760 av. J.-C. Musée du Louvre, Paris.

Hammurabi, roi de Babylone, promulgue 382 articles de loi

Babylone, vers 1760 av. J.-C.
C'est au soir d'un long règne mouvementé, l'esprit enfin serein et la paix babylonienne acceptée par tous, que le vieux roi Hammurabi regroupe sur une stèle un grand nombre de décisions de justice qu'il avait eu l'occasion de rendre. Selon ses propres paroles, « telles sont les sentences équitables que Hammurabi, roi plein d'expérience, a imposées pour faire prendre à son pays la ferme discipline et la bonne conduite ». Dans le bouillonnement politique où, depuis plus d'un siècle, les Etats se font et se défont, les guerres ont eu raison de l'ordre social et les rois du moment tentent tour à tour de remettre de l'ordre en promulguant des recueils de lois. Ceux-ci sont abusivement appelés codes par les modernes ; ce sont, à dire vrai, des recueils de décisions royales plus ou moins groupées par matière et présentées selon un formulaire stéréotypé. Leur énoncé conserve d'ailleurs le caractère concret de la sentence d'un tribunal et les lacunes y sont importantes. Ainsi, dans les lois de Hammurabi, au chapitre réservé aux coups portés par un fils contre son père, n'est-il fait aucune allusion au parricide, lacune inexplicable dans un code digne de ce nom. Certaines contradictions, en outre, apparaissent dans les jugements rendus, et les sentences n'ont pas l'universalité de ce que nous entendons par loi. Il y a plus grave : aucun juge, jamais, ne fait référence, dans les procès-verbaux et leurs sentences, aux lois promulguées par le roi. Du reste, les souverains savent que l'appauvrissement des masses est tel que cette manière d'énoncer de grands principes est insuffisante à soigner le mal. Ils multiplient les mesures sociales, les exemptions d'impôts, les remises de dettes. La pratique de ces moratoires devient si courante que chaque roi y a recours lors de son avènement. Aux moratoires viennent s'ajouter les tarifs, réglementant la hausse des prix. Leur application est cependant douteuse : leur grand nombre, à lui seul, donne à penser qu'ils ne sont guère que des vœux pieux. Il s'agit en fait de mieux imposer l'autorité de l'Etat sur l'institution majeure de la justice privée : le prix du sang. Lorsqu'un homme s'est rendu coupable de meurtre, il doit être livré au « vengeur de sang » de sa victime, lequel a sur lui droit de vie ou de mort.

Les Hyksôs envahissent l'Egypte et fondent une dynastie

Egypte, vers 1730 av. J.-C.

Une peuplade asiatique, sans doute sémitique, conquiert le Nord-Est de l'Egypte pendant la seconde période intermédiaire : ce sont les Hyksôs. Ces peuples, dont l'origine est incertaine, auraient été poussés par les migrations survenues en Asie, dues elles-mêmes à l'apparition au Proche-Orient des peuples aryens (les Hittites en Anatolie, les Kassites à Babylone, les Hurrites au Mitanni). Les Sémites ont gagné alors le pays de Canaan, puis l'Egypte. Ils se sont infiltrés dans le delta oriental. Mais, trop faibles, les rois égyptiens les ont ignorés. Les Hyksôs profitent de cette situation pour s'installer dans le Delta où ils fondent leur capitale, Avaris ; ils adoptent quelques coutumes locales, comme l'usage des hiéroglyphes, et prennent des noms égyptiens. Pendant une période d'installation de cinquante ans, les Asiatiques continuent à pénétrer en Egypte, s'organisent en Etats et partent à la conquête du pays. Celui-ci est affaibli et ne dispose que d'un armement inefficace devant les chars de guerre et les chevaux.

Les souverains hyksôs sont regroupés dans les XVᵉ et XVIᵉ dynasties. Manéthon les appelle « pasteurs » ou « rois-pasteurs », interprétant mal le nom égyptien qui signifie « princes des pays étrangers ». Le premier groupe, d'après Manéthon, est constitué de six rois (Salitis, Bnon, Apakham, Apophis, Iannas et Kertos), appelés « grands Hyksôs » et aurait régné cent huit ans. Les règnes des autres rois, ou « petits Hyksôs », sont moins connus ; ils ne dominent plus le sud du pays, ce qui va permettre à la monarchie thébaine de se développer, d'assimiler les armes nouvelles et d'entreprendre la résistance. Les dynasties de Haute-Egypte se rangeront petit à petit aux côtés du roi de Thèbes. La Haute-Egypte gagnera son indépendance, refoulera progressivement les étrangers et combattra au sud les Nubiens qui s'étaient alliés aux Hyksôs sous la XVIIᵉ dynastie. La dernière étape de cette reconquête est la prise d'Avaris par le roi Amosis, fondateur de la XVIIIᵉ dynastie. Les Hyksôs se réfugieront en Palestine méridionale où Amosis les poursuivra. Les Hyksôs auront laissé aux Egyptiens les armes que les Aryens leur avaient révélées : le char de combat, le cheval, les arcs de corne et de bois, toute une panoplie militaire qui facilita les conquêtes des rois de la XVIIIᵉ dynastie.

La vie quotidienne au palais de Mari

Mari, Mésopotamie, vers 1780

Les souverains de Mari règnent sur le plus beau palais du monde. De la Méditerranée au golfe Persique, il n'est personne qui ne le considère comme l'une des merveilles de la Terre. Et pourtant, à le côtoyer de près, on voit le roi vêtu à la manière d'un homme ordinaire, coiffé d'un bonnet babylonien et ne portant qu'un vêtement qui lui tient le corps, maintenu à la taille par une ceinture. Il ne se déplace guère que dans une infime partie de son palais. Jamais, semble-t-il, il ne rencontre son peuple, et faute de fréquenter lui-même les temples et sa capitale, ce sont les dieux qui lui demandent audience. C'est à sa table, par contre, que se révèlent les fastes de la cour. La viande y est abondante, bovins, ovins, mais aussi gazelles. Si le poisson est rare, les brochettes de sauterelles y sont fort appréciées, ainsi que les œufs d'autruches. Des légumes variés, des pains et des douceurs viennent agrémenter et compléter le plat principal. Quant aux boissons, ce sont les multiples variétés de breuvages fermentés obtenus à partir de l'orge ou le vin, surtout celui des vignobles syriens conservé dans des caves et rangé selon la date et l'appellation, qui viennent étancher la soif. Le roi mange, entouré des dignitaires et des officiers de la cour, tandis que la reine prend son repas à une table séparée.

Mari. Palais de Zimri-Lim
D'après A. PARROT

N

Devins et savants en Mésopotamie

Babylone, vers 1800 av. J.-C.

Les scribes babyloniens ont légué à la postérité un fond de textes inépuisable et varié. Les devins, principalement, se mettent à l'œuvre pour organiser leur science sur une base toujours plus rationnelle. Selon leur philosophie, l'homme, la nature et le cosmos existent dans des rapports de réciprocité et interfèrent l'un sur l'autre. L'univers est conçu comme un immense réseau fort complexe de sympathies qui tend à rapprocher les choses en apparence les plus éloignées ; ainsi l'homme communique-t-il avec la bête, la bête avec les éléments, les éléments entre eux. A l'opposé, ce réseau de sympathies est complété par le groupe des antipathies, qui enferme chaque espèce dans sa personnalité propre. Le principal intéressé, l'homme, est partout concerné au premier chef et l'on considère qu'il est possible de lire dans le registre de la nature les signes annonciateurs de son avenir. Voici, à titre d'exemple, quelques sentences tirées de l'étude des entrailles du mouton : « Si les intestins, à l'entrée, sont crevés, un fils de roi prendra le trône. Si les intestins, à leur nombril sont crevés, un insensé sera maître du pays. Si les intestins, à leur partie grêle, sont crevés, le fils d'un homme de peu prendra le trône. » Au sein des relations analogiques qui unissent ces différents segments, relevons seulement l'équivalence qui est posée entre « entrée » et « roi », « nombril » et « insensé », « intestin grêle » et « pauvre ». L'intimité entre l'homme et la nature est si parfaitement ressentie que le devin mésopotamien admet pouvoir déduire un présage de l'oracle lui-même. Ainsi peut-on lire dans ces oracles : « Si le pays d'Amurru s'amoindrit le foie (du mouton sacrifié) aura (tel) aspect ! ».

Le cercle de pierres géantes de Stonehenge

Angleterre, vers 1800 av. J.-C.

La construction de cet ensemble monumental s'étale sur une longue période, depuis le cercle de trous rituels, enfermé par un fossé et un remblai et daté de la fin du Néolithique, jusqu'à l'architecture complexe achevée entre 1800 et 1500 av. J.-C. Un chemin bordé de menhirs conduit au monument. Il est orienté vers le levant du soleil au solstice d'été. On atteint un premier cercle de 31 m de diamètre, formé de pierres érigées, d'une hauteur de 4,15 m. Un linteau réunit ces pierres à leur sommet. Le second cercle est composé de pierres plus petites et isolées. Au centre se dressent cinq groupes composés de deux pierres verticales et d'un bloc reposant sur leur faîte.

Le « sanctuaire » de Stonehenge (Wiltshire, Grande-Bretagne), cercle de pierres géantes édifié entre 1800 et 1500 av. J.-C.

1700 av. J.-C.

Anatolie

Les débuts de l'Etat hittite sont obscurs. Selon les termes d'un rescrit royal plus tardif, le pays est alors « petit », mais « uni », et le souverain s'y fait obéir. Pourtant, la première inscription royale connue prouve, par son contenu, que des factions déchirent la noblesse et que le roi doit affronter une fronde dirigée par son propre fils.

Mésopotamie

Abraham quitte la ville d'Ur. Le voyage de son clan vers la steppe syrienne, à contre-courant du flot amorite, reste une énigme. On ignore les raisons de son départ. L'ascension de Babylone sous Hammurabi entraîne celle de son dieu, Marduk, un nouveau venu dans le panthéon mésopotamien, qui s'arroge petit à petit la première place parmi ses pairs. A vrai dire, on ne sait pas très bien à quelle date se fait cette élévation, Hammurabi se montrant encore très respectueux du panthéon sumérien. Ce n'est que vers 1700 av. J.-C. qu'une littérature originale fait son apparition pour exalter le nouveau dieu.

1650 av. J.-C.

Grèce

La culture grecque continentale se libère de l'influence crétoise et définit son originalité. L'une de ses premières manifestations réside dans les tombes à coupole (ou *tholos*). Le site de Mycènes ne comporte pas moins de neuf monuments de ce type. Les artisans mycéniens fabriquent des vases de très grande qualité, aux décors géométriques ou figuratifs. Mais l'originalité majeure des Mycéniens réside dans l'architecture de leurs palais : véritables « nids d'aigles » perchés sur des collines, les demeures mycéniennes s'organisent autour d'un *mégaron*, une salle rectangulaire avec au centre, et entre quatre colonnes, un foyer. Le palais comprend plusieurs pièces destinées au stockage des vivres. Dans le palais de Pylos, deux salles étaient destinées à la conservation des archives, ces tablettes du linéaire B qui sont les premiers textes de la langue grecque.

1600 av. J.-C.

Languedoc

Entre 1600 et 1500 av. J.-C., une petite fille de sept ou huit ans meurt ; elle est enterrée dans la grotte de Lastours (Aude). Tout au fond de cette cavité naturelle, d'un accès très difficile, cette enfant repose parmi un nombre important de magnifiques bijoux : des perles d'ambre et de verre coloré, des bijoux en bronze, un bracelet et un curieux pendentif circulaire, sur lequel un œil est gravé. Ces parures sont caractéristiques de la culture de l'âge du Bronze et témoignent de l'importance croissante des échanges commerciaux. Vu leur richesse, elles suggèrent aussi que la fillette qui les portait était d'un statut social élevé.

1595 av. J.-C.

Mésopotamie

Mursil Ier, roi des Hittites, inaugure une politique expansionniste qui le conduit en Syrie du Nord où il met fin au royaume d'Alep ; puis, dans le même élan, il se dirige vers la Mésopotamie où il prend d'assaut la ville de Babylone. L'exploit, cependant, reste sans lendemain. Après avoir prélevé sa part du butin, il s'en retourne en Anatolie, laissant derrière lui, chemin faisant, quelques comptoirs pour surveiller la vallée de l'Euphrate et les routes commerciales.

Lorsque le roi hittite Mursil Ier quitte les ruines fumantes de Babylone, il laisse sur le trône de la cité dévastée le premier représentant d'une dynastie étrangère d'origine kassite. Ces Kassites viennent sans doute du Zagros. On découvre leur présence pour la première fois vers 1740 av. J.-C., dans la vallée de la Diyala. Plus tard, ils s'établissent en maîtres sur une partie du cours moyen de l'Euphrate, dans le pays de Hana. C'est là, probablement, qu'ayant rejoint les armées hittites de Mursil Ier, ils font mouvement vers Babylone où ils s'apprêtent à régner pendant plusieurs siècles.

1500 av. J.-C.

Inde

Les villes sont abandonnées ; la civilisation de l'Indus disparaît. Raz de marée et inondations, raisons internes et déficiences de l'organisation sociale et politique ? Ces diverses causes ont peut-être joué. A Mohenjo-Dâro, en tout cas, il y eut, semble-t-il, un massacre de la population, à la suite duquel le site ne fut plus réoccupé.

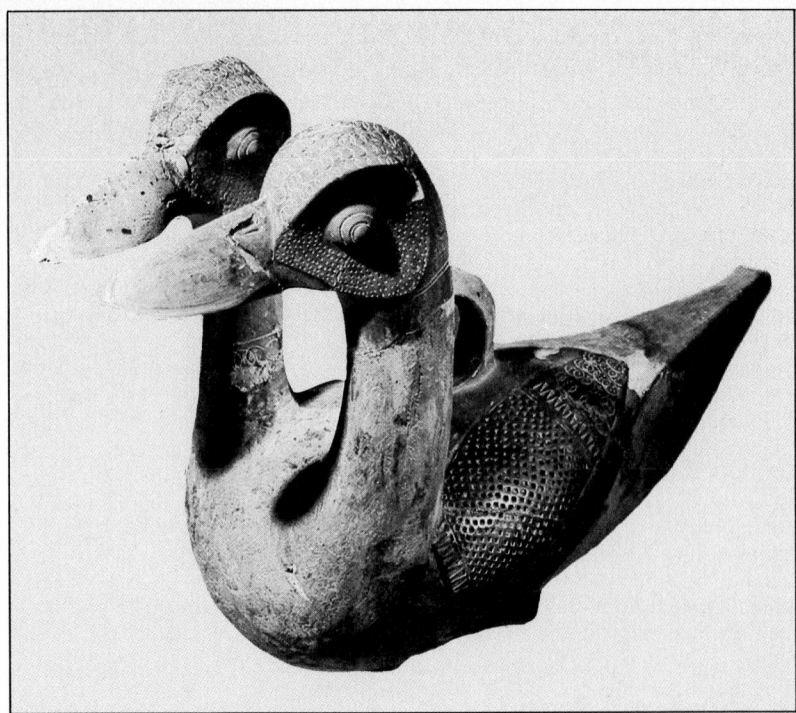

Vase en forme de canard à deux têtes. Hattusa, XVe siècle av. J.-C. Terre cuite.

Des maîtres de la céramique en Anatolie

Anatolie, vers 1600 av. J.-C.

Les Hatti, prédécesseurs des Hittites, sont les créateurs, entre 2000 et 1700 av. J.-C., du plus ancien art anatolien connu. En contact avec les régions productrices de cuivre et d'argent, ils développent très tôt les arts du métal où se mêlent des influences anatoliennes, indo-européennes et mésopotamiennes. Dès la fondation du premier royaume hittite, vers 1600 av. J.-C., la culture hittite se développe de manière originale. La vie des Hittites s'organise à partir de la cour royale. Mais les vases à bec, des récipients usuels ou rituels en forme d'animaux, représentent aussi la vie quotidienne des Anatoliens, aux habits et à la coiffure en pointe typiques. Les objets dédiés au culte des dieux sont nombreux : statues de bronze, vases aux reliefs représentant des cérémonies. La figuration des personnages obéit aux canons de l'art égyptien.

Des livres pour les morts dans les tombes égyptiennes

Egypte

Les Egyptiens déposent, parmi les offrandes qui accompagnent les morts dans leurs tombes, des papyrus littéraires. Dans un premier temps, ces textes, à l'usage des morts dans l'au-delà, étaient tracés sur les parois des chambres mortuaires et des sarcophages. Les *Livres des morts* ont un but religieux ; ils doivent servir de guide spirituel aux morts dans leur royaume. Bien que les textes soient extrêmement divers, certains thèmes reviennent fréquemment : préceptes destinés à la protection de l'âme ou même description horaire de la course du soleil à travers le royaume nocturne. La signification des livres ne se détache pas de leur valeur magique propre : ils remplacent les rituels accomplis par les prêtres ; leur seule présence garantit la protection du défunt. Le dieu des morts, Sokaris, fréquemment représenté sur les papyrus funéraires, a une tête de faucon, symbole de sa toute-puissance sur le domaine céleste d'outre-tombe.

Sokaris, dieu faucon momifié, en Osiris. Peinture sur papyrus. « Livre des Morts », Nouvel Empire.

Indo-Iraniens et Hurrites fondent le Mitanni

Syrie du Nord, Début XVe siècle av. J.-C.

Un voile sombre s'étend sur le Proche-Orient durant tout le XVIIe siècle. On devine des convulsions et des conflagrations variées, mais aucune source n'est présente pour nous en informer. Lorsque le voile se lève, la géographie politique de la haute Mésopotamie et de la Syrie du Nord apparaît complètement transformée. Un puissant royaume, le Mitanni, s'y est constitué dans des circonstances qui nous échappent totalement. A l'origine de cette situation, on soupçonne l'arrivée massive d'une population nouvelle de langue hurrite et d'Indo-Iraniens. La prédominance de la population hurrite est nettement marquée et l'on en trouve la trace jusqu'en Palestine : Abdihepa, prince de Jérusalem, porte un nom sémitique de dévot à la grande déesse hurrite Hepat. Mais, les rois du Mitanni eux-mêmes et les princes de quelques villes syriennes portent des noms indo-iraniens qui s'expliquent par la langue védique, l'antique langue de l'Inde : ainsi Artatama (« Celui dont la résidence est la loi divine ») ou Tushratta (« Celui qui possède le chariot de splendeur »). En outre, ils invoquent les grands dieux indo-iraniens Mitra, Varuna, Indra, ainsi que les Nasatias, le Soma et le Rta, la « loi divine ». Enfin, ultime témoignage de la présence indo-iranienne sur le théâtre du Proche-Orient ancien, les membres de la nouvelle aristocratie terrienne, combattants montés sur des chars de guerre attelés à des chevaux sont désignés par le terme de *maryannû*, mot dérivé du védique *marya* et qui signifie « jeune homme ». La langue officielle de l'Etat est cependant le hurrite, comme le prouve la correspondance diplomatique retrouvée en Egypte, parmi les archives des pharaons de Tell el-Amarna. Le cœur du Mitanni s'étend autour de sa capitale, Washukanni. L'histoire du Mitanni est encore mal connue. Elle se confond avec les guerres qui opposent ses rois aux forces égyptiennes et hittites, mais aussi avec d'interminables et graves crises dynastiques, certains partis cherchant protection et assistance auprès des Hittites ou des Egyptiens, lesquels tirent profit de chaque occasion qui leur est offerte pour intervenir directement dans les affaires intérieures mitanniennes. Les guerres se succèdent, les querelles de palais et de succession ensanglantent tout le pays. Seuls quelques Etats vassaux semblent bénéficier d'une paix relative : celui de Mukish, autour de la ville d'Alalah, sur les rives de la Méditerranée ; celui d'Arrapha, au sud du Zab inférieur, dont on connaît l'histoire grâce aux archives de la ville de Nuzi ; le Mitanni enfin, dont le roi reconnaît la suzeraineté.

Vue de la cité d'Akrotiri (île de Santorin), qui fut engloutie vers 1500 av. J.-C. sous une couche de matières volcaniques.

Une île de la mer Egée explose et une ville disparaît

Akrotiri, archipel de Santorin, vers 1500 av. J.-C.

Le voyageur arrivant par la mer à Santorin aborde au pied d'une falaise haute en certains points de plus de 200 m ; elle lui rappelle immédiatement que l'île fut le théâtre, vers 1500 av. J.-C., d'une gigantesque catastrophe naturelle. A cette époque, sur la côte sud de l'île, alors dominée par la masse d'un volcan culminant sans doute à près de 1 800 m, se trouvait un gros bourg prospère. Son organisation ne diffère pas beaucoup de celle des villages des Cyclades d'aujourd'hui. Les rues étroites sont bordées de maisons à deux, trois et même quatre étages. Des poutres renforcent la structure des murs contre les tremblements de terre. Au rez-de-chaussée, des magasins contiennent de nombreuses jarres destinées à stocker les provisions : huile, vin, olives, céréales, légumes et poissons séchés. Les pièces d'habitation se trouvent à l'étage. Presque tous les édifices comportent au moins une pièce décorée de fresques dont les couleurs et les motifs étonnent par leur fraîcheur : paysage planté de lis ou de papyrus, antilopes, rivière le long de laquelle un petit félin pourchasse des canards, pêcheur aux bras chargés de poissons, cueillette du crocus, jeunes boxeurs, singes bleus, défilé naval. La vie quotidienne à Akrotiri, le goût des habitants pour la nature et, peut-être, certaines pratiques religieuses trouvent ainsi leur illustration. Le mobilier qui équipe les maisons, les vases et ustensiles en terre cuite, en pierre et en bronze, montre que la région des Cyclades avait su garder son identité culturelle, malgré la très forte influence minoenne qui s'exerçait alors sur l'ensemble du monde égéen. La catastrophe même qui mit fin à l'existence de cette cité a permis d'en retrouver les vestiges remarquablement conservés. Vers 1500 av. J.-C., en effet, le volcan rentre en activité. De violents tremblements de terre, précédant l'éruption, font fuir les habitants qui emportent avec eux les objets les plus précieux. Les escaliers se fracassent, les toitures s'effondrent sous les premiers blocs éjectés par le volcan. L'éruption elle-même ensevelit toute l'île sous une énorme couche de matières volcaniques. L'éjection de ces matières crée un vide sous la surface du volcan dont les parois s'effondrent. La mer s'engouffre alors dans une sorte de cuvette dont le fond se situe à 400 m de profondeur. Le haut de la falaise actuelle, sur laquelle est perché le village de Théra, constitue l'ancien rebord du volcan. L'effondrement du volcan a sans doute été suivi d'un raz de marée. Mais la catastrophe de Théra n'a pas causé, comme on l'a longtemps cru, la destruction des palais minoens.

Défilé de navires devant un port méditerranéen. Fresque-miniature de la « Maison de l'Ouest », Akrotiri (île de Santorin). Vers 1500 av. J.-C. Musée national, Athènes.

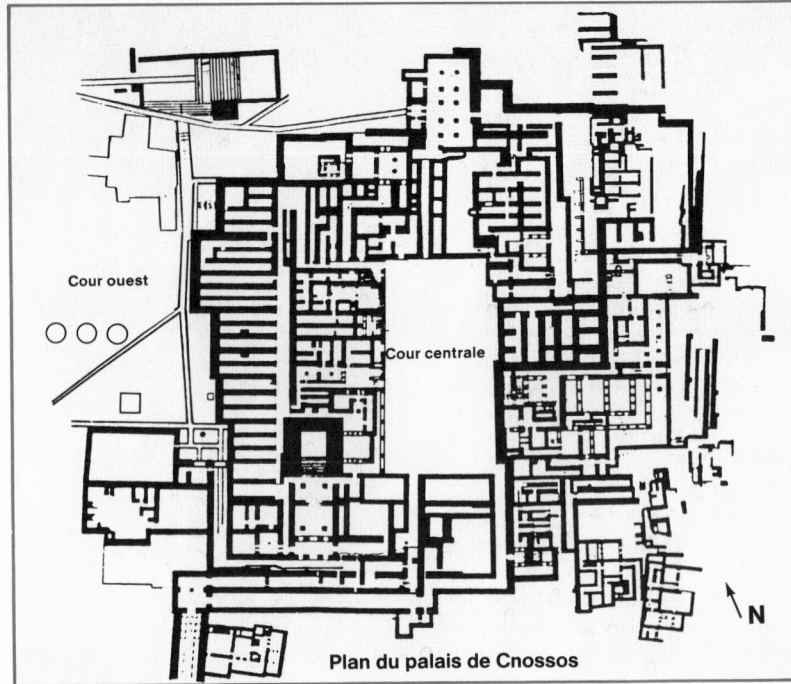

Plan du palais de Cnossos

1500 av. J.-C.

Syrie du Nord

Chassé de son trône à la faveur d'une révolte fomentée par le Mitanni, Idrimi, fils d'un roi d'Alep, refait surface grâce à l'appui d'un important parti de nomades qu'il a ralliés à sa cause. Mais le roi du Mitanni lui ayant interdit de revenir à Alep, il s'installe à Alalakh, où il fonde le royaume de Mukish, guerroyant à l'occasion contre les Hittites.

Inde

Les Aryens atteignent le Panjâb. La civilisation de l'Indus vient de s'éteindre et l'arrivée en Inde du Nord d'immigrants venus d'Europe centrale n'est sans doute pas sans rapports avec cette disparition. Les envahisseurs aryens introduisent une culture nouvelle. Ils manifestent leur supériorité militaire par l'emploi du char. Eleveurs et nomades, ils se convertissent à l'agriculture. Dès leur implantation en Inde, les Aryens commencent à composer les *Veda*, quintessence de leurs croyances religieuses, qui s'enrichiront et se perpétueront grâce à la tradition orale, durant des siècles.

Europe

Les tumulus du Bronze moyen. Depuis 1500 av. J.-C., on inhume les défunts individuellement, sous un tertre de terre. Les objets de la vie quotidienne suivent leur propriétaire dans la mort : poteries variées, lourdes haches de bronze, poignards et couteaux, épingles de bronze et bracelets, bijoux d'ambre (cette matière première précieuse était recueillie au bord de la Baltique).

Sardaigne, Baléares et Corse

Les habitants des îles de la Méditerranée occidentale construisent des édifices avec d'importants blocs de pierre appareillée, d'où le nom d'architecture cyclopéenne. Véritables forteresses, ces constructions se situent généralement sur des hauteurs et sont parfois surmontées d'un donjon.

La Corse se couvre, par ailleurs, de menhirs décorés de gravures originales, dont les incisions en forme de nez, de bouche et d'yeux confèrent à ces blocs de pierre compacts l'allure rudimentaire de personnages humains. Certaines de ces statues sont parfois armées d'un poignard.

Sicile

De nombreux objets découverts témoignent de contacts commerciaux avec toute la Méditerranée. A Panarea, l'une des îles éoliennes, on a retrouvé sur des vases des signes d'écriture syllabique mycénienne.

Europe occidentale

Les agriculteurs modernes n'utilisent plus des faucilles en silex, mais des faucilles en bronze, dont la résistance et le tranchant sont à toute épreuve.

Angleterre

Le travail des métaux n'a pas seulement une fonction utilitaire (fabrication d'armes et d'outils). Il existe une demande importante pour les bijoux, en particulier les bijoux en or. Diadèmes, colliers, épingles, torques et bracelets, voire vaisselle de luxe : tel est le travail des orfèvres de l'âge du Bronze, dont les plus réputés travaillent en Grande-Bretagne et en Irlande et exportent leur production sur le continent.

1494 av. J.-C.

Egypte

Fille de Thoutmosis Ier, Hatshepsout épousa en premières noces son demi-frère Thoutmosis II, ce qui lui permit d'accéder au trône d'Egypte et, à la mort de ce dernier en 1490, de s'y maintenir pendant vingt-deux ans après en avoir écarté l'héritier légitime Thoutmosis III, son demi-neveu et second mari. →

1450 av. J.-C.

Crète

Les centres palatiaux, à l'exception de Cnossos, et tous les habitats sont détruits. L'Empire minoen s'effondre à cause de troubles internes ou d'une conquête mycénienne, faisant suite à une série de tremblements de terre.

Mésopotamie

Ulkishar, nom d'un roi de Babylone qui se serait autrement perdu, est passé à la postérité grâce à plusieurs recettes pour la fabrication du verre que la tradition attribue à son règne. Ces recettes débutent toutes avec une courte introduction sur la manière de construire un four. Vient ensuite la liste des ingrédients nécessaires à la fabrication du verre, parfois accompagnée d'instructions sur la qualité à choisir ou la manière de s'en servir.

Villes et palais dans la Crète minoenne

Crète, vers 1500 av. J.-C.

Les premiers palais de Cnossos, Malia et Phaistos restent mal connus, car ils ont été recouverts par les seconds palais. Les édifices s'organisent déjà autour d'une vaste cour rectangulaire, comprennent des magasins et sont le siège d'un centre administratif. A Malia, un groupe de bâtiments, le quartier Mu, administre un domaine séparé de celui du palais ; il est entouré de maisons d'artisans. Les nécropoles occupent la zone rocheuse au bord de la mer. Après les graves destructions de 1700, une nouvelle époque commence. A Cnossos, Malia et Phaistos, on construit de nouveaux édifices au-dessus de l'emplacement des palais primitifs. A l'extrémité orientale de la Crète, le palais de Zakros voit le jour. C'est en visitant le palais de Cnossos que l'on comprend comment a pu naître le mythe du labyrinthe. Construit par l'architecte Dédale, cet édifice fabuleux permettait au roi Minos de dissimuler sa monstrueuse progéniture, le Minautore, à corps d'homme et tête de taureau. Comme dans les autres palais, la façade principale à redans regarde vers l'ouest. L'aile occidentale est occupée par une série de magasins. Au même niveau, mais donnant sur la cour centrale, on trouve la « salle du trône » et deux salles à piliers, près desquelles fut découvert le fameux dépôt contenant la « Déesse au serpent ». Un étage occupé par des pièces d'habitation recouvre tout cet ensemble. De l'autre côté de la cour centrale (50 x 25 m), un escalier dessert l'aile orientale du palais. Dans ce secteur, le « hall des doubles haches » représente un des ensembles les plus raffinés de l'architecture minoenne. Par ailleurs, de grandes demeures, parfois appelées villas, font aussi partie intégrante du système palatial. A Amnisos, Vathi Petro, Tylissos, Sklavokambos ou Pyrgos, elles sont installées de façon à contrôler le territoire environnant. A la même époque, des agglomérations comme Palaikastro et Gournia se développent à l'écart des centres palatiaux. Gournia est un village installé sur le flanc d'une colline dominant le golfe de Mirabello. Ses rues étroites et escarpées séparent des maisons dont le mobilier, parfois importé de Cnossos, témoigne d'une certaine prospérité dans la vie quotidienne.

Art minoen. La « déesse aux serpents ». Vers 1500 av. J.-C. Faïence émaillée. Trésor du sanctuaire de Cnossos.

Les exploits guerriers de Thoutmosis III

Egypte, 1490-1436 av. J.-C.

Après l'expulsion des Hyksôs, afin d'écarter tout risque de nouvelle invasion, les pharaons s'entourent d'« Etats tampons » qui contrecarrent les forces menaçantes de l'Asie. Thoutmosis III règne nominalement depuis vingt-deux ans : il n'était jusquelà que le brillant second de son épouse et tante, Hatshepsout. Il lui faudra dix-sept campagnes pour venir à bout de la coalition asiatique. Ses hauts faits sont relatés sur les parois du couloir qui entoure le sanctuaire d'Amon à Karnak. Durant vingt ans, les rois d'Egypte et du Mitanni s'affrontent. Pendant les quatre premières campagnes, Thoutmosis III s'assure des camps de base en Palestine et en Phénicie. C'est de la troisième expédition que le pharaon rapporte des spécimens de faune et de flore syriennes. De la cinquième à la huitième campagne, l'armée égyptienne conduite par le roi affronte victorieusement la ville de Qadesh, établit des bases maritimes sur la côte phénicienne et conquiert le Mitanni. En l'an 33 de son règne, il atteint son but : l'Euphrate, qu'il considère comme la limite orientale de son empire. C'est un peu plus au nord qu'il rencontre un troupeau d'éléphants à un point d'eau. Rencontre mouvementée, puisqu'il n'a la vie sauve que grâce au courage de son garde du corps Amenemheb.

Le pharaon est désormais à la tête d'un vaste empire. Pour le maintenir, il mène encore neuf campagnes. Il organise des inspections pour veiller au bon paiement des tributs, les nations vaincues étant toujours promptes à cesser les versements. Une dernière coalition regroupant le roi du Mitanni, les princes de Qadesh et de Tounip est anéantie par le roi égyptien. Là encore, Amenemheb s'est distingué : le prince de Qadesh, pour semer le désordre parmi les chars égyptiens, lâche une jument en rut ; Amenemheb, déjouant le piège, rattrape l'animal et l'abat. Au sud, le pouvoir de Thoutmosis III s'étend jusqu'à Napata, près de la quatrième cataracte. Les structures politiques de chaque Etat sont maintenues ; ils gardent leur autonomie sous l'autorité du pharaon. Il en résulte une grande hétérogénéité. A sa mort, le pharaon laisse un empire immense mais fragile, où la révolte ne va pas tarder à éclater.

Temple funéraire de la reine Hatshepsout à Deir el-Bahari. XVIIIe dynastie, vers 1470 av.J.-C. Architecte : Senmout.

L'ensemble funéraire de Deir el-Bahari

Egypte, vers 1470 av. J.-C.

Une imposante falaise domine la rive gauche du Nil, face à Karnak. La reine Hatshepsout a choisi ce site privilégié pour se faire construire un temple funéraire. Son architecte, Senmout, a mûrement réfléchi à la conception de cet édifice, taillé en partie dans le roc et parfaitement intégré à son environnement. Ses terrasses successives sont reliées par une grande rampe centrale et bordées par des portiques à colonnades que décorent des scènes colorées. La distribution des colonnes dans l'espace du monument et la subtile variation de leurs formes témoignent d'une grande recherche plastique. Au terme de la progression, on parvient au temple proprement dit, sanctuaire accompagné de plusieurs chapelles. L'ensemble du monument dit la gloire de la reine. Plus de cent quatre-vingt-dix statues et bas-reliefs rappellent au visiteur la naissance divine d'Hatshepsout, la fructueuse expédition commerciale entreprise sous son règne aux confins du pays de Pount, véritable Eldorado de l'Egypte pharaonique, d'où l'on importait l'ivoire et l'ébène... Avec ce temple, la gloire des pharaons et leur divinisation dans l'au-delà sortent de l'obscurité des pyramides et des tombeaux pour s'offrir à la lumière du jour et aux regards des hommes d'Egypte.

Une femme au pouvoir en Egypte, Hatshepsout

Egypte, vers 1490 av. J.-C.

Les Egyptiens de la XVIIIe dynastie ont un bien étrange pharaon. En apparence, pourtant, il porte tous les attributs de son rang. Ses statues et ses représentations peintes le figurent en Osiris barbu, selon la tradition. Mais sont-ils nombreux à savoir qu'il s'agit en réalité d'une femme déguisée en homme, Hatshepsout ? Comment a-t-elle pu accéder au pouvoir ? C'est avant tout une histoire de famille. Hatshepsout est la fille de Thoutmosis Ier. Elle épouse son demi-frère, Thoutmosis II, sans que l'on sache au juste qui, dans le couple royal, est destiné à régner. Mais Thoutmosis II disparaît prématurément et laisse vacante sa place d'époux et de pharaon. Place aussitôt occupée par son fils Thoutmosis III, né d'un second lit. Officiellement, Thoutmosis III est le souverain régnant, il est le roi des deux Egyptes. Mais cet enfant en bas âge pouvait-il vraiment régner ? Et Hatshepsout pouvait-elle se contenter de la fonction de régente. Elle réussit à s'assurer le soutien d'un groupe de pression influent, le clergé d'Amon. Elle prend ainsi officiellement le pouvoir et le garde jusqu'à sa mort, en 1468, maintenant son époux et demi-neveu dans un rang subalterne. Durant son règne, elle abandonne la politique expansionniste de son père, Thoutmosis Ier. Son œuvre majeure est le temple funéraire de Deir el-Bahari, dédié à sa mémoire. Ce chef-d'œuvre achevé, elle peut alors mourir et laisser la place à Thoutmosis III. Elle ne se doutait pas que son époux et successeur se vengerait de ses années de minorité forcée en martelant systématiquement son nom et en détruisant ses portraits dans son sanctuaire, le « temple de la falaise » à Deir el-Bahari.

La reine Hatshepsout agenouillée devant le dieu Amon-Rê. XVIIIe dynastie. Détail. Fragment d'obélisque, Temple d'Amon, Karnak.

Vie et mort des royaumes égéens

2000-1050 av. J.-C.

Lorsqu'en 1876 Heinrich Schliemann, l'érudit autodidacte qui avait déjà identifié Troie sur la foi des récits homériques, découvrit à Mycènes des tombes remplies d'objets précieux, il pensa être en présence des sépultures des Atrides dont l'*Iliade* et l'*Odyssée* évoquent la grandeur, la richesse et la malédiction. Il venait, en fait, de retrouver les premiers vestiges de la civilisation dite mycénienne. Il faudra cependant attendre l'aube du XXe siècle pour que les fouilles d'Arthur Evans à Cnossos révèlent qu'une autre brillante civilisation s'était épanouie en Crète dès le IIIe millénaire : cette civilisation prendra le nom du légendaire roi Minos. Depuis, chaque année apporte son lot de découvertes qui enrichissent notre connaissance des civilisations égéennes préhistoriques. Mais un progrès tout à fait décisif a été accompli en 1952, lorsque Michael Ventris découvrit que la langue dissimulée derrière l'écriture dite linéaire B était une forme très archaïque du grec.

Les premiers palais minoens

Vers 1900 av. J.-C., en Crète, de véritables villes apparaissent à côté des petites communautés rurales qui s'étaient développées depuis la fin du IIIe millénaire. Un véritable système palatial se met en place, qui ne cessera d'exister dans le monde égéen que vers 1200. A Malia comme à Cnossos, sites les mieux connus de cette époque, l'agglomération s'étend sur une vingtaine d'hectares. Le centre de cette agglomération est occupé par un palais, construit autour d'une vaste cour et qui comporte de nombreuses pièces d'habitation et de stockage. Les comptes concernant l'activité économique de ce centre sont tenus sur des tablettes d'argile ; ils sont d'abord rédigés en écriture hiéroglyphique, puis en linéaire A. Les villes elles-mêmes sont organisées selon un plan assez strict. Les centres palatiaux exercent déjà leur autorité sur de vastes domaines. Dès cette époque, la Crète entretient des relations suivies avec l'Orient, plus particulièrement avec l'Egypte : des poteries minoennes ont été découvertes en Egypte, de même que quelques objets égyptiens, ou directement influencés par l'art égyptien, l'ont été en Crète. Les techniques de la métallurgie ou de l'orfèvrerie sont, au demeurant, parfaitement maîtrisées par des artisans spécialisés travaillant sous l'autorité directe du palais et des cercles dirigeants.

Les seconds palais minoens

Après une série de destructions, dues à une série de tremblements de terre ou à des troubles internes à la Crète et qui interviennent vers la fin du XVIIIe siècle, l'ensemble des établissements connaît un nouvel essor. Les trois palais déjà existants (Cnossos, Malia et Phaistos) sont reconstruits et agrandis. Un édifice du même type est construit à Zakros, en Crète orientale. Ailleurs, de grandes villes et des établissements de moindre importance contrôlent de vastes territoires dépendants. Dans les inscriptions, le linéaire A prend définitivement la place de l'écriture hiéroglyphique. Cnossos joue alors un rôle majeur, mais il n'est pas certain que l'influence exercée par ce palais sur toute la Crète dans le domaine de la création artisanale et artistique soit la marque d'une prééminence d'ordre politique. Les palais s'affirment, encore plus nettement que durant la période précédente, comme les centres de la vie politique, économique et religieuse. On y regroupe et y stocke notamment l'essentiel de la production. Les redistributions dont bénéficient les populations dépendantes favorisent sans doute une certaine régulation de l'activité économique. Ce système permet également aux centres palatiaux de dégager des surplus, qui peuvent être exportés et échangés contre des matières premières et certains produits de luxe, qui faisaient défaut en Crète. Le raffinement architectural et décoratif des palais, dont les murs étaient ornés de fresques ou de reliefs peints, ainsi que l'artisanat de prestige (vases à libation sculptés dans la pierre, céramiques aux motifs marins, sceaux, bijoux, armes) expriment la grandeur et la toute-puissance des gouvernants.

Les dieux et les morts

L'apparition du système palatial va de pair avec certains changements des attitudes vis-à-vis des morts et de la religion. Certes, les ossuaires de Malia situés au bord de la mer et les tombes circulaires de la plaine de la Messara resteront encore longtemps en usage. Mais on trouve désormais, ce qui est nouveau, des sépultures individuelles, les corps étant alors ensevelis dans de grandes jarres ou des sarcophages. Dans l'ensemble, cependant, le nombre des tombes retrouvées et la qualité des offrandes funéraires ne correspondent guère au niveau culturel dont témoignent les autres vestiges. Quant aux lieux de culte, ils furent dès le début intégrés aux palais et aux villes ; bénéficiant d'aménagements particuliers, ils étaient dotés d'un mobilier spécialement conçu (bassins lustraux, foyers à cupule, supports décorés de serpents, figurines). Mais il existait, parallèlement, des grottes-sanctuaires ou des aires sacrées, souvent situées au sommet des montages, où la population venait rendre hommage aux dieux. Ces lieux ont parfois livré de grandes quantités de figurines animales ou humaines, et même des ex-voto de guérison. Certains de ces sanctuaires resteront l'objet de dévotions jusqu'à l'époque historique. Malgré cette continuité des pratiques religieuses, l'identité des divinités honorées n'a pu être établie.

Un empire minoen ?

L'aire de diffusion des objets minoens montre que l'influence minoenne s'est exercée bien au-delà de la Crète, en particulier sur les îles de la mer Egée. Sur quelques sites, comme Akrotiri (Théra) et Phylakopê (Mélos), l'influence crétoise apparaît également très marquée dans l'architecture et la décoration des édifices. Sur le continent grec la « présence minoenne » semble, en revanche, beaucoup plus diffuse. Il n'est donc pas certain que les Minoens aient édifié un véritable empire maritime, ni exercé une sorte de domination politique et militaire sur l'ensemble du monde égéen, ce que l'on nomme parfois une « thalassocratie ». Un établissement comme Akrotiri montre, au contraire, que les communautés cycladiques se sont développées de façon originale, tout en se nourrissant de la prospérité minoenne et en s'inspirant de la Crète dans le domaine artisanal et esthétique. Les Cyclades apparaissent même au début du XVe siècle comme une sorte de plaque tournante des échanges égéens, tant sur le plan économique que culturel. Elles servent, en effet, de relais entre la Crète et le continent et profitent de cette situation pour intégrer dans leur culture les éléments étrangers propres à l'enrichir.

La fin du monde minoen

Pendant un temps, on a lié les destructions généralisées qui touchent la Crète vers 1450 à l'éruption de Santorin et aux cataclysmes qui l'accompagnèrent : tremblements de terre, raz-de-marée, pluies de cendres. Mais tous ces phénomènes ne peuvent rendre compte de la destruction simultanée d'un si grand nombre de sites et de la désertion des habitats qui s'ensuivit. Il faut aussi expliquer le fait que Cnossos, du moins son palais, fut épargné et fonctionna comme centre palatial pendant près d'un siècle après les grandes destructions. La prospérité économique des Minoens a dû se trouver ébranlée par toute une série de catastrophes naturelles. Des envahisseurs venus du continent grec ont alors profité de ces circonstances pour porter le coup de grâce à des communautés devenues fragiles. Ils ont cependant conservé un point de contrôle à Cnossos pour exercer leur tutelle et ont adapté la tenue des archives à leur langue.

Les premiers seigneurs mycéniens

Le continent grec se trouve affecté, entre la fin du XVIIe siècle et le début du XVIe siècle, par des changements d'ordre culturel, que l'on tente d'expliquer par une modification des structures économiques et politiques. Deux nouveaux types de tombes apparaissent. A Mycènes, des tombes à fosse se présentent groupées à l'intérieur de deux cercles de pierre ; le matériel qu'elles contiennent permet de mesurer l'enrichissement spectaculaire des classes dirigeantes entre 1650 et 1550. Dans le sud-ouest du Péloponnèse, des tombes à chambre construites en forme de tholos semblent se situer dans la tradition des tumuli helladiques. Dans les deux cas, des influences extérieures multiples, venues de Crète, des Cyclades, voire des régions balkaniques et de l'Orient, se font sentir dans la culture matérielle.

Les royaumes mycéniens

Il faut attendre le début du XIVe siècle pour que des développements nouveaux se fassent jour. Le nombre des établissements s'accroît de manière sensible dans toutes les régions et les Mycéniens commencent à occuper la place laissée vacante par les Minoens dans la mer Egée et au-delà, tant vers l'ouest que vers l'est. La recherche de matières premières motive cette expansion, bien plus qu'un « impérialisme » qui se serait heurté aux grandes puissances de l'époque, Egypte et Empire hittite. Les documents inscrits en linéaire B retrouvés dans les centres palatiaux témoignent de la mise en place et du fonctionnement d'une organisation économique et sociale sophistiquée, peut-être en partie héritée des Minoens.

La religion mycénienne

Des noms de divinités de l'époque historique figurent sur ces mêmes documents : Zeus, Héra, Artémis, Athéna, Hermès, Arès, Potnia (la « maîtresse »)... La présence de ces noms a conduit à penser que les croyances et les pratiques religieuses mycéniennes étaient les ancêtres directes de la religion grecque. En fait, cette filiation n'offre pas toutes les garanties. Des personnes peuvent avoir porté à l'époque mycénienne des noms qui deviendront plus tard des noms de divinités. Par ailleurs, les lieux de culte mycéniens se présentent d'une façon très différente par rapport aux sanctuaires grecs : ce sont des pièces, plus rarement des édifices, étroitement insérés dans le tissu urbain, et non de véritables temples. Ces lieux de culte se reconnaissent à leur mobilier, essentiellement constitué de grandes statuettes humaines et animales. La très forte influence de l'esthétique minoenne sur l'iconographie continentale a parfois conduit à identifier les conceptions religieuses minoennes et mycéniennes. Mais il semble que les artisans mycéniens aient davantage été sensibles aux formes venues de Crète qu'au contenu même des représentations.

La fin d'un système

Vers le milieu du XIIIe siècle, le continent grec, le monde égéen et l'ensemble de la Méditerranée orientale entrent dans une période de turbulences. Les communications et les échanges ne sont plus sûrs, la piraterie renaît, les grandes puissances sont ébranlées. Bientôt, l'Empire hittite et le royaume de Chypre s'effondrent ; la côte syro-palestinienne est parcourue par des pillards surnommés les « peuples de la mer », que les pharaons égyptiens auront bien du mal à contenir. Les palais mycéniens sont tous détruits vers 1200 ; avec eux disparaît l'organisation économique et sociale qui prévalait auparavant. Des troubles internes, qui se seraient produits à la faveur d'une crise économique et d'un affaiblissement des classes dirigeantes, expliquent mieux ces phénomènes qu'une invasion.

Vers les siècles obscurs

De fait, les quelques innovations culturelles dont on retrouve des témoignages ici ou là (crémation, inhumations individuelles dans des cistes ou des puits, port de longues épingles, apparition du fer) ne sont ni soudaines, ni simultanées, ni généralisées. La culture matérielle reste, entre 1200 et 1050, essentiellement mycénienne. Dans un premier temps, durant le XIIe siècle, les communautés regroupées à l'abri des citadelles toujours en usage connaissent encore un certain degré de prospérité. L'Attique, les Cyclades et différentes îles du Dodécanèse manifestent une grande vitalité. La décadence graduelle qui caractérise la première moitié du XIe siècle marque vraiment la fin de l'époque mycénienne. La splendeur des palais minoens et mycéniens semble définitivement vouée à l'oubli.

Homère et les héros

Les civilisations préhistoriques de l'Egée, et plus particulièrement la civilisation mycénienne, resteront constamment présentes dans la mémoire des Grecs grâce aux innombrables légendes et récits qui alimenteront la culture et la littérature de l'époque historique. Mais, si le monde mycénien est souvent présent, par exemple dans l'épopée homérique, ces documents littéraires ne sauraient en aucun cas passer pour des témoignages historiques. Les cultes, les légendes, les récits et les épopées où est évoqué le temps des « héros » sont, avant tout, tous des représentations d'un passé que les Grecs voulaient exemplaire.

1450 av. J.-C.

Chine

Apparue au XVIIIe siècle av. J.-C., la dynastie des Shang est la deuxième dynastie à avoir régné sur la Chine. Elle est celle qui, avec l'apparition du bronze et de l'écriture, ouvre à proprement parler l'histoire chinoise.

Syrie et Palestine

Partagée entre Hittites, Mitanniens et Egyptiens, cette contrée entame, en cette seconde moitié du IIe millénaire av. J.-C., une période difficile de son histoire qui durera jusqu'à la conquête romaine : sa situation géographique en fait une proie perpétuelle pour ses voisins.

Royaume du Mitanni

Dans tout le Proche-Orient ancien, la coutume veut que l'on mette les morts en terre et qu'on leur apporte le boire et le manger afin de satisfaire leurs besoins dans l'autre monde. Le rituel funéraire des rois du Mitanni détonne dans ce contexte puisque ces rois sont incinérés, probablement à la mode du pays indo-iranien d'où ils sont originaires. Le rite frappe les esprits au point d'être consigné par écrit et évoqué très loin des lieux où il est pratiqué.

1438 av. J.-C.

Egypte

Aménophis II, fils de Thoutmosis III, poursuit l'œuvre politique de son père. Il maintient l'empire d'Asie en réprimant durement les révoltes. Plus qu'aucun autre roi, il exalte les vertus « sportives ». Des reliefs le représentent en action debout sur un char lancé au galop, ses flèches viennent se ficher dans la cible. Les textes nous précisent qu'une de ces flèches peut traverser quatre cibles de cuivre de 50 cm d'épaisseur chacune !

1412 av. J.-C.

Egypte

Thoutmosis IV, fils d'Aménophis II, n'a guère besoin de batailler. L'empire fondé par son grand-père est florissant. Il épouse une princesse asiatique appelée Moutémouia. Thoutmosis IV est surtout connu grâce à la stèle monumentale qu'il a dressée entre les pattes du sphinx de Gizeh : il y raconte comment, à la suite d'un songe au cours duquel le sphinx lui avait confié sa tristesse d'être ensablé, il prit la résolution de le dégager des dunes sous lesquelles il était enseveli.

1402 av. J.-C.

Egypte

Aménophis III, fils de Thoutmosis IV, est au pouvoir. Les campagnes guerrières se font rares, laissant les confins de l'empire vulnérables. Son règne pacifique voit l'apogée de l'art du relief et de la peinture. Le pharaon entreprend également de grandes constructions. Il fait élever les temples de Louqsor et de Karnak sous la direction de son architecte Amenhotep à qui, fait unique en son genre, il a permis de se faire construire pour lui-même un temple funéraire. →

1400 av. J.-C.

Crète

Le palais de Cnossos reste, après les destructions de 1450 av. J.-C., le seul de l'île à être occupé. L'introduction de la *tholos*, l'abondant matériel métallique des « tombes de guerriers », l'organisation économique, militaire et politique attestée par la tenue d'archives en linéaire B, c'est-à-dire en grec, montrent que les Mycéniens y exercent un rôle majeur. Les éléments crétois restent cependant vivaces. Jusqu'à sa destruction, vers 1375, le palais de Cnossos contrôlera une bonne partie de la Crète.

Proche-Orient

La première attestation de l'usage du fer remonte au deuxième tiers du IIIe millénaire : un roi d'Agadé fait ériger une statue divine avec ce métal. A dire vrai, le fer n'est pas alors utilisé comme un métal mais comme un minerai précieux, que l'on travaille comme tel. Il en va de même à Mari, au XVIIIe siècle av. J.-C. Il s'agit vraisemblablement de fer météorite. Ce n'est que dans le deuxième tiers du IIe millénaire que les techniques de la réduction, de la fonte et de la forge sont découvertes, affinées et répandues. L'invention de la carburation, qui permet de produire un acier solide, est à la clef de ce progrès ; elle devient, semble-t-il, dès son apparition, un monopole hittite et il faudra attendre l'effondrement de cette puissance politique pour voir les ateliers de forgerons du fer se disperser dans tout l'Orient.

Hache de bronze à décor anthropomorphe. Province de Shandong. Fin période Shang.

Sorcier (?). Une des gravures sur roche du mont Bego. « Vallée des Merveilles », vers 1400 av. J.-C.

La dynastie Shang règne sur la Chine

Chine, vers 1450 av. J.-C.
Zhengzhou (Tcheng-tcheou) est l'une des trois capitales de la dynastie Shang. Cette cité-palais a une fonction politique, économique et religieuse. Demeure du souverain vivant, elle offre aussi un dernier séjour au roi défunt. La tombe royale, richement décorée, est creusée dans une fosse recouverte d'un tertre. Le défunt repose entouré de ses trésors, accompagné de chars attelés de leurs chevaux, et surtout de plusieurs centaines de serviteurs ou courtisans, rituellement décapités. Durant cette période, on s'occupe de gérer les ateliers et les magasins, où l'on fabrique et entrepose de magnifiques objets d'art en jade, en bronze, en marbre et en céramique blanche. A partir du XIVe siècle, l'écriture apparaît, inscrite sur des ossements, avec une fonction divinatoire. Dans les craquelures des os, on lisait les oracles.

Des figures gravées sur les rochers du mont Bego

Alpes maritimes, vers 1400 av. J.-C.
Le mont Bego, dans les Alpes maritimes, culmine à 2 700 m d'altitude. Au cours du IIe millénaire, ce massif est fréquenté par des bergers et des paysans qui gravent sur les rochers de schiste ou de grès des figures innombrables, à l'aide de pointes de pierre ou de métal. Symboles et images figuratives retracent, en fait, la vie quotidienne de l'époque : ainsi les bovidés, représentés isolés ou attelés à l'araire et guidés par le laboureur. Les gravures d'armes et d'outils métalliques sont très nombreuses, elles témoignent des progrès du travail du cuivre, puis du bronze. On y reconnaît des silhouettes humaines dans les gestes du travail, de la guerre et, peut-être de la prière. Le mont Bego est très probablement un immense sanctuaire de plein air.

Naissance de la langue grecque

Grèce, vers 1400 av. J.-C.
Des trois grands systèmes égéens d'écriture, seul le plus récent, le linéaire B, a pu être déchiffré. Le savant britannique M. Ventris, assisté de J. Chadwick, disposait d'un très grand nombre de documents : il découvrit dès 1952 que le linéaire B note, par des signes représentant des syllabes, une forme très archaïque de grec. Le linéaire B contient des idéogrammes représentant des hommes, des animaux, des objets, des produits et des signes numériques. Seule l'administration des centres palatiaux mycéniens se sert de cette écriture. En effet, les tablettes inscrites en linéaire B ne se trouvent que dans les palais, à Cnossos, Thèbes et à Pylos, ou à proximité immédiate, à Mycène et Tirynthe. Quelques inscriptions sont également peintes sur des jarres à huile que la région de La Canée, en Crète occidentale, exporte dans une grande partie du monde égéen. Au total, moins de cinq mille documents témoignent de ce que fut la comptabilité des palais mycéniens. Ils constituent une des sources essentielles sur la vie économique et sociale du monde mycénien. Après la fin des palais mycéniens, vers 1200, l'écriture sera oubliée en Grèce pendant environ cinq siècles.

Tablette de comptabilité caractéristique des archives des palais crétomycéniens. Ecriture en linéaire B, à base d'idéogrammes.

Aménophis III offre un temple à Amon

Egypte, 1402 av. J.-C.

A son avènement, le nouveau pharaon, fils de Thoutmosis IV, hérite d'une Egypte puissante et prospère. L'autorité d'Aménophis III est reconnue par tous les souverains du monde oriental. Il aura peu à combattre et se contentera d'une expédition en Nubie et de beaucoup de diplomatie. Les contacts économiques et politiques avec l'étranger sont excellents. Le roi introduit même dans son harem une princesse mitanienne ! Assisté de sa femme, la reine Tiyi, Aménophis III va considérablement marquer de son empreinte l'art égyptien. Les colonnades de Louqsor, son palais de Thèbes, son temple funéraire, les tombes des dignitaires du régime témoignent de son goût de la grandeur et de la démesure, mais aussi du raffinement de ses artistes, parmi lesquels se distingue l'architecte Amenhotep, fils de Hapou (qui sera divinisé). Les deux statues assises d'Aménophis III (15 m de haut !) qui précédaient son temple funéraire (les fameux « colosses de Memnon »), taillées dans un seul bloc de grès provenant de la Montagne Rouge, à 700 km de là, sont les seuls vestiges de cette magnificence. C'est à Louqsor qu'apparaît le mieux la politique architecturale d'Aménophis III. A l'origine du temple de Louqsor s'élevait peut-être, au Moyen Empire, un temple de Sebekhotep Ier, mais le développement du sanctuaire ne commence véritablement que sous le règne d'Hatshepsout : celle-ci le relie au grand temple de Karnak par une longue voie dallée bordée de sphinx et de reposoirs de barques. Le plan du temple de Louqsor est moins complexe que celui de Karnak. Aménophis III s'emploie à le reconstruire et à l'embellir. Il le fit rebâtir en « fine pierre de grès » et lui donna des dimensions majestueuses. Les salles arrière furent décorées de très beaux reliefs et une cour incomparable fut ouverte, entourée d'un jeu savamment rythmé de colonnes dont le faîte se déploie en motifs floraux. Tous ces travaux répondent à la volonté politique d'associer le souverain au dieu, d'affirmer son propre pouvoir divin, union concrétisée lors de la fête d'Opet. La décoration insiste d'ailleurs sur les épisodes les plus significatifs quant à l'affirmation du pouvoir pharaonique.

Le temple d'Amon souffrira de l'hérésie amarnienne : sous Aménophis IV, le nom du dieu sera systématiquement martelé. L'activité du sanctuaire s'éveillera à nouveau sous le règne de Toutânkhamon, qui fera représenter la procession de la fête d'Opet. Les règnes d'Horemheb et Séti Ier seront également favorables au lieu de culte, mais c'est avec Ramsès II que celui-ci connaîtra un regain de grandeur. Ramsès II agrandit le temple au nord par une grande cour précédée d'un pylône monumental, avec ses deux colonnes et ses obélisques (dont l'un décore aujourd'hui la place de la Concorde à Paris). Les dynasties suivantes poursuivront les travaux d'embellissement de ce grandiose sanctuaire.

Musiciennes. Détail. Scène de banquet funéraire. Tombe de Nakht, scribe du temple d'Amon. Thèbes, XVIIIe dynastie (vers 1425 av. J.-C.).

« Colosses de Memnon », une des 2 statues d'Aménophis III, Thèbes.

La maîtrise des peintres égyptiens sous Aménophis III

Egypte, 1402-1364 av. J.-C.

Des tiges de roseau à bout mâché, des brosses en fibre de palme, des godets à eau, des blocs de couleur ramassés dans la nature, de la gomme d'acacia ou de la gélatine : voilà tout le matériel du peintre égyptien. Les couleurs broyées sont mélangées à de l'eau additionnée de gélatine qui joue le rôle d'adhésif. L'art pictural atteint son apogée sous le règne d'Aménophis III. C'est la synthèse des apports du début du Nouvel Empire, un art « classique ». Les compositions sont plus vastes, les gestes plus souples, la palette de couleurs plus nuancée. La longue tradition de la peinture sur bas-relief s'interrompt momentanément car le calcaire friable de l'ouest de Thèbes ne permet plus de sculpter les parois. La rigidité imposée par le bas-relief disparue, la peinture se libère ; le trait s'assouplit et vibre. Les fissures sont bouchées avec du limon qui est ensuite recouvert d'une couche de plâtre, support des pigments. Sous Aménophis III, le fond blanc est préféré au fond gris-bleu du début de la XVIIIe dynastie. Dans la scène de chasse au boomerang de Nebanon, l'art naturaliste est à son sommet : on découvre un chat attrapant des oiseaux, un envol de papillons ; le tout minutieusement détaillé. Le thème des pleureuses suivant le cortège funéraire devient le motif central. Dans la tombe du vizir Ramosé, la douleur est encore contenue : les larmes coulent en pointillé sur les joues des femmes qui se lamentent. Par contre, dans le caveau des deux sculpteurs Nebanon et Ipouki, le même thème est beaucoup plus expressif : les bouches tordues par les cris et les sanglots, les gestes désordonnés des bras font revivre le drame.

La fameuse colonnade d'Aménophis III entourant la grande cour du temple d'Amon, à Louqsor. Une des merveilles de l'art égyptien.

La vie familiale dans la cité de Nuzi

Nuzi, XIVe siècle av. J.-C.

L'homme est le chef de la famille, le propriétaire des biens, détenteur de l'autorité et seigneur de son épouse. Il est le chef incontesté qui impose sa volonté, perpétue le culte des ancêtres et veille à la satisfaction des dieux de son foyer. Selon son bon vouloir, il pardonne ou punit ; acculé au remboursement d'une dette, il peut vendre son entourage comme esclaves. Les privilèges du mari ne sont cependant pas affirmés avec la même brutalité qu'ils le sont dans le pays voisin, l'Assyrie, où il a toute liberté pour bastonner ou mutiler son épouse, notamment l'amputer du nez ou des oreilles. Quant à la femme, elle est, et toute sa vie durant, soumise à la volonté de l'homme : tout d'abord son père, ensuite son beau-père, son mari et, enfin, ses fils. A Nuzi, un père prévoyant son décès proche peut décider de confier, après sa mort, à son épouse les pouvoirs qui étaient les siens de son vivant. La mère exerce alors la puissance paternelle et symbolise la cohésion familiale. Cette puissance a cependant des limites : la détentrice ne peut ni vendre ni offrir une part quelconque des biens dont elle a la charge. Si elle outrepassait ses fonctions, ses fils pouvaient la chasser nue de la maison. Les enfants sont élevés selon des règles sévères. En cas de désobéissance, le père peut les fouetter ou les immobiliser en les entravant, voire les enfermer dans une cave obscure.

1400 av. J.-C.

Mésopotamie
A nouvelle dynastie, il faut capitale nouvelle et digne d'elle. Le roi kassite Kurigalzu quitte donc Babylone pour s'installer à Dur-Kurigalzu, ville créée de toutes pièces. Une architecture monumentale comme la Mésopotamie n'en avait encore jamais eu idée fait alors son apparition. Les dimensions du palais de Dur-Kurigalzu dépassent de fort loin celles du palais de Mari qui avaient été, pourtant, considérées comme l'une des merveilles du monde. Tout à côté du palais, la ziggurat ou tour à étages du temple domine encore aujourd'hui (au lieu dit Aqarquf) de ses 57 m de hauteur la plaine alentour.

Syrie
Le royaume d'Ugarit est l'illustration parfaite des effets de l'instabilité politique dans laquelle baigne la Syrie, écartelée entre les grandes puissances. Habiles commerçants, mais désireux de se livrer à leurs activités, ses habitants et ses rois doivent sans cesse composer avec les uns et les autres.

Grèce
L'ouverture de la Grèce continentale et de la civilisation mycénienne vers l'extérieur, déjà sensible à l'époque des tombes à fosse de Mycènes (1650-1500 av. J.-C.), s'accroît considérablement entre 1400 et 1250 av. J.-C. La céramique mycénienne est présente, dans des proportions variables, de la Sardaigne à l'Oronte et de la Macédoine au Nil. Les centres palatiaux échangent alors les matières premières qui leur font défaut (cuivre, étain, or, ivoire, ambre et pierres précieuses) contre des tissus, des huiles parfumées, des céréales et du vin. L'influence économique et culturelle mycénienne apparaît très forte dans la mer Egée, à Chypre et au Proche-Orient, mais l'installation des comptoirs et la présence physique des Mycéniens à l'extérieur restent des phénomènes limités. A partir de 1250 av. J.-C., tous les échanges sont perturbés par les troubles qui affectent la Méditerranée orientale. →

1380 av. J.-C.

Anatolie
La fondation du nouvel Empire hittite est l'œuvre d'un prince énergique, Suppiluliuma Ier. Lors-qu'il accède à la fonction suprême, ses Etats sont déchirés par des querelles intestines et menacés de tous côtés d'éclatement par une guerre civile larvée. A l'est, vers l'Arménie, il signe un traité avec ses voisins pour garantir la sécurité sur cette frontière et être à même de tourner toutes ses armes contre ses voisins du nord, les montagnards Gasga : n'ont-ils pas, dans un passé récent, détruit des sanctuaires en terre hittite et livré Hattusa, la capitale, au pillage ? Suppiluliuma affronte victorieusement le roi du pays d'Arzawa dont on ne sait rien si ce n'est qu'il correspond sur un pied d'égalité avec le pharaon. Désormais, le royaume hittite est prêt pour les guerres d'expansion, principalement en Syrie, en Palestine et sur l'Euphrate, qui l'opposeront aux grandes puissances du moment. Jouant avec habileté d'une conjoncture favorable, les Hittites sauront tirer parti du fait que ni l'Assyrie, ni l'Egypte ne seront alors en mesure de soutenir leurs vassaux ou leurs alliés autrement que par des promesses.

1370 av. J.-C.

Syrie
Après la prise de sa capitale par le roi hittite Suppiluliuma Ier, le Mitanni n'est plus que l'ombre de lui-même. Sous la protection du roi d'Assyrie, leur ancien vassal, plusieurs rois se succèdent. Mais la guerre civile s'installe à demeure et le pays se défait, chacun fuyant de son côté. Les uns partent pour Babylone, d'autres trouvent refuge en pays hittite. Fort de l'appui de Suppiluliuma, un prince mitannien parvient à reconquérir sa capitale, mais il est trop tard : l'Assyrie est devenue une puissance considérable et ne tolère plus l'existence de son voisin mitannien. Vers 1270 av. J.-C., le Mitanni est une province assyrienne.

1365 av. J.-C.

Mésopotamie
Fondation du Moyen Empire assyrien. Depuis le XVe siècle av. J.-C., l'Assyrie est un Etat vassal du Mitanni. Mais elle supporte mal le poids de cette autorité, malgré l'autonomie assez large dont elle jouit sur le plan politique. Le roi d'Assyrie va très loin dans les marques d'indépendance : il dote sa capitale d'une enceinte, geste habituellement considéré comme un acte d'insoumission, et il entame des relations diplomatiques avec l'Egypte.

Les tombeaux des seigneurs de Mycènes

Grèce, vers 1400 av. J.-C.
En 1876, H. Schliemann retrouve les premiers vestiges de la civilisation mycénienne. Au début de l'époque mycénienne, les membres de l'aristocratie se font enterrer soit dans des tombes à fosse, soit dans des tombes voûtées *(tholos)*. Deux groupes de tombes à fosse, isolés chacun par un enclos circulaire, se trouvent à Mycènes. Le plus ancien, le cercle B, comporte vingt-quatre sépultures dont la date est comprise entre 1650 et 1550 av. J.-C. Le second, le cercle A, ne comprend que six tombes ; il couvre la période 1600-1500. Ces tombes sont des puits rectangulaires de 1 à 4 m de profondeur, mesurant entre 2,20 sur 1,25 m et 6 sur 4 m. Leurs parois sont doublées par des murs en moellons qui soutiennent une couverture de dalles ou de nattes végétales. Ce sont des tombes familiales qui contiennent entre un et cinq corps. Le matériel déposé avec les corps montre l'enrichissement progressif des personnes enterrées. Ainsi la tombe IV du cercle A, une des plus récentes, où étaient inhumés trois hommes et deux femmes, a livré entre autres quinze vases en or ou en argent, vingt-sept épées, seize pommeaux en ivoire, en albâtre ou en or, cinq poignards dont deux à la lame décorée d'incrustations précieuses, deux couronnes, huit diadèmes et trois des célèbres masques en or dans lesquels certains ont voulu retrouver par la suite les visages des Atrides. A la même époque, dans le sud-est du Péloponnèse, les seigneurs mycéniens se font construire des tombeaux voûtés, points de repère dans le paysage de la Grèce préhistorique. Généralement adossée à flanc de colline, une *tholos* possède une chambre de forme circulaire, recouverte d'une voûte construite en encorbellement ; un couloir d'accès est aménagé dans le prolongement d'un des rayons de la chambre et un tumulus recouvre l'ensemble. Dans les plus anciens spécimens, le diamètre de la chambre atteint rarement 10 m. Par la suite, les architectes mycéniens réalisent de véritables prouesses en approchant dans une douzaine de cas les 15 m de diamètre. La perfection technique est atteinte avec une construction comme le « trésor d'Atrée » à Mycènes, qui date du XIIIe siècle. Le tumulus protège soigneusement l'édifice contre les infiltrations tout en stabilisant les assises de la voûte ; un triangle de décharge allège la pression de la construction au niveau de l'entrée et la maîtrise de la taille des pierres permet la réalisation d'un linteau monumental (un des deux blocs pèse 120 t).
Bien qu'un très petit nombre de ces monuments ait échappé aux pillages de l'Antiquité ou de l'époque moderne, on constate que les mêmes objets accompagnaient les corps dans les tombes voûtées et dans les tombes plus simples (surtout des tombes dont la chambre est creusée dans le flanc d'une colline) : vases contenant de la nourriture et des boissons, armes, outils, bijoux et ornements vestimentaires ayant appartenu au défunt. La pratique des sépultures multiples est également universelle, la tombe étant rouverte pour chaque nouvel enterrement.

Masque funéraire en or provenant d'un des tombeaux de Mycènes. XIVe siècle av. J.-C.

Le cercle des tombeaux, acropole de Mycènes. XVIe siècle av. J.-C. Tombes royales où l'on a retrouvé des masques et de la vaisselle en or.

La citadelle de Mycènes. L'entrée (à gauche) avec la « porte des Lions » ; le cercle des Tombeaux ; au centre de l'acropole se tenait le palais.

Guerre et bureaucratie en pays mycénien

Grèce, vers 1400 av. J.-C.
Le pouvoir exercé sur une bonne partie de la Grèce continentale par les centres palatiaux repose à la fois sur le contrôle des principales richesses produites sur leur territoire et sur la capacité à assurer leur propre protection et, éventuellement, celle des populations dépendantes. A Mycènes et Tirynthe, le palais et les édifices immédiatement voisins sont entourés dès 1350 av. J.-C. de puissantes fortifications. Mais c'est seulement un siècle plus tard que ces forteresses deviennent imprenables en s'assurant un approvisionnement en eau suffisant. Après les destructions de 1200, ces citadelles ne sont pas démantelées ; elles continuent à abriter des habitations jusque vers le milieu du XIe siècle. Le site de Pylos, qui n'est pas fortifié, est, au contraire, définitivement abandonné

après 1200. Fortifiés ou non, les centres palatiaux sont le siège d'une organisation militaire. Ils fabriquent, entretiennent et conservent de grandes quantités d'équipements : casques en cuir recouverts de dents de sanglier, boucliers, cuirasses constituées, comme celle découverte dans une tombe de Dendra, de plaques de bronze, épées et poignards, chars ; ils fournissent chevaux et équipement aux hommes appelés à conduire ces chars, utilisés sans doute davantage comme moyen de communication et de transport que comme armes sur le champ de bataille. Le palais organise par ailleurs des productions de type industriel : textile (laine et lin), huiles et onguents parfumés. De nombreux artisans travaillent à son profit l'ivoire, l'ambre et les pierres précieuses. Des fonctionnaires dressent sur des tablettes les inventaires des magasins d'huile ou de vin, des greniers à céréales et s'assurent que les impôts rentrent bien. Ils redistribuent aux populations des rations alimentaires.

L'enceinte cyclopéenne avec la fameuse « porte des Lions » à Mycènes. XIVe siècle av. J.-C.

Art mycénien. Les casemates de la forteresse de Tirynthe, Argolide. XVIIIe siècle av. J.-C.

Les Phéniciens inventent l'alphabet

Ugarit, XIIIe siècle av. J.-C.
L'alphabet, c'est-à-dire les signes en usage dans une langue, rangés selon un ordre toujours identique, est inventé en Syrie peu après le milieu du IIe millénaire. La Syrie jouit alors d'une certaine prospérité et la ville d'Ugarit connaît un véritable âge d'or. Le royaume s'étend le long des côtes méditerranéennes, au cœur d'une plaine fertile et de collines ensoleillées couvertes de vignes et d'oliviers. Il dispose de quatre ports peu distants de l'Egypte, de Chypre et de la Crète. Vers l'intérieur des terres, les routes caravanières gagnent Alep, la vallée de l'Euphrate et la Babylonie et, sans doute, déjà, Palmyre ; d'autres routes mènent en Anatolie. A la production agricole,

Ugarit joint la fabrication d'armes et d'objets de luxe en métal. Sa vaisselle de bronze et ses étoffes sont réputées dans le monde antique. Les scribes d'Ugarit sont les inventeurs d'un système graphique original : l'écriture cunéiforme alphabétique qui permet de mettre par écrit la langue locale, une langue sémitique. Cette écriture est étrange et originale à plus d'un titre : elle est cunéiforme et pourtant ne ressemble nullement aux autres écritures cunéiformes déjà connues ; c'est une écriture consonantique qui ne marque pas les voyelles ; elle ne comporte que trente signes, tous fort simples, qui ne comptent que rarement plus de trois ou de quatre « coins », souvent deux, voire un seul. Mais le royaume ne peut échapper longtemps à la tourmente ; il périt vers 1200 av. J.-C., rasé par les « peuples de la mer ».

Exemple d'écriture cunéiforme alphabétique. Tablette en terre cuite provenant d'Ugarit. XIIIe siècle av.J.-C.

Egyptiens et Hittites s'affrontent en Syrie-Palestine

XVe-XIIIe siècle av. J.-C.
L'Egypte et le Royaume hittite dominent le monde. Plusieurs figures se détachent : d'abord Thoutmosis III d'Egypte. A son avènement, il hérite en Syrie-Palestine d'une situation détériorée, les quelque 330 principautés locales ayant accepté de se fédérer derrière la bannière des rois du Mitanni. Son règne est une succession de campagnes militaires, dix-sept au total ; certaines sont des actions proprement guerrières de conquête d'un territoire, d'autres des opérations de pacification qui sont destinées à protéger un allié, à soutenir son moral ou à surveiller une récolte. Rapidement, Thoutmosis prend le contrôle de tous les ports de la côte phénicienne et reçoit les tributs des Hittites, de l'Assyrie et même de Babylone. A la fin de son règne, la Syrie-Palestine est une province égyptienne. Suppiluliuma Ier est roi des Hittites. Héritier de vingt

années de guerre civile, il est le fondateur du Nouvel Empire hittite. L'appel à l'aide d'un prétendant évincé au trône du Mitanni est l'occasion rêvée pour lui d'intervenir dans les affaires syriennes. Une première fois, pourtant, il essuie une sévère défaite et son adversaire mitannien peut envoyer à Pharaon des cadeaux prélevés sur le butin. La seconde campagne est, par contre, un succès. Suppiluliuma attaque par l'ouest, afin d'isoler le Mitanni de son allié égyptien. Traversant le territoire d'un Etat neutre, il surprend tous ses adversaires et débouche sans coup férir là où personne ne l'attend, aux portes de Washukanni. En grand vainqueur, il contrôle toute la Syrie. Il est vrai que l'Egypte, après la mort de Toutânkhamon, est une puissance blessée et affaiblie. Abdi-ashirta et son fils Aziru sont rois d'Amurru. Ils sont au cœur de toutes les menées diplomatiques et militaires, jouant sans cesse un double, voire un triple rôle, tour à tour alliés ou adversaires de l'une ou l'autre puissance. Finalement, Aziru doit reconnaître la suzeraineté hittite.

1364 av. J.-C.

Egypte

Aménophis IV, fils d'Aménophis III et de la reine Tiyi, rompt avec la religion d'Amon en prenant le pouvoir. Il choisit le disque solaire Aton comme dieu unique. En l'an VI de son règne, il devient Akhnaton et quitte Thèbes pour fonder sa capitale Akhet-Aton, sur le site actuel de Tell el-Amarna, en Moyenne Egypte. Des tablettes cunéiformes racontent les relations diplomatiques avec l'Asie. Mais, lorsque les princes syriens alliés de toujours demandent de l'aide pour faire face à la menace hittite, aucun secours égyptien ne se met en marche. L'empire s'effrite. →

Femme d'Akhnaton, Néfertiti met au monde six princesses. Ce n'est pas un roi qui gouverne l'Egypte, mais un couple royal qui est l'intermédiaire entre les hommes et Aton. Son nom, qui signifie « La Belle est venue », est de pure tradition nationale et fait allusion à la déesse Hathor.

Les tombes de Tell el-Amarna suivent le modèle thébain : les salles sont creusées dans le roc. En revanche, leur décoration diffère sensiblement. Les scènes de funérailles et banquets font place à la famille royale : Akhnaton et Néfertiti, inondés par les rayons d'Aton, embrassent les princesses grimpées sur leurs genoux ou distribuent à leurs sujets des colliers (« l'or de la récompense »)... Crânes oblongs, visages étirés, yeux en amande, ventres et cuisses gonflés, attitudes des mains : l'art amarnien est expressionniste.

1360 av. J.-C.

Mésopotamie

Assur-Uballit Ier est l'artisan du renouveau et de l'expansion de l'Assyrie. On possède, principalement, deux lettres de lui. L'une et l'autre sont adressées à Pharaon. Dans la première, il se présente comme un prince plein de respect pour son supérieur auquel il offre des présents. Dans la seconde, il se désigne lui-même comme « grand roi » et « frère » de son correspondant. Le ton a changé, l'Assyrie s'affirme progressivement comme une grande puissance.

1350 av. J.-C.

Syrie

Les scribes d'Ugarit, outre leur propre langue, écrite en cunéiforme alphabétique, pratiquent couramment les langues étrangères, le hittite et le babylonien.

Anatolie

Sur les marches occidentales de leur royaume, les Hittites combattent une population qu'ils appellent Ahhiawa. On a pu voir en eux les Achéens, en d'autres termes les anciens Grecs. A la vérité, personne ne peut, en l'état actuel des sources, faire la preuve de cette affirmation. Ce que l'on sait des Ahhiawa se résume à peu de chose : ils habitent une région accessible par la mer ; leur roi est l'égal du roi hittite et un de leurs rois vient guerroyer en Anatolie. Aucun fait ne prouve donc l'identité entre Ahhiawa et Achéens, mais rien ne vient infirmer cette hypothèse.

1347 av. J.-C.

Egypte, 1347-1338 av. J.-C.

A la mort d'Akhnaton, Toutânkhaton, marié à une princesse amarnienne, revient à Thèbes et restaure le culte d'Amon. Il prend le nom de Toutânkhamon. →

1345 av. J.-C.

Assyrie

Première guerre entre l'Assyrie et la Babylonie. Assur-Uballit d'Assyrie donne l'une de ses filles en mariage au roi de Babylone Burnaburiash. L'enfant qui naît de cette union est assassiné et le roi d'Assyrie intervient militairement en Babylonie. C'est la première d'une longue et interminable série de conflits qui opposera les deux pays. Les guerres vont se succéder quasiment sans interruption pendant près d'un millénaire. Presque toujours, l'Assyrie aura le dessus, elle qui cultive, plus que toute autre, les vertus militaires. Ses ingénieurs inventent de redoutables machines de guerre. Pour plus de sûreté, les peuples soumis sont exilés et les villes rasées. Babylone honnie qui assassine les enfants de rois, mais Babylone glorifiée d'où viennent savoir et sagesse ; toutes les guerres conduites contre elle seront ressenties comme fratricides par les Assyriens.

Akhnaton et son épouse Néfertiti avec leurs enfants sous les rayons du disque solaire Aton. Relief de calcaire. Staatliche Museen, Berlin.

Akhnaton, le pharaon hérétique

Egypte, 1364 av. J.-C.

Héritier d'Aménophis III, Aménophis IV est un roi idéaliste qui réussit à imposer pendant les vingt années de son règne une nouvelle religion, une nouvelle politique et une nouvelle forme d'art. Depuis deux siècles, l'Etat égyptien s'était profondément transformé, l'Egypte ayant intégré de nombreux étrangers. L'exemple d'Aménophis III et de sa princesse mitanienne en est une preuve. Le culte d'Amon était trop exclusivement égyptien ; une religion plus universelle était nécessaire à ce mélange racial : le culte solaire atteignait cette universalité. Aménophis IV adopta alors Aton. Le disque solaire était apparu sous Thoutmosis IV avec l'influence asiatique et s'était implanté comme dieu unique sous Aménophis III. Mysticisme et politique expliquent cette brusque évolution. Le roi diminua les ressources du grand prêtre d'Amon et quitta Thèbes la quatrième année de son règne pour s'installer en Moyenne Egypte, entre Thèbes et le Delta, sur un territoire désert qu'il appela Akhet-Aton (« l'horizon du disque solaire »), l'actuelle Tell el-Amarna, proche de Minieh. Il abandonna son nom qui voulait dire « Amon est satisfait » et se fit appeler Akhnaton (« celui qui est agréable à Aton »). Le culte d'Aton, émanation visible du soleil, prend une forme exclusive ; les autres dieux égyptiens sont délaissés ; le nom d'Amon est martelé. Les temples où est vénéré Aton sont ouverts, baignés de soleil. C'est là que Néfertiti, la femme d'Akhnaton, venait offrir des offrandes au dieu, des fleurs et des fruits. Un grand hymne poétique de joie et de beauté s'élève vers le dieu représenté sous la forme d'un astre rayonnant qui dispense la vie sur la Terre. La nouvelle religion est une religion de vie, de liberté et d'amour de la nature ; elle semble avoir été soutenue par les prêtres d'Héliopolis, qui vénéraient le dieu solaire Rê. Comme la religion, l'art de l'époque est nouveau : il témoigne d'un souci de la vérité très éloigné des règles habituelles de l'art égyptien. Mais, tandis que le pacifique Akhnaton entretient des correspondances poétiques avec les princes vassaux d'Asie, l'Empire égyptien se désagrège, notamment sous les coups des Hittites. L'autorité du roi n'est plus reconnue. L'Etat se dégrade. Les fonctionnaires abusent des contribuables. Devant cette situation, le clergé d'Amon relève la tête. Dès la mort du roi, il s'empresse de reprendre ses anciennes prérogatives et d'effacer toute trace de ce règne en restaurant la puissance d'Amon.

La reine Néfertiti, épouse d'Akhnaton (son nom signifie : « La Belle est venue »). Tête en quartzite.

Toutânkhamon le Pieux meurt à l'âge de 25 ans

Egypte, vers 1338 av. J.-C.
Après avoir rejoint Thèbes et restauré le culte du dieu Amon dans les temples de Louqsor et Karnak, Toutânkhamon meurt dans la neuvième année de son règne, à vingt-cinq ans (selon une étude récente et approfondie de sa momie). Il laisse une veuve, Ankhesenamon, fille d'Akhnaton. Celle-ci tentera d'épouser un prince hittite, mais le général Horemheb fera échouer l'entreprise. Elle épousera donc Aï, un haut fonctionnaire du pharaon défunt, qui légitimera ainsi son accession au trône. En 1922, Howard Carter et Lord Carnavon découvrent la dernière demeure du pharaon, dans la Vallée des Rois, sur la rive ouest de Thèbes. Des

ouvertures rebouchées dans la porte et un boyau creusé parallèlement à l'entrée attestent du passage de pilleurs. L'antichambre montre les signes évidents du pillage : coffrets fracturés, vases renversés, vidés de leur contenu... Il semble cependant que peu d'objets aient été emportés, aucune pièce volumineuse ne passant par le boyau aménagé. Les objets personnels et rituels contenus dans la tombe sont richement décorés, ce qui explique la convoitise des voleurs. Le mobilier du pharaon est recouvert de feuilles d'or et présente un décor au repoussé. Les scènes nous montrent le couple royal dans l'intimité héritée de l'art amarnien : la reine assise aux pieds du

pharaon s'accoude à ses genoux pour boire le breuvage qu'il lui verse. Comme Néfertiti, Ankhesenamon est toujours présente auprès de son époux. Si Toutânkhamon conserve la tradition amarnienne, il renoue par contre avec les thèmes guerriers, exclus sous Akhnaton. Sur un bouclier, il est représenté, le bras levé, en train de massacrer un félin qu'il tient par la queue : thème cher aux grands rois de la XVIIIᵉ dynastie. Les objets plus particulièrement rituels ont été déposés dans la chambre funéraire, orientée est-ouest comme la plupart des caveaux, l'Occident symbolisant le monde des morts, l'endroit où le soleil se couche pour renaître au matin. C'est d'ailleurs la raison pour laquelle la plupart des nécropoles se situent sur la rive ouest du Nil.

Quatre chapelles de bois doré protègent les sarcophages de Toutânkhamon. La première est ornée de « piliers djed », symboles du dieu Osiris et de la stabilité, et de nœuds d'Isis. Les trois autres portent des génies de l'au-delà. Tous assurent la protection du défunt qui repose dans quatre sarcophages. La cuve extérieure rectangulaire est en granit. Les deux sarcophages suivants sont l'un en bois doré, l'autre en bois incrusté de pâte de verre. Le dernier, celui qui contient le corps de la momie, est en or, matière inaltérable, couleur de la chair des dieux. Le corps embaumé est enveloppé dans des bandelettes dans l'épaisseur desquelles cent quarante-trois bijoux d'or et de nombreuses amulettes sont glissés. Quatre déesses protègent le corps du défunt. Nekhbet et Ouadjet, déesses de la Haute et Basse Egypte, veillent sur le pharaon, maître des deux terres ; Isis et Nephthys sur le défunt assimilé à Osiris, le maître du monde souterrain. Posé sur le visage, un masque d'or nous restitue le portrait de Toutânkhamon. Dans la « chambre du trésor », une grande statue portable d'Anubis a dû participer au cortège funèbre. Un énorme coffre contient les canopes, vases funéraires renfermant les viscères du roi, d'autres encore ses *shaouabtis*. Si la tombe d'un « petit » pharaon comme Toutânkhamon recèle de pareils trésors, que devait-il en être pour Thoutmosis III ou Ramsès II ?

Masque funéraire de Toutânkhamon. Détail. XVIIIᵉ dynastie. Or massif, pierres semi-précieuses et pâte de verre. Musée du Caire.

Splendeur de la culture hittite en Anatolie

Asie Mineure, XIVᵉ-XIIIᵉ av. J.-C.
Hattusa, l'actuelle Bogazköy, est la capitale de l'Empire hittite. La majorité des monuments qui y ont été découverts datent de cette époque : une trentaine de temples avec leur cour centrale, entourée d'un déambulatoire à colonnes ; le palais royal, au sommet de l'acropole avec sa grande salle de parade, salle hypostyle avec des piliers en bois. L'enceinte extérieure de la ville est construite en pierres de type cyclopéen et se dresse sur un remblai de terre de 6 m de haut. Les portes sont ornées de sculptures monumentales qui sont parmi les vestiges les plus remarquables de l'art hittite : avec le dieu guerrier de la porte royale dont la puissance du modelé contraste avec les autres témoignages de l'art hittite, celui-ci atteint à la perfection. L'œuvre fournit en outre de pré-

Lion de pierre ornant la porte de l'ancienne ville hittite de Hattusa. XIV-XIIIᵉ siècle av. J.-C.

cieuses informations documentaires : casque pointu avec protège-nuque et protège-joues, épée à fourreau recourbé, hache à tranchant semi-circulaire qui rappelle les haches fabriquées au-delà des monts du Caucase. Au voisinage de Hattusa, le site de Yazilikaya abrite un sanctuaire, en partie rupestre, taillé à même le roc, qui est sans doute le lieu saint le plus important du monde hittite. Un premier temple y est construit vers 1400 av. J.-C. en l'honneur de l'ensemble des dieux et déesses réunis à l'occasion de la fête du Nouvel An. Le décor du sanctuaire, entièrement pariétal, sculpté à même la paroi rocheuse, représente l'assemblée des dieux. Ces figurations ne sont pas dépourvues, et c'est sans doute leur trait le plus original, d'un certain réalisme : rendu anatomique, mouvement du vêtement, ordonnance des scènes tranchant avec l'art oriental en général.

Les armes de la diplomatie : des princesses contre de l'or

Proche-Orient, XIVᵉ siècle av. J.-C.
Les mariages entre maisons royales sont rarement des histoires d'amour. Ils répondent généralement à des préoccupations économiques ou politiques. A l'époque de Tell el-Amarna, les souverains de toutes les grandes puissances du monde ont compris l'intérêt de placer les relations internationales sous les signes de l'échange. Ainsi, l'alliance entre

les deux cours de Babylone et d'Egypte est renforcée par des mariages successifs qui se font avec une telle constance que l'on est tenté d'y déceler une véritable politique économique : en échange de princesses royales qui viennent orner leurs harems, les pharaons fournissent l'or qui permet aux rois kassites de Babylone de financer leurs prestigieux travaux de construction.

Toutefois, jamais aucune princesse royale égyptienne n'est autorisée à quitter l'Egypte. Et un roi de Babylone reconnaît, du reste, qu'il doit se contenter d'une quelconque Egyptienne : « Qui pourra dire ici qu'elle n'est pas de sang royal ? » déclare-t-il finalement, à court d'arguments, en acceptant les conditions imposées par l'ambassade égyptienne.

1333 av. J.-C.

Egypte

Après la mort de Toutânkhamon et le court règne d'Aï (haut dignitaire royal), le valeureux général Horemheb, dernier roi de la XVIIIe dynastie, prend le pouvoir. D'origine roturière, il légitime son accession au trône par un oracle rendu par Amon, le dieu de Thèbes. Il réorganise le pays, défend les frontières : l'Egypte renoue avec la prospérité. Mais il s'attache aussi à effacer l'épisode amarnien en comptant ses années de règne à partir de la mort d'Aménophis III.

1310 av. J.-C.

Elam

Du pays d'Elam perdu au cœur des monts et des plateaux iraniens, ne nous sont parvenus que les noms de quelques rois, Untash-napirisha ou Shutruk-nahhunté. →

1306 av. J.-C.

Egypte

Ancien chef des archers et de la charrerie, chef des juges et vizirs, Ramsès Ier fonde la XIXe dynastie. Le nouveau roi appartient à une puissante famille du Delta. Déjà âgé lors de son accession au trône, il laisse rapidement la place à son fils, Séti Ier.

1304 av. J.-C.

Egypte

Séti Ier affirme la puissance égyptienne en Palestine et résiste victorieusement aux Hittites avec lesquels il signe un traité de paix. Sa tombe dans la Vallée des Rois est célèbre par son décor peint, et son plafond astronomique.

1290

Egypte

Associé au pouvoir du vivant de son père Séti Ier, Ramsès II lui succède à sa mort.

1285 av. J.-C.

Egypte

Qadesh, ville de la vallée de l'Oronte, est le théâtre d'une bataille opposant Ramsès II et son armée à une coalition menée par un roi hittite. L'issue semble incertaine. De retour en Egypte, le pharaon fait graver ses exploits sur les temples (Louqsor, Karnak, Ramesseum, Abou Simbel), et un long poème épique dit de Pentaour présente l'événement comme une éclatante victoire ! La réalité n'est pas aussi brillante, mais elle permet de signer un traité de paix égypto-hittite. →

1280 av. J.-C.

Egypte

Ramsès II décide de doter l'Egypte d'un nouveau centre. Après Thèbes et Memphis, Pi-Ramsès est la troisième grande ville de l'empire. En la faisant construire dans le Delta, Ramsès II retrouve le berceau de ses ancêtres. →

1264 av. J.-C.

Egypte

L'alliance égypto-hittite est stable ; on la consolide tout de même par un mariage diplomatique. Ramsès II épouse une princesse hittite, fille d'Hattousil III.

1260 av. J.-C.

Egypte

La persécution des Hébreux au temps de Séti Ier et de Ramsès II fit, sans doute, partie de ces mesures de rétorsion que prirent régulièrement les Ramessides contre les tribus installées entre le Négeb et le delta du Nil pour les soumettre à leur loi. Fuyant cette persécution, les Hébreux se rassemblèrent derrière Moïse, qui les conduisit hors d'Egypte et les amena, après quarante ans d'errance dans le Sinaï (à Qadesh-Barnéa notamment), aux portes de la Terre promise : le pays de Canaan. C'est le récit de cette libération qui est consigné dans le livre de l'*Exode*. →

1244 av. J.-C.

Mésopotamie

Tukulti-ninurta Ier monte sur le trône d'Assyrie. Il hérite d'une situation confortable, le royaume étant à l'abri derrière une série d'Etats vassaux sur lesquels il va affermir son autorité.

1234 av. J.-C.

Mésopotamie

Tukulti-ninurta marche sur Babylone et s'empare de son roi Kashtiliash qu'il déporte à Kalah. Babylone est détruite.

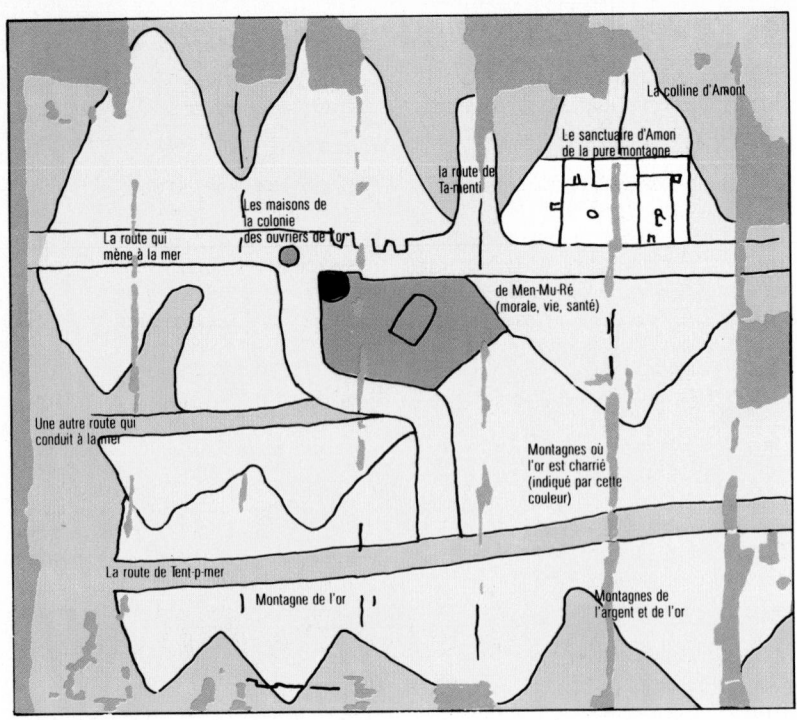

Géométrie et arpentage en Egypte

Egypte, vers 1300 av. J.-C.
Selon Hérodote, les Egyptiens ont inventé l'arpentage et la géométrie. Il aurait aussi sans doute pu leur attribuer les premières cartes topographiques, dont le *Papyrus de Turin* est un excellent exemple. Il s'agit d'un plan des mines d'or comprises entre le Nil et la mer Rouge, ainsi que des routes permettant d'y accéder.

Des inscriptions en écriture hiératique constituent la légende de la carte et révèlent par exemple que les collines d'où l'on extrait les métaux précieux sont peintes en rouge. L'usage sélectif des couleurs, la nature géométrique des tracés, l'abstraction de la projection plane : autant de caractéristiques de ce plan à finalité utilitaire.

Les Hébreux ont franchi la mer Rouge

Sinaï, vers 1260 av. J.-C.
Les Hébreux installés en Egypte et soumis à des corvées toujours plus insupportables se rassemblent sous l'autorité de Moïse et font mouvement pour fuir l'oppression. Ils traversent la mer Rouge qui se serait entrouverte pour leur offrir le passage et échappent, grâce à ce prodige, à l'armée de Pharaon venue leur donner la chasse ; cette armée est engloutie par les flots qui la submergent. Moïse conduit les tribus vers le mont Sinaï où il les fait longuement séjourner. C'est au cours de cette marche au désert qu'il reçoit la révélation de Yahvé ; c'est là que Yahvé fait alliance avec le peuple et lui dicte les lois qui seront les siennes. Au temps des Patriarches, Yahvé s'était toujours présenté comme un homme ordinaire à ses fidèles. Il va dorénavant se comporter différemment et ne se montrera plus. Il devient une divinité désincarnée. Du reste, la religion qui est en train de naître n'est plus la religion d'une famille ou d'un campement, mais celle d'un groupe de tribus en passe de former une nation. C'est dans le Sinaï que Yahvé dicte la loi, les « Dix commandements », acte capital qui contribue à la consolidation de l'unité nationale des douze tribus autour des mêmes règles de vie. C'est également à ce moment que sont données les indications concernant la construction de l'Arche d'Alliance, l'ordination des prêtres, etc. Pendant la retraite de Moïse sur le Sinaï, le peuple se croyant abandonné et ne sachant soudain comment interpréter l'absence de son chef, décide de dresser une statue à son dieu et de le célébrer en grande pompe. Quelle ne sera pas la fureur de Moïse lorsque, revenant du Sinaï chargé du message divin qu'il a aussitôt gravé sur les Tables de la Loi, il découvrira le spectacle ! L'une de ces lois ne précise-t-elle pas l'interdiction d'adorer des images taillées ? A peine conclue, l'alliance entre Yahvé et son peuple est brisée, comme sont brisées les Tables que Moïse jette rageusement sur le sol. Mais Yahvé pardonnera à son peuple et lui promet de le conduire en des lieux plus hospitaliers. Moïse lui-même meurt au moment de mettre le pied en terre de Canaan et c'est à Josué qu'il appartiendra de conduire ses frères, après une ultime étape, jusqu'en Terre promise.

Séti Ier s'adressant à la déesse Hathor, régente du ciel, mère d'Horus et nourrice du souverain d'Egypte. Bas-relief polychrome. Temple de Séti Ier, Abydos.

Qui a remporté la bataille de Qadesh ?

Qadesh, 1285 av. J.-C.

Après l'effondrement du Mitanni, la ville de Qadesh, dans la vallée de l'Oronte, devient la place forte frontière entre les Empires hittite et égyptien, et elle est l'enjeu de combats acharnés. La bataille décisive met aux prises Ramsès II d'Egypte et le Hittite Muwatalli. L'avant-garde de l'armée éyptienne découvre deux espions hittites qui révèlent la terreur qui s'est emparée de l'adversaire à l'approche des troupes de Ramsès : les Hittites ont fui jusqu'à Alep ! En réalité, il s'agit de faux espions et Ramsès tombe dans le piège. A peine a-t-il contourné la ville forte à la tête de ses troupes d'élite, que l'armée hittite sort de sa cachette et prend Pharaon à revers, le privant de tout secours. Debout sur son char de guerre, Ramsès lui-même mène alors ses soldats à l'assaut, brise les lances, renverse les chars et les cavaliers, pourfend les conducteurs, fauche les fantassins ; grâce à son courage, il met en fuite la troupe hittite, ouvre une brèche dans la ligne adverse et rejoint le gros de son armée, mais au prix de lourdes pertes. Cette action d'éclat restera à jamais dans les mémoires, reproduite dans tous les grands temples d'Egypte, tant et si bien que ce demi-revers devient, au fil du temps, un franc succès. La ville de Qadesh, pourtant, reste à l'ennemi. A Hattusa, le roi hittite à son tour revendique pour lui la victoire sur le terrain. Sans doute a-t-il su arrêter l'avance égyptienne mais, encombrée par son butin, son armée n'a pas eu la liberté de mouvement suffisante pour s'opposer victorieusement à la charge de la charrerie égyptienne. Il s'en suivra, quelques années plus tard, un arrangement à l'amiable entre les deux cours. Ramsès épousera une princesse hittite, offrant en échange bijoux, vêtements d'apparat et métaux précieux en une rare abondance. Un traité d'amitié et d'assistance mutuelle, enfin, sera signé entre les deux rois. La ville de Qadesh semble demeurer dans la sphère d'influence hittite, au moins jusqu'à l'effondrement de cette puissance. Quant à l'Egypte, c'est un demi-siècle de paix qui s'ouvre pour elle au lendemain de cette bataille meurtrière.

La ziggurat construite au XIIIe siècle av. J.-C. par le roi élamite Untash-Huban sur le site de Dur-Untashi (aujourd'hui, Tchoga Zanbil).

Ramsès II, pharaon bâtisseur

Egypte, 1290-1224 av. J.-C.

En soixante-sept années de règne, Ramsès II éclipse tous les autres pharaons en matière de monuments. Son nom apparaît dans toutes les villes importantes d'Egypte. Dans le grand temple d'Amon à Karnak, entre le deuxième et le troisième pilône, il poursuit l'œuvre de son prédécesseur Séti Ier en achevant la construction de la grande salle hypostyle qui contient 134 colonnes hautes de 15 à 19 m. Il dote le temple d'Amon-Rê à Louqsor d'un pilône, de deux colosses et de deux obélisques (dont l'un trône actuellement sur la place de la Concorde à Paris). A Tanis, des colosses au nom de Ramsès II témoignent d'un important établissement avant les Rois-Prêtres de la XXIe dynastie. La région du delta du Nil était très importante aux yeux des Ramessides puisque leur famille était originaire de cette partie de l'Egypte. C'est pourquoi Ramsès II établit sa capitale à Pi-Ramsès, au nord d'Avaris. Du temple qu'édifia le pharaon à Abydos, il ne reste que quelques assises de pierres portant des scènes polychromes. Le véritable temple funéraire se situe à l'ouest de Thèbes : c'est le Ramesséum. Son enceinte renferme aussi de nombreux magasins voûtés en briques crues, des habitations de prêtres, des ateliers. Mais de tous les temples dont cet infatigable constructeur couvrit l'Egypte, les plus impressionnants sont ceux qu'il fit creuser dans la falaise de Nubie, en particulier celui d'Abou Simbel, haut de 33 m, qui abrite le culte du roi sous la forme d'un Horus local. Sur le même site, un petit temple est dédié à la reine Néfertari.

Temple rupestre de Ramsès II (1290-1224) à Abou Simbel. XIXe dynastie. La façade est ornée de quatre colosses assis du roi. Chacun mesurant 20 m de haut.

Le renouveau de la civilisation élamite

Elam, XIIIe-XIIe siècles av. J.-C.

Deux règnes, ceux d'Untash-napirisha, vers 1240 av. J.-C., et de Shutruk-nahhunté, vers 1180, marquent, chacun à sa manière, le point culminant de la civilisation élamite dont on ne sait, à vrai dire, que peu de choses depuis le moment où avait été inventée l'écriture protoélamite et celui où ce pays avait participé à la chute de l'empire d'Ur. Untash-napirisha est surtout le fondateur de la ville sainte de Dur-Untashi. La cité est entourée d'une puissante muraille ; en son milieu se dresse le sanctuaire principal, lui-même abrité derrière un mur carré d'une quarantaine de mètres de côté. Au centre se dresse la ziggurat du temple du dieu Inshusinak. Elle est conservée sur plus de 25 m de haut et la reconstitution en est aisée. Fait inconnu en Mésopotamie proprement dite, le premier étage comprend un certain nombre de pièces voûtées auxquelles donnent accès des escaliers qui ne précèdent plus la maçonnerie de la tour mais sont encastrés de façon à former de vraies cages. Shutruk-nahhunté est un grand soldat qui porte partout en Babylonie les étendards et les armes des dieux et des princes d'Elam. Il consacre tout son règne à la guerre babylonnienne où aucune ville n'échappe à ses forces. Les principaux témoins de l'histoire mésopotamienne, depuis la stèle de Narâm-Sîn d'Agadé jusqu'au code de Hammurapi sont alors emportés comme butin à Suse. Babylone elle-même tombera et sera obligée de se soumettre.

1200 av. J.-C.

Europe occidentale

Tandis que la civilisation du Bronze moyen s'éteint peu à peu, des peuplades nouvelles apparaissent en Europe centrale et vont se manifester jusqu'à la péninsule Ibérique. Leur principale caractéristique réside dans le rituel funéraire. Au lieu de l'inhumation traditionnelle, on pratique à présent la crémation des défunts sur un bûcher. Les cendres sont pieusement recueillies dans une urne, qui est elle-même enterrée. Cette civilisation est ainsi appelée « culture des Champs d'urnes ».

Proche-Orient

Arrivée des fils d'Israël en Canaan. Ils mènent combat pour la conquête du pays sous la direction de Josué, auquel est attribué divers prodiges tels que la chute des murailles de Jéricho au son des trompettes.

Grèce

Les quatre palais de Mycènes, Tirynthe, Pylos et Thèbes sont détruits. Certaines régions, comme celle de Pylos, subissent une grave dépopulation, et même un quasi-abandon. Ailleurs, en Argolide et en Attique, on se regroupe à l'abri des citadelles. La fin du système palatial résulte sans doute davantage d'une crise économique et de troubles sociaux que d'une invasion venue du Nord. Après 1200, certains traits essentiels de la civilisation mycénienne subsisteront jusqu'aux débuts de l'époque dite protogéométrique (vers 1050).

1184 av. J.-C.

Egypte

Fils de Sethnakt, Ramsès III s'inspire beaucoup de son ancêtre Ramsès II. Il sauve son pays de deux invasions libyennes et d'une attaque des « Peuples de la mer » qui, issus des régions égéennes, venaient de ravager tout l'Orient. Son temple funéraire de Médinet Habou suit le plan général du Ramesséum de Ramsès II. Dernier grand roi de l'Egypte, il doit affronter de nombreux complots. →

1180 av. J.-C.

Anatolie

La coalition des Etats de l'ouest de l'Anatolie contre le roi hittite est un signe avant-coureur de la

chute brutale de l'empire. Pourtant, la puissance hittite paraît intacte et les victoires militaires se succèdent sur le terrain, en Syrie du Nord et sur l'Euphrate. Puis le silence s'impose brutalement. L'Anatolie connaît une invasion de peuples venus de Thrace. Ceux-ci submergent le plateau anatolien, s'établissent en Cilicie et sur le haut Euphrate, ravagent la Syrie, mettant à feu et à sang Karkemish et Ugarit ; ils gagnent enfin la Palestine, à laquelle les Philistins qui s'y établissent donnent leur nom.

1157 av. J.-C.

Mésopotamie

Fin de la dynastie kassite. Sous le règne de Zabab-shuma-iddin, le roi d'Assyrie franchit la frontière babylonienne ; toutefois, son offensive s'arrête en plein élan. L'avance des troupes assyriennes inquiète en effet le roi d'Elam Shutruk-nahhunté et le pousse à intervenir militairement. Il entre en Mésopotamie par la vallée de la Diyala et s'empare de tous les sites stratégiques. Le dernier roi kassite, Enlil-nadin-akhi, organise en vain une résistance acharnée ; lui-même et son entourage prennent le chemin de la captivité où ils accompagnent le dieu Marduk dont la statue, une nouvelle fois, connaît l'exil.

1153 av. J.-C.

Egypte

De Ramsès IV à Ramsès XI, le pays se décompose. Les crues insuffisantes entraînent une pénurie de nourriture et des grèves. Le clergé est corrompu ; les tombes sont pillées, les temples profanés : de nombreuses minutes de procès nous relatent ces faits. Les dernières années du règne de Ramsès XI voient le pouvoir royal partagé entre Smendès, grand prêtre d'Amon à Tanis, et Hérihor, grand prêtre d'Amon à Thèbes : le pharaon est évincé. Ainsi se termine la grande époque du Nouvel Empire.

1124 av. J.C.

Mésopotamie

La noblesse d'Isin prend la direction des affaires et une famille s'empare de la royauté : Nabuchodonosor Ier en est le représentant le plus glorieux.

Combat des Egyptiens contre les Libyens. Temple funéraire de Ramsès III (1184-1153 av. J.-C.), Médinet Habour.

Ramsès III face aux peuples de la mer

Egypte, 1184-1153 av. J.-C.

Lorsque Ramsès III monte sur le trône, il choisit le grand pharaon Ramsès II pour modèle. Mais, depuis Mineptah, un danger menace : les « Peuples de la mer ». Le monde méditerranéen est bouleversé par des vagues successives d'envahisseurs. Le phénomène semble avoir débuté en Europe centrale où, pour obtenir de meilleures terres, les peuples les plus forts ont chassé les plus faibles. Ces derniers, cherchant eux-mêmes une nouvelle terre d'accueil, deviennent des envahisseurs. Ces migrations suivent un axe nord-est, sud-ouest. A Canaan et en Syrie, l'irruption de nouveaux groupes démantèle les Etats. Les Indo-Européens ont envahi le pays de Canaan. Les grands ports phéniciens comme Ugarit sont brûlés. Les Sicules, Achéens, Philistins, Tekkers, Ouashasha et les Dananéens, chassés de leurs terres et repoussés jusque sur les côtes, s'embarquent pour s'établir ailleurs. Ils prennent le nom générique de « Peuples de la mer ». Ramsès III mobilise et renforce ses troupes. C'est de cette époque que datent les premiers navires de guerre égyptiens. Au cours de trois campagnes, le pharaon repousse les attaques. Ses victoires sont célébrées sur les parois de son temple funéraire à Médinet Habou. Les inscriptions nous dépeignent Ramsès III comme

un « taureau combattant, au cœur ferme, aux cornes acérées, terrassant chaque pays... ». Dès les premiers temps pharaoniques, le roi avait été assimilé au taureau (palette représentant un taureau piétinant un vaincu au musée du Louvre). Les attaques viennent de tous les côtés. La première campagne se déroule à l'ouest en l'an V du règne. En l'an VIII, Ramsès III doit faire face à une coalition des Philistins, Tekkers, Sicules, Dananéens et Ouashasha. Le roi fait barrer les bouches du Nil par un mur de bateaux équipés de redoutables guerriers. Conjointement, l'infanterie effectue un raid en Palestine. En l'an XI de son règne, Ramsès III doit supporter une nouvelle attaque des peuples de l'ouest. Les reliefs de Médinet Habou nous montrent les scribes faisant l'inventaire des mains et des sexes prélevés sur les cadavres. Après ces manifestations de force, un nouvel équilibre s'instaure. Les Phrygiens s'installent sur l'ancien empire des Hittites ; les Philistins créent un nouvel Etat, la Palestine ; les Shardanes et les Ouashasha s'installent pacifiquement en Egypte ; Libous et Achéens restent en Libye. Les Etrusques s'implantent en Ombrie, les Sicules en Sicile. On voit déjà se dessiner la répartition moderne du Bassin méditerranéen. Ramsès III est le dernier grand pharaon du Nouvel Empire.

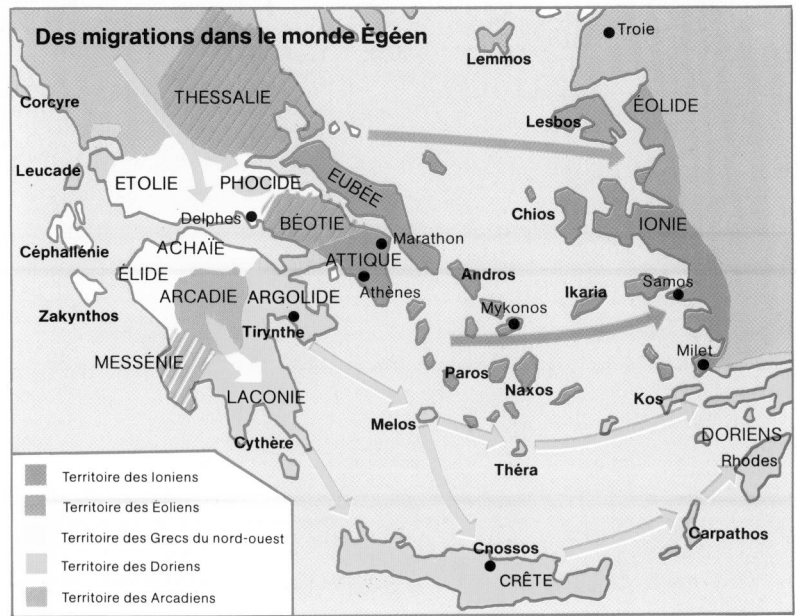

Des migrations dans le monde Égéen

Corcyre — THESSALIE — Lemnos — Troie
Leucade — ÉTOLIE — PHOCIDE — EUBÉE — ÉOLIDE — Lesbos
Céphallénie — ACHAÏE — Delphes — BÉOTIE — Chios — IONIE
ÉLIDE — ATTIQUE — Marathon — Andros — Ikaria — Samos
Zakynthos — ARCADIE — ARGOLIDE — Athènes — Mykonos
MESSÉNIE — Tirynthe — Paros — Naxos — Kos — Milet
LACONIE — Melos — DORIENS
Cythère — Théra — Rhodes
Carpathos
Cnossos — CRÈTE

Territoire des Ioniens
Territoire des Éoliens
Territoire des Grecs du nord-ouest
Territoire des Doriens
Territoire des Arcadiens

Des migrations dans le monde égéen

Monde égéen, vers 1150 av. J.-C.
La civilisation mycénienne s'est effondrée : les palais sont abandonnés, toute la société s'écroule et la pratique de l'écriture disparaît dans la tourmente. D'importants mouvements de population s'effectuent en Grèce et dans le monde égéen. Nombre de sites sont totalement abandonnés. Leurs occupants se réfugient en Attique, en Eubée ou dans des îles orientales comme Chypre et Chio : ce sont les premières vagues de peuplement grec qui atteignent ainsi l'Asie Mineure, et dessineront le paysage culturel dominant de la mer Egée dès le XIᵉ siècle av. J.-C., avec notamment une première forme de céramique géométrique. De cette période troublée, les Grecs ont gardé un certain souvenir dans leurs mythes. L'événement marquant de la période succédant à la guerre de Troie réside pour eux dans le retour des fils d'Héraclès, ancêtres des Doriens de l'âge historique. Les

Héraclides, à la mort du héros, conquièrent le Péloponnèse. Les descendants d'Oreste vont eux coloniser Lesbos et l'Eolide. Les Ioniens, guidés par Androklos, fils du roi d'Athènes Codros, vont fonder les douze cités d'Ionie. Ces différentes migrations mythiques coïncident effectivement avec une réalité linguistique des temps historiques : les Grecs parlent plusieurs dialectes, comme le dorien, l'ionien et l'éolien. Chacune de ces régions présente des caractéristiques sociales, culturelles et politiques qui lui sont propres, mais les mythes grecs rationalisent, non sans arrière-pensées, une situation qui fut sans doute beaucoup moins nette. Si les mouvements de population sont indéniables et revêtent l'importance de migrations massives, il est peu probable que le monde grec ait connu une invasion dorienne. Des communautés se forment dans un isolement relatif, ce qui accentue les particularismes régionaux.

Renaissance culturelle de Babylone

Babylone, XIIᵉ-XIᵉ siècle av. J.-C.
C'est une philosophie pessimiste qui domine la littérature en cette fin du IIᵉ millénaire, comme en témoigne la morale du poème intitulé *Le Juste souffrant*, souvent comparé au livre biblique de Job. L'histoire est celle d'un noble et pieux personnage abandonné par son dieu et accablé de malheurs : il perd la confiance du roi et de son entourage, devient miséreux et tombe malade. Finalement, si le poème connaît une fin plutôt heureuse, la leçon est tirée : l'homme est un instrument impuissant entre les mains d'un dieu insondable. Une autre composition littéraire se présente sous la forme d'un débat entre deux lettrés : l'un, poursuivi par le malheur et l'infortune, sombre dans un pessimisme qui fait naître le désir

de révolte ; l'autre, au contraire, se montre respectueux de la morale et de la religion. Le texte s'achève sur des considérations similaires : si les dieux sont responsables de la justice d'ici-bas, ils le sont également du mal. Un poème épique, consacré aux activités du dieu de la peste Era, au-delà de la trame mythologique qui en constitue l'armature, arrive lui aussi à des conclusions similaires. Abusé par les propos mensongers de ce dieu, Marduk décide de quitter Babylone, abandonnant de ce fait la ville à la vindicte des acolytes d'Era et à la frénésie meurtrière de ce dernier. Finalement, Era lui-même se laisse fléchir et Babylone ressuscite. La question est toujours la même : la protection divine n'empêche pas la mort et la désolation.

Pour les pharaons l'au-delà commence à la Vallée des Rois

Egypte, 1527-1070 av. J.-C.
La Vallée des Rois se situe à l'ouest de Thèbes. Les tombes des pharaons du Nouvel Empire sont creusées dans la montagne thébaine dont la cime a la forme d'une pyramide. Elles ont été construites par les artisans spécialisés du village de Deir el-Médineh. Depuis les temps les plus reculés, les Egyptiens croient en une existence après la mort. Après les soixante-dix jours nécessaires à l'embaumement, le corps du roi défunt est acheminé jusqu'à l'entrée de sa tombe. Là commence le rite de « l'ouverture de la bouche », dont le but est de redonner à la momie l'usage de ses sens. La cérémonie est accompagnée d'incantations et de fumigations purificatrices. La localisation de l'au-delà varie selon les époques. A l'Ancien Empire, le roi mort monte au ciel rejoindre le soleil Rê et prend place parmi les « étoiles qui ne meurent jamais ». Au Nouvel Empire, il habite le monde souterrain que le dieu solaire parcourt dans sa barque pendant la nuit, avant de renaître à l'aube. Les enfilades de chambres s'enfoncent dans le versant de la montagne. Les piliers et les passages sont illustrés de scènes où le roi est guidé et protégé par les dieux, en particulier Anubis, le dieu-chacal seigneur de la nécropole. Les murs et les plafonds décrivent un au-delà peuplé de génies inquiétants, portant de longs couteaux, ou bien des figures composites qui n'ont rien de réel. La barque solaire glisse sans encombre au milieu des éléments hostiles. Ces représentations font de la tombe un substitut de l'au-delà, d'où le soleil renaît chaque matin. Le roi est appelé à suivre le même trajet que le soleil pour renaître à son tour. La momie traverse les longs couloirs en pente. Elle est ensuite déposée dans plusieurs sarcophages emboîtés les uns dans les autres. Les

La momie de Ramsès II (1290-1224 av. J.-C.). Musée du Caire.

plus proches du corps sont en bois, en or ou en argent, les cuves extérieures en pierre dure telle que le granit. Un exemple du riche mobilier qui devait accompagner chaque roi nous est fourni par la célèbre tombe de Toutânkhamon. Le pharaon emporte avec lui ses objets personnels : ses armes, ses jeux, ses bijoux, ses instruments de musique, ses vêtements, son nécessaire de toilette, ses meubles d'apparat... D'autres objets rangés dans la tombe ont un caractère plus funéraire : les canopes, vases aux effigies des quatre fils d'Horus, dans lesquels sont conservés les viscères, les poumons, le foie et l'estomac de la momie ; les *shaouabtis,* statuettes momiformes, doivent accomplir les travaux agricoles pour le mort dans l'au-delà. Les nombreuses statuettes de dieux déposées près du sarcophage protègent le corps. Malgré toutes les précautions prises dès l'époque pharaonique, les pilleurs de tombes en ont laissé peu d'inviolées. Néanmoins, les visiteurs de la Vallée des Rois sont toujours éblouis par la fraîcheur des peintures.

La « Pesée du cœur du défunt » par Anubis. A droite, le dieu Thot note le verdict. Vignette du « Livre des Morts » de Hounefer, vers 1300 av.J.-C.

L'Egypte pharaonique

3200-332 av. J.-C.

Point de jonction entre le continent africain, le monde asiatique et le bassin méditerranéen, l'Egypte a su conserver, tout au long de son histoire, ses caractéristiques et son identité.

Son entité est préservée par des limites naturelles : la Méditerranée au nord, les cataractes de granit au sud, la mer Rouge et le désert Arabique à l'est, le désert Libyque à l'ouest ponctué de loin en loin par une suite d'oasis allant de Siouah au nord à Khargeh au sud et se situant à 200 km de la vallée du Nil. Force unique et primordiale, le Nil traverse le pays de part en part. Sa crue chargée de limon enrichit le sol chaque année. Malgré de constants travaux d'irrigation, les terres fertiles se réduisent à une étroite bande de quelques kilomètres de part et d'autre du fleuve, où toute l'activité se concentre.

Mais cette entité est, en fait, bipolaire. Elle est constituée de la Haute-Egypte au sud, qui s'étend d'Assouan à Memphis, et de la Basse-Egypte du Delta, au nord. Cette séparation est aussi bien géographique que politique, car le pharaon est « le roi de Haute et Basse-Egypte », « le maître des Deux Terres ». L'Egypte se suffit à elle-même de par son caractère agricole, mais la quête incessante de matières premières, indispensables pour édifier ces « demeures d'éternité » où s'est exprimée l'âme d'un peuple, poussa les pharaons à établir des routes dans le désert et à entretenir des relations commerciales avec les pays voisins.

La géographie joue ici, plus que dans tout autre pays, un rôle déterminant et explique en grande partie les structures politiques, économiques et sociales de la civilisation pharaonique. L'histoire de l'Egypte commence vers 3200 av. J.-C., avec l'apparition de l'écriture hiéroglyphique, combinaison d'écriture symbolique et phonétique.

L'époque thinite

L'Egypte sort de la préhistoire avec les pharaons originaires de This (adjectif « thinite ») qui fondent les deux premières dynasties (environ 3200-2800 av. J.-C.).

Ménès (Narmer), le premier, unifie le pays et crée Memphis, la capitale qui lie le Nord au Sud. Le roi gouverne le pays en tant qu'incarnation d'Horus sur terre, il est l'intercesseur entre les dieux et les hommes.

L'architecture et le mobilier des cimetières d'Abydos, Saqqara et Hélouan montrent une civilisation ayant déjà trouvé ses caractéristiques. Sur les stèles de pierre, le dessin égyptien acquiert ses traits définitifs, et les scènes de repas qui y sont quelquefois représentées (le défunt assis devant sa table chargée d'offrandes) sont les premières figurations d'une religion funéraire qui ne variera pas tout au long de son histoire. La diversité des formes et des matériaux inaugure une ère nouvelle. L'or, le cuivre, l'ivoire et les pierres dures sont totalement maîtrisés.

Les luttes contre les Nubiens et les Libyens commencent dès le règne d'Aha. Sous Ouadji, les premières expéditions vers le désert Arabique s'organisent.

Le temps des pyramides

Djéser inaugure l'Ancien Empire en fondant la III⁰ dynastie vers 2800 av. J.-C. Cette époque couvre la période allant de la III⁰ à la VI⁰ dynastie, de 2880 à 2280 av. J.-C. environ. Le grand complexe funéraire de Djéser à Saqqara marque une étape très importante dans l'architecture. La pierre remplace la brique, et désormais les pharaons sont enterrés dans des pyramides. La pyramide à degrés et les bâtiments qui l'entourent ont été conçus par l'architecte royal Imhotep. Les hauts dignitaires de la cour se font ensevelir près de leur souverain, dans des tombes dont la superstructure ressemble à une énorme banquette, d'où le nom qui leur a été donné de *mastaba* (« banquette » en arabe). La décoration intérieure des mastabas relate avec moult détails pittoresques la vie terrestre du défunt. Ainsi représentée, elle est transposée dans l'au-delà par la vertu de l'image. Les plus célèbres pyramides ont été édifiées par les souverains de la IV⁰ dynastie, Chéops, Chéphren et Mykérinos, sur le plateau de Gizeh près du Caire. Les pyramides à faces lisses montrent le de-

gré de perfection déjà atteint par cette civilisation. Vers 2580 av. J.-C. surgit une nouvelle dynastie, originaire d'Héliopolis. C'est l'avènement du culte solaire, sans que soient rejetés pour autant les autres dieux. Un nouveau titre apparaît dans le protocole royal : Pharaon est désormais « fils de Rê ». Niouserré fera construire à Abou Gourob un temple solaire. Autre innovation d'importance : c'est sous le règne d'Ounas que sont gravés pour la première fois des textes funéraires sur les parois d'une pyramide. Dès la fin de la V⁰ dynastie, on assiste à la montée du culte du dieu Osiris. Le pharaon défunt s'identifie à lui, et par extension tout civil décédé devient un Osiris. Durant cette période qui s'étend d'environ 2430 à 2280 av. J.-C., l'autorité royale s'affaiblit (notamment sous le très long règne de Pépi II), et les administrateurs des provinces, les nomarques, accroissent leur puissance. Initialement nommés par le roi, ils se transmettent désormais héréditairement leur charge, sans que le souverain soit consulté. Chaque nome (division administrative) tend à devenir un petit royaume indépendant.

Sur le plan extérieur, les pharaons envoient des expéditions militaires en Nubie, en Libye, au Sinaï, certains poussent même jusqu'au Liban et en Syrie. Des expéditions commerciales reviennent chargées des denrées du pays de Pount (essentiellement de l'encens). Mais la faiblesse du pouvoir royal, à la fin de la VI⁰ dynastie, met en péril les frontières du pays. Au nord-est, les Bédouins se font de plus en plus menaçants.

Crise et révolution

L'époque qui sépare l'Ancien Empire du Moyen Empire est qualifiée de « Première Période intermédiaire ». Pendant près d'un siècle, de la VII⁰ à la X⁰ dynastie, l'anarchie règne sur le pays. Une révolution met un terme à l'Ancien Empire décadent. Celui-ci se morcelle en une multitude de principautés autonomes. Les frontières ne sont plus gardées et les Bédouins envahissent le Delta. A travers la littérature, les sages se lamentent sur la condition du pays qui ne connaît plus que famine, désordre et violence. La croyance religieuse devient un refuge, le culte osirien s'installe en profondeur dans tout le pays, c'est la démocratisation de la foi funéraire.

Vers 2200 av. J.-C., les nomarques d'Hérakléopolis se proclament rois et font reconnaître leur suzeraineté (IXe et X^e dynasties). Ce n'est qu'un siècle plus tard que les nomarques thébains remettront en cause cet état de fait, sous l'impulsion d'Antef. La lutte entre les deux royaumes se terminera à l'avantage des Thébains (XIe dynastie).

Réunification de l'Egypte

Vers 2020 av. J.-C., Nebhepetrê Mentouhotep parachève la victoire des Thébains en reconstituant l'unité du pays. La réorganisation administrative est entreprise. Mais il faudra attendre la XIIe dynastie pour que l'affermissement du pouvoir royal crée les conditions nécessaires à un redéploiement économique grâce auquel l'Egypte renoue avec la prospérité. Les Aménemhat et les Sésostris quittent Thèbes et installent leur capitale à Lisht, à l'entrée du Fayoum. L'assèchement de cette région marécageuse fournit de grandes surfaces cultivables. Les souverains de la XIIe dynastie favorisent Amon, jusqu'alors dieu local obscur. La politique extérieure retrouve toute son importance : Mentouhotep III ouvre une route commerciale vers la mer Rouge ; Aménemhat Ier, aidé de son fils Sésostris Ier, conquiert la Nubie, renoue des relations avec Byblos et les îles de la mer Egée, fortifie la frontière orientale du Delta ; Sésostris III étend l'emprise de l'Egypte sur la Phénicie, reprend la colonisation de la Nubie et fait construire une ligne de forteresses pour affermir cette frontière. La XIIe dynastie s'achève brusquement pour des raisons obscures ; une nouvelle période d'instabilité s'ouvre et permet à des étrangers de prendre le pouvoir.

Les Hyksôs

La Deuxième Période intermédiaire, qui s'étend de la fin du Moyen Empire au début du Nouvel Empire (1780-1560 av. J.-C.), voit la première invasion étrangère de l'Egypte. Les infiltrations hyksôs commencent sous la XIIIe dynastie des Sébekhotep. Le mot « Hyksôs » est, en fait, un terme très vague d'origine égyptienne désignant les « princes de pays étrangers ». Il s'agit, en réalité, de peuples venus d'Asie, Amorites et Cananéens, poussés par les migrations. A partir d'une principauté ayant Avaris pour capitale, ils étendent leur domination sur le Delta, puis sur toute l'Egypte. La période Hyksôs recouvre les XVe et XVIe dynasties. Leur dieu tutélaire est Seth.

Il semble que cette occupation ait été moins cruelle et barbare que ne le laissent entendre les sources égyptiennes qui n'offrent que la version thébaine des événements. Les Hyksôs introduisent les armes de fer, le cheval et le char de combat, jusqu'alors inconnus en Egypte.

La réaction nationale vient une fois encore de la région thébaine, où une lignée de nomarques, qui constituent la XVIIe dynastie, entreprend la reconquête du pays. Toutefois, c'est seulement avec Amosis, fondateur de la XVIIIe dynastie, qu'advient l'expulsion définitive des envahisseurs. Premier roi du Nouvel Empire, il réunifie le pays sous son autorité.

L'expansion du Nouvel Empire

Amosis entreprend alors la réorganisation de l'Etat. Il s'entoure d'une administration fortement hiérarchisée à la tête de laquelle se trouve le vizir, deuxième personnage du royaume. Amon devient un dieu « national » : n'est-ce pas lui qui a favorisé les Thébains lors de la reconquête ? Il est doté de champs, de serviteurs, de bétail plus qu'aucun autre. Le clergé d'Amon profite de cette manne, s'enrichit et prend une telle importance qu'il devient une force politique avec laquelle le roi devra compter.

Pour parer à toute nouvelle incursion étrangère, les pharaons de la XVIIIe dynastie se lancent dans une politique de conquêtes. La création d'une armée de métier et les nouvelles armes apportées par les Hyksôs font que, très vite, l'Egypte devient une puissance militaire redoutable. Thoutmosis Ier (1506-1494) atteint les rives de l'Euphrate et Thoutmosis III (1490-1436) vient à bout de toutes les coalitions asiatiques (Mitanni, Hittites) en dix-sept campagnes victorieuses. L'Egypte s'entoure d'« Etats tampons » (colonies nubiennes et protectorats asiatiques) pour protéger ses frontières. Elle domine toutes ses rivales par la guerre et la diplomatie (alliances, mariages avec des princesses étrangères, éducation de jeunes princes à la cour ensuite réimplantés dans leur pays). L'Egypte est alors la puissance de l'Antiquité en pleine expansion. Son art témoigne de cette magnificence par la multitude des constructions entreprises à cette époque et la beauté des réalisations qui voient le jour en tous domaines : reliefs, peintures, sculptures, orfèvrerie.

L'intermède amarnien

Après six ans de règne, Aménophis IV quitte Thèbes, la capitale, pour s'installer dans une nouvelle cité qu'il a fait bâtir : Amarna. Fuyant le pouvoir grandissant du clergé d'Amon-Rê, il répudie le patronage de ce dieu pour se consacrer au service de son dieu personnel, Aton « le disque solaire », et prend le nom d'Akhnaton. Sous son règne, l'empire se dégrade, perd ses alliés faute d'activité guerrière ; l'Egypte n'est plus la grande puissance incontestée. Toutânkhamon, successeur d'Akhnaton, restaure le culte d'Amon et retourne à Thèbes. Le général Horemheb, devenu roi (1333-1306), ramène l'ordre et la prospérité.

Les Ramessides

La réorganisation de l'empire va se poursuivre sous les règnes des premiers rois des XIXe et XXe dynasties. Issus d'une famille de généraux du Delta, ils reprennent une politique de conquêtes. Pendant de longues années, Ramsès II (1290-1224) se heurte aux Hittites et conclut finalement un traité de paix avec leur chef Hattusil III, de manière à pouvoir faire face à une menace encore plus importante, l'expansion de l'Assyrie. Dernier grand pharaon du Nouvel Empire, Ramsès III doit affronter les « peuples de la mer » issus des régions égéennes. Le pharaon parvient à repousser les assaillants. Les derniers rois de la XXe dynastie, de Ramsès IV à Ramsès XI, ne sont que de pâles reflets de leurs prestigieux prédécesseurs. Le pays se désagrège, les scandales administratifs et les pillages sont monnaie courante. L'effondrement est consommé lorsque Hérihor, grand prêtre d'Amon, se pare des attributs royaux.

Les derniers soubresauts

Jusqu'à la XXVe dynastie, c'est-à-dire pendant trois siècles, le pouvoir reste aux mains de dynastes locaux. La nouvelle unité de l'Egypte est paradoxalement l'œuvre d'un roi koushite, Piankhi. Les quatre pharaons d'origine koushite qui se sont succédé entre 713 et 664 av. J.-C. ont complètement adopté la civilisation égyptienne. Puis, des rois originaires de Saïs, dans le Delta, vont entreprendre de retrouver l'âge d'or en copiant les modèles des hautes époques. Après avoir chassé les Assyriens, Psammétique Ier et Néchao II reprennent le pays en main, c'est la « Renaissance saïte » qui touche la politique, la morale et les arts.

En 525 av. J.-C., Cambyse le Perse règne sur l'Egypte vaincue. Il annexe les terres à l'Empire achéménide. Darius Ier s'occupera du développement économique de la nouvelle satrapie. La première domination perse (XXVIIe dynastie) s'achève en 401 av. J.-C., lorsque l'Egypte retrouve son indépendance sous l'impulsion de dynastes originaires de Mendès et Sébennytos (XXIXe-XXXe dynasties). Cette dernière poussée nationaliste est de courte durée puisque, après une soixantaine d'années, la vallée du Nil retombe sous la coupe des Perses. Peu sensible à cette occupation, l'Egypte refuse l'influence iranienne. En 332 av. J.-C., Alexandre le Grand entre en Egypte, mettant fin à l'indépendance indigène. Alexandrie devient la capitale du pays.

1117 av. J.-C.

Assyrie

Teglath-Phalasar Ier monte sur le trône d'Assyrie. Grand soldat, il impose l'autorité assyrienne de la Méditerranée à Babylone, qui est vaincue après une longue résistance. Il renforce les enceintes d'Assur et de Ninive, réunit une bibliothèque et fait mettre en ordre le droit coutumier.

1112 av. J.-C.

Chine

La dynastie des Zhou (Tcheou) occidentaux règne désormais sur le monde chinois. Le souverain est à la tête d'un véritable gouvernement centralisé avec des ministres. Il est entouré d'une noblesse féodale qui lui doit une assistance militaire, mais qui peut prélever taxes et produits agricoles dans les villages. →

1110 av. J.-C.

Egypte

A la fin de la XXe dynastie, Thèbes est le théâtre de procès de pilleurs de tombes. →

1100 av. J.-C.

Mésopotamie

On a longtemps sous-estimé, si ce n'est ignoré, la création littéraire de cette époque, à Babylone comme en Assyrie. On est habitué à voir dans les scribes du temps les exégètes de textes plus anciens comme *L'épopée de Gilgamesh* ou certains recueils d'incantations, de magie ou de divination. Sans doute, est-ce à cette époque que sont mis en forme les recueils canoniques de divination ; c'est également à cette époque que de nombreuses traductions juxtalinéaires, du sumérien à l'akkadien, sont effectuées. Des œuvres originales naissent de l'imagination des lettrés, comme l'exaltation du roi kassite divinisé, Kurigalzu. En Assyrie, on commence à rédiger des annales pour perpétuer le souvenir des conquêtes et des victoires royales ; ici, l'œuvre maîtresse est l'épopée en l'honneur du roi Tukulti-Ninurta.

Syrie

Les Araméens, population sémitique d'origine nomade, dont il est fait mention pour la première fois dans les archives d'Ugarit, s'apprêtent à envahir la Syrie du Nord. →

Chypre

L'écroulement général de la civilisation mycénienne donne lieu à de vastes mouvements de populations. L'un des refuges de ces migrants est l'île de Chypre, carrefour de la civilisation. →

Europe

La coutume de l'incinération se répand et cœxiste, à l'intérieur d'un même cimetière, avec celle, plus traditionnelle, de l'inhumation. Les cendres des corps brûlés sont recueillies dans des urnes à couvercle, ornées d'un décor linéaire, parfois en relief. Des objets métalliques (épingles, bracelets, perles et boutons) constituent l'essentiel du mobilier funéraire. On dépose aussi des poignards et on offre aux morts des sacrifices de bœufs, de porcs et de moutons.

1070 av. J.-C.

Egypte

Dès la fin de la XXe dynastie, sous le règne de Ramsès XI, le pouvoir royal est partagé. Au sud, le pharaon doit compter avec Hérihor, grand prêtre d'Amon, qui n'hésite pas à adopter le titre de roi, dans le temple de Khonsou à Karnak. A la mort de Ramsès XI, c'est cependant Smendès, « le Tanite », qui le remplace sur le trône. Il fonde la XXIe dynastie. La cour est à Tanis, ce qui n'empêche pas les descendants d'Hérihor de jouir à Thèbes d'un pouvoir quasiment indépendant. Les bonnes relations entre les deux capitales sont entretenues par le mariage de princesses tanites avec des grands prêtres thébains.

1050 av. J.-C.

Egypte

La sagesse d'Aménémopé s'inscrit dans la longue tradition des instructions d'un homme à son fils. Celui-ci ne sera pourtant jamais un être parfait, car « la perfection n'appartient qu'aux dieux ». De nombreuses métaphores illustrent les injonctions du père.

1020 av. J.-C.

Palestine

L'installation des fils d'Israël au pays de Canaan ayant été menée à bien sous la conduite des Juges (1190-1020), à la fois chefs militaires et porte-parole de Yahvé, l'heure de fonder un royaume est venue : choisi par Samuel dans la tribu de Benjamin, Saül est intronisé roi.

Nomades et Araméens au Proche-Orient

Proche-Orient, XIe-IXe siècle av. J.-C.

Au XVIIIe siècle av. J.-C., les archives de Mari nous familiarisent avec le mode de vie des nomades. Eleveurs de chèvres et de moutons, ils ne connaissent pas encore le chameau qui ne sera domestiqué que plus tard. Leurs déplacements, lents et de faible envergure, suivent un rythme annuel, à la recherche de pâturages pour les troupeaux. Mais leurs conditions de vie sont précaires car la steppe désertique nourrit mal et il les exercent une pression constante sur les Etats sédentaires où ils se livrent à des opérations de pillage. A certaines époques, pour des raisons mystérieuses, ils arrivent en masse et déferlent à travers la Mésopotamie où ils s'installent en vainqueurs. Ce mouvement toujours dans la même direction, d'ouest en est, vers la Mésopotamie, est frappant. Du reste, un proverbe ne dit-il pas, parlant des Arabes, que le Yémen est leur berceau et l'Irak leur tombeau ? Car leur mouvement est fait de vagues successives qui surgissent des steppes occidentales : Amorites à la fin du IIIe millénaire, Araméens à la charnière des IIe et IIIe millénaires, Arabes bien plus tard. A l'époque des rois de Mari, au XVIIIe siècle, ils forment trois grandes confédérations de tribus : les Hanéens, les Jaminites (ou Benjaminites, c'est-à-dire « Fils du sud ») et les Sutéens. Les Hanéens sont des semi-nomades ; ils se déplacent peu et sont souvent établis dans des villages sédentaires. Ils reconnaissent l'autorité du roi de Mari dont ils sont, en quelque sorte, les sentinelles du désert. Les Jaminites, malgré leur nom, viennent du nord. Leurs relations avec Mari sont tendues et difficiles. Guerriers farouches, ils multiplient les attaques et les coups de main qui engendrent un état de guerre permanent. Les rapports des espions des rois de Mari permettent de les suivre dans leurs déplacements saisonniers. Les Sutéens sont des pillards invétérés. A la fin du IIe millénaire apparaît la dernière vague de nomades sémites que connaît la Mésopotamie, celle des Araméens et de leurs cousins, les Chaldéens. A partir de 1200, la pression des Araméens sur l'Assyrie et la Babylonie s'accroît jusqu'à rompre tous les barrages. Leur flot se répand alors de toutes parts.

La gloire de Marduk, dieu babylonien

Babylone, IXe siècle av. J.-C.

Sous les rois de la dynastie d'Isin et, sans doute, plus précisément sous le règne de Nabuchodonosor Ier, Marduk devient la figure suprême du panthéon. Les nouveaux rois veulent se distinguer de leurs prédécesseurs kassites : ils abandonnent la ville de Dûr-Kurigalzu et reviennent à Babylone ; le dieu Enlil, en faveur sous les Kassites, cède la place au tout-puissant Marduk. Babylone devient une ville sainte ; Marduk accorde à son roi un destin sans pareil. C'est certainement à cette époque que les scribes composent le célèbre *Poème de la création*, dont les sept chants évoquent le monde primitif où sont mêlées les eaux du ciel et de la terre et qui s'achève sur l'apothéose des cinquante noms de Marduk, grand pourfendeur des forces du mal. Les notions de création et de royauté y sont indissociablement liées, car le dieu créateur n'accepte de créer le monde qu'à la condition préalable d'avoir été nommé par ses pairs à la souveraineté absolue.

Dieu babylonien tuant un cyclope. Début du IIe millénaire. Terre cuite. Oriental Institute, Chicago.

La course du Soleil, Ré, s'achevant chaque soir dans la bouche de Nout, déesse du ciel. Plafond du tombeau de Ramsès VI. XXᵉ dynastie. Thèbes.

Ramsès III. Peinture. « Papyrus Harris », des temples d'Egypte sous Ramsès III.

Sous Ramsès IX procès de pilleurs de tombes

Egypte, vers 1110 av. J.-C.

La cour de Ramsès IX se trouve dans le Delta. Le vizir Khaemouas est gouverneur de Thèbes, 800 km plus au sud. Il a sous ses ordres Paser, administrateur de la rive est, et Paour, celui de la rive ouest qui abrite les nécropoles. La rivalité des deux hommes s'exprime à travers le récit du procès des pilleurs de tombes, dont les « minutes » nous sont parvenues sous forme de rouleaux de papyrus écrits en hiératique. Paser, ayant appris que des voleurs avaient tenté de pénétrer dans les tombes royales, envoie un rapport à son supérieur Khaemouas. Celui-ci dépêche aussitôt une commission sur place. Après enquête, il apparaît qu'une seule tombe a été forcée, celle de Sbekhemsaf, roi de la XVIIᵉ dynastie. Par contre, plusieurs tombes civiles ont été pillées. Rapidement, Paour dresse la liste des coupables présumés. Arrêtés, ils avouent leurs méfaits. Un maçon déclare qu'avec sept compagnons il dévalisait les nécropoles depuis plusieurs années. Il semble cependant que la torture ait « aidé » certains aveux : un des accusés n'est plus capable de retrouver le chemin de la tombe qu'il a pillée. L'année suivante, il est reconnu innocent ! L'affaire est cependant considérée comme une victoire de la police des nécropoles et de son chef Paour. La fureur de Paser est alors à son comble ; il l'accuse ouvertement d'user de complicités dans les hautes sphères de l'administration. Paour riposte en adressant une réclamation à Khaemouas, lequel clôt le procès en acquittant tous les coupables. Une telle attitude jette le discrédit sur la justice rendue et incite les voleurs à continuer leur œuvre. Une longue période de mise à sac des sépultures s'ensuivit, notamment les hypogées de Séti Iᵉʳ et de Ramsès II. La justice finit par se reprendre et punit sévèrement les coupables (de la bastonnade à la peine de mort). Mais les délits et viols de sépultures reprirent tant et si bien qu'à la XXIᵉ dynastie, on dut déménager les momies des rois dans une série de cachettes, pour déjouer la corruption des fonctionnaires. Elles y dormiront pendant des siècles, jusqu'à ce qu'un lointain descendant des pilleurs de tombes d'autrefois, un Bédouin de Gourna, conduise, le 5 juillet 1881, l'archéologue français G. Maspéro à la fameuse cachette.

Crise à Babylone : on n'honore plus les dieux

Mésopotamie, Xᵉ siècle av. J.-C.

Au cours de ces temps de troubles et de guerres incessantes, Babylone voit à plusieurs reprises la statue de Marduk partir en exil, dans les bagages des armées assyriennes ou élamites. Du même coup, le dieu qui demeure dans sa statue étant également absent, le culte ne peut plus être assuré et le pays tout entier, privé de sa divinité protectrice, est menacé de ruine et de désolation. La situation devient inextricable avec l'arrivée massive des nomades araméens et sutéens, et l'insécurité est telle, dans les campagnes et à l'approche des villes, que les récoltes sont perdues, les greniers pillés, les quartiers hors les murs incendiés, les temples ruinés. La situation est particulièrement critique dans la ville de Sippar, totalement isolée de la campagne environnante et où règne la famine ; ici, c'est jusqu'au culte quotidien et aux offrandes alimentaires présentées au dieu qui ne sont plus assurés. L'équilibre cosmique tout entier est ainsi remis en question, car qui peut prévoir les effets de la colère d'un dieu délaissé, abandonné par ses fidèles et soumis aux affres de la famine ? Dans la mentalité des anciens Mésopotamiens, un dieu est toujours étroitement associé à un territoire, hors duquel il n'a aucun pouvoir et ne peut être honoré dignement ; en outre, divinité manifestée et non révélée, ce dieu exige d'être traité en quelque sorte comme un homme au superlatif, c'est-à-dire nourri, vêtu, parfumé et distrait comme le serait l'homme le plus glorifié. Telle est la fonction première du culte. On comprend bien le désarroi qui s'empare des esprits lorsque ce dieu est absent et qu'il est privé de la dévotion quotidienne.

Les Zhou remplacent les Shang

Chine, vers 1112

Les Zhou occidentaux arrachent le pouvoir à la dynastie Shang au terme d'une guerre civile. Les Zhou viennent des provinces éloignées de l'ouest de la Chine, où ils régnaient sous la domination Shang. Les Shang étaient maîtres du pays entre les cours moyen et inférieur du Hoang Ho. Le système politique dominant semble basé sur la féodalité : il existe des esclaves d'Etat et privés, des paysans, des artisans et une caste noble privilégiée. L'élevage des vers à soie, la sculpture d'objets en jade, le culte des ancêtres et une écriture pictographique : voilà autant de caractéristiques de cette haute époque de la Chine (dès 1800 av. J.C.).

Vase rituel en bronze, type « yeou ». Période Shang, XIᵉ siècle av. J.-C. Musée Cernuschi, Paris.

Chypre, croisement des arts méditerranéens

Chypre, vers 1100 av. J.-C.

L'île de Chypre, par sa situation géographique, a très tôt servi de relais entre l'Asie, l'Afrique et l'Europe. Les nombreux échanges commerciaux et culturels favorisent la formation d'un art original, « levanto-hellénique » ou « cyprio-mycénien », où se mêlent les influences orientale, égyptienne et mycénienne. L'invasion dorienne, loin de provoquer une rupture, renforce la prédominance des éléments grecs dans l'art : permanence de l'architecture monumentale, des décors figuratifs sur une céramique émaillée et d'une petite statuaire d'argile et de bronze, représentant des personnages en prière, des divinités grecques et phéniciennes.

Art chypriote. Dieu cornu. Bronze. XIIᵉ siècle av. J.-C. Cyprus Museum, Nicosie.

1000 av. J.-C.

Palestine
David, issu de la tribu de Juda, accède au trône après une longue et difficile lutte menée contre Saül, qui lui avait pourtant donné sa fille en mariage. Doué pour la poésie et la musique, le jeune roi passe pour avoir inventé la forme du psaume ; et les soixante treize *Psaumes* que la Bible place sous son nom font encore partie du rituel de la synagogue. →

Pérou
Le centre religieux de Chavin devient le foyer culturel prédominant du Pérou. Autour du culte du dieu-jaguar, omniprésent sur les pierres, les poteries et les tissus, une importante activité rituelle, commerciale et artisanale peut se développer.

Grèce
La tradition des historiens grecs évoque l'arrivée des Doriens, une population venue du Nord. Il est certain que l'écroulement de la civilisation mycénienne est suivi par de vastes mouvements de populations dans le monde égéen et que la métallurgie du fer remplace le travail du bronze durant cette époque troublée.

Egypte
Après inspection de la nécropole royale, les grands prêtres de Thèbes décident de réensevelir les pharaons dont la tombe avait été pillée. Les procès-verbaux inscrits sur leurs sarcophages permettent de suivre leurs pérégrinations. Pinedjem Ier, grand prêtre d'Amon, fait restaurer les momies de Thoutmosis Ier, Aménophis Ier, Seti Ier, Ramsès II et Ramsès III, entre l'an 6 et l'an 17 du règne de Psousennès II. Quelques années plus tard, tandis que certains corps embaumés seront déposés dans la tombe d'Aménophis II, d'autres seront hâtivement rangés dans un tombeau creusé jadis au pied de la falaise libyque : c'est là que seront retrouvées en 1881 les momies de Séti Ier, Aménophis Ier et Ramsès II.

970 av. J.-C.

Israël
Salomon, fils de David, lui succède sur le trône. Son règne consacre l'apogée du royaume d'Israël et sera marqué par de grands travaux architecturaux, en particulier la construction du Temple de Jérusalem. →

950 av. J.-C.

Chine
Pendant son long règne (jusqu'en 770 av. J.-C.), la dynastie des Zhou occidentaux colonise de nouveaux espaces et contribue à l'homogénéisation des différentes populations vivant sous sa coupe.

945 av. J.-C.

Egypte
Sheshanq Ier fonde la XXIIe dynastie. Il est issu d'une famille libyenne installée depuis six générations en Egypte. Parmi ses titres, celui de « grand chef des Ma » rappelle son origine étrangère, « Ma » étant l'abréviation de Mashaouash, tribu libyenne. Chef de guerre énergique, Sheshanq Ier part en campagne en Palestine. Il en rapporte un énorme butin qui redresse les finances du pays. Mais, à Thèbes, les grands prêtres ne semblent pas avoir reconnu tout de suite son autorité.

931 av. J.-C.

Israël
La concentration des pouvoirs et des richesses à Jérusalem et le coût toujours croissant de la politique de prestige de Salomon attisent la jalousie des tribus du nord et minent l'unité du royaume. Aussi, à la mort de Salomon, lorsque se réunit l'assemblée de Sichem (où avait lieu annuellement le renouvellement de l'Alliance), le Nord israélite secoue l'hégémonie de Jérusalem et se donne Jéroboam pour roi, tandis que le royaume de Juda se rassemble autour de Roboam. Le schisme est consommé.

900 av. J.-C.

Nubie
Le pays de Koush est connu des Egyptiens au moins depuis Sésostris Ier (vers 1970), qui soumit la Basse Nubie jusqu'à Semneh. Mais le royaume est redevenu indépendant à la chute du Nouvel Empire. Napata en est la capitale, située au pied du Gebel Barkal.

883 av. J.-C.

Assyrie
Avec l'avènement d'Assurnazirpal II, les vieux rêves expansionnistes des rois d'Assyrie, un moment tombés dans l'oubli, reprennent vie. →

Tête colossale olmèque. Entre 1000 et 800 av. J.-C. Parc de la Venta, Villahermosa (Mexique). Bloc de basalte de 25 tonnes.

Apparition de la culture olmèque

Plaine mexicaine, vers 1000 av. J.-C.
La tribu indienne des Olmèques s'implante dans la plaine mexicaine entre Veracruz et Tabasco. Les Olmèques sont le premier peuple indien à ériger des lieux de culte fixes : leurs temples pyramidaux monumentaux sont voués au culte des dieux, en particulier au dieu de la pluie. L'architecture colossale olmèque produit des têtes de forme humaine, en basalte hautes parfois de 4 m. Leur artisanat offre aussi de nombreux petits objets décoratifs ou cultuels de jade et de terre cuite, des reliefs de pierre finement sculptés sur des autels et des sarcophages. Les statuettes de jade représentent souvent des personnages dont le visage à l'expression enfantine étonne. Très développés culturellement, les Olmèques établissent également des calendriers précis et commencent à mettre au point les bases d'une écriture. Les contacts avec les autres peuples indiens du centre et de l'ouest du Mexique, du Guatemala et du Salvador contribuent à étendre l'influence de la culture olmèque aux autres cultures développées d'Amérique centrale.

David fait de Jérusalem la capitale d'Israël

Palestine, vers 1000 av. J.-C.
L'établissement des anciens nomades hébreux comme agriculteurs en Palestine est lourd de conséquences. Leur nouveau mode de vie en fait des sédentaires sous la dépendance de fait des dieux protecteurs du sol. Les Hébreux commencent donc à adorer d'autres dieux que Yahvé et les Baals locaux font irruption dans leur panthéon. Yahvé s'attribue peu à peu toutes les fonctions des anciens dieux de Canaan ; mais avant que la terre d'Israël finisse par devenir la terre de Yahvé, la divinité prendra autant de formes qu'il y aura de lieux de culte différents. A ce stade, on est encore loin du monothéisme qui ne triomphera que beaucoup plus tard, seulement après qu'il aura intégré certains éléments des cultes agraires qui l'ont précédé. Mais il n'en trouve pas moins dès maintenant ses champions en la personne des prophètes qui commencent à essaimer et mènent une lutte sans merci contre les autres cultes. En même temps, sans doute sous la pression des événements extérieurs à la Palestine, l'ensemble des tribus israélites accepte l'élévation de l'un de ses chefs, Saül, à la royauté. En réalisant l'unité nationale, les nouveaux rois, s'ils subordonnent parfois le yahvisme aux intérêts politiques, n'en contribuent pas moins profondément à renforcer cette religion qui devient la religion officielle. Vers 1000 av. J.-C., David, le successeur de Saül, choisit pour capitale de son royaume la ville de Jérusalem qu'il vient de conquérir sur ses voisins et qui symbolisera désormais l'union de toutes les tribus. En même temps, il y fait déposer l'arche d'Alliance.

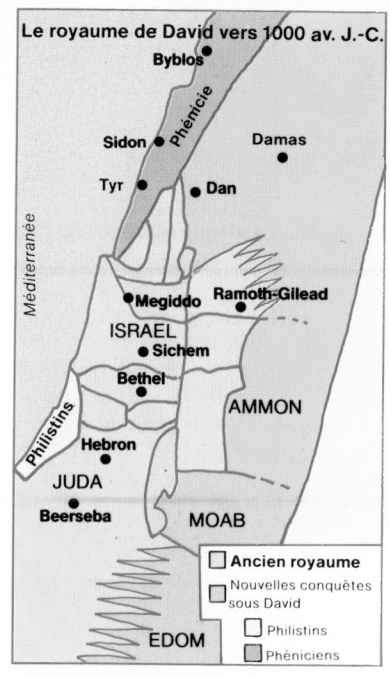

Le royaume de David vers 1000 av. J.-C.

Byblos

Sidon   Damas

Tyr   Dan

Méditerranée   Phénicie

Megiddo   Ramoth-Gilead

ISRAEL

Sichem

Bethel

Philistins

AMMON

Hebron

JUDA

Beerseba   MOAB

☐ Ancien royaume
☐ Nouvelles conquêtes
   sous David
☐ Philistins
☐ Phéniciens

EDOM

Salomon, roi d'Israël, sage, juge et bâtisseur

Israël, 970-933 av. J.-C.
L'histoire des familles royales est faite de massacres réitérés où s'entretuent les prétendants au trône. Le royaume d'Israël n'échappe pas à la règle et Salomon doit lutter durement contre son demi-frère avant d'être investi du pouvoir suprême. Il donne alors à l'Etat fondé par David toute sa stabilité, le dotant de frontières précises, d'une armée professionnelle entraînée, notamment d'un corps de chars de guerre comprenant quelque 1 400 véhicules et 4 000 chevaux. Il organise l'Etat en créant de toutes pièces une imposante bureaucratie hiérarchisée et regroupée en neuf bureaux, qui s'inspire du modèle égyptien ; le roi peut ainsi triompher du particularisme des tribus israélites, principalement celles du Nord jalouses du rôle toujours grandissant de Jérusalem. Le

royaume connaît alors une grande prospérité économique. Le palais recourt notamment au travail servile, réduisant en esclavage les prisonniers de guerre qu'il utilise dans les mines de cuivre du Wadi Araba et dans les célèbres forges du royaume. Le commerce se développe et des relations toujours plus étroites sont nouées avec les Etats phéniciens. C'est dans le cadre de cet essor économique qu'il faut considérer les grands travaux du règne, car Salomon est aussi un grand bâtisseur : on lui doit le palais et surtout le Temple de Jérusalem. Le Temple, qui est destiné à abriter l'arche d'Alliance, se divise en trois éléments : un vestibule, une *cella* et le Saint des Saints ; l'entrée est flanquée de deux colonnes, à la mode syrienne, et précédée d'une immense vasque de bronze. Ce Temple sera détruit en 587,

lors de la prise de la ville par Nabuchodonosor ; un second Temple lui succéda, qui sera détruit à son tour. Tous ces travaux sont achevés grâce au concours des Phéniciens ; ainsi le roi de Tyr, Hiram, qui fournit les artisans, les matières premières et les bateaux pour les transporter. Salomon a laissé le souvenir d'un roi aussi audacieux qu'avisé, imposant à tous sa justice devenue proverbiale : qui ne connaît l'épisode des deux femmes qui revendiquent l'une et l'autre la maternité du même enfant ? Mais le poids de toutes ces dépenses accroît l'hostilité des tribus du Nord et, après la mort de Salomon, provoque le partage du royaume. Un schisme politique donne naissance à deux royaumes, celui d'Israël au nord, et celui de Juda au sud, autour de Jérusalem : un partage lourd de conséquences pour la région.

Les royaumes araméens du Nord

Syrie du Nord, IXᵉ siècle av. J.-C.
Au cours du Xᵉ siècle, les populations araméennes s'établissent sur l'ensemble du territoire de la Syrie du Nord où elles fondent de petites principautés autonomes. Les plus connues sont le Bît-Adini, avec pour capitale Til Barsip, le Bît-Bahiana, autour de Tell Halaf, les royaumes de Sam'al, de Karkemish, d'Alep, de Hama et de Damas. Til Barsip est fondée par des réfugiés hittites qui fuient la désintégration de l'empire mais elle tombe très vite aux mains des Araméens, sa position stratégique lui permettant de contrôler l'accès à la Méditerranée. Tell Halaf, sous le nom de Guzana, est surtout renommée pour les merveilles que renferme son palais, pourvu d'un *hilani*, c'est-à-dire d'un ensemble de pièces dont l'élément caractéristique est un vestibule généralement précédé de quelques marches et ouvert en façade sur toute sa largeur, les linteaux étant soutenus par des colonnes ; à Tell Halaf, les colonnes sont remplacées par des atlantes. Des monstres mythologiques gardent la porte et les murs de briques sont revêtus d'un parement de dalles en pierre dressées, orné d'un riche décor sculpté. Le palais de Sam'al (l'actuelle Zendjirli) comporte, quant à lui, plusieurs de ces *hilani* agencés autour d'une cour dotée d'un portique. Au cours des IXᵉ et VIIIᵉ siècles, tous ces Etats tomberont sous les coups de boutoir des armées assyriennes. Les deux Etats de Hama et, surtout, de Damas, opposent la résistance la plus acharnée, ce qui ne les empêche pas de se battre entre eux. Damas va jusqu'à prendre la tête d'une coalition qui tient les Assyriens en échec. En 841, une armée assyrienne assiège Damas, mais en vain. Ce n'est qu'en 805 que Damas paiera tribut à l'Assyrie.

Assurnazirpal II debout sur son char chassant le lion. Relief du palais de Kalakh. British Museum, Londres.

La renaissance assyrienne sous Assurnazirpal II

Assyrie, IXᵉ siècle av. J.-C.
En 1057, la mort du roi Assur-bel-kala laisse l'Assyrie en proie aux tribus araméennes. Les rois qui lui succèdent et se disputent le trône parviennent cependant à sauver l'essentiel, la capitale. La situation ne commence à se redresser qu'à la fin du Xᵉ siècle, lorsque Adad-Nirari II reprend à son compte le vieux rêve des rois d'Assyrie d'ouvrir un accès vers la mer Méditerranée. Mais il faut avant tout défaire l'étau des Etats araméens qui l'entourent. Il mène dans ce but six campagnes, longues et difficiles, en Syrie du Nord. Ses successeurs parviennent au résultat escompté. Dès lors l'Assyrie s'apprête à imposer sa loi à tout le Proche-Orient. Les lignes de force de cette politique sont clairement exprimées dans l'œuvre d'Assurnazirpal II (883-859). Pour assurer ses positions dans ces régions stratégiques que sont la Syrie du Nord et les

rives de l'Euphrate, il entreprend la construction de deux places fortes, Kâr-Assurnazirpal et Nebarti-Assur. Entretemps, il engage vers le nord un effort militaire qui le mène jusque dans la région de Diyarbekir, au cœur de l'Anatolie, où il laisse des garnisons assyriennes. Il envoie d'autres troupes dans le Zagros où il impose tribut aux populations locales, fortifie quelques villes, pacifie les campagnes et construit, aux principales étapes entre les routes commerciales, des arsenaux et des casernes. Dès lors, Assurnazirpal a les mains libres pour refaire le chemin parcouru autrefois par Teglath-Phalasar Iᵉʳ jusqu'à la mer Méditerranée. Les Etats araméens de Syrie du Nord et les villes de Phénicie font tous leur soumission et le roi rapporte en Assyrie des cèdres du Liban. L'autorité de l'Assyrie est désormais reconnue de la Méditerranée à la Babylonie, des rives de l'Euphrate à l'Arménie

et aux rives du lac d'Urmia. Les vaincus sont soumis au versement d'un tribut annuel. Métaux précieux, matières premières et produits fabriqués, troupeaux de toutes sortes affluent désormais vers l'Assyrie. Enfin, Assurnazirpal décide de construire une capitale nouvelle dont la splendeur soit digne de la grandeur retrouvée. Abandonnant la ville d'Assur, il fait de Kalakh (Nimrud) sa nouvelle résidence. Elle est inaugurée en 879, au milieu d'un faste inouï ; les fêtes durent dix jours et réunissent plus de 60 000 invités ! La ville couvre un périmètre de 8 km. Dans le palais, les murs des salles de réception et de la salle du trône sont ornés de bas-reliefs figurant des scènes rituelles, des combats ou des chasses royales. Des taureaux et des lions en gardent les portes. L'acropole fortifiée renferme également plusieurs temples, dont l'un est consacré à Ninourta, Dieu de la guerre.

884 av. J.-C.

Israël
Omri, roi d'Israël, après avoir éliminé Zimri l'usurpateur, fonde une capitale, Samarie, et donne naissance à une nouvelle dynastie dont l'histoire est mal connue : elle ouvre le royaume aux cultes des divinités syriennes et phéniciennes.

874 av. J.-C.

Israël
Achab succède à son père sur le trône de Samarie et s'apprête à introduire le culte du dieu Melkart (Baal de Tyr), par l'intermédiaire de son épouse phénicienne Jézabel. →

860 av. J.-C.

Egypte
Osorkon II succède à Takelot Ier, et désigne son fils Nemrod à la tête du clergé d'Amon. Il fait construire un temple à Tell Moqdam et une salle jubilaire à Bubastis.

858 av. J.-C.

Syrie
Le principal objectif recherché par Salmanasar III d'Assyrie est de se ménager un accès à la Méditerranée et, pour cela, de s'emparer de la Syrie. Les hostilités commencent en 858, l'année même de son avènement, et le roi force d'emblée le passage jusqu'à la mer. Il s'en prend surtout aux Etats de Syrie du Nord et au Bît-Adini dont la capitale, Til Barsip, est livrée au pillage l'année suivante. Il reste à mater la résistance que lui opposent les principautés de Syrie du Sud, autour des royaumes de Hama et de Damas. En 853, Salmanasar lance sa grande offensive. Une puissante armée quitte Alep et affronte une coalition qui regroupe les principautés allant d'Israël à la Cilicie et qui aligne 4 000 chars de guerre, 2 000 cavaliers et 62 000 fantassins ; 1 000 chameliers arabes viennent en grossir les rangs. Le sort de la bataille reste indécis, malgré la lourdeur des pertes, de part et d'autre. Salmanasar doit attendre trois ans avant de pouvoir repartir à l'attaque et ce n'est qu'en 845 qu'il peut revenir en force, à la tête de 120 000 hommes, mais une fois de plus, la victoire décisive lui échappera. →

850 av. J.-C.

Grèce
Pour la tradition grecque, l'existence d'Homère ne fait aucun doute. Les plus illustres cités d'Asie Mineure le revendiquent comme concitoyen. Le poète aveugle, errant et misérable est l'auteur de *L'Iliade* et *L'Odyssée*.

Mésopotamie
Au milieu du Xe siècle, les Araméens et les Chaldéens s'approchent pour la première fois dangereusement de la ville de Babylone. Onze années durant, l'insécurité qu'ils font régner interdira aux prêtres et aux rois de célébrer la procession solennelle du Nouvel An. A la fin du siècle, les Chaldéens atteignent les rives du golfe Persique mais, dans l'intervalle, la puissance assyrienne s'est reconstituée et représente l'ennemi commun pour les rois de Babylone comme pour les Chaldéens qui font alliance dans la guerre d'usure qui les oppose à l'Assyrie.

830 av. J.-C.

Urartu
Sardur Ier, roi d'Urartu, est le fondateur de la puissance urartéenne. C'est de son règne que datent les plus anciens documents écrits concernant cet Etat ; il s'agit de trois inscriptions en langue akkadienne, dans lesquelles le roi se revêt du titre de roi assyrien. Il fixe sa capitale à Tushpa, sur les rives du lac de Van. L'apogée de l'Urartu se situe sous le règne de Sardur II (environ 765-733). C'est lui qui entraînera la Syrie dans une vaste coalition contre leur ennemi commun de toujours : l'Assyrie.

814 av. J.-C.

Afrique du Nord
Les Phéniciens fondent Carthage. →

Egypte
Les tombes royales d'Osorkon II et de Psousennès, à Tanis, sont remaniées pour accueillir Sheshang III et Aménophis, dont les tombes ont été pillées.

811 av. J.-C.

Babylonie
Quel rôle joua, au juste, la reine d'Assyrie Sammuramat, nom véritable de celle qu'Hérodote appelle Sémiramis ? →

Le dieu Baal. Ugarit, XIVe siècle av. J.-C. Bronze recouvert d'or et d'argent.

Sémiramis, reine légendaire de Babylone

Assyrie, vers 810 av. J.-C.
Depuis Hérodote, qui en évoque le portrait flatteur, le nom de Sémiramis est étroitement associé à celui de la ville de Babylone, dont elle aurait été la reine, et aux jardins suspendus, l'une des Sept Merveilles du monde, qu'elle aurait fait aménager dans cette cité. Aucune de ces affirmations n'est aujourd'hui confirmée par les sources mésopotamiennes. Un nom, pourtant, celui de Sammuramat, évoque peut-être celui de Sémiramis ; il apparaît dans certaines inscriptions officielles et, principalement, sur une stèle où l'on peut lire à son propos : « Celle du palais de Shamshi-Adad, mère d'Adad-Nerari, bru de Salmanasar ». On peut raisonnablement supputer que Sammuramat est à l'origine de la légende de Sémiramis, mais le contexte où l'on rencontre son nom en fait une reine d'Assyrie et non de Babylone. Si l'on se fie aux noms royaux mentionnés dans ces inscriptions, elle aurait vécu à l'extrême fin du IXe siècle. Forts des informations dont Hérodote a conservé le souvenir, certains historiens supposent qu'elle serait originaire de Babylone. En cette fin de siècle, l'Assyrie sort d'une difficile

Achab introduit en Samarie le culte de Baal de Tyr

Israël, vers 874 av. J.-C.
Lorsque Omri, roi d'Israël, donne à son fils et héritier une épouse phénicienne, Jézabel, adoratrice non de Yahvé mais de Melkart, le dieu de Tyr, il ne soupçonne pas le grave problème religieux que cela va entraîner. Un temple de Baal sera élevé à Samarie et ses prêtres fréquenteront la cour royale. Ce qui était transgresser la règle fondamentale selon laquelle Yahvé est le seul dieu d'Israël. Non contente de propager le culte du dieu de Tyr avec un franc succès, Jézabel réprime sévèrement les milieux hostiles à cette innovation : le yahvisme devient une religion persécutée. Le principal défenseur en est alors le prophète Elie, qui apparaît comme un continuateur direct de Moïse lui-même ; le mouvement prophétique si intimement lié à l'histoire d'Israël devient avec lui véritablement une institution parallèle. A la mort d'Elie, Elisée prend la tête du mouvement prophétique hostile à la dynastie de la *maison d'Omri*. Au mécontentement des couches pauvres de la population s'ajoutent les séquelles d'une guerre perdue. En 842, une réaction yahviste l'emporte, dont la férocité révèle les haines accumulées contre la monarchie. Les cultes phéniciens et syriens sont interdits et Yahvé est rétabli en sa qualité de Dieu d'Israël.

crise sociale et institutionnelle : en 827, une révolte nobiliaire éclate. Certains très hauts dignitaires sont tentés de tenir tête à l'autorité royale. Dans le même temps, la petite noblesse, qui se voit écartée de la route des honneurs et des richesses, réclame son dû. Vers 820, la situation devient encore plus dramatique : Shamshi-Adad V, qui a succédé à son père Salmanasar III en 823, doit écraser le soulèvement conduit par son propre frère. Les succès de Shamshi-Adad, après six ans de guerres intestines, sont payés fort chers par l'Assyrie qui doit consentir des concessions diplomatiques importantes. Ainsi le roi de Babylone, pour lui accorder son aide, lui impose-t-il un traité humiliant selon les termes duquel les Assyriens sont en position de subalternes. Mais Shamshi-Adad restaure la puissance assyrienne et tire vengeance des Babyloniens dont il pulvérise les forces, obligeant leur roi à lui abandonner son camp avant d'être pris lui-même et déporté en Assyrie. A sa mort, en 811, son fils Adad-Nerari III serait encore trop jeune pour exercer lui-même le pouvoir et sa mère assurerait alors la régence. A défaut de preuves, la légende de Sémiramis, laisse toutefois penser que sa personnalité dut marquer son temps.

L'Empire assyrien : l'impérialisme en marche

Assyrie, IXe siècle av. J.-C.
Avec l'apparition du char de guerre tiré par des chevaux, importation des Kassites et des Hourrites au milieu du IIe millénaire, des unités de chars sont intégrées dans toutes les armées mésopotamiennes ; elles sont l'instrument indispensable de la victoire. Le char est monté sur deux roues à rayons ; sa caisse est légère, faite d'une armature de bois couverte de cuir. D'un maniement très souple, il a pour fonction tactique de rompre le front adverse. La guerre permanente, avec son cortège de villes pillées, de populations massacrées et de familles meurtries, transforme profondément les mentalités. L'impérialisme a tôt fait de l'assimiler à une lutte cosmique contre les forces du mal. Le roi devient l'instrument de la justice divine ; le dieu suprême Assur se pare d'une figure guerrière ; Shamash, le dieu du soleil, est le feu destructeur et justicier des ennemis de l'Assyrie. Progressivement, on assiste à la mise en place d'un véritable rituel. Les rapports officiels et les récits des annales royales décrivent des orgies de massacres et de mutilations. On va jusqu'à ramasser de la terre sur les sites des villes incendiées et la rapporter en Assyrie où, répandue devant les portes de la capitale, elle est quotidiennement foulée au pied par les vainqueurs. Ce qui n'est pas assyrien est assimilé à la barbarie qui menace l'ordre cosmique. Pour l'impérialisme assyrien, le monde ne peut être que le domaine du dieu national dont le roi est le grand prêtre et auquel tous les peuples doivent soumission sous peine d'être exterminés. Les traits originaux de cet impérialisme et le secret de sa réussite résident dans plusieurs points : l'armée, avec ses chars de guerre puis, plus tard, sa cavalerie ; l'organisation du territoire en provinces dotées d'une administration efficace ; un système de tribut contrôlé par une trésorerie informée avec précision des ressources de chacun ; les transplantations de populations qui ont pour effet de déraciner des groupes entiers ; des colonies de soldats, enfin, qui essaiment sur les terres conquises. A la lecture des ouvrages de la bibliothèque d'Assurbanipal, on s'aperçoit que l'histoire est conçue, dans l'antique Assyrie, comme une succession de périodes cycliques, chaque cycle comportant des événements identiques à ceux qui s'étaient produits dans les cycles précédents, et s'ouvrant, notamment, sur un mode de fondation du monde illustré par le récit de la vie du premier roi d'une dynastie ; il s'achève par une catastrophe dont la représentation typique est un déluge. C'est à l'impiété d'un roi qu'est due la rupture de l'ordre cosmique et il appartient donc à tout souverain de respecter les dieux et d'écarter les forces du chaos. Le rituel de la guerre s'inscrit dans cette logique : à la manière du dieu suprême qui, au moment de la création, brandit le déluge contre ses ennemis. Qui plus est, le massacre de l'ennemi est présenté comme un acte créateur, car le roi tue comme on tue un agneau destiné au sacrifice et, ce faisant, il développe davantage ses talents de créateur que de destructeur : c'est à la manière d'un teinturier qu'il répand le sang ; c'est en architecte qu'il construit des ponts avec des cadavres et des tours avec des têtes coupées.

Génie androcéphale ailé. Palais d'Assurnazirpal II, Kalakh. IXe siècle av. J.-C.

Les pharaons sont enterrés à Tanis

Egypte, vers 840 av. J.-C.
Tanis, l'actuelle San al-Hajar, dans le nord-est du delta du Nil, est la capitale des pharaons des XXIe et XXIIe dynasties. Elle sera habitée jusqu'à l'époque romaine. Sur son site très étendu, on distingue le grand temple d'Amon et un temple dédié à Mout et Khonsou où Anta, déesse cananéenne, recevait aussi un culte. Le temple d'Amon est entouré d'un mur de briques. Ramsès II le décora de nombreux obélisques et de statues colossales, taillées dans des blocs de pierre aux dimensions impressionnantes. Dans un angle de l'enceinte du temple, se trouvent dissimulées les tombes des pharaons Aménophis, Sheshanq III, Osorkon II et Psousennès, entourés des trésors destinés à les accompagner dans leur dernière demeure, la plus belle pièce étant constituée par le magnifique cercueil en argent de Psousennès.

Les Phéniciens fondent Carthage

Afrique du Nord, vers 814 av. J.-C.
Le poète Virgile raconte, au début de *L'Enéide*, comment les Phéniciens, avec à leur tête la reine Didon, fondent Carthage : ils achètent tout simplement au roi local autant de territoire que peut en recouvrir la peau d'un taureau. Le symbolisme de la peau est évident : elle est la partie de l'organisme qui sépare l'intérieur de l'extérieur et a vertu de signaler toute frontière. Mais Didon, jouant sur l'ambiguïté des notions de « couvrir » et d'« entourer », a recours à une ruse : au lieu d'une peau entière, elle se sert d'une peau découpée en fines lamelles. Par ce subterfuge, elle délimite un périmètre beaucoup plus grand qu'elle n'aurait pu le faire avec une peau normale, et en acquiert le terrain pour un prix modique.

Art assyrien. Chevaux et lancier. Peinture murale du palais de Til-Barsib, résidence provinciale de l'Empire. VIIIe siècle av. J.-C. Copie de Lucien Cavro.

Art assyrien. Déportation de prisonniers de guerre sur un navire phénicien. VIIIe siècle av. J.-C.

807 av. J.-C.

Egypte
Pedoubast, issu d'une famille de Bubastis, fonde la XXIIIᵉ dynastie. Deux dynasties existent désormais en parallèle. Des stèles dédiées au taureau Apis indiquent que le clergé de Memphis est resté fidèle à la XXIIᵉ dynastie. Les deux familles finissent par s'entendre et un partage d'influences s'instaure. Ceci ouvre la porte à un morcellement encore plus important et, bientôt, chaque région, chaque nome est sous une autorité indépendante. L'Egypte n'est plus une « nation », mais un ensemble de petites principautés dont les événements marquants nous sont inconnus.

800 av. J.-C.

Europe
Le travail du fer est plus compliqué que celui du bronze : il faut d'abord trouver le minerai de fer ; le faire fondre à une température de 2 000 degrés ; disposer des tenailles qui permettent de le tenir lors du martelage. Déjà connue des Hittites au cours du IIᵉ millénaire, la métallurgie sera introduite dans le monde grec vers l'an 1000, avec l'invasion dorienne. La diffusion de cette technique est très lente et elle n'atteindra pas l'Europe occidentale avant le VIIᵉ siècle.

Les premières populations celtes font leur apparition en Europe : elles préparent l'épanouissement d'une civilisation nouvelle, dont la première phase a reçu le nom de Hallstatt (vers 700 av. J.-C.) et dont l'apogée, deux siècles plus tard, se situe à l'époque dite de La Tène. Hallstatt et La Tène sont les noms de deux stations éponymes respectivement situées en Autriche et en Suisse. →

Grèce
Au terme des âges obscurs, une nouvelle forme d'organisation sociale émerge dans le monde grec : la cité. Les habitants se regroupent dans de petites agglomérations urbaines, au centre d'un territoire voué aux travaux agricoles. A l'intérieur de la cité, une place centrale, l'agora, constitue le foyer de la vie politique. →

Inde
Populations brusquement apparues au XIIIᵉ siècle, à la suite d'invasions successives, les Indo-Aryens se répandent dans toute l'Inde du Nord, brûlant les forêts pour cultiver la terre. Ce sont des semi-nomades et on peut suivre la trace de leur progression grâce à une céramique grise et peinte des plus caractéristiques. Se mêlant aux tribus locales, précédemment installées dans les forêts, ils deviennent progressivement des agriculteurs sédentaires. Des groupes importants, ayant atteint la vallée du Gange, finiront par s'y fixer, donnant naissance à une civilisation urbaine et à la constitution de petits royaumes se disputant âprement le territoire. Il est bien difficile de démêler la part de la réalité et celle de la fiction dans le récit que nous a laissé de la bataille de Kurukshetra le *Mahâbhârata*, le plus grandiose des poèmes épiques.

Sardaigne
Une civilisation originale fleurit en Sardaigne depuis l'an 1000 av. J.-C. Elle se caractérise par son architecture et, en particulier, par ces édifices mystérieux que sont les *nuraghi*. Il s'agit de grandes tours de pierres sèches, ayant la forme d'un cône tronqué, reliées entre elles par des murs déterminant des enclos et qui se présentent le plus souvent groupées à l'intérieur d'une enceinte. On entre dans ces tours par une porte surmontée d'un linteau mégalithique aux dimensions souvent impressionnantes. Des meurtrières peuvent s'ouvrir dans l'épaisseur des murs, la chambre centrale est quelquefois surmontée d'un étage. Parallèlement à ces habitations d'un genre inédit, des hypogées et des sanctuaires contenaient des statuettes en bronze, d'une facture originale, témoignant d'un sens plastique peu commun. A côté de divinités, parmi lesquelles on reconnaît la Grande Déesse, représentée sous les traits d'une femme serrant dans ses bras un enfant, se trouvaient des statuettes d'hommes, notamment de guerriers portant casque et bouclier, ainsi que des animaux, ayant sans doute une valeur votive (taureau et vache, cerf, colombe et coq).

Europe occidentale
Vers 800 av. J.-C., en Bourgogne, apparaissent des tertres funéraires qui recouvrent indifféremment une sépulture par inhumation ou par incinération. Certaines sont entourées d'un fossé rectangulaire ou circulaire, ayant peut-être une fonction rituelle.

Les siècles obscurs en Grèce

Grèce, vers 800 av. J.-C.
La conquête dorienne, vers 1200, fait entrer le monde grec dans une période obscure qui durera jusqu'au VIIIᵉ siècle ; obscure en raison des profonds bouleversements, de la paupérisation générale, de la médiocrité artistique et surtout de la faible documentation dont nous disposons. Les Doriens, peuple du Fer, descendent du nord pour occuper peu à peu l'ensemble de la péninsule balkanique ; ils provoquent d'importants mouvements de populations, chassant devant eux les Achéens, soucieux d'échapper à l'asservissement. Ces derniers s'installent alors dans les îles de la mer Egée puis sur la côte d'Asie Mineure, où ils fondent de petites communautés, en conservant leurs dialectes que nous retrouvons au nord et au sud : éolien, ionien et, plus tardivement, dorien. L'arrivée des peuples du Fer a provoqué l'effondrement brutal de la civilisation mycénienne, sans doute déjà minée par une crise interne ayant entraîné des révoltes contre un régime trop rigide et le bouleversement des valeurs sociales. Sur le plan politique, tout d'abord, avec la disparition des royautés, excepté en Asie où elles trouvent une tradition bien ancrée pour leur permettre de perdurer quelque temps. Ailleurs, elles cèdent la place à de petites unités territoriales, autour d'un centre urbain composé de cellules familiales sans autorité souveraine ; cette structure clanique n'est pas sans annoncer la future cité ; s'opposant au régime mycénien, la société dorienne, égalitaire, partage la terre en lots appartenant à la communauté. Mais très vite intervient un morcellement qui met fin à cette propriété semi-collective et aboutit à une inévitable concentration des terres et à la formation de couches sociales à nouveau hiérarchisées. Dans le domaine artistique, on note une certaine régression : abandon de l'architecture de pierre et de toute représentation picturale humaine ou animale, ainsi que de l'écriture ; apparition et développement de l'outillage en fer, qui remplace le bronze, et de la céramique protogéométrique, au décor circulaire. Au IXᵉ et VIIIᵉ siècles, ces décors géométriques sont accompagnés de petites scènes figurant des personnages schématiques, des cortèges ou des courses de chars. La religion assure seule une certaine stabilité. Si les Doriens remplacent la pratique de l'inhumation par celle de l'incinération, ils conservent toutefois la plupart des cultes mycéniens, en particulier celui des héros. Progressivement, apparaissent ainsi des structures nouvelles.

Les Gorgones courant sur la mer. Amphore proto-attique. VIIᵉ siècle. Musée national, Athènes.

ꓘ	ꓬ	ꓥ	◁	ⱻ	Y	I	ꓭ
ɔ	b	g	d	h	w	z	h

A	B	Γ	Δ	E	Z	H	Θ
a	b	g	d	e	z	ē	th
alpha	bêta	gamma	delta	epsilon digamma	dzêta	êta	thêta

Les Phéniciens puis les Grecs découvrent

Au cours du IIᵉ millénaire, l'art de l'écriture s'était largement propagé, sous des formes variées mais de plus en plus simples : hiéroglyphique en Egypte, cunéiforme en Mésopotamie. Toutefois, c'est seulement aux environs du XIIᵉ siècle avant notre ère qu'apparaît pour la première fois en Phénicie une écriture alphabétique. Le système alphabétique consiste à décomposer une langue en sons de base et à les représenter au moyen de signes graphiques linéaires simples et peu nombreux. Chaque lettre correspond donc à un son. Cette économie

Vase en céramique à double anse, à décor géométrique. Vallée d'Altmühl. Epoque de Hallstatt, IXᵉ siècle av. J.-C. Museum, Munich.

Le char du Soleil trouvé à Trundholm, Danemark. Bronze avec feuille d'or plaquée et décorée. Vers 1000 av. J.-C. Nationalmuseet, Copenhague.

Emergence de la culture celtique

Europe occidentale, vers 800 av. J.-C.

C'est au Vᵉ siècle av. J.-C. que l'historien grec Hérodote mentionne pour la première fois le nom des Celtes ; mais ceux-ci ont alors déjà derrière eux une longue évolution. Evolution muette puisque, en dehors de l'archéologie et en l'absence de textes celtiques contemporains, les seuls témoignages que nous ayons sont ceux des auteurs gréco-latins, non exempts de préjugés envers des peuples considérés comme barbares. Les Celtes appartiennent à la branche occidentale de la famille indo-européenne et constituent probablement, sous une forme anonyme et en fait mal connue, un élément ethnique essentiel de l'Europe protohistorique dès l'âge du Bronze. Quant au berceau de ces populations, il doit être situé en Europe centrale et occidentale, de la Bourgogne à la Bohême, du nord des Alpes au sud des grandes plaines nordiques. La première période où des éléments de population celtiques apparaissent de manière certaine, même s'ils sont mêlés à d'autres groupes ethniques, est celle que les archéologues appellent la civilisation des Champs d'urnes, dans la dernière période de l'âge du Bronze. Cette dénomination vient des grandes nécropoles à incinération, où les cendres des morts sont placées à l'intérieur d'urnes. C'est la coutume qui semble avoir le mieux caractérisé cette culture par ailleurs mal connue. Elle a pris naissance en Europe centrale vers 1250 av. J.-C. et s'est diffusée vers l'ouest, jusque dans la péninsule Ibérique et en Grande-Bretagne. Aux environs du Xᵉ siècle av. J.-C., la culture des Champs d'urnes couvre l'ensemble de l'Europe. Il semble cependant qu'il n'y ait pas d'unité véritable entre les peuples, mais plutôt des ressemblances qui sont dues plus vrai-semblablement à l'influence de certains modèles dans des régions différentes (des vases, par exemple, dont la forme circule et est imitée) qu'à une parenté ethnique et culturelle. C'est en tout cas au moment où cette civilisation prend fin, vers le VIIIᵉ siècle av. J.-C., que se dessinent nettement les premiers contours des peuples celtes, d'abord par des similitudes linguistiques. Le nom a-t-il désigné à l'origine une tribu ou une famille particulièrement puissante, ou bien l'ensemble disparate des peuples celtophones par opposition à leurs voisins ? Réduits aux hypothèses, nous ne le saurons sans doute jamais avec certitude.

Guerrier. Age du Fer, époque de Hallstatt. VIIIᵉ-Vᵉ siècle av. J.-C. Nationalhistorisches Museum, Vienne.

⊗															
t	y (i)	k	l	m	n	s	e	p (ph)	s	k	r	s̄	t		**Alphabet phénicien**

Ι	Κ	Λ	Μ	Ν	⊟	Ο	Π	Ρ	Σ	Τ	Υ	Φ	Χ	Ψ	Ω
j	k	l	m	n	x	o	p	r	s	t	u	ph	kh	ps	ō
iota	kappa	lambda	mu	nu	xi	omikron	pi	rô	sigma	tau	upsilon	phi	khi	psi	oméga
							san koppa								**Alphabet grec**

l'écriture alphabétique

de caractères marque un progrès par rapport aux systèmes antérieurs, pictographiques ou idéographiques, qui en utilisaient des centaines, voire des milliers. Elle permet une démocratisation de l'écriture qui devient un outil de communication efficace et rapide.

L'alphabet phénicien fut toutefois annoncé dès le XVᵉ siècle, par trois écritures « préalphabétiques » : le pseudo-hiéroglyphique de Byblos, les inscriptions pariétales découvertes dans le Sinaï et certaines tablettes d'Ugarit présentent une réduction sensible du nombre dessi-gnes. Les Phéniciens portèrent quant à eux le nombre de caractères de leur alphabet à vingt-deux, qui sont autant de consonnes. On suppose que le passage du cunéiforme au linéaire s'est accompagné d'un changement de support : alors que le premier système trouvait son matériau de prédilection dans l'argile, le second préféra le papyrus, la cire, le bois, le bronze, voire la pierre. Les commerçants phéniciens répandirent leur alphabet dans les ports méditerranéens. Leurs confrères grecs, séduits par sa simplicité, abandonnent alors le « linéaire B », variété archaïque du grec en quatre-vingt-huit signes, et adoptent les vingt-deux lettres de l'écriture phénicienne, en leur adjoignant cinq voyelles.

800 av. J.-C.

Inde

Composé entre 1500 et 1000 av. J.-C., le *Rig-Veda* (ou « Le Savoir mis en strophe ») est le plus ancien texte sacré de l'Inde. Il est rédigé en sanskrit et a donné lieu à un ensemble de réflexions, de spéculations et d'interprétations pendant tout le premier millénaire. Cette vie spirituelle intense va aboutir, à la fin du VIIIe siècle, aux premiers *Upanishad*. La rédaction de ces textes, qui s'est poursuivie au-delà du VIe siècle, développe un ensemble de questions fondamentales : Quelle est l'origine de l'univers ? Quelle est la nature de l'âme ? Différentes doctrines se sont constituées selon les réponses apportées à ces interrogations, œuvre d'ascètes et de rois philosophes. Au sens propre, un *Upanishad* est une séance au cours de laquelle un maître transmet à ses élèves les doctrines ésotériques. Ces textes, comme la *Brihadâranyaka*, se présentent sous la forme de questions-réponses, à l'image des séances d'enseignement. Ils décrivent tous Brahman, la puissance magique du Verbe sacré qui s'exerce sur l'espace et le temps, sur l'ensemble de l'univers. Brahman est aussi l'âme humaine et les *Upanishad* apprennent à prendre conscience de sa présence. L'homme peut alors dépasser les cycles de la vie et de la mort, de la joie et de la douleur, et se fondre dans l'Âme universelle.

Syrie du Nord

Les armées assyriennes viennent successivement à bout de la résistance des États araméens. A mesure qu'ils sont vaincus, ceux-ci sont intégrés dans l'empire assyrien et de principautés indépendantes, ils sont réduits à l'état de provinces. Dans le même temps, c'est une nombreuse population araméenne qui est intégrée à l'empire. On observe très rapidement que des hauts dignitaires sont d'origine araméenne. Une statue de style assyrien, récemment découverte, représente un tel personnage. Elle porte une inscription bilingue, araméenne et assyrienne, qui mentionne le nom d'Adad-It'i qui, dans la version assyrienne, est appelé « gouverneur de Guzana ». Un autre exemple nous est livré par Shamshi-Ilu, lieutenant général de l'empire, de son nom araméen Bar-Ga'yah, « roi » de Kittaka.

776 av. J.-C.

Grèce

En l'honneur de Zeus Olympios, on célèbre pour la première fois des jeux sportifs dans le sanctuaire d'Olympie. Ces jeux auront lieu désormais tous les quatre ans. Ils durent de cinq à sept jours et sont présidés par un jury de contrôle comprenant deux à dix membres. Les différentes épreuves vont se mettre en place progressivement. En 776 est instituée la course du stade ; en 724, la longueur de la course est doublée ; en 708 apparaissent le pentathlon et la lutte. Puis la boxe (688), la course de chars à quatre chevaux (680) et une épreuve de lutte : le pancrace (648). Les épreuves pour enfants apparaissent en 632. Ainsi, le premier jour est consacré aux cérémonies religieuses (sacrifices, sermons). Le second est celui de la course à pied dans le stade (d'une longueur de 192 m). Le troisième jour, ont lieu les épreuves de lutte, de boxe et de pancrace. Viennent ensuite les courses de chevaux et de chars, tandis que le cinquième jour est consacré au pentathlon, dont le vainqueur est appelé *olympionikos*. Le sixième jour, ce sont les épreuves des enfants. Le dernier jour, on couronne les vainqueurs et on célèbre à nouveau des rites religieux. Les Jeux olympiques rassemblent toutes les cités grecques durant une trêve sacrée. Au plus fort des conflits, ils constituent un lieu de paix où s'affirme l'unité de la culture hellénique.

775 av. J.-C.

Grèce

A partir de 775, des colons quittent la Grèce continentale. Ils sont originaires de Corinthe, de Mégare, d'Achaïe, de Laconie. Ils se dirigent essentiellement vers l'Occident, la Sicile et l'Italie du Sud qui deviennent la « Grande Grèce ». Leur départ est déterminé par une croissance démographique trop forte, le manque de terre à cultiver et les privilèges inébranlables des grands propriétaires fonciers, qui créent un climat de crise sociale larvée. Pour les chômeurs et les laissés-pour-compte, le départ outre-mer offre les séductions de l'aventure, de l'enrichissement possible, de nouveaux espaces à conquérir, et enfin, d'une concurrence active avec les maîtres du commerce de l'époque, les Phéniciens. →

La première vague de la colonisation grecque en Méditerranée

Grèce, vers 775 av. J.-C.
La colonisation grecque est un vaste mouvement qui s'étend sur près de deux siècles et prend naissance vers 750, renouvelant et prolongeant les migrations antérieures. Elle se traduit par un singulier élargissement du monde grec, qui commence enfin à s'ouvrir sur la Méditerranée. Assez curieusement, les colons qui constituent la première vague (jusque vers 675) portent leur regard vers des régions très éloignées, vers l'Occident. Il s'agit surtout de la Sicile et du sud de l'Italie qui, de ce fait, porteront longtemps le nom de « Grande Grèce ». Quelle connaissance pouvaient avoir les Grecs de ces rivages inconnus ? Une reconnaissance mycénienne attestée par la découverte de poteries, ainsi que la présence de comptoirs phéniciens ont permis, très tôt, la centralisation des informations auprès de l'oracle de Delphes, qui les répercutait ensuite, jouant ainsi un rôle déterminant dans le choix de la destination des colons. Pourquoi la colonisation ? Le phénomène n'est sans doute pas démographique, mais social. La Grèce n'est pas surpeuplée, et si les terres arables manquent, c'est moins à cause de l'étroitesse du sol que de son inégale répartition. A cette donnée de base peuvent parfois s'ajouter d'autres motivations politiques ou économiques. On constate qu'au cours de cette première vague, les métropoles sont peu nombreuses ; ce sont des cités prospères dotées d'une flotte déjà importante : Chalcis, Mégare, Corinthe ; la procédure est toujours la même : un « fondateur », l'oikiste, chef religieux, politique et militaire, est désigné pour organiser l'expédition, en assurer le transport par bateaux (généralement par cabotage) et procéder à l'installation si les dieux ont manifesté leur accord. Les arpenteurs divisent le territoire en lots égaux, distribués aux colons, qui sont avant tout des agriculteurs. Ceux-ci entretiennent généralement de bons rapports avec les indigènes qui leur offrent spontanément un territoire ; échanges et liens matrimoniaux favorisent une fusion à long terme ; parfois ils se dégradent vite, comme à Syracuse où les indigènes sont asservis. La nouvelle cité est totalement autonome vis-à-vis de la métropole, même si elle garde des liens étroits avec elle ; les colons conservent leur langue, parfois les institutions de la cité mère, toujours leurs dieux qu'ils ont amenés sous la forme de statuettes de bois *(xoana)*. Le fondateur, qui deviendra un héros posthume, symbolise ce lien.

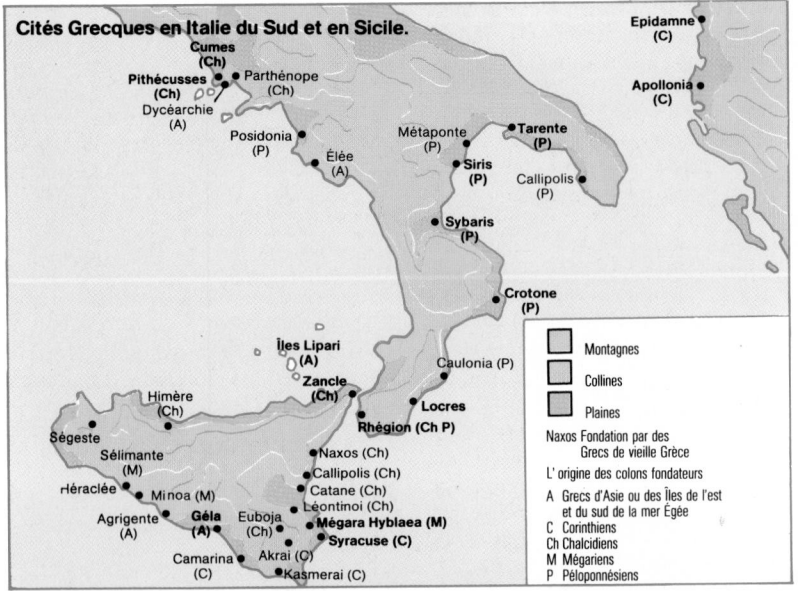

Cités Grecques en Italie du Sud et en Sicile.

Scène de naufrage : un noyé flottant parmi des poissons. Cratère trouvé à Ischia, vers 740-720 av. J.-C. Détail. Antiquarium, Ischia.

Les grands travaux de l'Urartu

Urartu, IXᵉ-VIIIᵉ siècle av. J.-C.
Le royaume d'Urartu s'étend au cœur de l'actuelle Arménie, autour des lacs de Van et de Sevan. L'Urartu est fondé vers 1500 par quelques clans hourrites qui s'établissent dans ces montagnes, mais ce n'est qu'au IXᵉ siècle que le royaume acquiert une importance croissante, qui ira jusqu'à en faire le principal ennemi de l'Assyrie. La puissance de l'Urartu repose sur une économie florissante. Le développement de l'agriculture est au centre des préoccupations de l'État qui fait construire nombre de réservoirs et de lacs artificiels. L'un des barrages construits à cette époque ne s'effondrera qu'au XIXᵉ siècle de l'ère chrétienne ! La production agricole est stockée dans des forteresses qui tiennent lieu de greniers, de magasins, de centres administra-tifs et de refuges en cas de danger. En outre, la renommée de ses industries du métal rend l'Urartu célèbre dans tout le monde antique. Situé sur les grands axes commerciaux qui vont d'Iran à la mer Noire et à la Méditerranée, l'Urartu exporte ses produits jusqu'en Etrurie. Le royaume s'épui-se à organiser de longues guerres contre l'Assyrie, arrivant à un certain moment à obtenir l'allégeance de tous les Etats de Syrie du Nord qu'il dresse contre l'oppresseur assyrien. Mais les armées assyriennes obtiennent l'avantage. En 714, le roi d'As-syrie Sargon II pénètre pour l'ultime fois en Urartu ; le pays est alors déjà mis à mal par les Cimmériens et les Scythes. Ce sont finalement les Mè-des, vers 590, qui réduiront, conjoin-tement avec les Scythes, les dernières poches de résistance.

La vie des Syriens dans la cité de Karkemish

Syrie du Nord, IXᵉ siècle av. J.-C.
Une population inconnue, les Lou-vites, qui a dû arriver en force vers 1200, s'établit un peu partout et, mê-lée aux Hittites, plus tard aux Ara-méens, fonde de petites principau-tés. Située sur la boucle de l'Eu-phrate, la ville de Karkemish abrite le siège d'une monarchie. Les rois de Karkemish sont mêlés aux querelles qui opposent les roitelets syriens et euphratéens à Hammurabi de Baby-lone. Plus tard, la ville reconnaît l'hé-gémonie du Mitanni avant de deve-nir, sous Suppiluliuma, roi des Hit-tites, un avant-poste du pouvoir hit-tite, siège d'un prince de sang royal. Dès le XIIᵉ siècle, les sources dési-gnent le royaume de Karkemish comme « Grand Etat de Hatti ; il est vrai que, jusqu'au IXᵉ siècle, il impose son autorité à ses voisins. La princi-pale divinité de Karkemish est une déesse d'origine hourrite appelée Kukaba, divinité dans laquelle on croit reconnaître l'ancêtre de la Kybédé lydienne ou de la Cybèle phrygienne. Le site est dominé par une acropole qui surplombe l'Eu-phrate ; elle est entourée d'une ville basse, elle-même protégée par une enceinte fortifiée construite sur un remblai et pourvue de portes monu-mentales renfermant chacune plu-sieurs pièces pour abriter la garde. Une seconde enceinte beaucoup plus vaste est construite au Iᵉʳ millénaire avec des portes en chicanes. De nom-breux orthostates, ces pierres dres-sées servant de soubassement ou de parement à un mur, sont couverts d'inscriptions en écriture hiéro-glyphique et datent de l'époque dite néo-hittite, c'est-à-dire la période consécutive à la chute de l'empire hit-tite. Les bases des colonnes sont for-mées de deux animaux debout côte à côte. Au VIIIᵉ siècle, Karkemish re-connaît la suzeraineté assyrienne.

Le vase d'or de Hasanlu

Iran, vers 800 av. J.-C.
Par la richesse des représentations re-ligieuses et mythologiques ainsi que par l'exécution soignée des détails, le vase de Hasanlu est le chef-d'œuvre de l'art des Mannéens. Sa date exacte est incertaine, mais l'ensemble des motifs et leur traitement le rappro-chent de la civilisation hourrite, dont l'art mannéen serait alors l'un des der-niers représentants. Diverses scènes s'y superposent, agencées en trois re-gistres : divinités, guerriers combat-tants et traîtres s'y côtoient.

Le site de Marlik, au sud-ouest de la Caspienne, a livré des vases d'or qui s'apparentent à celui de Hasanlu. Vers 900 av. J.-C. Musée Iran Bas-tan, Téhéran.

Les travaux et les jours des paysans grecs

Grèce, vers 770 av. J.-C.
La vie quotidienne des paysans grecs, à l'époque archaïque, nous est évoquée par Hésiode dont l'œuvre, *Les Travaux et les Jours*, nous fournit des renseignements exploitables bien au-delà de la seule Béotie. L'agriculture a toujours été considé-rée par les Grecs comme l'activité noble par excellence ; elle permettait en effet d'obtenir son indépendance, au prix d'un labeur certes acharné mais en harmonie avec la terre nour-ricière. L'idéal demeurait la vie au-tarcique sur un domaine petit mais suffisant pour faire vivre sobrement et décemment tous les membres de l'*oikos*. Hésiode nous fait part de la menace qui pèse sur les petits pro-priétaires : contraints parfois à s'en-detter, ils doivent alors verser une part de leur récolte à leurs créanciers et, s'ils ne peuvent rembourser, se voient confisquer leurs terres et vendus comme esclaves ; aussi Hé-siode invite-t-il le paysan à limiter sa descendance à un seul fils, afin d'évi-ter le partage des terres et la *stenocho-ria* (l'extrême morcellement) géné-rateurs de misère. Pourtant, le paysan n'est pas malheureux ; il pos-sède quelques esclaves, loue au be-soin des ouvriers agricoles ; il pro-duit tout ce dont il a besoin : céréales (orge et blé), base de son alimenta-tion, légumes et vin, fruits ; il élève quelques bêtes : moutons pour la laine, chèvres pour le lait et le fro-mage, bœufs ou mules pour la force motrice. Aucun moment n'est per-du : labour, semailles et moisson, suivis du battage des grains sur une aire exposée au vent, par des esclaves ou un manège de mules tournant au-tour d'un pieu ; engrangement pour l'hiver des récoltes et de la litière ; les femmes au logis préparent les repas, filent lin et laine, tissent les étoffes pour les vêtements. Pendant la morte saison, on répare les outils et on en fait de nouveaux. Cette existence rude n'est pas exempte de joies : mo-ments de détente et nombreux jours de fêtes émaillent l'année laborieuse.

Idole féminine de Béotie. VIIIᵉ siè-cle av. J.-C. Terre cuite. Musée du Louvre, Paris.

De la race d'or à la race de fer

Jadis les dieux créèrent la première race mortelle, la race d'or. Ces hommes ignoraient la peine et la misère, ils connaissaient une per-pétuelle jeunesse et la mort, pour eux, n'était pas plus douloureuse que le sommeil. La terre leur offrait spontanément ses richesses ; il n'était pas besoin de la labourer. Après leur mort, ils sont devenus de bons génies. Vient ensuite la race d'argent, bien inférieure. Ces hommes vivent une enfance de cent ans, et, à peine adolescents, ils sombrent dans la folie et la dé-mesure, n'honorent plus les dieux et ne leur offrent plus de sacrifices. Dans son courroux, Zeus les ense-velit sous la terre et ils deviennent les génies des Enfers. Poursuivant le déclin de l'humanité, la race de bronze ne songe qu'à la guerre et aux combats. Cette troisième race disparaît d'elle-même car ces guer-riers trop ardents s'entretuent. Vient alors la race des héros qui précède l'humanité d'aujourd'hui.

Ces vaillants combattants péris-sent devant Thèbes aux Sept Portes ou devant Troie, pour Hé-lène aux beaux cheveux. En bra-voure, en piété et en justice, ces héros sont supérieurs aux guer-riers de la race d'argent. A présent, la race de fer vit sur la Terre. Fati-gues, misères, angoisses, tel est leur lot quotidien. Cette dure condition empirera lorsque Zeus s'apprêtera à anéantir la race de fer : les enfants naîtront avec les tempes blanches, pères et fils ne se ressembleront plus, il n'y aura plus aucun respect entre les hommes. Ce mythe des cinq races de l'huma-nité est raconté par le poète Hé-siode. Chacune des étapes de l'évolution humaine voit s'oppo-ser la justice et l'injustice, la me-sure et la démesure. Les races d'or et d'argent incarnent la fonction royale et religieuse, les races de bronze la fonction guerrière et la race de fer évoque la fonction des paysans et producteurs de richesse.

770 av. J.-C.

Italie

Apparue dans la seconde moitié du IXe siècle, la civilisation villanovienne règne sur l'Italie centrale. Elle doit son nom à une importante nécropole située près de Bologne, sur le site de Villanova. Les Villanoviens vivent dans des villages de cabanes, sur des hauteurs. L'agriculture caractérise leur mode de vie, mais la métallurgie et le commerce ne sont pas négligés. Cette civilisation accorde une grande importance à l'art de la guerre, comme en témoigne l'existence d'une cavalerie de combat. Les morts sont incinérés et des urnes recueillent leurs cendres. L'aire d'influence de la civilisation villanovienne correspond à celle que va bientôt occuper la culture étrusque.

Anatolie

Le peuple des Mannéens vit dans un petit royaume au sud du lac d'Urmia. Son nom apparaît dans les annales assyriennes à la fin du IXe siècle avant J.-C. Ces hommes élèvent des chevaux et sont experts dans l'art du métal. Leur pays est le théâtre de multiples guerres qui opposent les Assyriens et les Urartéens ; de ce fait, il est déchiré par les luttes d'influence. Deux sites sont particulièrement associés aux Mannéens : Hasanlu et Ziwiyé. Le site de Hasanlu est couronné par une citadelle imposante, puissamment fortifiée et abritant temples et palais. Ziwiyé a livré un riche trésor dont les pièces révèlent des influences artistiques très diverses : assyrienne, scythe, grecque, etc.

760 av. J.-C.

Assyrie

Le royaume traverse les années les plus difficiles de son ascension. Ses armées guerroient sur tous les fronts et le roi Adad-Nirari III, le fils de Sammuramat, impose une paix victorieuse à Babylone. La conclusion de cette paix est célébrée avec un éclat inaccoutumé, indice du changement important qui s'opère : l'Assyrie s'ouvre à la culture babylonienne. La capacité de ce pays à conduire une politique expansionniste, alors que son existence même est en jeu, est étonnante. En 763, la révolte éclate au grand jour à Assur, la capitale, et, comme une gangrène, atteint toutes les villes. En même temps sévit une épidémie de peste.

753 av. J.-C.

Italie

Deux jumeaux, Romulus et Remus, fondent la ville de Rome. C'est ce que dit la légende aux origines de l'histoire romaine, telle qu'elle est écrite par les Romains eux-mêmes. →

750 av. J.-C.

Italie centrale

Dans le courant du VIIIe siècle, des immigrants venus par mer du Proche-Orient commencent à s'établir en Toscane. Se mêlant à la population villanovienne, ils vont se fondre progressivement en elle, leur apport se faisant sentir plus particulièrement dans certaines productions artisanales comme l'orfèvrerie. De cette fusion réussie naîtra une civilisation originale, la civilisation étrusque, qui partie de Toscane rayonnera sur toute l'Italie centrale. La langue utilisée par ce peuple a résisté jusqu'à ce jour aux efforts d'interprétation.

Grèce

C'est durant le VIIIe siècle que *L'Iliade* et *L'Odyssée* émergent d'une littérature orale traditionnelle. Ces deux épopées ne sont pas encore fixées par l'écriture. Elles sont récitées par des poètes récitants, les aèdes, qui puisent leurs thèmes et leurs formules dans le vieux fonds de la tradition épique pour composer des chants où l'improvisation joue un rôle important. Le choix des péripéties, le rôle respectif des grands héros de la tradition, le jeu du récit et de ses digressions, autant de possibilités ouvertes à leur imagination créatrice. Les Grecs attribuent ces deux épopées à un poète nommé Homère, mais ce nom dissimule très probablement un long processus de création collective. →

Europe occidentale

Le passage de l'âge du Bronze à l'âge du Fer coïncide avec un changement de climat. Le temps devient plus humide, ce qui n'est pas sans modifier le mode de vie. L'agriculture, l'élevage, la construction des habitats, autant d'activités qui s'adaptent aux nouvelles conditions climatiques. La montée du niveau des eaux des lacs montagnards entraîne notamment l'abandon des cités lacustres établies sur leurs rivages. Le paysage se modifie : l'aulne et le hêtre, le sapin, l'épicéa et le mélèze composent désormais les forêts de l'Europe occidentale et méridionale.

La Louve de Rome. Bronze Ve siècle av. J.-C. Palais des Conservateurs, Rome. Les statuettes de Romulus et Rémus ont été ajoutées à la Renaissance.

Légende de la fondation de Rome

Vers 753 av. J.-C.

C'est à cette date que les historiens romains, Varron en particulier, ont placé la fondation de Rome par Romulus. Mais leurs récits remontent bien au-delà de cette date traditionnelle, à la chute de Troie. Echappant à sa ruine, Enée se réfugie dans le Latium. Il y épouse Lavinia, fille du roi Latinus et fonde Lavinium. Après sa mort, son fils Ascagne va fonder Albe où lui succèdent douze rois. Le dernier est Amulius qui a détrôné son frère Numitor et a placé sa nièce Rhea Silvia chez les vestales pour éviter toute progéniture. Mais le dieu Mars vient s'unir à elle, donnant naissance aux jumeaux Romulus et Remus. Amulius les abandonne au Tibre, mais ils sont recueillis et nourris par une louve. Devenus grands, ils tuent l'usurpateur, rétablissent Numitor et vont fonder une cité nouvelle sur les lieux de leur enfance. C'est à ce moment qu'une dispute éclate entre les deux frères, au terme de laquelle Remus trouve la mort pour avoir franchi par dérision les limites de la ville que son frère traçait autour du Palatin avec une charrue. Romulus règne jusqu'en 717 av. J.-C. et demeure pour les Romains l'incarnation de la Ville, de sa force pieuse et de son origine divine. La fondation légendaire de Rome est contemporaine de l'âge du Fer dans le Latium et les fouilles archéologiques ont permis de montrer qu'au VIIIe siècle av. J.-C. le site de Rome était occupé par des villages dispersés dont des vestiges de cabanes ont été retrouvés. Cependant, c'est sous l'influence étrusque que Rome devait s'unifier et devenir véritablement une ville. Si les origines troyennes de Rome ne sont qu'une légende et si la figure de Romulus paraît mythique, il demeure néanmoins que l'archéologie a en certains points confirmé la légende.

Naissance des sanctuaires grecs

Grèce, vers 750 av. J.-C.

Les aires sacrées sur lesquelles devaient s'installer les grands sanctuaires panhelléniques de l'âge classique remontent, en fait, aux temps les plus reculés et le choix initial qui a présidé à leur naissance s'est trouvé confirmé de siècle en siècle. Lorsque les Doriens occupèrent la Grèce, ils choisirent tout naturellement pour honorer leurs dieux les mêmes lieux que leurs prédécesseurs. Cette permanence des aires sacrées s'explique d'autant mieux qu'il s'agit, généralement, de sanctuaires en plein air. Ceux-ci se nichent, en effet, dans des sites privilégiés, à proximité d'une curiosité naturelle, traduisant la présence des divinités, le plus souvent chthoniennes : ainsi à Delphes, la source Castalie, à Dodone des chênes sacrés dont le bruissement des feuilles est attribué à Zeus. Ces lieux de culte, modestes, ne comportent à l'origine qu'un seul autel et une effigie du dieu ; ils sont entourés d'une enceinte. Au VIIIe siècle, ils connaissent un essor considérable sous l'impulsion des autorités locales, soucieuses de mener une politique de prestige. Des temples s'élèvent, demeures des nouveaux dieux, appelés à supplanter les anciennes divinités ; seul le clergé, recruté parmi l'aristocratie locale, et les initiés, y ont accès. Ils sont flanqués de « trésors », temples miniature consacrés par les cités, où s'entreposent les offrandes ; au culte même est associée très tôt une fonction oraculaire, témoin la pythie de Delphes dont le renom dépasse les limites du monde grec. Enfin, on organise des jeux et des fêtes, où s'affrontent les champions des cités.

Les aèdes inspirés par les Muses

Grèce, vers 750 av. J.-C.

Les Grecs se plaisent à écouter l'aède ou le rhapsode chanter un monde révolu, celui des héros aux exploits extraordinaires : Achille est le guerrier magnifique et invincible de *L'Iliade*, qui conte sa colère contre Agamemnon ; Ulysse est le héros de *L'Odyssée*, le long récit de son retour et de ses épreuves après la prise de Troie. *L'Iliade* a été composée dans la seconde moitié du VIIIᵉ siècle. Les

Anciens l'attribuaient, comme *L'Odyssée*, à un poète dont nous ne connaissons que le nom, Homère. Avant d'être écrits, les poèmes furent récités par des chanteurs professionnels, des aèdes inspirés par les Muses, filles de Mémoire. Les aèdes, en chantant les exploits des héros du passé, leur apportent une gloire impérissable. Ils brodent, chantent et improvisent sur des thèmes légendaires, s'aidant d'une mémoire rompue aux jeux mnémotechniques et qui puise librement dans un répertoire de vers ou de fragments. *L'Iliade* et *L'Odyssée* sont ce qui reste d'un grand naufrage : celui des nombreuses épopées fabriquées par une culture essentiellement orale. Les poèmes homériques marquent l'aboutissement de la poésie orale et le début de la littérature occidentale. La société qui y est décrite n'est pas la société mycénienne, antérieure à 1200, ni la société du VIIIᵉ siècle, contemporaine de la fixation de *L'Iliade* ; ce n'est pas davantage une société fabuleuse sans aucun ancrage dans l'histoire. Si les événements racontés n'ont pas réellement eu lieu, la société homérique, en revanche, a bien existé dans les temps qu'on appelle « obscurs », et qui vont de la fin de l'époque mycénienne (1200) à Homère, justement. Il y a donc écart entre le temps où le récit se fait et le passé indéfini auquel il choisit de se référer : l'âge des héros et de leurs exploits.

Tête d'Homère, le poète aveugle. Marbre. Copie romaine, vers 460-450 av. J.-C. Glyptothèque, Munich.

Le bouillant Achille, le héros grec par excellence. Détail. Amphore peinte, terre cuite. Vers 440 av. J.-C. Museo Etrusco Gregoriano, Vatican.

Les voyages d'Ulysse aux mille tours

Grèce, vers 750 av. J.-C.

L'Odyssée, c'est l'après-guerre, c'est le récit du retour des héros grecs dans leurs foyers, et plus particulièrement le retour d'Ulysse. Pendant près de dix ans, Ulysse lutte pour quitter les contrées inhospitalières où sans cesse il échoue : ce retour si difficile le conduit d'un exil à l'autre. Finalement, au-delà du conte merveilleux, *L'Odyssée* propose la définition de l'humanité : en cherchant avec acharnement à fuir les dieux (ou plutôt les déesses), monstres sauvages et anthropophages, Ulysse veut retrouver les hommes « mangeurs de pain ». Car la mer est dangereuse, elle n'est pas faite pour l'homme : la traverser, c'est s'exposer aux tempêtes, aux monstres marins, à la désolation de l'immensité mouvante et stérile. Chaque escale réserve ses surprises, chaque halte apporte son lot de souffrances : des mangeurs de lotus aux Sirènes à la voix ensorcelante, des monstres cannibales, tel le Cyclope, aux déesses amoureuses (Circé, Calypso), tout est inhumain. Il y a dans *L'Odyssée* la peinture d'une dépersonnalisation temporaire. Au bout du compte, Ulysse n'est plus rien ; il a tout perdu : son butin, son bateau, ses compagnons, ses armes, et jusqu'à son nom. Il est un inconnu, naufragé anonyme. Mais, malgré

tout, Ulysse ne perd jamais le sens du retour. Athéna l'aidera, il retrouvera Pénélope, Ithaque et son royaume. Ainsi *L'Odyssée* évoque-t-elle confusément la nécessité d'appartenir à une communauté, à une cité. Pour avoir une identité, il faut être chez soi, comme si, en cette fin du VIIIᵉ siècle, la référence obligatoire à quelque chose de plus fort que les valeurs aristocratiques commençait à se faire sentir.

Ulysse et les sirènes. Vase peint, trouvé à Vulci, terre cuite. Vers 475. British Museum, Londres.

Le bouillant Achille et le preux Hector

Grèce, vers 750 av. J.-C.

L'Iliade est le poème de la guerre qui oppose les héros grecs et troyens devant les murs de Troie à cause d'une femme qu'ils se disputent : Hélène. Dans ce vaste cadre, *L'Iliade* raconte la colère d'Achille, le premier de tous les héros, offensé par Agamemnon qui lui a volé sa captive Briséis. Dans le camp grec, des hommes, des combattants individualisés, venus en Troade pour guerroyer ; la plus grande figure de cette armée, c'est Achille, à la force et à la beauté irrésistibles. Le guerrier héroïque se distingue en effet par son apparence physique (chevelure flamboyante, regard étincelant, grande taille, jeunesse). En face, les Troyens, mais aussi une cité toute entière avec femmes et enfants : le champion des Troyens, c'est Hector. En tant que chef de Troie, et surtout meurtrier de Patrocle, l'ami préféré entre tous, Hector est la cible d'Achille. D'ailleurs, toute *L'Iliade* prépare au duel du chant XXII. Hector est le héros sans faille, le rempart de sa ville ; il est aussi le principal guerrier troyen, le chef qui sans cesse exhorte ses compagnons et ses troupes à se lancer contre les Grecs. Mais il est aussi humain : il incarne les vertus du fils, de l'époux et du père tout à la fois. Il est humain mais héroïque : il choi-

sit d'être et de rester pour la postérité un guerrier acceptant la mort. En ce sens, il peut être l'adversaire d'Achille. On ne peut séparer leurs deux histoires : c'est parce qu'Hector a triomphé de Patrocle, sorte de substitut d'Achille au combat, qu'Achille va reprendre ses armes. Dès lors, sa seule raison de vivre est de tuer Hector. Achille est un héros exceptionnel, au-dessus des meilleurs, Grecs comme Troyens. Par sa stature, son courage, sa force et sa beauté, ses origines divines aussi, il est voué à une destinée hors du commun. Il est aussi exceptionnel par sa lucidité devant la mort : retourner combattre signifie pour lui une mort certaine, tôt ou tard ; il le sait. Il choisit néanmoins le courage et la gloire. Il incarne au mieux, mais à un niveau surhumain, les valeurs de la morale héroïque : mourir après un grand exploit, dans la beauté et la jeunesse, ou rentrer victorieux. Toute rencontre est, dans ce monde guerrier, irréversible : gagner ou mourir. Toute l'histoire de *L'Iliade* est celle des rapports entre Achille et Hector. Le Grec et le Troyen sont tous deux irréprochables, selon les valeurs de cette société aristocratique et belliqueuse. Achille est néanmoins encore au-dessus de l'humanité : il est supérieur à tous, en tout. Mais, si Hector est moins imposant qu'Achille, il permet cependant à ce dernier de garder une place dans la sphère des hommes.

750 av. J.-C.

Egypte
Dès le Nouvel Empire, la reine est aussi l'épouse du dieu Amon. Ce n'est pourtant qu'à partir de la troisième Période Intermédiaire que cette fonction revêt une importance capitale. La divine adoratrice d'Amon est alors une jeune vierge de sang royal, qui se rend à Thèbes pour y « épouser » le dieu. Par sa nature, elle prend progressivement le pas sur les grands prêtres d'Amon qui n'ont aucun lien direct avec la divinité et sont de simples officiants. Ainsi le roi contrôle mieux ce deuxième pouvoir toujours menaçant. Orsokon III confie la charge de divine adoratrice d'Amon à sa fille Shepenoupet Ire.

744 av. J.-C.

Assyrie
Teglath-Phalasar III, le quatrième fils d'Adad-Nirari III est peut-être le chef de la révolte généralisée qui sourd depuis près de vingt ans. On ne sait si c'est lui qui la réprime ou, au contraire, s'il est porté par elle jusque sur le trône. Le fait est qu'il prend le pouvoir en Assyrie, qu'il y rétablit l'ordre et reprend avec ardeur la politique de conquêtes. Il laissera à sa mort, en 727 av. J.-C., un empire prospère et puissant.

740 av. J.-C.

Mésopotamie
Au milieu du IXe siècle av. J.-C., les sources assyriennes font état de l'arrivée des Mèdes et des Perses. Les Mèdes viennent du Turkestan méridional et, traversant le plateau iranien où les Perses se mêlent à eux, gagnent le Kurdistan ; ce sont des nomades cavaliers qui vendent leurs services aux princes locaux en échange de pâturages. Au milieu du VIIIe siècle av. J.-C., on les trouve sur les frontières de l'Assyrie. Plus tard, autour d'Ecbatane, se constituera un empire mède qui englobera, au VIIe siècle av. J.-C., le plateau iranien et une partie de l'Anatolie. Les principaux souverains en seront Phraorte, Cyaxare et Astyage.

Syrie du nord
Les principaux succès militaires de Teglath-Phalasar III d'Assyrie ont pour cadre la Syrie du Nord. Mati-El, le roi de l'état de Bît-

Agusi dont la capitale est Arpad, prend la tête d'une coalition anti-assyrienne qui bénéficie de l'appui de l'Urartu. En 743 av. J.-C., l'Assyrien écrase les coalisés ainsi que les armées urartéennes, s'empare d'Arpad après un siège de trois ans et envoie des contingents à travers toute la Syrie depuis Hama jusqu'à l'Amanaus. En 739 av. J.-C., il défait une seconde coalition syrienne ; Samarie, Tyr et Byblos reconnaissent l'autorité de l'Assyrie. En 732 av. J.-C., Damas tombe à son tour. La Syrie est soumise.

725 av. J.-C.

Egypte
Dans une Egypte morcelée, Tefnakht fonde la XXIVe dynastie. Prince de Saïs, ville du Delta oriental, il entreprend la reconquête de l'Egypte. Une fois maître du Delta, il s'attaque alors à la Moyenne-Egypte, où il rencontre l'avancée du roi de Napata, Piankhy.

722 av. J.-C.

Assyrie
Le successeur de Teglath-Phalasar III, Salmanasar V, est un personnage obscur qui accumule les erreurs. Il est renversé par un mouvement de révolte qui place Sargon II sur le trône. →

715 av. J.-C.

Anatolie
Les Cimmériens quittent les plaines de la Russie méridionale, fuyant les vagues d'invasion scythe, et franchissent le Caucase. →

713 av. J.-C.

Egypte
Piankhy accède au trône de Napata vers 745 av. J.-C. Au cours d'une première campagne, il se rend maître de la Haute-Egypte, puis regagne son royaume nubien. Ce n'est que lorsque la poussée de Tefnakht se fait trop menaçante en Moyenne-Egypte qu'il lance ses troupes pour lui barrer la route de Thèbes. Hermopolis, Memphis voient la victoire de Piankhy, mais Tefnakht ne se rendra qu'une fois acculé dans le Delta et abandonné de tous. Alors les dernières résistances se brisent, le souverain nubien unifie le pays et retourne à Napata, où il meurt quelques années plus tard, sans avoir « régné » sur l'Egypte.

Essor des peuples scythes et cimmériens

Asie, vers 715 av. J.-C.
Deux nouveaux venus viennent perturber grandement l'échiquier politique des Etats du Proche-Orient : les Scythes et les Cimmériens. Les Cimmériens, peuple sédentaire peut-être indo-européen, sont établis dans les plaines de la Russie méridionale ; ils sont chassés de leurs terres par une puissante invasion scythe. Ils traversent alors le Caucase, fuyant l'agresseur et anéantissant à leur tour le royaume d'Urartu. De là, ils se scindent en deux groupes : les uns se dirigent vers l'actuel Kurdistan et mettent à mal le royaume des Mannéens, d'autres partent vers l'ouest de l'Anatolie où ils menacent les Etats du roi Midas qui demande l'aide assyrienne. Après un court répit, ils mettent fin au royaume de Phrygie, investissent Sardes où Gygès est encerclé et incendient Ephèse. Après cela, leur nom n'apparaît plus dans les sources. Les Scythes sont des nomades venant, semble-t-il, des régions de la Volga. Ils chassent dans leur progression les Cimmériens qui ne font donc que les précéder et les annoncer. Certaines de leurs tribus franchissent le Caucase, alors que d'autres pénètrent jusqu'au cœur de l'Europe. Ce sont des cavaliers et des guerriers hors pair, redoutés à juste titre. Ils usent avec adresse d'un arc au profil très caractéristique fait de deux bras incurvés, habituellement en corne, et réunis par une petite pièce centrale, et les flèches sont pourvues d'ailettes. Dans les tumulus qui servent de tombes à leurs princes et que l'on appelle des kourganes, on a retrouvé les riches offrandes et les squelettes de chevaux qui accompagnaient les morts.

Vie et culture des tribus thraces

Europe, vers 715 av. J.-C.
Poussés par les Scythes, les Thraces-Cimmériens, redoutables cavaliers, franchissent le Caucase et s'installent en Pannonie (Hongrie). A leur tête se trouve un roi autour duquel se groupe la noblesse. Celui-ci, dont les fonctions sont religieuses et politiques, assume les fonctions de grand prêtre et conduit son peuple à la guerre. Les villes n'existent pas : les Thraces vivent groupés autour des résidences fortifiées de leurs rois. Essentiellement éleveurs, ils s'intéressent peu à l'agriculture. Leur artisanat se caractérise par de grands et lourds vases d'or témoignant de la richesse et du luxe dans lequel vivent leurs chefs. Les Thraces travaillent également le bronze, dont ils font des bijoux et des armes aux formes simples, ornés de motifs géométriques.

Fourreau d'épée. Argent doré et pierres semi-précieuses. Vers 700 av. J.-C. Musée archéologique, Sofia.

Couvercles d'or trouvés à Waltchitran (Bulgarie). XIIIe-XIIe siècles av. J.-C. Décor de motifs géométriques. Musée archéologique, Sofia.

Sargon II fonde une nouvelle dynastie

Assyrie, 721-705 av. J.-C.

Le successeur de Teglath-Phalasar III, Salmanasar V, accumule les erreurs dans la gestion de ses Etats et se rend impopulaire. Il décide, entre autres, de restreindre les immunités accordées depuis toujours aux habitants des villes sacrées de l'Assyrie, au premier rang desquelles se trouve la ville d'Assur. Cette mesure provoque une vague de mécontentement et, finalement, Salmanasar est renversé par un usurpateur, Sargon II. On ne sait rien sur les origines de celui qui se fait appeler Sharru-Ken (Sargon), soit le « roi légitime », nom qu'il prend à l'imitation de Sargon d'Agadé, tout en évoquant en termes vagues les liens privilégiés qui l'unissent à l'ancienne capitale historique, la ville d'Assur. Son premier souci est de rétablir l'ordre intérieur et de rendre leurs privilèges aux villes et aux temples. Avec la prise du pouvoir par Sargon s'ou-vre une période faste pour l'histoire de l'Assyrie qui s'apprête à connaître, avec quatre rois successifs, Sargon, Sennachérib, Asarhaddon et Assurbanipal, ses jours les plus beaux. Ces monarques peuvent prendre suffisamment de recul par rapport aux affaires militaires qui étaient le souci majeur de leurs prédécesseurs, pour développer les arts et les lettres. Les rois, mais aussi la haute noblesse, constituent des bibliothèques ; quelques œuvres littéraires présentent une certaine originalité, comme la relation de la « huitième » campagne de Sargon, rédigée sous la forme d'une lettre au dieu Assur. Au soir de sa vie, Sargon peut goûter les bienfaits de la paix retrouvée depuis sa nouvelle résidence de Dûr-Sharrukin. Il meurt dans des circonstances obscures ; la rumeur s'emparera de l'événement et l'interprétera comme l'expiation d'un péché d'adolescence, allusion à son usurpation.

Taureau ailé à face humaine, gardien des portes du palais de Sargon II à Dûr-Sharrukin. Albâtre, VIIIe siècle av. J.-C. Musée du Louvre, Paris.

Char assyrien. Bas-relief du palais d'Assurbanipal à Ninive. VIIe siècle av. J.-C. Musée du Louvre, Paris.

Les Assyriens réforment l'administration

Assyrie, VIIIe siècle av. J.-C.

Traditionnellement, à son avènement, le roi d'Assyrie choisit dans son entourage les dignitaires et les officiers qui seront ses proches conseillers en même temps que les dépositaires des plus hautes fonctions. Sous le long règne de Salmanasar III (858-824), cet entourage atteint un degré de puissance considérable car le roi récompense la fidélité que l'on témoigne à sa personne : par l'effet du cumul des charges, le prestige de cette haute noblesse ne fait que s'accentuer. Paradoxalement, les grandes conquêtes tendent à affaiblir l'autorité royale à son profit, les annexions ayant pour effet d'agrandir l'étendue des provinces et d'augmenter les pouvoirs de leurs gouverneurs. Un personnage comme Shamshi-Ili va jusqu'à faire rédiger des inscriptions officielles où le nom du roi n'est même plus mentionné ! Sous le règne de Teglath-Phalasar III, cette haute noblesse semble mise au pas. La hiérarchie ne change pas : le lieutenant général, le héraut du palais, le grand échanson et le grand chambellan sont toujours au sommet de la carrière des honneurs, mais les fonctions sont dédoublées ; ainsi, il existe désormais un lieutenant général de droite et un autre de gauche, et ainsi de suite. Les historiens considèrent habituellement Teglath-Phalasar comme l'auteur d'une réforme administrative qui aurait eu pour but d'affaiblir la haute noblesse. Il n'en est rien. Par contre, en matant la grogne de la petite noblesse, le roi tend à renforcer son autorité sans toucher aux privilèges des grands. Teglath-Phalasar réforme tout aussi peu l'administration provinciale. A son avènement, l'empire comporte vingt-quatre provinces ; il systématise lui-même l'intégration des pays conquis, créant de nouvelles provinces. Après lui, l'empire en comportera plus de cent dans lesquelles les pouvoirs des gouverneurs n'auront subi aucune modification.

Sargon II met fin au royaume d'Israël

Israël, vers 721 av. J.-C.

La politique syrienne des rois d'Assyrie, qui s'acharnent contre les Etats araméens, et principalement Damas, permet à Israël une certaine prospérité. Sans doute son roi avait-il dû payer tribut à l'Assyrie, mais les armées assyriennes ne sont plus revenues et le seul effet durable de leur passage est d'avoir levé l'hypothèque araméenne. En outre, le roi Joas d'Israël remporte un franc succès contre son voisin de Juda : il l'oblige à lui livrer tous ses trésors avant de le faire assassiner. Au milieu du VIIIe siècle, les deux Etats sont devenus des puissances florissantes avec lesquelles il faut compter. Mais, en 725, le nouveau roi d'Assyrie Salmanasar reprend une politique offensive. Il attaque la Phénicie, où la pénétration égyptienne se fait toujours plus forte. Le roi d'Israël refuse apparemment de faire acte d'allégeance et une armée assyrienne vient l'assiéger dans Samarie. Salmanasar meurt sur ces entrefaites et Sargon usurpe le pouvoir. C'est à lui qu'il revient probablement de conquérir Samarie en lançant l'assaut final. Il affronte une armée araméenne soutenue par l'Egypte en ce même lieu de Qarqar où, plus d'un siècle auparavant, Araméens et Assyriens avaient déjà combattu. En 720, la victoire assyrienne est complète. Samarie devient la capitale d'une province assyrienne.

705 av. J.-C.

Assyrie

A sa mort, Sargon II lègue à son fils Sennachérib un empire solidement organisé. La paix assyrienne règne partout. Son décès est pourtant l'occasion de révoltes sporadiques, rapidement réprimées par le nouveau roi, très au courant de la situation qui règne dans ses Etats puisque, étant prince héritier, il avait dirigé pendant de longues années le service de renseignement de l'armée assyrienne. Son règne sera entaché par un long et pénible conflit qui l'opposera à Babylone.

Grèce

Archiloque naît sur l'île de Paros vers 705 av. J.-C. Il a très tôt la révélation de sa vocation poétique. Ecrivant dans le dialecte ionien et usant d'une métrique variée et complexe, le poète compose de courtes élégies, des distiques et des épodes au ton parfois mordant. Amoureux déçu, il invective en ces termes l'indifférente : « Déjà, ta peau se fane et la charrue de la triste vieillesse y creuse ses sillons ». Archiloque se proclame « serviteur du puissant Arès et maître dans le domaine charmant des Muses ». Poète et guerrier, en effet, même si, un jour de combat, Archiloque jette son bouclier dans un buisson pour déguerpir au plus vite... Une vie sauvée vaut bien un bouclier perdu !

700 av. J.-C.

Europe

Une nouvelle civilisation, dite de Hallstatt, fait son apparition en Europe. Elle se caractérise par une nouvelle organisation sociale (apparition des cavaliers) et un outillage en fer.

Sparte

Lycurgue est le fondateur semi-mythique de l'Etat spartiate. Il dicte la Constitution, qui fixera durablement le statut de la cité. Sparte est en effet remarquable par son conservatisme politique et par une organisation sociale extrêmement rigide, autant de traits qui lui confèrent une place particulière parmi les cités grecques. →

Europe

La métallurgie du bronze commence à être sérieusement concurrencée par la sidérurgie.

Armes et outils de fer se diffusent.

690 av. J.-C.

Egypte

Taharqa est considéré comme le plus grand roi de la XXVe dynastie fondée par Shabaka. Il règne sur un empire qui s'étend du sud de Khartoum au Delta. Aussi doit-il confier la direction de la Haute-Egypte à Montouhemat, quatrième prophète d'Amon, maire de Thèbes et gouverneur du Sud, dont l'autorité s'étend d'Eléphantine à Hermopolis. En tant que quatrième prophète d'Amon, il ne joue qu'un petit rôle aux côtés de la divine adoratrice, Shepenoupet II : les deux pouvoirs sont maintenant bien distincts.

Sicile

Les colons doriens, guidés par Antiphémos de Rhodes et Entimos de Crète, fondent en Sicile la ville de Géla qui devient l'une des cités les plus prospères de l'île.

Asie Mineure

Midas, roi légendaire et fondateur du royaume de Phrygie, se suicide en buvant du sang de taureau lors de l'invasion des Cimmériens. →

Asie Mineure, début du VIIe siècle.

Un grand nombre de colonies grecques sont fondées en Asie Mineure, en Thrace, sur les rivages de la Propontide (mer de Marmara) et de la mer Noire. La métropole de Milet est à l'origine de la fondation de quatre-vingt dix autres cités, parmi lesquelles Abydos et Cyzique.

687 av. J.-C.

Juda

Manassé, âgé de douze ans, succède à son père Ezéchias sur le trône de Juda. Son règne apparaît comme le plus long des rois de Juda et d'Israël. Il dura, en effet, quelque quarante-cinq ans (plutôt que cinquante-cinq ans, comme l'indique la Bible). Il fut totalement dépendant de l'Assyrie pour ce qui touche aux domaines religieux et politique. Non seulement les dieux assyriens furent honorés dans le Temple de Jérusalem, mais d'autres cultes y furent également introduits.

Les rois assyriens s'établissent à Ninive

Assyrie, VIIe siècle av. J.-C.
Comme Sargon l'Ancien avec la ville d'Agadé, chaque souverain ambitionne de fonder sa propre capitale. Assurnazirpal s'était installé à Kalakh, où il avait convié plus de 60 000 personnes à une fête grandiose ; Sargon II fait construire Dur-Sharrukin ; Sennachérib s'établit à Ninive qu'il embellit et entoure de jardins. Outre la marque du prestige du souverain, toutes ces fondations ont un rôle économique certain. Autour de Dur-Sharrukin, Sargon fait défricher les terres et planter une forêt d'oliviers afin d'augmenter la production assyrienne, très insuffisante. Sennachérib trace le plan de Ninive à l'image de celui tracé, de toute éternité, par les dieux immortels sur la voûte céleste à l'aide des étoiles. Il fait construire autour de la ville une enceinte longue de 4,2 km. Son palais se dresse au milieu de la citadelle ; Assarhaddon, puis Assurbanipal y édifieront chacun à leur tour deux autres palais. Quant à Sennachérib, il aménage le paysage agraire environnant Ninive, met en culture d'innombrables parcs et jardins, avec leurs arbres fruitiers, leurs vignes et leurs champs d'orge. La demande d'eau est telle qu'elle requiert des travaux gigantesques. Sennachérib fera régulariser le cours d'une rivière voisine et capter l'eau d'une autre rivière proche du cours du Zab supérieur. Des barrages, des canaux, des bassins sont mis en chantier. Pour permettre à cette eau de franchir une vallée, il sera même construit un aqueduc de 275 m de long.

Déportation de populations civiles. Détail. Relief de Ninive, VIIe siècle av. J.-C. Musée du Louvre, Paris.

Préparatifs d'un banquet donné en l'honneur de la victoire. Ninive, VIIe siècle av. J.-C.

Lycurgue, père de la Constitution spartiate

Sparte, vers 700 av. J.-C.
Sparte, la grande cité dorienne du Péloponnèse, présente une constitution originale qui la différencie des autres cités du monde grec. Née d'une conquête qu'elle n'estime jamais achevée, elle refuse toute influence étrangère ; et cette volonté de repli sur elle-même la condamne à l'isolement et explique le caractère conservateur et quasi immuable de ses institutions, fixées au VIIIe siècle sous leur forme définitive. Elles sont attribuées à un législateur semi-légendaire, Lycurgue, et sont régies par deux principes de base : l'égalitarisme et la subordination totale de l'individu à l'Etat, aux dépens de la vie privée du citoyen astreint à mener une vie collective. Cette soumission s'acquiert et se développe grâce à une éducation rigoureuse, sportive et militaire, prise en charge par la collectivité. La cité apparaît ainsi organisée à l'image d'un camp doté d'une discipline inflexible. Les citoyens, les « Egaux », sont déchargés de toute tâche de nature économique, pour se consacrer exclusivement à la défense de la cité par une surveillance constante des populations asservies qui les entretiennent. Sous des aspects égalitaires et démocratiques, les institutions sont nettement oligarchiques : au sommet, une double royauté héréditaire investie de pouvoirs religieux et militaires ; ces deux rois, qui ne jouissent que d'une autorité civile très limitée, sont assistés par le Conseil des anciens (vingt-huit membres élus à vie, à l'âge de soixante ans, par l'Assemblée des citoyens) qui administre la cité, et par un collège de magistrats élus pour exercer pendant un an un pouvoir judiciaire et de surveillance. Le pouvoir souverain appartient en théorie seulement à l'Assemblée des citoyens, réunie sur convocation royale et dont l'action est limitée ; il se trouve, en fait, concentré dans les mains de quelques-uns.

Montée de la puissance des Hégémons en Chine

Chine, vers 700 av. J.-C.
Venus du Shaanxi au début du XIᵉ siècle, les Zhou (Tcheou) dits « occidentaux » (en raison de la localisation occidentale de leur capitale) avaient renversé la dynastie des Shang qui régnaient sur la plaine centrale du nord de la Chine ; mais ils n'en avaient pas moins continué à organiser l'État sur les bases que leur avaient laissées les Shang. Le roi vivait sur un domaine qu'il administrait directement et les domaines seigneuriaux n'étaient que des répliques de l'administration centrale. L'armée restait la prérogative du roi et des seigneurs et l'on menait la guerre selon un code quasi chevaleresque. La société distinguait, de manière tranchée, les aristocrates guerriers, pour lesquels le lignage jouait un rôle important, de la masse paysanne. Un code pénal avait été institué, mais après 771, date du transfert de la capitale à Luoyang, les Zhou, appelés désormais « orientaux », avaient vu leur pouvoir s'affaiblir tandis que les principautés de la périphérie se développaient tant sur le plan militaire qu'économique et social. S'il continue à pratiquer les rites, il ne gouverne plus et délègue ses prérogatives laïques aux grands féodaux. Le domaine royal étant réduit à la dimension d'une principauté parmi d'autres, s'ouvre la période dite des « Hégémons », terme qui désigne l'imperium militaire exercé, de fait, par les seigneurs et auquel le souverain n'a pas les moyens de s'opposer.

Un glaive et son fourreau. Bronze. Dynastie des Zhou (caste des guerriers), VIIIᵉ siècle av. J.-C.

La mainmise des Chaldéens sur Babylone

Babylonie, VIIIᵉ siècle av. J.-C.
En 731, les chefs des principales tribus chaldéennes font leur soumission et paient tribut à l'Assyrie : l'ordre règne en Babylonie. Parmi ces chefs figure Marduk-Apla-Iddin, le Mérodach-Baladan de la Bible, que les annales assyriennes qualifient de « roi du Pays de la mer » (entendons la région des grands marais qui s'étendent dans le sud de l'Irak). En 721, ce même Mérodach-Baladan met à profit le changement de règne qui survient en Assyrie pour conquérir le trône de Babylone, avec l'appui de l'Elam. Il conserve ce trône pendant dix ans, tenant les Assyriens en échec. En 710, pourtant, il doit fuir devant l'offensive de Sargon qui vient reprendre possession de la ville. Il se réfugie dans les marais où il est insaisissable. En 705, l'annonce de la mort de Sargon redonne des ailes à Mérodach-Baladan qui rentre dans Babylone, d'où il est chassé par Sennachérib en 704. En 700, il fomente une nouvelle rébellion, mais cette fois-ci Sennachérib est fermement résolu à en finir. Il l'oblige à fuir, emportant les statues de ses dieux et les ossements de ses ancêtres ; il traverse le golfe Persique et cherche refuge en Elam. L'armée assyrienne razzie le Pays de la mer et la famille de Mérodach-Baladan tombe entre ses mains. En 694, Sennachérib monte une vaste opération qui doit lui permettre de mettre la main sur le fuyard. Il fait construire à Ninive une flotte de haute mer qu'il fait transporter jusqu'au golfe, qu'il traverse. Il livre au pillage les côtes élamites, mais Mérodach-Baladan est introuvable.

Les Lydiens annexent le royaume de Phrygie

Asie Mineure, vers 690 av. J.-C.
Des hordes de cavaliers cimmériens venus d'Asie détruisent le royaume de Phrygie, sur le haut plateau d'Anatolie : la catastrophe est telle que le roi Midas, désespéré, se suicide. La destruction du Royaume phrygien fait basculer les rapports de force en Asie Mineure au profit des Lydiens : ceux-ci utilisent cette situation pour annexer la plus grande part de la Phrygie. Le royaume de Phrygie n'existe que depuis cent ans : la légende indique que le roi Midas aurait établi son pouvoir sur le haut plateau anatolien vers 800 ; sa capitale est Gordion. Midas, qui a épousé une princesse grecque, fait l'admiration de ses contemporains par sa richesse, qui restera proverbiale durant des siècles. Les Phrygiens, probablement venus de Macédoine et de Thrace vers 1200, ont réussi à préserver leur indépendance vis-à-vis de l'Assyrie au cours du VIIIᵉ siècle : ils ont signé un traité de paix avec Sargon II en 709, qui les contraint à lui verser un tribut.

L'âge du Fer succède à l'âge du Bronze

Europe occidentale, vers 700 av. J.-C.
C'est en Orient que la métallurgie du fer est apparue ; l'Empire hittite utilisait depuis le IIIᵉ millénaire des armes de fer et veillait jalousement sur des procédés de fabrication qui assuraient sa puissance. Leur diffusion s'accéléra aux environs de 1200 av. J.-C., au moment de la chute de cet empire. Les conditions même de cette diffusion excluent l'idée d'une rupture profonde entre ce que l'on appelle l'âge du Bronze et l'âge du Fer. Les artisans du Bronze avaient déjà bien développé les premiers procédés métallurgiques et l'apparition d'un nouveau métal n'a pas joué à cet égard un rôle révolutionnaire ; le fer est d'ailleurs connu et utilisé en Europe dès avant le VIIIᵉ siècle comme un produit de luxe servant en particulier à des incrustations décoratives sur le bronze. Beaucoup plus importante finalement est la rupture, de nature à la fois politique et économique, qui se produit au cours même de l'âge du Bronze, à la fin du XIIIᵉ siècle. Cette période connaît en Méditerranée des civilisations brillantes, en particulier les civilisations minoenne et achéenne. Les royaumes qui en forment la base font appel, au cours du IIᵉ millénaire, aux matières premières de l'Europe, ambre de la Baltique, étain d'Allemagne et de Grande-Bretagne, or d'Irlande et d'Espagne. Ces régions bénéficient de ce commerce jusqu'à l'effondrement du système économique et culturel des riches civilisations égéennes, sous les coups d'envahisseurs venus du nord à la fin du XIIIᵉ siècle, les Doriens. Il se produit alors en Europe un ralentissement du rythme de développement d'où émergent la civilisation des Champs d'urnes puis, avec l'apparition progressive du nouveau métal, entre le IXᵉ et le VIIIᵉ siècles, les cultures européennes de l'âge du Fer. Parmi elles, plusieurs groupes

Epées en bronze provenant de différents sites d'Europe centrale.

se dessinent, répondant à des degrés d'évolution différents, tandis que des relations commerciales solides s'établissent entre ces groupes et le monde méditerranéen et oriental. En Italie, l'âge du Fer débute vers 850 av. J.-C. et voit s'épanouir plusieurs cultures régionales, alors qu'à l'extrême Ouest (Espagne, Grande-Bretagne, Bretagne) et en Europe septentrionale (Allemagne du Nord, Pologne), le Bronze final se prolonge jusque vers la fin du VIᵉ siècle. Le premier âge du Fer ne commence dans ces régions que vers 750 av. J.-C. et il correspond à ce que l'on appelle la civilisation de Hallstatt, d'après le nom du site en Autriche où des nécropoles ont livré un matériel abondant ayant valeur de « témoin ». Il s'agit là d'une classification archéologique et non d'une dénomination ethnique ; de ce dernier point de vue, les Hallstattiens sont sans doute des Celtes. La transition Bronze-Fer est enfin marquée par la désintégration des structures sociales relativement égalitaires des Champs d'urnes, avec l'apparition d'une classe privilégiée de guerriers utilisant le cheval et des armes désormais en fer.

Les ruines de Gordion, capitale de la Phrygie, avec son mur d'enceinte. L'apogée de la ville se situa au VIIIᵉ siècle av. J.-C.

690 av. J.-C.

Egypte

Taharqa succède à Shabataka sur le trône d'Egypte. Il se consacre à l'administration du royaume et à des dévotions religieuses. Il confie la Haute-Egypte à Mentouemhat, qui acquiert ainsi la dignité de prince de Thèbes et gouverneur du Sud.

689 av. J.-C.

Mésopotamie

En 694 av. J.-C., le fils de Sennachérib, roi d'Assyrie, est fait prisonnier par les Elamites en Babylonie. L'Assyrien ne pardonnera jamais ce geste hostile de la part de ses ennemis de toujours. En 691 av. J.-C., une armée élamite et babylonienne est défaite près de Samârrâ. Deux ans plus tard, la rage au cœur, Sennachérib met le siège devant Babylone. La ville tombe et paie cher sa résistance opiniâtre. Elle est incendiée, rasée et inondée, ses décombres sont jetés dans l'Euphrate afin de disparaître à jamais dans les eaux du golfe. Les habitants qui ont survécu au massacre sont déportés, les statues des dieux sont mutilées et enlevées. →

687 av. J.-C.

Lydie

Gygès, garde du corps du roi Candaule, tue son maître et prend sa place. Ce coup d'Etat était loin d'être prémédité par son auteur. Candaule a, en fait, causé sa propre perte. Amoureux fou de son épouse, le roi loue à tout propos sa beauté, mais ses paroles ne sauront jamais suffisamment exprimer sa passion. Il s'adresse alors à Gygès, son fidèle garde du corps, et lui propose de voir la reine se déshabiller. « Voir ma souveraine toute nue ! », s'écrie Gygès. Candaule dissipe ses scrupules, introduit notre homme dans la chambre, le cache derrière un battant de porte. La reine entre, se déshabille et se dirige vers son lit. Gygès se sauve, la reine se retourne et le voit. Elle ne fait pas de scandale, mais décide de se venger de son époux Candaule, à l'origine de la mise en scène. Elle fait alors appeler Gygès et lui propose un marché : soit il tue Candaule et prend sa place, soit il doit lui-même mourir. Gygès proteste pour la forme mais, comme il n'a guère le choix, il exécute le plan. Candaule tué, Gygès épouse la reine et prend le pouvoir. Les Lydiens veulent quand même interroger l'oracle de Delphes pour savoir si Gygès peut vraiment être leur roi. L'oracle confirme et Gygès le récompense avec des monceaux d'or et d'argent : il est le premier Barbare, après Midas, à offrir de tels présents à un sanctuaire grec ! Gygès règne trente-huit ans et n'accomplit rien d'extraordinaire, sinon l'invasion de Milet, de Smyrne et de Colophon.

681 av. J.-C.

Assyrie

A la mort de Sennachérib, une querelle dynastique s'ouvre en Assyrie, car le vieux roi a choisi pour successeur le fils de Naqia - ou Zakutu -, selon que l'on admet le nom araméen ou assyrien, éliminant du même coup les postulants plus âgés. Naqia (Zakutu), la dernière des épouses de Sennachérib, orgueilleuse et énergique, met tout en œuvre pour imposer son fils Asarhaddon et parvient rapidement à ses fins.

680 av. J.-C.

Egypte

Taharqa profite de l'avènement d'Asarhaddon pour tenter de restaurer l'influence égyptienne en Asie. Il cherche à susciter des foyers de révolte parmi les vassaux du roi assyrien. Il a sans doute quelque responsabilité dans la révolte de la cité phénicienne de Sidon. Cette politique dangereuse entraînera l'intervention des Assyriens en Egypte, en 671. Le roi Asarhaddon avait en effet identifié la puissance étrangère qui manipulait les rébellions de ses vassaux asiatiques.

677 av. J.-C.

Phénicie

La politique assyrienne se caractérise par une volonté fortement exprimée d'ouverture d'une voie d'accès à la Méditerranée. Les villes phéniciennes constituent le débouché naturel et privilégié de cette route et, comme toute opposition phénicienne est destinée à être sévèrement réprimée et que les Sidoniens ont la malencontreuse idée de se soulever contre Asarhaddon, l'occasion d'intervenir est toute trouvée. →

Art et culture des Paracas au Pérou

Pérou, VIIe siècle av. J.-C.
La culture des Paracas, apparue sur la côte sud du Pérou vers le Ier millénaire, existe encore de nos jours. Leur civilisation se caractérise par la production de tissus et de céramiques polychromes, vases de terre cuite aux fines parois : la surface sombre reçoit, après la cuisson, un décor de couleurs vives, peintes sur des résines, dont les motifs, traités sur le mode réaliste ou stylisé, font montre d'une variété infinie : oiseaux ou insectes, mais aussi d'insolites visages anthropomorphes de démons ou de dieux. Les Paracas réalisent des voiles extrêmement fins, y ajoutant broderies et objets décoratifs ; d'un caractère somptueux, ces voiles sont essentiellement d'un usage funéraire, ils enveloppent les momies.

Vase anthropomorphe en terre cuite polychrome. Vers 500 av. J.-C. Musée de Copenhague.

Prospérité commerciale des villes de Phénicie

Phénicie, VIIe siècle av. J.-C.
Par le nom de Phénicie, les Grecs désignent la côte levantine depuis Saint-Jean-d'Acre jusqu'à Baniyas ; le mot dérive du grec *phoinix* qui signifie « pourpre », l'industrie de la pourpre étant l'activité la plus florissante de la région. Le pays n'a pas d'unité géographique et politique, il est constitué par un ensemble de cités maritimes qui allient la production artisanale et industrielle avec la pratique du grand commerce international. On sait, grâce à la Bible, la prospérité dont jouit Tyr, l'une des principales villes de Phénicie, au Xe siècle, sous le règne de Hiram, fils d'Abi-baal et contemporain de Salomon auquel il fournit matières premières, marchandises précieuses et artisans. Les successeurs de Hiram étendent leur pouvoir sur d'autres cités phéniciennes, notamment Sidon et Byblos. On attribue au règne d'Itho-baal, le père de Jézabel, épouse d'Achab et reine d'Israël, la fondation d'une ville en Afrique du Nord. A la même époque, la Phénicie commence à perdre son indépendance et doit subir le joug assyrien avec lequel il lui faudra composer pendant plusieurs siècles. Tyr, Sidon, Byblos et Arvad, pour ne parler que des villes les plus célèbres, sont soumises tour à tour, et contraintes au versement d'un tribut annuel. Tout au long des VIIIe et VIIe siècles, les cités phéniciennes souffrent de la domination assyrienne et les tentatives de révolte qui se succèdent sont toujours réprimées avec une sévérité exemplaire. Tyr et Sidon subissent par trois fois des sièges éprouvants et meurtriers, sous Salmanasar V, Sennachérib et Asarhaddon. Certaines familles prennent la fuite et vont fonder ailleurs, comme à Chypre, des villes nouvelles qui sont autant de havres sur les routes commerciales, favorisant l'essor d'une colonisation phénicienne sur tout le pourtour de la Méditerranée. Car malgré les carnages, les Assyriens se gardent bien de détruire les fondements de la puissance commerciale phénicienne.

Navire de combat phénicien. Ils étaient équipés d'un éperon d'attaque. Bas-relief assyrien.

Char assyrien au combat. Relief en bronze. IXe siècle av. J.-C. Les chars jouèrent un rôle offensif déterminant. British Museum, Londres.

Les Assyriens sont au sommet de leur puissance

Proche-Orient, 680-627 av. J.-C.
Sous les deux règnes d'Asarhaddon et de son fils Assurbanipal, l'empire assyrien connaît l'acmé de sa puissance. Vers 730, Teglath-Phalasar III avait vaincu le roi de Babylone, déporté quelque 120 000 prisonniers et était monté sur le trône royal babylonien où il avait régné sous le nom de Pulu. La formule est audacieuse, elle doit assurer une grande stabilité politique en Babylonie, et même si elle n'a pas l'efficacité attendue (elle ne peut empêcher les révoltes), ses successeurs l'imitent, de Sargon à Assurbanipal. Sous Sargon, en 714, la puissance urartéenne est définiti-

Cortège assyrien. IXe siècle av. J.-C. Détail d'une plaque en bronze habillant une porte. British Museum.

vement broyée et mise hors d'état de nuire, mais il est vrai qu'un autre danger se profile à l'horizon, puisque les Cimmériens et les Scythes viennent livrer l'Anatolie au pillage. Le règne de Sennachérib est marqué par un conflit d'une extrême gravité avec Babylone puisque le prince héritier du trône d'Assyrie est capturé par les Babyloniens et leurs alliés élamites ; le conflit se solde par la destruction de Babylone. Avec Asarhaddon, l'Egypte n'est plus à l'abri derrière les dunes du désert du Sinaï ou les marais du delta du Nil. En 671, le roi d'Assyrie lance une offensive générale contre ce royaume. Memphis tombe et l'Egypte est organisée en province assyrienne. Assurbanipal s'empare en 664 de la ville de Thèbes. En 646, c'est au tour de l'Elam de subir l'assaut des armées assyriennes. Vaincu, Suse réduite à néant, ce royaume devient un vassal de la toute puissante Assyrie. Au même moment, un certain nombre de princes mèdes et perses, parmi lesquels Kurash, autrement dit Cyrus, roi des Perses, viennent faire acte d'allégeance. Ardys, fils de Gygès, renoue également des relations avec l'Assyrie. En 640, une armée assyrienne met en pièces les troupes de Lygdamis, le chef cimmérien qui avait incendié la ville d'Ephèse. La paix assyrienne règne sur tout le monde oriental, et pourtant elle est à la veille de s'effondrer.

Première organisation dans les cités grecques

Grèce, VIIe siècle av. J.-C.
Un territoire, avec en son centre une unité urbaine, une communauté d'habitants, ruraux et citadins confondus, tel est le noyau de la Cité grecque au VIIe siècle. Au sein de cette communauté la diversité fait loi et tous ne sont pas également intégrés à la Cité. A côté de la majorité des hommes libres, dont la condition varie de l'aristocratie au petit peuple, vivent quantité d'étrangers, d'esclaves et de dépendants asservis sur une terre qu'ils travaillent sans la posséder, comme les ilotes de Sparte. Cependant, des principes communs d'organisation donnent à la Cité archaïque certains de ses carac-

tères les plus durables. Ce n'est plus une seule personne, comme le roi mycénien, qui tient les rênes du pouvoir mais un petit groupe de grands personnages, tels les neuf archontes d'Athènes. L'aristocratie, quant à elle, siège dans de puissants conseils comme l'Aréopage et renforce ainsi son pouvoir de contrôle sur la Cité. Mais une assemblée est ouverte au peuple, le *demos*. Chacun peut-il donc participer, même indirectement, à l'administration des biens communs ? Tant s'en faut puisque l'assemblée est réservée aux seuls citoyens libres qui ont la capacité politique et défendent l'Etat. Néanmoins l'habitude se prend à intervalles réguliers le peuple sur l'Agora, signe que la politique descend du Palais à la place publique.

Art grec. Cavalier en bronze trouvé à Dodone. Milieu du VIe siècle av. J.-C. Musée national, Athènes. L'équitation fut un des sports favoris des jeunes gens des classes aisées.

Asarhaddon restaure la ville de Babylone

Babylone, vers 680 av. J.-C.
Asarhaddon consacre le début de son règne à la restauration de Babylone. Babyloniens et Chaldéens supportent mal la destruction de leur capitale et en Assyrie même, où la ville jouit d'un très grand prestige comme haut lieu de culture, les avis sont partagés. Asarhaddon explique que le roi de Babylone s'est montré impie devant les dieux et que ceux-ci l'ont abandonné, livrant la ville à leur vindicte. Mais les Babyloniens savent que des ruines jetées dans l'Euphrate doit renaître une Babylone nouvelle. Pour apaiser les esprits, le roi d'Assyrie fait reconstruire la ville et autorise ses habitants à retourner chez eux.

Mort d'Hésiode, le berger inspiré par les Muses

Grèce, VIIe siècle
Hésiode est l'auteur d'un grand poème théologique, *La Théogonie*, où il raconte la généalogie des dieux grecs : c'est la première tentative systématique pour mettre en ordre l'ensemble des traditions mythiques grâce à l'écriture poétique. L'autre œuvre majeure d'Hésiode s'intitule *Les Travaux et les Jours* : ce poème didactique enseigne l'art de vivre et de travailler à la campagne. Les Muses sont apparues à Hésiode. Elles lui offrirent un rameau d'olivier et lui inspirèrent des accents divins pour chanter la race des Bienheureux immortels.

Instabilité et luttes sociales en Grèce

Grèce, VIIe siècle av. J.-C.
Dans ce monde des *Travaux et des Jours* que chante le poète béotien Hésiode dès la fin du VIIIe siècle, les tensions sociales s'exacerbent. Elles ont pour cadre les campagnes, où vit la majorité des Grecs. Des plaines de Béotie aux collines de l'Attique, l'insécurité règne. Les aristocrates, les puissants du moment ne cessent de s'affronter et « le sang noir des Grecs » coule en abondance. Ainsi les petits paysans doivent choisir la protection des grands propriétaires qui se disputent impitoyablement les zones d'influence. Ces puissants que l'on qualifie de « mangeurs de présents » exigent de lourdes contreparties. La

ponction sur les récoltes se fait de plus en plus pressante. Mais c'est avant tout l'endettement qui constitue le fléau principal de cette société rurale. Naguère libres, aujourd'hui asservis sur les grands domaines ou dépendants, comme les ilotes de Sparte et les hectémores d'Athènes, nombreux sont les petits paysans qui connaissent une telle dépréciation de leur statut. La crise agraire conduit à l'instabilité politique, la *stasis* ou rupture de la communauté civique. En effet, profitant des rivalités qui opposent les représentants de l'aristocratie, le peuple expose ses revendications. Il lui faut, pour survivre, un partage plus juste de la terre et des droits politiques réels pour s'opposer à l'influence des puissants.

669 av. J.-C.

Assyrie

La disparition subite d'Asarhaddon sur la route de l'Egypte ouvre une nouvelle fois une grave crise dynastique en Assyrie. Zakutu, l'épouse de Sennachérib, qui avait déjà su imposer son fils Asarhaddon aux factions rivales qui se déchiraient dans les allées du pouvoir, réussit une nouvelle fois à imposer son petit-fils Assurbanipal, sauvant l'empire et faisant ainsi respecter les volontés d'Asarhaddon lui-même, qui avait choisi son troisième fils pour lui succéder sur le trône d'Assyrie, l'aîné étant décédé prématurément. Dès avant sa mort, en effet, il l'avait associé à la conduite des affaires de l'Etat et avait fait prêter serment de fidélité par tous les Assyriens et tous les peuples soumis ou vassaux. →

664 av. J.-C.

Egypte

Le dynaste Néchao avait accepté la suzeraineté d'Asarhaddon, allant même jusqu'à donner un nom assyrien à la ville de Saïs et à son fils Psammétique. En 666, Assurbanipal envoie en Egypte une importante armée où Syriens et Assyriens combattent côte à côte. Taharqa, à la tête de la révolte des Egyptiens, se réfugie avec ses partisans à Thèbes. C'est sur cette ville que se dirigent Assurbanipal et son armée. Les sanctuaires de la cité sainte auront à souffrir de cette invasion, mais la ville elle-même ne semble pas avoir été détruite. C'est dans la région du Delta que se prépare la révolte des dynastes égyptiens contre l'occupant assyrien.

663 av. J.-C.

Egypte

Psammétique Ier, fils de Néchao, règne sur la région de Saïs. Un oracle lui conseille une alliance avec des hommes de bronze venus de la mer. C'est ainsi qu'il fera alliance avec des pirates ioniens et cariens. Avec cette armée, Psammétique va restaurer l'indépendance de l'Egypte et refaire l'unité du pays à son profit. Il parviendra, grâce à l'alliance de Gygès, roi de Lydie, à expulser les Assyriens et à les poursuivre jusqu'en Palestine. Il mettra le siège devant la place forte d'Ashdod mais ne s'en emparera qu'au bout de vingt-neuf ans.

660 av. J.-C.

Anatolie

Acculés par les invasions cimmériennes, les rois de Lydie tentent désespérément de sauver leur jeune royaume. Gygès, qui avait guerroyé contre Milet et Smyrne, sur la côte de la mer Egée, et avait conquis la ville de Colophon, doit s'adresser à Assurbanipal pour implorer son aide. Celui-ci se montre très flatté et honoré de cet appel à l'aide, mais omet d'y répondre positivement. Cette désinvolture coûtera cher au malheureux Gygès, privé de tout appui sérieux.

Egypte

L'Egypte est entièrement libérée de la présence assyrienne. Psammétique peut se consacrer à la reconquête du pouvoir intérieur : d'abord conforter son autorité dans le Delta, puis maîtriser l'administration de la Haute-Egypte.

Japon

Le prince légendaire Jimmu Tennô, descendant de la déesse solaire Amaterasu, monte sur le trône du Japon après avoir vaincu le royaume Yamato. La tradition date la fondation de l'empire japonais au 11 février 660. Jimmu Tennô est ainsi l'ancêtre de tous les souverains de l'histoire japonaise. Selon la légende, il est né à Kyûshû. Il quitta cette ville en 667 pour conquérir les régions orientales du Japon. C'est en 585 qu'il aurait trouvé la mort.

652 av. J.-C.

Asie Mineure

Les Cimmériens s'emparent de la ville de Sardes, capitale de la Lydie. Le roi Gygès meurt au cours des combats. Mais la ville ainsi que le royaume se relèveront rapidement de ces ruines. Ce sera l'œuvre d'Ardys, le propre fils de Gygès, qui renoue les relations diplomatiques avec l'Assyrie dès avant la fin du règne d'Assurbanipal.

650 av. J.-C.

Perse

La paix assyrienne règne sur le monde pour quelques décennies encore. Parmi les peuples qui reconnaissent sa suzeraineté, on rencontre les Perses dont le prince, du nom de Kurash, autrement dit le Cyrus de la tradition grecque, paie tribut à l'Assyrie.

Guerriers élamites. Plaque de bronze. Suse, vers 1100 av. J.-C. Leur armement comporte un arc et une sorte de coutelas.

Querelles dynastiques dans le royaume d'Elam

Elam, VIIIᵉ - VIIᵉ siècles av. J.-C.
Deux monarchies élamites, celle d'Anzan et celle de Suse, prennent à cette époque la tête du mouvement de résistance des peuples du Zagros et du plateau iranien contre l'impérialisme assyrien, et soutiennent l'effort constant de l'opposition babylonienne. Mais l'organisation de l'Elam en une fédération de principautés rend ce pays rétif à toute idée de centralisation. L'établissement d'une puissance élamite avec laquelle il faut compter est l'œuvre, vers 740, de Humban-nikash, qui sut tenir tête à Sargon II. Son fils Shutruk-nahhunte II lui succède et, prenant le titre de « roi d'Anzan et de Suse », semble parvenir à imposer l'unité politique à ses Etats : il se vante lui-même d'avoir mis au pas trente royaumes. Dès lors, l'Elam est en mesure de s'engager dans la guerre anti-assyrienne. Mais les rois d'Assyrie connaissent les faiblesses de leur ennemi chez qui ils fomentent les révoltes et les complots de palais. Les rois d'Elam disparaissent de plus en plus vite, et les factions rivales s'entre-déchirent jusque sur les marches du trône. Pendant quelques temps, autour de 650, un prince susien, Tempt-humban-inshushinak, mettant à profit l'extrême faiblesse de la monarchie, prend la direction des opérations contre l'Assyrie. Il est finalement vaincu : Assurbanipal peut déjeuner en toute quiétude, tandis que la tête du vaincu se balance à un arbre.

Une guerre fratricide pour le trône d'Assyrie

Mésopotamie, 652-648 av. J.-C.
En 672, le roi d'Assyrie Asarhaddon est confronté à un redoutable problème. Ayant décidé de partager, après sa mort, l'empire entre ses deux fils aînés, Sin-iddina-apla et Shamash-shuma-ukin, il leur donne à chacun une éducation appropriée à leurs futures fonctions. Or, Sin-iddina-apla, destiné au trône d'Assyrie, meurt prématurément. Shamash-shuma-ukin étant trop « babylonien » de culture à son gré, Asarhaddon lui préfère son cadet Assurbanipal qu'il destine à lui succéder en Assyrie. Ce choix ne va pas sans provoquer de vives réactions qui poussent le vieux roi à associer son jeune fils aux affaires de l'Etat avant sa mort. Shamash-shuma-ukin ronge son frein jusqu'en 652 où il juge le moment opportun de se révolter. Il noue des alliances dans tout l'empire et gagne à sa cause le gouverneur du sud de la Babylonie, Nabu-bel-shumate, un prince chaldéen dans lequel, pourtant, son frère avait placé toute sa confiance ; il va même jusqu'à acheter l'alliance des Elamites, les ennemis jurés de l'Assyrie, son propre pays. Assurbanipal réagit promptement et envoie une armée assiéger son frère rebelle dans Babylone. En même temps, une seconde armée se dirige vers le sud et contraint Nabu-bel-shumate à la fuite. Une troisième armée assyrienne intercepte les troupes élamites envoyées à la rescousse et les refoule. En 648, après quatre ans de lutte, Assurbanipal décide de donner à Babylone l'assaut final. Les derniers défenseurs incendient la ville, Shamash-shuma-ukin se donne la mort au milieu de l'incendie de son palais. Cet épisode est à l'origine de la légende de Sardanapale rapportée par les auteurs grecs.

Les hoplites grecs forment les phalanges

Grèce, VIIᵉ siècle av. J.-C.

Désormais, pour les Grecs du VIIᵉ siècle, la guerre cesse d'être l'affaire de la seule cavalerie des nobles. Le temps des héros homériques qui s'affrontent en combat singulier paraît révolu. De grandes mutations se font jour, mais elles ont déjà été amorcées de longue date. L'art de la guerre, les techniques de l'armement, s'en trouvent révolutionnés et le statut du métier des armes complètement bouleversé. C'est maintenant aux fantassins de tenir le premier rôle, le sort de la bataille dépend du choc collectif de deux troupes compactes lourdement armées : les phalanges d'hoplites. La réforme hoplitique pose comme principe que chaque citoyen doit participer à la défense de sa Cité. A Athènes, on est ainsi mobilisable de 18 à 60 ans. Mais il faut avoir les moyens de s'équiper. C'est le cas de l'ensemble des paysans qui possèdent au moins un petit lot de terre et grossissent les rangs des phalanges. L'armement se compose d'un heaume, d'un corset plat, de jambières, d'une haute lance et d'une courte épée pour le corps à corps. Le casque de métal subit des modifications mais c'est le bouclier qui constitue la principale originalité de cet équipement et assure la cohésion de l'ensemble. Il est rond, de vastes dimensions, en bois recouvert de bronze ou de cuir. Enfin, innovation essentielle, il possède une double poignée interne qui assure plus de prise au combattant et lui permet de protéger sans faille son voisin. Ainsi tous les hoplites se trouvent soudés les uns aux autres et forment une troupe de choc solidaire et disciplinée. Les hoplites subissent un véritable dressage guerrier, couronné par un serment collectif, comme celui que se prêtent les éphèbes athéniens. La phalange offre ainsi une image nouvelle de la communauté : celle de la « Cité en armes » régie par l'égalité de tous et les devoirs de chacun.

Hoplites au combat. Frise peinte sur vase protocorinthien trouvé à Veii. Vers 640-630 av. J.-C. Villa Giulia, Rome.

Compétition sportive. Amphore à figures rouges, vers 520 av. J.-C. La course à pied est l'épreuve olympique la plus ancienne.

Les sportifs grecs en compétition aux Jeux olympiques

679-650 av. J.-C.

Tous les quatre ans, Olympie célèbre en été ses Jeux en l'honneur de Zeus. Des hérauts proclament partout la trêve sacrée : les cités grecques oublient leurs conflits et dépêchent à Olympie leurs athlètes : ils doivent être grecs et de condition libre. Les visiteurs de toutes sortes affluent (à l'exception des femmes mariées). Les concours durent cinq à sept jours, le premier étant réservé à des sacrifices et à la prestation des serments. Le nombre et l'ordre des épreuves est variable. Voici les plus fréquentes : sur la piste du stade (192,27 m) ont lieu diverses courses à pied : stade (l'épreuve olympique la plus ancienne et qui ouvre les Jeux), double stade, course « longue » (toutes trois disputées par des athlètes nus) et course en armes ; des combats : lutte, boxe, pancrace (technique mixte) ; enfin, le pentathlon, groupant cinq disciplines : lutte, course, saut, disque, javelot. A l'hippodrome ont lieu des courses très spectaculaires de chevaux attelés (quadriges généralement) et montés. Les « juniors » concourent aussi, au stade, à la lutte, à la boxe. Les vainqueurs ou « olympioniques » reçoivent le dernier jour la couronne d'olivier, récompense honorifique. Ces héros, qui illustrent leur patrie et leur race, sont fêtés à l'égal des guerriers : leur exploit sportif, chanté par un poète, réalise l'idéal aristocratique hellène. Mais de plus, Olympie réconcilie les Grecs si souvent divisés.

Renaissance égyptienne sous la dynastie saïte

Egypte, 664-525 av. J.-C.

Sous les rois de la XXVIᵉ dynastie, l'Egypte renoue avec ses traditions, les pharaons saïtes s'inspirant, pour restaurer l'autorité royale, des modèles de l'Ancien et du Moyen Empire. Ce souci de se rattacher à un âge d'or est significatif d'une dynastie d'origine étrangère, qui se replace ainsi dans la longue histoire du pays. Dans le domaine religieux, la « renaissance saïte » se manifeste par l'abandon des cultes des divinités étrangères apparus au cours du Nouvel Empire : Baal, Astarté... ; les textes des pyramides de l'Ancien Empire sont recopiés et inscrits sur les parois des tombes ou des sarcophages. La statuaire reprend les attitudes, les costumes des hautes époques, mais dans une pierre qui n'est plus du calcaire, mais de la pierre dure polie : basalte, serpentine, brèche. Le bas-relief s'inspire des scènes des mastabas de l'Ancien Empire. Les ressources du pays sont remises en valeur, l'agriculture est florissante, le commerce se développe et les cadres administratifs sont reconstitués. Memphis est la capitale où siège la cour du pharaon. L'Egypte retrouve ses traditions intellectuelles et artistiques, mais elle se modernise aussi en s'ouvrant vers l'extérieur, notamment vers le monde égéen. Le pays tend à se couper en deux : la Haute-Egypte plus tournée vers le passé, la Basse-Egypte visant l'avenir.

Un jeune arbitre surveille un groupe de lutteurs (deux fois représenté). Amphore à figures rouges, vers 510 av. J.-C.

650 av. J.-C.

Provence

Le sud de la Gaule vient d'entrer dans l'âge du Fer. Il constitue déjà un marché très important pour lequel les commerçants grecs, étrusques et phéniciens sont en concurrence active. Bijoux, céramiques, amphores de vin, armes et objets de bronze constituent l'essentiel des marchandises d'importation. Mais les bateaux ne repartent pas sans chargement : le cuivre et l'étain, les céréales, l'ambre et le sel, en provenance d'Europe occidentale, sont exportés dans l'ensemble du monde méditerranéen.

640 av. J.-C.

Asie Mineure

Ephèse est l'une des plus anciennes et des plus importantes villes grecques de la côte d'Asie Mineure. Elle est construite autour d'un sanctuaire dédié à Artémis. Les Cimmériens s'en emparent et l'incendient. Ils ne font cependant que passer sur les rives occidentales de l'Asie et ne s'attardent pas sur les ruines de la cité. La reconstruction est rapidement entreprise ; elle sera, en partie, organisée et financée par le roi de Lydie, Crésus, célèbre pour avoir, le premier, frappé une monnaie en or.

Royaume de Juda

Assurbanipal s'enlise dans la guerre d'usure qu'il conduit en Elam et Josias, bénéficiant d'un assouplissement de la domination assyrienne, accède au pouvoir.

639 av. J.-C.

Mésopotamie

Au terme d'une guerre longue et meurtrière, le roi d'Assyrie Assurbanipal installe une de ses créatures sur le trône d'Elam et, pour marquer les consciences et assouvir sa rancune, il rase la ville de Suse. →

632 av. J.-C.

Grèce

Le développement du sanctuaire de Zeus à Olympie est étroitement associé à celui des Jeux qui s'y déroulent tous les quatre ans. De nouvelles épreuves viennent régulièrement compléter le programme de la compétition. En 632, on institue les épreuves de course à pied et de lutte pour les enfants.

Syrie

Sur le site de Sultan-tépé, il a été mis au jour une importante bibliothèque datant du VIIe siècle. Elle semble avoir appartenu à un prêtre de la localité et comprend, outre des textes médicaux et divinatoires, des éditions de grands textes mythologiques et épiques comme *L'Epopée de Gilgamesh*, *Le Poème du juste souffrant*, *Le Mythe de la descente de Nergal aux Enfers*, ainsi qu'un petit conte humoristique.

630 av. J.-C.

Mer Noire

Les cités grecques envoient des expéditions pour fonder des colonies sur les rives de la mer Noire, l'antique Pont-Euxin, ainsi que sur celles de la Propontide et du Bosphore. Des cités comme Byzance, Sinope, Olbia, Amisos, sont créées dans ces régions. Colonies de peuplements à vocation agraire ou simples comptoirs commerciaux, ces cités assurent la propagation de la civilisation grecque dans les zones du littoral comme de l'arrière-pays. La cité d'Olbia, en particulier, constituera l'un des centres majeurs de la mer Noire hellénisée.

Grèce

Alcée est né à Lesbos, comme Sapho. Il rencontra d'ailleurs la poétesse et en tomba amoureux. La poésie d'Alcée comprend des hymnes religieux, dans la tradition des hymnes homériques. Il chante ainsi Athéna, Apollon, Hermès et Aphrodite. Mais, comme pour les poètes de sa génération, ses sentiments personnels, ses expériences constituent une source d'inspiration importante. Ici, il rappelle un affrontement avec les Athéniens où il dût abandonner son bouclier pour filer plus vite. Là, il célèbre en ces termes la mort d'un tyran : « C'est maintenant qu'il faut boire à outrance et s'enivrer : Myrsilos a péri. » Alcée chante aussi habituellement les plaisirs de l'amour et du vin au goût de miel que l'on boit à larges rasades.

Syrie

Les Scythes apparaissent en Syrie, qu'ils traversent apparemment sans guère rencontrer de résistance de la part des armées assyriennes.

Les Scythes envahissent la Syrie qu'ils ravagent jusqu'à la frontière égyptienne. L'Egypte sera épargnée.

Le roi Assurbanipal sous une treille. Ninive, VIIe siècle av. J.-C. British Museum, Londres.

Mort d'Assurbanipal, roi guerrier et érudit

Ninive, 629 av. J.-C.

Jadis Sargon II guerroyait à la tête de ses troupes et Sennachérib caracolait encore au premier rang de ses soldats. Mais les derniers rois d'Assyrie ne sortent plus guère de leurs palais, confiant la plupart du temps à leurs généraux le soin de diriger les opérations à leur place. Assurbanipal, du reste, est un lettré : troisième fils d'Asarhaddon, il était destiné à devenir prêtre. La roue de la fortune lui a réservé un autre chemin. Il a appris à lire et écrire et il fait réunir, en son palais de Ninive, une bibliothèque regroupant quelque 25 000 œuvres qu'il fait patiemment rechercher dans toutes les provinces de l'Empire. Trésor inestimable, cette bibliothèque conserve tous les fleurons de la littérature mésopotamienne ; c'est grâce à elle que mythes et légendes peuvent encore revivre aujourd'hui.

Les commerçants grecs en Egypte

Egypte, 650-565 av. J.-C.

L'Egypte commerce depuis longtemps avec le monde égéen. Dès le Moyen Empire, on trouve de la poterie crétoise dans le Fayoum. Ce n'est pourtant que sous le règne de Psammétique Ier que des commerçants grecs peuvent s'installer durablement en Egypte. Ils suivent les mercenaires grecs qui jouissent d'une grande faveur dans l'armée royale. Ils s'établissent d'abord dans les villes de garnison du Delta, puis en Haute-Egypte. Bons marchands, les Grecs s'enrichissent rapidement et suscitent la convoitise. A la suite d'une flambée de xénophobie, Amasis, en 565, fait de Naucratis la seule ville où les Grecs peuvent commercer librement. Comptoir fondé par les Milésiens sous Psammétique Ier, Naucratis se situe dans le Delta, à 83 km au sud-est de l'actuelle Alexandrie. Administrée de manière autonome, c'est une véritable enclave grecque en Egypte. Naucratis devient rapidement une ville prospère et florissante. Ses revenus douaniers sont dédiés au temple de la déesse Neith, à Saïs. Les seules monnaies civiles d'argent et de bronze connues en Egypte y sont fondues.

Le royaume élamite s'effondre sous les coups de l'Assyrie

Elam, 639 av. J.-C.

Après la défaite de Tempt-humban-inshushinak, trois frères se partagent le royaume élamite mais, ouverts aux influences les plus diverses, ils sont rapidement divisés et la guerre les voit s'affronter. L'un deux, Tammaritu, évincé par son frère Humban-haltash, a trouvé refuge à la cour de Ninive. Sous le prétexte que le nouveau roi d'Elam a prêté main forte à Babylone, Assurbanipal passe à l'attaque et rétablit Tammaritu sur le trône. En 646, Humban-haltash tente de reconquérir son royaume mais l'armée assyrienne coupe court à son projet. A l'occasion de cette nouvelle guerre, Assurbanipal raye Suse de la surface de la terre. La ville est détruite, ses dieux sont réduits à n'être plus que des souffles inutiles qui vaquent dans le désert et la population qui n'est pas massacrée est déportée à Samarie. Les propos d'Assurbanipal montrent sa rage de détruire : « Je conquis Suse... Je réduisis à néant les temples d'Elam, leurs dieux et leurs déesses, j'en fis du vent... Les tombeaux de leurs rois, anciens et récents, je les exposai au soleil et emportai leurs ossements au pays d'Assur. J'imposai à leurs ombres de ne jamais se reposer, les privant d'offrandes... Je semai le sel dans sa campagne. »

Vase à libation dont le bec est ruiné. Suse, VIIe siècle av. J.-C. Musée archéologique, Téhéran.

Coupe en or martelé offerte par les fils de Cypsélos, tyran de Corinthe, au temple d'Olympie pour s'attirer la bienveillance des dieux.

Mythes et histoires des tyrans de Corinthe

Grèce, VIIᵉ - VIᵉ siècles av. J.-C.

Dans les cités démocratiques, au Vᵉ siècle, les Grecs aiment les histoires de tyrans. Dans le récit hérodotéen sur les tyrans de Corinthe, le mythe se mêle à l'histoire. Corinthe est régie par la famille des Bacchiades. Les mariages consanguins sont le seul moyen de maintenir ce pouvoir oligarchique. Or un jour, l'un des Bacchiades a une fille boiteuse nommée Labda. Aucun homme du clan familial ne voulant l'épouser, la malheureuse est rejetée. Lorsque Labda se marie avec Eétion l'oracle de Delphes, consulté, annonce cette prédiction : Labda enfantera une pierre roulante qui s'abattra sur les hommes régnants et châtiera Corinthe. A la naissance de l'enfant supposé faire le malheur des Bacchiades, ceux-ci, avertis, décident de

l'éliminer. Mais Labda le cache et Cypsélos échappe ainsi à une mort certaine. Devenu adulte, il est salué par l'oracle de Delphes comme « roi de Corinthe ». Et, de fait, il devient tyran et décime les Bacchiades. Son fils, Périandre, poursuit cette politique d'assassinats et de bannissements. Mais la lignée des tyrans nés de Labda la boiteuse ne dépasse pas la troisième génération. Périandre, dans un accès de fureur, tue sa femme. Lycophron, le cadet, seul apte à succéder à son père, refuse désormais de communiquer avec lui. Chassé du palais, il se réfugie à Corcyre. Dans sa vieillesse, Cypsélos rappelle son fils, veut lui laisser le pouvoir et quitter lui-même la cité. Mais les Corcyréens tuent le fils pour ne pas hériter du père. C'est la fin de la tyrannie des Cypsélides. Ce drame familial rappelle celui d'Œdipe, de ses parents, de ses fils.

Influence orientale sur les vases corinthiens

Grèce, VIIᵉ siècle av. J.-C.

A partir du VIIIᵉ siècle, les relations commerciales entre le monde grec et l'Orient s'intensifient, favorisées par l'établissement de cités sur les côtes d'Asie Mineure et le pourtour de la mer Noire. Le grand nombre d'objets orientaux trouvés en Grèce atteste le caractère florissant de ces échanges, qui vont se traduire par l'apparition d'un style nouveau dans l'art de la céramique, au moment où s'épuise le registre géométrique. C'est à Corinthe, carrefour commercial, que s'élabore la nouvelle esthétique, nourrie de la sève orientale. Les formes sont très variées ; l'argile rouge est recouverte d'un engobe crème qui fait ressortir les motifs polychromes. L'influence orientale est visible tant dans la richesse décorative que dans les nombreux emprunts iconographiques faits à son répertoire ; des frises d'animaux (lions, panthères, bouquetins) parfois fabuleux (sphinx, griffons), s'étagent sur le vase tandis que, pour la première fois depuis l'époque mycénienne, les motifs végétaux réapparaissent dans le décor, mais à une place secondaire ; fleurs épanouies ou

en bouton forment, en effet, un simple remplissage du fond. La peinture est soulignée par le procédé de l'incision introduit par les Corinthiens vers 725, de sorte que leur production, largement diffusée jusqu'en Occident, sera au VIIᵉ siècle imitée par les autres écoles qui adopteront le style « orientalisant ».

Vase corinthien : animaux et êtres fantastiques. Terre cuite. Vers 590. Musée du Louvre, Paris.

Les tyrans règnent sur les cités grecques

Grèce, 650-627 av. J.-C.

La tyrannie fleurit dans toutes les parties du monde grec au cours des VIIIᵉ et VIIᵉ siècles. Il faut rechercher son origine dans l'état endémique de crise des cités : crise politique causée par les rivalités qui déchirent une aristocratie détenant le pouvoir économique et social, du fait de l'inégalité croissante de la répartition des terres concentrées entre les mains de quelques riches propriétaires, alors que les petits paysans dépossédés viennent gonfler une population urbaine appauvrie. Profitant de l'anarchie, le tyran (toujours un noble) s'empare du pouvoir en s'appuyant sur une faction de l'aristocratie, sur le peuple, et parfois sur un corps de mercenaires étrangers. A l'origine, le terme de tyran ne contient pas la connotation péjorative qui lui sera associée à l'époque classique. C'est un monarque qui détient seul le pouvoir, pas un despote. Il est souvent populaire et sa « légitimité » toute relative repose sur un consensus ; il

est investi d'une mission (résoudre la crise), selon les termes d'un accord tacite. Hérodote dépeint Pisistrate d'Athènes comme un « bon tyran » qui respecte même les institutions, après avoir éliminé l'opposition la plus farouche : l'aristocratie, qui, évincée du pouvoir qu'elle partageait, a durement ressenti la perte de ses privilèges. Sans donc introduire de changement notable dans les institutions en place, le tyran s'efforce de rétablir ordre et stabilité ; il procède à une réforme agraire (redistribution des terres), prend des mesures économiques et sociales (stimulation des activités commerciales et artisanales grâce à une politique de prestige menée à l'extérieur, et une politique de grands travaux dans la cité : chantiers navals, programmes architecturaux d'utilité publique). Il édicte des lois somptuaires pour masquer les écarts de fortune, et favorise l'essor des cultes populaires. Mais lorsque la mission est remplie, le régime devient pesant pour un peuple épris de liberté. Le tyran est alors renversé ; mais les Grecs lui doivent l'émergence de leur conscience nationale.

Pesée du silphium en présence d'Arcésilas II, roi de Cyrène. Coupe à figures noires. Détail. Vers 560 av. J.-C.

L'oracle de Delphes, à l'origine de la fondation de Cyrène

Libye, vers 631 av. J.-C.

Les circonstances de la fondation de Cyrène par les Théréens montrent de façon manifeste le rôle déterminant de propagande tenu par l'oracle de Delphes dans la colonisation grecque. Il semble, en effet, que la Pythie répercutait, sous des propos sybillins, des renseignements reçus par ailleurs sur les contrées encore peu connues. Ainsi, les colons qui venaient consulter Apollon sur l'issue de leur entreprise, recevaient la garantie divine dans la mesure où ils suivaient scrupuleusement les indications. D'après la tradition, l'oracle, consulté à plusieurs reprises, a bien invité Battos de Théra à

fonder une colonie en Afrique, mais pour décider les Théréens, il leur fait subir sept ans de sécheresse. Toutefois, la stèle qu'érigeront les fondateurs de Cyrène fait apparaître que cette épreuve divine traduit une période agitée de crise politique (rivalité entre deux parties) et sociale (surpopulation et manque de terres entraînant la famine) ; de là, la nécessité de se débarrasser des éléments qui constituaient une menace pour la paix de l'île. Battos s'exile donc, accompagné d'environ deux cents hommes, et débarque, après une reconnaissance des lieux, sur l'îlot de Platéa, avant de s'établir sur le continent. Après une cohabitation pacifique avec les indigènes, il lui est indiqué l'emplacement de la future Cyrène, qui doit son nom à la présence d'une source vite assimilée à la nymphe grecque aimée d'Apollon.

628

Royaume de Juda
En la treizième année du règne de Josias, le prophète Jérémie reçoit la parole de Yahvé et commence son ministère.

626 av. J.-C.

Mésopotamie
Nabopolassar entre dans Babylone où il se fait couronner roi. Le vieux rêve des Chaldéens de monter sur le trône de Babylone est enfin réalisé. Certes, Merodach-baladan II avait réussi à constituer, face aux Assyriens, une royauté épisodique. A présent, Babylone s'apprête à succéder à Ninive et à régner sur le monde entier.

625 av. J.-C.

Médie
Cyaxare, fils de Phraortês, s'apprête à régner sur la Médie. Après avoir réorganisé l'armée, il se dégage de l'autorité que les Scythes exercent sur les Mèdes et conquiert Ninive. Vaincu dans la guerre qui l'oppose à la Lydie, il échoue dans sa tentative de dominer l'Asie Mineure.

621 av. J.-C.

Grèce
Les lois de la cité grecque ne se limitent pas aux affaires publiques, mais réglementent aussi les affaires privées. Au droit coutumier et à la vendetta entre clans se substitue un droit écrit, qui sera le même pour tous. Dracon est l'un des principaux auteurs du droit athénien. Tous les conflits entre individus doivent désormais trouver une solution. Dracon est le premier à avoir distingué l'homicide volontaire et l'homicide involontaire. →

Royaume de Juda
Josias, roi de Juda, inaugure une importante réforme religieuse, à la suite de la découverte dans le Temple d'un « rouleau de la Loi » ainsi que des mesures sociales en faveur des défavorisés. →

620 av. J.-C.

Grèce
C'est dans le royaume lydien que les Grecs vont découvrir l'instrument monétaire. La richesse pro-

verbiale de Crésus, qui pouvait acheter des mercenaires dans l'ensemble du monde égéen, avait frappé les esprits. L'adoption de la monnaie métallique devait faciliter les échanges en instaurant un étalon de mesure, en permettant d'évaluer la valeur des produits. La monnaie intervient relativement tard dans la vie commerciale des Grecs. L'absence de petites divisions montrent que les monnaies d'or et d'argent n'avaient, en fait, qu'une diffusion limitée.

612 av. J.-C.

Assyrie
Le Mède Cyaxare et le Babylonien Nabopolassar assiègent Ninive. La ville tombe après un ultime assaut, mais la garnison, loin de se rendre, résiste avec acharnement maison après maison. Deux millénaires d'histoire arrivent à un terme, en cette année 612 ; il suffira de quelques années seulement pour que le souvenir de Ninive s'efface totalement des esprits. Autrefois, lorsque Assurbanipal n'était encore que le prince héritier, les Mèdes avaient dû prêter serment de fidélité et d'obéissance au futur roi, jurant d'être ses vassaux en toutes circonstances. Le texte de ce serment était écrit sur une tablette exposée dans le grand temple de Ninive. Les Mèdes, en 612, n'ont pas oublié cette page humiliante de leur histoire. Dans le temple d'Assur, la tablette scellée sur laquelle est consigné le texte du serment est jetée à terre et fracassée en de multiples morceaux. Le serment est enfin rompu ! Les archéologues en trouveront les fragments au sol.

609 av. J.-C.

Egypte
A peine parvenu au pouvoir, Néchao II tente, par une intervention en Palestine, de recréer l'Empire égyptien en Asie. Il voulait soutenir le roi d'Assyrie Assurballit contre les Mèdes et les Babyloniens. Le roi de Juda, Josias, partisan de Babylone affronte Néchao. Au terme de la bataille de Megiddo, Josias est tué et Néchao vainqueur. Celui-ci maîtrise désormais l'ensemble de la Syrie. Néchao envoie au sanctuaire d'Apollon, à Milet, le vêtement qu'il portait lors de cette brillante campagne. Cette offrande semble prouver que des mercenaires grecs ont participé à ses succès militaires. →

Les Scythes font irruption en Syrie

Syrie, vers 630 av. J.-C.
Les Scythes, qui ont suivi les Cimmériens et ont achevé de détruire ce que ceux-ci avaient déjà mis à mal en Anatolie, principalement les royaumes d'Urartu, de Phrygie, de Lydie et des Mannéens, envahissent, au temps d'Assurbanipal, la Syrie qu'ils ravagent jusqu'à la frontière égyptienne. Le pharaon épargne à l'Egypte le sort réservé à la Syrie en achetant à prix d'or leur départ. La chevauchée victorieuse des Scythes, au cœur de la Syrie, objet de tant d'attention de la part du pouvoir assyrien, montre la fragilité de l'édifice politique construit par les rois de Ninive et leur incapacité, malgré la lourdeur et la complexité de leur administration, à gouverner durablement les territoires conquis : toutes les occasions sont bonnes pour les vaincus d'hier de relever la tête et de secouer le joug étouffant de l'oppresseur.

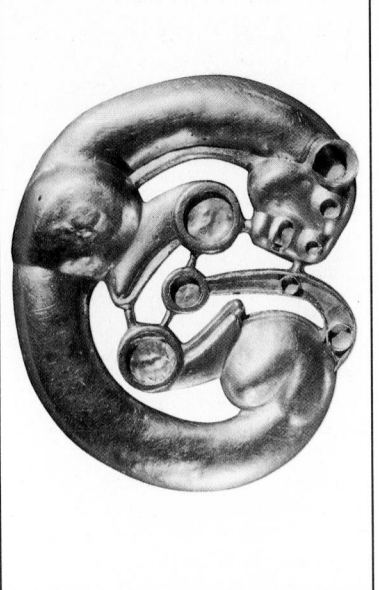

Art scythe. Panthère stylisée. Plaque en or. Début VIe siècle av. J.-C. Musée de l'Ermitage, Leningrad.

Le site de Megiddo, où les troupes de Josias tentèrent de s'opposer à la progression de Néchao et où le roi de Juda trouva la mort.

Josias inaugure une réforme religieuse dans le royaume de Juda

Jérusalem, 621 av. J.-C.
Vers 700, le roi Ezéchias avait supprimé les hauts lieux et les *asherim*, les « serpents d'airain », s'efforçant d'instaurer un yahvisme conforme à la loi transmise par Moïse. Après le règne de Manassé, fils et successeur d'Ezéchias, qui marque un retour aux cultes païens et à l'adoration des idoles, il revient à Josias de renouveler l'alliance contractée autrefois dans le Sinaï. Dans l'intervalle, la rigueur de la domination assyrienne s'était faite plus légère. Face au roi de Ninive dont il reconnaissait la suzeraineté, Manassé avait peut-être cherché le salut dans l'adoration de divinités étrangères, et notamment assyriennes, plus à même d'intercéder en sa faveur pour la sauvegarde de son propre royaume, dont les mal-

heurs s'expliquaient par la colère de Yahvé contre son peuple. En 621, la situation n'est plus tout à fait la même : les armées assyriennes se sont éloignées et Josias recouvre pratiquement l'indépendance politique. Et puis, c'est aussi l'année où l'on a retrouvé dans le Temple un « livre de la Loi », découverte qui sera à l'origine d'un ensemble de mesures que l'on appelle la « réforme » de Josias. Celui-ci entreprend en effet la purification du Temple de Jérusalem en le vidant de tous les objets qui peuvent évoquer le paganisme des décennies écoulées dont les hauts lieux sont profanés et les prêtres démis de leurs fonctions sacerdotales. La divination est proscrite et la Pâque est célébrée avec une solennité jamais égalée. Le monopole du culte au sanctuaire national est affirmé avec une force sans précédent. Toute tentative de compromis avec une autre religion, principalement un culte cananéen, est désormais exclue.

Dracon réforme le droit athénien

Athènes, 621 av. J.-C.

Une mise en ordre juridique s'impose dans l'Athènes du VIIᵉ siècle. Les conflits entre les grandes familles, les délits engendrés par les tensions sociales, mais aussi la violence sous toutes ses formes doivent trouver de justes sanctions. C'est la tâche que se fixe Dracon en élaborant le premier code de lois écrit pour les Athéniens. Esprit profondément religieux, il s'attache surtout à la réglementation des crimes de sang, liés par excellence à l'acte de sacrilège pour les Grecs. Au cœur du code de Dracon, les lois sur le meurtre nous frappent par leur nouveauté d'esprit. Le législateur fait la distinction, capitale et révolutionnaire pour l'époque, entre le meurtre avec préméditation et l'homicide involontaire. De là découle l'échelle des peines. Toutefois, dès qu'un Athénien est reconnu coupable « avec intention de tuer », il est châtié très sévèrement, selon une hiérarchie de sanctions qui prend même en compte les instruments du crime. Outre l'assassinat, un grand nombre d'autres délits se trouvent précisément codifiés, des coups ou blessures au vol en passant par les injures aux personnes et aux dieux. Ainsi chaque violation trouve la peine qui lui correspond : des amendes qui varient avec l'importance sociale de la victime aux sanctions les plus redoutables allant de l'emprisonnement, de l'asservissement, à l'exécution du coupable. Ces lois « draconiennes » frappent les Athéniens tant par leur précision juridique que par leur grande sévérité. C'est à la Cité, par l'intermédiaire des sages de l'Aréopage, qu'est confiée l'application du code juridique. Désormais, des magistrats veillent minutieusement au respect des lois que chacun des citoyens peut consulter. Signe qu'un temps est bien révolu : celui où les familles se vengeaient elles-mêmes et réglaient ainsi, sans autre forme de procès que la réponse de la violence à la violence, leurs conflits et leurs affaires de sang. Plus que des règles politiques de grande envergure, c'est donc une ébauche de droit commun écrit que Dracon donne à sa cité. Il offre ainsi aux Athéniens leurs premiers repères juridiques stables.

Les bijoux rhodiens préfigurent la sculpture archaïque

Rhodes, vers 650 av. J.-C.

Située à un carrefour d'influences, Rhodes connaît très tôt une activité artistique qui mêle les apports orientaux et grecs. Il s'y affirme une grande maturité dans le domaine des arts mineurs, avant d'aborder la grande plastique : la sculpture. Ses bijoux, en particulier, sont le reflet de l'Orient (frises d'animaux et de monstres, motifs floraux compliqués), mais ils annoncent déjà le canon dédalique, première phase de la sculpture archaïque, avec toutes ses tentatives et ses maladresses : une figuration humaine (parfois hybride) représentée dans une frontalité rigoureuse. Les volumes ne sont pas encore bien sentis ; les proportions inexactes ; le visage triangulaire s'inscrit dans une lourde perruque à étages, trapézoïdale ; mais alors qu'en Orient, l'art consiste en la permanence des formes, la plastique grecque va peu à peu se libérer des conventions et évoluer vers un plus grand naturalisme.

Pendentif en or avec l'image d'un centaure. Rhodes, vers 620. Louvre, Paris.

Pendentif en or avec Maîtresse des animaux. Rhodes, vers 620. Louvre, Paris.

La triste aventure d'Assurballit, dernier roi d'Assyrie

Assyrie, 627-609 av. J.-C.

Entre la mort d'Assurbanipal et la chute de Ninive, en 612, l'Assyrie fait une fois de plus l'expérience de la guerre civile doublée de la guerre étrangère, mais l'issue des combats, cette fois-ci, lui est fatale. On connaît mal la succession d'Assurbanipal auquel succèderaient deux de ses fils. Le premier règnerait quatre ans et parviendrait à étouffer deux tentatives d'usurpation avant de succomber lui-même. Après lui, en 623, son frère prendrait le pouvoir. Parallèlement, la situation internationale se détériore. En 626, Babylone accueille triomphalement le Chaldéen Nabopolassar ; en 623, puis en 621, les dernières garnisons assyriennes présentes sur le sol babylonien sont mises en déroute ou hors de combat. Les sources, ensuite, font silence jusqu'en 616. Lorsque le silence est rompu, le rapport de forces a définitivement basculé en faveur des Babyloniens. En 615, une armée babylonienne assiège Assur, mais en vain. L'année suivante, c'est au tour des Mèdes, sous la direction de Cyaxare, de faire le siège devant la ville ; cette fois-ci, la ville succombe et sur ses ruines, Mèdes et Babyloniens concluent un traité d'alliance mutuelle. En 612, ensemble, ils s'emparent de Ninive. Le roi d'Assyrie est tué, les tombes royales profanées, les dieux déportés. Beaucoup plus à l'ouest, autour de la ville de Harran, Assurballit tente une ultime résistance, bénéficiant de l'aide d'une armée égyptienne. En 611, puis en 610, il peut faire front et en 609, il tente de reprendre sa capitale et prend l'initiative des combats. L'opération, presque désespérée, échoue. L'Assyrie est bien morte.

Art mède. Plaquette votive en or travaillée au burin. « Trésor d'Oxus », VIIᵉ - VIᵉ siècle av. J.-C.

Art mède. Plaque votive en or repoussé. « Trésor d'Oxus », VIIᵉ - VIᵉ siècle av. J.-C.

Néchao II se tourne vers la mer

Egypte, 609-594 av. J.-C.

Dans sa politique d'ouverture sur les mers, Néchao II, fils et successeur de Psammétique Iᵉʳ, entreprend le creusement du canal entre le Nil et la mer Rouge, le « canal des pharaons ». Commençant au sud de Bubastis et débouchant au niveau du port actuel d'Ismaïlia, le canal ne fait que reprendre le tracé naturel de l'oued Toumilat, lit asséché d'un ancien bras du Nil qui se jetait dans la mer Rouge. Ce tracé facilite et raccourcit le voyage jusqu'au golfe Persique, en évitant la traversée du désert arabique. Il semblerait qu'une telle tentative ait déjà été faite au Moyen Empire, mais les documents manquent pour pouvoir l'affirmer. Selon Hérodote, 120 000 hommes sont morts au cours des travaux et l'entreprise a été interrompue après qu'un oracle eut prédit au roi qu'il travaillait pour « le Barbare » (80 ans plus tard, « le Barbare » Darius achève le projet, et fait ériger des stèles pour commémorer l'événement). Après l'arrêt du canal, Néchao envoie une flotte phénicienne pour faire le tour de l'Afrique. Partis de la mer Rouge, ils doublent le Cap et reviennent par le détroit de Gibraltar. Leur voyage a duré trois ans. A leur retour les marins racontent avoir vu le soleil se lever à droite, alors que la veille encore il se levait à gauche. Ce détail tend à prouver la véracité du récit. Conscient de l'importance stratégique de la mer, vers laquelle il se tourne résolument, Néchao II fait construire une flotte de trières, vaisseaux de guerre à trois rangées de rameurs.

605 av. J.-C.

Mésopotamie

Nabuchodonosor II, le fils de Nabopolassar, est couronné roi de Babylone. Sur le plan international, son règne est dominé par la guerre syro-palestinienne contre les Egyptiens et leurs féaux. Sur le plan intérieur, on assiste à un essor sans précédent de l'appareil bureaucratique qui contrôle toute la vie économique. Le souverain s'entoure également d'une sorte de cabinet privé de conseillers, placés sous l'autorité d'un secrétaire. Plusieurs titres archaïques ressuscitent de leur oubli, comme celui de « grand Panetier » qui désigne, en réalité, le chancelier de l'Empire. La Babylonie elle-même est divisée en provinces étroitement surveillées par les gouverneurs et leurs économes ou fondés de pouvoir.

600 av. J.-C.

Perse

Cambyse Ier devient roi des Perses. Son nom n'est autrement connu que par quelques tableaux généalogiques et des allusions vagues chez des auteurs grecs. Il aurait régné quelque quarante ans.

Civilisation de Hallstatt

La civilisation de Hallstatt règne sur l'Europe centrale et occidentale. Elle entraîne de profondes mutations sociales, au premier rang desquelles l'apparition d'une aristocratie de cavaliers. Les sépultures renferment des mors de chevaux et des pièces de harnachement ainsi que des épées de fer et de bronze. Cette panoplie se retrouve dans les steppes de Russie, sillonnées par les cavaliers cimmériens. Ceux-ci ont peut-être émigré vers l'Europe occidentale.

Provence-Languedoc

Les villages indigènes de Provence et du Languedoc voient l'apparition d'objets importés de Grèce. Les céramiques locales, de facture et de cuisson grossières, ne mettent que mieux en valeur la qualité des céramiques grecques, amphores à vin ou vaisselle domestique.

Grèce

L'art archaïque prend son essor en Grèce. L'architecture progresse, notamment avec les temples doriques et les sanctuaires panhelléniques (Delphes et Olympie). Les sculpteurs grecs doivent décorer ces édifices (métopes et frontons). Mais ils développent aussi un nouveau type de statuaire : les *kouros* (jeunes gens) et les *korês* (jeunes filles). D'abord rigides, massifs, fortement stylisés, ces statues vont peu à peu se dégager de leur carcan formel, s'animer et prendre vie. Les arts mineurs florissent eux aussi. Les vases à engobe rouge et à figures noires constituent l'essentiel de la production. Les Corinthiens dominent d'abord le marché, avec des décors floraux et animaliers influencés par l'Orient, mais les potiers attiques vont brillamment leur succéder : les décors figurent des scènes de la vie quotidienne et de la mythologie.

Perse

Il est vraisemblable que la vie de Zoroastre se déroule à cette époque historique, encore que les spécialistes hésitent, entre la fin du IIe millénaire ou le début du Ier. On ne sait exactement où il est né, peut-être dans l'actuelle province iranienne du Seïstân. Zoroastre est un prêtre et un théologien, versé dans la connaissance des traditions ; il prend parti contre la religion polythéiste et naturiste de ses contemporains, religion dominée par l'activité rituelle des experts du culte, avec le sacrifice d'un animal et l'usage de substances hallucinogènes. Il fonde une doctrine nouvelle basée sur le libre choix de l'homme et prône la résistance à la loi, dès lors que celle-ci renie l'essence même de la justice.

Etrurie

Les Etrusques exercent une influence majeure sur l'Italie du Nord et le Latium. Ils inspirent un mode d'urbanisme particulier : la ville, entourée par une muraille défensive, apparaît comme un centre politique et religieux. Deux grands axes, le *cardo* et le *decumanus*, découpent l'espace selon les points cardinaux. Les Etrusques imposent aussi un modèle politique (la monarchie) et social (l'oligarchie). →

Inde

Durant la période védique tardive, les tribus aryennes se sont organisées en petits royaumes. Le pouvoir royal est limité par l'influence des brahmanes et par les courtisans et officiers du palais. La population vit dans des villages ou des cités entourées de remparts. La tendance est à la spécialisation des métiers : artisans, artistes, marchands, etc.

Une armée équipée de chars de combat donne l'assaut à une forteresse ennemie. Bas-relief du palais de Sennachérib. VIIe siècle av. J.-C.

Fondation de l'empire néo-babylonien

Babylone, novembre 626 av. J.-C.
Les astronomes babyloniens de l'époque héllénistique considèrent l'an 747 comme le début d'une ère nouvelle dans l'histoire de la Babylonie. Cette date marque le début de l'ascension des Chaldéens, principalement d'une famille dont le représentant le plus illustre est Merodach-baladan. Après l'épisode dramatique de Shamash-shuma-ukin qui avait entraîné Babylone dans sa révolte contre son frère Assurbanipal, un certain Kandalanu est chargé de gouverner Babylone au nom du roi d'Assyrie. On ne sait rien de certain à son sujet, et dès la mort d'Assurbanipal, le Chaldéen Nabopolassar caresse le projet de prendre le pouvoir à Babylone. Au terme d'une lutte serrée qui l'oppose aux garnisons assyriennes fidèles aux successeurs d'Assurbanipal, il remporte la victoire décisive qui lui ouvre la route de Babylone en novembre 626. Après quelques années encore incertaines, il participe, aux côtés des Mèdes, à la chute de l'Empire assyrien. Mais son ambition est autre. Parvenant à contenir les Mèdes dans les montagnes du Zagros, il engage tout son effort militaire en Syrie, où il veut empêcher les forces égyptiennes de s'installer à demeure et préserver l'accès à la Méditerranée. En 607, il s'engage dans une guerre syrienne qui dominera toute l'histoire de l'empire qu'il vient de fonder. En 605, son fils Nabuchodonosor II, qu'il vient d'associer au gouvernement, prend le commandement des troupes, franchit l'Euphrate et s'empare de la ville de Karkemish. Grâce à cette victoire, il espère que la Syrie et la Palestine tomberont sans combat entre ses mains.

Les Phocéens fondent la colonie de Marseille

Littoral provençal, 600 av. J.-C.
Sous la conduite de leurs deux capitaines, Simos et Protis, les Phocéens débarquent sur les rivages de la Provence au début du VIIe siècle. C'est là, non loin du delta du Rhône, qu'ils fondent Marseille. Ces Grecs d'Asie Mineure, redoutables et valeureux marins, n'en sont pas à leur premier voyage dans la région. Leurs navires, les pentécontères, ont déjà reconnu les lieux pour chercher où créer une colonie nouvelle. Les chefs de l'expédition sont séduits par une petite plaine côtière bordant des eaux profondes et protégée par des collines rocheuses. Les voici en plein territoire « barbare ». C'est jour de fête chez les Ségobriges où le roi Nann s'apprête à réunir un banquet pour marier sa fille Gyptis. Leur tradition en effet veut que la princesse choisisse son futur mari parmi les convives en lui offrant à boire. Gyptis paraît, et, à la surprise générale, elle présente la coupe à Protis : signe qu'elle désire prendre pour époux le Grec. Devenu gendre du roi, il reçoit en présent un lot de terre sur lequel les Phocéens peuvent édifier leur ville. Ainsi naîtrait Marseille, la *Massalia* des Grecs. Mais dès sa fondation la colonie ne manque pas d'ennemis qui jalousent cette enclave étrangère. N'est-ce pas Comanus, le propre fils du roi Nann, qui tente de la détruire ? Mais en vain, tant le site rend ce port imprenable depuis l'arrière-pays. C'est donc vers la mer que se tourne cette nouvelle Phocée qui semble avoir trouvé sa situation idéale sur les bords de la Méditerranée occidentale et constitue ainsi un nouveau point d'ancrage de la civilisation grecque.

La royauté de la Rome archaïque

Rome, vers 600 av. J.-C.

Après la mort de Romulus au cours d'un orage, rappelé, croit-on alors, par les dieux, Rome voit se succéder six rois. Il est probable que ce chiffre est dû à des manipulations des premiers historiens romains pour aligner le nombre de rois sur le nombre de générations de trente-cinq ans écoulé entre les dates légendaires de la fondation de Rome et de la proclamation de la République (509 av. J.-C.), soit sept. La légende connaissait sans doute d'autres rois mais l'histoire n'a retenu que ceux-ci, qui se séparent en deux groupes. Le plus récent est une dynastie étrusque : Tarquin l'Ancien, Servius Tullus, Tarquin le Superbe ; il est précédé par un goupe latino-sabin : Romulus, Numa Pompilius, très pieux, qui jette les fondements des cultes romains, Tullius Hostilius, un roi guerrier et enfin Ancus Marcius, tourné vers la paix et les activités économiques. Il est difficile d'expliquer à partir d'événements histori-

ques la formation des légendes relatives aux premiers rois de Rome, car ces événements restent en grande partie inconnus. Mais on a pu, à partir de la personnalité et de l'œuvre légendaires de ces rois émettre l'hypothèse qu'ils seraient l'expression d'une mythologie reproduisant le schéma des trois fonctions primordiales et hiérarchiques selon lesquelles les Indo-Européens se représentaient la vie et le principe de l'univers : la souveraineté religieuse, représentée ici par Romulus et Numa, la force guerrière, incarnée par Tullius Hostilius et la fécondité par Ancus Marcius. Un autre problème est de savoir si la société romaine archaïque était divisée, comme la société indienne brahmanique, en trois catégories fonctionnelles dérivant du modèle indo-européen : prêtres, guerriers, producteurs, qui pourraient être représentés par la division en trois tribus opérée par Romulus. Mais celle-ci paraît surtout géographique.

Prédominance des Etrusques dans le Latium

Rome vers 600 av. J.-C.

Avec l'avènement de la dynastie étrusque, l'histoire romaine sort peu à peu de la légende. Rome est alors intégrée à une civilisation brillante et raffinée qui étend sa domination sur une grande partie de l'Italie, au nord et au sud de l'Etrurie. Des commerçants, des artisans, des guerriers étrusques se sont installés dans les villes du Latium et ont fini, grâce à leurs capacités techniques, militaires et administratives, par en contrôler tous les leviers de commande et y constituer de petites minorités dominantes. De plus, le site de Rome est pour les Etrusques particulièrement important car s'y rencontrent, sur un gué du Tibre, les deux voies stratégiques et commerciales unissant l'Etrurie à l'Italie méridionale. Rome devient donc au cours du VIᵉ siècle av. J.-C. une ville où l'influence étrusque se fait sentir dans tous les domaines. D'abord au plan politique avec l'unification des différents villages du site de Rome, qui devient alors une ville véritable, dont le nom même est peut-être d'origine étrusque, et surtout avec la mise en place des premiers cadres institutionnels et administratifs que l'on attribue à Servius Tullius, l'un des représentants de la dynastie Tarquins. Les Etrusques transmettent également à Rome leur alphabet, dérivé du grec, et un certain nombre de pratiques rituelles. Leur influence est enfin décisive sur le plan artistique, architectural et urbanistique : ils aménagent le forum, des installations hydrauliques et un système d'égoûts.

Sapho, une poétesse vouée au culte d'Aphrodite

Grèce, vers 600 av. J.-C.

Dans l'île de Lesbos, un étrange pensionnat, véritable confrérie féminine, accueille les jeunes filles bien nées. Les Muses, les Grâces et Aphrodite patronnent cette institution où l'on enseigne la musique, la danse et la poésie. La poétesse Sapho dirige cette maison. Surnommée « la dixième Muse », Sapho œuvre pour une certaine émancipation féminine, même si l'éducation qu'elle dispense doit préparer les jeunes filles au mariage. Mais son originalité majeure est de permettre l'expression du désir et des sentiments féminins. Les poèmes de Sapho sont empreints de sensualité et de passion, ils décrivent les tourments de l'amour : chants vibrants d'émotion, les poèmes de Sapho sont souvent dédiés à des jeunes filles, élèves, amies et peut-être amantes.

La poétesse Sapho, chantre de l'amour et aussi de la solitude. Musée archéologique, Istanbul.

Frise peinte sur un vase illustrant la chasse au sanglier. VIᵉ siècle av. J.-C.

La chasse, privilège de l'élite grecque

607-600 av. J.-C.

Comme le gymnase ou l'entraînement guerrier, la chasse constitue une activité essentielle dans la vie de l'élite de la jeunesse grecque. La plus noble des chasses réunit une équipe de cavaliers armés de javelots, à la poursuite de cerfs ou de sangliers. Pratiquée à pied ou à cheval, la chasse confronte le monde des jeunes de la Cité à celui de la nature sauvage. Athlète et guerrier, l'éphèbe doit aussi être chasseur pour entrer dans la société des adultes. La chasse est ainsi une épreuve d'initiation qui sanctionne les vertus des jeunes. Et le gibier capturé, signe de prestige social, figure parmi les présents amoureux de choix.

Rigueur de l'éducation spartiate

607-600 av. J.-C.

Le jeune Spartiate, futur soldat au service de la Cité, reçoit d'elle une éducation très sévère . Dès la naissance, l'Etat décide si l'enfant doit vivre : s'il ne paraît pas assez robuste, on l'élimine. A sept ans révolus, il quitte sa famille pour rejoindre les enfants de son âge. A douze ans commence une vie d'internat complet. Sale, peu vêtu, pieds nus, il mange peu, dort sur une natte de roseaux. Après une série de pénibles épreuves marquant le passage à l'adolescence, il prend à seize ans le nom d'irène ; le cycle s'achève à vingt-et-un ans. Les plus jeunes, groupés par bandes sous la conduite d'un irène, apprennent à obéir à leurs chefs, et s'exposent aux coups de fouet. La formation intellectuelle est

sommaire : il suffit de savoir lire, écrire, s'exprimer en peu de mots. On apprend la musique, pour accompagner les exercices physiques et militaires, qui constituent l'essentiel de cette éducation : il s'agit de former des soldats, tout en forgeant leur caractère : soumis, endurant, débrouillard. On les encourage à voler, mais s'ils se font prendre, ils sont durement châtiés. Lors de cérémonies où la nudité leur est imposée, ils se livrent à des concours gymniques et à des « matches » brutaux entre équipes. A seize ans, devant l'autel d'Artémis Orthia, ils se flagellent mutuellement jusqu'au sang, parfois jusqu'à la mort. Fait notable, les filles, à Sparte, reçoivent aussi une éducation, essentiellement sportive.

Masque votif provenant du sanctuaire d'Artémis Orthia à Sparte. Terre cuite. Vers 550 av.J.-C.

600 av. J.-C.

Sparte
Le poète Alcman est originaire de Lydie, en Asie Mineure. Mais il vient s'établir à Sparte et ses poèmes sont écrits en dialecte dorien. Il excelle dans le genre des « parthénies », c'est-à-dire d'hymnes exécutés par des chœurs de jeunes filles. La poésie, la danse et la musique constituent en effet un divertissement pour la jeunesse et un aspect important de la vie religieuse et politique.

Grèce
Poète et cithariste, Arion, disciple d'Alcman et originaire de Lesbos, est devenu un personnage de légende. Artiste réputé dans le genre du lyrisme choral, Arion voyage de cité en cité et se rend même en Italie où il fait fortune grâce à son talent. Mais le retour vers la Grèce se déroule mal : les matelots veulent en effet l'assassiner pour le détrousser. Arion implore une dernière faveur : pouvoir chanter encore une fois. A la fin de son chant, il se jette à la mer, mais un dauphin charmé par sa musique le porte sur son dos jusqu'au rivage. Ce secours providentiel permet à Arion d'avoir la vie sauve. Il fera punir par la suite ses agresseurs.

597 av. J.-C.

Palestine
La résistance des Etats syrien, phénicien et palestinien à l'occupation babylonienne est la conséquence directe du demi-échec que fut la bataille de Karkemish. L'Egypte, qui a su préserver ses forces, agit en sous-main et suscite des soulèvements plutôt que d'intervenir elle-même. Le peuple juif fait de cette politique la douloureuse expérience. Jérusalem subit un premier siège en 597, et l'élite de la société est déportée à Babylone. →

595 av. J.-C.

Egypte
Psammétique II accède au pouvoir. Son règne est marqué par une grande expédition militaire contre le royaume de Koush, en Ethiopie. Son armée comprend des soldats égyptiens, phéniciens, juifs, et des mercenaires grecs. Cette armée dépasse la troisième cataracte, envahit le territoire ennemi, et atteint peut-être même la cinquième cata-

racte. Tel est le fait saillant d'un règne qui dure environ six ans. →

594 av. J.-C.

Grèce
Solon joue à Athènes un rôle de premier plan. La cité est alors en pleine crise sociale et politique. Elle a besoin d'un arbitre, d'un réformateur modéré. Solon doit aider les petits cultivateurs endettés en interdisant notamment la servitude pour dettes. Il développe l'artisanat, en obligeant les pères à apprendre un métier à leur fils. Il institue quatre classes censitaires (selon le revenu agricole) : l'accès aux fonctions publiques dépend désormais de la fortune. →

593 av. J.-C.

Grèce
La vie de la poétesse Sapho connaît un tournant décisif. La tyrannie vient en effet d'être instaurée à Mytilène, principale cité de l'île de Lesbos. Sapho doit s'exiler en Sicile.

590 av. J.-C.

Lydie
Le roi des Mèdes, Cyaxare, désireux de conquérir toute l'Asie Mineure, mène plusieurs campagnes contre la Lydie. Elles se soldent toutes par des échecs répétés et, finalement, une frontière est fixée en commun accord par les deux parties : elle suit le cours du fleuve Halys.

588 av. J.-C.

Egypte
Apriès règne de 588 à 568. Il dirige une expédition par voie de terre et par voie de mer contre la Phénicie. Le blocus de Tyr dura treize ans. Jérusalem détruite par le roi de Babylone, Apriès accueille en Egypte des réfugiés juifs. Ceux-ci s'organisent en colonies qui vont rapidement prospérer. Vers la fin de son règne, Apriès est sollicité par les Lydiens qui se révoltent contre les Grecs de Cyrène. Ne voulant pas leur envoyer des mercenaires grecs, Apriès dépêche une armée égyptienne qui est anéantie par les Cyrénéens. Une révolte générale éclate alors en Egypte. Même le général Amasis prend le parti des rebelles contre Apriès. Celui-ci ne peut plus compter désormais que sur ses mercenaires grecs.

Solon, poète engagé, est l'arbitre des Athéniens

Athènes, début du VIᵉ siècle
Pour le législateur Solon, la lyre poétique est une arme politique. Un poème bien senti remplace tous les discours possibles, il frappe les imaginations, s'inscrit dans les mémoires et tient lieu de pamphlet ou de tract de propagande. Ce moyen original d'influencer ses concitoyens est fort utile à Solon, en cette période troublée où la cité se divise en factions hostiles. Rétablir la concorde et éviter les luttes fratricides, calmer les antagonismes sociaux, maintenir la démocratie contre la tentation de la tyrannie, tels sont ses objectifs. Car notre homme clame son désintéressement. Il ne va pas profiter de la situation et se faire tyran d'Athènes, mais rester ferme, comme la borne qui sépare deux armées. Sans doute incompris des factions en présence, Solon sauve sa patrie. Adepte d'une

Le législateur Solon. Ses réformes valurent à Solon d'être compté parmi les Sept Sages.

politique du juste milieu, il donne au peuple tout le pouvoir qu'il faut, mais s'efforce ausi de ne pas léser les riches et les puissants. Avec Solon, la poésie est un langage permettant d'expliquer la politique aux citoyens.

La démocratie athénienne met en place de nouvelles institutions

Athènes, 592 av. J.-C.
Parvenu à la magistrature suprême de la Cité, Solon, l'un des Sept Sages de la Grèce, se fixe une rude tâche : garantir les libertés des citoyens et doter Athènes de nouvelles institutions. Grâce à la transcription publique des lois, chacun a sous les yeux les règles du jeu de la démocratie. La justice devient le droit mais aussi l'affaire de tous les citoyens qui ont accès à l'Héliée, véritable tribunal populaire. C'est à Solon que l'on attribue la répartition du corps civique en quatre groupes : les *pentacosiomédimnes,* les plus riches des Athéniens, les *hippeis* ou chevaliers, et, au bas de

l'échelle, les *zeugites* et les *thêtes.* En établissant ces classes censitaires fondées sur les revenus agricoles, l'illustre législateur ne dissimule pas ses intentions : atténuer le rôle joué par les grandes familles de l'aristocratie de la naissance. Désormais, toutes les charges et les fonctions publiques sont pourvues par élection ou « choisies par les dieux », c'est-à-dire tirées au sort dans les trois premières classes de la Cité. Les moins fortunés sont admis dans les tribunaux et à l'assemblée, ils participent à la désignation des magistrats et des membres des Conseils. Le plus précieux des biens leur est assuré : la liberté. Avec Solon, même des étrangers reçoivent les droits civiques. Mais deux catégories d'individus restent cependant en dehors du jeu : d'une part les esclaves, d'autre part... les femmes d'Athènes.

Les classes censitaires de Solon		
Avant Solon	Après Solon	Rôle politique
"EUPATRIDES" (ARISTOCRATES et grands propriétaires fonciers)	PENTA COSIOMEDIMNES (Revenu agricole d'au moins 500 médimnes de blé)	Sont éligibles aux magistratures et au conseil (Boulé)
	HIPPEIS (Cavaliers) (Revenu de 300 à 500 médimnes de blé)	
GÉOMOROÏ ou AGROÏKOÏ (Propriétaires fonciers)	ZEUGITES (Propriétaires d'un attelage) (200 à 300 médimnes de blé)	
DEMIURGES (Vivent de salaires ou de ventes)	THÊTES (Très faible revenus agricoles)	Ont accès à l'assemblée (Ekklésia) et aux tribunaux (Héliée)

Psammétique II se tourne vers la Nubie

Egypte, vers 591 av. J.-C.
Psammétique II, fils de Néchao II, apprend que le roi du pays de Koush veut l'attaquer. Il rassemble son armée et l'accompagne jusqu'à Eléphantine. Là, il la confie à ses deux généraux. Le général Amasis est à la tête des Egyptiens, et le général Potasimto dirige les Juifs, les Phéniciens et les mercenaires grecs. Ils dépassent la troisième cataracte et atteignent la ville koushite, Pnoubs. Il semble que des mercenaires grecs aient même atteint la cinquième cataracte. L'armée de Psammétique II remporte la victoire sur les koushites, et retourne en Egypte chargée de butin. Sur leur chemin, des soldats grecs, cariens et phéniciens laissent des graffiti sur le colosse de Ramsès II, devant le grand temple d'Abou-Simbel. Le pharaon n'annexe pas le pays vaincu, mais sa haine se manifeste par le martelage des noms des rois de la XXVe dynastie, d'origine koushite. Les deux *uréus*, symbole de cette dynastie, sont aussi attaqués, l'un des deux est supprimé. La frontière entre les deux pays reste l'île d'Eléphantine, avec un no man's land : le Dodecaschène.

Le dieu Ahura Mazda. Porte est du Tripylon, Persépolis. VIe - Ve siècle av. J.-C.

Zarathoustra, fondateur d'une nouvelle religion

Perse, vers 600 av. J.-C.
Zoroastre, ou Zarathoustra, vit dans une province du nord-est de la Perse. Il réforme la religion persane dans un sens monothéiste, faisant du dieu Ahura Mazda le dieu suprême qui oblitère toutes les autres divinités. Conçu d'emblée comme transcendant, il est le créateur de toutes choses, le père des Entités qui personnifient les notions abstraites telles que la Justice et les deux esprits jumeaux, tenants du Bien et du Mal, qui divisent l'univers entier.

Déportation de populations civiles, pratique courante chez les Assyriens : ici, la population de Lakish après la prise de la ville par Sennachérib (704-681 av. J.-C.). Bas-relief. British Museum, Londres.

Le peuple juif emmené en captivité à Babylone

Jérusalem, juillet 587 av. J.-C.
La victoire de Karkemish ne paraît pas porter tous les fruits que Nabuchodonosor espère d'elle et, année après année, le roi doit pacifier la Syrie, rebelle à la sujétion. En 601, il s'attaque directement à l'Egypte, mais essuie un échec sévère. L'espoir naît, ici et là, d'une possible indépendance chez les potentats locaux. Joiaqîm (Joachim), roi de Juda, se révolte et rompt avec le roi de Babylone malgré les admonestations du prophète Jérémie. Mais, en 598, Nabuchodonosor vient mettre le siège devant Jérusalem. La ville tombe le 16 mars 597. Le roi est déporté ainsi que sa famille, les fonctionnaires de l'Etat et les prêtres du Temple. L'oncle du roi déchu est intronisé par le vainqueur sous le nom de Sédécias. Mais celui-ci finira par se laisser fléchir et rejoindra le parti favorable à l'Egypte. Le choix allait être lourd de conséquences. Nabuchodonosor revient en force et met à nouveau le siège devant Jérusalem, qui résiste deux ans. La ville succombe en 587. Sédécias, prisonnier, doit assister à la mise à mort de son fils, avant d'avoir lui-même les yeux crevés. Jérusalem est détruite et la population déportée en masse. C'est pendant cet exil à Babylone que se noue le sort du yahvisme et que naît une doctrine rigoureusement monothéiste. Les malheurs de la génération présente résultant de l'impiété qu'Israël avait manifestée depuis longtemps envers Yahvé, Ezéchiel appelle à la pénitence et à la conversion, à l'observance stricte des ordonnances divines et prône une nouvelle Alliance.

Par le sacrifice, les Grecs communiquent avec les dieux

Le sacrifice animal est au centre de la vie religieuse, sociale et quotidienne des Grecs. Il établit un lien entre les hommes et les dieux : les premiers mangent de la viande, les seconds en recueillent le fumet. Il n'est pas de décision politique importante, pas de départ au combat qui ne soit précédé d'un sacrifice. La mise à mort rituelle des animaux est le seul moyen pour les Grecs de manger de la viande. Tout boucher est d'abord un sacrificateur. Il n'y a pas d'abattoir en dehors des sanctuaires. Pourtant, dans le sacrifice, tout est fait pour occulter la violence du geste meurtrier. Tout commence par la procession qui conduit le bœuf vers l'autel : le couteau est dissimulé. On veut obtenir le consentement de la victime en répandant sur sa tête un peu d'eau et des céréales, ce qui provoque le geste de l'acquiescement. Puis on assomme l'animal, avant de l'égorger. La bête dépouillée, les viandes sont réparties en plusieurs parts. Pour les sacrifiants, on rôtit à la broche les morceaux de choix et certains viscères. Pour les participants plus lointains, on fait bouillir la viande dans un chaudron. Les saucisses et les boudins sont les pièces les plus médiocres du partage.

Sacrifice à Dionysos. Détail d'une hydrie à figures noires. Vers 525. Terre cuite. Villa Giulia, Rome.

585 av. J.-C.

Médie

Astyage est le dernier roi de Médie. Le jour où lui naît une fille, il fait un songe au cours duquel il imagine uriner en telle quantité que sa capitale et l'Asie entière en sont inondées. Les interprètes de songes convoqués lui disent qu'il sera renversé par sa propre descendance. Le père évite donc de donner sa fille à un noble Mède et, lorsqu'elle est nubile, il lui fait épouser un Perse, Cambyse, qu'il regarde comme bien inférieur à un Mède de condition médiocre. Il fait alors un second rêve : une vigne sort des parties sexuelles de sa fille et couvre l'Asie entière. Il décide alors d'exposer l'enfant qui doit naître. Mais le bouvier auquel est confié l'enfant le garde comme son propre fils.

Asie Mineure

Dans les cités grecques qui bordent le rivage oriental de la mer Egée, à Milet en particulier, une vie intellectuelle intense se développe : mathématiciens, géomètres, physiciens et philosophes, hommes de science et de sagesse, tels sont les penseurs présocratiques qui enseignent et écrivent sur les secrets de la nature. Ils imposent une rationalité nouvelle dans des domaines qui étaient jusque-là l'apanage de la pensée mythique.

Grèce

Le poète Stésichore est né en Sicile, à Himère. Il écrit des poèmes destinés à être chantés par des chœurs avec un accompagnement de cithare. La mythologie constitue sa source d'inspiration principale. Il raconte la capture des bœufs de Gréryon par Héraclès, la prise de Troie, le retour des héros achéens, l'histoire d'Oreste. Stésichore aurait perdu la vue pour avoir médit d'Hélène. Il composa alors une palinodie dans laquelle Hélène ne serait jamais venue à Troie : les Grecs et les Troyens n'auraient combattu que pour un fantôme. Ayant ainsi fait amende honorable, Stésichore retrouva la vue.

578 av. J.-C.

Rome

Selon la légende, Servius Tullius règne sur Rome. Ce souverain est tout à fait exemplaire de l'influence étrusque sur Rome. Le roi détient un pouvoir religieux et politique. Il a la charge du calendrier, des sacerdoces et des sanctuaires. Il crée quatre quartiers, les futures tribus urbaines, divise le peuple en cinq classes censitaires, au sommet desquelles se trouvent les cavaliers. Il institue, en fait, la première armée civique de l'Etat romain.

573 av. J.-C.

Phénicie

Située sur une île, la ville de Tyr qui abrite deux ports de haute mer, l'un naturel, l'autre artificiel, est l'une des principales puissances commerciales et politiques de la Phénicie. Sa situation privilégiée, en outre, la met à l'abri des invasions. Tous ces faits conjugués la placent souvent à la tête des mouvements de révolte de villes phéniciennes. Tel est le cas lorsque Nabuchodonosor II vient y mettre le siège, en 573. Asarhaddon, déjà, vers 671 n'avait pu s'emparer de la ville après dix années de siège. Nabuchodonosor se montre plus patient : il prend la ville au bout de treize ans ! Désormais, Sidon sera la première ville de Phénicie.

570 av. J.-C.

Samos

Ce sont deux architectes de Samos, Rhoikos et Théodoros, qui vont inventer la technique de la fonte du bronze en creux. Il s'agit d'un progrès déterminant, en particulier pour la statuaire. Les œuvres de nos deux inventeurs ornaient le sanctuaire d'Héra à Samos (l'Héraïon), mais sont reproduites par des bronzes de petite taille : kouros en position frontale, porteurs d'offrandes, cavaliers, joueurs de flûte, etc.

565 av. J.-C.

Egypte

Sous le règne d'Amasis, les Egyptiens manifestent leur mauvaise humeur à l'encontre des marchands grecs, qui réussissent trop bien dans les affaires. Amasis juge préférable de regrouper tous les commerçants grecs dans la ville de Naucratis, sur le Delta.

562 av. J.-C.

Mésopotamie

Crise politique à la mort de Nabuchodonosor. Son fils Amêl-Marduk lui succède pour peu de temps, car il est renversé par le général Neriglissar.

L'un des 120 lions qui décoraient la « Voie processionnelle » conduisant à la porte d'Ishtar, Babylone. VIe siècle. Briques émaillées.

Babylone, capitale rayonnante des arts et des lettres

Babylone, 605-562 av. J.-C.

« Kudurru » en diorite, avec la triade suprême : le croissant de Sin, l'étoile d'Ishtar et le disque radié de Shamash.

Babylone est détruite en 689 par les Assyriens, mais elle retrouve son indépendance vers 625-626 et connaît à nouveau la grandeur sous Nabuchodonosor II. Celui-ci veut faire de Babylone une métropole qui « dépasse en grandeur toutes les villes du monde connu » (Hérodote). Nabuchodonosor II restaure ses monuments, fait renforcer et rehausser les murs de la ville et fait construire une fortification extérieure qui doit permettre de protéger la population rurale des environs de Babylone. Les portes de la ville sont agrandies et embellies. Celle du nord, la plus belle, est dédiée à la déesse Ishtar, déesse de la Fécondité. Sa décoration de briques émaillées représentant des animaux symboliques, griffons et taureaux, resplendit d'un bleu étincelant. Des appartements du palais royal, on accède aux « jardins suspendus », considérés par tous comme l'une des Sept Merveilles du monde. La végétation luxuriante et ces jardins cultivés sur les toits en terrasse, irrigués artificiellement et abondant en plantes exotiques forme un contraste saisissant avec la désolation du paysage environnant. La tour du dieu Marduk (la « Tour de Babel ») atteint sa forme définitive sous Nabuchodonosor : elle se compose de sept étages en forme de pyramide à degré, s'amincissant vers le haut. L'étage supérieur abrite la « maison du mariage » du dieu. Au pied de la tour se trouve *Esagila*, grand temple du dieu Marduk, qui y est représenté sous forme d'une statue d'or. Babylone possède encore plus de cinquante temples, consacrés à divers autres dieux. La coutume veut que chaque Babylonienne s'offre une fois dans sa vie à un étranger dans le temple d'Ishtar, l'heureux invité payant pour cette éphémère union.

Décoration de la salle du Trône, Palais de Babylone. VIe siècle av. J.-C. Pergamon Museum, Berlin-Est.

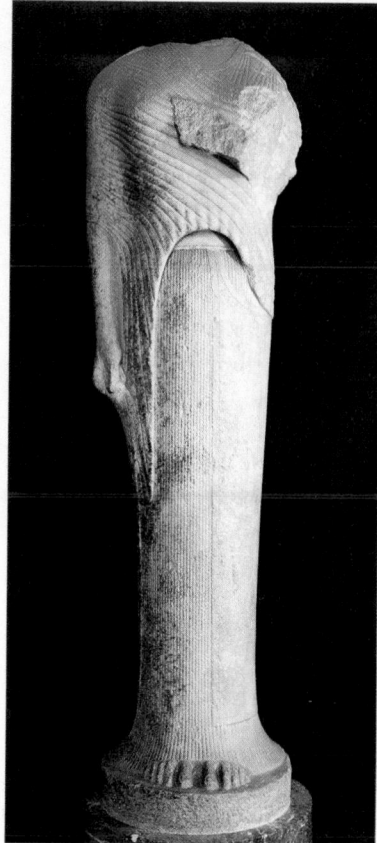

Héra de Samos. Vers 560. Marbre (hauteur : 1,90 m). Musée du Louvre, Paris.

Les temples doriques en Grande Grèce

Italie du Sud et Sicile, VIᵉ siècle
Alors qu'en Grèce d'Asie, s'affirme déjà l'ordre ionique, la Grande Grèce s'orne d'une floraison de vastes temples obéissant aux canons doriques : Sélimonte, Ségeste, Agrigente ou Syracuse en Sicile, Prestum en Italie. Cet ordre va en effet trouver en Occident un terrain privilégié ; il associe à la fois sobriété et puissance, en évacuant tout soucis de décoration excessive ; et chaque élément y remplit strictement sa fonction architecturale. Si tous ces temples se ressemblent, on constate toutefois une certaine évolution. Le plan rectangulaire, qui s'apparente au *mégaron* mycénien, tripartite au début, s'enrichit par la suite d'une quatrième partie, pour parfaire la symétrie. Les proportions s'harmonisent grâce à une série de corrections optiques, tandis que l'impression de lourdeur et d'écrasement s'atténue lorsque le temple s'élève vers le ciel, sur un soubassement à degrés.

Le plus ancien des temples de Sélinonte, le temple C. Vers 545 av. J.-C. : les colonnes du péristyle nord.

Le grand sanctuaire d'Héra à Samos

Samos, VIᵉ siècle
Le sanctuaire d'Héra à Samos s'est développé sur un ancien lieu de culte mycénien, autour d'un buisson sacré : Lygos. Le culte de l'arbre de vie fut par la suite assimilé à celui d'Héra et donna lieu à des bains rituels dans l'*imbrasos* voisin, qui symbolisait la virginité recouvrée de la déesse. Un premier temple (VIIIᵉ siècle), détruit par un incendie, complète un sanctuaire sommaire (simple autel, statue et lygos). En 650, les Samiens relèvent les ruines pour ériger un édifice périptère ; mais, c'est en 570 que le tyran de Samos, qui mène une politique de prestige, charge deux architectes, Rhoikos et Théodoros, de réaménager le sanctuaire : le nouveau temple s'élève sur un terrain marécageux assaini. Considérablement agrandi, il est diptère et bipartite : un *pronaos* profond précède une *cella* divisée en trois nefs par une double colonnade formant un écrin pour la statue du culte placée au fond. Une statue féminine, de marbre gris, datant d'environ 560, lacunaire, fut mise au jour, à proximité. Vêtue d'un *chiton* ionien, d'un mantelet drappé et plissé et d'un voile, elle dénote une influence orientale indéniable, par la rigidité de son fût cylindrique ; mais ce caractère étriqué de la base s'oppose au buste où s'épanouit la vie, grâce au modèle des formes qui assure le passage graduel, insensible et quasi miraculeux de la colonne à la femme, caractéristique samienne.

Le poète Esope est mis à mort par les prêtres d'Apollon

Delphes, VIᵉ siècle
Un poète condamné à mort : pourquoi ? La vie et la mort du fabuliste Esope restent pour nous très mystérieuses, mais le personnage a donné lieu à maints récits pittoresques. Alors qu'il sacrifie aux Muses, il refuse, dit-on, d'honorer leur chef, Apollon. On dit aussi qu'à Delphes, il a raillé les gens du lieu qui vivent ,sans travailler, des offrandes faites au sanctuaire. Il

Lieu de culte, l'Acropole d'Athènes

Athènes, 585-560 av. J.-C.
L'Acropole, rocher tabulaire, aux versants abrupts dominant la plaine, fut dès le Néolithique, utilisée comme forteresse, lieu d'habitation et sanctuaire, grâce à son site. A l'époque mycénienne, le Temenos jouxtait le palais, mais après l'invasion dorienne, les habitants quittent l'Acropole pour s'établir dans les plaines, de sorte que le rocher devient un sanctuaire clos, dont les remparts accentuent encore l'isolement et le caractère sacré ; celui-ci se traduit par la présence de dons offerts par Poséidon et Athéna, lorsqu'ils se disputaient les faveurs

Le monstre à trois corps. Fronton de l'ancien temple d'Athéna à Athènes. 560-550 av. J.-C. Musée de l'Acropole, Athènes.

Le pharaon Amasis s'empare de Chypre

Egypte, 568 av. J.-C.
Le général Amasis monte sur le trône à la faveur d'une insurrection contre le roi Apriès et ses mercenaires grecs. Il calme les esprits en regroupant les Grecs dans la ville de Naucratis. Hérodote le décrit comme un bon vivant, truculent, mais aussi rusé et fin diplomate. Son règne est pacifique. Il doit cependant faire face à une attaque du roi de Babylone au début de son règne. Hérodote mentionne la prise de Chypre par Amasis, ainsi que le versement d'un tribut. A Lacarna, des tombes, datées de la fin de la période archaïque (600 à 475), présentent, à côté d'une céramique locale, des amulettes égyptiennes. A Amathonte, sur la côte est de l'île, c'est une statue colossale du dieu égyptien Bès, en calcaire, qui atteste d'une présence égyptienne à Chypre. De petits flacons bien particuliers proviennent aussi de l'île. De type zoomorphe ou représentant des nageuses, ces pots sont revêtus d'une glaçure blanchâtre tirant sur le vert et portent des pastilles brunâtres. Sur cette prise de l'île de Chypre les textes sont peu bavards, seuls restent les objets.

est alors victime d'une machination : on retrouve dans ses bagages une coupe sacrée, prétendument dérobée par lui. Convaincu de sacrilège, il est précipité du haut d'un rocher. Mais au dernier moment, il a invoqué Apollon, et le dieu, réconcilié avec Esope, châtie les Delphiens pour leur geste criminel.

de la ville : la source salée symbolise la mer qui jaillit sous le coup de trident du dieu ; l'olivier est un présent de la déesse vainqueur. Deux temples de Poros, dédiés à Athéna Poliade, se succèdent au VIᵉ siècle. Le plus ancien est déjà un *hécatonpédon* (100 pieds de long), rectangulaire, dont le *naos* est divisé en deux par une colonnade axiale ; il s'ouvre sur deux façades décorées de frontons triangulaires sculptés, présentant des lions terrassant un taureau. Le second (570), dorique, périptère, est élevé sur un plan bipartite : un *naos* divisé en trois nefs par deux rangées de colonnes, abrite la statue du culte et un *opisthodome* qui s'ouvre à l'ouest, renfermant les trésors et les offrandes. La décoration se limite aux métopes et frontons sculptés et peints : lions couchés cernés de serpents, lions abattant un taureau flanqués d'un côté d'Héraclès en lutte contre Triton, de l'autre, du monstre à triple corps. Une cimaise gravée et peinte et des acrotères, à tête de gorgone complètent ce décor. D'autres monuments s'élèvent, ainsi que des ex-voto et des statues sur des socles : *korès* souriantes, au *peplos* retombant en draperies ; éphèbes et cavaliers dans leur nudité, différents animaux enfin.

561 av. J.-C.

Athènes

Une crise politique éclate dans la cité athénienne. Deux factions se disputent le pouvoir. Les « gens de la côte » se sont regroupés derrière Mégaclès l'Alcméonide ; les « gens de la plaine » sont partisans de Lycurgue. Ce sont deux chefs de clan qui s'opposent ainsi, s'appuyant sur leurs clientèles respectives. La situation va profiter à un troisième parti, celui des « diacriens » (ceux au-delà des collines), dirigé par Pisistrate. Celui-ci va prendre le pouvoir et devenir tyran en soulevant les masses paysannes appauvries contre l'aristocratie.

560 av. J.-C.

Grèce

Poète engagé et homme d'état modéré, soucieux de paix sociale et de justice, moraliste et législateur, Solon l'Athénien meurt octogénaire, entouré de l'admiration de tous.

Si Solon est un poète qui prêche la paix civile et la conciliation, Théognis de Mégare, lui, est beaucoup plus violent. Il n'est pas la borne immobile, séparant les deux armées, et il n'hésite pas à prendre parti entre les deux camps. Dans les luttes sociales et politiques de sa cité, Théognis soutient les nobles contre les démocrates, qu'il invective violemment.

Chine

Le fondateur d'une nouvelle religion vient de naître. Il s'appelle Bouddha.

Lydie

« Riche comme Crésus. » La fortune infinie du roi de Lydie est déjà proverbiale chez les Grecs. Mais le roi le plus riche est-il le plus heureux des hommes ? Interrogé par Crésus, Solon ne répond que nul ne peut être déclaré vraiment heureux avant d'avoir connu son dernier jour... Et le sage athénien ne croyait pas si bien dire. Malgré ses précautions, Crésus perd Atys, son fils bien-aimé, tué dans un accident de chasse. Aveuglé, le roi lydien veut ensuite s'attaquer à la puissance grandissante de Cyrus II, roi des Perses. Il interprète mal les avis ambigus de l'oracle et prend l'initiative de l'agression. Le premier combat voit sa défaite. Crésus se replie sur sa capitale, Sardes. Assiégée, elle succombe bientôt. Crésus est fait prisonnier, il va monter sur le bûcher et mourir... Il se rappelle alors à haute voix l'avertissement de Solon et Cyrus, touché par cette infortune, le grâcie. Crésus deviendra alors le conseiller du roi perse.

559 av. J.-C.

Iran

Cyrus devient roi des Perses. Ayant échappé à la mort grâce à la diligence du bouvier d'Astyage, le jeune prince se fait reconnaître au cours d'un jeu où les autres enfants, inocemment, le choisissent comme roi. Il apprend alors qu'il est le fils de Cambyse et il rejoint son père auquel il succède. Il pousse les Perses à secouer le joug sous lequel Astyage les tient asservis. Vers 555 av. J.-C., une bataille oppose les deux peuples ; mais les Mèdes sont partagés et une partie d'entre eux, au cours du combat, passe d'elle-même du côté des Perses. Les autres prennent la fuite. Astyage tente une ultime résistance à Ecbatane et livre une nouvelle bataille avec ce qui lui reste de fidèles. Il tombe avec la plus grande partie de ses troupes aux mains de ses adversaires. Ainsi finit l'empire mède, qui avait dominé la Perse et une partie de l'Asie Mineure pendant 128 ans. Plus tard, les Mèdes tenteront de se révolter contre les Perses, mais en vain.

556 av. J.-C.

Babylone

Nabonide devient roi de Babylone. Il en est, du reste, le dernier souverain. Il est lui-même d'origine assyrienne, étant le fils d'une prêtresse du dieu Sîn de Harran. Très rapidement, il marque sa préférence à l'égard du dieu de sa mère, Sîn, dont il cherche à imposer l'image à Babylone, au détriment de celle de Marduk. La tension grandit avec le clergé de Marduk et le roi s'éloigne, allant résider dans une oasis de l'Arabie. Balthazar, le fils de Nabonide, exerce la royauté en l'absence de son père. Lorsqu'il croit le moment favorable pour introduire le culte de Sîn à Babylone, Nabonide revient et conduit en grande pompe une procession qui accompagne la statue du dieu. Les armées de Cyrus le rejoignent à hauteur de Sippar. Nabonide est défait et Cyrus entre dans Babylone, livrée par le clergé de Marduk.

Scène de combat. Empreinte d'un sceau-cylindre achéménide. VIᵉ - IVᵉ siècle. Calcédoine. Bibliothèque nationale, Paris.

Les Mèdes vaincus, Cyrus le Grand fonde l'empire perse

Iran, vers 550 av. J.-C.
A la fin du VIIᵉ siècle, le Mède Cyaxare avait constitué, autour de la ville d'Ectabane, un empire plus ou moins organisé sur le modèle assyrien. Il imposa sa suzeraineté aux Mannéens et aux Perses. Son successeur Astyage, dernier roi des Mèdes, se montre incapable de sauvegarder le royaume dont il hérite. Vers 550, Cyrus, fils de Cambyse et roi des Perses, secoue le joug que lui imposent les Mèdes et remporte sur leurs armées, en 549, une victoire décisive. La légende s'empare de Cyrus et en fait le héros fondateur de la puissance perse naissante : à l'image de Sargon d'Akkadé et de Moïse, il avait été exposé, enfant, au gré d'un fleuve, recueilli et élevé par une famille adoptive, enfin légitimé et porté au pouvoir. En 546, il conquiert le royaume de Lydie, alors gouverné par Crésus, ainsi que les cités d'Ionie ; il affronte à l'est les nomades du Turkestan et pousse ses armées jusqu'en Inde. C'est lui qui reçoit en 539 la soumission de Babylone. Il meurt vers 530 au cours de combats obscurs contre les tribus scythes de la mer d'Aral, les Massagètes. Ayant autorisé le peuple juif à rentrer librement à Jérusalem, il laisse derrière lui l'image d'un roi porté à la clémence et à la tolérance. On lui doit la fondation d'une ville nouvelle, Pasargades, capitale de son jeune empire. Les diverses parties de son palais s'étalent au milieu de vastes jardins englobant le plateau sur lequel s'élève le site. On relève déjà, dans ce premier art achéménide - du nom d'Achéménès, le fondateur de la dynastie -, l'influence de l'art ionien.

De la guerre des Titans à la lutte des éléments : naissance de la physique

Asie Mineure, vers 560 avant J.-C.
Entre le VIIIᵉ et le VIᵉ siècle, se produit une mutation globale dans la vie sociale et intellectuelle du monde grec. Les monarchies s'effacent devant les premières cités. Aux schémas mythiques d'explication du monde se substitue une pensée rationnelle, fondée sur la philosophie et les sciences physiques naissantes. L'ampleur de cette évolution apparaît bien si l'on compare *La Théogonie*, œuvre du poète Hésiode, aux premières spéculations scientifiques. Hésiode raconte la genèse du monde sous la forme d'une généalogie des puissances divines. Soucieux d'expliquer le monde, le poète reste sous l'emprise des schémas mythiques, puisque ses entités agissent comme des personnages humains, s'allient, s'entretuent, s'affrontent. Avec les intellectuels ioniens, Thalès, Anaximandre, Héraclite, les personnages mythiques deviennent des principes élémentaires, comme l'eau, la terre, l'air et le feu. La complémentarité, le conflit ou l'harmonie de ces principes permet d'expliquer la création et l'organisation du monde. Ce nouveau langage est laïcisé, rationnel, il vise la recherche de modèles simples et efficaces, permettant de comprendre, de formuler des lois.

Scène de gigantomachie. Détail de la frise nord. Marbre. Vers 525 av. J.-C. Trésor de Siphnos.

Dionysos et deux Ménades. Amphore à figures noires signée par Amasis. Vers 540-530 av. J.-C. Cabinet des Médailles, B.N., Paris.

Dionysos, l'étranger dans la cité grecque

Dionysos est le seul dieu grec né d'une femme mortelle. Sémélé, fille de Cadmos, roi de Thèbes, s'unit en effet à Zeus, mais sera foudroyée pour avoir voulu voir son divin amant. Dionysos est dissimulé dans la cuisse de Zeus où il attend sa naissance, à l'abri de la jalousie d'Héra. Cette naissance particulière fait de Dionysos un dieu étonnamment proche du monde des hommes, au point que, selon certaines traditions, il aurait lui-même connu la mort. Proche des hommes, Dionysos tente d'entrer dans leurs cités. Personnage énigmatique, étranger, il est le plus souvent rejeté par les hommes et leurs rois. Insulté, voire menacé, Dionysos révèle alors ses inquiétants pouvoirs. Il brouille les apparences. Il inspire des hallucinations. Il embrume les esprits et la raison. Son regard, son visage ont un pouvoir hypnotique. Mais c'est surtout sur les femmes qu'il manifeste son ascendant. Il les entraîne hors de la cité et du gynécée, dans les étendues sauvages hors de la ville, par les montagnes et les forêts. Dans leur course errante, les fidèles du dieu sont en transe, en plein délire. Elles hurlent les cris dionysiaques (« Évohé Bacchos ! ») et dansent sur des rythmes effrénés. Malheur à l'animal sauvage, lapin, biche ou faon, qui croise leur ronde ! Il est vite capturé, déchiré à mains nues et les femmes de Dionysos, dans leur délire, le dévorent avidement, tout cru et sanglant. On est bien loin du sacrifice ritualisé des hommes de la cité ! On murmure que lorsque les Bacchantes croisent des hommes, ceux-ci peuvent subir le même sort. Ce dieu inquiétant règne aussi sur la fécondité végétale et en particulier sur les vignes et le lierre. Le vin, dans la vie quotidienne, met d'ailleurs en jeu ces forces mystérieuses qui jettent les buveurs « hors d'eux-mêmes » ; c'est pourquoi on réglementa les boissons (le vin pur était coupé d'eau). Dieu de l'ivresse, de la danse et de la joie, dieu qui préside aux plaisirs du théâtre, où tout n'est qu'illusion et double de la réalité, Dionysos, dans toutes ses manifestations, a le pouvoir de faire surgir l'étrangeté au cœur du quotidien.

Thalès enseigne la géométrie du cercle

Milet, vers 560 av. J.-C.
Les mathématiques et la géométrie accompagnent la philosophie naissante pour dessiner le paysage intellectuel des cités grecques en Asie Mineure au VIᵉ siècle. Autour de Thalès, des disciples se réunissent régulièrement. Le maître trace des figures sur des tablettes : les droites, les points, les triangles et les cercles ont pour fonction de visualiser des situations problématiques. Ces schémas abstraits servent de support à une réflexion qui doit résoudre ces problèmes : par ses propriétés spécifiques, en effet, la figure permet d'argumenter une solution. La leçon de géométrie se déroule ainsi devant des dessins. La matérialité de ceux-ci permet d'obtenir le consensus des auditeurs sur la démonstration. Cette première géométrie grecque n'a pas de finalité pratique. Elle n'est pas destinée à résoudre des problèmes d'arpentage ou d'architecture. Elle est un savoir théorique, permettant de comprendre l'organisation du *kosmos*. Contempler des figures et des volumes géométriques, c'est ainsi observer les formes mêmes de l'univers. Cet univers est conçu comme une sphère. La géométrie de Thalès privilégiera donc la figure du cercle. Celle-ci se prêtera à une série de jeux graphiques. Le géomètre est un visionnaire, un contemplatif. Ses tracés sont les modèles réduits des figures invisibles de l'univers.

Anaximandre dessine la première carte de la Terre

Milet, vers 550 av. J.-C.
Anaximandre, disciple de Thalès, a l'audace d'offrir aux hommes un point de vue aérien et synoptique sur la Terre, qui était le propre des dieux et des oiseaux. L'ensemble de son entreprise est marquée par la nouvelle rationalité mathématique qui fleurit dans les cités grecques d'Asie Mineure. Il conçoit la Terre sous la forme d'un cylindre aux deux extrémités planes. Notre terre habitée se situe sur l'une de ces deux surfaces circulaires. Le modèle d'Anaximandre ouvre déjà la possibilité théorique d'un monde aux antipodes du nôtre. Le cylindre terrestre se situe au centre de la sphère céleste : position d'équilibre parfait, à égale distance de tous les points de la sphère, qui explique que la Terre ne repose sur aucun support. La carte de la terre habitée se présente elle aussi sous une forme très géométrique. Il ne s'agit pas d'un tracé empirique, mais d'une spéculation abstraite, jouant sur les possibilités graphiques offertes par une figure géométrique comme le cercle : diamètre séparant la Terre en deux moitiés égales, fleuve Océan bordant la circonférence, jeu de proximité et d'éloignement, du centre vers la périphérie. Cette carte inaugurale n'a pas une vocation pratique. Elle visualise et rend intelligible un ordre du monde, elle dégage une structure d'ensemble, plus que des contenus topographiques.

Les dieux sont trop à l'image de l'homme, selon Xénophane

Asie Mineure, fin du VIᵉ siècle.
Philosophe ou poète errant, Xénophane de Colophon est l'un des sages les plus mystérieux de la tradition présocratique. Comme les intellectuels de sa génération, il s'intéresse à la Nature. Selon lui, la surface de la Terre est plate, mais ses fondements s'étendent à l'infini. La terre est source de l'eau et source des vents. L'homme naît de la terre et de l'eau. Xénophane se fait surtout remarquer par sa critique ironique de certains usages grecs, comme les honneurs accordés aux athlètes vainqueurs, ou par ses conseils de modération dans l'usage du vin et la fréquentation des banquets. Mais ses critiques les plus vives portent sur la religion. Les hommes accordent aux dieux un corps, une voix, des vêtements semblables aux leurs. Homère et Hésiode n'hésitent pas à leur prêter un comportement humain : vols, adultères, tromperies. Les Grecs créent les dieux à leur image, et pour les Éthiopiens, les dieux sont noirs et camus, tandis que pour les Thraces, ils ont les yeux bleus et les cheveux rouges... De même, si les bœufs, les lions et les chevaux savaient peindre, ils peindraient les dieux à leur image. Cette critique vise la figuration anthropomorphe et littéraire des dieux. Elle n'est pas signe d'athéisme, puisque Xénophane admet l'existence d'un dieu différent des mortels, par le corps et la pensée.

Naissance d'Athéna. Détail. Pyxis à figures noires. Vers 570. Terre cuite. Louvre, Paris.

"Mesuré, pesé, partagé" : l'oracle de Balthazar

Babylone, vers 540 av. J.-C.
Nabonide, le dernier roi de Babylone, règne avec son fils Bêl-sharusur, le Balthazar du livre biblique de Daniel. Selon ce livre, au cours d'un banquet, le roi voit la paume d'une main qui écrit sur un mur les mots énigmatiques *méné tékel parsîn*. Le prophète Daniel révèle alors au souverain le sens de ces mots ; il lui annonce que Dieu a « mesuré » son royaume et l'a livré à un autre, car lui-même ayant été « pesé » dans la balance, son propre poids se trouve en défaut. *Parsîn*, qui signifie « séparer », joue sur la racine *prs* et les consonnes du mot « perse ».

550 av. J.-C.

Grèce

C'est après 560 que Sparte se met à jouer un rôle politique considérable avec la première ligue péloponnésienne. C'est le résultat de l'expansion régulière de la cité dorienne, depuis qu'elle est sortie victorieuse de la seconde guerre de Messénie (640-620 av. J.-C.). En développant ce nouveau système d'alliances, Sparte a deux objectifs : contrebalancer l'influence d'Argos et aider les cités grecques à se débarrasser de leurs tyrans, en favorisant l'accession au pouvoir d'oligarchies prospartiates. L'alliance a aussi des implications militaires.

Italie du Sud

Pythagore crée une école philosophique. →

548 av. J.-C.

Perse

Cyrus s'empare d'Ecbatane, la capitale de l'Empire mède, et met ainsi fin à la tutelle des Mèdes sur les Perses. Ecbatane devient une capitale provinciale de l'Empire achéménide.

540 av. J.-C.

Asie centrale

Sous l'impulsion de Cyrus, l'Empire perse s'étend aussi bien à l'est qu'à l'ouest. A l'est, déjà maîtres de l'Iran depuis qu'ils ont secoué la suzeraineté des Mèdes, les Perses conduisent leurs armées dans le Turkestan, région à partir de laquelle ils finiront par atteindre, de batailles en conquêtes, la mer d'Aral. Dans le même élan, l'Afghanistan est submergé et annexé à l'empire. La route de l'Inde est donc ouverte, mais Cyrus est rappelé à l'ouest sur le front babylonien où la situation évolue rapidement et exige sa présence.

539 av. J.-C.

Mésopotamie

Nabonide, le dernier roi de Babylone, vient d'être vaincu près de Sippar par les Perses. Le haut clergé de la ville étant acquis à leur cause, le grand prêtre Gubarau (le Gobryas de la tradition grecque) peut leur livrer Babylone sans combat. Cyrus y fera une entrée triomphale le 29 octobre. Du même coup, la réforme religieuse mûrie par Nabonide

tombe en désuétude et le clergé de Marduk est confirmé dans sa toute-puissance.

538 av. J.-C.

Inde

Les royaumes de Kâçî (Bénarès), du Kosala et du Mâgadha disputent aux Vrijji le contrôle de la vallée du Gange. Le Mâgadha l'emporte en 538, grâce à l'habileté et à l'ambition de Bimbisâra, son souverain depuis peu. Ce dernier instaure, pour la première fois en Inde, une administration hiérarchisée dont le but est d'assurer l'ordre dans les provinces, ainsi que la collecte des impôts. L'économie du pays est alors essentiellement agricole. Une longue amitié lie Bimbisâra au Bouddha, dont il est le plus puissant protecteur. Sa foi, cependant, provoquera sa perte. Il refusera de s'opposer à son fils Ajâtaçatru, quand ce dernier le détrônera et le fera jeter en prison (vers 491).

Perse

Edit de Cyrus mettant fin à la captivité des Juifs de Babylone et les autorisant à rentrer dans leur pays.

535 av. J.-C.

Rome

Gendre de Servius Tullius, Tarquin le Superbe le détrône et règne à sa place, non comme un roi, mais comme un tyran. Le Sénat est dépouillé de toutes ses prérogatives politiques. Tyran avisé, Tarquin fut aussi un urbaniste : il construisit un grand égout (la *Cloaca Maxima*) qui permit d'assécher le Forum et édifia, en outre, plusieurs temples monumentaux sur le Capitole.

534 av. J.-C.

Syrie

La Babylonie est conquise et annexée à l'Empire perse. La Syrie est l'étape suivante, prévisible, car elle conduit à la Méditerranée. Mais, à l'arrière-plan de cette conquête, c'est le chemin de l'Egypte qui est visé.

530 av. J.-C.

Mésopotamie

Cyrus le Grand meurt. Son fils Cambyse lui succède. C'est à lui qu'il revient d'ajouter l'Egypte à la liste, déjà longue, des conquêtes perses.

Art grec. Moschophore (porteur de veau). Détail. Marbre. 570-560 av.J.-C. Trouvé lors des fouilles de l'Acropole d' Athènes en 1865.

Le tyran Pisistrate règne à Athènes

Athènes, milieu du Ve siècle av. J.-C.
Depuis 560, c'est le tyran Pisistrate, fils d'un Eupatride (membre de l'aristocratie terrienne d'Attique), qui se trouve à la tête de la cité. Pour prendre le pouvoir, il a bénéficié de l'appui des « diacriens », le petit peuple des paysans et des bergers de la montagne, qui se sentaient lésés par les lois de Solon. Le jeu des factions et des rivalités a placé le règne de Pisistrate sous le signe de l'instabilité politique. Mais on loue son sens de l'équité et son esprit philanthropique. N'est-ce pas lui qui a institué un impôt sur les revenus de la terre dont le fruit doit être redistribué aux paysans pauvres ? Son attachement à la campagne ne lui fait pas négliger la grandeur d'Athènes. La ville s'embellit de prestigieux monuments comme l'Olympeion et le temple d'Athéna sur l'Acropole. De grands travaux d'urbanisme sont entrepris et l'approvisionnement de la ville en eau est en partie assuré. Les dieux eux-mêmes ne sont pas oubliés ! Jamais comme sous Pisistrate les fêtes des Panathénées et des Dyonisies n'avaient brillé d'autant d'éclat, ni attiré autant d'artistes et de poètes. Pourtant, dans cette cité prospère qui frappe monnaie à l'effigie d'un seul homme, une absente de marque ne passe pas inaperçue : la démocratie.

Un édit de Cyrus met fin à la captivité des Juifs de Babylone

Jérusalem, vers 538 av. J.-C.
En 538, le nouveau maître de l'Orient, Cyrus, roi des Perses, libère le peuple juif de la déportation à Babylone et l'autorise à rentrer à Jérusalem. Ce sont des cadres intellectuels et des prêtres transformés par l'exil qui s'en retournent en Palestine. L'idéologie religieuse s'est profondément infléchie au contact de la pensée et de la sagesse chaldéennes. A l'inverse, la déportation a suscité des nostalgies, des remords, des réflexions amères et la communauté reconnaît finalement que les prophètes, en tout temps et en toutes choses, ont eu les visions les plus justes. C'est donc un peuple doublement enrichi par l'exil, qui regagne la terre de ses ancêtres, acquis désormais sans réserve à un monothéisme radical, et se met aussitôt à l'œuvre en construisant un nouveau temple à Yahvé. Ce peuple est prêt également à reconnaître l'autorité des grands prêtres qui se placeront à sa tête.

Cylindre de terre cuite provenant de Babylone. En inscription, un rapport à Cyrus le Grand sur la situation financière et les revenus à Babylone ainsi que sur les actions des Juifs en cette ville.

Deux rois ont le pouvoir à Babylone

Babylonie, 556-539 av. J.-C.
Forts de l'expérience assyrienne et des querelles de succession qui avaient entaché la fin du régime, les rois de Babylone associent leurs fils aux affaires de l'Etat : Nabopolassar partage le pouvoir avec Nabuchodonosor, faisant en sorte que l'un des deux soit toujours présent à Babylone ; Nabonide agit de même et confie même tous les pouvoirs à son fils Bêl-sharar-utsur, le Balthazar biblique. Nabonide quitte en effet Babylone et s'installe, aux confins de l'actuelle Arabie Saoudite, dans l'oasis de Teima : il tente une réforme religieuse qui privilégie le culte du dieu Sin de la ville de Harran et l'entraîne dans un conflit avec le très officiel clergé de Marduk, à Babylone. Un autre motif non moins important conduit ce roi à Teima : les routes commerciales d'Urartu sont coupées par les désordres politiques, les ports mésopotamiens du golfe Persique sont ensablés et la côte orientale est aux mains des Perses ; les grands courants commerciaux passent désormais loin au sud de la Mésopotamie et les oasis de la péninsule Arabique servent dorénavant de relais. Nabonide s'y rend, soucieux de défendre les intérêts babyloniens.

Pythagore le Sage organise une secte

Italie du Sud, vers 550 av. J.-C.
Pythagore de Samos fuit la tyrannie de Polycrate et s'établit à Crotone, en Italie du Sud. Il fonde une école philosophique où sciences et sagesse se mêlent étroitement. Ses recherches mathématiques et géométriques (dont le fameux « théorème ») rappellent la vie intellectuelle de Milet et les activités d'un Thalès ou d'un Anaximandre. Mais une dimension nouvelle se manifeste avec l'école de Pythagore. Les disciples sont astreints à une vie collective régie par des principes rigoureux. Les spéculations intellectuelles s'accompagnent d'exercices corporels originaux, analogues aux techniques du yoga en Orient. Les membres de la secte se distinguent aussi par un végétarisme qui exclut toute nourriture carnée, tout meurtre d'être vivant. Ce n'est pas simplement une fantaisie d'intellectuels, mais un geste politique notable, puisque les pythagoriciens se mettent ainsi en marge de la cité, où le sacrifice sanglant cimente la communauté des citoyens et définit les rapports entre les hommes et les dieux. Pythagore devient rapidement un personnage de légende, fils d'Apollon ou d'Hermès, doué d'ubiquité et d'autres pouvoirs extraordinaires. Les pythagoriciens sont parmi les premiers à avoir développé, à propos du son, le concept de « musique des sphères ».

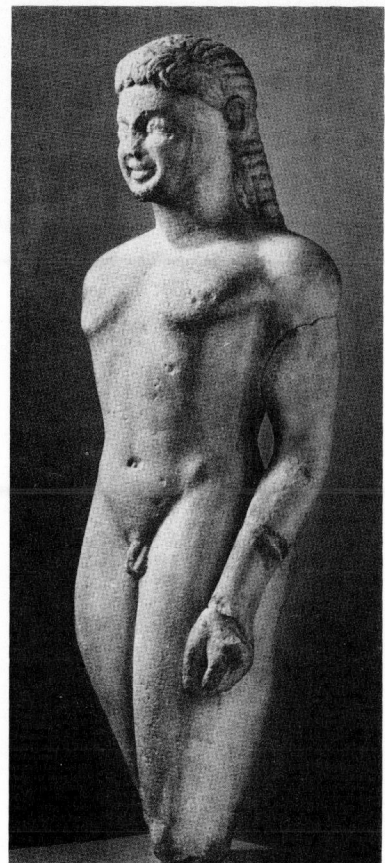

Art grec. Période archaïque. Kouros, jeune athlète. Marbre de Paros. Vers 540 av. J.-C.

L'Iran achéménide

Iran, vers 550 av. J.-C.
En 834, les annales royales assyriennes signalent, au sud du lac d'Urmia, la présence d'un peuple nouveau et encore inconnu, appelé « Parsua Bakhtiari ». Vers 700, ces mêmes annales mentionnent un pays de Pzrsumash sur les hauteurs des monts Bakhtiari, au sud-est de Suse : les Perses ont donc mis un siècle et demi pour gagner la région où ils s'établissent à demeure et où l'ancêtre éponyme de leur première dynastie, Achémenès, fonde une principauté. Son fils Téispès, « roi d'Anshan » vers 650, annexe la province du Parsa, l'actuel Fârs. Les rois de Perse sont d'abord obligés de reconnaître la suzeraineté des Mèdes. Du reste, ils sont divisés en deux royaumes, celui de Parsa et celui de Parsama. C'est Cambyse, vers 600, qui les réunit sous la même couronne. Une ère nouvelle s'ouvre alors pour l'Iran qui doit à la dynastie achéménide la formation d'un Etat unique et centralisé, atteignant des dimensions démesurées et qui se révèle comme la synthèse des civilisations de l'ancien Orient et de la mer Egée.

Sourires et grâce des statues archaïques

Grèce
C'est au début du VIIe siècle que naît la grande sculpture, où éclate vraiment le génie grec. Alors qu'en Orient l'art implique la permanence des formes, la plastique grecque va connaître une évolution continue. L'artiste qui signe ses œuvres va peu à peu gagner de la liberté par rapport à un matériau contraignant : le marbre ; il cherche à rendre l'exactitude anatomique des formes, l'ampleur des volumes ; animé par le souci de gommer toute transition maladroite et d'assurer une harmonieuse liaison des parties à l'ensemble, il parvient à un grand naturalisme. Certaines règles n'en président pas moins à la naissance de la statue archaïque tant masculine *(kouros)* que féminine *(kore)*. Celle-ci obéit encore aux lois de frontalité et de symétrie absolues. Le *kouros*, dans sa nudité gymnique, montre l'épanouissement athlétique d'un corps puissamment musclé, aux épaules larges, à la taille fine ; il s'anime peu à peu, avançant la jambe gauche et dégageant ses bras du corps. La *kore*, debout, assise ou agenouillée, est vêtue soit de l'austère *peplos* dorien, soit du riche chiton ionien qui confère au drapé, par le jeu contrasté des plis, un certain dynamisme. *Kouros* et *kore* offrent la même grâce souriante, avec le visage ovale encadré par une chevelure qui retombe en nattes stylisées, éclairé d'un regard en amande.

Art grec. Kore 675. Marbre. Vers 520-510. Style ionien des îles. Musée de l'Acropole, Athènes.

Les scribes gravent les lois des cités grecques

Grèce, VIe siècle av. J.-C.
Un nouveau personnage fait son apparition dans la cité : le scribe qui grave les lois sur des stèles de pierre. Technicien itinérant, allant de village en village, ou magistrat à demeure, ce spécialiste de l'écriture alphabétique a pour fonction de présenter aux regards de tous les textes législatifs et juridiques. Soigneusement gravées, les lettres sont rehaussées de couleurs rouge ou bleue : la loi est visible avant d'être lisible. Ces textes sont affichés dans les endroits les plus fréquentés de la cité, sur l'agora et devant certains bâtiments publics. Ils sont toujours disponibles à la lecture. L'écriture devient ainsi l'instrument privilégié de la vie politique. Loin d'être accaparée par des spécialistes, dissimulée aux profanes pour être archivée dans le palais royal, elle est foncièrement publique et définit une loi qui est la même pour tous les citoyens. Les cités grecques se couvrent ainsi d'inscriptions gravées dans la pierre : décrets, listes de magistrats ou de citoyens méritants, prescriptions religieuses, textes commémoratifs.

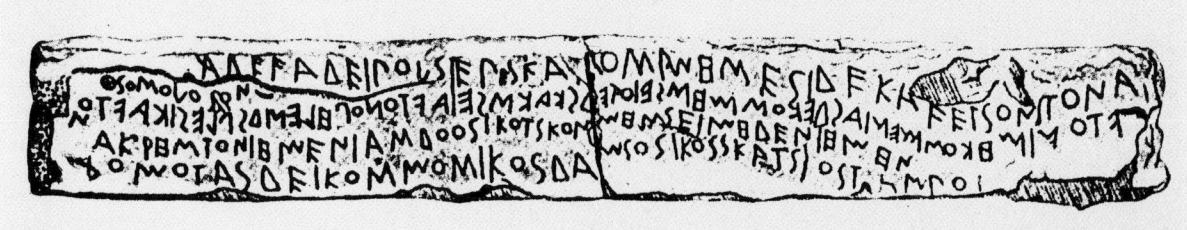

Inscription portant un code de lois, trouvée à Dréros (Crète), vers 600 av. J.-C.

528 av. J.-C.

Grèce

Le tyran d'Athènes Pisistrate vient de mourir. Sous son règne, la cité a connu une grande prospérité commerciale. Pisistrate s'est efforcé, en effet, de multiplier les contacts avec les îles et les ports du bassin égéen de façon à disposer de nombreux comptoirs commerciaux. Ses fils, Hippias et Hipparque, lui succèdent. Ils auront à affronter une situation plus difficile : pouvoir grandissant de Sparte et menace causée par l'expansion perse en Asie Mineure. Selon Thucydide, les fils de Pisistrate eurent une conduite honorable et modérée : ils embellirent la cité, respectèrent les rituels religieux et se montrèrent excellents à la guerre.

526 av. J.-C.

Egypte

Psammétique III, fils d'Amasis, succède à son père à la tête de l'Egypte. La politique étrangère d'Amasis laisse un héritage dangereux : les Perses, conduits par Cambyse, se préparent en effet à envahir l'Egypte. Cette invasion surviendra six mois après que Psammétique ait été couronné.

525 av. J.-C.

Egypte

Après une campagne militaire foudroyante, Cambyse est maître de l'Egypte. La biographie d'un grand fonctionnaire de l'époque, Oudjahorresné, gravée sur sa statue, donne quelques précisions sur la situation du pays. Elle fait mention notamment des troubles importants qui ont secoué l'Egypte, allusion sans doute aux pillages de l'armée perse. Mais notre homme joue un rôle politique actif. Il approche Cambyse, lui explique les coutumes égyptiennes, l'engage à les respecter et le reconnaît comme un roi. A en croire l'inscription, Cambyse aurait fait preuve de piété à l'égard des dieux égyptiens. Le portrait du conquérant n'est-il pas idéalisé par un courtisan flatteur ? Hérodote, pour sa part, s'étend sur les atrocités diverses commises par Cambyse. →

522 av. J.-C.

Perse

Cambyse meurt, quelque part entre l'Egypte et la Perse. Selon Hérodote, il se serait suicidé. L'empire tout entier est secoué par une violente conflagration ; de multiples soulèvements mettent en danger l'édifice impérial. Un usurpateur, Gaumâta (ou, selon d'autres sources, Bardiya), tente une prise de pouvoir. Finalement, après au moins une année de troubles, Darius Ier, issu de la branche cadette de la famille achéménide, monte sur le trône.

520 av. J.-C.

Israël

Cyrus, roi des Perses, avait rendu la liberté au peuple juif en exil à Babylone. Celui-ci, de retour à Jérusalem, se met à l'œuvre pour reconstruire le Temple qu'avait détruit autrefois le Babylonien Nabuchodonosor II.

Grèce

Le poète Anacréon est en pleine activité. Originaire de Téos, en Lydie, il séjourne à Samos, puis à Athènes, fréquente les hommes au pouvoir. Il est, en effet, le modèle même du poète de cour. Son thème d'inspiration favori est l'amour : « le maître des dieux, le dompteur des hommes. » Il célèbre la grâce des jeunes filles, plus farouches que des cavales sans maître. Un rival a-t-il la préférence ? Il le traite de « compagnon des boulangères », et « d'ami des prostituées ». Anacréon fut très populaire parmi les lettrés athéniens du Ve siècle. Certains se plaisent à pasticher son style aimable et sensuel.

518 av. J.-C.

Samos

C'est entre 518 et 516 que l'île de Samos, dernier bastion de l'indépendance hellénique, subit à son tour la domination perse. Toute résistance était vaine, d'autant plus que les Perses trouvaient des partisans à l'intérieur même des cités. L'ensemble de l'Ionie est organisé en satrapies et lourdement taxé pour alimenter le trésor royal de Suse. L'occupation perse n'arrête cependant pas l'essor économique et intellectuel de la région.

515 av. J.-C.

Perse

Darius Ier, roi des Perses, scelle les plaques de fondation, en or et en argent, qui marquent le début des travaux de construction sur le site de Persépolis.

Les funérailles de la princesse de Vix

Vix, Bourgogne, vers 520 av. J.-C.
Une riche et jeune femme est ensevelie dans une chambre de bois enterrée sous un tumulus. Selon l'usage, on a placé à ses cotés des objets d'or et de bronze dont le fameux vase de Vix, du nom du village bourguignon où se trouve la sépulture. Cette tombe et bien d'autres du même genre, en particulier celles où de riches guerriers sont inhumés avec leurs armes et leur char de combat, permettent de mesurer l'immense richesse de ces princes celtes du premier âge du Fer (culture de Hallstatt). La société voit à partir du VIIe siècle, de la Bohême à la Bourgogne, une accentuation considérable des différenciations sociales et l'apparition d'une aristocratie militaire d'une richesse ostentatoire. Installés dans des résidences fortifiées, sur des hauteurs, les princes hallstattiens contrôlent les routes par où passe le commerce entre le monde méditerranéen et l'Europe intérieure. Liés sans doute à des droits de passage, les sites qu'ils occupent sont donc des lieux d'échan-

Art grec. Le cratère de Vix. Bronze. Vers 530-520. Musée archéologique, Châtillon-sur-Seine.

ges et, à côté d'une production artisanale locale, on y trouve des pièces d'importation : le vase de Vix, de fabrication grecque, en est vraisemblablement. Les commerçants grecs ou étrusques, en échange de matières premières (étain, ambre), exportaient vers le nord des produits de luxe et du vin, à l'usage exclusif des princes celtes qui fondaient sur ce commerce une grande part de leur puissance.

Tête royale. XXVIe dynastie. Epoque saïte (664-525 av. J.-C.). Pierre verte. Staatliche Museen, Berlin.

L'armée de Cambyse aux prises avec le désert d'Egypte

Egypte, 525-522 av. J.-C.
Amasis n'avait pas eu une bonne idée le jour où il s'était allié avec le roi lydien Crésus. Celui-ci devait être écrasé par les Perses, et les Egyptiens eurent a subir les représailles du roi des Rois lorsque Cambyse envahit leur pays en 525. La bataille décisive eut lieu à Péluse : les Perses l'ayant emporté, c'est toute la Haute-Egypte qui tombe entre leurs mains. Selon Hérodote, cette occupation donne lieu aux pires exactions et « Cambyse le Fou » n'hésite pas à abattre le bœuf sacré Apis. De tels crimes ne pouvaient rester impunis et l'armée de Cambyse essuie diverses catastrophes. En route vers l'oasis de Siouah, un contingent perse disparaît corps et biens, englouti dans une tempête de sable. Lorsqu'à la tête de ses troupes il se propose d'envahir le pays de Koush, les vivres viennent à manquer, et Cambyse doit abattre les bêtes de somme. Mais cela ne suffit pas et les soldats en sont bientôt réduits à se suffire de la maigre végétation du désert. Qu'importe : Cambyse entend poursuivre son équipée, mais ses soldats s'entre-dévorent ; il sera contraint de rebrousser chemin. Cambyse finira par perdre la raison en 522, en Syrie, alors qu'il regagnait la Perse.

Couples d'homosexuels. Coupe à figures rouges signée par Peithinos. Vers 500. Terre cuite. Staatliche Museen, Berlin.

L'amour au masculin en Grèce

La pédérastie occupe une grande place dans la vie privée et sociale des Grecs. L'amour d'un adulte (l'*éraste*) est un moment important dans la vie d'un jeune garçon, entre douze et dix-huit ans (l'*éromène*). Loin d'être anormale, une telle passion est socialement reconnue et valorisée, même si des lois protègent les jeunes gens contre les abus et le viol. Dans les cités doriennes, dont Sparte est le symbole, la pédérastie est favorisée par le compagnonnage militaire imposé à la jeunesse. Les liens amoureux entre soldats sont la garantie d'une grande bravoure au combat, d'une émulation et d'une solidarité exemplaires. A Athènes, l'attachement d'un adulte pour un jeune homme est partie intégrante de l'éducation : l'*éraste* doit donner à l'*éromène* un exemple moral, l'inciter à la vertu. L'« amour platonique » constitue la forme la plus élevée de cette passion : l'amour charnel s'efface devant l'amour du Beau. Socrate entretenait avec ses disciples de telles relations, épurées de toute sensualité. La réalité quotidienne était sans doute moins idéale. Le terme *eros* ne désigne qu'exceptionnellement l'amour hétérosexuel. L'imagerie des vases attiques abonde en représentations où la nudité des éphèbes est saluée par l'exclamation *kalos* (beau) et les gestes de l'amour, les échanges de présents entre partenaires y sont souvent représentés.

Intrigues et révoltes de palais en Perse

Iran, 522 av. J.-C.
Cambyse, fils et successeur de Cyrus, laisse, à l'opposé de son père, le souvenir d'un souverain impie et sanguinaire. Son œuvre principale est la conquête de l'Egypte, où il demeure, semble-t-il, jusqu'à sa mort. Sa longue absence encourage les prétendants à tenter un coup de force. Parmi eux se trouve un mage, membre d'une confrérie religieuse qui exerce un privilège sacerdotal et a des coutumes funéraires particulières, puisque les cadavres sont exposés et livrés aux charognards ; et ce mage, du nom de Gaumâta, se fait passer pour un frère du défunt roi. En 522, il se proclame roi des Perses de sa propre autorité et, si ces faits hypothétiques sont reconnus, il prend des mesures comme la remise généralisée des impôts pour une période de trois ans ; il détruit aussi un certain nombre de sanctuaires consacrés à des cultes qu'il juge non conformes à ses propres doctrines. Aidé de six compagnons, issus des plus grandes familles de la noblesse perse, Darius fera assassiner Gaumâta près d'Ecbatane. Malgré les déclarations de Darius, Gaumâta était peut-être un frère du défunt Cambyse. La portée politique et religieuse de cette affaire reste très mystérieuse.

Moines écoutant un sermon. Grottes d'Ajantâ. Peinture murale. Vihara n° XVII. Fin du Ve siècle.

Thésée, héros national des Athéniens

Thésée est considéré par les Athéniens comme un second Héraclès. Figure mythique à l'origine, il devient un personnage quasi historique. Il aurait, en effet, participé à la bataille de Marathon contre les Perses. Fils du roi Egée, il avait délivré l'Attique du lourd tribut que lui imposait Minos, roi de Crète, et qui consistait à livrer chaque année quatorze adolescents au Minautore. Grâce à l'aide d'Ariane, Thésée avait pu tuer le Minautore et sortir du Labyrinthe. Mais, ayant abandonné Ariane, il fut puni par les dieux, qui provoquèrent la mort de son père. Celui-ci en effet, en apercevant les voiles noires du bateau de son fils, se jeta dans la mer (qui depuis porte son nom) : Thésée avait oublié qu'il lui avait promis, en cas de réussite, de les remplacer par des voiles blanches. Devenu roi, il mena une politique favorable à l'unité et à l'essor de la cité et fit preuve de justice, d'humanité et de piété envers les dieux. Il fut assassiné après bien des aventures.

Le système des castes en Inde

Inde, VIe siècle
Au VIe siècle, la société indienne s'organise selon le système des castes, système qui apparaît aux yeux des Occidentaux comme sa caractéristique principale. Il est impossible de donner du terme même de caste - qui vient du portugais *casta* (espèce) - une définition précise et brève. La caste peut être considérée comme une unité sociale, cernée par certains de ses traits principaux : interdiction du mariage en dehors de la caste ; interdiction d'exercer certaines professions ; détermination de la caste par la naissance ; impossibilité - théorique - de passer d'une caste à l'autre. Il existe, par ailleurs, entre les castes une distinction hiérarchique, le pivot de l'ensemble étant la supériorité des Brâhmanes. On compte traditionnellement quatre castes principales, chacune se voyant attribuer des tâches particulières. Les Brâhmanes, d'essence divine, ont la charge d'étudier et d'enseigner les Veda, textes sacrés de l'hindouisme, et d'effectuer des sacrifices. La mission des Kshatriya est de porter les armes, mais ils sont autorisés à sacrifier et à étudier les Veda. Les Vaishya, quant à eux, produisent les richesses qui font vivre les deux classes précédentes, par le commerce et l'agriculture, tout en conservant l'accès au sacrifice et à l'étude des Veda. La caste inférieure, celle des Sûdra, la plus nombreuse, n'a qu'un devoir, qui est celui de servir les trois castes supérieures, en s'abstenant d'être pour elles une source de souillure. L'origine des castes est extrêmement complexe. Mention est faite, dans les parties récentes des Veda, d'une division quadripartite de la société aryenne. Mais le système, tel qu'il s'établit aux environs du VIe siècle, est le fruit de la maturation, pendant plusieurs siècles, de nombreux éléments religieux, sociaux et raciaux.

Thésée combattant le Minotaure. Coupe à figures rouges signée par Epictétos. Vers 510. Terre cuite. British Museum, Londres.

514 av. J.-C.

Athènes

Le tyran Hipparque est assassiné
à Athènes. →

513 av. J.-C.

Delphes

En 547, le temple d'Apollon, édifié par Trophonios et Agamède, brûle dans un incendie. Une souscription internationale permet de le reconstruire à partir de 539, mais les travaux traînent en longueur. Vers 514/513, la famille des Alcméonides, exilée d'Athènes, décide d'achever la restauration. Ils établissent le temple sur une terrasse monumentale, soutenue par un mur en appareil cyclopéen d'une longueur de 117 m.

Scythie

Les Scythes habitent les régions septentrionales de l'Europe. Pour les Grecs qui décrivent leur genre de vie, ils sont très exotiques, autant que peuvent l'être des nomades pour des hommes vivant dans des cités. Sans maisons fixes, ignorant par là même nombre d'institutions politiques et religieuses constitutives d'une vie civilisée, les Scythes sont en perpétuelle migration. Le roi des Perses décide d'envahir leur territoire. Est-ce pour les punir de leurs incursions en Asie ? Ou pour se diriger vers l'Occident par un vaste mouvement d'encerclement, ou simplement pour se livrer à une opération ponctuelle en Thrace ? Les motivations de Darius restent mystérieuses. Selon Hérodote, il part en campagne avec une armée de 800 000 hommes, traverse le Bosphore sur un pont de bateaux, puis se dirige vers le Danube. Mais faire la guerre contre des nomades n'est guère facile. Ceux-ci, insaisissables, se dérobent continuellement. Alors Darius les poursuit et s'enfonce dans les steppes de Scythie. Mais c'est pour s'apercevoir que les Scythes sont maintenant derrière lui, et que ce sont eux qui le poursuivent. Les Perses font demi-tour et sont sauvés du désastre par les Grecs qui ont préservé le pont sur le Danube, malgré la tentation de le détruire, suggérée par les Scythes. →

510 av. J.-C.

Italie du Sud

Sybaris est l'une des cités les plus riches de la Grande Grèce. Ses habitants sont réputés pour leur art de vivre raffiné, sinon décadent. Cette situation résulte d'une prospérité économique et d'une puissance politique considérables. Sybaris est la ville la plus active de la région. Et voici qu'elle envisage de concurrencer les Jeux olympiques, de regrouper autour d'elle, à la manière d'un sanctuaire panhellénique, les cités de Grande Grèce. Cette fois, c'en est trop. Les cités de la métropole et de la région se liguent pour abattre l'insolente. Croisade religieuse en apparence, en réalité guerre motivée par la jalousie de rivales malheureuses. Sybaris est rasée, ses habitants massacrés.

Inde

La paix régnant sur les marches occidentales de l'empire, le roi des Perses Darius Ier part à l'est poursuivre les conquêtes de ses prédécesseurs et annexe la vallée de l'Indus. La vallée basse constitue la dix-huitième satrapie, la haute vallée et la région de Taxila formant la dix-neuvième. L'empire connaît alors l'apogée de son expansion géographique, englobant toutes les terres depuis l'Indus jusqu'à la Thrace en Europe, l'Égypte et le littoral libyen en Afrique.

509 av. J.-C.

Rome

Le roi Tarquin est chassé de Rome ; la domination étrusque prend fin. →

506 av. J.-C.

Grèce

La ligue péloponnésienne, manipulée par les Spartiates, lance une opération militaire contre Athènes. Les armées ennemies envahissent Eleusis. Le nord de l'Attique est ravagé. Les Athéniens réagissent vite et bien. Présents sur tous les fronts, ils mettent en déroute les agresseurs et font de nombreux prisonniers qu'ils échangeront contre des rançons conséquentes. Les Péloponnésiens, instruits par l'expérience, abandonnent momentanément leur agressivité.

505 av. J.-C.

Afrique

Un navigateur carthaginois, Hannon, aurait atteint le Maroc et le golfe de Guinée. →

Le tyran Hipparque assassiné à Athènes

Athènes, 514 av. J.-C.

Pisistrate, le « bon tyran », meurt en 528, laissant le pouvoir à ses deux fils, Hippias et Hipparque. Peut-être sont-ils immortalisés dans les deux cavaliers de marbre dressés sur l'Acropole. Ils ont sans doute mené une politique moins prudente et plus autoritaire que leur père, de sorte que l'hostilité de l'aristocratie s'est faite plus menaçante ; elle ne se manifestera cependant réellement qu'après la mort d'Hipparque, en faisant appel non au peuple athénien mais au roi de Sparte pour renverser la tyrannie en 510. Selon l'historien Thucydide, le meurtre d'Hipparque relève du fait divers. Amoureux éconduit, le tyran se venge en déshonorant la sœur du bel Harmodios. Celui-ci s'allie alors à Aristogiton pour assassiner Hipparque. Les deux « tyrannicides » sont fêtés comme libérateurs et héros et jouiront de nombreux privilèges. Hippias, lui, régnera encore quatre ans.

Les Tyrannoctones Harmodios et Aristogiton. Marbre. Copie romaine d'après un original grec perdu. Musée national, Naples.

Clisthène réforme la démocratie athénienne

Athènes, fin du VIe siècle av. J.-C.

A la tête du parti démocratique, Clisthène l'Athénien a déjà été la proie de la réaction des oligarques conduite par Isagoras. C'est grâce au soutien du petit peuple qu'il parvient à évincer le parti des adversaires de la démocratie. Mais ses desseins vont bien au-delà : il faut fortifier le régime démocratique, le préserver de toute atteinte tyrannique et donner au *demos*, au peuple, plus de pouvoir au sein de la Cité. Cette réforme capitale commence par la division du territoire en trois ensembles : la ville (*Astu*), le bord de mer (*Paralie*) et l'intérieur des terres (*Mésogée*). Dès l'âge de dix-huit ans, les citoyens sont rattachés à des *dèmes*, circonscriptions qui correspondent à nos quartiers avec les attributions de nos communes. Ces *dèmes* sont répartis en dix « tribus ». Chaque tribu comprend un nombre égal de circonscriptions pour la ville, la côte et l'intérieur des terres. Ces sous-ensembles constituent les *trittyes*. Dans chacune des dix tribus sont tirés au sort les cinq cents membres du Conseil, arbitre souverain dans l'élaboration des lois et la préparation des séances de l'Assemblée où tous se retrouvent. Ainsi, tous les citoyens d'Athènes, des plus riches aux plus pauvres, sont-ils soumis aux mêmes divisions administratives et ont-ils accès aux magistratures de la Cité. C'est le règne de l'égalité de tous devant et par la loi : l'isonomie. Clisthène en fait le principe fondateur de la démocratie. En outre, suprême garantie, dès que quelqu'un est jugé dangereux pour la communauté, la loi de l'ostracisme permet de l'exiler.

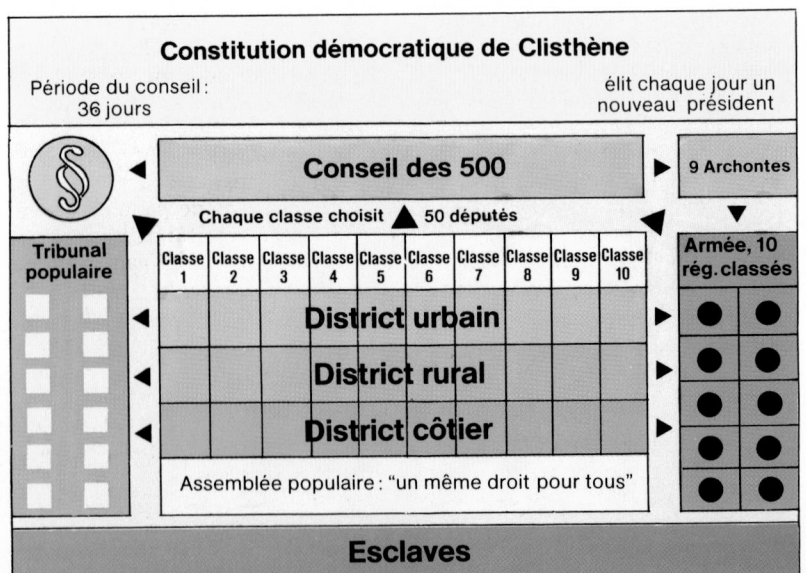

Constitution démocratique de Clisthène

Période du conseil : 36 jours — élit chaque jour un nouveau président

	Conseil des 500									9 Archontes
	Chaque classe choisit ▲ 50 députés									
Tribunal populaire	Classe 1	Classe 2	Classe 3	Classe 4	Classe 5	Classe 6	Classe 7	Classe 8	Classe 9	Classe 10	Armée, 10 rég. classés
	District urbain									
	District rural									
	District côtier									
Assemblée populaire : "un même droit pour tous"										

Esclaves

Art grec. Homme participant à un banquet. Amphore à figures rouges signée par Euphronios. Vers 510. Terre cuite.

Un rituel social en Grèce : le banquet

Le banquet est une pratique sociale importante en Grèce, témoignant d'un sens aigu de l'hospitalité ; il est par ailleurs naturel que dans ce pays inondé de soleil, propice à la vigne, le vin se soit trouvé au centre de la réunion. Des convives, parfois professionnels, s'assemblent sur l'invitation d'un maître de maison aisé, moins pour manger que pour boire, tout en conversant ou en se divertissant. Les femmes libres, confinées dans leur gynécée, sont exclues de telles réunions, qui s'achèvent parfois fort tard et dans une licence totale. Seules les esclaves, pour servir, et les danseuses ou courtisanes, pour amuser l'assistance, y sont admises. Sans doute, une présence féminine plus distinguée aurait-elle pu ame-ner une note de courtoisie et de mesure qui manque souvent à ces assemblées masculines ; les convives, après quelques ablutions, s'étendent parfois à plusieurs sur des lits de repos, bien calés par des coussins ; les esclaves servent alors les mets délicats que l'on attaque avec les doigts et dont on jette les reliefs aux chiens. Commence ensuite la deuxième et la plus importante phase du banquet : après une libation à Dionysos, on désigne un roi pour mélanger l'eau au vin dans le cratère ; les coupes circulent alors et se vident dans la gaieté : jeux, musique, danseurs, mimes et bouffons se succèdent durant toute la soirée ; et l'on s'entretient de sujets légers ou philosophiques. Lorsque c'est un maître tel que Socrate qui préside le banquet, la réunion peut atteindre un haut niveau de spiritualité.

Un périple aux confins du monde

Afrique, 505 av. J.-C.
Le voyage d'exploration qu'un navigateur carthaginois dénommé Hannon aurait effectué le long des côtes de l'Afrique occidentale nous est seulement connu par un texte grec intitulé *Périple d'Hannon*, dont rien ne prouve qu'il s'appuie sur des faits réels. Son « décryptage » reste difficile. On y apprend qu'Hannon, à la tête d'une flotte importante, franchit les colonnes d'Hercule (Gibraltar) et longe le rivage occidental de l'Afrique. Son but ? Fonder des cités et y établir des colonies. Les premières étapes du périple se déroulent comme prévu. Puis il a besoin de guides et d'interprètes : ce seront les nomades Lixites. Les populations que rencontrent ensuite notre navigateur manifestent une altérité accrue. Leur mode de vie les écarte radicalement de l'humanité civilisée. Tels sont les Troglodytes des montagnes, ou encore ces hommes sauvages vêtus de peaux de bêtes qui empêchent par leurs jets de pierre les voyageurs de débarquer. Puis voici les Ethiopiens à la langue inintelligible, même pour les Lixites. Les paysages sont désormais vides de toute présence humaine. Les voyageurs débarquent sur une île boisée et déserte. Mais, la nuit venue, un vacarme démoniaque éclate soudain. C'est le dieu Pan qui manifeste sa présence dans cet espace interdit aux hommes : pris de panique, ceux-ci s'enfuient aussitôt. Ultime étape, l'île des Gorilles, humanité sauvage et velue où les femmes prédominent. Celles-ci se battent à coups de griffes, brouillant la frontière entre les sexes, l'homme et la bête. De guerriers, les Carthaginois deviennent chasseurs, abattent deux femmes et les écorchent comme du gibier. Il sont arrivés aux confins de l'humanité et comme le blé et le pain, garants de la civilisation, font défaut, ils décident de rebrousser chemin pour revenir en Méditerranée.

Les rois sont expulsés de Rome ; la République est proclamée

Rome, 509 av. J.-C.
En 509 av. J.-C., un scandale éclate à Rome : un fils du roi Tarquin le Superbe ose, pour satisfaire sa passion, violer une vertueuse matrone, Lucrèce. Avant de se donner la mort, elle avoue l'outrage à son mari Tarquin Collatin. Un ami de ce dernier décide alors de débarrasser Rome de la tyrannie des Tarquins. Il soulève le peuple et expulse le roi ainsi que sa famille. A la suite de quoi l'Assemblée populaire nomme les deux premiers consuls de la République romaine, Junius Brutus et son ami Collatin. Réfugié à Clusium, Tarquin demande au roi Porsenna de l'aider à reprendre son trône. Celui-ci met alors le siège devant Rome mais, ému par l'héroïsme des habitants, il accepte la paix. En fait, les historiens latins ont voulu masquer par cette légende la prise de la ville par Porsenna et établir le fait que le peuple romain aurait lui-même chassé les Etrusques. Mais il est avéré que c'est Porsenna lui-même qui a chassé les Tarquins, lors d'une de ces guerres qui opposaient souvent les roitelets étrusques entre eux, pour exercer ensuite sur la ville une sorte de protectorat sous lequel les institutions républicaines se sont peu à peu mises en place. D'autre part, l'archéologie ne décèle aucune rupture entre la fin du VIe et le début du Ve siècle, et la liste des consuls montre la permanence à Rome des grandes familles étrusques jusque vers 475 av. J.-C., date à laquelle la puissance étrusque commence à refluer en Italie.

Les fresques des tombeaux étrusques

Les Etrusques croient en la survie de l'esprit après la mort : c'est pourquoi ils aménagent dès le VIIe siècle pour leurs défunts des tombes à chambres sous tumulus, qui contiennent tout le nécessaire pour une vie confortable dans l'au-delà. Ils les décorent de peintures très réalistes destinées à recréer les forces de vie. Ces œuvres d'une grande qualité picturale témoignent d'une influence gréco-orientale par le choix de certains sujets (mythologie), mais elles révèlent par ailleurs des traits originaux : l'abondance des détails (oiseaux, végétaux) et la diversité des couleurs dénotent un sens de l'observation et le goût du paysage, même dans les thèmes présentant les rituels funéraires (banquets, fêtes).

Art étrusque. Scène rituelle. Peinture murale. Détail. Tombe dite « du Baron ». Vers 510 av. J.-C. Nécropole de Tarquinia.

501 av. J.-C.

Athènes

Vers 510/500 av. J.-C., une nouvelle magistrature fait son apparition dans la cité d'Athènes : ce sont dix stratèges qui, sous la direction de l'archonte polémarque, prennent la tête des armées. Ces magistrats sont élus par l'Assemblée du peuple parmi les candidats qui sont présentés par les dèmes et les tribus. En fait, à chacune des dix tribus correspond un stratège. C'est vers 460 que ces magistrats seront élus indépendamment de leur tribu d'origine. Les stratèges sont les acteurs par excellence de la politique étrangère athénienne.

500 av. J.-C.

Grèce

Parménide est l'un des penseurs les plus énigmatiques de la tradition présocratique. Est-il d'ailleurs vraiment un présocratique ? Dans le dialogue de Platon qui porte son nom, Parménide rencontre le jeune Socrate lors de la fête des Panathénées. Il s'agit probablement d'une fiction biographique, mais Parménide est sans doute l'un des prédécesseurs les plus proches de la théorie platonicienne des Idées. Son œuvre majeure est un poème en vers épiques, *De la nature*, écrit dans la première moitié du Ve siècle. Ce poème s'ouvre sur le récit d'une révélation : le char de Parménide est emporté vers la lumière par les filles du Soleil et arrive au palais de Diké, la Justice, qui lui annonce son destin : connaître toute chose, la Vérité comme les opinions des hommes. Cette révélation divine affirme d'abord la réalité de l'Etre. « Même chose se donne à penser et à être ; cet Etre est unique, éternel, immobile et immuable ». L'ontologie de Parménide devait durablement marquer l'ensemble de la métaphysique grecque.

Ionie

Les Perses, pour maintenir leur domination sur les cités grecques d'Asie Mineure, ont placé à la tête de celles-ci des tyrans à leur dévotion. Leur tutelle est loin d'être intolérable et les cités connaissent une certaine prospérité économique. Mais un « parti populaire », favorisé par le développement du commerce et de l'artisanat, ressent de plus en plus durement cette occupation étrangère. C'est sans doute une des raisons de la révolte des cités grecques. Dans le récit d'Hérodote, c'est le tyran par intérim de Milet, Aristagoras, qui tient le premier rôle. Lorsqu'il renverse la tyrannie pour instaurer l'isonomie (l'égalité devant la loi), il veut évidemment s'attacher le parti démocratique. La guerre s'annonce inévitable. Seules Athènes et Erétrie répondront à la demande d'aide militaire des insurgés : les cités de Grèce continentale ne veulent pas encore s'engager dans des conflits contre les Barbares. →

Italie

L'art étrusque connaît un développement nouveau au contact de la statuaire grecque. Loin d'être une imitation servile, cette inspiration est créatrice. Le célèbre Apollon en terre cuite du grand temple de Véies en est une parfaite illustration : le visage est illuminé par les yeux en amande et par un sourire mystérieux. Une impression de grâce, en même temps que de force physique, émane de cette statue qui faisait partie, à l'origine, d'un groupe représentant Apollon en train de disputer à Héraclès, en présence d'Hermès, une biche récemment abattue. Influencée par l'art linéaire et sensible de la sculpture ionienne, l'œuvre témoigne d'une vivacité et surtout d'un rythme inédit par rapport au modèle dont elle dérive.

Athènes

Les Athéniens construisent un temple en l'honneur de leur roi légendaire, Thésée. Cet édifice dorique massif se trouve sur une hauteur et domine l'Agora. Le héros préside ainsi à la vie politique, juridique et économique de la cité. L'Agora est en effet le véritable centre de la ville grecque.

498 av. J.-C.

Asie Mineure

Les contingents venus de la métropole sont à présent opérationnels aux côtés des insurgés. La première action d'éclat de la révolte grecque contre les Perses est une attaque surprise contre la ville lydienne de Sardes. Les cités grecques du Bosphore et de l'Hellespont se révoltent à leur tour et menacent les itinéraires commerciaux des Perses. Malgré la défaite de l'armée ionienne, la Carie et l'île de Chypre se soulèvent également, portant un coup fatal à l'hégémonie de l'Empire perse.

Les mythes grecs font rire Hécatée

Milet, vers 500 av. J.-C.

Hécatée de Milet parle ainsi : « Ces récits, je les écris comme ils me semblent être vrais. Car les récits des Grecs, tels qu'ils se montrent à mes yeux, sont multiples et risibles. » Hécatée introduit en ces termes son ouvrage, les *Généalogies*, où il rassemble les mythes grecs et les classe selon une chronologie historique, depuis Deucalion, le premier homme après le déluge, jusqu'aux enfants d'Héraclès. Si le projet de raconter des mythes reste traditionnel, beaucoup plus neuf est le moyen employé à cette fin : l'écriture. C'est un auteur, et non plus la voix anonyme de la tradition, qui revendique la paternité de ces récits. Et l'écriture n'est pas simplement un moyen d'archivage plus sûr que la mémoire collective, mais aussi un instrument critique efficace. Ecrits, les mythes des Grecs se trouvent juxtaposés, confrontables. Et Hécatée ne peut retenir son amusement devant les contradictions et les incohérences des traditions. L'écriture permet de procéder à une « mise à plat » de tous ces récits et de dénoncer les invraisemblances. Elle est ainsi le préalable à un travail d'interprétation et de critique : Hécatée résorbe les contradictions, unifie les variantes, épure le mythe de ses composantes merveilleuses. Outre ces *Généalogies*, Hécatée a écrit une description de la Terre, catalogue de noms de lieux et de peuples, peut-être accompagné d'une carte. Cet intellectuel est l'un des premiers prosateurs de la littérature grecque.

Scène de banquet. Cratère à figures noires. Fin du VIe siècle. Terre cuite. Musée de Reggio de Calabre.

La vie quotidienne des dieux de l'Olympe

Les Grecs vénèrent une multitude de dieux qu'ils imaginent sous une forme humaine, menant leur existence en divers lieux de l'Univers. Ils présentent des traits et des mœurs proches de ceux des hommes, malgré la différence radicale de leur nature divine, puisqu'ils sont immortels. Quelques figures de dieux majeurs émergent, telles qu'Homère, entre autres, les a peintes. Ils siègent sur l'Olympe, haute montagne de Thessalie. Le maître des Olympiens est Zeus, père des hommes et des dieux ; il suscite les tempêtes et lance la foudre. Son épouse et sœur, Héra, est la protectrice des femmes et des mariages. Les fils et filles de Zeus sont : Apollon, dieu du soleil, de la musique, de la médecine et de la divination ; sa sœur jumelle, Artémis, déesse chasseresse, identifiée avec la lune ; la belle Aphrodite, déesse de l'amour ; Hermès, dieu des voyageurs ; Arès, le guerrier. La plus étonnante est Athéna, qui n'a pas de mère, étant sortie du crâne de Zeus : elle symbolise l'intelligence et protège les artisans. Chaque dieu, selon ses attributions, s'occupe aux tâches qui lui reviennent : Hermès, par exemple, porte les messages des dieux et conduit aux Enfers les âmes des morts. Tous aiment à visiter leurs sanctuaires et y recevoir les sacrifices des fidèles. Ils interviennent quand il leur plaît dans les affaires humaines, pour châtier ou venir en aide, au moyen de prodiges. Pour les approcher, ils revêtent diverses apparences, humaines ou animales. Zeus, ainsi métamorphosé, aime séduire des mortelles, qui enfanteront des demi-dieux tel qu'Héraclès, fils d'Alcmène. Les dieux parcourent le monde en un instant, et retournent sur l'Olympe pour prendre part à leur banquet. Ils se nourrissent d'ambroisie et boivent le nectar, qui leur confèrent la jeunesse éternelle. Parfois, il leur arrive de se quereller entre eux, mais Zeus règle aussitôt ces différends, et nul n'oserait lui tenir tête lorsqu'il a froncé les sourcils... Les dieux, autant que les mortels, redoutent sa colère et sa foudre.

Architecture et rôle du temple grec

Anthropomorphes, les dieux grecs résident dans des demeures à l'image de celles des hommes. Le temple primitif en bois et en pisé est en effet la fidèle reproduction des édifices profanes et son plan s'inspire du mégaron mycénien : une seule pièce abritant la statue du dieu, précédée d'un porche et enveloppée d'une colonnade. Au début du VIIᵉ siècle, l'abandon progressif du bois pour la pierre et le marbre entraîne une évolution architecturale. L'élargissement de la *cella* ou *naos* nécessite, pour soutenir le lourd plafond de pierre, une colonnade axiale, puis une rangée double, divisant la salle en trois nefs et offrant un écrin à la statue éclairée par le soleil levant grâce à l'orientation est-ouest. Plan, élévation et décor obéissent à un ensemble de règles définissant le style : l'ordre. C'est l'ordre dorique qui fleurit, avant que ne s'affirme en Grèce d'Asie l'ordre ionique qui connaîtra une large diffusion. Le temple dorique se caractérise par une grande sobriété et un aspect massif qui s'estompe peu à peu pour devenir totalement harmonieux. Il s'élève sur la *crepis*, socle à plusieurs degrés. Le plan est généralement tripartite : *pronaos, naos* et *adyton* fermé (abritant le trésor) ou opisthodome ouvert (réplique symétrique du *pronaos*). Il est périptère et les colonnes sans socle s'achèvent par un chapiteau très simple, supportant l'entablement, lui-même composé de l'architrave unie et de la frise dorique où alternent triglyphes dans l'axe des colonnes et métopes sculptées ; la façade est couronnée par un fronton triangulaire également sculpté. Cette décoration plastique était soulignée par une polychromie quelque peu « baroque ». Le temple est intégré dans un sanctuaire ; il y occupe une place de choix, dominant l'autel des sacrifices ; mais ce n'est jamais ni un lieu de culte, ni un lieu de réunion pour les fidèles qui se contentent seulement d'assister aux sacrifices en plein air sur l'autel ; seuls les prêtres et les initiés accèdent à la demeure des dieux qui abrite les statues divines et les offrandes.

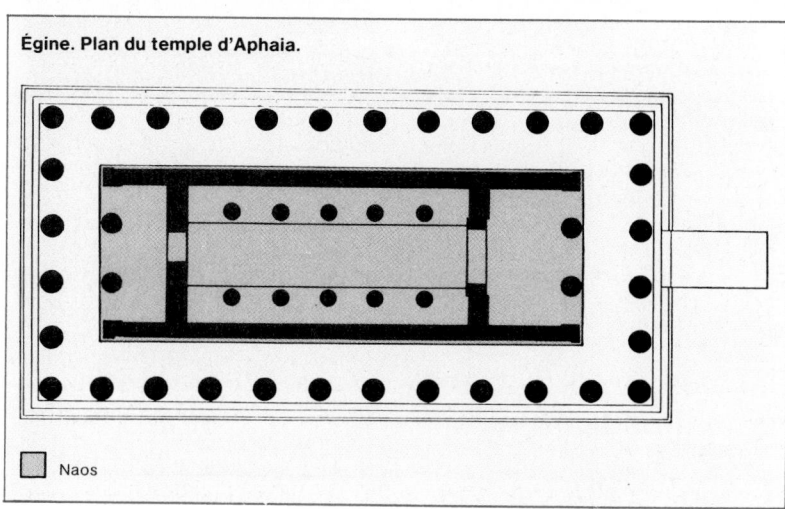

Égine. Plan du temple d'Aphaia.

Naos

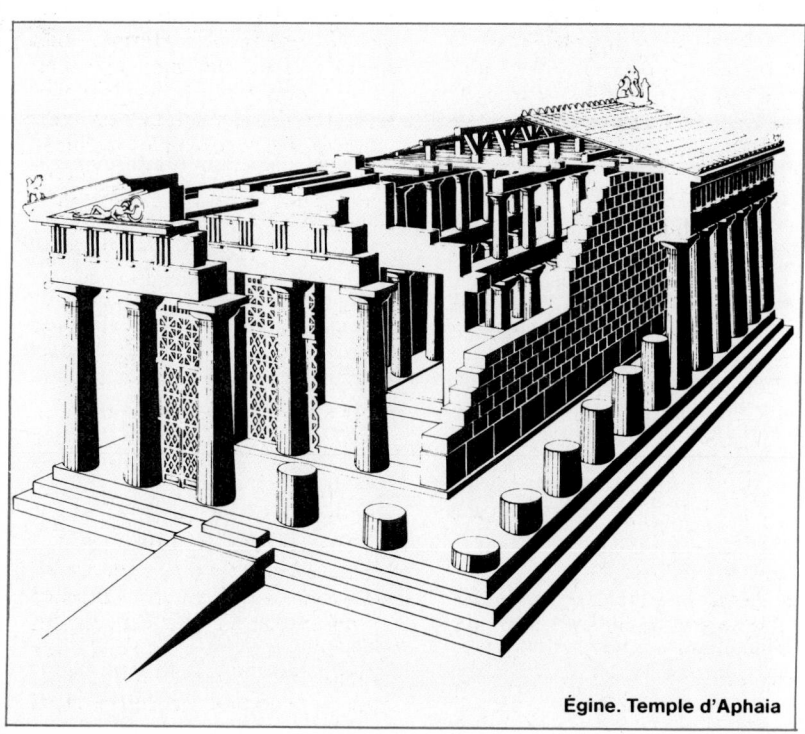

Égine. Temple d'Aphaia

Aristagoras de Milet mène la révolte contre les Perses

Milet, 500 av. J.-C.
Aristagoras est l'un des citoyens les plus influents de Milet. Il est le beau-frère et le cousin d'Histiée, le tyran de cette riche cité grecque d'Asie Mineure, patrie d'Hécatée et d'Anaximandre. Histiée est retenu en otage à Suse, auprès du Grand Roi, et Aristagoras le remplace à la tête des affaires de la ville. Tout commence lorsque ce gouverneur intérimaire accueille des Naxiens exilés pour des raisons politiques. Ceux-ci allèguent leurs liens d'hospitalité avec Histiée et demandent à Aristagoras de les aider à réintégrer leur patrie. Lorsqu'ils auront repris le pouvoir à Naxos, ils sauront le récompenser justement... Notre homme, séduit, obtient l'appui des Perses : Perses et Ioniens se rassemblent dans une vaste armée, s'embarquent et s'apprêtent à voguer vers Naxos. Mais Aristagoras se querelle avec l'amiral perse. Ce dernier, en colère, fait prévenir les Naxiens de l'arrivée de l'expédition, détruisant ainsi tout effet de surprise. Aristagoras se trouve dès lors dans une situation très délicate. Son pouvoir sur Milet se trouve compromis. Il ne lui reste pas d'autre solution que de changer radicalement de politique et de se faire le champion de l'hellénisme contre l'occupation barbare. Un message envoyé par Histiée l'encourage dans cette voie. Le premier geste politique de ce révolutionnaire opportuniste est de destituer l'ensemble des tyrans des cités d'Ionie, pour instituer l'isonomie démocratique, y compris à Milet. Des stratèges prennent la place des tyrans et les cités grecques se mobilisent pour l'affrontement. Reste à obtenir l'appui militaire de Sparte ou d'Athènes pour résister à la puissance colossale des Perses. Aristagoras part alors en ambassade. Tyran à la solde des Perses puis chantre de la démocratie, aventurier ambitieux puis défenseur de la liberté, Aristagoras est devenu malgré lui le chef de la révolte grecque contre les Perses.

Le visage de Gorgone sème l'épouvante

Persée décapite d'un coup d'épée Gorgone, en évitant son regard qui pétrifie. La tête monstrueuse est devenue un masque omniprésent : aux frontons des temples, dans les ateliers des artisans, sur les vases, ce visage effrayant joue un rôle conjuratoire. Gorgone est toujours représentée de face : visage rond, aux deux yeux écarquillés qui hypnotisent le spectateur, à la bouche distendue, comme si elle proférait un cri aigu et paralysant. Gorgone introduit dans l'environnement quotidien de l'homme grec les forces inquiétantes de l'au-delà, la présence de la mort et du néant. Ce masque vertigineux réunit l'humain et l'animal, le masculin et le féminin, la jeunesse et la

Gorgone. Masque en terre cuite polychrome. Début Vᵉ siècle.

vieillesse, la laideur et une certaine forme de séduction. Epouvantail burlesque suggérant la folie et la possession, Gorgone servait aussi à faire peur aux petits enfants.

Ambassade spéciale auprès de Cléomène, roi des Spartiates

Sparte, vers 500 av. J.-C.
Aristagoras est à Sparte pour obtenir un appui militaire dans la révolte qu'il a contribué à déclencher contre l'occupant perse. Dans ses bagages, une carte en bronze de la Terre entière. Cette carte en main, Aristagoras essaie de convaincre le roi Cléomène qu'une expédition au cœur de l'Empire perse est simple. Le doigt trace l'itinéraire sur la gravure et pointe les richesses de ces pays, butin potentiel pour le vainqueur. Instrument de ruse, la carte ne trompe pas le roi, qui demande la durée du voyage en jours de marche. L'énormité du chiffre le conduit à refuser. Les Athéniens, sollicités ensuite, se laisseront convaincre.

Ruses de guerre et messages secrets

Asie Mineure, 499 av. J.-C.
Le roi des Perses Darius retient en otage dans son palais de Suse le tyran de Milet, Histiée. Celui-ci veut faire parvenir à Aristagoras, qui le remplace à la tête de la cité grecque, un message pour déclencher la révolte contre l'occupant perse. Mais comment faire pour traverser toute l'Asie Mineure avec un pareil mot d'ordre ? Histiée a trouvé une solution ingénieuse : il rase le crâne d'un esclave fidèle et écrit le message sur la peau par tatouage. Lorsque la chevelure a repoussé, il envoie l'esclave à Milet. Aristagoras accueille le messager et lui fait à nouveau raser le crâne. Le message d'Histiée parvient ainsi à Aristagoras qui organise la révolte.

495 av. J.-C.

Egine
Au cœur du golfe Saronique, entre l'Attique et le Péloponnèse, se dresse l'île boisée d'Egine. C'est là que se réfugia la nymphe crétoise Britomartis, fille de Zeus, poursuivie par les avances de Minos. Un sanctuaire rappelle ce mythe. Il est consacré à Aphaïa, « la Disparue », que les Grecs identifient à Athéna ou Artémis, mais qui reste une divinité originale, protectrice des chasseurs et des pêcheurs. A la suite d'une destruction, on rebâtit un nouveau temple au début du Vᵉ siècle, célèbre en particulier pour sa double colonnade intérieure et les splendides statues de marbre de ses frontons, représentant les héros du mythe autour d'Athéna.

494 av. J.-C.

Rome
Les soldats plébéiens font sécession sur l'Aventin. →

Asie Mineure
Le déséquilibre des forces en présence, dans la révolte grecque contre les Perses, est trop évident et les insurgés essuient une sévère défaite. En effet, les Perses convergent sur Milet, par terre et par mer. Après la bataille de Ladè (495 ou 494), la cité de Milet, cœur de l'insurrection, est rasée et la population déportée en Mésopotamie. Les Perses n'abuseront pas de leur victoire et en resteront là.

493 av. J.-C.

Athènes
Le poète tragique Phrynichos représente au théâtre *La Prise de Milet*. Ce sujet d'une actualité brûlante introduit l'histoire récente dans le répertoire tragique, aux côtés des mythes traditionnels. La pièce fait vibrer les Athéniens, mais leur donne aussi mauvaise conscience : ils se sentent en effet un peu responsables du désastre, faute d'avoir apporté toute l'aide nécessaire aux insurgés. Alors, pour retrouver leur bonne conscience, ils infligent au poète une amende.

492 av. J.-C.

Thrace
Mardonios, à la tête de l'armée et de la flotte perses, se dirige vers l'ouest. Son but ? S'assurer de la soumission de la Thrace et rétablir l'ordre dans ces régions. Les Grecs ont cru alors que Mardonios allait s'en prendre à Athènes. En fait, il ne songe qu'à régler les séquelles de la révolte ionienne, qui n'est encore à ses yeux qu'une affaire intérieure de l'Empire perse.

490 av. J.-C.

Sicile
Les constructions monumentales se poursuivent dans la cité grecque de Sélinonte, colonie fondée au milieu du VIIᵉ siècle par Mégara Hybléa. Au début du Vᵉ siècle, on édifie les temples A et E ; ce dernier, consacré à Héra, est particulièrement remarquable par les métopes de sa frise, illustrant des sujets mythologiques (Héraclès et l'Amazone, Artémis et le chasseur Actéon). Cet art grec d'Occident, par sa rigueur et sa dureté, reste très original.

Marathon, 13 décembre
Miltiade est vainqueur des Perses. →

Grèce
Eschyle fait représenter *Les Suppliantes*. Les Danaïdes, poursuivies par les fils d'Aegyptos qui les veulent en mariage, se réfugient à Argos et implorent la protection du roi. Celui-ci, après bien des hésitations, accepte d'accueillir les Suppliantes. Dans cette tragédie de facture très archaïque, l'élément lyrique prédomine. Toute la pièce tourne autour du chœur des Danaïdes, dont le destin est en train de se jouer.

489 av. J.-C.

Grèce
Miltiade, le héros de Marathon, essuie un cuisant revers. Mais pourquoi s'être lancé dans une expédition aussi aventureuse ? Il a demandé soixante-dix vaisseaux aux Athéniens pour déstabiliser l'influence perse sur les Cyclades et s'emparer des réserves d'or de Paros et de Thasos. Mais Paros résiste et Miltiade revient à Athènes sans avoir mené son plan à bien. Le peuple athénien, déçu, le condamne à une lourde amende. Miltiade avait reçu une mauvaise blessure lors des combats. Il meurt peu après, non sans avoir réussi à attirer une fois de plus l'attention des Perses sur la cité d'Athènes.

Le dieu Pan rôde dans la campagne grecque

Une pierre dévale dans un ravin ; un reflet de lumière brille soudain sur la pente... La montagne est déserte et pourtant le berger a le sentiment d'une présence cachée... Autant de signes qui indiquent que le dieu Pan rôde dans les parages, et qu'il est prudent de s'éloigner... Pan, ce petit personnage cornu aux jambes de bouc et au buste humain, affectionne particulièrement les paysages sauvages : à l'écart de la cité, au-delà de la ceinture des champs cultivés, il vagabonde dans les terres arides, les pierriers, les flancs de collines dénudés. Ces espaces sont réservés aux bergers et aux troupeaux, aux bûcherons et aux chasseurs, mais ils sont aussi le terrain de prédilection des satyres, des ménades et des nymphes : zone intermédiaire où l'homme grec peut rencontrer le divin au détour d'un chemin. Mais le contact est dangereux. Pan inspire la panique : il embrume soudainement l'esprit, il affole, il égare. Malheur au berger pris dans la tempête de neige, incapable de retrouver les sentes habituelles et voué à la mort avec son troupeau... Malheur aux soldats pris de panique, incapables de discerner l'ami de l'ennemi et usant de leurs armes contre le premier venu... Lorsque Pan se manifeste, le général n'a d'autre issue que de commander à ses hommes de s'asseoir par terre en déposant les armes. Pan menace également la nymphe ou le chevrier isolés par sa sexualité violente et animale. Dieu des espaces sauvages, des bergers et du petit bétail, il se situe à la frontière entre l'humain, le divin et le bestial.

Statuette représentant le dieu Pan, mi-homme mi-bouc. Bronze d'Arcadie. Vers 400 av. J.-C.

Sécession de la plèbe romaine sur l'Aventin

Rome, 494 av. J.-C.
Vers la fin du VIᵉ siècle av. J.-C., dans l'ensemble du monde étrusque comme en Grèce, les royautés établies dans les cités et appuyées sur le peuple cèdent la place à des régimes aristocratiques, qui prennent la forme de républiques. Rome n'y fait pas exception lorsque les familles patriciennes substituent au roi des magistrats élus. Les rois étrusques avaient uni tous les habitants de Rome dans le cadre neuf (mis en place par Servius Tullius) des centuries et des tribus où la répartition des citoyens n'était plus faite selon la naissance, mais selon la fortune et l'origine géographique. Ils avaient ainsi fait une place à de riches plébéiens, ce qui était une manière de s'appuyer sur la plèbe tout en faisant face à l'hostilité latente du patriciat. Mais après la chute des rois, les patriciens s'emploient à retrouver le monopole du pouvoir, en excluant les plébéiens des nouvelles magistratures et en séparant strictement les deux catégories de la population. Les premières années de la jeune république voient donc une intense agitation politique qui va menacer l'unité même de la Ville. Le consulat remplace la fonction royale et, pour éviter toute tentation de retour à la monarchie, cette magistrature, comme celles de rang inférieur, est collégiale : deux titulaires l'exercent avec des pouvoirs égaux et limités à un an. Toutes ces charges sont réservées aux patriciens ; or, la fréquence des guerres extérieures, les pertes qu'y subissent les patriciens, la contribution croissante qui est demandée aux plébéiens amènent ces derniers à réclamer de plus en plus fort leur participation à la vie publique. Une crise éclate en 494 av. J.-C. Dans la crainte de troubles possibles, la plèbe était restée mobilisée au retour d'une campagne. Elle en profite alors pour faire sécession et se retire sur l'Aventin, bastion plébéien par excellence avec ses ateliers et ses boutiques. Le consul Menenius Agrippa parvient à ramener le calme par un discours célèbre (*Les Membres et l'Estomac*), où il compare la Ville au corps humain dont tous les organes sont nécessaires ; mais le Sénat n'en doit pas moins accorder la création de magistrats spéciaux et inviolables, les tribuns de la Plèbe, qui auront pour mission de la défendre contre le Sénat et les magistrats patriciens.

Casque du stratège Miltiade, vainqueur de Marathon, donné en offrande à Zeus. Vers 490 av. J.-C. Musée archéologique, Olympie.

Miltiade repousse les Perses à Marathon

Marathon, 13 septembre 490 av. J.-C.
A Athènes, Miltiade le Jeune, l'un des neuf stratèges, met toute son ardeur à raviver les énergies. Les troupes perses viennent de débarquer sur la côte orientale de l'Attique, au nord de Marathon. Elles ont pillé la ville d'Érétrie dans l'île d'Eubée et leur prochaine étape pourrait bien être Athènes. Miltiade réunit une armée forte d'environ 10 000 hommes : des Athéniens auxquels s'est joint le contingent envoyé par la petite ville alliée de Platées. Les Spartiates n'ont pas voulu interrompre leurs festivités religieuses pour grossir les rangs des Grecs. Les Athéniens disposent leurs combattants sur les hauteurs qui dominent la plaine marécageuse de Marathon, où se sont massés les ennemis, largement supérieurs en nombre. Le stratège prend alors la direction des opérations. Dernière nouvelle : une partie des soldats de Darius embarquerait dans l'espoir de conduire la flotte perse à l'assaut d'Athènes laissée sans défense. Sans tarder, Miltiade lance ses hoplites contre les Barbares. Nombreux sont ceux qui périssent au combat, plus encore ceux qui sont acculés à la noyade sous le choc de l'offensive. Le reste prend la fuite. Les Grecs, moins éprouvés, doivent se hâter de retourner défendre Athènes. Ainsi, point besoin d'une longue bataille tant l'effet de surprise et de vitesse a constitué l'essentiel de la tactique de Miltiade. Pour annoncer cette victoire, un messager atteint l'Acropole après une course ininterrompue de 42 km à travers l'Attique.

Tête de guerrier. Marbre. 490-480 av. J.-C. Trouvée à Egine. Musée national, Athènes.

Simonide invente l'art de la mémoire

Grèce, début du Vᵉ siècle
Né vers 556 av. J.-C., Simonide de Céos marque un tournant dans la tradition poétique grecque. Il se définit comme un artisan, travaillant le langage comme une matière première. Il compose ses poèmes sur commande et contre rémunération. La figure du poète inspiré par les Muses cède le pas à l'image d'un ouvrier consciencieux. Un des commanditaires du poète ne respecta pas son engagement : le riche Scopas ne versa que la moitié du salaire convenu. Simonide quitte alors la salle de banquet où Scopas festoyait en bonne compagnie. À ce moment, le toit de la maison s'effondre et ensevelit tous les convives. Simonide, seul survivant, saura identifier les morts en se rappelant les places des vivants autour de la table. Il invente ainsi la mémoire artificielle, reposant sur la disposition spatiale des informations et sur un parcours imaginaire conduisant de l'une à l'autre.

Athènes construit un trésor à Delphes

Athènes, 490-480 av. J.-C.
Après la bataille de Marathon (490), les Athéniens décident d'offrir au dieu Apollon, en témoignage de leur reconnaissance pour sa protection, un « trésor » qu'ils élèvent dans son sanctuaire de Delphes avec l'argent du butin recueilli dans le camp abandonné des Barbares. Un trésor est un temple en miniature destiné à abriter les offrandes consacrées à une divinité par une cité. Le « trésor des Athéniens », situé le long de la voie sacrée, près du temple d'Apollon, est une petite élévation dorique à antes, en marbre de Paros, d'une grande simplicité de lignes, aux proportions harmonieuses, où la pesanteur caractéristique des tâtonnements de l'époque archaïque s'est évanouie. Les métopes sculptées de l'entablement montrent Héraclès dans ses exploits et témoignent de l'acquisition déjà parfaite des volumes et du mouvement.

Delphes. Vue du Portique avec, en contrebas, le long de la voie sacrée, le Trésor des Athéniens, petit temple dorique offert en 490-480 av. J.-C. à Apollon.

Pindare chante les vainqueurs des Jeux

Grèce, vers 490 av. J.-C.
« J'apporte aux athlètes vainqueurs ce don des Muses, ce nectar limpide, doux fruit du génie... » Ainsi parle Pindare, le grand poète thébain. Très jeune, il a mis son talent au service des sportifs vainqueurs aux principaux Jeux de la Grèce : olympiques, pythiques, isthmiques et néméens. Le champion d'une épreuve a le privilège, en effet, s'il en a les moyens, de commander à un poète une ode triomphale ou « épinicie » en son honneur, qui sera exécutée par un chœur, en musique. Les chants de Pindare sont formés d'une ou plusieurs « triades », comprenant chacune une « strophe » et une « antistrophe » construites sur un même schéma rythmique, et une « épode », sur un schéma différent : cette composition ample et majestueuse est le modèle du grand lyrisme grec. L'ode débute avec éclat sur des évocations brillantes. Le poète se doit de mentionner la cité et le lignage du vainqueur : ils ont part au triomphe. Il rappelle la victoire présente, et aussi celles que le champion a pu remporter en d'autres occasions. Il ne décrit pas l'épreuve sportive par elle-même, préférant mettre en avant un autre exploit, mythique, qu'il traite d'une manière sobre, avec des images hardies. Il mêle à ces récits des considérations morales et religieuses où s'affirme son idéal aristocratique : c'est au plus noble que les dieux accordent la victoire. Pas de flatteries inutiles, mais la conscience d'une haute mission : pour immortaliser l'athlète, il faut des vers immortels. Aussi ces *Epinicies* assurent-elles à jamais la gloire de Pindare.

Une citharède. Détail d'une amphore à figures rouges. Vers 490 av. J.-C.

L'Asie du Sud-Est

De la préhistoire au IIIe siècle

Le terme générique d'Asie du Sud-Est désigne la péninsule Indochinoise et les îles de l'Insulinde, pays tropicaux soumis au régime des moussons, englobant donc la Birmanie, la Thaïlande, le Cambodge, l'ancien Laos, le Viêt-nam et l'Indonésie. Ceylan, située plus à l'ouest, ne sera pas oubliée en raison de son rôle important dans le développement, notamment artistique, des pays du Sud-Est asiatique. La péninsule Malaise, entre l'océan Indien et le golfe du Bengale à l'ouest, la mer de Chine et le golfe du Siam à l'est, constitue plus un trait d'union entre deux mondes qu'une barrière. De même, du côté oriental, la mer de Chine et la mer de Java n'ont jamais été un obstacle aux contacts entre les peuples. La préhistoire de l'Asie du Sud-Est, qui se prolonge dans le temps jusqu'à une période relativement récente, en est encore au stade de l'exploration. La plupart de nos connaissances dans ce domaine sont dues à l'archéologie. Puis, aux environs de l'ère chrétienne d'abord, les chroniques chinoises, les écrits indiens ensuite apportent sur ces régions de plus amples renseignements, parfois complétés par les travaux de certains savants de l'Occident romain, comme Ptolémée.

Préhistoire et protohistoire

Les habitants primitifs de l'Indochine et de l'Insulinde peuvent être rattachés à la famille ethnique qui peuple, aujourd'hui encore, les îles du Pacifique. L'apparition de l'élément mongolique est récente. On peut retrouver, dans la préhistoire du Sud-Est asiatique, les grandes divisions de la préhistoire occidentale. L'industrie paléolithique est caractérisée par des galets retouchés. Le Hoabinhien (terme utilisé pour désigner la période suivante, du nom d'un site du Tonkin) voit l'apparition d'outils de pierre taillée, mêlés à des instruments polis au tranchant, caractéristiques de l'industrie bacsonienne (du site de Bac-Sön au Tonkin). Deux types ethniques sont associés aux vestiges matériels de ces civilisations : l'un peut être rapproché des races australiennes ; l'autre, de type indonésien, présente déjà des traits mongoloïdes. On rencontre des traces de l'industrie néolithique un peu partout en Extrême-

Orient, et peut-être cette industrie a-t-elle été introduite en partie par des nouveaux venus, Indonésiens sans doute. Les sites néolithiques sont riches en céramiques à dessins, qui ne sont pas sans évoquer les pierres découvertes sur les sites chinois de la même période. Une scission s'opère alors entre régions septentrionales et méridionales, matérialisée par une différence d'outillage : au nord, une hache à tenon d'emmanchement, typique des peuples de langues austro-asiatiques ; au sud, la hache à gouge, dans les pays de langue indonésienne.

Les changements de civilisation ne s'opérant jamais par transition brutale, la civilisation néolithique n'est nullement effacée par l'apparition des métaux. Il est d'ailleurs délicat de parler d'un âge du Bronze dans les pays d'Asie du Sud-Est. L'usage de la pierre s'y est maintenu très longtemps, et le fer apparaît presque en même temps que le bronze. Au Tonkin et au Nord-Viêt-nam, la civilisation de l'âge du Bronze, appelée civilisation dongsonienne, est caractérisée par le tambour de bronze décoré, vraisemblablement lié à des rites de fertilité. Cette civilisation, datée des environs du IVe siècle av. J.-C., est cependant récente. Sur de nombreux sites, le passage d'un néolithique tardif aux premiers vestiges de l'indianisation s'effectue sans transition.

Le phénomène d'indianisation

Aux environs de l'ère chrétienne, les grandes migrations préhistoriques sont terminées. Les groupes ethniques ont réparti leurs habitats sur le territoire asiatique : les Indonésiens constituent le fond de peuplement des îles et sont également présents dans la péninsule Malaise, où le métissage est toutefois plus important. Sur la péninsule Indochinoise, les Cham occupent la côte du Viêt-nam central et méridional, et les Khmers sont installés sur le territoire du Cambodge actuel, le bassin du Mekong et le delta du fleuve. Dans la vallée du Menam (actuelle Thaïlande) et la basse Birmanie, se trouvent les Môns, tandis que les Pyûs, aujourd'hui disparus, se répartissent le long de l'Irrawady (actuelle Birmanie) et du Sittang.

Des rapports entre l'Inde continentale et l'Asie du Sud-Est existaient dès l'époque préhistorique. Mais il s'agissait alors vraisemblablement de contacts ponctuels, isolés. Au début de l'ère chrétienne, un soudain afflux de commerçants et d'émigrants de classes cultivées venant de l'Inde a pour résultat la formation de différents royaumes, dits indianisés. Les Chinois les mentionnent dans leurs écrits. Cette expansion indienne a une origine essentiellement commerciale. Les rapports avec le monde méditerranéen avaient alors donné un grand essor au commerce des denrées de luxe : les Indiens étaient donc naturellement attirés vers ces pays producteurs de bois précieux, de parfums, d'épices... En outre, la route caravanière qui, de Sibérie, approvisionnait l'Inde en or venait d'être coupée par les grands mouvements des peuples d'Asie centrale. Or, l'Asie du Sud-Est était connue - ses toponymes sanscrits en apportent la preuve - pour être riche en ce métal précieux. Les voyages lointains des marchands indiens sont alors favorisés par deux facteurs : d'une part, le développement des marines indienne et chinoise ; d'autre part, l'expansion du bouddhisme qui, en abolissant les barrières de castes imposées par les Hindous, supprimait la crainte d'une pollution spirituelle au contact des peuples étrangers. Trois chemins étaient empruntés pour relier l'Inde à l'Asie du Sud-Est : la voie de terre s'engageait dans les passes montagneuses de la Birmanie septentrionale. Ceux qui optaient pour la voie maritime avaient le choix entre le cabotage le long des côtes du golfe du Bengale et le voyage de haute mer qui conduisait directement à la péninsule Malaise au départ des côtes de l'Inde méridionale. La transformation de comptoirs commerciaux indiens en véritables États organisés s'effectuait de deux façons : un Indien pouvait s'imposer comme chef à la population locale, ou un chef indigène, adoptant la civilisation indienne, trouvait là un moyen d'affirmer son pouvoir. Ainsi devaient se répandre en Asie du Sud-Est la langue sanscrite, la culture, l'art et les grandes religions de l'Inde, bouddhisme et hindouisme qui, recouvrant parfois des croyances autochtones, donnèrent naissance à des cultes spécifiques. Certains dieux hindous, (le plus souvent, ce fut Civa) assimilèrent les génies locaux des hauteurs. N'oublions pas cependant que cette civilisation indienne transplantée resta vraisemblablement celle d'une élite. Les croyances et le mode de vie de l'ensemble de la population demeurent très mal connus.

Ceylan

La préhistoire de Ceylan a été encore très peu étudiée et comporte de nombreuses zones d'ombre. Un outillage de microlithes, apparenté à l'outillage du Mésolithique indien, constitue à ce jour la plus ancienne preuve de l'occupation humaine de l'île, vers 4000 av. J.-C. On a récemment cherché à définir une culture préhistorique propre à Ceylan, à laquelle a été donné le nom de culture de Balangoda. La période dite « âge de la pierre récent » est suivie par un Néolithique que caractérise l'apparition de galets travaillés et d'une céramique grossière. Les pratiques funéraires sont attestées par la présence de fosses, dans lesquelles les corps sont inhumés en position fléchie, orientés à l'est ou au sud-est. L'âge du Fer, dont le début est fixé aux VIe-Ve siècles av. J.-C., est fréquemment qualifié d'époque mégalithique. Très représenté à Ceylan, l'âge du Fer est caractérisé par des ensembles funéraires dont les sépultures, constituées par de grandes urnes de terre cuite enterrées, indiquent la pratique de la crémation. Cette période prend théoriquement fin avec le règne de Devanâmpiya Tissa (250-210 av. J.-C.), qui ouvre la période historique. Le IIIe siècle voit l'introduction du bouddhisme dans l'île, à l'initiative du souverain indien Açoka le Maurya, qui envoie pour évangélisateur son propre fils. C'est ainsi qu'un peu plus tard une bouture de l'arbre sous lequel le Bouddha avait connu l'Eveil parvint à Ceylan pour y être plantée en grande pompe. L'arbre a survécu jusqu'à ce jour. Dès la mort de Devanâmpiya Tissa, commencent des guerres dynastiques qui entacheront toute l'histoire de l'île. Ceylan entretient des relations avec le monde romain, l'Inde et la Chine. Au cours des siècles qui précèdent immédiatement le début de l'ère chrétienne, l'île s'était dotée d'une culture originale qui s'effacera devant l'influence croissante de l'Inde du Sud.

Le Funan

Le Funan est, sans conteste, le plus important des différents Etats indianisés de la région. Il englobait vraisemblablement le Viêt-nam méridional, le moyen Mekong, une partie de la vallée du Menam (actuelle Thaïlande) et de la péninsule Malaise. Sur le territoire du Funan, dans le delta du Mékong, se trouvait le site d'Oc'éo, emporium où étaient établis des commerçants étrangers. De nombreuses découvertes archéologiques indiquent l'existence d'un commerce fécond avec l'Inde et le monde romain : le Funan était peut-être le point terminal de la navigation en provenance de l'Orient méditerranéen. La légende indienne, déformée ensuite par les récits chinois, attribue la fondation du Funan à un brahmane indien, Kaundinya, qui, par son mariage avec la fille « du roi des Nâgas » (génies chtoniens), donna naissance à une lignée de souverains. La légende conserve ainsi, certainement, le souvenir d'événements historiques qui durent se dérouler un peu avant le début de l'ère chrétienne. Les textes chinois donnent des listes de rois et mentionnent des ambassades funanaises en Chine, à partir de 231 apr. J.-C. Le Funan établit très certainement son hégémonie sur les Etats voisins. Tel fut le cas du royaume désigné par les Chinois sous le nom de Zhenla (Tchen-la) qui, en accroissant progressivement sa puissance, soumettra à son tour le Funan.

Les Etats de la péninsule Malaise

Les textes chinois font allusion, outre le Funan, à divers Etats indianisés que l'on est tenté de situer sur la péninsule Malaise. Le plus ancien d'entre eux, nommé Lankasuka par les chroniques malaises et javanaises postérieures, était vraisemblablement situé à cheval sur la péninsule, à hauteur de l'actuelle Patani. Il contrôlait ainsi les voies, par lesquelles transitaient les marchandises en provenance de l'Inde qui atteignaient la côte occidentale ou, inversement, celles qui, par la façade orientale, provenaient de Chine ou de l'archipel. Sur les deux rives de l'isthme de Kra, est localisé un royaume du nom de Dian Sun (Tien Souen) qui est décrit comme une dépendance du Funan. Enfin, la région de Ligor, sur la côte orientale de la péninsule, était le siège du Tambralinga. Ces différents Etats sont, en général, cités par des textes chinois de peu postérieurs au début de l'ère chrétienne, ce qui permet de supposer que l'installation de ces royaumes se fit au cours des IIe et Ier siècles av. J.-C.

La présence chinoise

Par sa situation géographique, l'Asie du Sud-Est se trouve au confluent des deux grands pays civilisateurs de l'Extrême-Orient, l'Inde et la Chine. Dès les premiers siècles de l'ère chrétienne, peut-être même avant, des relations commerciales et diplomatiques existaient entre la Chine et les royaumes du Sud-Est. Comment expliquer, alors, que l'influence culturelle chinoise soit, dans ces contrées, à l'exception du Tonkin et du Viêt-nam septentrional, aussi insignifiante ? La raison réside très certainement dans la différence fondamentale entre les statuts attribués par chacun des deux pays civilisateurs à leurs « colonies ». La pénétration indienne était toute pacifique : la société transplantée formait un cadre dans lequel les indigènes pouvaient librement s'intégrer, et les liens avec l'Inde étaient établis sur un pied d'égalité. En revanche, la Chine procéda toujours à une conquête par annexion, installation de commanderies militaires et de populations déplacées, exigeant des « Barbares du sud » la reconnaissance de sa suzeraineté, concrétisée par le versement régulier d'un tribut. C'est ainsi que se déroula la conquête chinoise du Tonkin et du Viêt-nam septentrional. Dès son accession au pouvoir, Shi Huang Di (Che Houang-ti), le premier empereur chinois, envisagea de joindre à ses possessions les territoires du sud du Yangzi. En 214 av. J.-C., une expédition commandée par le général Zhao Tuo (Tchao T'o) conquit le Nan Yue, territoire englobant alors la région de Canton, le Guangxi (Kouang-si), le Guangdong (Kouang-Tong), et le delta tonkinois. A la chute des Qin, en 207 av. J.-C., le général se proclama roi du Nan Yue. Jusqu'en 111 av. J.-C., ce royaume (appelé aussi Nam-Viêt) continua à se considérer comme indépendant, malgré ses liens de vassalité politique vis-à-vis de la Chine. Mais les choses changèrent avec l'arrivée des Han au pouvoir : commença alors une véritable domination, entrecoupée de nombreuses révoltes, sévèrement réprimées, et qui ne cessera qu'au Xe siècle de notre ère chrétienne. L'occupation a ainsi laissé sur le sol vietnamien de nombreux témoignages archéologiques de facture purement chinoise.

Le Linyi : les débuts du Champa

L'histoire chinoise des Jin fait mention, au IIIe siècle de l'ère chrétienne, d'un Etat « touchant le sud du Funan », dénommé Linyi. Ce royaume serait le premier noyau du pays cham. Les textes chinois placent en 192 sa création par un fonctionnaire indigène qui se taille alors, aux dépens d'une commanderie chinoise, un domaine dont il se proclame roi. Mais cette fondation aurait été précédée, un demi-siècle plus tôt, par une première tentative d'invasion de ces régions par des Barbares, vraisemblablement des Cham, venus de l'ouest ou du sud. Il n'existe pas de témoignage ancien sur l'indianisation des Cham. On a toutefois trouvé, sur les sites archéologiques, les preuves d'une pénétration relativement ancienne du bouddhisme dans le pays. Les Cham profitèrent, au IIIe siècle de l'ère chrétienne, des troubles consécutifs à la chute des Han en Chine pour étendre leurs possessions vers le nord. Mais, très vite, cette expansion se heurta à la poussée des Viêt vers le sud. Cette lutte entre deux civilisations, Cham indianisés et Viêt sinisés, se poursuivra encore pendant de longs siècles, pour s'achever par l'anéantissement du royaume cham au XIVe siècle.

486 av. J.-C.

Egypte

La mainmise de Darius sur l'Egypte se veut légère. Il a fait reconstruire le grand temple de l'oasis de Khargeh et achever le canal de la mer Rouge que Néchao n'avait pu terminer. Mais les Egyptiens restent attachés à leur indépendance. Profitant d'un relâchement de la présence perse, ébranlée par la défaite de Marathon, ils se révoltent. Darius décide de se venger, mais la mort va l'en empêcher.

Perse

A la mort de Darius, son fils Xerxès devient roi des Perses. Son père l'avait désigné comme héritier. Deux grands projets dominent son règne : vaincre les cités grecques pour faire oublier la défaite de son père à Marathon et achever les grands travaux entrepris à Persépolis. Or, le sort des armes lui est contraire. La mer en furie détruit une partie de sa flotte et empêche son armée de débarquer en Grèce. Et c'est sur cette mer encore, au large de Salamine, que son armée connaît la défaite, en 480 av. J.-C. Le roi s'enferme alors dans le secret de ses palais et se laisse emporter par les intrigues sans fin de la cour ; une partie de sa famille y perd la vie. Les travaux de Persépolis seront, par contre, menés à bien ; mais il mourra, peu après, assassiné avec son fils aîné.

Inde

Ajâtaçatru, fils ambitieux de Bimbisâra, détrône son père et le fait jeter en prison. Il poursuit néanmoins sa politique : il soumet définitivement les Vrijji, fortifie la capitale, Râjagriha et installe un fort à Pâtaligrama qui deviendra la ville célèbre de Pâtaliputra. L'administration fonctionne selon les mêmes règles. Ajâtaçatru meurt en 459. Il ne sera suivi que par des souverains falots.

485 av. J.-C.

Grèce

C'est au début du Vᵉ siècle que naît le philosophe Zénon d'Elée. De sa vie, on ne sait rien sinon qu'il se révolta contre un tyran grec et supporta avec courage la torture. Disciple de Parménide, Zénon oriente sa réflexion vers les domaines de la mathématique et de la logique. S'opposant aux Pythagoriciens, il veut démontrer que l'unité se suffit à elle-même et qu'un nombre n'est ni

indivisible ni divisible à l'infini. Zénon donne son nom à des paradoxes logiques : jamais Achille ne rattrapera en courant la tortue partie avant lui, puisque la distance qui l'en sépare est théoriquement divisible à l'infini.

Né vers 485 à Abdère, Protagoras est l'un des sophistes les plus célèbres du Vᵉ siècle. Il gagna par son enseignement des sommes colossales, dix fois plus d'argent qu'un sculpteur aussi renommé que Phidias. Pourtant, ses débuts dans la vie furent médiocres : homme de peine, embauché à la journée, rien ne laissait prévoir une telle carrière. Autodidacte, il part en de véritables tournées qui le conduisent en Sicile, en Grande-Grèce et même en Afrique du Nord. Doté d'un savoir encyclopédique, il écrit sur les mathématiques, l'art de la lutte et l'éristique, technique rhétorique permettant de l'emporter sur ses interlocuteurs. Sa doctrine sceptique se résume en une formule saisissante : « L'homme est la mesure de toute chose. » Protagoras ne verse pas dans le cynisme des autres sophistes, pour qui la fin justifie les moyens. Il entend former des hommes vertueux et de bons citoyens. Refusant d'affirmer l'existence des dieux, Protagoras quitte Athènes à l'âge de soixante-cinq ans alors qu'un procès pour impiété le menace.

483 av. J.-C.

Athènes

Après la victoire de Marathon, les cités grecques dorment sur les lauriers d'Athènes : jugeant la menace perse définitivement écartée, on s'absorbe à nouveau dans les petits conflits de voisinage et dans les questions de politique intérieure. Seule Athènes demeure mobilisée grâce à Thémistocle qui fait construire deux cents trières. →

482 av. J.-C.

Mésopotamie

La sévère répression de Xerxès, roi des Perses, à l'encontre de la Babylonie révoltée, le conduit à détruire les temples de Babylone, principalement celui de Marduk, alors le plus grand et le plus prestigieux du monde oriental. Même après sa destruction, son souvenir hanta la mémoire des hommes. Sa série de pyramides étagées devient l'image de la mythique « Tour de Babel ».

Jeune femme à sa toilette. Coupe athénienne signée par Onésimos. Vers 490 av. J.-C. Terre cuite.

La vie quotidienne des femmes à Athènes

Athènes, Vᵉ siècle av. J.-C.
A Athènes, « la vie de la femme s'arrête à sa porte », proclame-t-on dans une comédie. C'est en effet au sein de *l'oikos*, l'ensemble de la maisonnée, que l'épouse du citoyen nous livre les secrets de sa vie quotidienne. Jeune fille, elle vit au milieu des servantes et s'initie auprès d'elles aux travaux domestiques. Dans le gynécée, cet univers clos réservé aux femmes, elle apprend à filer, à tisser, à faire la cuisine. Mais on lui enseigne aussi à diriger elle-même les ateliers des esclaves et à leur répartir les tâches. Dès l'âge de quinze ans, il lui faut se marier. Le père choisit seul son gendre et le contrat est passé sans que l'épouse ait eu son mot à dire. Désormais, la femme veille à l'éducation de ses enfants et à la bonne marche de la maison. Aucune des activités de la cellule ne doit lui échapper, de la confection du pain de chaque jour à celle des vêtements de tous. Ne la compare-t-on pas à une « reine des abeilles dans son essaim » ? Sa compétence est grande dans le domaine religieux : l'Athénienne doit aussi veiller avec soin au culte d'Hestia, déesse du foyer. C'est dans ce cadre et ce circuit fermé du gynécée qu'elle reçoit son éducation, qu'elle acquiert ses lettres de noblesse de maîtresse de maison et qu'elle doit demeurer confinée. Ainsi, rares sont les occasions où elle peut sortir : les fêtes religieuses, les emplettes ou les visites d'un gynécée à l'autre, seuls exemples de la sociabilité féminine dans une société fondamentalement masculine. Mais, en revanche, aux portes d'Athènes, des paysannes de l'Attique assistent leurs maris, ajoutant aux travaux domestiques les labeurs des champs.

Le rituel de la naissance en Grèce

Le rituel de la naissance tend à un double but : purifier la maison souillée par l'accouchement et assurer l'intégration du nouveau-né dans la famille et la société qui l'accueillent. Le père de famille, détenteur de l'autorité absolue, consent ou non à élever l'enfant, après avoir testé sa résistance à divers traitements (frictions à l'eau glacée, au vin pur ou à l'urine !). Parfois, simplement pour éviter d'avoir à diviser un patrimoine déjà exigu, il expose l'enfant. Cette pratique fréquente de l'abandon se distingue de l'infanticide : elle offre une chance de survie. Après la naissance, on dispose sur la porte un symbole précisant le sexe de l'enfant (rameau d'olivier pour un garçon, laine pour une fille) et de la poix dans un but prophylactique. Le septième jour donne lieu à une fête familiale, la cérémonie des Amphidromies : la maison est à nouveau purifiée et l'enfant officiellement accepté, après avoir été porté autour du foyer. C'est dans ce cadre et ce circuit fermé du l'exposition est impossible. Le dixième jour, l'enfant est intégré dans le clan familial et il reçoit son nom et des amulettes, lors d'un sacrifice suivi d'un banquet.

Thémistocle construit la flotte athénienne

Athènes, 483 av. J.-C.
Pour Thémistocle, élu archonte au lendemain de la première Guerre médique, une priorité politique s'impose à Athènes : assurer la défense de la ville devant la menace perse. C'est ce qui le conduit à doter la cité d'une puissante marine. Grâce à une mine d'argent découverte au nord de l'Attique, les Athéniens peuvent financer la construction de deux cents trières. Ces navires longs et rapides, à trois rangs de rameurs superposés, constituent une redoutable flotte de guerre. Pour l'abriter, le port d'Athènes subit maints aménagements : la baie de Mounichie est régularisée et on y implante de vastes chantiers de réparation. La cité tout entière est mise à contribution. Thémistocle engage en effet les plus riches des citoyens à participer aux frais de construction en instituant la « triérarchie ». Quant aux pauvres, ils forment le gros de l'équipage.

Frise des archers de la garde royale. Palais de Darius à Suse. Ve siècle av. J.-C. Briques émaillées (hauteur des archers : 1,47 m). Musée du Louvre, Paris.

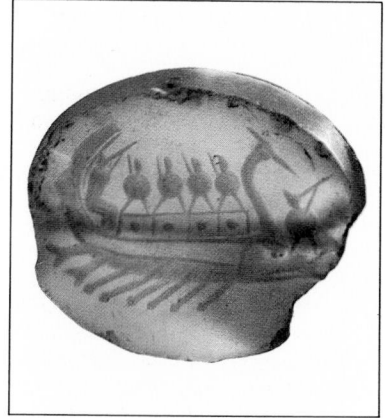

Calcédoine peinte. Fragment. Asie Mineure, VIe siècle av. J.-C.

Le tyran Gélon règne sur Syracuse

Syracuse, 485-478 av. J.-C.
Syracuse connaît au début du ve siècle une grave crise : luttes internes causées par l'inégalité foncière, agitation de la population indigène asservie, menace carthaginoise de plus en plus pressante. Profitant de ce désordre, Hippocrate, tyran de Gela, s'empare du pouvoir. En 485, Gélon, son successeur, va s'attacher à résoudre les problèmes en s'attaquant au plus urgent : en finir avec la pression punique. Allié à Théron d'Agrigente, il inflige en 480 à Himère une cruelle défaite aux Carthaginois. Soucieux de montrer sa reconnaissance envers les dieux et d'embellir la cité, il remplace le petit temple d'Athéna élevé par les premiers colons par un large édifice dorique périptère, dont la sévérité est atténuée par un riche décor peint. Sa vigoureuse politique va marquer les débuts de l'impérialisme syracusain au détriment des autres colonies.

Darius a donné à l'Empire achéménide toute sa puissance

Proche-Orient, vers 486 av. J.-C.
Les Perses ont non seulement conquis, mais organisé pour l'exploiter, un empire qui s'étend de l'Inde à la mer Egée et de la mer d'Aral à l'Ethiopie. Il a donc existé, pour organiser et diriger cette immensité, un centre de décision unique. C'est l'œuvre de Darius que d'avoir constitué un tel centre et d'avoir conçu un projet de société très différent du mode fédératif et tribal qui était la caractéristique des peuples mèdes et perses. En Perse, Darius devient, selon les termes de sa titulature, « Grand Roi » ; dans l'empire, il est « Roi des pays », ou « Roi des pays-peuples ». La notion même de *dahyu* est indissociable de celle d'empire, l'empire étant l'entité spatiale constituée par la réunion politique de tous les « pays-peuples ». Ce mot, qui reflète les oppositions culturelles existant à l'intérieur de l'empire entre les peuples iranien, mède, perse ou sogdien, sert aussi à opposer l'Assyrie à la Babylonie, l'Egypte à l'Ethiopie, Sardes à l'Ionie, autant d'entités politiques et culturelles différentes et extérieures au monde iranien. Il est donc erroné de voir dans les *dahyu* des « provinces », car une province n'est que le fragment d'un tout. Or, le *dahyu* est une entité qui a ses limites propres, historiques, politiques et culturelles. L'empire est donc la réunion de différents pays ou peuples sous la tutelle d'un seul souverain. Désireux cependant de mieux gouverner l'ensemble de ses possessions, Darius, comme Cyrus avant lui, partagea l'empire en satrapies : celles-ci peuvent coïncider avec une entité politique ou culturelle, mais ce n'est pas la règle. Certains « pays » furent divisés en plusieurs satrapies ; inversement, certaines satrapies englobèrent plusieurs Etats antérieurement existant. A la tête de chaque satrapie se trouve un satrape, originaire de la haute noblesse perse, voire de la famille royale elle-même. Le pouvoir du satrape est théoriquement sans limites : il administre, maintient l'ordre, commande les armées, contrôle les finances, dirige la diplomatie locale. En fait, son autonomie est plus réduite : le satrape est entouré par des fonctionnaires qui dépendent directement du pouvoir central, officiers, collecteurs d'impôts, secrétaires et surtout inspecteurs envoyés à l'improviste et que l'on surnomme « les yeux et les oreilles du roi ». Les proclamations de Darius furent diffusées dans tout l'empire et nul ne pouvait les ignorer. Et si certaines se trouvaient inscrites dans des lieux inaccessibles au regard humain, c'est que leur solennité leur donnait un caractère cosmique qui les destinait aux dieux et aux éléments, avec lesquels le « Grand Roi » dialoguait d'égal à égal.

Art achéménide. Coupe en or à inscription trilingue au nom de Darius. Ve siècle av. J.-C.

Art achéménide. Char à un banc tiré à quatre chevaux. « Trésor de l'Oxus », Bactriane. Or. Ve-IVe siècle av. J.C.. British Museum, Londres.

481 av. J.-C.

Grèce
Alliance panhellénique contre les Perses.

480 av. J.-C.

Grèce
Frappé d'ostracisme à l'instigation de Thémistocle son rival, Aristide est rappelé au moment de l'invasion perse.

Les Thermopyles, juillet
Héroïque résistance et sacrifice du roi de Sparte Léonidas. →

Salamine, 29 septembre
La flotte perse est anéantie grâce à Thémistocle. →

Sicile
Les Carthaginois d'Hamilcar attaquent les Grecs de Sicile ; Géron de Syracuse remporte sur eux la victoire d'Himère.

Ephèse
Mort d'Héraclite. →

Grèce
Alors que la lutte contre les Perses met en danger l'existence même du pays, le cycle du temps religieux se poursuit hors de l'histoire, comme indifférent à ses aléas. Le calendrier religieux rythme l'année civile d'un ensemble de fêtes, qui sont autant d'occasions de célébrer des cérémonies et d'offrir des sacrifices. L'année athénienne commence, en fait, en juillet : c'est le mois d'*Hécatombaion*. On y célèbre les Cronies, en l'honneur de Cronos, père de Zeus. Dans chaque famille, maîtres et esclaves festoient à la même table. Une autre fête commémore l'unification politique de l'Attique effectuée par le héros Thésée. Puis, à la fin du mois, c'est la fête nationale des Athéniens, les Panathénées, dont la procession majestueuse réunit toute la population de la ville et traverse la cité jusqu'aux marches du temple d'Athéna sur l'Acropole.
Suit le mois de *Boédromion* (septembre). Le centre de la vie religieuse est maintenant Eleusis, avec la célébration des mystères, réservée à quelques initiés. Beaucoup d'Athéniens aimeraient en savoir plus sur ces cérémonies, mais le secret est bien gardé. Les exclus de ces rituels peuvent se consoler avec la fête publique des Boédromies, où l'on célèbre un Apollon « secourable au combat ».

Le mois de *Pyanepsion* (octobre) qui s'ouvre sur une fête en l'honneur d'Apollon, fête des semailles et de la fécondité de la terre. On offre au dieu un repas végétarien, fèves, légumes variés et farine de froment, figues et petits pots de miel. *Eléleu iou iou !* A ce cri les Athéniens reconnaissent le cortège des adolescents qui célèbrent les Oschophories de Dionysos en portant des branches de vignes aux lourdes grappes. Le même mois, se déroulent les Thesmophories, en l'honneur de Déméter. C'est la fête des femmes mariées, d'où les hommes sont exclus. Ces dames font abstinence, se livrent à divers rituels de fécondité, manipulent des objets sacrés et échangent des obscénités. Les Apatouries fournissent aux parents l'occasion de présenter à leur phratrie les enfants légitimes nés dans l'année. A la fin de ce mois bien rempli se situe la fête des artisans en l'honneur d'Athéna : ils offrent à la déesse leurs plus beaux travaux. En *Posidéon* (décembre), on célèbre la fête des Haloa, pour favoriser les semailles. Celle-ci est réservée aux femmes, et en particulier aux femmes de mauvaise vie. On plante des phallus en terre cuite...
Au mois de *Gamélion* (janvier), ce sont les hénéennes, fêtes du mariage et du délire bacchique.
Au mois d'*Anthestérion* (février), on festoie en l'honneur de Dionysos, dieu du vin. On fait des concours de boisson pendant deux jours.
Le printemps arrive au mois d'*Elaphébolion* (mars) : on en remercie Athéna, en même temps qu'on célèbre les Grandes Dionysies. C'est la saison du théâtre grec, et les étrangers affluent à Athènes pour assister aux représentations.
Le mois de *Mounychion* (avril) est celui des Mounychia : on défile et on offre des gâteaux en l'honneur d'Artémis.
Et puis voici *Thargélion* (mai) et la fête d'Apollon. On expulse d'abord de la cité deux « boucs émissaires », chargés de tous les maux et de toutes les souillures, avant de régaler Apollon d'offrandes végétales. On célèbre ensuite les Plyntéria : on fait prendre à la statue d'Athéna revêtue du péplos un bain dans la mer ; on la réconforte ensuite avec des figues sèches et des petits gâteaux.
Au mois de *Skirophorion* (juin), on offre des sacrifices divers ; on célèbre les Bouphonies commémorant le meurtre du premier bœuf laboureur et le premier sacrifice.

Salamine, 29 septembre 480 av. J.-C.
Désormais, plus rien n'arrête la progression des Perses dans les terres. On les sait maîtres de la Phocide et quasiment reçus en hôtes par les Béotiens. A Athènes, l'Acropole est dévastée et incendiée. Les populations prennent la fuite et cherchent refuge sur les îles d'Egine et de Salamine, sous l'impulsion décisive de Thémistocle. La grande île de Salamine, proche des terres, fait face aux rivages de l'Attique et d'Eleusis. L'espace qui la sépare du littoral dessine un chenal abrité au nord du golfe Saronique. C'est là que la flotte grecque se replie après le désastre des Thermopyles et la bataille du cap Artémision. Plus de trois cents trières y stationnent. Aux cent quatre-vingts vaisseaux athéniens s'ajoutent ceux de Sparte et surtout, en grand nombre, ceux d'Egine. Le commandement de la flotte est confié au Spartiate Eurybiade. Face aux Grecs, les Perses de Xerxès disposent de près du double de navires. Forts de cette supériorité ils entament une percée dans le golfe. Leur infanterie est maîtresse des terres en Grèce, pourquoi leur flotte ne le serait-elle pas sur les mers ? Mais une ruse de Thémistocle les arrête et les oblige à diviser leurs forces. Il laisse croire aux Perses que les navires grecs projettent de s'enfuir. Pour les contrer, Xerxès n'a qu'une hâte : boucher les deux issues du chenal d'Eleusis au nord de Salamine. La masse compacte de son « armada » s'en trouve rompue et les bateaux perses se bousculent dans un espace trop étroit pour leurs avirons. Dès lors s'engage une bataille confuse, mais qui tourne vite à l'avantage des Grecs dont la stratégie fait merveille. Plus légères, leurs trières s'enfoncent à toute vitesse dans les lignes des vaisseaux perses. Les Grecs parviennent à les contourner en les heurtant au passage. Grâce à un demi-tour rapide, ils viennent éperonner les navires des « barbares » et commencent à les éventrer de flanc. Pris de vitesse, les marins

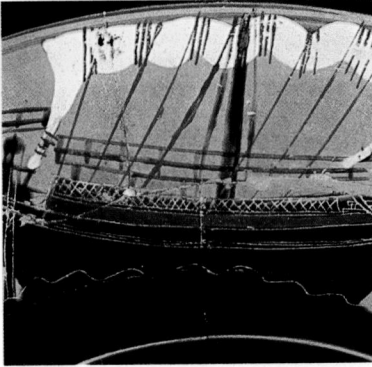

Navire grec à grande voile. Détail d'une coupe à figures noires. VIe siècle av. J.-C. British Museum, Londres.

perses ne peuvent manœuvrer leurs lourds vaisseaux. Ils se découvrent coincés dans les deux passages qui verrouillent le bras de mer où la flotte grecque peut se mouvoir avec célérité. A l'issue de ce combat essentiellement naval, la flotte perse est démantelée. Parmi les épaves et les débris, rares sont les vaisseaux qui parviennent à s'enfuir. Xerxès lui-même repart pour l'Asie... par la route de terre.

La flotte Grecque le jour de la bataille (sous le commandement de Thémistocle)

La flotte Grecque la veille de la bataille

L'infanterie Grecque (commandée par Aristide)

L'attaque Grecque

Sanctuaire

Les dèmes attiques

La flotte Perse le jour de la bataille (sous le commandement de Xerxès)

La flotte Perse la veille de la bataille

L'infanterie Perse

L'attaque Perse

La retraite Perse

"Rends tes armes..." "Viens les prendre", répond Léonidas

Les Thermopyles, juillet 480 av. J.-C.
Pour arrêter l'immense armée d'Asie, les Grecs ne sont guère plus de 4 000 hommes. Ils bloquent l'étroit défilé des Thermopyles. Léonidas, roi de Sparte, commande à l'ensemble des Grecs, dont trois cents Spartiates. Deux jours de suite, les Perses s'efforcent en vain de les faire reculer : les Grecs profitent du terrain, car l'étroitesse du passage empêche le déploiement des forces du Grand Roi dont les millions d'hommes doivent lutter sur un front très réduit. Mais, par suite de la trahison d'un Grec, Ephialte, Xerxès apprend l'existence d'un sentier montagneux permettant de contourner la position ; il peut ainsi, le troisième jour, prendre les Grecs à revers. Ceux-ci ont eu le temps de se retirer, et toute résistance est désormais inutile. Mais Léonidas et ses trois cents hommes restent à leur poste, comme l'exige leur honneur national. Cernés par l'ennemi, ils combattent et meurent jusqu'au dernier. « Etranger, va dire à Sparte que nous gisons ici pour obéir à ses ordres », dit l'épitaphe des Thermopyles. Mais la Grèce n'est pas sauvée.

Guerrier Sparte portant le casque de combat à protection faciale. Sculpture en bronze. Wadsworth Atheneum, Hartford (USA).

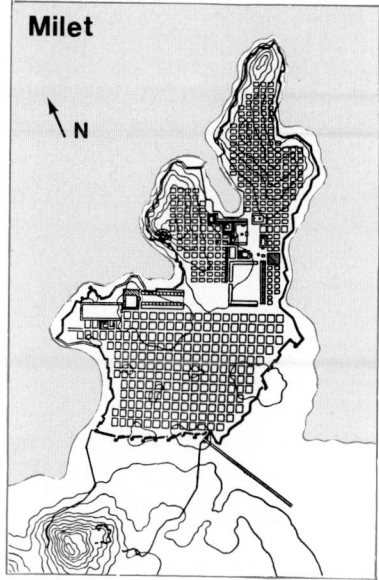

La fête du Nouvel An à Persépolis

Perse, 516-465 av. J.-C.
Persépolis est le nom grec (« la ville des Perses ») reproduisant le toponyme perse Stakhr-i-Parsa, « la forteresse des Parsa », (Parsa ou Fârs étant le nom de la région). Darius Ier choisit d'y établir la nouvelle capitale, abandonnant Pasargades chère à Cyrus. Il commence vers 516 av. J.-C. des travaux qui se poursuivront tout au long de trois règnes successifs pour s'achever vers 465. A l'abri d'une forte enceinte se dresse une terrasse de 13 ha, haute d'environ 20 m, et sur laquelle s'élève un palais auquel donne accès un escalier monumental. La porte, construite par Xerxès, s'appelle la « Porte de tous les pays ». Hormis quelques appartements et la trésorerie, qui consti-

Mort d'Héraclite, le philosophe aux pensées énigmatiques

Ephèse, première moitié du Vᵉ siècle
C'est à Ephèse, sa ville natale, qu'Héraclite meurt, atteint d'hydropisie et refusant les conseils des médecins. Issu d'une très haute famille, d'un caractère indépendant et hautain, il n'a guère suscité la sympathie de ses concitoyens, pour lesquels il n'a que mépris. On ne le comprend pas, on l'a surnommé « l'Obscur » ; il ne paraît pas s'en soucier. Même les esprits les plus fins de son temps avouent leur embarras devant ses écrits, d'un style fort déroutant. Que comprendre en effet, lorsqu'il dit : « Le soleil est large comme un pied d'homme » ? Il est persuadé qu'il détient le secret du monde ; il l'a trouvé tout seul, sans l'aide d'aucun maître, et n'a d'ailleurs aucun égard pour les pen-

Hippodamos de Milet révolutionne l'urbanisme

Grèce, milieu du Vᵉ siècle av. J.-C.
Originaire de Milet, sur le littoral ionien, Hippodamos, « architecte » et « météorologue », apparaît comme le principal représentant de ce nouvel urbanisme fonctionnel que l'on a coutume d'appeler ionien ou milésien dans la Grèce du Vᵉ siècle. C'est en effet à Milet qu'il a acquis ses lettres de noblesse. La cité, détruite par les Perses en 494, est reconstruite selon des principes originaux dont la diffusion prouve, dès l'abord, le plein succès. Le plan rationnel associe de grands ensembles qui reçoivent chacun une fonction propre. Le quartier résidentiel est distinct de celui où se concentrent les institutions religieuses. Les marchés se trouvent près de la grève du port, un site idéal qu'Hippodamos aménage aisément. Le Milésien, connu pour ses ouvrages de politique, prend garde d'intégrer au tissu ur-

tuent un ensemble de bâtiments à part, l'architecture s'organise autour de deux grandes salles d'audience. L'une est appelée *apadana* ; c'est la salle où le roi reçoit ses dignitaires, l'hommage annuel de tous les peuples soumis et où il offre un banquet, également annuel, aux seuls Perses et Mèdes ; d'amples escaliers, où sont représentés avec réalisme les porteurs de tribut originaires du monde entier, y donnent accès ; on y reconnaît, entre autres, les Mèdes, les Susiens, les Arméniens, les Babyloniens, les Egyptiens, les Scythes, les Indiens, les Arabes, les Libyens, les Ethiopiens et les Ioniens. L'autre salle, appelée « salle aux Cent colonnes », à cause des cent colonnes de 20 m de haut qui en supportent le plafond, est réservée à la réception que le roi offre aux peuples de l'empire. Les fêtes du Nouvel An du-

seurs qui l'ont précédé. Selon lui, l'Univers est régi par l'antagonisme des contraires qui échangent sans cesse leurs propriétés : « Tout se fait par discorde. » C'est ainsi que le froid devient chaud, l'humide sec, et réciproquement. Sa physique se fonde sur une curieuse conception des éléments, eux-mêmes pris dans un cycle de transformations à partir de l'élément primordial qui est le feu ; « Le feu vit la mort de la terre et l'air vit la mort du feu, l'eau vit la mort de l'air et la terre celle de l'eau... » Héraclite aime surprendre, et son principe philosophique s'accorde bien à son style, volontiers paradoxal : « Nous descendons et ne descendons pas le même fleuve. Nous sommes et nous ne sommes pas. » C'est un esprit audacieux, doublé d'un génie de la dissimulation : on dit qu'il a caché son livre dans le temple d'Artémis, pour en rendre l'accès plus difficile encore !

bain nouvellement constitué l'espace réservé à la communauté civique. Par un système monumental dont les portiques constituent une des pièces maîtresses, l'agora prend place à la jonction de ces différentes unités. Dans le détail, l'innovation est de taille : les rues dessinent des réseaux qui se coupent à angle droit. C'est le règne de la ligne et des formes géométriques. Les îlots urbains rectangulaires et carrés organisent le plan en damier. Selon ces mêmes principes de rationalisation urbaine, l'on fait appel à Hippodamos pour dessiner les plans du Pirée à Athènes. Parti d'Asie Mineure, cet urbanisme nouveau trouve son plein épanouissement dans les fondations coloniales d'Occident. N'est-ce pas Hippodamos que l'on retrouve, malgré son grand âge, à la tête des travaux de la cité de Thourioi en Grande-Grèce ?

Dignitaires perses. Détail. Escalier du Tripylon. VIᵉ-Vᵉ siècle. Palais de Darius, Persépolis.

raient onze jours, lors de l'équinoxe de printemps. Le long de la Voie sacrée se succédaient de grandioses processions.

Les entretiens du sage Confucius avec ses disciples

Chine, Vᵉ siècle
Dans la principauté de Lu (Shandong), le sage Confucius, après avoir vainement tenté de trouver sur le territoire chinois un prince éclairé digne de bénéficier de ses conseils, rentre dans son pays natal pour y enseigner jusqu'à sa mort, vers 479. Sa doctrine est contenue, pour sa part la plus authentique, dans le *Lun Yu* (Les Entretiens), compilé au début du IVᵉ siècle par ses disciples. Le *Lun Yu* se présente sous la forme d'un recueil de maximes. La base de l'enseignement confucéen est une morale de la sincérité et de l'effort personnel. Mais l'école prend vite un tour étroitement conservateur, qui faillit causer sa perte, avant de lui assurer une solide hégémonie spirituelle.

479 av. J.-C.

Grèce

Après la bataille de Salamine, les Perses tentent de négocier avec les Athéniens, voire de conclure avec eux un traité d'alliance contre le reste du monde grec. En vain. Devant ce refus, les Barbares envahissent une nouvelle fois l'Attique. Les Athéniens appellent alors les Péloponnésiens à la rescousse. Après un moment d'incertitude, l'armée spartiate se met en route et entraîne les cités alliées. C'est la plus forte concentration de troupes de toute l'histoire grecque. Mardonios évacue l'Attique et s'établit aux confins des territoires de Thèbes et de Platée en Béotie. La bataille de Platée a lieu en septembre. Les Grecs ont l'avantage grâce au hasard (la mort de Mardonios), mais aussi grâce à la supériorité tactique des phalanges hoplitiques, parmi lesquelles les Spartiates se sont plus particulièrement distingués.

Simultanément, des opérations militaires se déroulent sur mer. Le roi de Sparte est à la tête de la flotte grecque concentrée à Egine. Les Grecs de Samos demandent l'aide de cette armada contre l'occupant perse. La flotte se met en route et les soldats débarquent à Samos. Les navires perses, tirés sur la grève, sont incendiés. Les soldats barbares sont massacrés, pris entre les Spartiates et les Athéniens, d'une part, et les insurgés ioniens, d'autre part. C'est l'ensemble de la base perse du cap Mycale qui se trouve ainsi détruite. Cette brillante opération assure aux Grecs le contrôle militaire de la mer Egée, mais annonce aussi des problèmes politiques nouveaux : à qui profitera cette maîtrise de la mer ?

Chine

Confucius, philosophe chinois, né vers 551 dans la ville-Etat de Lu (aujourd'hui la province de Shan Tung), vient de quitter ce monde. Il est le fondateur du confucianisme qui demeurera, depuis la dynastie Han jusqu'au dernier empereur, la doctrine officielle de la culture chinoise. L'individu, la famille et l'Etat doivent être unis par une morale humaniste commune, reposant sur les cinq vertus cardinales : amour du prochain, droiture, sagesse, moralité et sincérité, ainsi que sur les trois rapports fondamentaux (soumission du fils à son père, de la femme à l'homme, du peuple à son souverain).

478 av. J.-C.

Grèce

Un véritable système fédéral se constitue autour des Athéniens : la ligue de Délos. C'est la reconnaissance de fait de l'hégémonie de la Cité. Les Athéniens mobilisent leurs alliés pour se protéger et se venger des Perses. Si les cités alliées gardent leur autonomie, Athènes a tout pouvoir pour décider de la politique militaire et pour gérer les finances communes. Celles-ci sont alimentées par un tribut que chaque cité a l'obligation de verser (voir page suivante).

Inde

Mort de Bouddha, « Celui qui s'éveille », l'un des maîtres spirituels de l'Orient. →

Grèce

C'est en Thessalie, dans la cité de Pharsale, que se dresse le *Relief de l'exaltation de la fleur*, stèle d'un art nouveau, qui se situe à mi-chemin de l'archaïsme et du style sévère de la sculpture classique. Mais son intérêt réside surtout dans le profond sentiment de religiosité et de recueillement qui empreint l'ensemble de la scène. Deux femmes se font face : à droite, sans doute la mère, Déméter ; à gauche, probablement Perséphone, la fille. Leurs bras et leurs mains s'entrecroisent, montrant des objets que l'on identifie comme des fleurs, des fruits, un sac de graines. Tout porte à croire que nous sommes ici en présence d'un témoignage de la religion de Déméter, déesse de la fécondité de la terre, des semailles et des moissons, mais qui comporte aussi un aspect infernal, puisque Perséphone, sa fille, enlevée par Hadès, le dieu des Enfers, siège en sa compagnie. Une spiritualité nouvelle se développe autour de ce culte et trouvera son expression la plus achevée dans les mystères d'Eleusis.

477

Grèce

Le sculpteur athénien Critios est chargé de remplacer par une composition de son choix le groupe en bronze qui avait été élevé à la gloire des Tyrannoctones par Anténor et que Xerxès avait emporté en Perse. Critios se fit aider, pour le travail du bronze, par son compatriote Nésiotès. Cette œuvre fameuse n'est plus connue que par une copie romaine.

Art chinois. Bodhisattva Maitreya. Autel en bronze doré. Vers 524. Epoque des Wei du Nord. Metropolitan Museum of Art, New York.

Bouddha et les voies de la sagesse

Inde, Vᵉ siècle av. J.-C.

Un moine mendiant parcourt les chemins de la vallée du Gange, prêchant une doctrine destinée à s'étendre bien au-delà des frontières naturelles de l'Inde : le Bouddha. Né dans une petite principauté du Téraï népalais, vers 563, le prince Siddhartha Gautama, enfant calme et méditatif, est confiné par son père dans une vie de plaisir. Mais, à l'âge de trente ans, il traverse une profonde crise morale. Des rencontres fortuites avec les souffrances humaines, telles que maladie, vieillesse et mort, puis avec un religieux, le déterminent à se retirer du monde. Il cherche pendant plusieurs années sa voie auprès de maîtres réputés, dans la méditation et dans l'ascèse. En vain. Il comprend alors qu'il lui faut suivre « la voie moyenne » et il atteint ainsi l'Eveil, devenant alors le Bouddha, ce qui veut dire en sanskrit l'Eveillé. Il mène ensuite la vie d'un religieux errant, prêchant sa doctrine, entraînant dans son sillage moines et zélateurs laïques. En 483 il entre dans le nirvâna, c'est-à-dire le néant, l'extinction complète. La pensée indienne était alors dominée par une grande et terrifiante idée : les êtres naissent et renaissent éternellement, et le poids de leurs actes pèse sur la nature de leurs renaissances. Au Vᵉ siècle, on cherchait donc le moyen d'échapper définitivement à ce cycle infernal. Le Bouddha a, quant à lui, compris l'enchaînement des choses et l'expose sous la forme des Quatre Vérités saintes : tout est douleur ; la cause en est le désir ; la suppression du désir entraîne la suppression de la douleur ; pour supprimer le désir, il convient de suivre l'octuple chemin : foi, volonté, langage, action, moyens d'existence, application, mémoire, méditation. La sagesse bouddhique consiste en la connaissance de l'impermanence des choses. Les moines qui, dans la doctrine primitive, peuvent seuls atteindre le nirvâna, sont astreints à une discipline stricte. Ils mènent une vie errante, sauf à la saison des pluies. Mais, aux fidèles laïques qui ne peuvent espérer qu'une meilleure renaissance, le Bouddha propose seulement une morale simple, fondée sur le bon sens. Le bouddhisme se présente donc, dans son aspect originel, comme une discipline spirituelle, et le Bouddha lui-même se définissait comme un « médecin de l'âme » et non comme un fondateur de secte. L'évolution vers une véritable religion avec ses sectes et son art ne se fera que plus tard.

Confucius errant à travers les montagnes avec son disciple Tsi-lu. Gravure sur bois coloriée. XVIᵉ siècle.

Devânandâ confie à un envoyé des dieux l'embryon de Mahâvîra. Manuscrit enluminé relatant la vie du fondateur du jaïnisme. Gujarat.

Maîtres de Vérité en Chine au Vᵉ siècle av. J.-C.

Chine, Vᵉ siècle av. J.-C.

Le Vᵉ siècle apparaît, dans l'histoire de la pensée, comme un siècle d'intense fermentation intellectuelle. La Chine connaît alors trois grandes figures. Confucius, qui vécut entre 551 et 479 dans la principauté de Lu, au Shandong, semble être le premier maître qui ait organisé un enseignement ouvert, en principe, à tous. Sa doctrine, exposée dans le *Lun yu* (les Entretiens), n'a été compilée par ses disciples qu'après sa mort, sur la base de son enseignement oral. Confucius semble avoir été un sceptique, reconnaissant toutefois le ciel comme juge suprême. L'aspect humanitaire de sa pensée s'exprime dans la no-tion de *ren*, terme qui désigne la vertu par laquelle les hommes peuvent vivre en société. Sa morale implique le respect de l'ordre et de l'effort. Le taoïsme s'oppose avec mépris à la doctrine confucéenne. L'auteur du *Dao de jing* (Tao-tö king) l'ouvrage fondamental du taoïsme, n'est peut-être qu'une figure légendaire : s'en allant vers l'ouest, il aurait dicté ce recueil d'aphorismes au gardien d'une passe montagneuse, avant de disparaître à jamais. Pour Laozi (Lao Tseu), le *dao* - terme qui signifie « la Voie » - est une entité primordiale et éternelle. Il est le rien, dont naît le tout. Le taoïsme condamne la connaissance discursive : l'âme doit embrasser l'unité du *dao* et, dans ce but, il convient d'observer une discipline des sens et des passions. La grande école rivale du confucianisme fut l'école de Me Zi (Mo-tseu), qui vécut un peu après Confucius. Me Zi admirait la simplicité qui caractérisait la vie au temps des anciennes dynasties et aspirait à y revenir, par une doctrine de l'amour universel. D'autres écoles, comme l'école sophiste « des noms », ou l'école des lois, qui cherche à remplacer les vertus confucianistes par l'obéissance à la loi, existent parallèlement mais ne connaissent leur véritable épanouissement et leurs grands maîtres qu'un peu plus tard.

Laozi sur son bœuf. Peinture de Chao Pou Che (1033-1109).

Laozi (à droite), fondateur du taoïsme, en compagnie d'un souverain chinois. Epoque Yuan (1260-1368).

Mahâvîra élabore le jaïnisme

Inde, VIᵉ -Vᵉ siècles av. J.-C.

La vie de Vardhamâna, connu sous les noms de Mahâvîra (Grand homme) et de Jina (Conquérant) présente maintes similitudes avec celle du Bouddha, dont il fut presque contemporain. Né vers 540 dans le Bihâr, au sein de la caste des guerriers, Vardhamâna mène, jusqu'à trente ans, une vie de plaisir. Puis il quitte le monde, passe une année en méditation, avant de s'adonner à l'ascèse la plus sévère. Après avoir enfin connu l'Eveil, il parcourt le pays pendant une quarantaine d'années, prêchant sa doctrine, et s'éteint vers 468 près de Patna. La tradition du jaïnisme fait du Mahâvîra le dernier des vingt-quatre Tîrthankara (passeurs de gué) qui auraient enseigné, au cours des âges, le moyen d'échapper au cycle des renaissances. La doctrine suivie par les fidèles, moines et laïques, élabore une culture complète qui leur est propre. L'une des théories principales du jaïnisme est la théorie de l'approche, selon laquelle l'aspect des choses dépend non de leur essence propre mais de l'approche que l'on en a. Selon cette théorie, ce que l'homme appréhende n'est pas une réalité stable : il ne doit donc pas s'y attacher. Le chemin de la délivrance est constitué par les Trois Joyaux : vue, connaissance et conduite droites. La règle de l'*Ahimsa* (ne pas tuer) est particulièrement stricte pour les jaïna. Seule la vie religieuse peut conduire à la délivrance, mais les fidèles laïques sont nombreux. La communauté est très marquée par la personnalité du Mahâvîra. Bien que ce ne fût pas une religion missionnaire, le jaïnisme a, du seul fait des qualités de penseur et d'organisateur de son maître, joué un rôle important dans l'Inde ancienne.

477 av. J.-C.

Delphes

Selon l'usage répandu, le tyran Polyzalos de Gela veut faire une belle offrande au sanctuaire de Delphes, autant à la gloire d'Apollon qu'à la sienne propre. Il offre un groupe en bronze représentant l'aurige vainqueur des jeux Pythiques et, à son côté, le prince, propriétaire de l'attelage. De ce groupe fameux ne subsiste que le premier personnage connu sous le nom d'*Aurige de Delphes*, qui est l'un des chefs-d'œuvre de la sculpture grecque. L'athlète vient de gagner la course, il accomplit une parade glorieuse. Les pieds sont en position légèrement oblique par rapport au reste du corps. La longue tunique, par ses plis, rythme la verticalité monumentale de la statue. Le visage serein reflète la fierté contenue de la victoire.

472 av. J.-C.

Athènes

Le peuple athénien ne peut qu'approuver la politique qui renforce l'hégémonie de la cité. Aussi est-il plutôt paradoxal de constater que Thémistocle, l'un des principaux artisans de cette politique, ne jouit pas de la même faveur. Son impopularité est telle que, entre 474 et 471, il va subir l'ostracisme, ce rituel politique commode qui permet aux citoyens de se débarrasser des indésirables qui les gouvernent ou les ont gouvernés. Le héros de Salamine, l'artisan de la grandeur navale d'Athènes, l'adversaire résolu de Sparte disparaît ainsi sans gloire de la scène politique. Celle-ci est libre pour son adversaire, Cimon.

Le peuple athénien voit mise en scène, avec *Les Perses* d'Eschyle, une page récente de son histoire. Dans le palais royal de Suse, la reine Atossa et le chœur des vieillards attendent avec impatience et inquiétude des nouvelles de l'expédition menée par Xerxès contre les Grecs. Les lugubres pressentiments des personnages sont confirmés par le messager qui annonce le désastre de Salamine : la flotte et l'armée anéanties, Xerxès en fuite... L'ombre de Darius surgit alors sur scène et prédit pour les siens un nouveau désastre, celui de Platée. La force de cette tragédie est d'offrir au public athénien le point de vue perse sur la bataille de Salamine. Les vaincus sont sur scène et l'en-semble du drame est une longue plainte funèbre et pathétique. Mais le morceau de bravoure est le récit de la bataille de Salamine. Bientôt la mer est rouge de sang et lourde d'épaves... *Les Perses* d'Eschyle suggèrent enfin une leçon morale : modération, prudence, respect des dieux, autant de qualités qui auraient dû dissuader Xerxès d'un projet si funeste.

470 av. J.-C.

Olympie

L'architecte Libon conçoit le nouveau temple de Zeus : un talus artificiel surélève l'édifice à 3 m au-dessus du sol. Les proportions massives, le contraste entre la blancheur des murs et des colonnes et la violence du bleu et du rouge des triglyphes et des larmiers, la majesté des sculptures (frontons et métopes), tout contribue à la monumentalité impressionnante de l'ensemble. Le temple est conçu pour abriter la statue de Zeus en or et en ivoire, réalisée par le grand sculpteur Phidias.

Grèce

Les peintres sont en pleine activité à Athènes. Le portique Pœcile est désormais décoré par *L'Amazonomachie* de Mikon et *La Prise de Troie* de Polygnote. Au milieu des sujets mythologiques, *La Bataille de Marathon* de Mikon tranche par son actualité et rappelle à tous la gloire des héros de la cité : Thésée, Athéna et Héraclès y prêtent main forte aux Grecs.

468 av. J.-C.

Athènes

Mort d'Aristide. →

467 av. J.-C.

Grèce

Cimon est à présent l'homme fort d'Athènes. Fils de Miltiade, le vainqueur de Marathon, il bénéficie du déclin politique de Thémistocle. Il s'oppose d'ailleurs à lui, en voulant mettre la puissance navale et militaire d'Athènes au service de la lutte contre les Perses plus que contre les Spartiates. Cimon au pouvoir remporte la victoire d'Eurymédon, au large de la Pamphylie, contre la flotte perse, et assure ainsi à Athènes l'hégémonie sur la mer Egée. La cité en profitera pour augmenter ses exigences à l'encontre de ses alliés.

Mort d'Aristide, grand homme politique d'Athènes

Athènes, 468 av. J.-C.

Les enfants d'Aristide se trouvent bien démunis lorsque meurt leur père. Ayant vécu misérablement ses dernières années, il ne leur a même pas laissé assez d'argent pour pouvoir être enterré décemment sans le secours de l'Etat. Pourtant, issu d'une très vieille famille d'Athènes, Aristide a joué un rôle majeur dans la vie politique de la cité. Celui que l'on surnommait « le Juste » a été stratège à Marathon avant d'être choisi comme archonte. C'est dire qu'il occupa les premiers rangs dans la défense de la *polis*. Mais sa rivalité avec Thémistocle et les démocrates l'a mené à l'exil. Les Athéniens l'ont rappelé et lui ont confié le commandement de leurs troupes à Platée, un an après Salamine. A sa mort, au terme d'une carrière dont l'intégrité est devenue proverbiale à Athènes, la cité est à la tête d'un puissant empire maritime.

L'Aurige de Delphes. Vers 475. Bronze (haut. : 1,80 m).

L'ostracisme, une arme redoutable à Athènes

Athènes, Vᵉ siècle av. J.-C.

Lorsqu'un personnage devient dangereux pour le bon fonctionnement de la démocratie, une solution aussi aisée qu'efficace s'impose à la collectivité : le bannissement. Cette pratique est utilisée dans de nombreuses cités grecques. Mais c'est à Athènes que l'on recourt le plus fréquemment à l'ostracisme institutionnalisé par Clisthène. Thémistocle est frappé le premier par cette infamie ; on le juge orgueilleux et les succès qu'il vient de faire remporter à la cité ne le rendent pas moins impopulaire. Aristide le Juste n'avait pas été épargné, lui non plus, par la jalousie et la méfiance des Athéniens qui le chassèrent de sa patrie au lendemain de Marathon. L'ostracisme représente un moyen de pression de premier ordre offert aux citoyens. Il devient très vite une arme politique que l'on peut facilement manipuler contre l'adversaire. Prenant prétexte de ses déboires en Messénie, les démocrates exilent Cimon qui animait depuis longtemps la revanche des oligarques. La procédure de l'ostracisme est bien connue de tous dans la cité. Lors d'une réunion de l'Assemblée, les prytanes (sénateurs) décident de l'utilisation de l'ostracisme lorsque le nom d'une victime commence à se murmurer. Six mois après cette séance, les archontes convoquent sur l'Agora une nouvelle assemblée plénière qui doit valider ou repousser la mesure de bannissement. Tous les citoyens doivent se prononcer ; chacun inscrit le nom du personnage qu'il souhaite voir exiler sur un tesson de poterie que les Grecs appellent *ostrakon*. Si un même nom réunit contre lui plus de six mille suffrages, la cité l'exile. L'ostracié conserve à Athènes l'ensemble de ses biens et n'est pas définitivement privé de ses droits civiques. Aristide est l'exemple d'un citoyen banni rappelé dans sa cité. Mais, en attendant, il peut aller s'établir où bon lui semble. C'est ainsi que Thémistocle exilé va finir sa vie chez le Grand Roi des Perses.

Tesson de terre cuite (« ostrakon ») portant le nom gravé d'Aristide, condamné au bannissement (procédure de l'ostracisme).

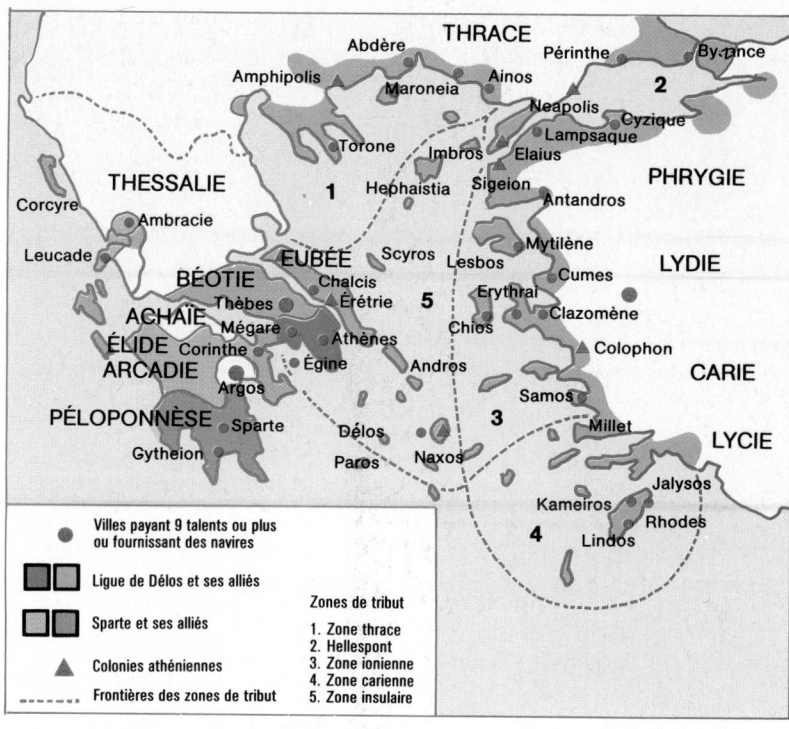

Villes payant 9 talents ou plus
ou fournissant des navires

Ligue de Délos et ses alliés

Sparte et ses alliés

Colonies athéniennes

Frontières des zones de tribut

Zones de tribut
1. Zone thrace
2. Hellespont
3. Zone ionienne
4. Zone carienne
5. Zone insulaire

Athènes organise la ligue de Délos

Grèce, 478 av. J.-C.

Vaincus par les Grecs à Platée et à Salamine, les Perses n'en demeurent pas moins menaçants. Aristide le Juste en est bien conscient : il entend organiser autour de la puissante Athènes une défense efficace des cités grecques. En 478, les cités ioniennes se réunissent et constituent une *symmachie*, une alliance. Sous l'impulsion d'Aristide, d'autres cités directement menacées par le Grand Roi se joignent à la ligue. Les Cyclades, l'Eubée, les îles de Chios et de Samos constituent avec les villes de Propontide et de Chalcidique les principales bases de cette alliance essentiellement égéenne. Le centre en est Délos. Cette petite île, siège d'un important sanctuaire religieux, est depuis longtemps un lieu de rencontre pour les Grecs. C'est Athènes qui fixe peu à peu les règles de cette confédération attico-délienne. Le conseil des cités alliées se réunit chaque année à Délos où est conservé sous bonne garde le trésor commun. Il faut très vite disposer d'une flotte capable de protéger ces cités d'une offensive perse. Or, parmi les confédérés, certaines petites cités ne peuvent fournir d'escadre. Pour y remédier Aristide calcule un tribut, *le phoros*, destiné à financer chaque année la construction et l'équipement des trières. La contribution de chaque cité est fixée selon ses propres ressources. Peu à peu les confédérés se trouvent soumis à une stricte organisation dictée par Athènes, qui assure ainsi sa prééminence au sein du monde égéen et conçoit désormais chacun de ses partenaires de naguère comme un simple sujet. Athènes dispose d'un véritable empire divisé en cinq districts qui en montrent toute l'étendue géographique : le district de Thrace, l'Hellespont, le district d'Ionie, celui de Carie et les îles des Cyclades. Mais c'est essentiellement dans le domaine financier et judiciaire que doit s'exercer l'emprise athénienne.

Zeus, dieu de justice, protège les cités

Le tout-puissant roi des dieux résume en lui une multitude d'attributions divines. Si, sur le plan physique, il est le dieu du ciel, de la pluie et du tonnerre, il est plus généralement un dieu bienfaisant qui veille aussi bien

Zeus enlevant Ganymède. Terre cuite polychrome. Vers 470. Musée d'Olympie.

à l'ordre de l'univers qu'à l'harmonie entre les hommes. Il est en effet le dieu de la justice, assisté de Thémis (la Loi) et de sa propre fille Dikê (la Justice). Il a horreur des crimes et des meurtres, et finit toujours par punir les coupables qui s'opposent à l'ordre du monde. Pour cela, il envoie sur eux l'Erinye vengeresse ou l'*até*, égarement qui pousse l'homme à se perdre lui-même. Il préside aux relations entre les hommes : à la vie familiale (avec sa femme Héra, déesse du mariage), à l'amitié, à l'hospitalité (Zeus Xénios fait une obligation de recevoir l'étranger). Sous l'épithète d'Orkios, il veille au respect des serments et châtie les parjures. Toutes ces attributions font naturellement de lui le dieu de la vie sociale et politique. Les rois tiennent de lui leur autorité. Les cités sont placées sous sa protection. Il est l'inspirateur des bonnes lois. A Athènes, on vénère Zeus Polieus (de la Cité), Zeus Agoraios (de l'Agora, lieu de rassemblement du peuple), Zeus Boulaios (de la Boulé, dont il préside les débats). En tant que protecteur des serments, il est sans cesse présent dans la vie d'une démocratie, où tous les citoyens jurent d'obéir aux lois. C'est encore lui qui garantit les alliances et les confédérations. Il protège en général tous les Grecs, et l'a récemment montré lors des guerres médiques. On lui donne pour cela les épithètes d'Hellénios ou d'Eleuthérios. Il est encore Sôter, le Sauveur, qui écarte les dangers. Si les Grecs ont en toute occasion son nom à la bouche, c'est qu'il est le plus puissant. Ses bienfaits sont innombrables mais il n'aime que les hommes justes, et foudroie sans pitié ceux qui s'écartent du droit chemin.

Le terrible Poséidon règne sur la mer

Quand Zeus accéda au trône de l'Olympe, il donna en partage à son frère Poséidon le domaine maritime : c'est sur la mer et ses habitants qu'il exerce une souveraineté ombrageuse. Il habite dans les profondeurs, nous dit Homère, un palais « étincelant d'or, impérissable ». Il se manifeste surtout par le déchaînement des flots. C'est un dieu redoutable, incarnation, aux yeux des Grecs, de l'angoisse inspirée par l'élément marin, toujours imprévisible et sujet à de violentes sautes d'humeur. Il est armé du trident, dont il frappe les flots, soulevant les tempêtes. Son pouvoir s'étend aussi sur la terre, où les coups du trident provoquent les séismes. Il est aussi le maître des chevaux qu'il se plaît à affoler ou à calmer. Les cavaliers, comme les marins, ne peuvent rien face aux brusques fureurs de Poséidon : ils lui adressent des prières. Malheur aux mortels qui, comme Ulysse, se sont fait un ennemi de Poséidon !

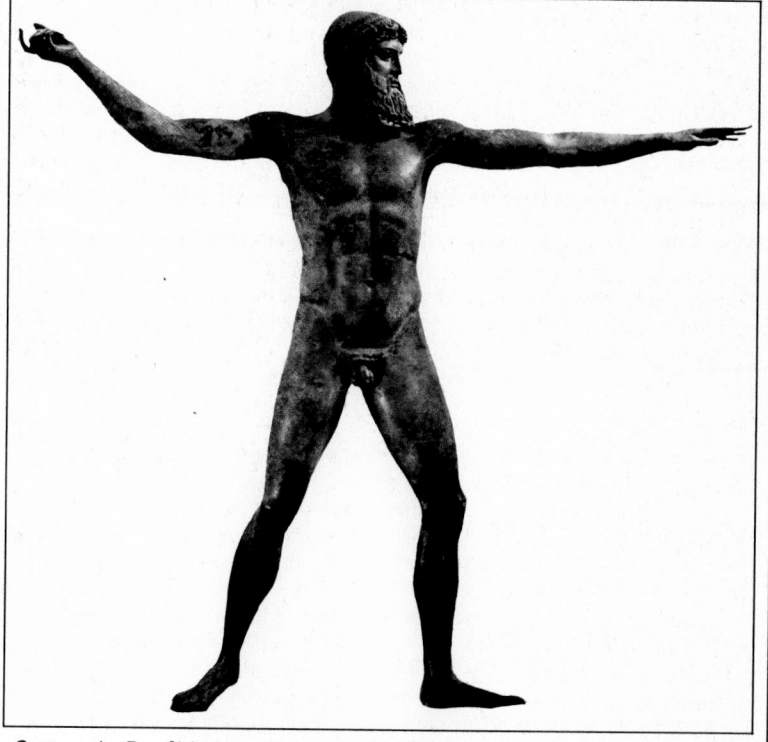

Statue de Poséidon ou Zeus. Attribuée au sculpteur Calamis. Bronze (haut. : 2,09 m) trouvé en mer. Vers 460 av. J.-C.

467 av. J.-C.

Athènes
Représentation des *Sept contre Thèbes* d'Eschyle. →

465 av. J.-C.

Grèce du Nord
Athènes établit dix mille colons sur le site des « Neuf Routes », en Thrace. L'enjeu de cette colonisation est l'exploitation des ressources minières du massif du Pangée. Ce faisant, Athènes s'en prend aux intérêts économiques de l'île de Thasos. Ses habitants, sentant leur prospérité menacée, décident de quitter l'alliance athénienne. Les Athéniens répondront à cette défection par la manière forte. →

Perse
Le pouvoir du roi Xerxès ne s'est jamais vraiment remis des séquelles des défaites essuyées devant les Grecs. Ce pouvoir est contesté de l'intérieur : intrigues de palais et débuts de révolte se succèdent. En 465, Xerxès est assassiné. Son fils Artaxerxès lui succède. Il doit faire face très vite à des soulèvements dans diverses provinces de l'empire, notamment en Bactriane, où une répression sanglante rétablira l'autorité, et en Egypte, où l'affaire sera plus sérieuse et demandera plus de temps et de moyens (→ 640).

Grèce
Le sanctuaire d'Apollon sur l'île de Délos accueille le trésor de la confédération athénienne. Les cités alliées devaient s'acquitter de leur tribut soit en espèces soit en nature, par exemple en fournissant des navires à la flotte commune. Si la finalité de la Ligue était au départ de protéger les cités grecques contre de nouvelles incursions perses, elle devient peu à peu un instrument au profit du pouvoir d'Athènes. Les magistrats chargés de la gestion de ce trésor sont d'ailleurs toujours des Athéniens.

Les vases de terre cuite sont le support privilégié de la peinture grecque. Les productions restent d'abord fortement influencées par l'archaïsme, dans la gestuelle comme dans la mise en espace des personnages. Les peintres affectionnent les attitudes théâtrales et les grands effets pathétiques. Avec le Peintre de Pan s'affirme un réalisme nouveau : scènes de la vie quotidienne, élé-

ments suggérant le paysage (rochers), souci d'individualiser les visages et les physionomies. Le dessin a tendance à s'assouplir et les draperies perdent un peu de leur rigidité monolithique pour onduler de manière naturelle. On expérimente aussi la polychromie sur fond blanc, ce qui prépare la voie aux lécythes funéraires. La grande peinture exerce également son influence. Le fameux *Cratère des Niobides* offre en effet une composition d'une complexité nouvelle : superposition des plans de représentation, jeux de perspective, plasticité sculpturale des corps.

464 av. J.-C.

Grèce
Sparte, la cité la plus puissante du Péloponnèse, traverse une période de crise. Les guerres médiques avaient fait beaucoup de victimes parmi les citoyens de plein droit, fragilisant cette minorité par rapport aux communautés des périèques et des hilotes. Une insurrection de ces derniers était désormais à craindre. La confédération péloponnésienne est elle-même de plus en plus menacée dans sa cohérence. Thémistocle, ostracisé d'Athènes, s'était établi à Argos. De là, il allait attiser le mécontentement contre la domination spartiate. Les Éléens puis les Arcadiens font défection et rejoignent les Argiens. Ils se font battre à Tégée en 469, mais, entre 468 et 464, une nouvelle coalition arcadienne se forme et se fait à nouveau battre à Dipaia. C'est alors qu'un violent séisme frappe la Laconie. Les auteurs anciens avancent le chiffre (sans doute exagéré) de vingt mille morts. Les hilotes de Laconie et de Messénie en profitent pour se révolter. Les Messéniens s'installent dans le massif du mont Ithome. Cette guerre messénienne va durer plusieurs années. Ce n'est qu'en 459 que les rebelles de l'Ithome vont capituler et seront expulsés du Péloponnèse.

462 av. J.-C.

Athènes
Chef du parti démocratique, adversaire de Cimon, Ephialtès s'oppose à ce qu'Athènes apporte son aide à Sparte pour réprimer les hilotes révoltés. Il profite d'une absence de Cimon pour établir des réformes politiques qui lui coûteront la vie.

Chapiteau à double protome de taureaux agenouillés. Provenant de l'« apadana » de Suse. Fin du VIᵉ siècle av. J.-C. Musée du Louvre, Paris.

Les rois perses résident à Suse

Suse, 522-465 av. J.-C.
L'ancien royaume de Perse connaît sous les règnes de Darius Iᵉʳ le Grand (522-486) et de Xerxès Iᵉʳ (486-465) l'apogée de sa puissance. C'est durant cette période que les plus beaux palais de Suse et Persépolis, capitales de l'empire, voient le jour. L'art des deux villes est imprégné du sentiment de supériorité universelle qui anime la Perse d'alors. Darius Iᵉʳ avait fait de Suse, qui est peuplée depuis le IVᵉ millénaire, sa capitale politique et le centre diplomatique et représentatif de l'empire. Il fit reconstruire la ville, qui avait retrouvé une certaine importance sous Cyrus II le Grand, après avoir été détruite par le roi assyrien Assurbanipal en 640. Suse devient le plus important centre commercial du monde perse : elle se trouve au centre des grandes routes marchandes vers l'Asie Mineure, la Mésopotamie et le golfe Persique. Le palais de Darius a été construit sur une terrasse, au nord de la ville ; ses pièces sont quadrangulaires et disposées autour de plusieurs cours intérieures. La salle d'audience royale *(apadana)* est entourée d'un triple péristyle de colonnes aux pierres blanches et noires ; chaque colonne mesure 20 m de haut et possède à son sommet des chapiteaux en forme de taureaux doubles, qui portent les

poutres de la toiture. Les murs du palais sont recouverts de briques, elles-mêmes recouvertes d'un enduit émaillé, sur lesquelles sont représentés des taureaux, des griffons et les « Immortels », la garde personnelle de Darius, qui l'accompagna en Egypte. Lorsque Darius fonda, en 518, Persépolis, c'est à de toutes autres préoccupations qu'il obéit. Ville résidentielle et capitale symbolique de l'empire, Persépolis - à la différence de Suse - possède une salle du Trône vers laquelle est appelé à converger le rassemblement de toutes les nations qui constituent l'empire. Commencée par Darius, l'œuvre fut activement poursuivie par Xerxès qui y édifia, entre autres, les Propylées. Comme à Suse, la résidence est construite sur une terrasse artificielle légèrement surélevée et comprend, en dehors de la Trésorerie royale et des salles qui s'y rattachent (toutes construites en briques), deux groupes de bâtiments : à l'ouest, les palais de Darius et Xerxès destinés aux banquets officiels ; construits en pierre, ils s'ouvraient sur l'*apadana* et avaient leur vie propre, liée aux rapports entre le roi et les Grands du royaume ; au nord-ouest, la salle du Trône, centre de l'Empire, où le roi recevait l'hommage des nations.

Déméter et Perséphone confiant au jeune Triptolème un épi de blé. Relief votif d'Eleusis. Vers 450-440 av. J.-C. Musée national, Athènes.

Eschyle crée "Les Sept contre Thèbes"

Athènes, printemps 467 av. J.-C.
Au concours dramatique des Grandes Dionysies, où il s'est déjà illustré victorieusement, le poète Eschyle (525-457) présente une trilogie sur la légende thébaine. Dans la dernière des trois pièces, *Les Sept contre Thèbes*, on assiste à l'affrontement final des deux fils maudits d'Œdipe : Etéocle, le roi de Thèbes, défend la ville attaquée par Polynice, son frère, qui veut s'emparer du trône avec l'appui de ses alliés venus d'Argos. A chacune des sept portes de la ville, face aux sept chefs ennemis, Etéocle envoie un vaillant Thébain et va lui-même se battre à la septième porte, où l'attend Polynice. Thèbes est victorieuse, mais les deux frères se sont entretués, mettant fin avec eux à la terrible malédiction de la race de Laïos. Eschyle, ancien combattant de Marathon et de Salamine, a peint en Etéocle le modèle du dévouement patriotique, et a fait exprimer au chœur des Thébaines toute l'angoisse de la guerre. Pour cette tragédie d'une puissance inouïe Eschyle est à nouveau couronné.

Thasos se révolte contre les Athéniens

Thasos, 465 av. J.-C.
L'opulente île égéenne de Thasos, située face à la côte thrace, s'est alliée en 477 à la ligue de Délos, après la victoire des Grecs sur les Perses à Salamine, et fournit un fort contingent de navires à la confédération ; mais rapidement les relations se tendent entre l'île et Athènes à cause de la politique impérialiste menée par cette dernière qui entrave le commerce thasien sur le continent. En 465, la rupture est consommée ; Athènes envoie une flotte qui débarque après une victoire navale et assiège la cité. Les Thasiens réclament alors de l'aide aux Lacédémoniens, les priant d'envahir l'Attique pour obliger les Athéniens à lever le siège. Mais un séisme, suivi d'un soulèvement des hilotes, empêche les Spartiates d'intervenir. Cimon, après un siège de deux ans, réduit la rébellion en imposant à la ville des conditions draconiennes : destruction des murailles, perte de la flotte, versement d'une lourde indemnité et d'un tribut annuel, abandon des comptoirs et mines en Thrace.

Musicien. Fragment d'un vase à figures rouges sur fond noir. Art attique. Vers 500 av. J.-C. Musée national, Athènes.

Les mystères d'Eleusis

Lorsque Hadès eut enlevé Korê pour en faire son épouse aux Enfers, la mère de celle-ci, Déméter, déesse de la terre nourricière, fit cesser la végétation et, toute à sa douleur, erra longtemps parmi les hommes, sous l'aspect d'une vieille femme. Elle fut un jour recueillie par les gens d'Eleusis et, en récompense de leur hospitalité, elle offrit au jeune Triptolème l'épi de blé, symbole de vie renouvelée. Depuis lors, chaque année, Korê quitte le royaume souterrain des morts et revient vivre auprès de sa mère à la belle saison, symbolisant la renaissance de la végétation. Déméter instaura à Eleusis un culte en l'honneur de sa fille et d'elle-même. La petite cité d'Eleusis fut plus tard annexée par Athènes, sa voisine. Le culte éleusinien donne lieu alors à l'une des plus importantes fêtes religieuses athéniennes : les « Mystères ». Il s'agit d'une célébration secrète réservée à des initiés appelés « mystes » (ceux qui gardent la bouche close). Mais tous les Grecs qui le souhaitent peuvent se faire initier, sans distinction d'âge, de sexe, de condition ; même les esclaves sont admis. Les futurs mystes doivent assister, à la fin de l'hiver, aux « Petits Mystères » d'Agra, où ils reçoivent un enseignement préparatoire. La fête principale, les « Grands Mystères », a lieu en septembre, pendant dix jours, et commence à Athènes et sur la plage de Phalère où les mystes se purifient par un bain de mer et par le sacrifice d'un porcelet. Puis ils partent en procession à Eleusis (23 km) ; c'est là qu'en grand secret, derrière l'épaisse muraille du sanctuaire, on célèbre pendant trois jours les mystères. Que se passe-t-il à l'intérieur du *Télestérion* (salle des initiations) ? Le profane ne peut le savoir et doit se contenter de conjectures. Il est probable que les prêtres miment la légende de Korê, qu'ils renseignent les fidèles sur leur situation après la mort. On dévoile des objets sacrés, symboles de vie et de fécondité, tel l'épi de blé donné jadis à Triptolème. Il est sûr que le myste reçoit par ces révélations l'assurance d'une vie heureuse dans l'au-delà, bonheur refusé aux non-initiés. Un tel culte a de quoi séduire, et les initiés sont nombreux pour célébrer Déméter, déesse de l'abondance et de la résurrection. Le succès du sanctuaire contribue grandement au prestige d'Athènes.

Les Grecs passionnés par la musique

Toute la vie publique et privée du Grec est rythmée par la musique. Dès sept ans, chez le cithariste, l'enfant en apprend les rudiments : bientôt, pinçant ou frappant les cordes de la lyre, de la cithare, ou soufflant dans l'aulos (sorte de hautbois), il répète les airs joués par le maître. Puis, s'accompagnant sur les instruments à cordes, il chante, à l'école ou lors des occasions importantes, au sein d'une chorale, les grands textes du patrimoine culturel. Nulle séparation entre musique et littérature : les poèmes d'Homère sont déclamés et chantés, les comédies et tragédies font une large place au chant. A la guerre, le Grec entonne le péan d'attaque ou de victoire. Le rameur et le gymnaste suivent la cadence d'un instrument. Toutes les cérémonies (fête d'un dieu, de la tribu, mariage, funérailles) se déroulent au son des flûtes, des cithares, ou de la rustique syrinx (flûte de Pan). Le mort même est censé goûter encore la musique : on voit des chanteurs peints sur les vases funéraires. C'est que la musique influe sur l'âme : elle enseigne au Grec l'harmonie divine du monde et pacifie sa vie intérieure. Mais certains modes musicaux, dolents ou voluptueux, ont une influence dangereuse sur le citoyen ; aussi l'Etat en réglemente-t-il l'usage par crainte de voir les mœurs se relâcher.

461 av. J.-C.

Athènes

Le démocrate Ephialtès est assassiné à Athènes, sans doute à l'instigation des aristocrates. Ses réformes, il est vrai, avaient considérablement lésé leurs intérêts. Il avait ôté à l'Aréopage, la plus ancienne cour de justice de la cité, ses pouvoirs exécutifs et une bonne partie de ses prérogatives judiciaires. Il s'attaquait ainsi à un organisme composé d'anciens archontes issus des familles les plus riches de la cité. Il avait, de plus, réussi à prouver que ces magistrats pouvaient être achetés... Ephialtès mort, Cimon, représentant du parti conservateur, est banni. Périclès, ami et partisan du disparu, poursuit alors sa politique. →

460 av. J.-C.

Egypte

Les lourdes défaites essuyées par Xerxès en Grèce, puis son assassinat, encouragent les Egyptiens à se libérer de l'occupant perse. La révolte éclate à l'instigation d'un dynaste libyen, Inarôs, qui parvient à entraîner la région de Saïs. Amenardis, dans le Delta, rallie le mouvement. Athènes apprend ces événements et, trop heureuse de prêter son concours à une révolte contre les Perses, envoie une flotte de trois cents trières qui remonte le Nil jusqu'à Memphis. Artaxerxès, lui, a envoyé en Egypte une armée de 300 000 hommes. La scène est prête pour le combat.

Olympie

Les travaux au temple de Zeus se poursuivent et il vient d'être doté d'un ensemble de sculptures, notamment de douze métopes représentant les travaux d'Héraclès. La géométrie rigoureuse des compositions met en valeur l'effort intense et la concentration du héros. Celui-ci est assisté, dans certains de ses travaux, par la déesse Athéna. Quant au fronton, il illustre les préparatifs de la course de char entre Pélops et Oinomaos. Zeus se dresse au centre de la composition. Tous les personnages sont dans l'attitude du repos. Le fronton ouest, par contre, est beaucoup plus tourmenté. La violence et le dynamisme prédominent en effet dans la représentation du combat des Lapithes et des Centaures. Au milieu de ces visages et de ces corps déformés par l'effort de la lutte, se dresse Apollon, qui respire la sérénité et le calme.

459 av. J.-C.

Egypte

Le premier engagement entre Perses et Egyptiens à Paprêmis tourne à l'avantage des insurgés, grâce aux renforts grecs. Les Perses se réfugient dans Memphis. La ville est assiégée ; les Perses se barricadent dans une partie fortifiée. Ils vont peu après prendre leur revanche. Les Athéniens doivent fuir et se réfugier dans une île du Delta. Ils essuient de lourdes pertes.

458 av. J.-C.

Athènes

Eschyle obtient le premier prix au concours de tragédie avec la trilogie de *L'Orestie*. Celle-ci s'ouvre sur *Agamemnon* : le roi achéen, de retour de Troie, est assassiné par Clytemnestre et son amant Egisthe. Ce meurtre est préparé et pressenti durant toute la tragédie et contribue à créer une atmosphère tragique oppressante. Dans *Les Choéphores*, Oreste venge son père, mais au prix d'un matricide. Electre et Oreste préparent leur terrible vengeance et s'encouragent mutuellement dans ce dessein. *Les Euménides* sont la tragédie du châtiment. La justice des dieux (Apollon et Athéna) précède la justice des hommes (création de l'Aréopage athénien) ; reste la justice des puissances redoutables de la vengeance, les Erinyes, qui inspirent la folie et le délire.

Grèce

Les Athéniens lancent des opérations ponctuelles contre des cités de la Ligue péloponnésienne. Egine, puissante île du golfe Saronique, est l'une de ces cibles. Vers 459-458, Athènes remporte une victoire navale sur les Eginètes et leurs alliés les Corinthiens, auxquels ils infligent une défaite à Mégare. Mais les pertes subies par Athènes sont très lourdes. Or c'est le moment où les Spartiates, après être intervenus en Phocide et Doride, s'apprêtent à regagner le Péloponnèse. Une rencontre a lieu entre les deux armées à Tanagra, en Boétie. Les Athéniens sont battus, mais les Spartiates n'exploiteront pas leur victoire. Ils ont tort car les Athéniens, l'année suivante, envahiront la Béotie et rétabliront leur influence sur le sanctuaire delphique.

Apollon. Détail. Marbre. Vers 460 av. J.-C. Musée d'Olympie. Provient du fronton ouest du temple de Zeus.

Héraclès, héros voué à la peine et aux travaux laborieux

Né des amours de Zeus avec une mortelle, Héraclès est naturellement destiné à être la victime de la jalousie de l'épouse légitime du dieu, Héra. Mais ses premières mésaventures ne sont rien auprès des travaux que lui impose Eurysthée. Douze travaux, douze années de peine, et le héros deviendra immortel. Héraclès étrangle d'abord à mains nues le lion de Némée et se revêt ensuite de sa dépouille. La silhouette du héros, armé d'une massue, est ainsi durablement fixée. Il décapite ensuite les neuf têtes venimeuses de l'hydre de Lerne. Puis il capture vivant le redoutable sanglier d'Erymanthe. Il réussit à se saisir de la biche de Cérynie aux cornes d'or et extermine les oiseaux anthropophages du lac Stymphale. Il nettoie les écuries fangeuses d'Augias, non sans avoir détourné pour cela deux fleuves d'Elide. Il dompte le taureau qui ravage la Crète. Il capture les chevaux de Diomède, mangeurs de chair humaine. Il s'empare de la ceinture de la reine des Amazones, après l'avoir tuée. Il capture les bœufs de Géryon, dans le lointain occident, au-delà des colonnes qui portent son nom (Gibraltar). Il cueille les pommes d'or du jardin des Hespérides et, enfin, parvient à capturer Cerbère, le terrible gardien des Enfers. Héraclès apparaît ainsi comme un héros civilisateur, qui purge le monde humain de monstres malfaisants. Mais les aventures d'Héraclès ne s'arrêtent pas ici. Elles finiront tragiquement, lorsque son épouse Déjanire lui donnera une ceinture teintée du sang du centaure Nessos. Philtre d'amour, croyait-elle. Poison violent en réalité. Héraclès agonise dans d'atroces souffrances. Zeus le ravit à son bûcher et l'immortalise sur l'Olympe, digne épilogue d'une vie marquée par l'excès, la violence et la souffrance.

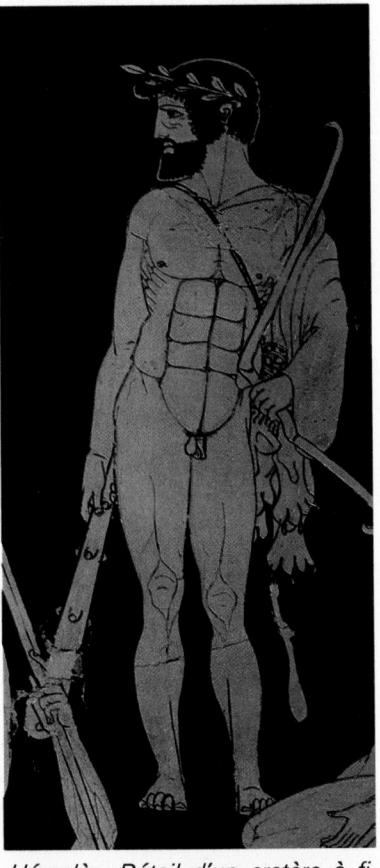

Héraclès. Détail d'un cratère à figures rouges. Vers 450.

Vue du temple d'Héra ou Héraion à Olympie. Vers 600 av. J.-C. A l'arrière-plan, les colonnades de la palestre.

Maquette de la ville d'Olympie (vue partielle). Au centre, le temple de Zeus ; en haut, à gauche, le temple d'Héra et la longue file des différents Trésors.

Olympie, un grand centre religieux qui rassemble les Grecs

Olympie, Vᵉ siècle av. J.-C.

Arrivant de tous les horizons du monde hellénique, c'est en masse que les Grecs affluent tous les quatre ans vers le territoire sacré d'Olympie, en Pisatide, au nord-ouest du Péloponnèse. Proche de la vallée de l'Alphée, dans un paysage vallonné et paisible, Olympie n'apparaît nullement comme une véritable ville, une cité. C'est avant tout un très vaste sanctuaire dont l'origine se perd dans la mémoire sacrée des Grecs. Il attire toujours en grand nombre les pèlerins qui viennent au pied du mont Kronion, dans le bois sacré de l'Altis où l'on célèbre Zeus Olympien. Ces lieux sont depuis très longtemps associés à un antique culte agraire dont la fête se situait au début de l'automne. Mais c'est avec la panégyrie des fêtes et des Jeux olympiques que ce grand centre religieux remplit le plus sa vocation pan-hellénique. Bien avant leur début, des hérauts et des ambassadeurs sacrés, les théores, n'ont de cesse de proclamer dans toutes les régions de Grèce la date d'ouverture des Jeux. Bientôt, une trêve sacrée est déclarée : durant toute la période des festivités, le territoire d'Olympie ne peut être traversé par une armée. Plus encore, les pèlerins eux-mêmes sont inviolables, quasi sacrés et doivent pouvoir atteindre le sanctuaire en toute sécurité dans un monde où prendre la route est toujours une aventure périlleuse. Aux Pisates, puis aux Eléens revient la dure charge mais aussi l'immense privilège d'organiser les cérémonies. Ils gardent le sanctuaire de l'Altis qui constitue la « Cité des dieux », l'enceinte sacrée où personne ne peut résider. C'est Zeus qui est le véritable maître de ces lieux, les Pisates et les Eléens n'en sont que les gardiens ici-bas, tout comme ils sont les dépositaires du trésor du dieu utilisé pour l'entretien du sanctuaire. Réunis dans un « sénat olympique », des membres de l'aristocratie d'Elis président à toutes les cérémonies religieuses ; ils surveillent aussi bien les nombreux prêtres d'Olympie que les candidats venus pour participer aux épreuves. Ce conseil des sages désigne les dix hellanodices, membres du jury qui doivent juger les concurrents et couronner les lauréats. Le déroulement des fêtes montre combien les dieux sont présents durant les cinq jours où Olympie devient le carrefour du monde grec. Dès le premier jour, des cérémonies honorent Hestia et Zeus. Les Eléens certes, mais aussi les délégations envoyées par toutes les cités de Grèce, participent à ces offices religieux. Le grand moment des solennités est atteint au milieu des Jeux, le troisième jour ; un immense sacrifice est offert à Zeus. Le banquet des « Olympioniques » clôture les festivités. Chacune des cités de Grèce a envoyé ses meilleurs athlètes. L'obtention d'une palme proclamant la victoire d'un participant représente un immense honneur pour tous ses concitoyens et une source de prestige politique pour la cité. Le lauréat olympique reçoit un accueil triomphal ; il est, à l'instar des héros mythiques, chanté par les poètes. A Olympie se rencontrent donc tous les Grecs libres dans la célébration de leur panthéon commun. C'est sur la palestre, l'hippodrome ou le stade qu'ils font éclore ces rivalités qui les conduisent maintes fois à s'affronter par les armes. Zeus veille et la richesse des trésors au pied du mont Kronion rappelle combien, durant cette trêve, les Grecs cessent d'être des guerriers pour honorer leurs dieux.

Le stade d'Olympie, borné par quatre talus taillés en gradins, pouvait accueillir 20 000 personnes. Longueur du stade : 192,27 m.

Réforme démocratique d'Ephialtès à Athènes

Athènes, 462 av. J.-C.

Dans l'Athènes des lendemains de la deuxième Guerre médique, le parti des oligarques a regagné du terrain. C'est seulement en l'absence du principal de ses chefs, Cimon, parti en Messénie avec quatre mille hoplites, que la situation tourne à nouveau à l'avantage des démocrates. Ephialtès, loué pour son intégrité par tous ses concitoyens, conduit de main de maître la contre-offensive. A l'été 462, il fait voter par l'Assemblée une loi capitale qui entend rééquilibrer les institutions athéniennes. Son premier dessein est de réduire le rôle et les pouvoirs de l'Aréopage. Cet ancien tribunal d'aristocrates, dont les attributions politiques étaient codifiées depuis Solon, avait en effet su profiter du désordre des temps pour étendre ses compétences. Ephialtès, secondé par Périclès, commence par épurer ce conseil constitué d'anciens archontes et lié de trop près aux intérêts des aristocrates. Sa loi prive l'Aréopage de ses principales prérogatives en matière judiciaire. Tout ce qui concerne l'administration, voire la surveillance des affaires publiques, est désormais du ressort du Conseil des Cinq Cents, la boulè, ou du tribunal populaire de l'Héliée. Ainsi se trouvent fixées d'étroites limites au terrain d'action de l'Aréopage. Le seul droit de regard qu'il conserve concerne les affaires criminelles. C'est devant le Conseil et l'Assemblée du peuple que doivent répondre de leurs actes les magistrats athéniens. Le *démos* possède ainsi un moyen de contrôle sur l'administration de sa cité.

456 av. J.-C.

Sicile

Exil politique ? Ou dépit après un mauvais résultat à un concours de tragédie ? Eschyle quitte Athènes et retourne en Sicile, où il avait été si bien accueilli par le tyran Hiéron. Les Grecs racontent une étrange histoire sur les circonstances de sa mort, survenue à Gela en 456 : un aigle tenait une tortue dans ses serres. En plein vol, l'oiseau veut précipiter cette tortue sur un rocher pour en briser la carapace. Il aperçoit un rocher, lâche la tortue. Mais ce n'est que le crâne d'Eschyle, qui brille au soleil. Le poète ne survécut pas au choc.

454 av. J.-C.

Athènes

C'est officiellement pour le mettre à l'abri de toute menace qu'Athènes fait transporter le trésor de la ligue sur son Acropole. En fait, Athènes n'a cesse de poursuivre une politique impérialiste et pourra désormais confondre les finances communes avec ses ressources propres. Ce trésor considérable servira notamment à financer les constructions monumentales de l'Acropole, à l'instigation de Périclès.

Egypte

Le contingent athénien qui soutient la révolte égyptienne contre les Perses, après un début de campagne brillant et malgré l'arrivée de renforts (cinquante trières), a essuyé des échecs lourds de conséquences. Les troupes sont quasiment anéanties. Tandis que l'Egypte retombe sous la domination perse, Athènes se retrouve très diminuée dans son potentiel militaire.

451 av. J.-C.

Athènes

Périclès doit affronter trois problèmes : l'opposition aristocratique de Cimon, le conflit avec Sparte et les menaces de défection des alliés. Les hostilités avec Sparte marquent le pas et une trêve de cinq ans entérine la situation. Cimon en est le principal négociateur. Cette trêve permet à Périclès de conforter sa position à Athènes et de restaurer l'ordre dans la mer Egée.

Edification d'une puissante muraille reliant Athènes au Pirée.

450 av. J.-C.

Athènes

Sophocle fait représenter *Ajax*, une tragédie qui emprunte son sujet à un épisode secondaire du cycle troyen. Après la mort d'Achille, les Grecs délibèrent pour savoir à qui ils remettront les armes du héros. Ils choisissent le plus rusé (Ulysse) contre le plus brave (Ajax). Déçu et se sentant victime d'une injustice, Ajax est pris d'une crise de fureur : il massacre tout le bétail de l'armée et se tue de sa propre épée.

Grèce

Phidias est le plus grand sculpteur du Vᵉ siècle. Sa production commence vers 460. Sur les visages des dieux et des personnages du mythe, il projette une grâce et une sérénité nouvelles, il exprime un idéal moral et spirituel propre au classicisme. Parmi ses chefs-d'œuvre, les deux statues chryséléphantines (recouvertes d'or et d'ivoire) de Zeus et d'Athéna qui ornent les temples d'Olympie et d'Athènes, et surtout les sculptures du Parthénon, dont il semble bien avoir eu la conception d'ensemble, à défaut d'en avoir assuré l'exécution intégrale. Phidias exprime par son art la grandeur d'Athènes dont Périclès fut l'artisan.

Sicile

Poète inspiré, mage et philosophe, tel est Empédocle d'Agrigente. Né au début du Vᵉ siècle, il est l'auteur d'un recueil de *Purifications* et d'un poème didactique, *Sur la nature*, dans lequel il explique que toute chose naît du jeu de combinaisons des quatre éléments naturels, qui s'assemblent et se défont sous l'action de l'Amour et de la Haine. Sa mort est entourée de mystère. Il se serait précipité dans l'Etna et le volcan aurait rejeté au bord de son cratère une de ses sandales d'or.

449 av. J.-C.

Grèce

Les Perses entendent profiter de leur succès en Egypte. Mais la flotte athénienne en déroute leur inflige une défaite inattendue devant Salamine de Chypre. Cimon venait de mourir lors du siège de Cition à Chypre. Perses et Athéniens négocient et aboutissent à la paix de Callias en 449. C'est la fin officielle des Guerres médiques et aussi la reconnaissance de la suprématie athénienne sur la mer Egée.

Char votif à figurines en bronze trouvé à Strettweg (Autriche). Civilisation Hallstatt, VIᵉ siècle av. J.-C. Landesmuseum, Graz.

Naissance de la culture de La Tène

Au cours du Vᵉ siècle av. J.-C., une crise apparaît, qui secoue la civilisation hallstattienne d'Europe centrale et occidentale et remet en question l'hégémonie sociale et politique des aristocraties princières détentrices d'immenses fortunes. De nombreuses forteresses, telle la Heuneburg en Bavière, sont pillées, incendiées et abandonnées ; des sépultures sont violées, des signes d'agitation et de déplacements de peuples se multiplient ; ces mouvements culminent au début du IVᵉ siècle avec les vastes migrations qui amènent les Celtes à se heurter aux Romains et aux souverains hellénistiques d'Asie Mineure. Les causes de cette désintégration sont complexes. Une poussée démographique aurait amené ces populations à un seuil de saturation et entraîné une incapacité de l'environnement à subvenir aux besoins des habitants. Les tensions qui en résultent sont aggravées par les énormes inégalités sociales. Les princes éprouvent des difficultés grandissantes à faire respecter leurs privilèges et nombre de dynasties disparaissent en même temps que leurs forteresses sont détruites. Ces tensions finissent par s'apaiser en partie sans doute à cause des migrations, et une autre civilisation se met peu à peu en place, avec des nuances régionales importantes. Les éléments d'unité de cette nouvelle culture archéologique sont étalonnés d'après le site de La Tène en Suisse, au bord du lac de Neuchâtel, typique du second âge du Fer celtique. Les éléments essentiels en sont la longue épée en fer à double tranchant, qui accompagnera désormais les Celtes, et l'imitation locale de motifs décoratifs ou d'objets orientaux et étrusques (services à vin, vases). Les forteresses sont beaucoup plus nombreuses qu'auparavant.

Un Etrusque à cheval (le défunt ?) combattant un Celte. Détail d'une stèle funéraire. Art étrusque. Fin Vᵉ siècle av. J.-C.

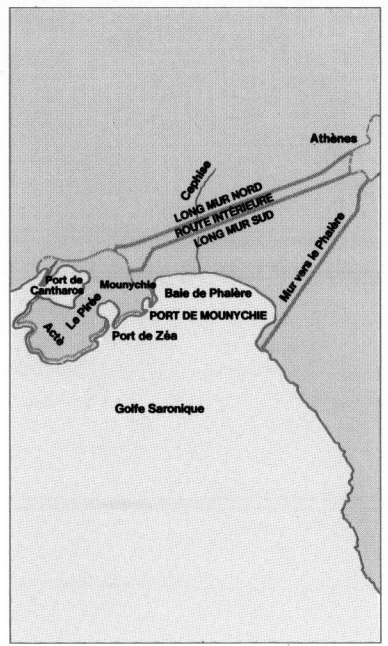

Des Longs Murs édifiés entre Athènes et Le Pirée

Athènes, milieu du Ve siècle av. J.-C.
Grâce à l'action de Thémistocle, une enceinte de près de 10 km protège les trois bassins du Pirée aménagés à l'ouest de la baie de Phalère. Or le port ne cesse de prendre de l'importance depuis le début du siècle ; Il est donc vital qu'il soit relié à la cité. Est édifiée en outre, le long des 6 km qui séparent le Pirée de l'Acropole une solide muraille. Ces « Longs Murs » protègent une voie d'accès rectiligne qui emprunte la petite plaine côtière du sud d'Athènes, tout en évitant les marais en aval du Céphise. C'est donc un couloir commode pour ceux dont les activités sont liées à ce gigantesque marché dont le dynamisme est indissociable de celui de la cité tout entière.

Athènes exerce son hégémonie sur toutes les cités grecques

Grèce, vers 450 ans avant J.-C.
La Ligue de Délos réunissait en principe des cités alliées. Mais c'est bien un véritable empire qu'Athènes a réussi à instaurer. Il s'agit moins d'un Etat unique centré autour d'une capitale que d'une constellation de cités liées à Athènes par une obligation financière : le versement du tribut, dont le montant est fixé, cas par cas, par l'assemblée athénienne et qui permet l'entretien de la flotte de trières. Cet empire n'a pas entraîné la création d'un corps de fonctionnaires pour l'administrer. Chaque cité reste en principe autonome. Athènes encourage les régimes démocratiques, mais peut accepter l'oligarchie. Des garnisons, des colons athéniens (les *clérouques*), des Athéniens en résidence exercent un contrôle discret mais suffisant sur la politique locale. Faute de pouvoir disperser ses citoyens dans l'ensemble de l'empire, Athènes a aussi créé des colonies, cités nouvelles où se mêlent les indigènes et les citoyens athéniens. Athènes demeure la capitale judiciaire, lieu de tous les procès à dimension publique. Ce pouvoir sur la mer Egée est d'abord militaire. Economiquement, il vise surtout à assurer l'approvisionnement en blé. La monnaie athénienne régule tous les échanges dans les cités de l'empire. Cette organisation assure l'essor de la démocratie athénienne, elle fait vivre aussi un grand nombre de citoyens athéniens. A défaut d'une opposition interne, c'est la montée d'une puissance rivale, Sparte, qui va menacer ce bel édifice et qui va saper ce pouvoir presque absolu.

Stèle dite de l'« Athéna pensive ». Détail. Marbre. Vers 460 av. J.-C. Musée de l'Acropole, Athènes.

Hérodote raconte les hauts faits des Grecs et des Barbares

« Hérodote de Thourioi expose ici ses recherches, pour empêcher que ce qu'ont fait les hommes, avec le temps, ne s'efface de la mémoire et que de grands et merveilleux exploits, accomplis tant par les Barbares que par les Grecs, ne cessent d'être renommés. » Ainsi s'ouvrent les *Histoires* d'Hérodote. Voulant sauver de l'oubli le passé humain et retracer l'histoire des Guerres médiques, l'auteur propose d'abord de véritables enquêtes ethnographiques, révélant l'étrangeté du mode de vie des Egyptiens, des Perses ou des Scythes, autant de déviations par rapport à la norme culturelle hellénique. A ce savoir fondé sur l'« autopsie » (le regard direct) du voyageur, s'en ajoute un autre fondé sur la rumeur : c'est lui qui permet de raconter ces histoires dont abonde l'œuvre d'Hérodote, entre le roman historique et le mythe, où les péripéties et le merveilleux se superposent. De la fable émergera peu à peu une véritable conscience historique

Les rituels de la mort à Athènes

Les rites funéraires à Athènes sont régis à la fois par les lois de Solon et par la coutume. Ils constituent la plus importante des obligations de la part des enfants ou des proches envers le défunt. La mort est en effet considérée comme la pire des souillures ; il importe de s'en préserver le plus possible et, le cas échéant, de s'en purifier. Les funérailles débutent par la toilette funéraire ; le mort, vêtu de blanc et paré de ses bijoux, exposé sur un lit d'apparat, reçoit dans la bouche une obole ou un gâteau de miel, salaire requis par le nocher Charon pour la traversée du fleuve infernal : il faut éviter que l'esprit du mort ne vienne hanter les vivants, pour n'avoir pu acquitter le prix de son passage. Après les lamentations rituelles et les libations, le convoi funèbre s'ébranle, toujours de nuit pour éviter de souiller le soleil. Pour éviter la même contamination à la cité, le cimetière est toujours situé hors des murs. Le corps y est inhumé ou incinéré sur un bûcher, puis, après un dernier adieu, on va se purifier longuement, ainsi que la maison, par des libations et des aspersions suivies d'un repas funèbre, renouvelés plusieurs fois dans le mois, puis chaque année, le jour anniversaire du décès.

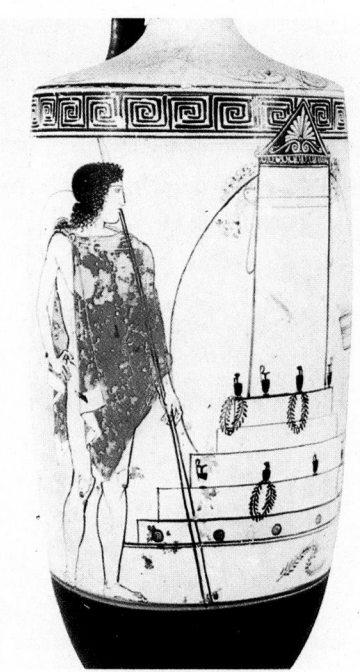

Jeune homme devant une tombe. Lécythe à fond blanc. Vers 440 av. J.-C. Musée national, Athènes.

Rome combat les peuples sabelliens

Après le départ forcé de ses rois, Rome doit combattre les Latins qui cherchent à rétablir la dynastie des Tarquins. La victoire qu'elle remporte au lac Régille (496 av. J.-C.) assure son retour au sein de la ligue composée des trente peuples latins, mais lui confère aussi un rang particulier, puisqu'elle pourra dorénavant traiter d'égal à égal avec l'ensemble des autres cités. Cela n'empêche pas Rome d'être membre actif de la Confédération latine. Elle envoie un général commander l'armée latine l'année où son tour revient, elle participe aux décisions et aux cultes communs. La conquête romaine des Ve et IVe siècles a d'ailleurs toutes les allures d'une conquête latine, comme en témoigne le statut des colonies fondées à cette époque par la Confédération. C'est donc par petites étapes et très progressivement que Rome a imposé sa suprématie dans le Latium. Mais, sur le front extérieur, cette conquête a essentiellement un aspect défensif. En effet, dès la fin du VIe siècle, les rudes populations pastorales des montagnes de l'Apennin entrent en mouvement et amorcent une descente vers les plaines littorales, plus riches. Sous la dénomination générale de Sabelliens, on distingue au nord les Sabins, proches des Samnites, au centre les Eques et, au sud, les Herniques et les Volsques. Il semble que ce soit Tusculum, la plus menacée des cités latines, qui assure la direction des opérations. Certains peuples se rallient, tels les Herniques, mais les Sabins, les Eques et les Volsques, plusieurs fois battus et sans cesse reformés, ne sont définitivement réduits qu'à la fin du Ve siècle, au moment où l'expansion samnite commence à se faire menaçante et où Rome, prenant le relais de Tusculum, affirme son hégémonie à l'intérieur de la Ligue latine. C'est le début d'une puissance qui ne va pas cesser de grandir et qui bientôt éclipsera toutes ses rivales.

446 av. J.-C.

Grèce
La lassitude gagne Athènes et Sparte. On conclut une paix de Trente Ans. Les Athéniens doivent évacuer les positions qu'ils occupent sur les territoires de la Ligue péloponnésienne. Les cités neutres pourront adhérer à l'alliance de leur choix.

445 av. J.-C.

Jérusalem
Le prophète Néhémie arrive à Jérusalem. Il sera l'artisan avec Esdras d'une réforme morale et religieuse. →

444 av. J.-C.

Rome
Une nouvelle fonction apparaît dans l'armée romaine : les tribuns militaires à pouvoir consulaire.

443 av. J.-C.

Rome
Le censeur est un magistrat élu désormais pour cinq ans. Son rôle consiste à recenser les citoyens (pour l'enrôlement militaire comme pour la fiscalité), à tenir la liste (*album*) des sénateurs selon un ordre de dignité décroissant et à purifier le peuple romain. Cette dernière fonction lui permet notamment d'exclure du Sénat ou de changer de tribu, voire de classe, un citoyen susceptible de constituer une souillure pour l'Etat et la collectivité.

Athènes
Périclès va être dorénavant réélu chaque année à la fonction de stratège, ce qui va lui permettre d'exercer une influence majeure sur la politique et la civilisation athéniennes. Par sa culture, son intelligence politique et militaire, Périclès est l'architecte de l'Empire athénien. →

442 av. J.-C.

Athènes
Faut-il désobéir aux lois de la cité pour rester fidèle aux lois sacrées ? La justice humaine est-elle compatible avec la justice divine ? Qu'est-ce qu'une exigence morale ? Telles sont quelques-unes des questions fondamentales posées par l'*Antigone* de Sophocle.

Sous la direction probable de Phidias, on commence les sculptures qui composeront la frise du Parthénon. L'idée maîtresse et géniale de cette frise est de représenter la cité entière rendant hommage à sa déesse lors de la fête des Panathénées. Hommes et femmes, jeunes et vieux, cavaliers et fantassins, c'est une gigantesque procession qui fait le tour du Parthénon, pleine de dynamisme, de solennité et de piété. Ce poème de pierre était davantage destiné au regard divin qu'au regard humain : perchée au sommet de l'édifice et privée d'éclairage, la frise n'était sans doute guère visible pour ceux qui la regardaient d'en bas.

441 av. J.-C.

Grèce
Samos fait partie de l'alliance athénienne. Elle conserve son régime aristocratique et une certaine autonomie. Or voici qu'un conflit éclate entre Samos et Milet, au sujet de Priène. Les Athéniens interviennent en faveur des Milésiens qui ont instauré la démocratie dans leur cité quelque temps auparavant. Les Samiens refusent tout arbitrage, attitude qui motive un débarquement athénien sur l'île. Les Athéniens y instaurent la démocratie, y prennent des otages et y établissent une garnison. Mais un coup d'Etat aristocratique renverse la démocratie et les hostilités reprennent avec une ampleur nouvelle. Athènes doit engager un effort considérable pour venir à bout de la cité rebelle, après neuf mois de blocus.

438 av. J.-C.

Athènes
On vient d'inaugurer la statue d'Athéna dans le Parthénon. Mais le sculpteur Phidias est accusé de détournements, condamné et emprisonné. Le procès a une dimension politique et religieuse : politique, car on vise sans doute Périclès en attaquant Phidias ; religieuse, car Phidias aurait commis l'impiété de se représenter lui-même sur le bouclier de la déesse, sous la forme de Dédale.

436 av. J.-C.

Grèce
Fondation par les Athéniens de la colonie d'Amphipolis sur le littoral thrace.

Périclès est à la tête de la cité d'Athènes

Athènes, 443 av. J.-C.
Périclès, qui apparaît comme le maître incontesté de la politique athénienne, a d'abord dû s'imposer à ses concitoyens comme le chef du parti des démocrates. Après avoir lutté contre les oligarques et éliminé son adversaire Cimon, le voilà continuellement réélu stratège d'Athènes. Il anime vigoureusement la lutte contre Sparte, sans pour autant négliger la puissance de l'Empire athénien. Il apaise le mécontentement de certaines cités confédérées en diminuant le montant des tributs. Mais il use aussi de la force pour ramener à la raison les Eubéens prompts à se révolter contre Athènes. Dès son arrivée à la tête de la cité, Périclès, pourtant issu d'une riche famille noble, s'attache à parfaire le régime démocratique. Son premier souci est de rendre l'archontat accessible aux citoyens qui en étaient jusqu'alors écartés : les zeugites et les thêtes. Pour assurer la participation de tous à l'Assemblée, il institue le versement d'une indemnité de présence qui permet aux plus pauvres de s'absenter de leur travail tout en étant

Périclès. Réplique antique d'une statue (vers 435 av. J.-C.) de Crésilas. Marbre.

dédommagés. Périclès entend donner aux Athéniens conscience de leur puissance et de leur unité autour des principes de la démocratie.

Art grec. Céphise. Marbre pentélique. Vers 447-432. Sculpture du fronton ouest du Parthénon, Acropole d'Athènes.

Néhémie institue un nouveau code religieux

Jérusalem, vers 445 av. J.-C.
La reconstruction du Temple de Jérusalem s'était achevée vers 515. Cette restauration matérielle appelait une restauration spirituelle et morale. Le royaume d'Israël n'existe plus, en fait, comme Etat indépendant et le Temple n'est plus désormais que le foyer d'une communauté vivant sous le protectorat perse. A Jérusalem, la tentation d'un certain syncrétisme se fait sentir. C'est de la communauté juive de Babylone que part le renouveau religieux. Néhémie fait partie de l'entourage d'Artaxerxès. Il obtient du roi la permission de reconstruire l'enceinte de Jérusalem. En 445, il arrive en Judée en qualité de gouverneur. Il s'efforce de restaurer la paix sociale et le respect du sabbat. Il prépare ainsi la réforme religieuse d'Esdras qui va renouveler l'antique alliance d'Israël avec Yahvé et restaurer la loi mosaïque. Les textes sacrés, déjà existants, sont révisés et remaniés pour constituer un texte officiel et définitif. Cette loi n'est pas acceptée par tous et Esdras devra user de toute son autorité pour imposer la dissolution des mariages mixtes, le paiement des redevances au Temple ou le respect du sabbat. Israël apparaît désormais comme la « communauté de la Loi » (Torah). Les prêtres profitent de ce climat nouveau pour accroître leur autorité. C'est maintenant que le judaïsme épuré donne une version complète de sa doctrine monothéiste.

Reprise des hostilités entre Athènes et Sparte

Grèce, 431 av. J.-C.

La volonté d'impérialisme économique d'Athènes se heurte aux intérêts de nombreuses cités, comme Thèbes, Corinthe et Sparte. La paix de Trente Ans n'était qu'un *statu quo* provisoire. Cet équilibre fragile se rompt lorsque les Thébains attaquent la cité de Platée, alliée d'Athènes. Contre toute attente, les Platéens résistent, repoussent et taillent en pièces les assaillants. Cet incident déclenche la seconde phase de la guerre du Péloponnèse. Les forces en présence s'équilibrent. Les Athéniens disposent d'une puissante flotte, plus de trois cents trières. Sparte aligne un plus grand nombre de combattants sur terre. Périclès réunit la population de l'Attique à l'abri des murailles de la cité, privilégiant la défense d'Athènes et du Pirée. Les Spartiates font des ravages dans la campagne attique. Les trières athéniennes harcèlent les côtes du Péloponnèse. Mais dans Athènes

surpeuplée, le moral est au plus bas, lorsque se répand une épidémie meurtrière : la peste. Périclès est parmi les victimes, mais la guerre continue. En 427, l'île de Lesbos se révolte contre Athènes et est durement châtiée. Platée est prise par les Spartiates, rasée, et la population massacrée. A Corcyre, une révolution éclate et les démocrates font appel aux Athéniens. L'île devient l'enjeu des combats. Les Spartiates sont battus sur l'île de Sphactérie, mais les Athéniens subissent une dure défaite à Dêlion, en 425. La ville thrace d'Amphipolis rallie le camp spartiate et devient le théâtre de durs affrontements. La lassitude gagne les deux camps et, en 421, est signée la paix de Nicias. Mais le conflit demeure latent. En 416 éclate le drame de Mélos : l'île veut quitter la Confédération athénienne. Les Athéniens l'interdisent expressément. Les Méliens passent outre. Ils sont massacrés ou réduits en esclavage. Alcibiade, dont l'influence politique va croissant, lance une campagne contre Syracuse et la Sicile. Le peuple athénien va-t-il se laisser persuader de s'engager dans cette expédition ?

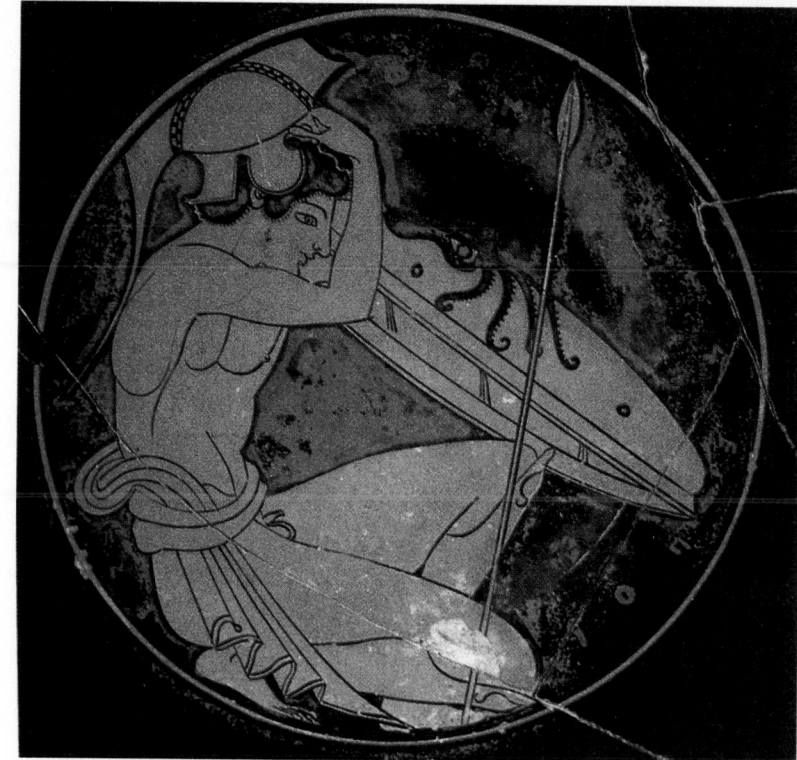

Guerrier au repos, avec tout son armement. Kylix à figures rouges, signé par le potier Phintias. 505-500 av. J.-C. Musée national, Athènes.

La plèbe romaine conquiert ses droits

La première moitié du ve siècle av. J.-C. est une période d'âpres conflits entre la plèbe et le patriciat pour l'exercice des magistratures. Parmi les privilèges auxquels tient le patriciat figure la connaissance du droit, transmis oralement et connu par les seuls pontifes et magistrats, tous patriciens. Les plébéiens demandent la

codification et la publication du droit. Ils l'ont obtenue et, en 451, deux commissions de dix hommes, les décemvirs, se succèdent pendant deux ans et donnent naissance à la loi des Douze Tables. Celles-ci sont à présent affichées au Forum sur des tables de bronze et constituent la source du droit romain, public et privé. Cette mesure prive les patriciens de l'un de leurs principaux privilèges.

Les jeunes Athéniens vont à l'école

L'enseignement primaire n'est nullement obligatoire et ne concerne pas les filles, confinées dans le gynécée. Alors que l'Etat spartiate prend en charge l'éducation, et ce dès le plus jeune âge, Athènes la laisse à l'entière initiative des familles. Les petits garçons, munis de leurs tablettes et de leurs stylets, accompagnés de leur pédagogue, se rendent non dans des écoles publiques, mais dans la maison même du maître, le grammatiste, rémunéré chichement par les parents. Là, ils apprennent, selon des

méthodes rudimentaires, le calcul, l'alphabet, la lecture, puis l'écriture, en s'essayant à la calligraphie, tout d'abord sur des tessons de poteries utilisés comme brouillons, ou sur les tablettes de cire, puis sur des feuilles de papyrus, au moyen d'une plume de roseau. Ils récitent par cœur des passages d'Homère, Hésiode ou Solon, dont le maître tire des leçons de morale et de religion. Si les familles aisées s'offrent un précepteur particulier, la plupart des petits Athéniens doivent se contenter de cet enseignement sommaire. Bien peu ont ensuite l'occasion de poursuivre des études supérieures.

Art romain. Enseigne d'une vendeuse de légumes et de volailles à Ostie. Bas-relief. IIe siècle apr. J.-C. Musée d'Ostie.

"Œdipe roi" sur la scène tragique

Athènes, vers 430 av. J.-C.

Œdipe est né maudit. L'oracle le destine à tuer son père et épouser sa mère. Laïos et Jocaste abandonnent l'enfant dans la montagne, mais des bergers le recueillent. Adulte, Œdipe apprend la malédiction et quitte ses parents adoptifs. En route pour Thèbes, il croise Laïos : ils se disputent le passage et Œdipe tue son père. Il résout ensuite l'énigme du Sphinx

et libère le pays de ce monstre. Les Thébains lui offrent la royauté et la main de la reine, Jocaste. La malédiction est accomplie. Ici commence la tragédie de Sophocle. Des fléaux affligent la contrée. Les dieux se plaignent d'une souillure. Aidé par le devin Tirésias, Œdipe s'emploie à y remédier. Jusqu'à ce qu'il découvre la terrible vérité... L'époux est fils, l'épouse est mère. Jocaste se pend. Œdipe se crève les yeux et part, errant et proscrit. Œdipe ou la victime impuissante du destin.

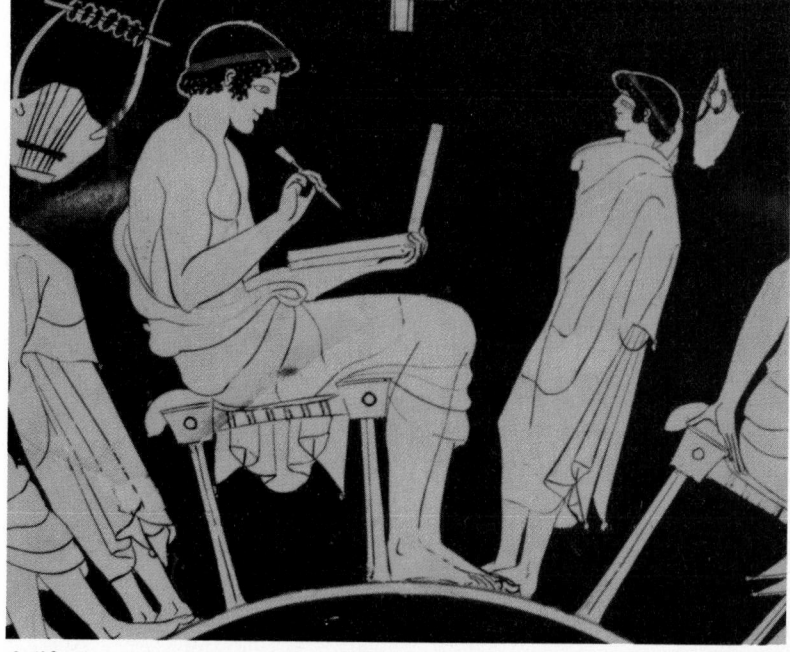

A l'école : le maître est assis, l'élève est debout. Coupe attique à figures rouges, signée par Douris. Vers 480 av. J.-C.

429 av. J.-C.

Athènes

La peste fait rage à Athènes. Les victimes sont innombrables et les survivants sont démoralisés. Périclès consacre tous ses efforts à préserver les intérêts de l'empire et la liberté d'Athènes. Les Athéniens en veulent à Périclès et lui font un procès : il perd la fonction de stratège qu'il exerçait depuis quatorze ans. Mais Périclès meurt à l'automne, atteint lui aussi par l'épidémie de peste. →

Grèce

Malgré l'épidémie de peste, malgré les ravages opérés par les Péloponnésiens en Attique, les Athéniens décident d'organiser une expédition et de porter la guerre sur le territoire ennemi. Tandis qu'un premier contingent athénien débarque sur la côte orientale du Péloponnèse, un second va mettre le siège devant Potidée, cité de la Chersonèse de Thrace. C'est durant l'hiver 430-429 que les assiégés commencent à manquer de vivres. Ils en sont réduits à l'anthropophagie. La reddition, dès lors, est inévitable. Les Potidéens doivent abandonner leur cité. Celle-ci sera occupée par des colons athéniens. Durant le siège de Potidée, un hoplite athénien, Socrate, fait l'admiration de ses camarades par son endurance à l'effort et aux intempéries.

428 av. J.-C.

Athènes

Euripide remporte le premier prix de tragédie avec sa nouvelle pièce, *Hippolyte*. Cette œuvre met en scène l'affrontement de deux déesses, Aphrodite et Artémis. Aphrodite inspire à Phèdre un amour irrésistible et douloureux pour Hippolyte. Artémis exige d'Hippolyte une fidélité et une chasteté sans faille. Phèdre est l'épouse de Thésée, Hippolyte est son fils, né d'un premier lit. Phèdre veut garder sa passion secrète, mais, par l'indiscrétion d'une servante, Hippolyte apprend tout. Ce jeune aristocrate, chasseur et sportif qui hante les forêts, affiche son dédain pour l'amante éperdue. Celle-ci, pour se venger, le calomnie auprès de Thésée. La tragédie se referme sur une double mort : celle d'Hippolyte, innocente victime d'une atroce vengeance, payant son attachement excessif au monde d'Artémis et son mépris d'Aphrodite ; celle de Phèdre, dont le suicide est un aveu.

Grèce

Au cœur des montagnes d'Arcadie, pays des bergers, des antiques légendes et des hommes qui se transforment en loups, il est une plate-forme rocheuse à 1 100 m d'altitude, d'où la vue porte loin sur les cimes et les vallées alentour. C'est cet emplacement privilégié qui fut retenu pour édifier le temple d'Apollon Epicourios, à Bassæ. Ictinos, l'architecte du Parthénon, en fut sans doute le concepteur. L'exécution fut confiée par contre à un atelier local, ce qui explique le curieux mélange d'archaïsme et de modernité que présente cet édifice.

425 av. J.-C.

Grèce

Une escadre athénienne en route pour la Sicile fait escale à Pylos. Les Athéniens fortifient la baie. Simple concours de circonstances dû aux mauvaises conditions atmosphériques ou plan concerté ? Les Athéniens ont, en tout cas, l'idée d'utiliser cette position comme base pour favoriser une révolte des hilotes en Laconie et en Messénie et affaiblir ainsi les Spartiates. Ceux-ci, conscients du danger, évacuent précipitamment l'Attique. Démosthène, à la tête des forces athéniennes, repousse les assauts des Péloponnésiens et parvient même à enfermer 420 hoplites dans l'île de Sphactérie. Les Spartiates, en position de faiblesse, veulent négocier. A l'instigation de Cléon, les Athéniens se montrent intransigeants. Les Péloponnésiens sont finalement vaincus, après une héroïque résistance. Les survivants sont emmenés comme otages à Athènes : en cas de nouvelle invasion de l'Attique, ils seront exécutés.

Athènes

Les Acharniens d'Aristophane expriment sur la scène comique d'Athènes la lassitude générale devant la guerre et l'aspiration à la paix. L'Athénien Dicéopolis, ne pouvant persuader ses concitoyens de négocier la paix, décide de conclure un traité à titre personnel avec l'ennemi. Il sera donc seul à jouir de la paix et de la prospérité au milieu de la guerre qui continue à faire rage et à dévaster le pays.

424 av. J.-C.

Empire perse

Mort d'Artaxerxès Ier. →

La peste frappe les Athéniens enfermés dans leur cité

Athènes, 429 av. J.-C

L'été 429 voit le retour des Péloponnésiens en Attique, ce qui oblige les « campagnards » à venir se barricader dans Athènes ; ces réfugiés, trop nombreux pour y être décemment logés, s'entassent dans des campements improvisés. C'est dans ces circonstances déjà critiques (surpeuplement et chaleur de l'été) qu'éclate un mal nouveau venu d'Ethiopie qui gagne Athènes par le Pirée, après avoir dévasté maintes contrées. L'historien Thucydide, rescapé du fléau, nous en décrit les symptômes : « Le mal se déclare à la tête, pour parcourir tout le corps de haut en bas. » Sensation de chaleur, maux de tête, haleine fétide, toux, fièvre, nausées, spasmes et convulsions affaiblissent le malade tandis que son corps se couvre d'ulcères purulents ; torturés par la soif, les malades envahissent fontaines et citernes, favorisant une propagation déjà rapide à cause de la promiscuité. Tandis que l'ennemi ravage l'Attique, plus d'un quart de la population périt dans la cité. Les médecins impuissants ne préconisent aucun traitement valable : le mal frappe indifféremment pauvres et riches. Devant l'inefficacité des recours humains, on se tourne vers les dieux, aussi impuissants ; alors se multiplient les désordres : pour oublier la précarité de l'existence et fuir l'obsession d'une mort qui frappe aveuglément, au mépris des coutumes, des lois humaines ou divines, on recherche les profits et les jouissances immédiates ; dans les rues où s'entassent les cadavres et les moribonds abandonnés, ce n'est que pillage, vol, luxure, tandis que les plus vieux évoquent avec fatalité une ancienne prédiction dont ils voient à présent la réalisation : « Viendra la guerre dorienne et la peste avec elle. »

Escalier est de l'« apadana » à Persépolis : le défilé des tributaires étrangers.

Début de la décadence achéménide

Perse, vers 424 av. J.-C.

Artaxerxès Ier aura été l'un des derniers grands rois de l'Empire perse. Intrigues de palais et querelles de succession accaparent les forces vives de la dynastie : Darius II Ochos, dit Nothos, le « Bâtard », ne parvint à monter sur le trône, en 423, qu'après avoir assassiné son demi-frère Sogdianos, meurtrier de Xerxès II. Ces luttes internes suffisent à expliquer que l'Empire achéménide soit peu actif sur la scène internationale. L'armée ne parvient qu'à grand-peine à mater les révoltes qui éclatent dès lors un peu partout dans l'empire.

Funérailles publiques pour les Athéniens morts à la guerre

A ses citoyens tombés pour elle, Athènes réserve des funérailles officielles. Le deuil échappe à l'intimité des familles pour devenir une affaire d'Etat. La mort civique est glorifiée dans une oraison funèbre, prononcée devant les cercueils en bois de cyprès, au Céramique. Morts à la guerre, les Athéniens ont réalisé leur condition d'hommes et de citoyens. Ils ont atteint le plus haut niveau de la valeur et de la vertu. Dans le discours officiel, les tués n'ont pas de corps. Ils sont abstraits, désincarnés. Leur disparition les isole de la condition du commun des mortels, qui subit la mort sans choisir son destin. Modèles des vertus civiques, ces hommes sont les champions de la liberté et les dignes descendants des héros de la tradition. Etre mort à la guerre confère une gloire proche de l'immortalité. Ces victimes sont dignes d'envie et, comme le dit l'orateur Lysias, ce n'est que par respect de la tradition que l'on accompagne de gémissements les funérailles de ces héros. C'est la parole civique qui constitue en fait l'essentiel de la cérémonie. L'oraison funèbre est avant tout un hymne à la cité.

L'Acropole d'Athènes : le Parthénon (au centre), les Propylées et le Temple d'Athéna Niké (à gauche).

Le Parthénon. Vue du nord-ouest. 448-437 av. J.-C. Temple dorique.

Le Parthénon. L'entablement. Détail. Marbre pentélique. Les plaques des métopes portaient toutes un décor sculpté.

De grandioses constructions à l'Acropole d'Athènes

Athènes, 450-408 av. J.-C.
Les Perses, au cours des Guerres médiques, avaient mutilé Athènes. Il convenait d'en relever les ruines, d'en reconstituer la parure de pierre et surtout d'élever sur l'Acropole un sanctuaire digne d'Athéna. Or, depuis 478, la conjoncture politique et économique était favorable à la cité et c'est Périclès qui, menant une politique de prestige, va concevoir un important programme architectural, en partie financé par le trésor de la Ligue de Délos, arbitrairement transféré à Athènes. Il fait appel à de solides équipes d'architectes (Callicratès, Ictinos, Mnésiclès), de sculpteurs (Phidias) et de peintres (Cololes), de sorte que les travaux, commencés vers 450, seront achevés en moins d'une génération, malgré les interruptions causées par la guerre du Péloponnèse.

La pièce maîtresse reste le Parthénon, qui couronne l'Acropole : c'est un temple dorique en marbre du Pentélique, périptère. Le plan quadripartite comprend à l'est un pronaos qui précède le naos, divisé en trois nefs par une double colonnade à deux étages enchâssant la statue de culte ; à l'ouest, un opisthodome qui restitue la symétrie. Les corrections optiques apportées et le choix des proportions confèrent à l'ensemble une harmonie toute classique que l'on retrouve dans le décor sculpté ; à l'extérieur, l'architrave est couronnée par un bandeau que rythme par l'alternance des triglyphes et des métopes, lesquels présentent une unité de thème : la lutte entre les éléments grecs et barbares, le triomphe de l'ordre et de la raison sur la force bestiale. Les scènes de gigantomachie, amazonomachie, centauromachie ou de la prise de Troie expriment tour à tour des mouvements dynamiques et violents, ou calmes et sereins. Les frontons achevés en 433 évoquent plus particulièrement Athéna : sa nais-

sance au milieu des Olympiens, à l'est ; sa lutte contre Poséidon pour l'Attique, à l'ouest. L'intérieur du naos abrite la célèbre statue chryséléphantine (or et ivoire) d'Athéna Parthénos debout, casquée et armée, exécutée par Phidias. Les autres monuments seront achevés après la mort de Périclès. Les Propylées, entrée monumentale du sanctuaire, ne furent commencés qu'en 432 par Mnésiclès ; ils sont composés d'un bâtiment central, flanqué de deux ailes agrémentées d'un portique dorique et couronnées de frontons. Le temple d'Athéna Niké sera édifié pour commémorer la victoire d'Athènes sur Sparte en 425. C'est un édifice carré, à cella unique, ionique, au décor sculpté particulièrement raffiné : assemblées des dieux, scènes de combat, victoires ailées ou aptères attestent d'une grande maîtrise technique. Quant à l'Erechtéion, achevé en 408, c'est un ensemble tripartite complexe, asymétrique, de style ionique, dont l'élément le plus célèbre est le portique des Caryatides.

Acropole d'Athènes. La tribune des Caryatides, Erechthéion. Vers 421-406 av. J.-C.

Le temple d'Athéna Niké. Acropole d'Athènes. Vers 425 av. J.-C. Colonnes ioniques.

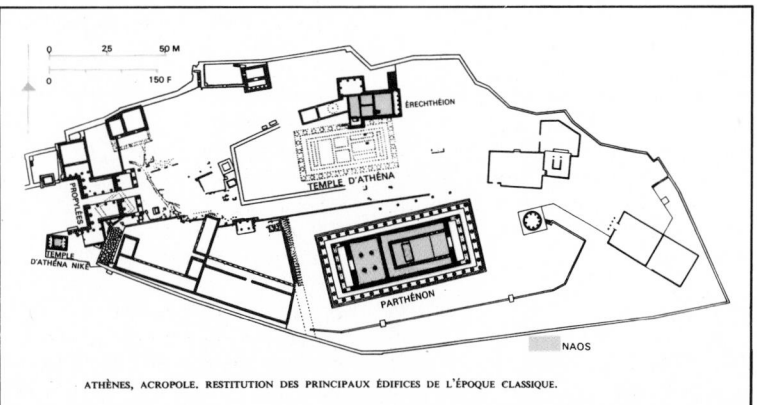

ATHÈNES, ACROPOLE. RESTITUTION DES PRINCIPAUX ÉDIFICES DE L'ÉPOQUE CLASSIQUE.

Portique est de l'Erechthéion, Acropole d'Athènes. 420-405 av. J.-C. Colonnes ioniques.

424 av. J.-C.

Athènes

C'est une grande saison théâtrale à Athènes : Euripide fait représenter trois chefs-d'œuvre de la tragédie attique : *Hécube, Les Suppliantes* et *Héraclès furieux*. Les grands sujets du répertoire mythologique sont traités d'une manière nouvelle : l'accent est désormais mis sur les passions, les mouvements psychologiques et les troubles de l'âme. Le deuil, la folie, la tristesse et l'amour occupent la place qui était celle du destin et de la volonté des dieux dans les tragédies d'Eschyle et de Sophocle.

Grèce

Les Athéniens encouragent les démocrates révolutionnaires dans les cités de Béotie, dans le dessein d'affaiblir le système d'alliance des Péloponnésiens. Jeu dangereux qui conduit deux armées athéniennes à se rendre sur le terrain. La colonne commandée par le stratège Hippocrate s'arrête à Dêlion, face aux phalanges des Béotiens prospartiates. L'affrontement est dur, les rangs athéniens sont enfoncés et au moins mille combattants sont tués. Les rescapés du massacre fuient au plus vite. Parmi eux, le philosophe Socrate se fait remarquer parce qu'il ne presse pas le pas et garde toute sa dignité d'hoplite et de citoyen athénien.

423 av. J.-C.

Athènes

Faut-il brûler le « pensoir » de Socrate ? Telle est la question que pose très sérieusement Aristophane dans *Les Nuées*, comédie qu'il propose au public athénien. Il dresse une satire piquante des nouvelles méthodes d'éducation de ces intellectuels à la mode que sont les sophistes et n'hésite pas, contre toute vérité, à assimiler Socrate à l'un d'entre eux. Parasites ne respectant rien, incapables de résoudre les problèmes de la collectivité aux prises avec la guerre du Péloponnèse, ces intellectuels ne sont que phraseurs vivant dans les nuées ; jouant sur les mots, ils ont l'art de renverser les raisonnements et ne s'intéressent finalement qu'à des sujets pédants et futiles.

422 av. J.-C.

Athènes

Aristophane utilise toujours la scène comique d'Athènes pour faire la satire de la société de son temps. Dans *Les Guêpes*, il dénonce avec violence les abus de l'institution judiciaire. L'indemnité financière accordée aux Athéniens qui siègent dans les tribunaux a corrompu leur sens de la justice. Par intérêt, ils sont disponibles à toutes les manipulations des démagogues. Ils sont pareils aux guêpes, leur stylet leur sert de dard et ils en sont réduits à piquer et à condamner leurs concitoyens pour gagner leur vie.

421 av. J.-C.

Grèce

Est-ce la fin de la guerre du Péloponnèse ? La paix de Nicias marque au moins une trêve. Les deux camps s'engagent à revenir sur leurs positions respectives de départ et à procéder à un échange des prisonniers de guerre. On négociera et on arbitrera tous les cas litigieux. L'accès à tous les sanctuaires sera garanti. Cette trêve permet, en fait, à Athènes et à Sparte de retrouver quelques forces.

420 av. J.-C.

Athènes

Bijou de l'Acropole d'Athènes, le temple d'Athéna Niké domine la cité. Cet édifice miniature incarne le style ionique classique et n'est que grâce et harmonie. Une frise sculptée couronne son sommet. C'est la paix de Nicias qui a permis d'achever cette construction, mise en chantier vers 449.

416 av. J.-C.

Mélos

Minuscule île de la mer Egée, Mélos fait partie de l'Alliance athénienne. Prenant la paix de Nicias au mot, les Méliens décident de reprendre leur neutralité. Les Athéniens envoient un corps expéditionnaire pour les maintenir dans la ligue de Délos. On discute. Les Méliens s'affirment les champions de la liberté face au pouvoir impérialiste d'Athènes. Tous les hommes sont massacrés, les femmes et les enfants réduits en esclavage. L'ordre règne à Mélos.

415 av. J.-C.

Athènes

Expédition contre la Sicile. →

Phidias et son atelier. Les porteurs d'eau. Détail de la « Procession des Panathénées ». Frise nord du Parthénon. Vers 432 av. J.-C.

Le peuple athénien forme le cortège des Panathénées

Les fêtes, manifestations à la fois religieuses et civiques, sont nombreuses à Athènes ; mais la plus renommée, qui traduit le rayonnement de la cité, est celle des Panathénées, au cours de laquelle tous les citoyens rendent hommage à leur déesse éponyme. Instaurée selon la légende par Thésée, après l'unification de l'Attique, et réorganisée par Pisistrate en 566, elle a lieu chaque année à la fin du mois d'hécatombaion (juillet). La fête dure deux jours mais, tous les quatre ans, la célébration plus solennelle s'étale sur quatre jours. Elle traduit alors le sentiment religieux et la piété de tout un peuple, son patriotisme et sa fierté. Elle débute par une veillée nocturne au cours de laquelle alternent danses, chants et courses aux flambeaux. Au lever du soleil, la procession s'ébranle, composée de tout le peuple athénien, en corps constitués selon un ordre immuable. Le sculpteur Phidias l'a immortalisée sur la frise du Parthénon. Le cortège part du Céramique et traverse Athènes, avant de se diriger vers l'Acropole pour couvrir le vieux *xoanon* de bois d'Athéna (dans l'Erechthéion) du *péplos* brodé pendant neuf mois par des jeunes filles choisies dans l'aristocratie. Nous y voyons défiler les artisans, les différents porteurs, les citoyens jeunes et moins jeunes, les métèques, les musiciens et les prêtres, précédés par les vierges péplophores et escortés par des cavaliers. Une hécatombe sur l'autel près du Parthénon fournit ensuite une nourriture abondante à tous les citoyens, tandis que se déroulent des concours de récitation et des jeux, dont les vainqueurs reçoivent l'huile sacrée d'Athéna.

Phidias. Le départ de la « Procession des Panathénées ». Frise ouest du Parthénon. 440-437 av. J.-C. British Museum, Londres.

Scandale à Athènes !
On mutile les Hermès

Athènes, 415 av. J.-C.

Les Hermès sont des blocs de pierre quadrangulaires surmontés de la tête barbue du dieu et exhibant, sur leur face antérieure, un phallus érigé. Ils se dressent dans la ville ou à la campagne, aux portes de la cité, aux carrefours, aux frontières, le long des chemins, ponctuant le territoire de l'Attique. Or, voici que des inconnus, pendant la nuit, s'en sont pris à la virilité des Hermès. Plus grave encore, le délit a été commis alors que les Athéniens préparaient activement leur expédition en Sicile... Est-ce un coup de force de l'ennemi ? Ou une mauvaise blague de jeunes gens un peu ivres ? Pour les Athéniens, il s'agit d'une conspiration visant à déstabiliser la démocratie. On ouvre une enquête officielle. Et la torture fait parler un esclave qui accuse Alcibiade, le général athénien, de cet acte impie. Il aurait eu aussi l'audace de parodier les mystères d'Eleusis... Fort du soutien de l'armée, Alcibiade affronte ses accusateurs. Il n'obtient qu'un sursis : qu'il conduise l'armée en Sicile et revienne au tribunal après

Statue d'Hermès. Péliké attribuée au peintre de Persée.

la victoire ! L'affaire est cependant loin d'être étouffée. Et les Athéniens sont persuadés de l'existence d'un complot révolutionnaire. Ils font rappeler Alcibiade, mais celui-ci disparaît. Il est alors condamné à mort par contumace.

Les Athéniens lancent une expédition navale contre la Sicile

Athènes, 415 av. J.-C.

Désir d'étendre vers l'occident l'Empire athénien ? Crainte de la puissance grandissante de Syracuse ? Les Athéniens acceptent le projet d'une expédition militaire en Sicile, défendue par Alcibiade, malgré les mises en garde de Nicias. Les deux hommes sont placés à la tête de la flotte. Celle-ci part dans un climat de crise : on vient de mutiler les Hermès de la ville, et on soupçonne Alcibiade... Rappelé pour être jugé, il passe à l'ennemi. Les Spartiates apportent aux Syracusains un soutien militaire décisif. Alors que les Athéniens, en fâcheuse posture, pouvaient encore se retirer, Nicias perd du temps et engage la bataille. Elle se solde par un désastre : on ne compte plus les morts ni les prisonniers. Athènes ne se remettra jamais de cette catastrophe.

Le dieu Seth vainqueur du serpent Apopis. Relief peint. Temple d'Hibis, Khargeh. Vers 420 av. J.-C. (Relevé de Ch. K. Wilkinson).

L'Egypte rejette la domination perse

Egypte, 423 av. J.-C.

En 525, Cambyse avait conquis l'Egypte en renversant la XXVIᵉ dynastie saïte. La terre des pharaons était devenue une province de l'Empire perse, une satrapie. Darius Iᵉʳ avait organisé le développement économique du pays. Il avait su calmer le mécontentement engendré par la confiscation des revenus de la plupart des temples en rétablissant les lois antérieures au règne d'Amasis. Il avait fait achever le canal de la mer Rouge commencé sous Néchao. En 490, la défaite de Marathon contre les Grecs avait affaibli Darius. Dès lors, les révoltes égyptiennes s'étaient intensifiées et Xerxès avait dû venir à bout d'une rébellion dans le Delta. Cette guerre de libérations aboutit finalement sous le règne de Darius II (423-404) et le pays recouvre en 404 son indépendance grâce à Amyrtée, fondateur et unique pharaon de la XXVIIIᵉ dynastie.

Les Orphiques et l'au-delà

On voit parfois dans les rues des cités grecques d'étranges personnages. Vêtus de blanc, ils se distinguent par leur comportement quotidien leurs pratiques religieuses. Ils appartiennent à la secte orphique. Orphée, le chanteur qui charmait les animaux et envoûtait la nature entière, le mortel qui descendit vivant dans le monde infernal et connut une mort atroce, mis en pièces par des femmes en furie, est en effet l'éponyme d'une confrérie mystérieuse. A la base du « genre de vie orphique », le renoncement et une position marginale dans la cité. Les Orphiques refusent en effet de participer aux sacrifices qui réglementent les rapports entre les hommes et les dieux. « Orphée a appris aux hommes à s'abstenir de meurtres. » Ce précepte fondamental n'est sans doute pas sans rapport avec l'un des mythes fondateurs de l'or-

phisme : l'enfant Dionysos est frappé par les Titans. Ceux-ci le découpent alors en morceaux, jettent ses membres dans un chaudron, puis les enfilent sur des broches et les mettent à griller. Cuisine abominable, parodie du sacrifice dans la cité, ce crime monstrueux vaut à ses auteurs d'être foudroyés par Zeus. De leurs cendres naîtra la race humaine. Pour les disciples d'Orphée, le sacrifice reste assimilable à un acte de cannibalisme, d'où leur refus de manger de la viande. Mais l'orphisme est aussi une religion fondée sur des livres sacrés racontant la création du monde et la généalogie des dieux. Il offre à ses fidèles une assurance pour l'au-delà : les tablettes de formules rituelles, placées dans les tombes, doivent protéger le défunt dans l'autre monde et témoignent d'une inquiétude nouvelle sur le salut de l'âme individuelle, qui trouve enfin la paix après de multiples réincarnations.

Orphée charmant les Thraces de son chant. Cratère signé par le peintre d'Orphée. Vers 400 av. J.-C. Antiken museum. Berlin.

414 av. J.-C.

Athènes

« Torotorotorotorotix, Kikki-bau, kikkibau ! » Les Athéniens n'en croient pas leurs oreilles. Aristophane présente, en effet, deux citoyens d'Athènes — des sages —, las des tracas et des scandales, qui décident d'aller vivre au pays des oiseaux. Acceptés d'abord avec méfiance, ils prennent vite l'initiative et entraînent les oiseaux dans la construction d'une cité aérienne, Coucouville-les-Nuées, à mi-chemin des hommes et des dieux. Partageant la même méfiance à l'égard des uns et des autres, la nouvelle cité sera en mesure de faire le blocus du monde des dieux en les privant des fumées des sacrifices offerts par les hommes. Cette fiction riche en couleurs est le prétexte à une réflexion sur les graves problèmes politiques et moraux d'Athènes, engagée dans une guerre épuisante.

413 av. J.-C.

Sicile

La situation des Athéniens, imprudemment engagés dans l'aventure sicilienne, est critique. L'arrivée de renforts conduits par le général Démosthène aurait pu faire basculer la situation. Mais les Athéniens hésitent et temporisent, laissant l'initiative aux Syracusains. Leur flotte étant bloquée dans le port, les Athéniens n'auront d'autre issue que de se rendre.

Grèce

C'est sur les conseils mal venus d'Alcibiade que les Spartiates envahissent l'Attique : situation d'autant plus absurde que le gros des forces athéniennes se trouve en Sicile... Les Péloponnésiens s'établissent à Décélie et l'Attique est méthodiquement ravagée.

411 av. J.-C.

Athènes

La situation économique désastreuse d'Athènes, les intrigues d'Alcibiade qui prépare son retour expliquent le coup d'Etat de 411. Il s'agit de réserver la vie politique aux riches possédants et aux hoplites contre le peuple pauvre, qui rame à bord des trières. Toutes les magistratures sont suspendues. Un conseil de 400 membres cooptés est mis en place.

410 av. J.-C.

Athènes

Les Quatre-Cents sont d'ores et déjà divisés. Les Spartiates refusent de les aider en concluant la paix. Les Athéniens ont d'ailleurs essuyé entre-temps (en septembre) une dure défaite navale à Erétrie. La démission de Théramène et l'exaspération du peuple précipitent la destitution des Quatre-Cents. La démocratie est rétablie à Athènes.

408 av. J.-C.

Athènes

Les succès militaires remportés deux ans plus tôt sur les Péloponnésiens en Asie Mineure (victoire de Cyzique), la restauration de la démocratie, tout cela crée un climat d'euphorie à Athènes. Alcibiade, qui vient de rendre d'importants services à la cité qu'il avait trahie quelques années plus tôt, au point d'être condamné à mort, décide de rentrer à Athènes, où on vient de l'élire stratège. Il ne débarque au Pirée qu'après avoir vu ses partisans en armes sur le quai. Son élection équivaut à une amnistie de fait.

405 av. J.-C.

Syracuse

Les Carthaginois ont repris depuis 409 leur offensive contre la Sicile. Les cités tombent les unes après les autres. Un officier syracusain, Denys, en profite pour se faire élire « stratège autokratôr » : sa tyrannie va durer jusqu'en 367. Il s'attaque aux riches possédants et libère leurs esclaves. Il parvient aussi à signer la paix avec Carthage. Syracuse devient dès lors la cité dominante, non seulement de la Sicile, mais aussi de l'Italie du Sud. Denys réunit des intellectuels à sa cour ; il accueillera ainsi le philosophe Platon.

404 av. J.-C.

Grèce

Les Spartiates ont écrasé la flotte athénienne à Aegos Potamos... Cette défaite va entraîner l'instauration de la tyrannie des Trente à Athènes. C'est en effet sous l'autorité de Sparte que trente magistrats sont élus et forment un conseil autocratique qui se substitue à la traditionnelle démocratie athénienne. Ils gouverneront durant huit mois.

Les femmes prennent le pouvoir à Athènes !

Athènes, 411 av. J.-C.

Deux comédies d'Aristophane font bien rire les Athéniens : *Lysistrata* et *L'Assemblée des femmes*, représentées respectivement en 411 et en 392. L'un des ressorts du comique est le rôle politique joué par la « race des femmes », inconcevable dans la réalité d'une cité où seuls les hommes avaient part aux débats et aux décisions. Dans *Lysistrata*, l'Internationale des femmes grecques décide de mettre fin à la guerre du Péloponnèse en ayant recours à un moyen de pression radical, la grève de l'amour. Elles se retranchent sur l'Acropole et interdisent l'accès au Trésor qui finance les hostilités. Athéniens et Spartiates souffrent cruellement de la chasteté qui leur est imposée. N'en pouvant plus, les hommes finissent par conclure la paix. Dans *L'Assemblée des femmes*, représentée au terme d'une longue série de crises politiques, les femmes décident de remplacer les hommes à l'Assemblée du peuple et de voter enfin les mesures qui s'imposent : la communauté de biens et l'abolition de la propriété privée ; la communauté des femmes qui pourront faire l'amour avec le premier venu, à la condition que les plus vieilles et les plus laides aient la priorité sur les plus jeunes et les plus jolies. Cet argument plaisant est le prétexte à une satire sur la dégénérescence des mœurs politiques. Il permet à nouveau à une cité d'hommes de rire et de rêver, le temps d'une représentation, à l'idée d'un coup d'Etat ourdi par les Athéniennes.

Représentation féminine ornant une pyxide. Art attique. 460-450 av. J.-C. British Museum, Londres.

La légende des Atrides sur la scène tragique

Dans le théâtre tragique d'Euripide, le cycle troyen et la légende familiale des Atrides occupent une place de choix. *Les Troyennes* mettent en scène des vaincus, comme naguère *Les Perses* d'Eschyle, et sont le chant douloureux des veuves et des captives. *Electre* permet au dramaturge de renouveler la légende : en effet, Electre a été forcée d'épouser un paysan ; mais celui-ci, d'un noble caractère, n'a pas consommé le mariage. Cette mésalliance donne à la tragédie un ton familier, sinon bourgeois, qui contraste avec l'œuvre de Sophocle. Dans *Iphigénie à Aulis*, Euripide retrace l'atmosphère des préparatifs de la guerre de Troie et la cruelle alternative imposée à Agamemnon : sacrifier sa propre fille, Iphigénie, ou renoncer à l'expédition. Le père choisira la première solution et ce sacrifice prépare la vengeance future de Clytemnestre. Mais la jeune fille sacrifiée a, en fait, été sauvée par Artémis. Elle est devenue sa prêtresse dans la terre sauvage de Tauride, où il est d'usage de sacrifier les étrangers qui débarquent. Oreste, le frère d'Iphigénie, et Pylade vont-ils être sacrifiés ? Une reconnaissance *in extremis* empêche le meurtre. Plus attentif à décrire les passions des hommes qu'à célébrer la grandeur des mythes, Euripide introduit un ton nouveau dans la tragédie attique.

Athènes condamne ses généraux vainqueurs

Athènes, 406 av. J.-C.

Le stratège Conon et les trières athéniennes sont bloqués par les Spartiates dans le port de Mytilène. A cette nouvelle, Athènes réagit avec l'énergie du désespoir. Toute la population et les ressources de la cité sont mobilisées pour armer une flotte de cent dix trières en un mois. La bataille s'engage devant les îles Arginuses, à l'entrée du chenal qui sépare Lesbos du continent. La flotte péloponnésienne est écrasée, soixante-quinze navires sont détruits. Mais, dans l'ardeur du combat et sans doute aussi à cause d'une violente tempête, les stratèges athéniens ont commis une faute majeure : ils n'ont pas recueilli les corps des victimes. De retour à Athènes, les vainqueurs sont accusés. Règlement de compte personnel, déchaînement démagogique, piété religieuse intransigeante ? Les Athéniens les condamnent collectivement à mort au terme d'un procès mené de façon expéditive. Un véritable délire collectif aveugle la cité, alimenté il est vrai par l'ampleur des pertes subies (entre 5 000 et 6 000 hommes). Seul Socrate s'oppose à l'illégalité d'une condamnation collective des généraux. Mais il ne peut empêcher l'exécution de la sentence et Athènes fait périr ses meilleurs stratèges, Diomédon et Thrasyle.

Polyclète définit le canon de la sculpture

L'Argien Polyclète représente, aux côtés de Phidias, la deuxième grande figure marquante du classicisme, à partir de 450 ; il renouvelle avec une sobriété toute dorienne l'archétype du *kouros* archaïque, qu'il traite dans un matériau offrant plus de ressources et de souplesse que le marbre : le bronze. C'est le corps humain masculin, dont il a une connaissance approfondie, qui constitue son principal champ d'investigation : dieux, héros ou athlètes vainqueurs. Abandonnant les strictes lois de symétrie et de frontalité de la sculpture archaïque, il dote ses œuvres d'un dynamisme savamment contrôlé, le déhanchement des corps introduisant asymétrie et décontraction, sans menacer la stabilité. L'harmonie de l'ensemble est assurée par le strict respect d'un canon qui impose des proportions fondées sur des rapports arithmétiques précis : ainsi, la tête représente le septième de la hauteur totale.

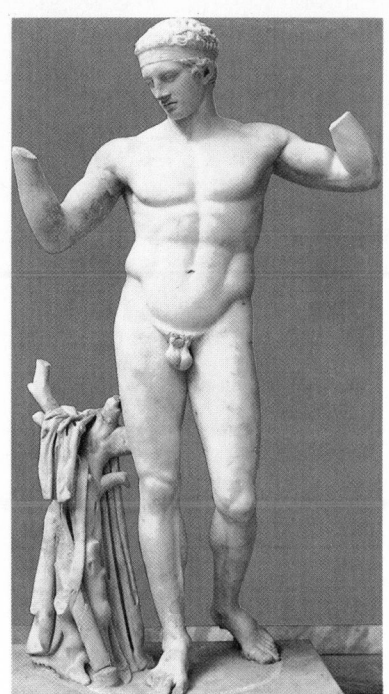

Le « Diadumène » de Polyclète. Réplique romaine (l'original : vers 430 av. J.-C.). Musée national, Athènes.

Terreur à Athènes sous les Trente Tyrans

Athènes, 404 av. J.-C.
Après une première éclipse, en 411, sous le régime oligarchique des Quatre-Cents, la démocratie avait été rétablie à Athènes. Mais le cœur n'y est plus. La défaite militaire, la destruction des Longs Murs, les querelles fratricides, l'hystérie collective engendrée par le procès des Arginuses, tout cela a miné la démocratie athénienne. Les oligarques préparent leur revanche. Alors que Théramène rêve d'une Constitution modérée, favorisant les propriétaires fonciers de l'Attique, un groupe d'extrémistes saisit l'opportunité. Ces réactionnaires sans scrupules, ambitieux et avides de revanche, sont menés par un aristocrate cruel et amoral, Critias. Ils bénéficient du soutien des Spartiates, qui maintiennent

Athènes sous un régime de tutelle. Les Athéniens n'ont donc pas vraiment le choix lorsque leur assemblée désigne un conseil de trente membres, où modérés et extrémistes se regroupent autour de Théramène et Critias. Les extrémistes parviendront finalement à tout contrôler et assureront leur pouvoir en installant une garnison de 700 Spartiates sur l'Acropole. Commence alors la terreur : proscriptions, confiscations, exécutions sommaires ; les milieux démocratiques sont durement atteints. Les modérés et Théramène lui-même sont éliminés. Tandis que les citoyens partent en exil, Athènes traverse une des périodes les plus sombres de son histoire. L'opposition démocratique en exil s'organise autour de Thrasybule et les Spartiates seront amenés à reconsidérer leur soutien à la tyrannie des Trente : son renversement était inévitable.

Romains et Etrusques s'affrontent dans la guerre de Véies

Latium, Ve siècle av. J.-C.
Tandis que les Latins, tout au long du Ve siècle, auront à lutter contre les Sabelliens installés dans l'Apennin central, Rome mènera parallèlement une guerre impitoyable contre ses puissants voisins du nord, les Etrusques. Dans un premier temps, elle fera porter tous ses efforts contre Véies, la plus méridionale des grandes métropoles étrusques. Cette lutte, qui se poursuivit pendant près d'un siècle, est vitale pour Rome, car il s'agit du contrôle du passage du bas Tibre et de sa rive droite. Dès 485, les historiens ro-

mains signalent une expédition menée par une grande famille romaine, les Fabii, qui se termine par un désastre. Mais, en 426, Rome parvient à s'emparer de Fidènes, point de passage essentiel sur le Tibre, en particulier pour les convois de blé venant ravitailler la ville. C'est surtout entre les années 406 et 396 av. J.-C. que Rome va porter à sa rivale des coups décisifs, au cours d'un siège pénible qui ne dure pas moins de dix ans. Véies finira par tomber en 396 av. J.-C. grâce à Camille, qui avait été nommé entre-temps dictateur et qui eut l'idée de faire creuser une sape sous les murailles, allant jusqu'à la forteresse. Par cette victoire, Rome accède à une position dominante dans le Latium et se voit ouvrir la route de l'expansion vers le nord.

Alcibiade, un politicien versatile mais adulé

Athènes, fin du Ve siècle av. J.-C.
A la modération de Nicias qui a réussi à conclure la paix avec Sparte, s'oppose l'impétuosité, la fougue, mais aussi l'inconsistance de la conduite d'Alcibiade. Le jeune homme est pour une grande part responsable de la reprise des hostilités ; pourtant, il jouit à Athènes d'une immense popularité. Issu de la riche et noble famille des Alcméonides, Alcibiade est très vite célèbre pour sa grande beauté, son intelligence et sa vivacité d'esprit. Il figure longtemps parmi les disciples de Socrate. Son tuteur, surtout, qui n'est autre que Périclès, lui attire le crédit des Athéniens, crédit dont il abusa en se comportant par la suite comme s'il était le seul héritier politique du grand homme. C'est ainsi qu'il entraîne en 415 Athènes dans l'entreprise hasardeuse de Sicile visant à secourir Egeste assiégée par Syracuse. C'est lui qui dirige une partie de la flotte athénienne avec Nicias et Lamachos. Pendant ce temps, à Athènes, on découvre les coupables d'un crime sacrilège. Avant le départ de l'expédition, les statues du dieu Hermès situées aux carrefours de la cité ont été odieusement mutilées. Peu de temps est nécessaire pour prouver qu'Alcibiade en personne a participé aux méfaits. Pire encore, il aurait parodié

les mystères d'Eleusis. L'accusation est considérable ; on fait appeler Alcibiade devant l'assemblée et le tribunal. L'accusé court à Sparte se réfugier chez l'ennemi, avant d'aller en Asie Mineure. Là-bas, cependant, il persuade les Perses de Tissapherne d'aider Athènes contre Sparte. Ce revirement ravive sa popularité, et les Athéniens le rappellent de son exil. Alcibiade, de nouveau à la tête de la flotte athénienne, remporte maintes victoires. Les plus éclatantes, à Cyzique et à Byzance, lui valent d'être fêté comme un héros à son retour en 407. Cette fois, pourtant, la fortune l'abandonne bien vite : on lui enlève le commandement des armées d'Athènes et le voici obligé de se retirer dans une de ses propriétés en Thrace. Il regagne les terres du satrape Tissapherne au lendemain de l'écrasement d'Athènes par Sparte, en 404.

Buveur sombrant dans l'ivresse. Coupe à figures rouges. Vers 430 av. J.-C.

Thucydide décrit la guerre du Péloponnèse

L'historien Thucydide est à la fois un acteur et un témoin de son temps. Né vers 460 av. J.-C., il est stratège en 424 et son insuccès à Amphipolis le réduit à l'exil jusqu'en 404. Cette retraite forcée lui donne le temps de réfléchir et d'écrire. Son œuvre s'ouvre sur une « archéologie » du monde grec. Il voit dans l'économie un facteur de la causalité historique.

Son récit de la guerre du Péloponnèse s'appuie sur ce qu'il a vu ou sur des témoins de premier ordre. Il veut écrire un texte véridique, destiné à l'édification des hommes politiques à venir. Son récit respecte rigoureusement la chronologie. Il met en lumière la psychologie des acteurs, individuels ou collectifs. Les discours des protagonistes sont reconstitués, et leurs thèses examinées. Par son positivisme, son rationalisme et son objectivité, Thucydide a contribué à un progrès décisif de l'écriture historique, inaugurée par Hérodote.

Défilé de guerriers. Détail. Monument des Néréides à Xanthos. Vers 400 av. J.-C. Frise du socle. British Museum, Londres.

404 av. J.-C.

Perse
A Darius II qui vient de mourir, succède l'un de ses fils, Artaxerxès II.

403 av. J.-C.

Athènes
Le régime de terreur des Trente, les divisions des Spartiates, les premiers succès militaires des démocrates athéniens conduits par Thrasybule (bataille de Mounichie en 404), autant d'événements qui préludent à un changement politique. Les deux camps négocient ; on proclame une amnistie, sauf pour les survivants des Trente. Tandis que les derniers partisans de l'oligarchie se réfugient à Eleusis, Thrasybule s'efforce de restaurer la concorde entre les citoyens. Les institutions démocratiques sont remises en vigueur. C'est la fin d'un épisode sanglant (les Trente ont fait périr entre 1 500 et 2 500 Athéniens). →

Chine
Commencée en 453, l'époque dite des Royaumes combattants correspond à une période de crise politique et morale et de profonde anarchie. Les grands féodaux s'entre-déchirent et la Chine attend celui qui réalisera son unification.

401 av. J.-C.

Perse
Deux frères, Artaxerxès II et Cyrus le Jeune, gouverneur d'Asie Mineure depuis 408, se disputent l'héritage de l'Empire achéménide. Le premier règne déjà, le second cherche à lui ravir les rênes du pouvoir et organise un complot dans lequel il entraîne une armée de mercenaires asiatiques et grecs. A la tête de ces derniers, on rencontre Xénophon d'Athènes, un disciple de Socrate. La bataille décisive se déroule à Cunaxa, près de Babylone. La victoire revient à Cyrus, mais celui-ci est tué au combat. Au nombre d'environ 10 000, les mercenaires grecs, perdus au cœur de l'Empire perse, entament une longue et difficile retraite dont Xénophon a fait le récit dans son *Anabase*. →

Athènes
Le lieu ? Colone, un bourg d'Attique consacré aux Euménides.

Le temps ? Les âges héroïques d'avant la guerre de Troie. Le héros ? Œdipe le Maudit qui a tué son père, épousé sa mère et s'est enfui de Thèbes, souillure vivante. Les Athéniens découvrent la dernière tragédie de Sophocle, *Œdipe à Colone*. Drame de la culpabilité et du destin, cette tragédie exalte aussi la générosité d'Athènes qui, à travers son roi Thésée, a accepté de recevoir le proscrit. Héros pathétique, Œdipe devient un des protecteurs de l'Attique.

399 av. J.-C.

Athènes
Athènes met à mort son philosophe, Socrate. L'hostilité croissante des Athéniens pour cet homme résulte d'une série de malentendus : amalgame entre Socrate et les sophistes, amalgame entre Socrate et son ancien disciple, Critias, qui s'est cruellement illustré à la tête des Trente Tyrans ; vieille rancune contre le juge qui avait osé faire front contre l'hystérie collective, lors de l'affaire des Arginuses ; méfiance pour l'intellectualisme et le rationalisme qui corrompent la jeunesse ; mauvaise foi qui conduit à voir dans le « démon » intérieur du philosophe une menace pour la religion traditionnelle. →

Inde
C'est au IVe siècle av. J.-C. que la grammaire de la langue sanskrite est systématiquement élaborée par Pânini. Ce linguiste formule 4 000 règles grammaticales dans un manuel dont la lecture est rendue difficile par l'emploi d'une écriture sténographique. Les faits du langage y sont mis en ordre et analysés. Les grammairiens postérieurs ne feront que paraphraser ce traité magistral. Et ce n'est pas le moindre mérite de Pânini que d'avoir fixé et stabilisé la langue sanskrite.

398 av. J.-C.

Grèce
A la suite du désastre maritime d'Aegos Potamos, en 405, le stratège athénien Conon a jugé plus prudent de ne pas regagner sa cité. Il prend donc le chemin de l'exil avec une partie des survivants et s'engage comme mercenaire au service du Grand Roi de Perse. Moins d'un siècle après Marathon et Salamine, la flotte perse a donc un général athénien !

Art étrusque. Invocation devant la porte de la tombe. Peinture sur tuf. Vers 530 av. J.-C. « Tombe des Augures », Tarquinia.

Véies détruite : la culture étrusque commence à décliner

Etrurie, début du IVe siècle-Ier siècle av. J.-C.
La civilisation étrusque a connu à partir du VIIe siècle une croissance rapide, fondée sur une richesse en métaux qui alimente un commerce maritime actif dans toute la Méditerranée occidentale. Mais, au Ve siècle, à son apogée, c'est une culture originale qui se trouve soudain menacée, tant militairement que culturellement. La perte de Rome en 509 a déjà fortement ébranlé l'empire, coupant les routes vers le sud et entravant les relations commerciales. La chute de Véies, après un siège de dix ans, précipite le démantèlement d'une nation divisée par les rivalités entre cités, situation dont l'ennemi a su tirer profit. Peu à peu, l'Etrurie se trouva intégrée dans le monde latin qui gomma l'éclat de sa civilisation.

Des transformations progressives furent introduites dans tous les domaines ; elles permettent de suivre la lente agonie d'un peuple auquel Rome doit beaucoup. Sur le plan politique, on assiste à une certaine démocratisation : le *lucumon*, chef politique et religieux, perd peu à peu ses fonctions civiles, au profit d'une organisation de type plus collégial. Parallèlement, la structure sociale se modifie au détriment de la femme, qui perd son pouvoir et sa liberté et se retrouve soumise à l'autorité du chef de famille. Les usages funéraires évoluent également : l'inhumation remplace la crémation, et les sarcophages surmontés de la représentation allongée du défunt supplantent les urnes. Toutefois, la décadence ne touche pas aussi vite ce domaine que les autres et, pendant longtemps, l'art conserve ses qualités de réalisme et de spontanéité ; Rome saura emprunter des techniques telles que la voûte ou l'art de la peinture à fresques qui resteront à jamais célèbres.

Art étrusque. Scène de banquet. Détail. Fresque. Vers 450 av. J.-C. « Tombe des Léopards », Tarquinia.

Art étrusque. Sarcophage avec un couple d'époux. Détail. Terre cuite. 510-500 av. J.-C.

"L'Anabase" de Xénophon relate l'expédition des Dix Mille

Asie Mineure, Ve siècle av. J.-C.
Plus de dix ans après son retour en Grèce, Xénophon entreprend de relater la fameuse expédition des armées de Cyrus à laquelle, jeune aristocrate athénien, il a pris part en 402. L'entreprise entre sans tarder dans la légende et les Grecs ne lui donnent plus d'autre nom que celui d'« expédition des Dix Mille ». Tout commence au sein de la famille royale perse. Le jeune Cyrus ne supporte pas d'être privé du trône au profit de son frère aîné, Artaxerxès II. Dans l'armée qu'il a réunie, plus de 10 000 Grecs, mercenaires venus de toutes parts, côtoient les Barbares. Ce sont ces « Dix Mille » désormais chers au souvenir de Xénophon. Ils ont été recrutés en Grèce parmi les paysans appauvris à la suite des ravages de la guerre du Péloponnèse, mais on y trouve aussi des mercenaires et aventuriers de toutes sortes. L'aventure commence par la « montée » (ce que le mot grec « anabase » traduit exactement) : une « montée » vers l'intérieur du pays pour vaincre les soldats du Grand Roi. Partie de Sardes, en Mysie, l'armée de Cyrus atteint la Mésopotamie en 401. Aux abords de Babylone se joue la bataille décisive de Cunaxa, dont les Grecs sortent vainqueurs. Aux yeux de Xénophon, cette bataille devient un épisode des vastes croisades que les Grecs n'ont cessé de mener contre les Orientaux barbares. Mais Cyrus est tué et cette expédition qui a conduit les Grecs au cœur de l'Asie Mineure se trouve sans chef. C'est alors que commence le retour, la « descente des Dix Mille ». Ils suivent la vallée du Tigre jusqu'aux sommets de l'Arménie. Trapézous enfin leur apparaît et, avec la cité, la mer. Longeant le littoral du Pont-Euxin, les mercenaires se retrouvent en des contrées plus familières. Nombreux sont les détails du récit qui montrent les calamités d'une expédition qui a pris toutes les apparences d'une gigantesque retraite, avec son lot de pillages et de razzias dans les campagnes. Pourtant, Xénophon transforme l'Anabase en un véritable périple mené au profit de la civilisation. Mais, à la différence d'Ulysse et de ses compagnons qui parcourent les mers, c'est une réplique de soldats voyageurs « qui sont partis au cœur du continent à la rencontre de mondes nouveaux ».

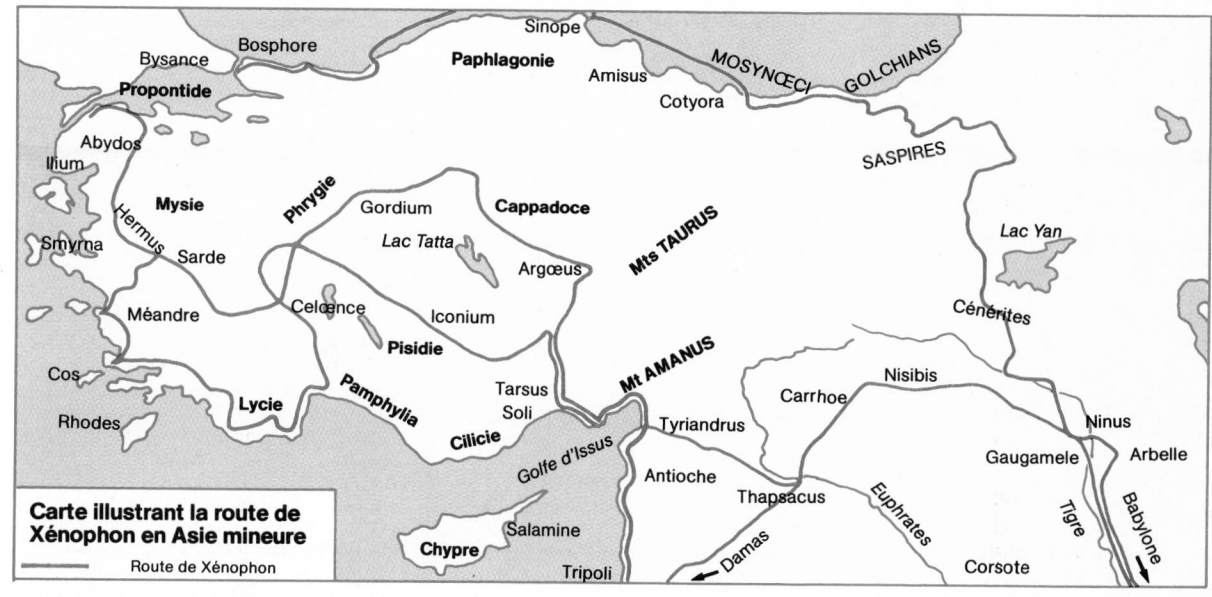

Carte illustrant la route de Xénophon en Asie mineure
— Route de Xénophon

Les sophistes sont des intellectuels à la mode

Grèce, fin du Ve siècle
Intellectuels itinérants, les sophistes vont de ville en ville monnayer leur savoir et leurs techniques. Ils offrent en effet un spectacle et un enseignement. Parfois reçus par de riches particuliers, ils donnent des « séminaires restreints » à une élite argentée, mais aiment aussi se livrer à des performances publiques, où ils font une démonstration de leurs talents. Les sophistes se vantent en effet de détenir l'omniscience, de posséder des techniques de raisonnement permettant de faire face à toute situation et d'agir par la parole en persuadant les auditeurs. C'était là une arme politique redoutable, dans les cités démocratiques où le débat et le discours étaient préalables à toute décision. Le public se plaisait à voir ces professionnels de l'improvisation répondre sur-le-champ. Il aimait aussi les voir défendre la thèse, puis l'antithèse. Rien n'échappait à la curiosité et au savoir de ces intellectuels, des métiers manuels à l'astronomie, des généalogies aux mathématiques ; des hommes comme Hippias, Gorgias et Protagoras témoignaient d'une culture universelle, bien que sans doute superficielle. On comprend l'acharnement de Socrate, dans les dialogues de Platon, à contredire ces êtres trop doués et trop brillants, jouant sur le vraisemblable et l'apparence au détriment de la vérité.

Socrate, un philosophe qui dérange, condamné à mort

Athènes, 399 av. J.-C.
Le tribunal de la cité, l'Héliée, s'est réuni pour juger un vieil homme de soixante-dix ans. La personnalité de l'accusé, qui n'est autre que Socrate, donne à ce procès un retentissement exceptionnel. Tout le monde connaît à Athènes ce philosophe qui parcourt les lieux publics en proclamant à qui veut l'entendre qu'il ne sait rien. Sa méthode favorite est d'interroger, de façon incisive et perçante à la fois, le disciple à qui il veut faire « accoucher » le vrai. Bientôt, il n'est point de jeune Athénien qui ne souhaite s'entretenir avec ce sage qui refuse les honneurs et entend faire de la rue le théâtre de son enseignement. Un tel succès ne manque pas d'inquiéter les notables, dont les enfants subissent l'assaut du philosophe « va-nu-pieds ». C'est que Socrate affiche un mépris de plus en plus grand contre ceux qui s'enrichissent et « flattent leur corps », au lieu de s'appliquer au « perfectionnement de leur âme ». Par ses railleries féroces contre les sophistes et les milieux conservateurs, il mérite bien son surnom de « taon de la cité ». Pour guider ses disciples, parmi lesquels le philosophe Platon, Socrate exploite une voie royale, la dialectique, qui permet de progresser par dépassements successifs. Même s'il n'a pas souhaité prendre part aux activités politiques, Socrate s'est toujours acquitté au mieux de ses devoirs de citoyen. Il a été hoplite durant la guerre du Péloponnèse ; il fut même nommé *bouleute* en 406. Lors du gouvernement des Trente, son courage en fit un adversaire des tyrans. Pourquoi donc l'avoir traîné en justice ? Dès le printemps 399, trois citoyens, Lykon, Anytos et Meletos présentent une plainte contre Socrate, coupable selon eux d'avoir corrompu la jeunesse et d'avoir « honoré d'autres dieux que ceux de la cité ». Une accusation dont beaucoup auraient pu répondre à sa place. Le vieil homme est appelé, en fait, à servir de bouc émissaire, alors que la démocratie est sans cesse mise à l'épreuve. Socrate se défend tout seul. Il brave même les juges qui l'ont condamné à mort. Ses amis lui proposent de s'enfuir : il refuse bravement. Le vieil homme, en portant à ses lèvres la ciguë, empoisonne en fait la conscience de ses concitoyens, voire de la cité tout entière.

Satyre habillé en conversation avec un jeune homme. Œnochoé à figures rouges, vers 430 av. J.-C. British Museum, Londres.

395 av. J.-C.

Grèce

Le début du IVe siècle voit s'affirmer l'hégémonie de Sparte grâce à l'action et aux victoires de Lysandre, tant en mer Egée qu'en Asie Mineure, où il vient de battre la cavalerie perse sur les rives du Pactole. En Grèce même, la situation est toutefois moins favorable. L'opposition antispartiate s'enhardit et Phocide, pièce maîtresse du jeu lacédémonien, est envahie par la Ligue béotienne, appuyée par les Athéniens. Lysandre engage le combat sans attendre le renfort de Pausanias : il est tué et son armée mise en déroute devant la ville d'Haliarte.

394 av. J.-C.

Grèce

Dans la foulée de leurs récents succès, les opposants à l'hégémonie spartiate déclenchent la Guerre corinthienne. Mais rien ne semble pouvoir résister à l'étonnante puissance militaire des Spartiates et les troupes de la coalition sont écrasées à Coronée par le roi Agésilas.

390 av. J.-C.

Athènes

Il y a neuf ans, Socrate était condamné à boire la ciguë. Le plus fidèle et le plus brillant de ses disciples, Platon, entend défendre la mémoire du philosophe et rouvrir le dossier de sa condamnation. Dans ce but, il rédige une *Apologie de Socrate*, où il lave son maître des accusations absurdes d'impiété et de corruption de la jeunesse, déconsidérant ses accusateurs. Athènes a tué le plus juste et le plus intelligent de ses citoyens. →

Delphes

En contrebas du sanctuaire d'Apollon Pythien, le sanctuaire d'Athéna s'embellit d'un véritable joyau architectural : la Tholos, petit monument circulaire à la destination mystérieuse. Cet édifice de style dorique (dont l'architecture ne nous est pas connue) impose au regard sa perfection formelle et sa rigueur géométrique. Les vingt colonnes enserrent une salle circulaire. Le mur extérieur est orné de moulures, de métopes et de chéneaux qui en adoucissent l'austérité.

389 av. J.-C.

Egypte

C'est vers 391 qu'Achoris, souverain de la XXIXe dynastie, a pris le pouvoir en Egypte. Il va conclure une alliance avec Athènes contre l'ennemi atavique, l'occupant détesté de naguère, les Perses. Il va également soutenir le roi de Chypre, Evagoras de Salamine, en lutte contre Artaxerxès II. Mais, faute d'un appui suffisant, Evagoras devra capituler et faire la paix avec Artaxerxès.

387 av. J.-C.

Grèce

Depuis 392 av. J.-C., Sparte a entamé de grandes manœuvres diplomatiques pour conclure un traité de paix avec la Perse. Les négociations sont menées par Antalcidas et ne vont aboutir que durant l'hiver 388-387. Le roi perse Artaxerxès se voit reconnaître la possession des cités d'Asie et de Chypre. Athènes voit confirmés ses droits sur Skyros, Imbros et Lemnos, ainsi que sur Byzance, qui contrôle le détroit du Bosphore.

384 av. J.-C.

Athènes

Le Banquet de Platon est à la fois une comédie de mœurs et un dialogue philosophique. Il met en scène Socrate, le poète comique Aristophane, Alcibiade, dans le rôle d'un joyeux noceur un peu aviné, et d'autres représentants de la société athénienne. Le déroulement du banquet se conforme à la pratique athénienne. Au plaisir de la boisson s'ajoute celui d'une conversation philosophique empreinte de poésie. Le thème imposé est l'éloge de l'Amour et chacun doit improviser un discours. Parmi les plus marquants, celui d'Aristophane sur les androgynes primordiaux et la douloureuse séparation des sexes, celui de Socrate mettant en scène Diotime, prêtresse inspirée, celui d'Alcibiade enfin qui fait l'éloge de Socrate et nous offre maintes anecdotes édifiantes sur le philosophe.

378 av. J.-C.

Egypte

Fondateur de la XXXe dynastie, Nectanébo Ier inaugure avec son règne une courte période de renaissance culturelle en Egypte.

La culture celtique s'épanouit en Europe

L'art celtique connaît durant la période de La Tène plusieurs phases avant de trouver son style propre. L'un de ses traits dominants fut la présence de nombreux motifs orientalisants, revêtant par exemple la forme de griffons. Vers le milieu du IVe siècle, ce répertoire s'enrichit et connaît un développement spectaculaire, dont les premiers signes apparaissent chez les Celtes d'Italie, avant de gagner l'Europe centrale. Ce renouveau accuse une nette influence grecque, dont témoignent les motifs à base de végétaux, que l'artiste prend toutefois plaisir à enchaîner de manière continue. Ce style est dit de Waldalgesheim, du nom de la station archéologique, au bord du Rhin où les trouvailles les plus significatives ont été faites dans la sépulture d'une princesse : bracelets et torques en particulier montrent un art raffiné et original, faisant la part belle à des jeux de volutes et de torsades.

Œnochoé celtique. La Tène I. Bronze, corail et émail. Basse-Yutz (Moselle).

Bijoux et coupe d'or d'une tombe celte. Civilisation de Hallstatt. Ve siècle av. J.-C. Landesmuseum, Stuttgart.

Les Gaulois entrent dans Rome : les oies donnent l'alerte

Rome, 390 av. J.-C.

A peine Rome est-elle victorieuse de Véies qu'elle semble devoir succomber sous les coups d'envahisseurs gaulois. En effet, à partir du Ve siècle, l'Europe celtique est en crise et doit faire face à d'intenses mouvements de migration. Ceux-ci sont si importants que l'on signale même des infiltrations en Italie. A la faveur de ces mouvements de peuples, des groupes de Gaulois franchissent les Apennins et atteignent Rome. Les Romains tentent de surprendre les Barbares en se portant à leur rencontre : le choc a lieu sur l'Allia. Le chef gaulois Brennus déjoue la ruse du tribun Sulpicius et met l'armée romaine en déroute. A Rome, c'est la tristesse et bientôt la panique, on décide d'abandonner la ville et de ne défendre que le Capitole avec les hommes valides. L'assaut a lieu et les Gaulois s'emparent de Rome, qu'ils incendient, avant de mettre le siège devant la forteresse. Ils tenteront de l'enlever en l'escaladant de nuit, mais les défenseurs sont prévenus par le tapage des oies sacrées et repoussent les assaillants. C'est la faim qui obligera les Romains à accepter de payer une humiliante rançon.

Platon fonde une école dans les jardins de l'Académie

Platon, aristocrate athénien, fut dans sa jeunesse un fervent disciple de Socrate. Il quitte sa ville natale en 399 parce qu'elle avait injustement condamné à mort son maître. Après des voyages à Mégare, en Egypte et à Cyrène où il rencontre des savants, il revient à Athènes en 395, décidé à ne plus prendre part aux affaires publiques : puisque la cité réelle est décevante et corrompue, l'important pour lui est d'établir les fondements de l'Etat idéal. Socrate interpellait tout le monde sur l'Agora ; Platon acquiert un jardin peu fréquenté, hors de la ville, consacré à un vieil héros attique, Akadémos, et s'y retire avec quelques disciples choisis pour y fonder une école : l'Académie. C'est une sorte de confrérie, rassemblée autour de valeurs religieuses : l'endroit où elle se tient est un lieu sacré avec ses tombeaux, ses sanctuaires, ses pieuses légendes. Les membres rendent un culte particulier aux Muses, divinités présidant aux activités intellectuelles, vénèrent Socrate comme un héros et observent des rites qui leur sont propres. L'enseignement a la forme le plus souvent de discussions amicales entre le maître et les élèves qui vivent en communauté et se retrouvent dans l'*exèdre*, pour converser, ou à des banquets. Le but de ces échanges est de poser exactement les problèmes afin de s'approcher de la Vérité.

Le philosophe Platon, fondateur de l'Académie d'Athènes. Marbre. Pergamon Museum, Berlin-Est.

Déçu par les tentatives qu'il a faites auprès des tyrans de Sicile pour établir une cité idéale, Platon entend maintenant délivrer un enseignement à un petit groupe d'hommes purs, indépendamment de toute préoccupation sociale. Dans ses dialogues, Platon met en scène son maître Socrate. S'il s'efforce d'en réhabiliter la mémoire et d'en faire l'éloge, il l'utilise aussi comme porte-parole de ses propres conceptions philosophiques.

Artémis, chasseresse, protectrice des jeunes gens

Artémis, vierge et chasseresse, est la déesse des passages et des frontières. Dans le paysage, ses espaces de prédilection se situent aux marges des terres cultivées et des zones sauvages : marais, eaux stagnantes, forêts épaisses. Lorsqu'un lac déborde, qu'un marais gagne peu à peu sur les terres, les riverains attribuent cette régression de la culture à la colère d'Artémis. La déesse règne ainsi sur les animaux sauvages et sur la chasse : patronage ambigu, car Artémis prend soin des petits des animaux, au point que les chasseurs ne se permettent jamais de les abattre, par respect pour la déesse ; mais elle se plaît aussi au carnage, à la poursuite dans les bois. Présidant à la croissance des bêtes, Artémis est également la déesse des jeunes humains, qu'elle accompagne de la naissance au seuil de l'âge adulte. C'est ce passage, plus particulièrement, qu'elle permet d'assumer. Ainsi les jeunes filles, ensauvagées, font-elles les ourses dans le sanctuaire de Braurôn, en Attique : on ne saurait accéder à la condition d'épouse, si l'on n'a pas « connu » le stade de la sauvagerie animale. Artémis permet donc aux petites filles de se préparer au mariage et à une sexualité qu'elles ressentent comme une violence inquiétante. La mythologie d'Artémis met d'ailleurs souvent en scène des héroïnes qui

Artémis, maîtresse des animaux sauvages. Détail. « Vase François » peint par Clitias. Vers 570 av. J.-C.

ont refusé le mariage et la sexualité, pour se réfugier dans une vie exclusivement vouée à la chasse et à la nature sauvage. Refus qui débouche parfois sur le meurtre des hommes qui prétendent à la main de la chasseresse... Les jeunes garçons, eux aussi, sont sous la protection de la déesse. Artémis tient une place fondamentale dans l'éducation spartiate, lorsqu'elle enseigne aux jeunes gens une « retenue » qui brouille la frontière entre les sexes, ou les entraîne dans des combats ou des épreuves physiques insoutenables. Jeunes filles et jeunes hommes, sous le patronage d'Artémis, doivent ainsi faire l'expérience de l'envers de l'ordre et de la civilisation. Cette initiation, qui apprend aux adolescents à maîtriser leurs instincts, marque leur passage à l'âge adulte.

La condition des esclaves en Grèce

Les Grecs considèrent l'esclavage non seulement comme un fait naturel, mais encore comme une nécessité économique, car la quasi-totalité des activités de la cité repose sur leur travail ; plus nombreux que les hommes libres, ils ne cherchent pas à se révolter mais parfois à fuir. Vaine démarche, car les cités s'entendent pour les restituer ; prisonnier de guerre ou esclave-marchandise, il n'a plus d'identité réelle. Considéré comme un objet mobilier, il est privé de sa liberté et n'a ni droit ni bien. Pourtant, leur sort est généralement supportable, adouci soit par des liens affectifs, soit par un simple souci de rendement optimum qui dicte des usages, sinon toujours des lois humanitaires. Parmi les esclaves publics, propriété de l'Etat, les plus malheureux sont ceux qui travaillent par groupes compacts dans les mines ; mais, en ville, ils jouissent d'une certaine autonomie ; ils y assurent des fonctions vitales (administration, police, banques) et peuvent fonder une famille et percevoir un salaire grâce auquel ils pourront racheter leur liberté. Les esclaves domestiques, propriété privée, infiniment plus nombreux et totalement

intégrés à la famille, restent dans l'étroite dépendance de leur maître qui décide de tout. L'affranchissement demeure un fait isolé, jamais véritablement total ni définitif.

Jeune servante décorant les parois d'une pyxide. Art attique. 460-450 av. J.-C.

Entre l'enfance et l'âge adulte : les éphèbes athéniens

Athènes, 1re moitié du IVe siècle av. J.-C. Au-delà des champs cultivés, aux frontières sauvages de l'Attique, on peut voir défiler des troupes de jeunes gens au manteau noir, aux cheveux courts coiffés d'un chapeau : ce sont les éphèbes athéniens, durant leur période d'entraînement militaire. L'éphébie semble devenir une institution au IVe siècle, mais son existence est vraisemblablement plus ancienne et trouve l'un de ses modèles dans la cryptie imposée aux jeunes Lacédémoniens. Chaque dème attique dressait la liste des jeunes gens ayant atteint l'âge de dix-huit ans, c'est-à-dire la majorité civique. On contrôlait leur droit à devenir des citoyens athéniens, puis on les enrôlait pour deux années de service militaire. Celui-ci commençait par une expédition qui les conduisait aux frontières de l'Attique et leur permettait de prendre la mesure du territoire. Puis ils faisaient leurs classes dans les casernes du Pirée, avant de repartir pour un an dans les confins sauvages du pays, pour chasser, participer à des ma-

nœuvres, occuper les fortins. L'éphébie formait ainsi les futurs hoplites. Le serment des éphèbes exaltait la défense de la patrie et la morale militaire. Mais l'éphébie était aussi la transition entre l'adolescence et l'âge adulte ; elle constituait une période d'initiation. L'éphèbe est un pré-hoplite, qui doit faire preuve de ruse et de débrouillardise, se replonger dans la nature sauvage avant de revenir dans la cité, comme adulte, citoyen et combattant loyal.

La chouette, emblème d'Athéna, prenant la forme d'un guerrier. Œnochoé à figures rouges.

378 av. J.-C.

Grèce

La cité de Thèbes, en Béotie, est gouvernée par une oligarchie prospartiate. Les Lacédémoniens y ont d'ailleurs établi une garnison. Mais les démocrates thébains en exil préparent leur retour. L'occasion se présente un soir où la cité est en fête et où les polémarques ont abusé de la boisson. Sept conjurés entrent de nuit dans la ville, déguisés en femmes, et assassinent les trois magistrats et les leaders du parti prospartiate. Epaminondas arrive peu après, avec des renforts et un contingent athénien. La garnison spartiate évacue la ville. Malgré l'importance de leurs forces dans la région, les Spartiates ne tentent pas d'attaquer Thèbes, du moins pour l'instant.

Athènes

Alors qu'une nouvelle guerre s'annonce, Athènes met sur pied une seconde Confédération. Elle se propose désormais de traiter ses alliés comme des égaux et non plus comme des sujets. Des premiers accords sont conclus avec Chios, Byzance et Lesbos. En 377, Athènes officialise son système d'alliance, qui affirme la liberté et l'autonomie des cités alliées. L'ennemi commun est clairement désigné : Sparte. L'administration de l'alliance est confiée à un conseil, le pouvoir exécutif revient à Athènes. Des institutions financières et juridiques sont créées.

371 av. J.-C.

Grèce

Malgré plusieurs tentatives, les Spartiates ne sont pas parvenus à mater les Thébains. Le Bataillon sacré, commandé par Pélopidas, a même infligé aux Péloponnésiens quelques franches défaites. En 371, de grandes manœuvres diplomatiques aboutissent à un traité de paix entre les principales forces en présence : désarmement général, retrait des garnisons étrangères des cités, etc. Seule Thèbes prend le risque de ne pas signer. Et Sparte prend le risque, plus grand encore, de déclencher une attaque contre Thèbes. Les forces spartiates affrontent les Thébains dans la plaine de Leuctres, en Béotie. Epaminondas écrase les Spartiates : sur un total de sept cents guerriers, il n'y a que trois cents survivants !

370 av. J.-C.

Grèce

Les travaux d'Eudoxe de Cnide (vers 390-vers 340) représentent une importante contribution à l'astronomie et à la géographie. L'auteur y développe la théorie des sphères concentriques permettant de rendre compte du mouvement des planètes. Il met à profit ses observations astronomiques pour déterminer les latitudes respectives de Cnide (Carie) et Héliopolis (Egypte). On lui doit aussi une évaluation relativement précise de l'année : 365 jours un quart. Il est enfin l'auteur d'un traité de géographie, sans doute accompagné d'un schéma cartographique.

Empire perse

Issus de la plus haute noblesse et placés à la tête de provinces dont l'étendue est parfois à la mesure d'Etats indépendants, les satrapes qui se sentent forts de leur prestige et, plus encore, des faiblesses du pouvoir royal, qu'avait révélées l'aventure de Cyrus le Jeune à Cunaxa, entrent en révolte dans tout l'empire et entraînent la Syrie, la Phénicie, l'Anatolie, la Cilicie et l'Iran lui-même sur le chemin de la sédition. La situation est des plus graves et Artaxerxès II a les plus grandes difficultés à conserver son trône. Cette situation coïncide en plus avec la sécession de l'Egypte qui recouvre son indépendance. → .

362 av. J.-C.

Grèce

Thèbes, par sa puissance nouvelle en Grèce, est entraînée dans une logique dangereuse. Son ambition semble sans bornes et rien ne paraît pouvoir s'opposer à sa politique interventionniste. Sparte et Athènes voient leurs systèmes d'alliances peu à peu menacés, sinon démantelés. Les Arcadiens sont parmi ceux qui supportent le plus mal la pression thébaine. Pour mater leur mauvaise humeur, Epaminondas monte une opération militaire d'envergure. A Mantinée, il se heurte aux contingents arcadiens, spartiates et athéniens. La bataille sera gagnée par les Thébains qui perdent néanmoins leur général, tué dans la mêlée. Mantinée consacre l'éclipse de la puissance spartiate, l'indépendance des régions du Péloponnèse, et surtout accentue le conflit entre Thèbes et Athènes. →

Stèle funéraire de Démocléidès. Détail. Trouvée à Athènes. Marbre. IVe siècle av. J.-C.

Des stèles de marbre à la mémoire des morts

La coutume de dresser des stèles funéraires remonte au VIIe siècle en Crète. Elle témoigne évidemment de préoccupations religieuses, mais aussi du désir de prestige des grandes familles. Elle nous fournit une précieuse documentation qui repose sur un riche répertoire de thèmes : généralement des scènes de la vie du défunt, représenté dans la fleur d'une jeunesse devenue éternelle. Certains éléments qui y sont associés évoquent le renouveau de la vie (fleur, eau vive). Une évolution s'y affirme au cours des siècles : jusque vers 550, la stèle est traitée avec une grande richesse : elle se compose d'un socle qui porte un nom, parfois accompagné de formules de salut ou d'imprécations, d'un long fût, cadre du décor incisé ou sculpté, relevé de couleurs et couronné d'une palmette à volutes surmontée d'un sphynx en ronde-bosse. Par la suite, elle reflète plus de sobriété, tandis que le relief où la vie s'épanouit acquiert volume et mouvement. Dès 500, la tradition des stèles funéraires disparaît en Attique (loi somptuaire) mais se poursuit en Ionie et dans les Cyclades.

Hégémonie politique de Thèbes en Grèce

Thèbes, 371-360 av. J.-C.
Epuisés par la guerre, les Spartiates décident de signer en 371 la paix avec Athènes. Mais les Thébains, pourtant proches des Lacédémoniens, s'y refusent catégoriquement. Les alliés de la veille deviennent des ennemis. Le conflit aboutit à la bataille de Leuctres où les armées de Thèbes, fortes d'une tactique nouvelle, écrasent les Spartiates. L'artisan de la victoire se nomme Epaminondas. Il est de famille noble, mais il vit modestement. C'est lui qui contribue à réformer les institutions politiques de Thèbes et à affirmer sa force militaire. Dès lors, l'impérialisme thébain se donne libre cours. Les Béotiens poussent leurs troupes au nord, en Thessalie, qu'ils ont tôt fait d'annexer à leurs possessions. Au sud, Thèbes investit la Laconie et s'assure de solides bases dans le Péloponnèse. Les ambitions d'Epaminondas inquiètent l'ensemble des cités. Sparte se sent vivement menacée ; quant à Athènes, elle voit certains de ses alliés, comme l'île de Réos, gagnés à la cause thébaine. La présence de Thèbes se précise en Grèce centrale, en Acarnanie et en Messénie. Il faut même qu'une intervention du Grand Roi tente de modérer les prétentions des Béotiens. Peine perdue. Malgré le rescrit de 367, les Thébains ne réduisent pas leurs visées ; ils confirment même leurs ardeurs et rêvent de constituer un empire continental à l'image de celui qu'Athènes s'était façonné sur les mers. Ils entendent même châtier les populations d'Arcadie, qui veulent échapper à leur joug. Nombreuses sont les forces qui s'opposent à l'empire de Thèbes. Les Spartiates en arrivent à faire front commun avec leurs ennemis de toujours, les Athéniens. Les Arcadiens s'associent à eux dans la lutte contre les puissants du moment. Une rencontre décisive a lieu à Mantinée. Malgré la mort d'Epaminondas, Thèbes se voit confirmer les plus importantes de ses conquêtes en Grèce centrale. Toutefois, les assises de sa domination sortent quelque peu ébranlées de ces guerres.

Athéna, déesse de l'intelligence et de la guerre

Mêtis, l'intelligence rusée, était enceinte d'Athéna. Craignant pour son pouvoir, Zeus avale et la mère et l'enfant. Mais Athéna inflige une violente migraine au dieu. Héphaïstos intervient et, d'un coup de hache, permet à Athéna de sortir de la tête de Zeus et de prendre place dans le panthéon olympien. Elle va dès lors jouer un rôle de premier plan dans l'ensemble des traditions mythologiques, que ce soit dans la lutte des dieux contre les Géants ou pour seconder des héros comme Ulysse ou Thésée. Athéna est une divinité guerrière. Le casque, la lance et la cuirasse, l'égide qui inspire l'effroi sont ses emblèmes ordinaires. Elle est aussi une divinité politique, qui garantit l'équité des lois et la justice des tribunaux. Elle est la protectrice des Athéniens, qui la préférèrent au fougueux Poséidon. Mais Athéna a d'autres talents. Elle symbolise une certaine forme d'intelligence, pratique et inventive. Elle a inventé l'araire, qui permet aux hommes de cultiver les fruits de Déméter. Elle est associée au savoir-faire des artisans, des potiers et des tisserands. Elle guide le pilote du navire dans les passes difficiles et l'aide à tracer son sillage. Elle guide aussi le cocher et le cavalier, domestiquant la fougue du cheval par le mors. Athéna illustre

Athéna. Bronze doré et incrusté. IVᵉ siècle av. J.-C. Musée national, Athènes.

bien la conception grecque de la divinité : sujet du mythe, objet du culte, mais aussi omniprésente dans le quotidien.

Hermès, dieu des bergers, des voleurs et des voyageurs

Hermès, l'ami des hommes, est le dieu par excellence de l'ubiquité. Toujours en route, il préside aux passages et aux transitions. Il est le messager des dieux : le casque d'Hadès le rend invisible et ses sandales ailées lui permettent d'abolir le temps et les distances. Son caducée est une véritable baguette magique. Son terrain de prédilection, c'est l'espace extérieur, où l'on circule, où l'on voyage : campagne traversée par les bergers en transhumance, routes et carrefours, rues de la cité, seuils et portes des maisons. Il protège ces dernières des voleurs, mais est aussi le voleur par excellence, passe-muraille qui se glisse par le trou des serrures, chapardeur malicieux dès son enfance. Hermès est le dieu de la communication : il préside aux échanges entre les vivants, au commerce et aux compétitions, aux marchandages comme aux accords diplomatiques, aux serments et aux trêves. Il est, de ce fait, le patron des hérauts, des ambassadeurs, des messagers, de tous les professionnels du contact et de la communication. Un silence vient-il à s'établir dans une conversation ? C'est Hermès qui passe. Quelque heureuse fortune ou bonne aubaine vient-elle à se présenter ? C'est

Hermès Criophore. Bronze. Sicyone (?). Vers 530 av. J.-C. Musée national, Athènes.

Hermès à nouveau qui se manifeste. Dieu de la débrouillardise, il est aussi l'inventeur de la lyre d'Apollon, bricolée avec une carapace de tortue.

Hippocrate fonde la médecine scientifique

Hippocrate est né vers 460 av. J.-C. dans l'île de Cos. Sa vocation médicale s'est affirmée dans le cadre d'une corporation religieuse, les Asclépiades, placée sous le patronage d'Asclépios et d'Apollon. Hippocrate voyage dans toute la Grèce avant de se fixer à Cos. Il contribua à un progrès décisif de la médecine en la dissociant des pratiques magico-religieuses de guérison et en la fondant sur des exigences scientifiques nouvelles, au premier rang desquelles vient l'autopsie, ou observation. L'interdiction de la dissection humaine limite évidemment son savoir et les conceptions *a priori* suppléent les lacunes de la connaissance. Pour lui, la maladie est un processus naturel, qui résulte d'un déséquilibre des éléments constitutifs du corps, d'un défaut de la chaleur interne qui « cuit » les humeurs froides. Les principaux remèdes sont des purgatifs et des vomitifs, des bains et des cataplasmes (notamment à base d'eau chaude, de vin et d'hydromel), des saignées. Hippocrate et son école ont laissé un vaste corpus de textes, manuels consignant des observations, textes scientifiques où interviennent parfois des spéculations philosophiques et morales. Hippocrate est aussi l'auteur du *Serment* sur la déontologie médicale.

Les plébéiens à Rome accèdent au consulat

Rome, 367 av. J.-C.

L'invasion gauloise a entraîné des troubles sociaux et ravivé l'antagonisme entre la plèbe et le patriciat ; celui-ci doit faire face à de nouveaux groupes qui réclament l'accès aux magistratures. En 367 av. J.-C., une loi proposée par le tribun de la plèbe Licinius est acceptée par le Sénat, selon laquelle un des deux consuls sera désormais plébéien. Au cours du IVᵉ siècle, l'ensemble des autres magistratures, la préture, l'édilité curule, la censure et même la dictature, subiront une évolution du même ordre. Tout se passe comme si le patriciat connaissait alors un phénomène d'effritement et de désagrégation, aggravé par les Guerres samnites. Plusieurs grandes gentes patriciennes, tels les Fabii, s'allieront avec de riches familles plébéiennes pour constituer une nouvelle noblesse qui se fera ouvrir les portes du pouvoir. La vie politique romaine n'est donc plus dominée par l'affrontement de deux classes aux frontières bien tranchées, mais par des luttes désormais plus complexes.

Les statues sont omniprésentes dans la cité grecque

La plastique grecque répondait essentiellement aux besoins de la religion et ce souffle sacré se ressent plus encore dans la statuaire que dans les reliefs. Dès la période archaïque, les statues sont en effet réservées aux dieux qu'elles représentent, ou auxquels elles sont consacrées. Très nombreuses, en bois, en marbre ou en bronze, elles recevaient pour plaire aux dieux un décor polychrome dont il ne reste aujourd'hui que de pâles traces. Pendant longtemps, elles furent destinées à des emplacements précis : sanctuaires, nécropoles. C'était à l'intérieur du temple, et plus précisément du naos, demeure de la divinité, que se dressait la statue de culte ; étaient disséminées, par contre, dans le reste du sanctuaire, de nombreuses statues votives, les unes offertes par des particuliers en remerciement d'une faveur accordée, les autres par la cité à l'occasion d'une victoire guerrière ou sportive, ou encore pour fêter un traité de paix. Les nécropoles abritaient aussi des statues dont l'aspect religieux est indéniable ; elles immortalisaient le défunt dans tout l'éclat de sa jeunesse et sous un aspect idéalisé. Mais, au Vᵉ siècle, les statues

Tête de l'« Ephèbe d'Anticythère ». Détail. Bronze (haut. : 1,94 m). Milieu du IVᵉ siècle.

commencent à quitter les lieux sacrés pour peupler les places publiques et perdent peu à peu leur caractère spécifiquement religieux ; elles deviennent des représentations commémoratives d'hommes illustres, témoin les statues d'Harmodios et d'Aristogiton, les tyrannicides, érigées sur l'Agora. A l'époque hellénistique, elles joueront un rôle purement décoratif et envahiront les édifices publics et les riches demeures.

360 av. J.-C.

Athènes
Un grand logographe vient de mourir : Lysias. Né vers 440, il est le fils d'un artisan syracusain établi à Athènes, bénéficiant donc d'un statut de métèque. Lysias est d'abord un témoin de la politique tumultueuse de son temps. Son frère a été exécuté sous les Trente Tyrans. Exilé, Lysias est revenu à Athènes avec les démocrates. Il est ensuite l'auteur d'un nombre considérable de discours, que des particuliers venaient lui commander avant de défendre une cause au tribunal ou à l'assemblée. Ces plaidoiries nous livrent une véritable chronique de la vie athénienne : affaires de mœurs, maris jaloux et meurtriers, amants se disputant des jeunes garçons, invalide luttant pour le versement de sa pension, mais aussi discours politiques (contre les Trente, contre Alcibiade, sur la mutilation des Hermès, etc.).

359 av. J.-C.

Macédoine
Lorsque meurt le roi Perdiccas, la Macédoine n'est encore qu'un petit royaume dont l'indépendance paraît précaire au regard du jeu complexe des alliances et des guerres dans le monde grec du IVe siècle. Son fils Amyntas n'est qu'un enfant ; c'est donc Philippe, frère de Perdiccas, qui assure la régence. Il n'a que vingt-deux ans, mais il est déjà un diplomate et un guerrier avisé.

Egypte
Nectanébo II est à peine monté sur le trône qu'il doit faire face à une importante révolte. Ce n'est qu'après l'avoir matée qu'il pourra se consacrer à l'administration de son royaume et poursuivre la politique de construction de son prédécesseur. →

358 av. J.-C.

Epidaure
On ouvre le chantier du grand théâtre d'Epidaure. Les travaux dureront plus de soixante ans. Cette construction est remarquable dans sa perfection géométrique. L'éventail des gradins se déploie autour du cercle parfait de l'*orchestra* et peut contenir jusqu'à 15 000 spectateurs.

Empire perse
Artaxerxès III succède à Artaxerxès II sur le trône de Perse.

Il apaise la révolte des satrapes qui empoisonne la vie de l'empire depuis plus de dix ans. Par crainte de rivaux éventuels, il fait massacrer toute sa famille.

357 av. J.-C.

Grèce
Depuis cinq ans, Athènes semble avoir recouvré une certaine puissance militaire et stratégique, aux dépens des Thébains en particulier. Elle contrôle notamment des bases stratégiques comme Amphipolis. Mais c'est l'année où Chios, Rhodes et Cos quittent l'alliance athénienne, avec le soutien de Byzance, l'année où commence la guerre des Alliés, qui durera jusqu'en 355. Les premières opérations sont défavorables aux Athéniens. Philippe en profite pour reprendre Amphipolis et lui rendre son indépendance, pour conclure des alliances avec les Chalcidiens et les Thessaliens.

356 av. J.-C.

Macédoine
Les Macédoniens ayant déposé le jeune Amyntas, Philippe est désormais pleinement leur roi. Le seul obstacle à la politique macédonienne pourrait être la puissante Ligue chalcidienne, avec laquelle ils passent finalement un accord. Consulté, l'oracle de Delphes soutient ce pacte qui désigne Athènes comme l'ennemi commun. Philippe prend d'ailleurs aux Athéniens la cité de Potidée. Durant l'été, Philippe apprend deux bonnes nouvelles : son cheval a remporté la course à Olympie et son épouse Olympias vient de lui donner un fils, Alexandre.

355 av. J.-C.

Homme d'action et écrivain, Xénophon meurt au terme d'une vie bien remplie et pleine d'aventures. Il laisse une œuvre considérable, dont une partie est consacrée à son maître Socrate ; les *Mémorables* nous offrent l'image d'un moraliste bonhomme, attentif aux petits problèmes de la vie quotidienne : nous sommes bien loin du Socrate dialecticien et métaphysicien de Platon. Son œuvre historique est constituée des *Helléniques* où il se pose en continuateur de Thucydide, et l'*Anabase*, où, à la manière d'un correspondant de guerre, il raconte l'odyssée des mercenaires grecs engagés en Asie Mineure aux côtés de Cyrus.

Dendéra. Le mamisi de Nectanebo Ier (au premier plan) ; le mamisi romain du IIe siècle apr. J.-C. (à l'arrière-plan).

Bas-relief du mamisi romain, Dendéra. IIe siècle apr. J.-C.

Renouveau culturel en Egypte sous le règne de Nectanébo II

Egypte, 359 av. J.-C.
Profitant de ce que son oncle, le pharaon Tachôs, se trouvait engagé dans une campagne en Palestine, Nectanébo II s'empara du pouvoir. Il sera le dernier pharaon indépendant d'Egypte et, s'il parvint en 351 à repousser avec l'aide des Grecs les armées perses, il devra céder lorsque les troupes d'Artaxerxès III se présenteront à nouveau aux portes du pays, en 343. Son règne n'en aura pas moins duré dix-sept ans, au cours desquels il aura déployé une intense activité architecturale : son nom figure sur de nombreux monuments, temples, kiosques, naos à travers toute l'Egypte. Il fit notamment édifier à Dendérah, en Haute-Egypte, le plus ancien *mamisi* connu. « Maison de la naissance divine », le *mamisi* est un temple annexé au grand sanctuaire principal où étaient célébrés les mystères de la naissance d'Osiris. En dépit d'une certaine mollesse dans l'exécution, le dessin des bas-reliefs reste d'une grande pureté et témoigne de la continuité d'une tradition artistique ininterrompue. Quant à la statuaire de cette époque, elle est peut-être plus saisissante encore : s'inspirant de la facture des œuvres de l'époque saïte, elle est généralement réalisée dans des pierres dures et un poli très poussé leur donne un aspect métallique. Fervent zélateur de la déesse Isis, Nectanébo entreprit la construction d'un temple dédié à la déesse, l'admirable Iséum de Behbeit el-Hagar dans le Delta. Avec le temple qu'éleva Chéphren devant le grand sphinx à Saqqarah, c'est le seul édifice égyptien qui ait été entièrement construit en granit. C'est dire combien l'Egypte doit à son dernier pharaon de mourir en beauté.

Aphrodite, appelée la « Vénus d'Arles ». Marbre. Copie romaine.

Praxitèle introduit une grâce nouvelle dans la sculpture

Grèce, 390-335 av. J.-C.

La réputation de Praxitèle, fils du sculpteur athénien Céphisodote, s'étendit bien au-delà des limites de sa cité et dépassa également le cadre du seul IVe siècle, comme l'attestent les innombrables copies romaines qui furent faites de ses œuvres. A la différence de Polyclète, il préfère le marbre au bronze et confie ensuite ses œuvres au peintre Nixias, qui en relève la blancheur marmoréenne par une polychromie surtout à base de noir et de rouge. Dans la lignée des sculpteurs du premier classicisme, il introduit des transformations qui annoncent déjà le réalisme de la période hellénistique. Peu intéressé par la représentation des thèmes guerriers ou par l'idéal athlétique, il se plaît à traiter l'adolescence masculine et son *Hermès portant Dionysos enfant* nous apparaît tel un gracieux éphèbe quelque peu efféminé. Renouvelant aussi l'iconographie féminine, il modèle pour la première fois des déesses comme de simples mortelles, qu'il ose dévoiler complètement. Son souci du réalisme est tel qu'il s'inspire d'un modèle qu'il fait évoluer devant lui ; son *Aphrodite de Cnide* nous touche par son caractère profondément humain ; il exalte par-dessus tout une beauté non idéalisée ou lointaine, mais réelle et accessible, épanouie et vivante, dans des poses alanguies, dont le mouvement même crée une sensualité tranquille. Ses compositions d'une parfaite cohésion, souples et harmonieuses, sont plus destinées à satisfaire le plaisir des yeux qu'à rendre un hommage à la divinité.

Delphes, "nombril de la terre", au centre des cartes grecques

Dans les temps anciens, Zeus, le maître de l'Olympe, père des hommes et des dieux, voulut connaître l'extension de la terre sur laquelle il régnait et en découvrir le centre. Il lâcha donc aux extrémités du monde deux oiseaux, deux aigles selon les uns, deux cygnes selon les autres, qui devaient, en se croisant en plein vol, déterminer le centre de la terre, conçue alors comme un disque plat. Ils se croisèrent au-dessus de Delphes, qui revendiqua depuis lors le titre de « nombril de la terre ». Les thèmes de propagande du grand sanctuaire panhellénique, centre spirituel de toutes les cités grecques, trouvèrent une légitimation dans les spéculations géométriques des premiers cartographes grecs (vers la fin du Ve siècle), qui représentaient la terre sous une forme circulaire, centrée autour de la Grèce.

La « tholos » du sanctuaire d'Athéna, Delphes. 365 av. J.-C.

Le rituel de la consultation oraculaire à Delphes

Dans le sanctuaire d'Apollon, l'oracle n'est pas ouvert tous les jours. La Pythie, à l'origine, ne prophétisait qu'une fois par an, mais ses consultations devinrent vite mensuelles. Le consultant devait suivre un rituel précis. Il versait avant tout une taxe, en nature ou en argent, plus lourde pour les représentants des cités que pour les particuliers. Il fallait ensuite offrir un sacrifice à Apollon : l'examen de la victime (une chèvre) indiquait si le dieu était favorable à la consultation. Ces formalités accomplies, on pouvait entrer dans le temple. On attendait d'abord dans le « bureau des oracles ; et l'ordre de passage était tiré au sort. Les femmes n'avaient pas le droit de consulter

l'oracle. Pendant ce temps, la Pythie se préparait : cette Delphienne était choisie pour la pureté de ses mœurs et vivait dans la chasteté absolue. Avant d'entrer dans le temple, elle devait se purifier, accomplir des fumigations, puis se rendre dans le « saint des saints ». Dans ce lieu mystérieux se dressaient la statue du dieu et le trépied prophétique, sur lequel la Pythie s'asseyait, les jambes pendantes. Les prêtres et les consultants se trouvaient dans une salle contiguë. L'inspiration venait-elle à la prophétesse des vapeurs telluriques, des feuilles de laurier ou des propriétés de l'eau ? La Pythie entrait, en tout cas, dans un état de transe et de délire : elle s'exprimait

par des cris et des onomatopées que les prêtres se chargeaient d'interpréter et de transcrire en vers épiques. L'oracle était remis au consultant, mais aussi conservé dans les archives du sanctuaire. On venait poser à Apollon les questions les plus diverses : les particuliers l'interrogeaient sur l'opportunité d'un mariage, d'un voyage, d'une affaire commerciale. Les cités en crise venaient comprendre les raisons d'une épidémie, d'une mauvaise récolte, de l'extinction des troupeaux. L'oracle jouait par là-même un rôle politique considérable. Son « objectivité » fut parfois mise en cause, et les puissants du moment achetaient des oracles favorables par la violence.

Le temple d'Apollon à Delphes. Milieu du IVe siècle av. J.-C. Temple dorique.

353 av. J.-C.

Asie Mineure

A la mort de Mausole, roi de Carie, Artémise II, qui était à la fois son épouse et sa sœur, décide de lui élever un tombeau si grandiose que celui-ci sera mis, plus tard, au nombre des Sept Merveilles du monde. Il doit sans doute cette gloire aux splendides reliefs, œuvre du sculpteur Léocharès, illustrant une Amazonomachie. Si l'on en croit les récits de l'époque, la manière dont le thème du combat y était traité représentait une véritable nouveauté par rapport à la statuaire classique.

352 av. J.-C.

Grèce

Depuis 356 av. J.-C., le sanctuaire d'Apollon à Delphes est devenu l'enjeu de rivalités entre les cités grecques. Les Béotiens ont utilisé le conseil delphique (l'amphictyonie) pour s'assurer la maîtrise de la Thessalie et contrôler les Phocidiens. Mais ceux-ci, après avoir élu Philomelos comme stratège, occupent le sanctuaire. Commence alors en 355 la Guerre sacrée, une guerre sans pitié ni prisonniers... Les Phocidiens ont d'abord l'avantage sur les Thébains et les Thessaliens. Philomelos menace même directement la Thessalie, ce qui entraîne un redéploiement des alliances : Philippe de Macédoine soutient les Thessaliens, Athènes les Phocidiens. Après avoir essuyé plusieurs défaites, les Phocidiens reconstituent leur alliance et, grâce au général Onomarchos notamment, retrouvent la place de premier plan qu'ils occupaient auparavant. Fort de l'appui de la Ligue thessalienne, Philippe met le siège devant Phères, alliée des Athéniens et des Phocidiens. Se portant au secours de la cité, les Phocidiens subissent une cuisante défaite (près de 9 000 morts). Bien qu'il soit maître de la situation, Philippe trouve plus prudent de mettre un terme aux combats.

351 av. J.-C.

Athènes

Face à l'ascension de Philippe et à sa mainmise progressive sur les affaires helléniques, les Athéniens restent étrangement passifs, malgré l'acharnement que met Démosthène à dénoncer dans ses discours la politique de Philippe et à fustiger l'inconscience de ses concitoyens.

350 av. J.-C.

Rome

La cité romaine se dote d'un site portuaire promis à un grand développement : Ostie deviendra l'instrument de l'expansion commerciale romaine.

348 av. J.-C.

Grèce

Olynthe est l'enjeu de l'affrontement entre Philippe et les Athéniens. Le premier veut ouvertement contrôler la Ligue chalcidienne : celle-ci fait appel à Athènes. Convaincus par Démosthène, les Athéniens acceptent d'envoyer un corps expéditionnaire à Olynthe. Mais cette aide est insuffisante et, en août, Olynthe tombe aux mains de Philippe. Désormais, la péninsule de Chalcidique fait partie du royaume de Macédoine. →

347 av. J.-C.

Grèce

Un grand philosophe disparaît : Platon. Ses dialogues ont progressivement élaboré une méthode et une doctrine philosophiques originales. Peu de problèmes ont échappé à sa curiosité et à sa réflexion : le Juste, le Beau, le Vrai, autant de préoccupations essentielles. Avant de s'enfermer dans le monde des Idées pures, Platon avait tenté de mettre ses théories politiques en pratique, en assurant l'éducation de Denys de Syracuse. Mais il avait été bien difficile de s'entendre avec un tyran.

346 av. J.-C.

Grèce

Après le désastre d'Olynthe, Athènes n'a d'autre solution que de conclure la paix avec Philippe et de mettre fin à son engagement dans la Guerre sacrée. La paix de Philocrate consacre cette situation ; mais auparavant le roi macédonien aura remporté une deuxième victoire sur les Phocidiens, grâce à laquelle il aura désormais la haute main sur le Conseil delphique. Alternant avec une habileté consommée la violence et la modération, toute la politique du Macédonien visait un seul objectif, désormais atteint : profiter de la division des cités grecques pour asseoir sa domination.

Une culture originale : la Thrace

Péninsule balkanique, vers 340 av. J.-C.

Lorsque Philippe II de Macédoine s'empare de la Thrace, vaste territoire s'étendant du Danube au Pont-Euxin, ce pays est en plein essor culturel. Il est alors occupé par un peuple de pasteurs belliqueux et farouches, dont les différentes tribus parlent une langue indo-européenne apparentée au grec. Le vent du nord, le dieu Borée, et Arès, dieu de la guerre, auraient vu le jour en Thrace. Les trésors des Thraces sont fameux ; ils témoignent de l'existence d'une vigoureuse culture autonome. Seuls les Perses et les Scythes sont parvenus en matière d'orfèvrerie au degré de raffinement atteint par les Thraces. On leur doit, en effet, des bracelets, des anneaux et des broches, ou encore des casques, des jambières et des plaques pectorales en or massif, qui mêlent à des motifs humains ou animaliers une décoration minutieuse, généralement rehaussée d'un travail en filigrane de toute beauté. La valeur des œuvres étant étroitement liée à l'aspect qu'elles pouvaient présenter, il n'est pas étonnant que les Thraces aient tenu aussi à faire dorer ou argenter plus d'un bijou ou d'une pièce en bronze.

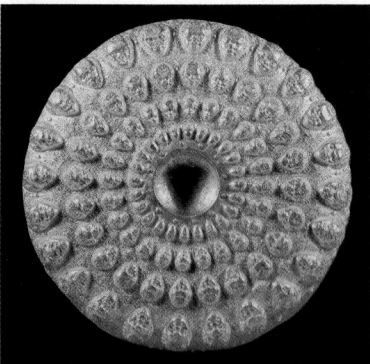

Phiale ornée de têtes de Nègres. Or. Vers 340 av. J.-C.

Cavalier à la lance. Plaque pectorale en argent doré. Vers 350 av. J.-C. Musée de Lovetsch (Bulgarie)

Genouillère en argent doré. 380-350 av. J.-C. Musée de Vratza (Bulgarie).

Isocrate, maître de l'éloquence attique

Né en 436 et mort en 338 av. J.-C., le rhéteur Isocrate se distingue d'abord par une longévité peu commune : 98 ans ! Il incarne aussi l'apogée de l'éloquence attique. Isocrate est représentatif de ce milieu des logographes qui, par timidité ou faiblesse vocale, renoncent à une carrière politique, mais écrivent les discours des autres et enseignent les techniques de la rhétorique. Isocrate écrit des plaidoyers, comme Lysias et Andocide, destinés à être lus au tribunal ou à l'assemblée. Mais il abandonne vers 393 ce métier de mercenaire de l'éloquence pour ouvrir une école. Il est, dès lors, contraint d'assurer sa réputation par des « discours d'apparat », prononcés dans de grandes occasions. Le *Panégyrique* et le *Panathénaïque* comptent parmi les plus célèbres et sont des hymnes à la gloire de l'hellénisme et de la cité athénienne. Isocrate exerça une grande influence sur ses disciples, orateurs et hommes politiques, tant par ses conceptions morales et politiques que par son art oratoire, belle prose cadencée.

Le retour des Perses en Egypte

Egypte, 343-332 av. J.-C.

Après plusieurs tentatives infructueuses, Artaxerxès III bat Nectanébo II sur terre et sur mer. Le pharaon abdique et s'enfuit. L'Egypte subit pour la deuxième fois la domination perse. Arsès et Darius III Codoman succèdent à Artaxerxès III. L'Egypte est pillée, ses temples profanés, et ses statues emportées en Perse.

Hiéroglyphes ornant le couvercle du cercueil de Pétosiris. Vers 330 av. J.-C. Bois et verre coloré. Musée du Caire.

Démosthène : une carrière vouée à la défense de la liberté

Athènes, 384-322 av. J.-C.
Grand orateur et homme politique athénien, Démosthène dans sa lutte pour la liberté s'identifie à la résistance hellénique ; toute sa vie ne fut qu'un long combat. Fils d'un riche armurier qui disparut prématurément, il fut dépouillé de sa fortune par des tuteurs indélicats. Disciple d'Isée, il apprit l'art oratoire pour plaider contre eux ; il l'emporta sans récupérer pour autant ses biens dilapidés et devint logographe pour gagner sa vie. A trente ans, il monte à la tribune de l'assemblée, où il

Démosthène. Copie romaine d'un original du IIIe siècle av. J.-C. Glyptothèque, Munich.

connaît des débuts difficiles à cause d'une mauvaise diction ; loin de se décourager, il corrige ses défauts, exerce sa voix et, joignant le geste à la parole, élabore des discours enflammés d'une grande logique, rythmés par des phrases colorées de sarcasmes, émaillés de questions et d'apostrophes établissant un faux dialogue, mais entraînant l'auditoire sans lui laisser de répit : « Quand donc, Athéniens, ferez-vous enfin votre devoir ? » Conscient du danger « barbare » macédonien pour une Grèce divisée, il mit son art au service de sa patrie. Dès 351, ses discours tentent de sortir le peuple athénien de sa léthargie, l'incitant à réorganiser l'armée constituée de mercenaires, et non de citoyens, à voler au secours des cités menacées ; il espère unir les Grecs contre l'envahisseur et appelle sans cesse le peuple, déjà résigné à la servitude, à combattre, puisque c'est une nécessité. S'en prenant aux partisans de Philippe, il leur reproche d'être soumis, soit par défaitisme, soit par corruption (Eschine). Son action énergique échoua après Chéronée, désastre dont la grandeur athénienne ne se releva pas. Démosthène prononça l'éloge funèbre des soldats morts au combat et la ville lui décerna une couronne d'or. Ce furent les derniers feux d'une gloire bientôt compromise dans des intrigues. L'orateur doit même fuir en Egypte. A la mort d'Alexandre, il rentre à Athènes, triomphalement. En 322, devant être livré aux Macédoniens, il préféra la mort à la servitude et mit fin à ses jours par le poison.

Affrontement entre Syracuse et Carthage

Sicile, 409-306 av. J.-C.
La victoire des Grecs sur les Carthaginois, en 480, à Himère, a repoussé le danger punique. Ce dernier réapparaît à la fin du ve siècle, après la restructuration politique et militaire de Carthage, et va peser plus d'un siècle sur les cités grecques de Sicile, et plus particulièrement sur Syracuse, seule à même de s'y opposer. Alors qu'en 409, Sélinonte, Himère et Agrigente tombent aux mains d'Hannibal, Denys le tyran s'empare du pouvoir et va jusqu'à sa mort (367) mener contre l'envahisseur une lutte entrecoupée de trêves et de périodes de paix provisoires. En 405, un premier traité est signé, par lequel les possessions puniques à l'ouest de l'île sont reconnues. Malgré les nombreuses reprises des hostilités et les succès tantôt grecs, tantôt carthaginois, pendant près de quarante ans, ce sera le *statu quo*. Par la suite, les tyrans Timoléon et Agathocle réussiront, l'un après la victoire de Crimisos en Sicile, l'autre après un débarquement en Afrique, à limiter l'influence punique.

Pella, capitale des rois macédoniens

Les Grecs considèrent les Macédoniens comme des barbares et les méprisent parce qu'ils sont soumis à un roi. Démosthène, dans sa haine contre Philippe et avec un manque total d'objectivité, va même jusqu'à traiter Pella de « chétive bourgade ». Située au nord-ouest de Salonique, dans une plaine irriguée par le Lydias et le Borborus, dominée par deux acropoles où s'élèvent les temples d'Athéna et d'Héraclès, la plus importante ville du Royaume macédonien, siège d'un pouvoir fortement centralisé, a été conçue selon un programme d'urbanisme obéissant aux lois hippodaméennes. De larges rues, se coupant à angle droit, délimitent les îlots de maisons de briques ou de pierres, spacieuses et cossues, ouvrant sur des jardins et décorées de mosaïques à galets. Des conduites d'eau souterraines distribuent l'eau de source. Dans un souci d'hygiène, de nombreux bains ont été aménagés ; le palais royal, élevé par Archélaos, constitue le centre de gravité d'une cour importante, attirant les plus célèbres artistes.

Philippe II réduit les Grecs à sa merci

Grèce, 359-337 av. J.-C.
C'est en moins de vingt ans que Philippe II, fondateur de la grandeur macédonienne, parvint à soumettre la Grèce. Incapables de s'unir durablement, les cités grecques ne furent pas à même de s'opposer à la poussée d'un royaume puissamment réorganisé, qui se révéla particulièrement habile à jouer de tous les conflits. Philippe II entreprit, aussi bien par la guerre que par la diplomatie ou la corruption, avec la complicité de partisans bien placés dans les villes (Eschine à Athènes), d'établir son hégémonie sur toute la Grèce, sans toutefois l'annexer. Après s'être définitivement débarrassé de la menace de

Philippe II. Ivoire provenant du tombeau royal de Vergina. Vers 325 av. J.-C.

ses voisins, et en particulier des Illyriens, il s'attaqua tout d'abord, pour ménager à son pays une façade maritime, aux cités alliées d'Athènes, en Chalcidique. Trop préoccupée par ses divisions internes, Athènes ne répondit pas, ou trop tard, aux demandes de secours qui lui furent adressées par différentes cités, qui succombèrent les unes après les autres : Amphipolis, Potidée, Méthone. Fort de ces succès, Philippe s'engagea alors en Thessalie, mais il fut arrêté aux Thermopyles en 353 par une coalition attico-péloponnésienne. Renonçant provisoirement, il enleva Olynthe, dernier bastion en Chalcidique (348), avant de signer un traité de paix avec Athènes, décidément très pacifique. Il profita de cette pause pour pacifier la Thessalie en adoptant le parti de Thèbes contre les Phocidiens qui furent écrasés. Devenu président du conseil amphictionique de Delphes et garant de la paix entre les Grecs, il n'en attaqua pas moins les Clérouquies athéniennes de Chersonèse, de sorte qu'en 341 les hostilités reprirent. Athènes, enfin tétanisée par Démosthène et consciente du danger, mit sur pied une armée, après avoir détaché Thèbes de l'alliance macédonienne ; mais la victoire de Philippe à Chéronée (338) marqua la fin de l'indépendance pour les cités grecques, même si Athènes obtint une paix apparemment honorable. Thèbes fut punie et toutes les cités durent s'unir au sein de la ligue de Corinthe dirigée par Philippe, pour la conquête de la Perse.

Art grec de Macédoine. « La Chasse au cerf ». Mosaïque signée par Gnôsis. Début IIIe siècle av. J.-C. Musée de Pella.

La Grèce archaïque et classique

Xᵉ-IVᵉ siècle av. J.-C.

C'est la mer qui donne son unité au monde grec. Du Pont-Euxin aux Portes d'Hercule, une même civilisation s'est épanouie avec les nuances que lui donnaient les lieux et les temps. La péninsule grecque, cet univers montagneux et compartimenté, cette mosaïque de petits pays, a été le théâtre d'incessantes migrations qui représentent autant de mouvements de colonisation successifs. C'est au sein de ce véritable « melting-pot » que se façonne une culture située à la croisée de l'Occident et de l'Orient. Certes, l'idée d'une invasion unique qui serait le fait des Indo-Européens a largement été remise en question lors de débats récents entre historiens de la Grèce. Néanmoins, une certitude demeure : la pluralité et la multiplicité des influences et des contacts entre des populations autochtones et des peuples migrants. C'est selon un schéma identique que s'est élaboré le monde achéen, celui des royaumes mycéniens étroitement liés à la civilisation minoenne. Or, il semble que le début du Xᵉ siècle avant notre ère marque une étape nouvelle dans la formation de ce creuset grec : les prêtres et les rhapsodes sont là pour nous en apporter le vivant témoignage.

Le monde d'Homère

La vaste épopée composée par Homère et enrichie sans aucun doute par les aèdes qui la diffusaient, campe un monde d'affrontements et de tensions qui, au-delà de la fiction poétique, trouve son répondant dans la société des IXᵉ et VIIIᵉ siècles. Il s'agit d'une société archaïque, dont les valeurs apparaissent avec éclat. Homère n'a d'autres héros que les puissants, les aristocrates. Ceux-ci trouvent dans les combats singuliers ou dans les pillages qu'ils conduisent autant de moyens de s'affirmer au premier rang de la communauté sociale. Agamemnon et les

siens défient les Troyens tandis qu'Ulysse parcourt les mers à la tête d'une élite de guerriers. On retrouve même, au détour de plus d'un chant, des évocations d'un code et d'une morale proprement chevaleresques. La Grèce des « âges sombres » est le lieu de rivalités qu'entretiennent des nobles pris dans un véritable système féodal. Dans l'*Iliade* ou l'*Odyssée*, les pauvres, les humbles n'apparaissent que s'ils sont rattachés à la maisonnée, l'*oikos*, d'un grand personnage. Le porcher d'Ulysse n'existe que parce qu'il reconnaît son maître. Rien ne compte hors la collectivité des seigneurs de la guerre. Homère néglige soldats, valets et, plus encore, paysans. Point de démiurge non plus ; seule la figure du chef importe. Pourtant, dès l'abord, des ferments d'unité se dessinent, qui feront des épopées homériques une source inépuisable de valeurs, de références sacrées jusqu'aux plus beaux jours de la démocratie grecque. Les mêmes devoirs doivent rapprocher la société des hommes de celle des dieux où Zeus règne en maître ; ainsi s'affirme peu à peu le panthéon panhellénique. Quant aux humains, ne doivent-ils pas se distinguer par une même vertu, l'*arètè*, ce désir de gloire dont les orateurs de l'Athènes de Périclès se réclameront encore ?

L'émergence de la cité grecque

Chez Homère, la figure du roi au-dessus des aristocrates conserve une place primordiale au sein d'une société encore organisée de façon patriarcale. Au VIIIᵉ et au VIIᵉ siècles se développent des principes d'organisation qui posent l'originalité du politique, au sens d'administration de la cité (*polis*). Désormais, un solide contrepoids fait écho à la puissance ancestrale des clans, des grandes familles qui se disputaient seules jusqu'alors les rênes du pouvoir. La cité réunit dans un même ensemble cohérent un noyau urbain

et un territoire rural. Il ne saurait donc être question d'opposer les deux termes de cette entité et encore moins d'imaginer des rapports de soumission entre eux. Les paysans de l'Attique sont des membres à part entière de la cité d'Athènes, et bien des citadins qui résident au pied de l'Acropole tirent l'essentiel de leurs revenus de leurs terres. Pour réunir une collectivité dans une même cité, il faut que la protection et la subsistance de chacun soient assurées. Grande aussi est l'importance des problèmes d'approvisionnement agricole et de défense militaire. A Athènes, la réforme hoplitique qui fait de chaque citoyen libre un défenseur de la communauté montre les liens qui se tissent entre l'activité guerrière et les droits civiques. Pour assurer la pleine autonomie de ces cités, des règles de gouvernement sont fixées. Bien avant Solon à Athènes, une constitution écrite règle le partage des pouvoirs à Sparte, la *Grande Rhêtra*. La cité s'impose comme une structure politique nouvelle où les bases du pouvoir ne dépendent plus de sphères restreintes et de rapports familiaux. Pourtant, qui concentre l'essentiel des magistratures au VIIᵉ siècle, si ce n'est l'ensemble des grandes familles d'Eupatrides ? Le peuple des hommes libres est soumis à l'autorité du petit nombre des aristocrates héritiers d'immémoriales prérogatives. Seule innovation, mais riche de sens, la politique descend du palais sur la place publique. L'Agora est le siège de l'Assemblée, qui ne tardera pas à s'ouvrir à de plus larges catégories de citoyens. Le pas est franchi : la Grèce sort de ses âges sombres et se donne une nouvelle aire de civilisation.

De nouvelles frontières

Dès le VIIIᵉ siècle, l'essentiel des migrations qui traversent l'espace grec n'est plus lié à des mouvements proprement continentaux. Les Grecs étendent leurs frontières politiques et culturelles au pourtour de la Méditerranée. Les premiers mouvements de colonisation datent des années 770. Des Corinthiens, par exemple, abordent les rivages de la Sicile et de l'Italie du Sud. Le foyer de la Grande Grèce est ainsi fondé : son influence sur l'Occident restera indéniable. S'amorce ensuite une seconde phase, qui durera jusqu'à l'aube du VIe siècle et au cours de laquelle les cités de la frange ionienne, celles aussi de la péninsule hellénique envoient leurs colons aux confins de la Barbarie. La Thrace et l'intérieur du Pont-Euxin reçoivent de nouvelles fondations grecques. A l'ouest et au sud, la même dynamique s'observe : l'Egypte cyrénaïque ne manque pas d'attraits pour des Grecs en quête de nouvelles terres. Pas moins, au demeurant, que le littoral espagnol et gaulois qui constitue le territoire d'expansion privilégié des Phocéens. Les causes du phénomène sont multiples : la faim de terres, les frustrations politiques subies par les plus humbles habitants des cités jouent un rôle prépondérant. Celles-ci ne doivent pas masquer cependant l'effort que font les Grecs pour s'assurer la maîtrise de nouveaux circuits commerciaux. Plus que la richesse, l'approvisionnement reste le souci majeur de cités soumises à une pression démographique de plus en plus vive. Des colonies comme comptoirs commerciaux ? Pas seulemen. L'organisation de Marseille ou celle de Syracuse nous montrent comment une cellule politique nouvelle se met en place loin de la métropole. Le peuple n'y est pas toujours mieux intégré ; mais, à l'évidence, ces contacts favorisent la mutation de la cité archaïque où la démocratie fait sa lente percée.

La démocratie d'Athènes

Au cours du VIe siècle, les cités grecques connaissent dans leur ensemble de nombreuses crises dont l'écheveau des causes est malaisé à démêler : crise politique, crise sociale ? Un fait demeure : une multitude d'expériences ont alors été tentées. Les tyrans se succèdent en Asie Mineure comme en Grèce continentale. A Athènes, cependant, des solutions neuves se dessinent. Avec Solon, les premiers rudiments du régime démocratique s'imposent. Des réformes constitutionnelles régissent l'accès aux magistratures suprêmes, désormais ouvertes à un plus large éventail de citoyens. L'Assemblée et les tribunaux réunissent l'ensemble des hommes libres de la cité. Bientôt, un véritable code des droits politiques s'établit et Athènes a valeur d'exemple dans un monde où, de Sparte aux autres oligarchies du continent, l'archaïsme politique est la règle. Le tyran Pisistrate, qui règne à plusieurs reprises, allège même les charges

de la paysannerie et favorise la politique de grandeur de la cité. Il n'y a donc rien de surprenant à ce que les Athéniens prennent la direction des opérations lors des Guerres médiques du début du Ve siècle. De 499 à 479, les Perses de Darius et de Xerxès ne cessent d'assaillir le continent grec. Athènes, grâce à l'activité de personnages comme Thémistocle, Aristide ou Simon, a su écarter à jamais la menace perse. Tous les citoyens ont contribué à la défense du territoire contre les « Barbares ». Une étape nouvelle est ainsi amorcée. Il paraît juste que l'unanimité des défenseurs de la cité se retrouve dans l'administration de la communauté. Le régime démocratique mis en place par Clisthène se trouve raffermi aux lendemains de la guerre. Les liturgies, enfin, rassemblent au théâtre, lors des fêtes religieuses mais aussi dans le quotidien, les Athéniens libres et leurs familles. La cité classique trouve ainsi sur le sol d'Attique son modèle expérimental. Mais sa force naît aussi de la domination qu'elle sait exercer sur les autres cités.

Le choc des impérialismes

En 478, Aristide le Juste organise au profit d'Athènes une confédération de cités alliées contre la menace perse. On sait de quelle façon la structure en apparence égalitaire et défensive de la ligue de Délos permet à Athènes de se constituer tout au long du Ve siècle un véritable empire maritime. Mais, face à cette situation, Sparte réussit à se tisser un réseau plus informel d'alliances destinées à contrecarrer les ambitions athéniennes. A vrai dire, ce conflit d'hégémonie était en gestation depuis longtemps déjà. L'Athènes de Périclès fait de l'impérialisme la base de la démocratie : une conception politique en apparence contradictoire, voire paradoxale. Tant s'en faut ! Il est facile de voir que la subsistance de tous les citoyens dépend de l'exploitation par Athènes de territoires soumis. La guerre du Péloponnèse transporte sur le terrain militaire de nombreux conflits larvés. Notre connaissance des événements est tributaire des témoignages que nous en a laissés Thucydide, avec une impartialité et une intelligence des phénomènes qui surprennent par leur modernité. Plusieurs phases sont distinguées : la guerre de dix ans (431-421), l'expédition de 415 en Sicile après la paix de Nicias, enfin les années 413-404 qui marquent l'achèvement des opérations proprement militaires. Ces trente années marquent, en fait, le déclin d'Athènes. Après maints affrontements indécis, la flotte athénienne, fierté de la cité, est défaite ; Athènes est assiégée, ses Longs Murs rasés et son empire officiellement dissous. Les conséquences des guerres du Péloponnèse ont fréquemment été exagérées ; elles n'en demeurent pas moins considérables dans le domaine social et politique. Ainsi, le monde

est-il soumis à un nouvel équilibre des puissances internationales. A l'impérialisme athénien succède l'hégémonie de Sparte sur le Péloponnèse, l'Attique et les anciennes possessions égéennes d'Athènes. Une nouvelle ère d'affrontement s'ouvre. Désormais, le passage d'une hégémonie à l'autre est rapide. Athènes reconstitue en 377 son empire, mais celui-ci ne vivra pas longtemps. Thèbes dispute à Sparte ses prérogatives sur le continent. A la bataille de Leuctres (371), les Béotiens paraissent s'implanter durablement de la Thessalie à la Messénie. Pourtant, là aussi, des faiblesses se feront jour sans tarder. Le début du IVe siècle voit donc la fin des grands empires. Aucune cité n'est désormais assez puissante pour s'imposer aux autres.

Vers la fin des cités

Que se passe-t-il à l'intérieur des cités pendant cette époque où ligues et confédérations se succèdent ? Le milieu du IVe siècle est marqué par de nouveaux conflits sociaux. Tel est le premier aspect de la crise qui touche les sociétés grecques, après les ravages de la guerre du Péloponnèse : les pauvres de plus en plus pauvres... et les riches de plus en plus riches ! La circulation des biens comme la mobilité de la propriété favorisent le développement de classes privilégiées qui n'acceptent pas volontiers de participer aux dépenses de la collectivité. A Athènes, il ne manque pas d'observateurs pour dénoncer ces réalités inquiétantes : les esclaves eux-mêmes deviennent menaçants. A Sparte, les « inférieurs » n'incitent-ils pas à la révolte ? Une situation fragile, certes, mais le désordre des temps ne doit pas masquer l'essor culturel des cités du IVe siècle. On évoque couramment un deuxième « âge classique ». Les Athéniens ont condamné Socrate dont l'esprit critique menaçait les conservateurs ; mais son enseignement demeure. Platon et, plus tard, Aristote donnent un élan nouveau à la réflexion philosophique, à une époque où elle tendait à devenir la propriété privée des rhéteurs et des sophistes. Les villes elles-mêmes continuent de s'embellir, l'Agora athénienne s'enrichit de nouvelles constructions et le théâtre achevé à Epidaure peut contenir plus de 14 000 spectateurs. Il y a là un ensemble de contradictions qui invite à nuancer le jugement négatif qui s'applique à ces années. L'esprit communautaire de la cité classique a subi de graves atteintes, mais la vitalité intellectuelle et économique du monde grec surpasse même celle de l'époque classique. Pourtant, cela ne suffit plus pour résister aux assauts des nouveaux « Barbares » que sont les Macédoniens. En 338, les armées de Philippe et d'Alexandre ont définitivement vaincu les cités grecques. La perte de l'indépendance annonce-t-elle pour ces Etats la fin d'une aventure ?

339 av. J.-C.

Sicile

Lorsque Carthage conclut, en 348 av. J.-C., un traité avec Rome, ce fut essentiellement pour avoir les mains libres et pouvoir s'en prendre aux cités grecques de Sicile, qui la menaçaient dans sa politique commerciale. Se portant au secours des Syracusains, les Corinthiens leur avaient envoyé un contingent militaire commandé par Timoléon, qui eut pour mission de protéger Syracuse contre deux périls : la tyrannie et les Carthaginois. En 341, il infligea une sévère défaite aux Carthaginois qui occupaient la région du cap Lilybée. Un traité est conclu en 339, par lequel Carthage s'engage à ne plus soutenir les tyrans grecs de Sicile. Ce répit permet à Timoléon de poursuivre le peuplement des cités siciliennes avec des colons venus de diverses régions du monde grec.

Grèce

Le traité de paix entre Athènes et Philippe est dénoncé par les deux camps. Philippe prépare dès lors l'invasion de la Grèce ; Athènes, de son côté, mobilise tous ses alliés et obtient même le soutien des Perses. Utilisant habilement le Conseil delphique où il occupe depuis 346 la place de la Phocide, Philippe II reçoit de ce dernier la mission de châtier les Locriens d'Amphissa. Il en profite pour occuper Elatée, à deux jours de marche de l'Attique. A Athènes, c'est l'affolement. Mais Démosthène sauve la situation en se faisant l'artisan d'une alliance entre Athènes et Thèbes. C'est le début de la seconde Guerre sacrée.

338 av. J.-C.

Grèce

L'affrontement décisif entre les deux camps a lieu en août à Chéronée, où Philippe II vainc les forces réunies d'Athènes et de Thèbes. Les Macédoniens sont les meilleurs soldats d'Europe ; Athéniens et Béotiens ne font pas le poids. Thèbes capitule. La ligue Béotienne se dissout. Les Athéniens se préparent à défendre les murs de leur cité. Philippe leur impose la paix : alliance avec les Macédoniens et démantèlement de la ligue Athénienne. Heureusement surpris par la clémence du vainqueur, les Athéniens lui accordent la citoyenneté, ainsi qu'à son fils Alexandre.

Italie

Rome, devenue la principale puissance d'Italie, parvient à dissoudre la Ligue latine et à unifier le Latium à son profit.

Grèce

En cette année déterminante pour la liberté du monde grec, un grand orateur athénien s'éteint : Isocrate. Ironie de l'histoire, c'est au moment où Philippe de Macédoine affirme son hégémonie que disparaît l'un des penseurs qui ont le mieux élaboré l'idéologie de l'impérialisme athénien, au temps de sa splendeur...

Perse

Artaxerxès III, roi des Perses, qui avait inauguré son règne par le massacre de sa famille pour éviter d'être renversé, meurt malgré tout assassiné, victime d'un complot des eunuques et du harem. →

336 av. J.-C.

Rome

Les plébéiens voient leurs droits politiques progressivement reconnus. Ils peuvent accéder à de nouvelles magistratures. Après la dictature, en 356, et la censure en 351, c'est la prêture qui leur est désormais ouverte. Le même plébéien remplit d'ailleurs ces trois fonctions : Q. Publius Philo.

Macédoine

Philippe de Macédoine se préoccupe de sa succession. Alexandre est son héritier tout désigné, vu que son second fils, Arrhidaeus, souffre d'épilepsie. Mais il juge plus prudent d'avoir un troisième fils et épouse pour cela, en 337, une femme de la noblesse macédonienne, Cléopâtre. Ce mariage crée des remous à la cour. Toujours est-il qu'il meurt peu après, assassiné pour d'obscurs motifs personnels par un certain Pausanias. Alexandre sera son successeur.

335 av. J.-C.

Macédoine

Alexandre entreprend sa première campagne militaire. Il veut rétablir l'ordre dans les Balkans et punir les Triballes qui se sont soulevés en 339. Il est naturellement victorieux et renforce le pouvoir macédonien dans la région du bas Danube. Il protège durablement le monde grec des invasions barbares.

Portrait d'Alexandre le Grand, dit « Alexandre Azara » (réplique antique d'un « Alexandre à la lance » en bronze dû au talent de Lysippe). Vers 330.

L'éducation d'un prince macédonien

Alexandre vécut ses premières années aux côtés de sa mère, dans un palais de Pella. En effet, Philippe se soucia assez peu de son fils pendant sa petite enfance. Il fut confié aux soins du pédagogue Lysimaque d'Acarnanie, mais surtout d'un parent de la reine, Léonidas, homme quelque peu mystérieux qui inculqua à son élève la frugalité, l'exerça à la résistance et l'initia aux deux disciplines essentielles de l'éducation grecque : la musique et les belles-lettres, celles-ci étant centrées sur l'œuvre d'Homère. L'épopée est, en effet, fondamentale non seulement pour la culture littéraire, mais pour l'ensemble des savoirs techniques, de l'art de la guerre à la navigation. Cette étude est, en outre, rendue plus vivante si on assimile certains membres de la cour aux héros épiques : ainsi Philippe devenait Pélée, Olympias Thétis et Alexandre, Achille, idéal du héros. En 342, alors qu'il était âgé de quatorze ans, son père jugea le moment venu de compléter une éducation qu'il avait voulue fort soignée, ainsi qu'il convenait au prince héritier d'un royaume en pleine expansion. C'est dans la résidence de Miéza, sous la tutelle d'Aristote de Stagire, qu'au cours de longues promenades, Alexandre et ses amis, dont Ephestion, ouvrirent leur esprit aux richesses de la géométrie, de la médecine, de l'histoire et de la géographie, de la philosophie et de la rhétorique ou encore de la littérature, se berçant des poésies de Pindare et des tragédies d'Euripide. Satisfaisant sa curiosité intellectuelle universelle, Alexandre ne négligea pas l'entraînement physique. Cet enseignement fut complété à partir de 339 par une initiation aux affaires de l'Etat et l'apprentissage de l'art de la guerre par Philippe lui-même.

Bucéphale, l'unique passion d'Alexandre

Alexandre, âgé de treize ans, reçut de son père un superbe étalon thessalien, encore indompté. Il le baptisa Bucéphale à cause de sa puissante tête au large front, et le maîtrisa par la douceur, sans éperon, car il avait compris que l'animal, redoutant son ombre, devait être conduit face au soleil. Ce fut le début d'une véritable histoire d'amour qui devait durer dix-sept ans, entre ce cheval infatigable, rapide comme le vent, et Alexandre qu'il devait porter aux confins du monde. Il fut de toutes les expéditions : participant aux courses et aux chasses, mais excellent dans les embuscades et les batailles, il périt en Inde en 326, d'un trait laissant son maître inconsolable, qui lui rendit les honneurs funèbres, lui éleva un tombeau de marbre et une ville sur l'Hydaspe qui porterait son nom : Bucéphalie.

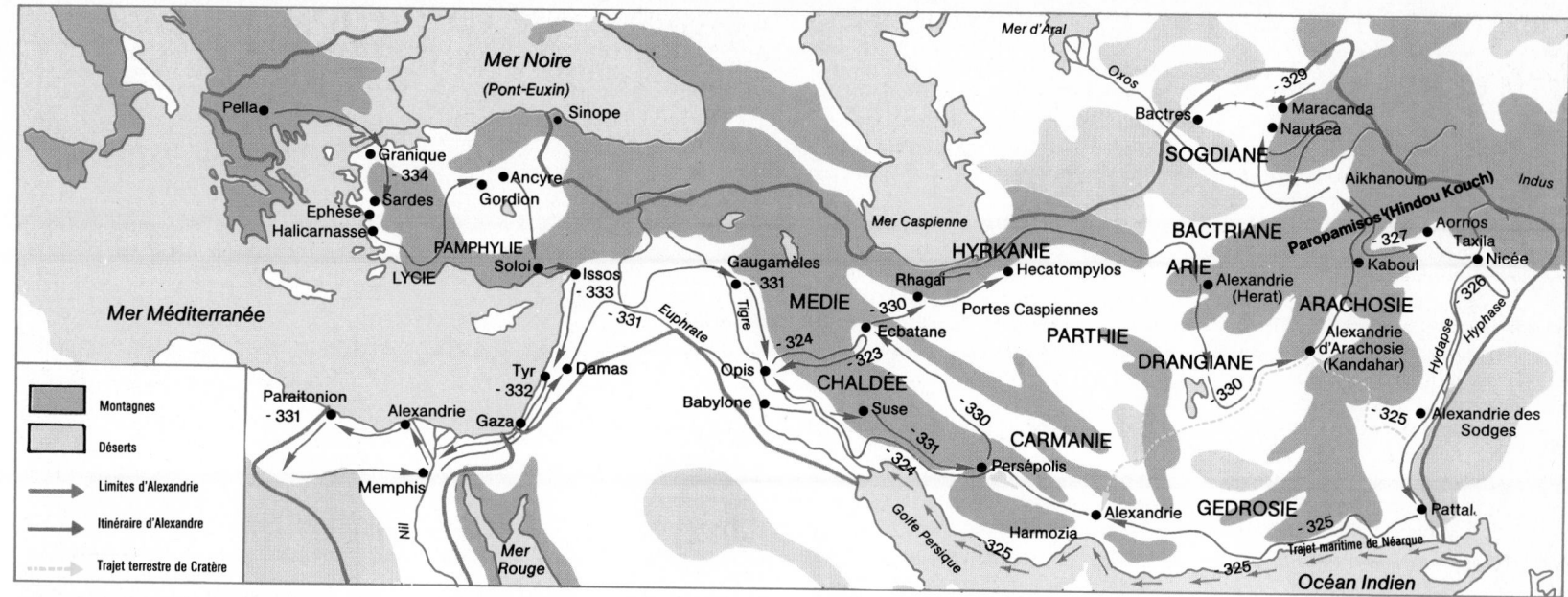

Alexandre met de l'ordre en Grèce

Grèce, été-hiver 336 av. J.-C.
Après avoir réglé le problème de succession, Alexandre dut rapidement intervenir dans les régions soumises par son père, qui s'agitaient. Les cités grecques en particulier, se sentant dégagées de leur serment, tentèrent de recouvrer leur indépendance.

"Tu es invincible, mon fils", répond la Pythie à Alexandre

Delphes, 335 av. J.-C.
Alexandre vient d'étouffer dans l'œuf le mouvement de révolte des cités grecques. Avant de se tourner vers l'orient, il veut consulter l'Oracle de Delphes. Malchance, il arrive au sanctuaire lors d'un jour

"Alexandre est mort" : les cités grecques se soulèvent

Grèce, 335 av. J.-C.
Les partis antimacédoniens exploitent l'absence d'Alexandre, occupé à soumettre les Illyriens. Certaines cités (Sparte, Athènes) acceptent même ouvertement les subsides du roi de Perse, inquiet des projets d'Alexandre. Mais c'est la fausse nouvelle de sa mort sur le champ de bataille qui provoque le soulèvement général. Thèbes, sans attendre de confirmation, se retranche de l'alliance en entraînant d'autres cités et mobilise, tandis qu'Athènes équipe flotte et armée. Lorsque Alexandre se présente devant la cité béotienne avec son armée, après avoir parcouru 400 km en treize jours, celle-ci résiste aux offres de paix du roi ; prudentes, les autres cités temporisent. Prise d'assaut après un combat acharné, Thèbes est sévèrement châtiée, à ti-

Alexandre fit preuve à la fois d'une énergie et d'une modération surprenantes, rétablissant, en quelques mois, la situation. Il pacifia à l'amiable la Thessalie puis la Grèce centrale, renouvela le pacte passé avec Athènes qui lui décerna deux couronnes d'or, puis se fit reconnaître comme le nouvel Hégémon, à Corinthe. Soulagé, il s'attaqua alors au problème barbare.

néfaste où il n'est pas permis de rendre des oracles. Mais on ne fait pas attendre un (futur) conquérant. Il fait demander la Pythie. Elle allègue le règlement. Alexandre s'impatiente et l'entraîne de force vers le temple. Ainsi malmenée et impuissante, la Pythie s'exclame : « Tu es invincible, mon fils. » A ces mots, Alexandre lâche la Pythie et lui dit ne pas avoir besoin d'une autre prophétie...

tre d'exemple : Alexandre fait raser la ville, excepté les temples et la maison du poète Pindare, distribue le territoire aux alliés et vend la population (8000 âmes). L'effet est immédiat : les cités implorent son pardon qu'il accorde magnanimement, pour pouvoir se consacrer enfin à son projet contre la Perse.

Tétradrachme macédonien à l'effigie d'Alexandre. Date certainement du règne de Cassandre (316-297).

Aristote, rénovateur des sciences et de la philosophie

Athènes, 335 av. J.-C.
Aristote, de retour à Athènes, fonde une école philosophique et scientifique, le Lycée. Il perpétue ainsi le modèle de l'Académie de Platon, dont il fut un élève. Son système philosophique prend son point de départ dans celui de son maître, notamment de la théorie des Idées, mais ne tarde pas à s'en démarquer pour suivre sa logique propre. Si l'Idée platonicienne constitue l'origine et le but de tout être, Aristote va aussi reconnaître l'importance de l'expérience et privilégier les notions de forme et de matière, ce qui conduit à une critique radicale de la philosophie platonicienne. Son œuvre est à la mesure de son enseignement : encyclopédique. Elle eut un impact considérable, tant sur la génération d'intellectuels qui a suivi son enseignement que sur les acteurs de l'histoire, au premier rang desquels Alexandre le Grand, dont Aristote fut le précepteur à partir de 343. La philosophie constitue assurément le noyau de cette œuvre, notamment avec les livres de *Métaphysique*, où Aristote recherche les traits constitutifs de l'être. Mais l'*Ethique* et la *Politique* occupent aussi une place importante : Quelles sont les plus hautes vertus de l'homme ? Qu'est-ce que se conduire selon la raison ? Quelles doivent être les qualités de l'homme d'Etat ? Quelles sont les meilleures formes de constitutions politiques, leurs avantages et leurs défauts ? L'un des textes dérivant de cet enseignement politique est le traité sur la *Constitution d'Athènes*, qui rassemble une vaste documentation sur le passé de la glorieuse cité. La *Logique* constitue un autre secteur majeur de cette œuvre : comment élaborer des concepts, comment raisonner, qu'est-ce que faire une déduction ? Autant de questions abordées par

Aristote. La logique est indissociable de la *Rhétorique,* qui met l'art de raisonner en pratique dans le discours. Les manuels de rhétorique codifient notamment l'éristique judiciaire et réconcilient l'art oratoire et la philosophie. Il était naturel qu'Aristote s'intéresse aussi aux problèmes de la *Poétique,* avec une théorie de la Tragédie et de la « mimésis » (imitation) qui auront des répercussions considérables. Aristote le philosophe est aussi un naturaliste qui a exploré le monde animal, les phénomènes atmosphériques, les secrets du cos-

Portrait du philosophe Aristote. Marbre. Epoque romaine. Musée national, Athènes.

mos. Ces traités techniques marquent l'acte de naissance de la science hellénistique. Retraçant l'histoire de chaque discipline scientifique et appuyant ses propres recherches sur les fondations de la science antérieure, Aristote classe, définit, décrit, explique. Une méthode originale s'affirme, ainsi qu'un projet encyclopédique d'une ampleur exceptionnelle. La mort d'Aristote, en 322, fut une perte considérable : disparaissait un des esprits les plus brillants et les plus féconds du siècle.

334 av. J.-C.

Asie Mineure

Au printemps, Alexandre débarque avec une armée de 40 000 hommes près de l'emplacement présumé de Troie, où la tradition veut qu'il ait déposé une couronne sur la tombe d'Achille. Puis, c'est le premier affrontement avec les Perses, au bord du Granique : Alexandre en sort victorieux. Il mène ensuite diverses opérations en Lydie et en Phrygie : les cités l'accueillent le plus souvent sans combattre. →

333 av. J.-C.

Gordion

Sur l'acropole de Gordion, Alexandre découvre un char dont le joug est fixé par un nœud inextricable. Celui qui parviendra à le défaire sera le maître de l'Asie. Bien des candidats s'y sont essayé en vain... Alexandre le tranche d'un coup d'épée. Et, dans la nuit qui suit, tonnerre et éclairs vont confirmer la prédiction. →

Asie Mineure

Alexandre est déjà maître d'une bonne partie de l'Asie Mineure. Préparant une contre-attaque, Darius concentre ses troupes en Syrie. La rencontre se produit à Issos, en novembre, et Alexandre s'empare du camp et de la famille de Darius. Le soir de la victoire, il s'endort sous la tente du roi perse. Darius, en fuite, tente de négocier, mais en vain. Alexandre poursuit sa marche. Les cités de Phénicie se soumettent prudemment, sauf Tyr : Alexandre commence un siège qui va durer huit mois. La ville tombera en août 332 et sera durement châtiée.

331 av. J.-C.

Egypte

Ayant forcé le verrou de Gaza, Alexandre est maintenant en Egypte. Il substitue ainsi l'occupation macédonienne à l'occupation perse, mais il aura l'intelligence de respecter les coutumes et la culture égyptiennes. Agissant autant comme pharaon que comme roi, il fonde Alexandrie et va consulter l'oracle d'Amon. Lorsqu'il en revient, l'avenir s'ouvre devant lui, radieux. →

Mésopotamie

Darius a recomposé son armée à Babylone et s'est doté d'un grand nombre de chars à faux. Il compte les utiliser en affrontant Alexandre dans les plaines. Mais ce dernier franchit l'Euphrate à Thapsaque, puis le Tigre. Darius va à sa rencontre et fait niveler le site de Gaugamèles. La bataille est gigantesque. Les Macédoniens l'emportent et Darius doit prendre la fuite. Alexandre s'empare ensuite de Babylone et de Suse. →

330 av. J.-C.

Perse

Alexandre marche sur Persépolis et laisse ses soldats dévaster la ville royale. Le conquérant veut capturer Darius vivant, mais des rebelles assassinent le roi perse. C'est l'effondrement de l'Empire achéménide.

329 av. J.-C.

Perse

Après avoir conquis les satrapies orientales de l'empire, Alexandre franchit au printemps l'Hindû-Kûsh et commence la conquête de la Bactriane et de la Sogdiane, jusqu'en 327.

326 av. J.-C.

Inde

Les armées d'Alexandre se dirigent vers l'Inde. Le conquérant soumet les vallées subhimalayennes, tandis qu'Héphestion marche sur la vallée de l'Indus. A Nysa (Nicéa), Alexandre participe à une fête religieuse locale que les Grecs identifient comme une fête en l'honneur de Dionysos ; sans doute cet épisode contribua à favoriser l'identification ultérieure d'Alexandre à Dionysos. Alexandre remporte ensuite une victoire au bord du fleuve Hydaspe sur Pôros, roi du Panjâb. Bien que battu, celui-ci n'en sera pas moins remis sur son trône par le conquérant. →

325 av. J.-C.

Orient

Les soldats macédoniens ayant refusé de poursuivre vers l'est, Alexandre entame donc sa retraite. Néarque, à la tête d'une flotte, navigue de l'Indus à la Mésopotamie et se livre à un ensemble d'observations géographiques et ethnographiques. Alexandre choisit la voie de terre, la plus dure, avec la traversée du désert de Gédrosie.

Bataille d'Alexandre contre Darius (détail) : Alexandre le Grand. Mosaïque retrouvée dans la maison du Faune à Pompéi.

Alexandre affronte le roi perse

Asie Mineure et Perse, 334-330 av. J.-C.

Le conflit qui opposa pendant trois ans Alexandre à Darius III apparaît au départ comme une guerre de représailles menée par les Grecs contre les Perses, pour se venger des Guerres médiques. Si la Perse est encore un empire puissant, elle n'en présente pas moins bien des faiblesses qui expliquent la rapidité de la conquête : intrigues de palais affaiblissant l'autorité centrale au profit des satrapes, immensité du territoire à défendre, caractère hétéroclite de forces mal dirigées. Alexandre, quant à lui, s'appuie sur une armée bien organisée dont il assure lui-même le commandement, épaulé par un état-major solide. Le premier choc a lieu au Granique, où les Perses attendent les Grecs fraîchement débarqués ; ce choc se solde par une retraite des troupes du Grand Roi qui ouvre à Alexandre la route vers les cités grecques de la côte ; celles-ci se soumettent de plein gré (Sardes, Ephèse) ou après une courte résistance (Milet). Au cours de l'hiver 334, Alexandre poursuit sa marche vers le sud-ouest ; après un séjour à Gordion, où il tranche le nœud, symbole de son succès, il s'apprête à livrer à Issos (novembre 333) sa deuxième bataille contre Darius ; longtemps indécis et terriblement meurtrier, le combat tourne en faveur des Grecs, qui s'emparent ainsi de la famille et du trésor que Darius a abandonnés dans sa fuite. Préférant consolider sa position avant de s'enfoncer vers l'est, Alexandre soumet la Phénicie, puis l'Egypte où il reçoit un accueil triomphal ; refusant, contre l'avis de son état-major, les propositions de paix du Grand Roi qui lui offre sa fille et la moitié de l'Asie Mineure, il affronte Darius pour la dernière fois à Gaugamèles (octobre 331). Malgré l'écrasante supériorité numérique des Perses, il remporte le combat, forçant Darius à reprendre la fuite, et s'empare des capitales (Babylone, Suse, Persépolis qu'il incendie, Pasargades, Ecbatane enfin). Désormais seul, Darius, trahi par Bessos, satrape de Bactriane, meurt assassiné, laissant à Alexandre son empire.

Darius sur son char. Détail de la mosaïque retrouvée dans la maison du Faune à Pompéi. Seconde moitié du IIe siècle.

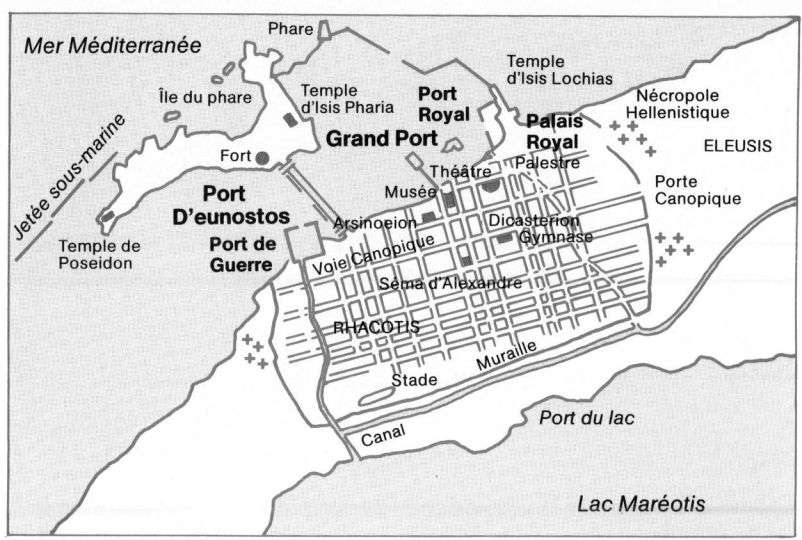

Mer Méditerranée
Phare
Île du phare
Jetée sous-marine
Temple d'Isis Pharia
Fort
Port Royal
Grand Port
Temple d'Isis Lochias
Nécropole Hellenistique
Palais Royal
ELEUSIS
Théâtre
Musée
Palestre
Temple de Poseidon
Port D'eunostos
Port de Guerre
Arsinoeion
Voie Canopique
Dicasterion Gymnase
Porte Canopique
Séma d'Alexandre
RHACÔTIS
Muraille
Stade
Canal
Port du lac
Lac Maréotis

Le rêve œcuménique d'un conquérant

Alexandre le Grand se tourne tout d'abord vers l'Orient. C'est par un plan concerté ou par une succession d'occasions bien utilisées qu'il parvient jusqu'en Inde et qu'il place la moitié de l'*oekoumène* (la « terre habitée ») sous son autorité. Il plante une stèle en Extrême-Orient qui marque les limites de son avancée et, par là-même, du monde connu des Grecs. Alexandre avait sans doute le projet de poursuivre ses conquêtes vers l'Occident et de régner sur la terre des colonnes d'Héraclès (ouest) à celles de Dionysos (est). Seule la mort l'empêchera de se lancer dans cette aventure occidentale.

Régnant sur l'Orient, Alexandre diffuse le mode de vie et de pensée grecques. Mais il sait aussi être attentif à se concilier les populations locales. Il scandalise ses compagnons macédoniens en se laissant tenter par le cérémonial royal perse (prosternation des sujets). Il se veut aussi l'artisan de la concorde entre les Grecs et les Barbares. Les noces de Suse et le banquet d'Opis vont dans le sens d'un certain universalisme humain. Mais, plus que d'une option philosophique, il s'agit d'un réalisme politique. Pour régner sur un si vaste empire, il faut se concilier les élites indigènes.

Le divin Alexandre fonde Alexandrie

Egypte, 331 av. J.-C.
L'oracle d'Amon vient de reconnaître en Alexandre le fils de Zeus. Ainsi divinisé, le jeune conquérant fonde une cité de toutes pièces, à l'ouest du delta du Nil, et lui donne le nom d'Alexandrie. Le plan en a été tracé par Deinocratès, sur le modèle d'Hippodamos de Milet. Très vite, la ville s'orne des principaux monuments constitutifs d'une cité grecque : gymnase, tribunal, etc. Le palais constituera un quartier autonome, avec ses jardins, son théâtre et surtout le musée et la bibliothèque, qui vont jouer un rôle important dans la vie intellectuelle du monde hellénistique. Le port se trouve de part et d'autre de la jetée qui relie l'île de Pharos au continent. L'eau du Nil est distribuée par un réseau de canalisations. Alexandrie deviendra rapidement une des principales métropoles du monde méditerranéen, comptant près d'un million d'habitants. Cosmopolite et turbulente, la population rassemble Grecs, Egyptiens, Syriens et Juifs. Bien qu'elle ait les institutions d'une cité grecque, Alexandrie reste, en fait, sous l'autorité de l'administration royale et, après la mort du conquérant (dont elle renferme le tombeau), elle deviendra la capitale du royaume des Lagides. Centre économique important par ses ateliers de produits de luxe comme par son trafic portuaire intense, Alexandrie sera un véritable carrefour entre le monde gréco-romain, l'Afrique noire, l'Inde et l'Arabie. On y vendra et achètera esclaves, ivoire, épices et parfums. Cette effervescence et le mécénat éclairé des Lagides favoriseront un développement culturel, artistique et littéraire absolument uniques.

Dionysos chevauchant une panthère. Mosaïque de la Maison des Masques à Délos. Seconde moitié du IIe siècle. In situ.

Le génie militaire d'Alexandre

Le succès rapide de la croisade contre la puissance perse s'explique par le charisme que dégageait Alexandre par son génie militaire, révélé dès Chéronée, et son sens politique qui le rendait tour à tour magnanime pour calmer les passions, ou implacable à titre d'exemple. Partageant les conditions de vie de ses soldats, peu soucieux des fatigues et des blessures, au premier plan en toute occasion, il était adoré par ses hommes qui voyaient en lui un chef prestigieux. Méticuleux dans la préparation de l'expédition et des batailles, imposant un terrain propice aux évolutions de la phalange, choisissant toujours l'offensive, il savait tantôt céder à sa fougue – mais sans impatience –, tantôt rester prudent et, avec lucidité, assurer ses arrières, renforcer ses positions, au moyen d'une deuxième ligne ou grâce à une charge de la cavalerie à la tête de laquelle il menait les opérations.

Aveuglé par la colère, Alexandre tue son meilleur ami

Maracanda (Samarkand), Sogdiane, 328 av. J.-C.
Alexandre, s'il était paré des nombreuses qualités d'un chef (loyauté, magnanimité), n'en donnait pas moins libre cours à des travers répréhensibles : goût du vin, violentes colères, mégalomanie enfin ; c'est dans ce contexte qu'il tua au cours d'un banquet son ami Clitus, frère de sa propre nourrice Lanike. Ce dernier, irrité du changement d'Alexandre, qui goûtait fort les mœurs orientales, tint un discours minimisant la gloire du roi actuel pour relever celle de Philippe. Il excita sa fureur naissante, exacerbée par le vin, en lui rappelant que, sans lui, il serait mort au Granique et que, sans son armée, il ne serait rien. Saisissant une lance, Alexandre l'en frappa à mort, puis, immédiatement dégrisé et calmé, regretta follement son geste.

Alexandre conduit son armée en Inde

Eté 327-décembre 325 av. J.-C.
A la mort de Darius, qui faisait d'Alexandre son héritier légitime, beaucoup pensèrent que la conquête s'achevait. C'était compter sans l'ambition du roi. D'une part, l'Inde avait fait partie de l'Empire perse dont il entendait bien dépasser les limites, pour parvenir aux extrémités du monde. D'autre part, il mettait un point d'honneur à suivre les traces d'Héraclès, et du divin Dionysos, auxquels il s'identifia dès lors et qui s'étaient aventurés jadis en ces contrées mystérieuses. Après avoir soumis les satrapies de Bactriane et de Sogdiane, assuré ses arrières et en nouant des relations diplomatiques avec les rois indiens, il s'élança à travers des régions montagneuses, à la tête d'une armée de 120 000 personnes, dont la moitié était constituée de femmes et d'enfants ; il franchit l'Indus et pénétra dans le royaume de Taxila, où il fut merveilleusement accueilli par son allié, qu'il maintint en place, flanqué toutefois d'un satrape macédonien ; il s'attaqua alors au royaume de Pôros qui refusa de se soumettre et, après une terrible bataille sur les bords de l'Hydaspe où il dut affronter, sous l'orage, une formidable armée épaulée par des chars et des éléphants, le Panjâb lui fut ouvert. Ayant fondé deux cités en ces lieux, Nicéa et Bucéphalia, il poussa jusqu'à l'Hyphase, puis, cédant aux instances de ses soldats, rebroussa chemin, après avoir élevé deux autels signalant son passage. Tandis que la flotte longeait la côte, Alexandre et le gros de l'armée s'en retournèrent par les déserts de Gedrosie. La jonction des deux corps se fit en Carmanie, après bien des souffrances, et fut le prétexte à de grandes fêtes.

324 av. J.-C.

Perse

Alexandre prend une initiative spectaculaire, visant à montrer combien il entend surmonter le clivage Grecs-Barbares : quatre-vingt-dix chefs gréco-macédoniens épousent des filles de la noblesse mède et perse. En fait, ils y sont forcés. Mais il est vrai aussi que dix mille soldats ont contracté semblables mariages.

323 av. J.-C.

Babylone

Alexandre le Grand est mort. Ses derniers jours avaient été consacrés à des beuveries entrecoupées de bains. Mais le mal avait empiré et le roi était resté sans voix. Des rumeurs d'empoisonnement ont circulé, mais Alexandre est mort probablement victime d'une maladie foudroyante. Il était âgé de trente-deux ans et huit mois.

Mésopotamie

Qui sera l'héritier d'Alexandre ? Son demi-frère Arrhidée, faible d'esprit ? Ou l'enfant à naître de son épouse Roxane, ayant du sang iranien ? L'état-major est divisé. On décide d'attendre la naissance. Perdiccas exerce la régence en Asie ; Antipatros est toujours régent en Europe ; Ptolémée est nommé en Egypte, Lysimaque en Thrace, Antigonos le Borgne en Asie Mineure. Ce partage repose sur un équilibre précaire. →

322 av. J.-C.

Grèce

Athènes a perdu la Guerre lamiaque. Démosthène se suicide. L'adversaire de toujours des Macédoniens n'aura survécu qu'une année à Alexandre. Il laisse derrière lui une œuvre oratoire considérable, véritable chronique des années de crise qu'a connues sa cité. Un homme, une cité, une cause, une voix : ainsi peut se résumer cette carrière passionnée d'un citoyen hors du commun, acteur et témoin de son temps. →

Zénon fonde l'école du Portique, ainsi nommée en raison du portique peint (*Stoa Poikilè*) sous lequel il a l'habitude d'enseigner. Cette école va devenir l'une des plus importantes du monde hellénistique, par ses spéculations comme par ses liens étroits avec l'exercice du pouvoir : le stoïcisme apporte, en effet, au souverain une éthique et une sagesse. Zénon sera très lié avec le roi Antigonos Gonotas.

321 av. J.-C.

Syrie

Les querelles entre les héritiers possibles d'Alexandre et les régents déjà en place deviennent inextricables et dégénèrent. Perdiccas vient d'être assassiné par ses propres officiers. Une conférence s'ouvre à Triparadisos pour tenter de réorganiser l'empire. En fait, se prépare son démantèlement. →

Caudium, Campanie

En lutte contre les Samnites, les Romains se sont laissés enfermer par ces derniers dans un défilé aux environs de Caudium. Ils y subissent une de leurs plus humiliantes défaites : vaincus, ils se voient obligés de passer sous un joug dressé par leurs ennemis ; tel est l'épisode dit des Fourches caudines.

Inde

Chandragupta, fondateur de la dynastie des Maurya, monte sur le trône de Mâghada. →

320 av. J.-C.

Athènes

Aristote est mort en 322/321. Théophraste lui succède comme maître du Lycée. Il accentuera l'orientation scientifique de l'école, avec de nombreux travaux consacrés au monde des plantes et des minéraux. Il écrira aussi un recueil de *Caractères*.

Athènes

Ménandre a vingt-deux ans. Il a suivi l'enseignement de Théophraste, mais paraît plus séduit par celui des épicuriens. A l'écart de la vie publique, dans sa villa du Pirée, et en compagnie de la courtisane Glykéra, il écrit ses premières comédies.

Afghânistân

Sur les rives de l'Oxus (Amu-Dariâ), des Grecs érigent une ville qu'ils baptisent Alexandre Oxiane et qui, dans tous ses aspects, obéira aux normes de l'urbanisme grec, avec son acropole, ses monuments publics, sa ville basse et son enceinte.

Apelle, maître de la peinture grecque

Grèce, IVe siècle av. J.-C.
Né en 332, à Cos selon Pline, à Colophon selon Suidas, Apelle appartenait à une famille de peintres ; il acquit rapidement auprès d'Ephoros, à Ephèse, puis de Pamphilos à Sicyone, une grande maîtrise du dessin. Attentif aux critiques, soucieux de faire vrai, alliant la grâce ionienne à l'emphase du mouvement, il s'inscrit parfaitement dans son temps. Appelé dans les plus prestigieuses cours, il brilla à Pella, où il devint l'ami et le peintre officiel d'Alexandre, puis après sa mort, à Alexandrie, à la cour de Ptolémée, puis à Rhodes, autre grand centre artistique hellénistique. Artiste international, il s'attaqua à tous les genres : excellant dans l'art nouveau du portrait, il croqua Alexandre, Antigonos, Cleitos à cheval ; mais il réalisa aussi de grandes représentations religieuses (*Héraclès*, *Aphrodite*) ou allégoriques (*La Calomnie*).

Alexandre tenant le foudre. Fresque. Maison des Vetii, Pompéi. Vers 70 apr. J.-C.

Achille et Ajax jouant aux dés. Amphore à figures noires signée Exéchias.

Ruse et intelligence pratique en Grèce

Selon le mythe, Zeus, inquiet pour sa suprématie, a avalé Mêtis, son épouse enceinte, dont le nom signifie « intelligence rusée ». Sage précaution, mais Zeus mettra lui-même au monde Athéna, qui a conservé les pouvoirs de sa mère. Les Grecs, peuple de philosophes et de géomètres, accordent en effet une place importante à cette forme d'intelligence pratique, faite de savoir-faire, de ruses, d'esprit d'à-propos. C'est l'intelligence du chasseur et du pêcheur, aptes à piéger gibier et poissons, à se dissimuler, à lancer le filet au bon moment. Mais c'est aussi la ruse du gibier et des poissons qui savent éviter le piège, se retourner sur eux-mêmes, glisser entre les mains, se dissimuler aux regards. C'est encore l'intelligence du sportif, cocher qui conduit son char selon la trajectoire la meilleure, lutteur qui doit trouver la bonne prise. Mais la *mêtis* désigne en outre l'habileté de l'artisan, qui sait travailler la matière première, orner, tresser, entrelacer. Tisser les fils de la trame, tisser les fils du discours, deux opérations similaires : le langage permet une large gamme de ruses. Les sophistes excellent à ce jeu qui consiste à défendre la thèse, puis l'antithèse, ou à manipuler l'auditeur pour lui faire croire n'importe quoi. La *mêtis* apparaît dans la pratique même du philosophe. Socrate aime piéger son interlocuteur, le mettre en situation d'aporie, là où il n'y a plus d'issue, plus de savoir. La raison grecque, abstraite et théorique dans certaines de ses manifestations, a fait une place à cette intelligence ludique et efficace dont l'un des héros est sans doute Ulysse, l'homme aux mille tours.

Alexandre mort, ses généraux se partagent le monde

Lorsqu'Alexandre mourut prématurément en juin 323, il n'avait pas réglé sa succession. Il ne laissait en effet qu'un demi-frère bâtard et faible d'esprit, et l'enfant à naître de son épouse Roxane ; l'empire devint alors le théâtre d'une longue lutte entre les généraux partisans d'en préserver l'unité et ceux préférant son morcellement à leur profit. Dans un premier temps, le parti de l'unité l'emporta : la régence échut à Cratère, les deux rois conjoints Arrhidée et Alexandre IV étant mineurs (l'un par l'esprit, l'autre par l'âge) ; les autres maréchaux se partagèrent les satrapies : Ptolémée, l'Egypte ; Antigonos, la Phrygie ; Eumène, la Cappadoce ; Lysimaque, la Thrace ; Antipatros, l'Europe. Mais la tension monta rapidement entre les diadoques et la situation dégénéra en une suite de conflits, surtout après l'élimination d'Arrhidée et d'Alexandre IV. La disparition successive de certains généraux (Perdiccas, Cratère, Eumène) amena une série de remaniements et, en 306, l'empire avait éclaté en cinq royaumes indépendants : l'Europe avait échu à Cassandre, l'Egypte à Ptolémée, l'Asie occidentale à Antigonos, l'Asie orientale à Séleucos, la Thrace à Lysimaque.

Athènes s'engage dans la Guerre lamiaque.

Grèce, 323 av. J.-C.
On vient d'apprendre la mort d'Alexandre à Babylone. L'agitation monte dans les cités grecques, particulièrement à Athènes. Depuis 338, la ville avait lentement reconstitué son potentiel militaire et financier. Elle dispose à nouveau d'une flotte opérationnelle. Elle juge donc le moment approprié pour se libérer de la tutelle macédonienne, malgré la présence d'un parti favorable à l'occupant et un équilibre social fragile. Autour d'elle se constitue une nouvelle confédération comprenant les Etoliens et les Thessaliens. Démosthène, l'adversaire de toujours des Macédoniens, et l'orateur Hypéride galvanisent les énergies. Antipatros se trouve d'abord en difficulté et doit se réfugier à Lamia. Mais la flotte athénienne est vaincue devant l'île d'Amorgos (322). Antipatros reçoit des renforts et remporte une victoire terrestre en Thessalie, à Crannon. Les cités grecques doivent revenir à la raison et accepter l'ordre macédonien : régime oligarchique et garnison militaire. Démosthène se suicide ; Hypéride est exécuté. Cet épisode de la Guerre lamiaque marque la fin de la puissance athénienne. La Grèce est désormais morcelée et placée sous une étroite surveillance. Rien ne paraît plus pouvoir restaurer son indépendance.

Le site d'Ajantâ. On compte 30 grottes (vihâra et chaitya) creusées dans la falaise.

Une Yakshi (?), génie de la nature. Plaque en terre cuite. IIe siècle av. J.-C.

Naissance de la dynastie des Maurya

Inde, 321 av. J.-C.
L'accession au pouvoir de Chandragupta, fondateur de la dynastie Maurya, marque un tournant capital dans l'histoire du sous-continent indien : pour la première fois, la quasi-totalité du territoire est unifiée sous la domination d'une dynastie indienne. A partir du VIe siècle, seize grands Etats se partagent l'Inde septentrionale, monarchies ou Etats régis par un système représentatif que l'on pourrait qualifier de républicain. C'est l'époque où naissent deux des grandes religions de l'Inde : le bouddhisme et le jaïnisme. Très tôt, le royaume de Mâgadha impose sa puissance dans la vallée du Gange. Chandragupta Maurya abat la dynastie Nanda à la fin du IVe siècle. Ses campagnes en Inde centrale et septentrionale lui assurent la domination sur un vaste territoire. Un conflit l'oppose en 305 à Séleucos Nikator, ancien général d'Alexandre, installé dans le nord-ouest. Le traité qui met fin à ce conflit ouvre une ère de relations amicales entre l'Empire maurya et les royaumes séleucides. Kautilya, Premier ministre de Chandragupta, décrit dans son traité l'*Arthasastra* le gouvernement idéal selon les Maurya. Converti à la religion jaina, Chandragupta abdique en faveur de son fils Bindusâra en 297. Il mène dès lors une vie ascétique et termine son existence par le suicide rituel jaina, par inanition. Bindusâra mène une campagne victorieuse dans le Deccan. Son fils et successeur, Açoka, conduira l'empire à son apogée culturelle et territoriale.

Sommet d'un pilier d'Asoka. Chapiteau campaniforme, orné de lions adossés. Musée de Sarnath.

La traversée du Gange par Bouddha. Bas-relief. Vers 150 av. J.-C. Torana (ou porte) nord, grand Stûpa de Sânchi.

319 av. J.-C.

Macédoine

Antipatros meurt. C'est à lui qu'Alexandre avait confié la régence de la Macédoine et de la Grèce au moment de son départ pour l'Asie. Sa mort ouvre une crise de succession.

317 av. J.-C.

Inde

Après la retraite d'Alexandre, Chandragupta, fondateur de la dynastie Maurya, n'a pas supporté longtemps la présence des garnisons grecques. Elles sont chassées.

316 av. J.-C.

Macédoine

Antipatros étant mort, qui va régner en Macédoine ? Polyperchon, désigné par Antipatros, ne peut faire face à l'hostilité des diadoques et cède la Macédoine à Cassandre. Dans ce contexte, Olympias, la mère d'Alexandre, fait exécuter Philippe III (fils d'un premier lit de Philippe II) et son épouse, alliés de Cassandre. Celui-ci se venge en faisant lapider Olympias.

315 av. J.-C.

Palestine

C'est vers cette époque qu'a été rédigé le *Cantique des cantiques*, œuvre d'un rédacteur anonyme qui a refondu, sous le nom prestigieux de Salomon, un certain nombre de poèmes d'origine diverse, véritables chants d'amour dont le caractère profane leur a valu de n'être insérés dans le canon de la Bible hébraïque qu'en 95 après J.-C., lors du « synode » qui se tint à Yabneh (Jamnia), siège du sanhédrin.

312 av. J.-C.

Rome

Le censeur Appius Claudius contrôle les dépenses publiques et se lance dans de grands travaux d'intérêt collectif. →

311 av. J.-C.

Egypte

Ptolémée Ier est à la tête du plus riche des royaumes hellénistiques : l'Egypte. Durant son règne (323-285), il s'efforcera d'an-

nexer les territoires limitrophes, favorisera l'immigration des Grecs, retiendra ses mercenaires en leur donnant des terres.

310 av. J.-C.

Syracuse

Le démocrate Agathocle est au pouvoir à Syracuse. La Sicile vit sous la menace carthaginoise. Agathocle tente une opération d'une audace incroyable : il débarque en Libye avec ses troupes et inquiète suffisamment les Carthaginois pour obtenir un traité de paix et des indemnités.

307 av. J.-C.

Athènes

Après l'échec de sa tentative d'indépendance, dans le cadre de la Guerre lamiaque, Athènes est retombée sous la tutelle macédonienne. En 307, Démétrios Poliorcète, fils d'Antigonos, « libère » Athènes.

306 av. J.-C.

Rome

Rome et Carthage ont signé un accord pour délimiter leurs zones d'influence respectives. Rome renonce à commercer en Sardaigne, en Afrique (sauf avec Carthage) et au sud de Cartagène en Espagne. Par contre, elle a libre accès à la Sicile.

Grèce et Asie Mineure

Officiellement, il n'y a plus de rois. Les diadoques, à partir de 306, prennent successivement le titre royal : Antigonos et son fils Démétrios donnent l'exemple, qui est suivi par Ptolémée, Cassandre, Lysimaque et Séleucos.

305 av. J.-C.

Rhodes

Rhodes, carrefour commercial entre l'Egypte et l'Egée, est alliée à Ptolémée. Démétrios l'assiège. Mais il mérite mal son surnom de Poliorcète, « preneur de villes », puisque Rhodes ne se rend pas et qu'il doit reconnaître son indépendance.

302 av. J.-C.

Inde

Chandragupta et Séleucos négocient un traité de paix. →

La deuxième Guerre samnite prend fin

Italie, 304 av. J.-C.

Les deux premières Guerres samnites (343 et 327-304 av. J.-C.) ont un caractère acharné et parfois confus, dû à la complexité des alliances entre Romains, Etrusques, Latins et Samnites, et aux convergences d'intérêt à l'intérieur même des cités : entre les plèbes romaine et capouanne et les Samnites, entre les familles conservatrices de Rome et Capoue. Ainsi, la première guerre unit-elle d'abord Rome et Capoue contre les Samnites, mais le parti plébéien favorable à ces derniers reprend le dessus à Rome, entraînant bientôt un total renversement de la situation : Romains et Samnites s'opposent aux Latins et aux Campaniens ; à l'issue de cette guerre, Rome victorieuse dissout la Ligue latine et établit sa domination sur le Latium. Mais elle doit alors assurer la défense de ce territoire contre les montagnards samnites revenus à la charge, durant une longue et pénible guerre (327-304). Rome essuie d'abord de graves défaites, dont celle, humiliante, des Fourches caudines (321), où les légions doivent défiler sous le joug ; elle doit assouplir son dispositif tactique pour mieux lutter contre les formations ennemies mieux adaptées à la guerre de montagne. Enfin, la résistance des Samnites, alliés cette fois à Capoue et à l'Etrurie, faiblit, et une paix est conclue.

Guerriers sammites en ordre de marche. Détail. Fresque d'une tombe Paestum. IVe siècle. Museo nazionale, Naples.

L'apport religieux des Chaldéens

Selon les Mésopotamiens, l'homme, la nature et le cosmos existent dans des rapports de réciprocité et interfèrent les uns sur les autres. L'univers est tissé d'un réseau extrêmement dense de sympathies qui rapprochent les choses et les êtres apparemment très éloignés. Lorsque le mot « sang » est utilisé pour désigner le vin ou la sève du cèdre, il ne faut pas y voir une simple figure de style, mais l'affirmation que des rapports d'analogie rapprochent les différentes matières dont il est question. Le sang est symbole de vie ; quant à la grappe, le vin est son sang ; les cèdres sont une essence d'arbre que l'on n'abat pas mais que l'on tue, comme on tue les hommes ou les dieux. La dynamique à laquelle l'analogie donne naissance commence avec la création du monde par le dieu Marduk, dès l'instant où il coupe en deux le corps de son adversaire, le monstre Tiamat, et en dispose les deux moitiés pour qu'elles se répondent, telle une image et son reflet dans un miroir. A l'arrière-plan de ce mode de pensée, il existe un axiome capital, la doctrine du nom. Pour les Mésopotamiens, une chose ou un être n'acquiert l'existence qu'après avoir été nommé. L'identité entre le nom et la chose entraîne leur ressemblance. C'est le nom qui fait de la chose nommée un objet de connaissance et en dévoile l'essence, la nature et le destin. Une triple problématique est au cœur des préoccupations des Mésopotamiens : la création du monde et le rôle des dieux ; l'ordre du monde ; le destin de l'homme et la mort. A l'origine des temps, les dieux avaient créé le monde à partir d'une matière primordiale, l'eau, la terre ou le temps, selon les écoles. Les dieux créateurs, principalement Enlil, le maître de l'air et de l'atmosphère, et Enki ou Ea, le seigneur des eaux douces souterraines, puis Marduk, avatar d'Enlil et fils d'Ea, sont en même temps les dieux souverains du panthéon. Créé par les dieux, le monde est fait à leur usage exclusif ; l'homme est leur serviteur.

Un colosse à l'entrée du port de Rhodes

Le colosse de Rhodes, l'une des Sept Merveilles du monde, fut le témoin éphémère de la prospérité de l'île, à l'époque hellénistique. Sa position le plaçait au centre d'un vaste réseau d'échanges en Méditerranée, et la résistance de cette république marchande contre Démétrios (305) l'avait auréolée d'une gloire nouvelle. Les Rhodiens, qui adoraient Hélios, décidèrent de consacrer à leur dieu protecteur une gigantesque statue de bronze, le représentant tel un jeune homme à la chevelure rayonnante, qui s'élèverait à l'entrée du port. Le projet fut confié en 290 à Charès de Lindos ; ce colosse de 33 m de haut, englouti lors du séisme de 224, ne nous est connu que par les monnaies.

Le colosse de Rhodes, une des Sept merveilles du monde. Dessin de Fischer von Erlach. 1721.

Floraison des écoles philosophiques en Grèce

Grèce, fin du IVe siècle av. J.-C.
Si la Grèce a perdu son indépendance politique, elle reste un foyer intellectuel extrêmement vivant. En témoignent les écoles philosophiques, qui réunissent des élèves et des savants autour de quelques maîtres et de leurs doctrines. Le Lycée aristotélicien et l'Académie platonicienne sont des centres d'histoire de la philosophie, où l'on commente les traités fondateurs. L'école d'Epicure, ouverte aux femmes et aux esclaves, développe une théorie physique dérivée de Démocrite et une sagesse individuelle visant la recherche du bonheur dans l'absence de désirs et la pratique de l'amitié. L'école stoïcienne, fondée par Zénon, dispense un enseignement physique sur le Monde et l'Intelligence universelle qui le gouverne, ainsi qu'une morale du renoncement et de l'effort qui concerne particulièrement les hommes d'action. Les sceptiques s'attaquent aux théories des écoles concurrentes et désespèrent de par-

La Via Appia reliait Rome à Capoue. Elle était dans sa plus grande partie pavée. Sa construction fut commencée en 312 av. J.-C.

Le censeur Appius Claudius construit une route de Rome à Capoue

Rome, 312 av. J.-C.
C'est une personnalité complexe que celle d'Appius Claudius Caecus, plusieurs fois consul, une fois dictateur, mais surtout célèbre par la censure qu'il exerce avant toute autre charge entre 312 et 308 av. J.-C. Cette magistrature, créée en 443, était prestigieuse ; les deux censeurs sont élus pour cinq ans ; ils établissent la liste des citoyens et les répartissent dans les centuries et les tribus ; ils dressent l'album sénatorial et la liste des chevaliers, fixent le montant des dépenses et recettes de l'Etat et procèdent aux adjudications publiques. Issu de l'orgueilleuse *gens* Claudia, Appius Claudius est un patricien lettré, un orateur et un juriste. Ami de la plèbe, démagogue à ses heures, sa

politique est en fait ambiguë. En effet, il mène une campagne de travaux édilitaires, avec la construction à Rome d'un aqueduc, et relie la Ville à la Campanie par la fameuse voie qui porte son nom, la via Appia, d'une importance économique et stratégique capitale. Il revoit également la liste des sénateurs et y inscrit des fils d'affranchis ; plus encore, il autorise les citoyens pauvres à se faire inscrire dans l'une des vingt-sept tribus rurales et non plus seulement dans les quatre tribus urbaines, au risque de leur donner la majorité à l'assemblée plébéienne. Paradoxalement, il refuse de voir les plébéiens accéder à des sacerdoces patriciens. Cette contradiction s'explique sans doute par le fait que ce grand seigneur s'oppose à la politique d'alliances entre les grandes familles plébéiennes et patriciennes et qu'il cherche probablement à restaurer le patriciat dans ses anciens privilèges en s'appuyant sur le peuple.

venir à un savoir assuré, tandis que les cyniques amusent le public par leur allure de vagabonds, leurs outrances provocatrices, leur dénonciation des fausses valeurs humaines : la richesse, la gloire, l'honneur. La politique est morte, mais on continue toujours à beaucoup parler et à s'adonner à la réflexion dans les cités grecques.

Statue-portrait d'Epicure. Marbre. Réplique antique d'un original du IIIe siècle.

Un ambassadeur grec auprès de Chandragupta

Inde, 302 av. J.-C.
La cour de Chandragupta, roi fondateur de la dynastie Maurya, reçoit un ambassadeur du souverain grec Séleucos Nikator : Mégasthènes. A la suite des campagnes d'Alexandre en Orient, quelques généraux grecs s'étaient taillé des royaumes dans le nord-ouest de l'Inde. L'un d'eux, Séleucos Nikator, est engagé en 305 dans un conflit avec Chandragupta, qui se termine par la signature d'un traité avantageux pour l'Empire maurya, et à la suite duquel se nouent, entre les deux pays, des relations amicales. Dans le cadre d'échanges de présents et d'ambassades, le grec Mégasthènes arrive à Pâtaliputra, la capitale de l'empire. Esprit vif et ouvert, observateur curieux et attentif, Mégasthènes a laissé, dans ses *Indica*, de précieux renseignements sur l'aspect physique et les coutumes du pays à l'époque de sa visite. De l'original de son œuvre, seuls des fragments, cités par des auteurs grecs, nous sont parvenus.

Vase à vin en bronze représentatif de l'art des Zhou orientaux.

La période des "Royaumes combattants" en Chine

Chine, fin du IVe siècle av. J.-C. C'est la pleine période des Royaumes combattants. Dès le VIIIe siècle, le pouvoir des Zhou (Tcheou) n'était plus que nominal. A compter du Ve siècle, les chefs locaux s'engagent dans une longue lutte indécise. Le pays de Jin (Tsin), divisé en trois domaines familiaux, englobe les territoires septentrionaux. Il est convoité par les Qi du Shandong, par le Chu, royaume dominant des régions méridionales, et par les Qin (Ts'in) à l'ouest, alors en pleine expansion. En 341, le Jin perd définitivement son unité. Au sud, le Chu absorbe les royaumes secondaires ; mais, menacé par les Qin sur sa frontière occidentale, il demande l'aide des Qi. Divisée en trois zones d'influence, la Chine connaît une paix relative au début du IIIe siècle.

Vase chinois en céramique. Période des Royaumes combattants (475-221 av. J.-C.).

301 av. J.-C.

Phrygie
La Macédoine est convoitée par les diadoques. Antigonos le Borgne veut y régner, mais les autres rois, Cassandre, Lysimaque et Séleucos, se coalisent pour l'en empêcher. La rencontre décisive a lieu à Ipsos. Antigonos y trouve la mort. Les vainqueurs procèdent à un nouveau partage du monde. Cassandre conserve la Macédoine, Lysimaque règne sur la Thrace et l'Asie Mineure jusqu'à la montagne du Taurus ; Séleucos n'obtient que la région septentrionale de la Syrie, la moitié méridionale étant occupée par Ptolémée. Quant à Démétrios Poliorcète, il conserve ses positions en Asie Mineure et en Phénicie, dans les Cyclades et en Grèce.

300 av. J.-C.

Syrie du Nord
Après la bataille d'Ipsos, Lysimaque et Séleucos se sont partagés l'Orient. Séleucos va fonder en Syrie quatre cités : Antioche, Séleucie, Laodicée et Apamée, dans une région marécageuse et insalubre, au fond du golfe de Chypre. C'est qu'en fait l'endroit est le seul accès des Etats séleucides à la Méditerranée.

Grèce
Evhémère, dans un récit utopique intitulé *Relation sacrée*, pose les fondements d'une nouvelle théologie. Seuls, les astres sont des dieux immortels et éternels. Les Olympiens de la religion traditionnelle sont, en fait, des rois humains qui ont été divinisés en raison de leur rôle civilisateur. Cette exégèse rationaliste de la religion conduit à voir dans les dieux des inventeurs de techniques, des donateurs généreux. Mais cette théorie a aussi des retombées politiques : elle apporte une justification à la divinisation et au culte des souverains, qui commencent à se répandre dans les monarchies hellénistiques.

Alexandrie
Fruit d'une attitude spécifiquement mathématique, les *Eléments* d'Euclide se présentent comme un manuel formulant un ensemble de postulats et de définitions méthodiques. On y trouve notamment le fameux postulat selon lequel on ne peut mener, par un point du plan, qu'une seule parallèle à une droite donnée et que, par conséquent, deux droites non parallèles se recoupent nécessairement.

298 av. J.-C.

Italie
La troisième Guerre samnite éclate. Rome tente d'établir sa suprématie sur l'ensemble de la péninsule.

297 av. J.-C.

Macédoine
Sitôt connue la mort de Cassandre, Démétrios Poliorcète met sur pied une armée et tente de s'emparer du trône de Macédoine. Il y parviendra en 294.

295 av. J.-C.

Italie
La bataille de Sentinum met aux prises les Romains et une importante armée composée de Gaulois et de Samnites. Sortis vainqueurs de ce combat, les Romains contraindront les Etrusques à accepter la paix.

290 av. J.-C.

Alexandrie
Ptolémée fonde le musée d'Alexandrie. Cette prestigieuse institution, consacrée aux Muses, accueille savants et hommes de lettres qui peuvent, dans des conditions exceptionnelles, se consacrer à l'étude.

287 av. J.-C.

Rome
Entrée en vigueur de la loi Hortensia qui assimile les décisions de la plèbe (plébiscites) à des lois. Les comices tributes deviennent ainsi la grande assemblée législative de l'Etat romain, sans qu'il soit toujours nécessaire d'obtenir l'accord du Sénat. Les comices centuriates conservent le privilège de déclarer la guerre, d'élire les consuls, préteurs et censeurs.

Chine
Les Etats du nord de la Chine commencent à édifier par tronçons la Grande Muraille pour se protéger des incursions barbares. Ses différentes parties seront réunies par Shi Huangdi vers 215 av. J.-C. environ.

Vue partielle du théâtre d'Epidaure. Fin du IVe siècle av. J.-C. Ses gradins pouvaient recevoir 15 000 spectateurs.

La mise en scène dans le théâtre grec

Le théâtre grec classique est une architecture de plein air. Les gradins de bois, puis de pierre, se déploient à flanc de colline. Ils surplombent le cercle de l'*orchestra*, réservé aux évolutions du chœur. De part et d'autre se trouvent les accès (ce que l'on appelle *parodoi*) pour le public comme pour le chœur et les acteurs. Face aux gradins, et de l'autre côté de l'*orchestra*, se dresse une estrade, la *skéné* (la scène). Un portique et un mur, en bois à l'origine, permettent aux acteurs de se détacher visuellement et de mieux faire porter leur voix. La *skéné* contribue à suggérer au spectateur les lieux de l'action dramatique : temple, palais, maison. Certaines machineries permettent aux dieux de descendre sur terre ou de s'envoler à nouveau. Les acteurs jouent entre l'*orchestra* et la *skéné*, peut-être sur un podium légèrement surélevé. Le théâtre grec ne comprend donc pas de décor. Seule une perspective architecturale peinte sur le mur de la *skéné* peut susciter l'illusion théâtrale. Aux origines du théâtre grec, il n'y avait qu'un acteur. Eschyle en ajouta un second, Sophocle un troisième. Il n'y a jamais eu d'actrice : tous les rôles sont tenus par des hommes. C'est au « protagoniste » qu'il incombe de dégager le sens de la pièce. Les trois acteurs de la tragédie classique assument plusieurs rôles durant la même représentation, ce qui leur demande de changer plusieurs fois de masques et de costumes. L'acteur porte toujours un masque. C'est le masque qui identifie le personnage. Le vêtement est de couleur vive et enveloppe la totalité du corps de l'acteur. La mise en scène privilégie surtout le travail de la voix : la diction, l'intonation, les récitatifs, voire de véritables solos lyriques, autant de moyens pour agir sur un public qui entend l'acteur plus qu'il ne le voit. Le chœur, masqué lui aussi, est partie intégrante de la pièce. Il parle, chante et danse, dialogue avec les acteurs par l'intermédiaire de son conducteur, le « coryphée ». La représentation théâtrale comprend ainsi une part chorégraphique et musicale très importante. Mais le chœur remplit aussi un rôle dramatique, accentuant les situations pathétiques par ses lamentations, commentant l'action pour la rendre plus compréhensible, tirant les leçons morales et religieuses des différentes péripéties.

Le théâtre de Dionysos à Athènes sur le versant sud de l'Acropole. La construction originelle remontait au VIe siècle av. J.-C.

Essor de la peinture hellénistique

La peinture et la sculpture grecque connaissent à l'époque hellénistique une soudaine évolution. On voit la peinture murale ou de chevalet prendre le pas sur la décoration de céramique en pleine décadence ; les thèmes se diversifient : les sujets religieux et mythologiques côtoient désormais les compositions profanes ou les sujets issus des tragédies classiques, dont le pathos devient la principale source d'inspiration ; enfin, un art nouveau fleurit : celui du portrait, humain ou animalier. Obéissant à un souci extrême de réalisme, l'artiste cherche à saisir et à rendre l'expression et les traits exacts du sujet, sans cacher vieillesse, tristesse, mélancolie ou souffrance, et va même jusqu'à les accentuer pour en souligner le caractère dramatique. Cette soif de vérité explique l'apparition d'un décor naturel (paysage fourmillant de détails où l'homme n'est plus toujours l'élément essentiel) ou architectural, qui cadre une composition maîtrisant parfaitement les trois dimensions, et rehaussée de couleurs variées, créatrices de jeux d'ombre et de lumière.

Scène de combat. Amphore étrusque trouvée à Chiusi. Fin du IVe siècle av. J.-C.

Achille à Skyros découvert au milieu des jeunes filles par Ulysse et Diomède. Peinture murale. Ier siècle apr. J.-C.

Rome affirme son hégémonie en Italie

Etrurie, 298-295 av. J.-C.
Après cinq années d'une courte paix, une troisième Guerre samnite éclate en 298 av. J.-C. Rome a alors à combattre une vaste coalition regroupant, aux côtés des Samnites, les Etrusques, les Ombriens et les peuples gaulois du nord, en particulier les Sénons. C'est donc sur deux fronts que Rome doit se battre. Mais, en 296, le proconsul Decius Mus dévaste le Samnium après avoir battu l'armée samnite, la forçant à refluer vers le nord et à se réfugier en Etrurie. C'est dans cette région que vont alors se dérouler des combats qui nécessitent des légions toujours plus nombreuses. En 295, une habile manœuvre romaine parvient à diviser les coalisés : les Etrusques sont retenus sur leur territoire, tandis que Decius et Fabius rencontrent une imposante armée gallo-samnite à Sentinum. Le combat s'engage mal, Décius s'étant avancé imprudemment. Mais Fabius parvient à enfoncer l'ennemi sur l'aile droite et les deux généraux remportent une victoire totale. Le retentissement en est énorme et les conséquences considérables : Rome domine dès lors toute l'Italie centrale jusqu'à l'Adriatique, et la conquête de l'Etrurie va venir dans les années suivantes couronner ce triomphe. Des colonies sont implantées pour assurer la défense et la romanisation des terres conquises.

L'héritage des Mésopotamiens : astrologie et science des présages

Le monde est peuplé de signes infiniment nombreux et variés qu'il faut savoir lire comme des signes d'écriture, mais une écriture dont le sens est voilé et qu'un spécialiste est seul capable de décrypter. Ce spécialiste est le devin. Celui-ci a essentiellement pour mission d'étudier les rêves et d'interpréter l'aspect qu'offrent les entrailles des animaux sacrificiels. L'étude des signes du ciel demande le concours de l'astrologie. Persuadés que le mouvement des astres détermine le sort de l'humanité, les Mésopotamiens observent soigneusement leur marche, s'intéressant surtout à leur apparition et à leur disparition, avant ou après le lever ou le coucher du soleil. Les observations portent sur la position des planètes et les éclipses. L'intérêt pour les horoscopes et les signes du zodiaque n'est que très tardif. Le caractère cyclique du mouvement des astres conduit à établir des éphémérides qui permettent de trouver la signification de la position géographique de chaque astre à n'importe quel moment de son parcours. La planète Jupiter fait l'objet d'une attention soutenue, car elle régit la vie du roi. Par ailleurs, le contenu des rêves est considéré comme une réalité, comme un contact avec le monde divin. L'hépatoscopie (étude des foies) est, avec la science des rêves, l'une des formes les plus anciennes de la divination mésopotamienne. Des maquettes de foies en argile servent de modèles ; chaque anomalie est mise en rapport avec un événement politique.

Musicien ambulant. Mosaïque signée par Dioscouridès. Villa de Cicéron, Pompéi.

Mort du père de la nouvelle comédie

Athènes, 292 av. J.-C.
Moyennement apprécié de son vivant, le poète comique Ménandre jouira d'une grande notoriété posthume. Il est l'auteur de cent huit comédies. Sa facilité d'écriture était proverbiale. Une fois le plan conçu, il pouvait écrire en quelques jours la comédie projetée... Si l'actualité politique constitue le ressort essentiel de l'ancienne comédie (Aristophane), Ménandre joue, quant à lui, de la palette des types psychologiques. L'une de ses comédies s'intitule *Le Misanthrope* et met en scène un personnage d'atrabilaire bourru. On rencontre dans son œuvre une peinture vivante des caractères, des conversations naturelles, des sentiments finement observés. Amours contrariés et reconnaissances pathétiques figurent parmi les principaux ressorts dramatiques d'un théâtre qui joue sur la nuance plus que sur les « grosses ficelles » du comique.

285 av. J.-C.

Alexandrie
L'architecte Sostratos de Cnide construit sur l'île de Pharos, reliée par une digue à la terre ferme, une tour à lumière qui tire son nom du lieu où elle se dresse : le phare. L'édifice comprend trois étages et culmine à 110 m. Au sommet, un jeu de miroirs convexes réfléchit la lumière d'un feu de bois. Le phare d'Alexandrie sera un repère pour tous les navires croisant dans cette région de la Méditerranée.

283 av. J.-C.

Egypte
Mort de Ptolémée Ier, fondateur de la dynastie des Lagides. Son fils Ptolémée II lui succède. Une de ses premières mesures sera de diviniser son père défunt, ainsi que son épouse (morte en 279). Il instituera en leur honneur les Ptolémaia, sur le modèle des Jeux olympiques : une manière de consolider la dynastie familiale et de proposer un nouveau culte à ses sujets grecs.

Italie
Les Etrusques utilisent les hordes gauloises contre les Romains. En 285, les Sénons anéantissent une armée romaine sous les murs d'Arretium (Arezzo). Toute l'Italie du Nord s'embrase. Rome réagit très vite. En 283, les Sénons sont massacrés ou dispersés. Les Etrusques et leurs alliés veulent se venger et dévaster Rome. Ils sont vaincus la même année sur les rives du Tibre, près du lac Vadimon.

Egypte
C'est sans doute sous le règne de Ptolémée II que commence la traduction de la Bible en grec. Le résultat est connu sous le nom de Bible des Septante. Il témoigne d'un véritable effort d'adaptation du texte hébreu, non seulement à la langue, mais aussi à la pensée grecques. Cette entreprise contribua notamment à créer l'originalité du judaïsme hellénistique d'Alexandrie.

281 av. J.-C.

Italie
Pyrrhus, roi d'Epire, envoie en Italie un premier contingent de soldats pour soutenir Tarente et les cités grecques d'Italie du Sud contre Rome. Il se rend lui-même sur place en 280. C'est l'année de la bataille d'Héraclée, non loin

de Tarente, où les éléphants de Pyrrhus inspirent la terreur aux soldats romains. Encouragé par cette victoire, Pyrrhus propose la paix, mais à des conditions trop dures pour que Rome puisse l'accepter. →

Grèce
Dotée d'une assemblée fédérale, d'un conseil et d'un stratège élu chaque année, la Ligue achéenne contrôle l'ensemble du Péloponnèse.

Syrie
En février 281, à la bataille de Couropédion, Lysimaque est défait par Séleucos Ier qui s'empare de toutes ses possessions asiatiques et devient ainsi roi des Macédoniens ; mais il ne survit que sept mois à sa victoire, trouvant la mort en Macédoine où il tombe dans le piège que lui tend le roi d'Egypte Ptolémée. Avec la mort de Séleucos, c'est le dernier des diadoques qui disparaît.

280 av. J.-C.

Grèce
Poète de cour appartenant au cercle d'Antigonos Gonotas, Aratos est l'auteur des *Phénomènes*, poème didactique consacré à l'astronomie. Cette poésie érudite et recherchée énumère les enseignements pratiques que l'on peut tirer de l'observation des phénomènes célestes. Elle est aussi un hymne à l'ordre divin qui gouverne le cosmos. Aratos se situe dans le cadre de la philosophie stoïcienne.

279 av. J.-C.

Grèce
Les hordes celtes déferlent sur la Macédoine et la Grèce du Nord. Ce sont les peuples montagnards, Phocidiens et Etoliens, qui parviendront à arrêter leur progression. Les combats dans la région de Delphes sont particulièrement violents. Finalement refoulés, les Celtes poursuivront leur marche vers l'est, la Thrace et la région des Détroits.

274 av. J.-C.

Syrie
La « première » Guerre syrienne, première d'une série de six, éclate. Elle oppose la monarchie séleucide à la royauté lagide. Elle est mal connue et l'issue en est douteuse ; elle semble se solder par un triomphe du roi lagide.

Collèges de pontifes et d'augures à Rome

Rome, IIIe siècle av. J.-C.
La religion romaine comporte un ensemble de sacerdoces, dont la légende fait remonter l'organisation à Numa Pompilius et qui sont autant des magistratures rituelles que des charges strictement religieuses. Un ordre de préséance est établi entre elles, où vient d'abord le *rex sacrorum* (roi du sacré), patricien, héritier du rôle surtout honorifique des aspects religieux de l'ancienne fonction royale. Viennent ensuite les quinze flamines, chacun spécialement affecté au culte d'une divinité, parmi lesquels se détachent les trois flamines majeurs, ceux de Jupiter, Mars et Quirinus. Le *pontifex maximus* (grand pontife) est le véritable chef des cultes romains. Elu à vie par le collège des pontifes qu'il dirige, il fixe le calendrier et les fêtes, nomme les vestales et les flamines et veille au bon fonctionnement des cultes privés, en particulier celui des morts. Son importance fait que ce sacerdoce est très recherché par les hommes politiques ; César par exemple sera grand pontife. Un autre collège avait une grande importance, celui des augures, qui conseillent les magistrats pour l'interprétation des aruspices, c'est-à-dire des présages fournis par les signes divins (vol des oiseaux, appétit des poulets) et qui sont obligatoirement consultés pour les actes publics. Toute la vie, publique ou privée, est donc placée sous l'emprise de la religion et de ses serviteurs.

L'observation des entrailles des animaux sacrifiés pour connaître l'avenir ou interpréter la volonté des dieux était une pratique courante chez les Romains. Bas-relief. Ier siècle.

La vie quotidienne de Zénon en Egypte

Egypte, IIIe siècle av. J.-C.
Depuis le partage du monde effectué après la mort d'Alexandre le Grand, l'Egypte est devenue un royaume hellénistique. Autour du roi Ptolémée II Philadelphe, un nombre important de fonctionnaires et de bureaucrates s'affairent à la gestion du royaume. Il y a certes les hauts dignitaires comme Apollonios, ministre des Finances, mais aussi des fonctionnaires de rang moyen comme Zénon, un Grec d'Asie Mineure qui est venu en Egypte pour y faire carrière et éventuellement fortune. Il y réussit d'ailleurs bien, puisqu'il devient vite le « bras droit » d'Apollonios. Gestionnaire modèle, homme de dossiers, Zénon s'occupe aussi de ses propres affaires. Il accumule les archives, enregistre documents et lettres et les classe selon un ordre strict. Ces archives illustrent parfaitement la vie de l'élite grecque en Egypte. Comme fonctionnaire, Zénon jouit d'un salaire régulier, atout de poids dans un pays où le numéraire est rare et le loyer de l'argent exorbitant. Il bénéficie aussi de la fiscalité, véritable machine à enrichir les Grecs, qui taxe les troupeaux, les récoltes, les transports. Il participe aux expériences agricoles du roi qui crée sur les hauteurs de Philadelphie une ferme modèle, avec jardins, champs de blé, vergers, dans un paysage saharien. Zénon surveille les greffes végétales, les travaux d'adduction d'eau, le budget, les ouvriers. Mais ce fonctionnaire est aussi un Grec rusé et débrouillard, qui essaie de tromper le fisc ou la douane, qui a tissé autour de lui un réseau complexe d'amis et d'obligés, qui fait circuler les marchandises et les « cadeaux » selon un circuit parallèle. Ainsi les Grecs restent-ils entre eux et ne s'assimilent pas aux Egyptiens. L'importance de leur communauté ira sans cesse croissant.

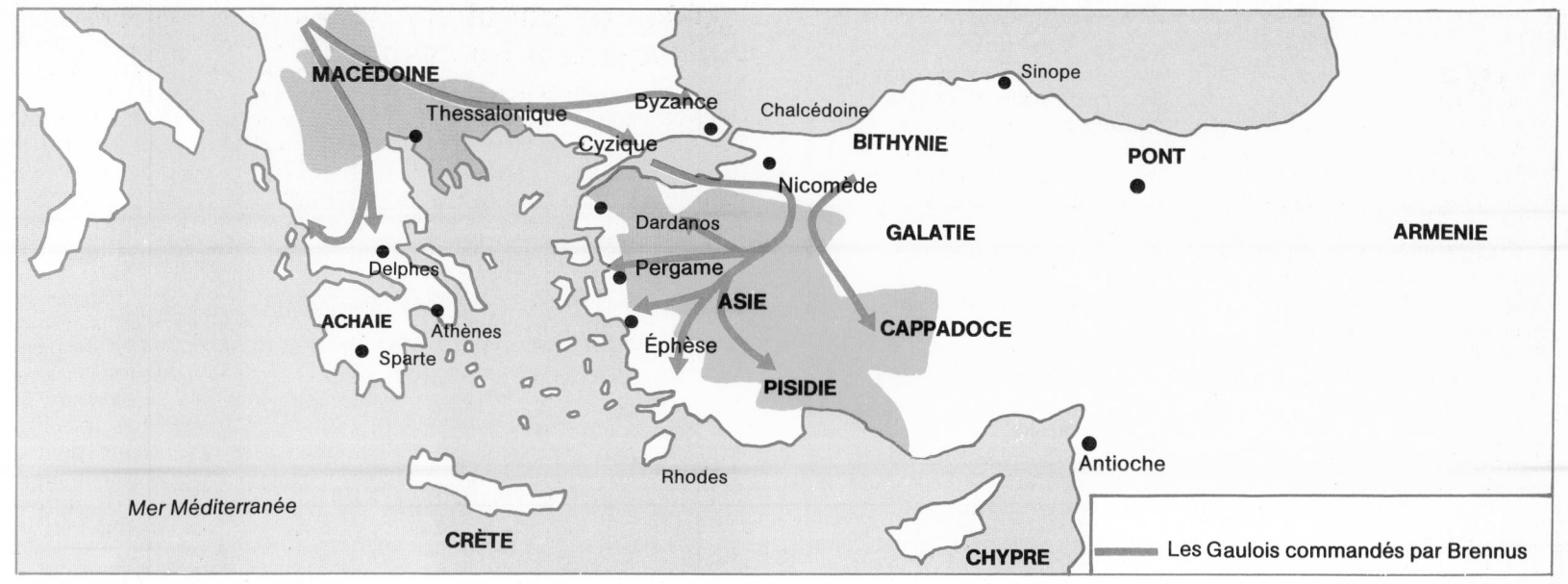

Les Galates envahissent la Grèce et l'Anatolie

Asie Mineure, vers 275 av. J.-C.
Le pouvoir séleucide traverse une période difficile. Après l'assassinat de Séleucos, en 281, Antiochos Ier doit faire face à une révolte en Syrie du Nord, puis à l'opposition des cités grecques du littoral et à la menace enfin du royaume de Bithynie, où règne Nicomède Ier. Or celui-ci parvient à maîtriser une redoutable arme de guerre contre Antiochos. Il utilise à son profit les hordes de guerriers celtes qui refluent de Grèce et de Thessalie. En 277, il les lance à l'assaut du Royaume séleucide. Ils font des ravages par leurs opérations de guérilla et terrorisent la population. Vers 275, au prix de grands efforts, le roi Antiochos parvient à les isoler et à les fixer dans une région de Phrygie qui porte désormais le nom de Galatie (d'après *Galatai*, nom grec des Gaulois). Le problème celte, cependant, n'a pas trouvé une solution définitive, et ces terribles guerriers vont encore se manifester pendant un siècle.

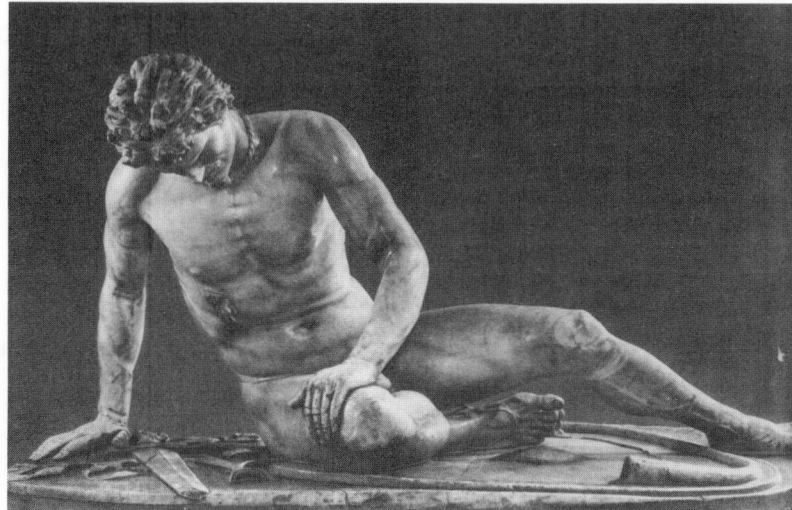

Statue de Gaulois mourant. Marbre. Réplique antique d'un original en bronze daté de la fin du IIIe siècle av. J.-C. Rome.

Les "Elégies du pays de Chu", chef-d'œuvre de la poésie chinoise

Chine, IIIe siècle
On désigne sous le nom de *Chuzi (Elégies du pays de Chu)* une anthologie de poèmes qui compte parmi les œuvres les plus prisées de la littérature chinoise. Témoin de la vitalité intellectuelle et artistique de la principauté de Chu, dans le sud de la Chine, ce recueil contient notamment les œuvres de Qu Yuan (K'iu Yuan), le plus célèbre poète de son temps, ainsi que diverses pièces de Song Yu. Ministre du royaume Chu, Qu Yuan (vers 343 av. J.-C. – vers 277 av. J.-C.) fut renvoyé de son poste sur une calomnie et condamné à l'exil. Avant de se suicider, il chanta sa douleur et son humiliation dans une œuvre demeurée fameuse, le *Lisao* (Douleur de l'éloignement), qui mêle effusions lyriques et descriptions symboliques de la nature.

Pyrrhus, roi d'Epire, en guerre contre Rome

Italie, 281-275 av. J.-C.
Après les Guerres samnites, l'horizon politique de Rome se déplace vers le sud et s'élargit à l'ensemble de la Méditerranée occidentale. Son avenir se joue désormais autant sur mer que sur terre. Si la plèbe rurale est plus favorable à une expansion territoriale vers les riches terres du nord, de puissantes familles campaniennes de la noblesse poussent à l'assaut des grandes cités grecques de la côte méridionale, au premier rang desquelles se trouve Tarente. A l'intérieur même de ces cités, des poussées démocratiques encouragent les aristocraties locales à demander l'intervention romaine pour préserver leur pouvoir. C'est le cas de Thurii en 282 av. J.-C., et d'autres cités comme Rhegion, où Rome installe bientôt des garnisons. Une flotte romaine pousse même l'audace jusqu'à venir croiser dans le golfe de Tarente ; elle y subit une défaite sévère et les démocrates tarentinois font alors appel à Pyrrhus roi d'Epire. Rome affronte alors pour la première fois la phalange et les éléphants d'un monarque hellénistique, désireux d'unifier sous sa couronne l'Italie du Sud et la Sicile carthaginoise. L'armée romaine subit d'abord de sévères défaites (280-279) et Pyrrhus menace même Rome. Carthage promet son soutien et le Sénat repousse les dures conditions de paix de l'Epirote. Après un an d'inactivité, il mènera en Sicile une campagne brillante, mais tout aussi inutile (278-275). Revenu en Italie, il se heurtera à une armée romaine réorganisée qui, l'affrontant en montagne, ne lui permettra pas de déployer son armement lourd. Vaincu, il doit rembarquer pour l'Orient (275). En 272, Tarente capitule et Rome maîtrise alors l'Italie, de Rhegion à l'Arno. Sa suprématie est désormais incontestée.

Une nouvelle arme de guerre : les éléphants

Asie Mineure, 275 av. J.-C.
Le roi séleucide Antiochos Ier Sôter inflige une défaite aux envahisseurs galates, des tribus celtes, lors de la bataille des Eléphants. C'est à la faveur de l'expédition d'Alexandre le Grand que les Grecs sont entrés pour la première fois en contact avec ces animaux. Equipés d'une tour pour les combattants, les éléphants permettent aux archers de dominer le champ de bataille. Mais leur rôle principal est de semer la panique dans les rangs ennemis, parmi les hommes comme parmi les chevaux. Les éléphants étaient utilisés depuis longtemps comme armes de guerre par les royaumes d'Orient. Le roi du Panjâb Pôros les avait alignés contre Alexandre, lors de la bataille de l'Hydaspe, en 326. L'Inde restera d'ailleurs le principal fournisseur en éléphants des souverains hellénistiques. Outre les Séleucides, les Lagides seront parmi les principaux utilisateurs. Ces derniers se procureront des éléphants par l'intermédiaire du royaume de Méroé. L'entretien de ces animaux était très onéreux, mais se justifiait par leur efficacité sur les champs de bataille.

Eléphant harnaché pour la guerre. Plat étrusque. Céramique. IIIe siècle av. J.-C. Villa Giulia, Rome.

272 av. J.-C.

Italie

La ville de Tarente, en Italie du Sud, se propose de défendre les intérêts des cités grecques contre Rome, qui vient de remporter la guerre contre les Samnites. Pyrrhus, le roi d'Epire, soutient Tarente et ses éléphants menacent le Latium. Mais, en 275, il se retire du conflit. La chute de Tarente est alors inévitable. La cité est pillée et les Romains découvrent le luxe hellénique.

Epire

Pyrrhus, roi d'Epire, est mort. Brillant stratège et grand administrateur, il est parvenu à faire de son petit royaume une grande puissance, annexant peu à peu les provinces soumises à la Macédoine. Champion de l'hellénisme, il est intervenu en Occident contre Rome et a rêvé d'un royaume sicilien. Mais ce projet ne pouvait qu'échouer.

Grèce

Le philosophe Epicure est mort. Répondant à une aspiration nouvelle due au bonheur et à la paix intérieure, sa doctrine fait école.

270 av. J.-C.

Syrie

Après avoir attaqué Delphes, un fort parti de Gaulois a fini par se fixer en Asie Mineure dans une région qui deviendra la Galatie. Quoique sédentarisés, les Galates restent farouchement attachés à leurs traditions guerrières et à leur indépendance. Soucieux de les contenir, Seleucos II les attaque et remporte la victoire.

Alexandrie

C'est la grande époque du poète Callimaque (vers 315-vers 240). Cet homme de lettres brillant excelle dans une poésie érudite, riche en allusions mythologiques et en curiosités de tous ordres. Il écrit des hymnes religieux mettant en lumière les particularités légendaires ou cultuelles des principales divinités. Partisan d'une poésie concise, il s'oppose aux tenants de la forme épique.

267 av. J.-C.

Grèce

Antigonos Gonotas a redonné à la Macédoine sa puissance. Son autorité s'étend à une bonne partie du monde grec. Athènes, menée par Chrémonidès, tente de se soulever et d'expulser la garnison macédonienne. Elle prend la tête d'une coalition hellénique, qui comprend Sparte, les Eléens, les Arcadiens et les Achéens. Le roi Gonotas ne manque pas de réagir et intervient en force.

264 av. J.-C.

Italie

La première Guerre punique éclate entre Rome et Carthage. L'antagonisme commercial et politique entre les deux puissances ne pouvait se contenter d'un *statu quo*. Les hostilités vont durer vingt-trois ans. →

Rome

Les Romains découvrent un nouveau type de spectacle : les combats de gladiateurs. Sport violent et cruel, il obtient vite les faveurs du public.

262 av. J.-C.

Asie Mineure

A Pergame, Philétairos, le commandant de la place qui avait, vers 276, sauvé la ville de l'attaque des Galates, meurt. Son neveu Eumène lui succède. Après une victoire remportée sur l'armée du roi séleucide, il se proclame indépendant et fonde le royaume de Pergame.

Athènes

Antigonos Gonotas, après un long siège, s'empare d'Athènes. La démonstration est à nouveau faite que les cités grecques ne peuvent résister à la puissance des monarchies hellénistiques.

260 av. J.-C.

Syrie

Une nouvelle fois, Séleucides et Lagides s'affrontent pour la possession de la Syrie. La guerre dure quelque six années. Elle se termine par un mariage entre Antiochos II et Bérénice, une fille de Ptolémée II. →

247 av. J.-C.

Syrie

A la mort d'Antiochos II, son épouse égyptienne Bérénice est menacée par la reine Laodice. Ptolémée III vole au secours de sa sœur. Il semble que le pouvoir séleucide se maintienne dans la seule ville d'Antioche.

Le bain du Bodhisattva dans la rivière Niranjanâ. Amaravatî, Ier siècle av. J.-C. Museum of Fine Arts, Boston.

Un roi bouddhiste en Inde : Açoka

Inde, vers 260 av. J.-C.
Devant les cruautés dont il est témoin au cours d'une campagne dans le Kalinga, Açoka, troisième souverain de la dynastie des Maurya, se convertit au bouddhisme. Açoka était monté sur le trône, vers 270, succédant ainsi à son père, Bindusâra. Sous son règne, l'Empire maurya atteint son apogée territoriale, culturelle et artistique. Le domaine maurya est divisé en quatre provinces, administrées chacune par un prince de sang royal. La société est répartie en sept castes. Organisé autour du roi, le gouvernement domine une bureaucratie fortement centralisée. Açoka conçoit son rôle de façon très paternaliste : ses sujets sont ses enfants, et il souhaite rester en contact constant avec eux. Pour ce faire, il voyage énormément dans son royaume. C'est en 260 que les horreurs de la guerre du Kalinga provoquent en lui une grave crise morale, qui aboutit à sa conversion au bouddhisme. Il manifeste alors le désir de voir ses proches et ses sujets suivre son exemple, et favorise les missions bouddhistes vers les royaumes voisins. C'est ainsi qu'il envoie son propre fils, lui-même moine, évangéliser Ceylan. Douze ans après son accession au pouvoir, Açoka entreprend de faire graver des édits sur le roc, ou sur les piliers, dans diverses régions de son royaume. Il y exprime ses idées sur sa religion, les raisons de sa conversion, son désir de voir le bouddhisme se développer. Ces écrits ont permis de reconstituer avec précision la vie de ce grand roi.

Les piliers, supports de bon nombre d'inscriptions, sont, par leurs chapiteaux, vraisemblablement inspirés de l'art achéménide, de véritables œuvres d'art. Après 37 ans de règne, Açoka s'éteint. Il ne faudra pas un demi-siècle à ses successeurs pour mener l'empire à sa perte.

Le chapiteau des lions (colonne d'Açoka). Grès. Milieu IIIe siècle av. J.-C.

Ptolémée II a restauré la grandeur égyptienne

Egypte, 246 av. J.-C.
Ptolémée II, fils du fondateur de la dynastie lagide, vient de mourir. Il doit son surnom de Philadelphe à son mariage avec sa sœur Arsinoé. Une politique extérieure très active lui a permis d'étendre considérablement la zone d'influence de l'Egypte : Cyrène, Chypre, les Cyclades, la Lycie. Il a pris des contacts diplomatiques avec l'Inde comme avec Rome. A l'intérieur, il a mis en place un système fiscal oppressant et une bureaucratie administrative très lourde. Il poursuit une politique de grands travaux, avec l'aménagement de l'oasis du Fayoum et la remise en état du canal de la mer Rouge. Il contribue enfin au rayonnement de la bibliothèque et du musée, faisant

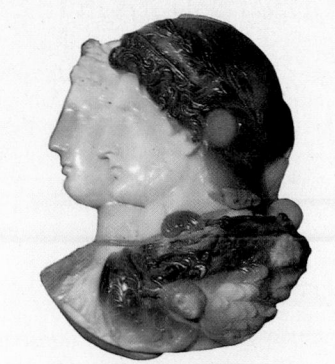

Ptolémée II et son épouse Arsinoé. Camée de sardoine. Kunsthistorisches Museum, Vienne.

de la ville d'Alexandrie un grand foyer culturel et encourageant la venue des artistes, des écrivains et des savants de toutes origines.

Jeunes femmes jouant aux osselets. Terre cuite trouvée à Capoue. Vers 300 av. J.-C. British Museum, Londres.

Bergers et citadins dans les "Idylles" du poète Théocrite

Alexandrie, début du IIIe siècle av. J.-C.
Né vers 310 av. J.-C. à Syracuse, Théocrite finit par s'établir à Alexandrie, à la cour de Ptolémée Philadelphe. Son œuvre illustre à la perfection les différentes tendances de la poésie hellénistique. Ses *Idylles* se présentent comme des petits tableaux de la vie quotidienne, brossés avec vivacité, empruntant volontiers la forme d'un dialogue. La vie pastorale constitue l'un des sujets de prédilection. *Thyrsis, Les Thalysies, Les Moissonneurs,* autant d'Idylles consacrées à la canicule de midi, au repos après le travail. Pâtres et chevriers chantent leurs amours et leurs travaux et se répondent en couplets musicaux. Mais les citadins ne sont pas oubliés. *Les Syracusaines* mettent en scène deux jeunes femmes de Syracuse qui assistent à la fête d'Adonis d'Alexandrie. Le poème restitue à merveille le caractère de ces jeunes femmes qui

papotent en l'absence de leurs maris, l'atmosphère de cohue et de joyeux désordre de la ville en liesse, l'émerveillement des badauds devant la pompe de la fête. Dans *Les Magiciennes,* Théocrite retranscrit l'incantation lancinante d'une amante délaissée qui veut faire revenir l'indifférent dans son logis. En faisant tourner l'iynx (une sorte de crécelle), elle psalmodie : « Iynx, ramène à la maison cet homme, mon amant. » Théocrite sait aussi écrire des poèmes « de genre », comme cette idylle consacrée au Cyclope amoureux, un peu ridicule dans sa galanterie et ses sentiments transis. Il nous suggère aussi sa condition difficile de poète de cour, dans *Hiéron* ou les *Charites,* ainsi que dans l'*Eloge de Ptolémée,* louant les Grands moyennant leur protection et leur générosité, nouvel Homère d'un nouvel Achille. Mais les *Idylles* renferment aussi les éléments d'une poétique nouvelle : le chant des cigales, le son du vent, les pas du promeneur, le son de la flûte champêtre, les gestes du travail agricole, autant de métaphores de la poésie de Théocrite lui-même.

La Syrie, enjeu des luttes entre Lagides et Séleucides

Syrie, 301-200 av. J.-C.
Trois royaumes durables naquirent de la longue période d'instabilité qui suivit la mort d'Alexandre : la Macédoine des Antigonides, l'Egypte ptolémaïque et l'Asie séleucide. Rapidement, les relations se tendirent entre Lagides et Séleucides, à cause des prétentions de chacun à étendre son territoire et de leurs visées communes sur la Syrie, ce qui entraîna une série de conflits. En 301, Séleucos mit la main sur la Syrie du Nord ; mais son successeur Antiochos Ier éprouva des difficultés à maintenir l'ordre dans un territoire aussi vaste et disparate ; sa revendication de la Syrie du Sud se solda par un échec. La situation s'aggrava par la suite, de sorte qu'en 226 les Séleucides avaient perdu toute la Syrie et les côtes de l'Asie Mineure. C'est Antiochos III qui renversa la situation ; vainqueur de Ptolémée Evergète, puis de Ptolémée Philopator, il récupéra définitivement la Syrie et menaça l'Egypte, sauvée par Rome au prix de son indépendance.

Séleucos Nikator, fondateur de la dynastie séleucide. Vers 275 av. J.-C.

Antiochos Ier, successeur de Séleucos. Tétradrachme à son effigie.

La guerre éclate entre Romains et Carthaginois

Sicile, 264 av. J.-C.
Les colonies grecques de Sicile et Grande-Grèce (Italie du Sud) ont subi la pression carthaginoise au sud et l'assaut des peuples italiques au nord. Quand, après sa victoire sur Pyrrhus, Rome impose sa domination dans ces régions, elle se retrouve du même coup face à Carthage, qui est solidement implantée en Sicile, et remplace les Grecs dans la lutte qu'ils lui livraient pour la possession de cette île. Alliées contre Pyrrhus, mais par la force des choses, Rome et Carthage ont déjà depuis deux siècles signé plusieurs traités délimitant des zones d'influence respec-

tives ; elles entretiennent des rapports de bon voisinage et rien ne semble annoncer la guerre longue et sans merci qu'elles vont se livrer pendant plus d'un siècle et où Rome en particulier n'aura de cesse de voir sa rivale détruite. Bien sûr, les grandes familles « méridionales » du Sénat poussent à l'expansion vers le sud, tandis que l'influence de celles préconisant une politique territoriale axée vers le nord connaît une éclipse. Mais c'est l'importance stratégique et commerciale du détroit de Messine qui va d'abord provoquer l'éclatement d'un conflit. Depuis 288, des mercenaires campaniens y sont installés ; or, en 264, ils font appel à Rome pour contrer une tentative d'occupation carthaginoise. Ce prétexte sert à merveille les projets belliqueux de l'Etat romain.

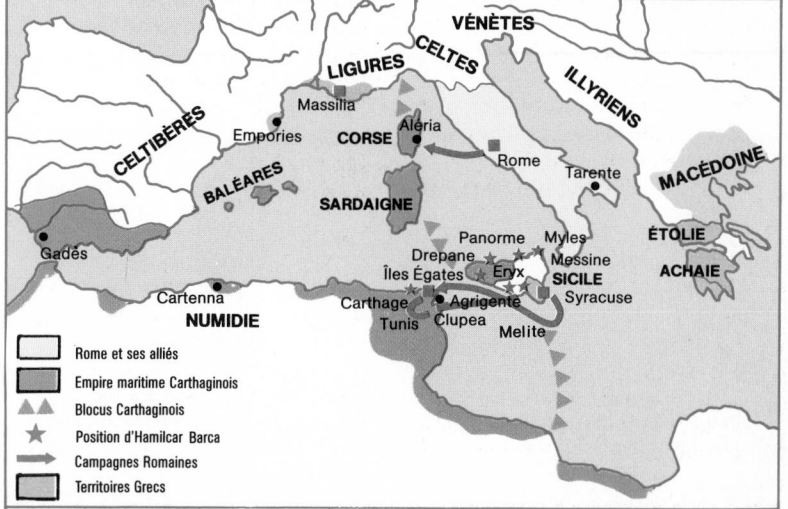

247 av. J.-C. (suite)

Chine
Avènement sur le trône de Qin du prince Zheng, futur Shi Huangdi. →

243 av. J.-C.

Grèce
Aratos de Sicyone a fait de sa cité une démocratie depuis 251. Adhérent de la Ligue achéenne, il est l'un de ceux qui s'opposent à la domination macédonienne. En 245, Antigonos Gonotas s'est emparé de l'Acrocorinthe et a replacé la Grèce sous son contrôle. Mais, grâce à un audacieux coup de main, Aratos s'empare à son tour de l'Acrocorinthe, des deux ports de Corinthe ainsi que de la flotte macédonienne. Voici donc le Péloponnèse libéré.

240 av. J.-C.

Rome
Lors des Jeux romains, et sur commande officielle, le poète Livius Andronicus écrit la première tragédie et la première comédie de la littérature latine. Il s'agit d'importer à Rome un art spécifiquement grec. Cette nouvelle forme artistique remporte un vif succès. Andronicus est l'auteur notamment d'un *Cheval de Troie* et d'un *Achille*.

239 av. J.-C.

Grèce
A peine monté sur le trône de Macédoine, Démétrios II doit faire face à la coalition des Ligues étolienne et achéenne. C'est la Guerre démétriaque, qui dure jusque vers 235. Le conflit se termine sans bataille décisive.

238 av. J.-C.

Rome
Tandis que Carthage est aux prises avec une révolte de mercenaires (Matho et Spendios en sont les meneurs), Rome s'implante en Sardaigne et en Corse.

Asie Mineure
Antiochos Hiérax, frère de Séleucos II, exerce la royauté dans l'Asie Mineure séleucide. Convoitant le royaume de Pergame, où règne Attale Ier, il a l'idée d'utiliser comme alliés les bandes de pillards galates qui sévissent dans la région.

237 av. J.-C.

Carthage
Après avoir mis fin, avec l'aide d'Hannon le Grand, à la révolte des mercenaires, Hamilcar s'embarque pour l'Espagne.

235 av. J.-C.

Rome
Naevius présente au public romain sa première tragédie. Cet ancien combattant de la première Guerre punique est également l'auteur d'une épopée consacrée à la guerre contre Carthage, véritable chant à la gloire de Rome.

232 av. J.-C.

Athènes
Chrysippe de Soloi succède à Cléanthe à la tête de l'école stoïcienne. Il y restera jusqu'en 204 et contribuera à développer la doctrine de l'école fondée par Zénon.

229 av. J.-C.

Macédoine
Antigonos II Doson monte sur le trône de Macédoine. Il doit faire face au soulèvement des cités grecques : Thessaliens, Athéniens et Achéens veulent se libérer de la tutelle macédonienne. Dès 228, Doson a pu battre les Etoliens et les Thessaliens, mais la Ligue achéenne prend de plus en plus d'importance. Les Athéniens ont, quant à eux, expulsé la garnison macédonienne du Pirée. Cette situation se modifie avec l'intervention de Sparte, qui veut contrôler la Ligue achéenne, au point qu'Aratos en est réduit à demander l'aide macédonienne. Antigonos II écarte le danger et met en place avec Aratos un plan de réorganisation de la Grèce permettant à la Ligue achéenne et aux Macédoniens de coexister.

223 av. J.-C.

Syrie
Brillant représentant de la dynastie des Séleucides, Antiochos III sera confronté, tout au long de son règne, à l'hostilité du royaume de Pergame et de l'Egypte, sans compter les difficultés en haute Asie où les Parthes progressent. Il sera finalement défait par les légions romaines.

Rome remporte la première Guerre punique

Méditerranée, 264-241 av. J.-C.
La présence carthaginoise à Messine était intolérable pour Rome, pour les intérêts commerciaux des familles campaniennes du Sénat et pour le contrôle de la navigation dans cette région. Rome n'hésite donc pas, en 264 av. J.-C., à engager un conflit avec la ville punique. Un corps expéditionnaire est envoyé en Sicile, qui s'empare de Messine, mais bute sur les villes carthaginoises de l'ouest de l'île, bien défendues et ravitaillées par mer. Rome, par ailleurs menacée sur ses côtes, doit donc se résoudre à engager la construction d'une flotte de guerre, effort récompensé en 260 par la grande victoire navale de Myles. Encouragé, le Sénat décide de tenter un débarquement en Afrique ; en 256, le consul Atilius Regulus débarque au cap Bon avec 15 000 hommes. Mais, devant l'armée carthaginoise, l'expédition romaine tourne au désastre : seuls 2 000 rescapés peuvent rembarquer et la flotte est détruite par une tempête avant d'arriver à Rome. La guerre connaît ensuite une longue phase d'indécision ; les deux adversaires montrent des signes d'épuisement. En Sicile, où se concentre à nouveau l'essentiel des opérations, le consul Claudius Pulcher subit une défaite navale devant Drepanum (249), mais Carthage se révèle incapable de l'exploiter. Les Romains fournissent alors un effort de guerre considérable, tandis que Carthage a de plus en plus de mal à soutenir ses bases et ses généraux. En mars 241, le consul Lutatius Catulus écrase la flotte punique aux îles Egates et redonne à Rome la maîtrise de la mer. Découragés, les Carthaginois acceptent une paix très dure : ils doivent livrer une forte indemnité de guerre et abandonner la Sicile, qui devient la première province romaine hors d'Italie.

Scène d'amazonomachie. Détail. Fin IVᵉ siècle – début IIIᵉ siècle av. J.-C. Sarcophage étrusque.

Le legs de l'Orient : astronomie et savoir mathématique

Il existe des observatoires qui permettent de scruter le ciel et il est possible de faire des observations depuis le sommet des tours à étages, les ziggurats, qui s'élèvent dans l'enceinte des grands temples. Pour effectuer les mesures, les Mésopotamiens utilisent le *polos*, la clepsydre et le gnomon. Le *polos*, tout particulièrement, est un instrument en forme de demi-sphère creuse, où sont marquées les heures, et qui est muni d'une petite boule suspendue en son milieu, laquelle projette son ombre à l'intérieur. Les courbes d'ombre permettent de suivre le mouvement du soleil. S'agissant de la marche des planètes, la haute précision des astronomes mésopotamiens est remarquable. Les sciences mathématiques sont également à l'honneur. La division du cercle en 360 degrés, du jour en 24 heures, de l'heure en 60 minutes et de la minute en 60 secondes sont d'origine babylonienne. Car toute la connaissance mathématique est alors fondée sur le système sexagésimal, dont l'unité est le chiffre 60 ; il s'agit en réalité d'un système sexagésimal hybride, car il admet en son sein l'existence de la dizaine. Les Babyloniens ont livré des tables d'inverses qui servent à faire des divisions, des tables de racines carrées et cubiques. En matière de géométrie, les mathématiciens développent un système équivalent à celui qu'inventera le Grec Euclide. Ils savent calculer le tronc de la pyramide carrée, tracer un triangle isocèle inscrit dans un cercle ; ils établissent une théorie numérique des polygones réguliers et usent, sans jamais l'exprimer en termes généraux, du théorème de Pythagore.

Les Celtes menacent l'Italie du Nord

Italie du Nord

Depuis le IVe siècle av. J.-C., des Gaulois sont arrivés en Italie du Nord ; vaincus par les Romains au début du IIIe siècle à Sentinum, malgré leur alliance avec les Samnites, ils s'étaient installés dans ce qu'on appela alors la Gaule cisalpine, autour de la plaine du Pô et jusqu'à l'Adriatique, surveillés de près par des colonies romaines. Mais, à la fin du IIIe siècle, la situation se dégrade : au nord, le monde celtique est secoué par les invasions belges et leurs contrecoups ; au sud, la puissance romaine victorieuse de Carthage tourne à présent ses appétits vers l'Italie septentrionale. Le Sénat envisage l'installation de 60 000 citoyens pauvres sur les riches terres padanes, en particulier sur l'*Ager gallicus*, territoire sénon conquis en 283 et où n'avaient été implantées que quelques colonies au rôle essentiellement stratégique. Ce lotissement signifie l'expulsion ; ainsi les Gaulois, Sénons mais aussi Boïens et Insubres appellent-ils à la rescousse leurs congénères transalpins, qui envoient en 225 av. J.-C. une forte armée dans la plaine du Pô. Les Romains parviennent à les arrêter au lac Télamon et, après les avoir écrasés, occupent l'ensemble de la Gaule cisalpine où ils entreprennent de fonder aussitôt de nouvelles colonies, comme Crémone et Plaisance.

Art celte. Torque d'or. Détail. Provenant d'une tombe. Gaule, vers 400 av. J.-C.

Un élan nouveau dans la statuaire grecque

La sculpture grecque de la période hellénistique s'éloigne des anciennes conceptions classiques. Appelés dans tous les grands centres artistiques, les sculpteurs paraissent à la fois plus libres, mais aussi plus liés, astreints à respecter la volonté des riches mécènes dont ils exécutent les commandes. Par ailleurs, les thèmes se diversifient ; la religion a cessé d'être la principale source d'inspiration et les dieux olympiens s'effacent au profit de divinités plus proches des hommes et de leurs souffrances. Délaissant l'idéalisme, le sculpteur s'attache à individualiser son sujet, à en rendre la réalité physique, morale ou spirituelle. Ainsi se développe l'art du portrait, tandis que les thèmes nouveaux de la vieillesse, de la souffrance, de la mélancolie ou de l'enfance, sont traités avec une impitoyable précision, ou un pittoresque amusant. La plastique traduit désormais ouvertement passions et violences, parfois jusqu'à leur paroxysme, la sérénité classique n'étant plus de mise. Certaines scènes tumultueuses atteignent même jusqu'au baroque ; et s'il arrive que la virtuosité technique semble l'emporter, c'est que l'inspiration ou la verve font bien souvent défaut.

L'empereur Shi Huangdi en voyage dans ses provinces. Encre et couleurs sur soie. Détail d'un rouleau horizontal. XVIe siècle.

Premier empereur de Chine : Shi Huangdi

Chine, 247 av. J.-C.

Dès son installation sur le trône des Qin (Ch'in), en 247, le prince Zheng entreprend de soumettre les autres royaumes chinois, usant de la corruption et de l'espionnage autant que de la force. Il est vrai aussi que le royaume de Qin, à l'ouest de la Chine, bénéficiait de nombreux atouts pour réussir ces conquêtes : territoire stratégiquement facile à défendre, économie florissante, traditions martiales vivantes organisation politique et sociale rigoureuse. A partir de 230, les victoires se succèdent : le Han, le Zhao, le Wei, le Chu et enfin le Qi se soumettent. En 221, l'unité est faite. Zheng prend le titre de Shi Huangdi (« premier empereur ») et inaugure un règne qui sera capital dans l'histoire de la Chine.

Archer à genoux. Terre cuite, grandeur nature. Tombe de l'empereur Shi Huangdi (221-206 av. J.-C.).

Quelques-unes des 7 000 figures en terre cuite représentant l'armée de l'empereur Shi Huangdi découvertes en 1974 près de Xianyang.

Art grec. La Victoire de Samothrace. Marbre. Vers 190 av. J.-C. Musée du Louvre, Paris.

La civilisation iranienne

VIᵉ av. J.-C. - VIIᵉ siècle

Entouré de chaînes de montagnes élevées, l'Iran se présente comme un haut plateau très étendu, dont le cœur est un désert pierreux et aride. Seuls les pourtours, relativement irrigués, sont accueillant pour les populations villageoises et urbaines. Chaque établissement humain s'installe au cœur d'une oasis formée au débouché d'une rivière. Peu d'eau, par conséquent, ce qui oblige l'homme à organiser une irrigation artificielle : de véritables galeries minières sont creusées pour exploiter les eaux souterraines, galeries connues sous le nom de *qanats*.

La protohistoire

Les premiers établissements humains connus sont localisés dans les monts du Zagros, la chaîne montagneuse qui sépare l'Iran de la Mésopotamie. Ils datent du IXᵉ millénaire av. J.-C. De là, l'expansion s'est faite, par touches progressives, vers les piémonts. Au Vᵉ millénaire, l'irrigation, la domestication des bovidés et l'invention de l'araire permettent des développements fulgurants. Au cours de la seconde moitié du IVᵉ millénaire, des sites urbains apparaissent, marqués par de nombreuses mutations et créations : la céramique peinte disparaît pour laisser place à une céramique monochrome faite au tour ; la métallurgie du cuivre se répand partout dans des ateliers spécialisés ; enfin, un système d'écriture pictographique est inventé, vraisemblablement en Susiane, cette province iranienne à l'ouest du Zagros et qui se trouve au contact direct de la Mésopotamie. Les principaux sites d'habitat sont alors Suse, Tepe Sialk, Tal-i Iblis, Shahdad, Tepe Yahya, Sharh-i Sokhta et Turang tepe. Des tablettes portant une écriture non encore identifiée que l'on est convenu d'appeler proto-élamite se retrouvent jusque sur le site de Sharh-i Sokhta, dans le lointain Sîstân, à la limite de l'Afghânistân et du Pâkistân. Une intense activité commerciale se développe. La ville de Suse, au contact tout à la fois de la Mésopotamie et de l'Orient méditerranéen, du plateau iranien et du golfe arabo-persique, en est une

des principales plaques tournantes. Depuis Suse, des routes mènent vers la région de Téhéran et, plus loin encore, vers le Turkestan où une civilisation urbaine caractérisée par une architecture monumentale, notamment de hautes terrasses, atteint son apogée ; d'autres conduisent vers Kermân et l'Afghânistân, source du lapis-lazuli et de l'étain. Par voie de mer, enfin, un réseau très dense unit tous les pays riverains du golfe et de l'océan Indien jusqu'au delta de l'Indus et à ses hautes cultures, d'une part, et à la corne de l'Afrique d'autre part : la découverte récente de sorgho dans un niveau du IIIᵉ millénaire, sur un site d'Abû Dhabî, révolutionne toutes les connaissances que l'on croyait assurées sur les relations entre l'Afrique et l'Inde.

L'Elam

Depuis le début du IIᵉ millénaire av. J.-C. jusqu'au milieu du Iᵉʳ, l'histoire de l'Iran s'identifie avec celle de l'Elam : tel est, du reste, à cette époque, le nom du plateau et de ses contrées limitrophes. (« Iran » est un nom qui lui a été donné plus tard, abrégé d'*iran-sharh*, « pays des Aryens »). La langue élamite, qui ne se rattache à aucun groupe linguistique connu, n'est encore que très imparfaitement comprise. Abandonnant l'écriture « proto-élamite », les Elamites adoptent très rapidement l'écriture cunéiforme de leurs voisins mésopotamiens, mais ne montrent pas la même propension que ces derniers à coucher par écrit tous leurs faits et gestes. Il en résulte que l'histoire de l'Elam est malaisée à reconstituer. En outre, faute de fouilles archéologiques, on ne connaît cette histoire que par les sources mésopotamiennes ou les inscriptions officielles retrouvées en Susiane : ce qui revient à se fier aux archives d'un pays qui fut son adversaire ou encore à se satisfaire des annales d'une province frontalière, de surcroît mal assimilée ! Plusieurs Etats se partagent alors l'étendue du plateau ; ils ont pour noms Simashki, Marhashi, Awan, Anshan. Hormis ce dernier, situé non loin de Chiraz, et dont la capitale a été retrouvée et identifiée récem-

ment, aucun de ces Etats ne peut encore être localisé avec précision. Selon les époques, l'un ou l'autre d'entre eux paraît exercer une hégémonie sur ses voisins, mais l'impression qui domine est qu'ils forment ensemble une manière de fédération. Si l'on excepte le cas de la Susiane et de sa capitale, Suse, dont le peuplement est mixte, akkadien et élamite, et qui est tour à tour sous domination mésopotamienne ou élamite, l'Elam ne semble perdre qu'une seule fois son indépendance politique, au temps des rois d'Agadé, vers 2200 av. J.-C. Inversement, ce sont les Elamites qui mettent fin, vers 2000 av. J.-C., à l'empire d'Ur fondé par le Sumérien Ur-Nammu ; ce sont eux, encore, qui occupent la Babylonie, au XIIᵉ siècle av. J.-C. et réduisent ce royaume à l'état de province ; ce sont eux, enfin, qui tiennent tête, avec un succès mitigé, à l'impérialisme assyrien pendant toute la première moitié du Iᵉʳ millénaire, jusqu'au sac de Suse par Assurbanipal. Mais, à ce moment, d'autres peuples ont surgi, les Mèdes et les Perses, qui fondent d'autres Etats et bouleversent la géographie politique du plateau iranien. L'histoire de l'Elam, dont on sait surtout les querelles dynastiques et de successions, est arrivée à son terme. La langue élamite, ultime soubresaut, continuera cependant à être en usage dans certains bureaux de la chancellerie achéménide.

Mèdes et Perses

Mettant sans doute à profit l'affaiblissement de l'Elam, qui au VIIᵉ siècle av. J.-C. est engagé de toutes ses forces contre l'ennemi assyrien, les Mèdes bousculent les résistances et constituent un empire qui a pour capitale une ville nouvellement fondée, Ecbatane, l'actuelle Hamadân. Ils n'ont que le temps de contribuer puissamment à la chute de l'Empire assyrien et de partager l'Orient avec les Babyloniens et les Lydiens, qu'ils disparaissent eux-mêmes, en tant que puissance politique, et sont supplantés par les Perses. L'Empire perse achéménide, du nom de la famille descendante d'un ancêtre éponyme, Achéménès, est à plus d'un titre, une construction singulière ; œuvre de

Cyrus le grand (559-529 av. J.-C.) : en une vingtaine d'années à peine, entre 559 et 539 av. J.-C., l'Inde du Nord, la plaine de l'Indus, les steppes asiatiques autour de la mer d'Aral, le plateau iranien, les vieux foyers de civilisations que sont la Mésopotamie, la Syrie-Palestine, la Phénicie, l'Anatolie, l'Egypte, et les cités grecques d'Ionie, sont réunis sous la même autorité. Le fait est nouveau, il restera unique. Le grand organisateur de cet empire est sans conteste Darius Ier (521-486 av. J.-C.). Il crée une monnaie d'or, la darique, impose la standardisation des poids et mesures, développe les voies de communications, entreprend le creusement d'un premier canal de Suez et fait construire la célèbre « route royale » qui traverse l'empire depuis Suse jusqu'à Ephèse. C'est également un grand bâtisseur ; il laisse à la postérité les palais de Suse, résidence d'hiver, et de Persépolis, symbole de l'unité de l'empire et de la puissance perse qui domine le monde. Il renforce enfin le contrôle qu'exercent le pouvoir politique et l'administration centrale sur les provinces en dépêchant aux côtés des satrapes ou gouverneurs des hauts fonctionnaires, secrétaires, trésoriers et officiers qui sont placés directement sous ses ordres, ainsi que des chargés de missions, les « yeux et les oreilles du roi », comme on se plaît à les appeler. L'Empire dure un peu plus que deux siècles (559-330 av. J.-C.). Ses démêlés avec les cités grecques et surtout, ses défaites répétées devant Athènes, sont révélatrices de sa faiblesse et de sa fragilité. A l'intérieur, qui plus est, l'édifice tout entier est ébranlé, à intervalles réguliers, par les querelles qui opposent entre eux les membres de la famille régnante ou de la haute noblesse.

La conquête grecque

Ayant repris à son compte le vieux projet de libération des côtes grecques d'Asie Mineure, Alexandre de Macédoine (336-323 av. J.-C.) n'a aucun mal à venir à bout du fragile édifice achéménide. Son espoir, cependant, de réaliser un Etat unique qui englobrait l'Occident et l'Orient, s'effondre avec sa mort prématurée. Il reste que son œuvre s'inscrit comme une cassure dans l'histoire de l'Iran. Ses successeurs sur la terre d'Asie, les Séleucides, du nom de Séleucos (305-281), l'un de ses généraux, s'acharnent à maintenir après lui la présence grecque depuis la Méditerrannée jusqu'à l'Indus. L'araméen, qui était la langue officielle de l'administration achéménide, est supplanté par le grec. La profondeur de l'hellénisation est telle qu'elle survivra longtemps à l'Empire séleucide, qui sombre dès le milieu du IIe siècle, perdant ses provinces les unes après les autres (l'ère séleucide dure de 312 à 64 av. J.-C.). Longtemps et partout, de l'Euphrate à l'Indus, et jusqu'aux IIe et IIIe

siècles, l'influence grecque est manifeste. On pense à la ville d'Aï-Khanoum sur les rives de l'Amu-Dariâ, qui est une cité entièrement grecque ; on pense à l'art grécobouddhique qui réalise une synthèse originale entre deux cultures à l'origine si différentes et si éloignées ; on pense encore au royaume grec de Bactriane, fondé au IIIe siècle av. J.-C. par un satrape séleucide et qui, à l'apogée de sa puissance, domine la presque totalité de l'actuel Afghânistân, une partie de l'Asie centrale soviétique et du Pâkistân et qui dure près de deux siècles.

Les Parthes

Au milieu du IIe siècle av. J.-C., les Parthes, une peuplade iranienne surgie des steppes environnantes de la mer d'Aral, sous la direction d'Arsace Ier (vers 250 av. J.-C.) plus tard de Mithridate Ier (171-138 av. J.-C.), renversent la puissance séleucide déjà fortement entamée par l'intervention iranienne en Méditerranée orientale. La dynastie arsacide, du nom de son fondateur, s'apprête à régner sur l'Iran pendant près de cinq cents ans (247 av. J.-C.-224 ap. J.-C.). Toute l'histoire des Parthes, fort mal connue au demeurant, est dominée par la guerre qui les oppose à Rome, guerre dans laquelle les Romains font généralement figure d'agresseurs, disputant notamment aux Parthes le royaume d'Arménie, gouverné par une famille alliée aux Arsacides. Dans un premier temps, les Parthes remportent des succès foudroyants, mais l'offensive de Trajan (98-117 ap. J.-C.), qui s'empare de Ctésiphon, la capitale de leur empire située sur le Tigre, en Mésopotamie, marque la fin de leur puissance. Celle-ci, il est vrai, est minée de l'intérieur. L'unité de l'Etat ne peut en effet résister longtemps aux forces centrifuges qui le traversent : sept familles surtout, qui possèdent d'immenses propriétés foncières, tentent de ruiner l'autorité royale, non héréditaire et dont les problèmes de succession sont habituellement résolus par l'élimination des rivaux potentiels. Faute de sources écrites, il est malheureusement impossible de connaître plus avant l'histoire de l'Empire parthe.

Les Sassanides

La dynastie arsacide est finalement déposée par Ardachîr, en 224. Il fonde la dynastie des Sassanides, du nom de Sassan, l'ancêtre commun. Quatre rois, surtout, font la gloire de la dynastie : Shâhpuhr Ier (241-272), qui s'oppose à l'ennemi ancestral, hérité de la dynastie précédente, les Romains, tuant l'empereur Gordien et capturant Valérien ; Shâhpuhr II (310-379), sous lequel l'Eglise chrétienne d'Iran rompt avec Rome et devient nestorienne, enseignant qu'en la per-

sonne du Christ deux êtres coexistent, l'un divin, l'autre humain ; Khosrô Ier (531-579,) qui tient en échec les Byzantins ; Khosrô II enfin (590-628) qui guerroie jusqu'en Asie Mineure, au cœur de l'Empire byzantin. Sa mort ouvre une période de troubles, que les Arabes musulmans mettent à profit pour déferler sur l'Iran. Comme les Achéménides, les Sassanides sont originaires de la province iranienne de Fârs ; la similitude entre les deux dynasties ne s'arrête pas là : à l'image de Cyrus qui avait lui-même ravi le pouvoir au Mède Astyage, Ardachîr en personne tue le dernier souverain arsacide, Artaban IV, et s'empare du pouvoir.

La religion iranienne

La figure dominante de la religion iranienne est Zoroastre. Il aurait vécu vers 600 av. J.-C., mais sa vie est en grande partie légendaire. Dévot d'Ahura Mazdâ, il est l'auteur d'une réforme religieuse qui prône la transcendance divine et prêche une morale fondée sur l'assurance du triomphe du bien. La religion achéménide est mal connue. Ces rois adorent Ahura Mazdâ, mais il n'est fait nulle part mention de Zoroastre. Sous Artaxerxès II, le culte iranien, qui avait jusque-là proscrit les images, ne renonce plus aux idoles. Des effigies de la déesse Anâhita sont introduites et, aux côtés d'Ahura Mazdâ, seule divinité mentionnée jusqu'alors, figurent désormais, dans les documents officiels, les noms d'Anâhita et de Mithra. Dans l'Etat arsacide, la religion iranienne s'enrichit d'apports grecs et sémitiques. Sur les marches occidentales, comme à Doura-Europos, dans la vallée de l'Euphrate, l'élément sémitique est fortement implanté. Mais, plus à l'est, l'empreinte hellénique est la plus forte et la religion iranienne paraît submergée. La tradition entretenue par les rois de Bactriane et les Parthes eux-mêmes contamine à son tour la domination des Kushân : les dieux grecs et indiens figurent à côté des dieux iraniens, sur leur monnaie. Après la chute de la dynastie arsacide établie à Ctésiphon, en Mésopotamie, le centre politique revient en Perse sous les Sassanides qui règnent jusqu'à la conquête musulmane. Avec eux, le zoroastrisme devient la religion officielle ; il dispose de deux hauts lieux, les autels du feu de Naqsh-i Rustem et de Takht-i Suleiman ; plus tard, les rois auront à cœur de multiplier les constructions de semblables autels. Plus encore que le christianisme, fortement implanté, la nouvelle religion officielle doit combattre le manichéisme, prêché par Mani, une manière de synthèse entre des éléments grecs, juifs, mésopotamiens et iraniens, caractérisée par un dualisme opposant un dieu bon et un démon mauvais. Mani lui-même meurt emprisonné. Sous Khosrô Ier, l'orthodoxie mazdéenne est précisée et son texte fondateur, l'*Avesta,* est mis en ordre.

219 av. J.-C.

Espagne

Depuis 236 av. J.-C., les Carthaginois ont fait de l'Espagne une province de leur empire. Hamilcar, puis Hasdrubal ont su exploiter les ressources économiques de la péninsule et grossir les rangs de l'armée avec les recrues locales. Les Romains ont longtemps négligé ce nouvel essor de la puissance carthaginoise. Hannibal peut se préparer à la guerre sans être inquiété. Le prétexte est fourni, en 219, par la prétendue hostilité de Sagonte, ville d'Espagne alliée des Romains, à l'égard des alliés des Carthaginois. Hannibal met le siège devant la ville : c'est, en fait, une déclaration de guerre contre Rome.

218 av. J.-C.

Rome

La République romaine mobilise ses citoyens. Elle dispose d'un potentiel de 273 000 soldats, sans compter les alliés, au nombre de 400 000. Elle a, en outre, la maîtrise de la mer. Les Romains préparent un débarquement en Afrique et disposent une armée près de Marseille. Ces deux mesures sont déjouées par le plan d'Hannibal, qui franchit les Alpes au prix de grandes souffrances pour son armée. Les premiers chocs, en Italie du Nord, sont défavorables aux Romains : à Trébie, ils subissent une défaite sérieuse.

217 av. J.-C.

Palestine

Antiochos III, au pouvoir depuis 223, rêve de restaurer la grandeur de l'Empire séleucide. Il doit pour cela conquérir la Cœlésyrie aux dépens de l'Egypte lagide. Le jeune Ptolémée IV Philopator ne semble guère redoutable et son royaume est en proie à une crise économique. Antiochos entreprend donc, dès 219, la quatrième guerre de Syrie et s'empare de la province convoitée. Mais les Egyptiens se ressaisissent, équipent 30 000 hoplites et écrasent l'armée séleucide à Raphia, en juin 217.

Italie

Les armées romaines subissent un nouveau désastre militaire : Flaminius et ses légions sont surpris près du lac Trasimène par Hannibal : 15 000 morts,

---

15 000 prisonniers... Rome vient de perdre toute l'Etrurie. Dans la ville, on coupe les ponts du Tibre et on répare les murailles, dans l'attente d'un assaut imminent.

216 av. J.-C.

Italie, août

Au prix d'un grand effort de mobilisation, les Romains ont aligné une armée de 76 000 hommes. Le soir de la bataille de Cannes (Apulie), 45 000 sont morts. L'état-major est décimé. Hannibal n'a perdu que 6 000 hommes, dont près de 4 000 sont des Gaulois. →

213 av. J.-C.

Chine

Qin Shi Huang Di (Ts'in Chi Houang-ti), artisan de l'unité politique et administrative chinoise, impose au pays un régime autoritaire. La répression morale et policière se manifeste de manière spectaculaire, en 213 av. J.-C., par un gigantesque autodafé où l'on brûle tous les livres ne traitant pas de sujets utilitaires à finalité pratique, comme la médecine, l'agriculture ou la divination. La conjoncture est peu favorable à la culture jusqu'à la mort du monarque, en 209-210.

212 av. J.-C.

Sicile

Depuis le désastre de Cannes, Rome s'efforce de reconstituer son armée et adopte surtout une politique défensive contre Carthage et ses alliés, Syracuse et Philippe V de Macédoine. Depuis 214, Marcellus est en Sicile avec ses troupes. Syracuse songe d'abord à négocier, mais le parti procarthaginois l'emporte. Les Romains mettent le siège devant la ville. Archimède met son génie au service de sa cité, en construisant de redoutables machines de guerre. C'est en 212 que Marcellus s'empare de la ville, qui est pillée ; Archimède est tué.

Grèce

Depuis 215 av. J.-C., Philippe V de Macédoine est allié à Hannibal. Il espère reprendre ainsi le contrôle de l'Illyrie et des cités grecques de l'Adriatique, zone d'influence romaine. Rome s'allie en 212 aux Etoliens et leur promet de leur abandonner toutes les conquêtes qu'ils pourront faire dans la région. C'est le début de la première guerre de Macédoine.

Livres et lecteurs à la bibliothèque d'Alexandrie

Alexandrie, IIIe siècle av. J.-C.
La bibliothèque d'Alexandrie a été fondée par le premier des souverains lagides, Ptolémée Ier. Au temps de Callimaque, vers 240, elle renferme déjà 120 000 volumes. Les livres se présentent sous la forme de rouleaux de papyrus. Sous l'égide d'un « conservateur en chef », un personnel nombreux travaille dans l'établissement. Il y a le « service des acquisitions », où chaque texte est étiqueté, avec la mention de sa provenance, de son propriétaire antérieur et de son correcteur. Les textes étant recopiés à la main, parfois sous la dictée, il est nécessaire de les corriger attentivement. La bibliothèque devient ainsi un centre de travail philologique, où l'on prépare de nouvelles éditions d'Homère, où l'on rectifie les erreurs, où l'on annote et commente les classiques de la littérature grecque. C'est Callimaque qui semble avoir supervisé l'établissement du « fichier » de la bibliothèque. Recensant tous les ouvrages conservés, il les classe par auteurs et par sujets, facilitant ainsi les recherches des lecteurs. Les Lagides ont envoyé des chargés de mission dans l'ensemble du monde méditerranéen pour acquérir le plus grand nombre de livres possible. A Alexandrie même, les navires étrangers devaient laisser en dépôt les livres transportés à bord pour être recopiés et archivés dans la bibliothèque. C'est une volonté politique qui a contribué ainsi à faire d'Alexandrie le principal centre intellectuel du monde hellénistique. La bibliothèque fut brûlée par les troupes de César.

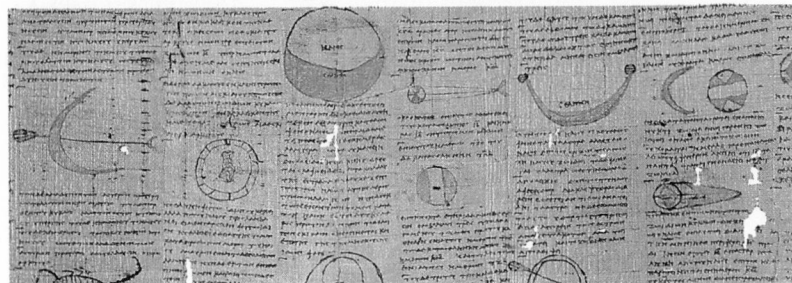

« Papyrus Letronne ». Détail. Rouleau grec du IIe siècle provenant d'Egypte. Musée du Louvre, Paris.

Les sciences dans le monde hellénistique

Alexandrie, IIIe siècle av. J.-C.
Si Athènes reste le grand centre des études philosophiques, Alexandrie est devenue la capitale scientifique du monde hellénistique. Ce rôle dominant est dû à la volonté des Lagides, qui créent le Musée, avec ses observatoires, ses salles de dissection, ses jardins zoologiques et botaniques, et invitent des savants à poursuivre leurs recherches en étant libérés de tout souci matériel. Tous les secteurs scientifiques bénéficient de ces conditions exceptionnelles : les mathématiques, avec Euclide, puis Apollonios de Perga (262-200) qui détermine la valeur de « pi » et définit les sections coniques ; la mécanique, avec Archimède de Syracuse ; l'astronomie, avec Aristarque de Samos, qui calcule les dimensions du Soleil et de la Lune, et leur distance par rapport à la Terre ; il est surtout l'un des premiers à affirmer que la Terre tourne autour du Soleil. Eratosthène de Cyrène, bibliothécaire à Alexandrie sous Ptolémée Evergète, révolutionne, de son côté, la géographie et la cartographie. Il entreprend une révision méthodique des anciennes cartes et calcule la longueur du méridien terrestre avec une précision étonnante. Sa carte est fortement géométrisée et met en application les principes théoriques d'Euclide. L'armature de parallèles et de méridiens permet des calculs de longitude et de latitude. Alexandrie voit ainsi se former un milieu d'intellectuels et de savants qui se définissent par une curiosité encyclopédique. Eratosthène, par exemple, est non seulement cartographe, mais aussi astronome, historien et philologue. Ces savants polémiquent, se rencontrent et échangent leurs résultats. A défaut d'applications utilitaires, leurs découvertes ne dépassent guère leurs propres cercles et ont peu de répercussions sur leurs contemporains. Alexandrie restera un grand centre scientifique jusqu'à l'époque de Claude Ptolémée (IIe siècle apr. J.-C. après laquelle commence une inéluctable décadence).

Ptolémée II Philadelphe (« Celui qui aime sa sœur »). Bronze. Museo Nazionale, Naples.

Les rois hellénistiques : entre hommes et dieux

La monarchie séleucide est l'héritière de la monarchie macédonienne, à laquelle Alexandre le Grand avait donné un éclat presque divin. La royauté macédonienne elle-même est une survivance de l'époque héroïque, de la royauté homérique depuis longtemps oubliée en Grèce. Mais la monarchie séleucide se veut aussi la dépositaire de la royauté orientale, celle du roi des Perses, et, plus profondément, celles de Babylone et d'Assyrie. Aux yeux des Grecs, les « inventeurs » de l'idée d'empire seraient les Perses : le Roi des rois est celui qui est roi de tous les autres rois, titre qui exprime le caractère supranational de l'empire. A dire vrai, l'expression elle-même n'est pas perse, elle est empruntée aux Mèdes. Alexandre se dit l'héritier de cette monarchie supranationale. Pour mieux appuyer cette position, il se dit descendant de Zeus et se présente comme un nouvel Héraclès. Il ne devient dieu, cependant, qu'en Egypte, à l'image des anciens pharaons. Le fondement réel de sa royauté est la victoire qui, elle, lui vient des dieux, parce qu'il en est l'élu. Telle est l'origine du culte fameux de la Fortune d'Alexandre. La même idée d'empire supranational sous-tend la royauté séleucide. Le roi est choisi par les dieux et il en admi-nistre la preuve dans les épithètes qu'il s'attribue : Séleucos Ier Nikator (le « Victorieux »), Antiochos III Mégas (le « Grand » par ses victoires), etc. C'est lui qui personnifie l'unité de l'empire et, par voie de conséquence, celle du monde, car la victoire royale perpétue l'équilibre entre les forces du bien et du mal, entre les énergies de la nature, les forces humaines et les puissances divines. Sans être dieu lui-même, le roi est l'envoyé des dieux ; il est au-dessus des autres hommes, tout comme l'était déjà le vieux roi mésopotamien.

Ptolémée VI Philométor coiffé de la double couronne égyptienne.

L'administration et la cour dans les monarchies orientales

L'empire séleucide tire sa force, mais aussi sa faiblesse, de la diversité des terres et des contrées qu'il a soumises. Le clivage restera le même entre les Grecs et les Barbares, les premiers à l'abri des murailles de leurs cités, détenteurs des hautes fonctions et des magistratures suprêmes, les autres, foule essentiellement paysanne, attachée à la glèbe et vouée à la servitude. La cohésion, entre eux, ne se fait jamais. Du reste, le roi séleucide s'intéresse peu au développement économique et social. L'héritage qu'il laisse est d'ailleurs : dans l'expansion de l'hellénisme jusqu'à l'Indus et aux steppes d'Asie centrale ; dans la définition du pouvoir royal et dans le mode d'expression de sa puissance ; dans le faste et le panache de sa fonction ; dans l'étiquette de la cour et la présence de philosophes et savants parmi les conseillers et les amis du prince. Le roi séleucide est un mécène et un évergète : il contribue de ses deniers aux dépenses publiques, encourage la constitution de bibliothèques et de musées, protège les arts. Civilisation brillante mais fragile, l'empire séleucide se morcellera peu à peu et sombrera dans la décadence.

Sosie rencontre Sosie : naissance de la comédie romaine

Rome, vers 212 av. J.-C.
Jupiter, amoureux d'Alcmène, a pris les traits d'Amphitryon, son époux, roi légendaire de Tirynthe, pendant que celui-ci combat les ennemis de la patrie. Mercure le sert sous la figure de Sosie. Ainsi, quand l'esclave, envoyé en avant pour annoncer le retour de son maître, frappe à la porte, il se trouve en face d'un autre lui-même. Le thème est celui d'un fabliau : Plaute s'est souvenu des farces populaires, et, plus particulièrement, des « hilarotragédies » qui mettent en scène des dieux dans des situations comiques. L'action se déroule en Grèce ; mais de nombreux détails sont romains. Nulle investigation psychologique : les réactions sont sans détour et s'expriment dans un langage non exempt de prosaïsme : Sosie est caractérisé par quelques traits : il est lâche, ivrogne et rusé. Des données initiales, Plaute n'a guère eu de mal à tirer des « scènes à faire », qu'il enchaîne avec brio. Il a inséré dans sa pièce des passages lyriques : ainsi, le récit de la campagne, par Sosie, est un couplet chanté. Ce thème connaîtra, de Molière *(Amphitryon)* à Giraudoux *(Amphitryon 38)*, une longue fortune théâtrale.

La défaite de Cannes met Rome en péril

Cannes, août, 216 av. J.-C.
Après la première Guerre punique, les villes de Rome et de Carthage sont épuisées et cherchent toutes deux à accroître leurs possessions dans l'éventualité d'une reprise des hostilités. Rome profite de la révolte des mercenaires de l'armée carthaginoise pour mettre la main sur la Sardaigne, tandis que Carthage s'implante profondément en Espagne grâce à Hamilcar Barca. C'est d'ailleurs à cause de l'Espagne qu'un nouveau conflit éclate en 218 av. J.-C. Les deux adversaires sont résolus à la guerre et Hannibal, fils d'Hamilcar qui incarne à Carthage le parti de la revanche, prend la direction des opérations. Général brillant, imprégné de culture grecque, il surprend les Romains en réussissant en septembre 218 à traverser les Alpes avec une armée réduite (26 000 hommes), hétérogène, mais aguerrie. Il bat successivement trois armées romaines sur le Tessin, la Trébie et au lac Trasimène où 15 000 Romains et le consul Flaminius Nepos périssent. Fabius Maximus est alors nommé dictateur et évite tout contact avec l'adversaire. Mais, en 216, les consuls choisissent le combat et subissent à Cannes (Apulie) la plus terrible défaite de l'histoire romaine : 45 000 tués, dont la fine fleur de la noblesse, 20 000 prisonniers, et des conséquences catastrophiques : de nombreuses défections parmi les alliés, dont Capoue qui se rallie à Hannibal, et Rome placée sous la menace directe de l'ennemi.

La Chine organisée par son premier empereur

Chine, 221 av. J.-C.
Le prince Zheng, qui avait mené en 221 les armées de l'Etat de Qin à la victoire, se proclame premier empereur : Shi Huangdi. L'Etat de Qin devait son triomphe à son organisation sociale et politique mettant pour la première fois en pratique les principes des philosophes légistes. Shi Huangdi et son ministre Li Si entreprennent d'appliquer à l'immense domaine chinois le système en usage dans le Qin. Le pays est divisé en 36 commanderies. Pour éviter les risques de révoltes, les murailles des villes sont abattues et les armes confisquées. Un réseau de route rayonne autour de la capitale. Les monnaies et les unités de mesure sont unifiées. Les familles puissantes sont déplacées et surveillées ; les emplois importants sont confiés à des parvenus, issus de l'armée, plutôt qu'à l'aristocratie. La résistance des confucéens provoque l'autodafé de 213, où quantité de textes classiques disparaissent dans les flammes. La politique extérieure de Shi Huangdi ne manque pas d'ambition : au nord-ouest, on cherche à stopper les Barbares nomades ; au sud, on entre-

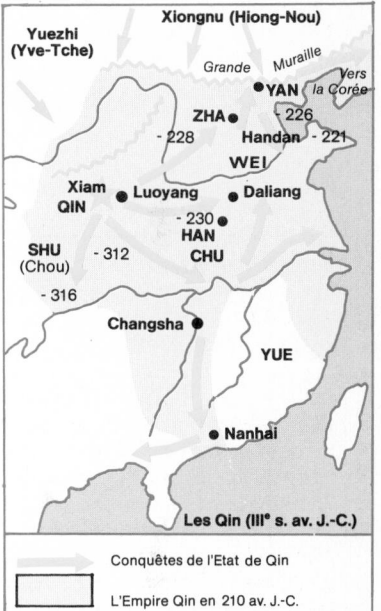

prend la conquête du Zhang Jiang, jusqu'à l'actuel Viêt-nam. Une main-d'œuvre importante est déportée pour la construction de la Grande Muraille. L'empire s'effondrera dans les intrigues de palais, peu après la mort de son créateur. Mais les Han sauront tirer parti des innovations de la brève dynastie Qin.

C'est sous le règne de Shi Huangdi que fut achevée la Grande Muraille.

211 av. J.-C.

Italie
Hannibal s'est implanté en Campanie et a fait de Capoue l'une de ses principales positions. Capoue est alors assiégée par les Romains. Hannibal, pour sauver son alliée, marche sur Rome où il déclenche la panique, mais il ne pourra empêcher la capitulation de Capoue.

209 av. J.-C.

Rome
Après son succès à Syracuse et en Campanie, Rome s'empare de Tarente et remporte une importante victoire en Espagne, en prenant la ville de Carthagène. C'est Scipion qui mène les opérations ; il continue sur sa lancée puisque, en 208, il remporte une victoire militaire sur Hasdrubal. Ce faisant, il commet une grave erreur : en dégarnissant sa position défensive sur les Pyrénées, il permet à Hasdrubal de gagner la Gaule et de menacer à nouveau directement Rome.

207 av. J.-C.

Italie
Hasdrubal a franchi les Alpes et menace à présent l'Italie du Nord. Rome est prise en étau, car Hannibal est toujours dans le sud de la péninsule. Le consul Gaius Néron parvient à arrêter l'avance d'Hannibal vers le nord ; puis il rejoint son collègue Livius sur le Métaure, pour remporter une victoire décisive sur Hasdrubal. Néron repart vers le front sud et fait rouler la tête d'Hasdrubal vers les avant-postes du camp d'Hannibal. Le plan carthaginois a échoué.

206 av. J.-C.

Chine
Quatre ans après la mort de Shi Huangdi, une nouvelle dynastie prend le pouvoir en Chine : les Han, qui régneront jusqu'en 220 après J.-C. Liu Bang (Lieou Pang), le fondateur de la dynastie, doit affronter une invasion des Huns. →

205 av. J.-C.

Macédoine
Concentrant tous ses efforts contre Hannibal, Rome met fin à la première guerre de Macé-

doine en signant avec Philippe V le traité de Phoinikè, par lequel Romains et Macédoniens se partagent le protectorat de l'Illyrie.

204 av. J.-C.

Rome
Rome est peu à peu gagnée par les influences grecques et orientales. En 204, on dépose en grande pompe sur le Palatin le bétyle noir de Pessinonte, pierre sacrée du culte de Cybèle, la Grande Mère. Ce culte phrygien reçoit ainsi droit de cité aux côtés de la religion traditionnelle et témoigne de l'évolution des mœurs.

Plaute fait représenter une nouvelle comédie, *Le Soldat fanfaron*. Engagés dans la guerre contre Carthage, les Romains s'amusent au spectacle de ce matamore qui se vante de ses exploits militaires.

203 av. J.-C.

Egypte
Ptolémée IV est mort en 204. C'est un enfant qui lui succède, Ptolémée V Epiphane, encadré par des ministres. Philippe V de Macédoine et Antiochos III concluent un traité secret en 203, qui laisse à ce dernier les mains libres pour tenter une nouvelle invasion de la Cœlésyrie en 202.

202 av. J.-C.

Rome
Fabius Pictor est le premier historien romain : il raconte l'histoire de Rome depuis la légende d'Enée jusqu'à la seconde Guerre punique.

Afrique
Hannibal et Magon sont rappelés précipitamment en Afrique pour sauver Carthage de la menace romaine : Cornelius Scipion, appuyé par les Numides de Massinissa, remporte la victoire de Zama. →

201 av. J.-C.

Rome
Un traité de paix met fin à la seconde Guerre punique. →

200 av. J.-C.

Syrie
Antiochos III remporte sur les Egyptiens la victoire de Panion. Il conquiert ainsi la Cœlésyrie.

A Zama, les Romains prennent leur revanche sur Hannibal le Punique

Afrique du Nord, 202 av. J.-C.
Par bonheur pour Rome, Hannibal ne peut exploiter sa prodigieuse victoire de Cannes. Rome demeure maîtresse de la mer et bloque l'arrivée de renforts en Italie, tout en évitant tout engagement militaire. Hannibal obtient cependant des succès diplomatiques importants avec le ralliement des villes grecques d'Italie du Sud et l'alliance de la Macé-

doine. Mais, à partir de 212 av. J.-C., Rome reprend l'initiative : Syracuse, Tarente et Capoue sont reprises et durement châtiées, tandis que le jeune Cornelius Scipion remporte de brillants succès en Espagne ; il ne peut toutefois empêcher une armée de secours d'arriver en Italie, mais elle est battue sur les rives du Métaure (207) sans avoir fait sa jonction avec Hannibal. Après avois conquis l'Espagne, Scipion est élu consul en 205 et débarque en Afrique en 204. Hannibal est aussitôt rappelé et livre à Zama, en 202, la bataille décisive où il doit s'incliner.

La seconde Guerre punique met Rome en position de force

Rome, 201 av. J.-C.
Carthage, après la défaite de Zama (202 av. J.-C.), est abattue en tant que puissance politique : elle doit livrer ses éléphants et sa flotte, verser une forte indemnité et céder ses possessions espagnoles. Elle ne peut plus désormais déclarer la guerre sans l'autorisation de Rome, ni avoir d'alliés, et elle doit reconnaître Massinissa comme roi des Numides. L'élimination militaire et politique de la métropole punique met donc Rome en position dominante en Méditerranée occidentale. Position confortée par la reconquête de la Gaule cisalpine en 192 av. J.-C. et la soumission brutale des montagnards ligures. Enfin, l'Espagne conquise est érigée en province et deux préteurs y sont installés comme gouverneurs. Mais, si Rome est pleinement victorieuse, elle sort néanmoins du conflit ruinée et exsangue. Toute une partie de l'Italie a été ravagée par Hannibal, de nombreuses terres sont retournées à la friche à cause de la longue mobilisation des paysans et les pertes humaines sont très lourdes. Les conséquences sociales ne sont pas moins importantes : l'abondance financière due au butin provoque la multiplica-

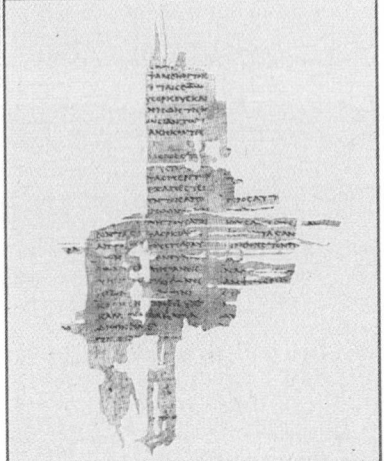

Papyrus reproduisant le traité de paix signé en 201 av. J.-C. entre Rome et Carthage. Fragment.

tion des hommes d'affaires tandis que la noblesse sénatoriale, la *nobilitas*, a renforcé son pouvoir. Faisant porter la responsabilité des premiers désastres aux chefs démocrates (tel Flaminius Nepos à Trasimène) elle évince durablement ce parti du pouvoir. Le facteur le plus décisif et le plus préoccupant pour l'avenir est l'apparition de généraux prestigieux, tel Scipion, qui transcendent le jeu politique traditionnel. La tentation de s'emparer du pouvoir est grande pour ces militaires ambitieux et couverts de gloire.

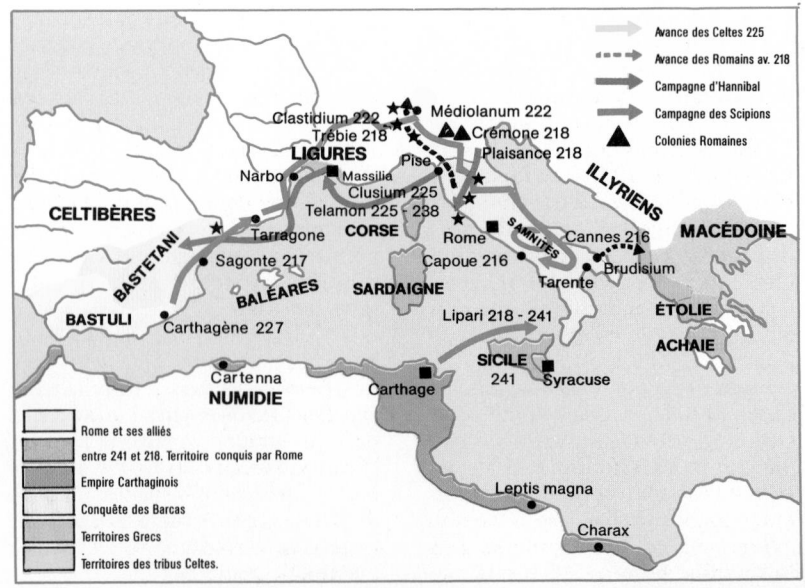

L'île de Délos, plaque tournante du commerce égéen

Grèce, IIIe - IIe siècles av. J.-C.

Délos, la plus petite et la plus centrale des Cyclades, connaît depuis quelque temps un essor sans précédent. Certes, elle a des titres de gloire considérables puisque, selon la tradition mythologique, elle a accueilli Leto sur le point de mettre au monde les divins jumeaux, Apollon et Artémis, et fut donc le siège, très tôt, d'un grand sanctuaire panhellénique. Ses habitants vivaient alors essentiellement d'un petit commerce local, alimenté par le nombre important des pèlerins ; à partir de 314, et jusqu'en 166, s'affranchissant de la tutelle athénienne, elle connaît un brusque développement qui s'accompagne d'une grande activité architecturale. La ville, qui entoure le sanctuaire, commence à se tourner vers des activités commerciales ; c'était déjà un important marché de céréales (en particulier de blé) et d'esclaves dont les entrepôts s'agrandissaient régulièrement ; les échanges étaient favorisés par les temples qui étaient à l'origine de nombreuses opérations bancaires. Mais, à partir de 166, Délos redevient possession athénienne, et la ville est déclarée port franc. Cette immunité va entraîner un véritable « boom » économique, attirant un grand nombre de navigateurs et de commerçants étrangers, égyptiens, tyriens, italiens, phéniciens, juifs, orientaux ; l'île devient alors l'un des principaux centres commerciaux de toute la Méditerranée et voit son trafic maritime s'intensifier tant avec l'Asie Mineure qu'avec le lointain Occident. L'ampleur de ce commerce est attestée, d'une part, par la diversité des monnaies que les fouilles ont permis de retrouver et, d'autre part, par certains documents qui prouvent le nombre croissant de banquiers privés qui viennent concurrencer l'activité financière des temples ; l'enrichissement est général : des quartiers entiers s'élèvent jusqu'en 88, date à laquelle l'île est ravagée par Mithridate ; elle ne s'en relèvera pas, et un déclin rapide suivra cette prodigieuse expansion.

Vue des ruines de Délos : la rue du Théâtre. IIe - Ier siècle av. J.-C. Déclarée port franc en 166, Délos connut un essor considérable.

Ruines de la « Maison des Tritons », île de Délos. IIe siècle av. J.-C.

Le consul Flaminius libère la Grèce de la tutelle macédonienne

Grèce, 196 av. J.-C.

La cérémonie des Jeux isthmiques prend une signification particulière en 196. En effet, à cette occasion un consul romain proclame « la liberté des Grecs et leur autonomie ». Le libérateur est vivement acclamé par les Grecs réunis près de Corinthe. Elu consul en 197, Flaminius, issu d'une famille de l'aristocratie romaine, conçoit déjà le dessein d'affronter Philippe de Macédoine. On le sait, par ailleurs, nourri de culture hellénique et fort hostile aux Macédoniens. Ainsi, arrivé sur le territoire grec, il n'a de cesse de rencontrer Philippe V dont il entend obtenir qu'il évacue les villes de Grèce. Mais les négociations se heurtent au refus de Philippe. Une nouvelle guerre entre Rome et la Macédoine commence. Les opérations militaires se succèdent rapidement de la Thessalie au golfe de Corinthe : les Macédoniens pratiquent la stratégie de la terre brûlée et les Romains, fortement assistés par leur flotte, tentent de maîtriser directement le plus grand nombre de cités. Pourtant, tous les Grecs n'entendent pas mener la guerre du côté de Rome pour se libérer de Philippe. Ainsi, les Achéens, divisés entre partisans des Romains et des Macédoniens, hésitent longuement ; les Argiens, sous l'impulsion des plus puissants de leurs concitoyens, refusent de dénoncer l'alliance qui les rapproche de Philippe de Macédoine. Grâce à l'opiniâtreté de Flaminius, la situation prend un tour nouveau. En juin 197, les armées romaines infligent une rude défaite aux troupes macédoniennes. Au lendemain de ce désastre, les Macédoniens se sont retirés au nord de la péninsule. Le décret qui rend leur liberté aux cités se présente comme un arrêt de la « barbarie », mais ne place-t-il pas les Grecs sous une nouvelle tutelle, celle de Rome ? L'irrésistible montée de la puissance romaine balaiera cette autonomie provisoire.

Attale, roi de Pergame, s'allie avec Rome

Grèce, 201 av. J.-C.

Depuis le traité conclu entre Rome et les Etoliens en 210, les cités d'Asie Mineure ont conscience du rôle indispensable de la puissance romaine pour contrecarrer les ambitions macédoniennes. Au lendemain de la guerre de Syrie, Philippe V fait de la région des Détroits une nouvelle proie pour son armée. Pergame se sent de nouveau en danger : la cité pourrait bien constituer la prochaine étape des Barbares qui harcèlent le littoral de la Carie à la Mysie. Philippe de Macédoine vient même de pénétrer à Milet ; la route de Pergame lui est désormais ouverte. La ville résiste au siège des Macédoniens. Mais son roi, Attale Ier, se décide à faire appel à Rome. A l'automne 201, Pergame et Rhodes demandent secours aux Romains dont leur victoire sur les Carthaginois à Zama rend encore plus prestigieux. Cette alliance défensive marque l'entrée officielle de Rome en Asie.

Le rebelle Liu Bang fonde la dynastie Han

Chine, 206 av. J.-C.

La dynastie impériale des Han est fondée par le général Liu Bang. Dès le règne du premier empereur (221-210), la rigueur extrême de l'organisation sociale et du système pénal avait rendu la tyrannie du pouvoir insupportable au petit peuple. La noblesse, privée de ses anciens droits, et les lettrés confucéens ne tardent pas à rejoindre les rangs du mécontentement populaire. Seule la poigne de fer de Shi Huangdi (Chi Houang-ti) parvenait à maintenir l'ordre. A sa mort, les intrigues de cour amènent au pouvoir son jeune fils, le faible Er Huangdi. L'empire se désagrège presque aussitôt. En 209, une rébellion éclate dans le pays de Chu et la guerre civile gagne bientôt toute la Chine. Deux figures importantes se dégagent rapidement : Xiang Yu et Liu Bang. De naissance noble, Xiang Yu écrase, en 207, la dernière armée de Qin, tandis que Liu Bang, son général, s'empare de la capitale, Xian Yang. Cet événement sert communément à dater l'avènement de la dynastie Han. Tout comme les autres généraux de Xiang Yu, Liu Bang reçoit des terres en récompense de ses services : le royaume de Han lui est attribué. Mécontent, Liu Bang, qui estimait mériter plus, se retourne contre Xiang Yu et, en 203, un traité partage la Chine entre les deux hommes. L'accord est rapidement rompu, et c'est alors une lutte sans merci. Xiang Yu se suicide, et Liu Bang, victorieux, se proclame empereur et donne à la dynastie le nom de Han. La défaite de Xiang Yu est aussi celle des partisans du retour à l'ordre ancien. Liu Bang, d'origine modeste, esprit positif et réaliste, s'assure la collaboration d'hommes nouveaux et s'appuie sur le système des Qin. Fin politique, Liu Bang saura éviter de pratiquer un absolutisme trop tyrannique.

Vêtement funéraire de Dou Wan, épouse de Liu Cheng, frère de l'empereur Wudi. IIe siècle av. J.-C.

198 av. J.-C.

Grèce

L'armée romaine est en Illyrie depuis 200 et guerroye contre Philippe V. Le consul Flaminius exige, pour conclure la paix, que Philippe évacue l'ensemble de ses possessions en Grèce. →

197 av. J.-C.

Grèce

Vaincu lors de la bataille de Cynocéphales, Philippe V négocie en catastrophe et accepte toutes les conditions de Flaminius. La Macédoine est dépossédée de ses implantations en Grèce d'Europe et d'Asie.

194 av. J.-C.

Grèce

Il n'y a plus un seul soldat romain en Grèce. Beaucoup d'œuvres d'art ont pris, elles aussi, le chemin de Rome.

192 av. J.-C.

Grèce

Les ambitions territoriales d'Antiochos III laissaient présager un affrontement avec Rome qui vient de libérer l'ensemble des cités grecques. Les Etoliens, qui se sentent frustrés dans la réorganisation politique de la Grèce, tentent d'organiser une coalition antiromaine regroupant les Spartiates, les Macédoniens et Antiochos. Celui-ci fait débarquer 10 000 hommes en Grèce (octobre 192) : c'est une erreur politique et militaire. Antiochos se fait prendre au piège des Thermopyles et doit abandonner la Grèce en 191.

190 av. J.-C.

Grèce

Cornelius Scipion et Scipion l'Africain passent en Grèce, puis en Asie Mineure, pour régler définitivement le problème séleucide. Rome est appuyée par le royaume de Pergame. Après sa défaite à Magnésie du Sipyle, Antiochos III négocie : il renonce à la Thrace et évacue l'Asie Mineure jusqu'au Taurus.

189 av. J.-C.

Rome

Le roi Eumène II de Pergame est reçu par le Sénat. L'Asie Mineure est partagée entre les Rhodiens, sous l'arbitrage des Romains.

186 av. J.-C.

Rome

L'affaire des Bacchanales scandalise tous les Romains attachés aux valeurs traditionnelles de leur religion. →

185 av. J.-C.

Rome

Caton exerce la censure. Il œuvre au redressement moral de Rome.

184 av. J.-C.

Rome

On construit sur le Forum la première basilique, lieu de réunion et de conversation.

181 av. J.-C.

Egypte

Avec le règne de Ptolémée VI Philométor, l'Egypte poursuit son déclin : querelles intestines pour le trône, crise monétaire, troubles dans les campagnes.

179 av. J.-C.

Macédoine

Philippe V meurt à 59 ans. Son fils Persée lui succède, non sans intrigues. Il entreprend des préparatifs de guerre contre Rome. La puissance macédonienne est encore considérable. Les agents de Persée parcourent le monde méditerranéen pour susciter une vaste coalition contre Rome.

173 av. J.-C.

Rome

Deux philosophes épicuriens sont expulsés de Rome : selon les autorités leur morale du plaisir corrompt la jeunesse.

172 av. J.-C.

Rome

C'est la rupture entre Rome et Persée. Celui-ci a restauré en Grèce le parti promacédonien. Il est en position de force, mais tergiverse. Les Romains débarquent en Epire. Nombre d'alliés de Persée changent alors de camp.

Scène d'initiation aux mystères dionysiaques : la Flagellée et la Bacchante. Fresque. Milieu Iᵉʳ siècle. Villa des Mystères, Pompéi.

A Rome, les cultes orgiaques font scandale

Rome, 186 av. J.-C.

Le Sénat vient de réagir aux récentes révélations sur les rites sensuels et criminels des Bacchanales par deux sénatus-consultes d'une extrême sévérité. Le premier charge les édiles d'arrêter les prêtres responsables de ces cérémonies : on prévoit de nombreuses condamnations à mort. Le second interdit les Bacchanales, sauf permission spéciale demandée au préteur et éventuellement accordée par le Sénat. De plus, aucun homme ne pourra devenir prêtre des bacchantes, ni aucun citoyen mâle s'adjoindre à l'un de leurs groupes. Enfin, le Sénat veut empêcher que ces assemblées cultuelles ne soient, en fait, des sociétés secrètes : « Que, dorénavant, l'on n'établisse en commun ni serment, ni vœu, ni libation, ni promesse, et que personne ne procède à un engagement réciproque. » Ces interdictions s'étendent aux cités fédérées et toute contravention sera punie de la peine de mort. Ainsi le culte de Dionysos n'est-il pas supprimé ; on réglemente sa pratique avec rigueur, dans un souci à la fois moral et politique. D'une part, en effet, ces mystères orgiaques nocturnes, d'origine asiatique, se déroulaient dans une frénésie génératrice de désordres. La promiscuité entre hommes et femmes, contraire aux rites initiaux, était une innovation dangereuse ; le culte, accompagné de musique tumultueuse, réclamait des fidèles toutes sortes d'actes illicites, pouvant aller jusqu'au meurtre. D'autre part, on craignait la diffusion de propagande subversive sous le couvert du secret rituel. On peut toutefois penser qu'une préoccupation religieuse n'est pas non plus étrangère à la décision du Sénat, bien qu'elle ne soit pas mise en avant. Ces pratiques s'éloignent trop, dans leur inspiration, des cultes traditionnels romains. Au lieu d'être, comme eux, garants de la cohésion de la cité ou de la famille, elles favorisent, tant par leurs rites que par les croyances qu'elles véhiculent, un individualisme religieux, ferment de rébellion. Car le culte des Bacchantes promet à ses adeptes, au terme de leur initiation, une nouvelle naissance, semblable à celle de Dionysos, régénéré par Zeus, son père, après avoir été mis en pièces par les Titans. C'est donc un salut purement personnel que recherchent les fidèles, ainsi qu'une réponse aux questions sur la vie et sur la mort que la religion romaine n'apporte pas.

Trois écritures en usage en Egypte

Egypte, IIᵉ siècle av. J.-C.
Découverte en 1799, la pierre de Rosette fut rédigée en 196, sur du basalte poli, par les prêtres de Memphis pour témoigner leur gratitude envers Ptolémée V qui avait généreusement doté leur temple ; trilingue, elle atteste l'usage simultané de trois écritures : hiéroglyphique, à caractère sacré ; démotique, cursive qui tend à supplanter le hiératique dans les documents courants et les actes privés ; grecque, enfin, qui est rapidement devenue l'outil administratif de base.

La pierre de Rosette. Rédaction trilingue d'un décret de Ptolémée V.

Carthage, grande cité d'Afrique du Nord

Carthage a laissé le souvenir d'une ville marchande, ambitieuse et obstinée. Son histoire commence à la fin du IXᵉ siècle av. J.-C., ou au cours du VIIIᵉ. Ce comptoir de la ville phénicienne de Tyr se sépare très rapidement de sa métropole et agit comme une puissance indépendante, fondant tout un réseau de comptoirs et de colonies qui lui donne la suprématie commerciale : à Malte, en Sicile, en Sardaigne, aux Baléares et en Espagne, sans parler de l'Afrique elle-même où ses possessions ne cessent de s'étendre à l'intérieur des terres. A partir du milieu du VIᵉ siècle, la ville est gouvernée par les descendants de Magon ; ils font alliance avec les Etrusques et avec Rome. En 480, la flotte carthaginoise est défaite à Himère par le tyran de Syracuse Gélon, ce qui entraîne la perte de la Sicile, à l'exception d'un camp fortifié. Ce contretemps n'arrête pas les efforts d'expansion des dirigeants carthaginois, qui prospectent les mers en direction de l'Afrique tropicale et de la Grande-Bretagne. A la fin du Vᵉ siècle, une nouvelle guerre sicilienne se solde par un nouvel échec et la famille de Magon perd alors une grande partie de son prestige et de son autorité. Vers 380, la haute noblesse s'empare du pouvoir, un tribunal de 104 membres est institué et le pouvoir est dévolu à quelques comités peu nombreux qui sont recrutés par cooptation. La puissance de la ville atteint son apogée. Aristote en décrit la Constitution qu'il compare à celle des cités grecques les mieux gouvernées. Le dieu tutélaire de la ville est Baal Hammon, dieu redoutable qui exige des sacrifices humains, notamment des enfants que l'on brûle vifs. Au cours du Vᵉ siècle, une réforme religieuse intervient qui lui associe la déesse Tanit. Aux côtés de ce couple divin, les Carthaginois adoptent d'autres divinités propres à l'aire phénicienne comme Eshmum ou Rashap, ainsi que des divinités grecques comme Déméter et Koré.

Le Tibre coupe la ville de Rome en deux

Les ponts sur le Tibre sont indispensables à la communication entre les quartiers nord et sud de la ville. Le premier pont est le pont Sublicius, en bois, puis consolidé par des piles de pierres. En 179 av. J.-C., on construit le pont Aemilius, entièrement en pierre. Suivent le pont Fabricius en 62 et le pont Cestius en 60, qui relie l'île Tibérine aux deux rives du fleuve : sur cette île se trouve depuis 291 le temple d'Esculape. Le Tibre se prêtait à un trafic intense, activité économique qui faisait aussi la joie des badauds.

Seule arche subsistante du pont Aemilius construit en 179 av. J.-C.

La fin de l'Empire maurya ouvre une crise

Inde, 185 av. J.-C.
Brihadratha, le dernier souverain de la dynastie Maurya, est assassiné au cours d'un exercice militaire par son général en chef, Pushyamitra, qui fonde la dynastie Shunga. La mort d'Açoka, vers 235, avait marqué le début du déclin de l'empire. Sous les règnes de ses successeurs, le domaine Maurya n'avait cessé de se réduire. Cette déchéance est traditionnellement attribuée à la conjonction de plusieurs facteurs, politiques, administratifs et économiques. La mort de Brihadratha n'en est que l'aboutissement logique. Dès lors, l'Inde entre dans une nouvelle période d'éclatement territorial. Au nord-ouest, la rébellion contre les Séleucides amène au pouvoir des souverains hostiles à l'entente avec l'Inde. Démétrios, roi de Bactriane, prend le contrôle du Panjâb et de la basse vallée de l'Indus. Les Shunga reprennent en partie le domaine traditionnel des Maurya, le Magadha, et étendent peu à peu leur territoire. Leur règne dure un peu plus d'un siècle. Au sud, le domaine Andhra se constitue. Politiquement anarchique, cette période connaît cependant une certaine prospérité économique et un développement artistique important.

Masque de terre cuite vernissée. Culture Paracas, Pérou.

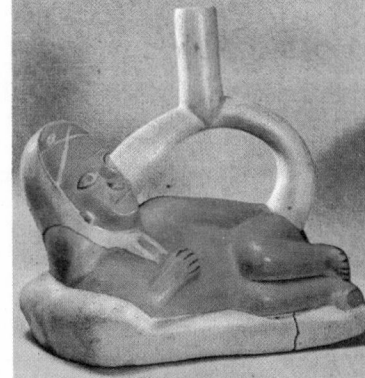

Vase anthropomorphe à anses en étrier. Culture Mochica. Pérou.

Hache sacrificielle en forme de tête. Civilisation d'El Tajin.

Cultures anciennes d'Amérique

Amérique, 200 av. J.-C.
Vers 4000 av. J.-C., l'homme américain découvre l'agriculture, ouvrant ainsi la voie à des modes de vie sédentaires. Dès 1800 av. J.-C., sur la côte centrale du Pérou, des temples sont construits à Chuquitanta et à Las aldas, des pyramides à Rioseco. Vers 1000 av. J.-C., une grande partie de la région andine est envahie par une architecture monumentale attribuée à la culture Chavin. A la même période, sur la côte du golfe du Mexique, les Olmèques développent des centres urbains et sculptent des têtes monumentales représentant des guerriers (sites de La Venta et de San Lorenzo). Dans l'Ohio, les Adena construisent de vastes villages aux maisons de bois et inhument leurs morts dans des sépultures sous tumulus. La culture olmèque s'éteignant peu à peu, la culture de Monte Alban, fortement influencée par celle-ci, se développe sur la côte Pacifique du Mexique central. En 400 av. J.-C., au sud du Pérou, la culture de Paracas atteint une perfection rarement égalée dans l'élaboration et la coloration des tissus, puisqu'elle permet d'obtenir plus d'une centaine de teintes différentes. Un siècle plus tard, les premiers temples mayas sont construits en Amérique centrale. Vers 100 av. J.-C., les Hopewel remplacent les Adena dans l'Ohio et s'étendent sur l'Illinois. Pratiquant l'enterrement sous tumulus, leur culture présente néanmoins de fortes influences mexicaines. Leur activité commerciale rayonne de la Floride jusqu'aux montagnes Rocheuses. Parallèlement, sur le plateau mexicain, commence la construction de la ville de Teotihuacan : avec elle, l'ère des grands Etats débute en Amérique.

Mâyâ Devî et la naissance du Bouddha. Schiste. Art du Gândhâra.

168 av. J.-C.

Rome

Le traité *Sur l'agriculture* de Caton est un ouvrage d'inspiration patriotique. Il s'agit de lutter contre la dépopulation des campagnes et de réhabiliter la vie agricole qui a fourni à Rome ses meilleurs citoyens et ses plus braves soldats. Texte idéologique, ce traité est aussi un recueil d'instructions pratiques, de l'art de saler le jambon à la plantation des asperges.

Macédoine

Engagée depuis 170 dans la guerre contre Persée, Rome envoie sur le terrain le consul Paul Emile. La bataille s'engage à Pydna. Le choc des légions et de la phalange macédonienne est terrible. Celle-ci est enfoncée et compte dans ses rangs près de 20 000 morts. La Macédoine se soumet au vainqueur. Persée s'enfuit, mais, abandonné de toutes parts, finit par se rendre à Paul Emile. Il participe au triomphe du général à Rome, comme prisonnier. Le royaume d'Alexandre le Grand s'est définitivement ruiné.

167 av. J.-C.

Grèce

Les Romains remettent de l'ordre en Grèce. Les promacédoniens sont impitoyablement traqués. Exils, exécutions sommaires, assignations à résidence en Italie, tout est fait pour éliminer la moindre opposition. Parmi les 1 000 Achéens exilés à Rome, Polybe tirera profit de cette infortune pour écrire l'histoire de Rome en grec.

165 av. J.-C.

Judée

La révolte conduite par Judas Maccabée contre l'hellénisation du pays et l'interdiction du judaïsme décrétée par Antiochos IV s'achève glorieusement : il entre en vainqueur à Jérusalem, purifie le Temple et rétablit le culte.

163 av. J.-C.

Rome

Térence présente une nouvelle comédie, *L'Héautontimoroumenos*, « Celui qui se châtie lui-même », adaptée d'après l'original grec de Ménandre. De 166 à 160, peu

avant sa mort (159), Térence écrira une comédie par an.

160 av. J.-C.

Pergame

Le déclin de la puissance des Lagides en Egypte favorise l'essor d'un nouveau centre culturel qui concurrence Alexandrie : il s'agit de Pergame, capitale des Attalides. La bibliothèque de Pergame a néanmoins des difficultés d'approvisionnement en livres, ceux-ci ayant été presque tous achetés par sa rivale égyptienne. Les délégués royaux achètent les textes à prix d'or. Cela encourage l'industrie des faux et des manuscrits apocryphes.

155 av. J.-C.

Inde

Le roi Ménandre règne sur le Panjâb et la Bactriane de 155 à 130 av. J.-C. Son nom indianisé, Milinda, est associé à un texte religieux : les *Questions de Milinda* se présentent, en effet, comme une conversation entre le roi grec et le moine Nâgasena. Ce souverain guerrier manifeste sa fascination pour la religion bouddhique. Il illustre parfaitement la civilisation syncrétique de l'hellénisme extrême-oriental.

Athènes

Le roi Attale fait construire sur l'Agora le portique qui porte son nom. Intrusion spectaculaire de la générosité monarchique orientale dans l'espace ancestral de la démocratie athénienne.

Rome

Athènes envoie à Rome en ambassade trois représentants des trois grandes écoles philosophiques, l'Académie, le Portique et le Lycée. Il n'y a pas d'épicurien, Rome ayant naguère expulsé des membres de cette école.

149 av. J.-C.

Rome

Carthage, malgré des conditions de paix très dures, a pu assurer son relèvement. Le roi numide Massinissa, allié de Rome, surveille ce nouvel essor et veut annexer la ville à son royaume. Une victoire militaire sur Carthage, en 151, semble réaliser cet espoir, mais Rome juge plus prudent d'intervenir : c'est le début de la troisième Guerre punique.

Mort de Caton l'Ancien. →

Chandelier à huit branches utilisé pour Hanoukka, fête instituée en 164 av. J.-C. par Judas Maccabée pour commémorer la purification du Temple profané par Antiochos IV.

Monnaie avec l'effigie d'Antiochos IV Epiphane.

La révolte de Judas Maccabée

Palestine, 165 av. J.-C.

Après l'équipée d'Alexandre, la Palestine est incorporée à l'Egypte lagide et devient, pendant un siècle, le théâtre de guerres sanglantes qui opposent Lagides et Séleucides. Les Ptolémée exploitent cette région qui leur sert de glacis protecteur. Mais le paysan juif supporte mal le poids de la guerre sur ses terres et deux thèmes se développent dans la littérature prophétique : la haine de la monarchie étrangère et du culte royal, la misère du peuple. C'est du IIIe siècle av. J.-C. que daterait l'annonce d'un roi humain dont le royaume sera universel, un roi humble et chevauchant un âne : on veut voir là une satire de Ptolémée IV qui traverse Jérusalem monté sur un éléphant. En 200, lorsque la Palestine passe aux mains des Séleucides, le changement de maître est d'abord bien accueilli. Le Séleucide commence par accorder des privilèges et des exemptions, favorise le Temple et établit un gouvernement local conforme aux droits ancestraux. Mais le destin se noue ailleurs : Antiochos III est vaincu par les Romains et se trouve à cours de numéraires. Il s'empare des biens du Temple et pressure le peuple. La révolte gronde. Antiochos IV Epiphane, le nouveau roi, pressé d'en finir, cherche à imposer par la force l'hellénisation et interdit le judaïsme. C'en est trop : à l'initiative d'un prêtre de Modin (près de Jérusalem) appelé Mattathias, la guerre sainte est déclenchée. Elle sera l'œuvre de ses fils, notamment de Judas Maccabée qui entre en vainqueur dans Jérusalem en 165, purifie le Temple et rétablit le culte. Poussant leur avantage, les partisans de Judas poursuivront le combat pour obtenir l'indépendance politique. Après sa mort en 160, son frère Jonathan lui succède, avant d'être massacré à son tour en 143. La succession revient alors à Simon, le troisième frère.

Malgré son succès, le théâtre ne plaît pas au Sénat

Rome, 154 av. J.-C.

A l'instigation du consul Publius Cornelius Nasica, le Sénat vient d'interdire la construction des théâtres en pierre : ils sont jugés inutiles et contraires aux bonnes mœurs. Il ne faut pas encourager les citoyens à l'oisiveté. De même, il est interdit de fournir, comme à l'accoutumée, des sièges aux spectateurs, qui devront rester debout. Cette mesure frappe très directement le théâtre que les censeurs Valerius Messala et Cassius Longinus ont récemment entrepris d'édifier entre le Lupercal et le Palatin : il sera détruit. Certes, le caractère épisodique des représentations théâtrales, données à l'occasion des fêtes religieuses, rend les installations provisoires tout à fait suffisantes. Mais l'engouement croissant des Romains pour le théâtre, ces dernières décennies, s'est accompagné d'une volonté de perfection dans l'organisation matérielle. Le Sénat donne un coup d'arrêt à cette évolution.

Scène d'une comédie de Plaute. Peinture murale de Pompéi. Ier siècle.

Le grand autel de Zeus à Pergame. Première moitié du IIᵉ siècle. Staatliche Museen, Berlin-Est.

Edification du grand autel de Zeus à Pergame

Pergame, 197-159 av. J.-C.

C'est sous le règne d'Eumène II, dynastie hellénistique, que le royaume des Attalides atteint l'apogée de sa puissance. Ce souverain, héritier à la fois des traditions grecques et orientales, mena une politique de prestige, qui fit de sa capitale, Pergame, un centre artistique et culturel prestigieux, digne de rivaliser avec Athènes ou Alexandrie. L'acropole s'enrichit de nombreux monuments : théâtres, palais, temples, bibliothèques ; mais c'est dans le grand autel du temple de Zeus que se révéla tout le génie d'un style très particulier, alliant les canons classiques à la démesure orientale. Erigé autant en l'honneur de Zeus et d'Athéna, divinités poliades de Pergame, qu'à la gloire des Attalides dont il rappelle la mythique origine divine, cet ensemble présente unité et harmonie, en dépit de la participation de plusieurs artistes, dirigés par Ménécratès de Rhodes. L'édifice presque carré, aux dimensions imposantes, s'intègre dans un véritable ensemble architectural de tradition ionique. Trois côtés, couronnés par une colonnade, encadrant un escalier monumental, reposent sur un soubassement à degrés, à l'extérieur duquel se déroule sur plus de 130 m une frise en bas-relief. Ce décor sculpté puise son inspiration dans le thème athénien classique de la gigantomachie qui symbolise le combat et le triomphe de l'ordre, de la lumière, de la raison et de la civilisation sur les forces bestiales, le désordre, l'ombre et la barbarie, incarnés par les Géants ; tous les dieux olympiens sont représentés debout, terrassant leurs adversaires accablés, s'affaissant dans des attitudes très variées, pleines de pathétique. Les artistes ont fait preuve d'une grande érudition mythologique, attestée par la précision des détails et des attributs des nombreux personnages qui composent la scène ; ils ont par ailleurs indéniablement innové, tant par leur conception nouvelle du bas-relief, traité presque comme une ronde-bosse, que par leur style qui traduit les plus pures tendances hellénistiques : horreur du vide, précision d'une anatomie très détaillée, réalisme parfois excessif des expressions, violence enfin des corps enchevêtrés, que renforce le déploiement des draperies.

Gigantomachie : Athéna saisissant le géant Alkyoenus par les cheveux. Frise est du grand autel de Zeus à Pergame. 180-160 av. J.-C. Marbre. Staatliche Museen, Berlin Est.

Epanouissement culturel de Rome au temps des Scipion

Rome, première moitié du IIᵉ siècle av. J.-C.

La destruction de Carthage par Scipion Emilien en 146 est plus que le coup de grâce porté à un ennemi héréditaire. Elle consacre un homme, fils de Paul Emile et petit-fils par adoption de Scipion l'Africain. C'est un lettré qui sait que Rome ne pourra consolider son pouvoir qu'en acquérant une sagesse et une pensée propres. C'est pourquoi il s'entoure d'écrivains hellénisants, comme Térence et Lucilius (le créateur de la satire), et de Grecs, comme le philosophe Panaetius et l'historien Polybe. Ce dernier, dans son histoire universelle, souligne le destin exceptionnel de Rome, qui révèle, selon lui, le dessein d'une Providence intelligente : la pensée philosophique de Polybe rejoint la croyance religieuse des Romains. Panaetius, quant à lui, adapte la philosophie grecque à l'esprit latin, en étendant les principes stoïciens à la vie politique : voilà qui satisfait plus les Romains que l'épicurisme, ou le scepticisme d'un Carnéade. Térence, de son côté, invente une nouvelle forme de comédie, proche de Ménandre, plus psychologique et moralisante que celle de Plaute. Certes, cette pénétration, de l'hellénisme ne touche que des cercles aristocratiques restreints. Mais le peuple sait reprendre aux cités conquises leur goût du luxe. Ainsi s'installent à Rome de nombreux artisans : sculpteurs, ciseleurs, orfèvres, peintres, médecins, parfumeurs. Il est vrai que les Romains sont riches : devant l'abondance des butins et des indemnités de guerre, on a supprimé les impôts directs... Enfin, l'architecture se modifie : on construit des basiliques sur le modèle grec. Les maisons des plus riches citoyens s'agrandissent : un second atrium et des jardins (réservés à la famille) témoignent d'un souci nouveau de l'*otium*, du loisir, en marge des traditions et des activités collectives. Et c'est bien ce qui inquiète le Sénat.

Troisième Guerre punique : le choc décisif

Rome, 150 av. J.-C.

Rome ne perdait pas Carthage de vue et commençait même en cette première moitié du IIᵉ siècle av. J.-C. à s'inquiéter de son redressement économique, souligné en particulier par Caton au retour d'un voyage en Afrique en 153. Aussi prend-elle prétexte en 150 de la déclaration de guerre de Carthage au roi de Numidie Massinissa, allié de Rome, qui empiétait depuis longtemps sur le territoire punique, pour déclencher la troisième Guerre punique, qui paraît avoir pour but la destruction de Carthage et l'arrêt de l'expansion numide. Les légions romaines débarquent à Utique et Carthage livre aussitôt ses armes et 300 otages ; mais les consuls exigent l'évacuation de la ville et sa reconstruction dans les terres. Carthage choisit alors de mourir debout et organise une défense désespérée. Après une série d'échecs, Scipion Emilien, élu consul en 147, reprend l'armée en main et s'empare de la ville après un siège héroïque de sept jours. La brutalité romaine s'exerce alors sur sa vieille ennemie qui est rasée et vouée aux dieux infernaux. Rome devra reconstituer ce maillon indispensable de l'économie méditerranéenne.

Mort de Caton, censeur des mœurs de son temps

Rome, 149 av. J.-C.

Marcus Porcius Cato, dit Caton l'Ancien, petit homme aux manières rudes, d'une grande austérité morale et d'un patriotisme à toute épreuve, mais âpre au gain et économe jusqu'à l'avarice, incarne toutes les vertus républicaines des premiers Romains, au moment même où l'expansion territoriale de l'*Urbs* et son enrichissement entraînent de profondes transformations morales et une évolution du mode de vie. Ce propriétaire terrien, qui s'était dévoué au service de sa patrie lors de la deuxième Guerre punique (217), s'engagea par la suite dans la politique et parcourut tout le *cursus* des magistratures ; devenu censeur en 184, n'hésitant pas à risquer l'impopularité, il tenta d'imposer ses valeurs traditionnelles, réclamant en toute circonstance la destruction définitive de Carthage (il concluait invariablement ses discours par la formule : « En outre, il faut détruire Carthage ! »). Caton lutta de toutes ses forces contre l'abandon des anciennes mœurs, l'affaiblissement de la famille, les influences hellénistiques qui séduisaient les Romains, la corruption, la perte des vertus civiques et le goût du luxe.

148 av. J.-C.

Macédoine

Après leur victoire, les Romains ont démantelé la Macédoine en quatre fédérations placées sous haute surveillance. Or, voici que surgit un nouveau Philippe, qui se présente comme le fils de Persée, revendique son trône et cherche des alliances. Les Romains, tout d'abord, ne prennent guère au sérieux cet agitateur ; mais son coup d'audace réussit et une victoire militaire lui assure la possession de la Macédoine. Les Romains réagissent alors vigoureusement et mettent en fuite l'usurpateur : ils font de la Macédoine une province romaine.

146 av. J.-C.

Grèce

Les Grecs sont incorrigibles : nombreux problèmes internes et toujours des rivalités entre cités. Le conflit entre la Ligue achéenne et Sparte conduit les Romains à intervenir pour rabaisser les ambitions de la première. Ils sont d'abord patients et conciliants ; les Grecs y décèlent de la faiblesse et continuent. On en vient aux armes. Les Grecs sont battus, les Romains cléments. La bataille de Leucopetra donne une victoire décisive au consul Mummius. Il organise alors une nouvelle province romaine, l'Achaïe. La cité de Corinthe est rasée. La Grèce passe sous domination romaine. →

Carthage

« Delenda est Carthago (Carthage doit être détruite). C'est fait. Scipion Emilien est venu à bout de la résistance d'Hasdrubal. Au terme d'un long siège, la ville est prise et rasée, les ruines brûlent pendant seize jours. La province romaine d'Afrique est créée.

145 av. J.-C.

Egypte

Ptolémée VII Evergète, aussi surnommé le Bouffi ou le Malfaisant par ses sujets, règne sur une Egypte affaiblie, où l'administration et l'économie lagides sont en pleine décomposition.

140 av. J.-C.

Mésopotamie

Mithridate Ier le Philhellène, roi des Parthes, conquiert la Babylonie sur les Séleucides.

Chine

L'empereur Wudi (Wou-ti), de la dynastie des Han, inaugure son règne.

137 av. J.-C.

Espagne

Depuis la création des deux provinces d'Espagne en 197, les Romains sont harcelés par les indigènes des montagnes. La pacification les contraint à une mobilisation permanente. En se faisant plus dure, la répression suscite de nouvelles révoltes, comme celle de Viriathe. En 137, les Romains remportent une victoire décisive, en s'emparant de Numance après un long siège. Les ressources économiques de la péninsule justifiaient une telle ténacité.

134 av. J.-C.

Sicile

Une simple révolte d'esclaves dans une plantation dégénère en véritable guerre servile. La répression est terrible. →

133 av. J.-C.

Asie Mineure

Attale III Philometor, dernier souverain de la dynastie des Attalides de Pergame, réserve après sa mort une mauvaise surprise à ses sujets : il a fait de Rome l'héritière de son royaume, Ultime excentricité d'un roi cruel.

Rome

Tiberius Sempronius Gracchus, tribun de la plèbe, tente d'imposer une réforme foncière favorisant les plus pauvres des citoyens et la réélection possible à cette magistrature. Il est assassiné !

129 av. J.-C.

Asie Mineure

Le testament d'Attale déclenche la guerre civile en Asie Mineure : faut-il ou non soutenir Aristonicos, fils naturel d'Eumène II, qui revendique le trône de Pergame ? A la tête d'une armée d'esclaves, le prétendant reconquiert le royaume. Les Romains envoient une armée en 131. En 130, le consulaire Crassus est capturé et exécuté. Mais, en 129, les Romains reprennent en main la situation : Aristonicos est capturé et décapité à Rome. La province d'Asie est créée.

Un réalisme nouveau se manifeste dans les portraits grecs

Monde grec, IIe siècle av. J.-C.
La statuaire avait vu apparaître au IIIe siècle un genre nouveau : il s'agit en effet du portrait, qui allait connaître un succès croissant ; les sculpteurs, épris de réalisme, répondent de plus en plus aux commandes émanant des cours hellénistiques ou même des simples particuliers. L'on distingue trois types de portraits, qu'ils soient taillés dans le marbre ou coulés dans le bronze : tout d'abord ceux des hommes illustres (*Platon*) dont la ressemblance individuelle paraît incontestable ; puis des effigies imaginaires de personnages disparus depuis longtemps (*Homère*), traités d'après le caractère de leurs œuvres ; enfin, le portrait familial qui atteste le rôle croissant joué par l'individu, aux dépens de la cité.

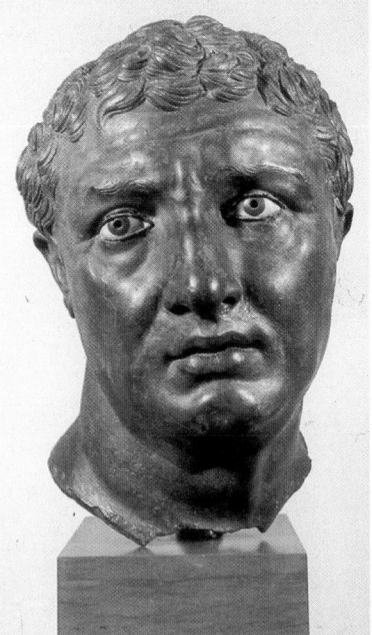

Tête d'homme, fragment d'une statue-portrait. Délos. Vers 100 av. J.-C.

Ruines des diverses forteresses qui ont occupé l'Acrocorinthe, ou Acropole de Corinthe, depuis le VIe siècle av. J.-C. La troisième enceinte (en haut) comporte des pans de la muraille antique.

Les Grecs se soulèvent : Corinthe est détruite

Corinthe, 146 av. J.-C.
Après la mise au pas de l'Orient, Rome y impose sans peine ses arbitrages. Toutefois, le Sénat n'y a constitué aucune province, et cela pour deux raisons : d'une part, il ne tient pas à voir se développer le système des promagistrats, consuls ou préteurs sortis de charge, nommés comme gouverneurs et sur lesquels son contrôle est parfois sujet à caution ; d'autre part, il ne veut pas de troupes d'occupation dont le recrutement et l'entretien sont de lourdes charges. Mais, par ailleurs, il a concédé l'exploitation des mines macédoniennes à des sociétés de publicains romains ; or, ceux-ci souhaitent, autour des années 150, une mainmise plus complète sur la Macédoine, la Grèce et l'Asie Mineure. En 148, la Macédoine se soulève. Ayant réprimé la révolte, Rome la réduit en province, ainsi que l'Epire et la Thessalie. Peu après, en 147, c'est la Ligue achéenne qui proteste contre un arbitrage du Sénat et maltraite son ambassade. Metellus, vainqueur de la Macédoine, marche alors vers le sud et défait l'armée de la Ligue (146). Cet échec ne brise pas la résolution des Achéens, travaillés par des courants révolutionnaires, communs à l'ensemble du monde hellénistique de cette époque, et que Rome veut extirper. Le consul Mummius met le siège devant Corinthe qui, la même année, subit le sort de Carthage : elle est détruite et ses habitants vendus comme esclaves. Ce châtiment montre que Rome est sans pitié pour les rebelles et les révolutionnaires. Désormais, les financiers et commerçants romains peuvent mettre l'Orient en coupe réglée ; ainsi les publicains se voient attribuer la perception de la dîme d'Asie, non pas d'ailleurs par le Sénat, mais par un vote des Comices tributes.

Tiberius Gracchus propose une nouvelle réforme agraire

Rome, 133 av. J.-C.
Depuis la guerre d'Hannibal, la petite paysannerie romaine est en crise : pertes démographiques et longues périodes de mobilisation ont provoqué un accroissement des terres en friche et les petits propriétaires sont souvent obligés de vendre pour devenir métayers, journaliers, ou bien même aller grossir les rangs de la plèbe urbaine. Ce transfert de terres a profité aux membres des classes dirigeantes, aristocratie sénatoriale, chevaliers, qui ont également mis la main sur des terres de l'*ager publicus*, la propriété collective du peuple romain, alimentée par la conquête. La redistribution de ces terres à la petite paysannerie ou à la plèbe devient alors une des revendications essentielles du parti populaire, tandis que le Sénat tente de bloquer tout projet en ce sens. La crise majeure éclate en 133 av. J.-C. Un des dix tribuns de la plèbe, Tiberius Gracchus, issu de la *nobilitas* plébéienne, se dresse contre sa propre classe et demande de limiter la surface occupée sur l'*ager publicus* à 125 hectares par propriété, et de distribuer le reste aux citoyens pauvres par lots de 7,5 ha. Malgré des obstructions du Sénat, Tiberius Gracchus parvient à faire voter sa loi par les Comices tributes. Mais il est assassiné peu après et une répression sanglante s'abat sur ses partisans, menée par les éléments durs du Sénat. Dix années plus tard, son frère cadet, Caius Gracchus, tribun en 123 et 122, reprendra le projet, l'élargira et y joindra un ensemble de réformes politiques visant à diminuer les pouvoirs du Sénat et à renforcer le rôle des chevaliers. Il sera lui-même tué au cours d'une émeute, sur l'Aventin. Il avait tenté d'élargir les cadres de la société romaine avec une hardiesse en avance sur son temps.

Les Romains à table : les repas de la journée

Les Romains conservèrent, jusqu'au IIIe siècle avant notre ère, les rudes habitudes et la manière de vivre austère d'un peuple de paysans. Leur alimentation obéissait, bien sûr, à la même règle de conduite : travaillant durement du lever au coucher du soleil, ils se contentaient la plupart du temps d'une nourriture sobre et frugale. Le petit déjeuner, qui marquait la première pause dans leur journée de travail, se composait généralement d'un peu de pain trempé dans le vin coupé d'eau ; ils trouvaient dans cette modeste collation les forces nécessaires pour patienter jusqu'au déjeuner qu'ils prenaient aux environs de midi ; ce repas surprend encore par sa grande simplicité : légumes, le plus souvent crus ou cuits à l'eau, accompagnés de bouillie de céréales, de fromages et de fruits. Le repas du soir, pris assez tôt, bien qu'un peu plus copieux, ne présentait que rarement de la viande, mets de choix réservé aux menus des jours de fête ou des grandes occasions. La famille prenait ces repas quotidiens soit dans l'*atrium,* soit sur les lieux mêmes du travail (champs). Parfois, le dîner du soir devenait un véritable festin. Les domestiques apprêtaient alors le *triclinium,* salle à manger comportant trois lits disposés en fer à cheval autour d'une table (les convives s'allongeaient sur ces lits) et de tables en bois ou façonnées en maçonnerie. Les invités d'honneur prenaient place sur le lit central, aux côtés de l'hôte. Dès que les domestiques avaient lavé les pieds du maître de maison et de ses amis, le repas pouvait commencer. Sur la table étaient disposés des mets plus élaborés qu'à l'ordinaire et généralement carnés. Ces repas de fête se prolongeaient souvent assez tard, mais ne s'achevaient pas encore dans une licence totale, comme ce sera le cas sous l'empire, selon le témoignage du *Satiricon* de Pétrone.

Service d'argenterie disposé sur une table. Ier *siècle. Fresque. Tombeau de C. Vestorius Priscus, Pompéi. In situ.*

Linteau du « sanctuaire aux crânes », creusé d'alvéoles pour l'exposition des têtes coupées. IIe *siècle av. J.-C. Oppidum d'Entremont.*

Les Salyens vaincus, les Romains créent la Provence

Gaule, 123 av. J.-C.
C'est à la fin du IIe siècle av. J.-C. que la Gaule méridionale entre dans l'orbite romaine. L'intervention des légions en Transalpine répond à plusieurs nécessités. D'abord protéger Marseille, alliée de Rome depuis la guerre d'Hannibal, de la menace des peuples celte et ligure et, par la même occasion, assurer la maîtrise et la sécurité de la liaison terrestre entre les provinces italiennes et espagnoles que Marseille ne suffit plus à garantir. D'autre part, les négociants romains sont intéressés par le contrôle direct d'une région où ils vendent depuis longtemps des vins et de la céramique. Enfin, alors que les troubles sociaux causés par le problème agraire se développent à Rome, le Sénat songe à saisir en Gaule de nouvelles terres pour satisfaire le parti populaire. A l'appel de Marseille, une première expédition combat les Ligures et les Salyens en 125-124. Un an plus tard, le proconsul Sextius Calvinus s'empare de la capitale des Salyens, l'oppidum d'Entremont, célèbre par les nom-

Tête de guerrier aux cheveux vermiculés. Art celto-ligure, IIe *siècle av. J.-C.*

breuses sculptures qui ornaient les demeures des nobles. Il installe une garnison à Aquae Sextiae (la future Aix). C'est ensuite le consul Domitius Ahenobarbus qui mènera campagne contre les Allobroges et les Arvernes et les battra en 121. Il organisera ensuite la nouvelle province de Gaule transalpine en y créant en 118 la colonie de Narbonne et la via Domitia.

Les esclaves se révoltent en Sicile : c'est la guerre

Sicile, 134 av. J.-C.
Une des conséquences les plus marquantes de la conquête romaine, et en particulier de la seconde Guerre punique, est l'accroissement énorme du nombre des esclaves. Peu nombreux avant le IIe siècle av. J.-C., ils se multiplient après cette date, particulièrement en Sicile et en Italie du Sud, permettant ainsi le développement d'une agriculture d'un type nouveau, fondée sur la concentration des propriétés et la mise en place de grandes exploitations, aux dépens des petits propriétaires libres, dépossédés de leurs terres. Les conditions de vie que connaissent les esclaves sont très variées, et il y a loin des esclaves attachés à la domesticité des maîtres ou placés en semi-liberté dans une échoppe ou un atelier à ceux travaillant dans les mines et surtout dans les grands domaines. C'est sur un de ceux-ci, en Sicile, qu'éclate en 134 av. J.-C. la première révolte servile importante. En quelques jours, plusieurs milliers d'esclaves sont en fuite et bientôt en armes. Ils se donnent un roi, un conseil et une monnaie. Plusieurs villes sont prises et leurs habitants massacrés. Il faudra deux années de campagne militaire pour venir à bout des troubles. La répression sera terrible : 20 000 esclaves seront crucifiés.

122 av. J.-C.

Gaule

Les campagnes militaires romaines en Gaule se terminent par des succès : victoire notamment de Flaccus contre les Celto-Ligures (125-124 av. J.-C.).

121 av. J.-C.

Gaule

L'affrontement décisif entre Romains et Allobroges se produit au confluent du Rhône et de l'Isère. « Il n'y a pas assez de Romains pour rassasier les chiens de mes Gaulois », dit Bituit, le roi arverne qui soutient les Allobroges. C'est une parole malheureuse, car les Gaulois sont battus et le roi vantard emmené en otage à Rome. Les hostilités se poursuivant, les Romains recourent alors aux grands moyens : les Gaulois doivent capituler devant les éléphants d'Afrique.

120 av. J.-C.

Rome

Mort de l'historien grec Polybe, témoin de ce siècle décisif pour l'essor de la puissance romaine. →

118 av. J.-C.

Gaule

Une nouvelle province romaine est créée entre les Alpes maritimes et les Pyrénées : la Narbonnaise. Les Romains, dans le projet de relier l'Italie à l'Espagne, se mettent à construire des routes. Marseille est chargée d'entretenir une voie du littoral qui va des Alpes au Rhône. Les Romains construisent du Rhône aux Pyrénées la voie Domitienne.

117 av. J.-C.

Egypte

La mort de Ptolémée VII Evergète II ouvre une nouvelle crise politique en Egypte : le royaume se démantèle. Le fils naturel du défunt, Ptolémée Apion, règne sur Cyrène. La veuve, Cléopâtre, règne sur l'Egypte proprement dite, mais ses deux fils Sôter II Lathyre et Alexandre Ier vont se déchirer pour la succession. Les Romains suivent de près les événements mais n'interviennent pas.

112 av. J.-C.

Afrique

Le roi Micipsa, allié des Romains, est mort en 118. Lui succède, après avoir éliminé ses rivaux, Jugurtha, auquel les Romains se décident à déclarer la guerre. →

Anatolie

S'en prenant aux royaumes sous tutelle romaine, Mithridate VI Eupator annexe une partie de la Paphlagonie et de la Galatie et la totalité de la Colchide.

108 av. J.-C.

Judée

Mettant à profit la mort d'Antiochos VII, Jean Hyrcan, de la dynastie juive des Asmonéens, qui règne comme prince de Judée depuis 134, s'empare de Samarie et étend son autorité à l'Idumée. Il mourra assassiné en 104.

107 av. J.-C.

Rome

Marius, lieutenant de Metellus dans la guerre contre Jugurtha, est élu consul. →

Gaule

Les Helvètes commencent à migrer vers la Gaule occidentale, peut-être encouragés par une alliance avec les Cimbres. Non loin d'Agen, sur la Garonne, ils rencontrent le consul Longinus, qu'ils massacrent avec ses soldats dans une embuscade. La nouvelle se répand et la ville de Toulouse se soulève à son tour contre la garnison romaine ; le nouveau général, Coepion, parvient à s'emparer de la ville rebelle et la pille.

104 av. J.-C.

Rome

Marius est réélu au consulat illégalement cinq ans de suite jusqu'en 100. Il en profite pour venir à bout de la résistance des Cimbres et des Teutons. →

Sicile

Une nouvelle révolte servile éclate. L'île tout entière s'embrase à nouveau. En 103, une armée de 14 000 Romains débarque. Ces derniers, évidemment, l'emportent, mais il faudra encore deux ans de lutte au consul Aquillius pour mettre fin à la révolte.

Les Romains en lutte contre les Barbares. Sarcophage d'un général de Marc-Aurèle. Marbre. 180-90. Museo nazionale, Rome.

Les Romains affrontent en Gaule les Cimbres et les Teutons

Gaule, 107-100 av. J.-C.

Après sa campagne contre Jugurtha, Marius est réélu consul, illégalement, en 104 av. J. C. ; et, tout aussi illégalement, mais grâce au soutien de son armée et du parti populaire, il se maintiendra durant quatre ans encore (104-100) au consulat. C'est à ce moment qu'il va sauver Rome du danger de la première grande invasion germanique. En effet, au nord, le monde celtique fait face à une menace nouvelle, concrétisée dès 120 par le heurt violent d'un peuple originaire du Danemark actuel, les Cimbres, avec le peuple celte des Boïens. Ces derniers parviennent à repousser l'envahisseur, qui gagne en 113 le Norique et inflige près de Noreia une première défaite aux Romains. Quelques années plus tard, les Cimbres réapparaissent en Gaule, joints à d'autres peuples germaniques, dont les Teutons. Une autre armée romaine est battue près d'Orange en 106. Prenant le commandement à son retour de Numidie, Marius écrase les Teutons près d'Aix-en-Provence, en 102, et les Cimbres dans la plaine piémontaise, jusqu'où ils étaient descendus, à Verceil, en 100. Mais, pendant que Marius remportait ces victoires, le parti populaire, dirigé par les tribuns Saturninus et Glaucia, était maître de Rome et remettait en vigueur la politique des Gracques : loi agraire, loi frumentaire, faisant régner dans la ville un climat de terreur. Inquiets, les chevaliers se rapprochent du Sénat, ainsi que Marius, peu disposé au désordre. Le mouvement populaire est noyé dans le sang par l'armée de retour de campagne. Chef militaire glorieux mais mauvais politique, le prestige de Marius va dès lors aller en déclinant.

La cavalerie romaine dans un combat victorieux contre les Barbares. Sarcophage romain. Marbre. 170-180. Museo nazionale, Rome.

Le Sénat au cœur de la vie politique romaine

Rome, IIᵉ siècle av. J.-C.
Le Sénat est l'institution essentielle de la vie publique à Rome. Il a vu son influence grandir et s'affirmer depuis la chute de la royauté et en particulier avec la guerre d'Hannibal. Composé des anciens magistrats de la république ainsi que des magistrats en exercice, il regroupe les plus grandes familles romaines en une sorte de noblesse politique de fonction. Il faut cependant distinguer les plébéiens, qui ne furent admis au Sénat que vers 400 av. J.-C. après de longues luttes, de la *nobilitas*, c'est-à-dire les familles ayant donné au moins un magistrat curule (consul, préteur). Or, dès le IIIᵉ siècle av. J.-C., ce groupe se ferme sur lui-même et constitue une caste dirigeante n'accueillant qu'infiniment peu d'hommes nouveaux (au Iᵉʳ siècle, Cicéron sera le seul *homo novus*). Les pouvoirs du Sénat sont très étendus : il surveille la religion, assure la direction du Trésor, dirige la politique étrangère, surveille les opérations militaires et fixe le statut

Assemblée de magistrats. Monument funéraire de Lusius Storax. Détail. Calcaire. Vers 50. Museo nazionale, Chieti.

des territoires conquis. Il répartit enfin les provinces entre magistrats et promagistrats et peut accorder, ou non, le triomphe. Sur le plan intérieur, il est garant de l'ordre et peut décréter des mesures de salut public. Il est convoqué et présidé à la Curie par les magistrats et ses votes sont rédigés sous forme de décrets, les sénatusconsultes. Symbole de l'oligarchie romaine et du pouvoir de l'aristocratie, il est, à partir de la fin du IIᵉ siècle, la cible des chefs du parti populaire et des généraux ambitieux, qui d'ailleurs se recrutent en son sein.

La vie quotidienne des enfants à Rome

Les Romains, qui avaient sous la république un sens très poussé de la famille, étaient fiers de leurs nombreux enfants ; ils se devaient absolument d'avoir au moins un fils, afin que se perpétue le culte familial ; en effet, la fille qui abandonnait, le jour de son mariage, le foyer paternel pour se consacrer à celui de son époux, ne pouvait assurer cette tâche ; c'est pourquoi le père avait toujours la possibilité d'adopter le fils qui lui manquait. Quelques jours après sa naissance, l'enfant recevait son prénom, ainsi qu'un petit sachet contenant des amulettes, dans un but prophylactique. Le cadre naturel de l'éducation restait la famille. Jusqu'à l'âge de sept ans, le petit garçon était élevé par sa mère ; puis il passait sous l'autorité de son père, le véritable éducateur, qui lui inculquait un idéal moral, alimenté par un choix d'exemples, la piété, les vertus civiques et l'amour de sa patrie. Les filles, quant à elles, demeuraient jusqu'à leur mariage sous la coupe

Jeux d'enfants. Détail d'une fresque. IIᵉ siècle. Tombeau de la Via Portuense, Rome. Museo nazionale, Rome.

de leur mère et se livraient à l'apprentissage des différents travaux domestiques. A seize ans, l'adolescent déposait la toge prétexte et les attributs de l'enfance, pour revêtir la toge virile, symbole du citoyen ; puis il quittait sa famille pour accomplir son service militaire.

Mort de Polybe, un historien entre deux mondes

Italie, 120 av. J.-C.
C'est peu après Scipion, son ami romain, que Polybe meurt, âgé de plus de 80 ans. L'œuvre qu'il laisse est à la mesure de la vie qu'il mena. Issu d'une riche famille d'Arcadie, il a reçu très tôt une formation assez complète, imprégnée d'une solide culture philosophique et rhétorique. Les vicissitudes des guerres de Macédoine le conduisent en exil à Rome. Pourtant, sa situation n'y est nullement précaire : Polybe le Grec entre en contact avec les milieux lettrés de Rome ; il connaît les personnages les plus prestigieux de la puissante république. C'est là qu'il rédige la plus grande partie de son œuvre monumentale, les *Histoires*, dont une grande partie est perdue. Cet ouvrage se propose d'embrasser l'histoire de la conquête romaine, du début du IIIᵉ siècle à la destruction de Carthage et de Corinthe. Mais, plus que l'exposé minutieux des faits, ce sont d'innombrables récits de voyages, de longues réflexions philosophiques que nous offre Polybe tant sa curiosité a été mise en éveil, d'un rivage à l'autre de la Méditerranée.

Le général Caius Marius réforme l'armée

Rome, 107 av. J.-C.
Le premier consulat de Marius en 107 av. J.-C. est marqué par une importante réforme de l'armée. Celle-ci était jusqu'alors, au moins en principe, une armée censitaire, c'est-à-dire que son recrutement était fondé sur le cens, classement des citoyens selon l'importance de leur fortune. N'étaient alors astreints au service que les plus riches des citoyens, ceux appartenant aux cinq classes dans lesquelles les Romains étaient répartis selon leur richesse, et qui servaient également au recensement et à la levée de l'impôt. Les citoyens les plus pauvres, les *proletarii*, sont dispensés du service militaire comme de l'impôt, mais ils n'ont pas en contrepartie de droits politiques, puisque c'est dans le cadre des centuries organisées sur la base des cinq classes que sont fondées les élections lors des Comices centuriates. Marius bouleverse cet ordre de choses en supprimant officiellement le cens exigé pour entrer dans les légions, et, donc, y admettre les prolétaires. L'armée devient alors plus une armée de métier, dévouée à un chef, qu'une armée de citoyens, fidèle à l'Etat. De plus, Marius en modifie la structure : l'effectif de la légion est porté à 6 000 hommes et chaque légion reçoit une enseigne d'argent.

Jugurtha prend le pouvoir en Numidie : Rome intervient

Numidie, 112 av. J.-C.
La guerre contre Jugurtha est le premier exemple caractéristique d'un conflit intérieur à Rome entre les divers partis à l'occasion d'une guerre étrangère. Si le Sénat paraissait avoir repris en main la politique extérieure et le contrôle des commandements militaires, ces événements vont traduire un brusque recul de son pouvoir, en partie définitif. Lorsqu'en 112 av. J.-C. Jugurtha, petit-fils de Massinissa, prend le pouvoir et s'empare de la ville de Cirta, y massacrant, entre autres, les commerçants romains qui s'y trouvaient, le Sénat ne réagit que mollement. Furieux, les chevaliers, dans les rangs desquels se recrute l'essentiel des négociants, font condamner par les tribunaux qu'ils contrôlent depuis les Gracques quatre anciens consuls pour corruption ; surtout, se rapprochant en 107 av. J.-C. du parti populaire, ils imposent un candidat commun, un soldat de souche récente, Caius Marius, comme consul. Envoyé en Numidie, il remplace Metellus, dont il était peu de temps auparavant le lieutenant, et achève la guerre avec succès, reprenant Cirta en 106 et capturant Jugurtha en 105.

102 av. J.-C.

Gaule

Depuis 113 av. J.-C., des tribus celtiques et germaniques s'agitent dans la région des Alpes orientales. Les Romains essuient plusieurs défaites en essayant de s'opposer à leur déferlement (bataille d'Orange, en 106). Les Cimbres et les Teutons sont à présent établis en Gaule. Marius en profite pour remettre son armée sur pied. Il attaque par surprise les Teutons à l'automne 102, non loin d'Aix-en-Provence, et les anéantit. Quant aux Cimbres, ils seront défaits l'année suivante.

101 av. J.-C.

Asie Mineure

Les Romains créent une nouvelle province : la Cilicie, qui doit protéger la province d'Asie et le commerce maritime dans l'Egée. Car Mithridate poursuit toujours sa politique expansionniste dans la région.

100 av. J.-C.

Rome

Saturninus et Glaucia, respectivement tribun de la plèbe et préteur cette année-là, veulent poursuivre la politique des Gracques. Ils proposent des lois sociales, notamment la baisse du prix du blé pour les plus pauvres. Mais la noblesse résiste. La violence règne dans Rome. En 99, le Sénat met hors la loi les chefs populaires. Ils se feront massacrer avant leur arrestation.

Inde

Les Barbares déferlent sur l'Inde. En 130 av. J.-C., la Sogdiane était tombée aux mains des Saces et des Tochares. Vers 100, c'est la Bactriane qui est envahie. Les Grecs ne peuvent se maintenir que dans de petits îlots protégés au nord de l'Hindû-Kûch. →

91 av. J.-C.

Rome

Livius Drusus, riche aristocrate, est élu tribun de la plèbe. Il reprend tout d'abord une partie du programme politique des Gracques : lois agraires et loi sur le prix du blé. Il propose par ailleurs de donner la citoyenneté romaine aux alliés de l'Italie, qui se verraient ainsi ouvert l'accès au Sé-

nat. Mais celui-ci retire son soutien au réformateur et annule l'ensemble de ses lois. Le lendemain, Drusus est retrouvé assassiné.

Italie

Les Marses, les Samnites et les Lucaniens, frustrés par l'échec des réformes de Drusus, ouvrent la « guerre sociale » ou « guerre des Alliés ». Ils créent un Etat indépendant, avec ses propres institutions. Rome réagit d'abord par la force, mais sera contrainte d'élargir la citoyenneté romaine. →

90 av. J.-C.

Grèce

Posidonius (130-50 av. J.-C.) est l'un des grands intellectuels de l'école stoïcienne : philosophe, il est aussi un savant, qui s'illustre dans les sciences exactes et naturelles. Il a construit un appareil pour observer la mécanique céleste. Il étudie le mouvement des marées, entreprend des études de géographie humaine et développe une théorie des climats expliquant la diversité des coutumes.

89 av. J.-C.

Rome

La loi Plautia Papiria donne satisfaction aux Italiens et accorde le droit de cité romaine à tout individu qui se fera inscrire sur le registre du préteur. Mais la « guerre sociale » n'est pas terminée pour autant.

88 av. J.-C.

Rome

Touchant à sa fin, il apparaît que la « guerre sociale » a fait 300 000 morts en Italie et considérablement affaibli les régions de la péninsule. Sylla est élu consul. Il doit songer au redressement intérieur et surtout faire face au péril asiatique et aux ambitions de Mithridate.

Asie Mineure

Les Romains ont pratiquement perdu la province d'Asie. Celle-ci s'est ralliée à Mithridate, qui a fait exécuter 100 000 Italiens et Romains. La Grèce d'Europe échappe, elle aussi, à l'autorité romaine.

Délos

L'île est investie par la flotte de Mithridate : 20 000 habitants sont massacrés.

Art scythe. Le repos du guerrier (étendu de tout son long, celui-ci a la tête posée sur les genoux d'une femme). Or moulé. IVe - IIIe siècle av.J.-C.

Les Scythes pénètrent au nord de l'Inde

Inde, début du Ier siècle av. J.-C. Le contrôle des souverains indo-grecs de Bactriane sur le nord-ouest de l'Inde est ébranlé par l'arrivée massive des envahisseurs Shaka. Dans la première moitié du IIe siècle, les souverains de Bactriane avaient étendu leur pouvoir au Panjâb et à la vallée de l'Indus. La Chine connaît alors de grands mouvements de populations : les empereurs Han protè-

gent les frontières du domaine chinois et les tribus nomades d'Asie centrale se tournent vers l'ouest. Ainsi, les Yue Zhi, en route vers l'Occident, poussent devant eux des tribus scythes connues sous le nom de Shaka dans la tradition indienne. Celles-ci entrent en Bactriane et envahissent le domaine des Parthes. En 88, après la mort de Mithridate II, qui avait tenté de les arrêter, les Shaka déferlent sur la vallée de l'Indus. Un roi scythe régnera, au Ier siècle, sur le Gandhâra.

Art scythe. Lion-griffon terrassant un cheval. Plaque de ceinture en or moulé. Ve - IVe siècle av. J.-C. Musée de l'Ermitage, Leningrad.

Le stoïcisme, une philosophie dominante

Méditerranée, IIe siècle av. J.-C. Né au IIIe siècle, le stoïcisme a su s'imposer en Grèce et en Asie Mineure, en combinant les héritages de la pensée hellénique et les apports des croyances asiatiques. Mais cette lecture nouvelle du cosmos, cet ensemble de règles de sagesse liées à l'immanence divine ont tôt fait de séduire d'autres horizons. Ainsi les stoïciens pénètrent à Rome. Les progrès de l'école de Zénon sont liés à l'œuvre de Panaitios et de Posido-

nius, qui séjournent longuement en Italie. Philosophie des métèques et des esclaves en Grèce, le stoïcisme conquiert les milieux cultivés et les personnes importants de Rome. Le fameux cercle des Scipion contribue largement à acclimater les conceptions d'une humanité partagée entre des tendances positives et des aspirations instinctives qu'il faut dompter. Désormais, la fin de toute morale se résume à cet idéal : « Vivre en conformité avec la nature. » C'est un élan nouveau que trouve le stoïcisme en venant dominer les esprits au cœur du Latium.

Edfou, dernier grand temple égyptien

Egypte, 1er siècle av. J.-C.

Le site d'Edfou doit sa renommée au vaste temple d'Horus Rê, représenté sous la forme d'un disque solaire aux ailes de faucon. L'architecte Imhotep avait conçu un projet fort classique, où l'on retrouve la plupart des composantes du temple égyptien : le mur d'enceinte se transforme à l'entrée en un double pylône précédé de faucons de granit noir, ouvrant sur la cour à portiques qui accueille les fidèles. Puis, salles hypostyles et annexes se suivent en enfilade jusqu'au « saint des saints », noyé d'ombre, autour duquel se dressent des chapelles. Les murs historiés évoquent les épisodes de la vie du dieu.

Le temple d'Horus à Edfou, dont la construction s'échelonna de 237 à 52 av. J.-C.

Le métier de citoyen dans la cité romaine

Le statut de citoyen romain se compose d'un certain nombre de droits que l'on peut posséder en partie ou en totalité, selon que l'on est un citoyen de fraîche date, issu de la conquête et par là même privé des droits politiques, ou un citoyen de plein droit, originaire de Rome ou d'une colonie. On jouit alors des droits privés (faire un mariage légitime, posséder, vendre, léguer, hériter) et publics (voter et être éligible, pouvoir faire appel d'un jugement devant les Comices). Le métier de citoyen est d'abord un métier de soldat et, depuis la guerre d'Hannibal, il n'est pas rare de passer plusieurs années sous... les enseignes. Surtout, le citoyen romain participe pleinement à la vie politique. A deux conditions, toutefois : pouvoir être souvent présent à Rome et avoir de l'argent. Etre candidat coûte cher, et les magistratures ne sont pas rétribuées ; d'autre part, le système de vote aux Comices centuriates, qui élisent les magistrats, fait que seules les centuries composées des citoyens des deux premières classes, les plus riches, votent réellement. Aux Comices tributes, par contre, toutes les classes peuvent se prononcer sur les lois.

La "Vénus de Milo", joyau de la sculpture hellénistique

Grèce, fin du IIe siècle

La *Vénus de Milo* incarne dans le marbre de Paros la déesse de l'amour : debout, elle incline légèrement sa tête au port majestueux, où règne une sérénité toute classique, caractéristique de la période sévère. Pourtant, deux éléments permettent de la rajeunir considérablement : d'une part les proportions mêmes de cette tête, petite, obéissent davantage au canon de Lysippe qu'à celui de Praxitèle ; par ailleurs, les nus féminins sont postérieurs au Ve siècle ; et l'on sait les artistes hellénistiques à la recherche d'effets nouveaux, obtenus ici par l'association de la nudité d'un buste, aux formes pleines et qui semble respirer, au riche jeu de la draperie qui accentue le mouvement ondulatoire qui anime les jambes ; le torse qui pivote légèrement et le déhanchement contenu ne troublent en rien l'impression générale de symétrie et de parfait équilibre, que venaient peut-être briser les bras, qui malheureusement font toujours défaut à la déesse.

La Vénus de Milo. Marbre. Fin du IIe siècle av. J.-C.

La "guerre sociale" éclate en Italie

Rome, 91 av. J.-C.

Si l'Italie évite le sort souvent très dur imposé par Rome aux provinces, la condition des cités latines et alliées, qui ne possèdent ni les droits civils ni les droits politiques du citoyen romain, n'est pas très gratifiante. L'Etat romain leur fait supporter de lourdes charges financières et militaires, mais ne leur offre qu'une petite part des fruits de la conquête, quand il n'empiète pas sur leurs propres terres. Le mécontentement exaspéré de l'Italie est à l'origine de la « guerre sociale » qui oppose Rome à ses alliés (*socii* en latin). Déjà, en 125 av. J.-C., Fregellae s'était révoltée et avait été durement châtiée. Au tout début du Ier siècle av. J.-C., alors que décline le prestige de Marius, le parti populaire, mené par Livius Drusus, un aristocrate démagogue, propose avec un nouveau projet de loi agraire de donner la citoyenneté romaine à tous les Italiens. Mais Drusus est assassiné en 91 et les Italiens entament alors des préparatifs de guerre. Le massacre du propréteur Servilius à Asculum donne le signal d'un conflit très dur, marqué d'atrocités, qui oppose à peu près 100 000 hommes d'un côté et de l'autre. La guerre se déroule de 91 à 88 av. J.-C. sur deux fronts. Les Romains y sont tout d'abord battus. Pendant ce temps, les alliés s'organisent, forment une confédération, dotée d'un Sénat, d'une capitale, Corfinium, qui devient Italica, d'une monnaie et surtout d'une excellente armée, instruite par l'expérience des guerres romaines. Le général italien Pompidius Silo fait alors peser sur Rome une grave menace, mais grâce à la fidélité de l'Etrurie et aux succès de ses généraux, en particulier d'un certain Sylla, ancien lieutenant de Marius dont l'étoile commence à briller, celle-ci l'emporte finalement. Toutefois, le Sénat doit céder sur le droit de cité qui est accordé à tous les alliés italiens. Rome n'est plus seulement dans Rome. Cet élargissement se révélera à la longue un dangereux facteur de troubles.

Art romain. Peinture à sujet historique. Fresque. IIIe - siècle av.J.-C. Tombeau de l'Esquilin. Palais des Conservateurs, Rome.

87 av. J.-C.

Grèce

Sylla débarque en Epire avec une armée d'importance moyenne. Sa tâche ? Reconquérir deux continents et l'archipel de la mer Egée. Les premières opérations lui rendent le contrôle de la Grèce d'Europe, à l'exception d'Athènes et du Pirée, dont il entreprend le siège.

86 av. J.-C.

Athènes

Le siège d'Athènes est plus long que prévu. Les machines de guerre et les mines ouvrent une brèche dans la muraille du Pirée. Les Romains donnent l'assaut. Le siège devient blocus. Les Athéniens ont faim et cherchent à négocier. Sylla exige la reddition pure et simple. Les Romains prennent la ville et se livrent au pillage. Sylla, magnanime, rend ensuite à la cité sa liberté.

85 av. J.-C.

Asie Mineure

Mithridate négocie avec Sylla : ce dernier réclame la restitution de toutes les conquêtes royales, la remise des captifs et de la flotte. Le général Archelaos accepte ces conditions et suspend les hostilités. Mais Mithridate n'est pas encore décidé à signer la paix et rompt brusquement les pourparlers.

82 av. J.-C.

Rome

A son retour d'Asie en 85, Sylla trouve un climat de guerre civile : il s'empare de Rome en 82 et élimine toute opposition. →

81 av. J.-C.

Rome

Sylla affiche dans les rues de Rome les noms de ses adversaires qu'il a condamnés. Le parti modéré et les milieux d'affaires qui ont soutenu Marius se trouvent ainsi réduits à l'impuissance. Sans opposition véritable, Sylla va accéder à la dictature. →

77 av. J.-C.

Rome

Sylla a abandonné le pouvoir en 79. Lépide, un opposant, est élu consul pour l'année 78. Il propose de rappeler les exilés, de rétablir la loi frumentaire et de restituer aux Italiens les terres confisquées. Le Sénat n'accepte que la première mesure. Lépide se révolte et, à la tête d'une armée d'Etrusques, marche sur Rome, réclamant un second consulat. Pompée s'oppose à lui et cause l'échec de son entreprise.

Espagne

Sertorius a pris la tête de la révolte espagnole. Les troupes romaines ont essuyé plusieurs défaites, et Sertorius se trouve à présent à la tête d'un Etat indépendant, avec un Sénat et des magistrats, une politique intelligente d'acculturation pour les indigènes. Pompée intervient en Espagne en 77. Jusqu'à son assassinat, en 72, Sertorius résiste aux armées romaines grâce à son génie stratégique.

74 av. J.-C.

Rome

On organise en provinces romaines la Cyrénaïque, qui avait été léguée à Rome en 98 av. J.-C., et la Bithynie, dont le roi vient de mourir. C'est une véritable provocation à l'égard du roi Mithridate Eupator.

Orient

Mithridate relance la guerre contre Rome. Le général Lucullus est chargé de lui faire face. Six ans d'opérations ne lui permettront pas de remporter un succès décisif. Pompée viendra le remplacer en 67 av. J.-C. et mettra fin à la politique turbulente de Mithridate.

73 av. J.-C.

Italie

C'est Spartacus, un gladiateur thrace, qui est à la tête de la nouvelle révolte d'esclaves qui embrase l'Italie. Pour lui faire face, Crassus mobilise dix légions. →

70 av. J.-C.

Rome

Pompée et Crassus, les deux généraux vainqueurs, sont élus consuls. Ils restaurent le pouvoir des tribuns de la plèbe et décident de faire recenser le peuple romain et d'épurer le Sénat. La même année s'ouvre le procès retentissant de Verres, gouverneur corrompu de la Sicile. Cicéron accuse. →

Sylla fait régner la terreur à Rome

Rome, 82 av. J.-C.

C'est durant la « guerre sociale » que Sylla connaît une rapide ascension. Cet ancien lieutenant de Marius est un des personnages les plus étonnants de l'histoire romaine. Patricien, conservateur, il n'hésite pas, lors de son consulat de 88 av. J.-C., à faire rentrer son armée dans Rome pour réprimer l'agitation entretenue par le parti populaire et les chevaliers. Il mène ensuite une brillante campagne contre le roi du Pont, Mithridate, guerre qu'il doit d'ailleurs écourter pour rentrer à Rome où la situation est préoccupante. Profitant de sa longue absence (entre 87 et 83 av. J.-C.), le parti populaire s'est emparé du pouvoir avec l'appui des chevaliers et des Italiens « nouveaux Romains ». Au printemps 83, Sylla débarque à Brindes avec une armée qui lui est aveuglément fidèle. Sa marche sur Rome est la première grande guerre civile que connaissent les Romains. Elle se termine en 82 av. J.-C., à la bataille de la porte Colline. Vainqueur, Sylla organise une terreur systématique, à l'aide de listes de proscription, qui fait plusieurs milliers de victimes. Il organise également son pouvoir en se donnant le titre de dictateur, avec des prérogatives considérablement étendues. Toute opposition devient impossible. Il consacre son pouvoir à mettre en place une vaste réforme constitutionnelle : accroissement des pouvoirs du Sénat, limitation de ceux des magistrats et surtout abaissement du tribunat de la plèbe et des chevaliers, qui se voient privés du contrôle des tribunaux. Il abdique en 79, en laissant demeurer un mystère sur les raisons de son départ. Il remit ses pouvoirs au Sénat et se retira dans sa villa de Cumes où il vécut encore un an. Sa tentative annonce celles de Pompée et de César.

Portrait présumé de Sylla. Marbre. Glyptothek, Munich.

Cicéron déjoue une conspiration contre l'Etat romain

Rome, 70 av. J.-C.

Les années qui suivent la mort de Sylla voient le démantèlement progressif de son œuvre sous l'action des grands généraux victorieux, les *imperatores*, appuyés sur leurs armées, de vastes clientèles et des fortunes immenses, le tout alimenté par les guerres. Ils utilisent également l'appui des chevaliers et du parti populaire, dont ils soutiennent les réformes par pur intérêt politique, afin de diminuer l'influence du Sénat. Un *homo novus*, c'est-à-dire un homme issu d'une famille n'ayant donné aucun magistrat, va tenter de modifier cette situation. Marcus Tullius Cicéron, puisque c'est de lui qu'il s'agit, est un chevalier d'Arpinum qui, après de brillants succès au barreau, a décidé de se lancer dans la vie politique. Après avoir parcouru le *cursus honorum*, il présente sa candidature aux Comices centuriates de juillet 64 pour être élu consul. Son programme consiste à regrouper les modérés, en excluant les extrémistes de tous bords, pour renforcer le Sénat et défendre le pouvoir civil contre les *imperatores*. Il ne pourra jamais réaliser ce projet ambitieux, pour lequel lui manqueront toujours la force armée, que ne peut remplacer l'éloquence, et une ferme détermination collective ; il aura au moins la satisfaction de démasquer et de réprimer la conjuration d'un petit nombre de nobles ruinés et anarchistes, groupés autour d'un certain Catilina, et soutenus par Crassus et César, lesquels sauront néanmoins prendre leurs distances au bon moment. Informé des projets des conspirateurs, il obtient les pleins pouvoirs et attaque Catilina en plein Sénat. C'est à cette occasion que Cicéron prononce ses fameuses *Catilinaires*, un discours incendiaire. Catilina rejoint les rebelles en Etrurie, où il est bientôt vaincu et tué, tandis qu'à Rome ses complices sont arrêtés et exécutés.

Marcus Tullius Cicéron. Portrait-buste. Marbre. Musée du Capitole, Rome.

Spartacus à la tête des esclaves révoltés

Capoue, 73-71 av. J.-C.

Si la révolte servile de 73-71 n'est pas la première, elle est certainement la plus importante et aussi la plus dure. Comme les précédentes, elle prend naissance au sud de Rome, à Capoue, mais va se dérouler dans toute l'Italie. Le mouvement part ici d'une école de gladiateurs dont un esclave thrace, Spartacus, s'échappe avec 70 camarades. Ils sont vite rejoints par d'importants contingents d'esclaves en fuite, notamment des Gaulois et des Cimbres, et leur troupe regroupe bientôt plusieurs milliers d'hommes. Elle en comptera jusqu'à 100 000. Plusieurs armées régulières romaines sont battues par un ennemi qu'elles ont tendance à sous-estimer. Spartacus, comme Hannibal, menace même Rome un moment. Après être monté au nord, vers la Cisalpine, il redescend vers le sud, peut-être pour quitter l'Italie par la mer. Le Sénat est affolé et redoute même que des villes italiennes suivent le mouvement. Il confie le commandement de six légions à Crassus, un ancien lieutenant de Sylla, craignant que Pompée ne lui ravisse le bénéfice politique de cette victoire. Crassus parvient à battre Spartacus en Apulie. 6 000 esclaves prisonniers sont crucifiés à titre d'exemple le long de la via Appia.

Art romain. Combat de gladiateurs s'entraînant pour les jeux du cirque. Marbre. IVᵉ siècle av. J.-C.

Ascension et premiers exploits de Pompée

Rome, 70 av. J.-C.

Lorsque Pompée, revenant d'Espagne, anéantit au printemps de 71 les dernières bandes d'esclaves de Spartacus, il est déjà, à trente-cinq ans, un personnage essentiel de la vie politique romaine. Fils de Pompeius Strabo, il était apparu aux côtés de Sylla, à la tête de trois légions levées et équipées à ses frais parmi la clientèle de son père dans le Picenum. Il avait battu les derniers partisans de Marius en Sicile et en Afrique, et maté les révoltes de Lépide et Sertorius en Espagne. Après avoir à son retour éliminé les derniers esclaves, il devient en 70 consul avec Crassus, sans avoir l'âge légal, ni même être sénateur. S'appuyant sur les chevaliers, leur redonnant notamment les privilèges que Sylla leur avait enlevés, il obtient les pouvoirs extraordinaires pour combattre les pirates (67), dont il vient à bout, puis pour soumettre Mithridate, roi du Pont, et l'État séleucide, où il mène de 66 à 63 de brillantes campagnes et crée deux nouvelles provinces. A son retour, en 62, son prestige est immense ; mais le Sénat et Cicéron, qui viennent de démasquer la conjuration de Catilina, sont déterminés à le prendre de haut avec lui et vont faire traîner son triomphe et la ratification de ses actes.

Pompée le Grand (Cnaeus Pompeius Magnus). Marbre.

La maison romaine, cadre de la vie domestique

La maison romaine, sous la république, est, dans sa grande simplicité, le reflet du mode de vie de ses occupants. Si le plan et l'élévation varient quelque peu et sont en fonction de la diversité même de la population, toutes les habitations, qu'elles soient rurales ou urbaines, individuelles ou collectives, présentent un caractère familial très marqué, qui tendra à s'atténuer par la suite. Après s'être contentés de huttes de bois et de torchis, plus ou moins primitives, les Romains adoptèrent rapidement le modèle étrusque, rectangulaire et de plain-pied. Après un court vestibule, l'on accédait immédiatement à *l'atrium*, vaste pièce principale dans laquelle se déroulait l'essentiel de la vie familiale. Elle présentait la particularité originale d'avoir un toit percé en son centre. Cette large ouverture quadrangulaire offrait un triple intérêt ; tout d'abord, elle assurait l'éclairage direct de l'atrium, généralement dépourvu de fenêtres, grâce à un véritable puits de lumière ; par ailleurs, elle permettait l'évacuation de la fumée, ainsi que le remplissage d'un bassin *(impluvium)* situé au-dessous, destiné à recueillir les eaux de pluie. L'atrium faisait à la fois fonction de cuisine, de salon et de salle à manger ; modestement aménagé, sous la république, il ne renfermait que le strict nécessaire (poêle, fourneau, lits de table et simples guéridons) ; il abritait en outre, dans une alcôve, le foyer domestique qui ne devait jamais s'éteindre et qui assurait en partie le chauffage de la maison, ainsi que l'autel (laraire) sur lequel était célébré le culte des ancêtres. L'atrium ouvrait sur de petites cellules latérales, utilisées tout d'abord comme chambres à coucher, mais qui serviront plus tard d'entrepôts et de pièces de service ; monacales, elles ne contenaient généralement qu'un lit et un coffre pour le rangement des effets ; à l'arrière, le *tablinium* succédait à l'atrium, dont il n'était parfois séparé que par une simple tenture. Véritable bureau, cet espace permettait au maître de maison de recevoir ses clients et de traiter ses affaires ; enfin, un jardin plus ou moins important complétait l'ensemble et assurait une sortie aux différents membres de la famille, et plus particulièrement aux femmes ; la maison était enfin couverte par un toit de tuiles plates *(tegulae)* et semi-rondes *(imbrex)*.

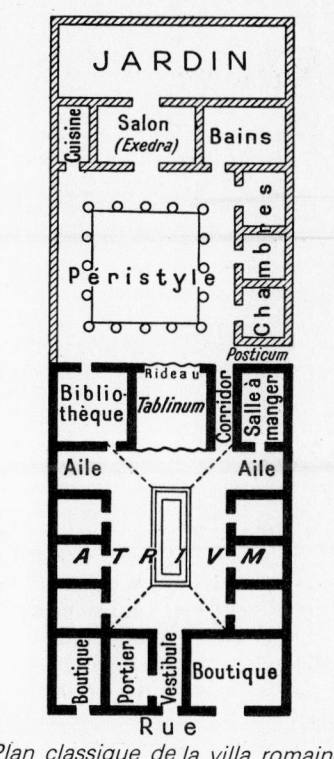

Plan classique de la villa romaine.

Paroi d'une villa romaine décorée d'architectures peintes.

Maison avec structure en bois, Herculanum.

63 av. J.-C.

Rome
Cicéron est élu consul sans grande difficulté par tous ceux que les projets des extrémistes du parti populaire effrayaient. Durant son consulat l'ancien chevalier municipal, qui a gravi brillamment tous les degrés du *cursus honorum*, pratique une politique modérée. Il se ménage le soutien des conservateurs hostiles aux *populares*.

62 av. J.-C.

Italie, janvier
L'ensemble des troupes commandées par Catilina, l'illustre rebelle, est définitivement mis en déroute par l'armée du consul, qui a pris sa charge la même année que Cicéron.

61 av. J.-C.

Rome
Les sénateurs ne se pressent pas pour organiser le triomphe de Pompée dès son retour d'Orient, comme il se devrait, marquant ainsi leur opposition. En outre, des mesures défavorables aux chevaliers qui soutiennent Pompée sont prises sous l'impulsion de Caton. Un sénatus-consulte remet en question l'immunité judiciaire des juges équestres.

Catulle, jeune poète fixé à Rome, fréquente les milieux mondains. Sa liaison orageuse avec une jeune fille qu'il appelle Lesbie est une inépuisable source d'inspiration de sa poésie intime. Il veut réunir autour de lui un cénacle d'artistes qui refusent de se plier aux canons esthétiques de la tradition affirmés par des auteurs comme Plaute ou Lucilius. En réaction ils revendiquent une forme d'« art pour l'art ». →

60 av. J.-C.

Italie
De retour d'Espagne, César, *Imperator*, sans tenir compte de l'avis des *patres* du Sénat, conclut avec Pompée et Crassus un accord secret que l'on a coutume de désigner du nom de « premier triumvirat ». Il y est stipulé que César obtiendra le consulat dès 59. →

59 av. J.-C.

Rome
Désigné selon les procédures légales, César a tôt fait de donner à son consulat un caractère exceptionnel. Il parvient à neutraliser le deuxième consul, Calpurnius Bibulus. Dans son souci de plaire aux *populares*, il propose au Sénat une loi agraire pour donner des terres aux vétérans des guerres de Pompée et aux membres de la plèbe urbaine qui le souhaitent.

Egypte
Le roi d'Egypte, Ptolémée Aulète, arrive à se faire accorder par Rome le titre prestigieux et utile d'« ami et allié » du peuple romain. César et Pompée, qui soutiennent cette requête, obtiennent en retour la fabuleuse somme de 6 000 talents à titre personnel.

58 av. J.-C.

Rome
Clodius, proche de César, a réussi à accéder à la fonction de tribun du peuple. Il peut ainsi à loisir harceler son ennemi de toujours, Cicéron. →

Gaule
César obtient pour cinq ans le proconsulat sur l'Illyrie, la Gaule cisalpine et transalpine. Il pénètre en Gaule Chevelue, appelé au secours des Eduens, alliés de Rome, menacés par les déplacements des Helvètes vers l'ouest. César remporte la victoire de Bibracte. →

56 av. J.-C.

Italie, avril
A Lucques, en Etrurie, les triumvirs se retrouvent pour renouveler les clauses de leurs accords. Ils conviennent de laisser le consulat de l'année 55 à Crassus et à Pompée, de la même façon que celui de l'année précédente avait été réservé à César. Il est entendu que l'*imperium* de César sur la Gaule et l'Illyrie n'est pas remis en question.

Gaule
Fort de ses succès en Alsace et en Belgique, César entreprend la conquête de l'Ouest, des pays de la Manche et de l'Atlantique.

55 av. J.-C.

Rome
Lucrèce écrit son magnifique *De natura rerum*. →

Les tribus gauloises conspirent et se soulèvent contre Rome

Gaule, 58 av. J.-C.
Tandis que César reçoit à l'issue de son consulat un impérium proconsulaire comprenant la Transalpine, la Gaule celtique est en ébullition : menacée par les Suèves d'Arioviste, venant de Germanie, et par les Helvètes qui, refoulés par ce dernier, veulent émigrer vers l'ouest, ses divisions la rendent incapable de faire face. Rome a pour sa part bien des raisons d'intervenir : empêcher une riche contrée de basculer sous l'influence germanique aux portes mêmes de l'Italie et conserver les échanges commerciaux réguliers que les négociants romains y entretiennent. Par ailleurs, César voit là l'occasion de contrebalancer à l'ouest, contre des peuples barbares, les succès orientaux de Pompée, en se fabriquant une armée dévouée et efficace, ce qui lui manque encore. En 58 av. J.-C., il pénètre donc en Celtique à l'appel des Eduens et écrase successivement les Helvètes et les Suèves. Il renforce l'année suivante ses effectifs (9 légions) et semble soumettre la Gaule belgique où il bat les Nerviens, mais éprouve des difficultés contre les Ménapes et les Morins. En 56, c'est au tour du puissant peuple maritime des Vénètes, en Armorique, d'être battu. Si bien que toute la Gaule à ce moment paraît soumise, ce qui permet à César de mener au-delà de la Manche, en Bretagne, et du Rhin, en Germanie, deux expéditions de prestige (55).

Catulle, poète des états d'âme et des émotions

Rome, 61 av. J.-C.
Le jeune Caius Valerius Catullus (né à Vérone, en 87 av. J.-C.) vient d'éditer lui-même un recueil de *Carmina*. L'œuvre ressemble à l'auteur, oisif cultivé qui s'use dans l'étude et les plaisirs. Ce sont des pièces courtes pour la plupart, faites de « petits riens » – billets doux, plaisanteries, épigrammes, badinages littéraires –, rédigées par un tenant de l'art pour l'art. Certains poèmes ne cachent pas leur inspiration alexandrine : ainsi *La Chevelure de Bérénice* est un démarquage de Callimaque. Mais Catulle est aussi un poète de l'amour et l'on retiendra avant tout les pièces qui se rattachent à sa liaison orageuse avec Clodia, femme du proconsul de Cisalpine Q. Metellus Celer, dont il chante la beauté sous le nom poétique de Lesbie. Sensible et passionné, il retrace avec naturel les moindres épisodes de sa vie amoureuse. A la joie la plus éperdue succèdent les brouilles, la souffrance, les réconciliations. Il ressemble alors à Sapho, par l'expression du sentiment et par la musicalité des vers, que sert une métrique souple et rarement égalée.

César, Pompée et Crassus se partagent le pouvoir

Italie, 60 av. J.-C.

A son retour d'Orient en 63 av. J.-C., Pompée est traité de haut par le Sénat qui fait traîner son triomphe et la ratification de ses actes. César, de son côté, couvre le général d'éloges et resserre ses liens avec Crassus, à qui il emprunte la somme considérable de 830 talents. Préteur en 62, César devient propréteur d'Espagne en 61. Lorsqu'il revient de sa propréture en Espagne, en juillet 60, le jeune ambitieux propose à Crassus et Pompée un accord secret qu'ils acceptent par intérêt. Cet accord est tourné contre le Sénat et prévoit une mainmise sur le pouvoir, par l'intermédiaire du consulat que, selon les termes de l'accord, César doit exercer l'année suivante en 59. Ce dernier s'engage en effet à cette occasion à conduire une politique allant dans le sens des intérêts des triumvirs, et satisfaisant donc Crassus comme Pompée. Ce dernier, pour sceller l'alliance, épouse la fille unique de César, Junia, bien qu'il ait vingt-quatre ans de plus qu'elle et cinq ans de plus que son nouveau beau-père. Ce mariage sera d'ailleurs une entente

heureuse, comme le triumvirat, du moins jusqu'en 58. César est normalement élu en 59 et commence par réduire à l'impuissance son collègue Bibulus qui se terre chez lui. Avec le soutien du jeune Clodius et de ses bandes armées, il est désormais maître de la situation et met en œuvre une vaste politique : vote d'une loi agraire pour installer sur l'*ager publicus* les vétérans de Pompée et les prolétaires urbains le désirant, vote d'une loi ratifiant les actes de Pompée en Orient et d'une seconde abaissant les sommes dues à l'État par les sociétés publicaines, où Crassus avait de gros intérêts, ainsi bien sûr que les chevaliers. Une autre loi prévoit des amendes plus sévères contre les gouverneurs de province coupables d'extorsion ou de détournements de fonds. La politique des triumvirs et celle de César en particulier est clairement menée : appui sur la plèbe et sur les chevaliers contre la *nobilitas* du Sénat. Celui-ci compte d'ailleurs prendre sa revanche en n'attribuant à César qu'un proconsulat d'opérette : la surveillance des questeurs en Italie du Sud. Mais le tribun Vatinius, guide de César, fait voter par le peuple aux Comices un *imperium* de cinq ans sur l'Illyrie, la Gaule cisalpine, la Gaule transalpine et quatre légions. C'est pour César l'occasion d'égaler enfin la gloire de Pompée. César puisera dans la célébrité acquise durant la guerre des Gaules la force et l'assurance nécessaires pour gravir les ultimes échelons du pouvoir. Le prestige attaché au vainqueur des Gaulois fera de lui le premier dans la cité.

Jules César. Denier de Mettius, monnaie de 44 av. J.-C.

Pompée le Grand. Vers 50 av. J.-C. Marbre.

Victime du démagogue Clodius, Cicéron est banni de Rome

Rome, 58 av. J.-C.

En proposant au Sénat une loi qui condamne à l'exil quiconque aurait fait périr un citoyen romain sans jugement, le tribun de la plèbe Clodius a cherché à atteindre Cicéron et à jeter le discrédit sur la façon dont celui-ci, consul, a fait exécuter les complices de Catilina. Cicéron ne s'y est pas trompé et, peu de temps avant le vote, s'est exilé de lui-même, en Thessalie. Ainsi Clodius venge les parents des condamnés, bien souvent de familles nobles, dont les enfants, désargentés, n'avaient rejoint le parti populaire que pour chercher à accéder au pouvoir. Or Clodius s'appelle en fait Publius Claudius Pulcher : de l'illustre famille des Claudius, il s'est fait adopter par un plébéien et a pris le nom de Clodius pour devenir tribun de la plèbe... Il a encore une raison, strictement personnelle d'en vouloir à Cicéron. Lors d'un procès, en 61, où il était accusé d'avoir participé illégalement aux Mystères de la Bonne Déesse, réservés aux seules femmes, Cicéron avait détruit son principal alibi : bien qu'acquitté, Clodius en gardait grief à l'ancien consul.

Scène de banquet chez de riches Romains. Peinture murale d'une villa de pompéi. Ier siècle av. J.-C.

Les inégalités sociales s'accentuent à Rome

Rome, Ier siècle av. J.-C.

Le fossé déjà ancien qui sépare riches et pauvres à Rome ne cesse de se creuser. Pendant que les couches dirigeantes de Rome, chevaliers et sénateurs, amassent des richesses considérables, la plèbe se transforme de plus en plus en une sorte de sous-prolétariat. La source essentielle de la fortune reste la possession de la terre. Les bénéfices tirés d'autres activités sont aussitôt réinvestis dans les biens fonciers. Officiellement, les sénateurs n'ont pas le droit de prendre part aux activités commerciales : celles-ci sont le monopole des chevaliers, ainsi que la perception des impôts. La fortune des sénateurs est issue des héritages, des fruits de l'exploitation des provinces, du commerce des esclaves, de la location immobilière, etc. L'orateur Cicéron gagne ainsi chaque année 80 000 sesterces grâce au seul loyer de cinq casernes. Il envoie cet argent à son fils qui étudie à Athènes. La solde annuelle d'un soldat, à titre de comparaison, est de 900 sesterces. Crassus est le Romain le plus riche de son temps : il a profité des proscriptions et des confiscations sous Sylla. Il fait aussi de la spéculation immobilière.

Le poète Lucrèce, adepte de la philosophie de Démocrite et d'Epicure

Rome, vers 55 av. J.-C.

Le *De natura rerum* de Lucrèce (Titus Lucretius Carus, v. 98 av. J.-C.-55 av. J.-C.) expose fidèlement la morale épicurienne, ainsi que son fondement, la philosophie matérialiste (l'atomisme) de Démocrite. Pour Lucrèce comme pour Epicure, tous les maux de l'homme viennent de ce qu'il craint les dieux et la vie future. Or la physique nous enseigne que

cette crainte est vaine. D'une part, tout a une cause naturelle ; les dieux, à supposer qu'ils existent, ne s'occupent pas des humains. Ainsi sont-ils étrangers aux phénomènes les plus mystérieux, que la physique suffit à expliquer. D'autre part, l'homme est mortel et il n'y a pas de vie future. D'où Lucrèce tient-il que l'homme est mortel ? Là encore, la physique étaye le raisonnement phi-

losophique. Dans le vide, tombent éternellement des éléments indivisibles et invisibles, les atomes. Une pesanteur et une certaine déclinaison les amènent à se regrouper, donnant ainsi naissance aux corps, inertes ou animés. Or toute combinaison d'atomes finit par se résoudre en ses éléments ; et puisque l'homme est composé d'atomes il est donc mortel. Mais peut-il, précisément, se plain-

dre de devoir quitter la vie ? Non pas. Ou nous n'avons pas su jouir de l'existence, et la mort ne nous enlève rien. Ou nous avons su la goûter, et nous partons « rassasiés du banquet de la vie pour accueillir un repos paisible ». Les préceptes épicuriens de tempérance physique et de modération morale nous enseignent comment atteindre cette sérénité.

54 av. J.-C.

Bretagne

Après une première tentative en 55, César engage de nouveau son armée en Bretagne. Dès l'été, ses troupes passent la Manche ; il entend donner avec éclat une nouvelle preuve de sa puissance.

Rome

Cicéron codifie l'art oratoire. →

Début des travaux de restauration de la basilique Aemilia. Trois basiliques (lieux publics qui servaient, par exemple, de tribunal) ont été édifiées entre 184 et 170 av. J.-C. dans le Forum romain. La restauration de cette basilique (ancienne basilique Fulvia, du nom de son fondateur, le censeur Fulvius Nobilior) sera achevée en 34 av. J.-C., et sera remarquable par la frise sculptée relatant la fondation de Rome.

53 av. J.-C.

Mésopotamie

Loin de Rome, Crassus nourrit de vastes projets militaires. Au printemps, il conduit ses troupes dans le désert mésopotamien dans l'espoir d'atteindre et de conquérir Séleucie. La bataille de Carrhes met fin à cette entreprise : Crassus y trouve la mort, avec plus de 20 000 soldats romains ; sept légions sont anéanties. →

52 av. J.-C.

Rome, janvier

Clodius, le plus fidèle des partisans de César à Rome, est assassiné par Milon. Dès lors une période d'agitation et de troubles s'ouvre à Rome. A la suite des funérailles de Clodius, des émeutiers incendient même la *Curia Hostilia*. C'est donc vers Pompée que se tourne le Sénat en quête d'un protecteur et d'un garant de l'ordre. En l'absence de César et après la mort de Crassus, Pompée devient consul unique et obtient aisément l'octroi des pleins pouvoirs. →

Gaule, septembre

Après l'offensive des Belges en 53, les peuples du centre de la Gaule tentent de repousser les armées de César. Au printemps, les Carnutes s'en prennent hardiment aux Romains, notamment à Genabum. Mais c'est surtout sous l'impulsion du prince Vercingétorix, à la tête des Arvernes, que s'organise l'offensive gau-

loise. Le jeune chef veut forcer l'ennemi à se découvrir. César parvient à déjouer ce plan, mais subit un cuisant échec à Gergovie avant de défaire les armées gauloises à Alésia en septembre. →

Rome

Milon, l'assassin de Clodius, est condamné par Pompée. Mais il a un défenseur illustre et talentueux en la personne de Cicéron. Le grand orateur compose une brillante plaidoirie, le *Pro Milone*, qui brosse un portrait charge de Clodius. →

51 av. J.-C.

Gaule

Après sa victoire sur la cavalerie gauloise, César a la rude tâche de soumettre définitivement à l'autorité de Rome l'ensemble de la Gaule. Malgré la capitulation d'Alésia, des foyers ponctuels de résistance s'organisent. Le plus important d'entre eux a pour protagonistes les Cadurques. César y met fin à Uxellodunum en faisant preuve d'une cruauté inouïe. Outre d'innombrables avantages matériels, au titre du butin de guerre, César et ses onze légions en tirent une gloire considérable.

Egypte

Afin de conserver le caractère sacré de la fonction royale, les souverains héritiers des Lagides ont pour coutume de se marier entre frère et sœur : le pharaon Ptolémée XIII épouse sa sœur, la jeune et belle Cléopâtre.

Italie

En achevant sa conquête de la Gaule, César est tout aussi soucieux de laisser un témoignage monumental de l'œuvre qu'il a entreprise. C'est l'objet de ses *Commentaires sur la guerre des Gaules*. Ce recueil de notes mises en forme nous donne, tout au long des sept livres qui le composent, un récit minutieux et vivant des campagnes militaires de la Gaule. Le style en est caractéristique : sa sécheresse, son élégance dépouillée en font un texte comparable aux communiqués d'état-major. Les batailles sont décrites dans leur intégralité, avec cependant un souci de dramatisation et de mise en scène qui les rend passionnantes. Au-delà, César a une ambition politique : faire du vainqueur de la guerre des Gaules un héros national reconnu et attendu à Rome. Ainsi, malgré le souci d'objectivité dont il se réclame, l'auteur a tout intérêt à magnifier des ennemis dont il a triomphé pour assurer la grandeur de Rome.

Une ville itinérante : le camp des Romains en campagne

La pratique de la castramétation est une des caractéristiques qui ont fait la valeur et le renom de l'armée romaine. Elle traduit parfaitement ce souci d'organisation et d'ordre qui a été une de ses grandes forces. A chaque étape, la légion construit en effet son camp retranché selon un rite et un plan immuables. On choisit l'emplacement et on commence par y placer le *praetorium*, quartier général, d'où partent deux axes perpendiculaires joignant les quatre portes. Les différents corps de troupe sont ensuite rangés selon un ordre correspondant à celui qu'ils trouvent dans le dispositif de bataille : cavaliers, auxiliaires, légionnaires. Ainsi le plan du camp présente-t-il de grandes analogies avec l'organisation type des villes romaines construites elles aussi autour de deux axes. Le camp est entouré d'un fossé et d'un talus surmonté d'une palissade rectangulaire. Sous le règne d'Auguste (27 av. J.-C.-14 apr. J.-C.), où les guerres seront moins nom-

breuses et moins lointaines, les camps deviennent permanents et l'on y trouvera un confort plus grand (hôpitaux, thermes, salles de réunions).

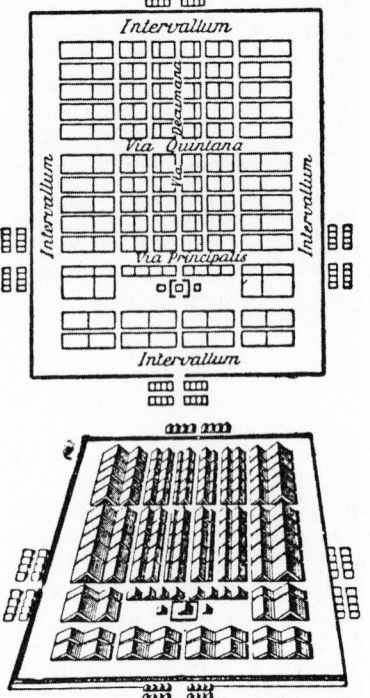

Organisation et armement de la légion

Italie, vers 50 av. J.-C.
Nous connaissons dans ses grandes lignes la légion issue de la réforme de Marius avec son organisation en cohortes, centuries et manipules, mais il faut également savoir que le nombre des légions, fixe à l'origine, ne fait qu'augmenter durant les guerres civiles du premier siècle av. J.-C., chaque grand général finissant par avoir sa propre armée. Il y aura ainsi jusqu'à 50 légions et Auguste en conservera 30. Chaque légion porte un numéro et un ou plusieurs qualificatifs. L'armée romaine comprend également de nombreuses troupes auxiliaires (non-citoyens) qui fournissent en particulier des cavaliers et qui ont surtout un rôle de reconnaissance et de poursuite. Enfin l'armement du légionnaire doit beaucoup à ses ennemis : Rome emprunta ainsi le pilum aux Samnites et le glaive aux Celtibères.

Légionnaire romain en armes : grand bouclier, glaive et pilum.

Les Parthes massacrent Crassus et ses soldats

Carrhes, Mésopotamie, 53 av. J.-C.
Le premier triumvirat n'a pas apporté à Crassus tous les profits qu'il en escomptait. Aussi, après que les trois *imperatores* eurent réaffirmé leur alliance à Lucques en avril 56, est-il convenu que Pompée et Crassus exerceront de nouveau le consulat en 55 et que Crassus recevra ensuite le proconsulat de Syrie, avec la perspective d'une campagne contre les Parthes, Pompée recevant pour sa part l'Espagne et César

voyant prolonger son commandement en Gaule. Après avoir géré sans éclat la magistrature suprême, Crassus gagne donc la Syrie et, avec sept légions, franchit l'Euphrate et s'enfonce dans l'Empire parthe. Il compte ouvrir les routes commerciales de l'Extrême-Orient aux intérêts romains et aux siens en particulier. Mais, engagé dans le désert mésopotamien pour atteindre Séleucie, il est surpris par les cavaliers parthes qui lui infligent à Carrhes une sévère défaite, faisant 10 000 prisonniers dont le proconsul lui-même qui sera mis à mort peu après.

César progresse, Vercingétorix résiste

Gaule, 52 av. J.-C.

Après les succès de César en 56 et 55, la Gaule paraît pacifiée. Le proconsul a même pu, en 54, débarquer pour la seconde fois en Bretagne et obtenir la soumission de plusieurs peuples bretons (sa première expédition n'avait pas eu de résultats). De retour en Gaule, il a dispersé ses légions dans tout le nord-ouest du pays afin de surveiller tout mouvement d'insurrection. Or, un peu partout, ses troupes sont attaquées et assiégées et, en plein pays éburon, quinze cohortes (une légion et demie) sont massacrées dans une embuscade forestière par le chef Ambiorix. César parvient à rétablir la situation ; recevant trois légions en renfort, dont une prêtée par Pompée, il dégage ses troupes isolées et ravage le territoire des tribus insurgées. Jouant son destin politique, le général romain ne peut se permettre l'échec et donne ici la mesure de son génie militaire. A la fin de 53, ayant affermi son autorité dans le nord, il concentre ses troupes et replie son quartier général d'Amiens à Sens. Il sent qu'une insurrection se prépare en Gaule centrale. Elle éclate au début de 52 : les Carnutes massacrent les négociants romains installés à Orléans et le mouvement s'étend vers l'ouest et le sud. Les Arvernes prennent la tête de la coalition en choisissant comme chef un jeune noble d'ascendance royale, Vercingétorix. Même les peuples gaulois alliés de Rome adoptent une attitude de neutralité inquiétante. Le plan de Vercingétorix est de surprendre César, alors en Italie, de le couper de son armée et d'imposer la retraite à celle-ci par une politique de terre brûlée.

Cicéron, le plus grand avocat de Rome, codifie l'art oratoire

Rome, 54 av. J.-C.

Avec les trois livres de son dialogue *De oratore*, Cicéron explique indirectement les raisons du succès de son éloquence. Il réclame une formation exigeante et complète : les dons naturels ne suffisent pas ; il faut connaître la philosophie, l'histoire et la jurisprudence. Reprenant les cinq éléments de l'art oratoire, tels que les ont définis les rhéteurs, il demande qu'on assouplisse les préceptes de l'« invention », ou art de trouver des arguments, ainsi que de la « disposition », science du développement et du plan. Il rappelle l'importance de la mémoire qui permet de dominer sa matière. Mais il insiste surtout sur l'« élocution », ou style, et sur l'« action », traduction gestuelle de la pensée. On comprend facilement pourquoi si l'on se souvient que, parmi les trois buts que Cicéron assigne à l'orateur – prouver, plaire et émouvoir –, il privilégie le dernier. Ainsi il n'aime guère la sécheresse du style

Statue d'Aulus Metellus, dite L'Orateur. Musée archéologique, Florence.

« néo-attique », représenté par César : pour émouvoir les foules, il préfère la fougue, tempérée par le bon goût.

Clodius assassiné : Cicéron défend Milon

Rome, 52 av. J.-C.

Tragique dénouement de l'affrontement entre les bandes de Clodius et celles de Milon. Elles se sont rencontrées sur la voie Appienne, à 12 milles de Rome, près de Bovillae. Clodius a péri dans la bataille : est-ce de la main de Milon ? L'arrogance de Clodius, exacerbée pendant l'exil de Cicéron, ne s'était pas atténuée depuis le retour de celui-ci, voté en août 57 av. J.-C. par le Sénat, après une ardente campagne menée par Milon. Dès lors, les hostilités entre les deux rivaux n'avaient pas cessé. C'est donc un ami que Cicéron défend contre un ennemi personnel. Il développe une argumentation serrée mais bien délicate. D'une part, en effet, il affirme que la violence peut être légitime, si elle est employée pour sauvegarder les lois : Milon a eu raison de ne pas se soumettre à la décadence de l'ordre social. D'autre part, Cicéron, qui cherche à minimiser la responsabilité de son ami, le défend : les circonstances ne sont pas claires ; il n'y a nulle préméditation ; Milon a agi en état de légitime défense. Autrement dit, si Milon est un assassin, il a le droit moral pour lui ; mais peut-être n'est-ce pas un assassin... ?

Le Grand stûpâ de Sânchî. Edifié par Açoka au milieu du IIIe siècle av. J.-C., il a été successivement agrandi aux IIe - Ier siècles av. J.-C.

Sânchî, centre religieux de l'Inde

Inde, Ier siècle av. J.-C.

Depuis le IIe siècle av. J.-C. jusqu'à la fin du Ier siècle, on n'a pas cessé d'apporter de nouveaux aménagements au sanctuaire de Sânchî, dans la vallée du Madhya Pradesh. Les *stûpâ*, à l'origine tumulus funéraires, sont devenus le type même du sanctuaire bouddhique. Le plus vaste d'entre eux est celui de Sânchî, commencé par l'empereur Açoka. Construction pleine, en blocaille, épousant la forme d'un dôme, il conserve des reliques du Bouddha dans une châsse de pierre ou de métal enfouie dans la masse. Autour de l'enclos sacré du stûpa se dresse une balustrade de pierre (*vedikâ*), de 3 m de haut environ, qui détermine un passage circulaire pour les processions. La balustrade est elle-même coupée de portails (*torana*) disposés à chacun des points cardinaux et ornés de bas-reliefs illustrant la vie du Bouddha : sa renonciation aux plaisirs, son itinéraire vers la lumière et le début de son enseignement. Le stûpâ de Sânchî, par ses dimensions, constitue l'un des grands centres religieux de l'Inde bouddhique.

Alésia : la fin de l'aventure arverne

Alésia, septembre 52 av. J.-C.

Apprenant dans les premiers jours de 52 av. J.-C., à Ravenne, le déclenchement de l'insurrection gauloise, César revient à bride abattue en Gaule. Il parvient à rassembler ses troupes et entreprend le siège de plusieurs places fortes, notamment Avaricum (Bourges) où il massacre la population en représailles. César divise alors son armée, confiant quatre légions à son légat Labienus qui écrase à Lutèce les tribus du Nord-Ouest, tandis que lui-même essuie à Gergovie un échec aux conséquences surtout psychologiques, car il entraîne d'autres peuples, dont les fidèles Eduens, dans une rébellion quasi générale en Celtique. Devant ce danger, César entame une retraite avec ses onze légions vers le sud. Vercingétorix tente de lui couper la route, mais sa cavalerie est mise en déroute ; les Gaulois, ébranlés, se réfugient dans l'oppidum d'Alésia. C'est l'erreur qu'attendait le proconsul qui entame alors un siège en règle, enfermant la place dans une double enceinte. Vercingétorix se livre au vainqueur en septembre, après une ultime sortie des assiégés et l'échec d'une armée de secours.

Les travaux menés par César lors du siège d'Alésia. Maquette. Musée de Saint-Germain-en-Laye.

49 av. J.-C.

Italie, le 12 janvier

Inquiété par les agissements de Pompée à Rome, César tient à se rapprocher de l'Italie. Pompée reçoit le commandement de l'ensemble des troupes stationnées en Italie. C'est alors que César, dans la nuit du 11 au 12 janvier, franchit, à la tête de son armée, le Rubicon, petit fleuve qui constitue la frontière entre la Cisalpine et l'Italie et qu'il était interdit à un général romain de franchir en armes sans ordre du Sénat. C'est en franchissant ce fleuve que César aurait prononcé la célèbre phrase : *Alea jacta est* (Le sort en est jeté !). Cet événement marque officiellement le début de la guerre civile, le proconsul des Gaules entrant ainsi ouvertement en conflit avec les institutions républicaines. →

Rome, automne

César franchit l'étape qui le conduit de la rébellion à la légalité. Le général insurgé est investi de magistratures qui en font un représentant licite des pouvoirs républicains. Il est bientôt nommé dictateur grâce à l'action de Lépide et des sénateurs qui lui sont acquis.

Gaule

La guerre civile conduit César à la poursuite des pompéiens hors d'Italie. Marseille, aux mains des partisans de Pompée, est une étape décisive pour la carrière de César. →

Rome

Devant l'insuffisance de l'ancien Forum romain, César entreprend de doter la ville d'un nouvel espace public. En prolongement du premier, le nouveau Forum s'inscrira au pied du Capitole. Mais, comme cette zone est occupée par des demeures de la noblesse, César doit mener des négociations qui ne durent pas moins de trois ans. Toutes les maisons seront rachetées une à une pour être démolies. Selon les sources, cette opération aurait coûté entre 60 et 100 millions de sesterces. Commencés en 51, les travaux battent leur plein. Le centre du Forum sera occupé par un temple dédié à Vénus Genitrix, la "patronne" légendaire de la gens Julia.

48 av. J.-C.

Pharsale, Grèce, 9 août

Les affrontements entre parti-sans de Pompée et de César ne se limitent pas à l'Espagne et au littoral gaulois. César engage une partie de son armée en Méditerranée orientale. En janvier, il débarque dans le nord de l'Epire. Il doit faire face aux soldats de Pompée et à ceux de son beau-père, Metellus Scipion. La rencontre militaire a lieu, le 9 août, à Pharsale : c'est la victoire pour les troupes de César.

Egypte

Arrivé sur le rivage de Péluse, Pompée est arrêté dans sa fuite et assassiné le 28 septembre par le jeune Ptolémée. →

Les troupes de César incendient la bibliothèque d'Alexandrie. →

47 av. J.-C.

Gaule romaine

De plus en plus puissant à Rome, César se préoccupe fortement de la romanisation de l'empire. C'est surtout la *Provincia*, qui fait l'objet d'une politique de mise en valeur systématique, autour de centres comme Narbonne ou Arles.

46 av. J.-C.

Afrique, 6 avril

Après la mort de leur chef, les derniers pompéiens, guidés par Labienus et Caton, ont trouvé refuge en Numidie auprès du roi Juba. César a débarqué en Afrique dès décembre 47. Il traque ses adversaires et livre bataille à Thapsus où il les écrase : Metellus Scipion et d'autres chefs comme Afranius y trouvent la mort. Caton préfère se suicider à Utique.

Rome

César est de nouveau nommé consul avec Lépide. Mais son titre de dictateur lui donne, avec l'assentiment du peuple, le droit de proroger cette magistrature pendant cinq ans.

Italie

L'immense pouvoir politique de César est encore renforcé par le prestige religieux dont il sait se parer. Il lui est même donné de voir sa propre statue, sise dans un temple du Capitole, assister à son triomphe. Parmi les réformes qu'il entreprend, l'une des plus intéressantes est l'abandon de l'ancien calendrier des pontifes, au profit d'un calendrier dit julien et dont l'année compte 365,25 jours.

Jules César franchit le Rubicon

Italie, 12 janvier 49 av. J.-C.

La mort de Crassus à Carrhes met fin à un triumvirat qui était déjà bien affaibli. Pendant que César combat durement en Gaule, Pompée est le maître à Rome où les sénateurs, n'ayant plus d'autre possibilité, l'ont choisi comme dernier rempart de l'ordre. L'anarchie et la violence ne viennent-elles pas de régner dans la ville, alimentées par les sbires de César, tel Clodius, et ceux de la nobilitas elle-même. Pompée, pendant ce temps, a attendu patiemment que le pouvoir lui soit offert sous une apparence de légalité. C'est ce qui arrive en janvier 52 av. J.-C., lorsqu'à la suite d'une émeute particulièrement sanglante où Clodius est abattu, le Sénat lui confère un consulat extra-ordinaire et unique, le choix de son collègue lui étant même confié. Investi de cette quasi-dictature, Pompée s'efforce d'abord de rétablir l'ordre et surtout entreprend avec l'appui de la nobilitas de dépouiller César de son pouvoir, par le vote de procédures tortueuses, et de l'empêcher d'exercer le consulat immédiatement après l'expiration de son temps de commandement en Gaule, en décembre 50. Aussi César, après avoir vaincu l'insurrection gauloise, revient-il en Italie à la fin de 50 avec une unité d'élite, la fidèle XIIIe légion, et se rend à Ravenne, d'où il tente une ultime conciliation qui est repoussée par le Sénat et Pompée, début janvier 49. Ce dernier reçoit le commandement des troupes séna-toriales, pendant que César franchit le Rubicon, frontière de l'Italie et de la Cisalpine, le 12 janvier. La guerre civile commence.

Jules César. Vers 44 av. J.-C. Marbre. Musée Pio-Clementino, Vatican.

La bibliothèque d'Alexandrie brûle

Alexandrie, 48 av. J.-C.

Après sa défaite à Pharsale, Pompée vient d'être assassiné à Péluse. César, qui marchait sur ses traces, doit faire face à une révolte des partisans de Pompée : vétérans, transfuges, esclaves. C'est une véritable guerre de rues qui s'engage alors et les Alexandrins se soulèvent contre César. Au début des opérations, César fait brûler la flotte égyptienne, occupe l'île de Pharos et s'assure la maîtrise du fameux phare d'Alexandrie. C'est dans cette première phase du conflit que la bibliothèque d'Alexandrie est incendiée : 400 000 volumes, selon Sénèque, auraient ainsi été détruits, soit une grande partie du capital intellectuel amassé par les Ptolémées durant des siècles. Toutefois, le rayonnement culturel et scientifique d'Alexandrie se maintiendra en dépit de cette perte incommensurable.

Cicéron acclimate la philosophie à Rome

Rome, deuxième moitié du Ier siècle av. J.-C.

Cicéron s'attache surtout à tirer de la philosophie une morale pratique. Ainsi ses deux premiers ouvrages proposent-ils une synthèse de ses buts politiques. Le *De republica* (54) trouve le gouvernement idéal dans la Rome du IIe siècle où s'établissait un équilibre entre le principe monarchique (les consuls), le principe oligarchique (le Sénat) et le principe démocratique (les assemblées du peuple). Républicain conséquent, il pose la justice à la base de la société et invite les citoyens à faire passer leur intérêt personnel après celui de la cité. Le *De legibus* fonde le droit sur le caractère divin de l'homme et traite des lois religieuses et de l'organisation politique. A partir de 45, Cicéron, qui avait voyagé en Grèce dans sa jeunesse, vulgarise les philosophes hellènes, adoptant pour sa part un stoïcisme pratique, mêlé, sur le plan des principes, au doute de la nouvelle académie. Ainsi, dans les *Définitions du bien et du mal en soi* (45) et *Sur la nature des dieux* (44), il expose successivement les points de vue d'un épicurien, d'un stoïcien et d'un académicien. Les *Tusculanes* démontrent que l'âme est immortelle et que le bonheur dépend de la vertu ; après avoir défini cet idéal abstrait, Cicéron revient, en 43, à une morale relative dans *Les Devoirs*, établissant que le citoyen doit concilier l'honnête et l'utile. En 44, il s'intéresse à des problèmes de psychologie morale : le traité *Sur l'amitié* détermine qu'il n'y a pas d'accord possible en dehors du devoir ; le *De senectute* met en scène un Caton l'Ancien idéalisé qui défend la vieillesse contre tout le mal que l'on dit d'elle. Désormais, la Grèce ne possède plus le monopole de la philosophie.

Art romain. Le boulanger et ses clients. Fresque provenant de Pompéi. 1er siècle. Museo nazionale, Naples.

Petits commerçants, petits métiers à Rome

Rome, 1er siècle av. J.-C.

En marge de la classe dirigeante, constituée de sénateurs et de chevaliers, qui a largement profité des conquêtes et commence à monopoliser pouvoir, propriété foncière et grand commerce, s'active toute une plèbe urbaine, extrêmement hétéroclite, mais dont certains éléments contribuent encore, avec des moyens certes plus limités, à la richesse de Rome. Artisans, commerçants, petits métiers des rues animent les quartiers populaires ; les artisans écoulant le plus souvent eux-mêmes leur production tiennent boutique sur rue, tout en travaillant à la fabrication, dans leur échoppe, sous les regards intéressés des acheteurs potentiels ; boulangers, foulons et orfèvres, blanchisseurs et taverniers, forgerons et tanneurs se côtoient. Dans les plus grands centres, les différents métiers commencent à s'organiser en associations et en corps constitués, régis par des règlements très stricts, dans le but d'assurer à l'ensemble de leurs membres une certaine protection sociale (entraide, secours mutuel en cas de besoin) ainsi qu'économique (fixation des prix) pour lutter contre une concurrence trop poussée.

Marseille capitule devant Jules César

Gaule, 49 av. J.-C.

Après avoir fui l'Italie en avril, Pompée prévoyait de vaincre César en l'isolant entre ses sept légions d'Espagne et l'armée qu'il était en train de former en Macédoine. César se tourne alors vers le danger le plus pressant, l'Espagne, en passant par la Gaule, car il est dépourvu de flotte. C'est alors qu'il bute sur Marseille qui s'est déclarée en faveur de Pompée. César est trop fin stratège pour laisser dans son dos une place hostile et, qui plus est, un port. Après un premier échec, il choisit de confier le siège à l'un de ses lieutenants et gagne l'Espagne avec un mois de retard. Marseille tiendra encore plusieurs mois avant de capituler, après la défaite des légions de Pompée en Espagne.

Pompée le Grand. Marbre. Museo nazionale, Naples.

La carrière politique à Rome : les étapes de la course aux honneurs

Rome, 50 av. J.-C.

Faire une carrière politique à Rome nécessite de satisfaire à diverses conditions préalables absolument exigibles. D'abord appartenir à une famille sénatoriale, c'est-à-dire une famille dont plusieurs membres appartiennent déjà au Sénat, et ensuite avoir de l'argent car les campagnes électorales sont très coûteuses ainsi que l'exercice même de certaines magistratures, lesquelles sont par ailleurs toutes gratuites. On comprend par là que les magistrats romains aient souvent considéré les multiples occasions de rentabiliser l'exercice du pouvoir, butin ou administration des provinces, d'un œil pas toujours aussi vertueux qu'on a pu le dire. Enfin, appartenir à une des rares familles sénatoriales où l'on a l'habitude d'exercer les plus hautes fonctions est un gage de réussite certaine. Le jeune homme qui se lance dans le *cursus honorum*, la carrière des honneurs, doit exercer une hiérarchie de magistratures avec un ordre et des délais fixes et établis. Il faut d'abord effectuer un service militaire de dix ans, après lequel, à partir de 28 ans, il peut exercer la questure, puis à 31 le tribunat de la plèbe ou l'édilité (coûteuse, car le magistrat doit prendre en charge l'organisation des jeux) à 34 ans il peut être candidat à la préture et enfin, à 37 ans, au consulat. La réforme de Sylla devait repousser l'âge minimum pour les magistratures (43 ans pour le consulat) et surtout réglementer leur itération : ainsi faut-il désormais attendre dix ans avant d'exercer un second consulat. Mais, une fois sortis de charge, les préteurs et les consuls reçoivent la charge d'une ou plusieurs provinces avec le titre de propréteur ou proconsul et la perspective de profits importants, financiers et militaires. Bien sûr, cet ordre devait être bien perturbé par les ambitions et les manœuvres des *imperatores* qui multiplièrent les exceptions. Ainsi Pompée, qui géra en 70 av. J.-C. le consulat en n'étant que simple chevalier !

Cérémonie administrative. « Autel de Domitius Ahenobarbus ». Marbre.

Pompée le Grand est assassiné en Egypte

Péluse, Egypte, 48 av. J.-C.

Devant la marche de César après le passage du Rubicon, Pompée renonce à défendre l'Italie et embarque pour la Macédoine. En 49, César affronte d'abord les troupes pompéiennes en Espagne. Vainqueur, il rentre en Italie et, ayant assuré le financement de ses campagnes par la réquisition des trésors des temples, débarque en Epire. Il est d'abord mis en difficulté, face aux 50 000 hommes de Pompée. Mais le 9 août 48, le choc décisif a lieu à Pharsale et l'armée césarienne, entraînée et aguerrie, l'emporte sur des troupes disparates et inexpérimentées. C'est la débandade : les sénateurs groupés autour de Pompée fuient en Afrique, tandis que le grand général lui-même gagne l'Egypte où il est assassiné le 28 septembre sur ordre de Ptolémée, pour complaire à César. Celui-ci paraîtra vraiment horrifié par la fin de son rival.

Jules César réforme le calendrier

Rome, 46 av. J.-C.

Parallèlement à la réforme du droit civil et de la monnaie, César entreprend de moderniser le comput du temps. Le calendrier romain se déroule en effet sur un rythme archaïque et erroné : les pontifes pouvaient même, pour rendre service à un magistrat, omettre ou ajouter un ou des jours intercalaires. Au temps de César, le calendrier religieux des Fastes était en avance de 67 jours sur le temps vrai. Aidé par un mathématicien grec, César adopte le comput de l'année agricole italique, selon le calendrier égyptien établi par l'astronome Eudoxe (IVe siècle av. J.-C.). Au lieu du 1er mars, il fixe le premier jour de l'année au 1er janvier, qui était déjà la date de prise de pouvoir des grandes magistratures. Le calendrier julien entre ainsi en vigueur le 1er janvier 45 av. J.-C. Il survivra à son promoteur, qui meurt assassiné l'année suivante.

45 av. J.-C.

Espagne, 15 mars
A Munda, César remporte sa dernière victoire sur les armées de Pompée.

Rome
César adopte son petit-neveu Octave.

44 av. J.-C

Rome, février
Au lendemain de sa victoire, César est entouré des fastes d'un authentique culte religieux. Il donne son nom au mois de sa naissance qui devient juillet (*julius*) et le Sénat lui attribue même le titre de *divus* pour souligner ses origines divines.

Rome, 15 mars
Déjà, lors des Lupercales, César fut sur le point d'accepter le diadème, insigne des rois hellénistiques, que lui présentait son fidèle lieutenant Marc-Antoine. Le jour des Ides de mars, une étape ultérieure va être franchie, puisque le Sénat doit lui permettre de prendre le titre de roi en Orient. C'est cette occasion que choisissent 50 sénateurs conjurés pour l'assassiner. Parmi les conjurés, César reconnut son fils adoptif Brutus et s'écria : *Tu quoique, fili !* (Toi aussi, mon fils !). →

Rome
Après la mort de César, la crise éclate au grand jour malgré l'abolition de la dictature. Deux prétendants se disputent la succession de l'imperator : Marc-Antoine, qui revendique son héritage politique, et le jeune Octave, petit-neveu de César.

Cicéron ne cache pas ses sympathies pour Octave dans l'espoir de diviser et d'affaiblir le camp des successeurs possibles de César. Dans ses quatorze *Philippiques*, œuvres vivement polémiques, il fustige Antoine et ses partisans.

43 av. J.-C.

Italie, 21 avril
Marc-Antoine est fermement décidé à empêcher le petit-neveu de César d'obtenir les pouvoirs qu'il réclame. Pour riposter, Octave lève une puissante armée. Soutenu par une coalition qui comprend de nombreux partisans de Pompée, il inflige une rude défaite à Antoine devant Modène.

Bologne, 27 novembre
Octave n'entend pas se soumettre aux vues de la coalition de Cicéron et du Sénat. Il s'est fait élire consul et reçoit même des pouvoirs extraordinaires. C'est dans cette position qu'il rencontre, à Bologne, Antoine et Lépide et forme avec ses adversaires de la veille une alliance d'intérêt, le second triumvirat.

Italie, 7 décembre
Le triumvirat commence par dresser une liste de proscriptions. Au premier rang des personnes à poursuivre figure l'orateur Cicéron, qui avait si violemment attaqué Antoine : il est sauvagement égorgé sur les ordres du triumvir. →

Gaule
Sur les lieux d'une ancienne base militaire de César, à la confluence du Rhône et de la Saône, Munatius Plancus fonde une colonie romaine, Lugdunum, le premier noyau urbain de Lyon.

42 av. J.-C.

Macédoine, octobre
Le règlement de la succession de César n'a pas éliminé le danger que représentent les républicains, anciens partisans de Pompée. Antoine et Octave franchissent l'Adriatique et parcourent le nord de la Grèce pour atteindre la Macédoine par la Via Egnatia. L'affrontement a lieu à Philippes. Octave et Antoine remportent successivement deux batailles, malgré la supériorité numérique des armées républicaines. Dès lors, un nouveau partage du monde romain peut s'opérer entre les triumvirs. →

Rome
Après l'assassinat de César, son bienfaiteur, Salluste, ancien proconsul d'Afrique, trouve refuge dans sa somptueuse propriété sur la colline du Pincius. C'est là qu'il compose les plus importants de ses ouvrages historiques. Dans le récit de *La Conjuration de Catilina*, il ne cache ni son admiration pour les hommes du parti démocratique, ni sa haine contre les aristocrates immoraux.

41 av. J.-C.

Italie
La guerre des Vétérans prend de l'ampleur. Le frère d'Antoine profite de la révolte de paysans expropriés pour les utiliser contre les hommes d'Octave.

César poignardé par les conjurés

Rome, 15 mars 44 av. J.-C.
Après avoir éliminé en Afrique et en Espagne les derniers pompéiens (48-45 av. J.-C.), César revient à Rome, où une apparence de pouvoir légal lui permet de cumuler la dictature et un consulat décennal, et de concentrer en fait tous les pouvoirs entre ses mains. Appuyé par la plèbe, soutenu par une armée de trente-neuf légions à sa dévotion, le Conquérant se lance dans une vaste entreprise de réformes qui ont pour but de domestiquer les anciennes institutions républicaines, en les utilisant à son profit, et de remodeler la société romaine, lui donnant plus de stabilité et de docilité. Par ailleurs, il entreprend l'amélioration des structures de l'empire en moralisant l'administration des provinces et en accélérant la romanisation, en particulier par l'implantation de nombreuses colonies où il installe ses vétérans. Mais ce qui semble surtout nouveau, c'est la conception même du pouvoir. Non seulement César, nommé dictateur et censeur à vie en février, donne à son pouvoir une base religieuse en organisant son propre culte, mais on commence à penser que s'il se fait dieu, c'est pour devenir plus facilement roi, selon la tradition hellénistique. Son lieutenant Marc-Antoine ne tente-t-il pas lors des Lupercales de février 44, et alors même que César vient d'être reconnu dictateur à vie, de le ceindre d'un diadème, insigne des rois ? Geste que César refuse au dernier moment, conscient des susceptibilités romaines en ce domaine. Mais c'est déjà trop tard pour quelques conspirateurs nostalgiques de la République, qui parviennent, lors des Ides de mars 44, à l'assassiner, en pleine Curie, aux pieds de la statue de Pompée son ancien rival.

Brutus, fils adoptif de César (et l'un de ses assassins). Marbre.

Les dangers de la vie urbaine : incendies, effondrements

Rome, 1er siècle av. J.-C.
Les Romains ont, à juste titre, acquis la réputation de grands bâtisseurs de villes, fonctionnelles et ordonnées géométriquement, autour de quelques grands axes principaux ; néanmoins les agglomérations les plus importantes ou les plus anciennes ne pouvaient obéir à ces seuls critères ; élevées sans plan préétabli ou débordant largement le plan initial, elles présentaient, à côté de quartiers résidentiels, des parties populeuses où le manque de place et la cherté du terrain avaient imposé la construction en hauteur d'immeubles collectifs : *insulae*, dépourvus de confort et surpeuplés ; ces logements, hâtivement et mal bâtis, le plus souvent en bois, menaçaient d'une part de s'écrouler et favorisaient d'autre part, en cas d'incendie, la propagation du feu par leur densité et le manque d'aération dans le dédale de ruelles, étroites et sombres, non pavées, sans trottoir, souillées d'immondices, propices aux épidémies.

Une rue de l'antique ville d'Ostie, bordée de boutiques et d'habitations en briques. Début du IIe siècle.

Le testament de César désigne le jeune Octave comme héritier

Rome, 44 av. J.-C.
Les conjurés des Ides de mars regroupaient des républicains exaltés comme Mareus Junius Brutus (v. 85 av. J.-C.-42 av. J.-C.), fils adoptif de César qui avait participé à la bataille de Pharsale aux côtés des pompéiens, mais surtout des mécontents du régime : césariens de la dernière heure ou pompéiens pardonnés et aigris. César accueillait facilement les ralliés et aucune proscription n'avait éclairci les rangs de ses partisans. Aussi ce complot, auquel César n'a pas pris garde, était-il pourtant prévisible. Mais la République n'est pas pour autant restaurée, et en ce sens l'assassinat de César n'a pas atteint son but. Bien plus, il va déclencher une troisième guerre civile qui débouchera sur l'établissement du régime impérial. Dans son testament, César a désigné comme héritier son petit-neveu et fils adoptif Caius Octavius (63 av. J.-C.-14 av. J.-C.). Celui-ci est encore un jeune

Octave, petit-neveu et fils adoptif de César. Marbre.

homme de frêle apparence et de peu d'expérience militaire, qui ne semble guère de taille à s'imposer véritablement. C'est pourtant lui qui imposera à Antoine la constitution d'un triumvirat avec Lépide.

Antoine fait poursuivre les meurtriers de César

Rome, 44-43 av. J.-C.
Après l'assassinat de César, Antoine avait paru se rallier aux conjurés. Mais ce n'était qu'une manœuvre, car il appelle le peuple à venger le dictateur assassiné et contraint les meurtriers à s'enfuir. Il médite, en fait, de passer outre au testament de César, qu'il a recueilli avec ses papiers, et d'assumer son héritage politique. Mais Octave apparaît à ce moment comme l'héritier légitime, venant contrarier les plans d'Antoine dont il devient le rival. Vaillant soldat, courageux, audacieux mais aussi brutal et manquant de tête politique, l'ancien lieutenant de César semble ne devoir faire qu'une bouchée du jeune prétendant, pourtant soutenu par le Sénat et Cicéron qui pensent le manœuvrer. Mais lorsqu'en novembre 44 Antoine veut reprendre la Cisalpine à Brutus, Octave, qui révèle rapidement ses aptitudes aux jeux du pouvoir, parvient à mobiliser au nom de César les vétérans de Campanie et à lui faire lever le siège

de Modène où Brutus s'était réfugié. La guerre se termine donc par la défaite d'Antoine, mais celui-ci détient encore de grands atouts et des soutiens importants.

Buste d'Antoine, dit aussi Marc-Antoine. Marbre.

Mort atroce de Cicéron, victime des assassins envoyés par Antoine

Gaète, 7 décembre 43 av. J.-C.
Cicéron vient d'être proscrit par Antoine. Rejoint dans sa fuite, il a affronté la mort avec courage. Ayant ordonné à ses serviteurs de déposer la litière qui le transportait, il s'est offert de lui-même aux coups des émissaires d'Antoine. On l'a déca-

pité ; on lui a tranché les mains : elles avaient écrit les quatorze *Philippiques*, violentes diatribes contre l'ambition d'Antoine... Son éloquence avait même créé, autour de lui, un vaste consensus : les armées du Sénat avaient battu Antoine en mars 43 av. J.-C. Mais celui-ci, rejoint par Lépide, puis par Octave, que Cicéron soutenait par tactique pour qu'il empêche Antoine de se frayer un chemin vers la dictature, est à présent tout-puissant.

L'amour conjugal et la vie familiale

Rome, 1er siècle av. J.-C.
La famille romaine étant fondée sur le mariage, les filles pouvaient convoler dès l'âge de douze ans ; les garçons dépassaient généralement largement l'âge légal, fixé pour eux à quatorze ans ; la veille des noces, la fiancée, renonçant à son enfance, offraient ses jouets aux dieux lares ; le lendemain, la cérémonie officielle avait pour but de la détacher de sa famille pour l'introduire dans celle de son époux, dont elle allait adopter désormais jusqu'aux dieux et aux ancêtres. L'engagement des mariés était suivi d'un sacrifice, puis d'un simulacre d'enlèvement, sous les acclamations du cortège formé par les proches et les témoins ; le mari portait sa femme dans ses bras pour lui faire franchir le seuil de sa nouvelle demeure, puis la conduisait jusqu'à la chambre conjugale où il lui offrait le pain, l'eau et le feu, et où on lui remettait le fuseau symbolisant ses vertus et ses futures activités domestiques. Le mariage se nourrissait, sinon de l'amour, du moins de l'amitié, de l'affection durable et du respect

mutuel des conjoints. L'autorité du chef de famille était certes absolue, tant sur son épouse, soumise et obéissante, dont il sollicitait pourtant l'avis, que sur ses enfants ; toutefois, le divorce était parfaitement admis, sur simple demande de l'un ou l'autre des époux, libre de recouvrer sa liberté et ses biens ; l'un des buts du mariage était la naissance des enfants, de préférence mâles, afin que se perpétuent le culte des ancêtres et le corps des citoyens ; le père pouvait exposer le bébé à la naissance, mais s'il l'acceptait, il ne pouvait par la suite l'abandonner ; il avait droit de vie et de mort sur les enfants, même s'il n'usait que rarement de cette prérogative ; la mère les élevait, tout en régissant sa maisonnée. Par la suite, le père prenait la relève ; les enfants respectaient leurs parents, dont la sévérité n'excluait ni l'amour ni l'attachement. L'unité de la cellule se trouvait renforcée par le culte familial célébré par le chef de famille sur l'autel domestique ; il y sacrifiait aux lares, aux pénates et aux mânes, ancêtres défunts qu'il convenait de ne pas négliger sous peine de les voir venir hanter les vivants.

Portrait d'un magistral municipal et de sa femme. Fresque. Détail. Pompéi, 1er siècle. Museo nazionale, Naples.

Les triumvirs vont venger César : c'est la guerre civile

Macédoine, octobre 42 av. J.-C.
Après sa victoire de Modène en avril 43 sur Antoine, Octave (adopté par César en 45) cherche à se rapprocher de celui-ci, face au Sénat qui lui refuse le consulat et compte tenu des fortes positions conservées par Antoine, en particulier le soutien des proconsuls de Gaule et d'Espagne, dont il veut profiter pour conquérir le pouvoir absolu. De leur entrevue à Bologne naît le 27 novembre 43 le second triumvirat, qui réunit Octave, Antoine et Lépide, proconsul de Gaule narbonnaise. Après s'être partagés

les provinces d'Occident, ils éliminent l'opposition républicaine en déclenchant une vague de proscriptions sanglantes dont la première victime est Cicéron. Ensuite Octave et Antoine marchent contre les armées des républicains regroupées en Orient. Ils atteignent la Macédoine où le gouverneur de Syrie, Cassius, est venu se joindre à Brutus après avoir pillé sa province. Le choc des deux armées se produit près de la mer Egée entre la Thrace et la Macédoine, à Philippes, en octobre 42. Malgré leur supériorité numérique, les républicains sont écrasés. Cette victoire commune aboutira à la paix de Brindisi (40 av. J.-C.), par laquelle les triumvirs, en dépit d'une entente difficile, se partageront le monde romain.

40 av. J.-C.

Italie
Octave triomphe de la guerre de Pérouse grâce à l'habileté de ses deux lieutenants, Agrippa et Rufus. Il fait preuve d'une grande cruauté à l'égard des vétérans et des paysans qui s'étaient opposés à lui.

Brindisi, Italie, octobre
Traité de paix, par lequel Octave et Antoine se partagent le monde romain : à Octave l'Occident, à Antoine l'Orient et à Lépide les possessions d'Afrique.

39 av. J.-C.

Méditerranée
Le partage du monde romain ne prévoyait nullement le rôle joué par Sextus Pompée. Celui-ci se façonne un véritable empire maritime. Il choisit la Sicile comme base de son armada. Il parvient, à l'entrevue de Misène, à négocier auprès des triumvirs l'obtention de la Corse, de toute la Sicile et de la Sardaigne.

38 av. J.-C.

Rome
Octave, devenu tout-puissant dans l'Occident romain, se donne le titre de César Imperator, fils du « Divus Julius ».

37 av. J.-C.

Italie
Agé de 33 ans, Virgile fait paraître sa première grande œuvre. Les *Bucoliques* se composent de dix pièces d'inspiration pastorale. La forme initiale est empruntée aux poètes alexandrins. Mais Virgile a su donner à sa poésie une facture personnelle, en évoquant maints paysages italiens dans une atmosphère souvent mystique. →

Palestine
Hérode devient roi de Judée. →

36 av. J.-C.

Sicile
Octave négocie avec Antoine l'aide de 120 navires afin de lutter efficacement contre Sextus Pompée. C'est de nouveau grâce à l'habileté d'Agrippa, promu amiral de la flotte, qu'Octave peut maîtriser le dernier partisan de Pompée, son fils. La flotte de Sextus est défaite à Nauloque. Peu après la prise de

Messine, l'adversaire d'Agrippa prend la fuite vers l'Orient. Désormais, Rome pourra être ravitaillée en toute sécurité.

Egypte
En Orient, c'est Antoine qui représente seul la puissance de Rome. Il vit avec la reine Cléopâtre VII Philopator. D'Egypte, il peut ainsi tisser un réseau d'alliances et de clientèles qui le soutiennent de la Judée à l'Hellespont. →

32 av. J.-C.

Occident romain
Avec la répudiation d'Octavie, Antoine a provoqué une indignation unanime. Ce prétexte est habilement saisi par Octave qui se fait prêter serment de fidélité par l'ensemble de l'Italie, la Gaule, l'Espagne et les possessions d'Afrique. Le résultat de cette *juratio* est la reconnaissance d'Octave comme chef et l'obligation de le soutenir en cas de guerre. Prenant comme *casus belli* les prétentions de Cléopâtre, désireuse d'imposer son fils Césarion à la succession de César, Octave déclare la guerre à la reine lagide. Il contraint donc Antoine à prendre les armes contre Rome en choisissant le parti de la reine d'Egypte.

31 av. J.-C.

Adriatique, 2 septembre
L'amiral Agrippa choisit le site d'Actium, au sortir du golfe d'Ambracie, pour livrer bataille aux vaisseaux d'Antoine et de Cléopâtre. →

30 av. J.-C.

Egypte
L'Egypte devient une province romaine. Elle relèvera désormais directement de l'empereur et son administration en sera confiée à un préfet.

Rome
Originaire d'Italie du Sud, le poète Horace connaît une brillante carrière littéraire. Protégé par le chevalier Mécène, il pénètre rapidement dans l'entourage d'Octave. Il entreprend la composition du premier livre de ses *Odes*.

Orient
Antoine et Cléopâtre ont abandonné leurs armées après la bataille d'Actium. Leurs suicides laissent Octave seul maître du monde romain.

Virgile chante la vie des bergers et des paysans italiens

Rome, 37 av. J.-C.
Virgile (Publius Vergilius Maro) vient de publier un recueil de dix *Bucoliques* inspirées des *Idylles* de Théocrite. Il dépeint, lui aussi, une vie rustique, une Arcadie où les bergers célèbrent leurs maîtresses par des chants. Mais là où Théocrite évoque avec réalisme les tourments de l'amour, Virgile donne à ses pasteurs un merveilleux remède : la poésie. Car il décrit moins un lieu qu'un état d'âme. Ses bergers sont en fait des poètes qui, à l'instar des épicuriens, se méfient des passions qui ternissent la paix de l'âme. La vie à la campagne est recherche du calme intérieur, goût de l'essentiel. Toutefois l'histoire et ses véritables tragédies font irruption dans les *Bucoliques* I et IX, qui mettent en scène des paysans expropriés par les triumvirs

au profit des vétérans. Les quatre livres des *Géorgiques* (29 av. J.-C.) sont d'une toute autre inspiration. Il s'agit, d'une part, d'un poème didactique qui, comme *Les Travaux et les jours* d'Hésiode, réunit des préceptes relatifs à l'agriculture et à l'élevage : la science de Virgile y est précise et étendue ; des tableautins descriptifs lui donnent vie. D'autre part, cette œuvre est une exhortation à travailler la terre. Le labeur n'est ni un mal nécessaire ni une action vaine ou, tout au moins, fragile : il est participation efficace à l'ordre du monde. Est-ce Mécène, le discret conseiller d'Auguste, qui a suggéré à Virgile cet éloge de l'agriculture ? Il prend, en tout cas, une résonance particulière à un moment où l'exode rural menace l'économie italienne, tandis qu'inversement les vétérans retournent, inexpérimentés, aux champs. Son œuvre, qui réalise la synthèse des courants spirituels de Rome, aura une grande influence sur toutes les littératures occidentales.

Paysage bucolique et sacré. Fresque. Détail. Villa dite d'Agrippa Postumus, Boscotrecase. Ier siècle. Museo nazionale, Naples.

Après Actium : Octave maître du monde

Adriatique, 2 septembre 31 av. J.-C.
La victoire de Philippes en 42 avait donné lieu à un partage entre les triumvirs. Lépide, surclassé, n'a gardé que l'Afrique, tandis qu'Octave s'est vu céder l'Espagne, et Antoine la Cisalpine. Ce dernier gagne bientôt l'Orient tandis qu'Octave revient en Italie procéder aux assignations de terres aux vétérans. Mais la situation se dégrade bientôt entre les deux grands *imperatores* et la paix n'est sauvée que de justesse à l'entrevue de Brindisi en octobre 40 av. J.-C. Un nouveau partage attribue l'Orient à Antoine et l'Occident à Octave, dont la sœur, Octavie, épouse Antoine. Octave doit ensuite venir à bout de Sextus Pompée, dernier chef républicain, réfugié en Sicile. Le fils adoptif de César n'ayant que de médiocres qualités militaires, c'est son lieutenant Agrippa qui, en août 36, parvient à le vaincre. Après avoir dépossédé Lépide, Octave reste seul maître de l'Occident. Pendant ce temps, Antoine réorganise

l'Orient aux cotés de la reine lagide Cléopâtre. Tandis qu'Antoine se plaint de n'avoir pas été aidé contre les Parthes, Octave accuse Antoine de trahir Rome pour servir les intérêts de la reine égyptienne, utilisant la maladroite répudiation de sa sœur. La guerre éclate en été 32 et oppose pour la première fois l'Orient à l'Occident. Octave s'est fait prêter serment par les provinces. Antoine, qui a une flotte et une armée plus importantes, a pour lui les apparences de la légalité (300 sénateurs et les consuls de 32 qui l'ont rejoint). Mais Octave dispose de bons généraux, dont Agrippa, et a su utiliser l'arme de la propagande, faisant passer son rival pour un prétendant à la royauté orientale, dominé par une reine étrangère. C'est encore dans les Balkans, région charnière de l'empire, mais cette fois-ci sur mer, que se joue la décision, quand la flotte d'Antoine doit capituler à Actium le 2 septembre 31 : Rome n'a plus qu'un seul maître.

Cléopâtre et le rêve oriental d'Antoine

Empire romain, 44-31 av. J.-C.

A la mort de César, deux hommes se mirent d'accord pour combattre ses assassins, puis se partager le monde romain ; à Octave, le fils adoptif de César, jeune homme malingre mais rusé, échut l'Occident et Rome, tandis que Marc-Antoine, véritable force de la nature, qui avait été son premier lieutenant, recevait l'Orient. Cette entente ne devait guère durer du fait de l'ambition de chacun qui menaçait cet équilibre précaire ; Marc-Antoine qui avait connu Cléopâtre à Rome, du temps de César, afficha immédiatement ses sympathies pour la souveraine du royaume lagide, alors en pleine décadence. Dans ce couple qui allait se former pour défrayer la chronique pendant quinze ans, les relations sentimentales ne le cèdent en rien aux buts politiques que poursuivent les deux partenaires ; Cléopâtre entend bien utiliser son amant, à qui elle donnera deux enfants, pour restaurer son royaume avec l'aide de Rome, sans toutefois lui aliéner son indépendance. Antoine, quant à lui, sait qu'il a besoin des immenses ressources et richesses de l'Egypte, dont il espère faire un tremplin pour accéder aux magistratures suprêmes, écarter définitivement son dangereux rival et embrasser la totalité des provinces romaines. Vivant à Alexandrie, dont Cléopâtre rêve de faire la véritable capitale du monde gréco-romain, il se laisse séduire par le mode de vie oriental, entouré d'une cour et d'un luxe dignes des satrapes asiatiques, non sans toutefois mener une œuvre constructive et pacificatrice dans les provinces dont il a la charge. Sa politique orientale ainsi que ses relations avec Cléopâtre, à qui il a promis le mariage et la restauration de la puissance lagide, choquent l'opi-

Cléopâtre, reine d'Egypte. Entre 48 et 31 av. J.-C. Marbre.

nion publique romaine, situation dont Octave sait habilement tirer parti. La guerre civile éclate en 32 et la lutte pour la domination s'engage entre Antoine et Octave, jusqu'à la victoire navale de ce dernier, à Actium.

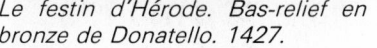

Le festin d'Hérode. Bas-relief en bronze de Donatello. 1427.

Plan de Jérusalem au temps d'Hérode

Bézétha — Piscine de Bethesda — Forteresse Bira (Antonia) — Gethsémani — Golgotha — Moriah — Saint-Sépulcre — Faubourgs — Temple — Vallée de Josaphat — Mont des Oliviers — Vers Jaffa — Cour des gentils (au-dessus du palais de Salomon) — Palais des Asmonéens — Pont — Palais d'Hérode puis prétoire du procurateur — Ophel — Fontaine de Gihon — Vers Jéricho — Aqueduc — Vallée de la Géhenne — Vers Bethléem — Aqueduc d'Hérode — Vallée du Tyropéon — Tunnel de Siloé — Piscine de Siloé — Mont du Scandale — Cédron

Avec Hérode, la Judée devient vassale de Rome

Palestine, 37 av. J.-C.

Depuis près d'un siècle, la dynastie sacerdotale et royale des Asmonéens, fondée par le troisième frère de Judas Maccabée, règne sur la Palestine. Hyrcan Ier (134-104 av. J.-C.) soumet les Samaritains ; Alexandre Janée (103-76 av. J.-C.) étend ses possessions en Galilée. En outre, profitant de la faiblesse de la royauté séleucide déchirée par les querelles de succession et achetant l'alliance du roi lagide, Alexandre Janée s'empare des ports depuis le Carmel jusqu'à Gaza. En Transjordanie cependant, les Nabatéens lui infligent de cuisantes défaites. A sa mort, ses fils se disputent le trône et donnent à Pompée l'occasion d'imposer sa volonté. Jérusalem est prise par les Romains en 63 av. J.-C. et Pompée installe, aux côtés du souverain asmonéen Hyrcan II, un homme à sa dévotion, d'origine édomite (on dit alors un Iduméen), Antipater. Celui-ci cherche à porter sa propre famille au pouvoir en mettant à profit l'opposition grandissante des Pharisiens à l'endroit de la dynastie. Aux défaites d'Alexandre Janée qui lassent le peuple s'ajoutent en effet les tensions religieuses, les monarques heurtant le clergé à la fois par le caractère toujours plus temporel de leur sacerdoce et par la part grandissante faite à la culture grecque. Dès 93 av. J.-C., le roi asmonéen doit faire face à divers mouvements insurrectionnels. En 40 av. J.-C., les derniers chefs républicains romains exilés à la cour des Parthes provoquent l'intervention armée de leurs protecteurs contre les possessions de Rome. Jérusalem ouvre ses portes au dernier asmonéen chassé autrefois par Antipater, dont les fils, confirmés par Antoine dans leur pouvoir, doivent fuir à leur tour. Parmi eux Hé-rode, qui se rend à Rome. Tout l'Orient bascule dans le camp des Parthes. Mais, dès 38 av. J.-C., l'armée romaine a repris le dessus et, en 37, Hérode chasse les Parthes de Judée et de Jérusalem et se fait proclamer roi de Judée ; du reste, le Sénat romain lui accorde la dignité royale. Souverain cruel et brutal, mais habile diplomate, Hérode est surtout un grand constructeur. Il rebâtit et embellit le temple de Jérusalem et l'érection de plusieurs palais fortifiés est associée à son nom : Hérodium, Masada et, à Jérusalem même, la forteresse Antonia. Les rapports qu'il entretient avec Cléopâtre d'Egypte sont très difficiles. Cléopâtre veut se mêler des affaires internes de la Judée, au grand mécontentement du roi iduméen : la Judée est une enclave indépendante au sein des territoires qu'Antoine restitue à l'Egypte.

Déclin de la culture celtique

Ier siècle av. J.-C.

Les cultures latine et grecque repoussent en Europe centrale la culture celte, dite aussi civilisation de La Tène. Ce processus, engagé depuis plusieurs siècles, s'affirme de plus en plus. Ce n'est qu'en Grande-Bretagne et en Irlande que la culture celte maintient dans leur intégrité toutes ses traditions. La période finale de la culture de La Tène en Europe continentale voit une sobriété et un réalisme nouveau s'affirmer dans l'art. Devant les menaces d'agressions extérieures, les Celtes développent des modes d'habitat urbain centrés autour de places fortifiées. Une industrie artisanale s'y développe. L'amélioration des techniques de production limite l'inspiration individuelle dans le travail de la céramique et du métal ; mais la production des monnaies, très diversifiée d'un peuple et d'une région à l'autre, offre des thèmes symboliques et mythologiques dont les motifs témoignent de la persistance d'un véritable art abstrait.

Art celte. Le dieu de Bouray. Tôle repoussée. IIe-Ier siècle av. J.-C.

Chaudron de Gundestrup en argent. Détail.

29 av. J.-C.

Rome
Officiellement divinisé après sa mort, César se voit consacré un temple situé au cœur du Forum.

Italie
Les *Géorgiques* de Virgile où se mêlent science et poésie reçoivent un fort bon accueil dans les milieux lettrés.

28 av. J.-C.

Rome
Une fois le péril de la guerre civile écarté, Octave abandonne ouvertement les attributs symboliques du triumvir et parvient à obtenir, grâce à un acte du peuple approuvé par l'ensemble du Sénat, un pouvoir d'une nouvelle nature : l'*Imperium*. →

27 av. J.-C.

Rome, 13 janvier
Lors d'une importante séance du Sénat, Octave feint de remettre l'ensemble de ses pouvoirs aux sénateurs. Devant leur refus, il propose de partager son imperium. Il accrédite ainsi l'idée d'une division légale des pouvoirs entre les sénateurs et le prince.

Rome, 16 janvier
Le Sénat offre solennellement le titre d'*Augustus* à Octave. Cette appellation lui donne un prestige sans précédent auprès des Romains. C'est le début du régime du principat d'Auguste.

Grèce
L'Achaïe est récupérée par Octave et devient une nouvelle province romaine.

26 av. J.-C.

Rome
Auguste, soucieux de donner à son empire une puissante administration centrale, concentre d'abord tous ses efforts sur Rome. Il institue ainsi les grandes Préfectures, véritables départements spécialisés qui reçoivent par délégation les pouvoirs du *Princeps*. La préfecture de Rome est une des premières nées.

Espagne
Auguste entame une campagne militaire qui le conduit dans la région des monts Cantabriques.

Il met toute son ardeur à soumettre les peuples des Cantabres et des Astures, encore rebelles à son autorité.

25 av. J.-C.

Orient
La politique diplomatique d'Auguste varie d'une région à l'autre. Malgré sa volonté d'instaurer un régime d'Etats vassaux, il réduit la Galatie en province romaine, profitant de la faiblesse des pouvoirs locaux.

Rome
Au moment où Auguste donne la mesure de sa politique de grandeur, l'historien Tite-Live entame une monumentale *Histoire de Rome depuis sa fondation*, qui doit exalter avec conviction le destin exceptionnel de Rome, fondation des Troyens appelée à dominer le monde. Tite-Live reste toutefois soucieux du caractère scientifique de son ouvrage et utilise maints témoignages pour sa documentation. Cette entreprise colossale a comporté jusqu'à dix mille pages, réparties en cent quarante-deux livres, qui ont paru au fur et à mesure de leur achèvement.

23 av. J.-C.

Rome
Auguste renonce au consulat devant le Sénat. Pourtant, dans les faits, ses pouvoirs immenses demeurent inchangés, tant son prestige lui donne toute garantie d'autorité. Il est vrai qu'il reçoit en même temps l'*Imperium majus*, les pouvoirs associés à la plénitude de la puissance tribunicienne. Cette « potestas » lui est conférée à titre viager, mais avec l'obligation d'en obtenir le renouvellement chaque année.

Italie
Auguste poursuit une œuvre d'affaiblissement du Sénat. En matière financière, il limite son droit de regard en créant deux préteurs du Trésor, élus par les sénateurs mais placés sous la seule autorité du prince.

20 av. J.-C.

Rome
En obtenant du roi des Parthes la restitution des aigles de Crassus, célèbres enseignes de l'armée romaine, Auguste efface dans l'opinion le souvenir du désastre subi à Carrhes en 53.

Un des nombreux tombeaux dits de style dorique creusés dans les falaises de Pétra. Ier siècle av. J.-C.-Ier siècle apr. J.-C.

Pétra, cité sur la route de l'encens

Nabatère, Ier siècle av. J.-C.
Fondée par les Edomites, tribus sémitiques établies au sud de la mer Morte, la ville de Pétra devient, au IVe siècle av. J.-C., la capitale du royaume des Nabatéens, tribus caravanières d'origine araméenne, qui s'établissent sur le territoire des Edomites où elles fondent le royaume de Nabatène. La richesse de Pétra vient du commerce caravanier qu'elle entretient avec l'Arabie du Sud. La ville occupe un cirque rocheux. D'origine nomade, les Nabatéens creusent des cavernes dans les flancs des ravins afin de se loger et construisent, dans le cirque même, un temple, pour le culte : une simple cour fermée où s'élèvent des pierres dressées. A mesure que s'accumulent les richesses, des maisons se construisent ainsi que des marchés et des temples ; dans le roc même sont creusées des tombes monumentales. Rapidement, l'influence grecque se fait sentir.

Le tombeau royal de Nimrud-Dagh

Asie Mineure, vers 35 av. J.-C.
Au cœur du royaume de Commagène, fondé par un officier du roi séleucide, se dresse la montagne de Nimrud (2 200 m) en haut de laquelle le roi Antiochos Ier de Commagène fait ériger son tombeau. Le sommet de la montagne est surélevé par une masse conique de pierres dont le diamètre est d'environ 150 m, la hauteur de 50 m. A la base du cône sont érigées trois terrasses. L'une, au nord, est le lieu d'accès au tombeau. Les deux autres, à l'est et à l'ouest, portent de colossales statues et des stèles de pierre alignées sur un rang, le dos à la tombe. D'une terrasse à l'autre les figures sont les mêmes. Plusieurs divinités assises ainsi que des aigles et des lions voisinent avec les ancêtres perses et grecs du roi figurés dans les bas-reliefs, lui-même représenté serrant la main d'une divinité non identifiée.

Tête de Zeus-Mazda. Tombeau d'Antiochos Ier, colline de Nimrud-Dagh.

Juba II, un roi érudit, gouverne la Maurétanie

Maurétanie, fin du Ier siècle av. J.-C.
Juba II, emmené très jeune en captivité à Rome, a été élevé par Auguste, qui lui fit épouser la fille d'Antoine et Cléopâtre et le dota d'un royaume composé des deux Maurétanie et d'une partie de la Gétulie. Le souverain écrit en grec des ouvrages de géographie. Dans *Les Arabiques* il décrit le littoral de la mer Rouge, de la mer d'Oman, du golfe Persique et de l'Arabie. S'intéressant aux ressources économiques, il énumère les villes et les curiosités dans le mode de vie indigène, mais aussi les particularités de la faune et de la flore locales. Dans *Les Libyques*, où Juba étudie son propre pays, il décrit avec précision le citron, les antilopes et les éléphants, dont il admire l'intelligence et les mœurs.

La personnalité du nouveau maître du monde

Rome, 27 av. J.-C.

La guerre civile avait révélé en Octave un organisateur froid et calculé plus qu'un stratège et un meneur d'hommes. Conscient de cette carence, il sait déléguer ses responsabilités militaires et utiliser les compétences. D'une grande intelligence, il n'est pas exempt d'une certaine cruauté, qu'il a manifestée lors des proscriptions de 43 av. J.-C., ni d'un talent de manipulateur qui l'aidera en particulier à discréditer Antoine. Arrivé au pouvoir, il a pour souci de moraliser ce nouvel empire dans le cadre de la mission divine qu'il s'était assignée ; ainsi sait-il à merveille mettre en scène ses propres qualités de vertu domestique, de simplicité et de sobriété, que Suétone, pourtant amateur de ragots, décrit bien. Ne parla-t-il pas d'ailleurs au jour de sa mort du « mime de sa vie » ? Cela ne peut que faire ressortir les principales qualités du maître de l'empire : une extraordinaire lucidité et une parfaite maîtrise de soi. C'est peut-être pourquoi ses portraits donnent souvent l'impression d'un masque idéalisé.

Tibère, couronné par Oikouménè, assis à côté de Rome. 15-37.

L'empereur Auguste. Provenant de Prima Porta. 14-29.

Organisation des provinces de l'empire

Empire romain, 27 av. J.-C.

C'est en 27 av. J.-C. au moment où Octave Auguste dépose son imperium triumviral pour en recevoir aussitôt un autre du Sénat qu'un partage fictif des provinces a lieu entre ce dernier et le nouvel empereur. Fictif, car il est avéré qu'Auguste conservera un contrôle étroit sur l'ensemble de l'empire, ce qui est d'ailleurs confirmé lorsqu'en 23 son imperium est renforcé et élargi à tout l'empire. Selon ce partage, une dizaine de provinces, les plus anciennes, les plus sûres, en tout cas dégarnies de troupes, sont confiées à l'administration sénatoriale. Parmi elles, se comptent l'Afrique, la Sicile, la Narbonnaise, la Macédoine. A leur tête sont placés des proconsuls, gouverneurs de rang consulaire (anciens consuls), ou prétorien (anciens préteurs), qui sont tirés au sort par le Sénat. Ces gouverneurs restent un an en fonction et doivent appliquer dans leur province les édits de l'empereur. Ils ont des légats et un questeur, mais peuvent être surveillés discrètement par un procurateur de l'empereur, chargé dans la province de l'administration des biens personnels de celui-ci, et appartenant aux chevaliers de l'ordre équestre. Les revenus de ces provinces généralement florissantes vont au Trésor du Sénat. Les autres provinces sont dévolues à l'empereur qui en est, en théorie, lui-même le proconsul. Il y délègue les légats, consulaires ou prétoriens, qu'il nomme lui-même et qu'il peut maintenir en poste plusieurs années. Ces provinces sont souvent moins riches, sauf en ce qui concerne les Gaules ou la Syrie, mais comportent d'importantes troupes. Les gouverneurs y cumulent donc des pouvoirs civils et militaires et sont à la tête d'une importante administration. Ils sont en effet secondés par des commandants de légions et des procurateurs impériaux, chevaliers. Ces derniers, nouveaux hommes de confiance de l'administration impériale, peuvent d'ailleurs devenir gouverneurs de petites provinces, ou préfet d'Egypte, province qui est un bien personnel de l'empereur.

Enée faisant soigner ses blessures. Fresque provenant de la maison de Siricus, Pompéi. Ier siècle. Museo nazionale, Naples.

Virgile compose l'"Enéide", une épopée à la gloire de Rome

Rome, 20 av. J.-C.

Virgile travaille depuis huit ans à un poème épique en 12 chants, que l'on peut considérer comme l'expression romaine de l'*Iliade* et l'*Odyssée* du grec Homère. Le Troyen Enée est sur le point d'atteindre l'Italie quand une tempête (soulevée par Junon) le rejette sur le rivage africain. Accueilli par la reine Didon, que Vénus rend amoureuse de lui, Enée lui raconte la chute de Troie et ses errances. Mais Jupiter lui ordonne de partir pour accomplir sa mission et créer un nouveau royaume : Enée obéit ; Didon se suicide. A Cumes, Enée consulte la sibylle qui lui prédit l'avenir et lui donne accès aux Enfers : là, son père Anchise lui dévoile certains épisodes glorieux de l'histoire de la future Rome. Les 6 derniers livres sont consacrés aux guerres, alliances et combats singuliers qui suivent l'arrivée d'Enée dans le Latium, avant qu'il puisse regrouper autour de lui les Arcadiens et les Etrusques et fonder Rome. L'histoire d'Enée est donc celle des origines de Rome. L'histoire de Rome est préfigurée dans le destin d'Enée, par le biais de « prophéties », ou de détails symboliques : ainsi les trois séjours d'Enée, un sur chaque continent, annoncent le rôle universel de l'*Urbs*. Enfin, la vie d'Enée est marquée par le vouloir des dieux : c'est confirmer qu'ils président aux destinées du peuple romain.

Les étapes vers le principat et la fiction républicaine

Rome, 31-23 av. J.-C.

Le problème d'Octave après Actium est d'exercer un pouvoir absolu tout en maintenant la forme républicaine à laquelle les Romains restent attachés. C'est d'abord en cumulant les magistratures traditionnelles et en les vidant par là-même de leur signification qu'il va le résoudre. Ainsi exerce-t-il le consulat sans interruption de 31 à 23 et reçoit-il à vie le titre et les pouvoirs des tribuns ainsi que la puissance censoriale. De plus, il dispose depuis 43 av. J.-C. d'un pouvoir spécial, l'imperium triumviral, qu'il partageait avec les deux autres triumvirs et qu'il conserve même après sa victoire, jusqu'en 27, moment où il reçoit, de l'ensemble de l'empire, un imperium extraordinaire qui sera renouvelé tous les dix ans. Cet imperium difficilement définissable reste la base du régime. Si Octave proclame bien haut son respect du Sénat et du peuple, il reçoit néanmoins (et suscite sans doute) des titres nouveaux, même s'ils font appel à de vieilles notions romaines.

En janvier 27, lorsqu'il affecte de déposer son pouvoir devant le Sénat, celui-ci lui décerne le titre d'*Augustus*, fondé sur la notion d'*auctoritas*, sorte de puissance morale et religieuse, qu'il portera désormais comme un nom, tout comme le titre d'*Imperator* constitue un de ses prénoms. Mais c'est par le titre de *Princeps*, « premier », qu'il est couramment désigné, sans que ce terme puisse outrager le sentiment républicain, même si le principat n'est plus la république.

19 av. J.-C.

Empire romain

Alors que la campagne d'Espagne s'achève par la victoire difficile mais définitive des lieutenants d'Auguste, des opérations militaires sont entreprises en direction des contrées danubiennes. Auguste souhaite agrandir la province d'Illyrie au nord.

Brindisi, Italie, 21 septembre

Lors d'un voyage en Grèce, Virgile est frappé d'insolation. Il meurt à Brindisi, peu après son retour en Italie.

18 av. J.-C.

Rome

Agrippa, marié à Julie, la fille d'Auguste, reçoit à son tour la puissance tribunicienne en récompense des services qu'il a rendus au prince. →

17 av. J.-C.

Rome

Les jeux et les grandes fêtes religieuses font partie de la politique de rénovation d'Auguste. Il organise les « Jeux séculaires » afin d'associer à ce culte traditionnel la commémoration du 10ᵉ anniversaire de son accession au principat. A cette occasion, Horace compose sur commande un grand hymne, le *Carmen Saeculare* ; ses *Epîtres* paraîtront en 13. →

15 av. J.-C.

Europe danubienne

Drusus et Tibère achèvent la conquête du Norique et de la Rétie au sud de la Germanie.

12 av. J.-C.

Lyon

Le culte d'Auguste progresse dans les provinces de l'Empire romain. Si le prince a refusé la divinisation de sa propre personne, il a cependant reçu favorablement tous les témoignages de piété qui lui sont apportés. Son *genius* est déjà honoré à Rome. Mais, à Lyon, on associe pleinement le culte de Rome à celui d'Auguste : l'autel de Lyon (ou des « Trois Gaules ») est inauguré par Drusus. Ce sanctuaire est organisé et régi par un prêtre, grand personnage choisi soigneusement dans la haute aristocratie de Lugdunum.

11 av. J.-C.

Rome

Auguste crée une commission sénatoriale qui a pour charge la *cura aquarum*, le bon entretien du réseau d'aqueducs.

9 av. J.-C.

Germanie

Après avoir atteint l'Elbe, Drusus meurt en laissant l'armée de Germanie sans commandement. C'est Tibère qui reprend l'offensive sur le front germanique. La pénétration au-delà du Rhin est fortement amorcée, mais elle nécessiterait la présence d'effectifs plus nombreux.

8 av. J.-C.

Rome

A quelques mois de distance disparaissent Horace et Mécène. Les deux hommes, liés par une forte amitié, ont marqué chacun à leur façon l'histoire artistique des premiers temps de l'empire. Mécène a su réunir autour de lui un cercle de poètes, dont il devint très vite le protecteur auprès du prince. C'est à lui qu'Horace doit sa fortune dans l'entourage d'Octave et sa position de chantre de la renaissance nationale prônée par Auguste.

4 av. J.-C.

Palestine

Mort d'Hérode le Grand. →

2 av. J.-C.

Rome

Auguste voit ses vertus romaines récompensées par le titre de *pater patriae*, père de la patrie.

1 av. J.-C.

Rome

Issu d'une antique famille de chevaliers, le poète Ovide figure parmi les artistes privilégiés de la société mondaine de Rome lorsqu'il entame la composition de ses *Métamorphoses*. Dans ce poème d'inspiration alexandrine, les plus vieux mythes refont surface et côtoient de plaisantes anecdotes. Ce dessein le rapproche du goût du mystère et de la mythologie qu'ont également manifesté Horace et Virgile.

Les Gaulois à l'école de la culture romaine

Gaule, fin du Iᵉʳ siècle av. J.-C.
Les Gaulois avaient déployé un acharnement sans pareil pour lutter contre l'envahisseur et sauvegarder leur indépendance. Pourtant, très rapidement, la province devint un modèle de soumission, ce qui justifia le faible effectif des garnisons laissées sur place ; Rome avait su, en effet, pratiquer après la conquête une politique très conciliante, accordant avec libéralité le droit de citoyen qui séduisit les Gaulois et les amena à s'intéresser à leurs vainqueurs et à les imiter sans toutefois perdre leur particularisme ; premier signe sensible de l'influence romaine : la Gaule s'urbanise, et l'on voit fleurir un grand nombre de villes nouvelles, dont le plan obéit aux lois géométriques de l'urbanisme romain et qui se parent de monuments de pierre ou de brique fonctionnels (aqueducs, thermes), religieux (temples), culturels (théâtres, amphithéâtres) ou de prestige (arcs de triomphe). Adoptant les mœurs des Romains, les Gaulois abandonnent le port des moustaches et de la barbe, arborent désormais un visage glabre qui s'accorde avec la toge qu'ils préfèrent à leurs braies ; les plus aisés se font construire des maisons inspirées des habitations romaines et adoptent le latin, qui devient la langue administrative ainsi que la langue officielle utilisée dans les écoles d'enseignement supérieur (littérature, droit, philosophie et médecine) ; peu à peu, le latin gagne également le petit peuple par le biais des soldats ou des commerçants ; enfin, ils adoptent les dieux romains, qui viennent s'ajouter à leurs divinités traditionnelles, qu'ils commencent à représenter dans la pierre ; cette inspiration religieuse marque ainsi le début d'un art nouveau : la sculpture monumentale, domaine dans lequel les artistes s'efforcent de reproduire les canons gréco-romains.

Le pont du Gard, près de Nîmes. Seconde moitié du Iᵉʳ siècle. Aqueduc à trois ordres d'arcades.

Agrippa, homme d'Etat et de culture

Rome, 18 av. J.-C.
C'est d'abord son pouvoir même qu'Auguste doit à son plus fidèle ami et conseiller, Marcus Vipsanius Agrippa. N'est-ce pas lui qui fut le principal artisan des victoires de Pérouse (40. av. J.-C.), Nauloque (36), contre Sextus Pompée, et surtout d'Actium en 31, qui donna l'empire à Octave ? La paix revenue, Agrippa devient l'homme des grandes missions avec des titres et des pouvoirs très étendus, et bénéficiant de la confiance totale du souverain dont il épouse d'ailleurs la fille Julie. Peu soucieux des apparences, ce plébéien vertueux recherche d'abord le pouvoir réel et le service de l'Etat, considéré comme un service public. C'est l'artisan des grands travaux, des routes, des aqueducs (pont du Gard), du cadastre, et celui qui proposa la confiscation par l'Etat, au profit de tous, des œuvres d'art possédées par les particuliers.

Succès romains contre les Germains

Germanie, 9 av. J.-C.
A la suite des expéditions de César au-delà du Rhin, il est vraisemblable qu'Auguste aurait désiré conquérir la Germanie et porter les frontières de l'empire jusqu'à l'Elbe. Cet agrandissement aurait pour avantage de réduire le front de défense occidental à une ligne Elbe-Sudètes-Danube. Peu conscient des difficultés et sous-estimant la force des peuples germains, il confie cette tâche à son beau-fils Drusus, puis au frère de celui-ci, Tibère. Ces opérations d'envergure exigent un soutien naval, par la mer du Nord et la remontée des fleuves germaniques, qui permettra de ravitailler les troupes et de prendre l'ennemi à revers. Si Drusus parvient en 9 av. J.-C. à atteindre l'Elbe, il ne peut néanmoins tirer un profit immédiat de sa campagne victorieuse : son retour est très difficile, tant à cause des Barbares que des pertes dues à la mer.

Théorie et pratique de l'art poétique selon Horace

Rome, 13 av. J.-C.
Dans le second livre de ses *Epîtres*, Horace prend parti contre la théorie platonicienne de l'inspiration et contre les poètes amateurs de la société mondaine. Il affirme que la poésie est œuvre de raison, qu'elle réclame un travail assidu, une modestie consciente de ses forces. De même, il souhaite que la poésie soit à la fois utile et agréable. L'art d'Horace est une illustration de ces préceptes. Dans ses *Satires* (vers 35 et 30) et ses *Epîtres*, il a su plaire et instruire, mêler, comme un auteur dramatique, l'observation amusée à la généralisation morale. Une même leçon s'en dégage : un appel à vivre des plaisirs simples mais intenses, et à fuir l'am-

bition et le luxe. Nul moralisme, mais un abandon proche du ton de la conversation ; une langue de tous les jours, aux tours vifs, aux images malicieuses ; une composition primesautière qui unit dialogues pris sur le vif, anecdotes, tableaux et saynètes. C'est dans ses *Epodes* (de 41 à 30) et dans ses *Odes* (de 30 à 20) qu'Horace se montre l'artiste le plus soucieux de la forme. S'essayant à la satire, il se tourne non vers Lucilius, mais vers Archiloque, aux ïambes virulents. Les *Odes* reprennent les combinaisons trophiques d'Alcée et de Sapho pour servir un lyrisme personnel et léger, où l'amour de la vie s'assombrit à l'approche de la mort. Horace s'astreint à une absolue régularité métrique. Il se souvient aussi de Pindare dans les odes nationales. Adaptant au génie latin les ressources de la poésie grecque, il crée ainsi un art original.

Groupes religieux et politiques en Judée

Judée, 1er siècle av. J.-C.
La religion judaïque n'est pas monolithique. Au cours des deux derniers siècles plusieurs tendances se sont affirmées : les Pharisiens, les Sadducéens, les Esséniens et les Zélotes. Les Pharisiens (leur nom signifie les « séparés ») deviennent progressivement les chefs spirituels les plus écoutés ; leur doctrine triomphera après la destruction du Temple (70 apr. J.-C.) dans le rabbinisme. Les diverses sectes s'opposent sur des questions d'observance et de

croyance. Les Sadducéens se recrutent dans la caste sacerdotale et leur autorité ne dépasse guère les limites du Temple. Les Zélotes s'accordent avec les Pharisiens en tous points, avec cette différence toutefois qu'ils professent un attachement farouche à la liberté et défendent leurs idéaux les armes à la main. Les Esséniens forment la secte la plus connue : la découverte de leur bibliothèque dans les grottes de Qumran a révélé qu'ils partageaient une double croyance en la fin prochaine du monde et en la venue de deux Messies, l'un séculier, descendant de David, l'autre sacerdotal, descendant d'Aaron.

Mort d'Hérode le Grand, un roi bâtisseur

Palestine, 4 av. J.-C.
Au soir d'un règne glorieux, Hérode le Grand meurt à Jérusalem à l'âge de 69 ans. Il était redevable au Sénat romain de sa dignité de roi de Judée et c'est Rome qui va décider, au lendemain de sa mort, de l'avenir de ses Etats. Son nom est associé à l'embellissement du Temple de Jérusalem et à l'érection de deux palais fortifiés : Hérodium et Massada. La forteresse d'Hérodium, de plan circulaire, est creusée dans la falaise ; elle est dotée de quatre tours. Elle abrite une résidence royale ainsi qu'un bâtiment

que l'on identifie comme la plus ancienne synagogue conservée en Palestine. La forteresse de Massada couronne un éperon rocheux qui domine la mer Morte. Hérode y fit construire deux palais, dont l'un de trois étages à flanc d'abîme, des corps de bâtiments pour abriter la cour, les services administratifs et la garnison, ainsi qu'une synagogue. Après sa mort, son royaume est partagé entre trois de ses fils et la dignité royale est supprimée. La monarchie sera rétablie par une décision de l'empereur Claude, en 41 après J.-C. Par la suite, le royaume disparaîtra et la Judée sera intégrée à la province de Syrie.

Le « Mur occidental » du Temple de Jérusalem tel qu'Hérode le fit reconstruire en 20 av. J.-C., dit aussi « Mur des lamentations » en raison des prières de deuil dites en ce lieu depuis que le Temple a été détruit en 79 par Titus.

Auguste consacre l'Autel de la paix

Rome, 9 av. J.-C.
Une des bases idéologiques essentielles du Principat est d'avoir ramené la paix dans le monde romain après près d'un siècle de guerres civiles. Auguste n'était pas seulement le Victorieux, révéré en tant que tel à la mode hellénistique, il était aussi et surtout le restaurateur de la prospérité de l'empire. Aussi décide t-il en 13 av. J.-C., à son retour d'Espagne et de Gaule, l'édification d'un monument mi-religieux mi-civil qui commémorera cet aspect du nouveau régime. L'*Ara Pacis Augustae*, Autel de la paix d'Auguste, est inauguré en 9 av. J.-C. L'autel proprement dit est entouré d'une enceinte de marbre percée de deux portes. Sur la paroi interne est représentée l'enceinte provisoire en bois qui avait été mise en place en 13, surmontée de guirlandes de fruits et de fleurs suspendues à des bucranes. La paroi externe est plus complexe et séparée en deux panneaux, inférieur et supérieur, séparés par une frise à la grecque. En bas sont sculptés d'élégants rinceaux d'acanthes, inspirés de l'art pergaménien, tandis qu'en haut se

Cortège des sénateurs. Paroi nord de l'« Ara Pacis » (Autel de la Paix) de l'empereur Auguste. Marbre. Rome, 13-9 av. J.-C.

déroule une procession : il s'agit du cortège présent à l'inauguration et comprenant les corps constitués et la famille impériale, représentée avec la cohésion et la simplicité dont Auguste veut donner le modèle. Quatre autres panneaux sur les petits côtés encadrant les portes figurent

Enée, Romulus et Remus, et des allégories de Rome et de la Terre. C'est en fait un véritable manifeste politique que propose le monument, qui consacre le classicisme augustéen, en magnifiant Rome, son passé, et surtout son avenir, c'est-à-dire Auguste lui-même.

Vitruve, théoricien de l'architecture antique

Rome, fin du 1er siècle av. J.-C.
Dans les 10 livres composant *De l'architecture*, Vitruve rend accessibles au public latin les connaissances des bâtisseurs hellénistiques. Ce faisant, il enrichit la langue de mots calqués ou dérivés du grec. De plus, ancien ingénieur militaire de César, il abonde en aperçus techniques. Enfin, il élève l'architecture au rang d'art libéral. Il en souligne le caractère encyclopédique : les conseils pour la construction des engins de siège avoisinent les considérations sur l'astronomie ou la présentation des divers ordres. Il tend à élaborer un système, grâce, notamment, à une constante référence au modèle grec. Mais ses descriptions sont souvent inexactes, tant il veut plier la réalité à ses propres vues. Il n'est pas non plus prêt à admettre que l'art puisse évoluer. Toutefois, cet ouvrage qui représente la seul approche théorique de l'architecture antique (il démontre l'excellence de la symétrie, s'intéresse à la perspective et définit le rapport idéal entre la forme d'un édifice et sa fonction) sera redécouvert à la Renaissance.

2

Rome

Lucius César, un des deux petits-fils d'Auguste, meurt. Tibère, de retour de Rhodes, figure, en tant que fils de la femme de l'empereur, parmi les successeurs éventuels d'Auguste au même titre que Caius, le second petit-fils du prince.

4

Rome

L'ascension de Tibère se poursuit rapidement. Il obtient la puissance tribunicienne et le deuxième fils de Julie disparaît à son tour. N'ayant plus aucun petit-fils, Auguste se résout à adopter son beau-fils Tibère, qui reçoit le nom de Tiberius Julius César. Les réticences du prince sont si fortes qu'il tient lui-même à imposer à Tibère d'adopter son neveu Germanicus.

Rome

Conspiration de Cinna. →

5

Rome

Par la promulgation de l'importante loi « Valeria Cornelia », Auguste apporte une modification notable au fonctionnement institutionnel des Comices, tout en essayant de maintenir sauves les apparences. Leur rôle est déjà restreint par le droit que se réserve le prince d'imposer les candidatures. Avec la nouvelle loi, dix centuries, préalablement formées par les sénateurs et les chevaliers d'élite, choisissent à l'avance les candidats (appelés *destinati*) qu'elles jugent dignes du consulat ou de la préture.

6

Rome

En instituant la préfecture des « Vigiles », destinée à combattre les incendies et en constituant une réserve de police nocturne, Auguste fait montre du soin qu'il apporte à parfaire l'administration urbaine.

8

Rome, décembre

Arrivé au terme de la composition de ses *Métamorphoses* et de ses *Fastes*, Ovide, âgé de 51 ans, est soudainement frappé d'exil par Auguste, conséquence de sa participation à des intrigues menées contre Livie.

La préfecture de l'Annone est créée pour veiller sur le ravitaillement de Rome.

9

Germanie

Tibère a réussi à mettre fin aux soulèvements massifs qui secouaient l'Illyrie depuis plus de trois ans. Mais le péril barbare n'en est pas pour autant écarté aux marges septentrionales de l'Empire européen. Les Germains anéantissent les trois légions de Varus. Obligé d'opérer un repli définitif sur le Rhin, Auguste renonce à ses ambitions germaniques. →

10

Europe centrale

Le territoire de Pannonie devient province romaine. Cette importante conquête permet de relier l'Illyrie, sur les rivages de l'Adriatique, à la Mésie sur le littoral du Pont. Son administration devient indépendante de celle de la province de Dalmatie.

Rome

Tite-Live meurt. Il a passé 35 ans à écrire l'*Histoire de Rome*.

13

Rome

Auguste arrive à une année de renouvellement décennal de son pouvoir. Il en profite pour associer à son principat Tibère, qui reçoit un *imperium majus* proconsulaire. C'est une façon pour le prince de désigner son successeur grâce à un mécanisme de corégence. Les apparences du pouvoir sénatorial sont maintenues.

14

Rome

Agé de 76 ans, Auguste meurt en désignant son beau-fils Tibère comme successeur. Mais le principat, conçu comme une période de transition post-républicaine, ne prévoit aucune règle héréditaire de transmission d'un pouvoir considéré comme monarchique. A sa mort, le « princeps » laisse une Rome embellie et brillante au sein d'un empire dont les frontières semblent alors stables en Orient comme en Occident.

Les légions de Varus massacrées dans une forêt de Germanie

Germanie, 9

Les raids brillants de Drusus, le beau-fils d'Auguste, jusqu'aux rives de l'Elbe, dans les années 12-9 av. J.-C., n'apportent pas de résultats décisifs. Drusus étant mort c'est son frère Tibère qui poursuit les opérations de pénétration en Germanie et en Bohême. Mais en 6 apr. J.-C., le grand soulèvement de l'Illyricum oblige à concentrer sur ce point sensible tous les effectifs disponibles et à abandonner le front germanique jusqu'en 9 apr. J.-C. La révolte matée, Auguste y envoie en effet à nouveau trois légions commandées par le général Varus. Trop confiant, celui-ci s'enfonce dans la forêt de Teutoburg où son armée est entièrement détruite et massacrée dans une embuscade. Lui-même se donnera la mort. Auguste doit alors abandonner ses rêves d'annexion de la Germanie. Ils seront repris sans plus de

Enseigne d'une cohorte romaine et vexillum, réservé aux unités de cavalerie.

résultat par le propre fils de Drusus, Germanicus, dans les années 14-17 apr. J.-C., et Rome restera pour toujours en deçà du Rhin.

Auguste se montre clément envers Cinna

Rome, 4

Lassé par un siècle de guerres civiles, le peuple romain s'est facilement laissé subjuguer par le nouveau régime ; et l'ancienne nobilitas, si elle méprise les origines somme toute obscures de l'empereur Auguste (il n'était pas patricien : son grand-père avait seulement le titre de chevalier et son père n'avait même pas été consul), ne peut espérer entrer en rivalité avec lui et profite en fait des avantages apportés par la monarchie. Son ralliement est donc acquis, au moins par résignation et par impuissance. Par ailleurs, Auguste n'est plus, après plus de vingt années de

règne, un simple chef de parti ni un général victorieux : déjà presque divinisé, avec un statut de souverain parfaitement indiscutable, il a acquis désormais un prestige sans bornes. Sa succession enfin paraît assurée et solide. Aussi lorsqu'un jeune patricien, arrière-petit-fils du grand Pompée, entreprend de conspirer, l'empereur se montre-t-il clément et ne fait-il que souligner la vanité de la tentative. Averti par sa femme Livie, qui lui conseille la modération, il fait comparaître le conspirateur, Cinna, devant lui et lui adresse durant deux heures un long sermon et un appel au bon sens. Celui-ci en est confondu et la promesse du consulat, qu'il obtient l'année suivante, en 5 apr. J.-C., achève de le convertir.

Conquêtes et pacifications dans les provinces

Rome, 31 av. J.-C.-14 apr. J.-C.

La politique extérieure d'Auguste est dans son ensemble peu belliqueuse. Il s'attache surtout à réduire les tâches de dissidence internes et à tenter d'aménager stratégiquement les frontières de l'empire. En Orient, il renonce aux grands projets de conquête parthique de ses prédécesseurs et préfère consolider le système romain par une politique d'Etats vassaux ou la création de provinces, telles que la Galatie et la Judée par exemple. Il parvient néanmoins à obtenir de l'Empire parthe en 20 av. J.-C. la restitution des aigles pris à Crassus lors de la défaite de Carrhes en 53 av. J.-C. L'Euphrate devient alors la frontière des deux empires. En Occident, l'armée ro-

maine achève la conquête du nordouest de l'Espagne en 19 av. J.-C., et soumet les peuples alpins, permettant la création des provinces de Rétie et Norique qui sont des régions vitales pour les communications internes de l'empire.

Le mausolée des Julii (35-25 av. J.-C.), précédé de l'arc municipal de l'ancienne cité de Glanum.

Rigueur morale et poésie légère dans la Rome d'Auguste

Rome, décembre 8
Auguste vient de condamner Ovide à l'exil : il lui reproche le ton licencieux de ses œuvres de jeunesse. On murmure toutefois que le poète se serait attiré l'inimitié de l'impératrice Livie en se mêlant à des intrigues de palais. L'œuvre érotique d'Ovide compte trois recueils. Il ne faut pas chercher de sentiment personnel dans les *Amours*, parus en 14 av. J.-C., dont les poèmes se succèdent selon la progression d'un roman d'amour. *Les Héroïdes*, publiées entre 20 et 15, sont davantage un exercice de virtuosité : il s'agit de lettres écrites par les héroïnes de la mythologie à leurs amants. Vers 1 av. J.-C., Ovide publie *L'Art d'aimer*, son livre le plus charmant et certainement le plus connu. C'est un véritable manuel de séduction, à la franche sensualité, qui s'adresse aux hommes dans les deux premières parties, et aux femmes dans la troisième. La complicité d'Ovide avec son lecteur ne disparaît pas dans *Les Remèdes d'amour*. Ovide finira en exil deux œuvres, d'une autre veine. *Les Fastes*, commencés en 3 apr. J.-C., célèbrent les cultes et les fêtes de Rome. *Les Métamorphoses*, auxquelles il travaille depuis sept ans, témoignent d'un goût superficiel pour le merveilleux mais atteignent une grande maîtrise dans les passages épiques ou descriptifs.

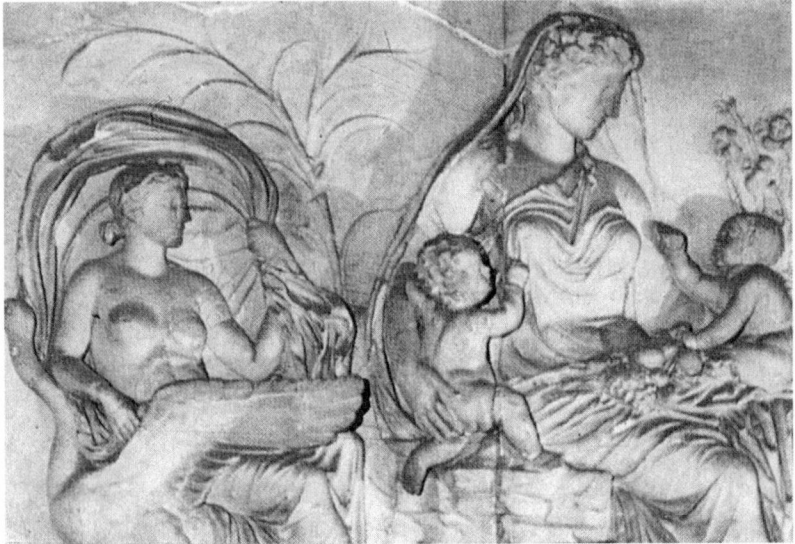

La Terre entourée de figures symbolisant les Eaux et les Vents. Détail. Relief de l'« Ara Pacis ». 13-9 av. J.-C. Offices, Florence.

Le recensement du monde par Strabon

Fin du Ier siècle av. J.-C.
Strabon, né à Amasée vers 58 av. J.-C., écrit une *Géographie* monumentale qui fait la somme de la géographie et de la cartographie hellénistiques. Les deux premiers livres sont un exposé théorique sur les méthodes et la définition de la géographie. Ils formulent aussi les principes généraux de la cartographie et retracent les polémiques entre Eratosthène et ses successeurs. Les quinze livres suivants sont une description régionale du monde : géographie physique, réminiscence du mythe, particularités ethnographiques des modes de vie sont parmi les principaux centres d'intérêt de Strabon. Il désigne son lecteur comme homme d'État, d'administration et d'action : la géographie est ainsi un savoir politique et militaire, en cette période de fondation de l'empire. Mais elle est aussi une encyclopédie, motivée par la curiosité et l'esprit scientifique, et aussi par un certain désir de complétude : recenser le monde, ses lieux, ses peuples.

Tite-Live, historien de la grandeur romaine

Rome, 9 apr. J.-C.
Les 142 livres de l'*Histoire de Rome*, commencés en 25 av. J.-C., iront de la fondation de la ville jusqu'à l'an 9. C'est donc une histoire nationale qui exalte le passé le plus reculé. Tite-Live y participe aux efforts d'Auguste pour restaurer les valeurs traditionnelles : en soulignant les vertus des anciens Romains il veut montrer que la grandeur de Rome repose sur sa discipline. C'est pourquoi le peuple et le Sénat romains sont pour lui des entités morales, que le cours du temps laisse d'abord inchangées jusqu'aux guerres civiles, occasionnées par un relâchement des mœurs : un peuple dur à la tâche et qui respecte les dieux ; un Sénat composé de citoyens désintéressés, plaçant les lois au-dessus de tout. Mais les grands hommes aussi font l'histoire : Tite-Live nous les dépeint dans des portraits ou des discours qui révèlent son grand talent d'écrivain. Enfin, il a réuni une importante documentation qu'il exploite avec loyauté, sinon avec esprit critique.

Naissance de Jésus dans une étable de Bethléem. Miniature du « Bréviaire Grimani ». 1510. Bibliothèque de San Marco, Venise.

Naissance de Jésus à Bethléem

Bethléem, 7-4 avant notre ère
Tout le monde connaît le récit des Evangiles : la naissance obscure de Jésus dans une étable, la visite des Rois Mages qui lui rendent les hommages dus à un souverain, la colère du roi Hérode qui cherche à le faire tuer, le massacre des nouveaux-nés et la fuite en Egypte pour échapper à la tuerie. L'épisode de l'âne et du bœuf soufflant sur le Nouveau-Né afin de le réchauffer a été rajouté par un obscur auteur byzantin, bien après que les Evangiles furent écrits. Jésus est le fondateur du christianisme et les chrétiens le reconnaissent comme fils de Dieu. La date de sa naissance marque le début de l'ère chrétienne. Cette date, cependant, est controversée, car le moine qui en fit le calcul, au cours de notre Moyen Age, s'est trompé : il est aujourd'hui à peu près certain que cette naissance précéda de quelque quatre à sept ans la date traditionnellement admise. Il n'est pas aisé d'imaginer la vie de Jésus : les quatre Evangiles ne sont pas des biographies, mais des récits qui cherchent à replacer un certain nombre de faits dans une perspective théologique. La vie publique de Jésus commence, vers 27-28 de notre ère, avec la rencontre de Jean-Baptiste, qui sera décapité à l'instigation d'Hérodiade par Hérode Antipas, et qui prêche une morale de caractère eschatologique, c'est-à-dire touchant les croyances concernant le devenir de l'homme, notamment après la mort. Pratiquant le baptême par immersion dans les eaux du Jourdain, il baptisera Jésus, qui commence alors à prêcher. Sa prédication a lieu dans la province dont il est originaire : la Galilée. C'est là qu'il recrute ses disciples et répand la Bonne Nouvelle. Celle-ci trouvera l'une de ses expressions les plus universelles dans le Sermon sur la Montagne.

Auguste organise l'administration

Rome, 31 av. J.-C.-14 apr. J.-C.
Auguste est certainement le fondateur de l'administration centrale de l'empire, même si c'est plus de manière empirique que selon un plan préétabli. S'il utilise habilement les capacités de l'ancienne *nobilitas* sénatoriale il fait aussi pleinement leur place aux chevaliers de l'ordre Equestre qui l'ont d'ailleurs fermement soutenu durant la guerre civile. Ceux-ci sont par exemple les principaux bénéficiaires des grandes préfectures mises en place dès le début du règne. Le préfet du prétoire commande la garde personnelle de l'empereur mais exerce aussi une influence politique certaine et peut jouer le rôle d'un chef d'état-major. L'administration de Rome est désormais dirigée par le préfet de la Ville, sénateur de haut rang, secondé par deux chevaliers, le préfet des vigiles (police et lutte contre l'incendie) et le préfet de l'annone, chargé du ravitaillement. Enfin le préfet de l'Egypte administre en son nom ce bien personnel de l'empereur. A côté des préfectures, les curatèles ont un caractère plus technique et sont dévolues à des commissions de sénateurs ; elles s'occupent des routes, des aqueducs et des bâtiments publics. Ce sont des affranchis du prince, secondés d'esclaves, qui ont en charge les finances, la rédaction et le classement des textes officiels. La grande nouveauté est que tous ces fonctionnaires sont désormais choisis, payés, et révoqués par l'empereur, seul maître et dispensateur des carrières administratives et politiques.

15

Empire romain
Après la mort de son père et collègue Séius Strabo, Séjan reste seul préfet du prétoire.
Tibère remet en vigueur la loi de Majesté punissant les actes attentatoires à la majesté du peuple romain. Elle va permettre de frapper les opposants à l'empereur, assimilés au peuple romain.

Pompéi
Dans la peinture, le troisième style « ornemental », marqué par l'influence égyptienne, l'emporte.

17

Rome, 26 mai
Germanicus célèbre un triomphe sur les Germains.

Gythion, Grèce
Les inscriptions de cette ville témoignent de l'organisation du culte impérial. →

Asie Mineure
A la mort des rois Archélaos de Cappadoce et Antiochos de Commagène, leurs royaumes sont annexés à l'Empire romain. La Cappadoce est érigée en province et la Commagène rattachée à la Syrie.

Empire romain
Mort de l'historien Tite-Live à Padoue et du poète Ovide dans son exil de Tomes sur la mer Noire. →

18

Chine
La révolte paysanne des « Sourcils rouges » éclate contre l'usurpateur Wang Mang dans le Shandong (Chine méridionale).

19

Epidaphné, Syrie, 10 octobre
Mort de Germanicus, alors en mission en Orient. →

Rome
Tibère fait détruire le temple d'Isis du Champ de Mars et interdit la pratique de ce culte aux citoyens romains.

Germanie
Affaibli par ses guerres contre Arminius, le roi des Marcomans de Bohême Marbod est chassé par ses sujets. Tibère l'installe à Ravenne.

20

Rome
Pison, ancien gouverneur de Syrie, coupable d'avoir cherché à soulever ses légions, se suicide.

Chine
Les batteries de pilon mues par l'eau sont mentionnées pour la première fois.

21

Gaule
La révolte de l'Eduen Sacrovir et du Trévire Florus est réprimée. →

Empire romain
Mort du géographe Strabon.

22

Chine, automne
L'usurpateur Wang Mang est vaincu et tué lors d'une révolte des partisans de la dynastie légitime des Han. Les princes Han se disputent alors le pouvoir.

23

Rome
Les prétoriens, jusqu'ici dispersés en Italie, sont concentrés par Séjan à Rome dans un camp permanent.

Empire romain
Le *Grand Camée de France*, au dessin violent et coloré, représente la famille impériale sous le regard d'Auguste divinisé.

24

Empire romain
Le renouvellement décennal de la puissance tribunicienne impériale est abandonné. La dernière fiction républicaine du régime disparaît.

Afrique du Nord
Vaincu, le roi des Numides Tacfarinas révolté contre les Romains se suicide. L'Afrique est pacifiée.

25

Rome
L'historien Cremutius Cordus, accusé d'avoir loué Brutus dans ses écrits, se suicide.

Chine
Fondation des Han postérieurs. →

Du pain et des jeux pour la plèbe

Rome, Ier siècle
La plèbe de Rome est désormais pratiquement exclue de la vie politique. Les comices ne sont quasiment plus réunis pour le vote des lois. Depuis 14, l'élection des magistrats est du ressort du Sénat. Mais il incombe à l'empereur de veiller au ravitaillement de Rome.
Des distributions de blé à bas prix (*frumentationes*) sont accordées aux citoyens inscrits : c'est un privilège qui les distingue des pérégrins (non-citoyens) et esclaves de Rome, et des citoyens établis hors de la ville. Mais le prince se doit aussi d'offrir des jeux, plaisir favori des Romains, au cirque, au théâtre, à l'amphithéâtre. Bien que méprisé et craint tout à la fois des hautes classes, parce que considéré comme oisif et dégénéré, le peuple n'est pas une masse amorphe. Il peut manifester sa joie ou son mécontentement, surtout au cours des spectacles où il se trouve en contact avec l'empereur. Des émeutes éclatent parfois, en cas de disette, ou au théâtre si un histrion ne peut se produire. La popularité des empereurs, comme Caligula ou Néron, tient à leur attitude attentive aux besoins de la plèbe et à leur façon de partager ses plaisirs, ce qui est contraire à la *gravitas* (gravité), notion de dignité des hautes classes.

Le « *Grand Camée de France* ». Sardoine. Ier siècle. Caligula devant l'empereur Tibère et Livie.

Le culte de l'empereur unifie le monde romain

Gythion, Grèce, 17
En 17, le peuple de Gythion proclame sa fidélité à l'empereur en célébrant des fêtes solennelles, présidées par un prêtre spécialement attaché au nouveau temple impérial. De l'encens est brûlé devant les images d'Auguste, Tibère et Livie ; puis se succèdent pendant plusieurs jours sacrifices, concours et processions de jeunes gens et filles, suivant les institutions religieuses traditionnelles. Les princes défunts et vivants sont assimilés aux dieux ; aussi Tibère, respectant la tradition augustéenne de modération, accepte l'hommage posthume décerné à son père mais refuse le culte divin pour lui-même. Dès Auguste, cependant, les provinces d'Orient associent le culte de l'empereur vivant divinisé à celui de la *Dea Romana*, une assemblée de notables ayant la charge de convoquer annuellement les délégués des cités. Ainsi l'influence orientale impose progressivement le culte des Césars vivants sur le modèle d'une monarchie absolutiste et divine. Le serment de fidélité prêté par les participants à l'empereur souligne l'aspect civique du culte impérial.

Florus et Sacrovir se révoltent contre la domination romaine

Autun, Gaule, 21
Les troupes du Gaulois révolté Sacrovir et les légions du gouverneur de Germanie inférieure Visellius se font face. Sacrovir place ses espoirs dans les cruppellaires, gladiateurs armés à la gauloise. Bardés de fer, ils sont insensibles aux coups. Mais, empêtrés dans leurs armures, ils sont finalement abattus par des haches ou renversés par des leviers et des fourches. Le suicide de Sacrovir met fin à la révolte. Les acteurs du soulèvement se sont recrutés dans l'aristocratie mécontente des cités.
Les charges financières s'appesantissent sur les peuples gaulois. L'administration tatillonne de Tibère limite la liberté d'action des notables locaux. Le remplacement des princes impériaux au gouvernement des Gaules par de simples sénateurs vexe cette noblesse prétentieuse. Les meneurs, le Trévire Florus et l'Eduen Sacrovir, citoyens romains du nom de Julius, servent dans l'armée romaine. Florus échoue à soulever une cohorte trévire de l'armée du Rhin et se donne la mort. Plus heureux, Sacrovir entraîne les Eduens (Bourgogne), peuple le plus puissant de Gaule. Prenant en otage les jeunes nobles venus étudier dans leur capitale, Autun, il rallie plusieurs cités de la vallée de la Loire. Puisant dans les dépôts d'armes d'Autun, il équipe 40 000 hommes : nobles, paysans, gladiateurs. Cette troupe hétérogène éclate au premier choc. La paix va pouvoir désormais régner en Gaule, jusqu'en 68.

La mort mystérieuse du prince Germanicus

Epidaphné, Syrie, 10 octobre 19
Sur son lit de mort, Germanicus accuse le gouverneur de Syrie Pison de l'avoir empoisonné et demande à ses amis de le venger. Ainsi disparaît, à trente-quatre ans, le plus aimé des princes de la maison impériale. Fils de Drusus Ier, frère de Tibère, et d'Antonia, nièce d'Auguste, son adoption par Tibère (4), puis son mariage avec Agrippine, petite-fille d'Auguste (5), l'ont installé sur les marches du trône. Consul en 12, il fait figure d'héritier de l'empire à l'avènement de Tibère. Doté d'un naturel aimable et d'un charme irrésistible, il atteint le comble de la popularité grâce à ses talents militaires. A la mort d'Auguste, il apaise la révolte des légions rhénanes (14), puis relance les offensives romaines en Germanie. En trois campagnes (14-16), il parvient jusqu'à l'Elbe et récupère les aigles de Varus. Mais il n'arrive pas à soumettre le pays et son échec prouve l'impossibilité de conquérir la Germanie. Pour les Romains, cependant, l'honneur de Rome est vengé et la jalousie explique seule le rappel de Germanicus par Tibère. Entouré de ses cinq enfants placés sur son char, exhibant la sœur d'Arminius parmi les captifs, Germanicus célèbre un triomphe éclatant sur les peuples germains (17). Envoyé aussitôt en Orient, il dirige l'annexion de la Cappadoce et de la Commagène, mais mécontente Tibère par son voyage en Egypte, interdite aux sénateurs, et se brouille avec le gouverneur de Syrie Pison. Tombé malade, il démet Pison de sa charge mais meurt peu après. Mené par sa veuve et précédé de faisceaux renversés, un cortège ramène ses cendres à Rome. Le procès de Pison démontre que la mort de Germanicus est naturelle, mais le peuple reste persuadé qu'il a été empoisonné sur ordre de Tibère.

Germanicus, fils adoptif de Tibère. Marbre.

Camée Adler. Onyx. Vers 40. Kunsthistorisches Museum, Vienne.

L'empereur Tibère. Monnaie. Musée de la Bible, Paris.

Figurines funéraires en terre cuite. Epoque Han. (206 av. J.-C.). Collection particulière, Paris.

La restauration des Han en Chine

Chine, 25
Liu Xiu, descendant légitime des Han, triomphe des rebelles et des autres prétendants au trône. Dès 29 av. J.-C., le clan des impératrices Wang avait commencé à accroître son pouvoir. Après le règne de l'empereur Ai Di, la puissance des Wang redevient prépondérante avec Wang Mang. Fort de l'appui des confucéens, Wang est nommé empereur en 6, après la mort de l'empereur Ping Di qu'il est d'ailleurs accusé d'avoir assassiné. En 9, il fonde la dynastie des Xin. Mais son court règne est marqué par un grand nombre de rébellions contre sa tyrannie. En 18, un groupe de paysans du Shandong, les « Sourcils rouges », se soulève. La coalition regroupe bientôt les paysans d'autres provinces et les partisans de l'ancienne dynastie. Wang Mang ne peut réagir, et la guerre tourne à l'avantage de Liu Xiu, dont les troupes prennent Chang'an en 23. Wang Mang est tué dans les combats. En 25, Liu triomphe définitivement, fonde la dynastie des Han postérieurs, avec Luo Yang pour capitale, et prend le nom de règne de Guangwu Di (Kouang Wou-ti).

Figurine funéraire en terre cuite. Epoque Han (206 av. J.-C.-220 apr. J.-C.

Cygnes affrontés. Appliques en bronze. Epoque Han. Environ IIIe siècle av. J.-C.

Rome : de la République à l'Empire

VIIIe siècle av. J.-C. - VIIe siècle apr. J.-C.

La légende rapporte que Rome fut fondée en 753 av. J.-C. par Romulus, fils du dieu Mars, descendant du Troyen Enée. Ses successeurs, latino-sabins puis étrusques, auraient posé les bases de l'Etat romain. Scandalisés par la tyrannie de l'Etrusque Tarquin, les Romains auraient aboli la royauté en 509. L'archéologie nous fait entrevoir la réalité. Au VIIIe siècle apparaissent les premières cabanes de pasteurs sur le Palatin. Les villages des sept collines forment au VIIe siècle la ligue du Septimontium. Dernier pont sur le Tibre avant la mer, point de contrôle de la route menant de l'Etrurie à la Campanie, le site attire les Etrusques vers 575. Bâtisseurs de la muraille et du Temple de Jupiter Capitolin, ce sont les véritables fondateurs de la ville. Leurs revers face aux Grecs d'Italie entraînent leur éviction.

La république (509-272)

Au cours du Ve siècle, la république élabore ses institutions, axées sur deux pôles : le Sénat et le peuple. Fort de trois cents membres, choisis parmi les anciens magistrats, le Sénat exerce son contrôle dans tous les domaines. Réuni en assemblées selon sa fortune (comices centuriates) ou son lieu de résidence (comices tributes), le peuple vote les lois et élit les magistrats. Répartis en collèges, élus pour un an, revêtus de l'imperium, les magistrats, dont les plus importants sont les deux consuls, exécutent les décisions du Sénat et du peuple. Le pouvoir est, au départ, monopolisé par les patriciens. Les plébéiens obtiennent peu à peu l'accès aux magistratures (consulat en 366). Un magistrat inviolable, le tribun, est créé pour défendre la plèbe. Patriciens et riches plébéiens fusionnent au sein de la même classe dirigeante, la *nobilitas*. Assurant la prédominance des plus riches au sein des comices, excluant les prolétaires de l'armée, l'Etat romain reste néanmoins une république aristocratique, appuyée sur une « classe moyenne » de paysans propriétaires. Après le triste épisode de l'invasion gauloise, qui

occupe un moment Rome (390), cet Etat se lance à la conquête de l'Italie centrale. Maîtres du Latium et de l'Etrurie, les Romains soumettent les peuples des Apennins (guerres Samnites, 326-291). Ils élaborent un Etat complexe, juxtaposant terres annexées, cités alliées, colonies romaines ou latines. Rome fait alors irruption en Italie du Sud, divisée en cités grecques. Après la défaite du roi Pyrrhus d'Epire, venu au secours de Tarente, elle conquiert l'Italie méridionale (272) et devient une puissance méditerranéenne.

La Méditerranée soumise (272-133)

Rome se heurte alors à l'autre puissance de la Méditerranée occidentale, Carthage. Les trois guerres Puniques (264-241, 234-204, 149-146) lui livrent la Sicile, le sud de l'Espagne et l'Afrique (Tunisie). Entre-temps, Rome s'empare de l'Italie du Nord en 197-191. Intervenant dans les affaires d'Orient, elle brise la puissance des Séleucides de Syrie (189) et des Antigonides de Macédoine (168), avant d'annexer la Macédoine en 148 et l'Asie (royaume de Pergame) en 133. Ces conquêtes bouleversent la société et l'Etat. Rome s'hellénise : les maisons élégantes s'ornent de péristyles et le peuple s'engoue pour le culte orgiastique de Dionysos (scandale des Bacchanales en 186). La vie artistique en est fécondée : Ennius, Plaute et Térence portent le théâtre à son apogée. L'argent du butin amène la formation de structures capitalistes. Détenant la ferme des impôts provinciaux, les sociétés de publicains se lancent dans le commerce et la banque. Exploitant des milliers d'esclaves, les grands domaines sénatoriaux se spécialisent dans les productions spéculatives : élevage, vigne, olivier. Trop souvent éloigné de son domaine par la guerre, concurrencé par les blés étrangers, trop pauvre pour se reconvertir, le paysan-soldat s'endette, puis vend sa terre et va grossir la foule des prolétaires de Rome. La république perd son assise sociale. Leurs commandements extraordinaires,

leur gloire, leurs richesses font des généraux vainqueurs un danger pour la suprématie du Sénat. La rupture des équilibres sociaux et politiques va précipiter Rome dans la crise.

Les guerres civiles (133-30)

L'impérialisme romain continue son essor. En Occident, Marius écrase l'invasion des Cimbres et des Teutons (102-101), Ahenobarbus conquiert la Gaule Narbonnaise (121) et César la Gaule Chevelue (58-51). En Orient, Sylla puis Pompée éliminent le danger représenté par le roi Mithridate du Pont, et Pompée annexe la Syrie (64). Depuis l'incorporation des prolétaires dans les légions par Marius, Rome possède une armée de métier étroitement dévouée à ses chefs. Les rivalités des généraux se greffent sur les luttes de partis. Les frères Gracchus, Tibérius en 133 et Caius en 123-121, tentent en vain de reconstituer la « classe moyenne » paysanne en distribuant des lots de terre publique aux prolétaires. Les partis font la trêve pour réprimer la révolte de l'Italie (guerre Sociale), qui reçoit la citoyenneté romaine (88). La république bascule alors dans la guerre civile opposant les *optimates* (conservateurs) aux *populares* (réformistes). Vainqueur du populaire Marius, le conservateur Sylla assume la dictature et réorganise la république aristocratique (82-79). Ce régime n'est plus qu'une façade lorsque Pompée, César et Crassus s'entendent pour le dominer (premier triumvirat, 60). Après la mort de Crassus (53), César et Pompée s'affrontent (48). Vainqueur, César revêt la dictature et pratique une politique sociale hardie. Mais ses prétentions monarchiques causent son assassinat (44). Après une période d'entente (deuxième triumvirat), son fils adoptif Octavien et son lieutenant Antoine, assisté de la reine d'Egypte Cléopâtre, luttent pour le pouvoir. Vainqueur, Octavien entre à Alexandrie (30). Cette sombre période politique est cependant une brillante époque pour la littérature (Cicéron, Salluste, Lucrèce, Catulle, César).

Le siècle d'Auguste (30 av. J.-C.-14)

Octavien fonde un régime monarchique original, l'empire. Général victorieux (*Imperator*), il tire sa force de l'armée. Respectant les formes républicaines, il concentre les magistratures. L'*imperium* proconsulaire *majus* lui assure le pouvoir dans les provinces. La puissance tribunicienne le rend inviolable. Le grand pontificat en fait le chef de la religion. Depuis 27, il porte le nom d'« Auguste » qui lui confère une autorité supérieure à tout autre magistrat. Prudent, il affecte de n'être que le premier des citoyens (*princeps*) et de collaborer avec le Sénat, avec lequel il s'est partagé les provinces. Mais, en monarque, il prépare sa succession, échue finalement à son beau-fils Tibère. Secondé par Mécène et Agrippa, il réorganise la société autour des ordres sénatorial et équestre, définis par un cens. Outre l'Egypte, il soumet le nord de l'Espagne et les régions danubiennes. Dans un but de propagande, il favorise de remarquables écrivains (Virgile, Horace, Ovide, Tite-Live) et couvre Rome de monuments classicisants (*Ara pacis*). Reconnaissantes de la paix recouvrée, les cités provinciales lui rendent un culte, associé à celui de Rome.

Le Haut Empire, 14-96

Sous les dynasties julio-claudienne (14-68) et flavienne (69-96), le pouvoir impérial mis en place par Auguste se perpétue et n'est plus mis en cause. La plèbe est exclue de la vie politique et le Sénat n'a pas les moyens de s'opposer au prince, bien qu'il lui confère toujours l'investiture. L'attitude des empereurs oscille entre le respect des formes républicaines avec la collaboration du Sénat (Tibère, Claude, Vespasien), et l'accentuation du despotisme, celui-ci tirant sa force de l'appui de l'armée, de la popularité auprès du peuple, de la sacralisation du pouvoir (culte impérial) et du développement de l'administration (Caligula, Néron, Domitien). A la mort de Néron (68), entrent en scène pour la première fois les armées provinciales : Vespasien (69-79) date son règne de sa proclamation par les soldats. Le principe héréditaire n'est pas officiel, mais s'impose dans les faits.

Avec le principat, l'administration des provinces s'améliore sous le contrôle de l'empereur. A Rome se crée une administration centrale à partir de Claude (41-54), d'abord confiée aux affranchis, puis aux chevaliers dès Domitien (81-96). La romanisation de l'empire s'accélère par l'extension du droit de cité (collective ou individuelle, ou par le service dans l'armée) et par la multiplication des fondations coloniales qui imposent, en Occident, le modèle de la civilisation urbaine romaine. Les provinciaux sont appelés au Sénat de Rome et font carrière, d'abord occidentaux (espagnols, gaulois) puis orientaux

et africains. Les cultes de Rome et des empereurs divinisés unifient l'empire.

La paix romaine (96-192)

Au IIe siècle, le système de succession repose sur l'adoption du « meilleur » et assure à l'Empire romain un régime stable et modéré, par réaction contre le règne tyrannique de Domitien. Successivement, Nerva (96-98), Trajan (98-117), le premier empereur provincial, Hadrien (117-138), Antonin (138-161) qui donne son nom à la « dynastie antonine » et Marc Aurèle (161-180), le prince-philosophe, instaurent une monarchie impériale éclairée et « humanistique ». Mais, en 180, Commode succède à son père Marc Aurèle et se tourne vers un régime absolutiste et théocratique. Jusqu'à lui, les empereurs, que l'on appelle « maître » (*dominus*), se montrent soucieux du droit et de la primauté du civil sur le militaire.

Après les ultimes conquêtes de Trajan (Dacie, reperdue en 270, et Arabie), qui ne seront suivies que par celles de Septime Sévère (Mésopotamie, en 198), les frontières sont fixées jusqu'au Ve siècle en Occident et au VIIe siècle en Orient. La défense est assurée par une armée de 300 000 hommes, alignée en cordon derrière le « limes ». Mais, dès Marc Aurèle, la pression barbare menace le Danube ; l'empire, qui a renoncé aux conquêtes, doit trouver en lui-même les ressources de sa défense. Or, si la paix règne dans l'empire, troublée par quelques révoltes anti-romaines (la révolte juive en 135, par exemple), une crise économique se dessine dont la hausse des prix et les difficultés financières des cités sont les signes. Des faiblesses se révèlent.

Les empereurs multiplient les réalisations monumentales à Rome (Trajan, Hadrien) qui suivent celles du Ier siècle (Néron, Domitien). La vie intellectuelle est brillante et associe les élites des provinces, où la civilisation urbaine est à son apogée. Les religions orientales (Cybèle, Isis, Mithra) connaissent un succès croissant et transforment le paganisme dans un profond mouvement de syncrétisme.

La crise du IIIe siècle

Après l'assassinat de Commode en 192, Septime Sévère (193-211), un Africain d'origine non-italienne, sort victorieux d'une sanglante guerre civile. La dynastie des Sévère (193-235) change la nature du régime, dans le prolongement du règne de Commode. L'armée, à l'origine de leur pouvoir, est favorisée ; la bureaucratisation se renforce, reposant sur l'ordre équestre ; le poids de l'Etat s'accroît par la fiscalité et ses interventions dans la vie des cités. En 212, Caracalla donne à tous les hommes libres de l'empire la citoyenneté romaine : l'unité romaine est faite. Toutefois, l'œuvre des Sévère ne modi-

fie pas les structures d'un empire qui va devoir affronter une grave crise.

A partir des années 230, l'empire subit l'assaut généralisé des Barbares, dû à des mouvements internes du monde germanique, et les offensives du nouvel Empire sassanide. A plusieurs reprises, Alamans, Francs, Goths et Perses ravagent les provinces. L'anarchie politique, causée par la multiplication des usurpations des généraux (quarante empereurs en cinquante ans), affaiblit encore la défense d'un empire menacé par des troubles sociaux (révoltes de paysans), économiques (hausse des prix), religieux (persécution des chrétiens).

Le Bas Empire (284-610)

L'Empire romain surmonte la crise, mais sort profondément transformé par l'œuvre de Dioclétien (284-305) et de Constantin (306-337). L'armée est réorganisée, peu à peu barbarisée, et renforcée (500 000 hommes vers 400). Pour soutenir l'effort de défense, la fiscalité devient très lourde, appuyée sur un Etat tout-puissant, centralisé et bureaucratique, et une monarchie impériale autocratique et sacrée. La société est embrigadée par l'Etat et la classe sénatoriale, dans laquelle se fond l'ordre équestre, voit son poids social s'accroître considérablement, aux dépens de la paysannerie, désormais attachée à la terre et dépendante. La pratique de la collégialité du pouvoir permet une défense plus efficace et d'éviter les usurpations. A partir de Valentinien (365-375), l'empire est partagé en deux, Occident et Orient dont la capitale est Constantinople (fondée en 324). Rome n'est plus résidence impériale depuis 284, au profit de Trèves et de Milan (IVe siècle) puis de Ravenne (Ve siècle).

Après l'ultime et sanglante persécution de Dioclétien (à partir de 303), le christianisme s'impose avec Constantin et l'empire devient officiellement chrétien sous Théodose (379-395). Romanité et chrétienté se confondent au Ve siècle. La vie de l'Eglise et de l'empire est profondément troublée par les hérésies arienne au IVe siècle, nestorienne et monophysite au Ve, ce qui entraîne l'intervention des empereurs. Ce sont eux qui convoquent les conciles œcuméniques.

Au IVe siècle, l'empire résiste aux Barbares, mais ne parvient pas à repousser les invasions du Ve siècle, qui débutent en 407 et emportent progressivement les provinces occidentales. En 476, le roi barbare Odoacre dépose l'empereur d'Occident. Mais la part orientale a réussi à se maintenir, en détournant sur l'Occident Wisigoths, Huns puis Ostrogoths. Justinien (527-565) parvient à reconquérir le bassin méditerranéen, mais son œuvre s'écroule, et à partir du règne d'Héraclius (610-641), l'empire doit se concentrer sur l'Orient et subir de nouvelles évolutions.

27

Italie
Tibère s'installe à Capri. →

Gaule
L'arc d'Orange, construit en l'honneur de la victoire sur Sacrovir, est terminé. →

30

Palestine, 7 avril
Jésus de Nazareth est crucifié à Jérusalem. →

Empire romain
Velléius Paterculus, ancien préfet de cavalerie et légat en Germanie et Pannonie, termine son *Histoire universelle*.

31

Rome, 18 octobre
Le préfet du prétoire Séjan est accusé de complot par Tibère et exécuté par le Sénat. →

32

Palmyre, Syrie
Le temple de Bêl est inauguré. Edifié sur une terrasse artificielle, il fait la synthèse entre la tradition orientale des tours-autels et la tradition hellénique du périptère corinthien avec soubassement à six degrés.

33

Rome
L'absence de numéraire entraîne la flambée des taux d'intérêt. La vente des biens immobiliers pour le remboursement des dettes amène la chute des prix fonciers. Tibère fournit cent millions de sesterces aux banquiers pour financer des prêts sans intérêt.

Pandataria, 18 octobre
Désespérée par l'exécution de ses fils Néron en 31 et Drusus III en 33, Agrippine, veuve de Germanicus, se laisse mourir de faim dans l'île où Tibère l'a reléguée.

34

Empire romain
Une loi est promulguée contre les célibataires et les mariés sans enfant, pour lutter contre la baisse de la démographie.

Palestine
A la mort d'Hérode Philippe, sa tétrarchie d'Iturée et de Trachonitide est annexée à l'Empire romain.

Arménie
A la mort du roi Artaxias, client des Romains, le roi des Parthes Artaban III installe son fils sur le trône.

35

Empire romain
Tibère désigne comme héritiers de ses biens privés son petit-neveu Caius César (fils de Germanicus) et son petit-fils Tibérius Gémellus.

Arménie
Les Romains chassent le prince parthe et placent sur le trône le dynaste caucasien Mithridate d'Ibérie.

Iran
Renversé par son cousin Tiridate III, client des Romains, Artaban III s'enfuit chez les nomades du nord-est.

Inde du Nord
Kujula réalise l'unité des Yuezhi (Yuetche), peuple indo-européen chassé du Tarim par les Huns, et, après s'être rendu maître de la Bactriane et de la Sogdiane, fonde la dynastie kushâna.

36

Rome
Un violent incendie dévaste le Grand Cirque et l'Aventin. Tibère donne aux sinistrés cent millions de sesterces pour reconstruire leurs maisons.

Iran
Artaban III récupère son trône et conclut un accord avec Rome : il est reconnu comme roi des Parthes, mais accepte le protectorat romain sur l'Arménie.

37

Italie, 16 mars
En voyage sur le continent, Tibère meurt à Misène.

Rome, 18 mars
Le Sénat proclame empereur Caius César, dit Caligula, et casse le testament de Tibère, déshéritant ainsi Tibérius Gémellus. Reconnu seul héritier de Tibère, Caligula adopte son cousin Gémellus.

Rome, octobre-novembre
Caligula est victime d'une grave maladie. Rétabli, il fait exécuter Tibérius Gémellus.

Jésus de Nazareth est crucifié

Jérusalem, avril 30
Lorsque Jésus naquit dans une bourgade de Judée, ceux qui se pressaient autour du nouveau-né et de sa mère, se réjouissant de l'heureux événement, n'étaient que de simples bergers, en quête d'un message. Enfant et adolescent, Jésus vécut la vie commune du fils de Joseph, le charpentier. Seul événement marquant : à douze ans, il s'attarde un jour au Temple de Jérusalem pour discuter avec les docteurs de la Loi. Déjà se révèlent la sympathie de Jésus pour les pauvres et son autorité face aux responsables juifs. Vers 27-28, il quitte Nazareth, où habite sa famille. Durant deux ou trois ans, il parcourt la Palestine avec les compagnons qu'il s'est choisis. C'est un homme enraciné dans la culture juive, proche des réalités quotidiennes ; il se fatigue, a faim, a soif, pleure, se réjouit, prie ; il connaît même la tentation. Mais il vit une relation unique avec Dieu qu'il appelle son Père. Il annonce la venue imminente du règne de Dieu ; par là, il répond à beaucoup de Juifs qui attendaient un messie, *mashiah* (mot qui se traduit en grec par *Christos*) ; celui-ci libèrerait Israël du pouvoir romain et lui donnerait un bonheur total et définitif. Mais Jésus se refuse à toute interprétation politique de son action : son royaume n'est pas de ce monde. Il se soumet à l'autorité politique tout en la relativisant : tout pouvoir dépend de Dieu. Il a la même attitude à l'égard de la loi religieuse juive. Il la respecte profondément, mais il n'entend pas en faire un absolu. A ceux qui viennent vers lui, il pardonne leurs péchés. Ses miracles sont le signe du monde nouveau qui commence : il multiplie les pains, guérit les lépreux... Ce monde sera une fête où chacun, remis debout, sera rassasié et où les exclus seront accueillis. A ses disciples, Jésus demande de bâtir avec lui ce royaume. Ses exigences sont à la mesure de l'espérance qu'il met en eux. Comme lui-même a vécu pour l'homme, eux aussi doivent aimer les hommes en se faisant leurs serviteurs. Son enseignement est radical : « Bienheureux les pauvres » ; par des récits imagés, les paraboles, il provoque les auditeurs à réagir : le royaume est comparable à un trésor caché dans un champ ; celui qui le trouve vend tout son bien pour acheter ce champ.

Il est arrêté à Jérusalem, très probablement le 6 avril 30, après avoir réuni ses apôtres, lors d'un repas où il fait don de sa vie. Trahi par l'un d'entre eux, Judas, Jésus sera condamné le lendemain par les chefs du Sanhédrin pour blasphème, s'étant prétendu fils de Dieu. Comme le Sanhédrin ne peut prononcer une condamnation à mort, Jésus est conduit chez Pilate, le représentant de Rome ; celui-ci hésite tout d'abord, puis, après l'avoir fait flageller, ordonne qu'il soit crucifié. Jésus meurt au Golgotha à trois heures de l'après-midi ; sa mère est là, presque seule à le soutenir. Ses derniers mots sont des cris d'angoisse et une parole de pardon. Deux jours plus tard, son tombeau est vide ; il apparaît à de nombreux témoins, apôtres, femmes et disciples. Tous le reconnaissent, mais il est libéré des limites de l'espace et du temps. Il leur explique le sens de la vie. Il les quitte alors pour connaître la gloire de Dieu, son Père, et leur promet son Esprit pour qu'ils proclament et continuent dans le monde ce qu'il a inauguré. Ainsi naîtra son Eglise.

La mort du Christ au Golgotha. Eau-forte de Rembrandt : « Les Trois Croix ». 1653.

Soldats de la garde prétorienne. Bas-relief. Début IIe siècle. Musée du Louvre, Paris.

Tibère quitte Rome pour Capri

Capri, 27

Tibère, qui a quitté Rome en 26 et réside depuis en Campanie, s'installe définitivement à Capri, île au large de Naples. Décision qui va amplifier sa légende noire. Né en 42 av. J.-C. dans la famille patricienne des Claude, beau-fils d'Auguste qui a épousé sa mère Livie, Tibère lui a succédé sans difficulté en 14. Large d'épaules, le nez aquilin, le visage ravagé par une affection sénile de la peau, c'est un pessimiste orgueilleux que sa misanthropie rend dissimulé. Sa politique est à l'image de son caractère, toute d'ambiguïté. Il recherche une collaboration loyale avec le Sénat et lui confie l'élection des magistrats. Mais, dans le même temps, il fait du Conseil du prince un organe stable et permanent, abandonne le renouvellement décennal de la puissance tribunicienne impériale et regroupe les prétoriens à Rome, toutes mesures qui renforcent le caractère monarchique du régime. Sa volonté de respecter la liberté des débats du Sénat et sa dissimulation plongent dans l'angoisse des sénateurs scrutant les désirs du maître. Par l'utilisation de la loi de Majesté, punissant toute atteinte à la majesté du peuple romain et donc de l'empereur, les sénateurs se dénoncent et s'entre-déchirent pour complaire au souverain soupçonneux. Atmosphère de peur et de sang, néanmoins confinée à Rome, car les provinces sont gouvernées avec équité et une politique extérieure prudente maintient la paix. Écœuré, le vieillard s'enferme à Capri, ce qui accroît le rôle du préfet du prétoire Séjan, relais entre le prince et le Sénat. Menée par un Séjan qui l'utilise à son profit, la terreur va redoubler.

Tibère. Bronze. 14-37 apr. J.-C. Statue provenant d'Herculanum.

Le préfet du prétoire Séjan est disgracié par Tibère et exécuté

Rome, 18 octobre 31

Le Sénat écoute la lecture d'une lettre de l'empereur Tibère, résidant à Capri. Malgré le style obscur, il comprend que Tibère demande l'arrestation du préfet du prétoire Séjan. Le chute du préfet est aussi soudaine que son ascension a été rapide. Fils du chevalier étrusque Séius Strabo, Séjan est associé à son père comme préfet du prétoire (14), puis reste seul préfet à sa mort (15). Commandant des prétoriens, garde personnelle de l'empereur, il concentre leurs neuf cohortes, jusque-là dispersées en Italie, dans un camp situé à Rome, les *Castra pretoria*. Bon organisateur, habile à capter la confiance de Tibère, Séjan devient un véritable Premier ministre, surtout après le départ de l'empereur pour Capri (27). Dévoré d'ambition, il songe à la succession impériale, empoisonne le fils de Tibère, Drusus II, cause la disgrâce des fils de Germanicus, qui constituent des obstacles sur sa route. Consul en 31, investi de l'*imperium* proconsulaire, il semble toucher au but, lorsqu'une lettre d'Antonia, belle-sœur de Tibère, l'accusant de complot, entraîne sa perte. Il périt étranglé dans la prison du Tullianum. La répression s'abat sur sa famille : la loi interdisant de tuer les vierges, le bourreau viole sa fille adolescente avant de l'exécuter.

La cité d'Orange, petite Rome en Narbonnaise

Gaule, 27

Un arc de triomphe a été dédicacé au nom de l'empereur Tibère à Orange. Il se dresse au nord de la ville, sur le *cardo maximus* (axe principal nord-sud). Cet arc, sans doute destiné à commémorer l'écrasement de la révolte de Florus et Sacrovir (21), a des dimensions considérables : près de 20 m de largeur et de hauteur et 9 m de profondeur. Il est, à maints égards, original. Trois passages sont aménagés dans sa masse et il est surmonté de deux attiques superposés. Des frontons et des colonnes corinthiennes engagées animent ses quatre faces. L'ensemble est orné de reliefs exubérants représentant des scènes de combat, des monceaux d'armes et des trophées navals. Mais la cité, l'ancienne Arausio transformée en colonie de vétérans vers 45 av. J.-C., s'orne d'autres monuments à l'intérieur de son enceinte, qui matérialisent sa dignité de colonie de citoyens romains. Outre un forum et un grand temple, c'est de son immense théâtre, encore inachevé, dont les habitants s'enorgueillissent. D'un diamètre de 103 m, il peut accueillir 20 000 spectateurs. Comme de nombreuses autres cités de la Narbonnaise, Orange témoigne de la vitalité de la civilisation urbaine romaine dans l'empire.

Le théâtre d'Orange. Commencé sous Auguste, c'est le seul théâtre antique à avoir conservé son mur de scène.

Arc de triomphe d'Orange, dédicacé à l'empereur Tibère en 27 apr. J.-C. Façade sud.

38

Rome, 23 septembre
Drusilla, sœur de Caligula morte en juin, est divinisée.

Syrie
Sur le chemin de Damas, le Juif Paul de Tarse se convertit au christianisme.

39

Germanie, septembre-octobre
Caligula réprime la conjuration de Getulicus, gouverneur de Germanie supérieure. Sa politique devient alors hostile au Sénat. Il mène ensuite une campagne avortée contre les Chattes.

40

Boulogne, Gaule, mars
Caligula opère de grandes manœuvres au bord de la Manche. →

Mauritanie
Le roi Ptolémée est assassiné par Caligula. Conduits par son affranchi, les Maures se soulèvent contre l'annexion romaine.

Viêt-nam
Les sœurs Trung se soulèvent contre les Chinois. →

41

Rome, 24 janvier
Caligula est assassiné par deux tribuns des prétoriens. Le lendemain, après de vaines délibérations sur le rétablissement de la république, le Sénat reconnaît empereur l'oncle de Caligula, Claude, proclamé par les prétoriens.

42

Ostie, Italie
Le port est agrandi. →

Afrique du Nord
Après l'élimination d'Aedémon et la conquête de la Mauritanie, Suetonius Paulinus pousse jusqu'au Sahara.

Empire romain
Pomponius Méla, Espagnol apparenté aux Sénèque, compose la première géographie latine.

43

Bretagne
Commandés par Plautius, les Romains commencent la conquête de l'île.

Iran
La mort du roi Artaban III ouvre une période de huit ans d'anarchie chez les Parthes.

44

Palestine
A la mort du roi Hérode Agrippa Ier, qui avait réussi à reconstituer le royaume d'Hérode le Grand grâce aux largesses de Caligula et de Claude, la Judée est annexée à l'Empire romain.

45

Alexandrie, Egypte
Mort de Philon, né vers 30 av. J.-C., philosophe et exégète alexandrin, chef d'une ambassade juive auprès de Caligula en 39. Il a tenté de concilier les pensées juive et grecque.

Thrace
Troublé par les querelles de ses princes, le royaume est annexé par Rome.

47

Empire romain
Le maître est obligé de soigner l'esclave malade. →

Rome
Claude introduit le culte du dieu d'origine phrygienne Attis et ses fêtes, les Hilaria.

48

Rome, août
Claude demande l'entrée des Gaulois au Sénat. →

Rome
Sur le conseil de son affranchi Narcisse, Claude met à mort sa femme Messaline.

Chine
Guang Wudi (Kouang Wouti) rétablit la domination chinoise sur la Mongolie intérieure.

Inde du Nord-Ouest
A la mort de Kujula (Kadphisès Ier), l'Empire kushâna s'étend au-delà de l'Indû-Kûsh. Son successeur, Vîma (Kadphisès II), agrandira les possessions du royaume au moins jusqu'à Mathurâ.

Révolte des sœurs Trung au Viêt-nam

Viêt-nam, 40
Les sœurs Trung soulèvent le peuple vietnamien contre la tyrannie du gouverneur chinois Su Ding. La politique des gouverneurs chinois, installés depuis 111 av. J.-C., blessait l'honneur de la noblesse vietnamienne, et les causes économiques s'ajoutaient à la tyrannie de l'envahisseur pour provoquer le mécontentement général. Su Ding cherche alors à écraser la rébellion dans l'œuf et fait assassiner Thi Sach, l'un des seigneurs les plus influents du pays. L'insurrection éclate alors avec violence sous la direction des sœurs Trung, dont l'aînée est la veuve du noble assassiné. Vaincu, Su Ding se réfugie dans le sud chinois. L'aristocratie et le peuple se joignent aux deux sœurs qui se proclament reines en 40. Mais l'occupation chinoise avait miné les assises économique, sociale et politique du pays qui ne pouvait trouver en lui-même les ressources nécessaires à la résistance. En 41, les Han envoient le général Ma Yuan réduire l'insurrection. A Lang Bac, les troupes révoltées essuient deux défaites consécutives, et les deux sœurs se noient dans le Hat Giang en 43. Leur révolte inaugure la longue lutte du Viêt-nam pour son indépendance.

La Porta Maggiore, construite pour permettre le passage de l'aqueduc de Claude (terminé en 52 apr. J.-C.) sur la Via Praenestina, Rome.

L'empereur Claude, homme ridicule et souverain lucide

Rome, août 48
L'empereur Claude a prononcé un discours dans lequel il propose de permettre aux notables de la Gaule « chevelue » d'entrer au Sénat. Le prince a prôné l'idée d'intégration des anciens peuples soumis. Malgré les réticences des conservateurs, un sénatus-consulte a été voté mais limité aux Eduens. Claude, qui impose ici sa largeur de vue, règne depuis l'assassinat de son neveu Caligula (41) : rien ne semblait alors destiner à l'empire cet homme terrifié et déjà vieux (né en 10 av. J.-C.) que les prétoriens avaient proclamé. Méprisé de tous, maladroit et bègue, Claude faisait piètre figure, gardant la bouche toujours ouverte et baveuse, secoué de tics et traînant jusqu'alors une réputation d'idiot. Quoique neveu de Tibère et petit-neveu d'Auguste, on l'avait maintenu à l'écart. Il s'est ainsi consacré à l'étude érudite, à la rédaction d'ouvrages d'histoire (sur les Etrusques et sur Carthage) et même à la philologie. Pourtant, à son avènement, il s'est montré un empereur actif et intelligent. Entouré de ses affranchis tout-puissants, tels Pallas et Narcisse, il a créé une administration centrale en organisant les bureaux de la chancellerie et des finances. L'empereur est cependant soupçonneux et cruel et fait exécuter des sénateurs accusés de complot. Son épouse Messaline le bafoue en se livrant ouvertement à la débauche : on dit qu'elle aurait épousé son amant.

L'empereur Claude. Détail d'un camée en calcédoine.

Claude agrandit le port d'Ostie, débarcadère du blé destiné à Rome

Ostie, Italie, 42

L'empereur Claude entreprend la construction d'un port à l'embouchure du Tibre, car le fleuve, qui relie Ostie à Rome, est trop étroit pour accueillir les navires. Les difficultés alarment les architectes qui prévoient douze années de travaux. Mais Claude s'inscrit dans une logique : au cours des siècles, Ostie a vu croître son importance, devenant l'entrepôt

La Via Diana dans la cité d'Ostie, port marchand et militaire.

de Rome. Il faut donc construire d'énormes digues et un système de jetées permettant l'ouverture de vastes bassins ; un phare gigantesque, inspiré de celui d'Alexandrie, est édifié pour guider la marche nocturne des navires. Quelle est la cause d'opérations d'une telle ampleur ? L'historien Dion Cassius nous la révèle : Rome, où presque tout le blé consommé est importé par voie d'eau, vient de souffrir d'une grave famine. Faute d'un ravitaillement régulier, l'empereur risque de voir éclater des révoltes, car, depuis Auguste, les empereurs sont tenus de nourrir à leurs frais quelque deux cent mille Romains libres, donc oisifs, mais sans ressource aucune. Pour assurer leur subsistance, la préfecture de l'annone, service public chargé des approvisionnements et des distributions, a été créée et confiée à un chevalier. On fait venir le blé d'Egypte, où six millions de fellahs sont contraints de fournir près de douze millions de boisseaux de blé par année et, de plus en plus, de l'Afrique proconsulaire. Stocké dans de gigantesques greniers, ce blé permet à l'empereur de se poser en bienfaiteur du peuple romain. De plus, les grandes routes commerciales aboutissent là : marins et négociants apportent vins, épices, parfums, tissus et objets précieux en provenance de l'empire, de Chine ou de l'Inde ; le port d'Ostie devient une des plaques tournantes du commerce méditerranéen.

Relief votif à représentations symboliques. Marbre. 180-190. Provient de la nécropole d'Ostie. Musée Torlonia, Rome.

Immeuble de rapport avec boutiques et tavernes (« insula ») à Ostie. Maquette.

Les soldats de Caligula sur les bords de la Manche

Boulogne, Gaule, mars 40

Soldats et machines de guerre sont alignés le long du rivage. Tout à coup, sur ordre de l'empereur, les légionnaires ramassent les coquillages et en remplissent leurs casques. Caligula leur déclare : « Ce sont là les dépouilles de l'océan que nous devons au Capitole. » Nouvelle fantaisie d'un souverain qui en a fait bien d'autres ! Lorsqu'il monte sur le trône en mars 37, cet homme aux longues jambes poilues, aux yeux enfoncés, est très populaire. Sa jeunesse (vingt-quatre ans), le souvenir de son père Germanicus et les malheurs de sa famille décimée par Tibère lui attirent toutes les sympathies. Tout enfant, Caius a été affectueusement surnommé Caligula (petite botte) par les légions rhénanes. Dès 38, pourtant, les relations se dégradent avec le Sénat et la répression de la conjuration de Getulicus fait basculer le régime dans la terreur (39). C'est que Caligula est le premier empereur à se comporter ouvertement en monarque, rompant avec les attitudes « républicaines » d'Auguste et de Tibère. S'il fait diviniser sa sœur et amante Drusilla (38), c'est par imitation des traditions royales de l'Egypte.

Son goût de la provocation le fait taxer de folie. On assure qu'il veut décapiter la statue de Jupiter Capitolin pour y placer sa tête, ou encore élever son cheval au consulat. Mais ce « fou » est attentif à consolider les frontières. Présent sur la Manche pour préparer la conquête de la Bretagne, l'impréparation de ses troupes l'oblige à surseoir à un projet que Claude réalisera.

L'empereur Caligula. Petit buste en bronze. Collection particulière, Zurich.

Destin des esclaves et des affranchis

Rome, 47

Un nouvel édit s'ajoute à l'œuvre législative déjà abondante de l'empereur Claude. L'empereur recommande aux maîtres la douceur et le respect pour les esclaves et les affranchis. C'est que les abus restent nombreux alors qu'un réel humanitarisme, d'inspiration stoïcienne, pénètre les mentalités. Au demeurant, l'esclavage, qui concerne la plupart des paysans, des artisans et des domestiques, n'est pas remis en cause malgré la vague des affranchissements individuels. Car, entre les esclaves et les hommes libres de naissance, un groupe social se développe : les affranchis. Ce sont souvent les plus instruits des esclaves. Claude a les siens, Narcisse, Pallas, Calliste, Polybe, des Orientaux fidèles et capables mais cupides et arrogants, qui dirigent l'administration impériale et conduisent une politique ambitieuse. A côté de ces célébrités, d'autres sont occupés à la gestion des domaines privés ou font fortune dans des entreprises commerciales ou bancaires. Dans le *Satiricon*, Pétrone a brossé un inoubliable portrait de l'affranchi avec le personnage de Trimalcion. Il

commence par hériter de son ancien maître, puis le commerce lui apporte la fortune. Dans son testament, à l'instar du richissime Pallas, il prévoit la construction d'un mausolée commémoratif. L'homme est vulgaire et ridicule ; il n'inspire que haine et jalousie au sénateur qui perd, peu à peu, pouvoir et fortune. Pour les grands affranchis, le déclin est proche : ils vont céder la place aux chevaliers.

Columbarium des affranchis de la famille impériale julio-claudienne.

49

Rome
Claude épouse sa nièce Agrippine II, fille de Germanicus.

Jérusalem
Un concile dispense les païens devenus chrétiens des pratiques juives.

50

Rome
Claude adopte son beau-fils Néron, fils de sa femme Agrippine.

Mort de Phèdre, affranchi macédonien, fabuliste latin imitateur d'Esope.

Cologne, Germanie
Claude installe une colonie. →

Orient
Matthieu, ancien publicain de Capharnaüm et apôtre de Jésus, rédige son Evangile.

Plaine hongroise
Les Sarmates, ensemble de tribus distinctes (Roxolans, Iazyges) jusqu'ici installées en Russie méridionale, atteignent le Danube.

Océan Indien
La route maritime entre l'Inde et l'Egypte devient une voie importante pour le commerce oriental, concurrençant les routes terrestres passant à travers l'Iran et l'Asie centrale.

51

Iran
Vologèse Ier monte sur le trône parthe et rétablit l'ordre. Agressif envers les Romains, il place son frère Tiridate sur le trône d'Arménie en 53.

52

Italie centrale
Claude assèche le lac Fucin. Malgré un échec partiel, des terres sont dégagées pour la culture.

Corinthe
Paul débarque dans la ville dont il veut faire le centre d'évangélisation de la Grèce.

54

Rome, 13 octobre
Claude est empoisonné par sa femme Agrippine. Son beau-fils

Néron lui succède au détriment de son fils Britannicus.

55

Rome
Britannicus, fils de Claude, est empoisonné par Néron.

Perse (34-62), chevalier romain d'origine étrusque lié aux milieux stoïciens, publie ses *Satires*.

56

Rome, 1er janvier
Sénèque, philosophe et précepteur de Néron, gère le consulat. →

57

Chine
L'empereur Guang Wudi (Kouang Wou-ti) reçoit la première ambassade japonaise venue en Chine. Il meurt la même année, laissant le trône à Ming Di.

58

Corinthe
Songeant déjà à un voyage à Rome, Paul écrit l'Epître aux Romains.

Arménie
Le général romain Corbulon pénètre en Arménie pour y rétablir le protectorat romain. Six années de dures campagnes vont s'ensuivre.

59

Rome
L'empereur Néron fait assassiner sa mère Agrippine. →

60

Rome, printemps
Paul débarque dans la ville pour y être jugé par l'empereur. →

Bretagne
Le gouverneur romain Suetonius Paulinus atteint la mer d'Irlande et prend l'île de Mona (Anglesey).

Rives du Danube
Un premier accrochage a lieu sur le bas Danube entre les Romains et les Sarmates (Roxolans).

Arménie
Maître du pays, le général romain Corbulon installe le roi Tigrane V, descendant d'Hérode le Grand élevé à Rome. →

Cologne, une colonie romaine en Germanie

Cologne, Germanie, 50
L'empereur Claude remplace le camp de légionnaires par une colonie romaine : *Colonia Claudia Ara Agrippinensium*. Cologne, ville des Ubiens, est la plus ancienne cité du Rhin. Dès le règne d'Auguste, le culte impérial s'organise dans la citadelle, où deux légions romaines campent. Les colonies se situent souvent dans une région frontière menacée et des vétérans y sont établis. Claude accorde parfois le titre de colonie honoraire, sans pour autant y installer de colons. Cologne est dotée du droit italique, statut le plus avantageux mais faveur rare. Elle est donc exempte du tribut, son territoire étant assimilé à celui de l'Italie. Les colons s'administrent à la romaine avec leur curie, sénat municipal, formée de décurions et de magistrats. Cologne, comme Trèves, autre colonie claudienne, montre la

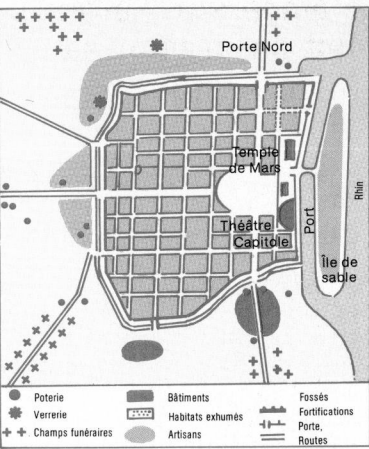

Plan de la ville de Cologne, instaurée par l'empereur Claude.

volonté impériale de faire progresser la romanisation en Germanie par la fondation coloniale et l'urbanisation. Cologne va prospérer et devenir la résidence du légat de Germanie inférieure.

L'apôtre Paul. Mosaïque du VIe siècle. Ravenne. Son activité apostolique le conduisit en Asie Mineure, en Macédoine et en Grèce.

L'apostolat de Paul dans le monde romain

Rome, printemps 60
Paul doit passer en jugement. Il risque la mort. Qu'a-t-il fait ? Seul le Nouveau Testament nous renseigne. Né à Tarse (Turquie) vers 9, ce Juif de langue grecque est d'abord un pharisien intransigeant qui persécute les chrétiens, jusqu'au jour où, interpellé par le Ressuscité sur le chemin de Damas, il se convertit, vers 42. Commencent bientôt la rédaction des Epîtres et les voyages missionnaires à travers les régions hellénisées de l'empire : Asie Mineure, Macédoine, Grèce. Son charisme et son éloquence lui valent des succès, mais aussi l'hostilité de nombreux païens et des Juifs. A tous, il montre l'homme sans Dieu, désarmé, maudit par le péché et offre la justification par la foi mais aussi par les œuvres, car Jésus est d'abord pour lui Rédempteur et Sauveur. Mais si le Christ accomplit la religion juive, l'universalité de la foi nouvelle exige l'abandon des rituels de la Loi, la circoncision notamment... Les Juifs, exaspérés, le font arrêter à Jérusalem ; grâce à son statut de citoyen romain, il obtient d'être déféré à Rome. Apôtre et théologien, Paul a joué un rôle considérable dans l'élaboration du christianisme des premiers siècles.

L'empereur Néron fait assassiner sa mère Agrippine

Agrippine la Jeune, la mère de Néron. Marbre. Ier siècle.

Buste de l'empereur Néron. Bronze. L'empereur est alors au faîte de sa gloire et de sa popularité.

Rome, 59
Après avoir échappé à un naufrage organisé, Agrippine est assassinée sur l'ordre de son fils Néron. Pourtant, l'empereur devait tout à l'ambition effrénée de sa mère qui, par ses crimes et ses intrigues, l'a porté au pouvoir. Elle réussit en 49 à épouser l'empereur Claude, bien qu'il soit son oncle. Bientôt, Néron devient son fils adoptif, puis son gendre en épousant Octavie. En 54, Claude meurt empoisonné par ses soins : Néron est proclamé empereur à dix-sept ans. Mais, posses-

sive, jalouse, prête à tout, même à l'inceste, Agrippine voit son fils lui échapper : en 55, il fait tuer le fils de Claude, Britannicus, dont elle se servait comme d'une menace. Le règne de Néron, entouré de son précepteur, le philosophe Sénèque, et du préfet du prétoire Burrhus, a commencé à la satisfaction des élites. Collaborant avec le Sénat, répugnant aux condamnations capitales, le jeune homme semble le modèle du prince stoïcien, bien qu'il coure les tavernes la nuit, molestant les passants avec ses compagnons. Mais, épris d'art, de poésie et de musique, Néron rêve d'autre chose : un grand règne d'artiste. Très populaire, familier avec la plèbe dont il partage les plaisirs, au grand dam des conservateurs, il donne de magnifiques spectacles. Néron, fier de sa voix, veut aussi se produire sur scène, tel Apollon Citharède, et, comme Apollon Phébus (brillant) sur son char, être cocher. Mais il désire pour cela un plus large auditoire, la gloire des applaudissements. Tous ceux qui se dressent contre lui seront des obstacles à renverser.

Sénèque, écrivain et conseiller du prince

Rome, 1er janvier 56
Sénèque inaugure son consulat. Natif de Cordoue, il a débuté la carrière des honneurs comme questeur sous Caligula. Son éducation se fait sous la double influence de l'éloquence et de la philosophie pythagoricienne. De ses débuts à Rome datent ses premiers traités, *De la brièveté de la vie* et trois *Consolations à Marcia*, réflexions sur les destinées de l'homme. Il doit aux intrigues de Messaline, l'épouse de Claude, son exil en Corse de 41 à 48, qui ne contrarie nullement les progrès de son renom. Les *Consolations* qu'il adresse à sa mère Helvia et à Polybe, l'affranchi

de Claude, présentent les contradictions du philosophe surmontant la solitude et l'ennui, et du courtisan désireux de rentrer en grâce. C'est un homme d'une cinquantaine d'années qui est rappelé à Rome par Agrippine pour s'occuper de son fils Néron, en 49. Avec l'accession de ce dernier à l'empire, il se voit confier, en compagnie du préfet du prétoire Burrhus, le rôle de conseiller du prince. Inspirateur de la politique néronienne, il définit les termes de la réaction contre Claude dans son *Apocoloquintose*. Parant Néron des vertus du sage stoïcien dans son traité *De la clémence*, en 56, il incarne la réconciliation du pouvoir et de la raison au prix de reniements comme le meurtre de Britannicus.

Sénèque. Copie du IIIe siècle d'après un original de 50-60. Marbre.

L'Arménie, Etat tampon entre deux empires

Arménie, 60
En 60, Corbulon, chef des armées romaines de Syrie, chasse d'Arménie Tiridate, frère du roi des Parthes Vologèse, et installe sur le trône Tigrane V, dont le grand-père avait gouverné le pays au temps d'Auguste. L'ambitieuse politique orientale de Néron est cependant tenue en échec, puisque, après un conflit armé à l'issue indécise, la paix de Rhandéia rétablit Tiridate roi d'Arménie ; celui-ci reçoit sa couronne des mains de Néron en signe d'allégeance. Cette solution de compromis établit la paix pour cinquante ans.

Préparatifs d'un drame satyrique. Mosaïque de la Maison du Poète tragique, Pompéi. Vers 70 apr. J.-C. Museo nazionale, Naples.

Sénat romain et ordre sénatorial

Empire romain, Ier-IIe siècles
Si l'ordre sénatorial domine toujours la hiérarchie sociale de l'Empire romain, ce groupe juridiquement défini voit son rôle diminuer. Depuis Auguste, le sénateur doit avoir un cens minimal d'un million de sesterces et le laticlave, bande de pourpre qui orne la toge, signale sa dignité. Comme à l'époque républicaine, les magistratures de Rome lui sont réservées : questure, préture, consulat ou préfecture de la Ville. Il peut être gouverneur de province, après tirage au sort par le Sénat ; il prend alors le titre de proconsul. Dans les provinces armées, dites impériales, il commande les légions et est appelé légat. Et les six cents sénateurs, s'ils ne choisissent pas l'empereur, lui confèrent l'investiture. Cependant, la réalité du pouvoir est passée entre les mains de ce dernier et, à partir de Claude, l'*adlectio* permet aux empereurs d'introduire au Sénat les *homines novi*, méritants et dévoués, tandis que s'éteignent les dynasties de la *nobilitas* républicaine, frappées par les purges successives. La proportion de Romains et d'Italiens diminue au profit des Occidentaux puis des Orientaux. L'esprit de corps se transforme en fidélité personnelle envers le prince. Pour autant, le Sénat n'est ni indifférent ni passif : il approuve l'assassinat de Domitien en 96 et rechigne à diviniser Hadrien en 138. Certains adoptent la morale stoïcienne, d'autres l'épicurisme. Reste l'incontestable domination culturelle des Sénèque, Tacite, Hérode Atticus.

62

Rome
Le philosophe Sénèque commence ses *Lettres à Lucilius*.

Luc, médecin né à Antioche, compagnon de Paul, rédige son Évangile et les Actes des Apôtres racontant les débuts des chrétiens de Jérusalem et les voyages de Paul.

63

Arménie
En accord avec Rome, le trône d'Arménie revient à Tiridate, frère de Vologèse.

64

Rome, juillet
A la suite d'un incendie, Néron entreprend la construction de la Maison dorée. →

Rome
Accusés d'être les auteurs de l'incendie, les chrétiens sont persécutés. Pierre, pêcheur juif auquel Jésus a confié la charge de pasteur universel, est crucifié.

65

Rome
Les écrivains Sénèque, Pétrone et Lucain sont contraints au suicide. →

Marc, Juif interprète de Paul à Rome, rédige son Évangile.

66

Palestine
Les Juifs se soulèvent contre les Romains. Vespasien est chargé de les écraser.

67

Rome
Emprisonné depuis 66, Paul est décapité sur la route d'Ostie.

Grèce
Venu concourir aux Jeux, Néron fait percer l'isthme de Corinthe.

68

Occident, mars-avril
Vindex, gouverneur de Gaule lyonnaise, et Galba, gouverneur d'Espagne citérieure, se révoltent contre Néron. Vindex est vaincu, mais Galba, « légat du Sénat et du peuple romain », obtient le ralliement d'Othon, gouverneur de Lusitanie.

Rome, 9 juin
Abandonné par les prétoriens et déchu par le Sénat, Néron se suicide. Proclamé empereur par le Sénat, Galba entre à Rome en octobre.

Palestine, été
Prise de Qumrân, où était installée la secte des Esséniens, et de Jéricho par les troupes de Vespasien.

69

Rome, 15 janvier
Affaibli par la révolte des légions de Germanie qui ont proclamé empereur le gouverneur de Germanie supérieure, Vitellius, Galba est renversé par les prétoriens, qui offrent l'empire à Othon.

Bédriac, Italie, 16 avril
Vaincu par les troupes de Vitellius, Othon se suicide.

Crémone, Italie, octobre
Vitellius est vaincu par les troupes de Vespasien, chef de l'armée d'Orient proclamé empereur le 1er juillet. Les partisans de Vespasien entrent à Rome le 20 décembre et tuent Vitellius.

70

Palestine, 8 septembre
Titus, chargé par son père Vespasien de terminer la guerre juive, s'empare de Jérusalem. La destruction du Temple (le neuvième jour du mois d'Ab, selon le calendrier juif) consacre la disparition du système politique et religieux qui avait gouverné jusqu'alors le peuple juif. →

Rome, octobre
Vespasien rentre à Rome. →

Chine
Le bouddhisme est introduit. →

71

Rome, juin
Vespasien et Titus célèbrent leur triomphe sur les Juifs. →

73

Palestine, 2 mai
Dernier point de résistance aux Romains, la forteresse de Masada est tombée. →

Les écrivains Pétrone, Sénèque et Lucain contraints au suicide par Néron

Rome, 65
Une coalition hostile au gouvernement tyrannique de Néron réunit des personnalités diverses des cercles sénatoriaux dans la conspiration de Pison. Dénoncée, elle est sauvagement réprimée, conduisant à une mort forcée les écrivains Sénèque, Lucain, Pétrone et le stoïcien Thrasea. Jouissant de la faveur du prince dans les premières années du règne, Pétrone comme Lucain fait partie de son proche entourage. Les seuls renseignements sur sa vie proviennent des *Annales* de Tacite qui mentionnent un Pétrone, organisateur des loisirs du prince, proconsul de Bithynie, et qui fut impliqué dans la conjuration par la jalousie du préfet du prétoire Tigellin. Auteur présumé du *Satiricon*, roman de mœurs qui met en scène les aventures d'un jeune libertin et de ses amis, ce romancier de la fête impériale est contraint de s'ouvrir les veines. De son œuvre émergent un festin somptueux donné par un affranchi parvenu et un poème sur la guerre civile, imitation parodique de la *Pharsale* de Lucain. Ce dernier, né en 39 à Cordoue, révèle rapidement ses talents de poète ; il est couronné aux Jeux néroniens de 60. La jalousie de l'empereur le réduit au silence. Son récit épique de la guerre civile prend alors un aspect anti-césarien compromettant.

Scène de banquet. Peinture murale provenant de Pompéi. Ier siècle. Museo nazionale, Naples.

Le bouddhisme introduit en Chine

Chine, vers 65-70
Une communauté bouddhique est établie à Pengcheng, centre commerçant du nord du Jiangsu. C'est le premier témoignage certain d'une présence bouddhique en Chine. La pénétration de cette philosophie religieuse d'origine indienne avait emprunté les habituelles voies commerciales : la chaîne d'oasis reliant le bassin de l'Amu-Dariâ au Gansu, les routes maritimes de l'océan Indien et des mers de Chine du Sud. La voie de terre fut certainement la plus anciennement empruntée. Certaines traditions laissent toutefois supposer que la nouvelle religion aurait pu être introduite dans le sud dès le IIIe siècle av. J.-C. Mais c'est vraisemblablement l'implantation de l'Empire kushâna, vers 50, dans le nord-ouest de l'Inde et en Asie centrale, qui, par l'unité qu'il donne à ces régions, favorise l'expansion du bouddhisme. Dans le domaine chinois, le bouddhisme doit s'adapter à une civilisation très différente de la civilisation indienne qui avait été son berceau. Il est d'abord associé au taoïsme, pour diverses raisons : les traducteurs des premiers textes indiens arrivés en Chine utilisent la terminologie taoïste pour rendre les notions bouddhiques en chinois. Répondant à certaines aspirations de la société de l'époque, le bouddhisme devait constituer l'un des éléments fondamentaux, et particulièrement enrichissants, de la formation du monde chinois.

Vespasien entre à Rome en maître incontesté

Rome, octobre 70

Dix mois après la victoire de ses partisans, l'empereur Vespasien, de retour de Judée, fait son entrée à Rome. Sa victoire avait mis fin à la grave crise de succession ouverte par la mort de Néron (9 juin 68). Pendant plus d'un an, la guerre civile et des troubles sociaux ont ravagé Rome et l'Italie. Galba, proclamé par le Sénat, fut renversé par Othon (janvier 69), un néronien appuyé sur la plèbe et les prétoriens. Mais l'armée du Rhin avait proclamé son candidat, Vitellius qui vainquit Othon, au cours d'une sanglante bataille (avril 69) et occupa Rome, rallié par la plèbe et les esclaves. Enfin, l'armée du Danube marcha à son tour sur l'Italie, soutenant Vespasien, proclamé à Alexandrie (juillet 69), et vainquit Vitellius. Issu d'une famille obscure de Reate en Italie, premier des siens avec son frère à être devenu sénateur, Vespasien est un homme simple et énergique. Il doit son pouvoir à l'armée mais tâche de gouverner en

L'empereur Vespasien. Marbre. 1er siècle.

bon accord avec le Sénat. Le nouvel empereur apparaît comme le garant de la paix civile et de l'ordre social. Il a le soutien de la bourgeoisie municipale d'Italie et des provinces, milieu dont il est issu et qui apporte un sang neuf à l'empire.

Néron peut réaliser ses projets d'artiste grâce à l'incendie de Rome

Rome, juillet 64

L'incendie qui a ravagé Rome et dont on accuse les chrétiens permet à Néron d'organiser la reconstruction d'une ville plus belle et plus régulière. Mais, surtout, il peut réaliser le palais dont il rêve entre le Palatin et l'Esquilin. Construite selon de nouvelles techniques (coupoles, éclairage), luxueusement décorée, la Maison dorée est gigantesque : un colosse de 40 m de haut, image de l'empereur en divinité solaire, orne le vestibule. Des plafonds sont recouverts de caissons en ivoire mobiles afin de faire pleuvoir sur les convives des fleurs et des parfums. La coupole du grand salon semble tourner comme l'univers. Le parc, immense, offre des paysages agrestes

où s'ébattent des animaux sauvages et un lac artificiel entouré d'édifices figurant des villes. Néron trouve dans ce palais du Soleil un cadre enfin digne de ses fêtes.

La « Domus Aurea » de Néron, à Rome : la salle octogonale. 64-68.

L'arc de Titus, à Rome, érigé sur la Via Sacra en 80-85, après la mort de l'empereur pour commémorer la prise de Jérusalem (70 apr. J.-C.).

Les troupes de Titus détruisent le Temple

Jérusalem, 8 septembre 70

Quatre années d'une guerre dure et sanglante ont mis fin à la révolte des Juifs contre la domination romaine. La province de Judée, créée en 6, a toujours été le théâtre de vives tensions. Malgré les concessions qu'ils leur ont accordées, les Romains comprennent mal les Juifs, dont l'identité nationale repose sur une religion monothéiste. Des heurts répétés entre Juifs et païens, des divisions internes entre des sectes religieuses rivales, la propagande des zélotes fanatiques entretenaient l'agitation. La révolte a éclaté en 66 et, après la défaite du légat de Syrie, Vespasien, accompagné de son fils

Titus, est chargé par Néron de la répression. En 68, la révolte est matée, certains de ses chefs, tel Flavius Josèphe, retournés. Reste Jérusalem : Titus la prend le 8 septembre 70, après deux années de défense acharnée. La ville est pillée, incendiée, la population massacrée ou réduite en esclavage ; le Temple, surtout, centre du culte judaïque, est détruit. Restent encore quelques points isolés de résistance, comme la forteresse de Masada, au bord de la mer Morte, où 1 000 hommes, femmes et enfants défièrent les légions romaines pendant trois ans. Plutôt que de se rendre, les assiégés avec leur chef Eléazar se donnèrent la mort. Dix hommes furent désignés qui eurent l'horrible mission de tuer leurs frères, avant de se suicider.

Des Apôtres rédigent les Evangiles

Empire romain, 60-80

Les Evangiles, écrits en langue grecque, relatent la vie et la mort de Jésus. Ce ne sont pas de simples documents historiques, car ces textes contiennent la prédication des premiers chrétiens, annonçant la « bonne nouvelle » du Christ mort et ressuscité pour sauver les hommes. Ils ont été rédigés en plusieurs étapes. Les trois premiers, qui présentent de nombreuses analogies quant au fond et à la forme, ont été écrits entre 60 et 70. Le premier, celui de Matthieu, un des douze Apôtres, est écrit en Pa-

lestine pour des Juifs convertis. Marc rédige à Rome l'enseignement oral de l'apôtre Pierre. Luc, médecin, compagnon de Paul, écrit pour des païens. L'Evangile de l'apôtre Jean, plus tardif, est rédigé dans un style beaucoup plus symbolique et se distingue par une interprétation plus intellectuelle des faits. Ecrits par des disciples ayant connu Jésus, les Evangiles sont lus dès l'origine pendant les cérémonies cultuelles. D'autres Evangiles, écrits plus tardivement, fourmillent de récits légendaires et invraisemblables.

Le Triomphe de Titus : l'empereur sur son char. Panneau de l'arc de Titus à Rome. 80-85. Marbre.

74

Rome
Censeurs, Vespasien et Titus font entrer au Sénat des notables italiens et occidentaux.

Espagne
Vespasien accorde le droit latin, donnant aux habitants des cités des droits civils identiques à ceux des citoyens, mais ne permettant pas d'accéder aux fonctions publiques. C'est une étape vers la citoyenneté intégrale.

Germanie
Pour réduire le saillant entre Rhin et Danube, les Romains occupent la vallée du Neckar.

75

Rome
Flavius Josèphe (vers 37-100), historien juif et ancien combattant de la révolte de 66 rallié aux Romains, en raconte les péripéties dans *La Guerre des Juifs*. Il est aussi l'auteur d'une histoire de son peuple, des origines à son époque, les *Antiquités judaïques*.

Chine
L'empereur Ming Di meurt. Il est remplacé par Chong Di. Le général Ban Chao, qui a entrepris la conquête des oasis du Tarim depuis 73, écrase une révolte générale de ces territoires.

76

Yabneh, Syrie
C'est dans cette ville où il s'était réfugié avant la prise de Jérusalem par les Romains que Yohanan ben Zakkaï, l'ancien porte-parole de la fraction pacifiste des Pharisiens, installe, avec l'autorisation de Vespasien, une « académie » et y reconstitue le Sanhédrin.

77

Orange, Gaule
Le cadastre est terminé. Document à but fiscal et notarial, il est seulement réalisé dans les colonies romaines.

Iran
La mort de Vologèse Ier plonge le Royaume parthe dans l'anarchie.

79

Cutilia, Italie, 23 juin
A la mort de Vespasien, son fils

Titus lui succède et désigne comme héritier son frère Domitien.

Pompéi, 24 août
La ville est détruite par l'éruption du Vésuve. Pline l'Ancien meurt suffoqué sous les cendres du volcan à Stabies, entre Pompéi et Sorrente. →

80

Rome
Titus procède à la dédicace du Colisée. →

81

Cutilia, Italie, 19 septembre
Titus meurt de la peste. Domitien lui succède.

Rome
Domitien dédicace l'arc de triomphe commencé par Titus pour célébrer sa victoire sur les Juifs.

82

Bretagne, été
Le gouverneur romain Agricola écrase les Pictes d'Ecosse. →

Rome
Le poète Martial (vers 40-vers 104), né à Bilbilis en Espagne, commence ses *Epigrammes*, courtes pièces satiriques pleines de verve et de mordant.

83

Dacie, Transylvanie
Diuppaneus réalise l'unité des Daces dont il devient roi. Les Daces se révèlent dangereux pour les Romains.

85

Rome
Déjà consul pour dix ans depuis 84, Domitien devient censeur perpétuel. →

Asie centrale
Le bouddhisme atteint les oasis du Tarim (bas-relief de Khotan).

86

Rome
Domitien commence l'édification d'un nouveau forum et d'un nouveau palais sur le Palatin.

Agricola écrase les Pictes à la bataille des monts Grampians

Calédonie (Ecosse), été 82
Une violente bataille oppose les Pictes aux Romains du gouverneur de Bretagne Agricola. Malgré les prouesses de leurs chars et leurs fuites simulées destinées à débander l'adversaire, les Pictes sont massacrés : 10 000 restent sur le terrain, contre seulement 360 Romains. L'expansion romaine en Bretagne vient d'atteindre son point le plus avancé. Claude a décidé la conquête de l'île en 43, pour renforcer la sécurité de la Gaule, s'emparer des richesses minières bretonnes et protéger les activités des marchands romains. Plautius soumet le sud du pays qui est organisé en province romaine (43). Cerialis réduit les Brigantes du nord de l'Angleterre (71-74) et Frontin les Silures du pays de Galles (74-77). Agricola est décidé à achever la conquête. En 80, il franchit la ligne Clyde-Forth et envahit l'Ecosse. Utilisant sa flotte pour traverser les baies, golfes et estuaires de ces côtes déchiquetées, il atteint les monts Grampians. Sa victoire ne lui permet pourtant pas de soumettre le pays et l'hiver l'oblige à regagner ses bases. Donnant la priorité aux frontières rhénane et danubienne, Domitien le rappelle peu après. Son œuvre n'est pas totalement stérile puisqu'il a garni de fortins la ligne Clyde-Forth, futur emplacement du mur d'Antonin.

L'amphithéâtre Flavien est inauguré à Rome

Rome, 80
L'empereur Titus inaugure l'amphithéâtre Flavien après dix années de construction. L'édifice, commencé par son père Vespasien, a été élevé à proximité du colosse (d'où son nom de Colisée) de la Maison dorée de Néron. Il s'agit du plus grandiose projet jamais réalisé à Rome : ses dimensions colossales (187 m sur 155) permettent d'accueillir 50 000 spectateurs. L'arène ovale est entourée de gradins supportés par des voûtes sur trois niveaux. L'ensemble est remarquable par son caractère fonctionnel : un système de corridors et d'escaliers intérieurs permet de desservir rapidement et sans bousculade les gradins. Le Colisée est le premier amphithéâtre en pierre permanent de Rome. Jusque-là, les jeux de gladiateurs étaient offerts dans des constructions provisoires en bois. Les jeux de l'amphithéâtre sont extrêmement populaires : combats de gladiateurs, souvent à mort, chasses d'animaux sauvages tournant au massacre et même combats navals.

Le Colisée à Rome : vue intérieure. 70-90. Pierre calcaire. Diamètre maximum : 188 m. Il pouvait contenir 48 000 personnes.

Scène de gladiateurs. Relief. Ier siècle av. J.-C. Museo Civico, Bologne.

Le Colisée à Rome : vue extérieure. Commencé en 70 par Vespasien, poursuivi par Titus, il fut terminé sous Domitien vers 90.

Portrait de jeune fille. Fresque provenant de Pompéi. Ier siècle. Museo nazionale, Naples.

Tête de mort et symboles divers. Mosaïques provenant de Pompéi.

Habitants de Pompéi ensevelis sous les cendres de l'éruption du Vésuve en 79 apr. J.-C. Moulage de corps.

Pompéi est ensevelie sous les cendres

Italie, 24 août 79
Une éruption du Vésuve vient d'engloutir sous une couche de cendres et de lapilli les villes de Pompéi et de Stabies, et de détruire celle d'Herculanum sous une énorme coulée de boue. La catastrophe, qui avait été annoncée par des tremblements de terre et la formation d'un immense nuage de fumée, a fait des milliers de victimes. Cette région de Campanie, célèbre par ses vignobles et l'agrément de ses sites, était un lieu de villégiature apprécié des Romains. Fondée par les Osques, Pompéi était une ville prospère de 20 000 habitants, surtout depuis la domination romaine (80 av. J.-C.). Elle possédait, outre un théâtre et un odéon, le premier amphithéâtre en pierre du monde romain. Active, la cité abritait de nombreux commerces et ateliers. Ses maisons s'agrémentaient de fresques et de jardins à péristyle.

La maison des Vetii à Pompéi. Vue de l'atrium et du péristyle.

Une rue d'Herculanum, bordée de boutiques avec appartement à l'étage.

Admète et Alceste. Fresque provenant de Pompéi.

Pline l'Ancien est victime du Vésuve

Campanie, 24 août 79
L'éruption du Vésuve a fait une victime illustre : le savant Pline l'Ancien est mort asphyxié. Préfet de la flotte de Misène, il s'était porté au secours des habitants menacés, tout en désirant observer par lui-même le phénomène spectaculaire de l'éruption. Issu d'une famille d'Italie du Nord, Caius Plinius Secundus fit une carrière de militaire et d'avocat. Durant le règne de Néron, il se retire, par hostilité au régime despotique et par fidélité à ses convictions stoïciennes.

Vespasien lui accorde sa faveur et le nomme à la tête de la flotte de Misène. Son œuvre majeure est son *Histoire naturelle* en trente-sept livres, somme des connaissances de son temps sur le monde. Il s'y intéresse tout à la fois à la géographie, aux sciences, aux techniques et aussi aux légendes fabuleuses. Ses jugements sur l'économie sont frappants : c'est lui qui a estimé que l'importation des produits de luxe venus d'Orient coûtait à l'empire cent millions de sesterces par an. L'*Histoire naturelle* de Pline sera l'un des ouvrages les plus diffusés de l'Antiquité et du Moyen Age.

Le Forum de Pompéi, autour duquel s'organisaient les principaux bâtiments publics de la ville, dont le Temple de Jupiter (au fond).

Domitien ose se faire appeler "maître et dieu"

Rome, 85
L'empereur accentue le caractère absolu de son pouvoir en se faisant appeler « maître et dieu ». Portant en permanence le costume triomphal, il vient de prendre le titre de censeur perpétuel, ce qui lui permet de destituer et de nommer les sénateurs selon sa volonté. Fils de Vespasien, Domitien (né en 51) a toujours paru hautain et ambitieux, impatient de succéder à son frère aîné Titus (81). Myope, très préoccupé de sa calvitie, l'empereur sait jouer de son visage avenant et modeste, mais il est soupçonneux comme Tibère qu'il admire. C'est un homme sensuel pour qui l'amour est une gymnastique. Héritier de la dynastie flavienne, méprisée pour sa basse extraction et l'origine militaire de son pouvoir, Domitien est en butte à l'opposition de sénateurs et de philosophes hostiles au despotisme et à la sacralisation du pouvoir. Il a consacré un temple à la « gens Flavia », pour son père et son frère divinisés. Populaire chez les soldats et les prétoriens, il s'appuie comme son père sur les élites municipales italiennes et provinciales. Bon administrateur, soucieux de justice, il accorde sa faveur aux chevaliers qui remplacent certains affranchis à la tête des bureaux centraux.

L'empereur Domitien. Buste en bronze. Ier siècle.

87

Europe danubienne
Dans la guerre commencée contre les Daces depuis 85, les Romains subissent un grave revers : le préfet du prétoire Cornelius Fuscus est vaincu et tué.

89

Empire romain
Le gouverneur de Germanie supérieure Antonius Saturninus tente une usurpation qui échoue. La répression de Domitien est féroce.

Chine
A la mort de Chong Di, Ho-ti lui succède sur le trône.

90

Germanie
Domitien organise les champs Décumates. →

Empire romain
Mort du poète latin Valerius Flaccus, auteur des *Argonautiques*, continuateur de la poésie augustéenne.

Rome
Achèvement du palais de Domitien. →

91

Asie centrale
Dans sa conquête du Tarim, le général chinois Ban Chao se heurte aux Kushânas et les vainc.

92

Empire romain
Domitien interdit la culture de la vigne aux provinces. →

Rome
Quintilien, né vers 30 à Calagurris en Espagne, avocat et rhéteur, titulaire de la chaire d'éloquence latine créée par Vespasien en 72, rédige l'*Institution oratoire*, traçant un programme d'éducation pour le futur orateur.

Inde du Nord-Ouest
On ne sait ni à quel titre ni en quelles circonstances l'Empire kushâna passa dans les mains de Kanishka. Toujours est-il que c'est avec lui que l'empire connut son apogée.

94

Rome
Domitien chasse le philosophe stoïcien Epictète et le rhéteur Dion Chrysostome. Après le bannissement des philosophes et l'exécution du stoïcien Helvidius Priscus par Vespasien en 72, c'est un nouveau coup porté à l'opposition « philosophique ».

Asie centrale
Le général chinois Ban Chao prend Karachar, terminant la conquête du Tarim. →

95

Rome
Domitien fait accuser ses cousins Flavius Clemens, consul en 95, et son épouse Flavia Domitilla « d'athéisme », c'est-à-dire de pratiques chrétiennes ou juives. Clemens est exécuté et Domitilla reléguée dans une île.

Stace, poète adulateur de Domitien, auteur de la *Thébaïde* et de l'*Achilléide*, commence ses *Silves*, recueil de poésies caractérisées par la virtuosité et l'emphase.

Tacite rédige le *Dialogue des orateurs*, comparant l'éloquence et la poésie et recherchant les causes du déclin de la première.

96

Rome, 18 septembre
Domitien est assassiné à la suite d'un complot monté par sa femme et le préfet du prétoire. Le 19, le Sénat proclame empereur Nerva, premier des Antonins.

97

Rome, 27 octobre
Pour éviter une révolte des légions de Germanie, Nerva adopte le gouverneur de Germanie inférieure Trajan.

Rome
Frontin, ancien gouverneur de Bretagne, auteur des *Stratagèmes* sur les ruses de guerre, gère la curatelle des eaux de Rome et écrit un ouvrage sur les aqueducs de la ville.

Tacite, consul en 97, publie la *Vie d'Agricola*, la *Germanie* et entreprend les *Histoires*.

Patmos, mer Egée
Jean écrit son *Evangile* et l'*Apocalypse*. →

La production de vin italien menacée

Italie, 92
Un édit de Domitien interdit de planter de nouveaux pieds de vigne dans les provinces. Il est destiné à protéger la viticulture italienne en crise et à enrayer le déclin des cultures vivrières dans les provinces. L'agriculture italienne s'est en effet progressivement dégradée en raison de vices dans le mode d'exploitation, du manque de main-d'œuvre servile et de la concurrence économique des provinces.

Il existe dans l'empire plusieurs modes d'exploitation. La terre est divisée entre une petite propriété indépendante, cultivée par une main-d'œuvre familiale, et les grands domaines, exploités par des esclaves, surveillés par un régisseur ou par des colons, fermiers locataires établis sur de petits lots de terre. La crise résulte d'une culture trop extensive, de l'absentéisme des propriétaires et de leur refus d'investir pour améliorer les techniques agraires. De plus, l'afflux du blé tributaire a contraint certaines régions à se reconvertir dans les cultures arbustives, la vigne ou l'olivier, qui se trouvent à leur tour concurrencées par les produits des provinces. Il est cependant probable que les effets de la mesure de Domitien n'ont guère été probants.

Pressage des olives. Mosaïque, Saint-Romain-en-Gal. Ier - IIe siècle.

La cueillette de fruits. Mosaïque, Saint-Romain-sur-Gal. Ier - IIe siècle.

Exilé à Patmos, Jean écrit l'"Apocalypse"

Patmos, mer Egée, 97
Exilé à Patmos depuis 97, l'apôtre Jean écrit l'*Apocalypse*. Une apocalypse contient les révélations reçues par un homme sous forme de visions symboliques et consignées par lui dans un livre. Les apocalypses ont été nombreuses dans certains milieux juifs au cours des deux siècles précédant le Christ ; mais le Nouveau Testament n'a retenu que celle de Jean, déjà auteur d'un Evangile. Il s'agit cette fois d'un écrit de circonstance, destiné à rouvrir l'espérance des chrétiens, en une période de troubles et de persécutions contre l'Eglise, sous Domitien. Rome y est comparée à la courtisane de l'Apocalypse ; l'auteur annonce le salut et la délivrance du peuple de Dieu, puis sa domination sur les nations païennes, à leur tour châtiées et anéanties. L'attribution de l'*Apocalypse* à l'apôtre Jean a parfois été mise en doute, mais le style et les idées permettent, en tout cas, de reconnaître son influence.

« La Prostituée ». Tenture de l'Apocalypse d'Angers. Vers 1380. Panneaux illustrant un chapitre de l'« Apocalypse » de saint Jean.

Les champs Décumates couvrent le saillant entre Rhin et Danube

Germanie, 90
Domitien organise les champs Décumates. Il se fait l'héritier de Vespasien qui a poursuivi l'occupation de la rive droite du Rhin et s'est donné comme objectif de combler l'angle rentrant entre les frontières du haut Rhin et du haut Danube, au sud de la Forêt-Noire. Cette politique menée entre 74 et 90 est l'œuvre majeure des Flaviens dans la région. Le général Clemens, au nom de Vespasien, occupe cette zone, en 74 ; il la quadrille de routes reliant le Rhin au Danube par Arae Flaviae, aujourd'hui Rottweil. Domitien, pour sa part, confie à Veleius Rufus la tâche de mener la campagne contre les Chattes en 83. Ces derniers repoussés sur le Taunus par une armée qui comprend un fort contingent breton et la nouvelle légion Minerva, la présence romaine peut se concrétiser par la construction de forts en pierres à Saalburg, Cannstadt et Lautlingen. Après la révolte manquée de Saturninus, en 89, Domitien engage une réforme administrative en créant les deux provinces de Germanie inférieure (Cologne) et supérieure (Mayence). Pour assurer leur prospérité, il peuple la région conquise d'indigènes soumis à une dîme, d'où le nom donné à ce territoire militaire, et de paysans venus de la Gaule du Nord-Est. Les champs Décumates, outre leur portée économique, se placent au cœur de la nouvelle stratégie défensive du *limes*.

Le palais impérial du Palatin est achevé

Rome, 90
Les grands travaux du Palatin, ordonnés par Domitien en 80 à son architecte Rabirius, sont terminés : le mont est devenu colline impériale. Le maître de Rome a voulu, pour l'exercice du pouvoir impérial, un cadre majestueux qui n'existait pas jusqu'alors. Un vestibule gigantesque, dressé sur le forum, précède le palais édifié sur la hauteur. L'ensemble officiel (*domus flavia*) abrite une salle du trône immense, ornée de statues colossales en basalte vert : au fond se tient l'empereur lors des audiences solennelles.
Une basilique est destinée au tribunal du prince. Derrière, une superbe salle à manger d'apparat (dite de Jupiter) est flanquée de deux fontaines. Vers l'est s'étendent les appartements privés et un jardin en forme de stade. L'ensemble est destiné à provoquer un sentiment de grandeur surhumaine. Domitien a transformé l'aspect de Rome par ces constructions auxquelles s'ajoutent un stade, des thermes et le nouveau forum *transitorium*.

Scènes de bataille. Estampage de bas-reliefs sur pierre d'une tombe de l'époque Han (25-250 apr. J.-C.).

Les Han étendent leur domination sur la route de la soie

Asie centrale, 94
Le général Ban Chao pénètre en Transoxiane, plus loin à l'ouest qu'aucun autre général chinois. Après son accession au trône, en 25, l'empereur Guangwu Di, avait eu pour premier souci de rétablir la paix intérieure ; la guerre contre les barbares Xiongnu est d'abord strictement défensive. L'empereur Ming Di est donc forcé, pour trouver des bases de contre-attaque, de s'intéresser au Turkestan. Il est puissamment épaulé, dans son dessein, par des généraux valeureux, dont Ban Chao est le représentant le plus brillant. Durant ses trente années de présence en Asie centrale, il sait allier génie militaire et science diplomatique pour rendre à la Chine le contrôle des oasis du Tarim. En 74, il atteint Kachgar. Après un rappel à la cour, où il doit justifier de ses actions devant un nouveau souverain, il progresse, invaincu, vers l'ouest ; en 91, devenu gouverneur général des Han en Asie centrale, il s'installe à Kucha. Il pénètre en Transoxiane et, encouragé par la faiblesse momentanée des Parthes, tente d'envoyer vers le Da Qin (l'Empire romain) un ambassadeur, qui s'arrêtera à la Méditerranée.

Plaque funéraire. Shandong, 114 apr. J.-C. Epoque Han.

Le nymphée. Domus Flavia, Palais impérial du Palatin, Rome. Fin du Ier siècle.

98

Rome, 28 janvier
Nerva meurt. Trajan (53-117) est proclamé empereur à Cologne, siège de son gouvernement de Germanie inférieure. →

99

Rome
Venant de Germanie, Trajan fait son entrée dans la ville.

Indes du Nord-Ouest
Grand conquérant, le roi kushâna Oêmo-Kadphisês II est maître du nord de l'Inde jusqu'à Bénarès et au delta de l'Indus. Il envoie une ambassade à Rome pour prendre les Parthes à revers.

100

Rome, septembre
A son entrée en charge, le consul Pline le Jeune prononce le *Panégyrique de Trajan*, portrait du prince idéal.

Rome
Juvénal commence ses *Satires*. →

Afrique
Trajan installe la seule légion africaine, la IIIᵉ Auguste, à Timgad, point le plus avancé de la progression romaine. Une ville, dotée du statut de colonie, est construite sur un plan géométrique. Elle va compter rapidement 15 000 habitants.

Syrie
Nicomaque de Gérase rédige *Les Nombres*, somme des connaissances arithmétiques de l'Antiquité.

Perse
Le christianisme s'implante en Adiabène (rive gauche du Tigre), au sein des florissantes communautés juives, par la prédication de saint Thomas.

Indes
Au Gandhâra, Bouddha est représenté pour la première fois sous les traits d'Apollon. →

Chine
Le premier dictionnaire, le *Shuowen jiezi*, est composé. Il comprend 9 353 articles.

101

Dacie, printemps
Trajan envahit le pays, à la tête des légions de la Mésie voisine.

Italie
Trajan crée les *alimenta*. →

102

Italie
L'empereur Trajan commence l'agrandissement du port d'Ostie.

Dacie
Trajan s'empare de la capitale de la Dacie. Une paix humiliante fait de Décébale l'allié du peuple romain.

Asie centrale
Après avoir organisé les territoires chinois du Tarim, le général Ban Chao prend sa retraite.

105

Espagne
Le pont d'Alcantara, au tablier droit, est construit sur le Tage.

Dacie
L'empereur Trajan rouvre les hostilités contre Décébale.

Chine
L'eunuque Çai Lun (Ts'ai-Louen) invente le papier, par le mélange de déchets de bourre de soie imbibés d'eau et de vieux chiffons de chanvre ou de pulpe de mûrier.

106

Arabie
Envahie par le gouverneur de Syrie, Cornelius Palma, le royaume de Pétra est annexé par Rome. →

Dacie
Le roi Décébale se suicide et la Dacie est annexée. →

107

Perse
Osroès monte sur le trône des Parthes (107-130).

Chine
An-ti (Ngan-ti, 107-125) devient empereur et laisse gouverner l'impératrice douairière. Un prince japonais lui envoie un cadeau de 160 esclaves.

109

Arabie
Le *limes* d'Arabie est créé contre les Bédouins le long de la route commerciale qui, de Damas par Bostra et Pétra, atteint le fond du golfe d'Akaba.

Suicide de Décébale, roi des Daces

Dacie, 106
En 106, réfugié dans les montagnes de Transylvanie, le roi dace Décébale, impuissant à contenir les armées romaines, se suicide. Sous Domitien, il a lancé les Daces, bien organisés par lui, contre les troupes romaines protégeant le *limes*, entraînant les Marcomans, Quades et Roxolans, tous établis au-delà du Danube. Les Romains n'ont contenu qu'à grand-peine la poussée des Barbares et, subissant de lourdes pertes, n'ont remporté aucun succès décisif. Aussi Trajan, pour des raisons stratégiques, économiques et idéologiques, décide d'éliminer définitivement cette menace qui pèse sur la frontière. Il attaque en mars 101, à la tête de douze légions, occupe le Banat et bat sévèrement Décébale et ses alliés roxolans et bures, ainsi qu'en témoignent les reliefs de la colonne Trajane. Les trois années de paix précaire, entre 102 et 105, sont employées à fortifier la frontière du Danube moyen contre les autres voisins menaçants. Décébale, en 105, fait alliance avec les Yazyges et attaque soudainement dans le Banat. Trajan contre-attaque l'année suivante, contraint Décébale à évacuer la capitale et à se réfugier dans les montagnes de Transylvanie. Il s'y suicide. La Dacie est annexée, peuplée d'immigrants dalmates et orientaux. Les trésors de Décébale sont saisis et les mines d'or et d'argent intensivement exploitées pour financer la campagne contre les Parthes.

Les guerres de Trajan contre les Daces. Détail. Marbre. Colonne Trajane, Rome, édifiée entre 110 et 113.

Trajan succède sans mal au vieux Nerva

Empire romain, 28 janvier 98
L'empereur Nerva est mort. Trajan, qu'il a associé au pouvoir et adopté en octobre 97, pour éviter une crise de succession et la menace d'une guerre civile, est en ce moment sur le Rhin mais est reconnu sans difficulté. Il est le premier empereur provincial, étant issu d'une famille italienne établie à Italica en Espagne. Trajan, qui a suivi une carrière sénatoriale, a surtout la particularité d'avoir servi dix années comme tribun militaire. Réputé pour ses qualités de soldat et de chef, cet homme grand, d'âge mûr (il est né en 53), au front bas, dont le goût pour le vin et les garçons est bien connu, a su s'imposer à tous.

Buste de Trajan. Marbre. Vers 100-110. Il reçut du Sénat le titre d'Optimus (« Le Meilleur »).

Le Tombeau aux Obélisques avec, en contrebas, un triclinium (salle de banquet) funéraire, Pétra. Ier siècle av. J.-C. - Ier siècle apr. J. C.

Les tombes rupestres du royaume de Pétra

Pétra, 106

Pétra est la capitale de la Nabatène ; longtemps protégé par Rome, cet

Mausolée rupestre, dit « Khazneh el-Fara'un » (Trésor du Pharaon) à Pétra. Vers 30 av. J.-C.

Etat est annexé par Trajan en 106 et réduit en province d'Arabie. La situation privilégiée de la ville, au carrefour de routes venant soit du golfe Persique depuis Gorrha, soit de la mer Rouge et gagnant Damas par Bostra, assure sa prospérité par sa place importante dans le commerce caravanier assuré par les Bédouins. Pétra a connu un léger déclin depuis l'essor de la voie commerciale égyptienne qui évite l'Arabie, favorisée depuis Auguste. Après l'annexion, sa situation stratégique proche du *limes* et l'activité des négociants romains lui redonnent son lustre. De cette époque datent quelques-unes des somptueuses tombes rupestres visibles encore sur le site : Pétra apparaît, en effet, comme une vaste nécropole, où d'immenses façades crénelées, sculptées dans le roc, se succèdent tout au long des parois de grès rouge ou multicolore. L'art funéraire nabatéen a subi des influences sémites, pour la disposition intérieure, et grecques, pour le décor sculpté de colonnes à chapiteaux, de frises doriques, de pilastres et de frontons.

L'empereur Trajan, le meilleur des princes

Rome, 101

Trajan a fondé en Italie des institutions alimentaires, les *alimenta*. Il s'agit de prêts de l'Etat aux propriétaires, destinés à améliorer leurs exploitations ; l'intérêt de la somme (5 %) sera destiné à l'entretien d'enfants pauvres et d'orphelins. L'empereur est soucieux de renforcer l'agriculture italienne et montre sa générosité. Trajan règne à la satisfaction de tous : c'est le retour aux apparences républicaines du principat augustéen, en quoi se résume la notion de « liberté » chère aux sénateurs. Trajan gouverne en respectant le Sé-

nat, refuse les honneurs excessifs, évite la sacralisation du pouvoir. Provincial lui-même, il appelle aux carrières non seulement les Occidentaux, comme les Flaviens, mais aussi des Orientaux et des Africains : la romanisation a unifié l'empire. Pourtant, le pouvoir impérial reste absolu. Trajan se laisse appeler *dominus* et il a divinisé son père et sa sœur, se créant ainsi une dynastie divine. L'administration impériale s'alourdit, comme ses besoins financiers. Mais Trajan parvient à assurer la paix et la gloire à l'empire ; une politique de grands travaux, mais aussi une exceptionnelle floraison intellectuelle marquent son règne : il passe pour le « meilleur des princes ».

Le Campanien Juvénal commence ses "Satires"

Rome, 100

Juvénal débute la rédaction de ses *Satires*. Les allusions autobiographiques de son œuvre sont les seuls renseignements que nous ayons sur lui. Né à Aquinum en Campanie, sous Néron, il a reçu une formation de rhéteur avant de verser dans la poésie. Proche de la cour impériale, il connaîtra le succès avant d'être disgracié par Hadrien et exilé. Son œuvre comprend seize satires qui se veulent le portrait de la vie romaine. S'il s'attaque, dans ses premières sa-

tires, aux débordements du passé, il reste pourtant convaincu, comme ses contemporains, de l'accord parfait du principat à son époque et ne porte de jugements que moraux. C'est pourquoi il s'intéresse au petit peuple de Rome et pose la question sociale en termes nationaux. Il déplore son orientalisation et défend vigoureusement la latinité. Il a su utiliser les techniques de l'art oratoire pour rendre les scènes de la vie quotidienne dans une langue colorée. Son réalisme et son sens de la psychologie des foules le rangent parmi les meilleurs peintres de la nature humaine.

Râhula, fils du Bouddha, présenté à son père.

Tête de Bouddha. Schiste. Art du Gandhâra. IIIe - IVe siècle.

L'art gréco-bouddhique du Gandhâra

Indes, vers 100

Un art très hellénisé se développe dans le nord-ouest de l'Inde, tout particulièrement dans la province du Gandhâra. Jusqu'alors, suivant à la lettre les principes iconographiques du bouddhisme primitif, les artistes n'avaient jamais représenté les grands événements de la vie du maître que par des symboles. Sous l'influence de l'art hellénisé de l'ancien domaine séleucide, apparaît soudain, dans l'art indien, un Bouddha aux traits occidentalisés, habillé d'un lourd manteau monastique, très proche des étoffes grecques. Des thèmes purement hellénistiques sont égale-

ment adoptés par les sculpteurs du Gandhâra : scènes bacchiques, rinceaux de vignes, atlantes... Deux techniques sont utilisées : la sculpture directe, sur un schiste gris bleu, et l'art du stuc peint. Cet art se développe essentiellement sur des sites urbains où les temples pullulent, comme à Taxila, et dans les nombreux monastères que la générosité des zélateurs laïcs permet d'édifier à cette époque, Takht-i-bahi par exemple. Plus au sud dans le domaine kushâna, l'image anthropomorphe du Bouddha apparaît également à Mathurâ, dans un art où dominent, par contre, les caractères indiens.

Statue féminine. Ecole de Mathurâ. Fin du IIe siècle.

Deux Yakshî. Piliers de balustrade provenant de Bhûtesâr. IIe siècle.

111

Asie Mineure
Pline le Jeune est nommé gouverneur de Bithynie. →

112

Rome
Inauguration du forum de Trajan, une réalisation spectaculaire d'Apollodore de Damas. →

113

Rome
La dédicace de la colonne Trajane parachève la construction du forum de Trajan. →

114

Italie
Le Sénat vote l'érection d'un arc à Bénévent, au départ de la nouvelle voie Appia, qui améliore les communications avec Brindisi et l'Orient. Consacré à Trajan « Optimus », il expose le programme politique impérial en allégories.

Arménie
Le roi des Parthes Osroès détrône le roi client de Rome pour le remplacer par son neveu Parthamasiris. Trajan entre en guerre contre les Parthes et occupe l'Arménie avec l'aide des Colchidiens, peuple du Caucase.

115

Rome
Tacite commence la rédaction de ses *Annales*. →

Mésopotamie
Avec le concours d'Abgar, roi d'Edesse, Trajan occupe la plus grande partie du pays au détriment des Parthes.

Orient
Profitant des difficultés que rencontrent les Romains avec les Parthes, les Juifs de Cyrénaïque, puis d'Egypte et de Chypre se révoltent contre les Romains et les Grecs. L'esprit des zélotes avait gagné la diaspora. En Judée, le calme ne fut maintenu que grâce à la répression brutale menée par Lusius Quietus que Trajan avait nommé gouverneur.

116

Orient
Trajan prend Ctésiphon, la capitale des Parthes, et atteint le golfe Persique. L'Arménie, la Mésopotamie et l'Assyrie (Adiabène) sont réduites en provinces romaines. Et un roi vassal, Parthamaspathès, est mis en place en Parthie ; il prend le titre de Parthicus.

117

Sélinonte de Cilicie, 8 août
Trajan meurt sur le chemin du retour vers Rome. →

Antioche, 11 août
Désigné comme successeur par Trajan sur son lit de mort, Hadrien (76-138) est proclamé empereur. Il évacue la Mésopotamie et l'Assyrie, achetant à ce prix la paix aux frontières.

Rome
Mort de Dion Chrysostome. Né à Pruse, en Bithynie vers 30 ou 40, où il fut magistrat, avant de venir s'installer à Rome, il eut l'insigne honneur de prononcer devant Trajan son discours sur *Les Devoirs d'un souverain*.

Orient
Une révolte juive éclate dans les villes de Mésopotamie et d'Osrhoène, sur les arrières de l'armée romaine. Parthamaspathès ne peut se maintenir en Parthie.

118

Rome, 9 juillet
Hadrien fait son entrée dans la ville. En son absence, le Sénat a fait exécuter quatre consulaires, dont les généraux de Trajan Lusius Quietus et Cornelius Palma, coupables d'avoir conspiré contre lui. Hadrien blâme ces exécutions et promet de respecter la vie des sénateurs.

119

Italie
Hadrien nomme quatre consulaires pour juger les procès civils en Italie, chacun dans une circonscription déterminée. Cette mesure enlève l'Italie à la compétence du Sénat et des magistrats urbains et rapproche les cités italiennes du statut des villes provinciales.

120

Asie Mineure romaine
L'Enseignement (ou *Didakhê*) *des douze Apôtres* est rédigé.

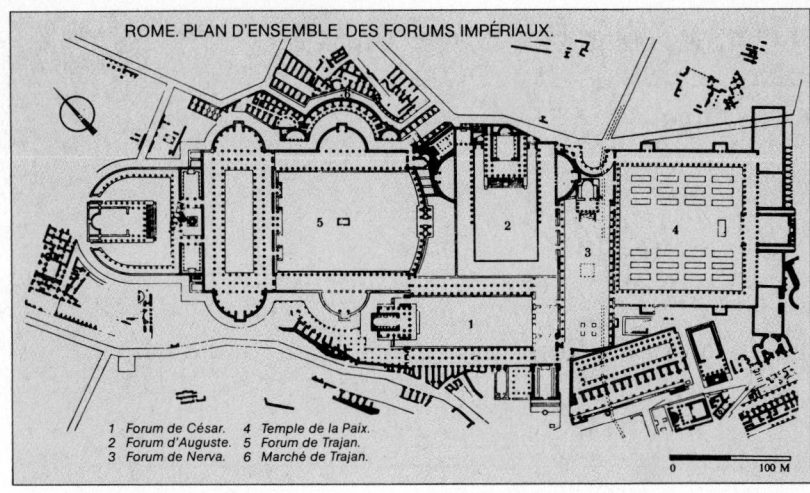

ROME. PLAN D'ENSEMBLE DES FORUMS IMPÉRIAUX.

1 Forum de César.
2 Forum d'Auguste.
3 Forum de Nerva.
4 Temple de la Paix.
5 Forum de Trajan.
6 Marché de Trajan.

0   100 M

Le chef-d'œuvre d'Apollodore de Damas : le forum de Trajan

Rome, 113
La colonne Trajane, haute de quarante mètres, ornée de reliefs en spirale commémorant les guerres daces, et surmontée de la statue cuirassée de Trajan, est consacrée. C'est la première œuvre connue de ce genre. Elle couronne le plus vaste et le plus magnifique des forums impériaux, inauguré un an plus tôt. On pénètre sur la place par une porte triomphale : au milieu se dresse la statue équestre de l'empereur ; sur les côtés, derrière un portique orné de reliefs, se creusent deux exèdres abritant des statues colossales ; en face, la basilique, immense avec ses cinq nefs, est somptueusement décorée de marbres précieux venus de tout l'empire ; derrière elle, deux bibliothèques (latine et grecque) encadrent la colonne. Pour construire cet ensemble harmonieux et immense, il a fallu à l'architecte Apollodore procéder à de grands travaux de terrassement, cela dans le quartier le plus encombré de Rome. Afin de masquer l'escarpement du Quirinal et de constituer une façade monumentale au forum, il a aménagé sur six niveaux et deux terrasses le marché de Trajan avec tout un complexe de boutiques, d'entrepôts et de bureaux. Le nouveau forum achève l'aménagement du centre de Rome, entre le vieux forum et les quartiers surpeuplés.

Le marché de Trajan, Rome, par Apollodore de Damas. 111-113. Brique et travertin pour les encadrements des portes et fenêtres.

L'écrivain Pline le Jeune est nommé légat de Bithynie par Trajan

Pont et Bithynie (Anatolie), 111
Pour une mission d'administration en Pont et Bithynie, Trajan choisit de confier un mandat exceptionnel à Pline le Jeune, orateur et homme de lettres qu'il a pris en amitié. Cet Italien, né à Côme en 61, a fait ses études à Rome, avec Quintilien pour professeur, puis s'engagea dans la carrière des honneurs. Il est consul en 100 et prononce, selon l'usage, un panégyrique du prince à son entrée en charge. C'est le seul discours de son œuvre rhétorique qui nous soit parvenu. En tant qu'avocat, il plaide des affaires de concussion qui lui font prendre conscience des réalités du gouvernement des provinces. Sa *Correspondance* en 9 volumes, recueil de lettres des années 97-108 auxquelles sont jointes les lettres à Trajan, est un modèle pour toute l'administration romaine. Véritable document historique, témoignage sur une époque, ces lettres dressent un portrait de l'honnête homme qu'il fut.

Trajan meurt au retour de la guerre d'Orient

Cilicie, 8 août 117
Trajan, de retour vers Rome après une campagne malheureuse contre les Parthes, meurt à l'escale de Sélinonte. L'empereur a pourtant longuement préparé cette expédition. Séduit par l'attrait de l'Orient, comme Alexandre et César, il est soucieux de protéger la frontière de l'Euphrate, trop proche de la Syrie du Nord, par un vaste glacis, et de donner aux négociants romains le contrôle de la route venant du golfe Persique. Il décide donc en 113 d'en finir avec les Parthes, voisins trop agités. Il s'embarque pour Antioche en octobre, occupe toute l'Arménie dans l'été 114, conquiert et organise la Mésopotamie. Il reçoit le titre de *Parthicus maximus* en février 116. Il descend ensuite le Tigre et l'Euphrate, s'empare de Ctésiphon, la capitale des Parthes, et atteint le golfe Persique. Cependant, il doit bientôt faire face à la révolte de l'Assyrie et de la Mésopotamie, tandis que les Parthes reprennent la lutte et que la révolte juive gagne tout l'Orient. Trajan, malade, ramène l'armée en Syrie, la confie à Hadrien, le désigne pour héritier et meurt, épuisé. Les conquêtes sont perdues, hormis l'Arménie. L'Euphrate redevient la frontière de l'empire.

La Colonne Trajane. Bas-reliefs en marbre. 110-113.

Avocat et historien, le sénateur Tacite rédige ses "Annales"

Rome, 115
Tacite fait paraître les premiers livres de ses *Annales*. Ce fils de chevalier, né vers 55, a reçu une solide éducation oratoire avec les plus grands avocats romains, Marcus Aper et Julius Secundus. Il se signale, alors, par la qualité de son éloquence. Son mariage avec la fille du consul Agricola, en 78, coïncide avec les débuts de sa carrière administrative. Consul sous Nerva en 97, il parvient jusqu'au proconsulat d'Asie en 112-113. Son *Dialogue des orateurs* date des années qui précèdent son consulat. Il s'agit d'un essai de critique littéraire d'inspiration cicéronienne. Ce n'est qu'après qu'il se découvre une vocation d'historien avec la composition d'un éloge funèbre de son beau-père, le conquérant de la Bretagne, dans lequel il fustige le gouvernement de Domitien. Sa *Germanie* prouve les qualités de sa documentation ethnographique et géographique, à l'époque de la fortification de la frontière rhénane sous Trajan. L'homme a trouvé sa mesure d'historien et le récit des *Histoires*, publiées en 106, se veut un témoignage moral sur la servitude et les troubles depuis la mort de Néron jusqu'à celle de Domitien. Le projet de décrire l'empire, depuis Auguste jusqu'à Trajan, aboutit à la rédaction des *Annales*, portant sur la dynastie julio-claudienne. Mutilées, elles permettent néanmoins de juger de la valeur scientifique et littéraire de son travail.

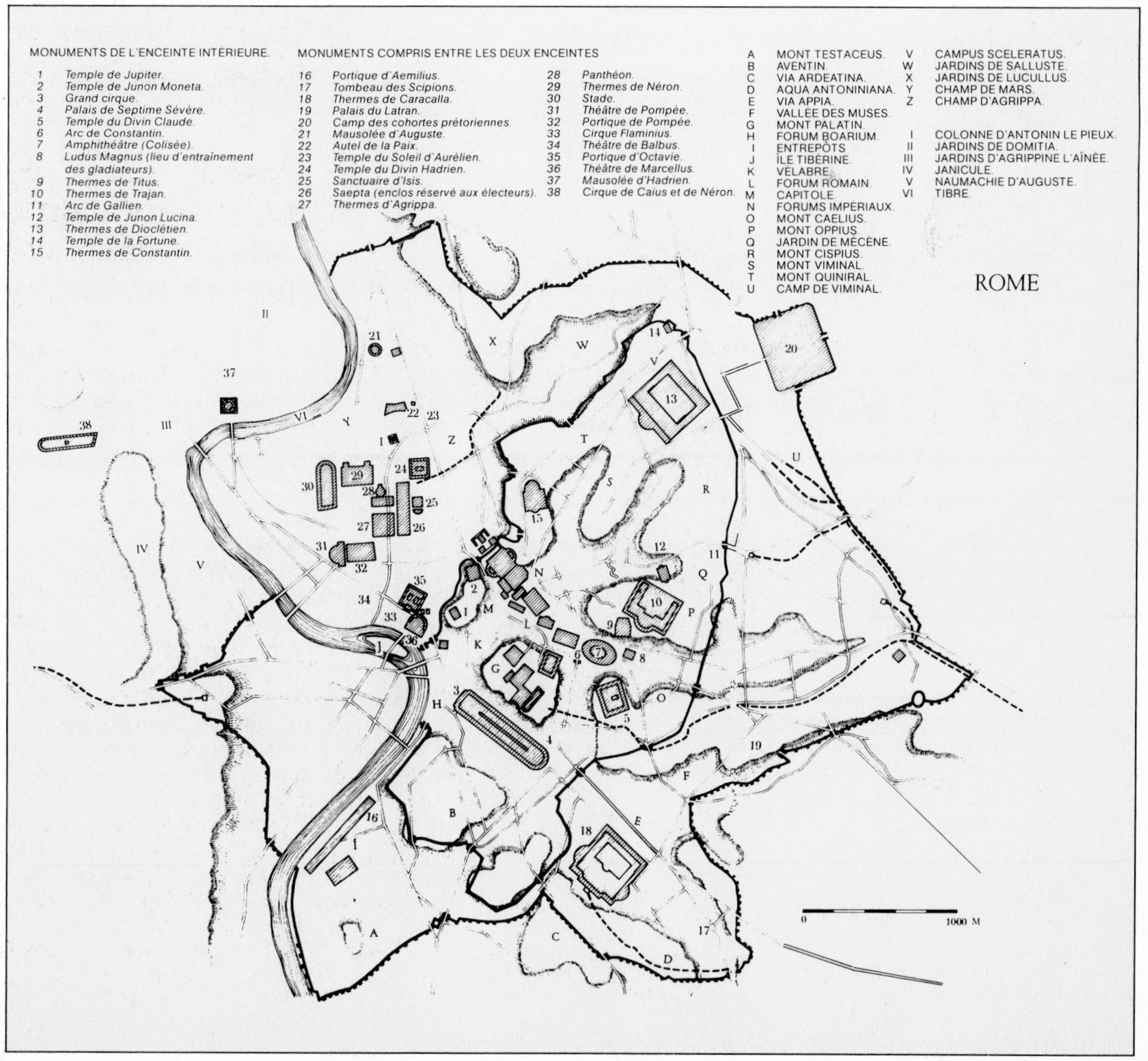

Maquette de la Rome impériale. En haut, à droite : le Colisée.

Rome, une ville de marbre et de boue

Rome, IIe siècle
La capitale est peuplée de 500 000 à 1 million d'habitants. Au centre s'élève la ville de marbre des quartiers officiels ; sur les collines, au milieu de vastes parcs, l'aristocratie vit dans de luxueux palais (*domus*), alors que la plèbe s'entasse dans les quartiers surpeuplés des dépressions, comme à Subure, vivant dans des immeubles de location (*insulae*). Rome, encore largement construite en bois, est sans cesse menacée par les incendies. Les rues sont étroites, encombrées et si boueuses, malgré les égouts, que les riches se font transporter en litière.

MONUMENTS DE L'ENCEINTE INTÉRIEURE.
1 Temple de Jupiter.
2 Temple de Junon Moneta.
3 Grand cirque.
4 Palais de Septime Sévère.
5 Temple du Divin Claude.
6 Arc de Constantin.
7 Amphithéâtre (Colisée).
8 Ludus Magnus (lieu d'entraînement des gladiateurs).
9 Thermes de Titus.
10 Thermes de Trajan.
11 Arc de Gallien.
12 Temple de Junon Lucina.
13 Thermes de Dioclétien.
14 Temple de la Fortune.
15 Thermes de Constantin.

MONUMENTS COMPRIS ENTRE LES DEUX ENCEINTES.
16 Portique d'Aemilius.
17 Tombeau des Scipions.
18 Thermes de Caracalla.
19 Palais du Latran.
20 Camp des cohortes prétoriennes.
21 Mausolée d'Auguste.
22 Autel de la Paix.
23 Temple du Soleil d'Aurélien.
24 Temple du Divin Hadrien.
25 Sanctuaire d'Isis.
26 Saepta (enclos réservé aux électeurs).
27 Thermes d'Agrippa.
28 Panthéon.
29 Thermes de Néron.
30 Stade.
31 Théâtre de Pompée.
32 Portique de Pompée.
33 Cirque Flaminius.
34 Théâtre de Balbus.
35 Portique d'Octavie.
36 Théâtre de Marcellus.
37 Mausolée d'Hadrien.
38 Cirque de Caius et de Néron.

A MONT TESTACEUS.
B AVENTIN.
C VIA ARDEATINA.
D AQUA ANTONINIANA.
E VIA APPIA.
F VALLÉE DES MUSES.
G MONT PALATIN.
H FORUM BOARIUM.
I ENTREPÔTS.
J ÎLE TIBERINE.
K VÉLABRE.
L FORUM ROMAIN.
M CAPITOLE.
N FORUMS IMPÉRIAUX.
O MONT CAELIUS.
P MONT OPPIUS.
Q JARDIN DE MÉCÈNE.
R MONT CISPIUS.
S MONT VIMINAL.
T MONT QUINIRAL.
U CAMP DE VIMINAL.

V CAMPUS SCELERATUS.
W JARDINS DE SALLUSTE.
X JARDINS DE LUCULLUS.
Y CHAMP DE MARS.
Z CHAMP D'AGRIPPA.

I COLONNE D'ANTONIN LE PIEUX.
II JARDINS DE DOMITIA.
III JARDINS D'AGRIPPINE L'AÎNÉE.
IV JANICULE.
V NAUMACHIE D'AUGUSTE.
VI TIBRE.

ROME

122

Rome
Suétone (70-vers 130) n'est plus dans les bonnes grâces de l'empereur Hadrien. →

123

Orient
Hadrien rencontre le roi parthe Osroès et conclut la paix avec lui. L'Arménie revient à un prince arsacide sous le protectorat romain.

Mongolie
Les Xiongnu (Hsiung-nu) du Nord sont écrasés par les Xianbei (Hsien-pei), que les Chinois ont lancés contre eux. →

124

Rome
La reconstruction du Panthéon, commencée sous Domitien, est achevée. Il est surmonté de la plus grande coupole du monde, à caissons, trouée d'une ouverture circulaire en son centre.

Athènes
Au cours de son voyage en Grèce, Hadrien se fait initier aux mystères d'Eleusis.

125

Nicopolis, Epire
Mort du philosophe stoïcien Epictète. Né à Hiérapolis en Phrygie vers 50, esclave d'Epaphrodite, affranchi de Néron, il a suivi l'enseignement du stoïcien Musonius Rufus. Exilé de Rome par Domitien en 94, il a gagné l'Epire. Il n'a rien écrit, mais son action fut considérable. L'un de ses disciples, Arrien, publiera ses *Entretiens* et un *Manuel* (*Enchiridion*), où est résumée sa doctrine.

Chéronée, Béotie
Mort de Plutarque. →

Italie
Hadrien commence la construction, dans son domaine de Tibur, d'une villa où des reproductions des monuments qu'il a admirés lui rappelleront ses voyages.

Inde centrale
Gautamîputra Sâtakarnîn (106-vers 130), roi du pays Andhra (Dekkan oriental, entre les rivières Godâvarî et Krishna), détruit le royaume çaka du Mahârâshtra (près de Bombay) et occupe ainsi tout le centre de l'Inde, d'une côte à l'autre.

Asie centrale
Le général chinois Ban Yong, fils de Ban Chao, repousse une tentative kushâna pour conquérir le Tarim.

127

Bretagne
Hadrien fait achever le *limes* de la Solway à la Tyne. →

128

Athènes
Hadrien embellit la ville par l'achèvement du temple gigantesque de Zeus olympien (commencé par les Pisistratides) et la construction d'une bibliothèque au péristyle de cent colonnes.

130

Athènes
Aulu-Gelle, élève d'Hérode Atticus, rédige les *Nuits attiques*, compilation des sujets les plus variés : grammaire, philosophie, histoire, poésie.

Egypte
Antinoüs, amant d'Hadrien, se noie dans le Nil. Hadrien lui fait rendre un culte et fonde la ville d'Antinoë en son honneur.

Perse
A la mort du roi Osroès, son frère Vologèse II lui succède (130-148). Pacifique, il ouvre une ère de détente avec les Romains.

Inde du Nord-Ouest
Le roi kushâna Oêmo-Kadphisès II disparaît.

131

Rome
Hadrien fait rédiger l'édit Perpétuel. →

132

Palestine, automne
Ulcérés par la création de la colonie romaine et païenne d'Aelia Capitolina à Jérusalem, les Juifs se soulèvent sous la conduite de Simon, fils de Kosiba, surnommé Bar Kochba (« Fils de l'étoile »), et du grand prêtre Eléazar. Ils se rendent maîtres de la Palestine.

Rome
Hadrien rentre de son deuxième voyage à travers l'empire. →

Un mur est élevé en Bretagne pour séparer Romains et Barbares

Bretagne, 127
Hadrien, las des incursions des Brigantes, peuple celte réfugié dans les monts Cheviot, termine l'érection d'un « mur » entre Angleterre et Ecosse. Constitué de deux routes, d'un mur en pierre ou en terre, de fortins et de tours, il concrétise et fixe le *limes* (la frontière). Cet ouvrage complexe s'inscrit dans une logique : à l'inverse de son prédécesseur Trajan, Hadrien renonce à étendre toujours un empire que chaque extension fragilise. Arrêt des conquêtes, consolidation du limes, colonisation et mise en valeur des terres nouvelles, réorganisation de l'armée, tels sont les axes de la nouvelle politique extérieure, pacifique, réaliste, mais volontaire et rigoureuse. Changement d'attitude, et donc changement de climat, qui permet aux frontières de devenir des centres d'intense activité où soldats romains et pérégrins, marchands souvent étrangers et agriculteurs indigènes font bon ménage. Une vie urbaine ou rurale s'organise, qui témoigne d'une permanence de la vie locale dans un empire toujours plus centralisé. Et la *Pax romana* est à son apogée.

Le mur de défense d'Hadrien. Elevé de 122 à 127 entre l'embouchure de la Tyne et le golfe de Solway en Bretagne (Angleterre).

Suétone, l'historien des "Douze Césars", tombe en disgrâce

Rome, 122
Suétone est disgracié et quitte son poste de secrétaire de l'empereur Hadrien. C'est son ami Pline le Jeune qui lui avait permis d'occuper cette charge lui donnant accès aux archives officielles, actes du Sénat ou de Rome, si utiles au travail historique qu'il a entrepris. En effet, cet homme né sous Vespasien, d'une riche famille équestre, a débuté une carrière d'avocat sous Trajan, puis s'est consacré à la rédaction de nombreux ouvrages en grec et en latin qui traitent de sujets aussi variés que l'histoire naturelle ou la grammaire. Seuls quelques fragments de son *De viris illustribus* ont été conservés. Mais son œuvre la plus aboutie reste ses *Vies des douze Césars*, en huit livres, qui paraissent dès 121. Ces biographies des princes, depuis César jusqu'à Domitien, font appel à une conception de l'histoire bien éloignée des *Annales* de Tacite. Suétone propose un portrait privé et public des empereurs très documenté. Il reste pourtant soumis à une composition rigide et à ses préjugés.

Hadrien impose une réforme judiciaire par l'édit Perpétuel

Rome, 131
La politique intérieure d'Hadrien apparaît comme novatrice, centralisatrice, voire même autocratique. S'il respecte le Sénat, il ne l'en écarte pas moins des affaires. Hadrien est avec Claude le créateur de l'administration impériale. Le Conseil est réorganisé, des juristes y siègent. Les postes de direction de la chancellerie ne sont plus occupés par des affranchis mais par des chevaliers. Il dote l'ordre équestre d'une filière nouvelle, uniquement civile. L'Italie est divisée en quatre circonscriptions judiciaires, administrées par des consulaires. Cette mesure prépare la provincialisation de l'Italie et porte atteinte aux privilèges du Sénat. De même, l'activité législative des magistrats (édits des préteurs surtout) diminue avec la codification d'un droit, dit prétorien. Elle est l'œuvre du juriste Salvius Julianus vers 131 et constitue l'édit Perpétuel. L'interprétation de la loi doit être uniforme, toute initiative est ôtée aux magistrats et l'empereur devient la source essentielle du droit.

L'empire des Xianbei s'étend sur la Mongolie

Mongolie, vers 123

La confédération barbare des Xiongnu (ou Hsiung-nu) s'effondre sous la pression de leurs dangereux voisins, les Xianbei (ou Hsien-pei). Les chroniques chinoises mentionnent pour la première fois les Xiongnu à la fin du IIIe siècle av. J.-C., date des premiers heurts sérieux entre les deux empires. C'est alors l'apogée de l'empire Xiongnu : il force les autres tribus barbares de Mongolie à s'exiler vers l'ouest, et les Chinois à renforcer très sérieusement leurs défenses septentrionales. Au milieu du Ier siècle av. J.-C., la confédération se scinde en deux groupes rivaux : les Xiongnu du nord sont chassés à leur tour vers l'ouest, puis écrasés par les Han, tandis que le groupe du sud fait allégeance. Mais, dans ces mêmes régions, le pouvoir des Xianbei est en plein essor. Les Han jugent sage de se faire les alliés des Xianbei, contre les Xiangnu toujours menaçants. Les attaques Xianbei, de plus en plus fréquentes, viennent à bout des Xiongnu, affaiblis par des siècles de luttes incessantes. Leur chute n'aboutit cependant pas à l'effacement de leur culture qui survit parmi les peuples de langues et d'ethnies différentes assimilés par l'empire Xianbei.

Les "Vies parallèles" de Plutarque, écrivain moraliste

Chéronée, Grèce, 125

Plutarque meurt à Chéronée, en Béotie. Né en 46, il y résida la plus grande partie de sa vie. Malgré quelques séjours à Athènes, la ville de son apprentissage philosophique, à Alexandrie, à la rencontre des grands penseurs de son temps, et à Rome pour y exercer, sous Vespasien, le métier de professeur, il reste très attaché à sa cité, marqué d'un hellénisme profond. Citoyen d'Athènes et de Delphes où il exerce des fonctions sacerdotales et politiques, il entretient des liens étroits avec les Romains et en obtient la citoyenneté. Ses diverses activités officielles ne l'ont pas empêché de nous léguer une œuvre importante comprenant les *Vies parallèles* et les *Œuvres morales*. Ces dernières s'apparentent aux écrits de Sénèque et traitent des vices et des vertus. On y trouve des sujets tels que la tranquillité de l'âme ou les consolations. Son esprit cultivé et ouvert à la psychologie s'exprime pleinement dans ses biographies des hommes illustres, qui mettent en parallèle un Grec et un Romain, Périclès et Fabius Maximus, Thésée et Romulus, par exemple. Ce procédé n'est pas arbitraire, car il permet de réhabiliter les gloires passées de la Grèce et de postuler la réalité d'une civilisation gréco-romaine.

Le temple dédié à Hadrien, Ephèse (Asie Mineure). Vers 150. Sous les emprunts romains, la tradition hellénistique reste présente.

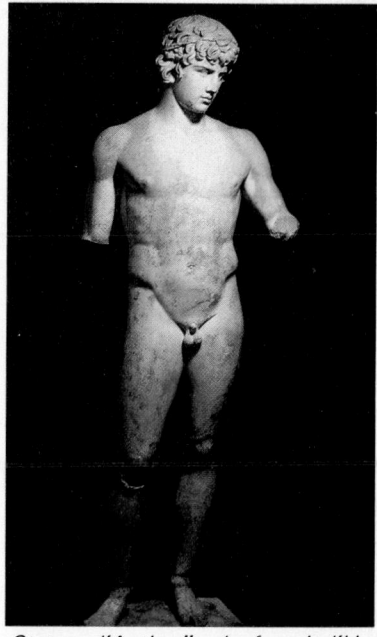

Statue d'Antinoüs, le favori d'Hadrien. Marbre. Vers 135.

La politique d'Hadrien, empereur et grand voyageur

Rome, 132

Hadrien est de retour à Rome. Sur vingt et une années de règne, il en a consacré douze à voyager. Peu de régions ont échappé à sa curiosité : dès 121, il se rend en Gaule, en Germanie, en Bretagne puis en Espagne. Il traverse ensuite la Méditerranée et débarque en Syrie, visite l'Asie Mineure, les îles de la mer Egée, les Balkans et la Grèce, où en 124 il s'attarde à Athènes. Après une étape en Sicile, il revient à Rome. En 128, il repart en voyage : l'Afrique, l'Orient, Athènes, l'Asie Mineure, la Syrie et l'Egypte, où Hadrien a le chagrin de perdre son jeune et beau favori, Antinoüs, qui se noie dans le Nil dans des circonstances mystérieuses. Après l'Egypte, c'est une succession de déplacements en Grèce, en Asie Mineure, en Judée avant le retour définitif. Les voyages d'Hadrien sont le signe d'une grande curiosité intellectuelle, assurément, mais ils constituent aussi un mode de gouvernement particulier. Hadrien veut explorer l'étendue de l'empire, en longer les frontières, qu'il renforce contre les Barbares ; grâce à un réseau efficace de postes, Hadrien peut prendre en tout lieu les décisions intéressant une province même très éloignée. Il jalonne ses itinéraires de monuments, le temple de Zeus olympien à Athènes, une basilique en l'honneur de Plotine à Nîmes, etc. Les monnaies de son règne, véritable moyen de communication de masse, rappellent les principales étapes de ses voyages, chantent les effets bienfaisants de la venue de l'empereur dans une cité ou une région ; la visite d'Hadrien ouvre un « siècle d'or » où tout ne sera que prospérité et bonheur. Hadrien réalise ainsi l'omniprésence du pouvoir impérial. Lors de son retour définitif à Rome, la villa Adriana de Tibur est achevée, avec son riche programme décoratif, qui rappelle les étapes de ses voyages et donc, indirectement, les provinces de l'empire. Chaque province, représentée par son nom ou un emblème, est tous les jours symboliquement visitée de la présence impériale.

Mosaïque de pavement (détail). Villa d'Hadrien.

Le « théâtre maritime » de la villa d'Hadrien à Tibur (Tivoli). 130-138.

Le « Canope », inspiré par la voie maritime qui conduisait au temple de Sérapis à Canope en Egypte. Villa d'Hadrien, Tibur. 117-138.

134

Asie centrale
La domination chinoise sur le Tarim s'affaiblit, se transformant en vague suzeraineté.

135

Rome, 21 avril
Le temple de Vénus et de Rome est dédicacé. →

Palestine
Après deux ans et demi de lutte, la révolte des Juifs est écrasée et Hadrien reprend Jérusalem. Réfugiés dans la forteresse de Béthar, au sud-ouest de la Ville sainte, les derniers combattants se rendent au cours de l'été après un siège de plusieurs mois. En tout, huit légions furent engagées dans cette guerre : on mesurera l'âpreté de la lutte au fait qu'Hadrien imposa au pays un châtiment d'une dureté tout à fait exceptionnelle. Rebaptisée Aelia Capitolina, Jérusalem est désormais interdite aux Juifs ; les ports méditerranéens sont envahis par les rescapés du massacre, qui sont vendus comme esclaves par groupes entiers. La Judée est débaptisée et s'appellera à l'avenir Syrie-Palestine.

136

Rome
L'empereur Hadrien adopte et désigne comme successeur Lucius Ceionius Commodus, qui prend le nom de Lucius Aelius César. Pour la première fois, le titre de « césar » est employé pour désigner l'héritier de l'empire. Investi de la puissance tribunicienne et de l'*imperium* proconsulaire, Aelius César est envoyé gouverner les deux provinces de Pannonie.

Hadrien commence la construction d'un nouveau mausolée impérial, devant succéder à celui d'Auguste. Terminé en 139, il servira de sépulture aux empereurs, jusqu'aux Sévères.

137

Egypte
La route Antinoë-Béréniké est ouverte. →

138

Rome, février
Après la mort d'Aelius César

(1er janvier 138), Hadrien adopte Antonin. →

Baïes, 10 juillet
Hadrien meurt dans sa résidence de Campanie. Antonin (86-161) lui succède et force un Sénat rétif à le diviniser. Cette action lui vaut le surnom de *Pius* (le Pieux). Pour apaiser la méfiance du Sénat, il supprime les consulaires d'Italie.

140

Rome
Marc Aurèle reçoit l'*imperium* proconsulaire (sauf à Rome), qui fait de lui l'héritier d'Antonin.

Germanie
Originaires de Scandinavie, installés près de l'estuaire de la Vistule, les Goths quittent les rives de la Baltique et commencent leur migration vers le sud-est. Ils inaugurent ainsi les mouvements de peuples qui conduiront aux Grandes Invasions.

141

Rome
Antonin fonde des *alimenta* (institutions d'assistance) en faveur des jeunes filles pauvres. Elles sont appelées Faustiniennes, en l'honneur de Faustine l'Ancienne, son épouse décédée en 140.

142

Rome
Antonin le Pieux fait édifier un temple en l'honneur de Faustine, sur le Forum.

143

Rome, 21 avril
Le rhéteur Aelius Aristide prononce l'*Eloge de Rome*. →

Bretagne
Après les campagnes contre les Brigantes, la frontière est reportée plus au nord et un mur est construit du fleuve Forth à la rivière Clyde.

144

Indes du Nord-Ouest
Après un long interrègne, Kanîshka, roi de la dynastie Kushân, monte sur le trône.

Fragment d'un vase gallo-romain en céramique sigillée. Le décor était obtenu en appliquant des poinçons sur la pâte avant la cuisson.

Succès de la poterie gauloise

Empire romain, IIe siècle
La céramique gauloise domine les marchés de l'Occident romain. Elle fait son apparition au début du Ier siècle, à La Graufesenque, près de Millau, aux confins de la Narbonnaise et de la Gaule chevelue, peut-être sous l'impulsion de maîtres italiens voulant s'imposer sur le marché des Gaules. D'une terre noirâtre puis rouge, d'une pâte plus fine que la poterie italienne, imitant les motifs italiques, elle détrône la céramique d'Arezzo dès les années 40. A la fin du Ier siècle, le relais est pris par Lezoux, sur l'Allier. Dans l'Antiquité, la céramique est une des seules productions susceptibles d'être faites à grande échelle : Lezoux compte soixante-dix fours et fabrique toute une gamme, de la grande amphore à l'encrier. Utilisant les transports fluviaux, la production inonde la Bretagne, les vallées du Rhin et du Danube. On la trouve jusqu'en Afrique et en Syrie. Au IIIe siècle, elle sera supplantée par la céramique de Rheinbarzen.

Céramique gallo-romaine. IIe siècle. Atelier de Lezoux.

Antonin est adopté par Hadrien malade

Rome, février 138
Torturé par l'hydropisie, songeant au suicide, l'empereur Hadrien adopte et désigne comme héritier le

L'empereur Antonin le Pieux. Marbre. Ier siècle.

sénateur Antonin. Depuis un demi-siècle, l'adoption s'est imposée comme le meilleur moyen de transmettre le pouvoir. Le hasard en est la cause : ni Nerva, ni Trajan, ni Hadrien n'ont laissé de fils. Pline le Jeune a théorisé le système : l'adoption permet d'attribuer le pouvoir au plus digne et évite les troubles de succession. Hadrien a d'abord choisi Ceionius Commodus, homme léger, soupçonné d'être son fils adultérin (136). A la mort de Commodus, il se tourne vers Antonin. Né en 86 d'une famille sénatoriale nîmoise, consul en 120, il a été consulaire d'Italie et associé aux réformes d'Hadrien. Esprit pondéré, caractère ferme, son seul défaut est son inexpérience militaire. Très riche, mais de mœurs simples, il n'aime rien tant que vivre dans ses domaines ruraux, vendangeant ou tondant ses troupeaux. Hadrien le pousse à adopter son neveu Marc Aurèle et le fils de Commodus, Verus ; l'avenir de la dynastie est ainsi assuré.

L'"Eloge de Rome" est prononcé par le rhéteur grec Aelius Aristide

Rome, 21 avril 143

Aelius Aristide prononce son *Eloge de Rome*, le 21 avril, jour anniversaire de la fondation de la ville. Il s'agit d'un discours reconnaissant la domination romaine et l'acceptant. Le destin des cités grecques ne peut que s'accomplir sous l'excellence de l'empire. Cet Asiatique (né en 117), citoyen romain, très en vogue sous Antonin et Marc Aurèle, est l'un de ces rhéteurs qui, avec Dion de Pruse et Hérode Atticus, incarnent la renaissance des lettres grecques au IIᵉ siècle. Ces hommes font partie d'un courant que l'on nomme Seconde Sophistique. Dans la perception du système politique romain imposé par la conquête, ils se rejoignent dans une même glorification de la monarchie idéale enfin réalisée. Dion (né vers 40 à Pruse en Bithynie) est issu d'une famille riche et cultivée. Il a suivi une éducation classique et s'est rapproché du stoïcisme. Après une vie précaire sous le règne de Domitien, il se trouve très lié avec Trajan devant lequel il prononce deux discours sur la royauté, en 98 et 104. S'appuyant sur Aristote et Polybe, il démontre la perfection de la monarchie romaine et assimile l'empereur, favori des dieux, au père de la patrie, muni de qualités éminentes et d'une mission impérative. De son côté, Hérode Atticus (né en 101), riche « évergète » athénien, consul en 143, est appelé à Rome comme précepteur du futur empereur Marc Aurèle. Auprès de ce dernier, il se fait le porte-parole des idées de ce courant philosophique, ce qui n'est pas sans conséquence sur la théorie et la pratique du pouvoir développées chez ce prince. La réussite oratoire et stylistique de ces auteurs ne doit pas masquer qu'ils ne peuvent que juger en termes philosophiques et moraux la politique, reflet mouvant du complexe Empire romain.

De nouvelles routes terrestres et maritimes ouvertes vers l'Orient

Egypte, 137

Antonin décide de relier par une route la ville d'Antinoë, établie par Hadrien sur le Nil, et le port de Bérénikè, sur la mer Rouge. Il s'agit de soulager la route de Coptos, au nord, à Bérénikè, d'une partie de son trafic, de dédoubler la liaison par fleuve, terre et mer entre Alexandrie et l'océan Indien, d'équiper enfin une Egypte retardée, au moment où s'intensifie le commerce oriental. L'Afrique noire offre l'ivoire, assure le transit de la cannelle qui vient de Malaisie, l'Arabie Heureuse fournit de l'encens, le poivre vient du pays tamoul. Jusqu'ici, les caravanes des Bédouins ont servi d'intermédiaires, mais leurs prélèvements sont excessifs. Aussi cherche-t-on à se passer d'eux, comme on rêve, depuis Néron, de contourner par le nord l'Empire parthe qui taxe lourdement la

Vue par satellite de la mer Rouge avec la presqu'île du Sinaï.

soie venue de Chine. Le commerce de luxe (épices, parfums, esclaves) fait la fortune des marchands orientaux, qui exigent de la monnaie d'or, et des villes, Alexandrie, Antioche, Pétra et Palmyre, qui doivent leur splendeur à l'activité des caravansérails. Et l'Orient de fonder sa prospérité commerciale sur les prodigalités de l'Occident.

L'œuvre d'Hadrien à Rome : de la coupole du Panthéon au Mausolée

Rome, 21 avril 135

Le temple de Vénus et de Rome a été consacré par l'empereur Hadrien. Le plus grand jamais construit à Rome, entouré d'une colonnade gigantesque, il comporte deux *cella* adossées où les deux déesses sont abritées sous une haute voûte en berceau,

Le Panthéon de Rome. 118-125. Le portique avec ses seize colonnes.

procédé jusqu'alors inconnu pour les temples. Situé près du Forum, il rivalise d'imposante majesté avec l'amphithéâtre voisin. Mais le souverain a déjà comblé la Ville d'un de ses plus grands chefs-d'œuvre : le Panthéon. Construit par Agrippa, il avait été détruit par un incendie sous Trajan. Hadrien l'a fait reconstruire sur un plan nouveau et inouï (118-125) : il se distingue par sa coupole large de 43 m, la plus grande du monde et qui ne pourra sans doute jamais être égalée. On la compare à la voûte céleste. De fait, l'architecte de génie a mis tout en œuvre pour donner un sentiment à la fois de perfection et de mystère. L'espace intérieur, circulaire et sphérique, paraît immense et mouvant, grâce aux lignes de fuite créées par le pavement du sol et les caissons de la coupole, dont les piliers restent invisibles. Enfin, l'empereur fait édifier depuis 132 son mausolée sur la rive droite du Tibre. Cet énorme cylindre, relié au Champ de Mars par un pont, reprend la forme des tombeaux circulaires

romains et est une amplification du mausolée-tumulus d'Auguste. Il devra abriter sa dépouille et celles de ses successeurs. Ces trois monu-

ments romains sont les témoignages les plus éloquents de la fièvre de bâtisseur qu'Hadrien exerça à travers l'empire.

Le mausolée d'Hadrien, Rome. 132-139.

Tête d'Hadrien ceinte de la couronne de chêne. Marbre.

Intérieur du Panthéon, Rome. 118-125. La coupole se termine par un oculus central, cerclé de bronze, s'ouvrant sur le ciel.

147

Rome
Marc Aurèle reçoit la puissance tribunicienne. Il est ainsi associé au pouvoir d'Antonin.

Chine
L'impératrice douairière, membre de la famille des Liang, pousse sur le trône l'enfant Huang-di (147-167). Le pouvoir des Liang, dirigés par le maréchal, frère de l'impératrice, est alors à son zénith.

148

Rome, 21 avril
Antonin célèbre le 900ᵉ anniversaire de Rome.

Perse
Vologèse III (148-191) met fin à la lutte successorale ouverte par la mort de Vologèse II. Il prend possession du Royaume parthe, où les influences grecques sont en recul. →

150

Baalbek, Liban
Le porche à colonnade du temple de Jupiter héliopolitain est édifié. Les absides de la colonnade sont décorées de motifs empruntés au Panthéon. Construit de 60 à 248, ce temple possède les plus grandes pierres taillées du monde.

Cachemire, Indes
Un grand concile bouddhiste se réunit à l'instigation de Kanîshka, sous la direction d'Açvaghosha, auteur dramatique, poète, musicien et théologien bouddhiste, ami du roi. Ce concile est à l'origine de la division du bouddhisme en deux branches doctrinales, celle du Grand et celle du Petit Véhicule : Mahâyâna et Hînayâna. Correspondant mieux aux aspirations de l'époque, le Mahâyâna deviendra vite populaire dans de nombreuses régions de l'Inde.

151

Asie Mineure
Antonin secourt les cités ravagées par un tremblement de terre. →

Alexandrie d'Egypte
Ptolémée rédige sa *Géographie*. →

154

Bosphore
Le roi Eupator paie tribut à l'Em-

pire romain. Menacés par les Alains venus du Caucase, le Royaume bosporitain et les villes grecques de la mer Noire se tournent vers Rome pour assurer leur protection.

155

Palestine
Pour apaiser une certaine agitation dans les milieux juifs, Antonin autorise à nouveau la circoncision. Sans être une « religion licite », le judaïsme est toléré. C'est d'ailleurs à cette époque que les chefs survivants des communautés se réunissent à Usha, petit village de Galilée, et décident de rétablir le Sanhédrin ainsi que le Patriarcat, à la tête duquel sera placé Siméon ben Gamaliel.

Arménie
Antonin stoppe une tentative de conquête du pays par le roi des Parthes Vologèse III.

Asie Mineure
L'architecte Zénon construit le théâtre d'Aspendos, théâtre romain remarquable par sa façade extérieure, où les encadrements en calcaire blanc des portes et des fenêtres se détachent sur le front gris brunâtre du mur.

156

Phrygie, Asie Mineure
Le chrétien Montan commence sa prédication. Annonçant le retour du Christ, prêchant l'ascétisme et le martyre, il conteste violemment les hiérarchies de l'Etat romain et de l'Eglise chrétienne accusée de pactiser avec lui. Le « montanisme » est la première hérésie de la religion chrétienne.

160

Lyon
Le premier « taurobole » officiel est célébré. →

Germanie
Le *limes* rhénan est porté au-delà de la vallée du Neckar. Il prend alors son aspect définitif de défense rectiligne et continue.

Empire romain
Appien rédige son *Histoire romaine*, racontant séparément l'histoire de chaque nation jusqu'à sa conquête par Rome. Alexandrin d'origine, installé à Rome, il fut avocat, surintendant des Affaires domestiques de l'empereur et, peut-être, préfet d'Egypte.

Autel de Mithra (trouvé à Heidelberg) avec la scène rituelle de l'immolation d'un taureau. IIᵉ siècle. Musée de Heidelberg.

Les dieux d'Orient honorés dans l'empire

Lyon, 160
Un homme descend dans une fosse recouverte d'un caillebotis, sur lequel se trouve un taureau. La bête est alors égorgée et son sang éclabousse l'homme. Cette cérémonie religieuse, le « taurobole », est liée au culte de Cybèle. Célébrée pour la première fois de façon officielle en l'honneur d'un empereur, Antonin, elle témoigne du succès des religions orientales dans l'empire. Religions du salut proposant l'immortalité personnelle, elles profitent du vide eschatologique de la religion romaine. Le IIᵉ siècle voit le triomphe des cultes liés aux cycles végétaux, rites de mort et de renaissance. Grande Mère du mont Ida en Anatolie, Cybèle est desservie par des eunuques, les Galles, qui se lamentent lors des fêtes de Mars autour d'un pin symbolisant Attis, fils-amant de la déesse. Vêtus de lin blanc, le crâne rasé, les prêtres de la déesse égyptienne Isis célèbrent l'*Inventio*, la ré-surrection d'Osiris par leur déesse, au son des sistres. Les religions cosmiques (telle celle de Mithra) vont connaître leur essor au IIIᵉ siècle.

Seuls vestiges du temple de Jupiter Héliopolitain à Baalbek.

La culture Nok

Golfe de Guinée, vers 150
Les descendants des Noirs néolithiques sahariens, installés au Iᵉʳ millénaire sur le plateau de Bauchi (actuel Nigeria), ont laissé autour du village de Nok les plus anciennes traces de l'art négro-africain : des centaines de figurines en terre cuite représentant des hommes ou des animaux. D'une puissance expressive exceptionnelle, ces sculptures révèlent un modelé habile et témoignent d'une maîtrise technique déjà très ancienne. En étroite liaison avec ces figurines, on relève des foyers de métallurgie, dont la présence reste inexpliquée. A la technique particulièrement évoluée des statuettes répond une expression artistique hautement sophistiquée, préfiguration des représentations plastiques traditionnelles de l'Afrique noire.

Tête nok. Terre cuite. Entre 500 av. J.-C. et 200 apr. J.-C.

Antonin secourt les villes d'Asie ravagées par un séisme

Asie Mineure, 151

De violents séismes abattent des secteurs entiers des plus belles villes : catastrophe artistique, humaine mais aussi financière. Faute d'une fiscalité régulière, les villes, qui rivalisent de faste, sont fortement endettées. L'empereur Antonin doit les aider pour reconstruire. C'est le geste traditionnel d'un « évergète » de l'Antiquité. De fait, l'évergétisme est à la base de la somptuosité des cités, Éphèse ou Pergame, de la splendeur des agoras, des temples, des portiques, des thermes et des théâtres. Il limite les effets des disettes, préserve la paix sociale. Aussi est-il organisé : les liturgies, charges municipales, imposent à leurs détenteurs de financer les jeux et les concours, de distribuer argent et blé. Hérode Atticus comble Athènes, et les empereurs Auguste, Néron et surtout Hadrien participent à ces prodigalités et cèdent à la folie de la pierre. Il ne s'agit pas d'une véritable redistribution des revenus : les plus beaux dons ne sont pas offerts aux plus pauvres. De plus, malgré la vigilance des empereurs, le parasitisme des villes ruine les notables qui se retirent sur leurs domaines agricoles, sonnant le glas d'une brillante civilisation urbaine ruineuse parce que grandiose.

Sanathruk, roi de Hátra. Marbre. Fin Ier siècle - début IIe siècle.

Fresque dite des Trois Dieux. Détail. Art parthe. Ier siècle. Palais de Kuh-i Khwaja, dans le Seistân.

Recul de l'influence grecque dans l'art parthe d'Iran

Perse, 148

Les Séleucides s'étaient efforcés d'helléniser le pays qui leur avait été attribué dans la succession d'Alexandre. Mais la puissance naissante des Parthes, dès 250 av. J.-C., allait infléchir l'évolution de toute cette région, où Grèce et Orient se font face. Il en résulte un art gréco-iranien. Avec la montée de dynasties de plus en plus conquérantes, un art parthe original va s'affirmer. En architecture, par exemple, qu'il s'agisse du palais d'Assur ou de Hatra, chacun d'eux s'ordonne autour d'une grande cour et les façades qui la bordent sont dotées, chacune, d'un *îwân*, déterminant un vaste espace libre voûté. En sculpture, la rupture est encore plus franche et il est difficile de ne pas reconnaître la totale nouveauté que constituent les statues grandeur nature représentant des rois, des princesses ou des dignitaires, en costume de parade, la main droite levée en signe d'accueil. L'influence parthe se décèle jusque dans le décor mural, à Doura Europos, où la fresque du *Sacrifice de Conon* (Ier siècle) n'est ni grecque ni romaine.

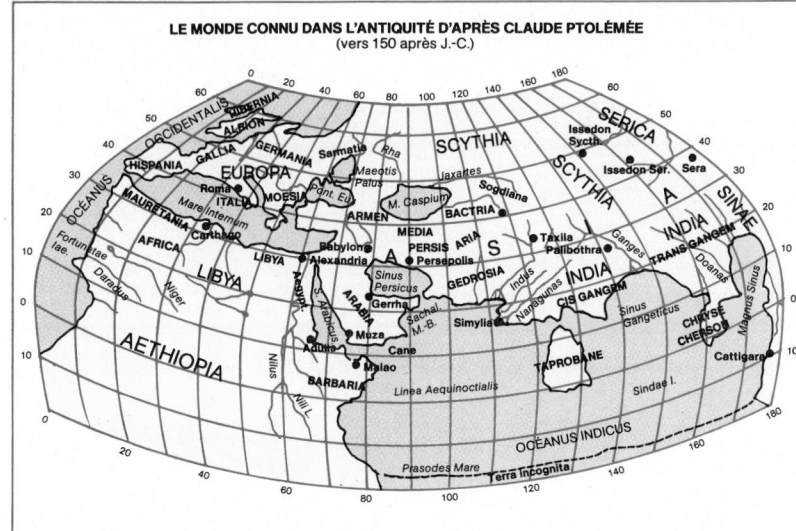

LE MONDE CONNU DANS L'ANTIQUITÉ D'APRÈS CLAUDE PTOLÉMÉE
(vers 150 après J.-C.)

La vision du monde de l'Alexandrin Ptolémée

Alexandrie, 151

Claude Ptolémée fait paraître sa *Géographie*. Né à Ptolémaïs en Haute-Égypte sous Hadrien, cet astronome et géographe a vécu la majeure partie de sa vie à Canope, près d'Alexandrie. Ses œuvres nous ont été transmises par l'intermédiaire des Arabes et ont connu une publication enrichie lors de la Renaissance. On relève des ouvrages d'astronomie, de mathématiques, d'optique et de géographie. Son principal traité, appelé *Almageste ou Composition mathématique,* se penche sur les problèmes trigonométriques et tente une explication des phénomènes du mouvement diurne. Dans sa *Géographie*, il s'est intéressé à la cartographie, renouvelant les conceptions de Strabon, en se basant sur les mesures de Marin de Tyr. Son livre comprend un grand nombre de coordonnées, remarquables par leur précision.

Les portraits égyptiens du Fayoum

Égypte, IIe siècle

L'art du portrait se manifeste en Égypte, de la fin du Ier siècle au IVe siècle, essentiellement dans la région du Fayoum, contrée prospère et peuplée située à l'ouest du Nil. Ces portraits peints à l'encaustique ou à la détrempe sur des planchettes de bois étaient généralement placés sur les momies à l'aide de bandelettes et servaient à perpétuer l'image des défunts, remplaçant le traditionnel masque funéraire. Tantôt très stylisés, tantôt au contraire étonnamment réalistes, ces visages témoignent d'influences diverses, égyptiennes, grecques et romaines. Ils présentent tous une similitude dans le traitement des yeux, auxquels la fixité des pupilles et le trait noir qui les cerne confèrent une intensité particulière, qui ne sera pas sans influencer l'art byzantin.

Portrait de jeune fille. IIIe siècle. Oasis du Fayoum, Égypte.

Portrait de deux frères. Oasis du Fayoum. IIe siècle.

161

Lorium, Italie, 7 mars
Antonin meurt. Marc Aurèle (121-180) accède à l'Empire.

Rome, mars
Marc Aurèle associe au trône Verus qui avait été adopté par Antonin au même titre que lui. →

Empire romain
Le juriconsulte Gaius (117-180) rédige les *Institutiones,* en quatre livres, monumental témoignage du droit romain.

Arménie
Profitant de la mort d'Antonin, Vologèse III, roi des Parthes, installe son parent Pacorus sur le trône et écrase à Elégia une armée romaine venue pour le déloger. Vologèse se permet ensuite un raid en Syrie.

Italie
Valentin, gnostique égyptien, meurt après avoir quitté Rome. Pour les gnostiques, chrétiens hérétiques, la matière n'a pas été créée par Dieu, mais par un démiurge imparfait.

162

Athènes
Le rhéteur grec Hérode Atticus édifie en l'honneur de son épouse Regilla, décédée en 160, un *odéon* (théâtre) recouvert d'un toit, malgré son énorme envergure.

Syrie
L'empereur Verus débarque à la tête de l'armée chargée de lutter contre les Parthes.

Empire romain
Marc Aurèle envoie une ambassade en Chine, composée de marchands syriens. Elle y arrivera en 166.

163

Italie
Marc Aurèle crée les *juridici,* magistrats chargés d'administrer l'Italie. →

Arménie
Statius Priscus, gouverneur de Cappadoce, chasse les Parthes et installe l'Arsacide Sohaemus, client des Romains. Ayant détruit la capitale arménienne Artaxata, il en fonde une nouvelle, Valarshapat.

164

Mésopotamie
Le gouverneur de Syrie Avidius Cassius, général de Verus, franchit l'Euphrate, envahissant le territoire parthe.

165

Rome
Le chrétien Justin est martyrisé. Grand apologiste, il présente le christianisme comme une philosophie permettant la connaissance de Dieu, approfondissant les réflexions de Socrate et Platon.

Mésopotamie
Avidius Cassius prend Nisibis et conquiert le nord du pays. Les Romains établissent une garnison à Doura-Europos, sur l'Euphrate. Point de contrôle de la route commerciale vers le golfe Persique, Doura va devenir un lieu de brassage religieux. Eglise, synagogue, temple des dieux palmyréniens y voisinent.

Chine
Le philosophe confucéen Wang-fu (né en 90) meurt. Son œuvre critique le luxe des riches commerçants et l'exode rural.

166

Orient
Après les victoires d'Avidius Cassius, Verus entre à Ctésiphon et fait la paix avec Vologèse. →

167

Smyrne, 13 février
Polycarpe, évêque de Smyrne depuis 110, est brûlé vif. Ayant connu saint Jean, il fut la figure dominante du christianisme oriental au milieu du IIe siècle.

Rome
Ramenée d'Orient par l'armée de Verus, la peste ravage Rome. Marc Aurèle recourt aux rites les plus archaïques pour la conjurer : *vota publica* et *lectisternes.*

Chine
L'empereur Huang-di (147-167) meurt à 36 ans. Ayant éliminé le clan des Liang, il a mis fin à la domination des impératrices douairières et s'est appuyé sur les eunuques. Ling-ti (168-189) continuera la même politique.

La civilisation de Teotihuacan

Mexique, Ier siècle av. J.-C. - IIe siècle apr. J.-C.
Vers 100 av. J.-C., sur le plateau mexicain, de nombreux villages indépendants vivent éparpillés autour de la vallée de Teotihuacan. Leur langue et leur origine demeurent cependant assez obscures. Dès cette période, leur activité religieuse commune les amène à commencer la construction des premiers édifices religieux. Néanmoins, c'est au cours des Ier et IIe siècles que la ville de Teotihuacan prend vraiment naissance, suite à une subite augmentation de la population dans toute la région. Vaste ensemble de temples et de palais, la ville s'étend sur 20 km² et atteindra une population de 150 000 habitants à son apogée (vers l'an 600). Importante par son activité religieuse, Teotihuacan est aussi un prestigieux centre culturel et un carrefour d'échanges commerciaux. Son agriculture prospère et son artisanat lui permettent d'exporter et de se mettre en contact avec d'autres civilisations mexicaines, tissant ainsi un réseau d'influences allant jusqu'à sa « colonie » de Kaminaljuyu, en pleine zone maya (Guatemala actuel). Son empreinte culturelle se fera sentir dans toute l'Amérique Centrale, et notamment sur le plateau, où le culte du serpent à plumes (auquel est consacré un temple à Teotihuacan) prendra par la suite une très grande importance. Détruite et abandonnée pour des raisons inconnues vers 750, son souvenir prestigieux marquera profondément les habitants du plateau : Teotihuacan (nom que la ville a reçu des Aztèques) signifie, dans leur langue, la « cité des dieux ».

La Pyramide du Soleil à Teotihuacan. Début de l'époque classique.

Vainqueur des Parthes, Verus entre à Ctésiphon

Ctésiphon, 166
En 166, Ctésiphon, sur l'Euphrate, est prise et détruite par les troupes romaines. Il ne s'agit pas là d'une étape dans une politique expansionniste romaine, mais d'une opération punitive. Vologèse III, roi des Parthes, ayant envahi en 162 l'Arménie, battu le légat de Cappadoce, attaqué la Syrie et menacé Antioche, Marc Aurèle se voit en effet contraint d'entreprendre une guerre défensive. Il en confie la direction nominale à Lucius Verus et met à sa disposition ses meilleurs généraux, Avidius Cassius et Pertinax, ainsi que des renforts bien entraînés venus du Danube et de Germanie. L'Arménie est dégagée et replacée sous influence romaine. En 164, l'Osrhoène et la Mésopotamie sont occupées, puis Avidius Cassius descend l'Euphrate et brûle les deux capitales parthes, Ctésiphon et Séleucie. Cependant, la peste, apparue à Séleucie, contraint les protagonistes à conclure la paix en 166 : Rome conserve le protectorat de l'Arménie, établit des garnisons en Osrhoène et annexe une partie de la Mésopotamie.

Lucius Verus. Marbre. Seconde moitié du IIe siècle.

Pour la première fois, deux empereurs règnent collégialement

Rome, mars 161

Marc Aurèle, désigné comme successeur par Antonin et reconnu par le Sénat, demande que son frère adoptif Verus lui soit associé. Verus reçoit le titre d'Auguste et les pouvoirs impériaux, puissance tribunicienne et *imperium*, à l'exception du grand pontificat. C'est le premier exemple de collégialité impériale. Les motifs de Marc Aurèle restent obscurs : cherche-t-il un appui pour porter une charge écrasante, ou veut-il respecter les volontés d'Hadrien qui les avait fait adopter en même temps par Antonin ? Les deux hommes appartiennent à la plus haute noblesse. Né en 121 d'une famille sénatoriale espagnole, Marc Aurèle est apparenté aux empereurs Trajan, Hadrien et Antonin, qui a épousé sa tante. Verus est né en 130 de Commodus, un moment héritier d'Hadrien. Mais on ne peut imaginer de caractères plus opposés. Souffrant de maux d'estomac, inquiet et tourmenté, Marc Aurèle est un philosophe couronné, à la haute valeur morale. Robuste et gai, Verus ne s'intéresse qu'aux femmes,

Les empereurs Marc Aurèle et Lucius Verus. IIe siècle. Camée de sardoine.

au vin et au cirque. Un tel contraste explique leurs destins différents sous Antonin. César investi de la puissance tribunicienne et de l'*imperium* proconsulaire, en 147, Marc Aurèle épouse Faustine, fille d'Antonin, et fait figure d'héritier. Verus, lui, est écarté de la succession au trône. Les scrupules de Marc Aurèle lui redonnent une chance inespérée. Cependant, plus jeune, nouveau dans la carrière et inférieur en *auctoritas*, il va toujours demeurer au second plan.

La "diaspora" du peuple juif

Empire romain, Ier-IIe siècles

Au début du Ier siècle, les Juifs de l'Empire romain ont une situation privilégiée. Gouvernés par des princes de la maison d'Hérode, vassaux des empereurs, les Juifs qui vivent en Palestine échappent à la domination directe de Rome. Quant à ceux qui sont dispersés autour de la Méditerranée, ils bénéficient du statut accordé par César et ils peuvent pratiquer librement leur religion ; ils sont dispensés de rendre un culte à l'empereur. Les contacts entre la culture gréco-romaine et la culture hébraïque sont fréquents. Certains païens se convertissent au judaïsme. Le philosophe Philon, juif d'Alexandrie, tente même de concilier la pensée platonicienne avec le judaïsme. L'historien Flavius Josèphe, Juif de Palestine, combat certes les Romains lors de la révolte de 66, mais devient ensuite l'ami de Vespasien et écrit en grec le récit de *La Guerre des Juifs*. Ces rapprochements sont cependant rares. Le particularisme religieux des Juifs entraîne l'incompréhension de la masse des païens, qui les confondent d'ailleurs bien souvent avec les chrétiens, secte juive jusqu'en 49. Les tensions débouchent sur des affrontements. Puis vient la révolte de 66-70 : la destruction du Temple par Titus creuse un fossé infranchissable. Après la mort du dernier hérodien, Agrippa II (100), toute la Palestine est sous domination romaine. Soulevés par de violentes révoltes qui embrasent tout l'Orient comme en 117 ou qui se limitent à la Palestine et débouchent sur une véritable guerre (avec Bar-Kochba), les Juifs aspirent contre tout espoir à la restauration du Temple. Hadrien sera impitoyable : il expulsera les Juifs de Jérusalem, les dispersera (c'est la « diaspora ») et peuplera la Palestine de paysans grecs. Coupés du Temple, les fidèles se replient sur la synagogue, lieu de rassemblement et de prière. S'appliquant à parfaire la Loi, un nouveau type de judaïsme se développe sous l'égide de l'école pharisienne. De cette réflexion étroitement centrée sur les textes naîtra la *Mishna*, interprétation et codification de la Loi hébraïque.

Le triomphe de Titus : les dépouilles du Temple de Jérusalem (dont le Chandelier à sept branches). Vers 80.

Marc Aurèle change le statut administratif de l'Italie

Rome, 163

L'empereur Marc Aurèle institue des *juridici*, fonctionnaires chargés d'administrer l'Italie. Il revient par cette mesure sur la suppression, ordonnée par Antonin, des consulaires, créés à cet effet par Hadrien, mais préfère les choisir parmi les prétoriens de moindre envergure. Il garde par ailleurs d'excellents rapports avec le Sénat : il le consulte fréquemment, accroît ses pouvoirs judiciaires de cour d'appel et lui fait voter de nombreux senatus-consultes. Il appuie volontiers son administration sur l'aristocratie sénatoriale. Malgré ses tendances conservatrices et ses origines aristocratiques, il introduit dans l'ordre sénatorial et porte aux plus hautes charges des officiers capables, même d'origine humble et provinciale, surtout africains et orientaux. Il favorise également l'ordre équestre, y introduit une titulature hiérarchisée selon les postes occupés et crée de nouvelles procuratèles. Il développe la juridiction du préfet de Rome, crée la magistrature de préteur tutélaire et augmente les pouvoirs des préfets du prétoire. Ce développement de la bureaucratie renforce la mainmise impériale sur des domaines réservés au Sénat et aux magistrats.

Statue équestre de Marc Aurèle. Bronze doré. Entre 166 et 180. Place du Capitole, Rome.

170

Rome
Marc Aurèle fait ériger sa statue équestre sur le Capitole.

172

Europe danubienne
Au cours de la guerre contre les Marcomans, l'armée est sauvée de la soif par le « miracle de la pluie », attribué par l'empereur au mage égyptien Arnouphis, qui avait imploré le dieu Thot.

Empire romain
Marc Aurèle impose la paix aux Quades et aux Marcomans. Une bande de 7 km de large au nord du Danube leur est interdite.

Inde du Nord-Ouest
Mort de Kanîshka, empereur kushâna. Huvishka lui succéde (172-217). →

173

Grèce
Né en Lydie, Pausanias termine sa *Description de la Grèce*, au style obscur et affecté. Ce livre n'en reste pas moins une mine inestimable de renseignements sur l'histoire, les mœurs et la religion de la Grèce classique, ainsi que sur ses monuments et œuvres d'art.

Egypte
Investi d'un pouvoir sur l'ensemble de l'Orient depuis 166, le gouverneur de Syrie Avidius Cassius écrase la sédition des *boukoloï*, pâtres brigands.

175

Europe danubienne
Marc Aurèle impose la paix aux Sarmates Yazyges.

Marc Aurèle rédige son journal, *Les Pensées*. →

Syrie
A l'annonce de la mort de Marc Aurèle, le gouverneur Avidius Cassius se fait proclamer empereur. Tout l'Orient se rallie à lui. Abandonné ensuite par ses partisans, il est tué par un soldat trois mois après son avènement.

176

Rome
Marc Aurèle associe au trône son fils Commode (161-192), qui re-

çoit le titre d'Auguste. La puissance tribunicienne lui sera conférée en 177.

177

Lyon, août
La communauté chrétienne est persécutée. →

Europe danubienne
Les Quades et les Marcomans sont de nouveau en guerre contre l'Empire romain.

Empire romain
Le philosophe Celse rédige en grec le *Discours vrai*, première réfutation raisonnée et sérieuse de la doctrine chrétienne. Elle ne nous est connue que par les citations qu'en fait Origène dans son *Contre Celse*.

178

Lyon
Irénée (140-202) remplace Pothin comme évêque. Né en Asie, disciple de saint Polycarpe, il se consacre à l'évangélisation de la vallée du Rhône et à la controverse contre les gnostiques (*Contre les hérésies*).

179

Europe danubienne
Marc Aurèle songe à annexer la Bohême et les Carpates. →

180

Vienne, 17 mars
Marc Aurèle meurt de la peste. Resté seul empereur, Commode abandonne les projets de conquête et fait la paix.

Rome
Décision est prise d'élever au Champ de Mars une colonne dédiée à la commémoration des guerres menées par l'empereur sur la frontière danubienne. Les travaux commencent aussitôt ; l'œuvre ne sera terminée que douze ans plus tard.

Carthage
Mort d'Apulée. →

Mer Noire
Les Goths qui migrent depuis la Baltique s'installent sur les bords de la mer Noire. Ils se diviseront entre Goths de l'Ouest (Wisigoths) et Goths de l'Est (Ostrogoths), de part et d'autre du Dniestr.

Princesse à sa toilette. IIᵉ siècle. Plaque d'ivoire gravée, provenant de Begrâm. Mobilier d'apparat. Musée de Kaboul.

Kanîshka porte l'Empire kushâna à son apogée

Indes, 172
Sous le règne du roi Kanîshka, l'Empire kushâna atteint sa plus grande étendue et celle-ci coïncide avec son apogée culturel et artistique. Troisième souverain de la lignée, Kanîshka a accédé au pouvoir au milieu du IIᵉ siècle (la date la plus probable étant aux alentours de 144). On sait qu'il est né à Khotan, une oasis d'Asie centrale. Son action à la tête de l'empire fut des plus profitables : non seulement il continua la progression vers le sud commencée par ses prédécesseurs, mais il lança des raids vers la vallée du Gange, ajouta le Cachemire à son empire et mena des campagnes victorieuses contre les Parthes, et au-delà du Pamir. Le domaine kushâna s'étend désormais du Bihâr à l'est au Khurâsân à l'ouest, de Khotan au nord, à Konkan au sud. Du Magadha, Kanîshka ramena un lettré bouddhiste qui devint son ministre et obtint sa conversion. Le bouddhisme connaît d'ailleurs, sous son règne, un grand essor : réunion de conciles, apparition de l'image du

Maître, aussi bien dans l'art gréco-bouddhique du Gandhâra qu'à Mathurâ, développement d'une littérature bouddhique avec Açvaghosha comme figure de proue. Kanîshka meurt assassiné en 172. Ses successeurs ne sauront conserver l'empire intact longtemps.

Le roi Kanîshka. IIᵉ siècle. Grès rose. Art kushâna. Musée de Mathurâ.

L'empereur Marc Aurèle, philosophe stoïcien, écrit ses "Pensées"

Carnuntum, sur le Danube, 175
Au soir de durs combats contre les Sarmates, sous sa tente, l'empereur Marc Aurèle rédige ses *Pensées*. Ecrites en grec, elles sont empreintes de cette philosophie stoïcienne vers laquelle il s'est tourné à l'âge de douze ans. Portant le manteau du philosophe pendant son adolescence, Marc Aurèle a été formé par Junius Rusticus, sénateur stoïcien, qui lui a fait connaître le *Manuel d'Epictète*, rédigé par Arrien. Convaincu que toute substance matérielle est pénétrée par le Souffle qui lui donne vie, le stoïcisme enseigne que tous les hommes sont égaux, puisque tous porteurs de ce Souffle. La conscience de l'unité du genre humain doit amener le souverain à montrer de la *philanthropia* (bienveillance) envers ses sujets. Mais le Sage doit aussi se plier à l'Harmonie du monde, ce qui aiguise le sens du devoir mais entraîne une soumission fataliste envers l'empereur, incarnation de cette Harmonie. Le stoïcisme justifie donc le régime des Antonins, monarchique mais humaniste. Son sens du devoir inspire la classe dirigeante. En cette fin du IIᵉ siècle, il apparaît comme la philosophie officielle de l'empire.

Des martyrs chrétiens jetés aux fauves

Lyon, août 177
En 177, à Lyon, des chrétiens sont jetés aux fauves à cause de leur foi. Il s'agit seulement là d'une persécution locale et ponctuelle, aucune politique antichrétienne n'étant encore à l'ordre du jour. La religion romaine étant par tradition tolérante et accueillante, les pouvoirs publics n'ont pas cherché à nuire à cette Eglise naissante. Cependant, le mystère dont les chrétiens entourent leurs rites, leur refus du culte impérial et leur dénonciation des mœurs de la société païenne font naître une certaine hostilité, et les pouvoirs sont parfois contraints de céder à la pression populaire. Des chrétiens répondent aux calomnies des païens dans des œuvres apologétiques, mais leur monothéisme et leur prosélytisme jettent le doute sur leur loyalisme civique et entretiennent la suspicion. Ceci n'empêche d'ailleurs pas une formidable expansion du christianisme, à partir des communautés établies dans les grandes villes de la Gaule, comme Lyon, Vienne et Autun, ainsi qu'en Afrique et en Orient. L'Eglise s'organise en une structure hiérarchisée : les prêtres et les diacres, qui ont une fonction liturgique et sociale, entourent l'évêque, chef de la communauté, chargé plus particulièrement de l'enseignement et de la lutte contre les premières divergences doctrinales de la gnose et du marcionnisme, à l'heure où sont définis les dogmes essentiels de le foi chrétienne.

Le miracle de la pluie. Scène de la Colonne de Marc Aurèle. Marbre. 180-192. Piazza Colonna, Rome.

Les jeux du cirque. Mosaïque. Début IIIᵉ siècle. Villa de Dar Buc Ammera, Zliten, près de Leptis Magna. Musée de Tripoli.

Nâgârjuna fonde le bouddhisme Mahâyâna

Indes, 150-200
L'école dite du Grand Véhicule, en sanskrit *Mahâyâna*, dont les idées étaient en germe dès avant le début de notre ère, renouvelle la conception du bouddhisme et prend toute son ampleur autour de maîtres éminents, mystiques et philosophes. Nâgârjuna est l'un des plus célèbres d'entre eux : en fondant la « Voie du milieu », secte des Mâdhyamika, il donne au bouddhisme mahâyâna l'une de ses deux ailes, l'autre étant l'école Yogâcâra que fonderont plus tard Asanga et Vasubandhu. Le bouddhisme mahâyâna introduit des idées parfois assez éloignées de celles du bouddhisme primitif : déification du Bouddha, apparition de l'idéal du *bodhisattva* et possibilité pour les non-moines d'accéder également à la *boddhéité*. Nâgârjuna développe la théorie de la vacuité universelle. Son œuvre se trouve centrée sur la *Prajnâpâramitâ*, ou sagesse transcendante.

Tête de Bouddha. Art du Gandhara. IIIᵉ siècle.

Marc Aurèle combat les Quades et les Marcomans sur le front danubien

Vindobona, sur le Danube, 179
L'empereur Marc Aurèle songe à annexer la Bohême et les Carpates, qu'il veut organiser en provinces de Sarmatie et de Marcomanie. Au bout de dix ans de guerre, il croit la victoire proche. A l'origine du danger se trouvent les migrations des peuples d'Europe centrale, Goths, Burgondes et Vandales. Menacés, les Marcomans de Bohême, les Quades de Moravie et les Sarmates de Hongrie franchissent le Danube pour se tailler des domaines dans l'empire. C'est le début des invasions barbares qui vont assaillir Rome durant des siècles. En 169, Marcomans et Quades franchissent le *limes* et parviennent jusqu'en Italie du Nord. La panique déferle sur Rome et Marc Aurèle doit vendre sa vaisselle précieuse pour équiper ses troupes. La contre-attaque romaine permet de leur imposer la paix en 174, ainsi qu'aux Sarmates en 175. Quades et Marcomans rouvrent les hostilités en 177, mais le préfet du prétoire Paternus leur inflige une écrasante défaite qui amène Marc Aurèle à envisager l'annexion. La peste, qui emportera Marc Aurèle en 180, en empêchera la réalisation.

Marc Aurèle recevant les Barbares vaincus. Détail. 179.

L'Africain Apulée, un romancier picaresque

Carthage, 180
Apulée meurt sous le règne de Commode. Né en Numidie, à Madaura, en 125, d'une riche famille berbère, il a suivi une formation de rhéteur avant de s'initier à la philosophie platonicienne à Athènes. Ouvert aux influences orientales, cet orateur s'est intéressé aux divers cultes mystiques et à la magie. Ainsi, il rend compte des contradictions de son siècle dans une œuvre variée. Parmi les livres qui ont été conservés, on note des traités philosophiques de vulgarisation, comme le *De Platone* et le *De Deo Socratis*. Ses discours datent de son retour à Carthage, où il s'installe comme avocat et acquiert une renommée considérable. Il s'agit du *De magia*, une défense talentueuse contre l'accusation de pratiques magiques en vue de séduire une riche veuve. Ecrivain brillant, il révèle un art consommé de la formule, même s'il se réclame de la philosophie. Dans *Les Florides*, nous avons un aperçu des sujets traités dans ses causeries et du goût du public pour le délicat et l'artificiel. Mais c'est un roman en onze livres que la postérité a retenu, *Les Métamorphoses ou l'Ane d'or*. C'est le récit des aventures picaresques du jeune Lucius, passionné de magie, qui est transformé par erreur en âne. Dans un style raffiné et alerte, Apulée nous conte ses propres rencontres philosophiques et religieuses, telle l'initiation isiaque de son héros.

182

Rome
Le préfet du prétoire Perennis, sans doute responsable de la chute de son collègue Tarrutenius Paternus, devient le véritable maître de l'empire.

183

Bretagne
A la suite de nouvelles incursions des Brigantes, les Romains abandonnent le mur d'Antonin et se replient sur le mur d'Hadrien.

Afrique
Commode répond favorablement aux plaintes des colons du *saltus burunitanus.* →

184

Chine
Les « Turbans jaunes », membres d'une société secrète paysanne, se révoltent contre les Han. →

185

Rome
Victime de l'hostilité de l'armée de Bretagne et des intrigues du chambellan Cleander, Perennis tombe en disgrâce. Cleander devient le nouveau favori de Commode : c'est le règne des affranchis.

Palmyre
Après la chute de Pétra en 106, Palmyre s'assura le monopole du commerce caravanier entre l'Inde et les pays du bassin méditerranéen. Cité tout à fait intégrée à l'Empire romain depuis Hadrien, elle fournit un contingent d'archers à l'armée romaine. Les dieux locaux sont, d'ailleurs, généralement représentés habillés de l'uniforme romain. Ville cosmopolite par définition, Palmyre fait la synthèse d'éléments romains, sémitiques et iraniens.

187

Germanie
Clodius Albinus vainc les Chattes, qui menacent le Taunus et les champs Décumates. Le *limes* de Domitien est définitivement abandonné pour celui d'Antonin.

189

Rome
A la suite d'une disette dont il est rendu responsable, Cleander, le préfet de l'annone, est livré à la populace. →

Indes
L'évêque d'Alexandrie, Démétrius, envoie le missionnaire Panthène en Inde. Sa prédication rencontre peu de succès.

Chine
Appelé par une faction de la Cour, le général Tong-tcho met fin à la domination des eunuques et prend le pouvoir.

190

Egypte
Les prix ont doublé depuis 179. L'empire connaît une hausse de pénurie par suite d'une conjoncture de dépression, depuis le règne de Marc Aurèle. La proportion d'argent dans le denier est passée de 90 % sous Néron à 70 % sous Commode.

Chine
Aprés la mort de Ling-ti en 189, Xian Di (Hien-ti, 190-220) monte sur le trône. Il sera le dernier des Han.

191

Rome
Commode rebaptise Rome de son nom, *Colonia Lucia Aurelia Nova Commodiana.* Il s'en considère comme le nouveau fondateur. Il donne de même son nom à la flotte, aux blés, aux légions et à tous les mois de l'année.

192

Rome
Commode descend dans l'arène et s'exhibe en gladiateur. →

Egypte
L'écrivain Lucien de Samosate meurt. →

Chine
Le général Tong-tcho laisse ses soldats brûler la capitale, Luoyang. Il est assassiné peu après. La Chine sombre dans l'anarchie.

Rome, 31 décembre
L'esprit troublé, Commode veut sacrifier les consuls entrant en charge le 1er janvier 193. Effrayés par sa démence sanguinaire, sa concubine Marcia et le préfet du prétoire Aemilius Laetus le font étrangler dans son bain. C'est la fin de la dynastie des Antonins.

Commode descend dans l'arène avec les gladiateurs

Rome, 192
Les sénateurs et les chevaliers sont contraints d'acclamer l'empereur Commode dans l'amphithéâtre. Celui qui se prétend le nouvel Hercule, un dieu vivant, combat dans l'arène en gladiateur tentant de reproduire les exploits de son héros, après avoir procédé en personne à des massacres d'animaux sauvages (ours, tigres, hippopotames, éléphants). En privé, Commode a aussi mené des courses de chars, prenant l'uniforme des Verts, l'une des quatre équipes du cirque. Ainsi, l'empereur s'est abaissé aux métiers de cocher et de gladiateur, considérés comme infâmes, mais très populaires. Les Romains sont passionnés par les courses de chars, et les vainqueurs deviennent célèbres. A l'amphithéâtre se donnent

Gladiateurs combattant dans l'arène. Bronze. 1er siècle (gallo-romain).

des combats, avec parfois des centaines de gladiateurs, et aussi des supplices sanglants. Ces jeux ont lieu des dizaines de fois par an, indispensables au même titre que le foisonnement des sectes à la « civilisation de la Ville » et à l'assouvissement des passions de la foule.

Course de chars dans l'arène. Relief funéraire d'un magistrat du cirque. 120-140. Marbre. Museo Laterano, Vatican.

Cleander, chambellan de Commode, est livré à la foule de Rome

Rome, 189
La foule déchaînée massacre Cleander, mutile son cadavre et exhibe sa tête. Commode apaise ainsi l'émeute, en abandonnant son chambellan et préfet du prétoire, rendu responsable d'une disette de blé. Le jeune empereur (il est né en 161, dans la pourpre), élevé avec soin par son père Marc Aurèle et associé à l'empire dès 177, est un prince paresseux et influençable. Commode gouverne d'abord avec l'entourage imposé par son père. Puis il sombre dans la débauche avec des compagnons de bas étage, laissant le soin des affaires à ses favoris, le préfet du prétoire Perennis (182-185), puis Cleander, ancien esclave phrygien. Les intrigues de sérail et les complots poussent le prince, soupçonneux et cruel, à multiplier les exécutions. Sous la coupe de ses innombrables maîtresses, dont Marcia, favorable aux chrétiens qui cessent donc d'être persécutés, Commode se plaît à exercer sa force physique, comme

Hercule à qui il s'identifie : un jour, il a tué de ses mains cinq hippopotames. Enivré de son pouvoir, l'empereur croit au caractère divin de sa fonction. Il est le premier empereur initié à l'antique culte asiatique de Mithra. Honni du Sénat, favorable aux chevaliers, Commode flatte la plèbe. Avec lui, le pouvoir impérial a changé de nature.

L'empereur Commode en Hercule. Marbre. Vers 190.

L'ordre équestre

Empire romain, IIe siècle
L'ordre équestre ne vient qu'en second dans la hiérarchie sociale de l'Empire romain, mais il joue un rôle croissant, en liaison avec le renforcement progressif de l'administration dont il fournit les cadres, et grâce au développement des activités commerciales, sources de son enrichissement. Depuis la réorganisation de l'ordre par Auguste, un cens de quatre cent mille sesterces est nécessaire pour devenir chevalier. On est appelé à titre individuel, par l'empereur lui-même, ce qui crée un lien personnel, gage de fidélité. Jusqu'à Hadrien, le chevalier doit trois années de service militaire mais c'est surtout dans l'administration qu'il déploie sa compétence. Les procuratèles se multiplient et se spécialisent. Puis viennent les préfectures : ainsi Caius Minicius, fait chevalier par Vespasien, exerce diverses procuratèles en Asie, en Lyonnaise et en Aquitaine, avant de devenir préfet de l'annone et préfet d'Egypte avant 105. Si on voit des chevaliers intégrer l'ordre sénatorial, la tentative d'un Séjan, préfet du prétoire, pour succéder à Tibère, fait exception. Bientôt l'ordre équestre, parce qu'il est ouvert à la fois aux provinciaux et aux Italiens, aux notables et aux soldats, devient l'ordre des hommes à talent. D'où son essor rapide et déterminant pour l'empire.

Scènes de la vie rurale. Mosaïque romaine d'une maison à Uthina (Oudhna). IIIe siècle.

Travaux et jours dans un grand domaine rural en Afrique romaine

Afrique, 183
Les colons impériaux du *saltus burunitanus* adressent une réclamation à l'empereur Commode : ils se plaignent de l'augmentation de leurs jours de corvée, contraire à la loi. La loi mancienne a en effet limité le fermage payé par les colons au tiers de la récolte et les corvées à six jours par an, tandis qu'Hadrien a exempté de fermage ceux qui mettent en culture les terres en friche. Ces lois concernent tous les grands domaines, fréquents dans les campagnes de l'empire, qu'ils appartiennent à l'empereur ou à de riches propriétaires. A l'économie domaniale classique, où l'exploitation est assurée par des esclaves surveillés par un *conductor*, s'est substituée une organisation plus rentable : l'exploitation est divisée en petites unités, confiées contre fermage à des colons, sous la responsabilité d'un gérant, alors qu'une réserve est directement cultivée par ce même gérant qui dispose d'esclaves impériaux et des corvées dues par les colons. En donnant l'ordre aux procurateurs de respecter ces lois, l'empereur entend protéger les colons des excès des gérants et favoriser une classe nombreuse de quasi-propriétaires qui le soutient volontiers.

La révolte des "Turbans jaunes" agite la Chine

Chine, 184
Dans le Shandong (Shan-tung), 300 000 hommes dont le port du turban jaune est le signe de ralliement prennent les armes contre les Han. Depuis le début du IIe siècle, le pouvoir impérial a commencé à se désagréger, sapé par la puissance croissante des eunuques et de la famille des impératrices. Les lettrés constituent, en 166, une association pour s'organiser face aux puissances montantes. Ils bénéficient de l'appui tacite de la population, exaspérée par les exactions. Au cours de la seconde moitié du IIe siècle, la situation économique et sociale est désastreuse, particulièrement dans les campagnes. Des sociétés paysannes de caractère messianique voient le jour. A partir de 170, l'agitation se fait de plus en plus violente. La secte des « Turbans jaunes », fondée par Zhang Jue et basée sur un texte fondamental du taoïsme promettant « un royaume nouveau d'harmonie, de justice et de paix », fait des progrès spectaculaires. Les Turbans jaunes sont bien implantés dans l'est de la Chine, l'ouest étant le domaine d'une autre secte, taoïste elle aussi, mais rivale. Les envoyés de Zhang Jue dans la capitale sont massacrés sur ordre du pouvoir impérial troublé par l'irruption de cette nouvelle force. C'est le signal de la révolte. Bon chef religieux, Zhang Jue s'avère piètre chef militaire. Les généraux qui se mettent en campagne pour mater les rebelles pressentent la fin des Han, et la tentation de se tailler un royaume est forte. Zhang Jue est tué dans les combats, et ses deux frères sont exécutés par les Impériaux. La région de Nanyang, où s'étaient réfugiés des rebelles survivants, est pacifiée par Sun Jian. Cette sanglante répression sonne, aussi, le glas de la dynastie des Han.

Fronton d'une « chambrette » funéraire au décor estampé. Epoque Han.

Un haut fonctionnaire. Peinture murale d'une tombe de Wang-du.

Un esprit rationaliste, Lucien de Samosate

Egypte, vers 192
Lucien meurt, en Egypte, sous Commode. La vie de ce Syrien, né à Samosate, sur le cours supérieur de l'Euphrate, vers 125, reste obscure, malgré les fragments autobiographiques dispersés dans son œuvre. Issu d'une humble famille d'artisans, il débute dans l'atelier de son oncle. Une nuit, la Culture lui apparaît en songe et le convertit. Il apprend le grec et achève son éducation dans les écoles de rhétorique en Ionie. Il devient sophiste itinérant et parcourt le monde romain, avant de s'établir à Athènes en 164 et débuter une carrière de pamphlétaire. Ses dialogues satiriques raillant hommes et dieux, la philosophie et les charlatans, lui procurent célébrité et ennemis. On lui attribue plus de quatre-vingts ouvrages parmi lesquels de vains exercices sophistiques, comme l'*Eloge de la mouche*, des dialogues, deux romans, l'*Ane* et *Histoire vraie*. C'est dans *La Mort de Pérégrinos* qu'il règle ses comptes avec le cynisme. Mais s'il n'est pas un penseur, il reste le chantre de l'atticisme.

193

Rome, 28 mars
L'assassinat de Pertinax par les prétoriens ouvre une période de guerre civile : Didius Julianus est proclamé empereur à Rome, tandis que l'armée d'Illyrie proclame Septime Sévère (9 avril), celle de Syrie Pescennius Niger et celle de Bretagne Clodius Albinus.

195

Chine
Les Xiongnu (Hioug-nu), sont installés par l'Empereur comme fédérés dans le Nord de la Chine, où ils restent menaçants.

197

Lyon, 19 février
L'Empire romain est réunifié. Septime Sévère vainc son dernier rival Albinus à la bataille de Lyon. Répression sanglante. →

Carthage
S'étant converti deux ans plus tôt au christianisme, Tertullien entreprend, avec toute la ferveur d'un néophyte, de publier une *Apologétique* de la religion nouvelle : s'adressant aux chefs des provinces romaines responsables des persécutions, il y prend vigoureusement la défense des chrétiens, les lavant des crimes dont on les accuse. →

Mésopotamie
Après avoir vaincu les Parthes à Séleucie sur le Tigre, puis à Ctésiphon, Septime Sévère leur arrache la Mésopotamie, qu'il constitua, deux ans plus tard, en province romaine.

201

Italie
Mort du médecin, d'origine grecque, Galien. →

202

Empire romain
Edit contre le christianisme. Tout prosélytisme chrétien ou juif est interdit. Persécutions locales en Afrique, en Gaule (saint Irénée à Lyon) et en Egypte.

203

Rome
L'arc de Septime Sévère est élevé sur le Forum.

Alexandrie
Origène remplace Clément à la direction de l'école (chrétienne) d'Alexandrie.

Rome
Papinien devient préfet du prétoire. Le célèbre juriste succède à Plautien exécuté pour complot. Ses *20 Quaestiones et Responsa* associent droit et humanisme.

Rome, 26 mai
Jeux séculaires commémorant le 950ᵉ anniversaire de Rome. →

211

York, 4 février
Septime Sévère meurt au cours de la campagne de Bretagne (208-211). Ses fils Caracalla et Géta lui succèdent.

212

Rome, février
Meurtre de Géta. Il est tué sur l'ordre de Caracalla qui se livre à une sanglante répression à Rome. On parle de milliers de victimes, dont Papinien.

Empire romain
Constitution antoninienne. Caracalla accorde la citoyenneté romaine à tous les habitants de naissance libre de l'empire.

215

Empire romain
Mort de Clément d'Alexandrie. Né probablement à Athènes vers 150, il enseigna de 193 à 202 à l'école chrétienne d'Alexandrie. Ses *Stromates* (215) tentent la synthèse du christianisme et de la philosophie antique.

Réforme monétaire. Création de l'*antoninianus* d'argent qui remplacera le denier. L'ancien système monétaire se dégrade.

216

Rome
Inauguration des Thermes de Caracalla, commencés en 205. →

217

Mésopotamie, 8 avril
Assassinat de Caracalla. Le préfet du prétoire Macrin devient le premier empereur d'origine équestre. →

L'apogée du règne de Septime Sévère

Rome, 26 mai 204
L'empereur, petit homme brun et frisé, au fort accent punique, prononce l'ouverture des Jeux séculaires. Ses jeunes fils Caracalla (né en 188) et Géta (né en 189), associés à l'empire depuis 198, l'entourent. Il célèbre ces jeux pour commémorer le 950ᵉ anniversaire de Rome, proclamer la grandeur et l'éternité de la Ville, mais aussi pour magnifier sa réussite. Africain, né à Leptis Magna en Tripolitaine (11 avril 146), il a su en effet surmonter tous les périls. Fils de chevalier, il étudie le droit à Rome et fréquente les cercles littéraires d'Athènes. Entré au Sénat, consul en 190, il échappe aux massacres de l'époque de Commode. Légat de Pannonie supérieure à la mort de Pertinax (193), il rallie les légions danubiennes et se proclame empereur. Au cours de quatre années de guerre civile violente, ce général médiocre élimine ses rivaux Niger et Albinus. Il devient ainsi le premier provincial d'origine locale à accéder à l'empire. Administrateur habile, il tire les leçons de sa victoire. Il comble les soldats de largesses : augmentation de la solde ; droit de mariage légitime ; création d'un impôt en nature, l'annone militaire, afin de les ravitailler. Surtout, il leur ouvre les portes de l'ordre équestre, qu'il favorise : il crée trois légions à direction équestre et renforce le rôle du préfet du prétoire. Ses juristes rendent le droit plus clément envers les humbles. Les victimes ? Le Sénat, aux prérogatives rognées, et les bourgeoisies municipales, qui voient leurs charges financières alourdies. Septime Sévère a marqué profondément la société et l'Etat.

L'empereur Septime Sévère. Vers 203. Marbre. Rome.

Leptis Magna. La basilique construite à la demande de Septime Sévère. 210-216.

Mort du grand médecin et anatomiste Galien

Italie, 201
Galien meurt vers l'âge de 70 ans. Né à Pergame vers 131, fils d'un architecte, Claude surnommé Galenos (« le Doux »), il étudie la philosophie d'Aristote puis l'anatomie à Alexandrie. Médecin des gladiateurs de Pergame (158-162), il se fixe à Rome en 163, devient médecin des empereurs Marc-Aurèle, Verus et Commode, se lie au cercle de Julia Domna. Faisant la somme des connaissances médicales de son temps, Galien est, avec Hippocrate, le plus grand médecin de l'Antiquité. Philosophe autant que praticien, il postule que le tempérament humain est formé de la combinaison de quatre humeurs : sang, bile, pituite et atrabile.

Le cercle littéraire de Julia Domna à Rome

Rome, 193-217
Fille du grand-prêtre du Baal d'Emèse, mariée à Septime Sévère lorsqu'il était légat de la IVᵉ légion Scythica en Syrie (180), Julia Domna est comblée de titres : « Mère de la patrie », « Mère des camps ». Réunissant une cour de savants, de juristes et d'écrivains, parmi lesquels le médecin Galien, les sophistes Diogène Laërce (*Biographie de philosophes*) et Athénée (*Le Banquet des sophistes*), elle charge Philostrate de Lemnos de récrire la *Vie d'Apollonios de Tyane*, philosophe néo-pythagoricien du Iᵉʳ siècle. Conseillère de son fils Caracalla, elle se laissera mourir de faim après l'assassinat de celui-ci à Carrhae, le 8 avril 217.

Le culte de Mithra se propage à Rome

Empire romain, vers 211

D'origine iranienne, le culte de Mithra, le dieu-lumière, fait de nombreux adeptes dans l'empire. Comme d'autres cultes initiatiques orientaux, tels ceux de Cybèle, d'Isis ou de Baal, cette religion connaît un succès croissant au moment où, dans un vaste mouvement de syncrétisme, le paganisme romain tolère et intègre de nouvelles formes de culte. Ce sont surtout les soldats, en Illyrie ou en Orient, qui honorent ce dieu réclamant de ses fidèles vertus viriles et morales. Mithra, vainqueur du mal, allié du Soleil, s'était rendu maître du taureau primitif qu'il égorgea : le rite essentiel est le sacrifice sanglant d'un taureau, garant de salut (le taurobole). L'initiation des néophytes, qui exclut les femmes, comporte sept degrés d'épreuves physiques douloureuses. Les adeptes, les « mystes », se réunissent dans des sanctuaires souterrains pour des exercices cultuels et des repas liturgiques. Outre le réconfort de cette fraternité, la religion de Mithra apporte surtout la certitude d'un au-delà. Mithra veille sur les vivants en les aidant dans leur voyage terrestre. L'aspect rédempteur de ce culte explique son succès.

Autel du culte de Mithra : le sacrifice du taureau. IIIe siècle, Rome.

Plaidoyer pour le christianisme

Carthage, 197

C'est un véritable plaidoyer en faveur des chrétiens que Tertullien adresse aux autorités romaines avec *Apologétique*. Il y démontre notamment leurs propres incohérences : les magistrats doivent punir les chrétiens, mais non les rechercher ; on les accuse de renier le passé de Rome, de menacer César, de pratiquer l'infanticide. Mais ce sont eux, Romains, qui ont abandonné les coutumes des Anciens, tué leurs empereurs, sacrifié des enfants au dieu Baal. Tertullien assure que les chrétiens sont de bons citoyens. Il termine en dénonçant l'imposture des dieux païens et en faisant l'apologie du monothéisme.

Né à Carthage vers 155, fils de centurion, avocat, Tertullien connaît la mentalité des élites romaines. Quand et comment s'est-il converti au christianisme ? Peut-être sous le choc causé par l'exécution de dix-sept chrétiens à Carthage en juillet 180. Son engagement actif date de 196, lorsqu'il écrit une lettre d'encouragement à des chrétiens enfermés dans les prisons de Carthage. Son intransigeance va l'amener par la suite à durcir son attitude envers le monde romain (*De l'idolâtrie* et *Sur la couronne*, 211) et à rompre avec les autres chrétiens, plus modérés.

Athlète. Mosaïque des thermes de Caracalla, Rome. Vers 210. Détail.

Ouverture des grands thermes de Caracalla

Rome, 216

Ces thermes, les plus vastes de Rome, furent commencés en 206 par Sévère et forment un complexe de 12 hectares. Portiques, exèdres, bibliothèques et gymnase permettent d'allier détente, sport et vie intellectuelle. La partie centrale est occupée par les trois salles des thermes proprement dits : le *frigidarium* (bains froids), pavé de mosaïques vertes et entouré d'une colonnade de granit rose ; le *tepidarium* (bains tièdes) et le *caldarium* (bains chauds). En forme de rotonde, celui-ci est éclairé par des fenêtres donnant sur le jardin. Une immense piscine de près de 100 m de long s'ouvre à l'air libre.

L'empereur Caracalla assassiné à Carrhae

Mésopotamie, 8 avril 217

Nabot crépu, maladif et impuissant, né le 4 avril 188, associé au trône en 198, Caracalla gouverne personnellement depuis la mort de son père Sévère en 211. Ses mains sont couvertes de sang. En février 212, il a égorgé son frère Géta dans les bras de leur mère Julia Domna. Le préfet du prétoire, Papinien, ainsi que de nombreux sénateurs désapprouvant le crime, ont péri par la suite. Mais ce bourreau ne manque pas de projets. En 212, il a accordé la citoyenneté romaine à tous les hommes libres pour renforcer l'unité de l'empire, unité politique et juridique, mais aussi religieuse, car les nouveaux citoyens sont tenus de sacrifier aux dieux officiels de l'Etat romain. En 215, il crée une nouvelle monnaie d'argent, l'Antoninianus, afin d'accroître les moyens financiers de l'Etat. Le Sénat, qu'il méprise et décime, le hait. Il n'en a cure, car l'armée l'idolâtre. Soldat ardent, il a refoulé les Alamans sur le Rhin, épisode qui marque l'entrée de ce peuple dans l'histoire. Son esprit fiévreux échafaude des projets grandioses. Admirateur d'Alexandre, il est venu en Orient pour renouveler ses exploits et conquérir le Royaume parthe. Depuis 216, il fait campagne en Mésopotamie et en Adèbène. Il a poussé jusqu'à Arbèles, portant de rudes coups aux Parthes affaiblis par des guerres intestines (216) ; l'expédition prochaine semble décisive. Entouré d'une faible escorte, l'empereur Caracalla chevauche sur la route qui mène de Carrhae au temple de la Lune. Il descend de cheval pour satisfaire un besoin naturel ; son escorte s'écarte respectueusement. Un agent du préfet du prétoire Macrin, à la veille d'être disgracié, se précipite alors et lui enfonce son poignard dans l'épaule.

Apothéose de l'empereur Caracalla. Camée. Vers 217. Bibliothèque municipale, Nancy.

Commencés par Septime Sévère, les thermes de Caracalla (douze hectares), à Rome, furent inaugurés par ce dernier en 216.

218

Syrie, 15 mai
Elagabal est proclamé empereur. Macrin est vaincu le 8 juin et tué peu après. →

219

Palestine
Rédaction en hébreu, sous la direction du rabbi Yehuda ha-Qadosh, de la *Mishna* (ou Seconde Tradition), recueil de sentences et d'enseignements tirés de la Torah.

220

Chine
Fin de la dynastie des Han. C'est le début de la période des Trois Royaumes (Wei, Shu et Wu) et des Six Dynasties (du sud).

222

Rome, 13 mars
Meurtre d'Elagabal. Son cousin Alexandre Sévère lui succède (222-235). →

Syrie
Mort de Bardesane. Renonçant à écrire en grec, ce gnostique chrétien (né en 154 à Edesse) est connu pour avoir rédigé ses écrits en syriaque, la langue parlée par les peuples de la région.

Rome
Mort du pape Calixte. Il est tué au cours d'une émeute populaire revêtant un caractère anti-chrétien. En fait, l'Eglise est alors en pleine expansion et les chrétiens sont largement tolérés par les autorités ; ils sont même en contact avec l'impératrice Julia Mammaea.

224

Empire parthe, 28 avril
Chute de la dynastie arsacide. Avènement des Sassanides. →

225

Rome
Premières peintures chrétiennes. Elles ornent les catacombes (→ 250).

227

Chine
Mort de Cao Pei. Il était le fils de Cao Cao, général et poète qui conquit la Chine du Nord (155-220), personnage du *Sanguo zhi yanyi*, roman historique du xive siècle. Cao Pei est le fondateur du royaume de Wei.

229

Rome, 1er janvier
Consulat de Dion Cassius. Sénateur, né à Nicée en Bithynie (vers 155), il a rédigé en grec une *Histoire romaine* des origines à l'année de son consulat.

230

Empire romain
Ardachir, Roi des rois depuis 226, envahit les provinces de Mésopotamie et de Cappadoce. Il ne sera repoussé qu'en 232.

232

Dura Europos, Syrie
Une des premières manifestations du culte chrétien : l'aménagement d'une chapelle dans la maison d'un particulier.

233

Empire romain
La ligue germanique des Alamans, qui apparaît dès 213, menace la frontière du haut Rhin et les champs Décumates.

235

Mayence, 18 mars
Mécontents des pourparlers avec les barbares, les soldats proclament Maximin le Thrace empereur (235-238) et assassinent Alexandre Sévère et sa mère Julia Mammaea.

238

Rome, octobre
Les prétoriens massacrent Pupien et Balbin, empereurs nommés par le Sénat et vainqueurs de Maximin. Ils imposent Gordien III et mettent ainsi fin à la dernière tentative de restauration sénatoriale.

Danube
Les Goths et les Carpes franchissent pour la première fois le Danube et envahissent la Mésie. Les Romains paient un tribut en échange de leur retrait, mais leurs attaques seront désormais incessantes.

Elagabal, prêtre de Baal et empereur

Rome, 26 juin 221

L'impopularité de l'empereur Elagabal, âgé de dix-sept ans, le contraint d'adopter son jeune cousin Sévère Alexandre âgé de treize ans. Pourtant, son règne avait commencé dans l'enthousiasme. Héritier par sa mère d'une famille sacerdotale syrienne, Elagabal était aussi cousin de l'empereur Caracalla, qui avait été renversé par Macrin en 217. Au matin du 15 mai 218, ses partisans l'avaient introduit dans Raphané, camp de la 3e légion Gallica, et l'avaient proclamé empereur. Vaincu, Macrin avait été égorgé lors de sa fuite

Le Soleil divinisé. 202-229. Incrustation de marbre. Sanctuaire consacré à Mithra. Santa Prisca, Rome.

(juin 218). Attaché depuis l'âge de quatorze ans au culte du dieu Baal d'Emèse, adoré sous la forme d'une pierre noire et sous le nom d'El Gebal (dont il a tiré son surnom), Elagabal avait déjà stupéfié les Romains lorsqu'il était entré dans sa capitale, coiffé d'une tiare et vêtu d'une longue robe couverte de pierreries. Indifférent à la politique, il avait abandonné la direction des affaires à sa grand-mère Julia Maesa et à son favori, Valérius Comazon, marin oriental élevé au consulat. Son Baal est proclamé dieu suprême. Placé sur un char étincelant, le bétyle (pierre noire) ymbolisant le dieu avait fait son entrée dans Rome, au milieu de deux rangées de torches. Elagabal le précédait, tourné vers lui, marchant à reculons. Un temple somptueux lui avait été construit sur le Palatin, où avaient été transférés les insignes des autres dieux, pour marquer leur soumission

L'empereur Elagabal (ou Héliogabale). 218-222. Marbre. Musée du Capitole, Rome.

à El Gebal. L'empereur se voulait avant tout « grand-prêtre du Soleil invaincu ». Emasculé, comme le veut le culte de Cybèle, il gesticulait en tête des cérémonies en l'honneur de cette déesse. Ses débauches rituelles et son mysticisme oriental scandalisaient sénateurs et prétoriens.

Le pape Calixte violemment contesté

Rome, 217-222

Le prêtre Hippolyte (170-235), théologien renommé de langue grecque, attaché à la doctrine rigoriste et ascétique, conteste violemment, à la tête d'une partie du clergé, le pape Calixte. Celui-ci, un ancien esclave affranchi d'un maître chrétien, était devenu homme d'affaire et banquier avant de devenir diacre. C'est alors qu'il s'était vu confier par le pape Zéphyrin (199-217) l'administration du premier cimetière chrétien (les « catacombes de Calixte »). Puis, devenu évêque de Rome en 217, son but avait été d'organiser une Eglise en pleine croissance et de l'adapter à la situation nouvelle créée par son succès même, qui lui faisait toucher jusqu'aux classes élevées. Comme Clément d'Alexandrie, il ne voulait exclure personne de la foi chrétienne. C'est ce que lui reproche le prêtre Hippolyte qui, sans pour autant rejoindre l'hérésie montaniste qui rejette toute hiérarchie, se méfie des riches convertis auxquels Calixte, dans son souci d'organiser l'Eglise au moment où le Siège de Rome affirme sa prééminence en Occident, témoigne de l'indulgence.

Le pape Calixte. Verre et feuille d'or. iiie siècle. Cabinet des Médailles. Paris.

L'entourage illustre de Sévère Alexandre

Rome, 223

En pleine nuit, les soldats forcent les portes du palais et égorgent le préfet du prétoire Ulpien sous les yeux du jeune empereur Sévère Alexandre. Celui-ci, né en 208, adopté par son cousin Elagabal (→ 26.6.221) était monté sur le trône après l'assassinat de son cousin par les prétoriens (13 mars 222). Cet adolescent falot n'est qu'un jouet entre les mains de son entourage de princesses syriennes, de juristes et de sénateurs. Sa grand-mère Julia Maesa, dont le rôle était éminent sous Elagabal, est près de sa fin et laisse sa fille Julia Mammaea au premier plan : mère abusive, celle-ci couve Alexandre, tout en lui inspirant une politique tolérante envers les chrétiens. Assesseurs du préfet du prétoire Papinien sous Septime Sévère, Ulpien et Paul sont les plus grands juristes du temps. Né à Tyr en Phénicie, Ulpien accède à la préfecture du prétoire pour quelques mois. Ancien lieutenant de Septime Sévère pendant la guerre civile de 193-197, consul vers 199, préfet de la Ville sous Macrin et disgracié par Elagabal, Marius Maximus obtient un second consulat en 223 et figure sans doute parmi les seize sénateurs du conseil de régence. Ces hauts dignitaires civils ne cherchent pas à restaurer le pouvoir du Sénat, mais ils s'attirent la haine des militaires dont les séditions vont perturber tout le règne.

L'empereur Alexandre Sévère à la chasse. Plat en verre doré. Vers 230.

Le Sénat se révolte contre l'empereur

Thysdrus, Afrique du Nord, avril 238

Un groupe de jeunes gens pénètre dans la chambre de Gordien, proconsul d'Afrique, et oblige cet octogénaire à accepter la pourpre. Ils viennent de tuer le procurateur chargé de lever les impôts et ne voient que cette solution pour échapper à la colère de l'empereur Maximin. Fils d'un berger thrace, Maximin a gravi tous les échelons de la hiérarchie équestre de l'armée, grâce à son courage et à sa force physique. Préfet des recrues lors de l'expédition de Sévère Alexandre sur le Rhin, il est proclamé empereur par les soldats et égorge Sévère à Mayence, le 18 mars 235. Sans se soucier de faire entériner son avènement par le Sénat, il mène contre les riches une politique d'oppression fiscale qui entraîne la révolte de l'Afrique. Le Sénat se rallie à Gordien avec enthousiasme et nomme une commission de vingt consulaires pour organiser la défense de Rome. Une guerre civile de quatre mois commence, qui se clôt par la défaite du Thrace. Gordien Ier ayant péri avec son fils dans la lutte, c'est son petit-fils Gordien III qui reste maître du trône.

L'empereur Maximin le Thrace. 235-238. Musée du Capitole, Rome.

La dynastie des Arsacides renversée

Hormizdaghan, Perse, 28 avril 224

Dans les plaines de Susiane, entourés de leurs armées, deux hommes se font face : l'Arsacide Artaban V et le Sassanide Ardashir Ier. Roi des Parthes, peuple qui domine la Perse depuis quatre siècles, Artaban est aux abois. A la tête d'une mosaïque de principautés très autonomes, sous la tutelle de sept maisons princières siégeant au conseil, paralysés par les querelles fratricides, les Arsacides ont toujours été des souverains faibles. Mais leurs échecs face aux Romains ont achevé de les ruiner : Septime Sévère a pillé leur capitale Ctésiphon (197) et leur a arraché une partie de la Mésopotamie. L'Empire sassanide est au contraire en pleine expansion. Petit-fils de Sassan, prêtre du temple d'Anahita à Persépolis, au cœur de la Perse, Ardashir hérite du royaume de Kir. A partir de 208, il conquiert l'Elam et le Méséné, arrache le Kirman à Vologèse V, frère et rival d'Artaban. Héritier des Achéménides, mazdéiste fanatique, il est le restaurateur des traditions nationales perses face aux Parthes imprégnés d'hellénisme. Pour vaincre les archers montés parthes, il compte sur sa cavalerie cuirassée. Au soir de la bataille, Ardashir foule le cadavre d'Artaban. Deux ans plus tard, il est couronné en grande pompe « Roi des rois » à Ctésiphon.

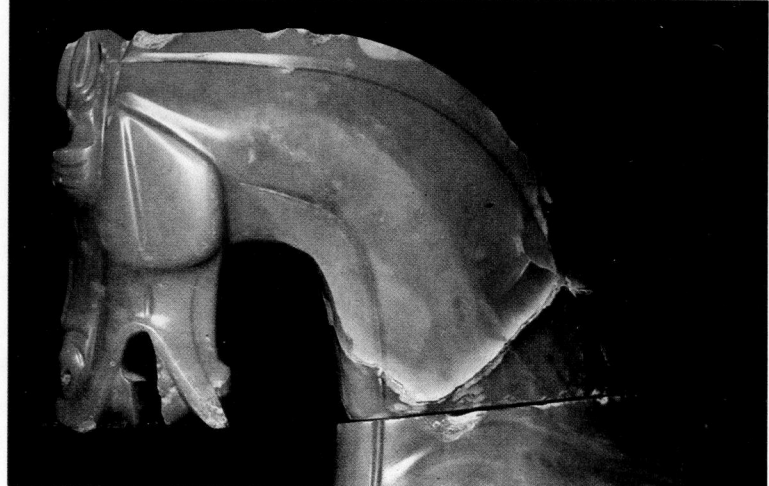

Tête de cheval. Jade. Dynastie Han ou période des Six Dynasties.

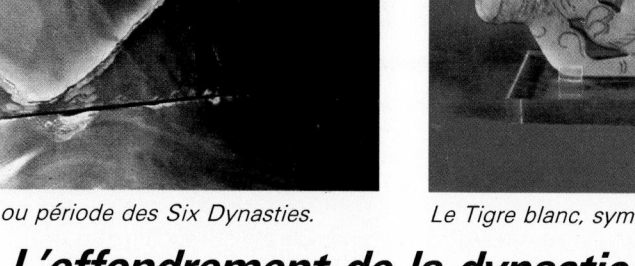

Le Tigre blanc, symbole de l'Ouest. Jade. Epoque Ham.

L'effondrement de la dynastie Han

Brique funéraire. Détail. IIIe siècle.

Chine, 220

Trois généraux contraignent le dernier empereur de la dynastie Han à abdiquer. Son pouvoir était miné depuis un siècle déjà par l'incapacité des souverains à régler les problèmes financiers de l'empire et les guerres entre les gouverneurs des provinces, à résoudre les dissensions au sein de la famille impériale et les intrigues de cour auxquelles se trouvaient souvent mêlés les eunuques. L'instabilité du pouvoir et les démêlés au sein des couches dirigeantes provoquent plusieurs révoltes : à l'est, la révolte paysanne des Bonnets jaunes de 184, conduite par les taoïstes et, dans le Sichuan, la révolte des Cinq Boisseaux de riz, ainsi nommée à cause du tribut exigé pour être admis comme membre de la société secrète. Les révoltes ayant été écrasées, trois chefs d'armée se disputent le pouvoir : aucun d'entre eux ne parvenant à s'imposer, l'empire de Chine se trouve divisé en trois Etats rivaux.

Brique funéraire. Détail. IIIe siècle.

241

Perse
Shâhpuhr Ier Roi des rois. →

242

Mer Noire
Recul romain. Gordien III évacue la Dobroudja. Les cités du Bosphore cimmérien sont coupées du monde romain et tombent sous la domination des Goths, qui s'établissent en Ukraine (Ostrogoths).

Inde
Contrôlant l'Inde du Nord-Ouest, la dernière dynastie Kushâna se trouve aux prises avec l'Empire sassanide, particulièrement agressif en Bactriane.

Perse
Mani, le fondateur du manichéisme (216-277), commence à prêcher sa doctrine (→ 277).

244

Mésopotamie, mars
Philippe l'Arabe devient empereur. Il succède à Gordien III, assassiné par les soldats pendant la guerre contre les Perses, auxquels il achète la paix pour combattre les barbares en Dacie.

247

Rome, 21 avril
Le millénaire de Rome est célébré fastueusement.

249

Empire romain, septembre
Gouverneur de la Mésie pour le compte de Philippe l'Arabe, Dèce combattit avec succès les Goths ; proclamé empereur par ses troupes, il se révolta contre son prédécesseur et lui livra bataille à Vérone, où il le tua.

250

Empire romain
Grande persécution de Dèce contre les chrétiens. →

Inde
Nâgârjuna, philosophe bouddhiste, révolutionne les théories du bouddhisme Mahâyâna et en renforce l'autorité.

251

Thrace, juin
Dèce succombe au combat face aux Goths du roi Kniva. C'est le désastre d'Abrittus.

252

Afrique
Des tribus berbères non romanisées se révoltent en Mauritanie puis en Numidie (jusqu'en 262).

253

Empire romain, septembre
Valérien est reconnu empereur par le Sénat, avec son fils Gallien. Entre temps, les Francs et les Alamans ont envahi la Gaule.

254

Palestine
Mort d'Origène. →

258

Empire romain
Deux édits intervenant coup à coup, l'un en 257, l'autre en 258, et interdisant le culte chrétien déclenchent une sanglante répression. Martyre de saint Cyprien, évêque de Carthage, et du pape Sixte II.

260

Perse
Les Perses capturent l'empereur Valérien près d'Edesse, en Mésopotamie ; il est mis à mort. C'est, pour l'empire romain, le sommet de la crise. →

Syrie
Les Perses sont repoussés de Cappadoce par le préfet du prétoire Macrien qui fait proclamer ses fils empereurs à Emèse. Le prince de Palmyre, Odheinat, les attaque pendant leur retraite et prend le contrôle de l'Orient romain (→ 266).

Cologne
Le général romain Postumus tue Salonin, fils de Gallien, et prend le contrôle des Gaules, de l'Espagne et de la Bretagne (→ 269).

Rome
Gallien met fin aux persécutions des chrétiens par l'édit de tolérance : c'est la « petite paix de l'Eglise » (260-303).

Romains aux prises avec les Barbares. Sarcophage Ludovisi. 251. Marbre de Carrare. Museo nazionale, Rome.

Rome en péril : les menaces barbares

Empire romain, 238-260
Lorsque l'empereur Valérien est capturé par les Perses (→ 260), l'empire paraît débordé et sur le point de s'effondrer : anarchie politique, risques de démembrement, assaut généralisé des barbares. Depuis 238, l'état de guerre est permanent. La pression s'est accrue aux frontières à partir des années 240. Les barbares attaquent sur plusieurs fronts, parfois sur tous en même temps (253-254 et 259-261). L'intensité du danger s'explique par des phénomènes complexes : apparition de peuples nouveaux (Goths, Saxons, Burgondes) qui bousculent Marcomans, Quades et Sarmates sur le Danube ; formation de ligues germaniques (Alamans, Francs et Juthunges) sur le Rhin et le Haut-Danube ; agressivité des Sassanides en Orient (→ 241) ; révoltes des Maures en Afrique et raids des nomades Blemmyes en Egypte. Partout la pression s'alourdit. Si les envahisseurs se conduisent plutôt en pillards qu'en occupants, la fréquence et la simultanéité de leurs attaques n'en rendent pas moins la tâche des empereurs et de l'armée romaine, contrainte à des combats incessants, presque surhumaine. Or l'armée est mal organisée pour affronter la situation. Elle est en effet disposée en un mince cordon tout le long du *limes*, ligne fortifiée de la frontière. Elle ne dispose pas d'une masse de manœuvre intérieure suffisante et manque de mobilité. Les barbares ou les Perses parviennent ainsi à percer le *limes* et à faire des incursions dans l'empire sans rencontrer de résistance. Le cœur des provinces est atteint : depuis 248, les Goths ravagent les Balkans, dès 253 les côtes de la mer Noire, la Grèce en 257 puis l'Asie Mineure en 261-262 ; les Francs traversent la Gaule et parviennent en Espagne en 260 (sac de Tarragone), tandis que les Alamans pénètrent en Italie, les Quades et les Sarmates en Pannonie, enfin les Perses en Syrie.

Le nouvel Empire perse sous Shâhpuhr Ier

Perse, 241-272
Le Roi des rois Shâhpuhr Ier, fils d'Ardashir, fondateur de la dynastie sassanide, veut restaurer la puissance de l'ancien Empire achéménide qu'il prend comme modèle. Il renforce la centralisation du pouvoir en contrôlant les rois (shah) locaux, membres de sa famille, et la hiérarchie des féodaux (vaspuhrs). Il s'appuie sur la religion officielle mazdéenne. Promoteur d'une politique nationale iranienne, il rejette l'hellénisme des Parthes Arsacides. Shâhpuhr revendique tout l'Orient romain qu'il menace de 243 à 260, grâce à une armée renforcée par une cavalerie lourde cuirassée de cottes de mailles. Il combat également à l'est de son empire, sur les frontières de l'Inde et en Asie centrale.

Femme accoudée. Pavement. Palais de Shâhpuhr, vers 265. Téhéran.

Une crise affaiblit l'Empire romain

Empire romain, vers 260

Le péril extérieur a donné le premier rôle aux armées romaines en politique intérieure. C'est l'ère des empereurs-soldats, inaugurée en 235 par Maximin le Thrace, premier empereur sorti du rang. La simultanéité des attaques empêche l'empereur d'être présent sur tous les fronts. Les armées de chaque province tendent ainsi, pour faire face au danger immédiat, mais aussi par esprit de corps, à se choisir « leur » empereur. Les usurpations se multiplient et provoquent des guerres civiles, affaiblissant du même coup la défense des frontières. Un véritable cercle vicieux d'anarchie politique et militaire s'est donc instauré. La quasi-totalité des empereurs meurent tués au combat, assassinés par un rival victorieux ou par leurs propres soldats révoltés. Pourtant, les souverains, légitimes ou non, restent tous animés d'une égale volonté de défendre l'intégrité de l'empire face à ses ennemis, même lorsque se manifeste un séparatisme de fait comme en Gaule ou en Orient à partir de 260. La crise est cependant interne et témoigne de profonds changements. Une baisse générale de la production agricole se fait sentir. Outre des phénomènes de longue durée (phase de déclin démographique et peut-être dégradation du climat), les dévastations des zones frontalières, l'insécurité générale, la propagation d'une épidémie de peste y contribuent. Des famines éclatent çà et là. La hausse des prix, latente, prend des proportions inouïes : elle est alimentée par la politique inflationniste des empereurs qui émettent des monnaies de plus en plus dépréciées afin d'accroître artificiellement leurs moyens de paiement. La monnaie courante d'argent, l'*antoninianus*, contenait en 215, à sa création, 2,5 g d'argent :

L'empereur Philippe l'Arabe. 244-249. Marbre.

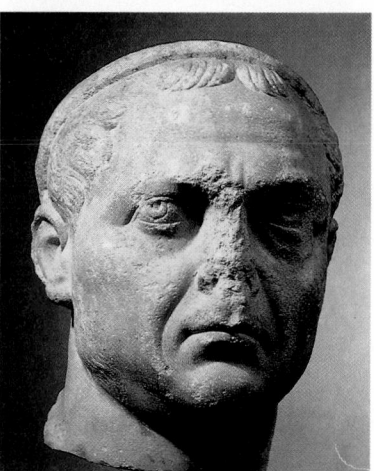

L'empereur Valérien. 253-260. Ny Carlsberg Glyptotek, Copenhague.

en 260, elle n'en contient même pas 0,4 g (soit une dévaluation de 90%). Le commerce se trouve donc paralysé, d'autant plus que les routes et les mers ne sont plus sûres. Le troc remplace souvent l'économie monétaire. Les artisans urbains, les petits paysans et les salariés sont les plus touchés. Les grands propriétaires étendent au contraire leur mainmise. La crise est aussi religieuse et morale. Le paganisme s'oriente vers des cultes initiatiques, en particulier ceux de Mithra et de Cybèle (→ 211). L'expansion du christianisme paraît répondre à de nouveaux besoins. On parle d'épuisement de la terre, on évoque la fin de Rome. L'art lui-même laisse transparaître un sentiment d'angoisse, y compris dans le portrait impérial.

L'empereur Dèce. 249-251. Marbre de Luni.

L'empereur Gallien. 253-268. Marbre. Ny Carlsberg Glyptotek, Copenhague.

La persécution des chrétiens

Empire romain, 250

L'empereur Dèce a fait publier un édit ordonnant à tous les citoyens de faire publiquement un sacrifice aux dieux de Rome. Chacun devra pouvoir montrer un certificat délivré par les autorités locales. L'édit vise les chrétiens, accusés de menacer la cohésion de l'Etat et de la société, par leur refus d'honorer les dieux et l'empereur. Ceux qui acceptent de déposer sur les autels quelques grains d'encens ne sont pas poursuivis ; les obstinés sont passibles de mort. C'est la première fois que la persécution des chrétiens est organisée de façon systématique et universelle. Jusqu'ici, les poursuites avaient parfois été violentes, mais toujours locales et épisodiques. En effet, le christianisme, « religion illicite », était parfois l'objet de la haine populaire mais bénéficiait de la tolérance de fait des autorités. Les chrétiens ne risquaient la mort que s'il y avait dénonciation. L'édit de Dèce marque donc un changement brutal. Les poursuites cesseront dès la fin de l'année, mais elles seront reprises en 257 par Valérien.

Scène de baptême (?). Peinture murale. IIIe siècle. Catacombes romaines.

Victoire de Shâhpuhr Ier sur l'empereur Valérien. IVe siècle. Camée en sardonyx. Cabinet des Médailles, Bibliothèque nationale, Paris.

L'empereur Valérien capturé par Shâhpuhr Ier

Perse, 260

Une nouvelle offensive perse a abouti à la capture de l'empereur : les Romains sont frappés de stupeur par l'événement. Emmené en captivité, Valérien est, dit-on, écorché vif et sa peau exhibée en guise de trophée, ou encore contraint à porter une peau d'âne. Cette spectaculaire capture devient un véritable thème de propagande pour Shâhpuhr, reprise jusque sur les bijoux. Il fait exécuter un immense relief représentant le captif humilié lui servant d'escabeau. Pourtant, ce titre de gloire, survenant après deux offensives (243 et 253), n'a pas amené de résultats décisifs : malgré les moments dramatiques que vit l'Empire romain, la lutte continue en Orient (→ 266).

Mort du théologien et philosophe Origène

Palestine, 253

Origène meurt à Tyr des suites de la persécution de 250. Né en 185 à Alexandrie, élève de Clément, il lui succède à la tête de la florissante école chrétienne de sa ville natale (203-231) puis gagne la Palestine. Il étudie le platonisme qu'il veut adapter au christianisme. Il a fondé la critique biblique avec son système de concordance en six colonnes (les « Hexaples »). Il a rédigé en 248 une réfutation de Celse, premier auteur païen à avoir critiqué rationnellement le christianisme (178). Chrétien intransigeant et ascétique, il est toutefois suspect d'hérésie pour les excès de ses tendances gnostiques et pour avoir, semble-t-il, pratiqué une autocastration.

261

Empire romain
Gallien interdit la carrière militaire aux sénateurs. Une armée de campagne est créée.

265

Chine
Mort de Hua Tuo, célèbre médecin à l'origine de la physiothérapie.

267

Palmyre
Victoires d'Odheinat. →

Balkans-Grèce
Les Goths saccagent la Thrace, la Macédoine et la Grèce.

268

Milan, septembre
Gallien est assassiné par ses soldats alors qu'il assiégeait Aureolus, le chef de la cavalerie révolté.

269

Balkans
Les Goths sont écrasés à Naïssus (Nissa) : cette victoire valut à Claude II le surnom triomphal de « Gothique ».

270

Sirmium, Balkans
Claude II meurt, suite à l'épidémie de peste propagée depuis l'Orient par les armées.

Italie
Mort de Plotin. →

271

Dacie
Les Romains évacuent la Dacie. C'est leur premier recul important depuis le début de l'Empire.

Rome
Rome s'entoure de murailles. Après une invasion de Juthunges le « mur d'Aurélien » est élevé.

Palmyre
Zénobie devient impératrice. Elle usurpe le titre d'« Augusta » et rompt avec l'Empire romain.

274

Gaule
Aurélien met fin à l'« empire gaulois » : l'unité impériale est désormais rétablie.

275

Gaule
Les Francs et les Alamans saccagent le pays (275-277).

277

Perse, 26 février
Les Perses sassanides condamnent le fondateur du manichéisme. Mani est mis à mort. →

279

Palestine
Mort de Johanan bar Nappacha, docteur juif dont les enseignements sont à la base du *Talmud* palestinien, ou Talmud de Jérusalem. →

280

Egypte
L'*Hymne à la Trinité* est le premier témoignage du chant d'église.

Chine
Unification des Jin. →

Perse
Une ambassade de Bahram II, roi des Sassanides (276-293), propose la paix à l'empereur Probus. Désormais, les Perses sont sur la défensive.

Alexandrie
La *Collection mathématique* du mathématicien Pappus est une somme des connaissances de son temps (vers 280).

281

Rome
Triomphe de Probus. L'empereur (271-282) a libéré la Gaule des Francs et des Alamans (277), la Rhétie des Burgondes et des Vandales (279) et l'Egypte des Blemmyes.

283

Mésopotamie, août
L'empereur romain Carus meurt pendant la guerre victorieuse qu'il mène contre les Perses (prise de Ctésiphon).

Mort du philosophe Plotin, fondateur du néoplatonisme

Minturnes, Italie, 270
Atteint d'une maladie qui lui fait fuir ses amis, Plotin meurt en Campanie, où il s'est réfugié depuis deux ans. Né vers 204 à Lycopolis en Haute-Egypte, élève à Alexandrie du philosophe Ammonios Saccas, il participe à la guerre de Gordien III contre les Perses pour connaître la sagesse orientale (243-244). Etabli ensuite à Rome, il dispense son enseignement au cours d'entretiens et devient le directeur spirituel de nombreux aristocrates. Très écouté par l'empereur Gallien et son épouse Salonine, il domine leur cercle littéraire, aux côtés du rhéteur Longin, futur conseiller de Zénobie. Ses traités, réunis par Porphyre dans les *Ennéades*, définissent son néoplatonisme. Trop pur pour entrer en contact avec le monde, l'Etre divin se communique par degrés. Par la philosophie et l'extase, l'âme humaine doit remonter ces de-

Buste du philosophe Plotin. Vers 260. Marbre. Musée d'Ostie.

grés pour s'unir à Dieu. Plotin désirait fonder une cité des philosophes en Campanie, Platonopolis, sur le modèle de Platon. Des agriculteurs et des artisans auraient travaillé pour les philosophes vivant dans leur retraite. Mais Gallien disparaît en 268, avant d'avoir pu l'aider à réaliser son rêve.

Apogée de Palmyre sous Odheinat

Palmyre, 267
Odheinat, prince de Palmyre, reçoit de l'empereur Gallien le titre de « correcteur de tout l'Orient » : il vient de triompher de Shâhpuhr Ier en parvenant jusqu'aux murs de Ctésiphon, en Mésopotamie. D'une grande famille de Palmyre, Odheinat a assuré son pouvoir vers 250 ; lors des désastres de 260, il s'allie aux Romains et repousse Shâhpuhr, assurant brillamment la défense de son Etat et de l'empire menacés. Cité opulente, grand centre caravanier aux confins des Empires romain et perse, Palmyre est protégée par ses archers et une cavalerie cuirassée. Au faîte de sa puissance, elle tend à constituer un vaste Etat oriental : après la mort d'Odheinat (267), sa veuve, la reine Zénobie, prétendra au titre impérial mais échouera (→ 274).

La grande colonnade de Palmyre (vers 220) principale artère de la ville.

Le grand temple de Bêl à Palmyre. Ier siècle. De plan syrien, il offre un mélange de traditions orientales et d'art gréco-romain.

Dédicace du temple du Soleil invaincu

Rome, 25 décembre 274

Au lendemain de son triomphe, Aurélien inaugure le temple du Soleil. Construit sur le Champ de Mars, décoré du butin ramené de Palmyre, le temple est desservi par le collège des prêtres du Soleil, choisis parmi les sénateurs, appelés « mineurs » par opposition aux prêtres des autres cultes « majeurs ». Honoré par une fête annuelle au moment du solstice d'hiver (25 décembre) et par des jeux tous les quatre ans, le Soleil invaincu devient le dieu suprême de Rome. Fils d'une prêtresse du Soleil et d'un militaire pannonien, Aurélien a aussi subi l'influence de l'Orient. Lors de sa campagne contre Zénobie, il a connu le Baal d'Héliopolis et le Bêl de Palmyre. El Gebal d'Emèse serait apparu aux côtés des Romains dans les batailles contre Zénobie. Mais ce culte solaire est surtout répandu dans le peuple, sensible aux bienfaits de l'astre, dans l'armée, fidèle au dieu solaire Mithra, et dans l'élite,

Aureus à l'effigie de l'empereur Aurélien. 270-275. Bibliothèque nationale, Paris.

modelée par le néoplatonisme et voyant dans le soleil le signe visible de l'Etre divin. Il peut donc contribuer à unifier l'empire et à légitimer l'empereur, vicaire du Soleil : Aurélien ne dit-il pas aux soldats qu'il tient son pouvoir non d'eux, mais du Soleil ? La religion sert de caution au pouvoir politique dont elle apparaît le plus sûr soutien.

Aurélien célèbre ses triomphes à Rome

Rome, 274

Aurélien célèbre un triomphe somptueux. Ouvert par vingt éléphants, le cortège exhibe sur un char goth tiré par quatre cerfs, Tétricus, en braies gauloises, et Zénobie, les mains entravées de chaînes d'or. Aurélien fête ainsi la réunification du monde romain. En 271, il ne contrôle que la moitié de l'empire. La Bretagne et la Gaule sont gouvernées par l'« empereur » Tétricus. L'Asie Mineure, la Syrie et l'Egypte sont aux mains de Zénobie, reine de Palmyre, qui vient de faire proclamer empereur son fils Waballath. Vainqueur près d'Emèse,

Aurélien capture Zénobie en fuite vers l'Euphrate, puis brûle Palmyre (273). A Châlons-sur-Marne, il écrase l'armée des Gaules : Tétricus s'est livré avant même le début du combat (274). Cet empire réunifié est moins vulnérable depuis l'évacuation de la Dacie jugée trop excentrique (271) et la construction de la muraille de Rome. En 271, Aurélien a écrasé la révolte des monétaires, qui rognaient le métal des pièces, et fermé l'atelier monétaire. En 274, les trésors de Palmyre permettent de le rouvrir et de frapper un nouvel *antoninianus* d'argent de meilleure qualité. Cette monnaie saine restera stable jusqu'à Dioclétien.

L'éphémère « Empire gaulois » lutte contre les barbares

Gaule, 269

Postumus est assassiné par ses soldats. Depuis 267, les Francs puis les Alamans ont repris leurs attaques contre les Gaules, après quatre années de calme assuré par l'action victorieuse de Postumus. Général de Valérien, il avait pris le pouvoir en 260, après la capture de l'empereur (→ 260). Toléré par Gallien, il a réuni sous son autorité la Bretagne, les Gaules et une partie de l'Espagne : c'est « l'Empire gaulois », dont la séparation de fait est admise pour éviter une nouvelle guerre civile. Il est centré en Rhénanie autour de Cologne et de Mayence. Ses successeurs, Marius (269), Victorin (269-271) et Tetricus (271-274) maintiennent encore leur autonomie mais perdent du terrain face aux empereurs Claude II et Valérien (→ 274).

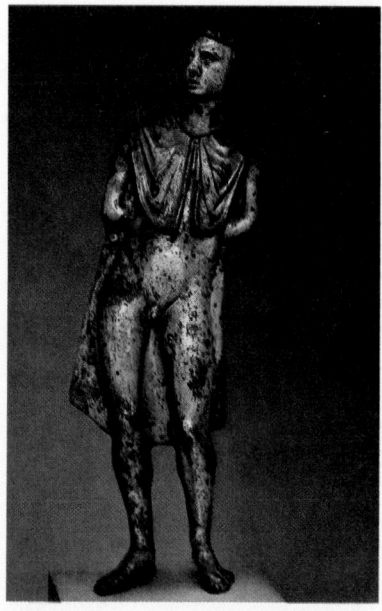

Art romain. Prisonnier. Applique d'un trophée. IIᵉ siècle. Bronze. Museo Romano, Brescia.

Succès et revers du manichéisme

Le manichéisme, doctrine du Persan Mani (né le 14 avril 216 à Mardinu ou Afrunyain, en Babylonie), se répand dès 240 en Perse, où il apparaît comme une hérésie face au culte officiel, le mazdéisme ; il se trouve, à ce titre, persécuté sous les règnes de Shâhpur Iᵉʳ et de Narsès (241-272). Considéré à Rome comme une religion persane nationaliste et hostile, le manichéisme est persécuté. Il trouve pourtant un écho dans l'empire romain d'Orient, où le culte de Mithra, culte indo-persan existant depuis le XIVᵉ siècle av. J.-C., et le christianisme, sont déjà pratiqués. Le manichéisme enseigne que le salut vient non pas du sacrifice mais du savoir. Il est régi par deux principes : la Lumière et les Ténè-

bres, le Bien et le Mal, Dieu et la matière. Le monde est une création satanique à laquelle il faut renoncer. Ténèbres et Lumière étaient séparées aux commencements ; les démons s'emparèrent du royaume de la Lumière et le dévorèrent. Depuis ce temps, la Lumière est prisonnière de la matière. L'homme fut sauvé, mais son âme, restée dans l'ombre, est impure. L'homme bon, qui accède à la Connaissance en menant une vie ascétique, peut trouver le salut et libérer la Lumière de sa gangue matérielle. Mani reproche aux religions fondées par Jésus, Bouddha et Zarathoustra de ne pas être assez universelles et d'avoir perdu le message originel de leurs fondateurs.

Art syrien. Zoroastre (?). Peinture du « mithraeum », sanctuaire de Mithra, de Doura-Europos. IIᵉ siècle. Yale University Art Gallery.

La dynastie Jin tente d'unifier la Chine.

Chine, 280

L'empereur Sima Yan, dont le règne s'étend de 265 à 290, franchit le fleuve Bleu et écrase l'armée du royaume du Sud (Wu). La Chine, morcelée depuis 220 en trois royaumes, est ainsi réunifiée par les Jin, descendants d'une famille de généraux du royaume du Nord (Wei) qui a déjà annexé celui de l'Ouest (Shu) en 263. Sima Yan a renversé le dernier roi de Wei en 265 et s'est proclamé empereur à Luoyang. Mais en 280, la Chine est exsangue : campagnes ruinées, populations décimées, pouvoir aux mains des grands propriétaires et des fonctionnaires. Un règlement agraire dirigiste en 280 ne parvient pas à rétablir la situation. L'inefficacité du régime est patente. Les barbares se pressent aux frontières : la Chine ne pourra leur résister (→ 311).

Johanan jette les fondements du Talmud de Jérusalem

Palestine, vers 279

Les milieux juifs de Palestine sont extrêmement actifs et multiplient les études de la tradition judaïque. Johanan bar Nappacha (« le Fils du forgeron ») a fondé une école à Tibériade. Poursuivant le travail déjà entrepris par rabbi Yehuda ha-Qadosh (mort en 219), il a accumulé commentaires et réflexions, montrant à ses élèves et disciples comment trier les matériaux de la *Mishma*. Ainsi furent jetées les bases du Talmud dit de Jérusalem, lequel vise à donner un enseignement complet, touchant tous les aspects de la vie civile et religieuse des juifs. Rédigé en araméen occidental, le Talmud n'atteindra sa forme définitive qu'au IVᵉ siècle. Au même moment se constitue en Mésopotamie, à Sura, sur l'Euphrate, le Talmud de Babylone.

L'Inde

De la civilisation de l'Indus aux royaumes hindous

Les traditions écrites de l'histoire de l'Inde sont peu nombreuses et largement postérieures à la mort du Bouddha (né vers 563 av. J.-C. -mort en 483 av. J.-C.). Cette rareté s'explique par la philosophie des Indiens qui écarte la vie individuelle, jugée provisoire et périssable, au profit de la recherche de la vérité, éternelle et immuable. C'est pourquoi on passe sous silence le caractère exceptionnel ou unique d'un événement ; on ne retient que ce qui survit à l'épreuve du temps. La connaissance que nous avons de l'histoire de l'Inde préislamique repose sur les informations parahistoriques que fournissent l'archéologie, la numismatique et l'épigraphie, la littérature et les légendes, les récits de pèlerins et de voyageurs étrangers.

La civilisation de l'Indus

Le début de l'histoire indienne a longtemps été fixé à l'invasion aryenne du IIe millénaire av. J.-C. Mais la découverte, au début du XXe siècle, des ruines de la ville d'Harappâ et, plus tard, de celles de Mohenjo-daro, allait mettre en lumière une civilisation qui s'étend sur environ sept siècles (de 2500 à 1800 av. J.-C.). Cette civilisation de l'âge du Bronze fut baptisée civilisation harappéenne, du nom du premier chantier de fouilles, ou encore civilisation de l'Indus. La découverte de Mohenjo-daro fut des plus intéressantes. Elle révéla une grande ville, munie d'un système d'irrigation et de drainage remarquable pour l'époque ; de nombreuses maisons comportaient plusieurs étages ; les rues orthogonales principales et adjacentes, qui ont conservé leur tracé, formaient des quartiers bien proportionnés. La cité de Mohenjo-daro, comme celle d'Harappâ, comportait deux parties distinctes : la citadelle, édifiée sur un promontoire naturel ou artificiel, à l'ouest, composée de bâtiments administratifs et religieux, ou supposés tels, et entourée de remparts ; la ville basse, à l'est, qui abritait les artisans et les commerçants et n'était pas, elle, fortifiée. On a également découvert plusieurs statuettes en pierre ou en bronze et une multitude de cachets en stéatite en grande partie à usage commercial. Deux figures gravées sur certains de ces sceaux soulèvent de nombreuses interrogations. Il s'agit d'un animal fantastique, appelé l'Unicorne, en raison de sa corne unique, et d'un personnage représenté dans une position évoquant certaines postures de yoga et coiffé d'une paire de cornes de cervidé. Ces deux figures ont-elles une signification religieuse ? Par ailleurs, quelle était l'utilisation de cette « piscine » dénommée par les archéologues « le Grand Bain » ? Autant de questions qui sont actuellement sans réponse, du moins tant que l'écriture de la civilisation de l'Indus n'aura pas été déchiffrée.

D'après les récentes recherches, cette écriture de type logo-syllabique pourrait se rattacher au groupe linguistique dravidien que l'on rencontre aujourd'hui en Inde centrale et méridionale. On a longtemps pensé que cette civilisation encore mystérieuse s'était éteinte brutalement. Les fouilles récentes semblent montrer que les cités de l'Indus connurent un déclin économique progressif - peut-être dû à une modification du niveau ou du cours du fleuve - avant de disparaître vers 1800 av. J.-C., de « mort naturelle », et non sous les coups des Aryens qui n'arrivèrent que trois siècles plus tard.

L'époque aryenne

L'origine de ce peuple de pasteurs et d'éleveurs à la peau claire, qui se nomme lui-même « arya » (noble), n'a pas encore été expliquée. Les Aryens parlaient le sanskrit, langue indo-européenne. Ils venaient, suppose-t-on, des hauts plateaux de l'Iran. Vers l'an 1500 av. J.-C., ils conquirent de vastes territoires de l'Inde du Nord. Jusqu'en 200 après J.-C., ils étendirent leur influence sur toute la région comprise entre l'Himalaya et les monts Vindhya. Ils ne purent cependant influencer profondément la culture dravidienne. Aussi les langues du Sud sont-elles restées d'origine dravidienne, tandis que celles des trois quarts de l'Inde sont apparentées au sanskrit.

Les Aryens honoraient des dieux personnifiant les forces de la nature. On peut les classer en trois catégories : dieux célestes, dieux atmosphériques et dieux terrestres. Un des dieux les plus craints et les plus vénérés était Indra, dieu de l'orage, de la guerre et glorification du guerrier aryen : grand, fort, à la barbe couleur de feu, adonné aux boissons alcoolisées et enivrantes. Agni, dieu du feu, tenait également une place importante : le feu était en effet l'élément primordial du sacrifice, lui-même pivot central du rituel védique. De ces premiers siècles de domination aryenne en Inde date la plus ancienne œuvre littéraire de ce peuple : les *Veda* (« Le Savoir », 1500-1200 av. J.-C.), livres sacrés appartenant à la tradition révélée et composés d'hymnes, de chants et de formules sacrificielles ou magiques.

Peu à peu s'est développée la théorie de la réincarnation *(samsâra),* selon laquelle les actes *(karma)* de la vie présente déterminent le sort et l'appartenance de classe de tout être humain dans sa vie future. Dans l'évolution du védisme vers le brahmanisme - considéré comme le précurseur de l'hindouisme actuel - le rituel se fait de plus en plus strict et complexe. La classe religieuse des brahmanes prend ainsi, dans la vie sociale, une importance accrue. Le pouvoir des guerriers et du dieu de la guerre Indra périclite. Dans les *Upanishad* (dont les plus anciennes datent d'environ 600 av. J.-C.), tous les dieux aryens de la nature s'effacent devant la croyance en une âme universelle *(brahman),* à laquelle s'identifie l'essence de l'âme individuelle *(âtman).* D'où la formule célèbre : *Tat tvam asi* (« Tu es cela »), ce qui revient à affirmer que si l'Essence universelle emplit la totalité du monde, elle réside aussi au cœur même de l'homme. Cette identification ne peut cependant s'effectuer qu'au prix d'une ascèse rigoureuse.

Les nombreuses petites cours royales sont les centres vitaux du pouvoir aryen. Les brahmanes, en tant que sacrificateurs et conseillers, y jouent un rôle primordial. Les Aryens instaurent un système hiérarchique à quatre castes, mentionnées uniquement dans les parties les plus récentes des *Veda* : les brahmanes (prêtres) occupent la place la plus importante ; puis viennent, dans l'ordre, les kshatriya (guerriers), les vaiçya (artisans) et, au plus bas, les çûdra (paysans et serviteurs). De cette société si rigoureusement organisée sont écartés ceux qui pratiquent des métiers dits impurs, tels les fossoyeurs. Les Aryens eux-mêmes occupent les rangs supérieurs dans ce système. Aujourd'hui encore, ce sont les Indiens à la peau claire que l'on trouve dans les castes les plus élevées.

L'empire des Maurya

Vers 500 av. J.-C. se constitue à l'est de la plaine du Gange, à Magadha (l'actuelle province du Bihâr), un nouveau centre de culture et de pouvoir. Siddhârta Gautama, le Bouddha (« l'Eveillé », « Celui qui a atteint la parfaite connaissance »), ébranle par son enseignement le système des brahmanes. Il propose la possibilité d'une libération du cycle des réincarnations, non par le sacrifice et l'ascèse, mais grâce à la méditation, le perfectionnement personnel et le renoncement final au moi. Au fondement du bouddhisme, se trouve encore aujourd'hui l'idée que toute existence vivante est forme de douleur. La délivrance de la souffrance réside dans la disparition de l'individualité et du désir, et le salut n'est accessible que par la connaissance. Cette connaissance, l'homme doit la posséder à tout âge, et elle a des répercussions contraignantes sur le mode de vie. Ainsi naissent les ordres bouddhiques, dans lesquels les moines de stricte observance vivent hors du monde. Le Bouddha renverse le système des castes.

Nombreux sont les souverains protecteurs du bouddhisme. Le premier d'entre eux, Bimbisâra, contemporain du Bouddha, aurait été l'ami et l'un des premiers fidèles laïques du Maître. Le plus célèbre est cependant Açoka, troisième roi de la puissante dynastie Maurya qui, aux IIIe et IIe siècles av. J.-C., unifie l'Inde du Nord. La capitale de cette dynastie est l'ancienne Pâtaliputra, l'actuelle Patna dans le Bihâr. Par le contrôle d'importantes voies commerciales, une administration étatique à la fois pensée et rigoureuse, une armée considérable et le dessein politique d'établir une monarchie indienne universelle, les Maurya possèdent de nouveaux et efficaces moyens de régner. Du temps de leur domination datent de nombreux récits. Kautilya, ministre du roi Candragupta, rapporte dans son traité politique, l'*Arthasâstra,* une description ironique de son époque ; Açoka (vers 268-232 av. J.-C.) fait graver ses édits sur des piliers de pierre et des rochers. Il est remarquable de constater que ces premiers monuments de la littérature indienne sont écrits dans la langue de l'Inde du Centre, et non en sanskrit. Ils contiennent les noms d'importants chefs indiens et donnent les premières dates proprement historiques de l'Inde.

Açoka poursuivit la politique d'expansion de ses prédécesseurs. Il se convertit au bouddhisme après avoir vu les désolations qu'entraîna sa conquête du Kalinga. Après sa mort, le territoire des Maurya se rétrécit considérablement et le dernier souverain de la dynastie est assassiné en 185 av. J.-C. Pendant un demi-siècle, le nord du pays est gouverné par des souverains de différentes origines. Les rois séleucides grecs, héritiers des généraux d'Alexandre le Grand, étendent bientôt leur pouvoir vers le sud. Ils conquiè-

rent aux environs de 250 av. J.-C. la Bactriane (aujourd'hui nord-est de l'Iran et Afghânistân du Nord). Ils établissent un royaume dans le Gandhâra, d'où ils rayonnent ensuite à l'intérieur de l'Inde. Vers le début du Ier siècle av. J.-C., les royaumes indo-grecs du nord-ouest subissent les attaques des Scythes venus d'Asie centrale, désignés sous le nom de Caka par les sources indiennes, et qui avaient déjà écrasé les Parthes. Eux-mêmes sont, au Ier siècle de l'ère chrétienne, écrasés par un autre peuple nomade, les Yüe Chi, qui établissent sur le nord de l'Inde le royaume Kushan.

Mais la force de la civilisation indienne est bien assurée : les conquérants s'indianisent assez rapidement et se convertissent.

La dynastie Gupta

Après la chute des grands royaumes bouddhiques survient une renaissance brahmanique. De nombreuses petites maisons princières encouragent les brahmanes, moins coûteux pour l'Etat que les ordres religieux bouddhistes. En contrepartie de cette assistance, les prêtres appuient par leurs prêches et leur rituel les ambitions politiques des princes. Au début du IVe siècle se dégage, dans cette Inde morcelée, la dynastie Gupta. Partie du Magadha (nord-est de l'Inde), elle constitue un vaste empire, du golfe du Bengale à l'Indus, sous Chandragupta Ier (v. 320-335) et Samudragupta (v. 335-375). L'apogée des Gupta est atteinte par Chandragupta II (v. 375-414) qui installe sa capitale à Ujjain. Le système politique ménage les particularismes locaux et est proche du féodalisme. Le système de castes fonctionne encore plus rigoureusement qu'avant l'époque bouddhique, mais les lois pénales sont beaucoup plus clémentes que sous les Maurya. Des récits de pèlerins chinois nous informent relativement bien sur cette période : c'est l'âge d'or de l'Inde ancienne. Les Gupta développent une nouvelle culture courtoise, littéraire et artistique et remettent le sanskrit classique à l'honneur. Cette époque a d'ailleurs laissé sur l'art indien une marque durable. En architecture apparaissent les premiers temples construits. La sculpture voit une iconographie assez stricte se fixer, tant pour l'hindouisme, où les dieux sont dotés de leurs attributs caractéristiques, que pour le bouddhisme, où l'image du Bienheureux atteint une sérénité et une plénitude sans précédent. C'est le moment où est réalisée la majeure partie des merveilleuses peintures murales du site bouddhique d'Ajantâ. Cet âge classique de l'art indien exercera son influence jusque sur des sites éloignés du domaine propre de la dynastie.

L'arrivée des Huns Hephtalites en Asie centrale puis en Afghânistân, à la fin du IVe siècle, menace l'existence de l'Empire gupta. Installés dans la vallée de l'Indus, repoussés en

455, les Huns finiront par l'emporter en 467. Le dernier souverain gupta disparaît en 499. Le désordre s'installe alors. A l'exception de la réunification de la plaine du Gange sous l'égide du prince de Thânesar, Harsha, roi de Kanauj (606-647), l'Inde du Nord et du Nord-Ouest ne connaît plus d'unité avant le XIIe siècle.

L'Inde du Sud

La partie méridionale de la péninsule indienne développe sa propre culture, presque indépendamment du Nord. Elle conserve sa spécificité linguistique dravidienne. Les peuples méridionaux pratiquent l'élevage et l'agriculture, mais sont surtout des pêcheurs et des marins. La dynastie Sâtavâhana, dominant une grande partie du Deccan aux premiers siècles de notre ère, favorise un commerce actif. Ces relations économiques les mettent en contact avec le monde romain, comme en témoignent notamment les monnaies romaines retrouvées. L'extrême sud de la péninsule est, lui, aux mains de plusieurs dynasties rivales : les Pândya et les Chôla, en état de guerre quasi permanent. De plus, les conflits avec Ceylan sont fréquents. La principale ressource économique reste le commerce, les conditions topographiques du pays interdisant toute création de grands domaines agricoles. De ces régions, embarquèrent vraisemblablement les premiers marchands indiens à destination de l'Asie du Sud-Est. Les troubles qui accompagnaient, en Chine, la chute des Han, avaient coupé la route de l'or et on espérait trouver le précieux métal dans ces pays que la tradition indienne désignait par le nom de Suvarnabhumi, c'est-à-dire « la terre de l'or ». Forcés d'attendre six mois, sur place, les vents favorables qui les ramèneraient en Inde, les pionniers fondèrent, en Asie du Sud-Est, des établissements durables. Il y eut, inévitablement, des mariages mixtes. C'est ainsi que commence la période d'indianisation de ces régions, où la culture indienne, avec son art, ses religions, son écriture, connaîtra d'importants développements.

A la chute de la dynastie Sâtavâhana (Ier siècle av. J.-C.-IIIe siècle après J.-C.), le territoire du Deccan est redistribué entre une multitude de petits royaumes. Le VIe siècle voit l'ascension d'une nouvelle et grande dynastie, les Châlukya, dont le domaine originel était à cheval sur le Karnataka et le Mahârâshtra. Peu à peu, ils se taillent un vaste empire, non sans se heurter fréquemment à leurs puissants voisins de l'est, les Pallava, qui règnent sur l'Andhra Pradesh, parallèlement aux Chôla et aux Pândya. Les souverains de ces différentes lignées, s'ils furent souvent de grands conquérants, furent également des mécènes et de grands bâtisseurs.

284

Nicomédie, 20 novembre
A la mort de Numérien, Dioclétien est proclamé empereur par ses soldats.

286

Gaule, 1ᵉʳ avril
Maximien est élevé à l'empire (286-305) par Dioclétien et devient son égal ; il reçoit en outre le titre d'Auguste. Il est chargé de lutter en Bretagne contre l'usurpateur Carausius (286-293) et de défendre le Rhin.

293

Empire romain, 1ᵉʳ mars
Quatre empereurs règnent collégialement : aux deux Augustes sont adjoints deux Césars, Galère (293-311) et Constance Chlore (293-306).

Perse
Narseh, le nouveau roi sassanide (293-302), fils de Shâhpuhr Iᵉʳ, reprend une politique antiromaine.

296

Bretagne
Le César Constance Chlore reprend la province de Bretagne à l'usurpateur Allectus, successeur de Carausius. Il s'installe ensuite à Trèves pour garder le Rhin. →

297

Empire romain, 31 mars
Le manichéisme, prôné par les Perses, est condamné par édit comme antiromain.

Empire romain
L'indiction, intervalle entre deux recensements fiscaux (tous les quinze ans après 312), est instituée. Elle restera un moyen de dater pendant des siècles.

298

Perse
Vaincu par le César Galère sur l'Araxe (297), Narseh signe la paix avec Rome. Le traité de Nisibis lui est imposé : celui-ci consacre la suzeraineté romaine sur le royaume d'Arménie et entérine l'annexion de cinq satrapies au-delà du Tigre.

Rome
Les thermes de Dioclétien, les plus vastes de Rome, sont commencés.

300

Japon
Fondation présumée du temple du Soleil à Ise.

Arménie
Le roi d'Arménie Tiridate III (287-324) est converti au christianisme par Grégoire l'Illuminateur. C'est le premier royaume chrétien.

Egypte
Zosime de Panopolis, alchimiste et philosophe hermétique, définit la transmutation des métaux.

301

Empire romain, novembre
L'édit du Maximum tente de fixer tous les prix et salaires du monde romain. →

303

Empire romain, février
Après l'épuration de l'armée et de la cour en 302, l'empereur Disolétien promulgue quatre édits (303-304) pour détruire le christianisme. La répression fait des milliers de victimes. Elle dure jusqu'en 313 en Orient (2.313).

Rome, 20 novembre
Fêtes impériales à Rome. Les Augustes et les Césars, réunis pour la première fois, célèbrent fastueusement l'anniversaire de leur avènement. →

304

Rome
Mort du philosophe Porphyre. →

305

Empire romain, 1ᵉʳ mai
Dioclétien abdique. Pour la première fois, un empereur renonce volontairement au pouvoir. Il se retire à Salone. →

Afrique
Le schisme donatiste. L'élection de l'évêque Cécilien de Carthage est contestée par un évêque de Numidie, Donat. Un schisme durable (jusqu'au vᵉ siècle) va troubler l'Afrique.

Trèves. La « Porta Nigra » dans l'enceinte de la ville résidentielle. Epoque des Sévère, première moitié du IIIᵉ siècle.

Trèves devient résidence impériale

Trèves, 296
Constance Chlore, nommé César pour défendre le Rhin et combattre les usurpateurs de Bretagne, établit sa capitale à Trèves, en Gaule, Belgique. Fondée en 44 sur la Moselle, c'est déjà une cité importante. La « Porta Nigra » a été construite sous les Sévères. Constance entreprend d'immenses thermes. Son fils Constantin (→ 25.7.325) achèvera la construction d'un palais, avec une immense salle d'apparat (*aula*) basilicale. Trèves restera la capitale des Gaules jusqu'au vᵉ siècle.

L'édit du Maximum réglemente les prix

Empire romain, novembre 301
Dans tout l'empire, un édit des empereurs a été affiché : les prix et les salaires ne pourront pas dépasser un seuil maximum. Après l'échec d'une dévaluation de 50 %, les Tétrarques décident la taxation de tous les prix. C'est une mesure de dirigisme sans précédent. L'édit présente une liste impressionnante des prix des denrées, des matières premières, des produits fabriqués, des tarifs de fret et des salaires. Ainsi, ce sera un denier l'œuf, 24 le citron, 30 le poulet, 250 le faisan, un esclave mâle 30 000 et un cheval de course 100 000. Un ouvrier agricole gagnera 25 deniers par jour, un scribe 25 les 100 lignes, un instituteur 50 par élève et par mois. L'édit ne sera pas respecté longtemps mais permettra à l'inflation de se modérer.

Art gallo-romain. Scène de paiement des impôts. Fragment de relief. Fin IIᵉ siècle. Landesmuseum, Trèves.

La restauration de l'empire sous le règne de Dioclétien

Rome, 20 novembre 303
Rome voit pour la première fois réunis les deux Augustes et les deux Césars. Ils fêtent la vingtième année du règne de Dioclétien et célèbrent un triomphe pour commémorer leurs victoires sur les Perses et les barbares. Dioclétien, né en 245, officier dalmate sorti du rang, avait été proclamé Auguste le 20 novembre 284. Il est en 285 seul empereur, après avoir vaincu Carin. Mais, afin de restaurer la paix aux frontières et d'éviter de nouvelles usurpations, il a progressivement mis en place un régime original : la Tétrarchie. Dès 285, il s'adjoint un Auguste, Maximien, son compagnon d'armes d'origine pannonienne, qui devient Auguste en 286. En 293, deux Césars sont nommés : Galère, officier né en Thrace, auprès de Dioclétien, et

Constance Chlore, un Illyrien, auprès de Maximien. Le système repose sur un fondement religieux : Dioclétien s'est proclamé « descendant de Jupiter » et Maximien « descendant d'Hercule » et ils sont considérés comme frères. Leurs Césars respectifs sont devenus leurs fils. Les Tétrarques forment ainsi une « famille divine » avec une branche jovienne et une branche herculienne. Leur légitimité repose sur cette ascendance divine, liée à leur fonction et non à leur personne. Seuls les Augustes peuvent choisir leurs successeurs. Les Tétrarques ont reçu chacun un domaine d'action afin de répartir la tâche écrasante de la défense de l'empire. Dioclétien est à Nicomédie et son César Galère à Thessalonique. Ils ont vaincu les Perses et les barbares du Danube.

Maximien, après ses combats sur le Rhin et la pacification de l'Afrique, surveille les Alpes depuis Milan. Constance réside à Trèves et a repoussé les Francs et les Alamans. De profondes réformes ont appuyé leur œuvre : l'administration est développée et centralisée, la fiscalité alourdie afin de soutenir une armée qui a doublé ses effectifs. Le pouvoir impérial est renforcé par un cérémonial rigide qui fait de l'empereur un être sacré. On doit le saluer selon le rite de « l'adoration de la pourpre », en se prosternant pour baiser le bas de son manteau pourpre. Il porte désormais un diadème.
En 303, la paix règne dans un empire stabilisé. Deux ans plus tard, Dioclétien décide d'abdiquer afin de régler sa succession sans crise et sans l'intervention de l'armée (→ 305).

Le groupe des Tétrarques provenant de Constantinople. 300-315.

Un prince conduisant sa bien-aimée vers le lit d'amour. Miniature rajpute (XVIIIe siècle) illustrant un « Kâmasûtra ».

Le palais de Dioclétien à Split (Dalmatie), près de Salone. Art romain, fin du IIIe siècle. Vue générale du péristyle.

Le Kâmasûtra, traité de l'art d'aimer

Nord de l'Inde, vers 300
C'est dans le Nord de l'Inde que le sage Vâtsyâyana Mallagana rédige, un traité d'enseignement érotique en sept chapitres, le *Kâmasûtra*. Écrit en Sanskrit, il s'adresse plus

particulièrement aux hommes, il vise à leur donner les moyens de maîtriser leur sensualité. A côté de conseils sur les multiples façons de s'unir charnellement, le *Kâmasûtra* donne des informations sur les us et coutumes du mariage, le métier de courtisane, ainsi qu'un recueil de pratiques magiques.

Dioclétien se retire au palais de Salone

Salone, 1er mai 305
Dioclétien gagne le palais qu'il a fait bâtir près de Salone, en Dalmatie. Sur une surface de trois hectares, entourée sur trois côtés d'une enceinte fortifiée, il est divisé par deux

rues à portiques. Les appartements impériaux donnent sur la mer, par une immense façade à arcades battue par les flots. Le palais abrite, de part et d'autre d'un péristyle monumental, un temple de Jupiter et un mausolée octogonal destiné à la dépouille de l'empereur, qui y mourra sept ans plus tard, en 313.

Art romain. Verreries à motifs de couleurs provenant de la fabrique de Cologne. IIIe siècle. Römisch-Germanisches Museum, Cologne.

L'industrie du verre prospère à Cologne

Cologne, vers 300
La production des verreries de Cologne se développe dès le Ier siècle. L'utilisation de la technique du verre soufflé, qui vient de Phénicie et d'Egypte, provoque une véritable production de masse : vases, flacons, coupes, amphores. Les verreries de Cologne s'exportent ainsi dans tout le monde romain. Au IVe siècle, les ateliers réalisent de véritables chefs-d'œuvre, destinés au commerce de luxe. Ce sont des vases polychromes, ornés de fragiles décorations en application : des motifs figuratifs ou de minces filaments. Longtemps leur raffinement restera inégalé.

Mort de Porphyre, disciple de Plotin

Rome, 304
Malchos, né à Tyr en Phénicie vers 234, est à Athènes l'élève du rhéteur Longin, qui le surnomme « Porphyrios », par allusion à la pourpre, produit phénicien. Arrivé à Rome en 262, il devient le principal disciple de Plotin et prend la tête de l'école néoplatonicienne après sa mort (→ 270). Ennemi des chrétiens (*Contre les chrétiens*), commentateur d'Aristote (*L'Isagoge*), il publie les œuvres de Plotin, réunies en six séries de neuf traités (*Les Ennéades*), et tente de réaliser l'union avec Dieu par la magie, orientant son école vers l'irrationnel.

306

York, 25 juillet
Constantin est proclamé empereur par l'armée le jour même de la mort de son père Constance.

Rome, 28 octobre
Usurpation de Maxence. Fils de Maximien, Maxence (280-312) prend le contrôle de l'Italie, de l'Espagne et de l'Afrique. Il est le dernier empereur à résider à Rome (→ 28.10.312).

310

Perse
Après une crise de succession, Shâhpuhr II, encore mineur, devient Grand Roi.

Empire romain
Création du *solidus*. →

311

Empire romain, 30 avril
Par l'édit de Sardique, l'Auguste Galère autorise le culte chrétien (→ février 313).

Chine
Prise de Lo-Yang. →

312

Rome, 28 octobre
Bataille du Pont Milvius. Constantin vainc Maxence et réunit tout l'Occident romain.

Egypte
Saint Antoine se retire dans le désert. →

313

Thrace, 30 avril
L'Auguste Licinius (vers 250-324) élimine le César Maximin Daia et réunit tout l'Orient (→ 28.9.324).

315

Rome
L'arc de Constantin, le plus imposant de Rome, se dresse près du Colisée. Constantin achève aussi la basilique de Maxence sur le Forum, qui abrite une statue monumentale à son effigie. Ces monuments commémorent sa victoire de 312. Des bas-reliefs évoquent sa vie, celle de Marc-Aurèle et de Trajan.

318

Empire romain
Une loi de Constantin confère aux évêques un droit de juridiction civile.

Egypte
Le prêtre d'Alexandrie Arius (vers 256-336) élabore sa doctrine niant la consubstantialité du Fils avec le Père et, par conséquent la nature divine du Christ. L'arianisme sera l'hérésie la plus importante et la plus durable de l'Antiquité.

320

Inde
Chandragupta, roi du Magadha, fonde la dynastie des Gupta. Il mourut vers 335.

321

Empire romain, 3 juillet
Le dimanche devient jour férié. →

323

Egypte
Saint Pacôme (287-347) fonde le monastère de Tabennêsi dans le désert.

324

Chrysopolis, 28 septembre
La victoire de Constantin sur Licinius à Chrysopolis lui livre l'Orient et fait de lui le seul empereur.

Byzance, 8 novembre
Byzance devient Constantinople, la « Nouvelle Rome » de Constantin.

325

Nicomédie, 25 juillet
Vicennales de Constantin. →

Nicée, 20 mai
Convoqué et inauguré par Constantin, le concile de Nicée réunit toute l'Eglise et condamne l'arianisme. →

Palestine
Evêque de Césarée, Eusèbe (vers 265-340) publie son *Histoire ecclésiastique*, et une *Chronique* qui pose les bases de la chronologie jusqu'en 323. Cet érudit universel fut le favori de Constantin.

Le concile de Nicée se déroule en présence de l'empereur Constantin. Fresque, XVIᵉ siècle. Salon Sixtine, Bibliothèque vaticane.

Le concile de Nicée réunit l'Eglise

Nicée, 20 mai 325
Pour la première fois de son histoire, l'Eglise chrétienne triomphante réunit les évêques de l'Empire romain en un concile œcuménique à Nicée, sur l'ordre de Constantin. La séance inaugurale a été présidée par l'Auguste, revêtu de sa pourpre, en vertu du caractère sacré de son pouvoir. Constantin entend ainsi rétablir la paix de l'Eglise, de la même façon qu'il est le garant de la paix civile et extérieure. Le concile doit fixer un *credo* orthodoxe face à la doctrine d'Arius qui a suscité depuis 318 des controverses violentes : selon ce dernier, le Christ, créature de Dieu, est inférieur au Père et n'est pas de même nature. Les évêques condamnent l'arianisme et établissent le « symbole de Nicée », fondement du dogme de l'Eglise selon lequel la Sainte Trinité est une et le Christ consubstantiel au Père. Nicée marque à la fois le rôle de l'empereur dans la vie de l'Eglise et le triomphe du christianisme soutenu par l'Etat, cela douze ans à peine après les dernières persécutions. En effet, l'édit de Milan (février 313), application de l'édit de Galère du 30 avril 311, avait définitivement mis fin aux persécutions des chrétiens, menées à partir de 303 par la Tétrarchie. La répression avait alors connu sa plus grande intensité, tout particulièrement en Orient où Maximin Daia la poursuit malgré l'édit de Galère. Après avoir gagné sur Maxence la bataille du Pont Milvius (28 octobre 312), Constantin avait rencontré à Milan l'Auguste Licinius, un païen : ils s'étaient entendus pour étendre la tolérance au culte chrétien et pour restituer ses biens à l'Eglise ; mesures qui devinrent effectives en Orient après la défaite de Maximin Daia (avril 313). Bien que le paganisme soit resté la religion de l'Etat et que l'hérésie arienne ait continué à se développer, en particulier chez les Barbares (→ 350), le christianisme s'est solidement implanté dans l'Empire romain, de 313 à 325.

Saint Antoine ermite du désert égyptien

Egypte, 312
Saint Antoine se retire dans le désert de Kolzoum. Né près de Memphis vers 250 dans une famille de paysans aisés, il a distribué ses biens afin de vivre en ermite et prier. Installé d'abord dans le désert de Pispir (305) proche du Nil, il est bientôt entouré de disciples. Avide de solitude, il les quitte pour Kolzoum. Vagabond du désert, tressant des cordes pour vivre, harcelé par le Démon, il mourra en 356, considéré comme le père du monachisme par son biographe Athanase d'Alexandrie.

Le dimanche sera jour férié

Empire romain, 3 juillet 321
Une loi de l'empereur Constantin ordonne que le dimanche soit un jour de repos obligatoire pour les juges, les fonctionnaires et les plèbes urbaines. Ce jour, appelé officiellement « le jour vénérable du soleil », a été distingué par les adeptes du culte solaire, dont a fait partie longtemps Constantin lui-même. Mais il correspond aussi aux pratiques chrétiennes (le « jour du Seigneur »). Par cette loi se trouve officialisée l'organisation du temps en semaines qu'ignorait le calendrier romain.

Constantin seul maître de l'empire

Nicomédie, 25 juillet 325
Constantin fête avec faste ses vicennales à Nicomédie, où il a invité les évêques réunis en concile à Nicée, la cité voisine. Il vient de faire exécuter Licinius, son ancien allié, vaincu en 324. Cette victoire a livré à Constantin tout l'Orient et l'a fait le maître unique de l'empire, après dix-neuf années d'un parcours sinueux. Né vers 272 à Naissus (Balkans), il est le fils de Constance Chlore, César en 293 puis Auguste en 305, et de sa concubine Hélène, chrétienne d'origine modeste née en Bithynie. Maintenu dans l'entourage de Dioclétien, il est écarté de la succession de 305, le système tétrarchique excluant en principe l'hérédité (→ 20.11.303). Il s'enfuit alors auprès de son père qui combat en Bretagne. Le jour même de sa mort, le 25 juillet 306, il est proclamé empereur par l'armée. Dès lors, son action vise à la destruction du système tétrarchique.

En 307, il prend le titre d'Auguste, après avoir épousé Fausta, fille de Maximien qui est revenu sur la scène. Ayant éliminé son beau-père en 310, il abandonne l'idéologie tétrarchique qui faisait de lui un descendant d'Hercule, comme son père, pour se référer au culte solaire. De 306 à 312, résidant à Trèves, il combat sur le Rhin, puis revient en Italie pour combattre Maxence, le fils de Maximien. La bataille du Pont Milvius, le 28 octobre 312, livre à Constantin tout l'Occident. Un signe mystérieux, le chrisme (symbole du Christ) selon les chrétiens, lui aurait assuré la victoire. C'est en effet après cette victoire que Constantin favorise ouvertement la religion chrétienne (→ 325). Il s'accorde alors avec l'Auguste Licinius qui règne sur l'Orient, après avoir vaincu le dernier tétrarque de 305, Maximin Daia, en 313. La mésentente s'installe et aboutit à la défaite de Licinius et à la réunification de l'empire en 324. L'année suivante, Constantin se conduit comme un empereur chrétien, événement considérable qui marque l'avènement de temps nouveaux. Par ailleurs, il poursuit l'œuvre de Dioclétien : réforme de l'armée, répartie désormais en *ripenses* (sur la frontière) et en *comitatenses* (corps de bataille) ; organisation d'une administration pyramidale, d'une complexité jamais atteinte ; réforme monétaire (→ 310) et fiscale. A cette époque, un empire rénové et profondément modifié achève de se mettre en place.

L'empereur Constantin. Tête monumentale (bronze) provenant de la basilique de Constantin, Rome. Vers 330.

Médaille en or à l'effigie de Constantin. B.N., Paris.

Constantin couronné par la main de Dieu. Médaille. Milieu IVᵉ siècle.

Le premier "solidus" est frappé à Trèves

Trèves, 310
L'atelier monétaire de Trèves, capitale du César Constantin, a produit une nouvelle pièce d'or : le *solidus* (le sou), frappé au soixante-douzième de livre et pesant 4,5 g. La nouvelle monnaie s'impose et remplace progressivement l'*aureus*. Désormais, le système monétaire se fonde sur la permanence et la stabilité de l'étalonor, et non plus sur le rapport or-argent. Il est adapté au commerce et aux échanges extérieurs. Mais il favorise les plus riches par son très fort pouvoir d'achat, ainsi que les fonctionnaires et les soldats, payés en or.

Apparition du chrisme à Constantin pendant la bataille du pont Milvius.

Arc de triomphe de Constantin à Rome. Edifié en 315 sur ordre du Sénat, il célèbre la victoire de l'empereur sur Maxence au pont Milvius.

Lo-Yang pillée par les barbares Xiongnu

Chine, 311
Puissance redoutable depuis le IIIᵉ siècle av. J.-C., les Xiongnu (Hiongnou) sont des peuples nomades d'origine turcomongole. C'est pour se protéger d'eux que Qin Shi Huangdi (Ts'in Che Houang-ti) avait fait construire la Grande Muraille. Sous la dynastie Han, Xiongnu et Chinois s'étaient installés le contrôle de la route de la soie dans le bassin du Tarim. Finalement soumis, les Xiongnu s'étaient installés au nord de la Grande Muraille. Mais, profitant du chaos politique des Jins, Liu Cong (Lieou Tsong), l'Attila de la Chine, s'empare de la capitale Lo-Yang, brûle le palais impérial et capture l'empereur. Tandis que les Chinois se réfugient au sud, débute dans le Nord du pays la période dite des Seize Royaumes des cinq barbares, qui va durer jusqu'en 439.

326

Rome, 25 juillet
Constantin renouvelle à Rome les fêtes de sa vingtième année de règne et ses triomphes sur les barbares et Licinius ; mais il refuse de monter au Capitole.

Jérusalem
Découverte de la « Vraie Croix », selon la tradition, par l'impératrice Hélène.

328

Alexandrie, 8 juin
Athanase devient évêque d'Alexandrie.

330

Constantinople, 11 mai
Dédicace de la ville. →

331

Constantinople
Le philosophe porphyrien Sôpatros, accusé de magie, est décapité ; et les livres des néo-platoniciens sont condamnés à être brûlés.

Empire romain
Constantin ordonne la confiscation des biens des temples, premier acte d'hostilité contre le paganisme.

332

Danube
Le César Constantin II encercle les Goths qui meurent par milliers de froid et de faim.

335

Jérusalem, 17 septembre
Dédicace du Saint-Sépulcre. →

Inde
Avènement de Samudragupta. Il entreprend de constituer un vaste empire dans la plaine du Gange (335-375).

336

Constantinople
Mort du prêtre alexandrin Arius ; mais l'hérésie arienne se développe et divise profondément l'Eglise, et devient bientôt prétexte à des luttes politiques.

337

Nicomédie, 22 mai
Peu après avoir été baptisé, Constantin meurt dans sa villa d'Ancyre. Sa dépouille est ensevelie dans l'église des Saints-Apôtres de Constantinople. Le Sénat le range parmi les dieux.

Empire romain, 9 septembre
Les trois fils de Constantin, déjà Césars, prennent le titre d'Augustes : Constantin II (né en 317) et Constant Ier (né en 320) en Occident, Constance II (né en 318) en Orient.

340

Aquilée, mars
Mort de Constantin II, vaincu et tué par son frère Constant, qui réunit tout l'Occident.

341

Perse
La persécution des chrétiens fait des milliers de victimes à Séleucie.

Rome
Prééminence de l'évêque de Rome. Le pape Jules Ier (vers 280-352) revendique la primauté de son siège au concile de Rome ; il soutient Athanase d'Alexandrie et l'orthodoxie.

346

Afrique
En s'associant aux donatistes, des bandes révoltées d'ouvriers agricoles, les *circoncellions*, terrorisent les campagnes. Constant ordonne une répression féroce.

348

Mésopotamie
Bataille de Singara entre Shâhpuhr II et Constance II. Le sort des armes reste. →

350

Empire romain
La Bible est traduite en gothique par le premier évêque goth, Ulfilas (331-383). →

Asie centrale
Bousculés par les Xiongnu, les Huns Hephtalites ont quitté l'Altaï pour se porter vers l'ouest. Ils menacent les frontières de l'Empire sassanide et de l'Inde.

Vue de Saint-Jean-de-Latran (avant les remaniements du XVIIe siècle). Peinture murale, San Martino ai Monti, Rome.

Naissance de la Rome chrétienne

Rome, 337
A la mort de Constantin Ier, Rome, qui n'est plus la résidence impériale depuis 285, voit s'élever les premières basiliques chrétiennes dues aux donations de l'empereur. Elles s'installent à la périphérie de la ville, sur l'emplacement des cimetières chrétiens devenus lieux de pèlerinage. La première, Saint-Jean de Latran, est édifiée sur une propriété impériale, à côté du palais du Latran qui devient le centre de l'administration de l'Eglise romaine. La basilique a cinq nefs comme celle de Saint-Pierre du Vatican, élevée sur le tombeau de l'apôtre. Sainte-Agnès sur la via Nomentana, Saint-Sébastien sur la via Appia et Saint-Paul-hors-les-Murs s'y ajoutent.

Consécration du Saint-Sépulcre à Jérusalem

Jérusalem, 17 septembre 335
Les édifices du Golgotha reçoivent leur dédicace, au cours de fêtes magnifiques. La grotte du tombeau du Christ était à l'emplacement d'un temple d'Aphrodite. L'extraordinaire nouvelle de sa découverte en 326 amena aussitôt Constantin à ordonner l'édification d'un vaste ensemble monumental sur le Lieu Saint. Magnifiquement construit, il se compose d'une rotonde abritant le Saint-Sépulcre, d'une vaste basilique à cinq nefs et d'un grand atrium. Jérusalem devient ainsi le lieu de pèlerinage privilégié des chrétiens.

La rotonde du Saint-Sépulcre à Jérusalem. Miniature d'un « Livre d'Heures » de René d'Anjou, vers 1460. British Museum, Londres.

Diophante rénove les mathématiques

Empire romain, vers 350
L'*Arithmétique* de Diophante (vers 325-vers 410) constitue l'une des œuvres majeures de la mathématique grecque à l'instar des *Éléments* d'Euclide. Sa principale contribution porte sur les méthodes de résolution des équations. Il y introduit le concept clé d'inconnue et la notation des puissances d'un nombre. Les méthodes proposées traitent les cas des équations déterminées et indéterminées (plusieurs solutions), à une ou plusieurs inconnues, du premier ou du second degré. Diophante ne retient cependant que les solutions rationnelles positives. Sa méthode procède par substitution et recourt à des inconnues auxiliaires. Elle est de nature algébrique et rompt avec les méthodes géométriques traditionnelles.

Début de la période classique chez les Maya

Amérique centrale, vers 350
La civilisation maya, qui se développe sur les terres d'Amérique centrale, est entré dans sa période classique. Cette époque est marquée par des innovations importantes : sculptures et inscriptions sur pierre, poterie polychrome à motifs décoratifs, utilisation de la voûte pour couvrir les édifices. Le début du classique ancien est défini par une inscription sur stèle, datée de 292. Dans les cités, les places et les acropoles sont les éléments fondamentaux autour desquels s'organisent toutes les structures, selon une orientation définie par l'observation des points cardinaux. La cité et le réseau d'habitat qui se développe autour d'elle forme un petit État indépendant. La société maya est encore très mal connue. Les inscriptions ont permis de dégager l'existence d'une élite dirigeante composée de prêtres et de nobles guerriers. Les activités de productions étaient du ressort de petites unités familiales. La civilisation maya repose sur la culture du maïs, mais le coton, le tabac, le cacao, divers arbres fruitiers sont connus. On pratique également la chasse et l'apiculture ; des méthodes évoluées de culture sont utilisées, mais l'outillage reste de type néolithique. L'écriture maya est un système mixte combinant idéogrammes et phonogrammes syllabiques et religieux. L'astronomie et la cosmologie sont particulièrement développées. Le calendrier repose sur une combinaison de cycles, l'un cérémoniel de 260 jours, l'autre solaire, de 365 jours. Un système de points et de barres est utilisé pour les notations numériques de 1 à 19 ; on passe à une numération de position au-delà de 20. Les 4 directions cardinales sont d'une importance capitale dans la pensée maya. Le panthéon et le rituel sont encore mal connus. La plupart des divinités mêlent en leur personne des traits à la fois humains et animaux, et présentent souvent un aspect double à la fois jeune et vieux, par exemple. Les divinités les plus importantes sont le serpent céleste à deux têtes, le dieu solaire, le dieu du maïs. Quant au rituel, seule l'existence de sacrifices humains et animaux est certains. Le célèbre jeu de balle, dont on ignore les règles, mais dont témoignent de nombreuses représentations, était vraisemblablement lié au culte.

« Plaque de Leyde » : un dignitaire maya, somptueusement vêtu, piétinant un soldat vaincu. Plaque de jade, 320. Rijksmuseum, Leyde.

La dédicace de Constantinople

Constantinople, 11 mai 330
Le philosophe néoplatonicien Sôpatros préside à la dédicace de Constantinople et offre un sacrifice à la *Tyché* (Fortune) de la ville selon les rites païens. Installée sur les détroits, à l'emplacement de Byzance, cette capitale voulue par l'empereur Constantin a reçu son nouveau nom de Constantinople le 8 mai 324. Son tracé, le *pomoerium*, a été délimité en 328 par un sillon, qui double la surface de l'ancienne cité. Cette fondation consacre la perte par Rome de son rang de capitale politique, abandon amorcé par les empereurs de la Tétrarchie. La situation de la ville est remarquable. Stratégiquement, elle se trouve à mi-chemin des frontières danubienne et orientale. Economiquement, elle est à la croisée des routes de terre et de mer, de l'Asie à l'Europe et de la mer Noire à la Méditerranée. Presqu'île défendue par la mer sur trois côtés, le site dispose de bons mouillages. Bien que les églises de Byzance aient des noms plus néoplatoniciens que chrétiens (Sainte-Sophie : la Sagesse ; Sainte-Irène : la Paix), la ville n'est pas comme Rome écrasée par le poids du paganisme et peut devenir une capitale chrétienne. Constantin veut en faire une seconde Rome : sept régions rappellent ainsi les sept collines de la Ville éternelle. Il y installe un Sénat recruté sur place, lui accorde le *jus italicum*, c'est-à-dire qu'il l'exempte d'impôt ; il la gratifie en outre de distributions frumentaires. Un proconsul la gouverne. L'empereur y fait construire son palais, relié à l'hippodrome et, déjà, son mausolée.

Représentation symbolique de Rome et de Constantinople. Diptyque d'ivoire, deuxième moitié du Ve siècle.

Bible dite de La Cava. Page s'inspirant d'un modèle wisigothique. Début IXe siècle. Bibliothèque de La Cava de Tirreni.

La Bible d'Ulfilas, premier évêque goth

Europe de l'Est, vers 350
L'évêque goth Ulfilas, partisan modéré de la doctrine arianiste (doctrine hérétique d'Arius), est le premier à donner une traduction de la Bible dans une langue barbare. Il veut, par sa traduction en gothique de larges extraits du livre saint, poser les bases d'une langue littéraire gothique. Sa traduction utilise de nombreux termes latins, certains concepts de la foi chrétienne faisant défaut dans la langue des Goths : il doit inventer de nouvelles tournures pour mettre à la portée du monde germanique, d'une manière qui lui soit familière, le sentiment de la foi, tout en respectant l'esprit des textes bibliques. Il doit même établir son propre alphabet à partir des alphabets grec et latin, y ajoutant des phonèmes inconnus, présents dans l'écriture runique des Goths.

Splendeur du royaume d'Axoum en Ethiopie

Ethiopie, vers 350
Le royaume d'Axoum compte parmi les grandes puissances du temps. Il joue un rôle clé dans le commerce méditerranéen et contrôle les principales voies menant vers l'Inde. Depuis la destruction du royaume de Méroé, Axoum est le point de passage obligé pour le commerce des épices et de l'encens. Sa civilisation rayonnera jusqu'en Arabie.

La grande stèle funéraire d'Axoum, témoin d'une civilisation antérieure à l'ère chrétienne.

353

Lyon, 10 août
L'usurpateur Magnence est vaincu par Constance II et se suicide. Il contrôlait tout l'Occident romain.

355

Gaules, automne
Une ruée des barbares Alamans emporte Strasbourg, Mayence, Cologne et les forteresses du Rhin.

356

Empire romain, 19 février
Loi de Constance II fermant les temples païens.

357

Rome, avril-mai
Constance II effectue son seul séjour à Rome pour y célébrer son triomphe sur Magnence. →

Strasbourg, 25 août
Julien, nommé César le 6 novembre 355 par son cousin Constance II, vainc la ligue des Alamans.

359

Sirmium, Illyrie
Quatre conciles successifs, sous la pression directe de l'empereur Constance II, imposent le *credo* arien. Mais les orthodoxes persécutés ne cèdent pas.

Mésopotamie
Shâhpuhr II prend la ville romaine d'Amida et menace la Syrie. La guerre durera jusqu'en 361.

361

Tarse, Asie Mineure, 3 novembre
En route pour combattre Julien, proclamé Auguste à Paris par son armée (février 360), Constance II meurt après l'avoir reconnu comme son successeur légitime.

362

Antioche, 17 juin
Julien promulgue une loi scolaire en faveur des païens. →

363

Mésopotamie, 26 juin
Parvenu jusqu'aux murs de Ctésiphon, Julien est tué au cours

d'un mouvement de retraite. Son successeur, Jovien, qui mourra l'année suivante, conclut avec Shâhpuhr II une paix déshonorante. →

364

Empire romain, 28 mars
Valentinien (né en 321 en Pannonie), proclamé Auguste le 26 février 364, s'associe son frère Valens (né en 328) pour gouverner l'Orient. Pour la première fois, la division des tâches s'accompagne d'un partage véritable des ressources et des armées des deux parties de l'empire, l'Occident et l'Orient.

367

Amiens, 24 août
Le fils de Valentinien, Gratien (359-383), devient Auguste en Occident pour affirmer la position de son père.

Gaules
Mort d'Hilaire, évêque de Poitiers vers 350, le premier docteur latin de l'Eglise, auteur de *Sur la Trinité*.

368

Gaules
Valentinien, installé à Paris ou à Trèves, soumet les Alamans (365-368) et fortifie la frontière.

Empire romain
Afin de protéger les humbles de la puissance de l'aristocratie, un « défenseur de la plèbe » est institué dans chaque cité.

369

Arménie
Shâhpuhr II occupe l'Arménie.

Danube, Thrace
Valens impose la paix aux Goths du roi Athanaric.

373

Alexandrie, 2 mai
Mort d'Athanase (né en 295), le grand défenseur de l'orthodoxie nicéenne. Patriarche d'Alexandrie, il fut plusieurs fois exilé par les Empereurs ariens. Il est aussi l'auteur d'une *Vie de saint Antoine* qui a largement contribué à la diffusion de l'idéal monastique.

Constance II fait une entrée solennelle dans la Ville éternelle

Rome, 28 avril 357
Escorté de troupes formidables, précédé d'une double file d'enseignes et entouré de dragons pourpres, le char impérial, rehaussé d'or et de pierreries, s'avance dans Rome au milieu des acclamations de la foule. Constance II se tient debout, immobile, sans tourner la tête, ni cracher, ni agiter la main, comme il sied à la majesté impériale. Il se rend sur l'antique Forum romain et, après une allocution aux sénateurs à la Curie et au peuple sur les Rostres, monte au palais. Il offre aux Romains des jeux équestres au Grand Cirque, où le peuple dialogue avec lui par des saillies ou des acclamations, derniers vestiges de sa liberté. Né en 318, descendant de quatre empereurs, Constance est né dans la pourpre. César à six ans (324), Auguste à dix-neuf, après la mort de son père Constantin (337), il a une très haute idée de la fonction impériale. Sobre et chaste, cultivé mais peu intelligent, il se montre soupçonneux, obstiné et cruel. Il renforce le despotisme et la bureaucratie, mais maintient les prérogatives du civil sur le militaire. Chrétien fervent, il veut imposer l'arianisme et soumettre l'Eglise à son autorité directe. Il est

Constance II et son épouse. Camée gravé sur sardoine. Milieu IVᵉ siècle. Collection particulière, Paris.

haï des orthodoxes nicéens, menés par Athanase d'Alexandrie et Hilaire de Poitiers. Mais il combat le paganisme, interdisant les sacrifices en 356. Seul Auguste après la mort de ses frères Constantin II (340) et Constant (350), il lutte contre l'usurpateur païen Magnence (350-353) au cours d'une longue et sanglante guerre civile. En 355, il nomme son cousin Julien César pour combattre en Gaule, lui-même se chargeant de l'Orient où Shâhpuhr II est menaçant (→ 363). L'empereur, impressionné par Rome, adopte une attitude plus tolérante envers le paganisme. Il doit quitter la ville dès le 29 mai pour Sirmium, à l'annonce d'une grave attaque des Sarmates sur le Danube.

L'empereur Jovien et Shâhpuhr II concluent la paix pour trente ans

Mésopotamie, été 363
Après la foudroyante attaque des troupes romaines en Mésopotamie, Jovien, proclamé empereur par l'armée à la mort de Julien, doit faire retraite et se voit contraint d'accepter la paix proposée par Shâhpuhr II. Les Romains restituent aux Perses les satrapies annexées en 298, abandonnent les forteresses de Nisibe et de Singara et la moitié de l'Arménie. La paix, signée pour trente ans, prévoit aussi le versement d'un tribut destiné à fortifier le Caucase perse

contre les Alains. Shâhpuhr II (309-379) obtient ainsi un triomphe diplomatique que ses guerres ne lui avaient pas apporté depuis 333. A partir de 363, les deux grands empires s'acceptent plus ou moins, malgré quelques crises, aucun n'ayant la capacité de l'emporter. En outre, les Perses sont de plus en plus accaparés par leurs frontières orientales, où ils combattent les Kusâna de Bactriane et surtout les Huns Hephtalites, apparus en Asie centrale (→ 500). L'Empire sassanide est alors à son apogée, fondant sa puissance sur un Etat centralisé, une armée forte de sa cavalerie lourde et un pouvoir royal qui a su dominer la noblesse iranienne depuis Shâhpuhr Iᵉʳ (→ 260).

Plat décoré : Khosrô II (?) à la chasse. VIᵉ-VIIᵉ siècle. Argent doré. B.N., Paris.

Statue équestre du roi Péroz (?) et scène d'investiture. Vᵉ siècle. Grotte creusée dans le rocher, Taq-i Bostân.

Julien l'Apostat restaure le paganisme

Antioche, 17 juin 362

Une loi de l'empereur Julien réserve l'enseignement aux païens et en exclut tous les chrétiens, mesure la plus spectaculaire prise depuis son avènement. Ouvertement païen, le nouvel Auguste entend revenir sur la christianisation de l'empire, entreprise par Constantin et ses fils de 313 à 361. Julien a ainsi réouvert les temples, restitué leurs biens confisqués et rétabli les sacrifices. Il est en train de constituer, sur le modèle chrétien, une véritable Eglise païenne. Pour faire mentir le Christ, il a ordonné de rebâtir le Temple juif de Jérusalem. Né en 331 à Constantinople, fils de

Les thermes de Lutèce : le « frigidarium ». Construits sous Julien l'Apostat.

Jules Constance et neveu de Constantin, Julien a été baptisé et élevé dans le christianisme. Mais il se convertit secrètement au paganisme en 351, après avoir fréquenté les milieux cultivés païens d'Orient. Nommé César en 355 par Constance II, Julien, établi à Paris, a délivré les Gaules des Alamans et a été proclamé Auguste par ses troupes en décembre 360. Seul empereur en 361, il peut appliquer sa politique. Ouvert à toutes les formes de culte (initié aux mystères d'Eleusis et aux rites de Mithra), Julien est un adorateur du Soleil, émanation visible de l'Etre suprême. Il a écrit des traités philosophiques et théologiques, imprégnés de syncrétisme et de néoplatonisme (*Hymne à Hélios-Roi*). Profondément religieux et mystique, chaste, Julien est aussi animé d'une haine profonde des chrétiens accusés d'athéisme et de trahison. Cet empereur d'apparence frêle, nerveux jusqu'au déséquilibre et portant la barbe du philosophe, rêve de revenir au temps de Marc Aurèle en luttant contre la bureaucratie et l'absolutisme. Mal compris, impopulaire, il quitte Antioche le 5 mars 363 pour conquérir la Mésopotamie, en nouvel Alexandre. Il y mourra le 26 juin, et son œuvre sera abolie.

Complexité et lourdeur de l'administration romaine

Empire romain, IVe-Ve siècle

Afin de répondre à la crise intérieure du IIIe siècle et aux menaces extérieures, l'absolutisme du pouvoir impérial a été accru. Il s'appuie sur un nouvel Etat fortement centralisé et disposant désormais d'une administration développée et d'une fiscalité plus efficace et plus lourde, nécessaire à l'entretien d'une armée renforcée, comptant plus de 500 000 hommes. L'empereur est entouré de services centraux qui forment le *comitatus*. La maison de l'empereur est composée d'eunuques-chambellans, dont le chef est un personnage très influent, du personnel domestique et de la garde impériale. La cour rassemble tous les personnages et les fonctionnaires du Consistoire (conseil impérial) et des bureaux. Le questeur du Palais sacré élabore les lois ; le maître des Offices dirige la chancellerie ; les *agentes in rebus*, véritable police d'Etat, surveillent la poste publique et l'administration provinciale ; les puissants notaires sont chargés d'enregistrer les séances du Consistoire ; le comte des Largesses sacrées est à la tête du fisc et des ateliers monétaires alors que le comte de la « chose privée » (*Res privata*) administre les immenses domaines publics et impériaux. Les services financiers répartissent les impôts annuels d'après les cadastres révisés à chaque indiction, c'est à dire tous les quinze ans. La centralisation du régime s'est accompagnée d'une réforme de l'administration provinciale, uniformisée et hiérarchisée. Au sommet, trois préfets du prétoire contrôlent tous les gouverneurs de leur ressort, jugent en appel et administrent l'impôt. Au-dessous, les vicaires des préfets dirigent les diocèses (une douzaine) qui regroupent chacun plusieurs provinces (une centaine). Les villes de Rome et de Constantinople sont à part, sous la juridiction des préfets urbains. L'armée est sous l'autorité d'un duc pour une province, lui-même subordonné à un comte qui commande chaque diocèse. Au sommet, ce sont les maîtres de la milice et de la cavalerie et souvent, pour l'ensemble de l'armée, le maître des deux milices (ou *presentalis*). Les contemporains se plaignent sans cesse de la lourdeur des impôts et de la tyrannie des fonctionnaires et des soldats impériaux qui leur semblent des privilégiés : telle est la contrepartie inévitable de cette lourde machine bureaucratique.

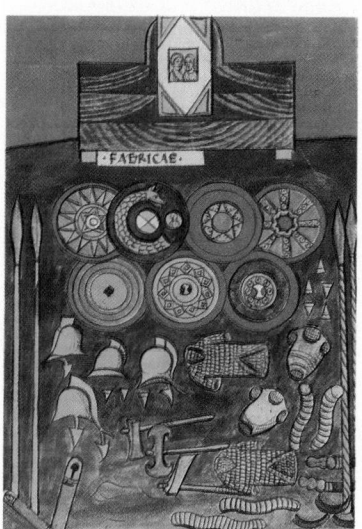

Insignes du Maître des Offices. Illustration de la « Notitia Dignitatum ».

Insignes du Comte des Largesses Sacrées. « Notitia Dignitatum ».

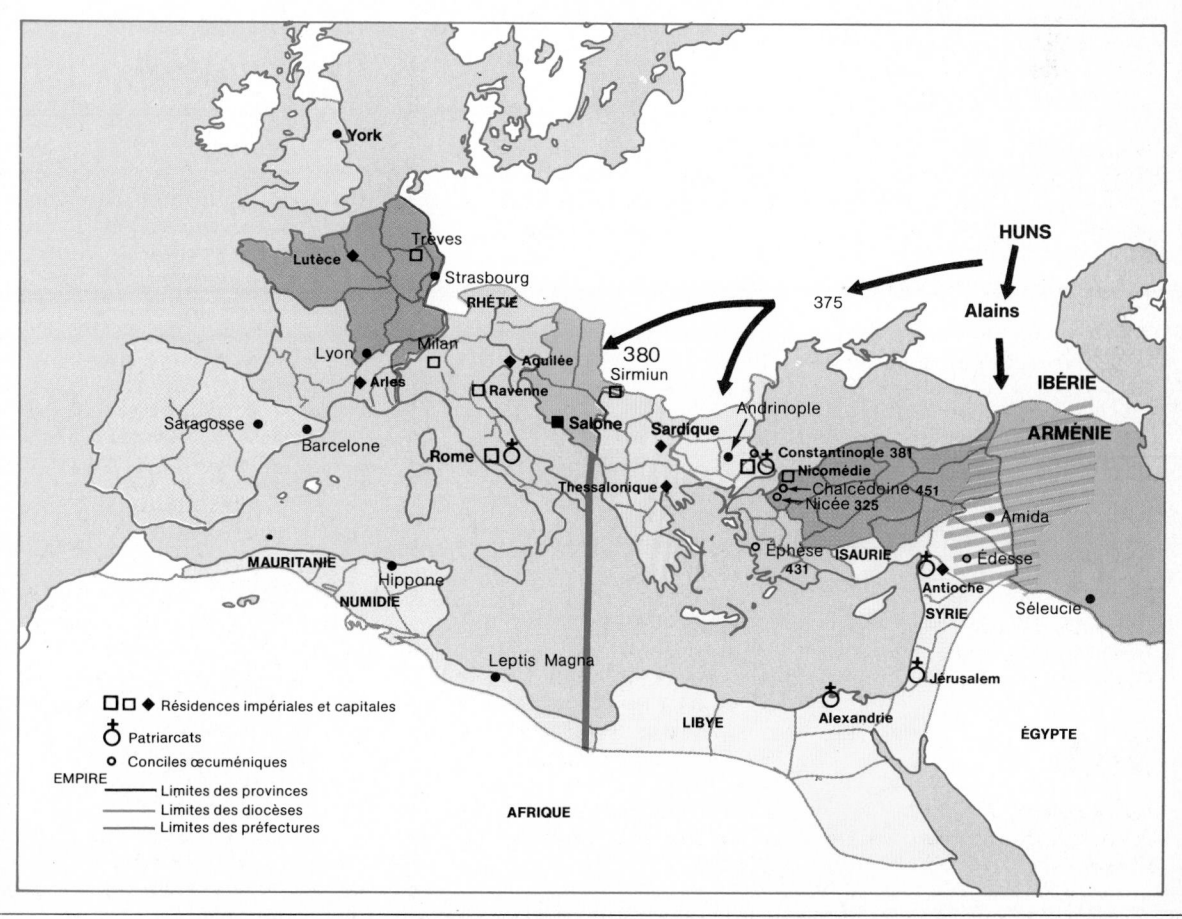

375

Pannonie, 17 novembre
Valentinien meurt, frappé d'apoplexie. Son fils, Valentinien II (né en 370), est proclamé empereur (il règnera de 375 à 392), mais reste sous la tutèle de son frère Gratien (Occident).

Inde
Mort de Samudragupta. →

Ukraine
Les Huns écrasent le royaume des Ostrogoths d'Ermanaric. →

378

Andrinople, 9 août
L'empereur Valens est vaincu par les Goths et trouve la mort. →

379

Chine
Mort du calligraphe Wang Xi Zhi (Wang Hi-tche). Né en 321, il est considéré comme l'un des créateurs de l'écriture *cao shu* (écriture « herbeuse ») ou cursive, aux caractères élégants et élancés rompant avec la rigidité antérieure du style des Han.

Syrie, 1er janvier
Mort de Basile de Césarée. →

Sirmium, 19 janvier
Gratien s'associe l'Espagnol Théodose pour gouverner l'Orient et combattre les Goths. (→ 394)

381

Constantinople, mai
Le IIe concile œcuménique de Constantinople marque la victoire des nicéens sur les ariens. A l'issue du concile, Théodose publie une ordonnance visant à éliminer l'hérésie. Un autre concile (3 septembre) est réuni par Gratien à Aquilée, dirigé lui aussi contre l'arianisme.

383

Lyon, 15 août
Gratien est assassiné. Maxime usurpe le pouvoir en Gaule (383-388), puis en Italie (387).

384

Rome
Mort du pape Damase. Il a imposé la primauté du siège de Rome (nommé « Siège apostolique »), reçu de l'Etat la juridiction sur tout son clergé et visé à obtenir une primauté de juridiction sur l'Eglise (« Décrétales »).

385

Rome
Ammien Marcellin commence son *Histoire*, qui couvre la période allant de 96 à 378. Né à Antioche vers 330, il fit une carrière militaire avant de s'installer à Rome pour écrire en latin une Histoire faisant suite à celle de Tacite. C'est le meilleur historien profane de son époque.

Bordeaux
Mort du poète Ausone (né à Bordeaux vers 310), précepteur du futur empereur Gratien.

386

Antioche
Libanios (né en 314 à Antioche) publie son plaidoyer *Pour les Temples*. Célèbre rhéteur, ami de l'empereur Julien, il est le porte-parole des milieux cultivés païens et tente de lutter contre la législation antipaïenne.

389

Empire romain
Abolition des jours fériés païens.

390

Arménie
Après des pourparlers entre Théodose et Shâhpuhr III, un traité de paix et d'amitié est signé, qui aboutit au partage de fait de l'Arménie.

Milan, 25 décembre
L'évêque de Milan Ambroise contraint Théodose à faire publiquement pénitence. →

392

Vienne, 15 mai
Mort de Valentinien II. Théodose seul maître de l'empire.

Lyon, 22 août
Le comte Franc Arbogast fait proclamer empereur Eugène (Gaules, puis Italie). C'est la dernière tentative de restauration païenne.

Empire romain, 8 novembre
Loi de Théodose interdisant tout acte de paganisme. →

Musicienne. Epoque de Samudragupta. IVe siècle. British Museum, Londres.

Monnaie indienne : un cavalier chassant un rhinocéros. Or. Musée national, New Delhi.

La mort du conquérant Samudragupta

Inde, vers 375
Vers 375 meurt Samudragupta, roi d'une envergure exceptionnelle, qui fut à l'origine de l'essor de la dynastie Gupta. Il agrandit le petit royaume dont il avait hérité, annexant tout le bassin du Gange. Gravé par un de ses ministres sur un pilier d'Açoka, son panégyrique, d'un lyrisme parfois excessif, est un précieux témoignage. Enumérant ses nombreuses campagnes militaires, il exalte sa puissance et sa magnanimité. Parmi les rois qu'il a vaincus, certains, dans le nord, furent expulsés avec violence ; d'autres, au contraire, furent restaurés sur leur trône et devinrent ses fidèles vassaux. Plusieurs rois voisins se présentèrent d'eux-mêmes pour lui faire allégeance. Au retour d'une expédition guerrière dans le Dekkan, il célébra l'*açvamedha*, « le sacrifice du cheval », rétablissant un ancien rituel védique abandonné depuis le IIe siècle av. J.-C. Attestant la victoire du souverain, ce rite le proclamait monarque universel. A son image de grand conquérant, il ajoutait celle de protecteur des arts, étant surnommé le « roi poète » : sur l'une de ses monnaies en or, il se fit représenter en musicien tenant un luth. Fervent vishnouiste, il fut cependant très tolérant à l'égard des autres religions, notamment du bouddhisme. A sa mort, il laissa un royaume pacifié et prospère. Son fils allait poursuivre son œuvre.

L'empereur Théodose interdit toute forme de culte païen

Empire romain, 8 novembre 392
L'empereur romain Théodose interdit les sacrifices païens, même domestiques. Touché dans ses pratiques privées, le paganisme est ainsi condamné à mort. Identifié à la tradition romaine, enraciné dans les milieux intellectuels et sénatoriaux, il a montré une vitalité certaine dans la seconde moitié du IVe siècle. Mais, depuis la mort de Valentinien Ier (375), les empereurs chrétiens sont décidés à l'abattre. Dès son avènement à l'empire d'Orient (379), Théodose refuse de revêtir le manteau du grand pontife, chef de la religion romaine ; l'empereur d'Occident Gratien l'imite peu après. En 382, Gratien supprime les immunités et revenus des vestales et des sacerdoces romains et enlève du Sénat l'autel de la Victoire. C'est retirer au paganisme tout caractère public. Pour les païens, l'autel de la Victoire, sur lequel on brûle de l'encens au début de chaque séance du Sénat, symbolise en effet la continuité de l'Etat romain. Le préfet de Rome Symmaque tente en vain d'obtenir sa réintégration. La loi de 391, interdisant la fréquentation des temples, inaugure l'ultime phase de la persécution.

Prêtresse païenne. Volet du « Diptyque nuptial des Nicomaque et des Symmaque ». Ivoire. Vers 400.

Saint Ambroise de Milan contraint Théodose à faire pénitence

Empire romain, 25 décembre 390

Le jour de Noël, l'évêque de Milan Ambroise a contraint Théodose à se soumettre à la pénitence publique comme un simple chrétien. L'empereur avait promulgué une loi contre les invertis : un général romano-barbare avait arrêté un cocher tombant sous le coup de la loi. Cette décision ayant soulevé un vent de révolte à Thessalonique, Théodose avait fait massacrer le peuple de la ville par mesure de répression. C'est la raison pour laquelle Ambroise exigea qu'il fasse acte de contrition, marquant ainsi la volonté d'indépendance de l'Eglise à l'égard du pouvoir impérial. « L'empereur est fils de l'Eglise et non un évêque. » Saint Ambroise, né à Trèves en 339, occupe le siège épiscopal de Milan depuis 374. Pour lui, chrétienté et romanité s'identifient ; il poursuit la politique religieuse entamée par Constantin au IVᵉ siècle en achevant la christianisation des institutions impériales. A terme, l'Eglise doit assurer sa suprématie sur l'empereur dans le domaine religieux. Orateur éloquent, saint Ambroise ne craint pas de mobiliser les foules contre l'autorité impériale afin de rendre le peuple conscient de ses respon-

Autel de Saint-Ambroise. Détail. Feuilles d'or et d'argent. Œuvre de Volvinius, 835.

sabilités. Selon lui, l'Eglise détient la vérité absolue : elle a donc le droit d'intervenir directement dans les affaires politiques lorsqu'elle sent cette vérité menacée. Saint Ambroise sait traiter avec les grands et les puissants, comme Théodose. Contraint d'enseigner avant d'avoir appris - l'évêque est souvent recruté parmi les familles les plus riches et appartient à la condition laïque, - il s'est largement inspiré des auteurs grecs (Philon, Origène) dont il traduit les œuvres en latin. Il leur emprunte également le thème de la virginité auquel il consacrera de nombreux traités.

Les Ostrogoths sont soumis par les Huns

Ukraine, 375

A la mort du grand roi des Ostrogoths, Hermanaric (v. 335-375), ses successeurs divisés acceptent de devenir alliés et vassaux des Huns qui attaquent le royaume depuis 370. Peut-être originaires de la région du lac Baïkal, les Huns ont effectué une migration à travers les steppes et se sont installés dans l'Oural. De là, ils envahissent, au IVᵉ siècle, la Scythie, territoire d'un peuple cavalier, les Alains, établis entre Volga et Don. L'arrivée des Huns provoque un vaste mouvement de migration vers l'ouest : Huns, Ostrogoths et Alains réunis bousculent Gépides, Vandales, Quades et Wisigoths contre les frontières de l'Empire romain (→ 9.8.378). D'autre part, les Huns, quoiqu'encore divisés en hordes avec leurs chefs propres, commencent à constituer une vaste aire de domination depuis le Caucase jusqu'au Danube (→ 20.6.450). La pression barbare devient mortelle pour Rome. Ces nomades sont des cavaliers hors pair, maniant l'arc et le lasso, insaisissables sur leurs poneys. Mais ils utilisent aussi la cavalerie lourde et cuirassée de leurs vassaux alains. Trapus et imberbes, endurcis au froid et à la faim, ils suscitent la répulsion des Romains.

Statue d'un empereur romain du IVᵉ siècle (Valentinien Iᵉʳ ?) se trouvant à Barletta. Bronze.

Thrace. La défaite d'Andrinople est lourde de conséquences. Affaiblie, l'armée romaine a aussi terni sa réputation auprès des Barbares. L'Illyrie est ravagée. Et, surtout, la paix signée en 382 par Théodose consacrera la présence des Goths dans l'empire comme peuple autonome, installé en Thrace sous ses propres lois. Les Goths ne quitteront plus l'empire.

Les pères de l'Eglise grecque

Empire romain

Depuis la victoire du christianisme, l'Eglise se trouve confrontée à une grave crise doctrinale, née de l'hérésie arienne (→ 325). Des hommes se lèvent afin de servir l'orthodoxie, donnant ses lettres de noblesse à la littérature chrétienne. Les « grands docteurs » de l'Eglise, les « pères latins », Hilaire de Poitiers, Jérôme et Augustin, suivent une génération de « pères grecs » dont le modèle est l'évêque d'Alexandrie, Athanase (295-373), le plus ardent des défenseurs du dogme contre les ariens. Basile de Césarée, né en Cappadoce (329) dans une famille aisée et chrétienne, fit ses études à Athènes. D'abord professeur, il se tourne vers la vie religieuse en 356. Retiré au désert (358) et pratiquant l'ascétisme, il devient ensuite prêtre puis évêque de Césarée, sa ville natale (370). Il se consacre à la défense du dogme nicéen jusqu'à sa mort (1ᵉʳ.1.379). Maniant avec art la langue grecque, il rédige une vaste correspondance et des homélies. Ses traités théologiques font autorité. Il rédige la première grande règle monastique (la règle « basilienne ») fondée sur la discipline et la vie en communauté. Homme d'action, fondateur de monastères, d'hôpitaux et d'hospices, il reçut le surnom de « Grand ». Son frère, Grégoire de Nysse (v.330-395), admirateur des idéaux esthétiques païens, devient comme lui professeur de rhétorique. Marié, il est élu évêque de Nysse sur l'ordre de son frère (372), en pleine persécution des nicéens par Valentinien. Il devient alors débordant d'activité et fait triompher le dogme nicéen au concile de Constantinople (381). Grégoire de Nazianze (v.330-390), ami de Basile de Césarée, étudiant à Athènes où il est le condisciple du futur empereur Julien (→ 362), devient évêque de Sasimes également sur l'avis de son ami. Ascétique comme un moine, il est pénétré de culture grecque qu'il met au service de l'Eglise : discours et traités théologiques, apologies, lettres, biographies, poèmes (*De vita sua*) témoignent de son activité d'écrivain, alliant la netteté du style à une grande sensibilité, au service de la foi. Ces trois Cappadociens réalisent dans leur œuvre la fusion du christianisme et de la culture antique. Par leur engagement, ils ont été les artisans de la victoire de l'orthodoxie nicéenne en 381.

Sarcophage de Sainte-Hélène. Frise de cavaliers. Art romain. Début du IVᵉ siècle. Porphyre. Musée Pio Clementino, le Vatican.

Valens succombe face aux Wisigoths

Andrinople, 9 août 378

L'empereur Valens disparaît au soir de la bataille d'Andrinople, brûlé dans l'incendie d'une maison. L'armée romaine d'Orient est écrasée et sans chef. Le combat s'était engagé autour du cercle de chariots du roi wisigoth Fritigern, quand l'arrivée de la cavalerie de ses alliés ostrogoths et alains a amené le désastre des Romains. Les Wisigoths se sont installés sur la frontière comme alliés et fédérés des Romains (traité de 332). Révoltés en 365, soutenant l'usurpateur Procope, ils ont été vaincus par Valens (367-369) : un de

leurs chefs, Athanaric, a obtenu la soumission de son peuple et une paix de pardon. En 375, menacés par des bandes de Huns et d'Ostrogoths (→ 375), affamés et sans terres, les Wisigoths sont autorisés à se réfugier dans l'empire, désarmés et à titre de *deditices* (rendus sans condition). Mais d'autres barbares, Taifales, Ostrogoths, Alains et bandes de Huns, s'entassent à leur tour sur le Danube et tentent de passer le fleuve (376). Lorsque les Wisigoths, volés et maltraités par les fonctionnaires romains, se révoltent, la poudrière explose et les Barbares ravagent la

393

Grèce
Les Jeux olympiques sont supprimés, après plus de mille ans d'existence.

394

Italie, 5-6 septembre
Théodose est vainqueur de l'usurpateur Eugène et d'Arbogast à la Rivière froide. →

395

Milan, 17 janvier
Mort de Théodose. Désormais, le partage de l'empire est un fait acquis. Ses deux fils lui succèdent : Arcadius (Auguste depuis 383) en Orient et Honorius (Auguste depuis 393) en Occident. La frontière des deux parties de l'empire traverse les Balkans et le désert de Libye.

Bordeaux
Mort du poète Ausone (né à Bordeaux vers 310), qui fut précepteur du fils de Valentinien, le futur empereur Gratien. Une de ses « Idylles » est intitulée *La Moselle* et raconte son voyage sur la Moselle, de Trèves au Rhin.

397

Gaules, 8 novembre
Mort de saint Martin. →

399

Inde
Le pèlerin chinois Fa Xian (Fa Hien) visite l'Inde des Gupta. →

Perse
Avènement du roi Yezdgerd Iᵉʳ. Il noue de bonnes relations avec les Romains et tolère le christianisme.

400

Arménie
Naissance de l'alphabet arménien. →

402

Italie
La cour d'Occident, menacée à Milan par Alaric qui a envahi l'Italie en 401, s'installe à Ravenne, mieux protégée par ses marais. Ravenne sera la principale résidence impériale au vᵉ siècle.

Vérone, été
Le chef de l'armée d'Occident, le Vandale Stilicon, vainc les Wisigoths d'Alaric, qui sont repoussés d'Italie.

404

Constantinople
Le patriarche Jean Chrysostome est banni de Constantinople. →

406

Italie, 23 août
Stilicon écrase à Fiésole des hordes barbares conduites par le roi Radagaise et se dirigeant sur Rome.

Empire romain, automne
Stilicon réclame à l'empereur d'Orient l'Illyrie orientale, où est installé Alaric, officiellement maître de la Milice d'Arcadius. La guerre est déclarée. Mais au moment où Stilicon s'apprête à passer en Illyrie, une nouvelle invasion barbare en Gaule le détourne de son projet.

Gaule, 31 décembre
Des bandes de Vandales, d'Alains et de Suèves franchissent le Rhin gelé, près de Mayence. Ils ravagent la Gaule en se dirigeant vers l'Aquitaine. Ils ne quitteront plus le territoire romain.

407

Bretagne et Gaules
L'usurpateur Constantin III (406-411) quitte la Bretagne avec son armée et conquiert la Gaule. Il déplace la capitale des Gaules de Trèves à Arles (408).

408

Empire d'Orient, 1ᵉʳ mai
Mort d'Arcadius. Son fils Théodose II, âgé de huit ans (Auguste en 402) reste sous la tutelle du préfet du prétoire Anthémius (404-414) qui fait construire les grands murs de Constantinople (« mur théodosien »).

Ravenne, 23 août
Honorius fait assassiner son régent Stilicon. →

409

Espagne
Les Vandales, les Alains et les Suèves pénètrent en Espagne.

Saint Martin, l'apôtre des Gaules, est mort

Gaules, 8 novembre 397
Martin, évêque de Tours, s'est éteint au milieu de ses disciples. Né en Pannonie, vers 316, il prit d'abord du service dans l'armée romaine. A cette époque, dit-on, il rencontra un pauvre à qui il offrit la moitié de son manteau. Ce vêtement, il l'aurait vu la nuit suivante, en songe, porté par le Christ. Il décide de renoncer au monde et rejoint l'évêque de Poitiers, Hilaire. Il entre dans son clergé, avec le rang d'exorciste. Mais Hilaire est sanctionné pour refus d'obéissance à l'empereur et déporté. Martin part pour l'Italie, puis la Corse. Là, il vit dans une solitude complète. Peu après 360, il regagne la Gaule et s'installe près de Poitiers, à Ligugé. Le mode de vie qu'il adopte alors est celui des ermites orientaux. Bien vite, d'autres ermites le rejoignent et Ligugé devient l'une des premières communautés d'Occident. Puis il rompt son isolement, en 372, en devenant évêque de Tours. Désireux de ne pas trahir son premier idéal, il fonde un autre monastère, sur la rive nord de la Loire, à Marmoutier. Les moines vivent dans des cellules en bois ou des grottes. Leur discipline est extrêmement stricte : jeûnes rigoureux, prières fréquentes, études et travail de « copie ». Le rayonnement de sa per-

Procession des martyrs. Détail. Mosaïque de la nef. Après 526. Saint-Apollinaire-le-Neuf, Ravenne.

sonne et de son enseignement est incontestable. On raconte qu'à sa mort, Tourangeaux et Poitevins se battirent pour ensevelir le saint évêque dans leur ville respective, grâce qui échut aux premiers.

Pâtres gardant des troupeaux. Miniature d'un « Vergilius Romanus ». Fin du Vᵉ siècle.

Le codex remplace les rouleaux de papyrus

Le codex s'impose dans le monde méditerranéen pour l'édition des textes. Apparu dès le Iᵉʳ siècle, il est constitué de feuilles carrées, posées à plat et réunies en cahiers ensuite reliés, parfois richement ornées d'enluminures. Les feuilles sont en parchemin, peau de mouton séchée. Le codex est d'un maniement plus commode que le rouleau *volumen)* de feuilles de papyrus accolées.

L'Arménie occupée se rassemble autour de son Eglise

Arménie, vers 400
Le savant Meshrop crée une écriture arménienne, en constituant un alphabet de trente-six lettres. Ce travail capital permet de forger une culture nationale autour de l'Eglise d'Arménie, au moment même où elle a cessé d'être un Etat indépendant. L'Arménie, située dans le massif montagneux du Caucase, formait un Etat tampon entre ses puissants voisins romain et perse. Affranchie des Séleucides, elle était gouvernée depuis 189 av. J.-C. par une dynastie parthe Arsacide, mais était l'objet d'une lutte séculaire entre l'Empire parthe puis sassanide et l'Empire romain, tombant sous la suzeraineté de l'un ou de l'autre, mais restant autonome. En 390, un traité conclu entre Théodose et Bahram IV partage le pays, les Perses en obtenant la plus grande partie. Mais, christianisée depuis la conversion du roi Tiridate III (vers 300) par Grégoire l'Illuminateur, l'Arménie préserve sa conscience nationale autour de ses patriarches. Avec l'écriture arménienne, une culture fondée sur la traduction de la Bible, des Pères de l'Eglise et de la liturgie préserve son originalité. L'Arménie reste disputée, l'empire romain d'Orient ne renonçant pas à protéger ses chrétiens.

Le moine bouddhiste Faxian parcourt l'Inde

Chine, 399

A la suite du rêve qu'un empereur aurait fait au Ier siècle, le bouddhisme allait faire son entrée en Chine. Dans ce rêve, une silhouette dorée entourée d'un halo de lumière qui flottait serait apparue à l'empereur. Les conseillers consultés faisant le rapprochement avec le Bouddha, l'empereur aurait dépêché des émissaires pour en savoir davantage. Les premiers voyages de missionnaires datent de cette époque. Outre les textes sacrés, ils apportaient un style et un art nouveaux. Au fur et à mesure que les conversions augmentent, des pèlerins partent le long de la route de la soie à la recherche des sources originelles du bouddhisme. Insatisfaits des premières traductions de textes bouddhiques, les convertis s'y rendent surtout pour étudier la vraie doctrine. L'attrait des Lieux saints ne joue qu'un rôle secondaire dans ce vaste mouvement d'études à l'étranger. Le moine Faxian (Fa Hsien), âgé de plus de soixante ans, quitte Chang'An en 399. Il part à pied sur la route de la soie pour six ans. En marge des descriptions minutieuses des temples, de la vie monacale et des rituels, Faxian écrit sur les us et coutumes des pays qu'il traverse. Il devait revenir par mer vers 414 et s'installer à Nankin pour traduire les textes et rédiger son *Mémoire sur les Royaumes bouddhiques*.

Théodose seul maître de l'empire

Italie, 5-6 septembre 394

Les troupes de l'usurpateur Eugène sont écrasées sur la Rivière froide par celles de Théodose. Capturé, Eugène est décapité et son général, Arbogast, se suicide. Théodose est né en 347 à Cauca de Galice en Espagne, dans une famille chrétienne. Son père, Théodose l'Ancien, est le meilleur général de Valentinien Ier. Il l'accompagne en Bretagne puis, devenu duc de Mésie, remporte une brillante victoire sur les Sarmates (374). Après la disgrâce et l'exécution de son père à Carthage sur l'ordre de Gratien (376), il se retire sur ses terres. Le désastre d'Andrinople et la mort de Valens (→ 9.8.378) laissent l'Orient sans maître et à la merci des Goths : Gratien désigne alors Théodose comme empereur pour les combattre. C'est un bon militaire mais sa santé fragile en fait un cyclothymique, tantôt énergique et actif, tantôt apathique et faible. Au terme de trois années de combats difficiles, il conclut avec les Goths un traité qui les établit en Thrace comme fédérés (382). Exemptés d'impôts et s'administrant de façon autonome, ils doivent fournir des contingents à l'armée romaine. C'est le premier exemple d'installation massive d'un peuple barbare, non vaincu, dans l'empire. S'entourant de généraux francs (Bauto) ou vandales (Stilicon), ouvrant largement l'armée aux Barbares, Théodose est accusé de trop les favoriser. Orthodoxe convaincu, il condamne comme hérétiques tous ceux qui n'adhèrent pas au credo de Nicée (édit de 380) et interdit le paganisme (→ 8.11.392). L'usurpation de Maxime (383-388), un temps reconnue, et celle du païen Eugène (392-394) l'ont amené à intervenir en Occident, domaine de Gratien (383) et du jeune Valentinien II jusqu'en 392. Théodose réunifie alors l'Empire romain pour la dernière fois de son histoire. Mais lui-même prévoit la division de l'empire entre ses deux fils, Arcadius (Orient) et Honorius (Occident), Stilicon restant toutefois chef de toute les armées de l'empire.

Théodose Ier et ses deux fils, conférant l'investiture à un haut fonctionnaire. Disque en argent, daté de 388.

Diptyque d'ivoire représentant Stilicon et sa femme Séréna avec son fils. Vers 400. Trésor de la cathédrale de Monza.

Le régent Stilicon assassiné par Honorius

Ravenne, 23 août 408

Extrait de sa prison, Stilicon est décapité. Fils d'un officier vandale entré au service de l'empire, il s'attire la faveur de Théodose, qui le marie à sa nièce Séréna et l'élève au grade de maître de la milice. A sa mort, Théodose le nomme tuteur de son fils Honorius et régent de l'empire d'Occident. Sincèrement rallié à la civilisation romaine, Stilicon entend contenir la poussée barbare et maintenir l'unité du monde romain, par une étroite collaboration avec l'empire d'Orient. Il élimine le régent d'Orient Rufin, son mortel ennemi (395), et le remplace par Eutrope ; mais celui-ci fomente la révolte de Gildon en Afrique (397-398). L'impératrice Eudoxie, véritable maîtresse de l'Orient après la chute d'Eutrope (399), lance le roi des Wisigoths Alaric sur l'Italie. Stilicon le repousse par la victoire de Pollenza (402) et transfère la capitale de Milan à Ravenne, inexpugnable au sein des marais. Il écrase de même la horde du Goth Radagaise, parvenue en pleine Toscane (406), mais se montre impuissant face aux Vandales, Burgondes, Suèves et Alains, qui franchissent le Rhin gelé dans la nuit du 31 décembre 406 et dévastent la Gaule. Stilicon décide alors d'envoyer des troupes en Gaule. Mais excitée par ses ennemis, l'armée se soulève contre lui à Pavie, et Stilicon est abandonné par Honorius, qui craint son ambition.

Jean Chrysostome est banni de Constantinople

Constantinople, 404

Le patriarche Jean de Constantinople est déposé et exilé à Cucuse, en Petite Arménie. Né à Antioche vers 346 dans une famille chrétienne, fils d'un officier et tôt orphelin, il est élevé par sa mère Anthousa, qui rêve pour lui d'une brillante carrière. Il suit l'enseignement du païen Libanius, le plus célèbre rhéteur d'Antioche. Mais il embrasse l'état monastique, cénobite dans un monastère aux portes d'Antioche (374-378), puis anachorète dans le désert (378-380). Attiré par l'apostolat, il rentre à Antioche, reçoit la prêtrise (386) et devient prédicateur. Petit, avec de grandes oreilles et des membres longs et émaciés qui le font ressembler à une araignée, il possède une éloquence brillante et imagée, qui lui vaut le surnom de Chrysostome (« Bouche d'or »). Elu malgré lui patriarche de Constantinople (398), il réforme le clergé de la ville. Mais il ose critiquer la vie luxueuse et dissolue de l'impératrice Eudoxie, une Franque belle et passionnée, très influente auprès de son mari Arcadius. Déposé en 403, rappelé sous la pression populaire, il part en 404 pour un exil définitif, dont les rudes conditions entraînent sa mort en 407. Moraliste plus que théologien (*Traité sur la virginité et le sacerdoce*), il est considéré comme le meilleur orateur parmi les Pères grecs (*Homélies*).

410

Rome, 24 août
Alaric entre dans Rome. →

Chine
Mort du peintre Gu Kaizhi (Kou K'ai-tche). →

413

Worms
Le roi burgonde Gondahar (le Gunther des *Nibelungen*) reçoit du maître de la milice Constance un établissement militaire en Germanie, autour de Worms où il combat les Francs, lutte qui inspira la célèbre épopée.

414

Narbonne, 1er janvier
Le roi wisigoth Athaulf (410-415), successeur d'Alaric, épouse sa captive Galla Placidia, sœur d'Honorius. En Gaule depuis 412, Athaulf entre au service de l'empereur.

Constantinople
La sœur de Théodose II, Pulchérie (née en 398) devient Augusta.

Bethléem
Saint Jérôme achève la traduction de la Bible, la *Vulgate*. →

416

Alexandrie
Les hommes de main du patriarche Cyrille (vers 376-444), assassinent la philosophe néo-platonicienne Hypatie.

418

Aquitaine
Le peuple wisigoth est installé comme fédéré en Aquitaine II². →

420

Inde
Kâlidâsa écrit *L'Anneau de Çakuntalâ*. Chef-d'œuvre de la littérature indienne, cette pièce de théâtre illustre l'idéal pieux et chevaleresque des Brahmanes.

421

Empire d'Occident, 8 février
Constance III, maître de la milice depuis 411, époux de Galla Placidia depuis 417, devient Auguste.

422

Perse
Une paix de cent ans est conclue entre Théodose II et l'Empire perse. Elle ne durera pas vingt ans.

423

Constantinople, 2 janvier
Eudocie, épouse de Théodose II depuis 421, devient Augusta et domine la politique orientale.

Empire d'Occident, 15 août
Mort d'Honorius. L'empereur d'Orient Théodose II règne sur tout l'Empire romain.

425

Constantinople, 27 février
Théodose II, sous l'impulsion de l'impératrice Athénaïs-Eudocie, organise l'université. →

Empire d'Occident, 23 octobre
Valentinien III (né en 419), fils de Constance III et de Galla Placidia, est reconnu comme Auguste par Théodose II.

426

Hippone, Afrique
Saint Augustin achève son œuvre la plus ambitieuse, *La Cité de Dieu*. →

428

Constantinople
Nestorius devient patriarche. Il prêche une doctrine nouvelle selon laquelle il y aurait chez le Christ deux natures distinctes, l'une complètement humaine, l'autre complètement divine ; la Vierge ne serait ainsi que la mère de l'homme et non de Dieu. Cette doctrine (le nestorianisme) fut aussitôt condamnée par le pape Célestin et le patriarche d'Alexandrie Cyrille comme hérétique.

429

Mauritanie, mai
Les Vandales, conduits par le roi Genséric, passent d'Espagne en Mauritanie.

Ravenne
Aetius, qui a vaincu les Wisigoths, les Francs et rétabli la frontière du Rhin (425-428), est nommé maître des deux milices.

Saint Augustin achève "La Cité de Dieu"

Hippone, 426
Evêque d'Hippone (Bône), Augustin donne avec *La Cité de Dieu* l'un des sommets de son œuvre. Plus qu'à l'importance de son évêché africain, c'est à sa personnalité et à ses écrits qu'il doit l'influence et le rayonnement dont témoignent les centaines de lettres de sa correspondance. De sa vie, Augustin a su faire l'illustration exemplaire de l'action de la Grâce divine sur le monde. Né dans une famille modeste à Thagaste en 354, il a étudié puis enseigné la grammaire dans cette ville et à Carthage, avant de devenir maître privé de rhétorique à Rome puis à Milan. Ambroise qu'il y rencontre accompagne sa conversion au christianisme et le baptise en 387. Retourné en Afrique, il est ordonné prêtre en 391 et devient évêque d'Hippone où il réside jusqu'à sa mort, en 430. D'une ampleur considérable, son œuvre est l'une des plus personnelles de l'Antiquité, où la qualité de l'écriture et la profondeur de la pensée dissimulent les lacunes d'une culture qui connaît mal la littérature grecque. Augustin a abordé tous les genres que lui a permis la variété de ses activités, de la philosophie de l'art à la prédication. Avec les *Confessions*, il décrit à travers sa jeunesse païenne et tumul-

Saint Augustin. « Enarrationes in Psalmos » de saint Augustin. XIIIᵉ siècle. Bibliothèque, Douai.

tueuse et sa conversion la misère de l'homme séparé de Dieu. Le sac de Rome, le 24 août 410, inspire à Augustin son œuvre la plus ambitieuse, *La Cité de Dieu* : encore bouleversé par l'effondrement de l'empire, il y confronte la volonté divine et la liberté humaine et recherche dans l'évolution historique de la cité terrestre l'avènement ultime de la cité divine.

Gu Kaizhi. Conseils d'une monitrice aux dames de la cour. Détail. Encre et couleurs sur soie. British Museum, Londres.

Kou K'ai-tche, premier grand nom de la peinture chinoise

Chine, vers 410
Tout au long des Six Dynasties, confucianisme, taoïsme et bouddhisme prospèrent côte à côte. La conjonction de ces trois philosophies favorise de nouveaux développements dans l'art et la littérature. Une peinture d'un type nouveau voit le jour, qui subit l'influence de l'art indien, mais que le génie chinois ne tarde pas à assimiler (peintures des grottes de Dunhuang). En même temps que cet art religieux apparaît une génération de peintres indépendants. Le plus célèbre est Gu Kaizhi (Kou K'ai-tche, né vers 345) ; peintre de la cour de Nankin, il excelle dans les peintures religieuses et les portraits. *La Nymphe de la rivière Lo*, (Freer Gallery, Washington) illustre un poème du IIIᵉ siècle. Il est l'auteur d'une autre peinture célèbre, *Les Instructions de la monitrice aux dames du Palais* (British Museum). Grâce à l'impact nouveau de la pensée taoïste, opposée au carcan des habitudes acquises, le peintre se doit de transmettre des émotions.

Rome est pillée par le Wisigoth Alaric

Rome, 24 août 410

Le roi des Wisigoths Alaric pénètre dans Rome par la porte Salaria. Pendant trois jours, la Ville est livrée au pillage. Alaric a interdit de tuer, d'incendier, de toucher aux églises. Mais ses ordres ne sont pas respectés : les flammes ravagent les jardins de Salluste. Les Wisigoths ne sont pas restés longtemps en Thrace, où Théodose les avait installés en 382. Dès 395, menés par Alaric, qui hésite entre se faire une position personnelle dans l'empire et assurer un établissement définitif à son peuple, ils reprennent leur errance. L'Empire d'Orient leur abandonne l'Epire (397), puis les pousse à envahir l'Italie. Repoussé par Stilicon (402), Alaric croit la situation propice après la mort du Vandale (408). Il arrive aux portes de Rome, mais Honorius, retranché dans Ravenne, refuse de lui accorder l'or et les dignités qu'il convoite. De rage, il ordonne le pillage de Rome. La chute de la Ville, inviolée depuis huit siècles, a un énorme retentissement, faisant douter les païens de la Fortune de Rome et les chrétiens de la Providence. Pour laver le christianisme de la responsabilité de ce malheur, saint Augustin rédige *La Cité de Dieu*.

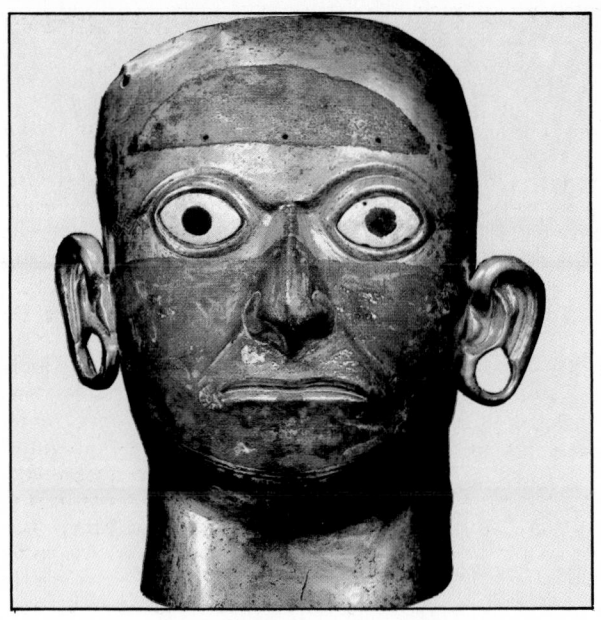

Culture mochica. Masque funéraire. 200-800. Or, cuivre et argent. Stuttgart.

Culture mochica. Vase anthropomorphe en terre cuite polychrome. 200-800 ap. J.-C..

La culture mochica dans les Andes

Pérou, vers 410-419

La civilisation mochica est apparue au Pérou vers 300 av. J.-C. ; elle se développe simultanément dans les régions arides de la côte pacifique et sur le haut plateau andin. La culture mochica, développée dans les vallées côtières, s'étend sur environ 300 km. Les vallées principales sont celles de Moche et de Chicama, au sud de cette zone. La vallée de Moche abrite deux temples imposants dédiés à la Lune, première divinité mochica, et au Soleil : le temple du Soleil mesure près de quarante-cinq mètres de haut, et sa construction a nécessité l'utilisation de cinquante millions d'adobes, briques d'argile crue. Peintes de sept couleurs, ses fresques reprennent les motifs réalistes de la poterie mochica : poterie extraordinaire, polychrome, modelant figures humaines et animales, représentées dans toutes les attitudes de la vie quotidienne. Grands constructeurs de canaux, de routes et de forteresses, les Mochica vivaient en clans fermés et souvent hostiles, soumis à un chef.

Réforme et extension de l'université de Constantinople

Constantinople, 27 février 425

Sous l'impulsion de l'impératrice Athénaïs-Eudocie, fille d'un professeur païen d'Athènes, une loi de Théodose II organise l'enseignement supérieur à Constantinople. Elle établit le nombre de chaires appointées par l'Etat : dix grammairiens et trois rhéteurs en langue latine ; dix grammairiens et trois rhéteurs en langue grecque ; un philosophe et deux juristes. L'université concurrence celle de Rome, plus prestigieuse et plus développée (grammaire, rhétorique, philosophie, droit et médecine), mais la nouvelle Rome attire désormais la majorité des étudiants orientaux de l'empire. La seule autre école d'Etat est celle d'Athènes, toujours vivace avec ses chaires de rhétorique grecque et de philosophie. Les professeurs jouissent de privilèges et d'exemptions d'impôt. Le latin, minoritaire en Orient, restera toutefois la langue de l'administration, du droit et de l'armée jusqu'au VIᵉ siècle. Les étudiants appartiennent aux classes les plus élevées.

La Cène et le lavement des pieds. « Manuscrit pourpre » des Evangiles. VIᵉ siècle. Trésor de la cathédrale de Rossano.

La "Vulgate" de saint Jérôme, traduction latine de la Bible

Bethléem, 414

Jérôme achève en Palestine son énorme travail de traduction des Ecritures à partir de l'hébreu, commencé quarante années auparavant. C'est la clé de voûte de la littérature chrétienne latine, où les recherches du philologue et de l'exégète répondent à la culture de l'historien et à la verve du polémiste. Né à Stridon (Dalmatie) vers 345, Jérôme fut marqué par l'enseignement reçu à Rome du célèbre grammairien Donat et aussi par son passage chez les clercs d'Aquilée qui détermina son orientation vers un ascétisme strict. Son séjour dans le désert syrien (375-377) et ses *Vies de moines* (375-390) en témoignent. Appelé à Rome par le pape Damase, il y commence son travail de révision des textes sacrés et devient le directeur de conscience d'un groupe de grandes dames romaines (382-385). Quelques-unes l'accompagnent à Bethléem où il fonde une communauté monastique. Jérôme, par son œuvre épistolaire, hagiographique, philologique, théologique et historique (suite de la *Chronique* d'Eusèbe) a mis en œuvre la somme des connaissances de son temps, juives, grecques, latines, et chrétiennes, dont la *Vulgate*, devenue la seule traduction autorisée de l'Eglise, reste le monument.

Les Wisigoths fédérés du roi Wallia sont installés en Aquitaine

Aquitaine, 418

Le roi Wallia a obtenu de Rome le droit d'installer les Wisigoths en Aquitaine IIᵉ, de Toulouse à l'océan Atlantique, selon la loi de l'hospitalité : des terres sont attribuées aux Barbares qui conservent leur législation, leurs chefs, leur autonomie et reçoivent un « tribut » correspondant au montant des impôts destinés à l'armée. Les Wisigoths sont chargés de défendre les côtes de l'Atlantique contre les pirates saxons. Ce traité marque la fin de longues négociations commencées lorsque Athaulf s'engagea aux côtés d'Honorius. L'empereur n'ayant pas respecté ses engagements, les Wisigoths prirent possession de Narbonne, Toulouse et Bordeaux ; Athaulf épousa en grande pompe Galla Placidia, la sœur d'Honorius, qu'il avait enlevée (→ 450). Par mesure de répression, l'empereur accula les Wisigoths à la famine, les obligeant à se réfugier en Espagne où Athaulf fut assassiné (415). Porté au pouvoir, Wallia renégocia avec Honorius qui lui confia la mission de nettoyer l'Espagne des Sillings, Hastings et autres Barbares qui s'y étaient installés. Cette tâche accomplie, Wallia obtint le droit de s'établir en Aquitaine. C'est la première fois qu'un royaume barbare est implanté sur le sol romain.

430

Hippone, Afrique, 28 août
Saint Augustin meurt pendant le siège de sa ville par les Vandales.

Empire d'Orient
Théodose verse un tribut annuel aux Huns pour acheter la paix.

Perse
Les Huns Hephtalites, installés en Asie centrale, attaquent la Perse.

431

Éphèse, juin
Le IIIᵉ Concile œcuménique, réuni à Éphèse, condamne la doctrine nestorienne (→ 451) et consacre le triomphe du patriarcat d'Alexandrie sur Constantinople.

434

Thrace
Les armées de Théodose II sont battues par les Huns. Attila et son frère Bleda imposent leurs conditions de paix : le tribut annuel est triplé.

437

Constantinople, 29 octobre
L'empereur d'Occident Valentinien III épouse Eudoxie la Jeune, fille de l'empereur d'Orient Théodose II.

438

Empire romain, 25 décembre
Le *Code théodosien* est publié. →

439

Carthage, 19 octobre
Genséric prend Carthage. →

440

Rome
Léon Iᵉʳ le Grand devient pape. Il affirme la primauté de son siège et lutte contre l'hérésie monophysite (→ 451).

Inde
Un grand centre d'études bouddhiques est fondé dans la plaine du Gange, à Nâlandâ.

Afrique
Le roi vandale Genséric (428-477) signe la paix avec Valentinien III, agréé par Théodose II. On lui reconnaît en pleine indépendance, et non plus comme fédéré, la plus grande partie de l'Afrique ; il rend la Sicile (envahie en 440), la Numidie et les Mauritanies. Le roi conserve une administration romaine, se réservant l'armée.

Bretagne
Les Saxons établis dans le Kent comme fédérés se révoltent contre le chef romano-breton Vortigern et se rendent indépendants.

443

Sapaudia (Savoie)
Les Burgondes, écrasés à Worms par les Huns (437), sont transférés par Aetius en Sapaudia comme colons militaires.

447

Thrace
Après deux guerres (441 et 443) qui lui ont valu des tributs énormes, Attila envahit l'Empire d'Orient, puis accepte de traiter (tribut en or alourdi). C'est l'apogée de l'Empire hunnique.

449

Éphèse, 8 août
Les monophysites imposent par la force leur doctrine au concile d'Éphèse, sous la conduite du patriarche d'Alexandrie Dioscore (« brigandage d'Éphèse »). →

450

Constantinople, 28 juillet
Mort de Théodose II après un règne de quarante-deux ans dominé par les impératrices, Pulchérie sa sœur et Eudoxie son épouse.

Constantinople, 25 août
Pulchérie (398-453) épouse un officier en retraite, Marcien (392-457), et le fait proclamer empereur. Il est le premier à être couronné par le patriarche de Constantinople.

Ravenne, 27 novembre
Mort de Galla Placidia. →

Irlande
De retour d'un voyage à Rome, Saint Patrick fonde le siège épiscopal d'Armagh, qui sera le foyer de l'évangélisation en Irlande.

Le Couvent blanc (Deir el-Abiad) près de Sohag, en Haute-Egypte. Monastère copte fondé en 440 par Chénoudi.

La puissance des moines monophysites d'Egypte

Éphèse, 8 août 449
Les monophysites imposent par la violence leur credo au concile d'Éphèse (→ 451). Ils s'appuient sur le puissant monachisme égyptien qui soutient le patriarche d'Alexandrie en lui fournissant une véritable milice. La force des moines d'Egypte réside dans leur nombre, leur discipline rigoureuse et l'ancienneté de leurs traditions. C'est en Egypte qu'est né le monachisme, avec saint Antoine (→ 312) popularisé par saint Athanase, patriarche d'Alexandrie. Au départ mouvement social et religieux, « l'anachorèse » est la retraite au désert pour vivre en ermite. Puis saint Pacôme est le premier à organiser la vie en communauté (cénobitisme) en fondant en 323 le monastère de Tabennisi, groupant les hommes par métiers. Sa sœur Marie fonde le premier couvent de femmes. La discipline prévoit des châtiments corporels. Le monachisme rassemble rapidement des masses de pauvres et d'analphabètes qui sont instruits pour lire les Écritures. L'abbé Chénoudi (vers 345-vers 455), développe le monachisme égyptien et accentue sa discipline jusqu'à la terreur, manœuvrant les moines comme une armée. Le monachisme égyptien est l'âme du monophysisme et se trouve à l'origine de l'Église copte.

La prise de Carthage par les Vandales

Carthage, 439
Carthage, ville romaine, est tombée aux mains des Vandales. Elu en 428, leur chef Genséric, fils estropié d'un esclave, avait entraîné son peuple en Afrique du Nord où, longeant la côte en direction de l'est, il avait ravagé une à une les cités romaines. Hippone fut ainsi enlevée après un siège d'un an au cours duquel l'évêque Augustin trouva la mort (→ 430). En 435, Genséric accepte de traiter avec Rome qui lui abandonne ses terres à blé sous le régime de l'hospitalité. Quatre ans plus tard, la prise de Carthage rend indispensable un nouveau traité : Rome abandonne sa souveraineté sur une partie du territoire, au risque de provoquer des pénuries de vivres dans ces terres représentant le « grenier à blé » des Romains. L'Etat vandale est créé. Son organisation repose sur le pillage plutôt que sur une administration régulière, même si la population continue de vivre dans le cadre des lois romaines. Les Vandales, peuple arien, ont une réputation détestable et se montrent particulièrement cruels envers les Romains catholiques qui

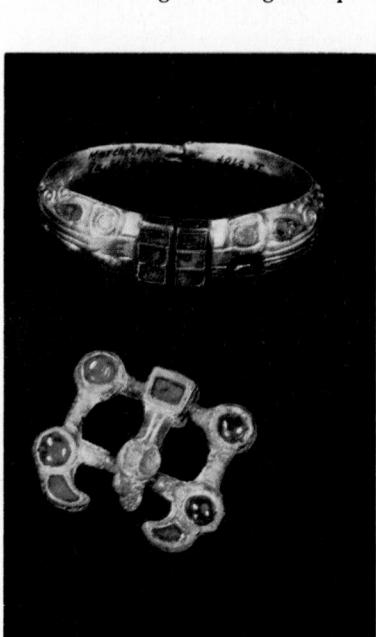

Bracelet et boucle de ceinture. Or et grenat. Art germanique du Vᵉ siècle.

sont persécutés, martyrisés ou exilés. Genséric construit une flotte de bateaux rapides qui, à partir de Carthage, doit lui permettre de lancer des raids en Méditerranée, vers la Corse et la Sardaigne.

L'Irlande évangélisée par saint Patrick

Irlande du Nord, vers 450
Saint Patrick établit le siège de son évêché à Armagh. Né vers 385 au pays de Galles, fils d'un collecteur d'impôts, il a été enlevé par des pirates à l'âge de quatorze ans et vendu comme esclave en Irlande. Ayant pu s'enfuir en Gaule (vers 410), il regagne ensuite son pays natal, mais une vision lui enjoint de convertir l'Irlande. Il acquiert sa formation en Gaule, à Lérins puis à Auxerre, sous la houlette de saint Germain. Ordonné évêque, il débarque en Irlande vers 450. Convertissant les rois, qui entraînent ensuite leur tribu, il évangélise le nord de l'Irlande (Ulster, Leinster, Munster). Patrick meurt vers 461.

Crucifixion. Bronze doré, martelé, gravé et repoussé. Fin du VIIe siècle, début VIIIe. Art irlandais.

Muraille de Théodose II, Constantinople (aujourd'hui Istanbul). Elle comportait 95 tours.

Le "Code théodosien" rassemble les lois de l'Etat romain

Empire romain, 25 décembre 438
Le Sénat de Rome enregistre officiellement le code de lois rédigé par une commission de juristes nommée par l'empereur Théodose II en 429. Ce code est le premier recueil légal et officiel des lois promulguées par les empereurs depuis 312. Jusque-là, on ne disposait que des énormes travaux des juristes, recueils officieux de la législation romaine, surabondante, dispersée et souvent contradictoire. La loi des Citations (426) de Valentinien III avait ordonné de se référer seulement à cinq grands juristes (dont Papinien, Paul et Ulpien). Le nouveau code ordonne les lois en livres et en chapitres, dans l'ordre chronologique, la dernière étant seule valide en cas de contradiction. Enfin, il est ordonné que les lois appliquées en Occident soient valides en Orient, et inversement, si elles sont transmises officiellement. Mais aucune loi occidentale postérieure à 438 ne sera conservée en Orient, dans l'œuvre juridique de Justinien (→ 7.4.529).

Les premiers pas de l'Etat yamato

Japon, 450
Pendant l'époque Yamato, la société japonaise s'ordonne, avec des distinctions de rang très nettes. Trois groupes apparaissent : *uji*, *be* et *yatsuko*. La classe dirigeante uji est constituée de familles reliées entre elles par des liens consanguins réels ou fictifs. Ils obéissent au chef de la maison principale. Le fait d'appartenir à ces familles est primordial et tous les hauts postes leur reviennent. Les travailleurs be, en général organisés en communautés agricoles, produisent le riz pour eux comme pour leurs supérieurs. D'autres sont tisseurs, potiers, pêcheurs. Le troisième groupe yatsuko est constitué d'hommes attachés aux maisons de la classe dirigeante, dont le statut est proche de celui d'esclaves. Les croyances et pratiques religieuses des Japonais sont étroitement intégrées à la structure de la communauté sociale et politique. La religion de type animiste joue un rôle important. Les chefs religieux prétendent descendre de la déesse du Soleil Amaterasu. Les pratiques religieuses renforcent le sentiment profond d'appartenance à un groupe.

Sainte-Marie-Majeure s'enrichit de mosaïques

Rome, 434-440
Le pape Sixte III élève une magnifique basilique en l'honneur de la Vierge, après le concile d'Ephèse (431) qui a condamné les nestoriens qui niaient qu'elle soit la mère de Dieu. Elle a trois nefs et une abside semi-circulaire. Sa double rangée de colonnes grises met en valeur le bandeau des quarante-quatre panneaux de mosaïques polychromes sur fond blanc. Elles illustrent l'Ancien Testament. L'arc et l'abside, sur un fond d'or, présentent des scènes de la vie

Vierge de l'Annonciation trônant et filant. Mosaïque. 432-440. Sainte-Marie-Majeure, Rome.

du Christ et une Annonciation où la Vierge apparaît comme une impératrice romaine. Ces mosaïques sont encore imprégnées de l'art ancien, par leur sens du mouvement et de l'espace.

La vie mouvementée de Galla Placidia

Ravenne, 27 novembre 450
L'impératrice Galla Placidia disparaît. Fille de l'empereur Théodose, née vers 390, elle est capturée par le roi des Wisigoths Alaric lors du sac de Rome (→ 24.8.410). Désireux de réconcilier Wisigoths et Romains, Athaulf, successeur d'Alaric, l'épouse à Narbonne (414). Mais Athaulf est assassiné dès 415 et Galla Placidia regagne Ravenne, capitale de son frère Honorius, empereur romain d'Occident. Sous sa pression, elle se remarie avec le maître de la milice Constance (417), associé à l'empire en 421 mais mort peu après. Brouillée avec Honorius, elle se réfugie à Constantinople auprès de son neveu Théodose II, empereur romain d'Orient. La mort d'Honorius (août 423) lui permet enfin de jouer un rôle de premier plan. Elle rallie Théodose II à la cause de son fils Valentinien, né de son union avec Constance. Proclamé Auguste, Valenti-

nien III est installé à Ravenne par les troupes de Théodose II (425). Parée du titre d'Augusta, Galla Placidia assure la régence. Minée par les intrigues de palais, elle se révèle incapable de faire taire les rivalités des généraux et d'assurer la défense de l'empire. Poussée par le maître de la milice Aetius, elle disgracie le comte d'Afrique Boniface, qui se révolte et appelle les Vandales (429). Brouillé avec les Vandales, Boniface se réconcilie avec Placidia mais est expulsé d'Afrique par les Barbares : la province est perdue pour Rome (432). La guerre éclate alors en Italie entre Aetius et Boniface : Placidia soutient Boniface, mais celui-ci meurt au combat (432). L'Augusta est obligée de se rallier à Aetius, qui la relègue au second plan. Elle se consacre alors à l'embellissement de Ravenne et aux controverses religieuses. Orthodoxe convaincue, elle soutient le pape Léon Ier contre les monophysites. Elle est inhumée dans le mausolée qu'elle a fait construire à Ravenne.

Vue extérieure du mausolée de Galla Placidia. Ve siècle. Ravenne. L'intérieur est entièrement en mosaïque.

451

Champs catalauniques, 20 juin
Attila est vaincu en Gaule. →

Chalcédoine, Asie Mineure, octobre
Le IVᵉ Concile œcuménique condamne le monophysisme. →

452

Italie
Le pape Léon Iᵉʳ négocie avec Attila et obtient son retrait.

Chine
Mort de Topa (ou Toba), empereur Wei. →

454

Ravenne, 21 septembre
Le maître de la milice Aetius est assassiné par Valentinien III. →

Pannonie
Entraînés par Ardaric, roi des Gépides, les vassaux germaniques des Huns se révoltent contre les fils d'Attila et les battent. L'Empire hunnique s'effondre.

455

Rome, 15 mars
Valentinien III est assassiné par des fidèles d'Aetius. Avec lui s'éteint la dynastie théodosienne.

Rome, 16 juin
Le roi vandale Genséric entre à Rome. →

Arles, 9 juillet
Après deux mois de vacance impériale, l'aristocratie sénatoriale gauloise proclame l'Arverne Avitus, soutenu par le roi wisigoth Théodoric II.

Inde
Poursuivant la lutte menée contre les Huns Hephtalites par Kamâragupta (415-455), son fils Skandagupta (455-467) les repousse.

456

Constantinople, 26 janvier
Le général alain Aspar fait proclamer empereur l'officier thrace Léon Iᵉʳ (457-474).

Espagne
Mort du roi des Suèves Rechiar qui a porté sa domination sur presque toute l'Espagne.

461

Empire d'Occident, 2 août
Majorien, proclamé empereur le 1ᵉʳ avril 457, est tué par le patrice Ricimer.

463

Orléans
Le général gallo-romain Aegidius vainc les Wisigoths. Mais, par force ou par traité, ceux-ci ont conquis la Novempopulanie et la région de Narbonne, les Burgondes Lyon et la Viennoise, les Francs la Germanie et les Bretons l'Armorique.

467

Inde
L'Empire gupta éclate sous la pression des Huns Hephtalites.

471

Empire d'Orient
L'empereur Léon Iᵉʳ fait assassiner le maître de la milice Aspar. →

472

Rome, 11 juillet
Le général Ricimer prend Rome et tue l'empereur Anthémius, auquel succède Olybrius. Ricimer lui-même meurt peu après (19 août). Il est remplacé par Gondebaud.

Rome, 2 novembre
Mort d'Olybrius ; vacance du pouvoir.

473

Rome, mars
Glycère est proclamé empereur à l'instigation de Gondebaud.

474

Empire d'Orient, 18 janvier
Mort de Léon Iᵉʳ. Zénon lui succède (474-491).

475

Gaule et Espagne
Le roi wisigoth Euric (466-484) obtient de l'empereur Julius Nepos (473-475) d'être légalement un roi indépendant. C'est l'apogée des Wisigoths qui contrôlent la Gaule du Sud-Ouest et l'Espagne (sauf le royaume suève de Galice).

Saint sous un portique. « Ménologue de Basile II ». 979-984. Bibliothèque vaticane.

Deux cavaliers affrontés. Tapis copte. Vᵉ-VIIᵉ siècle. Musée des Tissus, Washington.

Concile de Chalcédoine : victoire des orthodoxes

Chalcédoine, Asie Mineure, octobre 451
Le IVᵉ concile œcuménique de l'Eglise, réuni à Chalcédoine sur l'ordre de l'empereur Marcien, condamne la doctrine monophysite soutenue par Alexandrie et donne raison à Rome et Constantinople, défenseurs de l'orthodoxie nicéenne. Depuis le concile de Nicée convoqué par Constantin (325), la divinité parfaite du Christ et son identité substantielle avec le Père avaient été érigées en dogme (credo de Nicée) et l'hérésie arienne condamnée, sans être détruite puisqu'elle fut adoptée par l'ensemble des Barbares (à l'exception des Francs) jusqu'au VIᵉ siècle. En 428, le patriarche de Constantinople Nestor avait affirmé que les deux natures, divine et humaine, du Christ étaient séparées. Condamné et déposé par le concile d'Ephèse (431), le nestorianisme se propage tout de même chez les chrétiens d'Iran. A l'opposé, Eutychès, archimandrite d'Alexandrie, développe le monophysisme, doctrine selon laquelle les deux natures ne font qu'une dans le Christ. Combattu par le pape Léon Iᵉʳ (dans son *Tome à Flavien*), cette doctrine est condamnée par le concile de Chalcédoine, mais continue à se renforcer en Egypte (Eglise copte), en Palestine et en Syrie, fracture religieuse et politique qui ne disparaîtra pas. Le concile consacre aussi le triomphe du siège de Constantinople : le vingt-huitième canon lui attribue le premier rang, à égalité avec celui de Rome qui ne garde que la primauté d'honneur (→ 484).

Le bateau de Nydam, embarcation pratiquement sans quille utilisée par les Anglais et les Saxons, pouvant recevoir de 40 à 45 passagers (23 m de long ; 3,26 m dans sa plus grande largeur).

Les Saxons investissent la Grande-Bretagne

Grande-Bretagne, 455
Les Saxons Hengist et Aesc chassent les Bretons du Kent vers Londres, commençant ainsi à former un royaume. La province, abandonnée par l'armée romaine en 406, s'est trouvée bientôt isolée de l'empire. A partir de 410, les Bretons ont dû s'organiser seuls pour lutter contre les incursions des pirates saxons venus des côtes frisonnes. Vers 430, le chef breton Vortigern a établi dans le Kent des Saxons alliés pour combattre les Pictes (en Ecosse). Mais, révoltés en 442, ils se sont rendus indépendants et se sont mis à ravager le pays. Renforcés par d'autres Saxons et des Angles, ils progressent vers l'ouest. A partir de 455, les Bretons émigrent vers l'Armorique à laquelle ils donnent leur nom.

L'armée romano-barbare arrête Attila

Gaule, 20 juin 451

Après une journée de combat, profitant de la nuit, Attila fait retraite. Pour la première fois, la puissance hunnique a subi un échec. Après avoir détruit l'Etat gothique d'Ukraine (→ 375), les Huns se sont installés en Pannonie (vers 390). Les rois Mundziuch et Réa puis Attila (à partir de 434) y forgent un véritable Etat, sur le modèle sassanide. Héréditaire, coiffé du diadème, le roi se fait adorer à genoux. La structure tribale disparaît. Attila crée une sorte de capitale autour d'un palais de bois et de thermes de pierre. A sa cour, on parle grec et latin et ses bureaux sont dirigés par le Romain Oreste. Son empire s'étend de la Hongrie à l'Ukraine et de la Silésie à la Serbie, asservissant de nombreux peuples germaniques.

Petit homme à la grosse tête, au nez épaté et au teint sombre, Attila est un diplomate plus qu'un guerrier. Il sait allier ruse et violence pour rafler le maximum de butin, par l'extorsion de tributs. Vêtus de peaux de martres, les joues tailladées pour empêcher la barbe de pousser, ses cavaliers sèment la terreur. Leur mobilité et leur adresse au tir à l'arc clouent l'ennemi au sol. Pendant quinze ans, Attila ravage les Balkans. Puis, appelé par la sœur de l'empereur Valentinien III, Honoria, qui lui offre sa main, il se tourne vers l'Occident. Envahissant la Gaule, il brûle Metz mais se heurte à la résistance d'Orléans. Apprenant l'arrivée du Romain Aetius, renforcé par les Wisigoths et les Francs, il fait demi-tour et, alourdi par le butin, est rejoint aux Champs catalauniques, en Champagne. Sa défaite, d'ailleurs relative (le Wisigoth Théodoric Ier périt dans la bataille), n'abat pas sa puissance. C'est sa mort qui entraînera la désagrégation de son empire (453).

Le pape Léon Ier se portant au-devant d'Attila. Fresque de Raphaël dans « La Chambre d'Héliodore » (1513-1514), Vatican.

Aspar, "régent" d'Orient, est assassiné

Constantinople, 471

Au cours d'un festin, Aspar est assassiné avec son fils Ardabur par son ennemi Zénon, sur ordre de Léon Ier. Alain d'origine, entré au service de l'empire romain d'Orient, il commande l'armée chargée d'éliminer l'usurpateur Jean et de placer Valentinien III sur le trône d'Occident. Maître de la milice, consul en 434, généralissime, très populaire auprès des fédérés goths, il apparaît comme le maître de l'empire d'Orient après l'extinction de la dynastie théodosienne (450). Barbare et arien, il ne peut devenir empereur, mais pousse sur le trône le chef de sa garde, Marcien, puis son client le tribun Léon (457). L'influence des généraux barbares dans l'empire est alors à son zénith : au même moment, le Suève Ricimer gouverne à Ravenne. Pour échapper à sa tutelle, Léon appelle les Isauriens, tribu d'Asie Mineure, plus sauvages que les Goths mais sujets de l'empire : il marie sa fille Ariadne à leur chef Tarasikodissa, qui prend le nom grec de Zénon

Tête d'impératrice (Ariane ?). Marbre. Vers 500 ou peu après. Musée du Louvre, Paris.

(466). La mort d'Aspar ne clôt pas la guerre entre bandes gothiques et isauriennes. Elles vont s'affronter pendant vingt ans. La défaite finale des Goths permet à l'empire d'Orient d'échapper au danger d'une infiltration par les Barbares.

Aetius, "régent" d'Occident, est assassiné

Ravenne, 21 septembre 454

L'empereur Valentinien III poignarde Aetius de sa propre main. Né en Mésie vers 390, otage chez les Huns, Aetius a troublé la minorité de Valentinien par sa rivalité avec le comte d'Afrique Boniface. Après la mort de son ennemi (432), il relègue la régente Galla Placidia au second plan. Généralissime et patrice, il est le maître de l'empire d'Occident. Se consacrant à la défense de la Gaule, il contient les Francs et les Wisigoths, installe les Burgondes en Savoie (443). Tirant sa force des Huns de son allié Attila, il maintient un semblant d'autorité romaine. Mais il mène aussi une politique personnelle, et son rôle est un signe de la déliquescence de l'empire. Sa brouille avec Attila, qu'il repousse aux Champs catalauniques (→ 20.6.451), affaiblit sa position. Il convoite la main d'une princesse impériale pour son fils, auquel il rêve de transmettre son pouvoir. Effrayé, Valentinien décide sa perte.

L'empereur Tai Wudi défenseur du taoïsme

Chine, 448-452

Sous la dynastie des Wei du Nord, le bouddhisme était devenu religion d'Etat. L'empereur Tai Wudi (T'ai Wu-ti ; 424-452), sous l'influence de son ministre Cui Hao (Ts'ouei Hao) et d'un personnage influent à la cour Kou Qianzhi (K'eou K'ien-tcheu) se convertit au taoïsme. De 424 à 448, les faveurs de la cour reviennent à la jeune Eglise taoïste patronnée par Kou Qianzhi. Le bouddhisme est proscrit, les couvents incendiés et les moines rendus à la vie séculière. Les taoïstes recherchaient des procédés capables de prolonger la vie, de nourrir le principe vital et de sublimer le corps. Le *Baopuzi*, recueil écrit vers 317, par Ge Hong (Ko Hong), décrit ces techniques taoïstes. Ge Hong s'est beaucoup intéressé à la pharmacopée, l'alchimie et la médecine. Les tentatives faites pour obtenir l'immortalité et découvrir le paradis des immortels sont très coûteuses. Seuls des princes puissants et ambitieux peuvent y consacrer leur fortune et parfois même leur vie. A la fin de la sienne, convaincu de s'être trompé, Tai Wudi se reconvertit au bouddhisme.

Rome est mise à sac par le Vandale Genséric

Rome, 16 juin 455

Les Vandales quittent Rome pour Carthage après avoir pillé la Ville pendant quinze jours, sans massacres ni incendies (selon l'accord pris avec le pape Léon Ier), emportant un énorme butin et des milliers de captifs, dont l'impératrice Eudoxie et ses filles. Après le meurtre de Valentinien III (16 mars 455), son allié Genséric, à qui sa fille Eudoxie avait été promise pour son fils Hunéric, se considère délié des traités et décide d'intervenir à Rome, où l'empereur Pétrone Maxime est lynché par la foule (31 mai). Le sac de Rome, bien plus grave que celui d'Alaric (→ 24.8.410), est un coup de force destiné à appuyer les exigences de Genséric, alors seul roi barbare indépendant sur les terres d'empire. A partir de 455, il conquiert toutes les îles de Méditerranée occidentale et le reste de l'Afrique romaine. La guerre contre Genséric (mort en 477) accélère la déconfiture de l'empire d'Occident.

Enfants conduits sur un chameau. Mosaïque du pavement du Grand Palais de Constantinople. Ve siècle. Istanbul.

476

Gaule, printemps
Le roi wisigoth Euric conquiert le reste de la Provence romaine (Arles et Marseille).

Ravenne, 23 août
L'armée impériale se mutine et proclame roi l'officier skire Odoacre. →

Rome, septembre
Le dernier empereur d'Occident, Romulus Augustule, est déposé et exilé en Campanie par Odoacre qui renvoie les insignes impériaux à l'empereur d'Orient Zénon, reconnu ainsi comme seul empereur romain. →

477

Afrique
Mort du roi des Vandales Genséric. Son fils Hunéric, chrétien arien, poursuit la persécution des catholiques.

478

Japon
Construction des sanctuaires shintô d'Ise.

480

Dalmatie, 9 mai
Le dernier empereur d'Occident, Julius Nepos (chassé d'Italie en 475), meurt à Salone. Odoacre conquiert alors la région.

Gaule
Gondebaud succède à son frère Chilpéric comme roi des Burgondes.

Syrie
Construction du couvent de Saint Siméon le Stylite, célèbre ermite et thaumaturge qui vécut sur une colonne (vers 390-459).

481

Tournai, Gaule
Mort du roi franc salien Childéric Ier. Clovis lui succède. →

482

Constantinople
Pour régler le violent conflit entre monophysites et orthodoxes chalcédoniens qui trouble l'empire, Zénon promulgue un édit d'union L'Hénotique.

484

Rome et Constantinople
Premier schisme entre les deux Eglises. →

486

Soissons, Gaule
Le roi franc salien Clovis vainc le Roi des romains Syagrius et conquiert les régions entre Somme et Loire, sauf l'Armorique occupée par les Bretons.

Clermont, Gaule
Mort de l'écrivain, sénateur et évêque Sidoine Apollinaire. →

Perse
Le IIe concile de Séleucie réunit les chrétiens de Perse, gagnés à l'hérésie nestorienne. Le christianisme nestorien atteint l'Inde et gagne la Chine par la Route de la Soie.

488

Empire d'Orient
L'empereur Zénon se débarrasse des Ostrogoths fédérés du roi Théodoric (révolté en 478 et 487) en l'envoyant combattre Odoacre en Italie. C'est la fin du problème germanique en Orient.

L'usurpateur Léonce (484-488) et le patrice isaurien Illus, qui s'appuyaient sur les catholiques contre l'empereur, sont exécutés. Le monophysisme triomphe.

489

Chine
Construction des sanctuaires rupestres de Yungang. →

491

Constantinople, 9 avril
Mort de Zénon. Sa veuve, l'impératrice Ariane, choisit comme empereur le vieil Anastase (v.430-518), monophysite convaincu, qu'elle épouse après son couronnement. Il entreprend le redressement des finances délabrées.

Grande-Bretagne
Les Saxons du chef Ælle, débarqués en 477, sont vainqueurs des Bretons qui occupaient le royaume de Sussex. Les vaincus sont bientôt émigrer vers l'Armorique (la « Bretagne »).

De grands travaux sont entrepris à Yungang (Yun-Kang)

Chine, 489

Le succès du bouddhisme est l'un des grands faits de l'époque. Vers 386, un peuple « barbare », les Toba, s'installe au nord du Shanxi, où il fonde la dynastie des Wei. Après une longue période de guerre, de misère et d'insécurité, le bouddhisme apparaît comme la religion rédemptrice. Les Wei l'adoptent d'autant plus facilement que celle-ci est étrangère comme eux et qu'elle constitue une arme contre le confucianisme et le taoïsme. Un des apports originaux du bouddhisme à la Chine est constitué par les sanctuaires rupestres, comme celui de Dun Huang (Touen-Houang), entrepris au IVe siècle. De 460 à 493, les souverains Wei font ériger les premières grottes de Yungang, dans le nord du Shanxi. Les grottes se trouvent sur le flanc d'une falaise de grès érodée par le vent. On assiste à la floraison d'une sculpture rupestre bouddhique qui, pendant plus de trois siècles, va dominer la création artistique. L'iconographie est celle du bouddhisme indien et l'influence dominante, celle du style gréco-bouddhique. Il s'agit encore d'un art archaïque, dépouillé et parfois naïf, mais plein de force et d'invention. Le bouddhisme a donné un essor sans précédent aux arts plastiques.

Bouddha de la grotte XX. Vers 466. Temple rupestre de Yungang.

Art chinois. Dynastie Wei. Terre cuite avec traces de polychromie.

Extension du monachisme oriental

Né vers 439, en Cappadoce, saint Sabas a parcouru la Palestine en ermite. En 473, dans le désert de Judée, il fonde la grande-laure, groupement de moines dans des maisons distinctes. Saint Sabas est l'héritier d'une lente évolution. Vers 450, le monachisme acquiert des structures plus solides en Egypte, en Syrie, Palestine et Asie Mineure (→ 449). Les modes de vies que suivent gyrovagues, reclus et stylites sont très variés. Le plus célèbre est saint Siméon l'Ancien, qui vécut trente-sept ans solitaire, au sommet de sa colonne. Certains ont adopté la vie en communauté (cénobites) ou gagné le désert égyptien (anachorètes, ermites). Les monastères, laures ou couvents qui rassemblent des centaines de moines vivant de leur travail deviennent de grands centres religieux mais aussi économiques.

Monastère de Saint-Syméon Stylite. Qalat Seman, Syrie. Ve-VIe siècle. La façade sud avec son porche monumental.

Le pape excommunie le patriarche de Constantinople

Rome, 484

Le pape Félix III (483-492) lance l'anathème contre le patriarche Acace (472-488) : c'est le premier schisme entre les deux Eglises. Afin de régler la profonde et violente crise religieuse en Orient née du monophysisme (→ 451), l'empereur Zénon, lui-même monophysite, avait promulgué en 482 un édit d'Union (l'*Hénotikon*). En accord avec Acace, l'édit proposait une solution floue de compromis qui évitait de mentionner le problème des deux natures. Le pape ne pouvait tolérer cette atteinte au dogme défini à Chalcédoine ; il tenait sa revanche sur le patriarche de Constantinople convaincu d'hérésie et désavoué même par le peuple de sa ville, qui haïssait en Zénon tout à la fois le monophysite et l'Isaurien, peuple considéré comme quasi barbare et tout-puissant dans l'armée. La crise ne se réglera qu'en 529 quand le patriarche Jean signera la profession de foi envoyée par Rome. Mais le monophysisme restera implanté en Egypte chez les Coptes.

Sidoine Apollinaire, sénateur et évêque, défenseur de la Gaule

Clermont, 486

Sidoine Apollinaire meurt dans son évêché auvergnat. Né vers 432 dans une famille sénatoriale lyonnaise, fils d'un préfet du prétoire, il épouse la fille du sénateur auvergnat Avitus, qui lui apporte en dot le domaine d'Avitacus, près de Clermont. L'accession de son beau-père à l'empire lui permet de faire une brillante carrière romaine (455). Resté à Rome après la chute d'Avitus (456), il prononce les panégyriques des empereurs Majorien et Anthémius, devient préfet de Rome (468) et patrice (469). Rentré en Gaule, il est élu évêque de Clermont (472), bien que laïque et peu versé en théologie. Phénomène capital que cette entrée des sénateurs dans l'épiscopat : investissant la seule structure solide de l'empire, l'Eglise, ils vont en faire un bastion de la romanité. Leur activité pastorale leur permet de continuer à jouer un rôle de direction politique et sociale. A l'avènement de Sidoine à l'épiscopat, l'Auvergne est menacée par le roi des Wisigoths Euric, maître du reste de l'Aquitaine. Organisant la résistance, il soutient dans Clermont un siège de plusieurs années. Tout autant que la romanité, c'est le catholicisme qu'il défend face à l'arien Euric. Mais l'empereur Julius Népos cède l'Auvergne à Euric (475) et Sidoine doit capituler. Le Wisigoth l'envoie pour un court exil en Espagne, avant de l'autoriser à réintégrer son diocèse (476). Imbu

Calice. Or, filigrane, turquoises et pâte de verre. Vers 500. Trouvé près de Gourdon. B.N., Paris.

de culture classique, Sidoine a laissé des épithalames, des panégyriques et des lettres, au style précieux et contourné. C'est l'un des derniers écrivains de l'Antiquité.

Vue aérienne de la villa gallo-romaine de Montmaurin (Haute-Garonne). IVe siècle.

Odoacre dépose l'empereur d'Occident

Rome, septembre 476

Odoacre, peu après sa proclamation comme roi par l'armée impériale à Ravenne (23 août) et sa victoire sur le patrice Oreste, entre à Rome et dépose l'empereur Romulus Augustule. Le nouveau maître de l'Italie, ne pouvant comme barbare prétendre accéder lui-même à la dignité impériale, se contente de son pouvoir de fait sans même daigner faire proclamer un empereur fantoche. Il renvoie à l'empereur d'Orient Zénon les insignes impériaux d'Occident, reconnaissant par là son autorité sur l'ensemble de l'empire. La disparition de l'empire d'Occident est l'aboutissement d'une longue période de désordre (depuis 455), où les chefs d'armée (Ricimer de 456 à 472, Gondebaud, puis Oreste) régnaient au nom des empereurs alors que les Barbares se taillaient des royaumes, reconnus officiellement par l'empire (442 pour les Vandales, 475 pour les Wisigoths et les Burgondes). En 476, l'armée, formée de Skires, d'Hérules et d'autres Barbares, se mutine, se constitue en « nation » et proclame roi l'officier skire Odoacre : il prend le titre de « roi des nations ». Reconnu par Zénon avec le titre de patrice, il noue de bonnes relations avec l'aristocratie sénatoriale et le Sénat et conserve l'administration de la cour de Ravenne. Tout semble continuer comme au temps de l'empire, mais désormais sans empereur. Il agrandit son royaume de la Sicile (476) et de la Dalmatie (480). Il sera éliminé par l'Ostrogoth Théodoric en 493 (→ 510).

Mort de Childéric, fondateur du Royaume franc en Gaule

Tournai, Gaule, 481

Childéric, le roi des Francs Saliens, est mort. Fils de Mérovée qui, dit-on, descendait d'un serpent de mer, il régnait sur les tribus franques qui avaient été fixées en Belgique par les Romains au début du IVe siècle. Les commandants de l'armée de campagne établie au nord de la Gaule leur confiaient volontiers des postes importants pour repousser les Barbares les plus dangereux. Childéric prêta ainsi main-forte aux Romains : en 463, il combattit les Wisigoths sur la Loire aux côtés d'Ægidius, le représentant de l'autorité romaine et le maître de la milice. En 499, c'est avec son successeur, le comte Paul, qu'il battit les pirates saxons. Ces coups de main ne l'empêchaient pas d'opérer pour son propre compte : il réussit en effet à s'imposer à plusieurs cités après les avoir investies et affamées jusqu'à ce qu'elles crient grâce et acceptent de traiter avec lui. Childéric put ainsi imposer sa protection aux habitants et recueillir les restes de l'impôt. Jouant sur les deux tableaux, il profitait des lacunes de la défense tout en s'intégrant à l'armée romaine, de plus en plus autonome. Il entama de cette manière la conquête du Royaume franc qu'achèvera son fils Clovis.

493

Ravenne, 15 mars
Après une guerre difficile (489-493) et le siège de Ravenne (491-493), Théodoric fait exécuter le roi Odoacre qui avait capitulé. Les Ostrogoths sont les maîtres de l'Italie et de la Dalmatie.

495

Rome, 3 mai
Un synode des évêques italiens soutient le pape Gélase Ier (492-496) dans son refus de céder à l'empereur Anastase qui veut établir le monophysisme.

496

Gaule
Allié aux Francs Rhénans menacés, Clovis est vainqueur des Alamans à Tolbiac (près de Trèves). Ils sont refoulés au-delà de Mayence et des Vosges.

Inde
Mort du dernier souverain gupta Buddhagupta. →

497

Italie
Anastase envoie au roi Théodoric les insignes impériaux d'Occident, reconnaissant ainsi son autorité.

498

Empire d'Orient
La pacification de l'Isaurie (sud de l'Asie Mineure) s'achève. Les Isauriens, peuple de soldats et de pirates, avaient troublé l'empire depuis trente ans.

Gaule
Le roi des Francs Saliens Clovis se convertit au catholicisme. Il devient ainsi le seul souverain chrétien orthodoxe : les rois des Wisigoths, des Burgondes, des Ostrogoths et des Vandales sont en effet ariens, alors que l'empereur est monophysite.

500

Grande-Bretagne
Les Bretons sont vainqueurs des Saxons au mont Badon, victoire attribuée au légendaire roi Arthur. La conquête des Saxons et des Angles piétine, à l'est du pays, jusqu'en 560.

Perse
Le mouvement social et religieux de Mazdak, sous le règne de Kubadh, combat la religion officielle iranienne (mazdéisme) en prônant le partage des biens.

502

Lyon, 29 mars
Le roi des Burgondes Gondebaud publie un Code de lois (« loi Gombette ») qui soumet Romains et Burgondes au même droit. La loi Romaine des Burgondes avait été mise par écrit l'année précédente.

Chine
Sous l'empereur Wudi (Wouti, 502-549), le bouddhisme Mahâyâna (« Grand véhicule ») devient prédominant.

Mésopotamie
Les Perses prennent la ville d'Amida. La paix est rétablie entre Anastase et Kubhad en 505.

Thrace
Les Bulgares, peuple d'origine turco-mongole apparu en Occident vers 470, envahissent la Thrace et la Macédoine.

506

Royaume wisigoth
Le roi Alaric II (484-507) publie un Code de lois (« Bréviaire d'Alaric ») largement inspiré du *Code théodosien*.

507

Aquitaine, printemps
Clovis, allié à Gondebaud, est vainqueur des Wisigoths à Vouillé, où meurt Alaric II, et conquiert l'Aquitaine. Le Royaume wisigoth est réduit à l'Espagne.

Royaume Franc
Rédaction de la *loi Salique*.

508

Royaume franc
L'empereur Anastase reconnaît le Royaume franc de Clovis. →

510

Royaume des Ostrogoths
Théodoric porte à son apogée territoriale son royaume et fait la paix avec l'empire d'Orient.

Le roi Clovis fonde la puissance du Royaume franc en Gaule

Gaule, 508
Le roi des Francs Clovis a conquis l'Aquitaine. L'empereur Anastase l'a officiellement reconnu comme roi. Ainsi, la bataille de Vouillé (→ 507), au terme de laquelle Clovis brisa la puissance des Wisigoths en Gaule, aura été décisive. Alaric II tombé, son royaume est investi jusqu'aux Pyrénées, exception faite des pays riverains de la Méditerranée, énergiquement défendus par les Ostrogoths. Pièce à pièce, la majeure partie de l'ancienne Gaule romaine tombe aux mains de Clovis, guerrier barbare, pilleur et collectionneur de concubines, qui devint roi des Francs à l'âge de quinze ans, en 481. Cinq ans plus tard, à Soissons, il attaque Syagrius, le chef de l'armée de campagne, et le chasse de sa résidence. Les quinze premières années de son règne, il se forge une armée solide qui combat à l'est les Alamans et remporte une importante victoire à Tolbiac, en 506. Il lutte également contre les Burgondes, alors maîtres de la Saône. Ces campagnes lui permettent d'établir son protectorat sur les vastes régions de la Germanie transrhénane. En 493, il épouse Clotilde, une princesse burgonde et catholique qui n'a de cesse de convertir son mari à la religion chrétienne. Dans un luxueux déploiement de pompe catholique et de militarisme païen, Clovis est baptisé en 498 par Remi, évêque de Reims, avec lequel il entretient d'excellentes rela-

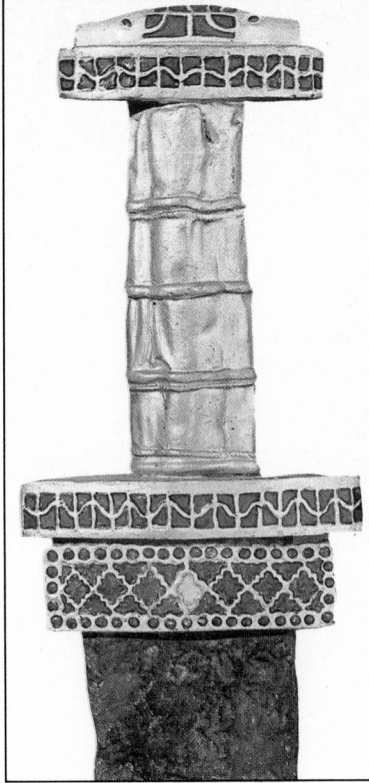

Epée mérovingienne décorée de feuilles d'or et d'incrustations de grenats. Vers 482. B.N., Paris.

tions. Clovis devient le seul monarque catholique d'Occident, ce qui lui assure le soutien des évêques de la Gaule et provoque un mouvement de conversion chez les Francs. C'est d'ailleurs au nom de la foi que Clovis envahit l'Aquitaine. Pour célébrer ses victoires, il choisit une capitale bien située, Paris.

Les codes de droit barbares

Occident, vers 500
Les Wisigoths (*code d'Euric*, vers 470-480), les Burgondes (*loi Gombette*, 502) et les Francs (*loi Salique*, vers 507-511) codifient leur droit. Orales, les lois barbares étaient apprises par cœur par des spécialistes consultés au cours des procès. Les contacts avec les Romains amènent les Barbares à les mettre par écrit. Rédigés en latin, ces codes ne reflètent pas le droit germanique primitif. La *loi Salique* présente les aspects les plus archaïques. Le *code d'Euric* et la *loi Gombette* sont au contraire largement influencés par le droit romain. Ces textes ont néanmoins des traits communs. Le droit public n'existe pas : les articles mêlent questions publiques et privées. La procédure est uniquement orale et très formaliste. Pour prouver son innocence, l'accusé doit faire appel à des cojureurs, choisis dans sa parenté, qui témoignent par serment en sa faveur. Lorsque le jury ne peut trancher, on a recours à l'ordalie, épreuve par l'eau ou par le feu. Pour briser le cycle des vengeances et des guerres privées, les crimes sont sanctionnés par une compensation pécuniaire versée à la famille de la victime, le wergeld.

Roi, évêque, duc et comte. Bréviaire d'Alaric. 1re moitié XIe siècle.

Hégémonie du Royaume ostrogoth de Théodoric en Occident

Italie, 510

Le roi Théodoric recrée dans la Provence conquise une préfecture du prétoire des Gaules et organise ses conquêtes d'Illyrie, faites sur les Gépides et les Lombards. C'est l'apogée territoriale du royaume. Théodoric, né en 356, fils du roi Théodomer, appartient à la vieille race royale gothique des Amales. Après s'être libérés des Huns (→ 375), les Ostrogoths entrent au service de l'empire d'Orient, et s'installent en Illyrie (455-488), qu'ils ravagent, tour à tour révoltés et alliés. Théodoric, associé à son père en 471, réunit tous les Ostrogoths sous son autorité en 483. Adopté « par les armes » par l'empereur Zénon (476), devenu patrice, puis maître de la milice et consul en 484, il est envoyé en Italie en 488 pour éliminer Odoacre (→ 23.8.476), débarrassant l'Orient de sa présence encombrante. Maître de l'Italie après une longue guerre (489-493), Théodoric porte le titre de « notre seigneur, roi très glorieux » et maintient une stricte séparation entre Goths et Romains, qui restent citoyens de l'empire. Un tiers des terres italiennes est réservé aux Goths, part correspondant au montant des impôts dus par les propriétaires romains. La carrière militaire leur est réservée alors que les fonctions civiles sont toujours attribuées aux Romains : les grandes familles sénatoriales exercent ainsi les fonctions traditionnelles à la cour de Ravenne et à Rome, comme au temps de l'empire d'Occident, tels en 510 Anicius Probus Faustus, préfet du prétoire, ou Cassiodore, questeur du palais (→ 555). Chaque année Théodoric nomme un consul occidental. En 500, pour fêter ses tricennales, il est allé à Rome, accueilli comme un empereur par le Sénat, le peuple et le pape Symmaque. Les Goths sont ariens et ont leur propre clergé, mais Théodoric soutient le pape en conflit avec l'empereur Anastase, monophysite convaincu.

Par une politique d'alliances matrimoniales, il noue des relations avec tous les royaumes barbares d'Occident (Francs, Burgondes, Wisigoths, Vandales, Hérules, Thuringiens). Il est le tuteur du Royaume wisigoth d'Espagne, où règne son petit-fils Amalaric en 507. Le Royaume franc est divisé en 511 entre les fils de Clovis, laissant à Théodoric une hégémonie incontestée jusqu'à la crise de la fin du règne (→ 524). Le roi ostrogoth, émule des Romains, embellit Ravenne, bâtissant un nouveau palais, la basilique de Saint-Apollinaire-le-Neuf et son propre mausolée.

Mausolée de Théodoric le Grand, roi arien des Ostrogoths, Ravenne.

Art byzantin. Le palais de Théodoric. Mosaïque de la nef de Saint-Apollinaire-le-Neuf, Ravenne. VIᵉ siècle.

Art byzantin. La ville de Classe. Mosaïque de la nef de Saint-Apollinaire-le-Neuf, Ravenne. VIᵉ siècle.

Crépuscule de la civilisation gupta

Inde

Buddhagupta (477-496) est le dernier grand empereur gupta. Son empire affaibli, en butte aux assauts répétés des Huns venus des steppes de l'Asie centrale, s'effondre et s'émiette en petits royaumes, se réclamant encore de cette grande dynastie. L'Inde, dont l'unité est à nouveau brisée, voit disparaître l'une de ses plus brillantes civilisations. En effet, les empereurs gupta, par leur tolérance, ont favorisé la création artistique dans tous les domaines. La littérature sanskrite a connu un renouveau extraordinaire et le grand poète Kalidasa figure parmi les « neuf joyaux » dont s'entourait le roi Candragupta II. L'art hindou à ses débuts devint, vers le Vᵉ siècle, plus spécialement bouddhique. Le relief de la caverne Varàha (IVᵉ-Vᵉ siècle) à Udayyagiri, montrant le dieu Visnu mi-homme mi-sanglier ayant sauvé la déesse Terre, constitue la première manifestation de l'art colossal qui sera développé par la suite. Au Vᵉ siècle sont construits les premiers temples hindous et bouddhiques de dimensions encore très modestes.

Paradoxalement, c'est sous une dynastie ayant renoué avec les anciens cultes brahmaniques, que l'art bouddhique atteint son apogée. Le Bouddha avait jusqu'ici une iconographie assez simple. Sous les Gupta, elle se codifie en une série de gestes appelés *mudra*, en rapport avec les différents épisodes de sa vie. Le Bouddha est représenté soit assis, en méditation ou enseignant, soit debout, le bras à demi replié dans le geste de la compassion. Sa silhouette majestueuse, « athlétique », aux épaules larges, aux jambes longues et fuselées, est typique de l'art gupta. Le visage est bien dessiné, les lèvres ont un sourire énigmatique et les yeux mi-clos, légèrement globuleux, sont absorbés dans une profonde méditation. A cette époque, Mathura et Sarnath sont les deux grandes écoles de l'art bouddhique. C'est avec la seconde que l'équilibre parfait entre la beauté des formes et l'émotion spirituelle est atteint : le vêtement, entièrement lisse et transparent, laisse voir la pureté des lignes du corps tandis que le visage, très doux, exprime une totale béatitude.

Bouddha : premier sermon. Epoque gupta. Pierre. Vᵉ siècle. Musée de Sarnath.

Les Huns Hephtalites attaquent les Empires gupta et sassanide

Inde, vers 500

Sous la conduite de Toramana, les Huns Hephtalites envahissent l'Inde, détruisent l'Empire gupta et s'installent au Malwa. Venus d'Asie centrale, ils ont franchi l'Oxus vers 340 et ont été établis comme fédérés en Bactriane par le roi de Perse Shâhpuhr II en 371 (→ 363). Peu avant 399, ils s'emparent de Begram (près de Kaboul) et ruinent le Royaume kusâna. Leur domination s'étend de la Bactriane à l'Indus. Ces nomades à la peau blanche (sans parenté avec les Huns d'Attila) pratiquent la polyandrie entre frères et adorent le soleil assimilé à Mithra et à Bouddha. Leurs artistes, iraniens et indiens, édifient à Bâmyân des statues mêlant influences sassanide et bouddhique. Les Hephtalites menacent la Perse et l'Inde. Ils imposent un tribut aux Sassanides et placent à deux reprises sur le trône iranien leur client Kubahd, gendre de leur khân (488 et 499). A partir de 455, ils harcèlent l'Empire gupta qui finit par s'effondrer (→ 499).

511

Orléans
Le premier concile des évêques gaulois sous l'autorité d'un roi franc est réuni par Clovis.

Paris, 27 novembre
Le roi des Francs Clovis meurt. Son royaume est partagé comme un bien patrimonial entre ses quatre fils : à Reims, Thierry Ier ; à Orléans, Clodomir ; à Paris, Childebert et, à Soissons, Clotaire Ier.

Royaume franc
Le roi franc Thierry est le premier des rois barbares à frapper des sous d'or.

516

Royaume burgonde
Le roi Gondebaud (né en 485) meurt. Son fils Sigismond, catholique, associé au pouvoir depuis 501, lui succède et établit le catholicisme.

518

Empire d'Orient, 9 juillet
Mort d'Anastase Ier le Silenciaire. Monté sur le trône en 491, il a rétabli les finances de l'empire et lutté contre les Bulgares et les Huns.

519

Rome et Constantinople
L'empereur Justin Ier, monté sur le trône en 518, met fin au schisme que le compromis élaboré par l'empereur Zénon pour réduire le monophysisme avait provoqué en 484 : il accepte, ainsi que le patriarche Jean, la profession de foi du pape Hormisdas.

523

Afrique, mai
Le Vandale Hildéric succède à Thrasamund (496-523).

524

Vézeronce, Gaule
Les Francs Clodomir et Thierry sont repoussés par le roi burgonde Godemar II (524-533). Clodomir est tué au cours du combat.

Italie
Le roi Théodoric fait arrêter son maître des offices, le philosophe Boèce, accusé de soutenir les partisans de l'empereur. Lors de son séjour en prison, Boèce écrit son œuvre essentielle, *La Consolation philosophique.* →

525

Yémen
Les Éthiopiens reprennent le Yémen au prince juif Dhû Nûvas et y rétablissent le christianisme.

526

Italie, 30 août
Mort du roi Théodoric : sa fille Amalasonte devient régente. →

Rome
Denys le Petit, moine d'origine scythe, publie une table pascale et détermine l'ère chrétienne. →

527

Constantinople, 4 avril
Justinien, proclamé Auguste le 1er avril par son oncle Justin, est couronné avec son épouse Théodora. Il était associé au pouvoir depuis 518.

529

Athènes
L'école de philosophie de la cité est fermée sur ordre de Justinien. C'est l'ultime acte de rupture avec la culture païenne.

531

Germanie
La Thuringe est conquise par les Francs Thierry et Clotaire.

532

Constantinople, 18 janvier
La sédition de Nika des factions du cirque est écrasée. →

Empire perse, septembre
Après une guerre de sept ans, Khosrô Ier, successeur de Kubhad, conclut avec Justinien une « paix éternelle ».

533

Empire romain d'Orient, 15 décembre
Justinien fait publier les *Pandectes* (ou *Digeste*) et achève ainsi le *Corpus juris civilis.* →

Le philosophe Boèce emprisonné, en compagnie de la Philosophie et des Muses. « Consolation de la philosophie », manuscrit du XVe siècle.

Le philosophe Boèce écrit sa "Consolation philosophique" en prison

Italie, 524
Le sénateur Boèce (né vers 480), déchu de sa fonction de maître des offices en 523 par le roi Théodoric et emprisonné sous l'accusation de trahison, achève sa *Consolation philosophique*. Ce testament spirituel, rédigé peu avant son exécution, tente de résoudre le problème du bien accablé et du mal triomphant, en recourant non à la religion chrétienne mais à la philosophie antique. L'ouvrage, où sont intercalées des poésies, est empreint de sagesse stoïcienne. Boèce, issu d'une illustre famille sénatoriale romaine, est pétri de culture grecque dont il possède la langue comme aucun autre Occidental de l'époque. Il est le traducteur d'une partie de la *Logique* d'Aristote, de la géométrie d'Euclide et de l'astronomie de Ptolémée, et projette de traduire Platon. Il a également rédigé des ouvrages d'arithmétique et de théorie musicale, l'une des bases de la science médiévale. Boèce a aussi été un théologien et a écrit trois traités dogmatiques (*Sur la Trinité*).

Le grand œuvre juridique de Justinien est enfin achevé

Constantinople, 15 décembre 533
L'empereur Justinien donne force de loi au *Digeste*. Ce recueil couronne l'œuvre de codification du droit romain. Dès 528, il a chargé une commission, dirigée par Tribonien, de regrouper la législation des codes Grégorien, Hermogénien et Théodosien, ainsi que les constitutions impériales postérieures, et de modifier les textes, pour en éliminer ce qui est contradictoire ou périmé. Ce Code Justinien est publié dès 529. Tribonien s'emploie alors à réunir une sélection des écrits de la jurisprudence classique, toujours applicables, touchant le droit privé. Utilisant surtout les juristes de l'époque de Sévère, ce travail débouche sur la publication du *Digeste*. Un manuel à l'intention des étudiants en droit, les *Institutes* (533), complète cet ensemble qui a permis la transmission du droit romain à la civilisation occidentale.

Denys propose de dater selon l'ère chrétienne

Rome, 526
Le moine Denys le Petit publie une table pascale destinée à fixer pour les années 532-626 la date du dimanche de Pâque. Il adopte pour cela le comput alexandrin, qui la fixe entre le 22 mars et le 25 avril, et non le vieux comput romain, déjà abandonné par le pape Léon le Grand. Toutefois, cette question avait encore été soulevée en 501 par le pape Symmaque, par hostilité envers l'Orient : l'affaire avait été le prétexte à de graves troubles et à l'intervention du roi Théodoric. Dans ses tables, qui seront continuées, Denys invente une ère commençant à la naissance du Christ, l'ère chrétienne. Mais l'année qu'il choisit est, en fait, postérieure d'au moins quatre ans à l'Incarnation. L'usage de dater selon l'ère chrétienne, d'après le cycle dionysien, s'imposera peu à peu en Occident, surtout à partir du Xe siècle, puis deviendra universel à l'époque contemporaine. Par ailleurs, Denys s'est consacré à rassembler de nombreux canons conciliaires latins et grecs (qu'il a traduits), ainsi que les décrétales des papes. Ce sont les premiers grands recueils de droit canon qui seront largement diffusés au Moyen Age.

L'empereur Justinien réprime dans le sang les factions du cirque

Constantinople, 18 janvier 532
Faisant irruption dans l'Hippodrome, les bucellaires goths (garde privée) de Bélisaire égorgent plusieurs milliers de personnes. Ainsi se termine une sédition qui a failli coûter son trône à l'empereur Justinien. Né en 482 à Tauresium dans une famille de paysans macédoniens, Justinien est adopté et élevé par son oncle Justin, qui fait une brillante carrière dans l'armée. Lorsque Justin accède à l'empire en 518, il fait figure d'héritier. César, consul en 521, il joue un grand rôle dans le retour à l'orthodoxie et le rétablissement des relations avec le pape. Son oncle l'associe au trône peu avant sa mort (527). Esprit encyclopédique, travailleur acharné, il dirige l'empire du fond de son palais. Autoritaire et méfiant, il n'en subit pas moins l'influence de ses proches, le préfet du prétoire Jean de Cappadoce, et surtout son épouse Théodora. Issu de la seule province latine de l'Orient, attaché aux traditions romaines, il entend restaurer l'empire dans son antique grandeur. Chrétien fervent, il ferme l'école de philosophie d'Athènes (529). Son autoritarisme l'amène à rogner l'autonomie des *demes* (factions sportives) qui se dressent contre lui. Aux cris de *Nika* (« Sois vainqueur ! »), les Bleus et les Verts, oubliant leur traditionnelle rivalité, incendient le vestibule du palais et proclament un usurpateur. Justinien songe un moment à fuir, mais la fidélité de l'armée et de son général Bélisaire lui permet de réprimer la révolte. Son pouvoir assuré, il fait rebâtir Sainte-Sophie, brûlée pendant l'émeute, et songe à la reconquête de l'Occident. L'agitation du peuple de Constantinople, toujours organisé en factions du cirque, restera une donnée fondamentale de l'histoire de l'empire.

Tête d'impératrice (Théodora ?). Marbre. Vers 530.

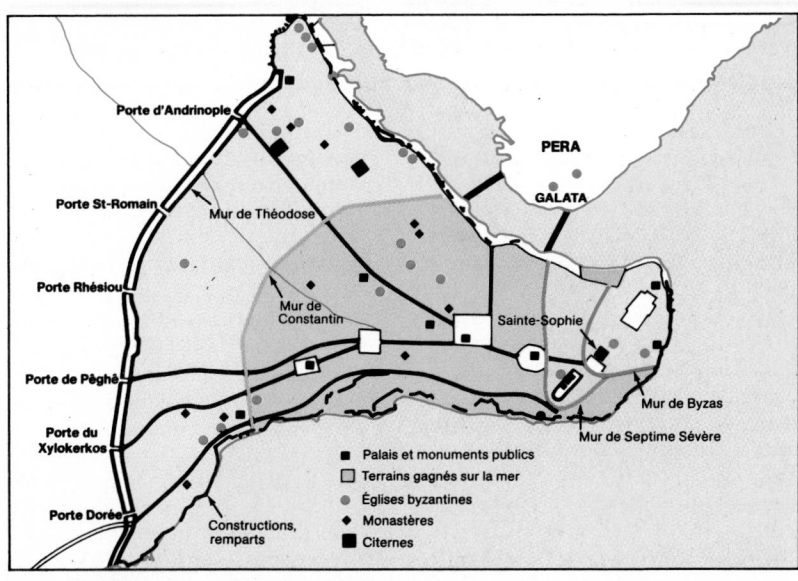

Course de quadriges au cirque. Art romain. Ier siècle. Peinture murale. Museo Nazionale, Naples.

L'empereur Justinien dans toute la majesté de sa fonction. Mosaïque. Après 526. Sant'Apollinare Nuovo, Ravenne.

Les partis romain et ostrogoth s'affrontent autour d'Amalasonte

Italie, 532
Amalasonte, régente du Royaume ostrogoth d'Italie, fait assassiner trois chefs goths : le conflit entre la reine, partisane d'une politique romanophile, et le parti nationaliste goth s'achève apparemment par le triomphe de la première. Fille préférée de Théodoric (→ 510), détentrice de la légitimité de la famille des Amales, elle assure la régence au nom d'Athalaric, son jeune fils âgé de sept ans, à partir de 526. Héritier de l'empire romain d'Occident, le royaume ostrogoth devient un simple Etat italien. En effet, Amalasonte doit renoncer à venger le meurtre de sa tante Amalafride par les Vandales, abandonner la tutelle du royaume wisigoth d'Espagne et rendre la Provence aux Burgondes. En 531, elle laisse les Francs conquérir la Thuringe dont le roi est son parent. C'en est fini de l'hégémonie des Goths en Occident. A l'intérieur, elle hérite d'une situation tendue. A la fin de son règne, Théodoric, exaspéré par la politique antiarienne de Constantinople et craignant la trahison de ses sujets catholiques, fait exécuter les sénateurs Albinus et Boèce (→ 524) et emprisonner le pape Jean. Elevée à la romaine, Amalasonte comble d'égards le Sénat de Rome, restitue les biens des condamnés à leurs familles et accorde des faveurs à la papauté. Elle suscite ainsi une forte réaction nationaliste chez les Goths. Après la réussite de son coup de force de 532, l'opposition va renaître et éliminer la reine en 535. Ce sera l'occasion pour Justinien, son allié, de rompre avec les Ostrogoths et de conquérir le royaume (535-552).

Le Baptême du Christ. Mosaïque. Ve siècle. Coupole du baptistère des Ariens, Ravenne.

534

Gaule
Le royaume des Burgondes (fondé en 442) est annexé par les Francs. →

Afrique, mars
L'armée conduite par le général byzantin Bélisaire conquiert le royaume des Vandales. →

Chine
Division du royaume Wei, en Wei orientaux et en Wei occidentaux.

535

Italie, 30 avril
Le roi ostrogoth Théodahat fait étrangler sa femme Amalasonte, la fille de Théodoric. La guerre avec l'empire est inévitable : Justinien envoie Bélisaire en Sicile.

536

Rome, 9 décembre
Bélisaire s'empare de Rome. Le roi ostrogoth Vitigès (535-540) l'y assiège.

537

Royaume franc
Les Ostrogoths cèdent la Provence au Franc Théodebert (533-547) : les Francs ont ainsi réunifié la Gaule, à l'exception de la Septimanie (Wisigoths) et de l'Armorique (Bretons), mais qui s'est augmentée entre-temps des royaumes thuringien (531) et alaman (536).

Italie
Saint Benoît achève de rédiger la plus célèbre des règles monastiques (règle bénédictine). →

Constantinople, 27 décembre
L'empereur Justinien inaugure Sainte-Sophie, chef-d'œuvre des architectes Anthémios de Tralles et Isidore de Milet, et commencée en 532.

539

Milan, mars
Seconde ville d'Italie après Rome, Milan est reprise par les Ostrogoths : les hommes sont exterminés, les femmes vendues comme esclaves ; la ville est détruite.

540

Italie, mai
Le roi des Ostrogoths, Vitigès, se rend à Bélisaire qui prend possession de Ravenne.

Empires perse et romain d'Orient
Khosrô reprend la guerre contre Justinien et emmène en captivité la population d'Antioche. Le conflit, entrecoupé de trêves, va durer vingt ans (jusqu'en 561).

Italie du Sud
Cassiodore fonde une bibliothèque dans sa retraite de Vivarium. →

541

Empire romain d'Orient, 1er janvier
Le sénateur Basilius fut le dernier consul qu'ait nommé Justinien. Avec lui s'éteint le consulat, une institution qui aura vécu plus de mille ans (depuis 508 av. J.-C.).

542

Espagne
Les Francs menacent le royaume wisigoth de Theudis. Ils sont repoussés de Saragosse.

Méditerranée
Une terrible épidémie de peste, déclarée en Egypte en 541, atteint Constantinople (mai 542) où elle tue des centaines de milliers de personnes. Elle gagne tout l'empire et l'Italie décimant la population.

546

Rome, décembre
Le roi ostrogoth Totila (541-552) prend Rome, après une année de siège. La ville, mise à sac, est vidée de sa population. Reprise l'année suivante par Bélisaire, Rome ne compte plus guère que 25 000 habitants.

548

Ravenne, 9 mai
L'église Sant'Apollinare in Classe est consacrée, après celle de San Vitale (547). →

Constantinople, 28 juin
Mort de l'impératrice Théodora. →

Afrique
Les tribus berbères, en révolte depuis 543 contre les Byzantins, sont soumises.

Le monastère du mont Cassin, fondé en 529 par saint Benoît. Un des plus anciens monastères de la chrétienté (entièrement reconstruit).

La règle de saint Benoît

Mont Cassin, Italie, 537
Au Mont Cassin où, en 529, il a fondé un grand monastère, saint Benoît rédige sa règle pour ses quelques disciples. Le plan, divisé en soixante-treize chapitres, fixe les grands principes de la vie monastique. Le monastère est une famille gouvernée par un abbé, élu à vie par les moines dont quelques-uns sont appelés à le conseiller. Après un noviciat d'un an, le moine prononce ses vœux définitifs de chasteté et de pauvreté. Sa vie est partagée entre la prière, le travail manuel (le jardinage et l'artisanat, qui assurent l'autonomie de la communauté, et la copie de manuscrits). La règle insiste sur l'ascèse monastique, la discipline intérieure, l'abnégation et l'obéissance. L'emploi du temps comporte de nombreux offices dont la messe conventuelle, les vêpres à la fin de la journée, les complies précédant le coucher et un long office de nuit qui interrompt le sommeil. La règle de saint Benoît intervient à une époque où, la société étant en pleine dissolution, les monastères nécessitent une organisation solide et rigoureuse. Saint Benoît est né à Nursie vers 480, dans une famille d'aristocrates. Après des études à Rome, il mène pendant trois ans une vie d'ermite, caché dans la montagne, avant d'être élu abbé de la communauté de Vicovaro, près de Tivoli. La jalousie d'un prêtre l'oblige à quitter son monastère pour se réfugier au Mont Cassin. Sa règle se propagera bientôt dans toute l'Europe. Avec lui, les moines deviennent vraiment des membres du clergé et les monastères se préparent à jouer un rôle de refuge pour la culture.

La vie de saint Benoît. Détail. Miniature du « Bréviaire du duc de Bedford ». 1424-1435. B.N., Paris.

Le sénateur Cassiodore fonde une bibliothèque et un centre d'étude

Italie du Sud, vers 540
Cassiodore (vers 485-490-vers 580) se retire dans son domaine de Vivarium. Il y fonde un ermitage et une bibliothèque destinée à réunir des ouvrages religieux et profanes. Ses moines ont pour tâche de reproduire les ouvrages anciens afin de transmettre la culture antique. Cassiodore a suivi une brillante carrière sénatoriale au service des rois ostrogoths à Ravenne : questeur du palais (507-511), consul (514), maître des offices (523-527) et enfin préfet du prétoire (533-537). Partisan de la conciliation entre Goths et Romains, la guerre avec l'empire l'oblige à se retirer. Cassiodore se consacre alors, et jusqu'à la fin de sa vie, à une œuvre immense. Il écrit une *Histoire des Goths*, une *Chronique* et une *Histoire ecclésiastique*, publie des rescrits royaux *(Variae)*, rédige des traités de grammaire, de philosophie et de religion. Surtout, il compose ses *Institutions divines et humaines,* en deux livres : le premier consacré aux études bibliques, le second aux « sept arts libéraux » (grammaire, rhétorique, dialectique, arithmétique, astronomie, musique et géométrie). Ce manuel est l'un des plus renommés au Moyen Age. Les ouvrages de Vivarium seront transmis à la postérité par les bénédictins.

Les Francs annexent le Royaume burgonde

Gaule, 534
Les fils de Clovis ont définitivement incorporé à la Gaule mérovingienne le royaume des Burgondes, après une première tentative en 524. Ces

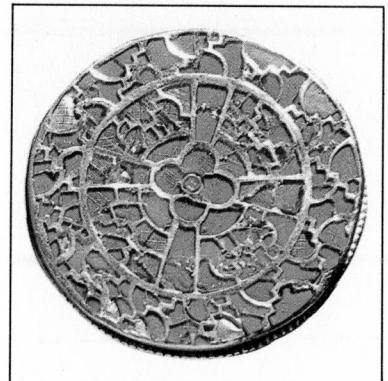

Fibule ronde en or, incrustée de grenats. Travail franc. VIe siècle. B.N., Paris.

Barbares de la rive gauche du Rhône se seront montrés beaucoup plus résistants que les Wisigoths, vaincus à Vouillé en 507. Le royaume des Francs s'est ainsi étendu et unifie désormais la majeure partie de la Gaule sauf l'Armorique et la côte méditerranéenne (Septimanie et Provence). Les Mérovingiens ont profité des divisions internes des Burgondes pour s'emparer du royaume. Les Barbares étaient en effet en butte à de grandes difficultés, certains membres de la dynastie royale, tel le roi Sigismond (505-523), s'étant convertis au catholicisme, d'autres s'appuyant sur les Ostrogoths ariens. Les Burgondes, qui restent l'une des entités les plus fortes du monde mérovingien, vont se convertir et adopter le mode de vie des Francs tout en conservant leur loi. Celle-ci, la « loi Gombette », promulguée par Gondebaud, établit les règles de la coexistence entre les Barbares et les Romains sur la base de la loi de l'hospitalité ou *feodus*.

Basilique de Sant'Apollinare in Classe, Ravenne. Entre 535 et 549. La mosaïque du cul-de-four illustre la « Transfiguration ».

L'art des mosaïques trouve sa plus haute expression à Ravenne

Ravenne, 9 mai 548
La reconquête de l'Italie presque achevée (→ 554), Justinien a ordonné de construire ou d'embellir des églises à sa gloire à Ravenne : San Vitale (547) et Sant'Apollinare in Classe (549). Ce sont les mosaïques pariétales et absidiales qui constituent les chefs-d'œuvre de l'art ravennate. A San Vitale, la salle rectangulaire du chœur unit étroitement architecture et mosaïques. Deux tableaux symétriques, présentant Justinien et Théodora apportant des offrandes, sont d'une somptuosité raffinée. Les personnages, vus de face, semblent suspendus dans l'espace. L'art des mosaïques, ici comme dans l'abside de Sant'Apollinare in Classe, par sa subtile polychromie et son organisation, a atteint son sommet.

L'empereur Justinien avec l'évêque Maximien et les dignitaires de la cour. Avant 547. Mosaïque du chœur de San Vitale, Ravenne.

Bélisaire reconquiert l'Afrique vandale au nom de Justinien

Afrique, mars 534
Le roi des Vandales Gelimer quitte son refuge du mont Pappua et se livre au général romain Bélisaire. L'Afrique est retombée au pouvoir des Romains grâce au génie de Bélisaire. Né vers 500 à Germania, aux confins de la Thrace et de l'Illyrie, il a commencé sa carrière comme bucellaire (garde privé) de Justinien, alors héritier de l'empire. Maître de la milice d'Orient en 529, il commande les troupes romaines lors de la première guerre perse, qui a éclaté en 527 à propos du protectorat des peuples du Caucase. Vainqueur à Dara (530), mais vaincu à Callinicum sur l'Euphrate (531), il est rappelé à Constantinople. Lors de la sédition de Nika, il joue un rôle essentiel, égorgeant les rebelles dans l'hippodrome

(→ 532). D'une absolue fidélité envers Justinien, bien en cour grâce à sa femme Antonine, amie de l'impératrice Théodora, ce stratège tenace et inventif reçoit la direction de l'expédition chargée de conquérir le royaume vandale d'Afrique. Profitant de l'absence de la flotte vandale retenue en Sardaigne, il débarque en Byzacène à la tête de 18 000 hommes (31 août 533). La victoire de Decimum lui ouvre les portes de Carthage (15 septembre). Renforcé par l'armée revenue de Sardaigne, le roi vandale Gelimer tente un retour offensif et bloque Carthage. Mais ses troupes se volatilisent en une heure à la bataille de Tricamarum (décembre) et il s'enfuit honteusement chez les Maures. Justinien peut se parer du titre de « Vandalicus » et organiser une préfecture du prétoire d'Afrique. Quant à Bélisaire, il reçoit l'honneur exceptionnel du triomphe, réservé aux seuls empereurs depuis le règne d'Auguste.

De l'arène à la gloire du trône impérial, l'ascension de Théodora

Constantinople, 28 juin 548
L'impératrice Théodora meurt d'un cancer. Justinien perd sa conseillère la plus proche. Son origine est modeste. Fille d'un gardien d'ours de l'hippodrome de Constantinople, actrice et sans doute prostituée, mère de deux enfants de père inconnu, elle se livre à des danses lascives dans l'arène. Ebloui par sa beauté, Justinien, alors héritier de l'empire, s'éprend d'elle. Elevée au rang de patricienne, elle l'épouse bientôt et devient impératrice à son avènement (527). Ambitieuse, elle acquiert une grande influence sur son époux et l'empêche de fuir en Asie lors de la sédition de Nika, lui lançant : « La pourpre est un beau linceul. » Vindicative, elle cause la disgrâce d'hommes de valeur, comme le préfet du prétoire Jean de Cappadoce. Favorable aux monophysites, elle pousse Justinien à leur faire des concessions, contribuant ainsi à la confusion de sa politique religieuse. Les mosaïques de San Vitale de Ravenne la représentent telle qu'elle se voulait, hiératique et hautaine.

L'impératrice Théodora, épouse de Justinien, et sa cour. Avant 547. Mosaïque du chœur de San Vitale, Ravenne.

550

Grande-Bretagne
Les Anglo-Saxons, arrêtés depuis 500, reprennent leur conquête.

Inde
L'art indien trouve sa perfection dans les grottes d'Ajantâ. →

552

Italie
Le général byzantin, l'eunuque Narsès, est vainqueur de Totila, roi des Ostrogoths. Ceux-ci résisteront encore dix ans (562).

Egypte
Le patriarche Apollinaire (551-570) rétablit le catholicisme à Alexandrie par une répression sanglante, avec le soutien des troupes impériales. Les monophysites (coptes) restent cependant assez forts pour résister à ce qui sera l'Eglise melkite (de *melek* : roi ou empereur) en Orient.

Japon
Le bouddhisme fait son entrée dans un Japon en pleine mutation. →

553

Constantinople
Le V⁵ concile œcuménique, réuni sur l'ordre de Justinien, condamne les « Trois Chapitres » (thèses origénistes et nestoriennes). Il consacre la puissance impériale dans le domaine de la foi et réduit l'autorité du pape Vigile.

Constantinople
L'historien Procope de Césarée achève son *Livre des guerres*. →

554

Italie, 13 août
Justinien réorganise l'administration de l'Italie.

Espagne
Débarquées en 552, à l'appel du roi wisigoth Athanagild en lutte contre le roi Agila, les troupes de Justinien occupent le sud de l'Espagne. →

555

Bavière
Le roi franc Clotaire annexe le royaume des Bavarois. Le *regnum Francorum*, Etat barbare le plus puissant d'Occident, s'étend ainsi sur la Germanie méridionale.

Asie centrale
En révolte contre l'empire des Ruanruan (Jouan-Jouan), leurs suzerains, le vaste peuple des Turcs brise ses liens et fonde deux Etats : l'un en Mongolie (Turcs orientaux), l'autre en Dzungarie (Turcs occidentaux). Ces mouvements provoquent la migration du peuple des Avars vers le Caucase et l'Occident.

560

Asie centrale
Le souverain des Perses, Khosrô Iᵉʳ, allié aux Turcs occidentaux, détruit l'empire des Huns Hephtalites qui s'était constitué aux frontières de la Perse et de l'Inde vers le milieu du Vᵉ siècle.

561

Compiègne, Royaume franc
Clotaire Iᵉʳ meurt après avoir été depuis 558 seul roi des Francs.

Danube
Le peuple asiatique des Avars apparaît sur la frontière danubienne de l'empire d'Orient.

Empires perse et romain d'Orient, décembre
Justinien conclut un nouveau pacte de paix avec Khosrô Iᵉʳ : la frontière reste inchangée, mais les Byzantins s'engagent, cette fois, à verser un tribut annuel.

562

Constantinople, 24 décembre
Justinien assiste à la seconde consécration de Sainte-Sophie dont la coupole a été reconstruite. →

565

Empire d'Orient, 15 novembre
L'empereur Justinien meurt après trente-huit ans de règne. Il laisse à son successeur et neveu Justin II (565-578) un empire à son apogée, bien que Slaves, Lombards, Avars et Bulgares le menacent.

567

Royaume franc
Les fils de Clotaire, à la mort de leur frère Caribert, procèdent à un nouveau partage : l'Austrasie (Metz) revient à Sigebert Iᵉʳ, la Neustrie (Paris) à Chilpéric Iᵉʳ, la Bourgogne (Chalon) à Gontran. Ils se partagent, en outre, l'Aquitaine.

Bodhisattva. Peinture murale de la grotte I, Ajantâ. Détail. Représentation typique de style gupta. VIᵉ siècle.

Ajantâ, haut lieu du bouddhisme

Inde, vers 550
A Ajantâ, dans le Mahârâshtra, au nord du Deccan, sont exécutées les dernières grandes peintures murales qui font la gloire de cet ensemble bouddhique. Né au Vᵉ siècle avant notre ère, sous la forme d'une philosophie cherchant à libérer l'homme du cycle infernal des renaissances, le bouddhisme devint rapidement une religion à part entière et donna naissance à un art extrêmement diversifié et très original. A Ajantâ, trente grottes excavées se répartissent le long d'une falaise qui domine un vallon sauvage dessiné en hémicycle par le cours d'un torrent. Les temples situés au centre de l'hémicycle seraient les plus anciens, datés des environs du IIᵉ siècle avant notre ère. Les grottes bouddhiques peuvent être classées en deux types. Le *Chaitya* est un sanctuaire dont la longue nef voûtée est séparée de ses bas-côtés par des colonnes taillées dans le roc ; l'abside contient un monu-ment votif. Le *Vihâra*, salle rectangulaire flanquée de cellules sur trois côtés et ouverte sur le quatrième par une véranda, abrite la communauté des moines. Des sculptures apparentées aux styles gupta et post-gupta forment une partie du décor. Mais c'est l'ensemble exceptionnel des peintures murales qui a fait la renommée du site. Des peintures anciennes subsistent, fragmentaires, dans les grottes du groupe initial. Elles témoignent déjà de qualités picturales indéniables. Mais les œuvres exécutées entre 475 et 550 atteignent la perfection d'un art classique, par la beauté paisible des personnages et la sûreté absolue de la ligne. Les artistes puisent leur inspiration dans les récits de la vie du Bouddha et de ses vies antérieures, qui connaissent une grande vogue. Vers le VIIIᵉ siècle, Ajantâ cesse d'être un centre de création ; son déclin correspond à celui du bouddhisme dans le Deccan.

Femme portant des objets de toilette. Peinture murale. Grotte I, Ajantâ. Vᵉ - VIᵉ siècle.

Jeune femme parée de bijoux comme une reine. Peinture murale. Ajantâ. VIᵉ siècle.

Une nouvelle coupole couronne Sainte-Sophie à Constantinople

Constantinople, 24 décembre 562
L'empereur Justinien, octogénaire, préside à la nouvelle consécration du chef-d'œuvre de sa vie, la basilique Sainte-Sophie. La coupole, qui s'était écroulée le 7 mai 558, vient d'être reconstruite. La « Grande Eglise », objet de fierté pour le peuple, a été bâtie sur l'emplacement de la Sainte-Sophie construite par Constantin (→ 330) et incendiée lors de la sédition de Nika (→ 532). Sa reconstruction, dès 532, fut confiée aux architectes Anthémios de Tralles et Isidore de Milet. Elle a été inaugurée le 27 décembre 537. Les dépenses ont été colossales ; les maté-

Sainte-Sophie de Constantinople. 532-537. Elle fut inaugurée par Justinien le 27 décembre 537.

riaux les plus précieux et les plus rares ont été employés. L'église, de plan carré (90 m de côté), est organisée à l'intérieur de façon à donner l'impression d'un immense espace, presque irréel, aux dépends de l'extérieur moins réussi. L'exploit ar-

chitectural réside dans la coupole, d'un diamètre gigantesque de 33 m et d'une hauteur de 55 m. Reconstruite par Isidore le Jeune, elle est faite en briques et sa résistance est accrue par des arêtes et une gaine de maçonnerie extérieure. D'un poids considérable, elle repose sur quatre pendentifs et quatre énormes piliers, habilement masqués et soutenus à l'extérieur par des contreforts. Des fenêtres aménagées à la base de la coupole semblent la détacher par un cercle de lumière. Sur les côtés, deux murs droits, ajourés de colonnades et de baies, donnent un axe ; à l'abside et à l'entrée, le regard s'élève de trois exèdres vers une demi-coupole au contact de la coupole centrale. Sainte-Sophie restera un chef-d'œuvre inégalé, bien qu'imité plus tard par les architectes turcs.

L'œuvre historique de Procope de Césarée

Constantinople, 553
Le Livre des guerres de Procope (né à Césarée de Palestine) est achevé. Ecrit en grec, l'ouvrage est composé de huit livres, eux-mêmes divisés en trois parties : les guerres perse, vandale et gothique. Son dernier livre relate les conquêtes de Justinien. Longtemps compagnon de Bélisaire dans ses campagnes, Procope allie le talent de l'écrivain à celui de l'observateur et se veut l'imitateur d'Hérodote, Thucydide et Polybe. Au même moment, l'historien, aigri contre Justinien et Théodora qu'il accuse de tyrannie, rédige l'*Histoire secrète* (dont l'authenticité est discutée) où il se livre à une satire violente et obscène.

Le Japon s'ouvre au monde extérieur

Japon, 552
La culture continentale a, dès les premiers siècles, influencé le Japon. En effet, pour échapper à l'instabilité qui règne non seulement en Chine mais aussi dans les royaumes de Corée (Paekche, Silla et Goguryeo), les lettrés Coréens et Chinois émigrent vers les îles japonaises. Leur coopération est très appréciée et grâce à eux les données fondamentales des civilisations continentales pénètrent au Japon. Les emprunts culturels à l'étranger existent donc depuis longtemps déjà, quand le bouddhisme fait son entrée officielle à la cour du Yamato entre 538 et 552. Le roi de Paekche, Syông-Myông, espérant obtenir l'alliance nippone contre le royaume de Silla, offre au souverain du Yamato, Kimmei (535-571), une statue du Bouddha en bronze doré. La cour du Yamato se divise alors en deux clans : celui des militaires nationalistes, les Monobe, alliés au clan religieux shintoïste des Nakatomi, et celui des Soga, favorables au bouddhisme, aux idées nouvelles et à toutes les formes de progrès. Dans cette querelle, on retrouve l'opposition, éternelle au Japon, entre défenseurs de la tradition et partisans d'un renouveau.

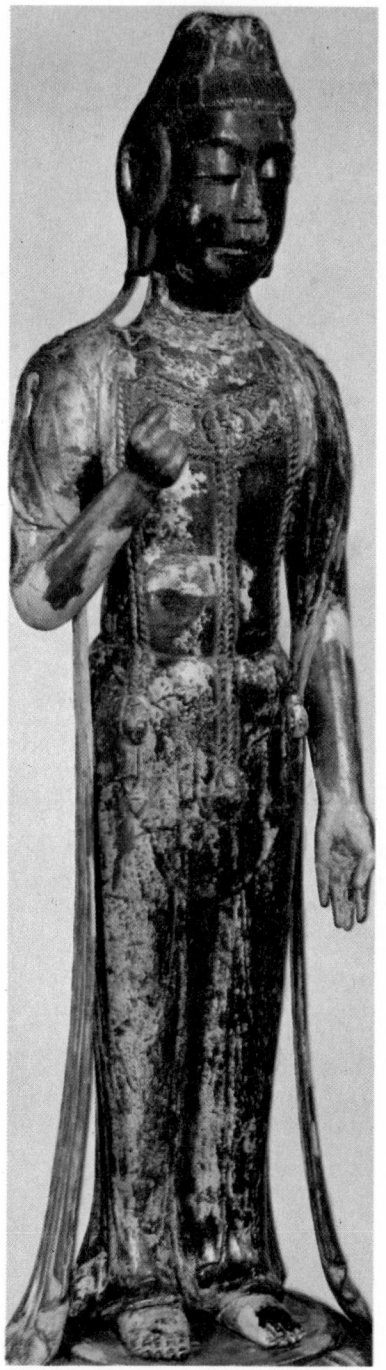

Bodhisattva. Bois laqué et doré. Vers 600.

Bouddha assis dans un pavillon en flammes. Rouleau japonais. VIIIe siècle.

Intérieur de Sainte-Sophie de Constantinople (Istanbul). 532-537. Architectes : Anthémios de Tralles et Isidore de Milet.

Justinien restaure l'Empire romain

Espagne, 554
Le roi des Wisigoths Athanagild cède la Bétique (sud de l'Espagne) à l'empereur Justinien. C'est l'ultime succès dans la reconquête de l'Occident tentée par les Romains. Passionné par la grandeur de l'ancienne Rome, Justinien entend restaurer l'empire dans son intégrité territoriale. La « Paix perpétuelle » conclue avec les Perses (532) lui laisse les mains libres. La facile conquête de l'Afrique vandale autorise les plus grands espoirs (534). Justinien songe alors à récupérer l'Italie, possession des Ostrogoths. Se posant en vengeur de la reine Amalasonte, assassinée par son mari Théodahat (532), il envahit la péninsule (535). Bélisaire prend Naples et Rome (536), puis soumet l'Italie du Nord : le roi Vitigès capitule dans Ravenne en 540. Justinien peut se proclamer « Gothicus » et recréer une préfecture du prétoire en Italie. En réalité, la guerre ne fait que commencer. Sous la conduite de leur nouveau roi, Totila, les Ostrogoths font face. Totila dégage l'Italie du

Nord, prend Naples (543), entre dans Rome (546). Décapitées par le rappel de Bélisaire, privées de renforts par le début d'une seconde guerre perse, les maigres troupes romaines ne conservent que Ravenne. En 551, Justinien tente un suprême effort et confie une armée de 20 000 hommes à l'eunuque arménien Narsès. A Tadinae, Narsès brise les charges de la cavalerie des Goths et tue Totila (552). Cerné sur les pentes du Vésuve, le dernier roi ostrogoth, Teias, périt après deux jours de combat (553). L'Italie est redevenue romaine. Quant à l'Espagne, elle est vulnérable en raison des querelles intestines des Wisigoths. Révolté contre le roi Agila, Athanagild obtient l'aide des Romains, mais doit leur abandonner la Bétique. L'Empire romain est à nouveau la première puissance de la Méditerranée. Mais l'Italie est exsangue et l'Afrique troublée par les rébellions des Maures. La guerre contre les Goths a amené l'empire à négliger la frontière du Danube, dégarnie de troupes, par où s'infiltreront de nouvelles invasions.

568

Italie
Les Lombards quittent la Pannonie, où s'installent les Avars, et commencent à envahir l'Italie. La domination lombarde du roi Alboïn (569-572) s'étend.

570

Yémen
Le roi sassanide Khosrô Ier occupe le pays. →

578

Empire perse
Khosrô Ier soumet l'Etat arabe lakhmide, son ancien vassal, qui occupe alors une partie de l'Irak.

Empire d'Orient
Tibère II succède à Justin II.

579

Empire perse
Mort de Khosrô Ier Anôcharvân (« à l'âme immortelle »).

580

Braya, péninsule Ibérique
Mort de saint Martin de Braga, apôtre des Suèves de Galice qui étaient ariens.

Balkans
Les Slaves, menaçants depuis le milieu du siècle, s'installent dans les Balkans.

584

Italie
Afin de mieux défendre l'Italie contre les Lombards, l'empereur Maurice crée l'exarchat byzantin de Ravenne.

585

Espagne
Le roi des Wisigoths Léovigild (568-586) conquiert le royaume des Suèves, au nord-ouest de l'Espagne.

589

Tolède, Espagne
Le roi wisigoth Recarède (587-601) impose le catholicisme à ses sujets goths au concile de Tolède. L'arianisme, qui avait empêché la fusion des Romains et des Barbares depuis 325, a presque disparu, sauf chez les Lombards. →

Chine
Yang Jian, fondateur de la dynastie des Sui (Souei) en Chine du Nord (581), réunifie le pays et se fait proclamer empereur sous le nom de Wen-di. →

Asie centrale
A la tête d'un vaste empire, les Turcs occidentaux contrôlent la route de la soie.

590

Italie
Successeur d'Authari (584-590) comme roi des Lombards, Agilulf s'oppose à la pression des Romains, lesquels se sont alliés au roi des Francs d'Australasie, Childebert II.

Bourgogne
Saint Colomban fonde le monastère de Luxeuil.

591

Empires perse et romain d'Orient
L'empereur Maurice (582-602), entre victorieusement en Perse. Il y installe comme Roi des rois son protégé Khosrô II (591-620) qui conclut avec les Romains un traité à leur avantage.

592

Balkans
L'empereur Maurice commence la lutte contre les Avars et les Slaves qui menacent Constantinople.

593

Tours
Mort de l'évêque Grégoire de Tours. Il a été le premier historiographe des Francs. →

597

Grande-Bretagne
Augustin de Canterbury est envoyé chez les Saxons. Le roi païen du Kent, Ethelbert (560-616), se convertit au catholicisme.

598

Italie
Un traité est conclu entre l'empereur et les Lombards. →

Bataille de cavaliers sassanides contre des Abyssins. Tapisserie provenant d'Antinoé (Egypte). VIe - VIIe siècle. Musée des Tissus, Lyon.

La grandeur retrouvée de l'empire perse sous Khosrô Ier

Yémen, 570
Le roi sassanide de Perse Khosrô Ier chasse du Yémen les Ethiopiens, clients des Romains, et vassalise le pays. C'est l'apogée d'un règne qui a vu la restauration de la puissance perse. A son avènement, en 531, Khosrô trouve un empire troublé par l'agitation du mouvement mazdakiste, enlisé dans une guerre sans issue avec les Romains et soumis au tribut par les Huns Hephtalites. Dès 532, il conclut une « paix éternelle » avec Justinien, garantissant aux Perses le protectorat sur l'Ibérie, aux Romains sur la Lazique. Pacificateur, il restitue aux propriétaires les biens confisqués par les mazdakistes qui voulaient tout partager, laisse aux femmes enlevées par les révolutionnaires la liberté de rester avec leur ravisseur ou de rentrer chez leur mari et allège les impôts, surtout pour les vieillards. Limitant l'influence de l'aristocratie, il installe quatre gouverneurs militaires, placés directement sous ses ordres. Tolérant envers les chrétiens, il entretient de bons rapports avec les patriarches de l'Eglise nestorienne, dont l'un est

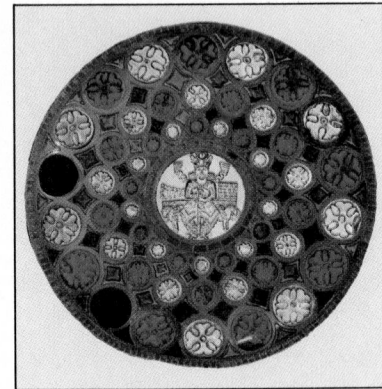

La coupe de Khosrô Ier. Or, cristal de roche et rubis. VIe siècle.

son ancien médecin. Grand bâtisseur, il élève le Taq-e Kesra de Ctésiphon. S'alliant aux Turcs, il refuse le tribut aux Huns Hephtalites, les anéantit et annexe la Bactriane (entre 565 et 568). Mais son grand projet est de triompher de l'ennemi séculaire, l'empire romain d'Orient. En 540, il se jette sur la Syrie, pille Antioche et en déporte la population à Ctésiphon. Mais la guerre s'enlise ensuite dans le Caucase et Khosrô négocie la paix en 562. Malgré cet échec, lorsqu'il meurt en 579 (au cours d'une troisième guerre avec les Romains), il laisse un empire s'étendant de l'Oxus à la mer Rouge.

Le grand arc dit de Khosrô (voûte en brique de la salle du Trône) et le palais de Shâhpuhr Ier (241-272) à Ctésiphon.

Le roi des Wisigoths Recarède impose le catholicisme à Tolède

Tolède, 589

Au cours d'un concile rassemblant les évêques catholiques d'Espagne, le roi wisigoth Recarède Iᵉʳ proclame le catholicisme religion d'Etat. Le conflit entre catholiques et ariens s'achève par la victoire des Nicéens. Convertis à l'arianisme par Ulfila au IVᵉ siècle, les Wisigoths ont occupé l'Espagne catholique à partir de 458. Pendant longtemps, la différence religieuse ne fait pas problème. La deuxième moitié du VIᵉ siècle voit la fin de cette coexistence pacifique. Les Wisigoths sont victimes des agressions des Francs et des Romains, puissances catholiques. Léovigild, roi en 568, reconstructeur de l'Etat wisigoth, veut assurer sa solidité par l'unification religieuse. Après la révolte de son fils Herménégild (579-584), converti au catholicisme et soutenu par l'évêque Léandre de Séville, il déchaîne les persécutions. Des églises sont confisquées, des clercs expulsés, les conversions à l'arianisme encouragées. Mais le mouvement est limité et de courte durée : Léovigild meurt en 586. Son fils cadet Recarède, converti au catholicisme dès 587, va rapidement éliminer l'arianisme. La fusion entre les Wisigoths et leurs sujets peut alors se réaliser dans la péninsule Ibérique.

Eglise San Pedro de la Nave, près de Zamora (Espagne).

L'Italie passe sous la domination des Lombards

Italie, 598

L'exarque de Ravenne, Callinicus, représentant de l'empereur byzantin Maurice en Italie, signe une trêve avec le roi des Lombards Agilulf. Ce traité marque la stabilisation de l'expansion lombarde dans la péninsule. Sous la pression des Avars, les Lombards ont quitté la Pannonie en 568. Leur roi, Alboïn, force le *limes* (la frontière) du Frioul et entre dans Milan, où il se proclame « dominus Italiae » (569). Après trois ans de siège, il prend Pavie, mais il est assassiné par sa femme (572). Filant vers le sud, ses ducs atteignent Spolète, Bénévent et la Campanie (578). Paralysés par les guerres contre les Slaves et les Perses, les empereurs de Constantinople sont incapables de défendre l'héritage de Justinien. Authari, roi en 584, fixe ses Grands en les installant sur les terres de l'aristocratie sénatoriale. Les Romains jettent les Francs contre les Lombards, mais ceux-ci ne pensent qu'à piller (584-590). Ils se résolvent à traiter, conservant l'Istrie et la côte de Vénétie, l'Emilie et la Romagne, la Ligurie, le Latium, la Campanie littorale et la Calabre.

Art mérovingien (lombard). Deux garnitures de bouclier, trouvées à San Pietro, Tessin. Bronze doré. VIIᵉ siècle. Musée historique, Berne.

L'"Histoire des Francs" de Grégoire de Tours

Royaume franc, vers 593

Grégoire (vers 538 - vers 593), évêque de Tours en 573, nous a laissé, entre autres ouvrages, une *Histoire des Francs* qui retrace les événements et les règnes des souverains mérovingiens et de leurs ancêtres. Il s'agit du premier ouvrage historiographique concernant le Royaume franc, et l'une des seules sources de l'époque. Pendant son épiscopat, saint Grégoire préserve les droits de l'Eglise contre les empiètements des rois.

Dessin illustrant un manuscrit des œuvres de saint-Grégoire.

L'Empire chinois réunifié sous la dynastie des Sui

Chine, 589

L'empereur Wen-di, fondateur de la dynastie des Sui (Souei), s'installe à Chang An. Après plus de trois siècles d'anarchie, l'unité de la Chine est à nouveau réalisée. A la chute des Han, vers 220, avait commencé, pour la Chine du Nord, le temps des invasions. Trois royaumes se partageaient alors le territoire. Après une brève unification du territoire en 265, sous le règne des Jin, le pays est à nouveau divisé : au nord, les Barbares rivaux ont établi seize royaumes parallèles. Puis, en 386, une branche des Xian Bei réalise l'unité de la Chine septentrionale en fondant la dynastie des Wei du Nord. Mais, dès cette époque, par suite de brassages de populations, la différence ethnique entre Barbares et Chinois s'était déjà fort amenuisée. Au sud, dans le bassin du Yangzi-Jiang (Yang-tsê-Kiang), quatre dynasties purement chinoises se succèdent, auxquelles on a coutume d'ajouter les dynasties Wu et Dong Jin qui eurent Nankin pour capitale. L'afflux de population devait apporter à ces régions une nouvelle prospérité. En 523, la révolte des Six Garnisons provoque la scission de la dynastie des Wei du Nord, et les deux royaumes qui résultent de cette division sont usurpés par les Bei Qi et les Bei Zhou. Et c'est un allié de la famille impériale des Bei Zhou, Yang Jian, qui dépose le dernier souverain de la dynastie en 581. Il fonde aussitôt la dynastie des Sui, mais ce n'est qu'en 589 qu'il détruit la dernière des six dynasties du Sud en prenant Nankin. Il installe sa capitale à Chang An, mais s'efforce de drainer vers le nord la force économique du sud.

LA CHINE DES SUI ET DES TANG

Empire Tang (T'ang) de 618 à 907

Protectorat chinois

Itinéraire du pèlerin bouddhique Xuanzang (Hiuan-tsang) de 629 à 645

Canaux fonctionnant sous les Tang

Peuples turcs

Expéditions chinoises

contre la Corée (VIᵉ-VIIᵉ s.)
contre les turcs (VIIᵉ s.)

Contrôle chinois vers l'ouest au milieu du VIIIᵉ s.

Expansion des umayyades jusqu'en 750

Aire d'extension des Turcs Ouïgurs (744-784)

Incursions des Tibétains

Jiankang – (Kien-k'ang) – Nankin
Luoyang – (Lo-yang)
Kaifeng – (K'ai-fong)
Huanghe – (Houang-ho)

L'Empire byzantin

De 395 à 1453

Bien que l'Empire romain reste par définition universel, à partir de la fondation de Constantinople (330) et des partages territoriaux du IVᵉ siècle, Occident et Orient s'individualisent peu à peu. En 395, le partage entre deux empereurs est acquis, jusqu'à la disparition de l'empire d'Occident. Lorsqu'il succombe en 476 sous les coups répétés des Barbares, Wisigoths, Huns et Ostrogoths, l'Orient est parvenu, quant à lui, à préserver son intégrité.

L'Empire romain perpétué

Demeuré seul, l'empereur d'Orient est dès lors en mesure de se considérer comme le dépositaire de l'Empire romain et conserve ses prétentions sur la *pars occidentalis*. Justinien (527-565), tout en contenant difficilement le Perse Khosrô Iᵉʳ, consacre son règne à la reconstitution de l'empire : en 554, il règne sur presque tout le bassin méditerranéen après la conquête de l'Afrique du Nord, de l'Italie et du sud de l'Espagne. Mais son œuvre grandiose a été réalisée au prix d'un effort épuisant.

L'empereur a conservé tous les titres et les pouvoirs des empereurs romains du IVᵉ siècle : sacré, on le représente couronné d'un nimbe doré. Il s'appuie sur l'appareil administratif hérité des Romains et sur une lourde fiscalité, mais l'aristocratie terrienne échappe en grande partie à son contrôle. En outre, depuis 395, il commande plus directement l'armée : celle-ci est composée de contingents barbares (Germains, Huns) ou des Romains les moins intégrés (Isauriens). Leurs chefs sont souvent les maîtres réels de l'empire jusqu'au moment où Anastase (491-518) écrase les Isauriens en 498. Le problème successoral n'est pas réglé. Léon Iᵉʳ (457-474) est le premier empereur à se faire couronner par le patriarche de Constantinople afin de consolider sa légitimité. Le peuple de la capitale (environ 400 000 hab.), organisé en deux partis rivaux d'après les factions des courses de l'hippodrome (les « Bleus » et les « Verts »), intervient parfois très violemment dans la vie de l'empire, comme en 532 (séditon Nika).

Enfin, l'héritage antique se retrouve dans l'œuvre de codification du droit romain par Justinien (537), l'art architectural (Sainte-Sophie) et les mosaïques (Ravenne). La vie urbaine et intellectuelle reste vive, en particulier à Constantinople, Alexandrie, Beyrouth et Antioche. Les contacts avec l'Occident se font surtout par Rome.

La vie politique de l'empire est largement dominée par les controverses christologiques. Après la condamnation du patriarche de Constantinople Nestorius (431), la doctrine soutenue par les patriarches d'Alexandrie, le monophysisme, provoque une profonde coupure. Malgré l'adoption par le concile œcuménique de Chalcédoine (451) des thèses du pape Léon le Grand, le monophysisme s'implante largement en Egypte et en Syrie, qui accentuent ainsi leur particularisme ethnique et culturel (copte et syriaque). Les empereurs, qu'ils soient chalcédoniens ou monophysites, tentent d'imposer leur solution, le plus souvent de compromis (*Hénotique* de Zénon en 482, *Trois Chapitres* de Justinien en 553). Ainsi se trouve établie l'habitude de l'intervention impériale dans les affaires de l'Eglise.

Grécisation de l'empire

De 565 à 626, l'œuvre de Justinien s'écroule et l'empire doit lutter pour sa survie jusqu'en 717. L'Italie est conquise par les Lombards à partir de 568 (sauf Ravenne et le sud) ; Cordoue est reprise par les Wisigoths en 572. Sur le Danube, une masse énorme de Slaves, conduite par les kagans des Avars, parvient à submerger les Balkans, malgré la résistance de l'empereur Maurice (582-602). En Orient, le roi des Perses Khosrô II conquiert la Syrie, la Palestine et l'Egypte à partir de 613. En 626, Constantinople est assiégée à la fois par les Avars et par les Perses. L'empereur Héraclius (610-641) redresse miraculeusement la situation en écrasant ces derniers (627). Mais le répit ne dure pas : dès 632, les Arabes entament leur grande expansion et conquièrent en

dix ans l'Orient byzantin. La dynastie des Héraclides (610-711) consacre toute son énergie à contenir les poussées extérieures. Les Arabes sont repoussés de Constantinople en 678 par Constant II (641-662), mais conquièrent l'exarchat d'Afrique en 698.

Pendant cette crise, solidement campé sur ses positions en Asie Mineure et soutenu par la foi chrétienne (qui devient synonyme de romanité), l'Empire byzantin est né. Les divisions religieuses se sont atténuées depuis la perte des provinces monophysites. La grécisation s'impose définitivement : Héraclius a pris le titre de *Basileus* et le latin disparaît des actes officiels. L'administration se transforme. Au VIIᵉ siècle, une innovation capitale permet le redressement de l'empire : la création des *thèmes*, circonscriptions à la fois civiles et militaires sous la direction de *stratèges*. Le stratège dispose dans son thème de paysans-soldats qu'il peut lever à chaque alerte. Ces soldats ne sont donc plus des mercenaires étrangers, mais des Romains qui défendent leur terre. D'autre part, le stratège a assez de pouvoir pour s'imposer aux grands propriétaires. Mais la brillante civilisation urbaine du siècle passé est sur le déclin, comme les activités commerciales.

La période iconoclaste

Les dynasties isaurienne (717-802) puis amorienne (820-867) préparent l'apogée de l'empire. Si, en Italie, les possessions byzantines sont menacées (chute de Ravenne en 751) et la Sicile conquise en partie par les Arabes, de solides positions subsistent. Dans la région plus vitale des Balkans, la reconquête sur les Slaves progresse : Grèce, Macédoine et Thrace redeviennent romaines et chrétiennes. Toutefois, le puissant Royaume bulgare, toujours païen, reste difficilement contenu. En Orient, les grandes offensives arabes sont enrayées (siège de Constantinople en 717) ; la victoire de Léon III (740) porte le coup d'arrêt. Michel III (842-867) peut enfin reprendre l'offensive.

A l'intérieur se développe une grave crise religieuse, de 730 à 843 : l'iconoclasme. Ce mouvement se définit par le refus des images (icônes) représentant le Christ, la Vierge ou les saints. Les iconoclastes, bien implantés en Orient, sont des monothéistes intransigeants, proches du monophysisme, qui accusent les partisans du culte des images de superstition et d'idolâtrie. Les empereurs sont iconoclastes et persécutent les moines farouchement orthodoxes. Après Léon III, Constantin V (741-775) impose par la violence ses convictions. La papauté, favorable aux orthodoxes, doit alors se détourner de l'empire pour trouver un soutien chez les Carolingiens. En 784, Irène, d'abord régente puis « empereur », parvient à imposer l'orthodoxie au VIIe concile œcuménique de Nicée. Mais, à sa chute en 802, l'iconoclasme renaît jusqu'à ce que l'impératrice Théodora rétablisse une seconde fois le culte des images. Cette crise a permis, par contre, un essor culturel et religieux monastique intense (les *stoudites*). En même temps, se produit une véritable renaissance, accompagnée d'un retour à la culture antique avec Jean le Grammairien et Léon le Mathématicien.

L'apogée macédonienne

Les empereurs macédoniens parviennent enfin à fonder une dynastie durable. Basile Ier (867-886) donne aux princes le titre de porphyrogénètes (« né dans la pourpre »). Les généraux, associés au trône pendant les minorités de Constantin VII (Romain Lécapène : 919-944) et de Basile II (Nicéphore Phokas : 963-969 ; Jean Tzimiskès : 969-976), n'osent pas évincer la dynastie légitime. Les Macédoniens renforcent la cohésion de l'empire par la codification législative (les *Basiliques* élaborées sous Basile Ier) et la mise au pas de la noblesse d'Anatolie (réalisée par Basile II, 963-1025). Cet Etat plus solide mène une politique extérieure offensive. Face aux Arabes, la frontière est repoussée à l'Euphrate et au Tigre, la Crète reprise (961), la Syrie du Nord reconquise (968), l'Arménie annexée (1020). En Europe, Basile II s'empare de la Bulgarie, reportant la frontière au Danube (1018). La réorganisation de l'Italie du Sud par Basile Ier permet de la protéger du danger germanique. La disparition des menaces extérieures entraîne, à la tête des thèmes, le remplacement du stratège par un fonctionnaire uniquement civil, le *kritès*. La prospérité économique est à son apogée. La communauté villageoise est défendue par les empereurs contre les empiétements des grands propriétaires. Le dynamisme de l'artisanat urbain (métallurgie à Corinthe, soierie à Constantinople) amène le développement d'une bourgeoisie dont les membres les plus brillants s'intègrent à l'ordre sénatorial. La maîtrise recouvrée de la mer fait de Constantinople l'entrepôt de la Méditerranée. La conversion du prince de Kiev à l'orthodoxie propage la civilisation byzantine jusqu'en Russie (989). Les travaux encyclopédiques de Constantin VII, les œuvres de Photius et Psellos, les mosaïques de Daphni attestent l'éclat de la culture byzantine.

La crise du XIe siècle

L'empire des Macédoniens recèle cependant de dangereuses faiblesses. Le schisme avec Rome l'isole de l'Occident (1054). Malgré la politique impériale, la grande propriété aristocratique est en expansion, menaçant la petite propriété villageoise, base de l'organisation militaire et fiscale. Les terres « stratiotiques », chargées d'entretenir les soldats, disparaissent et l'armée, à nouveau, se compose essentiellement de mercenaires. Au sein de l'Etat, une rivalité sourde oppose les fonctionnaires civils à l'aristocratie militaire. Après l'extinction de la dynastie macédonienne (1056), ces deux factions se disputent le trône. Gagné par l'anarchie, l'empire est incapable de lutter contre les invasions des Turcs Seljukides et des Normands d'Italie. Après la défaite de Mantzikert (1071), les Turcs déferlent sur l'Anatolie et atteignent le Bosphore en 1079. Etablis en Italie du Sud vers 1050, les Normands cueillent une à une les places byzantines (la dernière tombe en 1071), puis ravagent la Grèce. C'est dans cette atmosphère de débâcle qu'un coup d'Etat porte Alexis Comnène au pouvoir (1081).

Le siècle des Comnènes

Les Comnènes vont réaliser un remarquable redressement. Diplomate habile, Alexis Ier (1081-1118) profite de la Ire Croisade et de la désintégration de l'Empire seljukide pour reconquérir le littoral anatolien. L'aide de Venise lui permet d'éliminer le danger normand. Jean II (1118-1143) pousse la frontière anatolienne jusqu'à l'Halys, soumet la Cilicie, vassalise la Serbie. Suzerain de la principauté d'Antioche comme du royaume de Hongrie, Manuel Ier (1143-1180) mène une politique de grande envergure tournée vers l'Occident, dont il ambitionne de coiffer la couronne impériale. Illustrée par les écrits d'Anne Comnène, par la cathédrale Saint-Marc de Venise ou le palais des Blachernes, la civilisation byzantine brille de tous ses feux et rayonne sur la Sicile, la Russie, la Serbie, la Roumanie. Mais l'empire est miné de l'intérieur. La communauté villageoise se dissout et la création de la *pronoïa* (abandon de revenus fiscaux d'une terre à un particulier contre une prestation militaire) favorise l'expansion de la grande propriété. La monnaie se dévalorise et l'exemption de droits de douane accordée à Venise (1084), puis à Pise et Gênes, livre le commerce aux Républiques italiennes. La politique brouillonne de Manuel en Occident et dans les Etats latins de Syrie, l'impérialisme économique des marchands italiens creusent le fossé entre les deux chrétientés. Ayant négligé les frontières anatoliennes, Manuel est écrasé par le sultan seljukide d'Iconium à Myrioképhalon en 1177. Andronic Ier (1182-1185) réagit brutalement contre la puissance de l'aristocratie et tente de réformer le système fiscal, mais ses échecs extérieurs (prise de Thessalonique par les Normands et de la Dalmatie par la Hongrie) entraînent sa perte.

Le déclin et la chute

Les Ange (1185-1204) perdent la Bulgarie. Exploitant leurs querelles internes, les Vénitiens détournent la IVe Croisade sur Constantinople, qui est prise le 12 avril 1204. Les vainqueurs se partagent les dépouilles byzantines et installent un empereur latin à Constantinople. La résistance byzantine s'organise dans des Etats nés sur les débris de l'empire : despotat d'Epire, empire de Trébizonde et surtout empire de Nicée, situé en Anatolie. Les Lascaris de Nicée (1204-1258) reconquièrent la Thrace et la Macédoine. Michel VIII Paléologue (1258-1282) reprend Constantinople aux Latins, restaurant l'Empire byzantin (1261). Le XIVe siècle voit surgir deux nouveaux dangers, les Serbes et les Turcs Ottomans. Seule la mort empêche l'empereur serbe Etienne Douchan de prendre Constantinople (1355). Installés à Brousse en 1326, les Ottomans s'emparent de l'Anatolie byzantine, puis passent en Europe (1354) et conquièrent les Balkans. Déchiré par la guerre civile entre Paléologues et Cantacuzènes (1341-1355), manquant de soldats et d'argent, l'Etat byzantin ne peut faire face. La grande propriété aristocratique et monastique stérilise les campagnes. Les Républiques italiennes tiennent l'économie en tutelle. Les tensions sociales dégénèrent en conflits violents, comme à Thessalonique, en Macédoine, où le petit peuple des zélotes organise une république indépendante et pourchasse les riches (1342-1349). A l'aube du XVe siècle, les Paléologues ne tiennent plus que les faubourgs de Constantinople et quelques places du Péloponnèse (Mistra). Pour obtenir l'aide de l'Occident, ils mettent fin au schisme, au grand dam de leurs sujets hostiles aux Latins. Après l'échec de la Croisade de 1444, les Ottomans prennent Constantinople le 29 mai 1453, Mistra en 1460 et Trébizonde en 1461. L'époque des Paléologues a néanmoins connu une dernière floraison artistique, marquée par l'historien Nicéphore Grégoras et les peintures des églises de Mistra. Et les érudits byzantins réfugiés en Italie, détenteurs de l'héritage antique, vont contribuer à la Renaissance occidentale.

600

Gaule
Mort de Venance Fortunat, évêque de Poitiers. Il est l'un des derniers représentants de la poésie latine raffinée (*Vie de saint Martin, Hymnes liturgiques*).

Sinaï
Construction de l'église du monastère de Sainte-Catherine. →

Mexique
Age classique de la civilisation maya. →

602

Empire romain d'Orient, 27 novembre
En pleine guerre victorieuse contre les Avars du khan Baïan, l'armée byzantine mutinée porte au pouvoir Phocas (602-610), qui fait supplicier l'empereur Maurice à Chalcédoine.

604

Rome, 12 mars
Mort du pape Grégoire le Grand.

605

Empires romain et perse
Khosrô II d'Orient reprend la guerre contre les Romains. Les provinces romaines d'Orient sont le théâtre de violents conflits politiques et religieux (entre juifs, chrétiens catholiques et monophysites).

607

Japon
L'impératrice Suiko et le régent Shôtoku Taishi font du bouddhisme la seconde religion officielle avec le shintoïsme. Le plus vieux temple japonais est élevé à Nara. →

610

Constantinople, 5 octobre
L'exarque d'Afrique, Héraclius, qui s'était déjà révolté en 608, entre à Constantinople, fait exécuter l'empereur Phocas et monte sur le trône. L'empire est alors proche de l'éclatement, submergé par ses ennemis.

La Mecque
Muhammad commence sa prédication à La Mecque. →

612

Italie
Le moine irlandais saint Colomban fonde le monastère de Bobbio. →

Espagne
Sisebut (612-621) règne sur les Wisigoths. La cour de Tolède est la plus brillante d'Occident.

613

Royaume franc
Après le meurtre de Brunehaut, reine d'Austrasie et grande rivale de Frédégonde, la reine de Neustrie, le fils de cette dernière et de Chilpéric, Clotaire II, réunit sous son autorité la totalité du Royaume franc.

614

Palestine, 5 mai
Les Perses, après avoir envahi la Syrie (612), prennent Jérusalem dont ils emmènent en captivité le patriarche et la population. Ils se sont emparés de la Vraie Croix, trophée de leur triomphe sur l'Empire byzantin.

Paris
Une assemblée réunie à Paris condamne les abus des Mérovingiens. Un édit de Clotaire II réforme l'administration publique ; il accepte que les hauts fonctionnaires soient issus de la région qu'ils administrent, ce qui va accélérer le morcellement de l'autorité.

616

Chine
Une révolte générale éclate contre l'empereur Yangdi (Yang-ti, 605-616). Il avait entrepris la construction d'un grand canal unissant le fleuve Bleu (Yangzi-Jiang) au fleuve Jaune (Huang He).

617

Constantinople, juin
Les Slaves et les Avars parviennent sous les murs de la capitale impériale. Il ne reste plus à Héraclius que quelques villes en Dalmatie et en Grèce, dont Thessalonique, défendue par saint Démétrios.

618

Chine
Li Yuan (Kao-tsou) fonde la dynastie des Tang (618-907).

Muhammad, jeune homme parmi les bergers et les gardiens de chameaux. Miniature de l'« Histoire universelle » de Rashid al-Dîn.

Muhammad commence sa prédication à La Mecque

La Mecque, 610
Selon la tradition, c'est par une nuit du mois de Ramadan de l'an 610 de l'ère chrétienne que l'ange Gabriel somme Muhammad de transmettre aux hommes la parole de Dieu. Pourrait-il s'agir d'une coïncidence ? En 610, Muhammad a quarante ans. Il était né vers 570, précisément l'année où la Confédération mecquoise remporta la victoire qui mit un terme à l'occupation de l'Arabie du Sud par les Ethiopiens d'Aksoum, derrière lesquels se profilait l'ombre des Byzantins. Cette confédération entre tribus du nord et du sud de la péninsule s'était cristallisée autour d'une entité linguistique et culturelle arabe. La prédication de Muhammad plonge ses racines dans cette expérience confédérale. D'ailleurs, lorsqu'elle commence - et bien que quarante ans fussent passés -, l'Arabie centrale vit encore le traumatisme né de l'invasion éthiopienne. L'élaboration d'un monothéisme original, proprement arabe, expression idéologique de cette unité, est plus que jamais inscrite à l'ordre du jour de l'histoire. Elle attend son prophète.

Un monastère chrétien dans le Sinaï

Palestine, vers 600
Le monastère de Sainte-Catherine, fondé en 527 par l'empereur Justinien, voit son église décorée de mosaïques (*Transfiguration*). Fortifié, le monastère est situé à 1 500 m d'altitude, au pied du mont Moïse (*Jabal Mûsa*), dans un paysage grandiose et désertique. C'est de là que proviennent les premières icônes byzantines connues. Le couvent restera un point d'ancrage du christianisme jusqu'à nos jours, dans cet Orient que l'on verra bientôt submergé par la conquête arabe (→ 642).

Saint Pierre. Icône à l'encaustique. Début VIIᵉ siècle. Monastère Sainte-Catherine, Sinaï.

Le monastère de Sainte-Catherine dans le Sinaï. Fondé en 527 par Justinien, à l'emplacement où la tradition situait le Buisson ardent.

Fondation à Nara du Hôryû-ji

Japon, 607

De toutes les nombreuses réformes entreprises par le prince Shôtoku Taishi (573-621) sous le règne de l'impératrice Suiko (593-628), la plus importante fut celle qui imposa le bouddhisme comme religion d'État, après avoir abattu les clans rivaux tenants du shintoïsme traditionnel. Cette décision devait, en effet, déterminer toute l'évolution ultérieure du pays. C'est dans le cadre de cette politique que fut fondé à Nara, en 607, le Hôryû-ji, premier temple bouddhique du Japon, qui compte parmi les plus anciennes structures en bois du monde. Le sanctuaire comporte un grand nombre de bâtiments regroupés à l'inté-rieur de deux enceintes : le *sâ-in*, enceinte occidentale qui renferme le Kondô (sanctuaire principal) et une pagode à cinq étages, et le *tô-in*, enceinte orientale contenant le Yumedono (Pavillon des rêves). L'ensemble témoigne d'une innovation technique consistant à installer chaque bâtiment sur un podium solide et à faire porter la toiture de tuiles vernissées par un système complexe de consoles. Le Kondô (ou Pavillon d'or) est un édifice en bois abritant des trésors de l'art bouddhique, dont le plus célèbre est la Triade de Çâkyamuni, œuvre datée de l'année 623. Le Yumedono est le plus beau bâtiment de forme octogonale du Japon : il abrite une statue de Nyoirin Kannon, sculptée dans le bois. Le Hôryû-ji est le plus vieil ensemble architectural en bois du Japon.

Le « Kondô » (ou Pavillon d'or) du Hôryû-ji à Nara, fondé en 607. Époque Asuka. C'est une salle de prière qui abrite une statue du Bouddha.

Le grand palais de Palenque. Sa tour à 3 étages servie peut-être d'observatoire astronomique. VIIe - VIIIe siècle.

L'âge classique de l'Empire maya

Amérique Centrale, vers 600

La culture des peuples mayas s'organise autour de puissantes Cités-États comme Tikal, Copán et Palenque. Bien que celles-ci soient fortement hiérarchisées, c'est le système tribal qui continue à prévaloir et il n'y a pas de pouvoir central unissant les cités entre elles. Semblables aux *polis* grecques, elles naissent de la réunion de plusieurs communautés agricoles. Chaque cité possède un temple central voué au culte des dieux. Les artisans et artistes ont leurs ateliers dans l'enceinte du temple : leur travail est essentiellement associé au culte. La chronologie de l'« ancien empire » maya nous est connue grâce à de nombreuses stèles datées, qui témoignent des extraordinaires connaissances cosmographiques de ces peuples, dont la religion était étroitement liée à la computation du temps.

Dignitaire maya. Figurine en terre cuite. Style jaina. Mexique. Vers 600-900.

Les missions de saint Colomban évangélisateur

Bobbio, Italie, 612

Le roi lombard Agilulf accorde à Colomban l'autorisation de fonder un monastère. C'est la fin du périple du rude moine irlandais. Né dans le Leinster vers 540, formé au monastère de Bangor par saint Comgall, Colombanus (forme latinisée de Colman) part évangéliser le continent en 590. Attiré par le roi franc Gontran, il se fixe à Luxeuil (Vosges), d'où il dirige plusieurs communautés destinées à convertir les populations rurales. Expulsé pour avoir critiqué la reine Brunehaut et les mœurs de Thierry II, il part en pèlerinage à Rome et s'installe en Italie (→ 615). Sa règle, rédigée à Luxeuil, se préoccupe moins d'organiser que d'exhorter les moines à la piété et à l'ascétisme. Très dure, préconisant la confession fréquente, elle est adoptée par les monastères de Saint-Wandrille et de Saint-Gall (fondé en 614). Par la suite, sa rigueur sera tempérée par des emprunts à la règle bénédictine, moins sévère.

Grégoire le Grand en compagnie de son scribe. Miniature. Staatsbibliothek, Trèves.

Grégoire le Grand : un pasteur et un écrivain au service de l'Eglise

Rome, 12 mars 604

Le peuple de Rome pleure la mort du pape Grégoire Ier le Grand. Issu d'une famille sénatoriale, descendant du pape Félix III, il est tour à tour préfet de Rome (vers 570), moine dans son palais du mont Caelius transformé en monastère et diplomate envoyé à la cour de Constantinople (579-586). Il monte sur le trône de saint Pierre en 590, alors que la peste ravage Rome. Obligé de faire face à l'expansion lombarde, il obtient en 594 une trêve contre la volonté de l'exarque de Ravenne. La papauté secoue ainsi la tutelle de l'empire. Il affirme fortement la primauté spirituelle et disciplinaire de Rome contre Constantinople. Il se consacre activement à la conversion des peuples barbares en envoyant saint Augustin en Angleterre et en persuadant Théodelinde de rallier son époux arien, le roi des Lombards Agilulf, au catholicisme. Théologien, moraliste et écrivain brillant, Grégoire a écrit des commentaires fameux sur le Livre de Job, des *Homélies* et des *Dialogues* sur la vie des Pères d'Italie, sur un mode narratif et merveilleux. Il s'est fait l'hagiographe de saint Benoît et a composé une *Regula pastoris*, fixant aux clercs leurs devoirs. Il est l'un des écrivains les plus admirés de son temps.

Symbole de saint Marc. Evangile d'Echternach. Irlande (?), vers 690. Bibliothèque nationale, Paris.

619

Egypte
Les armées de Khosrô II achèvent la conquête de l'Egypte. L'antique empire des Achéménides est momentanément reconstitué par les Sassanides.

Balkans
L'empereur Héraclius paie tribut au kagan des Avars afin de pouvoir mobiliser ses forces contre les Perses.

622

Arabie, 16 juillet
Muhammad doit quitter La Mecque pour se réfugier à Yathrib (devenue par la suite Médine, « Madînat al-Nabî », la ville du Prophète). Ce jour marque le début de l'ère musulmane, l'hégire.

623

Arabie, 21 mars
Les Mecquois doivent lever le siège de Yathrib. Le premier Etat musulman est né.

625

Empire romain d'Orient
Réorganisation de l'empire : il est créé notamment des circonscriptions militaires territoriales en Asie Mineure (les « thèmes »), pour éviter de recourir aux services de Barbares mercenaires.

626

Constantinople, août
Bien que les Perses auxquels ils sont alliés aient atteint Chalcédoine, les Avars n'en doivent pas moins lever le siège de Constantinople, leur flotte ayant été détruite.

627

Empire perse, décembre
Héraclius, allié au peuple des Khazars, parvient devant Ninive où l'armée perse est anéantie : la victoire lui ouvre la route de la capitale sassanide, Ctésiphon.

628

Empires byzantin et perse, 3 avril
Après la chute de Khosrô II, son fils et successeur Kavadh demande la paix : il restitue l'Armé-

nie, la Mésopotamie romaine, la Syrie, la Palestine et l'Egypte.

629

Empire byzantin
Héraclius abandonne la titulature impériale latine *(Imperator Caesar Augustus)* pour prendre le titre de *Basileus*. On peut symboliquement y voir la naissance d'un nouvel Empire « byzantin ».

Royaume franc
Avènement de Dagobert.

630

Jérusalem, 21 mars
L'empereur Héraclius érige triomphalement la Vraie Croix, qu'il a reprise aux Perses. →

632

Arabie, 8 juin
Le prophète Muhammad meurt, après avoir fondé une nouvelle religion conquérante. →

Empire perse
Yazdgard III, dernier roi sassanide.

634

Médine, Arabie, 22 août
Le premier successeur du Prophète, le calife Abû Bakr, meurt. Umar lui succède. →

636

Syrie, 15 août
L'armée byzantine est écrasée par les Arabes à la bataille du Yarmuk. La Syrie est perdue.

Espagne
Mort d'Isidore de Séville. →

637

Mésopotamie
Les Arabes anéantissent l'armée perse à la bataille de Kâdisiyya.

638

Jérusalem
Le calife Umar entre à Jérusalem et conquiert la Palestine.

639

Royaume franc
Mort du roi Dagobert. →

Croix de Justin II, empereur d'Orient (565-578), successeur de Justinien. Argent doré.

Art byzantin. Saint Démétrios. Médaillon en argent doré et émail. Musée de Cluny, Paris.

Héraclius, sauveur de l'empire romain d'Orient

Jérusalem, 21 mars 630
L'empereur romain d'Orient Héraclius rapporte la Vraie Croix, reprise aux Perses. C'est l'apothéose d'un règne qui a débuté dans la tourmente. Lorsque Héraclius, fils d'un exarque d'Afrique, renverse Phocas et monte sur le trône (610), les troupes du roi sassanide Khosrô II viennent d'occuper la haute Mésopotamie et l'Arménie romaine. La désorganisation de l'empire l'empêche tout d'abord d'enrayer la progression perse. La Syrie (611), la Palestine (614) et l'Egypte (619) sont perdues, l'Anatolie entamée. Stratège ardent, appelant ses troupes à la guerre sainte, Héraclius imagine de frapper la Perse au cœur, en partant de l'Arménie et du Caucase. À partir de 622, il guerroie pour s'assurer le contrôle de ces régions, indifférent aux diversions de Khosrô, qui lance en vain les Avars sur Constantinople (626). Il arrive à Ctésiphon, capitale

perse (628). Khosrô vient d'y être renversé par son fils Kavadh. Héraclius lui impose la paix et la restitution des provinces perdues. Le duel séculaire entre Rome et la Perse s'achève par le triomphe des Romains, dû à la réorganisation de l'empire. Rompant avec la tradition administrative du Bas-Empire, Héraclius fractionne les services du gouvernement central, mais regroupe au niveau provincial les fonctions civiles et militaires entre les mêmes mains (création des premiers thèmes). Prenant acte de la véritable culture de l'empire, il instaure le grec comme langue officielle et prend le titre de « Basileus ». L'Empire byzantin est né. En Occident, il a perdu l'essentiel des conquêtes de Justinien, sauf une partie de l'Italie ; bientôt, les Arabes vont conquérir l'Orient. L'Asie Mineure est devenue le cœur de l'empire et l'œuvre extérieure d'Héraclius sera anéantie.

Le royaume de Dagobert connaît la prospérité

Royaume franc, 639
Le roi Dagobert, fils de Clotaire II, est mort. Né vers 600, il avait été nommé par son père roi d'Austrasie en 623, puis roi des Francs en 629. Durant les dix années de son règne, conseillé par Pépin de Landel, il a joui d'un pouvoir absolu et s'est

acharné à maintenir l'unité de son royaume en jouant sur son prestige personnel. Il fit reconnaître son autorité par les Saxons, les Gascons et les Bretons, et s'opposa à la poussée slave. Il insista pour aménager la loi franque sur le partage des royaumes et pour que les grands désignent un héritier unique, même si les autres membres de la famille royale conservaient un droit virtuel au trône. Dagobert était assez fort pour maintenir l'unité du *regnum* et pour contenir l'aristocratie.

Monnaie mérovingienne portant l'effigie du roi Dagobert Ier. Cabinet des Médailles, B.N., Paris.

Trône dit (à tort) de Dagobert. Bronze ciselé et doré. Vers 800. Dossier et accoudoirs ajoutés au XIIe siècle.

Lapidation de Muhammad par les habitants de La Mecque. Miniature persane (XVIe siècle).

Muhammad et Abû Bakr en route pour La Mecque. Miniature persane (XVIe siècle).

Le prophète Muhammad, fondateur d'une religion monothéiste

Arabie, 8 juin 632

Parmi toutes les observances de l'islam, il en est une qui a un caractère essentiel, fondamental et intangible : c'est la *Shahada* (témoignage ou acte de foi) par laquelle le musulman atteste qu'il n'est de Dieu qu'Allah et que Muhammad (Mahomet) est son messager. Dans le Panthéon de l'Arabie antéislamique, Allah n'est pas inconnu. Mais, avec Muhammad, il n'est plus un dieu parmi d'autres, ni même le plus puissant d'entre eux. Il devient le seul, l'unique, l'omnipotent, l'omniscient, le créateur de toutes choses, Celui à la volonté duquel il faut se soumettre entièrement, avec confiance, car il est aussi le miséricordieux. Contrairement aux autres prophètes, que d'ailleurs Muhammad reconnaît, son rôle n'est pas d'annoncer Dieu, de légiférer en son nom, de construire son temple ou son église, mais de transmettre le message et la loi délivrés par Dieu lui-même. « Récite au nom de son Seigneur qui a créé Qui a créé l'homme d'un caillot de sang Récite, car ton Seigneur est le Très Généreux Qui a enseigné à l'homme ce qu'il ne

savait pas. » C'est par ces mots de la première Révélation que Muhammad reçoit l'ordre de « transmettre dans ses propres termes et dans sa propre langue, le message et les instructions de Dieu ». Car Allah est, qu'on le veuille ou non, arabe. Sa langue est l'arabe et son message, le Coran, est arabe. Le mot « islam », adopté pour désigner la religion de tous les musulmans, à quelque ethnie qu'ils appartiennent, est un mot arabe dérivé de la racine consonantique *slm* qui exprime une notion générale de paix mais qui, par le jeu des voyelles brèves et longues, donne le substantif « islam » lequel veut dire « soumission ». Les langues non arabes n'ont pas pu, ou pas osé, traduire le terme et l'ont gardé tel quel, se contentant de le translitérer. Muhammad (vers 570-632), prophète et génie religieux en même temps que grand politique, diplomate et stratège militaire, est avant tout l'unificateur des Arabes polythéistes d'Arabie qu'il a dotés d'une législation civile et religieuse. L'islam est à la fois l'idéologie de cette unification et la religion qui donne aux Arabes une

raison de s'affirmer. Ce n'est que dans le dernier acte de sa vie, le sermon prononcé sur le mont Arafa au terme du « pèlerinage de l'adieu », que Muhammad donna une intonation universaliste au message divin : « O peuple, vous descendez tous d'Adam... et aucun Arabe n'a de supériorité sur un non-Arabe, sauf par la piété. » Mais alors, l'Arabie était déjà unifiée et Muhammad pouvait mourir, puisque sa mission était accomplie.

Isidore de Séville, un maître à l'esprit encyclopédique

Espagne, 636

Avec la mort de l'évêque Isidore de Séville (vers 570), disparaît l'un des grands artisans de la prérenaissance wisigothique : les *Étymologies*, son œuvre majeure est une véritable encyclopédie des connaissances de son temps. Entreprise monumentale elle concentre et ordonne en vingt livres les savoirs hérités de l'Antiquité païenne et chrétienne, reprenant le programme dessiné par saint Augustin (→ 426). L'ouvrage, argumenté selon les catégories de la grammaire antique (différence, étymologie, analogie et glose), est présenté par thèmes (arts libéraux, droit, médecine, géographie, Bible, zoologie, chronologie, etc.). Exégète, moraliste et théologien, Isidore écrit nombre de traités et de manuels. Poète et historiographe, il rédige des distiques inspirés de Martial, une cosmographie, une histoire, *Des hommes illustres*, et des ouvrages historiques célébrant la monarchie wisigothique. L'œuvre d'Isidore de Séville, sans cesse consultée, va être l'un des fondements de la culture médiévale. Elle témoigne de la vitalité de l'Occident barbare et latin, mais aussi du fossé qui s'élargit avec le monde oriental de langue grecque.

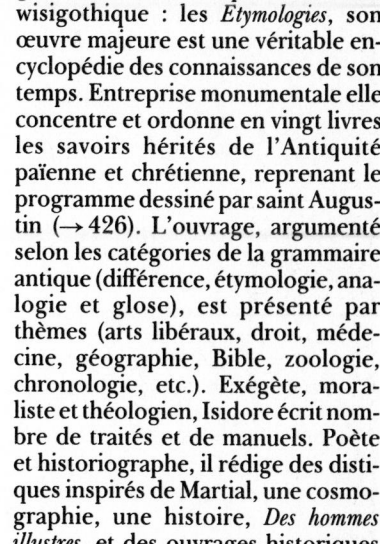

Muhammad tenant entre ses mains la Pierre noire lors de la construction de la Ka'ba à La Mecque. Détail d'une miniature (XVIe siècle).

Le premier successeur du Prophète : Abû Bakr

Médine, 22 août 634

Allah avait désigné Muhammad. Mais qui peut désigner le successeur du messager ? A la mort du Prophète, la question ne peut pas ne pas se poser. Jésus avait explicitement désigné Pierre à la tête de son Eglise. Le Coran, lui, se contente de constater la vacance : « Muhammad n'est qu'un messager. D'autres l'ont précédé. S'il mourait ou s'il était tué, retourneriez-vous en arrière ? » Faute d'instructions précises, la communauté des croyants doit se débrouiller toute seule. Malgré les prétentions d'Ali, gendre du Prophète, il ne peut s'agir de monarchie héréditaire, le Coran ne reconnaissant d'autre primauté que celle de la foi

et de la valeur personnelle. A la mort du Prophète, les Compagnons se réunissent pour rechercher une solution originale à une situation inédite. Ils choisissent Abû Bakr, l'un des premiers compagnons, parmi les plus respectés, et lui confèrent le titre de « calife », terme arabe qui signifie « successeur ». Abû Bakr peut faire l'unanimité. Il n'est pas de la famille du Prophète et il a l'avantage d'appartenir à un clan mineur de la société mecquoise, ce qui met une sourdine aux rivalités des « grands ». Il en ira de même avec le deuxième calife, Umar. Mais lorsque, à peine douze ans après la mort de Muhammad, le choix des Compagnons se portera sur Uthmân qui, de par sa naissance, appartient au clan des « grands », les rivalités et les conflits seront difficiles à contenir.

L'ascension de Mahomet d'après une miniature persane. XVIe siècle. C'est seulement en Perse qu'on osa entreprendre de représenter l'histoire et la personne du Prophète.

640

Royaume franc
Mort de Pépin de Landen, maire du palais d'Austrasie sous Clotaire II et Dagobert. Pépin est à l'origine de la dynastie carolingienne. Son fils Grimoald lui succède en 643.

641

Constantinople, 11 février
Héraclius meurt après trente ans de règne. Malgré le spectaculaire redressement de 627, il laisse un empire menacé par l'invasion arabe. Après le court règne troublé de ses fils, son petit-fils Constant II devient empereur.

Germanie
La Thuringe s'affranchit de la domination franque, alors qu'un royaume slave se constitue dans l'actuelle Bohême.

Chine
L'influence de la Chine des Tang, qui entreprend la conquête de la route de la soie, s'étend vers l'ouest. Le christianisme nestorien atteint la Chine.

642

Egypte, septembre
Le chef des Arabes victorieux, Amr ibn al'As, entre à Alexandrie : l'Egypte, où la population monophysite fait bon accueil aux vainqueurs, est conquise. Les Byzantins ont perdu l'Orient romain. →

Perse
A la bataille de Nehavend, au cœur de l'Iran, le Roi des rois Yazdgard III est mis en déroute par les Arabes. L'Empire sassanide a vécu. →

643

Italie
Le roi lombard Rotharis (636-652) publie un édit, codifiant en latin les lois des Lombards.

Afrique
Les Arabes atteignent la Tripolitaine et la Cyrénaïque.

644

Médine, 4 novembre
Le calife Umar est assassiné. Uthmân (644-656) lui succède.

646

Carthage
Soutenu par l'Eglise d'Afrique, l'exarque de Carthage Grégoire, farouche adversaire de la doctrine monothélite, se révolte contre l'empereur Constant II.

Japon
S'inspirant des institutions chinoises, l'empereur Kôtoku Tennô renforce le pouvoir central par l'édit de Taika (la « Grande Transformation »), qui abolit le régime des clans.

647

Syrie
Le gouverneur arabe de Syrie, Mu'awiyya, ravage la Cappadoce et rapporte un énorme butin à Damas.

Afrique
Début de la conquête arabe en Berbérie ; expulsion des Byzantins.

Inde
Le souverain indien Harsha, roi de Kanauj (606-647), disparaît après avoir réuni un empire comparable à celui des Gupta. L'Inde se morcelle à nouveau en petits Etats.

649

Rome
Le pape Martin Ier réunit un grand synode au palais du Latran qui condamne les thèses du monothélisme soutenues par les empereurs Héraclius et Constant II. Le monothélisme veut concilier le nestorianisme et le monophysisme, en affirmant qu'il n'y a qu'une énergie dans les deux personnes divines.

Chypre
Les Arabes débarquent à Chypre. Sous l'impulsion de Mu'awiyya, ils ont constitué une flotte qui va vite se montrer redoutable.

Chine
Mort de l'empereur Tai Zong (T'ai-tsong). En lutte contre les Turcs, il s'était rendu maître de la route de la soie. Lui succède en 650 Gao Zong (Kao-tsong).→

650

Tibet
Le règne du premier souverain tibétain connu, Srong-btsan Sgam-po, s'achève. →

Le Prophète (baigné d'un feu ardent) entouré des trois premiers califes : Abû Bakr, Umar Ier et Uthmân. Miniature. Staatsbibliothek, Berlin.

Les Arabes détruisent l'Empire sassanide

Perse, 642
En Mésopotamie, après la mort de Khosrô II (628), l'anarchie s'installe. Son successeur, Yazdgard III, ne peut plus compter sur les tribus frontalières qui servaient de barrières contre les razzias des Bédouins. C'est justement une razzia d'envergure qu'organise sur Hira Khalid ibn al-Walid, en 633, avec une petite armée recrutée sur place. Le succès est tel qu'il conduit à d'autres razzias qui finissent par aboutir à la défaite des Arabes. Ces derniers organisent alors une contre-attaque et, au cours de l'été 637, les Sassanides qui disposent d'une armée importante et d'éléphants se font battre à Kadisiyya. Les Arabes s'emparent de la capitale perse, Ctésiphon, et installent des camps à Kûfa et Basra, avant de marcher sur le nord et d'atteindre Rakka en 639. Ayant fait leur jonction avec les armées de Syrie, ils marchent sur la Perse. La victoire décisive est remportée à Nehavend, en 642. A cette date, à part quelques réactions locales, l'Empire sassanide a cessé d'exister.

Les Arabes arrachent les provinces d'Orient à l'Empire byzantin

Proche-Orient, septembre 642
Les premières incursions arabes dans le nord, en dehors de la péninsule, ne sont que d'audacieuses razzias qui, toutefois, mettent en relief l'extrême fragilité des provinces orientales de l'Empire byzantin. En 633, le calife Abû Bakr décide une expédition en Syrie. Damas tombe une première fois, en 635, sans vrai combat, et une seconde, en 636, à la suite de la défaite infligée à l'armée de l'empereur Héraclius, sur les bords du Yarmuk. Dans cette région, la dernière place byzantine, Césarée, tombe en 640. De Palestine, Amr ibn al-As convoite l'Egypte, dont il connaît les richesses. Le calife Umar hésite à lui donner l'autorisation, mais Amr passe outre et le met devant le fait accompli. La principale place forte byzantine, Babylone, assiégée depuis 639, capitule en 641. Amr peut alors marcher sur la capitale, Alexandrie, et l'occuper en septembre 642. Les conquêtes arabes sont favorisées par les populations qui, en grande majorité monophysites, sont persécutées par l'Eglise byzantine officielle.

Le grand Empire chinois des Tang

Chine, 649

L'empereur Tai Zong (T'ai-tsong) est mort. Bien que son nom ne vienne qu'en deuxième position dans la succession chronologique des souverains Tang, il est, dans les faits, le véritable fondateur de la dynastie. Au début du VIIe siècle, une prédiction avertit le dernier des Sui (→ 589) de la prochaine destruction de sa lignée par une famille Li. Le massacre est aussitôt ordonné. Dans le Shaanxi, le jeune Li Shimin pousse son père, Li Yuan, gouverneur de la province, à la révolte. En 618, Chang An tombe et Li Yuan se proclame empereur des Tang sous le nom de Kao Tsou, tandis que son fils élimine les autres prétendants au trône, dont ses propres frères. Dès 626, Li Yuan abdique en faveur de son fils qui avait su, entre 618 et 624, achever la conquête de l'espace chinois, tout en contenant les hordes barbares sur la frontière du nord. Li Shimin est dès lors connu sous le nom de Tai Zong. Sa réussite dans le domaine administratif est égale à sa fortune militaire. La conquête se poursuit : en 630, la Mongolie intérieure est soumise. En 640, c'est le tour du Turkestan. A la mort de Tai Zong, la Chine a retrouvé l'assise territoriale qui était la sienne sous les Han. La « Pax sinica » règne sur l'Asie, de Chang An à Kashgar. La puissance chinoise s'affermit sur les oasis d'Asie centrale et le commerce se développe le long de la « Route de la soie », jalonnée d'ensembles bouddhiques, dont Dun Huang, célèbre pour ses peintures murales. Tout est prêt pour l'apogée culturelle et artistique de l'une des plus grandes dynasties chinoises. La plaine du Gange est unifiée sous le brillant empire de Harsha.

Statuette funéraire. Epoque Tang. Vers 700-756. Terre cuite. Victoria and Albert Museum, Londres.

Jeune femme à cheval. Statuette funéraire. Epoque Tang. Terre cuite vernissée. Museum Rietberg, Zürich.

La plaine du Gange est unifiée sous le brillant empire de Harsha

Inde, 647

Harsha de Kanauj est mort. Issu d'une dynastie régnant sur une petite principauté, au nord de Delhi, Harsha exerce le pouvoir à partir de 606. Souverain unificateur, il reconstitue, dans le nord du pays, un vaste empire allant de la basse vallée de l'Indus, à l'ouest, à l'Orissâ, à l'est. L'unité règne sur l'Inde pour la dernière fois avant l'arrivée des Anglais. Egalement homme de lettres, Harsha a laissé trois drames en sanskrit, dont l'un trahit un vif intérêt pour le bouddhisme, bien qu'il fût lui-même disciple de Çiva. Ses faits et gestes ont été consignés par Bhâna, dans le célèbre *Harshacarita*.

Le royaume tibétain devient un Etat actif et puissant en Asie

Tibet, vers 650

L'apparition d'une dynastie monarchique au Tibet, fondée par Srong-btsan Sgam-po, marque l'entrée de l'Etat himalayen dans l'histoire. De sa capitale, Lhassa, le royaume s'étend de l'ouest tibétain au Népal. Le souverain envoie des troupes conquérir l'ouest de la Chine et la haute Birmanie. Son mariage avec deux princesses, l'une chinoise et l'autre népalaise, ouvre le Tibet au bouddhisme. Le lamaïsme se développe à partir de la religion Bon, marquée par le voyage magique de l'âme du chaman, et du bouddhisme. Srong-btsan Sgam-po fonde les monastères de Ramo-che et de Yo-khang.

Art tibétain. Hayagrîva, l'un des huit gardiens de la Loi. Rouleau peint. XVIIIe siècle. Rijksmuseum voor Volkenkunde, Leyde.

EXPANSION DE L'ISLAM AU TEMPS DES OMEYYADES (661-750)

- Domaine des Omeyyades en 661
- Conquêtes omeyyades
- Avance musulmane vers l'est
- Avance musulmane vers l'ouest
- Conquête de l'Espagne
- Târiq ibn Ziyâd (711-714)
- Mûsâ ibn Nusayr (712-714)
- Invasion arabe en royaume franc
- Incursions arabes sur les côtes de Sicile et de Sardaigne
- Batailles
- Attaques de la flotte et des armées arabes contre l'Empire byzantin
- Sièges de Constantinople par les Arabes (674-675 et 717-718)
- Zones disputées entre Byzantins et musulmans
- Empire byzantin dans la seconde moitié du VIIe s.
- Empire byzantin en 750
- Protectorat chinois sous la dynastie des Tang (618-907)

651

Médine, Arabie
Première recension écrite du
Coran. →

652

Pavie, Italie
Aripert, roi des Lombards, se fait
baptiser. Son peuple se convertit
au catholicisme romain.

653

Tolède, Royaume wisigoth
Receswinthe, roi des Wisigoths
(653-672), promulgue un code
inspiré du droit romain, le *Liber
judicium*, visant à instituer une totale parité entre tous ses sujets,
Hispano-Romains et Goths.

Rome, Italie
L'empereur byzantin Constant II
fait arrêter et emprisonner le
pape Martin Ier.

654

Royaume de Mercie
Penda, maître du royaume « anglais » de Mercie, est vaincu et tué
par Oswy, roi de Northumbrie.

Royaume franc de Neustrie
Fondation de l'abbaye de Jumièges.

655

Perse
Assassinat de Yazdgard, dernier
roi sassanide. Les musulmans occupent Kaboul et Kandahar.

Crimée, Empire byzantin
Le pape Martin Ier meurt sous la
torture. →

656

Médine, Arabie, 17 juin
Assassinat du calife Uthman, auquel succède Ali ibn Abi Taleb.

Arabie, 9 décembre
Bataille dite du Chameau. →

Metz, royaume d'Australasie
Echec du coup d'Etat de Grimoald. →

657

Irak, 26 juillet
Bataille de Siffin. →

Soissons, royaume de Neustrie
Ebroïn, maire du palais du
royaume franc de Neustrie.

Inde
Brahmagupta fixe les règles du
calcul avec le zéro.

658

Bohême
Mort de Samo qui régnait sur le
royaume slave de Bohême qu'il
avait créé. Cet ancien marchand
d'esclaves, d'origine franque,
avait réussi à se faire élire roi en
625 par des tribus slaves.

660

Noyon, Neustrie, 1er décembre
Mort de saint Eloi. →

Damas, Syrie
Fondation de la dynastie umayyade. →

661

Kûfa, Irak, 24 janvier
Ali est assassiné par un ex-parti-
san devenu khârijite. →

663

Tarente, Italie
L'empereur byzantin Constant II
entreprend la reconquête de
l'Italie (→ 668).

664

Chine
Mort à l'âge de 68 ans de Xuan
Zang (Hiuan Tsang), moine et
pèlerin chinois, fondateur de
l'école bouddhiste Weischi. Il
s'était rendu en Inde en 629 pour
en rapporter les textes sacrés
sanskrits. Le récit de son voyage
est connu, en Occident, sous le
titre « Le Singe pèlerin ».

Whitby, Angleterre
Réunion d'un concile. →

668

Syracuse, Sicile
L'empereur Constant II est assassiné.

Corée
Le roi de Silla reconquiert le Go-
guryeo et le Baegje (Kokuryo et
Païkche, royaumes du nord de la
Corée) avec l'aide de la Chine
dont il reconnaît la suzeraineté.

*Fragment d'une feuille du Coran, écrit en caractères kûfiques.
Lettres d'or sur parchemin. Bibliothèque nationale. Photo B.N.*

Première recension écrite du Coran

Médine, 651
D'après la tradition, « dès qu'une
révélation était transmise à Muhammad, des scribes la notaient sur des
morceaux de cuir, des tessons de poterie, des nervures médianes de
palmes, des omoplates ou des côtes
de chameau ou la conservaient dans
leur cœur ». A la mort de Muhammad, il n'existait donc pas de recueil
du Coran, et il fallait s'en remettre
à ceux qui avaient conservé dans leur
mémoire une partie ou l'ensemble
des révélations. Des hommes pieux
se spécialisèrent d'ailleurs dans cette
fonction de mémorisation-récitation
du texte coranique. Mais l'empire
était devenu trop vaste et l'on
commença à se rendre compte que
le nombre des mémorisateurs-récita-
teurs ne suffisait plus. Cette pénurie
n'allait-elle pas mettre en danger
l'existence même du « jihad » :
l'islamisation des peuples conquis ?
L'inexistence d'un « Livre » unique
et unanimement reconnu n'allait-

elle pas mettre en cause la cohésion
de la communauté musulmane ?
C'est pour pallier de tels dangers que
le troisième calife, Uthmân (644-
656), ordonna en 650, le Prophète
étant mort depuis 632, une recension
complète du Coran. Il désigna une
commission de quatre membres,
sous la direction de l'un des secrétaires survivants du Prophète, pour
assurer une présentation et une formulation unique du texte révélé. Il
renonça à l'ordre chronologique des
textes et fit ranger les « surates » par
ordre de longueur décroissant, correspondant à une règle de poétique
sémitique, à l'exception de la *Fatiha*,
surate de sept versets qui « ouvre »
le Coran. Une fois le texte établi selon ces normes, il le fit copier en un
nombre suffisant d'exemplaires qu'il
envoya dans toutes les régions de
l'empire avec ordre au gouverneur
de détruire les autres versions, ou
fragments éparpillés. Il y eut, naturellement, des réticences et même
des oppositions, mais le texte de Uthmân finit par être unanimement
adopté par tous les musulmans.

Le pape Martin Ier est torturé à mort

Crimée, Empire byzantin, 655
Successeur de Théodore Ier, le pape
Martin Ier avait irrité l'empereur
Constant II en faisant condamner au
concile général du Latran en 649 le
monothélisme, doctrine affirmant qu'il
n'existait en Jésus-Christ qu'une seule
volonté, la volonté divine. Le pape
étant sujet de l'empereur, Constant II,
protecteur du monothélisme, fit arrêter
Martin Ier dans la basilique de Latran en
653. Emmené en captivité à Naxos puis
à Constantinople, condamné d'abord
à l'écartèlement pour crime de lèse-
majesté, puis finalement déporté en
Crimée, il vient d'y mourir après
deux ans de mauvais traitements.
Son successeur, Eugène, élu l'année
dernière, reste quant à lui docile à
l'empereur (→ 739).

Coup d'Etat manqué de Grimoald

Royaume d'Australasie, 656
Grimoald, le riche et puissant maire
du palais d'Australasie, convoite le
trône. Fort du pouvoir qu'il a pris du
fait de l'incompétence des rois mérovingiens et profitant de la mort du roi
Sigebert III, qui vient de s'éteindre
à 26 ans sans avoir vraiment gouverné, il fait tondre le prince héritier
Dagobert (les cheveux longs étaient
signe de pouvoir). Il le fait enfermer
dans un monastère irlandais, afin
d'installer son fils sur le trône. L'autre Mérovingien, Clotaire III, roi de
Neustrie, réagit : il tend un piège à
Grimoald et à son fils, les fait incar-
cérer puis exécuter. Childéric II, frère
de Clotaire, peut ainsi devenir roi
d'Australasie. La dynastie mérovingienne reste au pouvoir (→ 751).

Assassinat du calife Uthmân à Médine

Médine, 17 juin 656

Aux accusations, restées sans effet, de népotisme et de favoritisme, les opposants à Uthmân ajoutèrent celle d'avoir introduit, dans l'administration de l'Etat, des innovations qui ne trouvaient aucune justification dans le Coran ou la tradition du Prophète. Une dimension religieuse - inadmissible pour un calife - était ainsi donnée à des contestations d'ordre économique. Les doléances les plus sérieuses venaient de soldats qui, faute d'un butin suffisant à se partager, exigeaient que les tributs prélevés dans les provinces leur fussent alloués plutôt qu'au Trésor public. Des groupes de soldats mécontents se rendirent alors d'Egypte à Médine pour exiger des réformes. Les émeutiers firent le siège de la maison du calife et rendirent impossible tout ravitaillement. Lorsque, plus tard, parvinrent des nouvelles selon lesquelles les troupes de Mu'âwiya étaient en marche pour venir en aide au calife, les émeutiers envahirent la maison et assassinèrent Uthmân. Umar avait été assassiné par un esclave persan ; les meurtriers d'Uthmân étaient des musulmans. Le scandale fut donc énorme et ses conséquences, décisives.

Bataille de Siffin entre Ali et Mu'âwiya

Irak, 26 juillet 657

Quand Ali ibn Abû Bakr fut porté au califat, Mu'âwiya, gouverneur de Syrie, refusa de le reconnaître, à moins que les meurtriers d'Uthmân ne lui fussent livrés. Les deux partis s'opposent à Siffin. Pendant la bataille, Mu'âwiya eut l'idée d'accrocher des pages du Coran aux lances de ses soldats. Ne pouvant plus, en bon musulman, poursuivre le combat, Ali accepta l'arbitrage qui lui était proposé. Ce qui lui fut fatal.

Niccolo da Bologna. Un des miracles de saint Eloi (qui fut aussi patron des maréchaux-ferrants).

Le calife Ali sous la forme d'une flamme prophétique assistant à une parade, entouré des membres de sa cour. 1817. Enluminure indienne illustrant un texte persan « La Charge du lion ». Bibliothèque nationale, Paris.

Mort de saint Eloi, conseiller de Dagobert

Noyon, Neustrie, Ier décembre 660

Habile orfèvre aquitain, saint Eloi fut d'abord chef d'un atelier monétaire. Selon la légende, Clotaire II lui ayant commandé un trône, il en aurait exécuté deux avec la quantité de métal précieux qui lui avait été fournie pour un seul. Clotaire le nomma maître de la monnaie. Il devint ministre de ce roi, puis de son successeur Dagobert. A sa mort, libéré de nombreuses missions diplomatiques, il devint prêtre. Evêque de Noyon en 641, il déploya une grande activité missionnaire pour convertir les païens et ne cessa de se dévouer aux pauvres. C'est à l'âge de 72 ans qu'il mourut.

Les Anglais adhèrent au dogme romain

Whitby, Angleterre, 664

Depuis plus d'un siècle, l'évangélisation de l'Angleterre connaît bien des difficultés. On assiste à des luttes entre rois chrétiens et souverains païens. En 627, le roi de Northumbrie, Edwin, est converti au christianisme par Paulin, archevêque d'York. Les monastères de Lindisfarne et de Whitby sont fondés. Et c'est au concile de Whitby que l'Eglise anglaise, qui devait choisir entre le dogme celto-irlandais et le dogme romain, se prononce en faveur de Rome. Il s'agit surtout de fixer la date de Pâques et d'unifier les coutumes. Malgré la résistance irlandaise, le particularisme celtique se résorbe (→ 697).

Fondation de la dynastie umayyade

Damas, 660-678

Mu'âwiya fut, sans conteste, l'un des plus grands hommes d'Etat du premier siècle de l'islam. Nommé gouverneur de la Damascène par 'Umar et reconduit à ce poste par Uthmân, il avait su créer, dans sa province, des structures étatiques qui lui assuraient un instrument de pouvoir efficace. Dès 660, et avant même l'assassinat d'Ali, Mu'âwiya se fit proclamer calife à Damas, avec l'idée bien arrêtée d'instaurer le principe dynastique. Ce fut une œuvre de longue haleine. En 661, la personne la plus gênante était al-Hasan, fils d'Ali. Mu'âwiya sut contourner l'obstacle et al-Hasan accepta de s'effacer en échange d'une somme d'argent. Par la suite, l'habileté de Mu'âwiya consista à sauvegarder les apparences du principe électoral pour assurer sa succession en la personne de son fils Yazid. Mu'âwiya mit 18 ans à réunir les conditions favorables à un serment d'allégeance qui fut effectivement prêté à Yazid en 678. En fait, c'est lui qui inaugura dans l'Empire musulman la méthode de succession héréditaire. Deux ans avant sa mort, Mu'âwiya était donc certain que le pouvoir allait rester entre les mains de son fils. La dynastie umayyade était née.

Ali, le gendre du Prophète, est assassiné

Kûfa, 24 janvier 661

A Siffin, de nombreux partisans d'Ali estimèrent que l'acceptation de l'arbitrage humain était un outrage à la justice divine. Ils décidèrent de ne plus appuyer Ali pour n'avoir pas poursuivi le combat. Ali massacra les rebelles à Nahrawan. Les Khârijites survivants décidèrent d'assassiner Ali, Mu'âwiya et Amr ibn al-As. Seul le complot contre Ali put être exécuté. A la sortie de la mosquée de Kûfa, le gendre du Prophète fut blessé à mort d'un coup d'épée empoisonnée.

Art mérovingien. Fidule ronde. Or avec incrustations de pierres. VIe - VIIe siècles. Staatliche Museen, Berlin-Ouest.

670

Ifrikiya, Tunisie
Les Arabes installent une base militaire à Kairouan. →

Asie centrale
Qutlugh reconstitue le khanat d'Orkhon, empire des Turcs orientaux détruit jadis par le Chinois T'ai-Zong (→ 683).

Asie centrale
Les Tibétains prennent le Tarim. Ils délogent ainsi les Chinois de leurs quatre garnisons.

672

Aquitaine
Loup Ier devient duc d'Aquitaine. Il agrandit ses Etats et essaie en vain de secourir Nîmes assiégée par les Wisigoths. Il s'opposera aussi aux Francs.

Fleury-sur-Loire
Les reliques de saint Benoît, inhumées en 547, sont transférées du monastère du Mont-Cassin en Italie (détruit par les Lombards) à celui de Fleury-sur-Loire, qui prend le nom de Saint-Benoît-sur-Loire.

Tolède, Royaume wisigoth
Receswinthe mort, Wamba est élu roi des Wisigoths (→ 680).

673

Chine
Mort de Yan Liben (Yen-Li Pen), peintre de la dynastie T'ang. Haut fonctionnaire, il présida la Commission des travaux publics, chargée de la construction des palais impériaux de la capitale. Il laisse le fameux rouleau des Treize Empereurs (Boston, Museum of Fine Arts).

678

Constantinople
Les Arabes attaquent Constantinople. Les Byzantins utilisent pour la première fois le feu grégeois. →

680

Kûfa, Irak, 10 octobre
Al-Husayn, fils d'Ali, est tué au combat à Karbala. Naissance du shi'isme. →

Constantinople
Le concile œcuménique condamne le monothélisme et restaure l'orthodoxie religieuse.

Tolède, Royaume wisigoth
Le grand roi Wamba est renversé par le comte Ervige, qui a profité du soulèvement des Vascons et du mécontentement causé par la réforme du clergé et de l'armée.

Damas, Empire umayyade
Mort de Mu'âwiya ; Yazid lui succède comme calife.

681

Balkans, juillet
Fondation du Royaume bulgare oriental. →

683

Soissons, royaume de Neustrie
Ebroïn, le grand maître de la Neustrie qui cherchait à dominer l'Australasie, le royaume franc rival, est assassiné. L'Australasie prend le dessus (→ 657).

Asie centrale
Qutlugh, khan des Turcs, met à sac le district chinois de Chan Yu, puis le Shânxi (Chen-Si), en Chine du Nord (→ 670).

Luo Yang, Chine
A la mort de l'empereur Gao Zong (Kao-Tsung), sa concubine Wu Zetian (Wou Tsö-Tien) s'empare du trône et fonde la dynastie des Zhou (Tcheou) (→ 705).

684

Perse et Arabie
Mouvements khârijites. →

685

Angleterre
Les Pictes repoussent les Anglo-Saxons. →

Damas et Constantinople
Abd al-Malik et Constantin IV s'entendent pour partager les impôts de l'Arménie, de l'Ibérie et de Chypre (→ 653).

Japon
Le bouddhisme devient religion d'Etat.

687

Royaume franc
Pépin II, maire du palais, s'empare du pouvoir après la bataille de Tertry.

Conquête de l'Ifrikiya par les musulmans

Ifrikiya, 670
En 640, 'Amr conquiert l'Egypte et se dirige vers l'ouest ; Barqa est prise en 642 et Tripoli succombe à son tour. En 647, une expédition entre en Byzacène. L'Afrique byzantine était alors sous l'autorité de Patrice Grégoire qui, se portant devant l'armée arabe, est battu et tué. Les Byzantins offrent de payer une rançon que les Arabes, ayant une très faible connaissance du terrain, s'empressent d'accepter. Un second raid de reconnaissance axé sur les villes du nord a lieu en 665 : la ville de Sousse est assiégée et prise. Cette seconde incursion les ayant familiarisés avec les lieux, les Arabes peuvent alors organiser une véritable conquête. C'est en 670 qu'Ukba ibn Nâfi' arrive dans le Sud tunisien. Fidèle à une tactique qui remonte à Umar, il choisit un vaste plateau au centre du pays, y fonde la ville de Kairouan en 674 et s'empare du Maghreb moyen, autonome depuis déjà plusieurs siècles.

La Grande Mosquée de Kairouan, fondée en 674 par Ukba ibn Nâfi'. Vue de l'enceinte avec, au centre, le minaret de forme typique avec ses trois étages.

Victoire byzantine grâce au feu grégeois

Constantinople, 678
C'est en 678 que les Byzantins font la paix avec les Arabes, après avoir résisté pendant quatre années à leurs attaques répétées contre Constantinople. L'Empire byzantin se déclare enfin invincible. Depuis 633, ils ont déjà perdu la Syrie, la Palestine, l'Egypte, et depuis peu, ils ont aussi perdu la Berbérie. Durant quatre ans, les Arabes se sont attaqués à leur capitale.
C'est en cherchant à moderniser leurs techniques de guerre que les Byzantins ont découvert ce qui leur a permis de résister aux attaques, le feu grégeois. Il s'agit d'un mélange de soufre, de copeaux résineux, d'étoupe, de chaux carbonisée et d'une huile rare et précieuse (la naphte). On en fait des salves incendiaires qui sont tirées par des bouches à feu placées à l'avant des bateaux. Le feu est presque impossible à étouffer : l'eau de mer le ravive au lieu de l'éteindre. Mais en fait, si les Grecs ont résisté à cette nouvelle arme, les Arabes aussi. C'est une formidable tempête qui, en 678, a détruit la flotte arabe et mis un terme définitif à leur harcèlement.

Navire byzantin tirant des salves incendiaires de « feu grégeois » sur un bateau ennemi. Manuscrit grec du XIVe siècle.

Mort d'al-Husayn et naissance du shi'isme

Karbala, 10 octobre 680

Pour instaurer le principe dynastique en faveur de son fils Yazid, Mu'âwiya avait obtenu le désistement d'al-Hasan, fils aîné d'Ali. Il n'en fut pas de même avec le puîné, al-Husayn, qui refusait obstinément de reconnaître Yazid comme calife. Peu après la mort de Mu'âwiya, al-Husayn quitta Médine pour se soustraire aux pressions du gouverneur chargé de recueillir son « hommage » au nouveau calife. Il se réfugia alors à La Mecque, où il ne resta d'ailleurs pas longtemps, ne pouvant résister à l'appel des shi'ites de Kûfa. A Karbala, près de Kûfa, al-Husayn se heurta aux troupes du gouverneur umayyade, supérieures en nombre. Jugeant le combat inégal, il fit trois propositions : la première consistait à le laisser aller combattre les Infidèles dans un pays frontalier, la deuxième, rejoindre Yazid à qui il rendrait directement hommage, la troisième, retourner là d'où il venait. Ibn Zyad qui, en toute logique, aurait dû accepter la seconde proposition, les rejeta toutes et ordonna à ses troupes d'attaquer, considérant que l'Alide était « un rebelle, un séditieux, un brigand, un oppresseur qui ne devait plus nuire après sa mort ». Le 10 octobre 680, al-Husayn fut tué au combat. Sa mort tragique consomma la rupture entre Alides et Abbassides d'une part et Umayyades de l'autre, consacrant le plus grand schisme de l'islam.

La "Descente du Gange"

La descente du Gange, énorme rocher sculpté (9 × 20 m) faisant partie des constructions sacrées hindouistes de Mahâbalipuram. La faille naturelle, au centre, représente le Gange où nagent deux « nâga » (divinités serpents). Art Pallava. Fin du VIIᵉ siècle.

Art anglo-saxon. Fermoir de bourse, en or et ivoire avec incrustation d'émaux, trouvé dans la tombe d'un prince saxon à Sutton Hoo (Suffolk). Fin du VIIᵉ siècle. British Museum, Londres.

Asparuch fonde le royaume de Bulgarie

Balkans, juillet 681

Les Bulgares venant de conquérir les territoires byzantins de Scythie mineure, Asparuch, leur khan, jette les fondements d'un nouvel Etat. C'est l'aboutissement d'un long périple qui a conduit les Bulgares des grandes steppes du Nord jusqu'aux portes de la ville de Constantinople. Menacé par les Khazars, Asparuch a conduit son peuple vers l'ouest, jusqu'aux rives du Danube. Constantin IV, l'empereur byzantin, lance alors contre lui une expédition gigantesque, par terre et par mer. Mais Asparuch, avec ses troupes, se retire dans les marécages. Ni la flotte byzantine ni l'armée de terre n'ont le courage d'approcher. Constantin rentre alors à Constantinople. Cependant, le bruit court qu'il a fui : c'est la débandade dans l'armée. En avril 681, la victoire bulgare est totale. Plus tard, les Bulgares décideront d'installer leur capitale à Pliska et se fondront à la majorité slave autochtone, dont ils adopteront la langue.

Développement du mouvement khârijite

Perse et Arabie, 684

A la bataille de Siffin, la reconnaissance par Ali de l'arbitrage humain (→ 24 janvier 661) avait été le point de départ, dans les rangs de ses partisans, d'un mouvement de sédition qui aboutit à la constitution du premier grand schisme et de la première grande secte musulmane. Les Khârijites, qui se voulaient purs et durs, déclaraient hautement que « le jugement appartenait à Dieu seul » et que tout bon musulman était habilité à accéder au califat. Ils déclarèrent « infidèle et hors-la-loi » quiconque n'acceptait pas leur point de vue. Le fanatisme exalté des Khârijites les ayant poussés à assassiner Ali et, contestant la légitimité de Mu'âwiya, à passer à l'action clandestine, ils fomentèrent des insurrections successives et parvinrent même, entre les années 684 et 692, à contrôler des régions entières, en Perse et en Arabie. En effet, il faudra toute l'énergie d'al-Hajjaj pour venir à bout de leur agitation.

Les Anglais battus par les Pictes en Ecosse

Grande-Bretagne, 685

Ayant repoussé les Anglo-Saxons à la bataille de Dunnichen Mere, les Pictes fixent la frontière de leur territoire au Firth of Forth, ce qui leur permet de consolider leur royaume dans les années qui suivent. Aux Vᵉ et VIᵉ siècles, les Angles, les Saxons et les Jutes, peuples germaniques, avaient émigré vers l'Angleterre. Ils venaient généralement du Danemark, mais aussi du Schleswig-Holstein. Ils s'étaient éparpillés sur l'ensemble de l'île anglo-saxonne, fondant ainsi les petits royaumes du Kent, du Sussex, du Wessex, de l'Essex, d'Estanglie, de Mercie et de Northumbrie. Les peuples celtes autochtones, les Bretons, ont été repoussés vers l'ouest et vers le nord. Mais les Bretons étaient aussi menacés au nord par d'autres Celtes, les Pictes et les Scots. D'après la légende, les Bretons firent appel aux chefs jutes Hengist et Hersa pour tenter de les repousser. En tout cas, les Celtes du Nord durent petit à petit se réfugier dans les régions montagneuses des côtes occidentales et sur les nombreuses îles de l'ouest de l'Ecosse. Les Romains avaient déjà eu affaire à eux et n'avaient pas réussi à les soumettre alors qu'ils menaçaient dès 197 le Nord de leur empire. Depuis le retrait des Romains, les combats n'avaient pas cessé entre Celtes du Nord et du Sud.

Pépin II vainqueur du roi à Tertry

Tertry, Royaume franc, 687

En 687, Pépin II dit de Herstal, maire du palais du royaume d'Australasie, écrase les armées du roi de Neustrie, Thierry III, ainsi que celles de Berchar, maire du palais. Ainsi, Pépin II devient maire du palais des deux royaumes rivaux de Neustrie et d'Australasie. Il rétablit l'unité du Royaume franc sous le gouvernement fictif de la dynastie mérovingienne. Cependant, Pépin II ne disposant pas du droit divin héréditaire, il n'osera pas usurper le titre de roi (→ 714).

Révolte des Grands et conflits internes marquent la vie du Royaume franc au VIIᵉ siècle. Miniature du « Psalterium aureum », IXᵉ siècle. Saint-Gall.

688

Royaume franc
Mort de saint Kilian, le moine irlandais qui prêcha l'Evangile dans le nord de la Gaule.

689

Frise
Le duché de Frise est incorporé au Royaume franc.

690

Frise
Saint Willibrord, de Northumbrie, débarque au sud de la Frise, avec mission d'évangéliser les populations autochtones.

Sumatra, Malaisie
Le royaume malais de Śrîvijaya conquiert le royaume indianisé de Mâlayu, installe sa capitale à Palembang et adopte le bouddhisme.

Balkans
L'empereur byzantin Justinien II bat les Slaves de Macédoine.

Pavie, Royaume lombard
Le catholicisme devient religion d'Etat.

691

Jérusalem
Construction de la Coupole du Rocher. →

Asie centrale
Mort du grand khan Qutlugh ; Bek Tchor, son frère, lui succède (→ 670).

692

Mexique
Les Itzas abandonnent Chichén Itzá pour Chakanputun. →

Constantinople
Réunion d'une assemblée d'évêques. →

Chine
La Chine réoccupe le Tarim.

Rome
Willibrord rencontre le pape.

693

Arabie
Les troupes umayyades, dirigées par al-Hajjaj, réduisent la dissi-

dence du Hijaz. Reddition de La Mecque. Ibn Zubayr est tué.

694

Tolède, Royaume wisigoth
Le concile de Tolède décrète l'asservissement de tous les Juifs espagnols. Leurs fortunes sont confisquées.

Chine
Introduction du manichéisme.

Irak
Al-Hajjaj est nommé gouverneur de l'Irak. « Je vois déjà le sang couler sur les turbans et sur les barbes », déclare-t-il.

695

Frise
Willibrord, archevêque d'Utrecht.

Constantinople
Justinien II est renversé par Léontius. On lui coupe le nez et la langue. Il se réfugie chez les Bulgares, qui le rétabliront à la tête de l'Empire byzantin en 705.

696

Europe centrale
Fondation du monastère de Salzbourg, sur les ruines d'une ville romaine.

Empire umayyade
On frappe le premier dinar musulman. Abd al-Malik impose la langue arabe comme langue administrative. Réédition du Coran avec des signes vocaliques. →

697

Venise
Le premier doge est élu. →

Irlande
L'usage romain fixant la date de la fête de Pâques est accepté dans toute l'île.

698

Ifrikiya, Tunisie
Fin de la révolte dans les Aurès. Mort d'al-Kahina (la « Devineresse »). →

Les Arabes occupent Carthage et repoussent un assaut par mer des Byzantins. La côte de l'Ifrikiya échappe définitivement à ces derniers.

La Kubbet as-Sakhra ou « Coupole du Rocher » à Jérusalem (687-691). Le revêtement des murs est fait de carreaux de faïence émaillée.

Construction de la Coupole du Rocher

Jérusalem, 691
C'est à Abd al-Malik ibn Marwan que l'on doit le premier grand monument umayyade : le Dôme (ou Coupole) du Rocher, à Jérusalem. Il s'agit d'un reliquaire, à la fois remarquable et harmonieux, de forme octogonale, couvert d'une coupole et habillé d'un riche décor en mosaïque de verre, où l'or tient une grande place. Le rocher que recouvre la coupole se rattache à deux souvenirs religieux : le sacrifice d'Abraham et le point de départ de l'ascension nocturne de Muhammad.

Audacieuses réformes du calife Abd al-Malik

Damas, 696
Succédant à son père Marwân Ier comme cinquième calife umayyade, Abd al-Malik régna de 685 à 705. S'il fut un chef militaire de renom, il fut aussi le calife qui contribua le plus à la centralisation, à l'arabisation et à l'indépendance de l'Empire musulman. Bien que préoccupé, tout au long de son règne, par les conflits intérieurs et les guerres extérieures, il trouva le temps d'entreprendre des réformes que l'on peut qualifier de révolutionnaires. La plus importante d'entre elles fut la substitution de la langue arabe au grec et au persan dans l'administration des finances. Certes, cette mesure mettra un certain temps à être suivie d'effet, mais le tournant était pris d'une manière décisive. Pour communiquer entre elles, ainsi qu'avec le monde extérieur, les populations de l'empire devaient recourir à la langue arabe. La réforme monétaire, également instituée par Abd al-Malik, fut d'une portée plus immédiate. La monnaie a toujours été pour un Etat le meilleur moyen d'affirmer son identité et son indépendance. Or, on utilisait et frappait encore des pièces byzantines et sassanides. La réforme introduite fut radicale. Les nouvelles monnaies frappées par Abd al-Malik portèrent sur une face le texte de la profession de foi islamique (*la ilaha illa Allah*) et, sur l'autre, le lieu et la date de la frappe. Par ces deux réformes décisives, l'équivoque était définitivement levée. L'Empire umayyade entendait être à la fois musulman et arabe.

Le dogme sépare Eglises d'Orient et d'Occident

Constantinople, 692

Une assemblée d'évêques orientaux se tient à Constantinople et promulgue des canons marquant avec vigueur ce qui différencie les Grecs des Latins, dans le domaine des règles disciplinaires. Les prêtres et les diacres obtiennent ainsi l'autorisation de vivre dans le mariage, et ne sont plus obligés de jeûner le samedi de Carême comme l'impose la coutume romaine. D'autre part, il est défendu de représenter le Christ sous la forme d'un agneau comme il est fréquent de le voir en Occident, mais par dessus tout, le prestige et le rôle du patriarche de Byzance sont accrus considérablement.

Lorsque ces décisions sont connues à Rome, le pape Sergius refuse de les ratifier. Devant cette opposition, l'empereur Constantin IV réagit et essaie de faire arrêter le pontife ; mais les Italiens l'en empêchent en prenant des mesures militaires. La rupture entre l'Orient et l'Occident est d'autant plus réelle qu'elle porte sur des divergences dans les institutions et les règlements et surtout qu'elle puise son origine dans des mentalités étrangères l'une à l'autre. En outre, le pape Sergius se détache

Un état de la société : clercs, nobles et manants. Miniature du XVe siècle.

peu à peu de la tutelle politique et militaire orientale. Un précédent avait rendu l'Eglise de Rome méfiante à l'égard de Byzance : l'empereur Constant II, père de Constantin IV, avait en effet pu faire arrêter le pape Martin Ier (655). L'empereur, qui cherchait à éviter la rupture, se montra conciliant. Après l'assassinat de Constant II en 668, son fils poursuivit dans la même voie, provoquant en 680 la réunion d'un concile œcuménique qui se montra très favorable à l'Occident, ce qui incita les évêques d'Orient, alarmés, à se réunir en 692.

Apogée de la civilisation maya au Mexique

Yucatan, Mexique, VIIe siècle

Les Mayas, installés dans la presqu'île du Yucatan, ont su créer une brillante civilisation qui semble avoir atteint son apogée au VIIe siècle. Ils dominent un vaste empire centralisé, dont les principales cités sont celles de Copan, Quirigua, Palenque, Uxmal, centres à la fois politiques et religieux. Chaque Etat est gouverné par un Halach Vinic, lui-même secondé par les chefs de l'aristocratie et par les prêtres. L'armée,

elle, est dirigée par un Nacom, élu pour un mandat de trois ans. Ce Nacom est contraint au célibat et doit s'abstenir de consommer de la viande. Par ailleurs, la société est strictement divisée en classes. A la base se trouvent les esclaves. Puis vient le peuple, un peuple de paysans cultivant le maïs, le coton et le cacao. Au-dessus d'eux se situe la noblesse, les cadres de l'Etat maya. On les représente sur les fresques le front ceint de plumes décoratives. Ce sont

des guerriers qui imposent la terreur à l'ennemi tout comme au peuple. Au sommet de la société règne la classe des prêtres ; la vie religieuse domine, en effet, toutes les activités, qu'elles soient sociales, politiques ou même scientifiques. Ce sont eux qui ont inventé un système arithmétique remarquable avec utilisation du zéro, une écriture à base de hiéroglyphes et un calendrier solaire très élaboré, leur connaissance de l'astronomie étant des plus avancées.

Art maya. Le Quadrilatère des Nonnes avec la Pyramide du Devin, Uxmal. Période classique, VIIe - VIIIe siècles.

Mort d'al-Kahina, héroïne berbère

Aurès, 698

L'identité d'al-Kahina demeure entourée de mystère. Al-Kahina, appelée aussi la « Devineresse », est en effet le surnom donné par les Arabes à celle qui fut l'âme de la résistance berbère après l'effondrement du pouvoir des Rûm, marqué par la chute de Carthage (692-698). Elle en sortit d'abord victorieuse, avec l'aide des propriétaires byzantins de Hasan ibn Nu'man, puis elle se révolta lorsque, cette victoire, ces propriétaires refusèrent de reconnaître l'autorité des Aurésiens. En désespoir de cause, elle adopta une politique de terre brûlée et alla jusqu'à démolir la ville de Baghaya, qui lui servait probablement de capitale. Informé de ces dissensions, Hasan reprit l'offensive. L'engagement final eut lieu en 698, à quelque 50 kilomètres au nord de Tobna. Al-Kahina succomba alors, à côté d'un puits qui, par la suite, porta son nom.

Venise élit un doge et se détache de l'Empire byzantin

Italie, 697

Ce sont les invasions des Huns et des Lombards, au VIe siècle, qui poussèrent des hommes à se réfugier au milieu d'une lagune inhospitalière mais protectrice, dans le nord-est de l'Italie. On pouvait, en effet, ôter très rapidement les piliers indiquant les chenaux et rendre ainsi la lagune très dangereuse à toute embarcation étrangère. C'est le village de Rialto qui est à l'origine de Venise. Torcello, construite auparavant sur l'île voisine, est alors une ville déjà importante et possède, depuis 693, une cathédrale imposante. Désormais, c'est un doge qui administre la ville-Etat de Venise. Byzance perd ainsi sa tutelle sur la ville, mais conserve son influence.

Disparition du grand khân Qutlugh

Asie centrale, 691

Elterich Kaghan meurt octogénaire. Il était surnommé Qutlugh, « le Fortuné ». Prince du sang turc, il avait dans sa jeunesse pris le maquis avec des partisans pour lutter contre la tutelle chinoise (aussi bien en matière de langue que de religion). En 670, il était parvenu à reconstituer le khanat d'Orkhon, l'empire des Turcs orientaux, et l'on avait assisté dès lors à la renaissance de la religion traditionnelle et à un retour à la langue turque. Plus qu'une restauration, plus qu'une réaction nationaliste, c'est un nouvel empire qu'il a fondé. Son frère Bek Tchor lui succède ; l'empire survivra jusqu'en 744.

700

Gaule
On cesse de parler latin et de frapper de l'or.

Aquitaine
Eudes, duc d'Aquitaine (→ 735).

Ghâna, Afrique
Essor de l'empire du Ghâna grâce au contrôle des routes commerciales, surtout celle de l'or.

Mexique
Apogée de la culture zapotèque.

701

Inde
Le dogme de la naissance surnaturelle de Zarathoustra est proclamé.

702

Japon
Début de la centralisation administrative. Apparition d'un code civil et d'un code pénal.

704

Tibet
Khri-Lde gSug-bCan monte sur le trône. C'est sous son règne (qui dura jusque vers 755) que fut construite la forteresse royale de Lhassa.

705

Damas, 8 octobre
Mort du calife ummayde Abd al-Mâlik.

Constantinople
Tervel, le khan bulgare, attaque Constantinople avec l'aide de Justinien II, en exil. L'empereur déchu retrouve son trône et Tervel reçoit le titre de César (→ 695).

Belgique orientale
Apostolat de saint Hubert.→

Damas, Empire umayyade
Début de la construction de la grande mosquée de Damas.

Luoyang, Chine
L'impératrice usurpatrice, Wu Zetian (Wou Tsö-Tien), meurt à plus de 80 ans. Elle favorisa le bouddhisme. Personnage énergique mais sans scrupule (→ 683). →

710

Tolède, Royaume wisigoth
Le duc de Bétique, Rodéric, s'empare du pouvoir en battant Agila. Certains partisans d'Agila se réfugient au Maghreb (→ 711).

Japon
Début de l'ère dite de Nara. →

711

Espagne, avril
Un corps de 6 000 hommes, en majorité berbères, dirigé par Tarik ibn Zyad, passe le détroit qui prendra, par la suite, le nom de son conquérant : Djabal Tarik (Gibraltar). →

Espagne, 11 juillet
L'Espagne wisigothe s'écroule. Rodrigue est battu sur le Rio Barbate (→ 718). →

Constantinople
L'empereur Justinien II, dit Nez coupé, est assassiné. Il s'était livré à des répressions sanglantes qui ont poussé le peuple à la révolte.

Asie centrale
Les musulmans franchissent l'Indus et fondent la province du Sind. →

712

Lombardie
Liutprand, roi des Lombards.

Chine
Xuan Zong (Hiuan Tsong) devient empereur. Il réorganise les finances, conquiert l'Asie centrale, rouvrant ainsi l'ancienne « route de la soie » (→ 756).

Japon
Rédaction du *Kojiki* : ce « récit des choses anciennes » est le plus ancien livre connu relatant l'histoire mythique du Japon.

714

Royaume franc d'Australasie
Mort de Pépin II dit de Herstal. Un de ses bâtards, Charles (Martel), triomphe des prétendants et lui succède comme maire du palais (→ 741).

716

Royaume franc
Charles Martel est vainqueur des Neustriens à Amblève (→ 741).

Essor de la vie monastique en Irlande

Irlande, vers 700
Depuis l'évangélisation de l'île par saint Patrick au Ve siècle, le christianisme s'y est établi rapidement et sans violence. Le monastère constitue l'institution fondamentale. C'est là que se développe l'art de l'enluminure dont la particularité, en Irlande, est le soin porté au travail des initiales qui prennent parfois une page entière à elles seules. C'est vers 700 qu'est achevé le *Livre de Kells*, qui demanda plus de dix ans de travail aux moines de l'abbaye de Kells. C'est à cette époque qu'apparaissent aussi les premières hautes croix de pierre à entrelacs (→ 697).

Pilier de Saint-Donagh. Irlande.

Miniature du « Livre de Kells ».

Saint Hubert installe son évêché à Liège

Liège, Royaume franc, 710
Hubert, un jeune seigneur qui chassait dans la forêt ardennaise, vit, selon la légende, apparaître une croix entre les bois d'un cerf qu'il s'apprêtait à tuer. Il se convertit alors, devint évêque de Tongres puis de Maastricht avant de s'installer dans la ville de Liège pour tenter de convertir de nombreuses populations restées païennes. Vers la fin de sa vie, il aura la main broyée. Dieu lui ayant annoncé que ses souffrances cesseraient bientôt, il comprit qu'il s'agissait de sa mort et vécut dans l'ascétisme le plus complet jusqu'en 727.

Saint Hubert. Bois gravé.

L'usurpatrice Wu Zetian est morte

Luoyang, 705
L'impératrice Wu Zetian (Wou Tsö Tien) s'éteint à l'âge de 80 ans. Ancienne concubine des empereurs Taï Zong (T'ai-Tsung) et Gao Zong (Kao-Tsung), elle fut très influente dès 654. Son règne commença en 684. Quelques années plus tard, en 690, elle prit le titre d'impératrice Zetian, et fonda la dynastie des Zhou (Tcheou), qui devait s'éteindre avec elle. D'une grande beauté, d'une vive intelligence, elle était dépourvue de scrupules. Cruelle et sadique, elle condamna à mort l'épouse de Gao Zong. Son ascension extraordinaire ne peut s'expliquer sans le soutien occulte de l'Eglise bouddhique, dont elle fit une religion d'Etat.

L'impératrice Wu Zetian.

L'Espagne conquise par les musulmans

Espagne, avril 711

En avril 711, Mûsâ ibn Nusayr, gouverneur de l'Ifrikiya, envoie en Espagne une expédition militaire commandée par Tarik ibn Zyad. Ce dernier se retranche sur la montagne de Calpe (qui prend alors le nom de Djabal Tarik, et qui s'appellera plus tard Gibraltar), s'empare d'Algésiras et se dirige vers la ville de Cordoue. Après la défaite du roi wisigoth Rodrigue à la bataille du Rio Barbate, le 11 juillet 711, Tarik poursuit ses conquêtes et pénètre plus avant dans la péninsule : Ecija, Tolède, Alcala de Manares et Cordoue tombent alors entre ses mains. Mûsâ ibn Nusayr débarque à son tour, en 712, et conquiert les villes de Séville et de Mérida en 713, puis Saragosse l'année suivante. Seules les régions montagneuses de l'« Espagne humide » échappent aux conquérants qui, d'ailleurs, ne paraissent pas soucieux d'y établir leur domination. Les populations rurales adoptent facilement la foi nouvelle ; quant aux villes, elles obtiennent souvent des « capitulations » qui garantissent aux chrétiens et aux Juifs le libre exercice de leur culte. On s'est souvent demandé comment une armée aussi peu importante a pu s'emparer, en moins de trois ans, d'un pays aussi vaste et montagneux que l'Espagne. La meilleure réponse est celle donnée par Levi-Provençal : « Il est certain que les Arabes ont su profiter à point nommé de l'état de décomposition du royaume des Wisigoths d'Espagne et qu'ils ont trouvé pour les aider à le conquérir un concours effectif de beaucoup d'Espagnols, eux-mêmes désireux de rejeter un joug devenu insupportable. »

Chassé en 756 de sa capitale Chang'an par une révolte, l'empereur Minghuang va se réfugier à Shu. Peinture chinoise, XIIe siècle. New York.

Habitations troglodytiques en Cappadoce

Cappadoce, Empire byzantin, 716

Les raids arabes se multiplient en Cappadoce. Cette région du centre de l'Anatolie est peuplée d'ermites depuis le début de la christianisation. Pour mieux se défendre, ceux-ci se regroupent et fondent des monastères qu'ils creusent directement dans le roc. Quand on se penche sur l'histoire du pays, on se rend compte que ce n'est pas la première fois que l'on aménage de telles habitations. En effet, la région est constituée de tuf très tendre, que l'érosion a sculpté, formant des cônes, des pyramides et des aiguilles : dès l'époque hittite, les populations s'en étaient servi pour installer des habitations troglodytiques. La plupart des monastères rupestres se trouvent dans le vallon de Korama (Göreme).

Fondation et essor culturel de Nara

Nara, Japon, 710

C'est en 710 que la ville de Nara devient la première capitale fixe du Japon. Ville impériale, elle est bâtie à l'image de Chang'an (Tch'ang-ngan), la capitale chinoise des T'ang. La période durant laquelle Nara est à son apogée, qui correspond notamment au règne de l'empereur Shômu Tennô (724-748), est considérée comme l'âge d'or de la civilisation japonaise. On y voit, en effet, s'élaborer dans tous les domaines, à partir de techniques et de styles importés, des formes propres au génie national (le Yamato). L'art est entièrement à la gloire du bouddhisme. Deux statues, celle du Moine Ganjin, fondateur du Tôshôdai-ji à Nara et celle d'Ashura à six bras, conservée au Kòfuku-ji, illustrent bien cette technique de laque sur bois qui a connu à Nara son apogée.

Bodhisattva Kannon au paradis d'Amida. Peinture murale, fin VIIe siècle. Hôryû-ji, Nara.

Habitations troglodytiques à Urgüp, Cappadoce. Creusées dans le tuf volcanique, elles ont servi de refuges aux ermites chrétiens.

Les Arabes atteignent les rives de l'Indus

Inde, 711

Entre l'avènement de Mu'âwiya en 680 et les premières années 700, l'expansion musulmane marque le pas : territorialement, elle ne progresse qu'en Afrique du Nord. Mais l'année 711 allait marquer un tournant. C'est par le sud de l'Iran que l'Inde était accessible aux troupes musulmanes. Profitant de la dislocation de l'empire qui regroupait précédemment le Cachemire, le Panjab et le Sind, et tirant profit de la faiblesse qui s'ensuivit, une armée levée par le gouverneur de l'Irak, al-Hajjaj, et commandée par Muhammad ibn al-Kasim se mit en marche. Elle atteignit bientôt la région de l'Inde la plus proche, le Sind, aux bouches de l'Indus. Victorieuses, les troupes remontèrent alors jusqu'à la ville de Multan, dans le Panjab. La même année 711, dans la péninsule Ibérique, Tarik ibn Zyad mettait en déroute le roi d'Espagne, Rodrigue. Les troupes musulmanes reprenaient donc leurs conquêtes à l'est comme à l'ouest et l'Empire arabe allait atteindre ses limites extrêmes, de l'Atlantique à l'Inde, de la mer d'Aral au Turkestan.

Anges volants (apsara) entourés de nuages. Détail d'une peinture murale, fin VIIe siècle. Sanctuaire du Hôryû-ji, Nara.

717

Constantinople
Une armée musulmane de 80 000 hommes et une flotte de 1 800 navires assiègent la ville. Après avoir obligé Théodose III à abdiquer, Léon III l'Isaurien se révèlera un général de valeur et écrasera l'armée musulmane en août 718.

Italie
Les duchés lombards de Bénévent et de Spolète attaquent les possessions byzantines en Italie.

718

Asturies, Espagne
Chef des derniers Wisigoths qui continuaient à combattre les Arabes, Pélage remporte sur eux la victoire de Covadonga et fonde le royaume chrétien des Asturies.

719

Rome
Boniface est envoyé par le pape évangéliser la Hesse et la Thuringe (→ 722).

Syrie
Mort du poète érotique Umar ibn Rabi'a.

720

Gaule
Charles Martel triomphe des pouvoirs locaux en Gaule (→ 714).

Constantinople
Léon III fait exécuter l'ex-empereur Anastase II, qui était soutenu par Tervel (→ 705).

Inde
Nandivarnam II, de la dynastie des Pallava, devient roi. Il régnera jusqu'en 770.

721

Aquitaine
Le duc Eudes arrête une invasion arabe devant Toulouse. La défaite des musulmans d'Espagne est si grande qu'ils mettront quatre ans à reconstituer une armée.

Angleterre
Publication du traité de Bède le Vénérable : *De la division du temps (De ratione temporum)*. On doit à Bède d'avoir introduit le calcul des dates « *ab incarnatione Domini* », à partir de la naissance de Jésus-Christ.

Bohême
Fondation légendaire de Prague par la princesse Libousa.

722

Rome, 30 novembre
Boniface est sacré évêque et reçoit la mission de poursuivre l'organisation ecclésiastique de la Germanie.

724

Germanie
Fondation du monastère de Reichenau, le premier en territoire germanique, sur une île du lac de Constance.

Japon
Début du règne de Shômu Tennô (724-748).

726

Constantinople
Début de la querelle iconoclaste. Léon III l'Isaurien prend des mesures iconoclastes, qui rencontrent une violente opposition populaire en Grèce et dans les Cyclades, où un « anti-empereur » est proclamé. →

727

Rome
Grégoire II condamne l'iconoclasme (→ 726).

728

Germanie
Charles Martel réduit l'Alémanie, la Thuringe, la Bavière et attaque la Saxe.

Italie
Liutprand, roi des Lombards, prend Bologne et Sutri aux Byzantins (→ 731).

730

Alémanie
Charles Martel soumet le dernier duc alaman.

731

Rome
Dès son accession à la papauté, Grégoire III condamne les iconoclastes et les frappe d'excommunication. →

Eglise rupestre de Sainte-Barbe dans la vallée de Göreme, Cappadoce. Datée de 1020 env., la peinture de l'abside est postérieure à la crise iconoclaste.

La crise iconoclaste divise Byzance

Constantinople, 730
Après avoir, en 726, promulgué le premier édit condamnant le culte des images sacrées, l'empereur byzantin Léon III, dit l'Isaurien, convoque un concile à Constantinople. Cette réunion va confirmer l'interdiction des images comme objets de culte et or-

Art byzantin. Daniel dans la fosse aux lions (?). Suaire de Saint-Victor. VIIIᵉ siècle. Cathédrale de Sens.

donner la destruction des icônes de toutes les églises, provoquant la guerre des images. La volonté iconoclaste de l'empereur a plusieurs origines. Tout d'abord, il s'agit d'une action religieuse. En effet, Léon III considère que les images ont cessé d'être des symboles et ne sont adorées que pour elles-mêmes. Soutenu par la haute société éclairée, Léon III entend ainsi lutter contre les tendances idolâtres du peuple en s'appuyant sur les textes de la Bible. Mais ses raisons sont aussi des raisons politiques. En imposant ces mesures, Léon III veut lutter contre le pouvoir croissant des moines, dans le cadre d'une querelle entre l'Eglise et l'Etat, et aussi soustraire l'Asie Mineure byzantine à la séduction de l'islam, religion aux tendances aniconiques (le Coran interdit toute représentation). En effet, depuis quelque temps, Byzance est en mauvaise posture face à l'expansion arabe. Grégoire III, soutenu par tout l'Occident, va se poser comme son prédécesseur en défenseur des images en réunissant un concile à Rome en 732, qui condamnera l'iconoclasme. A Constantinople, le théologien Jean de Damas prend la tête des partisans des images (→ 750).

L'apport des califes umayyades à la civilisation arabo-islamique

On ne peut parler objectivement de l'apport des Umayyades à la civilisation arabo-islamique sans garder à l'esprit trois dates essentielles : 635, qui marque le début des conquêtes arabes ; 661, date de la fondation de la dynastie par Mu'âwiya ; et 750, date de la prise du pouvoir par les Abbassides. L'Empire umayyade n'aura donc duré que 89 ans, laps de temps trop court pour l'épanouissement d'une civilisation propre, mais suffisant pour jeter les bases d'une culture appelée à s'épanouir. Ce rappel est nécessaire, car on privilégie souvent les premiers califes de Bagdad au détriment de ceux de Damas. Une telle schématisation est à la fois injuste et historiquement fausse. Dans de nombreux domaines, les Abbassides n'ont fait que récolter ce que les Umayyades avaient semé. Ce sont, en effet, les Umayyades qui édifient l'un des empires les plus impressionnants que l'humanité ait jamais connus, plus vaste que ceux d'Alexandre ou de Rome. Et ce sont les réformes introduites par le cinquième calife, Abd al-Malik, qui unifient ce grand ensemble. Au début, la simplicité et l'ascétisme sont les caractéristiques principales de ces croyants venus du désert. Il a fallu un certain temps pour que Damas voie naître une cour somptueuse. Aussi ne faut-il pas s'étonner si, à l'origine, les califes umayyades se sont plus spécialement préoccupés de créer des villes-camps destinées au stationnement des troupes, des villes qui se trouvaient parfois isolées dans un milieu hostile et dont le but bien précis était de protéger l'empire. La fondation des cités est le fait majeur de cette période. Cinq d'entre elles dominent le lot : Basra, à proximité du golfe Persique (vers 637), Kûfa sur le moyen Euphrate (vers 640), al-Fustât, en Egypte (en 641), dont l'emplacement correspond au Vieux-Caire d'aujourd'hui, Kairouan, en Ifrikiya (670), enfin Wasit sur le Tigre (vers 702), à mi-chemin de Basra et de Kûfa, dans une position « médiane » (d'où son nom). Damas échappe à cette nomenclature. Là, les Arabes trouvent une cité organisée, avec ses traditions, ses artistes et ses artisans. C'est donc à Damas que les Umayyades font éclore un art arabo-musulman en utilisant l'art existant comme point de départ.

Si le siècle des Umayyades est placé sous le signe de la cité, il l'est en premier lieu sous celui de la mosquée. C'est encore à Damas que le sixième calife de la dynastie, al-Walid, édifiera le modèle du genre. Et parce que c'est à Damas, l'islam apporte moins qu'il n'emprunte, surtout à Byzance. Les coupoles, les arcades et les nefs sont appelées à un grand avenir, musulman cette fois. Les fontaines de la cour sont là pour les ablutions rituelles. La décoration florale, épigraphique ou géométrique, témoigne déjà de l'allergie de l'islam aux thèmes de la figuration, porteurs de germes d'idolâtrie. Les minarets, enfin, dominent le paysage et contribuent à lui donner un aspect proprement musulman. Dans leurs palais, comme dans leurs châteaux du désert, les grands dignitaires se montrent moins sourcilleux. Là, la peinture et la sculpture jouent un rôle important. Mais, si les nouveaux venus ont beaucoup à apprendre de leurs prédécesseurs, en matière d'architecture par exemple, la langue arabe quant à elle reste attachée à sa forme et aux valeurs qu'elle charrie. Le siècle des Umayyades demeure celui de la poésie qui s'inscrit dans la lignée des grands chantres de l'époque antéislamique : le courant poétique dominant ne fera que transporter aux centres urbains le vieux

Balustrade en pierre du palais umayyade de Khirbat al-Majfar (près de l'oasis de Jéricho), rendez-vous de chasse aux portes du désert. Vers 734.

Décoration en pierre de la façade principale du palais umayyade de Mshattâ. Vers 720. Musée de Berlin-Est.

Musiciens et chasseur à cheval. Vers 730. Fresque de Qasr al-Hayr al-Gharbî, Syrie, Musée, Damas.

thème des rivalités tribales. Dans ce domaine, les ténors s'appellent Jarîr, al-Farazdak et al-Akhtal. Mais bientôt la vie mondaine fait apparaître une poésie nouvelle, destinée à être chantée plutôt que déclamée. C'est au poète Umar ibn Abi Rabi'â que l'on doit les meilleurs exemples de cette poésie du plaisir.

Cependant la forme d'art la plus originale, en tout cas la plus typiquement musulmane, qui va rapidement s'affirmer et connaître un éclat singulier, est sans conteste la calligraphie. Une inscription monumentale, longue de 240 mètres, se détache sur le dôme du Rocher, en mosaïque d'or sur un fond bleu. Ses dimensions, la rendant très visible, attestent de son importance, mais lui confèrent aussi une fonction décorative. On y trouve déjà présents les principes de l'épigraphie ornementale traditionnelle. Les Umayyades ont ouvert la voie : il ne reste plus aux Abbassides qu'à s'y engager.

Une des salles d'apparat du palais umayyade de Khirbat al-Majfar (près de l'oasis de Jéricho), rendez-vous de chasse aux portes du désert. Vers 734.

732

Poitiers, 25 octobre
Bataille décisive de Charles Martel, qui stoppe l'invasion musulmane. →

Angleterre
Egbert, frère du roi de Northumbrie, est nommé évêque d'York après un voyage à Rome. Ami de Bède le Vénérable, il est le fondateur de la célèbre bibliothèque d'York (→ 765).

733

Frise
Charles Martel bat les Frisons.

735

Angleterre, 25 mai
Mort de Bède le Vénérable. →

Aquitaine
Mort du duc Eudes. →

Germanie
L'emploi du houblon dans la fabrication de la bière passe d'Europe orientale en Allemagne.

737

Royaume franc
Mort de Thierry IV, dernier roi mérovingien.

739

Asturies
Gendre du roi Pélage et successeur de son beau-frère Favilla, Alphonse Ier le Catholique devient roi des Asturies.

Rome
Menacé par Liutprand, le roi des Lombards, le pape appelle Charles Martel à son secours. →

Gaule
Après la Bourgogne en 734, Charles Martel soumet la Provence.

Echternach
Le moine anglo-saxon Willibrord, qui évangélisa la Frise, meurt dans le monastère d'Echternach qu'il avait fondé en 698.

740

Afrique
Les Arabes débarquent sur la côte orientale de l'Afrique.

741

Quierzy, Gaule, 22 octobre
Mort de Charles Martel. →

Constantinople
Fils de Léon III l'Isaurien, Constantin V lui succède sur le trône. Favorable à l'iconoclasme, il persécutera les orthodoxes qui, pour se venger, l'accableront de surnoms injurieux (Constantin Copronyme ou l'Ordurier).

Kûfa, Irak
Mort de Zayd, petit-fils d'Al-Husayn. Début du zaydisme.

742

Metz, Royaume franc
Chrodegand, ancien chancelier de Charles Martel, nommé évêque de Metz. Il joua un rôle important dans la réorganisation de l'Eglise franque.

743

Europe
La peste ravage l'Europe.

Royaume franc
Le moine et érudit irlandais Fergil formule sa théorie des antipodes et imagine l'existence de l'Australie. Il entrera en conflit avec l'Eglise.

746

Royaume franc
Carloman, qui partageait le pouvoir avec son frère Pépin, abdique et se retire au mont Cassin. Pépin reste seul à la tête du Royaume franc (→ 751).

747

Khurâsân, Perse, 15 mai
Soulèvement d'Abû Muslim. →

748

Empire umayyade
Mort de Wasil ibn Ata, fondateur du mu'tazilisme.

750

Irak
Bataille du Grand Zab. →

Empire abbasside
Abû al-Abbas, premier calife abbasside. →

La bataille de Poitiers ou le choc de deux armées : cavalerie franque contre cavalerie arabe. Miniature d'origine chrétienne.

Charles Martel arrête les Arabes à Poitiers

Poitiers, Gaule, 25 octobre 732
Après sept jours d'hésitation, les cavaliers arabes décident enfin d'attaquer les guerriers francs, près de Poitiers. C'est le premier jour du Ramadan. « Le paradis est devant, l'enfer est derrière », crie leur chef Abd-al Rhaman. Ce sont les combattants de la foi, une poignée de guerriers nomades, venus porter l'islam au-delà des limites du monde et participer à la grande razzia dans les forêts de la Gaule. Ils ont déjà brûlé et pillé les villes de Bordeaux et de Poitiers, et se dirigent maintenant vers Saint-Martin-de-Tours, l'un des plus riches et des plus illustres monastères de la chrétienté. Eudes, duc d'Aquitaine, n'est pas parvenu à les arrêter. Et, en bon chrétien, il n'a pas hésité à faire appel à Charles Martel, son ennemi venu du nord. Celui-ci s'est précipité pour défendre ce sanctuaire. Les soldats francs, solidement armés, forment un mur défensif autour du monastère face aux assauts successifs de la cavalerie arabe. Dans la mêlée, le chef Abd al-Rhaman est tué. « Le paradis est à l'ombre des sabres », dit le Coran. Mais l'élan des Arabes n'en est pas moins brisé : leur armée s'évanouira avec les brouillards de la nuit. Un siècle après la mort du Prophète (632), l'expansion arabe s'essouffle (→ 711).

Disparition du duc Eudes d'Aquitaine

Aquitaine, 735
Eudes, duc d'Aquitaine, chef du seul royaume non germanique d'Europe, est mort. Harcelé par Charles Martel au nord et par les Arabes au sud, il essaya de se concilier ces derniers en mariant sa fille à un chef musulman. Ses efforts furent anéantis en 732 par la mainmise sur l'Aquitaine de Charles Martel qui poursuivait les Arabes.

Appel du pape à Charles Martel

Rome, 739
Liutprand, le nouveau roi lombard, met le siège devant Rome et menace le pape. Sujet de l'empereur, Grégoire III n'a plus confiance en celui-ci. Conscient de son prestige en Occident, le pape s'adresse pour la première fois à un chef barbare et non au moindre : Charles Martel. Mais celui-ci, désireux de rester en bon terme avec les Lombards, refusera.

Mort du moine anglais Bède le Vénérable

Yarro, Angleterre, 25 mai 735
Le théologien Bède s'éteint à l'âge de 63 ans à l'abbaye de Yarro. Avec lui, c'est une des principales personnalités de l'Eglise anglo-saxonne qui disparaît. Son âge avancé et sa grande culture vaudront à cet homme, qui consacra la majeure partie de sa vie à l'enseignement et à la prière, le surnom de « Vénérable ». Ses écrits, dont le principal est *L'Histoire ecclésiastique de la nation anglaise*, font également de lui un grand historien (→ 721).

Bède le Vénérable. Gravure du XVIe siècle. B.N., Paris.

Charles Martel, chef des Francs, n'est plus

Quierzy, Gaule, 22 octobre 741

Charles Martel, le restaurateur du Royaume franc, vient de s'éteindre dans sa villa de Quierzy. Lorsque, à la mort de Pépin II, il était devenu maire du palais, le Royaume franc se limitait à la Neustrie et à l'Australasie (entre le Rhin et la Loire). Puis, fort d'une armée de vassaux qu'il rétribuait largement en terres confisquées à l'Eglise, il conquit une partie de la Germanie, où il contribua à l'évangélisation en se faisant le protecteur du moine Boniface. En Gaule, sa victoire contre les Sarrasins, en 732, lui avait permis de soumettre Eudes, le duc d'Aquitaine (→ 735). Puis, entre 733 et 739, il soumit la Bourgogne et la Provence.

Roi sans couronne (la mort de Thierry IV en 737 avait laissé vacant le trône mérovingien), son pouvoir était tel que, disposant souverainement du Royaume franc, Charles Martel le partageait entre ses fils Carloman et Pépin le Bref (→ 751).

Charles Martel, le « sauveur de l'Occident ». Gravure sur bois de Hartmann Schedel, 1493.

Abû Muslim dirige une révolte au Khurâsân

Khurâsân, 15 mai 747

Depuis sa conquête par les Arabes (mars 662), le Khurâsân avait été le théâtre de nombreuses rébellions. Les conquérants n'y avaient pas tenu les promesses faites aux populations converties à l'islam. De plus, colons et militaires arabes étaient divisés en plusieurs factions antagonistes. Les Abbassides mirent à profit la situation. Ils déléguèrent au Khurâsân Abû Muslin qui sut mettre un terme aux dissensions en promettant un traitement égal à tous les musulmans. Le 15 mai 747, les drapeaux noirs de l'insurrection furent, pour la première fois, déployés publiquement. Quelques mois plus tard, Abû Muslim se rendait maître du pays pour le compte des Abbassides.

Scènes de la vie monastique : ascèse, méditation devant le Crucifix, étude. Vers 1450. Atelier de Paolo Uccello. Académie, Florence.

L'essor de la vie monastique

Europe de l'Ouest

Originaire d'Egypte, le monachisme a fait son apparition en Occident au début du vᵉ siècle (monastères de Lérins et de Saint-Victor de Marseille). Il faut attendre les VIIᵉ et VIIIᵉ siècles pour voir toutefois l'institution monarchique prendre véritablement son essor. L'incertitude des temps, où règnent guerres et attentats, incite, au demeurant, nombre de personnes à rejoindre les communautés existantes, afin de consacrer leur vie à Dieu dans le recueillement. En effet, la vie monastique offre non seulement la sécurité spirituelle (le salut de l'âme), mais aussi une forme de sécurité matérielle. Les règles monastiques les plus fréquemment suivies sont

celles de Benoît de Nursie, fondateur de l'ordre des Bénédictins ainsi que de l'abbaye du mont Cassin, en Italie. Formulées vers 540, ces règles donneront naissance à un monachisme nouveau, adapté à l'esprit occidental. Elles prescrivent évidemment la prière, mais aussi le travail. Une organisation sévère à l'intérieur du monastère, dirigé par un abbé, ainsi qu'une règle d'humilité très stricte sont imposées aux moines. Ce mode de vie marqué par l'ascétisme constitue en soi une réaction contre la sécularisation et l'appétit du pouvoir de l'Eglise. C'est toutefois en Irlande que l'ascétisme avait été poussé le plus loin. Sous l'action de saint Patrick, au vᵉ siècle, le monastère avait été conçu comme l'institution fondamentale de l'Eglise (→ 700). Vers 590, un moine

La remise d'un manuscrit par des frères laïcs à un prélat. Miniature d'un Liber praeceptum, XIIᵉ siècle. Bibliothèque vaticane, Rome.

irlandais, saint Colomban (540-615), s'est installé en Gaule et a fondé le monastère de Luxeuil, dans les Vosges. Puis il fonde en Italie celui de Bobbio. A cette époque, les monastères représentent un poids culturel, politique et économique non négligeable. En effet, l'organisation sévère de ces communautés servira de modèle à l'administration étatique. Elles joueront, en outre, du fait de leur production agricole, un rôle de premier plan. Enfin, elles assumeront une mission d'enseignement aux futurs prêtres et aux aristocrates laïcs (→ 700).

Le clan des Abbassides s'empare du califat

Kûfa, 750

Au début des années 740, l'empire des Umayyades ne tenait plus que par la division de ses adversaires alides, abbassides, khârijites et autres peuples. Mais la conjugaison des oppositions finit par en venir à bout. La fin fut rapide, spectaculaire et sanglante. L'insurrection fut lancée au nom de tous les descendants de Hashim, aussi bien alides qu'abbassides, avec la promesse qu'une fois la victoire assurée, le califat reviendrait à celui qui serait normalement élu. Ayant réussi à s'emparer du Khurâsân (août 747), puis de toute la Perse (749), les troupes alliées traversèrent l'Euphrate et écrasèrent les troupes umayyades à Kûfa où Abû al-Abbas, dit as-Saffâh, s'empressa de se faire proclamer calife.

Le sort des Umayyades fut scellé sur le Grand Zab (750). Les armées

d'Abû al-Abbas poursuivirent le calife umayyade Marwan II jusqu'en Egypte, où il fut tué. Abû al-Abbas inaugura son règne par le massacre

des princes umayyades. Le seul rescapé ira fonder l'émirat de Cordoue (756). L'Empire arabe aura duré près d'un siècle.

Edifiée entre 706 et 715 par le calife umayyade al-Walîd, la mosquée de Damas est l'une des premières grandes mosquées du monde islamique.

750 (suite)

Empire byzantin
Mort de Jean Damascène, vers 750, à la laure de Saint-Sabas, dans la vallée du Cédron, près de Jérusalem. Il était né à Damas dans une famille chrétienne et avait succédé à son père dans de hautes fonctions administratives à la cour du calife. S'étant ensuite retiré à Saint-Sabas, il fut au moment de la crise iconoclaste un des principaux opposants à Léon l'Isaurien. Il est l'auteur d'une somme théologique, *Source de la connaissance*.

751

Royaume franc, novembre
Pépin le Bref devient roi. →

Italie
Les Lombards occupent Ravenne. C'était la dernière possession byzantine en Italie du Nord.

Asie centrale
Après avoir occupé Tachkent, Samarkand et Bukhârâ, les Chinois sont écrasés par les Arabes sur la rivière Talas. L'islam se répand en Asie centrale.

752

Gaule
Reconquête de la Septimanie par Pépin.

Arabie
Deux prisonniers chinois font connaître à l'Arabie la technique de fabrication du papier.

754

Quierzy, 14 avril
Traité de Quierzy. →

Frise, 5 juin
Saint Boniface était âgé de quatre-vingts ans au moins, lorsqu'il repartit en mission pour la Frise, où il est massacré par les païens.

Irak, Empire abbasside, juin
Avènement d'al-Mansûr, frère d'Abû al-Abbas, au califat.

755

Constantinople
Constantin V en guerre contre les Bulgares.

Chine
Les armées rebelles d'An Lushan progressent : chute de Luoyang.

Bagdad
Assassinat d'Abû Muslim (→ 747).

756

Chine
Mort de Yang Guifei, concubine impériale qui inspira de nombreux poètes. Inconsolable, l'empereur Xuan Zong (Hiuan Tsong) abdique. An Lushan s'empare de la capitale et se proclame empereur.

Mort de Wu Daogi (Wou Taotseu), l'un des grands maîtres de la peinture à l'époque T'ang.

Espagne, 15 mai
Abd al-Rahman crée l'émirat de Cordoue. →

Italie
Seconde expédition de Pépin en Italie. Création des Etats du pape. →

757

Chine
Assassinat d'An Lushan.

Empire abbasside
Exécution d'Ibn al-Mukaffa. →

Mercie, Angleterre
Neveu d'Ethelbad, à qui il succède, Offa devient roi de Mercie. Il régnera jusqu'en 796 et réussira à imposer son hégémonie à presque toute l'Angleterre.

759

Narbonne
Reprise de Narbonne, qui était aux mains des Arabes depuis 719.

760

Empire abbasside
Adoption, par les Arabes, du système numérique indien.

Ellorâ, Inde
Creusé sur l'ordre de l'empereur Krishna Ier, de la dynastie des Râshtrakûta, le temple de Kailâsa a été entièrement taillé à même le roc, comme une statue.

761

Tâhert, Tiaret, Algérie
Ibn Rustum fonde à Tâhert la dynastie des Rustumides.

Cavalerie carolingienne. Miniature du « Psalterium aureum ». IXe siècle.

Pépin le Bref se fait élire roi des Francs

Royaume franc, novembre 751
La dynastie mérovingienne, dont les derniers représentants, que l'on appelle « rois fainéants » parce qu'ils sont incapables de gouverner, s'écroule : c'est donc sans difficulté que Pépin le Bref, après s'être assuré du soutien des grands du royaume, détrône Childéric III, le dernier roi mérovingien, qu'il fait enfermer dans un monastère après l'avoir symboliquement dépouillé de sa longue chevelure, attribut du pouvoir chez les Francs. Pépin III, dit le Bref, est donc élu roi et reçoit la bénédiction de l'évêque Boniface, délégué du pape.

Le sacre de ce premier roi franc confirme l'arrivée au pouvoir d'une nouvelle dynastie, celle des Carolingiens. Sa famille est, depuis des générations, une famille très riche et puissante. C'est dans le royaume franc d'Australasie que celle-ci avait acquis son pouvoir, au point que ses membres avaient fini par se succéder de père en fils comme maires du palais. Un siècle auparavant déjà, un certain Grimoald avait tenté en vain de renverser les Mérovingiens (→656). C'est Pépin II qui avait réussi à refaire l'unité du Royaume franc en regroupant Neustrie et Australasie (→687). Son fils Charles Martel en fit un royaume puissant, sans pour autant oser prendre le titre de roi (→737). A la mort de Charles Martel, le royaume est partagé entre les deux frères, Carloman et Pépin le Bref. Mais en 747, l'aîné, Carloman, se retire dans un monastère, en Italie. Pépin le Bref se trouve alors seul au pouvoir. Carloman s'assure l'agrément du pape, et son frère, Pépin le Bref, maire du palais, peut alors se faire élire roi.

Commencée en 785 par Abd al-Rahman, la Grande Mosquée de Cordoue.

Abd al-Rahman fonde l'émirat de Cordoue

Cordoue, 15 mai 756
Abd al-Rahman, seul prince umayyade ayant échappé au massacre organisé par les Abbassides (→ 750), se réfugia en Egypte, puis à Kairouan, avant de rejoindre l'Espagne, où il sut tirer parti des rivalités qui divisaient les clans arabes. Le 14 août 755, il débarqua à Almunecar et fit figure de prétendant au trône. Après avoir occupé Séville, il gagna Cordoue. Le 15 mai 756, il fit son entrée dans la capitale où il fut proclamé émir d'al-Andalus.

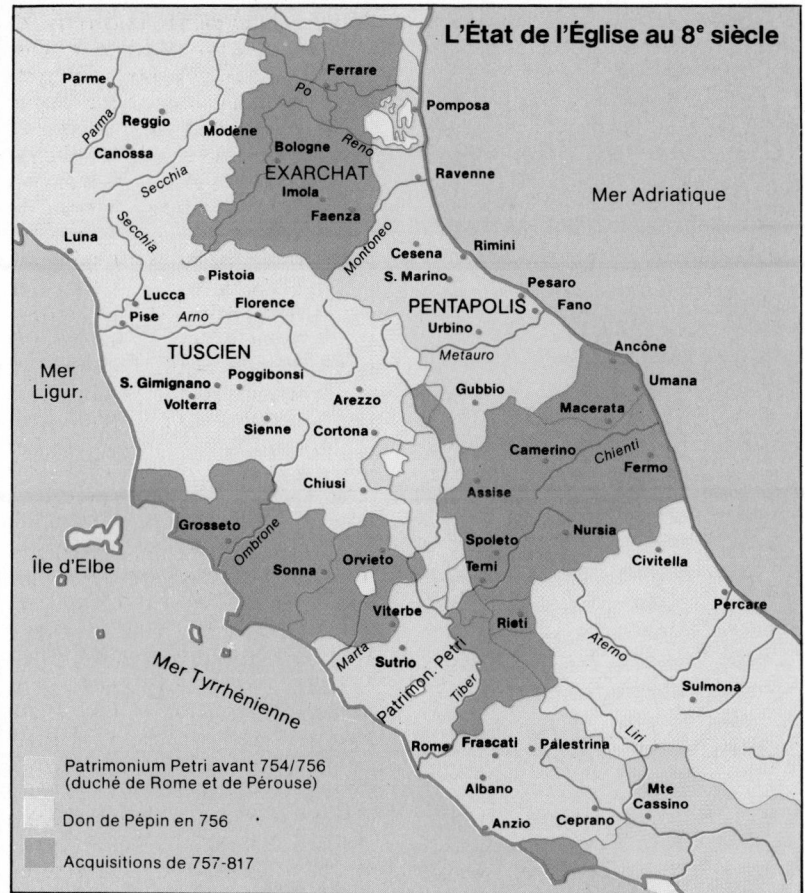

L'État de l'Église au 8e siècle

Mer Adriatique

Mer Ligur.

Mer Tyrrhénienne

Patrimonium Petri avant 754/756
(duché de Rome et de Pérouse)

Don de Pépin en 756

Acquisitions de 757-817

Création des Etats pontificaux par Pépin

Quierzy, 14 avril 754

Le roi Pépin le Bref et le pape Etienne II se rencontrent à Quierzy, au nord-ouest de Paris, sur l'Aisne, pour signer un traité par lequel le roi des Francs s'engage à fonder au bénéfice de l'Eglise un Etat qui serait placé sous la souveraineté du pape, et à en assurer la protection. Le pape reconnaît en échange la légitimité royale de la dynastie des Carolingiens. Menacé par les Lombards, Etienne II est venu en Gaule franque solliciter l'intervention de Pépin. Les accords prévoient que Pépin le Bref garantit au pape la possession du « Patrimonium Petri » (territoire de l'Eglise romaine autour de Rome) et lui concède la propriété de l'ancien exarchat byzantin de Ravenne. En échange, le pape confirme le sacre de Pépin et lui confère, ainsi qu'à ses fils, le titre de « Patricius Romanorum » (protecteur de Rome). Le « cadeau » du pape n'est pas sans importance : en acceptant de sacrer personnellement Pépin pour la deuxième fois et en y associant le nom de ses fils, il instaure en quelque sorte l'hérédité de la royauté. Les Etats du pape, eux, ne seront fondés véritablement que deux ans plus tard, en 756, après une intervention militaire de Pépin en Italie contre le roi lombard Astulf. En effet, Pépin devra conquérir les Etats qu'il avait promis au pape. C'est ainsi qu'il lui remettra (et non à l'empereur byzantin, qui en était le souverain de plein droit) vingt-trois villes de l'exarchat de Ravenne et de la Pentapole qui, ajoutées à la région de Rome, formeront l'Etat pontifical. Contraint de se soumettre à la suzeraineté franque, Astulf abandonne Ravenne. Pépin rompt ainsi l'alliance que son père, Charles Martel, avait conclue avec les Lombards en 739. Quant au pape, il se dégage définitivement de la tutelle politique de Byzance. Le « cadeau » de Pépin marque un tournant politique chez les Francs : le lien entre la papauté et le Royaume franc (et plus tard l'Empire) constituera l'un des facteurs politiques primordiaux de l'Occident. La défense de l'Eglise romaine sera l'un des devoirs des souverains, mais aussi la source de nombreux conflits.

Abbé donateur portant un modèle de l'église qu'il a fait bâtir. Fresque. Vers 880. Eglise Saint-Benoît, Malles.

L'empereur Xuan Zong contraint d'abdiquer

Chang'an (Tch'ang An), 756

La nomination au poste de Premier ministre d'un cousin de la concubine impériale Yang Guifei (Yang Koueifei) déclenche en 755 la rébellion du général d'origine turco-mongole An Lushan (Ngan Lon-chan). A la tête de ses armées, An Lushan marche sur la capitale. L'empereur est obligé de fuir. Dans un lieu-dit « Ma-Wei » la garde impériale réclame la tête de Yang Guifei, sa concubine, tenue pour responsable du déclin de l'Empire. Yang Guifei est sacrifiée et l'empereur, inconsolable, abdique. Avec la fin du règne de Xuan Zong (Hiuan Tsong, 712-756) s'achève une pé-riode qui a été surnommée « l'âge d'or de la poésie chinoise ». Les trois poètes les plus célèbres en furent Li Bai (Li Po, 701-762), d'inclination taoïste et qui fut invité par l'empereur à la cour (→762), Du Fu (Tou Fou, 712-770), qui s'attachera à décrire les souffrances du peuple pendant la rébellion, et Wang Wei (699-759), peintre et poète d'inclination bouddhique, fondateur de l'école du sud, autrement dit du paysage monochrome (on dit que ses tableaux étaient des poèmes et ses poèmes des tableaux). Jusqu'en 756, le rayonnement de la Chine aura été à son apogée. Avec la rébellion d'An Lushan, les barbares des confins de la Chine en profiteront pour mettre l'Empire en péril.

Ibn al-Mukaffa exécuté à Basra

Basra, 757

Le véritable créateur de la prose littéraire arabe connut une fin prématurée et tragique. Chargé de rédiger le texte de l'Aman (le pardon) que le calife al-Mansûr venait de consentir au frère rebelle de son protecteur, Ibn al-Mukaffa entoura la promesse du calife de tant de serments solennels qu'al-Mansûr en fut outragé et ordonna sa mise à mort. Le gouverneur de Basra, qui avait de son côté d'anciens griefs contre al-Mukaffa, présida lui-même à son supplice : on lui coupa les membres avant de le jeter dans un four brûlant. Bien qu'ayant disparu à 36 ans, Ibn al-Mukaffa a laissé une œuvre considérable, dont une version arabe du *Kalila wa Dimna*, le célèbre recueil de fables indiennes du brahmane légendaire Bidpay, d'après une traduction en pahlevi due à Burzoï. De nombreux commentateurs affirment qu'Ibn al-Mukaffa serait lui-même l'auteur de la célèbre autobiographie de Burzoï, placée en tête de l'ouvrage et contenant une critique des religions et une apologie de la raison. Cela est d'autant plus plausible que, dans un autre de ses ouvrages, Ibn al-Mukaffa prône la nécessité de créer un ensemble de lois inspirées de « la raison comme guide vers le sens de la justice », puisque c'est « la raison qui discerne le bien du mal ».

Corbeaux et chouettes. Miniature illustrant le « Kalila et Dimna », recueil de fables. Syrie, vers 1340. Bibliothèque nationale, Paris.

762

Empire abbasside
Fondation de Bagdad, appelée Madinat as-Salam (« Ville de la Paix »). →

Chine
Mort du poète Li Bai (Li Po). →

763

Asie centrale
Guerre sino-tibétaine. Les Ouï-gours se convertissent au mani-chéisme.

764

Chalcédoine, Empire byzantin
Début de la persécution icono-claste : martyre de saint Etienne le Jeune.

765

Bulgarie, juin
Les Byzantins lancent 2 500 ba-teaux contre les Bulgares ; une violente tempête détruit la flotte byzantine.

York, Angleterre
Mort d'Egbert, évêque d'York (→ 732).

Inde
Début de la dynastie Pâla au Ben-gale et au Mâgadha (actuelle pro-vince du Bihar). Elle régnera un peu plus de quatre siècles, jusque vers 1200.

767

York, Angleterre
Alcuin, savant religieux, devient évêque d'York. Il fut influencé par Bède le Vénérable et Egbert.

768

Royaume franc, 24 septembre
Mort de Pépin le Bref à Saint-Denis. Carloman et Charles lui succèdent. →

Aquitaine
Le duché est incorporé au Royaume franc.

769

Rome
Lors du concile du Latran, l'élec-tion du pape est retirée aux laïcs.

770

Bagdad, Empire abbasside
Ouverture de la première phar-macie publique à Bagdad.

771

Royaume franc, 4 décembre
Avènement de Charlemagne. →

772

Rome
Le pape Adrien Ier obtient contre le roi lombard Didier l'alliance de Charlemagne (→ 774).

774

Italie
Charlemagne conquiert le Royaume lombard.

Damas, juin
Le philosophe et juriste Ghaylan ibn Muslim est condamné à mort. →

Royaume franc
Construction du palais impé-rial d'Ingelheim par Charle-magne.

775

Malaisie
Le royaume de Śrîvijaya con-quiert la totalité de la péninsule malaise. Cette conquête marque son apogée (→ 690).

777

Royaume franc
De Musica,, traité de musico-graphie d'Alcuin, où se trouvent exposées les théories de son épo-que (→ 767).

Constantinople
Telerig, le khan des Bulgares, se fait baptiser. Il devient l'allié de l'empire d'Orient.

778

Espagne, 15 août
Mort de Roland au col de Ronce-vaux. →

Empire abbasside
Mort de Sufyân al-Thawrî, pré-curseur des mystiques sûfis.

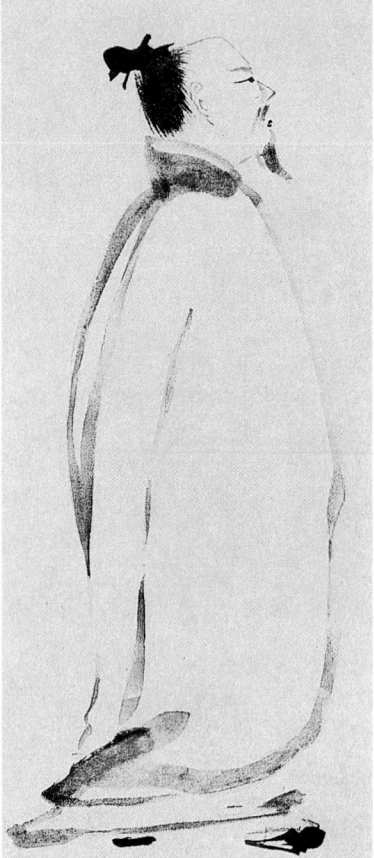

Liang K'ai : le poète Li Bai. Rouleau vertical. Vers 1220. Encre sur papier. Musée national, Tôkyô.

Dinar arabe. 781. En inscription : « Muhammad, l'envoyé de Dieu » (au centre) et « Au nom d'Allâh » (sur le pourtour). Museum, Berlin.

Exécution de Ghaylan ibn Muslim à Damas

Damas, juin 774
Ghaylan ibn Muslim al-Dimashki est surtout connu pour ses théories concernant le libre arbitre, dont il aurait été l'un des premiers parti-sans. Al-Jahiz le cite au même titre qu'Ibn al-Mukaffa. Fils d'un affranchi du calife 'Uthman ibn Affan, il vécut à Damas où il occupa des fonctions de secrétaire de chancellerie. L'au-teur du *Fihrist* (catalogue), Ibn al-Nadim, évalue à 200 000 feuillets en-viron le nombre des *rasa'il* (lettres, épîtres) écrites par Ghaylan. La plu-part de ces textes, de toute évidence,

Mort du grand poète chinois Li Bai

Chine, 762
Le poète Li Bai (Li Po) est mort. Il est considéré, avec Du Fu (Tou Fou), comme l'un des plus grands poètes chinois. Profondément différents l'un de l'autre, ils incarnent les deux pôles de la sensibilité chinoise : Du Fu représente l'idéal confucéen et Li Bai l'idéal taoïste.
Né dans la province du Szu Chuan (Sseu-tch'ouan), Li Bai mena une vie de bohème, se refusant de suivre la voie classique des examens et voya-geant à travers la Chine. Aimant le vin, profondément épris de liberté taoïste, il fut l'une des figures excep-tionnelles qui ont traversé l'histoire littéraire chinoise. Son génie poéti-que, ses extravagances lui valurent le surnom d'« Immortel banni sur terre ». En 742, il est présenté à l'empereur Xuan Zong (Hiuan Tsong), poète et mécène. Pen-dant quelque temps, il jouira à la cour d'un prestige inouï avant d'en être banni, à la suite d'intrigues malveillantes. Compromis lors de la révolte d'An Lushan (Ngan Lon-chan), il sera exilé dans le sud de la Chine. La légende raconte qu'il serait mort une nuit d'ivresse en essayant d'attraper le reflet de la lune dans les eaux du fleuve Bleu.

Fondation de Bagdad par les Abbassides

Bagdad, 762
C'est le second calife abbasside, al-Mansûr, qui choisit le site de Bagdad pour y élever une nouvelle capitale, digne de remplacer la Damas des Umayyades. Situé sur les bords du Ti-gre, le site était entouré d'un réseau de canaux qui constituait une dé-fense naturelle contre d'éventuels envahisseurs. Les plans furent dres-sés dès 758, mais la construction ne commença qu'en 762. Al-Mansûr don-na à la nouvelle capitale le nom de Ma-dinat as-Salam (« Ville de la Paix »).

n'avaient nullement un caractère ad-ministratif ou diplomatique, sinon ils auraient été communément ré-pandus. La principale doctrine de Ghaylan concernait la connaissance première, innée, qui permet de sa-voir que le monde est l'œuvre d'un Ouvrier, la foi n'étant qu'une con-naissance seconde, acquise. Les acti-vités de Ghaylan ibn Muslim lui valu-rent de subir l'animosité et les malé-dictions de plusieurs califes, jus-qu'au jour où il fut arrêté, puis tor-turé : on lui coupa les mains et les pieds et il fut ensuite crucifié. Avant son exécution, il avait été inter-rogé par al-Awza'i qui, à l'épo-que, représentait l'école la plus ri-goureuse de la jurisprudence islami-que.

Charlemagne et son fils Pépin, roi d'Italie. Miniature d'un manuscrit médiéval, nord de l'Italie. Modène, Biblioteca Capitolare.

Avènement de Charlemagne

Royaume franc, 4 décembre 771

A la mort de son jeune frère Carloman, co-régent du royaume, Charles devient le seul maître du Royaume franc. Le roi carolingien est alors placé devant un immense travail politique à accomplir : le royaume reste à construire économiquement et politiquement. La légitimité du pouvoir des Carolingiens est récente, elle ne date que du sacre de son père Pépin le Bref par le pape (→751). La consolidation du pouvoir franc, tant à l'intérieur qu'à l'extérieur des frontières, va nécessiter plusieurs années d'activités diplomatiques et guerrières. Le but de Charlemagne est de ressusciter en quelque sorte l'empire romain d'Occident, de manière à pouvoir rivaliser avec Byzance. En tant que principale puissance de l'Occident, le Royaume franc est aussi le maître et le protecteur de l'ensemble de la chrétienté. Charlemagne doit, en priorité, résoudre trois problèmes. D'abord mettre un terme à l'expansion territoriale des Lombards en Italie, dont le royaume jouxte au sud celui des Francs et menace les Etats pontificaux. Roi des Francs, Charlemagne s'est engagé, depuis le traité de Quierzy (→14 avril 754) à protéger Rome et le pape. Ensuite, assurer la christianisation des peuplades germaniques païennes du nord et de l'est du royaume, au besoin par la force. Conduite par Widukind, la résistance des Saxons sera acharnée et Charlemagne devra recourir à la terreur pour en venir à bout. Les guerres contre les Saxons serviront tout autant les buts politiques du Royaume franc que ceux

de la chrétienté. Enfin, éliminer les pouvoirs rivaux des ducs hostiles, notamment les Bavarois, et intégrer ces peuplades dans le royaume. Là aussi, il faudra vaincre d'âpres résistances. A la mort de Pépin le Bref (→ 768), le royaume avait été partagé entre ses deux fils, Charles, alors âgé de 24 ans, et Carloman, son cadet de quatre ans. Ce dernier avait hérité de la Bourgogne, de l'Alémanie et des provinces méditerranéennes, alors que Charles était maître des territoires de l'Ouest et du Nord, compris entre les Pyrénées et la Thuringe. Au cours des trois années de leur règne commun, s'étaient développées entre les deux frères divisions et divergences politiques. Poussé par sa mère et contre l'avis de son frère et du pape, Charles avait épousé en 770 une fille de Didier, roi des Lombards. C'était son premier mariage et il avait déjà eu des enfants nés de concubines, notamment Pépin le Bossu, fils d'Himiltrude. De plus, ce mariage politique avait aggravé le différend entre les deux frères. La mort de Carloman était survenue opportunément avant la rupture définitive entre les deux ennemis « intimes » depuis l'enfance. Charles, dont la naissance avait été longuement désirée (il était né le 22 avril 747), avait effectué ses premiers pas politiques et militaires en suivant les campagnes de son père. En 775, un clerc irlandais, Cathuulf, rappelait à Charles encore jeune que tout le clergé s'était mis en prière pour que le roi et la reine aient un enfant. Pépin et Berthe au Grand Pied étaient mariés depuis plus de trois ans quand Charles naquit.

Les moines inventent le chant grégorien

Occident, fin VIᵉ siècle

Ce sont les moines de l'abbaye de Saint-Gall, en Suisse, qui, vers 770, attribuèrent au pape Grégoire le Grand la paternité du chant d'église désormais appelé « grégorien ». Il s'agit d'une mélodie de type stéréotypé pour voix d'hommes, mais qui s'adapte au style et au genre des pièces liturgiques dont elle

magnifie les textes et en souligne le sens. A l'époque de la mort de Grégoire le Grand, en 604, le chant liturgique romain, *Cantus romanus*, était en plein essor. Mais il avait subi par la suite de telles déformations qu'une réforme s'était avérée nécessaire : celle-ci fut entreprise par les évêques Rémi et Chrodegang. Une fois établi un répertoire déterminé, il fallut lui donner un nom prestigieux : celui de saint Grégoire fut alors choisi.

La bataille de Roncevaux. Miniature, XVᵉ siècle. Bibliothèque de l'Arsenal, Paris. Au centre : Roland, avec son épée Durandal et son olifant.

Annexion du Royaume lombard par les Francs

Pavie, Royaume lombard, 774

En butte aux attaques des Lombards, le pape Adrien Iᵉʳ s'était résolu à faire appel à Charlemagne. Ce dernier, qui était lui-même en froid avec Didier, le roi des Lombards (dont il venait de répudier la fille), se porta au secours du pape en s'emparant de Pavie, mettant ainsi fin au royaume indépendant des Lombards.

Roland trouve la mort au col de Roncevaux

Espagne, 15 août 778

C'est au passage du col de Roncevaux, dans les Pyrénées, que Roland, l'allié de Charlemagne, tombe, attaqué par surprise par les Vascons (Basques), alors que son armée revenait victorieuse de batailles menées en Espagne contre les Arabes. Les hauts faits de Roland sont contés dans la *Chanson de Roland*.

La mort de Roland. Miniature, XIVᵉ - XVᵉ siècles. Biblioteca Marciana, Venise. Un messager du ciel, en armure, bénit le valeureux combattant.

En Islam, le mysticisme s'accroît

Islam, 770-780

La seconde moitié du IXᵉ siècle voit se développer le mouvement sûfi qui donne lieu à des expériences variées et originales. Chaque sûfi a son itinéraire particulier pour parvenir au Dieu-amour, au Dieu-désir et même au Dieu-extase, parfois jusqu'à la

mort. S'appuyant sur une interprétation allégorique du Coran, le sûfisme privilégie les valeurs intuitives. Rabia', une ancienne joueuse de flûte convertie à l'ascétisme, s'adresse à Dieu en ces termes : « Je t'aime de deux amours : l'un vise mon propre bonheur, l'autre veut vraiment être digne de toi. Mon bonheur est de t'aimer en ne pensant qu'à toi et à personne d'autre. »

779

Royaume franc
La dîme, impôt perçu par l'Eglise, est rendue obligatoire.

780

Royaume franc
Charlemagne institue les « Plaids » généraux, rassemblant toute la haute aristocratie.

Mongolie
Alp Qutlug, khaghan (empereur) des Uighur, ouvre son pays à l'influence sino-iranienne en faisant du manichéisme la religion d'Etat.

781

Chine
La religion chrétienne s'étend à la cour de Chine. Construction de monastères chrétiens.

782

Royaume franc
Charlemagne fait appel au théologien Alcuin. →

Saxe
Charlemagne annexe la Saxe et condamne à la peine de mort tous les Saxons refusant le baptême. S'opposant aux Francs, Widukind leur inflige une défaite à Sündtal.

785

Rome
Charlemagne exige un serment de fidélité des habitants de l'Etat pontifical.

Espagne
Début de la construction de la Grande Mosquée de Cordoue sous le règne d'Abd al-Rahmân Ier (→ 756).

786

Grande-Bretagne
Première incursion des Vikings.

Allemagne
Première apparition du mot « allemand » (« deutsch ») pour désigner la langue populaire par opposition au latin des prêtres.

Bagdad, Empire abbaside, 14 septembre
Hârûn al-Rashîd, calife. →

787

Nicée, Empire byzantin
Le deuxième concile de Nicée condamne l'iconoclasme (→ 843).

Milan
Fondation de la première maison d'accueil pour orphelins.

789

Maroc, 5 février
Début de la dynastie idrîsside. →

Royaume franc
Capitulaire de Charlemagne décrétant la création d'écoles dans chaque évêché et le baptème des enfants avant l'âge d'un an.

790

Ghâna, Afrique
Kaya Maga, « Maître de l'or », règne sur le Ghâna (→ 850).

794

Japon
Fondation de Kyôto, nouvelle capitale impériale, qui marque le début de l'ère Heian. Elle s'appela d'abord Heian-kyô (la « Ville pacifique ») et son plan en forme de quadrillage s'inspirait de celui de la capitale chinoise des Tang, Chang-an.

795

Espagne
Charlemagne crée une marche (province frontière) au sud des Pyrénées : la Catalogne.

Irlande
Les Vikings atteignent l'île. →

796

Aix-la-Chapelle, Royaume franc
Construction de la chapelle du palais de Charlemagne.

797

Empire byzantin
L'impératrice Irène détrône son fils Constantin VI et récupère tous les pouvoirs.→

799

Pannonie, Europe centrale
Charlemagne anéantit l'empire des Avars. →

Charlemagne appelle Alcuin à la cour

Aix-la-Chapelle, 782
C'est après l'avoir rencontré en Italie que Charlemagne décide de faire d'Alcuin l'un de ses principaux collaborateurs. Ce savant religieux anglo-saxon, né à York vers 735, est un élève indirect de Bède le Vénérable (→ 735) et d'Egbert. Après avoir dirigé l'école épiscopale d'York, il vient d'être chargé d'organiser l'école du palais d'Aix dont le but est de préparer les jeunes aristocrates francs aux plus hautes fonctions publiques et ecclésiastiques. Auteur d'ouvrages tels que *De Grammatica* et *De Orthographia*, son action consistera surtout en une restauration culturelle par l'enseignement de la grammaire et de l'art de bien parler. Il prendra très à cœur son rôle de professeur et fera preuve de qualités pédagogiques. Il fera partie de ce qu'on appelle l'Académie du palais, groupe de lettrés de la cour, proches du souverain. En effet, Charlemagne cherche à attirer à sa cour les intellectuels, le plus souvent étrangers, comme les Italiens Pierre de Pise et Paul Diacre, ou encore l'Espagnol Théodulfe. Plus tard, Alcuin dirigera le couvent de Saint-Martin de Tours où il fondera une école ecclésiastique qui deviendra le foyer de la science chrétienne. Il y rédigera ses principales œuvres et y mourra en 807.

Otgar, archevêque de Mayence. Enluminure, « De laudibus Sanctae Crucis » de Raban Maur. Vers 840.

Hârûn al-Rashîd, nouveau calife à Bagdad

Bagdad, 14 septembre 786
Hârûn, né en 763, accède au califat après la mort mystérieuse de son frère al-Hadi et prend le nom de Al-Rashîd. La figure, rendue légendaire grâce aux *Mille et une Nuits*, masque la personnalité historique du nouveau souverain. En fait, son règne qui marque un tournant dans l'histoire du califat abbasside, voit le déclin de l'efficacité administrative et constitue le point de départ de la désintégration de l'Empire islamique. En dépit de l'image resplendissante de « l'âge d'or », le règne de Hârûn est, en réalité, une longue suite de troubles qui embrasent tant la partie orientale qu'occidentale de l'empire.

Hârûn al-Rashîd sous les traits d'un jeune guerrier. Miniature de Behzâd.

Idrîs fonde la dynastie des Idrîssides

Province de Tanger, 5 février 789
S'étant fait proclamer imam souverain par la tribu berbère des Awraba, Idrîs Ier fonde la ville de Fès, à l'origine un camp militaire. Après de nombreuses expéditions, il parvient à affirmer son pouvoir sur la vallée du Wargla et à faire respecter ses frontières par les tribus voisines. Son règne dure moins de trois ans. En 791, il meurt empoisonné, à l'instigation, dit-on, de Hârûn al-Rashîd. Il laisse une concubine enceinte de sept mois. A sa naissance, l'enfant est proclamé imam, sous le nom d'Idrîs II. La dynastie idrîsside est ainsi fondée. Idrîs ibn Abdallah était un descendant direct de Ali ibn Abi Taleb, neveu et gendre du Prophète et quatrième calife. Les versions relatives à son arrivée en Afrique du Nord sont nombreuses et contradictoires. D'après la plus courante, il aurait combattu, en Arabie, pour le compte de son neveu, Al-Hussayn, arrière-petit-fils de Ali. Après la défaite et la mort de ce dernier à Fakh, près de La Mecque, il aurait réussi à échapper au massacre et à passer en Egypte avant de gagner Tlemcen, puis la province de Tanger, en 786-787. Là, il s'était installé à Walila, sous la protection d'Abu Layla Ishak, chef de la tribu des Awraba qui professait le mu'tazilisme.

Charlemagne massacre les Avars de Pannonie

Pannonie, 799

Après huit années de guerre, Charlemagne vient de réussir à venir à bout des Avars. Ceux-ci ont été impitoyablement massacrés : désormais la Pannonie est transformée en désert. Les troupes du roi franc rapportent les immenses richesses que les Avars ont volées aux autres pays durant les siècles précédents. En effet, ce peuple originaire de Mongolie, proche des Turcs, a participé aux invasions hunniques du VIᵉ siècle. Cavaliers intrépides et féroces, ils obéissaient à un *kagan* qui vivait dans une capitale ambulante et fortifiée, le *ring*, où ils amassaient leurs trésors. Etablis dans la grande plaine de Pannonie, entre Danube et Carpates, depuis le VIᵉ siècle, ils menaçaient aussi bien les Bulgares au sud que les Francs au nord.

Les Vikings atteignent les côtes d'Irlande

Irlande, 795

Les Norvégiens, après s'être d'abord dirigés sur les îles qui leur font face (Shetland, Orcades) puis l'Ecosse, ont entrepris la conquête de l'Irlande du Nord. L'effet de surprise est considérable. Les côtes sont razziées, les monastères et les foyers de culture nationale systématiquement pillés. De nombreux habitants sont enlevés pour être revendus comme esclaves sur les marchés permanents, en Gaule et en Scandinavie. L'Irlande est bouleversée par cette intrusion brutale. Elle doit pourtant aux Vikings la création de ses premières villes, l'amélioration de ses techniques nautiques et l'introduction de la monnaie qui remplacera progressivement le troc.

L'impératrice Irène, une mère sans scrupule

Constantinople, 797

L'empereur byzantin Constantin VI vient d'être détrôné par sa mère Irène. Ambitieuse et cruelle, elle lui a fait crever les yeux et s'est fait reconnaître empereur (et non impératrice). Née à Athènes en 752, mariée en 768 au futur empereur Léon IV (775-780), Irène avait pris un ascendant sur son mari qui lui a laissé en mourant la tutelle de leur fils Constantin VI. De caractère énergique, elle avait pris en main les affaires de l'empire (→ 787). En 790, à la majorité de son fils, un soulèvement militaire la contraint de se retirer. Mais elle recommence à intriguer contre son fils et finit par l'éliminer du pouvoir. Mais, cinq ans plus tard, elle sera à son tour renversée par son grand trésorier, Nicéphore. Elle mourra l'année suivante dans la misère, à Lesbos.

La renaissance carolingienne : un art de cour prestigieux

A la tête d'un empire immense, Charlemagne se préoccupe de relever le niveau intellectuel et moral de son peuple. La renaissance intellectuelle s'accompagne d'un formidable renouveau dans les arts, favorisé par l'unité politique de l'Europe où se rencontrent l'influence de l'Antiquité, transmise par l'Italie et l'Empire byzantin, et des formules originaires de l'Irlande et de l'Angleterre anglo-saxonne. La synthèse de ces éléments est à l'origine d'un art de cour prestigieux. La basilique paléochrétienne a connu ces derniers temps, à Rome, un regain de prestige avec de fastueux décors de mosaïque. Ce courant gagne maintenant la Germanie avec la construction de la basilique de Fulda en 794, fidèle imitation de Saint-Pierre de Rome, la plus grande basilique édifiée à ce jour en Occident. Les chantiers se multiplient entre la Seine et le Rhin, le plus important étant celui de la nouvelle capitale, Aix-la-Chapelle, où est édifiée la chapelle du palais. L'atelier palatin y prend une importance particulière, notamment dans la production d'enluminures avec le fameux *Evangéliaire de Godes-calc*, commandé par Charlemagne lui-même et son épouse Hildegarde au moine Godescalc, et terminé en 783. On retiendra aussi le précieux et spectaculaire *Evangéliaire du Couronnement*. Très vite, l'art de la cour palatine s'est détaché de la tradition dont il s'inspirait, pour acquérir une certaine indépendance formelle. L'aspect général est d'une richesse un peu barbare, mais un sens indéniable du monumental s'y affirme. Le travail de l'ivoire, tout comme l'orfèvrerie connaissent un essor identique ; ils contribuent à créer d'immenses trésors, signes de puissance et de prestige. La plupart de ces œuvres servent à orner les églises, tel le fabuleux autel d'or de Sant'Ambrogio de Milan, œuvre de Vuolvivius. Un grand art occidental est là en train de naître. On assiste dans le même temps à une renaissance de l'urbanisme ; les villes font sauter les ceintures de leurs murailles et entreprennent de reconstruire leurs églises.

Initiale historiée. Psautier dit de Corbie. Début IXᵉ siècle. Bibliothèque d'Amiens.

Manuscrit carolingien de la « Psychomachie » de Prudence. Xᵉ siècle. Détail. Bibliothèque, Berne.

Le Christ en majesté. Enluminure sur parchemin. Détail. « Evangéliaire de Godescalc », 781-783. Bibliothèque nationale, Paris. L'œuvre fut commandée au maire Godescalc par Charlemagne lui-même.

La Femme sur la Bête. Manuscrit enluminé de l'« Apocalypse ». IXᵉ siècle. Bibliothèque municipale, Valenciennes.

800

Ifrikiya (Tunisie)
Dynastie des Aghlabides. →

Pérou
La civilisation de Tiahuanaco et de Huari s'étend sur tout le Pérou. →

Rome, 25 décembre
Couronnement de Charlemagne, empereur d'Occident. →

Occident
Apparition de l'étrier, déjà connu des Huns au vᵉ siècle.

Java
Construction du grand sanctuaire bouddhique de Bârâbudur. →

801

Empire franc
Alcuin interdit aux moines de lire Virgile (→ 782).

802

Empire franc
Les *missi dominici* sont chargés de veiller à l'administration des différents territoires de l'empire.

Angleterre
Egbert, roi du Wessex, est le premier souverain à régner sur toute l'Angleterre.

Empire byzantin
Irène est détrônée par son ministre des Finances Nicéphore Iᵉʳ (→ 797).

Cambodge
Le roi Jayavarman II refait l'unité des Khmers et fonde la ville d'Angkor.

803

Bagdad, janvier
Les Barmakides sont destitués par Hârûn al-Rashîd qui entend désormais gouverner lui-même.

804

Saint-Martin de Tours, Empire franc
Mort d'Alcuin.

805

Bohême
Conquête du pays par les Francs.

Kûfa, Empire abbasside
Mort de Kisaï, l'un des créateurs, avec Sibawayh, de la grammaire arabe.

Japon
Le moine Dengyô Daishi, de retour de Chine, fonde l'une des plus importantes sectes bouddhiques, la secte Tendaï.

806

Thionville, Empire franc
Charlemagne partage son royaume, selon la coutume franque, entre ses fils Charles, Pépin et Louis.

807

Bagdad, Empire abbasside
Un droit de protection sur les Lieux saints a été reconnu à Charlemagne par Hârûn al-Rashîd, après un échange d'ambassades et de cadeaux entre les deux Etats.

808

Maroc
Idrîs II fixe définitivement la capitale de sa dynastie en fondant Fès.

Rome et Constantinople
Début de la querelle théologique du *Filioque* (→ 870).

809

Tûs
Mort du calife abbasside Hârûn al-Rashîd.

810

Venise
Lorsque Pépin, fils de Charlemagne et roi d'Italie, voulut affirmer ses droits sur les habitants de la lagune, ceux-ci transportèrent leur capitale dans l'île de Rialto, d'accès difficile, et se placèrent sous la protection de Nicéphore, l'empereur d'Orient.

811

Empire franc
Louis, roi d'Aquitaine, devient le seul héritier de son père Charlemagne, après la mort de ses deux frères, Pépin (en 810) et Charles (en 811).

Charlemagne, empereur des Romains

Rome, 25 décembre 800
A Rome, le soir de Noël, Charlemagne est sacré empereur d'Occident par le pape Léon III. D'après son chroniqueur, Eginhard, l'empereur s'est montré fort mécontent du déroulement de la cérémonie, les rites ayant été inversés en faveur du pape. Charlemagne n'abandonne pas ses titres de roi des Francs et roi des Lombards. Trente-deux ans après son arrivée au pouvoir, son royaume s'étend de la mer du Nord à l'Italie et de l'Atlantique aux Carpates. Une grande partie de l'Occident chrétien est ainsi réunie autour du Royaume franc. Un Etat aussi vaste n'aurait pu se maintenir avec sa seule administration centrale, transférée dès 794 à Aix-la-Chapelle. L'empire est divisé en comtés administrés au nom de Charlemagne. Les habitants de l'empire sont soumis à la surveillance des comtes et des ecclésiastiques, solidaires du pouvoir. Les comtés sont eux-mêmes contrôlés par une armée de vassaux du roi, les *missi dominici*, composée de guerriers redoutables. L'entretien de cette armée est garanti par un gigantesque domaine foncier assurant l'équipement des nouvelles recrues.

Charlemagne sacré empereur d'Occident par le pape Léon III, le 25 décembre 800, à Rome. Manuscrit du IXᵉ siècle.

Art carolingien. Vue intérieure de la chapelle Palatine de Charlemagne à Aix-la-Chapelle. De plan octogonal, elle a été élevée entre 796 et 805 par l'architecte Eudes de Metz. D'une grandeur exceptionnelle pour l'époque (29,50 m de diamètre), elle a vivement frappé les contemporains. Formé de piliers massifs reliés par des arcades en plein ceintre, l'octogone central est entouré d'un déambulatoire. Réplique de San Vitale de Ravenne la Chapelle Palatine a souvent été imitée.

Les Aghlabides reconnus par Hârûn al-Rashîd

Kairouan, vers 800

Fils d'un ancien associé d'Abu Muslim au Khurasan, Ibrahim ibn al-Aghlab avait, comme gouverneur de l'Ifrikiya, fait preuve d'énergie en y rétablissant l'ordre et le calme. Habile et retors, il conclut un accord avec Hârûn al-Rashîd, par lequel il s'engage à verser au Trésor quarante mille dinars de redevance. En échange, Hârûn lui laisse une large autonomie et, surtout, le droit de léguer son empire à celui de ses fils ou de ses frères qu'il choisira, sans que Bagdad intervienne dans son choix. Pour la première fois, l'Empire musulman accepte de n'avoir, avec l'une de ses provinces, d'autre lien que financiers. Ibrahim ibn al-Aghlab, devenu Ibrahim Iᵉʳ, aura, à plusieurs reprises, à réprimer des dissidences berbères et même des révoltes arabes à Tunis, voire à Kairouan. Il vient à bout de toutes les agitations en s'appuyant sur une importante garde noire, formée d'esclaves achetés à cet effet. Quoi qu'il en soit, l'Ifrikiya, détachée de l'empire, connaîtra sous les Aghlabides des moments de prospérité.

La civilisation de Tiahuanaco au Pérou

Pérou, IXᵉ siècle

Depuis un peu moins de mille ans, se développe une brillante civilisation au sud du lac Titicaca, au cœur des Andes, dont Tiahuanaco semble avoir été, avec Huari, l'un des principaux centres de rayonnement. C'est là, en tout cas, qu'ont été trouvées diverses constructions monumentales, dont la fameuse *Porte du Soleil*, taillée dans une énorme bloc de pierre percé de niches, au linteau décoré d'une représentation du dieu Viracocha.

Idole féminine. Bois et coquillage. Culture Huari. Vers 900 (?). Museum für Völkerkunde, Berlin.

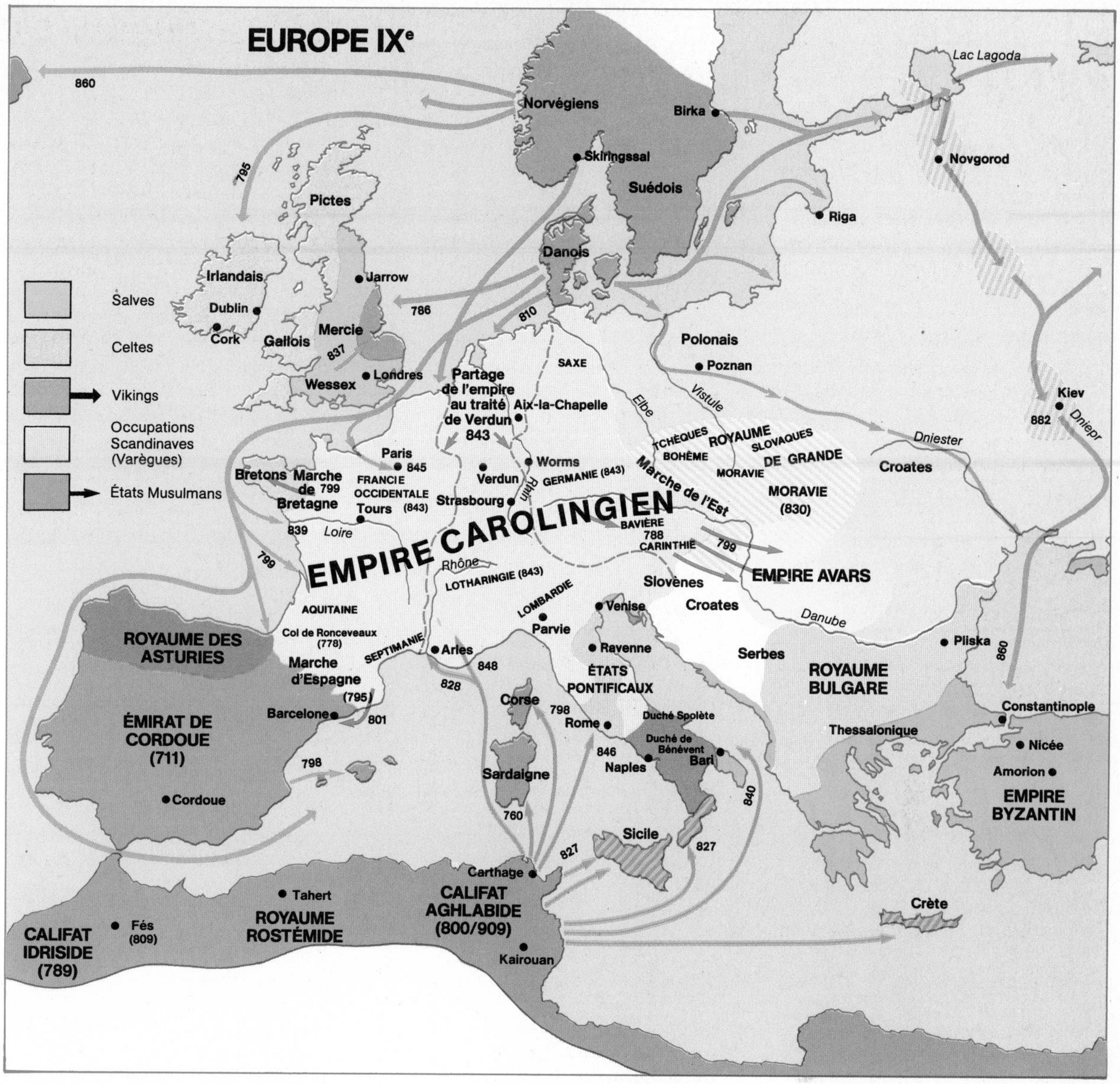

EUROPE IXᵉ

(Carte : Empire Carolingien, Émirat de Cordoue (711), Royaume des Asturies, Califat Idriside (789), Royaume Rostémide, Califat Aghlabide (800/909), Empire Byzantin, Empire Avars, Royaume Bulgare, etc.)

L'Occident et l'Empire franc en l'an 800

Occident, 800

Charlemagne est à présent à la tête d'un empire qu'il voudrait l'égal de celui d'Orient. Pour cela, depuis son avènement, il n'a cessé les conquêtes. Depuis trente ans, il bataille impitoyablement contre la Saxe et en est presque venu à bout ; ce qui porte l'empire jusqu'à l'Elbe. Après avoir annexé la Bavière en 788, il a continué vers le sud en détruisant l'empire des Avars (→ 799). Vers l'Espagne musulmane, après une défaite mémorable (→ 778), la conquête semble bien engagée.

Construction du temple de Bârâbudur à Java

Java, IXᵉ siècle

Une fois assurée leur hégémonie sur l'ensemble de l'Indonésie, les Çailendra, d'origine indienne, entreprirent de répandre le bouddhisme et d'en faire une religion d'État, face à l'hindouisme alors dominant. La construction du sanctuaire de Bârâbudur s'inscrit dans cette politique. Edifié aux alentours de l'an 800, il consiste en une pyramide à étages, bâtie sur un socle carré de 140 m de côté à la base. Un stûpa couronne l'édifice. Les murs des cinq premières terrasses sont ornés d'une suite ininterrompue de bas-reliefs retraçant la vie du Bouddha. Sur les trois terrasses supérieures, soixante-douze petits stûpas ajourés abritent chacun une image du Bouddha. Le temple de Bârâbudur est considéré comme la plus haute expression artistique du génie indonésien.

Sanctuaire bouddhique de Bârâbudur à Java. Vers 800. Une des trois plate-formes circulaires du sommet avec ses petits stûpa ajourés.

812

Empire franc
Charlemagne cède plusieurs villes côtières d'Italie à Byzance. En échange, Byzance reconnaît Charlemagne comme empereur.

813

Empire franc, septembre
Charlemagne couronne son fils Louis à Aix-la-Chapelle.

Empire byzantin
Léon V l'Arménien renverse Michel Ier et devient empereur d'Orient. Les persécutions contre les iconoclastes reprennent.

Bagdad, 24 ou 25 septembre
Al-Amîn, sixième calife abbasside et fils d'Hârûn al-Rashîd, est tué alors qu'il tentait de fuir Bagdad assiégée depuis plus d'un an par les troupes de son frère, al-Ma'mûn, qui devient calife.

Bagdad, vers 813
Mort d'Abû Nuwâs, célèbre poète, chantre de l'alcool et de l'homosexualité.

814

Aix-la-Chapelle, 28 janvier
Mort de Charlemagne. Son fils, Louis le Pieux, devient empereur d'Occident.

Bulgarie
Le khan Omortag succède à Krum. Il conclut une paix de trente ans avec les Byzantins et ouvre son royaume à la civilisation (→ 852).

815

Inde
Devapâla (810-850), roi pâla du Mâgadha, conquiert l'Assam et l'Orissâ.

816

Aix-la-Chapelle, Empire franc
Sous l'influence de saint Benoît d'Aniane, un concile réforme la vie monastique.

Marw, Empire abbasside
Le calife al-Ma'mûn se désigne pour successeur Ali al-Rida, un descendant de Husayn (fils de Ali). C'est un tollé général qui coûte la vie à Ali al-Rida.

817

Empire franc
Par l'*Ordinatio imperii*, Louis le Pieux se propose de règler le problème de sa succession. →
Il se remarie avec Judith de Bavière.

820

Constantinople, la nuit de Noël
Léon V est assassiné dans l'église Sainte-Sophie par son favori Michel II le Bègue, qui fonde la dynastie phrygienne.

821

Lhassa, Tibet
Ratification du traité sino-tibétain, conclu à Chang'an, qui reconnaît l'indépendance du Tibet.

822

Perse
Mort de Tâhir ibn Husayn, fondateur de la dynastie des Tâhirides. →

824

Rome
Le pape retombe sous la coupe de l'empereur germanique.

826

Ingelheim, Danemark
Harald II, prétendant au trône, se fait baptiser. Cela permet à Anschaire d'entreprendre l'évangélisation du pays.

827

Venise
Des marchands ramènent d'Alexandrie les reliques de saint Marc.

Sicile
Les Arabes prennent pied dans l'île. →

Empire abbasside
Le calife abbasside al-Ma'mûm adopte le mu'tazilisme. →

828

Maroc
Mort du roi Idrîs II. Partagé du royaume entre ses fils.

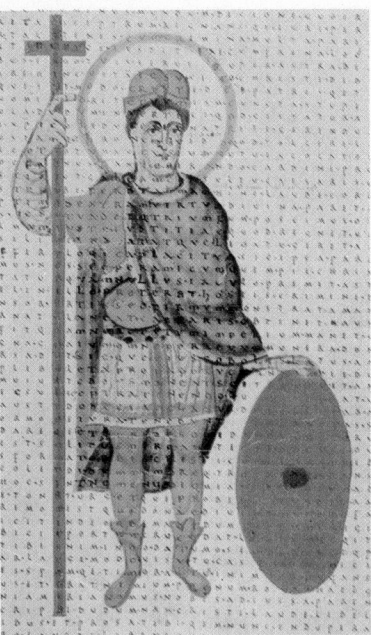

Louis le Pieux. Enluminure. Fulda, vers 840. « De laudibus Sanctae Crucis » de Raban Maur.

Louis le Pieux partage l'empire entre ses fils

Empire franc, 817
Poursuivant ses visées réformatrices, Louis le Pieux a promulgué une constitution visant à l'unité de l'empire. La nouvelle a profondément irrité les princes, son fils Lothaire excepté. L'*Ordinatio imperii*, sans heurter de front la coutume franque du partage des royaumes, laisse intactes l'Italie, confiée au neveu de l'empereur, la Bavière, gouvernée par son fils Louis, et l'Aquitaine, régie par Pépin. Ces trois rois restent soumis à l'autorité du fils aîné Lothaire, que Louis le Pieux proclame unique héritier de l'empire et ceint du diadème impérial, l'associant dès lors à la gestion des affaires. Cet acte révolutionnaire bouleverse la noblesse, déjà fort mécontente des premières réformes de ce roi faible et influençable, qui s'estime investi du rôle de protéger l'Eglise, qu'il distingue à peine de l'empire.

Conquête de la Sicile par les Aghlabides

Sicile, 827
La conquête de la Sicile byzantine est l'œuvre d'Abu Muhammad Ziyadat Allah Ier, troisième souverain de la dynastie aghlabide, qui règne de 817 à 838. Entreprise au lendemain de l'insurrection des Arabes de l'Ifrikiya sous la conduite de Mansur al-Tunbudhi, cette expédition apparaît comme une manière de détourner la turbulence des Arabes vers un théâtre extérieur. Ziyadat Allah lui donne toutefois une allure de guerre sainte, en la mettant sous le commandement de Asad ibn al-Furat, kadi de Kairouan, connu pour l'ardeur de ses convictions et son énergie combattante. La conquête de l'île commence par la prise de Mazara. Asad meurt en 828 devant Syracuse, qui ne tombera qu'en 878. Mais, en 831, Palerme est prise et devient le siège d'une colonie militaire qui finira par conquérir toute l'île. Rapidement, la Sicile prend ses distances à l'égard de Kairouan et Palerme devient une des grandes cités islamiques.

Les Arabes en Sicile : interrogatoire et exécution d'un prisonnier. Manuscrit grec. « Chronique » de l'historien byzantin Skylitzès. B.N., Madrid.

Scènes de la vie de saint Jérôme. « Bible de Charles le Chauve ». Vers 870. Saint-Paul-hors-les-Murs, Rome.

Réorganisation de l'enseignement et des écoles par les Carolingiens

Charlemagne, pour contrôler l'immense empire qu'il a conquis, a besoin de former de bons administrateurs et de bons évêques. De plus, sacré par le pape, il s'est engagé à lutter contre le paganisme. Le moyen de cette politique était donc de promouvoir un renouveau des études avec l'aide et sous la direction de savants étrangers attirés à Aix-la-Chapelle à prix d'or. On voit ainsi se constituer autour de lui une « Académie du palais » où se côtoient Paul Diacre, Théodulf, Alcuin et Dungal. Cette politique connaît des succès dans le domaine de l'écriture, avec l'invention de la minuscule caroline dont le grand mérite est la lisibilité, mais aussi dans la sauvegarde des œuvres antiques, grâce à l'activité des *scriptoria* où l'on copie des ouvrages d'auteurs latins avant qu'ils ne disparaissent. La langue latine elle-même est unifiée par une fixation de sa grammaire, devant la montée des idiomes locaux. En effet, l'étude du latin est considérée comme indispensable à la compréhension de la Bible. Toutefois, l'élément essentiel de la réorganisation de l'enseignement est

l'obligation d'ouvrir des écoles dans chaque monastère et évêché. Ces écoles accueillent les futurs clercs mais aussi les enfants de l'aristocratie et ceux du peuple, s'ils sont doués ; pour eux, c'est un moyen d'ascension sociale. L'enfant reçoit d'abord un enseignement élémentaire (lecture, écriture, calcul). Puis, vient le *Trivium* (grammaire, rhétorique, latin) et enfin le *Quadrivium* (arithmétique, géométrie, astronomie et musique). Pour les enfants du peuple, les prédications tiennent lieu d'enseignement. Elles consistent surtout en des sermons moralisateurs où le prêtre fait davantage figure de censeur que d'homme de Dieu.

Modèle d'alphabet pour l'unification de l'écriture : lettres capitales. Codex « De calculo » de Victorius Aquilanus. Fulda, vers 800. Bibliothèque municipale, Berne.

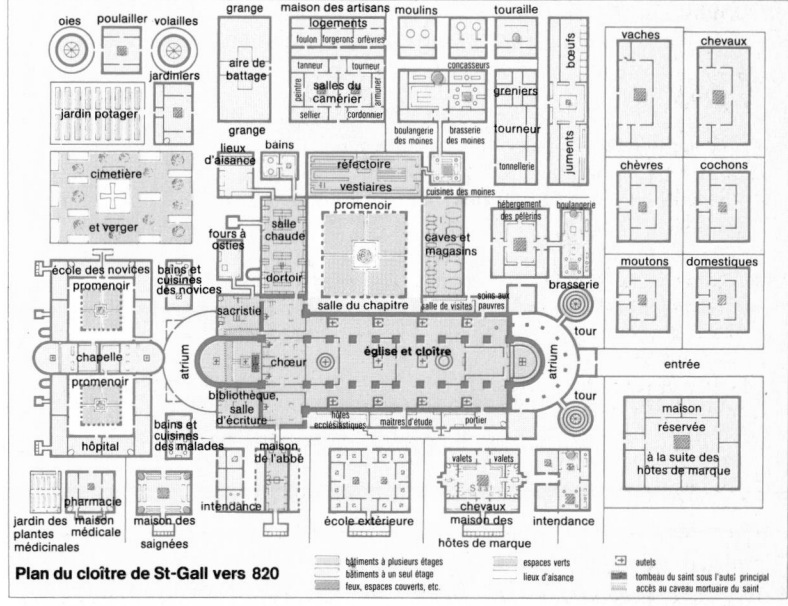

Plan de l'abbaye de Saint-Gall. Vers 820. La manière dont sont disposés salle d'étude, réfectoire et dortoir servira de modèle pendant des siècles.

Fondation de la dynastie tâhiride au Khurâsân

Khurâsân, 822

Lorsqu'un empire commence à craquer à l'ouest, il n'y a aucune raison qu'il se maintienne à l'est. L'autonomie héréditaire accordée par Hârûn al-Rashîd aux Aghlabides ne pouvait passer inaperçue et ne pas donner des idées à d'autres. Toutefois, al-Ma'mûn était loin de penser que la contagion allait s'étendre à l'Iran et à son fidèle général Tâhir ibn al-Husayn qui l'avait aidé à s'emparer du pouvoir à Bagdad et qu'il avait récompensé en le nommant gouverneur du Khurâsân. En 822, Tâhir omet de faire prononcer le nom du calife dans la *khutba* (le sermon) du vendredi. Cela équivaut à une proclamation d'indépendance. Tâhir meurt le lendemain. Al Ma'mûn évite la confrontation et désigne son fils, Talba, pour lui succéder. Une nouvelle dynastie de gouverneurs héréditaires est ainsi légalement fondée et acceptée. Elle règnera sur le Khurâsân pendant un demi-siècle, jusqu'en 873.

Le mu'tazilisme adopté par les Abbassides

Bagdad, 827

Dans sa tentative de se concilier les modérés de la famille du Prophète, le calife abbasside al-Ma'mûn proclame, en 827, le dogme mu'tazilite du « Coran créé » et organise la *Mihna*, sorte d'inquisition dont le rôle est d'exiger la fidélité des jurisconsultes à ce dogme. Bien que le mu'tazilisme soit un mouvement théologique, son adoption par al-Ma'mûn s'insère dans l'ambition politique qu'il avait de res-

taurer la plénitude du califat. Sur ce plan, il ne réussira pas plus que dans ses autres entreprises. Toutefois, le mu'tazilisme demeure une tentative qui a marqué l'islam. Considérant que Dieu lui-même est « Raison », les mu'tazilites font appel à la raison humaine comme source de connaissance religieuse. Néanmoins, il serait exagéré de considérer les mu'tazilites comme des « rationalistes ». Mais, à un moment où un conservatisme rigoureux et inconditionnel s'organise autour d'Ibn Hanbal, être « raisonneur » est déjà une révolution.

Naissance d'un empire arabo-musulman

VIIe-VIIIe siècle

Composée de steppes et de déserts (hormis dans la partie sud-ouest, montagneuse et bien arosée), la péninsule d'Arabie ne présentait que des points limités de peuplement dans les oasis, reliés entre eux par des routes caravanières. La population était formée de tribus qui vivaient essentiellement de l'élevage et, à l'occasion, du pillage des oasis ou des caravanes.

L'histoire de la haute antiquité de la péninsule est obscure et demeure l'objet d'hypothèses diverses. La plus communément admise consiste à dire qu'à l'origine l'Arabie était une terre fertile et qu'au cours des siècles elle fut soumise à divers phénomènes de désertification, qui provoquèrent périodiquement des crises de surpopulation et, par conséquent, de migrations vers les pays voisins. D'après cette interprétation, Syriens, Araméens, Cananéens et Phéniciens seraient d'origine arabe.

A partir des conquêtes d'Alexandre, les sources grecques fournissent des éléments d'information plus précis sur l'Arabie méridionale. Mais les renseignements relatifs à l'Arabie centrale et septentrionale demeurent peu abondants. On sait toutefois que, pour l'ensemble de la péninsule, la période entre le IVe et le VIe siècles fut une période de crise. Le sud-ouest eut à subir l'invasion et l'occupation éthiopiennes, alors que les régions périphériques du nord étaient généralement incorporées à l'Empire byzantin ou sassanide.

Le système social et religieux

Immédiatement avant l'islam, le trait dominant de la population de l'Arabie centrale et septentrionale est le tribalisme où l'unité sociale est le groupe. A la tête de la tribu, le *shaykh* (cheikh) ne détenait aucun pouvoir coercitif. La notion même d'autorité était inconnue de la société nomade, où n'existait d'autre loi que celle de la *sunna* (coutume). La religion des nomades d'Arabie était apparentée au paganisme des anciens Sémites. Il y avait, pourtant, certains dieux au vrai sens du terme dont l'autorité allait au-delà d'un simple totem tribal. Ces dieux étaient, à leur tour, soumis à une déité supérieure, généralement appelée « Allah ». Le dieu de la tribu était l'insigne de son identité.

Dans les petites communautés sédentaires, la famille la plus en vue exerçait une certaine autorité. La plus importante des villes fondées par les tribus sédentaires était La Mecque, dans le Hidjaz. La tribu de Kuraysh y occupait une position dominante ; chaque clan possédait son dieu et la confédération des clans était représentée par une collection de pierres réunies dans un sanctuaire central, la *Ka'ba*. De ce fait, La Mecque était un centre de pèlerinage et de commerce.

Des influences diverses

Toutes les tribus de la péninsule parlaient une langue commune, l'arabe, et la péninsule, bien qu'en marge, n'était pas isolée du monde extérieur. Les cultures persane et byzantine s'y infiltraient. Najran, dans le sud-ouest, était un centre chrétien important. Les Juifs et les Arabes judaïsés se rencontraient un peu partout, mais surtout à Yathrib qui deviendra Médine.

Entre La Mecque et Médine

C'est dans ce milieu que naquit, à La Mecque, vers 570, Mahomet (Muhammad), dans une famille kurayshite qui ne faisait pas partie de l'oligarchie dominante. La fortune lui vint de son mariage avec Khadija, veuve d'un riche marchand. Le Coran suggère que la vocation de Muhammad fut soudaine et non point l'aboutissement d'une évolution. Par une nuit de ramadan, alors qu'il dormait sur le mont Hira, il fut interpellé par l'ange Gabriel et sommé de « réciter » aux hommes la parole de Dieu. Il avait quarante ans.

Les premières « récitations » de Muhammad n'émurent pas particulièrement les Mecquois. Il n'y était pas question de fonder une religion nouvelle, mais de prêcher une morale et un comportement. De plus, Allah n'était pas un dieu inconnu. Mais lorsque Muhammad se mit à soutenir qu'Allah n'était pas un dieu parmi d'autres, mais le Dieu unique, et qu'il entreprit d'attaquer ouvertement le polythéisme régnant à La Mecque, il ne manqua pas alors de susciter la colère des castes dirigeantes. A la base de cette réaction, il y avait la crainte que la prédication de l'unicité de Dieu ne privât La Mecque de sa situation de centre de pèlerinage et de commerce.

L'islam (nom donné à l'acceptation de la foi en un Dieu-unique) continuant à faire des adeptes, les persécutions se firent plus vives. Une première migration de musulmans eut lieu vers l'Ethiopie chrétienne. Bientôt, Muhammad dut envisager de quitter lui-même La Mecque, mais il n'était pas question pour lui d'aller ailleurs qu'en Arabie. Il accepta l'invitation des habitants de Yathrib qui recherchaient un sage pour arbitrer leurs querelles. Par petits groupes, il envoya dans cette ville, à 450 km de La Mecque, une soixantaine de familles qui s'étaient jointes à lui et finit par les rejoindre.

De cette *hijra* (migration), opérée en 622, les musulmans firent le point de départ de leur calendrier (hégire). Ce fut, en effet, un tournant décisif que l'on peut constater dans les chapitres médinois du Coran. Alors que les « sourates » mecquoises traitent principalement de doctrine et de morale, les médinoises se rapportent aux nombreuses questions administratives, juridiques et politiques d'une communauté *(umma)* musulmane, devenue une entité politique.

L'islam communautaire

A Médine, Muhammad commença par faire des concessions aux Juifs qui y étaient nombreux. Il alla jusqu'à adopter de nombreuses pratiques juives, dont la prière orientée vers Jérusalem. Les Juifs ne se laissant pas séduire, il leur tourna le dos, substitua La Mecque à Jérusalem comme lieu d'orientation de la prière et conféra un caractère moins universaliste, plus arabe et plus national, à son action.

Très rapidement, l'islam médinois eut à

exercer le pouvoir politique. C'est sur ce point fondamental qu'il diffère le plus du christianisme. Jésus, reconnu comme prophète par Muhammad, avait enseigné de rendre à César ce qui est à César et à Dieu ce qui est à Dieu. Le grand changement n'interviendra que trois siècles plus tard, avec la conversion au christianisme de Constantin, déjà empereur. Rien de tel dans l'islam où Dieu est lui-même César, dont le chef de la communauté n'est que le fondé de pouvoir.

Médine à la conquête de l'Arabie

Dès 624 (an 2 de l'hégire), la communauté musulmane de Médine recourut à l'ultime instrument de la politique : la guerre. Dans le but tout à la fois de s'emparer du butin qui lui était nécessaire et de couper les communications de La Mecque, elle attaqua une caravane mecquoise. La victoire de Badr est célébrée dans le Coran. Quatre ans plus tard, en mars 628, Muhammad était en mesure d'imposer aux Mecquois une trêve de dix ans, avec le droit pour les musulmans de faire, chaque année, le pèlerinage de La Mecque et d'y demeurer trois jours. Cette démonstration de force lui valut l'adhésion de deux personnages, Khâlid ibn al-Walîd et 'Amr ibn al-'As, moins soucieux de religion que de pouvoir, qui allaient être les principaux artisans des futures victoires arabes. En 630, deux ans après la conclusion de la trêve, un incident mineur vint à point pour donner à Muhammad l'occasion de dénoncer l'accord, d'attaquer et d'occuper La Mecque. Pendant les deux années qu'il lui restait à vivre, l'action de Muhammad fut dépourvue de tout prosélytisme. La Mecque conquise, il s'agissait moins de convertir les tribus à l'islam que de les amener, par une série d'accords, à reconnaître la suzeraineté de Médine.

Quel successeur au Messager ?

Muhammad mourut le 8 juin 632. Aux païens de l'Arabie, il avait apporté une religion dotée d'un Livre : le Coran, révélé par le Dieu unique. Il avait établi une communauté avec, pour resserrer ses liens, un rituel bien ordonnancé comportant la profession de foi (shâhâda), les cinq prières quotidiennes, le jeûne au mois de Ramadan et le pèlerinage à La Mecque. Il avait, en outre, construit un Etat disposant de ressources financières auxquelles tout musulman se devait de contribuer (zakât). Ce que, plus tard, on appellera « les cinq piliers de l'Islam » étaient ainsi déjà mis en place. Enfin, Muhammad avait donné une direction nouvelle aux forces latentes d'une renaissance nationale arabe. Qui allait pouvoir parachever une œuvre aussi bien commencée ? Allah, dans ses Messages, n'avait donné aucune instruction.

Muhammad non plus. Dans cette situation inédite, le cercle intime des compagnons choisit pour chef Abû Bakr et lui conféra le titre de « khalife » (calife), mot arabe qui signifie successeur.

La guerre des tribus

Dès son arrivée au pouvoir, Abû Bakr eut à faire face à la guerre des tribus, désignée par la tradition musulmane sous le nom inapproprié de ridda, qui signifie apostasie. Se conformant à leurs traditions, les tribus avaient considéré que la mort de l'un des contractants avait rendu caducs les accords conclus avec Muhammad. Abû Bakr dut négocier de nouvelles conventions que les tribus éloignées, croyant le pouvoir affaibli, refusèrent de signer. Abû Bakr envoya contre eux Khâlid ibn al-Walîd. En politiques consommés, Abû Bakr et Khâlid, une fois les hostilités engagées, ne voulurent plus entendre parler de pacte, même assorti du paiement d'un impôt. Les tribus rebelles furent donc sommées de se convertir à l'islam, de venir grossir ses armées et d'avoir leur part du butin et des finances publiques, sous la menace d'une extermination pure et simple, ce qui revenait à ne leur laisser aucun choix. Sous la bannière de l'islam, les armées arabes en sortirent renforcées.

Guerres et expansion

Les tribus soumises, Khâlid poussa vers le nord. Ses premières incursions ne visaient que le pillage des régions périphériques. Ayant constaté la vulnérabilité de l'adversaire, il prit sur lui de pousser plus avant. Il remonta l'Euphrate, fit son entrée à Damas (634) et la pilla avant d'aller rejoindre, dans le désert, d'autres troupes arabes envoyées par Abû Bakr en Palestine et en Syrie. La rencontre décisive avec les armées byzantines levées par Héraclius eut lieu sur le Yarmuk, en juillet 636. Les Arabes remportèrent une victoire qui les rendit maîtres de toute la Syrie et de la Palestine.
L'année suivante, à l'été 637, les Perses se firent battre à Kadisiya. Les Arabes s'emparèrent de la capitale, Ctésiphon, qu'ils s'empressèrent d'appeler Mada'in (pluriel de Madina, ville). Ils occupèrent ensuite tout l'Irak, avant de faire leur jonction avec les troupes de Khâlid, venues de Syrie. Ils étaient ainsi maîtres de tout le Croissant fertile.
Pendant ce temps, l'autre grand stratège arabe, 'Amr ibn al-'As, retenu en Palestine, regardait du côté de l'Egypte dont il connaissait les richesses et les problèmes et qu'il voulait ajouter à son palmarès. Le calife Umar, qui avait remplacé Abû Bakr, hésitait. Sans attendre l'autorisation, 'Amr prit sur lui d'engager l'aventure avec trois mille hommes. Umar ne put que le soutenir. Econome de ses moyens, 'Amr mit deux ans à conqué-

rir l'Egypte. L'avance des Arabes dans les territoires montagneux et non sémites, au nord et à l'est du Croissant fertile ainsi qu'en Afrique du Nord, fut plus lente.
Dans les conquêtes arabes, la religion a certes joué un rôle considérable. Moins, cependant, qu'il n'est dit généralement. Les grandes conquêtes furent l'expression, non pas seulement de la religion musulmane, mais également et surtout celle des peuples arabes pour une fois unis sous une même bannière.

Guerres civiles et monarchies

Au sein de l'islam, un conflit était latent depuis la mort du Prophète. Certains pensaient que le califat devait demeurer dans la famille de Muhammad. Parmi les compagnons (Ali étant à la fois cousin et gendre du Prophète), une faction se constitua et prit le nom de « partisans de Ali » (Shi'at Ali, plus tard Shi'ites). Trois fois candidat malheureux au califat, Ali eut la malchance d'être élu à la succession de Uthmân, calife arabe et musulman, assassiné par d'autres arabes musulmans. Bien qu'il ne trempât en aucune manière dans l'assassinat de Uthmân, Ali n'eut ni la possibilité, ni le courage, de livrer ses assassins à ceux qui clamaient vengeance et à la tête desquels il y avait Mu'âwiyya, gouverneur de Syrie et de Palestine, et 'Amr ibn al-'As. La guerre civile qui s'ensuivit était inégale. Le pouvoir de Mu'âwiyya avait une base réelle, territoriale, administrative et militaire, et les capacités stratégiques et tactiques de 'Amr avaient fait leurs preuves. Acculé à l'arbitrage, Ali fut assassiné par l'un de ses propres partisans. Cet assassinat n'aurait sans doute pas eu de suites historiques particulières si Husayn, le fils de Ali, ainsi que toute sa famille et soixante-dix de ses partisans, n'avaient été à leur tour massacrés par les troupes umayyades. De cette tragédie, les shi'ites feront un mythe, encore vivace.

Les Arabes perdent le pouvoir

L'empire des Umayyades dura près d'un siècle et s'étendit de l'Espagne, à l'ouest, aux confins de la Chine, à l'est. Le pouvoir y était exercé par une oligarchie où les musulmans arabes étaient favorisés par rapport aux musulmans non-arabes. Une nouvelle guerre civile eut lieu au nom de l'égalité entre tous les musulmans. Malgré l'avènement des Banû Abbas, dynastie aussi arabe, aussi mecquoise et aussi kurayshite que les Banû Umayya, le monopole arabe du pouvoir ne put être maintenu. Progressivement, au sein de l'empire, la primauté sociale arabe céda la place à des classes dirigeantes où, sans être hégémoniques, les éléments persan et turc à l'est, berbère à l'ouest, pesèrent de tout leur poids. Pour se maintenir dans cette diversité, le pouvoir devint musulman.

829

Empire franc
En dotant son quatrième fils, Charles le Chauve, qu'il avait eu de Judith de Bavière, Louis le Pieux déclenche la colère de Lothaire.

Venise
Début de la construction de la première église Saint-Marc pour abriter les cendres du saint (→ 827).

830

Moravie
Création du royaume de Grande-Moravie. →

831

Hambourg
Après avoir été expulsé du Danemark en 827 et avoir tenté d'évangéliser la Suède, Anschaire est nommé par le pape évêque de Hambourg.

832

Empire byzantin
L'empereur Théophile chasse tous les peintres de son empire.

Bagdad, Empire abbasside
Fondation de la Maison de la Sagesse. →

833

Empire franc
Louis le Pieux est déposé par ses fils. Lothaire devient empereur (→ 829, 835).

Empire abbasside
Mort d'al-Ma'mûn. →

835

Empire franc
Réconcilié avec ses fils, Louis le Pieux se fait à nouveau couronner empereur.

Première généralisation des raids vikings, notamment sur Rouen.

836

Sâmarrâ, Empire abbasside
Bagdad devenue trop agitée, Al-Mu'tasim fait de Sâmarrâ sa capitale. La ville est organisée pour que les mercenaires turcs, engagés par le calife, n'y côtoient pas les Arabes.

838

Sâmarrâ, Empire abbasside, 4 janvier
Babak, chef d'un mouvement religieux et social, est livré à Al-Mu'tasim qui le fait exécuter avec des raffinements de cruauté.

Anatolie
Prise d'Amorion, berceau de la dynastie phrygienne, par les Arabes. L'empereur Théophile en mourra de dépit en 842.

839

Russie
Arrivée des Varègues sur la mer d'Azov.

840

Empire franc, 20 juin
Mort de Louis le Pieux.

Asie centrale
Effondrement brutal de l'Empire uighur sous les coups des Kirghiz.

Empire abbasside
Mort du mathématicien arabe Khwârizmî. →

841

Fontenay-en-Puisaye, 25 juin
Bataille au cours de laquelle Lothaire est battu par ses frères.

842

Strasbourg, 14 février
Charles le Chauve et Louis le Germanique raffermissent leur union contre leur frère aîné Lothaire, empereur d'Occident, par les Serments dits de Strasbourg.

Sâmarrâ, Empire abbasside
Construction de la Grande Mosquée, entièrement en briques crues.

843

Empire byzantin, mars
Fin de l'iconoclasme : l'impératrice régente Théodora rétablit le culte des images. →

Empire franc, août
Traité de Verdun réglant le partage de l'empire d'Occident entre les fils de Louis le Pieux. →

Illustration des « Automates », manuscrit d'al-Djazarî. 1315.

Pseudo-Gallien : frontispice du « Livre des antidotes ». Irak, 1199.

Les sciences en pays d'islâm

Le développement intellectuel et scientifique, apparu au VIIIe siècle, se prolonge et touche tous les peuples de l'Empire musulman. Il faut noter que le principal vecteur de cet essor intellectuel est le développement de la langue arabe qui devient celle de tous les penseurs de l'empire, même des non-musulmans. Bagdad devient le centre où se rencontrent des Arabes, des Perses, des Indiens, des chrétiens et des Juifs qui traduisent en arabe les œuvres grecques, tout un monde qui contribue au développement de la littérature, de la philosophie, de l'astronomie, des mathématiques et de la médecine. De Bagdad, ce savoir se répand, par l'intermédiaire de la Sicile, de l'Italie et de l'Espagne, vers l'Europe médiévale. Cette expansion se poursuit pendant plus de deux siècles.

Miniature extraite d'un traité d'astrologie d'origine turque. Début XVe siècle. Institut oriental, Sarajevo.

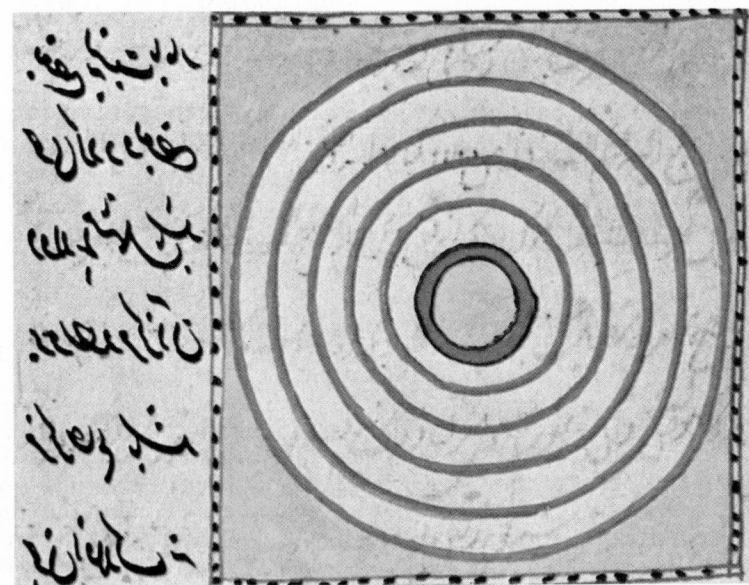

Représentation cosmogonique. Miniature arabe. 1695. Un observatoire astronomique fut construit à Bagdad dès le IXe siècle.

Fondation de la Grande-Moravie par Moïmir

Moravie, vers 830

Moïmir, prince morave, vient d'expulser son voisin, le prince Pribina. Cela lui permet de fédérer les tribus slaves de Bohême, de Moravie, de Slovaquie et de Pannonie en un grand ensemble militaire et politique appelé Grande-Moravie. Cet empire encore païen fait l'objet depuis quelques années d'efforts d'évangélisation de la part de missionnaires germaniques envoyés par Rome. En 846, à la mort de Moïmir, le prince Rostilav prend le pouvoir avec l'assentiment de Louis le Germanique, empereur d'Occident. Mais il ne tardera pas à s'inquiéter des tendances hégémoniques de la christianisation franque et des véritables intentions de l'empereur. Il finira par chercher d'autres protecteurs (→ 863).

La "Maison de la Sagesse" à Bagdad

Bagdad, vers 832

Al-Ma'mûn qui succède à Hârûn al-Rashîd après le court interrègne de son demi-frère, Al-Amîn, règne de 813 à 833. Il doit faire face à une situation de plus en plus agitée. Intelligent, il comprend que le meilleur moyen de faire face à l'effervescence est de tenter de l'institutionnaliser. Il fonde la fameuse Maison de la Sagesse *(Beit al-Hikma)* et lui assigne comme principale tâche la traduction d'œuvres philosophiques et scientifiques grecques sur des originaux qu'il fait rapporter lui-même. Malgré cette « censure » déguisée, la Maison de la Sagesse exerce une influence considérable sur le développement de la pensée et de la culture islamiques. Des observatoires astronomiques lui sont rattachés. Les savants musulmans y établissent de nouvelles tables, corrigeant les données de Ptolémée.

Mort du mathématicien Al-Khwârizmî

Empire abbasside, 840

Iranien d'origine, Muhammad ibn Musa al-Khwârizmî est le type de ces savants de l'époque abbasside qui donnèrent à la civilisation musulmane et à la langue arabe un essor considérable. Géographe, astronome, mathématicien, historien, il fut l'un des piliers de la *Beit al-Hikma* (Maison de la Sagesse). On lui doit le premier manuel d'arithmétique dans lequel sont exposées la règle de trois et le procédé d'extraction des racines carrées. Il est également l'auteur d'un traité, *Al-Jabr* qui, après avoir été latinisé, a donné le mot français « algèbre », et de *Tables astronomiques* dont l'influence, à travers ses traductions latines, est considérable.

Charles le Chauve recevant des mains du comte Vivien la Bible qui lui est destinée. « Bible Vivien » ou « Première Bible de Charles le Chauve ». Tours, 846.

Rétablissement du culte des images à Constantinople

Constantinople, mars 843

L'impératrice Théodora, veuve de Théophile (829-842), prend le contre-pied de la politique religieuse menée jusqu'alors par son mari. Celui-ci, furieux iconoclaste, était allé jusqu'à chasser tous les peintres de son empire. Théophile n'est mort que depuis un an ; un synode, réuni par sa veuve, vient de rétablir solennellement le culte des images, mettant ainsi fin à un conflit divisant l'empire depuis plus d'un siècle (→ 730). A la mort de Théophile, le jeune Michel III (842-867) n'avait que six ans ; sa mère Théodora assura donc la régence. Elle met à exécution sa politique religieuse d'entente avec le patriarche Méthode qu'elle vient de nommer. C'est l'échec de la subordination de l'Eglise à l'Etat.

La Vierge à l'Enfant. Mosaïque. Vers 850. Abside de Sainte-Sophie, Istanbul.

Al Ma'mûn tente de sauver l'empire

Bagdad, 813-833

Lourd est l'héritage qu'Abd-Allâh al-Ma'mûn, fils aîné de Hârûn al-Rashîd, placé second sur la liste successorale parce que fils d'une esclave persane, recueille de son père et de son demi-frère, Al-Amin. Pendant les vingt ans de son califat, il alterne ouvertures et rigueurs pour sauver l'empire. Il tente de réconcilier les grandes familles de l'islam, se rapproche des shî'ites et va jusqu'à proclamer le mu'tazilisme doctrine d'Etat. La résistance des Ulémas conservateurs l'amène à recourir à la *mihna* (inquisition). Pour canaliser l'effervescence intellectuelle, il institutionnalise la traduction et la recherche. Le mouvement lui échappe. Il essaye de réduire la domination de l'aristocratie arabe, mais doit faire face à la plus sérieuse des rébellions sociales, celle de Babak. En même temps, il doit affronter les Byzantins qui relèvent la tête. Toutes les ouvertures qu'il fait, toutes les rigueurs qu'il utilise viennent trop tard, sur le plan politique ; culturellement, son règne n'en marque pas moins l'apogée de la civilisation abbasside.

L'empereur Lothaire. Vers 850. « Evangiles de Lothaire ».

Le traité de Verdun consacre la naissance du royaume de France

Verdun, août 843

Après des années de vaines querelles, les fils de Louis le Pieux se sont partagé l'empire. Le traité de Verdun cède l'ouest à Charles le Chauve et l'est à Louis le Germanique. Lothaire conserve son titre impérial. Son Etat s'étend entre celui de ses deux frères, de la Frise à Rome. L'Empire carolingien en sort définitivement démembré, l'autorité royale affaiblie. Cette ruine a pour origine l'amour de Louis le Pieux pour la belle Judith de Bavière qu'il épousa en secondes noces. La naissance de Charles le Chauve obligea l'empereur à reconsidérer l'*Ordinatio imperii* (817). Les aînés goûtèrent fort peu la chose. La crise atteignit son paroxisme en 830 : le trône impérial devint l'objet d'une lutte sans merci entre les quatre frères. La mort de Pépin en 838 fut suivie de celle de l'empereur, plusieurs fois déposé puis restauré. Les trois héritiers continuèrent de se déchirer, jusqu'à ce que cet accord fût conclu. Le traité de Verdun est le premier texte officiel écrit en langues vulgaires et non plus en latin.

Eginhard, auteur d'une "Vie de Charlemagne"

Michelstadt, Germanie, 830

Eginhard vient de terminer la plus vivante des biographies de l'empereur Charlemagne, la *Vita Caroli Magni*. L'auteur, né vers 770 en Franconie, fut appelé à la cour de Charlemagne où il devint l'élève d'Alcuin, puis plus tard l'ami et conseiller de l'empereur. Celui-ci le chargea de diriger la construction des bâtiments impériaux, dont la chapelle palatine d'Aix-la-Chapelle et l'abbaye de Steinbach à Michelstadt, où il s'est retiré pour achever son livre.

844

Rome
Louis II, fils de Lothaire Ier, roi d'Italie. →

845

Chine
Favorable au taoïsme, l'empereur Wuzong (Woutsong) proscrit toutes les religions étrangères et s'en prend plus particulièrement aux bouddhistes. →

Paris
Les Vikings assiègent et pillent Paris. Charles le Chauve doit payer une rançon pour qu'ils évacuent la ville. →

846

Tours, France
Pour la première fois, un événement contemporain est représenté picturalement. Il s'agit d'une miniature illustrant la *Bible de Vivien* ou première Bible de Charles le Chauve : on y voit le roi, dans tout l'apparat de son rôle, recevant des mains du comte Vivien, abbé laïc, et des moines de Saint-Martin-de-Tours la Bible en question.

847

France
Arrivée à Paris de Jean Scot Erigène à la demande de Charles le Chauve. →

Rome
Avènement du pape Léon IV. Il fortifiera la cité du Vatican par une muraille dite « léonine ».

Empire abbasside
Al-Mutawakkil essaye de redonner de l'autorité au califat en s'appuyant sur les sunnites qui ont le soutien populaire. Il persécute les mu'tazilites et les shi'ites et prend des mesures contre les Juifs et les chrétiens.

848

Mayence
Pour sa doctrine sur la prédestination, Gottschalk est condamné au synode de Mayence, où il a pour adversaires Raban Maur et Hincmar, évêque de Reims.

850

France
Les Vikings s'installent aux embouchures de la Seine et de la Loire. →

Salerne, Italie
Fondation de l'Ecole de médecine. →

Fès, Califat idrîsside
Inauguration de la mosquée de Fatima, ébauche de la Grande Mosquée d'Al-Karawiyyin.

Chine
Voyage des navigateurs arabes Wahab et Abusaïd en Chine méridionale. Ils rapporteront de nombreuses informations sur le thé, l'eau de vie, le riz et la porcelaine.

Bretagne
Nominoë, duc de Bretagne, après s'être rallié à Charles le Chauve en 846, affirme son indépendance.

Sénégal
Apogée du royaume de Tekrour, qui tient sous sa coupe aussi bien les Ouolofs à l'ouest que les Peuls du Sénégal central. →

852

Bulgarie
Boris Ier devient roi des Bulgares. →

854

France
Robert le Fort, abbé laïc de Marmoutier, est nommé *missus dominicus* de Charles le Chauve.

855

Lotharingie
Création de la Lotharingie par Lothaire Ier, empereur d'Occident, pour son fils Lothaire II. Ce royaume s'étendait de la mer du Nord aux Alpes, entre la Meuse, l'Escaut et le Rhin. Lothaire II crée également pour son fils Charles le royaume de Provence.

856

Bagdad
Mort du théologien Ahmad ibn Muhammad ibn Manbal. Ses travaux sont à l'origine de l'un des quatre rites de l'islam orthodoxe.

France
Les Vikings ravagent la Normandie et l'Ile-de-France. →

Statue de Bouddha Çâkyamuni en bronze doré. Epoque Tang, VIIIe-IXe siècle.

Construction de la mosquée de Sâmârrâ

Sâmârrâ, 846
Pour éviter les heurts qui se multipliaient avec la population, le calife de Bagdad avait fondé la ville de Sâmârrâ, sur la rive gauche du Tigre, pour y loger sa garde prétorienne d'origine turque. Dix ans plus tard, il y construisit la Grande Mosquée, célèbre pour son minaret de forme hélicoïdale. La construction est entièrement en briques crues. Les murs d'enceinte, de 2,65 m d'épaisseur et plus de 10 m de haut, sont flanqués aux quatre coins de tours rondes. En outre, des contreforts ronds, faisant saillie de plus de 2 m, jalonnent régulièrement les murs. La cour est un quadrilatère qui mesure 160 m sur 100 m, c'est-à-dire le rapport du nombre d'or.

Fondation de l'Ecole de médecine de Salerne

Salerne, Italie, 850
La première université d'Europe vient d'être fondée. C'est dans un monastère grec implanté à Salerne que d'éminents professeurs, dont Constantin l'Africain, ont créé une école de médecine. Les différents professeurs qui se succéderont utiliseront les manuscrits du Mont-Cassin, où le Corpus médical de Cassiodore a été conservé. Cette école, qui acquiert très vite une grande réputation, constitue un centre de vie religieuse et culturelle où les moines recopient des manuscrits grecs.

Persécution des bouddhistes en Chine

Chine, 844
Le bouddhisme a souvent été l'objet de persécutions. Les prêtres taoïstes, en compétition avec les bouddhistes, les ont parfois favorisées. Leur caractère nationaliste et xénophobe est alors manifeste. Un antibouddhiste fervent, Han Yu (768-824), l'un des meilleurs prosateurs que la Chine ait connu, écrit en 819 un texte d'une rare violence contre le transfert d'une prétendue relique du Bouddha (pamphlet qui lui vaut d'être exilé). Cependant, ces persécutions répondent surtout à des réalités économiques et politiques, car l'Eglise bouddhique est puissante et détient d'immenses richesses. La dernière proscription, qui semble avoir été fatale au bouddhisme, commence sous le règne de Wuzong (841-846), fervent taoïste, à la recherche du secret de l'immortalité. Par un édit daté de 845, l'empereur proscrit toutes les religions étrangères, bouddhisme, mazdéisme, manichéisme et nestorianisme : 260 000 religieux bouddhistes sont alors sécularisés, 4 600 monastères détruits et 40 000 lieux de culte démolis.

Scot Erigène appelé par le roi de France

Empire franc, 847
Jean Scot Erigène, théologien et philosophe, né en Irlande vers 810, est appelé par Charles le Chauve pour enseigner à l'Ecole du palais. Helléniste éminent, il va très vite apparaître comme une autorité de premier plan. D'inspiration platonicienne, sa doctrine accorde une grande place à la raison. Sa grande culture forcera l'admiration de tous. Mais sa prise de position contre la doctrine de la prédestination de l'homme au mal lui vaudra d'être condamné par le pape comme hérétique. Il mourra en 877.

Un royaume sur les rives du Sénégal

Sénégal, 850
Le royaume de Tekrour constitue aux IXe et Xe siècles un axe florissant grâce au commerce caravanier transsaharien de l'or, du sel, des métaux et des esclaves, notamment en provenance du Ghâna dont le royaume a été le vassal, tout comme celui de Namandirou. Vers 932, les Almoravides, moines-soldats musulmans, convertiront par la violence les habitants du Tekrour. Y compris leur roi qui scellera, en 1040, une importante alliance avec l'envahisseur. Premier royaume noir islamisé, le Tekrour est le point de départ de l'expansion ; il reconquerra son indépendance au XIe siècle avant d'être soumis par les Peuls.

Tête de monstre décorant le timon d'un char. Vers 850.

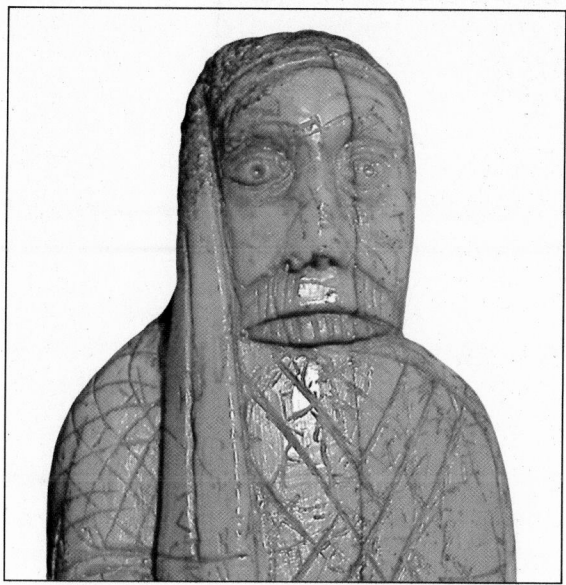

Guerrier viking. Pièce d'un jeu d'échecs. Ivoire de morse. British Museum, Londres.

Le commerce de l'or enrichit le Ghâna

Ghâna, 850

Le Ghâna, royaume du Soudan occidental datant des premiers siècles de l'ère chrétienne, tire son extrême richesse des mines d'or du Galam et du Bambouk. Dès le IXe siècle, la production de minerai atteint cinq tonnes par an. L'or est expédié vers les pays d'islam, le Maroc d'abord, et l'Europe, par l'axe commercial transsaharien. La période d'expansion du royaume et l'apogée de sa puissance se situent entre 950 et 1050 : cérémonial fastueux des cours royales, opulence incroyable des rois qui « attachaient leurs chevaux à des blocs d'or massif ». En 1076, la croisade des Almoravides, qui s'emparent du Ghâna, marque le déclin du royaume, qui sera absorbé deux siècles plus tard par l'empire du Mali.

Les Vikings, navigateurs intrépides

La Scandinavie est la terre matrice de trois peuples qui s'y formèrent lentement : les Danois au sud, les Norvégiens et les Suédois au nord. Ces populations sont peu différenciées, leur langue et leur civilisation étant à peu près semblables. La société scandinave se répartit en trois classes : les esclaves, les paysans et les princes. Les liens d'amitié, de loyauté et d'hospitalité priment sur les liens de parenté. Il n'est pas rare qu'une famille confie l'éducation de ses enfants à une personne réputée pour sa science et sa sagesse. Les femmes sont respectées, portent les armes et sont traitées à l'égal de l'homme. La justice est rendue par des sortes d'assemblées populaires présidées par un prince, mais c'est au requérant de décider quelle sera la punition infligée au coupable. Les Vikings sont avant tout des navigateurs intrépides. Les adeptes d'Odin, le dieu scandinave des batailles et de la mort, affrontent sans peur les dangers. Leurs bateaux, longs et plats, sont extrêmement rapides et d'une stabilité remarquable. A la fin du VIIe siècle, ils sont pourvus d'un mât central et d'une grande voile rectangulaire qui s'ajoute à l'emploi des rames. Une tête de dragon à la proue et à la poupe protège le bateau contre les esprits du mal se cachant dans les flots. Les Vikings sont en mesure de dépasser sur mer tous les autres peuples européens. Les raisons de leur expansion restent assez obscures. L'hypothèse généralement avancée est celle d'une explosion démographique qui aurait poussé les Vikings à chercher d'autres terres. Ceci étant lié à un désir d'aventures et d'ascension sociale, qui ne peut s'obtenir que par la réputa-

tion guerrière et l'acquisition de terres. Les grandes invasions vikings durèrent près de trois siècles, de 750 à 1030 environ. La liste des pays atteints est interminable : outre les pays d'Europe occidentale, les vikings pénétrèrent en Russie, attaquèrent Constantinople et même la Perse. Leur succès tenait à l'effet de surprise de leurs raids extrêmement rapides qui terrorisaient les populations. Les conséquences de ces invasions n'ont pas toujours été négatives : certes, les dégâts étaient importants mais les Vikings ont contribué au peuplement de terres jusqu'alors désertes et ont ouvert un large espace économique allant de l'Irlande à la Russie.

Frise sculptée. Détail. Offrande funéraire trouvée dans le « bateau d'Oseberg ». Université d'Oslo.

Un riche marchand sur les routes du désert. « Maqâmât d'al-Harîrî ». Peints par al-Wâsitî. Bagdad, 1237.

Les Fujiwara illustrent l'époque Heian

Japon, 858

La maison des Fujiwara était déjà toute-puissante au VIIIe siècle. Elle possédait des biens fonciers considérables répartis sur tout l'archipel. En outre, leur politique d'alliance matrimoniale les rapprocha de l'empereur. Rapidement, ils exercèrent un ascendant absolu sur la maison impériale et contrôlèrent toutes les affaires de l'Etat. En 857, Fujiwara no Yoshifusa (804-872) reçoit le titre de grand chancelier d'Empire sous le règne de l'empereur Montoku (827-858). Dès lors, les Fujiwara sont nommés *sesshô* (régent d'empereur mineur), puis *kampaku* (régent après leur majorité). Bien que dominant de fait les empereurs et le gouvernement central, jamais les Fujiwara n'ont tenté d'usurper le trône. Les empereurs et impératrices, fort sages, ont consacré leur temps à des tâches philanthropiques. Beaucoup sont devenus de grands lettrés comme l'empereur Saga (786-842) ou de fervents bouddhistes comme son épouse, l'impératrice Danrin.

Bateau viking, dit « d'Oseberg », Norvège. Vers 850. Navire-tombeau exhumé en 1904.

860

Islande
Une tempête amène les premiers Scandinaves sur l'île. →

861

Empire abbasside
Le calife Al-Mutawakkil est assassiné par des mercenaires.

862

Flandre
Baudouin Bras-de-Fer enlève et épouse Judith, fille de Charles le Chauve. Celui-ci consent à créer pour lui le comté de Flandre où il régnera sous le nom de Baudouin Ier. Il fondera Bruges.

Germanie
Premier raid hongrois.

Russie
Novgorod, sur la grande route commerciale nord-sud, est fondée par les Varègues et devient la capitale du prince Riourik (→ 882).

863

Moravie
Cyrille et Méthode évangélisent le pays. →

864

Bulgarie
Baptême du tsar Boris Ier. →

866

Bissarthe, Empire franc
Lors de la bataille de Bissarthe, les Francs sont vainqueurs des Vikings. Hasting, le roi viking, se retire, mais le chef franc Robert le Fort est tué.

Asturies
Petit-fils de Ramire Ier, Alphonse III le Grand devient roi des Asturies.

867

Empire byzantin
Basile, premier empereur macédonien. →

Constantinople
Schisme de Photios, patriarche de Constantinople (→ 870).

868

Egypte, 15 septembre
Ahmad ibn Tûlûn. →

Basra, Empire abbasside
Mort d'Al-Jâhiz, né en 776 dans une famille d'origine abyssine et auteur du célèbre *Livre des avares* (*Kitâb al-Bukhalâ*). C'est un des premiers grands prosateurs arabes.

Bagdad, Empire abbasside
Mort du philosophe Al-Kindi. →

869

Rome
Mort de Cyrille, l'évangélisateur des Slaves.

870

Meersen
Après la mort de Lothaire II, roi de Lotharingie, le traité de Meersen partage le territoire entre Louis le Germanique et Charles le Chauve.

Moravie
Svatopluk devient roi de Grande Moravie en détrônant son oncle Rostislav. Il se libérera de la tutelle germanique et agrandira son royaume avec l'aide de Méthode.

Constantinople
VIIIe concile œcuménique (IVe concile de Constantinople). →

871

Angleterre
Alfred le Grand, chrétien de culture latine, devient roi de Wessex.

872

Norvège
Harald Ier Haarfager impose la première unification de la Norvège aux multiples petits royaumes guerriers.

Empire byzantin
L'empereur Basile Ier adopte une stratégie offensive contre l'islam. Ses troupes occupent les passes du Taurus.

874

Mercie
Burgred, roi de Mercie, abandonne ses Etats aux Vikings.

Transoxiane
Fondation par Sâmân Khudât de la dynastie perse des Sâmânides.

Cyrille et Méthode baptisant un néophyte en présence du roi Rostislav. Miniature de « L'Histoire des Slaves » de Constantin Manassès.

Cyrille et Méthode évangélisent la Moravie

Moravie, 863
Le prince morave Rostislav, souhaitant la présence de missionnaires connaissant le slave pour contrebalancer dans son pays l'influence germanique, fait appel à l'empereur byzantin Michel III. Celui-ci lui envoie deux moines, deux frères fils d'un haut fonctionnaire de Thessalonique d'origine bulgare, parlant le slavon. Afin d'accomplir efficacement leur mission, ces deux moines, qui prendront les noms de Cyrille et Méthode, vont créer de toute pièce une écriture slave dite « glagolithique ». Cet alphabet, conçu à partir de lettres grecques, respecte les particularités phonétiques du slave (il s'appellera plus tard le « cyrillique »). Traduisant la Bible et les livres liturgiques en slave, les deux frères joueront un rôle capital d'évangélisation et de civilisation.

Le Turc Ibn Tûlûn prend le pouvoir en Egypte

Fustât, Egypte, 15 septembre 869
Désigné lieutenant de son beau-père Bakbak, Ahmad ibn Tûlûn, né d'un esclave turc en septembre 835 (mort en 884), arrive à Fustât où il ne tarde pas à exercer le pouvoir fiscal au nom du calife, avant de n'être plus son vassal que nominalement. Une expédition lancée contre lui se solde par un échec et Ibn Tûlûn en profite pour s'emparer de la Syrie (877) et proclamer son indépendance. Bien qu'étranger, sa mémoire continue à être vénérée en Egypte, car il sut lier son destin à celui de son pays d'adoption, mettre fin aux exactions des fonctionnaires des Finances et introduire des réformes agraires et administratives qui firent la prospérité de l'Egypte dont, à tout le moins, les richesses n'étaient plus drainées vers la métropole califale.

La mosquée d'Ibn Tûlûn, Le Caire. 876-877. La cour avec le minaret. Le bassin d'ablution, au centre, est du XIIIe siècle.

Scènes de la vie de saint Paul. « Bible de Vivien » ou « Première Bible de Charles le Chauve ». Tours, 846. Bibliothèque nationale, Paris.

Le concile de Constantinople qui mit fin au schisme du patriarche Photios. Peinture murale. 1587. Bibliothèque vaticane.

Mort du philosophe arabe Al-Kindî

Bagdad, vers 869

Abu Yûsuf ibn Ishak al-Kindî, ou « le philosophe arabe », comme on l'appelle, est un penseur encyclopédique. Né avant la fin du VIIIe siècle, il a vécu et produit à une époque de très grande effervescence intellectuelle, celle des traductions et des controverses sur le mu'tazilisme. Dans son traité *Sur la philosophie première*, il s'inspire de la *Métaphysique* d'Aristote et évoque l'accumulation, avec le temps, des « sciences vraies ». Il en infère qu'« il faut acquérir le vrai, d'où qu'il vienne », reprendre et compléter ce que les prédécesseurs ont réalisé, car « le contenu de la science des choses en leur vérité » est identique à ce qu'ont apporté les prophètes. La pensée d'Al-Kindî est donc à deux niveaux. D'une part, le savoir peut venir de n'importe où et pas seulement de la révélation ; d'autre part, il s'affirme respectueux du message prophétique. Malgré cette ambivalence précautionneuse, il n'échappe pas aux dangers qui menacent les philosophes. La réaction conservatrice du calife Al-Mutawakkil lui vaut la disgrâce.

Les Vikings découvrent par hasard l'Islande

Islande, 860

Les Norvégiens ont entrepris de coloniser l'Islande. Les premiers d'entre eux auraient débarqué sur l'île par hasard vers 860, alors qu'ils voguaient en direction des îles Féroé. Ils se sont installés dans de grandes fermes, séduits par les riches pâturages qui leur rappellent leur mère patrie.

Le tsar bulgare Boris se fait baptiser

Pliska, Bulgarie, 864

Le tsar Boris vient de prendre le nom chrétien de Michel après avoir été baptisé par le patriarche de Constantinople. Il cède ainsi à la pression des Byzantins qui n'ont cessé de le harceler. Après avoir succédé à son père Persian en 852, le tsar a poursuivi l'unification de son royaume. C'est en prenant contact avec Louis le Germanique qu'il a évoqué sa conversion. Mais les Byzantins, pour ne pas perdre leur influence en Bulgarie, ont réagi violemment et Boris a dû accepter la paix, qu'il confirme aujourd'hui par sa conversion.

Un concile met fin au schisme de Photios

Constantinople, 28 février 870

En présence des légats du pape Adrien II, le huitième concile œcuménique de Constantinople vient de prononcer l'excommunication de l'ancien patriarche Photios. Celui-ci, lors de la déposition du patriarche Ignace, en 858, était passé directement de l'état laïc au trône patriarcal. C'était, à l'époque, le plus grand professeur et savant de son temps. Mais le nouveau pape, Nicolas, soucieux de l'universalisme romain, refusa de reconnaître Photios et le déposa en 863. Celui-ci, refusant de céder, dénonça les erreurs de l'Eglise de Rome, en particulier la thèse selon laquelle le Saint-Esprit procèderait à la fois du Père et du Fils *(Filioque)*. Photios réunit un concile qui déposa Nicolas Ier. C'était un nouveau schisme dans l'Eglise chrétienne (867), qui ne prendra fin que lors de ce concile de Constantinople de 870. Pourtant, le désaccord reste total entre le pape et l'empereur Basile Ier sur le droit juridictionnel du Siège romain. Trois jours après la clôture du concile, une ambassade bulgare se présentait à Constantinople : déçue par Rome, l'Eglise bulgare se tournait vers Byzance. C'est ainsi que Basile perdait l'amitié de Rome, à laquelle il avait sacrifié Photios et Bardas.

Basile Ier inaugure la dynastie macédonienne

Constantinople, 867

Basile Ier usurpe le pouvoir à Constantinople, après avoir tué de ses propres mains l'empereur Michel III dont il avait les faveurs. Ambitieux, il s'est frayé l'accès au trône par ces voies sinistres, avec l'aide de son épouse Eudocie Ingerina, maîtresse de Michel III dit l'Ivrogne. Pour assurer sa succession au trône, il couronne coempereurs ses deux fils aînés Constantin et Léon, fondant ainsi la dynastie dite macédonienne. Basile pourtant est originaire d'Arménie, ce qui lui fera accueillir favorablement le couronnement d'Achot, roi d'Arménie. Dès son accession au pouvoir, il s'occupe très activement des affaires ecclésiastiques, menant une politique contraire à celle qu'avait menée le patrice byzantin Bardas et l'empereur Michel III. Il fait enfermer Bardas, successeur et partisan de Photios, dans un monastère, frappant ainsi dans le dos le patriarche en plein combat et rappelle Ignace. Mais, à nouveau en froid avec le pape du fait de sa politique en pays slave, il réinstallera Photios en 878. Basile Ier travaillera aussi à remettre en ordre les finances et commencera la refonte de la législation.

David jouant de la lyre. Enluminure d'un psautier byzantin. Fin IXe siècle-début Xe siècle.

875

Chine
Déclin de la dynastie Tang. →

Islande
Fondation de Reykjavik par le Viking Ingolfur Arnarson.

Rome, 25 décembre
Le pape Jean VIII couronne Charles le Chauve empereur.

876

Le Caire, Egypte
Construction de la mosquée d'Ibn Tûlûn (→ 868).

France
Mort de Louis le Germanique. Charles le Chauve essaie de reconquérir l'héritage de son frère. Il sera battu par son neveu à Andernach.

877

Quierzy, Empire franc
Capitulaire de Quierzy. →

Anzieux, Savoie
Mort de Charles le Chauve. Louis le Bègue, le seul survivant de ses enfants, lui succède.

Constantinople
Photios succède au patriarche Ignace (→ 870).

Cambodge
Indravarman Ier, roi khmer d'Angkor.

Syrie et Palestine
Ibn Tûlûn envahit la Syrie et la Palestine.

878

Angleterre
L'Est-Anglie devient un royaume danois. →

879

Compiègne
Mort du roi Louis le Bègue. Il était allé combattre en Septimanie le comte Bernard de Gothie qui avait refusé de le reconnaître. Louis III et Carloman lui succèdent.

880

France
Naissance de Charles le Simple, fils posthume de Louis le Bègue.

Europe centrale
Poussés par les Petchenègues, les Magyars (Hongrois) atteignent les Carpates.

881

Rome, 12 février
Charles III le Gros, fils de Louis le Germanique, est le premier empereur carolingien germanique.

France
Court poème de 28 vers, la *Séquence* ou *Cantilène de sainte Eulalie* est le premier texte rédigé en français vulgaire.

882

Kiev
Naissance de la capitale du premier Etat russe →.

Saint-Denis
Mort de Louis III.

884

Ponthion, France, juin
Mort de Carloman. Charles III le Gros est élu roi contre Charles le Simple.

885

Paris
Siège de Paris par les Normands, que repousse Eudes, fils de Robert le Fort (→ 888).

Inde
Déclin des Pallava. →

Royaume d'Arménie
Achot Ier, roi d'Arménie. →

Constantinople
Mort de Méthode, apôtre des Slaves.

887

Tribur (Trebur), Allemagne, novembre
Charles le Gros est déposé. C'est la fin de l'unité carolingienne au profit d'une monarchie nationale : Arnulf de Carinthie est élu roi de Germanie.

888

France, février
Eudes est proclamé roi de France contre Charles le Simple (→ 987).

Bélier. Sculpture provenant d'un monument funéraire. Epoque Tang, IXe siècle.

Zhang Xuan (VIIIe siècle) : Madame Kouo-kouo en promenade. Copie du XIIe siècle.

Sous Charles le Chauve, les fiefs deviennent héréditaires

Royaume de France, 877
Tout seigneur ayant à son service des hommes lui prêtant aide et conseils se doit de les récompenser par l'octroi d'un bénéfice (*beneficium*), matérialisation de leur fidélité à son égard. Ce don est généralement une terre accordée en usufruit. A la mort du bénéficiaire, elle retourne au seigneur. A la veille de la seconde expédition de Charles le Chauve en Italie, le capitulaire de Quierzy décide que les fils de comtes ou de vassaux directs relèveront la charge de leur père défunt. Cette mesure ne fait qu'officialiser une pratique déjà fort répandue. Ainsi vont se constituer dans les comtés des « lignages » politiquement et socialement stables. Le terme de *beneficium* sera progressivement remplacé par celui de *feodum*, qui se traduira par fief. Ainsi se trouvaient posées en France les conditions d'un pouvoir de type féodal, qui dominera la vie du royaume pour plusieurs siècles.

Le déclin de la dynastie des Tang

Chine, 875
La révolte d'An Lushan en 755 avait marqué un grand tournant dans l'histoire du monde chinois. La crise va provoquer toutes sortes de transformations. La grandeur des Tang ne se retrouvera jamais, même si la Chine jouit encore d'un siècle de paix relative, particulièrement dans le sud. Après une période de grande expansion, au VIIe siècle et au début du VIIIe, l'heure est au repli général. Les Ouigours, les Tibétains et même les Arabes dominent certaines régions dans l'ouest et en Asie centrale. Pour lutter contre les insurgés, le gouvernement est amené à multiplier les régions militaires et à accroître les pouvoirs des commissaires impériaux qui les contrôlent. Suite à ces pressions extérieures et au développement commercial des régions du sud, le centre du monde chinois tend à se déplacer vers les plaines du fleuve Bleu. Ce phénomène est lié aussi aux progrès de la riziculture. Le pouvoir central décide de nouvelles réformes dont la plus importante est celle de Yang Yan en 780 : la Double Taxe, prélevée le sixième et le onzième mois de chaque année. Des monopoles sur le sel, les alcools et le thé deviennent d'importantes sources de revenus. Si le pouvoir sait faire preuve d'une remarquable faculté d'adaptation dans le domaine économique, il ne réussira pas à reprendre le contrôle politique. Des famines appauvrissent la population et la situation devient instable. En 874, des soulèvements populaires dans le nord de la Chine annoncent la fin de la dynastie.

L'Arménie devient un Etat indépendant

Bagaran, Arménie, 885
Le prince Achot Bagratouni vient d'être couronné avec faste dans la cathédrale de Bagaran, sa capitale. L'autorité royale lui est accordée par le calife de Sâmarrâ. Il gouvernait en fait depuis 861 une principauté qui dépasse largement à l'est les limites de l'Arménie. Il en avait été nommé gouverneur, puis prince par les Arabes. Son titre de roi est aussitôt reconnu par l'empereur Basile Ier, d'origine arménienne (→ 867). La dynastie Bagratide est fondée, marquant la fin de la domination directe des Arabes. Cependant ces derniers continuent à leur verser tribut et à battre monnaie au nom du calife. Le royaume s'opposera aussitôt à la principauté arménienne rivale de Vaspourakan, située autour du lac de Van (elle obtiendra la couronne royale en 908). Mais, malgré l'instabilité politique, l'Arménie connaît un épanouissement économique, artistique et intellectuel sans pareil jusqu'à ce jour dans la région.

Alfred le Grand résiste à l'invasion de l'Angleterre par les Danois

A l'origine, il existait en Angleterre une multiplicité de royaumes. Le début du IXe siècle est marqué par les tentatives d'unification d'Egbert du Wessex que viennent contrecarrer les attaques danoises. Egbert mourut sans avoir achevé son œuvre. 870 est une année terrible pour l'Angleterre : la Mercie est conquise, l'Est-Anglie devient un Etat danois. Le puissant royaume de Wessex est à son tour menacé mais son roi, Alfred le Grand, remporte en 878 à Ethandun une victoire décisive contre l'envahisseur. Les Danois se contentent de l'est du pays, tandis qu'Alfred le Grand conserve le Wessex, le Sussex, le Kent et une partie de la Mercie. La lutte contre les Danois ne s'est pas achevée là, mais le roi Alfred, auquel son biographe attribue le titre de « Rex saxonum », fait figure de libérateur et d'unificateur des Anglo-Saxons. Ce roi est la plus puissante personnalité du Moyen Age anglais, à la fois chef politique et animateur intellectuel et littéraire. L'Angleterre lui doit d'avoir surmonté le péril danois en conservant son originalité, et d'avoir établi les premières assises d'une monarchie administrative solide.

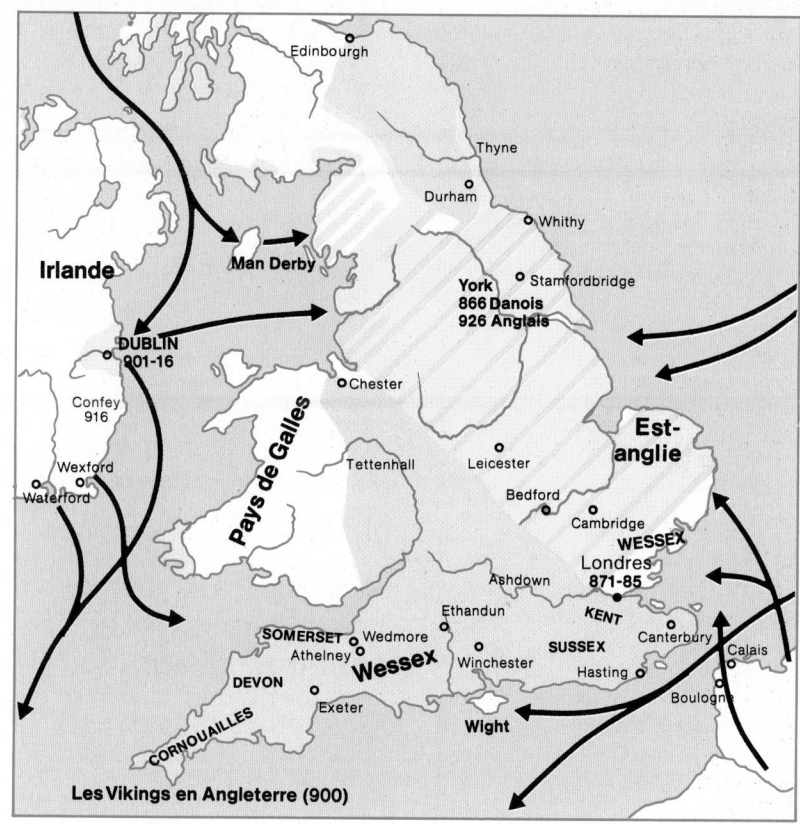

Les Vikings en Angleterre (900)

Alfred le Grand, le vainqueur des Danois. Monnaie d'argent frappée entre 871 et 899.

Revers de la pièce ci-dessus portant en inscription : « Aelfred Rex Saxonum ».

Kiev, capitale du premier Etat russe, fondé par les Varègues

Kiev, 882

La prospère ville de Kiev, slave et chrétienne, entretenait depuis longtemps la convoitise de guerriers venus du nord, les Varègues. Ceux-ci, originaires de Suède, descendant la Volga par les lacs de Lagoda depuis le début du siècle, avaient eu vent de l'existence de deux empires florissants vers le sud et du commerce actif que les Khazars entretenaient avec les Arabes de Bagdad. Ils se sont d'abord établis sur le littoral de la mer Baltique où ils ont installé des comptoirs de traites d'esclaves comme à Gobina, en Courlande. Aventureux, les Varègues ont entrepris, à la fin du VIIIe siècle, la traversée du continent en direction du sud. Ils utilisaient les barques monoxyles des Slaves, associant habilement navigation fluviale et portage sur la ligne de partage des eaux, au milieu de forêts marécageuses. Ces Normands, qui atteignirent Bagdad par la Volga et la mer Caspienne, finirent par découvrir un itinéraire les menant de Novgorod, ce bourg fortifié par les Slovènes tombé entre leurs mains, jusqu'à la mer Noire. Suivant le cours du Dniepr, ils parvinrent à Kiev vers 860. Ils étaient alors menés par le prince de Novgorod, Riourik, un ancien mercenaire varègue engagé par

Riourik, prince de Novgorod, fondateur du premier Etat russe. Gravure du XVIIIe siècle.

les Slaves pour résoudre leurs luttes intestines. Ces hommes du nord, que les écrivains arabes appellent les *Rus*, finirent par contrôler les relations commerciales et imposer, à la place des Khazars, leur suzeraineté aux Slaves. Ceux-ci les ont fort bien accueillis, les jugeant seuls capables de les protéger contre les maraudages des Magyars. Riourik est mort en 879. Oleg lui succède. Il met la main sur Kiev. Païen, il étouffera le christianisme naissant, mais rendra la ville prospère. Il rassemblera toutes les tribus et réunira le nord et le sud en un bloc politique unique. L'Etat russe est fondé.

Fin de la dynastie des Pallava en Inde

Inde, vers 885

Vers 885 les Pallava, attaqués par le grand roi Cola Aditya Ier, ne peuvent résister aux assauts de ce puissant voisin. Leur roi, Aparajita, meurt dans la bataille et son royaume, situé au bord de la Krsna, est annexé par les Cola (ou Tchola). Ainsi disparaissait l'une des plus prestigieuses dynasties du sud de l'Inde. Le roi Narasimihavarman (625-645), mécène et conquérant, avait largement contribué à la gloire des Pallava : durant son règne, la littérature tamoul avait brillé d'un éclat particulier et l'art, essentiellement rupestre, avait atteint son apogée. C'est lui qui fit creuser les cavernes de Mahâbalipuram dont les hauts-reliefs allient équilibre et pureté. Les *ratha*, petits sanctuaires monolithes dont la toiture étagée est typique de l'art dravidien, datent de la même époque. A partir du VIIIe siècle, les règles de l'architecture s'imposèrent définitivement avec le petit Temple du Rivage à Mahâbalipuram et le Kailâsanâtha à Kâncîpuram.

Le « Temple du Rivage » à Mahâbalipuram. Il fut construit sous le règne du roi pallava Narasimhavarman II (695-722).

892

Bagdad
Les califes abbassides de Sâmârrâ retournent à Bagdad.

893

Laon, 28 janvier
Charles III le Simple, fils de Louis II le Bègue, est couronné roi par Foulques. Il doit fuir devant Eudes.

Preslav, Bulgarie
Siméon Ier, fils de Boris, devient grand tsar des Bulgares ; il remplace sur le trône son frère Vladimir. Elevé en otage à Constantinople, ce grand lettré est aussi grand stratège et diplomate (→ 980).

894

Aurillac, France
Fondation de l'abbaye d'Aurillac par saint Géraud, comte d'Aurillac.

Bulgarie
Les Byzantins reprennent la guerre contre les Bulgares. Mais, deux ans plus tard, les Bulgares contraindront Léon VI à payer tribut.

895

Europe centrale
Arrivée des Magyars. →

896

France
Installation sédentaire des Vikings à l'embouchure de la Seine (→ 911).

897

Rome
Le « synode du Cadavre » : Etienne VI intente un procès posthume à son prédécesseur. →

France
Accord entre Robertiens et Carolingiens : Eudes se réserve la France occidentale ainsi que Paris et laisse à Charles tout le pays entre la Seine et le Rhin.

Norvège
Le Normand Ottar découvre une voie maritime entre la Norvège et la Russie orientale par le cap Nord et la mer Blanche (→ 882).

898

La Fère, France, 1er janvier
Mort d'Eudes. Charles le Simple devient seul roi de France.

899

Angleterre
Edouard, roi de Wessex, successeur d'Alfred le Grand, vainc les Normands avec l'aide de sa sœur Ethelfleda, régente de Mercie. Il agrandit ainsi son royaume.

Italie
Premiers raids magyars en Lombardie et en Vénétie.

900

Boukhara, Asie centrale
Dynastie d'émirs autonomes installée en Transoxiane depuis 875, la dynastie sâmânide s'affirme avec la conquête du Khurâsân et se fait reconnaître par le calife. →

Congo
Les Bantous pénètrent au Congo et y introduisent la métallurgie. →

Java
Unification politique de l'île sous les rois de Mâtaram. →

Oaxaca, Mexique
Civilisation de Monte Albán. →

Occident
Invention du fer à cheval.

901

Ifrikiya (Tunisie)
Abû Abdallah soulève les Berbères contre l'émir aghlabide.

902

Sicile
Les arabes prennent Taormina et achèvent ainsi la conquête de l'île.

903

Empire abbasside
Début de l'agitation des Karmates conduits par Abû Saîd.

904

Thessalonique
Les Arabes s'emparent de la ville.

Une cité carolingienne assaillie par des cavaliers magyars. Miniature. Vers 924. Bibliothèque de l'Université, Leyde.

Arrivée en Europe des Magyars sous la conduite d'Arpad

Europe centrale, 895
Un peuple venu de l'est vient de faire irruption en Europe. Les Magyars ou Hongrois sont originaires du nord de l'Oural. Pasteurs et pêcheurs à l'origine, ils devinrent des nomades pillards. Installés sur la moyenne Volga, ils participèrent à cette civilisation de la steppe connue pour la splendeur de ses bijoux. Mais, menacées par un peuple d'origine turque, les Petchenègues, les cinq tribus magyares, conduites par leur chef Arpad, se sont peu à peu déplacées vers l'ouest. Voici qu'à présent ils viennent de traverser les Carpates pour s'établir dans la haute vallée de la Tisza, repoussant les Moraves vers le nord et les Slovènes vers le sud ; ils ne tarderont pas à passer le Danube pour s'installer en Transdanubie. A partir de là, chaque année, ils organiseront des expéditions qui leur apporteront butin et esclaves. Leur tâche est facilitée par la faiblesse de l'Etat carolingien qui leur a laissé exercer leurs rapines impunément (→ 955).

Le pape Etienne VI cite en justice le cadavre de son prédécesseur

Rome, 897
Il vient de se dérouler à Rome une bien étrange cérémonie. Le pape Etienne VI, qui a fait exhumer le cadavre de son prédécesseur Formose, vient de le faire condamner par un synode. Feu Formose est accusé de traîtrise envers les ducs de Spolète qui revendiquaient l'empire, pour s'être tourné vers le Carolingien Arnulf, hostile aux Romains. Formose, non originaire de Rome, a réussi à tenir tête à ses ennemis jusqu'à sa mort en 896. Un partisan de Spolète, Etienne VI, lui succède. Il casse ses décisions et fait condamner son cadavre. Une lutte très vive opposera les formosiens et leurs adversaires. Etienne VI sera emprisonné et étranglé dans sa cellule quelques mois après le sinistre « synode du Cadavre ». Chaque camp va élire son propre pape. Les grandes familles romaines vont s'entre-déchirer pour mettre peu à peu la main sur le trône pontifical (→ 932).

Etienne VI cite en justice le cadavre de son prédécesseur, le pape Formose. Peinture de J.-P. Laurens. Musée des Beaux-Arts, Nantes.

Isma'il ibn Ahmad fonde la dynastie des Sâmânides

Boukhara, 900

C'est une famille de propriétaires fonciers iraniens qui, ayant acquis progressivement un grand ascen-

Le mausolée des Sâmânides à Boukhara. Edifié entre 892 et 907 par Isma'il ibn Ahmad.

dant politique, s'installe en Transoxiane en 875, puis au Khurâsân à partir de 900, où elle arrive à se faire reconnaître par le calife abbasside. Le domaine des Sâmânides ne tarde pas à déborder les limites de ces provinces pour s'étendre à un empire allant des abords de l'Inde à la mer Caspienne ; il englobe de grands centres urbains comme Boukhara, la capitale, Samarkand et Nishâhpuhr. Bien que leur loyauté envers le calife de Bagdad soit totale, leur autonomie est grande, qu'il s'agisse du domaine financier, administratif ou militaire. L'Etat sâmânide est organisé sur le modèle du pouvoir abbasside, l'émir disposant d'un vizir et d'une garde composée d'anciens esclaves d'origine turque. La prospérité de l'Etat sâmânide, situé aux confins de l'Inde, de la Chine et de la Russie, repose essentiellement sur le commerce. Cette période, qui durera jusqu'en 1005, représente l'âge d'or de l'histoire de l'Asie centrale. Les sciences et les arts témoigneront de cette apogée, avec le poète Firdûsî, le savant Bîrûnî et le philosophe Ibn Sinâ (Avicenne) dont l'œuvre influencera l'Europe.

La vaste esplanade sacrée de Monte Albán, capitale des Zapotèques, à 1 800 m d'altitude. Au premier plan : l'observatoire (?).

Monte Albán, capitale des Zapotèques

Monte Albán, Mexique, vers 900

C'est au sommet d'un plateau dominant la vallée d'Oaxaca que se dresse la fameuse ville zapotèque de Monte Albán. La plate-forme supporte plusieurs pyramides, palais et un remarquable jeu de pelote. L'apparence de ces bâtiments est sévère, le décor sculpté est rare, mais les tombes sont décorées de fresques représentant hommes et dieux. Chaque divinité, tel Cocijo, le dieu de la pluie aux yeux cernés de nuages, porte une coiffure très élaborée où figure le symbole qui la caractérise. D'abord centre cérémoniel, Monte Albán est devenu un centre urbain important. Les habitations s'étagent sur la pente et

sont si nombreuses que s'est posé, à un moment, le problème de l'approvisionnement en eau et que la cité fut abandonnée par certaines couches de la population. Les Zapotèques occupent pourtant le site depuis cinq siècles au moins. La vallée d'Oaxaca est en effet le centre géographique et spirituel de ce peuple. Bien qu'installés sur le versant Pacifique des montagnes mexicaines, les Zapotèques ont une civilisation fortement influencée par les Mayas auxquels ils ont emprunté leur calendrier et une écriture glyphique. Mais, depuis quelque temps, un peuple voisin, les Mixtèques, les menacent de leur pression.

Sanctuaire hindouiste de Prambanam, Java : le petit temple sud. Fin IXe-début Xe siècle. Ensemble édifié par les rois de Mâtaram.

Java sous la coupe des rois de Mâtaram

Java, vers 900

L'île de Java, centre culturel et artistique de l'Indonésie ancienne, est à nouveau au pouvoir des rois de Mâtaram. L'origine de cette dynastie, dont la puissance croît dès le milieu du IXe siècle, reste assez obscure. Elle semble toutefois apparentée à l'illustre lignée de Sanjaya, de religion çivaïte, fondée vers 732. Cette dynastie fut évincée au VIIIe siècle par les Çailendra bouddhistes, et la majorité des princes préféra l'exil dans la partie orientale de l'île à la soumission. C'est vers 863 que la lignée refait son apparition dans le centre de l'île de Java. Cinq rois se succèdent alors. Le roi Balitung, l'un des plus célèbres de la dynastie, monte sur le trône en

899. Le nom de Mâtaram apparaît pour la première fois sous son règne, pour désigner le royaume qui réunit, pendant une brève période, le centre et l'est de l'île. Balitung avait le dessein de renouer avec la tradition çivaïte dont il se disait l'héritier par sa lignée, tradition interrompue par l'épisode des Çailendra bouddhistes. La construction des quelque cent cinquante monuments hindouistes du groupe de Prambanam, datant du début du Xe siècle, en apporte la confirmation. Toutefois, la tolérance religieuse est de règle. Après 910, les successeurs de Balitung connaissent des règnes de courte durée, jusqu'à l'avènement de Sindok qui, en 929, déplace la capitale vers l'est, tout en gardant au royaume le nom de Mâtaram.

Introduction de la métallurgie au Congo par les Bantous

Congo, vers 900

La cuvette congolaise, initialement occupée par les Pygmées, voit dans les derniers siècles du Néolithique l'arrivée de Bantous occidentaux, dont le noyau primitif pourrait être la culture de Nok, au centre du Nigeria. Cette migration modifia considérablement le mode de vie du Congo. En effet, les Bantous, qui connaissaient la métallurgie, introduisirent cette technique dans le pays. La présence de minerai de fer latéritique, ne nécessitant pas de hautes températures de fusion, conduisit à des méthodes simples et ingénieuses : on réduit le minerai à l'aide d'une longue cheminée en terre dans laquelle on empile du charbon de bois et du fer ; à sa base, on applique des soufflets en peau de chèvre et par des trous percés entre les soufflets on recueille le métal en fusion. La fabrication d'armes et d'outils en fer leur apporta une supériorité sur les ethnies autochtones qu'ils purent ainsi dominer facilement.

Invention du collier de trait et du fer à cheval en Occident

Europe

Cette époque est marquée par un progrès important dans l'utilisation du cheval de trait. En effet, outre l'invention de la ferrure qui protège les sabots en ralentissant leur usure, commence à se répandre, grâce au harnais ou collier de trait, une nouvelle forme d'attelage. Jusqu'à présent, le cheval était relié au véhicule qu'il tirait par une bande de cuir souple disposée autour de son cou, à laquelle s'accrochaient les traits. Celle-ci, appuyant à chaque effort sur sa trachée, gênait sa respiration. Le harnais, étant au contraire une pièce rigide placée sur l'encolure du cheval à la hauteur des épaules et du poitrail, lui donne un meilleur équilibre et surtout lui épargne cet étranglement en répartissant les charges sur ses épaules. Grâce à cette technique, l'efficacité est considérablement accrue. En effet, cette amélioration a multiplié par trois ou quatre le rendement du cheval de trait et, par contrecoup, celui des récoltes.

907

Constantinople
Oleg, prince de Kiev, se présente devant Constantinople et obtient des Byzantins un traité de commerce, qui sera renouvelé et élargi en 911.

Inde du Sud
Début de la dynastie Chola. →

Chine
Fin de la dynastie Tang. →

908

Empire abbasside
Déclin des califes abbassides. Les « émirs en chef », sorte de maires du palais d'origine perse ou turque, prennent le pouvoir.

Afrique
Les Arabes s'établissent dans l'est de l'Afrique (Somalie).

910

Ifrikiya (Tunisie), janvier
Fondation de la dynastie fâtimide par Ubaydallah. →

France
Fondation de Cluny par Guillaume, duc d'Aquitaine.

Angleterre
Edouard l'Ancien reconquiert l'Est-Anglie sur les Danois.

Deccan, Inde
Les Râsthrakûta occupent la plus grande partie du Deccan, ayant repoussé à l'est les Châlukya, qui se regroupent autour de Vengî.

Chine
King Hao et Guan-Dong (Kouang Tong), peintres paysagistes, sont au sommet de leur art.

911

France
Traité de Saint-Clair-sur-Epte : Charles le Simple cède la Normandie à l'ouest de l'Ept à Rollon. →

Allemagne
Mort du roi germanique Louis IV l'Enfant. Le roi franc Charles III le Simple reprend la Lotharingie.

912

Ifrikiya
Ubaydallah le Fâtimide conquiert la Cyrénaïque.

913

Constantinople
Constantin VII Porphyrogénète, devient empereur à l'âge de huit ans, sous la tutelle de son oncle. A l'exercice du pouvoir, il préférera toute sa vie la littérature. Ecrivain lui-même, il rédige le fameux *Livre des Cérémonies* sur les coutumes de l'église byzantine. →

914

Plaine de la Volga
Les troupes du prince de Kiev attaquent les Khazars. →

Espagne
Ordono II, roi des Asturies, quitte Oviedo pour s'installer à León et en faire la capitale de son nouveau royaume, qui comprend également la Galice.

Rome
Jean X devient pape (→ 932).

915

Empire byzantin
Apogée de la Cappadoce chrétienne. Les églises troglodytiques se couvrent de fresques (→ 716).

916

Ifrikiya (Tunisie)
Ubaydallah la Fâtimide fonde la ville de Mahdia, dont il fait sa capitale.

Mongolie
Les Khitan, peuple türko-mongol, sous la conduite d'A-pao-ki, imposent leur autorité en Mongolie orientale d'où ils chassent les Kirghizes vers la Sibérie.

918

Corée
Fondation de la dynastie du Goryeo (Koryô). →

919

Allemagne
Henri Ier de Saxe, dit l'Oiseleur, devient roi de Germanie. Cette accession au pouvoir d'un Saxon consacre la fin de la lignée carolingienne.

Bretagne
Les Vikings envahissent et pillent la Bretagne.

Les seuls vestiges subsistant de l'immense abbatiale de Cluny : la tour lanterne et une des absidioles du chœur (art roman).

Les moines de l'abbaye de Cluny échappent au pouvoir temporel

France, 910

Le duc d'Aquitaine et comte de Mâcon, Guillaume le Pieux, qui n'est autre que le petit-fils du célèbre Guillaume d'Orange, fonde le monastère de Cluny qu'il place sous la protection des apôtres Pierre et Paul. A vrai

La légende de saint Benoît (dont la règle fut reprise à Cluny). Fresque. Vers 1400.

dire, l'initiative en revient à Bernon, un noble bourguignon devenu moine sous la règle bénédictine et qui fonda à Baume, dans le Jura, un établissement religieux trop petit pour accueillir tous les moines. Il pria alors Guillaume le Pieux de lui céder une villa sise à Cluny pour y fonder un monastère vivant sous cette règle. Dans la charte de fondation, une clause stipule que les moines ne pourront être soumis à aucune autre juridiction que celle du pape. La communauté pourra élire librement son abbé et disposer de ses biens. Elle échappe ainsi aux pressions, violences et désignations d'abbés indignes qui sont le lot de tant de monastères, pour revenir à la stricte application de la règle bénédictine. La vie monastique est presque entièrement consacrée à la prière et aux offices religieux. La règle très stricte du silence favorise la méditation. Les tâches extérieures et les travaux manuels sont plus ou moins proscrits. La copie exclusive d'œuvres liturgiques traduit la méfiance de Cluny à l'égard de la littérature profane. Les abbés seront envoyés dans l'Europe entière pour réformer les monastères ruinés ou déréglés. Fait capital, grâce à une protection pontificale durable, Cluny obtiendra le droit de placer les monastères réformés sous l'autorité de l'abbé de Cluny, fondant ainsi un ordre monastique d'une puissance et d'un rayonnement exceptionnels.

Charles le Simple cède à Rollon le fief de Normandie

France, 911

Pour tenter de juguler la fougue des envahisseurs nordiques qu'il vient de battre devant Chartres, Charles le Simple remet au traité de Saint-Clair-sur-Epte les régions de la Basse Seine au chef normand Rollon dont il souhaite se débarrasser. En échange, celui-ci interdira l'accès du royaume aux autres Vikings et se fera baptiser. Rollon exercera sur ces territoires les pouvoirs quasiment héréditaires du plus haut fonctionnaire local de la hiérarchie franque : le comte. Il reconnaît néanmoins la suprématie du roi de France. Rollon rappelle aussitôt à Rouen l'archevêque et les moines de Saint-Ouen, rapprochant ainsi les Normands et les Francs. Ce traité constitue le point final des invasions scandinaves dans le royaume de France.

Le mahdî Ubaydallah entre à Kairouan

Ifrikiya, janvier 910

Ayant réussi à conquérir Sidjilmasa, Abû Abdallah délivre le mahdî (le « Sauveur ») Ubaydallah, qui était prisonnier, le ramène triomphalement à Kairouan et l'installe dans la résidence princière de Rakkada. Ubaydallah est proclamé « prince des Croyants » et premier calife fâtimide (de la lignée de Ali, par Fâtima, la fille du Prophète). Le rôle joué par Ubaydallah dans cette prise de pouvoir est mineur. Il vécut en Syrie jusqu'en 902 et ne prit le chemin de l'ouest que pour se retrouver prisonnier à Sidjilmasa. Son « da'i » (son propagandiste) Abû Abdallah avait,

à la faveur d'un pèlerinage, noué des rapports avec les Berbères Ketâma en 894 et avait fomenté toute l'affaire. Ces Ketâma ne sont pas shi'ites, mais adversaires des Aghlabides. Ils furent séduits par l'idée d'instaurer un nouveau régime dont ils constitueraient l'encadrement militaire. Installé à Ikjan, Abû Abdallah gagna la population à ses idées, organisa une armée et passa à l'offensive contre les Aghlabides. Il occupa Sétif en 904, Tobna en 905, écrasa l'armée du dernier souverain de la dynastie et entra à Rakkaba en 909. La politique primant l'idéologie, Ubaydallah le fera exécuter en juillet 911. Ubaydallah et Abû Abdallah ne sont d'ailleurs que des noms incertains de guerre.

L'Empire khazar face au prince de Kiev

Itil, basse Volga, 914

C'est l'affolement à Itil sur Volga, la capitale de Khazarie, cet immense empire qui, du temps de sa splendeur (VIIIᵉ-IXᵉ siècle), percevait des tributs de tous les autres peuples de la steppe. En effet, le prince de Kiev attaque le pays. Celui-ci, infiltré par les colons russes, résiste avec beaucoup de difficulté. Il est vrai que cet empire, situé à un carrefour entre mondes byzantin et arabe, joue un grand rôle économique et a toujours été très accueillant, aussi bien vis-à-vis des marchands étrangers que des influences culturelles les plus diverses. Après avoir sacrifié à l'islam, la royauté khazare s'était convertie au judaïsme vers 740 ; le christianisme y fut introduit par Cyrille en 860. Les Khazars, alliés des Byzantins, vont les pousser à rompre avec Kiev (→ 965).

Chute des Tang en Chine

Chine, 907

A Kaifeng, Zhu Wen fonde la dynastie des Liang : cet événement marque la fin nominale de la dynastie des Tang, qui avait perdu la réalité du pouvoir depuis 885. Les responsables directs de la chute des Tang sont les commissaires impériaux en charge des régions militaires qui, par leur pouvoir croissant, provoquèrent le morcellement de l'empire. De plus, la révolte d'An Lushan, avait, dès 755, provoqué de profonds bouleversements. Vers 874, à la suite de famines, des bandes de pillards s'organisent en Chine du Nord, sous la direction de deux contrebandiers. L'un d'eux, Huang Chao, s'empare de la capitale et y fait régner la terreur. Les empereurs ne sont plus alors que des jouets entre leurs mains. Zhu Wen, lieutenant de Huang Chao, détrône en 907 le dernier des Tang pour fonder la première des Cinq Dynasties.

Temple de Mukteçwar à Bhubaneswar, Orissâ. Construit vers 975 (?), il est précédé d'un « torana » (ou portique) richement décoré.

Début de la puissance Chola en Inde du Sud

Inde du Sud, 906

A sa mort en 906, le roi Chola Aditya Iᵉʳ laisse à son fils Parântaka un vaste territoire couvrant le sud du Deccan, à l'exception du plateau du Mysore et d'une mince bande côtière à l'ouest. C'est la première apogée de la dynastie Chola. Au milieu du IXᵉ siècle, le pouvoir pouvait paraître hors de portée des Chola, écrasés entre deux puissants voisins, les Pallava et les Pândya. Mais, dès 850, la prise de Tanjore avait été un premier pas vers l'accroissement de la puissance Chola. En 880, le roi Aditya contribua à la victoire des Pallava sur les Pândya près de Kumbakonam. En récompense, il reçut des terres qui vinrent agrandir les territoires autre-fois arrachés par son père aux vassaux des Pândya. Mais l'ambitieux roi Chola avait d'autres vues pour sa lignée et il se retourna rapidement contre son suzerain. Il envahit le Royaume des Pallava et, dans l'une des batailles qui s'ensuivirent, tua le roi Aparajita. En 897, leurs possessions étaient aux mains des Chola et les anciens vassaux des Pallava firent allégeance aux nouveaux maîtres du Deccan. En 906, Parântaka succède à son père. S'ouvre alors un règne qui sera marqué par de nouvelles conquêtes couronnées de succès dans le pays Pândya, avec la prise de Madurai vers 910, et une tentative avortée d'expédition vers Ceylan. Des revers cuisants assombriront la fin de ce règne glorieusement commencé. En 950, la conquête sera à refaire.

En Corée, Goryeo succède à Silla

Corée, 918

Après avoir éliminé le souverain de T'aebong, Wang Kon accède au trône. Dans la deuxième moitié du IXᵉ siècle, la crise politique qui secouait le royaume de Silla était devenue incontrôlable. Différents chefs locaux s'étaient rebellés. L'un d'entre eux, Kong Ye, fort de ses succès, fonde en 901 le royaume dit « de Goguryeo postérieur », qu'il rebaptise royaume de T'aebong, après avoir étendu ses possessions. Mais Kong Ye devient rapidement tyrannique, et il s'attire la haine de ses plus proches lieutenants. L'un d'eux, Wang Kon, se rebelle et l'assassine en 918. A son tour, il change le nom du royaume, qui devient Goryeo, et monte sur le trône. En moins de vingt ans, Wang Kon étendra son territoire à toute la Corée.

Trois Bouddha sur les branches d'un « arbre-lotus » en forme de candélabre. Autel familial. Bronze doré.

Pot à vin avec décor floral. Dynastie Goryeo. Vers 1200. Museum für Ostasiatische Kunst, Berlin.

921

Aght'amar, Arménie
Construction de l'église de Sainte-Croix sur une île du lac de Van. →

922

France
Robert Ier, fils de Robert le Fort, profite de la maladie de Charles le Simple et de la révolte des Grands pour se faire élire roi et couronner à Reims par l'archevêque Gautier. C'est un épisode de plus dans la lutte entre Robertiens et Carolingiens.

Empire abbasside
Décapitation du mystique persan Al-Hallâj. →

923

France
Mort de Robert Ier à la bataille de Soisson, contre Charles III le Simple, qui n'a pas admis la double royauté. Lui succédera sur le trône de France Raoul de Bourgogne, gendre du roi.

924

France
Les Magyars dévastent la Provence et la vallée du Rhône.

Croatie
Les Croates, peuple slave venu des Carpates au début du VIIe siècle, constituent un royaume indépendant sous la direction de Tomislav.

925

Allemagne
Henri Ier l'Oiseleur, roi de Germanie, rattache à son royaume la Lotharingie.

Empire abbasside
Mort du philosophe et médecin persan Al-Râzî, appelé aussi Rhazes. →

Zanzibar, Afrique
L'île devient arabe.

926

Mongolie
La Mandchourie et le nord de la Corée sont incorporés à l'empire mongol khitan.

927

France
Odon devient abbé de Cluny et en fait le centre de la réforme monastique.

929

Cordoue, Espagne
Institution par Abd al-Rahman III du califat. →

Bohême
Venceslas est renversé par son frère au nom de l'indépendance tchèque. →

Syrie
La dynastie des Hamdânides règne sur la Djezireh et la Syrie. Les gouverneurs ont été investis par le calife de Bagdad.

930

Empire abbasside
Prise de La Mecque par les Karmates. →

Islande
Les colons norvégiens, installés dans l'île depuis le milieu du siècle précédent, fondent une sorte d'Etat libre.

931

Maroc
Les califes de Cordoue conquièrent le Maroc sur les Fâtimides.

932

Rome
Albéric II enferme sa mère Marosie et prend le pouvoir. →

935

Egypte
Fondation de la dynastie turque des Ikhshîdites.

936

Germanie
Otton Ier, fils d'Henri l'Oiseleur, roi de Germanie.

937

Grande-Bretagne
Le roi Æthelstan unifie la Grande-Bretagne. →

L'église arménienne de Sainte-Croix sur l'île d'Aght'amar, lac de Van. Construite entre 915 et 921 par le roi Gagik.

Construction de l'église arménienne d'Aght'amar

Aght'amar, Arménie, 921
Gagik Ardzrouni, seigneur arménien de la famille des Rechtouni, a décidé de faire agrandir son palais et de le doter d'une église à la mesure de sa splendeur. Celle-ci est presque achevée. Il l'a commandée en 915 à Manuel, architecte de renom. Elle a été baptisée église de Sainte-Croix. Cette église palatine a été conçue selon un plan centré, dont la croisée est couverte d'une coupole surmontée d'une toiture pyramidale. Pour donner plus de faste encore au monument, les murs ont été ornés à l'extérieur de sculptures figuratives les plus diverses et, à l'intérieur, de fresques représentant des scènes de l'Ancien et du Nouveau Testament. Gagik est riche ; sa famille, les Rechtouni, s'est réfugiée au VIIe siècle sur cet îlot du lac d'Ardjesh (Van), lac majestueux et sévère entre les montagnes d'un massif volcanique, au cœur de l'Arménie. La famille règne à présent sur le royaume arménien du Vaspourakan. Comme son rival Achot (→ 885), Gagik a été reconnu comme roi par le calife abbasside en 908. Il est à présent à l'apogée de sa gloire, au point que, depuis un an, le *catholikos*, le patriarche de l'Eglise arménienne, s'est installé dans l'île d'Aght'amar. En 924, Gagik entreprendra la construction d'un monastère qui lui servira de siège, à proximité du palais royal. Les patriarches consacrent le roi lors de la cérémonie du couronnement religieux mais jouent aussi, à l'occasion, le rôle d'ambassadeurs.

La décadence des Carolingiens

France, xe siècle
La ruine de l'empire de Charlemagne s'est amorcée avec la guerre civile qui opposa Louis le Pieux à ses fils. Le traité de Verdun découpa le royaume en trois parties, sans mettre pour autant fin aux querelles. Le sacre de Charles le Chauve, à Noël 875, sembla consolider l'empire, mais la situation de l'empereur était fragile dans son propre pays et son autorité contestée en Italie. Charles le Gros, couronné en 881, n'eut guère plus de succès, même s'il réussit dès 879 à regrouper sous son sceptre l'Italie, la Germanie et la Francie occidentale. Sa destitution en 887, devant son incapacité à faire face au péril scandinave, parafa la décadence des Carolingiens. L'empire se démembra aussitôt, remplacé par les royaumes de France, d'Italie, de Lotharingie, de Bourgogne et d'Alémanie. Trente ans plus tard, les Carolingiens ont pratiquement disparu. De nouvelles familles princières ont accédé au pouvoir dans bien des royaumes qui avaient commencé à se développer sur l'ancien Empire franc. Les raisons d'un tel effondrement étaient inscrites dans le cadre même des institutions carolingiennes. Le principe de vassalité fut très tôt perverti puisque le fief n'était plus la récompense d'un service mais la raison d'être de la vassalité. Les hommes eurent bientôt intérêt à se mettre au service de plusieurs souverains pour obtenir le plus de fiefs possible. Situation absurde qui aboutit à une hiérarchisation des hommages et rendit de plus en plus exceptionnelle la fidélité exclusive qui était pourtant à la base du système. En outre, les vassaux s'efforcèrent de conserver et de transmettre à leur descendance un fief qui devait logiquement revenir au suzerain à la fin du service. Il se créa un groupe de puissants dont l'intérêt était de ruser pour disposer librement des terres, celles-ci étant la meilleure garantie du pouvoir.

La passion du mystique persan Al-Hallâj

Bagdad, 27 mars 922
Condamné à mort après un long procès, Abû Abd-Allah-al-Husayn ibn Mansûr, surnommé Al-Hallâj, est flagellé, mutilé, accroché à un gibet et finalement décapité. Son corps est incinéré et ses cendres sont éparpillées dans le Tigre. Cardeur de laine, il était né aux environs de 858 dans un petit village du sud de l'Iran. Attiré très jeune par la vocation ascétique, il s'était fait prédicateur itinérant, parcourant la Perse, le Turkestan, allant jusqu'en Inde, sans omettre bien entendu de faire le pèlerinage de La Mecque. Poussant encore plus loin que d'autres certains éléments de la doctine sûfî, il prônait la recherche de l'extase dans une fusion intime et quasi personnelle de l'être avec Dieu. Ne s'est-il pas écrié : « Je suis la Vérité », et n'a-t-il pas écrit : « Je suis Celui que j'aime Et Celui que j'aime est moi Nous sommes deux esprits en un seul corps Si tu me vois, tu Le vois Et si tu Le vois, tu me vois » ? Aux yeux des orthodoxes, de tels propos ne pouvaient passer que pour hérésie panthéiste, tandis que les autorités civiles étaient tentées de voir dans sa personne comme dans son enseignement une menace pour l'ordre établi. D'autant plus qu'Al-Hallâj avait soutenu l'idée d'une réforme du califat. Arrêté une première fois, il s'évada et se cacha à Suse. Arrêté à nouveau en 913, il passa huit ans en prison. Cette fois, rien ne put le sauver. On conserve de lui un *Dîwân* et les fragments d'un traité : *Kitâb al-Tawasîn*.

Mise à sac de La Mecque par les Karmates

Al-Hasa (Bahrayn), 930
Depuis l'installation de leur Etat indépendant au Bahrayn en 899, les Karmates constituent une menace permanente pour les caravanes et les pèlerins. En 930, ils occupent même La Mecque pendant sept jours, massacrent les pèlerins dans les mosquées et emportent la Pierre noire qui ne sera rendue qu'en 952. Les Karmates sont des isma'iliens shi'ites qui se constituèrent dès 894 en un Etat indépendant, refusant l'autorité du califat. Ils donnèrent ainsi le jour à une sorte de république oligarchique où celui qui détenait le pouvoir n'était que le premier parmi ses égaux. Ce petit Etat, où les échanges s'opéraient au moyen d'une monnaie fiduciaire qui n'avait pas cours ailleurs, était égalitaire et largement communautaire ; il n'y avait ni impôt ni dîme. Certains, un peu hâtivement, ont parlé de « socialisme » et même de « communisme ». C'est oublier l'esclavage. Dans l'Etat karmate, l'agriculture est assurée par trente mille esclaves.

L'émir de Cordoue se proclame calife

Cordoue, 929
Fort de ses exploits militaires et pour contrer l'influence des nouveaux maîtres fatimides de l'Ifrikiya dont les visées menacent son propre royaume, le huitième émir umayyade d'Espagne, Abd al-Rahman III (891-961), adopte les titres de calife et de prince des Croyants et accole à son nom celui d'Al-Nasîr li-Din Allâh (le Défenseur de la religion de Dieu). Entouré par une aristocratie palatine formée essentiellement de ses proches parents, le calife andalou introduit une vie de cour minutieusement réglée par un cérémonial fastueux et se pare d'une pompe qui impressionne ses sujets. Déjà monarque autocrate, désormais chef spirituel de la communauté musulmane, il préside lui-même la prière solennelle du vendredi, juge en dernier ressort, a droit de vie ou de mort sur ses sujets et frappe monnaie en son nom. Il fait édifier en 936 au pied de la Sierra, à 5 km de Cordoue, une nouvelle cité, Madinat al Zahrâ (la Ville éclatante), dont il fait sa résidence califale. Avec lui, le règne des Umayyades d'Espagne atteint son apogée.

Coupole centrale, en face du mihrab, de la Grande Mosquée de Cordoue. Vers 960. Mosaïque à fond d'or.

Le roi très chrétien de Bohême renversé par Boleslas le païen

Bohême, 929
Venceslas était roi de Bohême depuis 924. Elevé dans la foi chrétienne par sa grand-mère Ludmila, il a favorisé la diffusion du christianisme et fait édifier de nombreuses églises. Mais, au nom de la solidarité religieuse, il entendait coopérer avec Henri l'Oiseleur, le roi germanique aux tendances hégémoniques. Aussi, c'est au nom de l'indépendance de la nation tchèque que son frère Boleslas, dit le Cruel, chef du parti païen, l'a renversé et le fait assassiner en 935. Venceslas sera vénéré comme un saint.

Assassinat de Venceslas, duc de Bohême, par son frère Boleslas. Enluminure. Herzog-August-Bibliothek, Wolfenbüttel.

Mort d'Al-Râzî, philosophe et médecin persan

Khurâsân, vers 925
Les auteurs musulmans considèrent Abû Bakr Muhammad ibn Zakariyyâ al-Râzî comme « le plus grand médecin », tout en attaquant ses idées philosophiques et en le considérant comme « le plus grand hérétique de toute l'histoire de l'islam ». Le Râzî philosophe ne nous est connu que par des appréciations, son œuvre ayant été systématiquement détruite. En médecine, il est le premier à vouloir tenir compte du « milieu » dans le déclenchement et l'évolution de la maladie. Son *Traité sur la petite vérole* a été traduit en latin. L'apport de Râzî dans le domaine de la chimie n'est pas moins important. Il est le premier à vouloir baser la chimie que sur l'expérimentation et à vouloir la libérer totalement des obscurités ésotériques.

Rome : lutte de clans et pouvoir dictatorial

Rome, 932
La vieille Marosie vient d'être renversée par son fils Albéric. Avec sa mère Théodora, elle régnait sur Rome depuis dix ans. Elle a intronisé de nombreux papes, mais elle en a aussi détrôné et même fait périr plus d'un, dont l'un de ses fils, le pape Jean X. Elle était la maîtresse de son prédécesseur, Serge III, dont elle a eu un fils, le futur Jean XI. La déchéance morale de cette succession de papes a entraîné une certaine indignation dans le monde chrétien. Rome est la proie des luttes de clans ; depuis quelques années, c'est celui de Théophylacte qui domine. Le pouvoir est aux mains de sa femme Théodora et de sa fille Marosie. Cette dernière mourra en prison après un règne agité et corrompu.

Æthelstan règne sur toutes les terres de Grande-Bretagne

Angleterre, 937
Æthelstan, roi d'Angleterre, parachève l'œuvre de son père, Edouard l'Ancien (899-924), qui conquit l'Est-Anglie. Il a repris aux Danois la Northumbrie et repoussé à Brunanburh une attaque écossaise. Il est désormais le maître de toute la Grande-Bretagne et arbore le titre de *basileus*. Il constitue de grands commandements regroupant plusieurs comtés confiés à un *ealdorman* (chef militaire) et gouvernés à la fois par un évêque et un shérif nommé par le roi. Il recueille les Bretons chassés de leur pays par les Vikings, aide Louis IV à s'affermir sur le trône de France et marie ses sœurs à Othon Ier, Hugues le Grand et Conrad de Bourgogne.

939

Andernach, Allemagne
Otton Ier écrase les féodaux germaniques. →

Simancas, Espagne
Victoire du roi de León, Ramire II, sur Abd al-Rahmân III, le calife de Cordoue.

940

Bulgarie
Naissance de la secte bogomile.

941

Constantinople
Destruction de la flotte russe sous les murailles de la ville.

Europe
De grandes famines un peu partout avec de nombreuses victimes.

942

France
Otton prend la Lorraine. Un traité est signé au palais royal d'Attigny (Aisne) sur les bases de celui de Verdun.

944

Constantinople
Romain Lécapène, ancien tuteur du jeune Constantin VII, devenu ensuite son beau-père, quitte le pouvoir (qu'il exerçait depuis 913) sous la pression de ses fils et se voit relégué dans un monastère. Mais, l'année suivante, c'est au tour de Constantin VII, empereur en titre, de chasser les fils de Lécapène.

945

Empire abbasside
Fondation de la dynastie des Bûyides. →

Ifrikiya, (Tunisie)
Abû-Yazid, inspiré par la doctrine égalitaire et régionale des Khârijites, déclenche une révolte en Afrique du Nord.

946

Europe centrale
Révolte de peuplades slaves, les Drevlianes, contre le gouvernement d'Igor en Russie. Ce dernier est exécuté, mais la révolte est matée par son épouse Olga.

947

Arles
A la mort d'Hugues, le royaume de Provence est réuni à la Bourgogne de Rodolphe II pour faire le royaume d'Arles.

Chine
Les Khitans fondent la dynastie des Liao et s'établissent dans la région de Pékin.

Japon
Murakami devient empereur.

Europe
Les Arabes introduisent le jeu d'échecs.

948

Rome
Révolte populaire contre la noblesse corrompue de Rome.

950

Empire abbasside
Première rédaction des contes des *Mille et Une Nuits*. →

Mort du philosophe arabe Al-Fârâbî. →

Bohême
La Bohême est de nouveau sous souveraineté allemande.

Danemark
Harald II « Dent Bleue » devient roi du Danemark. Il se fit baptiser en 960 et fera du Danemark une grande puissance, imposant son protectorat à la Norvège méridionale.

Mexique
Arrivée des Toltèques dans la région de Tula, où ils développeront une civilisation originale, comme en témoignent les piliers en forme de cariatides qui supporteront le toit du grand temple de Tula ou encore les statues de « Chac Mool ». →

Inde centrale
Apogée du royaume des Chandella et de sa capitale Khajurâho.

951

Espagne
L'évêque du Puy, Godescalc, fait le pèlerinage de Saint-Jacques-de-Compostelle.

Christ en ivoire. Antependium de la cathédrale de Magdebourg. Fin Xe siècle.

Otton écrase les féodaux germaniques à Andernach

Germanie, 939
Otton Ier, fils d'Henri Ier de Saxe, couronné roi à Aix en 936, poursuit la politique de son père : contrôler les duchés qui divisent l'Allemagne et renforcent les particularismes régionaux, ignorant fréquemment l'autorité du roi. Cette politique est évidemment contestée par les ducs qui, lors du couronnement, ont dû prêter hommage et fidélité au nouveau roi, faisant ainsi figure de grands vassaux : après avoir réprimé la révolte de la Bavière en 937, Otton a imposé sa volonté aux ducs franconiens à la bataille d'Andernach.

Un prince persan fonde la dynastie bûyide

Bagdad, 945
L'histoire de l'Irak et de l'Iran occidental est dominée, à partir de 945, par le rôle prépondérant joué par la dynastie shi'ite iranienne des Buwayhides (Bûyides) auprès des califes abbassides de Bagdad auxquels elle se substitue de fait, sinon de droit. Reconnaissant que la politique prime sur la religion, les Bûyides eurent l'habileté de ne pas contester la légitimité des souverains sunnites de Bagdad, mais cherchèrent à légitimer leur propre autorité en mettant le calife sous leur coupe. Ils surent échapper au désir de le remplacer par un prétendant shi'ite, ce qui n'aurait pas manqué de susciter des troubles très graves. En revanche, ils ne manquèrent pas d'écarter de l'entourage du califat les personnalités qui leur paraissaient peu sûres et surtout ils favorisèrent par tous les moyens l'essor du shi'isme, en autorisant par exemple la célébration de nouvelles cérémonies. Il y eut là, incontestablement, la volonté d'instaurer « une sorte de condominium abbasside-shi'ite », qui fut le rêve de la plupart des souverains des premiers temps de l'islam.

L'art de l'ivoire à Byzance

Constantinople, X[e]-XIe siècles
Un luxe incroyable a toujours entouré la cour du *basileus*. Les arts mineurs, tels que l'orfèvrerie, les émaux, les étoffes et surtout les ivoires, y sont particulièrement prisés et atteignent une rare perfection. Les ivoiriers notamment, dont l'art était auparavant encore balbutiant, réalisent au Xe siècle quelques chefs-d'œuvre d'art religieux : ainsi le célèbre panneau où le Christ couronne l'empereur et l'impératrice, et la plaque du Victoria and Albert Museum où le Christ Pantocrator apparaît, malgré l'exiguïté de l'image, dans toute sa majesté. Dès la fin du Xe siècle, le style s'assouplira, devenant plus narratif et apportant un peu de vie et d'émotion dans la rigidité antérieure.

« Le Christ couronnant Romain IV et Eudoxie ». Panneau d'ivoire.

Epanouissement de la culture mozarabe

L'Espagne produit, en ce milieu du Xe siècle, de magnifiques enluminures, illustrant le fameux *Commentaire de l'Apocalypse* écrit par le moine Beatus de Liebana en 786. A partir de ce texte et de ses visions terrifiantes, un ensemble incomparable de manuscrits voit le jour dans les ateliers de Valladolid, Gérone et Burgos de Osma. Si la palette et l'éclat des couleurs se ressentent de la présence diffuse d'un folklore local, la richesse de la décoration, l'extraordinaire bestiaire qui en compose l'imagerie font plutôt songer à la symbolique celtique et aux motifs décoratifs barbares. Le fait même que l'on puisse renvoyer à des sources aussi complexes interdit de regarder ces manuscrits comme des produits typiquement mozarabes. Rappelons que, sous ce nom, on désigne les chrétiens d'Espagne qui vécurent sous la domination musulmane et en furent plus ou moins marqués. Les choses se présentent différemment en architecture où l'influence arabe, jusque dans les sanctuaires chrétiens, est nettement moins discutable même lorsqu'elle se mêle, comme dans l'église d'Oviedo, à la tradition wisigothique. Cette situation se modifia lorsqu'au Xe siècle et au début du XIe siècle, des colons chrétiens chassés d'Andalousie vinrent s'installer dans les jeunes royaumes chrétiens du Nord, apportant avec eux des techniques auxquelles l'islam avait imprimé sa marque. On voit alors les nefs des églises, même les plus grandes, se couvrir d'une charpente, comme celle de San Miguel de Escalada. Autres faits significatifs : l'emploi de l'arc outrepassé, dont le tracé dérive de l'art cordouan. L'art mozarabe, enfin, trouve son terrain d'élection dans les bijoux, l'orfèvrerie, le travail du bronze et de l'ivoire.

Saint Jean et le palmier. Enluminure sur parchemin du « Commentaire de l'Apocalypse » de Beatus. 975. Trésor de la cathédrale de Gérone.

Intérieur de San Baudel : la tribune. Xe siècle. Berlanga (province de Soria).

Naissance du mouvement bogomile

Bulgarie, vers 940

Un pope nommé Bogomil, qui développe des idées non-conformistes sur la religion prend la tête d'un mouvement populaire de contestation du régime féodal. Les évêques étant proches des seigneurs, une partie du peuple révolté, qui suit Bogomil, va peu à peu adhérer à ses idées. C'est ainsi que se développe depuis quelques années en Bulgarie une secte dite bogomile qui s'oppose à la hiérarchie ecclésiastique, proscrit les sacrements du baptême et de l'eucharistie. Le mariage n'est admis qu'avec le droit de répudiation à volonté. Mais, bien au-delà du rituel, c'est le dogme chrétien tout entier qui est remis en question. Les bogomiles vont nier la Sainte Trinité, la naissance divine du Christ et même la réalité de sa forme humaine. Cette hérésie se résume en un système dualiste fondé sur l'opposition entre le Bien et le Mal (thème venu d'Orient). Les théoriciens de cette religion, aux mœurs irréprochables, sont qualifiés de Parfaits. Les autres forment la masse des croyants. Cette secte va se répandre dans tous les Balkans ; persécutée, elle va se réfugier en Bosnie vers le XIIe siècle.

Avicenne perd son maître Al-Fârâbî

Damas, 950

Connu en Occident au Moyen Age sous les noms d'Avennasar et d'Alfarabius, Abû Nasr Muhammad ibn Tarkhân ibn Awzalag al-Fârâbî, né en Transoxiane (Turkestan occidental), meurt à quatre-vingts ans, après avoir accompagné dans l'une de ses expéditions son protecteur, le souverain shi'ite hamdanide Sayf al-Dawla. C'est à la cour de ce dernier où vivaient de nombreux savants, qu'il passe les années les plus prolifiques de sa vie. Al-Fârâbî est le second, après Al-Kindî et avant Avicenne, des philosophes hellénisants de langue arabe. Outre de grands commentaires sur l'œuvre d'Aristote, il est l'auteur de plusieurs traités sur la logique, la musique, la physique, en plus d'un fameux *Traité sur le recensement des sciences*. Bien que fortement influencé par les platoniciens et surtout par les écoles alexandrines du VIe siècle, il est considéré par Avicenne comme son « maître ». Comme tous les philosophes de son époque, Al-Fârâbî donne la primauté à la religion. Son originalité consiste à faire de la raison la condition indispensable à une bonne compréhension de la révélation.

Premières versions des "Mille et Une Nuits"

Bagdad, Damas, Le Caire, Xe siècle

Les Mille et Une Nuits constituent le recueil le plus populaire de la littérature arabe, devenu l'un des monuments de la littérature universelle. Qui ne connaît Shéhérazade, Ali Baba, Aladin ou Sindbad ? Autour d'une trame somme toute simpliste - une princesse recule constamment l'échéance de son exécution en racontant au sultan des histoires à épisodes -, on retrouve dans *Les Mille et Une Nuits* des influences indienne, persane, mésopotamienne, syrienne et égyptienne, toutes remodelées par des conteurs populaires dont la verve mêle réel et merveilleux.

Le chef toltèque Mixcoatl est assassiné

Mexique, vers 950

Le Mexique connaît de grands bouleversements. Le Royaume de Teotihuacan s'est effondré et des peuples barbares et nomades venus du nord déferlent sur le Mexique central ; parmi eux les Toltèques. Ces derniers sont conduits par Mixcoatl ; mais celui-ci, lâchement assassiné, est déifié comme dieu de la chasse par son peuple qui le pleure. Son fils Topiltzin, voué au dieu Quetzalcoatl (serpent à plumes précieuses), lui succède. Ce jeune prince de race barbare se mettra à pratiquer les vertus les plus nobles ; il s'opposera farouchement aux sacrifices humains. Mais, mal compris de son peuple, il devra quitter la ville. Son souvenir restera très vif (→ 331).

Les « cariatides » de la pyramide de Quetzalcoatl, à Tula. Vers 900-1100. Art toltèque.

955

Lechfeld, Allemagne
La victoire d'Otton Ier sur les Magyars met fin à leurs incursions ; ceux-ci seront désormais cantonnés en Pannonie. Cette victoire favorise aussi la prise de conscience d'une identité nationale allemande.

956

France
Mort de Hugues le Grand. Son fils aîné, Hugues Capet (quinze ans), reçoit le duché de France et le comté de Paris.

Constantinople
Fille d'un cabaretier, Théophano épouse le futur empereur d'Orient, Romain II. Elle gouvernera l'empire à sa place. En 963, elle empoisonne son mari, pour donner le trône à son amant, Nicéphore Phocas, qui régnera sous le nom de Nicéphore II.

957

Asie centrale
Début de la conversion des Turcs à l'islam.

959

Lotharingie
Otton Ier partage le duché de Lotharingie en Haute-Lotharingie (future Lorraine) et Basse-Lotharingie (future Wallonie).

Grande-Bretagne
Le pays de Galles et l'Ecosse reconnaissent la suzeraineté du roi anglais.

960

Chine
Fondation de la dynastie des Song du Nord. →

Pologne
Le prince Mieszko bat les tribus slaves entre Oder et Vistule. Fondateur de la dynastie des Piast, il rassemblera ses territoires en un Etat polonais (→ 962).

961

Ani, Arménie
Le roi arménien Achod III installe sa capitale à Ani (→ 885).

962

Allemagne, 2 février
Restauration du Saint Empire romain germanique. →

Asie centrale
Alptegin se rend indépendant des Samânîdes et fonde la dynastie des Ghaznévides. Il s'empare de Ghazni et en fait sa capitale.

963

Mont Athos, Grèce du Nord
Fondation du monastère de la Grande Lavra. →

Lützelburg (Luxembourg)
Fondation du duché du Luxembourg par le comte Sigefroi.

Rome
Le pape Jean XII est déposé pour meurtre, inceste et parjure.

Europe
Le système des chiffres arabes se répand.

965

Bagdad
Mort du poète Al-Mutanabbi. →

Chypre
Après la Crète (961), Chypre est reprise aux musulmans par l'empereur byzantin Nicéphore II Phocas.

966

Pologne
Baptême de Mieszko et adoption du christianisme par les Polonais. →

968

Dai-Viêt (Viêtnam du Nord)
Dinh Bô Linh prend le titre d'empereur du Dai-Viêt, devenu indépendant. Il fonde la dynastie des Dinh (→ 979).

Poznan, Pologne
Siège du premier évêché polonais, fondé par Mieszko.

Khazarie, Crimée
Sviatoslav, le grand prince de Kiev, s'empare d'Itil, capitale des Khazars.

969

Cerdagne, France
Dédicace de l'église Saint-Michel-de-Cuxa. →

Scène de baptême en pays viking. Détail. Plaque en or du XIIe siècle. Musée national, Copenhague.

Le baptême des rois barbares

Le Xe siècle voit se convertir au christianisme la plupart des peuples barbares d'Europe qui ne l'étaient pas encore. Outre le désir qui les anime d'accéder à un stade supérieur de civilisation, ils sont généralement poussés en premier lieu par une prise de conscience nationale, mais aussi par une volonté de mettre un terme à l'hégémonie culturelle et politique d'un puissant voisin : l'Empire byzantin pour les Bulgares (→ 850) ou les Russes (→ 997), le Saint Empire romain germanique pour les Tchèques (→ 860, 929), les Hongrois (→ 987) ou les Polonais (→ 866), la Pologne devenant un diocèse rattaché directement au Saint-Siège. Les initiateurs de ces conversions se verront canonisés à leur mort et vont jouer le rôle de saints protecteurs des nations naissantes, tels saint Vladimir pour les Russes, saint Etienne pour les Magyars, saint Venceslas pour les Tchèques ou saint Olaf pour les Norvégiens. En Scandinavie, les progrès du christianisme seront plus lents et plus désordonnés.

Clocher de l'abbatiale Saint-Michel de Cuxa. Vers 1030-1040.

Dédicace du nouveau sanctuaire de Cuxa

Saint-Michel-de-Cuxa, Cerdagne, 969
Fondée en 878, l'abbaye de Cuxa avait eu son église détruite lors de combats. Le comte de Cerdagne décide de la reconstruire et de la dédier à saint Michel. La tâche est confiée à des maîtres d'œuvre mozarabes, qui doteront l'édifice d'un typique clocher à quatre étages de baies jumelées. Ce monastère perdu dans un vallon au pied du Canigou connaîtra une certaine notoriété grâce à l'abbé Garcin, grand voyageur et homme d'action infatigable. C'est aussi là que se retireront Pierre Orseolo, un doge de Venise, ainsi que saint Romuald, le fondateur de l'ordre des Camaldules.

Le Saint Empire romain germanique est né

Germanie, 2 février 962
Otton Ier s'est intéressé à la péninsule bien avant d'avoir établi sa domination sur les duchés et écrasé définitivement les Hongrois. Il est sacré empereur par Jean XII. L'instabilité politique de l'Italie lui a permis de réaliser ses ambitions : appelé par les partisans d'Adélaïde, Otton intervient en 950 pour délivrer la veuve du roi Lothaire, enlevée par Bérenger et son fils Adalbert, rois d'Italie. Le 23 septembre 951, il prend, à l'imitation de Charlemagne, le titre de roi des Lombards. Il épouse Adélaïde en secondes noces, provoquant la révolte de son fils Luidolf et son retour précipité en Germanie. Auparavant, le pape Albéric avait refusé de le recevoir et de le sacrer empereur. Ce n'était que partie remise : lorsque Bérenger, qui avait rétabli son autorité sur le nord de l'Italie, menaça Rome, le fils d'Albéric, le pape Jean XII, n'eut d'autre recours que d'appeler l'empereur à la rescousse. Après avoir fait élire son fils Otton roi d'Allemagne, Otton Ier prit la route de Rome en 961, prêta un serment de sécurité au pape qui, en échange, le sacra empereur. La renaissance de l'empire d'Occident impliquait la mainmise de l'empereur sur la papauté. Aucun pape ne peut être élu s'il n'a auparavant prêté serment à Otton Ier.

Le monastère de Dhionyssion, fondé au XIVe siècle, mont Athos. L'un des vingt monastères constitués en République monacale depuis le Xe siècle.

La Grande Lavra au mont Athos

Mont Athos, Grèce du Nord, 963
Athanase, l'ami et conseiller de l'empereur byzantin Nicéphore Phocas, a découvert un emplacement extraordinaire pour y installer une communauté monastique. Le lieu était déjà fréquenté par des ermites depuis bien longtemps, au point que cette montagne, haute de plus de 2 000 m et surplombant la mer, est appelée « montagne sainte » ou mont Athos. C'est à mi-pente qu'Athanase l'Athonite a fait entreprendre la construction d'un *catholicon*. Dans les années qui suivent, les moines vont affluer et les fondations religieuses se multiplier, protégées par les empereurs qui leur accordent des privilèges. L'Athos est dédié à la Vierge et celle-ci devra rester la seule présence féminine. Une bulle de 1060 interdira en effet l'accès de la montagne à toute femme ou enfant. Communauté exclusivement masculine, l'Athos deviendra un formidable atelier de peinture d'images saintes.

Mort à Bagdad du poète arabe Al-Mutanabbi

Bagdad, 965
C'est en revenant de Chirâz où il s'était rendu auprès de l'émir bûyide Adud al-Dawla, qu'Abû al-Tayyib Ahmâd ibn al-Husayn al-Gu'fi, dit al-Mutanabbi, est attaqué et tué par des brigands, près de Bagdad. Né en 915 à Kûfa, dans une famille originaire de l'Arabie du Sud, al-Mutanabbi commence sa vie d'adulte en se joignant, en Syrie, à une insurrection d'inspiration karmate. Fait prisonnier en 933, il consent, au bout de deux ans, à amende honorable. Réconcilié avec les normes de la culture dominante, aidé par son talent incontestable et sa maîtrise quasi magique de la langue, il se consacre à la poésie et devient l'un des poètes arabes les plus majestueux.

Pologne : le christianisme, religion d'Etat

Pologne, 966
Mieszko Ier, descendant de Piast, règne sur la Pologne depuis 960. Par ses conquêtes, il a fait de celle-ci un Etat uni, peuplé et puissant. Il a épousé la fille du duc de Bohême ; c'est elle qui l'a décidé à se faire baptiser et à entraîner ses sujets vers le christianisme. Craignant l'hégémonie allemande, il se tournera vers Rome (→ 960, 992).

Grandeur de la dynastie des Song

Chine, Xe-XIIIe siècles
Après avoir arrêté les barbares Khitan, le général Zhao Kuangyin avait endossé la robe jaune impériale et fondé vers 960 la dynastie des Song. La réunification du pays n'avait pas été immédiate, les barbares restant très présents sur les frontières. A tel point que les Song durent, sous la pression des envahisseurs Djürtchets, transporter en 1127 leur capitale, qui se trouvait à Kai-feng, plus au sud vers Hang zhou. La société se caractérise alors par la place prépondérante occupée par les lettrés fonctionnaires et par l'essor de la bourgeoisie. La littérature, la philosophie et les sciences connaissent un développement sans précédent. Mais la peinture reste le domaine le plus riche. Deux grands courants se distinguent : le courant académique, mené par l'empereur Hui Zong (Houei Tsong), mécène et artiste, et le courant indépendant, qui s'exprime plus librement dans la peinture de paysage, genre dans lequel s'illustrèrent Guo Xiet, par la suite, Mi Fu. La production de la céramique est dominée par les céladons, dont la couleur vert tendre fait l'admiration des amateurs.

« Village au bord du fleuve ». Détail. XIe siècle.

« Village au bord du fleuve ». Détail. XIe siècle.

« Concert au palais ». Rouleau d'après Zhou Wen Ju. Deuxième moitié Xe siècle. Encre et couleurs sur soie. Art Institute, Chicago.

Guo Xi (attrib.). « Automne dans la vallée du fleuve ». Encre et couleurs sur soie. Freer Gallery, Washington.

Le christianisme : naissance et développements

Du Ier au IXe siècle

C'est parmi les nombreuses sectes messianiques qui se développent dans le monde juif que Jésus, originaire de Nazareth, va regrouper autour de lui des disciples. Considéré par ceux-ci comme le Messie (*mashiah* en hébreu, *Christos* en grec), l'« Oint » du Seigneur, très vite Jésus inquiéta par sa prédication les responsables religieux et les autorités juives. Plus soucieuses semble-t-il des répercussions politiques de sa prédication que de son enseignement proprement dit (le Sanhédrin condamna Jésus pour s'être prétendu « le roi des Juifs » et « l'Envoyé de Dieu »), elles le livrèrent à Ponce Pilate, préfet romain de Judée en Palestine, qui le condamna à mort. Les Evangiles rapportent ensuite que Jésus ressuscita au bout de trois jours et qu'il apparut plusieurs fois aux disciples dont il s'était entouré. Le jour de la Pentecôte, les Apôtres, ayant reçu le Saint-Esprit, sont en mesure de prêcher l'enseignement du Christ.

Les premiers chrétiens

Ainsi la Pentecôte marque-t-elle la naissance mystique de l'Eglise dans laquelle les Apôtres vont occuper une place prépondérante, d'où son nom d'Eglise apostolique. Celle-ci, à l'origine, recrute essentiellement en milieu juif. S'ils se séparent en effet des autres sectes juives, les premiers chrétiens continuent d'appartenir culturellement et politiquement au peuple juif ; ils ne se distinguent de leurs semblables que par leur foi en Jésus.
Au départ, cette Eglise est constituée par un

petit groupe d'hommes et de femmes qui ont vécu avec Jésus durant les trois années de sa vie publique et qui disent avoir été les témoins de sa Passion, de sa Résurrection et de son Ascension. Parmi eux se détache le groupe des douze Apôtres, dont Pierre est le chef, conscients d'avoir été investis par le Christ d'une mission. Quatre d'entre eux, Marc, Luc, Matthieu et Jean, vont témoigner par écrit de l'enseignement du Christ, en rédigeant entre 65 et 95 les Evangiles et les Actes des Apôtres.
C'est avec Paul de Tarse que l'Eglise, jusque-là cantonnée dans le milieu juif, va prendre une nouvelle orientation. En effet, cet intellectuel converti va effectuer de nombreux voyages missionnaires en Asie Mineure, puis en Grèce, où il s'attachera à convertir les Juifs, mais aussi les païens. Ces derniers, à partir du concile de Jérusalem en 49, ne sont plus astreints aux observances juives (le rite de la circoncision notamment est abandonné), décision qui va renforcer le conflit entre les judéo-chrétiens et saint Paul. En effet, si cette opposition a des racines religieuses, elle revêt aussi un aspect politique. Le peuple juif mène alors une lutte extrêmement difficile contre l'occupation romaine, qui se termina en 70 par la prise et la destruction de Jérusalem. Aussi, l'attitude de Paul, visant à désolidariser les chrétiens de leur appartenance à la communauté sociologique juive, leur apparaît-elle comme une trahison.
Pendant ce temps, le christianisme a gagné l'Occident ; en 61-62, une communauté chrétienne s'organise déjà autour de Pierre. Mais les persécutions vont commencer sous

Néron. Après l'incendie de Rome en juillet 64, l'empereur profite de la mauvaise réputation des chrétiens pour les accuser d'avoir allumé le feu et en fait supplicier un bon nombre dans les arènes. Saint Pierre est martyrisé en 64, saint Paul le sera en 67. Plus tard, les chrétiens seront accusés de lèse-majesté, car ils refusent de participer au culte de l'empereur, symbole de l'unité romaine. Mais, bien que pourchassés, ils sont de plus en plus nombreux. Dès la fin du Ier siècle, on trouve des chrétiens jusque dans la famille impériale.

Le christianisme se répand

Aux IIe et IIIe siècles, on observe dans la société romaine un vif désir d'une religiosité plus intérieure que la religion formelle de Rome ; le christianisme va en profiter pour se répandre peu à peu dans toutes les couches de la société. L'hellénisation du christianisme occidental sera un des éléments de son succès. Il bénéficiera, en outre, de la *Pax romana* et du renouveau religieux et philosophique qui l'accompagne. Mais, en s'intellectualisant, le christianisme s'expose à des déviations et à la concurrence de doctrines telles que la gnose (la connaissance), qui propose une explication dualiste du monde, présentée comme l'opposition du bien et du mal, thèse qui sera reprise au IIIe siècle par le manichéisme. A cette spéculation intellectuelle, des Pères de l'Eglise, tel saint Irénée, vont opposer une vision plus optimiste et plus pragmatique de l'homme : « Peu m'importe de connaître, il faut vivre saintement. » Saint Irénée, évêque de Lyon, va en outre affirmer l'autorité particulière de l'Eglise de Rome et la valeur de la succession apostolique. Les successeurs des Apôtres sont appelés *épiscopes* (évêques) ; on donne aux diacres des fonctions administratives. Peu à peu se développe une hiérarchie ecclésiastique autour de l'évêque. Chaque communauté prend le nom d'église, mais chacune entend demeurer unie aux Eglises voisines. Les évêques s'écrivent, se consultent et, à l'occasion, se réunissent en synode. Mais, lorsque surgit un conflit de quelque importance, l'Eglise de Rome, s'appuyant sur son ancienneté, tend à faire prévaloir son point de vue. La nécessité de lutter contre l'hérésie va entraîner l'élaboration d'une véritable théologie, d'une liturgie et d'une discipline ecclésiastique (ébauche d'un droit canon).

Aux périodes de tranquillité succèdent des périodes de persécution pendant lesquelles le culte se célèbre de façon secrète, chez les particuliers ou, à l'occasion, dans les cimetières souterrains où les chrétiens se font enterrer, la pratique de l'incinération n'étant pas admise. Mais, au cours du IIIe siècle, profitant des périodes de répit, le culte devient public et se déroule dans des édifices conçus à cet effet : ainsi naissent les premières basiliques. Face au pouvoir, l'Eglise n'a rien d'une force politique ; ses responsables enseignent la soumission à toute autorité quelle qu'elle soit. Les persécutions, qui ne sont plus au IIIe siècle qu'épisodiques et locales, ont engendré un certain nombre de martyrs qui font immédiatement l'objet d'un culte et dont les reliques contribueront à la diffusion du christianisme.

Le christianisme, religion d'Etat

Avec la conversion de l'empereur Constantin (306-337), les chrétiens cessent d'être suspects. L'édit de Milan (313) marque la fin des persécutions et l'institution de la liberté religieuse pour les chrétiens. Les édifices du culte se multiplient : le Saint-Sépulcre à Jérusalem, le sépulcre de Saint-Pierre à Rome. L'usage des sacrifices est interdit par Théodose (395) dans tout l'Orient. Sous Justinien (565), seuls les baptisés jouiront des droits du citoyen et les coupables d'hérésie seront exclus des fonctions publiques. Le christianisme est devenu la religion de l'empire. Mais, déjà, une première crise menace son intégrité. Arius, un évêque, soutient que Jésus n'est qu'un homme élu par Dieu. Cette remise en cause de la divinité du Christ divise dangereusement l'Eglise. Le premier concile œcuménique, réuni à Nicée en 325 sur l'initiative de Constantin, condamne l'arianisme, sans pour autant le faire disparaître. Cette hérésie influencera les empereurs Constant et Valens et atteindra certains peuples barbares comme les Wisigoths qu'Ulfilas (v. 310-383), traducteur de la Bible en langue gothique, convertira au christianisme dans sa version arienne. Vandales et Burgondes adhèreront eux aussi à l'arianisme. Mais la foi catholique sera ardemment défendue par saint Jérôme (v. 347-420), - dont la grande œuvre fut la révision critique de la Bible qu'il traduisit en latin et dont la version, dite Vulgate, fut adoptée par l'Eglise, - et surtout par saint Augustin (354-430) et saint Jean Chrysostome (344-407), évêque de Constantinople. Au cours du IVe siècle, le christianisme va se porter aux confins de la Grande-Bretagne, de la Belgique et de l'Afrique.

Les schismes orientaux

Très rapidement, pour des raisons en partie d'ordre géographique mais aussi par une sorte de refus des rapports d'autorité, l'unité chrétienne va éclater. L'Eglise perse s'était proclamée autocéphale dès 424, en professant des thèses faisant une nette distinction entre les deux natures, humaine et divine, du Christ. Défendues par Nestorius, ces thèses seront comdamnées par le IIIe concile œcuménique d'Ephèse en 431. Les nestoriens n'en porteront pas moins, dès le VIe siècle, le christianisme en Asie centrale, en Inde et jusqu'en Chine.

A Alexandrie, le patriarcat de l'Eglise copte développera, de son côté, une autre hérésie, affirmant, à l'encontre des nestoriens, que le Christ n'a qu'une seule nature *(physis)* divine. Cette thèse, dite monophysite, sera condamnée par le concile de Chalcédoine (451), qui adoptera les thèses développées par le pape Léon le Grand, selon lesquelles il y a bien chez le Christ deux natures (divine et humaine), mais une seule personne. Ce concile va provoquer la rupture avec les jacobites de Syrie, les coptes d'Egypte et les Arméniens. Ces derniers ont adopté le christianisme comme religion d'Etat dès la fin du IIIe siècle.

Les Barbares se convertissent

A partir du Ve siècle, l'Occident devient barbare tout en restant chrétien. S'adaptant aux formes nouvelles de civilisations qui se mettent en place, l'Eglise s'efforcera de les transformer de l'intérieur. En Gaule, le baptême de Clovis en 496 facilite les choses et la christianisation du pays se fera sans peine. En 589, un grand concile se tient à Tolède, au cours duquel l'Eglise wisigothe abandonne l'arianisme pour adhérer au catholicisme. Plus tard, c'est au tour des Anglo-Saxons qui, après avoir refoulé les Celtes chrétiens vers l'Irlande (où seront conservées les traditions antiques), se convertissent et s'unissent lors du concile de Whitby (664). En Italie, le pape Léon Ier (440-461), qui a tenu tête aux Huns et aux Vandales, va le premier réussir à étendre les pouvoirs du pape et à en imposer la définition aux évêques, qui le considéreront en quelques sorte comme le premier d'entre eux et en même temps comme le patriarche de l'Occident. Un peu plus tard, le pape Gélase (492-496) délimitera pouvoir temporel et pouvoir spirituel, le premier étant en fin de compte subordonné au second. Mais, au cours du VIe siècle, la position des papes sera fortement ébranlée lorsque l'empereur Justinien, dans sa tentative de reconquête de l'Italie, s'efforcera de soumettre l'Eglise d'Occident en instituant une sorte de « césaro-papisme ». Il faudra attendre l'avènement de Grégoire le Grand, en 590, pour que l'Eglise retrouve un certain lustre. Influencée par saint Augustin, sa théologie connaîtra un succès indéniable tout au long du Moyen Age.

Cette époque voit naître aussi le monachisme occidental grâce à saint Benoît (480-543), auteur d'une règle moins ascétique et moins rigide que celle du monachisme oriental (engendré par l'Eglise copte) et dont le succès sera considérable. Véritables lieux d'études, les monastères abriteront des ateliers de copistes et des écoles et joueront un rôle décisif dans la conservation et la transmission de bien des aspects de la civilisation antique.

L'Eglise byzantine

C'est néanmoins à Byzance que la civilisation antique a le mieux survécu et s'est même prolongée. L'empereur y domine l'Eglise et entend fixer le dogme afin de maintenir l'unité de l'empire. En effet, l'Eglise byzantine est au centre de toutes les grandes controverses théologiques : c'est là que se tiennent les conciles les plus importants. Et même s'il faut la ratification romaine pour qu'un concile soit déclaré œcuménique, les Byzantins ne voient dans le siège apostolique de Rome que l'un des cinq patriarcats. Comme en Occident, le siège des évêchés byzantins coïncide avec celui des cités romaines. Au-dessus des évêques, les métropolites siègent au chef-lieu de province et quatre grandes métropoles sont devenues des patriarcats : Alexandrie en Egypte, Jérusalem, Antioche en Syrie et Constantinople. Le concile de Chalcédoine a donné à ce dernier la deuxième place après Rome ; encore qu'à la fin du VIe siècle, Constantinople prenne le titre de patriarcat œcuménique, c'est-à-dire universel.

Les progrès de l'islam dans la partie orientale de l'Empire byzantin vont provoquer une crise religieuse et sociale, celle de l'Iconoclasme (726), qui assombrira l'histoire de Constantinople pendant plus d'un siècle. Cette crise, capitale pour comprendre la vénération toujours actuelle des icônes, opposait ceux qui voulaient supprimer le culte des images à ceux qui voulaient continuer une pratique qu'ils considéraient propre à la doctrine de l'Incarnation. Ces derniers l'emportèrent.

969

Allemagne
La poètesse Roswitha écrit une histoire d'Otton le Grand.

Egypte, 6 juillet
Les Fâtimides conquièrent l'Egypte et s'y installent. Ils font du Caire leur capitale.

Syrie
Les Byzantins prennent Antioche.

970

Abyssinie
Une nouvelle boisson, le café, se répand dans la région.

972

Le Caire
Achèvement de la grande mosquée Al-Azhar.

Chine
Invention des feux d'artifice.

973

Bulgarie
Appel du prêtre Kosmas contre les insurgés bogomiles (→ 940).

Afrique du Nord
Les Fâtimides mettent en place la dynastie berbère sanhâjienne des Zirides.

975

Espagne
Un manuscrit du *Commentaire de l'Apocalypse*, dû au moine Beatus de Liebana, est enrichi de superbes enluminures par deux peintres, Senior et Emeterius, travaillant en collaboration avec une femme peintre du nom de Ende. (Ce manuscrit est aujourd'hui conservé au Trésor de la cathédrale de Gérone.)

Bohême
Boleslas II fonde l'évêché de Prague (→ 929).

976

Saint Empire romain germanique
La Carinthie est séparée de la Bavière et devient indépendante.

Echec d'un soulèvement bavarois contre Otton II.

Constantinople
Succédant à Jean Ier Tzimiskès sur le trône, Basile II devient empereur d'Orient, conjointement avec Constantin VIII, qui lui laisse toute autorité.

Palestine
Les Arabes prennent la Palestine aux Byzantins.

Califat de Cordoue, Espagne
La bibliothèque arabe de Cordoue compte 400 000 volumes.

977

Bruxelles
Ce village de pêcheurs devient une ville. →

978

Califat de Cordoue, Espagne
Al-Mansûr prend le pouvoir. →

Royaume khmer
Avènement du roi Jayavarman V.

979

Viêtnam
Le Dai Viêt s'oppose au royaume du Champa. →

980

Bulgarie
Avènement du tsar Samuel. →

Abyssinie
Le royaume d'Aksoum disparaît. →

Mont Athos, Grèce du Nord
Fondation du monastère arménien d'Ivrion.

Viêtnam
La dynastie des Lê succède aux Dinh.

Yucatan, Mexique
Les Toltèques s'établissent à Chichén Itzá (→ 950).

981

Constantinople
Les Byzantins s'allient aux Arabes contre Otton II.

983

Saint Empire romain germanique
Otton III, fils d'Otton II, devient empereur.

Fondation du Caire par les Fâtimides

Egypte, 6 juillet 969

La conquête de l'Egypte par les Fâtimides, en 969, constitue pour le pays une rupture absolue avec les anciennes traditions. Avec raison, les nouveaux gouvernants peuvent redouter les réactions d'une population dont le sunnisme est bafoué et les liens avec les califes de Bagdad brusquement rompus. Aussi, le premier souci des nouveaux dirigeants est-il d'installer leur cour ainsi que leurs services administratifs et militaires à l'abri des émeutes possibles. Dès son arrivée à Fûstat (première capitale de l'Egypte musulmane), le commandant des armées fâtimides fait tracer l'enceinte d'une nouvelle ville dans une plaine sablonneuse, au nord et à une certaine distance des faubourgs de ses prédécesseurs umayyades, abbassides et tulunides. On étudie l'horoscope et, sur le tracé des futurs remparts, des pieux sont placés, reliés par des cordes auxquelles sont suspendues des clochettes. Les ouvriers sont prévenus d'avoir à commencer immédiatement les travaux, dès que les clochettes se mettront à tinter. Soudain, un corbeau s'abat sur les cordages et le bruit des clochettes retentit. Les ouvriers se mettent à l'œuvre. Ce n'est ni l'heure ni la date choisies par l'horoscope. La planète Mars étant à l'ascendant, la ville recevra son nom : Al-Kahira (La Martienne). Après l'installation du camp, on entreprend la construction d'un palais califal et, dès le mois d'avril 970, celle d'une mosquée-université qui deviendra célèbre : Al-Azhar. La nouvelle cité sera entourée d'une solide muraille de pierre munie de portes monumentales.

Cour intérieure de la mosquée d'Al-Azhar. Fondée en 970, elle a été agrandie plusieurs fois. Le Caire.

Al-Mansûr, maître du califat de Cordoue

Cordoue, 978

A la mort du calife umayyade de Cordoue, al-Hakam II, son fils n'a que dix ans. De l'aristocratie palatine qui gouverne au nom de Hishâm II, se détache un jeune homme du nom de Muhammad ibn Abî Amir qui, en moins d'un an, est porté à la dignité de *hajib* (chambellan), grâce à son énergie, à son habileté mais aussi grâce à la faveur de Subh, la mère basque du jeune calife. A la différence de ce qui se passe à Bagdad, le chambellan, à la cour des Umayyades d'Espagne, est un personnage plus important que le vizir. De plus, dignités civiles et dignités militaires se confondent. C'est ainsi qu'en 978 la réalité du pouvoir est exercée (et le demeurera pendant vingt-cinq ans) par le chambellan Muhammad ibn Abî Amir qui, plus tard, prendra le nom prestigieux d'al-Mansûr (le Victorieux) et que l'Occident connaîtra sous le nom d'Almanzor. En dictateur, mais avec beaucoup de talent et d'efficacité, il préside aux destinées de l'Espagne musulmane. Il réussit, au nord, à prendre aux chrétiens Barcelone, León et Compostelle ; au sud, à étendre au Maghreb occidental l'influence politique andalouse. Mais c'est le chant du cygne. A la mort d'Al-Mansûr (1002), le califat d'Espagne connaîtra une période de troubles et de guerre civile, avant d'éclater en de nombreuses principautés anarchiques, peu à peu reconquises par les Chrétiens.

Premiers heurts entre le Champa et le roi du Dai-Viêt

Asie du Sud-Est, 979
Une expédition maritime des Cham, dirigée contre le royaume du Dai-Viêt, échoue lamentablement. C'est le premier affrontement entre le royaume indianisé du Champa, resserré sur une bande côtière entre la chaîne annamitique et la mer, et son voisin septentrional, d'influence chinoise. Installé sur un territoire autrefois connu sous le nom de Tonkin, le Dai-Viêt venait de se libérer de la domination chinoise. Mais le roi fondateur de la dynastie indépendante est assassiné en 979. Aussitôt, un membre de la dynastie Ngô, réfugié au Champa, sollicite l'aide du souverain Cham pour reconquérir le trône dont il s'estime l'héritier. Une expédition maritime est organisée, mais une violente tempête, au large de la capitale du Dai-Viêt, disperse la flotte des Cham, n'épargnant que la jonque royale. L'année suivante, une intrigue de palais, au Dai-Viêt, porte au pouvoir la dynastie des Lê, dont le premier souverain envoie une ambassade au Champa. L'emprisonnement immédiat de l'envoyé viêt entraîne une expédition punitive ; la capitale des Cham est détruite, début d'une longue suite d'affrontements.

Apsara (danseuse céleste) provenant de Mi-Son, centre religieux des Cham. Grès. Xe siècle. Musée Henri-Parmentier, Da Nang (Viêt-nam).

Le tsar Samuel rétablit la puissance bulgare

Bulgarie, 980
Samuel accède au trône et devient tsar de Bulgarie. Malgré une série de longues et cruelles guerres contre le Byzantin Basile II (→ 1025), il saura redonner un lustre à ce royaume que Siméon, au début du siècle, avait porté à son apogée, après l'adoption du christianisme par Boris (→ 852) et, surtout, l'adoption de la liturgie en langue slave que Clément d'Okhrid a introduite en Bulgarie. Cette victoire de la langue slave sur le grec va donner son unité morale au peuple bulgare. La Bulgarie se pose à nouveau en rivale de Constantinople. Le régime féodal progresse, la société se transforme, tandis que la contestation sociale prend une forme religieuse avec le bogomilisme (→ 940).

Nouvel Empire maya-toltèque

La légende rapporte que Topilzin-Quetzalcoatl a quitté Tula en pleurant (→ 950) et qu'après avoir traversé le Mexique il atteignit le Yucatan, le pays où se mouraient les Mayas. Avec ses fidèles, il s'établit à Chichén Itzá et, vers 987, y fonde une dynastie. Les Mayas le nommeront Kukulkan. Il repartira vers le Mexique central pour y mourir en 999. Après son départ, le souverain de Chichén Itzá éprouvera le besoin de s'allier au roi toltèque de Tula. Ce bouleversement inaugure une véritable renaissance maya grâce aux apports toltèques. Peu à peu, Chichén Itzá se couvrira à nouveau de temples de forme pyramidale. Cette cité, rendue prospère, possédera même un observatoire astronomique. Ainsi, de la vieille culture maya alliée au nouveau dynamisme toltèque va naître une civilisation qui dominera la région du golfe du Mexique.

L'observatoire astronomique de Chichen-Itza, dit le « Caracol » (l'Escargot) en raison de son escalier intérieur. Maya-Toltèque. XIe siècle.

Bruxelles : un village de pêcheurs devient une ville

Belgique, 977
Selon la légende, Bruxelles (de *bruoc*, « marais » et *sella*, « habitation ») fut fondée en 600 par saint Géry, évêque de Cambrai, sur une petite île de la Senne. L'empereur Otton II vient de confier le duché de Basse-Lotharingie à Charles de France. Celui-ci construira dans le petit village de Bruxelles une forteresse à la fois poste défensif et centre administratif.

La Carinthie sera indépendante

Germanie, 976
La Carinthie, intégrée à la première marche orientale organisée par Charlemagne pour protéger son empire, est séparée de la Bavière. Le commandement de l'*îsterreich* (qui deviendra l'Austriche puis l'Autriche) est confié à Luitpold, de la lignée des Babenberg, qui fondera véritablement le pays et en gardera le contrôle pendant près de trois siècles.

Hou Zhu, prince déchu et poète lyrique

Chine, vers 978
Avec Hou Zhu (Heou Tchou) s'éteint la dynastie des Tang du Sud, établie à Nankin. Lors de la prise de la ville en 975, l'empereur fut fait prisonnier. Accoutumé au luxe, Hou souffrit beaucoup. Poète remarquable, il évoqua ses souvenirs en des vers qui sont parmi les plus émouvants de la littérature chinoise.

Le royaume éthiopien d'Aksoum est ruiné

Ethiopie, 980
Dès la conversion du roi Ezanas au christianisme, le grandiose et prospère royaume d'Aksoum ne cesse de lutter contre les musulmans, notamment par la piraterie en mer Rouge et sur les côtes arabes. La riposte des califes, qui craignent l'annexion de La Mecque, contraint Aksoum à renoncer pendant près de deux siècles à l'accès à la mer. Dans un ultime sursaut, le roi reconquiert certaines de ses cités perdues. Mais, subitement, vers 980, le royaume est envahi et totalement détruit par la reine animiste Guédit, souveraine Agao du Damot, au sud d'Aksoum. La conquérante est finalement repoussée grâce au concours du roi de Nubie et du patriarche d'Alexandrie mais ses armées ont saccagé le pays, réduisant à néant l'autorité éthiopienne sur les bords de la mer Rouge et favorisant la succession d'une dynastie non salomonide mais néanmoins toujours chrétienne.

985

Hongrie
Baptême du prince Vajk qui sera, sous le nom d'Etienne, le premier roi de Hongrie.

Groenland
Début de la colonisation du Groenland par un proscrit islandais, Erik le Rouge.

Asie centrale
Les Seljukides s'installent dans la région de Boukhara où ils deviennent mercenaires des Sâmânides.

Inde du Sud
Hégémonie complète des Chola sur le Deccan et une partie de l'océan Indien (→ 907).

986

Danemark
Début du règne de Sven Ier, fils d'Harald II « Dent Bleue ».

Empire abbasside
Mort d'Abd al-Rhamân al-Suf, astronome et astrologue, auteur du *Livre des étoiles fixes*.

987

France
Hugues Capet est élu roi de France et couronné par le pape. →

Mexique
Début du Nouvel Empire maya, période dite maya-toltèque.

989

Russie
Conversion au christianisme de Vladimir, prince de Kiev.

990

Byzance
Venise construit une flotte de galères à usage commercial et militaire.

Afrique
L'empire du Ghâna soumet le royaume berbère d'Aoudaghost et constitue ainsi un vaste écran négro-africain face à l'expansionnisme arabo-berbère.

992

Constantinople
Chrysobulle de Basile II accordant pour la première fois des privilèges commerciaux aux navires vénitiens.

Sumatra
Les Çailandra entreprennent une expédition contre le royaume rival de Mâtaram, à Java, dont le roi est tué (→ 900).

993

Corée
Les Khitans battent les Coréens. La Corée est incorporée à l'empire mongol des Khitans.

996

Le Caire
Début du califat d'Al-Hâkim en Egypte.

France
Robert le Pieux succède à Hugues Capet.

997

Hongrie
Etienne Ier succède à son père : il est le premier roi de Hongrie.

Espagne
Saint-Jacques-de-Compostelle est détruite par Al-Mansûr. Des prisonniers chrétiens transportent sur leurs épaules les cloches de l'église à Cordoue.

998

Saint Empire romain germanique
Otton III se proclame le restaurateur de l'Empire romain. →

Kiev, Russie
Le grand duc Vladimir de Kiev épouse la princesse Anne de Byzance. →

Asie centrale
Début du règne de Mahmûd, sultan de Ghâznî. C'est l'apogée de la dynastie ghaznévide.

999

Rome
Gerbert d'Aurillac devient pape sous le nom de Sylvestre II. →

Reims
Le pape reconnaît aux évêques de la ville le prestige de sacrer les rois de France.

Paris
Début de la construction de Saint-Germain-des-Prés.

Hugues Capet, roi de France, veillé par un saint personnage. Miniature. « Grandes Chroniques de France ». Vers 1317. B.N., Paris.

Hugues Capet, élu roi, est couronné à Reims

France, 3 juillet 987
Hugues Capet, duc des Francs d'Aquitaine et de Bourgogne, a été élu par ses pairs et sacré roi de France à Reims. Petit-fils de Robert Ier, le successeur de Charles le Simple et fils d'Hugues le Grand, il prend ainsi la place de Louis V. C'est le résultat d'une longue lutte entre les Carolingiens et les Robertiens. La puissance de cette dernière maison atteignit son apogée en 940, lorsque Hugues le Grand fut élu duc de Francie. Les deux partis tentèrent d'obtenir l'appui germanique mais les partisans d'Otton, Gerbert et Adalbéron, firent pencher la balance en faveur d'Hugues Capet. Cette lutte a affaibli les Robertiens qui n'ont pu empêcher le morcellement de la Francie par les vicomtes désireux de devenir plus indépendants. La lignée directe des Carolingiens est désormais éteinte après le règne de Louis V (967-987). Hugues Capet est un « parvenu » : il ne descend pas d'une prestigieuse dynastie royale et reste

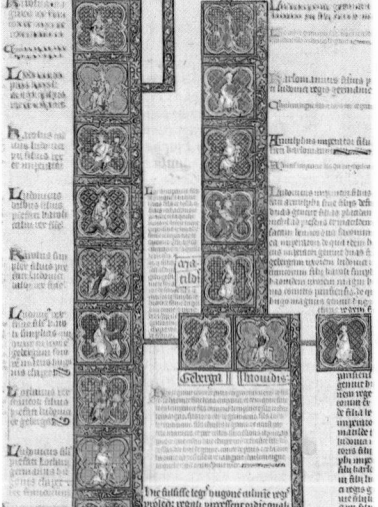

Arbre généalogique : de Charlemagne aux Capétiens. Page enluminée des « Grandes Chroniques de France ». Détail. Vers 1317. B.N., Paris.

soumis à l'influence de l'empire. Néanmoins, son arrivée sur le trône de France, auquel il associe son fils Robert, marque la fin des grands bouleversements.

Le grand duc Vladimir épouse la princesse Anne de Byzance

Kiev, 998
Quand Vladimir Ier Sviatoslavitch arriva au pouvoir à Kiev en 980, en éliminant son frère, il se rend compte de la nécessité d'unifier son Etat. Pour commencer, il favorisa l'assimilation des éléments varègues et des éléments slaves, puis il tenta de créer une religion d'Etat. Déçu par le pouvoir d'unification du paganisme, il se tourne vers le christianisme afin de s'appuyer sur une religion nationale, facteur d'unité, de soumission au pouvoir et de civilisation. Il se convertit donc au christianisme orthodoxe et il oblige son peuple à faire de même. Pour cela, il a dû resserrer ses liens politiques avec Constantinople. Après avoir renvoyé ses nombreuses concubines, il vient d'épouser en grande pompe la propre sœur de Basile II, l'empereur byzantin. C'est l'aboutissement d'un rapprochement entre la fastueuse Constantinople et ce peuple de Barbares venu du nord.

Otton III proclame la restauration de l'Empire romain

Germanie, avril 998

Otton III, couronné empereur le 21 mai 996 à l'âge de seize ans, réalise son rêve d'autorité impériale universelle en pénétrant dans Rome où il résidera désormais. Ce jeune empereur romantique, cultivé, d'une religiosité exaltée, n'avait que trois ans lorsqu'il hérita d'un royaume attaqué de toutes parts et menacé au-delà de l'Elbe par les Slaves. Théophano et Adélaïde, sa mère et sa grand-mère qui assurèrent la régence, parvinrent à éviter le désastre en évinçant Henri le Querelleur qui briguait la couronne, et en endiguant la poussée slave. Influencé par les maîtres de son enfance, Gerbert et Adalbéron, Otton imprime à son règne la marque de sa personnalité. Il cherche à faire revivre l'ancien empire de Charlemagne en associant l'Eglise à son gouvernement et en repoussant les frontières de l'empire. Il ne reconnaît l'indépendance des peuples d'Europe que lorsque ceux-ci admettent leur appartenance à l'Empire universel, qui doit être une fédération de royaumes. Enfin, c'est avec l'appui de l'Eglise qu'il envisage de redresser l'Etat.

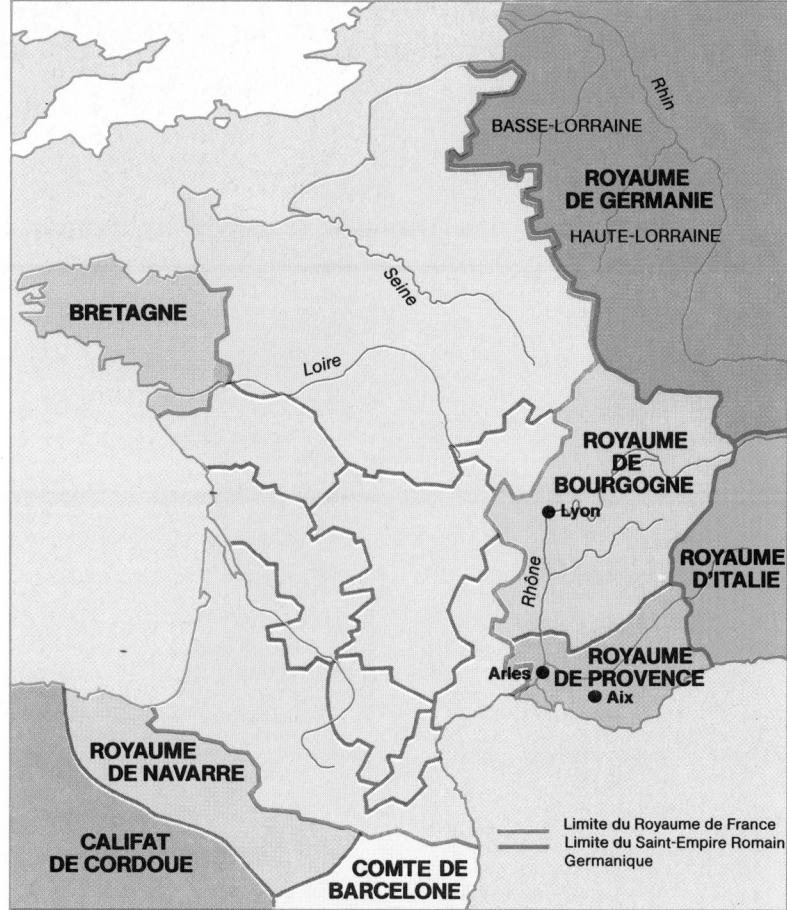

La France divisée en principautés

France, Xe siècle

Les principautés doivent leur naissance à la répartition administrative de l'Empire carolingien en comtés. Dans la majeure partie des cas, plusieurs dynasties sont enracinées dans un ensemble de comtés et se battent entre elles, aboutissant à la victoire de l'une sur les autres ou à un démantèlement en principautés. Le regroupement des comtés sous une seule autorité constitue alors une puissance considérable, entraînant en toute logique un désir d'indépendance vis-à-vis de l'autorité royale. Au début du Xe siècle, trois royaumes, en dehors de la Francie et de la Germanie, ont survécu à ce phénomène : la Provence, la Bourgogne et l'Italie. Sous l'action des dynasties, un certain nombre de principautés se sont établies en Francie : le duché de Bourgogne, l'Aquitaine, le Toulousain, la Gothie, la marche d'Espagne, la Normandie, la Flandre et la Bretagne. Le roi n'a pratiquement aucun moyen d'intervenir à l'intérieur de ces domaines. Le principe territorial régit à la fois les droits régaliens, les vassaux du roi, les domaines du fisc, les abbayes et la nomination des évêques.

L'abbaye de Saint-Germain-des-Prés dont la construction s'étendit jusqu'au XIIIe siècle (reconstitution par Hoffbauer).

Construction de l'église de Saint-Germain-des-Prés

Paris, vers 999

L'abbé Morard entreprend la reconstruction de l'église de Saint-Germain-des-Prés, détruite par les Normands en 886. En 542, Childebert, fils de Clovis, avait ramené d'Espagne deux reliques, la tunique de saint Vincent et un fragment de la Croix. Saint Germain, évêque de Paris, fit construire à cette occasion une église et une abbaye, consacrées le 23 décembre 558. Les travaux de la reconstruction, selon le plan roman, débuteront par le clocher, le porche et le chevet.

Sylvestre II. Margelle du puits de San Bartolomeo, île du Tibre, Rome.

La couronne dite de saint Etienne, roi de Hongrie. Xe-XIIe siècle. Bibliothèque nationale, Paris.

Etienne de Hongrie succède à son père

Hongrie, 996

Geza, le prince de Hongrie, vient de mourir. Il a tout fait pour unifier son pays en brisant sans pitié la résistance des chefs de tribu ainsi que pour se concilier les Etats voisins. En effet, en 973, il a offert une alliance à l'empereur germanique Otton Ier. C'est aussi lui qui a entraîné la conversion de son peuple au catholicisme en faisant baptiser son fils Vajk et en le prénommant Etienne. Celui-ci, craignant la tutelle allemande, se fera couronner roi par le pape en l'an Mil (→ 955).

Gerbert d'Aurillac, un grand pape à la tête de l'Eglise

Rome, 2 avril 999

Otton III a fait élire pape son protégé et ami Gerbert d'Aurillac. Celui-ci a choisi de prendre le nom de Sylvestre II en souvenir du pape qui avait baptisé l'empereur Constantin. Né à Aurillac, en Auvergne, Gerbert entre tout enfant au monastère de Saint-Géraud. Un voyage en Espagne complète son apprentissage : auprès de maîtres arabes, il s'initie à la géométrie, à la mécanique et à l'astronomie. C'est un esprit indépendant, altier, doué d'une souplesse d'esprit et d'une capacité d'assimilation considérables. Son intelligence lui vaut la reconnaissance du pape Jean XIII et de l'empereur Otton Ier. Dès 970, il enseigne à l'école de Reims sous la direction d'Adalbéron. La mort de ce dernier en 989 le laisse dans une situation difficile : son attachement à l'indépendance de l'Eglise lui vaut des démêlés avec les évêques fidèles à l'empire et avec la papauté. Otton III lui accorde sa protection. Gerbert entame une nouvelle carrière au côté du jeune empereur pour lequel il rédige son traité, *Du rationnel et de l'usage de la raison*. Otton III le nomme évêque de Ravenne (998), mais la mort de Grégoire V offre la possibilité à l'empereur de faire élire sur le trône de saint Pierre un homme de confiance. L'humble fils de paysans devient le successeur des apôtres.

La grande peur de l'an Mil

Les chrétiens de l'an Mil croient à l'imminence de la fin du monde terrestre. Cette attente anxieuse découle de l'interprétation du texte de l'Apocalypse (XX) : « Après mille ans écoulés, Satan relâché de sa prison ira séduire les nations... » Cet Antéchrist libère les puissances du mal qui se déchaînent sur les hommes. Après quoi, le Jugement dernier établira la Jérusalem céleste. Ainsi, chaque chrétien soucieux de son salut guette-t-il attentivement tous les désordres : éclipses, combats d'étoiles, monstres, épidémies... Il appartient aux hommes d'Eglise d'interpréter ces signes et de transformer cette inquiétude en volonté d'agir pour le bien. Ils organisent à cette fin des pèlerinages collectifs. Les aumônes sont distribuées avec largesse. Après 1033, millénaire de la passion de Jésus-Christ, toutes ces actions semblent avoir atteint leur but. Le mal paraît être en déroute. « Toute la surface de la terre se couvrit d'une aimable verdeur », raconte Raoul Glaber, moine chroniqueur bourguignon.

Les pèlerinages de l'an Mil

Autour de l'an Mil, une brusque vague de pèlerinages stimule tout l'Occident chrétien dans un vaste mouvement social, économique et religieux. A Compostelle, Rome et Jérusalem, auprès des sanctuaires et des reliques, rois, chevaliers et manants vont chercher l'assurance d'un salut éternel. Evasion pour les princes, profit pour les abbayes, acte pieux par excellence, le pèlerinage attire tous les esprits en quête de pénitence et d'aventure.

« Apocalypse de Saint-Sever », milieu du XIe siècle. B.N., Paris.

Commerce de l'argent et du sel

L'Europe centrale est riche en matières premières, telles que l'argent et le sel : l'extraction des minerais entraîne le développement d'un commerce très important, à destination de l'Italie du Nord et de l'Est et des colonies grecques de la côte méditerranéenne de la Gaule. Les routes commerciales partent de la région du Rammelsberg, dans le Harz (Allemagne), d'où est extrait l'argent, qui contribue largement à la richesse de l'empereur germanique Otton Ier. le Grand et de ses successeurs. L'extraction du sel, commencée dans la région de Lunebourg et dans les Alpes germaniques dès l'âge du Bronze, se poursuit activement. Le sel était antérieurement obtenu à partir de sources salines, dont les capacités de production se révélèrent progressivement insuffisantes face à l'augmentation des besoins. Le commerce de l'argent et du sel contribue de façon décisive à l'essor économique de l'Europe centrale.

Le roi Harald

Les rois scandinaves font élever des monuments commémoratifs dédiés à leurs morts et retraçant leurs exploits : les pierres runiques. Le roi Harald Blaatand, « Dent bleue » (940-986), fit dresser sur la Colline des rois, à Jelling, dans le Jutland, une pierre où l'on peut lire inscrit en caractères runiques : « Le roi des Danois, Harald, fit dresser ces pierres en hommage à son père, Gorm, et à sa mère, Thyra ; il conquit tout le Danemark et la Norvège et fit des Danois des chrétiens. »

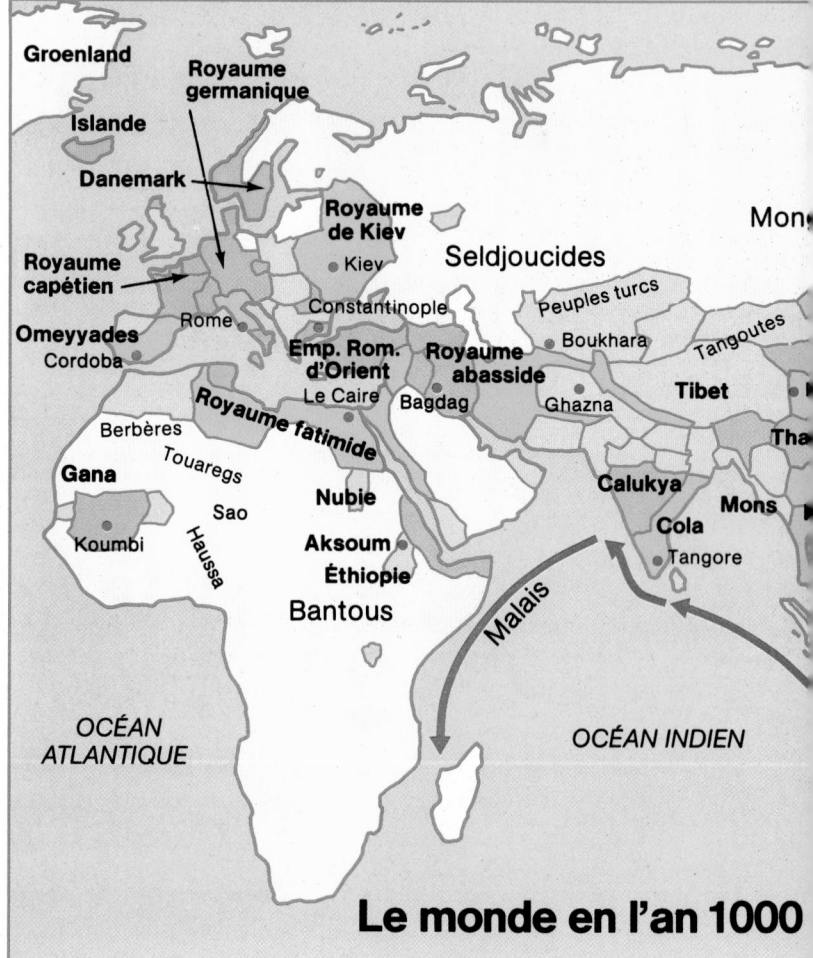

Groenland
Islande
Danemark
Royaume germanique
Royaume de Kiev
Kiev
Seldjoucides
Mon
Royaume capétien
Rome
Constantinople
Peuples turcs
Boukhara
Tangoutes
Omeyyades
Cordoba
Emp. Rom. d'Orient
Le Caire
Royaume abasside
Bagdag
Ghazna
Tibet
Royaume fatimide
Berbères
Tha
Touaregs
Calukya
Gana
Sao
Nubie
Cola
Mons
Koumbi
Hausa
Aksoum
Éthiopie
Tangore
Bantous
Malais
OCÉAN ATLANTIQUE
OCÉAN INDIEN

Le monde en l'an 1000

La pierre de Jelling (copie) Xe siècle. Copenhague.

Les petits Etats andins

Dans les hautes terres des Andes, de 600 à 1000, se sont développés des empires expansionnistes : ceux de Huari (ou Wari) et de Tiahuanaco, qui ont contribué à une unification culturelle des régions des hautes terres jusqu'à la côte. L'effondrement inexpliqué de ces empires entraîne l'abandon des villes. La population s'éparpille dans les villages. De petits Etats s'engagent dans des guerres continuelles. Les Indiens, durant cette période de grandes constructions, ont développé avec finesse l'art du tissage et de la poterie. A Huari, les décorations sont polychromes avec des motifs aux formes humaines et animales. L'architecture et la sculpture prennent beaucoup d'importance, notamment à Tiahuanaco, sur les rives du lac Titicaca, à 3 900 m d'altitude. Là, dans le complexe de Kalasasaya, se dresse, parmi d'autres blocs monolithes, celui de la porte du Soleil. Cette ville, la première construite de façon planifiée en Amérique du Sud, était un centre cérémoniel important.

Les Mayas

Au cours du Xe siècle, la société maya classique, puissante, parvenue à un haut niveau intellectuel et artistique disparaît soudainement. Ni séisme, ni maladie, ni invasion ne sont à l'origine de cette effondrement. C'est plutôt la faiblesse de l'agriculture, l'incompréhension croissante entre les prêtres mathématiciens et les paysans, la montée du militarisme, le ralentissement du commerce qui semblent devoir résoudre cette énigme. Toutefois, à la veille de l'an Mil, une renaissance se produit dans le Yucatan.

Art maya. Peinture murale. VIIIe siècle. Temple de Bonampak, Mexique.

Luth et oud

Le luth est un instrument à cordes pincées, dérivé de l'oud (al-ud) d'origine iranienne. Il apparaît au moment où la musique du Proche-Orient atteint l'Europe, en raison du commerce des villes italiennes avec le monde arabe et de la vague islamique qui déferle sur l'Espagne. Alors que l'oud comporte quatorze cordes, le luth n'en comprend que quatre doubles, appelées « chœurs ». Par ailleurs, la timbale, la cornemuse, la viele et le cor commencent à se répandre.

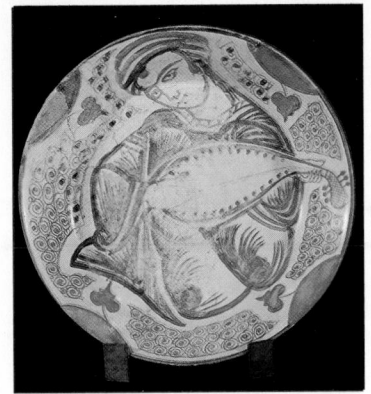

Musicien. Céramique lustrée. Epoque fâtimide, XIe-XIIe siècle.

Le zéro et le système décimal

L'an Mil est à mi-chemin entre le VIIIe siècle (aux environs de 770), date à laquelle les chiffres indiens (dits « chiffres arabes ») furent introduits à Bagdad, et le XIIIe siècle où la numération décimale fut enfin admise en Europe. Entre temps, les Arabes avaient amélioré le système et institué un chiffre magique, le zéro marqué par un simple point. C'est ce zéro, magique, appelé en arabe *sifr*, ce qui veut dire « rien », qui est à l'origine du mot français « chiffre », à partir du latin médiéval *cifra*. On peut se demander les raisons pour lesquelles le *sifr* arabe a donné son nom à « chiffre » et non pas au « zéro ». Plusieurs explications ont été avancées. La plus probante consiste à dire que ceux qui avaient recours au zéro étaient assimilés à ceux qui usaient d'un « code » secret (*shifra* en arabe). Longtemps, l'Eglise et « les gens de savoir » s'opposèrent à l'introduction de la numérotation décimale : à cause même de sa complexité, la numérotation latine garantissait leur hégémonie scientifique.

Les échecs

L'origine du jeu d'échecs est entourée de nombreuses légendes, certaines la situent même à l'époque de la guerre de Troie. La version que nous connaissons de ce jeu semble naître en Inde, avant de gagner l'Iran où elle est adoptée par les Arabes qui la diffusent en Afrique du Nord et l'introduisent en Espagne. L'origine indienne paraît attestée par l'échiquier que le calife abbasside Hârun ar-Rashîd offrit à Charlemagne. Les pièces de ce jeu, en ivoire, relèvent de l'art indien du VIIIe siècle.

Les joueurs d'échecs. Enluminure d'un manuscrit gothique. Musée de l'Escurial. Madrid.

Les Song

La peinture de paysage connaît son premier épanouissement sous les Song du Nord. Le paysage apparaît alors dans toute sa plénitude, empreint de profondeur spirituelle. Le plus grand des paysagistes est alors Li Cheng (Li Tch'eng). Se recommanderont de son exemple Fan Kuan et Guo Xi (Kouo Hi : *Printemps précoce*, 1072). Ils adoptent la peinture à l'encre monochrome et inventent de nouvelles techniques (« traits », « rides », « points »). La montagne est un de leurs thèmes préférés.

Gao Keming. Première neige sur le fleuve. Rouleau, 1035. Encre et couleurs sur soie.

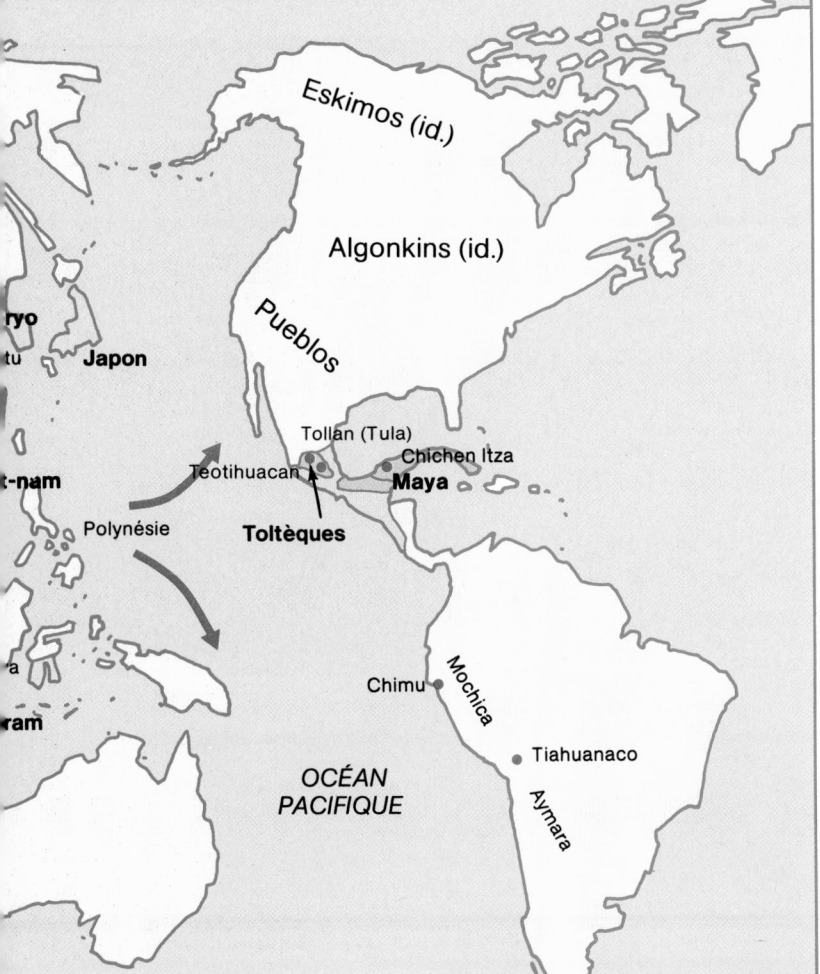

D'île en île

Les Polynésiens de Tahiti s'embarquent sur leurs catamarans pour des traversées les menant parfois à des milliers de milles de leurs îles. C'est ainsi qu'ils découvrent un archipel de deux îles au sud-ouest du Pacifique : la Nouvelle-Zélande. Leurs voyages, à bord de catamarans dotés d'une voile pouvant transporter plus de cent personnes, sont essentiellement motivés par les guerres qui sévissent dans leurs îles natales, mais également du fait de la pression démographique qui rend exigu leur espace vital.

Art maori. Nouvelle-Zélande. Détail d'un bas-relief.

Les aventures du prince Genji

« Le Dit de Genji », *Genji monogatari*, est l'un des chefs-d'œuvre de la littérature de tous les temps. Son auteur, Murasaki Shikibu, une dame de la cour, a environ trente ans lorsqu'elle entreprend la rédaction de ce roman. Entrée à la cour de Heian en qualité de préceptrice à l'époque de Fujiwara-no-Michinaga (966-1027), elle côtoie tous les personnages qui lui serviront de modèles pour son roman. L'ouvrage est divisé en cinquante-quatre livres : les quarante-quatre premiers relatent les amours du prince Genji, les dix derniers ceux de son fils Kaoru. Le héros principal est un « Genji », c'est-à-dire un fils d'empereur écarté de la succession, ce qui lui permet d'être choyé et adulé par la cour et de faire une carrière politique, chose interdite à un prince du sang. Ce livre est une peinture fascinante de la société et cultivée de la cour à l'époque Fujiwara, toute occupée à des jeux futiles et raffinés. C'est un classique de la littérature japonaise : il est écrit en caractères syllabiques hiragana.

1000

Amérique du Nord
Les Vikings abordent les côtes américaines. →

Inde
Le temple de Khandâriya, à Khajurâho, est achevé. Il est célèbre pour les sculptures érotiques qui en ornent les parois (symboles de l'union avec le divin).

Adriatique
Protectorat vénitien étendu à l'Istrie et à la Dalmatie.

Asie centrale
Les Seljukides occupent la Transoxiane.

1001

Hongrie, 25 décembre
Premier roi de Hongrie, Étienne Ier, est couronné par le pape Sylvestre II.

Balkans
Basile II entreprend la conquête de la Bulgarie.

1002

Paterno, 24 janvier
Mort de l'empereur germanique Otton III, Henri II lui succède. →

Cordoue, 10 août
Mort de Muhammad ibn Abî Amir al-Mansûr. Cette disparition sonne le glas du royaume de Cordoue.

1003

Rome, 12 mai
Mort de Sylvestre II (Gerbert d'Aurillac), premier pape français. Élu en 999, il s'était employé avec Otton III au renouveau de l'empire.

1008

Harât, Iran
Mort d'al-Hamadhâni (Ahmad ibn al Hussayn), écrivain surnommé « le Prodige du siècle ». Il est l'inventeur du genre littéraire des *maqâmat* (ou « séances »), formées d'une courte anecdote écrite dans une prose rimée inspirée du Coran.

1009

Jérusalem
Al-Hakîm détruit l'église du Saint-Sépulcre.

1015

France
Le comté de Dreux est annexé par Robert le Pieux, roi de France.

Russie
Mort de Vladimir Ier.

1016

Europe
Par la « Paix de Dieu », l'Eglise tente d'apporter des restrictions au droit de guerre privé, en accordant sa protection aux prêtres, aux pèlerins, aux paysans, ainsi qu'aux femmes et aux enfants.

Bourgogne
La conquête de la Bourgogne, commencée en 1003, est achevée par Robert le Pieux.

1018

Balkans
Quatre ans après la bataille de Stoumitza (1014), Basile est enfin maître de la Bulgarie. la sauvagerie avec laquelle la lutte fut menée lui valut d'être surnommé le Bulgaroctone, le « tueur de Bulgares ».

1019

Europe du Nord
Angleterre et Scandinavie sont unies sous la couronne de Knud.

France
Raids sarrasins contre les îles de Lérins et Narbonne.

1021

Le Caire, 13 février
Disparition du calife al-Hakîm. →

Comté de Toulouse
Apparition du catharisme.

Paris
Publication du *Sic et Non* (Le Pour et le Contre) d'Abélard.

1024

Pavie
Insurrection du peuple contre les féodaux.

Mont Saint-Michel
Achèvement de l'abbatiale.

Floraison des arts sous Otton III

Lorsqu'Otton III meurt de la malaria à Paterno, il est seulement âgé de vingt-deux ans. Le jeune empereur avait accédé au pouvoir en 994 après la régence de sa mère Théophano et de sa grand-mère Adélaïde. Empreint de culture romaine et byzantine, il caressait un idéal mystique et politique : recréer l'empire de Constantin et de Charlemagne. Rome devint sa capitale. Cette aspiration, qui était celle de tous les empereurs de la maison de Saxe (Henri Ier, Otton Ier, Otton II) engendre un renouveau politique de l'empire et s'accompagne d'un renouveau des arts et des lettres. Dans le domaine littéraire, la composition des *Res Gestæ Saxonicæ* relatant les hauts faits de la dynastie ottonienne, ainsi que la traduction en haut-allemand de textes antiques, marque cette renaissance. L'architecture, quant à elle, se renouvelle avec l'apparition de vastes édifices religieux : les basiliques ottoniennes se caractérisent par un double chœur et un double transept ; de longs murs séparent la nef des bas-côtés, rythmés par une alternance de piliers et de colonnes. En ce qui concerne les arts, il n'existe pas à proprement parler d'ateliers de cour : ce sont aux ateliers des grands monastères comme Saint-Gall, Corvey, Reichenau, Trèves, Echternach, Cologne, auprès desquels non seulement les empereurs, mais aussi les dignitaires de l'Eglise, passent commande. Hildesheim devient ainsi, sous la direction du précepteur d'Otton III, l'évêque Bernward, un grand centre culturel : c'est à l'initiative de

Evangéliaire d'Otton III. Détail. Reichenau, fin Xe siècle. Staatsbibliothek, Munich.

ce mécène, humaniste et artiste luimême, que l'on doit les portes de bronze de Saint-Michel de Hildesheim. Développant de manière intensément dramatique le thème iconographique du Péché et de sa Rédemption, ces portes, coulées en 1015 selon une technique encore peu répandue, présentent, malgré leur monumentalité (4,72 m) une certaine parenté avec le style de la miniature dont l'art atteint également à cette époque un rare degré de perfection. L'enluminure est en effet l'un des sommets de l'art ottonien : les fonds dorés et l'attitude hiératique des personnages lui confèrent une profonde religiosité, comme en témoigne l'évangéliaire d'Otton III à Aix-la-Chapelle.

Les portes de l'église Saint-Michel d'Hildesheim furent coulées en bronze en 1015. Elles sont ornées de scènes de l'Ancien et du Nouveau Testament : ici, Adam après qu'il ait été chassé du Paradis.

Les Vikings abordent les côtes américaines

Amérique du Nord, vers 1000
Leif Eriksson, le fils du viking Erik le Rouge, qui avait découvert le Groenland (→ 982), découvre à son tour le continent nord-américain. Parti du Groenland selon les indications du Groënlandais Björn Herjolfsson, Leif Eriksson mit le cap vers l'ouest. Il aborda en trois points de l'Amérique du Nord : au « Helluland » (« Pays des pierres plates », probablement le sud de la terre de Baffin), au « Markland » (« Pays des forêts », probablement le Labrador) et au « Vinland » (« Pays des prairies », plutôt que « Pays des vignes », comme le crurent, à tort, les chroniqueurs du Moyen Age probablement entre Terre-Neuve et le cap Cod). Leif Eriksson et son équipage passèrent l'hiver au Vinland et prirent au printemps le chemin du retour pour la Scandinavie. Cette première expédition des Vikings vers l'Amérique sera très vite suivie d'une seconde, Thorwald Eriksson empruntant les traces de son frère Leif et atteignant à son tour en 1002 le Vinland. Il y trouva la mort lors d'un combat contre les Indiens. Les navires utilisés par les Vikings pour ces expéditions, les drakkars (« dragons »), sont les mêmes que ceux qui les emmènent dans leurs raids sur les côtes de l'Europe du Nord et du Sud-Ouest et les îles Britanniques : longs d'une vingtaine de mètres et larges de 5,30 m, ils ont une hauteur de bord de 2 m environ. La particularité essentielle de ces embarcations est leur faible tirant d'eau, 90 cm, qui leur permet d'aborder à peu près n'importe où. Ils sont propulsés en haute mer par une voile carrée fixée à un mât de douze mètres de haut.

Sous la direction de Leif Erikson un groupe de Vikings part en exploration dans l'Atlantique vers l'Ouest et découvre l'Amérique.

La mosquée al-Hakîm au Caire. Construite en 393 de l'hégire (1003), elle est entièrement en brique. Noter l'aspect inhabituel de son minaret, en forme de brûle-parfums.

Disparition mystérieuse d'al-Hakîm

Le Caire, 13 février 1021
Le calife le plus controversé de l'Egypte fatimide, al-Hakîm bi-Amr Allâh, disparaît le 13 février 1021 au cours d'une promenade nocturne sur le mont Mukattam. On fait des recherches et on découvre ses vêtements percés de coups de poignard. Son corps ne sera jamais retrouvé. Selon la version la plus plausible, al-Hakîm aurait été assassiné à l'instigation de sa sœur, Sitt al-Mulk, qui, craignant d'être mise à mort par son frère qui lui reprochait sa vie licencieuse, aurait pris les devants. Mais il ne s'agit là que d'une version parmi beaucoup d'autres. Selon certains, al-Hakîm, connu pour ses extravagances, mais aussi pour sa simplicité, son humilité, son ascétisme et sa générosité, se serait retiré dans la solitude. Les druzes, quant à eux, ne croient pas à sa mort, mais à « une absence mystérieuse » qui durera jusqu'au jour où il décidera de « réapparaître ». La personnalité d'al-Hakîm demeure difficile à saisir. Tandis que les uns mettent l'accent sur ses extravagances, son fanatisme, son intolérance (démolition de l'église du Saint-Sépulcre à Jérusalem) et les persécutions qu'il fit subir, en 1012, aux chrétiens et aux juifs, d'autres soulignent qu'il fut le seul calife à permettre à tous ceux qui s'étaient convertis à l'islam de revenir à leur foi première et qu'en 1013 il prit, entre autres, des mesures en faveur de la restauration de monastères, de la protection de toutes les églises de Jérusalem et de la restitution de tous les biens confisqués.
Al-Hakim, de son vrai nom Abu Ali al-Mansur, avait onze ans lorsqu'il accéda au trône, à la mort de son père al-Aziz (997). Son règne a été marqué par une très grande sollicitude envers les démunis, par la construction de nombreuses mosquées (dont celle qui porte son nom) et surtout par la fondation de l'Université et la bibliothèque de « Dar al-Hikma » (Maison de la Sagesse).

Knud réunit l'Angleterre et le Danemark

Angleterre, 1018
A plusieurs reprises déjà, les principautés d'Angleterre, qui ont été unifiées en un seul royaume en 995, doivent faire face aux incursions des Vikings. Après que le roi d'Angleterre Ethelred II eut fait assassiner en 1002 tous les Danois de ses Etats, leur roi Sven Ier lança une nouvelle expédition et entreprit la conquête systématique des provinces anglaises. Lorsqu'il meurt en 1014, son fils Canut II poursuit sa tâche. Après avoir vaincu, le 18 octobre 1016, à Ashingdon dans l'Essex, le roi anglais Edmond Côte-de-Fer, fils d'Ethelred, il se voit proposer par le conseil des Sages britannique, les « Witans », la couronne d'Angleterre. Il signe alors avec Edmond un traité de partage et fait mettre à mort les nobles anglais qui refusaient de respecter l'accord. A la mort de ce dernier, assassiné en novembre 1016, il se déclare son héritier et épouse, en 1017, la veuve d'Ethelred, Emma de Normandie. Parvenu au pouvoir suprême, il gouverne désormais avec modération. Il se convertit au christianisme, établit l'égalité des droits entre Danois et Anglais, fait en sorte que soit assurée la sécurité des personnes et des biens par une protection tant administrative que militaire ; il emploie même des Anglais dans son administration. Il peut alors renvoyer sa grande armée et ne conserver comme garde personnelle que l'équipage de quarante navires, environ trois mille deux cents hommes rémunérés par une solde. L'Angleterre et le Danemark sont réunis sous une administration commune et pacifique.

Fan Kuan, maître du paysage Song

Chine, 1025
Fan Kuan (Fan K'ouan) est né au Shaanxi (Chensi) ; seule la date de sa mort, 1025, nous est connue. Les paysages austères de sa province natale ont contribué à former son style. Il est l'un des grands maîtres de l'école du Nord, dont le thème principal est la montagne. Ses effets de brume permettent de ménager des plans successifs et, à travers hauteur et profondeur. Fan Kuan est considéré comme l'inventeur de la manière dite « en points » et « gouttes de pluie ». Son *Voyage à travers monts et vallées* (Formose, Musée national) illustre bien sa technique : à un premier plan rocheux succède un second plan détaillé où courent les eaux d'un torrent. En bas à droite passe une caravane, le seul symbole humain dans cet hymne à la nature. Un écran de brume permet de suggérer la profondeur, d'où jaillit à l'arrière-plan une haute falaise couronnée de végétation.

Fan K'ouan « Voyage au sein des monts et torrents ». Début XIe siècle. Encre sur soie. Formose.

1025

Constantinople, 15 décembre
Mort de Basile II, Constantin VIII lui succède. →

Khurâsân
Mort de Firdûsî, auteur du *Shâh-Nâme* (Livre des rois) retraçant l'histoire de la Perse des origines mythiques jusqu'à la conquête arabe.

1027

Rome, 25 décembre
Couronnement de Conrad II par le pape, en présence de Knud, roi des Danois, et de Rodolphe III de Bourgogne.

France
Henri Ier, fils de Robert le Pieux et petit-fils d'Hugues Capet, est couronné roi du vivant de son père.

1028

Espagne
La Castille est conquise par Sanche III le Grand, roi de Navarre.

1029

Moyen-Orient
Les Bûyides de l'Irak-Adjémi sont chassés par Mahmûd de Ghaznî.

1030

Scandinavie, 29 juillet
Bataille de Stiklestad : Olav II Haraldsson, roi de Norvège, meurt en tentant de reprendre son royaume conquis par Knud le Grand en 1028.

Ghazna
Mort du sultan Mahmûd. Son fils Masûd lui succède. L'Empire ghaznévide s'étend de la Perse à la vallée du Gange.

Syrie
L'empereur byzantin Romain III échoue dans son entreprise de reconquête.

Italie
Des cathares sont exécutés à Monteforte et Asti.

1031

Cordoue
Fin des Umayyades. Leur califat est partagé en petites principautés, les Taïfas. En 756, ils s'étaient emparés de Cordoue et, en 929, avaient proclamé le califat.

France
Henri Ier succède à son père Robert le Pieux.

1033

Bourgogne, 2 février
A la mort du roi Rodolphe III, en vertu du traité de succession de 1027, son royaume est réuni à l'empire. Italie, Bourgogne et Allemagne forment le « Trias imperium ».

Hildesheim
L'abbatiale Saint-Michel est consacrée.

Inde
Bénarès est prise par les Ghaznévides.

Pologne, juillet
Par la paix de Mersebourg, Mieszko II de Pologne renonce à la dignité royale et restitue la Lusace et la Mismie à l'empereur.

1035

Shaftesbury, 12 novembre
La mort de Knud le Grand entraîne la dislocation progressive de l'empire danois d'Angleterre.

Italie du Nord
Révolte des cités lombardes contre les féodaux.

1037

Iran
Le médecin et philosophe arabo-islamique Avicenne (Ibn Sinâ) meurt à Hamadhan. →

Espagne
Ferdinand de Castille est sacré roi de León.

Kiev
La construction de la cathédrale Sainte-Sophie, commencée en 1017, est achevée.

Duché de Bouillon
Le duché de Bouillon est érigé en Etat souverain par l'empereur lors du démembrement du comté de Bourgogne.

Nishâpûr, Iran
Les Seljukides prennent Nishâpûr à Masûd de Ghaznî.

La victoire de Basile II contre Samuel, tsar des Bulgares, en 1014. Enluminure de l'« Histoire des Bulgares » de Manassès (1143-1181).

Basile II et l'apogée de l'Empire byzantin

Constantinople, 15 décembre 1025
Le grand empereur byzantin Basile II meurt sans héritier mâle. Sur son lit de mort, il marie sa fille Zoé au préfet de Constantinople qui gouvernera un immense empire, qui s'étend des montagnes de l'Arménie à l'Adriatique et de l'Euphrate au Danube. Basile II aura passé toute sa vie à combattre ; à la veille de sa mort, il se préparait encore à lancer une expédition contre la Sicile, où les Arabes se sont implantés (→ 827). En effet, sa vie durant, il dut lutter contre la piraterie arabe et dut aussi constamment affronter l'Empire bulgare, qui connut son apogée sous le tsar Samuel (989-1001). Après dix-sept années de luttes, il finit par écraser l'armée bulgare en juillet 1014, sur les bords de la Stoumitza. Il fit alors crever les yeux de quinze mille prisonniers qu'il renvoya à Samuel, en laissant un borgne par centaine pour qu'il serve de guide. Cela lui valut le surnom de « Bulgaroctone » (tueur de Bulgares). L'empire était alors au plus haut de sa puissance et de sa prospérité. Mais Basile éprouva le besoin de conclure un accord économique et militaire avec Venise (→ 992) qui possédait une flotte considérable. Basile fut empereur à l'âge de six ans, en 963, mais sous la tutelle de sa mère Théophano et des gouvernements successifs du mari et de l'amant de celle-ci, Nicéphore Phocas et Jean Tzimiskès. Aussi ne fut-il véritablement maître de ses Etats qu'à partir de 985. Il gouverna en souverain militaire et autocrate. En outre, il contribua à renforcer le système administratif mis en place par ses prédécesseurs. L'Etat possédait désormais un véritable budget établi par un service autonome qui contrôlait toutes les sources du revenu fiscal, y compris les biens de l'empereur. Le long règne qui s'achève vit la renaissance des lettres dont le principal maître fut Syméon, un mystique (mort en 1022). Une littérature populaire fait également son apparition, sous forme de chants épiques qui puisent leurs thèmes dans les exploits militaires du souverain macédonien.

Architecture sacrée dans les Etats hindous

Les Hindous honorent leurs divinités en des lieux de culte majestueux. Des temples sont construits selon des critères en conformité avec la religion hindoue et sa conception du monde. Ainsi, dans la région de l'Orissâ, sur la côte orientale de l'Inde, la ville de Bhuvanesvar, centre du culte de Çiva et important lieu de pèlerinage, est ornée de très nombreux temples élevés dès le VIIe siècle. Erigé aux alentours de l'an mil, le temple de Lingarâja est le plus imposant de tous et le plus original. Il allie un style d'une extrême sobriété de lignes et un maniérisme raffiné dans ses parties décoratives. Sa tour ou *çikhara*, en forme de ruche, aux courbes élégantes, s'élève à plus de 50 m de hauteur.

Lingarâja, le plus grand temple de la ville Bhuvanesvar. XIe siècle. Chef-d'œuvre de l'art de l'Orissâ.

Les Francs Saliens à la tête du Saint Empire.

La dynastie des Saliens commence avec l'élection à Kamba, près d'Oppenheim sur le Rhin, du roi germain Conrad II. Elle dure cent ans et s'achève à la mort de l'empereur Henri V en 1125 (Conrad II : 1027-1039 ; Henri III : 1039-1056 ; Henri IV : 1056-1106 ; Henri V : 1106-1125). Le pouvoir des Francs Saliens est centralisé dans la région de Worms et de Spire, ainsi que dans la région de Nahe. L'ascension des Saliens débuta avec Conrad le Rouge, duc de Franconie, dont la femme Lindgard était une des filles de l'empereur Otton Ier. Conrad II succède aux empereurs saxons (les Ottons), car l'empereur Henri II n'avait désigné aucun successeur. En l'absence des Saxons et contre la volonté des Lorrains, Conrad II remporte l'élection. Il parcourt à cheval tout l'empire et se fait reconnaître comme souverain légitime, puis se hâte de se faire reconnaître également en Italie. En 1026-1027, Conrad se fait couronner roi des Lombards à Milan, et se fait sacrer empereur à Rome par le pape. Il poursuit ainsi la tradition franco-saxonne. De retour en Allemagne, il renforce la puissance royale, refoule les Polonais au-delà de l'Oder et leur impose ainsi qu'aux Tchèques sa suzeraineté. Il étend également son autorité au royaume de Bourgogne que lui légua en 1033 son dernier roi, Rodolphe III. L'apogée de la dynastie des Francs Saliens correspond au règne du fils de Conrad II, Henri III. Celui-ci lutta victorieusement contre les princes allemands, imposa sa suzeraineté aux pays slaves (Poméranie, Pologne, Bohême) et à la Hongrie. L'Italie fut maintenue sous son autorité par l'intermédiaire du marquis de Toscane. Dans le même temps, l'Eglise entreprenait de renforcer son indépendance et son autorité. La

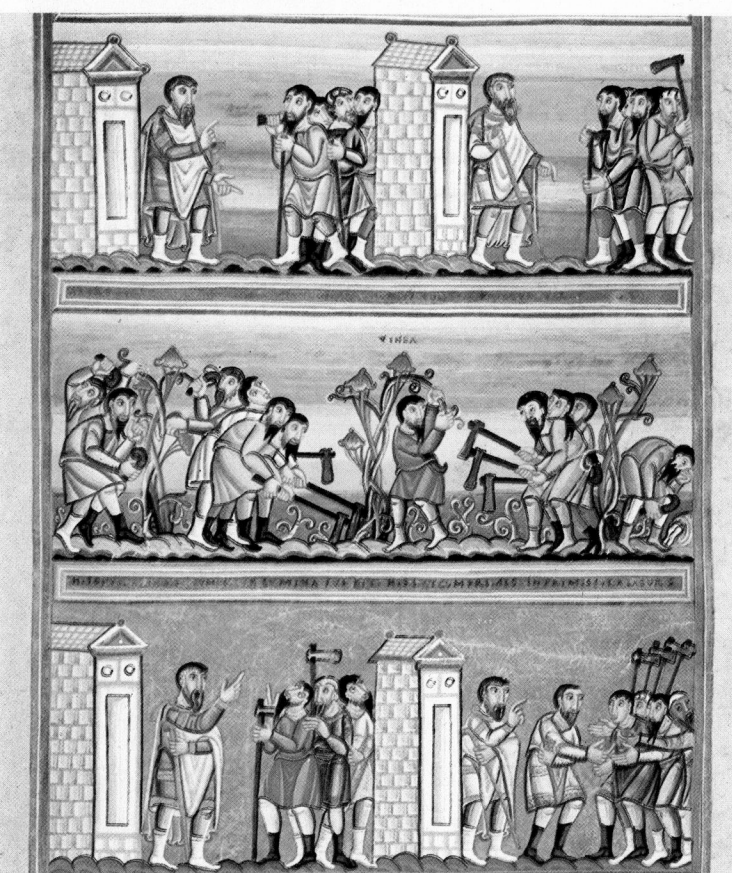

Le travail de la vigne. Page d'introduction aux Evangiles, « Codex aureus » du scriptorium d'Echternach. Avant 1039. Germanisches Nationalmuseum, Nuremberg.

crise dans les relations entre l'Eglise et l'empire éclata lors de l'accession au trône d'Henri IV, le fils d'Henri III. Ce fut la querelle des Investitures (1076-1122). Le pape Grégoire VII, ancien moine clunisien, avait résolu d'émanciper l'Eglise du pouvoir des laïcs. Henri IV tenta de s'opposer à lui en faisant proclamer sa déchéance, et, en retour, se fit excommunier. En butte à l'insoumission de ses vassaux, il fut contraint de venir implorer le pardon du pape à Canossa. Le long règne d'Henri IV ne fut qu'une succession de crises.

Henri V reprit la lutte contre les papes réformateurs. Mais, gêné par des révoltes en Allemagne, il accepta le compromis que lui offrait le nouveau pape Calixte II. Cet accord porte le nom de concordat de Worms (1122). Ce texte distingue dans la fonction épiscopale l'aspect spirituel et l'aspect temporel. L'empereur renonçait à l'investiture des évêques et des abbés. Au terme du règne d'Henri V, le pouvoir impérial se voyait considérablement affaibli, tant vis-à-vis de l'Eglise que des princes féodaux.

Avicenne, ministre, médecin et philosophe

Hamadhan, 18 juin 1037

La mort du « Maître par excellence », alors qu'il accompagnait le prince (Ala) al-Dawla dans l'une de ses expéditions, est ressentie dans l'ensemble du monde musulman comme une perte incommensurable. Né à Afshana en 980, Avicenne, de son vrai nom Ibn Sina, est le type même du sage encyclopédique qui touche à tous les domaines du savoir. Il a été longtemps considéré comme le père de la médecine moderne. En Europe, du XIIe au XVIIe siècle, l'enseignement et la pratique de la médecine seront fondés sur ses écrits. Ceux-ci seront étudiés notamment à l'Ecole de médecine de Mont-

pellier à partir de 1309. Cet engouement s'atténue à la Renaissance. Mais c'est surtout en tant que philosophe qu'Ibn Sina a marqué la pensée musulmane. S'il est revendiqué aussi bien par le monde arabe que par le monde iranien, c'est qu'il est indifférent aux querelles qui opposent sunnites et shi'ites. Sa philosophie, où l'on retrouve l'apport grec, est basée à la fois sur une confiance illimitée dans les possibilités du savoir humain et sur la portée, également illimitée, de la révélation prophétique et tête de l'enseignement religieux. A partir de la combinaison de ces deux axiomes, Avicenne dégage une théorie selon laquelle le sage et le saint peuvent, en se perfectionnant, acquérir une clarté et une lucidité égales à celles du Prophète.

Inscription en écriture kûfique décorant un plat. Nichâpûr ou Samarkand, Xe-XIe siècle. Céramique à décor d'engobe. Musée du Louvre, Paris.

Réunion du León et de la Castille

Espagne, 1037

Après sa victoire contre le roi de León, son beau-frère Bermudo III, Ferdinand de Castille, dit le Grand, devient maître des deux royaumes de Castille et de León. Lorsqu'il était devenu roi de Castille en 1035, il avait à peine vingt ans. Considéré comme l'un des précurseurs de la « Reconquista », mouvement de reconquête de la péninsule ibérique par les chrétiens contre les musulmans, Ferdinand se consacra dès le début de son règne à étendre ses possessions vers le sud. Il réussit à conquérir plusieurs régions du Portugal et parvient à repousser les Maures jusqu'au Tage. S'attaquant ensuite à la Navarre, sa victoire contre son frère, Garcia de Navarre, qu'il tue au cours d'une bataille près de Burgos, lui permet d'étendre le royaume de Castille vers l'est jusqu'à l'Ebre. L'extension de son territoire le conduit à changer en 1054 son titre de roi contre celui d'empereur.

Cavaliers musulmans se préparant au combat au temps de la « Reconquista ».

Le duché de Pologne érigé en royaume

Pologne, 1025

Boleslaw Chrobry (le Vaillant) est couronné roi de Pologne à Gniezno, après avoir reçu, l'année précédente, la bénédiction du pape. Boleslas Ier meurt peu après son sacre. Mieszko II lui succède. En trente-trois ans de règne, Boleslaw Chrobry, de la dynastie des Piast, avait réussi à constituer le royaume de Pologne, poursuivant la tâche entreprise par son père, Mieszko Ier. Ses attaques répétées contre le Saint Empire romain germanique lui avaient permis d'annexer Cracovie et la Moravie et d'obtenir pour un temps la suzeraineté sur la Lusace et la Misnie, ainsi que sur la Bohême et le royaume de Kiev.

1038

Babylone
Fin des gaons et des académies juives. →

1039

Utrecht, 4 septembre
Mort de l'empereur Conrad II, fondateur en 1024, de la dynastie des Saliens. En 1026, il était roi des Lombards ; en 1027, empereur germanique ; et en 1033, roi de Bourgogne. Son fils, Henri III, accède au trône.

Le Caire
Mort d'Ibn al-Haytham (Alhazen), mathématicien et physicien arabo-islamique. Il était né en 965 à Bassora. Dans le *Kitab fi i-Manazir* (Les Trésors de l'optique), il prit le contre-pied d'Euclide et de Ptolémée, affirmant que la lumière va de l'objet à l'œil, que la formation de l'image est déterminée par la position du cristallin. Alhazen est aussi l'auteur d'un *Traité des courbes géométriques*.

Perse
Masûd de Ghaznî est écrasé par les Seljukides. L'empire constitué par les Ghaznévides disparaît. Les Seljukides, une dynastie d'origine turque, commencent à dominer le Moyen-Orient et une partie de l'Asie centrale.

1041

Rome
Organisée par l'Eglise, la « Trêve de Dieu » entend apporter des restrictions au droit de guerre privée. Tout acte de belligérance était interdit pendant l'avent et le carême, puis - pour respecter le jour du Seigneur - du samedi au lundi. Serait frappé d'excommunication quiconque enfreindrait ces règles.

1042

Angleterre
Edouard le Confesseur devient roi d'Angleterre. Il succède au Danois Hardiknud, mort d'excès de boissons au cours d'une orgie. →

1043

Italie du Sud
Le duché des Pouilles est fondé par les Normands Guillaume Bras-de-Fer et Dreu.

1044

Pagan
Fondation du premier Etat birman par Anawratha. →

Rome
Personnage débauché qui avait été élu pape en 1032 à l'âge de douze ans, Benoît IX est déposé au profit de Sylvestre III, soutenu par les Crescenti, famille de patriciens romains. Mais, en avril 1045, Benoît IX reprendra par la force le trône pontifical, pour abdiquer un mois plus tard en faveur de Grégoire VI, auquel il vendra sa charge.

1046

Rome, 25 décembre
Henri III chasse Sylvestre III, Benoît IX et Grégoire VI et impose Clément II, qui le couronne empereur. Celui-ci en profite pour s'accorder la dignité de *Patricius Romanus* ainsi qu'une voix prépondérante dans l'élection pontificale.

France
Histoire de Raoul Glaber (le Chauve) : chronique en quatre livres relatant par le menu l'histoire de la Bourgogne. Raoul Glaber avait été moine au couvent de Cluny, puis à Saint-Germain d'Auxerre.

1049

Rome, 12 février
Cousin de l'empereur Henri III qui l'avait imposé comme pape à la diète de Worms en décembre 1048, Léon IX a voulu être régulièrement élu et reçoit, ce jour, les insignes de sa charge. Actif réformateur, il rendra sa dignité au pouvoir pontifical.

Poitiers
Début de la construction de Saint-Hilaire-le-Grand, sur les lieux mêmes du sanctuaire édifié au IVe siècle par saint Hilaire, évêque de Poitiers.

1052

Moyen-Orient
Les Seljukides s'emparent d'Ispahan.

Novgorod
Construction de la cathédrale Sainte-Sophie.

Scènes de la vie quotidienne. Peinture murale d'un temple de Pagan, la capitale du royaume birman fondée en 1044 par le roi Anawratha.

Pagan, capitale de l'Empire birman

Birmanie, 1044
C'est sous le roi Anawratha que se constitue le premier Empire birman, avec Pagan comme capitale. La Birmanie connaît sous son règne un important essor économique et politique. Les légendes locales font remonter au IIe siècle les origines de la ville de Pagan : c'est alors qu'un souverain aurait unifié les dix-neuf villages de la région constitués de populations ethniquement et culturellement différentes qui honoraient les esprits de leurs ancêtres et avaient leurs propres cultes. En même temps que l'unification, ce souverain réussit à imposer un culte unique, celui du dieu céleste du mont Popa. Bien que l'unité de la région ait pû être préservée jusqu'au IXe siècle, Pagan restait cependant un Etat sans grande importance politique, n'entretenant que peu de relations économiques ou culturelles avec ses voisins. C'est le roi Anawratha qui sut mettre à profit sa situation géographique privilégiée au carrefour des routes commerciales vers l'Assam et le Yunnan. Reprenant aux peuples Môn leurs techniques de culture du riz, il fertilise la plaine de Kyaukse en la faisant irriguer et indroduit la culture en terrasses dans les montagnes. La production de riz devient suffisante pour approvisionner la Birmanie du Nord. En 1057, Anawratha conquiert Thatön, le royaume Môn, étendant d'un coup la Birmanie jusqu'à l'océan Indien. L'accès à la mer permettra le développement rapide d'un commerce étendu. La Birmanie entretenait des relations commerciales depuis plusieurs siècles avec l'Inde du Sud et Ceylan. De plus, sous l'impulsion du roi Anawratha qui se convertit au « bouddhisme du Petit Véhicule », Pagan devient ville sainte, « la ville des mille temples ».

Edouard le Confesseur monte sur le trône

Angleterre, 1042
A la mort de Hardiknud, son demi-frère, second fils du roi Ethelred II, Edouard le Confesseur, est rappelé de son exil en Normandie pour occuper le trône d'Angleterre. Roi plus religieux que politique, il vit dans une grande piété. Le pouvoir en Angleterre appartient alors en fait au duc de Wessex, Godwin, qu'Edouard évincera par la suite. Godwin suscite, en fait, la colère de la noblesse anglo-saxonne en offrant de nombreux postes importants à des Normands. Les liens du roi avec ceux-ci remontent à l'enfance : sa mère, Emma, est la fille de Richard II de Normandie, à la cour duquel le roi Ethelred II avait trouvé refuge après l'invasion danoise de 1013. Edouard le Confesseur aurait promis le trône à son cousin Guillaume le Bâtard (le futur Guillaume le Conquérant), fils naturel du duc Robert de Normandie. Un conflit entre la noblesse anglo-saxonne et les Normands semble dès lors inévitable (→ 14.10.1066).

Médaille, avec l'effigie d'Edouard le Confesseur, datée de 1065.

Prêcher, convaincre, christianiser

Europe, 1033

Voici mille ans qu'a eu lieu la Passion du Christ et cette date, qui a quelque chose de fatidique, suscite craintes et mouvements populaires qu'il importe à l'Eglise de canaliser. Durant les trois siècles qui ont précédé l'an Mil, des missionnaires ont sillonné toute l'Europe du Nord et de l'Ouest, ainsi que les pays slaves. Prêcher était un de leurs principaux rôles, également assumé par les prêtres des paroisses responsables de l'enseignement et auxquels le concile de Tours, en 813, avait imposé de prêcher dans le dialecte du peuple. Le sermon dominical est souvent moralisateur et s'appuie sur les textes de la Vie des Saints dont on fait le commentaire. Le millénaire suscite dans le royaume de France des assemblées pastorales où les reliques offertes à la dévotion des foules frappent l'esprit du peuple autant que la parole. Car il s'agissait de convaincre : la crainte de la fin des temps, la peur du diable, le souci du salut de l'âme sont des arguments propres à convaincre. Sculptures et fresques proposent des représentations saisissantes du Jugement dernier. Des mesures exemplaires doivent dissuader d'errer hors de l'Eglise : premières persécutions de Juifs après la destruction du Saint-Sépulcre en 1009 ; en 1023, à Orléans, des moines accusés d'hérésie manichéenne sont envoyés au bûcher par le roi Robert le Pieux. Enfin, le début du XIe siècle voit l'Europe se couvrir d'églises. Christianiser, c'est offrir un refuge spirituel mais aussi matériel. L'Eglise va tenter d'influencer les rites d'une nouvelle classe de guerriers, les chevaliers. En 1023-1025, l'évêque de Beauvais institue un serment par lequel le chevalier s'engage à n'attaquer ni églises, ni gens d'église, ni paysans. Ce serment n'était pas en soi une innovation ; il ne faisait que reprendre les termes de la « Paix de Dieu » que l'Eglise avait édictée en 1016 et qui visait à restreindre le droit de guerre privé.

Portail de l'église de Moissac. Vers 1130. Au tympan : l'Eternel entouré du Tétramorphe et des vingt-quatre Vieillards de l'Apocalypse.

La calligraphie japonaise

Japon, Xe siècle

Jusqu'au IXe siècle, le seul mode d'accès à la culture continentale demeure l'écriture chinoise. A partir des caractères chinois, qui avaient été introduits à la cour du Yamato au tout début du VIe siècle, les Japonais vont créer leur propre système d'écriture. Les caractères *kanji*, s'adaptant mal aux nuances de la langue japonaise, on leur adjoint un syllabaire de 26 signes, ou *kana*, représentant chacun la moitié d'un caractère sous sa forme cursive. Plusieurs de ces kana peuvent être tracés d'un seul coup de pinceau. Un art aristocratique et raffiné dans lequel les femmes vont exceller est né. La calligraphie s'unit à la peinture et à la poésie pour exprimer la sensibilité de l'âme japonaise.

La calligraphie est l'art des « lettrés », l'art noble. Feuillet de la collection de l'empereur Ishijo.

La fin des académies juives de Babylone

Babylone, 1038

Des florissantes académies juives de Babylone, il ne restait, au XIe siècle, que celle de Pumbedita. Les raisons du déclin sont nombreuses, la plus importante étant le déplacement du centre de la vie juive vers l'Afrique du Nord, l'Espagne et les pays du Rhin. Les appels lancés par les recteurs de l'académie de Pumbedita ne manquent pas de pathétique. « Nous ne savons pas pourquoi vous nous avez abandonnés et méprisés. Mettez-vous en cause notre légitimité ? » Le dernier est en même temps un avertissement, car « comment le corps peut-il être sain lorsque la tête est malade ? ». Aussi s'éteignit l'une des plus brillantes assemblées de talmudistes.

La notation musicale de Guido d'Arezzo

Italie, 17 mai 1050

Lorsque Guido d'Arezzo meurt en 1050 à Santa Croce d'Avellano, c'est un des plus grands théoriciens de la musique qui disparaît. Moine bénédictin, il était né vers 990 et s'était fait connaître comme professeur à l'école de la cathédrale d'Arezzo. L'un de ses traités, le *Micrologus de musica* (publié vers 1005), l'avait imposé comme un pédagogue novateur. On lui attribue une représentation mnémotechnique de son propre système : la « main guidonienne ». Sur la face interne d'une main gauche ouverte, les jointures et phalanges des cinq doigts figurent l'ensemble des degrés de l'échelle musicale, répartis en sept séries de six sons. Cette disposition inédite place les sons sur une portée de quatre lignes. De plus, Guido trace en début de ligne une lettre-clef, pour indiquer le son central de la série considérée, c'est-à-dire sa valeur d'intonation. Enfin, il choisit un hymne à saint Jean Baptiste dont les premières syllabes, qui montent d'un degré à chaque vers, coïncident précisément avec les six premiers degrés de l'échelle. La première strophe de l'hymne fournit ainsi leur nom à ces degrés, soit ut, ré, mi, fa, sol, la. Le progrès sur l'ancien système de notation est considérable. En outre, il devient possible avec ce système de déchiffrer une mélodie « à vue » sans l'avoir jamais entendue et de se libérer ainsi des incertitudes de la mémoire, liées à la transmission orale du chant.

Les Hilaliens arrivent en Afrique du Nord

Ifrikiya, 1050-1060

Pour reconquérir indirectement l'Ifrikiya dont le souverain, al-Mu'iz ben Badis, s'était rapproché des Abbassides, le calife fatimide du Caire, al-Mustansîr, lui envoie les Banû Hilâl, un agglomérat de tribus originaires du Sud arabique, connues pour leur turbulence. A leur arrivée, en 1050, al-Mu'iz essaye de les intégrer dans son armée et va jusqu'à marier trois de ses filles à certains de leurs chefs, mais l'entente s'avère impossible. Malgré sa supériorité numérique, l'armée ziride est annihilée en 1052. Bourgades et villes tombent l'une après l'autre. Kairouan résiste jusqu'en 1057 avant d'être prise et pillée. Al-Mu'iz se retire à Mahdiya, l'autorité se dilue et c'est l'anarchie la plus totale. Il est de tradition de diviser l'histoire de l'Ifrikiya médiévale en deux périodes, séparées par l'invasion hilalienne et de rendre celle-ci responsable du déclin et de la décadence de la seconde. Jugement rapide qui passe sous silence le fait que les Hilaliens avaient séjourné assez longtemps en Egypte sans pour autant être cause de ruine et qui ignore qu'à cette époque, l'Ifrikiya et la dynastie ziride, déjà en pleine décomposition, étaient confrontées au réveil de l'Occident chrétien. A remettre toutes les pièces en place, on constate que les Hilaliens ont plus été les révélateurs d'une décadence que ses artisans. Le passage des Banû Hilâl en Afrique du Nord et les combats qu'ils durent livrer pour conquérir le pays forment la trame historique d'un recueil d'histoires, de légendes chevaleresques et de poèmes d'amour, *La Geste des Banû Hilâl*.

Antiphonaire enluminé par Jacopo da Balsemo. Premier quart du XVIe siècle. Cathédrale, Bergame.

1053

Bénévent
Bénévent est prise par les Normands après l'écrasement de l'armée pontificale.

Kyôto
Un sanctuaire pour le culte d'Amida à Uji, près de Kyôto : le Hôô-dô ou pavillon du Phénix. →

1054

Constantinople, 16 juillet
Le patriarche Michel Cérulaire est excommunié à Sainte-Sophie par les légats de Léon IX : le schisme entre Rome et les chrétiens d'Orient est ainsi consommé. →

Vyssogorod
Mort du prince de Kiev, Iaroslav Vladimirovitch le Sage. Soutenu par Novgorod et les Vikings, il avait renforcé en 1019 son pouvoir sur Kiev, puis après avoir soumis les Petchénègues, avait étendu son autorité jusqu'à la Baltique. Embellie par ses soins, Kiev était devenue un centre culturel et spirituel et était considérée comme la seconde ville d'Europe, après Constantinople. A sa mort, la principauté fut divisée.

Bagdad
Les Seljukides envahissent la Géorgie et l'Arménie.

1055

Espagne
Le Douro est franchi par Ferdinand de Castille en lutte contre les Maures.

Bagdad
Le Seljukide Toghrul-Beg entre à Bagdad en libérateur et en protecteur du califat abbasside, face aux shi'ites. Ayant restauré le sunnisme, il s'impose comme le vicaire temporel du calife avec le titre de « sultan ».

1056

Bodfeld, 5 octobre
Mort de l'empereur germanique Henri III.
L'impératrice Agnès de Poitiers assure la régence d'Henri IV.

1058

Valence
Mort d'Avicebron (Salomon ibn Gabirol), auteur de « La Source de Vie », ouvrage de mystique juive, d'inspiration néoplatonicienne, écrit en arabe.

Damas
Mort du poète arabe Abû al-Alâ al-Ma'arrî. →

1059

Rome
Décret du pape Nicolas II réservant aux seuls cardinaux le droit d'élire le pape ; l'empereur et la noblesse romaine n'ont plus voix au chapitre.

1060

France
Mort d'Henri Ier, roi de France. Philippe Ier, son fils, lui succède sous la tutelle de son oncle, Baudouin V, comte de Flandre.

Italie du Sud
Conquêtes des Normands : Robert Guiscard et son frère Roger s'emparent de Reggio de Calabre, possession byzantine. →

1063

Maine
Le Maine est conquis par Guillaume de Normandie.

1064

Portugal
Coïmbre est prise par Ferdinand Ier, roi de Castille.

Cordoue
Mort d'Ibn Hazm (Abû Muhammad Alî), poète, philosophe et juriste arabe. En butte à l'hostilité des théologiens orthodoxes, il lui fut interdit d'enseigner à la grande mosquée de Cordoue. Il a laissé une Histoire des idées religieuses (*Kitâb al-Fiçal*) et un traité de psychologie amoureuse : *Le Collier de la colombe*.

1065

Narbonne
Les Juifs sont expulsés.

Espagne
Ferdinand Ier atteint Valence.

France
Composition de *La Chanson de Roland*, la plus ancienne œuvre épique française, rédigée en dialecte anglo-normand. →

Influence de Byzance sur l'art russe

Par sa conversion au christianisme en 988, Vladimir le Grand, né vers 956, ouvre la principauté de Kiev à l'influence de Byzance, enrichissant ainsi la civilisation slave originelle. Cet apport fut favorisé par les énormes tributs que le prince imposait à ses sujets. Vladimir fit appel à des architectes byzantins pour bâtir l'église de la Dormition à Kiev, la première à être construite en pierre. Son œuvre fut poursuivie par son fils Iaroslav le Sage ; c'est sous le règne de ce dernier (1036-1054) que la cathédrale Sainte-Sophie de Kiev fut décorée selon les plus stricts canons byzantins : des mosaïques dans le chœur, des fresques sous la grande coupole et sur les parties hautes des murs, où l'on voit des personnages stylisés, représentés de face, cernés par de larges traits et colorés de teintes plates. Sur le même modèle fut construite la cathédrale Sainte-Sophie de Novgorod. Mais à partir du XIIe siècle s'épanouit une seconde école de Kiev dont le meilleur exemple est l'église de l'Assomption au couvent de Kiev-Petcherskaïa, dit aussi la Laure de Kiev. Les artistes russes, comme le moine Olympe, de Petchersk, qui y travaillèrent, ont représenté leurs personnages d'une manière moins rigide que les Grecs. D'origine byzantine, la peinture d'icône devient alors un art spécifiquement russe.

Sviatoslav Ier (mort en 972), grand-prince de Kiev, et sa famille. Dessin daté de 1073.

La Dormition de la Vierge. Détail. Icône de l'école de Novgorod, XIIIe siècle.

Al-Ma'arrî, un poète en marge

Ma'arra, Syrie, 1058
Dans de nombreux passages de son œuvre, Abû al-Alâ' al-Ma'arrî (979-1058) montre qu'il considère la procréation comme le plus grand des péchés et que l'extinction de la race humaine est ce que l'on peut espérer de mieux. Il ne se maria donc pas et l'on dit qu'il voulait faire graver sur sa tombe l'inscription suivante : « Ce mal m'a été fait par mon père, mais je ne l'ai fait à personne. » Ce pessimisme existentiel incite al-Ma'arri à demeurer en marge et à refuser de devenir le panégyriste de qui ou de quoi que ce soit. C'est dans son recueil *Luzum mâ lâ Yalzam* (Nécessité de ce qui n'est pas nécessaire) qu'il fait preuve du plus d'originalité. Il y stigmatise « les poètes qui embellissent leurs propos de mensonges » et laisse entendre qu'il n'accorde pas grande foi au verbe de Dieu révélé par l'intermédiaire de prophètes et qu'il attache un bien plus grand prix à la raison. Mais al-Ma'arrî est surtout l'auteur d'un chef-d'œuvre en prose, *Rissalat al Ghufran* (Lettre du Pardon), souvent comparé à *La Divine Comédie*. Al-Ma'arri imagine que son correspondant est entré au paradis où il rencontre nombre de poètes et de savants dont les péchés sont inopinément oubliés. Suit une description du paradis, où « les houris (...) vierges, coquettes, d'égale jeunesse » poussent comme des fruits sur les arbres. La parodie du Coran est flagrante. Un autre aspect remarquable de la lettre est l'idée d'une compensation donnée, tant aux hommes qu'aux animaux, pour les maux subis sur cette terre.

Le schisme d'Orient est consommé

Devant l'attitude des Byzantins, le cardinal Humbert de Moyen-Moutier, légat du pape Léon IX, décide de quitter Constantinople. Ce samedi 16 juillet 1054, il se rend à Sainte-Sophie, et dépose sur l'autel une bulle d'excommunication contre Michel Cérulaire, le patriarche de Constantinople. C'est le résultat d'une nouvelle crise entre l'Eglise d'Orient et l'Eglise de Rome. En effet, à son arrivée sur le trône de Saint-Pierre en 1048, Léon IX avait prétendu à l'autorité sur l'ensemble de l'Eglise. Mais c'était faire peu de cas du prestige considérable de l'Eglise byzantine qui était, en fait, depuis longtemps autonome. L'empire puissant de la dynastie macédonienne accepte mal de voir un pape qui collabore avec l'empereur germanique se mêler des affaires religieuses de l'Orient. Mais, au delà des susceptibilités politiques, de profondes divergences doctrinales sont à l'origine de cette crise : l'Eglise d'Orient refuse la double procession du Saint-Esprit qui avait déjà été à l'origine du schisme du temps du patriarche Photius (→ 867). D'anciens litiges réapparaissaient aussi, tels le célibat ecclésiastique réclamé par Rome ou l'usage romain du pain azyme (→ 692). Face à la maladresse d'Humbert, qui ne fit aucune concession à l'Eglise grecque, Michel Cérulaire, fort des sympathies de l'Eglise et du peuple, fait réunir un synode qui excommunie le légat du pape et dresse une liste des « erreurs » de Rome. Le schisme est consommé sans grande émotion de part et d'autre, tant le conflit est ancien (→ 726). Il y a en effet bien longtemps que les Grecs échappent à la tutelle du pape, à cause de la distance qui les séparent, et surtout, des différences culturelles qui opposent les deux mondes.

Le Christ trônant. XIe siècle. Détail d'une mosaïque, tribune sud de Sainte-Sophie, Constantinople.

Les Normands en Sicile et à Naples

Sicile, 1059

Dès le début du XIe siècle, les héritiers des Vikings, chefs de bandes ou mercenaires, s'étaient lancés dans des expéditions aventureuses. Pendant que le duc Guillaume soumettait l'Angleterre, d'autres allaient chercher fortune dans la péninsule italienne. Déjà, en 1027, Rainulf Drengot avait reçu Aversa du duc de Naples Serge IV qu'il soutenait contre les Lombards. Mais lorsque Robert Guiscard, fils de Tancrède de Hauteville, rejoint vers 1047 ses frères en Italie, c'est une véritable épopée normande qui commence alors. Ayant écrasé en 1053, à Civitate, les troupes du pape, Robert Guiscard obtient, en échange d'un tribut annuel et d'un serment de fidélité, l'investiture du comté d'Apulie, des duchés de Pouille et de Calabre et surtout, en 1059, de la seigneurie de Sicile. Il en chasse les Sarrazins avec l'aide de son frère Roger qu'il crée comte de Sicile ; mais il reste son suzerain, conservant Messine et Palerme qu'il occupera en 1061 et 1072. C'est ainsi que naît le royaume normand de Sicile : au carrefour des civilisations latine, byzantine et arabe, pacifié et organisé par Roger qui brise les révoltes locales et met en place une administration puissante, il protège le pape et assure à la chrétienté occidentale une base commerciale sûre vers la Méditerranée et le Levant. Le territoire de Robert Guiscard s'étend encore en Illyrie et dans les Balkans qu'il envahit de 1081 à 1083. Lorsqu'il meurt à Céphalonie, en 1085, la force conquérante des Normands est parvenue jusqu'en Italie méridionale et en Orient.

Le Byôdô-in (ou « Palais de l'équilibre ») à Uji, près de Tôkyô. Au centre, le Hôôdô ou Pavillon du Phénix, dont le dessin du toit rappelle l'oiseau en vol.

Le pavillon du Phénix au Byôdô-in

Kyôto, 1053

Le Byôdô-in, la villa de rêve de Fujiwara no Yorimichi (992-1074), située à Uji, près de Kyôto, est transformée en sanctuaire dédié à Amida. Le Hôô-dô, ou pavillon du Phénix, surnommé ainsi en raison des deux phénix qui ornent son toit, en constitue la partie centrale. Flanqué de deux pavillons latéraux de plus petite taille auxquels on accède par des galeries, c'est l'exemple parfait de l'architecture Shinden de l'époque Heian. Le pavillon du Phénix se mire dans un étang qui lui renvoie son image, donnant l'illusion d'un oiseau en vol. Le sanctuaire abrite une statue d'Amida Nyorai, due à Jôchô (mort en 1067), le plus grand sculpteur de son temps. Cette statue de bois laqué et doré est exécutée selon la méthode « Yosegi » qui repose sur l'assemblage de pièces de bois préalablement sculptées. L'œuvre de Jôchô est un exemple classique du style nouveau *(wa yo)*, typiquement japonais, qui se constitua au Xe siècle. Les peintures du sanctuaire sont également typiquement japonaises (de style *yamato*, par opposition au *karae* ou peinture à la mode chinoise) : elles s'inspirent étroitement du paysage de collines qui entoure la ville de Kyôto. Sur la partie supérieure des murs, cinquante-deux créatures célestes escortent la divinité.

Composition des grandes épopées

Les épopées du Moyen Age racontent de façon romancée les exploits de personnages historiques : ce sont des chansons de geste. Lorsqu'il s'agit des aventures purement imaginaires d'un héros, ce sont des romans de cour. Les chansons de geste se développent aux XIe et XIIe siècles, en France et en Allemagne. Il se pourrait qu'elles aient pour origine lointaine les cantilènes (poèmes germaniques populaires chantés du Ve au VIIIe siècle). Mais elles peuvent tout aussi bien avoir été l'œuvre des troubadours du XIe siècle ; une mélodie très simple accompagnait leur psalmodie. L'épopée comporte généralement plusieurs milliers de vers. Les chansons de geste françaises se répartissent en trois cycles : la geste du roi Charlemagne, la geste de Garin de Montglane, la geste de Doon de Mayence. *La Chanson de Roland* est la plus ancienne et la plus célèbre des chansons de geste. Ecrit vers la fin du Xe siècle, le récit repose sur un mélange féerique de traits imaginaires et réels. Si l'histoire atteste que l'arrière-garde de Charlemagne, commandée par le comte de la Marche de Bretagne, Roland, fut surprise dans la vallée de Roncevaux par les montagnards vasques, la légende raconte que le neveu de Charlemagne, Roland, serait à la tête de l'arrière-garde de 20 000 soldats. Ils sont assaillis par 100 000 Sarrazins, en raison de la trahison de Ganelon. Charlemagne s'en retournera châtier les Sarrazins et le traître. Les épopées germaniques se rapportent aux grandes invasions. *La Chanson des Nibelungen*, écrite aux alentours de 1200, renvoie à l'empire des Burgondes et à la mort d'Attila. Les légendes autour de Dietrich de Bern font référence au roi des Ostrogoths Théodoric le Grand. Vers 1140 est composée l'épopée espagnole *Le Cid*, du Cid (*Cantár del mio Cid*), dont le héros est celui de la lutte contre les Arabes. La mythologie nordique est à l'origine de la composition de poèmes lyriques en langue celtique au XIIIe siècle. S'inspirant des légendes celtiques du roi Arthur et de la quête du Saint-Graal, les romans de la Table ronde se développent au XIIe siècle dans le royaume de France. Chrétien de Troyes est le plus célèbre de tous les poètes qui exploitèrent ce thème. Chansons de geste et romans font le tour de l'Europe et donnent lieu à de nombreuses imitations jusqu'au XVe siècle.

1066

Hastings, 14 octobre
Guillaume le Conquérant remporte une éclatante victoire sur Harold, le dernier roi anglo-saxon, le tue et devient roi d'Angleterre. →

1067

Chine
Wang Anshi réforme l'Etat. Ce poète tente de résorber la corruption régnant dans l'administration et l'armée chinoises. Il ajuste le rendement de l'impôt au niveau de la production agricole.

Asie Mineure
Césarée de Cappadoce est prise par les Seljukides.

Italie du Sud
La papauté se réconcilie avec les Normands.

1070

Angleterre
Les Danois sont chassés par Guillaume le Conquérant.

1071

Mantzikert, 19 août
Victoire des Seljukides sur les Byzantins conduits par Romain IV Diogène. Fait prisonnier, celui-ci est remplacé à la tête de l'empire par Michel VII Doukas. →

Italie du Sud
Robert Guiscard prend Bari. L'Italie byzantine est aux mains des Normands.

Mont Cassel
Robert le Frison, vainqueur de Philippe Ier, écrase l'armée franco-anglaise.

1072

France
Philippe Ier reconnaît comme comte de Flandre Robert le Frison, lequel ne se considère plus vassal du roi de France.

Palerme
La capitale de la Sicile est prise par Robert Guiscard et passe ainsi aux mains des Normands.

Castille
Alphonse VI, devient roi de León et de Castille.

1073

Italie du Sud
Amalfi est prise par Robert Guiscard. Cette victoire assure aux Normands la maîtrise des voies commerciales maritimes.

Rome
Grégoire VII succède à Alexandre II comme pape. →

1075

Rome, mars
Dictatus Papae, de Grégoire VII, proclamant l'évêque de Rome souverain absolu de l'Eglise. →

Damas
La ville est aux mains des Seljukides.

1076

Dol
Philippe Ier de France triomphe de Guillaume le Conquérant au siège de Dol-de-Bretagne.

Afrique occidentale
L'empire du Ghâna succombe à la domination des Almoravides après que ceux-ci ont pris le contrôle du commerce saharien du sel.

1077

Italie, 28 janvier
L'empereur va à Canossa. →

Caen
Consécration de Saint-Etienne, église de l'ancienne Abbaye aux Hommes.

1081

Byzance, 4 avril
Alexis Ier Comnène renverse Nicéphore III et monte sur le trône.

1083

Achèvement de la Trinité, église de l'ancienne Abbaye aux Dames.

Rome
Henri IV s'empare de Rome et s'y fait couronner par l'antipape Clément III, qu'il avait fait élire au conciliabule de Brixen en 1080 après avoir déposé pour la seconde fois Grégoire VII.

Le pape Grégoire VII réforme l'Eglise

Rome, 1073
A la mort d'Alexandre II, c'est le moine Hildebrand qui devient pape sous le nom de Grégoire VII (1073-1085). D'un tempérament intransigeant, il conduit avec fermeté la réforme de l'Eglise (« la réforme grégorienne »), qui avait déjà été engagée par ses prédécesseurs Léon IX, Etienne IX et Nicolas II, pour lutter contre les abus de l'Eglise et libérer la puissance pontificale de toute soumission à l'égard de la puissance impériale. Ainsi, le décret de 1059 réserve l'élection du pape aux seuls cardinaux réunis en conclave. Doué d'une inlassable énergie, Grégoire VII engage un double combat pour la toute-puissance du Saint-Siège et l'indépendance de l'épiscopat. En 1075, il publie les *Dictatus Papae*, recueil de 27 propositions aux formules lapidaires. Des mesures interdisent toute investiture de charge ecclésiastique par un laïc. Les princes ne s'y trompent pas : c'est une atteinte à leur autorité. C'est alors qu'un conflit éclate entre l'empereur Henri IV et Grégoire VII ; le pape est déposé par les évêques allemands en 1076. Celui-ci riposte en rassemblant un synode à Rome : il excommunie Henri et délie ses sujets de leur serment de fidélité. Menacé par des révoltes en Allemagne et par l'abandon des évêques, Henri se rend au château de Canossa (1077) pour solliciter son pardon. Grégoire est moralement obligé de l'absoudre, mais Henri reprend aussitôt la lutte. Pour protester contre une nouvelle excommunication du pape, l'empereur fait élire un antipape, Clément III, et, en 1084, il occupe la ville de Rome. Abandonné de tous, Grégoire VII meurt à Salerne en 1085, apparemment vaincu. En fait, il fut le premier pape à rendre la papauté indépendante.

En allant à Canossa, l'empereur se soumet

Italie, 28 janvier 1077
Le roi germanique Henri IV s'humilie devant le pape à Canossa pour obtenir la levée de l'excommunication qui l'avait frappé en 1076. La querelle entre Henri IV et le pape Grégoire VII (querelle des Investitures) a pour origine la nomination par l'empereur en 1075 d'un nouvel évêque à Milan : en réponse au synode de Worms, qui décida de destituer le pape, celui-ci publia sa bulle d'excommunication. Mais, pour éviter que les princes allemands ne se détachent de lui et le rejettent, Henri IV se résoud à faire amende honorable et se rend à Canossa où le pape s'était réfugié. Trois jours durant, il se présente, revêtu d'un cilice, sous les fenêtres du pontife. Celui-ci lui accordera finalement son pardon.

1re page du « Dictatus Papae » publié par le pape Grégoire VII. 1077. A Canossa. Italie.

Les Seljukides maîtres de l'Asie Mineure

Asie Mineure, 1071-1081
Contre les Seljukides d'Alp Arslan qui avaient occupé l'Arménie (1064) puis, successivement, Antioche et Edesse (1066), Césarée de Cappadoce (1067), Konya (1069) et Alep (1070), l'empereur byzantin Romain IV Diogène finit par lancer une grande armée. Grecs et Turcs se rencontrent le 26 août 1071 à Mantzikert, pour une bataille décisive. L'armée byzantine est trop hétéroclite pour résister. En quelques heures, elle est dispersée et, pour la première fois dans l'histoire, un empereur byzantin est prisonnier d'un souverain musulman. Il n'existe alors plus de forces byzantines capables de s'opposer à l'entrée des Seljukides en Asie Mineure. Mais Alp Arslan ne cherche pas à profiter immédiatement de sa victoire. Il se contente de quelques rectifications de frontières, d'une promesse de tribut et d'une alliance que la chute de Romain Diogène rend rapidement caduque.
La pénétration et l'installation turques en Asie Mineure se font au cours des dix années suivantes, facilitées, certes, par la victoire de Mantzikert mais également et surtout, par les luttes des prétendants byzantins qui, de 1071 à 1081, se disputent le trône, faisant appel à des mercenaires turcs pour s'emparer du pouvoir. En 1081, la prise du pouvoir à Byzance par Alexis Comnène assure à Sulayman Kutulmish, qui avait apporté son aide militaire, l'établissement des siens dans une zone de Nicée à Konya, tandis que d'autres Turcs s'installent dans le triangle Amasya-Sivas-Kayseri.

« Le duc Guillaume traversa la mer sur un gros navire et arriva à Pevensey ». Broderie, dite « Tapisserie de Bayeux ». Fin XIᵉ siècle.

La mort des frères du roi Harold. Broderie, dite « Tapisserie de Bayeux ». Toile de lin et laines de couleur. Fin XIᵉ siècle. Musée de la Reine-Mathilde, Bayeux.

Guillaume le Conquérant se rend maître de l'Angleterre à Hastings

Hastings, 14 octobre 1066

C'est lors de cette bataille décisive que Guillaume le Conquérant, duc de Normandie, vainquit les armées du roi anglais Harold II. Harold Godwinsson avait été élu roi après la mort d'Edouard le Confesseur. Mais Guillaume n'avait cessé de revendiquer le titre de roi d'Angleterre car Edouard le Confesseur, son oncle, l'avait reconnu pour héritier. En fait, il semble que peu de temps avant sa mort Edouard l'avait déshérité au profit du leader de l'aristocratie anglo-saxonne, Harold. Il n'empêche que Guillaume s'était toujours considéré comme l'héritier légitime du Royaume britannique. Après une campagne de propagande dans toutes les cours d'Europe, il avait obtenu

le soutien du pape Alexandre II. Celui-ci lui fit envoyer un étendard consacré et des reliques pour le soutenir dans la conquête du royaume usurpé. L'armée normande débarque donc à Pevensey. Harold marche contre Guillaume avec une armée épuisée par la lutte contre les Norvégiens, achevée victorieusement à la bataille de Stamfordbridge. Les combats acharnés se déroulent sur la colline de Senlac, près de Hastings. Harold perd un œil et trouve la mort au cours des combats. Les Saxons sont écrasés. Guillaume est sacré roi dans l'abbaye de Westminster le jour de Noël. Il entreprend alors de gouverner l'Angleterre non comme un conquérant victorieux, mais en roi légitime.

Dès 1067, une opposition armée se manifeste contre lui. En 1069, elle se développe dans les comtés du Nord contre lesquels il exerce une impitoyable répression. En 1075, c'est la

révolte des comtes à laquelle prennent part même des Normands. Guillaume se voit peu à peu contraint de substituer dans toutes les fonctions importantes de l'administration et de l'Eglise des Normands aux notables anglo-saxons. Cette période de révolte a également pour conséquence l'élimination radicale des grands propriétaires anglo-saxons et la confiscation de leurs domaines. Finalement, quatre personnes se partageront vingt-cinq pour cent des terres d'Angleterre : Guillaume, la reine Mathilde et les demi-frères de Guillaume, Mortain et Bayeux. Quinze compagnons de la bataille de Hastings recevront en fiefs trente pour cent de la richesse terrienne anglaise. Le restant sera partagé entre les fiefs d'Eglise, dont tous les évêques ou abbés sont normands, et cent cinquante seigneurs, également normands. Liens fraternels et liens matrimoniaux s'ajoutèrent à la fra-

ternité des armes pour souder ce petit groupe. La nouvelle classe dirigeante entendait exploiter l'Angleterre au profit de la Normandie qui restait le cœur de l'Empire normand. La construction de châteaux au centre des villages, le long des routes, permit aux Normands de réaliser leur colonisation de l'Angleterre. Les Anglo-Saxons utilisaient peu les ouvrages fortifiés. Les châteaux sont une innovation dans l'île : en vingt ans, quatre-vingts seront construits. Ils servent de point d'appui aux garnisons normandes et permettent de venir à bout de la résistance anglaise. Des chevaliers de France, d'Anjou, de Bretagne, des Flandres, attirés par les succès des conquêtes normandes, vinrent grossir le nombre des vassaux. La jeunesse de cette nouvelle aristocratie explique son dynamisme et sa rapacité. Cette solide organisation permet à Guillaume de passer la moitié de son temps en Normandie. Des deux côtés de la Manche le régime féodal est le même : des « tenants en chefs » ou vassaux directs du prince sont responsables devant lui du service de leurs chevaliers. Guillaume pousse le souci de l'organisation féodale jusqu'à obliger ses sujets à lui prêter serment de fidélité. La population est désormais composée de deux classes bien séparées : les nobles, presque tous normands ou français, et le peuple saxon qui leur est soumis. La fin du règne de Guillaume fut consacrée à la défense du royaume contre la trahison. La monarchie capétienne, inquiète de ce considérable accroissement de richesse et de prestige, s'opposa au duc de Normandie. C'est au cours d'une campagne contre le roi de France, Philippe Iᵉʳ, que Guillaume reçut une blessure à laquelle il succomba le 9 septembre 1087, à Rouen.

L'abbatiale de la Trinité, dite « l'Abbaye aux Dames », Caen. Fondée vers 1060 par la reine Mathilde.

Nef de l'abbatiale Saint-Etienne, dite « l'Abbaye aux Hommes », Caen. Fondée vers 1060 par la reine Mathilde.

Art anglo-saxon. Le roi David jouant de la harpe. Psautier de Winchester, vers 1060.

1085

Tolède
Alphonse VI prend Tolède.

Céphalonie
Mort de Robert Guiscard.

1086

Zallaca
Alphonse VI de Castille est vaincu par l'Almoravide Ibn Tâshfine, qui s'est porté au secours des princes arabes d'Espagne.

Angleterre
Domesday Book. →

1087

Angleterre, 9 septembre
Guillaume le Roux succède à Guillaume le Conquérant.

Ifrikiya
Expédition des Génois et des Pisans contre Mahdiya ; ils obtiennent ainsi des privilèges commerciaux dans l'Emirat ziride.

1088

Ispahan
Reconstruction et transformation de la grande mosquée par le Seljukide Malikshâh.

1090

Proche-Orient
Les Hashâshîn (une secte ismaïlienne) s'emparent d'Alamût en Perse.

1091

Malte
Roger de Sicile s'empare de Malte.

Normandie
Invasion de Guillaume le Roux.

1092

Moyen-Orient
Assassinat du célèbre vizir seljukide Nizâm al-Mulk par les Hashâshîn.

Canossa
Vaincu par la coalition des villes lombardes, Henri IV se retire d'Italie.

1094

Rome
L'antipape Clément III évincé, Urbain II s'installe à Rome.

Valence
Le Cid Campeador s'empare de Valence. →

Venise
Bel exemple d'architecture byzantine, Saint Marc, dont la reconstruction avait commencé en 1063, est consacrée.

1095

France
Lors du concile de Clermont, le pape Urbain II prêche la formation d'une croisade en vue de libérer les lieux saints.

1096

Salerne
Fondation de la première université.

1097

Portugal
Fondation du comté du Portugal. Henri de Bourgogne reçoit de son beau-père, Alphonse VI de Castille, les terres comprises entre le Minho et le Tage.

Proche-Orient
Godefroi de Bouillon devient chef des Croisés après avoir remporté sur les Turcs la victoire de Dorylée.

1098

Cîteaux
Fondation de l'ordre de Cîteaux. Robert de Molesmes se retire avec une vingtaine de moines pour vivre dans la stricte observance de la règle bénédictine.

Proche-Orient
Jérusalem est prise par les Fatimides, tandis que les Byzantins reprennent Nicée, Smyrne, Ephèse et Sardes, et les Croisés Antioche.

1099

Jérusalem, 15 juillet
La ville est prise par les Croisés. →

Ascalon, 8 décembre
Victoire des Croisés sur « l'émir de Babylone » (le calife fatimide du Caire).

Siva Nataraja. Dieu de la danse. Bronze. Dynastie Chola Xᵉ siècle ap. J.-C.

Le Cid Campeador s'illustre à Valence

Espagne, 1094
Rodrigo Diaz de Vivar, surnommé El Cid Campeador (de *Sidi*, « seigneur guerroyant »), prend Valence aux Maures Almoravides après un siège d'un an. Il en fait une principauté personnelle, qu'il défendra jusqu'à sa mort, en 1099. La vie du Cid, marié à Chimène, cousine du roi de Castille, est tumultueuse : à l'origine compagnon du futur roi de Castille, Sancho II, alors en conflit d'héritage avec son frère Alphonse VI, il entra au service de ce dernier à la mort de Sancho. A la suite de divergences avec le roi Alphonse VI, le Cid passa en 1081 au service du prince maure de Saragosse, avec lequel il combattit les chrétiens. Il s'illustre encore à Cuarte, en 1094, et à Bairén, en 1097. Le Cid entre dans la légende avec le premier poème qui lui est consacré, vers 1140, le *Cantár del mio Cid.*

Inventaire des domaines féodaux

Angleterre, 1086
Guillaume le Conquérant, duc de Normandie et roi d'Angleterre, ordonne à ses officiers de procéder à une grande enquête administrative et fiscale sur l'ensemble du royaume. En huit mois est élaboré à Winchester, le *Domesday Book.* Ce livre de compte est si exhaustif que, d'après la *Chronique anglo-saxonne*, « il n'y eut pas un seul yard de terrain, ni une seule vache ou porc qui fussent oubliés ». La victoire de Hastings (1066) et les campagnes victorieuses de Guillaume, dans l'Ouest et le Nord de l'Angleterre n'ayant pas suffi à asseoir sa domination, il tente ainsi de coloniser le pays en adaptant l'ancienne administration anglo-saxonne aux institutions féodales normandes. Pour mener à bien cette

Essor de l'art sacré en Inde du Sud

Inde, XIᵉ siècle
Le Sud de l'Inde développe sous la domination des Chola (IXᵉ-XIᵉ siècle) une forme de culture originale. L'une des réalisations les plus remarquables à porter à son crédit est la construction du Brihadîçvara, temple dédié à Çiva. Edifié à Tânjavûr (Tanjore) par Râjarâja le Grand (985-1014), c'est probablement le plus grand des temples qui ait été construit en Inde à cette époque. La tour qui caractérisait jusqu'alors les sanctuaires de style pallava, est remplacée par une puissante structure pyramidale reposant sur un socle élevé et s'achevant par un dôme, le tout atteignant une hauteur de 60 m environ. Cette forme se propagera par la suite dans toute l'Inde.

Tombeau du Cid et de Chimène. XIIIᵉ-XIVᵉ siècle. Monastère de San Pedro de Cardeña (Burgos).

politique de colonisation, il fallait connaître l'étendue et les possibilités du territoire qu'il venait de conquérir. Aussi, le *Domesday Book*, rédigé en latin, comporte le compte précis des terres appartenant au roi, les revenus qu'il pouvait espérer tirer de chaque comté, le dénombrement des possessions en terre et en cheptel de tous ses barons, le recensement des seigneuries et leur contenu. Ce qui revenait à comptabiliser tout ce que les habitants du royaume devaient en services et en redevances. Pour éviter les fraudes, deux inspections sont réalisées par des commissaires pourvus d'un questionnaire modèle. Cette entreprise sans précédent dévoile dans le détail l'ordre politique et social de l'Angleterre, qui relevait auparavant du droit coutumier et oral. Le *Domesday Book* enferme l'ensemble de la société anglaise dans un réseau d'institutions féodales.

L'armée des Croisés s'empare de la ville sainte de Jérusalem

Jérusalem, 15 juillet 1099

C'est dans la matinée du 7 juin 1099 que les habitants de Jérusalem voient apparaître, au loin, l'armée des Croisés. Le soir même, celle-ci est au pied de la muraille qui entoure la ville. La bataille est-elle imminente ? Non, car les Croisés ne disposent d'aucun instrument d'assaut. Ils s'installent donc devant la ville et attendent. Deux semaines plus tard, une escadre génoise apporte vivres et matériel et l'on entreprend la construction d'échelles géantes et de tours de bois mobiles. Le 15 juillet,

la ville est envahie. Les rues sont jonchées de cadavres et l'on se bat déjà aux abords de la grande mosquée, lorsqu'un messager vient offrir au commandant fatimide de la place un sauf-conduit pour lui et ses hommes en échange de sa reddition. La proposition est acceptée et c'est la catastrophe. Le massacre dure une semaine entière. Aux alentours de la mosquée d'al-Aksa, on compte plus de 70 000 tués. Les Juifs sont rassemblés dans leur synagogue et brûlés vifs. Les vainqueurs eux-mêmes finissent par être frappés d'horreur. La Croisade à laquelle avait appelé le pape Urbain II avait pourtant commencé dans la liesse et soulevé un grand enthousiasme. On avait promis à ceux qui iraient délivrer le

Saint-Sépulcre la rémission de leurs péchés et on leur avait dépeint le territoire de Jérusalem comme « offrant les délices d'un autre paradis » où « coulent le lait et le miel » Le départ avait été fixé au 15 août 1096. Mais le bon peuple, piaffant d'impatience, ne voulut pas attendre ces nobles qui n'en finissaient pas d'astiquer leurs armures. Il y eut plusieurs « croisades populaires ». A certaines d'entre elles s'étaient joints nombre de criminels et d'aventuriers qui se livrèrent à des exactions (notamment contre les Juifs d'Allemagne). Mais la principale croisade populaire fut celle appelée « croisade des pauvres », qui fut menée par Pierre l'Ermite et Gautier Sans Avoir. Celle-ci prit le départ le 8 mars 1096 et, mal équipée, sans vivres et sans argent, arriva enfin à Constantinople le 1er août. L'empereur byzantin cantonna les chrétiens sur la rive asiatique du Bosphore où ils furent exterminés par les Turcs avant d'avoir atteint Jérusalem. Les « guenilleux » ainsi éliminés, la croisade des chevaliers pouvait commencer. Celle-ci était composée de quatre armées principales, l'une sous les ordres de Godefroy de Bouillon, la deuxième sous la direction du comte de Toulouse, Raymond de Saint-Gilles et du légat du pape, Adhémar de Monteil, la troisième sous le commandement du prince normand Bohémond et, enfin, la quatrième, avec à sa tête Etienne de Blois et Robert de Normandie. Toutes firent leur jonction sur la terre d'Asie. Après s'être emparés de Nicée qu'ils remirent aux Byzantins, les Croisés occupèrent Antioche, où Bohémond établit ses quartier, avant de parvenir devant Jérusalem.

L'avance des Croisés en Syrie. Une des peintures murales de l'ancienne chapelle des Templiers, à Cressac-Saint-Genis, Charente. Fin du XIIe siècle.

Alliance entre Byzance et Venise

Constantinople, 1085

Lorsque, en 1085, l'empereur Alexis Ier Comnène conclut une alliance avec Venise, il s'agit surtout pour lui de s'assurer aide et protection contre les Normands qui convoitent la couronne impériale et qu'il avait jusque là réussi à contenir. Depuis la défaite de Mantzikert, en 1071, l'Asie Mineure a été cédée aux Turcs Seljukides ; l'empire est divisé par les querelles intestines qui débouchent bientôt sur la guerre civile, l'économie est considérablement affaiblie. Toute autre est alors la situation de Venise. Depuis 840, elle n'a cessé de se développer comme puissance marchande. Un traité avec l'empereur Lothaire Ier lui avait assuré le monopole du commerce dans la région du Pô. C'est par son intermédiaire que transitaient les céréales, le bois de construction, le sel de mer, les épices, le vin et les olives dont l'Italie, Constantinople et le Levant faisaient commerce. De plus, il existait depuis les environs des années

865 un trafic d'esclaves florissant, favorisé par les pillages systématiques en Méditerranée. Enfin, les premiers établissement de colons, en Istrie depuis 932, étendent encore la souveraineté de la ville-Etat sur la Terre Ferme environnante. Un premier traité avec Byzance en 992 avait consacré, d'une manière formelle, les liens qui unissaient déjà Venise à Byzance. En mai 1082, l'empereur Alexis avait assuré à ses alliés vénitiens d'énormes privilèges par un nouveau traité de commerce qui leur ouvrait l'accès à la majeure partie de l'empire, sauf la mer Noire. En 1085, les Normands, qui menacent le trône de Byzance, sont également des adversaires redoutés des Vénitiens. La république de Saint-Marc entend mettre un terme à l'ambition qu'ils ont de fermer l'Adriatique et d'en contrôler le commerce sur les deux rives. Par le traité de 1085, en échange de son aide sur mer, la république de Venise reçoit de Byzance la reconnaissance de sa souveraineté et le privilège de pratiquer librement le commerce dans tout l'empire d'Orient.

Modèle de basilique byzantine à coupoles. Recueil de sermons de Jacques de Kokkinobaphos. XIIe siècle.

Essor et force de l'art roman

Ancienne abbatiale de Saint-Philibert de Tournus. XIe siècle. Vue du bas-côté sud de la nef.

Dans l'Europe occidentale de la fin du Xe siècle se développe l'art roman, ainsi nommé à cause de sa prétendue filiation avec l'art romain. Les types en sont extrêmement variés selon les pays et même les provinces. Des caractères prédominent cependant dans l'architecture sacrée. Dans la nef, la voûte en plein cintre est privilégiée et s'étend aux bas-côtés. La nécessité de soutenir cette voûte suscite l'apparition et la multiplication des piliers, ce qui autorise un allongement monumental de la nef, favorise la mise en place de sculptures et de fresques édifiantes et permet une circulation aisée des fidèles dans tout l'édifice. Les églises romanes sont des « forteresses de Dieu » ; elles abritent des reliques mais servent aussi au prestige de la puissance spirituelle ou cléricale qui les commandite. En Allemagne, les cathédrales impériales de Spire, Mayence et Worms en sont des manifestations éclatantes. En Italie, les édifices construits à Florence, à Pise, à Milan, mais aussi dans les Pouilles, illustrent la diversité de l'art roman. Dans le même temps, la France se couvre, elle aussi, d'un « blanc manteau d'églises » : en Normandie, les abbayes caennaises et l'église abbatiale de Jumièges ; en Bourgogne, la Madeleine de Vézelay, l'abbaye de Cluny et Saint-Philibert de Tournus. Des styles romans se manifestent autour de Poitiers, Limoges, Toulouse, en Auvergne. La basilique de Saint-Jacques-de-Compostelle est l'aboutissement d'un chemin jalonné d'édifices romans dont l'unité architecturale se dégage malgré leur dispersion géographique.

1100

Jérusalem-Venise
Accords commerciaux entre Venise et le royaume de Jérusalem.

Bethléem, 25 décembre
A la mort de son frère Godefroy de Bouillon, le 18 juillet 1100, Baudoin devient roi de Jérusalem.

1101

Fontevrault
Fondation de l'abbaye de Fontevrault par Robert d'Arbrissel. →

Mileto, Calabre
Mort de Roger Ier de Sicile, le frère de Robert Guiscard.

1102

Valence
Les Almoravides reprennent la ville.

1104

Proche-Orient
Acre et Byblos sont prises par les Croisés, qui sont ensuite battus par les Turcs à Harran. De leur côté, les Byzantins prennent Laodicée et réclament Antioche aux Croisés.

1105

Troyes
Mort du talmudiste Rashi. →

1106

Séville
Les Almoravides reprennent la ville.

France
Philippe Ier renonce à l'investiture des évêques et garantit leur libre élection.

1107

Chine
Mort du calligraphe et paysagiste Mi Fu, auteur d'un traité sur la peinture (*Hua Shi*).

1108

France, 19 juillet
Louis VI le Gros succède à Philippe Ier.

1109

Proche-Orient, 1109
Tripoli et Beyrouth sont prises par les Croisés.

1110

Lisbonne
Les Almoravides reprennent Lisbonne.

1111

Tus, Iran
Mort de Al-Ghazali, (surnommé Abû Hâmid Muhammad), théologien, poète et juriste, auteur d'un traité sur la vie religieuse, conciliant les exigences du droit et du sûfisme et d'une critique de la philosophie, intitulée *Destruction des philosophes* (1095).

1114

Espagne
Barcelone est assiègée par les Almoravides.

1115

Champagne
Saint Bernard fonde le monastère de Clairvaux.

1118

Liège
Rénier de Huy, orfèvre mosan, coule dans le bronze les fonts baptismaux de l'église Saint-Barthélemy.

Jérusalem
Fondation de l'ordre du Temple. →

Cluny
Achèvement de la troisième abbatiale.

1119

Cluny
Mort du pape Gélase II, qui s'était réfugié en France après qu'Henri V l'eut chassé de Rome. Lui succède Calixte II, élu sur place par les six cardinaux qui avaient suivi Gélase dans son exil.

1122

Worms, 23 septembre
Fin de la querelle des Investitures. →

L'abbaye Notre-Dame de Fontevrault fut fondée en 1101 par Robert d'Arbrissel. Vue de l'église.

Renouveau des ordres monastiques

Le faste de l'ordre de Cluny est fort critiqué au cours du XIIe siècle. L'idéal monastique fondé sur la retraite hors du monde renaît. Ce désir de purification de la vie religieuse aboutit à la fondation de nouvelles communautés. Leur prolifération rapide témoigne du besoin profond d'une vie consacrée à la prière, mais aussi à la pauvreté. Ce mouvement s'explique aussi en partie par la grande poussée démographique des années 1075-1080. La règle de saint Benoît est infléchie dans le sens d'une très rude ascèse à Fontevrault. Cette abbaye fondée par Robert d'Arbrissel regroupe des hommes et des femmes soucieux d'une stricte pénitence. D'autres communautés adoptent la règle plus souple de saint Augustin et se tournent vers une vie active de prédication et d'enseignement, comme à Saint-Victor-de-Paris ou à Prémontré. Une autre fondation domine l'histoire monastique au XIIe siècle : Cîteaux, en Bourgogne, au cœur d'une forêt marécageuse. Un ermite, Robert de Molesme, et quelques moines décident d'appliquer dans toute sa rigueur la règle de saint Benoît : rupture totale avec le monde, pauvreté (« Aucun ne porte ni chausses, ni pelisse. Ils s'abstiennent de l'usage de la graisse et des viandes »), silence et travail (« L'oisiveté est ennemie de l'âme. Les frères doivent donc s'occuper en certains temps au travail des mains, en d'autres heures à la lecture divine... »). Le rayonnement de Cîteaux est dû à saint Bernard qui y fit profession de foi en 1112. Aussitôt, quatre abbayes dépendantes sont fondées : La Ferté, Pontigny, Morimond et Clairvaux dont saint Bernard est le premier abbé. Il est l'âme de la congrégation et, entre 1130 et 1150, inspire en fait la conscience de la chrétienté toute entière.

Le cloître de l'abbaye de Sénanque, dans le Vaucluse, fondée en 1147. Parfait modèle d'architecture cistercienne.

Le Christ roi. Miniature illustrant un manuscrit du XIVe siècle du « Decretum Gratianum ».

Accord entre le pape et l'empereur sur les Investitures

Le concordat de Worms met fin par un compromis à la querelle des Investitures qui oppose depuis 1075 le pape et l'empereur. Un premier accord est intervenu en 1106 entre le pape et le roi Philippe Ier de France et l'année suivante, le concordat de Westminster a réglé un différend identique avec le souverain anglais. A l'origine de cette querelle se trouve la décision papale qui, lors du Synode du Jeûne, en 1075, interdit aux souverains d'investir des laïcs de fonctions religieuses. Il s'agit, en fait, de déterminer qui, du pape ou du

monarque, détient la véritable souveraineté. L'interdiction papale de 1075 eut pour conséquence immédiate la destitution du pape Grégoire VII par l'empereur Henri IV. A son tour, le souverain pontife retira au souverain allemand rang et dignité et l'excommunia. Le 20 janvier 1077, Henri effectua dans la neige la marche expiatoire vers Canossa, où se trouvait le pape. Il fit pénitence et obtint sa réhabilitation mais la querelle s'était poursuivie. En signant avec le pape Calixte II, le 23 septembre 1122, le Concordat de Worms, l'empereur Henri V reconnaît la distinc-

tion entre « Temporalia », le pouvoir temporel, et « Spiritualia », les fonctions spirituelles. L'empereur renonce à l'investiture des évêques avec l'anneau et la crosse et concède à l'Eglise catholique la libre élection de ceux-ci. Mais la présence effective du souverain à cette élection, si elle ne confère pas à ce dernier des droits légitimes, lui permet en fait d'exercer son influence sur la nomination des prélats. Moment décisif de la réforme de l'Eglise, le Concordat annonce les luttes futures de la papauté et du pouvoir politique.

Rashi, talmudiste et vigneron champenois

Troyes, 1105

A la mort de Rabbi Shlomo ben Isaac ou Isaaki (né en 1040 à Troyes) le judaïsme occidental perd l'un de ses plus grands maîtres dont l'influence s'exerça bien au-delà de la France et s'étendit en Allemagne comme en Espagne.

Appelé familièrement Rashi (mot formé à partir des initiales hébraïques de son nom), il s'était rendu célèbre par ses commentaires de la Bible et du Talmud de Babylone. Ses ouvrages se distinguent par la concision du style, la clarté et la simplicité des explications et un intérêt prononcé pour les usages et les métiers de son temps. L'emploi, dans le corps du texte, de plus de 3000 termes romans écrits en caractères hébraïques fait de ses commentaires une source linguistique de premier ordre pour la reconstitution de la langue d'oil. Son œuvre est marquée par la tolérance (il n'hésite pas à dire « Je ne sais pas » ou « Je ne comprends pas ») et par la modestie : « La science ne se trouve pas chez l'orgueilleux, et l'homme humble se revêt de la vertu de son Créateur, qui a renoncé aux montagnes élevées et choisi le mont Sinaï pour y faire résider Sa Majesté ». Les dernières années de la vie de Rashi furent assombries par le massacre des Juifs des bords du Rhin, lors de la première Croisade. Son commentaire du Pentateuque sera le premier ouvrage juif à être imprimé, en 1475.

Prise de Saragosse

Saragosse, 18 décembre 1118

Saragosse tombe aux mains d'Alphonse le Batailleur et devient la capitale du royaume d'Aragon. Quelques années plus tôt, en 1085, Alphonse VI de Castille avait pu entrer pacifiquement à Tolède. C'est le début de la « Reconquista » de l'Espagne par les chrétiens. Cette reconquête est également présentée par les historiens comme une « croisade », une « revanche » de la chrétienté contre l'islam andalou. Ces facteurs ont certainement compté ; mais la reconquête aurait certainement été accompagnée de massacres (comme à Jérusalem) ou d'expulsions collectives de musulmans et de juifs si l'Espagne médiévale n'avait offert une originalité due à une compénétration entre les différents groupes ethniques qui l'habitaient. C'est grâce à cette synthèse originale qu'Alphonse VI a pu se faire l'arbitre des compétitions entre princes musulmans et que certains roitelets musulmans n'hésitèrent pas à demander à des barons chrétiens de les aider contre leurs rivaux. De même en Catalogne, pour mener leurs guerres privées, les barons s'entouraient de mercenaires musulmans.

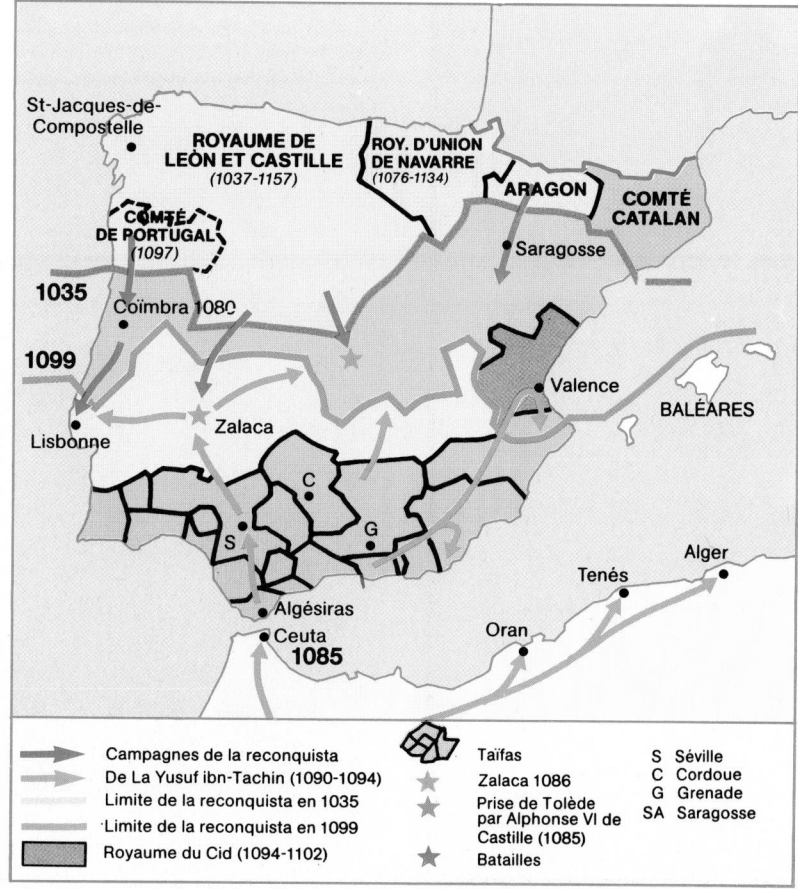

→ Campagnes de la reconquista	Taïfas
→ De La Yusuf ibn-Tachin (1090-1094)	★ Zalaca 1086
Limite de la reconquista en 1035	★ Prise de Tolède par Alphonse VI de Castille (1085)
Limite de la reconquista en 1099	
Royaume du Cid (1094-1102)	★ Batailles

S Séville
C Cordoue
G Grenade
SA Saragosse

Les pèlerins protégés par les Templiers

Jérusalem, 1118

Baudouin II vient d'être couronné roi de Jérusalem le jour de Noël. Sous sa protection, deux chevaliers français, Hugues de Payns et Geoffroy de Saint-Omer, fondent l'ordre des Pauvres Chevaliers du Christ ; ils reçoivent comme demeure la partie sud du temple de Salomon. *Miles Christi,* chevalier du Christ, le moine-soldat de l'ordre du Temple appartient à cette nouvelle classe de combattants d'élite : guerriers puissants dont il faut utiliser l'ardeur en leur proposant un noble idéal. En Terre sainte, leur mission est de protéger les pèlerins contre les brigands et les infidèles. Chez les Templiers, l'autorité suprême est confiée au maître. La hiérarchie de l'ordre reproduit celle de l'organisation seigneuriale : sénéchal, maréchal, commandeurs aux différentes fonctions. Les chevaliers du Temple prononcent des vœux de pauvreté, de chasteté et d'obéissance. En plus des règles morales de la chevalerie, les Templiers doivent observer une règle de vie monastique influencée par Saint Bernard : jeûnes, discipline rigoureuse, sanctions sévères.

1126

Chine du Nord
Les Jürchet envahissent le nord de la Chine et s'emparent de la capitale Kaifeng. →

Proche-Orient
Au large des côtes de la Terre sainte, la bataille navale d'Ascalon confirme la domination maritime des Vénitiens sur Constantinople en Méditerranée orientale.

Espagne
Algarade d'Alphonse Ier jusqu'à Grenade. Roi d'Aragon et de Navarre, Alphonse Ier est en guerre quasi permanente contre les Maures. En 1118, après quatre années de combats, il avait repris Saragosse et en avait fait sa capitale.

Perse
Mort d'Umar Khayyâm. →

Damas
Baudouin II est aux portes de la ville. Il s'agit de l'une des rares avancées du royaume de Jérusalem sous son règne. Baudouin II, roi de Jérusalem depuis 1118, avait toutefois remporté quelques succès sur les musulmans devant Antioche. Fait prisonnier en 1124, libéré l'année suivante, il était revenu à Jérusalem et avait mis le royaume en état de défense.

Saint-Jacques-de-Compostelle
Commencée en 1078, la construction de la cathédrale est achevée. Elle remplace l'église détruite en 997 par les musulmans. Le premier édifice avait été élevé par Alphonse III le Grand, roi des Asturies, immédiatement après la découverte du tombeau présumé de l'apôtre Jacques grâce à l'apparition miraculeuse d'une *Campus stellae* (le Champ de l'Etoile), d'où Compostelle.

1127

Flandre
L'assassinat du comte de Flandre Charles le Bon met fin à la première dynastie comtale. Dans la querelle de succession qui s'ensuit, le roi de France Louis VI s'efforce en vain d'imposer son candidat, Guillaume Cliton, de la famille des ducs de Normandie. La couronne revint finalement en 1128 à un cousin de Charles le Bon, Thierry d'Alsace.

Italie du Sud
L'union des Etats normands est réalisée par Roger II de Sicile.

Rome
Conrad III de Hohenstaufen (1093-1152) se fait proclamer roi d'Italie.

France
Mort de Foucher de Chartres, auteur de *Historia hieroso lymitana* (Histoire de Jérusalem), récit de la Ire Croisade, à laquelle il participa.

Aquitaine
Mort du duc d'Aquitaine Guillaume IX, poète et troubadour. Guillaume IX était le plus grand feudataire de France ; mais il fut aussi le premier poète à chanter l'amour dans une langue moderne. →

1128

Angleterre, 17 juin
Geoffroi V le Bel, dit Plantagenêt, épouse l'héritière du trône d'Angleterre, Mathilde, fille d'Henri Ier et veuve de l'empereur romain germanique.

Portugal
Bataille de Sao Mamede : Alphonse Ier Enriquez du Portugal se rend indépendant de la Castille.

Paris
L'Université se sépare du cloître Notre-Dame et s'installe sur la montagne Sainte-Geneviève.

France
Bernard de Clairvaux fait reconnaître l'ordre des Templiers, fondé pour la défense des pèlerins en terre Sainte. Il en rédige la règle et contribue ainsi à son essor.

1130

Palerme, 27 septembre
Couronnement de Roger II de Sicile. →

Proche-Orient
Zankî, émir Seljukide gouverneur de Mossoul, s'empare d'Hâma et attaque Antioche.

Angleterre
Sur le modèle normand, les comptes du Trésor et du Domaine royal sont gérés par les services de l'Echiquier.

Moissac
Achèvement du tympan de l'église Saint-Pierre, dont les sculptures comptent parmi les chefs-d'œuvre de l'art roman.

Manteau du couronnement du Saint Empire Romain, exécuté pour Roger II de Sicile, 1134. Broderie de soie de couleurs et d'or. Kunst Mus., Vienne.

Couronnement de Roger II de Sicile

Palerme, Sicile, 27 septembre 1130
Des Abruzzes à Malte et jusqu'à la côte africaine, de Tripoli à la Kabylie, la dynastie normande des Hauteville développe une puissance unificatrice et civilisatrice. Petit-fils de Tancrède, Roger II obtient de l'antipape Anaclet II la couronne royale qui réunit les seigneuries dont le comte Roger Ier, son père, et son oncle Robert Guiscard étaient soit les titulaires, soit les vassaux très puissants. Le système féodal, à la tête duquel se place Roger II, rayonne à partir d'une cour composite sur tout le sud de l'Italie et sur la Sicile. Le Premier ministre est l'émir des émirs, le chancelier est souvent un archonte grec, l'administration est arabe, les politiciens et les techniciens sont grecs, lombards, arabes ou anglais. L'Eglise, avec les évêques rétablis par Roger Ier nommé vice-légat, est riche. En un point clé des voies stratégiques et commerciales de l'Orient, de l'Occident et de la Méditerranée, la cour de Roger II rassemble dans un creuset de civilisation les courants les plus divers. La cathédrale de Cefalu, la chapelle Palatine à Palerme témoignent dans leur architecture de ces multiples influences.

Le roi Roger couronné par Jésus. Eglise dite la Martorana, Palerme. Mosaïque du narthex. Vers 1150. L'église fut construite par Georges d'Antioche, amiral du roi Roger.

Art chinois. Statue de Bodhisattva. Epoque Song (960-1279). Bois polychrome. Museum van Asiatische Kunst, Amsterdam.

Huizong (Houei-tsong). « La Perruche aux cinq couleurs ». 1107. Mus. of Fine Arts, Boston. Dernier empereur des Song du Nord, Huizong fut aussi peintre.

Les Song s'enfuient devant les nomades

Chine, 1126

Etablies dans le nord de la Chine, où elles ont fondé en 1115 la dynastie Jin, les tribus nomades des Jürchet (ou Kin) s'emparent de Kaifeng, la capitale du royaume des Song. Ceux-ci sont contraints de fuir vers le sud et établissent leur nouvelle capitale à Lin'an (Hangzhou). C'est la naissance de la nouvelle dynastie des Song du Sud (Nan Song), dont le premier empereur est Gaozong (1127-1162). L'arrivée des Song au pouvoir, en 960, avait mis fin à l'agitation qui régnait en Chine depuis la fin de la dynastie T'ang, en 907. Les Song dominaient le sud du pays, le nord demeurant sous la souveraineté des nomades Khitan, auxquels les Song devaient acheter la paix. Le royaume Khitan de Pékin, dominé par la riche famille des Liao, fut détruit par les Song qui s'étaient alliés pour l'occasion aux Jürchet de Mandchourie.

L'Europe à l'écoute des troubadours

Troubadour jouant de la lyre. Tropaire de la région d'Auch. Milieu du XIᵉ siècle.

Vers 1100, des poètes d'un style encore inconnu apparaissent en France, à Limoges, Ventadour, Comborn, Turenne... Leur succès s'étend rapidement aux cours d'Auvergne, du Languedoc et de Provence. Issus de toutes les classes sociales, chevaliers ou seigneurs, évêques ou moines, bourgeois ou pauvres hères, ils écrivent et chantent des textes dont l'unique objet est l'amour. La langue d'oc les appelle « troubadours ». Ils ont relégué le latin pour les dialectes du pays occitan, la monodie liturgique pour le chant profane ; leur sensibilité raffinée a pour nom « courtoisie ». Et même si leur poésie manifeste parfois de la verdeur, elle est le plus souvent chaste. Guillaume IX (1071-1127), premier en date des troubadours, seigneur et bon vivant, loue la jeunesse du cœur. Cercamon crée la complainte, déploration pour la perte d'un ami ou d'un haut personnage ; Jaufré Rudel innove sur le thème de l'amour lointain et vient expirer en Terre sainte aux pieds de la princesse de Tripoli. Mais un second souffle s'empare des troubadours vers 1150. Bernart de Ventadour, issu du peuple, chante ses passions à la cour d'Aquitaine et de Toulouse avant de se faire moine. Bertran de Born crée le *sirventès*, une satire morale ou religieuse ; Gaucelm Faidit chante Richard Cœur de Lion. Avec Peire Vidal, Peire Cardenal, Peire Raimon, avec Béatrice, comtesse de Die, avec Marie de Ventadour, ce sont plus de quatre cents poètes, dont vingt femmes, qui sillonnent le Midi, gagnent les cours de Barcelone, d'Aragon, de Castille, et d'Italie. Alors que la croisade contre les Albigeois, au début du XIIIᵉ siècle,

entame le déclin des troubadours, le relais est assuré déjà par les trouvères, du nord de la France, dans les régions de langue d'oïl. Le trouvère compose, il ne chante pas ; c'est au jongleur d'aller de château en château, ou de s'établir parfois au service d'un seigneur comme ménestrel. La mélodie puise ici aux sources populaires ; le poème narratif, la « chanson de toile », destinée à accompagner le travail des femmes, l'« aube », évoquant la séparation des amants au lever du jour, ou la « pastourelle », célébrant la rencontre d'un chevalier et d'une bergère, supplantent les formes élaborées par le Sud. C'est la cour de Champagne qui abrite d'abord la nouvelle poésie, illustrée par Gace Brûlé (1159-1213), ou Thibaud de Champagne (1201-1253). Aux poètes aristocrates, tel Jean de Brienne, empereur de Byzance, qui meurt en 1237, succèdent les poètes populaires, Rutebeuf (mort vers 1285) et Jehan Bodel (1165-1210). Au contact des ménestrels ou peut-être de poètes occitans, l'amour courtois gagne la poésie allemande. Les *Minnesinger*, virtuoses de la versification, font passer l'habileté avant l'effusion et s'adressent, tels Reinmar von Hagenau ou Walther von der Vogelweide, à une caste de grands seigneurs, dont eux-mêmes sont issus. Après l'Allemagne, la poésie occitane gagne la Suisse, puis l'Autriche, tandis que Guiraut Riquier, le dernier troubadour, meurt vers 1292 à la cour d'Alphonse X de Castille. Avec eux la passion trouve un langage dont le lyrisme marque à jamais la poésie d'Occident.

Figure divine en vol. Fragment de bannière bouddhique provenant de Dun-huang (Touen-houang).

Umar Khayyâm, poète et mathématicien

Khurasan, Perse, 1126

De son vivant, Umar Khayyâm, né à Nishapûr, dans le Khurasan, vers le milieu du XIᵉ siècle, est surtout connu comme mathématicien et astrologue. En 1074, il est chargé par le souverain seljukide Malik shah de diriger une commission de savants désignée pour étudier une réforme du calendrier. Il est d'autre part l'auteur de plusieurs ouvrages scientifiques en arabe, dont un traité d'algèbre. Sa carrière de poète n'a été pleinement découverte que longtemps après sa mort, ce qui laisse la porte ouverte à de nombreuses spéculations sur la véritable paternité des très nombreux poèmes qui lui sont attribués et dont les historiens de la littérature ne retiennent que cent cinquante quatrains sur sept cent cinquante. Ces *ruba'iyat* (quatrains) relèvent en effet, de par leur forme, davantage de la littérature arabe ; ils ont été traduits dans presque toutes les langues. Umar Khayyâm y chante le plaisir, la vie facile et le vin.

Jongleur et musicien. Tropaire (manuscrit musical) de la région d'Auch. Milieu du XIᵉ siècle.

1131

Baléares
La dynastie des Banu Ghaniya s'installe dans l'archipel.

Jérusalem
A la mort de Baudouin II lui succède sur le trône du royaume chrétien de Jérusalem son gendre, Foulques V d'Anjou. Installé en Terre sainte dès 1129, ce dernier avait épousé en secondes noces la fille de Baudouin II, Mélisende.

1132

Vézelay
Achèvement du narthex de la basilique.

Ifrikiya
L'Almohade Abd al-Mû'min est reconnu calife.

1133

Rome, juin
S'étant rendu en Italie, Lothaire III de Saxe se fait couronner empereur par le pape Innocent II et reçoit en fief les biens de la comtesse Mathilde.

1134

Espagne, août
Alphonse Iᵉʳ Sanchez, dit le Batailleur, meurt quelques jours après la défaite de ses troupes le 26 août à Fraga, en Catalogne. Sa participation à vingt-neuf batailles lui a valu son surnom.

1135

Ifrikiya
L'île de Djerba est prise par Roger II de Sicile.

Angleterre, 22 décembre
La mort d'Henri Iᵉʳ Beauclerc, fils de Guillaume le Conquérant, ouvre un conflit de succession. →

Ifrikiya
Construction de la grande mosquée de Tlemcen.

Saint-Denis
Suger, l'abbé de Saint-Denis, entreprend la reconstruction de l'abbatiale de Saint-Denis. Dès 1140, le narthex était édifié et, en 1144, étaient terminées les chapelles de la crypte ainsi que le déambulatoire.

1137

France, 1ᵉʳ août
Fils de Louis VI et d'Alélaïde de Savoie, Louis VII succède à son père. La même année, il épouse Aliénor d'Aquitaine qui lui apporte en dot la Guyenne, la Gascogne, le Poitou, la Marche, le Limousin, l'Angoumois, la Saintonge et le Périgord.

Midi de la France
Le troubadour Marcabru compose le *Chant du lavoir*, âpre exhortation à prendre la croix pour aller combattre les infidèles. Originaire de Gascogne et d'humble extraction, Marcabru est l'initiateur de plusieurs styles populaires, comme la pastourelle, la romance, la chanson de croisade. Il doit sa réputation à l'invention du « trobar clus ».

Saint Empire, 4 décembre
Mort de Lothaire III. Sur le trône impérial lui succède son adversaire, Conrad III de Hohenstaufen.

1138

Allemagne
Le poète Lamprecht rédige un texte épique mémorable, *Le Poème d'Alexandre*.

Pologne
A la mort de Boleslas III, le pays connaît une période de troubles, due au partage du royaume entre ses fils.

1139

Latran, avril
Le IIᵉ concile met fin au schisme d'Anaclet. Pietro Pierleoni, ancien moine clunisien et cardinal, avait été élu pape en 1130 sous le nom d'Anaclet II. Soutenu par la noblesse romaine et par Roger II de Sicile, il s'était opposé à Innocent II qu'il contraignit à l'exil. La mort d'Anaclet II, en 1138, permet à Innocent II de convoquer un synode plénier à Latran afin de résoudre le schisme. Les partisans de l'antipape sont déposés.

Fès, mai
Mort d'Avempace (Ibn Bâdjdja). Philosophe, mathématicien et astronome, il fut médecin à Séville, à Grenade et à Fès. Influencé par Aristote, il est célèbre pour un ouvrage mystique intitulé *Le Guide du Solitaire*.

Pendentif. Bronze (cuivre et plomb). Ateliers d'Ukwu. XIIᵉ-XIIIᵉ siècle. Musée national, Lagos.

L'art du bronze chez les Ibo

Depuis le IXᵉ siècle, les Ibo, établis dans le delta du Niger, sont réputés pour leurs bronzes. Les artisans des ateliers d'Ukwa utilisent la technique de la « fonte à cire perdue » : sur un noyau d'argile, on étend et sculpte une couche de cire qu'on enduit ensuite d'argile fine ; l'ensemble est mis à chauffer sur un foyer ; la cire s'écoule, le vide ainsi créé est comblé par le métal en fusion qu'on y verse ; puis on casse le moule extérieur ainsi que le noyau qu'on extrait, en poudre, par un orifice préalablement ménagé. Le bronze, importé de Nubie, est troqué contre de l'ivoire ou des esclaves. Les statuettes et objets fondus ne célèbrent pas la personne royale mais servent de nombreux cultes. L'ovale du visage, souligné par l'ovale des cornes dont sont pourvus les personnages, représente géométriquement la figure humaine.

Le comté du Portugal devient un royaume

Portugal, 25 juillet 1139
Alphonse Iᵉʳ Enriquez, comte du Portugal prend le titre de roi du Portugal, après son éclatante victoire à Ourique sur les Maures. La reconquête de la péninsule Ibérique par la chrétienté avait commencé au Portugal sous Ferdinand Iᵉʳ le Grand, roi de Castille depuis 1035 et de León depuis 1037. Il avait franchi le Douro en 1055, pris Coïmbre en 1064 et atteint Valence un an plus tard. Après sa mort, en 1066, la période de troubles provoquée par des désaccords entre ses fils s'était achevée avec l'accession au trône d'Alphonse VI en 1072. Celui-ci avait poursuivi la lutte contre les Almoravides. Les chrétiens avaient reconquis alors tout le territoire au nord du Tage. Mais la victoire des Almoravides à Saraglias, en 1086, les ayant fait refluer jusqu'au Mondego,

Alphonse VI avait décidé de faire appel, en 1095, à des seigneurs étrangers. En 1097, il avait donné en fief à son gendre, Henri de Bourgogne, les territoires portugais nouvellement constitués en comté. Mais, avec le soutien de ses barons et de son clergé, ce dernier était opposé à son cousin le comte de Galice et s'était rendu indépendant du roi de Castille et de León. Le mouvement d'indépendance et de reconquête s'amplifia avec le fils d'Henri de Bourgogne, Alphonse Enriquez. Sa mère étant une fille naturelle d'Alphonse VI de Castille, c'est sous la tutelle de cette dernière qu'il succéda à son père ; mais il l'écarta du pouvoir en 1128. Il s'était auparavant illustré en dirigeant l'algarade contre les Maures de Grenade, en 1125-1126. La victoire d'Ourique permet à Alphonse Enriquez de repousser les Maures au-delà de Lisbonne. Premier roi du Portugal, Alphonse Iᵉʳ poursuit la *Reconquista* vers le sud.

Draperie hispano-arabe, dite « Suaire de Saint-Lazare d'Autun ». 1007-1008. Broderie de soie et d'or sur support de soie.

David III le Constructeur, roi de Géorgie (1089-1125), tenant à la main une maquette du monastère de Ghélati dont il fut le fondateur. Fresque. XIIᵉ siècle. Monastère de Ghélati.

L'archange Gabriel. Mosaïque à fond or de l'abside. XIIᵉ siècle. Monastère de Ghélati, Géorgie.

David le Constructeur, roi de Géorgie

Avec David III le Constructeur, la Géorgie connaît son âge d'or. Féru de littérature, d'histoire, de théologie et d'astronomie, David est un grand érudit. Il se fait même accompagner de sa bibliothèque lors de ses campagnes militaires. Défenseur de la chrétienté en Orient, c'est un lecteur attentif du Coran. Ses avis en matière de littérature font autorité ; il est d'ailleurs un écrivain de talent et le prouve avec *Les Chants du repentir*. Il fonde un centre intellectuel à Ghélati où sont enseignées les mathémati-

ques et publiés des ouvrages originaux de philosophie, d'astronomie, d'algèbre et de droit. Il fait construire des églises et des couvents, notamment le monastère de Ghélati dont l'intérieur est orné de fresques magnifiques. Mais le début du règne est sombre, le royaume étant ravagé par les famines, les épidémies et les incursions des Seljukides. David se devait de redonner confiance à son peuple. Il impose son autorité aux grands féodaux, les Aznaours. En 1103, à la suite du concile de Rouïs-Ourbnissi, David place ses partisans aux postes les plus élevés de la hiérarchie de l'Eglise. L'administration est modernisée et centrali-

sée : les chefs de l'administration, les Oukhoutsessi, sont contrôlés par une sorte de Premier ministre, le Mtsignobarth. Ce dernier préside le Saadjo Kari, tribunal suprême garant de l'ordre intérieur et de la défense des faibles. David a constitué une armée permanente en recrutant plus de 50 000 hommes parmi ses voisins fidèles du Nord-Caucase, les Kiptchaks. Grâce à cette force, il repousse les Turcs et conquiert Ani, capitale historique de l'Arménie : la Géorgie s'étend alors de la mer Noire à la Caspienne, des monts d'Inspir à la chaîne du Caucase.

Les Plantagenêt luttent pour le trône d'Angleterre

Angleterre, 22 décembre 1135
A la mort d'Henri Iᵉʳ Beauclerc, roi d'Angleterre et fils cadet de Guillaume le Conquérant, une guerre civile sanglante éclate pour sa succession. Son successeur légitime aurait dû être son petit-fils Henri, issu de l'union de sa fille Mathilde et du comte d'Anjou. (Faute d'héritier mâle, Mathilde avait été désignée en 1128 comme héritière légitime, et mariée au comte d'Anjou, Geoffroi V Plantagenêt). Mais le petit Henri II étant encore mineur, il est repoussé au profit du neveu du défunt roi, Etienne de Blois, qui est alors proclamé roi par les habitants de Lon-

Geoffroi V Plantagenêt, comte d'Anjou. Plaque tombale ornée d'émaux limousins. 1151. Musée du Mans.

dres et quelques barons. Mathilde s'efforce alors de faire valoir les droits légitimes de son fils à la couronne et s'oppose à Etienne de Blois. Le désordre règne en Angleterre, divisée entre partisans d'Etienne et de Mathilde. Etienne de Blois ne reconnaîtra ses droits qu'après dix-huit années de luttes incessantes, à l'issue desquelles la nouvelle dynastie des Plantagenêt accédera au trône anglais. Les vastes territoires continentaux des Plantagenêt (dont le nom vient de l'insigne, une branche de genêt, qu'ils portaient sur leurs toques) seront le ferment des conflits qui vont déchirer la France et l'Angleterre.

Expansion et commerce dans le monde méditerranéen

Au centre de la Méditerranée, les Italiens contrôlent l'essentiel des échanges. Amalfi, Bari et Salerne commercent indifféremment avec les musulmans et Constantinople. Principal pourvoyeur d'esclaves

slaves, Constantinople est au carrefour de l'Europe de l'Ouest, de la Russie (fourrures, miel, bois) et de l'Orient indien et chinois (soie, épices, parfums, pierres et bois précieux). Plaque tournante du monde

arabe, Bagdad est supplantée à partir du XIᵉ siècle par Alexandrie. Venise, Pise puis Gênes étendent leur rayon d'action. Les Croisades et la défaite byzantine d'Ascalon assurent leur domination commerciale.

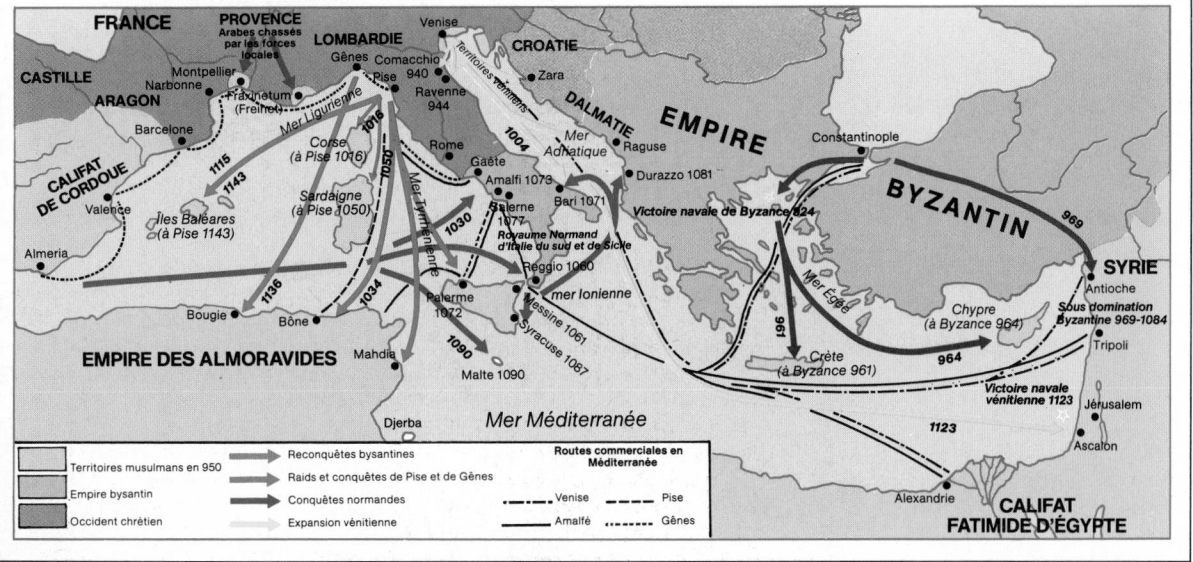

353

1140

Espagne
Composition du *Cantar de mio Cid* (le poème du Cid). C'est le plus ancien document de la poésie épique espagnole qui ait été conservé.

1141

Sens
Condamnation d'Abélard. →

Jérusalem
Mélisende prétend gouverner seule, son mari étant décédé. Elle refuse le couronnement de son fils Baudouin.

1143

Portugal
Reconnu roi du Portugal par le pape, Alphonse Ier Enriquez s'affranchit de la suzeraineté de la Castille.

Rome
La ville se révolte contre le pape.

Maghreb
Mort d'Ali ibn Yûssuf, souverain almoravide, vainqueur des rois de Castille et d'Aragon.

1144

France, 11 juin
L'abbatiale de Saint-Denis, commencée en 1136, est consacrée. →

Proche-Orient
La prise d'Edesse par Zankî va être à l'origine de la IIe Croisade.

Espagne
Raid d'Alphonse VII sur Cordoue.

1145

Rome
Arnaud de Brescia, ancien disciple d'Abélard, prend la tête de la révolte. Il chasse le pape Eugène et restaure la république.

1146

Espagne
Alphonse VII fait son entrée à Cordoue.

Ifrikiya
Poursuivant la « guerre sainte » commencée contre les Almoravides par son prédécesseur

Ibn Tûmart, l'Almohade Abd al-Mû'min achève de conquérir le Maroc.

Proche-Orient
A la mort de Zankî, Nûr al-Dîn, son fils, lui succède.

Vézelay, Pâques
A la demande du pape Eugène III, saint Bernard prêche la IIe Croisade.

1147

Portugal
Santarém et Lisbonne sont reprises par Alphonse Ier de Portugal.

France
Louis VII part pour la IIe Croisade.

Grèce
Roger II de Sicile enlève Corfou aux Byzantins et met au pillage Corinthe et Athènes.

Midi de la France
Saint Bernard est conspué à Verfeil lors d'un prêche contre les Cathares.

Marrakech
La capitale des Almoravides tombe aux mains des Almohades.

Ifrikiya
Les Almohades débarquent en Espagne.

1148

Ifrikiya
Sousse et Sfax sont prises par Roger II de Sicile.

Damas, septembre
Echec de la IIe Croisade. →

1149

Proche-Orient
Nûr al-Dîn harcèle les Croisés et tue, près d'Apamée, Raymond de Poitiers.

1150

France
Le Jeu d'Adam, l'un des premiers drames liturgiques en langue vulgaire.

Royaume khmer
Achèvement, sous le règne de Sûryavarman II, du temple funéraire d'Angkor Vat. →

Le roi Conrad III de Hohenstaufen lors de la IIe Croisade. XIIe siècle. Bibliothèque vaticane.

Abélard condamné par le concile de Sens

France, 1141
Abélard, le théologien et philosophe de renommée internationale, est condamné. Saint Bernard, abbé de Cîteaux, avait transformé l'assemblée de Sens, devant laquelle ils devaient débattre ensemble des questions théologiques qui les opposaient, en un véritable tribunal. Traité non pas comme un adversaire, mais comme un ennemi, Abélard en appela au pape. Mais, usant de l'influence de certains cardinaux, saint Bernard parvint à arracher à ce dernier une condamnation : les livres d'Abélard furent brûlés à Saint-Pierre. Issu de la petite noblesse bretonne, Abélard, que son père destinait à la carrière des armes, s'était lancé avec passion dans l'étude : devenu à Paris l'élève puis le rival de Guillaume de Champeaux, il s'était établi à son tour sur la montagne Sainte-Geneviève. De sa rencontre avec Eloïse, la nièce du chanoine Fulbert, était née une idylle qui s'était terminée tragiquement.

Constitution de l'Eglise cathare

L'Eglise romaine n'est plus la seule à tenir des conciles. A Saint-Félix de Caraman, non loin de Toulouse, évêques et fidèles viennent de se réunir pour fixer les grands traits d'une doctrine venue d'Orient : « le dualisme ». A l'origine de ce concile hérétique, se trouve un évêque de Constantinople, Nicétas. Inquiétante pour l'Eglise, cette doctrine s'étend comme une traînée de poudre dans tout le Sud-Ouest, touchant particulièrement Toulouse et Albi, villes cultivées, riches et ouvertes aux influences extérieures. Comme son nom l'indique, elle proclame la coexistence de deux principes dans l'univers : le Bien et le Mal, l'Esprit et la Matière. Jésus est pur esprit, il n'a donc pu se faire homme. L'Ancien Testament est œuvre du diable. Les rites ? Une pompe inutile. Ces théories ont déjà de quoi émouvoir la papauté. Mais ce qui choque surtout, c'est la morale qui règne dans ces communautés que le concile de Caraman se propose d'organiser. Une distinction fondamentale : les « parfaits » et les croyants. Les premiers s'adonnent au travail manuel, mènent une vie d'abstinence et de jeûne. Les seconds, au contraire, sauvés par la vertu des parfaits, ont toute liberté. On les accuse des pires débauches. Au-delà des problèmes religieux, l'hérésie intéresse le pouvoir royal, qui y trouve un prétexte pour renforcer sa mainmise sur la province.

Echec de la IIe Croisade devant Damas

Damas, septembre 1148
Au lieu de lutter, comme le demande le prince d'Antioche, contre l'atabeg d'Alep qui avait pris Edesse (1144), Louis VII de France et Conrad III de Germanie préfèrent commencer par accomplir leur pèlerinage à Jérusalem, d'où ils partent mettre le siège devant Damas, le 24 mars 1148. Cette manœuvre n'est pas au goût des barons francs de Syrie qui vivent en paix avec Damas dont le gouverneur Mu'in ad-Din est le seul dirigeant musulman à avoir signé un traité d'alliance avec Jérusalem. Cette erreur monumentale est immédiatement exploitée par Mu'in ad-Din qui adresse un message aux « Francs de Syrie » : « Etes-vous devenus assez fous pour aider ces gens contre nous ? N'avez-vous pas compris que s'ils l'emportent à Damas, ils chercheront à vous arracher vos propres cités ? Quant à moi, si je ne parviens pas à défendre la ville, je la livrerai à Saöf ad-Din et vous savez bien que, s'il prend Damas, vous ne pourrez plus vous maintenir en Syrie. » Cette habile manœuvre produit rapidement son effet. Les Francs de Syrie, les « poulains » comme on les surnomme, qui considèrent les Croisés d'Occident comme de dangereux fanatiques qui viennent « tuer du musulman » sans distinction d'ami et d'ennemi, interviennent auprès de Conrad qu'ils finissent par convaincre de lever le siège de Damas et de s'en retourner à Jérusalem. Le 28 juillet, c'est chose faite. La IIe Croisade, prêchée par saint Bernard de Clairvaux à l'assemblée de Vézelay (31 mars 1146) et à la diète de Spire (25-27 décembre) et à laquelle prennent part deux souverains chrétiens, se termine dans le désarroi. Les chroniqueurs arabes qui évoquent abondamment Conrad III ne soufflent mot de Louis VII qui se révèle un roi sans envergure.

Suger et l'abbaye de Saint-Denis

Saint-Denis, 11 juin 1144

Les évêques et les archevêques consacrent ce jour le chevet de la basilique, chef-d'œuvre de l'art gothique. Les saintes reliques ont été transférées de la crypte dans le chœur, où elles ont été installées dans de somptueuses châsses. Le maître d'œuvre de la basilique est Suger, élu abbé en 1122. Conçue dans le courant du gothique naissant, la basilique englobe l'église carolingienne primitive et illustre le style nouveau dans sa forme la plus parfaite. Elle a toujours été le symbole de la monarchie : construite sur les reliques vénérées de saint Denis, enseveli là en 273, l'abbaye perpétue depuis les temps mérovingiens la tradition de résidence, puis de nécropole royale. L'idéal chrétien de Suger et sa position privilégiée auprès

Basilique de Saint-Denis. La nef qui fut édifiée entre 1231 et 1281 pour relier le chœur de Suger au narthex.

de Louis VI puis de Louis VII, qui lui confie le royaume à son départ pour la Croisade, donnent une importance considérable à l'abbaye. Conseiller intime du roi, administrateur, agronome, diplomate, guerrier, historien, Suger s'identifie totalement à la royauté et sa forte personnalité domine la première moitié du XIIᵉ siècle. Sa conception de la monarchie place le souverain, protecteur des Eglises et défenseur des pauvres, au sommet de la pyramide féodale. S'en remettant à Dieu comme source de Vérité, mais aussi de Beauté, le message spirituel de Suger s'est matérialisé dans un programme de réalisations artistiques où le symbolisme des formes tient une grande place. Et la foule qui se presse sous les voûtes de la nouvelle basilique est appelée à y déchiffrer, en même temps que l'histoire du royaume, un hymne à la gloire de Dieu.

Le temple d'Angkor Vat : vue de la troisième et dernière terrasse, le « saint des saints ». Construit entre 1120 et 1152, Angkor Vat donne l'image la plus achevée du temple, symbole de l'Univers.

Le roi khmer Sûryavarman II édifie le temple d'Angkor Vat

Royaume khmer, 1150

Le XIIᵉ siècle est le grand siècle du Royaume khmer. Sûryavarman II (1113-1150) étend son pouvoir vers l'est et l'ouest et fait construire Angkor Vat. Contrairement aux autres temples, généralement tournés vers l'orient, l'entrée principale de celui-ci se situe à l'ouest, probablement pour en marquer l'aspect funéraire. La plupart des sanctuaires sont aussi consacrés au culte des ancêtres, comme c'est le cas des temples-montagnes érigés pour célébrer le culte du dieu-roi *(devarâja)*.

Angkor Vat, le plus grand monument religieux d'Asie, devait servir de temple funéraire à son fondateur. Tous les éléments le constituant existaient déjà au siècle précédent, mais le plan, les perspectives, les proportions et les dimensions sont ici incomparables. Ce grand temple dédié à Vishnu est le plus vaste des monuments d'Angkor, s'étendant sur près de 200 hectares. Il est entouré de douves larges de 190 m. Le sanctuaire en forme de croix constitue le sommet de la pyramide. On ne peut l'atteindre qu'après avoir traversé plu-

sieurs enceintes concentriques. La décoration est foisonnante, l'ornement est omniprésent. Mais la sculpture est parfaitement subordonnée à la composition de l'ensemble. Les tours en forme d'obus, les bas-reliefs inspirés par des thèmes mythologiques et historiques sont de pures merveilles. Angkor Vat constitue l'un des témoignages les plus émouvants de l'aspiration humaine vers la beauté. La première cité d'Angkor avait été fondée par Yaçovarman Iᵉʳ (889-900) qui en fit la capitale pour cinq siècles.

« Apsaras » dansant en l'honneur du dieu. Bas-relief. Temple du Bayon à Angkor Thom, la ville construite par Jayavarman VII (1181-vers 1218).

Tour-visage représentant le bodhisattva Lokeçvara.

1152

Saint Empire, 4 mars
Neveu et successeur de Conrad III, Frédéric Ier, surnommé Barberousse, est élu empereur.

France
Quelques semaines après avoir été répudiée par Louis VII, Aliénor d'Aquitaine épouse Henri II Plantagenêt.

Jérusalem, lundi de Pâques
Baudouin III, roi de Jérusalem, investit la citadelle et exile Mélisende, sa mère, à Naplouse.

1153

Espagne
Les Aragonais occupent toute la rive nord de l'Èbre.

Proche-Orient
Ascalon est prise par Baudouin III.

Clairvaux, 20 août
Mort de saint Bernard au monastère de Clairvaux, dont il était l'abbé depuis 1115.

Winchester, 6 novembre
Un traité règle la succession d'Henri Ier, au terme duquel Etienne de Blois reconnaît Henri Plantagenêt comme héritier.

1154

Italie du Nord
L'université de Bologne reçoit ses premiers privilèges de l'empereur Frédéric Barberousse.

Palerme, 26 février
Roger II de Sicile meurt. Lui succède son fils cadet, Guillaume Ier le Mauvais.

Rome, 14 décembre
Un Anglais est élu pape. Nicholas Breakspear prend le nom d'Adrien IV.

Westminster, 19 décembre
A la mort d'Etienne de Blois, Henri II monte sur le trône d'Angleterre, conformément au traité de Winchester. →

Proche-Orient
Nûr al-Dîn s'empare de Damas.

1155

Rome, 18 juin
Sacre de l'empereur Frédéric Ier Barberousse. →

Angleterre
Thomas Becket est nommé chancelier du royaume.

France
Premières ordonnances royales, qui contribuent à instaurer la paix dans le royaume.

Italie du Sud
Les Pouilles sont occupées par les Byzantins.

Rome
Livré au pape par les troupes de Frédéric Ier Barberousse, Arnaud de Brescia est exécuté. →

1156

Italie du Sud
Les Byzantins sont chassés des Pouilles par Guillaume Ier de Sicile.

Proche-Orient
Sac de Chypre par Renaud de Châtillon.

1157

Espagne, août
Mort d'Alphonse VII.

Russie
Andréï Bogolioubski fait de Vladimir la capitale de la principauté de Souzdal.

1158

Italie du Nord, 11 novembre
Diète de Roncaglia. →

1159

Rome
Mort du pape Adrien IV, lui succède Orlando Bandinelli sous le nom d'Alexandre III. Mais l'empereur Frédéric Barberousse refuse de le reconnaître et lui oppose l'antipape Victor IV.

1160

Ifrikiya
Les Arabes reprennent les territoires conquis par Roger de Sicile.

Midi de la France
Chansons du troubadour Bernart de Ventadour.

Allemagne
Composition de l'épopée des *Nibelungen*.

L'empereur tente de s'imposer en Italie

Italie, 11 novembre 1158
Les querelles germaniques en Italie se poursuivent. La diète convoquée par l'empereur Frédéric Barberousse à Roncaglia, près de Lodi, sur le Pô, a pour mission de consolider son pouvoir face aux villes rivales de haute Italie. La diète promulgue un décret, prétendument fondé sur d'anciennes lois impériales, exigeant des villes italiennes l'abandon de droits exclusivement impériaux (régaliens), comme celui de frapper monnaie ou de nommer les consuls municipaux. Pour appuyer le décret de Roncaglia, Frédéric Ier Barberousse écrase, en 1160, l'insurrection qui avait éclaté à Crémone et fait détruire la ville. Milan, qu'il prend pour la deuxième fois (la première remonte à 1158) après un siège d'un an, subira le même sort. La lutte de l'empereur contre les villes italiennes suit d'un an sa rupture avec le pape, après l'assemblée de Besançon. Le mot de *beneficia*, utilisé par le pape Adrien IV dans la lettre lue par ses légats et mal traduit par le chancelier Rainald de Dassel en « fiefs », avait provoqué la colère de Frédéric Barberousse, irrité de se voir considéré comme le vassal du Saint-Siège.

L'empereur Frédéric Barberousse prenant possession en 1162, après un an de siège, de Milan, la capitale lombarde. Manuscrit du XIIe siècle.

Henri d'Anjou devient roi d'Angleterre

Westminster, 19 décembre 1154
Henri Ier Beauclerc n'avait qu'un héritier, Guillaume Adelin, mort dans le naufrage de la *Blanche-Nef* en 1120. Il voulut que la succession revînt à sa fille Mathilde, veuve de l'empereur Henri V. Il lui fit épouser Geoffroi Plantagenêt, comte d'Anjou et du Maine. Lorsque naît Henri, en 1133, son grand-père le désigne pour lui succéder. Mais en 1135, à la mort d'Henri Ier, son neveu Etienne de Blois, petit-fils de Guillaume le Conquérant par sa mère, comte de Boulogne et de Mortain, s'empare, en l'absence de Geoffroi, du trésor royal conservé à Winchester. Usurpant le trône de Mathilde, il tente de conquérir l'Angleterre. Les grands seigneurs se font octroyer des privilèges exorbitants et se rendent indépendants. Mathilde et son fils défendent l'héritage anglais, tandis que Geoffroi s'assure de la possession de la Normandie, acquise par son mariage avec Mathilde. Pendant quinze ans, la guerre et le désordre dévastent l'Angleterre et la solide administration établie par Henri Ier est ruinée. Cependant, la victoire d'Henri Plantagenêt en Angleterre et la conquête de la Normandie par son père aboutissent, en 1150, à une paix de compromis. Mais il faut attendre, en 1154, la mort d'Etienne de Blois, qui a été contraint de reconnaître le Plantagenêt pour son héritier, et les accords de Walingford, négociés à l'initiative des gens d'Eglise et de l'archevêque de Canterbury, pour voir Henri II monter sur le trône. C'est, depuis la conquête, le premier monarque issu en ligne directe des anciens rois. Il réunit à la couronne anglaise le duché de Normandie, les comtés d'Anjou et du Maine et l'Aquitaine que lui a apportée, en 1152, son mariage avec Aliénor d'Aquitaine. Mais le pouvoir royal et les institutions établies par Henri Ier sont réduits à néant et il lui faut restaurer l'autorité monarchique. Colosse coléreux, cavalier infatigable, Henri II est de taille à tenir tête aux insoumis. En 1164, aux assises de Clarendon, il s'attaque aux privilèges du clergé après avoir jugulé la noblesse. Concentrant tous les pouvoirs entre ses mains, il règne en monarque absolu.

LE SAINT-EMPIRE A L'ÉPOQUE DES HOHENSTAUFEN

Légende :
- Biens patrimoniaux des Staufen
- ▲ Principaux châteaux forts
- ▲ Forteresses des Staufen
- ▲ Principaux châteaux
- ◖◗ Biens patrimoniaux des Welfs
- ● Villes de la Ligue lombarde en 1167
- Batailles ▽ Diètes
- ■ Traités de paix
- Possessions des Hohenstaufen en Italie méridionale (1194-1266)

Arnaud de Brescia livré au pape

Rome, 1155

Fait prisonnier par les troupes de l'empereur Frédéric Barberousse, l'agitateur et réformateur italien Arnaud de Brescia est livré aux représentants du Saint-Siège à Rome. On l'a aussitôt jugé, condamné à mort comme hérétique et exécuté. Ainsi prend fin la vie de cet idéaliste épris de pureté et de pauvreté évangéliques. Né aux alentours de 1090 à Brescia, en Lombardie, il avait fait ses études à Milan et à Bologne. Devenu chanoine à Brescia en 1129, il s'était fait remarquer par sa prédication qui proposait une restauration complète de la vie cléricale. Convaincu que le clergé doit vivre dans la chasteté et loin de la richesse, il estime que les clercs doivent renoncer à leurs pouvoirs politiques. Il exalte un retour à la vie de l'Eglise primitive. Inquiet, l'évêque de Brescia avait fait faire une enquête, l'avait menacé de sanctions et en avait référé au pape Innocent II. Banni d'Italie et condamné à ne plus prêcher par le concile du Latran en 1134, Arnaud s'était réfugié à Paris auprès d'Abélard. Avec ce maître parisien, il avait appris une méthode de réflexion basée sur une parfaite connaissance du langage, considéré comme l'expression exacte du monde réel. Saint Bernard, abbé de Cîteaux et adversaire d'Abélard, s'en était pris à Arnaud, qui avait dû quitter Paris. La mort d'Innocent II (1143) lui permit de revenir à Rome où se développait un mouvement communal. Les Romains s'étant révolté contre le pouvoir temporel du pape sur la ville, le pape Eugène III avait dû s'enfuir. Arnaud avait pris la tête du mouvement et instauré à Rome une république inspirée de la cité antique, comportant notamment un Sénat et un ordre équestre. Plus virulente que jamais, sa prédication dénonçait avec violence le luxe de la Curie romaine et de la cour papale ainsi que les nombreuses propriétés du Saint-Siège. Cette remise en question de l'Eglise entraîna son excommunication en 1148. Comme Arnaud prêchait également la pauvreté en tant que valeur spirituelle fondamentale, il fut aussi dénoncé comme agitateur politique. Le nouveau pape, Adrien IV, afin d'imposer sa loi à la cité, jette l'interdit sur Rome juste avant Pâques 1155 : c'est la catastrophe pour les pèlerins qui ne peuvent ainsi pénétrer dans les sanctuaires de la ville. Pour éviter la catastrophe, le Sénat n'a pu faire moins que de désavouer les institutions républicaines établies par Arnaud, et de le faire condamner.

Frédéric Barberousse couronné empereur

Rome, 18 juin 1155

Surnommé *Barba rossa* par les Italiens à cause de sa splendide barbe rousse, Frédéric Ier Barberousse vient d'être couronné à Rome par le pape Adrien IV empereur romain germanique. Appelé au secours par le souverain pontife pour l'aider à faire face aux attaques des villes d'Italie du Nord et à la menace des Normands établis en Sicile, l'empereur était arrivé à Rome en octobre 1154. Peu de temps après, il était intervenu dans une révolte de la ville contre l'autorité du pape et, surtout, avait aidé celui-ci à se débarrasser de l'encombrant Arnaud de Brescia. Mais son action s'arrêtera là : une fois éliminée l'opposition italienne, l'empereur, rappelé par les princes allemands, se hâtera de rentrer dans son pays au lieu de se porter contre les Normands comme l'avait souhaité le pape. C'est à la mort de l'empereur Conrad III, en mars 1152, que Frédéric Ier avait été élu empereur par les princes allemands réunis à Francfort-sur-le-Main. Depuis la mort d'Henri V, en 1125, le souverain allemand n'avait plus guère de pouvoir réel que dans ses propres domaines. Le régime de royauté purement élective qu'avait connu le Saint Empire jusqu'en 1150 était à la merci des coalitions féodales. Les princes de Bavière, les Welfen ou guelfes, et ceux de Franconie, Waiblingen ou gibelins, s'affrontaient en des luttes constantes. Dans le même temps s'étaient constituées avec la christianisation et le peuplement des terres du nord et de l'est les trois dynasties colonisatrices : Lothaire III, duc de Saxe de 1125 à 1137, avait soumis et organisé la Poméranie ; il avait, dès 1110, cédé le comté de Holstein à Adolphe Ier de Stauenbourg dont le fils devait fonder Lubeck. Le Nord avait été conquis en 1134 par Albert l'Ours tandis que Lothaire, en donnant sa fille en mariage au Welf Henri le Superbe, avait reconnu à celui-ci le duché de Saxe, qui devait passer à son petit-fils, Henri le Lion, en 1142. Lors de l'élection de 1152, Conrad III avait préféré choisir son neveu Frédéric, pour lui succéder, plutôt que son propre fils, encore mineur. Le choix de Frédéric, alors duc de Souabe, avait permis de régler le problème de la souveraineté sur la Bavière, qui avait été restituée à Henri le Lion, ainsi que le conflit entre les Welfen et les Babenberg ; il permettait également de consolider le pouvoir impérial en Italie. C'était l'intention que Frédéric Barberousse avait annoncée au pape Eugène III en ces termes : « Rétablir dans sa force et dans son excellence première la grandeur de l'Empire romain. » Il y sera fidèle en se lançant à la conquête des villes lombardes, et en détruisant Milan en 1162.

Les "e-maki", rouleaux japonais illustrés

Japon, 1160

Le premier rouleau fut composé au VIIIe siècle pour illustrer un sûtra bouddhique. L'art était alors seulement au service de la religion. Il va devenir profane. Apparaissent alors d'autres styles de peinture qui puisent leur inspiration dans les thèmes littéraires. Le plus bel exemple d'e-maki est le *Genji Monogatari Emaki* de Fujiwara no Takayoshi (XIIe), véritable traduction picturale du roman de Murasaki Shikibu paru au XIe. Ce style s'attache à traduire la richesse et le raffinement de l'existence brillante à la cour. Un autre style, réaliste et parfois caricatural, est fait de dessins sobres avec très peu de couleurs. Les scènes sont de facture dynamique. Les plus beaux exemples de ce style sont les *Caricatures de bêtes et oiseaux*, véritable bestiaire à expression humaine, du moine Kakuyū (1053-1140), plus connu sous le nom de Toba Sòjò, et *Les Légendes du mont Shigi*, composées au cours de la seconde moitié du XIIe siècle.

Le prince Niu no miya consolant son épouse, la princesse Uji. Début du XIIe siècle. Nagoya.

Portrait présumé de Taira no Shigemori (1138-1279) en costume de cérémonie.

1162

Séville
Mort d'Avenzoar (Abû Marwân ibn Zuhr), médecin renommé dans toute l'Europe. Il fut le maître d'Averroès.

Milan
Frédéric Barberousse s'empare de la ville et la détruit.

Angleterre
Thomas Becket archevêque de Canterbury.

1163

Maghreb
Les Almohades sont maîtres du Maghreb de Marrakech à Tripoli. →

1166

Sicile
Mort d'Al-Idrîsî, auteur d'un vaste ouvrage de géographie qui constitua une référence majeure pour tout le Moyen Age.

1167

Rome
Frédéric Barberousse s'empare de la ville.

Italie du Nord, 1ᵉʳ décembre
Constitution de la Ligue lombarde contre l'empereur et les décisions prises lors de la diète de Roncaglia.

1169

Egypte
Saladin (Salâh al-Dîn al-Ayyûbî) devient vizir du calife fatimide du Caire.

1170

Italie
La Ligue lombarde s'allie avec le pape Alexandre III.

France
Lancelot ou le Chevalier à la charrette, de Chrétien de Troyes.

Canterbury, 29 décembre
Assassinat de l'archevêque Thomas Becket. →

1171

Irlande
Henri II d'Angleterre prend Dublin.

Le Caire, 10 septembre
Saladin, vizir d'Egypte depuis deux ans, abolit le califat fatimide et rétablit le sunnisme. Par cette mesure, il devient le souverain effectif de l'Egypte.

1173

Arabie
Saladin s'empare d'Aden.

Lyon
Pierre Valdès fait acte de pauvreté. →

Asie
Ghâzni, capitale des Ghaznévides, est prise par les princes de Ghôr.

1175

France
Lais, de Marie de France.

Empire byzantin
Traité de paix entre Venise et Manuel Iᵉʳ Comnène.

1176

Italie du Nord
Vaincu à Legnano par les troupes de la Ligue lombarde, Frédéric Barberousse engage des pourparlers avec le pape à Agnani.

1177

Italie du Nord, 27 juillet
La paix de Venise met fin au conflit entre Alexandre III et Frédéric Barberousse. →

France
Les plus anciens contes du *Roman de Renart* sont transcrits par Pierre de Saint-Cloud.

1179

Latran, mars
Le IIIᵉ concile du Latran modifie le mode d'élection du pape : désormais, celle-ci ne sera acquise que si le candidat au trône de Saint-Pierre recueille des cardinaux les deux tiers de leurs suffrages. →

L'hérésie cathare est condamnée.

Proche-Orient
Raid de Saladin sur Tyr.

Meurtre dans la cathédrale

Canterbury, 29 décembre 1170
Au matin du 29 décembre, une petite troupe armée approche de Canterbury. Elle pénètre, après le déjeuner, dans le palais archiépiscopal, traditionnellement ouvert à tous, pauvres ou hôtes de passage. Ces hommes s'approchent de Thomas Becket, l'archevêque de Canterbury. Une altercation s'engage à propos des droits respectifs du roi et de l'Eglise. L'archevêque, pressé par les clercs qui l'entourent, cherche refuge dans la cathédrale, mais refuse de la barricader. Les hommes en armes demandent, une dernière fois à Thomas Becket d'absoudre les évêques anglais qu'il avait excommuniés. Il refuse et tombe alors sous les coups. Le palais archiépiscopal est entièrement pillé. Une émotion immense secoue toute la Chrétienté. La réprobation est générale.

Né à Londres en 1118, Thomas Becket s'était très rapidement distingué par un esprit brillant. Après avoir fait ses études à Paris et à Bologne, il avait été nommé archidiacre par l'archevêque de Canterbury puis, grâce à son appui, était devenu chancelier du roi Henri II. D'un maintien distingué et d'un naturel enjoué, Thomas Becket ne tarda pas à devenir l'ami du roi. A la mort de l'archevêque de Canterbury, en 1162, le roi fit élire Thomas Becket à cette charge, croyant ainsi placer à la tête de l'Eglise d'Angleterre un auxiliaire docile et sûr. Conscient que cette fonction l'amènerait à s'opposer au roi, Thomas avait accepté à contrecœur l'épiscopat. Bien décidé à défendre fermement les droits du pouvoir spirituel, il avait abandonné sa charge de chancelier. En 1163, le conflit entre les deux anciens amis avait éclaté à propos d'impôts illégaux prélevés par le roi, sur les terres ecclésiastiques et de juridiction civile, sur la personne des clercs. Durant sept années, les deux hommes ne cessèrent de s'opposer. Thomas Becket était soutenu par le pape Alexandre III et le roi de France Louis VII. Une trêve semblait possible lors de l'entrevue de Fréteval (22 juillet 1170). Mais le conflit rebondit aussitôt, car Henri, sans se soucier des prérogatives du siège de Canterbury, avait fait couronner son fils par l'archevêque d'York. Becket n'hésita pas à excommunier ce dernier ainsi que les prélats qui s'étaient prêtés à l'opération. Furieux, Henry s'était écrié : « Eh quoi ! Parmi tous ceux que je nourris, aucun n'est donc capable de me venger de ce misérable clerc ! » C'est alors que quatre courtisans coururent sans tarder à Canterbury... Le roi Henri est très affecté. Alexandre III exige des réparations publiques. Devant les légats du pape, Henri II sera obligé de faire amende honorable dans l'église d'Arranches, le 22 mai 1172. Thomas Becket sera canonisé dès 1173.

Assassinat de Thomas Becket dans la cathédrale de Canterbury. XIVᵉ siècle.

Le pape et l'empereur font la paix

Rome, mars 1179
La lutte du sacerdoce et de l'empire, l'histoire des querelles entre les papes et l'empereur de Germanie Frédéric Iᵉʳ Barberousse qui veut limiter la puissance de l'Eglise au domaine spirituel, connaît une trêve avec la conclusion de la paix de Venise, le 27 juillet 1177, et le IIIᵉ concile du Latran, en mars 1179. Les relations entre l'empereur et l'Eglise romaine avaient été rompues lors du schisme de 1159, après l'élection au trône pontifical du pape Alexandre III. Celui-ci, avec la majorité des cardinaux, prétendait maintenir l'indépendance de la papauté face à l'empereur. Son rival, Victor IV, soutenu par Frédéric Barberousse, ne devait recueillir qu'une minorité de voix. Alexandre III parvint à s'imposer contre quatre antipapes. Après sa cuisante défaite de Legnano, en 1176, face à la Ligue lombarde, Frédéric Barberousse s'était efforcé de trouver un arrangement avec le pape. Si la paix de Venise définissait et reconnaissait précisément les rôles respectifs du pape et de l'empereur, le concile du Latran, quant à lui, décide essentiellement d'un nouveau mode d'élection du pape, destiné à éviter la naissance - par double élection papale - d'un schisme. L'élection du pape est désormais acquise à la majorité des deux tiers, le candidat de la minorité ne pouvant dorénavant revendiquer aucune légitimité.

Le temple des Guerriers avec l'allée des Mille Colonnes à Chichen Itza. Epoque maya-toltèque, XIIᵉ siècle.

Le déclin inexpliqué de la cité maya de Chichen Itza

Mexique, début du XIIIᵉ siècle
La ville de Chichen Itza est mystérieusement désertée : on suppose que ce sont des luttes sans merci au sein des classes dirigeantes qui ont provoqué le brusque déclin de la cité. Celle-ci avait été l'un des principaux centres de l'Empire maya. Après l'abandon total des cités classiques de Palenque et d'Uxmal, de nouveaux peuples, d'origine toltèque, s'étaient emparés de la ville et s'y étaient installés un peu avant l'an Mil. Ils furent pendant plus de deux siècles les artisans de la renaissance yucatèque postclassique dont on trouve à Chichen Itza, à côté d'édifices appartenant à l'époque classique récente de la première période, des exemples typiques combinant les formes proprement maya avec des éléments de style toltèque. Les plus remarquables sont le temple des Jaguars, le temple des Guerriers où se trouvent les célèbres *Chac-Mool*, statues de divinités couchées, les Mille Colonnes, le *Caracol*, le *cenote*, un puits naturel devenu lieu de pèlerinage et d'offrandes, ainsi que l'un des plus grands jeux de pelote connus ; au centre de cette zone, se dresse la pyramide du *Castillo*, sanctuaire placé sous l'invocation du Kukulcan-Quetzalcoatl, le Serpent à plumes protecteur de la cité. Peintures et sculptures se présentent à Chichen Itza sous la forme de bas-reliefs représentant des hommes et des femmes parés de nombreux bijoux, de masques et d'étonnantes coiffures de plumes.

Les Vaudois, un nouveau courant religieux

Lyon, 1173
C'est en écoutant un jongleur réciter la *Vie de saint Alexis* que Pierre Valdès prend conscience de sa vocation : le riche marchand lyonnais renonce à ses biens, symboles d'avarice et d'orgueil et, distribuant son argent aux pauvres, montre que le chemin de la vérité passe par la charité et l'humilité. Avec quelques compagnons enthousiastes, les « Pauvres de Lyon », il met en pratique une doctrine qui s'efforce de retrouver les vertus premières de la religion catholique : le retour à la pauvreté évangélique et au mode de vie des premiers chrétiens. Tous les croyants doivent connaître les Saintes Ecritures ; les laïques ont les mêmes droits que les prêtres pour instruire et évangéliser, et par conséquent, les pouvoirs du pape et du clergé sont considérés comme illégitimes. La dignité personnelle confère seule le droit de donner les sacrements. Le culte des saints et la messe sont rejetés. Face à une religion et à un clergé qui semblent bien éloignés des préoccupations d'un peuple écrasé par la misère, les famines et les épidémies, ce mouvement, élaboré par des esprits religieux exigeants, exprime une profonde insatisfaction. Ses membres ne cesseront d'être persécutés par une Eglise inquiète de voir contester la légitimité de ses privilèges.

Les Almohades maîtres du Maghreb

Salé, Maroc, 1163
A sa mort, en 1163, l'Almohade Abd al-Mû'min laisse un empire qui couvre toute l'Afrique du Nord et étend son influence sur l'Andalousie. Abd al-Mû'min, dont la date de naissance demeure imprécise, avait succédé au mahdi Ibn Tûmart, un pur Berbère né vers 1080 dans l'Anti-Atlas, à la direction du mouvement réformiste des « Muwahhidûn » (ceux qui confessent l'unité absolue de Dieu), d'où est dérivé le nom d'Almohades. De sa rencontre avec Ibn Tûmart, aux environs de 1117, jusqu'à la mort de ce dernier, en 1130, Abd al-Mû'min avait joué un rôle extrêmement actif aux côtés de son maître qui lui avait assigné une place dans son conseil des Dix, organe suprême du mouvement. Il fallut quand même tenir cachée la mort du mahdi pendant trois ans, avant qu'Abd al-Mû'min ne fût reconnu et ne reçût de ses nouveaux sujets le serment d'allégeance. Dès lors, son premier soin fut de mettre bas l'édifice almoravide déjà chancelant. Son entreprise fut facilitée par l'adhésion de l'importante tribu des Zanata. L'armée d'Abd al-Mû'min et celle du souverain Tashufin ben Ali se rencontrèrent devant Tlemcen en 1145. Le souverain almoravide dut se replier sur Oran avant de succomber, la même année, à une chute de cheval. Dès lors, la route de Fès était ouverte. La capitale du Nord marocain tomba en 1146, après neuf mois de siège. Puis ce fut le tour de Meknès et de Salé. La prise de la capitale, Marrakech, en 1147, suivit de près cette série de victoires. La mise à bas définitive de la puissance almoravide permit à Abd al-Mû'min d'organiser son nouvel empire, de faire entreprendre des opérations pour placer l'Espagne sous son autorité et de passer à la conquête de l'Ifrikiya. Les Normands, sous la conduite du roi de Sicile Roger II, ayant pris pied dans les principaux ports de la côte, Abd al-Mû'min put justifier son expédition par « le djihad contre l'infidèle ». Dans une poussée irrésistible, il s'empara successivement d'Alger, de Bougie et de Sétif (1151-1152). L'Ifrikiya proprement dite fut conquise plus tard : Tunis en juin 1159, Mahdiyya en janvier 1160, puis Sousse, Kairouan, Sfax, Gafsa, Gabès et Tripoli. Abd al-Mû'min s'apprêtait à opérer un nouveau passage en Espagne lorsqu'il mourut. Il laissait à son successeur un nouvel empire musulman, d'Occident cette fois, sanctionné par le titre de « Amir al-Mû'minin » (prince des Croyants), généralement réservé au calife.

Minaret de la Kutubiyya, la principale mosquée de Marrakech. 1195. Hauteur : 69 m.

Le sculpteur Bonanno à Pise

Architecte et sculpteur, le Pisan Bonanno est l'auteur des portes de bronze monumentales dont s'ornent, en 1180, la cathédrale de Pise et, en 1186, celles de Monreale en Sicile. La technique rhénane de ses reliefs met en valeur les motifs byzantins des représentations figurées.

Bonanno. « La Nativité ». Porte San Ranieri, cathédrale de Pise. 1180. Relief en bronze.

1180

Paris
Le premier collège est fondé par le chapitre de Notre-Dame.

Proche-Orient
Monté sur le trône du royaume franc de Jérusalem en 1174, Baudouin IV, dit le Roi lépreux, après avoir vaincu Saladin à Ramlah en 1177, conclut avec lui une trêve.

France
Succédant à son père Louis VII, Philippe Auguste monte sur le trône de France.

1181

Rome
Mort du pape Alexandre III.

France
Perceval ou le Conte du Graal, de Chrétien de Troyes.

1182

France
Expulsion des Juifs par Philippe Auguste.

1183

Saint Empire
La paix de Constance met un terme au conflit entre l'empereur Frédéric Barberousse et la Ligue lombarde.

Proche-Orient
Saladin prend Alep et mène des raids en Samarie.

1184

Proche-Orient
Raids de Saladin en Galilée.

France
Création du corps des baillis par Philippe Auguste. →

Séville-Marrakech
Avènement d'Abu Yusuf Ya'cub al-Mansur sur le trône des Almohades.

1185

France
L'Amiénois et le Vermandois sont annexés par Philippe Auguste.

Japon
Minamoto-no-Yoritomo anéantit définitivement le clan des Taï-

ra, rivaux séculaires des siens. S'étant installé à Kamakura, il instaure un « gouvernement militaire » (*bakufu*), qui, sous l'autorité purement nominale de l'empereur, exercera en fait le pouvoir.

Asie
Muhammad de Ghor dépossède les Ghaznévides en s'emparant du Pânjab et de Lahore.

1187

Proche-Orient, 4 juillet
Bataille de Hittin, défaite des Francs par Saladin. →

Paris
La nef de Notre-Dame, commencée en 1163, est achevée.

1188

Proche-Orient
Saladin conquiert les Etats francs. Seules Tyr, Tripoli et Antioche lui résistent.

France
Philippe Auguste s'empare du Berry. →

1189

Gisors, 21 janvier
Philippe Auguste, Henri II d'Angleterre et Frédéric Barberousse prennent la croix et rassemblent des troupes pour une IIIe Croisade.

Chinon, 6 juillet
Henri II meurt. Richard Cœur de Lion, son fils, lui succède sur le trône d'Angleterre.

Japon
Après avoir aidé son frère Yoritomo dans la lutte contre les Taïra, Minamoto-no-Yoshitsune fut en butte à ses attaques. Vaincu, il se suicide avec sa famille et ses partisans. La légende a fait de ce guerrier intrépide un des héros populaires du Japon.

Sicile
Mort de Guillaume II de Sicile, Henri VI lui succède.

1190

Cilicie, 10 juin
Alors qu'il participe à la Croisade, Frédéric Barberousse se noie dans les eaux du fleuve Selef. →

Mort de Frédéric Barberousse pendant la IIIe Croisade

Cilicie, 10 juin 1190
L'empereur germanique Frédéric Ier Barberousse meurt noyé au cours de la IIIe Croisade, alors qu'il se baignait dans le fleuve Selef, en Cilicie. Il venait de contribuer à la prise de la ville de Koniah.

Après la défaite des Croisés contre les Seljukides du sultan Saladin à Hittin, en 1187, et la prise de Jérusalem par ce dernier la même année, les armées chrétiennes avaient été refoulées de la plus grande partie de la Palestine. Le pape Grégoire VIII avait ordonné une nouvelle Croisade afin de reprendre les Lieux saints aux Infidèles. Les armées rassemblées pour la nouvelle Croisade se mirent en route par des chemins différents vers la Palestine. Elles étaient commandées par l'empereur germanique Frédéric Ier Barberousse, le roi de France Philippe II Auguste et le fils du roi d'Angleterre, Richard Cœur de Lion. L'armée germanique, découragée par la mort de Frédéric Barberousse, entame aussitôt son retour vers l'Europe. La ville d'Acre, assiégée depuis un an par Gui de Lusignan, est prise. Richard Cœur de Lion s'empare de Chypre, qui est remise à Gui de Lusignan. Peu avant sa mort, Saladin est battu par Richard Cœur de Lion à Jaffa : il signe un traité avec les Croisés, autorisant les pèlerinages de chrétiens à Jérusalem.

Lorsqu'il accéda au trône impérial de Germanie, Frédéric Ier Barberousse devait rétablir l'autorité impériale en Germanie et en Italie, afin d'affirmer l'autorité du Saint Empire face aux autres royaumes d'Europe ; il devait aussi tenter de limiter la puissance temporelle des papes, ainsi que leurs revendications d'une suzeraineté sur

l'empire. Son entreprise fut couronnée de succès en Allemagne, où il parvint à soumettre et à exiler le duc Henri le Lion, un guelfe, lui reprenant la Bavière et la Saxe. En Italie, en revanche, il se heurta à la farouche résistance des villes lombardes et ne put y faire valoir les anciens droits des empereurs. Il se heurta aux papes, notamment à Alexandre III, et ne parvint pas, là non plus, à imposer sa domination avant de partir pour la IIIe Croisade. Son successeur est son fils Henri VI le Cruel.

L'empereur germanique Frédéric Ier Barberousse en habit de Croisé. Détail d'une miniature. Vers 1188.

Philippe Auguste étend son domaine

France, 1188
La bannière à fleur de lys bat devant Châteauroux. Philippe Auguste, après une série de combats qui ressemblent à des coups de main, vient de porter un coup définitif à son rival le plus puissant, Henry II d'Angleterre, de la dynastie des Plantagenêt. C'est une victoire de plus pour la Couronne. A vingt-deux ans, celui que les chroniqueurs commencent à surnommer Auguste ou César, a déjà profondément modifié la carte du royaume. Sa vie n'a été qu'une suite de coups de force et d'opérations de charme. Le territoire que lui a laissé son père, Louis VII, était coincé entre deux grands fiefs qui jouaient de rivalités et d'alliances : la Flandre et la Champagne. Certes, le roi de France a sur ses vassaux un droit de suzeraineté, mais comment le faire respecter quand les seigneurs guet-

tent le moindre signe de faiblesse pour s'affranchir ? A l'ouest, de la Normandie à l'Aquitaine, ce sont les Anglais qui dominent. Par sa position stratégique à la croisée des influences, le Berry est tout naturellement l'enjeu des affrontements. Philippe est ambitieux et opiniâtre, il a épousé Isabelle de Hainaut, descendante de Charlemagne. Il trouve dans la corbeille de mariage le comté d'Artois et le prestige de la dynastie carolingienne. Aux alliances matrimoniales, Philippe joint la force. Après cinq ans de mariage, son beau-père s'incline et lui cède le Vermandois. Avec le Berry, Philippe Auguste s'attaque à présent à l'Empire angevin, un bloc puissant qu'il vient de fissurer et qui constitue une étape indispensable pour étendre les bornes du royaume, et en faire l'un des plus puissants d'Europe.

Le Krak des Chevaliers en Syrie. Construit par l'ordre militaire des Hospitaliers, 1150-1200.

Portrait présumé de Saladin. Miniature. Vers 1180. Ecole fâtimide. British Museum, Londres.

Saladin, maître de l'Orient après la bataille de Hittin

Palestine, 4 juillet 1187
Sultan d'Egypte depuis 1171 et de Syrie depuis 1174, Salah al-Din al-Ayyubi (1138-1193), que la chronique occidentale connaît sous le nom de Saladin, aurait sans doute préféré parvenir, dès le départ, à un compromis de coexistence avec les Francs d'Orient, n'étaient le fanatisme et l'avidité de certains barons, tel Renaud de Châtillon et la totale incompétence du roi Gui de Lusignan. Ce dernier ne devait sa couronne (qui devait revenir au régent Raymond de Tripoli) qu'aux manœuvres du patriarche Héraclius et

à son mariage avec la princesse Sibylle. Le couple Saladin-Raymond aurait ainsi certainement évité bien des épreuves. Pendant sa régence, Raymond avait conclu une paix avec Saladin et ce dernier, à la demande du comte, avait ravitaillé les Francs pendant la terrible sécheresse de 1185. Raymond écarté du pouvoir, le chevalier-brigand Renaud impose sa loi. Au début de 1187, il attaque une caravane, s'empare des marchandises, massacre l'escorte et jette marchands et caravaniers dans les prisons de Kérak. Saladin somme Renaud de respecter la trêve, de rendre le butin et de libérer les captifs. Le refus de Renaud et la pusillanimité de Gui de Lusignan mettent le feu aux poudres. A la tête « d'une armée innombrable pareille à l'Océan »,

Saladin se dirige vers Tibériade et occupe la basse ville. La femme de Raymond est assiégée dans la citadelle. Ce dernier déconseille quand même au roi de partir en guerre : « Tibériade m'appartient et c'est ma femme qui est assiégée. J'aime mieux voir ma femme captive et ma ville prise que de voir toute la Terre sainte perdue. » Le parti de la guerre l'emporte. L'armée franque s'ébranle le 3 juillet. Le soir, elle fait halte pour passer la nuit sur la colline de Hittin à l'ouest de Tibériade. Pas une goutte d'eau sur la butte. Hommes et chevaux sont épuisés. Le lendemain, le vent soufflant de l'est, Saladin fait mettre le feu aux herbes sèches. Dans le carré des Francs, c'est l'enfer. Avec quelques proches, Raymond s'aménage une trouée. Les

lieutenants du sultan le reconnaissent et le laissent passer. Tout le reste de l'armée franque est décimé. Renaud de Châtillon et Gui de Lusignan sont amenés devant Saladin qui offre au roi une coupe d'eau fraîche. C'est une coutume arabe qu'un captif ait la vie sauve s'il boit ou mange avec un vainqueur. Quant à Renaud, il est exécuté sur place. Le désastre de Hittin laisse le pays chrétien sans défense. Saladin ne perd pas de temps. Saint-Jean-d'Acre (10 juillet), Saïda (29 juillet), Beyrouth (6 août), Ascalon (4 septembre) et, enfin, Jérusalem (29 septembre) tombent tour à tour. Il ne reste aux mains des Francs que Tripoli que Saladin épargne par amitié, Antioche et surtout... Tyr, qu'il néglige. Erreur qui va lui coûter cher et relancer les Croisades.

La confrérie des Capuchonnés bouleverse le midi de la France

Une curieuse confrérie se constitue au Puy, en Auvergne, celle des Capuchonnés. Chaque confrère porte un capuchon blanc avec des bandes pendant à l'avant et à l'arrière ; sur la poitrine, l'une d'elles est maintenue par une plaque d'étain représentant l'image de la Vierge portant l'Enfant. Pour entrer dans la confrérie, il faut se purifier par la confession, acquérir un capuchon et payer un droit d'entrée. Le confrère s'engage à mener une vie particulièrement austère : ne pas fréquenter les tavernes, n'avoir point de couteau, ne pas jurer... Il doit prêter serment de détruire les ennemis de la paix de Dieu. Or, des brigands particulièrement nombreux infestent les routes et les forêts du centre et du sud de la France. Ces bandes de routiers offrent parfois leurs services aux seigneurs les plus offrants. Ils s'emparent des paysans du pays, les attachent et les emmènent comme esclaves. « Ils couchaient avec les femmes en présence des maris. Ils faisaient encore plus de

mal en brûlant les monastères et les églises. » Au bout de quelques mois, la confrérie comporte 5 000 adhérents et fait tache d'huile dans d'autres régions méridionales. Contre les routiers, ils remportent des succès. Cette multitude de rustres a rêvé d'une société juste et sans clivage. Pour les plus humbles, combattre pour la paix de Dieu, c'est s'assurer le Paradis. Le 15 août 1183, au Puy, la fête bat son plein. Cette cité dont le culte est voué à la Vierge est remplie de pèlerins et de marchands. Ils ont pu venir de partout. Les routes sont sûres. C'est un triomphe pour les Capuchonnés. Près de l'évêque Pierre de Solignac, un charpentier un peu « simple » semble la vedette de la fête. Ce serait sur une vision de la Vierge que serait née l'idée de créer la confrérie. En fait, il a été le jouet d'un stratagème élaboré par un chanoine qui, voulant accroître le renom de l'église du Puy, aurait déguisé un jeune homme en Vierge et interprété publiquement la vision du charpentier. Quoi qu'il en soit, le sanctuaire est revivifié. Un an plus tard, les Capuchonnés sont anéantis. Luttant contre toute forme d'injustice et de cruauté, ils ont rencontré

de nouveaux ennemis : les seigneurs. Ceux-ci rançonnent, dépouillent et oppriment leurs sujets. Les Capuchonnés sont amenés petit à petit à s'en prendre à l'autorité des princes et au système féodal. Ils poussent le peuple à la révolte contre leurs supérieurs et à l'extermination des puissants... « Tous s'efforçaient de conquérir cette liberté qu'ils disaient tenir de leurs premiers parents, dès le jour de la création, ignorant que la servitude a été la peine du péché », écrit l'évêque d'Auxerre. Devant un tel danger, surtout dans l'Auxerrois, le Berry et le Bordelais, les seigneurs n'hésitent pas. C'est un renversement de situation : ils font appel aux routiers pour abattre les Capuchonnés. Frappée de toutes parts, la confrérie disparaît définitivement. Elle n'est pas sans rappeler celle des Patarins, apparue en Lombardie un siècle plus tôt pour lutter contre les abus du clergé. Ces élans de ferveur conduisirent les adeptes aux limites de l'orthodoxie. Leur idéal de fraternité, leur exigence de justice sociale, ébranlaient l'ordre établi. Tout le Moyen Age est parcouru de mouvements vite réprimés pour retrouver une foi purifiée.

La chapelle Saint-Michel d'Aiguilhe, Le Puy-en-Velay, construite à l'époque romaine. Fin Xᵉ-XIIᵉ siècle.

1191

Proche-Orient
Dans le cadre de la Croisade, les armées de Philippe Auguste et de Richard Cœur de Lion s'emparent de Chypre, puis de Saint-Jean d'Acre, sous les murs de laquelle le comte de Flandre, Philippe d'Alsace, trouve la mort. Ne cessant de se quereller avec Richard Cœur de Lion, Philippe Auguste abandonne la Croisade et regagne la France.

Italie
Fils de Frédéric Barberousse, auquel il a succédé en 1190, Henri VI se fait couronner empereur à Rome.

France
Béroul, trouvère anglo-normand, compose sur la légende de *Tristan et Iseult* un vaste poème en vers octosyllabiques.

1192

Proche-Orient
Après avoir vaincu Saladin à Arsuf en 1191, Richard Cœur de Lion s'empare de Jaffa, mais échoue en juillet devant Jérusalem.

Japon, 21 août
Minamoto-no-Yoritomo fonde le shogunat.

Proche-Orient, 2 septembre
Saladin et Richard Cœur de Lion concluent une trêve. →

Inde
Muhammad de Ghor s'empare de Delhi.

1193

France
Profitant de l'éloignement de Richard Cœur de Lion, Philippe Auguste s'empare des fiefs des Plantagenêt en France.

Empire germanique, mars
Jeté par la tempête sur les côtes de Dalmatie, Richard Cœur de Lion tente de traverser incognito les terres du duc d'Autriche. Reconnu et fait prisonnier, il est livré à l'empereur Henri VI (→ 4 février 1194).

Damas, 26 novembre
Mort de Saladin.

1194

Empire germanique, 4 février
Richard Cœur de Lion est libéré après avoir versé une forte rançon et s'être déclaré vassal de l'empereur.

France
Bataille de Fréteval : Richard Cœur de Lion écrase Philippe Auguste et reconquiert ses fiefs en France. La trêve de Verneuil met un terme provisoire au conflit.

Sicile
L'empereur Henri VI se fait proclamer roi de Sicile après la mort de Tancrède de Lecce et s'empare de ses Etats.

Chartres
L'ancienne cathédrale romane est incendiée. La reconstruction commence aussitôt sur les fondations de l'ancien édifice.

1195

Midi de la France
Le troubadour Bernart de Ventadour meurt.

Russie
Achèvement de la cathédrale Saint-Dimitri à Vladimir.

1197

Messine, 28 septembre
L'empereur Henri VI meurt de la malaria.

Inde
Le célèbre monastère de Nâlandâ, centre d'études bouddhiques, est détruit par les musulmans.

1198

France
Philippe Auguste est défait à Gisors : il perd Aire et Saint-Omer.

Rome, 8 janvier
Innocent III est élu pape et appelle à une nouvelle Croisade. →

Midi de la France
L'Eglise s'inquiète de l'audience et du rayonnement de la doctrine cathare et s'efforce de venir à bout des « hérétiques » par le prêche ou les voies ecclésiastiques normales (inquisition épiscopale).

Marrakech, 11 décembre
Mort du philosophe arabe Averroès (Ibn Rushd). →

France
Les Juifs sont autorisés à revenir dans le royaume.

Mort d'Averroès, maître de la philosophie musulmane

Marrakech, 11 décembre 1198
Ibn Rushd, l'Averroès des Latins, est né à Cordoue en 1126. Bien en cour auprès des califes almohades Abu Ya'cub Yusuf et Ya'cub al-Mansur, il connut une courte période de disgrâce (trois ans) lorsque ce dernier crut devoir s'appuyer sur les traditionnalistes pour mieux mobiliser l'Islam contre l'offensive de la Chrétienté en Espagne. De retour à Marrakech, dans un milieu moins chatouilleux sur les questions de doctrine, al-Mansur le rappela auprès de lui, en 1197, juste un an avant sa mort. En Occident, Averroès est surtout connu comme « le Grand Commentateur » d'Aristote, enseigné en tant que tel à la Sorbonne dès 1266 ; pour la même raison, Dante n'hésite pas à le situer dans les limbes, en compagnie d'autres savants et philosophes. Pour les Arabes et les musulmans, Ibn Rushd est beaucoup plus qu'un simple commentateur. Sa pensée demeure, avec celle d'Al-Farabi, une référence à laquelle nul ne peut échapper. Très schématiquement, on peut dire que pour lui Dieu fait partie de l'univers ; la science physique doit donc être en mesure d'en démontrer l'existence. Précepte audacieux s'il en fut !

Le philosophe Averroès en lettrine. Manuscrit italien enluminé, XIVe siècle. Bibliothèque Malatestiana, Cesena.

Yoritomo fonde le shôgunat à Kamakura

Japon, 21 août 1192
Le samouraï Minamoto-no-Yoritomo reçoit de l'empereur du Japon le titre de shôgun à titre héréditaire. Les shôguns sont les chefs des armées impériales. La cour est obligée de se soumettre au pouvoir militaire. Minamoto-no-Yoritomo déplace le siège du gouvernement à Kamakura, mais laisse à la cour du Tenno et à son administration à Kyôto un semblant de pouvoir impérial. Il concentre le véritable pouvoir dans sa nouvelle capitale. C'est le début d'une ère de dictature militaire, défendant non des intérêts nationaux mais les intérêts particuliers d'une caste guerrière dont les membres sont liés par l'amitié ou des liens de parenté.

Minamoto-no-Yoritomo. Bois. Epoque de Kamakura. XIIIe siècle.

Innocent III, le plus puissant des papes du Moyen Age. Fresque du couvent de Saint-Benoît ou Sacro Speco, Subiaco. XIIIe siècle.

Innocent III, un pape énergique à la tête de l'Eglise

Rome, 8 janvier 1198

Le comte Lotario de Segni accède au pontificat à la mort du pape Célestin III. Il prend après son élection le nom d'Innocent III. La papauté atteint sous la direction du nouveau pape l'apogée de sa puissance temporelle. Déjà ancrée profondément dans la pensée religieuse de l'époque, l'idée d'étendre la papauté au rang de puissance mondiale est concrétisée par Innocent III. Compte tenu des responsabilités et des obligations de Rome à l'égard de la Chrétienté occidentale, le pape est à même de rassembler sous son autorité l'ensemble de ces peuples unis par la même foi et décidés à la défendre. Innocent III cherche donc à étendre systématiquement la suze-

raineté papale. La première occasion lui est offerte dès 1198 par la Sicile dont l'impératrice, Constance, reconnaît sa suzeraineté. A la mort de celle-ci, le pape devient souverain de Sicile. La même année, il sera régent d'Allemagne, l'héritier légitime, le roi Frédéric II, étant encore mineur. Les rois d'Angleterre, d'Aragon, du Portugal, du Danemark, de Pologne, de Hongrie et de plusieurs autres territoires reconnaîtront également sa suzeraineté sur leurs Etats. Les pouvoirs du souverain du Saint Empire romain germanique passent progressivement aux mains du pape. La papauté devient, par sa seule autorité morale, tutrice d'un grand nombre d'Etats inféodés.

Enfin, Innocent III renforce sa primauté au sein même de l'Eglise : il intervient dans la nomination des évêques, réforme l'organisation cléricale et monacale ainsi que l'administration centrale de l'Eglise.

Echec de la IIIe Croisade

Palestine, 2 septembre 1192

Par la paix signée pour cinq ans entre Richard Cœur de Lion et Saladin, les Francs obtiennent la petite zone côtière de Tyr à Jaffa. L'intérieur, avec Jérusalem, reste aux mains de Saladin qui, fidèle à son image, accorde aux chrétiens la liberté de pèlerinage dans la Ville sainte et va jusqu'à inviter et accueillir lui-même évêques, barons et chevaliers. Mais Richard, lui, ne s'y trompe pas. Les Francs ne contrôlent plus un royaume, mais de simples établissements. De plus, il n'était pas venu pour être « invité » à se prosterner devant le Saint-Sépulcre. Le 9 septembre, il rembarque pour l'Europe. Pour lui, le compromis, recherché pourtant depuis plus d'un an, est une défaite. Dès le départ, cet échec de la IIIe Croisade était inscrit dans les faits. Non pas exclusivement en raison du génie de Saladin, mais également à cause des rivalités et des conflits qui opposaient entre eux ceux qui l'avaient

entreprise : le Capétien Philippe Auguste, le Plantagenêt Richard Cœur de Lion et l'empereur germanique Frédéric Barberousse. Parti le premier, Frédéric devait se noyer, le 10 juin 1190, dans un petit fleuve de Cilicie. Restaient Philippe et Richard. Bien qu'alliés pour la guerre sainte, ils se suspectaient et se surveillaient. Leurs querelles, mises de côté pendant la bataille de Saint-Jean-d'Acre, éclatèrent dès le lendemain de leur victoire et rien ne put retenir Philippe Auguste de rembarquer à Tyr, le 2 août 1191. Resté seul, et malgré une série de victoires, Richard en fut réduit à négocier, allant même jusqu'à envisager le mariage de sa sœur, la reine Jeanne de Sicile, avec le frère de Saladin, Al-Malik al-Adil ! Il fut finalement acculé à accepter les conditions de Saladin. En Europe, Philippe Auguste et Jean sans Terre avaient profité de son absence pour commencer à le dépouiller de son royaume !

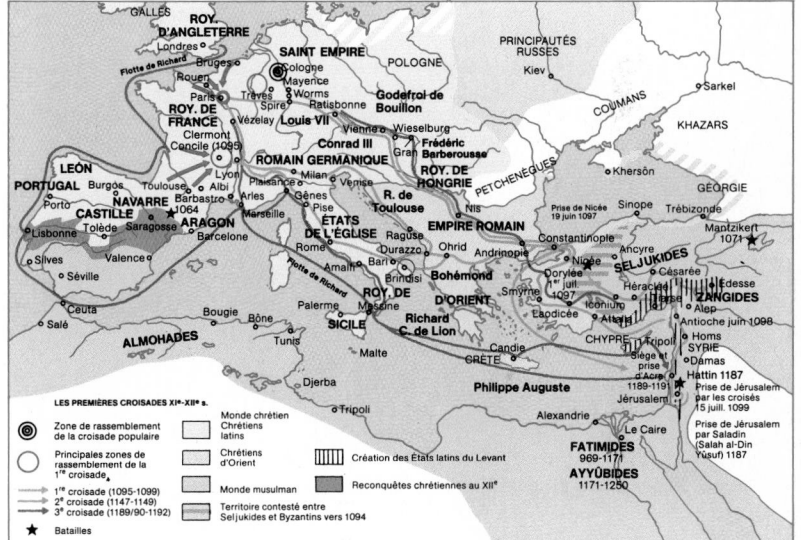

Mort de Richard Cœur de Lion

Châlus, 6 avril 1199

Si la vie du roi Richard a fait naître bien des légendes, c'est une légende qui causa sa mort. Le bruit qu'un trésor est découvert au château de Châlus en Limousin l'attire et l'oppose au vicomte de Limoges, son vassal. Pendant le siège du château, une flèche mortelle vient abattre le héros. Troisième fils d'Henri II et d'Aliénor d'Aquitaine, ce Plantagenêt, qui fut plus angevin qu'anglais, qui ne parlait pas la langue de ses sujets et qui ne passa même jamais une année entière dans son royaume d'Angleterre, était à la fois un troubadour habile et un bouillant chevalier. Représentant pour ses contemporains un idéal de bravoure, de force, de générosité et de hardiesse, il est le héros chevaleresque qui, comme dans les chansons de geste,

pourfend d'un coup d'épée un Sarrasin dans son armure. Allié à Philippe Auguste pour la IIIe Croisade, il prit Chypre et surtout Saint-Jean-d'Acre en 1191. Ses exploits portèrent ombrage au roi de France et Richard resta seul pour vaincre Saladin à Arsuf et conclure avec lui une trêve en 1192, après son échec devant Jérusalem. La rivalité et les complots de Philippe Auguste, allié contre lui à son frère Jean sans Terre, précipitèrent son retour. Naufragé en Dalmatie, il se déguisa pour traverser les terres d'un autre ennemi, le duc d'Autriche. Mais, pris et livré à l'empereur, il dut payer une énorme rançon pour être relâché. Il construisit le Château-Gaillard pour protéger la Normandie. Marié à Bérangère de Navarre, il meurt sans héritier et sera enterré à Fontevrault.

Le gisant de Richard Cœur de Lion (1157-1199), le type même du héros chevaleresque. Détail. Début du XIIIe siècle. Abbaye de Fontevrault.

1199

Châlus, Limousin, 6 avril
Mort de Richard Cœur de Lion. →

1200

Géorgie
Créateur de la langue géorgienne moderne, Schota Russthaveli compose *Le Chevalier à peau de panthère*, vaste poème épique.

Paris
L'Université échappe à la juridiction du prévôt de Paris par privilège royal.

Europe
Apparition du gouvernail d'étambot qui révolutionne la navigation.

Proche-Orient
Devenu sultan à la mort de son frère Saladin, Al-Malik al-Adil refait l'unité des possessions ayyûbides et y adjoint, par conquête, la Mésopotamie.

Amérique Centrale
Le « nouvel empire » maya entre dans une phase de déclin.

Amérique du Sud
Dans les Andes centrales, formation de l'Etat chimu. →

1201

Italie
Elu par le parti guelfe à la mort d'Henri VI, Otton IV de Brunswick est reconnu empereur germanique par le pape Innocent III.

Baltique
Fondation à l'embouchure de la Dvina de la cité de Riga par l'évêque de Livonie, Albert de Buxhövden.

1202

France
Les fiefs de Jean sans Terre relevant du royaume de France sont confisqués par le roi.

Asie centrale
Les Tatars sont écrasés par Gengis khan.

Dalmatie
Cédant aux pressions de Venise, qui refusait d'équiper leur flotte, les Croisés renoncent à se rendre en Egypte, et s'emparent de la ville dalmate de Zara. →

1203

Baléares
Les Almohades entreprennent la conquête de l'archipel.

France
Jean sans Terre capture Arthur de Bretagne et l'assassine. Ce forfait entraîne le soulèvement de la Bretagne et de l'Anjou.

1204

Normandie
Le duché est annexé par Philippe Auguste. →

Comté de Toulouse
Le pape Innocent III tente d'entraîner Philippe Auguste dans une croisade contre les Cathares, ou Albigeois. Saint Dominique, le légat du pape Pierre de Castelnau et Armand Amalric, abbé de Cîteaux, tentent de les convertir.

Constantinople, 23 juin
Les Croisés s'emparent de la ville et substituent à l'Empire byzantin un empire latin d'Orient, dont le premier empereur fut Baudouin Ier. →

Le Caire, 13 décembre
Mort du théologien, philosophe et médecin juif Maimonide. →

1205

France
La Touraine et l'Anjou sont conquis par Philippe Auguste.

Grèce
Le duché d'Athènes fondé par le Croisé Othon de La Roche.

Chine
Gengis khan atteint le fleuve Jaune.

1206

Espagne
Traité de Guadalajara entre la Castille, l'Aragon et la Navarre.

Comté de Toulouse
Saint Dominique à Prouille, en pays albigeois, fonde près de Toulouse un monastère de femmes.

Inde du Nord
Fondation à Delhi de la dynastie musulmane dite « des Esclaves » par Qutb ud-Dîn Aîbak, lieutenant de Muhammad de Ghor.

Les Chimú fondent le premier Etat andin

Pérou, vers 1200
La puissance du peuple des Chimú, sur la côte nord-ouest du Pérou, s'accroît. La capitale de l'empire de Chimú est Chan Chan, dans la vallée de Chicama : elle étend sur plusieurs kilomètres carrés ses dix quadrilatères, fortifiés par d'importants remparts. Les vastes cours intérieures des blocs abritent des pyramides destinées aux cultes, des cimetières et des réserves d'eau. Les plateaux andins étant très secs, l'eau et son stockage représentent un problème crucial pour toutes les communautés. Les matériaux utilisés pour la construction sont essentiellement l'argile, à partir de laquelle sont confectionnées des briques, et un mélange original, très résistant, composé d'argile, de sable, de graviers et de paille hachée, qui est coulé dans des coffrages. Les murs des maisons sont souvent décorés de reliefs. Les nombreuses villes qui sont apparues depuis l'an Mil sur la côte sont pour la plupart construites d'après un plan préalable : la ville de Cajamarca dispose de magasins centraux, creusés à même le sol de pierre, qui permettent de conserver les denrées à l'abri de la chaleur.

Couteau cérémoniel chimú. Vers 1200-1400. Or incrusté de turquoises.

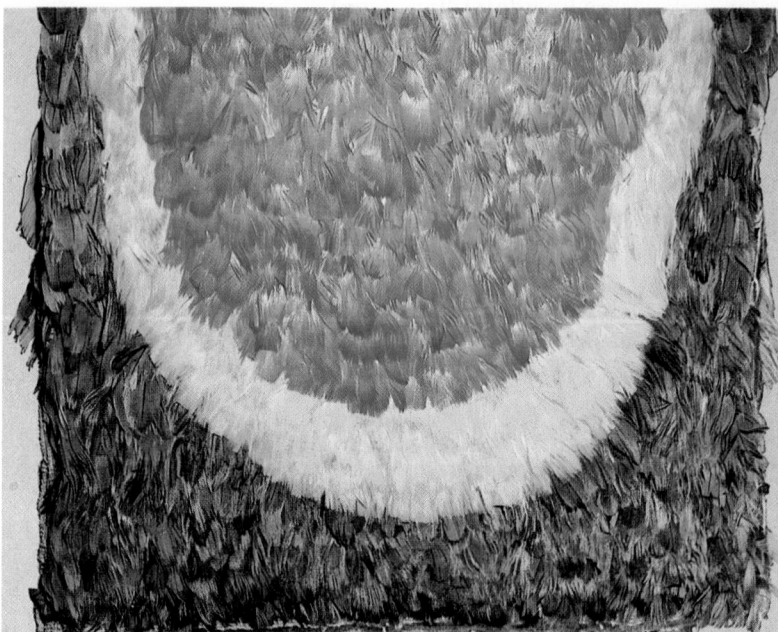

Tunique en étoffe de laine ornée de plumes de couleur. Culture Ica-Chincha, côte sud du Pérou. Vers 1000. Dumbarton Oaks Collection, Washington.

L'œuvre mathématique de Fibonacci

Italie, 1202
Leonardo Fibonacci, dit Léonard de Pise (vers 1175-après 1240), a vécu vingt ans à Bougie où son père, un marchand pisan, dirigeait un comptoir commercial en Afrique du Nord. C'est donc au contact des mathématiciens arabes qu'il acquiert des notions inconnues en Europe occidentale. De retour en Italie, il publie en 1202 le *Liber abbaci* (Livre de l'abaque) qui constitue un véritable traité d'arithmétique pratique destiné aux commerçants et artisans. On y trouve, en effet, des exposés relatifs aux opérations élémentaires sur les entiers et les fractions, mais aussi des méthodes de calcul des prix, des remises, des proportions et progressions. Esprit universel, Fibonacci met également au point une méthode de résolution des équations du second degré.

La châsse des Rois Mages. 1181-1230. Emaux champlevés. Œuvre de l'orfèvre mosan Nicolas de Verdun. Cathédrale de Cologne.

Les émaux de Nicolas de Verdun

Lorraine, vers 1205

L'orfèvre et émailleur mosan Nicolas de Verdun meurt vers 1205. Il est l'auteur de l'ambon du chœur de Klosterneuburg, près de Vienne en Autriche, ainsi que de la châsse des Rois Mages de la cathédrale de Cologne. Cette châsse était destinée à recevoir les ossements des rois mages, que le chancelier Rainald von Dassel avait fait ramener à Cologne en 1164. Commencée en 1181, l'œuvre de Nicolas de Verdun ne fut achevée qu'en 1230 : il en conçut les plans et réalisa lui-même les panneaux latéraux. L'ambon de Klosterneuburg est l'un des chefs-d'œuvre de l'orfèvrerie romane. Il fut achevé par Nicolas de Verdun en 1181 et se compose de cinquante et un panneaux rehaussés d'émaux, représentant des scènes de l'Ancien et du Nouveau Testament.

Jean sans Terre perd la Normandie

Château-Gaillard, 1204

A la fin de l'année 1204, la forteresse de Château-Gaillard, construite en 1196 par Richard Cœur de Lion pour défendre la Normandie, tombe sous l'assaut du roi de France Philippe Auguste : le roi d'Angleterre Jean sans Terre, cinquième fils de Henri II Plantagenêt et d'Aliénor d'Aquitaine, n'est désormais plus maître de cette province. Depuis longtemps déjà, les barons de Jean sans Terre étaient las des exactions de leur chef. Mais ce qui avait provoqué la colère du roi de France, c'est son remariage avec Isabelle d'Angoulême, promise à l'un d'entre eux, un Lusignan, qui avait demandé justice à Philippe Auguste. A la suite du procès, Jean sans Terre avait été condamné à la perte de tous ses fiefs français. Mais encore avait-il fallu les lui arracher de force. Philippe Auguste était déjà un guerrier : le voici aujourd'hui guerrier et justicier !

Les Croisés prennent Constantinople

Constantinople, 23 juin 1204

En route vers Jérusalem et l'Egypte, les Croisés de la IVᵉ Croisade s'emparent de Constantinople. Plus de deux mille Grecs sont massacrés lors de l'incendie et du pillage de la ville ; trésors artistiques et reliques sont envoyés vers Venise. La IVᵉ Croisade avait été appelée en 1198 par le pape Innocent III : plus de 30 000 Croisés étant attendus, un contrat de transport avait été conclu avec Venise pour 85 000 marcs d'argent. En 1201, seuls 10 000 Croisés avaient répondu à l'appel. Le contrat avec les Vénitiens ne pouvant être honoré,

Venise proposa, en échange d'un délai de paiement, que l'armée reprenne aux Hongrois la ville dalmate de Zara. Le marché fut conclu, malgré l'interdiction du pape. Zara prise, les Croisés rétablirent sur le trône de Constantinople Isaac II et son fils Alexis IV Ange, qui furent tués en janvier 1204, lors d'une révolte. Alexis V Murzuphle les remplace. C'est alors que les chefs des Croisés, Boniface de Montferrat, et le doge Enrico Dandolo décident de prendre Constantinople. Alexis V chassé, ils fondent l'empire latin d'Orient et placent Baudouin Iᵉʳ à sa tête.

Au-delà des jambes des quatre chevaux de la basilique Saint-Marc de Venise, la tour de l'horloge et le lion de Saint-Marc.

Mort de Maimonide, maître talmudiste

Le Caire, 13 décembre 1204

Celui qui vient de mourir a deux noms, l'un hébraïque (Rabbi Moshe ben Maimon) et l'autre arabe (Abu Imran ibn Ubayd Allah ibn Maymun al-Kutfuni). Né à Cordoue en 1135, d'une famille de lettrés établie de longue date en Espagne musulmane, il a treize ans lorsque, vers 1149, il doit quitter sa ville natale à cause de la politique pratiquée par la nouvelle dynastie almohade à l'encontre des minorités religieuses. Il séjourne une dizaine d'années à Fès. La controverse sur la conversion de sa famille à l'islam est sans objet. Dans sa fameuse *Lettre aux Juifs du Yémen*, écrite depuis Le Caire, il exhorte les Juifs à rester fidèles au Dieu d'Israël tout en ajoutant qu'une conversion forcée, si elle s'accompagne d'une fidélité secrète à Israël, ne saurait être un péché aux yeux de Dieu. Après un séjour en Palestine, on retrouve la famille au Caire à partir de 1166, où elle participe au commerce égypto-indien des pierres précieuses. L'affaire périclite à la suite d'un naufrage où son frère perd la vie. Maimonide s'adonne alors à la médecine et est bientôt médecin de la cour d'Al-Malik al-Afdal. Il est également investi de la fonction de chef et porte-parole de la communauté juive qui relève du calife, poste qui lui confère d'importants pouvoirs religieux et judiciaires. Dans son œuvre, Maimonide se révèle à la fois docteur de la Loi et philosophe. La tendance de l'époque étant à la codification, il compose, en langue hébraïque, sa *Répétition de la loi* où il résume systématiquement la Loi et le rituel juifs ; il divise l'ensemble en quatorze livres, chacun d'eux traitant d'un certain domaine. C'est dans le *Guide des*

égarés, écrit en arabe en 1190, qu'il fait œuvre de philosophe. Il l'écrit à l'intention des intellectuels juifs que leur culture scientifique et philosophique pourrait jeter dans la perplexité quant au sens et à la valeur de l'enseignement biblique et rabbinique concernant Dieu, l'origine du monde, la validité et la signification de la législation religieuse. Il commence par justifier le concept du prophète-législateur dont le modèle est Moïse. Son rationalisme n'en demeure pas moins fondamental et il n'hésite pas à minimiser l'eschatologie traditionnelle du judaïsme et enseigne la survie éternelle de l'âme seule et la spiritualité totale des sanctions dans l'au-delà. Son enseignement apparaîtra aux yeux de beaucoup, juifs et musulmans, comme trop hardi, voire hétérodoxe.

La « Mishne Torah » de Maimonide. Vers 1190. Codex enluminé. Bibliothèque nationale, Jérusalem.

1207

Méditerranée
Un traité de commerce est passé entre Venise et le calife de Damas.

1208

Rome, 24 mars
Jean sans Terre s'étant opposé au pape au sujet de la nomination de l'archevêque de Canterbury, Innocent III jette l'interdit sur le royaume d'Angleterre.

Asie centrale
Gengis Khân achève de conquérir le Turkestan.

Comté de Toulouse, 15 janvier
Pierre de Castelnau, moine de Cîteaux, chargé par le pape d'enquêter sur les cathares, est assassiné par un vassal de Raymond IV de Toulouse. Tenu par le pape Innocent III pour responsable de cet assassinat, Raymond IV est excommunié.

1209

Perse, 12 mars
Mort du poète persan Nizâmi. →

Toulouse, juin
Raimond de Toulouse fait pénitence.

Rome, été
Jean sans Terre est excommunié.

Italie
Formation de la première communauté franciscaine.

Béziers, 22 juillet
La croisade contre les Albigeois réclamée par Innocent III est conduite par Simon de Montfort, dont les troupes mettent à sac la ville de Béziers ; des milliers de personnes sont massacrées. →

Rome, octobre
Reconnu comme empereur après l'assassinat de son concurrent Philippe de Souabe, Otton IV est couronné par Innocent III.

Jérusalem
Les ermites du mont Carmel demandent à Albert, patriarche latin de Jérusalem, de leur rédiger une règle. La particularité de cette règle monastique, qui comprend seize chapitres, réside dans le fait qu'elle n'est pas l'œuvre du fondateur de l'ordre. Elle se présente comme une synthèse de la « Règle de saint Augustin » et des préceptes établis par saint Basile pour les moines orthodoxes.

1210

Rome, juin
Innocent III approuve la règle rédigée par François d'Assise.

Allemagne
Parzival, poème de Wolfram von Eschenbach.

Comté de Toulouse
Les Croisés s'emparent de Minerve le 7 juillet ; puis de Termes, le 23 novembre, après un siège de neuf mois.

France
L'université de Paris est reconnue par le pape Innocent III ; mais l'évêque de Paris interdit qu'y soit enseignée la métaphysique d'Aristote.

1211

Reims
La vieille cathédrale du Vᵉ siècle ayant été détruite par un incendie en 1210, l'archevêque Aubri de Humbert pose la première pierre d'un nouvel édifice, dont le plan d'ensemble est l'œuvre de Jean d'Orbais. Entre 1211 et 1228, celui-ci éleva le chœur, le transept et une importante partie de la nef, pour laquelle il conçut un type de fenêtre (comportant une rosace à six pétales soutenue par deux lancettes) qui se répandit dans toute l'Europe.

1212

Las Navas de Tolosa, 17 juillet
Défaite des musulmans. →

Saint Empire
Opposé comme empereur à Otton IV par le pape Innocent III, Frédéric II Hohenstaufen est couronné roi de Germanie.

1213

Angleterre, 15 mai
Après avoir été mis au ban de la chrétienté par le pape (en janvier), Jean sans Terre se soumet.

Muret, 12 septembre
Défaite du comte de Toulouse et de Pierre II d'Aragon, qui est tué. Menés par Simon de Montfort et son fils Amaury, les Croisés vont pouvoir mettre le siège devant Toulouse.

Proche-Orient
Mort de Villehardouin, chef de la IVᵉ Croisade et chroniqueur. →

L'islam s'impose dans le nord de l'Inde
Delhi, 1211-1236
A la mort de Qutb ud-dîn Aïbak, en 1210, Shams ud-dîn Iltutmish, un autre esclave de la garde, accède au sultanat de Delhi. Habile politique, il est reconnu par le calife de Bagdad. Bon stratège, il soumet le Bengale et étend son autorité sur toute l'Inde du Nord. Prenant le relais de son prédécesseur, qui avait commencé l'édification d'une mosquée, il l'agrandit et la flanque d'un gigantesque minaret, le fameux Qutb Minar, auprès duquel sera construit son tombeau. Il désigne sa fille Réziya pour lui succéder mais, bien qu'intelligente et courageuse, celle-ci sera assassinée après quatre ans de règne.

Le Qutb Minar à Delhi. Début XIIIᵉ siècle. Minaret.

Bataille décisive à Las Navas de Tolosa
Las Navas de Tolosa, 17 juillet 1212
C'est la bataille décisive de la longue lutte entre la chrétienté et l'islam pour la possession de la péninsule Ibérique. Elle se termine par la victoire totale d'une immense armée entièrement composée de chrétiens ibériques, aidés par d'importantes troupes de Croisés d'Europe occidentale et placés sous le commandement d'Alphonse VIII de Castille, sur une armée musulmane, aussi considérable, à la tête de laquelle se trouve Muhammad al-Nasîr, quatrième calife almohade. Appelée *al-'Ikab* par l'historiographie arabe, la bataille de Las Navas de Tolosa se situe dans le long processus de la Reconquête entreprise par les rois de Castille et d'Aragon, auxquels s'était joint le pape Innocent III, qui fit prêcher une Croisade promettant aux chrétiens l'absolution totale de leurs péchés. Du côté des musulmans, la situation s'était déjà considérablement détériorée depuis la mort de Ya'cub al-Mansûr (12 janvier 1199) et l'avènement de son fils Al-Nasîr, âgé alors de dix-sept ans, qui se révéla totalement incompétent. Il faut tout de même dire à sa décharge qu'il ne put survivre à la défaite. Peu après son retour à Marrakech, il se retira dans son palais pour y mourir, le 22 décembre 1213.

Villehardouin, le chroniqueur des Croisades
Constantinople, 1213
Geoffroi de Villehardouin, par ses fonctions de maréchal et par ses alliances avec de nombreuses familles seigneuriales de Champagne, inspire confiance aux grands du royaume de France ; on le charge d'arbitrages et de tâches administratives. Il suit son seigneur, le comte Thibaud de Champagne, lorsque celui-ci se croise, le 28 novembre 1199. Chargé, à la fin de l'année 1200, de régler la question du transport en Orient des troupes de la IVᵉ Croisade, il est le porte-parole des commissaires français auprès des Vénitiens. Il devient le conseiller du roi de Thessalonique et joue, en Orient, un rôle de premier plan : ambassadeur et négociateur, il est nommé maréchal de Romanie en 1204. Sur place, entre 1207 et 1213 - date de sa mort -, il compose les mémoires de *La Conquête de Constantinople*, relation chronologique précise du déroulement de la Croisade. Le chroniqueur établit son récit de manière à démontrer que l'entreprise religieuse, partie pour délivrer Jérusalem, a dû, sous la pression des Vénitiens, prendre Zara en Dalmatie pour le compte de ceux-ci. Le détournement de la Croisade sur Constantinople est justifié par les demandes de secours d'Alexis le Jeune, fils de l'empereur détrôné Isaac II.

Disparition d'un grand poète persan

Kum, 1209

Le poète Nizâmi fut sans conteste la plus grande figure de l'épopée romanesque persane. Il est surtout l'auteur de la célèbre *Khamsé*, un ensemble de cinq poèmes comprenant le *Trésor des mystères* d'inspiration mystique, *Khosraw et Shirin* où il raconte les amours du roi sassanide Khosrô II Parviz, *Laïla et Majnûn* où il reprend une vieille légende, *Les Sept princesses* où il rapporte les histoires merveilleuses racontées par sept favorites du roi Bahrâm V et enfin l'*Iskandar Nameh*, inspiré de la légende orientale d'Alexandre le Grand.

Scène de combat. Miniature persane. Vers 1430.

Scène de chasse. Miniature persane. Vers 1430.

Lion attaquant un âne. Miniature persane. Vers 1430.

30 000 "enfants" partent en Croisade

France, 1212

Superstitions, visions, miracles, prodiges, se multiplient, favorisés par le culte plus ou moins clandestin des reliques, dans l'atmosphère d'effervescence religieuse qui anime les esprits au début du XIIIe siècle. En 1212, Etienne, jeune berger des environs de Vendôme, voit Dieu sous la figure d'un pèlerin qui lui remet une lettre lui ordonnant d'aller délivrer le Saint-Sépulcre. Il parcourt le pays, appelle à la croisade, réalise des prodiges. D'autres « pastoureaux » se lèvent simultanément de plusieurs points du pays ; le mouvement, qui gagne aussi l'Allemagne, draine bientôt des milliers d'*infans*, au sens latin du terme, c'est-à-dire des êtres qui, socialement, n'ont pas la parole. Cadets sans ressources, paysans sans terre, autant de « marginaux » qui disent aller « vers Dieu » et sont soutenus par la foule qui voit en eux des âmes pures dignes de racheter les péchés des hommes. Tandis que Philippe Auguste ordonne le retour de ces gens dans leurs provinces, le pape Innocent III soutient la croisade. Aux « infans » se sont joints des prêtres, des gens du peuple, toutes sortes d'aventuriers et des bandes de femmes. Ils sont quelque trente mille à vouloir s'embarquer à Marseille derrière Etienne, le jeune prodige qui voyage comme un seigneur, sur une riche litière. Hughes Ferri et Guillaume de Porquerolles, armateurs marseillais, ont accepté de transporter les Croisés en Syrie « pour la gloire de Dieu ». Des sept vaisseaux dans lesquels ils s'entassent, deux disparaissent près des côtes de Sardaigne, vers l'île de San Pietro ; les autres sont conduits à Bougie, à Alexandrie, et les jeunes pèlerins sont vendus sur le marché aux esclaves. Certains sont libérés après un traité avec le sultan Al-Kâmil, mais nombre d'entre eux restent en esclavage à Alexandrie, tandis que ceux qui avaient tenté le voyage par voie de terre connaissent une fin plus misérable encore.

La Croisade contre les Albigeois

Muret, 12 septembre 1213

Désignés, depuis 1146, sous le vocable d'« Albigeois », les hérétiques combattus à Muret sont des adeptes de la doctrine cathare. Nombreux dans les diocèses de Rodez, Cahors, Agen, Albi et Narbonne, ils ont été déclarés hérétiques en 1184. Rome voit dans la doctrine cathare une résurgence du manichéisme et de la gnose, et une menace pour ses dogmes et ses institutions. Les textes de Manès, ou Manichaeus, répandus en Perse puis dans tout l'Orient depuis 240, prêchent une religion de salut universel. Les cathares reprennent les idées du dualisme fondamental de l'homme au sein duquel s'opposent les forces premières du Bien (Dieu, l'Eternité) et la dégradation de celles-ci, les forces du Mal (Satan, le désordre, le Néant). Le Mal règne en ce monde, mais la créature élue, le parfait prédestiné, peut accéder par l'ascèse à la vie purement spirituelle et à la transfiguration en corps glorieux après sa mort. L'hérésie est d'abord combattue par les prédications de Bernard de Clairvaux en 1145 et des expéditions militaires comme celle menée contre Lavaur, en 1181, par le cardinal-légat Henri d'Albano. A partir de 1206, l'évêque Diego d'Osma et son collaborateur, le saint chanoine Dominique de Caleruega, proposent, depuis l'Espagne, une prédication par l'exemple en milieu hérétique. Philippe Auguste est occupé à guerroyer au nord et à l'ouest contre les Anglais ; Rome demande alors l'appui de Raymond VI, comte de Toulouse. Mais, peu puissant hors de ses fiefs, il doit compter avec Roger Trencavel, vicomte de Béziers, Carcassonne et Albi. Les terres de ce dernier coupent celles du comte et sont le principal foyer de l'hérésie. En 1207, le refus de Raymond VI d'adhérer à une ligue contre les hérétiques lui vaut l'excommunication. Innocent III appelle alors tous les chrétiens à la lutte armée contre l'hérésie. C'est la première justification de la Croisade, assortie de promesses de récompenses en terres confisquées. Le 15 janvier 1208, le légat Pierre de Castelnau est assassiné près d'Arles par un écuyer présumé du comte de Toulouse. Le 10 mars, le pape lance un appel général à la croisade et canonise Pierre de Castelnau. Raymond VI se soumet, fait pénitence et se joint aux Croisés le 18 juin 1209. Le commandement suprême des troupes venues de toute l'Europe

Raymond VI, comte de Toulouse. Sceau de 1204. Archives nationales, Paris.

est confié à un petit seigneur d'Ile-de-France, habile et ambitieux, Simon de Montfort. Après la prise de Béziers le 22 juillet 1209 et la capitulation du jeune Raimond-Roger Trencavel dans Carcassonne le 15 août, les terres de Trencavel sont attribuées à Simon de Montfort qui les conquiert en deux ans. Des « statuts » sont promulgués le 1er décembre 1212 pour satisfaire les appétits de conquête des Croisés. Mais, si le roi de France y figure en bonne place, le roi Pierre II d'Aragon en est en revanche écarté. Vassal du Saint-Siège et vainqueur des musulmans à Las Navas de Tolosa, il obtient d'Innocent III qu'il réprimande Simon de Montfort pour les abus des Croisés. Mais ceux-ci influencent le pape et c'est la guerre. Pierre II est tué à la bataille de Muret, le 12 septembre 1213. A partir de là, le Languedoc bascule vers la France.

Frédéric II, nouveau roi de Germanie

Saint Empire, 1212

Le gibelin Frédéric II de Hohenstaufen, fils du défunt empereur Henri VI, rentre de Sicile en Allemagne, où il est couronné empereur à Francfort-sur-le-Main. Otton IV, l'empereur guelfe (welf), perd ses appuis et le pouvoir ; il doit s'exiler. Les gibelins réorganisent le pouvoir en Allemagne. Frédéric II ayant le soutien du pape, il lui assure en retour les mêmes garanties que celles accordées en 1209 par Otton IV. Tout d'abord protégé par le pape, Otton IV avait perdu cet appui en 1210, lorsqu'il s'était retourné vers les gibelins, hostiles à l'Etat de l'Eglise. La lutte entre guelfes et gibelins avait commencé après la mort soudaine de l'empereur Henri VI, en 1198, et la double élection royale qui l'avait suivie. Les guelfes bénéficiaient du soutien de l'Angleterre, les gibelins de celui du roi de France Philippe II Auguste. Le pape s'était prudemment tenu en dehors du conflit, l'utilisant à son profit pour étendre ses Etats, de même que les princes allemands, dont le pouvoir ne cesse de s'affirmer.

Simon de Montfort en tenue de chevalier. Aquarelle d'après un vitrail de la cathédrale de Chartres.

1214

France, 19 juin
Après avoir fait débarquer ses troupes à La Rochelle le 16 février et être entré à Angers le 17 juin, Jean sans Terre fait le siège de La Roche-aux-Moines.

Bouvines, 27 juillet
Victoire du roi de France sur les troupes coalisées de Jean sans Terre. →

Chinon, 18 septembre
Une trêve est conclue entre Philippe Auguste et Jean sans Terre.

Oxford
L'université reçoit ses premiers privilèges.

Saint Empire
Tristan et Iseult de Gottfried de Strasbourg.

Paris
L'enceinte fortifiée dont Philippe Auguste avait décidé en 1190 d'entourer la ville est achevée : large de 2 à 3 m, elle comporte soixante-sept tours et douze portes.

1215

Paris, avril
Robert de Courçon rédige les statuts de l'université.

Runnymead, 19 juin
Jean sans Terre promulgue la « Magna Charta ». →

Rome, 30 novembre
Quatrième concile du Latran. →

Chine
Gengis Khân prend Pékin. →

Comté de Toulouse
La Croisade contre les Albigeois a donné à Simon de Montfort l'occasion de se tailler un vaste domaine, pris sur ceux du vicomte de Béziers et du comte Raimond de Toulouse. En récompense des services rendus à la cause, le pape le confirme dans ses possessions.

Thessalonique
Mort d'Henri de Hainaut, frère de Baudouin IX, auquel il avait succédé à la tête de l'empire latin d'Orient. Le titre est porté ensuite par Pierre de Courtenay.

Adriatique
Le despote d'Epire, Théodore Ange, enlève Durazzo (Durrës) et Corfou aux Vénitiens. Théo-
dore agrandit ainsi le despotat d'Epire fondé en 1204 par Michel Ier Ange Commène, un prince byzantin, après la prise de Constantinople par les Croisés.

Comté de Toulouse
L'ordre des Frères prêcheurs est fondé par saint Dominique. Le concile du Latran venant d'interdire la création de nouveaux ordres monastiques, Dominique de Guzmán adopte la « Règle de saint Augustin ». La principale mission des dominicains sera la propagation du message chrétien, en particulier, par la prédication. Dès 1218, ils ouvrent un couvent à Paris, les Jacobins, sis rue Saint-Jacques.

1216

Rome
Succédant à Innocent III sur le trône de Saint-Pierre, Honorius III reprend l'idée, lancée par son prédécesseur, d'une cinquième Croisade, et approuve la règle de l'ordre des prêcheurs (dominicains). Il donne son aval à l'expérience des béguinages.

Midi de la France, 1216
Echec des Croisés au siège de Beaucaire.

Newark, Angleterre, 19 octobre
Jean sans Terre meurt. La dynastie des Plantagenêt est en péril. Après l'échec de ses prétentions en France, Jean a dû se replier sur l'Angleterre, où les barons révoltés s'apprêtaient à faire appel au fils de Philippe Auguste, Louis de France. Le destin de la dynastie repose désormais entre les mains d'Henri III, le jeune fils de Jean sans Terre.

1217

Europe centrale
Une sévère famine touche les régions d'Europe centrale et orientale.

Toulouse
Raymond VII de Toulouse, fils de Raymond VI, reprend la possession de la cité de son père.

Alexandrie, 29 novembre
Mort du voyageur et géographe Abû al-Husayn ibn Jobayr. Né à Valence en 1145, secrétaire des souverains almohades, il fit plusieurs fois le pèlerinage de La Mecque et a laissé une *Relation* de ses voyages qui est l'une des plus précieuses sources d'information sur le monde musulman de son époque.

Intransigeance au concile du Latran

Rome, 1215
Le IVe concile du Latran, convoqué à Rome par le pape Innocent III, établit après trois sessions (11, 20 et 30 novembre 1215) la position de l'Eglise à l'égard des Juifs et des hérétiques (→ 1143). Déjà, dans sa lettre d'invitation, le pape Innocent III avait fixé les objectifs du concile : « Les vices doivent être déracinés, les mœurs réformées, les hérétiques exterminés, des règles bénéfiques doivent être instituées pour le haut et le bas clergé. » Le document final du concile, composé de soixante-dix « chapitres », fixe la volonté du pape et des membres du concile, auquel ont participé huit cents évêques, plusieurs rois ainsi que des représentants des Etats chrétiens d'Orient. Voici l'essentiel de leurs déclarations : la transsubstantiation du pain et du vin en chair et sang du Christ lors de la Cène est posée en dogme. Les propagateurs d'idées ou d'enseignements subversifs sont déclarés hérétiques : leur persécution n'incombe pas seulement à l'Inquisition religieuse, mais aussi aux souverains séculiers. La séparation entre Juifs et chrétiens est accrue et renforcée : interdiction de sortir durant la Semaine sainte, port obligatoire d'un habit particulier pour les Juifs. Chaque chrétien doit se confesser et communier une fois dans l'année. Afin d'assurer le salut des âmes, aucun diocèse ne doit rester plus de trois mois sans évêque. Les évêques doivent s'assurer des services de prédicateurs et de confesseurs instruits ; ils doivent faire en sorte que des sermons puissent être tenus dans la langue maternelle des fidèles afin d'être compris de tous. Une dernière décision appelle à la constitution d'une croisade vers l'Egypte, dont le départ est fixé au 1er juin 1217.

Les Juifs en enfer. Miniature de l'« Hortus deliciarium » (Jardin des délices) de Herrade de Landesberg. Vers 1175-1180. (Copie : B.N., Paris.)

Jean sans Terre, roi d'Angleterre, octroie la "Magna Charta"

Angleterre, 15-19 juin 1215
Le roi d'Angleterre Jean sans Terre est contraint au compromis dans sa lutte contre les barons anglais : il leur octroie la *Magna Charta Libertatum*, qui garantit en soixante et un articles leurs privilèges féodaux. Présentée formellement comme un privilège royal, la *Magna Charta* est de fait un traité de paix entre le roi et la noblesse d'Angleterre, conclu après les longues et difficiles négociations de Runymede, dans le Surrey. Il y est convenu entre autres : d'un contrôle de la juridiction royale, d'une normalisation des décisions de justice (chaque individu libre ne peut être poursuivi arbitrairement, il ne peut être jugé que par ses pairs et selon le droit coutumier), de l'établissement d'un contrôle du pouvoir royal par un collège de vingt-cinq barons, du droit à la justice des groupes non féodaux, paysans et marchands ; du maintien des statuts de liberté des villes, en particulier de Londres. La position du roi, qui doit céder à ses barons, a été affaiblie par les revers qu'il a subis dans sa politique extérieure. Notamment, à l'occasion du conflit qui avait opposé Jean sans Terre à Innocent III, le pape lui avait, en 1213, infligé un affront en le contraignant à reconnaître sa suzeraineté sur l'Angleterre. Après la perte de la Bretagne et de l'Anjou, puis celle de la Normandie en 1204 et de la Touraine en 1205, la bataille de Bouvines (→ 27.7.1214), victoire de Philippe II Auguste de France, acheva de faire perdre à Jean sans Terre ce qu'il lui restait en France au nord de la Loire : il ne conservait plus que la Gascogne et l'Aquitaine.

Gengis Khân, l'unificateur des tribus mongoles, siégeant en compagnie de ses conseillers. Miniature. Bibliothèque nationale, Paris.

Gengis Khân s'empare de Pékin

Chine, 1215

L'irrésistible poussée des tribus mongoles unifiées par Gengis Khân se poursuit en Asie. Ses hordes viennent de s'emparer de Pékin. L'aventure du guerrier prodigieux et organisateur sans pareil qu'est Temudjin, le « puissant khân », avait commencé par la réunification de l'Empire mongol en 1188, déchiré par de multiples révoltes. Après avoir soumis les Naïmans vers la fin du siècle, il avait exterminé les Tatars, puis les Keraïts et atteint le fleuve Jaune en 1206. L'Empire mongol réunifié, Temudjin, issu d'une famille princière nomade, est élu khan par les princes mongols ; il est reconnu « empereur universel » par les Turcs. Le Turkestan est soumis en 1208, ainsi que le Royaume tangoute des Xixia, au nord du Tibet. Gengis Khân s'allie ensuite aux Ouigours contre les Kara Kitay. La progression mongole reprend en Chine en 1211 : ils soumettent le royaume Jin, le Che-li, le Shânxi, le Shan-dong. Puis, après avoir pris Zongdhu (Pékin), les troupes mongoles franchissent vers le sud le Huan-ho. Le nom de Mongols a été attribué aux tribus turco-mongoles unifiées par Gengis Khân, ainsi qu'à tous les peuples soumis, en particulier les Tatars d'Asie centrale. La force de l'armée mongole réside dans la puissance et l'adresse de ses cavaliers : ses expéditions sont sanglantes ; elles s'accompagnent du massacre et de la déportation des peuples soumis et de l'incorporation forcée des hommes dans l'armée mongole.

Ife, capitale du Royaume yoruba

Niger, vers 1214-1217

Le peuple africain des Yorubas est implanté au sud-ouest du Niger. Sa capitale est Ife, où règne l'Oni, roi-prêtre divinisé. Le mythe yoruba fait d'Ife le centre du monde et le lieu d'origine de l'homme. L'empire des Yorubas comprend plusieurs royaumes, tous soumis à l'Oni. Les tombeaux princiers sont ornés de figurines en terre cuite, réalisées à Ife et représentant le roi et ses hauts dignitaires. Les offrandes funéraires doivent assurer aux morts la poursuite d'une vie dans l'au-delà. Outre la terre cuite, les artisans d'Ife maîtrisent à la perfection le travail du bronze fondu à la cire perdue, illustré par un ensemble de têtes d'une surprenante sérénité.

Tête en terre cuite. Ifé. XIIe-XIIIe siècle. Museum für Völkerkunde, Berlin.

Bouvines, une victoire déterminante pour le royaume de France

Bouvines, 27 juillet 1214

C'est au jugement de Dieu qu'en appellent, en ce chaud dimanche de juillet, le roi Philippe Auguste et l'empereur Otton IV de Brunswig. La guerre ordinaire, qui chaque année recommence au printemps, n'a débouché sur aucune paix. La bataille, événement exceptionnel, substitut royal du duel judiciaire, doit montrer quel est le camp protégé par Dieu. Près de la route de Valenciennes à Lille, sur l'ancienne voie romaine de Lens à Tournai, le pont de Bouvines est le seul lieu de passage sur un plateau émergeant d'une vaste zone de marais et de forêts. Le roi Philippe l'a franchi, le 26 juillet, après trois jours de marche depuis Péronne ; il s'est établi dans Tournai, pensant prendre à revers l'ennemi qui, à Valenciennes, attend des renforts. Mais Otton, prévenu, se retranche dans Mortagne, au milieu des marais de la Scarpe et de l'Escaut. Sûr que Philippe va tomber dans le piège, il partage déjà le Royaume franc et les biens de l'Eglise. Son oncle Jean sans Terre combat dans le même temps le fils du roi Philippe, Louis, sur ses terres d'Aquitaine. Mais le 2 juillet, à La Roche-aux-Moines, sa déroute est totale. Otton ne peut plus compter sur des forces venues du sud-ouest. Il a avec lui le duc de Brabant, son beau-père Guillaume Longue-Epée, comte de Salisbury, demi-frère de Jean sans Terre ; le fils du roi de Portugal, Ferrand, comte de Flandre ; enfin le comte de Boulogne, Renaud de Dammartin, traître à son ami d'enfance et compagnon d'armes, Philippe Auguste. Avec d'autres chevaliers picards et flamands et les « Brabançons » des communes flamandes, l'armée des coalisés est supérieure en nombre et en force à l'armée franque. Celle-ci a à sa tête un homme de cinquante ans, leur roi, guerrier avisé et ami du peuple. Il se fait dans cette guerre le défenseur du pape avec qui il s'est

réconcilié tandis que son ennemi a été excommunié en 1210 et 1211. Avec lui, les hommes de son lignage, dont la plupart sont aussi âgés que lui : ses cousins germains, Robert, comte de Dreux et Pierre de Courtenay, comte d'Auxerre ; le duc Eudes de Bourgogne, les comtes, les hommes de son palais et dix-sept « Communes » qui, avec des fédérations de communautés villageoises, fournissent un effectif de cinq à six mille fantassins. Les chevaliers sont au nombre de treize cents et les sergents à cheval autant. L'évêque de Beauvais Philippe est là, ainsi que frère Guérin, désigné pour être évêque de Senlis. Conseil pris, le roi Philippe juge plus sage, le matin du 27, de se replier en bon ordre sur Lille, sans tenter sa chance plus avant. Mais Guérin découvre, du haut d'un tertre, l'armée ennemie qui s'avance, prête à combattre. Nul n'aurait pensé livrer bataille un dimanche, jour du Seigneur. Mais Otton est l'ennemi du pape et l'allié des Anglais. Surpris d'abord par la manœuvre des Français qui se sont arrêtés près du pont de Bouvines, Otton déploie son armée ; bientôt, celle de Philippe lui fait front. De midi au coucher du soleil, les charges furieuses se succèdent mais Otton s'est déjà enfui lorsque sont poursuivis et massacrés les sept cents Brabançons, seuls résistants de l'armée des coalisés. L'enthousiasme des Français est celui d'une nation qui vient de se découvrir telle, unie autour de son prince.

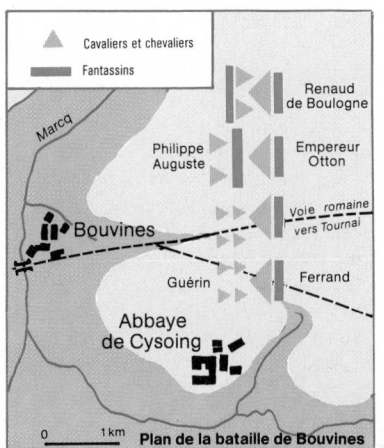

Plan de la bataille de Bouvines

« La Communion du chevalier ». Revers du portail de la façade occidentale, cathédrale de Reims.

1218

Toulouse, 25 juin
Simon de Montfort est tué lors du siège de Toulouse, ville qu'il tentait de reprendre à Raimond VII.

Asie
Kachgar et le bassin du Tarim, occupés par Gengis Khân tandis que la Corée se reconnaît sa vassale.

1220

Saint Empire
Frédéric II est élu empereur.

Asie centrale
Les Mongols prennent Bactres et Nichâpûr.

Asie du Sud-Est
Formation du premier royaume thaï de Sukhôthai.

1221

Bologne
Mort de saint Dominique.

Egypte
Echec de la Ve Croisade sur le chemin du Caire. Après avoir conquis Damiette, les Croisés doivent restituer la ville pour pouvoir se rembarquer.

Padoue
Fondation de l'université par l'empereur Frédéric II.

1224

Italie
Le *Cantique du frère Soleil*, ou *Cantique des créatures* de François d'Assise, est un des premiers grands poèmes de la langue italienne. →

Chine
Mort du peintre Ma Yuan. →

1225

France
Louis VIII constitue des apanages pour ses fils puînés : Robert reçoit l'Artois, Charles l'Anjou et le Maine, Alphonse le Poitou et l'Auvergne.

Inde du Nord
Les attaques mongoles sont repoussées par Iltutmish, sultan de Delhi.

1226

France
Intervenant dans la lutte contre les Albigeois, le roi Louis VIII s'empare d'Avignon et conquiert le comté de Toulouse.

Assise, 3 octobre
François d'Assise meurt à l'ermitage de la Portiuncule. →

France, 8 novembre
Louis IX succède à Louis VIII. Le roi étant mineur, la reine Blanche de Castille assure la régence du royaume.

1227

Japon
Après un voyage en Chine, le moine japonais Dôgen introduit au Japon le bouddhisme zen.

Rome, 19 mars
A la mort d'Honorius III, Grégoire IX est élu pape.

1228

Espagne
Jacques Ier d'Aragon entreprend la *Reconquista* des Baléares.

Ifrikiya
S'étant rendu indépendant des Almohades, Abû Zakariya Yahyâ fonde la dynastie des Hafsides et fait de Tunis sa capitale.

Mont-Saint-Michel
Achèvement de la *Merveille* du Mont-Saint-Michel. Commencée en 1203, elle s'élève sur trois niveaux : en bas le cellier et l'aumônerie, ensuite la salle des Hôtes et la salle des Chevaliers, en haut le réfectoire et le cloître, d'une grâce extrême.

1229

Proche-Orient, 18 mars
Ayant pris la tête d'une VIe Croisade qu'il mène en diplomate et non en guerrier, Frédéric II signe avec le sultan Al-Malïk al-Kâmil le traité de Jaffa et se fait couronner roi de Jérusalem. A son retour en Italie en 1230, il trouve une partie de l'Italie soulevée contre lui à l'instigation du pape, auquel il finit par imposer la paix de San Germano. →

Ma Yuan. Sur un sentier de montagne au printemps. Encre sur soie. Début XIIIe siècle.

Ma Yuan : méditation zen et peinture
Chine, 1224
Le peintre paysagiste Ma Yuan vient de mourir : il avait soixante-quatorze ans. Cofondateur de l'école paysagiste Ma-Xia, ses œuvres sont imprégnées du courant spirituel du bouddhisme zen. Apparu en Chine au VIe siècle, le zen s'implanta au Japon au XIIe siècle. Ce courant spirituel se fonde sur la tradition du yoga indien. Ses disciples essaient, par la méditation et une discipline morale, de parvenir à l'illumination. L'initiation directe par un maître est préférable à l'étude des textes sacrés. Chaun porte en lui Bouddha : il est donc possible d'éveiller l'esprit qui repose en menant une vie droite et en pratiquant l'abandon spirituel intérieur. Les paysages stylisés et les calligraphies complexes, tels ceux réalisés par Ma Yuan, peuvent servir de base à cette méditation.

Les pèlerinages de Compostelle

Espagne, 1230
Depuis le voyage de l'évêque du Puy, en 950, le corps de l'apôtre Jacques le Majeur ne cesse d'attirer la vénération des foules venant de tous les points de la chrétienté. Au pied du monte Pedroso, l'église primitive de la seconde moitié du IXe siècle, détruite par les Maures en 907, a été remplacée par une cathédrale qui, commencée en 1082, est sans cesse embellie. Le *camino francés*, la route de Paris, part d'Aix-la-Chapelle, traverse Paris, Tours, Poitiers et Bordeaux ; celle de Bourgogne passe par Vézelay, Limoges, Bazas ; la route d'Auvergne emprunte le col de Roncevaux après avoir traversé Clermont, Conques, Moissac, celle du Midi passe par le Somport après Arles, Saint-Gilles, Toulouse. Les guides recensent hostelleries, abbayes et églises où les voyageurs de la Pénitence peuvent recevoir les soins des chanoines et des religieux ou accomplir leurs dévotions. Ces routes, très fréquentées, convenablement entretenues, qui relient la Castille à toute l'Europe, constituent un réseau d'une importance primordiale pour la circulation des biens, des personnes et des idées. Elles sont jalonnées de sanctuaires nés de la foi des bâtisseurs, aussi bien pour abriter de saintes reliques que pour réconforter les pèlerins sur le chemin parfois périlleux où les entraîne la quête de leur salut.

Majesté de Sainte Foy. Statue reliquaire (la tête en or est un réemploi du Bas-Empire). Bois, or, argent et pierres dures. IXe-Xe siècle.

L'état du royaume à la mort du roi Philippe Auguste

Mantes, 14 juillet 1223

Né en 1165, le roi Philippe Auguste meurt après quarante-trois ans de règne. La Normandie, le Maine, l'Anjou, la Saintonge, le nord du Poitou, la Touraine ont été, par lui, enlevés aux Plantagenêts et la victoire de Bouvines sur la coalition impériale a concentré autour du roi un véritable sentiment national. L'institution généralisée des baillis donne au royaume une réelle administration judiciaire. L'Eglise est protégée contre les féodaux, en contrepartie de quoi le roi a la haute main sur les évêques et les abbés aussi bien que sur les seigneurs. Tous les barons sont soumis aux obligations féodales et relèvent désormais de l'autorité royale. Les affranchissements, les privilèges accordés aux communes font du peuple et des bourgeois les alliés du roi. Philippe Auguste a rendu le pouvoir royal maître d'un royaume qu'il a placé au premier rang en Europe.

Le message de François d'Assise, frère des pauvres

Italie, 3 octobre 1226

En approuvant la règle définitive de l'ordre des Frères mineurs regroupés autour de François d'Assise, le pape Honorius III consacre la dynamique missionnaire et mystique des humbles compagnons de « dame Pauvreté ». Depuis ce 24 février 1209 où, dans l'église Saint-Damien d'Assise, le crucifix s'est adressé à François, celui-ci a compris le sens des visions et de l'agitation spirituelle qui, depuis quelques années, bouleversent sa jeunesse tumultueuse adonnée aux plaisirs. « François, va et répare ma maison qui tombe en ruine », dit le Christ. Nouvel apôtre, le fils du marchand Bernadone se dénude sur la place publique, baise le lépreux à la bouche, jette au vent l'argent de ses biens refusé par un prêtre. Ni le scandale qu'il cause, ni la malédiction paternelle n'arrêtent son élan sacré. Il abandonne sa cité, la famille aisée dans laquelle il est né en 1182, et mène une vie errante, prêchant la Bonne Nouvelle de la Rédemption. Des compagnons se joignent bientôt à lui, jeunes nobles, bourgeois ou prêtres d'Assise qui, à son exemple, distribuent leurs biens et deviennent « Frères mineurs », moins que rien, humbles parmi les humbles. Ils parcourent les campagnes, au service des affligés, glorifiant Dieu dans ses créatures, souvent poursuivis et persécutés. François parle aux animaux et ceux-ci l'écoutent. Ravi en extase, il reçoit aux mains, aux pieds et au côté les stigmates de la crucifixion. Par humilité, il les dissimule, préférant être blâmé

que loué. Par ses larmes constantes, il aggrave une cruelle maladie des yeux ; son *Cantique au Soleil* célèbre celui qui embrase le monde dans un amour universel. Les miracles se multiplient jusqu'en Espagne d'où est parti, dans le même temps et animé du même esprit de pauvreté, Dominique de Guzmán, dont l'ordre des Prêcheurs est approuvé par Honorius III en 1216. Cette année-là, les petits

frères de François sont douze et vont à Rome demander au pape son approbation. Ce faisant, ils devront situer dans les structures de la chrétienté, en plein bouleversement religieux, politique et social, un mouvement d'abord uniquement mystique et prophétique. Après avoir créé de nouvelles missions d'Angleterre en Orient, François meurt près d'Assise le 3 octobre 1226.

Saint François prêchant aux oiseaux. Scène de prédelle. Peinture de Giotto. Vers 1300. Musée du Louvre, Paris.

La secte secrète des Hashâshîn

Moyen-Orient, XIIe-XIIIe siècles
L'histoire de la secte des Hashâshîn (ou « Assassins ») n'est généralement connue que par les relations qu'en ont données leurs adversaires, ou bien par les assassinats que leurs adeptes ont perpétrés. Cette histoire est liée à celle des shi'ites isma'iliens qui, désespérés par la crise morale qui frappe, à cette époque, le monde de l'islam et révoltés par ce qu'ils considèrent comme la trahison, en Egypte, du shi'isme fatimide, en arrivent à ne plus rien espérer et se sentent trahis de toutes parts. Or, selon l'islam, toute considération religieuse met automatiquement en cause la légitimité du pouvoir politique. Convaincus de l'illégitimité de tous les pouvoirs existants, sunnites comme shi'ites, il ne reste plus aux shi'ites isma'iliens qu'à recourir à la guerre. Ne pouvant pas livrer bataille en rase campagne, leur chef, Hasan ibn al-Sâbbâh, imagine une tactique d'occupation des forteresses ou des châteaux isolés. Parallèlement, il systématise l'assassinat politique. Les historiens de l'islam classique avancent que le nom qui leur a été donné d'*hashâshîns* renvoie au fait que ceux qui étaient désignés pour perpétrer le « crime » se dopaient au haschisch avant de passer à l'action. Cette image du *fida'i* (qui fait don de sa vie) est courante, sans être pour autant concluante. La double attaque des Mongols, en Perse, et du sultan mamelouk d'Egypte Baybars, en Syrie, mit fin au pouvoir des Assassins qui, après avoir perturbé l'islam pendant deux siècles, disparaissent vers 1270.

La VIe Croisade s'achève sur un accord

Jérusalem, 18 mars 1229

C'est un étrange Croisé qui se fait couronner roi de Jérusalem le 18 mars 1229 ! Il s'agit pourtant d'un des princes les plus en vue d'Occident, l'empereur germanique Frédéric II. Après un départ simulé en 1227, qui lui avait valu d'être excommunié, il s'était résolu l'année suivante à marcher sur Jérusalem. Mais ce prince humaniste chercha plus à séduire qu'à combattre ; du moins parvint-il à négocier à Jaffa avec le sultan Al-Malik al-Kâmil un accord en vertu duquel les Lieux saints de Jérusalem, Bethléem et Nazareth étaient rattachés au royaume franc de Jérusalem. On se scandalisa grandement en Occident de cet accord conclu avec des infidèles.

(Légende de la carte)

ROY D'ANGLETERRE
SAINT-EMPIRE
Bruges
Calais
Boulogne
FLANDRE
Bouvines 1214
Tournai
PONTHIEU
ARTOIS
HAINAUT
Amiens
Eu
Boves
Gernesey
Rouen
Gisors 1180
VERMANDOIS
Laon
Jersey
Bayeux
Cht-Gaillard 1204
Courcelles 1198
Reims
Verdun
NORMANDIE
Évreux
Le Goulet 1200
Paris
Chalons
Mortain
Chartres
Cte DE CHAMPAGNE
DUCHÉ DE BRETAGNE
Rennes
MAINE
Fréteval 1194
Sens
Langres
ANJOU
Orléans
Blois
Châtillon-S/Seine
Angers
Tours
Gien
Dché DE
La Roche-aux-Moines 1214
Azay-le-Rideau 1189
Bourges
Nevers
Dijon
Cte DE
Chinon
Châteauroux 1167
BOURGOGNE
BOURGOGNE
POITOU
St-Pierre-le-Moûtier
MARCHE
Bourbon
La Rochelle
Limoges
Riom
Gremont
Lyon
Angoulême
Châlus 1199
TERRE D'AUVERGNE
Bordeaux
PÉRIGORD
Tournon
Valence
Cahors
Agen
Cte DE
Nîmes
Avignon
Albi
Montpellier
Arles
DUCHÉ DE GUYENNE
Cté D'ARMAGNAC
Toulouse 1218
Muret 1213
TOULOUSE
Poziers 1209
Marseille
Bayonne
Foix
Carcassonne
Narbonne
BÉARN
Montségur
NAVARRE
CASTILLE
ARAGON
ROUSSILLON

☐ Le domaine royal en 1180
☐ Le domaine royal en 1223
☐ Fiefs mouvants de la couronne
☐ Seigneuries ecclésiastiques
☐ Terres sous l'autorité directe d'Henri II Plantagenêt 1154-1189
☐ Dépendances du Roi d'Angleterre à la fin du règne de Philippe Auguste 1223
★ Batailles
▲ Traités

1231

Italie, 13 juin
Mort d'Antoine de Padoue, prédicateur de l'ordre des Franciscains, à Arcella, près de Padoue.

Chine
Le He-Nan est conquis par les Mongols.

Suisse
Le canton de Uri se proclame indépendant.

1232

Rome
Grégoire IX institue l'Inquisition. →

1233

Irak, juin
Mort d'Abû al-Hasan ibn al-Athir, l'un des plus grands chroniqueurs arabes.

1234

Chine
Prise de Kai-feng par les Mongols et destruction de l'empire Jin.

1235

Le Caire
Mort du poète sûfi Ibn al-Farid, surtout célèbre pour son *Hymne au vin*.

Maghreb
Fondation du royaume berbère des Abdelwadides à Tlemcen.

Constantinople
Grecs et Bulgares commencent le siège de la ville.

1237

Russie
Les Mongols atteignent la Volga.

Italie, 27 novembre
Victoire de Frédéric II à Cortenuova sur l'union des cités lombardes, ce qui lui vaut une nouvelle excommunication.

Chine
Les Mongols sont arrêtés sur le Yang-Tsé.

1238

Grenade
Muhammad al-Ghalib Billah, fondateur de la dynastie nasride, élit Grenade comme siège du gouvernement et commence la construction de l'Alhambra. →

Espagne
Jacques Ier d'Aragon reprend Valence aux Arabes.

1239

Proche-Orient
Une Croisade dite des Barons, menée dix ans après celle de Frédéric II, obtient des sultans de Damas et d'Egypte la restitution d'une partie du royaume de Jérusalem (la Galilée et Ascalon), complétant ainsi l'œuvre de l'empereur.

Russie
Après avoir soumis les Bulgares en 1237, les Mongols prennent Vladimir, Iaroslav, Rostov. Novgorod demeure indépendante.

1240

Ukraine
Kiev prise par les Mongols.

Suisse
Alliance des Cantons forestiers.

Damas, 26 novembre
Mort du philosophe et mystique musulman Ibn Arabi. →

Chartres
Cent cinquante six fenêtres de la cathédrale ont reçu à cette date leur vitraux. Sont en voie d'achèvement les sculptures du porche sud consacrées à l'église du Christ, aux apôtres, aux saints et aux martyrs.

Inde du Nord
Nouvelles incursions mongoles.

Rome
Frédéric II interdit le concile convoqué par Grégoire IX. Le pape offre la couronne impériale à Robert d'Artois, frère du roi de France.

1241

Europe centrale, avril
Les Mongols prennent Cracovie et Breslau, écrasent les Allemands à Liegnitz (Legnica) et lancent un raid sur Vienne. →

Italie, mai
Frédéric II empêche la réunion du concile qui devait le condamner, en faisant arrêter en pleine mer les cardinaux qui s'y rendaient, et met le siège devant Rome. →

Le pape Grégoire IX instaure l'Inquisition

Rome, 1232
Cette fois, le pape Grégoire IX utilise les grands moyens contre l'hérésie. L'Inquisition n'est pas une nouveauté. Innocent III l'a mise sur pied voici plus de trente ans. En bon juriste, il avait établi une procédure particulière pour juger et dépister les hérétiques ; récemment encore, le comte de Toulouse Raimond VII et les plus grands seigneurs de la France avaient été contraints par la papauté d'en user sur leurs propres domaines. L'Inquisition était déjà un tribunal extraordinaire. Elle devient avec Grégoire IX une juridiction encore plus extraordinaire par sa composition. Les évêques sont désormais déchargés de la poursuite de l'hérésie. Les nouveaux inquisiteurs se recrutent exclusivement dans l'or-

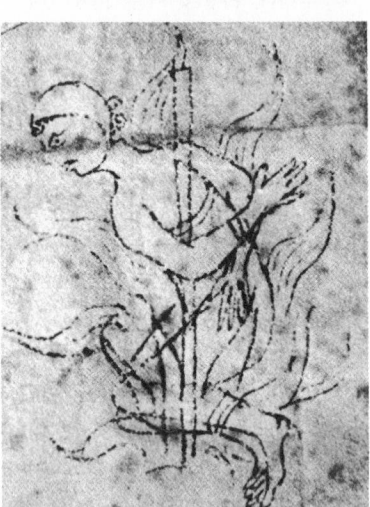

Supplice d'un hérétique livré aux flammes. Dessin (du pape Innocent III ?) se trouvant au revers de la Bulle condamnant les hérétiques.

dre des Dominicains. Ils acquièrent là le privilège d'une tâche impopulaire, et qui n'est pas sans risque pour eux-mêmes. Les inquisiteurs procèdent en quatre étapes. Tout d'abord, dès qu'ils arrivent dans une ville ou un village a lieu une prédication publique. Leur zèle, leur éloquence enflammée et parfois terrible trouvent là leur juste emploi. Après avoir ainsi impressionné les populations, ils leur accordent un « temps de grâce » ; cela veut dire qu'ils laissent aux apostats et aux hérétiques de toutes sortes un délai pour avouer publiquement, qui une inclination au catharisme, qui une propension au valdéisme. Les membres de diverses sectes sont ainsi invités à se démasquer spontanément. S'ils le font, le pardon leur est assuré. Mais une fois le délai de repentir expiré, les dominicains inquisiteurs passent à un interrogatoire systématique de la population. Ils recherchent les suspects. Le plus grand secret couvre cette démarche. Les dénonciateurs peuvent garder l'anonymat s'ils le désirent, et ils n'auront jamais à déposer publiquement. Les suspects sont ensuite passés à la « question », interrogatoire qui peut s'accompagner de torture. Enfin, après avoir délibéré avec les notables du pays et l'évêque du lieu, les dominicains prononcent des sentences au cours d'un sermon public. Les peines sont variables : la mort, la réclusion à perpétuité, la prison temporaire qui s'accompagnent de la confiscation des biens des condamnés. Les dominicains infligent aussi des pénitences collectives : jeûnes, pèlerinages. Les inquisiteurs ne se déplacent pas avec une armée. Ils demandent sur place l'appui des pouvoirs temporels. Le pape a fait savoir qu'il exercerait un pouvoir de contrôle sur les sentences.

Deux auteurs pour le "Roman de la Rose"

Paris, 1236-1273
Guillaume de Lorris entreprend, vers 1236, un élégant poème de quatre mille octosyllabes. Le *Roman de la Rose*, « où l'art d'amour est toute enclose » s'inspire d'Ovide et de son *Art d'aimer*. Par le biais du songe, des personnages allégoriques et des symboles géométriques, le poète, raffiné et courtois, présente des leçons de stratégie amoureuse, un code de la courtoisie et une cosmologie. Dans un verger paradisiaque et carré, semblable au cloître monastique et à l'image qu'on a de l'univers, évoluent des figures qui représentent les qualités courtoises. Le poète doit se soumettre aux lois d'Amour et se dévouer à la seule quête de la Rose : la Dame par excellence. Pourquoi Jean de Meung a-t-il, quarante ans après, ajouté une longue continuation de dix-huit mille vers ? Il n'a pas vraiment donné une suite, mais repris le même schéma narratif que son prédécesseur, avec les mêmes personnages. Le continuateur substitue au carré fermé du cloître et du monde le jardin circulaire représentant un monde perçu dans son éternité ; il fait de Raison, puis de Nature tour à tour introduites, des personnages prépondérants. En réalité, l'amour courtois l'intéresse assez peu : il affiche une misogynie qui se veut exemplaire, alors que Guillaume de Lorris se faisait le champion de la « Joie » courtoise, épanouie dans la contemplation harmonieuse et quasi religieuse de la femme. Le roman de Jean de Meung expose, en même temps qu'une vision nouvelle de l'univers, la somme du savoir scientifique et philosophique de la deuxième moitié du XIIIe siècle.

Le "Livre des gemmes de la sagesse" d'Ibn Arabî

Damas, 1232-1233

C'est l'ouvrage le plus important d'Ibn Arabî (né à Murcie en 1165). Il a été rédigé en 1232-1233, huit ans avant sa mort. Le grand maître du sûfisme y expose, à la lumière de sa doctrine (un monisme ontologique) la vie et l'histoire de vingt-huit prophètes, d'Adam à Muhammad. L'œuvre est difficile d'accès, car le langage utilisé représente la forme la plus achevée du vocabulaire gnostique. Ibn Arabî apparaît comme le pivot de la pensée métaphysique en Islam. Pour Ibn Taymiyya, le maître de l'islam intégriste, « chaque mot des *Gemmes* est une hérésie ».

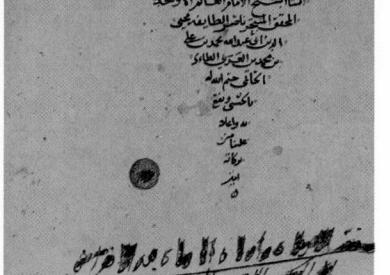

Page d'un manuscrit du « Traité de la majesté » d'Ibn Arabî. XVIe siècle.

Fondation de la dynastie des Nasrides

Grenade, 1238

Moins d'un quart de siècle après la défaite des Almohades devant les chrétiens à Las Navas de Tolosa (→ 1217), les Arabes perdent Cordoue en 1236. C'est alors que, pour remplacer les Almohades en déconfiture, Muhammad al-Ghalib Billah s'empare de Grenade (1238) et y fonde la dynastie des Nasrides, qui allait régner jusqu'en 1492 et être la dernière dynastie arabe de l'Espagne. Dès l'occupation de la ville, Muhammad al-Ghalib y aménage, sur l'emplacement d'une ancienne et petite forteresse, un palais fortifié qui deviendra une véritable « ville de gouvernement ». Il accepte de devenir le vassal tributaire du roi de Castille et de son successeur Alphonse X, mais en réalité son jeu consiste à rechercher un équilibre précaire entre les chrétiens et les Marînides du Maroc. Pendant deux siècles et demi, le royaume de Grenade va, en dépit d'amputations successives, être le seul territoire de la péninsule Ibérique à être soumis à des princes musulmans. Bordé par la Méditerranée, de Gibraltar jusqu'à Almeria, ce royaume ne dépassera pas les massifs montagneux de la sierra de Ronda et de la sierra d'Elvira.

Frédéric II de Hohenstaufen. Buste colossal en pierre provenant de Canossa. XIIIe siècle.

Conflit aigu entre le pape et Frédéric II

Italie, 1241

La guerre que se livrent l'empereur germanique Frédéric II de Hohenstaufen et les papes connaît un nouvel épisode aigu. En effet, la querelle entre l'empereur gibelin et la papauté avait commencé peu après le couronnement de celui-ci par Honorius III (→ 1212). D'emblée, Frédéric II (il avait alors dix-huit ans) s'accommoda mal de la puissance grandissante des papes. D'abord excommunié par Grégoire IX après son départ simulé pour la Ve Croisade, en 1227, puis déposé l'année suivante alors qu'il était en Palestine, Frédéric II dut, à son retour, reconquérir la Sicile envahie par le pape. En 1236, il conduisit une première campagne contre la ligue lombarde, qui avait soutenu son rival Henri VII, détrôné un an auparavant. La seconde campagne s'acheva sur l'échec de Brescia, après la victoire de Cortenuova. Le mariage, en 1238, de son fils naturel Enzio avec Adelasia, héritière du trône de Sardaigne, royaume placé sous la suzeraineté du pape, allait envenimer la situation : Grégoire IX organisa une coalition de Gênes et de Venise contre lui et prononça une nouvelle excommunication. Puis, il s'allia à Milan et à Plaisance. Ayant échoué devant Milan, Frédéric II envahit une première fois les Etats pontificaux, mais il est arrêté devant Brescia en 1240. En 1241, ses armées se trouvent cette fois aux portes de Rome ; il fait prisonniers les pères qui se rendaient au Concile où il devait être condamné et en empêche ainsi la tenue, ce qui provoque la révolte des archevêques de Mayence et de Cologne. La mort de Grégoire IX et l'élection de Célestin IV, puis d'Innocent IV, permettront de résoudre le conflit.

Le Castel del Monte. Puissant château octogonal construit dans les Pouilles par Frédéric II de Hohenstaufen vers 1240.

La Horde d'or envahit l'Europe orientale

Europe orientale, 1241

A l'annonce de la mort de son chef Ogöday, en 1241, l'armée mongole lève le siège devant Vienne : l'Europe de l'Est est totalement dévastée. Dès 1223, une première vague mongole avait écrasé les Russes sur la Kalka. La mort de Gengis khan, le 18 août 1227, les arrêta temporairement. En 1235, un *kuriltay*, une assemblée des chefs de tribus, à Karakorum, décidait de reprendre la conquête sous la direction de Batû khan. Les troupes mongoles formèrent, sur les rives de la Volga, la Horde d'or. Au printemps 1237, les Bulgares de la Kama étaient écrasés. Le Mongol Süböday s'empara de Riazan, le 21 décembre 1237 : toute la population fut massacrée. Les principautés russes succombèrent les unes après les autres. En février 1238, Batû khan saccagea Moscou. Et, le 4 mars 1238, les dernières troupes russes étaient décimées sur la rivière Sita. Les inondations obligèrent alors les Mongols à obliquer vers le Sud, épargnant ainsi Novgorod. En 1240, ils détruisaient Kiev. Au printemps suivant, ce fut au tour des Allemands et des Polonais d'être brisés à la bataille de Liegnitz, tandis que les Hongrois étaient vaincus sur le Sayo.

Cavalier mongol tirant à l'arc. La force de l'armée mongole tenait dans ses hordes de cavaliers aguerris et rapides au combat. Peinture chinoise. XVe siècle. Musée du Palais. Formose. Les peuples d'Occident restaient impuissants face à une technique militaire qui reposait sur une parfaite coordination entre les groupes mobiles de cavaliers.

1242

Lac Peïpous, 5 avril
Victoire d'Alexandre Nevski sur
les Chevaliers teutoniques. →

France
Se portant au devant d'Henri III
d'Angleterre venu soutenir une
révolte féodale dans le Sud-Ouest,
Louis IX remporte les victoires de
Taillebourg et de Saintes.

Paris
Le Talmud est brûlé en place de
Grève ; en 1233, déjà, avaient eu
lieu des autodafés de livres juifs
à Montpellier et Paris.

Balkans
Raid mongol en Croatie.

1243

Russie
Le conquérant mongol Batû
Khân fonde Saray, capitale de la
Horde d'or ; les princes russes
doivent se soumettre au khân.

Rome
Innocent IV est élu pape.

1244

Montségur, 16 mars
Deux jours après la prise de la
forteresse, dernier bastion des
Albigeois, on continue de brûler
les hérétiques. →

Maghreb
Séville, Ceuta, Tlemcen et
Meknès reconnaissent la suzeraineté de Yahyâ Ier, souverain haf-
side, sur Tunis.

Angleterre
Révolte des barons anglais qui
revendiquent le droit de nommer
le Chancelier et le Justicier.

Rome
Fondation de l'université.

Jérusalem, 23 août
Les Turcs khârezmiens s'emparent de la Ville sainte. →

1245

Paris
Dominicain de formation, Albert
le Grand enseigne la théologie à
l'université de Paris ; parmi ses
élèves, Thomas d'Aquin.

Lyon, 17 juillet
Le XIIIe concile œcuménique
condamne et destitue Frédéric II.

1246

Empire germanique, 5 août
Bataille de Nidda : Conrad IV, fils
de Frédéric II, est vaincu par le
landgrave de Thuringe, Henri
Raspe, que les prélats rhénans
avaient élu roi le 22 mai.

Achaïe, Grèce
A la mort de Geoffroi II, Guillaume de Villehardouin lui succède à la tête de la principauté.

Karakorum, Empire mongol
Séjour à la cour mongole de Jean
du Plan Carpin, franciscain italien
envoyé par Innocent IV pour tenter de réaliser un accord avec le
khaghân Güyük. De ce voyage, du
Plan Carpin a rapporté une *Histoire
des Mongols appelés par nous Tartares.*

1247

Empire germanique, 3 octobre
A la mort d'Henri Raspe, le
comte Guillaume de Hollande
est élu « anti-roi » par les princes
rhénans de l'Eglise.

Sienne
Fondation de l'université.

Rome
Le pape Innocent IV réfute dans
une bulle les accusations de
meurtres rituels portées à l'encontre des Juifs.

Proche-Orient
Les Turcs khârezmiens reprennent Tibériade et Ascalon.

1248

Paris, 25 avril
La Sainte-Chapelle est consacrée. →

France, juin
Louis IX part en croisade. →

Séville
La ville est reprise par les Castillans.

1249

Egypte
Après s'être rendu à Chypre,
Louis IX débarque en Egypte et
prend Damiette.

Italie
Après avoir subi un échec devant
Parme et perdu la Romagne et
Spolète, Frédéric II, usé et las, se
retire en Sicile.

*Stavkirke d'Heddal Telemark, Norvège. Milieu du XIIIe siècle. La nef est
celle d'un édifice plus ancien, du milieu du XIIe siècle.*

L'essor des "stavekirker" en Norvège

Norvège, XIIIe siècle
La conversion de la Scandinavie au
christianisme avait suscité, dès le
XIe siècle, le développement d'une
architecture religieuse originale :
les *stavekirker* ou églises en bois
dressé. Elles se caractérisent par la
composition pyramidante de leurs
toitures superposées, aux pignons
ornés de têtes de dragons, qui font
penser à des navires de Vikings
posés les uns sur les autres.
Construites en bois brut et de
façon relativement rudimentaire,
nombre d'entre elles présentent
une décoration originale : les façades et le portail sont ornés d'entrelacs et d'animaux traités avec
souplesse et raffinement, dans un
style zoomorphe étroitement apparenté à l'art traditionnel viking.
Ce style était apparu en Norvège
occidentale entre 1050 et 1150. Au
XIIIe siècle, sur ce schéma de base
viendront se greffer des éléments
de plus en plus influencés par l'art
roman carolingien, lombard et
anglo-saxon.

Fin du royaume chré-
tien de Jérusalem

Jérusalem, 23 août 1244
Les Turcs khârezmiens s'emparent
de la Ville sainte. C'est la fin du
royaume chrétien de Jérusalem, dont
les dernières possessions avaient été
acquises pacifiquement par l'empereur germanique Frédéric II de Hohenstaufen grâce au traité qu'il avait
signé à Jaffa avec le sultan d'Egypte
Al-Malik al-Kâmil, lequel lui avait
concédé, outre les Lieux saints de
Jérusalem, Bethléem et Nazareth.
Bien qu'à la suite de cet accord Frédéric II eût été couronné roi de Jérusalem, il n'exerça jamais sa souveraineté sur la Ville sainte. Quatre ans
avant la prise de Jérusalem, les Etats
chrétiens de Palestine s'étaient vu
augmentés de la Galilée, cédée par
Ismaïl, sultan de Damas, et du port
d'Ascalon, cédé par Aiyûb, sultan
d'Egypte. Affaiblis par leurs luttes
intestines, les Etats chrétiens devaient disparaître en 1291 après la
prise d'Acre par les Turcs. Il y aura,
nominalement, jusqu'à cette date,
des rois de Jérusalem (le premier
souverain chrétien à porter ce titre
avait été, en 1099, Godefroi de Bouillon). La Terre sainte reviendra alors
totalement aux mains des musulmans.

Le départ en croisade de saint Louis

Aigues-Mortes, juin 1248
Le roi Louis IX vient de partir pour la VIIe Croisade. En réalité, cela fait maintenant quatre ans qu'on en parle, et c'est au cours de sa maladie, en 1244, que ce souverain, sage et pieux de réputation, avait résolu de « prendre la croix », selon l'expression consacrée. Mais il aura fallu tout ce temps pour s'y préparer. L'opération est en effet de grande envergure : les Croisés qui viennent d'embarquer à Aigues-Mortes mettent le cap sur l'Egypte. Ce pays est alors le plus grand foyer de la puissance et de la religion musulmanes. L'Egypte est maîtresse des Lieux saints, depuis que ses mercenaires, les Khârezmiens, ont repris Jérusalem et que le Royaume latin a été écrasé en 1244, à la bataille de Gaza. L'enjeu, religieux et politique, est donc tout à fait considérable. En 1245, le concile réuni à Lyon avait approuvé le projet du roi.

Un joyau au cœur de Paris : la Sainte Chapelle

Paris, 25 avril 1248
Le roi Louis IX demande en 1241 à Pierre de Montreuil de construire une chapelle au flanc même de son palais de la Cité. Commencée en janvier 1246, l'église est consacrée le 25 avril 1248. Ce chef-d'œuvre de légèreté gothique, est éclairé de quinze verrières illustrant la Bible et d'une rosace représentant l'Apocalypse. Destinée à abriter de précieuses reliques (la Couronne d'épines et un fragment de la vraie croix), l'édifice comprend une chapelle basse ouverte au public, et une partie haute communiquant avec les appartements royaux. Le roi est ainsi en contact permanent avec les reliques, tandis que s'établit entre Dieu et lui une relation privée et privilégiée.

La Sainte Chapelle à Paris. 1246-1248. Construite par Pierre de Montreuil pour saint Louis.

La Vierge de Vladimir (type « Vierge de tendresse »). Icône. Début XIIIe siècle. Galerie Tretiakov, Moscou.

Alexandre Nevski triomphe des chevaliers Teutoniques

Lac Peïpous, 5 avril 1242
Le choc décisif entre les Russes de Novgorod et les chevaliers Teutoniques a lieu sur les glaces du lac Peïpous (ou Tchoudsk), en Livonie. Les chevaliers allemands y ont rassemblé toutes leurs forces. Le plan de bataille envisagé par le prince de Novgorod, Alexandre Nevski, consiste à faire supporter l'essentiel de l'attaque allemande par les premiers rangs russes, puis soudainement, en plein affrontement, de lancer les *droujina*, les troupes d'élite, à l'assaut des flancs de l'adversaire. La bataille se déroule sur une journée toute entière. Les Teutoniques sont écrasés par les Russes qui se sont battus comme des lions, rapportent les chroniqueurs. Cette apothéose de l'armée russe est un désastre pour les chevaliers Teutoniques. Les conséquences de cette « victoire de la glace » sont, en effet, considérables : les Allemands doivent abandonner toutes les terres russes dont ils s'étaient emparé ; la victoire d'Alexandre Nevski arrête à jamais l'offensive germanique vers l'est ; seules, les tribus baltes et slaves de l'Elbe restent soumises à la domination des Allemands. La Russie est sauvée, la principauté de Novgorod demeure russe et échappe à l'influence de l'Occident catholique romain. Pourtant, en 1223, le père d'Alexandre Nevski avait tenté d'inaugurer une politique de paix en signant un traité avec les chevaliers Teutoniques. Cela n'avait pas duré : pendant l'été 1240, les Suédois, catholiques, avaient entrepris, sous le commandement de Birger et à l'initiative du pape Grégoire IX, une véritable croisade contre Novgorod l'Orthodoxe. Alexandre Nevski les avait mis en fuite, après en avoir triomphé, le 5 juin 1240, lors d'une bataille acharnée sur les bords de la Néva, d'où son surnom de Nevski. La même année, les Porte-Glaives de Livonie, un des deux ordres militaires et religieux - avec celui des chevaliers Teutoniques créé par les féodaux allemands -, s'étaient emparés d'Izborsk et de Pskov grâce aux traîtrises de certains boyards (féodaux russes). Et tandis que des chevaliers venus de l'ouest de l'Europe renforçaient les rangs de l'ordre livonien, les Lituaniens, sous la direction de Mindvog, en avaient profiter pour s'en prendre aux Russes. Entre-temps, en juin 1240, Alexandre Nevski avait été congédié par le *viétché*, le Conseil du peuple, une de ces péripéties si fréquentes dans un système républicain comme l'était celui de Novgorod. Mais, face aux périls, une délégation menée par l'archevêque de Novgorod était allé chercher le prince dans sa retraite, à Béréiaslav-Zalessky, et l'avait ramené avec eux pour qu'il organise la lutte contre l'envahisseur allemand. Ainsi, grâce au talent militaire d'Alexandre Nevski, Pskov est reprise dès le printemps 1242 ; la contre-offensive russe commence.

Prise de Montségur, bastion des cathares

Montségur, mars 1244
La forteresse de Montségur a capitulé. C'était le dernier foyer de résistance de l'hérésie cathare. La croisade contre les Albigeois, menée à bien jusque-là, ne pouvait cependant pas être considérée comme achevée avant la reddition de ce bastion de Montségur, qui se dresse en Ariège à quelque douze cents mètres d'altitude. L'expédition punitive contre ce fort avait été décidée à la suite du meurtre en Avignonnais du légat Pierre de Castelnau. Les cathares, en effet, pour manifester leur rébellion à l'égard des incursions de l'Inquisition, avaient eux-mêmes fomenté cet assassinat. C'était un défi contre le pape et contre le pouvoir royal. Le siège a duré six mois. Il ne faut pas se tromper sur ce terme de « siège ». La base du pic de Montségur est d'une telle étendue qu'il n'était pas possible de l'encercler par une ligne d'investissement continue ; de sorte que, çà et là, les assiégés pouvaient sans difficulté dépêcher des émissaires dans toute la région. Cependant, les assaillants ayant réussi à hisser sur une butte voisine une baliste pour bombarder l'intérieur du fort, les cathares furent finalement contraints à se rendre, après six mois de résistance acharnée. Plus de deux cents Albigeois, ainsi que leurs principaux chefs, ont été faits prisonniers ; mais ayant refusé d'abjurer l'hérésie, ils furent brûlés vifs au pied des murailles, dans un champ que les gens de ce pays appellent désormais le « Prat de cramats ».

Amour, poésie et chevalerie

Si le chevalier est parfois un soudard brutal, se ruinant et ruinant les siens en tournois et en guerres, la cour du seigneur voit naître, vers 1100, un idéal de raffinement qui se démarque de la féodalité. Les Croisés rapportent d'Orient le goût d'une civilisation moins fruste. Le chevalier « courtois » compose des textes qui, soit en langue d'oïl, soit en langue d'oc, célèbrent la « prouesse », l'« honneur », la « noblesse » des anciens guerriers. Entre 1071 et 1181, des nobles comme Guillaume IX, duc d'Aquitaine, des jongleurs comme Jaufré Rudel ou Pierre Marcabrun, des clercs comme Chrétien de Troyes glorifient la Dame unique, objet de quête, suzeraine idéale et vénérée. En 1235, Guillaume de Lorris, avec son *Roman de la Rose*, porte à l'extrême le raffinement des règles de l'« amour courtois ».

Le poète Walther von der Vogelweide. Miniature du XIVe siècle.

Miniature du « Livre des Minnesänger » de Manesse. XIVe siècle. Bibliothèque, Heidelberg.

1250

Egypte, 5-13 février
Bataille de Mansûrah : saint Louis est fait prisonnier. →

Le Caire
L'assassinat du dernier calife ayyûbide d'Egypte inaugure la prise de pouvoir par les mamelouks, fondateurs d'une nouvelle dynastie.

Chateau de Fiorentino, Pouilles, 13 décembre
Mort de Frédéric II de Hohenstaufen.

Europe
On compte environ onze cents couvents franciscains en Occident.

Paris
Constitution du Parlement.

Italie du Nord
Apparition des *capi di popolo*, (capitaines du peuple), dans les villes insurgées contre les féodaux.

Paris
Les travaux de la tour nord de Notre-Dame venant de se terminer, ceux de la tour sud étant achevés depuis 1240, la cathédrale présente désormais une façade complète.

1251

Gênes
Un bateau, le *Paradisus Magnus*, est capable de transporter deux cents passagers et près de deux cent cinquante tonnes de marchandises de Gênes à Tunis.

Midi et centre de la France
Sous prétexte d'aller délivrer saint Louis, de jeunes paysans en révolte s'organisent en bandes : ils s'en prennent aux biens des nobles, du clergé et des Juifs. Pourchassés et taillés en pièces, ils disparaissent au bout d'une année.

1252

Paris
Mort de Blanche de Castille.

Bruges
Fondation d'un comptoir de la Hanse.

Rome
Le pape Innocent IV autorise l'Inquisition à recourir à la torture.

Paris
Les maîtres séculiers de l'université entament leur lutte contre les ordres mendiants.

Florence
Frappe du premier florin d'or, monnaie qui sera adoptée dans toute l'Europe.

Japon
Installation du « Grand Bouddha » en bronze de Kamakura.

1253

Assise, 20 mai
Consécration par Innocent IV de l'Eglise inférieure d'Assise. La première pierre avait été posée le 17 juillet 1228 par Grégoire IX.

Empire mongol et France
Guillaume van Rubrœk est envoyé par Louis IX auprès du grand khan de Mongolie, Möngke, pour conclure une alliance contre les musulmans.

Chine
Le Hunan (Yunnan) est conquis par les Mongols.

Pampelune
Mort de Thibaud IV de Champagne, roi de Navarre, mécène des trouvères et lui-même auteur de poèmes qui lui valurent d'être considéré comme un des premiers poètes de France.

1254

France
Après un séjour de quatre ans en Syrie, saint Louis est de retour en France. Il ordonne une grande enquête sur la gestion des baillis. Une ordonnance royale réglemente la prostitution, en obligeant les intéressées à exercer leur commerce dans des maisons closes.

1255

France
Le dominicain Jacques de Voragine rédige *La Légende dorée*, recueil de vies de saints destiné à l'édification morale.

1256

Perse
Hûlagû fonde la dynastie mongole de Perse.

1257

Paris
Robert de Sorbon fonde un collège pour théologiens.

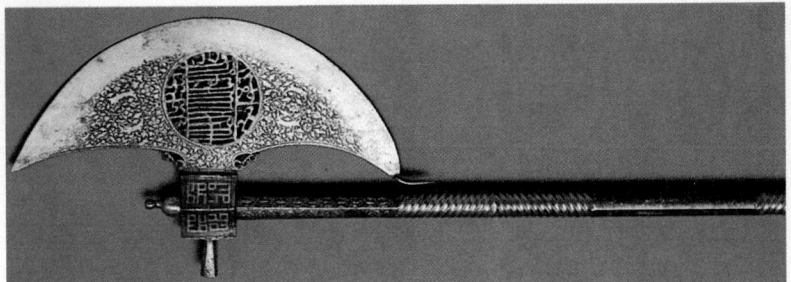

Hache d'arme des troupes mameluks. XVᵉ siècle. Fer doré. Kunsthistorisches Museum, Vienne.

Saint Louis prisonnier à Mansûrah

Mansûrah, 1250
En route pour les Lieux saints, Louis IX avait débarqué avec son armée à Damiette le 5 juin 1249 et s'était emparé de la ville. Conscient de l'infériorité numérique de son armée, le sultan d'Egypte, Al-Sâlih Ayyûb, propose d'échanger Damiette contre Jérusalem. Le roi refuse : il est venu pour combattre et non pour marchander : « Même si tu faisais acte d'allégeance à la Croix, je ne changerais pas d'avis. » Il ne reste à Ayyûb qu'à résister. Malade, il se fait transporter en litière vers la ville de Mansûrah, sur le Nil, au sud de Damiette. Pendant plus de trois mois, les armées restent face à face, à se tendre des embuscades. Les Croisés ignorent qu'une crise grave secoue l'Egypte. Al-Sâlih Ayyûb meurt le 22 novembre. Pour ne pas décourager les troupes et empêcher l'Etat égyptien de se disloquer, Shajar al-Durr, l'épouse favorite du sultan, cache la nouvelle de sa mort et, en attendant l'arrivée de son fils encore en Mésopotamie, donne des ordres en son nom. Sans se presser, Louis IX arrive, à la tête de ses troupes, sur la berge nord d'un canal qui barre l'accès à Mansûrah. L'armée égyptienne, massée sur la rive sud, harcèle les positions franques, à coups de feu grégeois. Tout au long de l'hiver, la bataille fait rage autour de la ville où, le 19 février 1250, à la faveur d'une trahison, l'armée franque pénètre par surprise. Les mamelouks de Shajar al-Durr interviennent. La population aussi. Les Francs sont massacrés et les survivants doivent quitter la ville. Shajar al-Durr et ses mamelouks poursuivent leur résistance d'autant plus victorieuse qu'une terrible épidémie ravage les rangs de l'armée franque. Le nouveau sultan, Turanshâh, arrive enfin pour constater que la position du roi est devenue critique. C'est au tour de ce dernier de reprendre la proposition d'échanger Damiette contre Jérusalem. La réponse du sultan est nette : « L'offre d'Ayyûb aurait dû être acceptée du temps d'Ayyûb ! » Le 5 avril, les Croisés lèvent le camp et commencent à se retirer. Ils sont poursuivis et, le 7, leur armée est encerclée, vaincue et faite captive. Louis IX, enchaîné, est conduit à Mansûrah où il est enfermé. Il sera libéré le 8 mai en échange du retrait de toutes les troupes franques et du paiement d'une rançon d'un million de dinars, que Joinville a du mal à emprunter au trésorier des Templiers. Le temps de la solidarité chrétienne est passé. Celui de la magnanimité de Saladin aussi.

Mêlée entre Croisés et Sarrasins à Damiette. Miniature des « Chroniques de Mathieu ». Paris, XIIIᵉ siècle.

Porche central du portail Royal, cathédrale de Chartres. 1145-1155.

Notre-Dame de Paris, côté sud. Commencée en 1163. Chœur consacré en 1182, nef achevée en 1250, les chapelles du chevet, début XIVe siècle.

Façade occidentale de la cathédrale de Burgos. Commencée en 1221.

« L'Ange au sourire ». Vers 1280. Grand Portail occidental, cathédrale de Reims.

Nef de la cathédrale de Laon. La cathédrale fut achevée vers 1350.

Les bâtisseurs de cathédrales

Au milieu du XIIIe siècle, l'élan mystique qui suscite les grands chantiers des cathédrales s'est répandu partout en Europe. Les évêques rivalisent pour bâtir les plus belles églises dans le style nouveau qui prend naissance en Ile-de-France. Le peuple se groupe autour des prélats pour participer à leur construction. Les anciennes églises romanes sont souvent mises à bas ; les « maîtres d'œuvre », les architectes et les entrepreneurs ne sont plus des gens d'Eglise, mais des laïques, et les chantiers sont confiés à des corporations de maîtres maçons nouvellement affranchies. Le style nouveau s'affirme en particulier à la basilique de Saint-Denis qui est, avec la cathédrale contemporaine de Sens, une des principales réalisation du premier art gothique. Suger, qui dirigea les travaux de 1129 à 1144, fit venir des équipes du midi de la France, auxquelles se joignirent bientôt des corporations d'imagiers, que l'on devait ensuite retrouver au Portail royal de Chartres. Leur influence est également sensible à Senlis et à Laon, vers 1155. La technique nouvelle de construction est issue de la voûte d'arêtes romane : on en renforce la structure par des nervures et on les soutient par des doubleaux, ce qui permet de lancer très haut l'ogive. L'arc brisé prend le pas sur le plein cintre et la construction s'élève dans un flot de lumière : l'édifice ne repose plus sur des murs, mais sur des piliers et des arcs. Les chantiers se succèdent dans une sorte d'émulation contagieuse : en 1183, c'est la nef et le transept de Notre-Dame de Châlons-sur-Marne qui sont consacrés ; en 1194, le chantier de Chartres est ouvert par l'évêque Regnault de Mouçon ; celui de Rouen commence en 1207, tandis que s'achève en 1220 celui de Noyon et que se poursuit la construction de Laon. En 1221, l'archevêque Aubri de Humbert pose la première pierre d'une cathédrale qui allait être un des chefs-d'œuvre de l'art gothique, la cathédrale de Reims ; le chœur n'en sera achevé qu'en 1241, alors que celui de Soissons sera consacré le 13 mai 1212 ; en 1220 est inauguré le chantier d'Amiens, sur les plans de Robert de Luzarches, les parties hautes du chœur et du transept seront terminées en 1269. Commencée en 1163 par Maurice de Sully, Notre-Dame de Paris aura, par contre, sa nef terminée en 1250. Mais ce n'est pas seulement en Ile-de-France ou sur les terres du domaine royal que s'ouvrent de multiples chantiers. Des nefs se dressent à Lyon, à Toulouse, à Quimper, au Mans, à Rouen. Dans le même temps se développent, dans les vallées de l'Oise et de la Marne, de nouvelles techniques de construction touchant les fenêtres. Soutenus à l'extérieur par d'importants contreforts et arcs-boutants, les murs sont désormais allégés et évidés à l'extrême : pour fermer ces baies, on a recours à d'immenses verrières. Ces formes nouvelles participent de ce que l'on a appelé la « métaphysique médiévale de la lumière », où la lumière est synonyme de beauté, de noblesse et de sainteté. C'est ainsi qu'à Chartres, une génération de verriers est à l'œuvre depuis le milieu du XIIe siècle et a mis en place plus de cent soixante vitraux. A la Sainte-Chapelle (1242-1248), quinze verrières vivement colorées proposent l'enseignement de leurs miniatures. Les imagiers qui sculptent les statues des porches et des portails proposent, eux aussi, la « prédication muette » de leurs apôtres et de leurs saints. Synthèse d'harmonie et lieu d'enseignement divin dans la lumière céleste de ses verrières, la cathédrale rassemble, instruit, magnifie. Elle porte la prière des hommes et témoigne de la présence de Dieu.

La Rose nord du transept. XIIIe siècle. Cathédrale de Chartres.

« Repositorium » de l'église Saint-Laurent, Nuremberg.

1258

Bagdad, 10 février
Hûlagû s'empare de Bagdad, disparition du califat abbasside. →

Paris
Thomas d'Aquin commence à rédiger sa *Somme contre les Gentils*. →

Angleterre
Conduits par Simon de Montfort, les barons anglais révoltés arrachent à Henri III diverses concessions (institution d'un Parlement se réunissant trois fois par an, présence d'un Conseil permanant auprès du roi) : ce sont les « provisions d'Oxford ».

Perse
Publication du *Gulistân* (la « roseraie ») de Saadi, un des plus grand poètes persans, connu surtout pour avoir renouvelé le genre *ghazal* (poème d'amour).

1259

Paris
Dans le but de mettre fin au conflit qui oppose depuis des générations la France et l'Angleterre, Louis accepte, par le traité de Paris, de céder à Henri III la Saintonge, l'Agenais, une partie du Limousin, du Quercy et du Périgord ; en échange de quoi Henri III renonce à toute prétention sur les anciens fiefs des Plantagenêts : la Normandie, l'Anjou, la Touraine, le Maine et le Poitou.

1260

France
Louis IX interdit le duel judiciaire, le port d'armes et toute guerre privée. Selon le *Livre de Justice et Plet*, le roi ne doit dépendre de personne.

Pékin
Kûbilây est proclamé Grand khân. →

Proche-Orient, 3 septembre
Victoire des mamelouks d'Egypte sur l'armée mongole.

Paris
Achèvement du portail de la Vierge à Notre-Dame de Paris.

Florence
Les guelfes florentins (partisans du pouvoir papal) sont écrasés à la bataille de Montaperti par les gibelins toscans (partisans de l'empereur).

Angleterre
Henri III rejette toute tutelle des barons.

Pise
Nicola Pisano achève la chaire du Baptistère.

Italie
Charles d'Anjou, frère du roi de France, soumet le Piémont.

1261

Constantinople, 15 août
Après avoir été proclamé en 1258 empereur de Nicée (l'Empire de Nicée était le dernier Etat byzantin avec l'Empire de Trébizonde et le despotat d'Epire), Michel· VIII Paléologue met fin à l'Empire latin de Constantinople en s'emparant de cette ville et restaure ainsi l'Empire byzantin.

1262

Grèce
Le traité de Constantinople consacre la décadence de la principauté de Morée.

Italie
Les guelfes reprennent le pouvoir en Toscane grâce à l'appui du pape Urbain IV.

1263

Rome
Charles d'Anjou est élu sénateur à vie par les Romains.

Approbation de la règle des Clarisses.

Méditerranée
Venise vainc sur mer les Génois et les Byzantins, mais ces derniers n'en parviennent pas moins à prendre pied en Crète.

France
Premiers écus d'or en France.

1264

France
La réputation que s'était acquise Louis IX pour avoir proposé à Henri III de signer le traité de Paris (→ 1259) valut au roi de France d'être choisi comme arbitre dans de nombreux différends européens : un de ses jugements les plus célèbres, la « mise d'Amiens », trancha ainsi le conflit qui opposait les barons anglais à Henri III.

Echec de la révolte des barons en Angleterre

Angleterre, 4 août 1265
Sept ans après le début de la guerre civile en Angleterre - la révolte des barons - le prince héritier Edouard écrase l'armée de la noblesse à Evesham. Le chef des insurgés, Simon de Montfort, est tué lors de la bataille. Le roi Henri III est rétabli dans ses anciens droits. A l'origine de la révolte, la promesse qu'avait faite le pape de donner le trône de Sicile à Edmond d'Angleterre, fils de Henri III : celui-ci, qui doit préparer une expédition vers la Sicile, sollicite l'aide de ses barons. Ceux-ci n'acceptent qu'en échange de réformes, les *Provisions d'Oxford* (1258). Délié de son serment par le pape, Henri III recourt à la médiation de saint Louis, qui le confirme dans son droit par le dit d'Amiens. Le parti des barons se soulève contre cette décision. A sa tête, un homme remarquable, Simon de Montfort, français et comte de Leicester, beau-frère de Henri III. Il bat les armées royales à la bataille de Lewis (14 mai 1264), fait prisonniers le roi et Lord Edouard. Simon de Montfort convoque aussitôt un parlement général, puis un autre en 1265, plus réformiste encore, puisqu'il rassemble tous les Etats d'Angleterre. Suivies par les classes nouvelles du peuple, ces réformes suscitent la grogne des autres barons. Le prince Edouard s'évade, rallie les barons des marches du Nord et de l'Ouest et se heurte à Simon de Montfort à Evesham. Employant une tactique qu'il avait apprise de son oncle et adversaire, Edouard défait les troupes de Simon de Montfort, qui se bat héroïquement toute une matinée et meurt sous un orage soudain qui obscurcit le champ de bataille. Il est mutilé par ses ennemis. Edouard donne pourtant aux franciscains l'autorisation d'enterrer ses restes, qui seront longtemps vénérés par le peuple à l'égal des reliques d'un saint.

Thomas d'Aquin, maître en théologie, enseigne à Paris

Paris, vers 1258
En 1252, le dominicain italien Thomas d'Aquin revient à Paris pour y enseigner la théologie. Il arrive de Cologne où il avait suivi son maître, Albert le Grand. Au monastère du mont Cassin et à Naples, le futur saint Thomas avait étudié les philosophes arabes et notamment le musulman de Cordoue, Averroès, et ses commentaires d'Aristote. La pensée du philosophe grec du IVe siècle avant notre ère avait été rendue accessible dès le VIe siècle par les traductions latines de Boèce. Pour Aristote, Dieu est le moteur immobile et la cause suprême de la création ; parfait, il est absent car sa créature est imparfaite. La séduction qu'exerce cette conception essentialiste a longtemps inquiété l'Eglise qui l'a vigoureusement réprimée. En 1253, l'œuvre d'Aristote est pourtant enfin inscrite au programme de la faculté des arts. A Paris, capitale intellectuelle, les esprits les plus brillants de l'Occident chrétien s'affrontent : Thomas s'oppose à la thèse de la grâce et de la providence prônée au Ve siècle par saint Augustin. Il fait triompher en une synthèse hardie une théologie qui unit la philosophie d'Aristote à la révélation judéo-chrétienne. Enfin, c'est à Paris, vers 1258, qu'il commence la rédaction de sa *Somme contre les Gentils.*

Kûbilây Khân soumet l'empire du Milieu

Chine, 1260
Kûbilây khan, le nouveau maître du colossal Empire mongol qui s'étend maintenant de l'océan Pacifique à la mer Baltique, est le petit-fils du terrible et redouté Gengis khan (→ 1215). Il poursuit la consolidation du pouvoir mongol en Chine. Après la destruction de l'empire Song, et celle des Song du Sud, obligés de déplacer leur capitale en 1258 à Lin'an, il fonde la dynastie Yuan (1280), se proclame empereur sous le nom de Chi Tsu et fait de Pékin, rebaptisée Khânbalik, la capitale de son royaume. La Chine est divisée en douze provinces, le papier-monnaie y est imposé et émis pour la première fois en Chine. La population est divisée en quatre groupes : les Mongols (dignitaires), les Turcs et les Européens (commerçants et fonctionnaires), les Chinois du Nord (classes moyennes) et les Chinois Song (serfs).

L'empereur Kûbilây Khân présidant un festin. Miniature du « Livre de Graunt Caan ». Vers 1400.

Les Paléologues montent sur le trône de Byzance

Constantinople, 15 août 1261

Le 15 août 1261, Michel VIII Paléologue est couronné empereur de Byzance dans la basilique Sainte-Sophie. Issu d'une illustre famille byzantine mentionnée dès le début du XIe siècle, il doit redonner une stabilité à l'Empire byzantin déchiré à l'intérieur par les rivalités des prétendants au trône et menacé à l'extérieur par les visées expansionnistes des Turcs ottomans. Michel VIII, qui a usurpé le trône de Nicée en 1259, s'empare de Constantinople en 1261 sans que la ville offre la moindre résistance. En faisant aveugler le petit Jean IV, héritier légitime des Lascaris, il restaure l'Empire byzantin de Constantinople. Etabli en 1204, après la conquête de la ville au profit des Vénitiens, par les troupes de la IVe Croisade, l'Empire latin de Constantinople englobait le royaume de Thessalonique, le duché d'Athènes et la principauté d'Achaïe, dans le Péloponnèse ; il avait à sa tête l'empereur Baudouin de Flandre. Jusqu'en 1261, l'empire est occupé par les Latins et les Vénitiens, qui règnent sur le commerce et sont les véritables maîtres de l'empire. A la mort de Baudouin, en 1208, Théodore Lascaris est élu empereur par le clergé grec et, réfugié dans Nicée, bastion des dynasties grecques, il organise la résistance aux Latins. Son autorité doit s'imposer à l'aristocratie locale et faire face aux grands Commènes, descendants d'Andronic, installés à Trébizonde. Après l'assassinat de l'héritier légitime Jean IV Lascaris, Michel VIII Paléologue entreprend la reconquête des territoires latins et mène, auprès des Gênois, une politique de conciliation en leur accordant, en échange de leur aide militaire, les mêmes privilèges que Venise avait jadis possédés dans l'Empire latin.

La prise de Bagdad met fin à la dynastie des Abbassides

Bagdad, 10 février 1258

A la fin de l'année 1257, le petit-fils de Gengis Khân, après avoir occupé la Perse et soumis les sectes isma'iliennes, se présente aux abords de Bagdad. Le 17 janvier 1258, au cours d'une bataille rangée, il décime l'armée califale et, dès le 22, met le siège devant la capitale. Le dernier des Abbassides, al-Musta'sim, est un homme sans caractère qui croit pouvoir ruser avec les Mongols. Ses courtisans le persuadent que le péril n'est pas grand et qu'il sera toujours temps de redresser la situation. Le reste nous est conté par les historiographes arabes : « Une nuée de poussière parut à l'orient de la ville et la recouvrit entièrement. Aussitôt la rumeur fut grande. On montait sur les toits et au haut des minarets pour voir ce que cachait cette poussière. Enfin, on découvrit l'armée du sultan mongol, sa cavalerie, ses équipages et tout le train qui suivait ; la face de la terre en était entièrement couverte. » L'assaut est donné. Les assiégés, sans défense réelle, n'ont plus qu'à se rendre. Les soldats de la garnison qui essaient de s'échapper sont rattrapés, répartis entre les compagnies mongoles et tués. Le 10 février, le calife lui-même vient se rendre. Hûlagû lui intime de donner des ordres pour que toute la population sorte de la ville en livrant ses armes. Al-Musta'sim s'exécute. Les habitants, désarmés, viennent par groupes se livrer aux Mongols qui, immédiatement, les massacrent. Le 13, Hûlagû et ses soldats pénètrent dans la ville et procèdent à un nouveau massacre, suivi d'un incendie. Le sac dure dix-sept jours. Le 20, al-Musta'sim est à son tour mis à mort. Il est cousu dans un sac et foulé aux pieds des chevaux. Selon les estimations, le nombre des tués varie entre 80 000 et 2 000 000. Pour l'ensemble du monde musulman, c'est une catastrophe sans nom. Ceux des habitants de la ville qui ont pu échapper au massacre se répandent dans tout le Proche-Orient et racontent les horreurs qu'ils ont vécues. La désolation est générale. Elle amènera la bourgeoisie des grandes villes à croire à l'invincibilité des Mongols. Elle suscitera également des sursauts et précipitera l'avènement, en Egypte, des sultans mamelouks.

Siège de Bagdad par Hûlagû Khân. Miniature du « Jami et-Tawârikh » (Histoire universelle) de Rashîd ed-Dîn. Vers 1435. Copie. Bibliothèque nationale, Paris.

Réunion littéraire dans un jardin de Bagdad. « Maqâmât » d'al-Harîrî peint par al-Wâsitî. Bagdad, 1237. B.N., Paris.

Fondation à Paris du collège de la Sorbonne

Paris, février 1257

Par un acte daté de février 1257, le roi Louis IX fait savoir à son chapelain Robert de Sorbon, maître en théologie, qu'il lui fait don d'une maison située rue Coupe-Gueule, à l'usage des écoliers. A celle-ci, Robert de Sorbon adjoint bientôt d'autres maisons voisines situées rue Saint-Jacques. La montagne Sainte-Geneviève est alors le lieu que choisit l'Université pour marquer son indépendance envers l'évêque qui siège dans la Cité. Le premier collège, fondé en 1171 par Josse de Londres, un Anglais de retour de croisade, occupait une partie de l'Hôtel-Dieu. Le collège de Sorbon abrite seize maîtres ès arts et leurs professeurs. Ouvert à toutes les « nations », l'établissement est réservé, comme les autres collèges, aux jeunes gens démunis mais intelligents qui espèrent acquérir, grâce au savoir, quelque bénéfice ecclésiastique ; la générosité des donateurs, Louis IX et Blanche de Castille notamment, les libère de tout souci matériel. La discipline et les exercices de piété sont rigoureux. Robert de Sorbon rédige les statuts du collège dont il est maître-régent et proviseur. Sa notoriété croît au sein de l'université de Paris, foyer de culture attirant des jeunes et bouillants « écoliers » regroupés selon leur fortune ou leur origine géographique autour des maîtres chez qui ils étudient les arts libéraux, la médecine, le droit canon ou la théologie qui, avec quinze ans d'étude, couronne l'édifice universitaire. Protégée dès 1200, par décret royal, de l'autorité du prévôt, l'université reçoit du légat Robert de Courçon sa première constitution en 1215. En 1222, elle ne dépend plus que du pape, Honorius III l'ayant libérée de l'autorité de l'évêque. Avant Paris, Bologne, Valence et Oxford ont vu, dès le XIIe siècle, naître ces pépinières spirituelles dont les gradés se retrouvent à toutes les hautes fonctions sociales et religieuses. Entre 1224 et 1245, Naples, Padoue, Cambridge, Toulouse, Salamanque et Rome se dotent de telles organisations indépendantes. Lorsque Robert de Sorbon crée son collège, Paris est au centre d'un bouillonnement intellectuel qui anime l'Europe entière et qui va favoriser le plein épanouissement de la scolastique.

Scènes de la vie d'étudiant. Vers 1275. Médaillon du portail sud ou de « Saint-Etienne ». Notre-Dame de Paris.

1266

Naples, 7 mars
Charles d'Anjou entre dans la ville, après avoir vaincu et tué Manfred de Sicile à la bataille de Bénévent, le 26 février. Charles d'Anjou avait été au préalable investi par le pape Clément IV de la couronne de Sicile.

1268

Proche-Orient
Après avoir repris Césarée aux Croisés, en 1265, le sultan mamelouk Baybars leur prend Jaffa et Antioche.

Allemagne
Mort de Tannhäuser, poète allemand, auteur de *Lieder*. Né vers 1205 dans une famille noble bavaroise, il participa à l'une des Croisades, puis, après avoir perdu tous ses biens, mena une vie de poète errant. La légende s'empara de son personnage, dès la fin du XIIIᵉ siècle.

Sienne
Nicola Pisano achève de sculpter la chaire de la cathédrale, œuvre annonciatrice d'un nouveau style de sculpture.

1269

France
Conformément aux recommandations du concile du Latran (1215), Louis IX décide que les Juifs porteront sur « leur robe de dessus, devant et derrière, une pièce de feutre ou de drap jaune ».

1270

Tunis, 25 août
Mort de saint Louis (Louis IX). →

Italie
Charles d'Anjou se rend maître de la Toscane.

Gênes passe au parti gibelin.

1271

France
Philippe III, fils de saint Louis, vient tout juste de monter sur le trône qu'il reçoit en héritage de son oncle Alphonse de Poitiers, en même temps que le Poitou, l'Auvergne et le comté de Toulouse : ainsi, la France d'oïl se trouve rattachée à la France d'oc.

1273

Empire germanique, 10 janvier
Rodolphe de Habsbourg est élu empereur. Son élection met fin au Grand Interrègne qui s'était installé après la mort de Conrad IV, en 1254.

1274

Fossa Nova, Italie, 7 mars
Mort de Thomas d'Aquin.

Lyon
Réuni par Grégoire X, le XIVᵉ concile œcuménique réglemente l'élection pontificale en instituant le conclave.

Avignon
Le pape Grégoire X acquiert le comtat Venaissin.

1276

Palma de Majorque
Ramón Llull fonde un collège où est enseigné l'arabe aux missionnaires devant se rendre en Orient.

Serbie
Dragoutine est proclamé roi des Serbes.

1277

Damas
Mort du sultan Baybars. →

1278

Bohême
Défaite et mort à Dürnkrut d'Ottokar II Premysl lors de la guerre qui l'oppose à l'empereur germanique Rodolphe Iᵉʳ de Habsbourg.

1279

France
Traité d'Amiens : l'Agenais retourne au roi de France et la Saintonge à l'Angleterre.

1280

Espagne
Le *Zohar* ou *Sefer ha-Zohar* (Livre de la Splendeur), traité ésotérique, traditionnellement attribué à Siméon bar Yohaï, docteur juif du IIᵉ siècle, mais dont la rédaction est vraisemblablement due à Moïse de Léon (1250-1305).

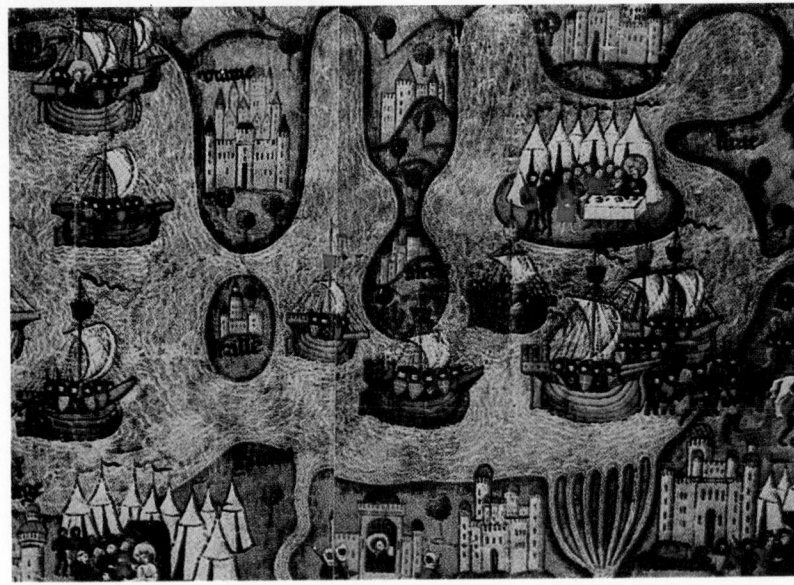

Représentation médiévale de la Méditerranée. La flotte de saint Louis en route pour la Croisade. Miniature.

Saint Louis meurt devant Tunis

Tunis, 25 août 1270
Le roi de France Louis IX meurt de la peste devant Tunis, au cours de la VIIIᵉ Croisade. Celle-ci, qui avait pour but la conversion du sultan de Tunis, Al-Mostançir, est interrompue. Saint Louis, qui conduisait à cinquante-six ans la dernière croisade, demeurait le seul souverain d'Europe à croire en l'idéal des Croisés. Il avait été auparavant, en 1248, le chef de la VIIᵉ Croisade : malgré la prise de Damiette, celle-ci s'était soldée par un échec et le roi lui-même avait été capturé par les Mamelouks à la bataille de Mansûrah. Libéré contre une forte rançon, il passa ensuite quatre ans en Syrie, aidant les Latins dans leur résistance et rachetant de nombreux prisonniers chrétiens. Vaillant chevalier, Louis IX était également célèbre pour sa piété et sa sagesse, qui lui avaient valu d'être consulté à plusieurs reprises par des princes d'Europe pour trancher leurs litiges. Fils de Blanche de Castille, roi de France à onze ans en 1126, il dut à la régence avisée de sa mère la soumission des grands vassaux révoltés, et à la fidélité des bourgeois de Paris de ne pas être enlevé. Il commença à gouverner personnellement à l'âge de vingt-huit ans. Il eut la sagesse de mettre fin à l'interminable conflit franco-anglais par le traité de Paris de 1259. Mais peut-être son principal mérite fut d'avoir jeté les bases d'un pouvoir royal fort en France au service de tous : il institua des enquêteurs royaux pour éviter les abus des baillis et des sénéchaux, confia à des légistes le soin de rendre la justice, développa des juridictions d'appel, interdit les guerres privées, organisa les corporations, se préoccupa enfin de la probité des comptes. Lui succéda son fils, Philippe III le Hardi.

L'attaque du palais de Sanjô. Détail. Rouleau enluminé du « Heiji Monogatari ». Vers 1250-1275.

Un typhon aux effets salvateurs

Le Japon réussit au cours des années 1274 à 1281 à refouler plusieurs attaques des Mongols de Kûbilây Khân. La première attaque des Mongols avait eu lieu en 1274 : Kûbilây Khân avait envoyé une flotte à l'assaut du Japon. Deux éléments jouèrent un rôle décisif dans l'échec de sa tentative : la résistance des troupes japonaises et un typhon qui, s'abattant sur la flotte mongole, y causa de très grands dommages, l'obligeant à se replier sur la Corée. Le typhon salvateur fut nommé *Kamikaze* (Vent des dieux). Au cours des années suivantes, les Japonais érigèrent un mur de défense le long de leurs côtes. Une deuxième tentative d'invasion de Kûbilây, en 1281, se heurtera également à une tempête.

Mort à Cologne d'Albert le Grand

Cologne, 15 novembre 1280
Presque aveugle, Albert de Bollstädt s'éteint à soixante-quatorze ans. Ses connaissances, tant en alchimie qu'en sciences grecque, latine et arabe, l'impact de sa doctrine théologique lui ont valu une renommée telle qu'il est surnommé « le Grand » de son vivant. De noble famille souabe, il étudie chez les dominicains de Padoue et entre dans leur ordre, dont il devient provincial en 1257. Il enseigne en Allemagne, puis à Paris en 1240 et devient évêque de Ratisbonne en 1259. Par ses paraphrases d'Aristote, par son rôle dans la lutte antiaverroïste, il transforme radicalement les conceptions philosophiques de la théologie.

Albert le Grand. Détail d'une fresque (1352) de Tommaso da Modena.

"Vêpres siciliennes" : l'île se soulève

Palerme, lundi de Pâques 1282
En cette fin du mois d'avril 1282, s'achève un des épisodes les plus sombres de l'histoire de l'île. La postérité retiendra sous le nom de « vêpres siciliennes » les événements de ce lundi de Pâques. Au moment où l'on sonnait les vêpres, le glas retentit pour des milliers de Français de Sicile, surpris sans défense en l'absence de leur souverain, Charles Ier d'Anjou. A l'origine, une simple fouille pour découvrir les détenteurs d'armes et qui dégénère en carnage. Evidemment, l'enchaînement de la violence ne résulte pas d'une suite de hasards. C'est l'aboutissement d'une longue tension diplomatique et d'enjeux financiers mettant aux prises Charles d'Anjou, Michel VIII Paléologue, empereur d'Orient, et le roi d'Aragon, Pierre III le Grand. Ces deux derniers ont fomenté les événements avec l'appui de Siciliens exilés. Bilan politique : le royaume de Sicile insulaire est maintenant aux mains du roi d'Aragon.

Charles Ier d'Anjou, roi de Sicile. Fin XIIIe siècle. Palais des Conservateurs, Rome.

Ramón Llull au carrefour des croyances

Occident, 1270
Voilà quatre ans que le Majorquin Ramón Llull a quitté son île natale, son art de troubadour, ses charges de sénéchal du roi et de précepteur de l'infant Jacques. Répondant au mystérieux appel du Christ, il a laissé femme et enfants pour répandre un message évangélique qui soit acceptable par les trois religions du Livre, le judaïsme, le christianisme et l'islam. Son immense culture lui permet d'imaginer une synthèse mystique et philosophique où la parole est le seul agent digne de matérialiser la relation entre la créature et Dieu. Emerveillé par la prise de conscience de l'existence de Dieu et de sa propre existence, il est le « docteur illu-miné » qui prêche et écrit en catalan, en latin et en arabe, d'une rive à l'autre de la Méditerranée. Il veut fonder des collèges où enseigner les langues de la prédication ; à Paris, il combat l'averroïsme ; en Afrique du Nord, il va évangéliser les musulmans. Son *Ars Magna* propose un système rigoureux et logique pour percer les secrets du monde et atteindre à la véritable sagesse philosophique. Le succès de cet ouvrage lui vaudra d'ailleurs toute une postérité dans la littérature alchimique. En 1270, il compose également « le livre du gentil et des trois sages », qui confronte les pensées juive, chrétienne et musulmane. Il expose sa vision de la société idéale dans le « Livre de Blanquerne » (1286-87) et rédige un long poème, *El Desconhort*, considéré comme une œuvre maîtresse de la littérature catalane.

La mort à Damas du sultan mamelouk Baybars

Damas, 30 juin 1277
Ce guerrier romanesque, est entré de son vivant dans la légende. La *Sirat* (Geste) dont il est le héros, vaste roman populaire arabe, est bien en-dessous de la biographie réelle de cet ancien esclave, né en 1223 et qui fut l'un des plus grands souverains arabes. Il apparaît au premier plan de l'histoire lorsqu'il prend le commandement de l'armée égyptienne à Mansûrah et remporte une victoire décisive sur Louis IX. Pendant la bataille, il ne recule pas devant le régicide au nom de la résistance à l'ennemi. Plus tard, on le retrouve commandant l'avant-garde de l'armée égyptienne, à la bataille d'Ayn Djalût qui met fin à l'aventure mongole. Il s'adjuge alors le trône et entreprend, avec beaucoup plus de méthode et de succès que Saladin, de liquider la présence franque dans la région et de jeter les bases d'une monarchie égypto-syrienne. Le désarroi consécutif à la chute du califat de Bagdad, les velléités d'alliance entre les Croisés et les Mongols, les complots des princes ayyúbides dépossédés servent de toile de fond à l'épopée du sultan Baybars.

Les mille et une divinités du sanctuaire du Sanjûsangen-dô

Kyôto, 1266
Ce temple a été construit en 1164, sur l'ordre de l'empereur Go Shirakawa Tenno (1125-1192). D'une longueur exceptionnelle (118 m), on lui donna le surnom populaire de Sanjûsangen-dô. Il brûla en 1249 et fut reconstruit d'après l'original en 1254. C'est un bel exemple de l'ar-chitecture de l'époque Kamakura, simple dans son principe mais grandiose d'aspect. Il abrite un étonnant ensemble de sculptures en bois représentant la divinité Kannon aux mille mains. La statue principale est dans une posture assise. Elle est haute de plus de 3 m et fut sculptée par Tankei (1173-1256). Elle est accompagnée de vingt-huit suivantes et de mille et une Kannon de petite taille, toutes sculptées par l'école de Unkei (1151-1223), qui représente avec ses fils, l'essentiel de la sculpture de l'époque Kamakura.

La confrérie musulmane des derviches tourneurs

Konya, seconde moitié du XIIIe siècle
C'est le poète et mystique persan, Jalâl al-Dîn Rûmî, dit Mawlanâ (1207-1273), qui, dans la seconde moitié du XIIIe siècle, fonde l'ordre des derviches « Mawlawiyya », auxquels l'Occident donnera le nom de « derviches tourneurs ». Mais c'est son fils, Sultan Walad, qui les organise et « remplit de ses lieutenants le territoire d'Asie Mineure ». Comme toutes les autres *tarika* (confrérie, ordre), les Mawlawiyya recourent à un rituel qui tend à produire des phénomènes hypnotiques et des crises extatiques. Généralement, l'adhésion à ces ordres exige une préparation qui peut entraîner la résidence dans une *takya* (monastère) pour des périodes plus ou moins longues. La caractéristique des derviches tourneurs est de parvenir à l'extase, en exécutant une danse tournoyante qui constitue un véritable office liturgique dont tous les gestes, minutieusement ordonnés, comportent un sens symbolique autour de la Réalité suprême sans pouvoir l'atteindre. Les âmes des danseurs « tournent ».

Vue du Sanjûsangen-dô à Kyôto. Fondé en 1164, ce temple abrite 1 000 statues de Kannon en bois doré.

Chine : d'une dynastie l'autre

IIIe siècle av. J.-C. – XIIIe siècle après J.-C.

En 206 avant l'ère chrétienne, la Chine entre dans l'âge impérial de son histoire. Le règne du premier empereur, Qin Shi Huang Di (Ts'in Che Houang-ti), fut bref - de 221 à 210 - et la dynastie qu'il fonda est violemment critiquée pour son caractère tyrannique. Toutefois, en rompant avec une certaine tradition conservatrice qui risquait de figer la Chine, il posait les bases de la puissance des Han. C'est lui notamment qui ordonna, pour arrêter les incursions des Xiongnu, la construction de la Grande Muraille. A partir de l'ère chrétienne, les matériaux pour l'étude de l'histoire chinoise sont plus nombreux, grâce, en partie, à la rédaction des histoires officielles.

Les Han antérieurs ou occidentaux

Commencée dès l'année qui suivit la mort de Qin Shi Huang Di, la guerre civile gagne rapidement toute la Chine. En 207, Xiang Yu, le plus puissant des chefs rebelles, détruit l'empire des Qin (Ts'in), tandis que son général, Liu Bang (Lieou Pang), pénètre dans la capitale. Mécontent de la maigre récompense qui lui a été attribuée, Liu Bang se retourne vite contre Xiang Yu et sort victorieux de la lutte vers 203. Il fonde la dynastie des Han, du nom du royaume qu'il administrait depuis 206, date généralement admise pour point de départ de la dynastie. L'histoire retiendra son règne sous le nom de celui de Gao Zu (Kao-tsou). Esprit positif et réaliste, Liu Bang continue et consolide l'œuvre des Qin. Politique avisé, il sait flatter les princes influents, tout en manœuvrant afin qu'aucun d'entre eux ne devienne trop puissant. La première partie du règne des Han est consacrée à la reconstruction du pays, dévasté par les guerres. Les confucéens prennent une importance croissante dans l'entourage de l'empereur. De nouveaux rites, destinés à renforcer le culte impérial, sont institués. L'empereur Wu Di (Wou Ti, 140-87) fut un guerrier et un monarque autoritaire. Sa politique intérieure reflète les deux tendances héritées du passé, *légisme* et confucianisme. Par une politique extérieure ferme, voire agressive, il accroît les dimensions de l'empire et s'assure notamment le contrôle de la Route de la soie. Après sa disparition, la cour devient un centre d'intrigues et de corruption, et la réalité du pouvoir est exercée par des généraux qui cherchent avant tout à asseoir la puissance de leur propre clan. Les trente dernières années du Ier siècle av. J.-C. sont dominées par le clan Wang. Les révoltes populaires et les calamités naturelles sanctionnent la mauvaise administration du pays. En l'an 9, Wang Mang, fort de ses appuis à la cour, destitue l'empereur et instaure la dynastie des Xin (Hsin).

Les Han postérieurs ou orientaux

Le règne de la nouvelle dynastie, marqué par l'influence croissante du confucianisme, est riche en réformes. Mais la lignée ne survit pas à son fondateur, tué en 23, au cours de la révolte paysanne des Sourcils rouges. Toutefois, c'est seulement en 25 que Liu Xiu, descendant légitime des Han, finit par triompher. Il inaugure la dynastie des Han postérieurs avec Luo Yang comme capitale. Mais l'histoire de la dynastie n'est alors plus que l'histoire d'une lente désagrégation du pouvoir impérial, sous les effets conjugués de l'ascension des eunuques, de l'influence croissante de la famille de l'impératrice et de l'absence de tout contact de la cour avec le monde extérieur. La désastreuse situation économique et sociale pousse les paysans à s'organiser en sociétés à caractère plus ou moins religieux, susceptibles de les aider à surmonter les difficultés. En 184, éclate la révolte des Turbans jaunes, groupe d'obédience taoïste, et dont la répression sonne le glas de la dynastie. L'empereur se voit, en 192, dans l'obligation de solliciter la protection d'un chef militaire, Cao Cao (Ts'ao Ts'ao), qui prend bientôt tous les pouvoirs. En 220, la division du territoire en trois royaumes est commencée.

Les Trois Royaumes

La période dite des Trois Royaumes, pendant laquelle, de 220 à 280, trois « Fils du Ciel » se partagent le territoire chinois, est caractérisée par l'émergence d'un type d'homme nouveau, le général aventurier. Au nord, Cao Cao instaure, pour son fils Cao Pei, la dynastie des Wei, qui fait un gros travail de reconstruction et entreprend une réforme de la législation. Dans le Sichuan, Liu Bei (Lieou Pei), qui se prétend descendant des Han et contrôle la route des caravanes, se proclame empereur des Shu Han, tandis qu'avec l'avènement du royaume de Wu, un souverain chinois règne pour la première fois sur le Sud. En 280, les Jin (Tsin), qui avaient usurpé le trône du Nord en 265, anéantissent le royaume de Wu et unifient le domaine chinois pour une courte période. Mais, dès le début du siècle suivant, c'est à nouveau la fragmentation, connue dans l'histoire sous le nom de période des Six Dynasties. Des empires barbares, en voie de sinisation, se partagent le Nord jusqu'en 386, date à laquelle le groupe Xian Bei refait l'unité en instaurant la dynastie des Wei septentrionaux, à laquelle nous devons un art bouddhique d'une grande finesse. Le Sud, où les grandes familles aristocratiques se disputent le pouvoir, maintient la tradition chinoise face à la barbarie. Six dynasties s'y succèdent, deux d'entre elles ayant leur capitale à Nankin. La présence forcée de milliers d'émigrants permet la mise en valeur des régions méridionales. Dans le domaine des idées, cette période de troubles et d'anarchie est marquée par une forte expansion du bouddhisme.

Les Sui (581-618) et l'apogée des Tang (618-907)

En 589, Yang Jian, qui s'était proclamé, dès 581, premier empereur de la dynastie des Sui (Souei) sous le nom de Wen Di, détruit la dernière des Six Dynasties. Bien que de courte durée - la lignée ne compte que deux empereurs -, la dynastie, par son œuvre d'unification, prépare l'avènement de la puissance des Tang. En 618, poussé par son fils Li Shimin, le gouverneur du Shaanxi (Shan-hsi), Li Yuan, prend les armes contre le dernier des Sui, et, victorieux, fonde à Chang'an (Tch'ang-ngan) la dynastie des Tang. Les trois premiers empereurs mènent la civilisation chinoise à son apogée. Le domaine territorial atteint sa plus grande extension et le commerce est florissant le long de la Route de la soie. L'administration centrale est calquée sur celle des Han. Après le bref intermède du règne de l'impératrice Wu Zetian, qui se présente comme une incarnation du bodhisattva Maitreya, le rayonnement des Tang atteint un nouveau sommet avec l'empereur Xuan Zong (Hiuan-Tsong, 712-756). C'est une grande époque politique, militaire et culturelle, caractérisée par une exceptionnelle tolérance religieuse : bouddhisme, manichéisme, nestorianisme, islam coexistent. Et cette situation n'est pas sans favoriser le développement des arts. Une mosquée est élevée dans la capitale et le bouddhisme continue à inspirer un ar original : peintures murales de Dun Huang (Touen-houang), statuaire de Long Men. En remettant à l'honneur les classiques confucéens, Tai Zong (Tai-Tsong, mort en 649) avait contribué à renforcer l'importance de la classe des lettrés. Innovation capitale, le paysage à l'encre monochrome fait son apparition et la poésie connaît son âge d'or. Recevant l'influence des arts de l'Asie centrale, la Chine, elle, exporte sa culture vers l'est, le Japon tout particulièrement. La perte de la dynastie viendra des frontières de l'empire, où les gouverneurs militaires acquièrent une puissance considérable qui leur permettra de menacer le pouvoir central.

Les Cinq Dynasties (907-978)

La révolte d'An Lushan, en 755, force Xuan Zong à un exil tragique vers le sud, dont la littérature et la peinture ont gardé la saveur. La dynastie ne s'en relèvera pas. Le territoire est fortement réduit. Avec la défaite chinoise sur les bords du Talas en 751, l'islamisation de l'Asie centrale avait commencé. Mais surtout, les empereurs sont maintenant « prisonniers » de leurs encombrants alliés turcs, sans lesquels ils n'auraient pu vaincre la rébellion. Toutefois, cette période troublée favorise l'essor des régions méridionales qui reçoivent à nouveau les exilés fuyant l'envahisseur barbare. La région du bas Yangzi (Yang-Tsê Kiang), essentielle en raison de la culture des céréales, le Sichuan et les environs de Canton sont déjà les trois principaux centres de commerce et de civilisation. Une nouvelle révolte paysanne, celle de Huang Chao (Houang-Tch'ao), entre 874 et 884, provoque la chute définitive des Tang. La destitution du dernier souverain, en 907, marque le début de la deuxième fragmentation, connue sous le nom de période des Cinq Dynasties. C'est essentiellement l'histoire de la progression barbare. Une fois encore, le Sud, où se succèdent effectivement cinq dynasties, reste attaché aux traditions chinoises des Tang : dans le Sichuan, se réunissent tous les intellectuels qui ont fui la capitale. Au nord, les Barbares, dont le groupe le plus puissant est celui des Khitan, se créent des royaumes rivaux qui constituent une menace constante pour les dynasties du Sud. Politiquement très perturbée, cette époque est toutefois importante dans le domaine des arts.

La renaissance Song (960-1279)

Le général Zhao Guangyin, envoyé contre les Khitan, décide, en 960, à la suite de ses nombreuses victoires, de se faire proclamer empereur par ses armées. C'est un fait sans précédent dans l'histoire chinoise. Il fonde ainsi, prenant le nom de règne de Tai Zu, la dynastie des Song, dont l'histoire est divi-sée en deux périodes : Song du Nord et Song du Sud. Tai Zu réussit assez bien la réunification du pays, mais au prix d'une perte relativement importante de territoires : la capitale est à Kaifeng et les Song ne tiennent même pas la région de Pékin, qui passe aux mains des Khitan. Un des phénomènes les plus importants de cette période est l'accroissement considérable de la population. Les Song ne semblent pas animés par un esprit conquérant : en 1004, plutôt que de s'opposer encore aux Khitan, l'empereur Zhen Zong préfère payer un lourd tribut annuel. En 1125, les Khitan sont balayés par une autre ethnie, les Jürchet (Djurtchets), qui instaurent la dynastie des Jin. Avec Pékin pour base, ils entament une progression vers le sud qui leur permet, en 1126, de capturer l'empereur Hui Zong (Houei-Tsong). Un de ses fils échappe aux Jürchet et reprend la lutte : c'est l'empereur Gao Zong (Kao-Tsong) qui transfère en 1127 la capitale à Hangzhou (Hang-tcheou), ouvrant ainsi la période des Song du Sud. Les empereurs méridionaux ne manifestent aucun désir de revanche, mais cherchent plutôt à développer le commerce et les villes. Les lettrés fonctionnaires jouent un rôle prépondérant dans la société, caractérisée également à cette époque par l'émergence d'une catégorie sociale entièrement nouvelle : la bourgeoisie urbaine. Su Dong Po (1036-1101, Sou Tong-p'o), qui fut peintre et calligraphe, est aussi le plus illustre des poètes de l'époque Song. En philosophie, c'est le retour à une tradition classique - peut-être en réaction aux influences étrangères - avec l'élaboration du néo-confucianisme par Zhu Xi (1131-1200, Tchou Hi). Après la découverte fortuite des bronzes rituels Shang, les lettrés se lancent dans une étude de leur passé fondée sur l'archéologie. Les sciences et les techniques connaissent un développement sans précédent : on pratique la xylographie, l'usage des armes à feu se répand, de nombreux traités d'acupuncture et de pharmacologie sont rédigés, et il semble même que l'usage de la vaccination antivariolique soit attesté. La peinture et l'art de la calligraphie atteignent un apogée. Deux grands courants s'affrontent dans le domaine pictural : le courant académique, mené par l'empereur Hui Zong, lui-même artiste et mécène, qui excellait dans la peinture de fleurs et d'oiseaux, et le courant indépendant, qui s'exprime plus librement dans la peinture de bambous et dans le paysage au lavis monochrome. La production de céramique s'accroît considérablement, notamment dans le Sud, avec la fabrication des célèbres céladons Song. Sous les Song du Sud, dans le climat des régions méridionales, la rudesse de la civilisation Tang s'atténue pour laisser place à une certaine douceur de vivre. Au début du XIIIᵉ siècle, les Jin manifestent de nouvelles velléités conquérantes. Ils franchissent le Yangzi Jiang (Yang-tseu-kiang) et obtiennent une augmentation substantielle de leur tribut. Mais, à cette époque, les Barbares eux-mêmes commencent à céder, au nord, sous les coups des Mongols.

La fin des Song et l'avance mongole

L'histoire de la fin des Song se confond un peu avec l'histoire des héritiers de Gengis Khân. Après avoir mené, jusqu'à l'âge de dix-sept ans, une vie errante, le futur Gengis Khân rassemble les autres peuples de la steppe, et, en 1206, l'assemblée des tribus reconnaît en lui le Khân suprême (Gengis Khân). Il s'attaque alors aux différents royaumes barbares qui occupent le nord de la Chine. Pékin tombe en 1215. Les Jin se replient sur Kaifeng (K'ai-fong), poussant les Song encore plus au sud. Parallèlement, les Mongols poursuivent leur expansion vers l'ouest. Gengis Khân meurt en 1227. En 1234, le royaume des Jin, réinstallé autour de Kaifeng, est annexé et Ogoday décide la conquête du domaine des Song. C'est Kûbilây Khân qui la mènera à bien, entre 1251 et 1279, date à laquelle il ajoutera à ses titres celui de « Fils du Ciel ». Dès 1271, il avait fondé la dynastie des Yüan.

Début de la puissance Yüan

1276 marque un tournant important pour la Chine : Nord et Sud sont à nouveau réunis et rattachés, de plus, à un immense empire. La société est réorganisée : les Mongols et leurs alliés sont très nettement privilégiés, une distinction vexatoire écarte les Chinois de tout poste d'importance. Le rôle des lettrés est réduit : par fidélité à la dynastie déchue, ils s'abstiennent de collaborer pour s'adonner à la poésie et à la peinture. L'essor commercial et urbain s'amplifie dans le Sud, mais une nouvelle région, dans le Hebei, se développe parallèlement avec l'installation, par Kûbilây Khân, de la cité neuve de Dadu, l'actuelle Pékin, siège du gouvernement et de la cour. L'immensité de l'Empire mongol, qui s'étend de la Méditerranée à la mer de Chine, fait entrer le pays dans une phase cosmopolite qu'il n'avait plus connue depuis les Tang. La papauté délègue des missionnaires vers l'Asie centrale. Marco Polo séjourne en Chine et occupe des fonctions importantes dans l'administration. Le nestorien Rabban Cauma, né à Dadu, est reçu par Philippe le Bel. Les arts et les techniques en tirent avantage, et les échanges réciproques sont nombreux : c'est, par exemple, à cette époque que les techniques de la poudre et de l'imprimerie passent à l'Ouest. Toutefois, il semble que les espaces agricoles ne profitent pas de cette conjoncture favorable autant que les centres urbains : la perte des Yüan viendra de la terre.

1283

Europe du Nord
Installation des chevaliers Teutoniques en Prusse.

Europe
Le pape Martin IV offre la couronne d'Aragon à Charles de Valois, fils de Philippe le Hardi, lequel tentera vainement de conquérir l'Aragon (1284-1285).

1284

Séville, 4 avril
Mort du roi de Castille et de León, Alphonse le Sage. Piètre politique, il est surtout connu pour avoir personnellement contribué au renouveau culturel espagnol, en favorisant le castillan comme langue nationale. Poète lui-même, il inspira la première *Crónica general* d'Espagne, fit dresser les Tables astronomiques qui portent son nom (*Tables alphonsines*, 1252) et laissa un code de lois, *Las Siete Partidas*.

Carnarvon, Galles, 25 avril
Naissance du futur Edouard II ; son père Edouard Ier lui donne le titre de prince de Galles pour honorer la promesse qu'il avait faite aux Gallois de leur donner un suzerain « qui soit du pays de Galles ».

Italie
Gênes vainc Pise lors de la bataille navale de la Meloria et devient ainsi rivale de Venise.

Beauvais, 29 novembre
Effondrement des voûtes de la cathédrale.

Venise
Frappe des premiers ducats.

1285

Perpignan, 10 mai
Mort du roi de France, Philippe III ; son fils, Philippe IV le Bel, lui succède.

1287

Naples
Mort du trouvère Adam de La Halle.

Asie du sud
Kûbîlaï khan lance une expédition en Birmanie, après avoir conquis l'Annam.

1289

Proche-Orient
Le sultan d'Egypte Kalâ'ûn achève la destruction de l'Etat des Croisés en prenant Tripoli.

1290

Angleterre
Massacres et expulsion de Juifs.

Lisbonne
Fondation de l'université.

1291

Suisse, 1er août
Werner Stauffacher (de Schgiz), Walter Fürst (d'Uri), Arnold de Melchtal (d'Unterwald) et, selon la tradition, Guillaume Tell, jurent de délivrer leur pays du joug des Habsbourg : c'est le serment du Rütli, considéré comme l'acte de fondation de la confédération helvétique. →

Proche Orient
Prise de Saint-Jean-d'Acre par le sultan mamelouk Al-Malik al-Khâlil. →

Montpellier
Guillaume de Nogaret enseigne le droit à l'Université.

1292

Chirâz
Mort du poète persan Muslah-al-Dîn Saadi.

1293

Asie du Sud
Une expédition mongole contre l'île de Java échoue.

1294

France, 19 mai
Philippe le Bel prononce la saisie du duché de Guyenne. Début de la guerre franco-anglaise.

Oxford, 6 novembre
Mort du théologien et philosophe Roger Bacon. →

Rome, 13 décembre 1294
Le « grand refus » de Célestin V. Cet ancien ermite, élu pape en juillet, abdique cinq mois plus tard, écrasé par l'ampleur de ses responsabilités et effrayé par les intrigues romaines. Boniface VIII est élu le 24 décembre.

Mihrab de la mosquée Muhammad el-Nasser Ibn Kalâ'ûn, Le Caire. 1318. Epoque mamelouk.

Les Mamelouks remodèlent Le Caire

Le Caire, seconde moitié du XIIIe siècle

Les sultans mamelouks, dont le règne s'étend sur trois siècles (1250-1517), sont de grands bâtisseurs. Le nombre des édifices construits sous leur règne est éloquent : cent cinquante monuments parmi lesquels on compte des mosquées, des collèges, des couvents, des fontaines, des mausolées et autres édifices. Ils ajoutent de nouveaux quartiers au vieux Fustât et au Caire des Fatimides. Avec eux, la capitale de l'Egypte devient une véritable ville d'art. C'est à Mâlik al-Mansûr Sayf al-Dîn Kalâ'ûn, cinquième sultan mamelouk, souverain d'Egypte et de Syrie de 1279 à 1290, que Le Caire doit les monuments les plus importants de la période. Il y fait construire un hôpital, *al-bimaristan al-Mansuri*, qui peut être considéré comme l'un des bâtiments les plus remarquables de la dynastie. Il comporte des salles nombreuses pour les différentes maladies, une salle de conférence, des laboratoires, un dispensaire, des bains, des cuisines et des dépôts. Ce bâtiment est relié à une mosquée-école (*médersa*) et à un mausolée, décoré de remarquables entrelacs et d'une belle mosaïque de marbre qui est l'un des plus beaux monuments de la ville.

Proclamation publique du serment de Rütli ou « L'Alliance perpétuelle » des cantons suisses. Miniature de la « Chronique de Lucerne » de Diebold Schilling.

Le serment des trois Cantons helvétiques

Suisse, 1er août 1291
Afin de contrecarrer les ambitions des Habsbourg, qui contrôlent déjà en Suisse la région de l'Aar (Argovie), les trois communautés helvétiques d'Uri, de Schwyz et d'Unterwald ont conclu un pacte de défense mutuelle. Le serment de Rütli a valeur « d'alliance perpétuelle ». Depuis que les Habsbourg ont accédé à la souveraineté sur la Germanie avec Rodolphe Ier, en 1273, ils ont tenté d'incorporer à l'empire les cantons helvétiques, indépendants depuis 1231 pour Uri, depuis 1240 pour Schwyz, après la formation de la ligue des Cantons forestiers. Le territoire des trois cantons est devenu d'importance stratégique depuis l'ouverture du col du Saint Gothard.

L'auteur du "Jardin des roses" disparaît

Environs de Chirâz, vers 1292
Muslah-al-Dîn, connu sous le nom de Saadi, est l'un des poètes les plus populaires de l'Orient musulman. Né à Chirâz vers 1200, il étudie à Bagdad, à l'université fondée par le Seljukide Nizâm al-Mûlk, et fait de nombreux voyages en Irak, Syrie, Egypte et au Hidjaz d'où il entreprend de multiples pèlerinages à La Mecque. En Syrie, prisonnier des Croisés, il avait été condamné à creuser des tranchées. Son œuvre, renouvelant en un style très simple la poésie amoureuse, est abondante. Mais c'est à deux ouvrages de réflexion morale et d'anecdotes qu'il doit sa réputation : le *Bustân* (Le Verger) et le *Gulistân* (Le Jardin des roses), où il mêle prose et poésie.

Le dernier bastion chrétien, Saint-Jean-d'Acre, est tombé

Terre sainte, 1291
Les Mamelouks, conduits par Khalil, le sultan d'Egypte qui a succédé à Kalâ'ün, ont pris Acre, la dernière forteresse des Croisés. C'est la fin des Etats croisés de Syrie. Saint-Jean-d'Acre, qui était la capitale des possessions chrétiennes de Terre sainte, avait été conquise en 1104, lors de la Ire Croisade ; reprise par l'Ayubide Saladin, la ville avait été reconquise par Gui de Lusignan en 1191. Acre s'était érigée en commune en 1232 et avait été le siège en 1256-1258 d'une guerre civile, dite de Saint-Sabas. Et en 1277, Charles d'Anjou, qui revendiquait la couronne de Jérusalem, s'était emparé à son tour d'Acre.

Saint-Jean-d'Acre. Un des caravansérails construits par El Jazzar vers 1760 sur l'emplacement d'une fondation religieuse détruite après le départ des Croisés.

Les métiers s'organisent

Avec l'essor des villes occidentales, se développent les associations de métiers, ou guildes, dans lesquelles se groupent, par profession, les différents artisans. Ces corporations sont très hiérarchisées. Les compagnons, ouvriers et petits artisans, restent étroitement soumis aux maîtres qui dominent l'organisation et qui seuls élisent le gouverneur. Ces maîtres de métiers sont le plus souvent des grands marchands, des drapiers ou des banquiers. On accède à la maîtrise sur présentation d'un chef-d'œuvre et après paiement d'une taxe très élevée. Cette aristocratie marchande détient aussi le pouvoir politique dans la cité. Ces organisations, créées par la classe dirigeante, permettent d'encadrer les travailleurs de la cité, de maintenir les prix, de vérifier la qualité

Forgeron au travail. Miniature d'un manuscrit du XIIIe siècle de l'« Eneit » (Enéíde), roman en vers d'Einrich von Veldeke.

des produits et de contrôler l'accès aux différentes professions afin de garantir la pleine activité de leurs membres. Cependant, elles excluent au moins un quart de la population urbaine qui forme la classe misérable et dangereuse des ouvriers journaliers.

Représentation du "Jeu de Robin et Marion"

Naples, 1283
Le Jeu de Robin et Marion d'Adam de la Halle vient d'être représenté en Italie, où le trouvère avait suivi son seigneur, le comte d'Artois. Pour la première fois, le genre poétique de la pastourelle, où est décrite la rencontre d'un chevalier et d'une bergère, se trouve porté à la scène. Danses et chants populaires d'Artois, de Picardie et de Bretagne deviennent partie intégrante de l'action, ce qui est nouveau. L'œuvre connaît un vif succès en raison de la vie débordante des personnages et de leur langage réaliste : le chevalier est désinvolte mais sans cynisme, tandis que Marion est à la fois moqueuse et tendre. L'œuvre d'Adam de la Halle comprend dans son ensemble, outre son célèbre *Jeu de la Feuillée* (1262), dix-huit « jeux-partis », controverses poétiques avec un autre trouvère, ainsi que des chansons et rondeaux qui développent les thèmes de la poésie courtoise.

Chiang-Mai, capitale lao

Thaïlande, 1296
Dans le bassin du haut Menam, au nord de la Thaïlande, un chef thaï de la branche laotienne, Meng Rai, fonde la ville de Chiang-Mai, dont le nom signifie « ville neuve ». L'emplacement en avait été choisi dès 1292, et marqué par un temple à la construction duquel Meng Rai et deux princes alliés avaient présidé, symbolisant ainsi l'union des différentes branches thaï. Chiang-Mai était la capitale du royaume du Lan-na. La nouvelle cité eut une brillante destinée, en tant que centre politique, culturel et artistique. C'est, aujourd'hui encore, la seconde ville de Thaïlande.

Chedi (stûpa) du Wat Chiang Han, édifié vers 1298 par le roi Meng Rai, fondateur de Chiang-Mai.

Bacon, le "Docteur admirable", sort de prison

Paris, 1292
L'arc-en-ciel, le calendrier julien, la détermination du foyer des miroirs sphériques, la physique, l'astronomie, autant de sujets d'étude auxquels Roger Bacon, le « Docteur admirable », a appliqué la rigueur nouvelle de la méthode expérimentale et des mathématiques. Ce franciscain anglais, né à Lichester en 1214, est interdit d'enseignement en 1257. Son ami et protecteur, le pape Clément IV, meurt avant d'avoir pu défendre les « nouveautés » philosophiques de Roger Bacon. L'*Opus majus*, l'*Opus minus* et l'*Opus tertium*, écrits entre 1265 et 1271, valent à leur auteur d'être condamné et emprisonné en 1277. Il est libéré en 1292 et mourra deux ans plus tard.

Manuscrit enluminé du « Jeu de Robin et Marion » du trouvère Adam de la Halle. B.N., Paris.

1295

Angleterre, août
Réunion du Parlement modèle. →

France
Afin de financer ses entreprises, le roi de France Philippe le Bel procède à une mutation monétaire : il fait frapper de nouvelles pièces qui contiennent moins de métal précieux que les anciennes, mais ont la même valeur, selon les termes de l'ordonnance royale.

Italie
Dante Alighieri (1265-1321) rassemble en un recueil intitulé *La Vita Nuova* ses poèmes dédiés à Béatrice. →

France
Philippe le Bel ayant décidé de limiter les droits de l'Inquisition, le pape entre en conflit avec le roi de France.

1296

Florence, 8 septembre
L'architecte Arnolfo di Cambio commence la construction de la nouvelle cathédrale, Santa Maria del Fiore.

Sicile
L'île se révolte contre Jacques d'Aragon.

Delhi
Le sultan Alâ-ud-Dîn Khiljî fonde une nouvelle dynastie et étend son pouvoir sur une grande partie de l'Inde, le Deccan notamment.

Indochine
Les Khmers reconnaissent la suzeraineté des Mongols de Chine.

1297

France, 6 août
Canonisation de saint Louis.

Flandres, 20 août
A l'issue de la bataille de Furnes, la ville passe des mains du comte de Flandre dans celles de Robert d'Artois, allié des Anglais.

Portugal
Un traité est passé entre le royaume de Castille et Dom Denis, roi du Portugal, établissant les frontières définitives du royaume du Portugal. Le dialecte en usage dans la région de Porto devient langue nationale.

Italie
Jacques II le Juste, roi d'Aragon, reçoit du pape Boniface VIII l'investiture pour la Corse et la Sardaigne.

France
La Guyenne est reprise aux Anglais. →

Asie du Sud
Les Birmans se reconnaissent vassaux des Mongols de Chine.

Ecosse
Bataille de Stirling : victoire des Ecossais sur Edouard Ier.

1298

Venise
Le *Livre des merveilles du monde*, de Marco Polo. →

1299

Florence, 24 février
Selon la tradition, c'est Arnolfo di Cambio qui aurait commencé les travaux du palais des Prieurs (connu depuis lors sous le nom de Palazzo Vecchio). Lorsque Dante Alighieri y résida comme prieur du 15 juin au 14 août 1300, la partie centrale de l'édifice était en voie d'achèvement.

France, 19 juin
Le traité de Montreuil-sur-Mer rétablit la paix entre la Flandre, l'Angleterre et le royaume de France.

Inde
Les musulmans conquièrent le Gujarât.

Autriche
Alliance d'Albert d'Autriche et de Philippe le Bel contre Boniface VIII.

1300

Rome, 1er janvier
Boniface VIII décrète l'an 1300 année jubilaire.

Espagne
Rédaction du *Zohar* par Moïse de León. →

Chine
Diffusion et succès du drame chinois *Le Pavillon de l'aide ouest* de Wang Shi-fu (Wang Che-fou). →

Orléans
Des murailles sont érigées autour de la ville.

Edouard Ier, roi d'Angleterre, présidant le Parlement. Miniature d'un « Livre de l'ordre de la Jarretière ». Vers 1524.

Constitution du Parlement modèle

Angleterre, août 1295
Avec la convocation du Parlement (*Model Parliament*), le roi d'Angleterre Edouard Ier entérine le rôle consultatif des trois « états » de la population. Les premiers pas vers une limitation du pouvoir monarchique avaient été faits avec l'octroi de la *Magna Charta Libertatum* (→ 15-18.6.1215), qui garantissait les droits des barons. Le Parlement modèle est constitué d'un conseil de lords (barons et clergé de la seigneurerie féodale), de chevaliers, représentants des *shires*, et de bourgeois, représentants des villes. Le Parlement contribue à la fixation des impôts ; il n'a toutefois au Conseil royal qu'un pouvoir consultatif.

Venise, carrefour du commerce avec Byzance et le Levant. Miniature d'un manuscrit parisien des « Livres du Graunt Caam ». Vers 1400. B.N., Paris.

République de Venise

Venise, 1297
La République de Venise est dotée d'une constitution oligarchique très stricte : le pouvoir est exercé à vie par le doge, assisté d'un Petit Conseil au sein duquel sont choisis les membres de la Signoria, le véritable gouvernement vénitien. Le doge et le Petit Conseil sont élus par le Sénat (Grand Conseil), dont seuls peuvent faire partie les membres des 287 familles nobles inscrites sur le *Livre d'or*.

"Le Pavillon de l'aile ouest", chef-d'œuvre du théâtre chinois

Chine, vers 1300
Le Pavillon de l'aile ouest est la plus célèbre histoire d'amour chinoise. Ce fut d'abord une simple nouvelle, puis une ballade populaire, jusqu'au jour où elle fut adaptée à la scène par Wang Shifu, sous la dynastie Yuan. L'action, tragique à l'origine, est modifiée au théâtre, pour connaître un dénouement heureux. Le lettré Zhang commence une liaison avec la jeune Ying Ying qu'il vient de sauver des mains de brigands assiégeant le monastère où ils séjournaient. La mère de Ying Ying s'oppose au mariage mais, après maintes péripéties et grâce à la complicité d'une servante, les amoureux sont réunis. Modèle des histoires d'amour, cette pièce n'est pas, comme en Occident, l'histoire d'une conquête, mais celle d'une fidélité à toute épreuve.

Le "Zohar", traité ésotérique et mystique

Espagne, avant 1300
Le Zohar ou *Sefer ha-Zohar* (*Le Livre de la splendeur*) est le plus important des ouvrages de la littérature kabbalistique. Il ne s'agit pas d'un livre, mais d'un corpus d'œuvres s'organisant autour d'un Commentaire du Pentateuque. La majeure partie de cet écrit est attribuée à Moïse de León qui l'aurait composée entre 1270 et 1300. Le *Zohar*, expression gnostique de la kabbale juive, s'inscrit à l'encontre du courant rationaliste qui se diffusait alors dans le judaïsme espagnol au contact de l'islam. La théosophie de l'œuvre est dominée par la mystique de l'unité du Dieu vivant qui se rend manifeste à travers dix aspects essentiels, les dix *sephirot*. La Torah y est réinterprétée comme un grand corps de symboles représentant la vie cachée de Dieu dévoilée par les *sephirot*.

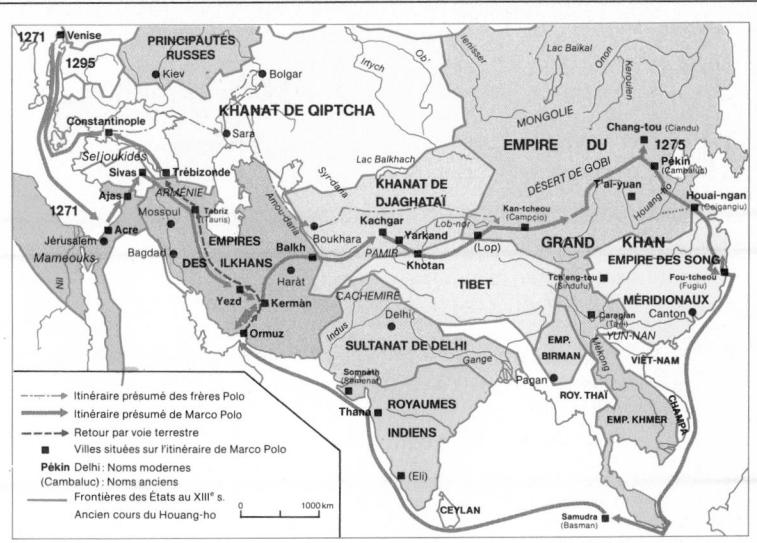

Othmân Ghazi prend le titre d'émir

Asie Mineure, fin XIIIe siècle
On sait peu de choses de la tribu dont est issue la dynastie ottomane. Il semble toutefois qu'un de ses chefs, Ertoghrul, ait reçu, aux environs de 1260, la région de Seuyut (Söghüt) sur la Sakariya pour la défendre contre les Byzantins. A sa mort, en 1290, son fils Othmân (éponyme de la dynastie) prend en charge l'émirat et passe à l'offensive. Dès avant la fin du siècle, il avait déjà réussi à mettre sous son contrôle la partie orientale de la Bithynie byzantine. Ses conquêtes, bien que limitées, lui valent le concours d'autres Turcs et Turcomans, désireux de combattre pour l'islam, et aussi pour le butin. Il prend alors le titre d'émir.

Othmân Ier, surnommé el-Ghazi (le Victorieux), fondateur de la dynastie ottomane.

La conquête de la Guyenne par le roi de France

Guyenne, royaume de France, 1297
Saint Louis avait cédé ce fief aux Plantagenêt lors du traité de Paris de 1259, mais il cherchait depuis quelques années à le leur reprendre. C'est chose faite : les Anglais sont battus et cèdent la Guyenne.

L'Ecosse affronte l'Angleterre à Stirling

Ecosse, 1297
Un conflit éclate entre Edouard Ier et l'Ecosse à la suite de l'extinction de la dynastie des Canmore, en 1286. Edouard Ier, après une première victoire contre le nouveau roi, John Balliol, est vaincu à Stirling par William Wallace, qu'il fera exécuter lorsqu'il l'aura écrasé à Falkirk.

Béatrice inspiratrice de Dante

Florence, vers 1295
A Florence, en 1274, Dante Alighieri a neuf ans ; lors d'une fête de famille, il rencontre une fillette d'un an plus jeune que lui, Béatrice Portinari, qui « depuis lors gouverna son âme ». A dix-huit ans, il publie pour elle son premier poème. Sonnets, ballades et *canzoni* se succèdent alors rapidement. Mais la *Gentilissima* Béatrice meurt le 8 juin 1290. Elle devient alors la *Donna gentile* qui doit venir par une vision maintenir le poète volage dans sa seigneurie d'Amour. Vers 1295, *La Vita Nuova* présente en un recueil toutes les pièces consacrées à Béatrice. Annonçant *La Divine Comédie*, Dante promet de « dire d'elle ce qui n'a jamais été dit d'aucune autre femme ».

Voyages et aventures de Marco Polo

Gênes, 1298
Fait prisonnier en 1298 dans un combat opposant Gênes à Venise, le Vénitien Marco Polo est incarcéré avec un certain Rusticien de Pise, écrivain de métier. Celui-ci rédigera en français les récits que lui dictera Marco Polo au long de ses trois années de détention, rassemblant ainsi son *Livre des merveilles du monde*. En 1265, à l'époque où les riches marchands vénitiens Niccolo et Matteo Polo parvenaient à la cour de Pékin, le grand khân Kûbilây, conquérant de la Chine des Song, venait d'y instaurer la dynastie mongole des Yuan. Non seulement Kûbilây accueillit avec intérêt les deux Européens, mais il les chargea d'une missive pour le pape : mission accomplie, ils refont le chemin en sens inverse, messagers du pape cette fois auprès de l'empereur de Chine, à la cour duquel ils parviennent à nouveau en 1275. Ils ont emmené avec eux le jeune Marco, fils de Niccolo et neveu de Matteo. Kûbilây les retiendra dix-sept ans à son service, chargeant Marco de missions dans le sud, en Inde et en Perse ; pendant trois ans, il est fonctionnaire à Hang-Chou, l'ancienne capitale des Song. Il en admire les palais, les temples et les ouvrages d'art. Observateur attentif des coutumes et des gens, il admire l'administration mongole, avec son système de postes, de recensement, de marchés, de voirie, l'utilisation du papier-monnaie. Il pratique couramment le persan et le mongol ; le chinois lui est inconnu, le khân préférant employer des étrangers plutôt que des fonctionnaires chinois. Autorisés à quitter l'empire en 1291, les Polo accompagnent chez le khân de Perse une princesse du clan de Kûbilây. La route maritime par les mers du Sud et l'Inde les fait aborder à Venise en 1295. Les fourrures, les soieries et les bijoux qu'ils rapportent témoignent auprès de leurs concitoyens incrédules des fastes de la cour du grand khân.

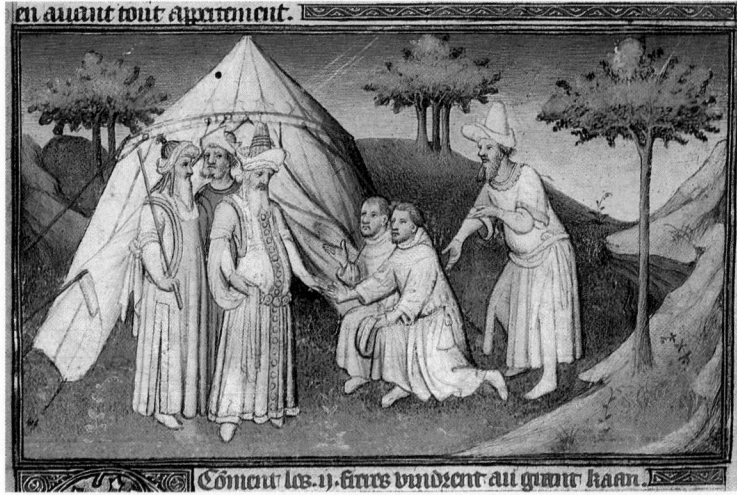

Arrivée de Marco Polo, à la cour de Kûbilây Khân en 1275. Le « Livre des merveilles du monde », manuscrit français de 1410.

1301

Europe
L'Inquisition est placée sous l'autorité des évêques.

Hongrie
Mort d'André III, dernier roi de la dynastie des Arpad. Venceslas de Bohême lui succède.

Rome, 5 décembre
La bulle pontificale *Ausculta Fili* proclame la subordination du pouvoir temporel.

1302

France, 11 février
Philippe le Bel fait brûler la bulle *Ausculta Fili.*

Paris, 10 avril
Le roi fait approuver par les Etats généraux sa politique envers le pape.

Bruges, 18 mai
« Matines brugeoises » : tous les soldats français présents dans la ville sont massacrés.

Flandres, 11 juillet
Bataille de Courtrai. →

Inde
Les troupes du général Malik Kâfûr, au service du sultan Alâ ud-Dîn Khildjî, atteignent le cap Comorin au sud de l'Inde.

Florence
Les guelfes prennent le pouvoir à Florence, les gibelins sont bannis : Dante Alighieri part en exil.

Rome, 18 novembre
Boniface VIII promulgue la bulle *Unam Sanctam,* vision théocratique du monde.

1303

Paris, 20 mai
Traité de paix entre la France et l'Angleterre : la Guyenne est rétrocédée au roi d'Angleterre.

Italie, 7 septembre
Attentat d'Anagni. →

Rome, 11 octobre
Mort du pape Boniface VIII

1304

Flandres, 18 août
La bataille de Mons-en-Pévèle est la revanche du roi de France sur les Flamands.

1305

France, 23 juin
Traité d'Athis : Philippe le Bel rend la Flandre à Robert de Béthune contre la cession de Lille et de Douai.

Rome, 5 août
Un Français, Bertrand de Got, archevêque de Bordeaux, est élu pape et prend le nom de Clément V.

1306

France
Philippe le Bel bannit les Juifs et confisque leurs biens.

Pologne
Ladislas Ier le Nain s'empare de Cracovie à la mort de Wenceslas II de Bohême.

Padoue
Giotto décore la chapelle des Scrovegni, à l'Arena. →

1307

Grèce
Les Angevins de Naples s'emparent de la Morée.

France, 13 octobre
Philippe le Bel fait arrêter les Templiers et confisque leurs biens. →

Angleterre
Avènement d'Edouard II.

1308

Cologne
Mort de John Duns Scot, le « docteur subtil ». Franciscain, il a enseigné à Oxford et à Paris. Adversaire du thomisme, il s'inspira de saint Augustin et développa une philosophie de l'essence, insistant sur la souveraine liberté de Dieu et la contingence du monde.

Portugal
L'université de Lisbonne est transférée à Coïmbre.

Hongrie
Charles Ier d'Anjou devient roi.

Italie
Dante Alighieri commence la composition de *La Divine Comédie.*

1309

Avignon
Clément V s'installe en Avignon. →

Giotto invente une nouvelle peinture

Padoue, 1306
A l'Arena de Padoue, Giotto vient d'achever, à la demande de la famille Scrovegni, outre le *Jugement dernier* du mur d'entrée, des fresques couvrant sur quatre registres les murs de la nef et retraçant la vie de Marie et celle de Jésus. Son génie novateur y est immédiatement sensible. Conçue comme un cycle narratif, l'histoire sainte s'y déroule sur un rythme héroïque et familier. Gestes et regards individualisent chaque figure : quel contraste entre la noblesse surhumaine du Christ et le visage, défait et avili, du disciple dans le *Baiser de Judas* ! Jouant de l'espace comme d'un matériau sensible, il s'en sert avec une maestria confondante pour donner à chaque scène une densité exceptionnelle et lui conférer une solennité, qui s'adresse au cœur et à l'esprit du spectateur.

Giotto. « La Fuite en Egypte ». Fresque. Entre 1303 et 1306. Chapelle des Scrovegni ou Madonna dell'Arena, Padoue, haut lieu de la peinture occidentale.

Soulèvement de la Flandre : la bataille des Eperons d'or

Flandre, 11 juillet 1302
Les corporations flamandes ont battu près de Courtrai une armée de chevaliers de Philippe IV le Bel, roi de France, qui avait envahi la Flandre en 1297, lui imposant sa tutelle. La bataille avait été précédée par les « Matines » de Bruges, le 18 mai, où tous les soldats français de la ville avaient été massacrés. La Flandre, qui est devenue l'un des principaux centres du commerce européen, doit sa richesse à ses drapiers, à l'importance de son réseau fluvial navigable et au commerce intense qu'elle entretient avec son partenaire naturel, l'Angleterre. La fabrication des étoffes a fait la fortune des villes de Gand, Ypres, Bruges et Courtrai, dont l'importance politique s'est simultanément accrue. Philippe IV le Bel ne voit pas sans inquiétude se développer une puissance flamande indépendante aux portes du royaume de France, compte tenu des liens privilégiés qui lient les corporations de Flandre à l'Angleterre.

Règle et spiritualité nouvelles au sein des béguinages

Pays-Bas, vers 1300
Il faut un an de noviciat, six ans de vie commune et trente ans d'âge pour résider dans l'une des petites maisons d'ermites groupées sous les hauts murs du béguinage. On ne prononce pas de vœux perpétuels, on n'est pas astreint au bréviaire mais de nombreux offices et prières sont récités en commun. Ces communautés d'hommes et de femmes se développent au XIIe siècle, dans le sillage des ordres mendiants auxquels certains membres se rattachent pour échapper à la suspicion d'hérésie. Les béguines obéissent à l'autorité d'une maîtresse générale : la « grand-dame ». Les travaux manuels jouent un rôle important pour l'économie textile : tissage pour les hommes, filage, blanchissage et dentelle pour les femmes, dont la robe noire et la coiffe blanche des pauvres sont la tenue habituelle. Quelle que soit l'origine du nom, le béguinage évoque un idéal mystique chrétien de prière, de simplicité et de paix.

L'attentat d'Anagni : le pape à la merci du roi de France

Anagni, 7 septembre 1303
Le pape Boniface VIII vient d'être attaqué dans son palais d'Anagni, près de Rome, par une petite troupe envoyée par le roi de France. Celle-ci était venue l'arrêter ou le contraindre à abdiquer. Bien qu'insulté et frappé, il a courageusement refusé de céder et a été délivré par les paysans des environs. Boniface vient de rentrer à Rome ; mais sa santé est gravement altérée et ses jours semblent comptés. L'événement est considérable ; pourtant, en Occident, bien peu défendent Boniface. Il est vrai que le pape avait menacé Philippe le Bel d'excommunication. Le conflit avait surgi entre le pape et le roi de France à propos de Bernard Saisset, l'évêque de Pamiers désigné par le pape en 1297. Celui-ci, hostile à Philippe le Bel, fut arrêté, traduit devant une cour et fut convaincu d'avoir tenu des propos désobligeants à l'encontre du monarque. Il fut aussi accusé d'hérésie et de blasphème. Apprenant cela, le pape se fâcha, car l'évêque aurait dû d'abord comparaître devant les juges de l'Eglise et non devant la justice laïque. Il réunit un synode au cours duquel il affirma que sa dignité de vicaire du Christ lui conférait des prérogatives illimitées. Le roi répliqua en mettant purement et simplement en doute la légitimité de son élection, à quoi le pape répondit en brandissant l'excommunication.

Arbre généalogique du pape Boniface VIII. Son règne fut marqué par le conflit avec la France. Osterreichische National Bibliothek, Vienne.

Le pape Clément V s'installe en Avignon

Avignon, 1309
Après avoir indéfiniment repoussé, depuis son avènement inattendu il y a cinq ans, son départ pour Rome, le pape Clément V, qui avait fait plusieurs séjours au château de Montreux près de Carpentras, dans le comtat Venaissin, finit par s'installer en Avignon, propriété du roi de Naples, comte de Provence. Rien ne destinait au pontificat l'archevêque de bordeaux Bertrand de Got, qui ne faisait même pas partie du Sacré Collège. Or celui-ci, profondément divisé après le pontificat mouvementé et controversé de Boniface VIII (→ 1303), décida précisément de choisir un prélat en dehors du Collège. La nomination d'un pape italien aurait sans doute attisé le conflit entre Philippe le Bel et Rome. Il fallait donc un homme resté neutre dans le conflit avec la France et qui ne soit pas le sujet du roi. Bordeaux n'est pas dans le royaume de France mais dans celui d'Angleterre. Bertrand de Got, avisé de son élection le 19 juin 1305, a pris le nom de Clément V et s'est aussitôt mis en route pour se faire couronner en terre d'empire, à Vienne, avant de gagner l'Italie. Mais Philippe le Bel l'ayant invité à Lyon, c'est là qu'il fut couronné en présence du roi. Puis, retenu en France par la question des Templiers (→ 1307) et dissuadé de se rendre en Italie en apprenant les intrigues et rivalités romaines, c'est ainsi qu'il finit par y renoncer.

Arrestation, le 13 octobre 1307, des Templiers du royaume de France. Miniature illustrant un manuscrit des « Sept Péchés capitaux ». Détail. XIVe siècle.

Le roi de France Philippe le Bel élimine l'ordre des Templiers

France, 13 octobre 1307
Ce vendredi, à l'aube, tous les Templiers du royaume de France ont été arrêtés et jetés en prison. Le roi Philippe le Bel a pris aussitôt possession de la tour du Temple où s'entassent les fabuleux trésors et les livres de comptes. Les cent quarante Templiers de Paris sont soumis aux pires tortures de la part des inquisiteurs dominicains : cent trente-sept d'entre eux viennent d'avouer des ignominies incroyables. Ce traitement que l'on fait subir aux Templiers provoque l'indignation des royaumes voisins, convaincus de l'innocence du Temple. On accuse Philippe le Bel d'avoir simplement besoin d'argent. Il est vrai que les richesses et donc la puissance du Temple étaient devenues considérables, alors que l'ordre avait fait à l'origine vœu de pauvreté. En effet, le Temple tire son origine de l'ordre des Pauvres Chevaliers du Christ. Cet ordre avait été fondé à la fin de 1119 par deux chevaliers français qui s'étaient placés sous la protection de Baudouin II, couronné depuis peu roi de Jérusalem.

La fondation de cet ordre monastico-militaire répondait à un besoin particulier de l'Eglise, à la fois soucieuse d'humaniser la guerre tout en menant une lutte implacable contre les musulmans. Le roi Baudouin les avait installés dans le temple de Salomon à Jérusalem, ce qui leur avait valu l'appellation de Templiers. Rapidement, l'ordre connut un grand succès populaire. De nombreuses donations leur furent faites par des évêques, des seigneurs et des prosélytes partis vers la Terre sainte dès 1131. On était alors en plein engouement pour les Croisades. Ces Templiers menaient une vie conventuelle, régie par un code disciplinaire très rude. La valeur militaire de l'ordre est attestée par divers combats au Moyen-Orient et par la participation des chevaliers (vêtus du manteau blanc à croix rouge) à la reconquête de l'Espagne. Le Temple est devenu si riche qu'il sert de banquier aux papes et aux rois ; son pouvoir est tel que Philippe le Bel finit par le trouver encombrant. C'est la raison pour laquelle il fait arrêter et torturer les Chevaliers. Le pape nommera une commission de cardinaux devant laquelle la plupart d'entre eux se rétracteront. Mécontent, le roi ordonnera un nouvel interro-

Chevalier de l'ordre hospitalier de Saint-Jean-de-Jérusalem (dessin de S. Heldt, vers 1570).

gatoire : certains avoueront et cinquante-quatre d'entre eux seront brûlés. Le pape fera supprimer l'ordre le 13 avril 1312 au concile de Vienne.

1310

France, 12 mai
Cinquante-quatre Templiers sont suppliciés.

Pise
Giovanni Pisano achève de sculpter la chaire du Dôme.

Rouen
Première représentation de la Passion sur le parvis de la cathédrale.

1311

Sienne, 9 juin
La *Maestà* de Duccio di Buoninsegna est solennellement installée à la cathédrale. →

France
Philippe le Bel annexe Lyon.

1312

Vienne, France, 6 mai
Le XVᵉ Concile œcuménique abolit l'ordre du Temple, intervient dans la querelle franciscaine de la pauvreté et condamne l'hérésie des bégards.

Liège, nuit du 3 au 4 août
La « Male Martin » : aristocrates et patriciens sont massacrés et brûlés par les artisans aidés des chanoines de Saint-Lambert.

Inde
Malik Kâfûr, général d'Alâ ud-Dîn Khildji, conquiert le Deccan.

1313

Paris
Marsile de Padoue est désigné recteur de l'Université.

1314

Fontainebleau, 29 novembre
Mort de Philippe le Bel ; Louis X le Hutin accède au trône. →

Asie centrale
Voyage du missionnaire franciscain Odoric de Pordenone.

1315

Défilé de Morgarten, Suisse, 15 novembre
Les confédérés des cantons de Schwyz, Unterwald et Uri remportent une victoire décisive sur Léopold Iᵉʳ de Habsbourg, duc d'Autriche. →

France
Ayant répudié en 1314 Marguerite de Bourgogne, convaincue de nombreux adultères, Louis X épouse en secondes noces Clémence de Hongrie.

France
Louis X rappelle les Juifs dans le royaume.

Louis X affranchit les serfs du domaine royal moyennant finances.

Cologne
Maître Eckhart, professeur au « studium » dominicain de la ville.

1316

France, 5 juin
Mort de Louis X, sans autre héritier que les espoirs portés par Clémence depuis quatre mois. Son frère Philippe le Long est nommé régent.

France, 19 novembre
Jean Iᵉʳ Posthume, fils de Louis X, meurt après cinq jours de règne et d'existence.

1317

Reims, 9 janvier
Couronnement de Philippe V : Jeanne, la fille de Louis X, est écartée de la succession : « Femme ne succède à la couronne de France. » →

1318

Angleterre
Guillaume d'Occam enseigne à Oxford.

Ravenne
C'est vers cette date que Dante Alighieri écrit la troisième et dernière partie de *La Divine Comédie* : « le Paradis », à la fois couronnement de son œuvre et adieu au Moyen Age.

Europe centrale
Le valdéisme, la doctrine des Vaudois, se répand en Bohème et en Pologne.

Inde
Les musulmans détruisent le royaume de Mahârâshtra.

1320

Florence
Giotto : fresques de la *Vie de Saint François*, sur les murs de la chapelle Bardi à Santa Croce.

Gao Kegong. Collines vertes et nuages blancs. Détail d'un rouleau horizontal. Encre et couleurs sur soie. Musée du Palais, Formose.

La disparition d'un maître du paysage : Gao Kegong

Chine, vers 1310
Gao Kegong (Kao K'o-kong) vient de mourir. Avec lui, disparaît le premier des grands paysagistes de son époque. Né dans le Shaanxi mais d'origine étrangère, il accéda, sous le règne des conquérants mongols, au rang élevé de président du Conseil de la Justice et de gouverneur civil de deux provinces. Il passa de nombreuses années à Hang Zhou, magnifique cité de Chine du Sud et réserve inépuisable d'inspiration pour les artistes. Il fut un admirable peintre, ne travaillant que pour la joie spirituelle que lui procurait l'art du paysage et, comme les grands lettrés de son temps, visant moins dans son œuvre à exprimer ses propres sentiments qu'à rendre compte de l'état d'esprit du groupe social auquel il appartenait. Son œuvre reste difficile à juger, car aucune de ses peintures, semble-t-il, ne nous est parvenue dans son état d'origine. On peut dire, toutefois, qu'il a réalisé une synthèse originale des styles traditionnels, satisfaisant à la fois le goût archaïsant et les tendances expressives de son temps. Il est l'un des peintres qui ouvrirent, à l'époque Yuan, une ère nouvelle de la peinture chinoise.

"La Divine Comédie", vision apocalyptique

Ravenne, 14 septembre 1321
Loin de son ingrate patrie qui l'a condamné le 10 mars 1302 à l'exil perpétuel sous peine d'être brûlé vif, Dante meurt à Ravenne dans la paix et la solitude. Il avait, entre 1290 et 1300, connu à Florence tous les plaisirs, les honneurs et les charges publiques : participant dès 1295 à la vie de la cité, inscrit à l'une des corporations *(Arti)*, puis élu prieur du Conseil, magistrature suprême, il doit à ses choix politiques l'exil qui le frappe si durement et que préfigure, en quelque sorte, le voyage « outre-tombe » qui sert de point de départ à sa *Divine Comédie*. Cette œuvre autobiographique et prophétique se présente comme le carnet de route d'un voyageur qui, parti pour l'enfer le Vendredi saint 8 avril 1300, traverse le purgatoire, arrive au paradis et s'en revient la semaine suivante. L'accumulation de détails réalistes crée une saisissante illusion de vérité. Virgile conduit Dante à travers cette allégorie sacrée dont le but est d'« arracher ceux qui vivent dans cette vie à l'état de misère et les conduire à l'état de bonheur ».

Dante Alighieri. Fresque de Domenico di Michelino : « La Divine Comédie rayonnant sur Florence ».

Louis X le Hutin remettant leur charte aux Normands. Miniature du « Grand Coutumier de Normandie ». Vers 1340.

Louis X remet la charte aux Normands

Normandie, 1315
C'est depuis le xᵉ siecle que les Normands se sont installés de force en Normandie (→ 911). Depuis, les rapports de suzeraineté se sont difficilement établis entre ceux-ci et le roi de France. C'est pourquoi le roi Louis X le Hutin vient d'élaborer la « charte aux Normands » qui établit un modus vivendi définitif avec la Couronne. Désormais la Normandie, prospère grâce à ses progrès dans l'agriculture et au développement de son commerce, sera une alliée fidèle du roi de France.

Crise dynastique dans le royaume de France

Reims, 9 janvier 1317
Philippe V de Poitiers vient d'être couronné roi de France à Reims : il a triomphé des oppositions en obtenant la ratification de son avènement par une assemblée des Grands du royaume. Louis X à sa mort, le 5 juin 1316, laissait pour seule héritière une fille, la petite Jeanne, âgée de huit ans. Philippe, frère du défunt, écartant les autres prétendants, réussit à se faire nommer régent du royaume, puis à monter sur le trône, évinçant la princesse Jeanne sous prétexte que c'était une fille.

Le sacre de Philippe V le Long. « Grandes Chroniques de France ».

Les Suisses écrasent l'armée des Habsbourg

Suisse, 15 novembre 1315
Les paysans des Cantons confédérés de Suisse ont obtenu une victoire décisive à Morgarten (Suisse centrale) sur l'armée des cavaliers du duc d'Autriche Léopold Iᵉʳ de Habsbourg. La victoire des Cantons forestiers de Schwyz, d'Uri et d'Unterwald scelle définitivement l'alliance qu'ils avaient contractée lors du serment du Rütli (→ 1ᵉʳ.8.1291). Les Habsbourg doivent dès lors reconnaître l'indépendance de la Confédération des cantons. Cette alliance s'élargit bientôt aux villes de Lucerne, Zurich, Zoug, Glaris et Berne, formant l'ensemble des « huit anciens pays ». La victoire des Cantons marque aussi la supériorité des armées de paysans, efficaces puisqu'elles sont très mobiles face aux armées traditionnelles.

Armure d'un chevalier au XIVᵉ siècle : armet, cotte de mailles, cuirasse et gantelets.

Duccio di Buoninsegna. La Déposition de Croix, un des compartiments de la « Maestà ». 1311. Musée de la cathédrale, Sienne.

La ville de Sienne en fête pour la "Maestà" de Duccio

Sienne, 9 juin 1311
Tandis que les cloches sonnaient à toute volée, une foule en liesse, portant des flambeaux, a accompagné solennellement la *Maestà* de Duccio jusqu'à la cathédrale. Le retable de bois, peint sur ses deux faces, représente d'un côté une Madone entourée de saints et d'anges sur fond doré, tandis que l'autre face se compose de compartiments racontant la vie et la passion du Christ. La douceur des visages, la grâce des détails, la variété des arrière-plans, la luminosité des couleurs ont fait grande impression sur la foule enthousiaste.

« La Dormition de la Vierge ». Peinture murale. Vers 1315. Eglise royale du monastère de Studenica, Serbie.

Peinture religieuse dans le Royaume serbe

L'église royale de la Studenica offre un exemple parfait de cette synthèse des apports byzantins et occidentaux qui caractérise l'art du XIVᵉ siècle. C'est sous le règne du souverain mécène Milioutine, de 1275 à 1321, que la Serbie s'ouvre aux influences culturelles les plus diverses. Le style ornemental se manifeste dans la peinture des églises de la vallée de la Morava, comme Nagorica (1313) et Gracanica (1321). L'enluminure et l'icône serbes profitent des influences italienne (*Evangile de Miroslav*) et orientale (*Evangile de Prizren*).

1322

France, 3 janvier
Philippe V meurt en ne laissant que des filles ; son frère, Charles IV, lui succède.

1323

Europe orientale
La Galicie est partagée entre la Pologne et la Lituanie.

1325

France
L'Université de Paris lève sa condamnation du thomisme.

Publication de l'*Ars nova musicae* de Philippe de Vitry.

Mexique
Fondation par les Aztèques de la cité de Tenochtitlan sur l'emplacement de la future Mexico.

1326

Asie Mineure, 6 avril
Fils d'Othmân Ier, fondateur de la dynastie ottomane, Gazil Orkha s'empare de Brousse et en fait sa capitale. →

1327

Angleterre
Déposition d'Edouard II ; Edouard III lui succède.

Cologne
Mort de maître Eckhart. →

1328

France, 1er février
Charles IV meurt sans héritier mâle. Les barons évincent Philippe d'Evreux, gendre de Louis X, et Edouard III d'Angleterre, petit-fils de Philippe le Bel par sa mère ; ils donnent le trône au neveu de Philippe le Bel, Philippe de Valois. →

Reims, avril
Couronnement de Philippe VI.

Mont-Cassel, 24 août
Les Flamands sont vaincus par Philippe VI de Valois : Bruges révoltée venait de reconnaître Edouard d'Angleterre comme roi de France.

Damas, 26 septembre
Mort du juriste Ibn Taymiya. →

Moscou
Moscou devient capitale de la Russie. →

Paris
Jean Buridan recteur de l'Université.

1329

Vincennes
Une assemblée de légistes proclame le principe de l'inaliénabilité du domaine royal.

1330

Angleterre
Edouard III exile sa mère Isabelle et fait exécuter Mortimer.

Flandre
Le théologien et mystique brabançon, Jan van Ruybroeck, publie *Le joyau des noces spirituelles*.

Prusse
Affrontements entre la Pologne et les chevaliers Teutoniques.

1331

France
Edouard III reconnaît la suzeraineté de Philippe VI sur ses fiefs.

1333

Ecosse
Nouvelle tentative anglaise contre les Ecossais. Le roi de France soutient les partisans de David Bruce opposés à l'Angleterre.

Pologne
Avènement de Casimir le Grand qui décrète des mesures en faveur de l'établissement des Juifs.

Japon
Début du shogunat Ashikaga.

1336

Inde
Fondation du royaume de Vijayanagar. →

Florence
Andrea Pisano achève de sculpter une des portes en bronze du baptistère (la porte sud). →

Flandre
Edouard III interdit l'exportation des laines anglaises vers Bruges afin de punir le comte de Flandre de son attachement à la couronne de France. →

Andrea Pisano travaille au chantier du Baptistère de Florence

Florence, vers 1330
Orfèvre de formation, Andrea Pisano réalise la porte sud, en bronze, du Baptistère. Sur les vingt-huit panneaux quadrilobés, isolés par des cadres de clous décoratifs et de têtes de lions, vingt retracent la vie de saint Jean-Baptiste, certains d'après des dessins de Giotto ; les huits autres représentent des Vertus cardinales. L'artiste transpose dans une histoire sainte très familière le charme concret de la vie quotidienne. L'exécution est parfaite et la composition dramatique vise à l'économie, non sans une certaine grâce.

Andrea Pisano. La mise au tombeau de saint Jean-Baptiste. Porte en bronze du Baptistère de Florence.

Kankan Moussa, empereur du Mali

Mali, 1312-1335
De l'océan Atlantique à la bouche du Niger s'étend l'immense empire du Mali régi, de 1312 à 1335, par Kankan Moussa, dit le Magnifique. Propagateur de l'islam et promoteur de rapports culturels et commerciaux avec l'Egypte, il entreprend un pèlerinage à La Mecque avec une étape au Caire. Consignée dans de nombreux récits, cette expédition fait de lui le souverain le mieux connu du Soudan médiéval : escorté de 60 000 serviteurs, il dépense au cours de son voyage quelque douze tonnes d'or. Il ramène au Mali des lettrés musulmans chargés de convertir ses peuples encore animistes, et un poète-architecte à qui il confie l'édification de palais et de mosquées, notamment celle de Tombouctou. Kankan Moussa instaure un type de gouvernement indirect : dépendant de son pouvoir central strict, des pouvoirs locaux sont confiés aux chefs reconnus par la population de chaque province. Sa tolérance religieuse à l'égard des Etats vassaux - il ne cherche pas à convertir par la violence - lui assure régulièrement le tribut en or prélevé auprès de ses sujets, les impôts sur les récoltes et le bétail. Malgré la multiplicité des ethnies placées sous son autorité et l'étendue de son territoire, le règne de Kankan Moussa marque une période de paix ininterrompue. C'est surtout la richesse de ce pays, due à une production d'or considérable, qui participe à la grandeur et la souveraineté de Moussa et à la satisfaction de ses sujets. Enfin, le commerce transsaharien de cet or, du kola et des esclaves ajoute un surcroît de prospérité à l'empire. Ainsi une cavalerie est-elle entretenue à grands frais, principale force de la politique expansionniste du Mali alors à l'apogée de sa puissance.

Carte de l'Afrique. Détail de l'« Atlas catalan » d'Abraham Cresques. Palma de Majorque, 1375. Bibliothèque nationale, Paris.

Mort de Ibn Taymiya, théologien et maître du hanbalisme

Damas, 26 septembre 1328
Théologien, jurisconsulte, appartenant au hanbalisme, Taki ad-Din Ahmad ibn Taymiya (né à Harrar en 1263) meurt à la citadelle de Damas où il est enfermé. Il laisse une œuvre considérable et un nom synonyme de la plus totale intransigeance et du refus de toute compromission. A la pointe de tous les combats contre les adversaires de l'islam, Arméniens, Mongols et autres, il n'a cessé, au sein même de cette religion, de polémiquer avec les conservateurs (considérés comme trop tièdes), ne voulant « décrire Dieu que comme lui-même s'est décrit dans son Livre et comme le Prophète l'a fait dans la *Sunna* (la Tradition) ». La religion et l'Etat sont indissolublement liés. Sans la contrainte de l'Etat, la religion périclite. Mais, sans la discipline de la Loi révélée, l'Etat devient une organisation de la tyrannie. La fonction essentielle de l'Etat est de préparer l'avènement d'une société vouée au service de Dieu.

Moscou, capitale religieuse et politique

Moscou, 1328
Les terres russes sont rassemblées autour du prince de Moscou, Ivan Ier Kalita, qui obtient en 1328 le *yarlyk* de la Horde d'or lui assurant le titre de grand-prince de Vladimir. Parallèlement, le métropolite Théognoste fixe le siège de l'Eglise à Moscou. En réunissant les pouvoirs politique et religieux en un même lieu, c'est l'unité nationale qui s'ordonne. Au point de convergence de plusieurs fleuves, Moscou bénéficie d'une remarquable situation géographique. La ville a triomphé de Tver, sa rivale. En 1260, Alexandre Nevski laissait à son fils Daniel la petite principauté de Moscou. Daniel recevait en 1302 Péréïaslavl-Zalessky en héritage. Puis Kolomna et Mojaïsk sont annexées. Pour lutter contre Michel de Tver, grand-prince de Vladimir, Moscou s'allie au khan Ouzbek ; ce qui permet à Ivan Kalita de soumettre Tver, puis Riazan et Souzdal. En 1325, est fondée la cathédrale de l'Assomption, la première église en pierre de Moscou.

Disparition d'un théologien discuté : maître Eckhart

Avignon, vers 1327
La bulle *In agro dominico* condamne vingt-huit propositions du dominicain maître Eckhart. Celui-ci, dont l'orthodoxie est suspectée depuis 1325, s'est défendu depuis Cologne et, le 22 février 1327, lorsque l'affaire est évoquée en Avignon devant Jean XXII, il s'y rend ; mais il meurt peu après. La mystique d'Eckhart pose une « déité » absolue au-dessus de tout, mais dans un rapport constant avec elle-même et dans un rapport externe avec une Création qui justifie paradoxalement son existence. Comparée à Dieu, la créature est néant ; elle contient néanmoins en son centre l'empreinte divine qui la rattache à Dieu et lui confère sa noblesse fondamentale.

Les Ottomans prennent Brousse, Byzance menacée

Asie Mineure, 6 avril 1326
Vers 1323, Orkhan succède à son père Othman (ou Osman). Le premier succès important du jeune émir est la prise de Brousse. Les Ottomans assiégeaient déjà la ville depuis longtemps. Ils avaient conquis les places fortifiées qui l'entouraient et tenaient la campagne. Les Byzantins n'ayant rien fait pour la secourir, la ville est réduite par la famine. La prise de Brousse marque un tournant dans la marche en avant des Ottomans. La simple principauté frontalière de nomades se transforme en un véritable Etat. Les Ottomans prennent conscience de la faiblesse de Constantinople dont ils profiteront pour s'agrandir à ses dépens.

L'"Ars nova" de Philippe de Vitry

Paris, vers 1325
Le chanoine Philippe de Vitry publie *Ars nova musicae*, un traité par lequel il réforme la notation musicale. L'auteur réagit contre une certaine monotonie du chant d'église, où la prosodie du texte supplée à l'absence de rythme proprement musical. Désormais, le rythme binaire prend une importance égale à celle du rythme ternaire qui avait prévalu au siècle précédent, tandis que les relations des notes entre elles sont déterminées par le « mode », division de la brève en semi-brèves, et la « prolation », division de la semi-brève en minimes. Cette vie rythmique nouvelle du chant sera jugée sacrilège par le pape Jean XXII, qui tentera vainement de s'y opposer.

La révolte de Jacob van Artevelde

Royaume de France, 1328
Le dernier Capétien, Charles IV, vient de mourir. Les barons, se rappelant la vieille loi salique, vont reconnaître comme roi de France Philippe VI de Valois, un Français, cousin du défunt souverain. De son côté, Edouard III d'Angleterre, petit-fils de Philippe le Bel par sa mère, pouvait se dire héritier direct du royaume. Or Philippe VI va commencer par s'emparer de la Guyenne, fief d'Edouard. Celui-ci ripostera aussitôt en revendiquant le titre de roi de France, et cherchera à affaiblir son ennemi en tentant de ruiner la Flandre. En effet, en 1336, Edouard prononcera l'embargo sur l'exportation des laines anglaises vers la Flandre. Ce qui ne tardera pas à réduire au chômage cette région prospère grâce à son industrie textile. Le peuple de Flandre reprochera à Louis de Nevers, comte de Flandre, son parti pris pour son suzerain Philippe VI. L'agitation grandira au point qu'un bourgeois de Gand, nommé Jacob van Artevelde, prendra la tête d'une insurrection qui gagnera bientôt tout le pays, contraignant le comte à venir chercher refuge en France. Van Artevelde est animé par la volonté de voir la Flandre libre, puissante et prospère. Tous les Flamands (peuple et patriciens) se tourneront vers l'Angleterre. Edouard III lèvera aussitôt l'embargo et savourera son succès.

Sceau de la ville de Bruges (1282), le port le plus important d'Europe au XIVᵉ siècle.

Le royaume de Vijayanagar est fondé

Scènes de la vie du moine Jaïn Kalaka. Miniatures du « Kalakacharya Katha ». Inde occidentale, vers 1400. Prince of Wales Museum, Bombay.

Inde, vers 1336
Le royaume de Vijayanagar, dernier grand Etat du sud de l'Inde, est fondé par les trois frères Bukka, Hakka et Kampa. L'extension rapide de la puissance de Vijayanagar (« Ville de la victoire ») l'amène à se heurter aux Etats musulmans du nord. Les terribles combats contre le royaume de Vidshanagara entraînent la dissolution de ce dernier, qui éclate alors en cinq principautés. Les guerres les plus marquantes du royaume hindou de Vijayanagar sont celles qui l'opposent au sultanat musulman de Delhi, sous la dynastie Tughluq, dynastie qui régna de 1320 à 1388. Les Hindous s'opposent farouchement à la destruction radicale de leurs cultes et de leurs institutions par les conquérants musulmans ; d'autant que s'y ajoutent de strictes mesures de séparation des communautés religieuses, au détriment de ceux-ci.

1337

Florence, 8 janvier
Mort de Giotto. →

France et Angleterre
Lettre de défi envoyée par Edouard III d'Angleterre à « Philippe de Valois qui se dit roi de France ». Les princes flamands s'allient à Edouard.

France, 24 mai
Philippe prononce la saisie de la Guyenne.

Allemagne
Louis de Bavière s'allie à Edouard III contre Philippe VI.

Paris
L'université condamne le nominalisme. →

Beauvais
Les réparations de la cathédrale sont achevées.

France
La traduction de *La Consolation de la philosophie*, principale œuvre du philosophe romain Boèce constitue un chaînon important dans l'histoire des idées : c'est la liaison indispensable entre Aristote et les stoïciens d'une part, et la pensée médiévale d'autre part.

Laon
Les serfs du domaine du chapitre de la cathédrale de Laon se révoltent.

1338

Flandre
Sous la direction de Jacob van Artevelde, les bourgeois de Gand se révoltent contre le comte de Flandre demeuré loyal au roi de France. Allié de Jacob van Artevelde, Edouard III débarque à Anvers.

Avignon
Après la mort de Giovanni de Montecorvino, archevêque de Pékin depuis 1308, le pape Benoît XII envoie en Chine l'évêque Jean de Marignoli.

Asie Mineure
Les Ottomans atteignent le Bosphore.

1339

Angleterre
Edouard III fonde une industrie drapière à Bristol.

France, septembre
Edouard fait le siège de Cambrai après avoir ravagé la Thiérache. Sur les frontières de la Guyenne, commence une guerre de siège, sans résultats notables.

Flandre, décembre
Jacques van Artevelde reconnaît Edouard III comme roi de France en échange du rétablissement des ventes de laines anglaises aux villes de Flandre.

Sienne
Ambrogio Lorenzetti achève au Palazzo Publico les fresques du *Bon et du Mauvais gouvernement et de leurs effets dans la ville et les campagnes.*

Italie
La lutte qui oppose Vérone et Milan s'achève par la victoire des Visconti sur Vérone.

Moscou
Début de la construction du Kremlin.

1340

Gand, 6 février
Edouard III est reconnu « roi d'Angleterre et de France » par le Parlement de Gand. Dans ses armes, il fait figurer le lys de France.

Bruges, 24 juin
Bataille de l'Ecluse. →

France et Angleterre, automne
Incapables de payer plus longtemps leurs troupes, Edouard III et Philippe VI signent une trève.

Danemark
Avènement de Valdemar IV.

Béziers
Mort de Yedaja Bedersi (né en 1270), auteur de *L'Epreuve du Monde,* ouvrage de mystique juive.

Gloucester
Réalisation des voûtes de la cathédrale dans le style perpendiculaire. →

Oxford
Fondation du *Queen's College.*

Espagne
Alphonse XI de Castille s'allie à son beau-père Alphonse IV de Portugal et vainc les Maures à Tarifa.
Fondation par Alphonse XI de Castille d'un monastère hiéronymite, dédié à la Virgen de Guadalupe.

Bouddha en Kongo-doji. XIVᵉ siècle. Cologne.

Armure de l'époque Muromachi. Lamelles métalliques et cuir. Aomori Prefecture, Japon.

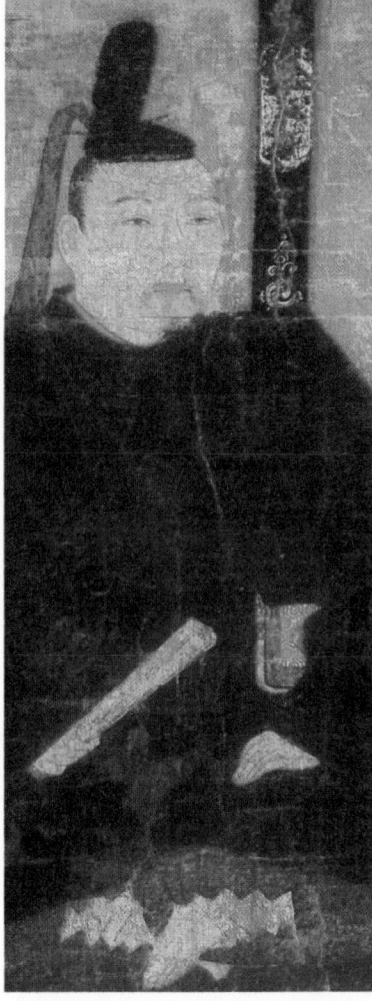

Ashikaga Yoshimasa, huitième shôgun. Couleurs sur soie, fin XVᵉ siècle. Musée national, Tokyo.

Fondation du shôgunat d'Ashikaga

Kyôto, 1338
Ashikaga Takauji, chef tout-puissant de la famille Ashikaga, se proclame shôgun. Ce titre, créé à la fin du XIIᵉ siècle par un membre de la famille Minamoto, est le symbole d'une nouvelle forme de gouvernement, dans lequel l'autorité de l'empereur subsiste en théorie, mais placée sous l'étroite tutelle du shôgun. Maître de l'organisation militaire, il s'appuie sur un état-major, une cour d'appel et un conseil exécutif. Il est représenté dans les provinces par un gouverneur militaire qui a également la charge de l'administration civile. A la fin du XIIIᵉ siècle, la lignée au pouvoir à Kamakura, la capitale d'alors, était en plein déclin et le pays s'enlisait à sa suite dans le désordre politique et les plaisirs d'une décadence esthétique. Les gouverneurs militaires, qui ont le droit de lever des troupes et d'entretenir une armée, forment une nouvelle classe sociale, bientôt à même de s'opposer à l'autorité des Hôjô, régents des shôguns Minamoto qui avaient perdu la réalité du pouvoir. Les Ashikaga étaient l'une des plus puissantes familles de cette nouvelle catégorie sociale. Deux lignées étaient en compétition pour le titre impérial. En 1318, l'empereur Daigo II accède finale-

ment au trône et rétablit, contre toute attente, le principe du gouvernement concentré entre les mains du seul empereur. Sa décision est violemment contestée ; il est une première fois contraint à l'exil, à la suite de troubles graves. Ashikaga Takauji s'allie à une autre famille pour détruire définitivement le pouvoir de Kamakura et exterminer les régents Hôjô. De retour à Kyôto, Daigo s'obstine, pour son malheur, à rétablir l'autorité impériale. Ashikaga Takauji se retourne alors contre lui, et, en 1336, Daigo est chassé de sa capitale. Il y est remplacé par un empereur choisi dans une branche collatérale de sa propre famille. Daigo et sa suite établissent un gouvernement parallèle à Yoshino, ville située à 100 km à peine, au sud de Kyôto. S'ouvre alors une période confuse qui voit, pendant plus de cinquante ans, les deux cours coexister et les factions rivales se déchirer dans une guerre civile où tous les coups sont permis. En prenant le titre de shôgun en 1338, Ashikaga Takauji inaugure l'ère dite Muromachi, du nom du quartier de Kyôto où réside le gouverneur militaire. Les Ashikaga ne parviendront cependant jamais à soumettre complètement leurs vassaux.

L'université de Paris condamne le nominalisme de Guillaume d'Occam

Paris, 1337

Appliquer la raison à la recherche de la vérité, soumettre la foi à la critique rationnelle, tenter d'expliquer logiquement Dieu, l'univers, les créatures, voilà à quoi s'étaient appliqués, à la fin du XIIIe siècle, les grands esprits qui font la gloire de la science scolastique. Les docteurs disparus, les émules glosent et commentent à l'infini les Sommes et les Sentences dans de stériles « barbouillamenta ». En 1320, le « Docteur invincible », Guillaume d'Occam, est à Paris où il reste simple *inceptor,* candidat à la maîtrise ; ses études interrompues en 1324 sur dénoncia-

tion, convoqué à Avignon, il va pourtant porter à la scolastique moribonde le coup de grâce. Anglais et franciscain, il a pris le parti du supérieur de son ordre, Michel de Césena, contre le pape Jean XXII sur la pauvreté vécue et voulue par le Christ. Mais, surtout, il enseigne que les idées générales, articles de foi ou concepts philosophiques, ne sont que des noms, qui n'ont que la valeur que leur donne notre esprit. Son *Centilogium theologicum* offre cent exemples d'articles de dogmes auxquels une analyse rationnelle trouve des conséquences hérétiques. La théologie n'est donc pas une science puisqu'elle repose sur des vérités révélées. La connaissance n'a pour source que l'intuition interne ou externe. Subversif, Guillaume est excommunié ; il est menacé d'arrestation et s'enfuit à Pise.

Le testament d'Ivan Kalita, prince de Moscou

Russie, 1340

Avec Ivan Kalita disparaît l'un des fondateurs de l'Etat russe. C'est dans le monastère où il s'était retiré qu'Ivan Kalita, prince de Moscou, rédigea, en 1339, son testament, la *Dukhovnaïa gramota*. Il fit approuver par le khan mongol ce document, où il stipule qu'il confie le pouvoir à Siméon, l'aîné de ses fils, en lui léguant le bonnet d'or et le manteau de pourpre et où il fixe pour la première fois les limites du territoire de l'Etat moscovite. Ainsi, en instaurant cette transmission du pouvoir, Ivan Kalita fonde un système monarchi-

que en Russie. Sous son règne, il n'y a pas véritablement de notion d'Etat : tout le pouvoir est concentré entre ses seules mains. L'apparition des *pomiechtchiki*, les propriétaires terriens, lui avait donné une base sociale lui permettant de lutter contre les boyards, la noblesse. Né en 1304, Ivan était prince de Moscou depuis 1325. Il était le plus riche des princes russes, ce qui lui valut le surnom de Kalita, « bourse ». Intelligent, rusé, cruel et âpre avec ses ennemis, Ivan fut le premier rassembleur des terres russes. Il a rétabli l'ordre intérieur et obtenu du khan mongol le pouvoir de collecter lui-même le tribut imposé par la Horde d'or aux Russes : les Mongols n'avaient par conséquent plus de droit de regard sur les affaires russes.

Giotto. La mort de saint François. Fresque du cycle de saint François. Vers 1318. Chapelle Bardi, Santa Croce, Florence.

Génie universel, Giotto domine son temps

Florence, 8 janvier 1337

C'est à Florence, où l'avaient appelé ses concitoyens pour s'occuper de la décoration de Santa Maria del Fiore, que meurt Giotto, l'artiste le plus novateur de sa génération. Dans sa

ville, il a déjà exécuté, en 1318-1320, un programme de fresques pour Santa Croce et, lorsque la mort le surprend, l'empêchant d'achever son œuvre, il s'apprêtait à diriger les travaux du campanile du dôme de Florence, dont il avait dressé les plans en 1336. Il sera enterré à Santa Maria del Fiore.

Défaite française à la bataille de l'Ecluse

L'Ecluse, Flandre, 24 juin 1340

Devant le rapprochement entre la Flandre et l'Angleterre, grâce à Van Artevelde (→ 1328), Philippe VI a envoyé une flotte devant l'Ecluse, l'avant-port de Bruges, pour empêcher les Anglais de revenir. Ils sont cependant revenus, surprenant les navires français et les détruisant. Les

Flamands prennent ainsi leur revanche, après toutes les humiliations subies depuis quarante ans. Ils entraîneront Edouard III, le roi d'Angleterre, contre la ville française de Tournai. Le siège s'éternisera et, le roi Philippe VI refusant la bataille, une trêve sera conclue à Esplechin le 25 septembre 1340. Dès lors, la Flandre, à la fois vassale du roi de France et terre d'empire, restera neutre dans le conflit franco-anglais.

Voûtes en éventail du cloître de la cathédrale de Gloucester. Vers 1350.

Une variante anglaise de l'art gothique : le style perpendiculaire

Gloucester, vers 1340-1350

C'est le chœur et le cloître de la cathédrale de Gloucester qui illustrent le mieux cette forme tardive et spéci-

fiquement anglaise de l'art gothique rayonnant qu'est le style perpendiculaire. Moulures, meneaux et colonnettes s'élèvent à la verticale, d'un seul jet, depuis le sol jusqu'à la naissance des voûtes pour s'y épanouir en demi-cônes évasés, en forme ombelliformes, sortes d'éventails.

La bataille de l'Ecluse, avant-port de Bruges. Miniature illustrant un manuscrit du XVe siècle des « Chroniques » de Froissart. B.N., Paris.

1341

Russie
Mort du grand-prince de Moscou Ivan Kalita.

France
Réconciliation de Philippe VI et de Louis de Bavière, qui abandonne l'alliance anglaise.

Bretagne
La mort du duc de Bretagne ouvre une guerre de Succession, qui oppose Jeanne de Penthièvre à Jeanne de Flandres, l'épouse de Jean de Montfort. Edouard III d'Angleterre apporte son soutien à Jean de Montfort, demi-frère du duc de Bretagne. La couronne ducale est par ailleurs revendiquée par Charles de Blois, époux de Jeanne de Penthièvre, mère du défunt ; il reçoit l'appui de son oncle Philippe VI.

France
Pour financer la guerre, le roi de France Philippe VI taxe d'office toutes ses provinces et étend la gabelle à l'ensemble du royaume.

Rome
Poète lauréat, Pétrarque est couronné au Capitole.

1342

Avignon
Clément VI succède au pape Benoît XII.

Hongrie
Mort de Charles Ier d'Anjou ; Louis le Grand lui succède, deuxième roi de la dynastie angevine.

1344

Windsor
A la suite d'un important tournoi, Edouard III fait serment d'imiter le roi Arthur et de créer un ordre semblable à celui de la Table ronde.

Avignon
Mort du peintre siennois Simone Martini. Appelé en Avignon par le pape en 1339, il y rencontre Pétrarque. Simone Martini est le peintre le plus important du Trecento avec Giotto. Il réalisa à Sienne une *Maestà*, inspirée de celle de Duccio, ainsi qu'une fresque commémorative du *Condottiere Guidoriccio da Fogliano* au Palazzo Pubblico. Sa réputation l'entraîna à Naples en 1317, où il exécuta *Le Couronnement de Ro-*

bert d'Anjou, et à Assise où il peignit des fresques retraçant la vie de saint Martin dans une chapelle de la Basilique inférieure.

Prague
Mathieu d'Arras travaillait en Avignon lorsqu'il fut appelé à Prague par Charles IV de Luxembourg pour y construire la cathédrale Saint-Guy. Il en donna le plan directeur et mena à bien la construction du chœur ainsi que des chapelles rayonnantes, mais il mourut en 1352 et l'Allemand Peter Parler lui succéda.

1345

Normandie et Angleterre
Godefroi d'Harcourt, dit le Boiteux, trouve refuge en Angleterre, après que Philippe VI ait fait décapiter trois de ses partisans.

Gand, 17 juillet
Jacob van Artevelde est tué par la foule en révolte contre sa dictature. Déjà, tous ses partisans avaient été égorgés, lors du « Mauvais lundi », le 2 mai.

Avignon
Matteo Giovannetti de Viterbe achève les fresques de la chapelle Saint-Martial au Palais des Papes.

1346

Angoulême, hiver
Le duc de Normandie reprend la ville.

Allemagne, 11 juillet
Charles IV de Luxembourg est élu « roi des Romains » à l'instigation du pape Clément VI.

France, 12 juillet
A la requête de Godefroi d'Harcourt, le roi d'Angleterre débarque à Saint-Vaast-la-Hougue avec 12 000 hommes.

France, 25 août
Défaite française à Crécy. →

Calais, 3 septembre
Edouard III d'Angleterre commence le siège de Calais.

Florence
Faillite des Bardi, l'une des plus grandes dynasties de marchands et de banquiers florentins.

Constantinople
Un violent tremblement de terre frappe la capitale byzantine. L'arc oriental de Saint-Sophie s'écroule.

Le palais des Papes, Avignon : vue de la façade de Benoît XII (1334-1342). La décoration intérieure fut confiée à des artistes italiens.

Construction du palais des Papes à Avignon

Avignon, 1342
Les travaux de construction du palais papal, que Benoît XII avait confiés à Pierre Poisson, natif de Mirepoix, ville gasconne dont le pontife a été évêque, viennent de s'achever. Tout cet ensemble imposant se fait remarquer par sa grande austérité. Nulle décoration sculptée ; partout apparaît une simplicité conventuelle. Nulle complication excessive non plus dans le plan : quatre ailes bâties autour d'un cloître, dont l'une, au sud-est, est prolongée par une sorte de promontoire, au bout duquel se dresse la tour du Pape. Un mur d'enceinte court, parallèlement aux bâtiments, à une distance de 5 m. Dans chaque coin du quadrilatère s'élèvent des tours, portant les noms de Campane, Trouillas, Saint-Jean et Cloche d'argent. Le cloître offre une cour irrégulière, entourée par des galeries à double étage : les galeries inférieures, formant portique, s'ouvrent sur le préau par de grands arcs brisés soutenus par des piliers rectangulaires, massifs et dépourvus de tout ornement ; les galeries supérieures, fermées, sont éclairées par de petites baies. La tour du Pape fut la première achevée et le Saint Père s'y installa avant même la fin des travaux. Au second étage de la tour, se trouve la chambre papale, carrée, avec une cheminée d'angle et deux fenêtres. Des rinceaux de feuillage, s'élevant en jaune sur fond bleu, sont peints à la détrempe sur les murs : des sarments de vigne, portant des oiseaux d'espèces variées ou des branches de chêne sur lesquelles grimpent des écureuils avec, çà et là, quelques oiseaux. Le sol est recouvert de carreaux de terre cuite vernisée. Matteo Giovannetti de Viterbe est chargé de la décoration des autres salles et des chapelles. C'est ainsi qu'il orne les parois du Consistoire (dans l'aile ouest du palais) de grandes figures de saints personnages entourant Dieu le Père et d'un couronnement de la Vierge. Les deux cycles de fresques des deux chapelles de la tour Saint-Jean sont aussi de sa main. Dans la chapelle Saint-Martial, enfin, il retrace la vie de l'apôtre du Limousin. Celle des deux saints Jean est racontée dans la chapelle Saint-Jean.

Sukhôtaï, capitale thaï

La commanderie khmère de Sukhôthaï est libérée par les Thaï vers 1220. Capitale du premier royaume proprement thaï, c'est un centre politique et artistique important qui, malgré une durée d'à peine deux siècles, a donné l'une des écoles d'art bouddhique les plus originales du monde indianisé. Après l'apogée du règne de Rama Kamheng, Sukhôthaï deviendra vassale du royaume voisin d'Ayuthyâ vers 1440. C'est sous le règne de Rama Kamheng que se développe, entre 1275 et 1317, une civilisation composite fondée sur l'hégémonie de l'aristocratie guerrière des Thaïs, mais ouverte à de multiples influences. En 1292 apparaissent, dans une inscription célébrant la beauté de la ville, les premiers caractères siamois.

Bouddha assis à Sukhôthaï, capitale (?) du premier royaume thaï.

Les grands voyages d'Ibn Battûta

Monde musulman, XIVᵉ siècle

Ibn Battûta est le pseudonyme d'un écrivain arabe, Shams al-Din Abû Abd-Allâh Muhammad, né à Tanger en 1304 et mort au Maroc vers 1370. Il est considéré comme l'un des plus grands voyageurs de tous les temps. Parti de Tanger le 13 juin 1325 pour un pèlerinage à La Mecque, Ibn Battûta parcourt cent-vingt mille kilomètres en vingt-huit ans, avec des haltes qui permettent de découper la *rihla* (le voyage) en huit tranches approximatives. A chacune des étapes de cette longue randonnée, Ibn Battûta s'installe, exerce une profession, se marie. La *rihla* couvre l'ensemble du monde musulman de l'époque et même quelques « excursions » à l'extérieur. Il est toutefois difficile de séparer la valeur documentaire du récit de sa rédaction. N'ayant pas pris de notes au cours de son voyage, c'est à son retour au Maroc, en 1353, qu'à la demande du souverain marinide de l'époque, Abû Inan, Ibn Battûta commence à en dicter le récit à un lettré, Ibn Juzay. La mémoire étant ce qu'elle est, il s'agit donc moins d'un carnet de route que d'un panorama, d'une fresque, de la peinture d'un espace où la chronologie n'a pas toujours la précision qu'on souhaiterait. Dans la rédaction même de la *rihla*, les parts respectives d'Ibn Battûta et de son « scribe », Ibn Juzay, demeurent controversées.

Du bon et du mauvais gouvernement à Sienne

Sienne, 1341

Après le départ en 1340 de Simone Martini pour Avignon, Pietro et Ambrogio Lorenzetti sont les peintres les plus prestigieux de Sienne. Ambrogio est particulièrement admiré. La ville lui a confié l'exécution, au Palazzo Publico, de deux fresques illustrant de manière allégorique *Les Effets du Bon et du Mauvais Gouvernement*. L'œuvre a été achevée en 1339. Le « Bon Gouvernement » est personnifié par un vieillard, entouré des Vertus et assis sur un trône, au pied duquel les conseillers de la République viennent lui rendre hommage. Quant aux « Effets du Bon Gouvernement », les voici : dans un splendide paysage champêtre se tient une ville aux palais crénelés, aux multiples tours, avec ses places et ses rues parcourues de groupes dansants de personnages. Pour dire les « Effets du Mauvais Gouvernement », Lorenzetti fait preuve de la même liberté créatrice : entouré des Vices, c'est une sorte de Lucifer tranquille qui préside la scène ; mais la campagne qui s'offre à nos regards est une terre ravagée sur laquelle planent le deuil et la désolation. Et c'est ainsi que l'œuvre glisse insensiblement de la politique à la morale sans jamais quitter toutefois l'espace vrai du réel.

Ambrogio Lorenzetti. Les travaux de la ville. Détail de la fresque du « Bon Gouvernement ». Vers 1338-1340. Palais communal, Sienne.

La désastreuse bataille de Crécy. Miniature illustrant un manuscrit du XVᵉ siècle des « Chroniques » de Jean Froissart.

Sévère défaite française à Crécy

Crécy, 25 août 1346

Un épouvantable massacre vient d'avoir lieu ; la chevalerie française est décimée, écrasée par l'armée anglaise. La bataille s'est déroulée à la tombée de la nuit, dans la plus grande confusion, après un orage qui a détrempé le sol. Malgré le contrordre du roi de France, Philippe VI, l'avant-garde française s'est lancée en désordre contre les lignes de défense anglaises appuyées sur la forêt de Crécy. Les arbalétriers génois de Philippe ont rapidement plié sous le tir des Gallois, suivis aussitôt par la cavalerie française qui s'est jetée sous les traits des Anglais. La défaite française est aussi totale qu'inattendue ; il est vrai que Philippe n'a pas été très prompt à réunir l'armée, mais une fois celle-ci en route, Edouard III, roi d'Angleterre, a craint le pire et a cherché à quitter la Normandie qu'il venait d'envahir. Philippe lui a coupé la route et Edouard s'est résigné à la bataille, se plaçant en position défensive. C'est à Crécy que l'armée du roi de France, mal inspirée, s'est heurtée à lui. C'est un épisode de plus dans ce conflit qui oppose les deux royaumes depuis bientôt dix années (→ 1328). L'an dernier Artevelde a été assassiné ; depuis quelques mois, l'Aquitaine est sans cesse harcelée par le prince Jean. Edouard, exaspéré, a choisi de s'attaquer au point faible du royaume : la Normandie. Il a débarqué à Saint-Vaast-la-Hougue le mois dernier et a conduit des chevauchées dévastatrices jusqu'aux portes de Paris. Philippe ne pouvait pas ne pas riposter mais il s'est avéré piètre stratège.

Jean-Iᵉʳ de Luxembourg, roi de Bohême, fut tué à Crécy. Dessin du « Recueil d'Arras ». Fin XVIᵉ siècle.

1347

Calais, 3 août
La cité de Calais se rend au roi d'Angleterre. →

Caffa, khânat de Crimée
Le khân Kiptchak répand la peste en lançant sur les assaillants génois des cadavres contaminés.

Europe, septembre
La peste s'installe en Grèce, Sicile, Italie du Sud et à Livourne.

Inde
Formation du royaume des Bahmanides dans le Deccan.

1348

Europe, janvier
La peste se répand à Pise, Venise, Avignon et Arles.

Europe, avril
La peste à Toulouse, Lyon et en Espagne.

Angleterre, 23 avril
L'ordre de la Jarretière est fondé le jour de la Saint-Georges par Edouard III.

France, juillet
La peste à Bordeaux et Rouen.

France, août
La peste atteint les villes de Paris et Angers. →

Prague
Fondation de l'université par Charles IV.

Avignon
Clément VI acquiert auprès de Jeanne de Naples, comtesse de Provence, la ville d'Avignon.

1349

Gand, 13 janvier
Le « bon mardi » (*Goede dinsdag*) : les continuateurs de la politique de Jacques van Artevelde sont massacrés ; c'est la revanche du « mauvais lundi » (*Kwade Maandag*).

Navarre
Charles le Mauvais devient roi de Navarre.

Europe
La peste en Allemagne et en Bretagne.

Europe
Apparition des Flagellants dans le midi de la France, en Flandre,

en Alsace, en Lorraine, en Souabe et en Autriche. Le pape Clément VI condamne les doctrines attribuant une valeur sacramentale à la flagellation et interdit leurs processions.

1350

France, 22 août
Jean II le Bon succède à Philippe VI.

Espagne
Mort d'Alphonse VI de Castille. Lui succède sur le trône Pierre le Cruel.

1351

Ploërmel, 25 mars
Combat des Trente : lors de la guerre de Succession de Bretagne, trente chevaliers anglais, partisans de Jean de Montfort, s'affrontèrent en un combat singulier à trente chevaliers français, partisans de Charles de Blois. Sont vainqueurs ces derniers.

France, avril
Fin de la trêve conclue entre la France et l'Angleterre le 28 septembre 1347.

1352

France
Jean II le Bon, à l'imitation du roi d'Angleterre, institue l'ordre de l'Etoile.

1353

Italie
Boccace achève *Le Décaméron*, savoureux recueil de nouvelles dont les qualités d'écriture ont fait de leur auteur l'un des fondateurs de la prose littéraire italienne. →

1354

Rome
Le « tribun du peuple » Cola di Rienzo est exécuté à la hache. →

1355

France, octobre-novembre
Les chevauchées du Prince Noir ravagent la Guyenne et le Languedoc.

France
De Moneta, traité du philosophe et économiste Nicole Oresme. →

Les bourgeois de Calais se rendant à Edouard III. Miniature des « Chroniques » de Froissart, manuscrit du XVe siècle. B.N., Paris.

Les bourgeois de Calais se rendent au roi d'Angleterre

France, 3 août 1347
Assiégée depuis un an, Calais a capitulé. Edouard III avait établi son campement devant la ville, l'entourant d'un système de fortifications. Philippe de Hainaut s'était joint au roi et une vie s'était organisée autour de la ville, avec ses marchés et ses fêtes. Mais à l'intérieur, les habitants de Calais, désespérant de recevoir l'aide du roi de France (il y renonça, découragé par les retranchements anglais), avaient organisé leur résistance. Leur détermination fit bientôt de la ville un symbole. On y mourait de faim depuis six semaines. Les bourgeois décidèrent de négocier. Edouard promit d'éviter le massacre à condition que lui soient livrés six bourgeois de la ville. En chemise, la corde au cou ainsi que l'avait souhaité Edouard, six Calaisiens volontaires ont apporté au roi les clefs de leur cité. La reine s'est jetée aux pieds de son mari pour implorer une clémence qui lui fut accordée.

Râmadhibodhi couronné roi du Siam

Râmadhibodhi Ier, prince de U-Thong, est couronné roi du royaume unifié d'Ayuthyâ (actuelle Thaïlande). Il avait fondé, entre 1347 et 1350, un Etat à cinquante kilomètres au sud de Lop Buri, faisant d'Ayuthyâ sa capitale. Traversée par de nombreux canaux, la ville, construite sur une île du Ménam, avait connu une expansion très rapide. En 1349, Râmadhibodhi avait soumis Sukhôtai et le roi Lu Thai avait été réduit au rang de vassal. Puis, en 1350, Râmadhibodhi mena une expédition contre le Cambodge.

Scène de pêche. Bas-relief. XIIIe siècle. Temple du Bayon. Angkor Thom.

La peste noire ravage l'Europe

Europe, 1348

Après la reprise des hostilités de 1341, c'est une nouvelle calamité qui vient frapper l'Europe. A la famine et à la guerre s'ajoute, en 1348, une maladie terrible aux effets foudroyants. Venue des lointaines steppes d'Asie centrale par l'intermédiaire des comptoirs gènois de la mer Noire, la peste est un fléau quasiment inconnu en Europe, puisque la dernière grande épidémie remonte au VIᵉ siècle. A l'origine transmise à l'homme par la puce du rat, la maladie se propage inexorablement par contagion directe. Les signes mortels en sont l'apparition de gros ganglions indurés, les « bubons », au cou, à l'aine et aux aisselles. Mais on parle aussi d'infections intestinales et d'affections pulmonaires accompagnées de crachements de sang. La peste noire de 1348 semble associer la peste bubonique et la peste pulmonaire. On ne parle que de spectacles macabres, de charettes déversant leur funèbre chargement sur des charniers débordant de cadavres. La maladie semble toucher un tiers de la population. On raconte qu'en un an la population d'Albi a diminué de moitié. Dans d'autres localités, c'est bien pire encore. Le choc est considérable dans toute l'Europe ;

la soudaine apparition du fléau a interrompu ou désorganisé toute forme d'activité. L'administration ne fonctionne plus ; le grand commerce est paralysé par l'effondrement de la production agricole, elle aussi victime de la mort, de la stupeur et de la peur. On raconte que le port de Bordeaux avait exporté plus de seize mille tonneaux de vin l'année précédente ; après les vendanges de cette année 1348, les navires n'en emportent guère plus de cinq mille. Les populations atterrées s'interrogent : on cherche des explications et des responsables. Les médecins voient dans la décomposition de l'air le secret de l'épidémie. Le peuple imagine un poison jeté dans l'eau des puits ou des fontaines. Les vieilles haines désignent des coupables : l'antisémitisme se déchaîne, notamment en Alsace où deux mille Juifs sont victimes d'un pogrom à Strasbourg, en 1349. D'autres pensent que c'est un avertissement du ciel et une manifestation de la colère divine. Pour apaiser ce courroux, il faut sans tarder se repentir : pour exhorter à la pénitence, tout en montrant l'exemple, des confréries de Flagellants déroulent leurs processions dans le nord-est de la France, battant « leurs charognes » bien fort, selon les termes d'un des cantiques qui rythment leur marche.

« Le Triomphe de la Mort » : le cortège des nobles. Détail. Fresque par un maître anonyme. Vers 1360. Camposanto, Pise.

La peste à Tournai en 1348. Miniature. « Chronique » de Gilles li Muisis, abbé de Saint-Martin de Tournai. XIVᵉ siècle.

"Le Décaméron", variations amoureuses au temps de la peste

Florence, 1353

En l'an 1348, une terrible épidémie de peste ravage l'Italie comme d'ailleurs l'Europe entière. Quoi de plus naturel que de fuir le fléau en agréable compagnie ? Ainsi font sept jeunes femmes et trois jeunes hommes de Florence : ils quittent la ville où sévissent les

pires atrocités et où l'épidémie provoque toutes sortes de désordres. Ils se réfugient dans une belle maison de campagne et y séjournent deux semaines. Hormis les vendredis et les samedis, consacrés aux dévotions, les jours sont occupés à ouïr des récits divertissants sur des thèmes variés, le plus souvent amoureux. Dix journées et dix conteurs par journée : c'est *Le Décaméron* que publie Boccace en 1353, qu'il destine à la consolation des amants malheureux.

Rienzo, le tribun du peuple, est massacré

Rome, 1354

Rienzo, sénateur de Rome, vient d'être massacré lors d'un nouveau soulèvement populaire. En effet, ce n'est pas la première fois que Rienzo mécontente le peuple. Ce fils de cabaretier s'était emparé du pouvoir en 1347 après avoir pris la tête d'une révolte populaire contre l'aristocratie. Il s'était fait élire tribun et libéra-

teur de la république de Rome et s'était donné des pouvoirs dictatoriaux. Il avait réussi à rétablir l'ordre en prenant des mesures populaires. Mais bientôt le peuple romain, qu'il grève d'impôts pour pourvoir à ses fêtes pompeuses, commence à gronder, si bien que Rienzo devra s'enfuir à Prague. Sept ans plus tard, il reviendra à Rome, appelé par le pape Innocent VI pour restaurer l'autorité pontificale. Mais sa dictature va bientôt redevenir intolérable.

L'érudit Nicole Oresme analyse les "mutations des monnaies"

Paris, 1355

Les Etats du royaume, convoqués par Jean le Bon pour la Saint-André, accordent au roi, pour les dépenses de guerre, un impôt sur toutes les ventes sauf celles des immeubles. Le roi s'engage, en contrepartie, à maintenir la monnaie à l'abri des variations. Condition avantageuse pour les bourgeois sensibilisés par les écrits du Normand Nicole Oresme. Elevé aux plus hautes charges, disciple de Buridan, traducteur et commentateur d'Aristote, Oresme expose dans son traité *De l'origine, nature, droit et mutation des monnaies*, une théorie sur le caractère néfaste des fluctuations de la monnaie.

« Ethique, Politique et Economique » d'Aristote.

Ni Zan, l'idéal du peintre lettré chinois

Chine, XIVᵉ siècle

Né en 1301 dans une riche famille de marchands de Wu Xi, bibliophile, collectionneur et poète, Ni Zan (Ni Tsan) fut en peinture un maître austère, cherchant avant tout l'effacement du lettré derrière son œuvre. Il se tint à l'écart du monde et, de la chute des Yuan à sa mort, vécut en nomade dans sa province du Jiangsu. Il créa un type de paysage en trois plans, exécuté à l'encre très sèche. En tant que lettré, il méprisait les peintres professionnels et se refusait à utiliser leurs procédés pour rendre l'espace et la distance dans ses œuvres. Il devait exercer une influence non négligeable sur les peintres des époques Ming et Qing.

Ni Zan. « Paysage en automne ». Encre sur papier. Vers 1360.

1356

Saint Empire, 10 janvier
Promulgation de la *Bulle d'or* par Charles IV. →

France, 5 avril
Jean le Bon fait emprisonner, à la faveur d'un banquet en l'honneur du dauphin, Charles le Mauvais. Cet arrière-petit-fils de Philippe III, roi de France, marié à la fille de Jean le Bon, ne cessa d'intriguer et de fomenter des complots dans l'espoir de faire valoir ses droits à la couronne de France en cas d'extinction de la branche des Valois.

Sud-ouest de la France, 4 août
Profitant des troubles qui agitent le royaume de France, les Anglais accentuent leur pression et organisent une grande expédition du Prince Noir, qui lance une série de raids à travers le Limousin et le Berry.

Poitiers, 19 septembre
Se portant à la rencontre des Anglais, Jean le Bon est défait et capturé par le Prince Noir. →

Paris, 17 octobre
Devenu régent, le fils de Jean le Bon, futur Charles V, doit faire face aux exigences des Etats généraux que son père, à court de subsides, avait convoqués. Dominés notamment par Etienne Marcel, le prévôt des marchands de Paris, les Etats réclament, en même temps que la révocation des conseillers du dauphin, la constitution d'un Conseil de gouvernement composé de vingt-huit membres, élus par les Etats ; en échange de quoi ils acceptent la levée de nouveaux impôts.

Lubeck
Les cités hanséatiques décident de se fédérer. →

1357

Paris, 3 mars
Une ordonnance royale, approuvée par une nouvelle assemblée des Etats généraux réunie à Paris en février, réforme la monnaie et accorde des subsides au dauphin.

France, mai
Plusieurs villes refusent de payer les impôts décidés par le dauphin.

Rouen, été
Après avoir essuyé le refus d'Etienne Marcel, le dauphin reçoit le soutien financier des Etats de Normandie.

France, 15 août
Le dauphin décide de gouverner seul et en avertit Etienne Marcel, le prévôt des marchands de Paris.

Paris, 9 novembre
Etant parvenu à s'évader, Charles le Mauvais, roi de Navarre, fait une entrée triomphale à Paris.

Milan
Pétrarque travaille à son *Canzoniere.* →

Florence
Andrea Orcagna termine pour la chapelle des Strozzi, à Santa Maria Novella, un grand retable représentant *Le Christ en gloire entouré de saints.* Parallèlement, il travaille au grand Tabernacle d'Ossanmichele, où il fait œuvre à la fois de sculpteur et d'architecte. →

1358

France et Angleterre, janvier
Un premier traité de Londres fixe à quatre millions d'écus la rançon du roi et impose la cession complète à l'Angleterre de la Saintonge, du Périgord, du Rouergue, de la Bigorre, du Quercy, du Poitou, du Limousin et de la Guyenne.

France, 22 février
Un danger plus grand que les intrigues de Charles le Mauvais menace le dauphin : la révolution communaliste d'Etienne Marcel. Au cours d'une émeute, il doit assister, impuissant, au massacre des maréchaux de Champagne et de Normandie. Obligé d'arborer les couleurs parisiennes, le dauphin renouvelle solennellement l'ordonnance de mars 1357.

Paris, 17 mars
Reprenant sa liberté d'action, le dauphin s'enfuit de la capitale et cherche refuge auprès des nobles de Picardie et d'Artois.

Ile-de-France, mai-juin
La Jacquerie. →

Paris, 31 juillet
Renversé par la fraction de la bourgeoisie parisienne restée loyaliste, Etienne Marcel est assassiné. →

Paris, 2 août
Retour triomphal de Charles V.

Le roi de France Jean le Bon fait prisonnier par les Anglais

Poitiers, 19 septembre 1356
Les bannières françaises ne flottent plus que sur les rangs d'une armée disloquée. Le roi Jean est prisonnier des Anglais. La situation est pire qu'à la bataille de Crécy (1346) où les Anglais écrasèrent les armées de son père, Philippe VI de Valois. Les causes de cette guerre sont multiples. Mais, à l'origine, ce sont les mêmes raisons qui opposèrent déjà la France et l'Angleterre lorsque, après son mariage avec Aliénor d'Aquitaine, Henri Plantagenêt monta sur le trône d'Angleterre en possession d'une partie de l'ouest de la France. Ce à quoi s'étaient ajoutées d'autres querelles, celle de l'Ecosse en lutte contre l'Angleterre et soutenue par la France, celle de la Bretagne où s'opposaient les influences, sans oublier les troubles intérieurs, les famines, les épidémies, les luttes sociales, l'inquiétude de la noblesse. En 1337, Philippe VI avait proclamé la confiscation de la Guyenne. La brouille étant consommée, les hostilités s'étaient ouvertes l'année suivante. Les attaques anglaises s'étaient soldées par des victoires : la bataille de l'Ecluse en 1340, celle de Crécy en 1346, la prise de Calais en 1347. Les hostilités continuèrent en 1355 en Bretagne et dans le Sud-Ouest où le prince de Galles, fils d'Edouard III, surnommé le Prince Noir à cause de la couleur de son armure, sema le désordre et la panique. Succédant à Philippe VI, Jean le Bon accumula les mêmes erreurs que son père. Il se brouilla avec les lignages les plus influents en faisant procéder à des exécutions sommaires et attisa l'hostilité de son pire ennemi, Charles le Mauvais, roi de Navarre. La guerre navarraise s'ajoute à la guerre anglaise. Défait à la bataille de Poitiers, Jean le Bon doit se rendre aux Anglais. Pour la première fois, les deux cousins, le roi de France et celui d'Angleterre, sont face à face. Jean II est emmené à Londres avec tous les égards dus à son rang. Son fils Charles ne doit qu'à une fuite peu glorieuse de se tirer sans encombre du guêpier de Poitiers.

Victoire du Prince Noir sur Jean le Bon, bataille de Poitiers. Miniature d'un manuscrit des « Chroniques » de Froissart. XVᵉ siècle. B.N., Berlin.

La "Bulle d'or" fixe le mode d'élection des rois germaniques

10 janvier 1356
L'empereur Charles IV vient de promulguer dans un édit impérial, la *Bulle d'or*, les règles déterminant l'élection des rois germaniques et les droits des princes-électeurs. La prétention réitérée du pape à confirmer cette élection est passée sous silence. Les électeurs admis à prendre part au vote sont sept : les archevêques de Trèves et de Cologne, le roi de Bohême, le comte palatin du Rhin, le duc de Saxe-Wittemberg, le margrave de Brandebourg et l'archevêque de Mayence, responsable de l'élection royale. La *Bulle d'or* confirme les privilèges des électeurs. Les principautés sont héréditairement transmissibles (pour les laïques) et indivisibles.

Commentaire sur la « Bulle d'or » de l'empereur germanique Charles IV.

Retour aux formes gothiques avec Orcagna

Florence, 1357
Le Tabernacle d'Orsanmichele, commandé pour abriter la figuration miraculeuse de la Vierge, a demandé à Andrea di Cione, dit Orcagna (mort vers 1368), plusieurs années de travail et lui a permis de déployer ses talents d'architecte et de sculpteur. L'œil est tout d'abord attiré par les incrustations de marbres polychromes et par les nombreuses sculptures : prophètes, anges et allégories des vertus. Cette étonnante profusion d'ornements n'altère cependant en rien la cohérence et la solidité de l'édifice : immense châsse dont l'arc principal, en plein cintre, est surmonté d'un gable, ce monument, avec ses clochetons et ses effets précieux, reprend en miniature les formes traditionnelles de l'architecture gothique. Au revers, un grand relief polychrome représente *La Dormition* et *L'Assomption de la Vierge*. Le modelé est précis, presque sec, surtout dans les plis des vêtements ; la composition vaut par la multiplicité des plans et par un certain sens de l'anecdote.

Andrea Orcagna. Le Christ triomphant remettant les clefs à saint Pierre. « Polyptyque Strozzi », 1357.

Pétrarque, chantre de l'amour et rénovateur de la langue

Milan, 1353-1357
Fixé à Milan, Pétrarque travaille essentiellement à ordonner et à corriger son *Canzoniere*, la grande œuvre de sa vie. Parallèlement à cette tâche qui l'occupera jusqu'à sa mort en 1374, il met en ordre ses *Rimes*, écrites en l'honneur de Laure. Plus humaine que la Béatrice de Dante, Laure n'est pas un ange, mais une « figure angélique ». L'amour que le poète lui voue reflète toute sa sensibilité, sa conscience de la vanité des joies terrestres, son désir anxieux d'absolu. Dépouillée, débarrassée de tout latinisme, ou de régionalismes toscans, la langue de Pétrarque séduit par sa souplesse et sa musicalité.

Les Jacques en révolte contre les seigneurs

Ile-de-France, mai-juin 1358
A la suite d'une échauffourée entre hommes d'armes et paysans (les « Jacques »), qui tourne à l'avantage des paysans, une révolte éclate en Ile-de-France et s'étend rapidement dans la plaine de Flandre et du Beauvaisis, puis en Picardie, Normandie et Champagne. Elle est brève mais très violente : « Les gens assemblés brûlaient et volaient tout et tuaient gentilshommes et nobles dames et leurs enfants... » Leur chef le plus connu est Guillaume Carle. Le 10 juin, Charles le Mauvais, roi de Navarre, écrase les Jacques à Mello. Les conséquences de la peste noire et l'alourdissement des charges fiscales dans une conjoncture persistante de baisse des prix agricoles expliquent l'origine et l'ampleur de la crise, favorisée par les divisions politiques du royaume.

Assassinat d'Etienne Marcel à la porte Saint-Antoine. Manuscrit des « Chroniques » de Froissart. XVe siècle.

Etienne Marcel, le prévôt des marchands de Paris, est assassiné

France, 31 juillet 1358
Etienne Marcel, accusé de trahison pour s'être allié au roi de Navarre Charles le Mauvais, est assassiné avec plusieurs de ses proches. Riche drapier élu prévôt des marchands, Etienne Marcel avait défendu les intérêts de la bourgeoisie mécontente du gouvernement royal. Aux Etats de langue d'oïl convoqués en 1356, il avait exigé, avec Robert Le Coq, évêque de Laon, des réformes et des révocations. Le dauphin (futur Charles V) avait cédé en 1357, mais le pouvoir royal restait intact. En 1358, Etienne Marcel sort de la légalité et conduit le 22 février la révolte des Parisiens coiffés du chaperon bleu et rouge. Les maréchaux de Champagne et de Normandie sont assassinés sous les yeux de Charles qui s'enfuit, terrorisé. Un vent de révolte gagne les campagnes. Charles le Mauvais réprime la Jacquerie et fait alliance avec Etienne Marcel. Mais il est discrédité pour avoir recruté des Anglais dans son armée et Etienne Marcel, de plus en plus isolé, est trahi.

La Hanse, puissance maritime et commerciale

Lubeck, 1356
La première réunion générale des villes de la Hanse allemande a lieu à Lubeck, sur la mer Baltique : les hanses ont décidé de se fédérer en une seule association destinée à défendre les villes membres contre la concurrence étrangère et à garantir les privilèges de leurs comptoirs et de leurs marchands. A l'origine de la Hanse, le regroupement des commerçants de Lubeck et de Hambourg en 1230, hanse à laquelle s'étaient associées progressivement plusieurs autres villes d'Allemagne du Nord. Les comptoirs de la Hanse sont dispersés à travers toute l'Europe : en Russie à Novgorod, depuis 1205, en Flandre à Bruges, depuis 1252, en Angleterre à Londres, avec le *Stalhof* (*Steel yard*) dès 1281, et en Norvège à Bergen avec la colonie de *Tyskebryggen* (« le pont allemand »). Dans tous ces comptoirs, les commerçants de la Hanse ont le privilège d'une liberté de commerce absolue. La concurrence entre membres de la Hanse est fréquente ; les décisions communes ont cependant force de loi et les écarts sont sanctionnés par de strictes mesures de rétorsion. La Hanse est formée de « Quartiers » regroupant géographiquement ses membres : les Quartiers wende (Hambourg, Lubeck), poméranien (Stettin-Szczecin, Rostock, Stralsund), rhéno-westphalien (Cologne, Düsseldorf, Dortmund). Des villes polonaises (Cracovie), suédoises (Visby, Stockholm), baltiques (Riga, Reval), néerlandaises (Nimègue, Groningue) en font également partie. La Hanse devient une puissance économique, mais aussi politique et militaire de premier plan.

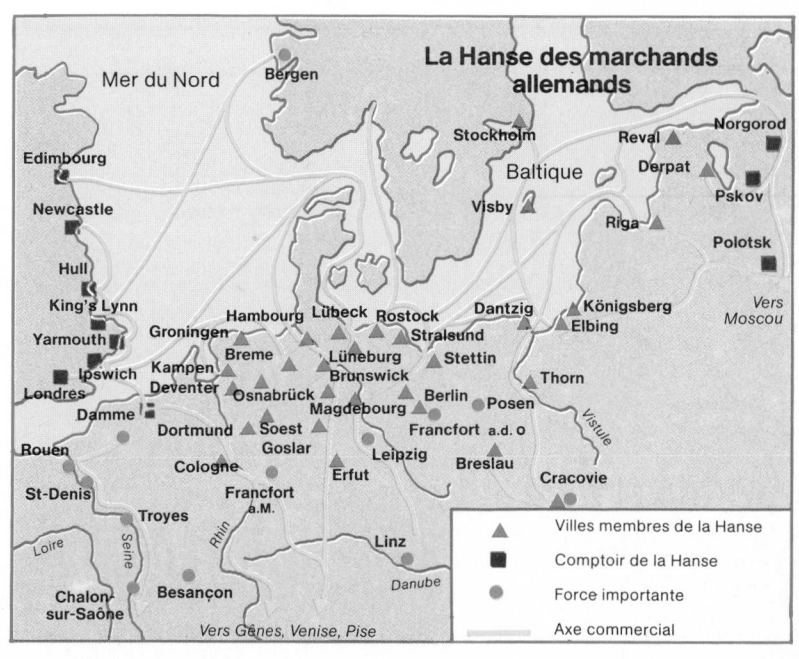

1359

Paris, mai
Les Etats réunis par le dauphin déclarent nul tout ce qui a été décrété depuis 1356.

France, août
Charles le Mauvais conclut la paix avec le dauphin qui lui rétrocède ses fiefs.

Angleterre
Pour obtenir sa libération, Jean le Bon consent à accorder aux Anglais la moitié de la France et une rançon considérable. Ces conditions sont refusées par le dauphin.

Florence
Achèvement du campanile dessiné par Giotto.

1360

France et Angleterre, 8 mai
Traité de Brétigny. →

France
Le dauphin Charles autorise le retour des Juifs moyennant une taxe de quatorze florins par personne, destinée à payer la rançon du roi.

France, 5 décembre
Frappe du franc à cheval. →

France
Publication de *La Fontaine amoureuse* de Guillaume de Machaut. →

1361

France, 21 novembre
Libéré et revenu sur le trône, Jean le Bon hérite du duché de Bourgogne.

1362

Empire ottoman
Création par Mûrat Ier du corps des janissaires. →

Le Caire, Egypte mamelouke
Commencée en 1356, la *madrasa* (école religieuse) de Sultan Hasan est achevée.

1363

France
Lorsque Jean le Bon apprend que son fils Louis d'Anjou, qui compte parmi les otages qu'il a accepté de livrer aux Anglais, s'est échappé, il décide, fidèle à la parole donnée, de se constituer prisonnier et retourne à Londres.

1364

Londres, 8 avril
Mort de Jean II le Bon ; Charles V le Sage lui succède. →

1365

Bretagne, 12 avril
Le traité de Guérande met fin à la guerre de Succession de Bretagne : la maison de Blois cède ses droits sur la Bretagne à Jean IV de Montfort, qui fait hommage au roi de France.

Empire ottoman
La ville d'Andrinople devient Edirne. →

1366

Espagne
Du Guesclin entraîne en Espagne, pour le service d'Henri de Trastamare, en lutte contre son frère Pierre le Cruel, les troupes des Grandes Compagnies.

1367

Najera, Espagne
Pierre le Cruel, aidé du Prince Noir, bat Henri de Trastamare et Du Guesclin. Fait prisonnier, Du Guesclin sera racheté par le roi de France.

1368

Chine
La dynastie des Ming supplante celle des Yuan. →

1369

Montiel
Henri de Trastamare bat son frère Pierre le Cruel et, après l'avoir assassiné, monte sur le trône.

1370

France et Angleterre
Nommé connétable, Du Guesclin s'emploie à pourchasser les Anglais. Il reconquiert le Limousin.

Pologne, 5 novembre
Mort de Casimir le Grand. →

Asie centrale
Timûr-Lang reconstitue l'Empire mongol. →

Avignon, 19 décembre
Grégoire XI succède à Urbain V.

Dame Nature et ses enfants Sens, Rhétorique et Musique visitant Guillaume de Machaut. Vers 1370. Manuscrit des « Œuvres poétiques » du musicien.

Guillaume de Machaut, un précurseur de la polyphonie

France, 1364
Guillaume de Machaut, chanoine de Reims, poète et musicien réputé, est l'auteur d'un grand nombre de mélodies très ornementées. Ecrites pour deux, trois ou quatre parties distribuées entre les voix et les instruments, ces pièces s'intitulent ballades, rondeaux ou virelais. La superposition des lignes mélodiques se trouve enrichie par le procédé du hoquet qui consiste à décaler les notes et les silences, de sorte que chaque voix puisse s'arrêter et reprendre tour à tour en alternance rapide. Guillaume se plaît à innover à partir de genres connus, comme le motet, où la voix principale est soutenue par deux ou trois voix d'accompagnement instrumental ; mais ce qu'il inaugure est l'entrée successive de celles-ci, contrairement aux compositeurs antérieurs qui les faisaient débuter ensemble. Il atteint le sommet de son art avec la *Messe Notre-Dame pour quatre voix*, écrite entre 1349 et 1364. Pour la première fois, la multiplicité des rencontres entre les quatre parties superposées produit un effet musical appelé « harmonie », différent du simple contrepoint, où désormais les longues tenues vocales constituent une suite d'accords. Le répertoire de Guillaume de Machaut comprend, en plus du *Remède de Fortune*, poème narratif, un certain nombre de pièces monodiques.

Avènement de la dynastie chinoise des Ming

Chine, 1368
Une révolte populaire, qui avait débuté en Chine en 1351, vient de s'achever sur la fuite de Shun-Ti, le dernier empereur de la dynastie mongole des Yuan. Le chef de la révolte, l'ancien novice bouddhiste Chou Yuan-chang, devient empereur et fonde la dynastie Ming (qui règnera jusqu'en 1644) sous le nom de Hong Wu. La dynastie Yuan avait été fondée par Kûbilây Khân en 1251, sa capitale était Ta-Tu (près de Pékin). Les dernières années du règne mongol avaient été marquées par plusieurs catastrophes naturelles (1333-1345) et la grande peste de 1338 : ces différents facteurs avaient provoqué la révolte paysanne qui chassa le dernier empereur Yuan. La dynastie Ming entame une vaste réforme sociale et institutionnelle ; le pouvoir impérial est renforcé, celui de la bureaucratie amoindri. L'empereur est assisté dans sa tâche par un conseil (*nei-ko*) auquel participent des sages confucéens.

Vase « Guan » (Kouan). Porcelaine. Epoque Yuan, XIVe siècle.

Franc d'or avec l'effigie de Jean le Bon en armure conduisant son cheval au galop. 1360.

Le franc d'or

France, 5 déc. 1360

Par l'ordonnance du 5 décembre, l'unité monétaire de la France, une pièce d'or fin valant une livre tournois (20 sols), prend le nom de franc. Cette mesure survient à une époque où la situation financière du pays est désastreuse. Pour faire face aux dépenses de guerre, le cours de la monnaie est sans cesse déprécié. En cinq ans elle perd 70 % de sa valeur.

Jean II le Bon meurt à la Tour de Londres

Londres, 8 avril 1364

Le roi Jean le Bon est mort au cours de sa seconde captivité en Angleterre. Il s'était cru obligé de prendre la place de son fils, Louis d'Anjou, qui, retenu en otage avec cinq autres princes, avait faussé compagnie aux Anglais : ce dernier, ayant obtenu en septembre 1363 l'autorisation de se rendre en pèlerinage à Notre-Dame de Boulogne, s'était, en fait de dévotion, enfui avec sa femme, provoquant la colère de son père : « Vous avez blêmi l'honneur de votre lignage. » La mort de Jean le Bon réduit à néant les nouvelles négociations demandées par Edouard III, peu satisfait du traité de Brétigny ratifié à Calais le 24 octobre 1360. Les obsèques du roi de France sont célébrées à Saint-Paul de Londres.

Portrait de Jean le Bon. Détail. Vers 1350. Musée du Louvre, Paris.

La France dépouillée au traité de Brétigny

France, 8 mai 1360

Charles ayant refusé de se battre contre la chevalerie anglaise, Edouard III a accepté les offres de médiation des légats pontificaux. La conférence de paix s'ouvre le 1er mai à Brétigny. Le 7, la trêve est conclue, le 8, l'accord réalisé. Les trente-neuf articles du traité laissent aux Anglais Calais, Guines, le Ponthier et une grande Aquitaine comprenant le Poitou, le Limousin, le Rouergue, le Quercy, la Gascogne et la Guyenne. La rançon de Jean le Bon est réduite de quatre à trois millions d'écus.

Cavaliers mongols poursuivant leurs ennemis. Détail. Miniature de l'album Saray. XIVe siècle. Staatsbibliothek, Berlin.

Timûr-Lang reconstitue l'Empire mongol

Empire mongol, 1370

Timûr-Lang, chef des Mongols, qui avait usurpé le pouvoir en 1360 au Turkestan occidental, vient de se proclamer Gengis Khân (grand khan). Il veut rendre à l'empire sa splendeur passée. A la tête d'une armée d'aventuriers, il conquiert dès 1380 l'Asie Mineure, le nord de l'Inde, la Perse et certaines régions de la Russie, détruisant les routes commerciales entre l'Europe et la Chine. Sa capitale, Samarkand, devient l'une des plus belles villes d'Asie où subsiste encore son fabuleux mausolée bleu et or.

Casimir le Grand, restaurateur de la puissance polonaise

Pologne, 5 novembre 1370

Casimir III le Grand meurt à la suite d'un accident de chasse. Fils de Wladyslaw Lokietek, il avait été couronné roi en 1333, à l'âge de trente ans. La Pologne était alors menacée de toutes parts. Aussi Casimir avait-il concédé la Poméranie aux chevaliers Teutoniques. Par le traité de Plock en 1336, il se concilia son principal adversaire, le roi de Bohême Jean de Luxembourg. En 1341, il repoussa une invasion mongole. La mort de Jean de Luxembourg fut une véritable délivrance pour la Pologne. Casimir agrandit le royaume en annexant la Galicie. Sous son règne, la vie économique connaît un essor exceptionnel : il favorise les marchands et les métiers. Il s'appuie sur les bourgeois -des colons allemands pour la plupart - contre les ambitions de la noblesse. Il fonde en 1364 l'université de Cracovie, centre d'études mathématiques et agronomiques, célèbre à travers toute l'Europe pour les débats politiques et théologiques qui s'y tiennent.

Création du corps des janissaires par Murât Ier

Empire ottoman, 1362

Ne voulant plus dépendre de chefs militaires qui exigent d'être rétribués par des fiefs provinciaux plutôt que par un salaire, Murât entreprend l'organisation d'une « nouvelle force » (*geni çeri*, francisé en janissaires) placée directement sous ses ordres. Ce corps de mercenaires sera composé d'enfants chrétiens arrachés à leur famille soit en tant que prisonniers de guerre, soit en vertu d'un décret obligeant les chrétiens des pays conquis à fournir au sultan un sur cinq de leurs enfants. Ces recrues d'un nouveau genre devront apprendre le turc et seront élevées dans la religion musulmane. Ensuite, elles seront généralement versées dans l'infanterie après avoir subi un entraînement militaire des plus rigoureux. Les janissaires deviendront le fer de lance de l'armée turque et contribueront à asseoir sa puissance. La mère de Murât était une princesse grecque et chrétienne ; il avait lui-même épousé la princesse bulgare Tamara et la princesse byzantine Helena.

Murât Ier. Miniature provenant d'une « Description des sultans ottomans » exécutée sous Murât III. XVIe siècle.

Edirne capitale, de l'Etat ottoman

Empire ottoman, 1365

Ayant assuré ses arrières par la suppression de ses deux frères rebelles à Ankara, Murât consacre l'essentiel de ses efforts à la conquête des Balkans. Il met habilement à profit les querelles incessantes entre Gènois et Vénitiens, Latins et Byzantins, Slaves et Hongrois, et traite avec les uns pour combattre les autres. Servi par d'excellents chefs militaires, tel son précepteur Lala Shahin, il entre dans Andrinople dès 1361. L'année suivante, les lieutenants de Murât infligent, sur la Maritza, une lourde défaite à la coalition, formée à l'incitation du pape Urbain V, par le roi de Hongrie et des souverains slaves. En riposte à cette croisade, Murât débaptise Andrinople, lui donne le nom turc d'Edirne et, en 1365, en fait sa capitale d'Europe, Brousse demeurant sa capitale d'Asie. Murât se trouve désormais à la tête d'un Etat ottoman qui couvre, outre la région nord-ouest de l'Asie Mineure et un arrière-pays qui s'étend jusqu'à Ankara, une partie importante de la côte européenne des Dardanelles.

1371

Balkans
Défaite des Bulgares sur la Maritza. →

1372

France
Charles V reconquiert le Poitou, l'Aunis et la Saintonge. La Rochelle se libère elle-même de la présence anglaise ; au large, les Castillans anéantissent une flotte de renforts anglais.

Brest, automne
Débarquement anglais à la suite d'un accord secret passé entre Jean IV de Bretagne et Edouard III.

Europe
Mort de Jean de Mandeville, auteur d'une relation fantaisiste d'un voyage en Inde et au Proche-Orient.

1374

Arqua, Italie, 9 juillet
Mort de Pétrarque.

1375

Bruges, printemps
Avec l'assistance du pape Grégoire XI et de l'empereur Charles IV, une conférence franco-anglaise aboutit à l'établissement d'une trêve.

Asie Mineure
Les Ottomans détruisent le royaume de la Petite Arménie, en Cilicie.

Certaldo, Italie, 21 décembre
Mort de Boccace.

1377

Rome, hiver
Le pape Grégoire XI quitte Avignon et réinstalle la papauté à Rome.

Angleterre, 21 juin
Mort d'Edouard III. Il laisse pour héritier son petit-fils Richard II. Mais celui-ci est mineur et c'est son oncle, Jean de Gand, qui assure provisoirement le pouvoir.

Grenade
La cour des Lions de l'Alhambra. →

Angleterre
Pierre le Laboureur (*Piers the Plowman*), poème populaire attribué à William Langland. L'auteur y dresse le portrait d'un héros défenseur des pauvres contre les abus de certains seigneurs.

1378

France, printemps
Charles V prononce la saisie des fiefs normands de Charles le Mauvais.

Rome, 8 avril
Urbain VI est élu pape.

Florence, 20 juillet
Révolte des Ciompi. →

Agnani, 20 septembre
L'élection de l'antipape Clément VII par des cardinaux mécontents provoque le Grand Schisme d'Occident. →

France, 18 décembre
Charles V dénonce la forfaiture de Jean IV de Bretagne et confisque son duché.

1379

Santo Domingo de la Calzada, 30 mai
Mort d'Henri II de Trastamare, roi de Castille et de León.

Flandres
Philip van Artevelde soulève les Flamands pour la défense des libertés communales ; Philippe le Hardi tente d'intervenir en médiateur entre Gand et le comte de Flandres.

Angleterre
De Eucharistia de Wyclif. →

Avignon
Vaincu en Italie, Clément VII s'installe en Avignon.

France
Le Songe du vergier, œuvre anonyme traitant sous forme de dialogue des rapports entre pouvoirs temporel et spirituel.

1380

Châteauneuf-de-Randon, 13 juillet
Mort de Du Guesclin. →

Russie, 8 septembre
Bataille de Koulikovo : Dimitri Donskoï écrase la Horde d'or. →

Paris, 16 septembre
Mort de Charles V. Son fils Charles VI lui succède. Il est sacré le 3 novembre à Reims.

La cour des Lions à l'Alhambra de Grenade

Grenade, 1377
C'est sur l'initiative de Muhammad V que commence, vers 1377, la construction de la cour des Lions à l'Alhambra. Le palais dont elle constitue un des éléments les plus spectaculaires et qui est, pour l'essentiel, l'œuvre de Muhammad V, n'occupe qu'une partie de la colline qui domine la ville. Construit sur l'emplacement d'une ancienne forteresse, il succède à différentes constructions qu'y avait élevées, dès 1238, Muhammad ibn Nasr, fondateur de la dynastie des Nasrides. Ceint de murailles imposantes garnies de tours, l'Alhambra se présente comme une véritable « cité de gouvernement » avec ses fameuses salles de la Barca ou de la Baraka (bénédiction), des Ambassadeurs, des Deux Sœurs, probablement l'ancienne demeure des sultanes, des Abencérages ou encore la salle du Tribunal. La cour des Lions doit son nom à l'énorme vasque, soutenue par douze lions de marbre, qui en occupe le centre. Long de 28 m sur 15 m, ce patio est entouré de galeries hautes supportées par 124 colonnes de marbre blanc aux chapiteaux finement travaillés. Sur les côtés est et ouest, deux élégants pavillons à toiture pyramidale forment l'avant-corps. Avec le pavillon du Generalife, dont la construction remonte au début du XIVe siècle, l'Alhambra est un chef-d'œuvre d'architecture hispano-mauresque.

La cour des Lions. Palais de l'Alhambra, Grenade. Commencée vers 1377. Les murs sont décorés de stucs ouvragés, d'une extrême variété de dessin.

Les "Ciompi" se révoltent à Florence

Florence, 20 juillet 1378
Michele di Lando, cardeur de son état, vient d'être nommé gonfalonier de justice. Porté au pouvoir par les ouvriers en révolte, il est surtout soutenu par ceux que l'on appelle les *Ciompi*. Ils veulent des réformes sociales, susceptibles d'améliorer leur sort à un moment où la crise économique revêt un aspect plus aigu. Durement opprimés par leurs employeurs, les Ciompi se révoltent aussi contre le fait qu'ils sont soumis à l'autorité d'un officier n'appartenant pas à leur groupe ; ils entendent en finir avec cet état de sujétion. Répondant à leurs revendications, Michele di Lando va créer trois corporations nouvelles, dont deux pour les petits artisans et les ouvriers. Mais il devra compter avec la bourgeoisie et, le 31 août, une nouvelle agitation de Ciompi sera écrasée. Les notables retrouveront peu à peu leurs prérogatives jusqu'à ce qu'ait lieu, en 1382, une restauration complète de l'aristocratie.

Les Bulgares défaits sur la Maritza

Rives de la Maritza, 1371
En une seule bataille, au bord de la Maritza dans la péninsule des Balkans, les Turcs anéantissent les troupes bulgares. Vukasiu, roi de Macédoine, est tué ; son royaume est désormais à leur merci. La prépondérance ottomane sur les Balkans commence. En 1363, les Turcs s'étaient emparés d'Andrinople dont ils font leur capitale. Au même moment, Grecs et Bulgares s'épuisent en d'incessantes rivalités. Ivan Alexandre, le tsar des Bulgares (1331-1371), doit supporter l'offensive des armées de Louis de Hongrie ; la province de Vidin est occupée et Sracimir, le fils d'Ivan Alexandre, est fait prisonnier et ne sera libéré qu'en 1369. De plus, la région du delta du Danube se rend indépendante. La Bulgarie est désormais vulnérable à toute attaque étrangère. Ivan Sisman (1371-1393), le successeur d'Ivan Alexandre, doit faire face à des troubles intérieurs qui facilitent la progression des Turcs dans les Balkans.

Dimitri Donskoï défait la Horde d'or

Russie, 8 septembre 1380

La bataille de Koulikovo met fin à la lutte opposant le prince de Moscou Dimitri au chef mongol Mamaï. Les plans du Mongol sont déjoués par la rapidité de l'avance russe. N'ayant pu effectuer la jonction avec les troupes de ses alliés, le grand-duc Jagellon de Lituanie et le prince Oleg de Riazan, Mamaï se retrouve donc seul face aux Russes. Le prince Dimitri, se posant en défenseur de la Russie et prenant le risque de se priver de toute retraite, franchit le Don et dispose son armée sur le Champ des bécasses (en russe *Koulikovo polié*). Ce champ de bataille offre toutefois un avantage : le Don interdit aux cavaliers mongols de prendre les troupes russes en tenailles. Les Mongols engagent le combat. Les Russes, au nombre de 150 000, résistent avec un courage exceptionnel à l'assaut, mais Mamaï parvient à percer leurs rangs. C'est alors que surgissent des renforts russes cachés dans les bois avoisinants. Pris de revers, les Mongols doivent s'enfuir. Bien que Mamaï se soit échappé, les chroniqueurs relatent cet événement sous le titre de « massacre de Mamaï ». Le prince Dimitri reçoit le surnom de *Donskoï* en l'honneur de cette victoire remportée sur les bords du Don. Les visées expansionnistes des Mongols et des Lituaniens sont ainsi réduites à néant.

Prague, capitale de l'Empire germanique

Prague, XIVe siècle

L'empereur romain germanique Charles IV vient de nommer Prague capitale royale et impériale. Il y fait appeler de nombreux artistes et maîtres d'œuvre, comme l'architecte et sculpteur allemand Peter Parler, dont la famille joue un rôle prédominant dans le développement de l'art gothique en Europe centrale : Peter Parler réalise pour la cathédrale Saint-Guy de Prague la voûte du chœur et la première galerie de portraits historiques, comprenant les bustes de vingt et une personnalités d'Europe. C'est à Prague, la « Rome du Nord », que Charles IV fonde en 1348 la première université (allemande et internationale) au nord des Alpes. Elle comprend les quatre facultés du *Studium generale* : philosophie, théologie, droit et médecine.

Le chœur de la cathédrale Saint-Guy, à Prague. 1352-1385. Œuvre de Peter Parler.

John Wyclif et les "lollards" en révolte contre la papauté

Angleterre, 1379

John Wyclif, le maître d'Oxford, achève en 1379 ses principaux traités sur les rapports de l'Eglise et de l'Etat (*De Eucharistia,* notamment). Farouchement antipapal, il y condamne la pratique des indulgences, y propose la réforme de diverses institutions ecclésiastiques et prêche enfin un retour à la Bible. Appelés les « lollards » (de *lollen* : « grogner »), ses disciples parcourent bientôt le pays en dénonçant l'incapacité de l'Eglise à se réformer. Leur prédication trouvera un écho favorable auprès des paysans lors de leur révolte de 1381. Wyclif lui-même ne prendra aucune part à l'insurrection. Ses doctrines et ses partisans, cependant, seront condamnés dès 1382. Quant à lui, n'étant pas à vrai dire un réformateur social, il ne sera pas autrement condamné et mourra en 1384.

Poésie et mysticisme

La poésie mystique est un courant très important de la littérature européenne des XIIIe et XIVe siècles : elle tente de décrire l'extase intérieure de l'individu face à la révélation divine. La poésie mystique se construit sur le modèle et le langage des poèmes de l'amour terrestre, y mêlant des expressions du langage théologique vulgaire : les visions mystiques de la communion avec Dieu ressemblent formellement à une vision idéalisée de l'amour charnel. La littérature religieuse trouve, grâce au ton subjectif de ces récits, une nouvelle audience. C'est dans les couvents de femmes que cette poésie prend naissance : ses représentantes les plus connues sont Hildegarde de Bingen, Mechthild de Magdebourg, Brigitte de Suède et Catherine de Sienne.

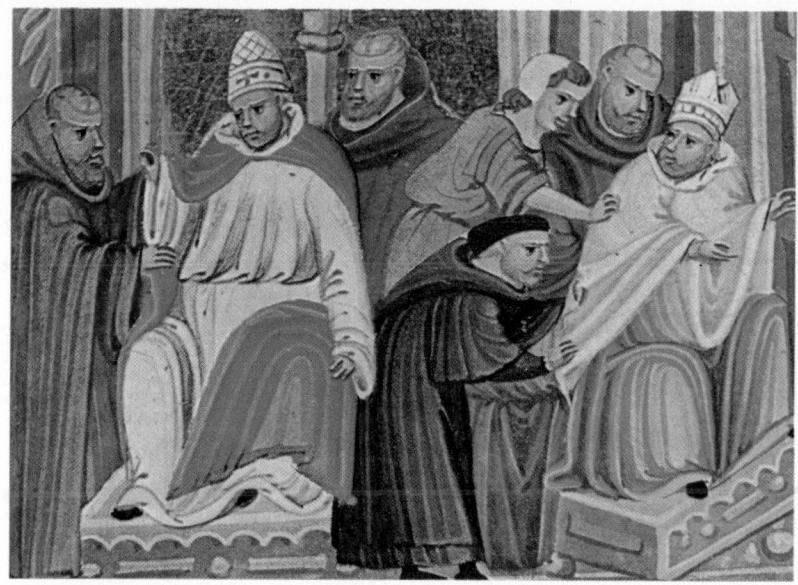

Le Grand Schisme ou la double élection papale. Miniature du « Decretum cum glossa ». XIVe siècle. Bibliothèque nationale, Naples.

La chrétienté ébranlée par le Grand Schisme

Agnani, 20 septembre 1378

A la mort du pape Grégoire XI, deux papes sont élus : c'est le début du Grand Schisme d'Occident (qui durera jusqu'en 1414). En 1377, Grégoire XI avait regagné Rome, mettant ainsi fin à l'exil des papes en Avignon, qui durait depuis 1309, et où leur présence avait soumis au bon vouloir des rois de France leur autorité spirituelle, diminuant d'autant l'indépendance et la crédibilité de la papauté. Les Romains, craignant en 1378 qu'un nouveau pape français ne soit élu -onze des seize cardinaux du conclave étant français-, soumettent le collège électoral à une pression qui le contraint à élire pape, sous le nom de Urbain VI, l'archevêque de Bari, Bartolomeo Prignano. Trois mois plus tard, les cardinaux français déclarent le premier conclave nul et élisent à Fondi un pape français (Robert de Genève), sous le nom de Clément VII. Les deux papes s'appuient sur leur légitimité pour excommunier leurs adversaires réciproques. Toutes les charges de l'Eglise sont occupées par deux titulaires : la chrétienté est profondément divisée. La crise interne de l'Eglise se transforme en une lutte violente à travers l'Europe entre les clans des partisans de chaque pape. La lutte armée contraint les papes à chercher des appuis parmi les princes d'Europe. Clément VII, vaincu en Italie, devra retourner en Avignon en 1379.

Le gisant de Bertrand du Guesclin. 1397. Marbre. Œuvre de Thomas Privé et Robert Loisel. Basilique de Saint-Denis (croisillon sud).

Du Guesclin meurt pendant le siège de Châteauneuf

Auvergne, 13 juillet 1380

Le connétable se met en route pour l'Auvergne et le Languedoc avec trois cents hommes d'armes. Il va combattre les compagnies qui rançonnent, pillent et ravagent les diocèses de Saint-Flour et de Mende. En 1366 déjà, Du Guesclin avait détourné du pillage les mercenaires de Jean II et de Charles V ; il les avait conduits en Castille où Henri le Magnifique combattait Pierre le Cruel. Mais au début de 1380, les bandes de Bertucat d'Albret et de Pierre de Galard sont à Chaliers et à Châteauneuf-de-Randon. Le duc de Berry aide à prendre Chaliers fin juin, puis le connétable met le siège devant Châteauneuf. Du Guesclin a soixante ans. Il sent bientôt le mal dont il va mourir. Il remet son épée au maréchal de Sancerre, puis reçoit les sacrements avant de mourir. La place de Châteauneuf s'étant entre-temps rendue, le gouverneur vient déposer les clefs de la ville sur le cercueil de celui qui fut le parfait chevalier de la guerre contre les Anglais.

1381

Angleterre, 15 juin
Des révoltes paysannes secouent le pays. →

Paris
Le prévôt Hugues Aubriot est condamné pour sorcellerie « au pain de tristesse et à l'eau de douleur ». C'est son train de vie luxueux et luxurieux qui motive, en fait, cette condamnation. Sous son administration, des travaux importants ont été réalisés : achèvement des fortifications commencées sous Etienne Marcel, construction de la Bastille, du Petit Châtelet, du pont Saint-Michel, de quais et des premiers égouts voûtés.

Saint Empire
Le concile de Prague relève les progrès de l'hérésie vaudoise.

Paris
L'université demande la convocation d'un concile œcuménique pour résoudre le Schisme.

Deventer
Geert Groote fonde la confrérie des Frères de la vie commune.

1382

Italie du Sud, hiver
Le duc d'Anjou tente de recueillir l'héritage de Jeanne de Naples qui vient d'être assassinée par Charles de Durazzo, arrière-petit-fils de Charles II d'Anjou.

Flandres, janvier
Philip Van Artevelde, fils du chef de la rébellion anticomtale de 1337, prend la direction du soulèvement flamand.

Rouen, 24-26 février
Fin de l'insurrection (dite la Harelle) commencée en octobre 1381 par les Rouennais pour protester contre les impôts arbitrairement levés par le duc d'Anjou. Les chefs de l'insurrection sont exécutés.

Paris, 1er mars
Révolte des Maillotins. →

Angleterre, mai-juin
Condamnation de Wyclif et répression contre les « lollards ».

Languedoc
Révolte des Tuchins. →

Flandres, 27 novembre
La noblesse française conduite par Olivier de Clisson écrase les

insurgés flamands ; Philip van Artevelde trouve la mort dans la bataille, à Rosebeke.

Egypte
Renversement de la dynastie mamelouke des Bahrites par celle des Burjites, mamelouks tcherkesses (ainsi nommés parce que leur quartier général se trouvait à la citadelle, *burj*, du Caire).

1383

Paris, janvier
Les meneurs de la révolte des Maillotins sont exécutés ; la prévôté des marchands est supprimée.

Paris, 3 février
L'université prend position en faveur de Clément VII.

1384

France et Angleterre, janvier
Une trêve de quinze mois est signée entre les deux royaumes.

Flandres
Le duc de Bourgogne, Philippe II le Hardi, hérite de la Flandre, de Malines, d'Anvers et de l'Artois. →

Bari, septembre
Mort de Louis d'Anjou.

1385

Italie
Gian Galeazzo Visconti seul maître du Milanais, après l'élimination de son oncle et beau-père Bernabo.

Aljubarrota, Portugal, 15 août
La victoire qu'y remporte Jean Ier de Portugal (Joao d'Aviz) sur Jean Ier de Castille assure l'indépendance du Portugal. →

France
Mariage de Charles VI et d'Isabeau de Bavière.

Balkans
Murat Ier s'empare de Sofia.

1386

Pologne
Ladislas II Jagellon, grand-duc de Lituanie, devient roi de Pologne par son mariage avec Hedwige d'Anjou. →

Balkans
Les Ottomans sont vainqueurs des Hongrois à Nicopolis.

Philippe le Hardi, duc de Bourgogne, devient comte de Flandre

Bourgogne, 1384
Par sa conduite courageuse à Poitiers, le fils de Jean II obtient, en même temps que son surnom, l'apanage du duché de Bourgogne, fondant ainsi la deuxième maison capétienne. Administré comme un Etat indépendant, le duché a des institutions calquées sur celles du royaume. Philippe le Hardi épouse en 1369 Marguerite de Flandre et rêve de réunir à son duché la Franche-Comté. Lors des soulèvements populaires de 1382, Philippe envoie des troupes françaises au secours de son beau-père, Louis de Mâle, et prépare un débarquement punitif outre-Manche contre les Anglais qui ont aidé les communes. En 1384, il recueille l'héritage flamand ; devenu comte de Flandre, il est bien décidé à dominer en souverain et à élargir son domaine.

Soulèvement des paysans anglais

Angleterre, 15 juin 1381
La grande révolte des paysans d'Angleterre a commencé en mai. La peste noire a bouleversé le système agricole. La révolte gronde contre les privilèges et la richesse du clergé, entretenue par les disciples de Wyclif les « lollards ». Dans ce climat d'inquiétude, la décision des conseillers de la Couronne de lever une seconde fois un impôt a provoqué la colère des paysans, qui ont formé une véritable armée. Conduits par Wat Tyler, les insurgés ont pris Rochester et Canterbury, avant de se porter contre Londres où les massacres durèrent plusieurs jours. Lors d'une entrevue avec le jeune roi Richard II, Wat Tyler est tué. Le courage du roi, qui s'avança seul devant les insurgés et les conduisit hors de Londres, a sauvé la ville. La répression dans les campagnes sera terrible.

Portail monumental du monastère de Batalha, fondé par Joao d'Aviz en 1388. A droite du portail, la chapelle du fondateur.

Le monastère de Batalha commémore une victoire

Portugal, 15 août 1385
La bataille que vient de remporter Joao d'Aviz sur les armées de Jean Ier de Castille est décisive pour l'avenir des Portugais. Ferdinand Ier, roi du Portugal (1363-1383), en guerre contre la Castille, était mort sans laisser de fils. Mais il avait marié sa fille Béatrice au roi de Castille et celui-ci briguait la couronne pour son épouse. Les Portugais opposèrent au Castillan le maître de l'ordre chevaleresque : Joao d'Aviz. Proclamé régent, il s'était fait élire roi aux Cortes, le 6 avril 1385, et avait décidé de se porter à la rencontre de la cavalerie espagnole. Son armée, commandée par Nuño Alvares Pereira, sort victorieuse du combat d'Aljubarrota. Cette victoire capitale confirme la possession du trône par le

premier souverain de la dynastie d'Aviz. Joao d'Aviz fait le vœu d'élever un monastère à la Vierge. Il honorera sa promesse et la construction du monastère de Batalha (le monastère de la « Bataille ») commencera, tout près d'Aljubarrota, en 1388. L'ensemble est imposant. Le projet initial comporte : une église, un cloître et une salle du Chapitre. La nef de l'église, d'une admirable sobriété, a des proportions très élancées (32 m de haut sur 80 m de long). A droite de l'entrée s'élève la chapelle du Fondateur, remarquable par la richesse et la décoration de ses ogives. Le cloître royal, de style gothique, l'un des plus riches et des plus impressionnants du monde, est composé d'une succession d'arcades et de contreforts. Non moins remarquable, la salle du Chapitre est d'une exceptionnelle audace architecturale. Ce monastère constitue l'œuvre maîtresse de l'architecture gothique au Portugal.

Le palais des Doges à Venise. Façade donnant sur le bassin de San Marco et correspondant à la salle du Grand Conseil. 1340-1365.

Avantage décisif de Venise contre Gênes

Italie, 1381

La république de Venise, qui s'est pourtant trouvée à deux doigts de sa perte, a fini par prendre un avantage décisif dans la « guerre de Chioggia », qui l'oppose à Gênes (1378-1381). Gênes est en effet sa seule rivale dans le commerce vers l'Orient : elle entretient de nombreux comptoirs en pays musulmans, possède la ville de Famagouste à Chypre et son influence sur Constantinople lui vaut les concessions de Phocée (production de l'alun), de Samos et de Lesbos. Les Génois, grands commerçants et grands banquiers, importent en Occident les épices d'Extrême-Orient et possèdent le monopole du commerce de l'alun.

Les objectifs commerciaux de Venise ont de tout temps été l'est du Bassin méditerranéen et l'Europe du Nord : elle possède des îles grecques, la Crète et le Péloponnèse, une partie de la Thrace ; ses escales mènent ses navires jusqu'au fond de la mer Noire, à Trébizonde. Le doge est « seigneur du quart et demi de la Romanie », le ducat de Venise est une monnaie universelle. La présence de Gênes dans le commerce vers l'Orient a été la cause de maints conflits au cours des cent dernières années. Les deux puissances maritimes se sont partagé la Méditerranée en zones d'influence : la position de Venise, menacée de surpopulation, vers l'intérieur des terres et dans son commerce vers l'est méditerranéen sort renforcée de la guerre. Gênes est financièrement épuisée.

Achèvement de la loggia dei Lanzi à Florence

Florence, 1382

Bâtie d'après des plans de Benci di Cione et de Simone Talenti, à la suite d'un concours public, la loggia dei Lanzi se dresse à l'angle méridional de la place de la Seigneurie. Cette loge, galerie largement ouverte sur l'extérieur, sert à abriter le peuple au cours de certaines cérémonies officielles, telles que la proclamation des lois ou l'investiture du gonfalonier. On accède par quelques marches à ce portique couvert, qui se compose de trois hautes arcades en plein cintre, à décor gothique. Des lions en pierre, les *marzocchi*, symboles de la cité, en sont les principaux ornements. Optant résolument pour le plein cintre, ce monument frappe par son modernisme et séduit par sa légèreté.

« La Loggia della Signoria », dite aussi Loggia dei Lanzi, Florence. 1376-1382. Architectes : Benci di Cione et Simone Talenti.

Ladislas Jagellon se marie et instaure la Grande Pologne

Pologne, 1386

Jagellon, grand-duc de Lituanie, épouse Hedwige, la jeune reine de Pologne. Ce mariage met un terme à la rivalité entre les deux pays à propos de la Galicie et de la Volhynie et a pour conséquence d'unir la Pologne et la Lituanie autour de la personne de Ladislas Jagellon. Par l'accord de Krewo, Jagellon rejette l'influence de l'orthodoxie et promet de convertir les Lituaniens au catholicisme. Il accepte également de soutenir militairement les Polonais et rassemble les territoires polonais et lituaniens en un seul Etat : la Grande Pologne. Le mariage de Ladislas Jagellon avec la reine Hedwige permet à la noblesse polonaise de trouver un allié sûr contre les visées allemandes. En effet, les chevaliers Teutoniques, qui se montraient de plus en plus entreprenants, étaient parvenus à s'emparer de la Poméranie. C'est pourquoi, à la mort du roi de Pologne, Louis d'Anjou et les nobles polonais avaient persuadé la jeune Hedwige, âgée de douze ans et déjà fiancée à Guillaume d'Autriche, d'épouser Jagellon.

Les Maillotins en révolte contre l'impôt

Paris, 1er mars 1382

Un incident mineur provoque une véritable rébellion : aux cris de « A bas l'impôt ! » poussés par une marchande des quatre saisons, dont un percepteur voulait saisir la marchandise en règlement de la gabelle, le petit peuple se soulève. Pillant le Châtelet et s'emparant des maillets entreposés à l'Hôtel de Ville, les insurgés baptisés « maillotins » donnent la chasse aux collecteurs d'impôts. La répression, menée par les ducs régents de Charles VI, sera sévère.

Soulèvement des Tuchins en Languedoc

Midi de la France, 1382

Dans tout le Languedoc se répandent des révoltes de Tuchins, paysans et artisans des villes fuyant devant l'impôt et vivant de brigandages. Le mouvement a une grande ampleur, mais n'est pas véritablement organisé. Les chefs sont d'origine chevaleresque ou bourgeoise, ils n'ont d'autre programme que de piller et de tuer nobles et gens d'Église. Ces révoltes sont les dernières d'une série de troubles sociaux qui secouent l'Europe depuis 1378.

Tenture de l'"Apocalypse d'Angers"

Entre 1376 et 1380, Nicolas Bataille exécute, sur des maquettes d'Hennequin de Bruges, dit aussi Jean de Bondol, peintre attitré de Charles V, les sept pièces monumentales de la tenture de l'*Apocalypse*. L'œuvre a été commanditée par Louis Ier d'Anjou et comporte 90 compositions inspirées du texte prophétique.

Jean de Bondol. Tenture de l'Apocalypse d'Angers : « les Anges et le Dragon à sept têtes ». Détail. 1380. Musée d'Angers.

1387

Moyen-Orient
Timûr-Long (Tamerlan) prend Ispahan, Chirâz et lance des raids sur l'Arménie et la Géorgie.

Angleterre
Contes de Canterbury de Geoffrey Chaucer. →

1388

Gueldre, été
Philippe le Hardi lance une campagne contre le duc de Gueldre.

Angleterre
Conduit par Thomas de Woodstock, duc de Gloucester, un puissant parti des barons oblige Richard II à se séparer de plusieurs de ses conseillers.

France, 3 novembre
Charles VI renvoie ses oncles (qui ont exercé le pouvoir durant sa minorité) et rappelle les anciens conseillers de son père, les « marmousets », dénommés ainsi par dérision. Parmi eux figurent Olivier de Clisson, Bureau de la Rivière, Jean Le Mercier, Jean Juvénal des Ursins.

1389

Paris, 27 janvier
Jean Juvénal des Ursins est désigné par le roi comme prévôt des marchands.

Balkans, 28 juin
Bataille de Kossovo. →

Empire ottoman, 16 septembre
Avènement du sultan Bâyazîd (ou Bajazet) Ier.

Perse
Mort du poète Hâfiz. →

Dijon
Le sculpteur d'origine néerlandaise Claus Sluter prend la direction du chantier de la Chartreuse de Champmol. Depuis 1385, il était au service de Philippe le Hardi.

Russie
Fils de Dimitri Donskoï, Vassili Ier lui succède.

1390

Halberstadt, 8 juillet
Mort d'Albert de Saxe, auteur d'études de physique sur la gravité.

France
Charles VI projette une expédition en Italie afin de défendre les prétentions des maisons d'Anjou sur la Sicile et d'Orléans sur Asti.

Bourgogne
Philippe le Hardi achète le comté de Charolles.

1391

Espagne, 6 juin-7 août
La « tuerie de Séville » et les « baptêmes sanglants ». →

Orthez, 1er août
Mort de Gaston III de Foix, dit Gaston Phœbus. →

Balkans
Bâyazîd envahit la Thessalie.

France
Gerson demande à Charles VI d'intervenir pour mettre fin au Grand Schisme.

1392

Forêt du Mans, 5 août
Charles VI saisi d'un accès de folie. →

Troitsa, Russie, 25 septembre
Mort de saint Serge de Radonège. →

Corée
Instauration de la dynastie des Yi. →

France
Le pouvoir des Marmousets est menacé. Tandis que Bureau de la Rivière est embastillé, Olivier de Clisson échappe de peu à un attentat et s'exile en Bretagne ; Jean de Montaigu rejoint Avignon.

France
Louis de Touraine, frère de Charles VI, reçoit en apanage le duché d'Orléans.

1393

Paris, janvier
Le « bal des Ardents ». →

Gênes
A la demande de l'aristocratie, Louis d'Orléans intervient dans les affaires de la ville.

Moyen-Orient
Timûr-Lang s'empare de Bagdad.

Renaissance de la Corée avec la dynastie Yi

Corée, 1392
Le général coréen Yisungkei renverse le roi Kong Yang, dont le pouvoir a été affaibli par plusieurs expéditions maritimes manquées. Yisungkei se proclame roi de Corée sous le nom de Yi Taeyo. La dynastie des Yi, qu'il fonde, conduira la Corée, qui a retrouvé son indépendance après la domination mongole, à une grande expansion économique et politique. Le nouveau roi est soutenu par un système étatique dont les postes clés sont occupés par des adeptes d'un néo-confucianisme : il met en place d'importantes réformes culturelles et institutionnelles. Les fonctionnaires ne peuvent occuper une charge que s'ils maîtrisent l'écriture chinoise. Vassale de la dynastie Ming, la Corée entretient des liens étroits, économiques autant que culturels avec la Chine. C'est en 1403 qu'est inventée l'impression à lettres mobiles, et, en 1446, une écriture originale, destinée au peuple, se développe.

Les "baptêmes sanglants" en Espagne

Espagne, 1391
Dans toute l'Europe, depuis le début du siècle, la situation des Juifs n'a cessé de s'aggraver. En 1391, dans la péninsule Ibérique, se développent de violents mouvements anti-juifs. La première communauté juive attaquée est celle de Séville. Le 6 juin, deux synagogues sont converties en églises. Meurtres et vols se succèdent. Le mouvement se propage rapidement aux villes alentour. Le 18 juin, Tolède est atteinte. Le 9 juillet, Valence est le théâtre de massacres. Une exaltation religieuse accompagne ces événements. Des miracles sont attestés par des notaires et interprétés comme une intervention divine. La contagion atteint la Catalogne. Le 5 août commencent à Barcelone quatre terribles journées. Des marins castillans mettent le feu au ghetto et tuent une centaine de Juifs. Pendant toute la nuit, la foule participe au pillage. Les Juifs survivants se réfugient au Château Neuf royal. Le lendemain, des coupables sont arrêtés et internés à la prison du Viguier. Mais, le 7, le petit peuple les libère. La sédition tourne au conflit social. Le château royal est assiégé, les archives brûlent, la cathédrale sonne le tocsin. Une procession ramène les Juifs pour les baptiser : trois cents d'entre eux qui refusent d'abjurer sont tués. A la faveur de ces événements, artisans et petits commerçants investissent les Conseils de la cité. Leur but est d'obtenir un allègement de leurs charges. C'est seulement en Catalogne que la réaction antisémite débouche aussi manifestement sur la question sociale. La pression populaire ne se relâche qu'en octobre.

Synagogue el Tránsito à Tolède. Style mudéjar. Construite en 1357 par Méïr Abdeli.

Les Serbes perdent leur indépendance à Kossovo

Plaine de Kossovo, 28 juin 1389
Conduits par Lazare, prince de Raska, les Serbes sont écrasés par les Ottomans dans les Balkans. Les deux chefs de guerre qui s'effrontent, Lazare et le sultan Murat Ier, trouvent la mort au cours de l'affrontement. Les janissaires, ces jeunes chrétiens enlevés à leurs familles ou fournis en tribut et élevés pour le combat, ont fait merveille. Toute la noblesse serbe est anéantie. La Serbie centrale est occupée par les Turcs ; Etienne Lazarevic, fils de Lazare, devient le vassal des Ottomans ; un tribut est imposé aux principautés serbes situées entre le Danube, le Save, la Drina et le Timok. Désormais, la puissance ottomane s'étend du Danube jusqu'à l'Euphrate. C'est la déchéance de l'Etat serbe édifié par Etienne IX Douchan (1331-1355). En 1346, celui-ci avait été couronné tsar des Serbes et des Grecs. Le renforcement du pouvoir royal s'était appuyé sur l'émergence d'une bourgeoisie marchande, ce qui lui avait permis de limiter les prétentions des grands féodaux. Mais, dès 1355, à la mort d'Etienne Douchan, le processus de décomposition du pouvoir royal avait commencé ; Trvtko, le « ban » (prince) de Bosnie, avait tenté, mais en vain, de restaurer un semblant d'unité. Les luttes intestines furent attisées par l'étranger. Une telle situation ne pouvait être que favorable à l'expansion des Ottomans dans les Balkans.

Gaston Phœbus, prince et mécène

Orthez, 1er août 1391

C'est au retour d'une chasse à l'ours que meurt, à soixante ans, Gaston III de Foix, l'auteur renommé d'un *Traité de l'art de la chasse*, commencé en 1347. Il était devenu comte de Foix en 1343 et avait épousé Agnès de Navarre, fille de Philippe d'Evreux et de Jeanne de Navarre. On lui reprochait ses nombreuses maîtresses et ses noires colères ; il avait fait assassiner son frère et, dans un de ses accès de fureur, avait tué lui-même son fils unique. Cependant, sa personnalité fastueuse avait fait de sa petite principauté une cour brillante fréquentée par les troubadours ; poète, collectionneur averti, il avait encouragé les artistes ; pas-

sionné de vénerie, il entretenait une meute de six cents chiens. Ses goûts artistiques ainsi que sa chevelure blonde lui avaient valu son surnom. Sa devise, « Toque-y si gauses » (Touches-y si tu l'oses), défiait toute tentative d'ingérence. Il était le seul vassal du roi de France à avoir de bonnes finances. Prudent politique, il resta à l'écart du conflit franco-anglais. Faute de partir en croisade, il déploiera ses vertus chevaleresques contre les païens de Prusse et reviendra en 1358 pour combattre la jacquerie en Ile-de-France. Le grand chasseur terrassé par une hémorragie cérébrale près de Sauveterre, ce 1er août 1391, est le type même du chevalier et du grand seigneur.

Gaston Phœbus, comte de Foix. Miniature du « Traité de l'art de la chasse ». Manuscrit du XVe siècle. Bibliothèque nationale, Paris.

Préface aux « Contes de Canterbury » de Geoffroy Chaucer. Manuscrit enluminé du XIVe siècle.

Chaucer : "Contes de Canterbury"

Angleterre, 1387

Le poète et écrivain anglais Geoffrey Chaucer rédige en vers et en prose le célèbre recueil des *Contes de Canterbury* inspiré par le *Décaméron* de Boccace. Le cadre de l'action est un pèlerinage à Canterbury, réunissant trente personnes. Les portraits individuels, d'une grande vérité, montrent les habitudes et les modes de vie des différentes classes de la population en cette fin du Moyen Age : membres du clergé et de la noblesse, intellectuels et commerçants sont représentés dans leur vie quotidienne. Chaucer mourra le 25 octobre 1400 à Londres.

Le roi de France saisi par la folie

Le Mans, 5 août 1392

Pour venger son serviteur Clisson, le roi mène une expédition contre la Bretagne. Par cette chaude journée d'août, il est vêtu de velours noir et souffre de la chaleur ; à peine s'est-il engagé dans la forêt du Mans qu'un homme en blanc, tête et pieds nus, se jette au devant de son cheval en criant : « Roi, retourne, car tu es trahi ! ». L'un des deux pages qui escortent le roi à un chapeau d'acier ; l'autre, qui porte une lance, s'endort et sa lance tombe sur le chapeau. Le roi tressaille : il croit voir des ennemis l'assaillir et s'élance, pourfendant de son épée tous ceux qui sont à sa portée. Des pages sont tués, son frère doit fuir. Epuisé, le roi est maîtrisé par Guillaume Martel, un seigneur de sa suite. Déshabillé et couché, il a les yeux révulsés, ne parle pas et ne reconnaît personne. C'est la deuxième attaque, la plus grave, de la folie. La fièvre qui l'avait atteint à Amiens, au printemps 1392, avait donné l'alarme. Le tourbillon des fêtes, joutes, jeux et danses, et les menées de ses ennemis ont eu raison de la santé de Charles VI. Le pouvoir effectif se trouve aux mains de ses redoutables oncles.

Le "bal des Ardents" : la fête devient tragédie

Paris, janvier 1393

Ni la santé chancelante de Charles VI, ni sa raison ébranlée ne modèrent son goût pour les fêtes où, à vingt-cinq ans, il continue d'user sa jeunesse. Aux premiers jours de 1393, on célèbre chez la reine, à l'hôtel Saint-Paul, les noces d'une de ses dames d'honneur, veuve déjà deux fois. La coutume veut qu'on fasse un « charivari » aux veuves qui se remarient. Le roi participe à la mascarade et au bal organisés à cette occasion. On se déguise en « sauvages » : dans des maillots de toile cirée enduits de poix et recouverts d'étoupe et de plumes, les jeunes seigneurs se livrent à toutes sortes d'entrechats et de « mômeries ». Soudain, vers le milieu de la nuit, le duc d'Orléans survient dans la grande salle où l'on caracole, suivi de cinq porteurs de torches. Pour reconnaître un des noceurs, il approche une torche : le feu prend aussitôt. Cinq « sauvages » sont rôtis. On croit le roi brûlé ; il causait à l'écart avec la duchesse de Berry qui, aux premières flammes, l'a couvert de sa robe et l'a ainsi sauvé. L'alerte est décisive : un conseil de régence est organisé ; les oncles du roi sont les maîtres.

Serge de Radonège, saint patron de la Russie

Troitsa, Russie, 25 septembre 1392

Saint Serge de Radonège, l'une des plus grandes figures de l'Eglise russe, vient de mourir. La Russie l'identifie à l'idéal du moine et du pasteur éducateur du peuple russe. Serge de Radonège, du nom de la localité où il est né en 1314, appartient à une famille noble. En 1336, il se retire dans un ermitage au cœur d'une des forêts du centre de la Russie. Il fonde dans le plus complet dénuement le couvent de la Sainte-Trinité. Le nouveau monastère doit, avoir une mission apostolique. Ce couvent est le point de départ d'une floraison d'abbayes à travers toute la Russie du Nord. Serge et ses disciples éduquent le peuple, enseignent aux paysans des techniques agricoles et développent ainsi une activité civilisatrice. Saint Serge contribue également à la défense de la Russie : il bénit l'armée moscovite avant la bataille de Koulikovo. Il prêche la paix entre les princes russes. A plusieurs reprises, Dimitri Donskoï, prince de Moscou, a recours à la médiation du moine vénéré. Serge est le symbole de la Fusion de l'orthodoxie avec la Russie.

Saint Serge de Radonège. Détail de l'iconostase peinte vers 1481 par maître Dionissi.

Le poète persan Hâfiz aimait Dieu et le vin

Chirâz, Iran, 1389

Connu comme exégète coranique, Hâfiz enseigna toute sa vie dans une madarsa de Chirâz. C'est après sa mort que parut le recueil (*Diwân*) de ses poèmes. Son œuvre mêle thèmes politiques, religieux et érotiques. Renouvelant quasiment tous les genres, il perfectionna surtout le *ghazal* (poème d'amour) qui lui fournit l'occasion de chanter toutes les formes de la passion : célébration de l'amour divin, exaltation des sens et hymne à la vie, joies de l'ivresse et ivresse de la contemplation.

L'Europe du Moyen Age

VIIIe-XVe siècle

Le Moyen Age européen naît avec les royaumes germaniques, au sein même de l'Empire romain du Ve siècle, et se termine en 1492, avec le début des grandes découvertes. Toute cette période est marquée par le développement, la prédominance et l'unité de l'Eglise chrétienne. Sur le plan religieux, la fin du Moyen Age est à associer à l'apparition des idées de la Réforme, élément de rupture dans l'unité médiévale.

Le cadre : l'"Occident"

L'espace géographique où s'étend la culture médiévale est tout d'abord limité aux peuples romanisés et germaniques de l'Europe occidentale et centrale ; c'est l'« Occident ». A partir de ces régions, et sous l'influence de la « mission » chrétienne, l'esprit et la culture occidentale s'étendent vers l'Europe du Nord et de l'Est, vers la Scandinavie, au-delà de l'Elbe, vers la Baltique et le Dniepr, en Bohême et en Moravie, en Hongrie et en Croatie. Au sud des Apennins et des Pyrénées, il faut repousser l'islam au prix de durs combats. Malgré le désir de l'Occident d'investir les territoires orientaux et ses tentatives pour s'imposer durablement dans le domaine byzantin et au Proche-Orient, il fallut y renoncer devant les échecs successifs des Croisades.

Le creuset culturel

La culture du Moyen Age est issue d'une double influence : celle de la chrétienté romaine antique, qui conjugue les aspects gréco-latins et les traits judéo-chrétiens, et l'influence des peuples germaniques, dont le caractère païen remonte à un fonds commun indo-européen. La difficile rencontre entre le Bas-Empire romain et les peuplades germaniques conduit, par l'intermédiaire de l'Eglise, à l'assimilation d'une partie de la culture antique. Dans l'administration, le droit et les usages romains sont partiellement adoptés ; le latin se répand comme langue d'étude et de communication. L'organisation de l'agriculture en vastes domaines d'exploitation est également reprise aux Romains par les peuples au-delà du Rhin. En revanche, ce sont les peuples germains qui apportent au monde nouveau issu de la chute de Rome leur mode d'organisation sociale. C'est d'eux que viennent la rigide division entre noblesse, hommes libres et serfs, le principe de l'obéissance et de la fidélité absolue au chef, mais aussi le sens profond du symbole, tant dans la vie quotidienne que dans les cérémonies.

Féodalité, société, Etat

La société médiévale est une organisation pyramidale autour du bien féodal : le fief. Si le *feudum* latin, le fief, est donné à titre de récompense, il crée, pour le guerrier qui le reçoit, l'obligation de protéger le domaine de son chef et de venir en aide à ce dernier en cas de besoin. Le guerrier devient le « seigneur » qui, regroupant petits propriétaires et paysans libres, leur assure sa protection, en échange d'une partie de leurs récoltes et d'un service armé quand c'est nécessaire. Ce système permet au seigneur de fournir à son tour les armes, chevaux et soldats que lui demande son suzerain, le seigneur suprême. Ainsi se constitue une pyramide fondée sur le devoir de fidélité et d'obéissance et régie par des relations de dépendance. Le fief devient héréditaire et c'est le travail des serfs, objet de mépris, qui assure la subsistance de tous. Dans une telle organisation sociale, la constitution d'un pouvoir centralisé est impossible. On assiste donc à la prolifération des petites unités de pouvoir que sont les domaines seigneuriaux. Protecteur de l'Eglise, le seigneur est responsable de la construction des lieux de culte et s'octroie progressivement des droits absolus, tel un roi, sur son domaine. Il distribue les charges administratives et judiciaires, perçoit les taxes sur les marchandises et aux frontières, lève l'impôt, frappe la monnaie.

La naissance de l'Europe

C'est sur le Royaume franc que reposent les bases de l'Europe. Sous Charlemagne, il recouvre, à l'exception des îles Britanniques, toute l'Europe occidentale et centrale. Ses frontières se heurtent, au sud, à l'islam, à l'est aux peuples païens germaniques et slaves. Le Royaume franc conquiert pourtant, au nord, la Saxe, berceau des empereurs ottoniens. Les liens entre la dynastie carolingienne et la papauté rendent l'accord du pape indissociable de la dignité impériale. Les représentants de l'Eglise, les évêques, doivent au soutien des monarques de pouvoir s'imposer parmi les populations d'Occident. Le sacre de Charlemagne par le pape Léon III, en l'an 800, marque la réunion du Royaume franc à l'ancienne Rome dont l'empire a disparu en 476. L'essor culturel et artistique qui donne à l'Occident sa première identité sous les Carolingiens permet de parler, à propos de cette période, d'une véritable « Renaissance carolingienne ». Mais cet empire est trop vaste et trop peu peuplé pour pouvoir résister longtemps à des agressions extérieures. Les premières attaques, celles des Normands, dévastent et mettent au pillage pendant longtemps les côtes occidentales. Le Royaume franc n'est pas non plus à l'abri des conflits internes ; il se divise très vite en deux grandes entités : le Royaume franc occidental, berceau de la France, et le Royaume franc oriental, « regnum teutonicum ». Une multitude de petits Etats apparaissent dans les

Alpes et en Italie du Nord, tandis que les anciens dignitaires régionaux de l'Empire carolingien, ducs et comtes, s'arrogent le pouvoir sur des contrées entières.

L'héritage carolingien

Les ducs de Francie, petit territoire d'Ile-de-France, sont des seigneurs du Royaume franc occidental depuis 987. Ils parviennent à imposer, soit par la force, soit par le jeu des vacances de fiefs, leur autorité sur leurs vassaux à partir de 1200. Souverains héréditaires, ils développent une administration centrale efficace et puissante.

Le Royaume franc d'Europe centrale a une évolution sensiblement différente : avec Otton Ier, les rois germaniques renouvellent en 962 l'alliance carolingienne avec la papauté, ce qui leur permet d'obtenir la dignité d'empereurs. Evêques et abbés jouent un rôle extrêmement important dans les affaires temporelles de l'empire. Ils sont responsables de l'administration et même de la levée d'armées dans les fiefs qui leur sont accordés. A partir du XIe siècle pourtant, les empereurs germaniques tentent de limiter la puissance papale au seul domaine spirituel. Mais c'est en vain. Le pape garde son pouvoir temporel et son droit à l'investiture des évêques et des abbés. L'« empire », constitué des royaumes d'Allemagne, d'Italie et de Bourgogne, ne possède bientôt plus de pouvoir central suffisamment puissant : ce sont les souverains locaux, maîtres absolus de leurs principautés transmises héréditairement et électeurs des rois de Germanie, qui détiennent le pouvoir réel.

Les « Etats » et les villes

Partout en Europe se constituent des « Etats », organes consultatifs originairement créés par les monarques pour entériner et faciliter les décisions concernant la levée d'impôts exceptionnels. Les trois groupes qui ont seuls une existence réelle au sein de la société, la noblesse, le clergé et la bourgeoisie, y envoient leurs représentants.

La ville apparaît, au Moyen Age, comme un mode original de vie sociale. Souvent installées sur l'emplacement des anciennes garnisons romaines, les villes importantes se développent autour des sièges épiscopaux, aux carrefours des grandes voies commerciales. Ne devient « ville » que la bourgade qui obtient du seigneur ou conquiert par la force de son organisation « communale » le droit d'élever des fortifications et de tenir un marché. Avant tout instruments de la puissance seigneuriale, les villes n'obtiennent que des droits très limités pour une autonomie de fait très réduite. En Allemagne, plusieurs villes réussissent à se placer sous la suzeraineté directe du roi, ce qui est le seul moyen d'accéder à une quasi-indépendance.

Les habitants des villes, les bourgeois, se regroupent par branches d'activité professionnelle, constituant des corporations qui leur permettent de défendre leurs intérêts et de lutter contre la concurrence.

Pour affirmer la puissance de chacune, certaines cités, liées entre elles généralement par des intérêts commerciaux, réalisent des alliances dès le XIIe siècle. Ainsi, la Hanse, regroupant des comptoirs anglais, allemands, polonais, russes et scandinaves, domine le commerce en mer du Nord et sur la Baltique. D'autres villes, telles Venise, Florence ou Gênes, se développent en puissants Etats indépendants.

Les campagnes

Dans le même temps, des associations de paysans libres ou soumis au servage se créent dans les campagnes. Au cours des XIIe et XIIIe siècles, les associations de serfs dépendants d'un seigneur ou d'un grand propriétaire du clergé gagnent une certaine indépendance. Elles réalisent une organisation de la vie des communautés villageoises et instaurent la culture par assolement triennal. L'accroissement de la masse de monnaie, sa circulation plus rapide permettent aux paysans de se libérer peu à peu des pénibles astreintes des redevances. Ils restent toutefois liés individuellement à leur seigneur et soumis à la corvée et aux impôts en nature.

Les charges pèsent, en tout cas, moins fortement sur les hommes des campagnes, ou moins directement. Parallèlement, on assiste à de notables améliorations dans les techniques agricoles : développement de la charrue et du hersage, joug frontal. La conjonction de ces facteurs influe positivement sur la production : celle-ci s'accroît sensiblement, ce qui entraîne un accroissement démographique. La population de l'Europe occidentale et centrale qui était de 5,5 millions en 650 atteint, en 1340, 35,5 millions d'habitants.

Les crises

La fin du Moyen Age est marquée par des perturbations démographiques et sociales, qui entraînent bientôt des crises morales et religieuses. La « Mort noire » qui ravage l'Europe à partir de 1347 atteint de plein fouet un continent déjà éprouvé par plusieurs grandes famines. Jusqu'au milieu du XVe siècle, la peste coûte la vie au tiers de la population européenne ; des villages entiers sont décimés ; des régions fertiles sont laissées en jachère. La consommation connaît une chute brutale, les prix baissent, l'agriculture traverse une crise sans précédent. Nombreux sont les paysans qui se réfugient dans les villes pour échapper à la crise. Pour endiguer l'exode rural, les propriétaires des

terres font en sorte de lier plus étroitement les paysans à leurs terres, si bien que ceux-ci perdent le peu de liberté qu'ils pouvaient avoir.

Dans les villes, les conflits s'aggravent en raison de la famine et de la surpopulation. La crise du Moyen Age tardif accroît l'incertitude morale, le doute religieux, et, simultanément, le besoin de jouir d'instants que l'on sait mesurés. La piété et la dévotion se développent parfois jusqu'à la folie ; l'Europe est parcourue de processions de « Flagellants » exhibant, pour l'exemple, une soif exacerbée de mortifications. Des foyers d'hérésie apparaissent : cathares, hussites, vaudois manifestent vis-à-vis des autorités religieuses des exigences spirituelles élevées, auxquelles l'Eglise de Rome, en proie elle-même au doute, a bien peu d'arguments à opposer. Le Moyen Age retentit de misère et de besoins, d'insatisfaction et de nostalgie religieuses assouvies par une mortification du corps ici-bas, préparant à la félicité de l'âme libérée dans l'au-delà.

En parallèle, dans le domaine intellectuel et artistique, la littérature et les beaux-arts connaissent un foisonnant essor. Le souffle dynamique de l'Occident s'est conservé intact et des hommes en quête d'aventures sont prêts, à l'aube du XVIe siècle, à conquérir des continents nouveaux.

Modification de l'image du monde

Le Moyen Age marque aussi un élargissement du regard de l'homme sur lui-même et sur le monde. Les contacts commerciaux et les Croisades ont mis l'Occident en contact avec les grandes cultures étrangères : l'islam et Byzance. Les trésors littéraires et philosophiques de l'Antiquité ont été découverts dans leurs traductions arabes au cours des XIVe et XVe siècles grâce aux réfugiés venus de Constantinople, tout d'abord poussés par la menace turque, puis chassés par la prise de la capitale byzantine. L'enseignement de la scolastique, philosophie et théologie, a été organisé, développé et systématisé par la création des universités. La culture occidentale s'essaie au doute, fondement de sa pensée. Ce doute s'applique aux traditions transmises et jusqu'aux doctrines de l'Eglise. Une telle attitude spirituelle est renforcée par le déclin de la papauté en tant que puissance spirituelle et temporelle prédominante en Europe. Plusieurs doubles élections papales ont suscité de multiples divisions au sein de la chrétienté et il a fallu un grand nombre de ces rassemblements généraux que sont les conciles pour retrouver une unité difficilement restaurée.

L'Europe du Moyen Age, diverse dans ses formes politiques, économiques et intellectuelles, découvre pourtant, à travers des racines culturelles communes, sa véritable identité.

1394

France, 15 juillet
Charles VI décrète l'expulsion de tous les Juifs, « sans exception, ni privilège ». →

Avignon
Benoît XIII succède à Clément VII.

1395

Asie centrale
Timûr-Lang (Tamerlan) détruit Astrakhan.

1396

Balkans, 25 septembre
Le sultan Bâyazîd défait à Nicopolis une coalition de Croisés, composée notamment de Hongrois et de Vénitiens. Jean sans Peur, comte de Nevers et fils du duc de Bourgogne, qui conduisait l'expédition avec Sigismond de Hongrie, est fait prisonnier.

Italie
Avec l'appui de Florence, Philippe II le Hardi obtient que la seigneurie de Gênes soit attribuée au roi de France et non à Louis d'Orléans.

1397

Scandinavie, 20 juin
Union de Kalmar entre les trois royaumes scandinaves au profit d'Erik de Poméranie. →

Italie
Création du duché de Milan au profit de Gian Galeazzo Visconti. →

Florence
Giovanni de Medici, dit Giovanni di Bicci, le père de Cosme l'Ancien, fonde la banque Médicis.

1398

Inde du Nord
Timûr-Lang s'empare de Delhi et ravage l'Inde.

1399

Angleterre, 29 septembre
Déposition de Richard II. Henri de Lancastre se proclame roi sous le nom d'Henri IV. →

Constantinople
Le maréchal Jean II de Boucicaut contraint les Ottomans à lever le siège de la ville.

France
L'*Epître au dieu Amour*, de Christine de Pisan, provoque de nombreux débats.

1400

Proche-Orient
Timûr-Lang prend Sivas aux Ottomans et ravage la Syrie.

Italie
Gian Galeazzo Visconti s'empare de Pérouse, Assise et Spolète.

Chimay, Hainaut
Jean Froissart achève ses *Chroniques*. →

1401

Moyen-Orient
Deuxième sac de Bagdad par Timûr-Lang.

1402

Asie Mineure, 28 juillet
Près d'Ankara, le sultan Bâyazîd est défait par Timûr Lang qui s'empare de Smyrne et atteint le Bosphore. →

Canaries
Un seigneur normand, Jean de Béthencourt, conquiert l'archipel des Canaries. Les premiers habitants, les Guanches, sont massacrés ; les îles Lanzarote, Fuerteventura et Hierro sont peuplées par des Normands et des Bigourdans.

1404

Hal, 27 avril
Philippe II le Hardi meurt ; Jean sans Peur devient duc de Bourgogne.

1405

Samarkand, 19 février
Mort de Timûr-Lang : son empire se disloque.

France
La Cité des dames de Christine de Pisan. →

1406

Dijon
Mort du sculpteur Claus Sluter. →

Le Caire, 17 mars
Mort de l'historien arabe Ibn Khaldûn. →

Les Juifs expulsés du royaume de France

France, 15 juillet 1394
Tout au long du XIVe siècle, la situation des Juifs en Europe n'a cessé de se détériorer. En 1306, l'expulsion des Juifs du royaume, prononcée par Philippe le Bel, avait contraint quelque cent mille Juifs à quitter la France. Leur retour fut autorisé en 1315. Mais, de nouveau expulsés en 1322, ils ne purent rentrer qu'en 1359. Expulsions ou autorisations de retour, les décisions royales sont toujours guidées par des motifs financiers. Le 15 juillet 1394, Charles VI décide de nouveau de les expulser. Lors de l'insurrection des Maillotins, en mars 1382, le quartier juif du Marais est pillé par les insurgés, malgré la protection du prévôt de Paris, Hugues Aubriot. Les Juifs semblent pris au piège des querelles opposant riches bourgeois et petit peuple. Ils sont rendus responsables de la misère et des difficultés économiques en général, alors même qu'en tant qu'usuriers leur fonction essentielle est de permettre la remise d'aplomb des finances royales. La disparition d'un riche marchand juif parisien qui venait de se convertir, Denys Machault, déclenche les hostilités. Il est reproché aux Juifs de la capitale d'avoir tenté de le ramener au judaïsme. Sept d'entre eux sont flagellés publiquement trois samedis

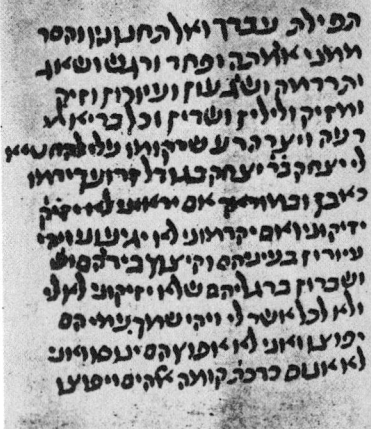

Livre de prières de la communauté juive de Chinon. XIIIe siècle. Bibliothèque nationale, Paris.

consécutifs et condamnés à payer une énorme amende. Le 15 juillet, peu de temps après l'événement, l'édit d'expulsion générale est proclamé. Les mouvements populaires ont eu raison des Juifs, d'autant plus facilement que la raison chancelante de Charles VI l'empêche désormais de persévérer dans la politique de tolérance précédemment adoptée par son père. Les proscrits reçoivent un délai d'un mois pour régler leurs affaires. Ils seront reconduits sous bonne garde jusqu'aux frontières du royaume avant le 3 novembre.

Sluter à la chartreuse de Champmol

Dijon, 1406
Sculpteur d'origine néerlandaise (né à Haarlem vers 1355), Claus Sluter vient de mourir à Dijon. Au service du duc de Bourgogne, Philippe le Hardi, depuis 1385, il avait pris en 1389 la succession de Jean de Marville à la tête de l'atelier ducal. Chargé dès son arrivée des sculptures de la chartreuse de Champmol, il avait réalisé les statues du portail ainsi que celles du duc et de la duchesse. Dès 1395, il travaille aux six statues de Prophètes, grandeur nature, du *Puits de Moïse*. Il commence enfin le cénotaphe du duc Philippe, achevé par son neveu, Claus de Werwe. Témoin du gothique tardif, son art réaliste étendra son influence sur la sculpture française du XVe siècle.

Claus Sluter. « Le puits de Moïse » à la Chartreuse de Champmol, Dijon. 1395-1404.

Gian Galeazzo Visconti, duc de Lombardie

Milan, 1397
Gian Galeazzo Visconti vient de marier sa fille, Valentine, à Louis d'Orléans et d'acheter à l'empereur Venceslas les titres de duc de Milan et de Lombardie. Vainqueur de la ligue formée par les Florentins, il occupera Pise, Pérouse et Bologne (1400). La lutte pour le pouvoir est âpre : Gian Galeazzo a dû faire empoisonner son oncle (1385), mais la

dynastie Visconti se poursuit. La célèbre famille gibeline qui prétend descendre de Didier, roi des Lombards, possède d'immenses terres dans la région du lac de Côme et règne sur Milan depuis 1277. Gian Galeazzo sera un administrateur remarquable et fera de Milan une ville riche et prospère. Il mourra lors du siège de Florence sans avoir pu devenir roi d'Italie.

Les considérations d'Ibn Khaldûn sur la société et l'histoire

Le Caire, 17 mars 1406
C'est au Caire que meurt Abd-al-Rahman ibn Muhammad ibn Khaldûn. Né à Tunis en 1332, il a vécu dans les différents pays du Maghreb, en Espagne et en Egypte, et se trouvait à Alep lorsque Timûr-Lang avait occupé la ville. Ses pérégrinations et ses activités politiques lui ont permis d'acquérir une connaissance approfondie de la société musulmane, connaissance qu'il a exposée dans son *Kitâb al-'Ibar* (Histoire universelle), précédé de la fameuse *Muqaddima* (Prolégomènes), réflexion sur les connaissances et les moyens indispensables à quiconque entreprend d'écrire l'histoire, car « le véritable objet de l'histoire est d'instruire sur l'état social de l'homme ». Le problème ainsi posé, son analyse le conduit à rechercher une complémentarité entre les diverses disciplines scientifiques, à l'exclusion de toute considération morale. Ibn Khaldûn n'est pas le premier penseur arabe à s'être penché sur le phénomène de la société et de son évolution. Il est toutefois le premier à avoir systématisé la réflexion pour en dégager un ensemble de lois. Bien qu'ayant fait l'objet de nombreuses tentatives de récupération, son œuvre n'en demeure pas moins un des sommets de la pensée médiévale.

Froissart, chroniqueur de la guerre franco-anglaise

Chimay, Hainaut, 1400
La vieillesse de Jean Froissart, curé d'Estinnes, chanoine de Chimay, est occupée à remodeler pour la troisième fois le texte en prose de ses *Chroniques*, dont la première version en vers était terminée en 1369. Cette année-là, le poète a trente-trois ans et sa protectrice, la reine Philippa de Hainaut, épouse d'Edouard III d'Angleterre, vient de mourir. C'est Wenceslas de Brabant qui dote alors Froissart et rétribue sa littérature. A sa mort, Froissart devient le chapelain de Guy de Blois et écrit pour la noblesse de la cour de France. Depuis 1361, il a visité l'Angleterre, l'Ecosse, la Savoie, Milan, Rome, le Béarn, l'Auvergne, Avignon, la Zélande. Ses *Chroniques* sont une sorte de reportage de ce qui s'est passé depuis 1325. Pour Robert de Namur, en 1373, la première version en prose met en avant les prouesses anglaises. Le second livre, pour Guy de Blois, atténue la sévérité contre les Français et poursuit le récit jusqu'en 1377. Le troisième livre est une relation des années 1385 à 1390 autour du voyage en Béarn. Le quatrième, de 1390 à 1396, est centré sur la cour de France. Retiré à Chimay en 1400, Froissart reprend une troisième version des événements de 1325 à 1350.

Richard II d'Angleterre présenté à la Vierge par saint Edmond et saint Jean-Baptiste. Diptyque Wilton, volet gauche. Vers 1395.

La chute de Richard II

Angleterre, 1399
Arrêté et emprisonné sur ordre de son cousin Henri de Lancastre, Richard II d'Angleterre est contraint d'abdiquer : on lui reproche son autoritarisme, l'arrestation et l'assassinat des opposants politiques ainsi que les pressions exercées sur le Parlement. Le roi, de la dynastie d'Anjou-Plantagenêt, est tué dans sa prison. Le nouveau roi, Henri de Lancastre, prend le nom de Henri IV. Les principales causes politiques de son hostilité à Richard II sont : le traité de paix signé avec la France, qu'il juge insuffisant, l'échec d'une campagne en Ecosse, l'importance accordée aux favoris et l'autocratisme du roi.

Arrestation en 1397 de Thomas de Woodstock, duc de Gloucester, sur l'ordre de son oncle Richard II. Il mourut la même année, assassiné en prison. Miniature anglaise. British Museum, Londres.

"La Cité des dames" de Christine de Pisan

France, 1405
Christine de Pisan a le très rare privilège d'être reconnue comme femme de lettres, à la cour de Charles VI. Rien ne semblait la destiner à devenir écrivain. Née en 1365, en Italie, elle arrive très jeune à Paris, où son père a été appelé à la cour de Charles V comme astrologue. Elle épouse Etienne Cassel, secrétaire du roi. Or la mort de son père (1387), puis celle de son mari (1390), la laissent sans ressources avec trois enfants. Entre 1400 et 1415, elle se lance dans la littérature et produit une œuvre abondante mais austère : philosophie et histoire y côtoient la politique. Pour être considérée à l'égal des lettrés qu'elle fréquente, Christine a choisi de vivre et d'écrire « comme un homme ». En réponse aux satires de Jean de Meung, elle compose *La Cité des dames*, traité de « prudence morale », de bonne conduite et d'économie domestique où elle défend les femmes « prudes » contre l'image de la femme frivole. Ecrire, pour elle, c'est prendre parti. Dans *Le Livre des bonnes mœurs du sage roy Charles V*, elle se range aux côtés des réformateurs. Elle croit au pouvoir de l'écriture et s'y adonne avec passion.

L'Union de Kalmar rassemble les royaumes scandinaves

Europe du Nord, 20 juin 1397
L'unification du Danemark, de la Suède-Finlande et de la Norvège est décidée à Kalmar par une réunion des états des trois royaumes scandinaves, sous la présidence de la reine Marguerite de Danemark. Les trois Etats souscrivent à une union durable, leur politique étrangère devient commune et les problèmes de la succession royale doivent être réglés d'un commun accord ; chaque Etat garde pourtant, au sein de l'Union, ses lois propres. Le petit-neveu de Marguerite de Danemark, le duc Erik VII de Poméranie, âgé de quinze ans, est couronné roi de Scandinavie à Kalmar. La reine Marguerite, habile politique, ambitieuse et douée d'un grand talent diplomatique, continue néanmoins d'exercer la réalité du pouvoir. A la mort de son père, le roi Valdemar IV Atterdag, en 1375, Marguerite avait exercé la régence au Danemark et, en 1380, à la mort de son mari, le roi Hakon VI, en Norvège. En 1389, le troisième royaume scandinave tombait entre ses mains lorsqu'elle parvint à renverser le roi Albert de Suède, qui avait demandé l'aide de son fils pour lutter contre l'opposition de la noblesse suédoise.

1407

Paris, nuit du 23 au 24 novembre
Louis d'Orléans est assassiné. →

Gloucester
Un exemple du style gothique anglais, dit « perpendiculaire » : le cloître de l'abbaye. →

Gênes
Ne pouvant plus lutter efficacement contre Venise sa rivale, Gênes constitue ses compagnies privés (*mahones*) en banque de San Giorgio.

1408

Liège, 23 septembre
Jean sans Peur écrase les milices liégeoises et impose son protectorat à l'évêque de Liège. Selon le chroniqueur Jean de Stavelot, 8 000 Liégeois furent massacrés.

1409

Pise, 26 juin
Le concile élit pape Alexandre V après avoir déposé Grégoire XII et Benoît XIII qui rejettent cette décision. →

Pékin
L'empereur Yong-Le transfère sa capitale de Nankin à Pékin. De là, il sera plus facile de contrôler les populations nomades qui menacent la frontière septentrionale.

1410

Bologne, 3 mai
Mort du pape Alexandre V. Le concile de Pise lui élit comme successeur Jean XIII.

Tannenberg, 15 juillet
Jagellon Ier écrase les chevaliers Teutoniques. →

1411

Zagorsk, Russie
Andréï Roublev exécute pour le couvent de Zagorsk l'icône de *La Trinité*.

Dijon
Claus de Werve achève le Tombeau de Philippe le Hardi, qu'avait commencé son oncle Claus Sluter.

Prague
Le légat pontifical prononce l'excommunication de Jan Hus ;

protestation et révolte populaire en faveur de J. Hus.

1412

Florence
Donatello exécute pour une des niches extérieures d'Orsanmichele la statue de *Saint Marc*.

1413

Paris, 26 mai
« Ordonnance cabochienne », réformant le pouvoir royal et disposant l'élection du prévôt.

Paris, juin
Emeute des Cabochiens.

Paris, 8 septembre
Abolition par les Armagnacs de l'« ordonnance cabochienne ». →

Angleterre
Mort d'Henri IV. Lui succède son fils Henri V.

1414

France, 1er janvier
Christine de Pisan achève son *Livre de Paix*, où elle souhaite l'avènement de la raison.

France-Angleterre
Henri V réclame l'héritage des Plantagenêts. Il reprend à son compte les prétentions d'Edouard III.

Constance
XVIe concile œcuménique. Cité à comparaître, Jan Hus s'y rend ; il est aussitôt arrêté !

1415

Constance, 6 juillet
S'étant présenté devant le concile, Jan Hus est condamné pour hérésie. →

Constance, 26 juillet
Le concile dépose les trois papes : Grégoire XII abdique, Jean XIII est arrêté et Benoît XIII se retire à Peniscola où il aura deux successeurs mais peu de fidèles.

France, 25 octobre
Défaite d'Azincourt. →

France
Les frères de Limbourg travaillent aux enluminures des *Très Riches Heures du duc de Berry*.

L'assassinat du duc Louis d'Orléans

Paris, 23 novembre 1407
Vers huit heures du soir, le duc d'Orléans sort de l'hôtel Barbette, où habite la reine, dans le quartier du Marais. Il est assailli et mis en pièces par des tueurs aux gages de Jean sans Peur. Le duc de Bourgogne cherchait à réunir l'Artois et la Flandre à son duché. Mais une grande part de ses ressources provenait du Trésor royal. En raison de la folie du roi, c'est le Conseil qui gouverne. Or, au sein du Conseil, le second fils de Charles V, Louis d'Orléans, s'oppose aux ambitions de son neveu. Une lutte à mort s'était engagée entre les deux hommes. Deux ligues se forment : le parti de Bourgogne et un parti « armagnac ».

L'assassinat de Louis d'Orléans, rue Vieille-du-Temple à Paris, « Chroniques » de Monstrelet.

L'abolition de l'ordonnance "cabochienne"

France, 8 septembre 1413
L'ordonnance dite « cabochienne » est abolie par les Armagnacs, juste après leur retour dans Paris. Cette ordonnance était un programme détaillé de réformes destinées à rendre le gouvernement royal moins coûteux et à éliminer la corruption. Elle avait été promulguée par Jean sans Peur qui cherchait à mettre à profit un contexte social particulièrement agité. En 1413, la situation financière du gouvernement royal est mauvaise. Le duc de Bourgogne fait convoquer par le roi les Etats de langue d'oïl, dominés par la bourgeoisie parisienne. Les députés réclament des réformes. Comme elles tardent

à venir, Jean sans Peur va exploiter leur mécontentement en favorisant à Paris une agitation populaire menée par l'ancien boucher Simon Caboche. La révolte cabochienne éclate le 28 avril 1413. Pendant un mois, les Cabochiens, bouchers ou écorcheurs, remplissent Paris de leurs violences. Dans ce contexte est promulguée l'ordonnance. Mais les bouchers ne s'y trompent pas : elle ne correspond pas à leurs aspirations, au demeurant mal définies. L'agitation se prolongeant, les modérés, lassés de ces violences, favorisent alors le retour à Paris des Armagnacs. La terreur bourguignonne a échoué.

Chandidâs le Bengali, chantre de Krishna

Bengale, début du XVe siècle
Chandidâs, brahmane vishnouite, chante en strophes les amours de Krishna, l'une des incarnations de Vishnu, et de la bergère Radha. C'est

le plus ancien des grands auteurs de la littérature bengalie, dans laquelle la lyrique vishnouite occupe une place de premier plan. Dans son œuvre, dont le manuscrit ne fut découvert qu'en 1916, Chandidâs insiste sur la nécessité d'un sentiment dénué de tout désir vulgaire.

Trois papes pour les chrétiens d'Occident

Pise, 26 juin 1409
Le concile rassemblé à Pise devait mettre fin au grand schisme d'Occident (→ 8.4.1378). Les papes Grégoire XII et Benoît XIII sont déposés et l'évêque de Milan Petron Philargès est élu pape sous le nom d'Alexandre V. Les papes déposés refusant de reconnaître les décisions du concile, Pise devient la troisième résidence pontificale. Les vingt-quatre cardinaux du concile voulaient instaurer une réforme « de la tête et des membres » de l'Eglise en faveur du pouvoir conciliaire. Alexandre V meurt le 3 mai 1410 ; Baldassare Cossa lui succède sous le nom de Jean XXIII ; il sera déposé par le concile de Constance en 1415.

Pedro de Luna. Il succéda au pape Clément VII en 1394 sous le nom de Benoît XIII.

Islamisation de la presqu'île de Malacca

Malacca, 1414

Paramesjvara, prince de Palembang, s'était rendu indépendant vers la fin du XIVᵉ siècle du royaume hindou de Magapahit, dans l'île de Java. En représailles, le Majapahit avait dévasté en 1390 l'île de Bangka ainsi que toute la région de Palembang. Vaincu, Paramesjvara avait dû s'enfuir à la tête d'un petit groupe de partisans et avait gagné l'île de Tumasik, en face de la presqu'île de Malacca. De nouveau poursuivi, il fonda une petite colonie à Muar en 1394, avant de gagner en 1401 Malacca où, grâce à l'aide des Chinois, il parvint à se créer un petit royaume. La Chine souhaitait en effet depuis longtemps disposer dans l'espace malais d'un appui capable de contrecarrer la puissance grandissante des Thaï. Paramesjvara ayant proposé ses services, Malacca devint un riche comptoir commercial, qui bénéficia de l'appui politique de la Chine. Présent à Sumatra dès la fin du XIIIᵉ siècle, l'islam était l'autre force grandissante de la région, le commerce des épices et des bois des îles attirant non seulement les Chinois, mais aussi les Arabes et les Indiens islamisés du Gujerât. Jouant des forces en présence, Paramesjvara chercha un appui de ce côté-là aussi et c'est ainsi qu'il se convertit à l'islam en 1414 et en favorisa la diffusion.

Les "Très Riches Heures du duc de Berry"

La bibliothèque de Jean de Berry compte une collection de manuscrits enluminés destinés aux offices religieux de chaque temps du jour : les *Heures* de Pucelle, les *Heures d'Anjou* peintes par Jacquemart de Hesdin, celles de Bruxelles par Beauneveu. Après les *Belles Heures*, les frères de Limbourg réalisent pour le duc, entre 1413 et 1416, les *Très Riches Heures*, sommet de la miniature gothique.

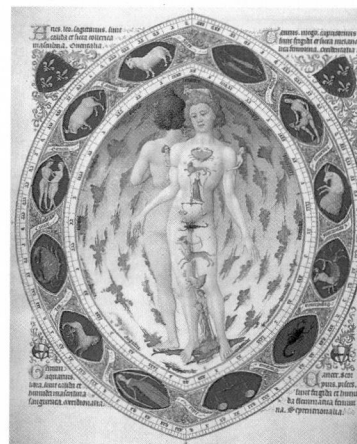

« Les Très Riches Heures du duc de Berry ». 1416.

Réception chez le duc de Berry (« Le mois de janvier »). Enluminure pour « Les Très Riches Heures du duc de Berry ». 1413-1416.

Jan Hus, excommunié, est conduit au bûcher

Constance, 6 juillet 1415

Spectacle sinistre pour les pères conciliaires à Constance : condamné le matin à être brûlé vif, le réformateur tchèque Jan Hus a été conduit l'après-midi même au bûcher. Invité à se rendre au concile sous sauf-conduit du roi allemand Sigismond, Hus a aussitôt été arrêté, le 3 novembre 1414. Profondément influencé par les théories de l'Anglais Wyclif, Hus condamnait les trafics vénaux de l'Eglise, commerce des indulgences, achat des charges. Il prêchait le retour à la pauvreté apostolique. Sa doctrine avait rencontré un grand retentissement spirituel et politique en Bohême : ses partisans, membres de l'Eglise des Prédestinés, se révoltent à l'annonce de sa mort.

Jan Hus sur le bûcher. Gravure sur bois. 1482. Rosgarten Museum, Constance.

Tannenberg : victoire polonaise sur les chevaliers Teutoniques

Tannenberg, 15 juillet 1410

La bataille de Tannenberg, au cours de laquelle les Polonais et les Lituaniens affrontent les chevaliers allemands, s'achève par un désastre pour ces derniers : plus de deux cents chevaliers Teutoniques y périssent, dont le grand maître de l'ordre. C'est la fin de près de deux siècles d'hégémonie de l'or-

dre sur la région. Toutefois, Polonais et Lituaniens ne profitent pas pleinement de leur victoire. Par le traité de Torun, en 1411, les Lituaniens ne reçoivent que la Samogitie ; le paiement d'un tribut aux Polonais demeure en suspens. La menace teutonique a contribué à la formation d'un grand empire polono-lituanien : en 1401, le roi de Pologne, Jagellon, s'était allié à son cousin Vitold qui, ayant des visées sur la principauté de Moscou, avait conquis un territoire s'étendant jusqu'à la mer Noire.

Défaite française à Azincourt

Azincourt, 25 octobre 1415

La Flotte anglaise avait débarqué en Normandie le 13 août 1415. Maître de Harfleur après un mois de siège, le roi anglais Henri V s'est dirigé vers les pays de la Somme. Et c'est près d'Azincourt qu'il a rencontré l'armée française. Une armée française mal organisée où l'archerie est toujours négligée et méprisée. De plus, les Français sont pesamment armés et, quand la bataille s'engage, ils ont le soleil dans les yeux. Une pluie de flèches s'abat sur eux ; les chevaux, lancés contre les archers, désarçonnent leurs cavaliers. Finalement, les archers d'Angleterre, légèrement armés, frappent et abattent les Français ; parmi les survivants, un grand nombre est fait prisonnier. Le conflit qui oppose les Anglais aux Français est ancien. En effet, le roi anglais Henri V revendique la plénitude de l'héritage confisqué par les rois de France : les possessions de Guillaume le Conquérant et des Plantagenêts. Au cours des négociations, le roi français a offert la main de sa fille Catherine à Henri V et l'Aquitaine en pleine propriété. Mais son refus de céder la Normandie sera le prétexte de la rupture.

La bataille d'Azincourt. Miniature illustrant les « Chroniques » d'Enguerrand de Monstrelet. XVᵉ siècle. Bibliothèque nationale, Paris.

1416

Paris

Mort du duc Jean de Berry. Troisième fils de Jean le Bon et frère de Charles VI, ce prince laisse l'image d'un mécène magnifique, mais aussi d'un politique ambitieux et rapace. Il mit en coupe réglée son gouvernement du Languedoc. Quand Charles VI devint fou, il revint aux affaires et oscilla sans cesse entre Armagnacs et Bourguignons, selon son intérêt. Il promit même aux Anglais, en 1412, de leur livrer la Guyenne.

Aragon

Alphonse V le Magnanime accède au trône.

1417

France, juin

Jean de Touraine meurt. Son frère Charles devient dauphin et prend le titre de lieutenant-général du royaume.

Normandie, août-octobre

Le 1er août, Henri V débarque à Touques et entreprend la conquête méthodique de la province : Caen est prise le 4 septembre, Argentan le 5 octobre et Alençon le 23 octobre.

Constance, 11 novembre

Après avoir déposé Benoît XIII (le 26 juillet), le Concile élit Martin V. →

Florence

Donatello achève de sculpter pour l'une des niches extérieures d'Orsanmichele une statue de *Saint Georges* avec, sur le socle, un bas-relief représentant *Saint Georges et le Dragon*, qui marque une étape importante dans l'art de la Renaissance : c'est une œuvre en effet où, pour la première fois, les lois de la perspective sont rigoureusement appliquées. Ce dont se souviendront peintres et sculpteurs.

1418

Paris, 29 mai

Un complice leur ayant ouvert la porte Saint-Germain, les Bourguignons se livrent à des massacres en série. Bertrand VII est assassiné. Le dauphin s'enfuit.

Paris, 14 juillet

L'entrée triomphale dans la capitale de Jean sans Peur au bras de la reine Isabeau de Bavière consacre, de la part de cette dernière, un brutal renversement d'alliances.

France, 26 décembre

Le dauphin se proclame régent du royaume.

1419

Strasbourg, 10 février

Mort de l'architecte Ulrich von Ensingen. De 1392 à 1417, il dirigea le chantier de la cathédrale d'Ulm et, commença, en 1399, l'érection de la tour nord de la cathédrale de Strasbourg. Celle-ci, qui est considérée comme l'un des chefs-d'œuvre du gothique flamboyant, sera achevée en 1439 par Johannes Hültz.

Prague, 30 juillet

A la mort du roi Venceslas de Bohème, la foule s'empare de l'hôtel de ville. Sa mort ouvre la période des guerres hussites. →

Normandie, juillet

A l'exception du Mont-Saint-Michel, toute la Normandie est sous le contrôle d'Henri V d'Angleterre.

Montereau, 10 septembre

Assassinat de Jean sans Peur. Son fils, Philippe le Bon, duc de Bourgogne, lui succède. →

Atlantique

L'Infant du Portugal, Henri le Navigateur, encourage le peuplement des îles Madère et Porto Santo découvertes l'année précédente par João Gonçalves Zarco.

1420

France et Angleterre, 21 mai

Traité de Troyes. →

Paris, 1er décembre

Henri V entre triomphalement dans la ville ; il est accueilli par l'Université et les Etats Généraux qui, le 10 novembre, ont ratifié le traité de Troyes.

Florence

Cosme l'Ancien prend la direction de la banque Médicis.

1421

Prague, 7 juillet

Les « táborites » (hussites radicaux) prennent la tête de la révolte tchèque et proclament la déposition de Sigismond, roi de Bohème, dont les armées ne sont pas en mesure de reprendre Prague.

Empire ottoman

Murad II succède à Mehmet Ier Çelebi comme sultan.

Protectorat ottoman sur la Valachie

Roumanie, 1418

La principauté de Valachie, qui atteint sa plus grande expansion sous le règne du prince Mircea le Grand (1386-1418), a été néanmoins vaincue en 1396 à Nicopolis. Ainsi les Ottomans renforcent-ils petit à petit leurs positions dans les Balkans. La principauté valaque avait réussi à s'affranchir de la souveraineté hongroise par la bataille de Posasa (1330), où Jean Bessarab avait vaincu l'armée du roi de Hongrie, Charles Ier Robert, étendant alors son territoire. Mircea le Grand ensuite avait réussi à étendre encore son royaume, déplaçant sa capitale de Cîmpulung à Curtea de Arges, puis Tirgoviste, avant de se fixer finalement à Bucarest. Il fut cependant contraint d'abandonner la Dobroudja, dont l'acquisition avait fait de la Valachie un Etat riverain de la mer Noire.

Miniature illustrant un « Nusrat Nameh ». Détail. Istanbul, 1581. Musée de Topkapi, Istanbul.

Renaissance culturelle sous les Ming

Chine, 1409
En choisissant en 1409 d'élever Pékin, ville excentrique, au rang de capitale, le dessein des Ming était de mieux surveiller les populations nomades qui rôdaient à la frontière septentrionale de l'empire et de renouer avec les valeurs traditionnelles délaissées par la dynastie mongole des Yüan, qui les avaient précédés. Avec les Ming débute une période brillante. En philosophie, l'orthodoxie néoconfucéenne est officiellement adoptée. Une littérature de distraction se fait jour, rédigée dans une langue proche de la langue parlée, et le roman se développe. Mais le nouvel esprit intellectuel de l'époque se marque surtout dans le domaine des connaissances pratiques, avec la publication d'ouvrages techniques et scientifiques. Protégée au nord par la Grande Muraille que l'on complète, la capitale s'enrichit de temples et de palais, ainsi que de nombreux jardins privés. La production de céramiques est très variée : la technique des bleus et des blancs est à son apogée. Dans le domaine des beaux-arts, la peinture s'arroge la première place, avec une grande diversité d'écoles : l'école paysagiste du Zhejiang, l'école de Wu, qui insuffle un sang nouveau à la peinture de lettrés, un groupe d'artistes qui cherchent à concilier l'art de l'amateur et l'art du professionnel... La fin de la période est marquée par une vaste entreprise de classification et d'appréciation des acquis des temps passés.

Céramique chinoise. Dynastie Ming, XVe siècle. Linden Museum, Stuttgart.

Moine chinois. Statue en bois. Détail. XVe siècle. Victoria and Albert Museum, Londres.

Un des animaux en pierre bordant l'allée des tombeaux Ming, près de Pékin. XVe-XVIe siècle.

Traité de Troyes : la France démantelée

Troyes, 21 mai 1420

Le nouveau duc de Bourgogne Philippe le Bon vient de signer avec Henri V un traité qui livre la France aux Anglais. C'est l'aboutissement de la défaite française d'Azincourt (→ 1415) et surtout de la division des vaincus face aux Anglais. Depuis Azincourt, l'effacement du pouvoir en France se confirme. Le roi Charles VI s'est trouvé aux mains des Anglais alors que le dauphin Charles n'était âgé que de quinze ans. Le comte d'Armagnac était le vrai maître du royaume. Celui-ci tenait Paris sous la terreur : les proscriptions se succédaient dans une ville livrée aux exactions. Par contre, les ducs de Bourgogne servaient leur propagande en abolissant les taxes dans les cités qu'ils occupaient. A la fin de mai 1418, les Parisiens excédés ont ou-

vert leur ville aux partisans de Jean sans Peur, le duc de Bourgogne. Fuyant la ville, le dauphin Charles a pris la tête du parti Armagnac. Il a son Parlement et sa Chambre ; plusieurs régions se rangent sous son obédience. Désormais, deux gouvernements coexistent en France. Cependant, face aux Anglais, une réconciliation entre Armagnacs et Bourguignons a fini par s'amorcer ; mais Jean sans Peur est abattu par un serviteur du dauphin. Pour le venger, son fils Philippe vient de signer le traité de Troyes avec Henri V. Les Anglais vont démanteler le royaume de France. Certains territoires ont déjà été reconnus au roi d'Angleterre par le traité de 1380. C'est le cas de Calais, conquête des premiers jours, mais aussi de la Guyenne ou de ce qu'il en reste. La Normandie, quant à elle, est la portion de l'héritage patrimonial reçue de Guillaume le Conquérant (→ 1066) et des Plantagenêts. C'est depuis les premiers mois de 1419, après la chute de Rouen, que la Normandie est anglaise. Les troupes anglaises occupaient aussi la Picardie, la Champagne et une partie de l'Ile-de-France où les partisans du dauphin s'agrippent à quelques places fortes. La frontière qui sépare les deux France est malaisée à définir d'autant qu'elle est mouvante, au gré d'une guerre confuse et de combats rarement décisifs. L'essentiel du royaume du dauphin coïncide avec la moitié méridionale de la France, Guyenne exceptée. Son parlement et sa cour des aides siègent à Poitiers. Mais son conseil, comme sa cour, sont itinérants, selon les nécessités de la guerre. Quant aux domaines du duc de Bourgogne, outre son duché, ils sont plutôt dans le nord, en particulier les comtés de Flandres et d'Artois.

(carte)
LA FRANCE APRÈS LE TRAITÉ DE TROYES
- Limites orientales du royaume de France
- France "lancastrienne" (Normandie, Pays de conquête, Guyenne)
- France "anglo-bourguignonne". Ses limites méridionales ont souvent varié. La carte les donne aux environs de 1429.
- Royaume de Bourges
- Duché de Bretagne
- Possessions bourguignonnes et territoires contrôlés par les bourguignons.

Henri V, roi d'Angleterre (1413-1422), le vainqueur d'Azincourt. National Portrait Gallery, Londres.

Nouvel épisode de la lutte entre Armagnacs et Bourguignons

Ile-de-France, 10 septembre 1419

Une entrevue ménagée entre le dauphin Charles et Jean sans Peur, sur le pont de l'Yonne à Montereau, le 10 septembre, tourne au drame. Jean est tué d'un coup de hache sans doute asséné par un compagnon du prince royal. Le péril d'une annexion du royaume de France par Henri V était plus grand que jamais. Le roi d'Angleterre poursuivait méthodiquement la conquête de « son » duché de Normandie. Caen et Rouen étaient tombées entre ses mains. Le duc de Bourgogne, à Paris, et le dauphin Charles décident de se rencontrer en terrain neutre. Une trêve paraissait urgente. Ce crime renforce les vieilles haines entre Armagnacs et Bourguignons.

Massacre des Armagnacs par les Bourguignons à Paris. Miniature illustrant les « Vigiles de Charles VII » de Martial d'Auvergne. B.N., Paris.

Concile décisif à Constance

Constance, 11 novembre 1417

Le concile réuni à Constance a élu Oddone Colonna pape (Martin V), mettant fin au Grand Schisme d'Occident qui durait depuis 1370 (→ 8.4.1378). Le concile s'était rassemblé le 5 novembre 1414, à la demande expresse du roi allemand Sigismond, afin que l'Eglise puisse prendre des mesures efficaces contre les mouvements hérétiques, en particulier contre le réformateur tchèque Jan Hus. Le concile, convoqué hors d'Italie comme le voulait Sigismond, rassembla 70 000 participants venus de toute l'Europe auxquels divers spectacles, en particulier des tournois, ont été offerts. La crise de la chrétienté d'Occident était profonde : toutes les charges ecclésiastiques étaient occupées par deux titulaires. Nécessairement partisans de l'un ou l'autre des papes, tous les chrétiens avaient été excommuniés.

Les diverses propositions de conciliation, notamment celle de l'université de Paris en 1394, avaient été refusées par les trois papes à Rome, Avignon et Pise. Jean XXIII, à Pise, successeur d'Alexandre V qui avait appelé le concile, perdant l'espoir d'être confirmé dans ses fonctions, s'enfuit dans la nuit du 20 au 21 mars 1415. Arrêté, il est déposé le 29 mai. Grégoire XII, à Rome, se retire le 4 juillet. Intraitable, Benoît XIII, à Avignon, est soumis à un procès qui le dépose le 26 juillet 1417. Oddone Colonna, qui prend le nom de Martin V, appartient à une riche famille romaine ; au moment de son élection, il n'est pas même prêtre. Nommé diacre, prêtre, évêque puis pape, sa carrière ecclésiastique fulgurante répond à l'usage fréquent qui fait de simples laïques, membres de familles influentes, des prêtres, des évêques ou même des cardinaux.

(initiale enluminée)
Initiale richement enluminée représentant Venceslas IV, roi de Bohême (1363-1419), en majesté biblique. « Bible de Venceslas », premier Livre des Rois. Nationalbibliothek, Vienne.

Défenestration à Prague de conseillers catholiques

Prague, 30 juillet 1419

L'hôtel de ville de Prague est investi par des partisans du réformateur Jan Hus après la mort du roi Venceslas de Bohême, protecteur de Jan Hus. Les hussites emprisonnés sont libérés et deux conseillers catholiques de la ville défenestrés. Les hussites se sont soulevés après la mort de Jan Hus sur le bûcher, à Constance (→ 6.7.1415). Les doctrines religieuses réformistes de Hus avaient trouvé un puissant écho dans les populations tchèques, y renforçant un sentiment national exacerbé par la mainmise du haut clergé catholique d'origine allemande sur la Bohême. Les heurts entre partisans catholiques et hussites en Bohême et Moravie avaient déjà commencé lors du concile de Constance. La défenestration de Prague marque le début d'une véritable guerre civile (qui ne s'achèvera qu'en 1436) contre le roi allemand Sigismond.

1422

Constantinople, 24 août
Le sultan Murad II fait le siège de la ville.

Vincennes, 31 août
Mort d'Henri V d'Angleterre et héritier désigné du royaume de France. La régence de son fils Henri VI, âgé de six mois, est assurée par le duc de Bedford.

France, 21 octobre
Mort de Charles VI. Henri VI est proclamé roi de France. →

Mehun-sur-Yèvre, 30 octobre
Le dauphin Charles prend le titre de roi de France. Il ne contrôle que la Touraine, l'Orléanais, le Berry, l'Auvergne et le Dauphiné. Par dérision, on le surnomme le roi de Bourges.

France
Le *Quadrilogue invectif* d'Alain Chartier. →

1423

Cravant, 30 juillet
Les troupes anglo-bourguignonnes écrasent l'armée de Charles VII.

Florence
Gentile da Fabriano exécute pour Palla Strozzi, l'homme alors le plus riche de la ville, sa fameuse *Adoration des Mages*.

1424

Le Mans, 2 août
Les Anglais s'emparent de la ville. En juin ils ont pris Ivry et Sézanne.

Chine
Mort de l'empereur Yong-Le. C'est sous son règne que furent mises sur pied plusieurs expéditions navales visant à assurer à la Chine une véritable hégémonie dans l'océan Indien et pour lesquelles l'empereur s'assura le concours de Zheng he, musulman né au Yunnan qu'il plaça à la tête d'une flotte de soixante-trois jonques géantes. Forte de cette présence sur les mers, la Chine se trouva en mesure d'imposer tribut aux sultans d'Indochine, d'Indonésie (Java, Sumatra) et de Ceylan. Zheng he monta, par la suite, plusieurs expéditions maritimes, qui le conduisirent jusqu'à Ormuz, Aden et Djedda (d'où il visita La Mecque) ; il explora enfin la côte orientale de l'Afrique où

son passage est signalé à Mogadiscio et Mombasa.

1425

Duché de Bourgogne, mai
Jan van Eyck est nommé peintre et valet de chambre de Philippe le Bon.

Constantinople, 21 juillet
Mort de l'empereur Manuel II ; Jean VIII Paléologue lui succède.

1428

Orléans, 12 octobre
Les Anglais commencent le siège de la cité.

Florence
Fresques de Masaccio, chapelle Brancacci, à Santa Maria del Carmine. →

1429

Orléans, 8 mai
Jeanne d'Arc délivre Orléans. →

Reims, 18 juillet
Charles VII sacré roi de France.

France, 31 juillet
Dittié de Jeanne d'Arc par Christine de Pisan.

Saint-Denis, 26 août
Entrée triomphale de Jeanne d'Arc.

Paris, 8 septembre
Jeanne est blessée lors d'un assaut près de la porte Saint-Honoré.

1430

Bruges, 10 janvier
Philippe le Bon, duc de Bourgogne, institue l'ordre de la Toison d'or.

Thessalonique, 29 mars,
Le sultan Murad II s'empare de la ville.

Compiègne, 24 mai
Jeanne est faite prisonnière par les Bourguignons.

France, 26 mai
L'université de Paris demande au duc de Bourgogne que Jeanne lui soit livrée

Beauvais, 14 juillet
Contre 10 000 écus, Jean de Luxembourg livre sa prisonnière, Jeanne d'Arc, à l'évêque de Beauvais Pierre Cauchon.

Andreï Roublev. Icône de la Trinité. Vers 1411. Peinte pour le couvent de Zagorsk. Galerie Tretiakov, Moscou.

L'icône transfigurée par Roublev

Moscou, vers 1430
Avec la mort d'Andreï Roublev, la Russie perd l'un de ses plus grands peintres. Il reste dans les mémoires comme le précurseur d'une peinture russe distincte de la tradition byzantine. Les icônes se caractérisent chez Roublev par un tracé des contours plus fin et des scènes plus intimistes. Observation de la réalité et contemplation du divin permettent à l'artiste d'exprimer sa sensibilité ; c'est ainsi qu'il est marqué par les récits de son enfance relatant la victoire du prince Dimitri au champ des Bécasses ou la destruction de Moscou en 1382. L'un des plus parfaits exemples de la transfiguration de l'icône par Roublev est certainement celle de la *Trinité* qu'il peignit vers 1411 pour le couvent de la Trinité Saint-Serge de Radonège à Zagorsk. C'est une icône rayonnante de joie et de lumière avec une absence quasi totale d'ombre. Trois anges légers symbolisent la Trinité. Tout y est soumis au rythme musical des lignes et il s'en dégage un sentiment très intense de calme et d'extase. Rarement une idée théologique aussi complexe que celle de la Trinité aura trouvé une expression aussi simple et évidente. On sait peu de choses de Roublev, si ce n'est qu'il travailla avec Théophane le Grec en 1405 à la cathédrale de l'Annonciation de Moscou et, en 1408, avec Daniel Tcherny (le Noir) aux fresques et à l'iconostase de la cathédrale de l'Assomption à Vladimir.

La puissance aztèque s'affirme

Mexique, 1428-1430
La lente progression des Aztèques depuis leur arrivée dans la vallée de Mexico vers 1215, la victoire décisive remportée par Itzacoatl, leur quatrième souverain, sur les peuples voisins vers 1428 font du royaume aztèque la plus grande puissance d'Amérique Centrale. A l'exception des Mayas, ils soumettront progressivement tous les peuples de la région. Leur force repose sur l'alliance essentiellement de trois villes : Tenochtitlan, Texcoco et Tlacopan. Bien qu'indépendantes, les trois cités élisent leur roi et décident des opérations guerrières en commun. A la tête de l'organisation sociale, le roi est chef militaire suprême et grand prêtre. Le culte religieux fait une large place aux divinités naturelles et à de très nombreux sacrifices humains.

Art aztèque. Tlazolteotl, déesse de la Terre et de la Naissance. Granit.

Masaccio, créateur de la peinture occidentale

Florence, 1428

Après l'austérité sculpturale de la *Vierge avec l'enfant et sainte Anne*, après le style dramatique du Retable du carmel de Pise, Masaccio nous prouve, avec les fresques de la chapelle Brancacci qu'il a médité la leçon de Brunelleschi et celle de Donatello. Son univers est élaboré selon les lois de la perspective mathématique établies par l'architecte ; ses personnages ont l'allure héroïque des *Prophètes* du sculpteur. Pour lui, le nouvel espace perspectif ne peut accueillir qu'une humanité grave. Ainsi le réalisme revêt-il une valeur spirituelle : dans *Le Paiement du tribut*, le paysage aux volumes nettement dessinés confère à la scène son caractère grandiose et noble.

Masaccio. « *Le Paiement du tribut* ». 1426-1428. Fresque. Chapelle Brancacci, Santa Maria del Carmine, Florence. Fresque entreprise à la demande des Brancacci, riches commerçants en soierie.

Charles VII recevant Jeanne d'Arc, la « Pucelle ». Peinture anonyme du XVe siècle.

Jeanne d'Arc délivre Orléans

Orléans, 8 mai 1429

Le 8 mai 1429, Orléans est délivrée. Les Anglais lèvent le siège. Le roi attribue à Jeanne, la Pucelle, toute la gloire de cet extraordinaire retournement de fortune. Or, pour le roi et pour ses sujets, la bataille d'Orléans avait une valeur symbolique. En effet, la prise de cette ville aurait permis à Bedford, frère du roi d'Angleterre, l'invasion du Berry et aurait entraîné la fuite de Charles VII. Suffolk et Talbot qui avaient pris la direction du siège le 12 octobre 1428, ne pouvant enlever la ville, organisèrent un blocus. La capitulation paraissait certaine. Charles VII, terré à Chinon, n'espérait plus rien. Les luttes de personnes et de factions continuaient dans son entourage. C'est dans ce contexte que, le 6 mars 1429, une mystérieuse jeune fille de 15 ou 18 ans, paysanne de Domremy en Barrois, est admise à voir le roi. Elle le reconnaît aussitôt parmi les courtisans et l'appelle le « dauphin ». Elle lui demande des hommes, des armes et des chevaux pour délivrer Orléans et le conduire à Reims pour y être sacré. Charles, déconcerté, s'entretient à plusieurs reprises avec Jeanne d'Arc. Elle lui raconte qu'elle a entendu des voix, celles de saint Michel, de sainte Catherine et de sainte Marguerite, qui lui traçaient sa mission. Le conseil royal, ébranlé, décide de s'en remettre à une commission de théologiens réunie à Poitiers. L'examen est favorable. A Tours, Jeanne reçoit l'équipement d'un capitaine banneret et une suite. Elle rejoint une armée de secours qui se concentre à Blois, sous la direction du général Boussac. Cette avant-garde pénètre dans Orléans le 29 avril.

Deux souverains pour le royaume de France

Paris, 21 octobre 1422

Charles VI s'éteint deux mois à peine après son ennemi Henri V (→ 1415). Le dauphin Charles succède à son père et devient Charles VII, roi de France. Cependant, le tout jeune Henri VI, fils d'Henri V, âgé seulement de dix-huit mois, hérite lui aussi du titre de roi de France. En effet, son père avait épousé Catherine, fille de Charles VI, le roi simple d'esprit dont l'autorité était toute fictive. De plus, selon le traité de Troyes (→ 1420), Henri ou son hériter devait succéder à Charles VI quand celui-ci disparaîtrait. Le dauphin Charles était donc déshérité. Ainsi, deux souverains revendiquent le trône d'une France coupée en deux. Mais les riches Etats du duc de Bourgogne forment une troisième France dont l'arbitrage peut être décisif.

"Quadrilogue invectif" au secours du dauphin

Paris, 1422

Le « simple clerc » normand Alain Chartier, secrétaire et notaire du dauphin Charles depuis 1418 met sa vigoureuse éloquence au service de son prince et de la patrie. Dans ce « songe » en prose qu'il composa vers 1422, quatre personnages se disputent : le Peuple, la Chevalerie, le Clergé et la France. Celle-ci, montrant ses tourments, reproche aux Français leurs vulgaires plaisirs et implore la pitié. La destruction de l'autorité ferait le malheur de tous. Le peuple souffre et se révolte ; il travaille et meurt pour tous ; la guerre est un pillage organisé. Il réclame justice et reste dévoué à la patrie. Un jeune chevalier écervelé invective un paysan, tandis qu'un vieillard rappelle les vertus et les prérogatives héréditaires. La France invite à la concorde avant que le mal s'étende.

Kilwa rayonne sur l'Afrique de l'Est

Investi au Xe siècle par un sultan de Perse, Kilwa (Tanzanie), port influent de la côte orientale, prend le contrôle de l'or de Sofala et du cuivre du Shaba. Il se lance alors dans un négoce intense avec l'Asie, la Chine et l'Inde, ainsi qu'avec l'Italie, répondant à la demande en or, ivoire, cuivre, fer et esclaves en échange de porcelaines et d'étoffes. Kilwa conquiert les îles Mafia et livre une concurrence sévère aux cités voisines : Paté et Mogadishu. Les émirs souverains ne tentent guère d'islamiser la population bantoue animiste métissée d'Indiens et d'Arabes, liés par une langue commune, le swahili. En dépit d'un pouvoir instable, la ville constitue le phare brillant et opulent de l'océan Indien.

Mosquée de Kilwa (Tanzanie). Cette ville devint, au Xe siècle, un grand port de commerce.

1431

Rouen, 30 mai
Procès et martyre de Jeanne d'Arc. →

Dijon, 27 novembre
A l'occasion de la tenue du premier chapitre de la Toison d'or, les statuts de l'ordre sont promulgués. →

Paris, 16 décembre
Henri VI d'Angleterre est sacré et couronné roi de France à Notre-Dame par le cardinal de Winchester.

Bohème
Les Hussites remportent une série de victoires, mettent au pillage plusieurs villes allemandes de Bohème avant de défaire la croisade lancée contre eux par le cardinal Cesarini, président du XVIIᵉ concile œcuménique de Bâle, qui s'est ouvert en juillet.

Bourgogne
René d'Anjou, marié à l'héritière du duché de Lorraine, mène une offensive contre la Franche-Comté. Il est vaincu et fait prisonnier par Philippe le Bon à Bulgnéville.

1432

Gand, 6 mai
Le polyptyque de *l'Agneau mystique* de Jan van Eyck est installé en grande pompe dans la collégiale des Deux-Saints-Jean (cathédrale Saint-Bavon). →

Les Açores
Découverte et occupation de l'archipel par les Portugais, qui lui donnent son nom (*açor* : autour, épervier).

1433

Rome, 31 mai
Couronnement impérial de Sigismond par le pape Eugène IV (son élection à la dignité impériale remontait, en fait, à 1411).

Bâle, 30 novembre
Le concile s'étant décidé à ouvrir des négociations avec les Hussites, celles-ci aboutissent aux *compactata* de Prague ; les Hussites obtenaient notamment le droit de communier sous les deux espèces. Seuls les modérés ou « praguois » acceptèrent ; les radicaux ou « táborites » continuèrent la lutte.

Pays-Bas
Philippe le Bon contraint Jacqueline de Bavière à lui céder l'héri-

tage que lui a laissé son père : le Hainaut, la Hollande, la Zélande et la Frise.

1434

Lipany, Bohème, 30 mai
Les « táborites » sont défaits par les troupes de Sigismond.

Normandie
Les paysans du pays de Caux se soulèvent contre l'impôt et l'occupation anglaise.

Afrique
Les Portugais franchissent le cap Bojador. →

Royaume khmer
Phnom Penh remplace Angkor comme capitale.

Florence
Contraint à l'exil en 1433 par son adversaire, Rinaldo Albizzi, Cosme de Médicis parvient à revenir et s'empare du pouvoir.

Tours
A l'occasion de la tenue de ces Etats, apparaissent pour la première fois des cahiers de doléances.

Bruges
Portrait du *Marchand Arnolfini et son épouse* par Jan van Eyck.

1435

France, 19 septembre
Mort du duc de Bedford.

France, 21 septembre
Par le traité d'Arras, Philippe le Bon décide de rompre avec les Anglais et de reconnaître Charles VII pour seul roi de France. Les négociations avaient commencé au cours du mois d'août à Nevers.

Paris, 24 septembre
En son hôtel Saint-Pol, la reine Isabeau de Bavière meurt dans le dénuement. Le roi ordonne que les obsèques de sa mère aient lieu de nuit.

France
Les soudards peu ou pas payés par les princes constituent des bandes d'« Ecorcheurs » qui rançonnent et assassinent.

France
Charles VII reconquiert l'Ile-de-France. Il rétablit les aides et la gabelle afin de finance ses campagnes.

Bruges, carrefour commercial

La prospérité de la ville de Bruges tient à son rôle de carrefour commercial entre les principaux espaces économiques européens : la Hanse, l'Angleterre, la France, l'Italie, les Etats rhénans. Au XIIIᵉ siècle, de grandes foires animaient la ville ; les gros marchands brugeois devinrent de grands propriétaires fonciers et s'anoblirent. Ce sont les détaillants qui servent d'intermédiaires pour les grandes compagnies internationales aux mains des marchands étrangers. Bruges exporte de luxueuses tapisseries, des toiles et draps de Flandre, du Brabant, du Hainaut ; mais ce qui lui assure sa richesse, c'est le commerce de transit. Les navires génois, vénitiens et toscans apportent tous les produits de leur métropole, qui sont ensuite redistribués dans l'Europe du Nord. Ville étape, Bruges attire des marchands étrangers qui se regroupent et constituent des « nations » afin de mieux défendre leurs intérêts. Chacune d'elles dispose d'informations rapides grâce à des réseaux de correspondants. Progressivement, les grandes maisons créent des filiales indépendantes. Les marchands sédentarisés améliorent leurs techniques de gestion. La comptabilité double et la lettre de change apparaissent. A Bruges, des équipements spéciaux favorisent les échanges : l'écluse de Damme sur la Reie permet aux bateaux de remonter jusqu'au Wasserhalle. C'est un marché fluvial, au centre de la ville, qui enjambe le canal et permet d'amener les péniches dans l'enceinte de la halle commerçante. Bruges dispose également d'une grue, prestigieuse innovation technique, ainsi que de la plus ancienne Bourse de commerce. Les transactions ne concernent pas seulement les marchandises, mais aussi l'argent. La colonie des banquiers italiens installés à Bruges fait de la ville le point d'intersection des mouvements de fonds dans le nord de l'Europe. Ils ouvrent de larges crédits aux ducs de Bourgogne, tel le financier Arnolfini dont Jan van Eyck a brossé le portrait en compagnie de son épouse.

Portrait des époux Arnolfini. Peint en 1434 et signé par Jan van Eyck. L'œuvre profane la plus connue du peintre.

"L'Agneau mystique" de Jan van Eyck à Gand

Gand, 6 mai 1432
Le monumental polyptyque de *l'Agneau mystique* vient d'être installé en grande pompe à la collégiale des Deux-Saints-Jean. Sans doute commencé par Hubert van Eyck, il a été pour l'essentiel réalisé par son frère Jan. L'équilibre de la composition, la précision des détails, l'éclat des couleurs en font une œuvre clef de la peinture européenne.

Jan Van Eyck. Polyptyque de « l'Agneau mystique ». 1426-1432. Détail du panneau central. Huile sur bois. Cathédrale Saint-Bavon, Gand.

Jeanne d'Arc sur son bûcher. Miniature illustrant les « Vigiles de Charles VII » de Martial d'Auvergne. Fin XVe siècle.

Jeanne d'Arc brûlée à Rouen

Rouen, 30 mai 1431

C'est sur la place du Vieux-Marché à Rouen, que vient de se dérouler publiquement le supplice de Jeanne d'Arc, épisode particulièrement odieux de la guerre de Cent Ans. En 1430, à l'expiration d'une trêve avec les Bourguignons, Jeanne d'Arc avait été envoyée dans le nord de l'Ile-de-France pour les combattre. Elle pénètre le 13 mai dans Compiègne assiégée. Elle est faite prisonnière par les hommes du bâtard de Wandonne. Ils la livrent à Jean de Luxembourg qui la remet ensuite au duc de Bedford moyennant 10 000 écus d'or. L'université de Paris, toute bourguignonne, déclare qu'elle doit être jugée comme sorcière. Le procès commence à Rouen sous la présidence de l'évêque Cauchon, bourguignon notoire, assisté du vice-inquisiteur et d'une soixantaine d'assesseurs ecclésiastiques. Les frais du procès sont assumés par les Anglais. Il se déroule selon les rites de l'Inquisition : pas d'avocats, enquête secrète, interrogatoires perfides et épuisants, avec menaces de torture. Elle se défend seule avec courage et finesse. Dans un instant de faiblesse, elle prononce une abjuration. S'étant aussitôt rétractée, elle sera immédiatement déclarée « relapse » et condamnée au bûcher. Charles VII n'intervint pas et n'éprouva même pas le besoin de protester contre ce procès inique.

Les cités italiennes

Le déclin du pouvoir des empereurs romains germaniques provoque l'ascension politique et économique des cités-Etats du nord de l'Italie. Gênes et Venise, qui contrôlent le commerce méditerranéen, se sont également enrichies grâce aux Croisades : transport et ravitaillement des Croisés, utilisation des armées croisées à des fins politiques propres, butins provenant de pillages en Orient. Les cités italiennes n'ont cessé de s'entre-déchirer dans des luttes constantes pour le pouvoir politique, garant de la richesse commerciale. Elles ont pour la plupart un régime de république, mais sont en fait sous la coupe des riches familles de la cité, gros commerçants et banquiers. A Florence, la famille des Médicis gagne en influence dès 1434 (→), avec le richissime banquier et mécène Cosme de Médicis, véritable maître de la cité, sans pour autant exercer la moindre charge officielle ; à Milan, c'est la famille Visconti qui, depuis 1447,

Paolo Uccello. La « Bataille de San Romano » (qui opposa les Florentins aux Siennois). Vers 1456.

règne sur les affaires de la cité (→ 3.9.1402). A Venise, les doges disposent d'un pouvoir absolu ; ils sont exclusivement choisis au sein d'une oligarchie patricienne de deux cents familles, qui se sont assurées depuis 1297 de la totalité de la représentation au sein du Grand Conseil. Les premiers vainqueurs des luttes entre les cités italiennes sont Venise, Florence et Gênes. Ce n'est qu'en 1455 que les cinq principaux Etats italiens (Florence, Etats de l'Eglise, Milan, Naples et Venise) parviennent à s'unir, sous la pression de la menace ottomane, constituant un premier pôle politique italien, autonome mais fragile.

Donatello, sculpteur, maître novateur du Quattrocento

Florence, 1432

On se souvient de l'audace de Donatello, qui, avec son *Saint Georges*, exprimait son dédain de la belle forme, du drapé, de la calligraphie alors à la mode. Puis vint la série des Prophètes, pour les niches du campanile du dôme : des statues au réalisme décidé, magnifiant un type robuste, sans grâce parfois, mais toujours noble. A présent, le sculpteur commence une *Cantoria* (une tribune des Chantres) pour la cathédrale : sur fond de mosaïque d'or se détache, fortement rythmée, une frise de danseurs directement inspirée de l'Antiquité romaine.

Le « Saint Georges » de Donatello. 1415-1417. Marbre.

Le premier chapitre de la Toison d'or

Dijon, 27 novembre 1431

Les trente et un chevaliers présents ce jour portent en sautoir un bijou ayant la forme d'une dépouille de bélier, le collier lui-même étant composé de pierres à feu d'où jaillissent des étincelles. *Ante ferit quam flamma micet :* c'est la devise que se donne ce premier chapitre annuel de l'ordre fondé à Bruges par Philippe III le Bon, le 10 janvier 1430. A l'exemple de Jason, le duc de Bourgogne veut arracher au dragon païen la précieuse toison, Jérusalem. Mais surtout, le grand maître de l'ordre vise à réunir autour de lui, contre Charles VII, les grands de Bourgogne et des Flandres.

Les Portugais doublent le cap Bojador

Portugal, 1434

En 1434, Gil Eanes, capitaine de Lagos, double le cap Bojador, au large des côtes africaines. Cette politique de découverte systématique des côtes de l'Afrique occidentale est menée par Henri le Navigateur, fils de Jean Ier de Portugal. Il a fondé à Sagres, en Algarve, une académie qui réunit des savants, des astrologues, des cartographes et des navigateurs, venus de toute l'Europe. Lagos est leur base maritime. Ils inventent la navigation astronomique, les cartes océaniques et une nouvelle nef plus légère : la caravelle. L'importance de leurs travaux permet aux Portugais la conquête océane.

1436

Paris, 13 avril
Les troupes de Charles VII commandées par Richemont libèrent Paris.

Jihlava, Bohême, 5 juillet
Le compromis passé avec les Hussites en 1433 est confirmé et Sigismond est reconnu roi de Bohême.

Afrique occidentale
Les Portugais explorent le Rio de Oro.

Florence
Achèvement de la coupole de Santa Maria del Fiore, sur les plans de Brunelleschi.

1437

Paris, 12 novembre
Entrée solennelle de Charles VII. Après un séjour de trois semaines, le roi de France regagne la Touraine.

1438

Ferrare, 9 avril
Transfert à Ferrare du concile de Bâle.

Bourges, 7 juillet
Charles VII promulgue la Pragmatique Sanction qui limite l'autorité pontificale sur les évêques français et donne au roi un droit de regard sur les nominations des prélats. →

1439

Italie, 16 janvier
Le concile est transférée de Ferrare à Florence : tentative d'union avec Constantinople.

Bâle, 5 novembre
Les pères conciliaires qui ont refusé de suivre le concile à Ferrare, puis Florence, élisent pape Amédée VIII de Savoie, célèbre pour sa sagesse et sa richesse. Celui-ci prend pour nom Félix V et lance de grandes persécutions contre les Vaudois. C'est le dernier antipape de l'histoire de l'Eglise. Bientôt en conflit avec le concile de Bâle, il se retirera en 1449 contraint d'abdiquer.

1440

Empire germanique, 2 février
Frédéric III élu empereur. Avec lui commence la dynastie des

Habsbourg, lorsque tous les domaines appartenant à sa lignée furent réunis en 1490 sous sa seule autorité.

France, février
Ayant à faire face à une révolte des Grands du royaume et du dauphin Louis (c'est la « Praguerie »), Charles VII fait occuper par son armée le Poitou puis le Bourbonnais, le Forez et l'Auvergne.

Nantes
Compagnon de Jeanne d'Arc, Gilles de Rais est jugé pour sorcellerie et perversions sexuelles. Il est pendu et son corps est brûlé.

France
Jacques Cœur nommé argentier du roi.

1441

Florence
L'Eglise éthiopienne envoie un représentant au concile catholique de Florence. Le prélat éthiopien signe un acte d'union de son Eglise à celle de Rome, que le Négus annulera par la suite.

1442

Naples, 12 juin
Alphonse V d'Aragon est couronné roi de Naples après avoir conquis la ville. Naples est élevée au rang de capitale et le roi attire à sa cour des artistes et des savants comme Pisanello ou Lorenzo della Valle.

France
Sous la direction du duc de Bourgogne, les princes Bourbon, Orléans, Vendôme, Dunois et Angoulême se réunissent à Nevers, veulent réformer le royaume et arrêter les conseillers du roi, Regnault de Chartres et l'évêque de Clermont. Charles VII met un terme à cette « Nouvelle Praguerie » en distribuant des pensions aux princes.

Hongrie, 23 décembre
Victoire de Janos Hunyadi sur les Turcs à Jalorats.

Rome
Bulle d'Eugène IV accordant le monopole du commerce aux Portugais sur les côtes africaines.

1443

Bourges
Construction de l'hôtel Jacques Cœur.

Fra Angelico. « L'Annonciation ». Fresque du couvent de San Marco, Florence. Peinte entre 1440 et 1447.

Fra Angelico travaille au couvent San Marco

Florence, vers 1440
Le dominicain Fra Giovanni da Fiesole, dit Fra Angelico, est un peintre déjà fort célèbre lorsque Cosme de Médicis lui demande de décorer les bâtiments du monastère de San Marco, restaurés et agrandis par Michelozzo. En sept ans (1440-1447) l'artiste va exécuter, pour les cellules des moines, une série de fresques empreintes d'une sérénité et d'un dépouillement propices au recueillement et à la méditation. Tout entier au service de la foi, l'art d'Angelico est encore marqué par la pensée scolastique. Ainsi, pour lui, la lumière n'est pas une onde matérielle, mais une émanation des corps célestes : dans *Annonciation*, la lumière n'éclaire ni ne modèle, elle traverse les corps qui semblent immatériels. Ici, son art se dépouille et tend vers le symbole. Alors que les paysages resplendissants de la *Déposition* chantaient naguère la louange du Créateur, les montagnes arides des fresques de San Marco détournent du spectacle profane des beautés terrestres pour appeler à une contemplation plus spirituelle. Plus que d'une représentation naturaliste de l'histoire sacrée, s'agit alors d'un symbole qui donne accès aux mystères de la foi.

Formation du royaume Kongo

Sur le cours inférieur du fleuve Kongo s'était établi, hors de toute influence arabe, un noyau de civilisation florissant dès le milieu du XIIIe siècle. Il s'agit d'un véritable empire noir, doté d'une culture originale et raffinée. Le Manikongo ou seigneur du Kongo règne sur un vaste territoire (300 000 km² environ) allant du Bas-Kongo (au nord) au fleuve Kwanza (au sud) et de la rivière Kwango (à l'est) à la côte atlantique. L'empire est constitué de provinces traditionnelles et de royaumes vassaux régis par des gouverneurs sur lesquels pèse directement l'autorité royale. Le trésor du souverain est alimenté par l'exploitation, confiée aux femmes, des mines de coquillages qui servaient de monnaie. Le peuple travaille le cuir des éléphants, extrait de l'huile et du vin des palmiers, tisse des étoffes luxueusement brodées. En 1482, les Portugais atteignent l'embouchure du Kongo et sont accueillis sans aucune hostilité par la population. De ce contact résultent la conversion du Manikongo au christianisme, et le début d'étroites relations commerciales entre les deux pays, au grand avantage du Portugal.

L'Albanie se soulève avec Skanderbeg

Kroya, Albanie, 28 novembre 1443
Les Turcs, profitant de rivalités entre principautés, avaient conquis l'Albanie qu'ils occupaient depuis un siècle. Selon leur habitude lorsqu'ils soumettaient un pays, ils avaient emmené en otage, comme garantie, le jeune fils de Jan Castriota, seigneur local, qui sera élevé dans l'islam à Edirne (Andrinople), capitale de l'empire ottoman. Mis à l'école des pages dont il sortit fonctionnaire, il fut ensuite versé dans l'armée ; quelques exploits militaires lui valurent le surnom de *Iskander Bey* (Skanderbeg). Lorsqu'en 1438, il fut nommé gouverneur en Albanie, dans sa province natale, il se jura de libérer sa patrie du joug turc. Profitant d'une offensive hongroise contre les Turcs pour lancer un appel à l'insurrection, il proclame le 28 novembre la restauration de la principauté libre d'Albanie, hissant sur la citadelle blanche de Kroya le drapeau à l'aigle bicéphale des Castriotes. Suivi par d'autres chefs, il réussira à tenir tête aux Turcs jusqu'à sa mort en 1468. Malgré cette résistance acharnée et héroïque, l'Albanie devra finalement se soumettre à la domination ottomane.

Pachacutec fonde l'Empire inca

Pérou, 1438

Pachacutec, Inca Yupanqui, renverse son père, prince d'une tribu quichua d'une haute vallée du Huatanay. Pachacutec se couronne et fonde la dynastie inca. Limité à l'origine à la vallée de Cuzco, le domaine de Pachacutec s'étend à une vitesse foudroyante. Il soumet d'abord la tribu voisine des Chanca, puis celle des Colla, et continue sa campagne jusqu'à obtenir la maîtrise incontestée de toutes les Andes moyennes. Le royaume prend le nom de Tahuantinsuyu, « Terre des quatre régions ». L'efficacité de l'organisation administrative des Incas leur permet d'unifier rapidement les territoires conquis. Le quichua devient langue officielle, le culte solaire religion d'Etat. Un réseau de routes particulièrement bien construites facilite les relations avec les territoires lointains. La répartition des richesses profite pour un tiers à l'Etat, pour un autre tiers aux dieux.

La ville-forteresse inca de Machu Picchu, à 2 700 m d'altitude. Deuxième moitié du XVᵉ siècle.

Rêve d'unité des Eglises d'Orient et d'Occident

Florence, 1439

Au début de l'année 1438, à Ferrare, le pape a lui-même ouvert solennellement un concile œcuménique. Dans les semaines qui ont suivi, les principaux dignitaires de l'Eglise grecque ont débarqué par centaines à Ferrare, accompagnés de certains orthodoxes russes. L'événement était considérable ; les conversations se sont vite engagées ; elles portent essentiellement sur la formule à adopter pour que l'Eglise grecque reconnaisse l'autorité de l'Eglise romaine. Au début de l'année, à court d'argent, le pape a décidé de transférer le concile à Florence où les banquiers acceptent d'avancer des fonds. C'est là que l'Eglise grecque vient de reconnaître le pape comme chef de toute l'Eglise. L'union des deux Eglises est très solennellement proclamée. Les Grecs seront très habiles : moyennant un certain nombre de questions non

Jean VIII Paléologue, empereur d'Orient. Détail du « Cortège des Rois Mages » de Gozzoli. 1459.

abordées, comme le mariage des prêtres, ils vont minimiser le problème lié au Filioque et au Purgatoire et accepter les thèses romaines. C'est une victoire du pape sur les conciliaires de Bâle. Toutefois, cette union restera purement formelle.

Jan van Eyck. « La Vierge du chancelier Rolin », peinte pour le conseiller du duc de Bourgogne. Huile sur bois, vers 1430. Louvre, Paris.

Mort de Jan van Eyck, fondateur de la peinture à l'huile

Bruges, 1441

Les frères Van Eyck, Hubert et Jan, sont à la fois les précurseurs et les maîtres incontestés de l'art « primitif flamand ». Peintres audacieux, ils ont abandonné les élégances du style gothique au profit d'un art où la composition est rigoureuse. Les formes sont puissantes. Hubert meurt en 1426. L'année précédente, Jan est entré comme peintre au service du duc de Bourgogne, Philippe le Bon. Après 1429, il se fixe à Bruges où il meurt en 1441. Jan est l'auteur de portraits qui font de lui le fondateur de ce genre en Occident. Dans le domaine technique, son apport n'est pas moins essentiel : travaillant sur des panneaux de bois, enduits d'une préparation de plâtre et de colle, il a su tirer de la peinture à l'huile des effets dont le secret reste entier.

Pragmatique Sanction : indépendance de l'Eglise de France

Bourges, 7 juillet 1438

Depuis le 26 février 1432, les prélats français sont rassemblés à Bourges, à la demande du cardinal Cesarini qui, à Bâle, préside depuis le 1ᵉʳ février 1431 un concile mal toléré par les papes Martin V et Eugène IV. Les Français - les plus violents opposants au pape - obtiennent au concile l'abolition des annates, revenu essentiel du pape : une année de bénéfices d'un siège épiscopal ou abbatial exigée à chaque vacance du siège. Charles VII, bien que déférent envers le pape, soutient le concile, à nouveau brouillé avec ce dernier en 1438. L'ordonnance pragmatique de Bourges sanctionne les abus de Rome, confirme les décrets des conciles et la supériorité de ceux-ci, rend au roi le contrôle de l'Eglise de France et rétablit ainsi le gallicanisme.

Brunelleschi achève le dôme de Florence

Florence, 1436

La coupole octogonale de Santa Maria del Fiore fait désormais partie du paysage florentin, se dressant harmonieusement au centre du val d'Arno, entre les collines de Fiesole et de Galluzzo. Le profil élégant de ce nouveau volume est une réponse au problème laissé en suspens par les maîtres d'œuvre gothiques du dôme ; le recours habituel aux cintres en bois ne permettait plus d'achever l'édifice selon les plans d'Arnolfo di Cambio. Brunelleschi invente alors une coupole à double coque, dont les parois s'emboîtent par pièces superposées, en prenant appui sur des chaînages intérieurs. Cette forme est capable de se soutenir toute seule au cours de la construction, par un parfait équilibre des poids et des poussées. Prouesse technique et réussite esthétique, cette coupole est née d'une nouvelle conception de l'espace : Brunelleschi aborde celui-ci en mathématicien. L'espace indéfini du gothique est ramené à un système rationnel de relations. Le sens aigu et nouveau des valeurs spatiales dont il fait montre lui a valu d'emblée d'occuper une place de choix parmi les initiateurs de la Renaissance.

Florence. Vue du dôme de Santa Maria del Fiore (1420-1436).

1444

Bulgarie, 10 novembre
Défaite hongroise à Varna sur les bords de la mer Noire. →

1445

France, 26 mai
Un édit royal crée les « Compagnies d'ordonnance », corps de cavalerie destinés, avec les francs-archers, à remplacer les troupes mercenaires.

1446

France, 27 mars
Une ordonnance royale place l'université sous la juridiction du Parlement.

1447

France
Charles VII fonde le corps des « Francs-Archers ». Un archer sera recruté pour quatre-vingts foyers ; des exemptions fiscales sont prévues.

Pologne
Avènement de Casimir IV Jagellon comme roi de Pologne.

Milan
A la mort de Filippo Maria Visconti, dernier membre de la lignée, une république est proclamée.

1448

Mayence
Quittant Strasbourg où il s'était établi entre 1434 et 1437, Johannes Gutenberg revient dans sa ville natale. Il semble à cette date avoir déjà inventé les caractères mobiles d'imprimerie fondus dans un alliage approprié.

Kosovo, Serbie, 19 octobre
Le chef de guerre hongrois Jean Hunyadi est battu par Murad II.

1449

Constantinople, 6 janvier
Succédant à Jean VIII Paléologue, Constantin XI monte sur le trône de Constantinople. Il sera le dernier empereur byzantin.

France, juillet-décembre
Reprise des hostilités entre la France et l'Angleterre : Charles reconquiert la Normandie et fait son entrée le 10 décembre à Rouen. Parallèlement, pour le compte du roi de France, Gaston de Foix occupe le Labourd et la Soule (Pays Basque) sous suzeraineté anglaise.

1450

Jumièges, 9 février
Mort d'Agnès Sorel. →

Milan, février
Par un coup d'Etat, le condottiere Francesco Sforza prend le titre de duc de Milan et fonde la dynastie des Sforza.

France, 15 avril
La victoire française de Formigny parachève la conquête de la Normandie.

Mayence
Grâce à l'aide financière du riche bourgeois Johann Fust, Gutenberg ouvre un atelier d'imprimerie.

France
Le poète dramatique Arnoul Gréban compose son monumental *Mystère de la Passion*, plus de 30 000 vers mêlant, sous une forme dialoguée, tous les genres et tous les styles. L'œuvre, dont la représentation se déroulait en quatre journées, allait connaître pendant plus d'un siècle la faveur des foules.

1451

Empire ottoman, 2 février
Mort du sultan Murad II ; Mehmet II lui succède. →

Bordeaux, 30 juin
Au nom du roi de France, Dunois entre dans la cité.

Bayonne, 15 juillet
Après treize jours de siège, le comte de Foix et Dunois s'emparent de Bayonne.

Taillebourg, 31 juillet
Jacques Cœur est arrêté. →

Dauphiné
Le dauphin Louis fonde le parlement de Grenoble.

1452

Rome, 9 mars
L'empereur germanique Frédéric III, est couronné par le pape Nicolas V. Ce sera le dernier empereur à aller se faire couronner à Rome.

Guyenne
L'Anglais Talbot reconquiert Bayonne et Bordeaux.

Tabriz. Détail des mosaïques de la Mosquée bleue, construite entre 1450 et 1465 par Jihân Shâh.

Construction, à Tabriz, de la mosquée Bleue

Tabriz, vers 1450
Construite par Jihân Shâh (1436-1469), le souverain turc des « Moutons noirs » qui avait fait de Tabriz sa capitale, la mosquée Bleue suit, à l'extérieur, le modèle des mosquées timurides de Samarkand. Elle est donc caractérisée par un vaste portail, des coupoles sphéro-coniques, des minarets aux angles de la façade et un revêtement de céramiques à fond bleu turquoise, d'où le nom qui la désigne.

La défaite de Varna ouvre la voie vers Constantinople

Varna, 10 novembre 1444
C'est encouragés par le légat du pape que Ladislas III, roi de Hongrie, et son connétable, Jean Hunyadi, avaient envahi les Balkans en 1443. Ils s'étaient avancés jusqu'à Sofia, après avoir pris Nish, poussant le sultan Murad II à demander la paix et à offrir de rendre la Serbie à Georges Brankovitch, tsar des Serbes. Un traité fut signé à Szeged par Ladislas III et Murad II : la Valachie revenait ainsi à la Hongrie. Mais la poursuite de la croisade contre les Ottomans allait être fatale à Varna. En effet, non seulement les armées du roi de Hongrie y furent décimées par les troupes turques, mais le roi trouva la mort au cours de cette bataille ainsi que le cardinal Cesarini. La voie vers Constantinople était désormais ouverte.

Lorenzo Ghiberti. L'histoire de Jacob et d'Esaü. Panneau de la « Porte du Paradis ». 1425-1452. Bronze doré. Baptistère de Florence.

Ghiberti sculpte la "Porte du Paradis"

Florence, juillet 1452
C'est avec une délicatesse de peintre que Ghiberti a sculpté dans le bronze les scènes de l'Ancien Testament qui ornent la porte est du baptistère. L'unité vient de l'emploi de la perspective et des effets de relief variés : les fonds sont finement incisés, tandis que les figures du premier plan se détachent dans un modelé lisse et continu. L'œuvre parut si belle à Michel-Ange qu'il l'appela la *Porte du Paradis*.

Mort de Murad II, stratège et mécène

Edirne, 2 février 1451

Murad II doit sa réputation de mécène à un voyageur français, Bertrandon de Broquière, qui dit de lui qu'il était « une douce personne, bénigne et large de donner seigneurie et argent » et, surtout, à son fils et successeur, Mehmet II. Ce dernier, en ce qui le concerne, est non seulement un génie militaire, mais également un poète et un protecteur des savants, lettrés et artistes, bien que la présence à la cour de Gentile Bellini ne soit pas totalement exempte d'intentions politiques. Malgré ses périodiques crises de mysticisme, Murad II est surtout l'organisateur de l'armée qui va permettre à son fils de devenir « le Conquérant ». Il est également le fin stratège qui sait exacerber les tensions et profiter des zizanies inter-chrétiennes entre Orthodoxes de Byzance et Latins de Rome. Il est surtout le vainqueur de Varna (→ 10.11.1444) où la dernière tentative pour opposer un front commun des Européens à l'expansion ottomane échoua. Au lendemain de Varna, en proie à une crise mystique plus aiguë que les précédentes, Murad abdique en faveur de son fils qui n'a que treize ans. Des complications intérieures le rappellent à la réalité et au pouvoir. Sa mort laisse l'Etat ottoman prêt pour l'aventure impériale.

Agnès Sorel aurait-elle été empoisonnée ?

Jumièges, 9 février 1450

La plus belle dame du royaume, châtelaine de Loches, comtesse de Penthièvre, appelée aussi « dame de Beauté », du nom de la Seigneurie de Beauté-sur-Marne que lui a donnée le roi Charles VII, meurt en pleine jeunesse dans d'horribles douleurs d'entrailles. Maîtresse officielle du roi depuis 1444, elle vient de lui donner une quatrième fille, mais la dysenterie qui suit ses couches semble suspecte à plus d'un. Le dauphin Louis, fort jaloux de l'influence qu'elle a sur son père, a de bonnes raisons de la haïr, elle et son ami, le favori Pierre de Brézé. Jeanne de Vendôme, dame de Mortagne, accuse Jacques Cœur, l'argentier du roi : propos dus sans doute à la jalousie de ceux qui lui envient sa fortune, mais peu fondés étant donné l'amitié qui le liait à Agnès. Celle-ci s'était réfugiée à la cour de France en même temps qu'Isabelle de Lorraine, reine de Sicile, lors des événements qui allaient chasser de Naples les Angevins et le roi René. C'est alors que, devenue dame d'honneur de la reine et cherchant un jour refuge auprès de Charles VII lui-même à la suite d'un incident avec le dauphin, qui la poursuivait de ses assiduités, Agnès Sorel était tombée dans les bras du roi... qui en avait retrouvé une nouvelle jeunesse.

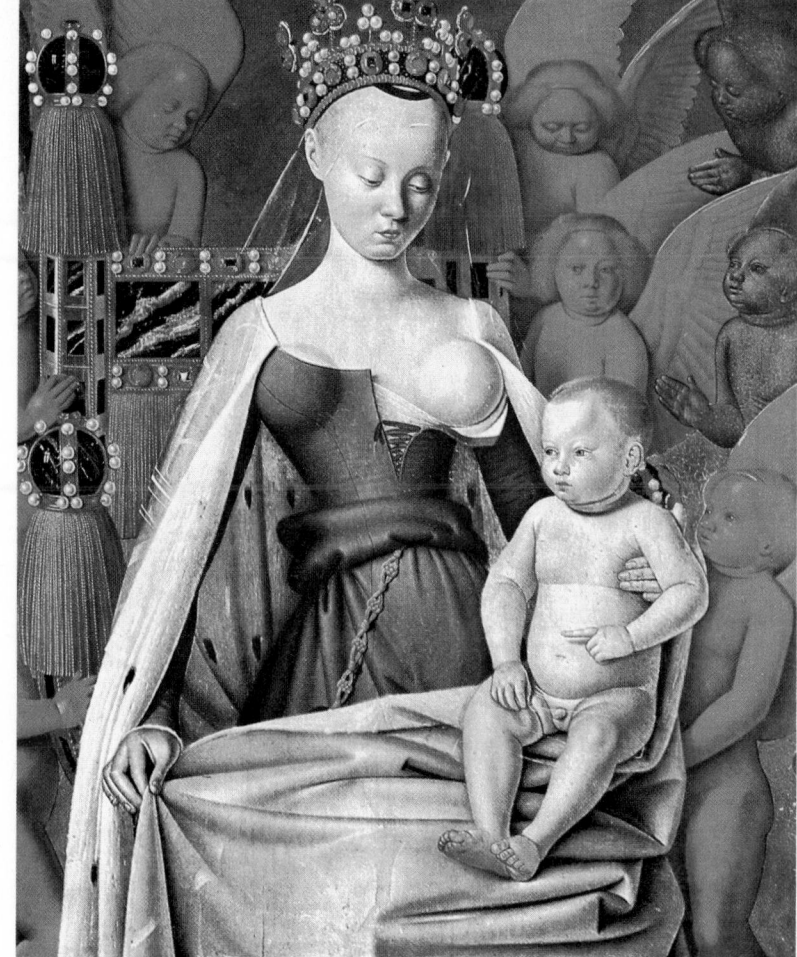

Jean Fouquet. « La Vierge et l'Enfant ». Vers 1450. Diptyque de Melun : partie droite. La Vierge emprunterait les traits d'Agnès Sorel.

L'hôtel que Jacques Cœur, argentier du roi Charles VII, se fit construire à Bourges. Commencé en 1445, il fut achevé en 1451.

L'argentier du roi, Jacques Cœur, arrêté

Taillebourg, 31 juillet 1451

Olivier de Coëtivy arrête dans son château, celui qui, depuis 1440, est l'argentier, le conseiller, l'ambassadeur, le créancier du roi. Ses biens sont saisis et Charles VII prélève immédiatement cent mille écus pour la guerre de Guyenne. Jacques Cœur est accusé par une de ses débitrices, Jeanne de Vendôme, d'avoir empoisonné la favorite Agnès Sorel (→ 9.2.1450). Accusation sans fondement : son amitié pour la dame de Beauté était telle qu'un vitrail de son fastueux hôtel de Bourges les représentait en Tristan et Iseult, séparés par l'épée. Ce qui gêne la noblesse qui le hait, ce n'est pas tant ses ventes d'armes aux Infidèles, ni ses fraudes dans les gabelles du Languedoc ; qu'il ait fondu, à Rhodes ou à Montpellier, des ducats ou des lingots douteux, passe ; mais Jacques Cœur leur achète leurs terres, les écrase de son luxe, de son influence, de son entregent. Il a réorganisé le commerce, il prête aux plus grands, à la reine même. Depuis 1432, l'ascension du fils du pelletier de Bourges ne connaît plus de bornes. On admet mal que la prospérité du royaume passe par la fortune de l'argentier. Un bon procès serait le bienvenu pour éliminer un créancier gênant.

D'Estouteville réforme l'université de Paris

Paris, 1er juin 1452

Le demi-siècle écoulé a vu bien des désordres et si l'université de Paris passe encore pour un modèle auprès de toutes celles qui naissent dans les provinces après 1432, on n'oublie pas que, vendue au parti anglais, elle a contribué à perdre Jeanne d'Arc. Soucieuse surtout de ses privilèges, elle se tourne enfin vers Charles VII et un de ses pédants docteurs, Thomas de Courcelles, dirige le concile de Bâle. Faute d'obtenir la suppression de la Pragmatique Sanction, c'est pour réformer les institutions ecclésiastiques du royaume et, au premier chef, l'université, que le pape Nicolas V envoie à Paris, en 1451, le cardinal-légat Guillaume d'Estouteville, humaniste éclairé, mécène fastueux, alors à la curie romaine. La réforme, préparée par une commission de conseillers du roi et de vingt-huit délégués de l'université, reprend nombre de règlements antérieurs. Mais, par des dispositions de discipline générale, d'Estouteville réussit à assainir le recrutement et les examens. Dans le domaine de la pédagogie, la scolastique triomphante continue de faire régner la « docte ignorance » et la réforme de 1452 n'apporte aucune nouveauté.

1453

Autriche, 6 janvier
L'empereur du Saint Empire germanique Frédéric III confirme les droits et privilèges accordés à l'Autriche par la charte *Privilegium maius* de 1359 et élève l'Autriche au rang d'archiduché. Les archiducs d'Autriche conserveront ainsi jusqu'en 1806 la présidence du Conseil des princes à la Diète d'empire ; toutefois ils ne feront pas partie du collège des Princes électeurs.

Paris, 9 mai
Le prévôt fait investir la montagne Sainte-Geneviève où les étudiants s'agitent. A la suite de la protestation des autorités universitaires, les étudiants arrêtés sont libérés. Les sergents mécontents commettent alors une série d'exactions qui se soldent notamment par la mort d'un « escholier », Raymond Mauregard. Le 21 juin, le parlement de Paris prononce un arrêt sanctionnant les sergents coupables.

Constantinople, 29 mai
Les Turcs s'emparent de la ville. C'est la fin de l'Empire byzantin. →

Guyenne, 17 juillet
Victoire française à Castillon. →

Gand, juillet
Philippe le Bon ayant voulu imposer la gabelle du sel aux Gantois, ceux-ci se révoltent et choisissent leurs propres échevins. Mais l'armée gantoise est écrasée.

Bordeaux, 19 octobre
Les troupes du roi de France entrent à Bordeaux. Des amendes sanctionnent les Bordelais proanglais. La Cour souveraine, rétablie en 1451 par les Anglais, est supprimée et remplacée par des Grands Jours, forme de justice exceptionnelle et expéditive. Les Anglais se retirent de Guyenne ; deux mille Gascons les suivent.

France
Jacques Cœur, l'ancien argentier du roi, est lourdement condamné.

Dijon
Les Etats généraux de Bourgogne protestent contre le poids des impôts et les privilèges exorbitants des commensaux du duc de Bourgogne.

Padoue
Sur la Piazza del Santo, est érigée la statue du condottiere *Gattamelata*, réalisée par Donatello.

1454

Lille, 17 février
Vœux du Faisan. →

Paris, 25 février
L'appel de l'université contre la tutelle du parlement est rejeté par le roi.

Venise, 18 avril
Suite à la chute de Constantinople, le doge Francesco Foscari est contraint de conclure un traité avec le sultan Mehmet II. Aux termes de ce traité, Venise perd la suprématie en Méditerranée.

Italie
Traité de Lodi. (→ 1458)

France
Jacques Cœur s'évade et trouve refuge à Rome.

Angleterre
Le roi Henri VI est frappé par la folie.

France
Charles VII confirme les privilèges des foires de Lyon : depuis 1444, la ville est autorisée à tenir des foires vingt jours durant dans l'année ; d'autre part, à la différence des autres villes du royaume, Lyon peut depuis 1439 commercer dans toutes les monnaies.

Centre de la France
Une série de « Grands Jours » a lieu à Poitiers et Montferrand. Le roi veut ainsi rappeler la prédominance de la justice royale sur toute autre et réaffirmer son pouvoir sur ces provinces.

France
Guillaume Dufay commence la composition de ses messes *L'Homme armé*, *Ave Regina*, *Ancilla Domini*.

Villeneuve-lès-Avignon
Enguerrand Quarton donne avec son *Couronnement de la Vierge* une des plus importantes peintures du XVe siècle français.

Valladolid, 21 juillet
Le roi Jean II de Castille et de Léon meurt. Intrônisé à l'âge de 22 mois à la mort de son père Henri III le Maladif, il affronte l'hostilité des nobles et lutte contre les Aragonais et les Maures. Son fils, Henri IV, lui succède. Surnommé l'Impuissant, Henri est l'objet du mépris en raison de ses dérèglements et de sa complaisance pour les débauches de sa femme Jeanne de Portugal.

« Histoire de Jules César ». Détail. Tenture de fils de soie commandée vers 1465 par Charles le Téméraire. Musée historique, Berue.

Philippe le Bon fait le "vœu du Faisan"

Lille, 17 février 1454
L'année qui suit la prise de Constantinople, le pape et l'empereur appellent à une nouvelle croisade : c'est, pour les seigneurs de Bourgogne et de Flandre, l'occasion de fastueuses réunions. Celle du duc de Bourgogne surpasse tout. Dans la grande salle de son palais, décorée des Travaux d'Hercule, des tables ont été dressées et le spectacle commence. Un éléphant porte l'écuyer Olivier de la Marche, costumé en femme endeuillée : c'est la Sainte Eglise capturée par les Infidèles. On présente au prince un faisan vivant, à collier d'or. Philippe le Bon et toute sa suite jurent sur l'oiseau noble d'aller combattre le Grand Turc.

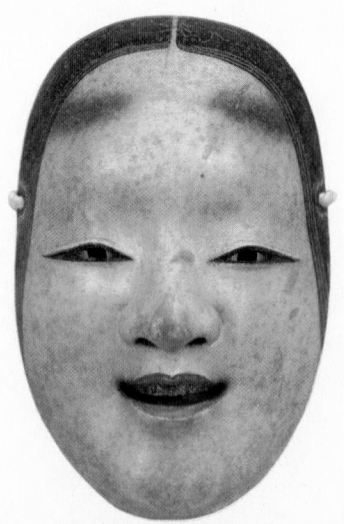

Masque du théâtre Nô représentant le visage d'une jeune fille. Vers 1540.

Le rituel japonais du Nô

Long poème mimé et chanté, entrecoupé de danses, synthèse de traditions populaires et de l'esprit religieux, le Nô prit sa forme définitive au XIVe siècle avec Kanami et son Zeaīt. Dans un décor nu quasi abstrait, deux, parfois trois protagonistes évoluent, soutenus par des musiciens ou par un chœur, personnages historiques, légendaires, mythiques, divinités ou démons. Une représentation complète de Nô comprend cinq pièces, significatives des cinq grands styles du répertoire, qui alternent avec des intermèdes burlesques, les « Kyôgen ». Au XVIe siècle, le Nô, constitué de quelque 240 pièces, se fige, dominé par les maîtres Motomosa, Zenchiku et Onani.

Chemiaka assassiné par Vassili l'Aveugle

Novgorod, 1453

Excommunié et empoisonné, Dimitri Chemiaka, prince de Galitch, meurt à Novgorod où il s'était réfugié. Sa déchéance consacre la victoire du grand prince de Moscou Vassili sur la réaction féodale. La rivalité entre les princes de Galitch et de Moscou a suivi la défaite de Vassili devant le khân Oulou-Makhmet en 1445. En échange de sa libération, Vassili devait payer une très lourde rançon, ce qui mécontenta fortement la population moscovite mise à contribution. Soutenu par une partie des boyards et par les gros marchands de Moscou, Chemiaka se saisit de Vassili et l'aveugle. En février 1446, Chemiaka occupe Moscou mais se rend très vite impopulaire par sa violence. L'armée, les Moscovites et l'Eglise se dressent contre lui ; et, dès décembre, les troupes de Vassili l'Aveugle reprennent Moscou.

Charles VII victorieux met fin à la guerre de Cent Ans

Castillon, 17 juillet 1453

C'est la revanche d'Azincourt (→ 1415). Les armées anglaises sont écrasées à Castillon. Charles VII a réussi à reconquérir tout le territoire de la France, à l'exception de Bordeaux, qui ne capitulera que le 19 octobre, et de Calais, qui reste aux mains des Anglais. Pourtant, il y a dix ans, Charles VII contrôlait à peine une moitié de la France (→ 1420). Mais le roi a commencé par faire la paix avec la Bourgogne, et ce dès 1441. Puis Charles a pris Pontoise et dégagé les environs de la capitale ; mais il n'a pu aller plus loin, faute de moyens. Seulement, l'ennemi est très affaibli et las de la guerre. C'est pourquoi les deux adversaires ont accepté de mettre un terme au conflit, grâce à la médiation bourguignonne, et se sont accordés en 1444 sur un *statu quo* territorial. Mais cinq ans de trêve ne profitèrent qu'à la France. Le trône d'Henri VI d'Angleterre était déjà secoué par les discussions qui firent la fortune d'Edouard IV. Au contraire, les réformes financières de Charles VII, entreprises au lendemain de la libération, commençaient à porter leurs fruits. L'impôt autorisera la permanence de l'armée, juste au moment où la trêve risquait de condamner les mercenaires. En 1448, pour répondre à l'infanterie anglaise, Charles VII appela les roturiers, à raison d'un homme pour cinquante feux, à s'exercer au tir à l'arc chaque dimanche ; dispensés de la taille, ces soldats furent appelés « francs-archers ». Ainsi, avant même la rupture de la trêve, le roi de France disposait à pied d'œuvre d'une armée cohérente et forte. Un incident mit fin à la paix en mars 1449. Charles VII mène une offensive immédiate en direction de la Normandie qui sera reprise en 1450, juste avant qu'il n'entreprenne la difficile reconquête de la Guyenne.

Portrait de Charles VII, roi de France, par Jean Fouquet. Détail. Vers 1444. Louvre, Paris.

Symbole d'un monde révolu, Constantinople est prise par les Ottomans

Le siège de Constantinople par les Ottomans en 1453. Miniature illustrant le « Voyage d'outremer de Bertandon de la Brocquière ». XVe siècle.

Constantinople, 29 mai 1453

« Le fait de te donner la ville ne relève ni de moi, ni de personne d'autre parmi les habitants, car nous allons tous mourir d'une décision commune, de notre propre volonté. » C'est la réponse faite par l'empereur Constantin, le 23 mai 1453, à une ambassade ottomane venue recueillir la reddition de Constantinople. La situation de l'Empire byzantin, en retard d'au moins un siècle en matière d'armements et réduit, depuis Varna, à n'être plus qu'une ville-Etat, est désespérée. Abandonnée par l'Occident latin, plus soucieux de ramener les chrétiens orthodoxes au sein de l'Eglise romaine que de leur prêter main-forte contre l'invasion turque, sacrifiée à l'autel du mercantilisme par les républiques de Venise et de Gênes, trahie par de nombreux princes slaves et byzantins, Constantinople est seule face à une armée qui ne compte pas moins de quatre-vingts à cent mille combattants dont de nombreux Slaves, Hongrois, Allemands, Italiens et même Grecs. Devant l'imminence du danger, le peuple de Constantinople découvre un patriotisme qui se confond avec « foi singulière ». Gagné par l'exaltation populaire, Constantin décide de résister, avec la certitude de mourir. L'assaut donné par les Janissaires, le 29 mai au matin, le trouve donc dépouillé de ses insignes royaux, au milieu des sept mille défenseurs de la ville, avec lesquels il meurt comme tout un chacun : tragique épopée, non dépourvue de panache. Le soir même, Mehmet II (Muhammad) fait son entrée dans ce qui avait été la « Nouvelle Rome ». Pour lui, la prise de Constantinople, déjà isolée, déjà contournée, a une valeur moins stratégique que symbolique. Mais, pour l'Occident, c'est une page d'histoire qui est tournée. Le temps des Croisades est bel et bien révolu. Dorénavant, il lui faudra composer avec la puissance qui vient de naître et ne plus considérer les choses que sous un angle politico-économique. Signe des temps nouveaux : c'est un artiste italien qui célèbre l'événement en frappant une médaille sur laquelle on peut lire, autour de l'effigie du conquérant, la légende « Asie et Gretie Imperator », titre qui remplace celui de grand seigneur et émir porté par Mehmet avant la conquête de la ville. Constantinople devenue Istanbul, et musulmane, sera la capitale du vaste Empire Ottoman.

Mehmet II le Conquérant par Gentile Bellini. Vers 1480.

1455

Mayence
Parution du premier grand livre européen, la Bible de Gutenberg, dont les caractères sont une heureuse traduction dans le plomb de l'écriture alors utilisée en Allemagne pour les livres liturgiques.

Rome, 18 février
Mort de Fra Angelico.

Rome, 24 mars
Mort du pape Nicolas V ; Calixte III lui succède.

Angleterre, 22 mai
Bataille de Saint-Albans : début de la guerre des Deux-Roses. →

Paris, 7 novembre
La première séance du procès de réhabilitation de Jeanne d'Arc se tient à Notre-Dame. Un rescrit pontifical en date du 11 juin autorise l'ouverture de ce procès.

Florence, 1ᵉʳ décembre
Mort du sculpteur Lorenzo Ghiberti.

Rome
Echec du congrès réuni pour organiser une croisade contre les Turcs.

Paris
Jean Fouquet fait le portrait de *Juvénal des Ursins*.

1456

Rouen, 7 juillet
Jeanne d'Arc est solennellement réhabilitée. Le tribunal s'est rendu à Domremy le 28 janvier, puis a recueilli le 22 février la déposition de Dunois, son compagnon d'armes, enfin le 16 mars celles de diverses personnes en Orléanais. Le 27 juillet ont lieu à Orléans des fêtes en l'honneur de Jeanne.

Semlin, Hongrie, 11 août
Jean Hunyadi, régent de la Hongrie depuis 1446, meurt de la peste.

1457

Bretagne
Arthur de Richemont devient duc de Bretagne.

Florence
Achevés vers 1457, les trois panneaux de *La Bataille de San Romano* du peintre Paolo Uccello sont de suite appréciés et trouvent un public enthousiaste.

1458

Paris, 19 janvier
La première chaire de grec de l'université est attribuée à Grégoire, savant grec réfugié après la chute de Constantinople.

Hongrie, 24 janvier
Mathias Iᵉʳ Corvin est élu roi de Hongrie à la mort de Ladislas.

Bohême, 2 mars
Georges Podiébrad, régent depuis 1452, est élu roi de Bohême.

Guadalajara, 3 mars
Mort d'Iñigo López de Mendoza, marquis de Santillana, poète et humaniste, auteur de *Serranillas* (chansons de la « montagne ») où passe le souffle vivifiant du folklore.

Grèce
Les Turcs occupent Athènes.

Rome
Mort du pape Calixte III. Pie II lui succède.

1459

Padoue
Mort de saint Antoine, religieux franciscain qui fit, aussitôt après sa mort, l'objet d'un culte.

Arezzo
Piero della Francesca achève à San Francesco les fresques du cycle de *La Légende de la Croix*. →

1460

Angleterre
La maison d'York est défaite à Wakefield, où Richard trouve la mort.

1461

France, 22 juillet
Louis XI succède à son père Charles VII. Philippe le Bon et Charles le Téméraire assistent à son sacre à Reims et à son entrée à Paris.

1462

Florence
Benozzo Gozzoli achève la fresque du *Cortège des Rois Mages* que lui ont commandée les Médicis pour la chapelle de leur palais.

France
François Villon publie *Le Grand Testament*.

Page de la « Bible » de Gutenberg imprimée vers 1455 à Mayence. L'initiale et les motifs floraux dans les marges ont été réhaussés à la main.

Le premier livre imprimé sort des presses de Gutenberg

Mayence, vers 1455
C'est vers 1455 que Johannes Gutenberg achève à Mayence sa fameuse *Bible*. Né dans une famille aisée entre 1397 et 1400, Gutenberg avait travaillé comme orfèvre et comme écrivain, s'initiant également à la fabrication des livres. Ces derniers étaient alors imprimés à partir de plaques de bois gravées, encrées et reportées sur papier : cette technique ne permettait que d'imprimer des images et de petits textes, leur fabrication étant extrêmement longue. Or, revenu à Mayence après avoir séjourné à Strasbourg, Gutenberg s'associa vers 1450 avec un riche bourgeois du nom de Johann Fust. Grâce à son aide financière, il ouvrit un atelier d'imprimerie, avec le dessein apparemment d'imprimer une *Bible*. Il avait eu l'idée de fabriquer des caractères mobiles interchangeables et réutilisables, qui devaient permettre de concurrencer les ateliers de manuscrits, employant des dizaines de scribes et travaillant jour et nuit. Les connaissances qu'il avait acquises en orfèvrerie lui permirent de réaliser l'alliage de plomb, de zinc, d'antimoine et de bismuth adéquat : grâce à un petit appareil manuel, il pouvait fondre plus de cent caractères en une heure, tous identiques et parfaitement interchangeables. A un premier caractère de gros corps plusieurs fois remanié, il substitua pour finir un caractère de même forme, mais plus petit, exigeant moins de papier. Pour sa Bible, qui comportait 1 282 pages, il dessina et réalisa près de 299 lettres et signes.

Johannes Gutenberg (v. 1398-1468). Gravure sur cuivre. Paris, 1584.

Piero della Francesca. La victoire de Constantin sur Maxence. Une des fresques de « La Légende de la Croix ». 1452-1459. Eglise San Francesco, Arezzo.

Sérénité et grandeur dans les fresques de Piero della Francesca

Arezzo, 1459

Piero della Francesca vient d'achever à San Francesco d'Arezzo, un cycle de fresques, *La Légende de la Croix,* qui se déroule selon un ordre dramatique et non chronologique : ainsi la bataille de Constantin et celle d'Héraclius (deux victoires sous le signe de la Croix) se font face et dominent l'ensemble. Allusion à l'actualité : Constantin a les traits de l'empereur Jean Paléologue et la déroute d'un ennemi païen glorifie l'idée d'une croisade chère à Pie II. On retrouve dans cette œuvre la simplicité d'un Masaccio et la luminosité de Domenico Veneziano, qui fut le maître de Piero à Sant'Egidio de Florence, en 1439. Mais, pour la première fois, la couleur concourt à créer la perspective géométrique. Une lumière blonde tombe à l'aplomb de cet univers silencieux, où le ciel se reflète dans la courbe des fleuves, où tout se dessine et se charpente dans une pure vibration colorée.

Charles d'Orléans, prince, poète et ami des poètes

Blois, 19 décembre 1457

A soixante-trois ans, Charles d'Orléans vient d'avoir une fille, Marie. La vie du fils de Louis d'Orléans et de Valentine Visconti a été des plus mouvementées : à treize ans, il a vu son père assassiné par Jean sans Peur ; après la bataille d'Azincourt, il connaît vingt-cinq ans de captivité en Angleterre, pendant lesquels il a rimé rondeaux et virelais pour dire sa nostalgie de la France, les charmes de la paix, son amour de la Dame. Quelle dame ? Sa deuxième épouse, Bonne d'Armagnac, avait onze ans lors de leur mariage en 1410. A son retour d'Angleterre, Charles épousa Marie de Clèves. Aux côtés de François Villon, il participa au « concours de Blois » sur le thème : « Je meurs de soif auprès de la fontaine ». Aujourd'hui veillissant, le poète achève ses dernières ballades dans le silence et la solitude de sa retraite.

Leon-Battista Alberti, architecte et humaniste

Florence, 1456

Alberti vient de rendre public son projet pour la façade de Santa Maria Novella. L'originalité tient aux volutes, qui raccordent l'étage inférieur à l'entablement, et à la liberté avec laquelle se mêlent éléments du décor romain et composantes gothiques. Novateur, Alberti l'est aussi par son *Traité d'architecture* d'inspiration platonicienne : avant d'être un maître d'œuvre, l'architecte est un concepteur et tout édifice doit être étudié et pensé comme un organisme vivant. La beauté n'est que le fruit d'un juste rapport entre les proportions de l'édifice, l'harmonie de son dessin et son adaptation au site.

Façade de Santa Maria Novella, à Florence, dessinée par Leo Battista Alberti. 1456-1470.

La paix de Lodi : un équilibre instable

Italie, 1458

Le roi d'Aragon Alphonse V vient de mourir. Il laisse Naples, sa conquête, à son fils bâtard Ferrant. Or le royaume de Naples est depuis longtemps revendiqué par les Angevins. Ceux-ci débarqueront à Sarno en juillet 1460, mais seront battus à Troja par la cavalerie albanaise levée par Ferrant et, du même coup, perdront Gênes. C'est la première secousse que subit l'entente fragile signée à Lodi en 1454. C'est là, en effet, que fut signé avec Nicolas V un pacte unissant Venise, Florence et Milan contre le péril étranger. La mort subite de Philippe-Marie Visconti, duc de Milan (1447), avait provoqué le morcellement du duché de Milan ; la cité s'est proclamée république. Venise s'est précipitée sur les restes de l'unité milanaise et Gênes s'est agitée. Mais Florence, dirigée par Cosme de Médicis, devinant les ambitions vénitiennes, s'est rangée du côté de Milan et de François Sforza, l'héritier des Visconti, qui est parvenu à s'emparer du duché de Milan.

Puis Florentins et Milanais font appel au roi de France et à René, roi d'Anjou et comte de Provence. Il n'en a pas fallu plus pour amener Venise à la paix de Lodi, qui sera suivie l'année suivante par la formation d'une « très sainte ligue » conclue pour vingt-cinq ans sous le patronage du pape. L'édifice bâti à Lodi a résisté à cette crise de 1458. Louis XI de France le renforcera en fondant sa politique italienne sur l'alliance avec Milan et Florence.

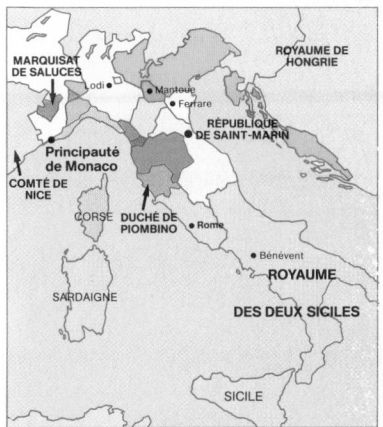

Le mécénat en Italie

Les chefs politiques des cités italiennes sont aussi des mécènes, amateurs d'art antique ; ils sont également soucieux de promouvoir l'art. Chacun apporte à son mécénat la marque de son individualité et, à cet égard, tout oppose Cosme de Médicis et Sigismond Malatesta. Grand bâtisseur, Cosme fait construire, à Fiesole, le cloître de la Badia et, à Florence, la sacristie de San Lorenzo, tout en aidant à la reconstitution du couvent et de l'église de San Marco. Il invite Benozzo Gozzoli à décorer d'un *Cortège des Rois Mages* la chapelle du palais familial de la Via Larga, dont il a demandé auparavant les plans à Michelozzo. Filippo Lippi peint pour lui de nombreuses Madones, tandis que Donatello a la charge de son cabinet d'antiques. Les humanistes qu'il protège contribuent au renouveau littéraire, les uns, comme Argyropoulos et Marsile Ficin, en faisant connaître la culture grecque, les autres, comme Landino et Leo Battista Alberti, en donnant à l'italien ses lettres de noblesse. Même amour des arts, mais plus de vanité chez le condottiere Malatesta. A Rimini, il fait transformer par Alberti une simple église franciscaine en un somptueux mémorial, consacré à la « divine » Isotta, sa maîtresse. Il s'y fait représenter par Piero della Francesca agenouillé devant un saint Sigismond qui a les traits de l'Empereur romain germanique du même nom, son bienfaiteur.

Portrait posthume du banquier et mécène Cosme de Médicis (1389-1464) par Pontormo.

Portrait du condottiere Sigismondo Malatesta par Piero della Francesca.

1463

France, 5 janvier
L'Epitaphe Villon, dite la Ballade des pendus, de François Villon. →

France, septembre-octobre
Louis XI rachète à Philippe le Bon les villes de la Somme contre 400 000 écus.

1464

Bruxelles, 18 juin
Mort de Roger Van der Weyden. Ce Tournaisien est réputé pour ses peintures dramatiques, crucifixions et mises au tombeau, et surtout pour son Retable du Jugement dernier (1445-1448) peint pour l'Hospice de Beaune, fondation du chancelier Nicolas Rolin.

Careggi, 1er août
Mort de Cosme de Médicis, dit l'Ancien ; son fils, Pierre le Goutteux, lui succède à la tête de Florence.

Ancône, 15 août
Le pape Pie II meurt alors qu'il embarquait pour une hypothétique croisade ; Paul II lui succède.

France
La Farce de maître Pathelin, un chef-d'œuvre du théâtre comique du Moyen Age.

Venise
Müller, dit Regiomontanus, découvre six des treize livres constituant les Arithmétiques du mathématicien grec Diophante.

Afrique
Sonni Ali Ber porte à son apogée le Royaume songhaï, le dernier des grands empires soudanais.

1465

Bourgogne, 27 avril
Philippe le Bon confie le commandement en chef des armées bourguignonnes à son fils, Charles le Téméraire, comte de Charolais.

Montlhéry, 16 juillet
Les troupes de la ligue du Bien public rencontrent l'armée royale. →

Prague
Georges de Podiébrad devient roi de Bohême, premier souverain national depuis l'extinction de la dynastie des Przémyslides. Partisan de l'utraquisme, il

protège l'évêque hussite de Prague. Il est excommunié par Paul II.

1466

Dinant, 25 août
La ville est prise par Charles le Téméraire après un très long siège et est mise à sac ; les Dinantais meurent par centaines.

Torun, 19 octobre
Au terme du second traité de Torun, les Teutoniques cèdent aux Polonais la Pomérélie, la Warmie, la région de Kulm, les villes de Dantzig et Torun ; la forteresse de Marienbourg.

1467

Bruges, 15 juin
Mort du duc de Bourgogne Philippe le Bon ; Charles le Téméraire lui succède. →

Liège, 26 octobre
Les Liégeois sont écrasés par Charles le Téméraire.

1468

Péronne, octobre
Apprenant que les troubles ont repris à Liège, Charles le Téméraire contraint son suzerain, le roi de France venu en négociateur, à le suivre dans son expédition répressive contre les Liégeois.

Florence, 3 décembre
Laurent le Magnifique, avec son frère Giuliano, succède à son père, Pierre le Goutteux.

Alessio
Mort de Skanderberg, « prince » des Albanais. L'Albanie est ouverte aux Turcs.

1469

Liège, 7 janvier
Charles le Téméraire autorise la reconstruction de Liège, totalement détruite par le feu en novembre 1468

Spolète, 9 décembre
Mort du peintre Fra Filippo Lippi. →

Castille et Aragon
Mariage des Rois Catholiques. →

France
Louis XI fonde l'ordre de Saint-Michel.

Le Flamand Bouts décore l'hôtel de ville de Louvain

Louvain, 1468
Né à Haarlem en 1415, Dierick Bouts se fixe à Louvain vers 1445-1448 ; c'est dans cette ville qu'il réalise ses principaux chefs-d'œuvre. Il y exécute entre 1464 et 1468 le Retable du Saint-Sacrement pour la collégiale Saint-Pierre. De 1468 à sa mort, Bouts travaille à la décoration de l'hôtel de ville ; de cette décoration ne subsistent que deux tableaux consacrés à la Justice d'Othon. Le hiératisme des personnages, maigres et secs, aux mines impassibles, et l'absence de toute intensité dramatique font de la peinture de Bouts l'une des moins sensuelles et des plus froides de l'art flamand de cette époque.

Dierick Bouts. La Justice de l'empereur Othon : l'« Epreuve du feu ». 1468. Ce panneau décorait, à l'origine, l'hôtel de ville de Louvain.

Les académies et la pensée humaniste

En 1439, au concile de Florence, les savants et les théologiens de la suite de Jean Paléologue font découvrir aux érudits italiens l'ampleur de la culture grecque. On veut alors lire les auteurs anciens dans le texte original, et non dans leur traduction latine. Les humanistes, voulant éprouver intérieurement leur savoir, délaissent l'université qui les brime dans le carcan de la scolastique. Ils se réunissent donc librement, sans statut ni régularité, dans leur soif de tout savoir et d'échanger leurs idées. C'est à Florence que se forme la première « académie », souvenir de l'école que Platon réunissait dans les jardins qu'un riche Athénien, Akadémos, avait mis à sa disposition. Son chef de file, Marsile Ficin, commente Platon en chrétien et exalte en philosophe la foi catholique. Autre membre célèbre de cette Academia platonica : Pic de la Mirandole, qui réconcilie Aristote avec le Platon chrétien de Ficin. Son ouvrage Conclusiones philosophicae, cabalisticae et theologicae sera condamné par Rome. Les humanistes de l'Academia romana donnent un tout autre tour à leurs rencontres. Sous la direction de Pomponio Leto qui fonde l'académie Pomponiana en 1465, ils se réunissent dans les catacombes, célèbrent certaines fêtes par des banquets et jouent des comédies de Plaute. A leurs yeux, le siège de l'Antiquité est à Rome, non à Athènes, et le paganisme semble les séduire plus qu'il n'est loisible à un chrétien.

Isabelle de Castille et Ferdinand d'Aragon, en compagnie de leur fille, l'infante Juana. Manuscrit.

L'Espagne unie par les Rois Catholiques

Castille et Aragon, 1469

C'est le mariage d'Isabelle de Castille et de Ferdinand II, héritier du trône d'Aragon, qui favorisa l'apparition d'un royaume unifié en Espagne. A la mort de Henri IV, Isabelle hérite de la Castille ; Ferdinand n'est pas associé au trône. Celui-ci deviendra roi d'Aragon en 1479 ; les deux royaumes sont associés par union personnelle. Isabelle de Castille maintient pourtant certains droits exclusifs ainsi que les frontières de la Castille. Les deux Etats, gouvernés en commun, sont également solidaires dans la lutte contre les Maures en Andalousie, qui scelle l'unité espagnole.

Mort de Philippe le Bon, duc de Bourgogne

Bruges, 15 juin 1467

Philippe III le Bon, duc de Bourgogne depuis 1419, meurt à Bruges. Après avoir réuni la Bourgogne, la Franche-Comté, la Flandre, l'Artois et les Pays-Bas, Philippe était devenu l'un des princes les plus puissants d'Europe. De santé fragile mais doué d'une énergie froide, rusé et obstiné, il aspirait à la reconstruction du royaume de Lotharingie. Pendant plusieurs années, il aida les Anglais dans leur lutte contre le dauphin Charles VII. C'est un de ses lieutenants, Jean de Luxembourg, qui prit Jeanne d'Arc au siège de Compiègne. Cependant, inquiet de la puissance croissante de l'Angleterre, il se résolut à entamer des négociations avec Charles VII. A la paix d'Arras (1435), il obtint du roi de larges concessions en échange de sa rupture avec l'Angleterre. C'était mettre fin aux prétentions des Anglais en France. Pour gouverner, le duc s'entoura d'un Grand Conseil ambulatoire. En 1430, à l'occasion de son troisième mariage, avec Isabelle du Portugal, Philippe institua la Toison d'or. Mécène, il encouragea les peintres, notamment les Van Eyck, et les musiciens. Dans ses dernières années, il avait donné asile au dauphin, le futur Louis XI. Son fils Charles le Téméraire lui succède et continue sa politique.

Philippe III le Bon. Vers 1450. Peinture anonyme.

La ligue du Bien public défaite par Louis XI

Montlhéry, 16 juillet 1465

La bataille indécise de Montlhéry oblige le roi de France Louis XI à se retrancher dans Paris. Décidé à mettre fin au soulèvement des princes, il part le 10 août en Normandie lever des troupes. La guerre des princes contre le roi de France a été engagée par le duc de Bourbon, le 13 mars, dans le centre de la France. Une ligue dite du « Bien public » avait été constituée sous le prétexte de remédier au « désordonné et piteux gouvernement ». Les ligueurs s'indignaient des entreprises de Louis XI contre les droits de la noblesse et plaignaient le pauvre peuple accablé d'impôts. En fait, ils voulaient un « régent » qui serait le duc de Berry, frère du roi. Or, Charles, duc de Berry, a dix-huit ans. Il est chétif, vaniteux ; c'est un jouet aux mains des ennemis de Louis XI. Les maisons de Bretagne, de Bourbon, d'Armagnac et de Bourgogne ont pris part à la révolte. Au total, ils sont près d'une vingtaine de grands seigneurs et cinquante et un mille combattants. Louis XI avait eu tout le temps nécessaire pour se mettre en garde. Après avoir soumis le Bourbonnais, il s'était dirigé sur Paris afin d'empêcher la jonction des Bretons et des Bourguignons. C'est alors qu'eut lieu la bataille de Montlhéry. Mais c'est seulement le 18 septembre qu'un accord sera signé avec les ligueurs. Les traités de Conflans et de Saint-Maur-des-Fossés, en octobre, satisferont les convoitises des ligueurs les plus puissants. Cette guerre du Bien public ne valut au peuple que de nouvelles misères.

Filippo Lippi. « La Vierge à l'Enfant ». 1452. « Tondo » Bartoloni.

Filippo Lippi, peintre favori des Médicis

Spolète, 9 décembre 1469

C'est à Spolète, où il peignait des fresques dans l'abside de la cathédrale, que meurt, à soixante-trois ans, Fra Filippo Lippi. Protégé des Médicis, qui firent toujours montre de beaucoup d'indulgence pour la conduite irrégulière de ce frère du couvent des Carmes de Florence, Lippi est notamment un estimable peintre de Madones. S'il sut trouver, pour les fresques du dôme de Prato, en 1452, des compositions en perspective très étudiées, son originalité réside surtout dans ses couleurs onctueuses et dans leur souplesse plastique. Le fondu de sa palette empêche précisément que ses tableaux n'apparaissent d'une densité excessive.

Emprisonné et condamné, François Villon écrit la "Ballade des pendus"

Paris, 5 janvier 1463

Un arrêt du Parlement transforme en bannissement pour dix ans la sentence de mort qui avait frappé François de Montcorbier ou des Loges, orphelin, élevé par Guillaume de Villon, chapelain de Saint-Benoît. Maître ès arts en 1452, il tue le prêtre Philippe Sermoise en 1455, lors d'une rixe au cloître de Saint-Benoît ; gracié pour Noël 1456, il vole, ce même Noël, 500 écus d'or au collège de Navarre. Il est sauvé par le poème qu'il compose pour Marie d'Orléans, le 17 juillet 1460. L'avènement de Louis XI et son passage à Meung-sur-Loire libèrent le poète des prisons de l'évêque d'Orléans. Dans ses *Testaments* de 1456 et de 1461, le poète lègue à ses amis, au-delà de la raillerie de son dénuement, un message codé. Eternel marginal, il est à nouveau condamné pour une rixe. Dans la *Ballade* de 1463, une vision saisissante du gibet donne voix aux suppliciés qui implorent la pitié de leurs « frères humains ».

Dessin illustrant « La Ballade des pendus » de Villon, dite aussi « Epitaphe Villon ». (Paris, 1489).

1470

France
L'assemblée de Tours annule les engagements pris par le roi en faveur du duc de Bourgogne.

Grèce
Les Turcs prennent Nègrepont aux Vénitiens.

Paris
Guillaume Fichet installe à la Sorbonne le premier atelier de typographie.

Florence
Achèvement de la façade de Santa Maria Novella d'après des plans de Leon-Battista Alberti.

1471

Picardie, janvier
Louis XI déclare la guerre à Charles le Téméraire et fait occuper les villes de Picardie.

Afrique occidentale
Les Portugais explorent les îles du Cap-Vert.

1472

Beauvais, juillet
Charles le Téméraire échoue devant la ville, défendue par ses habitants, parmi lesquels s'illustre Jeanne Hachette.

France, 7-8 août
Commynes passe au service de Louis XI. →

Amboise
Louis XI passe un concordat avec Sixte IV, le nouveau pape : le roi dispose du droit de présentation aux bénéfices majeurs.

Sienne
Les franciscains fondent le Monte dei Paschi, mont-de-piété, organisme qui octroie des prêts à des taux moins élevés que dans les banques et s'adresse à une clientèle plus modeste.

1473

Perpignan
Louis XI fait le siège de la cité en révolte contre la domination française.

Trèves
Au cours d'une entrevue avec l'empereur Frédéric III, Charles le Téméraire tente d'obtenir le titre royal.

1474

France, 11 juin
Louis IX ratifie l'« Arrangement perpétuel », qui consacre l'indépendance helvétique. →

1475

France et Bourgogne, mai
A l'expiration de la trêve, les troupes de Louis XI envahissent la Picardie et le nord de la Franche-Comté, tandis que René II de Lorraine déclare la guerre à Charles le Téméraire. Volant au secours de ce dernier, Edouard IV entre-temps a débarqué à Calais.

Neuss, 12 juin
Charles le Téméraire doit lever le siège devant la ville impériale.

Bourgogne et Lorraine, fin juillet
Les états généraux de Flandres, réunis à Bruges, refusent d'accorder de l'aide à Charles le Téméraire. L'armée bourguignonne se rassemblant autour de Thionville, René de Lorraine en appelle aux Suisses. Mais avant qu'ils n'interviennent, Nancy tombera aux mains des Bourguignons.

France, 6-12 août
L'offensive du Téméraire et d'Edouard IV d'Angleterre sur Saint-Quentin échoue.

France, 29 août
Etant parvenu à désintéresser Edouard IV, Louis XI signe avec lui le traité de Picquigny, qui met un terme à la guerre de Cent Ans.

Italie
Séjour d'Antonello da Messina à Venise. →

Forence
Se mesurant à un thème déjà traité par Donatello, Andrea del Verrocchio achève son David.

Tours
Jean Fouquet met la dernière main aux miniatures des Antiquités judaïques, manuscrit du duc de Berry laissé inachevé. →

1476

Grandson, 2 mars
Les Suisses mettent en déroute Charles le Téméraire.

Morat, 22 juin
Seconde défaite bourguignonne face aux Suisses.

Mantegna au service des ducs de Mantoue

Mantoue, 1474
Peintre officiel des Gonzague depuis 1459, Andrea Mantegna (1431-1506) achève au palais ducal la décoration de la Chambre des Epoux, pièce d'apparat où, glorifiant la famille régnante, il a représenté la vie de la cour dans toute sa magnificence. La coupole, en trompe-l'œil, témoigne de la science mathématique de l'artiste.

Décoration en trompe-l'œil d'Andrea Mantegna pour la voûte de la « Chambre des Epoux ». 1474. Palais ducal, Mantoue.

Le peintre Antonello da Messina à Venise

Venise, vers 1476
Antonello da Messina (1430-1479), installé depuis peu à Venise, attire chaque jour davantage une clientèle charmée par la qualité de ses portraits. Pour comprendre l'apport nouveau de ce peintre, la simplicité de ses formes et l'éclat de ses coloris, il faut se reporter à ses années de formation. Sicilien, il fut en contact avec l'art ferrarais, à Palerme, et avec l'art catalan, à Syracuse. A Naples, il vit des œuvres de Van Eyck et de Roger Van der Weyden et apprit de son maître Colantonio, qui avait eu accès aux collections du roi René d'Anjou, les secrets de l'art flamand. C'est ainsi qu'il lui appartient de faire la synthèse entre toutes ces formes d'art pour en tirer un parti entièrement neuf. De l'art flamand, il reprit les motifs et les éclairages savants, comme dans son Annonciation ; il en retint aussi le réalisme psychologique qui donne au visage humain une nouvelle importance : dans son Portrait de condottiere (1475), la face virile du personnage s'enlève avec autorité sur un fond sombre. Dépouillés de toute fioriture, présentés généralement de trois quarts, les portraits d'Antonello ont constitué en leur temps une véritable innovation et lui ont valu la plus grande réputation.

Le comte Dracula meurt paisiblement

Transylvanie, 1476-1477
C'est près de Bucarest que meurt Vlad IV Tepes (« l'Empaleur ») Dracula, prince de Valachie, vers l'âge de 45 ans. Fils du prince Vlad II Dracula, Vlad IV Tepes avait réussi à défendre victorieusement la Valachie contre les incursions ottomanes, obtenant du sultanat l'autonomie de la Valachie, en échange de la reconnaissance de la suzeraineté ottomane. Le prince était particulièrement réputé pour la cruauté dont il faisait preuve envers ses ennemis.

Portrait du comte Dracula (Vlad IV Tepes). Peinture du XVIe siècle. Kunsthistorisches Museum, Vienne.

Jean Fouquet, peintre officiel de Louis XI

Tours, 1474-1475

Jean Fouquet, qui s'était essentiellement fait connaître par ses talents de portraitiste et par son fameux *Diptyque de la cathédrale de Melun*, est en train d'achever ce qui restera son chef-d'œuvre : les *Antiquités judaïques*. Dans cet ouvrage, dont les enluminures donnent une ampleur inusitée à la narration historique, Fouquet apparaît comme le seul peintre français de son temps à donner de l'histoire une transcription épique.

Jean Fouquet. Autoportrait. Vers 1450. Peinture sur émail. Musée du Louvre, Paris.

Miniature de Jean Fouquet représentant le « Combat des Maccabées » illustrant un manuscrit des « Antiquités judaïques » de Flavius Josèphe. Entre 1470 et 1476.

Edouard IV d'York l'usurpateur

Angleterre, 21 mai 1471

La guerre des Deux-Roses oppose depuis 1455 les maisons royales de Lancastre et d'York, qui ont respectivement pour symbole une rose rouge et une rose blanche. L'usurpateur Edouard IV d'York fait exécuter le roi Henri VI dans sa cellule de la Tour de Londres. Les York se sont définitivement imposés. La guerre civile avait commencé lorsque le duc Richard d'York avait exigé la régence, en lieu et place du roi Henri VI de Lancastre, atteint de folie. En 1460, il revendiquait la couronne mais succombait pendant la bataille de Wakefield. Edouard, son fils, déposait Henri VI en 1461, prenant le titre de Edouard IV. Appuyé par la France, Richard Neville, comte de Warwick, avait libéré Henri VI, lui rendant temporairement sa couronne (1470).

L'"Arrangement perpétuel" ratifié

France, 11 juin 1474

A Senlis, Louis XI ratifie l'« Arrangement perpétuel » qui a été signé entre les Habsbourg et les Suisses. Ce traité est un des plus remarquables triomphes du génie politique de Louis XI. En lutte contre Charles le Téméraire, duc de Bourgogne, Louis XI cherchait à l'isoler. En 1470, il avait déjà conclu, avec les Huit Cantons, un traité par lequel ils s'engageaient à rester neutres dans le conflit qui l'opposait à la Bourgogne. Mais le roi considérait que les Suisses seraient encore de meilleurs alliés s'ils étaient en bon terme avec la maison d'Autriche. Cette paix perpétuelle, conclue à son instigation, avait pour effet de couvrir les confédérés contre les Habsbourg et donc de leur permettre de prendre position contre la Bourgogne, aux côtés du roi de France.

Charles le Téméraire veut ressusciter l'Etat lotharingien

France, 1474

Charles le Téméraire, dès son avènement au titre de duc de Bourgogne en 1467, reprend la politique de son père pour fonder un Etat centralisé et indépendant du royaume de France. Audacieux et intelligent, il veut reconstituer l'ancien royaume de Lothaire, de la mer du Nord à la Méditerranée, et prendre le titre de roi. Il compte pour cela sur les désordres de l'empire et sur l'inertie de Frédéric III. Il songe même à la couronne impériale. Il réorganise l'armée bourguignonne en vue de ce grand dessein.

Intime de Charles le Téméraire, Commynes rejoint Louis XI

Pays de Caux, 7-8 août 1472

Filleul du duc de Bourgogne Philippe le Bon, Philippe de Commynes est un noble flamand, fils d'un bailli de Gand. Né en 1447, il est écuyer de Charles le Téméraire, alors comte de Charolais, et combat à ses côtés, en 1465, à Montlhéry. Il admire la bravoure du roi et assiste aux tractations subtiles entre son maître et son suzerain. En 1468, il est à Péronne. Valet de chambre du duc de Bourgogne, il l'apaise et le détourne de ses noirs desseins. Louis XI, menacé, reçoit avec reconnaissance les messages salvateurs de Commynes. L'homme le plus proche du Téméraire est las des brutalités de son maître qui dévaste alors la Normandie. Cette nuit d'août, sa vie bascule : il quitte le camp bourguignon et va aux Ponts-de-Cé mettre au service de son suzerain son intelligence diplomatique. La conquête de Commynes vaut, pour Louis XI, plus qu'une bataille.

La seconde Guerre hussite s'achève au royaume de Bohême

Prague, 22 mars 1471

La mort inattendue du roi de Bohême Georges Podiébrad met fin à la seconde Guerre hussite, qui avait commencé le 3 mai 1469. Partisan de Podiébrad, le fils du roi de Pologne Casimir IV devient roi de Bohême sous le nom de Ladislas VI. Due à des motifs religieux à l'origine, la guerre s'était muée en un conflit politique. Podiébrad, roi de Bohême depuis 1458, s'était converti en 1461 à une secte hussite modérée ; aussitôt excommunié, il avait été déposé par le pape Paul II en 1466. Le trône de Bohême vacant, Mathias Ier Corvin, roi de Hongrie, saisit l'occasion pour envahir le pays, soutenu par Frédéric III : il s'était emparé de la Moravie en 1468 et avait été élu roi par les Etats catholiques de Bohême en 1469. La lutte pour la couronne de Bohême s'achèvera par l'élection de Ladislas VI le 22 août 1471, qui partagera le royaume avec Mathias Ier Corvin.

L'unité de l'Espagne parachevée à la mort d'Henri IV de Castille

Castille, 14 décembre 1474

La succession d'Henri IV de Castille, qui meurt sans avoir désigné d'héritier, oppose ses deux héritières légitimes, sa demi-sœur Isabelle et sa fille Jeanne. Isabelle de Castille-León mariée depuis 1469 à Ferdinand II d'Aragon (« mariage des Rois Catholiques »), réussit après cinq années de guerre à s'imposer ; les royaumes de Castille-León et d'Aragon sont réunis par union personnelle. Jeanne avait conclu une alliance avec le roi Alphonse V de Portugal pour défendre ses droits ; la France s'y était jointe pour des raisons politiques.

Ferdinand II, roi d'Aragon, pose les fondements de la puissance espagnole. Bois gravé. XVe siècle.

1477

Forêt de Nancy, 5 janvier
Mort de Charles le Téméraire. →

France, mi-janvier
Les troupes de Louis XI envahissent la Bourgogne, la Franche-Comté et l'Artois.

Gand, 18 août
Mariage de Maximilien d'Autriche et de Marie de Bourgogne. →

1478

Florence
Conjuration des Pazzi contre Laurent le Magnifique et Giuliano de'Medici, qui meurt assassiné.
Botticelli peint l'allégorie du *Printemps* pour la villa des Médicis à Castello.

Europe
Les filiales brugeoises et milanaises de la banque Médicis sont mises en liquidation.

1479

Aragon
Ferdinand le Catholique succède à son père Jean II.

Arras
La ville rejette l'autorité française. Ses habitants sont expulsés et remplacés par des artisans provenant du reste du royaume.

France et Flandre
Maximilien défait les Français à Guinegatte. Pour la première fois, le roi de France demande que soit déployé devant son armée un drapeau à croix blanche sur fond écarlate.

1480

Aix-en-Provence, 10 juillet
Mort du roi René. Louis XI occupe le Barrois et l'Anjou. →

Milan
Ludovic Sforza le More s'empare du pouvoir à la mort de son neveu qu'il a peut-être fait empoisonner.

Russie
Ivan III le Grand cesse de payer le tribut aux Mongols. →

Florence
Installation du *Triptyque Portinari*

d'Hugo van der Goes à Sant'Egidio. →

1481

Istanbul, 3 mai
Mort du sultan Mehmet II ; son fils Bâyazîd II (Bajazet) lui succède. Mehmet II conquit Constantinople en 1453, puis occupa la Serbie l'année suivante, détruisit le despotat de Morée en 1460 et le royaume de Trébizonde, le dernier reliquat de Byzance, en 1461. →

Bourgogne
Les troupes royales s'emparent de Dola.

France
La mort de Charles du Maine, héritier du roi René, permet à Louis XI d'annexer au royaume le Maine et le comté de Provence.

Espagne
Institution de l'Inquisition avec Torquemada. →

Louvain
Publication de l'*Imago mundi* de Pierre d'Ailly. L'ouvrage de ce cardinal français inspira Christophe Colomb qui en fit son livre préféré.

1482

Flandre, 27 mars
Marie de Bourgogne meurt à la suite d'un accident de chasse ; Maximilien devient régent des Pays-Bas.

Arras, 23 décembre
Au terme du traité d'Arras, la Bourgogne et la Picardie sont rattachées au domaine royal. L'Artois constitue la dot de Marguerite de Bourgogne, qui est promise au dauphin ; le reste revient à Philippe le Beau, fils de Maximilien et de Marie.

Afrique occidentale
L'embouchure du Congo est explorée par Diogo Cam.

1483

Rome, 9 août
Le pape Sixte IV donne la première messe dans la Chapelle Sixtine, qui a pris son nom. →

Plessis-lès-Tours, 30 août
Mort de Louis XI, Charles VIII est placé sous la tutelle d'Anne de Beaujeu, sa sœur aînée.

Florence éblouie par le triptyque du Flamand Hugo van der Goes

Florence, vers 1480
Tommaso Portinari, le mandataire des Médicis dans les Flandres, vient d'envoyer, pour Sant'Egidio, un triptyque de dimensions considérables, qu'il avait commandé à Hugo van der Goes. Cette œuvre de la maturité du peintre flamand, dont le panneau central représente une *Adoration des bergers,* est surprenante pour un œil florentin. Tout d'abord, par

son réalisme : l'enthousiasme des bergers, hirsutes et grossiers, contrastant avec le visage douloureux de la Vierge qui médite sur le sort de l'Enfant, couché nu sur le sol. Mais, surtout, la technique de la peinture à l'huile a permis à l'artiste de créer des jeux de lumière complexes et précis, dans les zones où la clarté et l'obscurité s'interpénètrent. Hugo van der Goes a su donner une tonalité très particulière à l'éclairage, notamment dans les volets, où les donateurs, représentés agenouillés, baignent dans une lumière hivernale et feutrée.

Hugo van der Goes. « L'Adoration des bergers ». Panneau central du « Triptyque Portinari ». Vers 1477. Musée des Offices, Florence.

Bâyazîd succède au sultan Mehmet II

Istanbul, 3 mai 1481
Malade depuis des années, Mehmet II meurt, à l'âge de quarante-neuf ans. Il laisse à son fils Bâyazîd II (Bajazet) un empire qui couvre l'ensemble de l'Anatolie, le Péloponnèse, l'Albanie, la Bosnie, la Moldavie, ainsi que la Crimée. Venise conserve encore ses possessions et ses privilèges, mais, pour la première fois, doit payer un tribut annuel de cent mille ducats. Reconstruite, l'an-

cienne Constantinople s'appelle désormais Istanbul et est devenue l'un des pôles du monde islamique, ainsi que le centre d'une vie intellectuelle et artistique. Poète à ses heures, Mehmet II était un homme très cultivé qui parlait plusieurs langues. Toutefois, malgré de nombreuses réformes administratives, il laisse à son fils de graves problèmes économiques et sociaux. Le règne de Bâyazîd II doit donc être avant tout une période de consolidation si l'empire veut se maintenir ou entreprendre de nouvelles conquêtes.

Tomas de Torquemada chargé de l'Inquisition en Aragon et Castille

Espagne, 1481
En 1478, les Rois Catholiques d'Espagne ont obtenu du pape Sixte IV l'autorisation de désigner des « inquisiteurs ». A partir de 1481, des autodafés sont organisés régulièrement. C'est le dominicain Tomas de Torquemada qui vient d'être choisi comme inquisiteur de la foi. En 1485, il sera nommé à la tête de ce tribunal

spirituel qui relève à la fois de l'autorité romaine et du gouvernement espagnol. Après la chute de Grenade (→ 1492), la pression des autorités religieuses et les massacres de Juifs ont amené de nombreuses conversions dont la sincérité paraît douteuse. C'est pour surveiller ces nouveaux chrétiens d'origine juive et pour punir les relaps qu'est créée l'Inquisition. Torquemada va se montrer d'une rigueur impitoyable, suscitant de vives protestations en Aragon et Catalogne et la réprobation du pape Sixte IV lui-même.

Avec Marie de Bourgogne, la Flandre passe dans les mains des Habsbourg

Gand, 18 août 1477

Le grand-duc Maximilien d'Autriche, fils de l'empereur romain germanique Frédéric III, épouse Marie de Bourgogne, fille et héritière du duc Charles le Téméraire. La maison des Habsbourg se place ainsi en héritière du duché de Bourgogne, l'un des Etats les plus riches d'Europe. Les Habsbourg tirent de cette union politique richesse et puissance. Mais ce mariage les fait entrer en conflit avec la France, Louis XI, dont les troupes sont en mouvement depuis la mi-janvier, voyant son droit de suzeraineté sur la Bourgogne lui échapper. L'alliance est le fruit de difficiles négociations depuis 1473, entre l'empereur Frédéric III et Charles le Téméraire : ce dernier souhaitait que le Saint Empire reconnaisse la Bourgogne comme royaume indépendant. Après plusieurs défaites militaires, le duc de

Marie de Bourgogne, l'héritière de Charles le Téméraire. Kunsthistorisches Museum, Vienne.

Bourgogne devait se résoudre en 1476 à accorder la main de sa fille sans obtenir en échange la reconnaissance impériale.

Ivan III le Grand, premier grand-prince de toutes les Russies

Moscou, 1480

Ivan III prend le titre de grand-prince de toutes les Russies. Déjà en 1472, à la suite de son mariage avec Sophie Paléologue, nièce du dernier empereur byzantin, il avait imposé le cérémonial de dévotion à sa personne en vigueur à Byzance : il devait être appelé « autocrate et seigneur ». Plus important encore que les titulatures, Ivan le Grand a affirmé la suprématie de Moscou sur ses deux ennemis traditionnels : Novgorod et les Mongols. En soumettant Iaroslavl, Rostov, Tver et Novgorod, il met fin au morcellement de la Russie. Victorieux des

Novgorodiens, il exige que ceux-ci dénoncent leur alliance avec les Lituano-Polonais. Un représentant d'Ivan est envoyé à Novgorod pour assurer la subordination politique ; en 1477, Ivan annexe tous les territoires de Novgorod et exile une centaine de familles nobles rebelles : la république de Novgorod a cessé d'exister. Face à la domination mongole, Ivan refuse de payer le tribut à la Horde d'or. En 1480, le khân Akhmet lance une expédition punitive contre Moscou. Sur les bords de la rivière Ougra, Russes et Mongols s'observent durant plusieurs semaines. Les renforts de Casimir de Pologne n'arrivant pas, Akhmet se retire et est tué par les Nogays, une tribu mongole rivale. Jamais plus les Mongols de la Volga ne s'attaqueront à Moscou.

Première messe célébrée par le pape dans la chapelle Sixtine

Rome, 9 août 1483

Sixte IV a célébré une première messe dans la chapelle qui porte désormais son nom. Signe de la paix revenue entre Florence et le Saint-Siège, c'est une équipe de peintres toscans, augmentée de quelques artistes ombriens, qui a décoré les parois de cette nef unique, percée de petites fenêtres. Parmi les scènes de l'histoire de Moïse et de la vie du Christ, choisies par le pape lui-même, on remarque surtout celles de Botticelli, pour leur grâce, et celles de l'ambitieux Pérugin, qui a eu soin de représenter dans *La Remise des clefs à saint Pierre* plusieurs notables contemporains.

Botticelli. « Les Filles de Jéthro ». Détail de « La Vie de Moïse ». Fresque. 1481. Chapelle Sixtine.

La mort de Charles le Téméraire

Lorraine, 5 janvier 1477

Charles le Téméraire est retrouvé mort, son cadavre à moitié dévoré par les loups, deux jours après les combats du 5 janvier où son armée a été écrasée. Après la bataille de Morat, le 22 juin 1476, Charles le Téméraire ne disposait plus que d'une armée affaiblie. Or, depuis que le duc de Lorraine avait réussi à reprendre la ville de Nancy, le 7 octobre 1476, grâce à la trahison de deux lieutenants de Charles le Téméraire, celui-ci s'acharnait à récupérer le duché. Tandis qu'il assiège Nancy avec dix mille soldats, le duc de Lorraine, muni d'une forte somme fournie par Louis XI, parcourt les Cantons suisses et y recrute sept mille mercenaires. Avec les troupes lorraine et alsacienne, il réunit près de vingt mille combattants et décime les armées de Charles. L'insuccès des entreprises de Charles a des causes multiples : la supériorité militaire des Suisses ; la supériorité politique du roi de France. Son attitude perfide et violente avait élevé contre lui des coalitions et lui interdit de solides alliances. Dédaigneux de tout conseil, en moins d'un an, il avait épuisé les ressources et détruit le prestige de la maison de Bourgogne. Louis XI met la main sur la Bourgogne, la Picardie et l'Artois. Marie de Bourgogne apporte en dot à Maximilien de Habsbourg ce qui lui reste de l'Etat bourguignon : les Pays-Bas.

Le tombeau de Charles le Téméraire. Détail. 1562. Eglise Notre-Dame, Bruges. Œuvre de Josse Aerts et Jean de Smet, tailleurs de pierre.

Mort du "bon roi René" à Aix-en-Provence

Aix, 10 juillet 1480

Duc d'Anjou, de Bar, de Lorraine, roi de Naples, frère de Charles VII, à qui il apporta son soutien contre les Anglais, René Ier le Bon était né à Angers vers 1409. Peintre, poète, chantre de l'amour courtois, il était médiocre politique. Dépossédé de l'Anjou en faveur de Louis XI, il s'était installé à Aix-en-Provence en 1471. Là, il trouva une atmosphère propice au développement de ses goûts artistiques et intellectuels et sa cour devint très vite l'une des plus brillantes de ce temps. Mécène, il avait fait venir de Naples le sculpteur Francesco Laurana. Mais c'est surtout de la proche cité d'Avignon, célèbre pour son école de peinture, que vinrent les artistes qui devaient illustrer son règne : Nicolas Froment, le peintre du *Buisson ardent* (cathédrale d'Aix) et de *La Résurrection de Lazare*, et Enguerrand Charton, l'auteur du *Couronnement de la Vierge* de Villeneuve-lès-Avignon, coloriste exquis, proche de l'idéalisme de Fouquet.

Jean Molinet, un grand rhétoriqueur à la cour du duc de Bourgogne

Gand, 18 août 1477

L'empereur Maximilien fait son entrée triomphale à Gand : il épouse la plus riche héritière d'Europe, la fille unique de Charles le Téméraire, Marie. Pour célébrer le mariage de Marie de Bourgogne, le poète Jean Molinet écrit *Le Naufrage de la Pucelle*. Né en 1435 près de Boulogne-sur-Mer, à Desvres, il a étudié à Paris jusqu'en 1461, puis est allé servir Amédée de Savoie ; en 1475, il a succédé à Georges Chastellain dans la charge d'historiographe de la maison de Bourgogne et a commencé alors ses *Chroniques*. Il y nomme Louis XI « l'universelle araigne ». La littérature amphigourique qui fleurit depuis Machaut sous le nom de rhétorique prend des formes variées. Molinet, selon les goûts de ses protecteurs, a donné, entre 1464 et 1468 : *Complainte de Grèce, L'Epitaphe du duc de Bourgogne* et *Le Trône d'honneur*.

1484

Tours, 15 janvier-14 mars
Les états généraux exposent un programme politique complet : subsides au pouvoir royal en échange des libertés civiles et commerciales ; rétablissement de la Pragmatique Sanction ; indépendance des Etats provinciaux. Pour la première fois, les actes officiels des états contiennent les termes « tiers état » et « états généraux ».

Rome, 5 décembre
Innocent VIII, successeur de Sixte IV, promulgue la bulle *Summis desiderantis*, dirigée contre la sorcellerie.

Afrique
Diogo Cam aborde l'Angola.

Bruges
Maximilien ordonne aux marchands étrangers de s'installer à Anvers.

1485

France, janvier
Soutenu par François II de Bretagne, Louis d'Orléans, exclu de la régence, se révolte contre les Beaujeu : c'est la « Guerre folle ». →

Flandre, juin-juillet
Maximilien assiège Bruges et Gand.

Angleterre, 22 août
La victoire de Henri Tudor, à Bosworth, met fin à la guerre des Deux-Roses. →

Florence
La Naissance de Vénus, de Botticelli. →

Ghirlandajo achève un important cycle de fresques (*Scènes de la vie de saint François*) dans la chapelle des Sassetti à Santa Trinita.

1486

Rome, décembre
Les Neuf Cents Conclusions de Pic de la Mirandole. →

Saint Empire
L'empereur Frédéric III fait élire son fils, Maximilien, roi des Romains.

France
Le pouvoir royal récupère ses droits sur le Parlement : ses membres ne seront plus cooptés, mais nommés par le roi.

1487

Saint Empire
Jacob Fugger devient banquier de Sigismond de Tyrol.

Flandre
Soutenus par les Beaujeu, les Flamands se révoltent contre les impôts décrétés par Maximilien.

Espagne
Les Rois Catholiques s'emparent de Malaga, principauté musulmane indépendante jusqu'à ce jour.

1488

Bruges, 31 janvier
Maximilien se rend avec une faible escorte aux états généraux de Flandre. Il est retenu prisonnier pendant onze semaines : il doit promettre de renoncer à la régence des Pays-Bas ; il est invité, en outre, à reconnaître les droits des villes et à promulguer des décrets contre la concurrence anversoise. En fait, une fois libéré, Maximilien transférera les privilèges commerciaux de Bruges à Anvers.

Flandres, mai-juin
Libéré, Maximilien rassemble des troupes : l'armée impériale, les milices libre-échangistes d'Anvers et du Hainaut et les nobles du Luxembourg, du Namurois et du Hainaut.

Saint-Aubin-du-Cormier, 27 juillet
Fin de la « Guerre folle ». →

Bretagne, 9 septembre
La mort du duc François II ouvre un délicat problème de succession.

Afrique australe
Bartholomeu Dias double le cap de Bonne-Espérance. →

Venise
Le *Colleone*, de Verrocchio. →

1489

Chypre
Le rachat par les Vénitiens de l'île met un terme à plusieurs siècles de souveraineté franque au Proche-orient Famagouste, Nicosie et Limassol en conservent le témoignage architectural.

Bruges
Hans Memling achève sa fameuse *Châsse de sainte Ursule*.

Verrocchio, sculpteur des temps modernes

Venise, 1488
A 53 ans, vient de s'éteindre Andrea del Verrocchio, orfèvre, peintre et sculpteur. Protégé des Médicis, pour lesquels il organisa de nombreuses fêtes et réalisa le superbe sarcophage de San Lorenzo, il fut en sculpture le successeur de Donatello par son souci du réalisme, en gardant toutefois la minutie d'un orfèvre (la statue équestre du *Colleone* à Venise). Chef d'atelier actif et cultivé, il forma Lorenzo di Credi dans sa *bottega*.

Andrea Verrocchio. La statue équestre du « Colleone » (condottiere de Bergame). 1479-1488. Bronze. Campo di SS. Giovanni e Paolo, Venise.

Bartolomeu Dias double le cap de Bonne-Espérance

Afrique australe, 1488
Le navigateur portugais Bartolomeu Dias a été chargé par Jean II de poursuivre les explorations de Diogo Cam sur les côtes d'Afrique, au sud du Congo. Parti de Lisbonne en août 1487, il fut poussé par une violente tempête et doubla sans le comprendre la pointe extrême de l'Afrique, atteignant ainsi la côte orientale. Mais le mécontentement de son équipage le poussera à faire demi-tour. Il repassera devant le cap qu'il nommera « cap des Tempêtes ».

La lumière de Venise dans l'œuvre de Bellini

Venise, 1486
La lumière est véritablement le thème de la *Transfiguration*, de Giovanni Bellini. Le paysage, partiellement éclairé par un soleil matinal, souligne le sens du miracle qui est en train de s'accomplir. Les nuances et les dégradés colorés révèlent l'intuition neuve d'un espace-lumière.

La meurtrière guerre des Deux-Roses s'achève en Angleterre

Angleterre, 22 août 1485
Vainqueur de Richard III, tué à la bataille de Bosworth, Henri Tudor, de la maison de Lancastre (Rose rouge), est couronné roi sous le nom de Henri VII. Sa victoire met fin à la guerre des Deux-Roses (→ 1455 et 1471). Henri VII épouse Elisabeth, fille d'Edouard IV d'York (Rose blanche), réunissant ainsi les deux Roses, et fonde la dynastie des Tudor. Il utilise la faiblesse de la noblesse, décimée par la guerre, pour renforcer la puissance royale.

Giovanni Bellini. « La Transfiguration ». Détail. Vers 1485. Musée de Capodimonte, Venise.

Les "900 Conclusions" de Pic de la Mirandole condamnées par Rome

Rome, décembre 1486

Une commission spéciale, réunie par Innocent VIII, vient de condamner comme hérétiques treize thèses de Pic de la Mirandole. Celui-ci avait écrit que le Christ n'est pas réellement descendu aux enfers, qu'un péché mortel limité dans le temps n'entraîne pas un châtiment éternel et que les sciences cabalistiques et magiques peuvent prouver, mieux que d'autres, la divinité de Jésus-Christ. Ces affirmations, recueillies dans le *De omni re scibili*, faisaient partie de neuf cents propositions théologiques et philosophiques que Pic se proposait de défendre publiquement. Le titre provocateur dit nettement l'ambition du célèbre érudit, né en 1463 dans une riche et noble famille de Ferrare. Voulant pénétrer tous les secrets de la nature et acquérir la science universelle, il voyagea pendant sept ans, en France, où il rencontra les professeurs de la Sorbonne, et en Italie, réunissant une riche bibliothèque. Cet humaniste, qui connaissait le latin, le grec, l'hébreu, l'arabe et le chaldéen, s'intéresse aussi à la scolastique. Il rédige une *Apologie* pour défendre ses thèses.

Le pape organise la répression contre les sorcières

Rome, 5 décembre 1484

Le pape Innocent VIII publie la bulle *Summis desiderantis*, qui organise la lutte contre la sorcellerie. Les « chasseurs de sorcières » sont dotés des pleins pouvoirs ; les opposants à la politique d'éradication mise en place par l'Église sont menacés de sanctions. Les sorcières sont rendues officiellement responsables du mauvais temps, de la mort du bétail et des maladies ; elles sont également accusées de commerce sexuel avec Satan et ses suppôts. Dans l'imaginaire populaire, elles se rendent à leurs sabbats en volant sur des balais. Le principe de l'Inquisition est simple : toute personne accusée de sorcellerie, le plus souvent une femme, est torturée jusqu'à ce qu'elle avoue le crime qui lui est reproché. Un autre procédé, le Jugement de Dieu, consiste à plonger les malheureuses dans l'eau : celles qui se noient sont innocentes, celles qui réussissent à nager ne peuvent le faire qu'avec l'aide du diable et passent de l'eau aux flammes. Le plus souvent amenées devant les tribunaux ecclésiastiques par délation, les « sorcières » n'ont aucune chance d'échapper à leur sort : elles meurent sous la torture ou dans les flammes.

Les supplices infligés aux sorcières en enfer. Gravure sur bois tirée du « Grand Calendrier des bergers ». Troyes. XVe siècle.

Botticelli, maître de la ligne et du dessin

Florence, 1485

Il est probable que Sandro Botticelli se souvient de l'art des orfèvres, chez qui il a fait ses premières armes, lorsqu'il cisèle les arabesques et les courbes de ses tableaux. Mais c'est dans la philosophie néo-platonicienne défendue à Florence par Marsile Ficin, la poésie gréco-latine chère aux Médicis et l'idéal nouveau de la Renaissance humaniste qu'il trouve son inspiration. *La Naissance de Vénus*, qu'il peint vers 1485 est la plus spectaculaire illustration de ce nouvel idéal qui sublime le corps humain et subordonne les valeurs matérielles et sensuelles aux valeurs spirituelles.

Sandro Botticelli. « La Naissance de Vénus ». Vers 1485. Musée des Offices, Florence. Une des œuvres majeures de l'artiste où s'affirme la primauté du dessin.

"Guerre folle" pour la régence de France

France, 1485-1488

A la mort de Louis XI en 1483, Charles VIII n'ayant alors que treize ans, la régence fut confiée à Anne et Pierre de Beaujeu. Pour les grands seigneurs, dont les ambitions avaient été contrariées sous le règne de Louis XI, l'occasion était à saisir. Louis XII d'Orléans, qui avait été écarté du Conseil de régence et qui en avait pris ombrage, réunit autour de lui une nouvelle Ligue féodale. Le comte de Foix et le duc de Bretagne François II y participent, mais aussi Maximilien d'Autriche et Richard III d'Angleterre. Face à la Ligue, les Beaujeu ont le soutien des ducs de Bourbon et de Lorraine et de la maison d'Albret. C'est en janvier 1485 que Louis prend l'initiative de cette « folle » guerre. Mais la disparition de Landois, le conseiller de François II et l'éminence grise de la Ligue, et l'avènement d'Henri VII d'Angleterre mettent fin à la coalition. L'année suivante la Ligue ressuscite. Cette fois, c'est l'héritage du duché de Bretagne qui va alimenter la querelle. La menace de rattachement à la France rapproche à nouveau Louis et Maximilien qui désirent tous deux épouser Anne de Bretagne. Mais, au cours de la bataille de Saint-Aubin-du-Cormier (27 juillet 1488), Louis est fait prisonnier et tout rentre dans l'ordre.

L'Amérique avant Christophe Colomb

Lorsque les Espagnols prirent pied en Amérique en 1519, le continent était loin d'offrir un panorama homogène : à des régions où la population, très éparpillée, était organisée en petites unités, s'opposaient des contrées où une forte densité démographique avait conduit certains peuples, tels les Aztèques, à ériger un empire. Le fait le plus curieux est que ces populations avaient vécu jusqu'au XVIᵉ siècle dans un isolement total et avaient pu ainsi développer des civilisations de type « insulaire ». Les plus anciennes traces d'occupation humaine en Amérique remontent aux environs de 20 000 à 30 000 ans. Des groupes de chasseurs mongols ont franchi le détroit de Béring et se sont répartis sur tout le continent. Cette immigration s'est faite en plusieurs vagues, dont les dernières remontent à 10 000 ans environ. Trois civilisations principales ont fleuri chacune sur une aire particulière : les Aztèques sur le haut plateau mexicain, peuple dont les représentations évoquent fréquemment la violence et la mort ; les Mayas en Amérique centrale, dont les créations témoignent d'un sens aigu de la beauté ; les Incas dans la zone andine de l'Amérique du Sud, qui ont une évidente propension à l'humour. En Amérique du Nord cohabitent, dans le même temps, des tribus extrêmement diversifiées : Pueblos, « Peaux-Rouges », Eskimos (au Canada), etc. Ces populations, généralement isolées entre elles, en sont, pour les plus hautes civilisations, à l'âge du Bronze. Les outils sont pour l'essentiel en pierre polie, en cuivre et en bronze. L'or et l'argent n'y sont pas inconnus et, le plus souvent, sont utilisés à des fins religieuses, encore qu'ils présentent parfois une valeur « fiscale » et répondent à la levée de tributs.

Paysages et populations

Dans cette Amérique bigarrée du XVIᵉ siècle se distinguent quelques paysages principaux : steppe tempérée, aride ou semi-aride au Mexique et au Pérou ; brousse épineuse au Venezuela ; forêt claire à Cuba et forêt tropicale du pays maya ; terres tempérées d'altitude au Mexique (entre 1 700 et 2 600 m d'altitude) et au Pérou (entre 3 000 et 4 500 m d'altitude) ; plaines et forêts en Amérique du Nord, coupées à l'ouest par la grande barrière des Rocheuses. Lors de l'arrivée des Espagnols, les Indiens d'Amérique constituent l'une des parts les plus importantes de l'humanité avec une population totale estimée de 60 à 70 millions d'hommes. Les terres aztèques sont les plus peuplées, elles rassemblent environ 25 millions d'habitants. Viennent ensuite les Incas avec 10, peut-être 15 millions d'hommes. Les zones mayas, les plaines et les forêts nord-américaines rassemblent des populations clairsemées (1 ou 2 millions de personnes pour les « Peaux-Rouges »). Quant aux forêts équatoriales de l'Amazonie et de l'Amérique du Sud, elles sont quasiment désertes. Le corollaire à cette multiplicité des populations amérindiennes est la diversité des langues, dont l'éventail est impressionnant : 150 familles au total. Le Mexique à lui seul ne rassemble pas moins d'une centaine de langues dont le náthual, langue officielle aztèque, et le maya. Les Incas ont officialisé le quechua.

L'agriculture

Les agricultures amérindiennes sont très anciennes. Il s'agit essentiellement de cucurbitacées, de fruits comme l'avocat, les piments, la sapotille, complétant un régime fondé à 90 % sur la chasse et la cueillette. Les haricots auraient été cultivés dès 6000 av. J.-C. dans les Andes péruviennes, puis de façon régulière à partir de 400. Aux alentours de 3500, le maïs apparaît au Mexique central. Il révolutionne l'agriculture à une époque où les produits agricoles comptent déjà pour 30 % de l'alimentation. Les grands empires précolombiens sont fondés sur cette « céréale miracle ». Son aire de répartition est immense et s'étend des Grands Lacs américains au nord jusqu'au Chili méridional. Le maïs, les haricots et les tomates ne réclamant que peu de soins, l'agriculteur amérindien est exceptionnellement disponible. Les pommes de terre cultivées apparaissent à leur tour sur la côte péruvienne vers 2 500 av. J.-C. Ces cultures à haut rendement, auxquelles il faut ajouter celles du manioc, de la patate douce et des cacaoyers dans les régions chaudes, auraient facilité le regroupement des premières habitations autour d'une surface cultivée vers 2 200 ans av. J.-C. En revanche, les Amérindiens sont peu tournés vers l'élevage, à l'exception de la dinde, du chien domestique et, au Pérou, du lama.

Les premières métropoles

Au Iᵉʳ millénaire av. J.-C. vivait au Mexique une population guerrière, obnubilée par les puissances d'une religion ténébreuse où prédomine le culte du jaguar : les Olmèques. Leur capitale, La Venta, réunit déjà les traits essentiels des grandes civilisations du Mexique. L'un des premiers centres inspirés par La Venta est Monte Albán, ville-forteresse dominant la vallée d'Oaxaca, construite par les Zaptèques dont les pierres tombales en relief se sont pas moins célèbres que les urnes funéraires. Au début de l'ère chrétienne, en même temps que les Mayas au sud, la civilisation de Teotihuacan prend son essor sur les ruines olmèques et déploie des merveilles d'architecture avec ses pyramides du Soleil et de la Lune, son avenue des Morts et le Temple de Quetzalcoatl (le « Serpent à Plumes »). L'influence de cette métropole est considérable. Vers 700, elle succombe comme Monte Albán sous les coups des Chichimèques, barbares venus du Nord : siècles de ténèbres jusqu'à l'éclosion de la civilisation toltèque au XIᵉ siècle. Son centre, Tula, est une capitale guerrière où le rituel des sacrifices bat son plein. Chassés à leur tour par un nouveau déferlement de Chichimèques, les Toltèques envahissent le Yucatan, zone maya. Ils y édifient la cité de Chichen-Itza, creuset de la civilisation maya-toltèque, remarquable par ses temples et son grandiose Jeu de paume. Quelques villes s'opposent aux Chichimèques : c'est le cas de Mitla, capitale des Mixtèques, précolombiens célèbres pour leur orfèvrerie et leurs *Codex*, chroniques guerrières richement illustrées.

Les Aztèques

Derniers arrivés parmi les barbares du Nord, les Aztèques eurent du mal à s'imposer. Entrés en conflit avec les tribus voisines, ils se réfugient à l'ouest de la grande lagune. Là, en 1325, Huitzilopochtli, leur dieu national, révéla au grand prêtre que son temple et sa cité devaient être construits sur une île rocheuse où un aigle dévorerait un serpent. La capitale aztèque, Tenochtitlán (Mexico), fut fondée selon cette légende. Cinquante ans plus tard, cette Venise bâtie sur les flots rassemblait 500 000 âmes et n'avait aucune équivalence en Europe. L'Empire aztèque prit naissance en 1428 par l'alliance de trois cités-Etats, Tenochtitlán, Texcoco et Tlacopan, et devint l'Etat le plus puissant de toute l'Amérique moyenne et septentrionale, fédèrant trente-huit provinces tributaires. La société aztèque est fortement hiérarchisée : au bas de la pyramide, le petit peuple et les esclaves ; au sommet, les prêtres et les dignitaires ; entre les deux, les artisans (orfèvres, joailliers) et les négociants. A la base de la société, le clan (calpulli) où le partage des terres et des fonctions est héréditaire. La religion aztèque détermine toutes les actions tant sur le plan de la vie quotidienne que sur celui des guerres. Le dieu Soleil, Huitzilopochtli, domine le panthéon d'une courte tête devant Tezcatlipoca, autre dieu astral du Ciel et des Vents nocturnes. Le panthéon, complexe, compte d'innombrables divinités tels les dieux de l'Agriculture, de la Jeunesse et de la Beauté, du Maïs, de la Mort, etc. Les Aztèques leur sacrifient d'abondantes victimes, d'où des guerres incessantes pour obtenir des prisonniers. La religion est également à la source de l'art aztèque, qu'il s'agisse de temples et de palais, de statues et de sculptures, ou encore d'orfèvrerie.

Les Mayas

Lorsque les Espagnols pénètrent dans les hautes terres du Guatémala ou dans la péninsule du Yucatán, la civilisation maya s'est éteinte depuis six ou sept siècles. Née au IIIe siècle av. J.-C., elle plonge ses racines dans le terreau olmèque. Son berceau est situé dans les basses terres tropicales. Là s'élève la plus ancienne des cités mayas, Tikal, caractérisée par des pyramides dont la plus haute atteint près de 50 m. Jusqu'au IXe siècle, les Mayas, architectes hors pair, n'ont cessé de construire édifices sur édifices, associés à des autels, des fresques, des bas-reliefs, etc. Bâtie sur les collines du Chiapas, Palenque est une des cités les plus importantes de l'époque classique (IVe-IXe siècle). Le Temple des Inscriptions, au sommet d'une pyramide de 21 m, recèle dans sa crypte le sarcophage d'un prince au masque de jade. Peuple homogène, composé essentiellement de cultivateurs, de chasseurs et de pêcheurs, les Mayas se sont également révélés d'étonnants mathématiciens et astronomes. Avant tout, ils font montre d'un goût passionné ostentatoire, recouvrant les surfaces de leurs temples d'une riche décoration en pierre ou en stuc, allant de pair avec une sculpture monumentale dont les stèles recouvertes de hiéroglyphes sont les témoins significatifs. Le clergé se pare de nombreux atours et certains aristocrates sertissent leurs dents d'ornements. Ce souci de la recherche esthétique imprègne entièrement la vie des Mayas. Un

panthéon complexe de divinités hiérarchisées peuple l'Univers et fournit une explication à tout phénomène naturel. Pour s'attirer les faveurs divines, les Mayas accomplissent tout au long de l'année un ensemble de rites et d'opérations qui permettent au clergé de bien tenir en main le petit peuple. Après cette magnifique floraison, la civilisation maya s'éteint brusquement à l'orée du IXe siècle, peut-être minée par l'appauvrissement de ses terres.

Les Incas et les Tupis

La civilisation inca est née dans la tribu quechua, près de Lima, mais elle n'est connue qu'à partir du règne de l'Inca Pachacutec Yupanqui (1438-1471). Contrôlant près de 612 000 km² depuis le rio Grande dans l'actuelle Colombie jusqu'au rio Maule, dans l'actuel Chili central, l'Empire inca étale une puissance et des réalisations aussi impressionnantes que celles des Aztèques. Le souverain absolu de droit divin, le Sapa Inca, s'appuie sur une armée strictement hiérarchisée de fonctionnaires et d'aristocrates. En résumé, une théocratie fondée sur le travail collectif des masses rurales où l'oisiveté et le manque de discipline sont considérés comme un crime. A la base de la société, l'ayllu, groupe d'individus qui, se réclamant du même ancêtre, partagent la même terre. Comme en pays aztèque, les villes sont très développées. Cuzco, la capitale, est divisée en quatre quartiers possédant chacun des édifices somptueux et d'imposantes demeures. Plus au nord, l'architecture de Machu-Picchu, forteresse à cheval sur une crête vertigineuse des Andes, témoigne de la maturité du génie civil inca. La divinité suprême des Incas est Inti, le dieu du Soleil. Il confère une unité à l'empire, qui a intégré dans son panthéon les nombreuses divinités des populations soumises. La construction de temples voués à Inti et le culte rendu à ce dernier sont des actes politiques autant que religieux puisqu'ils sont un moyen de rendre hommage à l'Inca, descendant de l'astre solaire selon la tradition. Le dieu du Tonnerre, des Eclairs et de la Pluie, Inti Illapa, est également vénéré. Les prêtres sacrifient aux divinités des lamas ou des cochons d'Inde. Les sacrifices humains sont réservés à des occasions exceptionnelles, comme lorsqu'un Inca succède à un autre. Les Incas ne sont pas des artistes aussi prolixes que les Mayas. Ils se distinguent essentiellement par leur art du tissage et leur usage de l'or, qu'ils possèdent à profusion et nomment « sueur du soleil ».
A l'ouest du pays inca, dans l'actuel Brésil, vivent les Tupis, tribus d'Indiens dirigés par un chamane et répartis en trois groupes : Tupinamba et Guarani le long de l'Atlantique ; Tocantin et Xingu ; Tapajoz et Madeira en Amazonie. Ils vivent quasi nus, se combattent à l'arc, au javelot, à la massue et, anthropophages, mangent leurs prisonniers. Le mythe

de la terre sans mal, sorte de paradis terrestre, est à l'origine de leurs incessantes migrations.

Indiens d'Amérique du Nord

Au XVIe siècle, les Etats-Unis sont occupés par une mosaïque de populations originales, aux croyances généralement chamanistes, organisées en tribus et dont la répartition géographique est à peu près comme suit : dans le Sud-Ouest, au nord de l'Arizona et dans la vallée du Rio Grande, vivent les fameux Pueblos. Le village constitue l'unité politique. Le chef est un dignitaire religieux. Les hommes cultivent la terre, tissent, fabriquent des bijoux et des poteries, et ont fort à faire pour repousser les attaques des Navahos et des Apaches, tribus de guerriers nomades. Les populations du Sud-Est sont les héritières de l'ancienne civilisation des Mount Builders (bâtisseurs de tumulus) : les Natchez, regroupés autour de leur monarque absolu le « Grand Soleil », et les Creek, tribus d'agriculteurs très belliqueuses. Plus au nord, les Apaches et les Cherokees. Sur la côte Atlantique se répartissent des tribus algonkines (Sioux, Mohicans...), réunies en petites unités ethniques et chassées par les Iroquois. Ces derniers occupent le nord de l'Ohio, l'Etat de New York et la Pennsylvanie. Ils prônent la guerre comme la seule possibilité d'extension et se montrent volontiers cruels à l'égard de leurs prisonniers. Leurs femmes cultivent la terre et ont souvent un rôle politique important. Les tribus des prairies du nord du Texas à la frontière canadienne (Sioux Dakota, Algonkins) sont très diversifiées, mais la plupart sont regroupées en villages. Les grandes plaines, quasi désertes, sont peuplées par quelques chasseurs de bisons (Cheyennes, Pieds-Noirs au nord ; Apaches, Comanches au sud). Les montagnes Rocheuses et la Californie abritent de paisibles tribus (Ute, Shoshone, Pomo), qui se vêtent d'écorces tissées et habitent des maisons de terre quasi souterraines. Enfin, au nord des Grands Lacs, cohabitent des peuplades de chasseurs et de pêcheurs (Ojibwa, Cree) dont les sociétés sont mal connues. Le Canada est, quant à lui, peuplé de tribus animistes dont les principales sont les Eskimos, sur la côte arctique, dépendants pour leur survie des mammifères marins et du caribou dont la peau sert à fabriquer des tentes, et les Hurons-Iroquois, à l'est, peuple sédentaire qui pratique la culture sur brûlis.
Rares sont les populations d'Amérique du Nord qui ont survécu à la double conquête franco-anglaise. Lorsqu'elles n'étaient pas exterminées ou chassées vers l'ouest, elles n'ont eu souvent d'autre issue que de se soumettre aux « Blancs ». Même chose pour les populations et les empires mésoaméricains, investis par les Espagnols, décimés par les guerres et les épidémies importées d'Europe.

1490

Vienne, 6 avril
Mort de Mathias Corvin. →

Bretagne, septembre
Maximilien d'Autriche rejoint l'alliance anglo-espagnole constituée en 1489 contre la France. Les Anglais occupent Guingamp et Concarneau, les Espagnols Vannes.

Bretagne, décembre
Mariage par procuration d'Anne de Bretagne avec Maximilien d'Autriche.

Samarkand
Erection du mausolée de Tamerlan (Timûr-Lang).

Allemagne
Début de la révolte du Bundschuh.

1491

Brisach, 2 février
Mort du peintre Martin Schongauer, auteur de *La Vierge au buisson de roses* de Colmar et des fresques du *Jugement dernier* dans la cathédrale de Brisach.

Bretagne, 6 décembre
Les Français occupent le duché. Annulation du mariage d'Anne de Bretagne avec Maximilien. Elle épouse Charles VIII à Langeais. →

Proche-Orient
Après six années de guerre, les Ottomans et les mamelouks concluent une paix. La principale disposition de cet accord concerne la mise sous contrôle égyptien de la Cilicie.

Moscou
Achèvement du palais à Facettes, commencé en 1487, œuvre de Pietro Antonio Solario et Marco Ruffo.

1492

Grenade, 2 janvier
Prise de Grenade par les Rois Catholiques. C'est en 711 que le chef maure Târiq chassa les Wisigoths d'Andalousie, qui sera divisée en plusieurs royaumes maures indépendants. Face à la progressive reconquête chrétienne, Grenade résista pendant deux siècles, dernier royaume musulman d'Espagne. →

Italie, janvier
Ludovic Sforza appelle le roi de France à son secours.

Espagne, 30 mars
Edit royal décrétant l'expulsion des Juifs. →

Florence, 9 avril
Mort de Laurent le Magnifique. →

Espagne, 17 avril
Les *Capitulations de Santa Fe* octroyées par les Rois Catholiques accordent à l'amiral Christophe Colomb un véritable droit seigneurial sur ses futures découvertes.

Palos, 3 août
La flotte de Christophe Colomb quitte l'Espagne. →

Rome, 10 août
A la mort d'Innocent VIII, le Valencien Rodrigo Borgia est élu pape. Il prend le nom d'Alexandre VI.

Amérique, 12 octobre
Christophe Colomb aborde une terre inconnue. →

Italie, 12 octobre
Mort du grand peintre toscan Piero della Francesca à Borgo San Sepolcro.

France et Angleterre
Apprenant qu'Henri VII d'Angleterre prépare la guerre contre la France, Charles VIII renouvelle à Etaples le traité par lequel Louis XI s'était engagé à verser un tribut au royaume d'Angleterre.

Asie centrale
Mort à Herât du célèbre conteur persan Djâmî. Il est notamment l'auteur d'un poème épique, *Yûsuf et Zulaykha*. Il est le dernier grand poète de l'époque classique. Membre de la confrérie sufi des Naqchbandi, il vécut en observant le *faqr*, règle de sobriété matérielle. Son prestige était immense : le sultan de Herât construisit une madrasa en son honneur ; Djâmî fut l'interlocuteur privilégié des princes turcs de Bagdad et d'Alep, ainsi que de Mehmet II et de Bâyazîd II.

Espagne
Publication de la première grammaire castillane, rédigée par Antonio Nebrija.

France et Aragon
Le traité de Figueras met un terme à l'hostilité régnant entre la France et l'Aragon.

Mathias Corvin, maître de l'Europe centrale, est mort

Vienne, 6 avril 1490
C'est à Vienne que meurt Mathias Corvin. Né en 1440, il était le fils de Jean Hunyade, le héros des guerres ottomanes. En 1458, il fut élu roi de Hongrie. Il voulait fonder un puissant empire danubien ouvert sur l'Occident. En 1468, se faisant le défenseur de l'orthodoxie, il attaqua le roi de Bohême Georges Podiébrad, excommunié par le pape à cause de ses sympathies utraquistes. L'année suivante, Mathias se fit élire roi de Bohême à Brno. La paix d'Olomuc, en 1479, lui donna la Silésie, la Moravie et la Lusace, la Bohême revenant à Ladislas II, l'héritier de Podiébrad. En 1482, il se tournait contre Frédéric III. Après deux campagnes victorieuses, il établit sa domination sur Vienne, la Basse-Autriche, la Styrie et la Carinthie.

Portrait de Mathias Corvin, roi de Hongrie. (Attribué parfois à G.A. Boltraffio.)

Le fastueux mécénat de Laurent de Médicis

Florence, 9 avril 1492
Laurent de Médicis s'éteint, à quarante-quatre ans, en pleine gloire. Formé, dès sa jeunesse, par le philosophe Marsile Ficin, le poète Cristoforo Landino et le Grec Argyropoulos, il aime à s'entourer d'artistes et collectionne avec passion médailles et manuscrits. Il s'intéresse non seulement à Verrocchio et Antonio Pollaiolo, mais aussi aux arts dits mineurs, en la personne des bronziers, des marqueteurs et des ornemanistes. En 1485, il demande à Giuliano da Sangallo de lui bâtir une villa à Poggio a Caiano, tandis qu'il charge Filippino Lippi de décorer celle de Spedaletto. Son musée est ouvert aux artistes qui peuvent y étudier les modèles antiques et y échanger leurs idées. Mais Laurent le Magnifique n'oublie pas les hommes de lettres : il prend le parti de Pic de la Mirandole contre Innocent VIII ; il défend Luigi Pulci, auteur du *Morgant le Géant* contre ses créanciers ; il recueille Ange Politien qui devient son poète attitré. Pour mieux assurer le rayonnement de sa ville et compléter sa politique de prestige, il a l'intelligence d'accepter que ses artistes puissent aller travailler ailleurs : Léonard de Vinci se met au service de Ludovic le More, à Milan ; Sandro Botticelli, Domenico Ghirlandajo, Cosimo Rosselli et Luca Signorelli vont décorer la chapelle Sixtine, à Rome ; Andrea Sansovino devient architecte du roi du Portugal.

Fin de l'indépendance du duché de Bretagne

Bretagne, 6 décembre 1491
Charles VIII et Anne de Bretagne se marient. Anne s'engage, si Charles VIII meurt sans enfant, à n'épouser que son successeur ou le plus proche héritier du trône. Malgré quelques concessions faites aux Bretons concernant la justice et les impôts, ce mariage met fin à leur indépendance. A la mort de son père, Anne n'avait que treize ans, mais elle voulait sauvegarder l'indépendance de son duché. Charles VIII, dont les armées étaient restées près de Rennes, réclamait la tutelle de la fille de François II. Pour lui faire face, Anne avait choisi parmi ses nombreux prétendants le roi des Romains Maximilien, mais qui n'avait pu lui envoyer à temps des secours. Abandonnée par la noblesse bretonne et par ses alliés, elle dut se résoudre à accepter la couronne de France.

La Reine présentée par ses saintes patronnes. Enluminure des « Grandes Heures d'Anne de Bretagne ». 1507.

Christophe Colomb découvre un nouveau monde

Amérique, 12 octobre 1492

Christophe Colomb est de retour ; la nouvelle se répand très vite dans toute l'Europe. Il a réussi son incroyable pari : atteindre les Indes par l'ouest en traversant un océan où nul n'avait jamais osé s'aventurer aussi loin. S'il restait encore des sceptiques, il vient de prouver, en reliant par l'ouest un pays du lointain Orient, que la Terre est bien ronde. Il n'a touché que quelques îles situées à l'extrême de l'Orient ; on peut à présent les appeler occidentales. Nul ne doute qu'il découvrira un passage pour atteindre le continent indien. A Séville, on prépare une grande fête pour recevoir avec faste l'explorateur de retour. Il sera ensuite accueilli à la cour de Barcelone où siègent le Roi Catholique d'Espagne Ferdinand et la reine Isabelle, grâce auxquels il a pu effectuer ce voyage extraordinaire. Bien peu au départ croyaient à la réussite de cet Italien originaire de Gênes. Celui-ci rêvait depuis toujours de découvrir des pays mystérieux, des routes maritimes inconnues. Tout jeune, comme beaucoup de ses compatriotes, il avait

quitté le port de Gênes pour la péninsule Ibérique. Son frère Bartolomé tenait une officine de cartographie à Lisbonne ; Christophe alla y travailler quelque temps. Il y entendra des récits fabuleux décrivant les pays et les mers les plus étranges, que des marins rapportaient de bien loin. En 1479, Christophe Colomb épousa la fille de celui qui découvrit, quelques années auparavant, l'archipel de Madère pour le compte du Portugal. Colomb participera avec lui à une expédition vers les côtes de l'Afrique. Et, peu à peu, il va élaborer son projet de liaison avec l'Orient par l'ouest. Il a d'abord sollicité l'aide de Jean II, roi de Portugal, qui ne fut pas convaincu par ses arguments ; les conseillers de ce dernier le poussèrent à refuser. Peu après, Bartolomé, le frère de Christophe Colomb, se rendit en Angleterre et en France, mais il ne put y trouver de commanditaires sûrs. Christophe Colomb quitta alors le Portugal pour la Castille et, après deux ans d'intrigues patientes, il sut conquérir l'estime d'Isabelle et de Ferdinand. C'est la capitulation de Grenade qui décida

enfin les souverains à aider Colomb. Quatre-vingt-dix hommes ont été embauchés dans les bas quartiers de Palos ; certains d'entre eux furent même tirés de prison. Le ravitaillement embarqué, les trois caravelles ont quitté Palos le 3 août 1492. Après une escale aux îles Canaries, Colomb leva l'ancre le 6 septembre pour affronter les « sept cents lieues » de mer qui, d'après ses plans, devaient le séparer des terres du grand khân. Après un mois de voyage, l'angoisse et le découragement des marins étaient sur le point de se transformer en révolte quand, de la proue de la *Pinta*, s'éleva le cri « Tierra ! Tierra ! ». La terre était atteinte ; cette île sera nommée San Salvador. En voyant l'aspect des hommes, Colomb en conclut qu'ils n'étaient pas sujets du grand khân et pensa qu'il avait abordé dans une île au sud-est du Japon. Un peu plus loin, il aperçut les territoires de la Chine. Colomb se lancera dans trois autres voyages, sans pour autant trouver un passage pour rallier l'Inde. Il mourra en 1506 sans savoir qu'il avait découvert l'Amérique.

Christophe Colomb (peinture du XVᵉ siècle). Il mourra sans savoir qu'il avait découvert l'Amérique.

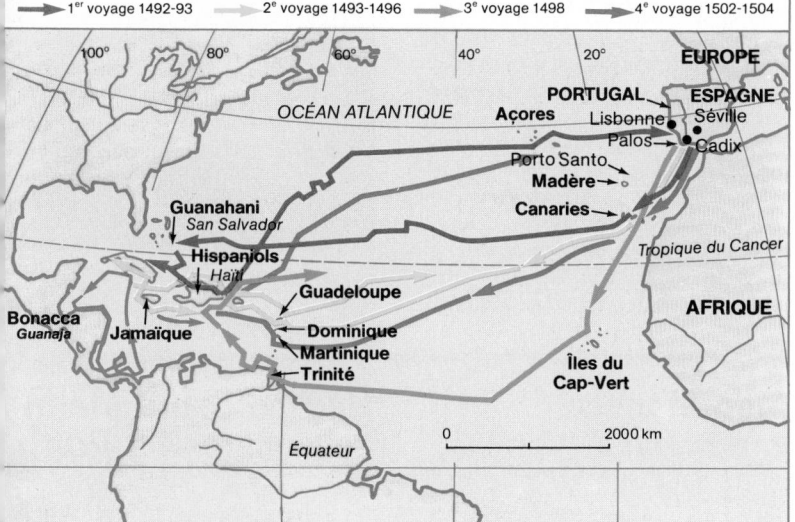

Grenade, le dernier bastion musulman en Espagne, est tombée

Grenade, 2 janvier 1492

Pendant près de trois siècles, après la perte de l'Andalousie et la défaite de Las Novas de Tolosa (1212), le royaume de Grenade, dernier vestige de la domination arabe, parvient à survivre. Le dernier siècle est toutefois marqué par un bouleversement du rapport des forces. D'un côté, la guerre, les intrigues de palais et la dislocation progressive de la société par les luttes continuelles entre grandes familles musulmanes ; de l'autre, l'extension sur l'ensemble du territoire du Conseil d'Etat qui s'oc-

cupe des Affaires étrangères et du Conseil de l'Inquisition, mais, surtout, l'union des couronnes de Castille et d'Aragon. La « Reconquista » reprend du souffle. Entre les mains des Rois Catholiques, les villes du royaume de Grenade tombent l'une après l'autre : Loja en 1486, Malaga en 1487, Almeria en 1489. En 1492, après un long siège, c'est le tour de Grenade. Le 6 janvier, Ferdinand d'Aragon et Isabelle de Castille font leur entrée dans l'Alhambra. Cette même année, Christophe Colomb découvre l'Amérique, et les Juifs d'Espagne, qui, jusque-là, avaient vécu en bonne intelligence avec les musulmans, sont sommés de choisir entre la conversion et l'expulsion.

Les Rois Catholiques décrètent l'expulsion des Juifs d'Espagne

Grenade, 30 mars 1492

Grenade n'est prise que depuis peu, la Castille et l'Aragon viennent d'être réunis : les Rois Catholiques n'attendent plus longtemps pour lancer l'ordonnance de proscription, bannissant tous les Juifs d'Espagne. Pourtant, la tolérance des Arabes qui dominaient le pays faisait jadis de l'Espagne une terre d'asile par excellence de la diaspora. Très peuplées, les communautés juives y disposaient d'une administration autonome, *laljama*, et de quartiers réservés, les *juderia* (ou juiveries). On trouvait les Juifs dans toutes les branches de métiers et toutes les couches

de la société. Les rois eux-mêmes avaient pris des Juifs à leur service : ainsi Joseph ibn Chochan sous Alphonse VIII ou Samuel Ha Levi sous Pierre Iᵉʳ. Ils étaient près d'un million dans l'ensemble du royaume et ont joué un rôle très important dans la civilisation espagnole. Certains, comme Abraham Zacuto, ont fait progresser les connaissances astronomiques. C'est en partie grâce à la participation des poètes (tel Salomon ibn Gabirol, le « Rossignol pieux »), savants et traducteurs juifs que le castillan est devenu une langue littéraire. On peut parler d'une véritable symbiose culturelle judéo-espagnole. Mais les Juifs n'étaient, de fait, qu'un peuple toléré et il leur était déjà arrivé, comme en 1391, d'être les victimes de massacres organisés.

Les Rois Catholiques faisant leur entrée dans Grenade. Retable de Felipe de Borgoña. (Philippe Biguerny). Début XVIᵉ siècle.

1493

Barcelone, avril
Christophe Colomb est reçu triomphalement par les Rois Catholiques.

Rome, 4 mai
La bulle *Inter Coetera* d'Alexandre VI Borgia infirme la bulle *Aeterna Regis* de 1481 qui donnait aux seuls Portugais le droit de conquête. Les Espagnols obtiennent ce droit pour les territoires situés à l'ouest d'une ligne reliant un pôle à l'autre, passant « à 100 lieues à l'ouest et au sud d'une quelconque île des Açores et du cap Vert ».

France et Bourgogne, 23 mai
Traité de Senlis. La dot de Marguerite de Bourgogne, l'Artois, la Franche-Comté et le Charolais, est restituée par le roi de France à Philippe le Beau. Charles VIII ne conserve de l'héritage du Téméraire que la Picardie et le duché de Bourgogne.

France et Aragon
Traité de Barcelone. Le précédent traité de Figueras (1492) est confirmé. Par ailleurs, Charles VIII restitue le Roussillon et la Cerdagne à Ferdinand d'Aragon afin que celui-ci le laisse intervenir en Italie.

Saint Empire, 19 août
A la mort de l'empereur Frédéric III, son fils Maximilien lui succède. Frédéric III avait adopté pour devise de la maison des Habsbourg, A.E.I.O.U. : *Austria Est Imperare Orbi Universo* (l'Autriche domine le monde).

Amérique, 29 septembre
Christophe Colomb revient en Amérique. Ce second séjour durera jusqu'en novembre 1496. Il est parti avec dix-sept navires. Douze moines l'accompagnent.

Afrique
Mohamed Touré s'empare du pouvoir et, une fois à la tête du royaume songhaï, fonde la dynastie des Askias.

1494

Hispaniola (Saint-Domingue), janvier-avril
La colonisation de l'île commence. Colomb lance une expédition d'exploration vers la région de Cibao. La culture de la canne à sucre est introduite.

Espagne et Portugal, 7 juin
Traité de Tordesillas. →

Bruges, 11 août
Mort du peintre Hans Memling. →

Bâle, 11 août
La Nef des fous de Sébastien Brant. →

Louvain, 9 septembre
Philippe le Beau, le nouveau et jeune souverain des Pays-Bas, fait une « joyeuse entrée ». Bien qu'âgé seulement de seize ans, il vient d'être proclamé majeur et prince. Il obtient l'octroi de l'étape des laines espagnoles pour Bruges.

Florence, 29 septembre
Mort d'Ange Politien. Humaniste et poète, il composa *La Fable d'Orphée*, le premier drame profane de la littérature italienne.

Rome, 31 décembre
Charles VIII arrive à Rome. La guerre entre la France et les Habsbourg pour l'hégémonie en Europe vient de commencer en Italie. Ludovic le More, l'allié de Charles VIII, prend le titre de duc de Milan. Pierre II de Médicis est chassé de Florence par Savonarole, qui instaure une sorte de dictature religieuse.

Venise
Aldo Manuce fonde son imprimerie et fait paraître son premier volume, la *Grammaire grecque*, de Lascaris. →

1495

Naples, 22 février
Charles VIII prend la ville.

Italie, 31 mars
Ayant pour ennemi commun Charles VIII, la république de Venise, l'Espagne, Milan, le pape et l'empereur germanique fondent une Sainte Ligue.

Italie, 6 juillet
Bataille de Fornoue. →

Lituanie
Les Juifs sont expulsés.

Hispaniola (Saint-Domingue)
Christophe Colomb impose aux Indiens âgés de plus de quatorze ans un tribut en or à verser tous les trois ans au roi d'Espagne.

Lisbonne
Manuel Ier monte sur le trône du Portugal.

"La Nef des fous" de Sébastien Brant

Bâle, 11 août 1494
Cette satire des mœurs du temps, écrite en dialecte alsacien par le poète et juriste strasbourgeois Sébastien Brant, est constituée de 112 chapitres consacrés chacun à un vice humain personnifié par un fou. Tous ces « fous », y compris lui-même, le fou bibliomane, se réunissent sous l'égide de Frau Vénus, en un joyeux cortège de Mardi-Gras regroupant toutes les classes sociales et les corporations. Ils s'embarquent sur une étrange nef et, quittant le pays de cocagne, mettent le cap sur l'île de Narragonie, le royaume de la Folie. Derrière la lourdeur moralisatrice et satirique de l'œuvre, transparaît, de manière assez poétique, une certaine angoisse devant la situation de l'Eglise et de l'Empire.

Illustration de « La Nef des fous » de Sébastien Brant. Bibliothèque nationale, Paris.

Le Peintre Memling meurt à Bruges

Bruges, 11 août 1494
Vers 1465, Hans Memling, originaire de Rhénanie s'était installé à Bruges, qui n'était déjà plus la ville prestigieuse de Van Eyck, mais demeure une grande cité marchande où le peintre pouvait espérer trouver une clientèle. Memling se fit le portraitiste des notables. Renonçant à placer ses modèles sur un fond sombre, il les installa près d'une fenêtre, dans une galerie ouverte, devant un paysage. Sa fortune devait être considérable : en 1480, il comptait déjà parmi les cent quarante plus riches contribuables de Bruges.

Hans Memling. Portrait de femme âgée. Peinture sur bois. Musée du Louvre, Paris.

Aldo Manuce, imprimeur à Venise

Venise, 1494
Venise est devenue une véritable capitale de l'édition : on n'y compte pas moins de cent officines, autant que dans l'Italie tout entière. Installé depuis peu, Aldo Manuce, dont l'imprimerie se trouve près de Sant'Agostino, vient de publier la *Grammaire grecque* de Lascaris et travaille déjà à l'édition d'un premier volume d'Aristote ; on lui prête de nombreux projets : il voudrait substituer aux lourds in-folios un format plus pratique, varier les caractères typographiques et réjouir les bibliophiles en améliorant la qualité des illustrations. Cet humaniste, qui reçut une solide formation classique à Rome et à Ferrare, qui fut précepteur chez Pic de la Mirandole, entend ainsi remédier à l'insuffisance et à l'incorrection des éditions de textes de l'Antiquité. Il est vrai que le premier incunable date, pour la littérature latine, de 1469 et pour la littérature grecque, de 1476 !

L'église Santa Maria delle Carceri à Prato

Prato, 1493
Le Florentin Giuliano da Sangallo apparaît comme un architecte audacieux, dans la lignée des Brunelleschi et des Alberti. L'église de Santa Maria delle Carceri, dont la construction commença en 1485 vient de s'achever, surprend, en effet, par sa nouveauté, par le choix notamment d'un plan en croix grecque : les bras sont voûtés en plein cintre ; l'édifice est surmonté d'une coupole conique à lanterne ; le décor extérieur est rehaussé de marbre blanc et bleu sombre. L'originalité et l'autorité de cet artiste viennent de ce qu'il est le seul architecte toscan à avoir étudié à Rome. Il y collectionna des dessins de monuments de l'Antiquité et fut le chef d'une équipe de maçons qui participa à divers travaux, notamment au Vatican. Sangallo a déjà réalisé, pour Laurent de Médicis, la villa de Poggio a Caiano ; chacun de ses édifices représente une solution originale et parfaite.

Traité de Tordesillas : l'Espagne et le Portugal se partagent le monde

Tordesillas, 7 juin 1494

En mai 1493, le pape Alexandre VI Borgia, par sa bulle dite *Inter Coetera*, reconnaissait au Portugal toute terre découverte à l'est d'un méridien passant à cent lieues du cap Vert et à l'Espagne les terres à découvrir à l'ouest de cette ligne. Les deux États ont continué à négocier. Les Rois Catholiques d'Espagne et Jean II du Portugal viennent de fixer à nouveau la ligne de démarcation. Celle-ci est reportée à 370 lieues à l'ouest du cap Vert. Après l'exploit de Christophe Colomb qui vient de découvrir de nouvelles terres (→ 1493), la Castille se voit promue au rang de partenaire à part entière du Portugal. Celui-ci reconnaît en effet par ce traité le partage de son monopole avec la Castille. Car, si la Castille n'avait pas jusque-là de politique systématique d'exploration, le Portugal, quant à lui, s'était lancé depuis longtemps dans l'aventure. Elle a commencé avec la prise de Ceuta en 1415 ; puis ce sont les Açores et Madère qui sont découvertes peu de temps après. Les Turcs, ayant peu à peu rendu le commerce avec l'Inde par voie terrestre plus difficile, Henri le Navigateur (1394-1460) et ses conseillers ont fait le projet d'aller aux Indes en contournant le continent africain. Henri le Navigateur a créé un observatoire maritime au cap Saint-Vincent (pointe sud-ouest de la pénin-

nule Ibérique) et réuni autour de lui de nombreux marins et cartographes. Chaque année, au départ de Lagos (puis, plus tard, au départ de Lisbonne, plus favorisée par les vents), une croisière est envoyée le long des côtes occidentales de l'Afrique avec mission de pousser le plus loin possible vers le sud. En 1445, l'embouchure du Sénégal est atteinte ; dix ans plus tard, ce sont les îles du Cap-Vert. Puis, grâce à Bartolomeu Dias (→ 1488), le cap de Bonne-Espérance sera atteint cinq ans avant la découverte inattendue de Christophe Colomb, qui bouleversera tous les schémas. Le Portugal songe

d'abord à se réserver l'Afrique et la route des Indes qu'il est en train de tracer. Ainsi, l'Espagne et le Portugal se partagent le monde à découvrir. Mais ce traité n'intimidera pas la France de François Ier, ni l'Angleterre d'Henri VIII après 1534, ni la Hollande des grandes compagnies du début du XVIIe siècle.

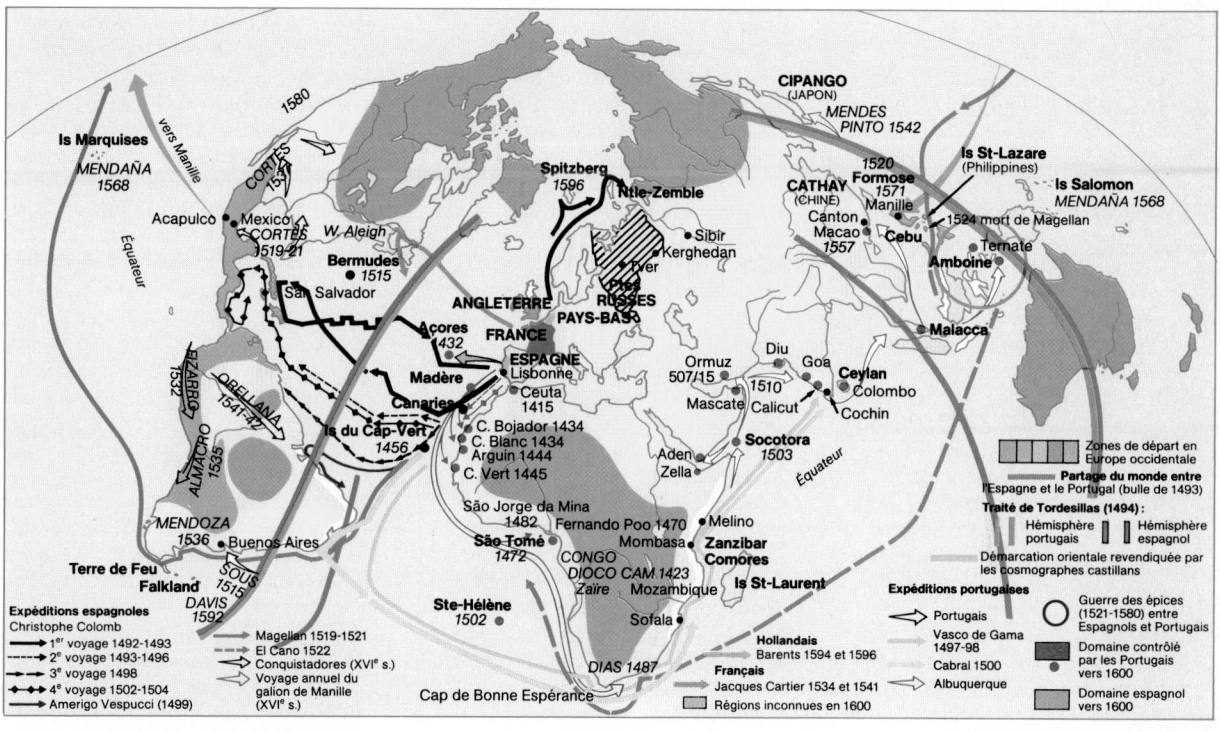

Une victoire sans effet pour Charles VIII

Fornoue, 6 juillet 1495

Charles VIII réussit à franchir avec son artillerie intacte les défilés des Apennins, et, le 6 juillet, sur les bords du Taro, près de Fornoue, échappe de justesse à ses ennemis, les coalisés de la Sainte-Ligue. C'est de cette piteuse façon que s'achève cette campagne d'Italie qui l'avait d'abord mené triomphalement et presque sans coup férir jusqu'à Naples. Mais, dans l'intervalle, les Italiens s'étaient ressaisis et unis contre l'envahisseur français qui ne bénéficiait plus guère que du soutien des Florentins. C'est du pape Alexandre VI qu'était venue l'initiative. Le 31 mars 1495, Venise, les Rois Catholiques, l'empereur Maximilien, roi des Romains, et Ludovic le More, duc de Milan, formaient une sainte ligue pour la défense de la chrétienté contre le Turc, pour le rétablissement de la dignité du Saint-Siège et des droits de l'empire, en réalité pour chasser Charles VIII tout en se garantissant réciproquement l'intégrité de leurs territoires. C'est avec raison qu'au lendemain de Fornoue, le marquis de Mantoue, général de la Ligue, demande à Mantegna de peindre une *Madona della vittoria*. Pour Charles VIII, c'est la fin du rêve italien.

Floraison architecturale de style italien à Moscou

Moscou. Le Palais à Facettes. 1487-1491. Architectes : Pietro Antonio Solario et Marco Ruffo.

Les églises et palais du Kremlin de Moscou, construits de 1475 à 1509, sur l'ordre d'Ivan III le Grand, sont l'œuvre d'artisans de Pskov travaillant sous la direction d'architectes venant d'Italie du Nord, tels Ridolfo Fioravanti de Bologne, Pietro Antonio Solario de Milan, Marco Ruffo et Alvisio Novi. L'influence italienne pénètre dans la principauté de Moscou d'une part par le port génois de Caffa sur la mer Noire, et d'autre part, par la Hongrie et la Pologne. C'est en Italie que le grand-prince Ivan III va chercher des bâtisseurs expérimentés. Ainsi, en 1474, l'ambassadeur russe à Venise, Siméon Tolbouzine, engage Ridolfo Fioravanti et le fait venir pour reconstruire à Moscou la cathédrale de l'Assomption qui s'était effondrée en 1472. L'apport direct de l'Italie se manifeste dans le palais à Facettes (1487-1491, œuvre de Solario et de Ruffo), dont la façade rappelle le palais Bevilacqua de Bologne, ainsi que dans différentes tours de la muraille du Kremlin. Il serait cependant abusif de dire que le Kremlin est une œuvre italienne ; en effet, la cathédrale de la Dormition (1475-1479), construite sous la direction de Fioravanti,

la cathédrale de l'Annonciation comme la cathédrale de l'Archange Michel (1509) construite par Alevisio Novi, sont trois églises à coupoles de style profondément russe. Les Fraizines, comme on appelait alors les architectes italiens, ont dû se soumettre aux canons architecturaux de la Moscovie.

Cathédrale de l'Assomption (Kremlin de Moscou) bâtie par Ridolfo Fioravanti, 1475-1479.

1496

Europe
L'alliance des Habsbourg et de la Castille est consacrée par le mariage de Philippe le Beau avec Jeanne de Castille, la future Jeanne la Folle, fille des Rois Catholiques.

Naples, février
Les Français sont défaits et chassés de la ville.

Paris, 30 mars
La reconstruction de l'église Saint-Séverin est en voie d'achèvement ; a lieu à cette date la bénédiction de l'abside.

Amérique
Christophe Colomb aborde l'île de Marie-Galante. En 1493, il avait reconnu les Saintes et les côtes de Porto Rico, et, en 1494, celles de la Jamaïque.

Florence
Pérugin achève sa fresque, en trois parties, de la *Crucifixion* à Santa Maria Maddalena dei Pazzi.

France
La *Mise au tombeau* de l'abbaye de Solesmes, œuvre d'un sculpteur des ateliers de la Loire.

Espagne
Conversions forcées des Juifs et des Maures espagnols.

Mantoue
Mantegna achève pour François de Gonzague la *Madone de la victoire* destinée à commémorer la victoire remportée par le duc sur les Français, à Fornoue.

1497

Florence, 12 mai
Savonarole est excommunié par le pape Alexandre VI. →

Amérique du Nord, 24 juin
Le navigateur italien Jean Cabot, au service du roi d'Angleterre, atteint en trente-cinq jours l'Amérique du Nord. Il explore les côtes nord-américaines de Cap-Breton au Labrador. →

Portugal, 8 juillet
Sur l'ordre du roi Manuel de Portugal, Vasco de Gama lance une expédition maritime en direction des Indes par la voie du cap de Bonne-Espérance, reconnue en partie par Bartolomeu Dias. Le 22 novembre, il franchit le cap. →

Espagne
Mort de l'infant d'Espagne Jean d'Aragon, fils des Rois Catholiques, qui avait épousé Marguerite, la fille de Maximilien de Habsbourg.

France
Une ordonnance de Charles VIII organise le Grand Conseil : la Cour souveraine de justice et le Conseil secret sont désormais dissociés. Les différentes instances du pouvoir royal se spécialisent ; chaque conseil ayant son domaine de compétence.

Milan
Léonard de Vinci achève *La Cène* pour le réfectoire du couvent de Santa Maria delle Grazie. →

Russie
Promulgation de la charte judiciaire de Pskov. →

Italie
Le peintre florentin Benozzo Gozzoli meurt à Pistoia. Il est particulièrement renommé pour sa fresque du *Cortège des Rois Mages*, dans la chapelle du palais des Médicis à Florence. Conçue à la manière d'une tapisserie fleurie, l'œuvre retient l'attention à cause des nombreux personnages qu'elle met en scène dans une sorte de parade particulièrement évocatrice de la vie seigneuriale italienne au XVe siècle. On peut y reconnaître, en dehors de Laurent le Magnifique, suivi de son père Pierre le Goutteux, et de son oncle Jean, les princes Galeazzo Maria Sforza et Sigismond Malatesta.

Saint-Domingue
Christophe Colomb impose un système de corvées aux Indiens. Ceux-ci sont contraints de cultiver les champs et de travailler à l'orpaillage (recherche de l'or).

Italie du Nord
Les Vaudois du Piémont reçoivent des membres de l'« Unité des frères de Bohême », secte hussite. Entre les diverses dissidences de l'Église, s'établit une confraternité.

Scandinavie
Le roi Jean de Danemark se fait couronner roi de Suède. Il réunit ainsi sous son autorité les royaumes de Norvège, de Suède et de Danemark.

Balkans
Jean Ier Albert Jagellon lance une expédition pour tenter de conquérir la Moldavie.

Prêches enflammés de Savonarole, le "moine noir" de Florence

Florence, 12 mai 1497
Savonarole ne cessait de prêcher contre le pape Alexandre VI, qu'il accusait de simonie, réclamant la réunion d'un concile général pour le déposer. Le souverain pontife ne pouvait rester plus longtemps sans réagir. Après l'échec d'un compromis, Savonarole est excommunié le 12 mai 1497 et Florence blâmée d'avoir soutenu un rebelle. Né en 1452 à Ferrare, Jérôme Savonarole était entré chez les dominicains. Lorsqu'il devient, en 1491, prieur du couvent de Saint-Marc à Florence, sa réputation de prédicateur est déjà faite ; on lui prête le don de prophétie. Il se pose en réformateur ; dans ses prêches enflammés, il s'en prend à une société qu'il juge dépravée, oublieuse de Dieu, à l'Église et à son chef qui manquent à leur devoir. Mais ce sont les Florentins qu'il veut d'abord réformer, dont il veut faire le nouveau « peuple élu » qu'il lancera à la reconquête morale de l'Italie. En 1494, il appelle de ses vœux l'intervention française et voit en Charles VIII un instrument de la Pro-

Jérôme Savonarole, le « moine noir ». Peinture de Fra Bartolomeo. Musée de San Marco, Florence.

vidence. Après la fuite de Pierre de Médicis, il entreprend, avec le soutien du peuple et de ses partisans fanatisés, l'instauration à Florence d'une république égalitaire et puritaine qu'il place sous l'autorité du Christ. Tout ce qui avait fait la grandeur de la ville de Laurent le Magnifique se voit condamné. Des « bûchers de vanité » s'allument où l'on jette pêle-mêle livres et tableaux. L'Évangile est la seule règle et tout doit s'y plier, les affaires privées comme les affaires publiques.

Rejeté par ses compatriotes, excommunié, Savonarole est pendu, puis brûlé en place publique, le 23 mai 1498. Peinture anonyme.

Verreries vénitiennes

Après la prise de Constantinople par les Croisés, en 1204, Venise a accaparé les techniques verrières implantées en Orient par l'empereur Constantin. Le centre verrier est l'île de Murano, où sont gardés les procédés. Après la verroterie apparaissent, au XVe siècle, les verres colorés, émaillés, ornés de personnages, garnis d'or. Pots, coupes, plats, bassins, aiguières sont moulés puis façonnés dans un matériau dont le secret est jalousement conservé : le cristal.

Verrerie de Venise. Coupe en verre émaillé d'Angelo Barovier. Vers 1480.

Léonard de Vinci. « La Cène ». 1497. Fresque. Réfectoire de Santa Maria delle Grazie, Milan.

Léonard de Vinci peint la fresque de "La Cène"

Milan, 1497

La Cène, telle que l'a imaginée et peinte Léonard de Vinci sur les murs du réfectoire de Santa Maria delle Grazie, surprend par son aspect tout à la fois surnaturel et réaliste. Le Christ vient de prononcer la phrase fatidique : « L'un de vous me trahira » et les gestes des apôtres traduisent leur intense émotion. Sous la gravité des visages, se distinguent des physionomies variées : l'un a la rudesse du pêcheur, l'autre la majesté du patriarche. Mais le mystère est ailleurs : il est, pour l'essentiel, dans la composition qui, respectant la symétrie et utilisant la perspective aérienne, crée un effet de profondeur.

Mort d'Ockeghem, maître de chapelle

Tours, 6 février 1497

Le musicien franco-allemand Johannes Ockeghem vient de mourir. Il avait été successivement au service de Charles VII, Louis XI et Charles VIII. Ockeghem doit sa célébrité à la composition de messes, de forme très libre, où il fait un usage hardi de la dissonance. La messe *Cujusvis toni* retient particulièrement l'attention car elle est écrite de telle sorte qu'il soit possible, en utilisant une clef ou une autre, de la transposer dans n'importe quelle tonalité. Quant à la *Missa Prolationum*, elle est remarquable par l'utilisation de quatre voix, formant deux canons.

Jean Cabot au large des côtes du Labrador

Amérique du Nord, 24 juin 1497

Parti le 2 mai à bord du *Matthiew*, le navigateur génois Jean Cabot vient d'atteindre les côtes du Labrador : terres désertes où Cabot planta la bannière des Tudor et le gonfalon de saint Marc. Ce citoyen vénitien a appris l'art de la navigation, en même temps que le commerce, dans les mers du Levant. Il aurait avant Colomb conçu l'idée de se rendre vers le pays des épices par l'ouest à travers l'Atlantique. Lorsque celui-ci l'eut précédé (→ 1493), il réussit à persuader les marchands de Bristol, où il s'était installé, qu'une route plus courte pouvait être suivie en visant plus au nord. De plus, il ne risquerait pas, dans ces hautes latitudes, de rencontrer Espagnols ou Portugais. Nanti de la patente royale d'Henri VII, qui l'autorisait à chercher vers l'ouest des îles ou des régions jusque-là inconnues de tous les chrétiens, et cela en dépit du monopole des découvertes occidentales accordées à l'Espagne en 1494, Cabot lança une expédition vers le nord-ouest. Et Bristol applaudit à celui qui, à son tour et en moins de temps que Colomb, venait d'atteindre un nouveau monde. Jean Cabot recevra le titre d'amiral et bientôt le commandement d'une nouvelle expédition vers les mêmes rivages. Mais celle-ci n'apportera rien de plus que la précédente.

La charte de Pskov unifie l'Etat russe

Russie, 1497

La charte de Pskov, promulguée en 1497, rassemble un ensemble de textes administratifs et judiciaires recueillis, à la demande d'Ivan III, par Goussiev, secrétaire de la Chancellerie. Véritable code de lois, elle se compose de 68 articles et témoigne d'une volonté de centralisation, dont les germes étaient déjà sensibles dans la pratique quotidienne de l'administration. La primauté des pouvoirs centraux y est affirmée, sans que soient abolis toutefois les pouvoirs locaux, d'un style encore féodal, qui permettaient aux gouverneurs de se payer sur leurs administrés.

La dispersion des Juifs

Après avoir été expulsés de plusieurs principautés allemandes, d'Angleterre en 1290, de France en 1394, les Juifs sont finalement bannis d'Espagne en 1492. Ces expulsions vont engendrer des migrations nouvelles vers l'Orient. Les exilés espagnols (les *Sephardim*) vont gagner l'Empire ottoman, qui leur ouvre ses portes, après avoir fait le plus souvent une étape en Italie où, protégés par les papes, leurs conditions de vie sont relativement convenables. Les communautés espagnoles vont s'établir principalement à Corfou, Constantinople et Salonique, ville dans laquelle elles seront bientôt majoritaires. Les Juifs originaires d'Allemagne ainsi que certains Français (les Ashkenazim) se sont quant à eux réfugiés dans une Pologne en plein essor, où Boleslas le Chaste, dès 1264, leur a octroyé des terres et un statut favorable. On y parle un langage judéo-allemand original, le yiddish, qui donnera naissance à une littérature populaire. Cette seconde diaspora affaiblira l'Espagne.

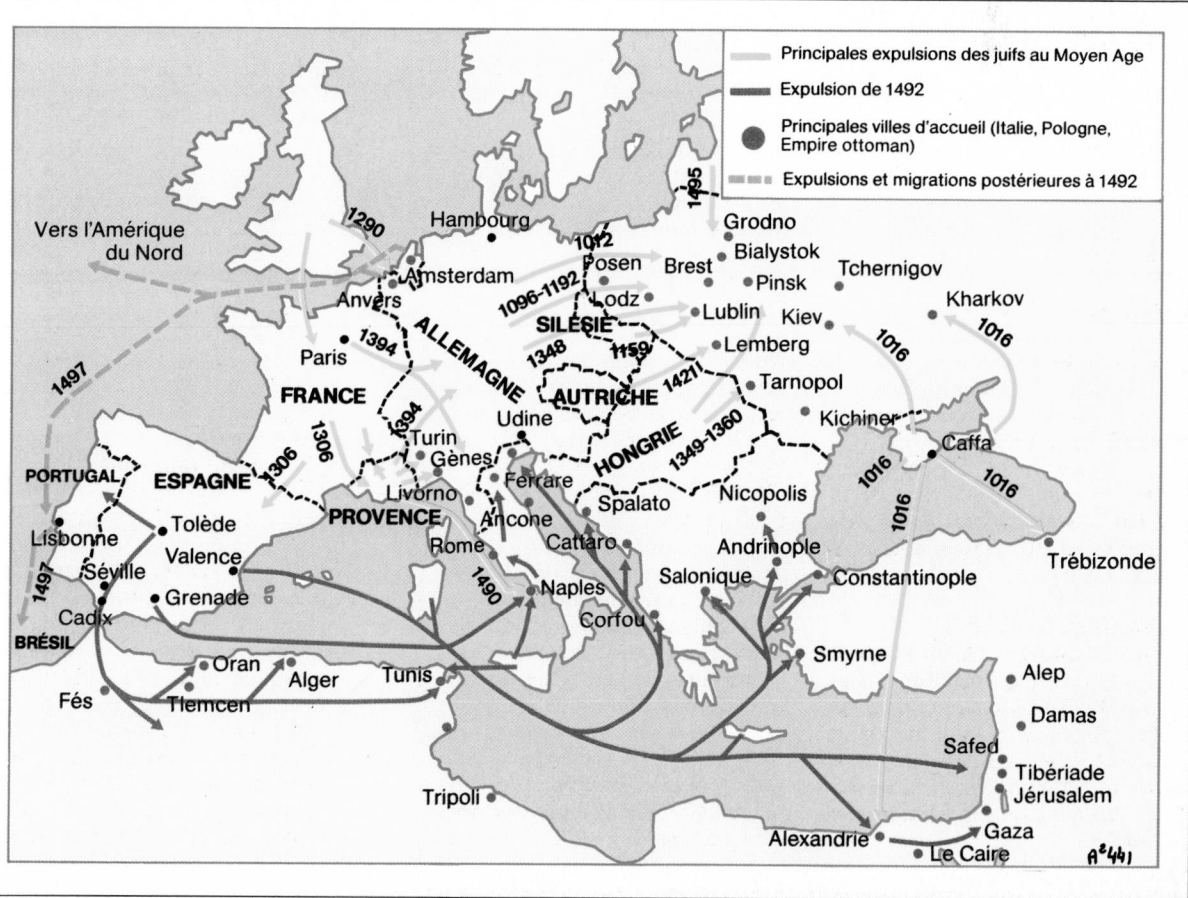

1498

Amboise, 8 avril
A la mort de Charles VIII, Louis XII lui succède sur le trône de France.

Florence, 23 mai
Le prédicateur Savonarole meurt sur le bûcher.

Inde
Le navigateur Vasco de Gama aborde à Calicut. →

Portugal
Tous les Juifs sont expulsés.

France
Ordonnance de Louis XII expulsant les Juifs de Provence.

Le Maître de Moulins exécute pour les ducs de Bourgogne, un grand triptyque représentant *La Vierge en gloire entourée d'anges* pour la collégiale de Moulins.

1499

France
Louis XII répudie Jeanne de France et épouse Anne de Bretagne.

Italie
Louis XII prend Gênes. →

Angleterre/Amérique, mai-septembre
Henri VII fournit un navire à Jean Cabot pour se rendre à Cathay (Chine du Nord). L'expédition reconnaît les côtes de Terre-Neuve à la Caroline du Sud. Le navire revient en septembre sans Cabot.

Milanais, octobre
Le condottiere Trivulce, avec le concours de troupes suisses et vénitiennes, conquiert, pour le compte du roi de France, le Milanais en vingt jours. →

Venise
Parution, chez Aldo Manuce, du « Songe de Poliphile » (*Hypnerotomachia Poliphili*) de F. Colonna, orné de gravure sur bois.

Amérique du Sud
Le navigateur italien Amerigo Vespucci explore les côtes nord-est de l'Amérique du Sud. Il donne le nom de Venezuela, « petite Venise », au lac de Maracaïbo, en raison des habitations lacustres des Indiens.

Amérique du Sud
L'Espagnol Yañez Pinzón explore la côte nord de l'Amérique du Sud, du cap San Agustin à l'Orénoque.

Burgos
Publication de *La Celestina* de Fernando de Rojas. →

Rome
Michel-Ange sculpte la *Pietà* de la basilique Saint-Pierre. →

1500

Brésil, 23 avril
Le navigateur portugais Pedro Alvarez Cabral découvre le Brésil. →

Sud de l'Afrique
Naufrage et disparition de Bartolomeu Dias au large du cap des Tempêtes (cap de Bonne-Espérance). →

Milan
Les Milanais se soulèvent contre Trivulce. Ludovico Sforza, dit le More, qui a profité du soulèvement pour reprendre le trône ducal, est abandonné par ses mercenaires et livré à La Trémoille qui l'expédie en France où il est emprisonné jusqu'à sa mort, en 1508, à Loches.

Russie
Ivan III occupe la rive gauche du Dniepr.

Amérique du Nord
Le Portugais Gaspard Corte Real reconnaît la côte sud du Labrador, qu'il baptise du nom de « Terra do Labrador ».

Bois-le-Duc
Jérôme Bosch peint *Le Jardin des délices*. →

Afrique
Les Portugais commencent à établir des comptoirs commerciaux sur les côtes de l'Afrique orientale.

1501

Espagne/Amérique
Dans une série de directives adressées au gouverneur Nicolas de Ovando, le roi d'Espagne détermine les principes administratifs destinés au gouvernement de son domaine colonial. Le système des tribus en or et des corvées imposé aux Indiens est légalisé. L'établissement de non-Espagnols est interdit dans le domaine colonial.

Le jardin de pierres du Ryôan-ji à Kyôto. On en attribue traditionnellement la création au peintre Sôami.

Le Ryôan-ji, jardin zen à Kyôto

Kyôto, 1499-1500
Les bâtiments du Ryôa-ji avaient été acquis au cours du XVe siècle par un chef militaire, Hosokawa Katsumoto, qui en avait fait un temple du bouddhisme zen. La résidence des moines qui l'accompagne semble, par contre, avoir été édifiée postérieurement à l'installation du jardin, qui se présente comme un espace plat, de forme oblongue et où se développe une composition abstraite, s'organisant à partir de quinze pierres ou rochers, de tailles variables, disposés par groupe de deux, trois ou cinq sur un lit de sable blanc soigneusement ratissé jour après jour. Les figures, toutes abstraites, que détermine cette composition suivant le lieu où se tient l'observateur constituent un support à la méditation et contribuent, par la beauté qu'elles dégagent, à en favoriser le cours.

Cabral reconnaît les côtes du Brésil

Brésil, 23 avril 1500
Arrivés à l'embouchure du Rio Cahy, le navigateur portugais Cabral et sa flotte (11 navires et 1 200 hommes), font un bref séjour sur cette côte, repérée antérieurement par d'autres navigateurs mais dont il prend possession au nom du Portugal. Il la nomme terre de Santa Cruz avant que le surnom tiré d'un bois de teinture rouge, « pao brasil », ne prévale. L'expédition avait quitté Lisbonne le 9 mars 1500. Il parvint si loin vers le sud-ouest qu'il put atteindre la côte du Brésil. Il repart le 2 mai : sa hâte à poursuivre sa route vers le Deccan montre bien que l'essentiel de la tâche assignée par le roi n'était pas la découverte de nouvelles escales mais l'arrivée aux Indes. Après avoir perdu 5 navires dans une traversée difficile, il parvint au Mozambique, puis, sous la direction de pilotes arabes, atteignit Calicut en septembre. C'est avec 4 navires seulement que Cabral rentra à Lisbonne en juillet 1501.

L'Empire songhaï

Le véritable fondateur de l'empire avait été Sonni Ali, qui régna de 1464 à 1492. Lui succéda l'Askia Mohammed qui obtint l'appui d'un calife abasside d'Egypte. Fort de cette protection, le nouveau souverain repoussa les limites de l'Empire songhaï jusqu'au-delà de Kano à l'est et du moyen Sénégal à l'ouest. L'administration écrite était assez développée pour qu'un processus d'intégration supratribale s'établisse et diminue les risques de révolte. Une structure de production fondée sur le servage permet alors le contrôle des activités paysannes. L'or du Bito contribue à la prospérité de l'empire. Tombouctou et Djenné s'imposent comme centres intellectuels et religieux.

Tombeau de la dynastie des Askia, près de Gao (empire songhaï) au Mali.

Jérôme Bosch. « Le Jardin des délices ». Détail du panneau central. Entre 1485 et 1505.

L'univers fantastique de Jérôme Bosch

Bois-le-Duc, vers 1501
De ce peintre néerlandais on sait bien peu de choses, si ce n'est qu'il vivait dans la petite ville de Bois-le-Duc.

L'étrangeté, le goût de l'horrible, mais aussi le fantastique, le merveilleux (comme dans *Le Jardin des délices*) marquent son œuvre. C'est l'enfer toutefois qui retient plus volontiers son attention, avec ses démons redoutables, mi-hommes, mi-bêtes. Très souvent,

on s'aperçoit que ces compositions bizarres sont la traduction plastique de proverbes flamands. Son œuvre a suivi les étapes d'un cheminement mystique : l'âme doit connaître les affres et les angoisses avant de s'unir avec Dieu, au-delà des épreuves et des tentations.

Louis XII conquiert le duché de Milan

Italie, juillet 1499
Louis XII, héritier des Visconti, réclame la succession du duché de Milan et refuse de reconnaître l'usurpateur Sforza. En juillet 1499, soutenu par le pape, Venise et Florence, allié aux cantons suisses, il passe les Alpes avec son armée, entre à Gênes, tandis que Trivulce, condottiere au service de la France, s'empare de Milan.

L'entrée de Louis XII à Gênes en 1499. Miniature de Jean Bourdichon.

" La Célestine ", une tragi-comédie moderne

Séville, 1502
La première édition parue à Burgos en 1499 était anonyme ; la seconde, à Séville en 1501, porte dans un acrostiche de huit vers : « Le bachelier Fernando de Rojas composa la comédie de Calixte et Mélibée » ; l'édition de 1502 modifie le titre en « tragi-comédie » et comprend vingt et un actes au lieu des seize originaux. L'intrigue qui met en scène la passion de Calixte pour la vertueuse Mélibée est dominée par la perverse personnalité de la Célestine, archétype de l'entremetteuse, sorcière qui règne sur un monde sulfureux de ruffians et de prostituées. A celui-ci s'oppose le monde de la beauté et de l'amour idéal : pour conquérir Mélibée, Calixte ne voit pas que les moyens par lesquels Célestine assurera son triomphe portent en eux corruption et condamnation. L'action dramatique est fortement soutenue par cette opposition. *La Célestine* fut connue de Shakespeare. Sa modernité même la place aux sources du théâtre européen moderne.

Vasco de Gama aborde aux Indes à Calicut

Inde, 23 mai 1498
Le navigateur portugais Vasco de Gama vient d'atteindre la côte occidentale des Indes, la côte de Malabar, à Calicut, découvrant la route des Indes. Les commerçants portugais échappent ainsi au monopole arabe du commerce des épices. Vasco de Gama était parti le 8 juillet 1497 avec le *Sao Gabriel*, et plusieurs autres navires. Après un voyage de treize semaines, au cours duquel il avait fait escale aux îles du Cap-Vert, Vasco de Gama atteignait le cap de Bonne-Espérance. Le marin arabe Ahmed ibn Madshid le guida jusqu'à Calicut. Après la difficile signature d'un traité de commerce avec le roi *(samurin)* de Calicut, il repartait avec des navires chargés vers le Portugal le 8 octobre 1498. Les premières tentatives de reconnaissance de la route des Indes avaient eu lieu le long de la côte africaine occidentale avec Henri le Navigateur (→ 1418/1420). L'expédition décisive fut celle de Bartolomeu Dias.

Naufrage et disparition de Dias au large du Cap

Au sud de l'Afrique, mai 1500
Le navire de l'explorateur portugais Bartolomeu Dias s'est perdu corps et biens en mer alors qu'il tentait de franchir le cap de Bonne-Espérance. La caravelle commandée par Dias appartenait à une flotte de 13 navires, commandée par Pedro Alvares Cabral, partie du Portugal le 9 mars 1500 afin de découvrir de nouveaux territoires aux Indes. Afin d'éviter les tempêtes menaçantes de la côte africaine occidentale, Cabral avait fait route de plus en plus à l'ouest et avait aperçu le 4 avril 1500 une côte, qui sera plus tard baptisée « Brésil ». Ayant retraversé l'Atlantique Sud, la flotte fut prise près du cap de Bonne-Espérance dans une terrible tempête, qui a coûté la vie à Bartolomeu Dias. Celui-ci avait déjà reconnu, treize ans plus tôt, la côte africaine. En 1487, il était parti afin de reconnaître le sud de l'Afrique et tenter de trouver une route vers les Indes. Dans des conditions climatiques très difficiles, il avait alors doublé le cap de Bonne-Espérance et atteint l'embouchure du « Fleuve des poissons », sur la côte orientale de l'Afrique, où son équipage l'obligea à faire demi-tour. Il baptisa la pointe méridionale de l'Afrique « Cabo tormentoso » (cap des Tempêtes), que le roi Jean II devait rebaptiser en « Cabo da boa esperanza » (cap de Bonne-Espérance), parce qu'il ouvrait la route maritime des Indes.

La Vierge des navigateurs. Détail. Peinture d'Alejo Fernández. 1536.

1502

Espagne, 12 février
Edit royal ordonnant l'expulsion des Maures d'Espagne non convertis.

Evêché de Spire, avril
Révolte paysanne du « Bundschuh ». →

Amérique centrale, à partir du 30 mai
L'amiral Christophe Colomb découvre une côte, qu'il baptise du nom de Honduras, en raison de la profondeur *(hondura)* de ses eaux. Au cours de ce quatrième voyage qui le mène du golfe du Darién au golfe du Honduras, Colomb fait la rencontre de tribus Mayas. Il évitera Saint-Domingue où il lui a été interdit d'accoster en raison du différend qui l'a opposé à Francisco de Bobadilla, le gouverneur de l'île, au cours de son précédent voyage (1498-1500). Le 7 novembre 1504, Colomb sera de retour en Espagne.

Russie, juin
La Horde d'or cesse d'exister. →

Perse
Fondation de la dynastie safavide par Ismaïl Ier. Les Safavides semblent devoir leur nom à Safi ed-Din, maître d'une confrérie sûfi, dite Safawiya, qui s'était développée en Azerbaïdjan et s'était peu à peu laissé gagner par le shi'isme. →

Inde
Vasco de Gama installe les premiers comptoirs portugais sur la côte occidentale du Deccan.

Empire aztèque
Le roi Ahuitzotl meurt. Son neveu, Moctezuma II, lui succède.

Rome
Bramante édifie sur le Janicule le Tempietto de San Pietro in Montorio. →

Pékin
Agrandissements et travaux de restauration à la Cité interdite. →

1503

Séville, 20 janvier
Fondation de la *Casa de Contratación*. Elle aura, entre autres, pour mission de surveiller les activités et surtout les dépenses de Christophe Colomb.

Espagne, 20 mars
L'Instruction de Saragosse énonce une série de mesures visant à la sédentarisation et à l'évangélisation des Indiens.

Rome, 18 août
Mort d'Alexandre VI Borgia. Lui succèdent Pie III et, à partir du Ier novembre, Giuliano della Rovere, qui est élu pape sous le nom de Jules II. →

Blois
Construction de l'aile Louis XII au château de Blois.

Amérique du Sud
Les marchands de Rouen et de Honfleur lancent une expédition pour le Brésil.

Inde
Albuquerque occupe Cochin (aujourd'hui Kuchi Bandar).

Afrique orientale
Les Portugais imposent un tribut au sultan de Zanzibar.

Portugal/Amérique
Le financier allemand Welser obtient un contrat de monopole pour le commerce avec les Indes occidentales.

1504

Moldavie, 2 juillet
Etienne le Grand, prince de Moldavie depuis 1457, meurt à Suceava. Il reçut des Ottomans la Bessarabie et repoussa les Mongols en 1469.

Medina del Campo, 26 novembre
Mort d'Isabelle de Castille. Isabelle la Catholique, selon le titre que lui donna le pape Alexandre VI, laisse sa fille Jeanne la Folle comme héritière du trône de Castille ; mais le pouvoir est, en fait, assuré par son époux Ferdinand II d'Aragon.

Florence
Michel-Ange achève son *David*. →

Rome
Bramante : le cloître de Santa Maria della Pace, d'une austère sévérité conciliant christianisme et Antiquité romaine.

Afghânistân
Bâbur s'empare de Kâbul. Originaire du Turkestan, descendant, de Timûr Lang, il avait été écarté du pouvoir par l'usurpation de son oncle, la révolte des nobles et contraint de fuir le Turkestan.

Art chinois. Des hôtes arrivant au palais des empereurs Ming à Pékin et s'apprêtant à pénétrer dans la Cité interdite. Peinture anonyme, milieu XVIe siècle.

Construction de la Cité interdite à Pékin

Chine, début du XVIe siècle
La Cité interdite - c'est-à-dire l'ensemble des palais impériaux de Pékin - édifiée en grande partie de 1407 à 1420, est toujours en travaux. En 1368, les troupes du premier empereur Ming arrachent Pékin aux Mongols qui en avaient fait leur capitale. L'empereur Yong-Le fait le siège de la résidence impériale en 1409, mais la construction des palais avait commencé dès 1407, à l'emplacement même du palais d'époque Yuan. Au XVIe siècle, la première d'une longue série de rénovations est entreprise. On ajoute également un certain nombre d'édifices, notamment dans la partie privée de la cité. L'ensemble se présente sous forme d'un vaste rectangle, entouré d'une muraille et d'un fossé. La partie officielle comprend trois grands bâtiments élevés sur terrasse. Au-delà de la porte Qianqing, se développe la partie privée de la résidence, avec trois édifices répondant à ceux de la partie officielle, et des pavillons secondaires. Au travers des diverses campagnes de restauration, la disposition d'ensemble, d'époque Ming, est restée inchangée.

Dispersion de la Horde d'or

Russie, juin 1502
Totalement démembrée, la Horde d'or cesse d'exister. Dès le début du XVe siècle, la Horde avait commencé à se désintégrer en trois khanats : celui de Kazan, celui de la Crimée, la Horde d'or enfin. Ce déclin amena de nombreux nobles tatars à se mettre au service de Moscou. Le prince Ivan III sut utiliser leurs compétences dans ses relations diplomatiques avec les voisins de la Horde d'or. C'est ainsi qu'il réussit à isoler Akhmad, le khan de la Horde. Avec le concours du prince tatar Kasim, Ivan obtient d'abord la suzeraineté de Moscou sur le khanat de Kazan : Mehmed Amin prête serment d'allégeance à Moscou. En 1475, Ivan III s'allie avec le khan de Crimée, Mengli-Ghiray, qui promet de venir en aide à la principauté de Moscou en cas d'attaque polonaise. Ivan III se trouve ainsi en mesure de riposter à l'offensive du khan Akhmad. Ce dernier doit se replier à la suite d'incursions des vassaux tatars d'Ivan en direction de Saraï, la capitale de la Horde d'or : la suzeraineté de la Horde d'or sur la Russie disparaît définitivement. Peu après, Ivan III et son allié Mengli-Ghiray font mouvement contre ce qui reste de la Horde et l'anéantissent.

Le triomphant "David" de Michel-Ange

Florence, 8 septembre 1504

Le transport du *David*, de l'atelier de Michel-Ange jusqu'à la place de la Seigneurie, n'aura pas duré moins de quatre jours ! Ce détail, à lui seul, exprime la monumentalité d'une œuvre par laquelle l'artiste a voulu rivaliser avec les statues colossales de l'Antiquité. Mais, auparavant, le sculpteur a dû relever un autre défi, technique celui-là : depuis 1464, à l'Œuvre du Dôme, restait inemployé un énorme bloc de marbre de Carrare, qu'Agostino di Duccio avait commencé de dégrossir en vue d'un travail qu'il n'acheva pas. Seul un artiste de la trempe de Michel-Ange pouvait venir à bout de ce roc. Le *David* qui en sortit, sous son ciseau, est un double symbole pour Florence : roi et sauveur de son peuple, il doit inciter le gouvernement à défendre la cité et à la diriger selon le droit ; corps juvénile, svelte et robuste, il est à l'image de la jeune république. Que l'on compare cette statue tout en muscles avec celles de Donatello, sur le même thème, pour en saisir l'audace ! Nul raffinement, mais une incroyable énergie, faite de noblesse hautaine et d'agressivité. La puissante proportion de l'ensemble laisse place à des détails presque choquants dans leur violence, tels les maigres bras aux mains énormes.

Le « David » de Michel-Ange placé à l'entrée du Palazzo Vecchio à Florence le 8 septembre 1504.

Révolte paysanne en Allemagne

Spire, avril 1502

20 000 paysans et bourgeois se sont soulevés dans l'évêché de Spire, sous la conduite de l'ancien serf Joss Fritz, contre l'oppression de la noblesse et du clergé. La révolte a été écrasée ; Fritz a réussi à s'enfuir. Les paysans avaient pris un brodequin (Bundschuh) pour emblème de leur soulèvement, opposant ainsi la chaussure à lanière des gens du peuple aux bottes à éperons des nobles. Le brodequin aurait également été, d'après la tradition, l'emblème des paysans partis pour Jérusalem lors de la Ire Croisade. Les paysans exigeaient le retour à une « société biblique », sans servage, et la redistribution des biens du clergé.

Farces et moralités

Les premières farces remontent au XIIIe siècle ; sans vraiment jamais disparaître, le genre s'est maintenu jusqu'au XVIe siècle, date à laquelle on a commencé à les collecter et à les réunir en volumes. Pièces courtes à trois ou quatre personnages, elles empruntent leurs thèmes aux aléas de la vie quotidienne et reposent sur un renversement final de l'action, du type trompeur-trompé, comme dans *La Farce de Maître Pathelin* (vers 1464). A partir du XVIe siècle, le ton change mais ce sont davantage les travers des classes sociales qui sont privilégiés et caricaturés. Par les jeux de scène, par leur fantaisie verbale, les moralités se rapprochent de la farce ; mais ce qui les distingue, c'est le discours moralisateur ou l'intention didactique.

Le shi'isme au pouvoir avec les Safavides

Perse, 1502

Abû al-Muzaffar fait son entrée à Tabriz en 1501 et prend le titre de shah de Perse sous le nom d'Ismaïl Ier. Il groupe autour de lui plusieurs tribus shi'ites et institue le shi'isme comme religion d'Etat. Pour l'instant, son autorité ne s'étend guère au-delà de l'Azerbaïdjan. Mais la désintégration de l'empire de Tîmûr Lang a plongé toute la région dans une sorte de vide politique et Shâh Ismaïl entend bien en profiter. Par delà les querelles religieuses, le fait de se déclarer shi'ite est aussi le moyen de séparer, d'une manière décisive, ses possessions de celles de l'Empire ottoman, qui ne faisait pas mystère de ses prétentions sur la Perse. Depuis la conquête arabe, la Perse n'était plus qu'une entité géographique. Avec l'Etat safavide, elle accède au statut d'entité politique.

La révolte des paysans de l'évêché de Spire, rassemblés sous leur drapeau marqué d'un brodequin. Gravure d'Heinrich Eichmeyer.

Œuvre symbolique, le Tempietto de Bramante à Rome

Rome, 1502

Le Tempietto di San Pietro in Montorio, édifié par Bramante sur l'emplacement supposé du martyre de saint Pierre, est l'exemple le plus typique de l'architecture romaine de la Renaissance. (L'œuvre devait être enveloppée d'un cloître circulaire qui ne fut pas construit). Peintre et sculpteur, originaire d'Urbino où il étudia les constructions de Laurana, Bramante est alors dans sa pleine maturité : de dimensions réduites mais de proportions parfaites, ce petit édifice est constitué d'un noyau cylindrique entouré d'une colonnade dorique supportant, en-dessous d'une coupole, un étage, une balustrade et une frise, dorique également, dont chacune des métopes présente un instrument liturgique ou un symbole propre à saint Pierre. Son extrême rigueur rappelle les monuments classiques de la Rome antique, en même temps qu'elle préfigure la nouvelle basilique de Saint-Pierre de Rome.

Le Tempietto de San Pietro in Montorio à Rome. Œuvre de l'architecte Bramante, considérée comme une des réalisations les plus représentatives de la Renaissance italienne.

1505

Russie
Fils d'Ivan III auquel il succède, Vassili III est proclamé grand-prince de Moscou.

Portugal
Les cartes portugaises désignent Terre-Neuve sous le nom de « Terra dos Bacalhaus » (morues).

Antilles
Les Espagnols sont repoussés par les Indiens Arawaks lors de leur tentative de conquête de l'île de Porto Rico.

Italie
Léonard de Vinci : La *Joconde*. →

France, hiver
Réunion des Etats généraux à Tours. Louis XII est proclamé « Père du peuple ». Toute liberté lui est laissée pour continuer ses entreprises italiennes.

1506

Valladolid, 21 mai
Mort de Christophe Colomb.

Lisbonne, 29 juillet
Mort de Martin Behaïm. →

Mantoue, 13 septembre
Mort du peintre Andrea Mantegna.

Burgos, 25 septembre
Mort de Philippe le Beau. Fils de l'archiduc Maximilien de Habsbourg, il hérita de sa mère, Marie de Bourgogne, les Pays-Bas. En 1496, il épousa la fille de Ferdinand V d'Aragon et d'Isabelle de Castille, Jeanne la Folle, qui lui donna six enfants, dont les futurs Charles Quint et Ferdinand Ier. Il devait mourir prématurément à l'âge de 28 ans.

Afrique
Affonso, premier roi catholique du Kongo. →

Arabie
Albuquerque s'empare de l'île de Socotra, clef de la mer Rouge.

Atlantique Sud
Le Portugais Tristáo da Cunha découvre l'île qui, depuis, porte son nom (Tristan da Cunha).

Rome
Jules II pose la première pierre de Saint-Pierre dont les travaux sont confiés à Bramante. Le financement des travaux est assuré par une campagne d'Indulgences.

Allemagne
L'humaniste Johannes Reuchlin publie ses *Rudimenta linguae hebraicae*, première et importante contribution aux études hébraïques.

Rome
La découverte du *Laocoon*, groupe sculpté de l'époque hellénique, fait grand bruit. L'œuvre a rejoint les collections du pape Jules II, qui demanda à Michel-Ange d'en assurer la restauration. Symbole de l'art grec redécouvert, l'œuvre a fortement marqué, en son temps, peintres et sculpteurs.

1507

Viana, Navarre, 12 mars
César Borgia meurt en combattant aux côtés du roi de Navarre, son beau-frère. Fils du futur pape Alexandre VI, il fut archevêque de Valence en 1492, à l'âge de 16 ans, puis cardinal l'année suivante. Nommé duc du Valentinois en 1498 par Louis XII, César Borgia servit de modèle au *Prince* de Machiavel. Pour se débarrasser de ses principaux ennemis, il n'hésita pas à les inviter à Senigallia pour ensuite les faire assassiner (31 décembre 1502). Il fut emprisonné successivement par le pape Jules II et le roi de Castille.

Gênes
Les Génois se révoltent contre les troupes d'occupation françaises.

Arabie
Albuquerque prend le contrôle d'Ormuz, position stratégique séparant le golfe Persique de la mer d'Oman.

Metz
Cartographe allemand, Martin Waldseemüller donne à l'Amérique le nom par lequel on la désigne encore aujourd'hui. →

Venise
Le frère prêcheur Fra Giocondo est aussi ingénieur. Il est présentement à Venise avec, pour objectif, de canaliser la Brenta. Il donne également un projet pour le pont du Rialto, qui sera réalisé par d'autres. A Paris où il est venu en 1495, il fut chargé de reconstruire le pont Notre-Dame.

Allemagne
Adam et Eve de Dürer. →

Carte du monde réalisée par Martin Waldseemüller d'après les découvertes et les informations d'Amerigo Vespucci.

"L'Amérique" est inventée

Metz, 1507
L'humaniste et cartographe Martin Waldseemüller vient de réaliser avec Matthias Ringmann une carte du monde intitulée *Universalis cosmographia*. Le Nouveau Monde y porte pour la première fois le nom d'Amérique, d'après le prénom latinisé de Amerigo Vespucci. Le navigateur italien est au service du Portugal et de l'Espagne. Célèbre en Europe pour ses descriptions du Nouveau Monde, le Florentin avait publié en 1504 à Saint-Dié, en Lorraine, le récit de ses voyages. Il avait reconnu entre 1497 et 1504 plusieurs territoires d'Amérique du Sud et centrale : découvreur de l'Amérique du Sud, il donna son nom au Venezuela (Petite-Venise).

Dürer, maître de la Renaissance allemande

Nuremberg, 1505-1507
Pour les artistes de la Renaissance, le corps humain est le plus noble sujet de représentation. A la suite de ses deux voyages en Italie, Dürer introduit en Allemagne cette esthétique nouvelle. Entre 1490 et 1494, il avait eu un premier contact avec l'art italien, à travers des estampes de Pollaiuolo et Mantegna. C'est cependant son séjour à Venise, en 1495, qui marque véritablement l'origine de ses recherches sur le canon de la beauté et sa détermination géométrique. Les figures construites « à l'aide de la règle et du compas » apparaissent dans son œuvre et ses efforts pour rendre la forme idéale des corps trouvent leur première conclusion en 1504 lorsque Dürer grave sur cuivre sa célèbre planche *Adam et Eve*. En 1507, après un second voyage à Venise, ses études sur les proportions humaines se traduisent à nouveau par la représentation du premier couple humain, mais sa peinture prend alors une orientation toute nouvelle. L'influence italienne devient déterminante et l'artiste adopte une méthode de mensuration plus souple et plus précise. Il ne s'agit plus de fixer un canon idéal, mais de décrire les différents types que l'on peut observer dans la réalité.

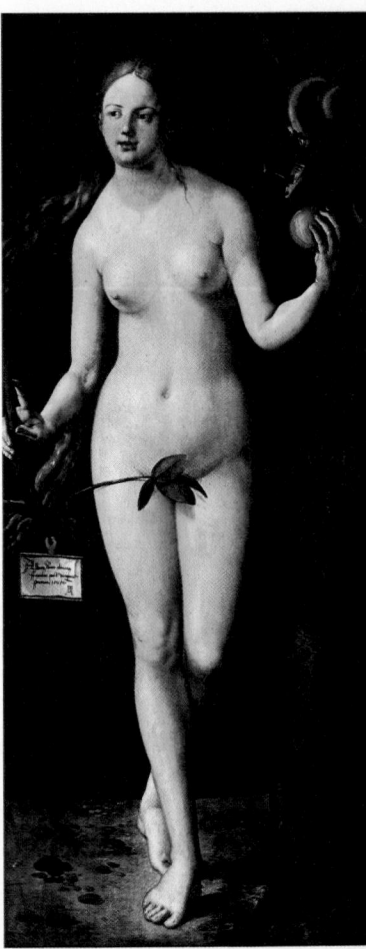

Albrecht Dürer. « Eve ». 1507. Avec son pendant (« Adam »), c'est le premier nu, grandeur nature, de la peinture allemande.

Alexandre VI Borgia meurt après onze ans de pontificat

Rome, 18 août 1503

Le pape Alexandre VI disparaît après onze années de pontificat. Rodrigo Borgia était né en 1431 en Espagne. Neveu de Calixte III, il devint cardinal à 25 ans avant même d'avoir reçu les ordres majeurs. En 1492, il succède à Innocent VIII. Souverain temporel avant tout, son souci le plus constant fut d'affirmer son autorité dans les Etats pontificaux en luttant contre l'émiettement féodal qui les menaçait. Il s'est voulu le chef d'une grande puissance dominant toute l'Italie centrale. S'il fut l'adversaire de Charles VIII en 1494, il passa ensuite dans le camp français et fut l'allié de Louis XII. Menant une vie peu conforme à son état, ne s'en cachant pas, il reconnut publiquement ses bâtards, sa fille Lucrèce qui deviendra duchesse de Ferrare et son fils César.

Le pape Alexandre VI. Peinture de Pinturicchio dans la « Salle des Mystères de la Foi ».

Martin Behaïm réalise le premier globe terrestre

Portugal, 29 juillet 1506

Martin Behaïm, cartographe et explorateur allemand, est mort à Lisbonne : il avait 47 ans. Il était célèbre pour avoir réalisé le premier globe terrestre. Originaire d'une famille de commerçants, il se rendit au Portugal après son apprentissage en 1484. Il se joignit, à Lisbonne, au milieu des navigateurs, alors acharnés à trouver la route des Indes. Sa participation à la deuxième expédition de Diego Cam, en 1485/1486, qui le mena au cap Cross (sud ouest de l'Afrique), est contestée. C'est en 1492, au cours d'un séjour à Nuremberg, que Behaïm, anobli par le roi du Portugal Jean II, eut l'idée de reporter sur une sphère le tracé cartographique des continents. Fait prisonnier par des pirates anglais en 1493, il ne put que l'on peut observer dans la réalité. rentrer au Portugal qu'après plusieurs années de captivité.

Globe terrestre réalisé par Martin Behaïm. 1492. Germanisches Nationalmuseum, Nuremberg.

« Le Lion de Saint-Marc ». 1516. Peinture de Vittore Carpaccio réalisée pour le palais des Doges, à Venise.

Venise, centre d'art et de commerce

La prise de Constantinople par les Ottomans (→ 29.5.1453) a fait de Venise la plus puissante des villes chrétiennes de Méditerranée. La république de Venise, une oligarchie contrôlée par quelque deux cents familles et soumise à l'autorité absolue du doge, compte avec ses possessions d'Italie du Nord une population d'environ 1,7 million de personnes. C'est la plus grande puissance maritime méditerranéenne : elle défend et renforce contre ses rivales, en particulier Gênes, son quasi-monopole du commerce avec le Levant. La puissance de Venise en Europe même est considérable, le rôle clé de son commerce et sa puissance financière de banquier ouvrent à ses ambassadeurs les portes des cours européennes les plus importantes, où ils jouissent d'une influence certaine. De même qu'à Florence, se développe à Venise une intense activité artistique et humaniste : la cité sur la mer devient un centre culturel important, accueillant en particulier les savants et artistes chassés de Constantinople après la prise de la capitale byzantine par les Ottomans. Parmi les représentants les plus connus de l'art vénitien, on peut citer les frères Gentile et Giovanni Bellini, qui contribuent à forger la célébrité européenne de l'école picturale de

Le doge Leonardo Loredan. Vers 1503. Détail. Peinture de Giovanni Bellini.

Venise. Alors que Gentile se consacre aux portraits et aux scènes de la vie vénitienne, son frère cadet Giovanni s'attache plus particulièrement aux problèmes de la représentation paysagiste.

Léonard de Vinci peint Mona Lisa

Italie, 1505

Léonard a réalisé pour Francesco del Giocondo un portrait de son épouse, remarquable par la finesse du modelé, qui respecte les plus infimes détails, et par l'expression à la fois sereine et mystérieuse de la jeune femme. La figure, qui pivote sur elle-même, est placée devant un paysage : le *sfumato* noie les contours de la silhouette dans la vapeur de l'air. La palette se limite à quelques tons, modulés selon les lois du clair-obscur, sans contraste ni harmonie de couleurs tranchées. Ces reflets rares, dans une lumière bleutée, provoquent l'espèce d'envoûtement auquel tient expressément le peintre.

Leonard de Vinci. La « Joconde » (Mona Lisa). Détail. Vers 1505.

Affonso, premier roi catholique du Kongo

Kongo, 1506

Avec l'arrivée des Portugais, le christianisme fait son entrée au Kongo ; le roi Affonso Ier se convertit au catholicisme. Sa ferveur est telle qu'elle finit même par embarrasser le roi du Portugal. Le royaume africain ne constitue qu'une infime partie de l'empire colonial portugais et reçoit des renforts insuffisants en missionnaires, selon Affonso Ier. Ce dernier compte sur l'alliance avec les colons pour transformer son pays : construction d'écoles de lecture et de grammaire, d'apprentissage artisanal. Mais la colonie portugaise est en majorité composée de flibustiers sans scrupule qui monopolisent l'activité commerciale et se livrent à la capture massive d'esclaves : la récente découverte de l'Amérique officialise le système de la traite. Dans son aveuglement mystique, Affonso ne comprend pas que les envoyés du monde chrétien n'ont en tête que d'abuser de ce continent vierge. Jusqu'à sa mort en 1543, il croit, malgré l'évidence des exactions, que le Portugal représente pour son pays une chance véritablement historique.

1508

France, 10 décembre
L'empereur Maximilien Ier et Louis XII forment la ligue de Cambrai. L'adhésion du pape et de l'Espagne fait de la ligue une coalition européenne dont le but est la conquête des possessions italiennes de Venise.

Rome et Espagne
La bulle *Universae ecclesiae regni* accorde au roi d'Espagne le droit de fonder et d'organiser des églises, notamment aux Amériques.

Rome
Les banquiers Fugger obtiennent la ferme de la frappe des monnaies pontificales.

Le pape Jules II confie à Michel-Ange le soin de décorer la voûte de la chapelle Sixtine au palais du Vatican.

Espagne
Garcia Ordoñez de Montalvo refond et édite un ancien roman de chevalerie, *Amadis de Gaule*. →

Venise
L'imprimeur Aldo Manuzio, dit Manuce, se rend célèbre en éditant des traductions des chefs-d'œuvre de l'Antiquité, notamment la *Poétique* et la *Rhétorique* d'Aristote. C'est à son initiative qu'un typographe romain dessina les premiers caractères *italiques* connus.

Bagdad
Shâh Ismaïl prend possession de la ville.

Ethiopie
Lebna Denguel monte sur le trône.

Rome
Agostino Chigi fait construire la Villa Farnésine par Peruzzi.

1509

Rome, janvier
Jules II charge Raphaël de décorer les *Stanze* (Chambres) du Vatican.

Angleterre, 22 avril
A la mort d'Henri VII, fondateur de la dynastie des Tudor et vainqueur de la guerre des Deux-Roses, son fils cadet lui succède sous le nom d'Henri VIII. Ce dernier épouse, le 11 juin, sa belle-sœur Catherine d'Aragon, fille du roi Ferdinand II.

Italie, 27 avril
Jules II excommunie la république de Venise.

Italie, 14 mai
La victoire des Français sur les Vénitiens à Agnadel permet au pape de réoccuper la Romagne.

Afrique du Nord, mai
Les Espagnols s'emparent d'Oran. →

Istanbul, 14 septembre
13 000 personnes meurent dans un tremblement de terre. →

Séville
Création du Conseil des Indes, organisme chargé de l'administration des conquêtes espagnoles.

Brésil
Diego Alvaros Correa fonde le premier établissement portugais, près de Porto Seguro.

Rouen
Le marchand Aubert ramène du Canada sept indiens.

Honfleur
Le capitaine Paumier de Gonneville revient du Brésil avec le chef indien Essomérique.

Inde
Krishna Deva Raya devient roi de Vijayanagar.

1510

Rome, 24 février
Jules II lève l'excommunication à l'encontre de Venise et prend parti contre le roi de France ; Matthaüs Schiner détourne les Suisses d'une alliance avec les Français.

Florence, 17 mai
Mort du peintre Sandro Botticelli.

Venise, 24 octobre
Mort de Giorgione. →

Séville
La Casa de Contratacion autorise l'importation d'esclaves africains en Amérique.

Inde
Albuquerque s'empare de Goa.

Asie centrale
Mohammed Sheibani est vaincu et tué par Shâh Ismaïl qui s'empare de Hérat, Bactres et Khiva.

Afrique du Nord
Les Espagnols prennent Bougie et Tripoli, mais échouent devant Djerba. →

Saint-Domingue
Deux architectes sévillans commencent la construction de la cathédrale.

Vue d'Istanbul, dont plusieurs quartiers seront détruits lors du séisme du 14 septembre 1509. Détail. Musée de Popkapi, Istanbul.

Un tremblement de terre à Istanbul

Istanbul, 14 septembre 1509
Un séisme frappe la capitale de l'Empire ottoman, causant la mort de près de 13 000 personnes. Depuis le VIIe siècle, la ville est exposée à des incursions venues des Balkans ou d'Asie Mineure. Des fléaux successifs, tels que la peste de 1076, entraînent peu à peu le déclin de celle qui fut la « Nouvelle Rome ». Même après le retour des Grecs dans la ville en 1261, l'ancienne Constantinople ne retrouve pas sa prospérité d'avant 1204. La peste noire en 1348 et 1349, les épidémies de 1447-1448, des incendies viennent décimer sa population. Celle-ci, tombée à moins de 500 000 âmes à partir du XIIIe siècle, ne dépasse guère une cinquantaine de mille en 1453. Et le 29 mai de cette même année, la ville tombe sous l'assaut des Turcs.

Giorgione. « La Tempête ». Vers 1506. Détail. Galleria dell'Accademia, Venise. L'une des œuvres les plus énigmatiques de l'artiste.

Giorgione, maître du chromatisme vénitien

Venise, 1510
A 32 ans, s'éteint Giorgio da Castelfranco, dit Giorgione. Brève, sa carrière n'en fut pas moins marquante. Elève de Giovanni Bellini, il a su développer le chromatisme lumineux de son maître et adoucir les contours de ses personnages qu'il fond dans un paysage devenu pure vibration. La lumière assure l'unité de ses toiles ; de là son goût pour les éclairages qui transforment le réel en un monde mystérieux, comme dans *La Tempête*. Il pose ses touches avec audace, directement sur la toile ; possédant à la perfection la technique de la peinture à l'huile, il use, à l'occasion, du *sfumato* de Léonard ; sa palette comprend des rouges sombres, des jaunes dorés, des bruns, et il sait donner au blanc toute sa luminosité. Il meurt en laissant de brillants disciples, tel Titien qui l'assista pour les fresques du Fondaco dei Tedeschi, en 1508.

Les Espagnols et les Portugais en Afrique

Afrique du Nord, 1505-1512
La décadence se généralise dans l'ensemble du Maghreb. Les Espagnols en profitent pour donner à leur offensive toute son ampleur. Dès 1505, le cardinal Jimenes organise une expédition contre Mers el-Kébir qui ne résiste pas plus de trois jours. Oran, fortifiée à la hâte, est livrée par traîtrise. Alger, Dellys, Ténès, déjà autonomes, se soumettent. Bougie et Tripoli sont prises en 1510. Devant cette détérioration de la situation, le Zayyanide Muhammad V n'a d'autre ressource que d'aller à Burgos se reconnaître vassal du roi d'Espagne. Au même moment, les Portugais s'installent sur la côte du Maroc.

La prise d'Oran par le cardinal Ximénez en 1509. Fresque de Juan de Borgoña. 1514. Chapelle mozarabe, cathédrale de Tolède.

Gravure sur bois illustrant le roman de Garcia Ordoñez de Montalvo : « Amadis de Gaule ».

Amadis de Gaule, modèle accompli du chevalier

Espagne, 1508-1510
Surnommé le « Chevalier du lion », Amadis de Gaule est le protagoniste du roman de l'écrivain Garcia Ordoñez de Montalvo. Personnalité fabuleuse réunissant en elle les plus hautes qualités du courage, de la loyauté et de la sensibilité, Amadis est l'homme intègre par excellence dont l'épée, toujours victorieuse, combat pour la patrie, la justice sociale, la foi religieuse, l'amour. S'il pourchasse l'orgueil et la perversité, il mène également contre les géants fabuleux et les puissances magiques un combat sans merci. Amadis, né des amours de Périon, roi de France, et d'Elisène, fille du roi de Petite-Bretagne, accomplit en Espagne ses prouesses amoureuses et guerrières. L'amour qui façonne toute sa vie, justifie ses luttes et ses tourments incessants s'est révélé à lui alors qu'il n'avait que 12 ans, en la personne d'Oriane, fille du roi de Danemark. Pour la conquérir, il triomphera de l'épreuve de l'Arc des Loyaux Amants, détruira la flotte d'un prince romain amoureux d'Oriane ; il déjouera aussi les manigances d'un nain qui, l'accusant d'infidélité à Oriane, incitera la jalousie de la jeune princesse. Une autre femme cependant, Urgande l'Inconnue, protégera les entreprises du chevalier grâce à son pouvoir magique. Pour écrire l'*Amadis,* Montalvo s'est inspiré d'un texte attribué au Portugais Vasco de Lobeira, dont il a refondu les trois premiers livres, et refait un quatrième avec des morceaux épars de l'ancienne rédaction. Enfin, un cinquième livre suivra, *Les Prouesses d'Esplandian,* consacré aux aventures du fils d'Amadis.

Erasme fait l'"Eloge de la Folie"

Europe, 1509-1510
C'est sur les routes d'Allemagne, alors qu'il se rendait en Angleterre chez son ami, l'humaniste Thomas More, qu'Erasme de Rotterdam, de son vrai nom Didier Erasme conçut son *Eloge à la Folie.* Infatigable voyageur, il vient de passer dix mois à Venise comme correcteur chez l'imprimeur Aldo Manuce, a parcouru l'Allemagne et l'Italie. C'est dans la lignée « humaniste » de la *Nef des fous,* de Sébastien Brandt, qu'Erasme construit cet exercice de rhétorique fourmillant de jeux d'école et de souvenirs grecs et latins. Une « fantaisie », certes, mais la *Déclamation d'Erasme de Rotterdam* dépasse le morceau de bravoure traditionnel dans les universités. La Folie parle : elle dénonce la folie de l'homme qui se place et place sa pensée, seule possible, au centre de l'univers. Erasme institue un « relativisme » et ouvre la voie à une multiplicité de réponses possibles. Contre une foi sclérosée, Erasme établit acrobatiquement et par l'absurde la possibilité d'une croyance sans fanatisme et d'un nouveau rapport entre Dieu et l'homme. Le jeu des symboles, la satire, l'ironie, l'absurde sont les armes dialectiques du fou qui découvre à l'homme sa vérité dans sa liberté. L'œuvre paraîtra à Paris en 1551.

Bagdad conquise par les Safavides

Bagdad, 1508-1509
Après avoir conquis la plus grande partie du sud-ouest iranien, Shâh Ismaïl Safawi poursuit son avance et fait son entrée à Bagdad. Mettant en application sa politique shi'ite, il ordonne la destruction de nombreux tombeaux sunnites, notamment ceux d'Abû Hanîfa et d'Abd al-Kâdir al-Gilani, deux maîtres de la Loi, et l'exécution de nombreuses personnalités sunnites. Parallèlement, il commence la construction d'un mausolée sur la tombe de Mûsâ al-Kazim, le septième imam alide duquel il prétend descendre par son ancêtre Safi ed-din, éponyme de la dynastie (mort en 1334), et nomme un gouverneur avec le titre de « Khalifat al Khulafa » (calife des califes). De nombreux Persans viennent s'installer à Bagdad et y développent une importante activité commerciale. Le souverain ottoman, Bâyazîde, cherche à éviter la confrontation directe. Il demande l'intervention des mamelouks qui se contentent d'ordonner à leur gouverneur d'Alep de résister aux Safavides s'ils venaient à entrer en Cilicie. Le successeur de Bâyazîd ne l'oubliera pas. Lorsqu'il passera à l'offensive, les mamelouks seront écrasés et Bagdad deviendra un enjeu qui changera plusieurs fois de mains.

L'exploitation des bois du Brésil. Bas-relief de la maison de « L'isle du Brésil ». Vers 1550.

Normands et Bretons commercent avec les Amériques

France, 1508-1510
Ce sont les marins français qui, sur initiatives individuelles, sont à l'origine des relations commerciales avec l'Amérique. Les marins et armateurs bretons organisent le trafic de la morue, aisément transportable sous forme de morue séchée. Pour en obtenir, ils se rendent jusqu'à Terre-Neuve où ils entrent en contact avec les Indiens et les Esquimaux. Les Normands, de leur côté, commercent avec le Brésil. Les échanges sont plus réguliers et se concentrent autour des ports de Honfleur, Dieppe et Saint-Malo. Un capitaine de Honfleur, Paumier de Gonneville, revient au Brésil avec le chef indien Essomérique, tandis que le marchand Aubert ramène sept Indiens du Canada. Depuis 1504, les marins normands ne cessent de fréquenter la terre de Santa Cruz en quête du bois du Brésil. Dans ce but certains se sont fixés sur place et acquièrent une forte influence sur les indigènes.

1511

Italie, 4 octobre
Jules II forme la Sainte Ligue en rassemblant la république de Venise, les Cantons suisses et le roi d'Aragon contre Louis XII. →

France, 18 octobre
Mort du chroniqueur Commynes au château d'Argenton. →

Asie du Sud-Est
Alfonso de Albuquerque occupe Malacca dans la péninsule malaise, pendant que sa flotte atteint Amboine dans l'archipel des Moluques. Les Portugais s'assurent ainsi des principaux points stratégiques du trafic des épices.

Paris
Erasme publie l'*Eloge de la folie.* →

Saint-Domingue
Dans un prêche, Montesinos s'élève contre le droit de conquête et met en question les fondements religieux des entreprises coloniales. En 1510, un théologien écossais, Jean Legrand, avait justifié le recours à la force pour mener la conquête spirituelle des peuplades non chrétiennes. Toutefois le sort des Indiens semble préoccuper la monarchie espagnole qui a déjà envoyé quatre dominicains pour enquêter à Saint-Domingue.

Cuba
Nommé gouverneur de Cuba, Diego Velázquez conquiert l'île. Font partie de sa troupe le conquistador Hernán Cortés et le dominicain Bartolomé de Las Casas.

Jamaïque
Don Juan de Esquivel, nommé en 1509 gouverneur de Santiago, c'est-à-dire de la Jamaïque, entreprend la conquête de l'île.

Espagne
Diego Colomb recouvre tous les droits de son père. Toutefois, l'Audencia de Saint-Domingue limite ses pouvoirs, notamment dans le domaine judiciaire.

Amérique espagnole
En 1503, Nicolas de Ovando, gouverneur espagnol de Saint Domingue avait obtenu l'autorisation d'introduire des esclaves noirs d'Afrique dans l'île. Les premiers esclaves africains arrivent en Amérique.

Afrique du Nord
Les Espagnols occupent l'îlot du Peñon, dans la baie d'Alger.

1512

Séville, 22 mai
Mort du navigateur Amerigo Vespucci. Le prénom de ce Florentin a acquis une réputation mondiale grâce au cartographe allemand Waldseemüller.

Italie, 11 avril
La bataille de Ravenne, où Gaston de Foix, duc de Nemours, fut tué, se solde par une écrasante défaite pour la Sainte Ligue.

Rome
Jules II convoque le XVIIIe concile œcuménique, afin de s'opposer à celui de Pise réuni par le roi de France Louis XII.

Europe
Maximilien Ier rompt l'alliance avec Louis XII, ce qui place le roi de France en position de faiblesse dans les affaires italiennes.

Rome, veille de la Toussaint
Michel-Ange dévoile devant Jules II et une nombreuse assistance le plafond de la chapelle Sixtine. →

Espagne, 27 décembre
Les lois de Burgos et le système de l'*encomienda.* →

Espagne
Les armées de Ferdinand II d'Aragon occupent tout la royaume de Navarre après s'être emparées de Pampelune et Saint-Jean-Pied-de-Port. Les Basques continueront de résister aux troupes espagnoles jusqu'à la bataille d'Amaiur en 1522.

Empire ottoman
Avènement de Sélim Ier. Fils de Bâyazîd II, il s'allia avec les janissaires et fit massacrer ses frères et ses neveux, ce qui lui permit de devenir sultan.

France
Louis XII impose les « nouveaux chrétiens », c'est-à-dire les Juifs convertis venant de la péninsule Ibérique, pour 5 000 livres.

France
Lefèvre d'Etaples traduit et commente les *Epîtres* de saint Paul. →

Chine centrale
Les paysans du Szu-Ch'uan se soulèvent contre les impôts.

Afrique occidentale
Mamadou Touré, roi du Songhaï, écrase le soulèvement des Peuls.

Michel-Ange. « La Création d'Eve ». 1509-1510. Aux quatre angles des « Ignudi ». Fresque. Voûte de la chapelle Sixtine, le Vatican.

Inauguration des fresques de Michel-Ange à la chapelle Sixtine

Rome, 31 octobre 1512
Le public peut enfin admirer le plafond de la chapelle Sixtine, peint par Michel-Ange, que douze Prophètes et Sibylles semblent soutenir. Au-dessus de ces « Voyants », l'artiste a représenté, sur le plat de la voûte, neuf scènes de la Genèse. Tout semble parcouru par un souffle violent et aride, qui nous emplit d'une terreur sacrée devant la puissance des forces libérées par le Créateur. L'ordonnance de l'ensemble obéit à une rigueur toute classique ; les figures sont dessinées avec une précision typiquement florentine, mais ont la monumentalité des statues romaines.

Albuquerque contrôle la route des épices

Inde, 1510
L'expansion maritime du Portugal se poursuit à un rythme acharné depuis la découverte par Vasco de Gama de la route des Indes (→ 1498). Le commerce des marchandises en provenance d'Inde et d'Asie du Sud-Est, auparavant aux mains des commerçants arabes, est une raison suffisante pour entraîner les navigateurs portugais toujours plus loin vers les Indes. Chargé des intérêts commerciaux portugais aux Indes et à ce titre nommé vice-roi, le navigateur Alfonso de Albuquerque s'est emparé de l'île de Goa, face à la côte occidentale des Indes. L'emplacement idéal de l'île et les facilités défensives offertes par son sol font de Goa le principal centre commercial et militaire de la présence portugaise dans le Sud-Est asiatique. Albuquerque poursuit ses conquêtes par la prise de Malacca, en 1511 - une importante plaque tournante du commerce des épices -puis, la même année, par l'annexion d'une importante partie de Ceylan et, enfin, par la prise d'Ormuz, dans le golfe Persique, en 1507. L'entreprise colonialiste, militaire et commerciale des Portugais en Inde est facilitée par l'instabilité politique qui y règne, les alliances se faisant et se défaisant très rapidement entre les potentats locaux. L'implantation portugaise dans la région permet le contrôle de l'ensemble des routes maritimes de l'océan Indien, jusqu'alors contrôlées par le commerce arabe. Les caravelles portugaises sont bien supérieures, tant sur le plan naval que sur le plan de leur armement, aux navires arabes qui constituent une proie appréciée et offrent un butin non négligeable aux aventuriers portugais. C'est grâce à cette flotte que le Portugal acquiert une extraordinaire compétitivité commerciale. Le transport des marchandises provenant des Indes portugaises se fait à bord d'immenses navires, des caraques à triple ou même quadruple pont, capables de charger jusqu'à deux mille tonnes de marchandises et comportant un équipage de huit cents hommes. Ses capacités navales et commerciales font du Portugal la première puissance maritime d'Europe.

"Le Prince des Sots" justifie l'action politique de Louis XII

Paris, 24 février 1512

Pierre Gringore, auteur dramatique et comédien, fait représenter le *Jeu du prince des Sots et de la mère Sotte*, une satire politique qui connaît un triomphe. Utilisant le genre littéraire très en vogue de la « sotie », qui joint à la vivacité de la bouffonnerie l'âpreté de la critique, l'auteur met en scène la rivalité entre le roi de France Louis XII et le pape Jules II, montrant que la prétention même du pontife à la suprématie temporelle contraint le roi à la guerre. La mère Sotte, revêtue des vêtements pontificaux, tente de pousser à la trahison princes et prélats, fidèles au roi, et incarnés par les personnages de Gaieté, le seigneur de Joie, le sei-

gneur de la Lune et l'abbé de Plate Bourse, lesquels entourent le prince des Sots. Rapidement les deux partis en viennent aux mains ; la bataille ne s'achèvera que par le châtiment de la mère Sotte, reconnue sous son déguisement et dépouillée. Pierre Gringore, qui occupe au sein de la confrérie théâtrale des « Enfants sans souci » la fonction de directeur, ou prince des Sots, est rompu au style de ces « pasquinades », encouragées d'ailleurs par Louis XII qui en fait un instrument de propagande en faveur de sa propre politique. Avec *La Chasse du cerf des cerfs* (1510) et l'*Espoir de la paix* (1511), deux pamphlets visant les richesses et prétentions pontificales, Pierre Gringore s'était déjà assuré une renommée que parachèvera, en mai 1515, une sotie dirigée cette fois contre les abus du règne de Louis XII. Ses œuvres fondent la comédie politique en France.

Lefèvre d'Etaples commente les Épîtres de saint Paul

Paris, 1512

Après des études en France, en Italie et dans divers pays d'Europe, Jacques Lefèvre d'Etaples commente Aristote avec le goût arithmologique d'un véritable mathématicien. Après avoir, en philosophe rigoureux, débarrassé la *Physique*, la *Logique* ou la *Politique* de gloses, surcharges ou réductions qui déformaient la pensée du Stagirite, il va consacrer sa vieillesse à la théologie et se tourner vers la Bible, à partir de 1508. En 1509 (il a alors cinquante-neuf ans), il donne un psautier en cinq langues, osant employer une technique philologique pour commenter le texte sacré. De la même manière, il étudie, en 1512, les *Épîtres* de l'apôtre Paul. Ses commentaires mettent en évidence que l'Eglise prescrit des conduites qui ne trouvent pas leur source dans l'Ecriture : célibat des prêtres, jeûnes, sacrements. Critique exigeante qui propose un retour à l'authenticité des Textes.

Mort du chroniqueur et diplomate Commynes

Argenton, 18 octobre 1511

Chassé du conseil royal en 1484, l'homme de confiance de Louis XI est, avec le duc d'Orléans, parmi les opposants à la régence d'Anne de Beaujeu. Le seigneur d'Argenton va méditer six mois dans les cages de fer de Loches, en 1487. Il a quarante ans. Entre 1489 et 1491, il dicte les six premiers livres de ses *Mémoires* consacrés au règne de Louis XI. Amnistié, il suit, en 1494, le roi en Italie ; les livres VII et VIII, dictés de 1496 à 1498, en témoignent. Le chroniqueur diplomate se retire ensuite sur ses terres, jusqu'à sa mort.

Les lois de Burgos autorisent l'esclavage aux Amériques

Burgos, 27 décembre 1512

En 1511, les premiers esclaves noirs sont arrivés à Cuba. Venant des côtes de Guinée en passant par Séville, ils sont une marchandise dont les Portugais font commerce depuis plus d'un siècle. Les Espagnols, exclus d'Afrique par un arbitrage papal de 1493, doivent se contenter d'accorder l'*asiento,* le privilège du transport des esclaves, à des étrangers. Ce sont donc les Hollandais et les Italiens qui vont se charger d'effectuer le transport des Noirs aux Amériques. Il s'agit alors de remplacer la population indienne décimée par le travail et la christianisation forcée. Avec l'idée que « le travail d'un Noir vaut celui de quatre Indiens », le dominicain Bartolomé de Las Casas prétend s'élever contre l'*encomienda* qui regroupe des Indiens sous l'autorité d'un colon. Cette pratique, instituée en 1503 par la cédule de Mars d'Isabelle la Catholique sous couvert de christianiser les populations indigènes, les organise, en réalité, en colonies de travail. L'« encomienda » est définitivement mise en forme dans les lois de Burgos du 27 décembre 1512. Les colons espagnols vont pouvoir « protéger » les Indiens qu'ils ont mission de « christianiser », puisque les esclaves guinéens viendront décharger ceux-ci des plus dures tâches. Mais, à Hispaniola, c'est-à-dire à Saint-Domingue, où la population indienne était de deux à trois cent mille personnes en 1492, le nombre des Indiens n'est plus que de vingt mille quand sont promulguées les lois de Burgos. Le père Bartolomé de Las Casas se fait l'apôtre des Indiens ; malgré cela, l'extermination se poursuit avec, pour corollaire, le remplacement des Indiens par les esclaves africains.

Héliodore chassé du Temple. 1512. Fresque de Raphaël sur un programme fourni par Jules II. « Chambre d'Héliodore », le Vatican.

Jules II suscite la Sainte-Ligue contre le roi Louis XII

Italie, novembre 1511

Le 13 novembre, Henri VIII d'Angleterre rejoint la ligue formée par le pape Jules II avec Ferdinand d'Aragon et Venise. C'est un renversement total des alliances dû au génie politique de Jules II. Dans la ligue de Cambrai du 10 décembre 1508, celui-ci avait coalisé avec lui et pour lui le roi de France et l'empereur Maximilien Ier ainsi que leurs alliés d'Aragon, d'Angleterre, de Hongrie et la Gueldre. Il fallait combattre « le Turc » ; en réalité, l'ennemi était la république de Venise, dangereuse

pour le pape et frappée par lui d'interdit. Grâce à la toute nouvelle armée régulière française et à son infanterie organisée, la victoire d'Agnadel, le 14 mai 1509, a permis à Jules II de reprendre la Romagne. Venise a ensuite négocié directement avec le Saint-Siège et obtenu le pardon papal. Cette réconciliation est habilement exploitée par Jules II. Il s'entend avec Ferdinand le Catholique qui obtient le royaume de Naples en échange de sa neutralité. Il s'empresse auprès de l'héritier d'Angleterre : il est notoire que Jules II hait Louis XII. Expulser ce dernier d'Italie avec l'aide de ses anciens alliés et des mercenaires suisses semble bien être le but non avoué de la Sainte-Ligue.

L'art du tapis en Perse

Sous le double effet de la concentration des meilleurs artistes et ouvriers dans de grandes manufactures urbaines et de l'influence de l'enluminure et de la peinture, l'art du tapis connaît, sous les Safavides, une véritable révolution. C'est dans le dessin que la rupture avec l'ornementation médiévale est la plus marquée. Elle est toutefois différente selon les régions. A Tabriz, on voit apparaître des tapis où, à un grand motif central, généralement étoilé, correspondent, dans les coins, des médaillons, appelés aussi « blasons ». Ailleurs, la nouveauté tient à la présence de décors où plusieurs rangs de pampres alternent avec des animaux ou des combats d'animaux (comme dans les enluminures), ou encore à l'apparition de paysages avec des lignes fortement stylisées (comme dans la peinture). Cette tendance est particulièrement dominante dans les tapis de soie de Kachan,

Animaux sur fond de végétation. Tapis persan. 1521. Œuvre de Ghyias ed-Din Jami.

aussi bien noués que tissés. A Kirman, les fleurs, extrêmement variées, sont attachées à des pampres qui s'entrecroisent et se chevauchent. Dans le renouveau de l'art du tapis, la prépondérance de la Perse est totale (un ornement en forme de rameau de vigne).

1513

Rome, 20 février
Mort de Jules II ; Jean de Médicis, fils de Laurent le Magnifique, est élu pape le 3 mars sous le nom de Léon X. →

Amérique du Nord, 27 mars
Le jour des Rameaux, « Pascuas floridas », l'Espagnol Ponce de León aborde une terre nouvelle à laquelle il donne le nom de Floride. Au retour, il organise la déportation et la réduction en esclavage des Indiens Taïnos de l'archipel des Lucayes (Bahamas).

Italie, 6 juin
Les Suisses de Maximilien Sforza, gagnés à la cause de la Sainte-Ligue, défont les armées françaises et vénitiennes à la bataille de Novare. Louis XII est contraint de retirer ses troupes d'Italie. →

France
Les Suisses envahissent la Bourgogne et font le siège de Dijon. →

Angleterre et Ecosse, 9 septembre
Le roi d'Angleterre Henri VIII défait les Ecossais à Flodden. Au cours de la bataille, Jacques IV d'Ecosse est tué. La régence de Jacques V, âgé d'un an, est assurée par sa mère Marguerite, la sœur d'Henri VIII.

Amérique centrale, 29 septembre
Balboa découvre la mer du Sud, l'océan Pacifique. Les filles des caciques de Camagüe et de Tumaco lui avaient parlé des « Maîtres de l'or », un peuple vivant au sud-ouest du golfe de Darién.

Europe
A la suite de l'échec de ses entreprises italiennes, Louis XII est contraint de traiter avec Léon X. Il signe, en outre, la paix avec l'Angleterre.

Allemagne
Pour avoir publié en 1511 un ouvrage (Augenspiel) où il défendait la Kabbale et le Talmud contre les attaques des dominicains, l'humaniste Johannes Reuchin est vivement pris à partie et se trouve au centre d'une violente polémique. →

Rome
La banque Fugger est chargée de la vente des Indulgences, destinées à financer les travaux de la basilique Saint-Pierre.

Nuremberg
Dürer grave l'eau-forte du *Chevalier, la Mort et le Diable*. →

Florence
Le Prince de Machiavel. →

1514

Rome, 11 mars
A la mort de Bramante, Raphaël prend la direction du chantier de Saint-Pierre. Le premier, il a l'idée d'un plan en « croix latine » qui, après bien des changements, finira par prévaloir.

Perse, août
Les Ottomans écrasent la Perse safavide à Chaldiran, dans le bassin supérieur du fleuve Araxe. Cette victoire du sultan Sélim Ier sur Shâh Ismail Ier est la première étape décisive de son expansion au Proche-Orient. Il lui reste à soumettre les mamelouks d'Egypte.

France
Louis XII épouse Marie d'Angleterre, sœur cadette d'Henri VIII.

France
Le roi supprime les taxes douanières qui s'appliquaient aux marchandises exportées. Cette mesure révèle une compréhension nouvelle du commerce extérieur ; les conceptions économiques médiévales percevaient l'exportation comme une déperdition de richesses et non comme une source de profits.

France
Guillaume Budé publie *De asse*, un traité de numismatique.

Venise
Titien, un jeune maître de vingt-sept ans. →

Allemagne
Dürer signe le burin de la *Melancholia*. →

Cuba
Bartolomé de Las Casas renonce à son *encomienda*.

Amérique Centrale
Arias de Avila commence la reconnaissance de la côte Pacifique de Panama.

L'art de gouverner selon Machiavel

Florence, 1513
Nicolas Machiavel est entré au service de Florence en juin 1498, au lendemain de l'exécution de Savonarole et du rétablissement de la république. Il avait alors vingt-neuf ans. Secrétaire de la Chancellerie sous le gouvernement de Piero Soderini, il était chargé de rédiger les instructions aux ambassadeurs ; il fut lui-même plusieurs fois chargé de mission en France, en Allemagne, en Suisse et défendit les intérêts florentins auprès de Louis XII, de Maximilien ou de César Borgia. Il est écarté en 1512, au moment du retour des Médicis, et même emprisonné, soupçonné d'avoir été mêlé à un complot républicain. Relégué à San Casciano près de Sienne, exclu désormais de toute participation à la politique active, il entreprend de réfléchir sur la nature des Etats et les mécanismes du pouvoir. En décembre 1513, après un an de studieuse et féconde retraite, paraît un court traité, *Le Prince*. Rompant avec toutes les traditions de la philosophie politique, Machiavel n'est pas à la recherche de la cité idéale qui serait enfin ordonnée selon les critères du Bien souverain. Il ne déduit pas ses maximes de gouvernement de principes philosophiques a priori. Il ne veut considérer que les faits tels qu'il peut les tirer de son expérience propre ou bien les dégager de l'enseignement de l'histoire. Ainsi, en multipliant et en

Portrait de Nicolas Machiavel par de Santi di Tito. Palazzo Vecchio, Florence.

confrontant les cas particuliers, espère-t-il pouvoir découvrir des constantes, des lois. Le problème qu'il cherche à résoudre, et c'est là le thème central du *Prince*, c'est celui de l'acquisition du pouvoir. Il définit une politique positive, qui subordonne à ses fins la loi et la morale, qui se fonde sur la mesure et l'utilisation des rapports de force et le calcul des moyens. Paraissant étranger au christianisme, Machiavel récuse toute idée de providence. Bien que *Le Prince* soit dédié à Laurent de Médicis, duc d'Urbin, il ne permet pas à son auteur de rentrer en grâce auprès de ce dernier. Ce n'est qu'en 1520 qu'il sera rappelé à Florence, par le cardinal Jules de Médicis.

Titien. « L'Amour sacré et l'Amour profane ». 1514. Galleria Borghese, Rome. Une œuvre où s'exprime pleinement l'esprit de la Renaissance.

Le jeune Titien s'impose à Venise

Venise, 1514
A moins de 30 ans, Titien nous montre, avec *L'Amour sacré et l'Amour profane* - sur un thème issu de l'humanisme platonicien, celui du contraste entre la beauté terrestre et la beauté céleste - combien il a su intégrer et dépasser la leçon de Giorgione, avec lequel il a travaillé en 1508. Il en adopte, tout d'abord, la poétique, dans ce tableau où la lumière d'un soir d'été invite deux jeunes femmes à une rêverie tendre et mélancolique. Comme son jeune maître aussi, il peint des paysages qui n'ont plus rien de conventionnel. C'est le site de Pieve di Cadore, la vallée préalpine de son enfance, que Titien représente invariablement d'un tableau à l'autre, avec des fermes à haute toiture, sur la pente d'une colline, des bergers et leurs troupeaux. Mais Titien va plus loin dans le réalisme : il le doit sans doute à ses innombrables croquis, exécutés à la plume et d'après nature, car il n'oublie jamais le dessin au profit de la couleur. Il introduit enfin dans la composition un souci de monumentalité : les teintes ne sont plus fondues dans une continuité musicale, mais leurs masses s'équilibrent ; les formes s'étoffent, deviennent plus somptueuses ; l'espace se creuse, entre un premier plan précis, et les images légères du lointain.

La gravure a trouvé son maître

Nüremberg, 1513

C'est à cette date qu'Albrecht Dürer grave sa célèbre *Le Chevalier, la Mort et le Diable*. L'artiste n'en est pas à son coup d'essai : outre sa réputation de peintre, déjà solidement établie dans l'Europe entière, sa célébrité de graveur s'est imposée avec les gravures sur bois qu'il fit en 1498 pour l'*Apocalypse de saint Jean*. Mais, avec cette œuvre, suivie de près par *Saint Jérôme dans sa cellule* et *Melancholia*, Dürer porte la gravure à un sommet jamais atteint. Le symbolisme très marqué, tel que le sablier, symbole du Temps, partout présent, loin d'alourdir le sujet, lui donne une profondeur exceptionnelle. De son vivant même, la renommée de Dürer comme graveur fut considérable : Raphaël conservait quelques-unes de ses estampes au mur de son atelier.

Albrecht Dürer. « Le Chevalier, la Mort et le Diable ». 1513. Détail. Gravure sur cuivre.

Le Portugal étend son empire maritime

Portugal, 1514

Partant de Malacca, les navigateurs portugais sont les premiers Européens à atteindre la Chine, sur sa côte sud, près de Canton, par voie maritime. L'expansion du commerce maritime portugais avait commencé en 1415 avec la prise de Ceuta, place commerciale marocaine qui leur ouvrait la voie de la navigation côtière le long de l'Afrique occidentale (1418-1420). Lisbonne commençait simultanément à devenir une importante plaque tournante du commerce européen. L'expansion de l'empire maritime portugais fut dès lors tracée et régulièrement poursuivie : 1419-1457, découverte et annexion des îles de Madère, des Açores et du Cap-Vert ; 1471, les Portugais prennent Tanger, en Afrique du Nord ; 1488, Bartolomeu Dias double pour la première fois le cap de Bonne-Espérance, ouvrant la route maritime des Indes par le sud de l'Afrique ; 1492, Fort Elmina est fondée sur la côte sud de la Guinée (les Portugais possèdent des mines d'or et commencent simultanément le commerce des esclaves) ; 1498, Vasco de Gama atteint les Indes, les Portugais ont le monopole du commerce des épices ; 1500, Pedro Alvares Cabral découvre le Brésil ; 1505, début de la domination coloniale sur le Mozambique et Ceylan ; 1509, le Portugal contrôle l'océan Indien ; 1511, les Portugais s'emparent de Malacca, la plus importante place du commerce avec la Chine et l'Arabie. Enfin, en 1512, ils fondent un comptoir dans les Moluques, à Amboine, principal lieu de production des épices.

Tollé autour de l'hébraïste Reuchlin

Cologne, 1513-1514

Un savant hébraïste est au centre d'une violente polémique. En 1509, un Juif converti, appuyé par les dominicains de Cologne, avait obtenu de l'empereur Maximilien l'autorisation de détruire tous les livres hébreux, la Bible exceptée. L'archevêque de Mayence s'était opposé à cette mesure et Reuchlin lui avait apporté son soutien. Une querelle de libelles et de pamphlets s'ensuivit entre l'inquisiteur et Reuchlin. La querelle bientôt s'amplifie et tout le monde savant s'y trouve mêlé. Reuchlin est devenu le symbole de la science en butte à l'obscurantisme. Jean Reuchlin, né en 1455, a rencontré au cours d'un voyage en Italie Marsile Ficin et Pic de La Mirandole. Sous l'influence du néo-platonisme florentin, il apprend l'hébreu et se consacre à l'étude de la Kabbale.

Déroute des troupes françaises, à Novare

Novare, 6 juin 1513

A Novare, près de Milan, une heure a suffi aux fantassins suisses du cardinal Schiner pour mettre en déroute les troupes françaises et leurs alliés vénitiens. Au même moment, les Anglais débarquent à Calais et s'emparent de Thérouanne et de Tournai. Quant aux Suisses, enhardis par leur succès, ils envahissent la Bourgogne et assiègent Dijon avec le concours de Maximilien d'Autriche et de son artillerie ; La Trémoille doit capituler. Victoire sur tous les fronts, donc, pour les alliés de la Sainte-Ligue que le pape Léon X, qui vient de succéder à Jules II, a reconduite, malgré la défection de Venise qui s'est tournée vers la France (mars 1513). Battue, la France abandonne avec Milan et Asti toutes ses conquêtes italiennes. Elle doit en outre verser 400 000 écus aux Suisses.

Jules II, protecteur des arts, s'éteint

Rome, 1513

Le pontificat de Giuliano della Rovere, pape sous le nom de Jules II, n'aura duré que dix ans, mais ces années ont suffi pour que Rome devienne, aux dépens de Florence, le centre de la vie artistique italienne. Chef spirituel épris de gloire temporelle, Jules II montre un intérêt sincère pour l'art antique et invite à sa cour des artistes comme Michel-Ange, Bramante et Raphaël, auxquels il commande d'importants travaux. Il réunit dans la galerie du Belvédère des sculptures antiques récemment mises au jour : le *Laocoon*, *Vénus felix*, l'*Ariane endormie* et le fameux *Apollon* dit du Belvédère. Michel-Ange commence pour lui un tombeau, dont le projet prévoit trois étages : niches et allégories au rez-de-chaussée ; statues de saint Paul et de Moïse à l'étage intermédiaire ; couronnement pyramidal portant le sarcophage. Mais, écoutant les propos calomnieux de Bramante, Jules II cesse d'accorder ses subsides. Michel-Ange abandonne Rome, tous travaux cessant, le 17 avril 1506, la veille du jour où est posée la première pierre du nouveau Saint-Pierre, dont la construction revient à son ennemi, Bramante. Celui-ci, à ce jour, n'a guère entrepris que les travaux de démolition nécessités par son plan ingénieux : une croix grecque inscrite dans un carré, avec absides saillantes. C'est encore Bramante qui est chargé d'importants

Portrait de Jules II par Raphaël. 1450. Copie ancienne à partir d'un original perdu. Offices, Florence.

travaux dans les appartements du pape. Pour leur décoration, le Saint-Père fait appel à Raphaël, vers la fin de 1508. Entre temps, le pape s'est réconcilié avec Michel-Ange et c'est ainsi qu'à partir de 1509, deux peintres de génie travaillent pour lui. Michel-Ange peint le plafond de la Sixtine. Raphaël entreprend les fresques de la chambre de la Signature, symboles de la nouvelle culture humaniste placée sous l'autorité de l'Eglise, puisqu'elles célèbrent la philosophie, avec *L'Ecole d'Athènes*, autant que la théologie avec la *Dispute du Saint-Sacrement*.

Le « Laocoon », marbre hellénistique du IIe siècle av. J.-C., découvert le 14 janvier 1506 dans les ruines des Thermes de Titus.

1515

France, 1er janvier
Louis XII meurt ; son neveu François Ier lui succède. Fils de Charles de Valois, comte d'Angoulême, et de Louise de Savoie, François a épousé en 1514 Claude de France, la fille de Louis XII. Dès son avènement, il n'a qu'un souci : la défense des prétentions françaises en Italie.

France
Josquin des Prés compose un *De profundis* pour les funérailles du roi Louis XII. →

Vienne, 22 juillet
A l'occasion de la Diète des princes, l'empereur Maximilien Ier et le roi Ladislas VI de Bohême se rencontrent et entament des pourparlers en vue de l'alliance des Habsbourg avec les Jagellon : Louis et Anne, les enfants de Ladislav, épousent Marie et Charles, les petits-enfants de Maximilien. →

Italie, 13 et 14 septembre
Bataille de Marignan. →

France
En l'honneur de la victoire de Marignan, Clément Janequin compose une chanson intitulée *La Guerre*.

Fribourg, 29 novembre
Signature entre la France et la Confédération suisse d'un traité de « Paix perpétuelle ». →

Italie, 14 décembre
François Ier et le pape Léon X concluent la paix. L'empereur Maximilien Ier reste le seul adversaire du roi de France.

Afrique du Nord
Les frères Barberousse, Aroudi et Khayr al-Din, des pirates barbaresques originaires de Mytilène, installent leur flotte à Alger face aux Espagnols qui occupent l'îlot du Peñon.

Angleterre
Thomas Wolsey, archevêque d'York, devient cardinal et lord-chancelier. Il a l'ambition de faire de l'Angleterre l'arbitre de l'Europe.

Le roi décrète une série de mesures visant à protéger les paysans pauvres contre les *enclosures*, c'est-à-dire le partage et la clôture des prés communaux, qui offrent souvent à ceux-ci la seule possibilité de faire paître leur bétail.

Bologne
Réunis en concile, les théologiens abordent en particulier la question du prêt à intérêt. Le développement des échanges et de la production nécessite des capitaux de plus en plus importants ; la question de l'usure se pose donc de façon aiguë et nouvelle. Par-delà l'argent, c'est du temps dont il s'agit et seul Dieu peut en disposer, du moins tel était le point de vue de la théologie médiévale. L'usure ne pouvait être pratiquée par des chrétiens. Les nécessités économiques faisant loi, l'Eglise doit redéfinir ses positions en la matière.

Alsace
Matthias Grünewald livre à la confrérie des Antonites d'Issenheim le monumental Retable qu'elle lui a commandé. →

Chine
Le lettré confucéen Wang Yang-ming réforme l'Etat chinois. →

Venise
Mort de l'architecte et sculpteur Pietro Lombardo. Il est l'auteur de l'église Santa Maria dei Miracoli, construite à Venise de 1481 à 1489.

Goa
Mort d'Albuquerque.

Amérique du Sud
Le navigateur espagnol Perez de la Rua reconnaît les côtes du Pérou.

Atlantique Nord
Entre l'Amérique du Nord et l'Europe, un archipel est découvert par l'Espagnol Juan Bermúdez. Il lui donne son nom : les Bermudes.

Château de Blois
Début de la construction de l'aile François Ier. Celle-ci devrait compléter le bâtiment qu'a fait construire, en 1498, Louis XII sur les parties édifiées par les comtes de Châtillon au XIIIe siècle, puis au XIVe siècle.

Cuba
Fondation de la ville de San Cristobal de La Havane.

Amérique du Sud
Fondation de Santa Maria de la Antigua en el Darien (Colombie).

France
Début de la construction du château de Chenonceaux par Thomas Bohier, receveur des Finances, secrétaire du roi et lieutenant général du Milanais.

Angleterre
Pour le compte du cardinal Wolsey, des artistes italiens réalisent la façade à médaillons de Hampton Court.

Le philosophe Wang Yang-ming réforme l'Etat chinois

Chine, 1515
Wang Yang-ming (1472-1529), de son vrai nom Wang Shouren, éclipse les autres philosophes de son temps. S'appuyant sur une nouvelle lecture de l'ouvrage classique de Mengzi (Mong-tseu), la *Grande Etude*, il n'hésite pas à se mettre, sur certains points, en contradiction avec l'orthodoxie néo-confucéenne. Il s'appuie sur plusieurs thèses pour proposer un programme très détaillé de réformes sociales et économiques : il envisage ainsi, dans les campagnes, la création d'unions villageoises fondées sur un contrat collectif, une sorte d'autogestion des communautés rurales. Son idéal reste une morale de l'effort et sa vie active en fut la meilleure illustration.

La vision tragique de Matthias Grünewald

Issenheim, 1515
Alors que Dürer s'oriente délibérément vers les tentations de la Renaissance italienne, Matthias Grünewald est encore totalement médiéval, tant pour son inspiration, qui reste religieuse et attachée au mysticisme visionnaire de l'art germanique, que pour sa facture, qui demeure dans la tradition gothique. S'il faut lui trouver une parenté, c'est à Bosch ou à Schongauer qu'il faut penser. Grünewald peignit de nombreux tableaux d'église, mais une seule œuvre suffit à le placer au rang des grands peintres de l'Occident : le *Retable d'Issenheim* (musée Unterlinden, Colmar) terminée en 1515.

Vers l'alliance des royaumes hongrois et autrichien

Vienne, 22 juillet 1515
Un double mariage royal et impérial a eu lieu aujourd'hui dans la cathédrale Saint-Etienne de Vienne. L'empereur germanique Maximilien Ier et le roi Ladislas VI de Bohême et de Hongrie ont décidé d'unir leurs deux trônes. Louis, fils et héritier de Ladislas, épouse Marie, petite-fille de Maximilien. Celui-ci épouse par procuration pour l'un de ses petits-fils - Charles (Quint) ou Ferdinand (II) - la fille de Ladislas, Anne. Bien que les époux ne soient que des enfants, le double mariage assure aux Habsbourg l'héritage hongrois des Jagellon, renforçant leur position en Europe orientale. Les véritables mariages auront lieu en 1521 et en 1522.

Exceptionnel par sa complexité et monumental dans sa conception, ce retable se compose de panneaux fixes et d'une prédelle, entourés de panneaux latéraux mobiles qui, par un jeu subtil de fermeture et d'ouverture, se présentaient différemment selon les périodes liturgiques de l'année. Ainsi, à la grâce un peu mièvre et maniériste de la *Nativité*, succède le drame de la *Crucifixion* dont les attitudes éplorées des personnages et le corps supplicié du Christ sur fond de ciel plombé, témoignent d'un réalisme aigu. Quant à la *Résurrection*, elle éblouit littéralement par l'aspect visionnaire de son apparition : dans un audacieux raccourci, le Christ vêtu d'écarlate se détache sur un limbe de lumière et flotte au-dessus de son tombeau ouvert.

Matthias Grünewald. « La Crucifixion ». Retable d'Issenheim. Détail du panneau central (lorsque les volets sont fermés). 1513-1515. Musée Unterlinden, Colmar.

La bataille de Marignan. Bas-relief de Pierre Bontemps. Tombeau de François Ier. 1550-1559. Basilique de Saint-Denis.

Victoire de François Ier à Marignan

Marignan, 13 septembre

François Ier vient tout juste de succéder à Louis XII et il n'a qu'une seule idée : reconquérir le Milanais perdu depuis Novare et toujours aux mains des Sforza. François Ier songe un instant à conquérir le duché pacifiquement en soudoyant les garnisons suisses, maîtresses du pays, mais en vain : les rois de France ont une réputation de mauvais payeurs. Il prépare alors son expédition. Il négocie de nouvelles alliances, avec Venise le 25 mars, signe un traité de neutralité avec Henri VIII d'Angleterre et Charles d'Autriche. Il fait recruter les meilleurs soldats d'Europe, augmente la taille et emprunte pour pouvoir payer les troupes. Le 12 juillet, François Ier arrive à Lyon où son armée l'attendait : 40 000 hommes, de l'artillerie, des lansquenets allemands. Le 15 juillet, il confie la régence du royaume à sa mère Louise de Savoie. Apprenant les projets de François Ier, le duc de Milan, l'empereur Maximilien, Ferdinand d'Espagne et le pape ont formé une nouvelle ligue. Ils font occuper Pignerol et les cols alpins, mais leurs soldats

sont faits prisonniers par une avant-garde française. François franchit les Alpes par le col de l'Argentière et le mont Genèvre. Les attelages étant inutilisables, les canons sont hissés avec des treuils. Les Suisses sont surpris et dispersés dans la plaine lombarde ; ils se replient sur Milan, hésitant sur la conduite à tenir. Les Suisses semblent vouloir traiter et une entrevue se tient à Gallarate le 8 septembre, mais sans résultat, car leur chef, le cardinal Matthäus Schiner veut la guerre. Le 13 septembre, les deux armées se rencontrent près de Marignan. La bataille reste longtemps indécise, mais finalement, c'est la supériorité incontestable de l'artillerie qui emporte la décision. François Ier s'est retiré à Pavie, où il reçoit la reddition de Sforza, avant de faire son entrée solennelle à Milan. Les Vénitiens, qui avaient par une intervention tardive contribué à la victoire, reçoivent une part des dépouilles. A Rome, le pape, craignant l'invasion, s'empresse de saluer le vainqueur et sollicite une médiation en offrant de céder Parme et Plaisance.

Portrait de François Ier à cheval. Détail. Peinture de François Clouet. Musée des Offices, Florence.

Battus à Marignan, les Suisses renoncent à leurs ambitions

Suisse, 29 novembre 1515

Le 29 novembre, François Ier signe avec les Cantons suisses un traité de paix perpétuelle qui est en même temps un traité d'alliance. Les conditions en avaient été longuement discutées avec les délégués français devant les diètes de Fribourg (28 septembre et 18 octobre) et aux conférences de Genève d'octobre et de novembre. Pour l'essentiel, le traité du 29 novembre reprend les propositions qui avaient été faites lors des pourparlers de Gallarate, le 8 septembre, quelques jours avant la bataille de Marignan : abandon pur et simple de Maximilien Sforza et reconnaissance de la légitimité des prétentions françaises sur la Lombardie et le duché de Milan, cession par les Suisses de toutes leurs posses-

sions transalpines à l'exception de Bellinzona et de la vallée du Tessin. Après leur défaite à Marignan, ce traité signifie pour les confédérés la fin de leur politique expansionniste en Italie. En 1484, déjà, les Valaisans avaient occupé les domaines milanais du val d'Ossola. Les interventions françaises en Italie leur apportèrent d'autres occasions d'agir pour leur propre compte. Les trois cantons d'Uri, Nidwald et Lucerne avaient déjà voulu annexer Lugano, Bellinzona et Locarno. Les Grisons convoitaient la région de la Valteline. Alliés d'abord à la France, c'est ensuite contre elle que les Suisses poursuivirent la réalisation de leurs ambitions. Sous l'influence de l'évêque de Sion, le cardinal Schiner, ils rejoignirent la Sainte-Ligue et se posèrent en protecteurs de l'indépendance lombarde menacée par la France. Battue, la Suisse entend se tenir désormais à l'écart des conflits européens.

Josquin des Prés, prince de la ligne mélodique

France, 1515

La nomination du compositeur Josquin des Prés aux fonctions de doyen-prévôt à la collégiale de Condé-sur-l'Escaut consacre une carrière féconde dominée par la composition de chansons, de motets et surtout de messes. Celles-ci constituent une synthèse entre l'écriture polyphonique savante, caractéristique du nord de la France, et le lyrisme mélodique, significatif du style italien. Elles constituent autant de créations spécifiques, depuis la messe à « teneur », dans laquelle le thème extérieur peut être répété plusieurs fois, jusqu'à la fantaisie solfégique de la messe *L'Homme armé*, dans laquelle le thème entre successivement sur les six notes de l'hexacorde : ut, ré, mi, etc. Des thèmes de

fantaisie interviennent parfois, formant des jeux de mots. Ainsi, la messe « la, sol, fa, ré, mi » évoquerait la réponse du cardinal Sforza à ceux qui lui réclamaient leurs gages : « lassa far a mi », « laissez-moi faire, ne vous inquiétez pas ». Les messes réalisent un équilibre parfait entre l'écriture « horizontale », rencontre de deux lignes mélodiques, et l'écriture « verticale », où des agrégats d'accords forment une expression nouvelle. Les motets de Josquin, bénéficiant de toutes les acquisitions musicales des messes, s'en distinguent cependant en substituant au texte fixe des groupes alternés de voix visant à renforcer la valeur expressive d'un même motif donné qui apparaît alors, à l'inverse du rôle joué par les paroles de la prière dans les messes, comme la véritable source d'inspiration. Pour ce qui est des chansons, elles se révèlent proches des motets par la gravité du ton, et utilisent volontiers une répétition.

1516

Bruxelles, 14 mai
Celui qui allait devenir Charles Quint était par son père petit-fils de l'empereur Maximilien de Habsbourg et par sa mère petit-fils des Rois Catholiques : c'est ce qui explique le destin exceptionnel qui fut le sien. La mort de son père Philippe le Beau, puis celle de son grand-père maternel Ferdinand d'Aragon en 1516 l'amènent, après qu'il ait été émancipé à l'âge de quinze ans (1515), à devenir d'abord souverain des Pays-Bas ; puis, Jeanne de Castille, sa mère, étant devenue folle, il monte sur le trône d'Espagne sous le nom de Charles Ier. La cérémonie d'intronisation s'étant déroulée le 14 mai à Bruxelles en la cathédrale Sainte-Gudule, l'Espagne, en l'attente de son nouveau souverain, fut placée sous la régence du cardinal Cisneros. →

Syrie, 15 juin
Victoire du sultan ottoman Sélim Ier sur les mamelouks à Marj Dabik, victoire qui lui livre la Syrie et lui ouvre les portes du Levant et de l'Egypte.

Bois-le-Duc, 9 août
Mort du peintre flamand Jérôme Bosch.

France, 13 août
Par le traité de Noyon, François Ier renonce à ses prétentions sur le royaume de Naples, qu'il abandonne à Charles Quint. Ce dernier rétrocède la Navarre à la maison d'Albret. En fait, le traité ne fut jamais mis à exécution.

France/Rome, 18 août
François Ier signe avec le pape Léon X le concordat de Bologne réglementant l'Eglise de France. La Pragmatique Sanction de Bourges (1438) est dénoncée. Le roi de France se réserve le droit de nomination, tandis que le pape conserve le droit d'investiture canonique.

Baltique, août
La Russie et le Danemark concluent un traité d'alliance et d'amitié qui prévoit une action commune contre la Pologne et la Suède. Les marchands danois obtiennent des privilèges pour leurs comptoirs en Russie, similaires à ceux des marchands allemands de la Hanse.

Venise, 29 novembre
Mort du peintre Giovanni Bellini. →

Ethiopie
Le négus Lebna Dengel, le seul souverain chrétien d'Afrique orientale, inflige une défaite au sultan d'Adal, qui bénéficiait du soutien militaire des Ottomans.

Amérique et Espagne
Le cardinal Cisneros, régent du royaume, suspend la délivrance des licences d'importation d'esclaves africains aux Amériques pendant le temps de sa régence. Il confie à trois moines la mission d'enquêter sur le sort des Indiens et nomme Las Casas « procurador y protector universal de los Indios ». Le rapport d'enquête conclut à la nécessité de maintenir la traite des esclaves pour sauvegarder les Indiens.

Brésil
La couronne portugaise met en place les *donatorias*, système de donations des terres conquises ou à conquérir. Le territoire américain attribué au Portugal en vertu du traité de Tordesillas est ainsi divisé en quinze « Capitanias donatorias », fiefs héréditaires du même type que ceux concédés par le roi du Portugal lors de la reconquête de l'Alentejo ou de l'Algarve.

Amérique du Sud
Juan Diaz de Solis explore le rio de la Plata. →

Zurich
Le curé Ulrich Zwingli prononce à la collégiale de la ville un prêche violent contre les mœurs des moines et condamne l'adoration des reliques et le luxe régnant à Rome. Il s'est déjà fait remarquer par ses sermons contre le mercenariat qui l'obligèrent à quitter sa cure de Glaris pour la charge de chapelain en l'abbaye d'Einsiedeln.

Allemagne
Ulrich von Hutten prend la défense de Reuchlin dans ses *Lettres des hommes obscurs*. →

Angleterre
Publication de *L'Utopie* de Thomas More. →

Italie
Orlando Furioso de l'Arioste connaît un succès foudroyant. →

Rome
Michel-Ange sculpte son *Moïse* destiné au tombeau du pape Jules II à San Pietro in Vincoli. Raphaël peint le fameux portrait de jeune femme, dit « *La Velata* », qui ne serait autre que celui de sa maîtresse.

Mort d'un grand rhétoriqueur, Jean-Lemaire de Belges

Nantes, après 1515
Mort après 1515, Jean Lemaire de Belges est surtout connu pour ses *Illustrations de la Gaule belgique* (1509-1512), complétées en 1513 par les *Illustrations de Gaule et singularités de Troie*. A l'instar de ses confrères, Jean Lemaire propose une généalogie des peuples européens qui les relie aussi bien à l'histoire biblique qu'à celle de Troie. Ainsi fait-il de Francus, fils d'Hector, le fondateur du royaume de France. Né dans le Hainaut en 1473, neveu de Jean Molinet et historiographe de Marguerite d'Autriche, Lemaire délaissa le flamand pour le français et fit une brillante carrière de poète et de diplomate à la cour de Louis XII. Son œuvre la plus agréable, les *Epîtres de l'amant vert*, donne la parole au perroquet de Marguerite d'Autriche qui, des Enfers, lui envoie des vers.

Frontispice des « Illustrations de Gaule et singularités de Troie ».

La république d'"Utopie" décrite par Thomas More

Angleterre, 1516
Ecrite en latin, sous forme de dialogue, *L'Utopie* de Thomas More est une réflexion « sur le meilleur statut pour une république » et propose un schéma de Cité idéale. La fiction de l'île imaginaire d'Utopie permet d'énoncer des vérités terribles sur la société anglaise et de la critiquer. En Utopie, le travail est obligatoire, mais la journée est de six heures pour que l'ouvrier ait le temps de cultiver son esprit. Les intellectuels, improductifs, sont tolérés en petit nombre. La propriété privée et l'argent sont abolis. L'Etat, démocratie gouvernée par le prince Utopus, est le seul propriétaire. Les lois sont peu nombreuses et claires. La frugalité règne et la vie est communautaire. Ascèse et épicurisme vont de pair pour l'harmonie du corps et de l'esprit. Tout vise à conserver la paix.

« L'humaniste Thomas More et sa famille ». 1527. Détail. Dessin de Hans Holbein le Jeune. Cabinet des dessins, Kunstmuseum, Bâle.

Un Habsbourg roi d'Espagne

Espagne, 13 mars 1516

Ferdinand II d'Aragon disparaît le 23 janvier 1516. Son petit-fils Charles de Habsbourg lui succède et devient roi d'Espagne sous le nom de Charles Ier. Son père, Philippe le Beau, archiduc d'Autriche et régent de Bourgogne, était le fils de l'empereur Maximilien de Habsbourg. En 1495 Philippe épousait Jeanne la Folle, la fille d'Isabelle de Castille et de Ferdinand d'Aragon. Isabelle mourait en 1504, laissant Jeanne seule héritière du royaume de Castille. Mais Jeanne, une démente, était dans l'incapacité de régner. Ferdinand et son gendre se disputèrent alors la régence de Castille. La mort soudaine et prématurée de Philippe le Beau en 1506 permettait à Ferdinand de réunir la régence de Castille et la couronne d'Aragon. Ferdinand avait épousé en secondes noces Germaine de Foix mais n'en avait pas eu d'enfants. Il laisse donc à sa mort les deux couronnes de Castille et d'Aragon au fils de Philippe, Charles de Habsbourg, qui devient de ce fait le premier roi d'Espagne, l'union des deux royaumes n'étant encore sous le règne de Ferdinand et d'Isabelle qu'une union personnelle. Le nouveau souverain est né à Gand en 1500 et a passé son enfance à Bruxelles. En attendant sa majorité, la régence sera confiée au cardinal Cisneros.

Prodigieux succès du "Roland furieux"

Ferrare, 1516

Ludovico Ariosto, secrétaire du cardinal Hippolyte d'Este, frère du duc régnant, vient de publier le *Roland furieux (Orlando furioso)*, poème en 40 chants qui fait suite au *Roland amoureux (Orlando innamorato)* de Boiardo. Comme celui-ci, l'Arioste mêle les thèmes des romans de la Table ronde - l'amour et la féerie - à ceux des chansons de geste qui célèbrent les hauts faits de Charlemagne et de ses preux dans la guerre contre les Infidèles. L'argument principal est l'histoire de Roland, amoureux malchanceux d'Angélique, qui néglige pour elle ses devoirs de chevalier, puis sombre dans la folie, mettant ainsi en péril le sort des armées chrétiennes, privées de leur meilleur champion ; Astolphe, fils du roi d'Angleterre, ira sur la Lune retrouver la fiole qui contient la raison perdue par le furieux. Mais cette œuvre défie le résumé, tant elle abonde en épisodes, en personnages, et tant elle procède par bonds, s'interrompant en suspens avec de lointaines suites inopinées. Même esthétique de la variété dans les registres employés ; tour à tour le sublime, l'horrible, le comique, le merveilleux, sans oublier l'ironie et le scepticisme des commentaires de l'auteur.

Léonard de Vinci à la cour de François Ier

Rome, 1516

Léonard s'apprête à accepter l'hospitalité qui lui est offerte par le roi de France. Depuis ses expéditions en Italie, François Ier rêve d'attirer en France les artistes de la Péninsule. Léonard emportera dans ses bagages *La Joconde, La Vierge, L'Enfant Jésus et sainte Anne* et sans doute aussi le *Saint Jean-Baptiste*. A la cour du roi, il sera nommé « ingénieur », pour son travail de recherche théorique et expérimental sur le vol des oiseaux, les poulies, les manivelles et les machines volantes.

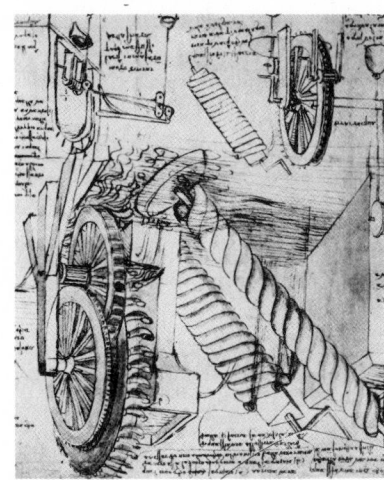

Leonard de Vinci. Etudes de pompes aspirantes, vis d'Archimède, etc. Plume et lavis. « Codex Altlanticus ».

"Lettres des hommes obscurs" de Ulrich Hutten

Allemagne, 1515-1517

Entre 1515 et 1517 paraissent en Allemagne les *Lettres des hommes obscurs*, correspondance échangée entre un certain Ortuinus Gratius et ses amis, professeurs ou théologiens, appartenant pour la plupart aux divers ordres religieux. On y commente les dernières nouvelles, on y parle surtout beaucoup de l'affaire Reuchlin qui déchaîne les passions, des principaux protagonistes, Pfefferkorn le converti et Hochstraten l'inquisiteur de Cologne qui est aussi le prieur du couvent dominicain de la ville, dont Ortuinus est un ardent partisan. On s'aperçoit à la lecture que ces moines ont plus de goût pour les plaisirs terrestres que pour la dévotion, que le vin du Rhin est plus cher à leur cœur que le vin de messe, que les grasses plaisanteries tiennent plus de place dans leurs lettres que la controverse théologique. On l'a compris, il s'agit d'une satire. Son titre répond aux *Lettres des hommes illustres*, un recueil que les humanistes avaient envoyé à Reuchlin pour soutenir sa cause. Quant à l'auteur de cette satire, il s'agit sans doute du bouillant chevalier Ulrich von Hutten, né en 1488 près de Fulda, ardent humaniste et pamphlétaire violent.

L'armée ottomane est l'une des puissances les plus redoutées d'Europe. Miniature ottomane du « Livre des Conquêtes ». XVIe siècle.

Les mamelouks défaits par Sélim Ier

Alep, 15 juin 1516

C'est avec une armée aguerrie et bien organisée que Sélim Ier attaque le sultan mamelouk d'Egypte, Al-Ghawri, qui s'était porté à Alep en compagnie du dernier calife abbasside réfugié au Caire, Al-Mutawakkil. Les Ottomans disposent d'une artillerie et d'une mousquetterie très efficaces. Les deux armées se heurtent à Marj Dabik, près d'Alep. Al-Ghawri meurt sur le champ de bataille et son armée est mise en déroute. Après l'occupation de Homs, Hama et Damas (30 août), une seconde victoire ouvre à Sélim les portes du Caire où il entre le 24 janvier 1517. La crise avait éclaté au début de l'année 1516 lorsqu'Al-Ghawri avait refusé à une délégation envoyée par les sharifs de La Mecque et de Médine l'autorisation de se rendre à Istanbul. Bien que Sélim eût alors déclaré qu'il voulait libérer les Arabes de l'oppression mamelouke, il se contenta, après sa victoire, du prélèvement d'un tribut annuel. La Syrie et l'Egypte conservèrent leurs structures et furent gouvernées par les mamelouks, Khayr Beg au Caire et Janbirdi al-Ghazali à Damas.

Le sultan Sélim Ier, surnommé « le Terrible », au cours d'une partie de chasse. Miniature ottomane. Bibliothèque de Topkapi, Istanbul.

1517

Rome, 16 mars
Le concile du Latran déclare nulles et non avenues les résolutions prises lors du concile réuni à Pise de 1511 à 1512 à l'instigation du roi de France et de l'empereur.

Florence, 26 mars
Mort du compositeur flamand Heinrich Isaac. Il fut d'abord appelé à la cour de Laurent de Médicis, puis, en 1494, à celle de l'empereur Maximilien Ier. Il a synthétisé les styles flamand, italien et germanique. Ses *Chansons* sont d'ailleurs composées sur des textes allemands, italiens, français et flamands. Ce musicien international a fait aussi preuve de diversité dans les modes et les genres : polyphonie et unisson ; *Messes* et mélodies profanes.

Le Caire, 5 juillet
Sélim Ier fait son entrée dans la ville. Les Ottomans sont maîtres de l'Egypte. →

Proche-Orient, août
Bien qu'il ne revendique pas le titre de calife, Sélim Ier se déclare « protecteur des Lieux saints » de l'islam.

Wittenberg, 31 octobre
Martin Luther affiche ses 95 thèses contre les indulgences. →

Amérique Centrale
Sous la direction de Francisco de Cordoba, une expédition de conquistadores (partie de Cuba) commence à explorer la presqu'île du Yucatan.

Empire germanique
Le margrave Albert de Brandebourg nomme le dominicain Johannes Tetzel commissaire général chargé de prêcher l'indulgence dans la province ecclésiastique de Magdebourg.

Chine
Le roi du Portugal dépêche une première ambassade à Canton.

Louvain
Erasme fonde le collège des Trois Langues où l'on enseigne le latin, le grec et l'hébreu. Les méthodes pédagogiques préconisées par l'humaniste hollandais vont à l'encontre de la routine désuète dans laquelle somnolait l'université de Louvain.

Amérique du Nord
Les marins anglais se plaignent auprès de leur souverain du nombre toujours croissant de morutiers français au large de Terre-Neuve.

Rome
A la Farnésine, la villa du banquier siennois Agostino Chigi, Raphaël achève la décoration du plafond de la Loggia de Psyché, certainement l'un des ensembles les plus brillants de la Renaissance italienne.

1518

Venise, 20 mars
Une cérémonie préside à l'installation du grand retable de *L'Assomption* de Titien, que lui avait commandé le prieur de Santa Maria dei Frari.

Empire germanique, printemps
En moins de deux mois, le *Sermon sur les indulgences et la Grâce* écrit par Luther est imprimé à près de 20 000 exemplaires. Ces textes se présentent sous forme de tracts rédigés en allemand populaire sur un ton polémique.

Zurich
Le prédicateur Zwingli reçoit le soutien des autorités de Zurich dans son entreprise de réforme de l'Eglise.

Europe
Publication des *Colloques* d'Erasme. L'humaniste hollandais n'est tendre pour personne ; ni les réformateurs ni les ordres religieux ne trouvent grâce à ses yeux. Il s'en prend aussi aux superstitions et aux impostures. La variété et l'actualité des sujets abordés contribuent au succès de l'ouvrage, écrit d'une plume alerte sous forme de dialogues.

Heidelberg
Au cours d'une *disputatio*, Martin Luther défend ses thèses sur les indulgences face à des théologiens favorables à la papauté. Devant la Diète d'Augsbourg, il refuse de se rétracter.

Inde
Mort du poète mystique Kabîr. →

Afrique du Nord
Tlemcen est prise par les Espagnols. Arudj, frère de Barberousse, trouve la mort au combat. Son frère Khayr al-Dîn reconnaît la vassalité turque.

Espagne et Amérique
Le roi s'oppose à l'envoi aux Cortès de délégués des *cabildos* (communautés) américains.

Sélim Ier étend son protectorat sur les lieux saints de l'islam

Le Caire, 5 juillet 1517
A sa résidence au Caire, Sélim Ier reçoit une délégation formée du fils du sharif de La Mecque, du commandant de la garnison et du prévôt des marchés de la ville, venue le féliciter pour sa conquête de l'Egypte, le reconnaissant ainsi comme « protecteur » de toutes les villes saintes de l'islam. Le dernier des Abbassides, al-Mutawakkil, conserve son titre de calife et Sélim ne le lui conteste pas. L'année précédente, dès son entrée à Alep, Sélim s'était donné le titre, anciennement porté par les sultans mamelouks, de « serviteur des deux lieux saints », voulant signifier par là qu'il était devenu le souverain le plus puissant du monde musulman.

Couronnement de Sélim Ier. Miniature d'un « Hünernâma » (Vies des Sultans). XVIe siècle.

Mort du sage hindou Kabîr

Inde, 1518
Fils adoptif d'un tisserand musulman de Bénarès, il aurait selon la légende été abandonné par sa mère, veuve de brahamane, sur une feuille de lotus. Kabîr exerça le même métier artisanal que son père. Sans pour autant se retirer du monde, il avait cherché à concilier l'islam, la religion dans laquelle il avait été élevé, et l'hindouisme en une religion monothéiste et dénuée d'idoles. A ses yeux, Dieu est Un, qu'on le nomme Allah ou Râma. Il dénonça le sectarisme religieux et le système des castes. Son succès fut tel que les hindouistes, à l'égal des musulmans, le considèrent comme un des leurs. On lui attribue un nombre considérable d'œuvres, mais il est difficile d'affirmer lesquelles ont été réellement composées par lui. Seule l'authenticité du *Bîjak*, dicté par Kabîr à l'un de ses disciples, paraît établie. Ses écrits ont exercé une influence durable, notamment sur la pensée de Guru Nânak, fondateur de la religion sikh, et l'on retrouve bon nombre de strophes de Kabîr dans l'*Adi Granth*, le livre sacré des sikhs. Sa mort, en 1518, s'accompagne de prodiges : Kabîr serait apparu en personne parmi ses disciples qui se querellaient à propos des derniers hommages à lui rendre.

Le divin Raphaël au faîte de la gloire

Rome, 1518
En dix ans à peine d'activité, Raphaël s'est couvert de gloire. Deux papes se sont attaché ses services. Jules II l'a chargé de décorer les *Stanze* (chambres) du Vatican : la chambre de la Signature avec la fameuse *Ecole d'Athènes* (1511), dont le programme iconographique révèle avec quelle maestria l'artiste a su capter le climat intellectuel de la cour papale ; la chambre d'Héliodore dont il acheva en 1514 *La Messe de Bolsène* et *La Délivrance de saint Pierre*, étonnante trouée de lumière dans le clair-obscur d'un cachot. L'avènement en 1513 de Léon X devait porter à son sommet la carrière de l'artiste : plus rien ne se fait à Rome qui ne soit supervisé par lui, y compris l'organisation des fêtes et des fouilles archéologiques ! En 1516, il fournit des cartons pour les tapisseries de la chapelle Sixtine, dirige les travaux des Loges du Vatican, fournissant directives générales et dessins pour les 52 scènes de l'Ancien et Nouveau Testament qui les décorent. Enfin, en 1518, il donne l'un des plus éblouissants portraits de la Renaissance : *Léon X entouré des cardinaux Giulio de' Medici et Luigi de' Rossi*, où il se révèle l'égal de Titien.

Raphaël. « Léon X entouré des cardinaux Giulio de' Medici et Luigi de' Rossi ». 1518.

Martin Luther se révolte contre les indulgences

Saint Empire, 31 octobre 1517
C'est la veille de la Toussaint que le prédicateur ordinaire de la ville de Wittenberg, le moine augustin et docteur en théologie Martin Luther, a affiché aux portes du château de Wittenberg ses 95 thèses sur le problème de la grâce et des indulgences. Destinées à fournir la matière d'une *disputatio* théologique, les 95 propositions réformistes de Luther, rédigées en latin, provoquent une intense polémique. Au début de l'automne, en voyant le dominicain Johann Tetzel parcourir l'Allemagne, se faisant précéder de la bulle pontificale posée sur un coussin de velours écarlate, pour vendre à l'encan ses indulgences, à la façon d'un bateleur, Martin Luther avait été profondément choqué par la vénalité d'une pratique encouragée par le pape. Le fait de pouvoir acheter une rémission des péchés lui paraît critiquable, quand bien même les sommes ainsi recueillies doivent servir à la construction de la basilique Saint-Pierre de Rome. En fait, il est de notoriété publique que l'argent des indulgences vendues en Allemagne du Nord sert à Albrecht II, archevêque et prince électeur de Mayence, à régler ses dettes aux banquiers Fugger. Luther ne s'oppose pas formellement aux indulgences mais critique l'usage abusif qui en est fait et la thèse selon laquelle seul le pape peut libérer un fidèle de ses péchés : une institution temporelle ne peut, selon lui, servir d'intermédiaire à la grâce divine. De plus, ce ne sont pas seulement les actions condamnables qui attirent sur l'homme le péché, mais aussi et surtout le fait qu'il se détourne de Dieu. L'homme ne peut réellement retourner vers Dieu que s'il effectue une contrition sincère, seul avec lui-même et avec sa conscience religieuse. L'indulgence, qui comptabilise et divise les péchés, permet, sans réelle conversion spirituelle, d'apaiser les consciences. Pour Luther, « le juste vit par la foi » (Epître de saint Paul aux Romains, 1.17), la rédemption est spirituelle ou n'est pas et « le pape a plus besoin de prières que d'argent » (thèse 48). Traduites en allemand et distribuées dès 1518, les thèses de Wittenberg, reprises en chaire, auront de profondes répercussions sur les populations, chez qui elles susciteront une certaine méfiance à l'égard du clergé. L'université de Mayence, chargée d'examiner les 95 thèses, n'y trouvera tout d'abord rien à redire. C'est Johann Eck, professeur et chancelier de l'université bavaroise d'Ingoldstadt qui, le premier, verra dans les positions de Luther des implications révolutionnaires.

Portrait du réformateur Martin Luther. Vers 1522. Peinture de Lucas Cranach l'Ancien. Musée de Weimar.

L'humaniste et réformateur allemand Philipp Melanchthon, 1532. Peinture de Lucas Cranach l'Ancien. La pensée humaniste et chrétienne de Melanchthon a marqué de manière substantielle le protestantisme allemand.

Le margrave Albert de Brandebourg. 1528. Peinture de Lucas Cranach l'Ancien. Grand maître de l'ordre Teutonique, il sécularisa ses biens et passa au protestantisme en 1522. Il fut le premier prince à introduire la Réforme dans ses Etats et à offrir sa protection aux protestants ; il fonda en 1544 l'université de Königsberg.

Les 95 thèses de Martin Luther

Les 95 thèses affichées par Luther s'élèvent essentiellement contre le commerce et le dogme des indulgences. Voici quelques exemples de ce que ses contemporains ont pu y lire :

1. Si Notre Seigneur et Maître Jésus-Christ a dit : « Repentez-vous », c'est qu'il voulait que la vie du chrétien soit pénitence.

36. Tout chrétien qui se repent sincèrement de ses fautes a droit au Pardon, sans être obligé d'avoir recours à une indulgence.

37. Tout bon chrétien, qu'il soit vivant ou mort, se voit garantir par la bonté divine de partager le royaume du Christ et de son Eglise, et ceci sans qu'il lui soit nécessaire d'acheter des Indulgences.

43. Il faut apprendre aux chrétiens que celui qui donne quelque chose aux pauvres ou prête aux nécessiteux fait mieux que celui qui achète des indulgences.

44. Car c'est par l'œuvre d'Amour que l'Amour croît et que l'homme s'améliore ; les indulgences le libèrent peut-être du poids de ses fautes, mais ne le rendent pas meilleur.

50. Il faut dire aux chrétiens que si le pape savait comment les prédicateurs d'indulgences rassemblent cet argent, il préférerait certainement que la basilique Saint-Pierre soit réduite en cendres, plutôt que de la voir construire au prix du sang et de la peine de ses fidèles.

82. Et si le pape tient autant à vider le Purgatoire, que ce soit pour répondre aux impératifs de l'Amour le plus saint, et non pour répondre aux nécessités funestes de l'argent, quand bien même cet argent servirait à construire une basilique - ce qui, en soi, est une raison bien dérisoire.

91. Si la volonté et l'esprit du pape étaient respectés, tout ceci n'aurait pas lieu.

92. Mais tous ces faux prophètes sont encore là, qui disent au peuple du Christ : « Paix, Paix », et la Paix ne vient toujours pas.

94. Enfin, il faut rappeler aux chrétiens qu'ils doivent, envers et contre tout, suivre leur Maître, le Christ, malgré les châtiments, la mort et l'Enfer.

95. Il faut qu'ils prennent conscience que c'est ainsi qu'ils gagneront le Ciel, au lieu d'être sûrs d'eux et de vivre dans l'inconscience.

L'humaniste et poète Ulrich von Hutten. 1520. Bois gravé. Dès 1519, il adressa de violentes critiques à la papauté et mit au point un programme de réformes indépendant de celui de Luther. Il offrit à ce dernier le concours des chevaliers et participa à leurs opérations militaires.

1519

Château de Wels, Autriche, 12 janvier
Mort de Maximilien Ier, archiduc d'Autriche, « roi des Romains » en 1486, élu empereur en 1493.

Mexique, 12 mars
L'armada de Cortés, partie de Cuba le 10 février, aborde sur la côte de Tabasco.

Mexique, 21 avril
Le jour de la « Viernes de la Santa Cruz », Hernán Cortés débarque sur le petit îlot côtier de San Juan de Ulua.

Mexique, 24 avril
Première messe de Pâques célébrée sur le continent méso-américain. Francisco Olmedo officie. Des envoyés du souverain aztèque Moctezuma y assistent.

Le Clos-Lucé, près d'Amboise, 2 mai
Mort de Léonard de Vinci. →

Ferrare, 24 juin
Mort de Lucrèce Borgia, fille du pape Alexandre VI et sœur de César Borgia. →

Empire germanique, 28 juin
Charles Ier d'Espagne, souverain des Pays-Bas, petit-fils de l'empereur défunt Maximilien Ier, est élu empereur et prend le nom de Charles Quint. Le roi François Ier s'était porté candidat. →

Mexique, 10 juillet
Cortés fonde Veracruz. →

Leipzig, juillet
Dans une nouvelle *disputatio* qui l'oppose à Johann Eck et Andreas Karlstadt, Luther affirme que les conciles et, a fortiori, le pape peuvent se tromper. Martin Luther est convoqué à Rome dans les soixante jours pour répondre personnellement de l'accusation d'hérésie.

Mexique, 23 septembre
Parti le 16 août de Veracruz, avec 416 soldats, Hernán Cortés atteint Tlaxcala.

Espagne, septembre
Le navigateur portugais Magellan, à la tête d'une importante flotte armée par le roi d'Espagne, quitte le continent européen pour un périple à l'échelle du globe. Il est assisté de l'Espagnol Sebastian Elcano.

Tenochtitlán, 7 novembre
La troupe de Cortés est accueillie dans la capitale aztèque par Moctezuma II.

Nuremberg, 30 novembre
Mort du peintre, dessinateur et graveur sur bois Michaël Wolgemut, l'un des maîtres de l'école de Nuremberg. Il participa à la réalisation de plusieurs maîtres-autels, notamment Saint-Jacques de Straubing, Notre-Dame de Zwickau. Par ailleurs, il fut un illustrateur de talent (*Chronique du monde* de Schedel, 1493). Dürer, qui fut un de ses élèves, fit son portrait à deux reprises.

Zurich
Zwingli interdit la prédication des indulgences dans la ville.

Leipzig
L'érudit Melanchton écrit son *Apologia pro Luthero* contre les attaques de Johann Eck.

Amérique Centrale
Accusé de faire partie de la conjuration d'Acla, Vasco Nuñez de Balboa, le premier Européen avec Pizarro à avoir vu l'océan Pacifique, est décapité sur ordre de Pedro Arias Davilá, son successeur à la tête du Darien. →

Espagne et Amérique
Lors d'une entrevue aux environs de Barcelone, Bartolomé de Las Casas propose à Charles Quint de réaliser la colonisation des côtes du Venezuela pacifiquement, sans avoir recours aux conquistadors.

Afrique du Nord
Le pirate barbaresque Khayr al-Dîn Barberousse repousse une offensive espagnole contre Alger à partir du Peñon.

Espagne et Amérique
Le Conseil des Indes est détaché du Conseil de Castille.

Amérique
Une violente épidémie de variole fait des ravages parmi les colons d'Hispaniola (Saint-Domingue).

Parme
Après un séjour d'une ou deux années à Rome, Corrège est de retour à Parme, où il est chargé par l'abbesse Giovanna da Piacenza de décorer le réfectoire du couvent des bénédictines de San Paolo. Avec sa voûte en ombelle, son treillis de feuillages et de fruits, et surtout les camaïeux des lunettes occupées par des nudités sensuelles, la « Camera di San Paolo » est l'affirmation éclatante d'un artiste à l'aube de sa carrière.

Mort de Léonard de Vinci, génie universel

Le Clos-Lucé, 2 mai 1519
Léonard vient de mourir, en France, à 67 ans. Formé à Florence par Verrochio, c'est surtout à la cour de Ludovic le More, à Milan, qu'il déploya librement, de 1482 à 1499, une activité de peintre, de fresquiste (*La Cène*), de sculpteur et d'ingénieur, sans oublier les discussions avec le mathématicien Luca Pacioli et avec l'architecte Bramante. De cette période datent aussi de nombreuses réflexions théoriques qu'il mène parallèlement à son travail créateur (*Traité de la peinture*, notamment). A Florence, de 1500 à 1506, l'artiste retient l'attention en inventant la composition pyramidale pour le carton de *La Vierge et sainte Anne*, ou en rendant avec fougue la mêlée de la *Bataille d'Anghiari* dans une fresque inachevée du Palazzo Vecchio. Après s'être rendu à Milan et à Rome, il s'installe en 1517 à Amboise, sur l'invitation de François Ier. Il emporte alors dans ses bagages, outre la *Sainte Anne*, la *Joconde* et un *Saint Jean-Baptiste*, le dernier tableau qu'il ait peint. Théoricien et ingénieur, Léonard n'a cessé de scruter la nature, pour lui arracher ses secrets, et faire de la peinture, en tant que mode de représentation du réel, une « science du visible » à laquelle concourent toutes les disciplines. Ainsi la curiosité du savant nourrit-elle le talent de l'artiste. Cette fusion de qualités si contradictoires explique la fascination qu'elle exerça.

Léonard de Vinci. « La Vierge aux rochers ». Vers 1506. National Gallery, Londres.

Léonard de Vinci. Vieillard et jeune homme se faisant face. Sanguine. Vers 1500.

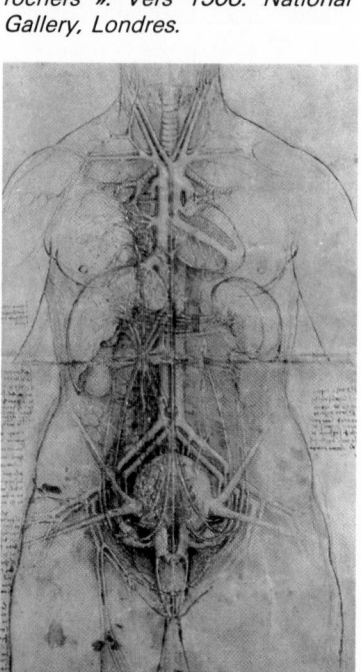

Léonard de Vinci. Etude anatomique d'un corps de femme. Vers 1515. Plume et lavis.

Léonard de Vinci. Etude de maillons pour une chaîne à entraînement. Vers 1490. Plume.

Charles Quint devient empereur du Saint Empire

Francfort, 28 juin 1519

Le 28 juin, les princes électeurs de la Diète de Francfort sont appelés pour désigner le successeur sur le trône impérial de Maximilien d'Autriche qui vient de disparaître (12 janvier 1519). Ils ont à choisir entre quatre candidats : Charles Iᵉʳ d'Espagne, le roi de France François Iᵉʳ, Henri VIII d'Angleterre et Frédéric le Sage, duc de Saxe. C'est Charles d'Espagne qui a le plus d'atouts : d'abord, c'est un Habsbourg, petit-fils de Maximilien de surcroît. Il bénéficie en outre du soutien des banquiers allemands, les Fugger et les Welser, qui lui ont prêté plus de 800 000 florins, grâce auxquels il a pu acheter les voix des princes allemands. Charles est donc élu sans surprise et devient l'empereur Charles Quint. Le nouveau souverain régnait déjà sur d'immenses territoires qu'il possédait à titre personnel, notamment, depuis 1516, l'Espagne enfin unifiée et son empire colonial. De son grand-père Maximilien, qui avait épousé Marie de Bourgogne, la fille de Charles le Téméraire, il a hérité des Pays-Bas et de la Franche-Comté et, surtout, de toutes les terres patrimoniales de la famille des Habsbourg, c'est-à-dire, outre la Haute et la Basse-Autriche qui lui appartiennent depuis le XIIIᵉ siècle, la Styrie, la Carinthie, le Tyrol et la Carniole, unifiées patiemment par Maximilien, ainsi que l'Alsace et le Brisgau de part et d'autre du Rhin, leurs fiefs d'origine. Quant au Saint Empire romain germanique sur lequel Charles Quint règne désormais, il comprend les Allemagnes, du Brandebourg au Luxembourg et à la Lorraine, et du Holstein aux Cantons suisses, le royaume électoral de Bohême avec la Silésie et la Moravie et, enfin, l'Italie. Domaines immenses donc et presque sans limite. En réalité, cette extension est plus apparente que réelle et le champ d'action des empereurs s'est peu à peu rétréci. Leur souveraineté en Italie n'est plus que théorique et, dans la péninsule, l'expansion française s'est faite en partie aux dé-

Portrait de Charles Quint avec un chien par Titien. 1533. Musée du Prado, Madrid.

pens de l'empire. Les Cantons suisses sont dans la pratique des Etats indépendants et toute l'Allemagne est travaillée par des forces centrifuges. Maximilien, qui avait travaillé à unifier l'empire comme il a unifié ses Etats héréditaires, n'a pas complètement réussi dans sa tâche.

Balboa, le découvreur du Pacifique, décapité

Amérique Centrale, 1519

Le conquistador et explorateur espagnol Vasco Nuñez de Balboa vient de tomber dans un guet-apens. Accusé de trahison par le gouverneur espagnol d'Amérique Centrale, Pedro Arias Davila, connu pour sa cruauté, il vient d'être décapité. Balboa avait pourtant eu le mérite de découvrir le plus court chemin entre l'Atlantique et le Pacifique. Ayant appris par les indigènes qu'une mer inconnue baignait des contrées regorgeant d'or, il avait mis sur pied une expédition depuis la colonie espagnole du golfe de Darien et l'avait entraînée à travers forêts et montagnes. Au terme d'un voyage qui avait duré du 1ᵉʳ au 29 septembre 1513, Balboa se jeta à genoux sur la plage qu'il venait de découvrir. Après avoir chanté ensemble le *Te Deum*, les 67 survivants de l'expédition qui, au départ, comptait 190 membres, contresignèrent un document authentifiant leur découverte. Bien que la reconnaissance d'une voie terrestre entre les deux façades océaniques des Amériques soit de grande valeur, les marins espagnols n'en continuèrent pas moins de chercher une voie maritime pour raccourcir la route des Indes, persuadés que la région comprise entre Panama et le Mexique était constituée d'îles. Christophe Colomb qui s'était toujours heurté vers l'ouest à des îles, croyait que Cuba appartenait au continent asiatique.

Lucrèce Borgia, un destin tourmenté

Ferrare, 24 juin 1519

Lucrèce Borgia, duchesse de Ferrare, fille du pape Alexandre VI et de sa fidèle concubine Vannezza Catanei, est morte à Ferrare, à l'âge de 39 ans. Mariée très jeune (1493) par son père à Giovanni Sforza, seigneur de Pesaro, elle avait quitté son époux pour contracter, à dix-huit ans, un mariage politiquement plus favorable avec Alfonso d'Aragon, prince de Bisceglie. Cette union heureuse fut brisée deux ans plus tard lorsque Alfonso fut assassiné par le propre frère de la princesse, César Borgia (1500). Belle et intelligente, Lucrèce Borgia fut chargée dès 1499 par son père de délicates missions politiques. Nommée régente de Spoleto, elle devint suzeraine de Sermoneta en 1500. En 1501, elle épousait Alfonso Iᵉʳ d'Este, duc de Ferrare. Sous l'impulsion de la belle Lucrèce, protectrice des arts et des lettres, la cour de Ferrare devint un centre d'intense activité artistique.

Lucrèce Borgia en Sainte Catherine. Détail d'une fresque de Pinturicchio « La Dispute de Sainte Catherine devant Maxence ». 1493. Appartements Borgia, Vatican.

Hernán Cortés débarque au Mexique et fonde la ville de Veracruz

Mexique, 10 juillet 1519

En mars 1519, l'armada de Cortés aborde les côtes du Yucatan. La flotte est composée de onze navires, 518 soldats, dix canons. Après de durs combats dans la région de Tabasco, les indigènes vaincus lui offrent de nombreux présents dont une jeune captive mexicaine qui devient sa maîtresse. Comme elle parle le nahua, langue des Aztèques, elle lui sert d'interprète. En avril 1519, les conquistadors débarquent à Cempoala, ville totonaque située dans le golfe du Mexique. Cortés s'allie aux populations totonaques. Il reçoit les envoyés de l'empereur du Mexique, Moctezuma, et comprend le parti à tirer de la faiblesse des Aztèques en s'alliant à leurs adversaires. C'est en juillet qu'il fonde la ville de Veracruz. La municipalité élue par les conquistadors lui donne les pouvoirs de justice et de capitaine général de la Nouvelle-Espagne, les 8 et 9 juillet. Il fait expédier au roi d'Espagne l'or qu'il a pu amasser dans le pays. Sa position ainsi renforcée, il quitte la côte suivi de nombreux indigènes et gagne les hauts plateaux où la faim et les maladies affaiblissent durement sa troupe. Le 7 novembre, les Espagnols font leur entrée dans la capitale aztèque de Tenochtitlán où Moctezuma les accueille.

1520

Rome, 6 avril
La cour pontificale prend le deuil en raison du décès de Raphaël. →

Mexique, 20 mai
Chargé par le gouverneur espagnol de Cuba de combattre Cortés, Pánfilho de Narvaez est vaincu par ce dernier à Cempola.

Espagne, mai
Les Comuneros se soulèvent contre les ministres flamands de Charles Quint. →

Guînes, 6 juin
Entrevue du Camp du Drap d'or. →

Rome, 15 juin
Le pape Léon X promulgue la bulle *Exsurge Domine*. 41 des 95 propositions de Luther sont déclarées « hérétiques et scandaleuses ».

Tenochtitlán, nuit du 29 au 30 juin
Noche triste. →

Wittenberg, août-octobre
La rupture avec Rome s'accentue. Luther rédige trois grands écrits réformateurs exposant sa profession de foi : *An den christlichen Adel deutscher Nation* (Appel à la noblesse allemande) ; *De Captivitate babylonica Ecclesiae* (De la captivité babylonienne de l'Eglise) et *De Libertate christiana* (De la liberté chrétienne).

Mexique, septembre
Moctezuma II ayant trouvé la mort lors d'une émeute de son peuple contre l'envahisseur espagnol, Cuitlahuac lui succède sur le trône.

Mexique
L'entrée des Tlaxcoltèques, alliés de Cortés, à Texcoco se solde par l'incendie de la bibliothèque et de toutes les archives.

Aix-la-Chapelle, 26 octobre
Elu le 28 juin 1519, Charles Quint est couronné empereur.

Amérique du Sud, octobre-novembre
A l'extrémité sud du continent américain, la flotte de Magellan découvre le 21 octobre l'entrée d'un détroit. Ses navires ayant commencé à s'y engager le 1er no-

vembre, le navigateur portugais baptise ce passage « détroit de Tous les Saints » (qui plus tard portera le nom de son découvreur). Le 28 novembre, pour la première fois, des navires venant d'Europe entrent dans l'océan Pacifique.

Stockholm, novembre
Le roi Christian II fait massacrer tous ses adversaires. Roi du Danemark et de Norvège en 1515, Christian II n'a eu de cesse de rétablir la domination danoise sur la Suède. Le 6 mars 1520, il est couronné roi de Suède ; toutefois, une résistance émerge. A la suite des massacres de Stockholm, Gustave Vasa, qui a pu en réchapper, organise un soulèvement paysan contre les Danois.

Wittenberg, 10 décembre
Luther brûle publiquement la bulle *Exsurge Domine*.

Chine
Une ambassade portugaise arrive à Pékin.

Strasbourg
Mort du célèbre prédicateur de Strasbourg, Johannes Geiler de Kaysersberg. Sa réputation était telle qu'une chaire de pierre avait été sculptée en son honneur dans la nef centrale de la cathédrale, en 1486. Dans ses *Sermons*, il n'hésite pas à reprendre des thèmes de *La Nef des fous* de Sébastien Brant.

Zwickau
Bien que Thomas Münzer partage les idées réformistes de Luther, ses options politiques sont tout autres et il s'installe, dans un premier temps, à Zwickau où il entame son œuvre de prédicateur.

Amérique du Nord
Après avoir reconnu les côtes sud de Terre-Neuve, le navigateur portugais João Alvares Fagundes tente de fonder une colonie sur le site de Cap-Breton. L'hiver trop rude décime les colons.

Espagne
Publication de la *Biblia computensis* ou Bible polyglotte d'Alcalá. Cet ouvrage, réalisé sous la direction du cardinal Francisco Jimenez de Cisneros, a été imprimé à l'université d'Alcalá de Henares, en Nouvelle-Castille, de 1514 à 1517. Il comprend l'Ancien Testament en hébreu, latin et grec, plus le targum araméen du Pentateuque ; le Nouveau Testament est en grec (pour la première fois) et en latin.

Deutsch, peintre lansquenet

Allemagne, 1520
Ce soldat est un bien étrange peintre : représentant tardif du gothique d'Europe centrale, influencé par Grünewald et Schongauer, il demeure essentiellement médiéval ; mais on trouve dans sa peinture des motifs renaissants, glanés en Italie, où il a servi François Ier comme mercenaire. Il peint des tableaux religieux, mais rêve de mythologie (*Le Jugement de Pâris*, vers 1520). Son style est plutôt compassé et raide, mais il lui arrive de faire preuve d'une étonnante fantaisie, assortie parfois d'un érotisme exubérant. Niklaus Manuel Deutsch est surtout un remarquable dessinateur. Rallié à la Réforme, il abandonnera ses activités artistiques au profit de la poésie populaire.

Niklaus Manuel Deutsch. « Le Jugement de Pâris ». Vers 1520. Kunstmuseum, Bâle.

L'entrevue du Camp du Drap d'or

Guînes, 6 juin 1520
C'est pour discuter d'une entente éventuelle que le roi de France François Ier et le roi d'Angleterre Henri VIII se rencontrent au Camp du Drap d'or, entre Guînes et Ardres. En fait, il aurait été plus logique de voir Henri VIII se rapprocher de Charles Quint : il est son oncle par son mariage avec Catherine d'Aragon et il ne peut éprouver que de la jalousie à l'égard de la gloire du souverain français. Mais le roi de France doit deux millions d'écus à l'Angleterre. Il est le garant de la dette française. C'est donc une question financière qui détermine Henri à accepter une rencontre sur le continent avec le roi de France, afin d'examiner les conditions d'une entente. François Ier, comme Henri VIII, est au sommet de sa gloire et de sa jeunesse. Tous deux aiment la vie et le faste. Si François est un galant chevalier, Henri est un homme pieux et érudit, tout en étant passionné jusqu'à la violence. Les préparatifs de l'entrevue rivalisent de splendeur : près de Guînes, en territoire anglais, Henri VIII fait dresser quatre grands pavillons ma-

gnifiquement décorés. Près d'Ardres, François Ier élève une tente de 60 pieds carrés, « le dessus de drap d'or frizé et le dedans doublé de velours bleu, tout semé de fleurs de lys ». Mais une tempête renverse les pavillons français et il faut rebâtir en hâte une tente pour les réceptions. Le 6 juin, l'entrevue a lieu dans un champ près de Guînes. Les deux rois s'embrassent et entrent dans le pavillon d'Henri VIII, accompagnés des seuls cardinaux Wolsey et de Bonivet. Ils restent ensemble un quart d'heure avec « deux ou trois pipes de vin ». Les jours suivants, banquets, joutes, danses réunissent les escortes qui se sont ruinées en parures. On rompt des lances mais pas la glace. Henri VIII est très vexé d'être, au cours d'une joute, jeté à terre par François Ier. Le 24, on se sépare après de grandes protestations d'amitié et un traité qui reproduit ceux de 1514 et de 1518. Mais Henri VIII se met en route pour Gravelines où il va rencontrer son neveu Charles Quint. Il signera avec lui à Calais un traité secret qui marquera l'échec du Camp du Drap d'or.

La rencontre entre François Ier, roi de France, et Henri VIII, roi d'Angleterre, au Camp du Drap d'or. Bas-relief.

Raphaël. L'Ecole d'Athènes. 1511. Fresque. « Chambre de la signature ». Vatican. Cette fresque-programme rassemble philosophes et sages de l'antiquité, sous les traits d'artistes vivants à la cour pontificale.

Rome prend le deuil pour Raphaël

Rome, 6 avril 1520

Raphaël vient de mourir à trente-sept ans. L'émotion est considérable et, fait sans précédent, la cour pontificale prend le deuil de l'artiste incomparable qui sut, avec un sens inné de la mesure, assimiler la manière de ses aînés et la transcender pour lui donner une résonance universelle. De Pérugin, il reprit les coloris tendres et les paysages spacieux, comme dans son *Mariage de la Vierge* ; de Léonard la composition pyramidale dans la *Madone du belvédère* ; de Michel-Ange le dessin énergique, dans les « Stanze » du Vatican. C'est peut-être dans ses portraits que l'essence même de son art s'est le mieux exprimée : il est peu d'œuvres qui puissent être comparées à son *Balthazar Castiglione*, exemple parfait du plus pur classicisme, symbole d'un idéal de perfection esthétique et spirituelle.

Raphaël. La « Madone Sixtine ». Détail. Vers 1513-1514. Gemäldegalerie, Dresde.

La "Noche triste" à Tenochtitlán

Mexique, 30 juin 1520

Ne pouvant soutenir les attaques des Mexicains, les conquistadors sont obligés d'abandonner la capitale aztèque, Tenochtitlán (Mexico), au cours de la *Noche triste*. Cortés et ses hommes étaient entrés dans la capitale de l'Empire aztèque le 8 novembre 1519. Ils y avaient été accueillis par l'empereur Moctezuma qui leur offrit l'hospitalité et des présents. Mais Cortés eut à peine le temps de s'installer dans la ville. Il dut faire face à un nouvel adversaire, Panfilo de Narváez, envoyé au Mexique par Diego Velazquez, gouverneur de Cuba, pour l'arrêter comme rebelle. Il laissa à Mexico son lieutenant, Pe-

Mort de Moctezuma, dernier empereur inca. Miniature. 1560.

dro de Alvarado et une petite troupe. Mais, durant son absence, le massacre de la noblesse aztèque dans le grand temple de Mexico par Alvarado souleva la population de la capitale. Cortés, victorieux de Narváez, enrôla ses hommes et regagna Mexico à marches forcées. Son arrivée ne parvint pas à changer la situation, bien au contraire. Moctezuma, en essayant de ramener le calme, fut lapidé par ses sujets. Au cours des combats qui s'engagèrent, Cortés perdit la moitié de ses hommes. Le 7 juillet, la victoire d'Otumba donnera aux Espagnols un peu de répit pour reconstituer leurs forces.

Une puissance financière, les Fugger

Allemagne, 1520

Les Fugger d'Augsbourg, véritable dynastie de marchands et de banquiers, sont devenus l'une des plus grandes puissances financières de l'époque. Ils ont joué un rôle déterminant lors de l'élection impériale de 1519. L'ancêtre, Ulrich Fugger, un modeste tisserand, s'installait à Augsbourg en 1368. Dix ans plus tard, il avait fondé une industrie textile, exportant des futaines et achetant à Venise le coton du Levant. A ces activités, il avait ajouté le trafic de la soie et des épices. Mais c'est l'exploitation des mines d'Europe centrale et la métallurgie qui avaient servi de base à l'exceptionnelle réussite de leur famille. En 1495, en association avec le Polonais Jean Thurzo, ils avaient obtenu le monopole des mines de cuivre et d'argent dans le Tyrol, en Carinthie, en Hongrie et en Bohême. Après 1516 et l'accession de Charles de Habsbourg au trône d'Espagne, ils exploitent les mines d'argent de Guadalcanal et les gisements de mercure d'Almadén. Ils ont su adopter les méthodes les plus modernes dans le traitement des métaux ; les trois grandes usines de Hohenkirchen (Thuringe), de Fuggerau (Carinthie) et de Mosovce (Slovaquie) sont à la pointe du progrès. Jacob II, dit « le Riche » (1459-1525), financier de Maximilien et de Charles Quint, agent de la papauté pour la levée des indulgences dans tout l'empire, détenteur de la ferme des ateliers monétaires de Rome, est à la tête du réseau commercial le plus dense de l'Europe.

Jacob Fugger, dit « le Riche », par Albrecht Dürer. Vers 1520. Alte Pinakothek, Munich.

Jacob Fugger (vêtu de noir), en compagnie de son comptable Matthäus Schwarz. Aquarelle. 1517.

Empires et royaumes en Inde

Du VIIIᵉ au XVIIIᵉ siècle

Après la mort d'Harsha de Kanauj, en 647, la dernière tentative de réunification de l'Inde sous la tutelle d'un monarque hindou s'effondre. Pour la période qui commence alors, et jusqu'à l'instauration, au XVIᵉ siècle, de l'Empire moghol, plus encore qu'en termes de nord et de sud, il convient de diviser l'Inde en provinces, tant il est vrai que le pays est maintenant morcelé en royaumes dont l'extension reste très localisée.

Les dernières dynasties dans le nord

La dynastie de Kanauj ne survit que peu de temps à son fondateur, le puissant roi Harsha. Le début du VIIIᵉ siècle voit s'ouvrir la lutte tripartite qui oppose les dynasties Pratihâra, Râshtrakûta et Pâla pour la domination sur Kanauj. Issue du Deccan, la dynastie des Râshtrakûta est harcelée par ses problèmes dans le sud. Les Pratihâra, après quelques espoirs vite déçus, se retrouvent en état d'infériorité, et les Pâla sont maîtres du nord-est du pays jusqu'au XIIᵉ siècle. On ne sait d'eux que peu de choses : quelques chartes, des listes de rois, des constructions sur de nombreux sites bouddhiques (l'université de Vikramashila, par exemple), un art très caractéristique de stèles sculptées, essentiellement bouddhiques. Les Pâla devaient, en effet, être les derniers souverains bouddhistes de l'Inde septentrionale. Sous leur règne, se développe la forme ésotérique du bouddhisme, connue sous le nom de « véhicule du diamant » (vajrayâna) : les divinités féminines font leur apparition dans le panthéon, le culte admet peu à peu les rites d'aspect magique et sexuel. Cette forme du bouddhisme passe dans les pays de l'Himalaya, notamment au Tibet où elle connaît un grand succès. Au XIᵉ siècle, les Pâla voient leur domaine se rétrécir, et, au Bengale, la dynastie des Sena, de religion çivaïte, revivifie le pouvoir hindou. Les Sena, dont on ne connaît que des listes de rois, adapteront toutefois la forme artistique très particulière des stèles Pâla à l'iconographie de leur religion. L'ouest du pays est également très divisé : les Pratihâra, affaiblis, ne peuvent empêcher leur royaume d'être disséqué par leurs anciens vassaux, qui s'affranchissent de

leur domination dès le IXᵉ siècle. Parmi eux, les Solânkï, branche occidentale des Châlukya, de religion jaïna, laissent de nombreux temples et monastères. Au Râjasthân, sont établis de nombreux petits royaumes contrôlés par des dynasties que l'on désigne sous le terme générique de dynasties râjout. De religion hindoue ou jaïna, ces farouches guerriers feront de leur province le plus actif foyer de résistance à l'envahisseur musulman.

Le Deccan et le sud

Dans la partie péninsulaire de l'Inde, la dynastie la plus importante est la dynastie Chola qui, de son centre établi à Tanjore dès le IXᵉ siècle, étend progressivement ses territoires sur les vestiges des possessions Pallava. Les souverains Chola se révèlent être de grands conquérants : ils s'attaquent victorieusement à Ceylan, et la vallée du Gange n'est pas épargnée par leurs armées. La flotte des Chola poursuit ses expéditions vers les Maldives, l'Asie du Sud-Est et le royaume indonésien de Srîvijaya en 1025, assurant ainsi à la dynastie le contrôle des voies commerciales. Les artistes chola laissent le souvenir de merveilleux fondeurs : leurs bronzes ont en effet une réputation justifiée de pureté des formes, d'équilibre et de grâce. A cette époque où le bouddhisme brille de ses derniers feux dans le nord, se développent dans le sud des formes sectaires de l'hindouisme, fondées sur le culte de la bhakti, c'est-à-dire la dévotion au dieu. Les écrits religieux sont rédigés, non plus en sanskrit, mais dans les langues populaires. Le XIIᵉ siècle est le témoin du déclin progressif de la dynastie, déclin accéléré par la montée des Pândya au sud et des Hoysala à l'ouest. Les Hoysala, jaïna convertis au vishnouisme, anciens vassaux des Châlukya éliminés de la scène politique dès le VIIIᵉ siècle, règnent sur le Karnâtaka. Ils laissent un art caractéristique : des temples à plan étoilé et une sculpture très fouillée, témoignant d'un sens esthétique pour lequel le décoratif l'emporte sur le structurel. Au XIVᵉ siècle, les Hoysala ont à repousser des invasions musulmanes venues du nord ; mais, en 1346,

c'est un empire indien, Vijayanagar, bastion de la résistance à l'islam, qui détruit leur puissance. Au XIIIᵉ siècle, les Pândya tiennent le sud du pays, mais leur domination est de courte durée : ils tombent au XIVᵉ siècle, victimes des musulmans.

Le sultanat de Delhi

En 632, à la mort de Muhammad, la guerre sainte a déjà commencé pour les musulmans. La disparition d'Harsha de Kanauj, en 647, laisse l'Inde du Nord dans un état de faiblesse dont les compagnons du Prophète savent profiter. Aucun de leurs raids maritimes sur les côtes du Mahârâshtra n'aboutit à une installation durable, mais la richesse du pays leur est ainsi révélée. La conquête systématique est entreprise par des Turcs qui empruntent les passes montagneuses du nord-ouest. En 1030, les Ghaznévides, dynastie fondée par Mahmûd de Ghaznî (ville située non loin de Kaboul), incluent le Panjâb dans leurs possessions. Muhammad de Ghor, un Afghân, chasse les Ghaznévides en 1173 et accumule les conquêtes : le Panjâb, la région de Delhi, où il installe son gouvernement, le Bihâr, le Bengale... A sa mort, en 1206, une grande partie de l'Inde septentrionale est soumise. Aucun successeur n'ayant été désigné par Muhammad avant sa mort, c'est son lieutenant et ancien esclave, Qut ub-Dîn Aïbak, qui reprend les rênes de l'empire et inaugure la « dynastie des Esclaves ». Son successeur, Iltutmish, affermit l'installation du sultanat de Delhi, qui se maintiendra jusqu'en 1526. L'intervention du ministre Balban sauve le pays du chaos après la mort d'Iltutmish. Le pouvoir passe ensuite aux mains du vieil empereur afghân fondateur de la dynastie des Khaljî, à laquelle succède trente ans plus tard celle des Tughlûq, renversée elle-même par la brutale invasion de Timûr Lang (Tamerlan) en 1398. Au nom de l'islam, ce dernier extermine les incroyants, et, ne laissant sur son passage que ruines et désolation, prépare le sultanat à une lente désagrégation sous le règne des Sayyid et des Lôdi. Le sultanat de Delhi peut être considéré comme une continuation de la tradition politique hindoue de la période précédente : en effet, les musulmans n'y étaient que l'un des groupes en compétition pour la domination du pays. A quelques rares exceptions près, la politique suivie en matière de religion fut une politique de tolérance. Nombreuses étaient les provinces sous domination musulmane dans lesquelles les postes importants étaient entre les mains de chefs hindous. La formation d'un nouveau système politique destiné à centraliser le territoire, l'introduction d'une élite dirigeante, de religion et de culture islamiques, devaient avoir une importance capitale sur les développements ultérieurs de l'histoire indienne. Bien que menant une politique belliqueuse, certains des sultans de Delhi furent également de grands bâtisseurs, capables d'adapter l'expérience d'artistes indigènes aux canons esthétiques de l'islam. Dès cette époque se forme, après quelques tâtonnements, ce que l'on peut appeler un art indo-islamique.

Les sultanats du Deccan

Du fait des oppositions conjuguées du royaume hindou de Vijayanagar et de nobles musulmans révoltés, le pouvoir de Delhi est forcé, entre 1330 et 1347, de retirer du Deccan les forces qu'il était parvenu à y imposer. L'opposition musulmane aboutit à la fondation en 1347, à Daulatâbâd, de la dynastie Brahmanî dont l'histoire est celle d'une lutte incessante pour l'obtention du pouvoir effectif sur l'ensemble du Deccan. L'installation d'une puissance musulmane draine vers cette partie du pays un grand nombre de Turcs, d'Afghâns et même de Perses. A partir de 1490, les rivalités entre les grands aristocrates, les anciens gouverneurs de provinces et Qâsim Barîd, qui exerce le pouvoir au nom des Brahmanî, se font plus graves. Progressivement, et bien qu'en théorie un sultan brahmanî restât en poste à Daulatâbâd jusqu'en 1545, cinq grands Etats se partagent les possessions de la dynastie déclinante : Berâr, Bîdar, Ahmadnagar, et surtout Golconde et Bijâpur, qui se trouvent en position avantageuse, parce que les moins exposés aux attaques de l'Empire moghol. Bijâpur et Golconde se partagent, de fait, la suprématie, tout au long du XVIe siècle. La chute de l'empire hindou de Vijayanagar, en 1565, leur ouvre la route vers le sud, mais leur triomphe est de courte durée : en 1633, Ahmadnagar, qui leur assurait un rempart au nord, est annexé par les Moghols qui, en 1636, imposent à Golconde et Bijâpur, défaits, un traité de paix qui les assujettit entièrement.

L'empire de Vijayanagar, 1336-1565

Profitant de la confusion politique provoquée dans le Deccan par les dissensions entre les Etats musulmans, un grand empire hindou prend, dans le sud, la relève de la résistance râjput contre l'islam : le royaume de Vijayanagar. Ce véritable rassemblement national avait pour but ambitieux de chasser les musulmans du territoire indien. Puis, devant la montée des sultanats du Deccan, Vijayanagar réalise la vanité de son projet et se cantonne dans une simple survie. Sont entretenues dans ce but des alliances intermittentes avec les Portugais, alors installés à Goa, ou même avec certains groupes musulmans. Quatre dynasties hindoues devaient régner sur Vijayanagar, qui apparaît comme un sanctuaire privilégié de la culture indienne. Installée en plein cœur du Deccan, la capitale avait une position favorable à son rayonnement culturel. Un art caractéristique s'y développe, mêlant intimement caractères hindous et influences islamiques. Mais, en 1565, les quatre principaux sultanats du Deccan s'allient et la bataille de Talikota consacre la perte de l'Empire hindou : la ville est rasée, la population massacrée ou déportée. La domination musulmane semble donc assurée. Pourtant, le Tamilnâdu reprend le flambeau de la résistance : les Nayak, vice-rois de Vijayanagar, y créent quatre royaumes dont le dernier, le royaume de Madurai, ne s'éteindra qu'en 1739.

L'Empire moghol

L'invasion de Timûr Lang, à la fin du XIVe siècle, avait provoqué un nouveau morcellement de l'Inde du Nord. Le sultanat de Delhi voit sa puissance décliner progressivement. En 1524, Bâbur, descendant de Timûr Lang et de Gengis Khân, entre en Inde par le nord-ouest. Du Panjâb où il installe sa base, il s'élance sur Delhi en 1526 et abat Ibrâhîm Lodî. A sa mort, en 1530, il laisse à son fils et successeur, Humâyûn, un empire vaste mais faible. Humâyûn est contraint à l'exil par l'usurpation de Sher Shâh Sûrî, qui s'installe à Delhi et dote l'empire d'une organisation qui prépare, en fait, la grandeur à venir des Moghols. Sher Shâh disparu, Humâyûn profite des luttes de succession pour reprendre le pouvoir. Son fils Akbar lui succède très vite, en 1556, mais connaît un début de règne difficile, dominé par le pouvoir de ministres médiocres. Ce n'est qu'en 1562 qu'il prend personnellement en mains les rênes du gouvernement. Cette même année, il tente de se concilier les Râjput par une alliance matrimoniale avec la maison d'Amber. Il lui faudra pourtant les écraser militairement pour gagner leur considération. Akbar mène une politique de conquêtes et inaugure une conception entièrement nouvelle de la royauté de droit divin. Par sa tolérance religieuse, sa fermeté dans la gestion et l'administration du pays, il parvient à unifier l'Inde septentrionale, politiquement et culturellement. Akbar, mécène et ami des arts, dote les grandes villes de son empire de nombreux monuments et installe même une capitale d'apparat à Fatehpîr-Sîkrî, au sud-ouest d'Agra. L'art de la miniature se développe sous l'influence d'artistes venus de Perse. Ses deux successeurs poursuivent sa politique tolérante. Shâh Jahân reste l'inoubliable constructeur du Tâj Mahâl, tombeau de Mumtaz-i Mahâl, son épouse tant aimée. Aurangzeb, fils et successeur de Shâh Jahân qu'il détrône et emprisonne pour s'emparer du pouvoir en 1658, se fait le champion de l'orthodoxie musulmane et applique systématiquement une politique inverse de ses prédécesseurs. La persécution reprend, plus féroce que jamais, contre les incroyants ; ce fanatisme provoque de nombreuses révoltes. Bien que doué de sérieuses qualités d'ordre et de méthode, Aurangzeb ne parvient pas à réaliser son rêve : faire de l'Inde un pays entièrement soumis à l'islam. Son règne consomme finalement la ruine de l'Empire moghol. Après sa disparition, l'Empire est le théâtre de sanglantes luttes de succession. La faiblesse du pouvoir devient, de souverain en souverain, plus éclatante. Les Perses multiplient les incursions, les Occidentaux se font de plus en plus présents et obtiennent des souverains affaiblis d'importantes concessions. A l'ouest, la puissance marathe prend une ampleur inquiétante depuis le milieu du XVIIe siècle. Dans la seconde moitié du siècle suivant, ils contrôleront entièrement l'administration, et donc le pays, tandis que les empereurs ne seront plus que leurs hommes de paille.

L'expansion européenne

Des liens existaient entre l'Inde et le monde méditerranéen dès avant l'ère chrétienne. Les Portugais furent, au XVe siècle, les premiers à renouer le contact. Goa, sur la côte occidentale, est alors le centre de l'Empire portugais dont le but est double : l'établissement de bases stratégiques sur la route maritime de l'Indonésie, et la conversion des populations locales au catholicisme. L'empire décline rapidement après l'annexion du Portugal par l'Espagne en 1580. La voie est donc libre pour les Hollandais, beaucoup plus intéressés par l'Indonésie et ses épices, et surtout pour les Anglais, dont l'aventure orientale est supervisée par l'East India Company. La Compagnie française des Indes orientales n'est créée qu'en 1664, à l'initiative de Colbert. Dupleix, au XVIIIe siècle, conçoit l'idée grandiose d'un empire oriental pour la France. Mais ses initiatives déplaisent à la compagnie, qui entend limiter ses activités au commerce et obtient son rappel. En 1763, le traité de Paris, en limitant les pouvoirs des directeurs français, consacre la suprématie de la compagnie anglaise. Sur place, Robert Clive entend aller de l'avant : il adopte les méthodes de Dupleix et obtient pour l'Angleterre ce que la France s'était refusé.

1521

Château de la Wartburg, 3 janvier
Luther se réfugie chez son protecteur Frédéric de Saxe.

Mexique, janvier
Intronisation de Cuauhtemoc, le dernier souverain aztèque.

Worms, 17 avril
Luther comparaît devant la Diète de Worms, en présence de Charles Quint.

Espagne, 23 avril
Les Comuneros sont écrasés à Villar par les troupes impériales et celles de la noblesse commandées par Juan de Padilla.

Strasbourg, 10 mai
Mort du poète Sebastian Brant.

Worms, 26 mai
Charles Quint met Luther au ban du Saint Empire romain germanique. →

Europe, juin
Reprise des hostilités entre François Ier et l'empereur : la suprématie en Europe est l'enjeu de ce nouvel affrontement. Bayard défend victorieusement Mézières contre les impériaux, qui envahissent la Champagne.

Balkans, 8 août
Soliman le Magnifique s'empare de Belgrade. →

Tenochtitlán, 13 août
Après avoir subi deux assauts, Cuauhtemoc se rend à Cortés. Le siège de la capitale aztèque avait commencé le 30 mai. →

Condé-sur-Escaut, 26 août
Mort du compositeur franco-flamand Josquin des Prés. Surnommé « le Prince de la musique », il laisse une œuvre considérable : 32 messes, 70 motets et 80 chansons. Josquin des Près demeure un maître du contrepoint selon l'école flamande et un très grand polyphoniste français malgré une forte influence de la musique italienne. Il fut successivement chantre de la chapelle de la cour de Milan en 1459, de la chapelle pontificale en 1486, musicien à la cour de Louis XII en 1501, puis se mit au service du duc Hercule Ier de Ferrare. Il mourut prieur de l'église Notre-Dame de Condé, près de Valenciennes.

Angleterre, 21 octobre
Le roi Henri VIII d'Angleterre répond aux thèses de Wittenberg par un texte intitulé *Assertio Septem Sacramentorum*. Le pape lui décerne le titre de *Defensor Fidei* (défenseur de la foi). Malgré cette convergence momentanée avec Rome, Henri VIII et Thomas Wolsey sont décidés à placer l'Eglise d'Angleterre sous l'obédience de la couronne, au besoin en rompant avec le pape.

France
Le Parlement de Paris condamne l'hérésie de Luther. François Ier, en échange de quelques subsides pontificaux, s'engage à « combattre la secte luthérienne ».

Rome, 1er décembre
Mort du pape Léon X.

Lisbonne, 13 décembre
Mort de Manuel Ier le Grand. Sous son règne, la monarchie portugaise s'est renforcée. Manuel Ier a soumis la noblesse et supprimé les pouvoirs de la bourgeoisie et du peuple. L'empire colonial s'est développé au Brésil, en Afrique et aux Indes. Manuel favorisa la mise en place de l'intolérance religieuse, en expulsant les Maures et les Juifs. Son nom reste attaché à un style architectural spécifiquement portugais, le style dit manuélin.

Portugal
Le nouveau souverain, Jean III, réaffirme le monopole du Portugal sur le Brésil.

Mexique, décembre
Les rois zapotèques et tarasques font acte d'allégeance à Hernán Cortés.

Espagne
Blessé au siège de Pampelune, un gentilhomme basque, Ignace de Loyola, se convertit et fait retraite à Montserrat.

Saint Empire
Philipp Schwarzerd, surnommé Melanchton, proche compagnon de Martin Luther, rédige les *Loci communes theologiae* qui constituent le premier ouvrage de dogmatique luthérienne.

Florence
S'inspirant des Antiques et en particulier de Tite-Live, Nicolas Machiavel rédige des Dialogues sur l'art de la guerre. A la demande de Jules de Médicis, il entreprend une *Histoire de Florence*.

Bâle
Le peintre Holbein le Jeune exécute une saisissante figure de *Christ mort*.

Luther mis au ban de l'empire par l'édit de Worms

Worms, 17 avril 1521
Le 28 janvier 1521, Charles Quint ouvrait la Diète de Worms. Le légat du pape demanda que Luther soit remis à la justice pontificale. Mais on jugea qu'il fallait d'abord l'entendre : aussi, le 17 avril, Luther comparaît devant la Diète de Worms. Il y soutient fermement sa doctrine et, affirmant contre Rome l'autorité souveraine des Ecritures, il récuse l'infaillibilité du pape et celle des conciles. Après avoir persisté dans ses déclarations, Luther, qui était persuadé que le sort de Jean Huss l'attendait à Worms, est autorisé, à sa grande surprise, à quitter la ville. Et, lorsque le 26 mai Charles Quint prend la décision de le mettre au ban de l'empire, Luther est déjà à la Wartburg, en sécurité sous la protection du duc de Saxe.

L'Edit de Worms, promulgué le 25 mai 1521 par Charles Quint, mettant Luther au ban de l'Empire.

Soliman le Magnifique s'empare de Belgrade

Belgrade, 8 août 1521
Depuis trois semaines, les batteries ottomanes, installées sur une île au confluent du Danube et de la Save, ne cessent de bombarder la citadelle de Belgrade. Depuis trois semaines, les assauts succèdent aux assauts. Sulayman Ier (dit Soliman le Magnifique), sultan depuis un an, décide d'en finir. Il fait sauter la plus grande tour de la place. La catastrophe envenime les rapports entre les défenseurs (les uns sont catholiques, les autres orthodoxes) qui finissent par se rendre. Les Hongrois sont massacrés. Les Serbes sont amenés à Istanbul et installés dans les environs de la ville. La chute du fort de Belgrade ouvre une brèche dans la ligne de défense danubienne et permet aux Ottomans de s'emparer de la dernière partie de la Serbie. Ils sont, enfin, « à la porte de la Hongrie ».

Les troupes de Soliman le Magnifique s'emparant de la citadelle de Belgrade en août 1521. Miniature ottomane. Détail. Musée Correr, Venise.

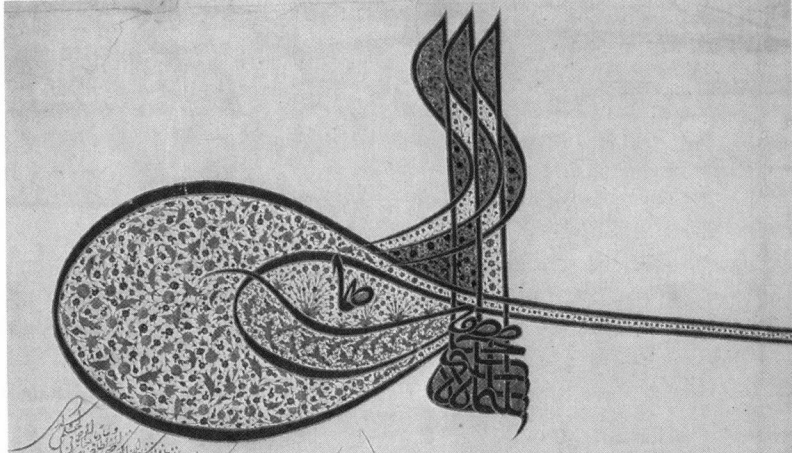

Seing impérial (« tughra ») de Soliman le Magnifique. Or et couleurs sur papier. Metropolitan Museum of Art, New York. Superbe exemple de calligraphie décorative.

L'art manuélin, expression originale de l'art renaissant au Portugal

Francisco Arruda. La Tour de Belém, à Lisbonne, sur les bords du Tage, à son estuaire. 1515-1520.

Portugal, XVᵉ-XVIᵉ siècles
Au Portugal, le style « manuélin », baptisé ainsi par référence au roi Manuel, traduit les résistances de l'architecture gothique aux nouvelles formes de la Renaissance. Ce style imaginatif s'attache tout particulièrement au décor, la structure des bâtiments restant inchangée. Les ornements sont nés du gothique flamboyant, mais ils s'inspirent également de formes mauresques et orientales. Ils sont associés à des représentations naturalistes de la flore aquatique et à des motifs de cordages. On a considéré que cet art, composé d'un mélange baroque de formes végétales et nautiques, était directement lié aux découvertes maritimes. La complexité de ces inspirations signifie une ouverture sur le monde. Les constructions manuélines, nées de l'initiative royale qui se confond avec celle de l'ordre du Christ, couvrent le pays tout entier. Des architectes étrangers se mêlent aux Portugais. Maître d'œuvre de l'église hiéronymite de Santa Maria de Belém, Boytac collabora avec Mateus Fernandes (vers 1500) à la construction des « Chapelles imparfaites » à Batalha et au portail admirable qui les accompagne. Francisco Arruda se distingue en élevant la tour de Belém (1515-1520), emblème de Lisbonne, forteresse ouvragée gardant l'estuaire du Tage, tandis que son frère Diogo travaille à l'église du couvent de Tomar dont la fameuse fenêtre de la sacristie, au décor délirant, est le symbole même du style manuélin (vers 1530). De nombreuses autres églises, édifiées durant la première moitié du XVIᵉ siècle, témoignent de la vitalité d'un art original.

Diogo de Arruda. Fenêtre de la sacristie, couvent du Christ à Tomar. Vers 1530.

Prise de Tenochtitlán par Hernán Cortés

Mexique, 13 août 1521
Au bout de soixante-quinze jours, les combats entre Aztèques et Espagnols ont enfin cessé. Cuauhtemoc, le dernier souverain mexicain, est capturé. Tenochtitlán est aux mains de Cortés. C'est grâce aux renforts espagnols arrivés en Nouvelle-Espagne et fort de l'alliance des Tlaxcaltèques qu'Hernán Cortés avait entrepris de reprendre la capitale de l'Empire aztèque dont il avait été chassé après la *Noche triste*. Le siège dura du 30 mai au 13 août 1521. La ville n'est plus à cette date qu'un amas de ruines et un immense charnier. Tenochtitlán avait été une cité exceptionnelle. D'après le récit d'Hernán Cortés, elle était installée entre une grande lagune d'eau salée et la terre ferme. Une lagune d'eau douce se trouvait à proximité. Elle avait quatre entrées auxquelles conduisaient des chaussées construites par l'homme. Grande comme Séville et Cordoue, elle était vraisemblablement peuplée de 500 000 habitants. Sillonnée d'un réseau de canaux, la ville possédait un grand nombre de places où étaient échangées quotidiennement d'innombrables marchandises : des bijoux d'or, d'argent, des objets de pierre, de plumes, des collections d'oiseaux, des lapins, des chevreuils, des chiens comestibles, des fruits, du maïs. Cortés avoue qu'il ne saurait énumérer tous ces produits. Des temples de très belle architecture abritaient les services religieux organisés par l'aristocratie urbaine. La magnificence des palais et de la cour impériale était à l'image de la richesse de cet empire dont Cortés évaluait l'étendue à celle de l'Espagne. Les Espagnols vont rebâtir, sur les ruines de la ville totalement détruite, une nouvelle capitale, Mexico, et vont conquérir le reste du pays.

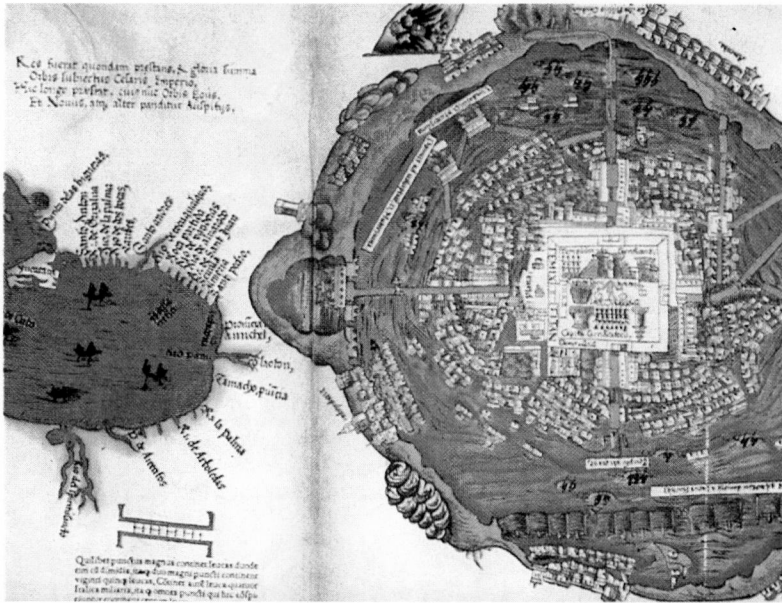

Plan de Tenochtitlán, l'ancienne capitale des Aztèques. Gravure sur bois tirée de l'ouvrage de Hernán Cortés « Praeclara de Nova Maris Oceani Hyspania ». Nuremberg, 1524.

Mort tragique du navigateur Magellan

Philippines, 27 avril 1521
Magellan est tué d'une flèche empoisonnée au cours d'une expédition sur l'île de Mactan. En mars 1521, trois des navires de l'expédition, partis en septembre 1519 d'Espagne pour le premier tour du monde à la voile, abordent les Philippines à Cebu. Les indigènes se montrèrent accueillants. Au bout d'une semaine, un chef indigène se faisait baptiser avec une centaine d'hommes ; nommé roi de l'archipel, il entreprend aussitôt une expédition contre « ses » sujets de Mactan, une île voisine. Magellan veut y participer, et c'est là que prend fin la glorieuse carrière du navigateur.

Portrait du navigateur portugais Magellan. Salle de la Mappemonde, Palais Farnèse, Caprarola.

Briçonnet réunit les réformateurs français

Meaux, 26 juin 1521
Quelques semaines après que la faculté de théologie de Paris ait condamné formellement toutes les thèses de Luther, Guillaume Briçonnet, évêque de Meaux, appelle le 26 juin auprès de lui le philosophe et théologien Lefèvre d'Etaples, Gérard Roussel, prédicateur de Marguerite d'Angoulême, et l'helléniste Vatable. Ainsi se trouve constituée l'école de Meaux qui veut promouvoir une réforme à la française selon l'esprit d'Erasme. Lefèvre d'Etaples, traducteur des Psaumes et du Nouveau Testament, commentateur de saint Paul, éditeur aussi des grands textes mystiques chrétiens ou néo-platoniciens, est le théoricien du groupe. Pour lui, la religion est vie intérieure, une expérience intime de l'âme dont l'Evangile est le seul guide. Il estime, et par là se rapproche de Luther, que la Grâce est la source unique du Salut, les œuvres n'étant que le signe extérieur de la Foi. Guillaume Briçonnet, lui, avait fréquenté en Italie les prélats érasmiens de l'entourage de Léon X et les membres de l'Oratoire romain. En 1518, il avait entrepris de réformer son diocèse. Mettant fin aux abus les plus criants, il avait obligé les curés à résider dans leurs paroisses, imposé le silence aux moines et interdit les indulgences. Conscient de la misère spirituelle des fidèles, il s'est employé aussi à former de nouveaux prédicateurs.

1522

Rome, 9 janvier
Le conclave réuni à la suite de la disparition du pape Léon X lui donne pour successeur le cardinal Floriszoon Boeyens. Le nouveau pape, originaire des Pays-Bas, prend pour nom Adrien VI. Sorti brillamment de l'Université de Louvain en 1478, Floriszoon Boyens n'entra que tardivement dans les ordres. Docteur en théologie en 1490, il quitte sa chaire pour se charger de l'éducation du futur Charles Quint. Ami d'Erasme, il fut, par la suite, évêque de Tortosa et reçut la pourpre cardinalice en 1516. Très marqué par la « devotio moderna » des Flandres, il souhaite réformer l'Eglise afin de contrecarrer les progrès du luthéranisme. Par ailleurs, il pense que Rome peut jouer le rôle de médiateur entre François Ier et Charles Quint.

Wittenberg, 24 janvier
Le Conseil de la ville promulgue une ordonnance rédigée notamment par le « prophète de Zwickau », Andreas Karlstadt, qui réglemente le culte et le financement de l'Eglise. Perçue comme une véritable provocation, elle déclenche la fureur iconoclaste des partisans de Martin Luther. →

Stuttgart, 30 juin
Johannes Reuchlin meurt à Bad-Liebenzell, près de Stuttgart. Une violente polémique avait eu lieu autour de ses travaux sur la Kabbale et Ulrich von Hütten avait pris sa défense.

Atlantique, été
Le marin Jean Fleury, de Honfleur, s'empare de trois des caravelles espagnoles qui ramenaient le butin de Cortés à Charles Quint.

Milan, 27 août
Mort du sculpteur et architecte lombard Giovanni Antonio Amadeo. Chargé de la direction des travaux de la Chartreuse de Pavie, il en édifia, de 1491 à 1498, la façade avec Benedetto Briosco, la traitant comme un objet d'orfèvrerie, en la surchargeant d'un décor foisonnant de statuettes et de bas-reliefs.

Espagne, 8 septembre
Retour de l'expédition de Magellan et d'El Cano. →

Moscou, 14 septembre
Traité russo-lituanien : Smolensk est rattaché à Moscou. →

Empire germanique
Bible de Septembre de Martin Luther. →

Mexique, 15 octobre
Cortés reçoit les lettres de Charles Quint le nommant Capitaine général et gouverneur de la Nouvelle-Espagne et légalisant ainsi après coup son entreprise de conquête.

Rhodes
L'île est conquise par les Turcs après un siège mémorable, où s'illustrèrent Villiers de l'Isle Adam et le marin provençal Prégent de Bidoux. Rhodes était le siège de l'ordre des Hospitaliers de Saint-Jean-de-Jérusalem.

Mexique
Sur les ruines de Tenochtitlán, la capitale de l'empire aztèque, les Espagnols fondent Mexico. La nouvelle ville, dont le plan s'inspire de l'organisation urbaine qui fut mise en œuvre lors de la Reconquête, sera désormais la capitale de la Nouvelle-Espagne.

Italie
Les troupes de François Ier sont en mauvaise posture. Vaincus à la bataille de La Bicoque, les Français sont contraints de se retirer du Milanais. Les troupes impériales occupent Gênes et un doge favorable à Charles Quint y est désigné.

Pays-Bas
Installation de l'Inquisition.

Amérique du Sud
La tentative de colonisation pacifique menée par Las Casas à Cumana au Venezuela échoue. Les colons espagnols sont massacrés par les Indiens.

Mexique
Afin de pacifier les territoires de l'empire aztèque dont ils viennent de prendre le contrôle, les Espagnols lancent une série d'expéditions contre les montagnards zapotèques dans l'isthme de Tehuantepec.

Empire germanique
Les réformateurs Martin Luther et Thomas Münzer s'opposent. Münzer est partisan d'un bouleversement à la fois social et religieux, ce que Luther ne peut admettre. Pour lui, en effet, la religion est en dehors et au-dessus de la politique et de l'organisation sociale ; aussi les chrétiens doivent-ils se soumettre à l'ordre établi, quel qu'il soit.

Les "Comuneros" se révoltent contre Charles Quint

Espagne, 1520-1523
Le 20 mai 1520, Charles Quint quittait l'Espagne pour l'Empire. Quelques jours plus tard, la révolte des « Comuneros » éclatait à Tolède puis dans toutes les villes de Castille. Une « Santa junta » qui rassemble les délégués des cités insurgées prend la tête de la révolution. Le mouvement gagne l'Andalousie et la Catalogne. En 1523, c'est l'Espagne entière qui se soulève. Les causes de cette révolution sont multiples : rejet d'un roi étranger et de son entourage flamand qui monopolise les plus hautes charges et les plus riches prébendes ; protestation contre l'alourdissement des impôts ; rancœur des classes moyennes des villes contre la haute aristocratie qui s'est compromise avec les nouveaux pouvoirs.

Luther entreprend la traduction de la Bible en allemand

Allemagne, septembre 1522
C'est à la Wartburg, où il s'était réfugié, que Luther avait entrepris de traduire la Bible, travail qu'il achève à Wittenberg où il a pu revenir en 1522. L'intelligibilité immédiate de l'Ecriture pour tous les cœurs bien disposés et le droit pour chaque chrétien d'interpréter librement son message, est l'un des principes fondamentaux de la Réforme, qui s'oppose en cela au monopole revendiqué par l'orthodoxie romaine. La Bible latine de saint Jérôme n'était accessible qu'aux seuls clercs. La traduire en allemand dans une langue simple et claire, compréhensible pour tous, avait donc été pour lui de première nécessité. Cette traduction est considérée comme le premier monument de la littérature allemande.

Russes affrontant Polonais et Lituaniens à la bataille d'Orcha en 1514. Détail. Peinture anonyme de la région de Cracovie. XVIe siècle.

Russes, Polonais et Lituaniens signent le traité de Moscou

Moscou, 14 septembre 1522
Grâce à l'entremise du pape Léon X, les représentants de Basile III, grand-prince de Moscou, et de Sigismond Ier, grand-duc de Lituanie, signent pour une durée de cinq années un traité de paix renouvelable jusqu'en 1533. Ce traité stipule expressément que la ville de Smolensk, sous domination lituanienne depuis le début du XVe siècle, est une possession moscovite. De plus, les affrontements militaires entre la Livonie et la Russie pour l'hégémonie dans le nord-est de l'Europe trouvent ici un terme. Basile III achève par là même le fusionnement des principautés et terres russes : il ne reste plus en dehors du contrôle de Moscou que la Russie blanche (Minsk) et la Petite-Russie (Kiev) qui demeurent polonaises. Ce traité est l'aboutissement de la guerre qui opposa la Russie à la Lituanie de 1512 à 1522. En effet, dès l'avènement de Basile III à la tête de la Moscovie, en 1505, les relations avec l'Etat lituano-polonais se sont détériorées. Les princes et les boyards russes qui possédaient des domaines en territoire lituanien quittèrent de plus en plus nombreux Vilna pour Moscou. C'est Basile qui, en 1512, allait ouvrir les hostilités contre la Pologne et la Lituanie sans l'aide tant sollicitée des Habsbourg. Il parvint à occuper Smolensk, mais subi une terrible défaite sur les bords de la rivière Orcha en 1514, face à Constantin d'Ostrog. L'habileté diplomatique des conseillers de Basile amena Georges Schnitzenpaumer, l'ambassadeur de l'empereur romain germanique Maximilien Ier, à conclure une alliance contre la Pologne. Se sentant tenu par cet accord, Maximilien avait œuvré à la conclusion d'un traité entre Sigismond et Basile, mais en vain, le grand-prince de Moscou refusant de céder Smolensk.

L'expédition Magellan-El Cano a fait, en trois ans, le tour du monde

Espagne, 6 septembre 1522

Le premier voyage maritime autour du monde s'achève avec le retour du *Victoria* sous le commandement de Sébastiano El Cano, à Sanlucar de Barrameda, à l'embouchure du Guadalquivir. C'est le navigateur portugais Magellan qui avait conçu le projet. Originaire d'une famille de petite noblesse, il avait participé à de nombreuses expéditions portugaises au service de la « Carreira da Indi ». Il s'était illustré à la prise de Malacca et avait passé sept ans en Inde portugaise ; mais déçu dans ses ambitions, il était parti en 1517 pour Séville et s'était mis au service de Charles Quint. Comme l'arbitrage pontifical avait en 1494 attribué à l'Espagne les territoires situés à l'ouest d'une ligne de démarcation passant au milieu de l'Atlantique, alors que le Portugal obtenait les territoires situés à l'est de cette ligne, Magellan avait proposé à Charles Quint de démontrer qu'on pouvait atteindre les riches îles des épices (l'Indonésie) en prenant la route de l'ouest. Ces îles pourraient ainsi être légitimement revendiquées par l'Espagne. Charles Quint approuva le projet. La couronne prit les frais à sa charge. Le 20 septembre 1519, Magellan était parti de Sanlucar sur le navire la *Trinidad* avec quatre autres vaisseaux et 265 hommes. La première difficulté avait été de trouver à l'extrémité méridionale de l'Amérique une entrée dans l'océan Pacifique. C'est le 21 octobre 1520 qu'il avait découvert le détroit

qui porte son nom. Le 28 novembre suivant il entrait dans le Pacifique, mais avec trois navires seulement, l'un ayant sombré, l'équipage de l'autre s'étant mutiné. Il mit un peu plus de trois mois et demi pour arriver jusqu'à l'archipel des Mariannes. En mars il fit escale à Guam. Le 16, il était aux Philippines. Cet archipel était le point de convergence, depuis des siècles, d'un réseau considérable de

routes et d'échanges entre la Chine, les îles de la Sonde. Parmi les nombreux produits locaux les voyageurs avaient noté la présence de la cannelle, du poivre, du gingembre, de la noix de muscade et de l'or. Comme les Malais connaissaient l'existence des Moluques, Magellan sut que son projet pouvait aboutir. Mais la mort le surprit dans une expédition contre les indigènes de Mactan, le 27 avril

1521. Seuls, deux de ses navires atteignirent les Moluques en novembre. La *Trinidad* n'étant plus en état de poursuivre sa navigation, El Cano regagne Sanlucar sur la petite *Victoria*, le 6 septembre, trois ans presque jour pour jour après le départ. Ce premier tour du monde à la voile a apporté la preuve que la terre était ronde et que l'Amérique était un continent distinct de l'Asie.

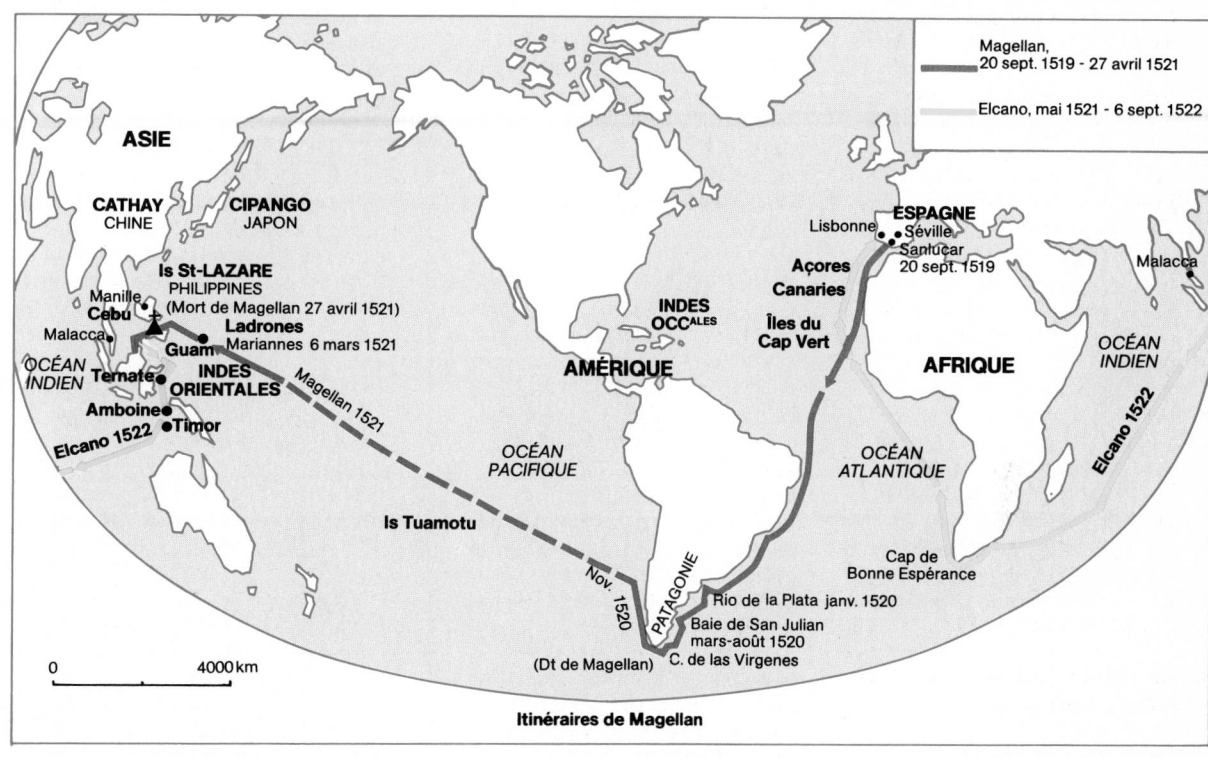

Itinéraires de Magellan

Genèse du capitalisme et changements structurels du commerce international

Europe, 1522

La vie économique de l'Europe au cours des premières décennies du XVIe siècle est en rapide évolution. Les innovations concernent à la fois le domaine des techniques,

Quentin Metsys. « Le Prêteur et sa femme ». 1514. Musée du Louvre, Paris.

le système des échanges et l'organisation du travail. Mais nombreux sont encore les archaïsmes persistants. Ainsi le cadre juridique de l'activité est resté médiéval, avec les corporations qui continuent de réglementer les métiers, limitant les initiatives mais aussi protégeant les producteurs comme les consommateurs. Les entreprises sont encore le plus souvent de dimensions réduites, mais des phénomènes de concentration se développent cependant. Le système du marchand-fabricant originaire d'Italie et des Pays-Bas, qui achète la matière pre-

mière pour la distribuer ensuite dans de petits ateliers qui assurent les différentes phases de l'élaboration avant de revendre le produit fini, tend à se répandre. L'entreprise individuelle est dominante, mais à un certain niveau se rencontrent diverses formes d'associations : la parronerie qui réunit plusieurs marchands avec leurs capitaux ; la commandite où le capital est fourni contre une participation aux bénéfices. La compagnie à comptoirs est une société unique qui installe des agents appointés et intéressés dans les principaux centres de son activité. Dans les compagnies à filiales, la société mère détient une participation au capital des filiales. La circulation et la masse monétaires se sont rapidement accrues avec l'afflux des métaux précieux venus d'Amérique. Mais la monnaie métallique ne suffit pas aux échanges. D'autres formes de paiement fondées sur le crédit prennent le pas sur elle : l'obligation, qui est une reconnaissance de dettes négociable et la lettre de change, opération de prêt à terme. Ces créances, après avoir été un simple

moyen de règlement tendent à devenir des valeurs en elles-mêmes, objets d'échange, négociables et transmissibles. Dans les grandes foires comme celles de Lyon ou d'Anvers où les lettres de change ont supplanté la monnaie métallique, les opérations finissent à terme par ne plus porter que sur des valeurs financières et non plus sur des marchandises, première ébauche d'un capitalisme financier. Le trafic méditerranéen se maintient, mais le commerce de la façade atlantique ne cesse de croître. Un nouveau réseau de ports s'est constitué de Cadix à Londres. Mais le nouveau centre, c'est Anvers qui a profité de la décadence de Bruges liée à la Hanse. Aux échanges traditionnels entre le Nord et le Midi, le long des axes du Rhin et du Rhône, échanges de matières premières comme laines espagnoles et vins français ou de produits manufacturés, draps flamands ou anglais, fer, s'ajoutent les produits d'outremer, épices, indigo, sucre et métaux précieux.

1523

Fontignano, près de Pérouse, mars
Mort du Pérugin (Pietro di Cristoforo Vannucci). →

Empire germanique, avril
La révolte des chevaliers allemands, partisans de la Réforme, qui avait éclaté en 1522 à l'appel de Franz von Sickingen, est réprimée dans le sang. →

Bruxelles, 1er juillet
Pour la première fois, deux partisans de Luther sont brûlés vifs. Les deux martyrs sont Henri Voes et Jean van Essem, des moines augustins d'Anvers. Auparavant un « placard » de l'Inquisition avait annoncé que les hérétiques luthériens seraient condamnés à mort « à savoir les hommes par l'épée, les femmes par la fosse et les relaps par le feu ».

Lac de Zurich, 29 août
Sur l'île d'Ufenau, Ulrich von Hutten meurt exilé. Ce poète idéaliste avait rédigé la *Lettre des hommes obscurs* défendant Reuchlin et s'était fait le propagateur des idées de Luther.

Rome, 14 septembre
Mort du pape Adrien VI. Ce pape non italien (il était né à Utrecht) ne régna qu'un an et huit mois. Il ne put accomplir ses projets, d'autant qu'il semblait peu à sa place dans la Ville éternelle. Il haïssait les statues antiques, qu'il prenait pour des idoles, et fut extrêmement scandalisé par les mœurs romaines. →

Zurich, octobre
Le Conseil de la ville décide d'adopter le programme de réformes d'Ulrich Zwingli.

Rome, 19 novembre
Jules de Médicis, fils naturel de Julien de Médicis et neveu de Laurent le Magnifique, devient pape sous le nom de Clément VII. →

Amérique centrale
Cristobal Olid y Alvarado entreprend la conquête du Honduras.

Istanbul
La mosquée du sultan Sélim, œuvre de l'architecte Ali, est achevée.

Suède, 6 juin
Gustave Ier Vasa, roi de Suède. →

Danemark
Christian II est chassé de son trône par Frédéric Ier.

Amérique du Sud
L'Espagnol Pascual de Androgoya atteint les limites sud de l'actuelle Colombie ; il rapporte de cette région le nom de « Pirù », dénomination d'un royaume indien situé plus au sud encore.

Zurich
Le *Commentaire des 67 thèses* d'Ulrich Zwingli constitue le premier manifeste de la réforme zürichoise. Ce texte en allemand expose la doctrine de Zwingli. Ecrit dogmatique, il se fonde sur la base des seules Ecritures.

France
François Ier crée le Trésor de l'épargne, en complément des instruments financiers déjà à sa disposition. Le Trésor de l'épargne constitue la caisse centrale des ressources royales.

Empire germanique
Les anabaptistes et les mennonites, dissidents de la Réforme de Luther, essaiment à travers l'Empire, et notamment en Rhénanie. →

Espagne
La Couronne fait un procès à l'encontre de Diego Colomb, à la suite duquel ce dernier est destitué de toutes les charges qu'il avait héritées de son père, Christophe Colomb.

France, Italie et Amérique
Le Florentin Giovanni Verrazzano monte une expédition maritime ayant pour but l'Amérique du Nord. Il a obtenu des capitaux florentins et lyonnais, auxquels s'ajoutent les apports financiers de l'armateur dieppois Jean Ango et de marchands de Rouen et de Troyes.

Amérique du Sud
Bartolomé de Las Casas entre dans l'ordre des Dominicains.

Angleterre
L'humaniste espagnol Juan Luís Vives publie *De institutione feminae christianae* (*L'Institution de la femme chrétienne*), ouvrage où sont exposés les devoirs d'une bonne épouse chrétienne. Professeur à Louvain en 1519, humaniste ami d'Erasme, Vives avait été appelé par Wolsey en 1523 en Angleterre et y était devenu le lecteur de la reine Catherine et le précepteur de la princesse Marie, la future Marie Tudor.

En marge de Luther : anabaptistes et mennonites

Allemagne, 1523
Le mouvement anabaptiste, qui apparaît vers 1523, est sans doute le dernier héritier des Spirituels du Moyen Age, tels les frères du Libre-Esprit ou les hétérodoxes franciscains. Concurrent de la Réforme luthérienne, l'anabaptisme présente avec elle un certain nombre de caractéristiques communes. Tout comme Luther, les anabaptistes voient dans l'Eglise invisible le groupement des chrétiens rachetés ; ils considèrent également les Saintes Ecritures comme unique source de la foi et enseignent le sacerdoce universel. Ils s'en séparent par une conception plus radicale de l'homme, de la société et des sacrements. Proches d'une certaine forme de manichéisme, ils établissent une distinction rigoureuse entre les élus et les damnés : ils doivent donc se retrancher d'un monde irrémédiablement corrompu et prendre leurs distances par rapport aux institutions politiques ou sociales, que Luther considère comme étant de droit divin (refuser par exemple de porter les

Le réformateur Thomas Münzer. Chef anabaptiste de la révolte des paysans.

armes). Le baptême n'est pas le signe de l'entrée dans une communauté selon une alliance prévue par Dieu mais l'acte volontaire d'un fidèle déjà confirmé dans sa foi : ils condamnent par conséquent le baptême des enfants. Des groupes anabaptistes se sont constitués en Suisse et en Allemagne, avant de se répandre dans la vallée du Rhin et les Pays-Bas où ils deviennent bientôt nombreux et actifs. C'est un Hollandais, Menno Simons, qui renouvellera plus tard le mouvement.

Réorganisation de l'armée en Europe

Entre la seconde moitié du XVe et le premier tiers du XVIe siècle, les armées européennes subissent d'importantes mutations. D'une part les effectifs s'accroissent considérablement, d'autre part les armes à feu, et principalement l'artillerie, jouent désormais un rôle capital (la bataille de Marignan peut, à cet égard, servir d'exemple). La condition de ces mutations est la constitution de grands Etats, qui peuvent seuls disposer des importants moyens budgétaires nécessaires à l'équipement et à l'entretien de pareilles armées. Au milieu du XVe siècle apparaît le canon en bronze, plus léger et plus maniable que l'ancien canon en fer forgé ; monté sur des affûts munis de roues, il est aussi plus mobile. L'invention des tourillons, qui remplacent les crémaillères et qui permettent de pointer en agissant directement sur la culasse, rend le tir plus précis. Grâce au « grenage », on dispose d'une poudre plus calibrée aux effets uniformes. Les frères Bureau, organisateurs de l'artillerie de Charles VII, ont généralisé l'emploi des boulets en métal. Plus tard apparaîtra le boulet creux rempli de poudre. L'arquebuse est utilisée pour la première fois à Pavie. L'ancien « canon à main » a été amélioré. Le tube est fixé sur une crosse, la main gauche du tireur est libérée pour la mise à feu. Mais son poids encore important (25 kg) nécessite l'emploi d'une fourche de support. L'augmentation croissante des effectifs impose le recours de plus en plus fréquent aux mercenaires, l'une des caractéristiques des armées de l'époque. Recrutés essentiellement en Suisse et en Allemagne, les lansquenets (de l'allemand *Landsknecht*, « serviteur du pays ») forment le gros des bataillons de l'infanterie, dont le rôle, avec le déclin de la cavalerie, devient déterminant.

Soldat défilant. 1527. Gravure du peintre lansquenet Urs Graf.

L'écrasement des chevaliers allemands

Allemagne, avril 1523

A la fin du mois d'avril 1523, la révolte des chevaliers allemands, qui avait commencé trois ans auparavant, est réprimée dans le sang. Leur chef, Franz von Sickingen, meurt peu de temps après dans son château de Landstuhl et le porte-drapeau du mouvement, Ulrich von Hutten, finit misérablement, exilé à Zurich. L'empereur et les grands princes territoriaux sont désormais les maîtres de l'Allemagne. Depuis le début du xvᵉ siècle, la haute aristocratie allemande avait peu à peu affirmé sa puissance. Les princes avaient tendance à moins considérer leurs domaines comme une propriété privée, divisible et aliénable et l'idée nouvelle de l'Etat s'imposait. Ils s'employèrent à unifier leurs territoires et à les doter d'organes de gouvernement centraux, conseils et chancelleries. La petite noblesse, fort nombreuse, fut la victime de ce processus. Les princes voulurent faire rentrer les chevaliers dans le rang : ils leur interdirent les guerres privées, les soumirent au paiement de l'impôt, réduisirent leurs privilèges. Par ailleurs, l'évolution de l'art de la guerre, l'appel aux mercenaires, l'apparition des armes à feu et de l'artillerie les privèrent de leur fonction traditionnelle ; le morcellement de la petite propriété nobiliaire, de successions en successions, a réduit leurs patrimoines. Appauvris, mécontents et amers, certains se sont fait brigands, attaquant et rançonnant les voyageurs, tel Goetz von Berlichingen qui, avec d'autres chevaliers franconiens, terrorisait Nuremberg. Instables et déclassés, ils sont prêts à toutes les aventures. En 1519, Franz von Sickingen avait promis son concours à François Iᵉʳ contre Charles Quint. La même année, poussés par Ulrich von Hutten, ils veulent se ranger sous la bannière de Luther dans une guerre contre l'empereur. En 1520 enfin, une révolte générale éclate qui dévastera le sud de l'Allemagne.

Albrecht Dürer. « Les quatre cavaliers de l'Apocalypse ». 1498. Détail. Gravure sur bois.

Charles de Bourbon trahit François Iᵉʳ

France, juillet-septembre 1523

Charles de Bourbon est le dernier des grands féodaux. Maître d'immenses domaines, il met en péril l'unité du royaume. Une action engagée contre lui par le Parlement ayant compromis sa situation, il propose à Charles Quint et Henri VIII de profiter d'une expédition française en Italie pour envahir la France et capturer François Iᵉʳ ; Henri VIII deviendrait alors roi de France et la Bourgogne retournerait à Charles Quint (traités de Montbrison et de Moulins, 8 juillet, 6 septembre).

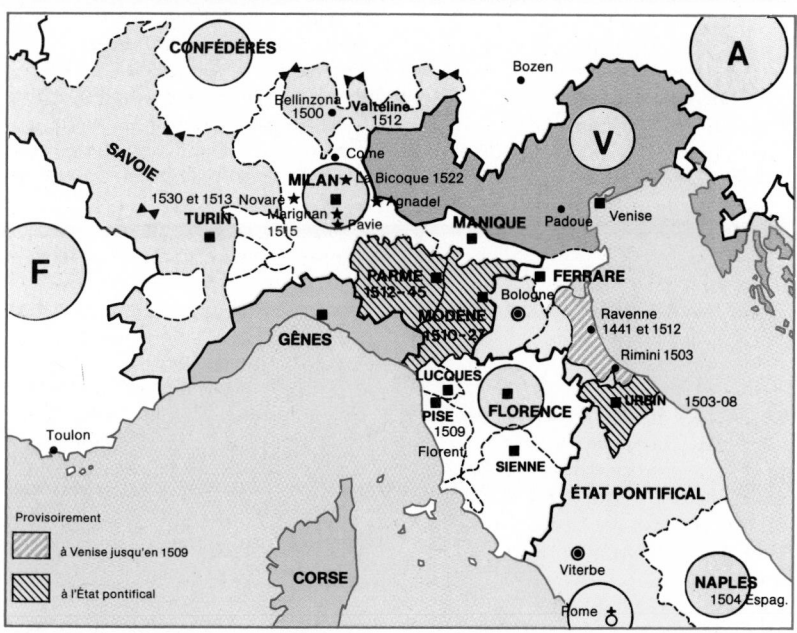

Un autre Médicis sur le trône de Saint-Pierre

Rome, 19 novembre 1523

Le pontificat d'Adrien VI n'aura été qu'un bref intermède, qui n'a pas duré deux ans. Ce pape étranger (il était d'origine flamande) était un homme d'esprit et de mœurs austères, soucieux seulement de religion ; il n'avait aucun goût pour les arts et les lettres. Le cardinal Jules de Médicis, qui vient de lui succéder sous le nom de Clément VII, est le fils de Julien, le frère de Laurent le Magnifique. Après Léon X, son cousin, c'est donc le deuxième Médicis qui devient pape. Avec eux, Florence règne à Rome sous le double signe de l'art et de l'humanisme. Clément VII renouera avec la tradition interrompue de Léon X, le pape mécène, qui fut le protecteur de Raphaël et de Michel-Ange, l'ami de Pietro Bembo, le fondateur du collège des études grecques.

Gustave Vasa est élu roi de Suède

Suède, 6 juin 1523

La Diète suédoise a élu Gustav Erikson, dit Vasa, roi de Suède. Gustave Vasa, qui se trouvait depuis le « bain de sang de Stockholm » de novembre 1520 à la tête de la révolte contre le roi du Danemark, Christian II, a réussi à chasser les Danois du pays, mettant fin à l'union de Kalmar et jetant les bases de la Suède indépendante. Gustave Vasa est un proche parent de Sten Sture, ancien régent de Suède, à la cour duquel il fut élevé. Placé à Dalarne à la tête de la révolte paysanne qui éclata en 1521, il triompha des Danois avec l'aide de la ville allemande de Lubeck après deux ans de durs combats. La Suède abandonne définitivement l'union de Kalmar, qui unissait le Danemark, la Suède et la Norvège. Fondée en 1389, l'union scandinave (→ 1397) avait rassemblé les pays nordiques par le mariage de Marguerite Iʳᵉ de Danemark avec le roi Hakon VI de Norvège. La souveraineté sur les trois royaumes fut confirmée par l'assemblée de Kalmar, en 1397. La Suède avait tenté à maintes reprises, surtout depuis la fin du xvᵉ siècle, de s'affranchir de la tutelle danoise. Gustave Vasa monte sur le trône suédois en raison de son rôle essentiel de chef militaire et d'organisateur dans la libération de la Suède. Il n'est pourtant par unanimement reconnu et doit s'imposer face aux intérêts de classe et aux particularismes régionaux. Son pouvoir établi, il se consacre à l'organisation du royaume : il modernise l'administration, en s'appuyant, pour les gouvernements locaux, non plus sur la noblesse, mais sur des fonctionnaires, dont la fidélité à la Couronne est plus sûre et la révocabilité plus aisée. Il impose par ailleurs le luthéranisme. Gustave Vasa, dont l'objectif est de faire jouer à la Suède un rôle actif dans le contrôle et le commerce de la Baltique, ordonne également la construction d'une flotte de guerre.

La douceur ombrienne dans l'art de Pérugin

Fontignano, mars 1523

Pietro Vannucci, dit Pérugin, qui vient de mourir de la peste à 78 ans, était considéré vers 1500 comme l'un des plus grands peintres italiens. Formé à Pérouse, il y avait appris la douceur des coloris chers aux Ombriens ; en 1472, à Florence, auprès de Verrocchio, son trait était devenu plus précis et réaliste. Il a peut-être été l'élève de Piero della Francesca et travailla avec Pinturicchio à certains panneaux de *La Vie de saint Bernardin*. A partir de 1481, il est appelé à Rome pour décorer la chapelle Sixtine. Il y travaille à plusieurs fresques, dont *La Remise des clefs à saint Pierre*, qui consacre, en 1484, sa célébrité. Commence alors pour lui une période d'activité intense ; il peint de nombreux tableaux religieux et d'innombrables Madones au visage serein, la tête inclinée sur le côté. On a pu reprocher à l'artiste l'aspect répétitif de sa production, entraînant parfois une certaine monotonie, un affadissement des modèles initiaux et peut-être un manque de rigueur technique comme en témoigne cette œuvre un peu laborieuse qu'il fit à Mantoue pour Isabelle d'Este, *Le Combat entre l'Amour et la Chasteté* (1503-1505). S'il faut définir l'art de Pérugin, on en retiendra essentiellement la douceur du coloris, la grâce et l'élégance, l'équilibre des perspectives, l'ampleur des paysages aux courbes molles et assouplies dans une lumière dorée, enfin une simplification et un dépouillement qui expliquent son rôle dans la formation du premier classicisme et le parti que son élève Raphaël saura tirer de son enseignement.

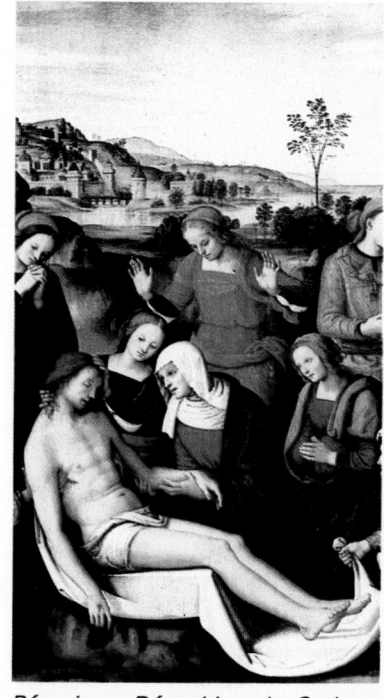

Pérugin. « Déposition de Croix ». 1495. Palais Pitti, Florence. Pérugin confère aux scènes les plus dramatiques une douceur reposante.

1524

France-Amérique du Nord, janvier
Le roi de France, François Ier donne pour mission au navigateur florentin Giovanni da Verrazzano la recherche d'une voie vers les Indes par le nord-ouest.

Romagnano, Italie, 25 avril
Pierre du Terrail, seigneur de Bayard, est mortellement blessé lors de la bataille de la Sesia. →

Panama, novembre
Première expédition de Pizarro en direction du Pérou. →

Cochin, 25 décembre
Mort du vice-roi des Indes portugaises, Vasco de Gama. →

Allemagne du Sud
Fortement influencés par les bouleversements religieux, les paysans allemands se soulèvent contre la conduite de Münzer.

Issenheim, Suisse
Mort du peintre Hans Holbein l'Ancien, représentant typique du style gothique tardif par la violence de l'expression. *La Passion grise* est caractéristique de ce style. La précision un peu sèche de sa vision fait tout le prix de ses dessins à la pointe d'argent. Toutefois, à la fin de sa vie, il fut influencé par une certaine sérénité italienne ainsi qu'en témoigne sa *Fontaine de Jouvence*.

Le Caire
Mort d'Ibn Iyas, l'auteur du *Journal d'un bourgeois du Caire*. →

Amérique du Nord
A bord de *La Dauphine*, Verrazano explore les côtes américaines de la Virginie à l'Acadie.

Italie
Début de l'agitation messianique de Reübeni et Molkho. →

Amérique du Nord, été
Le navigateur portugais Estévao Gomes, au service de l'Espagne, reconnaît l'ensemble des côtes américaines, de la Nouvelle-Ecosse à la Floride. Il enlève un jeune Indien.

France
Le Connétable de Bourbon, devenu lieutenant de Charles Quint, envahit la Provence.

Nouvelle-Espagne
Cuauhtemoc, le dernier souverain aztèque, est pendu par les Espagnols sous le fallacieux prétexte de trahison. Depuis trois ans, il était leur prisonnier.

Suisse
Uri, Schwyz et Unterwald, les trois « Waldstätten » (Vieux Cantons forestiers), restent fidèles au catholicisme et s'allient à l'Autriche.

Amérique centrale
A l'appel des Indiens Cakchiquels, les Espagnols envoient une nouvelle expédition dans l'isthme de Tehuantepec contre les Mayas.

Empire germanique
Lettre aux princes de Saxe, de Luther.

Espagne
Les formes du Conseil des Indes sont fixées précisément. Il comprend désormais un président, un chancelier, huit conseillers, un procureur et deux secrétaires. Son premier président est un dominicain, Garcia de Loaysa, partisan du système de l'*encomienda*. Le Conseil propose les nominations aux charges officielles des Indes, promulgue des décrets, se charge des finances et fait fonction de haute cour.

Wittenberg
Martin Luther abandonne définitivement l'habit monastique.

Blois
L'aile François Ier du château est achevée.

Rome
Gian Pietro Carafa, évêque de Chieti (en latin : Teatinus), et Gaetan de Thiene fondent l'ordre des Théatins. Cette congrégation de clercs réguliers se donne pour objectifs la réforme des mœurs ecclésiastiques et la restauration dans l'Eglise de la règle primitive de vie apostolique.

France
Jacques Lefèvre d'Etaples achève la traduction des *Psaumes*. Vicaire de l'évêque de Meaux, il constitua dans cette ville un cénacle rassemblant les partisans d'une réforme évangélique dans l'Eglise de France.

Bâle
Erasme rédige son essai sur le *Libre Arbitre* (*De libero arbitrio*), dans lequel il s'oppose au pessimisme luthérien qu'il croit entr'apercevoir dans la notion de prédestination et de salut par la foi.

Le Portugais Vasco de Gama meurt aux Indes

Indes, 25 décembre 1524
Arrivé aux Indes quelques mois auparavant pour exercer la charge de gouverneur avec le titre de vice-roi, Vasco de Gama meurt dans la nuit de Noël 1524. Né vers 1469, le navigateur descendait d'une famille de petite noblesse portugaise. Le roi du Portugal, Jean II, qui avait décidé d'entreprendre l'exploration de l'océan Indien, avait organisé une flotte performante capable non seulement d'affronter les mers, mais aussi des combats. Le monarque fit appel à Vasco de Gama pour assumer la triple charge de marin, de capitaine et de diplomate. Manuel Ier, successeur de Jean II, confirma ce choix. Le 8 juillet 1497, 4 navires quittèrent Lisbonne. Plusieurs mois de navigation de haute mer les amenèrent à doubler le cap de Bonne-Espérance. Puis ils longèrent la côte australe de l'Afrique, jusqu'au Rio do Infante. Après avoir lutté contre les courants du canal du Mozambique, la flotte mouilla le 14 avril 1498 à Melinde où le potentat du lieu mit à la disposition de Vasco de Gama un pilote expert et loyal, Ahmed ibn Madjid. Celui-ci guida la flotte vers l'Inde. Le 20 mai Vasco de Gama jeta l'ancre devant Calicut où il demeura trois mois et négocia avec le prince local, le samorin. Bien tolérée au début, la présence des Portugais ne tarda pas à être contestée. Vasco de Gama décida donc de se retirer. Le

Vasco de Gama. Miniature illustrant un manuscrit portugais du XVIe siècle.

voyage de retour fut extrêmement pénible, en raison de l'absence de vent et du scorbut. Ils mirent trois mois pour regagner Melinde et ce n'est qu'au printemps 1499 que Vasco de Gama rejoignit Lisbonne. Le roi le combla d'honneurs. Le premier voyage par mer aux Indes était accompli. Vasco de Gama y retourna deux fois. En 1502-1503, doté du titre « d'amiral des mers des Indes », il découvrit les îles de l'Amiral aux Seychelles. Son troisième et ultime voyage fut celui de 1524.

Mort du valeureux chevalier Bayard

Romagnano Sesia, 25 avril 1524
Malgré les troubles incessants dans le pays causés par des problèmes financiers, malgré la trahison du Connétable de Bourbon en 1523 et la guerre sur toutes les frontières, François Ier réussit à déjouer les coalitions, à écarter les armées espagnoles, les lansquenets allemands et les forces anglaises. Il parle toujours de croisade contre les Turcs, mais se rend compte que l'avance de ceux-ci en Europe centrale le sert contre ses ennemis de l'empire dont quelques Electeurs négocient déjà avec lui. En réalité, François Ier poursuit son rêve italien. C'est là qu'il reporte ses forces. Sa plus belle armée, confiée à l'amiral Bonnivet, entre dans le Milanais « en sa première furie » en septembre 1523. Mais l'hiver est rigoureux et les Français ont contre eux les impériaux, renforcés de 6000 lansquenets allemands, et auxquels se sont jointes les troupes vénitiennes et papales ; l'armée ennemie, commandée par Charles de Lannoy, est écrasante par le nombre. Bonnivet, qui n'est pas à la hauteur de sa tâche, doit reculer sur Vigevano, abandonner Verceil. Il attend le secours de 6000 Suisses et de 6000 Grisons mais l'armée, épuisée, est attaquée près de Romagnano. Bonnivet confie la retraite au comte de Saint-Pol et à Bayard. Le « chevalier sans peur et sans reproche », le héros de Fornoue, fait front avec la même bravoure qu'il avait montrée, en 1504, en défendant seul le pont de Garigliano contre 200 Espagnols, après la conquête du royaume de Naples. Mais un coup d'arquebuse l'atteint aux reins alors qu'il assaille une formation ennemie pour lui reprendre deux canons enlevés. Se sentant perdu, il refuse pourtant de quitter le champ des opérations. Il se fait adosser à un arbre par son écuyer, baise pieusement la croix de son épée et remet son âme à Dieu. Les ennemis se rendent maîtres des lieux et le capturent ; quelques heures après, il meurt entre leurs mains, faisant l'admiration de tous. « Sire, écrit un impérial, combien que le dit sieur Bayart fust serviteur de vostre ennemi, si a ce esté dommaige de sa mort, car c'estoit un gentil chevallier, bien aimé d'ung chascun et qui avoit aussi bien vescu que jamais homme de son estat ; et, à la vérité, il a bien monstré à sa fin, car ce a esté la plus belle dont je ouys oncques parler. La perte n'est point petite pour les François. »

Reübeni et Molkho : les faux prophètes

Italie, 1524

Les communautés juives d'Italie sont traversées par une vague de messianisme. La nostalgie du Messie et du retour en Eretz-Israël persistait depuis l'expulsion des Séphardim d'Espagne. David Reübeni se présente comme le frère du roi de l'une des dix Tribus perdues et demande au pape Clément VII de l'aider à libérer Jérusalem de la domination turque. Un jeune marrane, Salomon Molkho, s'enthousiasme et voit en Reübeni l'annonciateur du Messie. Juifs et nouveaux chrétiens d'Italie prennent espoir. Mais cette agitation suscite la suspicion de l'Inquisition : Molkho sera brûlé comme apostat à Mantoue et Reübeni sera emprisonné.

Journal d'Ibn Iyas, bourgeois du Caire

Le Caire, 1524

Muhammad Ibn Ahmad ibn Iyas meurt à l'âge de 76 ans. Il fut le témoin attentif d'une époque décisive qui vit tout à la fois les grandes découvertes détourner les voies commerciales de l'Egypte, l'effondrement non seulement des mamelouks, mais également de l'univers qui était le sien, et enfin le rattachement de l'Egypte à l'Empire ottoman. Il laisse un journal (traduit en français sous le titre de *Journal d'un bourgeois du Caire*) où il raconte, sans prétendre faire œuvre d'historien, ce qu'il a pu apprendre ou observer. Son témoignage quotidien, foisonnant de détails, donne à son œuvre d'autant plus d'importance qu'elle demeure la source unique écrite par un Egyptien de l'histoire d'un monde en décomposition.

Première expédition de Pizarro au Pérou

Pérou, 1524

La conquête du Pérou est déterminée par les découvertes de Balboa et les renseignements qu'il sut obtenir sur les confédérations importantes et riches situées au sud de Panama, le long de la côte Pacifique. Pizarro, simple soldat espagnol, courageux et obstiné, entend pour la première fois parler de Cuzco, du Pérou et de ses richesses, au cours d'une expédition en 1524. De retour à Panama, il s'associe avec Diego de Almagro et Lucque. Le plan de campagne semble avoir été des plus sommaires. Pizarro est le soldat, Almagro le recruteur et Lucque le financier. Il s'agit d'aller vers le sud avec une petite troupe. Ils durent recruter les soldats parmi des gens déjà moralement et physiquement appauvris par les rigueurs du climat de ces colonies et prêts à bien des crimes pour s'enrichir. Bien vite d'ailleurs Pizarro et Almagro entrè-

Verrazano reconnaît les côtes d'Amérique du Nord

Amérique du Nord, 1524

Le 17 janvier 1524, le navigateur et explorateur italien Giovanni da Verrazano part à la recherche de la route de Chine par le nord-ouest avec une seule caravelle de 100 tonneaux, *La Dauphine*, équipée de 50 hommes et munie de vivre pour 8 mois. Verrazano emprunte une route est-ouest aux limites septentrionales de l'alizé. Le 7 mars, il touche les côtes de Caroline du Nord, puis il remonte les côtes de l'Amérique jusqu'à Terre-Neuve. Il ne s'agit pas pour lui de coloniser ces terres, mais de chercher à obtenir le monopole d'une route directe vers les richesses de l'Asie. Son voyage se fit avec l'adhésion de François Ier, mais les véritables organisateurs de cette expédition furent des banquiers italiens, de Lyon, de Rouen, et surtout l'armateur dieppois Jean Ango, aux activités multiples, possesseur de sociétés en commandite. L'Etat en France n'est pas prêt à soutenir des aventures d'aussi médiocre rentabilité. Ce voyage est, certes, utile à la connaissance des côtes est de l'Amérique du Nord. Verrazano a fait la jonction entre les découvertes des Espagnols au sud et des Portugais au nord. Mais cela déçoit ses commanditaires qui ne persévèrent pas. Le projet français de s'insérer dans un monde dessiné par l'exploration portugaise ne pouvait prétendre concurrencer les moyens qu'avait engagés Henri le Navigateur, un siècle plus tôt, aux confins du cap Bojador. L'avance des positions portugaises dans l'India est trop sensible, les techniques d'Ango trop archaïques, le monopole portugais trop rentable et efficace pour être dangereusement menacé par les républiques maritimes françaises privées de l'appui du royaume.

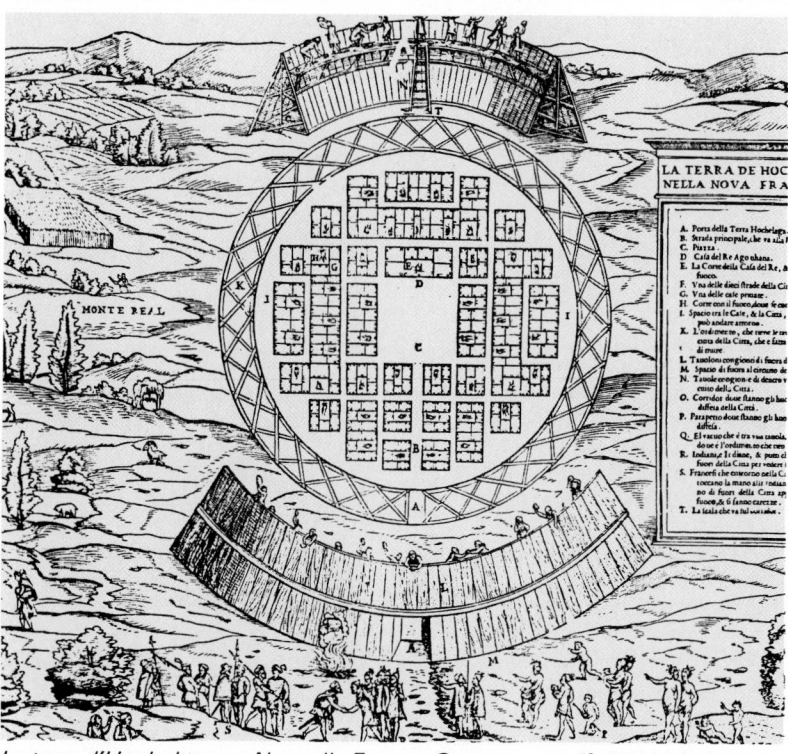

La terre d'Hochelaga en Nouvelle France. Gravure. XVIe siècle. Hochelaga est le nom du village indien qui occupait le site actuel de Montréal.

Le pigeonnier du manoir d'Ango construit par des architectes italiens.

rent en compétition et Lucque mourut. L'avance se fit progressivement, par voie maritime, avec des troupes peu nombreuses. Les premiers combats avec les indigènes sont indécis. Mais les Indiens ne sont pas longs à comprendre à qui ils ont à faire et repoussent victorieusement les Espagnols, acculés à se réfugier sur les îles inhospitalières et sans ressources qu'ils nomment « îles de la famine ». Ils attendent là d'être ravitaillés, mais beaucoup d'entre eux périssent ; les survivants demandent à rentrer à Panama. Pizarro, qui bien que bon soldat, n'a jamais su imposer à ses compagnons une haute conception morale, ni une discipline stricte, se retrouve avec 12 hommes pour attendre les secours. Aucune expédition n'avait antérieurement pénétré au-delà des premières baies de la côte de la Colombie. Cuzco, la ville sainte du royaume des Incas, était à plus de mille cinq cents kilomètres des ports où les conquérants avaient accosté.

Masque funéraire. Culture Chimú, nord du Pérou. Or avec des restes de peinture. Collection particulière, Lima.

1525

Italie, 24 février
Désastre de Pavie : François Ier prisonnier. →

Prusse, 8 avril
Le margrave Albert de Brandebourg, grand maître de l'ordre Teutonique, fait de la Prusse un Etat séculier et prend le titre de duc de Prusse. Il promulgue les premières règles de l'Eglise réformée faisant ainsi de la Prusse un Etat protestant.

Empire germanique
S'opposant aux violences des luttes paysannes, Luther lance une *Exhortation à la paix*, bientôt suivie d'un texte d'une grande dureté appelant les seigneurs à châtier impitoyablement les rebelles *(Contres les hordes paysannes)*. →

Zurich, 16 avril
Le réformateur Ulrich Zwingli publie *De vera et falsa religione* *(Traité de la vraie et fausse religion)* et interdit la messe. →

Mühlhausen (Thuringe), 7 mai
La révolte paysanne est écrasée. Théologien et chef des insurgés, Thomas Münzer est fait prisonnier, mis à la question et décapité. →

Empire germanique, 19 juillet
Les princes catholiques d'Allemagne du Nord, le duc Georges de Saxe, le prince électeur Joachim de Brandebourg, l'archevêque Albert II de Mayence et de Magdebourg, ainsi que les ducs Ernst et Henri II de Brunswick forment la Ligue de Dessau afin de combattre la Réforme.

Augsbourg, 30 décembre
Mort de Jacob II Fugger, dit le Riche. Il fut le financier de Maximilien et de Charles Quint dont il assura l'élection. De Cracovie à Lisbonne, de la Baltique à la Méditerranée, s'étend l'empire financier et commercial des Fugger, fondé pour une bonne part sur l'exploitation minière et le contrôle du marché du cuivre. Vers la fin de sa vie, Jacob donna par ailleurs une dimension philanthropique à ses activités, en créant notamment des maisons pour accueillir les artisans nécessiteux.

Mexique
La mine d'or de Tehuantepec est mise en exploitation.

Wittenberg
Martin Luther rédige *De servo arbitrio (Traité du serf arbitre)* en réponse à Erasme. →

Espagne
Les Fugger obtiennent la concession des mines de cinabre (sulfure de mercure) d'Almaden et la ferme des *maestrazgos* (les charges de maître des ordres militaires).

Venise
Mort du peintre Vittore Carpaccio. →

Antilles
Les Welser, banquiers d'Augsbourg, fondent une agence commerciale et financière à Saint-Domingue.

Espagne et Amérique
Le Conseil des Indes demande à Gonzalo Fernández de Oviedo de démontrer son affirmation selon laquelle les Amériques seraient le royaume mythique des Hespérides.

Deux négociants allemands, Sailer et Ehringer, obtiennent un *asiento*, c'est-à-dire une licence, les autorisant à importer 4 000 esclaves africains à raison de 40 ducats par tête, en échange d'un versement de 20 000 ducats au Trésor royal.

Salamanque
Ignace de Loyola commence la rédaction des *Exercices spirituels*. →

Pérou
Mort de l'Inca Huayna Cápac ; le royaume est partagé entre ses deux fils Huáscar et Atahualpa, qui s'engagent bientôt dans une lutte fratricide.

Strasbourg
Guillaume Farel publie la *Summaire et Briefve Declaration d'aulcuns lieux fort nécessaires à ung chascun chrestien* : c'est la première liturgie en langue française. A travers ce nouveau rituel, Farel proclame la négation de la transsubstantiation, point de vue proche du réformateur zurichois Zwingli, lequel nie toute valeur au sacrement eucharistique.

Espagne
Les derniers Maures d'Espagne, qui travaillaient sur les grands domaines de la plaine de Valence, sont expulsés.

La conférence de Badajoz confirme le traité de Tordesillas passé entre l'Espagne et le Portugal.

Titien, un maître de la vibration lumineuse

Venise, 1525
Après la mort de Giovanni Bellini en 1516, Titien a exercé sur Venise une suprématie artistique qui dura près de dix ans, étape importante dans sa carrière. Il s'en détache quelques œuvres essentielles : le monumental retable de *La Madone des Pesaro*, commencé en 1519, le retable de *L'Assomption* de l'église des Frari, qui fit sensation par sa véhémence et l'éclat de ses couleurs, et enfin sa *Mise au tombeau*, achevée en 1525, qui témoigne de sa parfaite assimilation des conquêtes plastiques du Quattrocento et permettent à Titien de se poser en rival de Raphaël et de Michel-Ange.

Titien. Pietà. Vers 1573-1576. Galleria dell'Accademia, Venise.

Carpaccio. La rencontre des fiancés. 1495. Détail. Une des scènes de la « Légende de sainte Ursule ». Accademia, Venise.

Vittore Carpaccio, peintre des fastes vénitiens, est mort

Venise, 1525
Vittore Carpaccio, qui meurt à 70 ans, héritier de Gentile Bellini, était éclipsé depuis quinze ans par des Vénitiens plus novateurs, comme Giorgione et Titien. Mais sa ville natale ne peut oublier que, vers 1495, elle s'est reflétée, avec son goût du faste et des fêtes, avec ses gondoles et ses palais, avec ses dignitaires, dans la suite admirable des neuf toiles de l'*Histoire de sainte Ursule*, toutes baignées d'une lumière de rêve.

Ignace de Loyola achève les "Exercices spirituels"

Salamanque, 1526
Ignace de Loyola, gentilhomme basque (né en 1491) a commencé par être soldat jusqu'à ce qu'une grave blessure lui interdise le métier des armes. Guéri, il veut accomplir un pèlerinage en terre sainte et prend en mars 1522 la route de Barcelone. Mais les communications avec l'Italie étant interrompues du fait de la guerre, il ne peut embarquer. Il fait alors retraite au sanctuaire de Montserrat, puis chez les dominicains de Manresa. Là, il se livre à des exercices d'ascétisme et fait l'expérience des états d'oraison. En mars 1523, il peut enfin gagner l'Italie, puis Jérusalem. De retour en Espagne, il entreprend des études de philosophie et de théologie à Alcala d'abord, puis à Salamanque où, avec quelques condisciples, il forme une petite association à la fois contemplative et active. C'est pour les guider qu'il commence à écrire les *Exercices spirituels*, exemple d'une suite de méditations fondées sur une discipline rigoureuse de l'imagination et de la mémoire. Cet ouvrage deviendra la base spirituelle de la future Compagnie de Jésus qu'il fondera en 1540.

Le désastre de Pavie : François Ier prisonnier de Charles Quint

Pavie, 24 février 1525

Au printemps 1524, les Français avaient subi une série de revers en Italie. En Lombardie, le 25 avril, Bonnivet était battu à la Sesia et Bayard trouvait la mort. Tandis qu'ils évacuaient la Lombardie, le Connétable de Bourbon envahissait la Provence et assiégeait Marseille. En octobre, François Ier fait recruter de nouvelles troupes : 14 000 Suisses, 6 000 lansquenets allemands, 10 000 hommes de pied français et italiens, 15 000 hommes d'arme. Renforcée par une puissante artillerie, cette armée, partie d'Aix, arrive à Turin vers la mi-octobre. Le 20 octobre, après une très courte bataille à Verceil, François Ier est à nouveau maître de Milan. Les impériaux se retranchent alors à Lodi et à Pavie. Négligeant Lodi, François Ier se porte sur Pavie qu'il assiège le 27 octobre. Avec ses 6 000 lansquenets, Montmorency occupe les faubourgs de la ville, tandis que le roi s'installe avec le reste de l'armée dans la plaine voisine, à Saint-Lanfranc, attendant l'arrivée de son artillerie. Le 6 novembre, les canons arrivent enfin et sont aussitôt mis en batterie. Trois jours durant la ville est bombardée et le 9 l'assaut est donné, à l'est par les régiments de La Palice, à l'ouest par le roi avec Bonnivet. Mais Antonio de Leyva, le gouverneur espagnol de Pavie, avait fait construire de nouveaux retranchements à l'abri des murailles et l'attaque française tourne court. Le blocus se prolonge tout l'hiver. Les vivres font bientôt défaut aux assiégés et François Ier ne doute plus de la victoire ; des renforts sont arrivés de France et, en décembre, les Vénitiens apportent également leur concours. Mais pendant ce temps, l'armée impériale se concentrait à Lodi. Le Connétable de Bourbon, Lannoy et Pescara décident de venir secourir Pavie. Le 3 février 1525, les impériaux arrivent et les Français se trouvent à la fois assiégeants et assiégés. Après l'échec d'une tentative de négociation au cours de laquelle Clément VII servit de médiateur, la bataille s'engage le 24 février. Elle débute par un formidable duel d'artillerie qui donne l'avantage aux Français. François Ier décide alors d'envoyer la cavalerie. Une mêlée confuse s'ensuit. Le roi, abandonné par les Suisses, se trouve encerclé par l'ennemi et son cheval est tué sous lui. La bataille tourne au désastre : plus de 6 000 Français sont tués et le roi, qui s'est rendu à Lannoy, est fait prisonnier. Conduit à Madrid, François Ier devient l'otage de Charles Quint. Par le Traité de Madrid, signé le 13 janvier 1526, François Ier devra consentir à l'abandon du Milanais et de la Bourgogne et renoncer à sa suzeraineté sur l'Artois et la Flandre.

« La bataille de Pavie ». Peinture dans le style de Patinir. XVIe siècle. Kunsthistorisches Museum, Vienne.

Polémique autour du libre arbitre

Allemagne, 1524-1525

Le 1er septembre 1524, l'humaniste Erasme publiait sa *Dissertation sur le libre arbitre*. C'est le roi d'Angleterre, Henri VIII, indigné par les invectives que lui avait valu sa réfutation de Luther, qui avait poussé Erasme à entrer à son tour dans la polémique contre les protestants. Luther prend son temps pour répondre à celui en qui il avait espéré un allié ; la réplique vient en décembre 1525, violente et sans nuance, avec le *Traité sur le serf arbitre*. Désormais les positions sont claires et le compromis illusoire qui avait d'abord rapproché l'humanisme et la Réforme est enfin dissipé. Erasme, en portant la dispute sur le terrain du libre arbitre, a mis le doigt sur le conflit majeur qui oppose les deux mouvements. « Toi au moins, lui écrit Luther, tu ne me fatigues pas avec des chicanes à côté sur la papauté, le purgatoire, les indulgences et autres niaiseries... Seul, tu as saisi le nœud, tu as mordu à la gorge. Merci, Erasme ! » Pour Luther, disciple de saint Paul et interprète de saint Augustin, la chute a corrompu radicalement la nature humaine et néanti toutes ses facultés. Contre l'optimisme des humanistes, qui affirment la bonté foncière de l'homme, qui croient à la valeur positive de ses actes, à sa possiblité de coopérer à l'œuvre divine, Luther proclame la misère et la totale impuissance de l'homme pécheur qui n'a d'autre ressource que d'attendre dans la passivité le don gratuit de la grâce.

La révolte des paysans allemands contre le clergé et la noblesse. Gravure sur bois d'Erhard Schön.

La guerre des paysans allemands

Allemagne, 1525

La révolte des paysans allemands avait débuté en août 1524 dans la région de l'Allgaü, en Bavière. Très vite, elle gagne tout le pays ; le Palatinat et l'Alsace se soulèvent à leur tour, puis la Hesse, la Franconie et la Thuringe, la Saxe enfin et le Tyrol. Les paysans, se réclamant de l'Evangile et de la prédication de Luther, s'en prennent aux princes, « ces loups pervers », dont ils incendient les châteaux. Dans leur programme, rédigé en mars 1525 à Memmingen, ils réclament la suppression du servage, la limitation des dîmes et des corvées, l'établissement de biens communaux, ainsi que le droit de choisir et de déposer leurs prêtres. L'anabaptiste Thomas Münzer, qui avait fondé à Allstedt en 1523 une communauté où l'on pratiquait le culte en esprit et le partage des biens et dont le mouvement, teinté de millénarisme, s'était répandu en Thuringe, à Eisleben, Mansfeld et à Frankenhausen, prend la tête de la révolte et lui donne un tour plus radical. Luther, qui, dans ses premiers sermons, avait fait allusion à quelques exigences légitimes des paysans, effrayé par l'ampleur du mouvement et l'horreur des combats, condamne sans appel les insurgés dans un pamphlet, *Contre les hordes meurtrières et pillardes des paysans*, et enjoint les princes d'y mettre un terme. En juin 1525, la révolte est noyée dans le sang ; plus de 100 000 paysans sont massacrés. Thomas Münzer, fait prisonnier à Mühlhausen, est décapité le 7 mai.

Ulrich Zwingli interdit la messe

Zurich, 16 avril 1525

A l'approche des fêtes de Pâques 1525, les magistrats zurichois gagnés à la réforme zwinglienne interdisent la messe catholique. Quelques mois auparavant, processions et pèlerinages avaient été supprimés par voie d'autorité. A la veille du vendredi saint, la première cène réformée est célébrée. La nouvelle liturgie est d'une simplicité extrême, elle ne comporte guère qu'une succession de lectures bibliques. Hymnes et chants sont eux aussi proscrits. Pour Zwingli, plus radical à cet égard que Luther, les sacrements n'ont qu'une valeur symbolique. La messe n'est pas un sacrifice selon la conception catholique, mais seulement le « mémorial du sacrifice éternel et tout puissant du Christ » ; cette unicité du sacrifice non renouvelable par le ministère d'un prêtre rend caduque l'eucharistie catholique fondée sur le dogme de la présence réelle. Ulrich Zwingli, né en 1484, après de solides études à Bâle, était entré dans les ordres. Prédicateur, familier des idées d'Erasme, il est appelé à Zurich en 1518. En 1523, il publiait ses *67 Thèses* auxquelles il ajoutait un traité, *De la vraie et fausse religion* en 1525, exposant sa théologie sacramentaire.

Portrait d'Ulrich Zwingli. 1531. Bibliothèque de Zurich.

1526

France et Empire, 14 janvier
François Ier, prisonnier de Charles Quint depuis près d'un an, se résigne à signer le traité de Madrid. Il abandonne le duché de Bourgogne et tous ses droits de suzeraineté sur la Flandre, l'Artois et la ville de Tournai, qui commande le cours de l'Escaut supérieur. Il renonce à toute prétention en Italie et amnistie le Connétable de Bourbon.

Empire germanique, 27 février
En réaction à la formation de la Ligue de Dessau, le landgrave Philippe de Hesse et le prince-électeur Johann de Saxe constituent la Ligue de Gotha-Torgau, à laquelle se joignent la plupart des États protestants de l'empire.

Inde du Nord, 21 avril
Bâbur, fondateur de l'Empire moghol, est vainqueur lors de la bataille de Panipât. →

Espagne et Amérique, mai
La Couronne interdit l'introduction des « negros ladinos » (esclaves nés en Europe) aux colonies ; seuls les « negros bozales » (esclaves africains) sont autorisés en Amérique.

France, juin
Le traité de Madrid, signé le 14 janvier de cette année, est tenu par François Ier pour nul et non avenu.

Rome, juin
Clément VII approuve par un bref la fondation de l'ordre des Capucins par Matteo da Bascio, frère mineur observantin soucieux de renouer avec l'idéal franciscain de pauvreté évangélique.

Hongrie, 29 août
Les Ottomans vainqueurs à la bataille de Mohacs. →

Székesfehésvár, 10 novembre
Le trône de Hongrie étant vacant à la suite de la mort de Louis II, Jean Zapolyai, voïvode de Transylvanie, se fait élire roi par la petite noblesse.

Presbourg, 16 décembre
Conformément aux clauses de la convention de Vienne conclue en 1515, la couronne de Hongrie, en l'absence d'héritier direct, revient au grand-duc d'Autriche, Ferdinand Ier, le frère de Charles Quint. Les terres héréditaires d'Autriche et les États des couronnes de saint Étienne et saint Wenceslas se trouvent ainsi réunis sous la domination des Habsbourg.

France et Empire ottoman
François Ier fait alliance avec Soliman le Magnifique. →

Wittenberg
Luther rédige un traité de chants liturgiques (*Deutsche Messe*).

Amérique
Nomination du premier évêque de Mexico.

Amérique et Espagne
Les colons castillans adressent de nombreuses plaintes au Conseil des Indes contre l'établissement aux Amériques de Génois, Napolitains et Allemands. Mais une cédule royale autorise, en fait, les non-Castillans à commercer dans les colonies.

Empire germanique
Constitution d'une Eglise nationale luthérienne en Hesse.

Amérique centrale
Les deux fronts de colonisation partis du Honduras et du Nicaragua ayant réalisé leur jonction, le Honduras est détaché de la Nouvelle-Espagne et constitue une nouvelle colonie.

Pérou
Pizarro s'aventure une nouvelle fois dans l'Empire inca.

Bade, Suisse
Lors du colloque de Bade, Zwingli réaffirme devant des interlocuteurs catholiques sa condamnation de l'eucharistie.

Salamanque
Le dominicain Bartolomé de Las Casas reçoit la chaire de théologie.

Mexique
Arrivée des premiers frères dominicains. La législation espagnole prévoit que désormais la conquête doit être contrôlée et supervisée par des clercs.

Amérique du Nord
Dans une colonie fondée par l'Espagnol Lucas Vasquez de Ayllon et située sur le territoire de la future Caroline du Sud, éclate une révolte d'esclaves noirs.

France et Indes
L'amiral Chabot, l'armateur Jean Ango et le navigateur Verrazano constituent une société en commandite pour « le voyage des épiceries aux Indes ».

La cour de Marguerite de Navarre

Marguerite d'Angoulême, la sœur aînée de François Ier, avait perdu son premier mari, le duc d'Alençon, en 1525. Deux ans plus tard, elle épousait Henri d'Albret et devenait reine de Navarre. Elle réunit dans son château de Nérac, non loin d'Agen, une cour brillante où elle accueille peintres, écrivains et humanistes, mais aussi tous les « mal sentants de la foi », qui trouveront chez elle aide et refuge. Lefèvre d'Etaples, avec qui elle était depuis longtemps liée, passera auprès d'elle ses dernières années et mourra à Nérac. Gérard Roussel, son ancien prédicateur, quittera lui aussi Briçonnet, évêque de Meaux, pour la rejoindre. La cour de Nérac va ainsi devenir, après Meaux, un haut lieu de l'évangélisme français. Fabriste fervente, la reine, dans ses propres œuvres, comme le *Dialogue en forme de vision nocturne* ou le *Miroir de l'âme pécheresse* chante son abandon à la grâce et l'union avec la vie divine, terme de l'expérience mystique. Mais elle est aussi l'auteur des contes licencieux de l'*Héptaméron*.

Corneille de Lyon. Le poète Clément Marot, « valet de chambre » de Marguerite de Navarre. Vers 1540.

Victoire de Bâbur à Panipât

Inde du Nord, 21 avril 1526
Sur le champ de bataille historique de Panipât, au nord-ouest de Delhi, les troupes de Bâbur infligent une cuisante défaite à l'armée d'Ibrahim Lodi. Les Lodi étaient, depuis 1489, sultans de Delhi et étendaient régulièrement leur pouvoir sur la vallée du Gange. Bâbur, d'origine turque, roi du Ferghâna dès l'âge de onze ans, s'était taillé, en vingt ans, un bel empire en Asie centrale et en Afghânistân. Sur le territoire indien, il est vite maître du Panjâb et, s'y étant assuré des bases solides, s'avance vers Delhi. En avril 1526, son armée prend position dans la plaine de Panipât. Le combat s'engage le 21, après huit jours d'observation. Les armes à feu donnent l'avantage aux troupes mogholes. Ibrahim combat vaillamment, mais il est tué, signe de la dislocation pour son armée qui prend la fuite. En quelques jours, Bâbur se rend maître d'Agra et de Delhi.

Entrevue de Bâbur avec Bedi Az-Zamar. Miniature moghole. XVIe siècle. Musée Guimet, Paris.

Soliman le Magnifique et François Iᵉʳ font alliance

France et Empire ottoman, 1526

Au lendemain de la défaite de Pavie (24 février 1525), la France est en difficulté : les Espagnols au sud, les Anglais au nord, le Connétable de Bourbon qui essaye de soulever la Provence, Paris menacée et François Iᵉʳ captif à Madrid. Le pire est à craindre, d'autant que Charles Quint ne cache pas son ambition d'un empire universel dont il serait l'empe-

François Iᵉʳ, roi de France. Vers 1520-1525. Peinture de Jean Clouet. Musée du Louvre, Paris.

reur. Pour empêcher les Habsbourg de dominer toute l'Europe, un puissant adversaire doit leur être opposé à l'est : la cour de France dépêche à Istanbul une ambassade avec une lettre de la Reine mère, Louise de Savoie, et une autre, de François Iᵉʳ. Soliman ne se fait pas prier. Lui aussi a besoin d'un puissant allié à l'ouest, contre la maison d'Autriche. Il avait d'ailleurs déjà décidé de porter ses armes contre la Hongrie. Ce sera Mohacs, la défaite et la mort de Louis II.

Châteaux et résidences royales dans le val de Loire

Le château, mi-gothique, mi-Renaissance, d'Azay-le-Rideau (Indre-et-Loire). 1518-1529.

Château de Blois. L'escalier monumental de l'aile François Iᵉʳ. 1515-1524.

Enthousiasmés par le style des palais italiens, Charles VIII, Louis XII et François Iᵉʳ font venir en France des décorateurs italiens, tout en continuant à faire confiance aux architectes français pour les plans et les façades des châteaux qu'ils leur commandent. C'est pourquoi ces châteaux, de la première Renaissance, ont généralement des allures pittoresques avec des tourelles et d'immenses toitures hérissées de lucarnes et de cheminées, héritées des concep-

tions de l'architecture gothique, alors que les Italiens préfèrent des façades plates, de grandes corniches et des toitures invisibles. Chambord est un exemple de cette heureuse collaboration entre Français et Italiens. Le château d'Azay-le-Rideau conserve l'appareil de défense féodal, mais à titre purement décoratif, car tout est sacrifié à l'agrément. Au château de Blois, François Iᵉʳ fait ajouter une aile Renaissance et son célèbre escalier.

Le château de Chambord. 1519-1545. Renaissance française.

Le château de Chenonceaux, commencé en 1515.

Victoire ottomane à Mohacs

Hongrie, 29 août 1526

En 1521, poursuivant leur avancée dans les Balkans, les armées ottomanes s'étaient emparées de Belgrade et de Szabacs. L'ancienne ligne de défense de la Save et du Danube, qui avait résisté jusqu'alors, était tombée et la Hongrie se trouvait à la merci d'une invasion. Devant ce péril, l'accord s'était fait entre les différents partis qui divisaient la noblesse et dont la lutte affaiblissait le royaume. Mais le sultan, satisfait de ce premier résultat et ne poursuivant pas sa conquête, les anciennes rivalités s'étaient ranimées. C'est donc un pays sans défense et divisé que Soliman le Magnifique envahit au cours du printemps 1526. Quant aux autres puissances européennes, la France, l'Empire, l'Angleterre, elles sont trop occupées par leurs propres

querelles pour se décider à intervenir efficacement et à défendre la frontière menacée de la Chrétienté. Le 29 août, à Mohacs, les Ottomans, servis par une puissante artillerie, écrasent l'armée hongroise. Le souverain, Louis II Jagellon, est tué dans la bataille. Louis, roi de Bohême et de Hongrie, n'avait pas d'héritier. En 1515, il avait signé avec Ferdinand Iᵉʳ un accord au terme duquel, à la mort du dernier Jagellon, la Bohême serait réunie à l'Autriche. Dès le lendemain de Mohacs, Ferdinand s'empresse évidemment de réclamer l'héritage hongrois. Il réussit à se faire couronner par la Diète de Presbourg. Mais une autre Diète réunie à Székesfehésvár élit Jean Zapolyai qui bénéficie du soutien de François Iᵉʳ et de la protection du sultan.

Soliman le Magnifique à la bataille de Mohacs en 1526 contre les Hongrois. Miniature ottomane illustrant un poème épique. 1588. Détail. Musée de Topkapi, Istanbul.

1527

Rome, 6-13 mai
La ville est prise et saccagée par les Impériaux. →

Florence, 22 juin
Mort de Machiavel.

Navarre
Par son mariage avec Henri d'Albret, Marguerite d'Angoulême, sœur de François Ier, devient reine de Navarre.

France et Angleterre
Henri VIII et François Ier font alliance contre Charles Quint.

Scandinavie
La Diète d'Oldensee décrète le luthéranisme religion d'Etat. La Diète de Västeras prend une décision identique pour la Suède, ce qui permet à Gustave Ier Vasa de renflouer le Trésor royal, en confisquant les biens ecclésiastiques ; il en profite pour construire une flotte de guerre.

Inde
Bâbur écrase l'armée râjpute à la bataille de Khamva et étend son empire sur l'Hindustân.

France
Le médecin et mathématicien Jean Fernel entreprend de calculer par une méthode de mesure directe la circonférence de la Terre. Parti du collège Sainte-Barbe de Paris, il prit la route d'Amiens et marcha en direction du nord jusqu'à ce que le Soleil soit descendu d'un degré dans le ciel ; il fonda ensuite son calcul sur la distance qu'il avait parcourue depuis Paris. Son évaluation ne différait que de 57 km par rapport aux mesures actuelles.

Angleterre
Henri VIII demande au pape l'annulation de son mariage avec Catherine d'Aragon, qui lui a certes donné des enfants mais point d'héritier mâle. Non sans quelque arrière-pensée, Anne Boleyn pousse le roi dans cette direction.

Brésil
Le roi du Portugal se prononce pour l'élimination des pirates et des négociants français du Brésil.

Paris
Ayant le projet de s'installer au Louvre, François Ier ordonne la destruction du vieux donjon ainsi que des tours en bord de Seine. Cette résidence royale édifiée par Philippe-Auguste, complétée par Charles V, est délaissée depuis Charles VII par les rois de France qui préfèrent résider dans le val de Loire ou, lorsqu'ils séjournent à Paris, à l'hôtel des Tournelles.

1528

Italie, été
Le condottiere Andrea Doria chasse les Français de Gênes. →

Espagne
Le Parfait Courtisan, de Baldassare Castiglione. →

Bâle
Le médecin et alchimiste Paracelse est chassé de la ville de Bâle. →

France
Clément Janequin compose le *Chant des oiseaux*.

Amérique et Espagne
Ses pouvoirs lui ayant été retirés en 1526, Cortés se rend en Espagne pour plaider sa cause.

France et Empire ottoman
Un traité commercial est passé entre les Turcs et les Français.

Espagne et Amérique du Sud
La future concession de l'Eldorado est attribuée aux Welser par Charles Quint.

Espagne
Une « Armada para la guardia de costa y navios de Indias » est organisée.

Mexique
Une des premières transcriptions du nahuatl en alphabet latin est réalisée à Tlatelolco.

France
Publication posthume de la seconde partie (*Histoire de Charles VIII*) des *Mémoires* de Philippe de Commynes, la première partie (*Histoire de Louis XI*) ayant été publiée en 1524. Paris devient capitale de la France.

Berne
Berne opte pour la Réforme.

Nuremberg
Après avoir publié en 1525 un premier ouvrage intitulé *Instruction sur la manière de mesurer avec une règle et un compas*, le peintre Albrecht Dürer achève de rédiger son *Traité des proportions du corps humain*. →

Antilles
Verrazano est tué par les indigènes dans la mer des Caraïbes, alors qu'il se rend au Brésil.

Jacopo Pontormo. « Déposition de Croix ». 1526-1527. Chapelle Capponi, Santa Felicita, Florence.

Une œuvre surprenante de Pontormo à Florence

Florence, 1527
Dans la chapelle Capponi de Santa Felicita, Jacopo Carrucci, dit Pontormo, vient d'achever une magnifique *Déposition de croix*, où son talent original s'éloigne plus que jamais du classicisme d'Andrea del Sarto, son maître. Pontormo aime donner aux corps qu'il peint une allure sculpturale. C'est le cas ici, et le contraste est grand entre la puissance des attitudes et l'immatérialité des physionomies diaphanes au regard absent. Les couleurs, aussi froides et claires que celles d'un visage qui pâlit sous la douleur, traduisent plastiquement le pathétique de la situation. Dans un lieu sans pesanteur et sans perspective, la composition giratoire regroupe des personnages en rupture d'équilibre, dans un bouillonnement de linges aux teintes blafardes. Peintre de la jeune génération, Pontormo, comme Rosso Fiorentino, impose un art à l'irréalisme anxieux. Mais il a médité la leçon de Michel-Ange et celle de Dürer : comme ce dernier, il allonge les silhouettes dont il souligne encore l'étirement par une mise en pages sans profondeur. Cela était déjà sensible en 1525, à la chartreuse de Galluzzo, où certains visages grimaçants et ses figures dansantes évoquaient quelque dessin du peintre allemand. De même que les ravissantes mythologies campagnardes qu'il avait peintes en 1521, pour les Médicis dans leur villa de Poggio à Caiano.

L'alchimiste Paracelse expulsé de Bâle

Suisse, 1528
Le médecin suisse Paracelse est chassé de Bâle après avoir provoqué un scandale. Il donnait ses cours en allemand et il avait publiquement brûlé des ouvrages de Galien et d'Avicenne. Il avait été appelé l'année précédente comme professeur sur l'initiative du réformateur Œcolampade et de l'éditeur d'Erasme, Jean Froben. Originaire d'une vieille famille noble de Souabe, il avait pris ce nom en souvenir du célèbre médecin du siècle d'Auguste : Celse. Il réalisa de nombreux voyages d'étude à travers l'Europe. Médecin et philosophe, il confronte dans ces deux disciplines les contradictions et les invraisemblances du Moyen Age et les intuitions géniales de la Renaissance. Son œuvre est considérable, elle comprend des écrits religieux et médicaux. En médecine, ses traités portent sur la chimie, l'épilepsie, la syphilis, la peste, les cures thermales. Dans sa grande *Astronomia magna*, Paracelse mêle des concepts originaux sur l'univers divisé en mondes inférieur, astral et divin, et sur l'homme lui-même divisé en trois, le corps, l'esprit, l'âme, comme un microcosme, résumé du monde. L'influence de Paracelse fut extrêmement importante. Dix ans après son décès (1541) se formait une école de Paracelse qui s'attacha à la publication de ses manuscrits.

Andrea Doria chasse les Français de Gênes

Italie, été 1528
Après Pavie, les princes italiens, le pape et Venise avaient formé avec François Ier la Ligue de Cognac (22 mai 1526). En 1527, la France et l'Espagne s'affrontent à nouveau dans la Péninsule. Le maréchal Lautrec envahit la Lombardie avant de marcher sur le royaume de Naples. Mais, une nouvelle fois, la campagne tourne au désastre. Enfin, au cours de l'été suivant, Gênes, ville française depuis le traité de Lucerne (5 mai 1521), passe dans le camp espagnol. Andrea Doria chasse les Français et livre à Charles Quint la seule flotte qui aurait pu permettre aux Français de conserver la maîtrise de la Méditerranée. Gênes devient alors le principal point d'appui et de liaison des impériaux.

Andrea Doria par Sebastiano del Piombo.

Rome mise à sac par les Impériaux

Rome, 6-13 mai 1527

Le pape Clément VII, conseillé par le diplomate Guichardin, avait choisi de mener une politique antiespagnole et participer à la Ligue de Cognac, dirigée contre Charles Quint. Mais il savait sa position précaire et aussi que la France, défaite à Pavie, n'avait pas encore eu le temps de se relever. Aussi avait-il signé au dernier moment une trêve avec l'empereur. Mais il était trop tard, la guerre s'était déjà rallumée en Italie. Une armée impériale, commandée par le Connétable de Bourbon, avait en-

La « grande prostituée » de Babylone (Rome) portant la tiare. Gravure polémique de Lucas Cranach.

vahi la Lombardie et occupé Milan. Le frère de Charles Quint, Ferdinand d'Autriche, envoyait alors en renfort une troupe de 15 000 lansquenets allemands avec à leur tête une sorte de condottiere luthérien, Georg von Frunsberg. Ces lansquenets n'avaient touché aucune solde et ils n'étaient maintenus dans leur devoir que par la promesse que leur avait faite leur chef : « J'espère, leur avait déclaré Frunsberg, bientôt vous faire tous riches du sac de la superbe Rome. » Vers la fin du mois d'avril, ces bandes mercenaires arrivaient en vue de Rome. Le 5 mai, elles campaient près du Monte Mario. Le lendemain, l'assaut était donné. Le Connétable de Bourbon est tué en voulant s'emparer du Borgo ; quant à Frunsberg, il est sérieusement blessé. Privés de leurs chefs et livrés à eux-mêmes, les lansquenets, des luthériens pour la plupart, se répandent dans toute la ville, pillant, incendiant. C'est le sac de Rome. Huit jours durant, la capitale de la Chrétienté est la proie d'une véritable fureur de destruction, d'une orgie de sacrilèges. Le Vatican est occupé, la soldatesque campe dans les appartements décorés par Raphaël, transforme en écuries les chapelles. Clément VII, réfugié dans la forteresse du château Saint-Ange, implore en vain Charles Quint. Les protestants allemands, en apprenant le sac de Rome et ses horreurs, se réjouissent de l'événement ; c'est pour eux le

Gravure célébrant indirectement la prise de Rome comme un juste châtiment. 1527. Vue du château Saint-Ange.

signe de la ruine prochaine et définitive de la papauté ; la moderne Babylone connaissait enfin un juste châtiment. Pour les catholiques, partout en Europe, c'est la consternation. Erasme pleure la ruine de la ville du Christ et de la patrie des humanistes. De fait, le sac de Rome marque la fin d'une époque, celle de la Rome de la Renaissance, des papes médicéens, de Raphaël et de Bramante, une Rome plus païenne que véritablement chrétienne. Il marque aussi la fin temporaire des ambitions temporelles de la papauté.

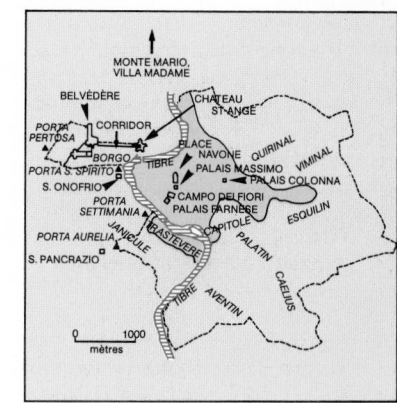

Le parfait courtisan selon Castiglione

Venise, 1528

Le Mantouan Baldassare Castiglione est d'abord un humaniste accompli. A Milan, il fit ses études avec le poète Merula et les érudits Chalcondylas et Beroaldo. En 1504, il entrait au service de Guidobaldo da Montefeltro, le fastueux seigneur d'Urbino. A Rome ensuite, ambassadeur auprès de Léon X, puis protonotaire de Clément VII, il découvre la cour raffinée des papes Médicis, se lie avec Raphaël qui fit de lui un portrait célèbre, devient l'ami de l'humaniste Bembo, de Julien de Médicis, du cardinal Bibbiena. Entre 1508 et 1516, il compose, à la lumière de sa propre expérience, les dialogues du *Parfait Courtisan*, livre édité par Alde Manuce en 1528, et dont la portée sera considérable. Réunis à la cour d'Urbino, les interlocuteurs de Castiglione détaillent le portrait de l'homme de cour idéal, examinant à quelles conditions de naissance et d'éducation il doit satisfaire, délibérant sur les qualités dont il devra faire preuve, sur sa manière de servir son prince. Le dernier mot revient à Bembo, qui expose la théorie de l'amour platonique, seul digne de l'homme de cour.

Mort du peintre et graveur Albrecht Dürer

Nuremberg, 1528

Dürer, comme Léonard de Vinci, fut un homme d'écriture et de curiosités multiples. Ses écrits autobiographiques (*La Chronique familiale, Journal de voyage aux Pays-Bas*) le sauvent du quasi-anonymat dans lequel demeu-

raient les artistes du Moyen Age. Il étudia Euclide, entretint une correspondance avec Kratzer, le mathématicien et astronome de Henri VIII. Il a composé un *Traité des proportions du corps humain*, observé animaux et plantes, qu'il a rendus avec une mer-

veilleuse précision dans des aquarelles fameuses. Dürer apparaît souvent comme un visionnaire héritier de l'art gothique, mais il fut attiré de façon décisive par les nouveautés de l'art italien. Cette synthèse en fait l'un des arbitres majeurs de son temps.

Albrecht Dürer. Portrait de l'artiste en Christ. Vers 1500.

Albrecht Dürer. « L'Adoration des Rois Mages ». 1504. Détail. Musée des Offices, Florence.

1529

Empire germanique, 19 avril
Dix-neuf États réformés protestent contre l'abrogation du décret impérial de 1526 qui accordait aux princes la liberté de confession sur leurs possessions.

Tolède, 26 juillet
Charles Quint reçoit les conquistadores Cortés et Pizarro et accorde à ce dernier la « capitulation » de gouverneur et capitaine général du Pérou.

France et Empire germanique, 5 août
Louise de Savoie, au nom de François Ier, et Marguerite d'Autriche, représentant son neveu Charles Quint (d'où le surnom de paix des Dames), signent la paix de Cambrai. La France renonce à tous ses droits en Italie, ainsi que sur la Flandre et l'Artois et payera une rançon de 2 millions d'écus. En échange, Charles Quint renonce à toute prétention sur la Bourgogne.

Vienne, 27 septembre
Soliman le Magnifique assiège Vienne. →

Marburg, 1er- 4 novembre
A l'invitation du landgrave Philippe Ier de Hesse, les réformateurs de Wittenberg, Strasbourg et Zurich se réunissent à Marburg pour tenter de régler les différends théologiques divisant la Réforme allemande. Luther, Mélanchthon, Œcolampade, Bucer et Zwingli ne parviennent pas à s'accorder sur l'eucharistie.

Espagne et Portugal
Le traité de Saragosse fixe le méridien de démarcation entre Portugais et Espagnols dans le Pacifique à une ligne à 17 degrés est des Moluques ; les Portugais récupèrent cet archipel moyennant le versement d'une indemnité à Charles Quint.

Suisse
Bâle, Saint-Gall, Schaffhouse et Mulhouse optent pour la Réforme.

Angleterre
Le pape Clément VII s'oppose au divorce de Henri VIII. Le cardinal et lord-chancelier Wolsey tombe en disgrâce ; Thomas More le remplace.

Ratisbonne
Albrecht Altdorfer peint pour Guillaume V de Bavière *La Bataille d'Alexandre*. →

Lyon
Révolte des Lyonnais contre l'impôt.

France
Guillaume Budé publie ses *Commentaires sur la langue grecque* (*Commentarii linguae graecae*).

1530

Bologne, 24 février
Charles Quint est couronné empereur par le pape Clément VII ; c'est le dernier couronnement impérial dans le Saint Empire romain germanique.

Paris, mars
Fondation du Collège des lecteurs royaux ou Collège de France. →

Augsbourg, Empire germanique, 25 juin
La Confession d'Augsbourg. →

Anvers, 13 juillet
Mort du peintre Quentin Metsys. Continuateur de la tradition flamande du XVe siècle dans ses œuvres religieuses, il se montra plus audacieux dans ses portraits, qui portent l'empreinte de l'idéal humaniste de la Renaissance (*Erasme* et *Peter Gillis*, représentés à leur table de travail), ou dans certaines scènes profanes, tel *Le Prêteur et sa femme*, aux intentions moralisatrices.

Rome, 8 octobre
La ville est inondée.

Russie
Vassili III achève le rassemblement des terres russes commencé par Ivan III. →

Malte
Chassés de Rhodes en 1522 par les Turcs, les chevaliers de Saint-Jean de Jérusalem s'installent avec l'autorisation de Charles Quint dans l'île de Malte.

Suisse
Neuchâtel opte pour la Réforme.

France
Début de la construction du château de Saint-Germain-en-Laye.

Inde
Humâyûn succède à Bâbur à la tête de l'Empire moghol.

Silésie
Georg Bauer, dit Agricola, publie un ouvrage de toute première importance dans le domaine de la minéralogie et des techniques minières, *De re metallica*.

François Ier fonde le Collège de France

France, mars 1530
François Ier établit des chaires de grec et d'hébreu auxquelles s'ajoutent bientôt des chaires de mathématiques et de latin. Ainsi commence le « Collège royal » ou « Collège des trois langues », futur « Collège de France ». Depuis dix ans, François Ier écoutait avec bienveillance les hommes qui le sollicitaient d'établir une institution scientifique jeune et indépendante. Il avait d'abord songé à Erasme, au sommet de sa réputation, pour être le directeur de l'entreprise. Erasme se déroba. En fait, l'idée de François Ier n'était pas étrangère aux préoccupations d'un Guillaume Budé. Grand érudit, évêque de Paris, Budé avait proposé en 1521 la fondation d'un « Collège de jeunes Grecs », soucieux qu'il était de promouvoir une langue alors plutôt malmenée en Sorbonne : on y voyait surtout un instrument de contrôle des Livres saints (les premiers textes bibliques, écrits en grec, venaient d'être redécouverts). Budé, en humaniste, était favorable à la connaissance de ces textes. Malgré l'hostilité de la Sorbonne, il ne se découragea pas. Il rappela au roi ses promesses de fonder une « pépinière de savants ». François Ier tient parole et un auditoire de plus en plus nombreux assiste aux leçons des « lecteurs royaux » de grec et de latin.

Altdorfer et la "Bataille d'Alexandre"

Altdorfer. « La Bataille d'Alexandre ». 1529. Détail. Alte Pinakothek, Munich.

Allemagne du Sud, 1529
Ce qui intéresse avant tout le peintre et graveur Albrecht Altdorfer, ce sont les liens mystérieux qui unissent l'homme aux éléments. C'est la première fois que, dans la peinture allemande, le paysage joue un rôle aussi important. En 1529, Altdorfer réalise pour Guillaume V de Bavière *La Bataille d'Alexandre*, œuvre ambitieuse pour laquelle il refuse, afin de mieux se consacrer à sa peinture, la charge de bourgmestre de Ratisbonne. Il s'agit en fait d'une véritable mêlée cosmique où les cieux, la terre et les hommes se confondent : dans une ordonnance circulaire, les spirales tournoyantes des nuées font écho au vacarme des troupes surgies du sol, hérissées de lances et d'oriflammes.

Vassili III rassemble les terres russes

Russie, 1530
Vassili parachève la politique de son père, Ivan III. Vassili a commencé par annexer Pskov en 1510 et Riazan en 1517. A l'issue de la guerre russo-lituanienne de 1512-1522, il prit Smolensk. En 1521, la Lituanie et le khanat de Crimée aidèrent un complot des princes de Novgorod-Siéversk et de Starodoub. Ces derniers avaient fomenté avec le prince de Riazan la sécession de leurs fiefs. Vassili parvint à étouffer la conjuration et annexa Novgorod-Siéversk et Starodoub en 1523.

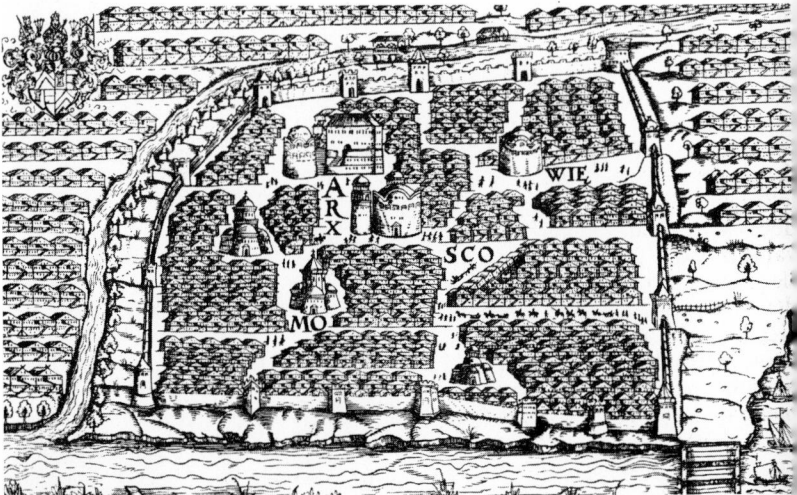

La ville de Moscou et le Kremlin vers 1530, sous le règne de Vassili III. Gravure d'époque.

La Confession d'Augsbourg présentée par Melanchthon

Augsbourg, 25 juin 1530
Charles Quint, pour lutter contre l'offensive ottomane (siège de Vienne, 1529), a besoin de l'appui des princes protestants. Pour l'obtenir, il accepte de convoquer le 21 janvier 1530 à Augsbourg une Diète où les « dissidents » pourront exposer librement leurs opinions et où l'on préparera le futur concile réformateur et conciliateur promis par Clément VII. Luther, toujours au ban de l'empire, ne pouvant paraître à la Diète, c'est son ami et disciple Melanchthon qu'il charge de rédiger le texte des articles de foi protestants et de le présenter devant la Diète le 25 juin. Cette « Confession d'Augsbourg » se compose de 28 articles. Les 21 premiers concernent les arti-

cles de foi qui, malgré quelques divergences d'interprétation, sont communs aux catholiques et aux protestants. Les 7 derniers, les « articles qui sont en discussion et où l'on traite des abus qui ont été modifiés », touchent les principales questions litigieuses (la communion sous les deux espèces, le mariage des prêtres, la messe, la confession, les vœux monastiques, le pouvoir des évêques). Melanchthon est un modéré, proche encore de l'esprit érasmien. Animé d'intentions iréniques, s'il ne transige pas sur les doctrines essentielles de Luther, il insiste cependant davantage sur tout ce qui pouvait rapprocher les deux partis plutôt que sur les motifs de désaccord qu'il cherche au contraire à atténuer. Il se montre très soucieux également de se distinguer des anabaptistes et des sacramentaires, que catholiques et luthériens s'entendaient à condamner.

La Diète d'Augsbourg : les princes allemands assemblés en présence de Charles Quint dans la salle des Evêques de la ville. B.N., Paris.

Vienne assiégée par Soliman Ier

Vienne, 27 sept.-15 oct. 1529
Charles Quint, accaparé par sa seconde guerre en France (1527-1529), et Ferdinand Ier, son frère, se préoccupant de résister à l'expansion de la Réforme, Soliman juge la conjoncture favorable pour une nouvelle intervention en Europe. Buda occupée, il donne à ses troupes l'ordre de marcher sur Vienne. Ses calculs se révèlent faux. Charles Quint évite le piège de la guerre sur deux fronts. Le 3 août 1529, il conclut avec François Ier le traité de Cambrai, par lequel il restitue la Bourgogne à la France qui, en échange, renonce à ses prétentions en Italie. Il peut, dès lors, envoyer des renforts à Ferdinand. De son côté, Luther ne cherche pas à profiter de la situation. Enfin, la défense de Vienne est remarquablement organisée. De plus, Soliman, parti avec retard d'Istanbul, a perdu trop de temps en chemin et n'arrive devant Vienne que le 27 septembre, au début de la mauvaise saison. Le siège de Vienne se déroule comme un siège ordinaire ; mais le ravitaillement des troupes ottomanes, à partir d'Istanbul, est entravé par les pluies ; les janissaires, que Soliman avait empê-

chés de piller Buda, commencent à murmurer. Le 14 octobre, Soliman écrit dans son journal : « Il a neigé depuis le soir jusqu'au lendemain matin », et décide de lever le siège. Deux mois plus tard, après une marche difficile dans la neige et les chemins inondés, il est de retour à Istanbul. La paix ne durera pas longtemps. L'Europe est trop petite pour ses quatre prétendants : Charles Quint, Henri VIII, François Ier et Soliman Ier.

Le siège de Vienne par les Ottomans. Au premier plan : la tente de Soliman le Magnifique. Miniature ottomane.

L'acropole de Zimbabwé avec ses remparts de pierre. 1350-1450.

Rêves et réalités de l'Afrique

Royaume du Monomotapa, XVe-XVIe siècles
Les Portugais, débarquant sur les côtes orientales à la suite de Vasco de Gama en 1498, y découvrent des royaumes prospères, une civilisation plus raffinée que la leur, entretenant d'étroites relations commerciales avec les pays d'Orient. Après s'être emparés de Sofala, ils entendirent parler d'un immense empire intérieur, le Monomotapa, dominant la vallée du Zambèze sur plus de 1 000 km à partir de l'embouchure du fleuve, dont ils rêvèrent dès lors de s'approprier les richesses. En fait, l'implantation brutale des colons sur la côte, leurs intentions apostoliques ressenties comme pur prétexte et les tentatives arabes de domination concurrente vont constituer de graves obstacles aux projets portugais. D'autre part, les mines d'or exploitées par le commerce oriental depuis plusieurs siècles sont loin de satisfaire les exigences royales. Le

contrôle du minerai échappe en outre à l'administration de Jean III et profite essentiellement à ses gouverneurs locaux. Un des autres objectifs portugais sera d'accéder au légendaire royaume du « Prêtre Jean », négus d'Ethiopie qui « dominait soixante-douze rois, guerroyait précédé de treize croix en or et ne demandait qu'à se précipiter sur Jérusalem pour exterminer les Infidèles ». Les Européens avaient longtemps cherché à le localiser en Asie, puis aux frontières de l'Egypte, l'objectif étant de faire alliance avec lui. S'assurer la maîtrise du trafic commercial de l'océan Indien et faire échec à l'islamisation des abords de la mer Rouge se conciliait fort bien. Lorsque le fabuleux royaume en question (il s'agissait de l'Ethiopie) fut mis en difficulté, en 1510, par la menace d'invasion musulmane, une délégation portugaise lui fut dépêchée, mais elle parvint trop tard à destination.

1531

Empire germanique, 27 février
Formation de la Ligue de Schmalkalden. →

Suisse, 11 octobre
Ulrich Zwingli meurt à la bataille de Kappel. →

Anvers
Ouverture de la nouvelle Bourse ; le précédent édifice avait été détruit par le feu.

Florence
Michel-Ange sculpte les tombeaux de Julien et de Laurent de Médicis. →

Après avoir donné en mariage sa fille naturelle Marguerite de Parme à Alexandre de Médicis, Charles Quint le fait duc de Florence.

France
Miroir de l'âme pécheresse de Marguerite de Navarre.

Brésil
Une première expédition est lancée dans le « sertao » (l'intérieur du pays) à partir de Sáo Vicente. Martin Alfonso de Sousa, son commandant, n'en revint pas.

Mexico
La seconde Audiencia rend le titre de marquis à Hernán Cortés, mais confirme la perte de ses pouvoirs sur la Nouvelle-Espagne.

1532

Londres, 16 mai
Au lendemain de la soumission du clergé anglais, qui s'engageait à ne prendre aucune décision sans le consentement royal, Thomas More donne sa démission.

Empire germanique, 23 juin
Charles Quint conclut avec les princes protestants la paix de Nuremberg. La liberté de culte est accordée en échange de l'aide militaire des protestants contre les Turcs.

Amérique du Sud
Pizarro capture Atahualpa et s'empare de l'Empire inca. →

France et Bretagne
Le traité d'union de la Bretagne à la France met un terme définitif à l'indépendance du duché de Bretagne.

Paris
Publication des *Horribles et épou-*

vantables faits et prouesses du très renommé Pantagruel de Rabelais (→ 1534).

Fontainebleau
Appelé en France par François Ier, Primatice, peintre, architecte et décorateur, travaille au château de Fontainebleau où son compatriote, Rosso Fiorentino, est déjà à l'œuvre.

Savoie
Au synode de Chanforans, dans la vallée d'Angrogne auquel participa du côté protestant Guillaume Farel, les Vaudois adhèrent aux thèses de la Réforme.

Russie
Edification de l'église de l'Ascension de Kolomenskoié, modèle du style pyramidal. →

Italie
Publication posthume du *Prince*, de Machiavel.

Breda
Mort du peintre Jan Gossaert, dit Mabuse. A la suite d'un voyage à Florence, Rome et Venise en 1508-1509, il fut conquis par l'art italien et entreprit de propager le répertoire formel de la Renaissance, surtout dans ses compositions profanes. *Vénus et l'Amour, Danaé* (1527).

1533

Londres, 23 mai
Sitôt après l'annonce officielle du divorce d'Henri VIII et de Catherine d'Aragon, Anne Boleyn, qui s'était mariée secrètement avec le roi dès le 15 janvier, est couronnée en grande pompe à Westminster.

Ferrare, 5 juillet
Mort de l'Arioste. →

Rome et Angleterre, 11 juillet
Excommunication du roi Henri VIII. →

Amérique du Sud, 15 novembre
Pizarro entre à Cuzco.

Russie, 11 décembre
Agé de trois ans, Ivan IV succède à son père, Vassili III.

Boulogne
Charles Quint pose pour Titien et lui confère le titre de Comte palatin.

Angleterre
Le peintre allemand Hans Holbein le Jeune réalise le portrait des *Ambassadeurs français Jean de Dinteville et Georges de Selve*. →

Hans Holbein le Jeune. Les Ambassadeurs : Jean de Dinteville et Georges de Selve. 1533. Au premier plan : une anamorphose de tête de mort.

Un grand portraitiste, Holbein le Jeune

Angleterre, 1533
En 1532, Holbein a quitté Bâle où la situation des artistes était devenue précaire depuis la Réforme, hostile aux images. Il s'est s'installé en Angleterre, où il devient le peintre attitré de l'aristocratie et de la cour, s'affirmant comme le plus grand portraitiste de sa génération. Coloriste raffiné, dessinateur perspicace et réaliste, il ne se laisse jamais tenter par la quête d'une beauté idéale : le réalisme triomphe toujours dans sa représentation du visage humain et des objets. Son magistral portrait d'apparat dit des *Ambassadeurs* (1533) représentant les envoyés français à Londres est, à ce titre, particulièrement démonstratif.

Les églises pyramidales russes

L'église pyramidale fait son apparition en Russie au XVIe siècle. C'est une forme architecturale originale, qui s'inspire des anciennes maisons de Dieu, élevées dans les campagnes qui étaient de simples isbas agrandies et adaptées aux nécessités du culte : pour les distinguer, on leur ajoutait simplement une pyramide en charpente. Il est probable que les églises pyramidales qui s'élèvent aux XVIe et XVIIe siècles en Russie du Nord, où se sont réfugiés les Vieux Croyants, s'inspirent des prototypes plus anciens. En effet, toutes les formes qui les caractérisent dérivent du bois : arcs en accolade, arcs superposés *(kokochniki)*, colonnettes tournées en balustres. L'église la plus typique et la plus parfaite est celle du village impérial de Kolomenskoié (1532) : elle se dresse sur un large soubassement entouré de galeries couvertes. A la base de la tour octogonale, s'élèvent en retrait trois étages de *kokochniki*. L'église de la Décollation de Saint-Jean-Baptiste, à Diakovo, est construite sur le même schéma, mais sa silhouette est plus trapue, moins élancée. La dernière en date sera l'église à trois pyramides de Poutinki, construite entre 1649 et 1652 : en effet, à partir du milieu du XVIIe siècle, le clergé décrétera cette forme d'architecture religieuse contraire à la tradition orthodoxe.

L'église de l'Ascension, Kolomenskoié. 1532.

Pizarro conquiert l'Empire inca

Pérou, 1532

En 1519, après plus de vingt ans de campagnes dans les « Indes », Francisco Pizarro s'installe à Panama où il jouit de terres et d'Indiens qui travaillent à son profit. Cependant, les rêves suscités par la conquête du Mexique par Hernán Cortés (1519-1521) et les récits parlant de terres immensément riches vers le sud poussent Pizarro à reprendre les armes. Il organise avec l'aide de Diego de Almagro et Hernando de Luque deux expéditions qui n'aboutissent pas, faute de l'appui du gouverneur de Panama. Il part alors en Espagne et obtient de Charles Quint l'autorisation d'entreprendre la conquête de l'Empire inca. De retour à Panama, il repart vers le sud en janvier 1531 avec trois navires et cent quatre-vingts hommes. Il débarque à Tumbes (dans le nord de l'actuel Pérou), prend la ville et fonde, peu après San Miguel de Piura, pour assurer la liaison maritime avec Panama. L'Empire inca émerge alors à peine d'une guerre civile ayant opposé les deux héritiers au trône, Atahualpa et son demi-frère Huascar. Ayant vaincu l'armée de Huascar, Atahualpa se trouve à Cajamarca lorsqu'il apprend l'arrivée d'étrangers blancs et barbus sur la côte. L'empereur les identifie aussitôt avec le dieu barbu Wiracocha dont la prophétie annonçait le retour. Pizarro profitant de la méprise et de l'instabilité politique de l'Empire dont il avait été mis au courant dès son arrivée à Tumbes, décide de se rendre à Cajamarca pour y rencontrer l'Inca. Aussitôt arrivé, Pizarro tend un guet-apens à l'empereur et le capture le 16 novembre 1532 ; il tient ainsi entre ses mains la tête d'un empire fortement centralisé dont toute l'organisation converge vers l'Inca. Avec un seul homme, c'est tout un empire que Pizarro a pris en otage. L'Inca propose de remplir sa propre cellule d'or en échange de sa liberté ; Pizarro accepte. Néanmoins, une fois la rançon versée, Atahualpa est jugé et condamné au bûcher. Cette peine est commuée en étranglement, Atahualpa ayant accepté de se convertir au catholicisme ; après son baptême, il est exécuté le 29 août 1533. L'empire, désormais sans direction, réagit trop tard. Après deux ans de guerre, en 1535, Pizarro fonde Lima, sa nouvelle capitale : l'empire est totalement conquis.

Portrait d'Henri VIII, roi d'Angleterre. 1540. Peint par Hans Holbein le Jeune. Galleria Barberini, Rome.

Michel-Ange. « La Nuit », figure allégorique. Tombeau de Julien de Médicis. Entre 1520 et 1534. Nouvelle Sacristie, San Lorenzo, Florence.

Michel-Ange travaille pour les Médicis

Florence, 1531

Dans la chapelle funéraire des Médicis, à San Lorenzo, des statues de Julien (*L'Action*) et de Laurent (*La Pensée*), trônent au-dessus de sarcophages sur lesquels sont à demi-allongées deux figures allégoriques (*Le Jour et la Nuit* ; *L'Aurore et le Crépuscule*), symboles du monde périssable. Certains détails sont laissés à l'état d'ébauche, comme si la force du néant pesait sur ces corps, figés dans un morne et douloureux refus.

Zwingli meurt à la bataille de Kappel

Kappel, 11 octobre 1531

Zwingli, inquiet des menaces que faisait peser sur la Suisse protestante l'accord passé entre les cantons catholiques et Ferdinand d'Autriche, voulant d'autre part gagner à la Réforme les bailliages que catholiques et protestants possédaient en commun, s'était saisi du prétexte d'un coup de main d'un aventurier milanais en Valteline pour pousser tous les protestants à la guerre. Ce fut un échec dans lequel il trouva la mort.

Excommunication du roi Henri VIII

Angleterre, 11 juillet 1533

Clément VII excommunie Henri VIII, qui a épousé Anne Boleyn, et confirme la validité de son premier mariage. Depuis 1527, Henri VIII songeait en effet à répudier son épouse Catherine d'Aragon dont il n'avait eu que des filles. De surcroît, il éprouve une grande passion pour une dame d'honneur, Anne Boleyn. Henri charge donc le cardinal Wolsey d'obtenir du pape la nullité du mariage. Clément VII, depuis la prise et le « sac » de Rome (mai 1527) mené par le Connétable de Bourbon, ne peut prendre le risque de mécontenter l'empereur Charles Quint dont Catherine d'Aragon est la tante. La commission d'enquête, présidée par le cardinal Campeggi, ne peut se résoudre à conclure le divorce. L'affaire est portée devant le pape, ce qui provoque la disgrâce de Wolsey. Henri VIII le remplace par Thomas More. Le clergé anglais reconnaît, avec réserves, le roi comme chef suprême de l'Eglise d'Angleterre en 1530. Cranmer s'empresse de déclarer la nullité du premier mariage sans l'avis du pape. Dès lors, le schisme est consommé.

Formation de la Ligue de Schmalkalden

Schmalkalden, 27 février 1531

A l'issue de la Diète d'Augsbourg (15 novembre 1530), Charles Quint ordonnait l'application rigoureuse de l'édit de Worms. Les luthériens devaient regagner la communauté romaine, la juridiction épiscopale serait partout rétablie et les biens ecclésiastiques restitués. C'était une déclaration de guerre à la Réforme. Les princes qui soutiennent Luther décident alors de répliquer à la force par la force. A Schmalkalden, Philippe de Hesse, Jean de Saxe, le prince d'Anhalt, le duc de Brunswick, le comte de Mansfeld et toutes les villes impériales passées à la Réforme forment une ligue pour la défense de l'Evangile.

L'Arioste a enfin trouvé le repos

Ferrare, 6 juin 1533

Ludovico Ariosto vient de mourir, après avoir servi pendant trente ans la famille d'Este. Chargé par le cardinal Hippolyte de missions de conciliation auprès du Saint-Siège, à une époque où les rapports étaient tendus entre les papes et Ferrare, il sut arracher à une vie mouvementée de rares moments de loisir pour écrire son *Roland furieux*, des comédies et des satires. Entré en 1518 au service du duc Alphonse d'Este comme gouverneur de Garfagnana de 1522 à 1525, il était désormais chargé de la surintendance des spectacles de la Cour et en avait profité pour mettre au point une nouvelle version de son *Roland furieux* (parue en 1532).

1534

Correggio, 5 mars
Mort de Corrège. →

Saint-Malo, 20 avril
Jacques Cartier quitte l'Europe avec deux navires de 60 tonneaux.

Amérique du Nord, 24 juillet
Jacques Cartier découvre le Saint-Laurent. →

Montmartre, 15 août
Ignace de Loyola fait le vœu de fonder une compagnie en l'honneur de Jésus-Christ.

France
Affaire des Placards. →

Angleterre, novembre
Henri VIII promulgue l'acte de Suprématie. →

Florence
Michel-Ange laisse inachevés les tombeaux de la chapelle funéraire des Médicis à San Lorenzo pour s'installer à Rome.

Afrique du Nord
Le pirate barbaresque Khayr al-Din reprend Tunis aux Espagnols.

France et Empire germanique
Par le traité d'Augsbourg, François Ier s'allie aux princes protestants de la Ligue de Schmalkalden contre Charles Quint.

Brésil
Le roi Jean III du Portugal, par un *alvara* (décret), répartit le Brésil entre douze *donatorios* (vassaux).

Rome
A un Médicis succède un Farnèse : Paul III est élu pape.

Paris
Rabelais publie la *Vie inestimable du grand Gargantua*. →

La Sorbonne intente devant le Parlement un procès contre le Collège des lecteurs royaux, créé par François Ier en mars 1530.

Rome
Antonio da Sangallo réalise le palais Farnèse. →

Italie
L'historien François Guichardin commence son *Histoire d'Italie*. →

Amérique du Sud
Soulèvement mené par le souve-rain inca de Manco Capac II contre Pizarro.

1535

Amérique et Espagne, 17 avril
Création de la vice-royauté de Mexico : le pouvoir politique passe ainsi des mains du gouverneur de la Nouvelle-Espagne et de l'Audiencia de Mexico à celles du vice-roi, en l'occurrence Antonio de Mendoza.

Luxembourg, 9 et 11 mai
Les troupes françaises envahissent les terres du comte de Luxembourg, possession de Charles Quint et incendient le château d'Orchimont.

Pérou, juin
Pizarro fonde Lima, la *Ciudad de los reyes*.

Londres, 6 juillet
Pour avoir refusé de reconnaître la légitimité de l'union d'Henri VIII et d'Anne Boleyn, Thomas More est décapité, après avoir subi quinze mois d'emprisonnement à la Tour de Londres.

Afrique du Nord, juillet
Victoire de Charles Quint lors de la bataille de La Goulette. →

Amérique du Nord, 8 août
Jacques Cartier aborde à l'île d'Anticosti. Il décide d'explorer « la rivière du Canada », le Saint-Laurent. →

Allemagne
La ville de Munster, bastion des anabaptistes, est prise par des troupes protestantes et catholiques.

Amérique du Nord, 16 octobre
Ayant atteint le site d'Hochelaga, Jacques Cartier le baptise du nom de Montréal.

Espagne et Amérique
Charles Quint reçoit à Calatayud Hernan do Pizarro, le demi-frère de Francisco, qui lui apporte une part du butin pris aux Incas. Le roi concède à Francisco Pizarro la charge de gouverneur de la Nouvelle-Castille et à Diego d'Almagro celle de gouverneur de la Nouvelle-Tolède.

Nouvelle-Espagne
Création des provinces augustine et franciscaine de Mexico.

Les missionnaires luttent contre l'exploitation des Indiens mais ils participent à la destruction totale de la culture aztèque.

Guichardin entreprend son "Histoire d'Italie"

Florence, 1536
François Guichardin, après avoir exercé de hautes fonctions à Florence, sa ville natale, était passé au service des papes Médicis. Conseiller de Clément VII, c'est lui qui avait été le principal promoteur de la Ligue anti-impériale. Le sac de Rome avait marqué l'échec de sa politique. Retiré des affaires, il entreprend la rédaction d'une *Histoire des faits d'Italie depuis le passage de Charles VIII jusqu'en 1526*. Son but est d'essayer de comprendre les causes de la décadence italienne. Pessimiste, Guichardin montre l'impuissance de l'homme en face d'événements chaotiques et souvent imprévisibles.

Le Saint-Laurent découvert par Cartier

Amérique du Nord, 1534
L'expédition commandée par Jacques Cartier quitte Saint-Malo le 20 avril. Elle comporte deux navires de 60 tonneaux, manœuvrés par soixante hommes. Les buts sont clairs : « Descouvrir certaines ysles et pays où l'on dit qu'il doibt trouver grande quantité d'or et autres riches choses. » En vingt jours l'expédition parvient à Terre-Neuve au cap Bonavista. Cartier longe le littoral vers le sud. Il parvient à la baie de Gaspé, dans l'estuaire du fleuve Saint-Laurent. Il dresse le 24 juillet, sur la falaise qui en domine l'entrée, une croix de trente pieds portant le nom du roi François Ier. Il prend ainsi possession du Canada. Avant de repartir, il embarque deux Hurons. Le 5 septembre il rejoint Saint-Malo. Les objectifs du voyage s'inscrivent dans le prolongement de la tentative de Verrazano, mais la grande nouveauté de cette expédition est l'intéressement financier du roi à l'opération, ainsi que sa contribution à l'armement.

L'art voluptueux et aimable de Corrège

Correggio, 5 mars 1534
L'importance d'Antonio Allegri, dit Corrège, qui meurt à 45 ans, est paradoxale puisque l'artiste ne quitta guère Parme, où il mena une vie retirée. Formé par Mantegna, il en reprit, avec plus de vituosité encore les jeux de raccourcis dans *L'Assomption de la Vierge* du Dôme de Parme (1524-1530). Il ajoute à la légèreté de son dessin et à la délicatesse de ses carnations une science particulière des corps vus en perspective, un art du clair-obscur qui font de lui un précurseur du baroque. Ses personnages religieux sont d'une exquise suavité, tandis qu'une sensualité non dissimulée émane de ses tableaux mythologiques (*Jupiter et Io* ; *Danaé*,).

Portrait de François Guichardin. Conseiller du pape Clément VII, il fut aussi historien.

Henri VIII promulgue l'acte de Suprématie.

Angleterre, novembre 1534
L'acte de Suprématie, promulgué par Henri VIII, établit le roi d'Angleterre comme chef de l'Eglise anglaise. Il fait partie d'un ensemble de mesures qui visent à renforcer le pouvoir royal. L'acte de Suprématie consacre définitivement le schisme entre l'Eglise d'Angleterre et le pape de Rome. Il soulève peu de protestations, car si l'origine de la réforme anglaise prend prétexte du divorce d'Henri VIII avec Catherine d'Aragon, l'ensemble de la société anglaise nourrissait une méfiance traditionnelle envers la papauté. Les principaux artisans de cette réforme sont, en dehors du roi, Thomas Cromwell, vicaire général avec la responsabilité des Affaires religieuses, et Thomas Cranmer, archevêque de Canterbury. Ils sont convaincus que l'une des conditions de la puissance royale réside dans une autorité réelle sur l'Eglise d'Angleterre et mettent en évidence aux yeux du roi les avantages qu'il aurait à s'annexer une partie des richesses de l'Eglise.

Corrège. La vision de saint Jean à Patmos. Fresque. 1523. Coupole de S. Giovanni Evangelista, Parme.

Gargantua, un géant rabelaisien

France, 1534

« Soudain qu'il fut né, ne cria comme les autres enfants "Miés ! Miés !" mais à haute voix s'écriait "A boire ! A boire !" Gargantua est né sous la plume de Rabelais. Il est le père de Pantagruel, dont le récit avait été publié deux ans auparavant. L'histoire folklorique de ce géant avait déjà donné lieu à la publication d'ouvrages imprimés ; mais l'imagination, l'art du conteur et du comique propre à Rabelais donnent au récit toute sa saveur et toute sa force. Le thème du gigantisme est prétexte à rire, Gargantua mobilise « dix-sept mille neuf cent treize vaches de Pautille et de Brehemond pour l'alaicter ordinnairement ». Au fil du récit apparaissent les géants Grandgousier et Gargamelle, le cuisinier Fripesaulce, l'adversaire Picrochole et frère Jean l'associé. L'action se passe dans la région de Chinon. Le royaume de Grandgousier correspond, en fait, au domaine du père de Rabelais. La réalité se mêle à l'utopie. Rabelais prête une grande attention à faire de ses personnages des reproductions fidèles d'une réalité quotidienne : « En cestuy temps qui fut la saison de vendanges au commencement de l'automne, les bergiers de la contrée estoient à garder les vines et empescher que les estourneaux ne mangeassent les raisins. » Rabelais raconte la naissance, l'enfance et l'éducation du géant. Puis le héros affronte le monde pour combattre le mal ; se déroule alors la guerre picrocholine. L'œuvre s'achève sur la description de l'abbaye de Thélème, récompense accordée à frère Jean pour faits de guerre. Ainsi les thèmes favoris des humanistes : éducation, politique, morale et religion sont abordés. Rabelais avait pris soin d'écrire dans le prologue « figures joyeuses et frivoles... mais au dedans l'on reservoit les fines drogues ». Outre le divertissement, l'ouvrage invite à réfléchir. L'histoire des géants exprime la joie de vivre, leur bonté incite à la confiance.

Portrait de François Rabelais. Peinture anonyme. XVIIᵉ siècle. Musée du château de Versailles.

Le palais Farnèse, un palais sans égal

C'est à Antonio da Sangallo le Jeune que le cardinal Alexandre Farnèse, le futur Paul III, commanda la construction de son palais situé sur la rive gauche du Tibre. A sa mort, en 1546, Michel-Ange continuera les travaux, parachevant le vaste édifice à la belle ordonnance classique (trois étages d'une grande sobriété, avec bossages d'angles et fenêtres traitées en édicules à frontons), y ajoutant une corniche d'une extrême élégance. La cour intérieure s'inspire dans sa structure du théâtre de Marcellus, avec utilisation, à chacun des niveaux, des trois ordres, dorique, ionique et corinthien, le dernier niveau étant de Michel-Ange.

Le palais Farnèse à Rome commencé vers 1514.

Le « balcon des pendus ». Façade nord-ouest du château d'Amboise, face à la Loire.

L'affaire des Placards, début de la répression contre les réformés

Paris, 18 octobre 1534

Dans la nuit du 17 au 18 octobre, des tracts anticatholiques, les « placards », sont affichés à de nombreux exemplaires à Paris ainsi qu'à Amboise où réside alors François Iᵉʳ. Imprimé à Neuchâtel et rédigé par un pasteur de cette ville, Antoine Marcourt, un réfugié lyonnais, ce manifeste (*Articles véritables sur les horribles, grands et insupportables abus de la messe papiste, inventée directement contre la sainte Cène de Notre Seigneur, seul médiateur et sauveur Jésus-Christ*) est une violente critique, où l'injure n'est pas absente, du mysthère catholique de l'Eucharistie. Cette affaire éclate précisément au moment où catholiques et protestants entamaient des négociations, aussi prend-elle toutes les apparences d'une provocation. L'affichage de ces tracts jusqu'au sein du palais est considéré comme un véritable défi lancé au roi. La réaction ne se fait pas attendre. Le 13 novembre, un premier protestant est condamné au bûcher. Le 13 janvier 1535, un édit sera pris contre les imprimeurs. Le 21 janvier, une journée d'expiation solennelle se terminera par la mort sur le bûcher de six autres protestants. Ce brasier enflammera le royaume.

Charles Quint contre les Barbaresques à la bataille de La Goulette

Golfe de Tunis, juillet 1535

Aucune grande politique n'est possible sans la maîtrise des mers. Aussi Charles Quint et Soliman s'attachent-ils les services des deux plus grands seigneurs de la mer de l'époque, Andrea Doria pour le premier et Khayr al-Din, surnommé Barberousse, pour le second. Nommé par Soliman grand amiral de la flotte, Barberousse s'est rendu maître de Tunis en août 1534 après avoir vaincu Moulay Hassan, de la dynastie des Hafsides. Charles Quint décide alors d'agir. Il prend lui-même la tête de l'expédition. Il réunit à Barcelone une grosse escadre : 16 galères de Doria, 23 caravelles du roi du Portugal, 65 navires espagnols, 12 de Gênes, autant de Naples, 4 de l'ordre de Saint-Jean et 280 navires de transport. Au total 412 bâtiments. Ses armées comptent 10 000 Espagnols, 8 000 Italiens, 8 000 Allemands et 700 chevaliers de Saint-Jean. Barberousse ne dispose que de 60 galères et galions et de quelques milliers de soldats arabes et turcs. La bataille, inégale, se décide dès la chute des forts de La Goulette, le rempart de Tunis. La ville occupée, Charles Quint accorde à ses troupes trois jours de pillage. 30 000 personnes sont égorgées, 10 000 emmenées en esclavage. Œuvres d'art et édifices sont détruits. Moulay Hassan, vassal de l'empereur catholique, retrouve son trône. Mais Khayr al-Din n'a pas fini d'écumer la Méditerranée, la rendant peu sûre au commerce.

Tunis et le port de La Goulette. Carte commémorative de la victoire de Charles Quint.

1536

Nouvelle-Espagne, 6 janvier
Le collège franciscain de Santa Cruz de Tlatelolco est fondé.

Angleterre, 19 mai
Exécution d'Anne Boleyn. →

Un acte d'union réunit le Pays de Galles à l'Angleterre.

Genève, 21 mai
La Réforme est officiellement adoptée.

Saint-Malo, 6 juillet
Parti le 6 mai de Stadaconé, Jacques Cartier arrive à Saint-Malo.

Bâle, 12 juillet
Mort d'Erasme. →

Brisgau
Johannes Faust, médecin, astrologue et magicien, meurt soudainement. Cette mort entraîne des rumeurs qui attribuent au diable son étrange disparition.

Mantoue
Le peintre et architecte Jules Romain achève les travaux décoratifs du palais du Té. →

Venise
Jacopo Sansovino est chargé de construire une bibliothèque pour abriter les précieux manuscrits sauvés de l'invasion turque par le cardinal Bessarion ou encore ceux légués à Venise par Pétrarque : ce sera la fameuse Libreria Vecchia de la piazza San Marco.

Mexico
Le chapitre franciscain de Mexico demande au frère Toribio Motolinia de poursuivre son œuvre de collecte et de préservation des cultures indigènes. Il rédigera une *Historia de los Indios de la Nueva España* (qui sera publiée en 1558), ainsi que des *Memoriales*.

Bâle
Jean Calvin publie son *Institutio religionis christianae*. L'ouvrage sera édité en français en 1541. →

Lisbonne
Mort du dramaturge Gil Vicente. En 1502, à l'occasion d'une fête à la cour, il avait présenté sa première pièce, *Auto de Visitação*. D'origine populaire et proche des mystères français, l'*Auto*, avec Gil Vicente, devient une œuvre théâtrale de première importance. Créateur du théâtre national portugais, il a laissé, à côté d'œuvres spécifiquement religieuses (*Auto da Sibila Cassandra*),

un ensemble varié d'œuvres profanes où le comique et la verve (*La Comédie du veuf*) côtoient la description la plus réaliste de la société de son temps (*Inès Pereira*).

France
Poursuivant l'armée de François Iᵉʳ, qui vient de tenter de s'emparer du Piémont, les troupes de Charles Quint envahissent la Provence. Elles seront repoussées grâce à Anne de Montmorency qui appliqua, en la circonstance, la tactique de la terre brûlée.

Afrique du Nord
Barberousse (Khayr al-Din) réoccupe Bizerte.

Amérique du Sud
Almagro arrive au Chili et découvre la baie où sera fondée en 1544 Valparaiso.

Sebastian del Belalcazar est chargé par Francisco Pizarro d'organiser la province de Quito. Il se dirige plus au nord et fonde la ville de Popayán.

Fondation de Buenos Aires, par Pedro de Mendoza.

France
L'ordonnance de Crémieu accroît les compétences des tribunaux des bailliages et des sénéchaussées au détriment de la justice seigneuriale.

1537

Florence, 6 janvier
Lorenzaccio assassine le duc Alexandre de Médicis. →

Rome, 2 juin
Le pape Paul III promulgue la bulle *Sublime Deus* dans laquelle il proclame que les Indiens sont des « veri homines », de véritables hommes dotés d'une âme.

Nouvelle-Espagne
Le vice-roi Antonio de Mendoza fixe des limites de superficie aux *caballerias*, les domaines distribués aux conquistadores.

Amérique du Sud
Début des affrontements entre partisans d'Almagro et de Pizarro. Après s'être révolté contre Pizarro et avoir assiégé Cuzco, dont il s'empare en avril, Manco Capac II fonde à Vilcabamba un nouvel Etat inca.

Padoue
Vésale, professeur à l'université de Padoue, pratique librement des dissections.

Les hôtels de ville flamands

L'hôtel de ville d'Audenarde. 1525-1527. Architecte : Henri van Pède.

En architecture aussi, l'italianisme commence à se répandre en Flandre. Là, les apports de la Renaissance, sensibles par exemple dans la décoration, se mêlent intimement aux traditions locales du gothique flamboyant pour donner jour à un style entièrement original. Les bâtiments du Grand Conseil de Malines ou la Bourse d'Anvers (la première d'Europe, fondée en 1460), le palais des Princes-Evêques de Liège en donnent l'exemple. Mais ce style nouveau se manifeste surtout dans la construction des nouveaux hôtels de ville, tel celui d'Audenarde, achevé en 1525, remarquable surtout par l'élégance de sa façade avec sa riche décoration où les ornementations ciselées se mêlent aux sculptures.

Disparition d'Erasme l'humaniste

Fribourg, 12 juillet 1536
Erasme pensait finir ses jours à Bâle, mais les progrès de la Réforme l'avait chassé de la ville qu'il aimait tant et où il avait passé ses meilleures années, les plus fécondes pour son œuvre. C'est à Fribourg-en-Brisgau, ville impériale et catholique, qu'il meurt le 12 juillet 1536. Ce dernier exil, ce dernier voyage symbolisent

L'humaniste Erasme de Rotterdam. D'après Hans Holbein le Jeune. Galerie Sabauda, Turin.

bien le déchirement d'un homme qui n'a jamais voulu se donner entièrement à un parti. Né à Rotterdam le 28 octobre 1466, il avait fait ses premières études à Deventer, à l'école des Frères de la vie commune, où l'influence de Gérard De Groot, le fondateur de la « devotio modana », était encore bien vivante. A bien des titres, Erasme est l'héritier de ce mouvement qui prônait une religion plus intérieure, dépouillée des rites,

et qui faisait de la lecture assidue des Ecritures le principal devoir du chrétien. Il entre ensuite chez les augustins de Stein. Mais la vie monastique ne l'attirait guère. Il se consacre tout entier à l'érudition. C'est à Stein qu'il découvre le grand philologue italien Laurent Valla, l'initiateur de la méthode critique. Une bourse lui permet de poursuivre ses études à Paris, où une autre désillusion l'attend ; l'esprit scolastique, les querelles d'un nominalisme exangue lui sont étrangers. Protégé par la marquise de Nassau, il voyage. En Angleterre, il fait la connaissance des humanistes John Colet et Thomas More, le dédicataire de *L'Eloge de la Folie*, et enseigne le grec à Cambridge. Il passe ensuite trois ans à Rome, où il obtient enfin d'être dispensé de ses vœux monastiques, et à Venise, où il travaille dans l'atelier d'Alde Manuce. Il rédige alors les *Adages*, une collection de citations tirées des auteurs classiques, qu'il ne cessera d'enrichir et qui établit sa réputation d'humaniste. En 1504, il publie l'*Enchiridion militis christiani* où il propose une théologie fondée sur l'Ecriture seule. C'est à Bâle, où il se fixe ensuite, qu'il se consacre à sa grande œuvre, l'édition grecque du Nouveau Testament, accompagnée d'une traduction latine, que publie en 1517 son ami, le grand imprimeur Froben. Sa renommée se répand dans toute l'Europe et il entretient une immense correspondance. Partisan d'une réforme de l'Eglise, il avait approuvé les thèses de Wittenberg, même s'il en jugeait la publication inopportune ; son évangélisme le rapprochait de Luther, mais la querelle du libre arbitre sépare les deux hommes. Si Erasme ne voulut pas rompre avec Rome, il prit ses distances avec la polémique catholique contre les protestants.

Anne Boleyn, épouse d'Henri VIII.

Accusée d'adultère, Anne Boleyn est exécutée

Angleterre, 19 mai 1536
Au matin, Anne Boleyn, reine d'Angleterre, a la tête tranchée. L'exécution a lieu dans l'enceinte de la Tour de Londres. Anne Boleyn avait été dame d'honneur de Catherine d'Aragon, première femme du roi. Ambitieuse, intrigante, elle devint la maîtresse d'Henri VIII. Après l'annonce officielle du divorce du roi et de Catherine d'Aragon, elle avait été couronnée à Westminster. Malgré la naissance d'un enfant, la future Elisabeth Iʳᵉ, la passion du roi disparut en quelques mois. Elle fut alors accusée, sans preuves, d'avoir eu des relations adultérines avec cinq personnages de la Cour, y compris son propre frère.

Lorenzaccio assassine Alexandre de Médicis

Florence, mardi 9 janvier 1537
Le samedi 6 janvier au soir, Alexandre de Médicis a été assassiné par son cousin Lorenzaccio lequel, profitant de ces jours de carnaval et de l'absence du capitaine de la garde ducale, a agi en toute tranquillité avant de prendre la fuite. Sous le prétexte de ménager un rendez-vous galant à son compagnon de débauche, son amant l'attira chez lui et le fit poignarder par un homme de main. Est-ce la haine qui arma Lorenzaccio ? Ou la prétention d'être un nouveau Brutus et de débarrasser la cité d'un chef sans scrupules ? On ne peut donner une réelle signification politique à son geste, si l'on sait qu'il tint son dessein secret à tous, et notamment à l'opposition républicaine. Le cardinal Cibo, averti le premier, eut garde de ne rien révéler avant le lundi, évitant ainsi un soulèvement populaire. Sous la pression des partisans des Médicis, le conseil des 48 décide le mardi d'appeler au pouvoir le jeune Cosme, fils de Jean des Bandes Noires.

Jules Romain construit et décore le palais du Té à Mantoue

Mantoue, 1536
C'est à Jules Romain que l'on doit l'architecture et la décoration du palais du Té, réalisé pour Frédéric de Gonzague. Si le bâtiment lui-même est conçu selon les normes classiques, la décoration intérieure se présente comme un des plus beaux exemples du maniérisme italien. Unissant stucs et peinture, cet élève de Raphaël s'est plu à opposer la salle de Psyché, avec ses jeux de raccourcis et ses effets plafonnants, à l'illusionnisme grandiose de la salle des Géants, où la cheminée est placée de telle sorte que le feu s'allume à l'endroit même où les Titans foudroyés roulent sous l'Etna.

"L'Institution de la religion chrétienne" de Jean Calvin

Bâle, 1536
Séjournant à Bâle, Calvin fait imprimer l'édition latine de *L'Institution de la religion chrétienne*, rédigée à Strasbourg où il s'était réfugié. C'est pour mettre fin aux divergences entre réformés et s'opposer aux tentatives iréniques de Melanchthon, prêt à sacrifier une partie du message luthérien au bénéfice de la réunion des Eglises (n'avait-il pas accepté à Augsbourg la doctrine du synergisme et admis une certaine participation du chrétien à son salut ?) que Calvin a écrit ce livre où il réaffirme l'opposition absolue entre la transcendance divine et la malignité humaine, la toute-puissance d'un dieu inconnaissable que la raison humaine ne peut saisir et dont la volonté demeure impénétrable.

Jules Romain. La « loggia d'honneur ». Palais du Té, Mantoue. 1524-1530.

Jacques Cartier hiverne au Canada

Amérique du Nord, 1536
Le 2 octobre 1535, Jacques Cartier atteint la petite bourgade de Hochelaga sur l'île de Montréal, où il reçoit un accueil enthousiaste de la part des Indiens. Il est conduit en cortège sur le mont Royal, d'où il contemple un splendide panorama. Il croit comprendre, aux gestes des Indiens, qu'en amont du fleuve Saint-Laurent se trouve le royaume de Saguenay, riche en métal précieux. Pourtant il renonce à aller plus loin. Comme il est trop tard pour envisager un retour en France, il se prépare à passer l'hiver dans la forêt de Sainte-Croix. La rigueur de l'hiver et l'hostilité des Indiens rendent ce séjour éprouvant. Vingt-cinq de ses hommes périssent du scorbut. Cette expédition était la seconde commandée par Cartier et financée par le Trésor royal. Ils étaient partis à trois bateaux (la *Grande-Hermine*, la *Petite-Hermine*, et l'*Emerillon*) de Saint-Malo, le 19 mai 1535 et avaient abordé le 8 août à l'île d'Anticosti, dans l'estuaire du Saint-Laurent. Cartier avait l'intention de remonter le fleuve, pour trouver des richesses. Le 1ᵉʳ septembre, il s'était engagé dans le lit du fleuve et avait pénétré ainsi au Canada. Les rapports, d'abord cordiaux, avec les indigènes s'étaient progressivement détériorés. Cartier remonta le fleuve sur l'*Emerillon* mais, en raison du peu de profondeur des eaux, avait dû continuer en barques. C'est ainsi qu'il était parvenu à Montréal. Après la débâcle, Cartier regagne la France. La *Grande-Hermine* et l'*Emerillon* entrent dans le port de Saint-Malo le 6 juillet 1536. Le résultat de l'expédition déçoit la Couronne et l'amirauté qui espéraient de l'or. François Iᵉʳ renonce pour un temps aux expéditions d'outre-mer.

L'art brillant de Sansovino, architecte vénitien

Jacopo Sansovino. « La Libreria Vecchia », vue du môle. Venise. 1536-1554 (achevée par Scamozzi). Au fond, le Campanile.

Installé à Venise après le sac de Rome en 1527, le sculpteur et architecte Jacopo Tatti, dit Sansovino, y exerça une véritable suprématie pendant près de quarante ans, dirigeant la plupart des grands travaux urbains. Avec le palais Corner construit en 1532, il fournit une nouvelle définition du palais vénitien ; il donna par ailleurs à la piazza San Marco sa belle ordonnance, en y bâtissant la Loggetta du campanile en 1540 et surtout la majestueuse Libreria (1536-1554). On y voit apparaître des éléments d'architecture novateurs : le mur de façade s'efface pour faire place à un portique d'ordre dorique au rez-de-chaussée, prolongé à l'étage par une loggia d'ordre ionique, le tout surmonté et animé de multiples éléments de décoration.

1538

France et Empire germanique, été
Par la trève de Nice, le 17 juin, et l'entrevue d'Aigues-Mortes, le 14 juillet, François Iᵉʳ met un terme provisoire au conflit l'opposant à Charles Quint, sur la base du *statu quo*.

Amérique du Sud, juillet
Les partisans de Pizarro exécutent Diego de Almagro.

Europe
Contre les Turcs, une Sainte Ligue est constituée par Paul III, Charles Quint et la république de Venise.

Genève
Calvin et Guillaume Farel sont exilés de Genève en raison de leur rigueur morale. →

France
L'humaniste et imprimeur Etienne Dolet publie ses *Commentarii linguae latinae*.

Italie
Titien peint la *Vénus d'Urbino*. →

Inde
Mort du poète mystique Nânak, auteur de l'*Adi-granth* et fondateur de la secte des sikhs. →

1539

Amérique du Nord, 28 juin
Parti à la conquête de la Floride avec un corps expéditionnaire de 6 000 hommes, le conquistador Hernando de Soto débarque à Tampa Bay.

France, 10 août
Ordonnance de Villers-Cotterêts. →

Flandres
L'industrie drapière est en pleine anarchie et la ville de Gand se révolte, une nouvelle fois, contre Charles Quint. Les Gantois refusent de payer l'impôt pour financer la guerre contre François Iᵉʳ et appellent vainement ce dernier à l'aide.

Paris et Lyon
Le grand « tric » paralyse l'imprimerie. →

Angleterre
Par ordre royal, les couvents sont supprimés.

Espagne et Amérique
Charles Quint enjoint aux autorités de l'université de Salamanque de suspendre les débats et d'interdire la publication d'ouvrages sur le droit de conquête. Ainsi, les *Relectiones* de Vitoria, ses leçons sur les Indiens et sur le droit de guerre, qui devaient être incessamment publiées, ne le seront qu'en 1557 à Lyon, après sa mort.

1540

Brescia, 27 janvier
Mort d'Angela Merici, fondatrice de l'ordre des Ursulines. Son ordre s'est donné pour mission l'éducation des jeunes filles.

Casalmaggiore, 28 août
Mort du peintre Parmesan. →

Paris, 30 août
Mort de l'humaniste Guillaume Budé. →

Rome, 27 septembre
Le pape approuve la fondation de la Compagnie de Jésus. →

France, 17 octobre
François Iᵉʳ reçoit Cartier et l'Indien Danacona. Le roi donne commission à Cartier « pour entrer plus avant le pays de Canada », afin d'y découvrir un passage vers la Chine.

Paris, 14 novembre
Mort du peintre italien Rosso Fiorentino (Giovanni Battista di Jacopo). Invité en 1532 par le roi à venir travailler au château de Fontainebleau, il en dirigea le chantier jusqu'à sa mort. De l'œuvre considérable qu'il y réalisa, nous est restée la galerie François Iᵉʳ, pour laquelle il conçut un système décoratif original, combinant peinture à fresque et relief en stuc, avec un sens extraordinaire de la mise en scène.

Gand
Terrible châtiment pour Gand : Charles Quint exige que les échevins, les bourgeois et les chefs de corporation viennent lui demander pardon, la corde au cou ; une vingtaine d'entre eux sont exécutés et la ville perd tous ses privilèges.

Indochine
Les Portugais commencent à commercer avec la Cochinchine.

France
A l'invitation de François Iᵉʳ, le sculpteur et orfèvre Benvenuto Cellini vient en France.

Le pape approuve la Compagnie de Jésus

Rome, 27 septembre 1540
Par la bulle *Regimini militanti ecclesiae*, le pape Paul III approuve la fondation de la Compagnie de Jésus d'Ignace de Loyola. Les membres du nouvel ordre, s'ils appartiennent au clergé régulier, ne seront pas reclus dans des monastères, c'est dans le monde qu'ils devront agir. Ils sont dispensés de l'office au chœur et ne sont astreints qu'à la seule oraison mentale. Les mortifications de la volonté remplacent celles de la chair, car la règle par excellence de l'ordre est l'obéissance sans réserve, au pape d'abord (un vœu spécial d'obéissance au pape s'ajoute aux traditionnels vœux monastiques), au supérieur ensuite, général de la Compagnie élu à vie et au pouvoir sans limite. Soigneusement sélectionnés, longuement formés à la théologie et à la prédication, d'une souplesse à toute épreuve, soumis à une hiérarchie et à une discipline quasi militaires, les jésuites constituent un instrument parfait au service de l'Eglise, le fer de lance de la lutte contre l'hérésie. C'est à Paris, où il s'était établi pour achever ses études, au collège Montaigu, qu'Ignace de Loyola prit la décision de fonder la Compagnie. Le 15 août 1534, dans la chapelle Saint-Denis de Montmartre, lui et ses compagnons firent le vœu d'offrir leur vie au service du pape. Le projet de constitution, rédigé pendant le carême 1539, fut présenté au cardinal Contarini qui le soumit au pape.

Le pape Paul III recevant la règle de l'ordre des Jésuites. Gravure. XVIᵉ siècle. Bibliothèque nationale, Paris.

Mort de l'helléniste Guillaume Budé

Paris, 30 août 1540
Avec la mort de Guillaume Budé c'est un des symboles de la Renaissance française qui disparaît. Son érudition était de nature encyclopédique ; langues anciennes, mathématiques, sciences naturelles, histoire, théologie, rien ne semblait pouvoir lui être étranger. Il fonda le Collège des trois langues (devenu Collège de France) et la bibliothèque de Fontainebleau (base de l'actuelle Bibliothèque nationale). Il entretint des relations avec tous les humanistes de son temps.

"La Madone au long cou" de Parmesan

Casalmaggiore, 28 août 1540
Lorsque la mort emporta le peintre Francesco Mazzola, dit Parmesan, alors âgé de 37 ans, il travaillait encore à sa *Madone au long cou*, commencée en 1534. Sorte de testament pictural, au travers duquel le maniérisme se propagea jusque dans l'école de Fontainebleau par l'intermédiaire du Primatice et de Niccoló dell'Abbate, elle est sans doute l'une des plus gracieuses visions de cet artiste singulier, qui donne à ses personnages le même visage à l'ovale parfait et étire leurs corps aristocratiques et sinueux jusqu'aux limites de l'abstraction.

Parmesan. « La Vierge au long cou ». 1534-1540. Détail. Offices, Florence.

Les réformateurs Calvin et Farel exilés de Genève

Genève, juillet 1538

En juillet 1538, Calvin et Farel, bannis depuis le 23 avril, sont contraints de quitter Genève. Le premier se rend à Strasbourg, le second s'installe à Neuchâtel. C'est Farel qui, le 21 mai 1536, avait converti Genève à la Réforme, lui encore qui avait demandé à Calvin, de retour de Ferrare, de l'aider dans sa tâche. Mais bientôt les deux réformateurs se heurtèrent à une forte opposition. Ils voulaient que la Confession de foi de 1536 soit jurée par tous les habitants sous peine de bannissement. Les magistrats s'opposent avec détermination à ces mesures et expulsent Calvin et Farel.

Le peintre Titien règne en maître sur Venise et sur l'Europe

Italie, 1538

Tout en exerçant une véritable dictature artistique sur Venise, Titien réussit à imposer son talent à l'Europe entière : il est le peintre d'Isabelle et d'Alphonse d'Este à Ferrare ; il s'introduit à la cour de Mantoue auprès de Frédéric de Gonzague, malgré la présence de Jules Romain ; en 1538, il est à Urbino où il peint pour les Della Rovere l'un des plus somptueux nus féminins, *La Vénus d'Urbino*, dont la blonde carnation s'unit à la grâce des contours. Charles Quint acceptera à deux reprises de poser pour lui ; puis plus tard, entre 1546 et 1550, il fera encore les portraits de Paul III et de Philippe II d'Espagne.

Titien. « La Vénus d'Urbino ». 1538. Musée des Offices, Florence. Cette toile, qui est une des meilleures œuvres de la maturité de Titien, fut peinte pour le duc Guido Boldo II della Rovere.

Fontainebleau, une nouvelle Rome

Dans le contexte du chantier de Fontainebleau, se constitua, autour des artistes italiens appelés par François Ier pour décorer le château, un important courant artistique. Ainsi naquit une première « école de Fontainebleau », composée essentiellement de trois artistes d'inspiration maniériste : le Florentin Rosso Fiorentino, arrivé en 1532 et qui dirigea l'exécution des fresques et des stucs de la galerie dite de François Ier ; Primatice, venu de Mantoue, qui décora la chambre de la reine et exécuta les stucs de la chambre de la duchesse d'Etampes ; enfin Nicolo dell'Abbate, qui travailla à la salle de Bal et à la galerie d'Ulysse. Ces trois artistes contribuèrent à diffuser les idées de la Renaissance italienne. Créateurs d'un répertoire de sujets mythologiques où l'érotisme a sa part, ils communiquèrent aux artistes français le désir et l'audace de représenter la nudité avec le minimum de conventions et de convenances.

Primatice. Décoration en stuc de l'ancienne chambre de la duchesse d'Etampes.

La gallerie François Ier. 1535-1540. Conception et décor : Rosso Fiorentino. Château de Fontainebleau.

Les actes officiels seront désormais rédigés en français

France, 10 août 1539

Par l'ordonnance de Villers-Cotterêts, François Ier prend deux décisions importantes pour l'unification du royaume. Il ordonne que tous les actes de justice soient rédigés en français et non plus en latin. Article 111 : « Et pour que des doutes sont souvent advenus sur l'intelligence des mots latins contenus auxdits arrêts, nous voulons dorénavant que tous arrêts, ensemble toutes autres procédures, registres, enquêtes, contrats, commissions, sentences, testaments... soient délivrés aux parties en langage maternel français et non autrement. » Promulgué pour l'ensemble du royaume, cet acte fait de la langue d'oïl l'unique langue administrative. Cette mesure rend l'administration accessible au peuple. En outre, l'ordonnance prescrit aux curés de tenir le registre des baptêmes et des sépultures : il crée ainsi l'« état civil ». Soucieux de mieux connaître son royaume et de développer son autorité, François Ier assure les progrès de l'absolutisme monarchique.

Disparition de Nânak, le premier des Sikhs

Inde, 1538

Nânak, prophète et poète, meurt à l'âge de 70 ans. Sa pensée religieuse, consignée dans l'*Adi-granth*, constitue le fondement de la religion sikh, bien que lui-même ne se fût jamais posé en fondateur de secte. Nânak était né en 1469, dans une famille hindoue. Après une enfance calme et méditative, il avait fondé un foyer, mais se plaisait en la compagnie de saints personnages. En 1499, il connaît deux jours d'extase mystique et décide alors de prêcher à travers le pays. Sa doctrine tente de réconcilier un islam fanatique et un hindouisme en décadence, de marier les enseignements fondamentaux de la *Baghavad Gîtâ* et les tendances puritaines et iconoclastes de l'islam. La doctrine de l'unicité divine est le principe fondamental de la pensée de Nânak. Il condamne l'idolâtrie, le système des castes, l'ascétisme, mais accepte les principes hindous de la réincarnation et du poids des actes.

Les imprimeries de France paralysées par le grand "tric"

France, 1539

Au printemps 1539 éclate à Lyon une grève des compagnons imprimeurs. Ils sont organisés en confrérie ; les ouvriers cotisent à une bourse commune qui sert à payer les banquets, les frais de justice, à verser des secours. Les typographes et travailleurs à la presse se plaignent du temps de travail : treize à quatorze heures en moyenne par jour. Ils exigent une défense des salaires contre les maîtres, qui refusent à présent de les payer en partie en « pain, vin et pitance » et qui embauchent des apprentis sous-payés. Cette grève, que l'on appelle le « tric », n'est pas la première de ce genre qui éclate dans la région lyonnaise. Mais celle-ci est d'une ampleur exceptionnelle. Durant quatre mois, toute activité cesse dans l'imprimerie. A la même date, une grève identique paralyse l'imprimerie parisienne. Cette grève empêche les rentrées d'or dans les caisses du Trésor royal. Aussi François Ier tranche-t-il en faveur des patrons : deux édits condamnent les coalitions ouvrières.

1541

Amérique du Sud, 12 février
Valdivia fonde Santiago du Chili.

Lima, 26 juin
Francisco Pizarro est assassiné. Le fils d'Almagro, Diego el Monzo, se proclame gouverneur.

Genève, 20 septembre
Le retour de Jean Calvin est marqué par la promulgation des *Ordonnances ecclésiastiques*. →

Salzbourg, 24 septembre
L'alchimiste et médecin suisse Paracelse meurt en exil.

Rome, 18 novembre
Michel-Ange achève sa fresque du *Jugement dernier* à la Chapelle Sixtine. →

Amérique du Nord
L'Espagnol Hernando de Soto achève l'exploration des territoires situés à l'ouest du Mississippi. Son expédition était partie en 1538.

Maroc
Les Portugais sont chassés d'Agadir.

Amérique du Sud
Parti à la recherche de l'Eldorado, le conquistador allemand Philipp von Hutten, commandité par les Welser, échoue comme les autres compétiteurs, espagnols et anglais. L'Eldorado apparaît comme un fabuleux mirage.

Rome
Elu général des Jésuites, Ignace de Loyola se consacre à l'organisation et au développement de l'ordre qu'il a créé.

Hongrie
Ferdinand Ier, roi de Bohême et de Hongrie, est écrasé à Pest par les Turcs qui s'emparent de Buda.

Genève
Traduction en français et publication de l'*Institution de la religion chrétienne* de Jean Calvin. →

1542

Angleterre, 13 février
La cinquième épouse du roi, Catherine Howard, est exécutée pour adultère après un an et demi de mariage. Le 9 juillet 1540, Henri VIII avait divorcé de sa quatrième épouse, Anne de Clèves, après six mois de mariage.

Rome, 21 juillet
Sous l'impulsion de Jean Pierre Carafa (futur Paul IV), l'Inquisition est réorganisée. →

Amérique du Sud, 24 août
Descendant des Andes, l'Espagnol Francisco de Orellana atteint l'embouchure de l'Amazone. →

Empire germanique, 26 août
Le duché de Lorraine est détaché de l'Empire. Par le traité de Nuremberg, Antoine le Bon de Lorraine obtient l'indépendance de son duché vis-à-vis de la Diète de l'Empire germanique.

Nuremberg, septembre
Mort de Peter Henlein, artisan allemand qui, pour avoir eu l'idée de remplacer les poids des horloges par un ressort, rendit cet instrument transportable et auquel on doit l'invention, en 1511, de la première montre.

Pérou, septembre
Diego el Monzo Almagro est vaincu et condamné à mort par Vaca de Castro, le représentant de la couronne espagnole.

Espagne et Amérique, 22 novembre
Les *Nuevas Leyes* portant protection des Indiens sont promulguées à Burgos.

Angleterre, 24 novembre
Jacques V d'Ecosse est vaincu par les Anglais à Solway Moss. Il mourra peu après. Sa fille Marie Stuart, à peine âgée d'un an, lui succède. La régence du royaume sera exercée par sa mère, Marie de Guise.

Europe
Les hostilités reprennent entre François Ier et Charles Quint. L'empereur a formé une coalition avec le roi d'Angleterre Henri VIII.

Indes
François Xavier, jésuite espagnol, compagnon d'Ignace de Loyola, arrive à Goa comme nonce apostolique, avec pour mission d'évangéliser les populations.

Irlande
Henri VIII se proclame roi d'Irlande et commence à distribuer des fiefs irlandais aux nobles anglais qui lui sont particulièrement fidèles.

Amérique du Nord
Première tentative de colonisation du Canada. →

Le Saint-Office supervise l'Inquisition

Rome, 21 juillet 1542
Le pape Paul III vient de décider la constitution d'une instance destinée à coordonner la lutte contre la Réforme : le Saint-Office sera composé de six cardinaux. La nouvelle autorité sera responsable de tous les tribunaux ecclésiastiques. La création du Saint-Office (sa dénomination exacte est *Congregatio Romanae et Universalis Inquisitionis*) entraîne celle de l'Inquisition romaine et l'intensification de la lutte contre les hérétiques. L'Inquisition est toute puissante en Espagne depuis la nomination d'un Grand Inquisiteur en 1478 : les premiers autodafés et exécution de condamnés avaient eu lieu à Séville en 1481. Outre la condamnation au bûcher, l'Inquisition peut procéder à la saisie des biens des suspects.

Saint Dominique présidant le tribunal de l'Inquisition. Peinture de Pedro Berruguete. Prado, Madrid.

Première tentative de colonisation au Canada

Canada, 1541-1542
La France avait obtenu des accommodements dans l'application du traité de Tordesillas, qui réservait à l'Espagne et au Portugal la colonisation des Indes occidentales. Jean le Veneur, l'aumônier de François Ier, était parvenu à faire accepter au légat du pape une interprétation du traité excluant du monopole les terres nouvellement découvertes, ainsi que l'idée de la possession exclusive fondée sur l'occupation permanente. En 1534, le roi avait chargé le Malouin Jacques Cartier de reconnaître le Nord du nouveau continent, où ses deux rivaux ne s'étaient pas encore installés. L'objectif qu'il lui avait fixé était double : découvrir des richesses minières et rechercher une nouvelle route des Indes. Cartier s'était embarqué avec deux navires le 20 avril. Il découvrit au cours de cette première expédition le détroit de Belle-Isle, entre le Labrador et Terre-Neuve, la baie de Gaspé et les îles de la Madeleine. Le 5 septembre, il était de retour à Saint-Malo. Encouragé par les récits d'un indigène qui parlait de l'or du Saguenay, François Ier ordonna une nouvelle expédition. Le 19 mars 1535, Cartier repartit avec trois navires. Il explora cette fois l'estuaire du Saint-Laurent et, le 14 septembre, il parvint à la hauteur du site de Québec, poursuivit son voyage jusqu'à Hochelaga, à proximité du site de Montréal. Le 6 mai 1536, avant son retour, il reconnut la rive méridionale de Terre-Neuve. En 1541, décidé cette fois à établir sur les rives du Saint-Laurent une colonie de peuplement, François Ier nomme Jean-François de Roberval lieutenant général du Canada. Cartier repart avec cinq navires et deux cents hommes le 23 août, s'installe dans la région de Québec et fait commencer la mise en valeur des terres. Roberval rejoint Cartier à Terre-Neuve en avril 1542 avant de fonder la colonie de Charlesbourg. Hélas, le terrible hiver canadien et une épidémie de scorbut déciment les colons.

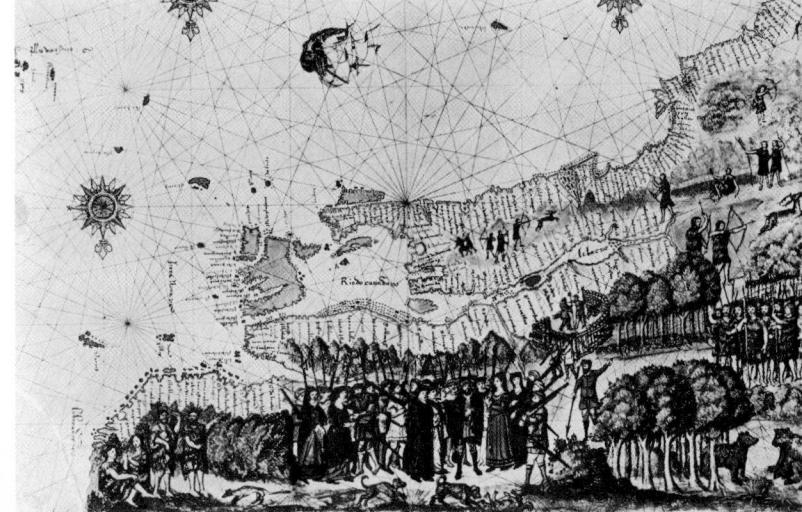

Débarquement de Jacques Cartier au Canada. Atlas de Vallard. 1546.

Jean Calvin construit à Genève un Etat théocratique

Genève, 20 septembre 1541
Calvin avait été expulsé de Genève en 1538 parce qu'il était entré en conflit avec les magistrats de la cité. Ceux-ci refusaient en effet de faire intervenir les pouvoirs séculiers dans les affaires religieuses et d'appliquer la peine civique du bannissement dans les cas d'hétérodoxie. Dans l'intervalle, rédigeant la version française de l'*Institution de la religion chrétienne*, Calvin avait réaffirmé vigoureusement la nécessité de la discipline, tant en matière dogmatique que dans le domaine ecclésiastique, seul rempart contre les tentations schismatiques. Il insistait également sur l'indispensable solidarité de l'Eglise et de l'Etat, et sur la nécessité de combattre avec sévérité les ennemis du dehors comme ceux du dedans. Le 13 septembre, Genève, en proie à de graves discordes, rappelle Calvin. Le réformateur n'accepte de revenir qu'à la condition que les autorités civiles acceptent, cette fois, l'établissement de cette discipline qui lui avait été antérieurement refusée. En trois jours, Calvin rédige les *Ordonnances ecclésiastiques*. Le 20 septembre, elles sont votées par les trois Conseils genevois. Elles sont aussitôt mises en application. Calvin traite d'abord la question des ministères ecclésiastiques, des pasteurs, des docteurs, des anciens et des diacres. Les pasteurs sont nommés par le gouvernement, à qui revient aussi la charge de veiller à leur orthodoxie. L'ordre des docteurs constitue le Département de l'instruction publique de Genève ; là encore, les professeurs sont nommés par le pouvoir politique. Les anciens sont chargés de la police des mœurs. Les diacres, qui constituent le quatrième ordre, ont pour tâche l'assistance publique, la lutte contre la mendicité et les

fonctions hospitalières. L'ordre moral le plus strict et le conformisme religieux le plus exact devront régner dans la cité. Calvin examine ensuite dans le détail un certain nombre de points particuliers : la réglementation du mariage, les cérémonies funéraires, l'instruction religieuse des enfants et le catéchisme, etc. Les *Ordonnances ecclésiastiques* font de la République genevoise un Etat où l'ordre spirituel et l'autorité temporelle sont si étroitement imbriqués qu'ils en viennent à se confondre. La citoyenneté ne peut plus se concevoir en dehors de l'orthodoxie la plus étroite ; à l'inverse, le parfait chrétien se doit de respecter et de

suivre en tout les prescriptions du pouvoir. Luther, théologien et mystique avant tout, n'était que médiocrement intéressé par l'organisation du monde séculier et ne se souciait pas de le transformer pour le rendre plus conforme à son message évangélique. Sa religion se fonde surtout sur une piété individuelle. Calvin, fils de juriste, juriste lui-même, est un homme de dispositions pratiques qui a le goût et le sens du concret jusqu'à la minutie. Calvin ne conçoit pas une religion en dehors de ses cadres sociaux. Pour lui, l'Evangile doit être la règle qui anime aussi l'existence la plus quotidienne. Une piété qui ne s'incarne pas est pour lui vide de sens.

Michel-Ange. La chute des réprouvés. Détail du « Jugement dernier ». 1536-1541.

Le "Jugement dernier" de Michel-Ange

Rome, novembre 1541
Le *Jugement dernier*, de Michel-Ange, à la chapelle Sixtine, provoque de vives réactions. Les uns sont frappés par le désespoir de cette composition qui, autour d'un Christ menaçant, oppose le mouvement ascensionnel des élus et la chute des damnés. D'autres s'indignent de l'« indécence » de ce tourbillonnement de corps nus et de l'anticonformisme de certains détails, comme les embrassements des bienheureux ou l'autoportrait que l'artiste a caché dans la peau écorchée de saint Barthélemy.

Descente de l'Amazone par Orellana

Amérique du Sud, 24 août 1542
Le conquistador espagnol Francisco de Orellana a descendu pour la première fois la totalité du cours de l'Amazone, découvert par son compatriote Vincente Yanez Pinzon en 1500. Des femmes indiennes armées d'arcs et de flèches les ayant attaqués, Orellana donna au fleuve le nom des légendaires Amazones. Orellana était parti de la ville inca de Quito le jour de Noël 1539 avec une expédition menée par Gonzalo Pizarro, frère de Francisco Pizarro : son but était de trouver, de l'autre côté des Andes, le légendaire pays de l'or, l'Eldorado, et le pays des arbres à cannelle géants, *el canela*. Mais les quelque 200 Espagnols de l'expédition furent bien déçus lorsqu'ils eurent, à grand peine, franchi les Andes. Chargé de ramener des vivres avec 57 hommes, Orellana s'embarqua sur le Rio Napo, à bord d'une embarcation construite sur place. Pizarro, las de les attendre, rentrait à Quito (juin 1542). Après avoir essuyé de nombreuses escarmouches avec les Indiens et rencontré les pires difficultés pour se ravitailler, les Espagnols atteignirent l'embouchure de l'Amazone, au terme de huit mois de navigation. Orellana revint en Espagne par Trinidad.

Jean Calvin. Peinture anonyme. Bibliothèque du Protestantisme, Paris.

"Institution de la religion chrétienne" de Calvin

L'*Institution de la religion chrétienne* est l'œuvre maîtresse de Calvin. Les diverses éditions de ce livre jalonnent la carrière du réformateur genevois. De l'édition bâloise de 1536 à la dernière édition latine de 1560, en passant par les deux versions françaises de 1545 et de 1551, il n'a cessé d'en corriger, d'en refondre et d'en améliorer le texte. L'originalité n'est pas la première qualité de la pensée de Calvin : il vient trop tard, Luther avait tout dit et, sur l'essentiel, il fait figure de disciple, mais avec des nuances, des accents qui lui appartiennent en propre. Moins obsédé que Luther par le problème du Salut de l'homme pécheur, Calvin insiste bien davantage sur le culte devant être rendu à Dieu. Plutôt que de se tourmenter sans relâche sur le sort qui l'attend après sa

mort, le chrétien doit songer d'abord à honorer son Créateur. A une théologie anthropocentrique du Salut à travers le désespoir, Calvin substitue une religion théocentrique de l'adoration divine. Le Dieu de Calvin s'apparente à celui des mystiques du Moyen Age finissant, souverainement transcendant et inconnaissable. C'est encore le Dieu de l'Ancien Testament, objet d'adoration. Son insondable majesté doit aussi provoquer la crainte et l'épouvante. « La crainte, écrit-il, est le fondement de la religion. » Il n'y a pas de proportion entre la créature et son Dieu, nulle communication. La prédestination est l'une des manifestations de cette disproportion. Le décret divin qui détermine l'élection ou la damnation est absolument inexplicable, en dehors

des règles de la raison humaine, mais son arbitraire n'est un scandale qu'au regard d'une morale infirme. Autant Calvin élève Dieu, autant il abaisse l'homme. Le péché originel en a fait le jouet d'une concupiscence invincible, qui détermine seule tous ses actes. L'homme n'est capable d'aucun bien propre ; abandonné à lui-même, il ne peut que céder à la tentation, car la Chute a anéanti son libre arbitre. Cette condition humiliée n'est pas source de désespoir : elle trouve sa contrepartie dans une assurance enthousiaste de l'omnipotence et de la sublimité divine qui comble le besoin d'adoration et la soif de dévouement. Il y a chez Calvin une sorte d'ardeur dans l'acceptation et la soumission passive devant Dieu qui le distingue de tous les autres réformateurs.

1543

Ingolstadt, 10 février
Mort de Johann Maïer, dit Eck, le principal adversaire de Luther. Humaniste et partisan d'une rénovation de l'Eglise catholique, Eck combattit de façon virulente Luther. Considérant le réformateur de Wittenberg comme un ennemi de l'Eglise, il le fit excommunier. Il participa à la Diète d'Augsbourg de 1530 et publia, en 1537, une version catholique de la traduction en allemand de la Bible.

Nuremberg, mai
De revolutionibus orbium cœlestium libri VI, de Nicolas Copernic. →

Londres, 29 novembre
Mort à quarante-six ans, emporté par la peste, du peintre allemand Hans Holbein le Jeune, alors au faîte de sa réputation. Installé en Angleterre depuis 1532, il avait été nommé peintre du roi Henri VIII en 1536.

Nice
La ville est prise par une flotte franco-turque. Le corsaire barbaresque Khay el-Din s'est joint à la flotte de François Ier.

Empire ottoman
A la mort du dernier calife abbasside, le sultan ottoman reprend à son compte le titre de calife. →

Angleterre
Henri VIII épouse en sixième noces, Catherine Parr. Elle lui survivra.

Bâle
Publication du traité d'André Vésale *De corporis humani fabrica.* →

Angleterre
Le *King's Book* confirme les thèses votées par le Parlement en mai 1539 à l'instigation de Thomas Cromwell. Cet *Acte des VI articles,* « fouet à six cordes », maintient l'essentiel des dogmes catholiques et interdit toute réforme théologique.

1544

Turin, 12 septembre
Au terme d'une décennie d'errance, de Nérac à Ferrare, de Venise à Genève, de Chambéry à Turin, meurt Clément Marot. Bien que fils d'un poète courtisan et lui-même valet de chambre de François Ier, Marot conserva toujours sa liberté de langage, comme en témoignent ses *Epîtres.* Ses sympathies pour la Réforme

lui valurent d'être incarcéré à la prison du Châtelet, puis de connaître l'exil.

France, 19 septembre
Le traité de Crépy met un terme à la quatrième guerre entre Charles Quint et François Ier. →

Cérisoles, Piémont
Victoire des troupes françaises sur les Impériaux.

Pérou
Nommé en 1543 par Charles Quint, le premier vice-roi du Pérou, Blasco Nuñez de Vela, arrive à Lima.

Lyon
Délie, objet de plus haute vertu, du poète Maurice Scève. →

Cologne
Fondation du premier collège jésuite d'Allemagne.

1545

France, avril
Massacre des vaudois du Luberon. →

Strasbourg, septembre
Mort du peintre Hans Baldung Grien. Portraitiste de talent, auteur de nombreux tableaux religieux, il se consacra après 1519-1520 à la peinture profane, abordant thèmes allégoriques ou mythologiques sous un angle volontiers démoniaque, la Femme et la Mort y occupant une place de choix. Il a laissé, en outre, de remarquables gravures, dont celle des *Sorcières* devenues fameuses.

Italie, 13 décembre
Ouverture du concile de Trente. →

Amérique du Sud
Un fabuleux gisement d'argent est découvert au Potosi. →

Paris
Jean Goujon travaille au jubé de Saint-Germain-l'Auxerrois. →

France
Le chirurgien Ambroise Paré publie un traité sur la *Manière de traiter les plaies,* dans lequel il prône notamment le recours à la cautérisation.

Mexique
Nommé évêque de Chiapas en 1543, Las Casas se rend dans son diocèse.

André Vésale, fondateur de l'anatomie moderne

Bâle, 1543
Sous le titre *De humani corporis fabrica libri septem,* paraît un ouvrage superbement imprimé et illustré. C'est un énorme succès en Europe et un grand scandale parmi les traditionalistes chez qui Galien fait autorité. L'auteur, André Vésale, est né à Bruxelles en 1514 ; il a commencé ses humanités à Louvain puis étudié la médecine à Paris en compagnie de Michel Servet. Passionné d'anatomie, il déterre des cadavres au cimetière des Innocents et subtilise des pendus au gibet de Montfaucon. Reçu docteur à Padoue en 1537 après une dissection magistrale, il y enseigne la chirurgie et l'anatomie puis devient, à Madrid, médecin de Charles Quint. C'est à Padoue qu'est élaborée la magnifique *Fabrica* dont les planches donnent à voir le corps humain dans une rigoureuse et somptueuse exactitude.

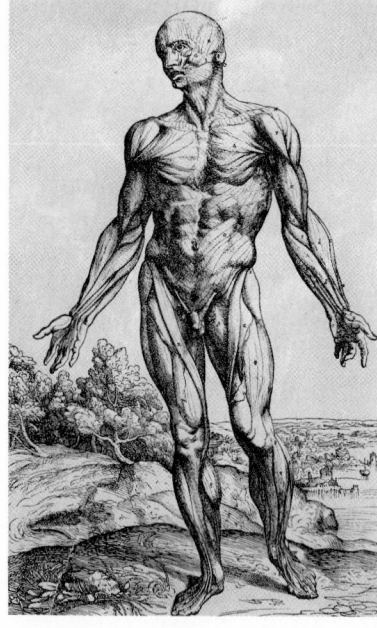

Gravure sur bois illustrant le « De humani corporis fabrica » de Vésule. 1543.

Charles Quint et François Ier font la paix à Crépy

France, 19 septembre 1544
Le 12 septembre à Soissons, Charles Quint entre en négociation. Le 18, le traité de paix est signé dans le petit village de Crépy-en-Laonnois. Le lendemain, Charles Quint et François Ier ratifient l'acte. Celui-ci met fin à la quatrième guerre (1542-1544) entre les deux souverains. L'année 1544 a été marquée pour le roi de France par une brillante victoire à Cérisoles. Mais les échecs ont été nombreux. La Provence est envahie, Henri VIII est passé aux côtés de Charles Quint et s'est emparé de Boulogne. Charles Quint est parvenu jusqu'à Meaux. A Paris une invasion est redoutée. Mais l'offensive impériale se brise, car les soldats, indisciplinés et mal payés, commencent à déserter, les vivres manquent

et les secours du roi d'Angleterre se font attendre. La paix obtenue confirme la perte de l'Artois et de la Flandre. Paix hâtive, à l'heure où l'armée du dauphin Henri II brûlait d'infliger une défaite aux Impériaux en retraite. Le dauphin protesta, le parlement de Toulouse fit des remontrances, celui de Paris retarda l'enregistrement. Même le sultan turc, allié de François Ier, signifia son mécontentement en menaçant de mettre à mort l'ambassadeur venu lui annoncer la nouvelle. L'origine du conflit entre Charles Quint et François Ier réside dans les prétentions de l'empereur à reconstituer le Saint Empire romain germanique et à faire entrer sous sa suzeraineté tous les pays qui avaient antérieurement relevé de l'Empire, l'Italie surtout et par conséquent le Milanais, revendiqué par François Ier. Les trois premières guerres se sont déroulées, sous le règne de François Ier en 1520-1526, 1526-1529, 1536-1538.

Jonction de la flotte française et de la flotte de Barberousse (Khayr al-Dîn) pour attaquer Nice dans la guerre contre Charles Quint. Miniature.

Jean Goujon. La Déposition du Christ. 1545. Bas-relief du jubé de Saint-Germain-l'Auxerrois.

Goujon, sculpteur de la Renaissance française

Paris, 1543-1545

En 1544, Jean Goujon travaille au jubé de Saint-Germain-l'Auxerrois sous la conduite de l'architecte Pierre Lescot. De cet ensemble subsistent les bas-reliefs des *Quatre Evangélistes* et *La Déposition du Christ*, dont la composition est inspirée d'une estampe de Parmesan et où le principe de la « draperie mouillée » rappelle l'art hellénistique. Goujon y apparaît comme l'un des premiers artistes français à subir la double influence de la Renaissance italienne et de l'art antique.

Le massacre des vaudois dans le Luberon

Provence, avril 1545

Une expédition contre les vaudois du Luberon a lieu entre le 15 et le 20 avril 1545. La région est mise à feu et à sang, 3 000 personnes sont massacrées et 600 prisonniers sont envoyés aux galères. François Ier, qui avait autorisé l'exécution de l'arrêt pris par le parlement d'Aix contre eux, fait ouvrir une enquête sur les responsables d'un tel massacre. Depuis la fin du XVIe siècle, des groupes se réclament encore de la secte des vaudois, mais ce mouvement a perdu de sa virulence pour devenir simplement une Eglise réformée. Aux prédicateurs itinérants de jadis, se sont substitués des pasteurs résidents, qui construisent paisiblement des temples.

Gravure de Théodore de Bry pour « Americae ». Augsbourg. 1595.

Découverte par les Espagnols de gisements d'argent au Potosi

Haut Pérou (Bolivie), 1545

Depuis la conquête, les Espagnols n'ont cessé de faire la chasse aux métaux précieux. En 1545, sont découverts les énormes gisements du Cerro Rico au Potosi (Bolivie actuelle). La même année, Juan de Villaroel fonde la ville de Potosi. La légende raconte comment un Indien aurait vu fondre les pierres du foyer alors qu'il faisait du feu pour se chauffer ! Prodigieuse source de richesse pour la Couronne, Potosi devient un gouffre à vies humaines : les travaux forcés auxquels les Indiens sont astreints les déciment par milliers.

La poésie savante de Maurice Scève

Lyon, 1544

C'est sur l'insistance de ses amis que Maurice Scève vient de publier les 449 dizains de sa *Délie, objet de plus haute vertu,* qui célèbrent son amour pour la jeune poétesse lyonnaise Pernette de Guillet. Né à Lyon entre 1501 et 1505, Scève, qui appartenait à une famille notable de la ville, a fait de solides études, notamment en Avignon, où il participa aux recherches entreprises pour retrouver le tombeau de la Laure de Pétrarque. Ayant découvert sous une pierre tombale un parchemin avec un sonnet en italien, il prétendit qu'il était de Pétrarque... mais d'aucuns accusèrent Scève d'en être l'auteur. Devenu célèbre dans la société lettrée du moment, il fit imprimer par Etienne Dolet son premier ouvrage, apporta sa contribution au *Recueil* rédigé à l'occasion de la mort du fils de François Ier, rencontra Clément Marot de passage à Lyon et participa à plusieurs concours de poésie. Mais sa *Délie,* restera cependant son chef-d'œuvre. Dans cette célébration de l'idéal platonicien de l'amour, Délie est l'anagramme de « l'Idée » platonicienne, la réthorique savante se mêlant à d'ingénieuses allégories allie la tradition à la nouveauté.

Ouverture d'un concile œcuménique à Trente

Italie, 13 décembre 1545

Réclamé depuis un demi-siècle, le concile qui doit réformer l'Eglise catholique s'ouvre enfin. Dès l'ouverture, deux partis s'opposent : celui du pape, qui veut commencer par l'examen des questions dogmatiques, celui de Charles Quint, préoccupé d'abord par la réforme disciplinaire.

Le sultan ottoman devient calife

Istanbul, 1543

A la mort du dernier représentant des Abbassides, Soliman s'installe dans son rôle de calife. Mais le califat ne revêt pas la même signification qu'auparavant. Tout au plus signifie-t-il « le plus puissant des souverains musulmans ». Dès son avènement, Soliman avait écrit au sharif de La Mecque pour lui annoncer que Dieu l'avait porté sur le trône du sultanat et placé à la tête du califat. La réponse du sharif est nuancée. Elle confirme bien que, par la volonté de Dieu, Soliman occupait « le trône du Sublime Sultanat et la dignité du Grand Califat », mais ajoutait : « Vos conquêtes ont fait de vous le premier de nous tous et le doyen de tous les sultans de l'Islam. » La nuance mérite d'être soulignée.

Le système héliocentrique de Nicolas Copernic

Nicolas Copernic. Astronome polonais (1473-1543).

Nuremberg, mai 1543

L'astronome polonais Nicolas Copernic a publié, peu avant sa mort, un ouvrage sur les mouvements des corps célestes, *De revolutionibus orbium cœlestium libri sex*. Il y dénonce le principe du système géocentrique, en vigueur depuis Ptolémée. Pour Copernic, ce n'est pas la Terre, mais le Soleil qui est le centre du mouvement des planètes. Après des études de mathématiques, d'astronomie, de médecine et de droit, Copernic fut attaché jusqu'en 1512 comme médecin à son oncle, Lukas Watzelrode, évêque d'Erlangen. Il consacrait son temps libre à ses études astronomiques et s'intéressa, après 1507, à la question des mouvements planétaires. Copernic mit tout d'abord en évidence le fait que le système géocentrique ne permettait pas de prévoir exactement les mouvements planétaires. Abandonnant la théorie de Ptolémée, Copernic put reprendre le fil des idées développées par Aristarque de Samos (vers 310-230 av. J.-C.), qui avait, grâce à ses observations, mis au point les premières méthodes permettant de calculer la vitesse de révolution des planètes et tenté de déterminer les distances des planètes entre elles et le Soleil. Les vitesses calculées par Aristarque lui semblèrent tellement élevées qu'il en vint à estimer que c'était la Terre qui tournait autour du Soleil et non l'inverse. S'appuyant sur les idées d'Aristarque, qu'il intègre à ses travaux, Copernic explique le mouvement des constellations autour d'une étoile fixe par le propre mouvement de rotation terrestre. Cette hypothèse lui permet de calculer avec une bonne précision les mouvements planétaires, sur une orbite qu'il estime circulaire. Les travaux de Copernic marquent une révolution, non point tant astronomique que spirituelle, la mise en question de la vision géocentrique du monde, établie en dogme par l'Eglise, étant aussi celle de sa vision anthropocentrique.

1546

Eisleben, 18 février
Mort de Martin Luther.

Amérique du Sud, avril
Les conquistadors allemands Philipp von Hutten et Bartholomeus Welser sont assassinés par les Espagnols à Coro. Les prétentions des Welser sur le Venezuela s'éteignent.

Paris, 3 août
Exécution de l'imprimeur Etienne Dolet. →

Saint Empire
Contre la ligue de Schmalkalden, Charles Quint fait alliance avec Maurice de Saxe.

Arabie du Sud
Les troupes ottomanes s'assurent du Yémen, la porte de la mer Rouge.

Rome
Michel-Ange dessine les plans de la place du Capitole.

France
Publication du *Tiers Livre* de François Rabelais.

Mexique
Mise en exploitation de la mine d'argent de Zacatecas.

1547

Moscou, 16 janvier
Ivan IV, tsar de toutes les Russies. →

Angleterre, 28 janvier
Henri VIII meurt ; âgé de neuf ans, Edouard VI lui succède sur le trône.

Rome, 25 février
Mort de la poétesse Vittoria Colonna, marquise de Pescara. Dans le style de Pétrarque (*Rime*), elle est l'auteur de poèmes qui la firent surnommer « la Divina ». Elle était au centre d'un cercle de savants et d'artistes. Michel-Ange lui portait une adoration ardente et pressante.

Rambouillet, 31 mars
François Ier meurt ; Henri II lui succède. →

Saxe, 24 avril
Bataille de Mühlberg. →

Gênes, 2 novembre
Gian Luigi Fiesco meurt accidentellement noyé en tentant une attaque navale contre Andrea Doria. Allié à François Ier et aux Farnèse, Fiesco tente de renverser Doria, le doge de Gênes, soutenu par Charles Quint.

France
La reine Marguerite de Navarre compose *Les Marguerites de la Marguerite des princesses*.

Rome
Michel-Ange est nommé à la direction des travaux de Saint-Pierre ; il propose le projet d'une immense coupole.

Paris
Pierre Lescot et Philibert Delorme commencent les travaux de la Cour Carrée du Louvre.

Mexique
Le frère Andrès de Olmo publie la première grammaire nahualt.

Bar-le-Duc
Le *Transi*, de Ligier Richier. →

Paris
Les Confrères de la Passion acquièrent une partie de l'hôtel de Bourgogne. C'est la premiere troupe à posséder un théâtre fixe et à donner des représentations régulières.

1548

Cracovie, 1er avril
Mort du roi de Pologne Sigismond Ier Jagellon. →

Pérou, 8 avril
Les pizarristes sont vaincus par Pedro de La Gasca. →

Empire germanique, 15 mai
Charles Quint, par l'intérim d'Augsbourg, autorise le mariage des pasteurs protestants et la communion sous les deux espèces.

Saintonge et Bordelais, août
Révolte des Piteaux : les paysans se soulèvent contre la gabelle, l'imposition du sel.

Paris, 17 novembre
Le Parlement interdit la représentation théâtrale des mystères sacrés. →

Ecosse
Agée de sept ans, la reine d'Ecosse Marie Stuart est fiancée à François, le dauphin de France, et emmenée à la cour d'Henri II.

Bordeaux
Discours de la servitude volontaire, d'Etienne de La Boétie. →

Avec François Ier disparaît un grand roi de la Renaissance

France, 31 mars 1547
Après avoir écouté quelques pieuses lectures et remis son âme à la miséricorde de Dieu, François Ier meurt. Le même jour, Henri, deuxième de ce nom, roi de France, signe ses premiers actes de souverain. C'est seulement le 24 mai que le cercueil de François Ier est descendu dans la crypte de l'abbaye royale de Saint-Denis, sanctuaire de la dynastie. Les cérémonies sont grandioses de façon à exalter, au-delà de la personne du roi défunt, l'éminente dignité de la fonction royale. Dès le lendemain de la mort du roi, son image est fixée. Tous ses contemporains s'accordent pour qualifier de glorieux, noble, clément, père des belles lettres, restaurateur des arts, celui que Catherine de Médicis n'appelait jamais que le « grand roi François ».

La Boétie rédige le "Discours de la servitude volontaire"

Bordeaux, 1548
Etienne de La Boétie a dix-huit ans et se prépare à la magistrature. Il rédige un pamphlet oratoire plein de fougue « composé à l'honneur de la liberté contre les tyrans ». Comment l'homme, né libre, a-t-il pu abdiquer sa liberté entre les mains d'un autre ? C'est que, lorsqu'un homme, roi ou tyran, prend le pouvoir, il se charge de ce dont les autres se démettent. Il est donc impossible d'asservir un peuple si celui-ci ne s'asservit d'abord lui-même. Le maintien du tyran repose sur l'ignorance, la corruption, la superstition et la religion, et sur une organisation pyramidale de l'asservissement réciproque. « Soyez résolus de ne servir plus, clame La Boétie, et vous voilà libres. » Car, « qui garde le tyran quand il dort ? ». Le tyran est un « homme nu et défait », sa puissance est un paradoxe.

Le Parlement interdit la représentation des mystères sacrés

Paris, 17 novembre 1548
Le Parlement vient d'interdire aux Confrères de la Passion la représentation des *Mystères*, dont ils détenaient, depuis 1402, le monopole théâtral. Le Parlement ne fait que reprendre les attendus de l'arrêt qu'il avait déjà lancé contre les Confrères il y a six ans, affirmant que les acteurs n'ont « ni les accents de prononciation décente, ni l'intelligence de ce qu'ils disent », et qu'ils intercalent dans la représentation

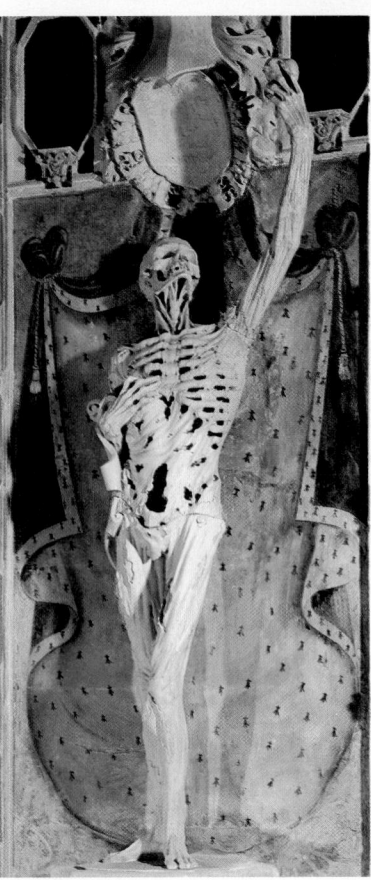

Ligier Richier. Le « transi » de René de Chalon, prince d'Orange-Nassau. 1547.

Le réalisme saisissant de Ligier Richier

Bar-le-Duc, 1547
Ce geste qui élève, à bout de bras, un cœur intact, comment l'interpréter ? Le squelette de René de Chalon tend et sauve peut-être un cœur éternel ou en fait offrande à Dieu. Mais si Ligier a si violemment arraché du tombeau ce squelette encore embarrassé de lambeaux de chair, s'il le sculpte avec un réalisme si terrible, n'est-ce pas pour exprimer l'aveu absurde et désespéré de celui qui offre son cœur au néant ? Contrairement à Bontemps et Goujon, Ligier Richier ne doit rien à l'Italie, ni à l'Antiquité ; en lui demeure ce sentiment tragique de la vie qui caractérise le Moyen Age finissant.

des épisodes apocryphes ou des farces lascives qui n'ont rien a voir avec les mystères sacrés. Cela constitue une trahison de l'esprit religieux et a pour conséquence « refroidissement de charité et aumônes, adultères et fornications infinies, scandales, dérisions et moqueries ». L'année dernière, les bourgeois de Valenciennes avaient donné une représentation impressionnante du *Mystère de la Passion*, en vingt-cinq journées et en soixante-sept mille vers. Jésus-Christ s'y rendait invisible ou se transfigurait sur le mont Thabor. Le succès avait été si grand que la recette s'était élevée à 4 680 livres à raison de 6 deniers par entrée.

A Mühlberg, Charles Quint triomphe de la Ligue de Schmalkalden

Saxe, 24 avril 1547

Au cours de l'automne 1545, le duc de Brunswick-Wolfenbüttel, expulsé par ses sujets parce qu'il était demeuré catholique, voulut reconquérir son pays. L'Electeur de Saxe et le landgrave de Hesse, deux princes protestants, s'y opposèrent et le firent prisonnier en violation de toutes les lois de l'Empire. Le 20 juillet, Charles Quint bannit les deux souverains. Depuis longtemps il cherchait à en découdre avec la Ligue de Schmalkalden, mais il ne voulait pas que ce conflit prenne les apparences d'une guerre de religion. Cette affaire lui offre l'occasion attendue. La guerre sera un acte juridique, la sanction d'une infraction à la Consti-

tution impériale. Charles Quint et son frère Ferdinand regroupent alors les forces catholiques d'Allemagne. Les protestants, supérieurs en nombre, prennent les devants et, à la fin de l'été 1546, s'emparent des forteresses habsbourgeoises le long du Danube. Charles Quint résiste, tandis que Ferdinand envahit la Saxe. En avril 1547, Charles rejoint son frère, fait passer l'Elbe à sa cavalerie et, le 24 avril, bat l'Electeur de Saxe Jean-Frédéric à Mühlberg et le fait prisonnier. Les Etats de basse Allemagne, qui ont remporté la victoire de Drakenbourg, près de la Weser, font malgré tout leur soumission en même temps que les villes de Souabe, Francfort et Halle ; seule Magdebourg résiste encore. Après la victoire de Mühlberg et la signature de la capitulation de Wittenberg le 19 mai, Charles Quint semble avoir retrouvé son autorité en Allemagne.

Ivan IV, tsar de toutes les Russies

Russie, 16 janvier 1547

Dans la cathédrale de l'Assomption, Ivan IV, prince de Moscou, reçoit des mains du métropolite Macaire la croix et la couronne. C'est sur l'initiative de Macaire qu'Ivan prend le titre de tsar, marque de l'autocratie autrefois réservée aux empereurs byzantins et aux khâns. En 1533, Vassili III, en mourant, avait légué tout le pouvoir à son fils Ivan, âgé de trois ans ; il avait également nommé sa femme, Hélène Glinski, régente et institué un Conseil de régence pour la durée de la minorité d'Ivan. Hélène Glinski dut employer toute son énergie pour défendre les droits de son fils contre les prétentions de la haute noblesse : elle supprima le Conseil et s'empara de la totalité du pouvoir. En avril 1538, Hélène Glinski meurt subitement, sans dou-

te empoisonnée par les boyards. Dès lors, les princes Chouiski et Bielski vont constamment se disputer le pouvoir. Le jeune Ivan grandit dans une atmosphère malsaine ; il n'oubliera jamais les sévices que lui firent subir les princes et en gardera une haine tenace à l'égard des boyards. De plus, le métropolite Macaire inculqua à Ivan une conception élevée du pouvoir suprême et de l'autocratie. Aussi Ivan va s'appuyer sur la petite noblesse pour briser la puissance des princes. A partir de 1543, les partisans de l'autocratie eurent de plus en plus de poids au sein du gouvernement moscovite. L'entourage du prince prévoit des réformes pour renforcer les structures sociale et politique de l'Etat russe. Le sacre d'Ivan marquera le début de ce train de réformes.

Le château de Diane de Poitiers

C'est à Philibert Delorme que l'on doit le château d'Anet, résidence de Diane de Poitiers, favorite d'Henri II. Le plan est d'une grande sobriété : trois corps de bâtiments et une galerie, interrompue par une porte monumentale en forme d'arc de triomphe encadrant la cour. Delorme innove en superposant les ordres, employant le dorique pour le rez-de-chaussée, l'ionique pour le premier étage et le corinthien pour le second. La chapelle est tout italienne avec sa coupole, son dallage de marbres blancs et noirs, les couleurs préférées de Diane, et sa voûte à caissons. Le grand moulin à double rampe est en forme de croissant, un hommage à Diane, célébrée aussi par la sculpture de Jean Goujon.

Dame à sa toilette. Vers 1559. Détail. Peinture anonyme.

Le portail d'entrée du château d'Anet. 1548-1555. Résidence de Diane de Poitiers. Architecture : Philibert Delorme.

Mort de Sigismond Ier, roi de Pologne

Pologne. 1er avril 1548

Sigismond Ier, dit le Vieux, meurt à Cracovie, à l'âge de quatre-vingt-un ans, après avoir régné sur la Pologne pendant plus de quarante ans. Fils du roi de Pologne Casimir IV Jagellon, il avait d'abord été chargé de gouverner la Lituanie dont il devint duc en 1506. Elu roi en 1507, il s'attacha à réformer les finances grâce à l'habileté de son trésorier, Jean Bonar. En 1508, il écrasa l'armée du prince de Moscou, Vassili III, à Orcha, puis en 1509 il imposa aux Valaques la suzeraineté polonaise. Poussé secrètement par le futur empereur romain germanique, Maximilien, Vassili renouvelle ses incursions, alors que les chevaliers teutoniques envahissent la Prusse polonaise. Cependant Sigismond réussit, en 1525, à imposer sa suzeraineté sur la Prusse orientale. Le règne de Sigismond marque

l'apogée de la civilisation polonaise, profondément influencée par la Renaissance italienne : l'épouse de Sigismond, la princesse milanaise Bona Sforza, femme exceptionnelle par sa beauté et son savoir, en est la meilleure ambassadrice.

Sigismond Ier Jagellon. Cathédrale du Wawel, Cracovie.

Les pizarristes vaincus par Pedro de La Gasca

Pérou, 8 avril 1548

Après l'assassinat d'Almagro par le frère de Pizarro, les almagristes, groupés autour du fils d'Almagro, tuent Pizarro à Lima (1541). La Couronne envoie alors un magistrat, Vaca de Castro, chargé d'enquêter sur place. A Lima, il se rallie aux pizarristes, bat Almagro à Las Chupas (1542), puis le fait exécuter. Cependant, les colons, inquiets par les nouvelles lois limitant les abus à l'égard des Indiens, se tournent vers Gonzalo Pizarro (frère de Francisco), qui prend la tête d'une révolte contre le roi et se fait proclamer gouverneur du Pérou (1544). Le vice-roi, Núñez de Vela, est battu et tué à Añaquito (1546). Pizarro reste maître du Pérou jusqu'à l'arrivée d'un autre envoyé du roi, Pedro de La Gasca, qui le défait à Jaquijaguana, près du Cuzco ; accusé de traîtrise, Pizarro est aussitôt décapité.

L'imprimeur Etienne Dolet est brûlé

Paris, 3 août 1546

Condamné pour blasphème, sédition et hérésie par la faculté de théologie de Paris, Etienne Dolet est pendu et brûlé place Maubert à Paris. Né à Orléans en 1509, il avait fréquenté l'université de Padoue, puis étudié le droit à Toulouse. En 1534, il s'installe à Lyon. Correcteur chez le grand imprimeur Sébastien Gryphe, il travaille à ses *Commentaires sur la langue latine*. Il devient ensuite imprimeur à son tour et édite les grandes œuvres des réformés, Berquin, Lefèvre, Erasme, Mélanchthon. Dénoncé, il est incarcéré à Lyon en 1542, libéré, arrêté à nouveau et emprisonné cette fois à Paris et condamné. Plus proche en fait de Pomponazzi, l'averroïste padouan, que de Luther, Dolet n'avait de réelle admiration que pour la philosophie grecque.

Les royaumes africains

Du Xᵉ au XVIᵉ siècle

Le continent noir est longtemps demeuré une énigme pour l'Europe. *Ibi sunt leones* (là se trouvent les lions) : ainsi était indiquée l'Afrique dans les premiers portulans médiévaux. Plus tard, Hegel, dans sa *Philosophie de l'histoire*, déniait à l'Afrique noire tout destin historique, point de vue dominant et dominateur pendant l'expansion coloniale du XIXᵉ siècle. Avec l'émergence de la « négritude » (Léopold Sédar Senghor) et les mouvements d'émancipation, l'Afrique s'est réappropriée sa conscience historique.

L'histoire de l'Afrique comporte des spécificités : la tradition orale, mémoire vivante et mouvante de l'Afrique, pallie souvent aux faiblesses des sources écrites ; les découvertes archéologiques complètent et confirment les travaux ethnologiques et linguistiques. Par ailleurs, les chutes du Nil, les rapides du Zambèze, les fleuves Sénégal, Orange et Limpopo, les marais du Bahr el-Ghazâl, les déserts de Kalahari et du Sahara, la forêt équatoriale, ont contribué à la fragmentation du continent et rendu encore plus complexes les problèmes de chronologie.

L'or du Ghâna

Entre les fleuves Sénégal et Niger, le Ghâna, l'un des plus anciens empires africains, regroupant des Soninké et des Berbères Sanhaja, disposait d'extraordinaires richesses : des gisements d'or et des salines. Le voyageur arabe Ibn Haukal affirmait en 977 : « Le roi du Ghâna est l'homme le plus riche du monde. » La région soudanienne sera pendant longtemps pour l'Europe médiévale sa principale source d'approvisionnement en or. Cette richesse suscita évidemment de nombreuses convoitises ; mais c'est la religion qui eut raison du Ghâna. Les Almoravides *al-murâbitûn* (les combattants de la Foi) étaient installés sur une île du fleuve Sénégal ; au XIᵉ siècle, ils proclamèrent le « Jihâd » (la guerre sainte), et, après avoir conquis le Maroc et fondé Marrakech, ils se

répandirent vers le sud et s'emparèrent, en 1076, de Koumbi Saleh, capitale du Ghâna, qu'ils pillèrent et brûlèrent. Le Ghâna ne retrouva jamais sa puissance et fut définitivement annexé en 1240 par le Mali.

L'empire du Mali

Au XIIIᵉ siècle, Soundjata Keita (qui règne de 1230 à 1255), le « Lion du Mali », fonde l'empire du Mali et, en 1235, à Kérina, triomphe de Soumavao, roi des Sosso, qui maintenait les royaumes malinké du haut Niger sous sa domination. Soundjata fut proclamé *mansa* (Roi des rois). Le *Soundjata Fasa*, un chant épique, lui attribue « le partage du monde », c'est-à-dire la fixation des coutumes des Malinké et l'instauration d'un système de castes. Ainsi le *mansa* était-il un *M'Fa mansa*, le roi et père de tous ses sujets.

Les Malinké étendirent leur empire sur un territoire allant des salines de Teghazza, dans le Sahara, jusqu'à la forêt tropicale, et de l'Atlantique au massif de l'Aïr, contrôlant ainsi les principales pistes commerciales transsahariennes.

L'empire était à son apogée lorsque, en 1324, mansa Kankou Moussa (1312-1337) se rendit en pèlerinage à La Mecque. « Ce jeune homme brun, de figure agréable et de belle prestance » rapporte un chroniqueur du Caire, « était accompagné de plus de dix mille de ses sujets et apportait présents et cadeaux qui étonnaient le regard par leur beauté et leur splendeur. »

A la fin du XIVᵉ siècle, l'empire s'affaiblit, en proie à des querelles dynastiques et sous les coups des attaques répétées des Mossis, au sud, et, au nord, des Touareg. Ces derniers s'emparèrent, en 1435, de Tombouctou.

Les Songhaï

Comme les Malinké, les Songhaï du moyen Niger se convertirent à l'islam au Xᵉ siècle.

« Toujours vainqueur, jamais vaincu », rapporte l'épopée songhaï *Tarikh el-Fattash*. Sonni Ali Ber (1464-1492) conquit presque tout le territoire de l'ancien empire du Mali. Après la disparition d'Ali Ber, Mohammed Sylla (1493-1527), un Soninké, s'empara du pouvoir et prit le nom d'Askia Mohammed. Il ramena de son pèlerinage à La Mecque le titre de « calife du Soudan » (calife du pays des Noirs) ainsi que des ulémas (savants musulmans) qui contribuèrent au renom de Tombouctou, Gao et Djenné : l'école islamique de Tombouctou venait ainsi immédiatement après la célèbre université al-Azhar du Caire. Alors que les villes s'islamisaient, les paysans demeuraient attachés aux croyances ancestrales et continuaient d'invoquer les esprits de l'air, de la terre et du fleuve, comme ce grand ancêtre mythique des Sorko, un géant, qui à chaque repas dévorait un hippopotame et buvait d'un trait l'eau des marigots.

Convoitant l'or des Songhaï, le sultan du Maroc envoya en 1591 un corps expéditionnaire : l'artillerie et les mousquets assurèrent la conquête de Gao et de Tombouctou.

Une dynastie millénaire

La région du lac Tchad constituait un carrefour commercial de première importance entre le nord islamisé du continent et le sud, véritable réservoir d'esclaves. Sur cette région, régna, un millénaire durant, une même dynastie, celle de Saifawa (ou Saïfua). Vers la fin du XIᵉ siècle, l'un de ces rois se convertit à l'islam. Dans son *Journal de route*, Ibn Battûta rapporte que le *maï* (l'empereur) ne se montre jamais en public et ne s'exprime que caché derrière un rideau. Conformément à la tradition arabe, la succession au trône du royaume de Kanem s'effectuait en ligne paternelle. Le *maï*, assisté d'un Conseil, demeurait un nomade. Son royaume s'étendait du lac Tchad jusqu'à Mourzouk, dans le Fezzan. L'étendue de ce royaume encourageait l'insubordination des tribus et favorisait les ambitions des féodaux à chaque succession ; les XIVᵉ et XVᵉ siècles furent ainsi marqués par d'incessantes guerres civiles.

A la fin du XVᵉ siècle, en raison des troubles, le maï Ali Ghadjideni (1474-1507) transféra le centre de son pouvoir du Kanem, au nordest du lac Tchad, vers le Bornou à l'ouest. Le plus célèbre souverain du Bornou fut Idriss III Alaoma (1580-1617). Grâce à sa puissante cavalerie et aux armes à feu dont il dota ses troupes, Idriss dévasta le royaume haoussa de Kano et soumit le Kanem rebelle. Pieux musulman, il fit édifier à La Mecque une maison réservée aux pèlerins africains. A partir de la fin du XVIIᵉ siècle, le Bornou entre en décadence : invasions des Touareg au nord, soulèvements des Haoussa et des Peul au sud. Après l'exécution, en 1846, du dernier descendant de la dynastie, un guerrier originaire du Soudan nilotique nommé Rabah tenta de restaurer un Empire nomade.

Haoussa, Yorouba et Bénin

Venant probablement de l'est du continent, les Haoussa s'établirent vers le VIIᵉ siècle entre le Niger et son affluent, la Bénoué. Ils fondèrent les cités de Daoura, Kano, Zaria, Gobir, Katséna, Biram, Kebbi. Au XIVᵉ siècle, les rois de ces cités se convertirent à l'islam, ce qui favorisa le développement du commerce avec les Malinké et les Arabo-Berbères. Rivales, les cités-Etats haoussa ne purent résister aux Songhaï. Seule, Kebbi demeura invaincue et son roi Kanta triompha en 1515 d'Askia Mohammed et, plus tard, repoussa l'offensive du royaume du Bornou.

Dans la zone forestière entre l'Ouémé et le bas Niger, s'installèrent les Yorouba. Oyo, la ville la plus ancienne, était leur capitale et Ifé leur ville sainte. L'ethnologue allemand Frobenius prétendait qu'Ifé était l'Ophir de la Bible ; quoi qu'il en soit, ce toponyme est une relique, témoin des origines nubiennes des Yorouba. Selon la tradition, le souverain le plus illustre, Oluasho, aurait régné 320 années et engendré plus de 460 enfants. Les *alafing* (rois) étaient détenteurs de la force vitale du peuple et par conséquent, l'objet d'un culte. Si leur vigueur ou la prospérité venait à faire défaut, le Conseil des Anciens décidait de mettre un terme à son règne et lui envoyait un gobelet rempli d'œufs de perroquet, ce qui exigeait son suicide.

Vers le milieu du XIIᵉ siècle, le prince yorouba Eveka, originaire d'Ifé, fonda le royaume du Bénin. A partir du XVIᵉ siècle, le Bénin devint une plaque tournante de la traite des esclaves. Les artisans y perfectionnèrent la technique du bronze et rendirent célèbre le royaume pour la qualité de leur art.

La côte des Zendj et le Monomotapa

Sur la côte orientale, une multitude de citésEtats se développèrent à partir du VIIᵉ siècle grâce au commerce des négociants arabes. Zanzibar, Mogadiscio, Malindi, Mombassa, Kilwa, Mafia, étaient ainsi des comptoirs où s'échangeaient des porcelaines chinoises, de la verroterie, des objets métalliques, des étoffes de Syrie, de Perse et des Indes contre l'or et l'ivoire de l'Afrique ainsi que des esclaves appelés *zendj* par les Arabes, du nom qu'ils donnaient à l'ensemble de l'Afrique orientale. Ces contacts formèrent une civilisation nouvelle ainsi qu'une langue : le swahili, langue métisse articulant une syntaxe bantou et des éléments lexicaux arabes.

L'histoire de l'Afrique australe demeure incertaine. L'expansion des Bantou vers le sud a contribué à la formation de royaumes. Des ruines, des mines, des réseaux d'irrigation, des terrassements y attestent de l'existence de civilisations brillantes ; mais les récits n'ont conservé que le nom d'un royaume, celui du Monomotapa (seigneur des mines). Zimbabwe, sa capitale présumée, est une cité aux constructions mégalithiques. L'or, le cuivre, le fer et l'étain devaient être les richesses de ce royaume légendaire.

Le Manikongo

Tandis que l'islam se propageait dans la zone soudanienne et sur la côte orientale, contribuant ainsi à l'essor des échanges, les régions forestières restaient à l'écart de cette influence. Les traditions orales seules permettent de connaître leur histoire avant le XIVᵉ siècle.

Au XIVᵉ siècle, autour de l'embouchure du Congo, de nombreuses petites chefferies, comme celles de Mpomba, Nsudi, Mbamta et Soyo, étaient soumises au pouvoir du *manikongo* (seigneur du Kongo), le souverain de l'ethnie bantou des Bakongo. Le manikongo, qui résidait à Mbanza Kongo, tirait ses ressources des droits de douane imposés aux marchandises provenant de l'intérieur. En 1482, le Portugais Diogo Cam trouva ainsi un Etat prospère et centralisé.

Le manikongo Nzinga Kuwu (1482-1485) s'enthousiasma pour le christianisme qui devint religion d'Etat avec l'avènement d'Affonso Iᵉʳ (1506-1540). Son fils dom Henrique fut même nommé évêque du Kongo. Au milieu du XVIᵉ siècle, les Jaga, des guerriers redoutables, déferlèrent sur le royaume du Kongo ; il ne dut sa survie qu'aux Portugais, qui en profitèrent pour renforcer leur emprise et développer la traite des esclaves au sud, en Angola.

Les héritiers de la reine de Saba

Plusieurs siècles avant l'hégire, le christianisme était présent en Afrique noire. En 324, saint Frumence convertissait le roi Ezana d'Ethiopie. Héritiers des antiques royaumes de Nubie et d'Aksoum, les souverains éthiopiens prétendaient descendre de Ménélik, le fils de Salomon et de la reine de Saba. Les apports sémitiques dans la langue, l'écriture et la civilisation éthiopiennes datent du Vᵉ siècle av. J.-C., avec la venue d'Arabes et de Juifs du Yémen. Plus tard, l'expansion musulmane isola l'Ethiopie chrétienne, notamment après la prise des ports de Massawa et d'Adoulis et l'installation d'émirats et de sultanats en Erythrée et en Somalie.

Les Ethiopiens n'ont cessé de préserver et de défendre leur identité religieuse. Sous le règne de Lalibela (1190-1225) est apparu un type d'architecture unique en son genre : les églises enterrées. Ces édifices en forme de cube monolithique dégagés à même du rocher par un fossé sont construits de façon à ce que leur sommet ne dépasse jamais le niveau du sol. Le négus Zara Yakob (1434-1468), auteur du *Mat Safa Béram (Le Livre de lumière)* mena une politique religieuse rigoureuse : instauration d'une inquisition contre les sorciers et obligation de porter en tatouage « Je crois en la Sainte Trinité ». Cette enclave chrétienne suscita l'intérêt des missionnaires jésuites. Le père Pedro Paez parvint à convertir à la foi romaine en 1621 le négus Susenyos. Mais le zèle et l'intransigeance d'un autre jésuite espagnol, Mendez, provoquèrent un soulèvement général. Susenyos abdiqua en 1632 en faveur de son fils Fasiladas, qui décréta l'expulsion des jésuites et passa un accord avec les musulmans de la côte, de façon à interdire son royaume à tout prêtre catholique.

La situation d'encerclement de l'Ethiopie fait de son histoire une suite de conflits avec ses voisins musulmans ou païens. Ainsi, le roi Amda Tsiyon (1314-1344) menaça même le sultan du Caire, qui persécutait les chrétiens coptes, de détourner les eaux du Nil. En 1527, l'imam Ahmad Gran lança le Jihâd contre les Ethiopiens. Pour venir en aide au négus, une petite troupe portugaise commandée par Cristovao da Gama débarque en 1541. Gama est capturé et torturé à mort. Les survivants, Portugais et Ethiopiens, se regroupent autour du négus Claude et défont les musulmans à la bataille d'Ouïna Daga en 1543. Venant du sud-ouest, les Galla animistes profitèrent de l'affaiblissement de l'Ethiopie pour envahir un tiers du royaume. Le *Negus Nagast* (Roi des rois) était le centre du pouvoir et les provinces, Tigré, Lasta, Choa, Godjam, Semlen, étaient administrées par un *ras* (gouverneur). Bien qu'Aksoum soit la ville sainte, le négus n'eut pas de capitale fixe jusqu'à la fondation de Gondar par Fasiladas. La Cour fut alors soumise à diverses influences : ras, galla et musulmans. Ainsi, au XVIIIᵉ siècle, Mikael, le ras du Tigré, dominait les négus. Cette situation se perpétua jusqu'en 1855, lorsque Kassa, un aventurier de génie, s'empara du pouvoir et se fit sacrer sous le nom de Théodoros II.

1549

Angleterre, janvier
Inspiré par le réformateur Thomas Cranmer, l'Acte d'Uniformité voté par le Parlement impose un *Book of Common Prayer* qui dénie toute valeur de sacrifice à la messe.

Sienne, 14 février
Mort du peintre Giovanni Bazzi, dit Sodoma. Il est l'auteur notamment de fresques au cloître de Monte Oliveto Maggiore, près de Sienne, sur la vie de saint Benoît. Ami de Raphaël, qui le fit figurer à côté de lui dans *L'Ecole d'Athènes*, il travailla également à la Farnésine où il peignit *Les Noces d'Alexandre et de Roxane* (1512).

Moscou, 27 février
Premiers Etats généraux de Russie. →

Japon, 15 août
Le jésuite François Xavier débarque au Japon. →

Odos, Bigorre, 21 décembre
Mort de Marguerite de Navarre.

Paris
Jean Goujon achève la *Fontaine des Innocents*.

France
Joachim du Bellay publie *Défense et Illustration de la langue française*. →

Portugal et Brésil
Le roi Jean III nomme le premier gouverneur du Brésil, Tomé de Sousa, qui fonde la capitale Salvador da Bahia de Todos los Santos.

1550

Rome, 7 février
Le pape Paul III meurt. Un Romain proche de la famille Farnèse, Jules III del Monte, lui succède.

Florence, mai
Première édition de *Vie des plus éminents peintres, sculpteurs et architectes* de Giorgio Vasari. →

Valladolid
Polémique entre Sepulveda et Vitoria. →

Islande
Pour s'être opposé les armes à la main à l'introduction du protestantisme dans l'île, l'évêque Arason est condamné et exécuté par les troupes de Frédéric III de Danemark. Ce prélat était aussi poète et avait introduit l'imprimerie en Islande.

Rome
Fondation du collège des Jésuites.

France
Les Anglais rendent Boulogne à la France.

1551

Japon, 21 novembre
François Xavier quitte le Japon. →

Italie
Henri II reprend la guerre contre l'empereur et désavoue publiquement le concile de Trente.

Brésil
Manuel de Nobrega fonde un collège jésuite à Sào Paolo et crée à Bahia le premier archevêché brésilien. →

1552

Angleterre, mars
Un nouvel Acte d'uniformité impose un nouveau *Prayer Book*, plus radical encore, ainsi qu'une nouvelle confession de foi, les Quarante-deux Articles.

Lorraine, avril
Les troupes d'Henri II s'emparent des Trois-Evêchés. →

Russie, été
Le khânat mongol de Kazan est pris par les Russes. →

Chine du Sud, 3 décembre
Dans une île proche de Canton, « l'apôtre des Indes », François Xavier, meurt d'épuisement.

Passau (Bavière)
Révoquant l'Interim de 1548, un traité conclu entre Maurice de Saxe et Ferdinand Ier agissant au nom de Charles Quint, assure la liberté religieuse aux princes protestants.

France
Création, en présence de Henri II, de *Cléopâtre captive*, de Jodelle, premier essai de tragédie en Europe.

Les *Amours de Cassandre*, de Ronsard.

Séville
Brève Relation de la destruction des Indes de Bartolomé de Las Casas. →

Arrivée du missionnaire jésuite François Xavier au Japon. Illustration tirée de « La Sauvegarde des barbares », ouvrage de la fin du XVIe siècle.

Séjour de François Xavier au Japon

Japon, 21 novembre 1551
Après plus de deux ans passés dans l'archipel, le jésuite François Xavier s'embarque pour rejoindre Goa, comptoir portugais en Inde. En 1540, le protégé d'Ignace de Loyola avait été envoyé par le pape Paul III aux Indes où il avait effectué un gros travail de prosélytisme. Sa rencontre, en 1546, avec un Japonais désireux de se convertir est décisive, et, l'année suivante, il débarque à Kagoshima. L'accueil de la population est favorable. En 1550, il décide de se rendre à Kyôto, la capitale, avec quelques compagnons. Le voyage, rendu très pénible par la guerre civile, dure deux mois et se révèle être un échec : les pères ne parviennent pas, malgré leurs efforts, à rencontrer l'empereur dont on ne pouvait, de toutes manières, attendre d'appui en raison de son pouvoir réduit sur le pays. Les jésuites se retournent alors vers le seigneur Yamaguchi qui leur accorde la liberté de prêcher. Devant le succès, François Xavier éprouve le désir d'étendre encore la foi en Orient et, le 21 novembre 1551, rentre vers Goa, d'où il compte partir pour la Chine l'année suivante.

La Pléiade renouvelle la langue française

Paris, 1549
Joachim du Bellay rencontre, en 1547, Pierre de Ronsard, âgé de 23 ans. Jacques Peletier du Mans a montré au poète débutant ses propres œuvres poétiques, imitations des Anciens et de Pétrarque, et lui a parlé du jeune Ronsard, lui aussi émule d'Horace. L'helléniste Jean Dorat, dont Ronsard avait suivi les leçons chez son ami Jean-Antoine de Baïf, vient d'être nommé principal du collège de Coqueret. C'est là que le suivent les nouveaux amis, passionnés de grec et de latin. Ils admirent les Italiens ; le groupe se constitue pour donner aux lettres françaises un lustre comparable à celui que l'Italie a reçu de ses artistes. En 1549, du Bellay est chargé de rédiger le manifeste du groupe : la *Défense et Illustration de la langue française*. Avec Pontus de Tyard, Belleau et Jodelle, la nouvelle constellation des sept poètes de la Pléiade travaille, autour de Ronsard, à enrichir la langue française.

Vif engouement pour les majoliques

Faenza, 1550
L'art de la faïence et de la céramique, diffusé très tôt autour de la Méditerranée par les potiers hispano-mauresques et les marins majorquins, se développe autour de Florence, à Urbino et à Faenza. C'est ainsi que la faïence se généralise en Europe. Les décors sont d'abord orientalisants, puis de style « gothico-floral ». Faenza voit l'apogée, au XVIe siècle, des *istoriati*, illustrant des sujets mythologiques, bibliques ou historiques.

« Le Jugement de Pâris ». 1539. Plat en céramique d'Urbino.

Les Russes prennent et détruisent le khânat mongol de Kazan

Russie, été 1552

Ivan le Terrible, à la tête d'une armée de 150 000 hommes, assiégea Kazan où s'étaient retranchés 30 000 guerriers tatars. La technique militaire des Russes était nettement supérieure à celle des Tatars. De plus, Ivan disposait de cent cinquante pièces d'artillerie. Les Russes réussirent à placer sous les murs de Kazan de la poudre qu'ils firent exploser. Par la brèche ainsi faite ils investirent la ville, après des combats de rues acharnés. La prise de Kazan entraîna l'annexion du khânat à la Moscovie, peu de temps après, la chute du khânat d'Astrakan et l'intégration à la Russie de tous les peuples de la Moyenne-Volga : Tatars, Tchouvaches, Mariis... La Volga devenait par là même la voie marchande principale menant de la Russie à l'Orient.

Les Trois-Evêchés envahis par la France

Lorraine, avril 1552

Après Mühlberg, les protestants allemands avaient entrepris des négociations avec la France. Maurice de Saxe va jusqu'à promettre la succession impériale à Henri II. Un traité est signé à Chambord le 15 janvier 1552. Début avril les troupes françaises marchent sur la Lorraine, terre d'Empire ; le 10 elles sont à Metz où le roi fait son entrée le 18, après avoir été reçu à Toul par le cardinal de Lorraine ; le 12 juin, Verdun est occupée. Au cours de l'automne, Charles Quint échoue devant Metz. Les Trois-Evêchés impériaux : Metz, Toul, Verdun, sont annexés à la France.

Un livre majeur de Giorgio Vasari sur la Renaissance italienne

Florence, mai 1550

Le peintre Giorgio Vasari vient de publier un recueil de monographies sur les « plus éminents peintres, sculpteurs et architectes » de la Renaissance italienne. Aimant l'anecdote, qu'il mêle aux considérations morales, tel un chroniqueur, Vasari sait, en homme de l'art, rappeler le rôle des commanditaires, signaler les principales œuvres, dégager des influences, souligner des innovations techniques. Sa doctrine esthétique affirme le primat du dessin et met les Toscans au premier plan, faisant de Michel-Ange (le seul artiste vivant à être nommé) l'héritier suprême de l'art antique et de la tradition inaugurée par Giotto et Brunelleschi.

La "Brève relation de la destruction des Indes" par Las Casas

Séville, 1552

En 1539, les conférences du dominicain Vitoria ébranlent l'Espagne. Las Casas, venant d'Amérique, rédige alors une *Brève Histoire de la destruction des Indes*, où il démontre que la conquête a détruit des sociétés organisées et qu'elle a été suivie des plus grandes atrocités. Il dénonce aussi l'attitude complice du Conseil des Indes. Las Casas soutient que le seul droit de l'Espagne sur l'Amérique est celui de l'évangélisation pacifique, à l'image de la colonie dominicaine de la Vera Paz (Guatemala). Charles Quint réagit, en épurant le Conseil et en promulgant de nouvelles lois favorables aux Indiens. Après un nouveau séjour en Amérique, Las Casas revient en Espagne, d'où il continue sa lutte contre les abus des colons, et il publie en 1552, sa *Brève Histoire*, écrite dix ans plus tôt.

« Le Travail de l'or par les Indiens d'Amérique du Sud ». 1595. Gravure de Théodore de Bry.

« Affrontements entre Indiens et colons espagnols en Amérique du Sud ». 1595.

L'action des jésuites au Brésil

Brésil, 1551

Manuel de Nobrega, responsable du groupe de jésuites portugais du Brésil, crée le premier archevêché dans la capitale, Salvador da Bahia de Todos los Santos, ainsi qu'un collège à São Paulo. L'ensemble de l'activité missionnaire du Brésil est sous la dépendance de l'ordre des jésuites. Les pères catholiques vivent en relations étroites avec les Indiens, assurant l'administration des âmes comme celle des affaires économiques. La mission pastorale se double d'un souci d'assurer aux fidèles leur pain quotidien. Les jésuites interviennent souvent aux côtés des indigènes christianisés, pour les préserver des mauvais traitements et des razzias effectuées par les marchands d'esclaves : les missionnaires se heurtent, ce faisant, au pouvoir colonial, qui favorise les expéditions montées vers l'intérieur du Brésil afin d'en ramener des Indiens destinés à être vendus. Les indigènes font cependant très vite l'amalgame entre la nouvelle religion que leur imposent les missionnaires et le pouvoir oppresseur de la puissance coloniale. La chrétienté ne progresse qu'à la pointe des armes coloniales. L'esclavagisme au Brésil est une doctrine officielle, renforcée depuis la nomination de Tomé de Sousa comme gouverneur général, en 1549.

Carte portugaise du Brésil établie en 1519 avec une description détaillée des côtes, de la faune et de la flore, et indication de la répartition des tribus.

Dispute de Sepulveda et de Vitoria au sujet de la colonisation

Valladolid (Espagne), 1550

La découverte de l'Amérique soulève le problème de la légitimité morale et juridique de la conquête. Ces préoccupations amènent Charles Quint à réunir à Valladolid un groupe de théologiens devant trancher sur le sujet (1550). S'affrontent alors les conceptions de Juan G. de Sepulveda et celles de Las Casas et de Francisco de Vitoria. Sepulveda soutient l'infériorité des Indiens païens, qualifiant la conquête de « juste guerre ». Avec Las Casas, Vitoria rejette l'utilisation de la violence pour sauver des âmes et le droit du pape à disposer de l'Amérique. Néanmoins, il y justifie la présence espagnole par les droits naturels de circulation, commerce et prédication. L'impact des idées de Las Casas et Vitoria ne change cependant pas le sort des Indiens.

Les premiers Etats généraux de Russie se réunissent

Russie, 27 février 1549

Pour les décisions touchant aux affaires de l'Etat les plus importantes (impôts, guerre...), le tsar Ivan IV fait appel à des représentants de toute la Russie dans une assemblée particulière : le Zemski Sobor. C'est une institution représentative de divers groupes sociaux : boyards, chefs militaires, haut clergé (Concile sacré), marchands, fonctionnaires des chancelleries et représentants des villes (nouvelle noblesse). En 1550, le Zemski Sobor adopta un nouveau code qui haussa le prix de la « franchise » à payer au seigneur et aggrava ainsi la servitude du paysan.

Willaert, maître de chapelle et fondateur d'une école de chant

Le compositeur flamand Adriaan Willaert, maître de chapelle à Saint-Marc, fondateur de l'école de Venise, réalise une synthèse brillante entre la musique polyphonique des pays du Nord et la mélodie italienne, colorée et expressive. Adepte de l'écriture à huit voix, Willaert sépare les chœurs, qui se répondent d'une tribune à l'autre, conférant ainsi à la polyphonie vocale une somptuosité exceptionnelle. Suivant un vieil usage vénitien, des cornets, violes, luths, trombones s'ajoutent aux voix. Willaert, compositeur de motets et de messes, est l'un des créateurs du madrigal, pièce polyphonique où la qualité sonore joue un rôle important.

1553

Paris, 9 avril
Mort de François Rabelais. Moine, amoureux de la langue grecque, passionné de médecine, il est d'abord connu en tant qu'auteur de *Pantagruel*, dont le succès entraîna l'écriture du *Gargantua*, puis d'un *Tiers Livre* (1546) et enfin d'un *Quart Livre* (1548). Les docteurs de la Sorbonne, tout comme Calvin, condamnèrent ses écrits, considérés comme libertins et dangereux. L'utopie rabelaisienne est chaleureuse comme « la dive bouteille » et son immense érudition est au service du rire et de la liberté.

Angleterre, 6 juillet
Edouard VI meurt, Marie Ire Tudor accède au trône.

Genève, 27 octobre
Michel Servet est livré au bûcher. →

1554

Londres, 12 février
Jeanne Grey est décapitée. →

Angleterre
La reine Marie Ire Tudor épouse le fils de Charles Quint, futur Philippe II d'Espagne.

Fontainebleau
Mort de l'architecte et sculpteur italien Sebastiano Serlio. En 1541, à la demande de François Ier, il est venu participer à la décoration de Fontainebleau, où on lui attribue la construction d'un péristyle dans la cour ovale. Il est, en outre, l'auteur du château d'Ancy-le-Franc, dans l'Yonne. Il contribua par ses traités d'architecture à répandre en France les principes de Vitruve.

Rome
Le Napolitain Carafa est élu pape et prend pour nom Paul IV. Il succède à Marcel II qui ne régna que vingt et un jours. Carafa ne songe qu'à une seule chose : extirper l'hérésie par tous les moyens.

Espagne
Publication de *Vie de Lazarillo de Tormes*, œuvre anonyme parfois attribuée à Hurtado de Mendoza. →

Londres
Constituée par 240 associés, la Moscovy Company est fondée :

elle a pour principal objet le commerce des fourrures et du bois avec la Russie. Les Anglais concurrencent ainsi le monopole détenu par les marchands allemands de la Hanse, auxquels tous privilèges ont été retirés dès 1551.

1555

Augsbourg, 3 octobre
La paix d'Augsbourg octroie la liberté de culte aux princes allemands. →

Brésil
Nicolas Durand de Villegaignon fonde, dans la baie de Guanabara (Rio de Janeiro), Fort-Coligny et Henryville, baptisant la région du nom de « France antarctique ».

Inde du Nord
Le sultan moghol Humâyun reconquiert, avec l'aide du shâh de Perse, Delhi dont il avait été chassé par le sultan afghân du Bihâr.

Angleterre
Marie Ire Tudor abroge toutes les lois religieuses d'Henri VIII et d'Edouard VI et rétablit le catholicisme.

Lyon
Louise Labé, surnommée la Belle Cordelière, publie vingt-quatre *Sonnets*, véritables chants d'amour, dont la liberté d'expression n'a d'égale que la pureté formelle.

1556

Espagne, 16 janvier
Abdication de Charles Quint, qui se retire à Yste. Philippe II monte sur le trône d'Espagne.

Inde du Nord, 27 janvier
Akbar succède à son père, Humâyun, à la tête de l'Empire moghol. →

Oxford, 21 mars
L'archevêque de Canterbury, Thomas Cranmer, est brûlé vif. Depuis l'accession au trône de Marie Tudor la Catholique, ce réformateur anglais était emprisonné pour hérésie. Il avait été à l'origine du *Prayer Book* et des Quarante-deux Articles.

Rome, 31 juillet
Mort d'Ignace de Loyola.

Russie
Les troupes d'Ivan IV s'emparent du khânat d'Astrakan.

Mort de Lucas Cranach, peintre de la cour de l'Electeur de Saxe

Empire allemand, 1553
Peintre des princes électeurs de Saxe, Lucas Cranach était né en Franconie en 1472. Par sa position à la cour, il devait jouir d'une grande considération à Wittenberg, dont il fut membre du conseil, puis bourgmestre. Il réalisa de nombreux portraits du réformateur religieux Luther, des grands du protestantisme ou des princes allemands. Il exécuta surtout bon nombre de nus féminins, toujours dans un contexte mythologique : ainsi naquirent ces Vénus, ces Diane, ces Grâces du jugement de Pâris, dans des tableaux d'où émane un charme dû, pour l'essentiel, au pouvoir suggestif de la ligne et à ses sinueuses ambiguïtés.

Lucas Cranach. La princesse Emilia de Saxe. Vers 1535. Détail. Kunsthistorisches Museum, Vienne.

Charles Quint abdique en faveur de Philippe II

Bruxelles, 16 janvier 1556
Fatigué et malade, ayant renoncé à l'espoir de restaurer l'unité impériale, Charles Quint décide de quitter la scène. Il abdique d'abord, le 25 octobre, en tant que souverain des pays bourguignons et présente son fils Philippe II aux états généraux réunis à Bruxelles. Le 16 janvier, c'est au titre de roi d'Espagne qu'il signe l'acte d'abdication en faveur également de son fils. Quant à la couronne d'Allemagne, elle reviendra à son frère Ferdinand.

La paix d'Augsbourg entérine le consensus religieux dans l'empire

Augsbourg, 3 octobre 1555
Voulant mettre fin à la guerre qui déchirait l'Allemagne, Charles Quint charge son frère Ferdinand d'Autriche de convoquer une diète à Augsbourg. Les négociations entre catholiques et protestants, ouvertes le 5 février 1555, aboutissent le 3 octobre à la signature de la paix d'Augsbourg qui admet la coexistence des deux confessions selon le principe *cujus regio, ejus religio* : (à chaque royaume, sa religion). Ainsi, les sujets de chaque Etat devront adopter la religion de leur prince.

Le roman picaresque inauguré par le "Lazarillo de Tormes"

Burgos, 1554
Un court roman paraît, sans nom d'auteur, *La Vida de Lazarillo de Tormes y de sus fortunas y adversidades*. Le héros, Lazarillo de Tormes, raconte ses aventures auprès de divers maîtres, caricatures pittoresques de quelques « types » so-

Transcription de la légende du Popol Vuh

Guatemala, 1555
Les Quichés, peuple d'origine toltéco-maya qui, au XIe siècle, avaient fondé au nord-ouest du Guatemala actuel, un Etat théocratique divisé en castes. Le *Popol Vuh*, leur livre sacré, relate l'origine de l'univers et des hommes ; seules les castes supérieures peuvent le déchiffrer. En 1524, le conquistador Pedro de Alvarado rase leur capitale, Utatlan, et presque toute la noblesse est tuée. Vers 1555, un noble rescapé transcrit le *Popol Vuh* en caractères latins.

Les "Centuries et Prophéties" de Michel Nostradamus

Salon-de-Provence, 1er mars 1555
Fils de médecin, médecin lui-même, Michel de Notre-Dame a exercé son art en voyageant en France, puis s'est fixé à Salon. Il commence à prophétiser et publie, d'abord modestement, de petits opuscules où ses pronostics sont consignés sous forme de quatrains. Le succès l'encourage à appliquer ses prophéties à l'histoire. Ses quatrains sont groupés par centaines. Le 1er mars paraît le premier recueil regroupant sept *Centuries*.

ciaux. C'est un « picaro », un gueux, un marginal, à qui tout est bon pour mener le seul combat qui l'intéresse : remplir son estomac. Avec lui, le pauvre sans foi ni loi, mais non sans humour, devient héros littéraire. Donnant une vision amère et désenchantée de l'Espagne au siècle d'or, ce récit truculent et cynique s'oppose délibérément à l'idéal d'ordre, de beauté et d'amour, alors de mise dans les romans. Il sera mis à l'index par l'Inquisition.

La reine Jeanne Grey est décapitée

Angleterre, 12 février 1554
Dans les derniers jours de sa vie, Edouard VI, qui mourut le 6 juillet 1553, avait modifié son testament au bénéfice de Jeanne Grey. Celle-ci était l'arrière-petite-fille de Henri VII, la belle-fille et la protégée de John Dudley, duc de Northumberland et l'instrument du parti anglican. Elle est proclamée reine le 10 juillet 1553, mais la réaction loyaliste triomphante amène sur le trône Marie Ire Tudor, l'héritière légitime, catholique et proche de l'Espagne, tandis que Jeanne Grey est jetée en prison. Elle n'en sortira que pour aller à l'échafaud, sur ordre de Marie, en même temps que son père et son mari qui avaient participé au complot de Thomas Wyatt destiné à mettre à la place de Marie Tudor, sa sœur Elisabeth sur le trône.

Calvin condamne l'hérétique Michel Servet à être brûlé

Genève, 27 octobre 1553
Accusé par Calvin devant le Grand Conseil, Michel Servet est condamné à mort. Le mois suivant, dans sa *Défense de la foi orthodoxe contre les erreurs de Michel Servet*, Calvin revendique le droit de punir les hérétiques par le glaive. Servet est né en Espagne en 1511. Après avoir étudié le droit à Toulon, puis la médecine à Paris où il suit les cours du platonicien Fernel, il découvre la Kabbale. Dès 1531, il publie son *De trinitatis erroribus*, suivi en 1532 des *Dialogues sur la Trinité*. Etabli dans le Dauphiné, il travaille à sa *Christianismi restitutio*, qui lui vaut d'être emprisonné en 1553 par l'Inquisition. Il s'évade et se réfugie à Genève, espérant convaincre Calvin ; mais le réformateur le fait arrêter aussitôt. Servet est un antitrinitaire, héritier lointain de l'arianisme, qui nie la divinité du Christ.

La cour Carrée, Palais du Louvre, Paris. 1546-1556. Aile occidentale construite par Pierre Lescot. Décoration.

Le Louvre d'Henri II : Lescot construit la cour Carrée

Paris, 1553-1556
Pierre Lescot était déjà l'architecte attitré du Louvre sous le règne de François Ier ; Henri II le maintint dans sa charge, mais en lui confiant la réalisation d'un nouveau projet plus ambitieux que le plan antérieurement prévu, pour lequel Lescot conçut une cour carrée déterminée par quatre corps de bâtiment identiques (la galerie prévue pour le quatrième côté ne fut pas construite). Lescot, comme Philibert Delorme, osa prendre ses distances avec les modes italiennes. La sobriété du décor étroitement intégré à la structure architecturale, définit un style typiquement français, enfin parvenu à maturité après les tâtonnements des premières années du siècle. Les bas-reliefs dus à Jean Goujon, l'ami de Lescot, le relief des pilastres, la distribution des corniches, tous ces détails sont admirablement calculés et contribuent à l'harmonie de l'ensemble. On doit encore à Lescot l'hôtel de Ligneris (hôtel Carnavalet).

Mort de l'Arétin, prince de l'esprit et de la luxure

Venise, 1556
Né à Arezzo en 1492, de la mésalliance d'une jeune bourgeoise et d'un cordonnier, Pietro Bacci, peintre, critique, poète, courtisan est beau parleur, joyeux compagnon et mauvaise langue. Ses sonnets luxurieux lui valent une réputation de prince du vice. Réfugié à Venise, le « divin Arétin » reçoit les célébrités et la lie de toute l'Europe, tout en poursuivant une œuvre multiforme.

Mort de l'empereur moghol Humâyun

Delhi, 27 janvier 1556
Après quinze jours de mystère, entretenu pour permettre le retour de l'héritier légitime dans la capitale, on annonce la mort accidentelle de l'empereur Humâyun. Sa vie fut une longue lutte pour l'extension de l'empire, vaste mais faible, que lui avait laissé son père. L'opposition la plus vive qu'il eut à surmonter devait venir du souverain du Bihâr, Sher Shâh Sûrî. De tous les territoires conquis au début de son règne, Humâyun n'en garda pas un seul, et, en 1540, après plusieurs défaites devant Sher Shâh Sûrî, il fut contraint à l'exil. Appuyé par le souverain perse, Humâyun reprit cependant Kabul en 1544 et s'y installa. Profitant des troubles qui suivirent la mort de son adversaire, Humâyun s'empara de Lahore, et marcha, de là, sur Delhi, qu'il prit en juillet 1555. Il ne devait jouir de sa victoire que six mois, la mort l'ayant surpris en 1556. Son fils et successeur, Akbar, sera l'un des plus grands souverains moghols.

La cour de Renée de Ferrare

Renée de France, duchesse de Ferrare.

Ferrare, 1554
Hercule d'Este incarcère son épouse, Renée de Ferrare, pour hérésie, espérant qu'elle se rétractera. La duchesse de Ferrare est la fille de Louis XII ; elle a connu la Réforme à Paris et à Nérac, où Marguerite de Navarre lui a fait découvrir Lefèvre d'Etaples. En 1528, elle avait épousé le duc d'Este, dont la cour est l'une des plus brillantes et des plus libres d'Italie. Avec Renée, Ferrare devint un centre de rayonnement de la Réforme. En 1536, Calvin était venu y prêcher, il y avait rencontré Marot occupé à traduire les *Psaumes*. En 1540, elle avait publiquement affiché ses opinions en refusant d'assister à la messe.

Le tombeau d'Humâyun à Delhi élevé par sa veuve en 1566. Œuvre d'un architecte persan, Mirak Mirza Ghiyas.

1557

Florence, 2 janvier
Mort du peintre Jacopo Carrucci, dit Pontormo. Il fut l'un des maîtres du maniérisme (*Déposition de croix* à Santa Felicita de Florence, 1526).

Anvers, été
Une grave crise frappe cette place financière d'importance européenne, voire mondiale. En effet, les couronnes de France et d'Espagne se trouvent dans l'impossibilité d'honorer leurs dettes, principal et intérêts.

Saint-Quentin, 10 août
Les troupes françaises, commandées par le connétable de Montmorency, sont défaites par l'armée espagnole de Philibert de Savoie. Pour commémorer cette victoire, Philippe II a fait le vœu de construire un édifice majestueux en l'honneur de saint Laurent : ce sera l'Escurial.

Saint-Malo, 1er septembre
Mort de Jacques Cartier, le « découvreur du Canada ».

France et Italie
Invoquant ses droits sur le royaume de Naples, François de Guise lance une expédition. Faute de soutiens, son entreprise échoue.

Chine
Les Portugais fondent un comptoir à Macao.

Ecosse
Les protestants se réunissent en un « covenant » national.

Istanbul
Commencée en 1551, la mosquée Suleymaniyé, œuvre de l'architecte turc Sinan, est achevée.

Nevers
Bernard Palissy découvre le secret de la fabrication des émaux.

1558

France, 6 janvier
François de Guise reprend Calais. →

France
Marie Stuart épouse le dauphin de France, le futur François II.

Russie, 4 avril
Le tsar Ivan IV accorde au négociant Nikita Stroganov le libre usage et l'exploitation des terres situées autour du fleuve Kama et de ses affluents.

France, 13 juillet
Les Français subissent une très lourde défaite à Gravelines face aux troupes espagnoles, commandées par le comte d'Egmont.

Espagne, 21 septembre
Mort de Charles Quint. →

Angleterre, 17 novembre
Mort de Marie Tudor. Elisabeth Ire reine d'Angleterre. →

Russie et Baltique, hiver
Ivan IV envahit les pays Baltes. →

Florence
Benvenuto Cellini commence la rédaction de ses *Mémoires*. →

Paris
Joachim du Bellay publie, la même année, deux recueils de sonnets : *Les Regrets et les Antiquités de Rome*, ainsi que *Divers jeux rustiques*.

1559

France et Espagne, 3 avril
Traité du Cateau-Cambrésis. →

Angleterre, 17 avril
Le vote de l'Acte de suprématie marque le retour au schisme. La reine est *Supreme Governor* pour les affaires spirituelles du royaume. Un nouvel Acte d'uniformité rétablit, le 27 avril, le *Prayer Book* de 1552, qu'avait prohibé la catholique Marie Tudor. Toutes les lois contre les hérétiques prises sous le règne de *Bloody Mary* (Marie la Sanglante) sont abrogées. Elisabeth constitue une haute cour chargée du respect de ces deux Actes.

Paris, 25 mai
Réunion du premier synode calviniste en France. →

France, 10 juillet
Mort d'Henri II, âgé de quinze ans ; son fils, François II, lui succède. →

France, 23 décembre
Exécution du conseiller Anne du Bourg. →

Rome, 25 décembre
Pie IV, un Médicis, succède au pape Paul IV.

France
L'humaniste Jacques Amyot publie la traduction des *Vies parallèles* de Plutarque.

Benvenuto Cellini. La salière de François Ier. Ebène, or et émail. Vers 1540-1543. Kunsthistorisches Museum, Vienne.

Benvenuto Cellini, aventurier et orfèvre

Florence, 1558
Benvenuto Cellini, qui vient de commencer la rédaction de ses mémoires, changea souvent de maîtres : les papes Clément VII et Paul III, François Ier et Cosme Ier de Médicis composèrent tour à tour avec ce talent impétueux. Florentin, il réalisa d'abord à Rome de nombreux bijoux, des médailles, des monnaies et des sceaux. En 1540, à la cour de France, Cellini passa à la sculpture. L'influence de Michel-Ange était déjà sensible dans la salière de François Ier, surmontée de deux figures à demi allongées. Le relief en bronze de la *Nymphe de Fontainebleau* témoigne d'un goût pour les formes en mouvement qui s'exprime pleinement dans le *Persée*, fondu à Florence en 1553, dont le socle, pourtant, surchargé d'ornements, ne renonce pas au raffinement formel de l'orfèvrerie.

Mort de Charles Quint au monastère de Yuste

Espagne, 21 septembre 1558
Avec Charles Quint qui vient de mourir dans la solitude au monastère de Yuste aux confins du Léon et de l'Estrémadure, où il s'était retiré après son abdication en 1556, c'est aussi le vieux rêve de l'unité impériale qui disparaît. Certes, après quatre guerres menées contre la France, il s'est enfin rendu maître de l'Italie, François Ier puis le pape se sont inclinés devant lui. Il a su aussi dans les premières années de son règne venir à bout des révoltes espagnoles et germaniques. Mais il laisse derrière lui une Allemagne divisée par le schisme. La victoire de Mühlberg n'a pas restauré l'ordre catholique et la paix d'Augsbourg a consacré l'irrémédiable. Il n'est pas non plus parvenu à faire de Philippe II l'héritier de la couronne impériale : il ne sera que le roi d'Espagne.

Réunion du premier synode calviniste

Paris, 25-29 mai 1559
Le 25 mai se réunit clandestinement à Paris le premier synode calviniste national. Sous la présidence du pasteur parisien Morel, 72 églises sont représentées et trois délégués genevois y participent. Le 29, une confession en quarante articles est rédigée. Pour l'essentiel, elle s'inspire de la pensée de Calvin, avec quelques nuances cependant ; place est faite par exemple aux symboles de Nicée et d'Athanase alors que Calvin ne les reconnaît pas. Les églises françaises seront organisées sur le modèle genevois : les pasteurs seront élus par les consistoires et les synodes provinciaux et nationaux assureront la communauté et la perpétuité de la foi.

Elisabeth Ire devient reine d'Angleterre

Angleterre, 17 novembre 1558
Marie, reine d'Angleterre, meurt et laisse le trône à sa demi-sœur Elisabeth, fille d'Henri VIII et d'Anne Boleyn. L'Angleterre est en guerre, sans argent et en proie aux troubles religieux. La nouvelle reine, née en 1533, a juste vingt-cinq ans. Elle a reçu une éducation soignée grâce à Roger Asham, humaniste anglais qui l'a initiée à toutes les branches du savoir. La jeunesse d'Elisabeth a été difficile ; reconnue comme princesse héritière par Henri VIII, elle fut peu de temps après déclarée illégitime. Mise à l'écart sous le règne d'Edouard VI, elle est pratiquement prisonnière sous le règne de Marie Tudor. De cette jeunesse, elle garde beaucoup de prudence.

La paix du Cateau-Cambrésis est signée

France, 2 et 3 avril 1559

Cette paix marque la fin des guerres d'Italie. Henri II restitue au duc de Savoie ses Etats et renonce à toutes prétentions sur Naples et Milan. Il conserve à titre précaire les Trois-Evêchés et garde Calais. Depuis l'été les deux rois, Henri II et Philippe II, veulent la paix. Les négociations durent plusieurs mois. Outre les clauses territoriales, le traité engage des mariages princiers, Elisabeth, fille d'Henri II, épousera Philippe II, veuf de Marie Tudor, et Marguerite, fille de François Ier, Emmanuel-Philibert, duc de Savoie. Ce traité, jugé défavorable à la France, entraîne de vifs mécontentements.

Pierre Bontemps. Le « priant » de François Ier. Détail du tombeau du roi.

Le tombeau de François Ier

Basilique de Saint-Denis, 1559

Commencé en 1548, le tombeau de François Ier à Saint-Denis est achevé. Toute une équipe de sculpteurs dirigée par Philibert Delorme y a travaillé. Parmi eux figure Pierre Bontemps auquel on doit, outre les gisants de François Ier et de Claude de France, les deux « priants » du roi et de la reine ainsi que les cinquante-quatre bas-reliefs pleins de mouvement illustrant divers épisodes des guerres d'Italie. L'intention d'idéaliser la figure du mort, mais aussi les simplifications rendues nécessaires par le fait que les statues devaient être regardées d'en bas, expliquent le dépouillement de l'œuvre.

François de Guise reprend Calais

Calais, 6 janvier 1558

François de Guise qui avait été rappelé en France après la défaite de Saint-Quentin et nommé lieutenant général du royaume par Henri II, conduit une expédition minutieusement préparée contre Calais, aux mains des Anglais depuis deux cents ans. Lord Wentworth, gouverneur de la ville, se rend le 6 janvier. Guise entre dans la ville le 8 et assiège la citadelle. Les habitants de Calais et de Guînes sont expulsés et renvoyés en Angleterre. Le roi, déterminé à reprendre Calais, avait confié à Guise une mission difficile : Calais, entourée de marais, défendue par deux forts, était réputée imprenable.

Le tsar Ivan IV envahit les pays Baltes

Russie, hiver 1558

Après avoir franchi la frontière livonienne, l'armée russe s'empare de Narva et Tartu : l'ordre des chevaliers allemands de Livonie a cessé d'exister. Cependant, les Etats voisins n'allaient pas permettre à la Russie d'obtenir un accès à la Baltique : ainsi la Pologne, la Lituanie, la Suède et le Danemark déclarent la guerre à la Russie. Auparavant, les rives de la Néva et du golfe de Finlande avaient appartenu à la principauté de Novgorod. Mais, par la suite, les féodaux allemands s'étaient solidement implantés dans les pays Baltes : l'ordre de Livonie constituait une menace permanente pour la Russie. Non seulement les maîtres de l'ordre empêchaient toute liaison commerciale ou culturelle entre l'Etat moscovite et les pays d'Europe occidentale, mais ils ne cessaient d'opérer des expéditions militaires en territoire russe.

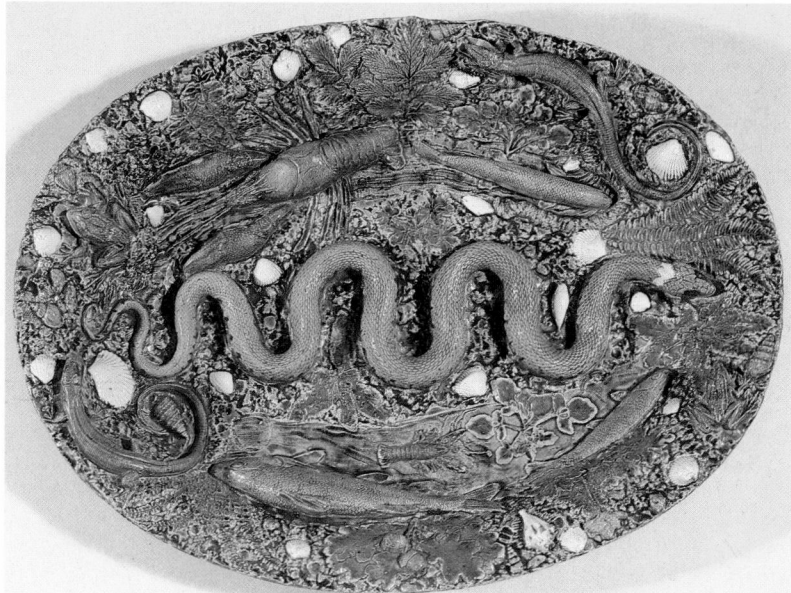

Plat ovale en céramique du type « rustique figuline » attribué à Bernard Palissy. Musée du Louvre, Paris.

Palissy découvre le secret des émaux

Nevers, 1557

Le Quattrocento fut l'âge de la céramique italienne. Les ateliers de Faenza (de là vient le mot « faïence ») étaient tout particulièrement renommés. Mais surtout, les artisans de la Péninsule détenaient seuls le secret des émaux. Ils disposaient des motifs et des décors directement sur l'émail préparé à base d'une solution d'étain. Les pièces n'étaient qu'ensuite exposées au feu. Longtemps, Bernard Palissy chercha à les imiter : il y parvint après seize années d'expérimentations variées. Au lieu d'une préparation d'étain, il utilise le plomb qui donne à l'émail, après cuisson, une couleur jaune pâle appréciée. Il est l'inventeur de ces « rustiques figulines » qu'il décore d'animaux et de plantes en relief.

Le conseiller Anne du Bourg envoyé au bûcher

Paris, 23 décembre 1559

Après s'être réconcilié avec Charles Quint, Henri II entend mener la croisade contre les protestants français. Encouragé par le cardinal de Lorraine, il nomme des commissaires chargés de la répression et met à leur disposition les juges et l'armée. Cette offensive n'épargne pas le Parlement, qui déjà avait mis peu d'empressement à enregistrer l'édit de Compiègne, (édit qui installait en France les jésuites et l'Inquisition), et qui se montrait plutôt indulgent dans les procès intentés contre les réformés. Certains conseillers sont eux-mêmes suspects d'hérésie. C'est le cas d'Anne du Bourg qui, lors de la séance du 10 juin, proteste devant le roi contre l'application de l'édit d'Ecouen qui vise « l'extirpement de l'hérésie ». Immédiatement arrêté, du Bourg est conduit à la Bastille, condamné à mort et supplicié six mois plus tard.

Mort d'Henri II au cours d'un tournoi

France, 10 juillet 1559

Blessé par le duc de Montgomery lors d'un tournoi, le 30 juin 1559, le roi décède des suites de sa blessure. Fils de François Ier et de Claude de France, il a repris la politique de son père. Il ne cessa de lutter contre la puissance des Habsbourg. Contre Charles Quint, il resserra l'alliance turque et s'allia avec les protestants d'Allemagne, opposés à l'empereur. En 1552 il occupa les Trois-Evêchés (Metz, Toul et Verdun). Les difficultés financières et le désir de se consacrer à l'intérieur du royaume à la lutte contre les protestants le contraignirent à signer la paix du Cateau-Cambrésis (1559). Austère et pieux, il publia les deux édits de Châteaubriant (1551) et d'Ecouen (1559), pour condamner à mort les protestants surpris dans l'exercice de leur religion. Henri II avait épousé Catherine de Médicis, qui lui donna dix enfants, dont trois lui succédèrent sur le trône de France : François II, Charles IX et Henri III.

Pendaison du conseiller royal Anne du Bourg le 23 décembre 1559. Gravure mise en couleurs par François Hogenberg. B.N., Paris.

1560

Paris, janvier
Le poète Joachim du Bellay disparaît. Il a introduit le sonnet amoureux et magnifié l'alexandrin. →

France, mars
Le « Tumulte d'Amboise ». →

Wittenberg, 19 avril
Mort de Philipp Schwarzerd, dit Mélanchthon. Il fut le proche compagnon d'armes de Martin Luther, qu'il assista en 1519 lors de la dispute de Leipzig. Il fut le principal rédacteur de la Confession d'Augsbourg. Il fut influencé par l'humaniste Erasme et, une fois devenu chef de l'église luthérienne après la mort de Luther, il se révéla moins rigide que celui-ci et s'efforça d'aplanir les conflits opposant les différents courants de la Réforme. Il tenta même une réconciliation avec Rome.

Suède, 25 juin
Gustave Ier Vasa abdique en faveur de son fils Eric XIV. →

France, 2 juillet
Michel de L'Hospital est nommé chancelier de France.

France, 6 décembre
Mort de François II ; son frère Charles IX lui succède. Le roi étant trop jeune, sa mère, Catherine de Médicis, assure la régence. →

Orléans, 13 décembre
Réunion des Etats généraux. →

Lyon
Mort de Maurice Scève. Ce poète anima l'école lyonnaise réunissant Louise Labé, Pontus de Tyard et Antoine Héroët. Ce cercle était très influencé par Pétrarque et par le néo-platonisme de Marsile Ficin.

Ecosse
La *Confessio scotica* fonde l'Eglise presbytérienne. →

Brésil
La « France antarctique », divisée par les querelles religieuses, est conquise par les Portugais. →

Moscou
Achèvement de l'Intercession-de-la-Vierge, plus connue sous le nom de Basile-le-Bienheureux. →

Pérou
Le frère Dominiguo de Santo Tomès publie une *Grammatica y Arte de la lengua general del Perù* et un *Lexicon y Vocabulario*. Ces travaux permettent l'étude du quechua par les prêtres chargés de l'évangélisation des populations incas.

1561

Poissy, 20 juillet
A l'invitation de Michel de L'Hospital, un colloque réunissant catholiques et réformés se tient à Poissy. →

Ecosse, 19 août
A la suite du décès de son époux, François II de France, Marie Stuart décide de retourner en Ecosse. Elle compte pouvoir utiliser son royaume comme une tête de pont en vue de la conquête du trône d'Angleterre. Elle trouve un peuple particulièrement hostile du fait de ses options religieuses. Le prédicateur écossais John Knox, la surnomme la « Nouvelle Jézabel ».

Poitiers
Réunion du second synode des réformés.

France
Les Etats généraux se réunissent à Pontoise. Un triumvirat catholique est formé par le connétable Anne de Montmorency, Jacques d'Ablon de Saint-André et le duc de Guise.

Pays-Bas
Les troupes espagnoles quittent les Pays-Bas, conformément à l'engagement pris en 1559 par la gouvernante Marguerite de Parme devant les Etats généraux.

Espagne
Philippe II fait de Madrid sa capitale.

Ecosse
Le réformateur John Knox dirige la rédaction du *Book of Discipline*. Très influencé par son séjour à Genève, Knox expose dans cet ouvrage une organisation de l'Eglise écossaise sur le modèle calviniste : élection des pasteurs par les fidèles ; consistoire réunissant les pasteurs et les « anciens ».

Italie
Publication posthume de l'*Histoire d'Italie* de François Guichardin (Francesco Guicciardini), que complète utilement son *Histoire de Florence* (commencée en 1508, mais laissée inachevée). Une œuvre majeure pour l'étude de la Renaissance.

Gustave Ier Vasa abdique et assure sa succession

Stockholm, 25 juin 1560
Le roi de Suède, Gustave Ier, vient d'abdiquer en faveur de son fils Eric XIV. Il meurt le 29 septembre, après un règne fructueux. C'est en effet après avoir réussi à s'échapper du Danemark où il était retenu en otage que, de retour en Suède, il avait commencé par en chasser les Danois qui l'occupaient : le 27 mai 1523, il était élu roi. Inclinant vers le protestantisme, il s'en fit le promoteur et, en juin 1527, le luthéranisme était proclamé religion d'Etat à la Diète de Västeras, et les biens du clergé confisqués. Souverain énergique, il devient, au spirituel comme au temporel, le maître incontesté du royaume, au détriment de la Diète. En 1540, il fait reconnaître ses deux fils, Eric et Jean, et il obtient, en 1545, l'établissement de la succession suédoise en ligne masculine : la monarchie devient héréditaire.

Gustave Ier Vasa par Willem Boy. Vers 1557. Château de Gripsholm.

Profession de foi du parlement écossais

Ecosse, 1560
En 1559, John Knox qui, après avoir connu les galères et les prisons françaises, vivait en exil à Genève auprès de Calvin, est rappelé par ses compatriotes en révolte contre la régente d'Ecosse. Débarqué à Edimbourg, il prêche la Réforme. Il a pour lui le soutien des nobles et des chefs de clans, signataires du « covenant » de 1557, qui luttent pour préserver leurs libertés féodales contre la politique des conseillers de la régente et qui convoitent les biens du clergé. Il rédige et fait accepter par le parlement d'Edimbourg une confession de foi inspirée par le calvinisme le plus radical et fonde l'Eglise presbytérienne d'Ecosse sur la base de l'élection des pasteurs et du gouvernement spirituel de la communauté des fidèles.

La "France antarctique" sombre dans les querelles religieuses

Brésil, 1560
C'est en 1551, sous l'influence de Coligny, le grand amiral, que la France avait entrepris la colonisation du Brésil, la « France antarctique ». Le cartographe Guillaume Le Testu et le moine cordelier André Thévet, qui sera l'auteur de plusieurs cosmographies, conduisirent cette première expédition. En 1555, Durand de Villegaignon est chargé d'installer une colonie près du cap Frio ; il fait bâtir Henryville et Fort-Coligny. L'amiral, passé à la Réforme, songe

Mort du poète Joachim du Bellay

Paris, janvier 1560
Une attaque d'apoplexie terrasse un poète de trente-sept ans. Sourd, vieilli avant l'âge, Joachim du Bellay rêvait d'être un soldat. Orphelin souffreteux, il doit se résigner à servir son célèbre cousin, le cardinal Jean du Bellay. Pour cela, il étudie le droit à Poitiers ; c'est là qu'il se consacre aux Muses, c'est là qu'il fait les rencontres décisives de Dorat, Baïf et Ronsard. La Pléiade le fait son secrétaire ; il rédige son manifeste : la *Défense et Illustration de la langue française*. Malgré le mal qui l'atteint dès 1550, il publie encore vers et traductions et suit à Rome, de 1553 à 1557, son cousin l'ambassadeur. Déçu, miné, il écrit les *Regrets*. S'il fut poète de cour par nécessité, son inspiration véritable fut essentiellement nostalgique.

alors à faire de ces régions un refuge pour ses coreligionnaires. Au cours d'un second voyage, en 1557, Villegaignon, qui incline lui aussi au protestantisme, embarque avec lui des colons huguenots, parmi lesquels le Bourguignon Jean de Léry qui va devenir l'historiographe de l'expédition. Villegaignon s'installe sur une île dans la baie de Rio de Janeiro. Partisan du calvinisme, il revient à nouveau au catholicisme et devient l'adversaire farouche des protestants, entraînant la division dans la colonie. Ses excentricités et son caractère tyrannique ajoutent encore au désordre et bientôt l'« île aux Français » sombre dans l'anarchie. Les Portugais s'en emparent en 1560.

Réunion des Etats généraux

Orléans, déc. 1560 et janv. 1561
C'est le chancelier Michel de L'Hospital qui prononce le discours d'ouverture des Etats généraux, à Orléans, le 13 décembre 1560. Les trois ordres ont été convoqués au cours de l'été par la reine mère, Catherine de Médicis, qui cherche à tenir la balance égale entre les différents clans protestants et catholiques de la cour, éviter la guerre civile et religieuse et obtenir de nouveaux subsides. Mais deux points de vue se heurtent. Les uns veulent l'éradication de l'hérésie par la force : « Il est du devoir du Prince de se servir de l'épée et de punir du dernier supplice ceux qui se sont laissés infecter du poison de l'hérésie. » Les autres demandent au pouvoir de permettre l'exercice de deux religions, « car les choses sont arrivées à tel point que nous ne saurions ruiner les protestants sans notre générale ruine à cause de leur grand nombre. Pour Dieu mes seigneurs ne forgez pas les consciences à coup d'épée. » Les deux sessions ne permettent pas à la Couronne d'imposer de nouveaux impôts mais rétablissent un certain nombre de prescriptions religieuses : obligation de chômer les dimanches et jours de fêtes, poursuites sévères contre les blasphémateurs, interdiction des moqueries contre la religion sur les théâtres de foire et dans les almanachs. Toutefois le problème religieux est loin d'être résolu.

L'assemblée des trois états en la présence du roi et de la reine mère. Janvier 1561. Bois gravé.

Achèvement de Saint-Basile

Moscou, 1560
Commencée en 1554, l'église de Basile-le-Bienheureux est terminée en 1560. Cette église est tout à fait exceptionnelle dans l'art russe : c'est un ensemble d'églises agglutinées. Saint-Basile, qui portait primitivement le nom de cathédrale de l'Intercession-de-la-Vierge (Pokrovski Sobor), est une église votive, construite par le tsar Ivan IV en commémoration de la conquête des khânats de Kazan et d'Astrakan. C'est au retour de sa campagne triomphale qu'il décida d'élever, en bordure du fossé entourant le Kremlin, une église en pierre consacrée à l'Intercession de la Vierge et, autour de ce noyau central, sept chapelles en bois placées sous le nom du saint dont la fête coïncidait avec chacune de ses victoires. L'église de Saint-Basile est l'œuvre de deux maîtres russes Barma et Posnik. De nombreux motifs de décoration sont inspirés de l'architecture italienne. Mais toutes les caractéristiques du plan et les formes essentielles proviennent de l'architecture russe en bois. Ainsi l'église centrale a une forme pyramidale qui n'est pas sans rappeler les églises à tours en bois. Les églises couronnées de coupoles sont reliées entre elles par des couloirs intérieurs voûtés et des rangées d'arches en encorbellement couramment appelées *kokochniki*. Pas une coupole n'est semblable à l'autre. L'étonnante diversité des formes est accentuée par une décoration polychrome en carreaux de faïence et par un badigeon multicolore, qui a remplacé le revêtement primitif en feuilles de métal. De cette disparité a surgi un des ensembles architecturaux les plus harmonieux au monde.

Saint-Basile-le-Bienheureux (cathédrale de l'Intercession-de-la-Vierge) Moscou. 1550-1560.

La mort de François II ouvre une période de troubles en France

France, 6 décembre 1560
Miné par la maladie, le jeune roi François II meurt prématurément à l'âge de seize ans. Son frère Charles n'a que dix ans, ce qui pose le problème de la régence. La reine mère Catherine de Médicis réussit à s'imposer. Elle ne pouvait s'assurer la possession paisible de la régence qu'en arrachant une renonciation au premier prince du sang, Antoine de Bourbon, roi de Navarre. Il n'y a pas de loi qui règle la délégation du pouvoir sous la minorité du roi. Les précédents sont contradictoires. Les régences avaient été établies ou par la volonté des rois ou par une décision des Etats généraux, ou même par un arrêt du Parlement. Catherine préfère un accord à l'amiable qu'une guerre civile ou un recours aux magistrats ou aux députés des trois ordres. La bonhomie du roi de Navarre lui fait imaginer qu'elle pourrait obtenir un arrangement avantageux. Elle fait répandre le bruit qu'elle est décidée à conquérir le pouvoir, même au prix du sang des Bourbons. Alors qu'elle le croit suffisamment convaincu de ses intentions criminelles, elle le fait appeler dans son cabinet. Le duc de Guise et le cardinal de Lorraine sont présents. Catherine lui rappelle les complots des Bourbons, preuves à l'appui. A cause de ces fautes, elle déclare qu'il a perdu tout droit à gouverner le royaume. Le roi de Navarre, tout en protestant de son innocence, répond qu'il renonce effectivement à la régence. La reine prend acte de cette déclaration le 2 décembre et s'apprête à gouverner, en réconciliant les partis. Elle impute à son fils, alors mourant, l'arrestation du prince de Condé. Elle fait la paix avec les Guise, afin de tenir la balance égale entre les différents clans de la cour et éviter ainsi les troubles intérieurs et la guerre civile et religieuse.

Le colloque de Poissy ou la recherche d'un compromis religieux

Poissy, 20 juillet 1561
Henri II avait mené une politique très hostile aux protestants ; les persécutions avaient commencé au moment où le roi disparaissait. Catherine de Médicis est fort peu intéressée par les affaires religieuses. Sa préoccupation première est d'éviter tout conflit entre les deux confessions. Dès 1559, les poursuites contre les protestants sont suspendues et tous les prisonniers libérés. Louvoyant entre les différents partis, catholiques et huguenots, gallicans et ultramontains, elle tente de suivre une voie moyenne. Elle avait promis, en attendant que reprennent les sessions du concile œcuménique de Trente, la réunion d'un concile national. Malgré l'opposition de Rome, qui craint que la France ne suive l'exemple de l'Angleterre, et les pressions de Philippe II, qui menace d'intervenir si la régente ne poursuit pas la lutte contre l'hérésie, Catherine de Médicis tient bon et, le 20 juillet, s'ouvre le colloque de Poissy qui réunit prélats catholiques et délégués protestants. Le 22 août, Théodore de Bèze, l'émissaire de Calvin, arrive à Poissy. Les divergences entre les deux partis sont néanmoins trop profondes pour qu'un véritable accord soit possible ; l'irénisme triomphe malgré tout et la possibilité d'une coexistence des deux religions est admise.

Théodore de Bèze. 1597. Peinture anonyme. Bibliothèque du Protestantisme, Paris. Le plus illustre des disciples de Calvin, son émissaire au colloque de Poissy.

Tumulte à Amboise : on a failli enlever le jeune roi

Amboise, mars 1560
Inspirée par le prince de Condé et dirigée par Renaudie, une conjuration est découverte à Amboise. Des gentilshommes protestants, mais aussi des artisans et paysans, qui avaient pour but d'enlever le roi afin d'obtenir la liberté du culte réformé, sont arrêtés, jugés et exécutés. Du 15 au 19 mars, les remparts d'Amboise sont couverts de pendus. Depuis l'accession au trône de François II, les Guise ont une position solide à la cour. Le duc de Guise et son frère le cardinal de Lorraine contrôlent le Conseil et imposent des mesures de rigueur contre les protestants.

1562

Saint-Germain, janvier
L'édit de Saint-Germain oblige les protestants à exercer leur culte hors des villes.

Paris, février
Le Parlement refuse d'enregistrer l'édit de Saint-Germain.

France, 1er mars
Massacre de Wassy, début de la première guerre de Religion. →

Venise, 17 décembre
Mort du compositeur flamand Adriaan Willaert. Trente-cinq années durant, il fut maître de chapelle à la basilique Saint-Marc. Il fonda une école de chant renommée. Son œuvre réalise une synthèse originale d'éléments flamands, français et italiens.

France, 19 décembre
Bataille de Dreux opposant catholiques et protestants.

Floride
René de Laudonnière et Jean Ribault fondent une colonie huguenote.

Yucatan, Mexique
L'évêque Diego de Landa fait brûler une somme considérable de manuscrits mayas. Accusé de destructions intempestives par le Conseil des Indes, il devait pour se justifier, moins de dix ans après, rédiger la *Relación de las Cosas de Yucatan*, première tentative de préservation globale de la culture maya.

Colonies espagnoles d'Amérique
John Hawkins est le premier Anglais à pratiquer le commerce des esclaves entre l'Afrique et les colonies espagnoles d'Amérique.

Vénétie
Véronèse achève les décorations de la villa Barbaro à Maser, une des entreprises majeures dé la peinture vénitienne.

1563

France, janvier
Le Havre est repris aux Anglais. →

France, 24 février
Assassinat de François de Guise.

France, 19 mars
Paix d'Amboise. →

Trente, 4 décembre
Clôture du concile. →

Angleterre
Publication des 39 Articles. →

Russie
Ivan le Terrible ordonne de noyer les Juifs dans la Dvina.

Scandinavie-Baltique
La guerre éclate entre d'une part la Suède et le Danemark, Lubeck et la Pologne d'autre part. Ce conflit, surnommé « guerre des Trois Couronnes », prend son origine dans l'ajout des trois couronnes suédoises aux armoiries danoises par Christian III de Danemark.

Angleterre
Le statut des apprentis et artisans réglemente les métiers et confie aux juges de paix la mission de fixer le taux des salaires.

Espagne
Juan Battista de Toledo commence les travaux du monastère de San Lorenzo (l'Escurial), fondation de Philippe II.

Venise
Véronèse peint *Les Noces de Cana* pour le réfectoire du couvent des bénédictins de San Giorgio Maggiore.

1564

Rome, 18 février
Mort de Michel-Ange. →

Genève, 27 mai
Mort de Jean Calvin. Sans discours ni cantique, son corps, enveloppé dans une toile grossière, est enterré. De nombreux Genevois assistent aux funérailles. Aucun signe n'indique le lieu de sa sépulture.

Empire germanique, 25 juillet
A la mort de Ferdinand Ier, son fils Maximilien II devient empereur. Dès 1562, Ferdinand l'avait fait élire comme son successeur, en échange de l'engagement de Maximilien de demeurer fidèle au catholicisme.

Zante, îles Ioniennes, octobre
André Vésale meurt de faim et d'épuisement sur les rivages de Zante où l'a jeté la tempête alors qu'il s'en revenait de Terre sainte où il avait dû, étant accusé d'avoir pratiqué la vivisection, se rendre en pèlerinage.

Pays-Bas
Granvelle, ministre de Philippe II d'Espagne, est contraint de quitter les Pays-Bas en raison de la montée de l'agitation contre la domination espagnole.

Plan de la ville du Havre et de son port après les travaux de François Ier. B.N., Paris.

Les Anglais chassés du Havre

France, janvier 1563

Le connétable de Montmorency, battu par le prince de Condé à Dreux, tient enfin sa revanche lorsqu'il parvient à libérer le port du Havre, tenu par les Anglais. C'est à la suite du traité de Hamptoncourt, signé entre Condé et la reine Elisabeth (20 septembre 1562), que les Anglais avaient occupé la ville en échange des subsides qu'ils apportaient aux troupes protestantes. Elisabeth avait promis de restituer Le Havre lorsqu'elle rentrerait enfin en possession de Calais, que lui avait prise le duc de Guise, et que le traité de Cateau-Cambrésis avait provisoirement attribuée à la France. Le Havre avait été fondé en 1517 par François Ier pour être le point de départ de ses futures entreprises coloniales.

Les mesures du concile de Trente

Trente, 4 décembre 1563

Le concile œcuménique de Trente, qui s'était ouvert en 1545 et avait connu nombre d'interruptions, se clôt brusquement le 4 décembre 1563 sur le bruit répandu d'une maladie mortelle du pape. Les derniers votes sont expédiés rapidement, dont celui d'une proposition des légats sollicitant du pape la confirmation des décrets de l'Assemblée (ils voulaient manifester par là la supériorité du pape sur les conciles). C'est le 24 janvier suivant que Pie IV publiera ces décrets avec son approbation. L'œuvre du concile est d'abord dogmatique. La doctrine romaine, désormais bien établie face aux positions réformées, ne doit plus être l'objet de controverse. Le dogme de la justification est clarifié. Contre Luther et Calvin, les pères du concile déclarent que la volonté humaine n'est pas absolument dénuée de liberté et que la justification n'est pas exclusivement l'œuvre de la Grâce. Celle-ci est à la fois prévenante et sanctifiante ; elle tire l'homme de sa passivité et lui permet d'accomplir des œuvres bonnes. Malgré la chute, la nature n'est pas intégralement corrompue et le péché originel n'est pas une disposition permanente au mal. La valeur de sacrifice de la messe et la théorie consubstantielle de l'eucharistie sont solennellement réaffirmées. Contre l'idée luthérienne de l'Ecriture sur la source de la foi, l'autorité de la tradition, celle des pères et des conciles est maintenue. L'Eglise a seule qualité pour interpréter les Livres saints et en fixer le texte, sans laisser aucune latitude à la critique profane (une édition définitive de la Vulgate, la Bible latine de saint Jérôme, sera préparée). En matière disciplinaire, la constitution hiérarchique de l'Eglise est renforcée et la préséance du Saint-Siège implicitement reconnue. Des mesures sont prises pour relever les mœurs et le niveau intellectuel du clergé (un séminaire sera créé dans chaque diocèse). Obligation est faite aux évêques de résider. Le cumul des bénéfices est interdit. Le clergé régulier sera lui aussi réformé et soumis à l'autorité épiscopale.

Ouvert en 1545, le concile de Trente s'achève en 1563. Peinture murale. Abbaye de Stams, Tyrol.

François Ier de Lorraine, duc de Guise. Desin du XVIe siècle.

Les protestants sont massacrés à Wassy

Wassy, 1er mars 1562

Le duc de Guise revenait de Saverne où il avait entrepris des négociations avec Christophe de Wurtemberg. Après l'étape de Joinville, il trouve à Wassy une assemblée de protestants tenant leur prêche en ville, à l'intérieur des enceintes. Or l'édit de Janvier, dont Michel de L'Hospital était l'auteur, n'accordait aux huguenots le droit de tenir leurs réunions qu'à l'extérieur des villes closes. Le duc de Guise décide de prendre d'assaut avec sa petite troupe la grange de Wassy, illégalement transformée en temple. C'est un carnage. On relèvera trente morts et plus de cent vingt blessés.

« Le Massacre fait à Vassy le premier jour de mars 1562 ». Gravure de Perrussin et Tortorel. Paris. 1569. Bibliothèque nationale, Paris.

Les 39 Articles de l'Eglise anglicane

Angleterre, 1563

Au lendemain de son avènement, Elisabeth d'Angleterre doit composer avec les deux tendances religieuses qui, après la mort d'Henri VIII, ont successivement dominé le royaume. Refusant aussi bien le catholicisme romain que le calvinisme radical genevoix, elle choisit, par prudence politique comme par tempérament, de suivre une voie moyenne. Une nouvelle réduction de l'Acte de suprématie est adoptée, qui omet la législation contre les hérétiques. L'Acte d'uniformité remet en vigueur le *Prayer Book* dans sa version de 1552, mais les différentes croyances en matière eucharistique sont cette fois tolérées et les termes injurieux à l'adresse des catholiques romains supprimés. Enfin, si les trente-neuf Articles de l'Eglise anglicane, qui sont rédigés en 1563, sont par l'ambiguïté même des formules, susceptibles d'une interprétation plus souple. Œuvre de Cranmer, les quarante-deux Articles étaient déjà le résultat d'un compromis entre les divers courants de la Réforme. On y retrouvait l'influence luthérienne dans l'affirmation de la justification par la foi seule, le calvinisme dans les articles sur la prédestination, la doctrine zwinglienne de l'eucharistie. La distance prise avec le catholicisme se manifestait au sujet du Purgatoire et du culte des saints, de la primauté de l'Eglise de Rome et de l'infaillibilité des conciles, du célibat des prêtres enfin. Ainsi l'Eglise anglicane se trouve-t-elle définitivement établie après une longue période de luttes et de tâtonnements.

En France, l'année commence désormais le 1er janvier

Paris, 1er janvier 1564

Sous Romulus, puis sous Charlemagne, l'année commençait le 1er mars. Le calendrier julien, établi en 46 av. J.-C. par Jules César sur les conseils de l'astronome grec Sosigène, faisait commencer l'année le 1er janvier. Au XIIe siècle, l'Eglise fixait le Premier de l'an à la veille de Pâques). L'année julienne était adoptée pour des nécessités civiles, mais l'Eglise la compliquait d'une année lunaire pour la détermination des fêtes religieuses. Le décret promulgué par Charles IX établit l'abandon du style de Pâques pour celui de la circoncision de Jésus, fête célébrée le 1er janvier par l'Eglise catholique.

La paix d'Amboise met un terme à la première guerre de Religion

Amboise, 19 mars 1563

Pour contrecarrer la politique de tolérance, le duc de Guise s'était rapproché du connétable de Montmorency ; avec le maréchal de Saint-André, ils formèrent le « triumvirat » pour défendre la cause catholique. Devant la menace, Condé mobilisait les réformés et s'assurait du soutien de l'Angleterre en promettant de lui livrer le port du Havre. A Dreux, Condé s'était heurté aux troupes de Montmorency et avait réussi à les mettre en déroute (19 décembre 1562), mais il était battu à son tour par Guise. L'assassinat du duc, le 24 février 1563, permet à Catherine de Médicis d'imposer la paix d'Amboise.

Michel-Ange. Le dôme de Saint-Pierre de Rome. 1558-1560.

La mort d'un génie : Michel-Ange

Rome, 18 février 1564

Génie par la diversité des domaines dans lesquels il s'est illustré : peinture, sculpture, mais aussi architecture et poésie ; génie par son rôle historique : Michel-Ange a incarné l'esprit de la Renaissance avant de suggérer, vers 1530, le maniérisme et d'ouvrir la voie au baroque, vers 1540 ; génie enfin par l'unité de son œuvre, où s'expriment un tempérament angoissé et une spiritualité exigeante. C'est réellement une figure sublime qui disparaît, à 81 ans. Formé dans l'atelier de Ghirlandajo, à Florence, le jeune Michel-Ange se tourne vite vers la sculpture qu'il étudie dans le musée d'antiques des Médicis que Laurent le Magnifique, qui le tient en grande estime, lui permet de fréquenter. Parmi les œuvres de jeunesse, il faut noter la *Bataille des Centaures*, puis le *Bacchus*, une *Pietà* et le *David*. Même ses tableaux trahissent son goût pour la statuaire : ainsi les personnages du second plan du *Tondo Doni*. En 1505, appelé à Rome par Jules II, il peint pour lui le plafond de la Sixtine et commence son mausolée : mais, modifié cinq fois, ce projet n'aboutit qu'au monument pariétal de Saint-Pierre-aux-Liens. Michel-Ange ressentit cruellement cet échec. De 1520 à 1534, il travaille, à Florence, à la construction de la bibliothèque des Médicis, qu'Ammanati achèvera après 1560, d'après ses plans. L'escalier en est particulièrement remarquable, avec sa courbe complexe. Cet assouplissement des formes se retrouve dans les sculptures pour le tombeau des Médicis, en 1534 : les peintres maniéristes sauront s'en souvenir. De retour à Rome, il exécute, à la demande de Paul III, *Le Jugement dernier* de la Sixtine, d'une facture révolutionnaire. Il réaménage la place de l'antique Capitole dans une perspective unitaire, en 1538, et, en 1547, devient architecte de Saint-Pierre. Il reprend alors le plan de Bramante et apporte à l'architecture son expérience de sculpteur, en modelant les masses, qu'il couronne par une coupole ovoïde et nervée.

1565

Brésil, 1er mars
Fondation de la colonie portugaise de Rio de Janeiro.

Angleterre
Le réformateur Thomas Cartwright est privé de sa chaire à l'université de Cambridge. Il défend que seul importe le libre examen des Écritures et que l'Église doit être une organisation démocratique.

Méditerranée
Les Turcs tentent vainement d'assiéger Malte.

Dekkan
Destruction du royaume hindou de Vijayanagar par les Bahmanides.

Russie
Ivan le Terrible institue l'opritchina. →

Flandres
Pieter Bruegel l'Ancien peint les cinq tableaux des *Saisons*, dit aussi les *Mois*. →

Floride
Les huguenots, regroupés autour du colonisateur français Laudonnière, sont massacrés de sang-froid par l'Espagnol Pedro Menendez de Avilés.

Philippines
Arrivant du Mexique, Legazpi s'installe à Cebu, y consacre la suzeraineté de l'Espagne, puis entreprend de conquérir les Visayas, puis l'île de Luçon. C'est le début de la colonisation espagnole.

1566

Rome, 7 janvier
Le Grand Inquisiteur Antonio Ghislieri est élu pape sous le nom de Pie V.

Bruxelles, 2 avril
Porteurs d'une pétition pour la défense des libertés des Pays-Bas, deux cents gentilshommes arrivent au palais de la régente, Marguerite de Parme. Celle-ci redoute cette entrevue ; un de ses conseillers, le comte de Berlaymont, se serait exclamé : « Quoi, Madame, peur de ces gueux ! ». La régente promit d'envoyer une adresse à Philippe II d'Espagne. Quant au mot du comte, il devint un signe de ralliement.

Parcieux-en-Dombes, 25 avril
Mort de Louise Labé, dite la « Belle Cordière ». Cavalière, à seize ans, elle rejoint l'armée royale sous le nom de capitaine Loys. Sa culture, sa connaissance du grec, du latin, de l'italien et de l'espagnol, l'entraînèrent vers la poésie.

Pays-Bas, 10-19 août
Les Flandres, Gand, Anvers, puis les provinces du Nord sont frappées par une vague d'iconoclasme religieux. Des centaines d'églises et de couvents sont victimes de cet accès de fureur qui trouve son origine à la fois dans le mouvement de contestation sociale et dans une réaction à la Contre-Réforme catholique.

Empire ottoman, 6 septembre
Mort de Soliman le Magnifique. Son fils Sélim II lui succède. →

Méditerranée, mer Egée
Les Turcs s'emparent de Chio.

France
Apologie pour Hérodote d'Henri Estienne. →

Venise
Tintoret achève pour la Scuola Grande de San Marco le cycle des toiles consacrées à la vie de saint Marc. →

1567

Ecosse, 24 juillet
Vaincue par les protestants, la reine catholique Marie Stuart abdique en faveur de son fils, Jacques VI, âgé d'un an.

Pays-Bas, 5 septembre
Le duc d'Albe est chargé de réprimer la révolte des Gueux. →

Safed, Palestine
C'est en grande partie à l'éviction des Juifs d'Espagne que ce village doit d'être devenu dans l'espace de quelques années un centre intellectuel et religieux de premier plan. Aux alentours de 1565-1569, on y rencontre des docteurs de la Loi tels que Moshe Cordovero (1522-1570), auteur d'un traité sur la Kabale : *Le Verger des grenadiers* ; Israël Najara (1555-1628), auteur de poèmes en usage dans le rituel sépharade ; Joseph Caro (1488-1575), auteur d'un recueil, devenu classique, de lois et d'usages : *La Table mise*, imprimé à Venise en 1565 ; enfin Isaac Louria (1534-1572), surnommé Ari, « Le Lion », d'après les initiales de son nom et dont l'enseignement fut recueilli par Haïm Vital (1543-1620).

Ivan le Terrible s'attaque aux féodaux

Russie, 1565-1572

L'Etat russe, bien que centralisé, n'en demeure pas moins un conglomérat d'anciennes principautés vivant en quasi-indépendance. Les descendants des princes avaient conservé le pouvoir sur leurs terres. Ils possédaient leur propre armée. Comme auparavant, ils continuaient à distribuer leurs terres à des vassaux, auxquels ils remettaient des chartes féodales, documents confirmant les droits du seigneur sur la terre et sur les paysans qui y travaillaient. Dans ces chartes, les princes s'affublaient du titre de « souverain ». De plus, la population inféodée considérait toujours le boyard local comme le maître à qui l'on devait obéir. Aussi Ivan IV le Terrible (1530-1584) s'appuyait-il sur la petite noblesse pour mener la lutte contre les princes boyards. Pendant la guerre avec la Livonie, la lutte va s'aggraver à cause de la trahison de ces derniers et en particulier celle du prince Kourbski, passé en 1564 au service des Lituaniens. C'est dans ces conditions qu'Ivan établit le système de l'opritchina, ensemble de mesures destinées à renforcer le pouvoir du tsar et l'asservissement des paysans. A la fin de l'année 1564, Ivan quitta subitement Moscou pour Alexandrov. Il décida de se constituer en Russie un territoire réservé : l'opritchina (du mot russe *opritch* signifiant « à part »). Ce territoire serait administré par des hommes à lui, les opritchiniki. Grâce à l'opritchina, Ivan s'empara des meilleures terres de Russie, des plus riches cités et des principales voies commerciales. Des terres ainsi acquises, le tsar chassa les boyards et en fit même exécuter un bon nombre. Ceux qui avaient été épargnés furent déportés dans le territoire commun ou *zemchtchina*. Leurs biens furent distribués en bénéfices : ainsi disparaissait la vieille aristocratie de naissance au profit de la petite noblesse parvenue, docile au tsar. Un régime de terreur s'ensuivit. Il n'existait aucune limite à l'arbitraire des opritchiniki. Ceux-ci s'emparaient non seulement des biens des boyards, du bétail, mais aussi des paysans, et si ces derniers s'y opposaient, ils étaient impitoyablement tués. Les opritchiniki s'enrichissaient dans des proportions considérables. Ivan menait ses réformes avec une très grande cruauté. Ainsi, il détruisit Novgorod, considérant les Novgorodiens comme des ennemis de son pouvoir : durant cinq semaines, il fit noyer les habitants de la ville dans la rivière Volkhov. En 1572, il fut mis fin à l'opritchina. En effet, le mécontentement du peuple à l'égard de cette mesure se faisait de plus en plus sentir. En outre, la défense de Moscou contre l'invasion du khân de Crimée obligeait le tsar à recourir à l'appui de l'armée des zemchtniki.

Les créatures étranges du jardin de Bomarzo

Bomarzo, Etrurie, 1565

A Bomarzo, dans les environs de Viterbe, le duc Vicine Orsini, seigneur humaniste et cultivé, a satisfait son goût du merveilleux et de la bizarrerie en faisant adjoindre à son château un jardin « enchanté », ou *sacro bosco*. L'architecte Pirro Ligorio a tiré parti de la déclivité du terrain en y ménageant des terrasses, en l'animant de petites constructions (amphithéâtre, temple classique, maison penchée) et surtout en taillant les affleurements rocheux pour les transformer en monstres de toutes sortes : ogres et dragons géants, nymphes, tritons ou sirènes. Tout le panthéon mythologique semble s'être donné rendez-vous dans ce lieu étrange et irréel, d'où la raison et la présence même de l'homme semblent bannies. Nous sommes bien loin de la somptueuse ordonnance des jardins de la villa d'Este à Tivoli, dus au même Pirro Ligorio !

Un des monstres du « jardin enchanté » de la villa Orsini à Bomarzo (province de Viterbe). 1565. Architecte : Pirro Ligorio.

Le duc d'Albe instaure le "Conseil du sang"

Pays-Bas, 5 septembre 1567
Philippe II a chargé le duc d'Albe de mettre un terme à l'insurrection des Pays-Bas, de réprimer l'hérésie et d'instaurer le régime espagnol. La régente, Marguerite de Parme, ayant quitté Bruxelles pour rejoindre l'Italie, il est donc le seul maître du pays. Dès son arrivée, il installe un régime de terreur. Le 5 septembre, il crée le Tribunal des troubles, surnommé le « Conseil du sang », qui exerce une redoutable juridiction, jugeant et faisant exécuter les rebelles, sans considération des lois ou des coutumes locales, ni même des privilèges de la noblesse. Plus de 8 000 rebelles sont condamnés à mort. L'Inquisition est également établie aux Pays-Bas, où elle instruit des procès pour hérésie.

Peinture flamande du XVIe siècle illustrant les méthodes tyranniques du duc d'Albe (groupe de femmes enchaînées). Abbaye-muséum de la Bybloke. Gand.

Pieter Bruegel, peintre de la nature et de la vie populaire

Bruxelles, 1565
De l'existence de Bruegel, dit l'Ancien, nous ne savons pas grand chose, sinon qu'il serait né à Breda vers 1525. S'il a fait le voyage d'Italie, comme tant d'artistes de son temps, il néglige pourtant les thèmes de la peinture italienne. Bruegel s'inspire d'abord des « diableries » de Jérôme Bosch, puis à travers une démarche originale pour l'époque, en vient à porter un intérêt tout particulier à la description de la vie populaire ainsi qu'en témoignent les cinq tableaux des *Saisons*. Qu'il s'agisse des *Chasseurs dans la neige*, de *La Fenaison* ou des *Moissons*, l'homme y apparaît profondément intégré à une nature nourricière, qui ne lui sert plus seulement de cadre, mais dont il est lui-même un des éléments.

Pieter Bruegel, dit l'Ancien. « Les Chasseurs dans la neige ». 1565. Kunsthistorisches Museum, Vienne. Un des cinq tableaux des « Saisons ».

Un esprit polémique : Henri Estienne

Genève, 1566
Perpétuant en exil la dynastie d'humanistes, typographes et éditeurs fondée par son grand-père Henri Ier Estienne, Henri II Estienne parcourt l'Europe à la recherche de manuscrits grecs. Erudit, polyglotte, il donne en 1565 la *Conformité du langage français avec le grec*, qui contribue grandement à la polémique sur l'italianisme envahissant. En 1566, paraît l'*Apologie pour Hérodote ou Introduction au traité de la conformité des merveilles anciennes avec les modernes*. S'adressant à un ami, l'auteur, fervent admirateur de l'historien grec, conseille de le prendre pour modèle.
Plus qu'une apologie, ce traité est une vive et spirituelle satire des mœurs catholiques, assaisonnée de contes gaulois et de traits piquants.

Anne de Montmorency meurt victorieux à Saint-Denis

Saint-Denis, 10 novembre 1567
Le vieux connétable de Montmorency est tué en tentant de forcer l'armée de Condé à Saint-Denis. Né à Chantilly en 1493, il avait pris part à toutes les batailles d'Italie. En 1530, il devenait le principal conseiller de François Ier. Disgracié en 1541 parce qu'il prônait une politique d'entente avec Charles Quint, il est rappelé par Henri II. Négociateur du traité de Cateau-Cambrésis, c'est

Le connétable Anne de Montmorency. Peinture de l'école de Clouet. Musée du Louvre, Paris.

lui également qui inspire au roi, qu'il a rapproché de l'Espagne, une politique de persécution à l'égard des protestants, politique qui aboutit à l'édit d'Ecouen. Après une éclipse sous le règne de François II, dominé par son oncle, le duc de Guise, il retrouve son crédit à l'avènement de Charles IX. Animateur du « triumvirat », il a combattu le prince de Condé à Dreux et libéré Le Havre.

Soliman le Magnifique meurt en Hongrie

Szeged, 6 septembre 1566
Soliman Ier, dit le Magnifique, meurt dans sa tente, en la seule présence de son grand vizir, Sokollu Mehmet. La mort du plus glorieux des sultans ottomans n'est pas une surprise. L'homme qui, pour se mettre à la tête de ses armées, avait quitté Istanbul le 1er mai était un vieillard déjà malade. Celui qui avait étendu l'empire sur la Hongrie, la Transylvanie, Tripoli, Alger, l'Irak, Rhodes, une partie de la Géorgie, Belgrade, la Serbie et les principales îles de la mer Egée, qui avait fait de l'empire une grande puissance navale et en avait rénové les institutions, se serait bien passé de cette nouvelle campagne hongroise. En 1562, il était parvenu à conclure avec l'empereur Ferdinand un traité reconduisant la paix pour huit années encore. La mort de Ferdinand, en 1564, avait tout remis en cause. Son fils et successeur, Maximilien, pensait pouvoir infliger au vieillard d'Istanbul la défaite que l'Europe espérait depuis longtemps. Fort des subsides, en argent et en hommes, reçus de la Diète germanique, du pape et de Philippe II, il avait envahi la Transylvanie. Sa défaite sera totale. Le corps embaumé de Soliman est enterré dans le tombeau que le grand architecte Sinan avait construit, quelques années plus tôt, près de la mosquée Süleymaniye, à Istanbul.

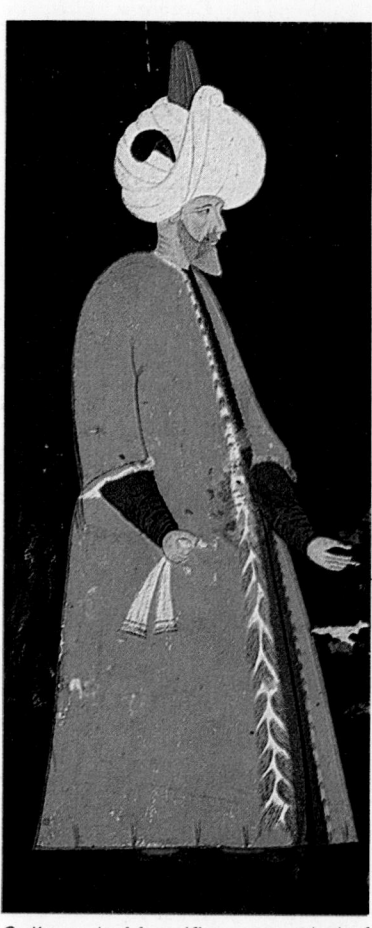

Soliman le Magnifique, grand chef de guerre, mais aussi protecteur des arts. Miniature ottomane.

1568

France, 23 mars
La paix de Longjumeau est signée par Catherine de Médicis. →

Floride, printemps
Dominique de Gourgues venge les huguenots français massacrés en 1565 par l'Espagnol Pedro Menendez de Avilés. →

Angleterre, 19 mai
Déchue de ses droits sur la couronne, Marie Stuart est prisonnière d'Elisabeth d'Angleterre.

Bruxelles, 5 juin
Exécution du comte d'Egmont. →

Rome, 19 août
Dans une lettre adressée au nonce apostolique d'Espagne, Pie V demande que soient instituées des commissions chargées de traiter les problèmes des missions d'évangélisation des Indiens.

Suède, 30 septembre
Après avoir manifesté des symptômes de folie, Eric XIV de Suède est déposé. Son frère Jean III prend la tête du royaume.

Amérique Centrale, automne
Les corsaires anglais John Hawkins et Sir Francis Drake effectuent un raid contre San Juan d'Ulloa et Veracruz.

Japon
Oda Nobunaga, un seigneur du Nord, s'empare de Kyôto et se fait nommer shôgun, mettant ainsi fin au règne des Ashikaga.

Le seigneur Omura Sumitada, baptisé par les jésuites en 1562, ouvre aux commerçants étrangers un petit village de pêcheurs, Fukae, dénommé plus tard Nagasaki.

Pérou
Francisco de Toledo est nommé vice-roi du Pérou.

.Océanie
Le navigateur espagnol Alvaro de Mendaña explore les îles Salomon et Ellice.

Rome
L'architecte Vignole commence les travaux de l'église du Gesù, étape importante dans l'histoire de l'architecture religieuse.

France
Germain Pilon est nommé sculpteur du roi. →

France
Dans sa *Response aux paradoxes de Monsieur de Malestroit*, l'économiste Jean Bodin établit une relation entre l'afflux des métaux précieux américains et la montée des prix européens au XVIᵉ siècle.

Espagne
Jean de La Croix fonde le premier couvent des carmes déchaussés à Duruelo, tandis que Thérèse d'Avila rédige les constitutions des carmélites déchaussées. Thérèse et Jean s'étaient rencontrés en 1567 à Medina del Campo ; le contact avec Thérèse avait été une véritable révélation pour Jean de La Croix qui venait d'être ordonné.

Poussé par l'Eglise, Philippe II avait pris en 1566 diverses mesures de rétorsion à l'encontre des Morisques (les musulmans convertis au christianisme), telles que l'interdiction de l'arabe ou le port de leur costume distinctif. Le climat de suspicion et d'intolérance qui les entoure amène les Morisques à se révolter. Dans le royaume de Grenade, un soulèvement se produit, dirigé par Abén Humeya et Abén Aboo.

1569

France, 13 mars
Bataille de Jarnac. →

Pologne, 1ᵉʳ juillet
Union de Lublin. →

Bruxelles, 5 septembre
Mort du peintre Bruegel l'Ancien. Ses peintures de la vie paysanne lui valurent le surnom de Bruegel des Paysans.

France, 3 octobre
L'armée protestante de Coligny est battue à Montcontour.

Méditerranée
Contre l'expansion ottomane, une alliance est formée entre Rome, Venise et l'Espagne.

Flandres
Mercator (Gerhard Kremer) met au point un planisphère. →

Florence
Cosme Iᵉʳ, grand-duc de Toscane. →

Empire moghol
Akbar fait édifier Fatehpur Sikrî. →

France et Amérique
Le gouverneur de Saint-Malo interdit aux huguenots de voyager dans les terres nouvelles.

Cosme Iᵉʳ de Médicis, grand-duc de Toscane. 1545. Peinture de Bronzino. Musée des Offices, Florence.

Cosme Iᵉʳ de Médicis, grand-duc de Toscane

Florence, 1569
Le duc de Toscane, Cosme Iᵉʳ, vient d'être couronné grand-duc de Toscane par le pape Pie V et devient ainsi le fondateur d'une longue dynastie. Malgré la présence des troupes espagnoles que lui impose Charles Quint, il a réussi à centraliser le pouvoir politique et économique. Amateur d'art et collectionneur, il fonde la première des académies, fait construire le palais des Offices et entoure le palais Pitti des jardins Boboli.

Mercator donne une nouvelle image du monde

Duisbourg, 1569
La première grande carte du monde vient d'être publiée par un mathématicien et géographe flamand, Gerhard Kremer, plus connu sous le nom de Gerardus Mercator. Réfugié à Duisbourg où il avait fui les persé-

La paix de Longjumeau tente d'instaurer un état de tolérance

Longjumeau, 23 mars 1568
L'offensive conduite par le duc d'Albe aux Pays-Bas inquiétait les protestants français. Contre l'avis de Coligny, le prince de Condé avait décidé de reprendre les armes. La cour, qui séjournait alors à Monceaux, dut rentrer précipitamment à Paris sous la protection des Suisses (28 septembre 1567). Condé parvint jusqu'à Saint-Denis. Attaqué par le connétable de Montmorency, il résista. De guerre lasse, Catherine de Médicis accepte de signer la paix de Longjumeau, qui confirme l'édit d'Amboise.

Le chancelier Michel de L'Hospital. Aquarelle. B.N., Paris.

cutions contre les protestants de Pays-Bas, il a pu établir cette carte aussitôt adoptée par tous les navigateurs européens, grâce à la projection cylindrique qu'il a mise au point. Ce système, qui s'apparente à un développement cylindrique effectué le long de l'équateur, permet de fixer très précisément les latitudes, longitudes, méridiens et parallèles. La définition mathématique exacte du système ne sera établie qu'en 1645.

Carte de l'Afrique extraite de l'« Atlas » de Gerardus Mercator (édition de 1595,

Le prince de Condé meurt à Jarnac

Jarnac, 13 mars 1569

Condé est tué à Jarnac, au passage de la Charente, par le capitaine des gardes de l'armée du duc d'Anjou, Montesquiou. Ainsi disparaît celui qui s'était posé en protecteur des protestants français. Né en 1530, Louis Ier de Bourbon, prince de Condé, était l'adversaire des Guise qu'il considérait comme des usurpateurs et qu'il ne cessa de combattre. Instigateur du « Tumulte d'Amboise », il a, à deux reprises, pris les armes pour soutenir la cause réformée. Il venait de les prendre une nouvelle fois lorsqu'il fut tué. Scandalisée par la paix de Longjumeau, l'opinion catholique exigeait la reprise de la guerre, et des ligues, comme les confréries du Saint-Esprit, se formaient pour la défense de l'orthodoxie. Catherine de Médicis avait pris ses distances avec les protestants et s'était séparée du chancelier de L'Hospital. C'est le frère du roi, Henri d'Anjou, qui prit la tête des troupes catholiques.

Germain Pilon nommé sculpteur du roi

Ile-de-France, 1568

Après avoir travaillé avec Pierre Bontemps pour le tombeau de François Ier et sculpté le groupe des *Trois Grâces* portant le cœur d'Henri II, Germain Pilon (né en 1528) devient le sculpteur officiel de Charles IX, qui le charge de la décoration de la chapelle des Valois à Saint-Denis.

Germain Pilon. Monument du cœur de Henri II. Les trois « Grâces » s'inspirent d'un dessin de Primatice. 1561.

Les Indiens de Floride adorant la colonne donnée par les Français. 1564. Dessin de Lemoyne de Morgues (fait sur place), gravé par Théodore de Bry.

De Gourgues venge les protestants français en Floride

Floride, printemps 1568

Dominique de Gourgues, gentilhomme gascon, né à Mont-de-Marsan en 1530, qui avait déjà combattu l'Espagne en Allemagne et en Flandre, arme une petite expédition en 1567 et s'embarque pour la Floride afin de venger les colons français massacrés par les Espagnols. Avec le concours des indigènes, il parvient à s'emparer des principales garnisons ennemies. C'est en 1562 qu'une première expédition française avait été chargée par Coligny de reconnaître les côtes de la Floride. Dirigée par deux capitaines huguenots, le Dieppois Jean Ribault et René de Laudonnière, elle comptait une forte majorité de protestants. Ils bâtirent la citadelle de Charlesfort, baptisèrent les lieux Seine, Garonne, Loire... Ils entretenaient de bons rapports avec les indigènes qu'ils s'efforcèrent de convertir. Laudonnière, au cours d'une seconde expédition, fonda le fort Caroline, non loin de la rivière May. Les relations devinrent rapidement difficiles avec les Espagnols qui voyaient leurs positions menacées par les progrès des colons français. Devant le péril, Ribault se porta avec une puissante flotte au secours de Laudonnière et lança une offensive contre les Espagnols de San Augustin. Ce fut un désastre ; les Français furent écrasés.

L'Union de Lublin restaure l'Etat polono-lituanien

Pologne, 1er juillet 1569

L'Union de Lublin, accord solennel conclu entre la Pologne et la Lituanie à la suite de négociations menées par les Diètes des deux pays, inclut dans les frontières du nouvel Etat polono-lituanien de vastes territoires biélorussiens et ukrainiens. La dénomination du nouvel Etat ainsi créé est *Res Publica*. La guerre contre Moscou était devenue un poids trop lourd pour la Lituanie et l'aide militaire de la Pologne devenait indispensable pour résister aux armées d'Ivan IV. De plus, l'affaiblissement financier de la Lituanie obligeait la noblesse à accepter à Vilna l'Union de Lublin. L'union des deux pays était représentée par le roi unique et la Diète commune qui élisait le roi et s'occupait des Affaires étrangères. C'est à partir de l'Union de Lublin que l'hostilité de la Russie à l'égard de la Pologne va considérablement s'accroître et s'avérer un danger mortel pour cette dernière.

Esprit libre et fort, le comte d'Egmont est exécuté

Bruxelles, 5 juin 1568

Arrêté en septembre 1567, jugé par le « Tribunal des troubles », le comte d'Egmont est exécuté. C'est Philippe II qui, lors de son avènement, avait appelé Lamoral d'Egmont, jeune gentilhomme du Hainaut (né en 1522) à siéger au Conseil d'Etat des Pays-Bas, en même temps que le prince d'Orange et Philippe de Hornes. En 1563, lorsque le roi voulut introduire l'Inquisition aux Pays-Bas et limiter les franchises du pays, tous trois quittèrent le conseil en signe de protestation et devinrent les symboles de la résistance. Lorsque l'insurrection éclate, en 1565, Egmont, loyal sujet, partit pour l'Espagne, espérant encore amener Philippe II à plus de modération ; en vain.

Lamoral, comte d'Egmont.

Fatehpur Sikrî, capitale moghole

Inde, 1569

L'empereur moghol Akbar fait édifier pour sa cour une nouvelle capitale à 37 km au sud-ouest d'Agra : Fatehpur Sikrî, née de la vénération portée par l'empereur à Shayk Salîm Tchichtî, dont les prières valurent à Akbar la faveur d'une descendance longtemps désirée et qui, pour cela, eut droit à sa mort de reposer dans un superbe mausolée de marbre blanc édifié dans l'enceinte même de la mosquée. Sur ce site montagneux s'élèvent en très peu de temps palais, pavillons, jardins, rivalisant de luxe et d'élégance. L'essentiel des bâtiments officiels s'ordonne autour de la cour du Diwân-i-âm, salle d'audiences publiques. Parmi les nombreux édifices de la cité, certains méritent une mention particulière : le Pânch Mahal, curieux bâtiment qui développe en hauteur cinq *(pânh)* étages d'arcades ouvertes ; le Diwân-i-Khas, salle d'audiences privées, avec son extraordinaire pilier central dont le chapiteau monumental à stalactites servait de support au trône impérial ; un échiquier géant sur lequel Akbar aurait utilisé des jeunes filles en guise de pièces vivantes. Le problème d'approvisionnement en eau aura cependant raison de la grandeur moghole : Akbar se verra contraint, au bout de quinze ans, de regagner sa capitale précédente, Agra.

Pavillon du Diwân-i-Khas à Fatehpur Sikrî. 1569-1575.

1570

Paris, 8 janvier
Mort de Philibert Delorme. Fils d'un maître d'œuvre lyonnais, il reçut une solide formation classique. Un séjour à Rome (1533-1536) le sensibilisa à l'esthétique antique. Surintendant des bâtiments royaux en 1548, il travailla aux grands chantiers, tels ceux des Tuileries et de Fontainebleau. Pour Diane de Poitiers, il édifia le château d'Anet. Il est l'auteur de traités d'architecture, comme les *Nouvelles Inventions pour bien bastir et à petit fraiz.*

Rome et Angleterre, 25 février
La bulle *Regnans in excelsis* excommunie Elisabeth Iʳᵉ d'Angleterre. Pie V délie les sujets d'Elisabeth, demeurés fidèles à l'Eglise romaine, de toute obligation d'obéissance envers la couronne anglaise.

Paris, 15 mai
Mort du peintre, sculpteur et architecte Francesco Primaticcio, dit Primatice (né en 1504 à Bologne). En 1531, il avait été appelé en France par François Iᵉʳ pour participer à la décoration de Fontainebleau et de Chambord.

Moscou, 25 juillet
Le tsar Ivan IV assiste à l'exécution publique de ses proches conseillers et ministres.

France, 8 août
Charles IX promulgue l'édit de Saint-Germain. →

Portugal, 20 octobre
Mort de l'historien Joao de Barros, auteur des *Décades*, une histoire des conquêtes portugaises outre-mer.

Mer du Nord, 2 novembre
Un terrible raz de marée provoque la mort de milliers de personnes ; de la Hollande au Jutland, les digues sont emportées.

Scandinavie et Baltique, 13 décembre
La paix de Stettin met fin à la guerre des Trois Couronnes.

Méditerranée
Les Turcs s'emparent de Chypre.

Espagne
Don Juan d'Autriche, fils naturel de l'empereur Charles Quint, réprime férocement la révolte des Morisques.

Russie
Ivan le Terrible détruit Novgorod pour empêcher toute velléité d'indépendance des grands féodaux.

Brésil
La loi sur la « liberté » des indigènes du Brésil dispose que seuls peuvent être réduits en esclavage les Indiens faits prisonniers au cours d'une « guerre juste » ou soupçonnés d'anthropophagie.

Yémen
Occupation du pays par les Ottomans.

Anvers
Publication de l'*Atlas* d'Ortelius (Abraham Œrtel), premier atlas de géographie.

Espagne et Amérique
Le Conseil des Indes promulgue une loi interdisant aux métis les charges de notaire ou de cacique.

Empire germanique
Le musicien Roland de Lassus est anobli par l'empereur Maximilien. →

Italie
Publication des *Quattro Libri dell'Architettura* de Palladio. →

Rome et Amérique
Le pape soustrait les Indiens à la juridiction de l'Inquisition.

France
L'écrivain Jean Antoine de Baïf fonde, avec l'appui de Charles IX, une Académie de musique et de poésie. →

1571

Florence, 13 février
Mort de l'orfèvre, médailleur et sculpteur Benvenuto Cellini.

Méditerranée, 7 octobre
Bataille de Lépante. →

Rome
Création de la congrégation de l'Index. →

Paris et Lyon
Grève et règlement de Gaillon. →

Londres
Fondation du Royal Exchange. →

Philippines
L'Espagnol Lopez de Legazpi fonde Manille.

Mexique
Installation du tribunal inquisitorial de Mexico.

Nouvelle tentative de paix religieuse à Saint-Germain

Saint-Germain, 8 août 1570
La paix de Longjumeau (23 mars 1568) n'avait été qu'une trêve de courte durée : cette paix ne satisfaisait personne et bientôt une troisième guerre de religion s'engageait. Il s'agit cette fois d'une guerre de grand style où de véritables armées s'affrontent. Les protestants avaient leur capitale, le port de La Rochelle, et ils étaient les maîtres d'une grande partie des provinces de l'Ouest. Après la mort de Condé à Jarnac, Coligny effectuait une grande campagne dans le Languedoc, tandis que La Noue tenait le Poitou. Sur les mers, les corsaires huguenots harcèlent les escadres royales et assurent leur liaison avec les Gueux de Hollande et la flotte anglaise. Stratégiquement, la victoire revient incontestablement aux protestants. Catherine de Médicis, par ailleurs, était lasse des excès du cardinal de Lorraine et brouillée avec l'Espagne ; elle inclinait à la paix et était disposée aux concessions. L'édit de Saint-Germain, signé le 8 août 1570, est pour les protestants, et pour Coligny, le principal artisan de leur victoire, un triomphe inespéré. Gaspard de Coligny (né en 1519) était au service de Henri II et fit rapidement une brillante carrière militaire. Amiral de France en 1552, il travaille à l'expansion coloniale. En 1559, il se convertit au calvinisme et devient l'un des principaux chefs du parti protestant. Il participe au colloque de Poissy et en 1562, dès le commencement de la première guerre de religion, il rejoint l'armée huguenote à Orléans. Il sera de toutes les campagnes. Après la mort de Condé, il prend enfin le commandement des opérations.

Cérémonie religieuse dans un temple réformé de Lyon. Milieu du XVIᵉ siècle. Bibliothèque publique et universitaire de Genève.

Roland de Lassus anobli par l'empereur

Munich, 1570
Le compositeur franco-flamand Roland de Lassus, maître de chapelle à la cour, vient d'être anobli par l'empereur Maximilien II. Son œuvre, qui reflète sa formation diversifiée, est unanimement appréciée pour la synthèse brillante qu'elle réalise entre les tendances française, allemande et italienne. L'inspiration religieuse de Roland de Lassus s'exprime à travers de nombreux hymnes, messes et motets. C'est avec ces derniers que le compositeur atteint la plénitude de l'expression, fuyant l'écriture mélodique par degrés conjoints pour donner libre cours aux contrastes de rythmes, aux silences soudains, aux effets de surprise. Les pièces célèbres, *Timor et Tremor,* ou *Christe Dei soboles* traduisent en outre, par leur chromatisme expressif, l'influence du madrigal. Certaines œuvres, telles les *Prophéties des Sibylles,* frappent par leur impression de mystère, d'autres par l'angoisse qui se fait jour dans les psaumes de la pénitence. En contraste total avec l'œuvre religieuse, la composition des chansons traduit un sens aigu du burlesque et du comique ; les pièces abondent en trouvailles techniques, tandis que le contenu émotionnel et pictural du texte détermine la forme musicale.

Fondation du Royal Exchange de Londres

Angleterre, 1571

Sir Thomas Gresham fonde à Londres le Royal Exchange. Héritier d'une puissante famille de merciers, familier de la bourse d'Anvers, il conçoit sur ce modèle un lieu de rassemblement des marchands et des banquiers de Londres. La reine Elisabeth comprend l'intérêt qu'elle aurait à favoriser un tel projet. Dans la capitale, les artisans et les commerçants sont de plus en plus nombreux et influents. Londres est un grand port de distribution de marchandises de toutes provenances. Le Royal Exchange, financé par Gresham, est édifié sur un emplacement donné par la ville, à Cornhill. C'est un bâtiment quadrangulaire avec, au centre, une vaste cour pavée, entourée d'une galerie sous arcades. Le rez-de-chaussée est réservé aux grossistes et le premier étage aux échoppes des détaillants. Cette conception est entièrement nouvelle pour les Londoniens, encore habitués à aller de quartier en quartier, chacun spécialisé dans un négoce différent. Inauguré par la reine, c'est un grand succès, symbole des transformations de l'économie.

La congrégation de l'Index est fondée

Rome, 1571

Le pape Pie V crée la congrégation de l'Index, tribunal de la Curie chargé d'examiner les livres et de s'assurer, avant d'autoriser leur diffusion, qu'ils ne contiennent aucune proposition suspecte d'hérésie. La condamnation d'Arius par le concile de Nicée en 325, le décret gélasien au Ve siècle, celui de Gratien en 1140 et les Décrétales de Grégoire IX en 1244 avaient déjà posé les bases de la sévère organisation de l'index *Librorum prohibitorum*.

Andrea Palladio. La villa Capra, dite la « Rotonda », près de Vicence. 1551-1569. Construite à l'origine pour Paolo Almerico.

Les villas néo-classiques de Palladio

Italie, 1570

Le talent de Palladio s'est nourri d'une méditation sur les arts grecs et romains, dont il rend compte dans ses *Quatre Livres sur l'architecture*, d'inspiration vitruvienne. Ses nombreuses villas, construites dans la campagne de Vicence, pour une riche clientèle, ont toutes un plan rigoureux et symétrique (comme celui de la villa Barbaro, à Maser). Leur noyau central reprend souvent certains éléments de temples antiques, tels que frontons et portiques, et se prolonge par des ailes basses, qui intègrent parfaitement l'habitation dans le paysage. Ainsi la villa Capra, dite *la Rotonda*, a manifestement été pensée en fonction du jardin qui l'entoure et de sa situation au sommet d'une colline.

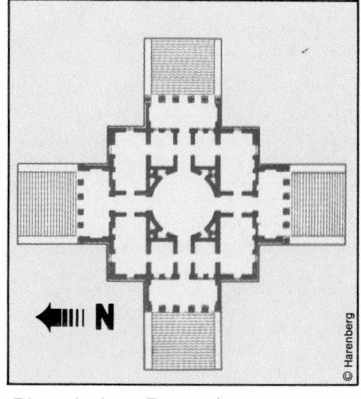

Plan de la « Rotonda ».

Le Théâtre olympique, Vicence.

Choc de deux mondes à Lépante

Lépante, 7 octobre 1571

Sélim II, qui avait succédé à Soliman le Magnifique en 1566, avait conclu une trêve de huit ans avec Maximilien II. Libre du côté de l'Allemagne, il pouvait poursuivre ses conquêtes en Asie et aussi en Méditerranée. Il convoitait Chypre, bien que l'île appartînt à ses alliés vénitiens, et se préoccupait de l'Espagne où les Morisques, leur situation devenue désespérée, le pressaient d'intervenir. En 1570, les Ottomans envahissent Chypre et y commettent d'atroces massacres. Pie V, prêchant l'union devant le péril musulman, tente alors d'organiser une nouvelle croisade. Mais la France, l'Empire et l'Angleterre préfèrent demeurer dans une prudente réserve. Seule l'Espagne et Venise, directement concernées, répondent à l'appel ; Gênes et la Savoie les rejoignent. Le commandement de la flotte est confié à Don Juan d'Autriche, un demi-frère de Philippe II. La rencontre avec la flotte turque a lieu au large de Lépante, dans la partie occidentale du golfe de Corinthe. La première salve de l'artillerie vénitienne sème le trouble dans les rangs turcs. Très vite, c'est une mêlée sanglante de galère à galère. Don Juan est blessé, l'amiral turc Ali Pacha tué. Les chrétiens remportent la victoire, prennent à l'ennemi 117 navires, 450 canons. Les pertes sont énormes : plus de 30 000 tués du côté turc, 8 000 chez les Italiens et les Espagnols. Mais malgré cette victoire, Chypre reste turque.

« La Bataille de Lépante ». Détail. Peinture d'Andrea Vicentino. 1577. Palais des Doges, Venise.

Le règlement de Gaillon met un terme à la grève des imprimeurs

France, 1571

L'édit de Gaillon fixe le code général de la profession des imprimeurs. Les règlements régissant cette corporation pullulent ; ce dernier est un des plus importants. Depuis 1539, les typos et travailleurs de la presse, organisés en confréries, se plaignent du temps de travail trop long, des salaires trop bas, de l'embauche d'apprentis sous-payés. Ils organisent des grèves et s'efforcent « de constituer des monopoles, assemblées illicites avec force violences, port d'armes ». Ils utilisent également l'arme juridique en faisant appel, contre les édits royaux, auprès des parlements, mais en vain. Depuis 1539, le mouvement poursuivi épisodiquement. En 1571, des grèves eurent lieu à Paris et à Lyon. Cette fois le roi est obligé d'accorder en partie satisfaction aux ouvriers : le nombre d'apprentis par presse sera limité. La lutte entre ouvriers et maîtres imprimeurs s'était organisée suivant des critères modernes : solidarité, fonds de résistance, intervention contre les « jaunes ».

Baïf fonde une Académie de musique et de poésie

Paris, 1570

Contemporain de Ronsard et de du Bellay, dont la *Défense et Illustration de la langue française* l'a marqué, le poète Jean Antoine de Baïf poursuit des buts réformateurs. Grâce à la protection de Charles IX, il fonde en 1570 une Académie de musique et de poésie. Il y proposera sans succès une réforme phonétique de la langue. Ses efforts pour appliquer à la poésie française le vers métrique scandé à l'antique marqueront le chant polyphonique et l'opéra.

« Le Triomphe de Venise ». Vers 1580. Détail. Plafond peint de Véronèse.

1572

Pays-Bas, 1er avril
Les « Gueux de la mer » parviennent à s'emparer du fort de La Brielle. →

Rome, 13 mai
A la mort de Pie V est élu Ugo Buoncompagni, de Bologne, qui prend le nom de Grégoire XIII. Pie V gouverna l'Eglise pendant six ans. Son pontificat fut une étape décisive dans la mise en œuvre de la Contre-Réforme élaborée lors du concile de Trente : publication du Catéchisme romain en 1566, du Bréviaire en 1568 et du Missel en 1570. Symbolique de son goût pour la rigueur doctrinale, il fit canoniser Thomas d'Aquin.

Pérou, mai
Vilcabamba, le bastion de la révolte de l'Inca Tupac Amaru, est prise par les Espagnols. →

Pologne, 7 juillet
Mort du roi Sigismond Auguste, le dernier Jagellon. →

Portugal, juillet
Les Lusiades de Luis de Camoens. →

France, 24 août
Massacres de la Saint-Barthélemy. →

Paris, 24 août
Parmi les victimes des massacres figure Pierre de La Ramée, dit Petrus Ramus. Ce mathématicien, farouchement opposé à l'aristotélisme, vit ses œuvres, *Dialecticae partitiones* et *Aristotelicae animadversiones* (1543), condamnées en Sorbonne. Grâce au cardinal de Lorraine, il obtint une chaire au Collège royal (Collège de France). Il fut ainsi le premier mathématicien à entrer au Collège de France.

Lyon, 27 août
Mort du compositeur Claude Goudimel. →

Paris, 22 septembre
Mort du peintre François Clouet. Formé dans l'atelier de son père Jean Clouet, il fut le peintre de quatre rois de France : François Ier, Henri II, François II et Charles IX. Son œuvre ne se distingue pas toujours aisément de celle de son père, dont il reprit la manière dans ses portraits au crayon, d'une texture toutefois plus riche. On lui doit également des scènes de *Dame au bain*, dont il fut fait de nombreuses répliques.

Edimbourg, 24 novembre
Mort du réformateur John Knox : il fut le père de la Réforme écossaise. Réfugié à Genève, il y était devenu le disciple et l'ami de Jean Calvin. En 1559, il revint à Edimbourg, à la faveur de la révolte des Ecossais contre la reine catholique Marie Stuart. Il donna à l'Eglise d'Ecosse sa structure presbytérienne, inspirée du modèle genevois.

Florence, 28 novembre
Bronzino (Angiolo Torri di Cosimo) est mort. Disciple de Pontormo, il devint, en 1539, le peintre officiel du grand-duché de Toscane. Représentant de la seconde génération maniériste, il imposa un style de portrait aux tonalités froides et à la précision glacée qui lui valut une grande célébrité.

Mer des Caraïbes
Francis Drake, agissant en corsaire, capture le convoi espagnol des Indes. →

Pays-Bas
Les « Gueux de la mer » commandés par Guillaume de La Marck pillent la ville de Gorkum et massacrent les catholiques, suspects de sympathies pour l'Espagnol.

France
Henri de Navarre abjure la foi protestante.

Henri Estienne publie le *Thesaurus linguae graecae, (Trésor de la langue grecque)*, qui servira de fondement aux dictionnaires postérieurs.

La Franciade de Ronsard. →

Espagne
Sœur Thérèse d'Avila rédige le *Livre des fondations*. Elle est prieure au couvent de l'Incarnation d'Avila où la charge de confesseur des carmélites est assurée par Jean de La Croix.

Mexique
Les jésuites arrivent au Mexique.

Pérou
La mine d'argent du Potosi est mise en exploitation. Le vice-roi, Francisco de Toledo, met en place le système de la *mita*, qui reprend un type de rapport de production déjà existant dans l'Empire inca : les mineurs seront rémunérés en nature, généralement des étoffes, et collectivement, la répartition entre les mineurs étant effectuée par un cacique.

Les Gueux s'emparent de La Brielle

Pays-Bas, 1er avril 1572
La prise du port de La Brielle marque un tournant décisif dans la révolte des Pays-Bas et donne l'avantage aux rebelles. Organisés par le prince d'Orange, soutenus financièrement et matériellement par l'Angleterre, les insurgés ont appelé à eux les mariniers ruinés par la cessation du commerce et font bon accueil à tous les aventuriers, français, écossais, danois, disposés à les rejoindre. Depuis 1568, les « Gueux de mer » écument les flots de La Rochelle jusqu'au Danemark. Conduits par d'intrépides capitaines, comme Treslong ou Guillaume de La Marck, ils pillent et rançonnent les Espagnols et leurs alliés et répandent partout une véritable terreur. Ils avaient fait de Douvres la base de leurs opérations maritimes. Mais la reine d'Angleterre, qui les avait d'abord accueillis, effrayée par les excès commis, leur interdit le port. Leur choix se porte alors sur le petit port de La Brielle, point stratégique qui commande l'embouchure de la Meuse, du Lek et du Waal. Le 1er avril, ils investissent le port, pillent les couvents, font prêter serment au stathouder et fortifient la ville. Les prises de Flessingue et de Schiedam, qui interviennent peu après, et le soulèvement général de la Zélande et de la Hollande vont donner aux Gueux la maîtrise de toutes les voies maritimes des Pays-Bas au moment où sur terre ils dominent déjà tout le pays entre Nimègue et le Zuyderzee.

Combat naval entre les « Gueux de la mer » et la flotte espagnole en 1573. Gravure de Hogenberg. Bibliothèque nationale, Paris.

Mort du dernier Jagellon de Pologne

Pologne, 7 juillet 1572
Sigismond II Auguste Jagellon meurt sans enfants : avec lui s'éteint la dynastie des Jagellon. Son successeur sera désigné par la voie de la libre élection. Fils de Sigismond Ier le Vieux, il naquit en 1520 à Cracovie. Il était devenu régent de Lituanie dès 1544, puis régent en Mazovie en 1547, avant de succéder à son père. En 1546, Sigismond avait épousé secrètement une princesse protestante, Barbe Radziwill, malgré l'opposition de sa mère qui fit, dit-on, empoisonner la princesse. Sigismond conquit la Livonie sur les chevaliers Teutoniques en 1561. Mais l'événement marquant du règne de Sigismond reste l'Union de Lublin en 1569, consacrant la fusion de la Pologne et de la Lituanie. Il avait dû cependant, en 1563, abandonner Polotsk au tsar de Russie, Ivan IV le Terrible. Il se distingue par son goût pour les arts et par sa très grande tolérance religieuse. C'est ainsi qu'il laisse s'installer en Pologne la Réforme.

Francis Drake rafle les galions espagnols

Amérique espagnole, 1572
Le partage du monde entre l'Espagne et le Portugal est difficilement accepté par les autres pays européens, chacun voulant sa part du trésor américain. Dès lors, les galions espagnols deviennent la proie des pirates et des corsaires, avec l'appui avoué ou non des différents Etats. Dès 1567, Drake attaque les ports espagnols des Caraïbes avec son parent Hawkins. Lorsqu'il rentre en Angleterre, la reine Elisabeth lui donne ses lettres de course (1570). A partir de 1571, son activité incessante dans les Caraïbes crée un sentiment d'insécurité parmi les colons. En février 1573, il réussit à s'emparer des entrepôts de Nombre de Dios (Panama), où sont stockés les métaux précieux à destination de l'Espagne. En 1577, Drake passera le détroit de Magellan et capturera devant Lima trois galions transportant de l'or et de l'argent. Il rentrera à Plymouth par le cap de Bonne-Espérance en 1580 : il sera reçu en héros et armé chevalier par la reine.

Les massacres de la Saint-Barthélemy

Paris, 24 août 1572

Depuis la paix de Saint-Germain, Coligny semblait tout puissant et dominait le jeune Charles IX. Il le poussait à mener une politique anti-espagnole et à soutenir la révolte des Pays-Bas. Mais Catherine de Médicis ne veut pas se laisser entraîner dans une guerre contre Philippe II ; elle se rapproche des Guise et décide de se débarrasser de Coligny. Mais les assassins ne réussissent qu'à blesser l'amiral, le 22 août. Catherine de Médicis n'a aucune peine à persuader le roi affolé que le seul moyen d'empêcher la révolte des chefs huguenots est de les assassiner tous. Les principaux représentants du parti protestant se trouvent alors réunis à Paris pour le mariage d'Henri, futur Henri IV, avec Marguerite de Valois, sœur de Charles IX. On dresse la liste des condamnés ; seuls devront être épargnés les deux princes du sang, Condé et Henri de Navarre ; le 24 août à l'aube ils sont arrêtés, conduits dans la chambre du roi et pressés d'abjurer. Le quartier de Saint-Germain-l'Auxerrois, où logent les gentilshommes protestants, est cerné par les troupes du duc Henri de Guise : Coligny est tué avec plus de deux cents autres nobles. Le peuple parisien, découvrant les cadavres au petit jour et saisi d'une ivresse sanguinaire, se jette à son tour contre les protestants. Le carnage durera trois jours, faisant plus de 3 000 victimes. La contagion gagne la province : Meaux, Orléans, Bourges, Lyon. Si le pape en apprenant la nouvelle fait entonner un Te Deum, en Allemagne et en Angleterre, c'est l'indignation.

Gaspard II de Coligny, chef du parti protestant. Dessin du XVIe siècle. Musée Condé, Chantilly.

Le musicien Goudimel meurt assassiné

Lyon, 27 août 1572

Le compositeur Claude Goudimel vient de mourir, victime des massacres de la Saint-Barthélemy. Il a publié une soixantaine de chansons profanes et a contribué en particulier, aux côtés de Janequin, Certon et Muret, à la création d'un genre musical nouveau avec la mise en musique des *Amours* du poète Ronsard, publiés en 1552. C'est la composition des *Huit Livres de Psaumes en forme de motets,* de 1551 à 1566, qui a cependant le plus largement contribué au renom de Goudimel. Avec sa prédilection pour les harmonies d'accords parfaits et sa maîtrise polyphonique, il a produit en effet un style dépouillé, éloigné des mélodies traditionnelles.

Les "Lusiades", le chef-d'œuvre de Camoens

Portugal, juillet 1572

L'œuvre du poète portugais est couronnée par la publication des *Lusiades*, dédiées au jeune roi Sébastien. C'est un poème épique, où Camoens exalte la valeur et le courage des Portugais en racontant la vie de héros nationaux et les grandes découvertes portugaises. La vie de Camoens fut riche en aventures. Né vers 1524, il fit de brillantes études à Coïmbre, avant de se lancer dans la vie de cour. Une rixe lors d'une procession de la Fête-Dieu le précipita en prison, puis des amours contrariés le firent s'engager dans les rangs d'une expédition contre les Maures du Maroc. Il y perdit un œil lors d'une escarmouche. S'étant installé aux Indes, il y passa une quinzaine d'années ; c'est là qu'il commença à rédiger ses *Lusiades*. Celles-ci n'ont été publiées qu'en 1572, lorsqu'il put enfin rentrer au Portugal. Leur succès n'empêchera pas Camoens de mourir dans la misère, en 1580.

Antoine Caron. « Les Massacres du Triumvirat ». 1566. Musée du Louvre, Paris.

Le soulèvement de Tupac Amaru réprimé par les Espagnols

Pérou, mai 1572

En 1571 le vice-roi du Pérou, Francisco de Toledo, se rend à Cuzco pour essayer de convaincre l'Inca Titu Cusi, réfugié dans les montagnes à Vilcabamba, d'accepter la suzeraineté du roi d'Espagne. Il lui envoie plusieurs messagers qui sont tous interceptés par des Indiens avant d'arriver à Vilcabamba. Le dernier messager, porteur d'un ultimatum, ayant été tué ainsi qu'un missionnaire travaillant dans la région, Toledo en rend responsable Tupac Amaru, qui a pris la succession de son demi-frère Titu Cusi, mort entre-temps. Une expédition punitive composée de troupes espagnoles accompagnées d'Indiens alliés, est organisée : elle se dirige vers Vilcabamba sans trouver de résistance. Une seule bataille opposera dans les montagnes Indiens et Espagnols. Ceux-ci mettent les Indiens en fuite et, quelques jours plus tard, réussissent à s'emparer de l'Inca, ainsi que de ses dignitaires et proches, et d'un important butin symbolique : les momies de deux anciens Incas et une statue en or que Pizarro avait vainement cherchée lors de sa conquête. Emmenés à Cuzco, on improvise un jugement sommaire. Alors que Tupac et son général Huallpa Yupanqui sont condamnés à mort, la famille de l'Inca est condamnée à l'exil. En mai 1573, Tupac Amaru, le dernier Inca, sera décapité sur la place de Cuzco.

Publication de "La Franciade" de Ronsard

Paris, 1572

Cette épopée que, dès 1550, le poète annonçait dans ses *Odes*, se promettant, comme ses compagnons de la Pléiade, de rivaliser avec l'*Iliade* ou l'*Enéide*, ne comporte en fait que quatre chants sur les vingt-quatre prévus : Ronsard s'est arrêté à la mort de Charles IX, à qui l'œuvre était destinée. Le sujet n'en est pas nouveau : par un habile artifice, Astyanax, le fils d'Hector, ayant réussi, protégé par Jupiter, à quitter Troie, parvint en Gaule où, sous le nom de Francus, il deviendra l'ancêtre des Francs. Malgré son ambition, l'œuvre, gênée par la monotonie du décasyllabe, manque de souffle. La poésie élégiaque convient mieux à Ronsard.

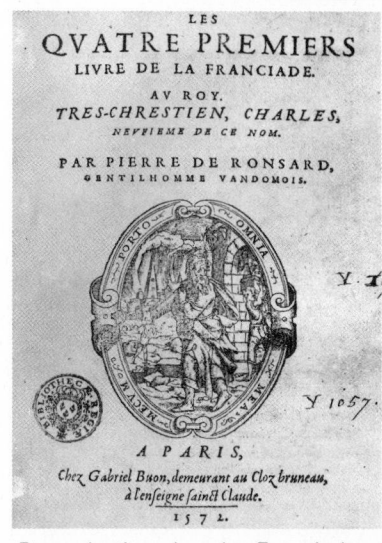

Page de titre de « La Franciade », épopée de Ronsard. Paris. 1572.

1573

Beauvais, 30 avril
La tour de la cathédrale, qui a été achevée en 1569, s'effondre le jour de l'Ascension, après que le clergé et les paroissiens qui avaient formé une procession soient sortis de l'édifice.

Pologne, 11 mai
Henri d'Anjou, frère de Charles IX roi de France, est élu roi de Pologne. →

Rome, 7 juillet
Mort de l'architecte Giacomo Barozzi da Vignola, dit Vignole. →

France
Catherine de Médicis fait la paix avec les protestants.

Pays-Bas
Les Espagnols reprennent Haarlem.

Méditerranée
Venise et les Turcs concluent la paix. La Sérénissime reconnaît la possession de Chypre par les Ottomans.

Afrique du Nord
A la tête des troupes espagnoles, don Juan d'Autriche s'empare de Tunis et de Bizerte.

Japon
Oda Nobunaga prononce la déchéance des Ashikaga : la période dite de Muromachi s'achève.

Brésil
Les restrictions contenues dans la loi de 1570 ayant provoqué de nombreuses protestations de la part des colons, une nouvelle législation est mise en place, qui généralise l'esclavage.

Avila
Sœur Thérèse rédige Le Chemin de la perfection.

Argentine
Fondation de Cordoba.

Venise
Tintoret achève pour la salle du Grand Conseil, au palais des Doges, son tableau célébrant La Bataille de Lépante.

1574

Vincennes, 30 mai
Charles IX meurt ; son frère Henri III lui succède. →

Florence, 27 juin
Mort de Giorgio Vasari. Son œuvre artistique est d'une honnête médiocrité : fresques de la Vie de Paul III au Vatican ; décoration du Palazzo Vecchio et du palais des Offices de Florence. Sa renommée tient essentiellement à son ouvrage sur les Vies des plus excellents peintres, sculpteurs et architectes italiens, document entre tous précieux.

Istanbul, octobre
Mort de Sélim II. →

Pays-Bas
Le duc d'Albe, à sa demande, est relevé de ses fonctions par Philippe II. Don Luis de Zuñiga y Requesens lui succède. La Brielle, Flessingue, Arnemuide, Vere, Entkuisen, la Hollande et la Zélande sont aux mains des Gueux.

Afrique du Nord
Les Ottomans reprennent Tunis et Bizerte et chassent les Espagnols de La Goulette.

France
Formation du parti des Politiques. →

Pays-Bas
Fondation de l'université de Leyde.

Espagne et Amérique
La Casa de Indias publie un code noir, série de lois concernant l'esclavage des Africains aux Amériques.

Pérou
Une chaire de quechua est créée à l'université de Lima.

1575

France
Henri III épouse Louise de Vaudémont, de la maison de Lorraine.

Pologne
Soutenu par les Turcs, le prince de Transylvanie Etienne Bathory est élu roi de Pologne.

Rome
Le pape approuve la fondation de l'ordre de l'Oratoire par Philippe de Neri.

Edirne
Achèvement de la Selimiye ou mosquée de Sélim III, le chef-d'œuvre de Sinan. →

Pérou
Le frère Cristobal de Molina recueille des hymnes incas, dont il compose une anthologie : Fabulos y Ritos de los Incas.

Le roi de France Charles IX meurt

Vincennes, 30 mai 1574
Charles IX disparaît après un règne éphémère. Troisième fils d'Henri II et de Catherine de Médicis, il naquit à Saint-Germain en 1550. La mort prématurée de son frère François II en 1560 le fit héritier de la couronne de France. Jusqu'en 1570, c'est à Catherine de Médicis qu'appartient toute la réalité du pouvoir. A vingt ans, Charles, qui vient d'épouser Elisabeth d'Autriche, aspire à jouer un rôle actif. Soumis à l'influence de Coligny, il veut rompre avec l'Espagne et apporter son appui aux révoltés des Pays-Bas. Mais, après la défaite de Mons, il rejoint le camp catholique.

Charles IX. Vers 1570. B.N., Paris.

Disparition du sultan Sélim l'Ivrogne

Istanbul, octobre 1574
Après avoir passé le plus clair des dernières années de son règne auprès de son harem et laissé la véritable gestion des affaires aux mains du grand vizir Sokollu Mehmet, Sélim II meurt des suites de blessures qu'il s'est faites lors d'une chute dans un bain turc. Bien qu'il eût mérité les surnoms de Sélim l'Ivrogne et de Sélim le Blafard, il convient de lui rendre justice. Sélim était un homme très cultivé qui s'était fait le protecteur des savants et des artistes. Après Lépante (7 octobre 1571), il eut également la sagesse de laisser à Sokollu le soin de restaurer la suprématie navale ottomane en Méditerranée orientale.

Sélim II tirant à l'arc, accompagné d'un serviteur. Miniature ottomane. Bibliothèque de Topkapi, Istanbul.

Le Gesù de Vignole

Rome, 1573
Le plan longitudinal de l'église du Gesù a été imposé à Vignole par les jésuites, soucieux de pouvoir accueillir de nombreux fidèles. L'architecte a donné son élan à cette nef unique en la soulignant par une corniche continue, qui supporte la voûte en berceau, et en la rythmant par une double rangée de pilastres gigantesques. De même, la coupole, à la croisée du transept, illumine brusquement la nef, jusque-là faiblement éclairée par les fenêtres situées au-dessus des chapelles latérales.

Façade de l'église du Gesù, Rome, par Giacomo della Porta, représentative de l'art de la Contre-Réforme.

Fin des shôguns Ashikaga au Japon

Oda Nobunaga dépose le shôgun Ashikaga Yoshiaki, qu'il avait porté au pouvoir cinq ans plus tôt. Avec les Ashikaga, le shôgunat était parvenu à l'apogée de son prestige dans la seconde moitié du XIVe siècle. L'empereur avait, en 1562, fait secrètement appel à Oda Nobunaga, seigneur qui s'était signalé par sa bravoure, pour mettre fin aux guerres féodales. En 1568, son intervention avait permis de faire reconnaître le titre de shôgun à Yoshiaki. Mais ce dernier s'inquiéta de la puissance croissante de son protecteur et conspira contre lui. Averti, Nobunaga le dépose en 1573. Le shôgunat d'Ashikaga disparaît avec lui.

« Les Trois sages ». Lavis à l'encre de Chine. Epoque Ashikaga.

Kanô Eitoku. « Pin et grue ». Détail. Vers 1566. Encre et couleurs sur papier. Portes du temple Jukô-in. Daitoku-ji, Kyôto.

Ballet donné par Catherine de Médicis en l'honneur des ambassadeurs polonais. Une des huit tapisseries des « Fêtes des Valois ». Vers 1585. Laine, soie, or et argent. Musée des Offices, Florence.

Sinan. La Selimiye ou mosquée de Sélim II à Edirne (Andrinople). 1569-1575.

Achèvement de la mosquée d'Edirne

Edirne, 1575

A la fin de sa vie, Sinan dira : « La Shehzade est mon œuvre d'apprenti, la Sûleymaniye mon œuvre d'ouvrier et la Selimiye mon œuvre de maître. »

La Selimiye est effectivement son chef-d'œuvre : un dôme de plus de 31 m de diamètre et quatre minarets qui s'élancent jusqu'à 71 m, sans compter la pointe effilée et dorée qui les mène à 90 m sans que leur diamètre dépasse 3,8 m dans cette dernière partie.

Henri d'Anjou élu roi de Pologne

Pologne, 11 mai 1573

Catherine de Médicis réussit à faire monter son fils Henri, duc d'Anjou, sur le trône de Pologne. Henri comptait communiquer en latin avec ses sujets. Arrivés en plein hiver, habillés de dentelles et de satin, Henri et son entourage durent se précipiter chez les fourreurs pour adapter leurs tenues au climat polonais. Epris d'italianisme, Henri ne comprenait rien aux discours entrecoupés de beuveries de la cour. L'opinion polonaise, quant à elle, se méfiait quelque peu des Français : le roi devait seulement régner et non pas gouverner. Ainsi les nobles imposèrent à Henri, lors de son élection, de financer sur ses revenus propres l'armée et la marine en cas de guerre. Dans les « articles d'Henri » (*articuli Henriciani*), il était inscrit le droit, pour la noblesse polonaise, de refuser obéissance à Henri si ce dernier ne respectait pas les *pacta conventa*. C'est ce qui explique l'incompréhension mutuelle entre Henri et la noblesse.

Formation du parti des Politiques

Paris, 1574

Placés entre l'intolérance romaine et l'intolérance genevoise, les irénistes de Poissy ont frayé le chemin au parti des Politiques. Mais ce n'est que lorsque le pouvoir monarchique abandonna la voie moyenne (qui avait été celle de Catherine de Médicis) au profit des seuls catholiques, après la Saint-Barthélemy et la reprise des guerres, que ce parti vit le jour. Les Politiques placent l'unité et la sûreté de l'Etat au-dessus de l'appartenance confessionnelle. Ce parti regroupe à la fois tous les catholiques modérés qui veulent éliminer l'influence des Guise et trouver un accord avec les réformés, et les protestants qui, par loyalisme, sont restés fidèles aux bannières royales et ont refusé de se joindre à ceux de leurs coreligionnaires qui ont choisi la révolte armée. Ils préconisent la paix et le ralliement de tous à la monarchie ; ils ont pour chef François d'Alençon, le dernier fils d'Henri II, dont les ambitions ont été contrariées par l'avènement d'Henri III.

1576

Nuremberg, 19 janvier
Mort du maître chanteur Hans Sachs. Il est l'auteur de lieder, d'aphorismes et de farces pour le carnaval. Sachs partagea son existence entre son métier de savetier et la poésie.

Venise, 27 août
Mort du peintre Tiziano Vecellio, dit Titien. →

Rome, 21 septembre
Mort du mathématicien Jérôme Cardan. Il a donné dans son *Ars magna, sive De regulis algebraicis* (1545) les diverses solutions que pouvait admettre l'équation du troisième degré, solutions que lui avait confiées sous le sceau du secret, semble-t-il, le mathématicien Tartaglia. Son goût prononcé pour l'astrologie et la magie le fit considérer comme un sorcier par Jean Bodin.

Empire germanique, 12 octobre
A la mort de l'empereur Maximilien II, lui succède son fils Rodolphe II, archiduc d'Autriche et roi de Bohême et de Hongrie. Rodolphe se présente comme un farouche partisan de la Contre-Réforme. →

Pays-Bas, 8 novembre
En vertu de l'Acte de pacification de Gand, les Dix-sept Provinces des Pays-Bas se fédèrent pour « entretenir ferme et inviolable paix, accord et amitié, supprimer les placards contre les hérétiques » et « tenir hors de ces pays les soldats espagnols et autres étrangers ». Les négociations entre le chef des rebelles, Guillaume le Taciturne, et les Etats du Brabant ont été précipitées par la « furie espagnole » d'Anvers.

Paris, novembre
La paix de Monsieur (1575) lui étant apparu comme une trahison, Henri de Guise, dit le Balafré, prend la tête de la Sainte Ligue. →

Anvers
Les Espagnols prennent Anvers et la soldatesque se livre à de nombreuses exactions. Place commerciale et financière déjà en déclin, Anvers, après le sac des Espagnols, perd sa puissance.

Amérique du Nord
Au cours d'un premier voyage dans l'Arctique américain, à la recherche d'un passage nord-ouest vers la Chine, l'Anglais Martin Frobisher explore le Labrador et découvre la terre de Baffin. →

Espagne
Les autorités ecclésiastiques interdisent à Thérèse d'Avila de continuer la fondation de nouveaux couvents de carmélites.

Londres
Ouverture du premier théâtre londonien permanent et public.

France
Parution des six livres de *La République* de Jean Bodin. →

Italie
Publication posthume de *La Vita Nuova* de Dante Alighieri.

Mexique
Une épidémie de « matlazahualt » entraîne la mort de 40 % des Indiens de la Nouvelle-Espagne.

Japon
Oda Nobunaga se fait construire un château sur les bords du lac Biwa, qui servira de prototype à tous les châteaux japonais, et le fait décorer somptueusement par les meilleurs artistes de son temps.

1577

France, 17 septembre
La paix de Bergerac marque un recul par rapport à l'édit de Beaulieu qui avait accordé un certain nombre de satisfactions aux protestants. →

Bruxelles, 23 septembre
Guillaume d'Orange fait une entrée triomphale. Les Etats généraux le désignent comme lieutenant et nomment gouverneur l'archiduc Mathias de Habsbourg, un catholique.

Rome
Palestrina et Zoilo se voient confier la révision du plain-chant par Grégoire XIII. →

Avila
Sœur Thérèse rédige *Le Château intérieur*. →

Tolède
Originaire de Candie, en Crète, Domenikos Theotokopoulos est tout d'abord passé par Venise, où il fut probablement élève de Titien. Au terme d'un séjour de cinq ans, il se décide à venir tenter sa chance en Espagne, où il se fixe et où il lui est donné le nom de Greco (le Grec).

Angleterre
Sir Francis Drake part pour un tour du monde.

Venise perd son plus grand peintre, Titien

Venise, 27 août 1576
Titien, qui s'éteint à 90 ans passés, est considéré par Ledorico Dolce dans son dialogue *L'Arétin* comme l'égal de Michel-Ange et de Raphaël. On peut distinguer trois périodes dans sa carrière. Il réinterprète d'abord l'apport de Giorgione dans un esprit plus classique. Puis, vers 1540, il s'ouvre au maniérisme, en adopte les compositions en diagonale, les attitudes emphatiques, simplifie les formes et plonge ses toiles dans une atmosphère d'un rouge sombre parcouru d'éclairs, comme dans le *Christ en croix* d'Ancône.

Titien. « Diane surprise par Actéon ». 1556-1559. National Gallery of Scotland, Edimbourg.

Au terme de cette crise, il s'est détaché du naturalisme de la Renaissance et a accédé à un art plus personnel. Dans le *Couronnement d'épines* de 1570 s'exprime un sentiment tragique de la vie.

"Le Château intérieur" de Thérèse d'Avila

Avila, 1577
La carmélite Thérèse de Jésus, future sainte Thérèse d'Avila, vient de terminer au monastère de Saint-Joseph d'Avila un traité mystique primitivement intitulé *Las Moradas* (Les Demeures), mais qui sera publié par la suite sous le titre *Castillo interior* (Le Château intérieur). L'allégorie du château représente l'âme qui, pour parvenir à la pureté et à la perfection, doit franchir plusieurs degrés de dépouillements successifs. Ces degrés correspondent aux sept chambres ou « demeures » du château, dans lesquelles l'âme se perfectionne progressivement avant de parvenir dans la dernière, celle où se trouve Dieu et où se scelle transcendantalement l'union divine. L'ascèse, la prière et la méditation sont les portes du château qui permettent d'accéder à l'extase et au pur amour. A travers un lyrisme profondément mystique, Thérèse raconte avec émotion et simplicité les joies de la contemplation et le bonheur d'une expérience spirituelle intensément vécue. On lui doit encore, dans le même esprit, *Le Chemin de la perfection* et un récit retraçant l'histoire des *Fondations* auxquelles elle a donné le jour.

Rodolphe de Habsbourg sacré empereur

Saint Empire, 12 octobre 1576
L'archiduc d'Autriche Rodolphe de Habsbourg, déjà roi de Hongrie depuis 1572 et de Bohême depuis 1575, a été couronné à la tête du Saint Empire romain germanique. Il succède à son père Maximilien II. La menace ottomane et le développement de l'hérésie luthérienne sont les deux problèmes majeurs qui se posent au nouveau maître de l'empire. Rodolphe II semble toutefois plus passionné par ses études humanistes et alchimiques que par la conduite des affaires politiques de l'empire. La fragilité de sa raison, dont les premiers symptômes ne tarderont pas à apparaître, conduira son frère Mathias à exercer de plus en plus d'influence à la tête de l'empire.

Rodolphe II, empereur germanique, fut un partisan décidé de la Contre-Réforme.

Palestrina chargé de réviser le plain-chant

Italie, 1577

Le compositeur Giovanni Pierluigi da Palestrina, maître de musique à Saint-Pierre de Rome, reçoit la charge de réviser le chant liturgique, d'après les instructions du concile de Trente. Aidé par le musicien Annibale Zoilo, théoricien des modes ecclésiastiques, Palestrina a pour tâche de rechercher les erreurs des copistes ou les déviations dues aux interprètes afin de restituer dans toute sa pureté le texte grégorien. La musique liturgique est critiquée, en effet, pour son recours excessif à l'écriture polyphonique et pour sa complaisance décorative. En 1563 déjà, le pape Pie IV avait demandé aux évêques de veiller à ce qu'aucun élément profane ne s'introduise dans le chant d'église et à ce que les paroles puissent être entendues et comprises par tous. Palestrina ne pourra achever cette tâche mais donnera l'impulsion nécessaire, puis reviendra à la composition de messes, motets et madrigaux spirituels, qui forment l'essentiel de son titre de gloire. Celui qui sera surnommé le « prince de la musique » mourra le 2 février 1594 et sera inhumé à Saint-Pierre de Rome.

De moindres garanties pour les protestants

Bergerac, 17 septembre 1577

Nouvelle péripétie dans l'interminable querelle que se livrent catholiques et protestants. La troisième guerre ouverte en 1569 s'était terminée par la signature de l'édit de Saint-Germain (8 août 1570) qui donnait de larges satisfactions aux réformés : liberté de conscience, une relative liberté de culte et la disposition de quatre places fortes. Le revirement de la politique royale et le massacre de la Saint-Barthélemy allaient rejeter les deux partis face à face. Henri III, qui succède à Charles IX en 1574, choisit le camp catholique, combat dans l'Ouest et le Midi où le gouverneur du Languedoc avait rejoint les protestants. Il échoue et, contraint, signe l'édit de Beaulieu (6 mai 1576) qui donne satisfaction aux protestants en réhabilitant les victimes de la Saint-Barthélemy, en supprimant certaines des restrictions apportées à la liberté du culte et en portant le nombre des places fortes de quatre à huit. C'est alors que se forme la Ligue, dont le roi finit par prendre la tête. Nouvelle guerre. Cette fois les protestants ont le dessous : la paix de Bergerac est un recul sur l'édit de Beaulieu.

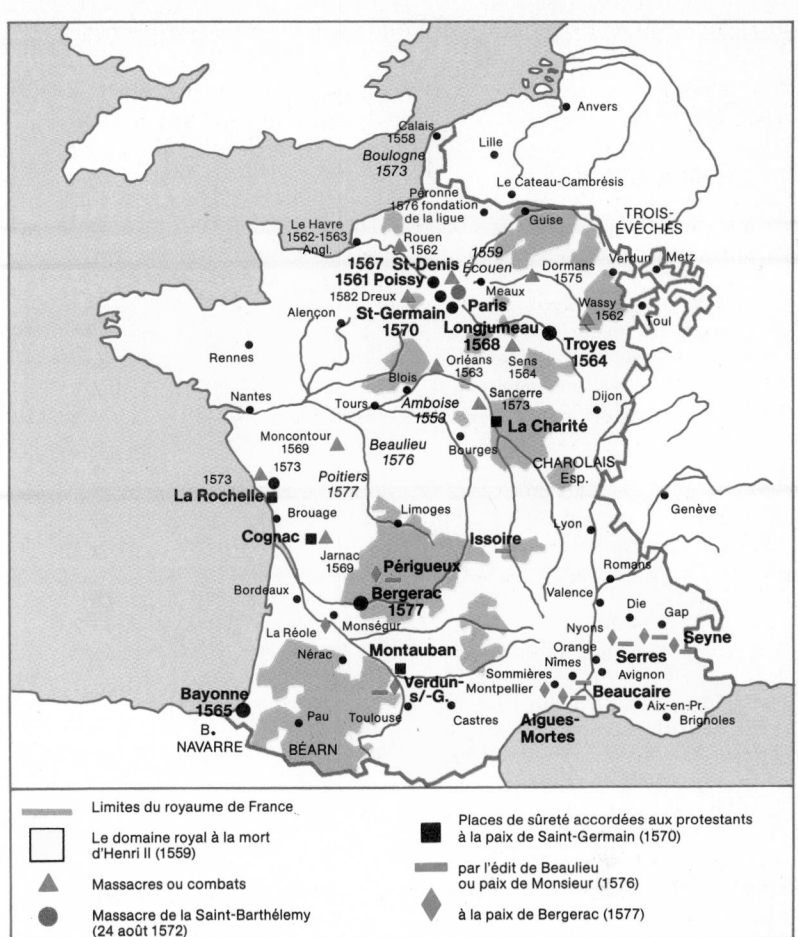

Limites du royaume de France

☐ Le domaine royal à la mort d'Henri II (1559)

▲ Massacres ou combats

● Massacre de la Saint-Barthélemy (24 août 1572)

■ Places de sûreté accordées aux protestants à la paix de Saint-Germain (1570)

▬ par l'édit de Beaulieu ou paix de Monsieur (1576)

◆ à la paix de Bergerac (1577)

Portrait de Palestrina. Peinture anonyme. XVIe siècle. Couvent des Pères de l'oratoire, Rome.

Une défense de la monarchie absolue par Jean Bodin

Angers, 1576

Jurisconsulte angevin, Jean Bodin représente le parti des Politiques, décidés à rétablir la pleine autorité royale dans un pays où elle fait défaut. Egalement éloigné des extrémistes protestants ou ligueurs, l'auteur conçoit ses six livres de *La République* comme un traité polémique, où il définit la souveraineté comme société en soi dont les membres ont cédé pour toujours les pouvoirs illimités au seul monarque. Légitime, de droit divin, le roi impose la loi mais ne la subit que de Dieu.

Henri de Guise forme la Ligue

Paris, novembre 1576

L'édit de Beaulieu (6 mai 1576) était très largement favorable aux protestants. Les catholiques les plus extrémistes, exaspérés, réagissent. Les confréries du Saint-Esprit et les ligues locales qui existaient déjà s'unissent « au nom de la Sainte Trinité pour restaurer et défendre la Sainte Eglise catholique apostolique et romaine ». Dans un premier temps tout au moins, les ligueurs ne se dressent pas contre l'autorité monarchique, se proclamant tout au contraire fidèles et loyaux sujets. Mais ils attendent du roi qu'il serve l'Eglise. Dans le cas contraire, ils n'hésiteront pas à en appeler au droit du peuple contre le souverain.

Charles d'Humières, qui a refusé de livrer la citadelle de Péronne au prince de Condé, nommé après Beaulieu gouverneur de la Picardie, organise la première ligue armée, ralliant le peuple, les bourgeois et les gentilshommes. Tavannes en Bourgogne et Montpensier dans le Val de Loire suivent son exemple. A Paris c'est Henri Ier, duc de Guise, qui, en novembre 1576, organise la Ligue des ligueurs. Il trouve un rapide écho dans les milieux populaires de la capitale et auprès d'un bas clergé fanatisé. Les prédicateurs ambulants jouent d'ailleurs un rôle essentiel, excitant la haine des foules contre les protestants, vilipendant les tièdes et les modérés. Grâce à une habile propagande, Henri de Guise, dit le Balafré, le fils de François, la plus illustre victime des huguenots, le héros glorieux de Dormans, devient très vite l'idole du petit peuple. Henri III, surpris et effrayé par l'ampleur du mouvement, finit par céder à la pression. En novembre, il désavoue l'édit de Beaulieu et prend lui-même la tête des ligueurs. Dans un manifeste, il leur demande de lui venir en aide. Aux Etats généraux qui se réunissent à Blois le 6 décembre, Henri III pousse les députés à se déclarer en faveur du retour à une religion unique, de la suppression complète du protestantisme dans le royaume et du bannissement de tous les pasteurs. Provisoirement, la Ligue catholique rentre dans l'ombre.

Frobisher cherche le passage nord-ouest en direction de la Chine

Amérique du Nord, 1576

L'Anglais Martin Frobisher reçoit de la reine le commandement de deux bâtiments, le *Gabriel* et le *Michael*, avec pour mission de contourner la côte américaine par le nord-ouest jusqu'à la découverte du passage le plus direct pour atteindre la Chine. Parti le 7 juin, il double la pointe méridionale du Groenland, passe la baie d'Hudson, relève la terre de Baffin. Pénétrant dans la baie qui prit son nom, il s'imagine avoir découvert le passage. Comme les glaces en

obstruent le fond, il renonce à poursuivre sa route. Rentré à Londres en octobre et sûr de sa trouvaille, il est promu grand amiral et se voit confier le commandement d'une nouvelle expédition, qui part le 26 mai 1577. Il rentre avec des cargaisons de minerais, qui, d'après un alchimiste, contiendraient de l'or. Un an après, il repart avec quinze bâtiments. Une tempête disperse les navires dans la baie récemment découverte. Plus attiré par l'or que par la recherche du passage, il charge 500 tonnes de pierraille et rentre à Londres. Mais l'alchimiste s'était leurré, la bévue est dissimulée le mieux possible. Le passage nord-ouest pour la Chine n'est toujours pas trouvé.

Le navigateur Martin Frobisher.

1578

Maroc, 4 août
Bataille des Trois Rois à Ksar el-Kébir. Ahmad al-Mansûr monte sur le trône du Maroc. →

Paris, 10 septembre
Mort de l'architecte Pierre Lescot. Ami personnel de François Ier, il fut très tôt introduit à la cour. Il travailla avec Jean Goujon au jubé de Saint-Germain-l'Auxerrois. Il fut ensuite appelé sur le chantier du Louvre, où la cour Carrée (1546-1556) est son œuvre, citée dès son achèvement comme « le plus bel édifice de France ».

Tolède, septembre
Séquestré depuis le 4 décembre 1577 dans leur couvent de Tolède par les carmélites hostiles aux réformes qu'il préconisait, Jean de la Croix s'évade et leur échappe. C'est pendant les neuf mois de cet « emprisonnement » que Jean de la Croix composa les trente premières strophes de son fameux *Cantique spirituel*.

France, 31 décembre
Henri III fonde l'ordre des chevaliers du Saint-Esprit. →

Bouges, près de Namur
Don Juan d'Autriche meurt, peut-être empoisonné. Les états généraux des Pays-Bas l'avaient déclaré « ennemi de la patrie » en 1577. Nommé gouverneur des Pays-Bas en remplacement du duc d'Albe, don Juan d'Autriche avait eu recours à la force, ses tentatives de négociation ayant échoué. Il défit l'armée des états généraux à Gembloux. Alexandre Farnèse lui succède.

Cuba
La ville de Santiago de Cuba est détruite par un tremblement de terre.

France
Achèvement du château d'Ecouen. →

Rome
Redécouverte des catacombes.

Espagne
Jean de la Croix est nommé prieur du Calvario.

Pays basque et Amérique du Nord
Première édition des *Voyages aventureux du capitaine Martin de Hoyersabal de Cibour contenant les reigles et enseignements nécessaires à la bonne et seure navigation*. Ce premier traité d'hydrographie maritime ne fut surpassé

que deux siècles plus tard par Chabert, puis par Cook.

Italie
Les « Foires de Besançon » s'installent à Plaisance dans le nord de l'Italie où la situation est plus favorable au commerce.

1579

Pays-Bas, 6-23 janvier
Les Unions d'Arras, puis d'Utrecht consomment la scission des anciens Pays-Bas. Naissance des Provinces-Unies. →

Munich, 24 octobre
Mort du duc de Bavière Albert V le Magnanime. Guillaume le Pieux lui succède sur le trône ducal.

France, décembre
La Sepmaine de Guillaume du Bartas. →

Empire ottoman
Mort de Joseph Nasi, duc de Naxos et conseiller du sultan. →

Empire moghol
L'empereur Akbar invite à sa cour les jésuites de la colonie portugaise de Goa.

France
Selon les termes de l'ordonnance de Blois, la possession d'un fief ne suffit plus pour s'arroger un titre de noblesse.

Espagne
Le frère Jean de la Croix est nommé recteur du collège de Baeza en Andalousie.

Madrid
Fondation du théâtre de la Croix.

Rome
Fondation du Collège anglais destiné à éduquer les Anglais demeurés fidèles à l'Eglise romaine et à former des prêtres, tout séminaire étant interdit dans le royaume d'Elisabeth Ire.

Irlande
Une tentative de débarquement espagnol échoue. Le comté de Munster se révolte contre la domination anglaise et protestante.

Empire ottoman
Mort du grand vizir Sokollu. Il fut l'artisan de la reconquête de Tunis et Bizerte sur les Espagnols. Le sultan Sélim étant trop occupé à se divertir, Sokollu était le véritable maître du pouvoir.

Angleterre
Création de l'Eastland Company.

Le roi Henri III fonde l'ordre des chevaliers du Saint-Esprit

Paris, 31 décembre 1578
Le couvent des Grands-Augustins est désormais le siège du plus important ordre de chevalerie de la monarchie française. Henri III qui, au cœur des guerres de Religion, craint une ligue extrémiste du parti catholique, vient en effet de créer solennellement l'ordre du Saint-Esprit. Il le baptise ainsi en souvenir du jour de Pentecôte où il fut élevé au trône de Pologne puis à celui de France. Mais surtout, en créant ce nouvel ordre royal, il s'attache cent membres de la vieille noblesse française (87 chevaliers obligatoirement catholiques et chevaliers de l'ordre de Saint-Michel, 9 ecclésiastiques commandeurs et 4 grands officiers), le chancelier, le prévôt maître des cérémonies et le secrétaire. Le chapitre doit se tenir chaque 1er janvier. Les chevaliers portent accrochée à un large ruban bleu d'azur moiré, passé sur l'épaule de droite à gauche, en écharpe, la croix d'or à huit pointes émaillées de blanc et pommetées d'or, ayant une fleur de lis aux quatre angles. Sur une face est représentée une colombe aux ailes éployées, en émail, sur l'autre saint Michel, en or et émail. Le collier est formé de fleurs de lis, de trophées d'armes, de langues de feu et de H couronnés. Les ecclésiastiques portent la décoration en collier, tandis que les officiers non commandeurs la portent en sautoir. La devise de l'ordre est : *Duce et auspice*.

Henri III entouré des dignitaires de l'ordre des « Chevaliers du Saint-Esprit », qui regroupe des nobles dévoués à sa cause.

Guillaume du Bartas compose "La Sepmaine"

Paris, décembre 1579
Durant ces derniers mois, on a traduit en vers latins et déjà donné plusieurs éditions en espagnol, en allemand et en anglais de *La Sepmaine*, du seigneur du Bartas, qui, dès sa parution au début de l'année, a connu un immense succès. Guillaume de Salluste, l'auteur, a trente-cinq ans ; huguenot, militaire, il est gentilhomme ordinaire de la Chambre du roi de Navarre, qui lui a confié plusieurs missions diplomatiques. Mais il a été touché par les Muses « dès l'avril de son âge » et, lorsque son service le lui permet, il se retire sur ses terres du Bartas et compose sur des sujets élevés : *Judith*, puis *Le Triomphe de la foi* ont préparé son épique *Création du monde*. Les sept chants de cette *Sepmaine*, en évoquant les sept jours de la Création, décrivent merveilleusement toutes les beautés de l'univers à mesure qu'elles sortent des mains du Créateur. La science de la physique et de l'histoire naturelle apparaît en un style varié à côté des images grandioses de la *Nuit* et du *Jugement dernier*.

Joseph Nasi, duc de Naxos, disparaît

Empire ottoman, 1579
Le duc de Naxos, Joseph Nasi, s'éteint dans son palais du Belvédère entouré de lettrés et de savants juifs. Ce marrane, qui avait fui les persécutions de l'Inquisition portugaise et erré aux Pays-Bas, à Lyon et Venise, avait trouvé refuge à Istanbul, auprès du sultan Soliman. Son intelligence, sa compréhension des finances et ses liens avec la famille des banquiers Mendes le firent apprécier du sultan. Il usa de cette influence pour venir en aide à ses frères marranes. Il se lia d'amitié avec le fils du sultan Sélim. Aussi, lorsque ce dernier accéda au pouvoir, Nasi se vit confier la direction de la diplomatie ottomane et reçut en don le duché de Naxos. Aucun juif n'avait détenu un tel pouvoir, ce qui lui valut bien des haines. Nasi fut l'ennemi acharné de Venise et de l'Espagne : il soutint les Pays-Bas dans leur révolte contre la domination espagnole et prit Chypre aux Vénitiens. Le sultan lui accorda des droits sur Tibériade afin qu'il entreprenne une tentative d'établissement juif en Israël.

A la bataille des Trois Rois, défaite pour les Portugais

Ksar el-Kébir, 4 août 1578

Dans toute l'Afrique du Nord, à la mort du Sa'dien Abd Allah al-Ghalib, la situation est des plus confuses. Son fils Muhammad (qu'on appellera al-Maslukh, « le déchu ») monte sur le trône de Fès. Mais il y a les deux frères d'Abd Allah qui, exilés depuis longtemps, servaient dans l'armée ottomane. Le bey d'Alger, vassal d'Istanbul, décide de les aider à prendre le pouvoir. Il monte une expédition qui, partie d'Alger, arrive aisément devant Fès où, dès les premières escarmouches, l'armée de Muhammad se rend. Abd al-Malik est intronisé sultan (1576) ; mais cette soumission ne résistant pas à

l'épreuve du temps, Alger pense déjà à conquérir le Maroc. Muhammad se cherche des alliés du côté des Ibériques. Après avoir essayé en vain de gagner à sa cause Philippe II d'Espagne, il arrive à convaincre Sébastien, le jeune roi du Portugal. Dans un premier temps, Abd al-Malik fait des concessions, dans l'espoir de détourner le danger. Mais Sébastien, formé à l'école de l'extrémisme religieux, ne rêve que de croisade contre les Infidèles. Le conflit entre Muhammad et son oncle Abd al-Malik lui offre l'occasion d'intervenir. En juin 1576, il prend la mer avec une flotte de près de huit cents voiles. Le débarquement a lieu près de Lara-

che. Le corps expéditionnaire se lance contre les troupes d'Abd al-Malik. La rencontre entre les trois rois a lieu à Ksar el-Kébir où les 40 000 cavaliers d'Abd al-Malik anéantissent les Portugais. Le corps de Sébastien, tué dans la bataille, ne sera jamais retrouvé et, faute d'héritier, Philippe II prendra possession du Portugal et s'en fera proclamer roi. Abd al-Malik est lui aussi tué dans la bataille, mais il est aussitôt remplacé sur le trône par son frère Ahmad al-Mansûr. Grâce à ce succès, le Maroc échappe définitivement, non seulement aux ambitions ibériques, mais également à celles des Turcs d'Alger.

Sébastien, roi du Portugal, en armure. Portrait peint par Cristóvão de Morais.

Les Unions d'Utrecht et d'Arras divisent les Pays-Bas

Pays-Bas, 6-23 janvier 1579

Le 6 janvier 1579, les députés des Etats d'Artois, des Etats du Hainaut, de Lille et d'Orchies concluent l'Union d'Arras, proclament leur fidélité au catholicisme et leur loyalisme à l'égard de l'Espagne. Le 23 janvier, à Utrecht, la Flandre, le Brabant, la Hollande, la Zélande et les provinces du Nord (Utrecht, Gueldre, Oversel, Frise, Groningue) maintiennent la rupture avec Philippe II et, sous la conduite de Jean de Nassau, décident de s'unir « comme si elles n'étaient qu'une seule province ». Quelques villes limitrophes, restées indécises, comme Gand, Anvers et Bruges, adhèreront momentanément à l'Union d'Utrecht. Enfin, le 17 mai, par la paix d'Arras, les provinces wallonnes se réconcilient à leur tour avec Philippe II. Ainsi se trouve consommée la scission des Pays-Bas.

Château d'Ecouen. Cheminée de la salle d'Honneur. Au centre : Victoire ailée de l'école de Jean Goujon.

Mort de Jean Bullant, l'architecte d'Ecouen

Ecouen, 1578

Jean Bullant (né à Ecouen en 1510) devient, après un assez long séjour en Italie, l'architecte du connétable de Montmorency qui le charge, en 1556, de terminer la construction du château d'Ecouen. Il a orné de portiques monumentaux les façades des trois corps de bâtiment en fer à cheval déjà existants, construits entre 1531 et 1542 ; le plus remarquable, sur la façade sud, est formé de colonnes gigantesques élevées jusqu'à la hauteur du toit et qui supportent un entablement classique. Ce sont sans doute les monuments romains qui ont donné à Bullant le goût du style colossal ; les colonnades d'Ecouen rappellent directement celles du temple de Jupiter Stator. Il bâtit également pour les Montmorency le petit château de Chantilly. Contrôleur des édifices royaux en 1557, il succède à Philibert Delorme et travaille à l'aménagement des Tuileries. Comme Androuet du Cerceau, Bullant est un fidèle de Vitruve ; il est l'auteur d'une *Règle générale d'architecture* (1564).

L'expulsion des jésuites de Haarlem en 1578. Gravure sur cuivre de Franz Hogenberg. Vers 1605.

1580

France, 13 février
Ligue des « vilains » de Romans. →

Lisbonne, 10 mai
Mort de Luis de Camoëns. « L'épée dans une main, la plume dans l'autre », Camoëns rédigea les *Lusiades (Os Lusiadas)*, épopée relatant l'aventure des Portugais outre-mer. Pendant dix-sept années, il séjourna en Inde, en Extrême-Orient et en Afrique.

Empire germanique, 25 juin
La *Formule de concorde*. →

Vicence, 19 août
Mort d'Andrea di Pietro, dit Palladio. Il est incontestablement le successeur d'Alberti et de Bramante. Ses œuvres sont concentrées en Vénétie : « Basilique » (1545) et le théâtre Olympique à Vicence, l'église San Giorgio Maggiore (1566-1580) à Venise et les admirables villas en Terre Ferme vénitienne, villa Barbaro (1559), la Rotonda (1568-1571).

Plymouth, 26 septembre
Retour du corsaire sir Francis Drake. →

France, 26 novembre
Paix de Fleix. →

Portugal
Les Cortès de Tomar proclament Philippe II roi du Portugal. →

Pologne
Formation du Conseil juif des quatre pays. →

Italie
Publication de *La Jérusalem délivrée* de Torquato Tasso (dit Le Tasse), pendant l'internement de son auteur. →

Empire moghol
Les jésuites apportent à l'empereur Akbar la Bible polyglotte d'Anvers. Ces gravures flamandes révèlent aux artistes de sa cour l'art de la Renaissance et les lois de la perspective.

Espagne
Jean de La Croix achève la rédaction de *La Montée du mont Carmel* et de *La Nuit obscure*.

France
Première édition des *Essais* de Montaigne.

Publication du *Discours admirable de la nature des eaux et des fontaines* de Bernard Palissy.

Amérique du Sud
Le conquistador espagnol Juan de Garay fonde Buenos Aires à la confluence des fleuves Parana et Uruguay. Déjà, en 1536, Pedro de Mendoza avait fondé une première colonie sur ce site, mais les attaques des Indiens avaient contraint les Espagnols à s'en retirer.

Amérique du Nord
Une première tentative de colonisation anglaise a lieu en Virginie.

1581

Provinces-Unies, 26 juillet
Les états généraux de La Haye proclament la déchéance de la souveraineté de Philippe II sur les sept provinces qui ont formé en 1579 l'Union d'Utrecht. Il s'agit d'une véritable déclaration d'indépendance et de guerre.

Londres
Création de la Compagnie anglaise du Levant.

Le jésuite anglais Edmund Campion est arrêté et exécuté. Il illustre le drame des catholiques anglais qui sont attachés à leur foi et veulent demeurer loyaux envers la couronne. Campion était considéré comme le plus remarquable des membres de la « mission d'Angleterre ».

Paris
Créé en l'honneur de la reine, le *Ballet comique* de Balthazar de Beaujoyeux est représenté en sa présence au Petit-Bourbon. L'œuvre est un habile mélange de récits, d'arias, de chœurs et de danse. C'est le prototype même du ballet de cour, dont il constitue la première manifestation en France.

L'orientaliste Guillaume Postel n'est plus. Au Collège des lecteurs royaux, il enseigna les « langues pérégrines » : l'hébreu et l'arabe. En 1544, il tenta vainement d'entrer dans l'ordre des jésuites. Il est l'auteur d'un *De orbis terrae concordia*, ouvrage dans lequel il prêche pour une religion universelle, et notamment pour la réconciliation des chrétiens et des musulmans. Il parcourut d'ailleurs l'Orient à plusieurs reprises. Cette vision angélique et utopiste lui valut son emprisonnement dans les geôles de l'Inquisition.

France et Amérique du Nord
Des marchands de Dieppe, Saint-Malo et Rouen s'associent pour organiser des voyages de traite des fourrures en amont du Saint-Laurent.

Le tour du monde d'un corsaire

Plymouth, 26 septembre 1580

Le 26 septembre 1580, Francis Drake est de retour à Plymouth ; la reine lui confère l'honneur de la chevalerie pour une entreprise qui a une importance plus politique que géographique. En 1577, lorsque Drake commence son voyage autour du monde, son projet est l'exploration de la « Terre australis », conçue comme une terre entourant la partie septentrionale de l'hémisphère Sud. Il disposait en outre de l'autorisation de combattre les Espagnols du Pérou. Il partit en décembre avec quatre bateaux dont un bateau de vivre et un équipage total de cent soixante hommes. Atteignant les côtes d'Amérique latine, il dut réprimer des rébellions parmi son équipage. Le chef des mécontents, Thomas Doughty, fut aussitôt exécuté. Ils passèrent le détroit de Magellan mais, arrivés dans l'océan Pacifique, une tempête dispersa la flottille. Un bateau sombra. L'autre, commandé par John Winter, se dirigea vers le détroit pour attendre Drake. Au bout d'un mois il remit la voile vers l'Atlantique et rentra en Angleterre. Drake, à bord du *Golden Hind*, se trouvait seul au milieu du Pacifique. Dérivant vers les basses latitudes, il put conclure qu'il n'existait pas de continent à cet endroit du globe. En novembre, il remonta le long de la côte du Chili, attaquant les Espagnols. Arrivé sur la côte nord-américaine, il construisit un fort à hauteur de San Francisco, qu'il appela New Albion, et fit plusieurs réparations urgentes à son navire. Il repartit à travers le Pacifique, en juillet 1579. Aux Moluques, il profita d'une querelle entre les Portugais et le sultan de Ternate pour conclure avec ce dernier un traité donnant aux Anglais l'exclusivité du commerce des clous de girofle. Il fit un court séjour sur la côte sud de Java et, le 26 mars 1580, il fit voile vers le cap de Bonne-Espérance. De retour dans l'Atlantique en juin, il arrive à Plymouth ce 26 septembre. Les découvertes du corsaire aux confins de l'Amérique du Sud et sur la côte nord-ouest de l'Amérique du Nord, ainsi que ses négociations commerciales avec le sultan de Ternate constituent des résultats substantiels pour la couronne d'Angleterre, sans compter ses attaques contre des possessions espagnoles.

Sir Francis Drake, marin et corsaire anglais. National Portrait Gallery, Londres.

Un "gouvernement" pour les Juifs de Pologne

Pologne, 1580

L'importance prise par les communautés juives d'un pays comme la Pologne les conduisit à mettre d'aplomb une organisation leur permettant de régler efficacement aussi bien les rapports à l'intérieur des communautés qu'avec les pouvoirs locaux. C'est ainsi que virent le jour deux conseils : l'un en 1580, dit « Conseil des quatre pays » (Grande Pologne, Petite Pologne, Volhynie et Podolie) ; l'autre, en 1623, concernant exclusivement la Lituanie, qui constituait alors un duché disposant d'une administration distincte. Se réunissant régulièrement une fois par an, ces conseils faisaient office de parlements. Ils remplaçaient l'ancienne instance judiciaire supérieure, composée de rabbins et des chefs des communautés les plus importantes, qui se réunissait lors des grandes foires, instance à laquelle pouvait s'adresser toute personne ayant un différent avec le Kahal (le consistoire de sa propre communauté). Le Kahal avait pour tâche de percevoir les impôts, d'administrer les synagogues et de veiller au respect des lois de l'Etat et du judaïsme. Il était principalement dominé dans sa composition par les notables (Toubim) et les rabbins. Une des tâches principales des Kahals et des conseils était l'enseignement dans les écoles talmudiques. Chaque communauté était astreinte à créer, sous peine d'amende, sa propre école (yeshiva). Les études juives connaissaient alors en Pologne un essor sans précédent. Cette période florissante fut grandement favorisée par l'attitude bienveillante des rois de Pologne. C'est ainsi que Sigismond Ier avait donné aux Juifs aussi bien le droit de commercer que de cultiver la terre. Il appréciait le rôle capital qu'ils jouaient dans l'économie polonaise et s'opposa maintes fois aux menées des chrétiens. Lorsque, plus tard, certains ordres religieux se mirent à répandre le bruit que les Juifs égorgeaient des enfants chrétiens pour la Pâque, Etienne Bathory, qui venait d'être élu roi de Pologne, répondit par l'édit de 1576. Celui-ci stipulait que le chrétien convaincu d'avoir accusé un Juif d'un tel crime serait condamné à une peine semblable à celle du Juif si ce dernier avait été coupable.

La "Formule de concorde", consensus entre protestants

Allemagne, 25 juin 1580

La conclusion et les décrets du concile de Trente ne pouvaient pas laisser les luthériens allemands indifférents (bien qu'invités à la troisième session du concile, ils avaient refusé d'y participer). En face d'une Eglise catholique désormais assurée de ses dogmes, qui s'affirme comme une puissance conquérante et qui leur apparaît menacer leur existence théologique même, les luthériens éprouvent vivement la nécessité de resserrer les rangs. Ceux qui, par ailleurs, tel Martin Chemnitz, entament la polémique contre les décisions conciliaires voient leurs efforts entravés par les divisions doctrinales qui déchirent les diverses Eglises protestantes, divi-sions dues en particulier à la persistance du courant mélanchthonien. De là découlent les tentatives d'unification confessionnelle et les réajustements dogmatiques, qui aboutissent à une très forte systématisation du protestantisme. A la recherche d'une union reposant sur des fondements assurés et une formulation sans ambiguïté, les théologiens réformés ont recours à la fois aux symboles de la primitive Eglise et aux premiers textes de la symbolique luthérienne, la *Confessio Augustana*, et surtout le catéchisme même de Luther extrait de la *Formule de concorde (Formula concordiae)*. Ce formulaire devient ainsi, cinquante ans, jour pour jour, après la Confession d'Augsbourg (1530), la pierre de touche de l'orthodoxie. Indéfiniment commenté, ayant presque un statut de texte inspiré, face à l'Eglise catholique, mais aussi face au mouvement calviniste, il définit en propre l'*Ecclesia lutheranea*.

Pieter Bruegel l'Ancien. « Le Combat de Carnaval et Carême ». 1559. Détail. Kunsthistorisches Museum, Londres.

"La Jérusalem délivrée" de Torquato Tasso

Casalmaggiore et Parme, 1580

L'écrivain Angelo Ingegneri vient de publier les vingt chants de la *Jérusalem délivrée* de Torquato Tasso. Interné dans un asile pour troubles nerveux, l'auteur n'a pu s'en occuper lui-même. Le sujet de ce poème est la prise de Jérusalem par Godefroi de Bouillon ; mais des motifs amoureux et magiques se mêlent à l'action guerrière. C'est une épopée chrétienne fortement teintée de pessimisme. L'amour terrestre y est en effet toujours contrarié : dans l'aveuglement de la bataille, le chrétien Tancrède tue la païenne Clorinde qu'il aime. Enfin, au-delà de l'événement historique, Jérusalem est le lieu d'un combat cosmique entre les puissances divines et les forces du mal.

Torquato Tasso par Alessandro Allori. Musée des Offices, Florence.

Les avantages des protestants consacrés par la paix de Fleix

Fleix, 26 novembre 1580

Le traité signé à Fleix par le duc d'Anjou, délégué par le roi, et Henri de Navarre reprend l'essentiel des clauses de la paix de Bergerac et de l'édit de Poitiers, lesquelles, bien que marquant un retrait par rapport à l'édit de Beaulieu, étaient encore largement en faveur des protestants. Une espèce d'équilibre des forces semble s'être instauré entre catholiques et protestants, chacun des deux partis tenant une part du royaume et s'y organisant en Etat indépendant. Cette septième guerre de religion, qui avait commencé en 1579, se termine donc par un retour au statu quo. Le jeune Henri de Navarre y a trouvé l'occasion de se distinguer en s'emparant avec ses Gascons de la ville de Cahors après trois jours de bataille.

Le roi d'Espagne Philippe II proclamé roi du Portugal

Tomar, Portugal, 1580

Le labyrinthe matrimonial liant les rois d'Espagne et du Portugal permet à n'importe lequel de ces rois de prétendre à la couronne de l'autre Etat s'il n'y a pas d'héritier direct. En 1578, Sébastien, roi mystique du Portugal, entreprend une croisade contre Abd al-Malik (bataille des Trois Rois) au Maroc. Son armée se fait tailler en pièces et il disparaît ainsi qu'une grande partie de la noblesse portugaise. Sa mort laisse vacant le trône, qui est occupé un moment par le cardinal Henri, oncle de Sébastien. Dès la montée du cardinal au trône, Philippe II annonce ses prétentions à la succession, faisant valoir sa qualité d'oncle du défunt roi. Cependant, il doit se battre contre deux prétendants portugais, Antonio, prieur de Crato, et Catherine de Bra-gance, dont les positions sont renforcées par le fort sentiment antiespagnol régnant au Portugal. En 1580, le cardinal roi meurt, laissant un gouvernement intérimaire dirigé par cinq représentants de la haute aristocratie, mais sans nommer de successeur. Philippe II s'incline devant la candidature d'Antonio de Crato soutenue par les Portugais, mais entame des tractations avec lui. Philippe II fait quelques concessions mais Antonio devient trop exigeant ; exaspéré, le roi d'Espagne envoie un ultimatum aux autorités portugaises. Celui-ci restant sans réponse, il donne l'ordre au duc d'Albe d'envahir le Portugal (13 juin 1580). Le 14 août, les troupes espagnoles sont devant Lisbonne. Philippe II, quittant Badajoz, traverse la frontière et fait convoquer les Cortès à Tomar. Les serments réciproques de loyalisme et de fidélité sont prononcés. Désormais l'Espagne et le Portugal et leurs vastes empires coloniaux sont réunis sous l'égide du même roi.

Les "vilains" de Romans font trembler le Dauphiné

France, 13 février 1580

Après huit mois d'intrigues, Pommier, le chef unique de la révolte des « vilains », est assassiné à Romans, d'un coup de poignard. Sa mort sème la confusion parmi le peuple et marque le début de la rébellion organisée par M. de Maurignon, lieutenant général du roi pour le Dauphiné. La noblesse reprend courage et marche alors contre les paysans. L'armée royale encercle l'armée paysanne à Moirans. C'est un massacre. Fin avril, il n'y a aucun survivant. C'est en février 1579 que les compagnons de plusieurs corporations du gros bourg de Romans avaient renversé leurs chefs pour élire un commandement unique aux milices urbaines. Elles furent chargées de défendre la cause du peuple, écrasé d'impôts. Les autorités officielles de la ville s'effacèrent devant cette nouvelle milice forte de trois cents hommes. Manœuvres, artisans, compagnons purent accéder aux charges publiques. Les bourgeois les plus riches s'enfuirent à Lyon ou à Grenoble. Les paysans se rallièrent au mouvement et attaquèrent les châteaux. En mars, le chef de la révolte, Pommier, disposait de 14 000 hommes. Au printemps 1579, Catherine de Médicis traversant le Dauphiné, eut une entrevue avec Pommier, qui n'avait jamais attaqué directement la monarchie. Il demanda aux états généraux de Grenoble remettent de l'ordre dans les impôts. Par l'intermédiaire du juge de la ville, elle exhorta les bourgeois à reprendre la maîtrise de la région. Incapables de renverser par la force la commune de Romans, c'est alors qu'ils décidèrent d'assassiner Pommier.

Philippe II d'Espagne par Titien. 1551. Musée du Prado, Madrid.

1582

Pays-Bas, janvier
Nommé souverain des Pays-Bas par Guillaume d'Orange, François de Valois, duc d'Anjou et frère de Henri III, tente de reprendre Anvers aux calvinistes.

Russie, février
Les Russes résistent héroïquement au siège de la ville de Pskov par les troupes polono-lituaniennes.

Atlantique, 25 juillet
Philippe Strozzi, auquel sa cousine Catherine de Médicis a promis secrètement d'obtenir le poste de vice-roi du Brésil, part soutenir le prétendant au trône du Portugal dans sa lutte contre les Espagnols. Il meurt au cours d'un combat naval, au large des Açores.

Russie, 10 août
Trêve dans la guerre de Livonie. →

Albe de Tormes, 4 octobre
Mort de Thérèse d'Avila, rénovatrice du carmel déchaussé. →

Rome, 5-14 octobre
Ces jours ne figurent dans aucun comput, en raison de la mise en vigueur du calendrier grégorien. La réforme sera adoptée par tous les Etats catholiques au cours de l'année 1583. →

Lisbonne, 11 décembre
Mort du duc d'Albe. →

Italie
Giordano Bruno compose un de ses premiers traités philosophiques : *De umbris idearum (Des ombres des idées)*, œuvre d'inspiration néo-platonicienne.

Russie
Le cosaque Iermak à la tête d'une expédition contre le khânat de Sibérie. →

Chine
Arrivée à Macao du jésuite italien Matteo Ricci qui commence l'étude intensive de la langue et de la civilisation chinoises.

Japon
Toyotomi Hideyoshi s'empare du pouvoir après le suicide d'Oda Nobunaga. →

Une première ambassade japonaise est envoyée auprès du pape. L'archipel compterait plus de 150 000 chrétiens.

Pays-Bas
Alexandre Farnèse, le gouverneur nommé par Phillipe II, prend Audenarde.

Angleterre
Opposé à la liturgie anglicane et défenseur de l'autonomie des congrégations paroissiales, le réformateur Robert Browne s'exile dans les Provinces-Unies.

France et Espagne
Philippe II d'Espagne apporte son soutien financier à la Ligue.

Empire ottoman
A l'occasion de la grande journée des janissaires, les règles de recrutement et la discipline sont modifiées ; notamment, l'obligation du célibat est supprimée.

Empire moghol
Akbar fonde une religion, la *Dîn-i ilâhî* (Divine Foi). →

1583

Anvers
Les Anversois se révoltent contre les troupes françaises.

Pays-Bas
Les Hollandais des Provinces-Unies occupent les bouches de l'Escaut.

Amérique du Nord
En vertu du droit de premier découvreur, Jean Cabot en l'occurrence (navigateur italien au service de l'Angleterre), sir Humphrey Gilbert prend possession de Terre Neuve au nom de la couronne britannique. Cette tentative de colonisation s'achève par un échec et la mort de sir Gilbert dans un naufrage.

Leyde
L'humaniste français d'origine italienne Joseph Juste Scaliger (Giuseppe Giusto Scaligero) publie *Opus novum de emendatione temporum*. Converti au protestantisme, Scaliger a trouvé refuge à Genève après la Saint-Barthélemy, puis s'est fixé à Leyde où il occupe un poste de professeur à l'université.

Chine du Sud
Les Birmans envahissent le Yunnan.

Paris
Les Juives de Robert Garnier. →

Entrée en vigueur du calendrier grégorien

Rome, 15 octobre 1582
Le nouveau calendrier grégorien entre en vigueur le 15 octobre 1582, 5 octobre selon l'ancien calendrier. Depuis le XIIIe siècle, les théologiens s'accordaient avec les astronomes pour réclamer la réforme du calendrier julien. L'année julienne, en effet, attribuait à l'année solaire une durée excessive de 11 minutes 14 secondes, soit un jour plein par période de 128 ans, de sorte que l'écart entre le temps du calendrier et le temps astronomique allait croissant, pour atteindre dix jours au XVIe siècle. Les pères du concile de Trente avait confié le soin de la réforme à la Curie. En 1570, Grégoire XIII nommait une commission présidée par le cardinal Sirleto, assisté du savant jésuite Christophe Clavius de Bamberg, du théologien Vincenzo Laureo et du juriste français Séraphin Olivier. Des brefs envoyés aux principales universités catholiques, Paris, Padoue, Louvain, Alcalà et Salamanque, mettaient la question à l'ordre du jour. Le 24 février 1582, une bulle pontificale institue le nouveau calendrier. Les dix jours surnuméraires tomberont le 4 octobre et, à l'avenir, trois jours intercalaires seront supprimés par période de 400 ans (les années séculaires dont le chiffre n'est pas divisible par 4 ne seront plus bissextiles). La réforme est adoptée par tous les Etats catholiques dans le courant de l'année 1583. Les pays protestants, malgré les adjurations des astronomes Kepler et Tycho Brahé, s'y refusent et demeurent fidèles au calendrier julien, tout comme le monde orthodoxe.

Toyotomi Hideyoshi, maître du Japon

Japon, 1582
A la mort de Oda Nobunaga, Toyotomi Hideyoshi prend en main les destinées du Japon. En 1573, Oda Nobunaga, secondé par ses généraux Akechi Mitsuhide et Toyotomi Hideyoshi, avait mis fin au shôgunat d'Ashikaga. Mais, en 1582, Akechi se retourne contre son maître et Oda Nobunaga, acculé, se suicide. Ayant supprimé le fils de Nobunaga, Akechi se croit un moment maître de la situation. Mais Hideyoshi marche immédiatement contre lui, le bat à Yamazaki et le tue. Hideyoshi est alors le général le plus puissant du pays. Il distribue les territoires vassaux entre ses chefs de guerre en veillant à ce qu'aucun d'entre eux ne devienne trop puissant, entreprend la conquête des provinces encore insoumises, transporte le siège de son gouvernement à Osaka et poursuit l'œuvre de Nobunaga pour l'avènement d'un ordre nouveau.

Toyotomi Hideyoshi. Détail. Peinture sur soie. D'après un original.

Le tsar Ivan IV cède l'Estonie à la Suède

Russie, 10 août 1583

Le roi de Pologne, Stephan Bathory, oblige le tsar de Russie, Ivan le Terrible, à signer un armistice de trois ans avec la Suède : Narva et les côtes du golfe de Finlande restent aux Suédois, à l'exception de l'embouchure de la Narva. Ainsi se termine la guerre de Livonie à l'issue de laquelle la Russie a perdu nombre de ses anciennes possessions. Moscou a donc échoué dans sa quête d'un débouché sur la Baltique. Pourtant tout avait bien commencé pour Ivan. De 1558 à 1560, il remporta de prestigieuses victoires, comme la prise du port de Narva. Mais les succès d'Ivan inquiétèrent la Lituanie, la Pologne, la Suède et le Danemark, qui n'hésitèrent pas à entrer en guerre pour la Livonie. En 1569, le khân de Crimée, allié du roi de Pologne, et le sultan de Turquie assiégèrent Astrakan, puis occupèrent et incendièrent Moscou. Parallèlement fut signée l'Union de Lublin réunissant la Pologne et la Lituanie en un seul État : un danger supplémentaire pour la Russie. En 1579, Etienne Bathory

Cavaliers russes du temps d'Ivan le Terrible. Gravure sur bois rehaussée de couleurs. XVIe siècle.

prit la ville de Polotsk, puis celle de Vélikié Louki et assiégea Pskov, en vain. Les Suédois en profitèrent pour contre-attaquer et occupèrent Narva. En 1582, fut conclu avec la Livonie un armistice de dix ans par lequel Ivan renonçait à ses conquêtes.

L'expédition du cosaque Iermak en Sibérie

Russie, 1582

Le cosaque Iermak, au service des Strogonov, famille de riches marchands que le tsar Ivan le Terrible avait chargés de conquérir les terres à l'est de l'Oural, part à la tête d'un détachement de 800 hommes contre Koutchoum, le khân tatar de Sibérie. Celui-ci avait en effet rompu les liens avec Moscou en faisant tuer l'ambassadeur russe. La bataille décisive se

déroule en 1582 au confluent du Tobol et de l'Irtych. Les guerriers de Koutchoum, munis seulement d'arcs et de flèches, ne peuvent résister aux armes à feu des troupes de Iermak qui réussit à prendre Kichlym, la capitale du khân de Sibérie. Mais leur victoire sera de courte durée : le manque de vivres, le scorbut et les harcèlements de Koutchoum auront raison d'eux. Quelques années plus tard, en 1585, Iermak tombera dans une embuscade et périra noyé, entraîné par sa lourde cotte de mailles.

Mort du duc d'Albe, ancien gouverneur des Pays-Bas

Lisbonne, 11 décembre 1582

Le duc d'Albe meurt après une dernière campagne qui donne le Portugal à l'Espagne. Né en 1507, il avait servi dans les armées de Charles Quint et combattu à Fontarabie, à Tunis, à Mühlberg et à Milan. En 1567, Philippe II l'envoyait réprimer la rébellion des Pays-Bas. Fanatique, d'une indomptable énergie, ayant le sentiment de combattre en soldat du Christ, il n'éprouvait aucun scrupule à employer des méthodes brutales. Après avoir fait exécuter les chefs de la révolte et livré les hérétiques à l'Inquisition, le duc d'Albe réorganisait les institutions du pays dans le sens de la centralisation et de la subordination à l'Espagne. Il menait la lutte contre Guillaume d'Orange, lorsqu'une mutinerie de ses troupes vint interrompre sa campagne. En 1573, Philippe II le rappelait.

Portrait de Fernando Alvarez de Toledo, duc d'Albe, par Antonio Moro. 1549. Hispanic Society, New York.

Disparition de Thérèse d'Avila, rénovatrice du carmel déchaussé

Albe de Tormes, 4 octobre 1582

Fille de père juif converti et de mère de la petite noblesse castillane, Thérèse d'Avila s'enfuit de chez elle à l'âge de 21 ans pour entrer au carmel (1536). L'influence des écrits du père Osuna, puis une longue maturation spirituelle la décident à se consacrer au salut des âmes. Ayant pour maîtres les Evangiles et les traditions du carmel palestinien (ermites vivant dans le désert), Thérèse recherche par la rigoureuse austérité des carmélites les conditions du désert. Selon ces principes, elle fonde en 1562 le couvent de Saint-Joseph d'Avila où l'on observe la règle primitive du carmel. La tâche des religieuses est de prier pour les âmes en danger et de mener une vie pieuse permettant d'intercéder auprès de Dieu pour les autres, plutôt que pour soi-même. En 1567 elle reçoit l'autorisation du prieur général du carmel pour fonder autant de couvents qu'elle pourra. De 1567 à 1582, elle fonde trente monastères réformés, dont

Sainte Thérèse d'Avila, fondatrice du couvent Saint-Joseph, premier couvent du carmel réformé.

quatorze masculins, avec la collaboration de Jean de la Croix. Parallèlement à son activité fondatrice, elle écrit de nombreuses œuvres mystiques. Lorsqu'elle meurt, en 1582, les tensions entre carmes réformés et carmes mitigés se font de plus en plus âpres.

"Les Juives" de Robert Garnier

Paris, 1583

Robert Garnier (né en 1534) avait déjà publié un certain nombre de tragédies antiques (*La Troade, Marc-Antoine, Antigone ou la Pitié*), lorsqu'en 1583, se tournant vers la tragédie biblique, il fait paraître son chef-d'œuvre : *Les Juives*. Catholique, connaissant la Bible, il suit sur leur propre terrain l'exemple d'auteurs protestants tels qu'Agrippa d'Au-

bigné et se fait en quelque sorte le porte-parole de la Contre-Réforme. C'est en effet la religion qui sert de trame à son œuvre et en assure l'unité : les Hébreux, en la personne de leur roi Sédécie et par l'intermédiaire de Nabuchodonosor contre lequel ils se sont révoltés, doivent être punis de n'avoir pas écouté la voix de Dieu et de lui avoir été infidèles. Sédécie aura la vie sauve, mais son châtiment sera terrible : ses enfants seront égorgés sous ses yeux. C'est la première grande tragédie française.

Le grand moghol Akbar tente une synthèse des grandes religions

Inde, 1582

Avec la proclamation du Dîn-i ilâhî, monothéisme divin, l'empereur moghol Akbar tente de répandre en Inde une religion monothéiste, synthèse de toutes les grandes croyances du temps. Homme profondément religieux, élevé dans la foi musulmane, avide de savoir, Akbar consulte les sages de l'islam, de l'hindouisme, du jaïnisme, du parsisme et les missionnaires chrétiens, et se livre à une étude comparative de ces religions. Il en conclut que la vérité réside au sein de chacune d'entre elles. La religion idéale se devait donc de rassembler les mérites de toutes les religions et d'en éliminer les défauts. C'est ainsi que naît le concept de Dîn-i ilâhî, qui ne pourra toutefois s'imposer à l'empire, et gardera son aspect primitif d'ordre religieux un

peu élitiste. Faisant preuve d'une exceptionnelle tolérance, Akbar se refusa à imposer ses idées par la force.

A la cour de l'empereur Akbar. 1605. Miniature moghole.

529

1584

Russie, 18 mars
Mort du tsar Ivan IV le Terrible. →

France, 24 avril
Duplessis-Mornay adresse au roi un mémoire préconisant l'occupation de tous les détroits et isthmes, notamment celui de Panama, afin de « commander les océans ».

Delft, 10 juillet
Assassinat de Guillaume d'Orange. →

France, 10 août
Mort de l'entreprenant duc d'Anjou, frère cadet du roi Henri III. La dynastie des Valois n'a plus de successeur au trône. En vertu des règles de succession en vigueur dans le royaume de France, la couronne doit revenir à Henri, roi de Navarre, duc de Bourbon et chef du parti protestant. Toutefois, le duc de Guise prétend, lui aussi, au trône.

Milan
Mort de Charles Borromée. Ses efforts ont assuré la défense et le renouveau du catholicisme en Italie du Nord. Pie IV le fit cardinal, en 1560, à l'âge de vingt-deux ans. Archevêque de Milan en 1564, il assura le triomphe de la Contre-Réforme en restaurant la discipline de son clergé, en fondant plusieurs séminaires et en veillant au développement de la catéchèse. Son attitude lors des épidémies de peste fit une grande impression sur ses ouailles.

Amérique du Nord
Walter Raleigh proclame la mainmise de la couronne britannique sur l'établissement de Virginie, nom donné en l'honneur du célibat de la reine Elisabeth Ire.

Pologne
Mort du poète Jan Kochanowski. →

Espagne
Achèvement de l'Escorial. →

1585

Rome, 24 avril
Felice Peretti, originaire du village de Grottammare dans les Marches, est élu pape et prend le nom de Sixte Quint. Son prédécesseur, Grégoire XIII, mort le 10 avril, avait régné pendant presque treize années sur l'Eglise.

Nemours, 7 juillet
Le roi Henri III révoque les privilèges des protestants. →

Sibérie, 16 août
Le cosaque Iermak meurt noyé dans les eaux du fleuve Irtych.

Pays-Bas, 17 août
Anvers capitule devant Alexandre Farnèse. Duc de Parme, gouverneur des Pays-Bas, Alexandre Farnèse met ainsi un point final à sa campagne de pacification et de soumission du sud des Pays-Bas, Flandres et Brabant, à la couronne espagnole.

Pays-Bas, août
Les Etats généraux des Provinces-Unies et l'Angleterre concluent une alliance. Robert Dudley, comte de Leicester, soutient les Néerlandais dans leur guerre contre les Espagnols et leur envoie des troupes.

Rome et France, 9 septembre
Le pape Sixte Quint déchoit Henri de Navarre de ses droits sur la couronne de France.

Provinces-Unies, 1er novembre
Le fils de Guillaume d'Orange, Maurice de Nassau, est désigné gouverneur de Hollande, de Zélande et d'Utrecht.

Saint-Cosme, 27 décembre
Mort de Pierre de Ronsard. Dénigrée par le poète officiel Saint-Gelais, l'œuvre de Ronsard séduisit pourtant la cour d'Henri II. Sa poésie concilie sensualité et foi, pessimisme ontologique et amour de la vie, enthousiasme pour les antiques et fierté pour la langue française.

Angleterre
Le navigateur John Davis invente le quadrant qui permet de mesurer la hauteur du soleil.

Rome
La première galerie minéralogique d'Europe est ouverte au Vatican ; elle a été créée par Michele Mercati, directeur du jardin botanique du Vatican.

Paris
Germain Pilon décore l'horloge du palais de Justice.

Empire moghol
La ville impériale de Fatehpur Sikrî est achevée.

Amérique du Sud
L'évêque de Tucuman, Francisco de Victoria, lance un appel pour la création de communautés indiennes protégées.

Henri III révoque les privilèges des protestants

Nemours, 7 juillet 1585
Philippe II, déterminé à soutenir la Ligue, avait signé à Joinville un traité d'alliance avec les Guise (2 janvier 1585). Les deux partis s'engageaient à exterminer l'hérésie tant en France qu'aux Pays-Bas. Quant à la couronne de France, elle sera réservée au cardinal de Bourbon, l'oncle d'Henri de Navarre. Le 30 mars, à Péronne, la Ligue, qui a trouvé dans l'intervalle le soutien du nouveau pape, Sixte Quint, lance une « déclaration » contre ceux qui « s'efforcent de subvertir la religion catholique et l'Etat » où le roi est indirectement visé. En même temps, pamphlétaires et prédicateurs populaires se déchaînent contre le souverain. Terrorisé, Henri III cède sans combattre. L'édit, signé à Nemours, révoque les privilèges et proscrit du royaume la « religion prétendue réformée ».

Propagande et guerres de religion

Les protestants d'abord, les catholiques ensuite, ont cherché à justifier par l'écrit leur révolte contre le pouvoir monarchique, tirant argument aussi bien des historiens antiques que des sources scripturaires. Les divers événements politiques sont ainsi accompagnés et commentés par une floraison d'imprimés. Ces libelles vont du traité savant, comme le *Franco-Gallia* du juriste calviniste François Hotman, critique de l'absolutisme royal, à la satire, dont la *Satire Ménippée*, dirigée contre les agents de l'Espagne et inspirée par le parti des Politiques, demeure l'exemple le plus célèbre. Dans ces guerres de partis que sont les guerres de religion, il s'agit de conquérir l'opinion et de gagner la rue, et pour cela le livre seul ne suffit pas : placards, tracts, pamphlets et caricatures circulent, dans lesquels catholiques et protestants se livrent à une véritable guerre de propagande, allant parfois jusqu'à manipuler l'information pour discréditer l'adversaire. Cette lutte sans merci n'en reste malheureusement pas aux invectives et se solde souvent par des crimes sanglants.

La destruction des « images » évoque l'iconoclasme byzantin.

La Verité à du tout renuersée
L'hypocrisie, & la marmite aussy,
Elle ne peut plus estre redressée
Par séducteurs auec tout leur soucy,
Vn chascun d'eux y met la main ainsy
Que vous voyez, mais en vain il sefforce,
Car Verité descend du Ciel icy
Qui va brisant de leur Canons la force.

« Le Renversement de la grande marmite ». Gravure calviniste contre les catholiques. XVIe siècle. Bibliothèque nationale, Paris.

Achèvement du palais de l'Escorial

Espagne, 1584

En l'honneur de la victoire des Espagnols sur les Français à Saint-Quentin le 10 août 1557 (jour de la Saint-Laurent), Philippe II décide d'édifier l'église de Saint-Laurent-de-la-Victoire à l'Escorial (1563). A ce but initial viennent s'ajouter d'autres préoccupations. Suivant les vœux de Charles Quint, qui voulait une sépulture commune pour toute la famille hispano-habsbourgeoise, dès 1573 Philippe II commence à y réunir les cercueils de la famille. Monument de victoire, panthéon, sanctuaire, Philippe II veut faire aussi de son palais une glorification de l'art catholique par opposition au schisme protestant. Achevé en septembre 1584, le palais-cloître est une synthèse du mouvement culturel de la Contre-Réforme.

Le palais de l'Escurial avec l'église San Lorenzo fondé par Philippe II. 1563-1584.

Assassinat de Guillaume d'Orange le Taciturne

Delft, 10 juillet 1584

A Delft, Guillaume d'Orange tombe sous les balles d'un agent de Philippe II, le Franc-Comtois Balthazar Gérard, qui s'était fait passer pour un réfugié calviniste. Né en 1533, Guillaume avait été l'un des principaux chefs de la révolte contre l'Espagne, soulevant la Zélande en 1572, recrutant l'année suivante les Gueux de mer. Après la pacification de Gand (8 novembre 1576), il devenait le stathouder des Dix-Sept Provinces. Partisan d'une rupture complète avec Philippe II, il entreprenait la lutte contre les troupes d'Alexandre Farnèse qui tentait de reconquérir les provinces du Sud. Ne pouvant affronter l'Espagne seul, il s'allia au duc d'Anjou (traité du Plessis, 19 septembre 1580). Mais le retrait de la France et l'opposition des provinces protestantes firent échouer ce projet et Guillaume se retira en Hollande.

Portrait de Guillaume d'Orange, le Taciturne, en armure par Antonio Moro. 1555.

La mort d'Ivan le Terrible laisse un vide politique

Russie, 18 mars 1584

Ivan le Terrible finit son règne dans la folie. Il aura cependant été le premier souverain moderne de Russie. Intelligent et fin politique, il prend le titre de tsar à l'âge de seize ans, en 1547. Il entreprend une vaste réorganisation administrative, législative (code de lois de 1550), religieuse et militaire (création du corps des Streltsy). Il annexe ensuite les khânats de Kazan et d'Astrakan. Comprenant la nécessité pour la Russie d'un débouché sur la Baltique, Ivan s'engage dans une guerre contre la Livonie qui se révélera être un échec. La trahison du prince Kourbski ne fera qu'ajouter à son dépit et à sa méfiance. Il crée en 1565 le système de l'*opritchina*, domaine réservé du souverain et administré par des hommes à lui, les *opritchiniki*. Les boyards sont chassés de ce territoire. Il s'ensuit une politique de répression à l'égard de ces derniers dont profite la petite noblesse. Il impose ainsi sa conception élevée de l'autocratie. L'opritchina sera la cause d'une grave crise sociale. Avec la mort d'Ivan le Terrible commence une période de troubles dynastiques. En effet sa disparition laisse un vide politique : Ivan avait concentré entre ses seules mains la totalité du pouvoir. En novembre 1581, Ivan, dans un accès de colère, avait tué son fils aîné d'un coup d'épieu. Sa succession revient par conséquent à son fils Fedor, simple d'esprit, seul héritier vivant qui lui soit resté de ses sept mariages, à l'exception de Dimitri, encore mineur. La dégénérescence de la lignée se fait nettement sentir. Le jeune tsar Fedor est incapable de s'occuper des affaires de l'Etat. Doux et faible, il laisse gouverner son oncle Nikita Romanov, jusqu'en 1585. A partir de 1588 c'est son beau-frère, Boris Godounov, qui prendra le pouvoir.

Jan Kochanowski, fondateur de la poésie polonaise

Pologne, 1584

Le poète Jan Kochanowski meurt à Lublin. Il fit le lien entre la poésie polonaise et la poésie de la Renaissance en Occident. Durant sept ans, il parcourut l'Europe et rencontra notamment Ronsard. De retour en Pologne, il devint secrétaire du roi Sigismond. Puis, retiré à Sycyna, il écrivit ces poèmes en polonais qui lui valurent le titre de « poète national ». Son chef-d'œuvre est un recueil d'élégies, *Treny*, où il pleure la mort de sa fille. Le célèbre *Gallo crocitanti* (Gaulois croassant) est une réponse acerbe à l'*Adieu à la Pologne*, de Desportes, qui avait accompagné Henri de Valois à Cracovie.

Les Carrache ouvrent l'Académie des Incamminati à Bologne

Bologne, 1585

Louis Carrache et ses cousins germains, Augustin et Annibal Carrache, viennent d'ouvrir l'Académie des Incamminati, en réaction contre le maniérisme de la peinture bolonaise. Ils ne veulent pas enseigner à leurs élèves des règles à respecter, mais entendent leur donner le sentiment de la nature. Pour Annibal, le plus jeune mais aussi le plus novateur, tout est digne d'être représenté : n'a-t-il pas, ainsi, peint un *Mangeur de fèves* et un *Etal de boucher* ? On accusa d'ailleurs ces tableaux de manquer de fini. Mais ce réalisme est tempéré par une grande sensibilité et le sens des volumes.

Ambassadeurs du tsar de Russie, Ivan le Terrible, se rendant auprès de l'empereur Maximilien II. Lithographie du XIXe siècle.

1586

Tolède
L'Enterrement du comte d'Orgaz, de Greco. →

Inde du Nord
L'empereur moghol Akbar annexe le royaume du Cachemire.

Rome
Erection de l'obélisque sur le parvis de Saint-Pierre. Cet obélisque provient d'Héliopolis, en Egypte, et avait été transporté à Rome en 37 sur l'ordre de Caligula.

1587

Fotheringhay Castle, 8 février
Exécution de Marie Stuart. →

Pologne, 19 août
Sigismond III Vasa élu roi de Pologne après de multiples rebondissements. →

France, 20 octobre
A Coutras, l'armée catholique commandée par le duc de Joyeuse est battue par Henri de Navarre. Quatre jours plus tard, à Vimory et à Auneau, Henri de Guise repousse les troupes suisses et allemandes qui tentaient de faire leur jonction avec celles du roi de Navarre.

Espagne
Francis Drake pille Cadix et ravage les côtes espagnoles.

Japon
Toyotomi Hideyoshi ordonne l'expulsion de tous les missionnaires chrétiens. Sa décision est appliquée avec laxisme.

Toyotomi Hideyoshi se fait construire un château à Osaka.

Italie
Création de deux importants établissements bancaires : la Banco di Rialto à Venise et La Tavola à Messine.

Amérique du Nord
A la recherche du passage du nord-ouest, le navigateur anglais John Davis découvre un détroit reliant l'Atlantique à la mer de Baffin auquel il donne son nom.

1588

Danemark et Norvège, 4 avril
A la mort de Frédéric II, Christian IV, son fils âgé de onze ans à peine, devient roi de Danemark

et de Norvège et duc du Schleswig-Holstein.

Venise, 19 avril
Mort du peintre Véronèse (Paolo Caliari). Fils d'un tailleur de pierre de Vérone, il réalisa la plupart de ses œuvres à Venise où il résida à partir de 1553. Le seul grand voyage qu'il ait fait fut de se rendre en 1560 à Rome pour y admirer les œuvres de Raphaël et de Michel-Ange. Comme Tintoret, Véronèse sécularisa l'art de la fresque. Il en fut un virtuose comme en témoignent les trompe-l'œil de la villa Barbaro à Maser. Il se fit une spécialité des grandes compositions d'apparat ayant pour thèmes les festins bibliques, dont *Les Noces de Cana* (1562) ou *Le Repas chez Lévi* (1573) sont les modèles accomplis. Ce dernier lui valut d'avoir des démêlés avec l'Inquisition, aux foudres de laquelle il échappa en revendiquant la licence que l'on accorde aux poètes et aux fous.

Paris, 12 mai
Journée des Barricades. →

Manche, juillet-août
Désastre pour l'Invincible Armada. →

Blois, 9 octobre
Réunion des Etats généraux.

Blois, 23 décembre
Assassinat des Guise. →

Rome
Réforme de la Curie pontificale.

Venise
Tintoret achève le cycle de la Scuola di San Rocco, commencé en 1564. →

France et Canada
Le monopole du commerce et des mines accordé à Noël Cartier, le neveu de Jacques, par Henri III suscite les protestations des marchands malouins qui saisissent les états de Bretagne ; le roi rétablit la liberté du commerce.

Espagne et Amérique
Philippe II autorise les Métis à devenir prêtres à condition qu'ils soient de naissance légitime, ce qui est rarement le cas.

Amérique du Sud
L'évêque de La Plata fait appel aux jésuites pour l'évangélisation des Indiens.

Espagne
Première édition complète des écrits de Thérèse d'Avila.

Le Greco. « L'Enterrement du comte d'Orgaz ». 1586. Ce tableau fut peint par l'artiste pour l'église de sa paroisse, Santo Tomé, à Tolède, où il se trouve encore.

La peinture fébrile et inquiète de Greco

Tolède, 1586
C'est en Crète, à Candie, près de Lépante que naît en 1541 Domenikos Theotokopoulos, dit le Greco. Sans doute initié dans un couvent à la peinture d'icône, il se rend ensuite à Venise où il est probablement l'élève de Titien, puis à Rome où il subit l'influence de Michel-Ange et des maniéristes, avant de se fixer en Espagne, à Tolède, où il demeurera jusqu'à sa mort. C'est avec *L'Enterrement du comte d'Orgaz*, réalisé en 1586, qu'il s'affirme pleinement. Le Greco s'écarte des formes et des couleurs naturelles, à la recherche d'une vision dramatique et émouvante : ainsi ces visages d'une pâleur fiévreuse, ces vêtements aux plis gonflés ou plaqués sur des corps étirés et souffrants.

Sigismond III Vasa élu roi de Pologne

Pologne, 19 août 1587
Sigismond III Vasa, neveu par sa mère de Sigismond II Auguste et fils de Jean III de Suède, est élu, à l'âge de vingt et un ans, pour succéder à Etienne Bathory sur le trône de Pologne. Cependant une condition est posée par la Diète polonaise à son élection : il ne pourra se rendre en Suède qu'avec l'autorisation de la Diète. En 1586, la mort subite d'Etienne Bathory donnait aux Habsbourg une nouvelle occasion d'accéder au trône polonais, avec comme principal candidat l'archiduc Maximilien. Tandis que le parti antihabsbourgeois de Pologne, avec à sa tête le puissant chancelier Zamoyski, proposait comme prétendant au trône Sigismond de Suède, les prohabsbourgeois s'épuisaient dans la lutte opposant les archiducs Ernest et Maximilien. Aussi, lors de l'élection, Sigismond battit ce dernier qui tenta un coup de force et fut finalement fait prisonnier par Zamoyski.

Sigismond III Vasa. Peinture de Marcin Kober.

Les "Essais" d'un esprit libre et sceptique

Paris, juin 1588
Depuis leur parution à Bordeaux en 1580, les *Essais* de Michel Eyquem ont connu deux éditions, à chaque fois augmentées. La quatrième, qui paraît en 1588 et qui porte le titre : *Essais de Michel, seigneur de Montaigne*, est augmentée d'un troisième livre et de six cents additions aux deux premiers. Ce livre III consigne les expériences des voyages de Montaigne en Europe, celles de ses mairies de Bordeaux et des réflexions sur la vieillesse. L'auteur a 55 ans et déclare : « Toute cette fricassée que je barbouille ici n'est qu'un registre des essais de ma vie. » Ces *Essais* sont à la fois « l'essai des facultés naturelles » de l'auteur, le récit de ses expériences et le journal d'un homme d'action et d'un esprit toujours en mouvement. Lorsque, le 1er mars 1580, Montaigne avertit le lecteur du dessein qu'il poursuit, il annonce : « Je suis moi-même la matière de mon livre », et c'est un autoportrait sans concession et sans valeur d'exemple qui doit suivre. Retiré en 1571 sur ses terres, Montaigne décide de se consacrer à l'étude et à la réflexion. Commencée en 1572, la rédaction des *Essais* sera entrecoupée d'interruptions auxquelles de nouvelles expériences, voyages, missions, lectures diverses (Sénèque, Plutarque) viendront apporter leur enrichissement. Mais la pensée en quête de sagesse échappe à tout système philosophique. L'épicurien devient stoïcien pour ne pas souffrir ; le doute du sceptique « que sais-je ? » est l'étape intermédiaire qui conduit à la sage conquête de la liberté : l'indépendance intérieure d'un homme véritable.

La Ligue organise la journée des Barricades

Paris, 12 mai 1588
Le matin du 12 mai, aux premières lueurs du jour, les Parisiens sont réveillés au son du tambour. Les gardes-françaises, appuyés par les gardes suisses, prennent position à tous les points névralgiques de la capitale, au petit Châtelet, sur le pont Saint-Michel, sur le Petit Pont, occupent le marché de l'île de la Cité, ainsi que la place de Grève et le cimetière des Innocents. Le bruit se répand qu'Henri III veut faire assassiner le duc de Guise et faire pendre tous les bons catholiques, qu'à cette fin il a déjà fait engager huit bourreaux. La panique s'empare de la ville avec la crainte d'une nouvelle Saint-Barthélemy dirigée cette fois contre les catholiques. Le Quartier latin est le premier à réagir : les étudiants de la Sorbonne et ceux des collèges, sous la conduite de leurs professeurs, prennent les armes et se regroupent place Maubert. Les parlementaires suivent leur exemple. Partout, les bourgeois interdisent les rues en tendant des chaînes ; les pierres, les poutres, les futailles sorties des caves et même des charrettes s'amoncellent sur les barricades, que des arquebusiers défendent. Tous les Parisiens sont dans la rue, encerclant les troupes royales, coupant leurs liaisons. Près du pont Saint-Michel, un coup de feu éclate : soixante soldats sont aussitôt massacrés en représailles. La plupart des détachements se rendent et sont faits prisonniers. Le 13, les barricades se multiplient encore, mais le roi a cédé : il a pris la fuite et s'est réfugié à Chartres. La Ligue triomphe.

Henri III fait assassiner le duc de Guise au château de Blois

Blois, 23 décembre 1588
Après la Journée des barricades, Henri III avait dû fuir la capitale. Réfugié à Chartres, il acceptait de signer l'édit d'Union, s'engageait à combattre l'hérésie, livrait Boulogne aux ligueurs pour qu'ils puissent y recevoir les Espagnols et promettait de convoquer les états généraux. C'était le triomphe du duc de Guise que le roi nomme lieutenant général du royaume. Henri III, humilié, méditait sa revanche. Le 9 octobre, les députés des états se réunissent à Blois. Dans son discours d'ouverture le roi s'en prend à la Ligue et au duc de Guise ; ses paroles sont mal accueillies, il s'incline à nouveau. Il songe alors à se débarrasser du duc de Guise. Le 23 décembre, le duc est assassiné, ainsi que son frère, le cardinal de Lorraine, peu après.

Grandiose réalisation de Tintoret à la Scuola di San Rocco

Venise, 1588
En achevant les six toiles de la salle inférieure, à la Scuola di San Rocco, Tintoret, termine un cycle immense commencé vingt-quatre ans plus tôt. Il décora tout d'abord la salle de l'Albergo, de 1564 à 1567 : *La Montée au Calvaire* innove par une composition en zigzag et *La Crucifixion* cherche un effet d'ensemble, en amassant une foule dense au pied de la croix. Ce sont les épisodes d'une *Biblia pauperum* qui se déroulent sur le plafond et les murs de la salle du premier étage, peints de 1575 à 1581 : un hommage à la mission charitable de la Scuola. Les dernières œuvres sont les plus lyriques et totalement maîtrisées, avec leurs paysages de palmes, où le clair-obscur est sillonné d'éclairs, comme dans *La Fuite en Egypte*.

L'Invincible Armada défaite dans la Manche

Angleterre, 15 septembre 1588
La flotte de Philippe II, l'Invincible Armada, regagne le port de Lisbonne. Elle a perdu 65 navires et 11 000 hommes. Philippe II mène une politique d'intervention partout où l'Eglise catholique est menacée. Il a décidé d'abattre l'Angleterre protestante. Il ordonne un débarquement sur les côtes anglaises. Sous le commandement du duc de Medina Sidonia, une flotte de 130 navires est réunie à Lisbonne. Elle doit s'assurer la maîtrise de la Manche et débarquer en Angleterre un corps expéditionnaire de 17 000 hommes, concentré dans le sud des Pays-Bas par Alexandre Farnèse. La flotte quitte Lisbonne le 18 juin 1588, mais doit d'abord se réfugier à La Corogne à cause d'une tempête. Elle repart le 20 juillet et jette l'ancre au large de Dunkerque et Calais. Farnèse n'est pas prêt. Un fort coup de vent contraint les navires à lever l'ancre le 10 août pour revenir en Espagne. Harcelée par les corsaires, l'Invincible Armada est défaite avant même d'avoir engagé les combats.

Marie Stuart, reine d'Ecosse. Dessin. Ecole française du XVIe siècle.

Exécution de la reine d'Ecosse, Marie Stuart

Angleterre, 8 février 1587
Après plusieurs mois d'hésitation, Elisabeth ordonne l'exécution de Marie Stuart, sa cousine catholique. Son enterrement a lieu en grande pompe à Peterborough. Fille de Marie de Guise et de Jacques V, roi d'Ecosse, Marie Stuart a été fiancée en 1548 au dauphin de France, le futur François II. Le mariage a lieu en 1558, mais François II meurt deux ans plus tard. A regret, Marie rentre en Ecosse, où elle épouse son cousin, lord Darnley. Mais elle s'oppose bientôt aux prétentions de son époux. Un favori, le comte de Bothwell, ambitieux, sans scrupule, se charge de la débarrasser de Darnley. Le roi est assassiné le 9 février 1567. Accusé du meurtre, Bothwell est acquitté. La rumeur publique soupçonne Marie de complicité. Aussi, trois mois plus tard, son mariage avec Bothwell devient le prétexte d'une révolte de la noblesse protestante. En juin, l'armée de Marie est vaincue. Prisonnière, elle est obligée d'abdiquer en faveur de son fils, Jacques VI. Elle s'évade, se réfugie auprès d'Elisabeth. Cette dernière, sans enfant, redoute que les minorités catholiques de l'Angleterre ne tournent leur espoir vers Marie. Internée de château en château, Marie conspire. Jugée, elle est condamnée à mort en octobre 1586.

Tintoret. « La Multiplication des pains », dite aussi « La Pâque ». Fresque. 1577-1578. Sala Grande, Scuola di San Rocco, Venise.

1589

Blois, 5 janvier
Mort de Catherine de Médicis. →

Moscou, janvier
Le métropolite de Moscou est promu patriarche par le tsar Fedor Ier. L'indépendance de l'Eglise russe est formellement ratifiée lors d'un synode œcuménique réuni à Istanbul. Le patriarcat de Moscou, nouvellement créé, reçoit le cinquième rang après Jérusalem.

France, avril
Réconciliation d'Henri III et d'Henri de Navarre.

Saint-Cloud, 2 août
Assassinat de Henri III. →

France, 20 et 21 septembre
Le duc de Mayenne, frère et successeur de Henri de Guise à la tête de la Ligue, est défait à la bataille d'Arques par Henri de Navarre.

Portugal
Les marchands anglais sont expulsés du royaume.

Brésil
Installation du *Relaçao*, un tribunal suprême, à Bahia, la capitale. Une partie des prérogatives administratives et judiciaires sont ainsi transférées du Portugal au Brésil, en raison du trop grand éloignement géographique.

1590

France, 14 mars
La bataille d'Ivry tourne à l'avantage d'Henri IV. →

Paris, 20 décembre
Mort d'Ambroise Paré, père de la chirurgie moderne. →

France
Alexandre Farnèse oblige Henri IV à lever le siège devant Paris.

Rome
Le pape Sixte Quint, qui a personnellement travaillé à l'édition de la *Vulgate*, dite « sixtine », l'impose comme texte officiel de la Bible catholique. Réalisée par saint Jérôme au IVe siècle, cette traduction de la Bible avait été reconnue authentique en 1546 par le concile de Trente.

Sixte Quint décède le 27 août. Franciscain conventuel d'humble origine, il avait été élu pape à l'unanimité. Il mena une action énergique en réorganisant la Curie et en visitant régulièrement les évêques pour s'assurer de leur discipline. Après sa mort, deux papes se succèdent très rapidement sur le trône de Saint-Pierre : tout d'abord le Romain Cestagna, qui prend le nom d'Urbain VII et ne règne que treize jours (15 au 27 septembre) ; puis le Milanais Sfondrati, sous le nom de Grégoire XIV, qui meurt dix mois après son élection.

Achèvement de la coupole de la basilique Saint-Pierre, conformément aux plans de Michel-Ange. Haut de 132 mètres, large de 42, ce dôme est une remarquable prouesse technique et couronne le plus vaste des temples chrétiens.

Turin
Mort du physicien et mathématicien Giovani Battista Benedetti. Formé par le mathématicien Tartaglia, Benedetti opposa la physique d'Archimède à celle d'Aristote.

Portugal
La flotte anglaise tente de débarquer à Lisbonne.

Mexique
Luis de Velasco est nommé viceroi de la Nouvelle Espagne.

Paris
Mort de Bernard Palissy. →

Italie
Publication d'un recueil de madrigaux composés par Claudio Monteverdi. Dernier des grands polyphonistes, il annonce déjà la musique moderne.

Moyen-Orient
Un traité est conclu entre les Ottomans et le shâh de Perse, Abbâs Ier le Grand, monté sur le trône en 1587.

Péninsule Ibérique
Les marranes émigrent aux Pays-Bas. →

Inde
Fondation, au bord de la rivière Mûsi, de la ville d'Hyderâbâd par le sultan de Golconde, Muhammad Quli Qutb shâh (1580-1612).

Achèvement de la colonnade de la « cour des chevaux » dans le grand temple de Vishnu à Srîrangam, ainsi nommée du fait que les piliers de façade empruntent la forme de chevaux cabrés. Cette cour est représentative de l'art foisonnant et plein d'exubérance des dynasties de Vijayanagar, le dernier des grands Etats indépendants de l'Inde.

L'assassinat d'Henri III par le moine ligueur Jacques Clément et le supplice de son meurtrier. Vers 1605. Gravure sur cuivre de F. Hogenberg.

Henri III est assassiné par un dominicain

Saint-Cloud, 2 août 1589
Henri III meurt poignardé par un moine fanatique, le dominicain Jacques Clément. Les hésitations de sa politique lui auront été fatales. Après avoir cédé aux exigences de la Ligue, il décidait ensuite de faire assassiner le duc de Guise et le cardinal de Lorraine, provoquant une révolte générale. Pour sauver sa couronne, Henri III se rapprochait alors de son adversaire huguenot, Henri de Navarre, et entreprenait avec son aide le siège de Paris, tombée aux mains de la Ligue.

Bernard Palissy, un esprit curieux et un innovateur de génie

Paris, 1590
Né en 1510, Bernard Palissy devient d'abord verrier. Puis s'intéressant à la céramique, il travaille pendant seize ans à améliorer l'art de l'émaillage. Mais pendant ces années difficiles, il est emprisonné pour ses sympathies huguenotes. Protégé par Catherine de Médicis, il s'installe aux Tuileries. En 1562 il réalise une grotte rustique pour le connétable de Montmorency et, en 1570, une autre pour Catherine de Médicis, dans le château des Tuileries. En 1575 et 1576 il donne des conférences à Paris dans lesquelles il expose ses doctrines scientifiques sur la géologie, l'hydrologie et la chimie, proclamant toujours la supériorité de la pratique sur la théorie et celle des expériences sur les idées. En 1589, il est emprisonné à la Bastille et y mourra quelques mois après.

Le pape Sixte Quint, rénovateur de la ville de Rome

Rome, 27 août 1590
Au cours de son pontificat, auquel la mort vient de mettre un terme et qui n'aura duré que cinq ans, Sixte V a donné à Rome son allure moderne, par une énergique politique édilitaire et monumentale. Encourageant les cardinaux et les confréries à restaurer les églises dont ils avaient la charge, il fit ériger l'obélisque de la place Saint-Pierre, tandis qu'on achevait l'élévation de la coupole. Il demanda à Domenico Fontana d'édifier une bibliothèque et un nouveau palais au Vatican, fit agrandir le Quirinal et rebâtir le Latran. Il favorisa les grands travaux d'utilité publique et les constructions privées par une législation appropriée. Rome fut percée de larges avenues et la ville haute repeuplée. Un nouvel aqueduc et des fontaines amenèrent l'eau dans tous les quartiers.

Les marranes aux Pays-Bas

Pays-Bas, 1589-1590
Le terme de marrane désigne les Juifs convertis de force au catholicisme, mais soupçonnés d'être restés attachés à leur foi d'origine. Les premiers Juifs convertis en masse étaient apparus en Espagne après les grands massacres de 1391. Ils furent ensuite poursuivis par l'Inquisition espagnole instituée en 1481, et expulsés du pays en 1492 s'ils n'acceptaient pas d'être baptisés. Au Portugal, les Juifs autochtones et les réfugiés d'Espagne furent convertis de force en 1497. Dans toute la péninsule Ibérique la communauté s'organisa clandestinement ; mais lorsque l'Inquisition reprit en 1536, les marranes s'enfuirent vers les pays musulmans ou protestants qui toléraient officiellement l'exercice du judaïsme : c'est ainsi qu'aux Pays-Bas, à Amsterdam notamment, se développa une importante communauté juive.

Henri IV écrase la Ligue à la bataille d'Ivry

Ivry, 14 mars 1590

Pour rendre possible une éventuelle intervention et un secours de ses alliés anglais, Henri de Navarre, devenu Henri IV, devait absolument maintenir ouvert l'accès à la mer. Quelques semaines seulement après la mort d'Henri III, il occupait Dieppe. Le chef des armées de la Ligue, le duc de Mayenne, qui s'est heurté aux retranchements que les troupes royales avaient établis à la hâte au confluent de la Béthune et de l'Arques, est contraint de se retirer. Henri IV s'avançait alors à bride abattue jusque dans les faubourgs de Paris, occupant l'abbaye Saint-Germain, avant d'être repoussé. Il s'assure alors de solides bases dans l'Ouest. Il s'empare sans coup férir d'Argentan, de Sées, de Falaise, de Honfleur et de Lisieux. Toute la Normandie est à lui, à l'exception de la ville de Rouen qui résiste et qu'il renonce à assiéger, craignant d'épuiser inutilement ses forces. Apprenant que le duc de Mayenne vient de quitter Paris pour reconquérir, avec l'aide de troupes espagnoles, les provinces de l'Ouest, Henri IV s'installe avec son armée à Evreux, une position stratégique d'où il peut interdire à ses adversaires l'accès de la vallée de l'Eure. Mayenne progresse rapidement et la rencontre a lieu près de la petite ville d'Ivry, le 14 mars. Les armées d'Henri IV ont l'avantage du nombre ; les ligueurs prennent pourtant d'abord le dessus. Le roi, à la tête de sa puissante cavalerie, sauve la situation grâce à une manœuvre hardie. « Mes amis, s'écrie-t-il, Dieu est pour nous, voici ses ennemis et les nôtres, voici votre roi. A eux ! Si vos cornettes vous manquent, ralliez-vous à mon panache blanc, vous le trouverez au chemin de la victoire et de l'honneur. » Après une furieuse mêlée, les cavaliers du roi finissent par remporter la victoire.

Henri IV, roi de France et de Navarre. Ecole française du XVIe siècle.

Violences et passions dans le théâtre élisabéthain

Le théâtre du Cygne à Londres (ci-dessus) fut, avec celui du Globe l'un des plus célèbres théâtres élisabéthains.

La dernière souveraine de la dynastie des Tudor fait de son pays la « Merry England » riche, conquérante, intrépide, pleine de fougue et de passion. Le peuple fait de l'histoire sainte des *miracles plays* représentées dans de somptueux défilés ; l'expression dramatique devient plus raffinée dans les moralités sérieuses ou dans les interludes bouffons. Mais sous le règne d'Elisabeth, les étudiants, ceux de l'école de droit, les choristes de la Chapelle royale, animés de la même passion du spectacle, se font acteurs, auteurs, improvisateurs. Ils puisent dans le fonds populaire, mais surtout dans Sénè-que qui leur fournit un style efficace et varié et des sujets tragiques propres à enflammer les imaginations. *Gorboduc* de Thomas Sackville qui, préfiguration du *Roi Lear*, fut représenté pour la première fois en 1562, *Tancrède et Gismonda* de Robert Wilmot, *Cambyse* de Thomas Preston inaugurent, entre 1560 et 1570, l'ère des *blood tragedies*. Vengeance, jalousie, orgueil, haine impitoyable et destin implacable sont parmi les ingrédients de base qu'agrémentent, dans les intermèdes, les chœurs de fantômes, les banquets monstrueux de Thyeste et de Médée, les immolations par le fer ou le feu, le tout noyé dans les fleuves de sang indispensables au déroulement de la tragédie. Les auteurs à succès sont George Gascoigne, Thomas Kyd, Marlowe, Alabaster ; puis Chapman, Shakespeare, Marston, Tourneur, Middleton, Rowley. Après les églises et les écoles de droit, les spectacles prennent place dans la cour rectangulaire des auberges, celle du Bull ou du Bel Savage, par exemple, surmontées tout autour d'une galerie en bois. En 1576, The Theatre, premier théâtre public, est construit par James Burbage. C'est le modèle du « théâtre en rond », « cet O en bois » tout ruisselant d'horreurs, de passion et de rires.

Ambroise Paré, le père de la chirurgie moderne

France, 20 décembre 1590

Né près de Laval en 1509, Ambroise Paré s'initie à la médecine chez un chirurgien de Vitré. Gagnant Paris en 1529, il devient aide chirurgien-barbier à l'Hôtel-Dieu, puis maître chirurgien en 1536. C'est en suivant les grands du royaume lors de leurs batailles qu'il s'exerce à soigner les traumatismes, pratique les premières désarticulations et panse les plaies avec un mélange de sa composition qui remplace selon lui la cautérisation à l'huile bouillante pratiquée jusqu'alors. De 1541 à 1545 il tient boutique à Paris puis retourne sur les champs de bataille où il expérimente ses nouvelles manières de soigner et de retirer les balles. A cette même date paraît sa *Méthode de traicter les plaies*, où, au scandale de la faculté de médecine, il reconnaît n'avoir pas lu les anciens. De retour à Paris, il soigne de la cataracte et réduit les fractures, tout en vendant des emplâtres. Sa réputation grandit malgré la faculté et le roi Henri II se l'attache en 1552. Son soutien permet finalement à Paré d'être reçu docteur en médecine en 1554 sur une thèse en français et sans épreuves de latin. Avec les guerres de religion, il

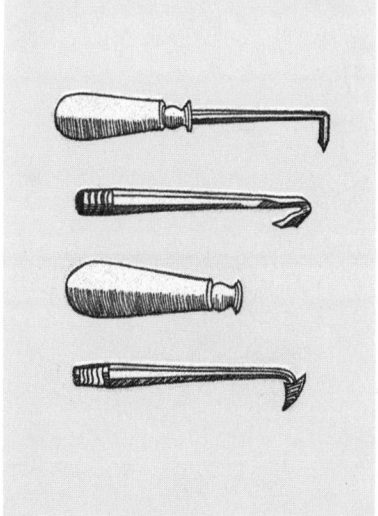

Dessin extrait de la « Méthode de traicter les plaies faites par arquebuses... » d'Ambroise Paré.

soigne les blessés des deux camps, mettant en œuvre de nouvelles méthodes plus fiables et moins douloureuses pour les blessés. Il ligature les artères lors des amputations, s'oppose à la cautérisation, affranchissant la chirurgie et la médecine de la tutelle des anciens. Il meurt en 1590, laissant à ses successeurs une œuvre considérable.

Mort de la reine mère, Catherine de Médicis

Blois, 5 janvier 1589

Celle qui fut l'épouse d'Henri II, la mère de François II, Charles IX et Henri III, disparaît après avoir dominé la politique française durant près de trois décennies. Fille de Laurent de Médicis, elle était née à Florence en 1519. Elle devenait reine de France en 1547 mais ne commençait à jouer un rôle déterminant dans la conduite des affaires qu'à la disparition de François II, en 1560, lorsque la régence du royaume lui est confiée en titre. Jusqu'à sa mort, sous les règnes de Charles IX et d'Henri III, elle a fait office de conseillère écoutée. Ayant un grand sens de l'Etat, proche de l'esprit qui animait le parti des Politiques, elle s'est efforcée de maintenir l'unité du royaume en dépit des divisions confessionnelles. A Poissy, elle avait tenté de rapprocher catholiques et protestants : ce fut un échec. Jusqu'en 1567 pourtant, en dépit des guerres, elle a maintenu un équilibre entre les deux partis. Ce n'est que lorsque Condé et Coligny essayèrent de la prendre en otage avec le jeune Charles IX pour lui imposer leur politique qu'elle choisit le camp catholique. Elle lui restera fidèle, malgré le

Catherine de Médicis dans son oratoire. Email de Limoges. XVIe siècle. Musée de Cluny, Paris.

bref intermède qui suivit la paix de Saint-Germain. Si elle n'en fut peut-être pas l'instigatrice, elle ne s'est en tout cas pas opposée au massacre de la Saint-Barthélemy. Dans les dernières années du règne d'Henri III, elle revint à une politique plus conciliante et fit tous ses efforts pour établir la paix avec Henri de Navarre.

1591

Nuremberg, 17 mars
Le peintre Jost Amman, originaire de Zurich, réputé pour ses gravures sur bois, est enterré à Nuremberg. Ses principales œuvres sont des séries de gravures comme les illustrations du *Journal de guerre* de Leenhard Fronsberger, *Les Femmes célèbres de l'Ancien Testament* et le *Livre des costumes féminins.*

Russie, 15 mai
Disparition du tsarévitch Dimitri Ivanovitch. →

Avila, 23 août
Mort de l'écrivain mystique Luis de León. Il venait d'être nommé vicaire général de la province augustine de Castille. Il était entré dans l'ordre des Augustins en 1544. Son enseignement de la théologie à Salamanque lui valut, en 1572, d'être emprisonné par l'Inquisition sous l'accusation d'hérésie. Dans *Les Noms du Christ*, son œuvre principale définit les treize qualificatifs qui s'attachent au nom de Jésus et à sa personne. Il a laissé, en outre, des poèmes, qui seront publiés en 1631 par les soins de Quevedo.

Rome et France, septembre
Le pape décide de lever une armée contre Henri IV : la France, fille aînée de l'Eglise, ne saurait être gouvernée par un protestant.

Espagne, 1ᵉʳ novembre
Une cédule royale prend en compte et intègre le système féodal inca, faisant ainsi du roi d'Espagne et de son vice-roi les successeurs de l'Inca.

Paris, novembre
La Ligue fait régner la terreur (exécution notamment du président Brisson le 15 novembre). →

Espagne, 14 décembre
Jean de La Croix meurt au couvent d'Ubeda. Auteur de traités mystiques, il a aussi laissé des poèmes, dont un *Cantique spirituel* qui compte parmi les chefs-d'œuvre de la littérature espagnole du « siècle d'or ». Il fut victime jusqu'à sa fin d'innombrables tracasseries et persécutions →

Espagne
L'Aragon s'oppose à Philippe II d'Espagne au sujet de l'affaire Antonio Pérez. Secrétaire d'Etat et conseiller intime de Philippe II, Pérez déjoua les intrigues d'Escobedo, un conseiller de don Juan d'Autriche, en le faisant assassiner. Condamné à mort pour ce crime, il s'enfuit et trouve refuge auprès des autorités aragonaises. Plus tard, Pérez s'exilera en France, puis en Angleterre où, par ses écrits médisants, il tentera de se venger d'un maître qu'il considère ingrat.

Rome
A la mort du pape Grégoire XIV est élu Facchinetti, de Bologne ; il prend pour nom Innocent IX. Son règne est de courte durée : deux mois.

Pier Paolo Olivieri commence les travaux de la nef de Sant'Andrea della Valle, un des monuments représentatifs de l'esprit de la Contre-Réforme.

Publication de *La Relation sur le royaume kongo*, de Filippo Pigafetta. →

Mexique
Dans le nord de la Nouvelle-Espagne, sur le plateau de la Meseta centrale, les Espagnols mettent en exploitation la mine d'argent de San Luis de Potosi.

Atlantique
Les Anglais sont défaits par la flotte espagnole au large de l'archipel des Açores.

Venise
Commencé en 1588, le pont du Rialto est achevé. →

Naples
Les décorations de la coupole de la sacristie de San Martino sont achevées. Le Cavalier d'Arpin les avait commencées en 1589.

France
Publication du traité *In artem analyticem isagoge* du mathématicien François Viète. →

Hyderâbâd, Inde
Afin de remercier Allah d'avoir épargné la ville de l'épidémie de peste qui ravageait la région, le sultan de Golconde fait édifier le Chârmînâr, monumentale porte à quatre entrées, dotée de quatre minarets s'élevant jusqu'à 56 m et qui abrite une mosquée au premier étage.

Londres
Shakespeare travaille à *Henri VI*, drame historique en trois parties, de cinq actes chacune ; cette œuvre de jeunesse est principalement fondée sur la *Chronique* de Holinshed, à laquelle elle emprunte sa trame.

Viète, un des grands maîtres de l'algèbre

France, 1591
Maître des requêtes et conseiller privé d'Henri IV, François Viète (1540-1603) mène une carrière politique brillante. Mais en même temps, il conduit un travail solitaire sur les problèmes mathématiques les plus importants de son époque. En 1588, il prépare à Tours la publication de sa grande œuvre algébrique qui commence en 1591 avec la parution du premier livre *De l'art analytique* (dix livres). Il y expose sa méthode, qui consiste à représenter les grandeurs par des lettres. Le problème des dimensions se règle en affectant à chaque donnée sa dimension en latin. Viète est le premier à utiliser des lettres pour les inconnues et surtout pour les indéterminés, formant ainsi des expressions algébriques avec lesquelles il peut calculer simplement. Le carré se lit *A quadratus*, le cube *A cubus*, etc., mais il n'emploie pas de signes opérateurs, utilisant des formules latines comme *in* pour désigner la multiplication. Son œuvre algébrique n'étant pas reconnue quand paraissent ses ouvrages, il reste pour ses contemporains un homme politique plus qu'un mathématicien.

Le sultan de Golconde fait édifier le Chârmînâr à Hyderâbâd

Inde, 1591
La vieille forteresse de Golconde s'avérant inadaptée à la puissance croissante du sultanat, Muhammad

Pigafetta relate ses souvenirs de voyage au Congo

Congo, 1591
Au cours d'une expédition en Afrique, le navigateur italien Pigafetta tient un journal de bord sur lequel il consigne ses observations sur la vie, les mœurs et les coutumes des habitants du Congo. Témoin de tractations entre colons et autochtones, il note que les Africains donnent des produits précieux (or, ivoire, esclaves) en échange de marchandises sans intérêt. On assiste à la capture d'esclaves, dont le trafic a commencé environ un demi-siècle auparavant.

Art kongo. Statuette rituelle à miroir. Collection particulière.

Quli Qutb shâh, cinquième sultan de Golconde, vient de fonder une nouvelle capitale, Hyderâbâd, et y fait élever, en son centre, le Chârmînâr. Cette grandiose composition architecturale, cube ouvert par quatre arches monumentales et doté de quatre minarets, est conçue comme un véritable arc triomphal.

Le Chârmînâr, porte monumentale édifiée en 1591 à Hyderâbâd.

La Ligue fait régner la terreur à Paris

Paris, novembre 1591

Au lendemain de la journée des Barricades, les ligueurs s'étaient rendus maîtres de la capitale. La municipalité, restée fidèle au roi, avait été dissoute. La ville insurgée avait organisé une véritable commune, évoquant celle de février 1358 organisée par Etienne Marcel, prévôt des marchands. Des conseils de neuf membres, ayant tous les pouvoirs, sont nommés, en remplacement des échevins déchus, et placés à la tête de chacun des seize quartiers de la ville. Les chefs de ces seize comités composent le Conseil de la Ligue. Après la victoire d'Henri de Navarre à Ivry, Paris devient le bastion de la résistance. La défaite du duc de Mayenne et la déroute des guisards, qui avait largement alimenté la propagande royale, loin de décourager les Parisiens, ont au contraire renforcé le parti des extrémistes. Pour élever le moral des assiégés, en attendant les renforts espagnols et italiens qui ne manqueraient pas de

Procession de la Ligue en place de Grève à Paris. Ecole française. XVIe siècle. Musée Carnavalet, Paris.

venir les secourir, les prédicateurs populaires, entre autres l'Italien Panigarolle, multiplient prêches et sermons, organisent de spectaculaires processions. Et pour éliminer les tièdes, les Seize font régner une véritable terreur. Les Politiques sont massacrés, leurs cadavres jetés dans la Seine. Les Parisiens sont mis en demeure de dénoncer tous ceux qui font circuler les pamphlets royalistes ou qui tiennent des propos favorables au vainqueur d'Ivry. La violence atteint son comble en novembre 1591, lorsque, pour réduire au silence les parlementaires qui osaient manifester leur désapprobation et condamner les excès, les Seize organisent un tribunal d'exception pour juger les magistrats et font exécuter le Premier président Brisson.

Jean de la Croix, mystique et grand écrivain castillan

Espagne, 14 décembre 1591

Né en 1542 dans une famille de la noblesse castillane, Juan de Yepes entre au couvent des carmes en 1563, puis parfait sa formation scolastique à Salamanque jusqu'en 1567. Cette année, alors qu'une crise spirituelle est sur le point de lui faire quitter les carmes, il rencontre Thérèse d'Avila qui le persuade de l'importance de la création d'une branche masculine du carmel réformé (déchaussés). En 1568, il fait partie des fondateurs du monastère réformé de Duruelo, sous le nom de Jean de la Croix. En 1572,

il est nommé confesseur du monastère de l'Incarnation, où il collabore avec Thérèse d'Avila, prieure du monastère. Cependant, les tensions entre carmes mitigés et réformés s'aggravent, ces derniers voulant obtenir leur indépendance. En décembre 1577, Jean de la Croix est enlevé par ses adversaires et emprisonné dans un couvent de Tolède, où il compose son *Cantique spirituel*, grand poème mystique. En août 1578, il s'évade et reprend sa place parmi les réformés. Entre 1582 et 1588, il compose la plus grande partie de son œuvre (*Commentaire du Cantique ; La Vive Flamme d'amour*, 1584 ; *Commentaire de la Vive Flamme*, 1585). En 1585 une dissension divise les réformés ; en octobre, au chapitre général, le pro-

vincial Doria expose ses vues tendant à centraliser l'ordre et à l'orienter vers l'activité apostolique. Ces idées vont à l'encontre des principes d'indépendance des carmels énoncés par Thérèse d'Avila. Anne de Jésus de Lobera, appuyée par Jean de la Croix, obtient du pape la confirmation des constitutions thérésiennes. Néanmoins, au chapitre de Madrid, Doria obtient la majorité et Jean est envoyé dans un monastère isolé. Doria cherchant à l'accuser d'immoralité, Jean de la Croix est obligé de brûler une grande partie de ses travaux, où les métaphores comparant l'union au divin à l'union physique auraient scandalisé les inquisiteurs. Il meurt à Ubeda peu de temps après.

L'assassinat du jeune tsarévitch Dimitri. Art russe. XVIIe siècle.

Achèvement du pont du Rialto à Venise

Venise, 1591

Le pont du Rialto, qui relie les rives du Grand Canal à la hauteur du Fondaco dei Tedeschi, vient d'être achevé. Il était toutefois accessible au public depuis août de l'année dernière. On avait décidé sa construction en maçonnerie car le précédent pont, en bois, édifié en 1450 sur les ruines d'un premier, était en piteux état. 250 000 ducats furent employés à ces travaux, confiés à Antonio da Ponte. Celui-ci édifia un pont sans élégance, mais puissant et majestueux, long de 48 m, large de 22, à arche unique. Chaque culée repose sur 6 000 pilots. Deux files de boutiques (24 en tout) le divisent en trois couloirs, conformément au célèbre projet de Fra Giocondo pour le marché du Rialto.

Disparition du tsarévitch Dimitri

Russie, 15 mai 1591

Dernier fils survivant d'Ivan le Terrible et dernier descendant de la lignée de Riourik avec le jeune tsar Fedor, le tsarévitch Dimitri V Ivanovitch meurt subitement, à l'âge de neuf ans, à Ouglitch où il résidait en compagnie de sa mère, Marthe Nagoï, septième femme du Terrible. L'enquête officielle conclut à un accident survenu lors d'une crise d'épilepsie. Les circonstances de sa mort restent mystérieuses et souvent contradictoires. Beaucoup pensent qu'il aurait été empoisonné ou poignardé sur l'ordre de Boris Godounov, qui exerce la régence depuis 1588. En effet, Dimitri devait logiquement succéder à son frère Fedor qui n'avait pas d'héritier : sa mort assurait ainsi à Godounov le chemin du trône.

Le pont du Rialto sur le Grand Canal à Venise. Dessin aquarellé du XVIe siècle. Museo Civico, Padoue.

1592

Rome, 30 janvier
Aldobrandini est élu pape et prend le nom de Clément VIII ; il succède à Innocent IX. Clément amende la *Vulgate* promulguée deux ans auparavant par Sixte Quint : cette fois, c'est la version définitive.

Bassano, Vénétie, 13 février
Mort du peintre Jacopo da Ponte, dit Bassano. Il ne quitta son bourg natal pour Venise qu'entre 1534 et 1549. Il abandonna progressivement les formes et les couleurs du maniérisme pour s'orienter vers un réalisme où les effets de lumière sont prédominants. Une de ses originalités est d'avoir su transposer les scènes religieuses traditionnelles dans un contexte pastoral.

Florence, 22 avril
Mort du sculpteur et architecte Bartolomeo Ammannati. Pour Cosme Ier, futur grand-duc de Toscane, il agrandit la façade sur jardin du palais Pitti, avec emploi de bossages décoratifs dont l'ordonnance sera reprise, à la demande de Marie de Médicis, au palais du Luxembourg à Paris par Salomon de Brosse. Toujours à Florence, Ammannati donna le pont de Santa Trinità (1569) ainsi que la fontaine de Neptune (1576) sur la place de la Seigneurie.

Bordeaux, 13 septembre
Michel Eyquem de Montaigne n'est plus. Issu d'une dynastie de riches marchands, Montaigne, après des études de droit, avait été conseiller à la cour de Périgueux, puis au parlement de Bordeaux. La mort, en 1563, de son ami Etienne de La Boétie, auquel il était lié par un véritable « mariage des âmes », semble l'avoir incliné vers la mélancolie. En 1571, à trente-neuf ans, il vendit sa charge de parlementaire et se retira sur son domaine de Montaigne, en Périgord, où il rédigea ses *Essais*. Habitué à passer « à l'étamine », au tamis de la critique, les idées et les choses, Montaigne s'y présente comme un sceptique, position qu'il développa dans son *Apologie de Raymond de Sebonde*.

Baltique, 17 novembre
Sigismond de Pologne devient roi de Suède. →

Soudan
Djouder, au nom d'Ahmad al-Mansûr, sultan du Maroc, s'empare de Gao, la capitale de l'Empire songhaï. →

Périgord, Limousin, Agenais
Soulèvement des Croquants. →

Extrême-Orient
Les Japonais, conduits par Toyotomi Hideyoshi, envahissent la Corée.

France
Les *Commentaires* de Blaise de Montluc. →

Londres
Création de la Compagnie de Gambie et du Sierra Leone.

1593

Auxerre, 6 février
Mort de Jacques Amyot. Il a révélé l'œuvre de Plutarque à ses contemporains, notamment à Montaigne, par la traduction des *Vies parallèles* et des *Œuvres morales*. Spécialiste du grec et du latin, il a traduit aussi les *Ethiopiques* d'Héliodore et *Daphnis et Chloé* de Longus. Il fut précepteur des enfants d'Henri II.

Angleterre, 27 février
La Pétition des privilèges. →

Paris, février
La Ligue réunit les Etats généraux au Louvre. →

Londres, 30 juin
L'auteur dramatique Christopher Marlowe meurt assassiné, à vingt-neuf ans. Fréquentant le monde interlope des tavernes où il trouva la mort, Marlowe domina la scène londonienne. Son esprit rebelle et fiévreux s'affirme à travers ses tragédies : *Tamerlan*, 1587, critique féroce de l'ambition ; la *Tragique Histoire du docteur Faust* (1588), où s'affirme la croyance dans les valeurs surnaturelles ; *Le Juif de Malte* (1589), dénonciation du pouvoir de l'argent ; et *Edouard II* (1592), drame de l'impuissance humaine.

Milan, 11 juillet
Mort du peintre Arcimboldo. →

Saint-Denis, 25 juillet
Henri IV abjure le protestantisme. →

Paris, automne
Publication de *La Satire Ménippée*, ouvrage politique collectif. →

Chine
Le *Jin Ping Mei* (Kin P'ing Mei). →

Suède
La Diète d'Uppsala impose à Sigismond le maintien du luthéranisme comme religion d'Etat.

Le Parlement anglais entre les mains de la reine Elisabeth Ire

Angleterre, 27 février 1593
Dans un message aux Communes, le 27 février 1593, Elisabeth affirme son droit d'« acquiescer ou de s'opposer à toute action du Parlement » et elle commande expressément qu'« aucun projet ayant trait aux affaires de l'Etat ou à des changements dans le domaine ecclésiastique ne fût mis en avant ». Pour se préserver de toute opposition parlementaire, Elisabeth n'hésite pas à retirer de la discussion certains projets de loi ou à utiliser son veto en cas de nécessité. Le Parlement anglais, qui se compose de la Chambre des lords et de la Chambre des communes, n'est convoqué par Elisabeth que treize fois entre 1558 et 1603. Mais le consentement du Parlement est indispensable pour toute levée d'impôts et il examine en outre tous les décrets royaux. En fait, la Chambre des lords est rendue docile, car les souverains anglais nomment à vie les pairs laïques et s'assurent leur fidélité. Quant à la Chambre des communes, y siègent des représentants non élus qui peuvent défendre les thèses royales. Les députés trop audacieux s'exposent à se voir interdire l'entrée de la salle des délibérations ou risquent l'emprisonnement.

Le Parlement anglais siégeant sous l'autorité d'Elisabeth Ire.

Le "Jin Ping Mei", un grand roman chinois

Chine, 1593
Le *Jin Ping Mei* inaugure un genre littéraire nouveau en Chine : le roman de mœurs réaliste. On a voulu en attribuer la paternité à un grand lettré du XVIe siècle ; l'auteur en demeure, en fait, inconnu. Sur un ton licencieux et très critique, ce roman relate l'existence tumultueuse du Ximen Qing, personnage débauché et corrompu qui, de meurtre en chantage, se hisse à de hautes fonctions, avant de mourir, épuisé par ses abus. Le *Jin Ping Mei* a circulé sous forme manuscrite pendant plusieurs années avant d'être imprimé pour la première fois en 1610.

Gabrielle d'Estrées, maîtresse d'Henri IV

Coucy-le-Château, 1594
Le roi est heureux ; sa bien-aimée Gabrielle vient de lui donner un fils : César de Bourbon, duc de Vendôme. La fille d'Antoine d'Estrées, gouverneur de l'Ile-de-France, est la jeune beauté blonde que le roi avait remarquée à Cœuvres, chez son père le marquis. Il en fait sa maîtresse, l'a mariée en 1592 à Nicolas d'Amerval seigneur de Liancourt, qu'elle abandonne dès septembre pour ne plus quitter le roi.

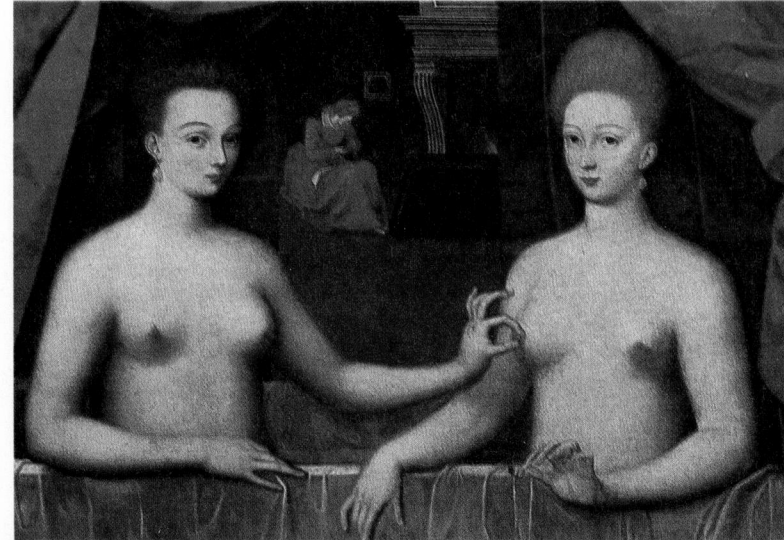

Gabrielle d'Estrées avec une de ses sœurs (la duchesse de Villars ?). Peinture anonyme. Vers 1594. Ecole de Fontainebleau.

La Ligue réunit les Etats généraux au palais du Louvre

Paris, février 1593
Les Etats généraux, dont le siège avait d'abord été fixé à Reims, se réunissent à Paris, fief de la Ligue. Les députés réclament un roi catholique qui soit à la fois reconnu par Rome et par Madrid, et, comme lors des états de 1576, le retour aux « anciennes libertés », le respect des droits des assemblées générales et provinciales. Un émissaire de Philippe II, le duc de Feria, assiste aux débats. Bientôt un revirement s'opère en faveur des Politiques, qui désirent avant tout la restauration de l'Etat et qui ne cessent de mettre en avant les dangers d'une intervention espagnole. Entre les plus modérés des ligueurs et les partisans d'Henri IV, des conversations s'engagent.

En présence de l'évêque de Bourges, dans la basilique de Saint-Denis, Henri IV abjure le protestantisme. Gravure d'époque.

"Paris vaut bien une messe", selon Henri IV

Saint-Denis, 25 juillet 1593
Le 25 juillet, au cours d'une cérémonie dans la basilique Saint-Denis, en présence de l'archevêque de Bourges, Mgr de Beaune, Henri IV, roi de France et de Navarre, abjure solennellement le calvinisme et demande à être reçu dans la religion catholique. La foule des Parisiens, qui s'est rassemblée sur le parcours du cortège, l'accueille aux cris de « Vive le roi ! ». Après s'être confessé, avoir entendu la messe, il jure fidélité à l'Eglise, renouvelle sa rétractation et reçoit l'absolution. A l'issue de la cérémonie, sous les acclamations et les vivats, il se rend à cheval sur la butte Montmartre et contemple longuement la capitale, toujours aux mains de la Ligue. C'est alors, dit-on, qu'il aurait prononcé ces mots : « Paris vaut bien une messe. »

Les Croquants se révoltent en Périgord

Sud-Ouest de la France, 1592
Les Croquants, paysans révoltés, du Périgord, du Quercy et du Languedoc, formés en bandes armées, harcèlent les notables par une série d'actions désordonnées. Les communautés paysannes du Comminges, habituées depuis longtemps à se serrer les coudes, créent des ligues à partir de 1591. Pour eux il s'agit de lutter contre le fisc et d'assurer l'ordre que l'Etat n'est plus en mesure de faire respecter. Ils veulent la paix, la possibilité de travailler aux champs, l'allégement des charges seigneuriales et de la dîme. Sans doctrine préétablie, les Croquants, progressivement, s'attaquent en fait à tout l'ordre établi. Ils sont prêts pour cela à nouer des alliances avec l'artisanat des villes. Leurs actions sont violentes : pillages, incendies, meurtres se succèdent. Les révoltes de la paysannerie française sont apparues vers 1560, lorsque s'est fait sentir la fin de la période de croissance qui avait effacé le souvenir des jacqueries médiévales. Elles se déroulent principalement dans le bassin Aquitain. Les répressions sont brutales. Seule la fin des guerres de religion pourra rendre aux campagnes françaises leur sérénité et leur prospérité.

Djouder prend Gao, la capitale songhaï

Soudan, 1592
Encouragé par le soutien et les marques de déférence des souverains européens, le sultan du Maroc, Ahmad al-Mansûr, conçoit le dessein de vassaliser l'Empire songhaï : au-delà du désert, les mines de sel du Sahara et l'or du Soudan constituent la clef du commerce ouest-africain. Au même moment, l'Empire songhaï est déjà un adversaire affaibli et menacé par une guerre civile. L'expédition marocaine, conduite par un renégat espagnol, Djouder Pacha, est essentiellement composée de mercenaires européens heureux de voir le Maroc porter son ardeur offensive vers le sud plutôt que vers le nord. La colonne franchit l'Atlas et affronte la traversée du désert ; la moitié des hommes y périssent. Mais cette armée dispose d'armes à feu, totalement inconnues au Soudan, supériorité qui entraîne la déroute totale des Songhaïs, au nord de Gao. Djouder s'installe à Tombouctou ; la résistance songhaï s'organise en dépit des divisions entre patriotes songhaïs d'une part et princes ayant fait serment d'allégeance à l'ennemi d'autre part. Djouder est bientôt limogé par son sultan, alors que s'amorce le déclin de l'empire songhaï.

Les "Commentaires" de Montluc : la bible du soldat

Paris, 1592
Le maréchal de France Blaise de Lasseran Massencome, seigneur de Montluc, est mort en 1577, à soixante-quinze ans, relevé à sa demande de sa charge de gouverneur de Guyenne pour dicter les sept livres de ses *Commentaires*, imités de ceux de César. Soldat à seize ans sous Bayard, il a servi François Ier, Henri II, François II et Charles IX. Héros des guerres d'Italie, couvert de blessures et de gloire, il est un partisan acharné du pouvoir royal, au nom de quoi il combat les huguenots et considère l'obéissance comme la vertu première du soldat. C'est cette expérience de soldat, vécue en une noble carrière et tenue par lui en haute estime, qu'il transmet dans ses *Commentaires*. S'il retrace toute sa carrière, c'est pour instruire et former, tant sur le plan militaire que moral, les futurs officiers. Le style est celui d'un homme d'action, plein de verve et de vie. Le roi Henri IV vit dans ces *Commentaires* la « bible du soldat ».

Un texte politique : la "Satire Ménippée"

Paris, 1593-1594
Les Etats généraux appelés en 1593 par le duc de Mayenne, régent du royaume et frère d'Henri de Guise, s'étaient refusés à nommer un roi. A la fin de 1593 paraît la relation bouffonne de cette assemblée. Des bourgeois de Paris s'amusent ainsi de la défaite de la Ligue ; grâce à leur verve et à leur ironie, les chanoines Gillot et Pierre Leroy, le poète Passerat, l'érudit Florent Chrestien et les hommes de loi Gilles Durant, Rapin et Pierre Pithou vont contribuer, avec ce pamphlet, à rallier les Français au roi. Le titre est une allusion à Ménippe, le philosophe cynique du IIIe siècle av. J.-C.

Giuseppe Arcimboldo. Représentation symbolique de l'Eté. 1563. Kunsthistorisches Museum, Vienne.

Sigismond de Pologne devient roi de Suède

Suède, 17 novembre 1593
Sigismond III Vasa, roi de Pologne depuis 1587, succède à son père, Jean III Vasa, sur le trône de Suède. Catholique fervent, il doit jurer sur la Bible luthérienne, lors de son couronnement à Uppsala, et respecter la Confession d'Augsbourg. Il est, de plus, contraint de laisser le pouvoir, en son absence, à un régent protestant, son oncle le duc Charles de Sudermanie. Or, ayant une conception absolutiste du pouvoir monarchique, Sigismond ne pourra longtemps admettre d'être privé de la réalité du pouvoir en Suède ; et ses sujets suédois semblent peu enclins à supporter la domination d'un monarque papiste. Ainsi les doubles origines de Sigismond vont-elles entraîner un conflit grave. En effet, suédois par sa naissance au château de Gripsholm en 1566, il est aussi le fils de Catherine Jagellon, sœur du roi de Pologne.

Allégorie et bizarrerie chez Arcimboldo

Milan, 11 juillet 1593
Bien qu'il ait été le portraitiste officiel de Maximilien II, puis de Rodolphe II, l'activité d'Arcimboldo dépasse largement la peinture : il fut également amuseur de princes, montreur de tours. Les têtes composées qu'il fabriqua pendant vingt-cinq ans à la cour des empereurs d'Allemagne avaient ainsi les fonctions d'un jeu de salon. Chacune de ces toiles, qui semble de loin représenter un personnage, n'est qu'un assemblage d'éléments : fleurs, fruits, légumes, poissons... Il s'agit souvent d'allégories des saisons ou des éléments (*L'Eté, L'Hiver*, 1563, *Le Feu*, 1572, *L'Eau*).

1594

Rome, 2 février
Mort de Giovanni Pierluigi da Palestrina. Son corps est inhumé dans la basilique Saint-Pierre. Appelé à Rome par le pape Jules III pour y diriger la maîtrise de la chapelle Giulia (1551), il fut successivement directeur de la musique à Saint-Jean-de-Latran, à Sainte-Marie-Majeure puis, à partir de 1571, à Saint-Pierre. Il laisse une œuvre considérable : une centaine de messes et plus de six cents motets.

France, 27 février
Henri IV sacré à Chartres. →

Paris, 22 mars
Le gouverneur Brissac ouvre les portes de Paris à Henri IV.

Venise, 31 mai
Mort de Jacopo di Robusti, dit Tintoret. →

Munich, 24 juin
Mort de Roland de Lassus. Originaire de Mons et formé en Italie, le « divino Orlando » fut pendant longtemps maître de chapelle à Munich au service du duc de Bavière. Il excella dans le motet et la chanson où il réalisa une synthèse heureuse entre l'art flamand et la musique italienne.

Duisbourg, 2 décembre
Mort du géographe et mathématicien flamand Gerardus Mercator (Gerhard Kremer). En 1541, il fabriqua, pour Charles Quint, deux globes, l'un terrestre, l'autre céleste. Il mit au point un système de projection qui a conservé son nom. Ses principaux ouvrages sont ses *Tabulae geographicae ad mentem Ptolemaei* (1578) et son *Atlas, sive cosmographicae meditationes de fabrica mundi et fabricatii figura* (1583).

France, 24 décembre
Le roi Henri IV échappe à une tentative d'assassinat menée par Jean Châtel.

Paris, 29 décembre
Le Parlement de Paris décrète l'expulsion de son ressort de tous les jésuites, prenant pour prétexte que le jeune Jean Châtel était un ancien élève du collège jésuite de Clermont. L'arrêt du Parlement est motivé par une conjuration régicide inspirée par la Société de Jésus. Le même jour, Jean Châtel, âgé de dix-neuf ans, meurt écartelé en place publique.

Provinces-Unies
Adhésion à l'Union d'Utrecht de la province de Groningue.

Paris
Le jurisconsulte Pierre Pithou, un des rédacteurs de la *Satire Ménippée* (le discours du tiers état est de lui), se fait le défenseur des *Libertés de l'Eglise gallicane,* ouvrage qui sera mis à l'index.

Londres
La Mégère apprivoisée de Shakespeare.

Irlande
Soulèvement dans le nord du pays contre l'occupation anglaise. →

Mexique
Arrivée de l'ordre de la Merci, les pères mercédaires. →

Angola
Le Portugais Furtado de Mendoça est nommé gouverneur de São Paulo de Loanda (Luanda).

1595

Rome, 25 avril
Mort de Torquato Tasso, dit le Tasse. →

Bourgogne, 5 juin
Victoire d'Henri IV à Fontaine-Française. →

Rome, 17 septembre
Le pape absout Henri IV. →

Angleterre
Les Articles de Lambeth fixent les règles et la doctrine de l'Eglise d'Angleterre.

Istanbul
Mehmet III succède comme sultan à Murât III.

Amérique du Sud
L'Anglais Walter Raleigh remonte l'Orénoque. →

Après avoir été vice-roi de Nouvelle-Espagne, Luis de Vlasco est nommé vice-roi du Pérou.

Baltique
Fin de la guerre de Livonie. →

Londres
Le Songe d'une nuit d'été et *Roméo et Juliette* de Shakespeare. →

Pacifique
Parti du Pérou, l'Espagnol Mendaña de Neyra atteint les îles Marquises, puis l'île de Santa Cruz, où il trouve la mort.

Les Irlandais se soulèvent contre les occupants anglais

Irlande, 1594-1595
Une confédération irlandaise rebelle à l'occupation anglaise se constitue dans le nord de l'Irlande. A la fin du règne d'Henri VIII, il semblait que l'assimilation de l'Irlande à l'Angleterre pût se réaliser sans grande difficulté. Mais l'Irlande n'est pas gagnée à la Réforme. Dans la partie occidentale de l'île s'étendent les terres des grandes dynasties seigneuriales gaéliques ou normandes. Les seigneurs, restés très catholiques, ont repoussé l'Acte de suprématie et l'Acte d'uniformité. De plus, l'épiscopat irlandais continue à être nommé par le pape. Aussi, depuis qu'Elisabeth tente d'imposer les institutions anglicanes, des insurrections secouent toute l'Irlande. Deux violentes révoltes ont déjà suscité des représailles d'une cruauté inouïe, en 1562-1567 et 1579-1583. Elisabeth a confisqué deux cent mille hectares, distribué des lotissements à des Anglais anglicans, à charge pour eux d'en expulser les Irlandais. Elle a renforcé sa politique d'anglicisation en créant une université protestante à Dublin (Trinity Collège), en divisant l'Irlande en comtés et en généralisant l'application des lois anglaises. C'est dans ce contexte de provocations que commence le troisième soulèvement.

Les cardinaux d'Ossat et du Perron, agenouillés, sollicitent du pape l'absolution d'Henri IV. Gravure d'époque.

Le pape Clément VIII absout Henri IV

Rome, 17 septembre 1595
A Saint-Pierre de Rome, les cardinaux d'Ossat et du Perron obtiennent du pape l'absolution d'Henri IV. Agenouillés devant le Saint Père, ils renient symboliquement au nom du roi la cérémonie de Saint-Denis, au cours de laquelle, après avoir abjuré le protestantisme, Henri IV se convertissait au catholicisme sans avoir demandé au pape la levée de l'interdit qui le frappait. Désormais, les ligueurs n'ont plus aucun prétexte légitime de rébellion. Le pape, en même temps qu'il autorise les catholiques français à se rallier à Henri de Navarre, désavoue la Sainte Union et la politique de croisade antifrançaise de Philippe II.

Les frères évangélisent et tentent de protéger les Indiens du Mexique

Mexique, 1594
La mission apostolique étant l'un des moteurs de la conquête, des prêtres participent à l'entreprise dès les premiers voyages. Les franciscains fondent l'Eglise au Mexique, mais l'évangélisation des Indiens est prise en main par de nombreuses communautés religieuses. Successivement arrivent au Mexique les dominicains (1528), les augustins (1533), les jésuites (1572), les carmélites (1585) et les mercédaires (1594), nantis d'une large liberté d'action par le roi d'Espagne. Des prêtres étudient les langues et les coutumes des Indiens pour les évangéliser au sein de petites communautés. Les franciscains s'efforcent de créer une élite indigène chrétienne dans leur collège de Santa Cruz de Tlatelolco, idée qui est reprise par les jésuites. Las Casas, un dominicain, s'élève contre le sort réservé aux Indiens. Les frères espèrent retrouver dans cette chrétienté nouvelle le souffle de l'Eglise primitive. Néanmoins, un nouvel esprit s'installe dès 1551 avec l'arrivée de l'Inquisition. Au début du XVIIe siècle, les expériences des frères apparaîtront comme marginales.

Les Espagnols chassés du duché de Bourgogne

Fontaine-Française, 5 juin 1595

Henri IV avait réussi à reprendre Paris, et c'était là un événement décisif ; il lui fallait encore reprendre son royaume province par province. Il obtint la soumission des princes par des promesses et des pensions. Les villes se sont rendues les unes après les autres. Mais les armées espagnoles étaient toujours là, mettant en péril l'unité enfin rétablie du royaume. Elles avaient capitulé à Laon et à Château-Thierry, mais la Bourgogne n'était pas encore acquise et la Franche-Comté voisine était une forteresse espagnole. Henri IV se porte à la rencontre des Espagnols et des troupes du duc de Mayenne et, à Fontaine-Française, les contraint à repasser la Saône : la Bourgogne est gagnée.

Henri IV sacré roi de France à Chartres

Chartres, 27 février 1594

La ville de Reims appartenant à la famille des Guise, c'est à Chartres, où les Bourbons possèdent une église, qu'Henri IV est sacré roi de France. Successeur légitime d'Henri III (le duc d'Anjou étant mort, le dernier des Valois n'avait plus d'héritier direct), mais étant protestant, il lui a fallu cinq ans pour faire reconnaître ses droits. Les victoires d'Arques et d'Ivry sur les armées du duc de Mayenne ont marqué le début de la conquête du royaume. Après lui avoir disputé ses prétentions, les Etats généraux de Blois ont reculé devant l'idée de donner à la France une reine étrangère en violant la loi salique. A Suresnes, un accord se dessina. L'abjuration leva le dernier obstacle.

L'entrée solennelle d'Henri IV à Lyon le 4 septembre 1595. Dessin. Bibliothèque nationale, Paris.

L'Anglais Raleigh remonte l'Orénoque

Guyane, 1595

En Guyane, dans sa partie la plus maudite et meurtrière, sir Walter Raleigh remonte la vallée de l'Orénoque, où était situé l'Eldorado légendaire. A défaut d'or, il rapporte des récits fantastiques, d'empires immensément riches. Ce n'est pas son premier voyage. Raleigh, né dans le Devon en 1552, passa sa jeunesse à combattre dans les rangs des huguenots. La nuit de la Saint-Barthélemy, il était auprès de l'amiral Coligny. En 1578, il fit sa première expérience maritime à la recherche du passage par le nord-ouest vers la Chine. Mais il ne dépassa pas Terre-Neuve. Sa vie prit un nouveau cours lorsqu'il fut distingué par la reine Elisabeth pour ses combats contre les catholiques d'Irlande. Dès lors, reçu dans l'intimité de la reine, il s'était montré « le plus complet gentilhomme de son temps ». Ses attentions, sa prévenance envers la reine avaient été très remarquées. Désirant lui offrir plus que des compliments et des poèmes, il avait entrepris plusieurs voyages en Amérique du Nord. En 1584, il

Sir Walter Raleigh, favori d'Elisabeth Ire, grand navigateur et explorateur. 1588. Peinture anonyme.

fonda une colonie qu'il nomma Virginie en l'honneur de la « Vierge des îles occidentales », Elisabeth Ire étant restée célibataire. Son secrétaire, Thomas Hariot, avait noté toutes les richesses du lieu, tandis que le peintre John With avait reproduit les paysages. Mais la colonie n'avait été, dans un premier temps, qu'éphémère et Raleigh choisit alors de partir pour la Guyane.

Fin des hostilités russo-suédoises

Baltique, 1595

Une « paix éternelle » met fin à la guerre opposant, depuis 1590, la Russie à la Suède : c'est le traité de Tiavzine par lequel la Suède restitue à la Russie toutes les villes dont elle s'était emparée durant la guerre, à l'exception de Narva. Ce traité permet néanmoins à la Russie de recouvrer ses positions sur la Baltique. Ceci est le résultat de la politique d'« apaisement » menée par Boris Godounov, qui, après avoir éliminé tous ses rivaux au Conseil de régence, détient depuis 1586 le pouvoir. Cette politique a porté ses fruits et lui a valu d'incontestables succès : il a pu régler toutes les séquelles de la guerre de Livonie ; et lorsqu'Etienne Bathory mourut subitement en 1586, il obtint le prolongement jusqu'en 1602 de l'armistice avec la Pologne qui serait arrivé à échéance en 1592. Boris Godounov pouvait de cette façon engager la totalité des troupes russes dans la lutte contre la Suède. Cette « paix éternelle » n'est qu'un intermède avant de nouveaux conflits.

"Roméo et Juliette" de William Shakespeare

Londres, 1595

Après l'Espagnol Lope de Vega, Shakespeare porte à la scène l'histoire des malheureux amants dont l'origine littéraire remonte à un *novellino* de Masuccio de Salerne, écrit au XVe siècle. En 1524, Luigi da Porto transporta à Vérone cette légende, siennoise à l'origine. La haine des Capulet et des Montaigu est située par lui au début du XIIIe siècle à cause d'un vers de Dante mal interprété. Le schéma parvient à Shakespeare après une traduction française d'un texte de Bandello par Pierre Boisteau, repris en anglais par William Painter puis Arthur Brooke. Shakespeare donne toute sa force à ce thème si célèbre. Il entraîne les deux héros dans un vertigineux tourbillon de passion et de mort : la fête, le premier regard, la découverte de l'amour pur, violent et partagé, le mariage secret, l'antagonisme des familles, le meurtre, l'exil, le retard fatal qui crée le quiproquo et la mort des deux amants. La passion la plus sublime est ici soumise au destin le plus cruel.

Le "Mépris de la vie" et "Consolations contre la mort" de Chassignet

Besançon, 1594

« Notre vivre n'est rien qu'une éternelle mort » : le poète franc-comtois de 24 ans qui publie cette somme de 434 sonnets est un avocat fiscal de la cour de Gray. Fils d'un médecin de Besançon, il est attaché à sa province et a déjà publié des travaux d'histoire locale. Dans la lignée de Ronsard, son *Mépris de la vie* unit l'âpre réalisme d'images tourmentées à un mysticisme biblique qui résout l'incertitude en espérance.

Le style élisabéthain

L'architecture de l'époque élisabéthaine, bien que fortement imprégnée encore par l'héritage du gothique tardif, s'ouvre néanmoins au goût et à l'idéal de la Renaissance. Mais plutôt que de l'Italie, elle tire ses modèles de l'art français ou flamand. Si les plans des nouveaux édifices se conforment aux exigences de symétrie des architectes de la Péninsule, la décoration, imite celle des constructions françaises et flamandes.

Hardwick Hall, important château élisabéthain construit en 1590-1596. Architecte : Robert Smythson.

1596

Au large de Portobelo, 27 janvier
Sir Francis Drake meurt. →

Ukraine, 16-20 octobre
La création de l'Eglise ruthène unifiée est ratifiée par le synode de Brest-Litovsk. Les jésuites sont parvenus après une année de négociations à réunir les églises catholique romaine et orthodoxe d'Ukraine.

France
Le duc d'Epernon se soumet au roi de France.

Espagne
La flotte anglaise prend et détruit Cadix.

Pays-Bas
L'archiduc Albert est nommé gouverneur.

Laon
Mort de Jean Bodin. L'auteur de *La République* (1576) et de la célèbre *Réponse aux paradoxes de Malestroit* (1568) était l'un des esprits les plus remarquables de son temps. Cet avocat au parlement de Paris, qui fut ensuite procureur du roi au bailliage de Laon, insista dans son *Methodus ad facilem historiarum cognitionem* (1566) sur la nécessité de la connaissance historique pour un juriste. S'il considérait la sorcellerie comme un crime, il prôna la tolérance en matière théologique dans l'*Heptaplomeres*.

Londres
Le Songe d'une nuit d'été de Shakespeare : l'action se déroule au cœur d'une forêt de rêve propice à tous les sortilèges. Plusieurs intrigues entremêlées fournissent l'occasion à Shakespeare de soumettre l'amour et les sentiments les plus tendres à l'épreuve d'une ironie douce-amère, dénonçant les bienheureuses illusions dont se bercent les hommes. Tout s'achève cependant dans un climat d'allégresse retrouvée.

Angleterre
Publication de *La Reine des fées,* du poète Edmund Spenser. Dans ce monumental poème dédié à la reine Elisabeth, Spenser inaugure la stance de huit vers de douze pieds à laquelle s'ajoute un neuvième vers, modèle qui sera repris par les poètes romantiques.

Graz, Autriche
Publication du *Mysterium Cosmographicum,* de Johannes Kepler.

1597

Nouvelle-Zemble, 20 juin
Mort de l'explorateur Willem Barents. →

France, 25 septembre
Après avoir repoussé les Espagnols à Amiens, Henri IV est maître de son royaume. →

Brésil, 25 décembre
Fondation de la ville de Natal.

Indonésie
L'expédition de Van Houtman sur le chemin du retour. →

Angleterre
Une législation protège les pauvres. →

Japon
Vingt-sept chrétiens martyrisés à Nagasaki. →

Danemark
L'astronome Tycho Brahé quitte le royaume de Danemark. →

Suisse
Mort de Pierre Canisius à Fribourg. Ce jésuite hollandais, qui joua un rôle important lors du concile de Trente, fut un des principaux artisans de la Contre-Réforme en Allemagne. Auteur d'un catéchisme célèbre (*Summa doctrinae christianae*), il eut une activité débordante (prédication, enseignement) et fonda treize communautés jésuites.

Séville
Mort du poète Fernando de Herrera (né à Séville en 1534), auteur de *canciones,* dont la plus célèbre évoque la fameuse bataille de Lépante.

Rome
Au palais Farnèse, Annibal Carrache finit la décoration du « Camerino » et se voit confier celle de la Grande Galerie.

Asie centrale
Shâh Abbas rejette les Ouzbeks au-delà de l'Amou Daria.

Russie
Un ukase du tsar prévoit des châtiments extrêmement sévères contre les serfs fugitifs.

Amérique du Nord
Le marquis de la Roche, nommé lieutenant-général du Canada, tente la colonisation de l'île du Sable. Sur les soixante personnes qui forment cette colonie, on ne recueillera que onze survivants en 1603.

Les chrétiens japonais persécutés

Japon, 1597
En application d'un décret publié en décembre 1596, vingt-sept chrétiens, jésuites et franciscains ou convertis japonais, sont crucifiés sur une colline de Nagasaki. La jalousie sectaire entre les deux ordres missionnaires, l'agressivité des bonzes et les intrigues politiques abattent ainsi le catholicisme, introduit dans l'archipel depuis un demi-siècle. Dès 1549, François-Xavier avait rencontré un vif succès dans la population locale. Oda Nobunaga, vainqueur des shôgun Ashikaga en 1573, saisit l'occasion, en favorisant la nouvelle foi, de freiner les ambitions des moines bouddhistes qui gênaient sa politique. Toyotomi Hideyoshi suit d'abord la même voie. Mais, dès 1587, il change spectaculairement d'attitude, adresse de violents reproches aux pères, et leur donne ordre de se rassembler à Hirado, dans un délai de six mois, avant de quitter définitivement l'archipel. Hideyoshi cherche à se concilier le clergé bouddhique, qui l'avait aidé dans ses campagnes. Ces mesures épargnent cependant les marchands portugais, alors en affaires avec le Japon. Après une brève période d'accalmie, marquée par l'ambassade de Mgr Valegnani, qui recommande aux pères une plus grande modération, Hideyoshi fait à nouveau volte-face en 1597. Le gouverneur espagnol des Philippines profite des problèmes rencontrés par les jésuites portugais pour envoyer au Japon leurs principaux concurrents, les franciscains. D'autre part, le capitaine du *San Felipe,* galion naufragé, affirme aux autorités que les religieux ne font que précéder les armées dans les pays dont la conquête est envisagée par l'Espagne. Les effets de ces imprudents propos ne se font pas attendre : c'est le martyre de Nagasaki, qui ouvre une ère de persécution.

En Angleterre, les pauvres seront protégés par une loi

Angleterre, 1597
Cette loi fixe les principes de l'aide publique aux misérables. Les paroisses sont chargées d'organiser l'assistance en sollicitant des aides auprès des paroissiens et en ordonnant des taxes. En cas de refus de participation, des peines sont prévues. La commune mais aussi les Lords, riches propriétaires de manoirs, doivent faire construire des habitations pour ces miséreux. Cette loi intervient dans une société en pleine mutation, et dans une période de dépression économique. Une partie des ruraux reflue vers les villes, en particulier vers Londres. Bien souvent sans travail, ils se trouvent dans le plus complet dénuement. Cette loi traduit le souci de la monarchie anglaise de faire œuvre charitable.

Mort d'un corsaire, Sir Francis Drake

Antilles, 27 janvier 1596
Sir Francis Drake meurt dans la baie de Portobelo. La mort de ce corsaire, devenu le champion de l'Angleterre contre l'Espagne, est un événement heureux pour les Espagnols. Il n'empêche que la supériorité navale anglaise est définitivement acquise. Drake y a beaucoup contribué. C'est lui qui avait été chargé de mener la vaste expédition contre l'armada de Philippe II, défaite en 1585. Puis il était parti pour les colonies espagnoles, avait attaqué Saint-Domingue et Carthagène. Il avait ramené en juillet 1585, un énorme butin à Plymouth. L'année suivante, commandant une nombreuse flotte, il avait attaqué Cadix, battu les Espagnols au cap Saint-Vincent et capturé un navire portugais de retour d'Orient.

777 étoiles répertoriées par Tycho Brahé

Danemark, 1597
Protégé par Frédéric II qui lui avait fait don de l'île de Hveen dans le sud du Danemark, Tycho Brahé y avait fait construire un château et un observatoire. Il consacra les vingt années qu'il y passa à l'observation du ciel : il affina notamment nos connaissances sur la Lune, fit état de la réfraction de la lumière et mit au point une table de correction pour identifier les étoiles ; il en répertoria 777. Tombé en disgrâce après l'avènement de Christian IV, il se résolut en 1597 à quitter le Danemark pour aller s'installer en Bohême, sous la protection de Rodolphe II.

Tycho brahé dans l'observatoire qu'il s'était fait construire dans l'île de Hveen. Gravure d'époque.

Willem Barents débarquant dans l'île de la Nouvelle-Zemble. Il devait y mourir lors de sa troisième expédition en 1597. Gravure.

L'exploration du pôle Nord par Barents

Nouvelle-Zemble, 20 juin 1597

L'explorateur hollandais Willem Barents (né en 1550) se meurt, au large de l'île de la Nouvelle-Zemble, dans un état de grande faiblesse et après plusieurs mois de souffrance et d'héroïsme. Il est l'une des premières victimes de la conquête du pôle Nord. C'est en 1594 qu'il effectua son premier voyage au sein de l'expédition de Van Linschoten qui recherchait la voie des mers arctiques vers la Chine. Ce fut un échec. Les états généraux de Hollande décidèrent, cependant, de renouveler l'expérience. Ainsi sept navires furent-ils armés avec Barents comme pilote et Peter Plancius comme cosmographe. L'expédition échoua à nouveau. Ce furent les échevins d'Amsterdam qui commanditèrent le troisième voyage de Barents. L'expédition comportait deux navires. Barents fit cap plus au nord qu'il n'était coutume et cela lui permit de découvrir le Spitzberg et l'île aux Ours où les deux navires se séparèrent, l'un allant vers le nord et Barents, de son côté, faisant route vers la Nouvelle-Zemble au sud-est. Il atteignit les côtes de l'île le 17 juillet 1596. Le 15 août, il commença à prospecter la côte orientale de l'île, mais il dut hiverner, son navire ayant été pris par les glaces. L'historiographe de l'expédition, De Veer, relate avec une très grande émotion cet hivernage, en décrivant le grand froid et les souffrances qu'ils durent affronter lors des longues et monotones nuits boréales. Au printemps suivant, les conditions météorologiques allant en s'aggravant, Barents décida de quitter la Nouvelle-Zemble afin de trouver une voie de salut. Mais pour Barents, très affaibli, il était déjà trop tard.

Henri IV maître du royaume de France

France, 1597-1598

En mars 1597, le général espagnol Portocarrero réussissait à s'emparer par surprise d'Amiens, où Henri IV, qui se préparait à attaquer Arras, avait accumulé un important matériel de guerre. Ce désastre soudain remettait tout en question ; Paris était à nouveau menacé. Six mois durant, les Espagnols tinrent la ville. Ce n'est que le 25 septembre que Biron parvenait à investir la place. Quelques mois plus tard, en février 1598, le duc de Mercœur, battu à Dinan, faisait sa soumission. Ce gentilhomme lorrain, beau-frère du roi Henri III, avait été nommé gouverneur de Bretagne en 1582. Profitant des guerres de Religion, il avait tenté de reconstituer pour son compte l'ancien duché breton, créant à Nantes un parlement et un conseil d'Etat. Chef ligueur, sa popularité était grande auprès des farouches catholiques bretons, dont il flattait aussi les velléités d'indépendance ; il bénéficiait en outre du soutien actif de l'Espagne qui lui avait envoyé en renfort 7 000 hommes de troupe, avec lesquels il avait défait l'armée d'Henri IV à Craon en mars 1592. Avec la libération d'Amiens et la fin de la sécession bretonne s'achève la reconquête du royaume. La souveraineté royale enfin rétablie, Henri IV peut désormais travailler au relèvement matériel du pays. Sully, un compagnon de longue date du roi, dont il était le conseiller favori, devient en 1598 surintendant des Finances. L'œuvre à accomplir est immense. Les guerres ont vidé les caisses de l'Etat, ruiné l'économie. Sully redresse le budget, le roi encourage l'agriculture, crée des manufactures et favorise l'essor du commerce en améliorant les voies de communication.

Expédition en Insulinde de Van Houtman

Insulinde, 1597

Après plusieurs mois passés dans l'archipel insulindien, les quatre navires de Cornelis van Houtman font voile vers leur port d'attache, Amsterdam. Pays de commerçants et de marins, la Hollande, avant même la fin de la guerre d'indépendance contre l'Espagne, songeait déjà à se construire un empire colonial. A la suite de Van Linschotten, Cornelis van Houtman se rend, en 1592, à Lisbonne pour y glaner les renseignements nécessaires à une expédition vers les Indes. En 1594, une association de marchands d'Amsterdam fonde la première compagnie *van verre* (compagnie du lointain). Les fonds sont réunis pour armer une flotte de quatre navires dont le commandement est confié à Van Houtman qui avait su faire valoir sa connaissance des routes maritimes. Le 5 juin 1596, après un voyage périlleux, les navires sont en vue des côtes occidentales de Sumatra. Puis à Bantam, au nord-ouest de Java, les portugais leur font bon accueil. Mais l'attitude arrogante de Van Houtman, qui n'hésite pas à employer la violence gratuite envers des indigènes amicaux, aliène aux Hollandais la sympathie des populations locales. Un traité est toutefois signé avec le sultan de Bantam. En 1597, après avoir visité Bali, Van Houtman donne le signal du retour, laissant les Portugais fort inquiets de cette intrusion d'un éventuel concurrent sur « leurs territoires ». L'expédition est, pour les Hollandais, un échec commercial. Mais les récits enflamment les esprits, et les armateurs, réalisant l'ampleur du marché potentiel, financent dès l'année suivante, d'autres expéditions. En 1602, sera fondée la Compagnie néerlandaise des Indes orientales.

Les châteaux des seigneurs japonais

Le climat belliqueux de l'époque Muromachi (1333-1573) a favorisé l'essor d'une architecture fortifiée qui n'est pas sans rapport avec celle de l'Occident médiéval. Sur un terre-plein arrondi, des remparts encerclent les bâtiments auxquels on accède par une poterne et des passages en chicane. L'intérieur est subdivisé en zones de plus en plus inaccessibles, et, au centre, s'élève le *tenjû*, ou donjon. Parmi les châteaux forts alors édifiés, celui d'Himeji est l'un des plus spectaculaires. L'érection de telles forteresses sera interdite au début du XVIIe siècle.

Le château d'Himeji, dit du Héron blanc. XIVe - XVe siècle.

Le Nijô-jô, à Kyôto, construit en 1603 par Tokugawa Ieyasu et agrandi par son petit-fils Tokugawa Iemitsu en 1624.

Emergence d'un nouvel Etat européen : la Russie

XIIIᵉ - XVIIIᵉ siècle

Du IXᵉ au XIIᵉ siècle, se développe une principauté russe ayant Kiev pour capitale. Selon la *Chronique des temps passés,* en 852, les Novgorodiens font appel aux Varègues dont le chef Riourik devient prince de Novgorod. Son successeur, Oleg, s'empare de Kiev en 882. La période allant de l'avènement du prince de Kiev Vladimir le Saint (980) à l'invasion tatare (1237) est une des plus brillantes de l'histoire russe. Vladimir consolide l'Etat kiévien en décidant de le christianiser en 988. Kiev, centre de la vie culturelle et économique de la Russie, est au croisement des grandes routes commerciales entre l'Occident et l'Orient. Mais en 1169 sonne le glas de la « mère des villes russes », quand arrive Andrei Bogolioubski, prince de Souzdal et de Vladimir, pour la piller. La déchéance de Kiev profite particulièrement à Novgorod. Sa situation géographique privilégiée explique une activité commerciale exceptionnelle : les échanges se font avec Byzance, la Scandinavie et les pays Baltes. L'enrichissement de la ville a pour conséquence un essor culturel sans précédent. L'influence de Byzance apparaît dans l'architecture. Mais les dissensions entre le *Vietché* (assemblée), dirigé par l'aristocratie, et le prince vont affaiblir Novgorod. Le pouvoir central et unitaire cède la place à une multitude de principautés rivales, au moment où la Russie est menacée par les envahisseurs mongols.

La Russie en danger

En 1223, les Mongols apparaissent aux confins sud-est de la Russie. Armée innombrable et disciplinée, la Horde mongole envahit les plaines du Don où rien ne leur résiste. Les Russes subissent un véritable carnage sur les bords de la Kalka. Batû, petit-fils de Gengis Khân, soumet implacablement toute la Russie. Vladimir, Riazan et Moscou sont pillées et brûlées. En 1240, Kiev est

dévastée après un long siège. Seule Novgorod est préservée. L'invasion provoque le dépeuplement des villes. La Russie doit payer un tribut annuel. Les princes russes conservent cependant leur souveraineté. Le joug tatar arrête net pour plus de deux siècles le développement de l'agriculture, du commerce et des arts en Russie. Despotisme et servage s'affirment : les princes russes prennent modèle sur les khâns mongols. Les menaces ne viennent pas seulement de l'est, mais aussi d'Occident : en effet, les féodaux allemands et suédois partent à la conquête des terres russes et menacent l'orthodoxie. Le 15 juillet 1240, Alexandre, prince de Novgorod (1236-1251), défait les Suédois sur les bords de la Neva (d'où son surnom de Nevski). Puis, le 5 avril 1242, il anéantit les troupes des Chevaliers teutoniques sur les glaces du lac Peïpous. Ces victoires renforcent le pouvoir d'Alexandre et la prépondérance de Novgorod.

Moscou, capitale de la Russie

Bourgade située sur une colline dominant la Moscova, Moscou se trouve au croisement de plusieurs voies fluviales : Volga, Oka et Dniepr. Alexandre Nevski lègue la petite principauté de Moscou à son fils Daniel. Ce dernier l'agrandit et y fonde une dynastie locale : les Danilovitch. Peu à peu, ils supplantent les autres princes russes. Ainsi Ivan Iᵉʳ Kalita obtient en 1328 du khân le *yarlik* (titre) de grand-prince de Moscou et de Vladimir. De plus, il convainc le métropolite de toute la Russie, Théognoste, de fixer son siège à Moscou qui devient la capitale politique et religieuse de la Russie. La Russie n'était pas unifiée et c'est grâce au khân que l'unité s'est faite autour de Moscou. En 1480, la Russie est libérée du joug mongol. Moscou remplace Saraï, la capitale de la Horde d'or, et le prince de Moscou détrône le khân.

Mais les institutions militaires, commerciales et étatiques demeurent les mêmes. A l'instar du khân, le grand-prince, lorsqu'il hérite du pouvoir, se considère comme maître et conquérant de ses propres sujets. Tandis que la menace mongole s'estompe, les princes lituaniens deviennent de plus en plus redoutables. Sous le grand-prince Guédimine (1316-1341), la Lituanie s'étend de la Baltique au haut Danube et au Dniepr en englobant Pinsk, Polotsk, Tchernigov et la Volhynie. C'est sous le règne du Lituanien Olgierd (1345-1377) qu'éclate le conflit entre Moscou et la Lituanie. Il soutient le prince de Tver contre Siméon le Fier (1340-1353), fils d'Ivan Kalita, puis il s'empare en 1361 de Kiev et de la Podolie. Olgierd obtient de Byzance l'érection d'une « métropole de Kiev et de toute la Russie » qui fait concurrence à celle de Moscou. L'équilibre est rétabli par le métropolite de Moscou Alexis. La mort d'Olgierd permet au prince de Moscou Dimitri de se retourner contre la Horde. Le choc entre le prince tatar Mamaï et Dimitri a lieu en 1380 au Champ-des-Bécasses (Koulikovo) : les Mongols sont mis en déroute.

Le renouveau spirituel

La principauté de Moscou reçoit par l'intermédiaire de Novgorod de nombreux apports culturels de l'étranger. Dans la première moitié du XVᵉ siècle se distingue un érudit serbe venu à Novgorod, Pacôme le Logothète (1400-1485). Guennady Gontsov, archevêque de Novgorod (1440-1504) traduit la Bible en slavon et lutte contre les « judaïsants », mouvement rationaliste apparu en 1471, dont plusieurs membres périrent sur le bûcher. Nil de Sora (1433-1508) fonde un monastère où il introduit une règle très rigoureuse selon laquelle les moines doivent s'adonner à la contemplation, ce qui est contraire à la réforme de saint Serge. Un autre réformateur, Joseph de Volokolamsk (1439-1515), estime quant à lui que les moines doivent secourir moralement et socialement les hommes. Dès la fin du XIVe siècle, Moscou offre déjà un terrain favorable aux arts. C'est ainsi qu'elle reçoit les architectes de Pskov. Théophane le Grec et son élève, Andrei Roublev, décorent les églises du Kremlin. Roublev magnifie l'art de l'icône russe et crée l'œuvre la plus remarquable de la peinture russe : l'icône de la Sainte Trinité.

Les fondateurs de la Moscovie

Ayant épousé Sophie Paléologue, la nièce du dernier empereur de Byzance, Ivan III se considère comme l'héritier des prérogatives impériales et prend le titre de grand-prince de Moscou et de Russie. Il abat définitivement les Mongols et repousse les Lituaniens. A l'intérieur, Ivan III a besoin de fidèles pour maintenir son pouvoir. La puissance des boyards est concurrencée par l'émergence de nouveaux serviteurs recrutés parmi les petits propriétaires fonciers. Le grand-prince leur attribue des domaines pour assurer leur entretien lors des campagnes militaires. Ainsi se forme une nouvelle aristocratie autour du prince. Dans le même temps, des mesures sont décrétées limitant les libertés des paysans. L'Eglise orthodoxe place dans le tsar la nature humaine et divine qui est celle de l'empereur byzantin et qui représente Dieu sur Terre. L'Eglise russe estime qu'elle sauvegarde l'orthodoxie à travers la personne du tsar ; elle a prétention à dominer tout le monde chrétien. Mais cette dyarchie ne pouvait subsister longtemps : au milieu du XVIe siècle, Ivan IV supplante l'autorité des popes. En 1547, Ivan IV (1533-1584) est couronné tsar de toute la Russie. Tout au long de son règne, il cherche à se venger des sévices que lui avaient fait subir les boyards dans sa jeunesse. C'est dans ce but qu'il crée le système de l'*opritchnina* : les boyards sont chassés de leurs domaines ou assassinés et leurs terres redistribuées à la petite noblesse, le nouveau soutien du pouvoir. Le mécontentement né de l'*opritchnina* entraîne de nombreuses révoltes paysannes. La guerre de Livonie engagée en vue d'obtenir un accès à la Baltique se révèle un échec cuisant. Ivan le Terrible n'en demeure pas moins le premier souverain moderne de la Russie, notamment par ses réformes administratives et militaires.

Le temps des troubles

La lignée d'Ivan IV ne va guère lui survivre. D'abord, en 1591, meurt son fils cadet, Dimitri, certainement assassiné sur ordre de Boris Godounov, véritable maître du pouvoir ; en 1598 c'est le tour de Fédor, insignifiant successeur d'Ivan le Terrible. Boris Godounov, beau-frère de Fédor, devient tsar (1598-1605) : le 17 février 1598, cinq cents députés, prélats, boyards, officiers et bourgeois, élisent Boris Godounov. En 1603, le bruit court que Dimitri est vivant. En avril 1605, Boris Godounov meurt. Les boyards, et en particulier Vassili Chouiski, se déclarent en faveur du prétendu Dimitri et, le 10 juin, le faux Dimitri fait son entrée dans Moscou. Mais son mariage avec une catholique polonaise le discrédite aux yeux du peuple et il est massacré le 17 mai 1606. Chouiski se fait alors proclamer tsar. Il doit réprimer en 1607 une révolte paysanne menée par Bolotnikov. Un second faux Dimitri fait son apparition en la personne du brigand de Touchino soutenu par les Suédois et les Polonais. En 1610, Vassili est contraint par une assemblée des Moscovites à abdiquer. La haine des Polonais et le sentiment national finissent par triompher : le faux Dimitri est assassiné et le prince Pojarski, partisan du jeune Michel Romanov, petit-neveu d'Ivan le Terrible, entre dans Moscou le 22 octobre 1612 : Michel Romanov est élu tsar à l'unanimité (1613-1645). L'indépendance nationale vient d'être sauvée.

Une société en transformation

Le haut clergé, et plus particulièrement Nikon, métropolite de Novgorod, envisagent d'instruire le peuple russe. Ainsi l'Académie fondée à Kiev par le métropolite Pierre Mohila devient le foyer d'un renouveau culturel. Nikon, devenu patriarche, veut également supprimer les différences existant entre l'Eglise grecque et l'Eglise moscovite. On l'accuse d'instaurer une Eglise hérétique. En 1654, les tenants de la « vieille foi », avec l'archiprêtre Avvakoum à leur tête, créent le *Raskol* (schisme). Le tsar Alexis (1645-1676) convoque un concile qui jette l'anathème sur la « vieille foi » et excommunie ses tenants (1666-1667). Toutefois, la « vieille foi » survivra au sein du peuple. Ce schisme traduit parfaitement la rupture entre la société russe cultivée et le peuple. L'administration russe du XVIIe siècle est très fortement centralisée : elle va du *voiévode* (gouverneur) au *diak* (scribe). La hiérarchie ecclésiastique est parallèle à la hiérarchie civile. Quant au service militaire, il est effectué par les *pomiécht-chiki* (propriétaires terriens). De son côté, le paysan n'a qu'un désir : fuir son *pomiéchtchik*. Aussi l'Etat étend-il toujours plus le droit de poursuite des serfs fugitifs. Par le Code de 1649, les paysans sont attachés à la glèbe. Cela marque le début du second servage en Russie : le paysan n'a plus de droit de propriété garanti, il ne peut ester en justice, il remet au seigneur une partie de la récolte et lui doit des corvées. Cet asservissement de plus en plus accentué des paysans entraîne des révoltes comme celle conduite par le Cosaque Stenka Razine en 1668-1669.

Un tsar réformateur

Bien que fasciné par l'Occident, Pierre le Grand (1700-1725) est profondément animé par l'amour de la Russie. C'est aussi un grand travailleur. Il entreprend seul une réforme administrative : en 1711, sur le modèle suédois, il transforme son Conseil privé en un Sénat de neuf membres qui administre le pays en son absence. C'est un échec. Aussi fait-il appel à des conseillers étrangers pour réformer l'administration : les gouvernements sont divisés en provinces et districts ; des collèges de treize membres remplacent les ministères. Adoptant les principes mercantilistes, il encourage la création de manufactures. Dans le domaine de la fiscalité, Pierre le Grand prend exemple sur la France en transformant l'impôt par feu en capitation. Les nobles étant astreints à un service public obligatoire, Pierre instaure en 1722 la Table des rangs *(tchins)* qui organise une « noblesse de fonction » avec trois hiérarchies parallèles : armée, cour et administration. Allié au Danemark et à la Pologne, Pierre déclenche contre la Suède la grande guerre du Nord (1700-1721). Mais il subit une terrible défaite à Narva. Après avoir envahi la Russie, Charles XII de Suède est finalement écrasé à Poltava le 8 juillet 1709. C'est la fin de l'hégémonie militaire suédoise sur la Baltique et l'avènement de la Russie en tant que grande puissance européenne. Entre temps, au prix de milliers de vies humaines, Pierre avait fondé, en 1703, la ville de Saint-Pétersbourg, symbole d'une ouverture de la Russie à l'Occident, qui devient sa capitale en 1715. Cependant, cette occidentalisation reste limitée aux classes dirigeantes, l'asservissement des paysans se renforçant.

Un règne en trompe l'œil

Tirant son pouvoir de l'assassinat de Pierre III, son époux, Catherine II la Grande, la « Sémiramis du Nord », comme l'appellent affectueusement les philosophes français, poursuit la politique d'occidentalisation de Pierre le Grand et d'Elisabeth (1741-1762). Catherine de Russie pratique une politique faite de concessions libérales, tout en protégeant les intérêts de la classe dirigeante. C'est ainsi qu'elle crée en 1767 une commission qui lui adresse des doléances très modérées dont elle ne tient évidemment aucun compte. Cette même commission réaffirme en 1785 les privilèges nobiliaires et dispense les nobles du service civil obligatoire et de l'impôt. Ainsi le règne de Catherine n'est qu'une suite d'apparences : tel son voyage en Crimée dont le décor fait de villages prospères avait été soigneusement préparé par son favori Potemkine afin de faire illusion. La jacquerie menée par Pougatchev de 1773 à 1775 est la plus parfaite manifestation de l'écart entre la Russie réelle et l'image que cherche à en donner Catherine.

1598

Russie, 16 janvier
Boris Godounov est élu tsar. →

France, 13 avril
Edit de Nantes en faveur des protestants. →

France et Espagne, 2 mai
Traité de Vervins. →

Irlande, 15 août
Bataille de Yellow Ford : les Anglais écrasés par les Irlandais. →

Escorial, 13 septembre
Mort de Philippe II. →

Lyon
Mort de l'imprimeur et humaniste Henri II Estienne. Grand spécialiste de la langue grecque, il publia un *Traité de la conformité du langage français avec le grec* (1565) et un *Trésor de la langue grecque* (1572), ce qui ne l'empêcha nullement d'être un défenseur de la langue française comme en témoigne son essai sur *La Précellence du langage français* (1566). Son *Apologie pour Hérodote* (1579) l'avait obligé à s'enfuir à Genève.

Londres
Construction du théâtre *Le Globe*, qui peut abriter 1200 spectateurs.

Beaucoup de bruit pour rien, comédie de Shakespeare.

Océan Indien
L'amiral hollandais Wijbrand van Warwijck prend possession de l'île Maurice, ainsi baptisée en l'honneur de Maurice de Nassau, stathouder des Provinces-Unies.

Perse
Shâh Abbas le Grand, par un audacieux plan d'urbanisme, fait d'Ispahan une des plus belles villes du monde.

Pékin
Le jésuite Matteo Ricci parvient à entrer à la cour impériale

Japon
La mort de Hideyoshi ouvre les allées du pouvoir à Tokugawa Ieyasu.

Afrique occidentale
Formation des royaumes bambara du Kaarta et de Ségou.

France
Le Dodécacorde de Claude Le Jeune, compositeur ordinaire de la chambre du roi Henri IV. →

1599

Londres, 16 janvier
Le poète Edmund Spenser meurt.

Suède, novembre
Sigismond III Vasa, roi de Pologne depuis 1587 et de Suède depuis 1592, est déchu du trône de Suède par le Riksdag. Ses sympathies pour la Contre-Réforme heurtaient la sensibilité luthérienne de ses sujets.

Naples
Pour avoir tenté de fomenter un soulèvement en Calabre, le dominicain Tommaso Campanella est emprisonné par les autorités espagnoles.

Paris
Mort du peintre Antoine Caron. Il travailla à Beauvais, puis à Fontainebleau sous la direction de Primatice dans l'équipe de Nicolo dell'Abate. Peintre de cour, il participa à l'organisation des fêtes princières. Son art est un bon exemple du maniérisme dans sa version française.

Espagne
Le roman picaresque *Guzmán de Alfarache* de Mateo Alemán rencontre un grand succès. →

Ecosse
Dans un traité intitulé *Les Vraies Lois des libres monarchies*, le roi d'Ecosse, Jacques VI défend le principe de la monarchie absolue.

Tolède
Le jésuite Juan de Mariana de La Reina rédige le *De Rege et Regis institutione* (Du Roi et de la Royauté), où il justifie le régicide et affirme l'existence de la souveraineté populaire.

Rome
Chargé d'illustrer trois épisodes de la vie de saint Mathieu pour l'église Saint-Louis-des-Français, le peintre Michelangelo Merisi, dit Caravage, provoque un véritable scandale tant les moyens mis en œuvre pour traiter de l'histoire sacrée rompent avec toutes les conventions jusqu'alors admises. →

Londres
La même année, Shakespeare donne *Les Joyeuses Commères de Windsor*, comédie alerte et bouffonne, et *Jules César*, drame historique inspiré du récit de Plutarque illustrant l'inéluctable tragédie qui s'attache à la conquête du pouvoir.

Victoire irlandaise sur les Anglais à Yellow Ford

Irlande, 15 août 1598
A la bataille de Yellow Ford, sur la rivière Callan, l'armée de Hugh O'Neill met en déroute les forces anglaises, composées pourtant de 40 000 soldats. Depuis 1594 un soulèvement irlandais contre les Anglais est animé par les descendants des anciens rois d'Irlande, les O'Neill et les O'Donnell, aidés par le primat catholique. Hugh O'Neill, en apparence un loyal sujet de la couronne, prend à son retour en Irlande la tête d'une confédération rebelle en Ulster. Il réussit à rassembler un groupe suffisant d'hommes bien armés et à repousser les colons anglais.

Succès populaire pour "Guzmán de Alfarache"

Espagne, 1599
En 1599 paraît à Madrid la première partie de *Guzmán de Alfarache*. Son auteur, Mateo Alemán, aventurier plus qu'écrivain, ayant été en prison à plusieurs reprises, transpose dans son roman de nombreux éléments autobiographiques. Le livre, prototype du roman picaresque, relate la vie de Guzmán de Alfarache, tour à tour mendiant, page et laquais, et condamné aux galères pour ses crimes. Le roman a un grand succès dès sa parution, et trois autres éditions sont publiées la même année.

Le traité de Vervins met fin aux ingérences espagnoles en France

Vervins (Aisne), 2 mai 1598
Ce n'est qu'en janvier 1595 qu'Henri IV avait officiellement déclaré la guerre à l'Espagne, après des années d'affrontements larvés. Une première campagne en Bourgogne avait vu la victoire d'Henri IV, une seconde en Picardie fut à l'avantage de Philippe II. Mais les deux pays était épuisés, aussi furent-ils amenés à traiter. La paix signée à Vervins rétablit les clauses du traité de Cateau-Cambrésis de 1559. L'Espagne conserve les Flandres et l'Artois, ainsi que le Charolais, mais doit évacuer les places de Picardie. C'est un échec pour Philippe II.

Caravage bouleverse la peinture

Rome, 1599
Chargé de peindre trois scènes de la vie de saint Matthieu pour l'église Saint-Louis-des-Français, le jeune Caravage fait scandale. Rompant avec les recettes qui ont cours, il propose une vision crue et franche de l'histoire sacrée, d'un réalisme parfaitement irrévérencieux : la *Vocation de saint Matthieu* se déroule dans une auberge, où des ruffians jouent aux cartes, le Christ étant relégué au second plan. Le choc est d'autant plus saisissant que l'artiste plonge ses personnages dans un clair-obscur fortement contrasté.

Caravage. « La Vocation de saint Matthieu ». 1599. Une des trois scènes peintes par l'artiste pour Saint-Louis-des-Français à Rome.

La fin mélancolique d'un grand règne

Espagne, 13 septembre 1598

La mort de Philippe II en son palais solitaire et glacé de l'Escorial consacre la fin d'un grand règne. Lorsque le roi avait accédé au trône en 1556, il s'était trouvé placé à la tête d'un énorme empire « où le soleil ne se couche jamais ». Pourtant des fausses notes rompent bientôt l'harmonie du concert impérial, présageant une crise de grande envergure. La lutte contre la Réforme aux Pays-Bas, commencée dès 1559, s'est éternisée et a consommé une grande partie des forces et de l'argent du royaume. L'aide espagnole aux Irlandais ont assombrit les rapports entre les deux pays. En 1588, l'expédition de l'Invincible Armada contre l'Angleterre fut un cuisant échec, qui marque la fin de la suprématie espagnole sur les mers. Afin de conjurer le danger français, Philippe II proposa sa fille Isabelle au trône de France, proposition refusée. Il tenta alors la guerre ouverte, mais fut défait à Fontaine-Française en juin 1595. Présente sur de trop nombreux fronts, l'Espagne ne put faire face au contrôle de son empire et à la défense du catholicisme. Les trésors des Indes, engouffrés dans la guerre des Flandres, servirent plus à enrichir les marchands génois qu'à

Philippe II d'Espagne. Peinture de Pantoja de la Cruz. Bibliothèque du monastère de l'Escurial.

assurer la victoire. Fatigué et en recul sur tous les fronts, Philippe II avant de mourir, avait partagé son royaume entre Isabelle et Philippe III, auquel il laisse une situation moins brillante qu'il n'y paraît.

Claude Le Jeune publie le "Dodécacorde"

La Rochelle, 1598

Le compositeur Claude Le Jeune publie *Le Dodécacorde*, recueil de douze psaumes polyphoniques, de deux à sept voix, avec accompagnement sur les douze modes authentiques et plagaux. Traduits en vers français par Marot et de Bèze, ces psaumes permettent par la variation des dispositifs vocaux, de mêler les structures polyphoniques et homophoniques. Le Jeune, qui tente de retrouver la musique de l'antiquité, composera sur les vers mesurés de Baïf et d'Agrippa d'Aubigné.

Boris Godounov élu tsar de Russie par le "Zemski Sobor"

Russie, 17 février 1598

Boris Godounov est élu tsar de Russie à l'unanimité par le Zemski Sobor (états généraux), composé de cinq cents députés, prélats, boyards, bourgeois et officiers dont il avait exigé la réunion. Boris Godounov, qui avait commencé sa carrière dans l'opritchina, poursuivit son ascension vers le trône en mariant sa sœur Irina avec le fils et héritier d'Ivan le Terrible, Fédor. Sous le règne de celui-ci (1584-1598), Boris Godounov exerça la régence avec intelligence. Mais, à partir de 1587, il avait, en fait, tout le pouvoir entre ses mains. Il fut un bon administrateur et parvint à affaiblir les boyards rivaux en pratiquant une politique favorable à la noblesse de fonction. Il fut, vraisemblablement, à l'origine de l'assassinat, en 1591, de l'héritier du trône, Dimitri. Avec la mort de Fédor s'éteint la dynastie d'Ivan Kalita. Aussi le peuple russe réclame-t-il tout naturellement Boris Godounov comme tsar, rejetant par là même tout éventuel régent.

Boris Godounov, tsar de Russie. Peinture anonyme du XVIIe siècle.

Henri IV signe l'édit de Nantes

Nantes, 13 avril 1598

La conversion d'Henri IV au catholicisme en 1593 avait causé une grande inquiétude parmi les protestants, qui se voyaient ainsi privés de leur chef naturel et qui craignaient d'être les victimes d'une réaction. Dans les faits, le culte n'était toujours que tacitement toléré et non pas reconnu ; il était en outre interdit à dix lieues autour de Paris et dans toutes les anciennes villes ligueuses. Les grands féodaux huguenots, qui avaient autrefois soutenu le Béarnais, avaient abandonné le roi « renégat » pendant la campagne de Picardie, avant d'entretenir contre lui l'agitation des milieux extrémistes protestants, qui, déjà, demandaient l'intervention de l'Angleterre et des Provinces-Unies. Le péril de la Ligue à peine conjuré, un autre danger menaçait donc l'unité du royaume, celui d'une sécession huguenote. Les modérés du parti, avec à leur tête Philippe du Plessis-Mornay, avaient entrepris de négocier avec les commissaires du roi, Schomberg et de Thou.

De ces pourparlers sont issus les 95 articles de l'édit « perpétuel et irrévocable », signé à Nantes le 13 avril, édit qui sera complété quelques semaines plus tard par 56 articles particuliers. Les protestants obtiennent la liberté de conscience dans tout le royaume, la liberté du culte dans les lieux où la Réforme avait été établie avant 1597. Le droit de réunir des synodes leur est également accordé. Les anciens temples leur sont restitués et l'autorisation d'en construire de nouveaux leur est donnée. L'égalité civique avec les catholiques leur est reconnue ainsi que le libre accès à toutes les charges publiques. Une amnistie pleine et entière est accordée à tous ceux qui ont pris les armes pendant les guerres de Religion. Des tribunaux formés par des magistrats appartenant aux deux confessions seront créés pour juger toutes les affaires où des protestants seront en cause. Des garanties territoriales complètent ces mesures : une centaine de villes, parmi lesquelles La Rochelle, Saumur, Montauban et Montpellier, sont attribuées aux protestants ; ce sont les « villes de sûreté ».

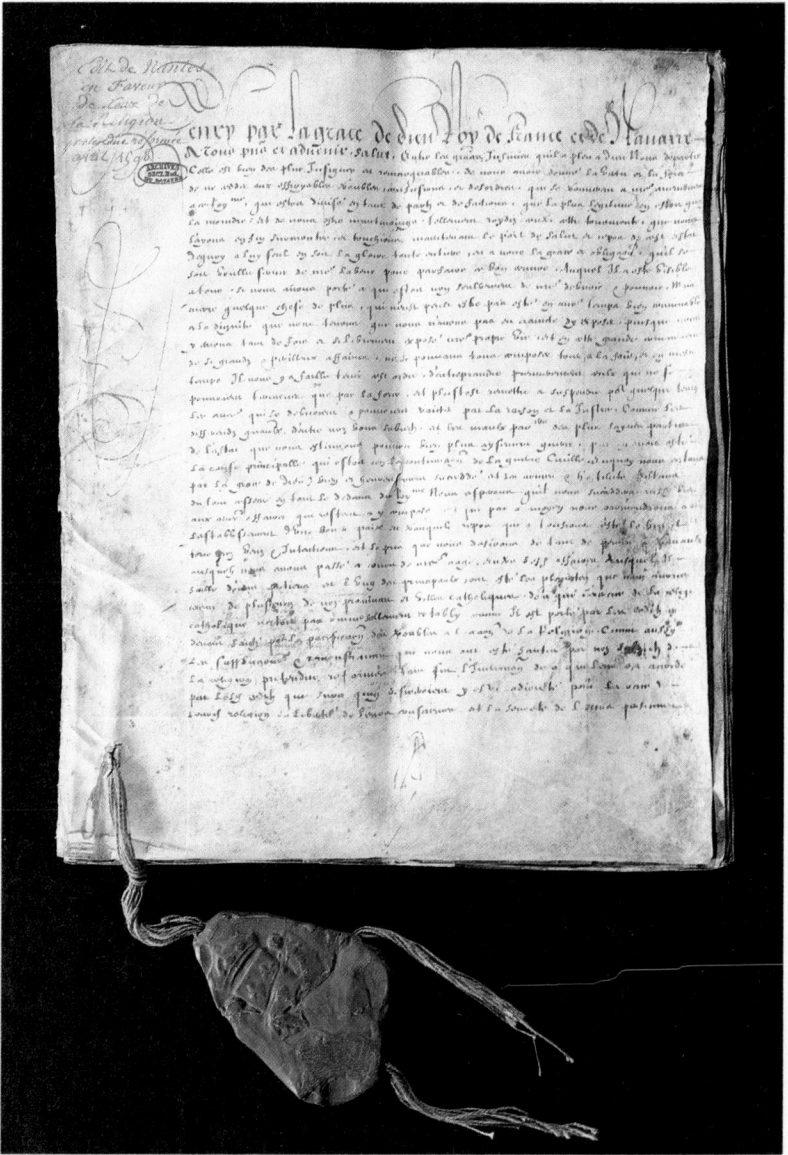

Première page de l'édit de Nantes, promulgué le 13 avril 1598 par Henri IV, « édit perpétuel et irrévocable ». Archives nationales, Paris.

1600

Rome, 17 février
Accusé d'hérésie, Giordano Bruno est brûlé vif sur le Campo di Fiori. →

Londres, 31 décembre
Fondation de l'*East India Company* (la compagnie anglaise des Indes orientales).

Madrid
Mort du jésuite Luis Molina (né en 1536). Son traité sur le libre arbitre et la grâce (1588) souleva de nombreuses et vives controverses entre jésuites et dominicains. →

France
Henri IV épouse Marie de Médicis. →

Théâtre d'agriculture et mesnage des champs d'Olivier de Serres. →

Florence
A l'occasion du mariage d'Henri IV et de Marie de Médicis, est créée *Euridice,* un opéra de Jacopo Peri sur un livret d'Ottavio Rinuccini. Sur le même texte et cette même année, Giulio Caccini compose lui aussi un opéra. Ce sont les premiers du genre.

Amérique du Nord
Pierre Chauvin et Pontgravet fondent un poste de traite des fourrures à Tadoussac sur les bords du Saint-Laurent. Ils y laissent seize hommes, cinq seulement survivront à l'hiver.

Flandre occidentale
Après avoir battu à Nieuport les troupes de l'archiduc Albert, Maurice de Nassau tente d'envahir les possessions espagnoles du Sud.

Londres
Représentation d'*Hamlet* de William Shakespeare. →

Italie
La *Rappresentazione di Anima e di Corpo* du compositeur Emilio de Cavalieri passe pour être le premier oratorio dramatique. →

Angleterre
Médecin de la reine Elisabeth, William Gilbert (1554-1603) publie *De Magnete,* le premier traité établissant une théorie d'ensemble du magnétisme terrestre s'appuyant sur des observations précises touchant notamment les phénomènes de répulsion et d'attraction qu'exercent les aimants ; il assimile la Terre à un aimant et détermine l'existence d'un champ magnétique.

Amérique espagnole
Une loi interdit aux Blancs de pénétrer sans autorisation spéciale dans les villages indiens.

1601

Londres, 25 février
Robert Devereux, deuxième comte d'Essex, ancien favori de la reine Elisabeth, est exécuté après l'échec d'une conjuration dont il était l'instigateur. Sous prétexte de protéger la reine d'un complot espagnol, il avait tenté avec ses partisans, et l'aide de Jacques VI d'Ecosse, de prendre possession de la ville et de la Tour de Londres.

Prague, 24 octobre
Mort de l'astronome Tycho Brahé (né en 1546). Grâce à l'empereur Rodolphe II, son nouveau protecteur, il avait pu reconstituer un observatoire à Prague et avait accueilli dans son équipe Johannes Kepler qu'un édit contre les protestants avait chassé d'Allemagne. Ses observations sur le mouvement de la planète Mars furent de la plus grande utilité pour Kepler. Le grand mérite de Tycho Brahé fut d'avoir compris l'intérêt d'une observation permanente du ciel et d'avoir mis au point pour cela des instruments nouveaux, permettant des mesures et des calculs précis.

France
Le Bugey et la Bresse sont rattachés à la France. →

Espagne
Etablissement du Conseil des Millones.

Mexique
Les caciques indiens se révoltent contre les Espagnols.

Paris
Publication par Pierre Charron des *Trois livres de la Sagesse,* traité de morale dont le cadre est emprunté au traité de Cicéron *Des devoirs* et qui connut le plus vif succès pendant la première moitié du XVIIe siècle.

Londres
Publication posthume de la *Tragique histoire du docteur Faust,* drame en vers et en prose de Christopher Marlowe. Ce n'est certainement pas la meilleure pièce de l'auteur ; c'est en tout cas la première qui ait porté à la scène le personnage de Faust.

Le débarquement de Marie de Médicis à Marseille le 3 novembre 1600. Détail. Peinture de Rubens.

Henri IV épouse Marie de Médicis

Lyon, 16 décembre 1600
Henri IV épouse Marie de Médicis. La fille du grand-duc de Toscane, François Ier, et de l'archiduchesse Jeanne d'Autriche, est née en 1573 à Florence. Mariage d'intérêt plus que d'inclination : la descendante des banquiers florentins apporte en effet une dot de 600 000 écus au roi, à qui cette alliance avec les Médicis permettra, en outre, de jouer un rôle sur l'échiquier italien, utile contrepoids à l'influence de l'Espagne, devenue toute puissante dans la péninsule. Henri IV avait en 1572 épousé Marguerite de Valois. Mariage politique là aussi, puisqu'il s'agissait de rapprocher catholiques et protestants. Mais, lassé par les infidélités répétées de la « reine Margot » et par les disputes continuelles, Henri avait fini par la reléguer en 1587 au château d'Usson en Auvergne et, en 1599, il obtenait enfin de Clément VIII l'annulation de ce mariage malheureux.

Le commerce colonial au XVIe siècle

Europe, 1600
Le commerce colonial au XVIe siècle a profondément transformé l'économie européenne. En vertu des idées en cours à cette époque, le commerce avec les colonies est sous le régime du monopole royal. Au Portugal, a été créé, en 1505, un établissement chargé d'assurer le monopole royal. Le trafic est concentré à Lisbonne. Il est conçu comme un service public affermé à des traitants. Le roi prélève des taxes de 30 à 80 %. A l'embarquement et au débarquement, des agents royaux surveillent les cargaisons. Ils fixent les prix des marchandises. Ces factories, dont la *Casa da India et de Guiné* est la plus puissante, reçoivent dans leurs entrepôts les marchandises dans des caisses sous scellés. Nul autre commerçant n'est censé acheter aux colonies les denrées agricoles et les matières premières, ou vendre des produits manufacturés. Seule la contrebande tempère ce régime de l'exclusive. En Espagne le roi a établi à Séville, la *Casa de contratacion.* C'est une sorte de ministère du Commerce transatlantique. Elle comprend un bureau océanographique, une école de navigation et une cour de justice. C'est elle qui élabore les règlements, délivre les autorisations et lève les droits. En 1526 le *Conseil des Indes* a été créé au-dessus de la Casa. Plus le commerce colonial s'avère fructueux, plus le monopole royal se resserre. Vers 1600 le commerce colonial espagnol connaît son apogée, 80 % des échanges entre l'Europe et l'Amérique passe par les ports andalous. Mais à l'aube du XVIIe siècle le Portugal et l'Espagne ont deux rivaux, l'Angleterre et les Pays-Bas. La vocation commerciale des Pays-Bas est née en grande partie de la lutte contre les Portugais et les Espagnols. La fermeture de Lisbonne aux Néerlandais après 1580 a contribué à les lancer sur les mers lointaines dans le but de s'approvisionner directement en épices. Ils ont progressivement constitué un véritable empire colonial au détriment des Portugais. La *Compagnie des Indes orientales,* formée en 1602 par la fusion de huit compagnies isolées, a reçu le monopole du commerce avec l'Orient. Son capital de six millions de florins, ses nombreux comptoirs de l'océan Indien et de l'Insulinde, ses milliers de marins, soldats et employés, la rendent maîtresse du trafic des épices. En France, le commerce colonial ne connaît pas encore cette forme monopolistique. Faute de moyens il est de faible rapport. Il faudra attendre Richelieu et Colbert pour voir se constituer de grandes compagnies françaises de commerce colonial, comme la *Compagnie française des Indes orientales.*

Giordano Bruno est brûlé vif à Rome

Rome, 17 février 1600

Ce matin, Giordano Bruno a été brûlé vif. Son procès, commencé voici sept ans, s'est achevé le 8 février quand le Saint-Office le chassa de l'Eglise comme « hérétique impénitent » et le remit à une cour séculière. Giordano Bruno était critiqué en tant que théologien et philosophe. Né à Nola en 1548, il fit de sérieuses études avant d'entrer dans l'ordre des Dominicains, à Naples, en 1565. Mais des réserves sur des points du dogme et un sentiment de révolte devant les abus de l'Eglise lui firent quitter, en 1576, son couvent. Commença alors une vie errante qui le mena à Genève, puis en France, en Angleterre, en Allemagne et à Prague. De retour à Venise, il fut arrêté par l'Inquisition. Giordano Bruno a tiré du système de Copernic ses ultimes conséquences : l'héliocentrisme l'amène à postuler l'infinité du monde. C'est ce que développent les ouvrages majeurs d'une œuvre foisonnante : *Le Banquet des cendres, De la cause, du principe et de l'unité* et *De l'infini de l'univers et des mondes*. Dans une autre veine, Bruno a écrit *Les Fureurs héroïques* qui célèbrent les possibilités d'enthousiasme de l'homme.

Les plaques de bronze du Bénin

Art de cour symboliste, le travail du bronze au Bénin produit dans sa période classique (XVIe et XVIIe siècles) des chefs-d'œuvre réalisés selon la technique de fonte à la cire perdue. Destinées à célébrer la grandeur du royaume, elles représentent le souverain entouré de guerriers et de musiciens qu'il écrase de sa taille et des attributs de son rang, colliers, casque et sabre d'apparat.

Art du Bénin. Souverain d'Ifé. Plaque de bronze. Détail. XVIe siècle.

Le traité d'agronomie d'Olivier de Serres

Paris, 1600

Le roi Henri IV se fait lire chaque soir, après dîner, un passage du *Théâtre d'agriculture et mesnage des champs* du sire Olivier de Serres, gentilhomme huguenot, diacre de l'église protestante de Berg en Vivarais et agronome. Retiré sur ses terres du Pradel après les massacres de Villeneuve-de-Berg, sa ville natale, en 1573, il met en valeur son domaine, se refusant à la lutte partisane mais ne perdant pas de vue l'intérêt du royaume. Un demi-siècle après la publication de la *Maison rustique* d'Estienne et Lieubault, dont le succès est constant, le roi encourage le retour à la terre de la noblesse de cour, et les gentilshommes campagnards se passionnent pour la botanique. Olivier de Serres renouvelle l'agriculture en pratiquant systématiquement l'assolement : les jachères sont remplacées par les prairies artificielles et les fourrages-racines. Il développe la culture du sarrasin et l'implantation du pommier à cidre ; il importe la garance de Flandre, le houblon d'Angleterre, le maïs et le mûrier d'Italie. Pour le roi qui veut établir la sériciculture, il écrit en 1599 *La Cueillette de la soye par la nourriture des vers qui la font*. Henri IV, à qui est dédié *Le Théâtre d'agriculture*, comprend tout l'intérêt pacificateur d'un traité qui sert le redressement économique de la France par un style simple, des préceptes concis, une connaissance et un amour réels de la vie rustique.

Emilio de Cavalieri perfectionne l'oratorio

Rome, février 1600

Le compositeur Emilio de Cavalieri, intendant à la cour de Ferdinand Ier de Médicis, fait donner la *Rappresentazione di Anima e di Corpo*, œuvre apparentée à l'oratorio. Composée dans le nouveau style destiné à imiter le plus possible le rythme de la langue parlée, elle fait intervenir de nombreux chœurs qui alternent avec le récitatif dont ils prolongent la qualité expressive.

Le libre arbitre et la grâce selon Molina

Madrid, 14 octobre 1600

Le théologien Luis de Molina qui vient de mourir s'est illustré en publiant en 1588 un traité qui souleva maintes polémiques : *Accord du libre arbitre avec le don de la grâce, la prescience divine, la providence, la prédestination et la réprobation*. Il s'y opposait à la thèse augustinienne de la corruption intégrale de la liberté humaine. Disciple de saint Thomas, Molina estime que le libre arbitre est total et s'accorde avec la grâce.

Frontispice du « Théâtre d'Agriculture et Mesnage des champs » d'Olivier de Serres. Paris. 1600. Bibliothèque nationale, Paris.

Michel le Brave est assassiné

Valachie, 1601

Le prince de Valachie, Michel le Brave, est assassiné par un agent de l'empereur d'Autriche. L'Etat roumain qu'il avait créé, s'effondre avec lui. Révolté contre la domination ottomane, il était parvenu, en 1595, à faire reconnaître son indépendance. Avec l'aide de l'Autriche, il conquit la Transylvanie et la Moldavie. Mais ses oscillations entre Istanbul et Vienne lui furent fatales.

La Bresse et le Bugey annexés par la France

Lyon, 17 janvier 1601

Le traité de Lyon donne à la France le Bugey, la Bresse, le Valromey et le Pays de Gex sur le revers oriental du Jura. Charles-Emmanuel de Savoie obtient en échange Saluces ainsi que toutes les anciennes positions françaises outre-monts. Le duc de Savoie avait été l'allié de Philippe II et avait fait partie de la coalition ligueuse. Après une courte guerre, dont il avait pris l'initiative, il fut défait près de Chambéry.

Hamlet, prince du doute et de la liberté

Londres, 1600

L'Histoire des Danois écrite au XIIIe siècle par Saxo Grammaticus, reprise dans les *Histoires tragiques* du Français Belleforest, a fourni matière à la première tragédie anglaise. L'*Hamlet* de Thomas Kyd voit le spectre de son père lui demander vengeance ; il donne au meurtrier la représentation théâtrale de son crime et meurt dans le duel final avec Laertes. Mais cet Hamlet-là est décidé et agressif. Le héros de la tragédie en cinq actes de Shakespeare a un caractère sombre, mélancolique et pessimiste. « Etre ou une pas être », (*To be or not to be*), exprime le doute fondamental. Sa méditation devant le crâne de Yorick, sa contemplation désespérée d'une situation où il n'agit pas retardent singulièrement la vengeance attendue. Ici, Shakespeare donne à la folie un ton exceptionnel. Folie feinte d'Hamlet aux répercussions imprévues, folie réelle d'Ophélie aux conséquences pitoyables. Le personnage de ce nouveau drame est frénétique et apathique, sage et fou, et offre à un public avide l'ampleur de sa démesure.

1602

Rome, 11 mars
Mort du compositeur Emilio de Cavalieri. En 1588, Ferdinand de Médicis l'avait nommé surintendant pour l'Art, les fêtes, le théâtre et la musique. Il fut le premier compositeur florentin à pratiquer le style récitatif.

Amsterdam, 25 mars
La fondation de la Compagnie des Indes orientales résulte de la fusion de huit compagnies commerciales néerlandaises constituées depuis 1595.

Paris, 29 juillet
Pour avoir comploté avec l'Espagne et la Savoie contre le roi, le duc de Biron, maréchal de France, est exécuté. Il fut un favori d'Henri IV et comme son père, Armand de Biron, un valeureux guerrier.

France et Amérique du Nord, décembre
A la mort de Pierre Chauvin, qui détenait le monopole du commerce avec le Canada, Henri IV nomme, pour le remplacer, Aymar de Chastes, gouverneur de Dieppe et vice-amiral. Henri IV invite, par ailleurs, dans une lettre ouverte, les marchands de Saint-Malo à se joindre aux autres marchands français pour organiser la colonisation du Canada ; les Malouins rejettent l'offre royale.

Naples
Campanella rédige en prison *La Cité du Soleil*. →

Paris
La reine Marie de Médicis fonde l'hôpital de la Charité. →

Amérique du Sud
Les Hollandais s'installent en Guyane près de l'estuaire de l'Essequibo ; cet établissement durera jusqu'en 1621.

1603

Angleterre, 23 mars
Mort d'Elisabeth d'Angleterre ; lui succède Jacques VI d'Ecosse, sous le nom de Jacques Ier d'Angleterre. →

Amérique du Nord, 26 mai
Lors de son premier voyage au Canada, Samuel Champlain pactise avec les Montagnais, des Indiens ennemis des Iroquois. →

France, 13 décembre
Mort du mathématicien François Viète (né en 1540) ; il est l'initiateur des symboles alphabétiques en algèbre.

France
Henri IV autorise les jésuites à se réinstaller dans le royaume.

Paris
Les travaux en vue de l'achèvement du Pont-Neuf reprennent. →

Allemagne
Publication de l'atlas astronomique de Johann Bayer. →

Maroc
Mort d'Ahmad V al-Mansûr, le Victorieux, surnom qui lui a été donné après la bataille des « Trois Rois » en 1578. Sous son règne, le Maroc sa'dien sortit pour un temps d'une longue période de léthargie. Ahmad V joua un rôle international tant en Méditerranée qu'en Afrique noire. Ainsi il confia au pacha Djouder la mission de s'emparer du riche empire songhaï, maître des salines sahariennes de Teghazza, et de l'or du Soudan.

Istanbul
A la mort de Mehmet III, lui succède comme sultan Ahmet Ier.

La Rochelle
Arrivée des premières peaux de castor en provenance du Canada.

Russie
La famine qui sévit depuis 1601 a tué plusieurs millions de Russes.

Japon
De l'affrontement général qui a suivi la mort d'Hideyoshi (1548), Tokugawa Ieyasu sort vainqueur. Il établit son *bakufu* (gouvernement militaire) à Edo et s'y fait construire un château. Il règne en maître, mais sait s'entourer d'hommes habiles et capables. →

Lisbonne
Exécution d'un imposteur qui se faisait passer pour le roi Sébastien du Portugal. →

Espagne
Publication de la seconde partie du roman picaresque de Mateo Alemán : *Guzmán de Alfarache*.

Londres
Tout est bien qui finit bien : comédie en cinq actes de Shakespeare, dont les quiproquos prennent toute leur saveur si les rôles sont tenus par des travestis.

Le moine Campanella écrit en prison "La Cité du Soleil"

Calabre, 1602
Le bouillant Calabrais, entré à quinze ans chez les dominicains a déjà eu, à trente-quatre ans, une vie très mouvementée. La condamnation de sa *Philosophie démontrée par les sens*, publiée à Naples en 1591 après qu'il ait quitté son monastère, l'oblige à fuir à Padoue. Il y prône une réforme de la religion qui réunirait tous les hommes sous un ordre civil et religieux unique. Pour n'avoir ni converti ni dénoncé un juif, il est envoyé en prison à Rome par le Saint-Office, en 1594. Déclaré relaps après son abjuration, il est renvoyé dans son monastère de Calabre. Mais, comme les Espagnols dominent alors l'Italie, il suscite une révolte qui échoue. Arrêté et condamné à mort en novembre 1599, il est torturé en février 1600. Il simule la folie et sa peine est commuée en réclusion à perpétuité. Après la *Monarchie d'Espagne* et les *Aphorismes politiques*, c'est donc en prison qu'il édifie la grandiose utopie métaphysique de sa *Cité du Soleil*. Sept enceintes inexpugnables s'élèvent autour d'une montagne ; chacune est consacrée à une planète ; au sommet se dresse un temple admirable consacré au Soleil. Un prêtre, Hoh, le Métaphysicien, a le gouvernement suprême ; il est assisté par trois chefs, Pon, Sin et Mor, Puissance, Sagesse, Amour qui commandent respectivement les forces armées, les sciences et les arts, la génération et la puériculture. La philosophie et la raison, dominées par la métaphysique et la théologie, permettent une communauté égalitaire où règne une idéale harmonie.

Fondation d'institutions charitables

Paris, 1602
La reine de France, Marie de Médicis, fonde à Paris l'hôpital de la Charité afin d'accueillir malades et pestiférés. Sous le règne d'Henri IV, l'hôpital Saint-Louis est également construit. Il est composé d'un bâtiment formant un vaste carré avec au centre un jardin ; à l'extérieur quatre grands bâtiments d'angle abritent médecins et religieuses. Une chapelle complète l'ensemble. Environ un dixième des habitants du royaume est réduit à la mendicité. Ces indigents viennent souvent de la campagne. Les guerres ont fourni également leur contingent de soldats licenciés, invalides et réfugiés. Le nombre croissant des marginaux, vieillards, malades, infirmes, simples d'esprit, orphelins, rend les anciennes institutions caritatives de l'Eglise insuffisantes. La bourgeoisie municipale est obligée de suppléer aux carences. Elle assume une partie de la gestion de l'assistance en fondant ses propres institutions laïques. En 1544, à Paris, ont été institués les Bureaux des pauvres ou Aumônes générales. Des laïcs se chargent de l'entretien des pauvres à domicile et de la répartition des malades et invalides dans les hôpitaux. Tous les pauvres ne sont pas secourus de la même façon. Entre tous ces miséreux, les autorités urbaines ou religieuses distinguent entre les pauvres locaux et les pauvres étrangers, vagabonds, errants, les pauvres susceptibles de travailler, secourus avec contrepartie et les malades, les infirmes, les enfants. Il y a les vrais pauvres, patients, humbles, acceptant ce que les Bureaux leur donnent, inoffensifs aimés de Dieu pour lesquels on peut faire en bon chrétien son devoir de charité, et les faux, ceux qui mendient professionnellement, menteurs, ivrognes, impudiques, qui sont craints.

Le repas des malades dans la grande salle de l'hôpital de la Charité à Paris, fondé par Marie de Médicis en 1602. Gravure d'époque.

Un imposteur se fait passer pour Sébastien

Portugal, 7 septembre 1603
Un procès condamne un « faux Sébastien » a avoir le poing coupé et à être pendu. Ce n'est pas le premier faux Sébastien. L'origine de la mystification provient du fait que le petit-fils de Jean III, Sébastien, roi du Portugal depuis 1557, est mort, sans témoins, au cours d'une bataille en 1578 à Ksar el-Kébir. Sa dépouille aurait été identifiée dans un cadavre défiguré. Pour successeur les Portugais furent contraints d'accepter la candidature de Philippe II d'Espagne, un Castillan. Dès lors, de faux Sébastien apparurent, sorte de revendication nationale. Trois ont déjà été pendus ou condamnés aux galères. Le dernier s'était fait connaître en Italie, interpellant familièrement les diplomates espagnols.

Mort d'Elisabeth, reine d'Angleterre

Angleterre, 24 mars 1603
La reine d'Angleterre, Elisabeth Ire est décédée à Richemond. Avant sa mort elle a fait connaître, in extremis, son successeur : Jacques VI, roi d'Ecosse, dont la candidature avait rallié les suffrages des modérés et des catholiques qui espéraient du fils de Marie Stuart un régime plus tolérant. L'éloge de la reine figure déjà dans la dernière tragédie de Shakespeare, *Henri VIII* : « Elle sera aimée et redoutée... Dieu sera vraiment connu et ceux qui l'entourent seront guidés par elle dans le droit chemin de l'honneur ». Intelligente, séduisante, autoritaire, elle a contribué à faire de l'Angleterre un Etat puissant. En politique intérieure elle chercha à instaurer une royauté absolue. Pour ne pas réunir trop souvent le Parlement, elle gouverna par décrets. Les opposants ont été jugés par la « Chambre étoilée ». En matière religieuse elle a érigé l'anglicanisme en religion d'Etat. La résistance catholique irlandaise a été violemment réprimée. Intéressée au développement économique du royaume, elle a systématiquement favorisé l'essor du commerce maritime et la lutte contre les autres puissances coloniales, notamment l'Espagne. Londres est devenue la rivale d'Anvers et d'Amsterdam. Sensible à l'écart croissant entre les riches et les pauvres, elle a institutionnalisé l'aide aux miséreux. Dans le domaine artistique, le règne d'Elisabeth est marqué par une véritable Renaissance. Si en peinture, les grands peintres, Holbein ou Van Dyck, sont d'origine étrangère, Shakespeare donne un éclat (et quel éclat !) authentiquement anglais à la littérature.

Elisabeth Ire, reine d'Angleterre. Elle érigea l'anglicanisme en religion d'Etat.

Vue du Pont-Neuf à Paris vers 1635. Peinture école française du XVIIe siècle. Musée Carnavalet, Paris.

Un pont neuf pour les Parisiens

Paris, 20 juin 1603
Henri IV inaugure la reprise des travaux du Pont-Neuf et traverse à cette occasion la Seine sur un tablier de planches provisoire. Les travaux doivent reprendre activement. Le financement sera tiré d'un impôt sur le vin. La première pierre du nouveau pont avait été posée en 1578 par Henri III. Dix ans plus tard, les piles étaient en place. Les travaux furent interrompus pendant les guerres de Religion. En même temps que le pont, qui facilitera les relations entre le Louvre et l'abbaye de Saint-Germain-des-Prés, c'est tout un nouveau quartier qui verra le jour. Les deux îlots sur lesquels les piles prennent appui, vont être exhaussés et rattachés à l'île de la Cité.

Publication d'un atlas astronomique

Saint-Empire, 1603
L'astronome allemand Johann Bayer (1572-1625) a publié un nouvel atlas astronomique, dans lequel il classe les étoiles par groupes, en fonction de leur intensité lumineuse. Cette classification, caractérisant chaque type d'étoile par une lettre grecque (alpha Centauri, par exemple), s'imposera définitivement. Outre cette alphabétisation astronomique, Bayer présente également et pour la première fois une cartographie des étoiles des latitudes Sud. Il a utilisé pour l'élaboration de son atlas, *Uranometria*, ses propres observations, complétées par les travaux de l'astronome danois Tycho Brahé, mort en 1601. Les observations de Brahé, qui refusa sa vie durant le système copernicien (la Terre tourne autour du Soleil), demeureront les plus précises jamais effectuées jusqu'à l'invention du télescope.

L'ère Edo commence avec les Tokugawa

Japon, 1602-1603
Tokugawa Ieyasu obtient d'être nommé *shôgun* par l'empereur, et instaure le *bakufu* (siège de l'administration militaire) à Edo. A la disparition de Toyotomi Hideyoshi, en 1598, Ieyasu s'efforce de maintenir et renforcer l'unité politique de l'archipel. Devenu shôgun, il s'éloigne de Kyôto, la capitale impériale, et installe son siège militaire et le centre administratif de l'empire à Edo, l'actuelle Tokyo. La fondation du bakufu d'Edo instaure une ère une ère de paix intérieure dont la classe commerçante profitera largement. Les plus fortunés des marchands s'improviseront même volontiers banquiers-prêteurs. Le pouvoir conserve cependant le monopole du commerce extérieur, ce qui ne manquera pas d'entraver le développement économique du pays déjà freiné par les problèmes de l'agriculture.

Tokugawa Ieyasu. Ayant pris le titre de Shôgun en 1603, il contraignit l'empereur à se retirer.

Samuel Champlain débarque au Canada

Canada, avril 1603
Parti de Honfleur, le 15 mars, accompagné d'un marchand de Saint-Malo, Gravé du Pont, Champlain débarque au Canada. Il atteint Tadoussac, à l'embouchure du Saguenay, remonte ensuite le Saint-Laurent jusqu'aux rapides de Lachine et découvre la Gaspésie. Le 20 septembre, il est de retour au Havre. Le but de cette expédition était d'étudier les conditions d'un établissement permanent en Nouvelle-France. Dans la relation de son voyage, *Des Sauvages*, il démontre la possibilité d'une colonisation. Il rencontre l'approbation royale. Malgré les échecs précédents, malgré les avis contraires de Sully, Henri IV ne veut pas renoncer à ses ambitions coloniales. Champlain (né en 1567) aurait, semble-t-il, déjà participé en 1596 sur un navire espagnol, à un voyage d'exploration en Amérique centrale.

1604

Pays-Bas, 20 septembre
Les Espagnols reprennent Ostende. La ville défendue par les rebelles hollandais était assiégée depuis près de deux ans par les troupes espagnoles. A l'imitation des preux chevaliers d'antan, l'archiduchesse Isabelle, dont l'entêtement est devenue légendaire, avait fait le vœu de ne point changer de chemise tant qu'Ostende n'aurait pas été prise.

France
Edit de la Paulette (du nom du financier Paulet), ordonnance de Henri IV instituant la vénalité des offices. →

Rome
Annibale Carrache met la dernière main à la décoration de la galerie du palais Farnèse. →

Panjâb
Construction du « Temple d'or » d'Amritsar, destiné à abriter l'*Adi-granth,* livre sacré des Sikhs rédigé par Arujma, leur cinquième guru, en panjâbi. Ce livre rassemble les hymnes religieux des précédents gurus ainsi que ceux du poète Kabîr. →

Nouvelle-Espagne
C'est dans *La Gazetta mexicana* du créole Balbuena qu'apparaît pour la première fois dans un écrit le terme, alors nouveau, de « mexicana ».

France et Amérique du Nord
Henri IV désigne Pierre de Monts comme successeur à Aymar de Chastes et lui donne pleine et entière autorité sur le territoire du Canada ainsi que le monopole de la colonisation et de l'exploitation des richesses, à l'exception de la pêche, à charge pour lui de pourvoir à l'installation de soixante colons par an.

Suède
Ayant profité de l'attachement des Suédois à la Réforme pour déposer Sigismond, roi de Pologne et héritier légitime, Charles IX s'empare du pouvoir et monte sur le trône.

Londres
Othello, le Maure de Venise, drame de la jalousie en cinq actes de William Shakespeare.

1605

Russie, 13 avril
Mort du tsar Boris Godounov. →

Moscou, 10 juin
Soutenu par les Polonais, un Russe converti au catholicisme et qui se fait passer pour le prince Dimitri se fait couronner tsar à Moscou.

Genève, 13 octobre
Mort de Théodore de Bèze. En 1548, il abjura le catholicisme et se rendit en Suisse. A Lausanne, il enseigna le grec, puis, à Genève, la théologie. Il devint pasteur. Il succéda à Calvin, comme recteur de l'académie de Genève. Il a beaucoup écrit, poésies, histoires, traités, pamphlets, et même une tragédie, *Abraham sacrifiant* (1553).

Empire moghol, 26 octobre
Mort d'Akbar le Grand ; son fils, Jahângîr, lui succède à la tête de l'empire. →

Londres, 4 et 5 novembre
Le complot des Poudres marque l'existence d'un activisme catholique. →

France
Le poète François de Malherbe entre à la cour d'Henri IV.

Londres
Macbeth de Shakespeare. →

De la valeur et de l'avancement des sciences de Francis Bacon.

Représentation de *Volpone ou le Renard* de Ben Jonson.

Amérique du Nord
Fondation de Port-Royal en Acadie. →

Espagne
Publication de *El ingenioso hidalgo Don Quijote de la Mancha.* →

Paris
Début de la construction de la Place royale.

Rome
Le tableau de Caravage représentant *La Mort de la Vierge,* commandé pour l'église Santa Maria della Scala in Trastevere, est refusé pour indécence : le corps de la Vierge, déjà boursouflé par la mort, n'est que celui d'une pauvre femme.

Indes orientales
Le navigateur anglais John Davis est tué par des pirates dans le détroit de Malacca. En cherchant un passage maritime au nord de l'Amérique, il avait découvert en 1587 le détroit reliant la mer de Baffin à l'Atlantique qui porte son nom, et en 1592 l'archipel des Falkland lors d'une expédition dans les mers du Sud avec Cavendish.

Le Temple d'or, sur le « lac Immortalité », édifié à Amritsar, capitale religieuse des Sikhs. La construction en fut achevée en 1605.

Achèvement du Temple d'or d'Amritsar

Indes, 1604-1605
A Amritsar, capitale religieuse des Sikhs, les travaux de construction du Temple d'or s'achèvent. A l'image de la religion sikh, synthèse de l'islam et de l'hindouisme, il mêle harmonieusement l'architecture musulmane et certaines conceptions hindoues. A Amritsar, l'accès au sanctuaire, élevé sur une plate-forme carrée au centre d'un étang, se fait par une digue pavée, de l'unique entrée située à l'ouest. Le bâtiment, de deux étages, est couronné d'un dôme recouvert de métal, et l'ensemble est cantonné, à chaque angle, de kiosques à coupole. La décoration intérieure du temple offre un riche répertoire de motifs floraux et géométriques, peints ou de métal martelé. Au fil des ans, le Temple d'or subira plusieurs réfections, utilisant des matériaux pillés dans d'autres sanctuaires, et deviendra le centre d'un complexe religieux plus vaste.

Mort de l'empereur moghol Akbar le Grand

Indes, 1605
L'empereur Akbar est mort, âgé de 63 ans. Après un début de règne difficile, Akbar prit effectivement les rênes du pouvoir en 1562. Il agrandit considérablement ses possessions par de nombreuses conquêtes et annexions. Mystique, il se voulut fondateur de religion. Un syncrétisme osé de bouddhisme, hindouisme, islam et christianisme qui ne lui survivra pas. Cependant, Akbar mena une politique religieuse tolérante qui favorisa l'essor culturel et artistique du pays. Il parvint à établir dans son empire, une authentique unité, et il est considéré comme l'un des plus grands souverains moghols.

L'empereur Jahângîr tenant le portrait de son père, Akbar le Grand.

Mort soudaine du tsar Boris Godounov

Russie, 13 avril 1605
Le tsar Boris Godounov meurt à l'âge de cinquante-trois ans, laissant le trône à son fils Fédor. Issu d'une famille noble d'origine tatare, il fit son ascension politique, sous Ivan le Terrible, grâce au système de l'oprit-china. Boris Godounov était devenu tsar de Russie en 1598. Il commença par briser l'opposition des boyards comme les Bielski et les Romanov. Il favorisa la petite noblesse au détriment des paysans. Les deux premières années de son règne furent calmes. Mais en 1601 le malheur s'abattit sur la Russie : mauvaises récoltes et famine, épidémies, révoltes qui précipitèrent le pays dans une période de troubles culminant, en 1603, avec l'apparition du « faux Dimitri ». Boris Godounov garde cependant l'image d'un souverain progressiste, soucieux de la prospérité de la Russie. C'est ainsi qu'il fonda des écoles pour lesquelles il fit venir des maîtres d'Europe occidentale. Pour résoudre la crise sociale, il n'eut d'autre ressource que d'attacher les paysans à la glèbe.

Annibale Carrache décore le palais Farnèse

Rome, 1604

Annibale Carrache vient d'achever la décoration de la galerie du palais Farnèse. L'ensemble est complexe et fait la part belle à l'illusionnisne : sculptures peintes en trompe-l'œil, faux encadrements, guirlandes et frises entourent panneaux et lucarnes ouvertes sur un ciel imaginaire. Quant aux thèmes, tirés de divers épisodes des *Métamorphoses* d'Ovide, ils évoquent tous la puissance victorieuse de l'Amour. C'est dans le *Triomphe de Bacchus et d'Ariane* que les émois des sens sont représentés avec le plus de fougue et d'ivresse. Les corps, vigoureux et sensuels, doivent beaucoup à Michel-Ange. L'unité du décor est rendue par une lumière uniformément blonde et légère et par une perspective unique.

Annibale Carrache. « Le Triomphe de Bacchus et d'Ariane ». 1604. Palais Farnèse, Rome.

Frontispice de la première édition de « Don Quichotte de la Manche ».

L'Espagne vibre aux aventures de Don Quichotte de la Manche

Espagne, 1605

Cervantes publie la première partie de *Don Quichotte de la Manche*. Le roman, dont le but apparent est de ridiculiser la mode des romans de chevalerie, prétexte à se réfugier dans une Espagne héroïque qui n'est plus, nous plonge en fait dans une réflexion d'une infinie tristesse, à l'ironie amère, sur un pays corseté et avide, qui a échangé les valeurs de la Reconquête pour l'or des Amériques. L'opposition entre Don Quichotte, fantasque, généreux, refaiseur de monde, avec les avatars que comporte une telle mission, et son écuyer Sancho Pança, représentant trileux d'un évident bon sens, renvoie le lecteur à deux versants très typés de l'âme humaine. L'œuvre connaît un énorme succès dès sa parution. Elle sera traduite en français dès 1614.

La mort hante les rêves de Lady Macbeth

Londres, 1605

Irrésistiblement influencé par la prophétie des trois sorcières de la lande et poussé par sa femme, le général écossais Macbeth assassine, pendant son sommeil, Duncan, son roi et son hôte. Pris dans un engrenage fatal, il tue ensuite son compagnon Banco à qui devait revenir le trône, puis la femme et les enfants du général Macduff... Lady Macbeth, hantée par l'horreur de son forfait et poursuivie par le cauchemar d'une tache de sang qu'elle ne peut effacer, devient folle, tandis que Macbeth meurt sous les coups des vengeurs de Duncan. Tragédie de l'ambition et du remords, suant l'angoisse, *Macbeth* est l'une des plus hautes expressions du théâtre shakespearien.

Les papistes anglais organisent le "complot des Poudres"

Londres, 1605

Le complot des Poudres, découvert fin octobre, secoue toute l'Angleterre. Des catholiques anglais ont tenté de faire sauter Westminster lors de la séance inaugurale du Parlement. Les instigateurs sont d'anciens officiers qui avaient servi dans l'armée espagnole aux Pays-Bas. Ils étaient en relation avec le Saint-Siège, Madrid et, soupçonne-t-on, les jésuites. L'un d'eux, Robert Catesby, a imaginé faire sauter à la fois le souverain et le Parlement. En mars, ils ont commencé les travaux sous l'immeuble de Westminster. C'est par une dénonciation que le gouvernement a été informé du complot. Une perquisition a permis l'arrestation d'un des conjurés, Guy Fawkes, chargé de mettre le feu aux barils. Les autres sont en fuite.

Premier établissement français en Acadie

Port-Royal, 1605

Champlain et Gravé du Pont s'étaient embarqués, en mars 1604, pour un deuxième voyage au Canada. Ils explorent cette fois les rivages de l'Acadie, fondent deux établissements à l'île Sainte-Croix, puis à Port-Royal. C'est à Pierre du Gua qu'Henri IV avait confié le soin d'organiser et de financer cette expédition. Nommé vice-amiral et lieutenant général pour la Nouvelle-France, du Gua avait également obtenu la concession du monopole pour le commerce des fourrures et l'autorisation de fonder une compagnie pour la mise en valeur des terres. Calviniste, tout comme Champlain, du Gua fonda également une mission pour l'évangélisation des Indiens.

Sully rédige l'édit de la Paulette

France, 12 décembre 1604

L'édit de la Paulette instaure la vénalité des charges sans autre restriction que financière. Les officiers (tenant d'un office), avaient jusqu'à présent la possibilité d'acheter leur charge et de la transmettre à un héritier désigné, à condition de payer un droit de résignation et de survivre au moins quarante jours à cette résignation. Si le décès du tenant de l'office intervenait avant ce délai, l'office retournait à l'Etat et était revendu avec profit. Obtenir la dispense des quarante jours était le désir des officiers. Cette solution proposée par Paulet est de vendre cette dispense. L'opération est financièrement très avantageuse pour le Trésor royal.

Les conjurés du « complot des Poudres » dirigé contre Jacques Ier d'Angleterre. Le troisième (en partant de la droite) est Guy Fawkes, le chef de la conjuration. Gravure de C. van der Passe.

1606

Russie, 19 mai
Vassili Chouiski élimine un faux Dimitri et devient tsar. →

Louvain, 23 juin
Mort de l'humaniste flamand Jost Lips, né en 1547. Tout d'abord, il adhéra au luthéranisme en 1570 ; mais son *De una religione* (1590) le rendit suspect aux yeux de ses coreligionnaires qu'il quitta pour revenir au catholicisme. Le fond de sa pensée semble résider dans le stoïcisme qu'il affiche dans le *De constantia* qu'il rédigea en 1583.

Australie
Parti de Callao, l'Espagnol Luis Vaez de Torres découvrit l'île de Espiritu Santo (Nouvelles-Hébrides). Il atteignit la côte méridionale de la Nouvelle-Guinée, puis passa par le détroit qui porte aujourd'hui son nom et sépare l'Australie de la Nouvelle-Guinée, avant d'aboutir à Manille. →

Acadie
Marc Lescarbot, compagnon de Champlain et de Marie de Monts, taquine les Muses ; le premier poème écrit en français sur la terre américaine demeure fortement influencé par Ronsard.

France
Remplaçant le temple d'Ablon, peu commode et trop éloigné de Paris, le temple de Charenton accueille désormais les réformés parisiens.

Europe centrale
Le traité de Zsitvatörök met fin à plusieurs années de guerre entre l'Empire ottoman et les Habsbourg.

Empire germanique
Mathias se fait reconnaître comme héritier de l'empereur Rodolphe II.

Angleterre
Fort de l'émotion soulevée par le complot des Poudres, le Parlement vote deux actes d'exception contre les catholiques : l'un les oblige non seulement à assister aux offices anglicans, mais aussi à y communier ; le second leur interdit d'exercer des fonctions publiques et leur impose un passeport intérieur ainsi qu'un serment de fidélité au souverain.

La *Virginia Company* reçoit la charge de coloniser les régions situées entre la Floride et le Delaware, tandis qu'est attribué à la *Plymouth Company* le territoire du futur Etat du Massachusetts.

Indes du Sud
Depuis deux années, le jésuite Nobilis prêche dans le Deccan. Il a appris les principaux dialectes dravidiens et adopté les mœurs des brahmanes.

Londres
La même année, Shakespeare donne *Antoine et Cléopâtre*, où l'idylle célèbre des deux amants est traitée sur un mode poétique et romanesque.

1607

Irlande, 14 septembre
Les comtes, descendants des anciennes familles royales irlandaises, fuient la domination anglaise. →

Russie
Echec de la jacquerie conduite par Bolotnikov. →

France
La Navarre est réunie au royaume de France.

Parution de la première partie de *L'Astrée* d'Honoré d'Urfé (1567-1625). →

Amérique du Nord
Fondation de Jamestown par la *London Company*, qui a obtenu une charte pour le peuplement de l'Amérique. →

Mantoue
Représentation d'*Orfeo* de Claudio Monteverdi. →

Paris
Début de la construction de la place Dauphine.

Les travaux du palais des Tuileries, que Philibert Delorme avait conçu en 1564 pour Catherine de Médicis, étaient arrêtés depuis 1572. A peu près dans le même temps, Catherine avait fait entreprendre au Louvre, perpendiculairement à la Seine, la construction de la Petite Galerie. Poursuivant le dessein de Catherine de Médicis, c'est à Henri IV, le roi pacificateur, que revient le mérite non seulement d'avoir achevé la Petite Galerie, mais de lui avoir donné le plus fastueux des prolongements avec la Grande Galerie (ou galerie du Bord-de-l'Eau), reliant ainsi le vieux Louvre au palais des Tuileries. Cette galerie, de 442 m de long, l'une des plus vastes du monde, sera terminée en 1608. →

Vassili Chouiski élimine un "faux Dimitri"

Russie, 17 mai 1606
A l'aube, aux cris de « les Polonais égorgent les orthodoxes » les troupes de Vassili Chouiski attaquent le Kremlin ; commence alors le massacre de l'entourage du « faux Dimitri ». Ce dernier cherche à fuir en sautant par une fenêtre, mais se brise les jambes : il est massacré par la foule. C'est en 1603 qu'avait couru le bruit que le fils d'Ivan le Terrible était vivant. Avec l'appui des Polonais, un prétendu Dimitri élimine les Godounov et le 10 juin 1605 il entre dans Moscou. Mais le mariage de Dimitri avec Marina Mniszek, noble polonaise et catholique, incita les boyards à dénoncer son imposture.

Bolotnikov soulève les paysans russes

Russie, 1607
Ancien serf capturé par les Tatars et vendu aux Turcs comme esclave, Bolotnikov réussit à regagner la Russie en 1606 et prend la tête de l'insurrection paysanne afin d'abattre le servage. Les nobles de Toula et de Riazan, partisans du « faux Dimitri » s'unirent à Bolotnikov contre le tsar Vassili Chouiski. Mais effrayés par l'envergure du mouvement populaire, ils le trahirent et le font prisonnier, à Toula, en octobre 1607.

Les baptistes de John Smyth, une secte dissidente

Pays-Bas, octobre 1607
John Smyth se réfugie à Amsterdam afin d'échapper à la répression en Angleterre. Il appartient à une congrégation protestante dont les doctrines et les pratiques ne sont pas conformes à l'anglicanisme. John Smyth est le fondateur de la première assemblée des baptistes anglais. Ceux-ci mettent au centre de leur doctrine le sacrement du baptême et l'Eglise Baptiste se définit avant tout comme la communauté des baptisés.

Les Anglais fondent Jamestown en Virginie

Amérique du Nord, avril 1607
Un groupe de 120 émigrants, envoyés par la compagnie Virginienne de Londres, part d'Angleterre en décembre 1606. Ils arrivent en avril dans la baie de Chesapeake et fondent Jamestown, premier établissement anglais sur la côte américaine. John Smith, aventurier anglais, fait parti de l'expédition. Il jouera un rôle décisif dans les premières années de la colonisation, conduisant les expéditions vers l'intérieur. Désigné pour prendre la tête de Jamestown, il fortifiera la colonie, et developpera l'agriculture et la pêche. Mais ces pionniers rencontreront toutes sortes de difficultés.

L'Espagnol Torres découvre l'Australie

Australie, 1606
Abordé en 1606, par le Hollandais Janszoon qui commence à explorer les côtes du golfe de Carpentarie, l'insularité du continent australien est véritablement reconnue cette même année par le navigateur espagnol Luis Vaez de Torres. En franchissant le détroit qui porte son nom, Torres découvre les côtes septentrionales de l'Australie et démontre que la terre australe n'est pas soudée à la Nouvelle-Guinée. Ignorant l'importance des terres situées plus au Sud, il poursuit sa route vers Manille. Ce continent isolé depuis la nuit des temps, et dont la faune a suivi une évolution originale (les marsupiaux) est peuplé de petites communautés de chasseurs-cueilleurs équipés de bâtons de jet, les boomerangs.

Art aborigène. Peintures rupestres, dites « wondjina », dans un abri sous roche, plateau de Kimberley.

La "galerie du Bord-de-l'Eau" est achevée

Le Louvre, Paris, 1607-1608
Catherine de Médicis avait eu le projet de relier les bâtiments du Louvre, la cour Carrée de Lescot, avec le palais des Tuileries. Reprenant ce projet, Henri IV en confia la réalisation à Louis Metezeau et Jacques II Androuet du Cerceau. Commencée en 1595, la construction de la galerie du Bord-de-l'Eau est achevée en 1608. La façade, dans le style de Lescot, est décorée sobrement, pilastres et sculptures à l'étage supérieur, frontons triangulaires et semi-circulaires à la base du toit. Dans l'esprit d'Henri IV, cette galerie était destinée aux « meilleurs ouvriers de France », qui y disposeraient d'un atelier. Le rez-de-chaussée leur fut réservé.

Palais du Louvre. La « galerie du Bord-de-l'Eau ». 1595-1608.

"L'Astrée" d'Urfé ou les bergeries des salons parisiens

Paris, 1607
Au temps des druides et des Gaulois, dans le Forez, pays natal de l'auteur, bergers et bergères de convention se consacrent à l'amour, non loin des tracas politiques. Le gentilhomme Honoré d'Urfé, ancien ligueur, propose à ses contemporains une fiction qui s'accorde à la paix retrouvée ; il rencontre le plus vif succès. Le roman, genre tourné vers la galanterie, accomplit l'éducation de la société des sentiments. Sylvandre le fidèle, Hylas l'inconstant, les nombreux personnages dessinent les figures des destinées amoureuses. Le couple modèle, Astrée et Céladon, affronte les épreuves de l'amour parfait, non sans goûter aux plaisirs troublants de la sensualité.

Avènement du drame musical avec l'"Orfeo" de Claudio Monteverdi

Italie, 24 février 1607
Orfeo est le premier opéra représenté au palais ducal de Mantoue. Avec cette « fable en musique » s'affirme le génie du *stile expressivo* de Claudio Monteverdi (1567-1643), ce « parler en chantant » dans lequel la ligne mélodique se plie aux moindres nuances de l'image ou du sentiment. Pour Monteverdi, il s'agit de traduire musicalement les mouvements de l'âme, avec leurs multiples inflexions, en dépassant la simple déclamation chantée. La minutieuse prescription des valeurs des notes, la composition des périodes transforment le récitatif en mélodie dramatique. Les *sinfonie*, interludes d'orchestre, véritables esquisses de leitmotive, constituent l'autre nouveauté de ce drame musical. Le livret d'Alessandro Striggio suit d'assez près le drame d'Angelo Poliziano, composé en 1480, mais Striggio révolutionne l'œuvre en lui donnant un dénouement heureux. Orphée ne succombe plus sous le coup des bacchantes en furie, mais accompagne Apollon dans l'Olympe. « Ainsi je ne verrai plus jamais les doux regards de ma chère Eurydice ? » questionne Orphée, et Apollon de répondre : « C'est dans le soleil et dans les étoiles que tu retrouveras ses beaux traits. » Il est à noter que Monteverdi vient de perdre sa femme. L'inspiration de l'*Orfeo* de Poliziano s'affirmait comme résolument idyllique. L'œuvre renonçait au caractère sacré de la mythologie grecque et lui substituait l'aspect pastoral. Orphée obtenait de Pluton de reprendre sa femme Eurydice, tuée par la morsure d'un serpent, alors qu'elle fuyait les avances d'un amoureux.

La fuite des comtes marque la fin de l'Irlande gaélique

Irlande, septembre 1607
Les comtes O'Donnell et O'Neill, ainsi que d'autres notables, s'exilent. Leurs terres sont confisquées par la couronne anglaise. La dernière rébellion irlandaise contre l'occupation anglaise a été écrasée en 1603. Depuis cette date, Jacques Ier accentue la politique d'intégration de l'Irlande à l'Angleterre. Il a maintenu en Irlande, comme *Lord Deputy*, le vainqueur des soulèvements : Mountjoy. Il a également rendu définitive la division du pays en comtés et renvoyé les jésuites. Il autorise cependant la pratique du culte catholique. La colonisation des terres par les Anglais est fortement encouragée. La fuite des comtes marque la fin de l'Irlande gaélique.

Martin Fréminet. « Dieu entouré des puissances célestes ». 1608-1618. Château de Fontainebleau.

Toussaint Dubreuil. Le lever d'une dame. Peinture des Appartements royaux de Saint-Germain-en-Laye.

La seconde Ecole de Fontainebleau

Henri IV avait décidé de revenir à Fontainebleau et de faire achever les travaux longtemps interrompus. Toussaint Dubreuil, qui décora la galerie des Cerfs, a déjà travaillé à Fontainebleau sous la direction de Primatice ; il incarne une sorte de transition entre le style de la première et celui de la deuxième Ecole de Fontainebleau représentée par ses successeurs, Ambroise Dubois, d'origine flamande, et Martin Fréminet. A l'art purement ornemental, qui fut celui des artistes italiens, ces deux peintres substituent un style narratif, auquel ils donnent parfois des accents d'une éloquence vigoureuse. Peintres d'histoire, la fable cesse d'être chez eux un simple prétexte à l'évocation de gracieuses nudités.

1608

Empire germanique, 19 mai
Les Etats protestants forment l'Union évangélique entre luthériens et calvinistes sous la direction de l'électeur de Brandebourg.

Russie, 1ᵉʳ juin
Tentative d'usurpation d'un second faux Dimitri, soutenu, une fois de plus, par les Polonais qui assiègent Moscou. Il crée un Conseil à Touchino.

Amérique du Nord, 7 juillet
Fondation de Québec par le Français Champlain. →

Florence, 13 août
Mort du sculpteur Giambologna. →

Angleterre et Provinces-Unies
Les Provinces-Unies et l'Angleterre font alliance contre l'Espagne.

Londres
Représentation de *Timon d'Athènes* de Shakespeare.

France
L'Introduction à la vie dévote, de François de Sales. →

Mathurin Régnier publie ses premières *Satires*. →

Amérique du Sud
Une cédule royale légalise l'esclavage des Indiens au Chili.

1609

Provinces-Unies, 9 avril
Une trêve de douze ans est conclue entre les Provinces-Unies et l'Espagne, grâce à une médiation de Henri IV.

Bohême, 9 juillet
Par une « Lettre de Majesté », l'empereur Rodolphe II accorde à la Bohême la liberté de culte.

Empire germanique, 10 juillet
En riposte à la formation de l'Union évangélique, les Etats catholiques de l'empire constituent une ligue sous la conduite de Maximilien de Bavière.

Rome, 15 juillet
Mort du peintre Annibale Carrache.

Canada, juillet
Samuel Champlain prend part à la lutte des Algonquins contre les Iroquois.

Port-Royal, 25 septembre
La « journée du Guichet ». →

Russie
Appelé à l'aide par le second faux Dimitri, le « brigand de Touchino », le roi de Pologne Sigismond Vasa assiège Smolensk.

Espagne
La politique de la conversion forcée ayant échoué, le gouvernement de Philippe III décide de chasser les Morisques d'Espagne : ainsi sont déportés, essentiellement vers le Maghreb, les Morisques de Valence, de Murcie et d'Andalousie. En 1610, ce sera au tour des Morisques d'Aragon, en 1611 ceux de Castille, d'Estramadure et de la Manche : 275 000 personnes seront ainsi chassées en trois ans sur un total de quelque 8 millions d'Espagnols.

Publication des *Commentaires royaux relatant les origines des Incas* de Garcilaso de la Vega. →

Amsterdam
De mare liberum de Grotius. →

Fondation de la Banque d'Amsterdam. →

Hans Lippershey, opticien hollandais, revendique (abusivement semble-t-il) l'invention de la lunette d'approche.

Prague
Dans son *Astronomia nova*, Kepler met en évidence la révolution elliptique des planètes autour du Soleil.

Régions arctiques
Entre 1607 et 1609, Henry Hudson effectue une série de voyages maritimes d'exploration au Groenland, au Spitzberg et en Nouvelle-Zemble, financés par les marchands anglais. Son troisième voyage au cours duquel il découvrira le fleuve qui porte son nom, est financé par la Compagnie hollandaise des Indes occidentales.

Paris
Publication de *L'Histoire de la Nouvelle-France*, de Marc Lescarbot.

Mexique
Nouveau soulèvement des caciques.

Brésil
Jéronimo de Albuquerque découvre des mines de fer dans le sertao du Rio Grande do Norte, dans le nord-est du pays.

Florence perd un fils d'adoption : Giambologna

Florence, 13 août 1608
A soixante-dix-neuf ans, vient de s'éteindre le sculpteur Giambologna (Jean de Bologne). Né à Douai, il arrive à Rome vers 1550, où il rencontre Michel-Ange. Mais c'est à Florence que l'attend la gloire avec les nombreuses commandes des Médicis pour les jardins Boboli : la *Fontaine de l'Isoletto*, monumental décor de pierre dominé par les statues de l'*Océan*, du *Nil*, de l'*Euphrate* et du *Gange*, lui vaut, en 1576, l'admiration générale. Mais il est également fasciné par les lignes serpentines et les figures sveltes. Ainsi son *Mercure volant* est tout entier élancé, dans un mouvement d'ascension qui semble narguer les lois de la pesanteur. Dans *Hercule terrassant le Centaure*, il nous livre un groupe d'une violence inouïe, où le torse humain et le corps chevalin semblent unis comme par un nœud de marbre. A ces multiples aspects de son talent, il ajoute des

Giambologna. L'Astronomie. Vers 1565. Bronze doré. Kunsthistorisches Museum, Vienne.

statues équestres, comme celle d'Henri IV, et des sculptures religieuses.

La première réforme de Port-Royal : "la journée du Guichet"

Port-Royal, 25 septembre 1609
En 1599, Jacqueline Arnauld, fille d'un célèbre avocat au parlement de Paris, était nommée coadjutrice du monastère bénédictin de Port-Royal, puis abbesse sous le nom de Mère Angélique. En 1608, à l'occasion d'un sermon de carême, elle a le sentiment d'être appelée par Dieu et se sent confirmée dans sa vocation. Dès cet instant, elle décide de se consacrer à la réforme de son abbaye. La vie à Port-Royal, comme dans la plupart des autres monastères, atteints par les troubles du siècle précédent, était en effet pour le moins relâchée. Elle persuade d'abord les religieuses de rétablir une stricte clôture. Donnant l'exemple, le 25 septembre 1609, elle interdit à son père l'entrée du monastère et ne consent à lui parler qu'au travers du guichet de la porte de clôture. Cette « journée du guichet » ouvre l'histoire de Port-Royal.

"Introduction à la vie dévote" de François de Sales

Paris, 1609
François de Sales, lors d'un séjour à Paris en 1602, avait pu rencontrer les grands représentants de la spiritualité française, Bérulle et Marie de l'Incarnation. En écrivant l'*Introduction à la vie dévote*, il veut montrer que l'amour de Dieu peut devenir une réalité dans l'existence quotidienne des laïcs, que la vie spirituelle n'est pas le privilège de l'état sacerdotal ; il réconcilie l'humanisme et la dévotion. Né en 1567 en Savoie, il devenait, après des études à Paris et à Padoue, évêque de Genève.

Grotius proclame la liberté des mers

Pays-Bas, 1609
C'est sur la requête de la Compagnie hollandaise des Indes orientales, désireuse d'établir juridiquement son droit de capture sur les navires ennemis, que Grotius a composé le *De Jure praedae*, où le droit de prise est fondé sur la liberté des mers. Seul un chapitre de cet ouvrage est édité en 1609, au moment des négociations de paix entre les Provinces-Unies et l'Espagne, *De Mare liberum*. Grotius, juriste de formation, est aussi théologien et diplomate.

Verve et naturel : les "Satires" de Régnier

Paris, 1608
En compagnie des joyeux drilles qu'il fréquente et qui, comme lui, exercent leurs plumes dans la tradition des « bernesques » italiens, Mathurin Régnier a écrit des *Satires* qu'il publie aujourd'hui. Nourri de culture latine et des textes d'Horace et de Juvénal, proche de Rabelais et de Berni, il ridiculise les travers du temps et les mœurs de la Cour. Ses propos piquants et colorés dressent des tableaux d'une vivacité mordante et burlesque.

L'« habitation » que Samuel Champlain avait construite à la pointe de Stadaconé, là où s'élèvera Québec. 1613. Gravure d'époque.

Samuel Champlain fonde Québec

Nouvelle-France, 8 juillet 1608

La première « abitation » est en chantier à la pointe de Stadaconé, autrement nommée Québec. Samuel Champlain vient d'y aborder le 3 juillet et a décidé d'établir là les « abitations » des Français. On construit un ensemble de bâtiments en planches, à mâchicoulis, groupés dans une enceinte fortifiée : logis pour les ouvriers, les artisans, les voyageurs ; entrepôts pour les fourrures.

Faute de trouver le mystérieux passage du Nord-Ouest vers les richesses des Indes et de la Chine, Champlain cherchait depuis cinq ans un site favorable à l'installation de véritables « habitants » français au Canada. La petite base de Port-Royal, fondée en 1605, était incapable de recevoir un établissement durable. La carte de la *Nova Gallia*, établie en 1529 par Verrazzano pour François Ier, montrait les côtes où, depuis plus d'un siècle, les marins de l'Ancien Monde pêchaient et échangeaient des marchandises. Mais ce littoral, exploré par Champlain ces quatre dernières années n'offrait pas d'abri satisfaisant. Malgré l'aide des Indiens Algonquins et Hurons auxquels il s'était allié, il était dur de résister aux rudes hivers et au scorbut. Après avoir persuadé du Gua de Monts, le titulaire pour un an encore du monopole de commerce, de pénétrer au cœur des terres par le fleuve exploré dès 1534 par Jacques Cartier, Champlain s'était embarqué le 13 avril 1608. Il a déjà, en 1603, remonté le Saint-Laurent jusqu'aux rapides de Lachine. Champlain veut réussir là où a échoué l'expédition Roberval-Cartier de 1541-1542 ; il veut établir une véritable colonie de peuplement.

"L'Histoire du Pérou" de Garcilaso de la Vega, dit l'Inca

Cordoue, 1609

Fils du conquistador Sébastien Garcilaso de la Vega et d'une princesse inca, Isabelle Chimpu Ocllo, l'Inca Garcilaso de la Vega naît de la rencontre de deux mondes. Par son père il descend d'une famille de nobles espagnols ayant donné de grands noms à la littérature. Par sa mère, cousine d'Atahualpa, il descend de la noblesse inca. Il est éduqué à Cuzco par des précepteurs espagnols, mais par sa mère, par ses parents et amis, il acquiert la culture indienne. A partir de 1560, alors qu'il a vingt ans, il s'installe en Espagne. En 1609 paraît à Lisbonne la première partie des *Commentaires royaux* relatant les origines des Incas, qui traite de leurs croyances et de leurs gouvernement et institutions avant la conquête. La deuxième partie, l'*Histoire du Pérou*, relate la mort d'Atahualpa et les guerres qui s'ensuivirent pour le partage de l'empire des Incas. Elle paraîtra à Cordoue en 1616, peu de temps après la mort de Garcilaso. Les *Commentaires* sont un mélange de souvenirs personnels et de témoignages que Garcilaso a pu recueillir dans sa famille maternelle, ainsi que parmi les compagnons de son père, anciens acteurs de la conquête. Essayant de concilier l'héritage inca, qu'il considère à juste titre comme le sien, et la culture espagnole, qui ne l'est pas moins, Garcilaso veut montrer que l'Empire inca a préparé les populations indiennes à la christianisation. Cependant, la nostalgie de l'empire domine l'œuvre. Etant entré dans les ordres, Garcilaso mourra à Cordoue en 1616.

Atahualpa, 13e souverain inca, recevant Felipe Poma de Ayala, premier ambassadeur du roi d'Espagne.

Création de la Banque d'Amsterdam

Provinces-Unies, 1609

La Banque d'Amsterdam est fondée sur le modèle du Rialto de Venise. Elle est investie du monopole du change. C'est en même temps une banque de dépôts. Chaque déposant est crédité de la valeur réelle de son dépôt et peut en disposer soit au comptant soit par virement au compte d'un autre déposant. Elle a donc pour activité principale de simplifier les paiements commerciaux de ses clients. Elle consent parfois de fortes avances à la Compagnie des Indes. Le grand commerce maritime lui assurant d'importantes rentrées d'or et d'argent, la banque attire, par sa grande stabilité, les capitaux étrangers, et fait d'Amsterdam le plus grand centre de métaux précieux de toute l'Europe.

L'urbanisme parisien sous Henri IV

Paris, 1608

Le lotissement de la place Dauphine, baptisée ainsi en l'honneur du dauphin, commence en août 1608. La création de cette place a été décidée l'année précédente par Henri IV afin d'assurer la jonction entre le Pont-Neuf, achevé en 1606, et l'île de la Cité. Dès février 1607, le roi a fait arpenter le terrain sur lequel la place doit être bâtie. Il l'a cédé au premier président du parlement de Paris Achille de Harlay à charge pour lui d'édifier la place. Le procédé est courant, il permet de faire construire sans qu'il en coûte rien au Trésor royal. Un acte du 10 mai 1607 a transmis à Harlay « chacune des places contenues entre les deux rivières de l'île du Palais, depuis le bas du jardin du baillage jusqu'au Palais et le long des deux quais qui environnent ladite île, icelles places montant et revenant ensemble à la quantité de 3 620 toises et demie ». Conformément au plan élaboré par Sully, grand voyer de France, Harlay doit faire bâtir une place triangulaire dont les trois côtés seront bordés par des maisons de brique et de pierre, recouvertes de toits d'ardoise et hautes de trois étages. Quelle que soit son originalité, la place Dauphine ne saurait être comparée à la place Royale (l'actuelle place des Voges), dont la construction, commencée en 1605 à l'instigation d'Henri IV lui-même, était achevée en 1612 : elle fut solennellement inaugurée les 5, 6 et 7 avril de cette année-là et donna lieu à de grandioses fêtes en l'honneur du mariage de Louis XIII et Anne d'Autriche. La place Royale témoignait, en fait, de la volonté d'Henri IV d'aménager des promenades à Paris et de transformer la ville médiévale en une cité moderne.

Représentation du « Roman des Chevaliers de la gloire », carrousel qui s'est tenu place Royale les 5, 6 et 7 avril 1612 pour le mariage de Louis XIII.

1610

Russie, 14 février
Dans le camp du second « faux Dimitri », le « Brigand de Touchino », des délégués de la famille Romanov scellent une alliance avec le roi de Pologne, Sigismond III Vasa, contre le tsar Vassili Chouiski.

Pékin, 11 mai
Décès du jésuite Matteo Ricci. →

Paris, 14 mai
Henri IV assassiné. →

Louis XIII n'ayant que neuf ans, la régence est assurée par Marie de Médicis.

Russie, juin-juillet
Vaincu par les troupes du roi de Pologne, Vassili Chouiski est déposé. Les comploteurs proclament aussitôt Ladislas IV Vasa, fils du roi de Pologne, tsar de Russie.

Porto Ercole, 18 juillet
Mort du peintre Caravage. →

Angleterre
Le roi Jacques Ier entre en conflit avec le Parlement.

Provinces-Unies
Devant les Etats de Hollande, les théologiens protestants s'affrontent : aux « Remontrances » des arminiens répondent les « contre-Remontrances » des gomaristes.

Empire germanique
Le comte Tilly est nommé général en chef des armées de la Contre-Ligue catholique formée en 1609.

Annecy
François de Sales fonde l'ordre de la Visitation. →

Afrique occidentale
Formation du royaume du Dahomey. →

Italie
Grâce à un télescope dont il est l'inventeur, Galilée a pu découvrir et observer les satellites de Jupiter et se trouve ainsi en mesure de démontrer le bien-fondé des lois de Kepler.

Canada
Samuel Champlain poursuit ses expéditions à travers le pays.

Portugal
Le roi du Portugal retire la liberté de commercer aux « nouveaux chrétiens », les marranes.

Rome
Charles Borromée est canonisé.

1611

Amérique du Nord, hiver
Le navigateur anglais Henry Hudson, son fils et sept matelots sont abandonnés dans un canot au milieu des eaux glacées de la baie d'Hudson à la suite de la mutinerie de l'équipage. On ne retrouvera jamais leur trace.

France, 26 janvier
Concini succède à Sully aux affaires. →

Empire germanique, 23 mai
Mathias II assure le pouvoir en lieu et place de Rodolphe II.

Suède, 30 octobre
A la mort du roi Charles IX, la noblesse suédoise et le Conseil déclarent majeur le jeune roi Gustave II Adolphe, âgé de dix-sept ans, en échange de la garantie des droits des Assemblées et de charges réservées aux nobles.

Russie
Tandis que les Suédois entrent en Russie, les Polonais, poussant leur avantage, occupent Moscou.

Saumur
Assemblée générale des Eglises réformées de France.

Baltique
La guerre éclate entre le Danemark et la Suède. Christian IV de Danemark vise la maîtrise de la Baltique dont il contrôle déjà le débouché maritime, le Sund. Gustave Adolphe de Suède modernise son armée en la dotant d'unités de traîneaux attelés de rennes qui viennent compléter celles de skieurs créées en 1567.

Hambourg
Les *Merchant Adventurers* de Londres fondent un comptoir dans cette ancienne cité hanséatique.

Inde
Les Hollandais fondent un comptoir à Masulipatnam.

Japon
Construction du château de Nagoya.

Londres
Représentation de *La Tempête* de Shakespeare. Pièce d'adieu au théâtre, cette comédie-féerie repose sur l'opposition de Caliban, esprit de la terre, mauvais et méchant, et d'Ariel, génie ailé, imaginatif et plein de fantaisie.

Formation du royaume africain du Dahomey

Dahomey, dans les années 1610
A l'origine de la dynastie Fon qui établit, au début du XVIIe siècle, le royaume du Dahomey : Abigbonou, fille du roi de Tado. Elle aurait été ravie par une panthère mâle, en aurait eu deux fils, dont les descendants fondent les différents royaumes de la côte ouest du Bénin. Le premier prince du Dahomey, Aho, organise autour du pouvoir une structure hiérarchique de gouvernement très élaborée ; quantité de ministres, contrôlés par les « femmes du Léopard », leurs homologues féminines, gravitent autour du souverain, tandis que des formations militaires assurent la politique expansionniste du prince. Les ports négriers de la côte sont principalement visés, car c'est le commerce des esclaves qui assoit la souveraineté du royaume et de sa ville, Abomey, arrachée par Aho au chef local traditionnel.

Masque-pendentif en ivoire. Art du Bénin. XVIe siècle (?).

Le jésuite Matteo Ricci est mort à Pékin

Pékin, 11 mai 1610
Le père Ricci, fondateur de la mission catholique en Chine, meurt à Pékin, où il résidait depuis près de dix ans. Ses hôtes lui font des funérailles nationales. C'est l'empereur lui-même qui a tracé son épitaphe. Né en 1552, Matteo Ricci entrait dans la Compagnie de Jésus en 1571. Après de solides études de mathématiques, d'astronomie et de sciences naturelles au Collège romain, il décidait de marcher sur les traces de François Xavier. En 1577, il s'embarquait pour l'Extrême-Orient. Après avoir résidé à Macao, Canton et Nankin, il s'installait enfin à Pékin. Il apprit le chinois, langue qu'il finit par posséder à la perfection. Respectant tous les usages du pays, il prit le costume des mandarins. Grand admirateur de la philosophie chinoise, Ricci, qui s'appelait désormais Li-Mateo, crut déceler dans la pensée confucéenne les rudiments d'un monothéisme authentique, dégagé de toutes les superstitions idolâtres. Aussi tenta-t-il de concilier les deux traditions, rapprochant le « Seigneur du Ciel », vénéré par les lettrés, et le Dieu d'Abraham. Il écrivit en chinois, outre un catéchisme, un précis de philosophie morale, le *Tian Zhi Shi Yi*, des traités scientifiques et des commentaires historiques. Pour gagner à sa cause les savants et les hauts fonctionnaires, il leur fit part des merveilles des sciences européennes. Excellant dans la fabrication des horloges, mappemondes et planisphères, il obtint de la sorte les faveurs de l'empereur Wang li, qui l'installa à la cour. Bénéficiant de ces hautes protections, il put faire construire une église et un établissement d'enseignement religieux.

Polonais et Suédois envahissent la Russie

Russie, 1610-1611
En juin 1610, sur l'ordre du roi de Pologne Sigismond III Vasa, les troupes de l'hetman Zolkiewski s'avancèrent de Smolensk vers Moscou. L'invasion polonaise était motivée par l'alliance du tsar Vassili Chouiski avec la Suède, visant à débarrasser la Russie du second « faux Dimitri », le « Brigand de Touchino ». Or la Pologne était à cette époque en guerre contre la Suède pour la domination sur la Livonie. Les armées moscovites furent écrasées à la bataille de Klouchino. Moscou était à la merci des Polonais. Le 17 août 1610, les sept boyards de Moscou qui avaient détrôné le tsar Vassili Chouiski, devant la pression des troupes polonaises et la menace d'une insurrection populaire, conclurent avec Zolkiewski un accord au terme duquel le trône de Russie revenait au prince Ladislas, le propre fils de Sigismond III Vasa. Moscou tomba aux mains des troupes polonaises, le gouvernement des sept boyards n'étant plus qu'un pouvoir fantoche. A l'appel du patriarche Hermogène, les villes du nord se soulevèrent et un grand mouvement de résurrection nationale prit naissance avec à sa tête Liapounov ; mais des dissensions internes firent éclater le mouvement et aboutirent à l'assassinat de Liapounov. En juin 1611, Smolensk, qui jusqu'alors avait héroïquement résisté, fut investie par les Polonais. Simultanément, les Suédois en profitèrent pour s'emparer de Novgorod et de sa région. L'enjeu de cette guerre était considérable. Pour les Polonais, la Russie était un obstacle à ses ambitions sur la Baltique, dont le roi de Suède Gustave II Adolphe rêvait de faire un lac suédois.

Assassinat du "bon roi" Henri

Paris, 14 mai 1610

Le 14 mai, après avoir confié la régence à Marie de Médicis, Henri IV quitte le Louvre et se rend à l'Arsenal pour surveiller les derniers préparatifs avant l'entrée en campagne. Rue de la Ferronnerie, le carrosse se trouve pris dans un embarras de la circulation, lorsqu'un passant se jette sur le roi et le poignarde. L'assassin, François Ravaillac, un moine feuillant, a subi l'influence des prédicateurs préconisant le tyrannicide pour mettre un terme à une politique contraire aux intérêts du catholicisme. Bien que Ravaillac, écartelé en place de Grève le 27 mai, ait prétendu avoir agi seul, on soupçonne des complicités étrangères, une intervention de l'Espagne ou de l'empereur, contre qui Henri IV se préparait à entrer en guerre. La question de la succession des trois duchés allemands de Clèves, Berg et Juliers était à l'origine du conflit. Le 25 mars 1609, le duc Jean-Guillaume mourait sans héritier. Parmi les prétendants se trouvaient deux princes protestants, l'Electeur de Brandebourg, Jean Sigismond, et le comte palatin de Neubourg, Philippe Louis. Mais, en juillet, l'empereur séquestrait l'héritage et chargeait les Espagnols des Pays-Bas d'occuper les duchés. L'Union évangélique promettait d'intervenir contre l'empereur, si elle obtenait l'appui de la France. Henri IV, trouvant là l'occasion d'abaisser la maison d'Autriche, acceptait (traité de Schwäbisch Hall, 12 février 1610). Contre l'Espagne, il s'alliait avec la Savoie.

Assassinat de Henri IV, roi de France, par François Ravaillac, le 4 mai 1610. Gravure d'époque. B.N., Paris.

"Réductions" jésuites au Paraguay

Implantée à l'est du Parana dès 1566, avec la mission d'évangéliser le domaine guarani, la Compagnie de Jésus avait créé, en 1604, sur les instances du gouverneur Hernandarias désireux de consolider la frontière avec le Brésil, la province jésuite du Paraguay. Comme ils avaient, par ailleurs, la consigne de fonder des missions qui soient à l'écart des villes espagnoles, ils avaient organisé des villages indigènes appelés « réductions » (*reducciones*), dont l'autorisation et la réglementation allaient être fixées par ordonnance royale de Philippe III d'Espagne en 1611. 250 000 Indiens guarani sont ainsi regroupés dans ces villages : outre que le principe de la propriété collective n'est pas étranger à la mentalité indienne, ces villages leur permettent d'échapper à la servitude à laquelle ils ne manqueraient pas d'être soumis au sein de la province civile et de la société espagnole. De leur côté, les jésuites ont étudié la langue et la culture guaranis, afin de catéchiser les Indiens plus aisément et de trouver dans leur mythologie des équivalents susceptibles de les aider à comprendre le catholicisme. La mission est aussi une unité de production où la vie est méthodiquement organisée. Les indigènes s'occupent de l'élevage et de l'agriculture, principalement du tabac et du maté. Les récoltes sont entreposées dans les magasins de la Compagnie, où les Indiens puisent en fonction de leurs besoins. A la tête de la « réduction » se trouvent un recteur, un *doctrinero* chargé de l'évangélisation, et un *despensero*, responsable de l'approvisionnement. Un *corregidor* représente le gouvernement civil de la province. Dotées d'une série de privilèges fiscaux, les missions, qui sont en train de devenir une véritable puissance économique, finiront par s'attirer l'animosité de la province civile : accusés d'infidélité à la couronne, les jésuites seront chassés du Paraguay en 1767.

Concini succède à Sully aux affaires

Paris, 26 janvier 1611

En désaccord avec la politique de Marie de Médicis, Sully démissionne de sa charge de surintendant des Finances, mais continue de participer au Conseil. C'est Concini qui devient après son départ l'homme le plus influent du royaume. A la tête des affaires depuis 1598, Sully a réalisé une œuvre considérable. Il restaura les finances et rééquilibra le budget en limitant les dépenses de l'Etat et en augmentant les impôts indirects dont le produit a été doublé entre 1600 et 1609. Egalement chargé de l'artillerie, des fortifications et des bâtiments, il dota le pays d'un nouveau réseau de routes, fit construire le canal de Briare, dirigea les travaux d'urbanisme à Paris. Pour encourager l'agriculture, il diminua la taille, libéra le commerce des grains et introduisit la culture du ver à soie. Chef du Conseil en 1605, il dirigeait toute l'administration, travaillant au progrès de la centralisation, contrôlant l'activité des officiers royaux.

François de Sales fonde les Visitandines

Annecy, 1610

C'est avec la baronne Jeanne de Chantal que François de Sales fonde l'ordre de la Visitation Sainte-Marie. Voué à la contemplation dans la tradition thérésienne et à la pratique de l'amour du prochain à l'imitation de la Mère de Dieu, cet ordre de moniales devait à l'origine se consacrer à la visite des pauvres et des malades, librement et sans porter l'habit religieux. Mais l'archevêque de Lyon leur impose la clôture, les vœux solennels et une constitution semblable à celle des autres ordres monastiques. Malgré cette organisation stricte, les Visitandines portent la marque de l'esprit salésien, qui vise à la sanctification par la douceur plutôt que par les austérités et les mortifications. Jeanne de Chantal devient la supérieure de l'ordre. Veuve en 1601, elle prit François de Sales comme directeur spirituel. Une profonde amitié les rapprocha bientôt. C'est à son intention que François de Sales écrivit son *Traité de l'amour de Dieu*.

Brutale disparition de Caravage au sommet de la gloire

Porto Ercole, 18 juillet 1610

La malaria a eu raison de Caravage, à Porto Ercole, où il attendait la grâce du Saint-Père pour rentrer dans les Etats pontificaux. Le peintre n'avait pas trente-sept ans. On sait qu'après avoir été emprisonné à Rome en 1603, pour diffamation, il avait tué un adversaire au cours d'un duel, en 1606. Dès lors, il ne lui restait plus que la fuite : Naples, Malte et la Sicile furent ses asiles successifs. Ces années d'errance furent agitées. Ses dernières œuvres n'en annonçaient pas moins un usage plus sobre du réalisme et du luminisme.

Caravage. « La Résurrection de Lazare ». Détail. Vers 1607-1608. Une des dernières œuvres de l'artiste.

Maximilien de Béthune, marquis de Sully. Peinture attribuée à F. Quesnel. Musée Condé, Chantilly.

A Fontainebleau est scellée l'alliance franco-espagnole

Fontainebleau, hiver 1611

Prenant le contre-pied de la politique anti-impériale et anti-espagnole menée par le défunt roi, la régente Marie de Médicis, encouragée par son entourage, entreprend un rapprochement avec les adversaires de la veille. Elle promet que la France n'interviendra pas dans les affaires intérieures allemandes. A Fontainebleau, elle négocie avec les envoyés de Philippe III d'Espagne le double mariage de Louis XIII avec l'infante Anne d'Autriche et du prince des Asturies, don Philippe, avec Elisabeth de France.

1612

Empire germanique, 13 juin
Mathias est sacré empereur. →

France et Espagne, 18 octobre
Fiançailles de Louis XIII avec Anne d'Autriche.

Russie, 27 octobre
Minine et Pojarski chassent les Polonais de Moscou. →

Amérique du Nord
Premier établissement hollandais à l'embouchure du fleuve Hudson.

Amérique du Sud
Au nord du Brésil, Daniel de La Ravardière, François de Razilly et Alphonse du Plessis de Richelieu fondent Saint-Louis de Maragnan (São Luis do Maranhào).

Lyon
Fondation de l'hôpital de la Charité.

Espagne
De bello de Francisco Suarez. →

Anvers
Rubens peint *La Descente de Croix* pour la cathédrale Notre-Dame.

Atlantique Nord
Les Anglais occupent l'archipel des Bermudes.

Inde
Etablissement à Surat d'une factorerie anglaise.

Empire germanique
Publication de *L'Aurore au lever* ouvrage mystique de Jakob Böhme.

Rome
Le pape approuve la fondation de l'Oratoire romain.

1613

France, 11 janvier
Découverte de Theutobocus. →

Europe du Nord, 20 janvier
La paix de Knäred met fin à la guerre entre la Suède et le Danemark. La prise de Kalmar par les Danois fut déterminante dans ce conflit ouvert depuis 1611. La Suède renonce à la Finlande, autorise la venue des marchands danois en Livonie et donne en gage Alvsborg au Danemark.

Russie, 21 février
Michel Romanov est élu tsar. →

Naples, 8 septembre
Mort du compositeur Gesualdo. →

Rouen, 22 octobre
Mort du poète satirique Mathurin Régnier.

Japon
Tokugawa Ieyasu avait tout d'abord accueilli favorablement les prêtres étrangers ; mais lorsqu'il s'aperçoit que ceux-ci agissent en liaison avec les puissances militaires d'Europe, il interdit tout prosélytisme et bloque la construction d'églises. Il ne recourra toutefois jamais à la persécution, comme l'avait fait Hideyoshi sur la fin de sa vie.

France
Parution de la première partie des *Théorèmes spirituels*, sonnets religieux de La Ceppède.

Espagne
Les Solitudes de Gongora. →

Publication des *Nouvelles exemplaires* de Cervantès, recueil de nouvelles où s'entrecroisent aventures amoureuses (*L'Amant libéral*) et aventures picaresques (*Rinconete et Cortadillo, Le Dialogue des chiens*) et qui marquent un tournant dans l'art du récit par leur tour elliptique et leur naturel.

Amérique du Sud
Les Hollandais s'installent à Paramaribo (Guyane).

Canada
Samuel Champlain remonte la rivière des Outaouais et explore les lacs Huron et Erié.

Le père récollet Sagard commence la rédaction d'un dictionnaire français-huron.

France
Publication des *Problèmes plaisants et délectables qui se font par les nombres* de Claude Gaspard Bachet de Méziriac, le premier recueil en français de jeux mathématiques.

Publication des *Voyages du sieur Champlain, Saintongeois, ou Journal très fidèle des Observations faites et Découvertes de la Nouvelle France en cherchant un chemin par le Nord pour aller à la Chine.*

Bérulle introduit l'ordre de l'Oratoire.

Un phare obscur : "Les Solitudes" de Gongora

Espagne, 1613
Comme la plupart des œuvres de Gongora, *Las Soledades* circulent en manuscrits aussitôt connus des milieux littéraires de l'Espagne. Dans *La Fable de Polyphème et Galatée*, Gongora venait d'affirmer les audaces de son style après avoir cultivé des formes plus faciles, *Romances* et *Letrillas*, de veine populaire ou satirique. L'ample poème des *Solitudes* repose sur un argument insignifiant : un naufragé échoue sur une plage ; il est accueilli par des bergers et invité à une noce villageoise. Dans la seconde *Solitude*, au lendemain de la fête, il accompagne des pêcheurs. Scènes rustiques, thèmes traditionnels - éloge de la simplicité et de la vie pastorale, folie de la navigation - ne forment qu'un cadre extérieur. La poésie de Gongora convoque toutes les beautés du monde jusqu'aux plus humbles objets et les célèbre dans leur présence sensible. Des métaphores rares, une syntaxe déconcertante délivrent à la fois le goût des choses et la saveur de la langue. Cet art hermétique suscita immédiatement des jugements contradictoires : l'illustre Quevedo, le poète rival, parle de « jargongora », mais les admirateurs, s'ils s'enchantent d'une obscurité érudite, perçoivent la hardiesse novatrice du génie.

Minine et Pojarski chassent les Polonais

Russie, 27 octobre 1612
Les succès des Polonais et des Suédois en Russie provoquèrent un sursaut national contre les envahisseurs. Un des hommes qui incarna certainement le mieux cet élan patriotique fut Kouzma Minine. Marchand aisé de Nijni-Novgorod et échevin, il adressa, en septembre 1611, un appel pathétique à la population de la ville ; il créa un impôt extraordinaire et ordonna la levée en masse d'une milice. La population répondit très généreusement à cet appel. Comme chef militaire, Minine pressentit un jeune chef, le prince Dimitri Pojarski, héros du siège de Moscou. Au printemps 1612, l'armée constituée par Pojarski partit en campagne et remonta la Volga jusqu'à Iaroslavl où elle demeura trois mois, afin que Pojarski fasse l'instruction de ses soldats. L'été suivant, ayant convoqué une Assemblée nationale, le « Conseil de toute la terre russe », Pojarski devint chef du gouvernement et Minine ministre des Finances. Le 20 août 1612, l'armée quitta Iaroslavl pour Moscou. Avec l'appui de Cosaques, il contraint les Polonais à capituler le 27 octobre. Le 15 novembre, Pojarski proclamera la libération de la Russie et invitera chaque ville à envoyer dix députés pour élire un tsar.

Mathias succède à l'empereur Rodolphe II

Francfort, 13 juin 1612
Mathias est élu empereur d'Allemagne et succède à son frère Rodolphe II, mort le 30 janvier. Depuis plusieurs années déjà, c'est à Mathias qu'appartenait la réalité du pouvoir. En 1608, il s'était octroyé le gouvernement de l'Autriche, de la Hongrie et de la Moravie et, le 23 mai 1611, ayant contraint Rodolphe à abdiquer, il se faisait couronner à sa place roi de Bohême. Né à Vienne en 1552, Rodolphe était le fils de Maximilien II. Roi de Hongrie en 1572, puis de Bohême en 1575, il était élu l'année suivante empereur d'Allemagne. Lié aux jésuites, favorable à la Contre-Réforme, il avait cependant concédé aux protestants tchèques la liberté de conscience et une assez large liberté de culte (*Lettre de Majesté*, 9 juillet 1609). Mais la politique et la conduite des affaires impériales lui pesaient ; ses goûts le portaient ailleurs. Délaissant Vienne, il avait fait de Prague sa capitale, attirant à sa cour artistes et savants ; Arcimboldo, Tycho Brahé, Kepler furent, parmi bien d'autres, ses hôtes. Collectionneur, bibliophile, astronome, dévoré par la passion de l'étrange et du rare, il oubliait dans son cabinet de curiosités, l'un des plus célèbres d'Europe, les soucis de l'heure et les malheurs du temps.

Mathias II, empereur germanique. Peinture de Lucas van Valckenborch. 1579.

Suarez s'élève contre la domination coloniale

Espagne, 1612
La conquête de l'Amérique soulève un débat qui bouleverse l'Espagne au début du siècle. Le jésuite Francisco Suarez y apporte une riche réflexion autour du droit et de la nature de l'Etat (1612-1613). Il s'oppose à la théorie de la monarchie de droit divin ; il affirme que tout Etat est le résultat d'un contrat social, auquel le peuple, vrai détenteur du pouvoir politique, doit donner son accord. S'insurgeant contre le servage, il met les sociétés indiennes sur un pied d'égalité avec l'Espagne et nie à quiconque le droit de les soumettre, fût-ce pour les évangéliser.

Gesualdo, un virtuose dans l'art du madrigal

Naples, 8 septembre 1613

Carlo Gesualdo, « prince de *Venosa* », est mort. Il doit sa célébrité à la publication de recueils de madrigaux à cinq ou à six voix. Il y expérimente un langage libre de toute contrainte, tirant parti des éléments expressifs fournis par le texte et de son habileté à allier l'écriture contra-

Carlo Gesualdo. Détail d'une fresque. Eglise des Capuccini, Gesualdo.

punctique avec l'harmonie. L'angoisse du compositeur, sa violence et sa sensualité s'expriment dans ces pièces intenses, où il fait un large usage du chromatisme et des dissonances. Son drame intime, marqué par la vengeance meurtrière vis-à-vis de son épouse Maria d'Avalos et du duc d'Andria, ressort dans le retour incessant des thèmes de la mort, du meurtre et du remords. Dans les dernières années de sa vie, Gesualdo s'était tourné vers la composition de motets, de psaumes et d'un livre de répons pour l'office des ténèbres de la Semaine Sainte. Gesualdo était né à Naples vers 1560.

Michel Romanov élu tsar de Russie

Russie, 21 février 1613

Le *Zemski Sobor* (Etats généraux) chargé d'élire le futur tsar se réunit à Moscou le 12 février 1613. Il décide d'écarter tous les postulants étrangers, que ce soit Ladislas de Pologne, Philippe de Suède ou Maximilien d'Autriche, et, lors d'une séance solennelle à la cathédrale de l'Assomption au Kremlin, élit à l'unanimité un jeune homme de seize ans, Michel Romanov, candidat qui avait la préférence et la confiance de l'Eglise et des classes moyennes. Le nom des Romanov est très populaire en Russie : Michel Romanov est directement apparenté à l'ancienne dynastie par sa grande-tante, la tsarine Anastasie. Des délégations de députés venues de toutes les villes de Russie conférait à l'élection de Michel Romanov une valeur supplémentaire. On le fit venir de Kostroma où il vivait avec sa mère. Il entra dans Moscou le 2 mai et fut couronné le 11 par le métropolite Cyrille. Puisque le jeune tsar était encore mineur, il fut décidé en conséquence que le Zemski Sobor siègerait en permanence jusqu'en 1622 (dans le passé, il n'était que très rarement convoqué). Le Zemski Sobor prit une part active dans le gouvernement. Mais la réalité du pouvoir passera en 1619 aux mains du père du tsar, Philarète, en tant que régent. Ceci s'explique d'autant mieux que le jeune Michel Romanov n'avait aucunement reçu une formation de souverain : il avait été élevé dans un monastère.

Découverte des restes du géant Theutobocus

France, 11 janvier 1613

Des ouvriers qui travaillaient dans une sablonnière dauphinoise, ont exhumé d'étranges ossements. Un

Michel Fedorovitch Romanov (1596-1645), le fondateur de la dynastie. Peinture du XVIIe siècle. Musée historique, Moscou.

chirurgien de Beaurepaire, Mazurier, déclare qu'il s'agit des restes d'un géant de dix mètres, le fameux Theutobocus, un roi cimbre qui avait livré bataille à l'armée romaine commandée par Marius. Les débris du squelette vont être amenés à Paris pour la joie du public. Depuis longtemps, les géants comme les nains cristallisent la curiosité. Le premier squelette de géant avait été découvert en Sicile au XIVe siècle. Sous le règne de Charles VII, un prétendu géant avait été exhumé en Vivarais.

Fondation des "plantations" d'Ulster

Irlande, 1613

La ville de Derry, colonisée avec efficacité par les compagnies londoniennes de négociants en vins et de drapiers, est rebaptisée Londonderry. La colonisation de l'Irlande s'effectue par l'expropriation des paysans d'Ulster, mais aussi par la fondation de vingt-trois villes nouvelles. La politique de colonisation de Jacques Ier repose sur l'argument que depuis des siècles les Irlandais se seraient montrés incapables de faire prospérer un pays si bon et si fertile. Après la fuite des comtes, plus d'un demi-million d'acres avait été confisqué. Le dessein du gouvernement était de créer des districts purement anglais et écossais. Les Irlandais dépossédés ont dû partir le 1er mai 1609. Le pays a été divisé en lots. Précédés par les gens d'affaires, les colons se sont abattus sur l'Ulster. Ce sont des Anglais du Yorkshire et surtout des Ecossais des Basses Terres de confession presbytérienne indépendante. Ces non-conformistes, ou *dissenters*, sont issus des couches inférieures de la société. En s'installant, ils entrent en conflit avec les catholiques dépossédés, mais aussi avec le gouvernement de l'Eglise anglicane. Ils ouvrent des marchés, des écoles, des églises. Les Irlandais ne sont pas seulement dépossédés de leur terre, ils sont exclus de la société. Réduits à la misère, ils deviennent gérants de leurs anciens domaines ou se réfugient dans les montagnes et les bois. Les colons sont avertis : ils ont l'obligation de s'installer sur les terres concédées et fortifiées.

Implantation de villages construits en 1622 par la Salter's Company de Londres dans le comté de Londonderry en Irlande.

1614

Tolède, 7 avril
Mort du peintre le Greco. →

France, 15 mai
Le traité de Sainte-Ménehould met un terme provisoire à la révolte de Condé et des princes contre les ministres, qui a éclaté au mois de février. Malgré les conseils de Villeroy et Jeannin, anciens ministres d'Henri IV, Marie de Médicis négocie avec Condé. Ce dernier reçoit 450 000 livres, Mayenne 300 000 et Longueville 100 000.

Bourdeilles, 5 juillet
Mort de Brantôme. →

Francfort-sur-le-Main, 22 août
Pogrom de Fettmilch. →

Paris, 27 octobre
Réunion des Etats généraux.

Empire germanique, 12 nov.
Le traité de Xanten met fin à la guerre de succession de Juliers-Clèves, après que la France et l'Angleterre aient menacé d'intervenir. Jean Sigismond, l'Electeur de Brandebourg, obtient Clèves et Ravensberg, consolidant ainsi ses positions dans le nord-ouest de l'Allemagne, tandis que Philippe Louis, comte palatin de Neubourg, annexe Juliers et Berg. Le conflit avait éclaté en 1609 à la mort de Jean Guillaume, dernier duc de Clèves, de Juliers et de Berg.

France, 20 novembre
Louis XIII est déclaré majeur.

Russie
Michel Romanov défait les Cosaques à Rostokino.

Rome
Le pape prononce la béatification de sainte Thérèse d'Avila.

Achèvement par Carlo Maderna de la façade de la basilique Saint-Pierre. →

Angleterre
Le roi Jacques Ier demande aux parlementaires le vote de « benevolances » (dons gratuits pour la couronne). Après la session, les orateurs opposés à la demande royale sont jetés au fond des geôles de la Tour de Londres.

Japon
Des seigneurs rebelles s'étant regroupés dans le château d'Osaka autour du jeune Hideyori, fils d'Hideyoshi, Tokugawa Ieyasu met le siège devant la forteresse. Une fois prise, celle-ci sera rasée et Hideyori sera contraint au suicide. La dynastie des Tokugawa est désormais bien assise.

Brésil
Le gouverneur de Rio donne au sucre fonction de monnaie : il aura donc pouvoir libératoire, y compris pour le paiement des impôts.

Londres
La Duchesse d'Amalfi de John Webster. →

Angleterre
Mirifici logarithmorum canonis descriptio de John Napier. →

Hollande
Fondation de la Compagnie hollandaise du Nord.

1615

Paris, 23 février
Renvoi des Etats généraux. →

Irlande
Fin du Parlement irlandais. →

Empire germanique
L'empereur Mathias accorde à son général-vaguemestre, le comte Léonard II de Tour et Taxis, ainsi qu'à ses héritiers, le droit régalien de la poste.

France
Traité de l'économie politique d'Antoine de Montchrestien. →

Une nouvelle fois, Condé se révolte contre le pouvoir : il publie un nouveau manifeste.

Conformément aux dispositions du traité de Fontainebleau, Louis XIII épouse Anne d'Autriche.

Paris
A la demande de Marie de Médicis, Salomon de Brosse commence la construction du palais du Luxembourg, qui devrait, selon les vœux de la reine mère, s'inspirer du palais Pitti à Florence, où elle a passé son enfance.

Angleterre et Empire moghol
Sir Thomas Roe est envoyé en ambassade auprès de la cour de l'empereur Jahângîr. La cour des Moghols connaît alors un faste sans pareil. Epoux d'une princesse persane, l'empereur accueille de nombreux artistes venus d'Ispahan qui font de sa capitale, Agra, une splendide cité.

Le Greco. « Laocoon ». 1610-1614. National Gallery of Art, Washington. A l'arrière-plan, une vue de Tolède, la ville d'adoption du peintre.

Spiritualité visionnaire chez le Greco

Tolède, 7 avril 1614
Le Greco est mort à Tolède où il s'était installé en 1577. Né à Candie en 1541, Domenikos Theotokopoulos avait fréquenté à Venise l'atelier de Titien et approché Tintoret. Après un bref séjour à Rome dans l'entourage du cardinal Farnese, il partait pour l'Espagne, espérant trouver des commandes auprès de Philippe II, espoir très vite déçu. Il choisit Tolède, ville cosmopolite, rivale de Madrid et capitale intellectuelle de l'Espagne, où vivaient Lope de Vega, Tirso de Molina, Gongora, Cervantès. A part quelques portraits, d'ailleurs admirables et qui datent des dernières années du peintre, comme ceux de Niño de Guevara (1600) ou de Paravicino (1609), l'essentiel de sa production appartient à la peinture religieuse. Du *Martyre de saint Maurice* (1580) à la *Pentecôte* (1605), s'affirme un style qui n'a pas de précédent. Aux antipodes de la vision de la Renaissance, découverte heureuse et patiente appropriation de la réalité terrestre, le monde du Greco, avec ses personnages tendus vers le haut, ses couleurs livides, semble aspiré tout entier par l'invisible, ayant rejeté le poids de la matière.

Les Juifs massacrés par les Allemands à Francfort

Francfort-sur-le-Main, 22 août 1614
Mené par un boulanger nommé Vincent Fettmilch, une bande d'artisans de Francfort envahit le ghetto ; pillages, massacres et chasse aux Juifs s'ensuivent. L'empereur Mathias condamne les exactions et prend fait et cause pour les victimes. Le 28 février 1616, Fettmilch et ses comparses sont décapités. A la suite de cet événement, la communauté juive de Francfort décide de fêter chaque année, le 20 adar, jour du châtiment de Fettmilch, le « Pourim Vincent ». Depuis 1462, les Juifs de Francfort vivent enfermés dans le ghetto, l'un des plus vieux d'Europe. Ils sont confinés dans ce lieu : le ghetto est séparé du reste de la cité par des murailles et ses trois portes sont gardées jour et nuit. Le ghetto est l'expression géographique de l'exclusion sociale : en effet, les Juifs ne peuvent participer à la vie municipale, ni appartenir à une corporation.

Les habitants de Francfort attaquant et pillant le ghetto en 1614. Gravure sur bois rehaussée de couleurs. Musée historique, Francfort.

Brantôme, l'historien de la galanterie

Bourdeilles, 5 juillet 1614
Pierre de Bourdeilles, abbé et seigneur de Brantôme, s'éteint à l'âge de 77 ans. Après une enfance passée à la cour de Navarre, ce gentilhomme périgourdin, aussi habile à guerroyer qu'à « faire l'amour » ou à « dire le mot », connaît l'Italie, l'Ecosse, Malte, combat les Turcs en Afrique et les huguenots en France. Définitivement immobilisé en 1584 par une chute de cheval, le galant guerrier s'improvise mémorialiste pour fixer les anecdotes piquantes qu'il a entendues ou vécues, les personnages cocasses qu'il a connus. Les sept discours des *Vies des dames galantes*, d'où se détachent les *Vies des dames illustres*, brossent de pittoresques tableaux de la vie amoureuse et guerrière de l'Europe et de la cour des Valois.

Le "Traité d'économie" de Montchrestien

France, 1615
Pour la première fois, apparaît le terme d'« économie politique », avec la publication du *Traité d'économie politique*, d'Antoine de Montchrestien. Dans ce recueil « dédié au Roy et à la Reine, mère du Roy », Montchrestien privilégie le rôle que doit jouer l'Etat dans l'économie : « Ceux qui sont appelés au gouvernement des Etats doivent en avoir la gloire, l'augmentation et l'enrichissement pour principal but. » Frappé par la prépondérance de l'or espagnol dans les échanges européens, il assimile richesse nationale et métal précieux. La France ne disposant pas d'or, le roi doit favoriser les manufactures afin d'exporter des marchandises et ainsi constituer un stock d'or. Le mercantilisme industriel de Montchrestien s'accompagne d'un plaidoyer en faveur de la colonisation : « Planter de nouvelles Frances ».

Impuissance des Etats généraux

Paris, 23 février 1615
La politique de la régente avait suscité de multiples mécontentements. Le rapprochement avec l'Espagne inquiétait les protestants ; les chefs du parti, réunis à Saumur sous la conduite de Duplessis-Mornay, réclamaient des garanties. Les grands, écartés du Conseil de régence, jaloux de la faveur croissante dont paraissait jouir Concini, manifestaient leur impatience ; retirés dans leurs provinces, ils semblaient prêts à la sédition. Pour rétablir la situation, Marie de Médicis, traitant avec Condé à Sainte-Menehould (15 mai 1614), promettait de convoquer les Etats généraux. Réunis en octobre, les Etats étalent aussitôt leur impuissance. Les divisions et les querelles entre les trois ordres paralysent l'assemblée. Le premier souci du clergé et de la noblesse était l'abolition de la paulette. Le Tiers, quant à lui, réclamait la suppression des pensions allouées aux nobles et aux courtisans et la diminution de la taille. Les ordres eux-mêmes étaient divisés. Les intérêts propres de la Robe l'isolaient du reste du Tiers. Le clergé était partagé entre gallicans et ultramontains. Cette confusion faisait le jeu de la régente. Elle se sentit assez assurée pour refuser toutes les demandes de l'assemblée, allant jusqu'à interrompre les débats. En février, les Etats généraux se séparent sans avoir obtenu la moindre concession.

Sir John Davies clôt le Parlement irlandais

Irlande, 1615
Satisfait, Jacques Ier ordonne à Sir John Davies de clore les séances du Parlement irlandais. Soucieux des apparences de la légalité, le roi avait résolu en 1613 de réunir ce Parlement pour faire ratifier l'expulsion des catholiques d'Irlande. Afin d'en assurer la représentativité, des députés catholiques avaient été admis, mais en minorité : 98 contre 128 protestants. Les lords catholiques envoyèrent en vain au roi une protestation énergique. Le *bill* fut voté. Jacques Ier avait obtenu la reconnaissance de ses droits sur les biens des comtes exilés.

Achèvement de la façade de Saint-Pierre de Rome

Rome, 1614
Carlo Maderna vient d'achever la nouvelle façade de Saint-Pierre. Paul V lui avait confié en 1607 la réfection de la basilique. L'idée directrice est celle d'un large portique qui donne une assise horizontale à la coupole. Le corps central, de trois travées sous fronton, présente un ordre colossal : huit colonnes corinthiennes et quatre pilastres. Pour fermer le portique, Maderna a pensé à un attique qui servira de salle pour les bénédictions papales. De même, le centre de la façade est la loggia d'où le Saint-Père s'adressera à la foule. L'ensemble, puissant mais un peu terne, impose un art fait de gigantisme et de théâtralité.

"La Duchesse d'Amalfi", drame noir de Webster

Londres, 1614
La duchesse d'Amalfi n'a trouvé à sa cour qu'un seul homme de bien : son majordome, Antonio. Elle l'épouse secrètement, mais l'espion Bosola révèle tout au frère de la duchesse, Ferdinand, duc de Calabre. Furieux de voir l'héritage leur échapper, le duc et son frère font étrangler leur sœur et ses enfants. Bosola assassine Antonio par erreur, puis tue le cardinal ; Ferdinand poignarde Bosola. C'est le type même du drame noir.

Les logarithmes révélés par John Napier

Angleterre, 1614
John Napier s'intéresse aux mathématiques. Ainsi, partant d'une relation numérique où le produit de deux fonctions trigonométriques s'exprime comme la somme de deux autres fonctions, il cherche une suite de nombres qui corresponde à cette relation (où le produit de ces deux nombres s'exprime à l'aide de leur somme). Il construit cette suite et la publie en 1614, donnant naissance aux logarithmes dits népériens.

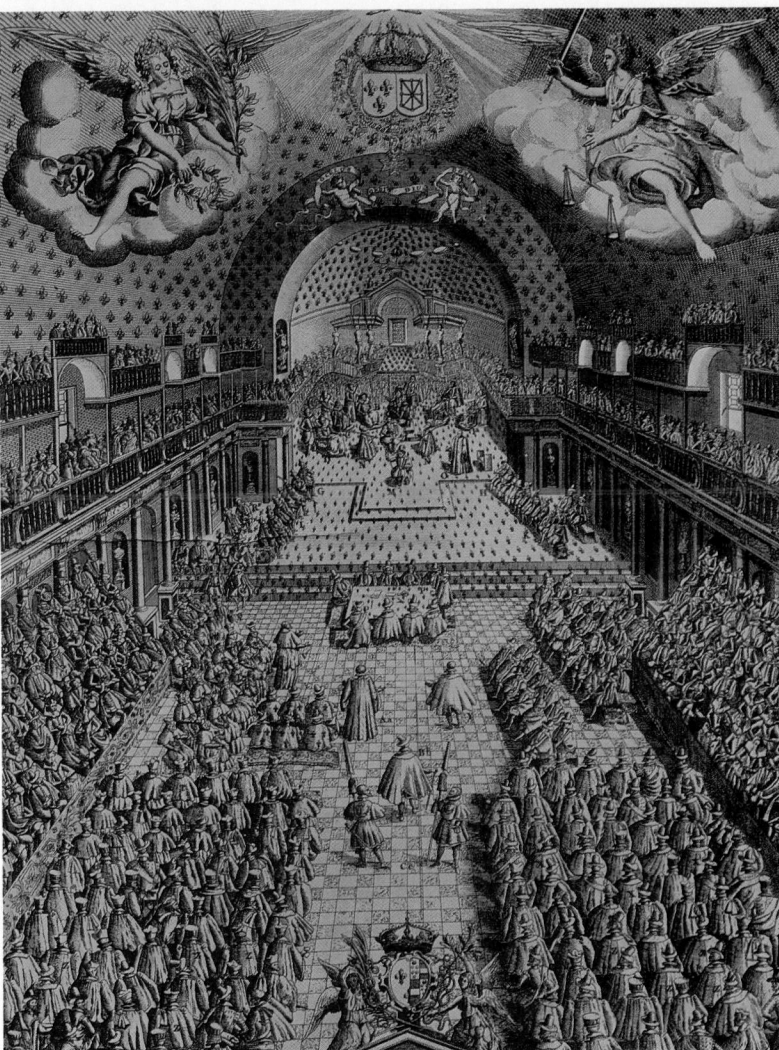

La grande salle des Etats généraux réunis en octobre 1614 par Marie de Médicis. La séance d'ouverture. Gravure d'époque.

Basilique Saint-Pierre de Rome. La façade a été construite, de 1607 à 1614, par Carlo Maderna qui modifia le dessin de Michel-Ange à la demande de Paul V.

1616

Italie, février
Galilée convoqué par le Saint-Office. →

Russie et Suède, 9 mars
Paix de Stolbovo. →

Madrid, 23 avril
Mort de Cervantès. →

Angleterre, 23 avril
Mort de William Shakespeare. →

France, 6 mai
Traité de Loudun. →

France, mai
Entrée de Condé au Conseil royal ; il se voit confier, en outre, le gouvernement de Bourges.

France, novembre
Appelé au Conseil du roi, Richelieu est nommé secrétaire d'Etat à la Guerre et aux Affaires étrangères.

Europe
Les diverses branches des Habsbourg concluent l'accord de Graz.

Amérique du Sud
Fin de la « France équinoxiale » (Guyane française). →

Japon
Seuls, les ports de Nagasaki et de Hirado demeurent ouverts aux étrangers.

Tokugawa Ieyasu meurt des blessures qu'il a reçues au siège d'Osaka. Son fils, Tokugawa Hidetada, intronisé shôgun depuis 1605, lui succède.

Régions arctiques
A la recherche d'un passage nord-ouest de l'Atlantique vers le Pacifique, le navigateur anglais William Baffin découvre un bras de mer qui communique avec l'océan Arctique et auquel il donne son nom. A la suite de l'insuccès de ses expéditions, Baffin conclut à l'inexistence d'un passage nord-ouest.

Istanbul
Achèvement de la mosquée de Sultan Ahmet ou « Mosquée bleue ». →

France
Les Tragiques d'Agrippa d'Aubigné. →

François de Sales publie le *Traité de l'amour de Dieu*.

Paris
L'architecte Clément II Métezeau réalise la façade de l'église Saint-Gervais.

Anvers
Rubens achève *L'Enlèvement des filles de Leucippe*, une de ses œuvres majeures.

1617

Leyde, 4 février
Mort de Louis Elsevier, libraire et éditeur. En 1580, il avait fondé sa maison d'édition. Ses fils, Mathijs et Bonaventura, lui succèdent.

France, 24 avril
Concini est assassiné. La reine mère est exilée au château de Blois. Richelieu l'accompagne dans son exil. →

Rome et Pérou, 30 août
Santa Rosa de Lima est la première sainte américaine inscrite à l'Ordo.

Lisbonne, 25 septembre
Mort du jésuite espagnol Francisco Suarez. C'est à la demande expresse de Philippe II qu'il avait occupé en 1597 la première chaire de théologie à l'université de Coïmbre. Juriste, théologien, auteur de *Disputationes metaphysicae* et d'une *Defensio fidei* (1613) contre Jacques Ier d'Angleterre, il fut le plus grand représentant de la pensée scolastique de son époque.

Empire ottoman, 22 décembre
Mustafa Ier succède au sultan Ahmet Ier.

Bohême
Par le traité de Prague, Philippe III d'Espagne abandonne son droit héréditaire sur la Bohême au profit de l'archiduc Ferdinand de Styrie.

Savoie et Espagne
L'Espagne renforce ses alliances contre la France en concluant le traité de Pavie avec la Savoie.

Angleterre
George Villiers devient duc de Buckingham.

Japon
Les cendres du shôgun Tokugawa Ieyasu sont transférées d'Edo au mausolée de Nikko.

Suède
Le catholicisme est prohibé en Suède.

Mort à Madrid de Miguel de Cervantès

Espagne, 23 avril 1616
Né en 1547, Miguel de Cervantès avait quitté à vingt-deux ans l'Espagne pour s'installer en Italie où il s'était enrôlé dans l'armée. Lors de la bataille de Lépante (1571), une blessure lui avait paralysé la main gauche ; sa carrière militaire continua néanmoins et, en 1575, il était fait prisonnier par les Turcs. Enfermé à Alger – séjour évoqué dans *Les Bagnes d'Alger* –, il avait été racheté en 1580 par les moines trinitaires. De retour en Espagne, il s'installa à Madrid et écrivit ses premières œuvres.

Harcelé par la pauvreté, il exerça des petits métiers qui le menèrent de Madrid à Séville, puis à Valladolid. Pendant cette période, son activité littéraire n'a qu'un rôle secondaire. Cependant, à partir de la publication de *Don Quichotte* (1605), elle prend le premier plan. En 1606, il revient à Madrid et publie les *Nouvelles exemplaires* (1613), le *Voyage au Parnasse* (1614) et la deuxième partie du *Quichotte* en 1615. L'année suivante, achevant les *Travaux de Persilès et Sigismonde*, il tombe subitement malade et meurt peu après.

Le traité de Loudun met fin à la révolte de la noblesse

Loudun, 6 mai 1616
Le traité signé à Loudun entre Marie de Médicis et Condé rétablit la paix dans le royaume. La régente promet de tenir compte des remontrances des Etats et du Parlement. Les vieux ministres sont renvoyés. Condé entre au Conseil du roi et se voit confier le gouvernement de Bourges. Les princes rebelles sont gratifiés de dons et de pensions. Cette nouvelle révolte nobiliaire avait éclaté au lendemain de la séparation des Etats généraux. A l'automne 1615, Condé, Rohan et Vendôme avaient pris les armes. L'attitude de la reine mère était à l'origine du conflit. Loin de se séparer de Concini, elle s'en remettait, en effet, de plus en plus à lui pour le soin des affaires. Malgré l'opposition des Etats, elle avait persisté dans ses projets et fait célébrer le double mariage espagnol.

Achèvement de la "Mosquée bleue"

Istanbul, 1616
L'architecte Mehmet Agha achève pour le sultan Ahmet Ier la mosquée qui porte son nom et qui est plus connue sous celui de Mosquée bleue, à cause de la couleur de sa magnifique décoration intérieure toute en faïence. Avec ses six minarets, ses coupoles en escalier, la Mosquée bleue représente une excellente copie du modèle introduit par Sinan. On n'y décèle, en effet, aucune originalité architecturale. Décidément, pour l'Empire ottoman, le temps des splendeurs est révolu. L'impression que laisse néanmoins la visite d'un tel monument est séduisante.

La mosquée de Sultan Ahmet, dite aussi la « Mosquée bleue », à Istanbul. 1609-1616. Architecte : Mehmet Agha.

Le roi Louis XIII élimine Concini

Concino Concini. Peinture de Denis Lecocq commandée en 1834.

Paris, 24 avril 1617

Concino Concini est abattu par le capitaine des gardes, Vitry, qui agit sur ordre du roi. Son cadavre est exposé à la vindicte populaire aux portes du Louvre. La femme de Concini, Léonora Galigaï, condamnée comme sorcière, est décapitée, puis jetée sur le bûcher. Avec Concini, c'est tout un parti qui tombe. Les ministres sont renvoyés et la reine mère est exilée au château de Blois. « Je suis roi maintenant », déclare Louis XIII, en apprenant l'assassinat. Concini, d'origine florentine, ancien secrétaire du grand duc de Toscane, appartenait à la suite de Marie de Médicis. Cet ambitieux, passé maître dans l'art de l'intrigue, sut mettre à profit l'ascendant que sa femme exerçait sur l'esprit de

la reine, dont elle était la femme de chambre avant de devenir la favorite. Dès 1601, il était majordome. Mais c'est la disparition d'Henri IV qui, en livrant Marie de Médicis à son entourage italien, devait le porter au sommet. En 1610, il était déjà conseiller d'Etat, gouverneur de Péronne et de Bourg-en-Bresse, premier gentilhomme de la chambre du roi et marquis d'Ancre. L'année suivante, il réussissait à évincer Sully. En 1613, il était maréchal de France, sans jamais avoir été soldat. En 1616, après l'arrestation du prince de Condé, sa puissance ne devait plus connaître de borne. C'est à l'instigation de son favori, Albert de Luynes, que le roi prit enfin la décision d'abattre l'insolent parvenu, objet d'une haine universelle.

Marie de Médicis. Peinture de Frans II Pourbus.

Les Portugais s'emparent de la "France équinoxiale"

Amérique du Sud, 1616

Les Portugais délogent les Français du fort de Saint-Louis de Maragnan (Sào Luis de Maranhào). Tandis que Daniel de La Ravardière, lieutenant général des Amazones, et quatre cents des anciens défenseurs de la « France équinoxiale » regagnent la métropole, les autres rejoignent les tribus des Indiens Tupinambas. En 1604, La Ravardière partait à la recherche de Manoa, une cité légendaire remplie d'or et de pierres précieuses, et abordait l'Amérique du Sud à l'embouchure de l'Oyapoc. En 1612, avec François de Razilly et Alphonse du Plessis de Richelieu, il explore la côte jusqu'au Parà et atteint l'embouchure de l'Amazone où il fonde Saint-Louis. Les colons s'occupant à folâtrer avec les indigènes, Razilly retourne en France pour solliciter des renforts auprès de Marie de Médicis, qui reste insensible malgré l'évocation des richesses de la colonie.

Parution des "Tragiques" d'Agrippa d'Aubigné

Maillé, 1616

L'ancien compagnon du roi de Navarre, le rude combattant huguenot resté farouchement fidèle à sa foi, décide, à soixante-quatre ans, encouragé par la paix de Loudun, de rendre publics des écrits composés quarante ans plus tôt. Une vision mystique avait déterminé ce guerrier à prendre la plume. Le titre exact et complet du livre se lit ainsi : « *Les Tragiques*, donnez au public par le larcin de Prométhée, Au Dézert, par L.B.D.D. » On sait que le surnom huguenot de d'Aubigné est « le Bouc du désert », le bouc émissaire. Les sept livres de ce long poème sont un véritable hymne à la foi protestante. Le poète exerce sa verve satirique contre les catholiques ; mais dans un grand souffle allégorique : la nature, la terre, la France animent, avec l'inspiration biblique, un élan mystique. Un Dieu personnel, plein de la passion du poète, est omniprésent dans cette vaste épopée.

Le Saint-Office met en garde Galilée

Rome, février 1616

Galilée (1564-1642) devient professeur à Padoue en 1592. En 1609, ayant appris l'existence d'un instrument optique permettant de grossir ce que l'on regarde, il s'était empressé de le reproduire en l'améliorant, puis s'en était servi pour observer les planètes. En 1610, il avait publié *Le Message céleste* où, étudiant la Lune, il montrait qu'elle avait un relief comme la Terre et que les amas d'étoiles que l'on croyait pouvoir dénombrer étaient presque infinis. Mais, en découvrant trois satellites de Jupiter, il montrait comment cette planète pouvait tourner autour du Soleil en les entraînant avec elle. Ses ouvrages, qui venaient à l'appui de la théorie de Copernic, inspiraient des craintes aux théologiens et, en 1615, la polémique avait éclaté. Le Saint-Office, malgré les réticences de certains cardinaux, condamne l'œuvre de Copernic, et, après avoir convoqué Galilé, le met en garde.

La Russie perd son accès à la Baltique

Russie, 9 mars 1617

Le traité de paix signé à Stolbovo (près de Tikhvine) entre la Suède et la Russie, qui a abouti grâce à l'entremise des Anglais, met fin à l'occupation de la Russie septentrionale par les troupes suédoises : la Moscovie pourra recouvrer Novgorod après le paiement d'une indemnité considérable. Ainsi la Suède renonce-t-elle à toute expansion vers la mer Blanche. Mais en échange le tsar de Russie Michel Romanov doit abandonner l'Ijorie, les rives de la Néva et la Carélie orientale, perdant par là même le libre accès à la Baltique et les villes conquises par Boris Godounov. Ce traité de paix est un des aspects de la politique de pacification et de reconstitution qui s'imposait alors à Michel Romanov. De surcroît, la résistance de plus en plus intense du peuple russe en territoire occupé incita le roi de Suède à entamer les pourparlers de paix avec la Russie.

Disparition de William Shakespeare

Stratford-sur-Avon, 23 avril 1616

Dans l'église de la Sainte-Trinité, on rend les honneurs funèbres au génie qui, après avoir subjugué Londres, est revenu, quatre ans auparavant, dans sa ville natale. C'est à Stratford, en effet, que William Shakespeare a vu le jour en 1564. Sa mère, Mary Arden, avait apporté à son père, John Shakespeare, assez de biens pour lui permettre de s'établir gantier. Il devint échevin et même juge de paix. On ne sait rien des années d'apprentissage de son fils, qui se maria, à dix-huit ans, avec Anne Hathaway. Elle lui donna une fille, Suzanne, puis des jumeaux. Dès ses débuts, Shakespeare a suffisamment remué le théâtre londonien et su ravauder de vieilles pièces pour en faire de nouvelles, au point de susciter de furieuses invectives et de s'attirer en 1592 les foudres d'un pamphlet signé Robert Greene. Acteur, auteur, il régna en maître sur le théâtre du « Globe », puis devint le copropriétaire de la compagnie des Lord Chamberlain's Men, laquelle bénéficiera à partir de 1603 de la protection du roi. En vingt ans, il produisit une quarantaine de pièces, dont la splendeur du verbe, la richesse des images devaient subjuguer ses contemporains et où son génie multiforme s'adresse indifféremment aux princes comme au peuple. Parvenu au faite de la réussite, Shakespeare s'est progressivement éloigné de la capitale où il était l'objet de toutes les attentions.

Le théâtre du « Globe » à Londres sur les bords de la Tamise. Gravure. Vers 1616. British Museum, Londres.

1618

Bohême, 23 mai
Défenestration de Prague. →

Bruxelles, 28 septembre
Ouverture du premier mont-de-piété dans les Pays-Bas catholiques. Les petites gens peuvent emprunter sur gage à un taux très faible.

Angleterre, 29 octobre
Exécution de Sir Walter Raleigh. →

Russie et Pologne, 11 décembre
Paix de Doulino. →

Espagne
Publication par Guillen de Castro de deux pièces tirées du *Cantar de mio Cid* : *Les Enfances du Cid* et *Les Entreprises de jeunesse du Cid*.

Font-aux-Cabres de Lope de Vega. →

Publication posthume des *Œuvres spirituelles* de Jean de la Croix.

Brésil
Etablissement du système du *regimento* : en vertu du droit de découverte, la propriété des mines revient aux *descobridores*, les découvreurs de filons.

Europe
Apparition des premiers microscopes.

1619

Toulouse, 9 février
Sous l'accusation de magie et d'athéisme, Giulio Cesare Vanini est brûlé vif. Ses thèses rationalistes et naturalistes l'avaient obligé à quitter Naples pour l'Angleterre, puis pour la France. A Paris, la publication de son *Amphithéâtre de la Divine Providence* (1615), puis de ses discours sur les *Secrets de la nature* (1616) avait suscité la censure de la Sorbonne.

Empire germanique, 20 mars
A la mort de l'empereur Mathias, c'est son cousin Ferdinand II, roi de Bohême depuis 1617 et de Hongrie depuis 1618, qui lui succède.

La Haye, 13 mai
Grand pensionnaire de Hollande, Jan van Oldenbarnevelt est exécuté sur ordre de Maurice de Nassau, qui affirme ainsi son pouvoir par opposition aux partisans d'un Etat néerlandais plus démocratique. Ce tragique événement est aussi l'un des épisodes de la lutte entre les gomaristes, soutenus par

le stathouder, et les arminiens dont les thèses avaient été adoptées par Oldenbarnevelt. Avec Guillaume de Nassau, Oldenbarnevelt était l'un des fondateurs de la nation néerlandaise. En 1597, il avait obtenu la reconnaissance de l'Union d'Utrecht par la France et la Grande-Bretagne ; plus tard, il avait négocié la trêve de Douze Ans avec l'Espagne, ce qui avait constitué la reconnaissance implicite par Philippe III de l'indépendance néerlandaise.

Provinces-Unies, 29 mai
Clôture du synode de Dordrecht. →

Jamestown, Virginie, 9-14 août
Réunion de la première Assemblée législative d'Amérique du Nord. Les représentants des colons anglais de Virginie votent une résolution concernant les impôts, la morale publique et le cours du tabac.

Bohême, 25-27 août
Les Etats de Bohême élisent un nouveau roi en la personne du protestant Frédéric V, prince électeur du Palatinat.

Empire germanique, 28 août
Les Etats de Bohême ayant refusé de prêter serment au nouvel empereur, Ferdinand II conclut une alliance avec le duc Maximilien Ier de Bavière et la Ligue catholique contre la Bohême et le Palatinat.

Jamestown, Virginie, août
Arrivée des premiers esclaves africains en Amérique du Nord. →

Russie
Ienisseïsk est fondée sur les bords de l'Ienisseï qui constitue alors la frontière orientale de l'Empire russe.

Madrid
Achèvement de la Plaza Mayor. →

Fleurs de don Juan, comédie en trois actes de Lope de Vega.

Allemagne
Harmonices mundi de Kepler. →

Indonésie
Sur les restes du premier établissement fondé en 1596, les Hollandais érigent une forteresse et une colonie du nom de Batavia, ainsi baptisée en l'honneur des ancêtres de leur pays. Batavia deviendra la capitale des Indes orientales hollandaises.

Angleterre et Amérique du Sud
Création de la Compagnie londonienne de l'Amazone.

La Plaza Mayor à Madrid : un modèle d'urbanisme

Espagne, 1619
Lorsque Philippe II décide de faire de Madrid la capitale de son empire, celle-ci n'est qu'un bourg. La ville doit donc subir des changements en accord avec sa nouvelle situation. C'est alors que naît l'idée d'une grande place pour Madrid. En 1617, sous le règne de Philippe III, commence la construction de la Plaza Mayor, œuvre de l'architecte Juan de Gómez de Mora ; elle est achevée en 1619. Entourée de maisons identiques bâties sur arcades, la place est un lieu de marchés et d'habitations, pouvant loger 3 700 personnes. Les soubassements voûtés permettent aux propriétaires d'échoppes d'entreposer leurs marchandises. La Plaza Mayor n'est pas qu'un lieu de commerce et de rencontre, c'est aussi la scène de nombreuses manifestations religieuses, municipales et royales. Elle est le seul lien de la cour avec la vie urbaine, qui rompt ainsi son isolement. 50 000 personnes peuvent y trouver place pour assister aux corridas, aux joutes, aux processions et aux autodafés.

La Plaza Mayor de Madrid. 1617-1619. Architecte : Juan Gómez de Mora. Au centre, la statue équestre de Philippe III de Giambologna et Pietro Tacca.

Exécution de Raleigh, "sea-dog" d'Elisabeth

Angleterre, 29 octobre 1618
Celui qui se considérait comme le « sea-dog » d'Elisabeth vient d'être exécuté. Sa condamnation à mort avait été prononcée pour des raisons obscures, en novembre 1603. Mais Jacques Ier avait commué sa peine en détention. Raleigh avait été libéré en 1616 pour entreprendre un second voyage en Guyane. Cette dernière expédition raviva la haine des Espagnols à son égard. C'est sur leur demande, alors qu'ils étaient en négociation de paix avec l'Angleterre, qu'eut lieu l'exécution de la sentence. Soldat, courtisan de la reine Elisabeth Ire et explorateur, Raleigh était également poète et historien. Ses poèmes, très appréciés (*The Ocean to Cynthia*, appel à la reine d'un courtisan tombé en défaveur), furent suivis d'un récit des guerres avec l'Espagne intitulé *Récit véridique de la bataille des Açores*. De retour de Guyane, il avait publié ses carnets. En prison, il entreprit sa grande *Histoire du monde* qui resta inachevée.

Les premiers esclaves noirs arrivent en Amérique du Nord

Jamestown, Virginie, août 1619
Une frégate hollandaise débarque une vingtaine d'Africains dans le port de Jamestown, en Virginie. C'est la première cargaison de ce genre arrivant dans le port d'une colonie anglaise d'Amérique du Nord. Comme 80 % des immigrants blancs, ces vingt Noirs sont placés comme serviteurs dans des domaines. Toutefois, les Africains sont affectés à des travaux plus pénibles. Le statut d'esclave n'existe pas légalement ; les Normands l'avaient aboli lors de la conquête de l'Angleterre. Ce vide juridique laisse les mains libres aux planteurs virginiens ; aucune institution politique ou religieuse ne vient contrarier leurs ambitions économiques. Tout de suite, plane sur le sort de ces nouveaux arrivés la malédiction biblique de Cham, dont toute la descendance est condamnée à l'asservissement éternel : le noir serait signe d'esclavage. La voie est ouverte à l'exploitation systématique de cette main-d'œuvre.

La défenestration de Prague

Prague, 23 mai 1618

A Prague, au milieu de l'agitation populaire et dans une atmosphère d'émeute, un groupe de protestants tchèques révoltés montent au Hradcany, s'emparent de deux des principaux lieutenants de l'empereur, qui sont aussi parmi les plus détestés, Martinitz et Slavata. Les deux hommes sont défenestrés. A l'origine de ce conflit se trouve la question de la succession de Mathias, qui n'avait aucun héritier direct. Au sein de la maison d'Autriche, le choix s'était porté sur l'archiduc de Styrie, Ferdinand, cousin de Rodolphe et de Mathias. En 1617, Mathias réussissait à obtenir la reconnaissance de Ferdinand par les Etats de Bohême, imités l'année suivante par la Diète hongroise. Or l'archiduc, ancien élève des jésuites d'Ingolstadt, était connu pour son catholicisme intransigeant ; dans ses Etats, il avait appliqué avec vigueur la politique du concile de Trente, ne laissant d'autre alternative aux protestants de Styrie que la conversion ou l'expulsion. Acquis par ailleurs à l'idée du pouvoir absolu des monarques, il soutenait les efforts de Lobkowitz, le nouveau chancelier de Bohême, qui tentait de réduire l'influence des diètes et de centraliser l'administration. Sa religion et son autorité menacées, la noblesse tchèque, majoritairement protestante, augurait mal de l'avenir. Mathias ayant ordonné la destruction d'un certain nombre de temples, les « Défenseurs de la foi » convoquent une assemblée de représentants protestants, dont les plus déterminés décident de provoquer une rupture avec les Habsbourg.

La défenestration de Prague le 23 mai 1618. Eau-forte de Matthäus Merian pour le « Theatrum Europaeum ». 1635. Bibliothek, Berlin-Ouest.

Réunion des théologiens protestants à Dordrecht

Dordrecht, 29 mai 1619

Le synode de Dordrecht, ouvert en novembre 1618, se termine par la condamnation des arminiens et la réaffirmation du dogme de la prédestination absolue. Arminius était un théologien modéré ; il soutenait que Dieu n'avait pas voulu la chute d'Adam. Ses thèses étaient combattues par un partisan intransigeant de la prédestination, François Gomar. En 1610, les disciples d'Arminius avaient présenté aux Etats de Hollande une *Remonstrance* pour réclamer l'indépendance religieuse des Provinces. Les gomaristes, partisans d'une Eglise d'Etat, voulaient imposer, sous peine de privation des droits civiques, l'adhésion à la confession néerlandaise. Ces dissen-

Le synode de Dordrecht : assemblée de théologiens protestants. Estampe.

sions religieuses se compliquaient de divergences politiques : Oldenbarnevelt, le Pensionnaire de Hollande, était arminien ; Maurice de Nassau, son adversaire, gomariste.

"Font-aux-Cabres" du dramaturge espagnol Lope de Vega

Espagne, 1618

Lope de Vega est au sommet de sa carrière lorsque paraît en 1618 *Fuente ovejuna (Font-aux-Cabres,)* œuvre sur la solidarité communale, qui conte comment Fernan Gomez de Guz-man, par ses exactions, unit le village de Fuente ovejuna contre lui. Lorsqu'il fait enlever une jeune villageoise, c'en est trop : la jeune fille réussit à s'évader et ameute le village, qui réagit en tuant le commandeur. Quand le juge royal soumet le bourg à la torture pour découvrir le coupable, il n'obtient qu'un seul et unique aveu : « Fuente ovejuna ! » Impuissant, il acquitte tout le village.

Les Polonais conservent la région de Smolensk

Russie, 11 décembre 1618

La Russie et la Pologne concluent pour une période de quatorze ans et six mois l'armistice de Doulino, au terme duquel Moscou cède la région de Smolensk et les villes bordant la Desna. La Pologne, par cet armistice, reconnaît l'élection de Michel Romanov en 1613 sur le trône de Russie. Le prince polonais Ladislas ne renonce pas pour autant à ses prétentions sur la ville de Moscou puisque, l'armée polonaise manquant d'armes et de provisions lors du siège de l'abbaye de Saint-Serge, Ladislas avait été contraint de signer l'armistice.

Mappemonde ornée de figures allégoriques des Constellations. Estampe coloriée de l'« Atlas » de Cellarius. XVIIe siècle.

Kepler jette les bases de l'astronomie moderne

Allemagne, 1619

C'est vers 1590 que Johannes Kepler (1571-1630) devient copernicien, sous l'impulsion de Mästlin. Il se propose de montrer que ce système, qui explique les phénomènes observés à partir du mouvement de la Terre, n'est pas une simple hypothèse mais une vérité. Après des études de mathématiques et de théologie, il devient en 1594 le mathématicien des Etats de Styrie. Dès 1595, il rédige un premier ouvrage où il ébauche une architecture copernicienne du système solaire qui permet de résoudre les problèmes astronomiques posés depuis l'Antiquité. Mais déjà, il constate que le primat que Copernic accorde au mouvement circulaire des planètes autour du Soleil rend mal compte de ces problèmes. A partir de cette date, il multiplie les travaux mathématiques afin d'étudier ces mouvements. Ce travail ne peut cependant pas être considéré comme une œuvre purement scientifique dans la mesure où Kepler se propose aussi de montrer que Dieu est à l'origine de l'univers. Il affirme même voir dans les trois éléments astronomiques réputés fixes (les astres, le Soleil et l'espace) le signe de la trinité divine. Il élabore donc les lois qui régissent les mouvements des planètes, calculant dès 1609 dans son livre *L'Astronomie nouvelle* la trajectoire de Mars qui est une ellipse ayant pour foyer le Soleil. En 1619, il termine la formalisation de ces lois en affirmant que les périodes des planètes sont proportionnelles à leur distance moyenne au Soleil. En 1621 paraît *L'Epitome* qui réunit tous ses calculs et ses observations et couronne une œuvre mal comprise à l'époque car difficile à lire. Il termine ses jours à rectifier les tables astronomiques de Tycho Brahe éditées en 1627 (*Tables rudolphines*), qui sont immédiatement utilisées par tous les astronomes.

1620

France, 10 février
Les partisans de la reine mère Marie de Médicis sont défaits par les troupes royales aux Ponts-de-Cé.

Angers, 10 août
Grâce à l'entregent de Richelieu, Marie de Médicis obtient de son fils, Louis XIII, la conclusion d'un traité de paix.

Empire germanique, 8 nov.
Bataille de la Montagne Blanche. →

Amérique du Nord, 21 nov.
Les colons du *Mayflower* s'installent en Amérique. →

La Haye
Mort du mathématicien et physicien Simon Stévin. Il avait enseigné les mathématiques à Maurice de Nassau qui, plus tard, le nomma ingénieur des digues. Il proposa, le premier, l'instauration d'une unité de compte monétaire et d'un système de poids et mesures fondés sur une base décimale. Développant la physique d'Archimède, il établit, entre autres, la valeur de la pression exercée par un liquide sur les parois d'un récipient.

France
Le Béarn est réuni au royaume de France. En vertu d'un édit de 1617, le roi y fait rétablir la religion catholique et contraint militairement les protestants à restituer les biens ecclésiastiques qu'ils avaient sécularisés depuis un demi-siècle.

Angleterre
Novum Organum de Francis Bacon. →

Japon
Construction du palais impérial de Katsura, à Kyôto.

Indochine
L'empire se trouve divisé entre deux familles : les Trinh au nord, les Nguyên au sud.

1621

Rome, 28 janvier
Le pape Paul V meurt. Le vieux cardinal Alessandro Ludovisi, de Bologne, lui succède sous le nom de Grégoire XV. →

Wolfenbüttel, 15 février
Mort de Michael Praetorius. C'était l'un des plus importants compositeurs luthériens.

Amérique du Nord, 22 mars
Les *Pilgrim Fathers* concluent une alliance avec le chef indien Wampanoag.

Madrid, 31 mars
Philippe III meurt ; son fils Philippe IV lui succède.

Empire germanique, 14 avril
L'Union évangélique, réunissant les princes protestants, prononce sa dissolution.

Pays-Bas, 3 juin
Les Etats généraux des Pays-Bas fondent la Compagnie des Indes occidentales (WIC). Elle détient pour une période de vingt-quatre ans le monopole du commerce et de la colonisation pour les Amériques.

Bruxelles, 13 juillet
L'archiduc Albert meurt sans postérité ; c'est la fin de l'indépendance fictive des Pays-Bas catholiques.

France, août-décembre
Les protestants de Guyenne et de Gascogne s'étant soulevés à la faveur des troubles nobiliaires, une expédition est lancée dans le Midi. Spécialement nommé connétable, Albert de Luynes met le siège le 8 août devant Montauban, en vain. Le 14 décembre, il meurt, et Louis XIII qui l'accompagne ne réussit pas davantage à venir à bout de la ville.

Pays-Bas et Espagne
Après douze années de trêve, les hostilités reprennent entre l'Espagne et les Pays-Bas.

Baltique, 16 septembre
A la tête de l'armée la plus moderne d'Europe, Gustave Adolphe de Suède s'empare de Riga.

Rome, 17 septembre
Mort du théologien catholique Robert Bellarmin. Ce cardinal jésuite est l'auteur d'un *Petit Caté-chisme* qui demeurera en usage jusqu'au XXᵉ siècle.

Angleterre, 18 décembre
Les parlementaires demandent la liberté de parole. →

Alpes
La guerre éclate entre la Ligue suisse des Grisons et l'Espagne pour le contrôle de la Valteline.

Amérique du Nord
Elias Legardo s'établit en Virginie. C'est le premier colon juif d'Amérique du Nord.

Mort du pape Paul V, un habile diplomate

Rome, 28 janvier 1621
Pape exemplaire de la Contre-Réforme, Paul V s'est, en toutes circonstances, montré soucieux de maintenir le prestige et l'autorité du Saint-Siège. Né en 1552, cardinal en 1596, Camillo Borghese était, de formation, un spécialiste du droit canon. Le 16 mai 1605, il devenait pape, succédant à Grégoire XI, mort quelques semaines seulement après son élection. Au lendemain de son avènement, il entrait en conflit avec la république de Venise. Le Sénat de la Sérénissime avait en effet, sans en avertir Rome, emprisonné un chanoine de Vicence, coupable de quelque délit. Pour le pape, un tel procès relevait de la justice ecclésiastique. Il réclama donc le prisonnier. Ayant essuyé un refus, il excommunia le Doge et le Sénat de Venise et jeta l'interdit sur la ville. L'affaire s'envenima au point que le pape voulut entrer en guerre contre les Véni-

Le pape Paul V (Camillo Borghese). Gravure. 1605. B.N., Paris.

tiens. En 1607, Henri IV offrit sa médiation et l'affaire s'apaisa. C'est sous le pontificat de ce pape autoritaire que furent enfin achevés les travaux de Saint-Pierre.

Les parlementaires anglais demandent la liberté de parole

Angleterre, 18 décembre 1621
Les députés du Parlement anglais proclament leur droit à la liberté complète de parole et à l'immunité. Ils n'entendent pas empiéter sur les prérogatives royales, mais affirment leur droit d'être informés et d'informer le roi des faits qu'il ignore. L'opposition parlementaire à la politique des Stuart avait débuté en 1614 par de violentes attaques contre les pratiques financières de Jacques Iᵉʳ. Les députés lui reprochaient d'exiger des dons gratuits de ses sujets. A la fin de la session, le roi avait fait enfermer à la Tour les orateurs les plus virulents. Le Parlement s'oppose aux ambitions absolutistes des Stuart. Jacques Iᵉʳ, imbu du droit divin des rois, cherche à instaurer sa pleine autorité, soutenu par ses proches conseillers, Salisbury et Francis Bacon puis Buckingham. Plus que jamais, le roi recourt à des tribunaux extraordinaires pour éliminer les adversaires gênants. la *Star Chamber* étend son champ d'action à tous les actes contraires à l'ordre public. Très hostiles à ce genre de pratique, les Communes se font le champion des libertés traditionnelles.

Francis Bacon. Peinture anonyme. Début XVIIᵉ siècle.

L'Anglais Francis Bacon, un théoricien de la connaissance

Angleterre, 1621
Après des études à Cambridge, une carrière politique mouvementée qui s'interrompt en 1621 à cause de malversations, Bacon entreprend une réflexion sur le développement des connaissances humaines. Il rompt avec la tradition médiévale en répartissant l'ensemble de la connaissance humaine selon les facultés de l'âme, en histoire (mémoire), poésie (imagination) et philosophie (raisonnement). Il rejette la recherche des causes finales au profit des causes formelles (philosophie) et des causes efficaces et matérielles (physique). Ce qui permet de dégager des « lois fixes » qui expliquent la production des phénomènes connus. Mais Bacon connaît très mal les recherches mathématiques de son temps et reste tributaire des idées dominantes de son époque.

Le "Mayflower" arrive en Amérique

Amérique du Nord, 21 novembre 1620
Cent deux colons débarquent à Cap Cod, sur les côtes du Massachusetts. Le *Mayflower*, le navire qui les a amenés en Amérique, était parti d'Angleterre le 5 septembre. Les premiers temps sont durs. Epuisés par plus de deux mois de mer et affaiblis par les premiers froids du rude hiver nord-américain, ils doivent leur survie au maïs et aux dindes sauvages ; pour remercier Dieu *(Thanksgiving)*, ils décident que désormais ils fêteront le dernier jeudi de novembre comme date anniversaire de leur établissement en Amérique. Une partie des colons veut construire en Amérique une nouvelle Jérusalem ; animés par leur foi, ils se sont séparés de l'Eglise anglicane qu'ils jugent trop imprégnée de catholicisme. Leur colonie est gouvernée en vertu du *compact* (pacte) conclu à bord du *Mayflower*. Les *Pilgrims Fathers* (Pères pèlerins) rédigèrent cette constitution lorsqu'ils réalisèrent que les terres qu'ils venaient d'aborder échappaient à la juridiction de la Virginia Company, la tempête ayant détourné le *Mayflower* de la route initialement prévue. Bradford et les autres « saints » dirigeant le petit groupe de trente-cinq colons puritains de l'Eglise anglaise séparée de Leyde élaborèrent cette charte, afin de consolider leur communauté et d'empêcher toute *rébellion* de la part des *strangers* (étrangers), les colons non-puritains qui les accompagnaient. Tout en se reconnaissant les fidèles sujets du roi Jacques Ier d'Angleterre, les rédacteurs du *Mayflower Compact* prévoient le droit de promulguer des lois propres à la colonie, l'égalité de tous devant la loi et l'obéissance de chacun à la communauté. Cette législation régira la communauté de Plymouth jusqu'en 1691, date à laquelle le roi George III placera la ville sous la juridiction de la colonie royale de la baie du Massachusetts.

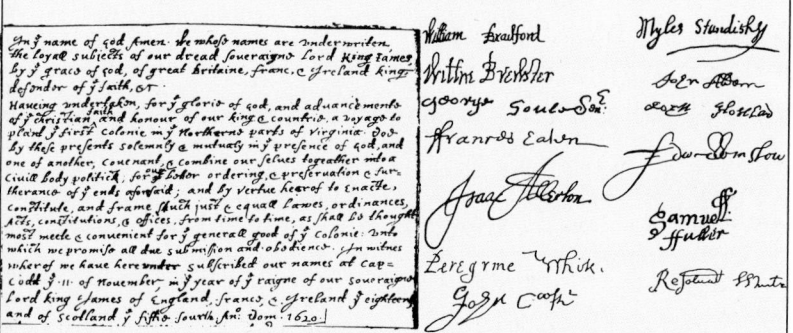

Le « Mayflower Compact », déclaration de principes signée par les « Pères pèlerins » et garantissant l'égalité devant la loi à chaque citoyen.

Bohémiens, gitans et gypsies

Des danseuses gitanes espagnoles ont acquis une renommée mondiale. La cour française les reçoit. Certaines se sont produites à Fontainebleau devant le roi Henri IV. Elles seront invitées à Saint-Maur chez le prince de Condé. La musique qui les accompagne, le flamenco, utilise des thèmes populaires andalous et arabes en les transformant. Les Tziganes, qui vivent en nomades, se sont répandus un peu partout en Europe. Plusieurs noms leur sont attribués, Tziganes en Europe centrale, Gitans en Espagne, Gypsies en Angleterre, Bohémiens également, car ils circulent avec des passeports du roi de Bohême. Leurs ressources sont diverses : de la mendicité aux métiers du spectacle, montreurs d'ours, acrobates, diseurs de bonne aventure. Ils sont souvent mal accueillis par les populations autochtones. Mais leur talent de danseurs et de musiciens leur permet de trouver des protecteurs.

Troupe de Bohémiens : « Ne voilà pas de braves messagers qui vont errant par pays estrangers ». Gravure de Jacques Callot.

Victoire de l'empereur Ferdinand II sur les troupes de Frédéric V à la bataille de la montagne Blanche. Peinture de Pieter Snayers.

L'empereur écrase les protestants à la montagne Blanche

Bila Hora, 8 novembre 1620
Après la mort de Mathias (20 mars 1619), les Etats de la couronne de Bohême avaient décidé de constituer une confédération indépendante, regroupant, outre la Bohême, la Moravie, la Silésie et les Lusaces (21 juillet). Ils prononçaient la destitution de Ferdinand (19 août) et élisaient à sa place l'électeur palatin Frédéric V, un prince calviniste, chef de l'Union évangélique et gendre du roi d'Angleterre. Ferdinand devenait empereur d'Allemagne le 28 août ; la révolte tchèque intéressait désormais tout l'empire et non plus le seul royaume de Bohême. Le 31 octobre, l'Electeur palatin entrait à Prague. Ferdinand repoussait une offre de médiation française, exigeant « une obéissance entière de ses sujets, de laquelle il ne pouvait se voir assuré s'il ne l'acquérait pas par l'épée ». Le conflit devenait inévitable. Les forces en présence lui assuraient l'avantage ; il disposait en effet des armées de la Ligue catholique, commandées par Tilly, des troupes espagnoles de Spinola stationnées aux Pays-Bas et des régiments de l'Electeur de Saxe, alors que Frédéric V devait compter avec la faiblesse de l'armée tchèque et l'inertie de l'Union évangélique. Tandis que Spinola occupait le Palatinat et que les troupes saxonnes envahissaient les Lusaces, Tilly marchait sur Prague. Les troupes tchèques sont écrasées sur la montagne Blanche (Bila Hora), à quelques lieues de Prague. Frédéric V s'enfuit et va trouver refuge auprès de l'Electeur de Brandebourg. Cette défaite est pour les Tchèques lourde de conséquences. La répression s'étend sur tout le pays. Un tribunal d'exception est créé pour juger les chefs de la révolte. L'aristocratie tchèque est décimée ; ses biens sont confisqués. Ferdinand impose une nouvelle constitution qui aligne la couronne de Bohême sur les Etats héréditaires des Habsbourg. Cette reconquête politique s'accompagne d'une reconquête religieuse. Les calvinistes sont proscrits, puis les luthériens, la « Lettre de majesté » est abolie. L'Electeur palatin, surnommé par dérision *Winterkönig*, le « roi d'un hiver », est mis au ban de l'empire, privé de ses Etats, qui sont attribués à Maximilien de Bavière.

1622

Istanbul, 20 mai
Assassinat du sultan Osman II. →

Rome, 22 juin
La bulle *Incrustabili* fonde la congrégation de la Propagande.

France, 18 octobre
Après une sévère campagne contre les protestants du midi de la France, Louis XIII assiège Montpellier et obtient du duc de Rohan une paix qui renouvelle l'édit de Nantes, mais interdit les assemblées politiques et ne laisse comme places fortes aux protestants que Montauban et La Rochelle.

Lyon, 28 décembre
Mort de François de Sales.

France
L'évêque de Luçon, Richelieu, reçoit la pourpre cardinalice.

Pays-Bas
Le marquis de Spinola, commandant les troupes espagnoles, s'empare de Bergen op Zoom.

Europe centrale
Un traité de paix est signé à Nikolsburg entre l'empereur et Bethlen Gabor de Transylvanie. Ce dernier renonce au titre de roi de Bohême qu'il avait pris en 1620.

Francfort
Publication, sous le titre d'*Apologie de Galilée*, d'un texte que Campanella avait écrit en 1616, alors qu'il était en prison et qu'il avait adressé la même année à Galilée ainsi qu'au cardinal Bonifacio Gaetani. L'ouvrage fut très répandu en Allemagne comme en Hollande.

Naples
Une série de troubles sociaux graves dus à des difficultés économiques bouleverse Naples.

Paris
Les *Questions* de Tabarin. →

France
Jeanne de Chantal, qui a fondé l'ordre de la Visitation avec François de Sales, est à la tête de douze maisons visitandines.

Rome
Le pape Grégoire XV canonise Ignace de Loyola, François-Xavier, Philippe Neri, Isidore et Thérèse d'Avila. →

Virginie
La ville de Jamestown est reconstruite après un soulèvement indien qui a fait 350 morts parmi les colons.

Moyen-Orient
Shâh Abbas reprend Ormuz aux Portugais.

Londres
Banqueting House d'Inigo Jones. →

1623

Europe, 7 février
Traité de Paris entre la France, la Savoie et Venise, contre l'Espagne.

Standon, Angleterre, 4 juillet
Mort du compositeur William Byrd. →

Rome, 6 août
A la mort de Grégoire XV, le Florentin Maffeo Barberini est élu pape et prend le nom d'Urbain VIII. Durant les deux ans et cinq mois du pontificat de Grégoire XV, la Contre-Réforme catholique a marqué des points importants : reconquête spirituelle de la Bohême après la victoire militaire de la Montagne Blanche ; fondation de la congrégation de la Propagande.

Empire germanique
Lors de la Diète de Ratisbonne, la Bavière obtient l'Electorat du Palatinat.

France
Les libertins sont poursuivis ; Théophile de Viau est emprisonné. Fin de la publication de ses *Œuvres*. →

Publication d'*Adonis* de Giambattista Marino, vaste poème mythologique dédié à Louis XIII, qui avait pris le poète sous sa protection. Très recherchée de style comme de langage, la poésie de Marino connut une vogue extrême et rayonna sur toute l'Europe : on parla de « marinisme ».

Rome
Le pape donne raison au jésuite Roberto de Nobili. →

Empire germanique
Publication du *Mysterium magnum* de Jakob Böhme.

Afrique australe
Anne Zingha devient reine d'Angola.

Moyen-Orient
Shâh Abbas s'empare de Bagdad.

Suisse
La France se retire temporairement de la Valteline.

Empire ottoman
Déposé pour la seconde fois, le sultan Mustafa Ier est remplacé par Murât IV.

Acteurs accompagnés par un orgue de Barbarie et deux joueurs de viole. Gravure tirée d'une édition des « Œuvres et fantaisies de Tabarin ».

Tabarin, le prince des bouffons

Paris, 1622
Le grand conteur populaire Tabarin publie les *Questions*. Cet ouvrage perpétue une certaine tradition grotesque dans la littérature française. Le nombre de pièces déjà attribuées à Tabarin est un indice de la faveur du public pour ce genre truculent. Tabarin est le plus célèbre des charlatans. Le nom qu'il s'est choisi évoque un manteau court et ample, le tabar, déjà popularisé par un comédien italien. C'est à Paris, au Pont-Neuf, rendez-vous permanent des charlatans, que cet irrévérencieux bateleur a commencé à faire parler de lui. Il est associé à Mondor, un des pseudo-médecins, marchands de drogues et médications étonnantes. Leur succès tient au comique de scène. Ils jouent sur des effets de contraste. Mondor, le maître, est d'une élégance un peu voyante, ses gestes sont mesurés ; Tabarin, le valet, gesticule en tenue débraillée. L'aspect verbal de leurs facéties renforce l'effet comique et explique leur succès. Le principe est simple : Tabarin pose une question inattendue ou scabreuse à son maître qui s'efforce de répondre en multipliant les références pédantesques, les allusions mythologiques rendues grotesques par l'utilisation d'un langage précieux, parodiant les professeurs de la Sorbonne. Mais la satire n'est jamais politique. Jouant sur d'autres registres, le comique est souvent obtenu par des grivoiseries. Celles-ci perpétuent la veine populaire gauloise, fondée sur une dérision misogyne qui dénonce la « perversité et la malignité des femmes ».

Le pape canonise de nouveaux saints

Rome, 1622
Après enquête préalable, Grégoire XV a décidé de faire inscrire au canon des saints Isidore le Laboureur, Rose de Lima, Thérèse d'Avila, Philippe Neri, Ignace de Loyola, François Xavier, Louis de Gonzague et Stanislas Kotska. Tous ces nouveaux saints, à l'exception d'Isidore qui appartient au Moyen Age, ont vécu au siècle dernier et, parmi eux, on compte quatre membres de la Compagnie de Jésus, dont le fondateur. Le sens de ces canonisations est clair : il s'agit d'un hommage éclatant rendu par le pape à quelques-uns des promoteurs de l'Eglise tridentine. Le rôle des jésuites, ce fer de lance de la reconquête catholique, se trouve ainsi reconnu. Quant à saint Philippe Neri, fondateur de l'Oratoire romain et mystique ardent, sa part dans le renouveau de l'Eglise fut non moins grande. En créant une congrégation de prêtres, c'est à la réforme du clergé séculier qu'il entendait se consacrer.

Grégoire XV donne raison au jésuite Nobili

Rome, 1623
Comme le père Ricci, qui en Chine s'était fait mandarin, le jésuite Roberto de Nobili, pour convertir les Indiens, avait décidé d'adopter leurs usages et d'accommoder son message pour le rendre assimilable à la sensibilité indienne. Arrivé aux Indes en 1604, il constata l'inefficacité des méthodes employées par les missionnaires portugais. Avec l'autorisation de son évêque, il se mua en pénitent hindou, adopta le costume des brahmanes, apprit le sanskrit et les trois idiomes les plus communs. Dans son enseignement, il préférait s'attarder sur les principes de la théologie naturelle, omettant parmi les dogmes chrétiens ceux qui risquaient de heurter le plus ses interlocuteurs. Comme les pères des missions chinoises, il fut accusé de corrompre par des emprunts aux coutumes païennes la pureté de la foi catholique. Mais, défendu par le puissant cardinal Bellarmin, il eut gain de cause auprès du pape.

Les janissaires font étrangler le sultan Osman II

Istanbul, 20 mai 1622

Osman II est déposé, puis assassiné. Quelques jours plus tôt, quand les janissaires révoltés avaient fait irruption dans le palais, il avait cru pouvoir sauver son trône en sacrifiant son grand vizir, Dilaver Pasha, qu'il fit exécuter. Mais chaque victoire poussait les rebelles à exiger davantage. A sa mort, Osman II avait dix-neuf ans. Il n'avait régné que quatre ans. Son règne se termina prématurément, sans qu'il pût réaliser l'une des quelconques réformes auxquelles il songeait. Il n'en reste pas moins que son règne éphémère témoigne du premier effort pour mettre de l'ordre dans une situation dégradée et en finir avec l'arbitraire et l'anarchie des janissaires. Ces derniers ne laissèrent guère de temps au jeune homme, initié par sa mère et son précepteur au grec, au latin, à l'italien, au turc, à l'arabe et au persan, et qui aurait pu devenir un grand sultan.

Le sultan Osman II à cheval. Gravure. 1622. B.N., Paris.

Les œuvres libertines du sieur Théophile

Paris, 1623

Pour la première fois, le huguenot converti a fait ses Pâques. Mais la cabale déchaînée par les jésuites Voisin et Garasse fait condamner pour athéisme Théophile de Viau au bûcher par contumace. Arrêté avant la frontière belge, il est jeté dans le cachot de Ravaillac. Il a tout loisir d'y méditer sur ses audaces passées, supposées ou réelles. Né en 1590 à Clairac-en-Agenais, il a très vite évolué vers la libre pensée, malgré une solide formation protestante à Montauban et à Leyde. Naturel et indépendant, très influencé par Vanini, épicurien, matérialiste, libertin hardi dans le groupe des Saint-Amant, Maynard, Boisrobert, Colletet, il a donné d'aimables *Poésies élégiaques ;* c'est la publication du *Parnasse des poètes satiriques,* en 1622, qui lui vaut les foudres des bien-pensants. Théophile nie avoir participé à ce recueil collectif, où de licencieuses épigrammes et des « priapées » obscènes prétendent corriger en les dépeignant les amours illicites, les passions ruineuses, le libertinage effréné des nobles et des parvenus. Mais les fréquentations, les mots, les idées trop avancées du protégé du duc de Candale et du marquis de Liancourt ont fait à Théophile sa déplorable réputation. N'enseigne-t-il pas « qu'il ne faut recognoistre autre Dieu que la nature » ?

Le poète Théophile de Viau. Gravure du XVIIᵉ siècle. B.N., Paris.

Sobriété décorative dans l'œuvre de l'Anglais Inigo Jones

Londres, 1622

L'architecte Inigo Jones vient d'achever la *Banqueting House,* au palais de Whitehall, édifice d'apparat destiné aux réceptions. Il est depuis 1616 le surintendant des bâtiments royaux. La maison de la Reine à Greenwich compte parmi ses premières œuvres. Il travaille aussi pour le palais Saint-James, où il est chargé de la construction de la chapelle de la Reine. Inigo Jones (né en 1573), a commencé par être un décorateur de théâtre au service de la cour. En 1613, il partait pour l'Italie, accompagnant Lord Arundel, le célèbre collectionneur et amateur d'antiquités. Il y rencontra l'architecte Scamozzi, mais surtout découvrit les œuvres de Palladio. C'est ce classicisme épuré, inspiré de Vitruve, qu'il introduisit dans l'architecture anglaise.

Inigo Jones. La Banqueting House à Whitehall, Londres. 1619-1622. Un soubassement porte deux étages de sept travées dominés par une balustrade.

L'école japonaise de Takagamine

Koêtsu (né en 1558) obtient du shôgun Tokugawa Ieyasu, un terrain à Takagamine sur lequel il crée un village d'artisans voués à l'amélioration du cadre de vie. Koêtsu, lui-même peintre, calligraphe, céramiste, concepteur de jardins, influera grandement les arts de son temps. Outre d'admirables calligraphies réalisées pour orner des rouleaux de Sôtatsu, il inventa un type de laque, qui est à l'origine de toute une tradition japonaise.

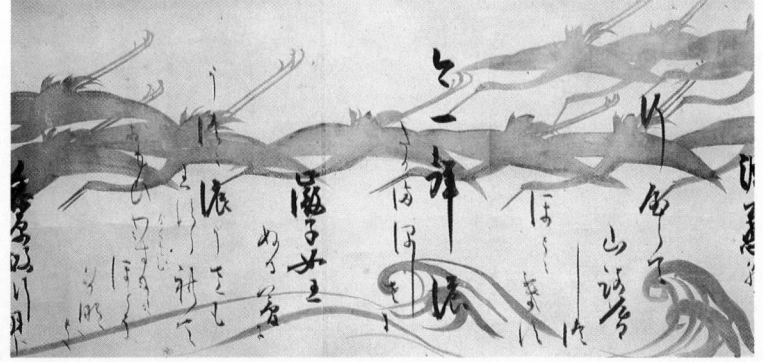

Vol de grues et vagues. Rouleau peint par Sôtatsu ; poème calligraphié à l'encre de Chine par Koêtsu.

La congrégation de la Propagande est créée

Rome, 22 juin 1622

La bulle *Inscrutabili divinae providentiae,* promulguée par Grégoire XV, fonde la congrégation de la Propagande. Destinée à promouvoir les missions, elle est composée de treize cardinaux, placés à la tête de chacune des treize provinces entre lesquelles la terre entière est désormais partagée. Il faut noter que, parmi ces provinces, huit sont exclusivement européennes et concernent toutes les terres gagnées par le protestantisme, car pour le pape, la conversion des hérétiques va de pair avec celle des incroyants. Cette création de Grégoire XV vient combler un vide ; en effet, parmi les quinze congrégations prévues par Sixte Quint dans son plan de réorganisation de la Curie, aucune n'était chargée de la propagation de la foi. La commission instituée à cette fin par Clément VIII en 1599 avait été dissoute en 1605.

Le musicien anglais William Byrd est mort

Angleterre, 4 juillet 1623

Le compositeur William Byrd, considéré comme l'un des plus grands polyphonistes de son temps, est mort. Il a donné une œuvre variée, constituée de madrigaux, de pièces pour clavier, de chansons et de trois messes. Ecrites pour trois, quatre ou cinq voix, ces dernières témoignent, outre de la vitalité de l'art du contrepoint, d'une perception subtile de la musicalité des mots, jointe à une science accomplie des possibilités de la voix humaine. Compositeur de fantaisies et des *In Nomine,* danses, canons et variations conçus pour un ensemble de violes, Byrd adapte toujours l'écriture à l'instrument et privilégie l'émotion. Ses chansons procèdent des lieder germaniques à une voix de Forster et Senfl. Byrd est considéré également comme le fondateur de l'école anglaise du madrigal. Il était né en 1543.

1624

France, 29 avril
Le cardinal de Richelieu entre au Conseil royal. →

Paris
Catherine de Vivonne, marquise de Rambouillet, reçoit régulièrement chez elle hommes de lettres et gens du monde pour y débattre, sans pédantisme, de beau langage.

Görlitz, Silésie, 17 novembre
Mort du philosophe cordonnier Jakob Böhme. →

Japon
Les Espagnols sont interdits dans tout l'archipel nippon.

Empire germanique
Albrecht von Wallenstein devient duc de Friedland. Issu de la noblesse de Bohême et converti au catholicisme, il a constitué une importante armée qu'il a mise au service de l'empereur.

France
Révolte des « croquants » dans le Quercy.

Indonésie
Les Hollandais massacrent les Anglais d'Amboine et de Banda.

1625

Bruxelles, 13 janvier
Mort du peintre Jan Bruegel, dit Bruegel de Velours. Il est particulièrement célèbre pour ses tableaux de fleurs et ses scènes allégoriques (série des *Cinq Sens*).

Angleterre, 27 mars
Charles Ier succède à Jacques Ier, son père.

Sainte-Anne-d'Auray, mars
Au crépuscule, un laboureur du nom de Nicolazic, guidé par une dame blanche, trouve dans son champ une vieille statue de bois représentant la Vierge. La rumeur se répand ; des guérisons miraculeuses ont lieu.

La Haye, 23 avril
Mort de Maurice de Nassau, prince d'Orange, stathouder de Hollande et de Zélande en 1584, d'Utrecht, de Gueldre et d'Overijsel en 1589, de Groningue et de Drenthe en 1620. Second fils de Guillaume le Taciturne, il se révéla un grand stratège en prenant Breda en 1590, Nimègue en 1591 et Groningue en 1594.

Pays-Bas, 25 mai
Reddition de Breda. →

Angleterre, mai
Charles Ier d'Angleterre épouse la princesse Henriette de France, sœur de Louis XIII. Le cardinal ayant fait rompre le mariage projeté du prince de Galles, le futur Charles Ier, avec une infante d'Espagne, Bérulle ayant œuvré dans le sens d'un mariage franco-anglais.

Paris, mai
Inauguration au palais du Luxembourg de la série des vingt et une toiles monumentales de Rubens consacrées à l'*Apologie de Marie de Médicis et de son gouvernement*. Celles-ci avaient été commencées en février 1622. Par l'ampleur de sa conception, la richesse des coloris et surtout l'incroyable mouvement qui s'y déploie, cet ensemble décoratif pouvait rivaliser avec les travaux de Carrache au palais Farnèse.

Villefranche-sur-Mer, 1er juin
Honoré d'Urfé meurt.

France
Tandis que le duc de Rohan rallie les protestants soulevés du Languedoc et des Cévennes, son frère, Soubise, arme les Rochellais.

Chine
Les premiers rois mandchous établissent leur capitale à Moukden ; leur royaume devient une menace pour les Ming, dont le règne touche à sa fin.

France
Vincent de Paul fonde la congrégation de la Mission.

De jure belli ac pacis de Grotius. →

Suisse
Les troupes françaises s'assurent de la Valteline. →

Antilles
Le marin dieppois Pierre Belain d'Esnambuc s'installe dans l'île de Saint-Christophe (Saint-Kitt) ; les Anglais qui en ont chassé les Espagnols occupent l'autre partie de l'île.

Canada
Les jésuites Lallemand et de Brébeuf arrivent à Québec. Jusqu'alors, les récollets étaient les seuls missionnaires présents au Canada.

Antilles
Les Hollandais s'emparent de San Juan de Puerto Rico.

Georges de La Tour. « Le Tricheur à l'as de carreau ». Vers 1638 (?). Musée du Louvre, Paris. Fait partie des tableaux « diurnes » de l'artiste.

Le "Tricheur à l'as de carreau" de La Tour

Lunéville, 1625
Scènes de genre, comme il s'en peint beaucoup à cette époque, le *Tricheur à l'as de carreau* ou la *Diseuse de bonne aventure* se ressentent de l'influence du réalisme de Caravage. Georges de La Tour est né à Vic-sur-Seille en 1593. Il s'est formé dans l'atelier d'un obscur peintre local, Claude Dogoz. Peut-être est-il allé en Italie dans les années 1616-1620 et a-t-il fréquenté les disciples immédiats de Caravage, Saraceni ou Gentileschi ; du moins a-t-il connu les œuvres des caravagesques nordiques, comme celles du Flamand Gerrit van Honthorst ou du Lorrain Jean Leclerc ? Installé à Lunéville en 1620, La Tour devient très rapidement célèbre ; sa renommée s'étend et il se trouve bientôt à la tête d'un atelier ; le duc de Lorraine Henri III figure parmi ses clients.

Salomon de Brosse dirige la construction du palais du Luxembourg

Paris, mai 1625
Marie de Médicis, qui jugeait le Louvre inconfortable, avait décidé de se faire bâtir un palais semblable à celui où elle avait passé son enfance, le palais Pitti à Florence ; elle le voulait agrémenté d'un jardin comme ceux de Boboli. Les travaux furent confiés à Salomon de Brosse (né en 1575), élève et successeur de Jacques Androuet du Cerceau. Le plan de l'édifice est celui de l'Hôtel français, un quadrilatère, avec le corps du logis placé à l'arrière et flanqué de pavillons. Le décor à gros bossage est emprunté au palais Pitti. Le parc est dû à Jacques Boyceau qui, pour l'alimenter en eau, fait reconstruire l'aqueduc d'Arcueil. Rubens enfin travaille à la décoration intérieure en peignant une série de toiles commémorant les grandes dates de la vie de Marie de Médicis.

Le palais du Luxembourg à Paris (façade sud) élevé par Salomon de Brosse pour Catherine de Médicis. 1615-1630.

« La Reddition de Breda ». Peinture de Diego Vélasquez, dite aussi « Les Lances ». Détail. Vers 1635.

Les Néerlandais de Breda se rendent aux Espagnols

Breda, 25 mai 1625

Assiégée depuis près d'un an, la ville de Breda tombe aux mains des Espagnols, commandés par le général Spinola, gouverneur militaire des Pays-Bas. Maurice de Nassau, qui était parvenu à débloquer Bergen op Zoom, échouait devant Breda ; le 23 avril, il mourait. Les hostilités entre l'Espagne et les Provinces-Unies avaient repris presque immédiatement après l'expiration de la trêve de Douze Ans, en 1621. A Madrid, Olivarès, le nouveau ministre, voulait renouer avec la politique de Philippe II, rétablir en Europe la puissance espagnole et la suprématie du catholicisme. Son premier dessein était naturellement d'entreprendre la reconquête des provinces du Nord. Le stathouder Maurice de Nassau, devenu tout-puissant en Hollande après l'exécution d'Oldenbarnevelt, en 1619, était lui aussi un partisan de la reprise de la guerre.

Richelieu prend la tête du Conseil royal

Paris, 29 avril 1624

Se rangeant aux avis de Marie de Médicis, Louis XIII disgracie ses deux ministres Sillery et Puisieux et, malgré ses préventions, appelle Richelieu au Conseil. Créature de la reine, dont il avait été l'aumônier, ancien fidèle de Concini, Richelieu ne pouvait qu'attirer la suspicion du roi. L'évêque de Luçon, qui s'était fait remarquer pendant les Etats généraux de 1614 en défendant les intérêts de son ordre, avait déjà été appelé une première fois au Conseil en novembre 1616. Il était secrétaire d'Etat à la Guerre et aux Affaires étrangères, lorsque Concini fut assassiné. En 1622, il devenait cardinal.

Le "Droit de la guerre" du Hollandais Grotius

France, 1625

En exil en France, Grotius fait publier *De jure belli ac pacis (Du droit de la guerre et de la paix)*. Ayant reconnu la puissance souveraine des Etats comme supérieure à toute autre volonté humaine, il entend la définir aussi par rapport à un droit naturel qui serait fondé sur la « droite raison » et qui s'imposerait entre les Etats, le droit volontaire découlant des traités devant se conformer au droit naturel. Considérant l'absence d'instance supérieure aux Etats, Grotius reconnaît la légitimité du recours à la guerre en cas d'atteinte aux fondements des Etats : égalité, indépendance, conservation, respect et commerce.

Les troupes françaises occupent la Valteline

Suisse, 1625

Le cardinal de Richelieu envoie le marquis de Cœuvres à la tête de 10 000 hommes occuper la Valteline (Valtellina), la haute vallée de l'Adda sous suzeraineté de la Ligue suisse des Grisons depuis 1512. Cette petite vallée alpine est une position stratégique d'intérêt européen. « La Valteline est importantissime aux Espagnols pour joindre leurs Etats d'Italie à ceux d'Allemagne », constate Richelieu. Pendant l'été 1620, soutenus par les Espagnols, les catholiques de cette vallée massacrèrent leurs compatriotes protestants. Une première fois, la France intervient dans cette région, aux côtés des protestants et de la ligue des Grisons. L'année suivante, l'armée espagnole occupe la Valteline et les Autrichiens l'Engadine, la haute vallée de l'Inn. Un publiciste français constate : « Le passage du Rhin est maintenant en la puissance et disposition du marquis de Spinola. De l'autre côté, l'Espagne s'est saisie des passages de la Valteline ; le royaume de France sera entièrement bloqué. » En effet, l'occupation espagnole coupe les lignes de communications entre la république de Venise et les Cantons suisses alliés de la France. Le pape tardant à rendre son arbitrage sur la Valteline et estimant que « le roi de France ne voulait plus être amusé », Richelieu décidait de rompre ainsi l'encerclement qui menaçait la France.

Le cardinal de Richelieu. 1635. Peinture de Philippe de Champaigne.

Mort du philosophe cordonnier Böhme

Görlitz, 17 novembre 1624

Cordonnier de son état et philosophe autodidacte, Jakob Böhme occupe une place à part. L'hétérodoxie de ses réflexions lui valut à la fois les foudres du pasteur de Görlitz et des sympathies parmi la noblesse silésienne, ainsi qu'un certain engouement dans l'aristocratie anglaise. L'introspection et l'alchimie l'amènent à identifier l'homme au cosmos. Il détermine ainsi que la force agissante originelle est la faim, le manque. Constatant que « l'un s'oppose toujours à l'autre, non dans une intention hostile, mais pour qu'il se meuve et manifeste », Böhme rejoint ainsi la dialectique d'Héraclite en partant du vieux manichéisme de la science populaire.

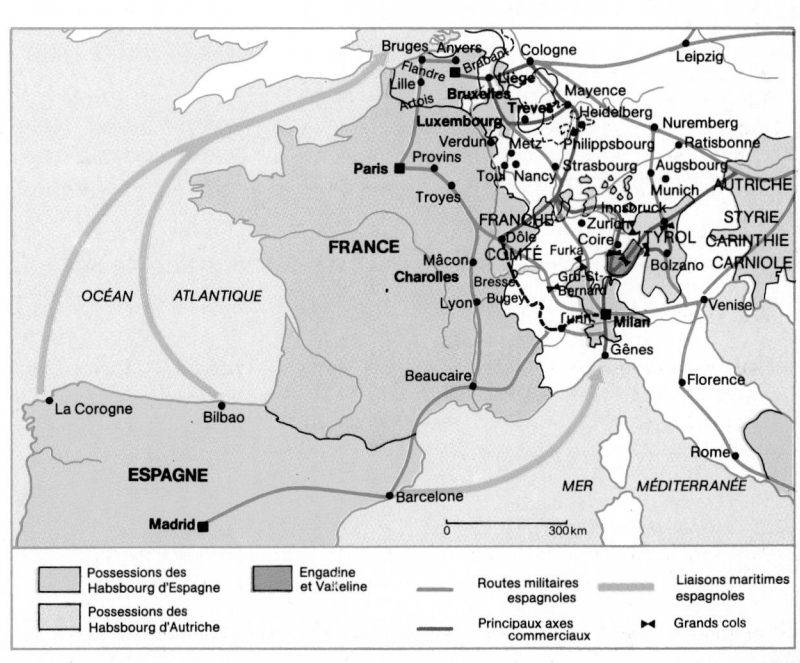

Découvertes et empires coloniaux

Du XVIᵉ au XVIIIᵉ siècle

Du XVIᵉ au XVIIIᵉ siècle, la colonisation est un élément essentiel de la politique et de l'économie européennes. Elle fait suite aux grandes découvertes de la fin du XVᵉ siècle : l'Amérique par Christophe Colomb et la route maritime des Indes par Vasco de Gama. C'est pourquoi la colonisation européenne se porte d'abord dans ces deux directions : le monde américain et l'océan Indien, le continent africain étant encore peu touché par la vague conquérante.

Les premiers Européens outre-mer

L'Espagne et le Portugal sont les premières puissances coloniales de l'Europe. En 1496, le pape Alexandre IV leur attribue toutes les terres « trouvées ou à trouver ». C'est en 1494 que le traité de Tordesillas partage l'Amérique latine entre l'Espagne et le Portugal.

Le domaine colonial espagnol comprend l'important archipel des Philippines en Extrême-Orient, les îles Canaries et surtout un immense domaine américain s'étendant de la Terre de Feu à la Floride, en passant par le Mexique. A l'exception du Brésil et des Guyanes, les Espagnols dominent l'essentiel de l'Amérique du Sud et de l'Amérique centrale, avec quelques grandes îles comme Cuba et Porto Rico. Ils règnent également sur les territoires encore inoccupés du nord : la Californie, l'Arizona et le Texas.

De son côté, l'empire colonial portugais repose essentiellement sur le Brésil, méthodiquement exploré au XVIIIᵉ siècle grâce à la politique de Pombal. Le Portugal possède également quelques archipels atlantiques : les Açores, Madère, ainsi que quelques comptoirs sur la côte de l'Afrique (Luanda) et aux Indes (Goa).

Les autres pays européens

Cependant, le partage du monde entre l'Espagne et le Portugal sera contesté par les Français et les Anglais dès le XVIᵉ siècle, et par les Hollandais au début du XVIIᵉ siècle. Le domaine colonial français comprend tout d'abord quelques établissements en Afrique, mais d'importance secondaire. Dans l'océan Indien, les Français possèdent Fort-Dauphin, fondé à Madagascar en 1641, mais surtout les îles Bourbon (Réunion) et de France (Maurice). Cependant, les deux grands domaines où l'influence française est prépondérante sont l'Amérique et l'Inde. Exploré dès le XVIᵉ siècle par Jacques Cartier (1535), colonisé partiellement par Champlain, le fondateur de Québec (1608), le Canada connaît au XVIᵉ siècle une colonisation plus méthodique (envoi de paysans et de missionnaires jésuites). Au domaine canadien s'ajoute un immense ensemble, la Louisiane. Aux Antilles, la France possède quelques îles importantes, dont la Guadeloupe et la Martinique. Aux Indes, elle est présente à Pondichéry et Chandernagor.

L'empire colonial anglais n'a encore ni l'étendue, ni l'importance de ceux de la France et de l'Espagne. Toutefois, l'Angleterre possède, au début du XVIIᵉ siècle, l'île de la Jamaïque ainsi que les archipels des Bermudes, des Bahamas et de la Barbade. Sur le continent américain, elle revendique douze colonies. Aux Indes, l'Angleterre est présente dans les comptoirs de Madras (1639), Bombay (1662) et Calcutta (1689). Quant aux Provinces-Unies, elles ne se sont lancées dans la conquête coloniale qu'au début du XVIIᵉ siècle, aux dépens de l'Espagne et du Portugal. L'empire néerlandais comprend en Amérique la plus riche des trois Guyanes, ainsi que l'important comptoir de Curaçao. Les Hollandais assurent la sécurité de la route des Indes en fondant, à la pointe sud de l'Afrique, la colonie du Cap (1652). Ils possèdent également Ceylan et les îles de la Sonde avec les riches plantations de Sumatra et Java, ainsi que Batavia, après l'expulsion des Portugais. Enfin, à l'embouchure de l'Hudson, ils ont fondé la Nouvelle-Hollande qui a pour capitale New Amsterdam (New York).

La politique religieuse et culturelle

A l'origine, elle fut marquée par une volonté sincère d'évangélisation, empreinte de gé-nérosité. Soutenues par les gouvernements des métropoles, les missions se heurtèrent bientôt aux intérêts des marchands et des colons. Dans les empires portugais et espagnol, Eglise et autorités coloniales collaborèrent étroitement. Le Saint-Siège a en effet confié aux rois d'Espagne et du Portugal la christianisation et l'organisation de l'Eglise des territoires nouveaux. Des milliers d'églises furent ainsi rapidement construites, souvent à l'emplacement d'anciens sanctuaires païens. L'Inquisition fut même introduite dans les possessions espagnoles. L'Eglise deviendra une puissance économique considérable, tout en exerçant une action culturelle et sociale très importante : création d'universités comme celles de Mexico et de Lima (1551). En outre, des ecclésiastiques, comme Francisco de Vitoria ou Bartolomé de Las Casas, réagirent énergiquement contre l'esclavage des Indiens. En conflit ouvert avec la métropole, les jésuites seront expulsés, sans pour autant faire sensiblement reculer l'influence missionnaire des Européens en Amérique : d'autres ordres, comme les Franciscains, vont prendre la relève. Au Canada, c'est en 1611 qu'arrivent les premiers missionnaires jésuites ; en 1674 est fondé à Québec le premier évêché canadien. Les colonies britanniques de la Nouvelle-Angleterre ont, elles aussi, un caractère religieux. En effet, les puritains, ces fidèles anglais du calvinisme, se trouvant en conflit avec leurs compatriotes, se réfugièrent en 1620 en Amérique du Nord et fondèrent les premières colonies anglaises. Dans ces communautés, la foi régit non seulement la vie privée, mais aussi la vie publique.

La politique administrative

Elle diffère selon les pays colonisateurs et les continents colonisés. Dans les possessions latino-américaines des Portugais et des Espagnols, c'est l'Etat métropolitain qui prend en charge l'administration coloniale. Les principaux centres, Diu, Malacca et Goa, relèvent directement du Portugal et chaque gouverneur porte le titre de vice-roi. Au

Brésil, l'organisation de l'administration imite celle du Portugal, avec des capitaines généraux à la tête des provinces et un gouvernement général bientôt dirigé par un vice-roi (1640). Les capitaines généraux sont directement nommés par la couronne et ne relèvent que pour une faible part de l'autorité du vice-roi. L'Espagne possède également deux vice-royautés : la Nouvelle-Espagne, dont la capitale est Mexico, et le Pérou. Leurs structures sociale, religieuse et politique reprennent exactement celles de la métropole. Les vice-rois sont les représentants directs du roi d'Espagne, mais possèdent de larges pouvoirs civils et militaires et même certains pouvoirs ecclésiastiques.

Cependant, le système hispano-portugais se révélant très coûteux, Anglais, Hollandais et Français préfèrent recourir à la formule des compagnies à charte qui, moyennant l'octroi de grands privilèges commerciaux, parfois même d'un monopole absolu, assurent à l'aide de fonds privés l'établissement, le peuplement et la mise en valeur d'une colonie. En 1600, c'est la Compagnie anglaise des Indes orientales qui est ainsi créée. Elle sera suivie deux ans plus tard par la Compagnie hollandaise des Indes orientales, puis occidentales (1621). Enfin, les Compagnies françaises des Indes orientales et des Indes occidentales seront créées en 1664.

Les Européens face aux « Indiens »

La politique de conquête des colonies diffère également selon les pays. En Inde ou en Chine, ni les Portugais, ni plus tard les Hollandais n'ont songé du fait de leur infériorité numérique à entreprendre une conquête territoriale de l'intérieur du pays. Obéissant à des préoccupations exclusivement commerciales, ils n'essayèrent pas de créer de colonies de peuplement et de diffuser leur civilisation. Ils se contentèrent d'établir sur place des agents qui contrôlaient les autorités autochtones et percevaient des indigènes des prestations en nature. En Amérique, au contraire, se créent rapidement de vastes colonies de peuplement : Espagnols et Portugais favorisent l'immigration en provenance de la métropole (excepté les étrangers et les Juifs). Dès 1570, on compte en Amérique environ 160 000 Espagnols et 25 000 Portugais. Ainsi, l'Amérique du Sud se peuple très rapidement de métis et de mulâtres, les Blancs nés dans les colonies étant appelés créoles. De même, en Amérique du Nord, à l'exception du Canada français qui souffre d'un manque de peuplement européen, les Anglais créent de véritables colonies de peuplement où une forte croissance démographique locale renforce le mouvement d'immigration.

Cependant, cette conquête coloniale a le plus souvent fait terriblement souffrir les populations autochtones, malgré des interventions humanitaires. Les colons ont détruit sans scrupule toutes les traditions culturelles des populations indigènes. Ils se sont érigés en maîtres absolus ; ainsi, le travail forcé, les corvées et les mines ont complètement décimé la population indienne. Dans les Antilles, les indigènes ont totalement disparu. Cette mortalité effroyable suscita les protestations de nombreux ecclésiastiques, mais également de l'opinion publique métropolitaine. Aussi, malgré la résistance des colons, les populations autochtones commencèrent-elles à bénéficier d'une législation protectrice venant de la métropole : pause au milieu de la journée de travail, repos dominical, interdiction de soumettre les femmes à des travaux masculins et deux jours par semaine pour cultiver leur propre terre.

La population autochtone étant quelque peu protégée, les colons s'aperçurent vite que la main-d'œuvre indigène n'était pas la meilleure pour les travaux de force, en particulier ceux de la mine. Dès 1518, ils remplacèrent les indigènes par des Noirs amenés d'Afrique. Aussi l'exploitation coloniale a-t-elle développé la traite des « Nègres ». Du XVIᵉ au début du XIXᵉ siècle, douze millions d'esclaves noirs furent déportés en Amérique, dans les plantations ou les mines des empires coloniaux.

La politique économique des colonies

La politique économique de tous les pays est marquée par la doctrine de l'époque, le mercantilisme. Les colonies sont faites pour enrichir la métropole ; aussi chaque économie coloniale doit-elle être complémentaire de celle de la métropole. Cette conception s'est traduite par le système de l'Exclusif, ou pacte colonial, qui oblige chaque colonie à fournir et à se fournir exclusivement auprès de la métropole. Ce système sera appliqué très vigoureusement en Espagne où les colons qui trafiquaient sans autorisation avec les étrangers risquaient la peine de mort, tout comme les étrangers qui participaient à une affaire coloniale espagnole. Les « Actes de navigation » anglais n'autorisaient l'entrée de marchandises coloniales en Angleterre qu'à bord de navires britanniques.

Espagnols et Portugais sont surtout intéressés par la recherche des métaux précieux. De 1503 à 1660, 181 tonnes d'or et 17 000 tonnes d'argent sont acheminées d'Amérique en Espagne. Outre ces deux métaux précieux, les principales sources de profit pour les Espagnols sont l'exploitation des grandes plantations productrices de tabac, café, cacao, vanille, blé, maïs, vigne, et l'élevage d'immenses troupeaux. De même, les autres pays européens attendent des colonies des produits tropicaux : sucre, tabac, indigo, coton, rhum. Ainsi, à partir du XVIIᵉ siècle, les grandes plantations de canne à sucre et de tabac, travaillées par la main-

d'œuvre des esclaves noirs, deviennent la base économique des colonies d'Amérique. Ce commerce d'un grand rapport est en liaison directe avec les besoins nouveaux de l'Europe. Au Canada, les colons vivent du commerce des fourrures et du poisson, ainsi que de l'exploitation des forêts. Enfin, aux Indes, ce sont les épices que convoitent les Européens. Toutefois, le système de l'Exclusif qui régit l'économie coloniale à ses débuts sera partout remis en cause à la fin du XVIIIᵉ siècle.

L'évolution des possessions

Durant le XVIᵉ et le XVIIᵉ siècle, tous les domaines coloniaux ont évolué en fonction du rôle joué par chaque métropole en Europe.

En ce qui concerne le domaine colonial français, le traité d'Utrecht (1713) avait déjà amputé ses vastes possessions de Terre-Neuve et de l'Acadie, et avait permis aux Anglais d'élargir leur champ d'action en Amérique du Nord. L'histoire coloniale française connaît en outre, avec la Révolution de 1789, un brusque tournant. En effet, le renversement de la monarchie et la garantie des droits du citoyen en métropole s'imposent également aux colonies : l'esclavage est aboli et les limitations du droit commercial sont interdites. Cependant, malgré les déclarations d'intention, les colonies ne pouvant survivre sans une main-d'œuvre à bon marché offerte par le système de l'esclavage, celui-ci sera rétabli en 1798. Par le traité de Paris (1763), la France avait perdu l'Inde et le Canada ; avec celui de 1814, elle ne conserve plus que la Guyane, les îles de Saint-Pierre et Miquelon, la Guadeloupe, la Martinique, les comptoirs africains d'Arguin et de Saint-Louis du Sénégal, enfin l'île de la Réunion et cinq comptoirs indiens.

Après le Portugal qui a perdu le Brésil, devenu indépendant en 1822, l'empire espagnol d'Amérique s'effondre. Les révoltes successives depuis 1810 aboutissent à l'indépendance de tous les Etats latino-américains en 1824. Les possessions espagnoles d'outre-mer se trouvent dès lors réduites essentiellement à Porto Rico, Cuba et les Philippines.

La Nouvelle-Hollande passe aux mains des Anglais ; les Hollandais ne gardent plus que le Surinam et Curaçao aux Antilles.

En cette fin du XVIIᵉ siècle, c'est l'Angleterre qui s'affirme comme la première puissance coloniale. Certes, à l'exception du Canada, elle a perdu ses colonies d'Amérique du Nord : le 4 juillet 1776, le Congrès américain, mécontent de n'avoir aucune représentation politique au Parlement de Londres, proclame l'indépendance des Etats-Unis d'Amérique. L'Angleterre, désormais, va reporter tous ses efforts colonisateurs sur l'Inde, l'Australie et la Nouvelle-Zélande.

1626

La Rochelle, 5 février
Pacte avec l'Angleterre.

Lutter, Allemagne, 27 août
Les Danois sont écrasés par les troupes de la Ligue catholique conduites par Tilly et l'armée impériale de Wallenstein. C'est la fin de l'intervention danoise dans la guerre de Trente Ans.

France
Poussé par sa maîtresse, la duchesse de Chevreuse, Henri de Chalais conspire contre Richelieu. Il est exécuté.

Richelieu ordonne la destruction des châteaux forts, mate les nobles et promulgue un édit interdisant les duels.

La disette, qui sévit dans tout le nord de la France, provoque de nombreux troubles. Interdiction est faite d'exporter du blé.

Paris
Richelieu fait construire les bâtiments de la Sorbonne.

Le poète Théophile de Viau meurt à l'âge de trente-six ans.

Création du Jardin des Plantes.

Rome
Consécration solennelle de la basilique Saint-Pierre.

Le peintre espagnol José de Ribera se fait élire à l'académie de Saint-Luc. Il peint le *Silène ivre* et *Saint Jérôme*.

Londres
John Dowland, luthiste et compositeur anglais, disparaît.

Prague
Adriaen De Vries, sculpteur sur bronze hollandais, est enterré à Prague. Il a notamment travaillé pour le général Wallenstein.

Amérique du Nord
Fondation de la Nouvelle-Amsterdam. →

1627

France, 22 juin
Exécution de Bouteville. →

France, 27 octobre
Richelieu met le siège devant La Rochelle.

Cachemire, 7 novembre
Mort du Grand Moghol. →

Paris
Le duc de Ventadour fonde la compagnie du Saint-Sacrement. Cette société de laïcs et de clercs se donne pour but non seulement des œuvres de charité, mais aussi la défense de la morale chrétienne.

Simon Vouet est rappelé de Rome. →

Reykjavik, Islande
La capitale de l'île est attaquée par des corsaires musulmans.

Chine
Début des grandes insurrections militaires et paysannes qui marquent la fin de la période Ming.

Rome
Le Lorrain quitte Nancy pour retourner à Rome, où il a passé son adolescence.

Cordoue, Espagne
Mort du poète Góngora.

Bohême
Le royaume devient terre héréditaire des Habsbourg. La noblesse tchèque émigre massivement.

Londres
Le philosophe Francis Bacon publie la *Nouvelle Atlantide*, roman philosophique traçant le projet d'organisation de la Cité gouvernée par les savants.

1628

Valence, Espagne, 14 janvier
Le peintre Francisco Ribalta disparaît.

Paris, 16 octobre
Mort du poète François de Malherbe qui a ouvert la voie au lyrisme impersonnel et aux canons rigoureux des classiques.

Angleterre
Le roi signe la « pétition des Droits ». →

Harvey découvre la circulation du sang. →

France
Construction au Havre du premier port à écluses.

Publication posthume des *Entretiens spirituels* de François de Sales.

Madrid
Le peintre Rubens est envoyé en mission diplomatique par l'archiduchesse Isabelle à Madrid, où il rencontre Vélasquez.

L'île de Manhattan achetée aux Indiens par Peter Minuit

Amérique du Nord, 1626
En 1624, la Compagnie hollandaise des Indes occidentales fonde New Netherland, en installant trente familles de colons sur l'île Nut (future île Governors). En 1625, elles s'établissent sur l'île de Manhattan et fondent le fort de New Amsterdam. En 1626, leur gouverneur, Peter Minuit, achète aux Indiens l'île contre des perles, « légalisant » ainsi leur présence. Néanmoins, ceci ne résout pas les problèmes avec les Indiens. La politique du successeur s'avère désastreuse, et le suivant, Peter Stuyvesant, devra faire face aux guerres indiennes et à la poussée de l'expansionnisme des colons anglais. Epuisé, Stuyvesant ne peut s'opposer à la flotte anglaise qui prend possession de l'île au nom du duc d'York en 1664 ; New Amsterdam devient alors New York.

Frescobaldi, précurseur du style baroque

Rome, 1627
Le compositeur Girolamo Frescobaldi (1583-1643) est aussi un organiste virtuose : il est nommé, en 1608, organiste de Saint-Pierre de Rome. Il publie également à Venise *Trois Canzoni*, pour quatre violes et quatre luths, tandis qu'un *Premier Livre de fantaisies* sort à Milan. De structures très variées, ces pièces s'imposent par la richesse des variations ornementales, ainsi que par la joie de la belle sonorité et le plaisir sensuel de la dissonance. Frescobaldi a publié en 1624 un livre de *Caprices*, tout de fantaisie et d'invention. Les *Fiori musicali*, que Jean-Sébastien Bach considérera comme un joyau et dont il s'inspirera, paraîtront à Venise en 1635. Son œuvre assouplit les formes, plus rigides, de la Renaissance en introduisant des structures plus riches et plus développées, d'où naîtront au siècle suivant le prélude et fugue, et la grande passacaille.

Simon Vouet rappelé de Rome par Louis XIII

France, 1627
Ayant acquis une grande réputation en Italie, où il fut, pendant quinze ans, le protégé des Doria à Gênes et du cardinal Barberini à Rome, Vouet (1590-1649) est rappelé par Louis XIII, qui le nomme premier peintre du roi et lui donne une multitude de commandes. Il introduit en France le goût des perspectives théâtrales, des compositions amples, des attitudes maniéristes et des couleurs brillantes qui allaient constituer le répertoire de l'Académie. L'arrivée de Poussin ternira sa gloire.

Bouteville condamné à mort pour s'être battu en duel

Paris, 22 juin 1627
Le roi Louis XIII n'a pas pardonné à Bouteville son audace provocatrice. C'est le 1er mars 1626 que François de Montmorency Bouteville a assigné en duel un rival, en plein Paris, à l'heure même où Louis XIII signe solennellement un nouvel édit interdisant les duels. Cette fois, c'en est trop. Bouteville, collectionneur de querelles, avait à l'âge de vingt-huit ans vingt-deux duels à son actif. Bouteville s'est échappé, mais on vient de le condamner à mort par contumace. Faute de condamné, on a pendu au gibet, place de Grève, une silhouette peinte qui le représente. Mais les provocations ont continué de plus belle. Bouteville, lors d'un nouveau duel, sera arrêté. Cette fois, il sera décapité, place Royale. Mais les duels ne cesseront pas pour autant.

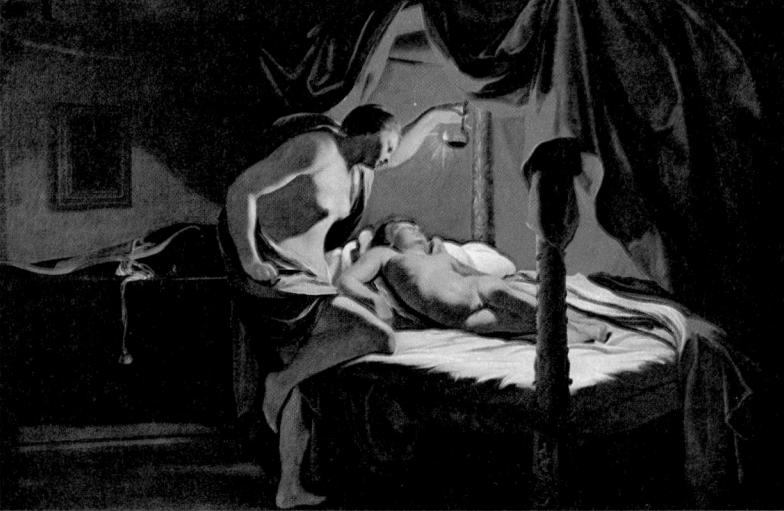

Simon Vouet. « Psyché contemplant l'Amour endormi ». Vers 1626. Musée des Beaux-Arts, Lyon.

Essor du théâtre "kabuki" au Japon

Japon, 1628

Pour se distraire, le peuple japonais préfère au *nô* (drame lyrique combinant musique, danse et poésie) jugé trop intellectuel, le spectacle qu'offre le *kabuki*, genre théâtral où le dialogue alterne avec des parties psalmodiées ou chantées et des intermèdes de ballet. En fait, le kabuki est inspiré des danses classiques et des intermèdes comiques du nô, qui se déroulaient, à Kyôto, sur des tréteaux installés au-dessus du lit asséché de la rivière Kamo. Jugées indécentes, ces danses furent interdites, bien que l'on eût remplacé les danseuses par de jeunes éphèbes. On confie alors les rôles du kabuki à des hommes adultes ; cette tradition s'est conservée jusqu'à nos jours. Le déroulement de la pièce de kabuki est rythmé par le *shamisen*, instrument à trois cordes importé des îles Ryûkyû. Le texte est déclamé par les acteurs sur un mode très particulier appelé *jôruri*, qui devait être par la suite emprunté par les marionnettistes du *bunraku*, genre concurrent. L'une des pièces les plus célèbres du répertoire de kabuki est *L'Histoire de la princesse Jôruri*, maîtresse imaginaire du héros Yoshitsune.

Préparation d'un spectacle « kabuki ». Détail d'un paravent peint sur papier par Hishikawa Moronobu. Musée national, Tokyo.

Le roi d'Angleterre contraint de signer la "pétition des Droits"

Londres, 1628

Charles Ier a fini par céder : il vient de signer le texte que lui a proposé le Parlement. Il est vrai que le roi était allé un peu loin en obligeant les tribunaux à lui reconnaître le droit de faire emprisonner à son gré. Irritées par cette grave atteinte aux libertés traditionnelles, les Communes ont voté une « pétition des Droits » qui déclare illégaux les emprisonnements arbitraires, les impôts non consentis, le logement des soldats chez l'habitant et la loi martiale. Contre toute attente, le roi vient d'accepter le texte mais en affectant de n'y voir qu'une confirmation des libertés anciennes. Il est vrai que dès son avènement en 1625 le nouveau roi Charles Ier, second Stuart, avait soulevé la méfiance du Parlement à son égard. Dès 1626, au lieu d'accorder au roi, selon la coutume, le droit de *tonnage* et de *poundage* (droit de douane) pour la durée de son règne, les Communes ont restreint cette durée à un an. Provoqué, le roi a voulu montrer qu'il pouvait se passer du Parlement en recourant au début de l'année 1628 à un emprunt forcé. Les Communes ayant contesté cette décision, Charles Ier a fait pression sur les tribunaux.

Harvey découvre la circulation du sang

Angleterre, 1628

Au début du siècle, la médecine connaît des progrès importants dans l'étude anatomique. Malgré le poids des conceptions antiques (Hippocrate et Galien), les universités laïques se développent. William Harvey (1578-1657) étudie à Padoue, où il prend connaissance des travaux de Colombo sur la circulation du sang. Revenu à Londres en 1609, il enseigne l'anatomie au Royal College. C'est là qu'il expose une théorie de la circulation sanguine liée au cœur. En 1628, il publie à Francfort un traité où il démontre la communication entre les différentes parties de l'appareil circulatoire et le rôle primordial du cœur (que Colombo attribuait au foie). Sa description montre que ce muscle fonctionne à la fois comme une pompe aspirante et refoulante, propulsant le sang dans les artères tandis que les veines le lui ramènent. La circulation sanguine est donc incessante et nécessaire à la vie. Cette découverte, montrant le caractère mécanique de la circulation, bouleverse les notions traditionnelles de la médecine et de l'anatomie, provoquant l'hostilité du corps médical constitué ; mais cette avancée décisive de la science sera immédiatement prise en compte par Descartes et les humanistes.

Jahângîr, le Grand Moghol des Indes, est mort

Cachemire, 7 novembre 1627

La santé de l'empereur Jahângîr, très éprouvée par sa captivité lors de la révolte de Mahâbat Khan, décline, et le souverain s'éteint le 7 novembre. Alors qu'il n'était encore que le prince héritier Salim, Jahângîr, impatient sans doute de régner, s'était révolté contre son père Akbar. Dûment châtié, Salim monta légalement sur le trône en 1605 et dut, à son tour faire face à la rébellion de son propre fils, Khusraw. L'insurrection une fois réduite, Jahângîr peut épouser la belle Nûr Jahân en 1611. Intelligente et ambitieuse, la nouvelle impératrice fait nommer ses parents à de hautes fonctions et exerce une influence bénéfique sur le développement des arts et des lettres. En politique, elle encourage le factionnalisme qui devait briser l'unité qu'Akbar avait su faire régner dans l'empire. Entre 1612 et 1615, une campagne militaire dans l'ouest du pays aboutit à la soumission tant souhaitée du royaume du Mewar. A partir de 1620, des expéditions sont lancées vers le Dekkan, où les sultanats de Bijapur et de Golconde font allégeance ; mais, au nord-ouest, l'empire perd la ville de Kandahar au profit de la Perse. En 1623, les luttes familiales reprennent : Shâh Jahân se soulève contre son père, et surtout contre le clan de Nûr Jahân. Le jeune prince, vaincu, se soumet et il est pardonné. Le général Mahâbat Khan, qui refuse les ordres ne venant pas de l'empereur lui-même, excite la colère de l'impératrice. Les conséquences ne se font pas attendre : Mahâbat Khan se révolte et capture l'empereur, qui réussit à s'échapper ; finalement, le rebelle se soumet avant la mort du souverain. L'histoire garde de Jahângîr l'image justifiée d'un grand mécène et d'un esthète raffiné. Les réalisations architecturales de son règne sont relativement peu nombreuses, mais l'art de la miniature atteint alors son apogée. Musulman libéral, Jahângîr suit la même politique de tolérance religieuse que son père Akbar. Il n'apporte pas de modification capitale au système gouvernemental et administratif mis en place sous le règne précédent. Cette stabilité a indéniablement bénéficié à l'empire.

L'empereur Akbar avec, à sa droite, son fils Jahângîr et, à sa gauche, son petit-fils Shâh Jahân. Miniature de Bichitr. Vers 1630. Dublin.

1628

Perse, 27 janvier
Mort d'Abbas Ier le Grand. →

La Rochelle, 28 octobre
Capitulation des protestants. →

Allemagne
L'édit de Restitution provoque l'hostilité des Danois. →

Angleterre
Le duc de Buckingham est assassiné. Favori de Jacques Ier puis de Charles Ier, il s'est enrichi scandaleusement et son action politique s'est révélée très néfaste.

Moldavie
Le servage est instauré.

Cuba
Une grande partie de la flotte espagnole est capturée par les Hollandais dans la baie de Matanzas.

1629

Allemagne, 6 mars
Promulgation par l'empereur de l'édit de Restitution. →

Lubeck, Allemagne, 22 mai
Paix entre le roi du Danemark et l'empereur d'Allemagne. →

Alès, 28 juin
Edit de Grâce démantelant la puissance politique des huguenots. →

Paris, 20 octobre
Mort de Pierre de Bérulle. →

France
Marillac rédige une grande ordonnance, série de réformes intérieures, dite *Code Michau.*

Hollande
Albert Gérard utilise le premier des parenthèses et d'autres signes d'abréviation en mathématiques. Il énonce qu'une équation de degré *n* a *n* racines.

Rome
Mort de l'architecte italien Carlo Maderna.

Madrid
Vélasquez peint *Le Triomphe de Bacchus.*

Amérique du Nord
Fondation de Salem par des puritains qui, fuyant la tyrannie de Charles Ier d'Angleterre, ont débarqué dans la baie du Massachusetts.

Le système du patronage est introduit en Nouvelle-Hollande : tout

Hollandais qui fera venir cinquante personnes deviendra leur « patron » et obtiendra un territoire d'environ 25 km² ; le patron exerce la justice locale et la liberté du commerce lui est garantie (à l'exception de celui des fourrures). Ceux qui sont installés hors de l'île de Manhattan doivent payer un dédommagement aux Indiens pour les terres occupées.

1630

France, 29 janvier
Première rencontre entre Mazarin et Richelieu.

France, 10 novembre
Journée des Dupes. →

France
Création du monopole royal des postes.

Port-Royal des Champs
De pieux laïques, soucieux d'assurer leur salut loin du monde, s'installent dans la vallée de Chevreuse. Ce sont les Solitaires ou les Messieurs de Port-Royal.

Italie
Une terrible épidémie fait plus d'un million de morts.

Naples
Lors de son voyage en Italie, Vélasquez rencontre José de Ribera, dit l'Espagnolet, le peintre le plus en vue de la ville, qui vient d'achever *Le Martyre de saint Barthélemy.*

Espagne
Le dramaturge Tirso de Molina donne *Le Séducteur de Séville et le Convive de pierre,* comédie en trois journées où la légende de Don Juan trouve sa première forme artistique.

Genève
Mort d'Agrippa d'Aubigné. Calviniste intransigeant, il a composé une œuvre littéraire ardente et variée.

Ispahan, Perse
Construction de la mosquée royale. →

Suède
Le roi de Suède, Gustave II Adolphe, intervient dans la guerre de Trente Ans.

Allemagne
L'astronome Christophe Scheiner, célèbre pour ses observations des taches solaires, publie *Rosa Ursina* où il explique la déformation apparente du Soleil à son coucher et montre que l'astre tourne sur lui-même.

Redditon de La Rochelle, bastion huguenot

La Rochelle, 28 octobre 1628
Après un siège de quinze mois, La Rochelle réduite à une affreuse famine vient de se rendre. Les privilèges municipaux y rendaient le culte catholique impossible depuis longtemps. Aussi La Rochelle fut-elle particulièrement visée quand Richelieu décida d'en finir avec la rébellion protestante. En outre, le cardinal entendait assurer à la France la maîtrise de tous ses ports. L'Angleterre le comprit immédiatement : ce n'est pas seulement pour des motifs religieux qu'elle apporta son aide à La Rochelle, mais aussi pour empêcher le roi de France d'« étendre sa monarchie sur l'Océan ». La Rochelle, ville fortifiée et tenue par une forte milice paraissait impossible à prendre d'assaut : il fallait donc la réduire par la famine. Les troupes royales firent le blocus de la terre. Et pour

lui rendre impossible toute communication par voie de mer, Richelieu fit construire une digue en travers de la baie. De plus, la flotte royale montait la garde au large. Bientôt, les vivres manquèrent. Pourtant les Rochelais résistèrent encore, mettant leur espoir dans l'arrivée d'une flotte anglaise qui les délivrerait. Ils l'attendirent pendant deux mois. Quand elle parut enfin, à la mi-mai, sous le commandement de Buckingham, elle trouva des forces françaises trop solides pour risquer le combat. Malgré une seconde tentative, la victoire de Louis XIII était inéluctable ; les assiégés doivent se rendre le 28 octobre : les fortifications sont rasées et les franchises municipales supprimées. Le culte catholique est rétabli ; toutefois, le culte réformé reste toléré. Mais la ville accusera un déclin sensible.

Le Danemark, venu au secours des protestants allemands, est vaincu

Lubeck, 22 mai 1629
En 1624, l'empereur et la Ligue catholique semblaient triompher : la Bohême était soumise, le Palatinat occupé, l'Union évangélique dissoute. C'est alors que le roi du Danemark, Christian IV, luthérien, prince d'empire et membre de la Diète en tant que duc de Holstein, prit la décision d'intervenir pour défendre la cause des protestants allemands. En décembre 1625, il s'engageait par l'alliance de La Haye à entrer en guerre contre l'empereur. Avec l'intervention danoise, soutenue par des subsides anglais, français et hollandais, le conflit prend véritablement une dimension européenne. Depuis

1615, le Danemark possède une armée nationale et permanente, mais ses forces sont très inférieures à celles dont disposent ses adversaires. Les troupes de Christian IV sont battues une première fois par Tilly à Lutter, en Basse-Saxe, le 27 août 1626. Wallenstein, en 1628, envahissait les deux duchés de Mecklembourg, qui s'étaient alliés au Danemark, et mettait le siège devant Stralsund en Poméranie. Battu à Wolgat, Christian IV accepte de signer la paix de Lubeck le 22 mai 1629. Il renonce à toute immixtion dans les affaires allemandes, mais conserve ses anciennes possessions.

Christian IV.

Mort du théologien Pierre de Bérulle

Paris, 20 octobre 1629
Avec Bérulle, c'est le fondateur de l'école française de spiritualité, l'un des grands artisans du renouveau catholique, qui disparaît. Né en 1575 dans une famille de parlementaires de vieille noblesse champenoise, sa vocation religieuse se révèle précocement. Il étudie la théologie à la Sorbonne, mais c'est auprès de Mme Acarie, sa cousine, qu'il s'ouvrira à la vie mystique. Barbe Acarie, qui avait connu l'expérience de l'extase, réunissait autour d'elle un petit groupe de dévots et de théologiens. En 1596, Bérulle écrivait son premier traité, le *Bref Discours sur l'abnégation intérieure,* où il montrait que l'anéantissement du moi était la condition de l'union mystique. Dans son grand traité de 1622, le *Discours sur l'état et les grandeurs de Jésus-Christ pour l'union ineffable de la Divinité avec l'Humanité,* il faisait du

mystère de l'Incarnation le centre de la vie spirituelle. Mais chez Bérulle, la mystique allait de pair avec l'action. En 1604, il introduisait en France l'ordre espagnol des Carmélites déchaussées, dont il devenait le supérieur. Et surtout, en 1611, il fondait l'Oratoire : cette communauté sacerdotale, imitée de l'Oratoire romain de saint Philippe Neri, devait permettre aux prêtres de mener une existence plus conforme à la dignité de leur vocation. Chef du parti dévot, lié à la reine mère, il s'opposa à la politique allemande de Richelieu. Le rapprochement avec l'Espagne, dont il fut l'un des artisans, lui valut en 1627 le titre de cardinal. Il influencera profondément les mystiques du XVIIe siècle.

P. de Bérulle.

Le règne glorieux de Shâh Abbâs le Grand se termine

Kaswin, Perse, 27 janvier 1628

Shâh Abbâs Ier le Grand, le souverain le plus remarquable de la dynastie safavide, vient de mourir. Né à Hérat, en 1571, il n'avait dû la vie sauve qu'à la mort de son oncle Ismaïl II (1577) qui, en accédant au trône, avait entrepris de faire systématiquement disparaître les hommes de sa famille. Après avoir été gardé en otage par les émirs qui se disputaient l'Iran oriental, il fut proclamé souverain par le gouverneur de Hérât (1586), se trouvant ainsi en compétition avec son père, le souverain, Muhammad Khudâbanda, qui avança jusqu'à Hérât, forçant Abbâs à se réfugier à Mashhad. En février 1587, après l'abdication de Muhammad, les émirs du Khurâsân portèrent le jeune Abbâs sur le trône. Héritier d'un Etat très troublé, Shâh Abbâs dut inaugurer son règne par la signature de la paix humiliante d'Istanbul (1590), par laquelle il abandonnait aux Ottomans une partie importante de son territoire. Il put alors se consacrer à restaurer, non sans cruauté, l'autorité royale, avant de se retourner contre les Ottomans pour leur arracher Tabriz et toute la région au sud de l'Araxe (1603), la

L'un des « îwâns » de la Grande Mosquée ou Mosquée royale d'Ispahan, construite par Shâh Abbas, de 1611 à 1630. Art safavide.

Transcaucasie (1607), et les contraindre à signer une paix (1612) annulant celle d'Istanbul. Se tournant sur un autre front, il occupa Bahrein, investit le littoral du golfe Persique et, avec l'aide de la flotte anglaise, débarqua, en 1622, dans l'île d'Ormuz occupée par les Portugais depuis 1515, avant d'annexer Bagdad, Mossoul et Diyarbakir (1623). Il unifia ainsi l'ensemble de la région au profit du shi'isme. Ayant fait d'Ispahan sa capitale, il conçut un vaste plan d'urbanisme, grâce auquel la ville a été surnommée « la moitié du monde ».

L'édit d'Alès ruine le pouvoir politique des huguenots

Alès, 28 juin 1629

Après le siège de La Rochelle (1627-1628), la guerre menée contre les protestants s'est poursuivie en Languedoc. Pourtant, malgré l'infatigable Rohan, les villes sont soumises les unes après les autres. En juin 1629, un édit de Grâce est signé à Alès, qui règle l'ensemble du problème protestant. Ce n'est pas un traité négocié, une paix de compromis entre deux puissances, mais le bon plaisir royal à l'égard de sujets repentants. Si le culte catholique est partout rétabli, la tolérance du culte protestant est cependant maintenue. L'édit d'Alès laisse aux protestants les avantages religieux, civils et militaires que leur accordait l'édit de Nantes. Mais il les prive de leurs privilèges politiques (assemblées) et militaires (places de sûreté). Désormais, ils cessent de former un corps particulier dans l'Etat. Alors qu'Henri IV avait dû reconnaître la scission politique des protestants, Louis XIII et Richelieu parviennent à rétablir à leur profit le pouvoir absolu de la monarchie. A la fin du siècle, en 1685, Louis XIV reviendra même sur la liberté religieuse et révoquera l'édit de Nantes.

La Hollande, terre d'accueil et de liberté

Hollande, XVIIe siècle

La jeune République néerlandaise vit un « siècle d'or » que caractérisent une large tolérance religieuse, des libertés individuelles garanties par les lois et les coutumes, une liberté de pensée et d'expression alors inconnue en Europe. Réfugiés politiques, protestants persécutés et intellectuels avides d'indépendance sont nombreux à venir s'y réfugier. Ainsi Descartes, qui estime que la liberté est un excellent stimulant, choisit de s'y installer définitivement en 1629 pour se consacrer à la philosophie. Nul pays au monde n'est plus ouvert : les premiers indices de cette stimulation intellectuelle sont donnés par l'essor du journalisme et par la profusion des gazettes, libres de ton et indépendantes, dont certaines sont rédigées en français. Si les journaux sont plus nombreux que dans toute l'Europe réunie, cela s'explique par la qualité et le nombre des imprimeries : la Hollande est devenue la « librairie générale de l'Europe ». Les universités, celle de Leyde en particulier, ont un rayonnement extraordinaire grâce à leur dynamisme et à la réputation de leurs professeurs : Huysens (1629-1695), mathématicien et astronome ; Grotius (1583-1641), fondateur du droit public international ; le médecin Boerhaave (1668-1738) ; Spinoza (1632-1677), l'esprit le plus révolutionnaire d'Europe. La renommée des ingénieurs, techniciens et hydrauliciens hollandais est telle que la France et l'Angleterre font souvent appel à leur science. La littérature et la peinture prennent également leur essor et s'épanouissent dans un milieu aisé et cultivé. Dans le domaine littéraire, l'écrivain qui exprime le mieux son siècle est Joost Van den Vondel, célèbre pour ses tragédies épiques et ses satires religieuses, œuvres d'une grande fantaisie créatrice et d'une profonde religiosité. La peinture hollandaise, imprégnée de lyrisme et d'une qualité de lumière très particulière, réunit les plus grands maîtres : Rembrandt, Vermeer et Ruysdael.

Le Mauritshuis à La Haye. Edifié entre 1633 et 1644 par Post, c'est un des premiers palais hollandais de style classique.

Richelieu maître du royaume après la journée des Dupes

Paris, 10 novembre 1630

Le « grand orage » qui se préparait depuis des mois éclate contre Richelieu ; Marie de Médicis vient de faire devant Louis XIII et son ministre une violente scène en exigeant de son fils le renvoi du cardinal. En effet, depuis quelque temps, un conflit est apparu à la cour entre deux groupes. Pour le parti dévot, regroupé derrière la reine mère, il convient d'extirper le protestantisme et donc d'appuyer la maison d'Autriche dans ses efforts de reconquête catholique. Or, pour le parti des « bons Français »

Richelieu.

sur lequel s'appuie Richelieu, le salut de l'Etat exige précisément que l'on abatte la maison d'Autriche. Devant cette alternative, le roi hésite ; le 10 novembre, Marie de Médicis croit avoir obtenu de son fils le renvoi du cardinal. Les courtisans se précipitent au Luxembourg pour la féliciter. En fait, quelques heures plus tard, Louis XIII convoque Richelieu, lui renouvelle sa confiance et lui livre ses ennemis.

1631

Londres, 12 février
Le poète John Donne prononce son dernier sermon : *le Duel de la mort.* →

Italie, 16 mars
La paix de Cherasco met fin à la guerre de Succession de Mantoue. Charles de Nevers-Gonzague, favori de la France, est reconnu duc de Mantoue par l'empereur Ferdinand II.

Paris, 30 mai
Théophraste Renaudot a le monopole de la presse. →

Hollande, juin
Rembrandt quitte Leyde pour s'installer à Amsterdam. →

Breitenfels, Allemagne, 17 septembre
Après que la ville protestante de Magdebourg eut été pillée par les troupes de Tilly, chef de la Ligue catholique, l'Electeur de Saxe conclut une alliance avec Gustave-Adolphe de Suède, qui écrase les troupes catholiques à Breitenfels.

Rome
Les Lamentations de sainte Marie-Madeleine, oratorio de Domenico Mazzocchi, est joué pour la première fois.

Agra, Inde
Shâh Jahân fait ériger le Taj Mahâl à la mémoire de sa femme. →

France
Révolte de Gaston d'Orléans, frère du roi, et de Marie de Médicis qui refusent de se réconcilier avec le cardinal de Richelieu. Celle-ci préfère se réfugier aux Pays-Bas. C'est le début de la « guerre de la mère et du fils ».

Louis XIII fait construire un petit pavillon de chasse à Versailles.

Pierre Vernier invente l'« échelle » qui porte son nom et qui permet de mieux lire les graduations sur un sextant.

Pierre Gassendi observe pour la première fois le passage de la planète Mercure devant le disque du Soleil.

Construction du mausolée de Louis XII et d'Anne de Bretagne par les frères Juste dans la basilique de Saint-Denis.

Angleterre
Willam Oughtred propose le symbole ✕ pour la multiplication.

Le dramaturge James Shirlay fait jouer *La Cruauté de l'amour.*

William Petty publie *Political Arithmetic*, ouvrage d'économie.

Espagne
Deuxième édition des *Songes* de Quevedo. →

Amsterdam
L'humaniste tchèque Jan Amos Comenius publie *La Porte ouverte sur les langues.* En 1632, il publiera *La Grande Didactique*, qui en fait l'un des fondateurs de la pédagogie.

Anvers
Rubens peint *L'Artiste avec Hélène Fourment au jardin.*

1632

Empire ottoman, 18 mai
L'empereur Murât IV fait exécuter son grand vizir, mate la révolte des janissaires et rétablit l'ordre. →

Toulouse, 30 octobre
Le duc Henri de Montmorency, gouverneur du Languedoc, est décapité pour avoir fomenté une conspiration regroupant la reine mère et Gaston d'Orléans.

Lutzen, Allemagne, 16 nov.
Victoire des Suédois, dont le roi est tué dans la bataille. →

France
Alexandre Hardy, le premier dramaturge français, vient de mourir. Depuis 1595, il aurait composé plus de 600 pièces.

Venise
Baldassare Longhena entame les travaux de l'église Santa Maria della Salute.

Rome
Le peintre français Valentin de Boulogne meurt.

Italie
Galilée publie *Dialogue sur les deux principaux systèmes du monde.*

Hollande
Rembrandt peint *La Leçon d'anatomie.* →

Pologne et Suède
Le traité d'Altmark marque l'annexion de la Livonie maritime par la Suède.

Gondar, Ethiopie
L'empereur Fasilidas inaugure son règne (1632-1667) par des persécutions contre les jésuites. →

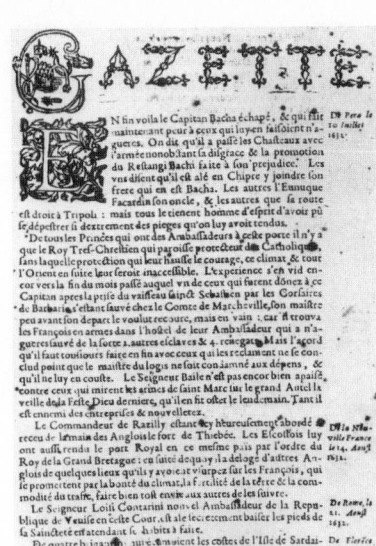

Une page de « La Gazette » du 17 septembre 1632.

Théophraste Renaudot fonde "La Gazette"

Paris, 30 mai 1631

« Gazette » est le nom d'une petite monnaie vénitienne qui représente le prix d'un numéro du premier journal paru à Venise. C'est le nom qu'a choisi Théophraste Renaudot pour intituler son recueil hebdomadaire de nouvelles, dont le premier numéro sort le 30 mai 1631. Publier *La Gazette de France* est un privilège exclusif que le roi lui a accordé, ce qui entraîne la colère de Vendosme et Martin qui, depuis janvier, publient une feuille parisienne : *Nouvelles ordinaires de plusieurs endroits.* Cependant, Richelieu préfère donner à Renaudot, dont il est sûr, le monopole de la presse. *La Gazette* sera ainsi l'organe officieux du pouvoir royal, favorable à Richelieu : le roi y écrira régulièrement.

Le Taj Mahâl, une œuvre d'amour

Agra, Inde gangétique, 1631

Mumtaz-i Mahâl, épouse favorite de l'empereur moghol des Indes Shâh Jahân, est morte. Le souverain entreprend de faire construire entre 1631 et 1648 à sa mémoire un somptueux mausolée qui portera l'un des noms de la défunte : Taj Mahâl (« Couronne du palais »). Le plan, inspiré de deux monuments du début de l'époque moghole (le mausolée d'Humâyun et la tombe de Khân Khanan à Delhi), est un vaste rectangle : l'extrémité sud regroupe les bâtiments utilitaires ; la partie centrale est occupée par un superbe jardin, et à l'extrémité nord se dresse le mausolée lui-même. L'assemblage de formes géométriques simples, masse cubique à deux étages, cantonnée de pavillons octogonaux à coupoles, est couronné d'un dôme bulbeux. Un minaret de trois étages, surmonté d'un kiosque octogonal, s'élève à chaque angle de la plate-forme sur laquelle se dressent le mausolée et ses deux annexes rigoureusement symétriques : une mosquée à l'ouest et une salle de réception à l'est. Le charme subtil du monument tient à l'emploi exclusif de marbre blanc, incrusté de pierres semi-précieuses, où se reflète la moindre variation de la lumière. L'architecte persan est assisté de nombreux architectes et artisans étrangers.

Le Taj Mahâl qui fut édifié par Shâh Jahân à Agra pour être la dernière demeure de son épouse. 1631-1648. Marbre blanc.

L'Anglais John Donne, poète métaphysique

Londres, 12 février 1631
C'est un homme mourant qui monte en chaire pour prononcer le sermon *Le Duel de la mort* sur la mort et la résurrection. John Donne, ordonné prêtre en 1615 et doyen de Saint-Paul depuis 1621, est devenu le prédicateur anglican le plus en vue de la capitale. Considéré comme un « second Augustin », cet érudit est hanté par l'idée du martyre. Descendant de Thomas More, il a épousé secrètement une de ses nièces. Né en 1572, il mène une vie de libertin avant une conversion sincère. Ses *Anniversaires* sont une méditation sur la mort d'une jeune fille. *Biathanatos* (1644) est aussi une réflexion sur la mort, de même que les *Sonnets sacrés* inspirés par la mort de sa femme. Chef d'école, il renouvelle les styles et les genres, contre les « pétrarquistes ». *Le Voyage de l'âme*, *Sonnets sacrés*, *Pseudo-Martyr* montrent un esprit subtil et neuf, une imagination où se côtoient le profane et le sacré dans un univers dont le poète est le centre.

Baroque et pessimisme dans les "Songes" de l'Espagnol Quevedo

Madrid, 1631
Poète et érudit formé chez les jésuites, Francisco de Quevedo y Villegas (1580-1645) publie en 1627 *Songes*, recueil d'œuvres de jeunesse interdites par la censure dès 1610 : on reproche à ses satires de ridiculiser l'Ecriture sainte. Aussi publie-t-il en 1631 une édition expurgée qui connaît un succès foudroyant. Dans la ronde infernale de ces contes parodiques et brillants, on assiste à la mise en scène allégorique des vices humains où nobles et roturiers, politiciens et marchands sont malmenés avec une verve baroque. Considéré comme un représentant majeur du baroque européen pour sa théorie du « conceptisme » qui l'oppose violemment à Góngora, Quevedo excelle dans la satire burlesque et le pamphlet : son rire sceptique et son cynisme révèlent un sombre pessimisme hanté par l'obscurité de l'univers et le sentiment de la mort.

Murât IV impose sa volonté aux janissaires

Istanbul, 18 mai 1632
Murât IV (1612-1640), qui règne depuis 1623, fait étrangler son grand vizir, Recep Pacha. Il reprend la situation en main, élimine les rebelles et fait prêter un nouveau serment aux militaires et aux membres de la classe dirigeante. Depuis la révolte des garnisons de janissaires, en 1631, la situation n'avait cessé de se dégrader.

Gustave II Adolphe, roi de Suède. 1631. Peinture d'H. Bollandt.

Un tout jeune peintre apprécié : Rembrandt

Amsterdam, juin 1631
Poussé par le succès de sa *Présentation au Temple*, Rembrandt quitte Leyde en juin 1631 pour Amsterdam, où il devient rapidement un portraitiste mondain à la mode. Sur cinquante tableaux datés, de 1632 et 1633, quarante-six sont des portraits ou des études de têtes : l'un des plus célèbres est la *Leçon d'anatomie du D' Tulp* (1632), qui s'attaque d'une façon ambitieuse au portrait corporatif, spécialité de la peinture hollandaise. Tous ses portraits des années 1630 présentent des qualités de monumentalité équilibrée, de finesse picturale et de réalisme qui rapprochent Rembrandt de Rubens ou de Van Dyck. Si ses tendances baroques sont évidentes, son goût pour le faste paraît également dans ses autoportraits.

Gustave-Adolphe tué au combat

Lutzen, Saxe, 16 novembre 1632
Le roi de Suède Gustave-Adolphe est tué en chargeant à la tête de sa cavalerie. Désormais commandée par Bernard de Saxe-Weimar, l'armée suédoise remporte cependant la victoire sur les troupes allemandes du général Wallenstein. Gustave-Adolphe, soucieux à la fois d'étendre l'influence suédoise en Europe du Nord et de défendre le luthérianisme, ne pouvait pas ne pas intervenir dans la guerre allemande. Il signe avec la France le 23 janvier 1631 le traité de Barwalde par lequel il s'engage, en échange d'un subside annuel d'un million de livres, à combattre Ferdinand II, tout en respectant le culte catholique et en épargnant les alliés de la France. Après la prise de Magdebourg par Tilly, appliquant l'édit de Restitution, le 20 mars 1631, tous les princes protestants d'Allemagne se rangent sous la bannière suédoise. Le 17 septembre, Gustave-Adolphe, à la tête d'une armée de coalition, écrase à Breitenfeld les impériaux de Tilly. Au printemps suivant, après avoir occupé les provinces rhénanes, il envahit la Bavière, pourtant alliée à la France, bat une nouvelle fois Tilly et entre à Munich le 15 mai. Après avoir affronté, deux mois durant, les impériaux en Franconie, il décide de revenir en Allemagne du Nord et se heurte à Wallenstein à Lutzen.

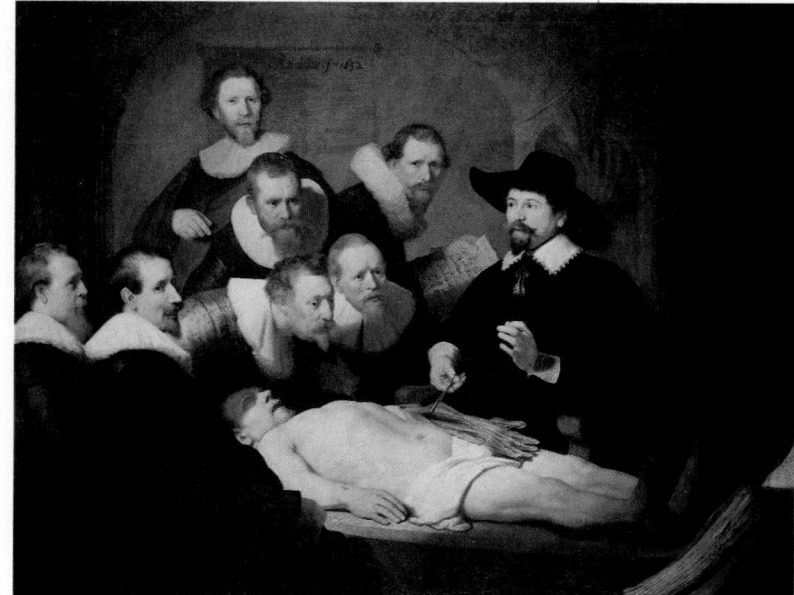

Rembrandt. « La Leçon d'anatomie du docteur Tulp ». 1632. Première grande commande de portraits faite à l'artiste.

Les progrès de la médecine

Europe, XVIIe siècle
C'est avec les progrès des connaissances anatomiques que naît la physiologie. En 1628, William Harvey fait la fondamentale découverte de la circulation du sang. Santorio et Giovanni Borelli étudient les échanges métaboliques qui régissent la nutrition et la régulation thermique. Mais les progrès de la science anatomique sont longs et difficiles tant les préjugés concernant le corps humain sont ancrés dans les mentalités. Il faut attendre 1576 pour que les dissections soient autorisées à Paris. Deux fois l'an, le doyen adresse une requête au lieutenant criminel, qui lui expédie aussitôt le corps encore chaud d'un supplicié du Châtelet ou de la Conciergerie. Mais les cadavres sont si difficiles à obtenir que les étudiants en médecine doivent en voler dans les cimetières et les disséquer alors qu'ils sont dans un état de putréfaction avancée ; les fortunés achètent le corps de miséreux dont ils attendent la mort. Vers la fin du siècle, Antonie van Leeuwenkoeck construira des microscopes, découvrant les protozoaires et les bactéries, et étudiant les spermatozoïdes (« animalcules de la semence »). De ce fait, Marcello Malpighi, inaugurant l'histologie, jettera les bases de l'anatomie microscopique par ses travaux sur le rein et les embryons.

Pour calmer les esprits, Murât avait ordonné aux rebelles de venir à Istanbul exposer leurs doléances, renvoyé et fait exécuter dix-sept membres du gouvernement et nommé le candidat des insurgés, Recep Pacha, au poste de grand vizir. L'anarchie n'en fut que plus grande, d'autres groupes armés ayant profité de la situation pour entrer dans la capitale. Ce furent les dissensions entre les rebelles qui permirent à Murât d'agir.

Les chrétiens sont persécutés en Ethiopie

Gondar, Ethiopie, 1632
L'Ethiopie chrétienne, dont la puissance s'est affirmée au XIVe siècle grâce à l'œuvre d'unification religieuse du roi Zerat Yacob, subit à nouveau les menaces des pays musulmans à partir du XVIe siècle. Pour lutter contre l'attaque des Turcs, l'empereur Lebna Denguel doit faire appel à un contingent portugais. Cette expédition occasionne l'envoi de missionnaires jésuites qui vont exercer une grande influence. Une série de mesures conduit à de violents soulèvements dans l'ensemble du pays. Le règne de Fasilidas inaugure une période de sévères représailles contre les jésuites ; exil, exécutions. Ces persécutions s'étendront ensuite à l'ensemble des chrétiens : descendants de Portugais ou Ethiopiens convertis. Elles entraîneront un net recul de l'Occident en Ethiopie.

1633

Rome, 22 juin
Galilée est condamné par le tribunal de l'Inquisition. →

Rome
Bernin achève le baldaquin de la basilique Saint-Pierre.

Pierre de Cortone commence la décoration du palais Barberini.

France
Jacques Callot grave *Les Misères de la guerre.*

Vincent de Paul et Louise de Marillac fondent l'ordre des Filles de Charité.

Pays-Bas espagnols
Mort de l'infante Isabelle. Le cardinal-infant est nommé gouverneur des Flandres.

La Haye
Jacob van Campen construit le Mauritshuis.

Londres
John Ford, auteur dramatique, publie sa tragédie *Dommage qu'elle soit une putain.*

Smolensk, Russie
Les troupes polonaises font le siège de la ville.

Kyôto, Japon
Reconstruction du pavillon de Seisuiji.

Québec
L'explorateur français Samuel Champlain devient le premier gouverneur de la Nouvelle-France. Grand voyageur, il a parcouru toute l'Amérique du Nord, depuis le Mexique jusqu'au lac Huron (1615). Il a fondé Québec en 1608.

1634

Allemagne, 24 février
Le général Wallenstein est assassiné. →

France
Saint-Cyran, qui était entré en relation avec Bérulle, devient directeur de conscience de Port-Royal.

Représentation de la première tragédie « régulière » : *Sophonisbe* de Jean Mairet introduit la règle des trois unités, qui va devenir le fondement de la tragédie classique française.

Construction de l'escalier en fer à cheval de Fontainebleau par Jean Ier Androuet du Cerceau.

François Mansart construit l'église de la Visitation-Saint-Antoine et entreprend à la demande de Gaston d'Orléans la reconstruction du château de Blois, où il donnera toute la mesure de son art.

Espagne
Le peintre Francisco de Zurbaran est appelé à Madrid pour participer à la décoration du Buen Retiro sous la direction de Vélasquez.

Calderón de la Barca achève *La vie est un songe,* l'une de ses pièces majeures.

Suède
Un règlement réduit l'autorité royale.

Hollande
Un raz de marée détruit l'île de Strand en mer du Nord.

Japon
Edit de Sankin Kotaï. →

Amérique du Nord
Fondation de Maryland par Lord Baltimore.

1635

Paris, 10 février
Fondation de l'Académie française. →

Fondation de la Compagnie française des îles d'Amérique. Les Français occupent la Guadeloupe.

Espagne
Mort du dramaturge Lope de Vega.

Tirso de Molina publie *Les Amants de Teruel.* →

Angleterre
Rubens achève *L'Apothéose de Jacques Ier,* qui décore le plafond de la grande salle de la Banqueting House à Whitehall.

Antoine van Dyck exécute le *Portrait équestre de Charles Ier* et *Charles Ier à la chasse.*

Anvers
Rubens peint *Le Jardin d'amour* et décore la ville à l'occasion de *L'Entrée triomphale de l'archiduc Ferdinand d'Autriche,* nouveau gouverneur général des Pays-Bas.

Galilée condamné par l'Inquisition

Rome, 22 juin 1633
Après une première mise en garde du Saint-Office en 1616, Galilée reprend le chemin de Florence. Mais encouragé par le cardinal Barberini, qui devient en 1623 le pape Urbain VIII, il publie un ouvrage polémique, *L'Essayeur* (1624). Négociant constamment avec les autorités, il réussit en 1632 à publier le *Dialogue sur les deux principaux sytèmes du monde,* dans lequel il expose la validité du système copernicien face au système de Ptolémée qui fait de la Terre le centre de l'univers. Affirmant que la Terre est une planète comme les autres et qu'elle tourne autour du Soleil, le savant remet surtout en cause la physique d'Aristote, proposant de repenser les lois qui régissent le mouvement des astres et des corps en leur donnant une formulation mathématique adéquate. A cause de la vigueur du style et de la démonstration, Galilée perd ses derniers appuis à la Curie ; le pape ne peut plus empêcher la tenue d'un procès. Le tribunal de l'Inquisition se réunit : Galilée, qui est passé d'une convergence d'hypothèses à l'affirmation d'une réalité (Et pourtant, elle tourne !) doit comparaître. Jugé et condamné le 22 juin 1633, il part en résidence surveillée. Mais il continue à correspondre avec de nombreux savants français et fait également publier en 1638 ses *Discours et Démonstrations mathématiques* en Hollande, montrant l'inutilité de sa condamnation. Certes, il s'est rétracté, mais ses idées se diffusent avec son dernier ouvrage. Il apporte une rigueur jusqu'alors inconnue dans le domaine de la chute des corps, qui ouvre des perspectives scientifiques inédites.

Galilée. Illustration en frontispice de son livre « Sidereus Nuncius ».

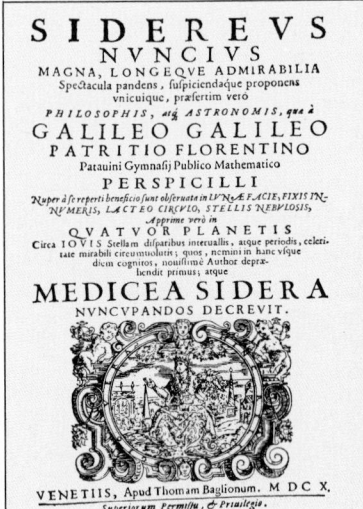

Page de titre de l'ouvrage de Galilée « Sidereus Nuncius ». 1610.

Bernin achève le baldaquin de Saint-Pierre de Rome

Rome, 1633
Reconnu comme le plus grand sculpteur et architecte de la Rome catholique et baroque, protégé par le pape mécène Urbain VIII Barberini, Bernin élabore l'aspect définitif de Saint-Pierre. Dominant l'outrance du décor baroque par sa science de la perspective et de la lumière, il impose une harmonie presque classique aux effets d'une ambition et d'une invention grandioses. Il donne au colossal baldaquin (1624-1633) un caractère à la fois puissant et dynamique en adoptant des colonnes torses, un couronnement de statues et de *putti.* N'hésitant pas à prélever les bronzes antiques du Panthéon pour fondre ce monument, Bernin ne se satisfait pas de la préciosité et de la pérennité du matériau : il joue sur les patines, varie le chromatisme en brunissant certaines parties et en dorant d'autres. Par son goût de la pompe, le maniement de virtualités spatiales élégantes et audacieuses, le creusement de cavités complexes, la recherche du mouvement illusionniste, son œuvre traduit un mysticisme sensuel et spectaculaire, bien représentatif de la phase triomphale de la Contre-Réforme.

Bernin. Le baldaquin de Saint-Pierre de Rome. 1624-1633. Bronze doré

Wallenstein est assassiné sur l'ordre de l'empereur

Eger, 24 février 1634

Après sa défaite devant les Suédois à Lutzen, Wallenstein s'était retiré dans son duché de Friedland. Agissant désormais pour son propre compte, rêvant peut-être à la couronne de Bohême, il négociait avec la Saxe et proposait secrètement ses services à la Suède et à la France. Averti de sa trahison, Ferdinand II le fait assassiner. Albert von Wallenstein, né en 1583, était un seigneur tchèque. Abandonnant la religion protestante, il se convertit au catholicisme par ambition. Malgré ses origines, pendant la révolte bohémienne, il prend le parti des Habsbourg. Un premier mariage lui ayant laissé une très grande fortune, il offre à Ferdinand II une armée recrutée à ses propres frais. Il combat le prince protestant de Transylvanie, Gabor Bethlen, qui, venu au secours des Tchèques, avait envahi la Moravie. En récompense, l'empereur lui offre d'immenses domaines qui avaient été confisqués aux nobles bohémiens et fait ériger ces terres en duché de Friedland. Le Danemark étant entré en guerre, Ferdinand, en avril 1625, confie à Wallenstein la levée et le commandement de l'armée impériale. Victorieux de Mansfeld à Dessau, maître des provinces de l'Allemagne du Nord, le duc de Fiedland, prince d'empire, reçoit le titre d'« amiral de la mer océane et baltique » et obtient en gage de la reconnaissance impériale les duchés mecklembourgeois et la principauté de Sagan en Silésie. Cette élévation sans précédent d'un humble seigneur tchèque devait susciter la jalousie des princes de la Ligue catholique. En juillet 1630, Ferdinand II ayant convoqué une diète à Ratisbonne pour faire élire son fils roi des Romains, les princes exigent la destitution de Wallenstein et le licenciement de son armée. Mais, devant la menace suédoise, l'empereur rappelle Wallenstein qui, après avoir refusé, accepte de reprendre le commandement de son armée, en se faisant confier l'exercice des pleins pouvoirs.

Scène de la vie champêtre : le repiquage du riz. Détail d'un grand paravent à huit panneaux peint sur papier. Début XVIIe siècle.

Fondation de l'Académie française

Paris, 10 février 1635

Un cercle de lettrés avait pris l'habitude, depuis quelques années, de se réunir chez Valentin Conrart. Le roi, conseillé par Richelieu, vient par lettres patentes de donner existence légale à la nouvelle institution, appelée Académie française, dont le cardinal est nommé « père et protecteur ». Le nombre de ses membres est de quarante et leur principale fonction est de donner à la langue française des règles précises. Leur première tâche sera la rédaction d'un dictionnaire. L'Académie a aussi pour mission de juger des livres. En fait, Richelieu, qui contrôle toutes les candidatures, va assigner aux académiciens d'autres tâches que le dictionnaire et la grammaire. Ceux-ci se devront de préparer ses discours politiques et ses écrits théologiques. Aussi l'institution va-t-elle très vite devenir l'auxiliaire de la politique du cardinal ; c'est pourquoi le Parlement mettra deux ans pour enregistrer les lettres de fondation. Ainsi, comme pour *La Gazette*, la fondation de l'Académie française répond d'abord à la nécessité de défendre la politique du cardinal.

Les nobles japonais en résidence surveillée

Edo, Japon, 1634

Le shôgun Tokugawa Iemitsu fait obligation aux daimyô (gouverneurs locaux) de séjourner une partie de l'année à Edo, la capitale shôgunale. Fondée en 1453, Edo est devenue en 1603 le siège du gouvernement shôgunal, sous l'impulsion du premier shôgun de la branche des Tokugawa, issue des Minamoto ; le nom de la capitale princière signifie « la porte de la baie ». Dès 1603, la politique suivie avait été double : accroître le prestige de l'empereur et l'isoler des daimyô, trop souvent menaçants pour le pouvoir des shôgun. Le daimyô est, en théorie, entièrement assujetti au shôgun, son suzerain. Un code réglemente strictement la vie publique et privée des daimyô. L'envoi régulier d'otages à la capitale est prévu. Mais, à partir de 1633, l'obligation se fait plus pressante : chaque daimyô est tenu de se faire construire une résidence à Edo, d'y loger un officier de liaison avec la maison du shôgun et d'alterner les séjours à Edo et sur leurs terres. La remuante noblesse japonaise est ainsi mise au pas par les shôgun Tokugawa.

L'âge d'or du théâtre espagnol

Espagne, 1635

L'année 1635, qui voit la mort de Lope de Vega, la représentation des *Amants de Teruel* de Tirso de Molina et celle du chef-d'œuvre de Calderón de la Barca, *La vie est un songe*, constitue un point de référence exceptionnel pour le théâtre espagnol. Par son foisonnement et sa démesure, mais aussi par sa fluidité et sa variété verbale, la production théâtrale reste familière et proche du peuple en même temps qu'elle prend une dimension universelle. Avec *Le Trompeur de Séville et le Convive de pierre* (vers 1625), comédie de caractère qui invente, en quelque sorte, le genre de cape et d'épée, le frère Gabriel Téllez, dit Tirso de Molina, fait pour la première fois apparaître au théâtre Don Juan, personnage de légende qui donnera naissance à un mythe universel ainsi qu'à un drame religieux qu'il rédige en 1635 : *Le* *Damné par manque de confiance*. Genre nouveau, la *comedia* a vu le jour lorsque la bourgade de Madrid est devenue, au début du siècle, capitale du royaume. L'intrigue, qui se noue dans un désordre qui reflète les tumultes des passions et de la réalité, se déroule au cours de trois « journées » d'un millier de vers et se résout dans le retour à l'ordre moral. Publié en 1609, l'*Art nouveau d'écrire des comédies* de Lope de Vega édicte les règles d'une écriture qui trouve son élégance dans la comédie pastorale fort goûtée des princes et renouvelle des conventions héritées de Sénèque. Le spectacle de la comedia dure trois heures et demie : prologue, discours théâtral au présent et à la première personne entrecoupé d'*entremeses* (intermèdes) et agrémenté d'effets de miracles, danse finale. La comedia fournit à la nouvelle population de la cour et de la ville un modèle d'élégance verbale et morale qui peut aussi justifier les conduites les plus audacieuses. Avec *Aimer sans savoir qui*, une de ses 800 pièces, Lope de Vega donne le rôle prépondérant à l'élan amoureux, expression de la nature. Tirso de Molina, moins brouillon, moins fantaisiste et émouvant que Lope de Vega mais rigoureux technicien de la langue, introduit l'*auto sacramental* dans le récit profane ; il donne, quant à lui, une part essentielle à la femme. Tandis que Juan Ruiz de Alarcón propose aux Madrilènes des modèles de noblesse (*La Vérité suspecte*, 1630), le Valencien Guillén de Castro tire des comédies des œuvres de Cervantès et des « romances » du Cid. Né en 1600, Pedro Calderon de la Barca s'inscrit, dès 1623, dans la lignée directe de Lope de Vega. Avec une intrigue concentrée et subtilement construite, *La vie est un songe* pose des questions d'une ampleur essentielle et apparaît comme un authentique chef-d'œuvre.

Calderon.

Lope de Vega.

Tirso de Molina.

1635

Nancy
Mort de Jacques Callot. →

Paris
L'architecte français Jacques Lemercier entreprend la construction de la chapelle de la Sorbonne. Il y transpose les formes italiennes, qu'il a étudiées à Rome, avec un esprit de mesure et de rigueur qui préfigure le classicisme français.

Angleterre
John Selden revendique la domination maritime de l'Angleterre. Son ouvrage *Mare clausum* est une réponse à celui de Grotius (→ 1625).

Madrid
Vélasquez peint le portrait du *Prince Baltasar Carlos à cheval*. →

Allemagne
La paix de Prague entre l'empereur Ferdinand II et l'Electeur de Saxe met fin à la guerre suédoise. Mais la France intervient. →

Mort du célèbre théologien jésuite Friedrich Spee, poète baroque et confesseur de nombre de femmes condamnées à mort pour sorcellerie.

Japon
Mort du peintre Sanraku. Après une vie très agitée, il est entré dans les ordres à Kyôto. Son œuvre s'inspire beaucoup des thèmes chinois. Il a aussi beaucoup travaillé la « peinture de genre ».

Chine
Publication du *Chongzhen Lishu*, collection d'œuvres scientifiques rédigées en collaboration par des missionnaires jésuites et par des lettrés chinois.

Afrique équatoriale
Abd el Krim ben Jamé s'empare du pouvoir en Ouaddaï.

Istanbul
Exécution de l'émir druze Fakhr ed-Din avec ses trois enfants. Il avait tenté de libérer le Liban de l'occupation ottomane.

Antilles
Olive et Duplessis débarquent en Guadeloupe. La croix du Christ et les armes de la France sont plantées sur le rivage de Saint-Pierre. La Martinique sera enlevée à l'Espagne l'année suivante.

1636

France, 4 août
Les Espagnols font le siège de Corbie, qu'ils prennent le 7 août et reperdent en novembre. →

Paris, décembre
Première du *Cid* de Corneille. →

Hollande
Développement d'une spéculation effrénée sur les tulipes. →

Fondation de l'université d'Utrecht.

Allemagne
Après un séjour à Venise, le compositeur allemand Heinrich Schütz entreprend de composer les *Petits Concerts spirituels*.

Provinces-Unies
Antoine van Dienem est nommé gouverneur des Indes orientales hollandaises. Un traité avec le roi Kandy établit les Hollandais à Ceylan.

Chine
Mort de Dong Qichang (Tong K'i Tch'ang), peintre chinois, auteur d'écrits d'esthétique. On lui doit d'avoir introduit dans l'histoire de la peinture chinoise la distinction entre « école du Nord » et « école du Sud ».

Pékin
Le missionnaire Adam Schall dirige la fonte de pièces d'artillerie.

Japon
Tokugawa Iemitsu interdit la construction de vaisseaux au long cours.

Amérique du Nord
Le puritain John Harvard fonde la première université américaine à Cambridge (Massachusetts).

Les premiers colons s'installent à Rhode Island.

Paris
Richelieu se fait construire le palais Cardinal (futur Palais-Royal) et son jardin.

Le thé fait son apparition, suscitant engouement et méfiance.

Première représentation de *Marianne*, peinture pathétique d'une passion dont le succès, qui balance celui du *Cid*, rend célèbre son auteur, Tristan L'Hermite (1601-1665). Il publiera en 1643 un roman autobiographique, *Le Page disgracié*.

Mort du graveur Jacques Callot

Nancy, 1635
Callot innove en abandonnant le vernis mou pour le vernis dur des luthiers, ce qui permet un trait d'une extrême finesse. Après *Le Siège de Breda* (1628), Louis XIII lui commande *Le Siège de la Rochelle* et de *Saint-Martin-de-Ré*. Très affecté par l'invasion de la Lorraine, il exécute *Les Misères de la guerre* (1633) et *Les Supplices* (1634). Considéré comme le dernier artiste du maniérisme, il en a toujours maîtrisé les excès. Reconnu comme le graveur doué de la plus exceptionnelle maîtrise technique, il marque toujours ses sujets de sa forte personnalité.

Les Français s'opposent aux Espagnols à Corbie

France, 4-7 août 1636
Les Espagnols ont franchi la Somme et menacent Compiègne. La terreur se répand sur Paris où les autorités s'efforcent d'arrêter les semeurs de panique et de recueillir de l'argent pour lever des troupes neuves. C'est le comte-duc d'Olivares, favori de Philippe IV, qui a lancé l'armée espagnole à l'assaut de la France à partir des provinces espagnoles en Flandres. Il a décidé de redonner à l'Espagne sa grandeur et sa puissance en Europe. Il a profité du fait que la sédition de plusieurs provinces affaiblissait la France pour rompre le front du nord et prendre Corbie, qui tombe au bout de huit jours, prenant les Français par surprise. Mais Richelieu va réunir une armée de 40 000 hommes et, en novembre, Corbie sera reprise et Paris sauvée du désastre.

Diego Vélasquez renouvelle l'art du portrait de cour

Madrid, 1635-1636
Vélasquez rapporte de son voyage en Italie un enseignement qui l'amène à renouveler sa technique du portrait. Les personnages qu'il peint à la cour d'Espagne, dont il est le portraitiste depuis 1623, sont les membres de la famille royale : l'artiste ne peut ignorer que ces malheureux portent souvent la marque d'une certaine dégénérescence. Il s'en préoccupe peu. S'attachant plus à la manière de peindre qu'à ce qu'il peint, il se livre à la passion du « rendu » : finesse des dentelles, éclat des soieries, légèreté des cheveux d'enfants (*Le Prince Balthasar Carlos*, 1635). Même dans ses *Portraits du nain Sebastian de Morra*, peints un peu plus tard, la difformité du sujet disparaît sous la beauté picturale de la toile.

Diego Vélasquez. *Portrait équestre du prince Balthasar Carlos. Vers 1635. La beauté de la matière est l'objet même du tableau.*

Les misères de la guerre : « Comme fruits malheureux à cet arbre pendus... » 1633. Gravure de Jacques Callot. Bibliothèque nationale, Paris.

La France intervient dans la guerre de Trente Ans

Allemagne, 1635

L'intervention française

La France ne pouvait se résoudre à accepter une victoire définitive de Ferdinand II sur les princes protestants d'Allemagne, victoire qui ramènerait inévitablement la maison d'Autriche, alliée à l'Espagne, à son ancienne chimère, celle déjà poursuivie par Charles Quint : le rêve de la domination universelle. Mais les troubles intérieurs, la fronde des grands, la lutte contre les protestants ainsi que les difficultés financières avaient jusqu'alors empêché Richelieu de s'engager directement dans les affaires allemandes. La France n'en poursuivait pas moins une vigoureuse offensive diplomatique. Elle avait activement soutenu l'intervention suédoise en 1631. Elle avait aussi marqué des points en Italie en obligeant l'Espagne à évacuer la Valteline, le point de passage par lequel les *tercios* en garnison dans la péninsule pouvaient aisément rejoindre les armées autrichiennes ; et aussi en faisant reconnaître par Philippe IV le candidat français à la succession de Mantoue, Charles de Gonzague. Telle était la situation, lorsque, le 6 septembre 1634, les impériaux, commandés par Gallas et soutenus par d'importants renforts espagnols, écrasaient à Nordlingen les troupes suédoises affaiblies par la division de leurs chefs. L'Electeur de Saxe, le dernier rempart des protestants allemands, se soumettait et signait avec l'empereur les préliminaires de Pirna (24 novembre), confirmés ensuite par le traité de Prague (30 mars 1635). On en revenait aux termes de la paix d'Augsbourg. Cette victoire décisive pour l'Autriche inquiéta fort Richelieu, qui fit préventivement occuper la totalité du duché de Lorraine et établit des garnisons françaises en Alsace. La France concluait par ailleurs un traité d'alliance avec les Provinces-Unies (traité de Paris, 8 février 1635), avec les ducs de Savoie, de Parme et de Mantoue (traité de Rivoli, juillet), et renouvelait l'alliance suédoise (traité de Compiègne, 28 avril). Elle signait enfin en octobre un accord avec Bernard de Saxe-Weimar, par lequel elle s'engageait à prendre en charge l'entretien des régiments saxons. L'occupation par l'Espagne en mars de la forteresse de Trèves fournit à Richelieu le prétexte à une intervention directe. Le 19 mai 1635, Louis XIII déclarait la guerre au roi d'Espagne Philippe IV. En septembre, Ferdinand II déclarait à son tour la guerre à la France, qui venait d'envahir la Franche-Comté, un fief espagnol. La guerre est désormais générale.

Les désastres de la guerre

Par le jeu des alliances, tous les Etats européens vont prendre part au conflit. Les théâtres d'opérations sont multiples. On se bat en Flandre, dans le Roussillon, en Franche-Comté, à la frontière suisse. On se battra sur les mers aussi. Mais c'est l'Allemagne surtout qui va pâtir de la guerre et qui en supportera toutes les conséquences. Elle sera parcourue en tous sens, de la Baltique au Danube, de l'Alsace à la Bohême, par des armées de mercenaires où toutes les nationalités se mêlent et se confondent. Elles laisseront derrière elles un pays exsangue. Livrée au pillage dans l'intervalle des batailles, rançonnée, offerte à la convoitise de *condottieri* sans scrupule, elle verra ses campagnes ravagées et sa population décimée. Une ville comme Magdebourg sera assiégée dix fois, Leipzig trois fois. Les guerres entraîneront leur cortège habituel de maux, la famine d'abord, les épidémies ensuite. Dans certaines régions, comme la Silésie, la Bohême, le Brandebourg ou la Poméranie, près des trois quarts des habitants périront. Des témoins, comme le grand romancier Grimmelshausen (*Les Aventures de Simplex Simplicissimus*) ou le graveur lorrain Jacques Callot (*Les Misères de la guerre*), décriront ces scènes de désolation, ces visions d'horreur : ils montreront les paysans fugitifs errant dans les forêts, les villages incendiés, les villes en proie au brigandage. Cette immense saignée, que plusieurs générations ne pourront pas réparer, aura pour effet une sorte de neurasthénie collective, créant une atmosphère propice à toutes les régressions.

« Le Supplice de la roue ». 1633. Planche de Jacques Callot.

Paris a pour Rodrigue les yeux de Chimène

Paris, décembre 1636

Le Cid, tragédie de Pierre Corneille présentée au théâtre du Marais, suscite dans le public parisien un enthousiasme unanime : dans les rues, par les fenêtres ou les portières des voitures, on se jette ces vers inoubliables : « Rodrigue, as-tu du cœur ? », « A moi, comte, deux mots ! » Un succès qui dépasse les espérances de l'auteur, jeune avocat rouennais né en 1606 dans une famille de magistrats. Il s'est lancé dans la carrière dramatique en 1629. Le succès de ses premières comédies, *Mélite, Clitandre, La Suivante* et de sa première tragédie, *Médée*, lui valut de fréquenter Mlle de Scudéry, avec laquelle il débat des « règles ». A trente ans, il apparaît épris de romanesque et de fantaisie, se détachant peu à peu de la comédie pour le tragique : *Le Cid* lui apporte la gloire. Inspiré de *Las Mocedades del Cid* de l'Espagnol G. de Castro, *Le Cid* exalte l'orgueil du nom, de la race, les exploits guerriers : Chi-

Corneille.

mène et Rodrigue sont promis l'un à l'autre, mais leurs pères se querellent. Rodrigue venge l'affront fait à son propre père en tuant celui de Chimène, laquelle, pour être digne de son amour, veut à son tour se venger. L'amour triomphera et, par ses exploits guerriers, Rodrigue achèvera de reconquérir l'aimée. *Le Cid*, baroque par la violence de la vengeance sanglante, précieux dans ses dialogues, romanesque dans les situations, offre un miroir aux rêves du temps.

Folie spéculative sur les tulipes en Hollande

Hollande, 1636

Depuis deux ans, la spéculation atteint des proportions insensées : un bulbe de tulipe rare se vend 6 000 florins. On va même jusqu'à échanger un oignon contre un carrosse et ses chevaux, des hectares de terre ou une maison. Ce n'est que depuis peu que ces fleurs sont cultivées en Hollande. Des bulbes ont été rapportés de Turquie par Ogier Ghislain, ambassadeur d'Autriche, qui les a remis à Carolus Clusius (1526-1609), savant autrichien et professeur à l'université de Leyde, qui a entrepris de cultiver la tulipe sur les terres sablonneuses et humides entre Leyde et Haarlem. Le succès de cette culture est tel qu'il va inquiéter les autorités et inciter celles-ci à la réglementer, d'autant que d'autres plantes à bulbe, la jacinthe et le glaïeul, commencent à se répandre.

1637

Leyde, 8 juin
Descartes publie le *Discours de la méthode.* →

France
Les « croquants » se soulèvent à nouveau en Périgord et en Rouergue.

Paris
Le Nôtre commence les jardins des Tuileries et Androuet du Cerceau entreprend l'hôtel de Bretonvilliers.

Richelieu, furieux que *Le Cid* (1636), pièce tirée de l'espagnol, langue de l'ennemi, fasse courir tout Paris, s'adresse à l'Académie française pour en dénoncer les imperfections.

Angleterre
Mort du dramaturge Ben Jonson.

Portugal
Dom João, duc de Bragance, est acclamé roi par le peuple. Mais il se refusera provisoirement à prendre le pouvoir pour ne pas provoquer l'Espagne.

Venise
Le premier théâtre lyrique permanent est créé.

Hollande
A Haarlem, Frans Hals peint *Les Joyeux Buveurs.* →

Japon
Mort de Koetsu. Il fut l'un des artistes les plus complets de son temps, exerçant avec un égal bonheur la peinture, la calligraphie, l'art de la laque, la céramique et le jardinage.

Sénégal
Thomas Lambert, directeur de la Compagnie de Dieppe et de Rouen, remonte le Sénégal. Des marchands d'esclaves français s'installent dans le pays.

Viêt-nam
Arrivée des Hollandais à Hanoi. Ils y resteront jusqu'en 1700.

Corée
La dynastie coréenne des Yi décide d'adopter une politique de fermeture des frontières. Désormais, toute relation avec l'étranger est punie de mort. Cette fermeture est une réaction contre la menace extérieure, notamment celle des Manchous.

Amérique
Les Anglais offrent une prime pour tout Indien tué, moyennant remise du scalp.

1638

Hambourg, 5 mars
Pacte franco-suédois.

France, 14 mai
L'influence de Saint-Cyran sur les religieuses de Port-Royal et sur les Solitaires des Champs est profonde. Chef du parti dévot, et par là même suspect à Richelieu, Saint-Cyran s'attire bientôt l'animosité de celui-ci, qui le fait enfermer au donjon de Vincennes.

Saint-Germain, 5 septembre
Naissance du prince héritier du trône de France. →

Alsace, 19 décembre
Vainqueur des impériaux à Rheinfelden, le général Bernard de Saxe-Weimar prend Fribourg et la place forte de Brisach.

France
Vincent de Paul fonde l'œuvre des Enfants trouvés. →

Ile de la Réunion
Les Français prennent possession de l'île. →

Pays-Bas espagnols
Mort du théologien Jansénius.

Mort à Anvers du peintre Adriaen Brouwer qui a connu, pendant sa vie courte et agitée, la prison pour raison politique. Son œuvre dépeint un milieu populaire et marginal.

Mort à Haarlem de Cornelisz van Haarlem, architecte et peintre.

Ecosse
Les Etats presbytériens d'Ecosse se regroupent pour préserver la pureté et la liberté de l'Evangile et signent le pacte *Solemn League and Covenant.*

Italie
A Rome, Nicolas Poussin peint *Les Bergers d'Arcadie.*

Japon
Persécution des chrétiens dans tout le pays, qui se ferme aux étrangers. →

Amérique du Nord
Les Suédois et les Finnois débarquent dans l'estuaire de la Delaware et jettent les bases d'une nouvelle colonie (la Nouvelle-Suède), dont la capitale est Christiania. Elle sera en 1664 incorporée aux colonies anglaises.

Descartes publie son "Discours de la méthode"

Leyde, 8 juin 1637
Le *Discours de la méthode pour bien conduire sa raison et chercher la vérité dans les sciences* est la première grande œuvre philosophique et scientifique écrite en français, et non en latin, car Descartes veut être accessible à tous, même aux femmes. René Descartes est né à La Haye, en Touraine, en 1596. Fils d'un conseiller au parlement de Bretagne, il fit des études classiques chez les jésuites à La Flèche. Licencié en droit en 1616, il décide de voyager à travers le monde. Dès 1619, lors d'un séjour en Allemagne, il a l'idée de l'unité de la science et de la nécessité de trouver une méthode pour la recherche de la vérité. Toutefois, à cette recherche systématique doivent échapper la politique et la religion, considérées comme données et qu'il convient de ne pas révoquer en doute. En 1629, Descartes s'installe en Hollande pour y travailler dans un climat de pleine liberté. Là, il élabore le *Discours de la méthode* qui est une préface à trois traités scientifiques : *Dioptrique*, *Météores* et *Géométrie*. Ces ouvrages paraissent le 8 juin 1637, en un volume, à Leyde. Le *Discours* jette les bases d'une véritable révolution intellectuelle : à la pensée prélogique, à la physique qualitative des gens de la Renaissance, Descartes oppose, en un style clair, les grandes leçons du doute méthodique, du primat de la raison et de l'expérience, et de la nécessité du langage mathématique. Dans la première partie, il rêve d'étendre la certitude mathématique à l'ensemble du savoir. Le monde obéit à des lois. Ces lois, cependant, il faut les découvrir. Et pour les découvrir, il faut une méthode. Le point de départ de la métaphysique de Descartes est le doute. Un doute non sceptique, mais méthodique, qui consiste en la suspension volontaire du jugement. Ce doute est donc provisoire. Sa fin est de préparer les voies de la certitude en éliminant de la science tout ce qui n'est que probable. Au reste, le doute a pour conséquence immédiate la découverte de la première des vérités : celle du moi pensant. Car, au moment du doute, le sujet est assuré de l'existence de sa pensée. Aussi Descartes affirme-t-il : « Je pense, donc je suis ». De plus, le doute étant une imperfection, l'idée de perfection qui est en l'homme entraîne l'existence d'un être parfait : c'est Dieu, infini et omniscient. La découverte de la véracité divine va permettre à l'homme de sortir du doute. Descartes poursuivra son œuvre philosophique ; en 1641 paraîtront à Paris les *Méditations métaphysiques* puis, en 1644, *Principes de philosophie*. Enfin, il publiera en 1649 le traité des *Passions de l'âme*. C'est l'année où il se rendra à Stockholm pour répondre à l'invitation de la reine Christine. Il y mourra quelques mois plus tard.

René Descartes. Copie d'un original de Frans Hals perdu. 1649. Musée du Louvre, Paris.

Frans Hals, portraitiste nerveux et désinvolte

Haarlem, 1637
Né à Anvers, Frans Hals vit depuis 1591 à Haarlem, où il fera toute sa carrière. Les années 1630 sont fastes pour l'artiste en pleine maturité : reconnu comme un portraitiste vif et séduisant, il reçoit de nombreuses commandes. Peintre de la bourgeoisie hollandaise, il sait rendre la chair en faisant sentir le sang et la vie. Ses compositions semblent saisir les modèles sur le vif. Depuis 1630, sous l'influence du caravagisme, Hals se consacre aux portraits de caractère : *La Bohémienne*, *Les Joyeux Buveurs*. Sa palette s'est assombrie et la lumière anime des noirs somptueux ; cherchant à simplifier ses compositions, l'artiste réserve son audace dans une exécution recherchée.

Frans Hals. « La Bohémienne ». Vers 1628-1630. Nervosité et exactitude de la touche.

L'arrivée des Portugais au Japon. Détail d'un paravent du XVIIe siècle. Musée Soares dos Reis, Porto.

Les Français prennent l'île de la Réunion

Océan Indien, 1638
Le navigateur Alonse Goubert prend possession, pour le compte du roi de France, d'une île de l'archipel des Mascareignes dans l'océan Indien. Les Portugais l'ont découverte en 1513 sans pour autant la coloniser. Jusqu'à l'arrivée des Français, cette île est restée déserte. Pronis, le gouverneur de Madagascar, ne va pas tarder à y installer les déportés. C'est en 1649 que l'île prendra le nom d'île Bourbon. Elle vivra longtemps de la piraterie avant qu'y soit introduit le caféier.

Vincent de Paul fonde l'œuvre des Enfants trouvés

Paris, 1638
Devant la misère de l'enfance abandonnée, Vincent de Paul crée une œuvre chargée de recueillir des enfants sans famille. Cette fondation vient s'ajouter à toute une série d'autres que l'in-

Vincent de Paul.

Enfin un héritier pour le trône de France

Saint-Germain, 5 septembre 1638
Le canon gronde, les cloches sonnent, cinquante courriers font bondir leurs chevaux, tous les grands du royaume accourent, le roi à genoux rend grâce au ciel : après 23 ans de mariage et 15 ans de brouille, personne n'y croyait plus. Pourtant, neuf mois après une nuit de réconciliation imprévue, le roi fut averti que sa majesté Anne d'Autriche accouchait. C'est un dauphin ! Il s'appellera Louis comme son père. Désormais, le frère du roi, Gaston d'Orléans n'est plus l'héritier présomptif.

fatigable prêtre a créées, telle la Charité de l'Hôtel-Dieu. C'est en 1600 que ce fils de berger, qui fit ses études à l'université de Toulouse, est ordonné prêtre. Après une mission diplomatique auprès de Henri IV, il devient aumônier de Marguerite de Valois. Il se lie avec Bérulle. En 1613, il est précepteur des enfants de Philippe-Emmanuel de Gondi, général des galères. Découvrant la cruelle misère sur les galères, Vincent va faire le vœu de se consacrer à Dieu à travers les pauvres. C'est en 1617 qu'il fonde sa première confrérie de la Charité. Dès lors, il ne cessera de multiplier les actions en faveur des déshérités.

Le Japon se ferme aux étrangers

Shimabara, Japon, 1638
La politique d'isolement suivie par les Tokugawa depuis les années 1610 s'affirme. Les premières tentatives occidentales d'installation au Japon avaient pourtant connu un certain succès dans la seconde moitié du XVIe siècle. Les persécutions de Toyotomi Hideyoshi avaient épargné les marchands portugais, alors en affaires dans l'archipel. Les shôgun Tokugawa auraient souhaité maintenir avec l'Occident des relations commerciales profitables, mais ce désir entrait en contradiction avec les principes mêmes autour desquels les Tokugawa comptaient organiser leur politique. Les propos malheureux d'un capitaine espagnol avaient, en 1597, laissé supposer aux Japonais que les missionnaires ne constituaient que l'avant-garde d'une conquête armée, ce qui ne pouvait que raviver la peur sous-jacente du christianisme et déchaîner les persécutions, premier pas vers une fermeture totale de l'archipel. En 1616, le commerce étranger est confiné à Nagasaki et Hirado. En 1622, nouvelle vague de persécutions. En 1624, expulsion des Espagnols. A partir de 1635, les restrictions se font de plus en plus strictes : un édit interdit à tout Japonais de se rendre à l'étranger, stipulant que tout départ doit être considéré comme définitif. En 1636,

les Portugais sont rassemblés à Deshima. Dans la même région, où la densité de population chrétienne est très forte, éclate une révolte qui se donne pour emblème des symboles chrétiens. L'armée rebelle, composée de paysans et de samouraï sans maître, s'installe dans un château abandonné de la péninsule de Shimabara. Les shôgun doivent faire appel aux Hollandais pour bombarder la forteresse. La révolte est noyée dans le sang au printemps 1638. Le mouvement chrétien s'éteint ; les Portugais seront expulsés l'année suivante. L'ère de la réclusion commence pour le Japon.

Une chrétienne écorchée vive et crucifiée. Dessin japonais.

Le château des ducs de Montmorency-Luxembourg à Cany-Barville, construit en 1640.

Demeures et châteaux Louis XIII

Les châteaux de l'époque Louis XIII se caractérisent par des façades de briques roses, à bossages d'angles en pierre rustiques, et surmontées de hautes toitures d'ardoises. L'utilisation des ordres gréco-romains hérités des siècles précédents se perpétue, ainsi que, dans les arts décoratifs, la multiplicité des ornements sculptés tels que fleurs, fruits, putti ou cornes d'abondance. Les plafonds sont à caissons, les murs décorés de panneaux peints, de stucs, de tentures ou de cuir gaufré d'Espagne. L'atelier de Simon Vouet, premier peintre du roi, alimente le marché des modèles décoratifs qui sont utilisés pour l'ornementation des hôtels particuliers. Le mobilier se compose d'imposants cabinets de bois sombre, de lits à colonnes tournées, de fauteuils à hauts dossiers, à pieds en spirale et recouverts de brocarts.

1639

Paris, 21 mai
Le philosophe utopiste Tommaso Campanella est mort.

Le Vau construit l'hôtel Tambonneau.

Lyon
Le mathématicien Gérard Desargues, le premier à comprendre le rôle important de la perspective, jette les bases de la géométrie projective des coniques. Son étude sur les triangles dans l'espace intéresse Pascal.

France
La révolte paysanne des va-nupieds enflamme toute la Normandie.

La France achète l'Alsace.

Après avoir été nonce apostolique extraordinaire à Paris, Mazarin passe entièrement au service du roi.

Pascal invente la machine à calcul.

Inde
Fondation d'un comptoir à Madras par les Anglais. →

Sibérie
Les Russes entreprennent la conquête de la Sibérie.

Rome
Pierre de Cortone peint la fresque commémorant le triomphe d'Urbain VII au palais Barberini, qu'achève l'architecte Bernin.

Claude Gellée, dit le Lorrain, peint *Le Port d'Ostie avec embarquement de sainte Paule.*

Espagne
En 1637, Zurbarán avait reçu commande pour la chartreuse de Jerez de la Frontera d'un cycle de peintures comportant un retable monumental et une suite de petites figures exaltant les principaux personnages de l'ordre. Il y travaille encore lorsque lui est demandé de décorer la sacristie du monastère hiéronymite de Guadalupe. Ce cycle ne sera pas achevé avant 1645 et compte parmi ses œuvres majeures.

Angleterre
Charles Iᵉʳ lève des troupes contre les Ecossais, en révolte depuis l'instauration de la hiérarchie anglicane en Ecosse (1637). La majorité presbytérienne écossaise a réclamé par le *Covenant* (1638) le retour du *statu quo ante*. Pour appuyer

leur revendication, les Ecossais ont franchi la frontière.

Dantzig
Le poète baroque allemand Martin Opitz vient de s'éteindre. Il est l'auteur du fameux *Livre de la poésie allemande.*

Amsterdam
Rembrandt grave *La Mort de la Vierge.*

Roumanie
Construction de l'église des Trois-Saints à Jassy.

Empire ottoman
Le traité de Zuhab délimite les frontières entre les Ottomans et les Safavides perses.

Martinique
Introduction de la canne à sucre.

Congo
Les Hollandais s'emparent du Congo portugais.

1640

Angleterre, 13 avril
Charles Iᵉʳ, qui manque d'argent pour lever une armée contre les Ecossais, se résout à convoquer le Parlement, pour la première fois depuis 1629.

Londres, 4 mai
Le *Court Parliament* est dissous.

Barcelone, 6 juin
Révolte catalane. →

France, septembre
L'*Augustinus* de Jansénius est publié après sa mort par ses amis. →

Cinna et *Horace*, de Corneille. →

Portugal, 1ᵉʳ décembre
Soulèvement contre l'Espagne. →

Allemagne
Frédéric-Guillaume succède à son père Georges Guillaume, grand électeur de Brandebourg depuis 1619. Il posera les fondements du futur Empire prussien.

Roumanie
Pierre Movila, érudit moldave et métropolite de Kiev, fonde l'Académie basilienne, sur le modèle de celle de Kiev : on y enseigne le latin, les langues slaves et le grec, ainsi que la rhétorique, la philosophie et la poétique.

Rome
Contre-Réforme : essor du baroque, en architecture, peinture et sculpture. →

L'art du tapis dans l'Empire ottoman

Tapis à motifs géométriques et fleurs stylisées. Ushak, Turquie. XVIIᵉ siècle.

Empire ottoman, XVIIᵉ siècle
La conquête de l'Egypte (1517) et de l'Azerbaïdjan (au nord-ouest de la Perse) a pour effet de faire venir à Istanbul et à Brousse des ouvriers qualifiés dans l'art du tapis (1590). Des tapis dits osmanli, dont la technique et les teintes sont très voisines des tapis mamelouks, mais dont le dessin est absolument nouveau, sont apparus en Asie Mineure. Combinant harmonieusement les influences persanes avec des motifs spécifiquement mamelouks, ils représentent l'art de cour du tapis turc, qui diffère nettement du tapis d'Asie Mineure. Le tapis ottoman (dont le lieu de fabrication est parfois Istanbul ou Brousse, mais plus souvent Le Caire et Ushak) est caractérisé par ses motifs géométriques d'une rigoureuse symétrie, bien que l'on puisse parfois percevoir une influence persane dans une figuration asymétrique. En général, l'impression d'ensemble est déterminée par un semis de fleurs et de vrilles qui se répète.

Les Anglais fondent un comptoir à Madras

Inde, 1639
Une factorerie anglaise est installée près de la ville de Madraspattam, sur la côte orientale de l'Inde. L'attribution à l'*East India Company* du monopole commercial ouvre la voie au développement de la présence britannique en Orient. Par le traité de Goa, qui établissait en 1635 des relations amicales entre Anglais et Portugais, la côte occidentale de l'Inde s'ouvrait au commerce britannique. Mais le monopole des Hollandais sur le commerce des épices de Ceylan et de l'Extrême-Orient et la faiblesse économique du Gujerat, après la famine de 1630, forcent la Compagnie à chercher de nouveaux débouchés, notamment dans les territoires hindous du sud, où les tarifs sont très avantageux. Un arrangement avec un souverain local permet aux Anglais de s'installer.

Triomphe des trois unités dans "Horace" de Corneille

Paris, septembre 1640
Comme *Le Cid*, la dernière tragédie de Corneille, *Horace*, présente des héros dont le sens de l'honneur est particulièrement exigeant : à Rome, Horace tue sa sœur qui pleurait la disparition de son époux Curiace, mort dans le combat qui l'opposait aux Horaces et à Rome ; il sera acquitté en raison de sa passion pour sa patrie. *Horace* respecte la règle des trois unités : une seule intrigue se déroulant dans une seule journée et en un seul lieu. Outre cette règle, beaucoup réclament la séparation des genres, le respect de la vraisemblance et des bienséances face à une tendance contraire, prônant au théâtre la liberté et la profusion.

Lutte des Catalans pour leur indépendance

Barcelone, 6 juin 1640
Barcelone est en pleine révolution, alors qu'en ce jour de la Fête-Dieu devaient avoir lieu de nombreuses festivités. Le peuple est en colère : les fonctionnaires catalans, trop serviles, sont massacrés et le vice-roi Santa Coloma est assassiné par la foule. A la révolte paysanne s'ajoute l'insurrection urbaine. Le 22 mai, 500 paysans sont entrés dans Barcelone pour délivrer trois députés de la Généralité, emprisonnés pour avoir refusé de livrer les finances régionales au vice-roi. Il est vrai que la politique de guerre du duc d'Olivares alourdit chaque année un peu plus les impôts, mais ce qui les mécontente plus encore, c'est l'obligation faite aux Catalans de servir dans l'armée espagnole hors de leur province. La Généralité ne tarde pas à prendre la tête du mouvement et cherche l'appui de la France. Louis XIII sera proclamé comte de Barcelone.

Bernin. Fontaine des Quatre-Fleuves, piazza Navone, Rome. 1648-1651. Une des plus célèbres fontaines de la Rome baroque.

Rome, capitale de l'art baroque

De grandes créations imposent à Rome, vers 1640, un art nouveau, glorieux et varié, qui favorise la collaboration de tous les arts. Ce mouvement est appelé « baroque » par les adversaires de ces formes jugées irrégulières, exagérées, absurdes (Furetière note que le mot, d'origine portugaise, désigne les « perles qui ne sont pas parfaitement rondes »). Cet art est souvent identifié avec la Contre-Réforme ; il contraste avec l'idéal classique de l'équilibre et de l'harmonie. Après l'austérité du pape Pie V, ses successeurs renouent avec la tradition des papes mécènes qui voient dans la beauté de Rome un hommage rendu à Dieu. La paix extérieure et la victoire du catholi-

cisme sont autant de raisons de construire, transformer, magnifier Rome. On reprend les travaux de Saint-Pierre, où Bernin et Borromini, les deux rivaux, se disputent la primauté de l'invention. Partout, une intensité décorative se fait jour. Carrache, Albani, Guido Reni, Dominiquin, Pietro da Cortona peignent, décorent et embellissent ces nouvelles constructions. Cet engouement est lié à l'esprit aristocratique et raffiné des nobles et à l'Eglise dont la religion devient ardente, mystique et rituelle : Borromini construira le Collège de la propagation de la foi, à la façade ondulée par l'effet des courbes et contrecourbes. L'art répond par le mouvement à la douleur et l'inquiétude, devenues le moteur du spectacle baroque.

Pietro da Cortona. « La Gloire des Barberini ». 1636-1639. Voûte du grand salon, palais Barberini, Rome. Composition en perspective plafonnante représentative de l'art baroque.

Zurbarán, peintre des moines et des saintes

Jerez de la Frontera, Espagne, 1639
Francisco de Zurbarán (1598-1664) vient de recevoir commande d'un grand cycle pour le monastère des chartreux de Jerez de la Frontera, qui compte parmi ses chefs-d'œuvre. Les grands tableaux du rétable, d'un caractère solennel et majestueux, sont encore surpassés par la série des petites figures des moines formant procession le long du couloir qui mène à la chapelle du Saint-Sacrement. A la même époque, Zurbarán décore la sacristie du monastère de Guadalupe (Cáceres) où vit l'ordre des Hiéronymites : dans les grandes toiles consacrées à la vie de saint Jérôme, le peintre alterne les contrastes lumineux violents et la sombre intensité des scènes méditatives. La sévérité de son naturalisme, la maîtrise extraordinaire de son chromatisme, la puissance de son ténébrisme font de Zurbarán, considéré comme le « Caravage espagnol », l'un des grands maîtres de la peinture espagnole.

Sainte Apolline. Peinture religieuse de 1649 exécutée par Zurbarán et ses élèves pour Buenos Aires en Amérique du Sud.

Les amis de Jansénius publient l'"Augustinus"

France, septembre 1640
En 1638, le Flamand Cornelius Jansen, dit Jansénius, évêque d'Ypres, meurt en laissant un énorme manuscrit, écho de ses conversations et de ses lettres avec Saint-Cyran, dont il était l'ami (ils avaient étudié ensemble la théologie à Louvain). Deux ans plus tard, ses amis de Louvain le font paraître sous le titre *Augustinus*. Dans cet ouvrage purement théologique, Jansénius prétend systématiser la pensée de saint Augustin sur le problème de la Grâce : il s'agit d'une interprétation stricte de la pensée d'Augustin. Il rappelle la nécessité de la Grâce divine pour que le pécheur puisse mériter son salut ; mais cette Grâce ne doit pas nuire à la liberté humaine en vertu de la gratuité absolue de la prédestination. Si Port-Royal soutient cet ouvrage, il est par contre violemment combattu par les jésuites, qui adoucissent la théologie de la prédestination pour faire place au libre-arbitre et aux mérites de l'homme.

Le Portugal se libère de la tutelle espagnole

Lisbonne, 1er décembre 1640
Une conjuration dirigée par João Pinto Ribeiro, fondé de pouvoir de la maison de Bragance, vient d'arriver à ses fins. Entrés secrètement dans le palais de la duchesse de Mantoue, vice-reine du Portugal, les partisans des Bragance viennent d'assassiner et défenestrer Miguel de Vasconcelos, l'agent servile et arrogant de la politique espagnole. Celle-ci tendait à assimiler le Portugal à l'Espagne, tout en écrasant d'impôts les populations opprimées. La diplomatie de Richelieu a joué un rôle décisif dans le déclenchement de la révolte, en offrant au Portugal son appui militaire. Mais la révolte couvait déjà depuis des années. Dom João, duc de Bragance, attendait prudemment dans son palais de Vila Viçosa. Il avait dû, en 1637, refuser cette couronne, la situation n'étant pas mûre : il va être proclamé roi du Portugal à son arrivée dans la capitale, libérant ainsi le pays de soixante ans de domination étrangère.

1640

Istanbul, février
Le sultan Murât IV (1623-1640) meurt : Ibrahim lui succède.

Angleterre
Le roi réunit un nouveau Parlement. →

Le comte de Strafford, ministre de Charles Ier, est mis en accusation.

Anvers
Mort du peintre flamand Pierre Paul Rubens. →

Finlande
Per Brahe fonde à Turku la première université finlandaise, qui marque l'apparition de la conscience nationale : l'enseignement y est donné en finnois.

Allemagne
Frédéric Guillaume devient Grand Electeur de Brandebourg.

Antilles
Début des voyages triangulaires entre les côtes de Guinée, les Antilles et l'Europe.

Portugal
Richelieu appuie une révolution qui arrache le Portugal à la domination des Espagnols. Proclamé roi, Jean IV le Fortuné fonde la dynastie royale de Bragance.

Chine
Le chef de bande Li Zicheng, parti du Shan-hsi à la tête de 200 000 hommes, se proclame généralissime. Mais il n'ose pas usurper le titre d'empereur et laisse les Ming régner.

Italie
Richelieu occupe la Savoie et Turin.

1641

Londres, mai
Strafford est exécuté.

Londres, 12 septembre
Le peintre hollandais Antoon van Dyck vient de mourir. →

Irlande, octobre
L'Ulster se soulève contre les colons anglais.

Londres, 1er novembre
La « Grande Remontrance » est présentée au roi. →

France
Mazarin est fait cardinal par Richelieu.

Louis Le Nain peint *Vénus dans la forge de Vulcain.*

Paris
Frappe des premiers louis d'or. L'architecte français Etienne Ange Martel, dit Martellange (né en 1569), meurt au moment où il vient d'achever la construction de Saint-Pierre-Saint-Paul, maison professe à Paris de la Compagnie de Jésus, à laquelle il appartenait. Il a préféré la nef unique au plan du Gesù de Vignole, plus favorable à la prédication.

Pays-Bas espagnols
Le cardinal infant Don Fernando, gouverneur des Pays-Bas, meurt à l'âge de trente-deux ans.

Groningue, Provinces-Unies
Mort du théologien protestant néerlandais François Gomar (né en 1563). Contre le libéralisme d'Arminius, il a affirmé que la prédestination est antérieure à la chute d'Adam. Ses thèses l'emportèrent au synode calviniste de Dordrecht (1618-1619) et les ministres arminianistes, critiquant le dogme de la prédestination, durent s'exiler.

Italie
Monteverdi compose *Le Retour d'Ulysse dans la patrie.*

Giacomo Torelli transforme la machinerie théâtrale en organisant les premiers changements de décor à vue. C'est lui qui, en 1637, avait aménagé pour 14 000 spectateurs la salle du Palais-Royal sur l'ordre de Richelieu.

Naples
Le peintre Domenico Zampieri (né en 1581), dit Dominiquin, meurt. Il fut l'un des aides de Carrache au palais Farnèse à Rome, où il peignit *La Femme à la licorne.* Son œuvre se compose essentiellement de fresques dont il a décoré de nombreuses demeures, comme la villa Aldobrandini à Frescati.

Espagne
Tentative de soulèvement en Andalousie.

Malaisie
Les Anglais doivent céder Malacca aux Hollandais.

Russie
Les Russes prennent Azov.

1642

Hollande
R. Descartes publie ses *Méditations métaphysiques.*

Début de la révolution anglaise

Londres, 1er décembre 1641
La Chambre des communes ne fait plus confiance au roi : les députés ont pris la décision de contrôler l'exécutif. Il n'est plus question de tempérer la prérogative royale ; la « Grande Remontrance », qui vient d'être formulée, la nie purement et simplement. A onze voix de majorité, la Chambre des communes a demandé un contrôle parlementaire sur la nomination de tous les conseillers, ambassadeurs et officiers du roi. La Remontrance vient d'ouvrir la voie à une véritable révolution constitutionnelle. Il est vrai que Charles Ier Stuart, depuis un an, n'a pas été très adroit face à ce Parlement, qu'il a été obligé de convoquer en avril 1640, dans le but de bénéficier de ressources fiscales supplémentaires. Les troupes royales venaient d'être écrasées par les Ecossais en révolte, le roi avait besoin d'argent et comptait sur le patriotisme anglais. Or, le Parlement avait subordonné toute aide à l'octroi préalable de garanties politiques. Dès le 4 mai, ce *Court Parlement* était aussitôt dissous par le roi. Le 30 novembre 1640, les événements l'ont conduit à rassembler un nouveau Parlement, qui s'en est pris très vite au responsable de la tyrannie. Le 12 mai 1641, le roi a dû accepter l'arrestation et l'exécution de son ministre Strafford. En octobre 1641, l'Irlande se révolte. C'est au moment de voter les crédits nécessaires à la levée d'une armée que le Parlement présente la « Grande Remontrance » (1er décembre 1641). Dès janvier 1642, Charles Ier ripostera en ordonnant l'arrestation de cinq députés de l'opposition, dont John Pym et Hampden. Mais les Communes refuseront de livrer les cinq accusés. La Cité de Londres, alors en effervescence, se rangera du côté de Pym. Devant cette situation, le roi, le 10 janvier, quittera la capitale et transportera sa cour à Windsor.

Antoon van Dyck. Portrait de Charles Ier d'Angleterre. 1635. L'une des meilleures toiles de l'artiste.

La mort de Van Dyck

Londres, 12 septembre 1641
L'œuvre de ce peintre précoce, qui assimile très tôt la leçon de Rubens, se caractérise par de larges et souples coups de pinceau. Ses formes sont plus élancées que chez son maître et le registre des expansions plus dramatique et sentimental. Sa virtuosité dans le rendu des satins et des étoffes, sa science des groupements (*Le Prince Guillaume II et sa jeune épouse*, 1641, sa dernière œuvre) auront un immense prestige auprès des portraitistes anglais.

Pascal invente la machine à calculer

Rouen, 1642
C'est pour soulager son père dans les calculs longs que le jeune Blaise Pascal (1623-1662) conçoit à 19 ans une machine arithmétique qui permet de faire avec sûreté toutes sortes d'opérations. Les roues dentées qui composent sa machine permettent, grâce à un mécanisme d'index automatique, de faire des retenues et donc de passer d'une dizaine à l'autre sans effort. La « pascaline » assure déjà à son inventeur une renommée scientifique certaine à travers l'Europe, en dépit des difficultés qu'il rencontre pour la faire construire.

La machine à calculer inventée par Pascal.

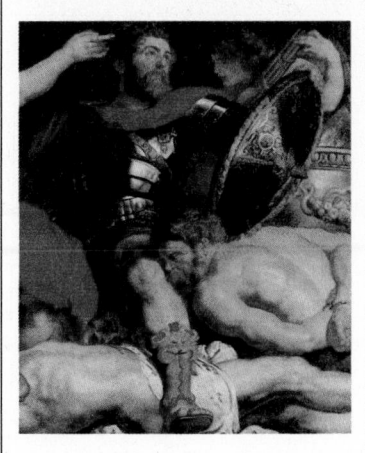

Rubens. « Le Couronnement du héros vertueux ». Vers 1613-1614.

Pierre Paul Rubens, le maître du baroque, est mort

Anvers, 1640

Abandonnant la machine méticuleuse de la tradition picturale flamande, Rubens, qui séjourna en Italie de 1600 à 1608, a créé un genre nouveau en peinture, le baroque nordique, en se souvenant de l'ampleur des grands maîtres italiens, à laquelle il a conféré une énergie toute nouvelle par l'intensité des couleurs, par le dynamisme de la conception et par le brio de son exécution. Les types humains qu'il a créés sont marqués par l'allure héroïque des hommes et la plénitude sensuelle des femmes. Ces corps, qui ont une fonction essentiellement picturale plutôt qu'un contour nettement dessiné, s'intègrent à l'espace lumineux qui les environne. Le charme de sa technique éblouissante se fond sur la richesse et la chaleur des couleurs, vibrantes de lumière. Installé à Anvers, Rubens acquit rapidement une très brillante situation sociale. Elaborant ce style qui allait faire sa

Pierre Paul Rubens. « L'Enlèvement des filles de Leucippe ». 1616. Alte Pinakothek, Munich. Illustration représentative de l'art baroque.

gloire, il obtint de nombreuses commandes. Traitant de préférence des thèmes religieux comme l'Eucharistie, l'Assomption, la vocation ou le martyre des saints, il réalisa de vastes œuvres déployant un rare sens de la mise en scène, multipliant de larges effets dramatiques, exaltant l'énergie dynamique et cultivant avec passion les mouvements ascensionnels, tourbillonnants et les poses instables. Ne craignant pas de se mesurer avec l'illustre chef-d'œuvre de Michel-Ange, il exécuta dès 1611-1614 un véhément *Jugement dernier*. Son goût de la pompe et de la rhétorique se retrouve dans les grandes sé-

ries trouve dans les grandes séries commandées par les différentes cours d'Europe. Son extrême fécondité, sa puissance de travail et la rapidité de son exécution expliquent l'abondance de sa production : en dépit de l'existence de son fameux « atelier », les grandes compositions sont de la main de Rubens. Le lyrisme, l'éloquence et la sensualité s'épanouissent notamment dans ses compositions mythologiques : *Suzanne et les Vieillards* (1614-1616), *Enlèvement des filles de Leucippe* (1618), *Silène ivre*, *Les Trois Grâces* ou *Le Combat des Amazones*. Cette vitalité prend, à partir des années 1630-1635, des accents plus intimes comme en témoignent *Le Jardin d'amour* (1633), *L'Artiste et sa femme au jardin* (1631), ou le chef-d'œuvre qu'est le portrait de sa jeune femme, *Hélène Fourment et deux de ses enfants*.

Pierre Paul Rubens. « Paysage à l'arc-en-ciel ». Vers 1635-1637. Une vision à la fois panthéiste et humaine de la nature.

Pierre Paul Rubens. Isabelle Brant, la première femme de l'artiste. Vers 1608.

La révolte gagne toute l'Irlande

Irlande, 1642

Les Irlandais insurgés contre l'Angleterre se donnent un commencement d'organisation : une assemblée générale de représentants des circonscriptions parlementaires se réunit à Kilkenny pour former une confédération. Depuis quelques années, l'Irlande paraissait soumise à la domination anglaise. La société gaélique n'existe plus, les dernières écoles bardiques ont fermé leur porte. Mais le comte de Strafford ayant été exécuté en mai 1641, l'Angleterre étant au bord de la guerre civile, voilà que les Irlandais en ont profité pour s'insurger. C'est d'Ulster, où les injustices sont les plus systématiques et les plus criantes, qu'a éclaté la révolte, il y a quelques mois. Les insurgés ont massacré une dizaine de milliers de colons anglais et écossais et ont marché en direction de Dublin. L'attitude agressivement protestante du *Long Parlement* décide même un grand nombre d'Anglais catholiques à se joindre à la rébellion qui s'étend dans le Leinster, le Munster et à présent dans le Connacht. L'Irlande cependant n'est pas unanime. La confédération de Kilkenny ne compte que des catholiques, mais les confédérés eux-mêmes sont divisés. Les « Anciens Anglais » (catholiques) aspirent à un arrangement rapide avec le roi, tandis que les Irlandais de pure souche, qui ont perdu leurs terres aux confiscations successives, sont généralement d'avis de poursuivre la guerre.

Cinq-Mars, favori de Louis XIII, décapité

Lyon, 12 septembre 1642

Pour avoir tenté d'assassiner Richelieu afin de prendre sa place, Cinq-Mars vient d'être décapité. Il a dix-neuf ans lorsque Richelieu décide d'en faire son nouveau favori. Mais Cinq-Mars va bientôt être plus préoccupé par la vie de la cour que par le roi. Dès 1640, Richelieu, qui doit

Le marquis de Cinq-Mars.

de plus en plus souvent intervenir, s'attire bientôt l'animosité de son ancien protégé. En 1641, Cinq-Mars s'était déjà mêlé en secret à la conjuration du comte de Soissons. Cette fois-ci, il s'engage de toute sa personne dans une nouvelle intrigue contre Richelieu à qui il reproche sa politique de guerre. Il se propose de conclure la paix avec l'Espagne et signe un traité secret avec Olivares. Mais Richelieu s'en procurera une copie qu'il montrera au roi. Cinq-Mars est aussitôt arrêté.

1642

Rome, 8 janvier
Galilée est mort.

Angleterre, 10 janvier
Après l'arrestation manquée des chefs de l'opposition, Charles Iᵉʳ s'enfuit à Windsor.

Rome, 6 mars
Le pape condamne l'*Augustinus* de Jansénus ; mais la bulle ne sera publiée qu'en 1643.

Paris, 26 mars
Création de la Compagnie des Indes orientales et de Madagascar.

Le prêtre Jean-Jacques Olier (1608-1657), qui vient de recevoir la cure de Saint-Sulpice, fonde la congrégation de Saint-Sulpice qui organise l'acheminement de colons vers le Canada et fonde cette année la ville de Montréal. →

Le philosophe anglais Hobbes, partisan des Stuart et réfugié en France depuis 1640, publie *Du citoyen*.

Angleterre, 22 août
Le roi déclare la guerre au Parlement. C'est le début d'une guerre civile opposant la cavalerie (royaliste) aux têtes rondes (puritains).

Sainte-Luce, Madagascar, septembre
Le *Saint-Louise,* de la Compagnie des Indes orientales, débarque l'administrateur colonial Pronis avec une quarantaine d'hommes.

France, 4 décembre
Le cardinal de Richelieu est mort. →

Angleterre, décembre
Six comités d'East Anglia lèvent, sous la direction de Cromwell, une force commune antiroyaliste.

Roussillon
Les Français enlèvent la place forte de Perpignan aux Espagnols : la région est désormais sous domination française ; conquête qui sera confirmée en 1659 par le traité des Pyrénées.

France
Louis Le Nain peint *Le Repas des paysans*. →

François Mansart commence la construction du château de Maisons-Laffitte (1642-1650).

Rome
Burromini achève l'oratoire de Saint-Philippe Neri auquel il travaillait depuis cinq ans ; il entreprend aussitôt le chantier de l'église Saint-Yves-de-la-Sapience, qui sera achevée en 1661.

Le peintre français Charles Le Brun se rend à Rome.

Monteverdi triomphe avec son opéra *Le Couronnement de Poppée*.

Le sculpteur flamand François Duquesnoy (1597-1643), fils du créateur du Maneken-Pis à Bruxelles (Jérôme Duquesnoy, 1617), exécute *Putti jouant de la musique* ; spécialiste des figures d'angelots, il a réalisé le *putti* du célèbre Baldaquin du Bernin à Saint-Pierre de Rome ; son frère Jérôme Duquesnoy (1602-1654) travaille à Bruxelles.

Le pape interdit l'usage du tabac. →

Angleterre
Les auteurs sont désormais protégés : il est interdit de publier un ouvrage sans l'autorisation de son auteur (début du *copyright*).

Les puritains font fermer tous les théâtres du pays.

Finlande
Per Brahe fonde la première imprimerie finlandaise, qui entreprend d'éditer une Bible en langue finnoise.

Sibérie
Les Russes fondent Yakoutsk, qui deviendra un grand centre du commerce de la fourrure.

Côte-de-l'Or, Afrique occidentale
Les Hollandais prennent le fort portugais d'Axim.

Chine
Li Zicheng est battu par les Manchous, appelés par le général Wu.

Pacifique Sud
Le navigateur hollandais Abel Tasman (1603-1659) découvre la terre de Van Diemen (Tasmanie) et la Nouvelle-Zélande.

Paris
Après *Horace* (1640), *Cinna* (1641), Pierre Corneille fait représenter *Polyeucte*.

Amsterdam
Rembrandt réalise sa plus grande toile : *La Ronde de nuit*. →

Rembrandt. « *La Ronde de nuit* ». 1642. Rijksmuseum, Amsterdam.

Rembrandt peint "La Ronde de nuit"

Amsterdam, 1642
Il n'y a pas de *ronde* dans *La Ronde de nuit*. Son titre exact : « La Sortie de la compagnie de tireurs du capitaine Frans Banning Cocq et du lieutenant Willem van Ruytenburch ». Ce titre erroné est-il une simple commodité ? Est-il un symbole mystérieux, qui exprime, par son charme luministe, l'obscur et le tragique ? L'obscurité n'est-elle pas en effet liée à la tragédie, à l'incompréhensible ? Le tableau fait surgir de nombreuses questions : sur la nature même de l'art de Rembrandt ; sur ce genre pictural de la représentation des compagnies de tireurs dans l'histoire de l'art hollandais ; sur la signification et l'interprétation, enfin, de cette œuvre sans pareille.

Malgré l'insistance de Louis XIII, Poussin retourne en Italie

Paris, 1640-1642
La réputation de Nicolas Poussin est telle que Paris le presse de revenir ; ayant fini par accepter, il est présenté au roi fin décembre 1640. Il est chargé d'honneurs, mais les complots des autres peintres et les travaux de décoration (Grande Galerie du Louvre) et de gravure qu'on lui confie lui paraissent détestables : comment pourrait-il se passer du paysage romain, si présent dans ses toiles ? Cette période de retour à Rome est des plus fécondes dans sa carrière : c'est dans les années 1640 que le peintre portera l'art du paysage à son niveau le plus noble. Les passions de l'homme seront délaissées au profit du paysage, genre pourtant considéré comme mineur.

Nicolas Poussin. « *La Peste d'Asdod* ». 1630. Musée du Louvre, Paris.

Louis Le Nain, peintre de la vie paysanne

Paris, 1642

Les trois frères, Antoine (1588 ?-1648), Louis (1593 ?-1648) et Mathieu (1607 ?-1677), tous trois peintres, sont fils d'un sergent royal originaire de Laon ; ils reçurent durant un an l'enseignement d'un peintre flamand. Ils ouvrent un atelier à Paris en 1629 et Antoine est nommé maître peintre à Saint-Germain-des-Prés. Leur réputation se fait rapidement : la nomination de Mathieu en 1633 comme « peintre ordinaire du roy » en est la preuve. Ils exécutent des commandes pour les échevins de la ville de Paris et pour les Petits-Augustins (*La Nativité*) ; ils réalisent aussi des portraits (*Anne d'Autriche*) et des sujets mythologiques (*Vénus dans la forge de Vulcain*), mais créent surtout trois genres qui font leur renommée : les portraits collectifs, les scènes de garde (dont on attribue généralement le caractère caravagesque à Mathieu : *Joueurs de trictrac, Corps de garde*), et surtout les scènes paysannes (généralement attribuées à Louis : *La Charette, Le Repas des paysans*, 1642). Ces scènes paysannes attestent une approche sensible de la nature, débarrassée des conventions au point de paraître isolée dans la peinture européenne de ce siècle. L'art des Le Nain atteint à des effets inattendus et pathétiques, s'attache à un réalisme intuitif et sensible. En 1648, tous trois seront admis à l'Académie royale de peinture et de sculpture au moment même de sa formation. Mais Louis mourra brusquement le 24 mai, suivi le 26 par Antoine.

Louis Le Nain. « *Famille de paysans dans un intérieur* ». Vers 1640-1642. Musée du Louvre, Paris.

L'usage du tabac interdit par Urbain VIII

Rome, 1642

C'est Christophe Colomb qui a ramené d'Amérique le tabac, en 1493. Ce produit exotique connaît une grande vogue dans toute l'Europe, mais déjà on dénonce ce legs d'un peuple sauvage à l'Europe civilisée : on l'accuse du déclin de l'Espagne, le premier pays où il a commencé à se répandre. Le pape Urbain VIII vient d'interdire ce poison suspect de produire des hallucinations, des aberrations de comportement. Produit du diable, la tabagie dissocie les familles, perturbe les rapports entre hommes et femmes (le fumoir étant séparé du salon des femmes) et détruit le corps social.

Joos van Craesbeeck. « Le Fumeur » (portrait de l'artiste ?).

Les Français fondent Montréal

Québec, 17 mai 1642

Dès 1615, Samuel de Champlain conçoit l'idée d'une colonie française sur le Saint-Laurent, position stratégique pour la traite des fourrures. En 1635, Jérôme de la Dauversière reprend l'idée de Champlain et, avec l'aide économique du baron de Fancamp, fonde la « Société de Notre-Dame de Montréal pour la conversion des sauvages de la Nouvelle-France ». Cette association s'inspire des idées des jésuites, stipulant que pour convertir les Indiens il faut les rendre sédentaires et les « civiliser », une colonie française étant donc indispensable. L'association recrute alors Paul Chomedey de Maisonneuve comme chef de l'expédition, avec la double tâche de l'évangélisation et du peuplement. Arrivé à Québec à la fin de 1641, le convoi reprend la route au printemps et fonde Montréal le 17 mai 1642, sous le nom de Ville-Marie.

Le cardinal de Richelieu s'est éteint

Paris, 4 décembre 1642

Louis XIII vient de perdre son homme de confiance : le cardinal Armand du Plessis de Richelieu est mort à de l'autorité royale et l'établissement de la prépondérance française en Europe. Toutefois, sa politique de guerre contre les Habsbourg lui vau-

Le cardinal Armand du Plessis, duc de Richelieu, sur son lit de mort. 1642. Peinture attribuée à Philippe de Champaigne.

l'âge de 57 ans. Entré dans les ordres non par vocation mais pour conserver dans sa famille l'évêché de Luçon, cet homme ambitieux et intelligent décida de se mettre au service du roi. Premier ministre, il poursuivra un double but : la restauration dra l'hostilité des nobles, puis du clergé, mécontent de la politique extérieure anticatholique, mais aussi des paysans qui ne supportent plus le poids fiscal de la guerre. Aussi sa disparition est-elle accueillie avec soulagement.

Les révoltes populaires en France

France, 1629-1630, 1636 et 1639

Depuis quelque temps, le royaume de France ne voit pas d'année s'écouler sans révolte : si les rébellions sont endémiques, c'est qu'elles marquent le refus populaire à l'égard du régime de guerre permanent. Ces soulèvements, déjà fréquents avant 1630, vont se multiplier du fait de la misère et de la pression fiscale. Ces manifestations populaires se forment au cri de : « Vive le roi sans gabelle ». Certaines années, des régions entières se soulèvent, villes et campagnes mêlées, souvent encadrées par des nobles et des bourgeois. En effet, les masses populaires sont souvent soutenues dans leur révolte par des parlementaires, des officiers et des magistrats municipaux, menacés dans certains de leurs privilèges par les progrès de l'administration monarchique, ou encore par des seigneurs qui prennent la défense de leurs paysans contre les excès des « gabeleurs ». Les révoltes les plus graves sont souvent dues aux mauvaises récoltes. Les événements les plus graves ont eu lieu durant les années 1629-1630, 1636 et 1639. Aux milliers de morts provoqués par la peste de 1629 s'ajoute la lourde mortalité provoquée par les mauvaises récoltes de l'année suivante : les vivres sont hors de prix et le peuple meurt littéralement de faim. En 1636, le pays, envahi par les Espagnols, se soulève contre la fiscalité royale : des émeutes éclatent à Rennes, Bordeaux et Amiens ; la grande « révolte des Croquants » (ce nom donné aux paysans en colère vient d'un outil agricole, le « croc »), partie d'Angoulême, souleva la plupart des régions entre Loire et Garonne. 1639 est l'année des « Va-nu-pieds », la grande jacquerie normande. Il n'y a cependant pas de cohésion dans ces mouvements. L'approche d'une petite armée royale et quelques châtiments exemplaires suffisent à rétablir un ordre bousculé par les accès de colère et de désespoir.

1643

Madrid, 14 janvier
Philippe IV renvoie son ministre, le comte Olivares. Don Luis de Haro, son neveu, lui succède. →

Saint-Germain-en-Laye, 14 mai
Mort de Louis XIII. Mazarin devient Premier ministre. →

Paris, 18 mai
La régente Anne d'Autriche demande au Parlement l'annulation du testament de Louis XIII. Directeur du Conseil depuis la mort de Richelieu, Jules Mazarin, qui est l'amant d'Anne, reste au pouvoir. →

Rocroi, Ardennes, 19 mai
Les Français font subir une grave défaite aux Espagnols. →

Paris, juin
Jean-Baptiste Poquelin abandonne ses études de droit et fonde l'Illustre Théâtre avec Madeleine Béjart, ses frères Joseph et Louis, Tiberio Fiorelli, dit Scaramouche, et huit autres comédiens. Il va prendre le nom de Molière.

Paris
Le Parlement commence à s'agiter. Il multiplie les remontrances et les refus d'enregistrement.

Antoine Arnauld (1612-1694) publie *De la fréquente communion.* →

Madrid
Velasquez peint *Vénus et l'Amour.*

Rome
Le pape Urbain VIII, par la bulle *In Eminente,* condamne l'*Augustinus.* →

L'organiste de Saint-Pierre de Rome, Girolamo Frescobaldi, vient de mourir.

Corneille revient à la comédie avec *Le Menteur,* dont le thème est emprunté à la *Vérité suspecte* (1630), œuvre d'Alarcon, dramaturge espagnol (1580-1639).

France
Louis Le Nain peint *Le Corps de garde.*

François Eudes de Mezeray (1610-1683) publie le premier volume de son *Histoire de France.* Il est aussi l'auteur de nombreux pamphlets politiques et le fondateur de la congrégation des Eudistes.

De graves soulèvements populaires éclatent en Rouergue, Auvergne, Dauphiné, etc.

La famine sévit en Bretagne et en Normandie. Interdiction est faite d'exporter du blé de ces régions.

Angleterre
Rupert, neveu de Charles Ier, prend la ville de Bristol.

Thomas Fairfax (1612-1671) est battu par les royalistes de Newcastle à la bataille de Roundway Down. C'est une défaite des parlementaires.

Irlande
James Butler, premier duc d'Ormonde (1610-1688), chargé de réprimer la révolte irlandaise, négocie l'arrêt des hostilités.

Amsterdam
Le jeune peintre hollandais Carel Fabritius (1622-1654) quitte l'atelier de Rembrandt dont il était l'élève depuis 1641. Mais l'influence du maître reste très forte dans *La Résurrection de Lazare,* qu'il vient d'achever.

Dans son *Autoportrait,* Rembrandt se représente en compagnie de sa femme Saskia, morte l'an dernier.

Christiania, Norvège
Un imprimeur compose le premier livre publié en Norvège, un *Almanach.*

Amérique du Nord
Les Hollandais, sur l'ordre du général Willem Kiefft, massacrent les Indiens Algonquins.

Les quatre colonies puritaines de Plymouth, Massachusetts, Connecticut et Newhaven s'unissent pour former le dominium de Nouvelle-Angleterre.

Chili
Un tremblement de terre détruit la ville de Santiago.

Lhassa, Tibet
Le dalaï-lama fait ériger le palais de Potala. →

Sibérie
Des pionniers russes atteignent le fleuve Amour.

Pacifique Sud
Tasman découvre l'archipel de Tonga et atteint Fiji et la Nouvelle-Guinée.

Madagascar
Pronis crée Fort-Dauphin. →

Louis XIII en armure. 1629. Atelier de Philippe de Champaigne.

Portrait du jeune Louis XIV. 1648. Peinture de Henri Testelin.

A la mort de Louis XIII, un enfant de cinq ans monte sur le trône

Saint-Germain, 14 mai 1643
Louis XIII n'aura survécu que quelques mois à son fidèle Richelieu. Il n'eut que le temps d'organiser la régence de son fils, âgé de quatre ans, au profit d'un Conseil de régence composé de la reine Anne, Gaston d'Orléans, Condé et Mazarin. Mais le premier geste politique de la reine-régente

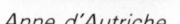

Anne d'Autriche.

Mazarin.

sera de demander au Parlement de Paris de casser le testament du feu roi et de lui accorder « l'administration libre, absolue et entière des affaires du royaume ». Ce sera chose faite le 18 mai. D'intelligence médiocre et sans éducation politique, autoritaire et entêtée, Anne choisira pour Premier ministre le cardinal Mazarin, auquel elle s'était profondément attachée. Très différent de Richelieu, le nouveau cardinal-ministre fera montre néanmoins d'une intelligence, d'une puissance de travail et d'un sens de l'Etat et de la politique comparables.

Le palais-monastère du Potala, résidence du dalaï-lama à Lhassa.

A Lhassa, construction du palais du dalaï-lama

Tibet, 1643
Le cinquième dalaï-lama, chef spirituel et temporel du Tibet, entreprend de faire édifier le palais-monastère du Potala, dont la masse rouge tranchera sur la blancheur des autres édifices. Très représentatif d'un nouveau style d'architecture monastique, qui ne cherche plus à se dissimuler dans les replis du relief mais s'affiche, au contraire, au sommet d'un point culminant, le Potala de Lhassa doit son nom au bodhisattva compatissant Lokesvara, dont le Potala est le palais céleste.

Louis II de Bourbon, prince de Condé à la bataille de Rocroi. Peinture de Sauveur Le Conte.

Condé écrase les Espagnols à Rocroi

Rocroi, 19 mai 1643

C'est une grande victoire que vient de remporter le duc d'Enghien, dit Condé, démontrant que la redoutable infanterie d'Espagne n'est plus invincible. Cette victoire a un grand retentissement car c'est la première remportée depuis un siècle par une armée française. Ce sont les Espagnols qui avaient pris l'initiative d'attaquer la France. Jugeant celle-ci affaiblie par la mort de Richelieu, les Espagnols ont pris l'offensive dans les Ardennes et une armée de 26 000 hommes commandée par don Francisco de Mello assiège la petite place forte de Rocroi. Condé, âgé de vingt-trois ans, avait reçu son commandement par la faveur de Richelieu, dont il était le neveu par alliance. Il décida de libérer la ville. Après avoir fait passer son armée par un défilé, il fit irruption dans la plaine, mit en déroute par une charge de cavalerie l'aile gauche espagnole, puis disloqua leur aile droite. Les Espagnols ont perdu 15 000 hommes, tués ou prisonniers. Cette bataille marque la fin de leur puissance militaire.

Antoine Arnauld défend les thèses de Jansénius

France, 1643

Antoine Arnauld vient de publier *De la fréquente communion*, où il défend l'*Augustinus* de Cornelius Jansénius (1585-1638) combattu par les jésuites qui en obtinrent la condamnation par l'Inquisition en 1641, puis par la bulle *In Eminenti* d'Urbain VIII, le 6 mars 1642. Antoine Arnauld est le plus jeune des dix-neuf frères et sœurs de la mère Angélique (directrice de Port-Royal) et le meilleur disciple du janséniste Jean de Saint-Cyran. Dans son ouvrage, Arnauld s'intéresse davantage que Jansénius aux problèmes moraux et aux engagements pratiques qu'aux questions strictement théologiques : c'est pourquoi son ouvrage contribue beaucoup plus sûrement que le pesant traité de l'évêque d'Ypres à la diffusion en France des idées jansénistes. Ainsi les polémiques lancées par Jansénius et reprises par Arnauld et ses amis de Port-Royal vont déborder le milieu ecclésiastique et intéresser une large partie de l'opinion, inquiétant de ce fait le pouvoir. *De la fréquente communion* marque la naissance du mouvement janséniste sous sa double forme, théologique et morale. Cet ouvrage fit censurer Arnauld et contribua à son exclusion de la Sorbonne, où il avait été reçu docteur en 1641.

Le physicien Torricelli invente le baromètre

Florence, 1643

Disciple direct de Galilée, Evangelista Toriccelli met en évidence l'existence de la pression atmosphérique par une expérience. Ayant rempli de mercure un tube de verre vide d'air et fermé à une de ses extrémités, il l'a renversé dans une cuve remplie de mercure et a constaté un vide en haut du tube, d'autre part que le niveau du mercure se maintient à 76 cm de haut. C'est l'invention du baromètre et la première mesure de la pression atmosphérique.

Evangelista Torricelli. Peinture de Napoleone Boni.

Le comte-duc d'Olivares à cheval. 1633. Détail. Peinture de Vélasquez.

Claudio Monteverdi. Peinture de Domenico Fetti. Accademia, Venise.

Pronis devient chef de la colonie française à Madagascar

Madagascar, 1643

Jacques Pronis sauve la petite colonie française du désastre en fondant Fort-Dauphin, qui deviendra le symbole de la présence française dans la Grande Ile. En effet, l'année dernière en septembre, les agents de la Compagnie française des Indes orientales, venus dans le but de charger de l'ébène à Madagascar, étaient quarante quand ils débarquèrent ; à la fin de l'année, il n'en restait plus que quatorze. Et la fièvre continuait à faire des ravages parmi les colons

Le roi d'Espagne renvoie Olivares

Madrid, 14 janvier 1643

Après plusieurs mois d'un siège cruel, le marquis Florès d'Avilla a rendu la place de Perpignan aux Français. L'Espagne a perdu le Roussillon fin 1642. La politique d'Olivares s'avère un échec. Aussi le roi Philippe IV d'Espagne décide-t-il de se passer de ses services. Gaspar de Guzman, comte-duc d'Olivares (1587-1645), règne sur l'Espagne depuis 1621, alors que le jeune souverain monte sur le trône et fait de lui son favori (*validos*). Homme énergique et d'une grande probité, il s'est mis en tête de rendre à l'Espagne sa grandeur, en pratiquant une politique intérieure de lutte contre la corruption et le luxe des Grands (janvier 1623), et en menant une politique extérieure audacieuse ; il a repris sans succès la guerre contre les Provinces-Unies (1621) et a jeté l'Espagne dans la guerre de Trente Ans. Mais il fut contraint, par cette politique, à des mesures de fiscalité oppressives qui provoquèrent de graves troubles intérieurs et par contrecoup son bannissement. Il a été le protecteur de Rubens, Vélasquez, Murillo et Lope de Vega.

Mort du compositeur Claudio Monteverdi

Venise, 29 novembre 1643

Le corps de Claudio Monteverdi (né en 1567) a été déposé dans la chapelle des Lombards et une messe solennelle est célébrée. Les sénateurs Di Marco et Bolegno prononcent son oraison funèbre. L'année dernière, *Le Couronnement de Poppée* portait l'opéra à un point d'équilibre parfait entre les impératifs lyriques et les exigences théâtrales. Le maître de Crémone avait donné en 1640 le recueil *Selva morale e Spirituale*, suivi en 1642 par les *Psaumes* et une messe à quatre voix da cappella. Son style (*incitato*), dont les critiques se sont effarouchés, annonce l'opéra moderne.

quand les indigènes, convoitant la marchandise accumulée dans les magasins, résolurent de s'emparer du fort. Averti de la menace qui pesait sur la petite colonie française, Jacques Pronis rencontra le chef suprême des indigènes et parvint à regagner sa protection en lui offrant des présents. Ainsi les Français peuvent-ils s'installer en paix sur l'éperon rocheux de Fort-Dauphin, qui deviendra le centre des opérations de la Compagnie. Pour plus de sécurité, Pronis épouse Andrianramach, la fille du chef indigène, se mettant de ce fait dans l'obligation d'entretenir une importante belle-famille. Mécontents, ses hommes ne vont pas tarder à se révolter.

1644

Angleterre, 2 juillet
Cromwell écrase les royalistes à Marston Moor.

Rome, 15 septembre
Le pape Urbain VIII vient de mourir. Ami de Galilée, il a adouci sa détention. C'est lui qui a condamné l'*Augustinus* de C. Jansénius (1640) et a commandé à Bernin le Baldaquin de Saint-Pierre (1633). Sa tombe sera exécutée par Bernin.

Angleterre, novembre
John Milton publie un pamphlet, *Aeropagetica ou De la liberté de la presse*.

Amsterdam
Descartes publie en latin ses *Principes de la philosophie*.

Allemagne
Turenne (1611-1675) et Enghien battent les forces impériales à Fribourg. Ils s'emparent de Mayence et de Worms.

Paul Gerhardt (1607-1676) écrit des *Cantiques*, dont le rythme et la beauté rivalisent avec ceux de Luther.

Bruxelles
Mort du chirurgien flamand Jan Baptist van Helmont, qui a découvert le gaz carbonique qu'il appelait le gaz sylvestre ; il a mis également en évidence le rôle du suc gastrique dans la digestion.

Chine
Les Ming sont renversés. →

Pacifique Sud
Tasman dresse la carte des côtes nord et ouest de l'Australie.

France
Le jeu de l'oie, qui vient de Venise, passionne la marquise Marie de Sévigné.

Paris
Pierre Gassendi est nommé professeur au Collège de France. Il combat l'influence de Descartes, à qui il oppose sa doctrine sensualiste et matérialiste.

Le graveur Abraham Bosse (1602-1676), qui a appris le procédé à l'eau forte auprès de Jacques Callot, fait paraître son *Traité des manières de graver en taille douce*.

François Mansart commence le Val-de-Grâce. →

Rome
Bernin exécute *La Transverbération de sainte Thérèse*.

Athanasius Kircher, le savant allemand qui travaille au déchiffrement de la langue copte et des hiéroglyphes égyptiens, vient de réaliser la première lanterne magique.

Angleterre
La Cornouaille est attaquée par une flotte barbaresque.

Autriche
La paix de Linz garantit la liberté religieuse aux Hongrois grâce à la politique de Georges Ier Rakoczi.

Suède
La paix de Brömsebro est signée. →

Chine
L'Allemand Johann Schall (1592-1666) devient directeur de l'institut mathématique et astronomique de Pékin. Jésuite, il contribue à l'introduction du catholicisme en Chine.

Li-Zicheng, que l'on tenait pour mort, sort de prison et réapparaît au service des Qing.

Mali
Fondation du royaume Ségou. →

1645

Londres, janvier
L'archevêque de Canterbury, William Laud (né en 1573), est exécuté. Son désir d'imposer à tous une liturgie anglicane proche du catholicisme a provoqué la révolte des puritains et des presbytériens.

Angleterre, 14 juin
Le roi Charles Ier est écrasé à Naseby par les armées de Cromwell.

1646

Angleterre, mai
Le roi est livré au Parlement. →

France
Saint Genest, tragédie de Jean Rotrou, relate le martyre du comédien Genest sous Dioclétien.

Jean-Baptiste Poquelin, devenu Molière, est incarcéré au Châtelet : les débuts de l'Illustre Théâtre (1643) sont désastreux et la compagnie est criblée de dettes.

Suicide du dernier empereur Ming

Chine, 1644
Les eunuques, qui détiennent, depuis de nombreuses années, la réalité du pouvoir, acculent le dernier empereur Ming au suicide. Les troupes populaires rebelles de Li Zicheng entrent dans Pékin et les Manchous, qui n'attendaient qu'une occasion favorable pour intervenir, installent la dynastie Qing (Ch'ing) en Chine. Dès le début du XVIIe siècle, causes extérieures et crises internes provoquent la chute des Ming. Le principal danger extérieur vient du nord-est : en 1616, le chef manchou Nurhachi s'affranchit de la suzeraineté chinoise et se proclame empereur. Son fils fonde la dynastie des Ch'ing en 1636. Dès lors, les attaques manchoues sont constantes. Le développement de la grande propriété, qui déloge les petits paysans, et le poids de plus en plus lourd de la fiscalité poussent les cultivateurs chinois à fuir leurs terres et à s'organiser en bandes : des régions entières deviennent incontrôlables. Les sociétés secrètes se multiplient. Le soulèvement de Li Zicheng, parti du Shanhsi et du Hunan, contribue fortement à la chute des Ming. A Pékin, les empereurs ne sont plus que des jouets entre les mains des eunuques qui ont confisqué la totalité du pouvoir. Le mécontentement populaire éclate avec violence dans les villes. Les fonctionnaires lettrés, premières victimes du pouvoir des eunuques, s'organisent en une société semi-secrète. En 1644, devant l'avance des Manchous et les succès de Li Zicheng, les eunuques comprennent que leur intérêt ne réside plus dans la loyauté à la dynastie Ming : ils ouvrent les portes de la Cité interdite aux troupes rebelles, acculant au suicide le dernier empereur de la dynastie.

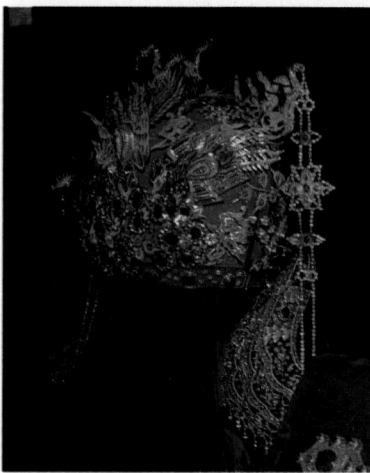

Couronne des derniers empereurs de la dynastie chinoise des Ming.

Les Bambaras fondent le royaume de Ségou

Afrique occidentale, 1645
A partir du XVIe siècle, l'Afrique est confrontée à de graves problèmes économiques qui aboutiront à la désagrégation des grands empires et à la naissance de nouveaux États qui, en cette période de recul de l'islam, sont essentiellement païens. C'est ainsi que les Bambaras, venus de la région de Djenné, renversent le dernier roi du Mali, pour fonder le royaume de Ségou. La première dynastie, celle des Coulibaly, mènera ce royaume à son apogée avec Mamari Coulibaly, dit « Biton » (le chef de bande), grand chasseur venu s'installer dans le village de Sikoro sur les bords du Niger où il fonde une association (le *Ton*, en bambara), qui peu à peu déborde le cadre de la chasse et s'étend à l'ensemble des activités de la collectivité. Cette confrérie impose à ses membres (appelés les Ton Dyon) des règles de comportement très strictes, un impôt et surtout une obligation militaire. Biton enrôle l'ensemble du peuple Bambara dans une véritable armée de métier et étendra son royaume du haut Niger jusqu'à Djenné.

La Baltique échappe à la suprématie danoise

Suède et Danemark, 1645
Outre la croisade luthérienne, l'un des motifs qui avaient poussé le roi du Danemark, Christian IV, à intervenir dans la grande guerre européenne était la volonté de s'assurer la possession des évêchés entre Elbe et Weser, afin de contrôler le commerce de l'Allemagne du Nord, et de faire de la Baltique et de la mer du Nord un lac danois. Ces ambitions ne pouvaient laisser la Suède indifférente. Bien que les deux puissances soient alliées contre l'Empire, cet antagonisme devait tôt ou tard les mener à une guerre ouverte, qui éclate au cours de l'été 1643. C'est la Suède qui a pris l'initiative : Torstenson, qui commandait l'armée suédoise en Moravie, fait marche vers le nord et occupe le Jutland et le Holstein. Une autre armée, commandée par Horn, envahit la Scanie et le Halland. Une victoire navale livre aux Suédois la position insulaire de Bornholm, en même temps que les embouchures de l'Elbe et de la Weser. Les Provinces-Unies, alliées de la Suède, envoient une flotte pour bloquer le Sund. Le cardinal Mazarin offre alors sa médiation : la paix est signée à Brömsebro en 1645. Le Danemark renonce à ses ambitions et perd les détroits, les îles de Gotland et d'Œsel et l'évêché de Brême ; le Halland est cédé pour trente ans à la Suède, qui annexe également les provinces norvégiennes du Jämtland et du Härjedalen.

Claude Lorrain. « Ulysse remettant Chryséis à son père ». 1647. Comme toujours chez Claude Lorrain, le vrai sujet est la lumière.

Claude Lorrain, peintre de la lumière

Rome, 1645

Claude Gellée, dit le Lorrain (1600-1682), est d'origine paysanne. Presque illettré, il part pour Rome en 1619, où il travaille chez Agostino Tassi, paysagiste qui le forme à la peinture. Il élabore une nouvelle conception du paysage qui privilégie l'observation directe de la nature. Dès 1644, il commence, pour éviter

les contrefaçons, un *Liber veritatis*, catalogue constitué des dessins faits à partir de ses tableaux soigneusement répertoriés. La lumière tend à devenir le sujet principal de ses tableaux *(Port de mer au soleil couchant, Les Quatre Heures du jour)* : il rend la vibration de l'air par de subtiles gradations de ton. Il s'affirme comme la figure majeure, avec Poussin, du paysage classique.

Le boom du commerce négrier

Afrique, vers 1640

Après avoir défait les envahisseurs maures, Portugais et Espagnols les poursuivent à partir de 1415 jusqu'au Maroc. Ils prennent ainsi conscience de l'existence au sud du Sahara d'un vaste territoire habité par les Noirs, riche en or et échappant au contrôle de leurs ennemis musulmans : les Ibériques, lancés à la conquête du monde, se découvrent de nouvelles ambitions. Toutefois, l'intérêt de l'Eu-

rope préindustrielle pour l'Afrique se limite encore à l'or et à l'ivoire. Dès 1510, cependant, les colonies espagnoles d'Amérique importent des esclaves noirs par l'intermédiaire des Portugais. La consommation de sucre augmentant en Europe, les plantations des Amériques exigent davantage de main-d'œuvre. Le commerce négrier est considérablement activé vers 1640, notamment par les Français, Anglais et Hollandais.

La « traite des Nègres » : l'un marchande, l'autre vend. Gravure d'après George Morland. Vers 1800.

François Mansart sur le chantier de l'église du Val-de-Grâce

Paris, 1645

C'est à Paris, dans les ateliers de son père charpentier, de son beau-frère sculpteur et de son oncle maître maçon que François Mansart (1598-1666) est formé. Est-ce ce triple apprentissage qui fait de lui un homme intransigeant et indécis ? Le bâtiment construit ne correspond jamais aux plans initiaux. Charles Perrault dit bien son caractère : « Cet excellent homme qui contentait tout le monde par ses beaux ouvrages ne pouvait se contenter lui-même ; il lui venait toujours en travaillant de plus belles idées que celles où il s'était arrêté d'abord... » Son art s'inspire de Pierre Lescot et de Salomon de Brosse ; mais il y ajoute la rigueur géométrique de Philibert Delorme. C'est en 1645 que la reine Anne d'Autriche demande à Mansart d'ajouter une église et un palais au couvent du Val-de-Grâce. Le plan de l'église est nouveau : le transept massif et carré est situé à la croisée d'une courte nef et de deux bras occupés par des chapelles. Un an après, il est renvoyé. Est-ce son exigence ou son indécision qui en est la cause ? Ou le changement de goût qui se crée sous Louis XIV ? Ce sont Lemercier et Le Muet qui obtiennent de poursuivre l'édification du Val-de-Grâce, en modifiant notamment l'élévation de la chapelle. Ce sont eux également qui sont responsables de la façade. Le style ample, symétrique et sobre de Mansart, qui a le goût des proportions et des ordonnances claires, jouera un rôle de premier plan dans l'élaboration du classicisme français.

L'église du Val-de-Grâce à Paris. 1645-1665. Commencée par Mansart, poursuivie et remaniée par Jacques Lemercier et Pierre Le Muet.

Le roi Charles Ier est livré au Parlement par les Ecossais

Londres, mai 1646

En avril 1646, le roi Charles Ier de Stuart est contraint de battre en retraite vers le nord, face aux armées du Parlement. Etant d'origine écossaise, il cherche refuge chez les Ecossais, pensant trouver chez eux un soutien. Mais les Ecossais sont déçus par son refus réitéré de signer le *covenant* de 1638, qui aurait eu pour effet de supprimer la hiérarchie anglicane introduite en Ecosse par Jacques Ier. Aussi décident-ils de livrer le roi au Parlement, lequel a réglé l'arriéré des soldes pour obtenir le départ des mercenaires écossais d'Angleterre. C'est là l'aboutissement d'un affrontement militaire qui dure depuis 1642. Le 2 juillet 1644, à Marston Moor, Cromwell et son nouveau régiment des Côtes de fer ont fait subir aux troupes royales une grave défaite. Cependant, les parlementaires hésiteront à exploiter cette défaite. En 1645, le roi a perdu ses comtés les plus riches et a de plus en plus de mal à conserver des effectifs militaires importants avec un trésor vide. Les parlementaires ayant renoncé à leur attentisme, Sir Thomas Fairfax organise la *New Model Army*, sur le modèle de la très fameuse armée suédoise : 22 000 hommes, bien payés et disciplinés, ont été ainsi enrôlés. Dotée d'une bonne artillerie et composée pour une partie importante de cavaliers, cette armée a écrasé les troupes royales à Naseby, le 14 juin 1645.

1647

Naples, juillet
Les Napolitains se révoltent. →

Londres, 6 août
L'armée occupe la capitale. →

France
Pascal publie ses *Expériences nouvelles touchant le vide.*

Paris
Corneille est admis à l'Académie française.

Orféo de Rossi est joué au Palais-Royal avec un vif succès.

Mazarin prend une ordonnance contre les vagabonds et les Bohémiens.

Claude Fabre, seigneur de Vaugelas (1585-1650), dirige les travaux de l'Académie française et publie des *Remarques sur la langue française*, non pour fixer mais pour régler la langue : réagissant contre les « latinisants », il prône le recours à l'usage fondé sur le « bon goût » de la cour et de la ville.

Bologne
Le jésuite B. Cavalieri (né en 1598) vient de mourir. Mathématicien, il a donné un nouveau départ au calcul intégral.

Londres
Orazio Lomi, dit Gentileschi (né en 1565), peintre et décorateur italien, vient de mourir. Il était un des principaux propagateurs du caravagisme familier et populaire, aux accents parfois mélancoliques et retenus : *Annonciation* (1623), *Joueuse de luth.*

Angleterre
George Fox (1624-1691), cordonnier, convaincu d'être appelé par le Saint-Esprit, commence à prêcher. Ses amis, les quakers, refusent toute liturgie et tout clergé.

La Haye
L'historien et poète hollandais Pieter Hooft (né en 1581) est mort. Son salon attirait tous les grands esprits de sa génération. Il est l'auteur d'une remarquable *Histoire des Pays-Bas.*

Japon
Nul ne préparera jamais le thé comme Kobori Enshu : le maître dans l'art de la cérémonie du thé vient de mourir. Il avait pour élève le shôgun Tokugawa Iemitsu en personne.

1648

Londres, mars
Les officiers décident de faire passer le roi en jugement.

Istanbul, 8 août
Le sultan Ibrahim est assassiné. →

Paris, 26 août
La journée des Barricades ouvre la Fronde : le peuple se soulève à la suite de l'arrestation du conseiller Broussel, dont il obtient la libération. La famille royale s'enfuit à Saint-Germain.

Münster, Allemagne, 24 octobre
La paix de Westphalie met fin à la guerre de Trente Ans. →

Londres, 6 décembre
Cromwell épure le Parlement. →

Puy-de-Dôme
Pascal effectue une expérience pour vérifier les découvertes de Torricelli. Il conclut à l'existence du vide.

Espagne
Mort du dramaturge T. de Molina.

Venise
L'église de la Salute est achevée. →

Provinces-Unies
Les sept provinces néerlandaises se déclarent indépendantes.

Pologne
De graves révoltes de Cosaques secouent le pays. →

Russie
La population moscovite se soulève contre la pression fiscale.

Crète
Les Turcs commencent le siège de Candie.

Transylvanie
Rakoczy conclut la paix avec les Habsbourg.

Angola
Les Portugais prennent Luanda.

Naples
Les Espagnols écrasent l'insurrection.

Paris
Mort des peintres Louis et Antoine Le Nain.

Mort du poète Voiture.

Mazarin fonde l'Académie de peinture et de sculpture.

Le Parlement de Londres est épuré par l'armée

Londres, 6 décembre 1648
Depuis février 1647, le roi Charles Ier était aux mains des parlementaires. Mais ceux-ci, qui sont divisés, ont entamé des négociations en vue d'une restauration. Or, une restauration suppose une parfaite soumission du pouvoir militaire au pouvoir civil. Si bien que l'armée, inquiète, a brisé, par un véritable coup d'Etat, les tentatives parlementaires en s'emparant de la personne du roi, et occupé la capitale. Et, par la création d'un Conseil général des armées, celle-ci s'est constituée en corps politique. Aussitôt, des résolutions sont prises : suppression de la Chambre des lords, exigence d'une constitution écrite, liberté religieuse... En octobre, des délégués de plusieurs régiments ont même voté l'égalité civique et l'adoption du suffrage universel. Et c'est ainsi que, le 6 décembre 1648, l'armée épure le Parlement, ne laissant plus en place qu'un « Parlement croupion ». La propagande des Niveleurs, le courant « radical » animé par John Lilburne (1614-1657), est bien reçue par les troupes, et leur programme n'a été repoussé qu'à une très faible majorité. Cependant, les Niveleurs ne sont pas des révolutionnaires sociaux ; eux aussi voient dans le droit de propriété la seule source du droit politique.

Les Barbaresques règnent sur les mers

Afrique du Nord, 1645
Depuis le siècle dernier, les marins des ports d'Afrique du Nord ont pris l'habitude de vivre de rapines. Des marchands européens se sont installés dans les ports de Tunis ou d'Alger pour y acheter des marchandises pillées qu'ils envoient au port franc de Livourne. Si bien que la prospérité des régences barbaresques repose progressivement sur le recel. Leur zone s'est étendue jusqu'à l'Atlantique. Une de leurs principales sources de revenus est le rapt des voyageurs européens : les plus connus et les plus riches, comme Cervantès en 1575, sont libérés contre rançon. Les plus pauvres restent et sont convertis à l'islam.

Navire néerlandais de premier rang. Vers 1680. Gravure sur cuivre.

Naples se révolte contre l'occupant espagnol

Naples, juillet 1647
C'est Masaniello, simple pêcheur d'Amalfi et marchand de poissons à Naples, qui prend la tête de la révolte. Un soulèvement qui a son origine dans la hausse des taxes sur les fruits décrétée par le vice-roi, le duc d'Argos, qui est le représentant de Philippe IV d'Espagne, à qui appartient Naples, la ville la plus peuplée d'Italie. Pour tenir la noblesse, il doit procéder à d'abondantes distributions d'or et d'argent qui l'obligent à multiplier les impôts, suscitant dans la population des explosions de colère. Masaniello promet aux Napolitains la liberté et la levée des impôts. Soutenu par le peuple, il est maître de la ville depuis une semaine et fait régner une justice sommaire, donnant libre cours à ses vengeances personnelles. Le vice-roi se résigne à traiter avec lui, mais Masaniello finira par prendre des mesures incohérentes et sera assassiné quatre jours plus tard. La révolte continuera sans lui.

Les Cosaques d'Ukraine rompent avec la Pologne

Ukraine, 1648
Sous la conduite du hetman Bogdan Chmielnicki, les Cosaques se soulèvent contre la Pologne. Aidés par les Tatars de Crimée, ils entraînent dans une révolte générale les paysans petits-russiens des provinces orientales. Le roi Jean II Casimir, battu à Zbovoro, doit retirer ses troupes d'Ukraine. Vers 1550, la Pologne avait essayé d'embrigader, pour la défense de ses marches orientales, les Cosaques d'Ukraine, transformés en soldats à service perpétuel en échange de la reconnaissance de la propriété de leurs terres. Par ailleurs, Sigismond III, influencé par la Contre-Réforme, avait encouragé au synode de Brest-Litovsk (1596) la création d'une Eglise uniate, pour regrouper les chrétiens qui, tout en conservant le rite grec, reconnaîtraient l'autorité de Rome. Ces attaques contre la religion orthodoxe, tout comme l'appétit de domination de la noblesse polonaise, provoquèrent le mécontentement des Cosaques.

Signature de la paix de Westphalie

Münster et Osnabrück, 1648

Les traités de Westphalie marquent la fin de la guerre de Trente Ans. Dès 1641, le principe d'une négociation était accepté par les trois principaux belligérants, le Saint Empire, la Suède et la France. A Münster, sous la médiation du nonce, se réunissent les représentants de Ferdinand III, des princes et des villes de l'Empire, du roi d'Espagne, des Provinces-Unies et des Cantons suisses. A Osnabrück, ce sont les litiges entre la Suède et l'Empire qui occupent les débats. Après de longues et laborieuses négociations, trois traités sont enfin signés : à La Haye, à Münster et à Osnabrück, le premier en janvier, les deux autres en octobre 1648. La paix de Westphalie est le constat d'échec de la politique impériale et un succès diplomatique pour la France. Ferdinand III doit accepter comme un fait irrévocable la division religieuse de l'Allemagne : les clauses de la paix d'Augsbourg et le principe *cujus regio, ejus religio* sont confirmés, mais le bénéfice s'étend désormais aux calvinistes. L'empereur doit aussi se résoudre à un affaiblissement de son autorité. Les pouvoirs des princes sont en effet renforcés et la France et la Suède, les deux alliés privilégiés, s'instaurent les protecteurs des « libertés germaniques ». L'indépendance et la neutralité des Cantons suisses sont définitivement acquises. L'Espagne, quant à elle, est contrainte de reconnaître officiellement l'indépendance des Provinces-Unies. La France conserve les Trois-Evêchés annexés par Henri II et Pignerol ; elle obtient en outre Brisach et la plus grande partie de l'Alsace ; mais surtout elle est à même de jouer un rôle de premier plan dans les affaires intérieures de l'Allemagne. La Suède, qui reçoit une partie de la Poméranie, contrôle à présent les embouchures des trois grands fleuves allemands : la Weser, l'Elbe et l'Oder.

Scène finale de la ratification du traité de Münster en octobre 1648. Peinture de Gérard Terborch. Détail. National Gallery, Londres.

Assassinat du sultan fou, Ibrahim

Istanbul, 8 août 1648

N'ayant pas réussi à obtenir l'abdication d'Ibrahim, surnommé « le Sultan fou », en faveur de son fils, les janissaires et les ulémas l'enferment dans ses appartements. La claustration lui cause un traumatisme, accentue sa maladie et finit par le rendre fou furieux. Son assassinat met fin à l'un des règnes les plus désastreux de l'histoire otto-

Le sultan Ibrahim.

mane. Lorsque Ibrahim avait accédé au trône en février 1640, il n'avait ni formation ni expérience, ce qui le mit sous l'entière dépendance de sa mère. En peu de temps, tout le système élaboré grâce à l'énergie de Murat IV est mis à terre. En janvier 1644, il avait fait arrêter et exécuter le dernier grand vizir de son père, Kara Mustafa, qui était parvenu jusque-là à endiguer l'inflation, à mettre un frein aux excès du gouvernement et à réduire le nombre de janissaires et de sipahis salariés. La reine mère, qui n'avait cessé de conspirer contre Kara Mustafa pour n'avoir pu ni l'utiliser ni le contrôler, devenait ainsi maîtresse de la situation. Elle fit l'erreur de lancer le sultan dans la désastreuse campagne de Crète (→ 1669) pour combattre les Vénitiens, qui réussissaient à piller les rivages ottomans de l'Adriatique et même à organiser, pour un temps, le blocus des Dardanelles, provoquant un état de panique à Istanbul (1648) et précipitant la chute d'Ibrahim.

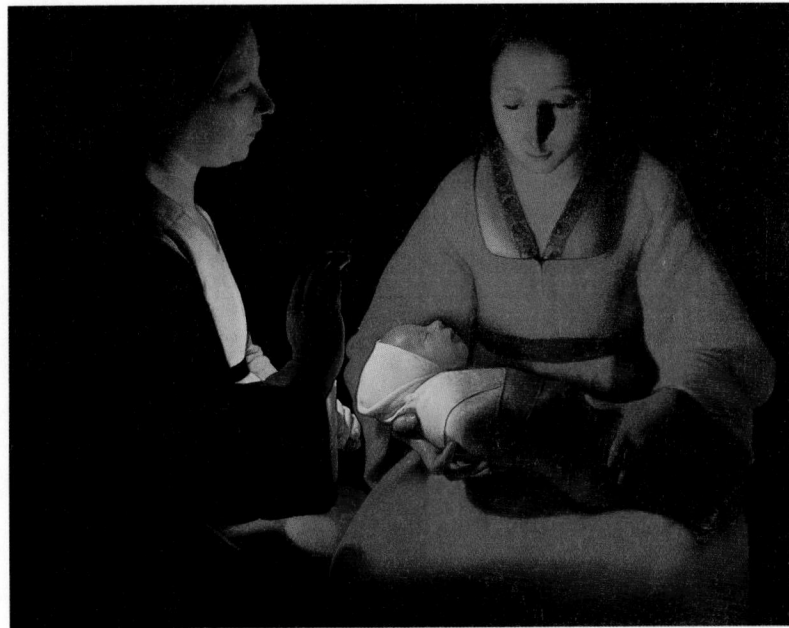

Georges de La Tour. « Le Nouveau-né ». 1646-1649.

Santa Maria della Salute à Venise. 1631-1687. Architecte : Baldassare Longhena. L'édifice majeur du baroque vénitien.

Les "nocturnes" de Georges de La Tour

Lorraine, 1648

Nettement influencé par Caravage, Georges Dumesnil de La Tour est, depuis 1639, « peintre ordinaire du roy » Louis XIII, qui a admiré son *Saint Sébastien pleuré par sainte Irène*. Ses scènes de genre ou profanes sont en général présentées sous un éclairage diurne (*Le Joueur de vielle, La Bonne Aventure, Le Tricheur à l'as de carreau*). Ses tableaux à thème religieux exploitent avec une rare maîtrise les possibilités expressives de l'éclairage nocturne (la source lumineuse provenant le plus souvent d'une bougie) : *La Madeleine, Le Nouveau-né, L'Adoration des bergers, Job, Saint Sébastien soigné par Sainte Irène*. Cette œuvre sans équivalent montre à travers l'unité de la lumière physique et mentale l'union du silence et de la dimension spirituelle de la peinture.

La Salute, l'œuvre majeure de Longhena

Venise, 1647-1648

Baldassare Longhena (1598-1682) a été formé aux règles de l'architecture préconisées par Andrea Palladio, le génial architecte de la Renaissance. La façade de l'église Santa Maria della Salute (1630-1683) perpétue la notion de rythme essentielle au style palladien. Par l'originalité des partis pris, l'invention et le pittoresque du décor, son œuvre constitue l'édifice majeur du baroque vénitien. Longhena a également conçu le cénotaphe de Giovanni Pesaro dans l'église des Frari ; il édifiera en outre le palais Pesaro et commencera la Ca'Rezzonico (1667), que A.-G. Massari terminera.

1649

Londres, 30 janvier
Le roi Charles Ier est exécuté. →

Paris, 11 mars
La paix de Rueil est signée. →

Irlande, 21 septembre
Cromwell ordonne le massacre de Drogheda : 1 500 victimes.

Angleterre
Les partisans de Gérard Winstanley, les Diggers, dénoncent la propriété comme instrument de l'esclavage et proposent une grève générale des ouvriers agricoles pour provoquer une véritable transformation de la société.

Paris
Le peintre officiel Simon Vouet est mort. Menacé par la présence à Paris (1640-1642) de Nicolas Poussin, il avait intrigué contre son ancien élève.

Italie
Niccolo Amati (1596-1684), membre d'une célèbre famille de luthiers à Crémone, fabrique ses premiers violons.

Espagne
Le Grand Théâtre du monde, du poète dramatique espagnol Pedro Calderon (1600-1681), inspiré par la Contre-Réforme, connaît un vif succès.

Suède
Descartes arrive à Stockholm sur l'invitation de la reine Christine. Il publie son traité sur les *Passions de l'âme*.

Ukraine
Les Cosaques de Khmielnitzki massacrent les Juifs.

Russie
Le *zemski sobor* est convoqué. →

Sibérie
Fondation d'Okhotsk. →

1650

Provinces-Unies, 18 janvier
Réunion d'une assemblée extraordinaire de tous les Etats de province, qui détient la réalité des pouvoirs.

France, 18 janvier
L'arrestation de Condé provoque la Fronde des princes. →

Stockholm, 11 février
Descartes n'a pas supporté le climat de la Suède. Il vient de mou-

rir dans le palais de la reine Christine.

Ecosse, 3 septembre
Cromwell bat les Ecossais à Dunbar et soumet l'Ecosse.

France
Mort de Gabriel Naudé (né en 1600), philosophe athée.

Londres
Le poète mystique Henry Vaughan (1622-1695) publie *Silex Scintillans* (*Etincelles tirées du silex*), recueil de poèmes d'inspiration chrétienne.

Angleterre
Des corsaires barbaresques pénètrent dans le canal de Bristol.

Début de la consommation du thé.

Italie
Deux géographes et astronomes, le père G. B. Riccioli (1598-1671) et le jésuite F. M. Grimaldi publient une carte de la Lune.

Après un premier séjour en Italie (1629-1631), Diego Vélasquez retourne à Rome, où il peint les *Jardins de la villa Médicis*, le portrait de *Innocent X* et *La Vénus au miroir* (le premier nu de la peinture espagnole).

Agra, Inde
Construction de la mosquée de la Perle et du fort Rouge.

Oman
Le sultan se lance à la conquête des côtes d'Afrique orientale. →

Japon
Un des premiers « peintres de genre », Matabei (né en 1578), vient de mourir.

Mer de Chine
Koxinga écume la région. →

Rethel, Ardennes
Henri de Turenne, qui se rallie à la Fronde, est vaincu par les Espagnols. Il reprendra la ville en 1653.

Canada
Les Iroquois s'acharnent sur les Hurons, dont ils détruisent systématiquement tous les villages.

1651

Paris
Le philosophe anglais Thomas Hobbes (1588-1679) publie *Le Léviathan*, où il expose ses théories politiques : « L'homme est un loup pour l'homme. » →

La Fronde parlementaire en France

Paris, 6 janvier 1649
C'est l'effervescence dans la capitale, où l'on vient de déclarer Mazarin, ennemi public : le Parlement de Paris a décidé de prendre en main le gouvernement car le cardinal Mazarin s'est enfui de Paris cette nuit avec la reine et le jeune roi. L'agitation remonte à l'année dernière. En réaction contre une décision de Mazarin, obligeant les officiers des cours souveraines à racheter le renouvellement de la Paulette (hérédité des offices), les magistrats s'assemblent au début du mois de juillet 1648 pour rédiger une véritable charte qui tend à placer la monarchie sous le contrôle de ses officiers. Le texte est accueilli dans l'enthousiasme par les Parisiens. Pour les calmer, la régente ratifie, par une déclaration royale du 31 juillet, la plupart des 27 articles de la charte. Mais quelques semaines plus tard, Mazarin fait arrêter trois parlementaires connus pour leur opposition, notamment le très populaire Broussel : en quelques heures, plus de douze cents barricades cernent le Palais-Royal. Cédant à la pression populaire, la reine fait libérer Broussel et renouvelle l'acceptation des 27 articles. Grisé par son succès, le Parlement entend contrôler le gouvernement et Mazarin quitte Paris. Mais le cardinal attend son heure. Il sait que l'armée royale de Condé fait le blocus de la capitale. Il sait aussi que des dissensions apparaissent parmi les frondeurs. De plus, par peur de l'agitation populaire, les parlementaires préféreront traiter avec la régente. Le 11 mars sera signée la paix de Rueil, qui, en fait, ne réglera rien.

La décollation de Charles Ier d'Angleterre en place publique, le 30 janvier 1649. Scottish National Portrait Gallery, Edimbourg.

Charles Ier d'Angleterre est décapité

Londres, 30 janvier 1649
La hache vient de tomber : la tête a roulé. Le bourreau brandit alors le chef du roi, en criant : « Voici la tête d'un traître. » Ainsi vient de mourir Charles Ier, devant une foule silencieuse, respectueuse de son courage. Les juges rassemblés par Cromwell à Westminster Hall ont prononcé l'arrêt de mort du roi par décollation le 27 janvier. Passant outre l'opposition des Lords, c'est la Chambre des communes qui, contrôlée par l'armée, a organisé le procès du roi. A Londres, la populace sans travail est toujours prompte à l'émeute, les ouvriers et artisans souffrant des conditions économiques et les marchands de la Cité ayant de lourds griefs contre la politique économique de leur souverain. Les puritains aussi ont de violents ressentiments envers Charles Ier, et les esprits sont particulièrement excités. Le tribunal, réuni le 20 janvier, se sent soutenu par la pression populaire. La route est désormais libre pour supprimer les derniers vestiges de l'ancien régime. Le 6 février 1649, les députés vont supprimer la Chambre des lords. Le lendemain, la monarchie, jugée pesante et dangereuse pour la liberté, sera abolie. Le 19 mai, l'Angleterre sera définie comme un « Commonwealth and free State », le Conseil d'Etat émanant des Communes recevra le contrôle du pouvoir exécutif. Ainsi naît un nouveau régime dans lequel l'armée sera maîtresse. Une série de mesures va suivre : abandon de la langue française dans les cours de justice, conçu comme une mesure égalitariste, abolition de l'obligation d'assister à un service divin hebdomadaire, etc. La séparation des royaumes d'Angleterre, d'Irlande et d'Ecosse sera également abolie. C'est l'armée qui se fera l'instrument principal de cette unification.

Le supplice du fouet infligé aux paysans en Livonie « ayant commis quelque faute ». Gravure du XVIIᵉ siècle.

Le tsar Alexis instaure le servage en Russie

Russie, 1649

Les conflits sociaux s'aggravent en Russie vers le milieu du XVIIᵉ siècle, provoqués par la politique de Morozov qui avait pour seul but d'enrichir le trésor du tsar. Cette situation explosive provoqua une insurrection à Moscou en 1648, suivie par des révoltes à Koursk, Voronèje, Kozlov et Tcherdyne. Cette agitation sociale incita le gouvernement à convoquer le *zemski sobor*, afin d'élaborer de nouvelles lois. Premier code civil imprimé, le Code de 1649 consacra les droits des marchands et les prérogatives des propriétaires : ainsi les nobles obtinrent-ils le droit de léguer leur domaine. De surcroît, l'attachement des paysans à la terre était définitivement établi. La prescription accordée au-delà d'un certain délai aux serfs fugitifs se trouvait supprimée. Les paysans de l'Etat étaient eux aussi attachés à la glèbe. Le Code de 1649 marquait donc un pas considérable dans le développement du servage en Russie et com-

Le tsar Alexis. 1672. Extrait de « Portraits, blasons et sceaux... ».

portait également des mesures particulièrement répressives en matière judiciaire : les atteintes à l'ordre public étaient punies de la peine de mort. Mais de nouveaux troubles éclatèrent bientôt à Pskov.

Les Russes fondent Okhotsk sur les côtes du Pacifique

Russie, 1649

Lorsque les Cosaques fondent en 1649 Okhotsk, sur les bords de l'océan Pacifique, la Sibérie se trouve déjà sous le contrôle du tsar. L'Etat moscovite favorise, dès le XVIᵉ siècle, les entreprises des Stroganov avec l'expédition de Iermak. En 1639, les Russes atteignent la mer d'Okhotsk. Ils établissent à travers toute la Sibérie un réseau de postes fortifiés pour maintenir les populations locales, quoique peu nombreuses, sous leur

domination. L'exploitation économique de la Sibérie, puisque les indigènes sont soumis au paiement d'un tribut en fourrures (*jassak*), s'accompagne également d'une implantation de colons, surtout en Sibérie occidentale. La Sibérie orientale reste peu peuplée : seules quelques colonies perdues dans les forêts ou dans la steppe survivent sur la Léna ou sur l'Iénissei. Le poste fortifié de Tomsk n'a qu'un millier d'habitants au milieu du XVIIᵉ siècle. Ce qui explique le peu d'influence culturelle des Russes sur les peuples indigènes de Sibérie. Les Russes, quant à eux, reproduisent sur place le mode de vie qu'ils avaient en Europe.

Le sultan d'Oman évince les Portugais d'Afrique orientale

Afrique orientale, vers 1650

Au XVIIᵉ siècle, quand s'effondre la domination portugaise sur les côtes de l'Afrique orientale, du moins au nord du Mozambique, le sultan d'Oman acquiert la suprématie sur les mers autour de l'île de Zanzibar. A partir du début du XVIᵉ siècle, le Portugal s'était, sur les traces de Vasco de Gama, assuré le contrôle des rivages africains, et depuis, la présence islamique à Zanzibar, dans les Comores, sur les rivages de Madagascar et de l'Afrique orientale n'avait pas disparu. De plus, le blocus n'avait pas cessé d'être forcé, tantôt par les Hollandais et les Français, tantôt par les Turcs et les Arabes. Par conséquent, l'Afrique musulmane ne fut à aucun moment réellement coupée du reste de l'islam, les Portugais n'ayant réussi ni à éliminer les comptoirs musulmans des rivages ni à rejeter l'islam à l'intérieur des terres.

Condé à l'origine de la Fronde des princes

France, 18 janvier 1650

La guerre civile, qui a secoué la capitale il y a deux ans, vient de se rallumer. C'est l'attitude du duc Louis de Condé (1621-1686) qui dans le courant de 1649 a fait rebondir le mouvement et provoquer la seconde Fronde ou Fronde des princes. En effet, grisé par ses victoires militaires et ses services rendus à la royauté, Condé ne cachait pas sa prétention de remplacer Mazarin. Aussi, Anne d'Autriche, en accord avec son ministre, décide-t-elle le 18 janvier 1650 de faire arrêter et enfermer

Le philosophe Hobbes publie "Le Léviathan"

Paris, 1651

Thomas Hobbes (1588-1679) emprunte le nom de Léviathan, qui signifie « Dieu mortel », à la Bible. Dans cet ouvrage, Hobbes expose ses théories philosophiques et politiques : sensualisme, utilitarisme et despotisme. *Le Léviathan* est une métaphore de l'Etat, qui exerce une absolue souveraineté sur les individus. Si l'état de nature est celui de la guerre permanente (*Homo homini lupus* : l'homme est un loup pour l'homme), l'instinct de conservation (la crainte de la mort violente) conduit à élaborer un pacte (contrat social) par lequel les individus décident de renoncer à leurs droits naturels (liberté) en les transférant à la société, c'est-à-dire à l'Etat. Seul un pouvoir absolu peut garantir l'exécution du contrat social. Chez Hobbes, l'institution du pouvoir civil

Le corsaire Koxinga fait des ravages en mer de Chine

Mer de Chine, vers 1650

Les relations commerciales entre l'Europe et la Chine sont très perturbées depuis quelques années par l'activité d'un corsaire que les Hollandais ont surnommé Koxinga. C'est un métis de parents chinois et japonais. Né en 1624 près de Kyûshû, il s'appelle en réalité Zheng Chenggong. Installé près de Xiamen dans le sud du Fujian, il pille les riches cités maritimes de la province, poussant des raids jusqu'au sud du Zhejiang. Il trafique avec les Japonais et entretient de bonnes relations avec les survivants de la dynastie Ming déchue. En 1658, il poussera jusqu'à Nankin mais devra battre en retraite, se contentant de harceler la côte. En 1661, Koxinga va, avec 900 navires et 25 000 hommes, déloger les Hollandais de l'île de Taïwan, où ils étaient installés depuis 1624. A sa mort, en 1662, c'est son fils Zheng Jing qui lui succède.

Condé à Vincennes. Aussitôt, ses amis quittent Paris et s'efforcent de soulever les provinces. En fait, la situation n'est grave qu'en Guyenne où la princesse de Condé et le parlement de Bordeaux s'entendent avec

l'Espagne. Mais une armée royale forcera Bordeaux à capituler en octobre. Cependant, la victoire de Mazarin va réveiller l'hostilité du Parlement de Paris et provoquer l'union des deux Frondes.

Condé.

n'est donc pas une délégation mais une aliénation des pouvoirs de chaque citoyen : c'est pourquoi sa théorie constituera l'une des explications les plus sûres du despotisme.

Thomas Hobbes. Vers 1665. Peinture de J. M. Wright.

1651

Londres
L'Acte de navigation est voté. →

Allemagne
Le physicien allemand Otto von Guericke (1602-1686) invente la première pompe pneumatique.

Paris
Première publication du *Roman comique* de Paul Scarron, poète bossu et impotent, pensionné comme « malade de la reine ». Il va épouser (1652) la petite fille d'Agrippa d'Aubigné.

La disette sévit dans la capitale.

Utrecht, Provinces-Unies
Le peintre Abraham Bloemaert (né en 1564) meurt en pleine gloire. D'abord maniériste, il a rejoint le baroque. Son atelier d'Utrecht est très réputé. Il y a transmis son goût de la peinture italienne à ses élèves Hendrick Terbrugghen (1588-1629) et Gérard van Honthorst (1590-1656), qui compléteront leur formation par un voyage en Italie.

Sibérie
Les Russes envahissent le bassin de l'Amour, où ils fondent la ville fortifiée d'Albazin.

Angleterre
W. Harvey publie *Exercitationes de generatione animalium*, où il fait état de ses recherches en embryologie. Il a observé le développement de l'embryon de poulet et les premiers stades de la formation du fœtus des mammifères.

Naples
Le peintre espagnol José de Ribera réalise une œuvre d'une ampleur monumentale : *La Communion des Apôtres*.

1652

Lunéville, 30 janvier
Mort du peintre Georges Dumesnil de La Tour.

Mer du Nord, 17 juillet
Guerre maritime entre les Provinces-Unies et l'Angleterre, en conséquence de l'Acte de navigation. →

Irlande, août
Début de la colonisation systématique. →

Barcelone, 16 octobre
La révolte catalane est matée.

Paris
Fin de la Fronde : chassé par les bourgeois de la capitale, où il était entré avec l'aide d'Anne de Montpensier, la Grande Mademoiselle, Condé s'enfuit chez les Espagnols. Louis XIV et Anne d'Autriche reviennent dans la capitale, suivis peu après de Mazarin.

L'Italien Jean-Baptiste Lully vient populariser le menuet, une danse qui tient une place importante à la Cour.

Leipzig
Fondation d'une Académie d'amateurs curieux de la nature.

France
J. B. Bossuet est ordonné prêtre.

Pologne
Institution du *Liberum Veto*. →

Afrique de Sud
Jan van Riebeck fonde sur le cap de Bonne-Espérance un petit établissement administré à partir de Batavia.

Londres
Mort de Inigo Jones (1573-1652). Très influencée par le style palladien, son architecture est sobre et dépouillée (place de Covent Garden, 1631-1638).

Rome
Le Cavalier Bernin achève l'un de ses plus beaux monuments : la fontaine des Quatre-Fleuves, place Navone.

1653

Vatican, 31 mai
Condamnation du jansénisme par Innocent X. →

Paris
Nicolas Fouquet devient surintendant des Finances.

Le poète français Marc-Antoine Saint-Amant (1594-1661) vient d'écrire une épopée biblique, *Moïse sauvé*.

Nicolas Poussin peint *La Sainte Famille*.

Rome
Francesco Castelli, dit Borromini, commence les travaux de l'église de Saint'Andrea delle Fratte et élève la façade concave de Saint'Agnese. →

Hollande
Jan Vermeer peint une admirable *Vue de Delft*.

Exemple de bataille navale au XVIIe siècle : « Le Combat-de-quatre-jours ». Peinture d'Abraham Storck. National Maritime Museum, Greenwich.

L'Acte de navigation anglais provoque l'hostilité hollandaise

Londres, 9 octobre 1651
Le Parlement anglais vient de voter le *Navigation Act*, qui réserve à la flotte anglaise le transport des denrées coloniales : l'importation de marchandises par des vaisseaux étrangers est désormais interdite, ce qui causera un grave préjudice à la marine hollandaise. Après le différend qui opposa le juriste hollandais Hugo Grotius (1583-1645) à l'Anglais Selten, c'est maintenant une guerre commerciale que déclenchent les Anglais. Cet acte limité aux ports britanniques met en réalité en jeu le trafic hollandais des îles de la Sonde et des Indes. C'est une escarmouche entre l'Anglais Robert Blake (1599-1657) et l'amiral hollandais Marten Tromp (1597-1653) qui va déclencher les hostilités : Cromwell déclarera la guerre le 17 juillet 1652 et lancera aussitôt une razzia sur la flotte de pêche hollandaise dans les parages des Orcades et des Shetland. Les Anglais prendront l'avantage, disposant de navires bien plus lourdement armés que ceux des Hollandais, qui préfèrent les navires de commerce portant artillerie et compagnie d'abordage.

Retour en force du cardinal Mazarin

Paris, décembre 1651
Depuis que, le 3 février 1651, le Parlement a demandé le renvoi de Mazarin, l'agitation a repris de plus belle. L'union des deux Frondes a de nouveau contraint Mazarin à fuir Paris et Condé a pris la tête de l'insurrection. Mais Mazarin vient de rentrer en France à la tête de 7 000 hommes recrutés en Allemagne ; une bataille décisive s'engage dans le faubourg Saint-Martin le 22 juillet 1652.

Condé en sort vainqueur d'extrême justesse. Mais il dresse contre lui les bourgeois qui se rallient au roi. Le 21 octobre 1652, Anne d'Autriche et le roi font leur entrée dans la capitale sous les acclamations. Patient, le cardinal Mazarin attendra le 3 février 1653 pour rentrer dans un Paris las et désabusé.

Mazarin.

Le "Liberum Veto" paralyse la République nobiliaire polonaise

Pologne, 1652
Pour satisfaire aux revendications de la petite noblesse, la pratique du *Liberum Veto*, qui exige l'unanimité des votes au lieu d'une majorité simple, est introduite dans les délibérations de la Diète nationale polonaise et dans toutes les diétines provinciales. Le veto d'un seul député suffisant à provoquer la dissolution de l'assemblée et le report des mesures en suspens, la Diète se condamne ainsi à l'impuissance. Au moment même où les périls extérieurs – révolte de Cosaques d'Ukraine et formation d'une coalition entre la Russie, la Suède et le Brandebourg – auraient nécessité un sursaut national, la Pologne sombre dans l'anarchie politique. Le *Liberum Veto* va entraîner une continuelle intervention des puissances étrangères dans les affaires polonaises ; il suffit en effet que leurs ambassadeurs puissent s'assurer des faveurs d'un député pour orienter selon leurs intérêts les délibérations de la Diète.

Les chefs-d'œuvre gravés de Rembrandt

Hollande, 1651-1654

Reconnu par ses contemporains comme le plus grand graveur, Rembrandt pratique une technique très particulière : eau-forte avec adjonctions à la pointe sèche (le peintre dessine sur un support de cuivre enduit d'une mince couche de vernis, puis il trempe la plaque dans un bain d'« eau-forte », un acide qui va « mordre » les endroits dessinés) ; puis il adoptera la « manière noire » (procédé de gravure en taille-douce) dont les effets pathétiques feront peu à peu place à une expression plus intérieure. La direction et l'épaisseur de ses hachures créent des effets de lumière d'une grande virtuosité. Ses scènes bibliques resteront fameuses : *Annonciation aux bergers* (1634), dont les figures semblent sortir de la nuit, *Joseph racontant ses songes* (1638), *Le*

Le docteur Faustus. 1652. Eau-forte.

Christ guérissant les malades, dite *La Pièce aux cent florins* (1642), *La Présentation au temple* (1657). Dans les années 1650, il utilise pour chaque sujet une manière et un papier spécifiques.

Oliver Cromwell en armure. Ecole anglaise du XVIIe siècle.

Cromwell établit sa dictature en Angleterre

Londres, 12 décembre 1653

La nouvelle Chambre, dont les membres avaient été nommés par l'armée, vient de voter sa dissolution pour laisser place à un nouveau gouvernement. L'ancien régime mis en place le 19 mai 1649 ne fonctionnait pas : les rivalités qui opposent parlemen-

Soumission de l'Irlande et confiscation des terres par Cromwell

Irlande, 1652

Le *Cromwellian Settlement* vient d'être promulgué : cette loi prononce la confiscation aux révoltés des trois quarts des terres irlandaises, parmi les plus fertiles, faisant ainsi apparaître une nouvelle classe de propriétaires absentéistes qui laisseront à de féroces tenanciers l'exploitation des terres et des hommes d'Irlande. Ces nouveaux propriétaires ne sont autres que les vétérans de l'armée et les

taires et militaires ont amené, le 20 janvier de cette année, les soldats de Cromwell à expulser les députés pour en choisir de nouveaux. Ainsi Cromwell accepte-t-il une constitution écrite, l'*Instrument of Government*, qui établit un suffrage censitaire très étroit, favorisant les comtés par rapport aux bourgs, et qui partage le pouvoir entre un lord-protecteur et un Conseil de 21 membres. Olivier Cromwell est un député depuis 1628 et chef de guerre qui est devenu l'idole de l'armée ; il a rétabli l'ordre intérieur et le prestige de l'Angleterre : il est le premier unificateur des Iles Britanniques. Il obtient tout naturellement de se faire confier les pouvoirs dictatoriaux et se fait nommer lord-protecteur. Mais il va se heurter à de nombreuses difficultés et, manquant de fonds, comme le roi Charles Ier, il devra dissoudre un Parlement hostile (1654) et réclamer de nouvelles prérogatives. Comme les Stuart, il réagira par la force en instaurant à partir de 1656 un gouvernement militaire strict qui mécontentera à la fois les parlementaires, la gentry, les fanatiques protestants et les Niveleurs qui veulent des réformes plus profondes.

créanciers de l'Etat, qui ont avancé les fonds nécessaires à la campagne de Cromwell. En effet, l'Irlande était en révolte depuis une dizaine d'années et il ne fallut que deux ans à Cromwell pour en venir à bout. Ayant débarqué en Irlande en 1649 avec ses « Côtes de fer », il unifie le royaume au prix d'épouvantables atrocités, comme le massacre de Drogheda le 21 septembre 1649 : au bout de dix années de guerre contre les troupes anglaises, la population irlandaise a été pratiquement réduite de moitié. On a même envoyé de nombreux enfants comme esclaves aux Antilles anglaises.

Francesco Borromini, l'architecte le plus inventif de son temps

Rome, 1653-1657

Francesco Castelli, dit Borromini (1599-1667), est envoyé à Milan dès 1608 pour apprendre la sculpture. Mais c'est l'architecture qui l'intéresse et il travaille au palais Barberini avec Bernin. Borromini crée une œuvre d'une complexité et d'une extrava-

gance inquiètes. Il révèle son génie en édifiant San Carlo alle Quattro Fontane : nul édifice ne supporta une telle tension et une telle déformation des lignes. Dès lors, les commandes affluent : Sant'Ivo della Sapienza (1642-1651), qui restera son chef-d'œuvre ; Sant'Agnese de la place Navone, face à la fontaine de Bernin ; Sant'Andrea delle Fratte (1653-1657), au campanile d'une savante fantaisie, puis le Collège de la propagation de la foi (1662-1666), à la façade ondulée.

Francesco Borromini. Intérieur de Sant'Ivo della Sapienza, Rome. 1642-1650. Entablement de la coupole.

Naissance de la ville du Cap

Le Cap, 8 avril 1652

C'est en 1488 qu'une flotte portugaise jette l'ancre à Mossel Bay, sur l'extrême pointe australe de l'Afrique. Elle vient de découvrir le cap de Bonne-Espérance. Sur le chemin des Indes, ce qui sera désormais connu comme la route du Cap acquiert une importance croissante, non seulement pour les Portugais, mais aussi pour les Hollandais. A partir du XVIIe siècle, cependant, les difficultés pour atteindre les Indes et en revenir sont proportionnelles à l'intérêt que les Européens portent à ces navettes : elles tiennent à la longueur du voyage (six mois) et à la nécessité vitale de disposer en permanence de produits frais : eau potable, viande, légumes, fruits. Mouiller au Cap devient un impératif qui fait germer dans l'esprit des Hollandais et des Portugais l'idée d'y établir une base permanente. En 1647, l'équipage d'un bâtiment hollandais naufragé à Table Bay survit grâce à ses propres cultures : la vie est donc possible au Cap pour les Européens. En 1651, une expédition hollandaise, conduite par Jan van Riebeck, y est dépêchée. Le travail d'édification d'un fort commence le lundi 8 avril et, dès le 4 juin, le fort est prêt à recevoir une première famille : la ville du Cap est née.

Le jansénisme est condamné par le pape Innocent X

Vatican, 31 mai 1653

En juillet 1649, Nicolas Cornet, syndic de la Sorbonne, présentait à ses collègues cinq propositions tirées de l'*Augustinus*, publication de Jansénius condamnée par Rome en 1642. Le 31 mai 1653, Innocent X condamne, par la bulle *Cum occasione*, les cinq propositions attribuées à Jansénius. En 1655, Antoine Arnauld publiera *Lettre à une personne de condition* et une *Seconde lettre à un duc et pair* où il reconnaît les cinq propositions comme hérétiques (question de droit), mais nie qu'elles figurent dans Jansénius (question de fait). En 1656, la Sorbonne exclut Arnauld et la bulle *Ad sacam* d'Alexandre VII tranchera contre lui, en dépit de la contre-attaque de Blaise Pascal (*Les Provinciales*, 1656-1657), qui n'a pu sauver les jansénistes. Louis XIV entreprendra, en 1661, de s'assurer la soumission des jansénistes, hostiles à l'absolutisme, en faisant signer à tout le clergé un formulaire reconnaissant toutes les condamnations romaines. Des mesures vexatoires seront prises contre Arnauld et Port-Royal, qui refusent de signer un tel formulaire, même après la bulle *Regiminis apostolici* (1665). Le roi devra chercher un compromis réalisé par Clément IX (« paix clémentine », 1669).

1653

Londres, 20 avril
Cromwell chasse le Rump (Parlement épuré des presbytériens).

Londres, 12 décembre
Le Parlement « désigné » vote sa dissolution.

Oliver Cromwell se fait confier le pouvoir dictatorial avec le titre de lord-protecteur. John Milton devient son secrétaire.

France
Condé envahit le nord de la France à la tête des troupes espagnoles. Turenne l'oblige à reculer.

Paris
Madeleine de Scudéry achève le dixième volume du roman *Le Grand Cyrus*, dans lequel défile sous des noms « persans » toute la belle société de l'hôtel de Rambouillet : Cyrus représente le Grand Condé.

Allemagne
Armamentarium chirurgicum, l'œuvre posthume du fameux chirurgien allemand Hohann Schultes (1595-1645), est publiée.

Provinces-Unies
Jean de Witt est nommé grand pensionnaire. C'est lui qui signera la paix avec Cromwell l'année prochaine.

Croatie
Terribles révoltes paysannes.

Transylvanie
Apaczai Csere Janos fait publier son *Encyclopédie magyare*. Il est le propagateur du cartésianisme en Roumanie.

Russie
Un schisme divise l'Eglise russe. →

Mer du Nord
L'amiral Marten Tromp, valeureux marin hollandais, vient de tomber au combat près de Portland sur le pont de son navire ; l'Anglais George Monk remporte la bataille.

Pékin
Le dalaï-lama donne à Pékin l'investiture à la dynastie manchoue.

1654

Russie, 18 janvier
L'Ukraine passe sous domination russe.

Londres, 15 avril
La paix de Westminster met fin à la guerre anglo-hollandaise : l'Acte de navigation est maintenu ; l'Angleterre assoit sa suprématie sur les mers.

Reims, 7 juin
Mazarin fait sacrer roi le jeune Louis XIV.

Suède, 16 juin
La reine Christine abdique. →

Delft, Provinces-Unies
L'explosion d'une poudrerie a détruit tout un quartier de la ville. Parmi les victimes, le peintre Carel Fabritius, considéré comme le plus doué des élèves de Rembrandt. Il venait de terminer son *Autoportrait*.

Amsterdam, Provinces-Unies
L'auteur de *La Grande Didactique*, Jan Amos Coménius, vient de faire paraître *Orbis pictus*, premier livre illustré pour enfants.

Gand
Mort de Jérôme Duquesnoy (né en 1602), qui réalisa à Bruxelles de nombreuses statues religieuses. Il est le frère du sculpteur François Duquesnoy.

Allemagne
Otto Von Guericke, le bourgmestre de Magdebourg, a étonné les membres de la Diète de Ratisbonne avec une expérience scientifique : il a réussi à faire le vide à l'intérieur de deux hémisphères de laiton, qui n'ont pu être séparés que par deux attelages de huit chevaux.

Paris
Mlle de Scudéry publie le premier volume de *Clélie*. Cette « histoire romaine », qui en comprendra dix, renferme le symbole de la casuistique amoureuse : la célèbre « carte du tendre ».

France
Un échange de correspondances entre Pascal et Fermat fait naître le calcul des probabilités.

1655

Roumanie
De graves soulèvements agitent le pays. →

Sibérie
Les Chinois s'opposent aux Russes. →

Maroc
La dynastie saadienne est renversée. →

Eglise en bois traditionnelle du nord de la Russie. XVIIIe siècle. Kiji, lac Onega.

Le schisme des "Vieux Croyants"

Russie, 1653
C'est en 1653 qu'éclate le conflit opposant les *Raskolniki* (« Vieux Croyants ») avec à leur tête l'archiprêtre Avvakoum, partisan d'un christianisme sévère, au nouveau patriarche de Moscou, Nikon. Le *raskol* (schisme) des « Vieux Croyants » a pour origine le « Temps des troubles » qui avait laissé la Russie avec un retard intellectuel considérable par rapport aux autres Etats européens, comme par exemple la Pologne ou la Lituanie, dont le catholicisme menaçait par ailleurs de faire tache d'huile. C'est ce retard qui poussa l'élite du clergé à réformer les mœurs et à dispenser l'instruction à travers la Russie. Nikon était l'un des principaux protagonistes de ce mouvement de renaissance intellectuelle. Il s'efforça également de rapprocher l'Eglise russe de l'Eglise grecque en tentant de supprimer le signe de croix avec deux doigts. Nikon confia, de plus, la révision des livres et rites liturgiques à des savants grecs et kiéviens. Ses réformes déchaînèrent le mécontentement des nationalistes, avec Avvakoum pour chef, qui l'accusaient d'être un hérétique. Avvakoum refusait effectivement toute mutation. Nikon put affronter les Vieux Croyants grâce à l'appui qu'il trouvait auprès du tsar Alexis et obtint en 1655 l'exil d'Avvakoum en Sibérie. Nikon avait profité de la présence du patriarche Antioche Makarios et d'évêques grecs au concile de 1655 pour jeter l'anathème sur les Vieux Croyants. La conception mystique de Nikon remettant en cause le césaro-papisme finit cependant par irriter le tsar Alexis, qui l'exila à son tour.

Saint Paul, Théodose, Avvakoum, Epiphane, Lazare. Icône russe des « Vieux Croyants ».

Les Hollandais chassés des côtes du Brésil

Brésil, 1654
Ayant remplacé les Portugais dans l'océan Indien, les Hollandais décident vers 1621 de s'implanter au Brésil, politiquement affaibli par la domination espagnole. En 1630, Recife est prise par les Hollandais ; Jean-Maurice de Nassau-Siegen est nommé gouverneur de la nouvelle colonie. Les Hollandais relancent l'économie sucrière et font venir des esclaves d'Afrique. En 1640, le Portugal se sépare de l'Espagne et s'allie à la Hollande : des négociations sont entamées entre le vice-roi portugais et Nassau. Cependant l'expansionnisme néerlandais exaspère les Portugais, et lorsque Nassau quitte le Brésil en laissant au gouvernement un Conseil bien moins habile que lui, la révolte éclate (1644). Après deux batailles donnant l'avantage aux Portugais, Recife capitule (1654). En 1661, un traité de paix définitive sera signé.

La préciosité du langage et des mœurs

La préciosité est souvent réduite à une mode lancée dans les salons parisiens des dames de la cour, bientôt imitées par les bourgeoises. Leurs détracteurs se sont gaussés de l'affectation de leurs manières et de leur langage (ces dames réprouvent l'usage de mots offensants pour l'oreille comme « lavement » ou « vomi »). Mais la préciosité est un véritable phénomène social et moral, doublé d'un phénomène littéraire. Elle a son origine dans la courtoisie du XIIᵉ siècle. Après un passage en Italie où il inspire Dante et Pétrarque, le courant revient à la fin du XVIᵉ. La publication du roman sentimental d'Honoré d'Urfé (1607-1625), L'Astrée, les lettres de Guez de Balzac, les poésies de voiture et Malleville ont renforcé le phénomène. La préciosité cultive une sorte de supériorité naturelle fondée sur une culture solide et qui s'exprime par le raffinement des conversations. Mais il y est aussi beaucoup question d'amour, que l'on a dégagé de la hantise exprimée par Mᶫᶫᵉ de Scudéry dans son roman Clélie (1654), faisant l'éloge de la « tendre amitié » et condamnant le mariage d'ambition et d'intérêt. La préciosité connut dans les années 1650-1660 son apogée et une crise qui la mena à son déclin. Molière fustigeant ses excès et son pédantisme dans Les Précieuses ridicules (1659) porta un coup fatal à la préciosité. Celle-ci aura néanmoins permis aux femmes d'affirmer leurs droits et leur dignité, revendiquant le mariage à l'essai, le divorce et l'espacement des naissances.

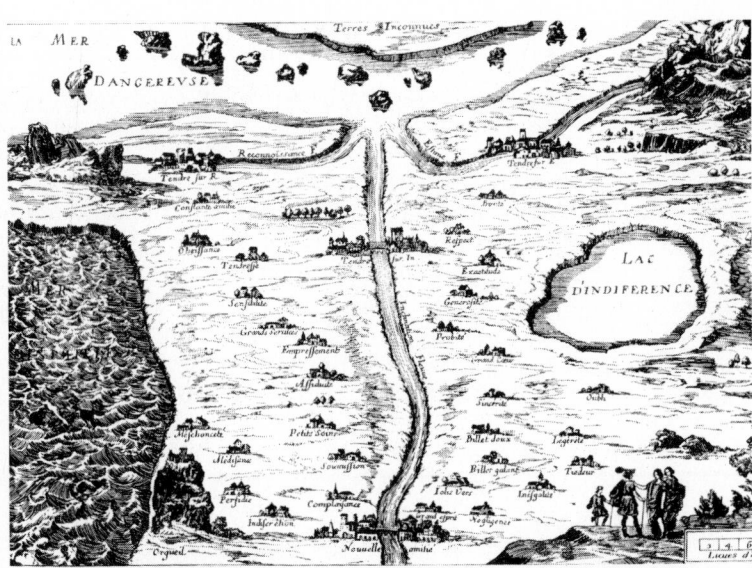

« La Carte du Tendre » de Madeleine de Scudéry, publiée dans le premier volume de son roman « Clélie » en 1654.

« Les Femmes à table ». Peinture française du XVIIᵉ siècle. Musée des Arts décoratifs, Paris.

Les Chinois repoussent les Russes en Sibérie

Sibérie, 1655

Sur les rives de la Koumara, un affluent du fleuve Amour, aux confins orientaux de la Sibérie, les Russes sont repoussés par les Manchous. Depuis le début du XVIIᵉ siècle, les princes manchous mènent une politique conquérante ; ils viennent de s'emparer du pouvoir impérial chinois et de renverser les vestiges de la dynastie Ming, dont le dernier représentant s'est suicidé lors de la prise de Pékin en 1644. Les Manchous, qui ont fondé la dynastie des Qing, poursuivent leur politique et, au nord, se heurtent aux Russes. Les guerriers manchous lancent des incursions dans la région de l'Amour, détruisant les postes fortifiés russes. Depuis la fondation de la station d'Okhotsk, sur le Pacifique, en 1649, les Russes consolidaient leurs positions en Extrême-Orient en implan-

La reine Christine de Suède. Vers 1656. Détail. Peinture de Sébastien Bourdon.

tant des colonies de peuplement (ville fortifiée d'Albazin en 1651) perçues comme une menace par Pékin. Aussi la région de l'Amour devra-t-elle être cédée aux Manchous par le traité de Nertchinsk en 1689.

La reine Christine de Suède abdique

Hollande, 16 juin 1654

La reine Christine renonce à la couronne et s'exile en France, sa patrie intellectuelle. Fille unique de Gustave-Adolphe, elle lui avait succédé à l'âge de six ans, le 14 mars 1632. En 1648, elle ratifiait le traité de Westphalie qui, en concédant à la Suède la maîtrise de la Baltique, mettait fin à la guerre de Trente Ans. Femme brillante et intelligente, protectrice de Descartes, son goût du luxe a gravement compromis l'équilibre financier du pays. Véritable mécène éclairé dont le tempérament excentrique s'accorde mal avec l'austérité luthérienne de la Suède, elle a engagé les domaines royaux pour entretenir sa cour, suscitant ainsi la colère des paysans. Eux qui n'ont jamais connu le servage se voient dépossédés au profit des nobles. Cette tension sociale ajoutée à sa conversion secrète au catholicisme ont décidé la reine à abdiquer en faveur de son cousin Charles-Gustave.

Essor de la dynastie alaouite au Maroc

Maroc, vers 1650

Depuis la mort d'Ahmed IV al-Mansûr (1603), le plus illustre des souverains sa'diens, son œuvre d'unification s'avère peu solide : le Maroc connaît une longue période de décadence, de petits pouvoirs locaux ne cessant de s'affronter, chaçun voulant reconstruire l'unité à son profit. Dans le Tafilalet, le pouvoir local est assuré par une famille de sharifs venus du Hidjaz dans les mêmes conditions que leurs cousins sa'diens. Ce sont les Alaouites dont, vers 1630, le chef était le sharif Ali Ben Yusuf. Au début du siècle, ils

Révolte féodale en Roumanie

Valachie, 1655

Les mercenaires serbes et bulgares, connus sous le nom de Séiméni, qui étaient exemptés d'obligations envers le propriétaire du domaine, sont menacés d'être transformés en serfs. C'est pour éviter ce danger qu'ils viennent de se révolter, entraînant avec eux tout un mouvement populaire antiféodal. Le soulèvement des Séiméni s'est très vite transformé en une révolte populaire contre les boyards, l'Eglise et les Turcs. Ces derniers ont obtenu l'appui de Georges Rakoczi, le prince de Transylvanie (1630-1648), alors que les révoltés se sont tournés vers les Cosaques. Il faudra de violents combats pour étouffer la révolte : la répression sera sanglante, de nombreux paysans seront tués, d'autres mutilés. Pour prévenir une nouvelle insurrection, les princes des trois pays roumains (Moldavie, Valachie et Transylvanie) décident opportunément de renforcer leur alliance.

contrôlaient déjà un des axes du commerce saharien. Entre 1635 et 1659, leur nouveau chef Mûlây Muhammad, fils de Ali Ben Yusuf, échoue à conquérir le Maroc. Son frère, Mûlây al-Rashi (1664-1672), entreprend à son tour la conquête du pays avec succès (1666-1671) : il prend Fès en 1666, puis Marrakech en 1669, et fonde ainsi la deuxième dynastie chérifienne : les Alaouites régneront encore au XXᵉ siècle. La réunification du Maroc et l'avènement de la dynastie alaouite ont été grandement facilités par l'affaiblissement du commerce anglo-hollandais qui, pendant un siècle, enrichissait les villes côtières et favorisait leur autonomie en renforçant leurs capacités de résistance.

De la Renaissance à l'absolutisme

XVIᵉ - XVIIIᵉ siècle

Caractéristique essentielle de l'Europe moderne, le développement et l'affermissement des pouvoirs étatiques est un phénomène complexe, conditionné par des mutations d'ordre aussi bien social que culturel. Certes, les lointaines racines de l'Etat absolutiste sont à rechercher dans les derniers siècles du Moyen Age, dominés par les âpres et interminables conflits qui opposent les souverains et les féodalités turbulentes, encore dans tout l'éclat de leur puissance, et aussi par les rivalités avec une papauté volontiers intransigeante, qui ne renonce pas sans peine à l'idéal augustinien d'un ordre théocratique. De même, les juristes médiévaux, qui ont remis en honneur l'étude du droit romain et de la philosophie politique d'Aristote et contribué à leur diffusion dans l'entourage des princes, ont largement favorisé l'émancipation de l'autorité monarchique. Cependant, c'est avec la Renaissance que commence à se dessiner vraiment l'Etat moderne. Le XVIᵉ siècle est celui où, après des décennies de troubles dans toutes les monarchies européennes et également en Russie, des souverains de grande envergure tentent d'imposer leur autorité à l'ensemble de leurs sujets, aux yeux desquels ils incarnent de plus en plus une forme d'idéal national. Siècle de François Iᵉʳ, de Charles Quint, d'Henri VIII, d'Ivan IV... Mais, depuis deux siècles déjà, l'Italie était un laboratoire politique, et l'on sait l'admiration que nourrissait Louis XI pour les ducs de Milan. Toutes les monarchies, pourtant, ne suivront pas la même voie. Si la France offrira un exemple achevé de l'Etat absolutiste, l'Angleterre s'orientera vers une solution plus libérale, tandis que les empereurs germaniques échoueront, ne parvenant pas à unifier l'Allemagne.

La Renaissance italienne

La situation politique de l'Italie médiévale était profondément différente de celle du reste de l'Occident. La faiblesse du système féodal et la persistance des traditions urbaines donnaient à la péninsule une physio-nomie originale. Si, de droit, l'Italie demeurait une des composantes de la nébuleuse impériale, dès avant le XIVᵉ siècle cependant, les souverains germaniques avaient cessé d'y être considérés comme des seigneurs suzerains ; tout au plus pouvaient-ils prétendre servir de chefs ou de soutiens à des partis déjà constitués. Quant à la papauté, la deuxième puissance tutélaire, elle était à la fois trop faible pour réaliser à son profit l'unité du pays et suffisamment forte pour empêcher qu'elle se fasse à ses dépens. Cette absence de pouvoir central laissait ainsi place à une multitude de corps politiques extrêmement divers, Etats républicains, oligarchies, principautés, libres de se développer et de s'organiser à leur guise. Toutes les conditions se trouvaient réunies pour faire de l'Italie le terrain privilégié de toutes les expériences. Et, pour la première fois dans l'histoire, l'Etat y est conçu comme une création calculée, œuvre de la seule volonté humaine. Débarrassée de tous ses oripeaux idéologiques, la politique, mesurée en termes de puissance et de rapports de force, devient un objet de science.

La monarchie française

Au moment de l'avènement de François Iᵉʳ, le royaume des Valois est le plus solide d'Occident ; il suscite l'admiration de Machiavel et l'envie de l'empereur Maximilien aux prises avec le chaos germanique. Selon Cavalli, un ambassadeur vénitien, il tire sa force de son unité et de l'obéissance de ses sujets. « Les Français, écrit-il, ont remis leur liberté et leur volonté aux mains de leur roi. Il lui suffit de dire : « Je veux, j'ordonne, je consens. » La formule célèbre qui termine les ordonnances royales, « Car tel est notre bon plaisir », apparaît pour la première fois sous le règne de François Iᵉʳ. L'unification du royaume se poursuit tout au long du siècle avec la disparition des anciens apanages. Des changements apparaissent dans les méthodes de gouvernement. Un Conseil restreint, émanation du Conseil du roi, composé de pairs du royaume, de princes du sang et de grands officiers de la couronne, tend à monopoliser les décisions. Les interventions directes du roi, assisté de son chancelier et de son connétable, vont en se multipliant. On note également le rôle croissant de la justice royale, qui étend sa juridiction aux dépens des justices locales et seigneuriales. C'est avec François Iᵉʳ encore, que la Cour devient un instrument de règne, en exaltant le prestige monarchique et en augmentant la dépendance de la haute noblesse. Autre caractéristique de l'époque, les bourgeois, déjà maîtres d'une grande partie de la propriété du sol, mettent la main sur les institutions municipales, peuplent offices et conseils ; peu à peu, ces nouveaux notables accèdent à l'entourage royal. La crise religieuse et les guerres civiles annuleront en partie l'œuvre entreprise par François Iᵉʳ et par Henri II pour renforcer l'autorité royale et assurer un meilleur fonctionnement de l'administration. C'est à Henri IV qu'il appartiendra de reprendre la tâche interrompue. Comme ses prédécesseurs, il s'efforce de limiter le rôle des parlements et des cours souveraines, impose ses décisions aux Etats provinciaux, restreint les libertés municipales. Il innove en instituant la vénalité et l'hérédité des charges ; la bourgeoisie d'office et la noblesse de robe sont désormais étroitement solidaires de l'absolutisme monarchique, qui trouve en elles son plus ferme soutien. Après les années troublées de la Régence, marquées par une réaction aristocratique, des progrès décisifs seront faits, sous le règne de Louis XIII et de Richelieu, dans le sens de la centralisation administrative. Le Conseil d'En-Haut, qui réunit autour du roi le principal ministre, le chancelier et les secrétaires d'Etat, devient le seul organe de gouvernement, les autres conseils n'ayant plus qu'un rôle consultatif. Les intendants, investis d'attributions étendues, deviennent les représentants directs et permanents du roi dans les provinces ; révocables, ils sont étroitement soumis au pouvoir central. La Fronde est une révolte conjointe de toutes les victimes de l'absolutisme, parlementaires et noblesse d'épée protestant contre les excès de l'autorité royale et réclamant la uppression de la vénalité des charges, la révocation des intendants et la création d'un conseil royal représentant tous les ordres du royaume. L'échec de la Fronde marque l'irréversibilité du processus engagé. S'appuyant sur la théorie de la royauté de droit divin, qui plaçait les monarques au-dessus de toutes les lois humaines, disposant à leur guise de la personne et des biens de leurs sujets tenus à l'obéissance, Louis XIV porta l'absolutisme français à son sommet. Gouvernant seul, sans Premier ministre, il choisit toujours ses principaux commis dans la bourgeoisie, excluant la noblesse des affaires. L'unité fut le grand mot d'ordre du règne, unité administrative, avec les progrès de la centralisation, unité religieuse, avec la révocation de l'édit de Nantes et la lutte contre le jansénisme... Tout devait se conformer à la volonté royale.

Le parlementarisme anglais

Henri VII, le vainqueur de la guerre des Deux-Roses, s'était préoccupé de rétablir le pouvoir royal. Sous son règne, le Conseil privé, tout à la discrétion du roi, joua un rôle prépondérant. Henri VIII, secondé par le cardinal Wolsey, fut un souverain tout aussi autoritaire ; deux organes nouveaux, la secrétairerie d'Etat et, surtout, la Chambre étoilée, lui donnèrent les moyens d'intervenir plus efficacement dans la conduite des affaires. Cependant, dans toutes les circonstances importantes, comme la mise en œuvre de la réforme religieuse, le roi s'appuya sur le Parlement. Cette institution spécifiquement anglaise, qui existe depuis le XIIe siècle, dérive de l'ancien Conseil du roi. Elle est, depuis 1340, formée de deux Chambres qui siègent séparément, la Chambre des lords et celle des communes, dont les membres sont, dès le début du XVe siècle, élus par les notables des comtés et des villes. Les rôles du Parlement, définis par la coutume et les usages établis et non par une constitution, sont multiples : rôle législatif, en concurrence avec l'initiative royale, rôle judiciaire, rôle financier enfin, puisque c'est lui qui vote le budget et les impôts. Le long règne d'Elisabeth Ire n'apportera guère de changements dans les institutions, même si l'on assiste à un renforcement de la justice royale. En revanche, il fut marqué par d'importantes transformations sociales, qui influeront sur l'évolution politique du royaume : déclin économique de la haute aristocratie d'une part, émergence de la *gentry* d'autre part. Cette couche sociale composite et très ouverte, instruite et entreprenante, farouchement attachée à la religion anglicane, qui regroupe à la fois les cadets des grandes familles, la noblesse campagnarde et la haute bourgeoisie urbaine, domine la Chambre des communes. L'avènement de la dynastie des Stuart va être à l'origine d'une crise décisive. Défenseurs de la

High Church, proches du catholicisme, Jacques Ier et Charles Ier sont de surcroît partisans d'un absolutisme à la française. Leurs prétentions se heurteront à la résistance du Parlement, puis de la nation tout entière. A plusieurs reprises, le roi dissoudra le Parlement ; à partir de 1629, il gouvernera seul. Charles Ier, à bout de ressources, convoquera à nouveau le Parlement en 1640, mais celui-ci n'acceptera de consentir de nouveaux subsides que si le roi renonce à ses méthodes autoritaires et reconnaît les privilèges du Parlement. Ultimatum royal, refus du Parlement : deux ans plus tard débute la guerre civile, qui mène à l'exécution du roi et à la république cromwellienne. Sous Charles II, après la restauration, la vie parlementaire achève de s'organiser et les partis font leur apparition : les *tories*, le parti de la Cour, favorable au renforcement du pouvoir royal, et les *whigs*, défenseurs des prérogatives parlementaires. Pendant les dernières années de son règne, Charles II renoue avec les tentatives absolutistes de ses deux prédécesseurs. Comme eux, il gouvernera sans le Parlement. Les maladresses de Jacques II ouvrent une nouvelle crise ; le dernier Stuart est renversé et remplacé par Guillaume d'Orange. La « glorieuse révolution » de 1688 marque la victoire du parlementarisme anglais et la disparition définitive de l'arbitraire royal et des tentations absolutistes.

Le Saint Empire, les "Allemagnes"

Au début du XVIe siècle, l'idée médiévale d'un empire œcuménique persiste avec son programme universaliste et sa symbolique ; elle anime encore la politique de Charles Quint. Mais, de fait, cet empire tend de plus en plus à se réduire à la seule Allemagne. Pour l'essentiel, sa Constitution remontait à la Bulle d'or de 1356. La multiplication des divisions territoriales, l'enchevêtrement des juridictions administratives et la confusion qui entourait la souveraineté impériale faisaient du Saint Empire un vaste chaos. En 1495, sous le règne de Maximilien Ier, la diète de Worms avait entrepris de réformer les institutions. Mais ces réformes, loin de donner à l'empire une structure centralisée, et malgré une volonté certaine de rationalisation, ne faisaient que consacrer les forces centrifuges qui travaillaient le monde germanique. Après 1495, le domaine réservé de l'empereur se limite à la collation de certains bénéfices et fiefs ; pour la paix, la guerre et la législation, il ne peut agir sans l'accord de la Diète, dont les statuts et les fonctions sont alors définitivement fixés. Composée de trois collèges, celui des princes électeurs, dont le nombre est passé à huit, celui de la noblesse, enfin celui des villes libres, la Diète d'empire jouit désormais d'une très large autonomie face à l'empereur. Le rôle et l'influence de l'Archichancellerie impériale et

de la Chambre de justice sont pareillement limités. Cet affaiblissement de l'autorité impériale va de pair avec les progrès des principautés territoriales. Qu'il s'agisse des Hohenzollern dans le Brandebourg, des Zähringen en Bade, des Wittelsbach en Bavière et dans le Palatinat ou bien des landgraves de Hesse, la plupart des petits souverains allemands considèrent de moins en moins leurs territoires comme une propriété privée, divisible et aliénable selon le caprice ou l'intérêt ; peu à peu, l'idée d'Etat s'impose à eux. Ils tentent d'unifier leurs domaines, se dotent d'organes de gouvernement centraux, conseils et chancelleries, établissent leur propre fiscalité. L'empereur, d'ailleurs, agit de même dans le cadre de ses Etats héréditaires. C'est Maximilien Ier qui, dans les premières années du XVIe siècle, a jeté les bases de l'Etat autrichien ; en instituant un Conseil aulique, à la fois Cour de justice et Conseil d'Etat, une Chambre aulique, chargée des finances, et une chancellerie, il plaçait la totalité de ses domaines sous le contrôle d'une administration unique. La Réforme a joué un rôle de première importance dans l'évolution politique de l'Allemagne. Elle ajouta encore aux divisions et rendit impossible toute tentative d'unification sous la direction impériale. Par ailleurs, la laïcisation des bénéfices ecclésiastiques accrut encore la puissance des petits souverains, dont l'autorité s'étendait désormais au domaine spirituel. Les désastres de la guerre de Trente Ans et les traités de Westphalie sanctionnèrent cet état de fait, qui autorisait Louis XIV à se proclamer, contre l'empereur, le protecteur des « libertés germaniques », autrement dit le conservateur de l'anarchie allemande, pour le plus grand bénéfice de la France.

Vers les "Lumières"

Lorsque s'ouvre le siècle des Lumières, deux modèles politiques achevés, radicalement opposés et également prestigieux, l'absolutisme « louisquatorzien » et le parlementarisme anglais, s'offrent à l'analyse des théoriciens et à l'imitation des autres souverains. Cependant, si les idéaux libéraux commencent à se répandre à travers le continent, si en France même, après la disparition du Roi-Soleil, une certaine contestation gagne les esprits, l'image glorieuse de Versailles séduira longtemps encore une Europe admirative. Les « philosophes », pourtant si réceptifs à toutes les idées qui viennent d'outre-Manche, contribueront pour leur part à l'édification du mythe. L'auteur des *Lettres anglaises* est aussi le panégyriste du *Siècle de Louis XIV,* et Voltaire sera lu par tous les souverains du siècle, de Potsdam à Saint-Pétersbourg. C'est par ce curieux mélange des idées anglaises et des méthodes autoritaires du roi de France que peut se définir ce qu'on appellera le « despotisme éclairé ».

1655

Pologne
Invasion de la Pologne par les Suédois. →

Amsterdam
L'architecte Jacob van Campen (1595-1657) vient d'achever l'hôtel de ville. C'est une lourde construction classique s'appuyant sur près de 14 000 pilotis de bois.

Hollande
Christiaan Huygens (1629-1695) identifie le plus gros satellite de Saturne et la vraie nature de ses anneaux.

France
Antoine Arnault publie sa *Lettre à une personne de condition*.

Paris
Le Collège de France perd un de ses maîtres : Pierre Gassendi (né en 1592) est mort. Savant, il fit de nombreuses observations astronomiques ; philosophe, il a renoué avec la morale d'Epicure, la nuançant toutefois de thèmes spiritualistes.

Java
Les Hollandais occupent l'île. →

Jamaïque
Les Espagnols cèdent l'île aux Anglais. Les flibustiers vont y installer une de leurs bases.

Sibérie
Les Russes, installés à Abazin, s'efforcent de pénétrer dans les forêts de Manchourie, riches en animaux à fourrure.

1656

Amsterdam, 27 juillet
Spinoza est excommunié par la Synagogue. →

Rome, 16 octobre
La bulle papale *Ad Sacram* d'Alexandre VII renouvelle la condamnation des « cinq propositions ».

Madrid
Vélasquez peint les *Ménines*. →

Portugal
Le roi Jean IV est mort. →

France
Fondation de l'Hôpital général. →

Amsterdam
Rembrandt est déclaré en faillite ; tous ses biens sont mis en vente.

La Haye
C'est l'un des grands peintres de son temps qui meurt. Jan van Goyen (né en 1596), grand voyageur, laisse de nombreux croquis de voyage. Il a donné, dans son œuvre, la plus grande place à la nature ; paysagiste, il avait une prédilection pour les ciels changeants, lourds de pluie, de nuages et de vent.

Suède
Fondation de la Banque de Suède.

Rome
Fondation de l'Académie de peinture.

Roumanie
La confédération des trois pays roumains, Valachie, Moldavie et Transylvanie, se transforme en coalition anti-ottomane.

Empire ottoman
C'est un Albanais âgé de soixante-quinze ans, Mehmet Köprülü, qui est nommé grand vizir à Istanbul : il est chargé de réorganiser l'empire et de rétablir l'ordre.

1657

France, 24 mars
Les Provinciales de Pascal défendent les jansénistes. →

Inde, septembre
Shâh Jahân est renversé par son fils. →

Amsterdam
Une feuille sous le titre *Assassiner n'est pas un meurtre* appelle au meurtre d'Oliver Cromwell.

Allemagne
Lors du traité de Königsberg, la Prusse passe de la tutelle polonaise à celle de la Suède.

Angleterre
Christiaan Huygens invente l'horloge à balancier et écrit le premier traité sur le calcul des probabilités.

Paris
Histoire comique des Etats et empires de la Lune vient de paraître. C'est un livre fourmillant d'idées du poète fantaisiste et burlesque Cyrano de Bergerac (né en 1620, mort en 1655).

Rome
Le peintre français Pierre Mignard (1612-1695), qui réside à Rome depuis 1635, est rappelé à Paris. Son œuvre se compose de petits tableaux imités de Raphaël, telle *La Vierge à la grappe*.

La sombre période du "Déluge" pour la Pologne

Pologne, 1657
Les deux premiers souverains Vasa, Sigismond III et Ladislas IV, avaient témoigné d'une fâcheuse tendance à privilégier la politique extérieure, aux dépens des intérêts polonais. Politique strictement dynastique, d'ailleurs aventureuse, tendant à la conquête des trônes de Suède et de Russie, et qui s'est soldée par une série d'échecs répétés. Lorsque le frère de Ladislas, Jean II, est élu roi de Pologne, en 1648, les catastrophes vont se précipiter. C'en est fini du « siècle d'or » polonais, le pays est entré dans le « temps du Déluge ». En 1654, les Cosaques d'Ukraine, malgré les concessions qui leur avaient été faites à Zbovoro,

demandent la protection russe. Le tsar Alexis occupe aussitôt l'Ukraine et la Lituanie. Profitant des circonstances, Charles-Gustave de Suède, allié à l'Electeur de Brandebourg, entre à son tour en campagne, s'empare de la Grande-Pologne, pénètre dans Varsovie et songe un instant au trône de Pologne, tandis que Jean Casimir se réfugie en Silésie. Un sursaut national, soutenu par Ferdinand III de Habsbourg, permet de refouler les Suédois vers le nord. A Wehlau, Jean Casimir signe une paix séparée avec le Brandebourg, en échange de la suzeraineté sur le duché de Prusse. Les invasions ont laissé le pays dans un état lamentable : la Pologne a perdu le tiers de sa population, de nombreuses villes sont détruites, certaines régions ont été entièrement ravagées.

Diego Vélasquez. « Les Ménines ». 1656. Musée du Prado, Madrid. Au centre, l'Infante Marguerite ; à gauche, l'artiste lui-même.

Diego Vélasquez, le peintre des peintres

Madrid, 1656
Diego Vélasquez (1599-1660) est le peintre officiel du roi Philippe II depuis qu'il a exécuté, en 1623, son portrait équestre : installé en octobre à la cour, il y restera toute sa vie, et la plupart de ses toiles seront consacrées à la famille royale. Aucune œuvre n'est plus représentative du style de sa maturité que les *Ménines*, qui synthétisent les recherches du peintre. Ce tableau est à la fois une scène de genre qui évoque la vie quotidienne de la famille royale autour de

la petite infante ; un portrait de groupe, à l'arrière-plan duquel se dessinent le roi et la reine et un portrait de l'artiste, car Vélasquez s'y est représenté au travail. Les jeux de lumière sont presque illimités : le couple royal sur le miroir indique-t-il qu'ils viennent d'entrer pour voir la scène comme nous le faisons, ou le miroir reflète-t-il une partie de la toile que peint l'artiste ? Cette ambiguïté est caractéristique de l'attirance de Vélasquez pour les effets de lumière. Il faudra attendre deux siècles pour que les impressionnistes exploitent toutes les possibilités soulevées par cette découverte.

Installation des Hollandais à Java

Java, 1657

Amangkurat Ier de Mataram (1646-1677) décide la réouverture des ports de son royaume au commerce hollandais. Successeur du sultan Agun, qui n'avait jamais vraiment accepté leur présence, Amangkurat entretient d'abord des relations amicales avec les Hollandais installés à Batavia depuis 1619. La Compagnie hollandaise des Indes orientales obtient même la réouverture de son comptoir de Jepara. Les relations se tendent quand le souverain cherche à établir un monopole royal sur les différents marchés côtiers. En 1655, c'est la fermeture des ports. Mais Amangkurat revient sur sa décision dès 1657, pour d'évidentes raisons économiques. Les Hollandais vont profiter de cette brèche, et d'autres facteurs politiques internes, pour s'assurer des positions clés.

Pascal défend le jansénisme

France, 24 mars 1657

Blaise Pascal venait d'entrer à Port-Royal lorsque la polémique entre jansénistes et jésuites au sujet de l'*Augustinus*, pamphlet posthume de Jansen, s'envenima. Il fut alors invité à défendre la cause de ses amis. Mettant tout son talent et l'ardeur de sa conviction au service de la cause janséniste, Pascal a publié dix-huit lettres que l'on désigne sous un titre commun, *Les Provinciales*. Elles font sensation : succès de curiosité et de scandale, succès surtout dû au génie de Pascal. Il révèle d'emblée un talent polémique hors de pair, abordant les problèmes théologiques les plus difficiles avec l'ardeur du néophyte, l'aisance du mondain qu'il était hier encore et la rigueur mathématique du savant. Ainsi, il rend accessible à « tout honnête homme » des questions ardues, réservées jusque-là à quelques spécialistes. Ces « petites lettres » sont des publications clandestines. L'auteur a pris le pseudonyme de Louis de Montalte, dont la police cherchera en vain à percer le mystère.

Spinoza exclu de la communauté juive

Amsterdam, 27 juillet 1656

Le philosophe Baruch Spinoza quitte Amsterdam, sa ville natale, où il vient d'être exclu de la communauté juive en raison de ses positions rationalistes. Ce fils de commerçant d'origine juive portugaise reçut une éducation hébraïque complète, avant de découvrir la science de Galilée et la philosophie de Descartes, et de fréquenter le milieu des chrétiens libéraux. Il affirme l'absolu divorce entre la théologie et la philosophie, entre la foi et la raison. Après la banlieue de Leyde, il s'installera à La Haye où il partagera son temps entre une activité nourricière, le polissage des verres d'optique, et la méditation métaphysique.

L'enfermement des mendiants et des fous

Paris, 1656

Depuis longtemps on avait eu l'idée d'enfermer les mendiants qui, attirés par Paris, avaient leur organisation autonome et mettaient la capitale en coupe réglée. Un édit de 1611 avait institué un hôpital des pauvres, avec assistance à la misère et travail forcé, mais il avait disparu faute de moyens. La Compagnie du Saint-Sacrement joignait l'idée de police à celle de charité. Vincent de Paul (1576-1660), cependant, tentait de modérer un « renfermement des pauvres » aussi systématique et pensait qu'il ne fallait d'abord prendre que cent ou deux cents pauvres, « sans en contraindre aucun », les traitements qui leur seraient réservés devant persuader les autres. La Compagnie ne fut pas de cet avis et, grâce à ses appuis au Parlement, son projet devint l'édit de 1654. Cet édit fonde l'Hôpital général : composé de plusieurs maisons, dont la Pitié et Bicêtre, il a des revenus assurés par des prélèvements sur l'impôt et les rentes d'offices. « Tous les pauvres mendiants qui se trouveront dans la ville et faubourgs de Paris seront enfermés dans ledit hôpital et lieux qui en dépendent. » Le fouet et les galères pour les hommes, la déportation aux colonies pour les femmes punissent désormais la mendicité. On enferme 4 000 à 5 000 personnes, mais la capitale compte peut-être dix fois plus de mendiants ; la plupart s'échappent dans les provinces. Une messe solennelle suivant l'enfermement inaugure l'hôpital. Le temps est partagé entre la prière et le travail, les enfermés devant être employés « aux œuvres publiques, manufactures et services dudit hôpital ». Les fous, autres marginaux, sont traités de la même manière et sont, eux aussi, enfermés.

L'aumône faite aux indigents à l'abbaye de Port-Royal.

Shâh Jahân accompagné de Dara Shekuh. XVIIe siècle. Peinture de Govar Dan. Victoria and Albert Museum, Londres.

Shâh Jahân renversé par son fils

Inde, septembre 1657

Des rumeurs faisant état du décès de Shâh Jahân circulent dans la capitale. Le souverain n'est, en fait, que malade. Pour parer à toute éventualité, il rédige un testament qui désigne son fils aîné Dârâ pour successeur. Dârâ, raffiné et cultivé, était prêt à suivre la politique tolérante de son père, beaucoup plus qu'à réagir violemment aux attaques de ses trois frères, bien décidés à lui ravir le trône. Aurangzeb, Shujâ et Murâd s'allient d'abord pour venir à bout des troupes impériales. Dârâ, après une éphémère victoire, se réfugie à Agra, puis dans le nord-ouest du pays où il est pris et exécuté. Entre temps, Aurangzeb, qui se fait le champion de l'orthodoxie musulmane, se débarrasse de ses autres frères et concurrents. De retour à Agra, Aurangzeb fait emprisonner Shâh Jahân, qui s'était rétabli, au fort de la ville, et monte sur le trône.

Mort d'un grand roi : Jean IV du Portugal

Lisbonne, 1656

C'est un des souverains les plus importants de son temps qui disparaît. Prince cultivé, ami des arts et de la musique, son plus grand mérite est d'avoir restauré l'indépendance du Portugal. Tout en organisant la défense de son royaume, dont le soin a été confié au Conseil de guerre, Jean IV le Fortuné a mené, de 1640 à 1656, une habile action diplomatique pour se faire reconnaître. La partie la plus difficile s'est jouée outre-mer, contre les Hollandais qui s'étaient emparés des dépouilles de l'Empire portugais, au Brésil et en Angola. L'œuvre de réorganisation administrative du royaume par Jean IV fut également considérable. Sa politique l'obligea à s'appuyer sur la noblesse, mais il n'a pas négligé pour autant le peuple, nécessaire à la défense militaire et à la levée de l'impôt. Ainsi, il a consulté les Cortès à cinq reprises à une époque où, de par l'Europe, les parlements perdaient toute existence. A sa mort, son épouse Dona Luisa de Guamâo va assurer la régence.

1658

Danemark, 26 février
La Suède attaque le Danemark, qui signe la paix de Roskilde. →

Dunkerque, 14 juin
Bataille des Dunes. →

Angleterre, 3 septembre
Mort d'Oliver Cromwell. →

Provinces-Unies
Le naturaliste hollandais Jan Swammerdam observe pour la première fois les globules rouges dans le sang.

Angleterre
Après avoir publié en 1655 *De corpore*, le philosophe anglais Hobbes publie *De homine*.

France
La mathématicien français Pierre de Fermat crée la théorie des nombres, définissant les nombres parfaits, les nombres premiers et les carrés magiques. Il créera avec Descartes la géométrie analytique qui est une application des processus de l'algèbre à la géométrie (1665).

Au cours d'une nuit d'insomnie, Pascal résout le problème de la « cycloïde ».

Paris
Molière joue *Nicomède* devant le roi. Appréciant son talent, Louis XIV lui donne la salle du Petit-Bourbon.

Espagne
Le moraliste et essayiste espagnol Baltasar Gracian vient de s'éteindre en Aragon. Jésuite rebelle, c'est avec grande difficulté qu'il a publié ses œuvres. Son chef-d'œuvre, *L'Homme détrompé* (1651), dévoile la misère de l'homme par une impitoyable morale de la désillusion.

Pologne
Triomphe de la Contre-Réforme : les protestants sont exclus des charges publiques.

Suède
La Banque de Stockholm émet les premiers billets de banque du monde occidental. Ils seront échangeables en France contre leur valeur or jusqu'en 1914.

1659

France et Espagne, 7 novembre
Signature du traité des Pyrénées. →

Paris, décembre
Molère fait jouer une comédie en un acte : *Les Précieuses ridicules*. Cette farce est la peinture satirique des salons précieux. C'est le premier triomphe de Molière mais aussi le début de ses premières querelles.

Inde
Aurangzeb, après sa prise du pouvoir, rétablit l'ordre.

Sénégal
Installation du siège de la Compagnie du Cap-Vert et du Sénégal dans l'île du N'Dar (futur Saint-Louis).

Provinces-Unies
Dans son *Traité de Dieu et de la félicité humaine*, le philosophe Spinoza identifie Dieu à la nature.

Berlin
La Bibliothèque royale est fondée.

Italie
L'Italien Procopio met au point la préparation de la crème glacée.

Chine
Le père Ferdinand Verbiest, missionnaire français, part pour Pékin.

1660

Saint-Jean-de-Luz, 9 juin
Louis XIV épouse Marie-Thérèse, fille de Philippe IV d'Espagne. Le mariage est réglé par le traité des Pyrénées. Marie-Thérèse recevra une dot de 500 000 écus d'or contre laquelle elle s'engage à renoncer à toute prétention sur la succession d'Espagne. →

Paris, 26 août
Louis XIV et Marie-Thérèse, jeunes mariés, font leur entrée dans la capitale au milieu de la liesse populaire.

Le roi donne à Molière la salle du Palais-Royal. Il y jouera jusqu'à sa mort.

France, 27 septembre
Vincent de Paul vient de mourir. Il fait figure de chef moral de l'Eglise de France.

France
Nicolas Poussin entreprend la série des *Quatre Saisons*. →

La Compagnie du Saint-Sacrement est interdite par Mazarin qui ne pardonne pas à certains de ses membres leur participation à la Fronde.

Londres
La *Royal Society of London* est fondée. En 1662, Charles II lui accordera une charte.

Richard Cromwell succède à son père

Londres, 3 septembre 1658
Le lord-protecteur vient de mourir. Malgré un soulèvement royaliste dans l'ouest en 1655 et un complot contre sa personne en 1657, Oliver Cromwell n'a jamais été sérieusement menacé dans son autorité. Il a su, en développant les milices locales et en les plaçant sous le commandement de onze majors-généraux, se prémunir contre tout risque grave de révoltes locales. Tout reposait sur lui. Il est mort redouté et impopulaire, et c'est une autorité toute théorique qu'il lègue à son fils. Cromwell était au pouvoir depuis 1653. Il a consacré une grande part de son énergie à instaurer un ordre religieux et moral « convenable » : réduction du nombre de débits de boissons, suppression des maisons de débauche considérées comme des antres de complots royalistes. L'interdiction des distractions licencieuses, tels la danse ou le théâtre, est maintenue. L'Angleterre vit depuis quelques années sous un ordre moral d'une grande rigueur. Dans le domaine social, Cromwell fut l'adversaire de toute révolution, se contentant d'une politique philanthropique d'aide aux plus pauvres. Champion du protestantisme, il dut mener à l'extérieur une politique réaliste d'alliance avec la France catholique et d'opposition aux provinces calvinistes. Cette politique a fait de nombreux mécontents. Son fils ne saura guère leur tenir tête.

Turenne écrase les Espagnols à la bataille des Dunes

Dunkerque, 14 juin 1658
Dans les dunes entre Dunkerque et Nieuport, une coalition franco-anglaise commandée par Turenne écrase l'armée espagnole, dont seule une partie de l'infanterie parvient à s'échapper, fuyant par les marais ; près de 4 000 hommes restent prisonniers. Le 25 juin, Dunkerque assiégée capitulera. Dans les semaines suivantes, Dixmude, Gravelines et Ypres tomberont à leur tour. C'est une déroute totale pour l'Espagne. La guerre dure depuis plus de vingt ans. En 1636, les Espagnols envahissaient la Picardie (bataille de Corbie). Les Français remportaient l'avantage en Artois (Arras, 1640) et dans le Roussillon (Perpignan, 1642). Les Espagnols lançaient alors une grande offensive en direction de Paris, mais ils étaient arrêtés par Condé, qui écrasait les *tercios* à Rocroi (mai 1645) et forçait Dunkerque à capituler. Défaits encore à Lens (août 1648), les Espagnols acceptaient de traiter. Les troubles de la Fronde profitèrent à l'Espagne, qui trouva des alliés parmi les factieux ; ainsi Condé signa un traité avec Philippe IV et assiégea Rocroi en 1653. Mazarin, essayant alors d'isoler diplomatiquement son adversaire, se rapprochait de Cromwell (traité d'amitié de 1655) et concluait avec l'Angleterre une alliance défensive et offensive contre l'Espagne.

La frontière franco-espagnole est fixée aux Pyrénées

Ile des Faisans, 7 novembre 1659
Dès juillet 1656, à Madrid, Hugues de Lionne et don Luis de Haro avaient ouvert les négociations. Interrompues, elles reprennent à Lyon au lendemain de la bataille des Dunes. Pour ménager à Louis XIV d'éventuels droits à la succession d'Espagne, Mazarin propose le mariage du roi avec l'infante Marie-Thérèse. Les hésitations de Philippe IV, hostile au mariage, interrompent une nouvelle fois les négociations. Elles sont reprises quelques mois plus tard, à Paris d'abord, puis dans l'île des Faisans, sur la rivière Bidassoa. Le problème du mariage et le cas de Condé, que Philippe IV ne veut pas abandonner à la vindicte de Mazarin, rendent les discussions longues et difficiles. Elles finissent néanmoins par aboutir et, le 7 novembre 1659, le traité des Pyrénées est signé. L'Espagne abandonne la Cerdagne, le Roussillon et l'Artois. Elle cède également plusieurs places fortes en Flandre et aux frontières lorraines : Gravelines, Thionville, Montmédy et Philippeville. Le duc de Lorraine retrouve son duché, mais amputé du Clermontois, de Bar, de Stenay et de Dun ; ses forteresses doivent être démantelées et livrées à des garnisons françaises. Condé obtient son pardon, recouvre ses titres et ses biens. Le même jour, le contrat de mariage de Louis XIV et de Marie-Thérèse est signé ; en échange d'une dot de 500 000 écus, l'infante renonce, pour elle et ses descendants, à ses droits sur la couronne d'Espagne.

Mazarin concluant la paix des Pyrénées. Gravure d'après Moret. 1790.

Eglise du Bom Jesus de Matazinhos à Congonhas do Campo, Brésil. Les terrasses sont ornées de statues d'Aleijadinho (1738 ?-1814) représentant les Prophètes.

L'architecture baroque coloniale

Amérique ibérique

L'art baroque marque profondément l'architecture religieuse dans toutes les colonies ibériques, mais, à son tour, le pays d'accueil le modifie en y imprimant sa marque propre. Si l'architecture baroque des régions à faible peuplement reste une pure adaptation de modèles européens, le baroque du Mexique et du Pérou est au contraire l'expression d'un art métis. A la structure européenne se superpose une esthétique, notamment dans la sculpture, d'évidente origine indienne (cathédrale de Zacatecas, Mexique, église de la Compania, Pérou). Au Brésil, l'école baroque de Minas Gerais réalise une synthèse des apports culturels européens, indiens et africains, posant ainsi les bases d'un style national.

L'incroyable audace des Suédois à l'assaut du Danemark

Danemark, 26 février 1658

L'invasion de la Pologne par les armées de Charles X avait entraîné la formation d'une coalition antisuédoise. Le 27 mai 1657, le Brandebourg, d'abord allié à la Suède, rejoignait le Danemark, inquiet pour le Sund et l'Autriche, qui soutenait la Pologne. Ouvrant les hostilités, le roi de Suède, utilisant comme bases de départ les territoires que les traités de Westphalie lui avaient accordés sur les côtes allemandes, prend le Danemark à revers. Il traverse le Mecklembourg, envahit le Holstein et, favorisé par les rigueurs d'un hiver exceptionnel, lance avec une audace folle son armée à travers les glaces du Petit-Belt. Ayant réussi à occuper l'île de Fionie et ne reculant devant aucune témérité, Charles X entraîne alors ses troupes sur les glaces instables du Grand-Belt, qu'il parcourt sur plus de 30 km, menaçant la ville de Copenhague. Sa capitale assiégée, Frédéric III signe la paix de Roskilde (26 février 1658) et cède à la Suède la Scanie, le Halland et le Blekinge. Une reprise des hostilités compromettra un instant la position de la Suède, mais le traité d'Oliwa (1660) confirmera ses nouvelles acquisitions.

Nicolas Poussin. « L'Eté » (ou Ruth et Booz). Vers 1660-1664. Musée du Louvre, Paris. Un des tableaux des « Saisons ».

Poussin peint les "Quatre Saisons"

Rome, 1660

Le peintre qui fait triompher le classicisme en France, Nicolas Poussin (1594-1665), est un Français de Rome, où il vécut près de quarante ans. Les *Quatre Saisons*, peintes pour le duc de Richelieu entre 1660 et 1664, exposent la beauté de la nature. Le *Printemps* est dominé par Apollon autant que par Dieu le Père ; l'*Eté* a pour héroïnes non seulement Ruth mais aussi Cérès ; le raisin de l'*Automne* désigne aussi bien Bacchus que le sang du Christ ; et le serpent de l'*Hiver* se réfère aussi bien à Hadès qu'au Déluge. Poussin a réalisé là une synthèse de la mythologie païenne et du récit biblique.

Nicolas Poussin. Autoportrait. 1650. Musée du Louvre, Paris.

Louis XIV épouse l'infante d'Espagne

Saint-Jean-de-Luz, 9 juin 1660

C'est une noce de conte de fées. Les rues qui mènent des maisons royales à l'église ont été couvertes de tapis, décorées de guirlandes attachées à des piliers peints en blanc et or. Le cortège est acclamé par une foule dense, accourue de toute part. C'est l'évêque de Bayonne qui célèbre la messe qui unit Louis XIV à Marie-Thérèse d'Autriche, infante d'Espagne. Le mariage avait été réglé par le traité des Pyrénées ; il sera gage de paix entre les deux pays.

Célébration du mariage de Louis XIV et de Marie-Thérèse d'Autriche, infante d'Espagne. 1660. Musée Tessé, Le Mans.

1660

Suède
Le traité d'Oliwa met fin à la guerre du Nord. →

Angleterre
Charles II est de retour à Londres. La monarchie est restaurée et le Parlement, rétabli, obtient un rôle accru. →

Certains actes de navigation, interdisant l'exportation de viande, bétail et produits laitiers, portent un coup mortel à l'économie irlandaise encore essentiellement agricole.

Pour la première fois, des actrices femmes paraissent sur les planches.

Suède
Les Suédois pleurent le roi Charles X qui vient de mourir au cours d'une nouvelle campagne contre le Danemark. Son jeune fils, Charles XI, lui succède.

Copenhague
Nicolas Sténon (Niels Steesen) découvre que le cœur est un muscle.

Canada
Adam Dollard et seize jeunes Montréalais se sont courageusement sacrifiés pour arrêter au Long-Sault une invasion de 800 Iroquois.

Mali
Biton Koulibaly accède à la tête de l'empire de Segou.

Afrique de l'Est
L'imâm d'Oman, soutenu par les Anglais, prend le port de Mombassa aux Portugais.

1661

Danemark, janvier
Frédéric III affermit son pouvoir. →

Vincennes, 9 mars
Mort de Mazarin. Louis XIV affirme sa volonté de régner personnellement. →

France, 23 avril
Pour lutter contre le jansénisme, un arrêt du Conseil prescrit impérativement la signature du Formulaire aux religieux.

Vaux-le-Vicomte, 17 août
Le Vau et Le Nôtre achèvent le château du surintendant Fouquet. Pour son inauguration, Fouquet organise une grande fête. →

Nantes, 5 septembre
Fouquet est arrêté. →

Paris, septembre
Colbert succède à Fouquet comme ministre d'Etat. →

Paris
Fondation de l'Académie royale de danse. →

France
Bossuet prononce le *Sermon sur la passion.*

Antoine Arnaud et Claude Lancelot publient la *Grammaire générale et raisonnée.*

Le poète Saint-Amant meurt. Normand bohème, voyageur et bon vivant, il a chanté la bonne chère et le cidre. Poète original, la nuit et ses excès l'attiraient.

Versailles
Le Vau commence le nouveau Versailles (1661-1670). →

Italie
Marcello Malpighi observe le flux du sang dans les capillaires des poumons d'une grenouille. Il confirme ainsi la théorie d'Harvey sur la circulation du sang.

Angleterre
Le physicien et chimiste irlandais Robert Boyle (1627-1691) rejette la théorie des éléments d'Aristote. Dans son ouvrage *The Sceptical Chymist,* il définit les corps simples et primitifs et les corps composés. Physicien, il a aussi amélioré la pompe de Guerick grâce à laquelle il a pu préciser la nécessité de la présence d'air pour maintenir la respiration et la combustion.

Saint-Evremond s'exile définitivement en Angleterre après la découverte d'une lettre de sa main contre Mazarin. Moraliste et critique français, sa liberté d'esprit se manifeste dans des écrits irrévérencieux.

Formose
Avec 900 navires et 25 000 hommes, le pirate sino-japonais Koxinga déloge les Hollandais de l'île, installés depuis 1624.

Chine
La dynastie manchoue des Qing, encore contestée vers 1655 par les derniers partisans des Ming, est à présent reconnue dans toute la Chine : la succession de Shunzhi, premier souverain Qing, est assurée normalement.

Amsterdam
Rembrandt reçoit sa commande la plus importante, une toile gigantesque qui fait 5 m x 5 m : *La Conspiration de Claudius Civilus.*

L'entrée solennelle de Charles II dans le palais de Whitehall à Londres, le 8 mai 1660. Peinture anonyme.

Le Parlement anglais restaure la monarchie

Londres, 1660
Charles II, proclamé roi le 8 mai, fait une entrée triomphale à Londres le 29. Voilà donc la monarchie rétablie en Angleterre ; le régime instauré par Cromwell est bien mort avec lui. Richard Cromwell, qui a tenté de succéder à son père, s'est vite révélé incapable d'arbitrer les conflits entre les chefs militaires et le Parlement. Sa démission en mai 1659 a plongé le pays dans l'anarchie. Au printemps 1660, Monck, le général de l'armée d'Ecosse, est intervenu et a pris le contrôle de Londres. En février, il a rétabli l'ancien Parlement, instauré par Charles Ier en 1640, et a réussi sans trop de peine, tant le pays est las des aventures, à faire adopter le principe de la restauration des Stuart. En avril, le Parlement s'est en effet déclaré loyal au roi. Celui-ci, installé à Breda en Hollande, est de retour à Londres. Après vingt ans d'incertitudes, la restauration consacre le retour à la légalité monarchique. Cependant, si l'on n'a pas exigé de Charles II des promesses préalables, l'équilibre des pouvoirs est bien différent de celui de 1640. Le rôle central du Parlement est implicitement reconnu : c'est lui qui vient de rétablir la monarchie. Désormais, le roi devra compter avec lui.

La monarchie devient absolue au Danemark

Danemark, janvier 1661
Malgré de nombreux revers militaires pendant la guerre de Trente Ans et lors du conflit avec la Suède, malgré l'inertie des institutions, qui donnent l'avantage à la noblesse, le Danemark, sous les règnes de Christian IV (1588-1648) et de Frédéric III (1648-1670), tend vers la monarchie absolue. Si elle revenait toujours à la maison d'Oldenbourg, la couronne danoise était en fait élective, le pouvoir appartenant à la Diète et au Sénat *Rigsraad*. Bien que les différents ordres y fussent représentés, les deux assemblées étaient aux mains de la noblesse. Les privilégiés, tout-puissants, étaient à même de gouverner le royaume au mieux de leurs intérêts, s'exemptant d'impôts, accroissant leurs revenus en augmentant le poids des corvées, opposant leur veto à toutes les tentatives de réforme du souverain. En 1660, à la Diète de Copenhague, Frédéric III, qui demandait une contribution financière pour soutenir l'effort de guerre, s'était heurté une nouvelle fois au refus de la noblesse. Contre elle, le roi décida alors de se ranger aux côtés du clergé et de la bourgeoisie, qui réclamaient l'abolition des privilèges fiscaux. Le 13 octobre, fort de cette alliance, il proclamait l'hérédité de la couronne. En janvier 1661, franchissant un pas de plus, il déclarait son pouvoir absolu et annulait la charte qui plaçait la monarchie sous la tutelle du Sénat.

L'hégémonie suédoise sur la Baltique

Oliwa, 1660
Obtenue grâce à la médiation de la France, alliée de la Suède, la paix d'Oliwa (3 mai 1660) met un terme à la guerre du Nord. Le traité signé entre la Suède d'une part, la Pologne, le Brandebourg et l'Empire germanique d'autre part, consacre l'hégémonie suédoise sur les rives de la Baltique. La Suède conserve la Livonie et l'Estonie. Le Brandebourg doit lui rendre les territoires qu'il occupait : Poméranie, Schleswig et Holstein. Le roi de Pologne renonce à ses prétentions sur la couronne de Suède et reconnaît les droits de la dynastie palatine. Le Grand Electeur voit confirmé le rattachement du duché de Prusse au Brandebourg.

Le Vau construit un château pour Fouquet

France, 1656-1661

Louis Le Vau (1612-1670) est nommé en 1655 premier architecte, conseiller et secrétaire du souverain. Il participe à de nombreux projets, dont le remaniement du château de Vincennes (1654-1660), l'agrandissement du palais de Versailles (1661-1670) ; mais, surtout, il vient d'édifier le château de Vaux-le-Vicomte pour le surintendant Fouquet. Vaux se compose de trois parties principales : le palais construit sur une île et deux cours qui s'insèrent dans la perspective des jardins de Le Nôtre. Le Vau joue essentiellement sur les rapports de volume. Au lieu de considérer le château en un seul tenant, il distingue le côté cour, aux fonctions de réception et d'habitation, du côté jardin, plus simple, où la façade ne se rompt pas. En outre, la commodité et l'agencement des pièces intérieures ont pour une fois été respectés.

Louis Le Vau. Le château de Vaux-le-Vicomte. 1656-1660. Façade sur les jardins dessinés par Le Nôtre. La décoration intérieure fut confiée à Le Brun.

Inauguration de Vaux-le-Vicomte

Vaux-le-Vicomte, 17 août 1661

Pour fêter l'achèvement du magnifique château qu'il s'est fait construire, le surintendant des Finances Nicolas Fouquet, marquis de Belle-Isle, organise une somptueuse réception en l'honneur du roi et de la reine. Tous les artistes de la cour sont conviés, La Fontaine, Molière, Poussin, l'architecte Le Vau et le décorateur Le Brun. Mais la magnificence de Fouquet irrite sérieusement le roi.

Le Nôtre créateur des jardins à la française

Versailles, 1661

André Le Nôtre (1613-1700), qui a redessiné les jardins des Tuileries en 1649 et qui, grâce à Fouquet, a pu donner la mesure de son art avec le parc de Vaux-le-Vicomte (terminé en 1661), vient d'être chargé du parc de Versailles (qu'il achèvera en 1668). Il réalisera là son chef-d'œuvre : simplification des lignes mettant en valeur la distribution des masses (pièces d'eau, massifs, groupes de statues) ; agencement des éléments traditionnels repensé avec une ampleur et un faste en parfait accord avec le dessein de Louis XIV. Soumettant la nature à une stricte discipline, Le Nôtre a inventé une harmonie nouvelle : son sens de la mesure dans le maniement des proportions monumentales, l'art avec lequel il repousse l'horizon en suggérant un effet de perspective illimitée l'imposent comme le créateur du jardin « à la française ».

Mort de Mazarin, grand serviteur de l'Etat

Vincennes, 9 mars 1661

Le cardinal-ministre Guilio Mazarini, dit Mazarin, vient de s'éteindre à l'âge de cinquante-huit ans. Régnant en maître sur l'esprit et même le cœur de la régente, cet Italien, qui a, prétendent certains, épousé secrètement la souveraine, a sauvé avec elle la monarchie. Il est sorti vainqueur de la Fronde et a su mettre fin à la guerre avec l'Espagne. Il se révéla un grand homme d'Etat au service de sa patrie d'adoption. Ainsi, Mazarin mena à son terme l'œuvre commencée par Richelieu et prépara le règne de Louis XIV. Celui-ci, dès le lendemain de la mort du cardinal, fait savoir à toute la cour sa volonté de ne plus jamais prendre de Premier ministre. Aidé par quelques grands commis bien choisis, qui le conseillent mais ne décident pas, Louis XIV entendra toujours renforcer, dans tous les domaines, son autorité de monarque.

Naissance du ballet

Paris, 1661

Sous le règne de Louis XIV, débute

Costume d'Apollon pour un ballet de cour dessiné pour Louis XIV.

l'âge d'or du ballet avec Jean-Baptiste Lully, le musicien, et Charles Louis Beauchamp, le chorégraphe. Avec la fondation de l'Académie royale de danse en 1661, puis la création de l'école de danse de l'Opéra en 1713, le ballet devient une affaire de professionnels et non plus de courtisans. En effet, l'élaboration des règles de « l'endehors », des cinq positions fondamentales, du port de bras, l'enrichissement de la technique et du vocabulaire des pas transforment le divertissement de cour en véritable spectacle. De la salle de bal, le ballet passe à la scène. L'illusion optique, les décors, les lumières, tout concourt au spectacle théâtral. En outre, l'alternance et l'autonomie des tableaux permettent à la danse de se dégager de l'action chantée ou parlée. Bientôt, l'influence italienne s'estompe et le ballet français fait école.

Gloire et chute de l'intendant Fouquet

Nantes, 5 septembre 1661

Louis XIV vient d'ordonner l'arrestation de Fouquet. Fils d'un riche armateur breton, conseiller d'Etat et maître des requêtes, il fut nommé surintendant général des Finances par Mazarin. Il sut redresser les finances de l'Etat au lendemain de la Fronde, mais en s'assurant pour lui-même des profits considérables.

Nicolas Fouquet.

Colbert, qui convoitait sa succession, dénonça ses malversations à Louis XIV. Celui-ci, à qui le faste de ce mondain faisait de l'ombre, n'hésita pas à le sacrifier : Fouquet sera condamné au bannissement le 20 décembre 1664.

Colbert est chargé des Finances du royaume

Paris, septembre 1661

En dressant un terrible réquisitoire contre la gestion du surintendant Fouquet, Colbert faisait, dès ce moment, acte de candidature à sa succession. C'est chose faite : principal artisan de la perte de Fouquet, il lui succède comme intendant des Finances. Ce fils de marchand drapier commença sa carrière au service de Mazarin dont il géra la fortune et devint l'homme de confiance. Travailleur infatigable, homme d'ordre et de dossiers, ce grand commis de l'Etat saura rester au second plan et flatter le désir qu'a le roi de gouverner personnellement.

Portrait de Louis XIV. Vers 1675. Peinture anonyme. Ecole française. Château de Versailles.

Costumes des musiciens pour le « Ballet des Fées des forêts de Saint-Germain ». 1625. B.N., Paris.

1661

Empire ottoman, 31 octobre
Mort du grand vizir Köprülü. →

Amérique du Nord
Lutte des Iroquois pour le monopole de la fourrure. →

1662

Paris, 19 août
Pascal meurt à trente-neuf ans. Moribond, il a demandé à être transféré aux Incurables pour y mourir en compagnie des pauvres.

Paris, 29 décembre
L'Ecole des femmes de Molière est son premier chef-d'œuvre, où la verve comique s'allie à la haute pensée d'un moraliste. Mais le succès qu'il obtient irrite ses rivaux, notamment Corneille, et certaines audaces ameutent contre lui les dévots.

Amsterdam
Rembrandt peint *Les Syndics des drapiers réunis en conférence autour de leur président.*

France
L'Angleterre cède Dunkerque à la France pour 400 000 livres.

Paris
Le peintre Philippe de Champaigne, lié au milieu janséniste, peint l'ex-voto commémorant la guérison de sa fille, religieuse à Port-Royal.

François, duc de la Rochefoucauld (1613-1680), publie ses *Mémoires*. Destiné à la carrière des armes, il se mêla aux intrigues contre Richelieu, ce qui lui valut d'être embastillé (1637). Hostile à Mazarin, en 1648, il participa à la Fronde. Rentré en grâce, il commence une carrière de mondain à la cour et dans les salons.

Marie-Madeleine, comtesse de La Fayette, vient de faire paraître *La Princesse de Montpensier.* C'est la première fois qu'en France est publié un vrai roman.

Bossuet prononce le vigoureux *Sermon sur la mort.*

Antoine Arnauld et Pierre Nicole publient *La Logique de Port-Royal* ou *Art de penser*, rédigé pour l'éducation du duc de Chevreuse.

Inde
Le Portugal cède Bombay à l'Angleterre.

Japon
Le philosophe Yamaga Soko prend violemment parti contre ses maîtres et brûle tous les livres qu'il a écrits. Il publiera un manifeste, le *Seikyo*.

Chine
Kangxi succède à Shunzhi, le premier empereur manchou.

1663

Angola, décembre
Mort de la princesse dona Ana de Souza. →

France
La Bruyère est admis à l'Académie française.

Fondation de l'Académie des inscriptions et belles-lettres qui se consacrera à des travaux historiques, archéologiques et philologiques.

Londres
Le savant hollandais Huygens devient membre de la *Royal Society.*

Venise
L'architecte Longhena construit le *Ca' Pesaro* sur le Grand Canal.

1664

Versailles, 8-13 mai
A l'occasion de la fête des « Plaisirs de l'île enchantée » le *Tartuffe* de Molière provoque le 12 mai la « cabale des dévots », animée par Anne d'Autriche et l'archevêque de Paris. →

Hongrie, 1ᵉʳ août
Les Turcs sont battus à Saint-Gotthard. →

France, 26 août
Les religieuses de Port-Poyal s'opposent au roi. →

Madrid, 27 août
Célèbre et sollicité de son vivant, le peintre Zurbarán meurt pauvre et oublié.

Soligny, France
Armand de Rancé réforme l'Ordre de la Trappe en instaurant la règle du silence.

Hongrie
Istvan Gyöngyösi (1629-1704) écrit un grand poème épique : *Vénus de Murany.*

Provinces-Unies
Hals peint le *Portrait des régentes de l'hospice des vieillards.* →

La vie dans un village indien d'Amérique du Nord au XVIᵉ siècle. Aquarelle de John White.

Indiens d'Amérique du Nord s'adonnant à la pêche. XVIᵉ siècle. Aquarelle de John White.

Lutte des Iroquois pour le monopole de la fourrure

Amérique du Nord, 1661
Dès le début du XVIIᵉ siècle, les Indiens Hurons bâtissent un « empire » basé sur le commerce des fourrures avec les Français, marché convoité par les Iroquois. Ces derniers, fédérés au sein de la ligue des Cinq Nations, dépendent des livraisons d'armes des Hollandais pour poursuivre leur guerre expansionniste. Dès 1640, ils décident de s'emparer du commerce des fourrures, seule monnaie d'échange pour l'achat d'armes. Ils s'opposent à la pénétration des missionnaires qu'ils massacrent. En 1649, au cours d'une vaste opération, ils anéantissent tous les villages hurons afin d'être seuls maîtres du commerce. L'intervention des Européens met un terme à leur élan.

Une dynastie de grands vizirs : les Köprülü

Edirne, 31 octobre 1661
Le grand vizir Mehmet Köprülü meurt. Agé de quatre-vingt-cinq ans et se sentant trop vieux pour continuer à porter l'empire à bout de bras comme il l'avait fait depuis cinq ans, il avait obtenu du sultan d'être remplacé par son fils, Fazil Ahmet Pacha, et s'était retiré à Edirne pour mourir. Le même jour arrive à Istanbul Fazil Ahmet Köprülu, jusque-là gouverneur de Damas, qui prend ses nouvelles fonctions de grand vizir. Le fondateur de la dynastie des Köprülü était né à Rudnik, en Albanie, vers 1575. Il n'avait accepté la charge de grand vizir qu'à la condition expresse que le sultan ne s'opposât à aucun de ses décrets. C'était en 1650. Malgré ses quatre-vingts ans, Mehmet allait faire preuve d'une énergie extraordinaire. Il gouverna par le fer et par le sang. Mais, à l'époque où il prit en main les destinées de l'empire, celui-ci était menacé, autant par les attaques des Vénitiens sur les côtes de l'Anatolie et dans les Dardanelles que par les intrigues de palais et les rébellions de l'armée. Pour redresser la situation, il lui avait fallu, en cinq ans de pouvoir, mettre un terme à la subversion des ulémas, des janissaires et des sipahis, mater l'insubordination des soldats, réprimer des révoltes en Anatolie, en Syrie et en Egypte et reconstituer l'armée pour enfin attaquer les Vénitiens et les chasser des Dardanelles. Fazil Ahmet Pacha (1635-1676), fils aîné de Mehmet, poursuivra pendant quinze ans, jusqu'en 1676, l'œuvre de son père pour la restauration de l'Etat et de l'armée et donnera au grand vizirat un pouvoir plus absolu que jamais. Homme de grande expérience, de grande compétence et de grande culture, Fazil Ahmet se distinguera par sa souplesse et son habileté politique. Malgré quelques défaites militaires, il rétablira la puissance de l'Empire ottoman sur la Hongrie et la Crète et l'étendra à l'ensemble de la mer Noire. Il favorisera les arts et les sciences. Mais tout cela aurait-il été possible si un vieil homme de quatre-vingts ans n'avait pas utilisé ses dernières forces à épuiser celles de ses adversaires, intérieurs et extérieurs, d'un empire au bord de la décomposition ?

La mort de dona Ana de Souza, reine d'Angola

Afrique de l'Ouest, décembre 1663
L'implantation des Portugais en Afrique a pour objectif de procurer à ce pays les esclaves noirs dont il a besoin pour ses colonies d'Amérique du Sud. Poursuivant leur conquête jusqu'aux royaumes du Ndongo et du Matamba (au sud du Congo), ils se heurtent alors à une violente résistance organisée par la souveraine Jinga. Fille de Nkola Kiluanji, un guerrier célèbre pour les combats qu'il mena contre les Portugais, Jinga va s'imposer elle-même à son peuple et aux étrangers en poursuivant cette lutte avec ténacité. En signe de paix, elle accepte d'être baptisée et prend alors le nom de dona Ana de Souza. Cette trêve ne dure cependant que peu de temps, les Portugais reprenant leur chasse à l'homme grâce à l'aide des chefs de tribus et de mercenaires guerriers. Concluant des alliances avec tous ceux qui partagent son esprit d'indépendance, Jinga leur livre une guerre de plus de quarante ans. Elle s'éteint en décembre 1663 à l'âge de quatre-vingt-deux ans et le soin de ses funérailles est confié à des missionnaires italiens, au grand regret de son peuple. Elle occupe une place de premier plan dans l'histoire de l'Angola.

"Les Plaisirs de l'île enchantée" à Versailles

Versailles, 8-13 mai 1664
A Versailles (consacré désormais lieu de divertissements), en l'honneur de sa maîtresse Louise de La Vallière, le jeune roi donne une grande fête, éblouissante par son luxe et sa somptuosité : *Les Plaisirs de l'île enchantée*. Molière qui, depuis le triomphe de *L'Ecole des femmes*, est rapidement devenu le fournisseur des spectacles de son royal protecteur, est chargé d'animer les réjouissances. Sa troupe, au grand dam des comédiens du roi, y joue une fantaisie, *La Princesse d'Elide*, et trois actes d'une comédie en vers, *Tartuffe ou l'Hypocrite*, dans laquelle l'écrivain met en cause l'hypocrisie de certains dévots. Louis XIV aime à se distraire. A l'occasion de la fête, la cour de Marbre a reçu son décor définitif et le dessinateur Le Nôtre a réalisé les premiers aménagements du nouveau parc : nouveaux parterres, en remplacement de ceux qu'avait conçus Boyceau, et liaison des différents niveaux entre eux. La statuaire des bassins a été confiée à MM. Lerambert et Anguier. Le roi, qui a décidé de faire de Versailles le temple de son propre culte, a également chargé Le Vau de remanier le petit château Louis XIII.

Ex-voto peint en 1662 par Philippe de Champagne en remerciement de la guérison de sa fille (assise), religieuse à Port-Royal. A genoux, mère Agnès.

Les sœurs de Port-Royal résistent au roi

Port-Royal, 26 août 1664
Hardouin de Préfixe, l'archevêque de Paris tout récemment nommé, vient en personne à Port-Royal. Au cours d'une visite dramatique, il somme les religieuses de signer le Formulaire (→ 1653) « sans distinction du droit et du fait ». Mais il se heurte à leur opposition intraitable. La querelle qui oppose depuis de longues années les jansénistes au pouvoir politique s'est rallumée avec l'arrivée de Louis XIV à la tête de l'Etat. En effet, au lendemain de la mort de Mazarin, Louis XIV, très hostile aux jansénistes dont il met en doute le loyalisme, entend selon ses propres termes « détruire le jansénisme et dissiper les communautés où se fomente cet esprit de nouveauté ». Le 23 avril 1661, un arrêt du Conseil prescrit impérativement la signature du Formulaire aux prêtres, religieux et religieuses. Le 22 juin, les religieuses de Port-Royal, cédant aux instances d'Antoine Arnauld, acceptent de le signer, mais en y joignant une clause introduisant la distinction du droit et du fait. Elles maintiendront leur attitude même après les condamnations du pape et du roi. Douze d'entre elles, dont la mère Agnès, seront alors dispersées dans divers couvents. Le reste de la communauté sera privé de sacrements et placé sous la surveillance de six visitandines. Dans les semaines qui suivront, seules quelques religieuses céderont et signeront le Formulaire. En 1665, les opposantes seront regroupées à Port-Royal-des-Champs, étroitement gardées par la police. Les « solitaires », qui depuis 1648 s'étaient installés à peu de distance de l'abbaye, seront contraints de fermer leurs « petites écoles » et de se disperser.

Une dimension tragique nouvelle chez Hals

Haarlem (Provinces-Unies), 1664
Frans Hals (1581 ou 1585-1666) fut exclusivement portraitiste durant toute sa longue carrière. Si dès le départ sa peinture se dégage du maniérisme italianisant, c'est qu'il ne vise pas au-delà de la présence physique et de la ressemblance du modèle. Le génie de son art se situe dans sa conception audacieuse des valeurs, des teintes, de la lumière ramenées au jeu de la touche : le coup de pinceau incisif, rapide, qui révèle une habileté extraordinaire, est si mordant que l'on pourrait aisément discerner le geste de la touche. Dans les dernières toiles, ces feux d'artifice picturaux se transforment en un style austère, d'une grande profondeur méditative : le groupe des *Régents* et surtout celui des *Régentes de l'hospice de vieillards de Haarlem*, institution où il passe les dernières années de sa vie, ont une tendance si expressionniste et une telle tension intérieure qu'ils donnent le sentiment que jamais la peinture n'a montré la terreur humaine devant la vieillesse d'une façon aussi magistrale et effrayante à la fois : la lumière est là, mais plus sommaire, assourdie déjà.

Le grand vizir Köprölü Fazil Ahmed Pacha. Guerrier redoutable, il menaça gravement l'Europe et rendit à l'empire ottoman sa puissance passée.

Des galères ottomanes firent leur apparition sur le Danube lors de l'offensive menée par Köprölü Fazil Ahmed Pacha en Hongrie. Miniature ottomane.

Les Turcs menacent l'Europe centrale

Hongrie, 1er août 1664
En 1606 et en 1616, les traités de Vienne avaient défini la frontière occidentale de l'Empire ottoman. Mais la double suzeraineté sur la Transylvanie était sujette à des interprétations ambiguës. Et les princes de Transylvanie sont des vassaux peu sûrs, qui se rapprochent tantôt de l'empereur, tantôt du sultan, au gré de leurs intérêts. Cette situation confuse ne pouvait manquer d'en-traîner un nouveau conflit. En 1661, le sultan Köprölü II envahissait la Transylvanie et ravageait la Hongrie. En juin 1663, il marchait sur Presbourg. Se heurtant à la défense de Montecuccoli, les Turcs, rejoints par des troupes tatares, passèrent plus au nord et dévastèrent la Moravie et la Silésie. Ces horreurs ont ému l'Europe entière ; partout on prêche la croisade. Ayant reçu des renforts de France et d'Allemagne, Montecuccoli stoppe l'offensive ottomane à Saint-Gotthard. Une trêve de vingt ans est conclue à Vasvar.

Frans Hals. Une des régentes de l'Hospice des vieillards de Haarlem.

1665

Espagne, 17 septembre
Le roi Philippe IV vient de mourir. Il n'a ri, dit-on, que trois fois dans sa vie. Vélasquez, qui lui fit de nombreux portraits, fut son unique ami. C'est Charles II, un jeune prince chétif âgé de quatre ans, qui monte sur le trône sous la régence de Marie-Anne.

Congo
Le Congo est écrasé par une coalition des Portugais et des Angolais. →

Paris
Molière fait jouer *Dom Juan* qui disparaît de l'affiche quelques semaines plus tard, mais la compagnie de l'Illustre-Théâtre devient troupe du roi.

Parution du premier numéro du *Journal des savants*.

La Rochefoucauld publie des *Maximes* qui font scandale par la vision résolument pessimiste de l'homme qu'elles révèlent. Ces *Maximes* dénoncent les motivations égoïstes des passions, des sentiments et des relations sociales : « Nos vertus ne sont le plus souvent que des vices déguisés. »

La Fontaine connaît un vif succès avec ses écrits licencieux : *Contes et Nouvelles*.

Louis XIV et Colbert, qui veulent achever la construction du Louvre, font venir de Rome l'architecte Bernin. Celui-ci établit plusieurs projets, mais rencontre très vite l'hostilité des artistes français, notamment Claude Perrault.

Le titre de contrôleur général des Finances est créé au profit de Colbert. Secrétaire à la Marine, il encourage l'exportation et l'expansion coloniale. Il décide de mettre en fiche les gens de mer et de les appeler à tour de rôle pour servir sur les bâtiments de la Royale. En outre, une Caisse d'invalidité est créée. Ainsi, la France met sur pied une marine puissante. →

Clermont-Ferrand
Tenue des « Grands Jours » d'Auvergne. →

Castres
Le mathématicien Pierre de Fermat vient de mourir. Outre ses théories mathématiques, il laisse le principe d'optique géométrique qui portera son nom, principe selon lequel la lumière, pour aller d'un point à un autre, prend le chemin de durée minimale ou maximale.

Italie
Dans *Physicomathesis de lumine*, Francesco Grimaldi met en évidence la diffraction de la lumière. L'œuvre posthume du jésuite et physicien italien, connu aussi pour avoir élaboré la topographie de la Lune, est enfin publiée.

Rome
Le peintre français Nicolas Poussin meurt dans la ville où il a passé une grande partie de sa vie. Son œuvre l'a imposé comme une figure majeure du classicisme français.

Portugal
Les Espagnols sont écrasés à la bataille de Montes Claros par le marquis de Marialva.

Angleterre et Provinces-Unies
Les deux pays s'affrontent pour la seconde fois (→ 1652).

Delft, Provinces-Unies
Vermeer peint *La Dentelière* et *La Femme à l'aiguière*.

Liège
L'Histoire amoureuse des Gaules paraît anonymement. Roman satirique, dans lequel son auteur, Bussy-Rabutin (1618-1693), dépeint les vices de la cour et les intrigues galantes du jeune roi Louis XIV. Celui-ci le fera emprisonner à la Bastille.

Angleterre
Robert Hooke (1635-1703) découvre que les plantes respirent et qu'elles contiennent des cellules vivantes.

Londres
Une grande peste ravage la ville. Robert Hooke réalise les premières observations sur le tissu cellulaire au microscope, contribuant à l'essor de l'histologie.

Ethiopie
Johannès succède au roi Fazilidas, ouvrant une période de paix mais de controverse religieuse.

1666

Londres
Un incendie détruit la City. →

Paris
Newton élabore le calcul différentiel. →

Colbert crée l'Académie royale des sciences. →

Effondrement du royaume du Congo

Afrique équatoriale, 1665
Le prospère royaume du Congo s'est formé avant l'arrivée des Européens. Au XVe siècle, le fils du chef du petit Etat de Bungu près de Boma s'installe avec les siens sur le plateau de Kongo et assujettit les populations locales. Le premier roi se marie dans le clan des chefs de terre et est sacré *mani* Kongo. Cette royauté de droit divin étend son pouvoir de l'océan à la vallée de Kwango et des vallées du Congo et de la Nesle au nord à celles de Loje au sud. Entre 1482 et 1494, les Portugais font du trafic d'esclaves, évangélisent le royaume et baptisent le roi Nzinga Nkouvou (1490). Son fils cadet qui lui succède jusqu'en 1543 se convertit et prend le nom d'Alphonse Ier. En 1548, devant l'invasion des Iagas, le roi appelle le Portugal à l'aide : c'est le début de la décadence au profit du jeune royaume d'Angola, et la terrible défaite d'Amduila en 1665 précipite la fin du puissant royaume.

L'organisation de la marine française

Paris, 1665
Le roi a donné en août 1664 à la Compagnie française des Indes orientales le privilège de la navigation sur les mers d'Orient et du Sud, pour cinquante ans. Pour défendre le domaine colonial et protéger le commerce sur mer, Mazarin avait laissé dix-huit vaisseaux et quelques mauvaises galères ; les navires marchands français sont peut-être au nombre de 600 sur les 20 000 qui circulent dans le monde et la construction navale, plus chère qu'ailleurs, est rare. Colbert a imaginé un système national de sociétés qui exploiteraient le commerce du monde sur les modèles anglais et hollandais, concurrents redoutables. En 1664, une ambassade de la Compagnie est envoyée en Perse et en Inde pour y conclure des traités de commerce. Colbert s'attache ensuite à rétablir au Levant le commerce français jadis florissant et ruiné par les pirates barbaresques.

Les pratiques dirigistes de Colbert

France, 1665
Colbert, contrôleur général des Finances, dirige toute l'activité économique de la France. Son gouvernement marque l'apogée du mercantilisme français auquel on donnera le nom de colbertisme. En fait, Colbert est moins un théoricien que le réalisateur des idées exprimées avant lui en Angleterre ou en France. Sa doctrine économique, étroitement nationaliste, repose sur le postulat que la puissance tant politique ou militaire qu'économique d'un pays est liée à la masse de métaux précieux (or et argent) dont il dispose. De plus, la quantité disponible mondialement est fixe et le volume du commerce international stable. Dès lors, le commerce n'est rien d'autre qu'une guerre d'argent. Une nation ne peut s'enrichir qu'en ruinant les autres pays. Il lui faut donc assurer un excédent des exportations sur les importations. Ce principe implique des mesures de strict protectionnisme : tarifs douaniers élevés sur les importations de produits finis (et non sur les matières premières), encouragement à l'exportation, développement de la flotte nationale. Cette théorie commerciale a son prolongement industriel : l'industrie doit produire ce qui n'est plus importé et ce qui doit être exporté. C'est dans cette perspective essentiellement commerciale que l'Etat développe les manufactures et prend en charge la production et le travail. Ainsi, la grande industrie naît en France avec Colbert mais sous l'orientation et le contrôle de l'Etat qui lui impose des règlements minutieux. L'Etat colbertien est dirigiste ; il intervient sans cesse et prétend réglementer toute la vie économique. L'Etat subventionne, protège, contrôle, oriente la production. Colbert impose une politique de bas salaires mais, comme il faut permettre à la main-d'œuvre de vivre, il fixe au plus bas possible les prix agricoles. L'agriculture est ainsi sacrifiée au profit des manufactures d'Etat ou privées. Mais les fabriques sont bientôt sclérosées par les règlements qui les avaient à l'origine stimulées. L'intervention de l'Etat est de moins en moins bien supportée. Ce dirigisme étatique est bien fait pour plaire à Louis XIV, mais n'entraîne que méfiance chez ceux que Colbert voulait associer à la grande aventure du commerce international. C'est donc un demi-échec pour le colbertisme.

Portrait de Colbert. Peinture anonyme du XVIIe siècle.

Tenue des Grands Jours d'Auvergne à Clermont

Clermont-Ferrand, 1665
Louis XIV vient d'ordonner la tenue des Grands Jours d'Auvergne. L'origine des Grands Jours remonte à un tribunal établi à Troyes par les comtes de Champagne au XIIᵉ siècle. Depuis François Iᵉʳ, l'usage des Grands Jours royaux s'est renforcé. Périodiques ou exceptionnels, ceux-ci sont placés sous l'autorité de commissaires extraordinaires, étrangers à la province, donc indépendants des pressions locales. Ils ont pour principale mission de ramener la paix et l'ordre dans des pays éloignés de la capitale. Ceux qui se tiennent à Clermont-Ferrand cette année ont pour but de défendre les paysans contre la petite noblesse locale. Ainsi, peu à peu, le pouvoir de Paris tend à dominer les différentes provinces. Selon la même politique unificatrice de la monarchie, de nombreux privilèges locaux sont, en outre, remis en question. C'est le cas des pays d'Etat, comme le Languedoc, où l'assiette de la taille demeure entre les mains des représentants provinciaux des trois ordres. Peu à peu, les pays d'Etat deviennent des pays d'Election dans lesquels les représentants du pouvoir central prennent les choses en main. Dans les provinces, les nouveaux hommes forts sont les intendants. Intendants de justice, de police ou de finances, ces nouveaux agents de la monarchie ont pratiquement compétence sur toute l'administration en place. La plupart des révoltes urbaines réclament la suppression de ces intendants, agents zélés et haïs de la politique centralisatrice de Louis XIV.

Les Constellations. Illustration tirée de l'« Atlas » de Cellarius. XVIIᵉ siècle.

Isaac Newton par Godfrey Kneller. National Portrait Gallery, Londres.

Les gouvernements s'intéressent aux sciences

Louis XIV en visite à l'Académie des sciences. Détail. Peinture de Le Brun. Château de Versailles.

Europe, 1666
Dans la seconde moitié du XVIIᵉ siècle, les gouvernements européens veulent contrôler le développement scientifique. Après une période où les savants se sont regroupés en dehors de l'Etat, des institutions officielles sont créées. En 1662, le collège animé par Wilkins est transformé en *Royal Society* qui se propose de travailler au progrès des sciences naturelles. Pour rester indépendante, elle demande à ses participants une cotisation annuelle et assure ainsi la parution d'un bulletin, *Les Transactions philosophiques,* excluant les disciplines telles que la théologie, la morale et la rhétorique. Elle améliore par les travaux qu'elle suscite les « arts utiles ». Parmi les participants, on trouve des savants mais aussi des marchands, des navigateurs et des mécaniciens. Les débats en sont animés notamment par le mathématicien et physicien Isaac Newton, le philosophe John Locke, l'astronome Edmond Halley et Christopher Wren, un des membres fondateurs de la Société, architecte qui déploie après le grand incendie de Londres une intense activité (cathédrale Saint-Paul). Quatre ans plus tard, Colbert, désireux d'orienter les travaux scientifiques français, crée l'Académie royale des sciences. Elle seule peut, selon le ministre de Louis XIV, assujettir et diriger les scientifiques. Les membres de cette Académie sont pensionnés par le roi et reçoivent du gouvernement des directives concernant les travaux à mener. Ainsi, jusqu'en 1683, les académiciens inventorient les machines utiles au commerce et à l'industrie. La tutelle gouvernementale française est plus exclusive que celle de l'Angleterre, ce qui éloigne des savants comme Descartes ou Leibniz, pendant qu'en province se multiplient les sociétés savantes plus libres qu'à Paris. Le mouvement se développe plus tardivement dans les autres pays européens, en 1700 à Berlin, en 1772 à Bruxelles, sur le modèle anglais ou français.

Newton découvre le calcul différentiel

Angleterre, 1666
Isaac Newton est entré à l'université de Cambridge en 1661 pour y étudier les mathématiques. À la suite de la peste de Londres, il est contraint à une retraite dans son pays natal. C'est là qu'il forge les premières bases de sa version du calcul sur les infiniment petits. Il met en place ce qu'il appelle le « calcul des fluxions » (des dérivées) qu'il explique ainsi : « Je considère les grandeurs mathématiques comme décrites par un mouvement continu. Je cherche une méthode pour déterminer les grandeurs selon les vitesses qui les engendrent. Ces vitesses, je les nomme fluxions. » Il arrive ainsi à analyser les propriétés infinitésimales des courbes et à remonter de l'infini au fini. En 1669, il montrera ses résultats à son maître Barrow qui y découvrira une ampleur jusque-là insoupçonnée. Newton ne publie pas ses travaux mais il les utilise pour ses calculs en mécanique. Finalement, face au développement du calcul infinitésimal de Leibniz, il se décidera à rendre publique sa méthode, en 1687. Ce qui provoquera des polémiques très dures à propos de la paternité de ces calculs. L'Europe savante est divisée entre l'Angleterre qui soutient le calcul des fluxions et le Continent qui appuie Leibniz.

Un grand incendie ravage Londres

Londres, 1666
Il a fallu quatre jours d'efforts pour que l'incendie soit enfin circonscrit. Après la peste qui a exercé ses ravages l'année dernière, les Londoniens voient la City aux trois quarts anéantie. Certes, il y a peu de victimes mais les dégâts sont considérables : la cathédrale Saint-Paul et 89 églises sont détruites, 13 200 maisons sont en ruine, 400 rues sont dévastées. Le feu a pris accidentellement le 6 septembre, à une heure du matin, dans le fournil d'un boulanger, Faryner, qui demeurait dans Pudding Lane, non loin du pont de Londres. Favorisées par la sécheresse qui règne depuis de longues semaines et attisées par un fort vent d'est, les flammes ont rapidement gagné les abords de Saint-Paul, trouvant un aliment de choix dans les maisons de bois ainsi que dans les marchandises entassées à l'intérieur des docks du port ; c'est ainsi que la Maison des drapiers a brûlé durant trois jours et trois nuits, ses caves étant remplies de barils d'huile. Londres est sinistrée mais on dit que l'architecte Christopher Wren travaille déjà à un plan de reconstruction.

L'incendie qui ravagea Londres le 6 septembre 1666, les bords de la Tamise. Peinture de l'école hollandaise. London Museum.

1666

Paris, 20 janvier
La reine mère est morte. Fille de Philippe III d'Espagne, elle épousa Louis XIII en 1615. Elle participa aux intrigues contre Richelieu et fut même accusée de trahison pour avoir correspondu secrètement avec son frère le roi d'Espagne. En 1643, à la mort de Louis XIII, elle devint régente. Lorsque Louis XIV, son fils, prit le pouvoir, elle se retira au Val-de-Grâce.

Smyrne, mai
Sabbataï Zevi se fait reconnaître comme le Messie. →

Paris, 4 juin
Molière fait jouer *Le Misanthrope*. →

Angleterre
Le pays prend des mesures contre les catholiques.

Paris
L'écrivain français Antoine Furetière publie le *Roman bourgeois*, évocation réaliste des gens de loi et satire de la littérature romanesque.

Louis XIV restreint les droits du Parlement de Paris. →

Les *Vies des dames galantes* sont enfin publiées. Son auteur, l'abbé et seigneur de Brantôme, s'y montre un chroniqueur plus soucieux d'évoquer des souvenirs licencieux que de faire œuvre d'historien.

Italie
Otto Tachenius publie *Hippocrates Chimicus*, un traité de chimie où il énonce que tous les sels sont le résultat de l'union acide-base.

Bologne
Giovanni Guerchin est mort. Ce peintre de talent, qui avait travaillé pour le pape Grégoire XV, s'était fixé à Bologne depuis 1630. Son œuvre se distingue par la nervosité du trait et le raffinement des effets de lumière, comme dans *La Mort de Didon*.

Golfe de Guinée
Première exploration par les Français. →

Canada
Devant la puissance de feu du régiment de Carignon Salière, les Iroquois doivent traiter avec les Français. La paix sera signée en 1667 ; elle permettra l'introduction des jésuites en Iroquoisie.

Japon
Le philosophe Ryokai (1619-

1691) doit s'enfuir dans les monts du Yoshino après s'être attiré les foudres du shogun.
Le maître de la céramique japonaise, Kakiemon, vient de s'éteindre.

Espagne
Murillo termine une série de vingt-deux grandes figures de *Saints* pour l'église des Capucins.

1667

Paris, 15 février
Paix de l'Église (dite aussi « paix Clémentine ») : Port-Royal accepte de signer le Formulaire. →

Rome, 22 mai
Le pape Alexandre VII vient de mourir. Il a pris des mesures contre le jansénisme et fait élever la colonnade de la place Saint-Pierre par Bernin. En fait, il laissait le soin des affaires aux congrégations et au cardinal Rospigliosi. C'est ce dernier qui lui succède, pour deux ans, sous le nom de Clément IX.

France
Les Français s'engagent dans la guerre dite de Dévolution. →

Mme de Montespan devient la maîtresse du roi, dont elle aura huit enfants.

Fondation de l'Observatoire de Paris, dont les bâtiments sont construits par Claude Perrault.

Corneille présente *Attila*.

Italie
Pietro-Antonio Cesti (1618-1669) compose *Il Pomo d'Oro* opéra primitif italien.

Amsterdam
Le peintre Pieter de Hooch (1629-1683) s'installe à Amsterdam, après un séjour à Delft où il a connu Fabritius et Vermeer. Influencé par ce dernier, ses œuvres reflètent l'intimité des intérieurs bourgeois avec une atmosphère de recueillement.

Jan De Witt réussit à faire voter l'acte d'exclusion qui interdit au prince d'Orange la fonction de stathouder.

Russie
Le Cosaque Stenka Razine dirige une guerre paysanne. →

Guinée
Première expédition de la Compagnie des Indes. →

Le Parlement de Paris perd son droit de remontrance

Paris, 1666
Le Parlement exerce, en vertu de ses attributions judiciaires, un droit de remontrance. Dès son origine, il fut chargé de vérifier les édits, les ordonnances, les déclarations et surtout les lettres patentes expédiées par la Chancellerie, avant de procéder à l'enregistrement : inscription sur les registres du Parlement, qui donne valeur de loi aux décisions du souverain. Sollicités bien des fois pour appuyer la politique royale, les parlementaires sont tentés de critiquer les décisions gouvernementales de portée générale : les remontrances ajournent l'enregistrement. Aussi le Parlement exerce-t-il une redoutable fonction politique, qu'il tend à utiliser pour devenir une sorte de conseil de gouvernement. C'est pourquoi Louis XIV, qui n'a pas oublié l'agitation du Parlement pendant la Fronde (1649) et qui entend être le souverain absolu du royaume, décide que les remontrances seront désormais formulées après l'enregistrement et non plus avant, ce qui leur enlève toute espèce d'efficacité. Développant un régime de pouvoir absolu, le Roi-Soleil, qui a réduit par ailleurs les ministres à de simples exécutants auprès desquels il prend conseil, fait pratiquement tomber en désuétude le droit de remontrance.

Première exploration française sur les côtes du golfe de Guinée

Golfe de Guinée, 1666
La Compagnie des Indes orientales, créée en 1664 par Colbert, entreprend sa première expédition le long des côtes du golfe de Guinée. L'exploration est conduite par Villault de Bellefond. Au cours d'un deuxième voyage, la Compagnie tentera de remonter le fleuve Sénégal (1667). Un comptoir sera installé à Offra au Bénin (1670). Peu à peu, des contacts vont se nouer avec les populations locales. En effet, dès 1672, le roi de la région d'El Mina (Côte de l'Or) enverra deux ambassadeurs auprès de Louis XIV, sur un vaisseau de la Compagnie des Indes.

Bronze du Bénin. Musée de Berlin-Ouest.

Création du "Misanthrope" de Molière

Paris, 4 juin 1666
Encouragé par l'accueil fait à ses premières pièces, Molière présente *Le Misanthrope*, peut-être son plus grand chef-d'œuvre. L'écrivain y fait la satire des personnages les plus caractéristiques de la société mondaine : marquis, coquette, dévote... Alceste, le misanthrope, fuit les mondanités mais aime une coquette, Célimène, qui, volage, distribue des billets doux à tous ses soupirants. La pièce a reçu un accueil pour le moins mitigé. Molière croit profondément à la vocation morale et didactique du théâtre. Avec courage, il s'en prend à tous ceux qui restent enfermés dans leurs préjugés, par routine, par mesquinerie ou par snobisme. Il est à la fois l'auteur, l'animateur et l'interprète de ses comédies. On dit que lorsqu'il les écrit, il garde en esprit de façon très précise le rôle qu'il y tiendra. Il sait également utiliser les défauts de ses comédiens. Sa culture est immense. C'est aussi un homme de caractère, habitué à se battre dans des circonstances difficiles. De son vrai nom Jean-Baptiste Poquelin, Molière est né à Paris en 1622. Son père était tapissier du roi. Refusant de prendre sa suite, il fonde à vingt ans (1643) l'Illustre-Théâtre qui fait rapidement faillite. Après douze années de tournées en province, la troupe revient à Paris et présente, en 1659, *Les Précieuses ridicules* qui établit sa réputation. L'année suivante, le roi lui octroie la salle du Palais-Royal. Mais Molière, malheureux en ménage, épuisé par la maladie, doit lutter contre de nombreux ennemis : les comédiens du roi, jaloux de ses privilèges, les dévots qui ont fait interdire son *Tartuffe*, et ceux dont il dénonce les ridicules.

Jean-Baptiste Poquelin, dit Molière. Peinture de Mignard.

L'aventure messianique de Sabbataï Zevi

Smyrne, mai 1666

A la grande stupeur de tous ses fidèles, Sabbataï Zevi se convertit à l'islam. Arrêté sur l'ordre du sultan et emprisonné pendant l'été à la forteresse de Gallipoli, impressionné par les menaces de ses geôliers, il a cédé aux pressions. Mais il prétend avoir agi ainsi au nom de Dieu. Leur première déconvenue passée, ses disciples lui restent, pour la plupart, fidèles. Une nouvelle secte se constitue, celle des sabbatiens. Né à Smyrne en 1626, Zevi fut, très jeune, sujet à des visions, se perdant en de continuelles rêveries mystiques. Persécuté par les rabbins de sa ville natale, il se rend alors en Egypte. Il trouve là un riche protecteur et une première communauté de disciples se rassemble autour de lui. Il gagne ensuite la Palestine et s'établit à Jérusalem. Il y fait la connaissance d'un jeune kabbaliste, Nathan de Gaza. Ce dernier, à la faveur d'une illumination, croit reconnaître en Sabbataï Zevi le Messie attendu. Il s'empresse de faire connaître la nouvelle, persuade Zevi de tenir le rôle qui est le sien et l'accompagne dans toutes les villes saintes de Palestine. Le Messie et son prophète provoquent un mouvement qui franchit bientôt les limites de la Palestine. En mai 1666, Sabbataï, accompagné de son cortège de fidèles, fait un retour triomphal à Smyrne. Dans la plupart des communautés juives, en Turquie, en Afrique du Nord et même en Europe, des adeptes ont vendu leurs biens et fait leurs adieux. Et la nouvelle stupéfiante de la conversion de Sabbataï Zevi leur parvient alors qu'ils sont en route pour la Terre Sainte.

La cour de Louis XIV en déplacement pendant la campagne des Flandres en 1667. Détail. Peinture d'Adam Frans van der Meulen.

Les fastes de la cour du Roi-Soleil

Versailles, 1667

Louis XIV est l'objet d'un véritable culte qui s'exerce dans le cadre de la cour où la vie est réglée selon une étiquette en partie empruntée à l'Espagne. La famille royale occupe le premier rang, immédiatement après le roi. Les maîtresses du roi y tiennent une place officielle, mais ne jouent aucun rôle politique. A Louise de La Valière (dont les enfants seront légitimés), succède, dès 1667, l'altière Athénaïs, la marquise de Montespan. La masse des courtisans se partage les multiples charges et services de cour, source d'honneurs et de profits. Ils deviennent ainsi les ministres du culte monarchique, participant, selon un cérémonial compliqué, aux grands moments de la journée du roi : le lever et le coucher notamment. Ils passent l'essentiel de leur temps en fêtes, bals et comédies, et mesquines critiques, cabales ou complots. La cour est itinérante. Elle ne séjourne plus que rarement au Louvre ou aux Tuileries, mais elle est tantôt à Fontainebleau, Saint-Germain, Chambord ou Versailles.

La marquise de Montespan par Pierre Mignard.

La duchesse de La Vallière et ses enfants. Peinture de Schmitz (XIXᵉ siècle) d'après Mignard. Château de Versailles.

Conquête des Pays-Bas espagnols par Turenne

Pays-Bas, 1667

Le non-paiement de la dot promise par l'Espagne en échange de la renonciation par Marie-Thérèse de ses droits sur l'héritage espagnol avait rendu caduque cette clause du traité des Pyrénées. Louis XIV, avant même la mort de Philippe IV, proposait à l'empereur Léopold le partage des possessions espagnoles, s'attribuant pour sa part les Pays-Bas, la Franche-Comté, Naples, la Sicile et les Philippines. A la mort du roi d'Espagne, le 17 septembre 1665, Louis XIV faisait publier un traité des droits de la reine. L'Espagne refusant les prétentions françaises, Turenne et Louvois préparent l'invasion des Pays-Bas : c'est la « guerre de Dévolution ». Les opérations sont retardées par la deuxième guerre anglo-hollandaise. Ce n'est qu'en mai 1667 que Turenne, avec une armée forte de plus de 70 000 hommes, entre en Flandre. L'armée espagnole, très inférieure numériquement, n'oppose qu'une faible résistance. C'est sans difficulté que Turenne s'empare d'une douzaine de places fortes, parmi lesquelles Tournai, Douai et Lille. Il prend alors ses quartiers d'hiver. L'action diplomatique commence. Elle aboutira, après l'invasion de la Franche-Comté, à la signature du traité d'Aix-la-Chapelle le 2 mai 1668.

Stenka Razine conduit une révolte paysanne

Russie, 1667

En raison des difficultés sociales régnant dans la région du Don, le chef cosaque Stenka Razine (1630-1671) mène une campagne de pillage qui prend bientôt l'allure d'une guerre paysanne : Razine se retrouve à la tête d'une armée de paysans fuyant le servage. C'est en 1661 qu'il avait révélé ses dons de chef exceptionnels, lors d'une expédition du tsar contre la Crimée : aussi apparaît-il comme un recours dans cette période de troubles consécutive à la guerre avec la Pologne. Il organise une expédition sur les côtes persanes de la mer Caspienne : les insurgés pillent la côte, de Derbent à Bakou, et amassent un butin considérable. Ils rentrent en Russie, en 1668, et obtiennent le pardon du tsar. Cependant, entraîné par la force de son armée à reprendre la lutte, il s'empare de Tsaritzyne, d'Astrakan, de Saratov : les paysans dévastent les villes et massacrent les propriétaires. Razine sera battu en 1670 à Simbinsk, alors qu'il menaçait la région de Moscou.

Compromis entre le roi Louis XIV et le pape

Paris, 15 février 1667

La question janséniste qui oppose Louis XIV aux religieuses de Port-Royal résonne au sein même de l'épiscopat. Une bulle papale ayant une nouvelle fois prescrit la signature du Formulaire, quatre évêques vont la promulguer en introduisant la distinction du droit et du fait. Cette opposition épiscopale, beaucoup plus grave que celle des religieuses de Port-Royal, embarrasse non seulement le pape mais aussi le roi, inquiet de voir le Saint-Siège multiplier ses interventions dans le royaume. Aussi, le nouveau pape Clément IX et Louis XIV cherchent-ils à sortir de l'impasse. Après de longues tractations, ils aboutissent à un compromis : le Formulaire sera signé avec la distinction du droit et du fait. Cette « paix Clémentine » amènera une détente provisoire : les religieuses de Port-Royal se décideront à signer le 15 février. Mais les problèmes de fond ne sont en rien résolus par cette trêve, pendant laquelle le jansénisme se consolidera.

1667

Londres, 18 juin
Les Hollandais incendient les arsenaux. →

Provinces-Unies, 21 juillet
Le traité de Breda met fin à la guerre avec l'Angleterre. →

Paris, 17 novembre
Jean Racine crée *Andromaque*, qui enthousiasme Louis XIV. →

Rome
Bernin achève l'aménagement de la place Saint-Pierre. →

Un des plus grands architectes italiens vient de se suicider alors qu'il avait achevé la façade de San Carlo alle Quattro Fontaine : Borromini (né en 1599) a contribué avec force à infléchir le caractère colossal et symétrique du baroque romain dans un sens plus dynamique.

Lisbonne
Le roi Alphonse VI est déposé. Sa femme, la princesse de Savoie le fait remplacer par son frère dom Pedro qu'elle ne tardera pas à épouser (1668). Alphonse est emprisonné au château de Sintra.

Portugal
L'écrivain Francisco Manuel de Melo (né en 1611) vient de mourir. Il avait en 1640 abandonné la langue castillane en l'honneur des Bragance. Il est l'auteur de comédies et de farces, tel *L'Apprenti gentilhomme*.

Amsterdam
Rembrandt peint *La Fiancée juive*.

Londres
Milton publie *Le Paradis perdu*. →

Hooke (1635-1703) propose l'enregistrement systématique du temps. C'est le début de la météorologie.

Paris
La manufacture des Gobelins devient manufacture royale. →

Une nouvelle magistrature est créée à Paris : celle du lieutenant général de police. Ses fonctions sont très étendues : sécurité, surveillance des mœurs, censure des livres. C'est Nicolas de La Reynie qui est titulaire de la charge. Remarquablement zélé et énergique, il contribuera à en faire un poste de première importance.

On vient d'installer un système pour éclairer les rues de Paris.

Amphitryon de Molière est accueilli avec faveur, mais son *George Dandin ou le Mari confondu* ne recueille qu'un demi-succès.

1668

La Haye, 23 janvier
Formation de la Triple-Alliance. →

Aix-la-Chapelle, 2 mai
Un traité signé dans cette ville prononce l'annexion de la Flandre wallonne (Lille, Douai et Tournai) par la France après la défaite des Espagnols.

Pologne, 16 septembre
Le roi Casimir V abdique. Son règne a été une des plus sombres périodes de l'histoire de la Pologne.

Paris, 23 octobre
Un arrêt du Conseil rend officielle la paix de l'Eglise.

Angleterre
L'auteur dramatique et essayiste anglais John Dryden (1631-1700) vient de publier un *Essai sur la poésie dramatique* dans lequel il s'efforce de concilier les traditions de la scène anglaise avec le goût classique français. Il s'attache d'abord à la défense du style par l'intérêt qu'il porte à la facture du vers et à l'éloquence du discours.

Allemagne
Hevelius publie sa *Cometographia*, une notation systématique de toutes les comètes connues.

Lisbonne
Les Espagnols signent la paix consacrant leur défaite et reconnaissent l'indépendance du Portugal.

Paris
Racine fait jouer *Les Plaideurs*, son unique comédie.

L'Avare de Molière est un échec.

La Fontaine publie ses premières *Fables*. →

L'historien Mézeray publie son *Abrégé chronologique*. Ses pamphlets contre Mazarin et la politique fiscale de Colbert lui avaient fait perdre ses fonctions d'historiographe du roi.

Epernay
Dom Pierre Pérignon (1638-1715), moine bénédictin cellérier à l'abbaye d'Hautvillers, près d'Epernay, invente un procédé pour rendre mousseux le vin de Champagne.

La flotte hollandaise menace Londres

Londres, 18 juin 1667
La flotte hollandaise, dirigée par Michel de Ruyter, vient de pénétrer dans l'embouchure de la Tamise, avec 72 vaisseaux. Elle met le feu aux arsenaux et à plusieurs vaisseaux. Après une deuxième attaque de Londres en juillet, les Provinces-Unies vont amener les Anglais à négocier la paix. Le traité de Breda est signé le 21 juillet entre les Provinces-Unies, l'Angleterre, la France et le Danemark : la France reprend l'Acadie, les Provinces-Unies recouvrent la liberté du commerce dans les ports anglais et Charles II d'Angleterre reçoit une colonie hollandaise, La Nouvelle-Amsterdam (achetée en 1626 aux Indiens par le Hollandais Peter Minuit), qui deviendra New York. Les Anglais viennent de rompre leur alliance avec la France pour entrer, auprès des Provinces-Unies et de la Suède, dans la Triple-Alliance. Or cette alliance ne tiendra pas longtemps, les Hollandais étant trop envahissants, tant aux colonies que sur la mer. Les Français, eux aussi, cherchent à se protéger. Colbert vient de relever les tarifs douaniers (1667) pour s'affranchir de la dépendance vis-à-vis des Hollandais installés à Rouen. Certes, les Provinces-Unies possèdent la première et la meilleure organisation bancaire et commerciale, mais cela ne suffit pas. Dès 1668, le duel anglo-hollandais va céder la place à une compétition triangulaire.

Les Gobelins, manufacture royale

Paris, 1667
Institués manufacture d'Etat par Colbert en 1661, les Gobelins deviennent, par édit royal, « manufacture de la couronne ». En 1601, Henri IV avait fait venir des Flandres deux cents lissiers qui s'installèrent dans la maison des célèbres teinturiers Gobelins, auxquels se joignirent des lissiers parisiens, ébénistes, orfèvres, fondeurs, lapidaires, graveurs : outre les tapisseries, on y fabrique des meubles et de l'orfèvrerie pour les résidences royales. Les Gobelins sont divisés en plusieurs ateliers de haute et basse lisse, gérés par des entrepreneurs. Ils possèdent un magasin de laine et de soie et une école assurant la formation des apprentis. La manufacture dépend de la surintendance des Bâtiments, Arts et Manufactures. En 1663, le décorateur Charles Le Brun est nommé directeur de la manufacture des Gobelins et du mobilier royal. Il fournira de multiples cartons de tapisseries, notamment les célèbres suites de l'*Histoire d'Alexandre*, l'*Histoire du roi* et les *Maisons royales*.

Louis XIV visitant la manufacture des Gobelins le 15 octobre 1667. 1673-1680. Une des 14 pièces de la tenture « L'Histoire du roi » d'après Le Brun.

Le « Paradis perdu » du poète anglais Milton

Londres, 1667
Auteur de poèmes philosophiques et pastoraux, John Milton (1608-1674) a été un ardent partisan de Cromwell. Après la restauration des Stuart, il quitte la vie publique et, ruiné et aveugle, il commence à dicter un vaste poème biblique en dix chants (il y en aura douze en 1674), *Le Paradis perdu*. Conçue initialement comme une tragédie, cette épopée cosmique a pour sujet la chute d'Adam et Eve. Mais l'épopée ne suit aucune chronologie : la présentation du fils de Dieu aux anges provoque, dans le livre III, la révolte de Lucifer, tandis que dans les livres I et II, les anges révoltés sont jetés dans un enfer qui évoque les compositions fantastiques de Bruegel. Satan, dont la rébellion est ici exaltée comme la marque de sa grandeur et de sa gloire, rôde autour de l'Eden dans le livre IV, la création d'Adam et Eve n'ayant lieu que dans le livre suivant. Le livre IX décrit la scène de tentation où Satan s'adresse à Eve comme un courtisan du XVIIᵉ siècle à la femme aimée. Les livres XI et XII annoncent *Le Paradis reconquis* (1671). Ce poème est une apologie de la révolte qui annonce le satanisme romantique.

L'Ukraine devient une province russe

Androussovo, Russie, 1667
A l'issue de la guerre qui opposa la Russie à la Pologne de 1654 à 1667, une trêve de treize ans est conclue à Androussovo. Par ce traité, le roi de Pologne, Casimir V, cède à la Russie Smolensk et une grande partie de l'Ukraine (sur la rive gauche du Dniepr avec Kiev). En contrepartie, la Russie cède la Lituanie à la Pologne. L'Ukraine au XVIIᵉ siècle n'était pas un état juridiquement indépendant. L'alliance avec la Russie et la Pologne permit à l'Ukraine de conserver une indépendance de fait.

L'hetman d'Ukraine, Bogdan Khmelnitski (1648-1656), a su profiter de cette situation pour s'insurger contre le roi de Pologne, Casimir V. Mais bientôt, trahi par les Tatars, il subit une défaite et dut se tourner vers la Russie. Le tsar Alexis hésita à entrer en guerre contre la Pologne. Ce n'est que deux ans plus tard, en 1653, que les Etats généraux déclarèrent la guerre à la Pologne. Alexis remporta des victoires considérables. Mais informé d'un accord entre Khmelnitski et le roi de Suède, Alexis chercha une entente avec la Pologne. Son successeur Vygovski traita cependant avec les Polonais et la guerre reprit jusqu'en 1667.

Portrait de Racine. Ecole française du XVIIᵉ siècle.

"Andromaque" suscite l'enthousiasme du roi

Paris, 17 novembre 1667
Présentée chez la reine, *Andromaque*, tragédie de Jean Racine, a révélé aux Parisiens un auteur original, faisant apparaître le tragique à l'état pur : Pyrrhus, vainqueur de la guerre de Troie, s'est épris de sa prisonnière Andromaque, et menace de tuer son fils si elle n'accepte de l'épouser. Andromaque, veuve inconsolable, se refuse à lui, tandis qu'Hermione, jalouse, projette de l'assassiner. Au moment où triomphe la règle des trois unités, Racine tend à la simplicité, dénouant en champ clos un drame qu'il a saisi à son point de crise. Le tragique de l'homme écrasé par la fatalité et en qui s'agitent des passions contradictoires, apparaît en pleine lumière. Racine, dans une langue pure, mélodieuse et sans emphase, suggère une atmosphère où filtrent la violence et la cruauté, même si ses héros touchent le cœur des spectateurs. C'est un grand succès pour le dramaturge dont les débuts dans la vie furent difficiles : né en 1639 dans une famille modeste, il fut orphelin à quatre ans. Les sœurs de Port-Royal se chargèrent de son éducation, lui inculquant de solides notions de rhétorique et le goût de l'Antiquité. *Andromaque* est sa troisième pièce.

Jean de La Fontaine. Atelier de Hyacinthe Rigaud. XVIIIᵉ siècle.

Les premiers livres des "Fables" de La Fontaine

Paris, 1668
Jean de La Fontaine fait paraître six livres de *Fables choisies mises en vers*, illustrées par Chauveau. Une centaine de ces fables sont reprises au fabuliste grec Esope, mais le poète français a surpassé son modèle grâce au pittoresque, à la variété des rythmes et l'art du dialogue. A quarante-sept ans, protégé par Fouquet puis par Madame, veuve de Gaston d'Orléans, Jean de La Fontaine n'est pas tout à fait un inconnu : il a publié à partir de 1664 – avec un certain succès – une série de *Contes et Nouvelles en vers*, narrant les mésaventures de femmes naïves ou de vertu légère sur un ton très leste (certains contes seront d'ailleurs saisis par la police dix ans plus tard). Après des études de théologie, puis de droit et un mariage raté, ce fils de bourgeois occupe la charge de maître des Eaux et Forêts du duché de Château-Thierry, sa ville natale. Une occupation riche en loisirs dont le poète profite pour lire les Anciens. Ce contact avec la nature lui a peut-être inspiré l'idée de faire parler aux bêtes le français le plus nuancé et le langage, universel, de la sagesse. La justesse des observations s'allie dans ses *Fables* au pittoresque des symboles animaliers.

Alliance des trois Etats du Nord contre les visées françaises

La Haye, 23 janvier 1668
Les Provinces-Unies et l'Angleterre, qui viennent de se réconcilier, signent un traité d'alliance. Officiellement, il ne s'agit que d'imposer leur médiation entre la France et l'Espagne. Les puissances maritimes, en faisant pression sur la France pour que celle-ci modère ses ambitions, n'ont d'autre volonté affirmée que de faciliter la conclusion de la paix. En réalité, l'accord anglo-hollandais est implicitement dirigé contre la France. Quelques mois plus tard, en avril, malgré les efforts de la diplomatie française, la Suède adhère à son tour au traité de La Haye. La Triple-Alliance est née. Le traité de La Haye est en grande partie l'œuvre personnelle du Hollandais Jan De Witt, qui craignait que les victoires françaises sur les Espagnols ne soient qu'un préliminaire à une occupation permanente des Pays-Bas, occupation qui, à terme, pourrait constituer une menace pour l'indépendance des Provinces-Unies.

Louis XIV nomme le marquis de Louvois ministre de la Guerre

Paris, 1668
Michel Le Tellier abandonne la direction de la Guerre à son fils, Louvois. Très tôt associé aux affaires de son père, il reçut le secrétariat à la Guerre en 1655.
Louvois sut gagner la confiance de Louis XIV. Seul maître des armées après la mort de Turenne (1675), il réorganisera entièrement son entretien et son recrutement. Il procé-

Louvois.

dera à une véritable révolution en instituant l'« Ordre du tableau » qui ouvre le commandement aux roturiers. Il renforcera l'armée permanente en créant la milice. De caractère dur et autoritaire, il poussera sans cesse Louis XIV à une politique de force. Il aura une lourde responsabilité dans la ruine du Palatinat et dans les dragonnades.

Bernin : la colonnade de Saint-Pierre

Rome, 1667
Dix ans auront été nécessaires pour édifier cette colonnade en forme d'ellipse et faire du parvis de Saint-Pierre une des places les plus grandioses du monde. Après une première étude fraîchement accueillie (1656), Bernin avait opté en 1657 pour la solution ovale (la première pierre avait été posée le 31 août). La colonnade aux ailes légèrement convergentes révèle son sens du faste et du grandiose et sa prédilection pour les effets illusionnistes. Mais la configuration de l'ensemble revêt un aspect symbolique : la colonnade est comme « deux bras ouverts » sur la Ville et sur le monde. Elle s'intègre dans Rome telle une scène de théâtre où l'ouvert et le fermé se conjuguent. A la différence du cercle, l'ovale crée une interaction avec le monde extérieur et cette osmose est également exprimée par la transparence de la colonnade. Ce lieu devient le point de rencontre possible de l'humanité en même temps qu'il diffuse son message rayonnant autour de l'obélisque. Ce point qui joue le rôle de centre et de relais indique la vraie distance, celle verticale qui va de l'homme vers Dieu.

La place Saint-Pierre de Rome avec la colonnade de Bernin. 1656-1667. Vue aérienne. Cent quarante statues couronnent la colonnade.

1669

Paris, 4 janvier
Parution anonyme des *Lettres portugaises*. →

Rome, 14 janvier
Un bref du pape entérine la paix de l'Eglise, qui amène une détente provisoire.

France, 1er février
Louis XIV prend les premières mesures de restriction à l'application de l'édit de Nantes.

La première représentation publique du *Tartuffe* est enfin autorisée.

France, août
Colbert promulgue l'ordonnance des Eaux et Forêts, pour protéger et développer les forêts de France. Il devient secrétaire d'Etat à la Marine.

Crète, 27 septembre
Les Turcs s'emparent de Candie, capitale de l'île. →

Amsterdam, 4 octobre
Rembrandt meurt ruiné et dans la solitude. →

Paris, 16 décembre
Racine fait jouer *Britannicus*, tragédie romaine à « message » politique.

Rome
Mort du peintre et architecte Pietro da Cortona (né en 1596), auteur d'une des œuvres clés du baroque romain avec ses nombreuses fresques de plafond en trompe-l'œil.

Madrid
Le jésuite allemand Neidhardt, inquisiteur général et Premier ministre de la reine régente Marie-Anne, est renvoyé. Il sera remplacé par Juan d'Autriche, fils naturel de Philippe IV, brillant guerrier mais homme d'Etat incapable.

Londres
Johann Becher, le dernier alchimiste à soutenir la thèse de la transmutation des métaux, vient de découvrir l'éthylène.

Allemagne
Grimmelshausen publie *Les Aventures de Simplex Simplicissimus*. →

Hambourg
L'alchimiste allemand Hennig Brand découvre fortuitement le phosphore en distillant de l'extrait d'urine.

Lübeck
La Hanse, ruinée par la guerre de Trente Ans, achève de se disloquer. La Diète vient de se réunir, pour la dernière fois.

Pologne
Malgré tout l'or de Versailles, le Grand Condé, candidat au trône de Pologne, a été écarté au profit de Michel Wisnowiecki.

Inde
La liberté de culte est rejetée. Aurangzeb, le Grand Moghol, ordonne la destruction de tous les temples et de toutes les écoles non islamiques.

Provinces-Unies
L'architecte Pieter Post vient de mourir. La ville de La Haye lui doit son hôtel de ville.

Danemark
Précurseur de la paléontologie, le géologue Nicolas Sténon donne la première interprétation précise de l'origine des fossiles, jetant ainsi les bases de la géologie chronologique (stratigraphie). Anatomiste, il enseigna à Copenhague ; il découvrit le canal excréteur de la glande parotide, dit « canal de Sténon ».

Copenhague
Eramus Bertelsen Bartholin remarque que les cristaux de spath d'Islande possèdent la propriété de diviser en deux le rayon lumineux qui les pénètre (double réfraction).

1670

France, 17 février
Traité franco-bavarois pour une action concertée à la mort de l'un des monarques, Léopold Ier d'Allemagne ou Charles II d'Espagne.

Paris, mars-avril
Le prédicateur Louis Bourdaloue se rend célèbre en prêchant le Carême et l'Avent devant la cour, frappant son auditoire par sa morale exigeante et le style austère de ses sermons.

Douvres, Angleterre, 26 mai
Traité clôturant les hostilités ouvertes en 1666 entre Charles II et Louis XIV. Négocié entre la duchesse Henriette d'Angleterre, belle-sœur de Louis XIV, et son frère Charles II d'Angleterre, il affirme l'emprise française en Europe.

Versailles
Le corps central du palais de Versailles est achevé. →

La Haye
Le *Tractacus* de Spinoza. →

Rembrandt meurt en solitaire à Amsterdam

Amsterdam, 4 octobre 1669
Par la puissance de son lyrisme, Rembrandt, à la fin de sa vie, semble parvenir aux limites de la tradition picturale qu'il dépasse par un langage nouveau. De plus en plus original et hardi, son art pousse au maximum le mystère de la matérialisation picturale : *Siméon au temple* (1669) est bouleversant dans son état d'inachèvement. Depuis 1655, les coups du sort se sont accumulés : dettes, faillites, mort de sa compagne (1662), mort de son fils Titus (septembre 1668) ; il vécut alors pauvre et seul, tout entier réfugié dans son art, complétant une œuvre immense.

Rembrandt. Portrait de l'artiste. Vers 1660. Kenwood House, Londres.

"Les Aventures de Simplex Simplicissimus"

Renchen, 1669
Les critiques mettront longtemps à identifier l'auteur des *Aventures de Simplex Simplicissimus* : Hans Jakob Christoffel von Grimmelshausen (1620-1676). Ce lettré, protestant converti au catholicisme, maire de Renchen, qui exerce les fonctions de juge, notaire et percepteur, a eu une vie aventureuse : tour à tour soldat pendant la guerre de Trente Ans, paysan, maquignon et aubergiste, il donne dans ce roman largement autobiographique d'amples renseignements sur la vie quotidienne dans l'Allemagne de la guerre. A l'image de l'auteur, Simplex connaît des aventures truculentes qui rappellent celles des *picaros* espagnols : né dans le Fessart en 1662, Simplex, chassé par la guerre civile, devient ermite, page, bouffon chez les Impériaux, brigand chez les Croates, soldat de l'armée suédoise, amoureux à Paris, avant que le roi des Sylphes, rencontré au centre de la Terre, lui donne un trésor. Cette œuvre est témoigne de l'esprit baroque, dominé par un sentiment aigu de la vanité du monde qui pousse vers une recherche de Dieu.

Scène de bataille entre la flotte turque et la flotte vénitienne commandée par Francesco Morosini lors de la campagne de Morée (1684-1688).

Venise abandonne la Crète aux Turcs

Candie, 27 septembre 1669
Fazil Ahmet Pacha (né en 1642, il régnera de 1691 à 1695), le second des Köprülü, qui commande lui-même les forces ottomanes, fait son entrée à Candie, capitale de la Crète. Le siège de la ville, commencé le 6 octobre 1648, a duré 21 ans. Les défenseurs de Candie recevaient de grandes quantités d'armes, de vivres et d'hommes d'Espagne, d'Angleterre, de France, du pape, ainsi que des corsaires toscans et maltais. Désireux d'en finir, Fazil Ahmet avait cette fois réussi à organiser le blocus total de la ville, par terre et par mer. La situation de la forteresse, déjà précaire, fut aggravée au mois d'août, lorsque les recrues européennes décidèrent de se retirer à la suite de désaccords avec le commandant de la place. Il ne restait plus aux Vénitiens qu'à accepter la paix que leur offrait la Sublime Porte. L'accord, conclu le 5 septembre, stipule l'évacuation totale de l'île en échange de la restauration des privilèges économiques dont les Vénitiens jouissaient à l'intérieur de l'Empire ottoman.

Spinoza, un esprit ouvert aux problèmes de son temps

La Haye, 1670

Baruch Spinoza (1632-1677) n'est nullement un « philosophe solitaire » ; il appartient à la bourgeoisie patricienne dirigée par Jan de Witt qu'il soutient. L'observation du pouvoir lui est matière à réflexion philosophique. Le *Tractacus theologico politicus* est consacré à démontrer que l'Etat a un fondement naturel, et non théologique. Pour Spinoza, le dogme religieux (judaïsme) et l'institution politique sont deux éléments d'une même chaîne : il faut ramener la raison sur terre ; pour cela, d'abord débarrasser la religion de son mystère, puis introduire en matière religieuse le libre raisonnement. En politique aussi, il faut introduire la liberté. Pour Spinoza, c'est le droit naturel de chaque individu

Baruch Spinoza.

qui garantit sa liberté. Certes, les hommes peuvent transférer leur droit naturel, mais sans pour autant s'en dépouiller totalement. Ainsi Spinoza lie-t-il étroitement religion et politique ; si étroitement même que selon lui les souverains sont les dépositaires et les interprètes non seulement du droit civil, mais aussi du droit sacré. Il attribue donc aux souverains des fonctions extrêmement étendues ; il leur fait confiance pour ne pas en abuser. Sur ce point, il pense précisément au gouvernement hollandais, marquant clairement sa préférence pour le régime démocratique.

Les lettres d'amour d'une religieuse

Paris, 4 janvier 1669

Ce petit livre suscite dès sa parution un engouement qui laissera les *Lettres portugaises* à jamais fameuses. C'est, dit l'éditeur Barbin, « avec beaucoup de soin et de peine » qu'il s'est procuré « un exemplaire de ces cinq lettres ». On feint de savoir que l'auteur serait une religieuse portugaise, Mariana Alcoforado (1640-1723), séduite et abandonnée par un gentilhomme français servant en 1663 contre l'Espagne ; on chuchote que le destinataire serait le comte Noël de Chamilly ; mais on murmure aussi que le traducteur, Gabriel de Guilleragues, en serait l'auteur véritable. Quoi qu'il en soit, ces déclarations passionnées, sans doute les plus belles lettres d'amour jamais écrites, analysent avec un désespoir lucide les illusions de l'amour et la douleur de l'absence, dans une langue sublime : « Considère, mon Amour, jusqu'à quel excès... »

Vue du château de Versailles et de ses jardins en 1668. Peinture de Pierre Patel. Château de Versailles. Les travaux de transformation commandés par Louis XIV commencèrent par l'aménagement de vastes jardins dessinés par Le Nôtre.

Versailles, le chantier du siècle

France, 1670

La création de Versailles est rendue possible parce que le roi achète de nouvelles terres afin de reconstruire le château et de fonder une ville. Versailles va s'installer sur un terrain totalement réaménagé par assèchements et drainages. Sur cet espace neuf et entièrement soumis au dessein du roi, la structure est donnée par trois grandes avenues qui convergent vers l'entrée du château. Délaissant les travaux du Louvre, Louis XIV veut transformer le pavillon de chasse de son père en une résidence digne de son faste. Il demande à l'architecte Louis Le Vau, au peintre Charles Le Brun et au jardinier André Le Nôtre de transformer Versailles. Les premiers travaux aboutissent en 1668 à la création d'un jardin et d'un immense parc, prélude à l'agrandissement et l'aménagement du château. Versailles est alors le théâtre de fêtes somptueuses. Mais Louis XIV donne l'ordre à Le Vau d'agrandir sensiblement le château pour en faire la résidence définitive de la cour. Deux vastes pavillons sont alors construits, dont le décor et l'aménagement intérieur sont confiés à Charles Le Brun. En 1678, Louis XIV chargera Jules Hardouin-Mansart d'ajouter au palais de Le Vau deux nouvelles ailes. Cet agrandissement nécessitera d'énormes travaux de terrassements. En 1682, Versailles deviendra enfin la résidence de la cour, mais restera longtemps encore un chantier immense sur lequel travaillent, en 1685, 36 000 ouvriers et 6 000 chevaux.

Le parterre du Midi, château de Versailles. Jardin à la française dessiné par Le Nôtre.

Château de Versailles. Le corps central, façade sur jardin. Commencé en 1668 par Louis Le Vau, l'ouvrage sera achevé en 1678 par Jules Hardouin-Mansart.

1670

Saint-Denis, 21 août

Henriette d'Angleterre meurt subitement à Saint-Cloud. Fille de Charles Ier d'Angleterre, elle était l'épouse de Philippe d'Orléans, frère du roi. Belle et spirituelle, elle avait inspiré à son beau-frère un vif penchant. Bossuet prononce son *Oraison funèbre*. →

Paris, 14 octobre

Création du *Bourgeois gentilhomme*. →

Rome

Clément X succède au pape Clément IX, artisan de la paix de l'Eglise (ou paix Clémentine) avec les jansénistes.

Athanasius Kircher publie *China Monumentis Illustrata*. →

Italie

Francisco Lana dessine un vaisseau aérien. C'est un aérostat soutenu par des sphères où l'on a fait le vide.

Le physicien italien Giovanni Borelli tente de voler en utilisant des ailes artificielles. Il est le fondateur de l'iatromécanisme, conception mécaniste de l'être vivant et de ses activités, inspirée du mécanisme cartésien.

Madrid

Mort de Juan II Zabatela (né en 1610), chroniqueur du roi Philippe IV.

Amsterdam

Avec la mort de Bartholomeus Van der Helst (né en 1613), c'est le peintre officiel de la maison d'Orange et de la bourgeoisie d'Amsterdam qui disparaît.

Russie

L'hetman cosaque Stenka Razine enflamme la région de la Volga. Les Cosaques en révolte seront écrasés par Jean Sobieski.

France

Hugues de Lionne lance une grande offensive diplomatique contre la Hollande.

Jean Picard réalise une mesure du degré terrestre entre Sourdon (près d'Amiens) et Malvoisine (près de Paris). La valeur exacte du rayon terrestre étant ainsi déterminée à partir du « degré de Picard », Newton pourra mettre au point sa théorie de la gravitation universelle.

Colbert crée la Compagnie française du Levant.

Les Pensées de Pascal sont publiées par son neveu, Etienne Périer. →

Empire ottoman

Le poète Caib (né en 1603) est mort. Il a longtemps vécu à la cour de Shâh Jahân. De retour en Perse, il a été nommé « roi des poètes » par Abbas II.

Amérique Centrale

Après avoir pillé Cuba, Portobelo et Maracaibo, le flibustier Henri Morgan prend Panama, dont il tire un fabuleux butin. Mandé à Londres pour y être jugé, il reviendra à la Jamaïque avec le titre de gouverneur.

Bahamas

Etablissement de colonies anglaises.

Amérique du Nord

Fondation de la Caroline du Sud.

Bénin

Les Français fondent un comptoir à Offea.

Chine

L'empereur Kangxi agrandit son royaume. →

Versailles

Françoise Athenaïs de Rochechouart de Mortemart, marquise de Montespan, maîtresse de Louis XIV depuis 1667, devient officiellement favorite du roi. Elle en aura huit enfants, dont six survivront et seront légitimés. Compromise dans l'affaire des Poisons, elle sera peu à peu remplacée par Mme de Maintenon.

Paris

Pierre Corneille, qui s'est toujours opposé à Racine, donne *Tite et Bérénice* ; la confrontation, sur un même sujet, est nettement à l'avantage de son jeune rival. Sorti vaincu de cet affrontement littéraire, et malgré la qualité poétique de *Psyché* (1670) qu'il écrit en collaboration avec Molière, il renoncera au théâtre après *Suréna* (1674).

Hollande

Apogée du paysage dans la peinture hollandaise. A Haarlem, *Le Moulin de Wijk* de Jacob van Ruysdael marque avec majesté la prédilection du peintre pour le paysage panoramique. A Amsterdam, le meilleur élève de Ruysdael, Meindert Hobbema, peint les *Ruines de Brederode*, qui compte parmi les chefs-d'œuvre du paysage hollandais.

La faïence d'Iznik décore "Topkapi"

Istanbul, XVIIe siècle

Le Nouveau Palais, ou *Topkapi Sarayi*, est constitué d'un ensemble de pavillons. Commencé par le sultan Fatih Mehmet en 1465, il a été continué par les différents sultans, qui y ajoutèrent chacun leur kiosque. Le harem constitue la partie la plus précieuse du palais. La plupart des pavillons sont lambrissés de faïences, généralement bleues ou vertes, en provenance d'Iznik, principal centre de production en Turquie. Au XVIIe siècle, les ateliers d'Iznik doivent fournir des carreaux de faïence en grande quantité pour les vastes mosquées d'Istanbul : on y retrouve la calligraphie, les arabesques, les cyprès et les fleurs.

La chambre à coucher de la mère du sultan au palais de Topkapi. Décoration de céramique à motifs floraux datant de Mehmet IV.

Publication posthume des "Pensées" de Pascal

Paris, 1670

A sa mort, en 1662, Blaise Pascal a laissé de nombreuses notes et des fragments rédigés depuis 1657 et souvent malaisés à déchiffrer. Ses amis et proches, réunis en comité, ont mis au point l'édition, dite de Port-Royal, des *Pensées sur la religion et quelques autres sujets*. L'ouvrage, qui n'avait pas de titre précis et pour lequel Pascal n'a laissé aucune indication de plan, a été conçu comme une *Apologie de la religion chrétienne*. Cet ensemble, qui devait préparer par le raisonnement les incrédules à la foi, a été cependant conçu pour comporter deux parties : dans *Misère de l'homme sans Dieu*, Pascal entend entraîner l'indifférent et l'orgueilleux au désespoir en soulignant l'impuissance de la raison humaine à comprendre les faits ontologiques ; évoquant la *Félicité de l'homme avec Dieu*, il engage (argument du « pari ») l'homme misérable à atteindre la certitude au sein de l'Eglise du Christ, qui rend compte de la misère comme de la grandeur de l'homme, « roi dépossédé ». L'ambition lyrique, la conviction de son style, la pénétration poétique font des *Pensées* l'une des œuvres mystiques les plus puissantes.

Blaise Pascal.

Dépouillement et musicalité du langage dans "Bérénice"

Paris, 1670

Sur les conseils d'Henriette d'Angleterre, belle-sœur du roi, Jean Racine aborde les amours contrariées de Titus et de Bérénice. Cette tragédie s'inspire d'une phrase de l'historien latin Suétone : « Titus, qui aimait passionnément Bérénice, et qui même, à ce que l'on croyait, lui avait promis de l'épouser, la renvoya de Rome, malgré lui et malgré elle, dès les premiers jours de son empire. » Racine a été séduit par la densité du sujet. *Bérénice* met en évidence la maîtrise poétique de Racine, sa « sorcellerie évocatoire », son goût pour « une action simple, soutenue de la violence des passions, de la beauté des sentiments et l'élégance de l'expression », comme l'auteur aime à le dire lui-même.

Une comédie-ballet de Lully et Molière

Paris, 14 octobre 1670
Dans le cadre des divertissements royaux, Molière présente en collaboration avec le musicien Lully une comédie-ballet : *Le Bourgeois gentilhomme*. La pièce, sorte de revue joyeuse, jouée sur un rythme endiablé, ridiculise les prétentions aristocratiques de M. Jourdain, un bourgeois parvenu. Molière, avec ses précédentes comédies-ballets, *L'Amour médecin* et *Monsieur de Pourceaugnac*, s'est fait le promoteur d'un genre nouveau, qui remporte d'autant plus de succès qu'il fait allusion à des personnages connus. Par contre, courtisanerie oblige, les deux Jean-Baptiste, collaborateurs si féconds, ne se supportent plus.

Le Bourgeois gentilhomme. Gravure de P. Brissart pour l'édition de 1682.

Le règne glorieux de Kangxi

Chine, 1670
Kangxi règne depuis dix ans à peine, et déjà l'empire Qing a su agrandir son royaume et a atteint une indéniable apogée culturelle. L'empereur manchou adopte sa~ent une politique tolérante à l'égard des milieux chinois cultivés, par prudence politique certes, mais aussi par sympathie et respect réels. Curieux de sciences, musicien, poète et calligraphe, Kangxi a laissé, à juste titre, l'image d'un souverain éclairé.

Wang Shimin. Paysage dans le style de Zhao Meng-Fu. 1670. Feuille d'album, encre et couleurs sur papier. Collection C. C. Wang, New York.

L'empereur Kangxi.

Wu Li. Paysage de montagne.

Du nouveau dans l'art de la scène

Paris, 1670
La situation sociale et morale de l'acteur ne cesse de s'améliorer tout au long du siècle, tandis que s'accroît le prestige des auteurs de théâtre. L'ampleur et la décoration des salles traduisent ce renouveau. Ainsi la salle des Machines, construite dans une aile des Tuileries et équipée par Vigarini, dispose-t-elle les gradins de façon à respecter la hiérarchie sociale des spectateurs, marquant par la même occasion le triomphe en France de l'architecture théâtrale à l'italienne. Par ailleurs, l'ancien usage qui consistait à admettre sur les côtés de la scène les princes et les nobles se restreint considérablement. Des divertissements, procédant du goût pour le « spectacle total », propre à charmer les yeux et les oreilles, aussi bien que le cœur et l'esprit, tels *Les Amants magnifiques* de Molière, se multiplient. Cependant, la création en 1671 de l'Académie de musique et de poésie par Sourdéac et Perrin, et, en 1672, de l'Académie royale de musique et de danse de Lully, marquera la fin de la profusion ornementale au théâtre, qui s'orientera vers l'unité régulière de lieu, de temps et d'action.

Les comédiens français et italiens du Théâtre royal. A l'extrême gauche : Molière. Anonyme français de 1670.

Kircher fait connaître la civilisation chinoise

Rome, 1670
C'est un panorama complet de la civilisation chinoise qu'Athanasius Kircher offre avec *China monumentis illustrata*. Histoire, mœurs, religions, développement des arts et des sciences, particularités de la langue et de l'écriture, rien n'est laissé dans l'ombre. Ce jésuite, qui enseigne les mathématiques et les langues orientales au Collège romain, est un véritable savant. Des singularités de l'optique au déchiffrement des hiéroglyphes, de l'astronomie à la géologie, de la musique aux spéculations sur la combinatoire universelle, tout lui est prétexte à recherches.

Bossuet prononce l'oraison funèbre d'Henriette d'Angleterre

Saint-Denis, 21 août 1670
Usant dans ses *Sermons* prononcés entre 1659 et 1662 d'une éloquence entraînante, Bossuet fait valoir le même enseignement dans les onze *Oraisons funèbres* qu'il prononce entre 1667 et 1687 : il y développe essentiellement le thème pascalien de la misère et de la grandeur de l'homme, dont seule la religion sait rendre compte. Bossuet entend « dans un seul malheur déplorer toutes les calamités du genre humain et dans une seule mort faire voir la mort et le néant de toutes les grandeurs humaines », car Dieu ne sacrifie les grands de ce monde que pour l'instruction des humbles. Dans *L'Oraison d'Henriette d'Angleterre*, Bossuet met en relief la vanité de la destinée humaine dont la seule grandeur réside dans une mort sainte. Puissante, imaginative, éloquente, rapide, grave et lyrique, cette « cathédrale verbale » force l'admiration, voire la piété des grands et de la cour. Evêque de Condom depuis 1669, Bossuet devra subordonner ses activités d'homme d'Eglise à la tâche de précepteur du Dauphin qui lui est confiée la même année et qu'il exercera dix ans.

1671

France
Le diplomate Arnauld de Pomponne, neveu du Grand Arnauld, succède, à la tête de la diplomatie française, à Hugues de Lionne qui vient de mourir. Ce dernier était le neveu du diplomate Abel Servien, négociateur français au traité de Westphalie.

Paris
Molière fait jouer *Les Fourberies de Scapin*.

L'architecte et médecin Claude Perrault publie son traité d'anatomie animale, *Mécanique des animaux*.

Colbert fonde l'Académie royale d'architecture. Libéral Bruant en est un des premiers membres : deux de ses chantiers parisiens sont l'hôpital de la Salpêtrière et l'hôtel des Invalides.

Alger
Les deys dirigeront désormais la ville. →

Angola
Le royaume de Ndongo est défait à Ngola par les Portugais qui l'annexent en faisant le Royaume portugais d'Angola.

Soudan
Mort d'Abou-Dinj, roi du Sennar.

1672

Dresde, Allemagne, 11 juin
Le musicien Heinrich Schütz (né en 1585) vient de mourir. Après un séjour à Venise, son style s'est profondément modifié sous l'influence italienne. Il est revenu dans ses dernières œuvres (*Passions*) à un art dépouillé, d'une austère grandeur. Il est l'auteur du premier opéra allemand, *Dafné* (1627), perdu dans un incendie.

La Haye, 20 août
Jan et Cornelis de Witt sont assassinés. →

Londres
Newton présente un compte-rendu de ses expériences sur les couleurs à la *Royal Society*.

Pour la première fois, un violoniste donne des concerts dont l'entrée est payante.

Allemagne
Les Français passent le Rhin. C'est Armand de Gramont, comte de Guiche, qui traverse le premier le fleuve à la nage. Pour

arrêter l'invasion française, les Hollandais inondent les polders.

Lund, Suède
Pufendorf publie *Du droit de la nature et des gens*. →

Leyde, Provinces-Unies
Le peintre Jan Steen est de retour dans sa ville natale, où il vient d'ouvrir une taverne pour faire vivre sa famille. Il fut l'un des membres fondateurs de la guilde de Leyde en 1648. Il traite avec humour des scènes de la vie populaire : *Noces villageoises*, *La Femme ivre*.

Paris
Jean Dominique Cassini, astronome français d'origine italienne, est nommé directeur de l'Observatoire de Paris. Auteur de nombreux mémoires sur Vénus, Mars et Jupiter, il vient de découvrir deux satellites de Saturne. Dans sa dernière recherche, il estime la distance du Soleil à 140 millions de km.

Molière fait jouer *Les Femmes savantes*. La pièce obtient un succès considérable.

La porte Saint-Denis, premier arc de triomphe de Paris, est érigée.

Le philosophe allemand W.G. Leibniz se rend à Paris pour une mission diplomatique : il doit décider Louis XIV à faire la conquête de l'Egypte. Il restera à Paris jusqu'en 1676, où il invente le calcul différentiel et intégral.

Versailles
Louis XIV transfère le gouvernement de Paris à Versailles. →

Maroc
Mulay Ismaïl, sultan alaouite, soumet le pays grâce à une forte armée composée de Noirs. Il fait raser une partie de l'ancienne ville de Meknès pour y faire construire un ensemble de palais somptueux.

1673

Paris, 21 février
Enterrement quasi clandestin de Molière. →

Lubeck, Allemagne, novembre
Concerts de l'après-midi de Dietrich Buxtehude. →

Paris
Achèvement de la colonnade du Louvre par François d'Orbay. →

Huygens publie *Horologium oscillatorium*. →

Le dey des janissaires est autorisé à régner sur la province d'Alger

Alger, 1671
Le sultan investit le dey élu par les janissaires et lui donne le titre de pacha. L'élection du dey représente un relâchement des liens entre Alger et Istanbul, relâchement favorisé par l'affaiblissement de l'autorité centrale de l'empire et par la prospérité de la corporation des corsaires d'Alger. Toutefois, ce relâchement n'ira jamais jusqu'à l'autonomie quasi totale dont jouiront les maîtres de Marrakech et de Tunis. Le dey d'Alger demeure tributaire du sultan, dont il reçoit les contingents de janissaires sans lesquels il ne pourrait maintenir son autorité à l'intérieur. Le pays est placé sous l'autorité de trois beys, dont les contacts avec leurs sujets demeurent très lâches.

Samuel Pufendorf publie "Du droit de la nature et des gens"

Lund, Suède, 1672
En raison du scandale que ses critiques contre l'empire provoquèrent, le juriste et philosophe allemand Samuel Pufendorf (1632-1694) accepta la chaire de droit naturel à l'université de Lund, en Suède. C'est là qu'il vient de publier *Du droit de la nature et des gens*, ouvrage dans lequel il développe les idées de Grotius. Théoricien du droit naturel, il fait du contrat social la base rationnelle de l'Etat. Il conçoit le droit naturel comme nécessaire et immuable, déduit par la raison de la nature des choses. Le rôle de l'autorité d'Etat est de faire des lois garantissant ce droit. Ainsi, apparente contradiction, sa théorie du droit naturel fait de Pufendorf un partisan de l'autorité.

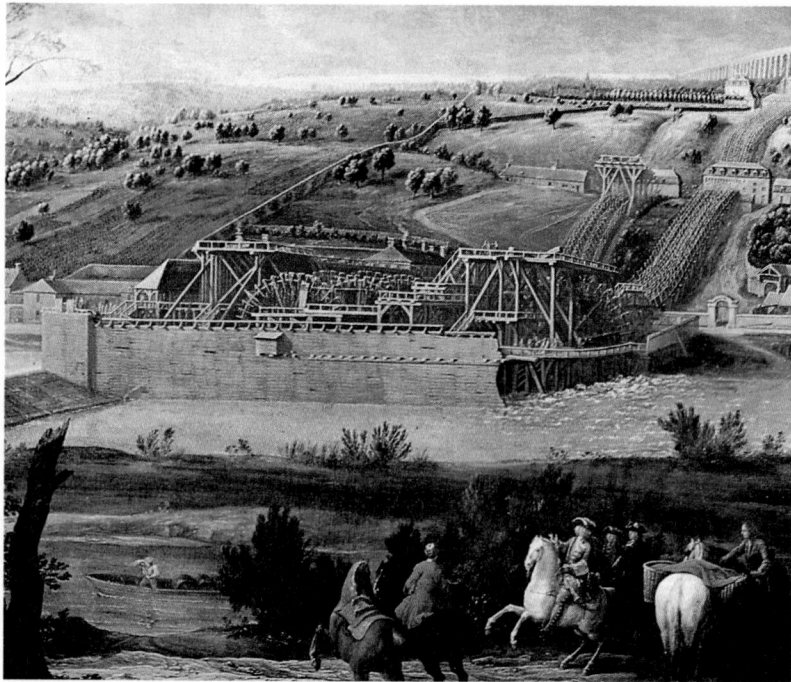

La « machine de Marly », mise en place en 1684, alimentait Versailles et ses jeux d'eaux. Gravure. Conservatoire des Arts et Métiers, Paris.

Le gouvernement de la France est transféré au palais de Versailles

Versailles, 1672
En même temps que le château devient la résidence permanente de la cour, Versailles devient le siège du gouvernement. Cependant, le roi gouverne de plus en plus seul, abandonnant l'exécution des décisions à une poignée de grands commis qu'il prend soin de choisir avec rigueur. Ses collaborateurs sont d'ailleurs peu nombreux : trois ou quatre ministres d'Etat et une trentaine de conseillers. Ceux-ci sont installés dans l'« aile des ministres » et dirigent des bureaux dotés d'un important personnel de secrétariat. Le Conseil du roi est divisé en plusieurs sections spécialisées. Le

Conseil d'en-haut est le vrai conseil du gouvernement. Là sont examinées les grandes affaires de politique intérieure et extérieure. Selon son bon vouloir et les exigences de l'Etat, le roi y convoque ses collaborateurs. En fait, toujours les mêmes : Colbert, Le Tellier et Louvois, qui vient de succéder à Lionne. Le Conseil des dépêches regroupe principalement les secrétaires d'Etat : on y lit les dépêches reçues de province et on en élabore les réponses. Le Conseil royal des Finances comprend les intendants des Finances et le contrôleur général, Colbert. Quant au Conseil d'Etat, c'est une véritable assemblée où des magistrats siègent aux côtés des ministres. Il a compétence administrative, législative (il rend les arrêts, prépare les édits et ordonnances) et surtout judiciaire.

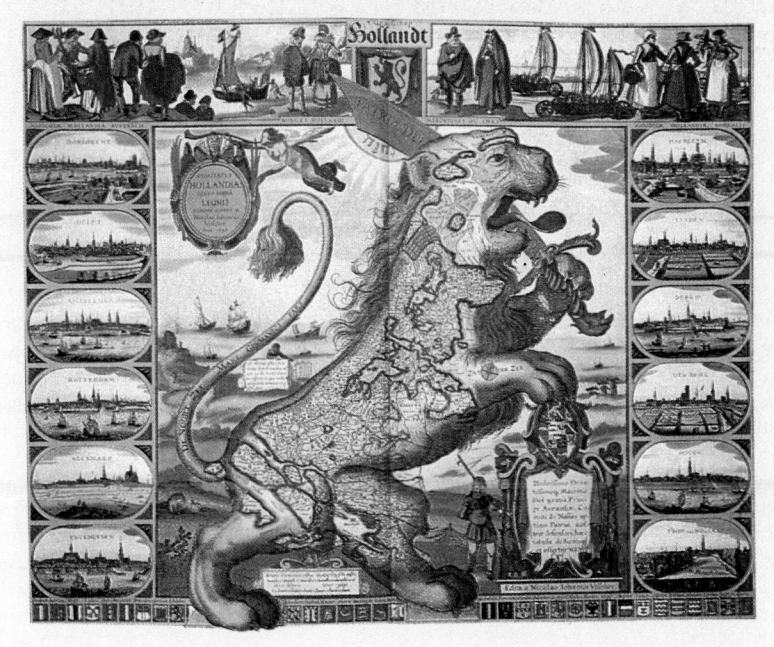

« Leo Hollandicus » (le lion hollandais). Les Provinces-Unies après leur indépendance. Carte de Nicolas Johann Piscator. 1648.

Le Hollandais Huygens découvre les lois de la force centrifuge

Paris, 1673
Le physicien, astronome et mathématicien néerlandais Christiaan Huygens (1629-1695), appelé par Colbert à Paris où il séjourne de 1665 à 1685, apparaît à juste titre comme l'un des plus grands savants de tous les temps. On lui doit le premier exposé complet du calcul des probabilités, et surtout le premier grand traité de dynamique : *Horologium oscillatorium*, dont l'apport est inestimable. On y trouve la formulation des lois de la force centrifuge dans un mouvement circulaire, appliquées à l'étude de l'accélération de la pesanteur et de ses variations à la surface de la Terre ; la théorie du centre d'oscillation, le principe de la conservation des forces, le principe de la détermination exacte de l'intensité de la pesanteur à l'aide d'un pendule, l'étude du pendule conique, la théorie du pendule cycloïdal et l'étude de la cycloïde considérée comme courbe tautochrone, la théorie de la développée d'une courbe et du centre de courbure, enfin l'invention de l'horloge à balancier et la découverte du mécanisme à échappement. Il collabora en effet avec Denis Papin pour la première machine à feu à combustion interne, sans parvenir cependant à de véritables réalisations pratiques. Il fera aussi des découvertes fécondes en astronomie et formulera une théorie ondulatoire de la lumière. La révocation de l'édit de Nantes l'obligera en 1685 à retourner à La Haye.

Assassinat des frères de Witt à La Haye

La Haye, 20 août 1672
Au moment où Louis XIV envahit la Hollande, le grand pensionnaire Jan de Witt, qui a pourtant été l'artisan de l'alliance avec l'Angleterre et la Suède contre la France (Aix-la-Chapelle, 1668), est arrêté ainsi que son frère Cornelis, accusé d'avoir voulu assassiner Guillaume d'Orange ; ils sont tous les deux massacrés par la populace, au cours d'une émeute orangiste. Le 24 février, Jan de Witt laissait les Etats généraux nommer son adversaire, Guillaume III d'Orange, capitaine et amiral général. Les Français ayant pris Utrecht,

les Etats de Zélande et de Hollande nomment, le 2 juillet, Guillaume III stathouder. Le 8, les Etats généraux décident à leur tour de rétablir le stathoudérat. L'invasion française a précipité la crise de la république : le parti orangiste retrouve le pouvoir perdu à la mort de Guillaume II. Ce dernier, comme Maurice de Nassau, avait rêvé de transformer le stathoudérat en monarchie héréditaire ; il était allé jusqu'au coup de force, le 30 juillet 1650, en faisant emprisonner les opposants et en tentant de s'emparer d'Amsterdam. Aussi, après sa mort, une assemblée des sept provinces décidait d'abolir le stathoudérat (18 janvier 1651), rendant aux provinces leur autonomie.

Molière meurt après une représentation du "Malade imaginaire"

Paris, 21 février 1673
Après le succès des *Femmes savantes* (11 mars 1672), Molière, réconcilié avec Armande Béjart, est de nouveau père ; mais l'enfant est mort trois semaines après sa naissance. C'est à ce moment que les intrigues de Lully privent Molière de la faveur royale : *Le Malade imaginaire* (10 février 1673, au Palais-Royal) ne sera pas joué devant la cour. Pris d'une défaillance au cours de la quatrième représentation, Molière meurt quelques heures après. Armande doit supplier Louis XIV pour obtenir de l'archevêque une sépulture chrétienne, refusée aux acteurs : l'inhumation nocturne, quasi clandestine, a lieu le 21 février.

Les "Concerts de l'après-midi" du musicien danois Dietrich Buxtehude

Lubeck, novembre 1673
L'organiste de Sainte-Marie de Lubeck donne chaque jeudi un véritable petit concert de divertissement en dehors des offices. Ces manifestations vont revêtir une forme particulière lorsque Buxtehude les consacre au temps de l'Avent. Ce sont les cinq dimanches précédant Noël, après le prêche qu'ont lieu ces *Abendmusiken* « ne se faisant nulle part ailleurs ». Concerts spirituels, cantates, arias, chorals, les musiques du soir montrent la diversité et la liberté de son art, d'inspiration à la fois savante, âpre et mystique, qui fait de lui le compositeur le plus éminent d'Allemagne du Nord.

Achèvement de la colonnade du Louvre

Paris, 1673
Depuis Charles V, le Louvre était résidence royale jusqu'à ce qu'il soit délaissé pour Versailles. C'est néanmoins sous l'impulsion de Louis XIV que la construction du Louvre est achevée : Colbert devenu surintendant des Bâtiments, a demandé à Le Vau d'aménager la galerie du Bord de l'eau reliant le palais à celui des Tuileries et de quadrupler la cour Carrée, dont la façade orientale allait s'orner, à l'extérieur, d'une monumentale colonnade. C'est seulement après avoir éliminé deux projets de Bernin que l'on s'orienta vers l'idée d'une colonnade, dont Claude Perrault se fit le défenseur, ce qui lui valut pendant longtemps d'être considéré comme l'auteur de ce monument majeur du classicisme français. En fait, la réalisation de l'œuvre incomba à l'atelier des frères Le Vau, dans le cadre duquel François d'Orbay, qui était aussi architecte du roi, intervint de manière décisive.

La monumentale colonnade du Louvre, Paris. 1667-1673. Œuvre de Le Vau et de François d'Orbay. Elle reflète l'esprit classique français. Les projets italiens, trop baroques, avaient été rejetés.

1674

Pologne, 20 mai
Jean Sobieski est élu roi. →

Inde, 6 juin
Çivaji est couronné roi des Mahrates. →

Versailles, 18 août
Racine crée *Iphigénie*. Le roi veut avoir la primeur de la pièce.

Madagascar, 27 août
Soixante-quatorze Français sont massacrés ; les survivants sont évacués à l'île Bourbon (Réunion). L'établissement qui s'opère depuis 1643 est abandonné.

Rome
Bernin achève une des œuvres maîtresses de la sculpture baroque : la *Bienheureuse Ludovica Albertoni*. →

Paris
Lully fait jouer son *Alceste*. →

Mort de Philippe de Champaigne (né en 1602), peintre de la Cour et de l'Eglise, d'origine flamande. Il a peint la chapelle de la Sorbonne et laisse plusieurs portraits de Richelieu et de Louis XIII. Lié aux jansénistes depuis 1643, ses dernières compositions, graves et austères, lui valent d'être considéré comme le plus éminent représentant du classicisme français.

France
Colbert institue le système de l'Exclusif. →

Nicolas Boileau (1636-1711) publie *l'Art poétique*, qui résume en formules vigoureuses la doctrine du classicisme littéraire.

Le philosophe et théologien Nicolas Malebranche (1638-1715) vient de publier *De la recherche de la vérité*. Enthousiasmé par la philosophie de Descartes, il développe dans cet ouvrage le cartésianisme dans un sens religieux, renouant avec l'augustinisme.

France
Les troupes françaises conquièrent la Franche-Comté. →

Angleterre
Le chimiste John Mayow (1640-1679) effectue l'expérience de la bougie allumée à l'intérieur d'une cloche de verre sous l'eau. Dans son *Tractacus quinque medico-phisici*, il considère l'air comme formé de deux parties, l'une inerte et l'autre active. Il est le créateur d'une véritable technique de la manipulation des gaz.

Islande
Hallgrimur Pettursson (né en 1614) est mort. C'était un des représentants les plus importants de la poésie religieuse islandaise, qui connaît l'âge d'or.

Bulgarie
Mort de l'archevêque Petar Partchévitch. Ardent patriote, il a consacré sa vie à la libération de son peuple, voyageant pour cela à travers l'Europe, sans recevoir des puissants autre chose que de vagues promesses.

Indes
François Martin fonde Pondichéry.

1675

Brandebourg, 28 juin
Le Grand Electeur écrase les Suédois. →

Sasbach, Allemagne, 27 juillet
Turenne, maréchal de France, vient de trouver la mort en combattant Montecuccoli, alors qu'il venait de reconquérir l'Alsace, au terme d'une audacieuse campagne en plein hiver (victoire de Turckheim).

Mali
A la suite de troubles au Macina, les vagues de migration des Peuls atteignent le Hodh.

Espagne
Le roi Charles II a atteint la majorité mais, malade, il se désintéresse des affaires de l'Etat.

Angleterre
Création de l'observatoire de Greenwich. →

Messine, Italie
La ville s'est soulevée contre les Espagnols. Louis XIV envoie une flotte, qui bat les Espagnols ; mais, sitôt les Français partis, les Espagnols reviendront exercer de cruelles représailles.

Versailles
Girardon sculpte pour Versailles *Apollon servi par les Nymphes*. →

France et Rome
Début du conflit sur le droit de la Régale avec le Saint-Siège. →

France
Un tableau d'avancement est créé pour les officiers français.

Le corsaire Jean Bart multiplie les prises sur mer. →

Représentation dans la cour de Marbre du château de Versailles d'« Alceste », tragédie en cinq actes et un prologue de J.-B. Lully. 1674. Gravure.

Création de l'"Alceste" de Lully

Paris, 1674
Au Palais-Royal, puis à Versailles, dans la cour de Marbre, on représente *Alceste ou le Triomphe d'Alcide*, œuvre en cinq actes et un prologue de Jean-Baptiste Lully, sur un livret de Philippe Quinault et dans des décors de Charles Vigarini. L'année précédente, *Cadmus et Hermione* inaugurait une nouvelle forme dramatique, la tragédie lyrique. Or, le succès de l'*Alceste* est compromis : les musiciens s'élèvent contre la dictature de Lully, personnalité volontaire et impatiente ; les ennemis de Quinault en profitent pour alimenter la cabale. D'origine italienne, le compositeur a été appelé en France en 1644. Il reçut en 1661 le titre de surintendant de la Musique, en même temps que la nationalité française. Collaborateur de Molière pour six comédies-ballets, divertissements et pastorales, il finit par se fâcher avec lui. Ambitieux et entreprenant, il a obtenu en 1672 la direction de l'Académie royale de musique, privilège qui lui assure le monopole de l'opéra, dont il est le véritable fondateur en France.

Colbert réglemente le commerce colonial

France, 1674
Colbert vient d'instituer le système de l'Exclusif : il entend faire passer les colonies françaises sous le strict contrôle de l'Etat. Le régime économique des colonies repose sur la conception mercantiliste de Colbert. Les règles essentielles en sont simples : toutes les productions coloniales doivent être exportées vers la métropole et les colonies ne peuvent acheter qu'à la métropole. De plus, il leur est interdit de produire des denrées susceptibles de concurrencer la production métropolitaine ; ainsi n'y a-t-il pas de manufactures aux colonies ; inversement, la métropole n'achète ses produits coloniaux que dans ses propres colonies, desservies uniquement par la marine métropolitaine. Ainsi, ce régime de l'Exclusif, ou Pacte colonial, prohibe-t-il tout trafic des colonies avec l'étranger. Cette mesure suscite un vif mécontentement chez les riches planteurs, dont les intérêts diffèrent de ceux de la métropole et qui souhaitent une plus grande autonomie. En réalité, ce système va surtout profiter à la contrebande, dont les grands bénéficiaires seront les négociants et les armateurs des grands ports français.

Çivaji fonde l'Empire mahrate dans le Deccan

Raidagh, Inde, 6 juin 1674
Le couronnement de Çivaji, chef mahrate, marque l'apogée d'une brillante carrière de meneur d'hommes. Dès l'âge de vingt ans, ce fils de collecteur d'impôts assurait déjà l'administration de tout un district du Deccan. Profitant de la faiblesse de ses voisins, il se taille progressivement un véritable empire dans le nord-ouest du Deccan. A partir de 1657, il commence des raids sur le territoire moghol. Conscient du danger représenté par les Européens, il entreprend d'implanter des forteresses sur la côte occidentale du pays. Se rendant compte qu'il est incapable de contrôler ce nouveau pouvoir, Aurangzeb convoque Çivaji dans la capitale, en 1665, et tente de le faire emprisonner. Le Mahrate s'échappe et évite, pour un temps, les provocations à l'égard de Delhi. C'est en 1670 que les hostilités reprennent. Bahâdur Khân parvient, pour le compte des Moghols, à contenir la poussée mahrate. Çivaji se fait couronner le 6 juin 1674, avant de s'attaquer au Karnâtaka pour consolider sa puissance.

Jean Sobieski élu roi de Pologne

Pologne, 20 mai 1674

C'est le héros de toutes les guerres polonaises que la Diète vient de couronner : Jean Sobieski, en effet, s'est illustré en combattant les Cosaques d'Ukraine, l'envahisseur suédois et les Turcs, sur lesquels il a remporté en 1673 la victoire de Khotine. Trois autres candidats étaient en lice : le duc Charles de Lorraine, le candidat autrichien, le duc d'Enghien et le prince de Neubourg, candidats de la France. Le nouveau roi de Pologne est donc un souverain national. Néanmoins, par son mariage avec Marie Casimire d'Arquien, il appartient à la clientèle de Louis XIV, qui entend bien se servir de la Pologne contre l'Autriche. Cette élection rappelle celle de 1669 : aux candidats étrangers, la Diète avait préféré le candidat polonais, Michel Wisnowiecki, représentant des magnats (grands seigneurs) d'Ukraine. Mais la neutralité de Wisnowiecki était toute relative : marié à la sœur de l'empereur Léopold, il favorisait les intérêts autrichiens.

Jean III Sobieski, roi de Pologne.

François Girardon. « Le Bain d'Apollon » ou « Apollon servi par les Nymphes ». 1666-1675. Grotte de Thétis, jardins de Versailles.

Le "Bain d'Apollon" de Girardon

Versailles, 1675

François Girardon (1628-1715), considéré comme le plus grand sculpteur du règne de Louis XIV, participe avec Le Vau, Le Nôtre et Le Brun aux travaux de Versailles. Il orne le parc et le château d'un grand nombre de statues et de bas-reliefs, et vient d'achever le groupe le plus important du *Bain d'Apollon* : *Apollon servi par les Nymphes*. Si son art, exempt de froideur, fait de lui un des grands classicistes français, il reste moins dynamique que celui de Bernin, dont le projet de statue équestre de Louis XIV a été rejeté.

Un observatoire est installé à Greenwich

Angleterre, 1675

Charles II décide de fonder un observatoire, sur les plans de Christopher Wren, qui sera dirigé par John Flanesteed, astronome royal. Son objectif est de recueillir toutes les informations astronomiques (catalogue d'étoiles, tables de la Lune) utiles aux mesures des méridiens en mer, afin d'aider les navigateurs ; ce qui explique son emplacement sur les hauteurs de Greenwich, dominant l'embouchure de la Tamise.

Le pape condamne le "prétendu droit de Régale" du roi de France

Rome, 1675

En vertu des prérogatives médiévales, le roi de France dispose sur certains diocèses d'un droit de « régale » : droit de jouir des revenus des évêchés vacants (régale temporelle) et de nommer, pendant cette vacance, les titulaires des bénéfices ecclésiastiques (régale spirituelle). Louis XIV décide en 1673 d'étendre ce « droit royal » à tous les diocèses de France. Seuls deux évêques en appelleront au Saint-Siège. Elu en 1676, Innocent XI se montrera intransigeant sur les prérogatives ecclésiastiques. Considérant l'extension de la Régale comme un dangereux empiétement sur les droits de la papauté, il se prépare à mener contre Louis XIV une lutte très vive, qui ne se terminera qu'en 1693, sous Innocent XII.

Le corsaire Jean Bart s'illustre sur les mers

Vers 1675

En l'espace de quelques années, c'est plus de 80 navires que le fameux corsaire a capturés en une dizaine de combats. Fils et petit-fils de corsaires, Jean Bart (1650-1702) est passé du service de la Hollande à celui de la France et s'illustre à présent dans la guerre contre la Hollande. Il sera capturé par les Anglais mais parviendra à s'enfuir de la prison de Plymouth et, en ramant plus de deux jours, à rejoindre Saint-Malo. Décoré par le roi de France, il sera intégré à la Royale avec le grade d'amiral puis anobli en 1694 par Louis XIV qui le nommera chef d'escadre en 1697.

Le Grand Electeur Frédéric-Guillaume écrase les Suédois

Brandebourg, 28 juin 1675

Le Grand Electeur de Brandebourg décide de prendre part à son tour au conflit franco-hollandais. Attaqué par les Suédois alliés de la France, il les écrase à Fehrbellin. Il envahit, avec l'aide des Danois, les enclaves suédoises en Allemagne du Nord : Brême, Verden et la Poméranie occidentale. Depuis le début du siècle, les possessions brandebourgeoises se sont enrichies des duchés de Clèves, Marck et Ravensberg (1609), du duché de Prusse (1618), de la Poméranie orientale et des évêchés sécularisés de Minden et d'Halberstadt (1648). Le grand dessein de Frédéric-Guillaume est de faire de cet ensemble disparate, étalé entre Rhin et Niémen, ravagé par la guerre de Trente Ans, un Etat moderne, doté d'une administration unifiée et d'une armée permanente.

Frédéric Guillaume, Grand Electeur de Brandebourg. Vers 1660.

Bernin, maître de la sculpture baroque

Rome, 1674

Gian Lorenzo Bernin (1598-1680) vient d'achever la chapelle Altieri, dans l'église San Francesco a Ripa, avec l'admirable statue de la *Bienheureuse Ludovica Albertoni*, qui lui a été commandée par le cardinal Paluzzo degli Albertoni en 1671 (date à laquelle Ludovica a été béatifiée par le pape Clément X). Avec la *Transverbération de sainte Thérèse* (chapelle Cornaro de Sainte-Marie-de-la-Victoire, 1644-1647), Bernin avait atteint le sommet de son art à la fois puissant et dynamique. Caractéristiques de son goût pour les effets scénographiques, le maniement virtuose de la lumière, la suggestion des textures les plus diverses (tissus, chairs, cheveux), la véhémence du mouvement, la tension de l'expression, le jeu du drapé, la convulsion des poses, la torsion du corps, l'expression spasmodique : l'image de sainte Thérèse, comme celle de Ludovica Albertoni, traduisent plastiquement une spiritualité à la fois mystique, sensuelle, dramatique et spectaculaire, dans laquelle s'exprime triomphalement le catholicisme baroque de la Contre-Réforme.

Bernin. La Transverbération de sainte Thérèse. 1644-1647.

1675

Paris
Le Danois Olaus Roemer, essayant de calculer la vitesse de la lumière, observe les éclipses des satellites de Jupiter.

Delft
Le peintre Jan Vermeer est mort. →

Rome
Le théologien espagnol Miguel de Molinos (1628-1696) vient de publier sa *Guide spirituelle*, qui connaît un succès considérable. Tendant à la suppression de tout acte volontaire, il donnera naissance au quiétisme.

1676

Paris
Paul de Gondi, cardinal de Retz, vient d'achever ses *Mémoires*. Cet ecclésiastique sans vocation manifesta son ambition politique comme chef de parti durant la Fronde. Son opposition lui valut d'être amené à renoncer à l'archevêché de Paris.

L'architecte libéral Bruant achève l'hôtel des Invalides.

L'abbé Edme Mariotte étudie la compressibilité des gaz et vérifie la loi découverte par Boyle en 1661, énonçant la proportionnalité inverse du volume et de la pression à température constante.

Abraham Bosse (né en 1602) vient de mourir. Artiste et théoricien intransigeant, il a été exclu de l'Académie à la suite d'une controverse avec Le Brun au sujet de la perspective. Graveur, il laisse une production abondante, d'un esprit rigoureux et sobre : *La Galerie du palais, La Saignée, Les Cris de Paris*. Ses ouvrages, *Traité des manières de graver en taille douce* (1645), *Leçon de géométrie et de perspective pratique* (1648) obtiennent un vif succès auprès des graveurs.

Angleterre
Denis Papin met au point sa « marmite ». →

Empire ottoman
Kara Mustafa succède à son frère aîné aux fonctions de Grand Vizir.

1677

Paris, 1er janvier
Création de *Phèdre* de Racine. →

Afrique occidentale, 30 octobre
Les Français prennent Gorée. →

Londres, 15 novembre
Marie, fille du duc d'York, épouse Guillaume d'Orange. Ce mariage scelle le rapprochement anglo-hollandais.

Provinces-Unies
Publication posthume de l'œuvre maîtresse de Spinoza : *L'Éthique*.

1678

Paris, 21 avril
Bossuet fait condamner Richard Simon, qui vient de publier à Amsterdam *Histoire critique du Vieux Testament*. →

Paris
Mme de La Fayette publie *La Princesse de Clèves*. →

La Fontaine publie un second recueil de *Fables* (VIII-XI).

Huygens écrit son *Traité de la lumière*. →

Angleterre
Henry Purcell compose la musique du *Timon d'Athènes* de Shakespeare.

Londres
John Bunyan, prédicateur baptiste, publie *Le Voyage du pèlerin*.

John Dryden écrit une tragédie héroïque : *All for love*. Puritain d'origine, il n'en est pas moins devenu un poète officiel.

Hollande
Des chrysanthèmes en provenance du Japon sont cultivés.

Le peintre Jacob Jordaens (né en 1593) meurt à Anvers. Il est l'auteur de scènes populaires d'une vitalité parfois triviale : *Les Jeunes filles boivent comme chantent les vieux ; Le roi boit*.

Turin
Guarino Guarini édifie l'église Saint-Laurent-des-Théatins. →

1679

Nimègue, 5 février
La France signe un traité avec le Saint Empire. →

Londres
Deux clans divisent le Parlement : les *whigs* et les *tories*. →

Paris
Création d'une chaire de droit à l'université de Paris.

Jan Vermeer de Delft. « La Femme à l'aiguière ». Vers 1665. Metropolitan Museum of Art, New York. Une peinture de la « vie silencieuse ».

Mort de Vermeer, peintre de la "vie silencieuse"

Delft, Provinces-Unies, 1675
Johannes Vermeer, né à Delft en 1632, vient de mourir. Si ses premières toiles ont été marquées par l'esthétique caravagesque et par les artistes italiens, son évolution rapide a révélé son goût pour les jeux de lumière et de luminosité de la touche. Son art s'est aussi attaché aux problèmes d'espace et d'optique, soucieux de traduire avec poésie et intimité le calme intemporel, la « vie silencieuse » d'une atmosphère provinciale. C'est avec la *Jeune Femme endormie* (1657) qu'il se consacre à la peinture de genre : *Femme lisant une lettre* (1657), *La Laitière* (1666), *La Dentellière* (1665). Faisant ressortir l'aspect visuel mais aussi tactile des différentes matières, sa peinture ne cherche pas à exprimer le mouvement mais l'intensité d'une activité absorbée et silencieuse.

Jan Vermeer de Delft. « La Jeune Fille au turban ». Vers 1665.

Après l'échec de "Phèdre", Racine décide de renoncer au théâtre

Paris, 1er janvier 1677
Tragédie de la prédestination selon la doctrine de Port-Royal, la *Phèdre* de Racine réintroduit sur la scène française la notion de fatalité, sous la forme de la passion de l'héroïne pour son beau-fils Hippolyte, ressort essentiel de la tragédie grecque. Or la pièce est en butte à une cabale d'auteurs envieux, qui le déterminent à ne plus écrire pour le théâtre. A vrai dire, sa nomination au poste d'historiographe du roi (1677) et son mariage la même année ont influé sur sa résolution. Le fait est que cet homme de cour à la mode a la réputation d'être ombrageux, tourmenté, irritable et intrigant : n'a-t-il pas rompu soudain avec Molière ? avec Port-Royal ? ne l'accuse-t-on pas d'avoir empoisonné par jalousie la Du Parc, sa maîtresse ? Mais, désormais, Racine mènera une vie de famille pieuse et édifiante, élevant chrétiennement ses sept enfants.

Les Français enlèvent Gorée aux Hollandais

Afrique de l'Ouest, 30 octobre 1677
La flotte française, commandée par le vice-amiral d'Estrée, arrive en vue de l'île de Gorée, que les Hollandais occupent depuis 1619. Le gouverneur de l'île est sommé de se rendre. Devant la disproportion des forces en présence, les Hollandais demandent grâce et ne tardent pas à présenter les armes et les clefs de la forteresse. Gorée deviendra le principal comptoir français de l'Afrique occidentale ; des traités de commerce seront conclus avec Joal, roi de Rufisque, et le Portugal.

Huygens écrit un "Traité de la lumière"

Paris, 1678
Le savant hollandais Christiaan Huygens (1629-1695), pensionné par Louis XIV, formule la première théorie ondulatoire de la lumière. Etudiant la réfraction de la lumière à partir des cristaux de spath d'Islande dont Bartholin a découvert en 1669 le pouvoir de biréfringence, il imagine des oscillations longitudinales selon le sens de propagation. En 1677, il découvre le principe des ondes lumineuses enveloppantes. Il pense que dans un éther élastique chaque centre lumineux émet une onde sphérique qui elle-même émet des sources d'ébranlement. L'enveloppe de ces ondelettes constitue le phénomène qui va se propager. A l'aide de ce modèle, Huygens donne une explication complète des lois de la réflexion, de la réfraction et de la double réfraction, et entrevoit la diffraction (déviation que subit un rayon lumineux lorsqu'il rase les bords d'un corps opaque).

La France obtient la Franche-Comté au traité de Nimègue

Nimègue, 5 février 1679
En juin 1672, Louis XIV déclarait la guerre aux Provinces-Unies. Pour limiter les conquêtes françaises, l'Espagne et le Saint Empire se rangèrent alors aux côtés des Hollandais. La France, isolée, dut accepter de négocier. A Nimègue, elle signe successivement trois traités, avec les Provinces-Unies (11 août 1678), avec l'Espagne (17 septembre) et avec le Saint Empire (5 février 1679). En échange des places fortes flamandes, obtenues à Aix-la-Chapelle, la France obtient de l'Espagne la frange méridionale des Pays-Bas avec Saint-Omer, Cambrai, Valenciennes et Maubeuge ; l'Espagne cède également la Franche-Comté. La France restitue Maastrich aux Provinces-Unies, qui conservent l'intégrité de leur territoire, et Léopold obtient Philippsburg en échange de Fribourg.

Richard Simon, fondateur de la critique biblique

Amsterdam, 21 avril 1678
La célèbre imprimerie hollandaise Elzévir imprime l'*Histoire critique du Vieux Testament,* de Richard Simon (1638-1722), membre de l'Oratoire. Quelques points « indiscutables » pour la foi catholique sont mis en cause par l'auteur qui soumet à un examen historique et philologique les textes de la Genèse et des Prophètes. Or, la libre recherche et l'analyse critique, même fondées sur la langue et l'histoire, sont considérées comme impies lorsque leurs conclusions s'écartent du dogme. Condamné par Bossuet, cette étude, entreprise pour lutter contre les huguenots, vaut à Richard Simon la mise à l'index et l'exclusion des oratoriens.

Mme de La Fayette fut l'amie de Mme de Sévigné et de La Rochefoucauld.

Pudeur des sentiments et lucidité chez "La Princesse de Clèves"

Paris, 1678
Mme de La Fayette a publié sans nom d'auteur un pur chef-d'œuvre de préciosité : *La Princesse de Clèves.* La comtesse ouvre la voie au roman psychologique et analytique en narrant avec gaieté, ironie et lucidité la découverte par son héroïne, à la cour raffinée d'Henri II, de la passion amoureuse et des ravages qu'elle entraîne. Les protagonistes obéissent au code précieux : aveu voilé, secret absolu. La comtesse fut introduite au sortir de l'adolescence dans les salons littéraires, grâce à l'amitié de Mme de Sévigné, et se lia avec La Rochefoucauld. Mariée à un gentilhomme campagnard, elle se livre à sa passion d'écrire : conseillée par des hommes de lettres (Ménage, Segrais), elle publie en 1662 une nouvelle, *La Princesse de Montpensier,* puis, en 1668, un roman, *Laïde,* fort précieux. Depuis la mort d'Henriette d'Angleterre, dont elle était l'intime, la comtesse ne paraît plus guère à la cour, mais reçoit dans son bel hôtel de la rue de Vaugirard.

Le Français Denis Papin construit la première machine à vapeur

Angleterre, 1676
Après des études de médecine, Denis Papin (1647-1714) vient à Paris en 1673 pour être le préparateur de Huygens. En 1675, il publie un mémoire sur les *Nouvelles Expériences sur le vide* ; son maître l'envoie travailler en Angleterre auprès de Boyle. C'est là que, mettant à profit sa découverte sur la force élastique de la vapeur, il construit sa « marmite », pour laquelle il invente une soupape de sûreté. Il démontre qu'on peut utiliser la vapeur pour créer du vide. De retour en France, les persécutions contre les protestants (révocation de l'édit de Nantes) l'obligent à l'exil. Parti enseigner à Kassel en Allemagne, il publie en 1687 un mémoire *Sur l'usage de la machine à élever l'eau,* où il établit le principe d'une machine à vapeur à piston : au fond d'un cylindre vertical, on fait chauffer de l'eau ; la tension de la vapeur soulève un piston qui retombe quand la va-

Le digesteur (ou « marmite ») de Denis Papin.

peur se condense, créant du vide dans la partie supérieure du cylindre et soulevant des poids par l'intermédiaire d'une poulie. Il réalise également un bateau à vapeur à quatre roues à aubes (1707), avant de mourir pauvre et oublié.

Deux clans apparaissent au Parlement : les "whigs" et les "tories"

Londres, 1679
Fils de Charles Ier et frère du roi Charles II, Jacques d'York est le successeur au trône. Or sa conversion au catholicisme et son mariage avec une princesse catholique lui valent l'hostilité des whigs qui le compromettent dans l'affaire de Titus Oates (aventurier qui prétendit dénoncer un imaginaire complot papiste en Angleterre) et tentent de l'écarter de la succession au trône. Le Parlement est divisé entre les légitimistes et les partisans de l'exclusion du futur Jacques II. Ces derniers, qui représentent l'opposition à l'autorité royale, ont reçu le sobriquet de *whigs* (mot gaélique s'appliquant aux rebelles écossais qui tiennent les hautes terres et dont le presbytérianisme s'oppose à toute union ecclésiastique en Angleterre), tandis qu'eux-mêmes affublent les légitimistes du sobriquet de *tories* (mot irlandais désignant les rebelles catholiques). Dirigés par le comte de Shaftesbury, les whigs se posent en défenseurs des libertés contre l'absolutisme des Stuart ; ils ont pour eux les marchands de la Cité aspirant à plus de libertés. C'est en défenseurs du roi que les tories s'opposent à eux, insistant au contraire sur les prérogatives du souverain (ils réussiront à faire monter Jacques II sur le trône). Quant à Shaftesbury, il sera renvoyé pour n'avoir pas su faire accepter par les Lords le *bill* d'exclusion contre le duc d'York. Le discrédit dans lequel tombent les whigs permet à Charles II d'exercer un gouvernement presque absolu pendant la fin de son règne (1685).

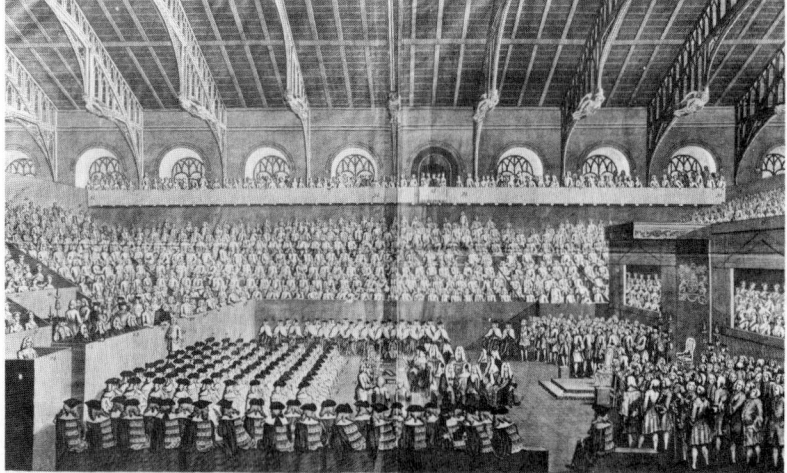

Réunion des deux Chambres du Parlement britannique à Westminster Hall en 1747.

1679

Londres
Le Parlement vote l'*Habeas corpus act*. →

Rome
Alessandro Scarlatti fait jouer son premier opéra : *Gli Equivoci nell'Amore*.

France
Colbert, toujours mercantiliste, prend un décret selon lequel tous les marchands devront être contrôlés sur leurs connaissances commerciales.

Les travaux sur les principes fondamentaux du calcul infinitésimal effectués par le mathématicien Pierre Fermat (mort en 1675) sont enfin publiés.

La polémique entre deux factions antagonistes (les conservateurs « poussinistes » contre les « rubénistes ») divise l'Académie royale de peinture : les « rubénistes » s'insurgent contre la rigidité absolue de la doctrine officielle élaborée par Le Brun. Les règles de l'Académie sont dérivées des conceptions de Poussin : « Mon naturel me contraint à chercher à aimer les choses bien ordonnées, fuyant la confusion qui m'est aussi contraire et ennemie comme la lumière des obscures ténèbres. » →

Angleterre
Gilbert Burr, évêque et historien, publie le premier volume de son *Histoire de la Réforme en Angleterre*.

Edmond Halley publie le premier catalogue des étoiles du ciel austral.

Westminster
Purcell succède à John Blow comme organiste de l'abbaye.

Provinces-Unies
Guillaume d'Orange bénéficie du pouvoir absolu. →

Prague
L'architecte Matley édifie l'église des Chevaliers-de-la-Croix.

Amérique du Nord
Le Père Louis Hannepin, jésuite français, découvre les chutes du Niagara.

Chine
Le romancier et dramaturge chinois Li-Yu (né en 1611) est mort. Auteur de nombreux romans populaires, parfois licencieux, il était également peintre et déco-

rateur. Il rédigea une encyclopédie de la peinture chinoise : *Le Jardin grand comme un grain de moutarde*. En outre, il possédait sa propre troupe de théâtre et écrivait la musique de ses pièces.

1680

Paris, 22 février
La Voisin (née en 1640), accusée d'avoir fourni du poison et pratiqué la sorcellerie, est brûlée en place de Grève à Paris.

France
Début des « dragonnades » et de la « politique de Réunion ». →

Six cents localités de Rhénanie et d'Alsace sont annexées.

La Comédie-Française à Paris. →

Ile Maurice
Les derniers dodos ont été massacrés. Ces grands oiseaux, appelés aussi drontes, incapables de voler, ont été exterminés pour leur chair et leur plumage.

Côte de l'Or, Afrique
Formation du Royaume ashanti. →

Indochine
Le temple de la Reine des Cieux est érigé à Nong-Po.

Un comptoir français est fondé à Pho Hien.

Deccan, Inde
Le héros national des Mahrates, Çivaji (né en 1627), venant de mourir, le Grand Moghol Aurangzeb entre en conflit avec les Rajput, alliés des Mahrates.

1681

Strasbourg, 30 septembre
Les armées de Louis XIV occupent la ville, qui sera annexée au royaume. →

France
Commencé en 1664, le canal du Midi est achevé ; long de 210 km, il relie le golfe de Gascogne à la Méditerranée. A Malpus, près de Béziers, on a creusé, pour la première fois avec des explosifs, un tunnel de 158 m pour franchir une zone rocheuse.

Amérique du Nord
En remboursement d'une dette, Charles II donne à William Penn des terres en Amérique, où celui-ci se rend et fonde, en 1682, Philadelphie. →

Promulgation de l'"Habeas corpus"

Londres, 1679
Charles II n'a pu empêcher le vote d'un texte de loi fondamental pour les institutions anglaises : l'*Habeas corpus act*. Il précise les garanties individuelles déjà formulées dans la Grande Charte de 1215 et dans la Pétition des droits en 1628. En vertu de ce *bill*, tout citoyen arrêté peut faire examiner, après requête auprès du Lord Chancelier, la légalité de son emprisonnement. Cette requête permet à la personne arrêtée d'obtenir un *writ* d'*Habeas corpus*, ordre écrit de libérer le prévenu ou de le conduire devant le magistrat signataire afin que preuve soit faite qu'il y avait bien un motif valable de l'arrêter. Si cette preuve n'est pas fournie, le magistrat donne l'ordre de libérer le prisonnier sans délai. *Habeas corpus ad subjiciendum* (« que tu aies ton corps pour te présenter devant le juge ») : cette loi, applicable dans tout le pays de la *common law* (sauf l'Ecosse), constituera pour les libertés des citoyens l'un des meilleurs remparts contre les abus de pouvoir. Limitant les arrestations et les détentions arbitraires, elle deviendra un modèle pour tous les pays civilisés. Cependant, Charles II pourra, dans les dernières années de son règne, laisser libre cours à ses tendances absolutistes, une fois que l'opposition (les whigs) se sera déconsidérée.

Transports réguliers d'esclaves d'Afrique aux Antilles

Paris, 1679
Le gouvernement français vient de créer la Compagnie française d'Afrique. Elle a la charge de transporter 2 000 esclaves par an aux Antilles pendant une durée de huit ans. C'est Louis XIII qui, en 1642, a autorisé la traite des Noirs. Mais, depuis quelques années, ce commerce a pris une importance toute nouvelle. Les compagnies se succèdent sans suffire à la demande et les prix augmentent à une vitesse impressionnante, en même temps que la demande de l'Europe en café, tabac et sucre.

Plan d'utilisation d'un bateau négrier, avec sa « cargaison » de Noirs. Gravure du XVIIIe siècle. Bibliothèque de Bristol.

La Comédie-Française naît de la fusion de plusieurs troupes

Paris, 1680
En 1673, la troupe du Marais et ce qui subsistait de celle de Molière s'étaient installées, par ordre du roi, dans une salle de la rue Mazarine, le théâtre Guénégaud, aménagé par le marquis de Sourdéac. Aujourd'hui, cette troupe fusionne avec celle de l'Hôtel de Bourgogne par une ordonnance signée de Louis XIV. En 1681, une lettre de cachet fixera à vingt-sept le nombre des comédiens, parmi lesquels figureront La Champmeslé, Baron, Hauteroche et Poisson. Le Théâtre-Français recevra une pension royale de douze mille livres ; il interprétera le répertoire et accueillera avec prudence et circonspection les pièces nouvelles. C'est deux ans plus tard que « l'Hôtel des comédiens du Roi entretenus par Sa Majesté » prendra le nom de Comédie-Française.

Guillaume d'Orange, souverain absolu des Provinces-Unies

Provinces-Unies, 1679
Après l'assassinat des frères de Witt et la paix de Nimègue, Guillaume d'Orange est assuré d'un pouvoir absolu. En s'appuyant sur le nouveau Pensionnaire, Gaspard Fagel, qui appartient au parti orangiste, Guillaume vient rapidement à bout de l'opposition républicaine. Il obtient le droit de choisir les membres des conseils de ville et de nommer tous les officiers. En 1675, ses charges de stathouder et de capitaine général sont déclarées héréditaires. Ame de la résistance contre les ambitions hégémoniques de la France, ses succès (en particulier la signature du traité de Nimègue) lui confèrent un prestige considérable, dont il use pour accroître encore ses pouvoirs. Allié de l'Angleterre depuis 1674, il épouse en 1677 sa cousine, la princesse Marie, fille du roi Jacques II.

Habitations typiques d'un village africain de la côte ouest. Illustration d'un récit de voyage d'Heinrich Barth, publié à Gotha en 1857.

Les « dragonnades » ou « Une méthode nouvelle pour obtenir la conversion forcée des huguenots ». Dessin d'époque.

Essor de la puissance ashanti

Afrique occidentale, 1680

Dès le XIe siècle se sont formées dans la région forestière du sud du Mali de petites chefferies organisées autour du commerce de l'or et du kola. Au XVIIe siècle, leur regroupement, sous l'impulsion du prince Osei Toutou, est à l'origine du puissant Royaume ashanti. Il s'agit d'un véritable Etat fondé sur des institutions modernes : constitution, justice, administration, dépassant ainsi la dimension tribale. Cet Etat est symbolisé par un trône d'or massif considéré comme un être divin. L'essor du Royaume ashanti repose sur le rôle important qu'il joue dans le trafic négrier pour le compte des Européens.

Masque en or faisant partie du trésor du roi ashanti Kofi Karikari : l'effigie d'un rival vaincu.

Strasbourg rattachée au royaume de France

Strasbourg, 30 septembre 1681

Sans la moindre justification juridique, Louis XIV décide d'occuper Strasbourg. Cernée par une armée de 30 000 hommes commandée par Louvois, la ville capitule le 30 septembre, après quelques jours de siège. Toute l'Alsace, à l'exception de Mulhouse, est désormais française. L'annexion de Strasbourg parachève la politique des « réunions », suite directe des traités de Westphalie et de Nimègue. Il s'agissait, pour les juristes du roi, d'interpréter dans le sens le plus large les clauses stipulant que les territoires cédés le sont avec leurs « dépendances ». Le parlement de Besançon pour la Franche-Comté, le tribunal de Metz pour les Trois-Evêchés et le Conseil souverain de Brisach pour l'Alsace sont chargés de prononcer les « arrêts de réunion à la couronne ».

La querelle des "poussinistes" et des "rubénistes"

France, 1679

Le dirigisme de Colbert aboutit en 1648 à la création de l'Académie royale de peinture, destinée à donner une formation technique et théorique. Quand Le Brun en prend la direction en 1663, il établit un programme sévère basé sur un système de « règles » dérivé de l'enseignement de Poussin. Cette rigidité a engendré une réaction chez les jeunes artistes contre l'autorité de Le Brun. Deux factions antagonistes divisent désormais l'Académie : les conservateurs « poussinistes » défendent que le dessin est supérieur à la couleur ; s'appuyant sur les philosophes, les « rubénistes » plaident pour la couleur, nécessaire à l'imitation de la nature et dont la grâce n'attire pas seulement l'homme cultivé. Cette querelle, qui reprend celle de Florence et Rome (la ligne et le dessin) contre Venise (la couleur), précède de dix ans la querelle des Anciens et des Modernes en littérature.

Conversions massives par la force

France, 1681

Depuis deux ans, des mesures comme la suppression des tribunaux bipartites et l'exclusion des huguenots de la plupart des professions libérales vident peu à peu l'édit de Nantes de son contenu. A cette violence civile vient s'ajouter la violence militaire : usant d'un procédé de police traditionnel consistant à imposer le logement de gens de guerre aux sujets indociles, l'intendant de Poitiers Marillac loge les dragons de passage chez les huguenots. Sûrs de l'impunité, les « missionnaires bottés » se déchaînent et obtiennent plusieurs milliers de conversions. Les dragonnades seront bientôt étendues par Louvois. Des villages, des villes même abjurent en bloc à la seule annonce de l'arrivée des dragons. D'interminables listes de « convertis » arrivent à Versailles.

Le quaker Penn fonde Philadelphie

Amérique du Nord, 1681

En 1681, le roi d'Angleterre Charles II décide de donner à William Penn des terres en Amérique en remboursement de la dette de 16 000 livres qu'il avait contractée vis-à-vis de sa famille. Le quaker y voit le moyen de fonder une colonie où il pourrait réaliser les principes de ses *Frames of Government* (« Préceptes de gouvernement »), projet de société libérale idéale. Arrivé en Amérique en 1682, il fonde en octobre la ville de Philadelphie, où il accueille des quakers de différentes nationalités. La Pennsylvanie – nom donné à la colonie quaker – devient rapidement prospère et, dix ans après sa fondation, elle exportera sa production agricole. Les idéaux mis en pratique par Penn dans sa colonie auront postérieurement une grande influence sur les institutions américaines.

Le chef des quakers, William Penn, en négociation avec des Indiens. Peinture de Benjamin West. 1771. Academy of the Fine Arts, Philadelphie.

1681

Provinces-Unies
Gérard Terborch (né en 1617) vient de mourir à Deventer. Peintre de genre, il a mis en scène des jeunes femmes de la bourgeoisie, élégantes et cultivées. Sobres, avec des lumières atténuées et leur atmosphère feutrée, ses meilleures compositions égalent celles de Vermeer.

Le philosophe calviniste français Pierre Bayle se réfugie en Hollande.

Comme son protecteur, Lord A. Shaftesbury est inculpé de haute trahison contre les Stuart et incarcéré, le philosophe John Locke, qui s'était retiré à Oxford, devient suspect et est expulsé de l'université. Réfugié en Hollande, il est encore obligé de se cacher, car le gouvernement anglais demande son extradition. →

Londres
Le théologien Thomas Burnet (1635-1715) publie *Théorie sacrée de la Terre*, développant des idées pour le moins fantaisistes sur l'évolution de la Terre.

Des lampadaires à huile sont installés dans les rues de Londres.

France
Bossuet est le précepteur du Dauphin depuis 1670. Pour son élève, il se fait philosophe et historien. Ainsi, dans le *Discours sur l'histoire universelle*, il tente de faire la synthèse de l'ordre divin et de l'activité humaine.

Le moine bénédictin Jean Mabillon publie *De re diplomatica*. →

Madrid
Le dramaturge espagnol Pedro Calderon de la Barca (né en 1600) vient de s'éteindre. Nommé chapelain d'honneur du roi d'Espagne (1663), il ne s'est pas pour autant éloigné du théâtre et a composé de nombreuses pièces d'inspiration religieuse.

Russie
Expansion vers l'est : les terres des propriétaires tatars de la Volga sont confisquées. On procède à des conversions forcées au christianisme.

Al-Ma'mura, Maroc
Cette base de pirates et de corsaires chrétiens et musulmans est prise et détruite.

Inde
Akdar, fils rebelle d'Aurangzeb, fuit à Dakka, ce qui sert de prétexte à son père pour la conquête du pays.

1682

France, 19 mars
L'assemblée du clergé, réunie depuis octobre 1681 à l'initiative de Louis XIV, adopte la Déclaration des quatre articles. →

Rome, 23 novembre
Claude Gelée (né en 1600) vient d'être inhumé à la Trinité-des-Monts. Ce peintre, né dans les Vosges, qui a passé sa vie à Rome, était surnommé Le Lorrain.

Versailles
Le Brun achève la galerie des Glaces. →

La cour de Louis XIV s'installe à Versailles. →

Marly, France
Une machine vient d'être construite pour conduire les eaux de la Seine à Versailles par l'intermédiaire de l'aqueduc de Marly. Cette « machine de Marly » est une grande roue à eau qui alimente les fontaines des jardins de Versailles.

Luxembourg
La France lève le siège du Luxembourg à la suite d'une ferme protestation anglo-hollandaise.

Royaume du Ségou, Mali
Mort du roi du Ségou, Kaladian Coulibaly, qui régnait depuis 1652. Il a su faire de son royaume une puissance régionale et assurer l'indépendance du Bambara.

Moscou
A la mort de son frère Fédor III, Ivan V monte sur le trône. Il est proclamé tsar en même temps que son demi-frère Pierre (le Grand), qui conservera seul le pouvoir à la mort de ce prince débile.

Japon
Le philosophe Yamazaki Ansai (né en 1618) est mort. S'inspirant des philosophes chinois de l'époque Song, il a créé ce qu'il appelait le *Suiga-Chinto*.

Amérique du Nord
Robert Cavelier de La Salle explore la Louisiane. →

Canada
Frontenac gouverne la Nouvelle-France. →

Locke définit les conditions d'un gouvernement civil

Londres, 1681
Accusé de participer au complot du comte Shaftesbury contre les Stuart, John Locke (1632-1704) est contraint de fuir Oxford. Il se réfugie en Hollande, où il poursuit sa méditation philosophique et élabore les notes qui aboutiront à la rédaction de l'*Essai philosophique concernant l'entendement humain* et du *Traité sur le gouvernement civil*, qui paraîtront en 1690. Devenu médecin, conseiller intime et secrétaire du comte Shaftesbury, Locke garde ses fonctions auprès de lui quand son protecteur devient chancelier ; c'est ainsi que le philosophe, attentif aux mouvements scientifiques et politiques de son temps, se trouve à un poste privilégié pour observer les affaires politiques de son pays. Reprenant ses travaux en Hollande, Locke entreprend

Le philosophe anglais John Locke. Vers 1680. King's College, Cambridge.

de définir les conditions théoriques d'un gouvernement civil propre à gérer les affaires en garantissant le droit des citoyens : défenseur du libéralisme, il affirme que le pacte social n'annihile pas les droits naturels des individus. Il publiera en 1689 une *Lettre sur la tolérance*. Sa réflexion prépare à l'analyse idéologique du XVIIIe siècle.

Au nom du roi, Frontenac gouverne la Nouvelle-France

Canada, 1682
Ayant pris en main depuis 1672 l'administration de la Nouvelle-France, tenue auparavant par une compagnie privée, Louis XIV y envoie le comte Louis de Frontenac comme nouveau gouverneur. Mondain réputé pour sa circonspection, cet homme de cinquante ans est cependant un militaire remarquable. Le bilan de son premier mandat (1672-1682) est particulièrement positif : il a réussi à maintenir les Iroquois en paix et à développer le trafic de fourrures, souvent au profit de ses proches. Lors de son second mandat (1689-1698), il devra faire face à la guerre contre les Anglais et leurs alliés Iroquois. Pendant son administration, l'influence française connaît son apogée, s'étendant de Terre-Neuve au lac Winnipeg, et de la baie d'Hudson au golfe du Mexique.

Cavelier de La Salle descend le Mississippi

Amérique du Nord, 1682
Robert Cavelier de La Salle (1643-1687) arrive au Canada en 1667 et apprend rapidement les langues indiennes, ce qui facilite l'exploration qu'il a entreprise de la région des Grands Lacs et lui permet de pratiquer le commerce des fourrures. Protégé du gouverneur de la Nouvelle-France, Louis de Frontenac, pour lequel il travaille en tant qu'ingénieur dans la construction de nombreux forts, il reçoit en 1678 l'autorisation d'explorer les territoires à l'ouest de la Nouvelle-France. Avec une équipe de Français et d'Indiens, La Salle entreprend de descendre l'Illinois et le Mississippi. En 1682, alors qu'il renouvelle cette expédition pour la quatrième fois, il réussit à atteindre le golfe du Mexique. La Salle prend possession des terres découvertes au nom de la France et leur donne le nom de Louisiane en l'honneur du roi Louis XIV.

Mabillon, inventeur de la "diplomatique"

Paris, 1681
Pour dissiper la suspicion jetée par le jésuite Paperbroch contre les vénérables chartriers des monastères bénédictins, dom Jean Mabillon publie *De re diplomatica*, fondant ainsi une science nouvelle, la diplomatique, qui a pour objet d'étudier les actes officiels. Il inaugure une méthode fondée sur l'examen des caractères externes et internes des actes, la concordance de deux sources indépendantes établissant une vérité. Dom Mabillon appartient à la célèbre congrégation réformée des Bénédictins de Saint-Maur-des-Fossés. Appelé par le bibliothécaire de l'abbaye de Saint-Germain-des-Prés, dom Luc d'Achery, il voyage beaucoup pour prendre copie d'actes conservés dans les abbayes d'Europe, afin de collaborer aux *Acta Sanctorum Ordinis Sancti Benedicti*, dont le premier volume a paru en 1668. Au centre de l'érudition et des études historiques, dom Mabillon fait figure de maître de renommée internationale. Les méthodes et les principes de la critique historique fondée par lui reposent sur des bases solides, capables de résister aux inévitables attaques.

La cour s'installe définitivement à Versailles – La galerie des Glaces est terminée

![La galerie des Glaces]

La galerie des Glaces, château de Versailles. Son aménagement fut l'œuvre conjointe de Jules Hardouin-Mansart et du peintre Charles Le Brun.

Versailles, 1682

La cour quitte Saint-Germain-en-Laye pour s'installer définitivement à Versailles, où les travaux se poursuivent encore. Les règles de l'étiquette commencent à se figer en un cérémonial bien réglé concourant à la glorification de Sa Majesté royale. La propre famille de Louis XIV vit courbée sous l'autorité du Roi-Soleil. Les fêtes sont toujours aussi somptueuses mais n'ont plus le caractère de fantaisie et de licence qu'elles avaient au début du règne et sont trop souvent tristes et ennuyeuses. Les courtisans, de plus en plus nombreux, se font dévots à l'imitation du roi, ou du moins feignent de l'être.

Versailles, 1682

Charles Le Brun (1619-1690) a su imposer une unité stylistique dans la décoration de Versailles. Grâce à son sens de l'organisation, à l'autorité qu'il exerce sur les artistes, aux nombreuses directives et aux modèles qu'il fournit inlassablement, il a créé un véritable « art versaillais » fait de mesure, de clarté et de rigueur grandiose. Il achève la galerie des Glaces, commencée en 1678 : longue de 73 m, large de 10 m et haute de 13 m, elle s'étend sur toute la façade occidentale du château. Il fait du plafond un hymne à la gloire du monarque. Ses peintures montrent son goût du mouvement, son maniement de l'allégorie révèle son talent oratoire, ses décorations font valoir sa dilection pour le faste et l'apparat. La galerie des Glaces contribue à donner un rayonnement européen à l'art français de cette fin du XVIIᵉ siècle.

Pendule dite de « La Création du monde » de Claude Passemant.

Les Petits Appartements du château de Versailles : le cabinet de travail du roi, réaménagé pour Louis XV en 1753-1760 sous la direction de Gabriel.

Louis XIV. Peinture de Hyacinthe Rigaud. Détail.

1682

Haarlem, 14 mars
Mort du paysagiste hollandais Jacob van Ruysdael (né en 1628). →

Séville, 3 avril
Mort du peintre Murillo. →

Vatican, 11 avril
Le pape condamne officiellement la Déclaration des quatre articles. →

Espagne
Le prédicateur mystique Antonio das Chagas (né en 1631) vient de mourir.

Angleterre
Edmond Halley (1656-1742) observe une comète et entreprend d'en calculer l'orbite.

Londres
John Bunyan (1628-1688) publie *La Guerre sainte*, qui développe de complexes allégories.

Isaac Newton découvre la loi de la gravitation universelle, qui identifie la nature de la pesanteur terrestre et les attractions entre les corps célestes. →

Rotterdam
Le philosophe français Pierre Bayle (1647-1706) vient de publier ses *Pensées sur la comète*, où il aborde, sous prétexte de récuser la superstition, des questions de métaphysique et de théologie, séparant nettement la morale de la religion et réclamant la liberté de conscience.

France
Les huguenots sont exclus des guildes commerciales, des postes financiers et de la Maison du roi.

En véritable chef de l'Eglise de France, Bossuet rédige la *Déclaration au clergé de France*, dans laquelle, à la demande de Louis XIV, il cherche à concilier l'autorité papale avec les libertés gallicanes.

A Paris, le peintre Antoine Coypel (1661-1722) vient d'achever son tableau *Jeune Fille caressant un chien*. Antoine a accompagné son père, Noël Coypel, à Rome, où il a bénéficié des conseils de Bernin.

Pierre Puget (1620-1694) sculpte le groupe de *Milon de Crotone*. Directeur des ateliers de décoration navale à Toulon, il y réalise de nombreuses figures de poupe.

Poustozersk, Russie
Avvakoum est brûlé vif pour avoir voulu rester fidèle à ce qu'il appelait « la vieille foi » contre les réformes inspirées par des théologiens grecs et latins. →

1683

Paris, 6 septembre
Colbert, le principal collaborateur de Louis XIV, vient de mourir. Travailleur infatigable, il étendit rapidement son activité dans tous les domaines des affaires publiques, principalement l'économie qu'il voulut redresser par un interventionnisme étatique. Cependant, sa lutte contre les dépenses de l'Etat s'était faite de plus en plus vaine et, avec les années, son crédit avait décliné au profit de Louvois.

Boileau publie les deux derniers chants du *Lutrin* (les quatre premiers ont été publiés en 1674). Cette épopée bouffonne, née d'un pari littéraire avec Lamoignon, donne à Boileau l'occasion de moquer les gens d'Eglise. Nommé historiographe du roi en 1677, il entrera à l'Académie en 1684. →

Islande
Une imprimerie fait paraître une traduction islandaise de la Bible par Gudbrandur Thorlaksson (1542-1627).

Allemagne
Lohenstein (né en 1635) meurt en laissant *Arminius*, roman de plus de trois mille pages, inachevé. Il est, avec son rival Gryphius, l'un des maîtres de la littérature baroque en Allemagne.

Crimée
Le chef tatar Murât Giray est exilé par les Ottomans. Il avait essayé de mener, en Crimée, une politique indépendante et de remplacer la « Loi divine » de l'islam par celle de Gengis Khân.

Afrique de l'Ouest
Des marchands brandebourgeois établissent un comptoir sur la Côte de l'Or.

Chine
Des marchands hollandais obtiennent le droit de commercer avec Canton. C'est la première ville de Chine où pénètrent des missionnaires et des marchands occidentaux

La vision sentimentale de Murillo

Séville, 3 avril 1682
Bartolomé Esteban Murillo vient de mourir des suites d'un accident. Il avait commencé l'année précédente pour les capucins de Cadix un vaste cycle de peintures qu'il laisse inachevé. C'est l'exécution d'un cycle de onze tableaux pour les franciscains de Séville (1645-1646) qui l'a rendu célèbre. C'était sa première commande importante, pour laquelle il réalisa notamment *La Cuisine des anges, San Diego d'Alcala* et *La Mort de sainte Claire*, où le peintre révélait déjà, à côté d'une composition peu élaborée et d'un traitement de la lumière encore très marqué par le ténébrisme caravagesque, des traits caractéristiques d'un style personnel : une vision à la fois réaliste et sentimentale de la vie quotidienne, une conception optimiste et ingénue de la religion, où vérité objective et miracle se mêlent tout naturellement. Dès lors, Murillo fut surchargé de commandes, travaillant surtout pour les franciscains, les capucins et les augustins de Séville : Santa Maria la Blanca vers 1669, et surtout l'ensemble pour l'église de l'hôpital de la Charité *(Moïse faisant jaillir l'eau du rocher, Sainte Isabelle de Hongrie)*. Né en 1618 à Séville, Murillo eut une vie familiale paisible et jouit de son vivant d'une renommée internationale. Artiste fécond, il a peint de multiples tableaux de dévotion destinés à des particuliers.

Bartolomé Esteban Murillo. 1618-1682. « Le Jeune Mendiant ». Peinture. Vers 1650. Musée du Louvre, Paris.

Lent déclin de l'Espagne

Espagne, fin du XVIIe siècle
Décadence politique, affaiblissement de l'Etat, défaites militaires : le royaume de Charles II a cessé d'être une grande puissance. La crise démographique est non moins évidente : huit millions d'habitants au début du siècle, moins de six millions à la fin. L'émigration vers le Nouveau Monde et l'expulsion des « morisques » n'en sont pas les seules causes : cette chute de la population est liée à une très profonde dépression économique. L'afflux de l'or et de l'argent américains au siècle dernier a stérilisé l'économie ; l'Espagne est devenue un pays de consommateurs improductifs, un marché pour les économies laborieuses du nord. Le goût de l'oisiveté et le mépris du travail se retrouvent dans toutes les couches de la société. Et, conséquence inéluctable, l'arrivée des métaux précieux a connu une chute brutale.

Louis XIV dresse le clergé français contre Innocent XI

France, 19 mars 1682
Condamnant la décision de Louis XIV d'exercer son droit de régale, Innocent XI refuse le vicaire capitulaire nommé en 1680 par le roi. Louis XIV décide alors d'opposer au pape le clergé de France. Ainsi, l'Assemblée du clergé, formée de députés soigneusement choisis, vient d'adopter la Déclaration des quatre articles remettant en cause l'autorité du pape dans le domaine temporel. Ce texte est doublé d'un édit royal qui en prescrit l'enseignement dans les séminaires. Innocent XI se contentera de refuser l'investiture canonique à tous les évêques nommés par lui, si bien qu'en 1688 trente-cinq évêchés seront vacants. Ce conflit ne s'apaisera que sous Innocent XII.

Mort sur le bûcher de l'archiprêtre et écrivain Avvakoum

Poustozersk, Russie, 1682
Condamné par le concile de 1682, Avvakoum (né en 1620) est brûlé à Poustozersk. Fils de pope, devenu prêtre à son tour, il s'opposa aux réformes du patriarche Nikon visant à rapprocher l'Eglise moscovite de l'Eglise grecque. Accusant Nikon de dénaturer la liturgie et les livres saints, il devint le chef des premiers *raskolniki* (vieux-croyants). Le tsar Alexis l'exila. Rappelé en 1664, il fut finalement condamné par le concile de 1666 et déporté en Sibérie, où il écrivit des sermons et des traités dans lesquels il rejetait l'influence des Eglises grecque et latine. La *Vie d'Avvakoum par lui-même*, rédigée en slavon, est un pur chef-d'œuvre alliant le pittoresque de la langue populaire à l'apologie du martyre.

Avec "Le Lutrin", Boileau confirme un réel talent d'auteur satirique

Paris, 1683
Devenu célèbre dès la publication de ses *Satires*, entre 1666 et 1668, Nicolas Boileau cultive une verve pittoresque et caustique qui fait de lui le maître de la satire littéraire. Haïssant la subtilité des précieux, la vulgarité des burlesques, l'équivoque des casuistes et la modernité des modernes, c'est par morale que le poète se range dans le camp des jansénistes. Mis au défi par Lamoignon de composer un poème sur la dispute survenue en 1667 entre le trésorier et le chantre de la Sainte-Chapelle à propos d'un lutrin, Boileau tire de ce mince argument un long poème héroï-comique : *Le Lutrin*.

Jacob van Ruysdael. « Le Moulin de Wijk, près de Duurstede ». Vers 1670. Rijksmuseum, Amsterdam.

Mort du paysagiste hollandais Ruysdael

Haarlem, 14 mars 1682
Jacob van Ruysdael est né en 1628 à Haarlem ; il est le neveu de Salomon van Ruysdael, l'un des précurseurs du genre paysagiste en Hollande. Il déménage à Amsterdam en 1656 où il demeure jusqu'en 1881. Le peintre était sans doute de santé fragile, comme paraît l'indiquer la rédaction prématurée de son testament (1667). La parution en 1604 du *Livre de peinture* de Carel Van Mander, qui consacre un chapitre au paysage, a très certainement influencé toute une génération de paysagistes hollandais. Peintre et théoricien, Van Mander fut le premier à mettre en valeur la peinture hollandaise et allemande ; il conseille aux peintres de quitter la ville quand il fait beau afin d'observer l'éveil de la nature. Le célèbre *Moulin de Wijk* (1670) donne un parfait exemple du jeu quasi musical de la luminosité chez Ruysdael.

Progression et développement de la science

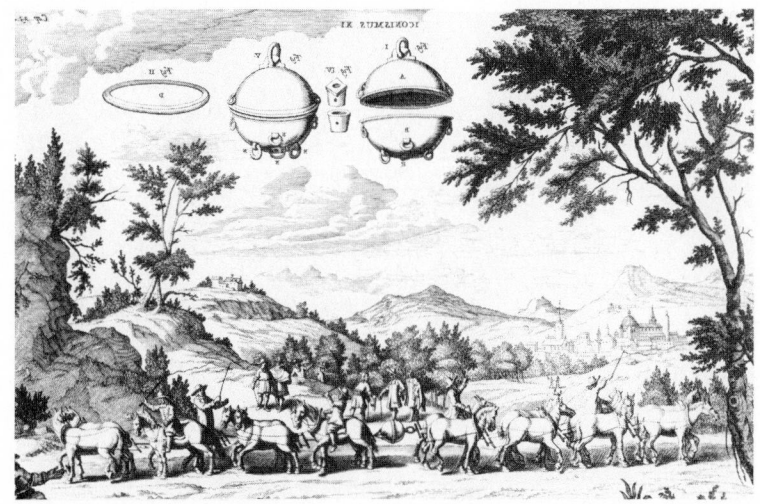

L'expérience des « hémisphères de Magdebourg », réalisée en 1654 par Otto von Guericke, démontra l'existence de la pression atmosphérique.

Europe, fin du XVIIe siècle
A la fin du siècle, les conditions du travail scientifique se sont transformées. De nouvelles institutions ont été créées et le nombre des savants et chercheurs est en augmentation. Des progrès considérables ont été réalisés en physique, mathématiques, chimie et médecine. En optique, les travaux de Huygens, Roemer, Gregory et Newton ont permis de comprendre la lumière et de mettre au point des lunettes astronomiques. A la suite de Harvey, la chimie médicale s'est avancée avec Hooke vers la compréhension des phénomènes de combustion respiratoire. Mais c'est surtout en mécanique, avec les travaux de Newton, qu'ont été réalisés les plus importants progrès. La mécanique expérimentale a profité de l'amélioration des techniques du calcul algébrique. Newton, qui découvre la loi de la gravitation universelle en 1682, déborde les cadres de l'astronomie et de la mécanique ; son œuvre dominera tout le XVIIe siècle. C'est bien à l'essor de nouvelles sciences et de nouveaux savoirs que l'on assiste : mathématiciens, physiciens et chimistes méditent sur l'harmonie de l'univers et les lois qui le conduisent. Certes, tous n'ont pas abandonné les préoccupations philosophiques et théologiques, mais le développement de l'expérimentation et les lois de la mécanique ouvrent à la science des perspectives de recherches fécondes.

Microscope à lentille simple. XVIIe siècle.

L'image du monde à l'époque de Copernic (XVIe siècle).

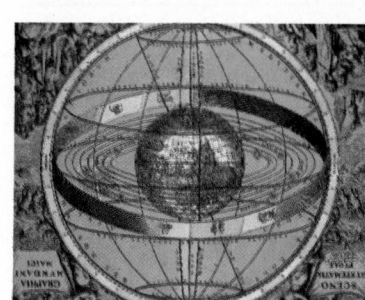

L'image du monde à l'époque de Ptolémée (Ier siècle).

Luttes pour le pouvoir en Chine et au Japon

du XIVᵉ au XIXᵉ siècle

La fin du XIVᵉ siècle voit la Chine vivre une période de restauration nationale, sous la domination de la dynastie chinoise des Ming, après le pouvoir mongol et avant celui des Manchous. Ces derniers, qui adoptent, au XVIIᵉ siècle, le nom dynastique de Qing, auront, après un siècle et demi de grandeur, le triste privilège de « présider » au dépeçage de la Chine par les puissances étrangères.

La restauration nationale

De 1294 à 1307, Tîmûr, prince énergique et consciencieux, maintient bien haut le prestige de la Chine mongole. Mais, après lui, la dynastie Yuan, menée à son apogée par Kûbîlây, tombe dans une déchéance irréversible. En Chine méridionale, la révolte éclate dès 1352, sous l'égide des sociétés secrètes. L'anarchie atteint rapidement son comble, les différents chefs rebelles se querellent entre eux et cherchent à abattre les Mongols. Zhu Yuanzhang, bonze défroqué, prend alors les armes et se distingue rapidement de ses concurrents par son esprit politique et son habileté à se rallier les populations. En 1356, maître de Nankin, il y installe un gouvernement régulier et poursuit, jusqu'à l'achèvement, la conquête de la Chine du Sud. Zhu marche alors sur Pékin, qui tombe le 10 septembre 1368. Il est proclamé empereur par son armée, fonde la dynastie des Ming et prend le nom de règne de Hong Wu. Dans tous les domaines, il s'attache à effacer l'ignominie d'une domination barbare et à restaurer les valeurs traditionnelles de la Chine en rattachant son règne à la dynastie des Tang, la dernière à avoir régné sur un territoire unifié. Le système de recrutement des fonctionnaires est remodelé, la philosophie confucéenne est remise à l'honneur, sans toutefois que l'empereur oublie ses coreligionnaires bouddhistes. Hong Wu cherche à rétablir le prestige et l'autorité impériale, et, avant sa mort, rétablit véritablement l'absolutisme. Après Hong Wu, son deuxième successeur, Yong Le (1403-1424) est déjà la dernière personnalité marquante de la dynastie. Il a de sa fonction une très haute idée et entend soumettre, cette fois, la Mongolie à la Chine. Le premier pas de cette avance vers le nord-est est, en 1409, le transfert de la capitale à Pékin, qu'il dote de nombreux monuments et protège en achevant la construction de la Grande Muraille. Les armées chinoises s'aventurent en Indochine où l'Annam Tonkin est annexé en 1407. Mais ce sont les expéditions maritimes de Zheng He, vers l'océan Indien et le golfe Persique, qui témoignent de la volonté d'une véritable politique mondiale. A l'intérieur du pays, le pouvoir des eunuques s'étend considérablement et, à l'extérieur, les menaces se précisent : les Mongols dès 1450, les Manchous à la fin du XVIᵉ siècle, les Japonais à la même époque et les Européens. Les arts continuent leur évolution, sur la lancée des époques précédentes : la peinture est dominée par l'académisme, la littérature se caractérise par la poussée du roman et des genres populaires, et la céramique se développe considérablement. L'époque Ming voit le retour en Chine du christianisme et l'arrivée des pères de la Compagnie de Jésus : les qualités de Matteo Ricci (1552-1610) et d'Adam Schall (1591-1666), scientifiques et hommes de grande culture, sont fort appréciées à la cour. Par leur intermédiaire, les derniers empereurs Ming sentent confusément le besoin de moderniser le pays. Mais c'est un peu tard.

Les Qing : grandeur et décadence

Alors que sur le territoire chinois les empereurs Ming se succèdent sans parvenir à dominer la situation, le chef manchou Nurhachi s'affranchit de la tutelle chinoise en 1616 et se proclame empereur. Son successeur fonde la dynastie Qing (Ts'ing). Les attaques constantes des Manchous, conjuguées aux soulèvements paysans, provoquent la chute du dernier empereur Ming, qui se suicide tandis que les eunuques qui l'ont trahi ouvrent les portes de la capitale à l'envahisseur. En 1644, la dynastie Qing s'installe dans le nord-est de la Chine. Les vainqueurs imposent d'abord leur autorité avec rigueur et un certain nombre de mesures discriminatoires sont prises à l'encontre des Chinois. Toutefois, les empereurs réalisent bientôt que l'intérêt de l'empire réside dans la sinisation de la dynastie, et les règnes de Kangxi (K'ang-hi, 1662-1723) et de Qianlong (K'ien Long, 1736-1796) mènent l'empire à son apogée. Stimulé par l'essor démographique, l'artisanat se développe et prend parfois des dimensions industrielles. Le commerce connaît un essor considérable. Des mesures sages permettent d'accroître l'étendue des terres cultivées. Les villes grandissent et s'embellissent. S'y développent des genres littéraires qui consacrent la suprématie de la langue parlée. La cour est, sous les Qing comme sous les Ming, le principal centre intellectuel. Les empereurs eux-mêmes sont des hommes de grande culture ; Kangxi est plus scientifique, Qianlong plus littéraire et tourné vers le passé. Tous deux entretiennent des relations privilégiées avec les jésuites occidentaux qui installent l'observatoire de Pékin, conçoivent, à l'occidentale, l'aménagement du palais d'Eté et initient les peintres chinois aux règles de la perspective. Dès la fin du règne de Qianlong, période de folles dépenses, apparaissent les premiers signes d'une dégradation de l'Etat, qui se poursuit tout au long du XIXᵉ siècle : déséquilibre des finances, déficit de la balance commerciale, récession économique aggravée par la poussée démographique qui ne se dément pas, progrès de la corruption. Les premières insurrections débutent en 1795 et la tension aboutit, vers 1850, à l'explosion de violence de la révolte des Taiping. Les difficultés intérieures facilitent les entreprises occidentales : après la guerre de l'opium (1840-1842), Français, Britanniques, Allemands et Russes se partagent le pays. Au gouvernement, les luttes entre partisans de la conciliation et de l'ouverture et partisans de l'intransigeance empêchent toute mutation susceptible d'aider la Chine à combler son retard. Le Japon, longtemps à l'école de la Chine, a profité de son isolement pour suivre le modèle occidental et, en 1894, il est en mesure de faire entendre sa voix au concert de ceux qui se distribuent le territoire chinois. En 1911, c'est en fait une véritable colonie nippo-occidentale qu'abandonne le dernier souverain Qing.

Les combats pour le pouvoir

Après une histoire ancienne très mêlée de

légendes, et sur laquelle les principales données nous sont fournies par l'archéologie, le Japon reçoit, assez tôt, l'apport culturel et artistique de la Chine et élabore une civilisation originale. Le siècle de Nara est une première apogée, puis commence, avec l'époque Heian (VIIIᵉ - XIIᵉ siècle), la montée des clans guerriers. Le clan Minamoto établit, en 1192, le système du shôgunat, fondement de l'administration japonaise pour sept siècles.

Période Muromachi (1333-1568)

Devenu le seigneur le plus puissant du Japon, Ashikaga Takauji, qui avait pourtant soutenu l'empereur Go Daigo, se retourne contre lui, installe dans le quartier de Muromachi à Kyôto son *bakufu* (gouvernement militaire) et nomme un empereur de son choix, tandis que Go Daigo retrouve le chemin de l'exil. Toute cette période se caractérise par une suite quasi ininterrompue de guerres civiles. Alors que les shôgun Ashikaga tentent – ils n'y parviendront jamais vraiment – d'établir leur pouvoir sur un Japon unifié, dans les provinces les seigneurs se déchirent entre eux. Au sommet, c'est la lutte entre les factions rivales des deux empereurs qui prétendent au trône. Ce n'est qu'en 1392 que les shôgun Ashikaga obtiennent l'abdication de l'empereur Go Kameyama (de la maison de Go Daigo) et la reddition de la cour du Sud. La guerre semble terminée et le bakufu peut faire œuvre de législateur et d'administrateur. Mais, dès 1400, les révoltes se ravivent. Des relations commerciales sont renouées avec la Chine. Cependant, la situation économique se dégrade, aggravée, en 1457, par la famine et l'épidémie. Des troupes paysannes vivant de pillages se mettent au service des aventuriers qui s'opposent au bakufu, lequel reste insensible aux malheurs des humbles. En 1467, la guerre civile d'Onin se déclenche, pour la succession du shôgun Yoshimasa. Elle dure plus de dix ans. Au cours de la deuxième moitié de ce siècle de guerre, le Japon est divisé entre une trentaine de grands *daimyô* (gouverneurs locaux) et une centaine de seigneurs de moindre importance qui se livrent, sans trêve, à des combats au cours desquels aucun code de chevalerie n'est respecté. Les empereurs se succèdent dans l'indifférence générale, et les shôgun éprouvent le plus grand mal à faire respecter ce qui leur reste d'autorité.

L'ère des dictateurs (1568-1598)

C'est alors qu'intervient Oda Nobunaga, petit seigneur qui parvient, à partir de 1568, à éliminer tous ses rivaux et entre en vainqueur à Kyôto, la capitale impériale où il se fait nommer shôgun. Il se rend rapidement maître des provinces centrales. Sa puissance s'étend et à Nobunaga est construit, sur un site stratégique à proximité de Kyôto, un château fort, prototype de ceux qui fleuriront sur le territoire japonais à l'époque suivante. L'habileté de ses généraux lui permet se poursuivre victorieusement son but : l'unification du Japon sous sa seule autorité. Mais il n'eut pas le temps d'achever son œuvre : en 1582, il est acculé au suicide par un traître, bientôt châtié par le général Toyotomi Hideyoshi. En 1584, Hideyoshi, qui, même s'il ne peut prendre le titre shôgunal, détient la réalité du pouvoir, se met en devoir de soumettre ceux qui ne reconnaissent pas son autorité. Sa richesse lui permet de collaborer aux dépenses de la cour impériale, très appauvrie, de réaliser un vaste programme de constructions et de se montrer un mécène particulièrement généreux. En 1585, Hideyoshi, qui n'est pas encore parvenu à unifier la totalité du territoire japonais, reçoit de l'empereur le titre de Premier ministre. En 1592, il lance ses armées dans la conquête de la Corée. Le succès initial de l'entreprise le grise et il envisage de s'attaquer à l'Empire chinois des Ming. C'est une folie qui coûte très cher au Japon et, à la mort de Hideyoshi, en 1598, ses amiraux s'empressent de conclure la paix. Toutefois, tout au long de ces périodes troublées, les doctrines religieuses, les courants littéraires et artistiques poursuivent leur essor, comme si la vie aristocratique cherchait à oublier la guerre dans les manifestations de l'esprit.

Les Tokugawa (1616-1868)

A la mort de Hideyoshi, en 1598, l'un de ses plus habiles généraux et aussi le plus puissant des daimyô, Tokugawa Ieyasu, se pose en protecteur du jeune héritier de son suzerain. Ses vues rencontrent rapidement l'opposition des autres daimyô et la lutte se termine, en 1600, par un affrontement général, dont Ieyasu sort vainqueur. En 1603, il estime sage de séparer nettement pouvoir impérial et pouvoir shôgunal et installe sa propre capitale à Edo. Par une série d'ordonnances, il renforce son contrôle sur le pays et accroît sa fortune. Il sait s'entourer de personnes habiles. Les nobles, étroitement surveillés, sont tenus de séjourner une partie de l'année à Edo, où ils laissent leur famille en otage. C'est seulement en 1615 qu'Ieyasu vient à bout des partisans de Hideyori, fils de Hideyoshi. Il meurt en 1616, après avoir accompli une œuvre immense d'unification du pays. Ses successeurs immédiats s'emploient à consolider la position du bakufu. Si la situation intérieure du pays est calme, la politique extérieure du Japon se radicalise et les relations avec la chrétienté, bonnes au XVIᵉ siècle (si l'on excepte les persécutions menées par Hideyoshi), se tendent. Dès 1616, tous les ports, sauf Nagasaki et Hirado, sont fermés au commerce avec l'Europe. En 1622, les persécutions s'intensifient, surtout après la révolte de samurai chrétiens à Shimabara. La fermeture totale aux étrangers est décrétée en 1639. Seuls les navires munis du sceau rouge reçoivent l'autorisation de commercer avec le Sud-Est asiatique. Les guerres civiles reprennent en 1651. Si l'esprit guerrier reste bien vivace, on assiste cependant à la montée d'une nouvelle classe sociale : celle des citadins et des marchands. Au début du XVIIIᵉ siècle, les shôgun devaient faire face à de graves difficultés économiques. L'intervention de Matsudaira Sadanobu, conseiller du shôgun Ienari, permet un temporaire retour de la prospérité. Mais la situation se dégrade à nouveau, et une nouvelle menace se profile à l'horizon : en 1797, les bateaux européens hantent les eaux japonaises, de plus en plus précisément. Un demi-siècle plus tard, une lettre du président des Etats-Unis à l'empereur divise le pays entre partisans de l'ouverture et partisans de la xénophobie la plus stricte. En 1856 arrive le premier consul américain. Après la démission du shôgun Yoshinobu, en 1865, le nouveau gouvernement, centré autour de la personne de l'empereur, exclut les Tokugawa : c'est la fin du shôgunat.

L'ère Meiji (1868-1912)

En 1868, le jeune empereur Mutsuhito monte sur le trône, transfère la capitale impériale à Edo, qui devient Tôkyo, et prend personnellement le pouvoir. C'est la première fois, depuis 700 ans, que l'empereur exerce effectivement son autorité. Il s'oppose à la reconnaissance des droits féodaux des clans longtemps brimés par les Tokugawa. Puis, dès son avènement, il prend une série de mesures qui modifient profondément la société japonaise. Le pays est redivisé, la société organisée en classes, une nouvelle loi agraire donne la propriété de la terre aux paysans. L'armée impériale, créée en remplacement de celle des seigneurs, réduit, en 1871, la rébellion des derniers samurai mécontents. En 1872, des écoles et des universités sont ouvertes. La vie politique du pays évolue : sous l'influence des idées occidentales, de nombreux partis se constituent. En 1885, le conseil impérial est remplacé par un cabinet parlementaire à l'occidentale et la Constitution, qui donne des pouvoirs extensifs à l'empereur, crée deux chambres législatives. Le commerce et l'industrie suivent l'évolution générale vers l'occidentalisation. En 1894, c'est le débarquement des forces japonaises sur le territoire chinois. L'empire Qing s'incline, le 17 avril 1895, par le traité de Shimonoseki qui cède au Japon les îles Pescadores, Taiwan et la presqu'île du Liaodong. Quatre ans plus tard, le grand Empire russe lui-même est forcé de reconnaître la suprématie japonaise en Corée. Le Japon est devenu une puissance internationale.

1683

Vienne, 14 juillet
Les Turcs mettent le siège devant Vienne. →

Les boulangers de la ville, qui vont jouer un rôle important dans la résistance aux Turcs, commémoreront l'événement en fabriquant des brioches en forme de croissant. Ces croissants auront un grand succès en Europe.

Europe centrale, 12 septembre
Jean Sobieski écrase les Ottomans à la bataille de Kahlenberg.

Versailles
La reine Marie-Thérèse vient de mourir. Mme de Maintenon, nouvelle favorite du roi, épouse secrètement Louis XIV. →

Portugal
Régent sous le règne de son frère Alphonse VI, Pierre II accède au trône à la mort de celui-ci.

Taiwan
Les Chinois s'emparent de l'île en détruisant l'empire de Zheng Jing, le fils de Koxinga. →

1684

Rome, 5 mars
Le pape lance une Sainte Ligue contre les Turcs. La république de Venise, l'Autriche et le royaume de Pologne en font partie ; un peu plus tard, la Russie les rejoindra.

Luxembourg, août
Le maréchal de Créqui s'empare de la ville. →

Paris, 30 septembre
Le tragédien Pierre Corneille (né en 1606) meurt, oublié du public. Mais sa réputation est bien établie. Et, déjà, plusieurs de ses pièces sont inscrites au répertoire.

Japon
Ihara Saikaku est réputé avoir écrit en une seule journée 23 400 vers de type *haïkaï*.

Paris
Publication en français de l'essai de Leibniz, *Nouvelles de la république des lettres,* où l'auteur développe les idées qui l'ont conduit à créer le calcul infinitésimal.

1685

Londres, 16 février
Le duc d'York Jacques II devient roi d'Angleterre à la mort de son frère, Charles II.

France, mars
Un « Code noir » est publié. Il définit le statut des esclaves, en faisant des propriétés mobilières insaisissables, ne pouvant rien posséder, ni rester en justice, mais devant bénéficier du repos dominical et être instruits dans la religion chrétienne. Les châtiments sont eux aussi réglementés.

Fontainebleau, 18 octobre
Révocation de l'édit signé à Nantes en 1598. →

Allemagne, 8 novembre
L'édit de Potsdam offre aux huguenots le refuge du Brandebourg.

Istanbul
Gabriel de Guilleragues s'éteint dans la capitale ottomane, où Louis XIV l'avait envoyé comme ambassadeur. On lui doit la traduction des *Lettres portugaises* dont on le soupçonne d'être l'auteur.

Royaume d'Abomey
Le roi Ouegbadja (1645-1685) est mort. Il s'est taillé un véritable royaume sur la côte du Bénin ; son fils Agadja lui succède.

Afrique du Sud
Les colons du Cap sont rejoints par les huguenots français. Ceux-ci s'installent assez loin du Cap pour éviter les tracasseries administratives de la Compagnie des Indes et répudient peu à peu tous liens avec leur patrie d'origine, au profit d'une intégration afrikaner.

Paris
Antoine Furetière est exclu de l'Académie française pour avoir rivalisé avec elle dans son *Essai de dictionnaire universel,* en ajoutant au lexique de l'honnête homme le vocabulaire technique et pratique, langue de la bourgeoisie montante. L'auteur se vengera en publiant une série de pamphlets.

Construction de la place des Victoires sur les plans de Jules Hardouin-Mansart.

Amérique du Nord
Les Français s'établissent au Texas.

Pékin
Sous couvert d'une ambassade, Louis XIV envoie en Chine cinq jésuites, dont le R.P. Gerbillon. Ils fonderont, à Pékin, une « maison » qui concurrencera l'œuvre missionnaire italienne.

Shi Tao. « La Source du pêcher ». Détail d'un rouleau. Encre de Chine et couleurs sur papier. Freer Gallery of Art, Washington.

Deux courants de la peinture chinoise

Chine, 1683
Sous le règne éclairé de Kangxi, l'empire Qing atteint son apogée culturel et artistique. La peinture chinoise entre dans une nouvelle phase de son histoire : la lutte entre professionnels et amateurs lettrés est achevée. Les écoles professionnelles ont perdu tout élan vital, et c'est la tradition lettrée qui engendre maintenant des courants divergents : orthodoxie et individualisme. Les orthodoxes, après une brève retraite dorée dans leurs provinces d'origine, acceptent souvent la collaboration avec la nouvelle administration et se rangent presque tous sous la bannière de Dong Qichang (Tong K'i-tch'ang). Les chefs de file de l'école orthodoxe sont les quatre Wang qui, avec Wu Li et Yun Shouping (Yun Cheou-P'ing), assurent le passage des styles Ming aux styles Qing, tout en faisant preuve, dans leurs œuvres, d'une grande diversité. Les individualistes, refusant les charges de l'administration manchoue, se retirent dans les temples ou dans le sud du pays. Leur peinture est en opposition avec la doctrine Ming du siècle précédent. Bada Shanren (Pa-ta Chan-jen) et le célèbre Shi Tao (Che-t'ao), par une composition très personnelle, alliée à une facture volontairement négligée, créent une nouvelle émotion et détournent le cours de la peinture chinoise.

Bada Shanren. Paysage. Lavis à l'encre de Chine sur papier.

L'île de Taiwan annexée par la Chine

Chine, 1683
Une grande expédition maritime annexe l'île de Taiwan à la Chine. Poursuivant depuis 1644 la résistance aux manchous, les derniers descendants des Ming s'appuyaient, dans le sud, sur la piraterie. Pour lutter contre eux et pour mettre fin aux activités du pirate Koxinga, les Qing avaient fait évacuer toutes les régions côtières en 1662. Contraint de chercher un refuge hors de Chine, Koxinga s'était attaqué à l'île de Taiwan, en avait chassé les Hollandais et y avait fondé un royaume indépendant. Les Qing viennent d'anéantir cette poche de résistance.

Les troupes françaises occupent le Luxembourg

Luxembourg, août 1684
En février 1682, Louis XIV annonçait au roi d'Espagne son intention de se faire donner la ville de Luxembourg comme « équivalent de ses droits sur Gand, Alost et autres places ». Les prétentions françaises poussent l'Espagne à se rapprocher de l'Empire, de la Suède et de la Hollande. Le 26 octobre 1683, Charles II déclare la guerre ; Louis XIV envahit le Luxembourg, les troupes françaises s'emparent de Courtrai et de Dixmude. Le 15 août, à la trêve de Ratisbonne, l'Espagne cède à la France la forteresse de Luxembourg et quelques villages des Pays-Bas.

Louis XIV épouse Mme de Maintenon

Versailles, 1683

La reine Marie-Thérèse vient de mourir. Louis XIV a 45 ans ; ce n'est plus le jeune et brillant cavalier des années 1660, mais il reste d'une étonnante vitalité. Sous l'influence de Mme de Maintenon, il commence à s'assagir et à songer à son salut. Celle-ci a élevé les bâtards du roi et de Mme de Montespan. Après la disgrâce de cette dernière, elle épouse secrètement le roi. Elle orientera Louis XIV vers la dévotion.

Françoise d'Aubigné, marquise de Maintenon. Vers 1694.

Défaite des troupes du Grand Vizir Kara Mustafa Pacha devant Vienne, le 12 septembre 1863. Peinture de Martino Altomonte.

Vienne est assiégée par les Turcs

Vienne, 12 septembre 1683

Le 14 juillet, 200 000 Turcs, commandés par le Grand Vizir Kara Mustafa Pacha, assiégeaient Vienne, tandis que le Hongrois Thököly, leur allié, encerclait Presbourg. Après deux mois de siège, la situation de la ville était désespérée, les vivres manquaient. Les secours arrivèrent cependant, au moment même où les Viennois désespérés songeaient à capituler. Commandée par le roi de Pologne, Jean Sobieski, et par le duc Charles de Lorraine, une armée de plus de 70 000 hommes, formée de contingents autrichiens, allemands et polonais, parvenait à passer sur la rive droite du Danube et prenait position sur les hauteurs boisées du Wienerwald. La bataille a lieu sur les pentes du Kahlenberg le 12 septembre. La défaite turque est écrasante ; si les janissaires se défendent jusqu'à la mort, le reste de l'armée se retire dans le plus grand désordre. Poursuivis par le duc de Lorraine, les Turcs abandonnent Parkany et Gran et sont une nouvelle fois battus à Gzecsen le 11 novembre. Bataille décisive, Kahlenberg marque le déclin de la puissance ottomane en Europe centrale. Tenu pour responsable, Kara Mustafa est décapité sur ordre du sultan.

Portrait du Grand Vizir Kara Mustafa. 1683. Ecole allemande.

Léopold Ier, qui participa à la « Sainte Ligue » contre les Turcs.

Signature à Fontainebleau par Louis XIV, le 18 octobre 1685, de l'édit portant révocation de l'édit de Nantes. Gravure d'époque.

Révocation de l'édit de Nantes

Fontainebleau, 18 octobre 1685

C'est à Fontainebleau que le roi vient de signer l'édit qui porte révocation de l'édit de Nantes (→ 1598). Il met fin à l'existence légale du protestantisme en France, sauf en Alsace. Depuis le début de son règne, Louis XIV s'était engagé dans une politique d'élimination progressive du protestantisme. En effet, pour le roi, l'édit de Nantes, revu par celui d'Alès (1629), n'était qu'un compromis provisoire, et le retour du royaume à l'unité de la foi, ciment de l'unité politique, demeurait une préoccupation majeure. Ainsi, l'édit de Fontainebleau interdit le culte protestant, ordonne la démolition des temples, la fermeture des écoles réformées, l'obligation du baptême et du mariage catholique, l'expulsion des pasteurs qui refuseront de se convertir, tout en interdisant aux laïques d'émigrer. La révocation est accueillie avec enthousiasme par la majorité, catholique, du pays.

Exode massif des huguenots

Après la révocation de l'édit de Nantes, l'existence de huguenots encore nombreux et de nouveaux convertis reniant leur confession pose à partir de 1685 un redoutable problème. Malgré les rigueurs prévues par l'édit de Fontainebleau qui interdit aux laïques protestants d'émigrer sous peine de galères et l'étroite surveillance des ports et des frontières, 150 000 à 300 000 « religionnaires » se décident à l'exil. Ces réformés, appartenant surtout aux professions libérales et aux métiers du négoce et de l'artisanat, s'enfuient vers les pays de refuge de l'Europe protestante (Hollande, Suisse, Angleterre, Brandebourg...) ainsi qu'en Afrique du Sud. Cet exode ne sera pas sans conséquences économiques, ces pays gagnant en éléments dynamiques ce que la France y perd. Il s'accompagne en Europe d'une véhémente critique contre la tyrannie « louisquatorzienne », alimentée par les écrits des réfugiés. Elle favorisera la formation de la seconde coalition européenne contre la France. Quant aux protestants restés dans le royaume, ils opposent une résistance passive et s'efforcent de pratiquer clandestinement leur culte.

Les protestants quittent la France. Gravure de Jan Luyken.

1686

Hongrie, 9 juillet
Les Autrichiens prennent Buda aux Turcs et annexent la Hongrie.

Augsbourg
Formation d'une Ligue contre la France. →

France
Massacre des Vaudois par les troupes de Louis XIV.

Paris
Fontenelle (1657-1757) publie ses *Entretiens sur la pluralité des mondes*. Il appartient au groupe des « rationaux », mais en même temps, contre Newton, il défend l'idée d'une nature mécaniste.

France
Mme de Maintenon fonde à Saint-Cyr une maison d'éducation pour jeunes filles nobles sans ressources.

Bulgarie
Une conspiration est découverte à Tarnovo. Les Turcs détruisent la ville.

Moscou
Mort du peintre Ouchakov. →

Inde
Les Français fondent Chandernagor.

Japon
Ihara Saikaku publie *Cinq femmes de plaisir*. →

1687

Paris, 27 janvier
Charles Perrault prend parti pour les Modernes. →

Angleterre, 16 avril
La déclaration d'indulgence de Jacques II proclamant l'égalité religieuse entre catholiques et protestants indispose fortement l'opposition, qui accepte mal l'entrée en force de catholiques au Conseil privé du roi. A ces griefs s'en ajoutent d'autres : mépris du Parlement qui n'est jamais convoqué, rapprochement avec le très chrétien Louis XIV, honni de toute l'Angleterre.

Hongrie, 12 août
Charles V de Lorraine défait les Turcs à la bataille de Mohacs.

Presbourg, Autriche, 9 décembre
L'union de l'Autriche et de la Hongrie est proclamée. →

Londres
Newton publie ses *Philosophiae naturalis principia mathematica*. →

Paris
Fénelon professe dans son *Traité de l'éducation des filles* des idées pédagogiques tolérantes.

Le compositeur Jean-Baptiste Lully (né en 1632) vient de mourir. Oubliant son origine italienne, il s'est fait le défenseur du style français, notamment dans le domaine de l'opéra.

Grèce
Les Vénitiens attaquent les Ottomans. Ils prennent Corinthe et assiègent Athènes où le Parthénon, transformé en poudrière par les Turcs, est gravement endommagé par un obus vénitien.

Empire ottoman
Le sultan Mehmet IV est déposé par les janissaires. L'empire est en pleine anarchie. Soliman II lui succède.

Moscou
Une académie gréco-slavo-latine est instituée. C'est un geste de conciliation entre les partisans du latin, ouverts à l'Occident, et ceux qui le jugent dangereux.

Inde
Aurangzeb s'empare de Golconde et annexe le royaume qui s'y rattache.

Côte-d'Ivoire
Des missions catholiques tentent de s'implanter.

1688

Transylvanie, 9 mai
La Diète de Transylvanie accepte la domination des Habsbourg. Le pays est annexé à l'Autriche.

Belgrade, 6 septembre
La ville est prise par les Impériaux.

Angleterre, 7 novembre
Répondant à l'appel des opposants, Guillaume d'Orange débarque à Torquay. →

France, 25 décembre
Jacques II, le roi d'Angleterre déchu, se réfugie en France.

Versailles
Edification par Jules Hardouin-Mansart du Grand Trianon. →

Paris
Mort du voyageur François Bernier.

"Cinq femmes de plaisir" d'Ihara Saikaku

Japon, 1686
Avec *Cinq femmes de plaisir*, Ihara Saikaku approche la perfection dans le genre de l'*Ukiyo-sôshi* qu'il renouvelle complètement. *Ukiyo*, mot ambigu issu de la terminologie bouddhique qui l'utilise pour qualifier les choses éphémères du bas monde, désigne, au XVIIe siècle, le monde artificiel des quartiers de plaisir. *Sôshi* désigne les « écrits » par opposition aux « dits ». De la vie d'Ihara Saikaku, nous ne savons que peu de choses. Né vers 1642, il pratique d'abord le *haiku,* genre poétique dans lequel il s'avère brillant et prolifique, puis s'oriente vers le sôshi. De 1682 à sa mort, il écrit seize *ukiyo-sôshi,* longs récits, comme *La Vie d'un libertin,* ou recueil de contes. *Cinq femmes de plaisir* entrent dans cette dernière catégorie, et narrent, en cinq nouvelles, les drames causés par une passion im-

Ihara Saïkaku. Gravure extraite d'une encyclopédie japonaise.

modérée. Tout comme *La Vie d'une femme libertine,* c'est une cruelle satire de la société de son temps, qui lui valut la réprobation des défenseurs d'une moralité rigide. Outre ces récits d'amour, Ihara Saikaku écrivit aussi des histoires de bourgeois, de guerriers, des contes divers, l'ensemble constituant une véritable « comédie humaine » nippone.

La ligue d'Augsbourg, une coalition contre la France

Europe, 1686
Les ambitions excessives de Louis XIV ne pouvaient pas laisser l'Europe plus longtemps indifférente. La formation de la ligue d'Augsbourg est en partie la conséquence de la politique des « réunions ». Louis XIV, au nom des droits de la duchesse d'Orléans, sœur du dernier Electeur palatin, mort en 1685, prétendait annexer le Palatinat à la France. Il prétendait également imposer le candidat de son choix, le cardinal de Fürstenberg, évêque de Strasbourg, à la succession de l'évêché de Cologne, contre le candidat du pape et de l'empereur, Clément de Bavière. A cela s'ajoutaient l'oc-

cupation de Strasbourg et la révocation de l'édit de Nantes. Dès 1686, Etats catholiques (Empire, Espagne, Savoie) et Etats protestants (Provinces-Unies, Suède, Brandebourg) signent à Augsbourg un traité d'alliance défensive ; leur commun objectif était d'obtenir de la France le respect des traités de Westphalie et de Nimègue. En 1688, avec l'arrivée sur le trône d'Angleterre de l'adversaire le plus farouche de la France, Guillaume d'Orange, cette alliance devient offensive. C'est la France pourtant qui ouvrira les hostilités. Au printemps 1689, Louvois envahit et ravage sans merci le Palatinat, afin qu'il ne puisse pas servir de point de départ à une attaque des Impériaux. Le maréchal de Luxembourg attaquera les Pays-Bas, remportant une série de brillantes victoires à Fleurus, Mons et Namur.

Ouchakov, dernier grand peintre d'icônes

Moscou, 1686
Semion Fedorovitch Ouchakov (né en 1626) est mort. Peintre et graveur

Semion Ouchakov. Archange. Détail d'une icône.

russe, il était célèbre à Moscou pour y avoir décoré de nombreux palais. Il a ouvert ensuite un atelier d'icônes qui a sensiblement bouleversé la tradition stylistique antérieure en introduisant le clair-obscur dans ses compositions. L'iconostase qu'il a réalisée en 1659 pour l'église moscovite de la Vierge de Géorgie lui a valu une grande renommée. On cite aussi ses icônes du *Christ en majesté* (couvent de la Trinité), de la *Sainte Face* et de la *Trinité.* Sa production dénote un sérieux effort pour rendre correctement la perspective et les draperies. Ses œuvres tendent à se rapprocher de la peinture profane réaliste. Mais Ouchakov n'a pas su vraiment s'inspirer des progrès de la peinture occidentale. Son œuvre reste empreinte d'une certaine mièvrerie. Son atelier périclita et Ouchakov disparut sans laisser de successeur digne de son nom.

Serban Cantacuzène, prince de Valachie, est mort

Valachie, 1688

C'est le membre d'une puissante famille grecque, dont les origines remontent à un général byzantin implanté en Roumanie au XIIᵉ siècle, qui vient de mourir subitement. On raconte qu'il pourrait avoir été empoisonné. Serban Cantacuzène était monté sur le trône de Valachie en 1678, à force de largesses. Pendant tout son règne, il s'est efforcé de se soustraire du joug turc. Après la délivrance de Vienne par Jean Sobieski, il s'est rapproché des Autrichiens et des Russes et a réuni une armée pour combattre les Turcs. Cantacuzène appartenait au parti Hellène qui en cette fin du XVIIᵉ siècle triomphe en Roumanie, avec notamment Dimitrie Cantemir en Moldavie. La victoire de ce parti sera totale lorsque les Turcs décideront de ne plus nommer que des « Phanariotes » à la tête des pays roumains. Les Grecs formaient l'aristocratie cultivée. Son frère, Constantin Cantacuzène, en est un éminent représentant.

L'Autriche et la Hongrie sous la même couronne

Presbourg, 9 décembre 1687

Après le siège de Vienne, l'Autriche, avec le soutien des autres membres de la Sainte-Alliance, Venise, Pologne et Russie, avait lancé une puissante contre-offensive. Le 12 août 1687, les armées ottomanes sont écrasées au mont Harsan, non loin de Mohacs. La Hongrie entière est enfin libérée, jusqu'aux frontières de la Transylvanie. Le 9 décembre, le fils de l'empereur Léopold, Joseph Iᵉʳ, est couronné roi de Hongrie devant la Diète de Presbourg. C'est la totalité de l'héritage de saint Etienne qui passe ainsi aux Habsbourg. Seules jusque-là, la partie occidentale de la Transdanubie et, au nord, la Slovaquie leur appartenaient, le reste étant partagé entre l'Empire ottoman et la principauté autonome de Transylvanie. Joseph Iᵉʳ s'engage à maintenir les institutions et les lois fondamentales du Royaume magyar. Néanmoins, la Diète doit renoncer à son droit d'élection et la monarchie devient héréditaire.

Frontispice des « Principes mathématiques de la philosophie naturelle » de Newton. Londres, 1687.

Newton découvre la gravitation universelle

Angleterre, 1687

Après les travaux de son collègue Hoocke, Newton s'intéresse au phénomène de l'attraction. La grande originalité de son travail est de rapprocher la gravité de la chute des corps et du mouvement des planètes. Ainsi, il arrive à définir la gravitation comme force d'attraction. Grâce au calcul de la masse de la terre qu'il effectue dans les années 1683-1685, il donne un loi générale mettant en rapport les masses des corps avec le carré de la distance qui les sépare. Ces définitions composent le premier livre de son ouvrage qui paraît en 1687 : *Les Principes mathématiques de la philosophie naturelle*. Le deuxième livre comporte une étude des mouvements dans les milieux résistants et le troisième une présentation du système du monde et du mouvement des planètes autour du Soleil avec, en conclusion, un résumé de sa méthode en sciences physiques. Ce livre est tiré à 300 exemplaires grâce à l'aide que lui a fournie l'astronome Halley. Newton transforme complètement la physique de son époque en énonçant à l'aide du calcul infinitésimal l'ensemble des lois qui régissent tous les mouvements entre les corps. Mais ses trouvailles seront difficilement acceptées sur le continent avant le milieu du XVIIIᵉ siècle, date de traduction de son ouvrage.

Guillaume d'Orange, roi d'Angleterre

Londres, 28 décembre 1688

Guillaume d'Orange, que beaucoup attendaient, a débarqué à Torquay, le 7 novembre, avec une petite armée. Les maladresses de Jacques II ont entraîné maintes défections dans son entourage ; pris de panique, il s'enfuit en France, alors que Guillaume fait son entrée dans Londres le 28 décembre, faisant valoir que la fuite du roi équivaut à une abdication. En accord avec le Parlement, il prend en mains le royaume. Le 22 janvier 1689, une convention va reconnaître Marie et Guillaume comme les nouveaux souverains, non sans leur avoir fait signer la Déclaration des droits. Jacques II est déchu. En effet, ce roi catholique avait indisposé l'opinion, ne consultant ni le Parlement, ni l'Eglise établie. Le peuple anglais attendait sa

Guillaume III, prince d'Orange. Peinture anonyme. Début XVIIIᵉ siècle.

mort pour voir sa nièce Marie lui succéder, lorsque soudain, en juillet, un héritier légitime du trône naquit : Jacques-Edouard. C'en était trop !

Perrault prend le parti des Modernes

Paris, 27 janvier 1687

La Renaissance vouait une admiration sans bornes à l'Antiquité. Dans la première moitié du XVIIᵉ siècle, de nombreux auteurs ont fait preuve d'indépendance en la matière et la querelle dite des Anciens et des Modernes n'a cessé de croître. Du côté des Anciens : Boileau, Racine, Bossuet, La Bruyère. Du côté des Modernes : Perrault, Fontenelle, la plupart des femmes...Aujourd'hui, l'Académie a été le

théâtre d'une vive querelle opposant Perrault à Boileau. Charles Perrault a lu à ses confrères un poème, *Le Siècle de Louis le Grand*, où il affirme que les lettres et arts modernes sont aussi éclatants, sinon plus, qu'ils ne l'ont été à Rome ou en Grèce au temps de Périclès. Boileau a riposté par des épigrammes, prenant sans détour la défense des Anciens. Malgré l'amour sincère qu'il leur porte, on soupçonne de ne se servir de cette querelle que pour attaquer ceux de ses contemporains qui lui déplaisent. Sa tentative pour restaurer la poésie antique avec l'*Ode sur la prise de Namur* est en effet peu convaincante.

Hardouin-Mansart édifie le Grand Trianon

Versailles, 1688

Jules Hardouin (né à Paris en 1646) est le petit-neveu de François Mansart dont il prend le nom en 1668. Grâce à quelques appuis et à son talent de courtisan, Jules Hardouin-Mansart va accéder très rapidement au plus haut rang. Premier architecte en 1681, anobli en 1682, intendant en 1685, il devient inspecteur général des Bâtiments en 1691. Son rôle de premier architecte fait de lui une figure très importante auprès de Louis XIV. Bien sûr, il est difficile de savoir à quel endroit il a personnellement œuvré car tous les chantiers français de cette époque sont collectifs et centralisés. Le roi n'est-il pas l'architecte de Versailles ? Hardouin-Mansart interprète la volonté du roi, comme les exécutants interprètent la sienne. C'est en 1668 que Louis XIV avait acheté le terrain de Trianon et Le Vau y avait élevé, en 1670, ce pavillon de « porcelaine » dont l'intérieur entièrement décoré de plaques de Delft servait de cadre à des fêtes champêtres. Le nouveau bâtiment que Louis XIV inaugure en 1688 est considérablement agrandi et, de plus, il est tout en marbre ! Tel est le nouveau Trianon.

Le Grand Trianon, dit aussi « Trianon de marbre » à Versailles. Architecte : Jules Hardouin-Mansart.

1689

Londres, 13 février
Proclamation du *Bill of Right*. →

Irlande, 3 avril
L'île se révolte ; Jacques II prend Dublin.

Angleterre, 17 mai
Guillaume III déclare la guerre à Louis XIV.

Londres, 24 mai
Promulgation de l'édit de Tolérance.

Allemagne, juin
Les armées françaises provoquent désolation et massacres dans le Palatinat.

Sibérie, 6 septembre
Chinois et Russes signent un traité à Nerchinsk pour délimiter leur frontière (rivière Gorbitsa, chaîne des Stanovoï).

Moscou
Pierre le Grand prend le pouvoir par un coup d'État. →

Londres
Celui que l'on surnomme l'« Hippocrate d'Angleterre » vient de mourir. Thomas Sydenham (né en 1624) a notamment inventé le laudanum (médicament à base d'opium) aux effets calmants. Il est également l'auteur d'un traité sur la goutte, dont il a rigoureusement décrit les symptômes.

Purcell crée *Didon et Enée*, le premier opéra anglais. →

Amsterdam
Le peintre hollandais Meindert Hobbema donne avec *L'Allée de Middelharnis* l'une de ses meilleures œuvres. →

Paris
Racine fait jouer *Esther*, une tragédie biblique.

Ouverture du café Procope. →

1690

Pays-Bas espagnols, 1ᵉʳ juillet
Les Français, commandés par le maréchal de Luxembourg, battent les alliés de la ligue d'Augsbourg à Fleurus.

Irlande, 3 octobre
Les insurgés capitulent à Limerick. Jacques II perd l'Irlande.

Serbie, 8 octobre
Belgrade est reprise par les Turcs.

Valachie
Les Autrichiens, qui n'apprécient pas la politique de Brancovan, attaquent la Valachie : celle-ci se tourne vers la Russie.

Albanie
Le pays est en pleine insurrection. →

Indes
Les Anglais, de retour au Bengale, fondent le comptoir de Calcutta.

Londres
Locke publie son *Traité sur l'entendement humain*, ouvrage posant en termes empiriques le problème des origines de la connaissance et des moyens mis en œuvre par l'entendement pour établir des jugements. La même année Locke publie son *Traité sur le gouvernement civil*.

Paris
Succès d'édition pour *Les Caractères* de La Bruyère.→

Hollande
Huygens publie son *Traité de la lumière*.

1691

Istanbul
Soutenu par le vizir Fazil Mustafa Köprülü, Ahmet II succède comme sultan à son frère Soliman II.

Londres
Le navigateur William Dampier publie son *Voyage autour du monde* dans lequel il raconte ses expéditions contre les comptoirs espagnols des Antilles et du golfe du Mexique.

Paris
C'est pour répondre à une demande de Mᵐᵉ de Maintenon que Racine a écrit *Athalie*, à l'intention des jeunes filles de Saint-Cyr. Le parti dévot ayant obtenu l'interdiction de la pièce, Racine renonce définitivement à écrire pour le théâtre.

1692

Steinkerque, 3 août
Après la prise de Namur en juin, victoire du maréchal de Luxembourg sur Guillaume III d'Orange.

France
Vauban regroupe les ingénieurs de l'armée en un corps structuré, le génie, pour réaliser « la frontière de fer », chaîne de places fortes qui barre les routes d'invasion du pays au nord et à l'est.

Le "Bill of Right" fonde la monarchie constitutionnelle

Londres, 13 février 1689
La couronne d'Angleterre vient d'être solennellement attribuée à Guillaume d'Orange et à son épouse Marie II, mais les nouveaux souverains ont dû auparavant souscrire à une déclaration des droits formulée par le Parlement. Cette déclaration, outre une réaffirmation du droit et des libertés des sujets du royaume, reconnaît au Parlement le droit de se réunir à son gré, de voter l'impôt (ce qui maintient le roi dépendant), de lever des troupes et de veiller à l'exécution des lois ; elle reconnaît aux citoyens le droit d'élire leurs représentants et leur assure la liberté d'expression. Le *Bill of Right* consacre définitivement la suprématie du Parlement, toute référence au droit divin ayant disparu. C'est le début de la monarchie constitutionnelle anglaise.

Henry Purcell compose l'opéra "Didon et Enée"

Londres, 1689
Le compositeur Henry Purcell fait donner au pensionnat féminin dirigé par Josias Priest *Didon et Enée*, un opéra en trois actes sur un livret de Nahum Tate. L'action, qui se déroule à Carthage dans l'Antiquité, évoque la passion de la reine Didon pour le prince troyen Enée. Mais une magicienne complote la ruine de Didon et parvient à éloigner définitivement de Carthage le prince ; Didon meurt de désespoir. La vérité des sentiments, leur intensité soutenue par une musique qui ménage l'effet dramatique touchèrent profondément le public.

Le passage du Rhin par les armées de Louis XIV le 12 juin 1672. Détail. Peinture de Joseph Parrocel. Musée historique, Versailles.

Les guerres malheureuses de Louis XIV

Jusqu'en 1667, Louis XIV était resté fidèle à la politique prudente et avisée qui avait valu à la France les succès des traités de Westphalie et des Pyrénées. Les ambitions croissantes du Roi-Soleil vont peu à peu liguer l'Europe entière contre lui. Dans la guerre de Hollande, il n'avait encore eu à faire face qu'à une coalition accidentelle et limitée. A partir des années 1685, avec la constitution de la ligue d'Augsbourg, la France se trouvera pratiquement isolée. Face aux prétentions démesurées, à la volonté d'hégémonie française que la politique des « réunions », les multiples annexions et les incessantes provocations des dernières années avaient rendues de jour en jour plus manifestes, les anciennes rivalités vont disparaître. La France ne pourra plus compter avec le traditionnel jeu des alliances, qui depuis un siècle avait fait sa force. Pour la première fois, la maison d'Autriche, Vienne et Madrid, va s'allier à ses ennemis de toujours, les puissances protestantes, dirigées par le bloc anglo-hollandais, lui aussi réconcilié. Par ailleurs, l'Europe de 1685 n'est plus celle de 1661. L'Angleterre, après les années difficiles de la république, est en passe de se muer en puissance conquérante. L'Autriche, qui a réussi à régler le problème turc, entend reprendre en Europe le rôle qu'elle estime être le sien, le premier. L'impérialisme français doit désormais compter avec d'autres impérialismes. L'ère des victoires faciles et des conquêtes sans risque est donc bien passée pour Louis XIV. Mais si la coalition européenne est suffisamment forte à présent pour s'opposer aux entreprises de la France, elle ne l'est pas assez pour la vaincre. Ces forces en équilibre précaire vont être la cause de conflits interminables, guerres incertaines et difficiles qui épuiseront également et durablement tous les adversaires.

Façade sur rue du café Procope, rue des Fossés-Saint-Germain à Paris. Dessin anonyme. Bibliothèque nationale, Paris.

Pierre le Grand prend le pouvoir en Russie

Russie, 1689

Le fils du tsar Alexis, le jeune Pierre (né en 1672), après s'être réfugié au monastère de la Trinité Saint-Serge, y rassembla une petite armée, formée à l'occidentale et hostile à la régente, sa propre sœur Sophie. Il fait arrêter les conseillers de celle-ci : Galitzine est exilé et Chaklovity, chef des *streltsy* (turbulente garde prétorienne), mis à mort. Les excès des streltsy, la soif de pouvoir de Sophie et l'échec de la diplomatie de Galitzine face aux Turcs l'ont poussé à ce coup d'Etat. Il confiera la régence à sa mère et, à la mort de celle-ci, en 1694, il assumera seul le pouvoir.

Pierre Ier le Grand, empereur de Russie. Peinture attribuée à Pierre Gobert.

Ouverture à Paris du café Procope

Paris, 1689

L'Italien Francisco Procopio, de Palerme, ouvre une « maison de café » rue des Fossés-Saint-Germain. Le luxe de l'établissement et la qualité du service lui valent un succès immédiat. L'installation de la Comédie-Française dans une maison voisine viendra encore élargir sa clientèle, clientèle où les personnes de condition viennent se mêler au petit monde des acteurs et des auteurs. C'est l'ambassadeur de Turquie qui avait mis le noir breuvage à la mode dans la capitale. En 1672,

Médaillon retraçant l'historique du « plus ancien café du monde ».

Pascal, un Arménien d'origine, ouvrait, Foire Saint-Germain, le premier café parisien, à l'imitation de ceux qu'il avait pu voir à Istanbul. D'autres « maisons de café » allaient bientôt s'ouvrir dans le même quartier, quai de l'Ecole, rue de Buci et rue Mazarine.

L'Albanie se soulève contre les Turcs

Albanie, 1690

Le pays est en pleine insurrection. Après la citadelle de Medun, c'est celle de Kanina qui est enlevée aux Turcs par les insurgés. La ville de Vlorë est libérée. C'est la défaite turque à Vienne qui a encouragé les révoltes dans la partie européenne

de l'Empire ottoman, notamment dans le Monténégro voisin. En Albanie, la résistance anti-turque prend un caractère nouveau : aux insurrections des montagnards chrétiens, se rallient peu à peu les populations musulmanes des villes. Ensemble, ils constituent un front unique de lutte contre l'oppresseur, si bien que l'armée turque ne connaît que revers sur revers et les sipahis, ne tirant plus profit de la guerre, s'enferment de plus en plus dans leurs fiefs.

25 000 exemplaires vendus des "Caractères" de La Bruyère

Paris, 1688

C'est de l'entourage du Grand Condé, où Bossuet le fit nommer précepteur en 1684, que Jean de La Bruyère (né en 1645) a tiré ses réflexions et ses portraits rassemblés dans *Les Caractères ou les Mœurs de ce siècle*. L'ouvrage connaît un succès immédiat : trois éditions en un an. A vrai dire, le moraliste pos-

La Bruyère.

sède l'art d'attirer l'attention par son sens du pittoresque, de la remarque incisive, du détail pris sur le vif. Ce bourgeois parisien, qui mène une vie effacée, est sans pitié pour les vices des « grands ». Une partie du succès de l'ouvrage tient au fait que le lecteur croit pouvoir identifier chaque personnage. Considérant que « c'est un métier que de faire un livre, comme faire une pendule », La Bruyère s'attache à parfaire ses phrases, à en varier le vocabulaire. Les procédés de la rhétorique y sont abondamment utilisés, l'auteur ayant l'intime conviction qu'il existe un « point de perfection » dans l'art de l'expression, point qu'ont atteint les Anciens. *Les Caractères*, bien que classiques, annoncent l'intérêt des écrivains pour les problèmes de société.

Aniaba, un prince noir à la cour de Louis XIV

Versailles, 1690

C'est comme otage qu'Aniaba, fils du roi Zena, est amené en France par Du Casse. A son arrivée à Versailles, le jeune prince noir d'Assinie, a fait sensation. En effet, Louis XIV l'accueille avec des attentions et demande qu'on le fasse instruire dans la religion catholique. C'est Bossuet lui-même qui reçoit du roi la mission de faire passer Aniaba par tous les

degrés du catéchuménat. Bientôt, l'évêque de Meaux jugera suffisante l'instruction de son élève et, le 1er août 1691, lui administrera le baptême. Louis XIV va y ajouter une éducation et un train de vie de gentilhomme. Si bien qu'Aniaba finira par être admis comme officier dans le régiment du roi et se battra dans le nord de la France. Mais, au bout d'une dizaine d'années, Aniaba, las de la France et de son climat, va demander à retourner dans son pays. Ce qu'il fera en 1701.

Hobbema, paysagiste pittoresque

Amsterdam, 1689

Hobbema est né en 1638 à Amsterdam. Il fut élève, vers 1660, de Jacob van Ruisdael. En 1668 il se marie et obtient la modeste fonction de jaugeur des alcools à l'octroi municipal, au détriment de son activité artistique. Tout en restant fidèle aux leçons de son maître, Hobbema apporte moins de lyrisme que lui dans l'observation des aspects pittoresques de la

campagne et s'oriente vers une forme de réalisme minutieux, pointilleux jusqu'à l'excès dans le rendu des détails. Son dessin à l'acuité d'une gravure, que le contraste des lumières ne vise qu'à accentuer. *L'Allée de Middelharnis* (1689), peinte dans des tons sombres en une immense perspective, surprend par le sentiment d'infini et de solitude qui s'en dégage. C'est la première représentation du thème de la route, dont les peintres ne se lasseront pas, par la suite, de donner d'innombrables variantes.

Meindert Hobbema. « L'Allée de Middelharnis ». 1689. National Gallery, Londres.

1693

Neerwinden, 29 juillet
Victoire du maréchal de Luxembourg sur Guillaume III d'Orange.

Versailles et Rome, 15 sept.
Louis XIV désavoue la déclaration des Quatre Articles et cherche à se réconcilier avec le pape. →

Jamaïque
Les Anglais fondent Kingston.

Congo
Les Portugais occupent le pays. →

Golfe de Guinée
L'amiral français Tourville (1642-1701) capture presque toute la flotte de Smyrne au large de Lagos : quelque 100 navires. Un coup sévère pour la navigation britannique.

Berlin
Andreas Schlüter (né en 1660) entre au service du Grand Electeur comme sculpteur et architecte. Il dirigea les chantiers de l'Arsenal et surtout du Château (1698-1707).

Provinces-Unies
Mort du Hollandais Willem Kalf (né en 1619). Peintre de natures mortes, il a su rendre avec une intense poésie le monde silencieux des objets.

Paris
Médée, tragédie lyrique de Marc-Antoine Charpentier.

Japon
Mort d'Ihara Saikaku, premier grand romancier japonais moderne.

1694

Londres, avril
Une charte royale fonde la Banque d'Angleterre. →

Dunkerque, juin
Jean Bart force le blocus anglais : à la tête de sept navires il attaque un convoi hollandais de 130 bâtiments chargés de blé, prend à l'abordage le navire amiral et conduit tout le convoi à Dunkerque.

Londres
Le premier gouvernement constitué uniquement de whigs est formé. →

Purcell publie un *Te Deum*, chef-d'œuvre de la musique sacrée.

Paris
Vauban présente un projet de

capitation, impôt que paieraient tous les Français sans distinction.

L'Académie française vient de publier son *Dictionnaire,* sous la direction de Vaugelas.

Boileau publie sa dixième *Satire* (*Contre les femmes*).

Halle, Allemagne
Fondation de l'université. →

Rome
Le peintre Andrea Pozzo achève le plafond de San Ignazio. →

Bucarest
Constantin Brâncovan fonde l'académie Saint-Sava, une école qui sera vite fameuse.

Japon
Mort du poète Matsuo Munefusa, dit Bashô. →

1695

France, 18 janvier
La capitation est instaurée. Elle frappe les contribuables en fonction de leur rang social.

Paris, 13 avril
Jean de la Fontaine vient de mourir. Il avait, en septembre, publié son douzième livre de *Fables.*

Bruxelles, 14-15 août
Sur ordre de Louis XIV, la ville est bombardée par le maréchal de Villeroi : la Grand'Place, l'hôtel de ville et 4 000 maisons sont incendiés. →

Paris
Le peintre Mignard (né en 1612) vient de disparaître. Il s'était opposé à Le Brun et n'était entré à l'Académie qu'à la disparition de celui-ci, en 1690. Protégé alors par Louvois, il est comblé de charges officielles. Grand coloriste, il a notamment décoré la voûte du Val-de-Grâce (1663).

Irlande
Les « lois pénales » mettent les masses irlandaises hors la loi. →

1696

France, 17 avril
Mort de Mme de Sévigné. →

Mer d'Azov, 28 juin
Les Russes prennent Azov aux Turcs.

Turin, 29 août
Un traité confirme les possessions françaises de Nice et de la Savoie.

Le Congo passe sous la dépendance du Portugal

Afrique équatoriale, 1693
Dès le départ, la politique du Portugal vise à l'annexion pure et simple du Congo. Les Portugais ont baptisé le premier souverain entré en contact avec eux, et fondé sa capitale, San Salvador, mais les souverains successifs du Congo n'en connaissent pas moins humiliations et déceptions. L'un d'entre eux tente à deux reprises de se mettre sous la suzeraineté du pape afin d'échapper aux Portugais. En vain. La soif de bénéfices conduit à armer vassaux païens contre alliés chrétiens. Affaiblis, ceux-ci ont besoin de l'aide militaire portugaise, qui sera payée au prix fort, par la perte de toute souveraineté.

Le poète Bashô, accompagné de l'un de ses disciples.

Naissance du régime parlementaire

Londres, 1694
Pour la première fois, c'est un gouvernement composé uniquement de whigs qui vient d'accéder au pouvoir. Ceux-ci ont pris la part la plus active à la révolution, les tories se retrouvent aujourd'hui intégralement dans l'opposition. Si bien qu'il va s'ensuivre une solidarité gouvernementale et, pour la première fois, l'un des

Au Brésil, le royaume noir de Palmares tombe aux mains des Portugais

Brésil, 1696-1697
En 1630, des groupes d'esclaves fugitifs des plantations du Pernambouc fondent un Etat noir indépendant, administré par un roi et des chefs militaires. Etabli au nord-est du Brésil, dès sa création Palmares est la

Louis XIV se réconcilie avec le pape Innocent XII

Rome et Versailles, 15 sept. 1693
Au lendemain de la mort du pape Innocent XI, Louis XIV décide de rechercher avec ses successeurs, Alexandre VIII, puis le conciliant Innocent XII, une formule de compromis pour mettre fin au conflit qui depuis 1673 l'oppose à la papauté. C'est chose faite enfin. Le pape accepte l'extension du droit de régale et investit les évêques nommés depuis 1682. En revanche, le roi et l'épiscopat français rétractent la déclaration des Quatre Articles. Cette réconciliation traduit l'évolution du roi qui, devenu dévot, veut se rapprocher de Rome et entend lutter contre les dissidences religieuses.

Mort de Bashô, maître japonais du "haïku"

Japon, 1694
Au cours de l'un de ses longs voyages solitaires à travers le Japon, Matsuo Bashô meurt à Osaka. Né en 1644, il avait pris l'habit monastique à l'âge de vingt-deux ans, avant d'aller parfaire ses études à Kyôto, durant sept ans. Il publia alors un premier recueil de poèmes où transparaît encore l'influence de ses premiers maîtres. Le genre *haïku*, dans lequel il excelle, est un verset de 17 syllabes, considéré, depuis la fin du XVIe siècle, comme un mode d'expression poétique en soi. En 1681, il se retira dans son « ermitage du bananier » (*Bashô-an,* d'où lui vient son pseudonyme), dans un faubourg d'Edo, et se consacra à l'étude et à la poésie. Il ne quitta sa retraite que pour de longs voyages au cours desquels il nota ses impressions dans des haïku d'une rare intensité.

deux partis de l'assemblée va soutenir en bloc le gouvernement, l'autre va lui faire opposition. C'est un régime de type parlementaire qui apparaît en Angleterre. Ce régime est garanti par le *Bill of Right,* renforcé cette année même par l'acte de Triennalité, limitant à trois ans la durée d'une législature, prescrivant des élections périodiques et enlevant au roi le pouvoir de convoquer, ou de ne pas convoquer le Parlement.

proie du pouvoir colonial hollandais et postérieurement portugais. Après une attaque hollandaise en 1644, le gouverneur portugais, Pedro de Almeida, organise à son tour deux expéditions (1676 et 1696-1697). Alors que la première dissémine une population qui se réorganise aussitôt, la seconde réussit à écraser Palmares après un long siège, suivi du suicide collectif du roi et de ses chefs militaires.

L'université de Halle ouvre ses portes

Halle, 1694

Fondation prussienne, l'université de Halle se donne pour mission de contribuer au redressement allemand. Elle est patronnée par le philosophe et juriste Christian Thomasius, ardent patriote, avocat du renouveau national, qui plaide en faveur de la langue allemande contre le latin. L'organisation de la faculté de théologie est confiée à Jacob Spener, qui va faire de la nouvelle université une citadelle du « piétisme ». Ce mouvement religieux, en réaction contre le dogmatisme de l'Eglise luthérienne établie, veut redonner toute sa part au sentiment et à l'expérience individuelle.

Création de la Banque d'Angleterre

Londres, avril 1694

Le roi Guillaume III d'Orange, en guerre avec Louis XIV, connaît de grosses difficultés financières. Afin de réunir des fonds, la décision vient d'être prise à Londres de créer une banque nationale, selon un projet élaboré par l'Ecossais William Paterson. Celle-ci est constituée sous forme d'une société anonyme par un millier de souscripteurs, lesquels ont réussi, en une semaine, à réunir un capital d'un million de livres sterling. Ce capital est prêté à l'Etat contre la garantie de divers impôts sur le commerce maritime et sur la bière. La Banque d'Angleterre est habilitée à faire toutes les opérations des banques privées, ce qui suscite l'animosité des banquiers orfèvres de la City ; mais, en échange de ces privilèges, elle est tenue de faire des prêts à l'Etat.

Grand'Place de Bruxelles (de gauche à droite) : maison de la Louve, la maison du lac, puis la maison de la Brouette, toutes deux restaurées en 1697.

Les Français bombardent Bruxelles

Bruxelles, 14-15 août 1695

Bruxelles était retombée entre les mains de la coalition ; Guillaume III l'occupait. Villeroi installe alors le siège devant la ville et la bombarde. Cette offensive d'une extrême vigueur cause d'immenses dégâts qui sont évalués à plus de vingt millions de livres ; 4 000 maisons environ sont ravagées par le feu et seize églises entièrement détruites. Offensive inutile cependant, car, des deux côtés l'on songe déjà à négocier : il apparaît clairement que la France ne peut venir à bout de la coalition, pas plus que celle-ci ne peut vaincre la France ; les deux camps sont pareillement épuisés et la paix est nécessaire. Le duc de Villeroi, le nouveau chef des armées, a pris la succession du maréchal de Luxembourg, mort le 4 janvier. Parfait courtisan, il n'a aucune des qualités militaires de son prédécesseur, le vainqueur de Fleurus, de Neerwinden et de Steinkerque.

Andrea Pozzo, virtuose du trompe-l'œil

Rome, 1694

Architecte et peintre, Andrea Pozzo (1642-1709) travaille depuis 1681 à la décoration de San Ignazio. Il peint à la voûte de la nef un audacieux ensemble d'architectures feintes, de portiques aériens, superposant à l'église réelle une église imaginaire. Pozzo est aussi l'auteur de *Perspectiva pictorum et architectorum* (1693), qui remporte un énorme succès.

Andrea Pozzo. Entrée de saint Ignace au Paradis. Fresque en trompe-l'œil. Voûte de San Ignazio, Rome.

Exploitation des mines d'or du Brésil

Brésil, 1695

En 1695, dans le centre du Brésil et au nord-ouest de Rio de Janeiro, Antonio Rodrigues Arzao découvre d'importants gisements d'or. La nouvelle se répandant rapidement, des milliers de prospecteurs de toutes nationalités et catégories sociales envahissent la région. Du jour au lendemain, de nombreux villages sont fondés, et la population du Minas Gerais passe de pratiquement zéro en 1695 à 30 000 habitants en 1709. La production de la région étant exclusivement minière, Minas Gerais est obligé d'importer toutes les denrées alimentaires. La recherche se centre surtout sur la prospection du lit des rivières et des dépôts alluviaux des collines environnantes, les gisements souterrains étant très rares. En 1710, la capitainerie de Sao Paulo et Minas Gerais sera créée.

Mise hors la loi des catholiques irlandais

Irlande, 1695

Déjà, en 1691, une loi anglaise avait exclu les catholiques du Parlement. Mais, à partir de 1695, c'est toute une série de lois, dites « lois pénales » qui tour à tour prive les Irlandais du droit de vote, les exclut de l'armée, de la milice, de l'administration et de la magistrature... Et c'est aussi dans leur vie privée, dans l'éducation de leurs enfants que les Irlandais vont être brimés. Par un jeu de restrictions et d'interdictions, les terres irlandaises vont progressivement être confisquées, à commencer par celles de leurs chefs. Chassé par la révolution, Jacques II d'Angleterre a dû s'enfuir en France, mais soutenu par Louis XIV, c'est en Irlande qu'il a débarqué peu de temps après. C'était la première fois que les catholiques étaient unis sous la bannière d'un monarque chrétien. Dès 1689, un parlement catholique avait annulé l'acte de constitution et confisqué la majeure partie des biens protestants. Mais le triomphe fut de courte durée ; sur le continent, les alliances ont vite basculé. En juillet 1690, les Irlandais ont été écrasés à la bataille de Boyne. Jacques Stuart s'est à nouveau réfugié en France. La lutte a continué sous la conduite de Patrik Sarsfield. Mais, battu, il obtient néanmoins à Limerick, en octobre 1691, une capitulation honorable, garantissant la liberté de conscience aux catholiques. Les soldats de Sarsfield se sont réfugiés en France où ils forment la célèbre « Brigade irlandaise ». C'est ce traité de Limerick qui est à présent honteusement violé. Pour le plus grand malheur des Irlandais.

Mort de la marquise de Sévigné à Grignan

Grignan, 17 avril 1696

Mme de Sévigné est morte lors d'une visite qu'elle rendait à sa fille, épouse du comte de Grignan. Marie de Rabutin-Chantal, de son nom de jeune fille, est née à Paris en 1626. Orpheline de bonne heure, elle est élevée par son oncle qui lui fait donner une éducation soignée. Mariée en 1644 au marquis de Sévigné, elle fréquente les salons littéraires et y devient une grande dame de la préciosité. Elle acquiert une réputation d'épistolière par les lettres pleines de vivacité et de sensibilité qu'elle envoie à sa fille, qui s'est mariée en province, et à ses nombreux amis.

Mme de Sévigné.

1697

France, février
Pour justifier les positions de Mme Guyon, Fénelon publie son *Explication des maximes des saints.* →

Provinces-Unies, septembre-octobre
Un traité est signé à Ryswick.

Rotterdam
Pierre Bayle achève la publication de son *Dictionnaire historique et critique.* →

Paris
Charles Perrault (né en 1628) publie les *Contes de ma mère l'Oye.* →

Portugal
Le jésuite António Vieira (né en 1608) est mort. Personnage audacieux et dynamique, il remontait les fleuves du Brésil pour diffuser la civilisation et le christianisme. Ecrivain et orateur talentueux, sa position anti-esclavagiste et sa liberté de pensée lui ont valu quelques déboires.

Suède
Mort du roi Charles XI. Il avait confisqué, au profit de la Couronne, une grande partie des domaines acquis par les nobles. Son fils Charles XII lui succède.

Monténégro
Njegos libère le pays du joug turc. →

Moscou
Pierre le Grand entreprend *incognito* un voyage d'études en Europe occidentale. →

Pologne
L'Electeur de Saxe Frédéric-Auguste est élu roi de Pologne sous le nom d'Auguste II.

Sibérie
Les Russes avancent jusqu'au Kamchatka.

Royaume ashanti, Afrique
L'empire Akwamou et le Denkyéra s'unissent sous les ordres d'un prince du clan Oyoko, Osei Toutou, le chef de Kumasi. →

Sénégal
Nommé directeur de la Compagnie du Sénégal, le Français André Brüe (1654-1738) s'efforce d'installer des comptoirs dans la vallée du Sénégal.

Canada
Les Anglais cèdent tous les ports de la baie d'Hudson à la France, sauf Albany.

1698

Paris
Marc Antoine Charpentier accède au poste de maître de musique à la Sainte-Chapelle. →

Londres
Mrs. White fonde la Maison du Chocolat (futur *Club White's*).

Moscou
Pierre le Grand impose à ses sujets l'usage du tabac. →

Les *streltsy*, garde prétorienne de nobles fondée par Ivan le Terrible, s'étant révoltés, Pierre le Grand les fait massacrer.

Perse
Envoyé en Perse comme prisonnier, l'Afghân Mîr Ways devient le favori du shâh Hoseyn.

Indochine
Les Cambodgiens évacuent Saïgon.

Les chrétiens sont persécutés en Cochinchine.

Pékin
Un pont nouvellement construit reçoit le nom de Marco Polo.

1699

Autriche, 26 janvier
La paix est conclue à Karlowitz. Les Turcs abandonnent la Transylvanie et la Hongrie à l'Autriche, la Morée et la Dalmatie à Venise ainsi qu'une partie de l'Ukraine à la Pologne.

Paris, 21 avril
Racine meurt dans une demi-disgrâce due à la publication récente d'un *Abrégé de l'histoire de Port-Royal*, marquant sa fidélité envers ses premiers maîtres.

France, 13 septembre
Création d'un Conseil du commerce.

Russie, 20 décembre
Après avoir interdit, en août, le port des vêtements traditionnels et prescrit celui des vêtements européens, Pierre le Grand entreprend de réformer le calendrier. →

Côte-de-l'Or
Formation de la confédération Ashanti. →

Paris
Fénelon publie *Les Aventures de Télémaque.*

La France cède la rive droite du Rhin au traité de Ryswick

Ryswick, septembre-octobre 1697
Le traité de Ryswick, qui met un terme aux guerres de la deuxième coalition, est une victoire pour les Etats de la ligue d'Augsbourg. Louis XIV doit rendre en effet tous les territoires conquis depuis le traité de Nimègue. L'Espagne retrouve la Catalogne et les forteresses des Pays-Bas. L'empire réintègre le comté de Deux-Ponts, Trèves et toutes les villes annexées en vertu de la politique des « réunions », Brisach, Kehl, Philippsbourg, les têtes de pont sur la rive droite du Rhin. Strasbourg, cependant, reste à la France. Louis XIV abandonne les prétentions de la duchesse d'Orléans sur le Palatinat, en échange d'une indemnité ; il reconnaît, d'autre part, le candidat impérial à la succession de l'évêché de Cologne. La Lorraine, occupée en dépit de tous les traités, est enfin rendue à son duc, à l'exception de Longwy et de Sarrelouis. Louis XIV reconnaît les droits de Guillaume d'Orange à la couronne d'Angleterre et s'engage à ne plus soutenir les prétendants Stuart.

Voyage d'information de Pierre Ier en Europe

Europe, 1697
Pierre le Grand décida de dépêcher une « grande ambassade » en Occident pour tenter d'obtenir l'appui des souverains chrétiens contre les Turcs et de constituer une ligue européenne contre la Turquie. L'ambassade échoua, mais cela permit au tsar d'étudier les mœurs occidentales. C'est *incognito* que Pierre entreprit le voyage. Il visita l'Angleterre, la Hollande et l'Allemagne. Il étudia les systèmes politiques, observa les industries, acheta des objets précieux. En Hollande, il travailla comme ouvrier sur les chantiers navals de Saardam. En Angleterre, il étudia l'art militaire. Il rendit visite à l'empereur à Vienne. Ayant été informé de la révolte des *streltsy,* il ne put se rendre en Italie pour y rencontrer le pape et dut regagner en hâte la Russie.

Pierre Bayle publie son "Dictionnaire critique" en Hollande

Hollande, 1697
Le *Dictionnaire historique et critique* de Pierre Bayle (né en 1647), qui vient de paraître, a été conçu au départ pour compléter celui de Moreri. En fait, c'est un examen critique des dogmes et des traditions. En effet, l'auteur a mis sa prodigieuse érudition au service d'une argumentation habile en faveur de la tolérance. Adoptant une conception rationaliste de la religion, il critique l'autorité et légitime la liberté de penser. Déjà, dans un précédent ouvrage publié en 1682, *Pensées diverses sur la Comète de 1680*, Bayle avait abordé la question théologique, séparant nettement la morale de la religion, réclamant la liberté de conscience, y compris le droit d'être athée. Son *Dictionnaire critique*, apologie de la tolérance, appartient déjà au siècle des Lumières.

Querelle du "quiétisme" : Bossuet attaque Fénelon

France, juin 1698
Archevêque de Cambrai depuis 1695, Fénelon vient de publier l'*Explication des maximes des saints*, dans laquelle il tente de justifier Mme Guyon, une dame de la Cour, qui a introduit en France certaines des idées du mystique espagnol Molinos, selon lesquelles il faut accorder beaucoup moins d'importance aux pratiques et aux œuvres qu'à la contemplation du « pur amour » de Dieu. Fénelon, les duchesses de Chevreuse et de Beauvilliers, Mme de Maintenon elle-même, furent séduits. Mais certains évêques s'alarmèrent et une commission de censure, présidée par Bossuet, s'est réunie en

Fénelon.

1695 à Issy et a condamné le « quiétisme » de Mme Guyon. Aussi l'ouvrage de Fénelon fait-il rebondir la controverse. Une vive polémique s'engage entre les deux prélats. La lutte sera longtemps indécise, mais Bossuet frappe fortement l'opinion publique par l'impression (juin 1698) de sa *Relation sur le quiétisme*, pamphlet diffamatoire qui tend à jeter le discrédit sur les relations de Fénelon avec Mme Guyon. Louis XIV, inquiet de la tournure des événements, demandera au pape de se prononcer. En 1699, Innocent XII censurera vingt-trois des propositions de Fénelon, sans même les qualifier d'hérétiques. Ce sera pour Bossuet une demi-victoire. Fénelon, retiré dans son diocèse, privé de ses titres et pensions, s'inclinera. On ne parlera plus du quiétisme.

Bossuet.

Charpentier est nommé maître de musique de la Sainte-Chapelle

Paris, 1698

Le compositeur Marc Antoine Charpentier est nommé maître de musique de la Sainte-Chapelle. Il y a plus de dix ans, en 1684, maître de musique chez les jésuites de la rue Saint-Antoine, Charpentier inaugurait une période féconde en productions religieuses. L'auteur avait écrit de nombreuses musiques de scène, collaborant avec Molière et Corneille. Introducteur de la cantate profane avec

son *Orphée descendant aux enfers*, Charpentier s'illustra aussi dans les messes à quatre, six et huit voix, expérimentant dans l'une d'elles une transcription pour instruments au lieu des orgues, et manifestant, comme dans le genre de « l'histoire sacrée », son souci de la couleur. L'un de ses grands titres de gloire est une version des *Leçons et Répons de ténèbres*, dans laquelle il varie au maximum l'écriture des hymnes, motets et psaumes. Son art des formules neuves, soutenu par une science parfaite de l'harmonie et du contrepoint, son utilisation de la dissonance expressive, font de lui un maître.

Charles Perrault enchante grands et petits avec ses "Contes"

Paris, 1697

Charles Perrault a offert à Mademoiselle, petite-nièce de Louis XIV, un cahier contenant cinq *Contes de ma mère l'Oye* : *La Belle au bois dormant*, *Le Petit Chaperon rouge*, *Barbe-Bleue*, *Le Chat botté* et *Les Fées*. Deux ans plus tard, le recueil sera publié augmenté de trois autres contes : *Cendrillon*, *Le Petit Poucet* et *Riquet à la houppe*. Le succès est immédiat et d'autant plus inattendu que la littérature enfantine n'était pas un genre bien défini. Né

à Paris en 1628 dans une famille de la bourgeoisie parlementaire, Perrault est entré en 1663 au service de Colbert. Avec Jean Chapelain, il dirige le service de propagande, poste clef qu'il perd en 1683 à cause de l'inimitié de Racine et de Boileau, défenseurs des Anciens. Le cahier des *Contes* sera repris par l'éditeur pirate hollandais Moetjens, et connaîtra au moins trois réimpressions avant la mort de Charles Perrault, en 1703. Les contes n'étant pas signés, ils ne seront attribués à Perrault qu'au début du XVIIIᵉ siècle. La simplicité même de ces récits et la pureté de l'écriture leur ont valu d'échapper à toutes les modes.

Le Monténégro se libère des Turcs

Balkans, 1697

Les Turcs occupent les Balkans depuis le début du XVIᵉ siècle. L'impôt du sang, en vigueur jusqu'en 1676, était cruellement ressenti par les chrétiens. Ainsi les Serbes ont-ils fui massivement le Kosovo par peur des représailles et leur région d'origine peuplée d'Albanais musulmans. Au Monténégro, par contre, Danilo Iᵉʳ (1697-1735), de la famille des Pétrovitch, parvient à libérer son pays du joug turc, mais au prix d'une guérilla cruelle. Comme les Serbes, les Monténégrins se tournent vers les Russes.

Constitution de la confédération Ashanti

Côte-de-l'Or, 1699

L'introduction du commerce puis de la traite favorisent au XVIIᵉ siècle l'éclosion de nouveaux Etats africains. C'est ainsi qu'au nord de la plaine d'Accra, des chefferies sont regroupées sous l'impulsion du prince de Koumazi, Osei Toutou, pour fonder en 1699 la confédération d'Ashanti. Il s'agit d'un véritable Etat, doté d'institutions modernes. Un corps de fonctionnaires assure l'organisation sur le plan administratif, financier et militaire. Fortement structuré, l'Ashanti résistera aux tentatives de démantèlement des Britanniques jusqu'en 1901.

Pierre le Grand s'insurgea contre ce type d'habits des boyards.

Le boyard Durandsky-Maillardoff en costume traditionnel.

Pierre le Grand tente d'occidentaliser la société russe

Russie, 1699

Au retour de son voyage d'information en Europe, Pierre le Grand prit des mesures d'occidentalisation car il désirait organiser l'Etat russe comme un Etat moderne. Ainsi ordonna-t-il à ses courtisans de se raser

la barbe, signe de préséance dans la société russe, et de porter des habits courts. Puis il obligea les citadins à suivre cette nouvelle mode. Les paysans et le clergé en étaient toutefois dispensés. Il alla même jusqu'à fixer un impôt sur le port de la barbe et à interdire la vente d'habits russes. Par sa tentative, Pierre le Grand choqua très profondément l'Eglise russe qui interdisait de se raser la barbe.

Aménagement de Paris sous le règne de Louis XIV

Paris, 1699

L'urbanisme à Paris sous le règne de Louis XIV est en grande partie placé sous la haute autorité de Colbert : ministre des Finances et surintendant des Bâtiments, principal artisan de la restauration de l'autorité monarchique et de la puissance royale, il contribue à donner à Paris sa physionomie de capitale. C'est ainsi que sont commandés à Le Vau d'importants travaux tels que l'hôpital de la Salpêtrière, le collège des Quatre-Nations et la

galerie du Bord de l'eau qui devait relier le palais du Louvre à celui des Tuileries. Une commission confie à Claude Perrault le soin de prolonger la colonnade du Louvre, et la cour Carrée est agrandie. Par ailleurs, on procède à des démolitions permettant d'élargir certaines voies anciennes telles que les rues de la Ferronnerie, de la Verrerie et des Lombards. On voit s'élever de somptueux hôtels particuliers tels que celui de Rohan et celui de Soubise. A l'emplacement

des fortifications, on aménage une promenade plantée d'arbres et on dresse, aux portes d'enceinte, des arcs de triomphe commémorant la gloire du roi : les portes Saint-Denis et Saint-Martin. Enfin, Jules Hardouin-Mansart, qui travaille aussi à l'édification du dôme de la chapelle des Invalides, donne la pleine mesure de son talent en réalisant ses deux chefs-d'œuvre urbains : la place des Victoires et la place Vendôme.

Le Collège des Quatre Nations (Institut de France), Paris.

La place de Louis le Grand (place Vendôme) à Paris avec la statue équestre du roi par Girardon.

1699

Alsace
Vauban construit la ville fortifiée de Neuf-Brisach. →

Paris
Le compositeur André Campra (1660-1744) crée *Le Carnaval de Venise,* opéra-ballet.

1700

Londres, 1er juillet
L'écrivain anglais John Dryden (né en 1631) vient de mourir. Il laisse une trentaine de pièces de théâtre : *La Conquête de Grenade,* 1670 ; *Tout pour l'amour,* 1677 et un *Essai sur la poésie dramatique,* 1668.

Madrid, 2 octobre
Le roi Charles II, sans héritier, rédige un testament en faveur du duc d'Anjou, le petit-fils de Louis XIV. Lorsqu'il meurt le 1er novembre, Philippe d'Anjou monte sur le trône d'Espagne sous le nom de Philippe V.

Estonie, 30 novembre
Pierre le Grand ayant déclaré la guerre à la Suède, il est battu par Charles XII à Narva. →

Rome
Gianfrancesco Albani est élu pape sous le nom de Clément XI. Dans la guerre de Succession d'Espagne, il prit au début parti pour la France et Philippe V.

Berlin
Fondation de l'Académie des sciences.

1701

Berlin, 18 janvier
L'Electeur Frédéric III de Brandebourg devient roi de Prusse sous le nom de Frédéric Ier.

Madrid, 19 février
Philippe V fait une entrée solennelle dans Madrid.

Londres, 12 juin
L'Acte d'établissement exclut les catholiques du trône anglais. Pour évincer le fils de Jacques II, Jacques Edouard, c'est l'Electrice Sophie de Hanovre (petite-fille de Jacques Ier) qui montera sur le trône le 19 mars 1702.

Canada, 4 août
Signature de la Grande Paix indienne. →

La Haye, 7 septembre
Une Grande Alliance est signée contre la France.

Bâle
Le mathématicien Jacques Bernouilli étudie le calcul des probabilités auquel il apporte d'importantes contributions, établissant notamment la loi des grands nombres dit « théorème de Bernouilli ».

1702

Londres, 19 mars
Anne Stuart, sœur de Marie, succède sur le trône d'Angleterre à Guillaume d'Orange, qui vient de mourir.

France, juillet
Les camisards se révoltent. →

Londres
Un journal, qui paraîtra tous les jours, est créé sous le nom de *The Daily Courant.* C'est le premier quotidien au monde.

Danemark
Le servage est aboli par le roi Frédéric IV.

1703

Portugal, 27 décembre
Le diplomate anglais John Methuen négocie un traité de commerce avec le Portugal. →

France
Vauban impose l'usage du fusil à silex dans toute l'armée française et l'équipe de baïonnettes.

Londres
Robert Hooke (né en 1635) est mort. C'est lui qui, le premier, a conçu la possibilité d'utiliser le mouvement d'un pendule pour déterminer la valeur de l'accélération de la pesanteur. Il a élaboré une loi qui porte son nom.

Transylvanie
François II Rakoczi conduit une guerre contre les Habsbourg. →

Russie
Pierre Ier fonde Saint-Pétersbourg.

Japon
Quarante-sept samouraï (*rônin*) ayant quitté le service de leur maître parcourent le pays depuis quelque temps en quête d'aventures. Las d'entendre rapporter leurs exploits, le shôgun les condamne à se suicider : épisode fameux qui défraie la chronique.

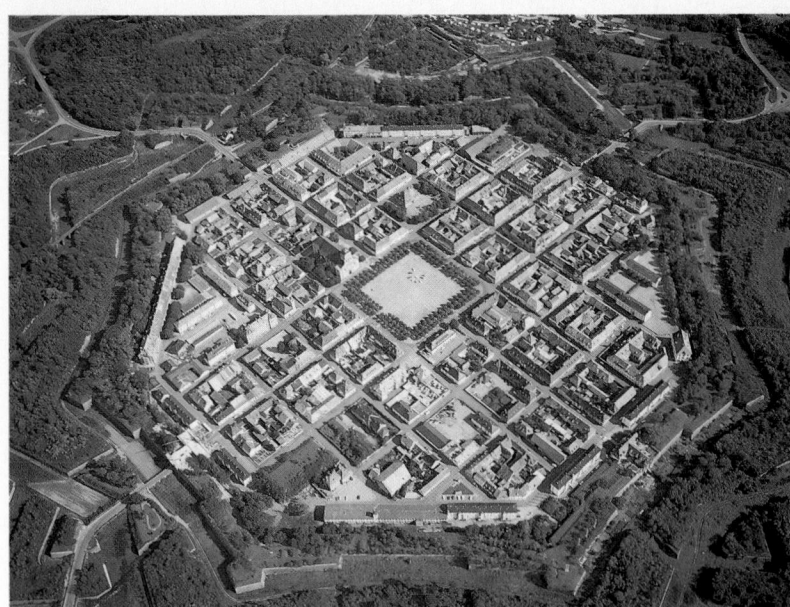

Vue aérienne de Neuf-Brisach. Place forte construite par Vauban en 1699-1708, sur plan octogonal.

Vauban entreprend la construction d'une ville fortifiée

Alsace, 1699
On disait déjà : « Ville assiégée par Vauban, ville prise » ; on dit désormais : « Ville défendue par Vauban, ville imprenable ». Pour remplacer Vieux-Brisach qui a été cédée à l'empereur et Villeneuve-de-Saint-Louis démantelée après le traité de 1697, Vauban va, à la fois, édifier et fortifier une ville entière, dans la plaine de haute Alsace. La construction est entreprise selon un plan octogonal quadrillé. Le maréchal de Vauban sait admirablement s'adapter au terrain et il porte la technique du tracé bastionné à un très haut point de perfection tout en admettant, lorsque c'est utile, la combinaison avec le tracé tenaillé. Comme Vauban avait dans une étape antérieure donné la première place à la stratégie d'attaque, les places étaient dotées d'une seule enceinte afin d'accroître la profondeur de la défense. Avec l'édification des fortifications de Landau et la construction de Neuf-Brisach, les conceptions de Vauban évoluent : une enceinte de sûreté contenant, sur des tours bastionnées, les postes d'artillerie à ciel ouvert est doublée, à l'extérieur, d'une enceinte de combat avec des bastions détachés.

La guerre de Succession d'Espagne

Europe, 13 mai 1702
Le roi d'Espagne Charles II n'ayant pas d'héritier, le problème de sa succession se trouvait posé. Léopold Ier revendiquait la totalité de l'héritage pour son second fils, l'archiduc Charles. Plus prudent, sachant bien que les Etats européens, dans le souci de préserver l'équilibre, ne verraient pas d'un bon œil la totalité de la succession espagnole tomber entre les mains d'un seul souverain, Louis XIV entamait avec l'Angleterre et la Hollande des négociations qui aboutirent à la signature d'un traité de partage, au terme duquel l'Espagne, les Pays-Bas et les colonies reviendraient à l'Electeur de Bavière, Naples et la Sicile au dauphin de France et le Milanais à l'archiduc Charles. Mais le roi d'Espagne était opposé à cette idée ; le 2 octobre 1700, quelques semaines avant sa mort, il avait désigné comme seul successeur le duc Philippe d'Anjou. Louis XIV, après quelques jours d'hésitation, décida d'accepter le testament. A l'exception de l'Autriche, tous les Etats européens reconnaissaient le duc d'Anjou. Mais les maladresses françaises, en particulier dans les colonies, vont conduire à un revirement de l'Angleterre et des Provinces-Unies qui se rangeront au parti de Léopold (Grande-Alliance de La Haye). Le 13 mai 1702, ils déclarent la guerre à la France et à l'Espagne.

Victoire du prince Eugène à Malplaquet le 11 septembre 1709.

Conclusion de la paix indienne au Canada

Canada, 4 août 1701
Lors de son deuxième mandat en Nouvelle-France, le gouverneur Louis de Frontenac a dû faire face à la guerre iroquoise. Décidant de frapper directement les Anglais, alliés et fournisseurs d'armes des Iroquois, Frontenac attaqua plusieurs de leurs établissements de la Nouvelle-Angleterre. Une riposte anglaise fut alors organisée avec les Iroquois, mais ceux-ci s'étant finalement dérobés, l'offensive fut neutralisée par les Français. Cette victoire sur leur allié démoralise les Iroquois ; Frontenac les harcèle par des incursions incessantes, les obligeant à entamer des négociations. Frontenac meurt en 1698, mais son successeur, Louis de Caillères, signe la paix à Montréal le 4 août 1701.

Ferenc II Rákóczi. Peinture de A. H. Mányoki.

Le Hongrois Rakoczi dirige une insurrection

Hongrie, 1703
François II Rakoczi, un descendant des princes de Transylvanie, se fait élire par la Diète à la tête de la Confédération des ordres hongrois et proclame la déchéance des Habsbourg et l'indépendance magyare. La politique des Habsbourg avait été si brutale et si maladroite qu'en 1703 une insurrection générale éclate. Soutenues activement par la France, alors en guerre contre l'Autriche pour la succession d'Espagne, les troupes de Rakoczi réussissent à menacer Vienne. Attachés à leurs privilèges et à leurs traditions, les Hongrois s'opposaient à la volonté centralisatrice des souverains autrichiens. A plusieurs reprises depuis le début du siècle, les « malcontents » de la Hongrie autrichienne s'étaient soulevés contre leurs maîtres, appelant à leur secours et proclamant roi les princes de Transylvanie, Gabor Bethlen, puis Georges Ier Rakoczi. Jamais, cependant, la révolte n'avait pris une pareille ampleur.

Révolte des camisards dans les Cévennes

Cévennes, juillet 1702
La lutte contre les protestants depuis la révocation de l'édit de Nantes engendre de plus en plus de violences. Celles de l'abbé du Chayla, archiprêtre de Mende, massacré par des huguenots exaspérés, provoquent la révolte des Cévennes entre Mende et Alès. Entraînés par des prédicants et non des pasteurs (exécutés ou en fuite) et encadrés par de petits artisans comme Abraham Mazel et Jean Cavalier ou des bergers comme Pierre Laporte, dit Roland, les paysans cévenols, nommés « camisards » parce qu'ils portaient une chemise blanche par-dessus leurs vêtements pour se reconnaître entre eux lors des attaques de nuit, réussiront pendant près de trois ans à tenir en échec plusieurs armées royales. Finalement, 20 000 hommes seront nécessaires pour mettre fin à cette guerre impitoyable. Roland sera tué, Cavalier soumis. Pourtant, si l'exode et les persécutions ont considérablement affaibli le protestantisme français, ils ne l'ont pas anéanti. Un culte public clandestin réapparaîtra en pays cévenol avec les « assemblées du désert ». L'Eglise calviniste française se réimplante peu à peu. La politique d'unité religieuse tentée par le roi a échoué.

Ecrasante victoire de Charles XII contre les Russes à Narva le 30 novembre 1700. Charles XII sera un des héros de Voltaire.

Début de la deuxième guerre du Nord

Europe du Nord, 1700
En 1699, le tsar Pierre le Grand, le roi du Danemark, Frédéric IV et Auguste II le Fort, roi de Pologne, s'unissaient pour mettre fin à l'hégémonie suédoise en Baltique. En février 1700, le Danemark envahissait le Schleswig, la Pologne la Livonie et la Russie l'Ingrie. Mais le jeune Charles XII fait preuve d'exceptionnelles capacités militaires. Après avoir assiégé Copenhague, il impose aux Danois la paix de Traventhal (8 août 1700). Il bat ensuite les armées russes à Narva (30 novembre). Enfin, en 1702, il envahira la Pologne, s'emparera de Varsovie, chassera Auguste II du trône et le remplacera par Stanislas Leszczynski avec qui il signe un traité d'alliance contre la Russie.

Le traité de Methuen lie le Portugal et l'Angleterre

Lisbonne, 27 décembre 1703
A la suite de négociations menées par le diplomate britannique John Methuen (1650-1706), l'Angleterre et le Portugal viennent de signer un traité de commerce, les liant pour « toujours ». En échange d'un régime de faveur pour ses draps et ses textiles, l'Angleterre donnera la préférence aux vins portugais, en particulier celui de Porto, sur lequel ne sera perçu que le tiers des droits imposés à leurs principaux rivaux, les vins de France (davantage prisés par les Anglais) et les vins d'Espagne. Ce traité, né de la conjonction d'intérêts complémentaires, stimulera aussitôt la viticulture portugaise, le vin étant le seul produit du Portugal pouvant faire l'objet d'un commerce lucratif. Toutefois, l'industrie textile portugaise va subir une rude concurrence, déjà sensible avec la contrebande. Quant à l'Angleterre, il semblerait qu'elle s'intéresse moins au Porto qu'aux métaux précieux qui affluent au Portugal en provenance du Brésil. De plus, le traité de Methuen supprime une partie de la législation du comte d'Ericeira qui, pendant tout son gouvernement, s'était efforcé de protéger le Portugal par des barrières douanières et la création de manufactures.

Navires déchargeant leurs marchandises sur les quais de la Tamise. 1756. Détail. Peinture de Samuel Scott.

1704

Pologne, 12 juillet
Charles XII impose Stanislas Leszczynski sur le trône de Pologne.

Espagne, juillet
Les Anglais, commandés par Marlborough, s'emparent de Gibraltar.

Angleterre, 28 octobre
Le philosophe John Locke (né en 1632) vient de mourir. Défenseur du libéralisme, il fut suspect aux Stuart et dut s'exiler en France, puis en Hollande, jusqu'à la prise du pouvoir par Guillaume d'Orange.

Hongrie
François II Rakoczi est proclamé prince souverain.

Paris
Antoine Galland (1646-1715), orientaliste et grand voyageur, entreprend la traduction des contes des *Mille et une Nuits*.

Londres
Newton publie son *Traité d'optique*.

1705

Vienne, 5 mai
L'empereur Léopold Ier est mort. Joseph Ier lui succède sur le trône. →

Tunisie
Husayn ibn Ali prend le pouvoir. →

Tibet
Les Qing tentent de s'installer à Lhassa.

Bâle
Le grand mathématicien Jacques Bernouilli (né en 1654) vient de mourir. Disciple de Leibniz, il s'est initié au calcul infinitésimal qu'il développa. Il est l'auteur d'importants travaux sur les séries (1689). Il est le père du calcul exponentiel.

Londres
Bernard de Mandeville publie *La Fable des abeilles*. →

Edmond Halley publie *La Trajectoire des comètes*. →

Naples
Mort du peintre Luca Giordano (né en 1634). Napolitain, il a notamment travaillé au palais Riccardi à Florence, où il a peint

L'Apothéose des Médicis, puis en Espagne, à la décoration de l'Escorial à la demande de Philippe II. La virtuosité de son exécution lui a valu le surnom de *Fa Prasto*. Il a développé un style décoratif annonciateur du rococo.

Roumanie
Dimitrie Cantemir (né en 1674) publie *Histoire hiéroglyphique*, roman satirique à clefs.

1706

Nuremberg, 9 mars
Mort du compositeur Johann Pachelbel. →

Belgique, 23 mai
John Churchill, duc de Marlborough, conquiert la Belgique pour le compte des Anglais. Les troupes françaises, commandées par le maréchal de Villeroi, sont mises en déroute à Ramillies.

Paris, 28 août
Jules Hardouin-Mansart remet solennellement à Louis XIV les clefs de l'église Saint-Louis des Invalides, dont les travaux, commencés par Libéral Bruant en 1679, sont maintenant achevés. →

France
Bernard de Montfaucon (1655-1741), connu pour ses traductions des Pères grecs de l'Eglise, publie *Paleographia graeca*, un ouvrage de méthode.

Perse
La mère du shâh fonde une *madrasa* (collège d'enseignement religieux) à Ispahan : Mâdar-e Shâh. →

Mexique
La façade sculptée de la cathédrale d'Oaxaca est achevée.

1707

Londres
Acte d'union de l'Angleterre et de l'Ecosse. →

Budapest
Le Parlement proclame la déchéance des Habsbourg et l'indépendance de la Hongrie.

Inde
Le Grand Moghol Aurangzeb s'est éteint. Il avait 89 ans et était à la tête d'une grande partie de la péninsule indienne. →

Paris
L'ouvrage de Vauban, *Projet d'une dîme royale*, est saisi. →

Halley calcule pour la première fois l'orbite d'une comète

Londres, 1705
Newton étendant les lois de l'attraction universelle aux comètes pensait que l'on pouvait prévoir leur mouvement sous la forme d'une orbite allongée assimilable à une parabole dans la zone voisine du Soleil. Halley (1656-1742), astronome à Greenwich, applique cette méthode à la comète qu'il observe en 1681-1682, puis s'attaque aux vingt-quatre comètes antérieurement observées. Il découvre que celles de 1531 et de 1607 ont approximativement la même orbite. De là, il définit cette comète par son orbite elliptique ayant une période de 76 ans et prévoit donc qu'elle sera à nouveau visible de la Terre en 1758. C'est la première fois que l'on donne une explication rationnelle d'un phénomène qui effraie les populations par son irruption inattendue.

Comète vue à Rome le 4 novembre 1680. Gravure italienne du XVIIe siècle. Bibliothèque nationale, Paris.

Husayn ibn Ali s'empare du pouvoir en Tunisie

Tunis, 1705
Ayant repoussé une invasion algérienne, le bey des janissaires de Tunis, Husayen ibn Ali, renverse le dey, s'empare du pouvoir et, avec le titre de bey, devient le souverain de la Tunisie, sous la suzeraineté nominale d'Istanbul. Précédemment, l'administration turque de la Tunisie était confiée à un pacha, vice-roi représentant le sultan, un bey commandant des janissaires et un dey chargé de faire rentrer les impôts. Plus tard, le pouvoir passa au dey qui était choisi par les janissaires. Avec Husayn ibn Ali, le beylicat husaynide héréditaire de Tunis est fondé.

Mort de l'empereur Léopold d'Allemagne

Vienne, 5 mai 1705
C'est un long règne qui s'achève. Né en 1640, Léopold succédait à Ferdinand III en 1658. A la différence de ses prédécesseurs, dont la grande affaire avait été la lutte contre le protestantisme et pour le maintien de l'autorité impériale en Allemagne, les guerres turques et l'administration des provinces autrichiennes ont

"La Fable des abeilles" de Bernard de Mandeville

Londres, 1705
Bernard de Mandeville, écrivain anglais d'origine française, soutient contre Shaftesbury que l'égoïsme est inné en l'homme, mais que cet égoïsme peut profiter au bien de la collectivité. *La Fable des abeilles,* qu'il vient de publier, est la charte symbolique de l'utilitarisme ; le principe d'utilité consistant en une recherche calculée des plaisirs. Voici une ruche où les abeilles deviennent vertueuses, austères, charitables : c'est un désastre. Conclusion : les vices des individus sont un bienfait pour la société ; l'égoïsme de chacun conditionne la prospérité de tous.

été au centre des préoccupations de Léopold. Il s'efforça de transformer les possessions habsbourgeoises en un Etat moderne, renforçant les institutions du pouvoir central, réorganisant l'armée et les finances. Si la lutte contre les Turcs fut couronnée de succès, aboutissant à l'annexion de la Hongrie, de la Transylvanie et du Banat, Léopold fut moins heureux à l'ouest et dut se résigner à voir la France prendre une part déterminante dans les affaires allemandes.

Construction d'une "madrasa" à Ispahan

Ispahan, 1706

La *madrasa* dite « de la mère du Shâh » *(Mâdar-e Shâh)* construite par Shâh Sultan Husayn, le dernier souverain effectif de la dynastie safavide, ne comporte pas moins de cent cinquante chambres. Le portail d'entrée est monumental et l'*iwan* à stalactites est magnifiquement orné de céramiques. La cour est ornée d'un bassin tout en longueur. Le portail sud, flanqué de deux minarets, mène à la salle de prières que surmonte une coupole sur tambour. La *madrasa* est revêtue de céramique bleue et verte, que viennent interrompre, ici et là, des accords de jaune, de blanc et de noir, créant une féerie multicolore.

Mâdar-e Shâh, madrasa dite de la mère du shâh, à Ispahan.

Disgrâce de Vauban après la publication de "La Dîme royale"

Paris, 1707

Le roi vient d'ordonner la saisie des exemplaires en circulation du *Projet d'une dîme royale* de Vauban, dans lequel il préconise une refonte du système fiscal. Observateur lucide de la misère de la plus grande partie du royaume, le point de départ de sa réflexion est la constatation qu'elle est non seulement indigne, mais qu'elle ruine l'Etat. Pour Vauban, une des causes essentielles de la misère du peuple est l'injustice du système fiscal qui, en acceptant privilèges et exemptions, fait retomber le poids des multiples impôts sur ceux qui sont le moins capables de les supporter. Son remède est un impôt unique, pesant sur tous les revenus proportionnellement, avec une dégressivité supplémentaire pour les catégories inférieures. Préconiser une telle réforme, c'est s'attaquer au fondement même de la société d'Ancien Régime, société d'ordre et de privilèges. Furieux, le roi ne le supportera pas. Disgracié, le maréchal, malade, mourra peu après.

Fin des Grands Moghols en Inde

Indes, 1707

L'empereur Aurangzeb, le dernier à avoir mérité le titre de Grand Moghol, s'éteint le 3 mars. Sa mort tourne une page glorieuse de l'histoire indienne. Son règne avait déjà, cependant, précipité le déclin de l'empire : sa politique religieuse fanatique était totalement inadaptée à une population aussi diverse que celle du sous-continent indien, et avait entraîné quantité de révoltes qui laissaient le pays économiquement exsangue. C'est là la principale cause du déclin moghol. Après Aurangzeb, l'Inde, sous les règnes d'empereurs faibles, sera une proie facile pour la colonisation britannique.

Le dôme des Invalides, Paris. 1679-1706. Architecte : Jules Hardouin-Mansart. Construit sur plan carré, en forme de croix grecque.

Achèvement du dôme des Invalides

Paris, 28 août 1706

L'hôtel des Invalides est un ensemble monumental conçu par Louis XIV pour abriter les soldats blessés à son service. L'édification en fut confiée à Libéral Bruant. Construit de 1670 à 1676, ce vaste bâtiment comprend six cours principales. A partir de 1677, la direction des travaux passa à Jules Hardouin-Mansart, qui compléta l'édifice en construisant l'église Saint-Louis, l'un des plus beaux monuments religieux qui aient été construits en France depuis la Renaissance. L'intérieur, sur plan carré, en forme de croix grecque, s'impose par la justesse de ses proportions. Mais la plus belle partie de l'édifice est le dôme lui-même, qui unit majesté et élégance et que rythment douze grandes côtes dorées encadrant des trophées. Au cœur de Paris, ce monument répondait au vœu du roi d'affirmer sa puissance et sa gloire.

Mort du compositeur Johann Pachelbel

Nuremberg, 9 mars 1706

Le compositeur et organiste Johann Pachelbel vient de mourir. Il avait exercé à Vienne, Stuttgart et Gotha, avant de revenir à Nuremberg. Son œuvre comporte essentiellement des motets, magnificats, chorals, variations et préludes. Pachelbel était très apprécié pour la clarté de sa polyphonie, ses harmonies bien structurées qui soutiennent efficacement le chant liturgique et sa maîtrise toute particulière du choral.

Union de l'Angleterre et de l'Ecosse

Londres, 1707

L'Acte d'union vient d'être prononcé. Il constitue le Royaume-Uni d'Angleterre et d'Ecosse. En effet, les Ecossais, qui ne peuvent économiquement se passer de l'Angleterre, avaient fini, en 1703, par accepter une union de gouvernement et de parlement avec les Anglais, malgré leurs hésitations à reconnaître comme héritière la famille protestante de Hanovre. L'unification de l'archipel britannique se fait peu à peu.

Amoureuse dans un pavillon. Détail. Miniature datée 1682. Ecole de Boundî. Collection particulière, Bombay.

1708

Audenarde, 11 juillet
Pendant la guerre de Succession d'Espagne, le duc de Vendôme est vaincu par Eugène de Savoie et le duc de Marlborough.

Lille, décembre
Après un siège de cinq mois, la ville tombe aux mains du prince Eugène.

Naples
Le musicien Alessandro Scarlatti est de retour à Naples après un séjour à Venise. →

Inde
Le guru Govind Singh meurt assassiné. Il fera l'objet d'un culte exclusif et sera considéré par les sikhs comme le guru vivant.

1709

Malplaquet, 11 septembre
Villars est vaincu par Marlborough et par le prince Eugène, après leur avoir toutefois infligé de lourdes pertes.

France, 23 octobre
Excommuniées depuis 1707, leur monastère n'étant plus reconnu par le pape, les religieuses de Port-Royal des Champs sont dispersées dans divers couvents.

Empire ottoman
Charles XII de Suède, vaincu par les Russes à Poltava, se réfugie en Turquie. →

Pologne
Révolte du pays contre Stanislas, qui s'enfuit et laisse la place à Auguste II.

Florence
Bartolomeo Cristofori (1655-1731), le célèbre facteur de clavecins, invente le piano forte.

Dresde
Johann Böttger (1682-1719) a fini par percer le secret de la porcelaine dure chinoise.

Cologne
Giovanni Maria Farina (1685-1766), chimiste et négociant, fabrique de l'eau de Cologne selon une recette que lui aurait fournie Gian Paolo Feminis, un marchand ambulant.

Paris
Turcaret ou le Financier, comédie en cinq actes de Lesage. Cette satire des gens de finance reste, par sa verve, un modèle de la comédie de mœurs.

Achèvement de la construction des hôtels de Soubise et de Rohan par P.-A. Delamair. →

Chine
L'empereur Kangxi fait appel à des jésuites français pour dresser la carte de son empire.

1710

Villaviciosa, 10 décembre
Vendôme remporte une victoire sur les coalisés commandés par Starhemberg.

Paris
Instauration du « dixième », impôt proportionnel à tous les revenus.

Londres
Le compositeur allemand Georg Friedrich Haendel (né en 1685) arrive à Londres où il est accueilli avec admiration. Il avait auparavant séjourné en Italie où le triomphe de son opéra *Agrippina* (1709) à Venise lui avait valu soudain la gloire.

Angleterre
Publication du *Traité sur les principes de la connaissance* de Berkeley.

Allemagne
Auguste II fonde à Meissen une manufacture de porcelaine, dont il confie la direction à Johann Böttger. →

1711

Londres, mars
The Spectator est fondé. →

Vienne, 17 avril
Mort de l'empereur Joseph Ier. Charles VI lui succède.

Moldavie, 16 septembre
Les Phanariotes accèdent au pouvoir. →

Hongrie
L'aide de la France et de la Russie n'étant jamais parvenue aux insurgés, ceux-ci concluent la paix avec les Habsbourg.

Monténégro
Danilo Ier, aidé par Venise et la Russie, massacre les musulmans et repousse les Turcs. →

Port-Royal des Champs
L'abbaye est rasée. →

Londres
La cathédrale Saint-Paul est inaugurée solennellement. →

Grand plat à décor rayonnant. Faïence de Rouen.

Couple d'amoureux avec un Arlequin. 1741.

La porcelaine en Europe

A Florence, vers 1560, on a réussi à imiter dans une pâte tendre hybride les porcelaines chinoises arrivées peu auparavant. Mais les porcelaines bleues des Médicis ont gardé leur secret et ce sont les Français qui réussissent les premiers une fabrication de pâte tendre, à Rouen. Edme Poterat et son fils Louis reçoivent, en 1673, un privilège pour cette production. En 1677, à Saint-Cloud, Pierre Chicaneau détient lui aussi le secret. Sa veuve, remariée à Henri Trou, et leurs descendants décorent leurs pièces de lambrequins bleus et s'inspirent également des motifs chinois et japonais ; mais le secret est découvert puisqu'en 1725, à Chantilly, une manufacture de porcelaine est fondée sous la protection du prince de Condé. Les décors de style japonais des pièces signées S. Cirou, tous poly-chromes, sont dits « coréens, à la haie, à la perdrix, au dragon, au phénix ». En 1738, les frères Dubois, transfuges de Chantilly, fondent la manufacture de Vincennes tandis qu'en 1748, à Mennecy, dans le duché de Villeroy, F. Barbin produit des pièces d'un blanc pur dont les motifs, d'un style français, s'inspirent des décors d'orfèvrerie. C'est en 1709, en Saxe, que l'alchimiste Johann E. Böttger, prisonnier d'Auguste le Fort, faute de produire de l'or, avait donné la première pièce en porcelaine dure. A sa mort, les problèmes posés par un décor polychrome seront résolus, sauf celui du bleu sous couverte. La porcelaine de Saxe offre des fleurs « au naturel » et multiplie les effets de ronde-bosse dans les ateliers de J.-J. Kandler.

Scarlatti retourne à Naples

Italie, 1708
Le compositeur Alessandro Scarlatti (né à Palerme en 1660) vient de rentrer à Naples où il occupe le poste de maître de la chapelle royale. A Florence, Ferdinand III lui avait passé commande d'œuvres lyriques. Ses cantates religieuses et profanes, ses oratorios sont appréciés dans toute l'Italie, et certains de ses opéras, tel *Il Pirro e Demetrio* sont même joués en Allemagne. Le retour à Naples de ce compositeur, qui a derrière lui une œuvre déjà monumentale, marque le début d'une nouvelle fécondité, par la création de sérénades, messes et opéras, dont une comédie, *Il Trionfo dell'onore* (1718). Un des aspects les plus intéressants de Scarlatti est l'importance et les développements qu'il a donnés à l'écriture des instruments à cordes.

A. Scarlatti.

Charles XII se réfugie chez le sultan ottoman

Turquie, 1709
En septembre 1707, voulant mettre à profit la révolte du cosaque Mazeppa, Charles XII envahissait l'Ukraine. Il était bien décidé à marcher sur Moscou. Mais les troupes russes reculent sans combattre en faisant le vide derrière elles. Les hivers rigoureux, la disette, les épidémies déciment rapidement l'armée suédoise. Le 8 juillet 1709, Charles XII est défait à Poltava. Le roi errant trouve refuge à Bendery, en Turquie ; il va y rester jusqu'en 1713, essayant de gagner le sultan à sa cause.

Auguste II.

Pendant ce temps, ses ennemis reprennent la guerre. Auguste II se réinstalle sur le trône de Pologne, les Russes conquièrent la Livonie, l'Estonie et la Finlande, et la Prusse, qui s'est jointe à la coalition, occupe une partie de la Poméranie.

Les "Phanariotes" au pouvoir en Moldavie

Moldavie, 16 septembre 1711
C'est un Grec qui vient d'être nommé par la Sublime Porte à la tête de la province de Moldavie. En effet, les Turcs se méfient des boyards des pays roumains de l'est et du sud des Carpates, en raison de leur rapprochement avec la Russie, dans l'espoir de se libérer de la domination turque. Les Turcs se méfient également des Habsbourg qui dominent la Transylvanie et de leurs prétentions sur le Banat, la Valachie et la Moldavie. Tout cela explique le remplacement des princes autochtones par des Grecs dits « phanariotes » puisqu'ils sont originaires de Constantinople, dans le quartier du Phanar où se trouve le siège du patriarcat grec. En fait, les Phanariotes sont, à l'origine, des descendants de nobles familles byzantines qui ont été épargnées par les Turcs et auxquels sont venus s'adjoindre des Grecs venus de diverses régions de l'ancien Empire byzantin. Ces Grecs sont utilisés par les Turcs comme banquiers ou comme diplomates. Dès le début du XVIIᵉ siècle, les drogmans (interprètes) de la Porte sont toujours choisis parmi eux. A présent, c'est au poste de hospodars de Moldavie et bientôt de Valachie que les Phanariotes accèdent. Ces Grecs titrés, riches et fort corrompus, seront de plus en plus mal vus par les populations locales, dont, évidemment, ils ne partagent point les aspirations nationales.

Les cases d'une tribu avec leurs enclos dans un paysage de savane en Afrique occidentale. Extrait d'un récit de voyage d'Heinrich Barth. 1857.

L'apogée du royaume d'Abomey

Côte-de-l'Or, 1708
Comme l'Ashanti et l'Oyo, le royaume d'Abomey, situé entre les fleuves Ouéné et Mono, connaît un rapide essor au début du siècle, grâce à sa participation active au commerce des esclaves. Le roi Agadja s'empare des ports négriers d'Allada et d'Ouidah et s'assure ainsi le contrôle du trafic. Ces victoires sont dues au dynamisme d'une armée originale, formée en partie de troupes féminines : les célèbres Amazones que l'on envoie dans les batailles pour fléchir le dieu des combats. Le royaume d'Abomey atteint alors une dimension régionale, mais les conflits continuels avec le royaume d'Oyo pour le contrôle des richesses finiront par affaiblir sa puissance.

Addison et Steele fondent "The Spectator"

Londres, mars 1711
C'est un nouvel hebdomadaire que Joseph Addison, assisté de Richard Steele, vient de créer. Il donne un tableau très divers, satirique et vivant, de la société britannique. Le succès sera rapidement considérable puisque *The Spectator* sera tiré à 4 000 exemplaires. Mais une loi financière restrictive de 1712 fera baisser le tirage à 1 600 exemplaires. Le dernier numéro paraîtra le 20 décembre 1714.

La cathédrale Saint-Paul, Londres, vue de la Tamise. Peinture de Canaletto. Narodni Galerie, Prague.

La cathédrale Saint-Paul de Londres

Londres, 1711
L'incendie de 1666 ayant ravagé Londres, le roi convoque une commission dont Sir Christopher Wren (1632-1723) fait partie. Titulaire d'une chaire d'astronomie, c'est lui qui dirige la reconstruction. L'histoire de la cathédrale est l'histoire d'un compromis entre Wren, le clergé et Charles II. Il prévoit une croix latine avec nef et chœur surhaussés, mais il modifie de nombreux détails significatifs au cours de la construction (1675-1710). A mesure de l'édification le décor floral apparaît ainsi que de nombreuses sculptures. Le dôme très élevé trahit les préoccupations scientifiques de Wren.

La destruction de l'abbaye de Port-Royal

Port-Royal, 1711
La démolition des bâtiments du couvent de Port-Royal vient d'être décidée par le roi. Sous l'influence d'Antoine Arnauld et de sa sœur, mère Angélique, réformatrice de l'abbaye, Port-Royal était en effet devenu non seulement un centre intellectuel, mais aussi un foyer d'opposition : opposition politique (hostilité à l'absolutisme royal) et opposition religieuse (les propositions de Jansénius avaient été condamnées par le pape en 1653). En 1701 la publication de l'ouvrage du confesseur de l'abbaye, *Le Cas de conscience*, condamné par le pape en 1703, puis, en 1709, le refus des religieuses de signer un nouveau formulaire contre le jansénisme ont exaspéré la colère du roi.

Les hôtels de Rohan et de Soubise

Paris, 1709
L'hôtel que se fait construire entre 1705 et 1709 François de Rohan, prince de Soubise, par Pierre-Alexis Delamair présente une cour d'honneur en fer à cheval de toute beauté, encadrée par un portique de 56 colonnes accouplées. Une entrée en demi-lune ménage le passage des carrosses. Bâti également par Delamair, l'hôtel voisin a été construit pour Armand de Rohan. Plus modeste, il n'en a pas moins belle allure. Ces deux constructions se caractérisent par un emploi judicieux de la sculpture décorative.

L'hôtel de Soubise, Paris (aujourd'hui siège des Archives nationales). 1704-1710. Architecte : Pierre-Alexis Delamair.

1712

Denain, 24 juillet
Le maréchal de Villars remporte, avec la seule armée qui reste à la France, une victoire contre les Austro-Hollandais commandés par le prince Eugène.

Suisse
Les troupes protestantes de Toggenburg, en révolte contre le prince-abbé de Saint-Gall, battent les catholiques avec l'aide des troupes bernoises et zurichoises.

Royaume de Ségou, Afrique
Mamari Koulibali, dit Biton (1712-1755), monte sur le trône et dote le Royaume bambara d'une puissante armée.

Italie ·
Corelli (1653-1713) écrit ses *Douze concerti grossi*. →

1713

Utrecht, 11 avril
Conclusion de la paix entre la France, l'Angleterre et la Hollande. →

Vienne, 19 avril
La Pragmatique Sanction de Charles VI affirme l'indivisibilité de la monarchie autrichienne.

Finlande, août
Turku et tout le sud du pays tombent aux mains des Russes.

Rome, 8 septembre
Condamnation du jansénisme par la bulle *Ungenitus*.

Berlin
Frédéric-Guillaume Ier succède à son père Frédéric Ier sur le trône de Prusse.

Rotterdam
Pierre Jurieu (né en 1637) est mort dans son pays d'exil. Il était l'âme de la résistance calviniste à Louis XIV (*Lettres pastorales aux fidèles qui gémissent sous la captivité de Babylone*, 1686-1689).

Estonie
Pierre le Grand fait entreprendre la construction d'un port militaire à Tallin.

Indochine
Les missionnaires français sont expulsés du Tonkin.

Angleterre
Le philosophe Berkeley publie ses *Dialogues entre Hylas et Philonoüs*. →

1714

Paris, 15 février
Louis XIV force le Parlement à enregistrer la bulle *Ungenitus*.

Rastatt, Allemagne, 6 mars
La France signe la paix avec l'Autriche et met ainsi fin à la guerre de la Succession d'Espagne.

Angleterre, 1er août
Mort de la reine Anne et avènement de la dynastie de Hanovre sur le trône d'Angleterre avec George Ier.

Versailles
François Couperin (1668-1733) présente une série de concerts à la cour de Louis XIV. →

Italie
Publication posthume des *Tabulae anatomicae* de Bartolomeo Eustachi (vers 1500-v. 1574), célèbre pour ses observations sur l'oreille (trompe d'Eustache).

La Haye
Le physicien Daniel Fahrenheit est le premier à utiliser systématiquement le mercure comme liquide thermométrique, ce qui lui permit de réaliser des thermomètres de dimensions réduites.

Allemagne
Leibniz publie sa *Monadologie* selon laquelle l'univers est formé de « monades », créations de Dieu entre lesquelles n'existe aucune influence réelle, mais une « harmonie préétablie ». Chaque monade est, en effet, le reflet de l'univers tout entier.

1715

St-Germain-en-Laye, 1er sept.
Louis XIV est mort. →

Paris, 12 septembre
Le Parlement annule le testament de Louis XIV.

France, septembre
Louis XV étant âgé de cinq ans, la régence est assurée par Philippe d'Orléans.

Valachie, 20 septembre
Les *Phanariotes* accèdent au pouvoir en Valachie.

Paris
Un corps des Ponts et Chaussées est institué.

Publication par Lesage du premier livre de l'*Histoire de Gil Blas de Santillane*.

Les traités d'Utrecht : une nouvelle donne

Utrecht, 1713-1715
Le 29 janvier 1712 s'ouvrait à Utrecht un congrès qui devait régler l'affaire de la succession espagnole. Les négociations aboutissent à la signature de quatre traités. Le premier est conclu à Utrecht, le 11 avril 1713, entre la France et l'Espagne d'une part, l'Angleterre, la Hollande, la Prusse, la Savoie et le Portugal d'autre part. Le second, signé à Rastatt le 6 mars 1714, règle les différends entre la France et l'Autriche. Celui de Bade (7 septembre 1714) étend les clauses du traité de Rastatt à tous les membres du Saint Empire. Le traité d'Anvers, enfin, ou traité de la Barrière, signé le 15 novembre 1715, définit les rapports des Pays-Bas et des Provinces-Unies. Ces quatre traités consacrent la victoire de la Grande-Alliance de La Haye. Certes, c'est un Bourbon qui va régner à Madrid, Philippe V est unanimement reconnu. Mais la monarchie espagnole est démembrée. Elle conserve son empire colonial, mais doit abandonner à Charles VI d'Autriche le royaume de Naples, la Sardaigne, les Présides de Toscane, le Milanais et les Pays-Bas. Elle cède également la Sicile au duc de Savoie, Victor-Amédée II et à l'Angleterre Minorque et Gibraltar. Le lent déclin de l'Espagne, amorcé depuis près d'un siècle, touche ici à son terme. De son côté, la France abandonne à l'Angleterre l'Acadie, les territoires de la baie d'Hudson, Terre-Neuve, la Nouvelle-Ecosse et l'île sucrière de Saint-Christophe ; elle s'engage à détruire les fortifications de Dunkerque, édifiées par Vauban. Elle restitue aux Pays-Bas, désormais autrichiens, les villes de Tournai, Menin, Ypres et Furnes, mais conserve Lille, Aire, Béthune et Saint-Venant. Elle renonce encore à Kehl, Fribourg et Philippsbourg, ainsi qu'à Nice et à la Savoie rendues à Victor-Amédée. Par ailleurs, la séparation des deux couronnes de France et d'Espagne est irrévocable. Epuisée par une guerre interminable, elle doit abandonner les rêves de domination universelle longtemps caressés par le Roi-Soleil. Cependant, agrandie de Lille, de Strasbourg et de Besançon, protégée par des frontières beaucoup moins vulnérables que par le passé, elle maintient son rang dans le concert européen. C'est l'Angleterre qui sort grande gagnante de ce conflit. Ses gains territoriaux s'accompagnent d'importantes concessions commerciales. La France lui accorde la clause de la nation la plus favorisée. L'Espagne lui concède quant à elle, outre le privilège du « vaisseau de permission », l'*asiento* (le monopole de la traite des Noirs) pour trente ans dans toutes ses colonies américaines. Elle obtient aussi, en échange de la reconnaissance de Philippe V, celle de la reine Anne et de l'Acte d'établissement de 1701.

Signature du traité de Rastatt entre la France et l'Autriche, le 6 mars 1714. Peinture anonyme. Musée historique, Versailles.

En 1715, l'Angleterre est devenue une puissance de premier plan, un empire maritime et commercial sans précédent, éclipsant définitivement ses rivaux hollandais. Certes, les Provinces-Unies ont obtenu, par le traité de la Barrière, des avantages non négligeables, comme le droit de tenir garnison dans toutes les places fortes des Pays-Bas voisines de leurs frontières, mais sans proportion avec l'effort de guerre qu'elles ont dû fournir. Parmi les puissances secondaires, le Brandebourg et la Savoie ont tiré bénéfice des traités. Frédéric-Guillaume Ier obtient la reconnaissance du royaume de Prusse et voit confirmée sa souveraineté sur Neuchâtel et Valengin ; en échange de la principauté d'Orange, cédée à la France, il acquiert la Gueldre espagnole.

Les "Goûts réunis", dix concerts de Couperin

France, 1714

Le compositeur François Couperin, organiste virtuose, professeur de clavecin du duc de Bourgogne, compose les *Goûts réunis*, un recueil de dix concerts royaux par lesquels il tente une alliance des styles italien et français. Ces pièces font suite aux *Quatre concerts royaux* joués au clavecin par le compositeur et quelques instrumentistes, les dimanches après-midi, devant le roi. La facture des morceaux révèle ici, par la simplicité mélodique et l'ornementation, le goût français, tandis que des mouvements dans le style de l'imitation, une recherche d'harmonie, des danses, s'inspirent de la tradition italienne. Le cinquième concert décrit par exemple, à la mode italienne, les différents visages de l'amour. C'est en 1716 que Couperin donnera, avec *L'Art de toucher le clavecin*, les fondements de sa pédagogie.

A. Corelli.

L'idéalisme empirique du philosophe Berkeley

Angeterre, 1713

Les Dialogues entre Hylas et Philonoüs, que le théologien et philosophe George Berkeley, irlandais d'origine anglaise, vient de faire paraître, complètent son *Traité sur les principes de la connaissance* (1710). Les deux ouvrages développent les implications métaphysiques de la théorie de la perception avancée par le philosophe. Berkeley refuse la distinction faite par Locke entre les qualités secondes d'un objet, qui ont rapport au sensible, et les qualités premières, qui ont rapport à leur étendue et leur mouvement. Ainsi, Berkeley nie toute réalité extérieure à la pensée ; sa thèse centrale, qui est « Etre, c'est être perçu ou percevoir », est considérée comme la base d'un idéalisme empirique. Toutefois, en ramenant les objets à des idées, Berkeley n'entend pas mettre en question leur réalité telle qu'elle est admise par le sens commun, mais tente de faire apparaître leur valeur de signe. Ainsi le monde est pour lui un système de relation signifiante dont Dieu est la source créatrice.

Corelli fonde l'école classique de violon

Italie, décembre 1712

Le violoniste et compositeur Arcangelo Corelli termine la composition de son opus 6, *Douze concerti grossi* qu'il dédie à l'Electeur palatin Jean Guillaume. Le compositeur a beaucoup travaillé la forme du « concerto grosso », dont le prestige tient au rôle confié au groupe d'instruments, par rapport au violon principal, en lui conférant une solide structure harmonique. En 1700, avec son opus 5, composé des *Douze sonates pour violon et clavecin*, dédiées à la princesse Charlotte de Brandebourg, Corelli approfondissait les ressources du violon, développant au maximum la technique de l'archet, mais évitant toute virtuosité gratuite. Il est le fondateur de l'école classique du violon. Corelli mourra à Rome en 1713 ; il sera inhumé au Panthéon en grande pompe.

F. Couperin.

Un célèbre luthier de Crémone : Stradivarius

Crémone, 1715

Antonio Stradivari, dit Stradivarius, est au sommet de sa renommée. A 71 ans, et depuis 1666, le luthier de la piazza San Domenico a créé plus de mille instruments que se disputent toutes les cours et les virtuoses d'Europe. Avec ses deux fils, Francesco et Omobono, il a supplanté son maître Niccolo Amati dont l'influence l'a marqué pendant vingt ans. Après 1685, on a vu le perfectionnement du style de facture avec l'abandon des hautes voûtes ; dans les années 1690, il crée les « longuets » allongés, aux voûtes marquées, aux filets profonds, au vernis plus sombre. Les instruments de 1715 sont plus carrés et le dos en érable ondé, le vernis dont la formule reste secrète est brun orangé. La justesse des proportions en fait des instruments d'une sonorité incomparable.

Stradivarius.

Mort du Roi-Soleil à Saint-Germain-en-Laye

Saint-Germain, 1er septembre 1715

Louis XIV le Grand, roi de France, s'est éteint à huit heures du matin. Le roi est mort après avoir perdu tous ses collaborateurs et presque toute sa famille légitime, puisqu'il ne reste plus pour lui succéder que son arrière-petit-fils, un enfant de cinq ans. A vingt ans, Louis XIV avait décidé que les siècles futurs se souviendraient de lui. L'orgueil est en effet la passion qui chez lui domine tout, qui constitue sa nature même. Très tôt, sa mère, Anne d'Autriche, qui a négligé quelque peu son instruction générale, lui a transmis le sens de la grandeur royale. Et quand il prend le soleil pour emblème, il ne fait que se conformer aux leçons qu'on lui a inculquées dès l'enfance et qu'il appliquera pendant toute sa vie. Au lendemain de la mort de Mazarin (1661), le roi affirme sa décision de gouverner par lui-même. Le désir général d'ordre, réaction à la Fronde, lui permet de porter l'absolutisme à son paroxysme, en ajoutant la notion de droit divin à la longue tradition de la monarchie française. Ainsi le roi est-il le représentant de Dieu et n'a de comptes à rendre qu'à Lui seul. Il est l'incarnation même de l'Etat, il a tous les pouvoirs et doit être obéi par tous, sous peine non seulement de lèse-majesté, mais de sacrilège. Dès lors, le roi concentre tous les pouvoirs entre ses mains, les ministres étant de simples exécutants, issus pour la plupart de la bourgeoisie, car la noblesse, en dehors de ses emplois militaires, est réduite à un rôle de pure figuration. Les corps intermédiaires (les parlements) sont paralysés. Le gouvernement s'exerce à travers l'administration, émanation directe du pouvoir central. Parallèlement, se développe une sorte de mystique du Roi-Soleil dont le culte est consacré par Versailles et ses fêtes somptueuses, grâce à Molière et Lully. Un tel régime amène une politique de prestige et de conquêtes. Malgré la dépression économique, les premières années du règne de Louis XIV sont des années de faste et d'euphorie, mais au prix, il est vrai, de durs efforts fiscaux. C'est aussi la gloire sur le plan diplomatique avec la guerre de Dévolution (1668) méthodiquement préparée par Louvois. Mais, après 1672, les premiers nuages dans le ciel de gloire apparaissent. La guerre de Hollande devient une lutte contre une coalition défensive de l'Europe (1674). D'autre part, l'économie, qui a connu un essor remarquable au début du règne, s'essouffle dans le cadre d'un dirigisme étatique qui devient paralysant. En outre, les luttes religieuses se durcissent et constituent un facteur de division. La religiosité nouvelle du souverain, sous l'influence de Mme de Maintenon, le renforce dans son désir de vaincre l'hétérodoxie. La plus lourde des conséquences sera la lutte contre le protestantisme avec la révocation de l'édit de Nantes qui sera un échec, tout comme les luttes qu'il mènera contre le jansénisme et le quiétisme. La paix de Nimègue (1678) marque l'apogée du règne, à l'intérieur comme à l'extérieur. Mais la guerre de Succession d'Espagne met la France au bord de la ruine. Au moment où s'éteint Louis XIV, les craintes de l'Europe devant les risques d'une hégémonie française sont loin d'être dissipées, malgré les échecs militaires du Roi-Soleil, les difficultés d'une économie rurale durement touchée par toute une série de mauvaises récoltes, l'accroissement constant du déficit budgétaire. Plutôt qu'une nation en déclin, la France de 1715, munie de frontières solides et débarrassée de l'encerclement des Habsbourg, semble dans l'attente d'un nouveau départ.

Louis XIV à l'âge de 68 ans. Effigie en cire d'Antoine Benoist.

Louis XIV recevant l'ambassadeur de Perse, le 19 février 1715. Peinture d'Antoine Coypel. Musée historique, Versailles.

1716

Angleterre, février
Le dernier prétendant des Stuart, Jacques-Edouard (Jacques III), est battu et l'Ecosse soumise.

Paris, 2 mai
Début de l'expérience Law avec la fondation de la « Banque générale ».

Hanovre, 14 novembre
Mort du philosophe Wilhelm Leibniz (né en 1646 à Leipzig). →

Madrid
Giulio Alberoni, favori du roi, devient Premier ministre.

France
François Couperin publie *L'Art de toucher le clavecin*.

Kyôto, Japon
Mort du peintre Ogata Kôrin (né à Kyôto en 1658), calligraphe et laqueur de talent. →

1717

Provinces-Unies, 11 janvier
Un traité d'alliance, dirigé contre l'Espagne, est signé entre la France, l'Angleterre et la Hollande à La Haye.

Paris, 26 mars
Dubois est nommé membre du Conseil des Affaires étrangères.

Paris, mai
En visite en Europe, le tsar Pierre Ier séjourne à Paris et propose le mariage de sa fille Elisabeth Petrovna avec Louis XV.

Londres, 24 juin
Fondation de la première Grande Loge maçonnique. →

Espagne, 9 juillet
Le roi d'Espagne Philippe V déclare la guerre à l'empereur d'Allemagne Charles VI et conquiert la Sardaigne.

Paris, août
Création par John Law de la Compagnie française d'Occident.

Paris, 4 août
Signature d'un traité d'amitié entre la Russie et la France.

Belgrade, 22 août
Le prince Eugène assiège et conquiert la ville. →

Paris, 28 août
Watteau est reçu académicien, après avoir présenté *L'embarquement pour Cythère.* →

Angleterre
Les tories, jusqu'alors partisans des Stuart, se rallient à George Ier.

Autriche
Achèvement du château de Schönbrunn, sur les plans de J.B. Fischer von Erlach. →

Chine
Mort du peintre, philosophe et théoricien de l'art Che-t'ao.

1718

Autriche, 21 juillet
Signature du traité de Passarowitz entre l'Autriche et la Turquie, qui abandonne le Banat.

Savoie, 24 août
Victor-Amédée de Savoie cède la Sicile à l'Autriche en échange de la Sardaigne.

France, septembre
Le Régent abandonne la polysynodie, système d'administration mis en place le 15/9/1714 et consistant à remplacer chaque ministre par un Conseil. →

Norvège, 11 décembre
Mort du roi de Suède Charles XII à Fredrikshald.

Paris, 13 décembre
Nommé secrétaire d'Etat aux Affaires étrangères en août, Dubois déjoue le complot de Cellamare, ambassadeur d'Espagne en France, visant à évincer le Régent au profit de Philippe V : il le fait arrêter ainsi que le duc et la duchesse du Maine.

Amérique du Nord
Fondation de La Nouvelle-Orléans (ainsi nommée en l'honneur du Régent, le duc d'Orléans).

1719

Espagne, 9 janvier
Philippe V déclare la guerre à la France.

Prusse, 22 mars
Frédéric-Guillaume abolit le servage sur les terres de la Couronne.

Angleterre
Daniel De Foe achève *Robinson Crusoé.* →

Disparition d'un esprit universel

Hanovre, 14 novembre 1716
C'est dans le plus complet isolement, cloué sur un fauteuil par la maladie et oublié de ses protecteurs, que vient de mourir Leibniz. Le monde scientifique européen reste muet, seule l'Académie des sciences de Paris prononce son éloge. Né à Leipzig le 23 juin 1646, Leibniz a touché à toutes les branches de la connaissance : mathématiques, théologie, histoire, langues, politique, philosophie. En mathématiques, il publie dès 1684 son calcul différentiel ; en théologie, il construit en 1686 un plan de conciliation des Eglises chrétiennes. Historien de la maison de Brunswick-Lunebourg, Leibniz jette les bases de la critique historique. Diplomate, il s'efforce d'unir les nations européennes, tout en soulignant la grandeur des civilisations orientales, de la Chine en particulier. La doctrine de cet important philosophe ressort dans cette phrase de la *Monadologie* (1714) : « Je soutiens que la nature est pleine de forces, de vie et d'âmes. » La matière, pour Leibniz, est constituée d'unités immatérielles, actives, les « monades », véritables atomes de la nature. Outre la *Monadologie*, les points essentiels de sa pensée figurent dans le traité de 1695 sur l'union de l'âme et du corps, où est exposé le système de l'harmonie préétablie, et dans les *Essais de Théodicée* (1710), écrits en français et qui concernent la bonté de Dieu, la liberté de l'homme et l'origine du mal.

Watteau, peintre des "Fêtes galantes"

Jean-Antoine Watteau : « L'Embarquement pour Cythère ». 1717. Louvre, Paris. Tout suggère, dans cette œuvre mélancolique, la fragilité du bonheur.

Paris, 1717
« Venez à l'île de Cythère En pèlerinage avec nous... Jeune fille n'en revient guère Ou sans amant ou sans époux. » Jean-Antoine Watteau (né à Valenciennes le 18 juillet 1684) prend le prétexte de ces vers d'une comédie de Dancourt, *Les Trois Cousines*, pour mettre en scène en 1710 l'embarquement vers l'île enchantée, sujet qu'il reprit en 1719. Plusieurs couples de jeunes gens déguisés en pèlerins sont sur le point de tenter l'aventure et le peintre les surprend dans l'attente du plaisir. Peintre gracieux et léger, Watteau a quitté sa ville natale pour Paris afin d'apprendre le dessin. Après un premier échec, il est agréé par l'Académie en 1712 pour *Les Jaloux*. Sur commande, il peint des scènes de genre telles que *L'Enseigne de Gersaint* (1720), ou des personnages de théâtre, comme son *Gilles* (Paris, musée du Louvre). Il mourra de tuberculose en 1721 à Nogent-sur-Marne.

La franc-maçonnerie, une école de tolérance et de solidarité

Londres, 24 juin 1717
Quatre loges viennent de fusionner en une première Grande Loge. Il s'agit d'une sorte de renaissance pour un mouvement de pensée qui tire ses origines de traditions liées à la construction des grandes cathédrales. Un idéal d'indépendance, de tolérance, de solidarité se propage dans les couches les plus éclairées. Les maçons se recrutent par cooptation et l'impétrant est tenu de conformer son comportement aux idéaux de l'association, dont les rituels et l'organisation doivent rester secrets. Le mouvement va se diffuser sur le continent, en France plus particulièrement à partir de 1725-1730. En 1740, on comptera une dizaine de loges. Celles-ci sont dénoncées par les Eglises, mais cela ne les empêchera pas de devenir l'un des lieux privilégiés d'une réflexion éclairée et universaliste.

Le prince Eugène défait les Ottomans

Belgrade, 22 août 1717

Avec la prise de Belgrade, le prince Eugène vient de signer un de ses plus grands exploits militaires. Il permet ainsi à l'Autriche de s'opposer aux prétentions des Ottomans tendant à faire réviser les clauses du traité de Karlowitz de 1699. Cette fois, les Autrichiens ont pris les devants, en lançant une campagne rapide qui se solde par la victoire de Peterwardein en Hongrie, puis par la prise de Belgrade. Le traité de Passarowitz sera signé le 21 juillet 1718 et accordera au vainqueur le banat de Temesvar, la Serbie du Nord avec Belgrade et la Valachie. Ce traité consacre le recul ottoman ; l'Autriche, quant à elle, s'installe dans les Balkans. Mais revenons sur le héros de l'heure, le prince Eugène de Savoie. Italien d'origine mais de culture française, né à Paris le 18 octobre 1663, élevé à Versailles, il quitte la France quand Louis XIV lui refuse un commandement dans son armée. Il entre au service des Habsbourg et lie désormais sa propre gloire à celle de la Maison d'Autriche. Il prend part notamment au siège de Vienne en 1683, participe aux côtés du duc de Lorraine à toutes les guerres contre les Ottomans, à la reconquête de la Hongrie et de la Transylvanie. Feldmaréchal depuis la guerre de la Ligue d'Augsbourg, ses victoires au cours de la guerre de Succession d'Espagne assurent la position de l'Autriche face à la France.
Homme de guerre, stratège subtil mais aussi grand politique, il est le conseiller très écouté de Charles VI. C'est sur ses avis que les Habsbourg

Le prince Eugène de Savoie à la bataille de Belgrade en 1717.

vont peu à peu se détourner des affaires impériales et allemandes et tenter d'édifier une grande puissance danubienne ouverte sur l'Europe orientale. Grand seigneur cosmopolite (il signe Eugenio von Savoie), le prince Eugène est, en outre, un mécène et un amateur d'art raffiné, comme en témoigne le palais du Belvédère érigé sur ses ordres par Johann Lukas Hildebrandt. C'est enfin un humaniste, un esprit universel que les lettres, les sciences et la philosophie passionnent également : il fut en contact avec Voltaire et plus particulièrement avec Leibniz dont il fut l'ami et qui lui dédia la *Monadologie*. Il mourra à Vienne le 21 avril 1736.

Un petit Versailles aux portes de Vienne

Vienne, 1717

Le château de Schönbrunn est enfin terminé. Construit sur le modèle du château de Versailles, il devait, tout en servant de château de plaisance, illustrer les fastes de la puissance impériale par sa taille et sa majesté. C'est un Français, le maître-jardinier Jean Tréhet qui avait établi en 1705-1706 les plans des jardins aux parterres et aux allées méthodiquement agencés. Mais c'est à l'architecte autrichien Bernhard Fischer von Erlach, auteur de la célèbre église Saint-Charles-Borromée de Vienne, que l'on doit les plans des bâtiments : ceux-ci, comme à Versailles, s'ordonnent d'un côté sur une cour pavée, et de l'autre sur les jardins. Cependant, l'influence du roi Louis XIV ne s'arrête pas aux portes du palais, puisque l'étiquette de la cour elle-même est empruntée à celle du Roi-Soleil.

La noblesse et le parlement de Paris relèvent la tête

Paris, 1716

Fidèle à la tradition monarchique française, l'absolutisme du Roi-Soleil avait cherché un appui dans le loyalisme de la bourgeoisie. Louis XIV n'avait jamais oublié les terreurs de son enfance, à l'heure de la Fronde des princes. Il voulait une noblesse domestiquée, exclue des rouages de l'Etat, du gouvernement, cantonnée dans son seul rôle de représentation à la cour. L'aristocratie rêvait de revanche, attendant impatiemment la fin de ce « long règne de vile bourgeoisie », selon l'expression du duc de Saint-Simon. Louis XIV mort, elle croit son heure venue. On parle de liberté, de limitation du pouvoir royal, de constitution, de rétablissement des ordres. Circonvenu, le Régent paraît vouloir rendre le pouvoir à la noblesse. Les six ministres en exercice à la fin du règne précédent sont remplacés en 1714 par des Conseils de dix membres chacun, entre lesquels sont réparties toutes les affaires du gouvernement. La noblesse prédomine. Les ducs de Maine, de Bourbon, de Saint-Simon, les maréchaux de Villeroy, d'Harcourt siègent au Conseil de régence et le duc de Noailles préside le Conseil de conscience (c'est le système de la polysynodie ; il sera vite abandonné)... Les parlements qui avaient été, eux aussi, victimes de l'absolutisme, se voient restituer leur droit de remontrance : ils vont bientôt exiger des explications sur la conduite des affaires, retrouvant le vieil esprit d'opposition qui les avait toujours caractérisés.

"Robinson Crusoé" passionne les Anglais

Londres, 1719

L'écrivain anglais Daniel De Foe, né en 1660 à Londres, vient de publier un roman qui connaît la faveur du public. L'ouvrage, intitulé *La Vie et les Aventures étranges de Robinson Crusoé, un marin de York*, est inspiré d'un fait divers récent. En 1709, un marin écossais, Alexander Selkirk, passa seul quatre ans et demi sur l'île de Mara Tieua, en plein Pacifique, avant d'être retrouvé par hasard. L'affaire avait suscité à l'époque un profond émoi en Angleterre. Dans le roman, un marin victime d'un naufrage échoue sur une île déserte et doit réinventer tous les gestes quotidiens de la civilisation pour survivre. En visitant son nouveau royaume, il découvre un indigène qu'il baptise Vendredi et auquel il s'efforce d'inculquer les valeurs de la civilisation européenne. Hymne au génie individuel de l'homme capable de s'imposer malgré l'adversité, ce roman est le premier des « romans d'éducation » dont le XVIIIe siècle sera friand.

Robinson Crusoé. Illustration de la première édition du roman de Daniel De Foe. Londres, 1719.

Le peintre japonais Ogata Kôrin est mort

Kyôto, 1716

Le peintre décorateur Ogata Kôrin est mort à Kyôto. Fils de riches marchands, il a parfaitement incarné les valeurs de l'ère Genroku (1688-1704) qui marque le triomphe de la classe bourgeoise. Disciple de Sôtatsu, il s'inspire du « Yamato-e », un style décoratif qui utilise des couleurs intenses et cherche à rendre le mouvement. Ogata Kôrin atteint ainsi une grande virtuosité dans des compositions d'un raffinement extrême. Son chef-d'œuvre est un paravent où se détachent, sur fond d'or, de part et d'autre d'une rivière, deux pruniers.

Bernardo Bellotto. Le château de Schönbrunn, côté jardins. 1759 -1760. Kunsthistorisches Museum, Vienne.

1720

Suède, 21 janvier
Fin de la « guerre du Nord » : le traité de Stockholm attribue à la Prusse la Poméranie occidentale (→ 1721).

Espagne, 26 janvier
Philippe V adhère à la Quadruple-Alliance. →

Suède, 29 février
Abdication d'Ulrike-Eléonore ; Frédéric de Hesse-Cassel est élu roi.

Paris, 24 mars
Fermeture des établissements bancaires de la rue Quincampoix à la suite de la crise financière.

Marseille, juillet-août
La peste ravage la ville. →

France, 12 décembre
Le financier Law prend la fuite.

Amérique du Nord
Les Espagnols s'installent au Texas.

Amérique centrale
Formation de la colonie anglaise du Honduras.

Allemagne
Balthazar Neumann conduit les travaux de la Résidence de Würzburg, commencée sur les plans de Lukas von Hildebrandt.

Autriche
La Pragmatique Sanction est peu à peu reconnue par les Etats des possessions habsbourgeoises.

1721

Russie, 25 janvier
Le Saint-Synode remplace le Patriarcat de Moscou et des mesures sont prises contre la secte des Vieux-Croyants.

Allemagne, 24 mars
Publication des *Six Concertos brandebourgeois* de Jean-Sébastien Bach.

Espagne-France, 27 mars
Réconciliation entre les deux pays (→ 13 juin).

Angleterre, 3 avril
Robert Walpole est nommé chancelier de l'Echiquier.

Rome, 8 mai
Après la mort de Clément XI le 19 mars, élection de Michelangelo dei Conti qui prend le nom d'Innocent XIII.

France, 13 juin
Formation de la deuxième Triple-Alliance avec l'Espagne et l'Angleterre.

Nogent-sur-Marne, 18 juillet
Antoine Watteau meurt six mois après avoir exécuté *L'Enseigne de Gersaint*.

Suède, 10 septembre
Par le traité de Nystad, la Suède doit céder à la Russie la Livonie, l'Estonie, la Carélie et une partie de la Finlande. →

France
Les premières loges maçonniques sont créées en France suivant l'exemple anglais.

Amsterdam
Montesquieu publie, sans nom d'auteur, les *Lettres persanes*. →

Inde
Lenoir est nommé directeur des Etablissements français des Indes. →

Groenland
Sous la direction du pasteur norvégien Hans Egede est fondée la mission protestante de Godthaab, en vue d'évangéliser les Eskimos.

1722

Russie, 24 janvier
Refonte de l'administration par Pierre le Grand : tous les fonctionnaires sont répartis selon les quatorze degrés du *tchin*, ou « Table des rangs », chaque degré correspondant à un grade militaire. →

Paris, 3 mai
Création de *La Surprise de l'amour* de Marivaux.

France, 22 août
Dubois Premier ministre.

Perse, 12 octobre
L'invasion afghane met fin à la dynastie safavide. →

France, 25 octobre
Sacre de Louis XV à Reims.

Autriche, 19 décembre
Charles VI crée la Compagnie d'Ostende.

Nouvelle-Angleterre
Le Parlement anglais interdit le commerce avec le Canada.

Panique après la banqueroute de Law

Paris, août 1720
La rue Quincampoix, siège de la Compagnie des Indes et de la Banque royale, deux institutions fondées par le financier écossais John Law, vient de connaître des scènes d'émeutes. Des centaines de porteurs de titres se pressent aux guichets de la banque pour recouvrer leurs créances. Les actions de la Compagnie chutent de 20 000 à 6 000 livres. La confiance du public parisien s'effondre et les mesures prises en septembre n'y changeront rien : Law sera contraint à la fuite le 14 décembre. Pourtant, tout avait bien commencé. Sitôt la mort de Louis XIV, John Law (né à Edimbourg en 1671), déjà très au fait des techniques financières, avait contacté le Régent et lui avait soumis un plan destiné à combler l'énorme dette publique du royaume : 1 200 millions de livres. Pour relancer la vie économique, Law proposait d'utiliser du papier-monnaie, plus maniable que la monnaie métallique, qui serait émis par une Banque royale. Le 2 mai 1716, il commence à mettre sur pied son « système » en fondant une banque privée, puis une compagnie pour mettre en valeur les colonies du Sénégal et d'Amérique. Son travail est vite reconnu par le Régent : en 1718, la banque devient Banque royale et en 1719 sa compagnie obtient le titre de Compagnie perpétuelle des Indes. En janvier 1720, il est nommé contrôleur général des Finances. Son ascension foudroyante indispose les autres financiers, comme les frères Crozat ou Pâris. Aussi profitent-ils de son intention de proposer un impôt sur le revenu pour susciter la crainte des affairistes.

Panique boursière à Paris : des centaines de porteurs de titres se pressent, rue Quincampoix, aux guichets de la Banque royale en août 1720 pour recouvrer leurs créances. Gravure d'époque.

Marseille ravagée par la peste

Marseille, juillet-août 1720
Fin juin, le *Grand Saint-Antoine* en provenance d'Orient entre en rade de Marseille. L'administration, bien que prévenue de la présence d'un « mal » sur le bateau, l'autorise à décharger sa riche cargaison. Au mois de juillet, des disparitions commencent à inquiéter la population ; mais c'est en août que le fléau se déchaînera, laissant derrière lui son cortège de malheurs. Plus de cinquante mille Marseillais périront en quelques semaines. Malgré l'activité courageuse et le dévouement de M. de Belzunce ou du chevalier de Roze, le mal touchera Toulon et Aix.

Un spectacle de désolation dans les rues de Marseille ravagée par la peste en août 1720. Celle-ci causera plus de 50 000 morts. Gravure d'époque.

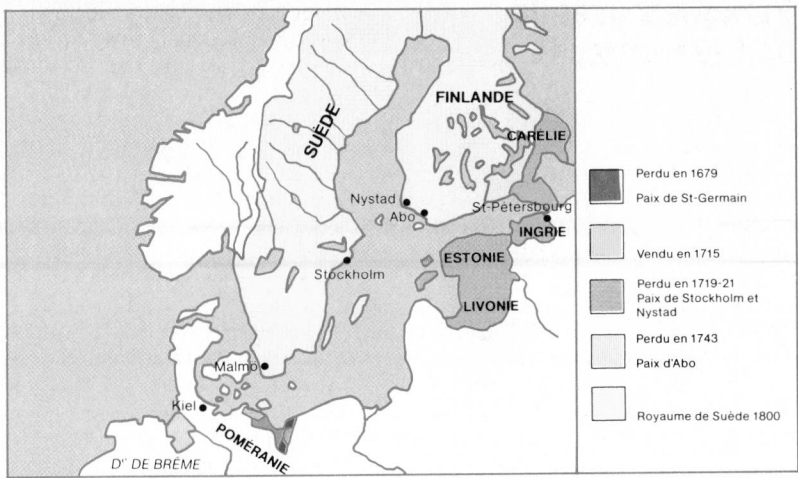

Pertes territoriales du royaume de Suède au XVIIIᵉ siècle.

Légende de la carte :
- Perdu en 1679 Paix de St-Germain
- Vendu en 1715
- Perdu en 1719-21 Paix de Stockholm et Nystad
- Perdu en 1743 Paix d'Abo
- Royaume de Suède 1800

La paix de Stockholm

Suède, 21 janvier 1720

La Suède, exsangue, n'est plus qu'une puissance de second plan : le 21 janvier 1720, elle est obligée de capituler devant la Prusse par la paix de Stockholm, qui lui fait perdre la Poméranie. Au début de son règne, en effet, le roi de Suède Charles XII avait conclu une alliance avec le Holstein pour contrer les ambitions russes. L'entrée des troupes suédoises dans ce pays ayant entraîné la formation d'une coalition entre la Pologne, la Russie et le Danemark, un premier conflit avait éclaté, dont

Charles XII était sorti vainqueur. Enhardi par ce succès, il déclencha une seconde guerre contre la Saxe et la Pologne, provoquant l'entrée des Russes dans le conflit aux côtés du roi de Pologne et électeur de Saxe, Auguste III. Défaits à Poltava le 8 juillet 1709, les Suédois virent la Prusse et le Hanovre se joindre à leurs ennemis. Loin de freiner la décadence de son pays, l'impétueux Charles XII n'a fait que la précipiter, tout en allant à sa propre perte : tandis qu'il assiégeait la ville de Fredrikshald, il devait trouver la mort le 11 décembre 1718. Ainsi s'est effondré le rêve suédois de faire de la Baltique une mer intérieure.

Les Afghans chassent les Safavides

Ispahan, 12 octobre 1722

En faisant tomber des têtes, Shâh Abbas Iᵉʳ (1587-1627) avait réussi à sauver l'unité apparente de l'Empire safavide et à lui assurer une certaine stabilité économique. Sur son héritage, mais en le dilapidant, ses successeurs vécurent près d'un siècle, survivance due également au fait que les Ottomans étaient occupés à l'Ouest. La chiquenaude viendra de

l'intérieur. Irrités par l'intolérance du régime, les Afghans sunnites entrèrent en dissidence, occupèrent Kandahâr (1709), puis Kerman (1719), avant de lancer un raid audacieux contre Ispahan dont ils font le siège, à partir d'avril 1722. Six mois plus tard, Shâh Sultan Husayn capitule sans condition. Pendant le siège, au moins 80 000 personnes ont succombé à la famine. Nominalement, la dynastie safavide survivra jusqu'en 1736.

Les sept Dormants d'Ephèse. Illustration d'une sûrate coranique dans « Le Livre des Présages ». Epoque safavide, XVIᵉ siècle. Metropolitan, New York.

Pierre le Grand, un tsar réformateur

Saint-Pétersbourg, 24 janvier 1722

En édictant aujourd'hui une « Table des rangs », Pierre Iᵉʳ consolide ses efforts de modernisation de la Russie. Grâce à cette nouvelle hiérarchie des fonctions administratives, militaires et même religieuses, un roturier pourra désormais accéder par ses seuls mérites à un rang de noblesse. Le tsar veut insuffler le sens de l'Etat aux classes dominantes, boyards et riches bourgeois, en les attachant à son service. Cette décision couronne une série de mesures importantes : la sécularisation des biens du clergé dès 1700, le remplacement du patriarche de l'Eglise orthodoxe par un laïc, la transformation de l'assemblée des Boyards par un Sénat en 1711. Puis, en 1718, il réorganise les structures administratives du pays en créant huit gouvernements divisés en provinces : désormais, une pyramide verticale soumet l'ensemble des pouvoirs locaux au tsar. Pour mettre sur pied une armée et surtout une marine modernes, il développe l'économie dans deux directions : la construction navale autour de Saint-Pétersbourg et sur le Don, et la métallurgie dans l'Oural,

Statue équestre de Pierre le Grand (1778) réalisée par le sculpteur français Etienne Falconet à la demande de Catherine II.

aidé par le maître de forges N. Demidov. A sa mort, l'Oural comptera une douzaine d'usines métallurgiques. Pour mener à bien ces travaux gigantesques, il se devait aussi de réformer la fiscalité. Dans ce but, il fait établir un recensement général en 1719, qui sera achevé en 1723, puis met en place un nouveau système fiscal. Epuisé par son intense activité, Pierre le Grand mourra le 18 janvier 1725 des suites d'un bain glacé en tentant de sauver un marin de la noyade.

Echec espagnol face à la Triple-Alliance

Espagne, 26 janvier 1720

L'Espagne est aux abois. Une escadre anglaise vient de détruire sa flotte au large du cap Passaro, tandis que les troupes françaises commandées par le maréchal de Berwick franchissent la Bidassoa et s'emparent de Fontarabie, d'Urgel et de Saint-Sébastien. Le conflit provient de l'opposition de l'Espagne aux décisions prises au cours de la paix d'Utrecht en 1713 (→) qui avait entériné la perte de ses territoires italiens. Philippe V et sa femme, l'Italienne Elisabeth Farnèse, convoitaient Parme et la Toscane pour y établir leurs deux fils. Son ministre et favori, le cardinal Alberoni, haïssait l'Autriche et poussait le roi à réviser le traité. Contrairement à son attente, c'est en France qu'il trouva le principal obstacle à son projet. Le Régent s'allia à l'Angleterre et à la Hollande, toutes deux en faveur du *statu quo*, par le traité de La Haye du 11 janvier 1717. L'empereur d'Autriche Charles VI adhéra également à cette alliance par le traité de Cockpit, le 2 août 1718. Vaincu et isolé, le roi se débarrasse d'Alberoni et négocie. Le 26 janvier 1720, il signe le traité de Madrid et adhère à la Quadruple-Alliance. Il abandonne ses ambitions italiennes, ses vues sur Gibraltar et renonce définitivement à la succession au trône de France. En février un congrès réuni à Cambrai aplanit les litiges subsistant entre l'Espagne et l'Autriche.

Comment peut-on être persan ?

Amsterdam, 1721

Un pseudo-Persan égaré à Paris rend compte de ses impressions à ses amis d'Orient. Un de ses correspondants vit à Ispahan, un autre à Venise. Cet échange de lettres, échelonné de février 1711 au début de 1720, oppose entre eux deux centres de la vie européenne, qui à leur tour se trouvent comparés aux valeurs de

Montesquieu. Ecole française du XVIIIᵉ siècle. Château de Versailles.

la cité persane. Les mœurs, les travers, les ridicules de la société française, placés sous la loupe, ne résistent pas au procédé. Ces lettres paraissent anonymement à Amsterdam et à Cologne. Bientôt, on apprendra qu'il s'agit de la première œuvre du baron de Montesquieu, membre de l'Académie des sciences.

1723

France, 22 février
Louis XV devient majeur.

France, 10 août
Mort du cardinal Dubois ; le Régent devient Premier ministre.

Delft, 26 août
Mort du naturaliste Antonis van Leeuwenhoek. →

Russie, 12 septembre
Le traité de Saint-Pétersbourg met fin à la guerre russo-persane.

Angleterre, 2 octobre
Les Anglais font obstacle aux entreprises autrichiennes par le vote d'une loi contre le commerce d'Ostende.

Prusse, 10 octobre
Signature d'une alliance anglo-prussienne à Charlottenbourg.

France, 2 décembre
Mort du Régent. Le duc de Bourbon lui succède dans la charge de Premier ministre. →

France
Reconstitution de la Compagnie française des Indes.

1724

Espagne, 10 janvier
Philippe V abdique. →

Leipzig
Exécution, le Vendredi saint, de la *Passion selon saint Jean*, de Jean-Sébastien Bach.

France, 14 mai
Reprise des persécutions contre les protestants.

Rome, 29 mai
Le nouveau pape Benoît XIII, très âgé, laisse gouverner le cardinal Niccolo Coscia.

Autriche-Angleterre
Résolution des différends commerciaux. La Compagnie d'Ostende est liquidée.

France
Fondation de la Bourse de Paris.

Paris
Premières réunions du club de l'Entresol, académie privée, foyer de propagande pro-anglaise.

France
François Couperin achève le

deuxième recueil des *Concerts royaux*.

1725

Russie, 8 février
Pierre le Grand meurt à Saint-Pétersbourg ; sa femme Catherine lui succède. →

Espagne, 2 mars
Mort de José-Benito de Churriguera, architecte espagnol (né à Madrid en 1655), auteur notamment du maître-autel de San Esteban à Salamanque.

Autriche, 30 avril
S'affranchissant de la tutelle française, Philippe V signe un traité d'alliance avec Charles VI : c'est la paix de Vienne. Les deux souverains renoncent à leurs ambitions respectives. L'Espagne reconnaît la Pragmatique Sanction et obtient en échange de conserver ses positions en Italie.

France, 5 juin
Le contrôleur des Finances Dodun établit un projet d'impôt : le cinquantième, qui serait perçu sur l'ensemble des biens. La noblesse et le Parlement y sont hostiles.

France, 15 août
Louis XV épouse par procuration à Strasbourg Marie Leszczynska. →

Naples, 22 octobre
Mort du compositeur Alessandro Scarlatti (né en 1660 à Palerme), auteur de nombreux opéras : *Il triónfo della libertà* en 1707, *Tigrane* en 1715, *Il triónfo dell' onore* en 1718 et *Griselda* en 1721.

Amsterdam
Publication des *Quatre Saisons* d'Antonio Vivaldi. →

Russie
Fondation de l'Académie des sciences de Saint-Pétersbourg.

Asie
Explorateur danois au service de la Russie, Vitus Béring prend la tête d'une expédition chargée de reconnaître les côtes septentrionales du Kamchatka, afin de savoir si la Sibérie et l'Amérique sont unies. →

Amérique du Sud
Fondation de Montevideo.

Naples
Publication des *Principes d'une science nouvelle*, œuvre capitale du philosophe italien Giambattista Vico (→ 1744).

Louis XV épouse Marie Leszczynska

Strasbourg, 15 août 1725
Le 15 août, on célèbre à Strasbourg le mariage par procuration de Louis XV et de Marie Leszczynska. Le Régent, Philippe d'Orléans, avait déjà fiancé le roi avec la fille de Philippe V d'Espagne en même temps qu'il

mariait sa propre fille au fils de ce souverain. Le nouveau Premier ministre, qui appartenait à la famille de Bourbon, rivale de celle d'Orléans, avait fait échouer ce projet. Pour ne pas irriter le roi d'Espagne, il choisit parmi les princesses à marier des cours d'Europe la fille de Stanislas Leszczynski, chassé du trône de Pologne.

Louis XV et Marie Leszczynska, reine de France. Gravure de Moreau le Jeune d'après un tableau de Carle Van Loo.

Le Régent quitte la scène

Paris, 2 décembre 1723
L'ancien Régent Philippe d'Orléans a succombé à une attaque d'apoplexie. Il venait de résilier sa fonction au début de l'année, Louis XV étant devenu majeur le 22 février. Peu après, le cardinal Dubois étant mort le 10 août, il occupa la charge de Premier ministre. Fils de « Monsieur », frère de Louis XIV et de Charlotte-Elisabeth de Bavière, la

Portrait du Régent par Nicolas de Largillière. Vers 1720.

princesse palatine, Philippe d'Orléans était né en 1674. D'une grande intelligence, il était cultivé et avait le goût des arts. Pendant la guerre de Succession d'Espagne, il avait témoigné de réelles qualités militaires. Il aurait fait un excellent politique si la volonté, l'esprit de suite, le sens du travail ne lui avaient fait défaut. Homme de plaisir, sa résidence du Palais-Royal était une assemblée de

libertins. Fêtes, bals masqués, mascarades s'y succédaient. C'était le temps des « roués », ainsi que le Régent désignait lui-même ses intimes, « le temps de l'aimable Régence où l'on fit tout, excepté pénitence ». Le Régent donnait le ton, mais c'était toute une société qui aspirait à se divertir, lasse de l'austérité triste et guindée qui avait marqué les dernières années du règne de Louis XIV. On aspirait au changement. En politique aussi on voulait du neuf. Ce fut l'éphémère réaction aristocratique, avec l'instauration de la polysynodie (1714). Mais cette effervescence, qui mettait l'autorité de l'Etat en péril, ne dura guère. Bientôt, on en revint à des méthodes de gouvernement plus éprouvées. En 1718 déjà, le régime des Conseils était, de fait, supprimé et les anciens secrétaires d'Etat retrouvèrent leurs attributions. De même, le Parlement fut mis au pas. L'année 1720, qui vit l'effondrement de l'expérience financière de Law, marqua un tournant pour la Régence. Un homme sort alors de l'ombre : le cardinal Dubois. Cet ancien précepteur du Régent, avant d'être son conseiller, nouvelle éminence grise, devint officiellement Premier ministre le 22 août 1722. Diplomate consommé, le cardinal Dubois fut le principal animateur de la politique étrangère. Craignant les prétentions de Philippe V d'Espagne au trône de France, il inaugura l'alliance anglaise. Placé à l'origine sous le signe de la réaction des Ordres, le règne de Philippe d'Orléans s'achevait par un retour aux traditions monarchiques. Ces années de transition de la Régence n'auront été en définitive qu'une parenthèse.

Explorateur de l'infiniment petit, Leeuwenhoek est mort

Delft, août 1723

Curieux destin que celui de cet employé municipal de la petite ville de Delft. C'est son passe-temps favori, la fabrication des microscopes et l'observation des matériaux les plus divers, qui va le plonger au cœur d'un grand débat scientifique : la reproduction des animaux. Simple autodidacte, il ne nous a laissé que des lettres. Celle qu'il adresse à la Royal Society de Londres, en novembre 1677, fait mention de l'observation des spermatozoïdes. C'est grande nouvelle, mais qui aura peu de retentissement, les savants de l'époque ne voyant dans ces « animaux spermatiques » que des individus miniature.

Van Leeuwenhoek. Frontispice de ses « Epistolae ad Societam... ». 1719.

Trois tsars en deux ans en Russie

Saint-Pétersbourg, 8 février 1725

Après le long règne de Pierre Ier le Grand, la Russie entre dans une période de difficultés dynastiques. Le tsar réformateur est mort sans régler sa succession. Son seul héritier mâle, son petit-fils Pierre, n'a que dix ans en 1725. Sa femme, Catherine, soudoie la Garde impériale et se fait proclamer tsarine ; mais elle mourra, alcoolique, en 1727. Le jeune Pierre, encore mineur, sera couronné mais ne régnera pas. Les nobles chargent la nièce de Pierre Ier, Anna Ivanovna, veuve du duc de Courlande, de freiner l'élan modernisateur que connaît le pays. Peu instruite, plus masculine que féminine, Anna Ivanovna, tout en s'opposant avec férocité aux multiples révoltes paysannes ce qui lui vaudra le surnom d'Anne la Sanglante mettra à partir de 1730 la Russie à l'heure allemande dans les domaines économique, administratif et intellectuel.

Les grâces du style Régence

Le style Régence est une réaction au « grand goût » de l'âge précédent. Aux valeurs de parade et d'ostentation, constitutives d'un art monarchique, il oppose celles d'intimité et d'agrément : la recherche de la commodité accompagne celle du plaisir. Les meubles s'arrondissent, leurs courbes plus accueillantes épousent celles du corps. Le château seigneurial fait place à l'hôtel urbain ; les intérieurs sont mieux distribués : aux vastes salons d'apparat succèdent les petits appartements. La liberté tiomphe de l'art officiel : l'art de cour est remplacé par un art de société, qui échappe aux stéréotypes de la commande officielle, un art auquel prétendent bourgeois et financiers et dont l'aristocratie n'a plus le monopole.

Commode style Régence. Hôpital de la Salpêtrière, Paris.

Publication des "Quatre Saisons" du Vénitien Vivaldi

Amsterdam, 1725

Le violoniste Antonio Vivaldi, dit le « Prêtre roux » (né le 4 mars 1678), maître de chapelle du doge de Saint-Marc, vient de publier *Le Ciment de l'harmonie et de l'invention, opus 8*, où figurent quatre concertos pour cordes d'inspiration pastorale, portant chacun le nom d'une saison de l'année. Le premier concerto, *Le Printemps*, est tout en fioritures et trilles étourdissants. *L'Eté* alterne morceaux vifs et fragments empreints de tristesse. *L'Automne*

Antonio Vivaldi.

célèbre les vendanges et s'achève sur un *allegro* décrivant une chasse et la mise à mort de la bête traquée. *L'Hiver* annonce le renouveau en un final impétueux. Les compositions symphoniques de Vivaldi, d'une grande vivacité de rythme, privilégient tour à tour le violon, le violoncelle, le hautbois et la flûte. Il écrira un bon nombre d'opéras et de pièces sacrées avant de mourir à Vienne le 28 juillet 1741.

Abdication du premier Bourbon d'Espagne

Madrid, 10 janvier 1724

Année mouvementée pour le trône d'Espagne. Philippe V décide d'abdiquer en faveur de son fils, l'infant Don Luis, qui devient ce jour Louis Ier d'Espagne. Puis il quitte Madrid et se retire à San Ildefonso, au château de la Granja qu'il s'était fait bâtir dans le style de Versailles.

Philippe V

Les raisons de cette abdication soudaine ? Des revers politiques ? Le désir d'imiter Charles Quint ? En fait le petit-fils de Louis XIV était demeuré français. C'est le trône de France qu'il convoitait. Il se souciait peu des affaires espagnoles, les confiant au cardinal Alberoni, le favori dont il avait fait son Premier ministre ; après la chute de celui-ci, c'est sa seconde femme, Elisabeth Farnèse, qui détient la réalité du pouvoir. Ainsi s'éclaire la surprenante décision de Philippe V. Mais le 7 septembre, après sept mois de règne, Louis Ier meurt et Philippe V doit remonter sur le trône.

Béring explore l'Arctique...

Russie, 1725

Le navigateur danois Vitus Béring découvre que l'Asie n'est pas soudée à l'Amérique et qu'un bras de mer les sépare entre la Sibérie et l'Alaska. Le tsar de Russie Pierre le Grand, au service duquel il était entré en 1724, l'avait en effet chargé d'organiser une expédition pour vérifier cette hypothèse. Chemin faisant, Béring découvre l'île Saint-Laurent puis, en continuant vers le nord, il débouche dans l'océan Arctique après avoir emprunté le détroit qui porte désormais son nom. Parvenu à ce point, Béring est contraint de faire demi-tour. Il s'attache à établir une carte très précise des côtes qu'il vient de longer. Quelques années plus tard, en 1741, il se lancera dans une nouvelle expédition pour atteindre le pôle Nord. Longeant les côtes méridionales de l'Alaska, il parviendra à l'archipel des îles du Commandeur, en particulier l'île d'Avatcha, où il mourra de l'épidémie de scorbut qui décime l'équipe.

... et Roggeveen découvre l'île de Pâques

Ile de Pâques, 5 avril 1722

Le dimanche de Pâques 1722, le navigateur hollandais Jacob Roggeveen découvre une île dans le Pacifique que les indigènes appellent Rapa Nui et qu'il baptise « l'île de Pâques ». Roggeveen était parti le 26 juillet 1721 d'Europe pour le compte de la Compagnie des Indes occidentales ; il avait traversé l'océan Atlantique et franchi le cap Horn. L'île volcanique qu'il aborde le surprend par la présence étrange de centaines de statues mesurant plusieurs mètres de hauteur, profondément enterrées dans le sol, témoins d'un culte disparu et inexpliqué.

Jacob Roggeveen dans l'île de Pâques qu'il vient de découvrir. Estampe du XIXe siècle.

1726

France, 12 juin
Après la disgrâce du duc de Bourbon, en raison de sa politique étrangère hasardeuse qui risquait d'entraîner la France dans une guerre contre l'Espagne et l'Autriche, Fleury devient Premier ministre.

Russie, 16 août
La Russie s'allie à l'Autriche et reconnaît la Pragmatique Sanction.

France, 19 août
Le nouveau contrôleur général des Finances Le Peletier des Forts rétablit la Ferme générale, supprime le cinquantième et entreprend une réforme monétaire.

Amérique du Nord, 10 décembre
Les Espagnols adressent un ultimatum aux Anglais.

Angleterre
Le tory Bolingbroke organise l'opposition parlementaire à Walpole, dont les whigs dissidents critiquent la politique étrangère trop modérée.

Londres
Jonathan Swift publie, sans nom d'auteur, *Les Voyages de Gulliver.* →

1727

Espagne, février-mars
L'Espagne rompt les clauses du traité d'Utrecht, envahit Gibraltar et attaque les Anglais.

Russie, 17 mai
Mort de la tsarine Catherine Ire. Pierre II lui succède.

France, mai
Début de l'affaire des Convulsionnaires de Saint-Médard. →

Angleterre, 22 juin
Mort de George Ier. George II lui succède.

Kensington, 31 juillet
Mort d'Isaac Newton (né le 4 janvier 1642), mathématicien, physicien et astronome anglais, qui énonça les lois de la gravitation universelle.

Maroc
Mort du chérif Mûlây-Ismaïl (né en 1672).

Espagne
La franc-maçonnerie s'installe dans le pays, particulièrement à Madrid.

Empire ottoman
Ottomans et Persans s'allient contre les Russes.

1728

Espagne, mars
L'Espagne accepte de négocier avec l'Angleterre lors des préliminaires du Pardo.

Prusse, 23 décembre
La Prusse s'allie à l'Autriche et reconnaît la Pragmatique Sanction.

1729

Leipzig, 15 avril
Exécution de la *Passion selon saint Matthieu* de Jean-Sébastien Bach, la nuit du Vendredi saint, sous la direction de l'auteur. →

Espagne, 9 novembre
Par le traité de Séville, l'Espagne renonce à Gibraltar qui reste aux Anglais. Tous les privilèges économiques anglais dans les colonies de l'Amérique espagnole sont maintenus.

Amérique du Nord
Fondation des colonies anglaises dans les Carolines et révolte des Natchez en Louisiane.

1730

France, 23 janvier
Création par les Comédiens italiens de la pièce de Marivaux *Le Jeu de l'amour et du hasard.* →

Angleterre, 15 mai
Après la démission de Lord Townshend, Robert Walpole devient le seul maître du cabinet anglais. →

Russie, 14 juin
Traité de Khiakta. →

Angleterre
Développement du mouvement des *enclosures.* →

France
Orry, nommé contrôleur général des Finances, s'efforce de rétablir l'équilibre du budget en émettant des emprunts en rentes viagères et en recourant à des loteries royales.

Paris
Début de la célébrité du salon de Mme Du Deffand.
Anna Ivanovna succède à Pierre II.

France
René Antoine Ferchault de Réaumur (1683-1757) invente le thermomètre à alcool. →

L'Angleterre a pour la première fois un Premier ministre

Robert Walpole, un des principaux chefs du parti whig.

Londres, 15 mai 1730
Membre du cabinet de 1715 à 1717 avant d'être évincé par Lord Stanhope, Robert Walpole, l'un des principaux chefs du parti whig, revient au pouvoir en avril 1721. D'abord chancelier de l'Echiquier, il dirige ensuite, de concert avec Lord Townshend son beau-frère, le cabinet britannique. Lorsque ce dernier se retire des affaires, le 15 mai 1730, Walpole, qui avait déjà peu à peu écarté tous ses éventuels rivaux, devient le seul chef de l'exécutif, réalisant enfin ses plus hautes ambitions. Il est le premier dans l'histoire anglaise à obtenir le titre de « Prime minister ». Ce gentilhomme originaire du Norfolk est un esprit réaliste, doué d'un solide bon sens. Gastronome et chasseur passionné, il n'a que mépris pour les intellectuels. En toutes choses, pour lui-même comme pour son pays, il poursuit des buts concrets. C'est également, et avant tout, un habile courtisan, excellent tacticien parlementaire. Mettant à profit le clientélisme politique, il se rend maître des Communes en ne traitant qu'avec les chefs des groupes influents, distribuant aux autres députés les faveurs royales, emplois ou pensions. Stabilité et diplomatie, tels sont les maîtres mots de sa politique. A l'extérieur, il s'est toujours montré résolument pacifiste, tout comme en France le cardinal de Fleury. Malgré les menaces pour la paix que constituent les ambitions rivales et persistantes de l'Autriche et de l'Espagne, il s'emploie par un subtil jeu d'alliances à éviter toute complication majeure. A l'intérieur, il témoigne de la même prudence et de la même souplesse. Il sert avec efficacité les intérêts des milieux d'affaires qui tirent profit de l'essor du grand commerce atlantique, notamment par sa politique fiscale (suppression des taxes à l'exportation) ; il s'efforce aussi de satisfaire aux revendications de la « gentry », dont il est lui-même issu et qui constitue la base de l'Angleterre rurale, en diminuant les impôts fonciers et en augmentant les droits et la juridiction des magistrats locaux.

Développement des "enclosures" en Grande-Bretagne

Angleterre, à partir de 1730
Vers 1680, l'agriculture anglaise était encore largement traditionnelle. Il existait de nombreuses petites propriétés souvent constituées de champs ouverts *(openfield)*, distribuées en parcelles tellement enchevêtrées que le régime d'exploitation en était resté communautaire. Depuis lors, de vastes propriétés encloses sont apparues, sur lesquelles il est enfin possible de pratiquer une agriculture plus rationnelle et plus savante, mais qui réclame l'emploi de capitaux. Ce mouvement est encouragé par le Parlement. Le nombre des petits propriétaires libres diminue au profit des grands domaines ; du même coup, voilà libérée une main-d'œuvre disponible pour le travail dans les mines et les manufactures. C'est finalement une véritable révolution que connaît alors l'agriculture anglaise : rompant avec les structures communautaires héritées du Moyen Age, elle doit s'ouvrir aux techniques modernes et à la spécialisation (dans l'élevage, en particulier, ou les cultures nouvelles comme la betterave). Ainsi devient-elle l'une des forces vives de l'économie.

Réaumur invente le thermomètre

France, 1730
Le naturaliste et physicien français René Antoine Ferchault de Réaumur (né le 28 février 1683 à La Rochelle) avait été admis à l'Académie des sciences à l'âge de vingt-cinq ans. Esprit inventif, il mit au point vers 1730 un thermomètre à alcool dont les indications étaient pour la première fois fiables. L'échelle utilisée, de 0 à 80, est due à une erreur des fabricants du thermomètre : elle conservera pourtant le nom de Réaumur. Sa curiosité était aussi vaste que ses talents : il fut le premier à montrer la possibilité de fabriquer de l'acier à partir de la fonte, découverte fondamentale, et institua la métallographie en appliquant la microscopie à l'étude des métaux. Inventeur du verre dévitrifié, la « porcelaine de Réaumur », il s'intéressa également aux sciences naturelles et consacra un important mémoire à l'étude des invertébrés (1734-1742).

"La Passion selon saint Matthieu" de J.-S. Bach

Leipzig, 15 avril 1729
Ce Vendredi saint de 1729, c'est un véritable monument musical qui fait vibrer les voûtes de l'église Saint-Thomas de Leipzig. L'œuvre utilise un double chœur et un double orchestre avec deux orgues. L'auteur, au pupitre, se nomme Jean-Sébastien Bach, né le 21 mars 1685 à Eisenach en Saxe, maître de chapelle depuis 1723. Les versets chantés, tirés de l'Evangile selon saint Matthieu, sont entremêlés de solos et d'airs généralement précédés d'un récitatif.

J.-S. Bach.

L'ensemble est d'une majestueuse unité. On est frappé par les ressources du contrepoint et la symétrie des dessins musicaux. De plus, l'utilisation du chœur comme interlocuteur dépasse, par son intensité dramatique, ce qui s'est fait jusqu'ici. La narration musicale, d'où se détachent les épisodes du drame évangélique, tels le dialogue entre Pilate et la foule, le Golgotha, l'invocation de Jésus sur la croix, est entrecoupée par les mélodies des solistes, où s'expriment les sentiments des personnages : ainsi *Les Larmes de Pierre*, morceau pour contralto, avec solo de violon. Quant au récitatif de Jésus, accompagné d'harmonies de violon, il est enveloppé d'une lumière surnaturelle. Toute l'œuvre évoque par son rythme la montée solennelle d'une procession vers le Calvaire.

L'expansion russe en Asie centrale

Khiakta, 14 juin 1730
C'est à Khiakta, au sud du lac Baïkal, localité importante desservant une nouvelle route à travers la Mongolie, que les émissaires des deux grands Empires chinois et russe viennent de signer un traité d'amitié et

Les convulsionnaires de Saint-Médard

Paris, 15 juillet 1731
L'archevêque de Paris, monseigneur de Vintimille, vient d'interdire après enquête de rendre tout culte à la mémoire du diacre Pâris. Cette mesure ne semble cependant pas avoir d'effets. Des foules de plus en plus nombreuses s'agglutinent sur la tombe du prêtre ; certaines personnes sont prises de convulsions au contact de la sépulture et se livrent

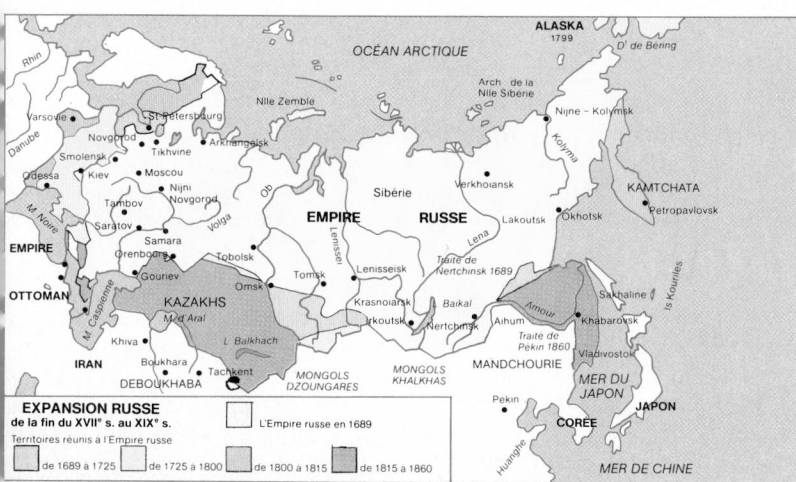

Scène d'hystérie au cimetière Saint-Médard, où l'on se presse sur la tombe du diacre Pâris, en l'attente d'un miracle. Gravure d'époque.

à d'étranges contorsions. Rappelons les faits : un diacre dénommé Pâris, proche des jansénistes, s'était retiré dans un ermitage du faubourg Saint-Marceau où il se livrait à toutes sortes de mortifications. A sa mort, en 1727, il est enterré au cimetière Saint-Médard, sa véritable histoire

d'échanges. Il modifie celui signé en 1727 à Nertchinsk grâce à la médiation des jésuites. Le tsar obtient le droit d'envoyer des missionnaires en Chine. Les échanges commerciaux et diplomatiques sont strictement réglementés. La Russie n'ayant pas de visées particulières sur cette région, l'accord sino-russe restera valable jusqu'au XIXe siècle.

commence alors. Sa sépulture devient pour tous les pauvres de son quartier, témoins de sa bienfaisance et de ses pénitences, un lieu de pèlerinage puis un lieu de rendez-vous pour les jansénistes. Ces derniers, après une période de relative tolérance, sont à nouveau l'objet de persécutions. Dans cette atmosphère tendue, les rassemblements puis les rumeurs de prodiges, voire de miracles, obtenus à la suite de la récitation de neuvaines échauffent les esprits. Pour les jansénistes, cela ne fait pas

de doute, c'est la preuve de la justesse de leur foi. Bientôt, il y a plus de cent convulsionnaires qui se débattent dans l'enceinte de Saint-Médard et il faut attendre que le cardinal de Fleury s'en émeuve pour que, le 22 janvier 1732, le cimetière soit fermé par ordonnance royale.

Swift, un pessimiste chez les Lilliputiens

Londres, 1726
Déjà célèbre dans le monde des lettres comme dans celui de la politique par ses contes et ses essais polémiques, l'Irlandais Jonathan Swift vient de publier (anonymement) *Les Voyages de Gulliver*. Passé maître dans la satire et l'humour macabre, notamment dans un ouvrage où il défendait la cause de l'Irlande opprimée par les Anglais, il dénonce les crimes et les injures que les hommes se font les uns aux autres. Au cours de quatre voyages dans le Pacifique, le héros, Gulliver, visite des pays imaginaires. L'allégorie est limpide : Lilliput et Befuscu y sont les caricatures féroces de la France et de l'Angleterre. Ces sociétés de nains sont plus inhumaines et méchantes que les nôtres ; quant à celles constituées par des géants, si elles apprivoisent bien les grands maux de l'existence humaine, comme la mort ou la haine, elles n'assurent pas pour autant le bonheur. Cette véritable leçon philosophique enseigne la relativité des

"Le Jeu de l'amour et du hasard" de Marivaux

Paris, 23 janvier 1730
Marivaux (né le 4 février 1688 à Paris, de son vrai nom Pierre Carlet de Chamblain) triomphe à l'hôtel de Bourgogne : sa nouvelle pièce vient d'être jouée par la troupe des Comédiens italiens ordinaires du roi. Il s'agit d'une comédie en trois actes et en prose intitulée *Le Jeu de l'amour et du hasard*. Le *Mercure* relate que « la pièce a été reçue très favorablement du public ».

Marivaux.

Il faut dire qu'elle a été remarquablement servie par le talent des Comédiens italiens qui ont acquis, depuis leur rappel en France par le Régent en 1716, une parfaite maîtrise dans l'art d'interpréter le théâtre de Marivaux, ainsi qu'ils l'ont montré en 1720 avec *Arlequin poli par l'amour* ou, en 1727, avec *La Seconde Surprise de l'amour*. L'auteur lui-même semble les tenir en haute estime, puisqu'il a donné à son héroïne féminine le prénom de Silvia qui est, en fait, le nom de scène de l'actrice Zanetta Benozzi. Marivaux atteint ici un sommet dans l'analyse des sentiments amoureux. Fantaisie, déguisements (les maîtres prennent la place des valets et inversement), subtilité du langage, tout concourt à faire de cette comédie légère et vive un spectacle raffiné, une sorte de « fête galante » s'achevant sur le triomphe de l'amour.

choses. Sans être absolument pessimiste, Swift met en garde ses lecteurs contre un optimisme irréfléchi envers l'homme, car il ne lui semble pas perfectible.

Illustration pour « Les Voyages de Gulliver » de Swift. Vers 1860.

Carte

EXPANSION RUSSE
de la fin du XVIIe s. au XIXe s.

Expansion Russe de la fin du XVIIe siècle au XIXe siècle.

L'âge des Lumières en Europe

1720-1780

Le XVIIIᵉ siècle, c'est pour l'historien français Jules Michelet « le Grand Siècle », c'est-à-dire celui de Voltaire et de Rousseau, celui de Frédéric II de Prusse et de Catherine II de Russie, celui de l'*Encyclopédie* de Diderot et de d'Alembert et de l'*Histoire naturelle* de Buffon. Des écrivains aux œuvres variées, des souverains aux idées éclairées, modernes, conquérants et travailleurs, des projets ambitieux destinés à l'« honnête homme ». En somme, le siècle où l'Européen consolide sa domination sur la planète, touche les intérêts de la conquête des Indes et des Amériques, sort de la précarité et commence à vouloir domestiquer la nature en faisant un usage exclusif de sa raison.

Les Lumières, puisque tel est le nom que l'on donne à ce courant de pensée qui a traversé l'Europe, est plus qu'une seconde Renaissance : c'est l'accession du continent européen à la modernité.

La moisson d'un riche héritage

Les Lumières doivent beaucoup à trois savants du XVIIᵉ siècle : le Français René Descartes et les Anglais Isaac Newton et John Locke. Ces mathématiciens et philosophes ont ouvert la voie à une affirmation plus assurée de la liberté humaine en mettant à jour des principes qui permettent à l'homme de maîtriser son univers : le premier en faisant du doute méthodique le guide de toute réflexion, sur soi et sur les autres ; le second en démontrant la nécessité d'une méthode expérimentale dans l'étude des phénomènes physiques et naturels ; le troisième en affirmant l'unité profonde de la réalité humaine par la définition des idées comme des copies des sens.

La conjonction de ces apports assure l'homme des Lumières de son droit à s'opposer à ce qu'il considère comme erroné à la suite de vérifications ou en vertu de sa propre expérience.

Une philosophie de combat

C'est la France qui recueille l'héritage anglais, grâce aux travaux de Fontenelle (1657-

1757) et surtout à ceux du philosophe protestant Pierre Bayle (1647-1706) qui plaide inlassablement pour l'objectivité et l'esprit de tolérance et dénonce les méfaits du sectarisme et du fanatisme. C'est à lui d'ailleurs que l'on doit l'image des Lumières pour désigner l'esprit nouveau. Ces idées se heurtent toutefois aux réalités politiques et sociales des années 1715-1725. La réaction aristocratique qui succède à l'absolutisme monarchique de Louis XIV place en avant un ordre qui revendique pour lui seul la propriété et le droit de gouverner. Rien de plus étranger aux idées nouvelles. Celles-ci expriment des valeurs individuelles et collectives qui heurtent les pouvoirs d'importantes fractions de la noblesse d'épée ou de robe et du clergé. L'autorité doit désormais se mériter et le privilège du sang n'implique pas celui de la vertu. D'Angleterre, Voltaire et Montesquieu importent des arguments comme autant d'armes pour critiquer les mœurs françaises. Pendant toute une période, jusqu'en 1740-1745, les intellectuels mènent une longue bataille contre la censure, contre les pouvoirs des parlements pour imposer leur liberté d'expression. Aidés par des personnalités, aristocrates ou riches bourgeois, ils aiguisent leurs œuvres, menant une sorte de guérilla littéraire. D'où ce style particulier aux philosophes français : incisif, littéraire, pamphlétaire et didactique à la fois.

Une critique des pouvoirs

Cette exigence de liberté, cette volonté de tout dire, de penser en dehors des chapelles, exprime la formidable révolution intellectuelle en cours à cette époque : l'homme se reconnaît comme le centre du monde. Des mots jusque-là inconnus ou consacrés seulement à Dieu se rapportent désormais au destin de l'homme : le bonheur, la liberté, le matérialisme... Les écrivains, tout en critiquant les pouvoirs politiques ou religieux, s'érigent en une instance informelle, cette fameuse « république des Lettres », société cosmopolite, ouverte, cooptée, ce réseau européen de quelques dizaines de personnes qui, à partir de 1750 et jusqu'à la mort de

Voltaire et de Rousseau, représente l'âge d'or du mouvement. Ces observateurs minutieux de la chose publique inventent la science en même temps que la réforme politique. En peu d'années, la critique des pouvoirs se transforme en une critique du pouvoir. De Montesquieu à Rousseau, l'on passe d'une réflexion sur la hiérarchie des pouvoirs et de leur possible harmonie – en respectant un équilibre dans le cadre d'une monarchie constitutionnelle –, à une affirmation, celle de la souveraineté du peuple au travers de la « volonté générale ». L'absolutisme est battu en brèche. Toutefois, cette critique se heurte à une certaine incompréhension dans la mesure où le sujet invoqué, le peuple, n'apparaît pas encore sur la scène.

Les Eglises contestées

La grande affaire des philosophes reste la question religieuse. Ils refusent la domination de l'Eglise sur la société, l'Etat et la morale individuelle. Cette lutte parcourt tout le siècle, tout comme l'inquiétude religieuse. Une inquiétude qui n'est pas d'ailleurs l'affaire des seuls philosophes. En s'aventurant, même à pas comptés, sur les chemins de la liberté, l'honnête homme de 1750 voit vaciller ses certitudes religieuses. De même, dans les villes comme dans les campagnes, la baisse de la pratique religieuse témoigne de la crise de la ferveur et des dévotions populaires. A la fois intéressé et inquiet sur ses origines, le philosophe conteste les religions révélées et poursuit la voie ouverte par Baruch Spinoza au siècle précédent, celle d'une religion naturelle, un déisme philosophique où Dieu se confond avec la Nature. Quelquefois, il s'avance même vers un athéisme virulent : une littérature clandestine de penseurs radicaux, comme le curé Jean Meslier, se diffuse. L'exercice de la raison humaine n'admet plus les religions révélées et les débats sont virulents en Angleterre, savants en Allemagne et irrévérencieux en France. La dispute théorique côtoie la dénonciation de l'Eglise en tant qu'institution. Ce procès de l'Eglise mobilise Voltaire en France, Pietro Giannone en Italie, Mandeville en Angleterre. Quant au procès de Dieu, c'est au baron d'Holbach de le faire dans un ouvrage intitulé *Le Christianisme dévoilé*. Si les jésuites ont fait les frais de la campagne voltairienne (« Ecrasons l'infâme ! »), on ne saurait en conclure à un mouvement profond de déchristianisation en Europe.

Le français langue universelle

Si le terme de Lumières se traduit dans toutes les langues : *Illuminismo* en italien, *Aufklärung* en allemand, *Enlightenment* en anglais, c'est le français qui est la langue de ce mouvement culturel. Il remplace le latin comme langue d'échange et de confrontation en Europe dans le domaine des lettres et de la politique. Ainsi, c'est en français que les diplomates codifient leurs usages ; c'est en français que Frédéric II écrit et pense, en laissant l'allemand à ses sujets. Cette hégémonie n'est pas le produit des Lumières. Il provient pour beaucoup de l'incontestable succès du siècle du Roi-Soleil, véritable modèle de tous les souverains européens. Il n'est pas jusqu'en Extrême-Orient où la renommée de Louis XIV ne pousse à son imitation. Langue, coutumes de cour, architecture, administration, les idées et les hommes viennent de France : de nombreux petits Versailles tentent d'imiter, sinon d'égaler la gloire du Soleil du XVIIIe siècle.

Le triomphe de l'Etat

Paradoxales Lumières. Affirmant le primat du droit des gens, à la suite de juristes comme le Hollandais Grotius au XVIIe siècle, contre l'absolutisme monarchique, les voilà au faîte de leur gloire, qui favorisent une forme d'absolutisme moderne, le despotisme éclairé. Des souverains d'Europe méditerranéenne s'entourent de conseillers réformateurs comme Pombal au Portugal, Campomanes en Espagne, Dutillot à Parme. En Europe centrale, ce sont les souverains eux-mêmes qui prennent en charge l'ensemble de la politique économique, sociale, étrangère. Catherine II en Russie, Frédéric II en Prusse, Joseph II en Autriche veulent construire un Etat fort, unitaire, où les privilèges communautaires doivent s'effacer devant le service de l'Etat. Ils se considèrent, innovation fondamentale, comme les premiers serviteurs et non plus les possesseurs de droit divin. Cette poussée réformatrice connaît des succès divers, selon l'intelligence politique des souverains. Les plus habiles, comme Frédéric de Prusse ou Catherine de Russie, créent véritablement des Etats centralisés et efficaces ; d'autres, comme Joseph II, accumulent ressentiments et oppositions chez leurs sujets. Ce despotisme, car c'en est un – le pouvoir est concentré comme jamais dans les mains d'une seule

personne – n'éclaire-t-il que les veilles studieuses de souverains cultivés et avides de trouver une gloire facile auprès d'intellectuels fascinés par la puissance de leurs propres discours ? Non, mais leur œuvre reste fragile, car elle dépend de l'impulsion que lui a donnée le souverain. La rechute de la Prusse sous le règne du successeur de Frédéric II, Frédéric-Guillaume II, en apportera la preuve dans les années 1780-1790.

Poids et diffusion des Lumières

L'influence des Lumières sur les sociétés européennes est difficile à estimer. Le public des œuvres des philosophes et des savants se compte en dizaines de milliers dans toute l'Europe. Des aristocrates et de riches bourgeois attendent avec impatience les productions anglaises, hollandaises, ou s'abonnent aux grands projets éditoriaux comme l'*Encyclopédie*. Mais tout cela ne concerne qu'une élite restreinte de la société. Qu'en est-il des autres, l'écrasante majorité ? Les idées nouvelles bénéficient de conditions plus favorables qu'au siècle précédent, multipliant ainsi la portée de leurs effets. Des habitudes d'écriture et de lecture se développent. En France, mais surtout en Angleterre, le XVIIIe siècle est marqué par la croissance rapide de la diffusion de l'écriture. En Angleterre, à la fin du siècle, près de la moitié des paysans riches sait écrire. Seuls les manouvriers, les paysans pauvres, sont totalement exclus. En France, dans les villes, les artisans et les commerçants sont désormais alphabétisés. Des journaux apparaissent, des cafés ouvrent où l'on peut les lire ; dans les campagnes, des colporteurs diffusent les ouvrages de la *Bibliothèque bleue,* des almanachs et des images pieuses. C'est un processus lent et irréversible. Il faut un siècle pour que se réalise le projet de Louis XIV, défini en 1698, de doter la France d'une école élémentaire généralisée. Dans les grandes villes de province, des académies servent de relais aux idées nouvelles, offrant prix et distinctions à des travaux philosophiques.

La croissance démographique

L'optimisme des Lumières, la conviction que l'humanité s'ouvre des horizons d'intelligence et de bonheur reflètent aussi la force d'une démographie conquérante. Les limites imposées par la mort reculent. En un siècle, l'espérance de vie croît d'une dizaine d'années avant que Jenner et la vaccination n'ouvrent une ère nouvelle dans la prévention des maladies. D'ouest en est, les hommes se multiplient. Le Royaume-Uni passe de dix à quinze millions, la France gagne sept millions d'habitants et reste le pays le plus peuplé. Les épidémies se raréfient, même si elles restent présentes comme le montre la

peste de Marseille en 1720. La disette et son cortège de misères marque de son sceau funeste de nombreuses périodes du siècle, sans toutefois égaler les années noires du début du XVIIIe.

L'Europe à la conquête du monde

Cette force de l'Europe, tant en connaissances qu'en hommes, lui permet de poursuivre sa conquête des terres et des mers. Les expéditions scientifiques se multiplient à partir de 1720-1740 pour aboutir aux exploits des Cook ou Bougainville dans les années 1770-1780. La planète entière devient le théâtre des affrontements franco-anglais : on se bat de Madras au Saint-Laurent, alors que les deux pays qui s'opposent ne sont séparés que par l'étroit canal qu'est la Manche.

Le développement des sciences

Héritières des savants des siècles passés, les Lumières multiplient les voies de recherche. Dans une société profondément marquée par les contraintes religieuses, son combat à la fois politique et philosophique libère toute une énergie bridée jusque-là. Cette intense tension novatrice permet le développement de nombreuses sciences, sciences physiques comme la chimie, l'astronomie, la physique ; sciences naturelles comme la botanique, la zoologie ; sciences mathématiques mais aussi et surtout sciences humaines. Philosophie, histoire, sciences politiques, économie, toutes ces disciplines strictement délimitées aujourd'hui trouvent à cette période leurs moments fondateurs. Car l'esprit des Lumières, c'est la volonté encyclopédique, c'est-à-dire l'ordonnancement rationnel d'un savoir particulier ou de tous les savoirs : Linné ou Buffon classant la flore et la faune, Diderot ordonnant le savoir de l'honnête homme.

Diversité et unité des Lumières

Mouvement européen, les Lumières offrent un tableau contrasté selon les lieux où les idées nouvelles se sont adaptées aux réalités locales : libérales en Angleterre, radicales en France, savantes en Allemagne, inégales en Italie, blafardes en Espagne, tragiques en Pologne, superficielles en Russie. Malgré ces jugements contrastés, elles ont été partout marquées par une exigence de liberté et d'autonomie de l'individu. En avril 1771, Diderot caractérise son siècle comme étant « celui de la liberté ». Quelques années plus tard, en 1784, Emmanuel Kant se charge de définir l'homme des Lumières dans son essai *Was ist Aufklärung ?* : « C'est l'homme adulte, enfin sorti de la tutelle, libre et responsable de son propre jugement. »

1731

Autriche, 16 mars
A l'occasion du second traité de Vienne, Charles VI obtient de l'Angleterre la reconnaissance de la Pragmatique Sanction.

Autriche, 22 juillet
L'Espagne adhère aux accords anglo-autrichiens et signe le troisième traité de Vienne.

France
Le cardinal Fleury, inquiet des progrès de la critique philosophique, ordonne la fermeture du club de l'Entresol.

L'architecte Robert de Cotte (Paris, 1656 - Paris, 1735) construit le palais du cardinal de Rohan à Strasbourg.

Voltaire publie *L'Histoire du règne de Charles XII*.

L'abbé Prévost publie les *Mémoires d'un homme de qualité*, vaste roman dans lequel est enchâssée l'*Histoire du chevalier des Grieux et de Manon Lescaut*, dont il ne fera une édition séparée qu'en 1753.

Inde
Dupleix arrive en Inde, nommé gouverneur de Chandernagor.

1732

Allemagne, 11 janvier
La Diète germanique assemblée à Ratisbonne garantit l'application de la Pragmatique Sanction.

France, 22 janvier
Fleury ordonne la fermeture du cimetière de Saint-Médard.

Paris, 19 février
Mort de l'ébéniste André Boulle, « menuisier du roi » depuis 1672, auteur des aménagements intérieurs de Versailles.

Paris, 13 août
Voltaire publie *Zaïre*.

Londres, 7 décembre
Ouverture du théâtre de Covent Garden.

Prusse
Le prince Léopold d'Anhalt organise l'infanterie prussienne ; le service militaire devient obligatoire pour les paysans. →

Nouvelle-Angleterre
Fondation de la colonie anglaise de Géorgie. →

1733

Italie, 28 août
Pergolèse présente *La Servante maîtresse*. →

Pologne, 12 septembre
Début de la guerre de Succession de Pologne à la suite de l'élection de Stanislas Leszczynski. →

France, 10 octobre
La France déclare la guerre à Charles VI. Pour faire face aux dépenses de cette guerre, le contrôleur général Orry rétablit, le 17 novembre, le dixième, impôt de crise qui avait été supprimé sous la Régence.

Asie
Fondation de la colonie espagnole des Philippines.

1734

Autriche, 1er janvier
Charles VI, allié à la Russie et à la Saxe, déclare la guerre à la France.

Pologne, 9 mars
Les Russes prennent Dantzig.

France
Montesquieu publie (sans nom d'auteur) les *Considérations sur les causes de la grandeur des Romains et de leur décadence*.

Voltaire publie ses *Lettres anglaises*. →

Réaumur commence *L'Histoire des insectes*.

Allemagne
Fondation de l'université de Göttingen.

1735

Versailles, 23 août
Rameau fait jouer son opéra *Les Indes galantes*. →

France et Autriche, 5 octobre
Début de préliminaires secrets pour régler la question polonaise. →

France
Le savant français Moreau de Maupertuis organise une expédition en Laponie pour y mesurer la longueur d'un arc de méridien de 1 degré. Comparé aux mesures faites à Paris, le résultat de l'expédition fut de confirmer la théorie de Newton concernant l'aplatissement de la Terre vers les pôles.

Querelles autour du trône de Pologne

Varsovie, 1er février 1733
Une crise dynastique s'installe à Varsovie à la suite du décès du roi Auguste II, le 1er février 1733. Electeur de Saxe depuis 1694, il avait été élu roi de Pologne en 1697. Son élection n'avait pas été facile : l'influence française ayant été assez forte pour provoquer l'élection du prince de Conti, ce dernier, arrivé trop tard à Dantzig, avait dû s'effacer devant son rival imposé par les souverains allemands. Longtemps Auguste II continua de résider en Saxe, à la fastueuse cour électorale de Dresde, se désintéressant des affaires polonaises. Profitant de cette absence, les Suédois imposèrent en 1704 l'élection de Stanislas Leszczynski. Ce dernier ne régna que jusqu'en 1709, date à laquelle les Russes remirent sur le trône Auguste II et occupèrent la Pologne. La mort d'Auguste II ouvre donc une nouvelle crise. Trois candidats se proposent pour occuper ce trône difficile : l'Autriche et la Russie soutiennent tout naturellement le fils d'Auguste II, la Prusse est en faveur de l'infant Emmanuel de Portugal et la France soutient le propre beau-père de Louis XV, Stanislas Leszczynski. Ce dernier est élu par la Diète le 12 septembre 1733. Mais les pressions militaires russe et autrichienne, ainsi que l'or distribué aux électeurs, conduisent une deuxième Diète à annuler le choix de la précédente et à élire le candidat saxon le 25 octobre 1733. Tandis qu'Auguste III est couronné à Varsovie le 17 janvier 1734, Stanislas Leszczynski se réfugie à Dantzig. Se sentant bafoué, le cardinal de Fleury se décide à la guerre et attaque l'empereur sur le Rhin et en Italie, en accord avec l'Espagne et la Sardaine.

Prusse : tous enrôlés, du roi au paysan

Berlin, 1732
Frédéric-Guillaume Ier est surnommé à juste titre le « Roi-Sergent ». Non seulement il a la passion de la chose militaire, mais il se donne les moyens pour l'imposer à l'ensemble de ses sujets. L'armée devient sous son règne la principale institution du pays, qui absorbe la plus grande part des revenus de l'Etat (5 millions de thalers sur 7). Le roi charge le prince Léopold d'Anhalt d'organiser l'infanterie, de moderniser l'armement (emploi de la baïonnette à douille de modèle français), de réglementer l'uniforme (on adopte la couleur bleu foncé pour les fantassins) et surtout de former les troupes en imposant des exercices constants qui développent chez le soldat des réflexes automatiques : ce sont les manœuvres à la prussienne. Pour le recrutement, deux systèmes cœxistent : le volontariat en Prusse et à l'étranger (car les soldats étrangers représentent la moitié de l'effectif global) et le service militaire obligatoire pour les paysans, qui complète le noyau initial permanent. La considérable augmentation des effectifs place ce petit pays, treizième par le chiffre de sa population, au quatrième rang en ce qui concerne les forces armées, derrière la France, la Russie et l'Autriche. Nulle surprise, dès lors, à voir la Prusse, au fil des guerres, affirmer sa puissance et sa capacité à surmonter des revers passagers.

Frédéric-Guillaume Ier, roi de Prusse et prince-électeur de Brandebourg, dit le Roi-Sergent.

Une nouvelle colonie en Amérique

Nouvelle-Angleterre, 1732
La colonisation de la partie méridionale de la côte atlantique de l'Amérique du Nord se poursuit. Après les deux Carolines, celle du Nord en 1721, puis celle du Sud en 1729, c'est au tour des territoires, délimités par la rivière Chattahoocha à l'ouest et la frontière avec la Caroline au nord, de s'ériger en Etat. Les fondateurs ont décidé de le baptiser « Géorgie » en l'honneur du roi d'Angleterre. Les Géorgiens se sont spécialisés dans la culture de plantes tropicales : tabac, coton, riz, maïs et indigo. Ce sont les esclaves noirs amenés d'Afrique depuis 1618 qui, dans chaque plantation, sous la surveillance d'intendants, assurent l'exploitation des terres et les récoltes. Comme les douze autres colonies de la Nouvelle-Angleterre, la Géorgie s'est dotée d'institutions politiques : un gouverneur choisi par les grandes familles est chargé de représenter la couronne d'Angleterre mais c'est à une assemblée élue par les seuls propriétaires que revient la responsabilité de voter les impôts.

Voltaire philosophe anglomane

Paris, 1734

Un éditeur parisien vient de publier des *Lettres anglaises* dont l'auteur, François Marie Arouet, qui se fait appeler Voltaire, est en fuite. Il se cache à Cirey en Champagne auprès de Mme du Châtelet. Ce livre sent le soufre : son éditeur vient d'être emmené à la Bastille et l'ouvrage est condamné à être détruit par le feu par décision du parlement de Paris. Sous couvert de faire l'éloge de l'Angleterre, Voltaire s'adonne à une critique féroce de la société française. Il oppose le régime politique anglais – où le pouvoir royal est muselé par

Voltaire, un jeune auteur qui fait scandale avec ses « Lettres anglaises ».

le Parlement et où fleurissent les « libertés anglaises » héritées de la « Glorieuse Révolution » – au « despotisme » monarchique français. Il compare la « France toute catholique » à la liberté de conscience régnant outre-Manche où se multiplient les sectes religieuses. A un pays où règnent sans partage l'esprit de caste et le préjugé nobiliaire, où l'individu ne peut s'exprimer et où le travail est disqualifié, il préfère une société entreprenante, productrice de richesse, où les mérites et l'initiative trouvent leur récompense. L'empirisme de Bacon ou de John Locke, la science de Newton et les débuts de la science expérimentale lui semblent plus prometteurs que l'héritage cartésien embarrassé de théologie et de métaphysique. Voltaire n'est pas le seul à chanter cet hymne à l'Angleterre : l'anglomanie devient une mode, et il est certainement le mieux placé pour s'en faire le porte-parole : il vient de passer deux ans exilé à Londres et il a eu tout le loisir d'apprendre l'anglais, de lire tout ce que ce pays a produit de notable depuis William Shakespeare jusqu'à Jonathan Swift, en passant par Dryden et Alexander Pope, sans oublier tous les savants, philosophes et hommes politiques qu'il a rencontrés, observés et interrogés, comme Robert Walpole et Bolingbroke.

L'apogée du baroque

L'Europe centrale, des Alpes à la vallée du Danube et du Main, en Souabe, en Bavière, en Saxe, jusqu'en Autriche, en Bohême et en Hongrie, constitue le vaste domaine du monde baroque. Un baroque qui s'est épanoui tardivement sur les ruines laissées derrière elle par la guerre de Trente Ans et qui, empruntant en partie le répertoire des formes du XVIIe siècle italien, a su l'adapter selon des modalités qui lui étaient propres. Deux faits expliquent cet épanouissement : d'une part le mouvement de reconquête catholique, d'autre part l'existence d'une aristocratie aussi bien laïque qu'ecclésiastique qui voyait sa puissance croître et qui étendait ses domaines, avec le goût et les moyens de faire construire de luxueuses résidences. De plus, la division territoriale et l'émiettement politique multipliaient les petites capitales rivalisant de faste. La Résidence de l'évêque de Würzburg, en Franconie (1735-1750), achevée par Balthazar Neumann, l'architecte attitré du prince de Schönborn à qui l'on doit également l'église des Vierzehnheiligen (sanctuaire de pèlerinage aux Quatorze Saints), est parfaitement significative à cet égard. Un autre exemple, dans la même région : le château de Pommersfelden construit par Johann Dientzenhofer.

La Bavière et la haute vallée du Danube constituent un autre domaine, celui des grandes abbatiales (à noter qu'elles appartiennent à des ordres anciens, bénédictins ou cisterciens, rarement aux ordres directement issus de la Contre-Réforme). Citons celle d'Ottobeuren (1737-1766) par Johann Michael Fischer, la Wies (1745-1754) de Dominikus et Johann Baptist Zimmermann pour la Bavière, enfin l'abbaye de Melk (1702-1726), édifiée sur un roc surplombant le Danube et due à l'architecte Jakob Prandtauer pour l'Autriche. En Bohême se détache la personnalité de Christoph Dientzenhofer qui donna à Prague quelques-unes de ses plus belles réalisations.

Noyé sous une décoration foisonnante, le salon des Coquilles, château de Pommersfelden (1711-1716).

Escalier monumental du château de Pommersfelden (1711-1716) construit par Johann Dientzenhofer.

Succès de Pergolèse avec l'opéra bouffe

Naples, 28 août 1733

Le public napolitain manifeste de plus en plus d'intérêt pour les *intermezzi*, ces interludes comiques qui prenaient place pendant les entractes de l'opéra. Depuis 1730, leur originalité s'affirme. Ils se jouent à présent dans les *teatrini* spécialisés ; les intrigues sont tirées de la vie quotidienne et mettent en scène des personnages très typés, servantes rusées et maîtres bornés. Ces farces, en deux ou trois actes, échappent à la grandiloquence du chœur ou du ballet pour se limiter à de petits orchestres. De plus en plus, on les appelle « opéras bouffes ». L'un d'eux fait fureur en ce mois d'août 1733 : *La Servante maîtresse* de Jean-Baptiste Pergolèse, sa seconde œuvre comique. Sur un livret de Gennaro Maria Federico, l'œuvre, très « commedia dell'arte », s'inspire ici de la pièce d'Angelo Nelli où Pasquina, la servante, règne en maîtresse dans la maison du vieil Arnolfo. La distribution se limite à deux acteurs : Serpina (soprano) et Uberto (basse comique) et au rôle muet du domestique Vespone. Les voix sont naturelles, sans ornementation ; l'orchestre se réduit au quintette à cordes avec clavecin et quelques rares interventions des instruments à vent.

"Les Indes galantes" à Versailles

Versailles, 23 août 1735

Les Indes galantes, opéra-ballet de Jean-Philippe Rameau (livret de Fuzelier), sont un prétexte à montrer de fastueux décors et des fantaisies exotiques à grand spectacle. L'argument consiste à présenter les escales de l'amour en route vers des contrées plus paisibles que celles de l'Europe. Les différents tableaux s'intitulent : *Le Turc généreux, Les Incas du Pérou, Les Sauvages*. La Perse constitue l'un des temps forts du spectacle, avec sa fête des Fleurs où dansent de séduisantes odalisques. L'air d'Hébé ou *l'Hymne au soleil* de Huascar contribuent largement à la réussite musicale de ce divertissement. Cependant, la musique très élaborée de Jean-Philippe Rameau dérange les habitudes. Après une carrière de théoricien (*Traité de l'harmonie réduite à ses principes naturels*, 1722) et de claveciniste (*Premier et Deuxième livres de clavecin*, 1722), le compositeur trouve dans l'opéra-ballet un second souffle.

Jean-Philippe Rameau travaillant à un de ses opéras-ballets. Dessin de Carmontelle. Musée Condé de Chantilly.

1736

Allemagne, 17 janvier
Mort de l'architecte Matthäus Pöppelmann (né à Herford en 1662), auteur du Zwinger de Dresde, un des chefs-d'œuvre du baroque saxon : vaste enceinte à ciel ouvert de galeries et de pavillons, ornée de sculptures de Permoser et destinée aux fêtes de la cour.

Autriche, 12 février
Mariage de Marie-Thérèse d'Autriche et de François-Stéphane de Lorraine.

Autriche, 13 avril
Reprise des négociations franco-autrichiennes sur les questions polonaise et lorraine. →

Autriche, 21 avril
Mort du prince Eugène de Savoie, grand homme de guerre, mais aussi humaniste et amateur éclairé (→ 1717).

La Haye, 16 septembre
Mort du physicien allemand Daniel Fahrenheit (né à Dantzig en 1686), inventeur d'une échelle thermométrique toujours en usage dans les pays anglo-saxons.

Empire ottoman, 17 octobre
Charles VI déclare la guerre aux Turcs et s'empare de Nich, tandis que les Russes prennent Azov (→). Les Ottomans s'allient à la Perse.

1737

Paris, 16 mars
Création au théâtre des Italiens de la comédie de Marivaux Les Fausses Confidences.

Italie, 18 décembre
Mort du maître luthier Antonio Stradivarius à Crémone.

Empire ottoman
Les Turcs reprennent Nich et Vidin aux Autrichiens et chassent les troupes russes de Crimée. →

Suède
Carl von Linné fait paraître son Systema Naturae et propose une nouvelle classification des végétaux. →

1738

Autriche, 2 mai
Le quatrième traité de Vienne met fin à la guerre de Succession de Pologne et règle également la question lorraine. →

Angleterre, 24 mai
John Wesley (1703 - 1791) fonde la première association méthodiste et Whitefield commence ses prédications. →

France
Création à Vincennes d'une manufacture de porcelaine, qui sera transférée à Sèvres en 1756, sur l'initiative de Mme de Pompadour, et deviendra, en 1759, Manufacture royale.

1739

Inde, 20 mars
Nâdir Shâh conquiert Delhi et s'empare du trône du Paon. →

Autriche, 18 septembre
Les Autrichiens reculent dans les Balkans. Après la prise de Belgrade par les Turcs, l'Autriche négocie et, en signant le traité de Belgrade (23 septembre), elle perd la petite Valachie et le nord de la Serbie.

Angleterre, 19 octobre
L'Angleterre entre en guerre contre l'Espagne à propos de questions frontalières en Floride et de mauvais traitements infligés à des sujets britanniques : un marin britannique dénommé Robert Jenkins a exhibé en plein Parlement l'oreille que lui auraient coupée les Espagnols. D'où le surnom que prit ce conflit : la guerre de l'Oreille ou War of Jenkin's Ear.

Angleterre
David Hume publie le Traité de la nature humaine. →

Amérique du Sud
Création, par les Espagnols, de la Nouvelle Grenade en tant que vice-royauté indépendante, englobant tous les territoires compris entre l'Amazone et l'Orénoque.

Paris
Edme Bouchardon (1698 - 1762) sculpte les statues de la fontaine des Quatre Saisons, rue de Grenelle.

Angleterre
Troubles sociaux dans le Yorkshire.

Inde
Fondation de Karikal, sur la côte sud-est de l'Inde.

Amsterdam
Voltaire fait publier à Amsterdam L'Anti-Machiavel, écrit par Frédéric de Prusse. →

Succès diplomatique français à Vienne

Charles VI, empereur d'Allemagne.

Vienne, 2 mai 1738
C'est après trois ans de négociations difficiles que le traité mettant fin à la crise ouverte par la succession de Pologne est signé. On sait qu'après la mort d'Auguste II, deux candidats s'étaient affrontés : Stanislas Leszczynski, le premier élu soutenu par la France, et Auguste III, appuyé par l'Autriche, la Saxe et la Russie. Après l'élection d'Auguste III, la France déclara la guerre à l'Autriche le 10 octobre 1733. Un corps expéditionnaire fut envoyé pour délivrer Stanislas prisonnier dans Dantzig assiégée par les Russes, mais il échoua en mai 1734. Dès lors, l'essentiel des opérations se déroula à l'ouest. Fleury, en effet, plutôt que d'attaquer Charles VI du côté des Pays-Bas autrichiens, ce qui aurait alarmé l'Angleterre, préféra mener la guerre en Italie et sur le Rhin. Le maréchal de Berwick s'empara de Kehl et de Philippsburg le 28 octobre 1733, tandis qu'en Italie le vieux maréchal de Villars occupait le Milanais (29 décembre) et que Coigny, son successeur, écrasait les troupes impériales à Parme le 29 juin et à Guastalla le 19 septembre de l'année suivante. Pendant ce temps, l'Espagne et la Sardaigne, alliées à la France, envahissaient Naples et la Sicile. Après cette série de victoires, Fleury, craignant toujours une intervention de l'Angleterre, s'empressa d'engager des négociations avec Charles VI en octobre 1735 ; elles débouchèrent sur une convention franco-autrichienne le 13 avril 1736. Elle stipulait qu'Auguste III resterait sur le trône de Pologne, mais qu'en échange de la reconnaissance par la France de la Pragmatique Sanction, le duc de Lorraine François III, époux de Marie-Thérèse, héritière du trône d'Autriche, devrait abandonner son duché à Stanislas Leszczynski contre l'obtention de la Toscane à la mort du dernier Médicis. Charles VI obtint Parme et Plaisance, tandis que Don Carlos d'Espagne recevait Naples et la Sicile. Les négociations traînèrent en longueur du fait de l'Angleterre et de l'Espagne. Le traité de Vienne confirme les négociations antérieures. La France en retire des avantages à moyen terme, bien que l'Autriche apparaisse en position de force.

La Russie intervient dans les Balkans

Belgrade, 23 septembre 1739
Le traité signé à Belgrade par les Autrichiens et les Ottomans met fin au nouveau conflit entre les deux empires. L'Autriche, en revenant aux frontières définies en 1699 à Carlowitz, est la grande perdante d'une guerre dans laquelle la Russie l'a entraînée au nom d'un accord d'assistance militaire. En 1736, les troupes russes occupent la ville d'Azov en Crimée aux dépens des Ottomans. La tsarine Anna Ivanovna convoite les principautés balkaniques de Moldavie et de Valachie ; et au moment de la signature du traité, les Russes occupent la ville de Iassy (Valachie).

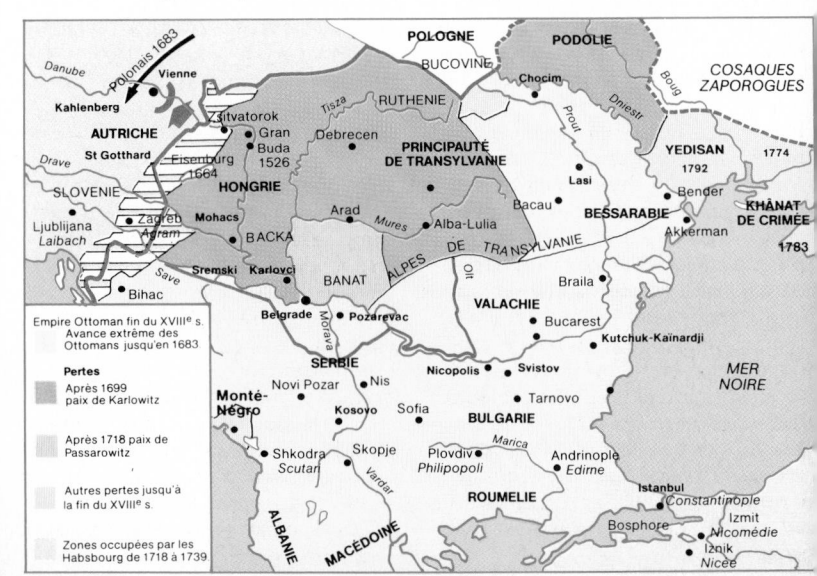

Frédéric de Prusse : un prince éclairé

Berlin, 31 mai 1740

Frédéric II, qui vient de succéder à son père, est d'un caractère bien différent. Frédéric-Guillaume Ier était avant tout un soldat (→ 1732). Pour lui, gouverner c'était poursuivre l'œuvre des Hohenzollern, maintenir et, si possible, accroître leur héritage. L'attachement qu'il portait

Frédéric le Grand, roi de Prusse. Formé à l'école des philosophes, il se voulut un prince éclairé.

à la religion était de même nature, étroit et borné. Son fils, en revanche, fait figure d'intellectuel. Grand amateur de livres, notamment de livres français, poète à ses heures, également musicien, il a fait le désespoir de son père qui ne voyait en lui qu'un « petit marquis », un « joueur de flûte », incapable de remplir les fonctions d'un roi ou d'un soldat. Lorsque, enfin maître de ses actes et libre d'avoir les amis qu'il voulait, Frédéric séjournait au château de Rheinsberg, il s'entourait d'une petite société d'esprits libres et originaux, des étrangers souvent, comme le Genevois Jordan. Le temps que lui laissait son service, il le consacrait à étudier, à lire, à écrire, ou bien à converser avec ses amis. Il vouait une admiration sans limite à l'œuvre de Pierre Bayle et les volumes du *Dictionnaire* étaient ses livres de chevet. A pareille école, il apprit vite à se poser en critique des traditions, des usages et des idées reçues. Réfléchissant au métier de roi qui serait le sien, il estimait que la raison devait inspirer les gouvernements et qu'un bon roi devait être au service de l'Etat et de ses sujets, n'aspirant qu'à devenir « le premier serviteur de son Etat ». Telle était la substance de son premier livre, publié en 1739, *L'Anti-Machiavel*.

Le botaniste Linné classifie la flore

Suède, 1735

Carl von Linné est né à Rashult en Suède en 1707. Après de médiocres études de médecine, terminées en Hollande en 1735, il se tourne vers la botanique. Il bénéficie dans ce domaine des travaux de ses prédécesseurs, mais il est le premier à proposer une classification systématique des animaux et des végétaux. Celle-ci repose sur deux critères : le premier détermine le genre et le second définit l'espèce. Sa classification porte

Carl von Linné.

pour cette raison l'appellation de nomenclature binaire. La première édition de *Systema Naturae*, fruit d'une collaboration avec son ami Peter Artedi, paraît en 1735 en Hollande, où il séjourne jusqu'en 1738. Rentré en Suède, il occupe une chaire de botanique à l'université d'Uppsala. Il y fonde l'Académie des sciences. Bien qu'auteur d'une œuvre considérable (*Fundamenta botanica, Genera plantorum*) qui devait assurer son renom, Linné s'est montré assez indifférent aux grands débats de la biologie de son temps. Il fut notamment un adversaire du transformisme naissant.

David Hume défenseur de l'empirisme

Londres, 1739

Le jeune philosophe David Hume, né le 26 avril 1721 à Edimbourg, vient de publier un *Traité de la nature humaine*. Le public lettré lui fait un accueil glacial. En effet, l'ouvrage s'oppose aux idées communément admises désormais sur la toute-puissance de la Raison. Marchant sur les traces de John Locke et de George Berkeley, il affirme que notre connaissance provient seulement de notre expérience, c'est-à-dire des impressions sensibles que nous ressentons lors de nos contacts avec les choses et les êtres. David Hume tente ainsi d'appliquer à l'étude du comportement humain les principes naissants de la « science expérimentale » qu'Isaac Newton a appliqués il y a peu à l'étude des phénomènes naturels. Il rejette avec scepticisme les idées abstraites comme autant de principes dogmatiques. Résolument empiriste, il pense que les différents savoirs sont plutôt produits par l'habitude et la coutume que par la raison et l'observation. Pessimiste, il ne croit guère à la possibilité pour l'esprit humain de se transformer. Néanmoins, il ouvre la voie à des recherches plus précises et plus nuancées sur la nature de l'homme. L'influence de cet ouvrage ne se fera sentir que lorsque le philosophe allemand Emmanuel Kant le commentera abondamment.

Nâdir Shâh s'empare du trône du Paon

Delhi, 20 mars 1739

Chef de guerre ambitieux, Nâdir Shâh (né en 1688 à Kubkan) servit tout d'abord la dynastie régnante des Safavides avant de prendre lui-même le pouvoir en Perse et de s'engager sur la voie de nombreuses conquêtes. Il s'employa à mettre de l'ordre au Khurâsân, avant de marcher contre les Afghans qui tenaient encore Ispahan et l'Iran central. En 1729, il les écrasa à Mehmandoust, les battit à Mortchekhort et finit par disperser leurs dernières forces. En 1736, après s'être illustré dans des campagnes contre les Ottomans, en Irak (1733) où il assiégea Bagdad, et en Transcaucasie (1734-1735) où il prit Erevan,

A la cour du shâh de Perse. Miniature illustrant un manuscrit du « Shâh-Nâmeh » (Livre des rois) de Firdûsi. XVIIe siècle. Musée national, Copenhague.

Nâdir se fit couronner le 8 mars 1736. L'année suivante, Nâdir Shâh reconquiert la province de Kandahar d'où était partie la révolte afghane. Après ce succès, il entreprend sa campagne la plus fameuse. Il pousse jusqu'à Delhi où il entre le 20 mars 1739, aux côtés de l'empereur moghol dont il vient de battre les forces, numériquement supérieures. Il demeure deux mois à Delhi et impose au vaincu le versement d'une rançon considérable. Il ramène dans ses bagages le fameux trône du Paon (réalisé sous le Grand Moghol Shâh Jahân). Homme de guerre, Nâdir Shâh négligera les affaires intérieures. La population demeurera écrasée de taxes et de corvées. Trahi par sa propre famille, Nâdir Shâh sera assassiné en juin 1747.

John Wesley fonde le mouvement méthodiste

Angleterre, 24 mai 1738

Le 24 mai 1738, le prêtre anglican John Wesley, lors d'une réunion fervente, « sent son cœur s'échauffer étrangement ». Cette révélation l'incite à développer plus systématiquement les méthodes d'évangélisation mises au point quelques années plus tôt par le Holy Club, une société pieuse réunissant quelques étudiants du Lincoln College d'Oxford qu'il a fondée avec son frère Charles vers 1730. La lecture collective des livres saints et les visites auprès des pauvres les éloignent progressivement des notables ecclésiastiques. A partir de 1739, aidés par George Whitefield, ils formeront des équipes de prédicateurs itinérants, s'adressant aux foules ouvrières et paysannes rassemblées en plein air. Le mouvement, le Réveil méthodiste, connaîtra un large succès dans les colonies anglaises à cause du syncrétisme qu'il propose entre le corps de doctrine anglican et les apports catholiques comme celui du rôle des « œuvres » dans la foi.

Naissance du mouvement wahhabite

Arabie, 1739-1744

En plein milieu du XVIIIe siècle, au centre de l'Arabie, un juriste du Najd, Muhammad ibn Abd al-Wahhab (1703-1791), fonde un mouvement « à la fois religieux et politique, arabe et musulman » qui se propose de restaurer l'islam dans sa pureté primitive, face au shi'isme iranien et au sunnisme décadent des Ottomans. La théorie wahhabite, où la foi est inséparable de la pratique religieuse, prône la croyance dans l'absolue unité divine et abolit toute croyance susceptible de rappeler le polythéisme (visite des tombes, vénération des saints, etc.). La nature vue par le Coran étant primordiale et incréée, elle condamne toute innovation par rapport à l'enseignement originel de l'islam. En 1744, la famille Ibn Sa'ûd se rallie à la doctrine d'Ibn Abd al-Wahhab. L'émir et le cheikh se jurent une « fidélité réciproque ». De ce pacte date véritablement la naissance de l'Etat wahhabite, théocratie légalement instituée.

1740

Prusse, 31 mai
Mort de Frédéric-Guillaume Ier ; son fils Frédéric lui succède. →

Russie, 17 octobre
Mort de la tsarine Anna Ivanovna ; Ivan VI lui succède.

Autriche, 19 octobre
Mort de Charles VI. L'héritage de Marie-Thérèse est contesté. →

Prusse, 16 décembre
Frédéric II envahit la Silésie. →

Jersey
Mort de Jean Cavalier (né en 1679), ancien chef des camisards. Passé au service des Anglais, il était devenu gouverneur de Jersey.

Paris
Jean-Baptiste Chardin peint *Le Benedicite.* →

1741

Angleterre, mai-juin
Echec électoral de Walpole qui doit faire face à l'opposition des « patriotes ».

Vienne, 28 juillet
Mort du compositeur italien Antonio Vivaldi.

Suède, août
La Suède déclare la guerre à la Russie.

Russie, 24 novembre
Révolution de palais : Elisabeth Petrovna renverse son propre mari Ivan VI.

Ile d'Avatcha, 19 décembre
Béring meurt de scorbut au cours d'une expédition. L'île porte aujourd'hui son nom.

France
Début d'une crise économique.

Maurice Quentin-Latour présente au Salon le *Portrait du président de Rieux.* Marivaux publie son roman *La Vie de Marianne.*

Inde
Les Mahrates menacent Pondichéry et Madras.

1742

Allemagne, 24 janvier
L'électeur de Bavière est élu empereur d'Allemagne. →

Greenwich, 25 janvier
Mort de l'astronome anglais Edmond Halley.

Angleterre, 13 février
Walpole démissionne ; il est remplacé par Carteret.

Dublin, 13 avril
Le Messie de Haendel. →

Prusse, 11 juin
La paix de Breslau met fin au conflit austro-prussien. →

Rome, 11 juillet
Bulle papale condamnant l'action des jésuites en Chine. →

Pérou
Révoltes indiennes. →

Londres
Edward Young publie *Les Nuits.*

Inde
Dupleix est nommé gouverneur général des Indes.
Les Mahrates attaquent les Anglais à Calcutta.

1743

France, 29 janvier
Mort du cardinal de Fleury. →

Bavière, 27 juin
L'Autriche administre le pays.

Suède, 17 août
Par le traité d'Abö (aujourd'hui Turku), la Suède cède à la Russie tout le sud-est de la Finlande.

France et Espagne, 28 octobre
Second pacte de famille entre les deux lignées de Bourbons.

Nouvelle-Angleterre
Fondation de l'American Philosophical Society.

1744

Naples, 23 janvier
Mort de Giambattista Vico. →

Londres, 30 mai
Mort du poète Alexander Pope (né à Londres en 1688).

Prusse-Autriche, 16 août
Offensive prussienne. →

Paris, 8 décembre
Début de la faveur de Mme de Pompadour (→ 1745).

Arabie
Adopté par la famille des Sa'ûd, le mouvement wahhabite se confondra désormais avec la dynastie sa'ûdite et en partagera le sort.

L'héritage impérial contesté par l'électeur de Bavière

Vienne, 19 octobre 1740
Un nouveau conflit se profile à l'horizon à la suite de la disparition de l'empereur Charles VI. Qui va lui succéder ? N'ayant que des filles, il avait promulgué en 1713 la Pragmatique Sanction en vertu de laquelle, à sa mort, ses Etats héréditaires seraient transmis par les femmes à Marie-Thérèse, la dignité impériale devant revenir à son mari. Pendant plus de vingt ans, il tenta de faire admettre ce règlement successoral à toute l'Europe. Il y parvint, peu à peu, moyennant diverses concessions. Mais, dès l'avènement de Marie-Thérèse, certains reviennent sur leur décision, notamment ses deux beaux-frères, l'électeur de Saxe et surtout l'électeur de Bavière, Charles-Albert. De son côté, la France avait reconnu la Pragmatique Sanction lors de la signature du traité de Vienne en 1738, mais le parti anti-autrichien, animé par le maréchal de Belle-Isle, poussait Louis XV à soutenir l'électeur de Bavière ; il réussit à imposer cette solution contre l'avis de Fleury. Par le traité de Nymphenbourg du 28 mars 1741, la France, l'Espagne, Naples et l'électeur Palatin s'allient pour favoriser la candidature de Charles-Albert. La Prusse prend le même engagement par le traité de Breslau le 5 juin 1741. Frédéric II, profitant de l'isolement de l'Autriche, envahit la Silésie dont il revendique la souveraineté en vertu d'un ancien traité conclu entre le Brandebourg et la Pologne. Marie-Thérèse, dont l'armée est battue à Mollwitz le 5 avril 1741, cède aux exigences prussiennes par le second traité de Breslau le 11 juin 1742. Les troupes franco-bavaroises de leur côté, après avoir pris Linz, remontent la Vltava et occupent Prague où l'électeur de Bavière se fait proclamer roi de Bohême le 7 décembre 1741, avant d'être élu empereur d'Allemagne à Francfort sous le nom de Charles VII le 24 janvier 1742. Tout semble perdu pour Marie-Thérèse ; mais sûre de son bon droit, elle se fait couronner en juin 1741 reine de Hongrie et parvient à reconquérir la Bohême avec l'aide de la cavalerie hongroise et le soutien de l'Angleterre, tandis qu'une autre de ses armées envahit la Bavière. Elle récupère Prague le 26 décembre 1742 et obtient de Charles VII, par le traité de Hanau, qu'il renonce à la Bohême en échange de la Bavière. Pendant ce temps, les troupes françaises qui se replient sont battues à Dettingen le 23 juin 1743 et doivent repartir à l'offensive dans les Pays-Bas. L'engagement a lieu à Fontenoy, où le maréchal de Saxe défait la coalition anglo-autrichienne le 11 mai 1745. Le principal opposant à Marie-Thérèse meurt et son fils conclut rapidement avec elle un traité de paix à Füssen le 22 avril 1745. L'époux de Marie-Thérèse, François de Lorraine, pourra enfin ceindre la couronne impériale le 15 septembre 1745. La Prusse sera la grande bénéficiaire de l'affaire : le 25 décembre de la même année, la paix de Dresde viendra conforter sa souveraineté sur la Silésie.

L'action des jésuites en Chine condamnée par le Vatican

Rome, 11 juillet 1742
Par la bulle *Ex quo singulari* qu'il vient de signer ce 11 juillet 1742, le pape Benoît XIV met définitivement fin à la « Querelle des rites ». On sait que les jésuites installés en Chine depuis la fin du XVIe siècle pensaient que les conversions seraient plus nombreuses et plus aisées si, dans leurs prédications, ils pouvaient faire une part à la tradition religieuse et intellectuelle de la Chine. D'où la bienveillance qu'ils n'ont cessé depuis de témoigner envers le confucianisme, allant jusqu'à accepter le culte des ancêtres et même les idoles domestiques. Ces « rites chinois », en quelque sorte une version sinisée du christianisme, ont rencontré l'hostilité des autres missionnaires, franciscains ou dominicains, qui en ont appelé à l'arbitrage pontifical. Déjà condamnés par Clément XI en 1715, les jésuites n'en avaient eu cure. Mais, cette fois, la décision prise par Benoît XIV, relativement mal disposé envers eux, est sans appel.

"Front de couleur" contre les Espagnols au Pérou

Pérou, 1742
Sous la conduite de Juan Santos, un Indien originaire de la région de Huarochiri, les masses indiennes de la vice-royauté du Pérou s'insurgent contre les Espagnols et contre leur situation d'esclaves. En deux siècles, la population indienne a été réduite des neuf dixièmes par les guerres, les maladies et le travail forcé dans les mines d'or et d'argent. Renouant avec la tradition inca, Juan Santos se proclame empereur sous le nom d'Atahualpa II. Le mouvement embrase le plateau central du pays et obtient quelques succès militaires. Puis il gagne Lima où un embryon de « front de couleurs » se constitue contre l'aristocratie. Aux Indiens évolués que les Espagnols traitent avec ménagement parce qu'ils descendent des anciennes familles princières se mêlent pour la première fois des Noirs. La révolte sera mâtée l'année suivante et donnera lieu à une répression sanglante.

Chardin, peintre de l'intimité

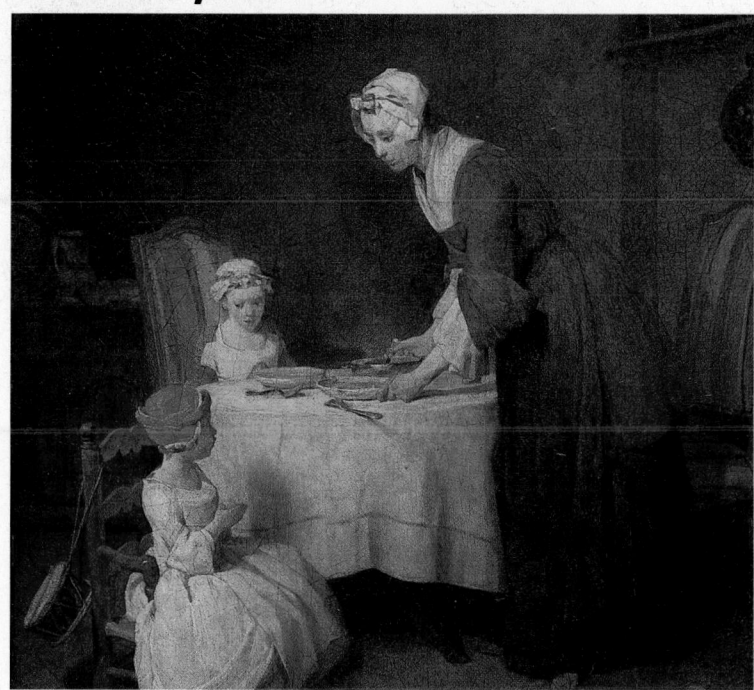

Jean-Baptiste Chardin. « Le Benedicite ». 1740. Détail. Musée du Louvre, Paris. Chardin est aussi un maître de la nature morte.

Paris, 1740

Peintre du silence et du recueillement, Jean-Baptiste Chardin (né à Paris le 2 novembre 1699) observe les êtres et les objets qui l'entourent. Ici, le silence est à peine troublé par un chuchotement de la jeune mère dictant à ses enfants la prière qui précède le repas : « Bénissez, Seigneur... » Le petit tambour suspendu à la chaise et la baguette qui a roulé à terre évoquent discrètement les jeux passés. Chardin aime peindre femmes et enfants dans l'intimité de la vie quotidienne : *L'Enfant au toton*, *Le Jeune Dessinateur*, *La Mère laborieuse*. Jamais il n'exécuta un portrait de commande ; il se contenta de représenter ce qu'il voyait autour de lui, dans le cercle de la stricte intimité domestique. Surtout connu comme peintre de natures mortes, genre dans lequel il excelle (*La Raie* ou *Le Buffet* du musée du Louvre), Jean-Baptiste Chardin se convertit vers 1733 à la scène de genre qui lui convient bien également, les deux préoccupations n'étant pas contradictoires. L'homme y est toujours présent. Quand il choisit des objets polis, patinés par l'usage, il invente de nouveaux assemblages et découvre à chaque fois un rythme qui n'est jamais monotone, ni ennuyeux. C'est pourquoi, dans l'exercice de ce genre pourtant considéré comme mineur au XVIIIe siècle, Jean-Baptiste Chardin acquit la réputation d'un grand maître.

Quentin de La Tour, peintre mondain

Paris, Salon de 1741

Maurice Quentin de La Tour (né en 1704 à Saint-Quentin) est devenu le peintre adulé de l'aristocratie : les plus hautes personnalités veulent poser pour lui. Il doit sa célébrité à l'art avec lequel il explore les possibilités du pastel qu'il considère, à l'égal de la peinture à l'huile, comme un moyen d'expression à part entière. Le *Portrait du président de Rieux*, qu'il expose au Salon de 1741, impressionne par ses dimensions (210 × 181 cm). La Tour prépare d'abord des dessins pour définir l'architecture des visages auxquels il insuffle la vie par le jeu de poudres colorées, subtiles et fragiles.

Madame de Pompadour par Maurice Quentin de La Tour. 1755.

Triomphe pour le "Messie" de Haendel

Dublin, 13 avril 1742

Le 22 août 1741, le compositeur Georg Friedrich Haendel (né le 23 février 1685 à Halle, en Allemagne) entamait avec passion la musique de son *Messie*, sur un texte de l'Anglais Carl Jennens. En vingt-quatre jours l'*Oratorio* était achevé : « Je crois bien que j'ai vu le ciel tout entier s'ouvrir devant moi et surgir le Dieu tout-puissant lui-même », s'écrie l'auteur en larmes. L'œuvre est jouée le 13 avril 1742 à Dublin. Des journalistes qui ont assisté aux répétitions font part de leur enthousiasme dans la presse locale. Et c'est tout un peuple bourdonnant d'impatience qui accourt au *New Music Hall* de Fishamble Street. Plus de sept cents personnes sont déjà installées, mais la plus grande partie doit rester dehors. Pressentant le succès, le *Falkner's Journal* a demandé que, pour permettre de gagner de la place, les dames ne portent pas leurs crinolines, ni les messieurs leur épée. Les chœurs sont fournis par la cathédrale. Les solistes Baily et Mason et Mme Avolio entourent Mlle Cibber, la triomphatrice de la soirée. La représentation rapporte quelque quatre cents livres aux œuvres de charité. La musique de Haendel a atteint ici le sommet de son pouvoir expressif et de sa force dramatique, notamment grâce au rôle capital des chœurs (rappelons le célèbre *Alléluia*) ainsi qu'à la puissance de l'accompagnement instrumental.

Le cardinal de Fleury : un modéré efficace

Issy, 29 janvier 1743

Le cardinal de Fleury, qui vient de mourir, était arrivé tardivement à la politique. Né en 1653, d'origine modeste, il était entré dans les ordres et avait très rapidement trouvé sa place dans l'entourage royal. Aumônier de Louis XIV en 1683, bien en cour, soutenu par les jésuites, il était devenu en 1714 le précepteur du futur Louis XV. Il sut s'attacher son élève et, patient autant que tenace, il avait attendu son heure. C'est en 1726, à soixante-treize ans, qu'il succéda au duc de Bourbon au poste de Premier ministre ; deux mois plus tard il était nommé cardinal. Il sut s'entourer d'hommes de valeur, comme Le Peletier des Forts et Orry aux Finances, Chauvelin aux Affaires étrangères ou Maurepas à la Marine. Il s'attacha principalement à restaurer l'autorité de l'Etat. Mais les problèmes religieux restaient un ferment d'agitation. La crise janséniste se prolongeait autour de la bulle *Unigenitus*, que le Parlement, par tradition gallicane, refusait d'enregistrer : lorsqu'en 1730 une déclaration royale fit de la bulle une loi d'Eglise et d'Etat, Fleury fit taire les parle-

Vico, un grand philosophe ignoré

Naples, 23 janvier 1744

Le philosophe, historien et juriste Giambattista Vico avait publié en 1725 *Les Principes d'une science nouvelle relative à la nature commune des nations*, fruit de trente années de méditations. Hostile à la vision cartésienne d'un univers dont les mathématiques suffiraient à expliquer l'essence, Vico y proposait une synthèse entre la philosophie et l'histoire. Ses *Principes d'une science nouvelle* décrivaient le cycle de la civilisation en trois âges : le divin, l'héroïque et l'humain. Le premier est celui des dieux et des mythes, le second celui du règne des héros et de la force matérielle, le dernier est la période de civilisation. Tous les peuples passent par ces trois états qui expriment la marche des sociétés vers une histoire idéale déterminée par des lois. Ces lois éternelles, manifestations de la Providence, s'incarnent dans le pouvoir créateur de l'homme qui leur fait écho. Les nations croissent et, à l'apogée de leur civilisation, vieillissent puis se dissolvent, engendrant le retour cyclique des mêmes événements. Le grand intérêt de Vico tient à son étude qui s'exprime des aspects « obscurs » de l'histoire, dans la vie religieuse, morale et politique. Vico meurt en 1744 dans le dénuement matériel et intellectuel. Il ne sera véritablement découvert qu'en 1835 par Michelet et sera considéré comme l'un des précurseurs des sciences sociales modernes.

Le cardinal de Fleury par Hyacinthe Rigaud. Musée des Beaux-Arts, Perpignan.

mentaires. En politique extérieure, il était résolument pacifiste. Attaché à l'alliance anglaise, il trouva en Walpole un partenaire idéal. Certains cependant regrettaient la politique trop pacifique du cardinal et lorsqu'en 1733 débuta la guerre de Succession de Pologne, il ne put leur résister : contre son gré, il dut engager la France dans le conflit.

1745

Europe, 8 janvier
L'Angleterre, l'Autriche, la Saxe et les Provinces-Unies contractent une alliance contre la Prusse.

Saint Empire, 22 avril
L'Autriche et la Bavière signent le traité de paix de Füssen.

Fontenoy, 11 mai
Victoire militaire française contre les Anglais. →

Dresde, 25 décembre
La paix signée avec Charles VII lui ayant donné la Silésie, Frédéric II s'engage, à la mort de celui-ci, de reconnaître comme empereur d'Allemagne François de Lorraine.

Angleterre
Publication par Edward Young (1683-1745) d'un recueil de poèmes intitulé *Les Nuits*.

Le peintre William Hogarth (1697-1764) achève l'une des ses séries de « tableaux de mœurs » parmi les plus fameux : *Le Mariage à la mode* (→ 1764).

Débarqué en Ecosse en juin 1744, Charles-Edouard, le petit-fils de Jacques II, mobilise les nobles écossais des Highlands contre le roi et s'avance jusqu'à Derby.

France
Jean-Baptiste Machault d'Arnouville, intendant du Hainaut, est nommé contrôleur général des Finances.

1746

Bruxelles, 21 février
Les troupes françaises occupent la ville.

Angleterre, 1er avril
G. Friedrich Haendel présente son oratorio *Judas Macchabée*.

Culloden, 27 avril
Le prétendant Stuart Charles-Edouard est battu par l'armée de George II et s'enfuit en France.

Autriche-Russie, 2 juin
Les deux empires contractent une alliance dirigée contre la Prusse et l'Empire ottoman.

Madrid, 9 juillet
A la mort de Philippe V, son fils Ferdinand VI lui succède.

Madras, Inde, 20 octobre
La flotte française s'empare de la ville (→ 1754).

Paris
Le philosophe Condillac (1715-1780) publie l'*Essai sur l'origine des connaissances humaines* (→ 1754).

Denis Diderot publie ses *Pensées philosophiques* (→ 1751).

Nouvelle-Angleterre
Fondation de l'université de Princeton.

1747

Paris, 10 janvier
Disgrâce du marquis d'Argenson. Trudaine fonde l'Ecole des Ponts et Chaussées.

Potsdam, 7 mai
J.S. Bach dédie son *Offrande musicale* à Frédéric II. →

Perse, 10 juin
Nâdir Shâh est assassiné à Fathabad.

Flandres, 16 septembre
Après la bataille de Lawfeld (2 juillet), la prise de Berg-op-Zoom consolide l'occupation française des Flandres autrichiennes.

Provinces-Unies
La république est renversée et le titre de stathouder (gouverneur de province) est rétabli au profit du prince d'Orange Guillaume IV de Nassau.

Pékin
Le palais d'Eté de l'empereur Qianlong est aménagé à l'occidentale.

1748

Aix-la-Chapelle, 18 octobre
Signature du traité qui met fin à la guerre de la Succession d'Autriche. →

Genève, novembre
Publication de *L'Esprit des lois* de Montesquieu.

Londres
Le philosophe David Hume publie ses *Essais philosophiques sur l'entendement humain*.

Italie
Découverte des ruines de Pompéi. →

France
Le philosophe La Mettrie (1709-1751) publie *L'Homme-machine*.

Banquet en l'honneur du couronnement de l'empereur d'Allemagne François Ier Stéphane dans la salle des Empereurs à Francfort, le 4 octobre 1745.

L'Autriche en fête pour Marie-Thérèse et François-Stéphane

Francfort-sur-le-Main, 13 septembre 1745
François-Stéphane de Lorraine, grand-duc de Toscane, corégent des Etats autrichiens à la mort de l'empereur Charles VI, vient d'être couronné empereur d'Allemagne dans Francfort en liesse. Il est élu par le Collège des neuf princes électeurs, qui comprend les archevêques de Trèves, de Mayence et de Cologne, les électeurs de Saxe, de Hanovre, de Bavière, du Palatinat et du Brandebourg, par sept voix et deux abstentions le 13 septembre. Il succède à Charles VII de Bavière, mort le 25 janvier. Le mari de Marie-Thérèse, qu'il a épousée en 1736, est né à Nancy en 1708. Fils du duc Léopold, il fut envoyé dès 1723 à la cour de Vienne et devint en 1730 gouverneur de Hongrie.

La Pompadour, maîtresse du roi et femme de tête

Paris, 1745
Peu après la mort de la duchesse de Châteauroux, monte l'étoile d'une nouvelle favorite. Née Jeanne Poisson en 1721, elle était devenue Jeanne Lenormand d'Etioles par son mariage avec un homme de la petite noblesse. En avril 1745, Louis XV l'installe à Versailles et la fait marquise de Pompadour. Belle, intelligente, cultivée, la nouvelle maîtresse officielle du roi est très liée au milieu des grands financiers, ainsi qu'au monde des gens de lettres. Comme la duchesse de Châteauroux avant elle, la marquise de Pompadour tient à jouer un rôle politique. Semblable chose ne s'était jamais produite sous le règne de Louis XIV. C'est elle qui pousse le roi à faire sienne la cause des gens d'affaires, comme les Pâris-Duverney (son père avait été commis des frères Pâris du temps de Law). Elle obtient le renvoi d'Orry et la nomination de Machault d'Arnouville, qu'elle appuie dans ses tentatives de réformes. Ennemie du parti dévot, elle protège les philosophes, recevant Voltaire, Montesquieu et même Rousseau, favorisant la publication de *L'Encyclopédie* malgré l'opposition du clergé et du Parlement. Par l'intermédiaire de son frère, le

Maurice Quentin de La Tour. « Portrait de la marquise de Pompadour ». 1755. Musée du Louvre, Paris.

marquis de Marigny, qu'elle fait nommer directeur des Bâtiments royaux, elle règne sur tout le monde artistique de la capitale, impose son goût, aide peintres et architectes par ses commandes. Quentin de La Tour, Boucher, Pigalle et J.-A. Gabriel lui doivent beaucoup. Mondaine, elle donne le ton à la société qu'elle entraîne dans une vie de plaisirs. Beaucoup lui tiennent rigueur des sommes considérables qu'elle fait dépenser au roi. Elle mourra en 1764.

Maurice de Saxe au service de la France

France, 11 mai 1745

Tout Paris fête le héros du jour, le vainqueur de Fontenoy, le maréchal de Saxe. La Cour et la Ville célèbrent ses mérites et sa gloire. Le roi, en témoignage de reconnaissance, vient de lui offrir le château de Chambord : rien n'est assez beau pour ce grand seigneur, ami du faste, en qui tous s'accordent à voir le plus grand homme de guerre de son temps. Il est vrai que la guerre n'a pas de secret pour lui. A quinze ans, en 1711, le fils naturel d'Auguste II, roi de Pologne et électeur de Saxe, avait pris part aux dernières campagnes de la guerre de succession d'Espagne sous les ordres du prince Eugène. Ensuite, avec le même général, ce furent les guerres turques, la Hongrie, le siège de Belgrade. En 1720, il passe au service de la France jusqu'à sa mort en 1750. Il sert sous Berwick dans l'armée du Rhin lors de la guerre de succession de Pologne. Il accompagne Belle-Isle en Bohême pendant la guerre de succession d'Autriche, s'empare de Prague et d'Eger. Promu maréchal de France à la suite de ces actions d'éclat, il affronte dans les Pays-Bas autrichiens la coalition Anglo-Hollan-

Maurice Quentin de La Tour. « Portrait du maréchal de Saxe ». 1748.

daise, qu'il défait à Fontenoy. Une pareille faveur accordée à un chef de guerre étranger (lequel, au surplus, avant de se mettre au service de la France, l'avait combattue), ne doit pas trop surprendre. L'illustre Berwick était anglais, le comte de Loewendael, présent lui aussi à Fontenoy, était danois et avait d'abord servi, comme Maurice de Saxe, l'Autriche puis la Pologne et la Russie avant de s'engager dans les armées de France. Le soldat ne connaît pas les frontières.

Fabuleuse découverte : Pompéi retrouvée

Naples, 1748

Un paysan anonyme, en travaillant son champ dans la campagne napolitaine, a découvert sous sa pioche des marbres antiques ! Les fouilles commencent à révéler les traces d'une ville entière qui surgit de terre. Certes, on s'émerveille des magnifiques œuvres d'art que l'on y trouve, fresques ou statues, mais plus étonnante encore est la révélation de la vie quotidienne des Anciens, telle qu'elle se déroulait il y a plus de dix-huit siècles. Maisons, rues, échoppes, tout le décor ordinaire des jours est miraculeusement préservé

par la soudaineté d'une catastrophe. L'émotion est grande, car au même moment les archéologues s'activent sur le site de la ville d'Herculanum, achevant de mettre au jour les ruines déjà entrevues au début du siècle. Plus au sud, on exhume le temple de Paestum. Savants et curieux se pressent en Italie, les voyages dans la péninsule se multiplient, des livres paraissent. Comme deux siècles auparavant, l'Antiquité revient à la mode. Les artistes, les architectes et les sculpteurs prennent la relève des savants et un goût nouveau est en train de naître : le retour aux Anciens. Le public, lassé des excès du baroque, de la rocaille foisonnante, adhère à cet art plus sobre, plus sévère.

Les ruines de Pompéi : une des rues de l'antique cité donnant sur l'entrée principale. 1748. Gravure de Piranèse.

Montesquieu révèle "L'Esprit des lois"

Genève, novembre 1748

L'éditeur Barillot vient de publier *L'Esprit des lois*, un ouvrage déjà fort discuté, et qui aurait exigé de son auteur vingt ans de préparation. La conception habituelle de la souveraineté de la politique, reposant sur une classe, une caste ou un prince, se trouve ici renversée au profit de la loi. Cette dernière est définie comme « la raison humaine, en tant qu'elle gouverne tous les peuples de la terre ». L'auteur, l'écrivain et philosophe Montesquieu, né le 18 janvier 1684 près de Bordeaux, examine le rapport des lois avec la constitution de chaque gouvernement, les mœurs, le climat, la religion. Toute nation, dans ses lois politiques et civiques, se trouve être une application particulière du principe de raison énoncé. Les lois ne sont ni arbitraires ni invariables ; elles se rapportent au degré de liberté qu'une constitution peut offrir. Montesquieu, grand admirateur du système parlementaire anglais, établit également la liberté politique comme conséquence de la répartition des trois pouvoirs : exécutif, législatif et judiciaire. Il mourra le 10 février 1755 à Paris.

Hommage musical de Jean Sébastien Bach à Frédéric II

Potsdam, 7 mai 1747

Jean Sébastien Bach vient d'arriver de Leipzig à la cour de Frédéric II de Prusse. Chaque soir, le roi donne un concert, dans lequel il joue lui-même quelques parties de flûte. A l'arrivée du maître, Frédéric II interrompt les musiciens et, recevant l'hôte illustre, l'invite à essayer les pianos de Silbermann et divers instruments à clavier que possède le palais. Bach improvise tour à tour et prie le roi de lui donner un sujet de fugue qu'il développe aussitôt, suscitant l'admiration de tous. Frédéric II propose ensuite une fugue à trois voix, dont il expose lui-même le thème sur sa flûte. Bach s'exécute ; le roi suggère alors le même thème, à six voix. Le compositeur répond, mais en jouant un autre thème. La journée du lendemain se passe à improviser sur les différents orgues de la ville. Le 7 juillet, de retour à Leipzig, Bach décide d'offrir au roi le thème proposé, développé en forme de fugue à six voix ; il joint à son envoi une pièce appelée *Ricercar*, mise au net de la première improvisation de Potsdam, suivie de cinq canons ; puis une sonate pour flûte et violon avec accompagnement de basse. Il dédie l'ensemble à Frédéric II sous le titre d'*Offrande musicale*. Peu de temps après cette reconnaissance royale, Bach sera atteint de cécité ; il mourra à Leipzig, le 28 juillet 1750.

Marie-Thérèse recouvre son héritage au traité d'Aix-la-Chapelle

Aix-la-Chapelle, 18 octobre 1748

Le traité signé met un terme à huit années de guerre ouvertes par la crise de la succession d'Autriche. Le règlement de cette question avait déjà été longuement débattu au cours de discussions préliminaires engagées dès 1745. Sur l'essentiel, l'accord était fait : confirmation de l'héritage autrichien de Marie-Thérèse, reconnaissance de la Pragmatique Sanction, la couronne impériale revenant à François de Lorraine, et enfin cession de la Silésie à la Prusse. Mais de nombreuses questions annexes demeuraient en suspens : le différend franco-autrichien au sujet des Pays-Bas, le problème italien et les revendications espagnoles, les affaires coloniales opposant la France et l'Angleterre. Après la signature du traité, Louis XV accepte, contre l'avis du maréchal de Saxe, l'évacuation des Pays-Bas autrichiens. En Italie, Don Philippe, gendre de Louis XV (c'est le second fils de Philippe V et d'Elisabeth Farnèse), obtient les duchés de Parme et de Plaisance enlevés à l'Autriche ; la position des Bourbons se trouve ainsi fortifiée en Italie. Marie-Thérèse doit également céder au roi de Sardaigne une part du Milanais (la rive droite du Tessin). La paix prévoit enfin la substitution réciproque des conquêtes coloniales anglaises et françaises : ainsi Madras retourne à l'Angleterre et le port canadien de Louisbourg à la France. Solution de compromis, la paix d'Aix-la-Chapelle laisse en définitive tous les protagonistes mécontents. La Prusse seule a lieu d'être satisfaite. Mais l'Autriche admet mal la perte de la Silésie. L'Espagne n'a pas obtenu gain de cause sur la question de Gibraltar et de Minorque qui restent aux Anglais. Quant à la France, malgré ses victoires, elle rend plus de territoires qu'elle n'en retrouve et l'opinion s'indigne d'une guerre faite « pour le roi de Prusse ».

Guillaume Coustou. Un des « Chevaux de Marly » (1745) à l'entrée des Champs-Elysées.

1749

France, 30 avril
Disgrâce de Maurepas.

France, mai
Machault d'Arnouville crée un nouvel impôt, le vingtième, qui s'applique à tous les revenus.

France
Buffon (1707-1788) commence la publication de l'*Histoire naturelle*. →

Nouvelle-Grenade
Révoltes populaires dans la région de Caracas.

Europe
L'ingénieur Benjamin Huntsman (1704-1766) met au point la fabrication de l'acier fondu.

Angleterre
Henry Fielding (1707-1754) publie *Tom Jones*. →

1750

Venise, 17 janvier
Mort du compositeur italien Tomaso Albinoni, auteur de Sonates, de *Sinfonie* (publiées en 1735), ainsi que d'un Adagio fort célèbre faisant partie d'un concerto perdu.

Lisbonne, 31 juillet
Le roi Jean V (né à Lisbonne le 22 octobre 1689) meurt. Son fils Joseph Ier Emmanuel lui succède et nomme son favori Sebastião Jose de Carvalho e Melo, marquis de Pombal, Premier ministre. Immédiatement, celui-ci interdit les autodafés et prive l'Inquisition de ses droits. →

France
Machault lutte contre les privilégiés et obtient la dissolution des Etats du Languedoc et de l'Assemblée du clergé. Devant la montée du mécontentement et les risques d'émeutes, il est nommé garde des Sceaux.

Angleterre
Le mouvement méthodiste atteint son apogée.
John Harrison met au point la première balance de précision.

France
Jean-Jacques Rousseau publie son *Discours sur les sciences et les arts*.
L'équipe des Encyclopédistes distribue son prospectus de lancement. →

Venise
Giambattista Tiepolo achève les fresques du palais Labbia (→ 1752).

Italie
Giambattista Piranèse grave ses *Carceri*. →

Tibet
Les Tibétains se soulèvent contre la Chine. →

Nouvelle-Angleterre
Les forces anglaises tentent de conquérir l'Acadie.

Inde
Par la bataille de Tanjore, Dupleix obtient le protectorat sur le Carnatic.

1751

Canada, janvier
La France et l'Angleterre concluent un accord provisoire sur l'Acadie.

France, avril
Parution du premier tome de l'*Encyclopédie* de Diderot et d'Alembert. →

Versailles, 23 décembre
Louis XV suspend la levée du nouvel impôt, le vingtième, sur les biens appartenant au clergé.

France
Voltaire publie *Le Siècle de Louis XIV* (→ 1756).

Angleterre
David Hume fait paraître les *Enquêtes sur les principes de la morale*.

Inde
L'Anglais Robert Clive s'empare de la ville d'Ariot en octobre, tandis que de son côté le Français Bussy impose un soubab (gouverneur de district) à Aurangâbâd.

Danemark
Le comte Bernstorff devient le principal ministre du gouvernement royal.

Paris
L'architecte Jacques Ange Gabriel (1698-1782) commence la construction de l'Ecole militaire.

Allemagne
Mort de l'artisan du piétisme allemand Jean-Albert Bengel (1687-1751).

Angleterre, vers 1751
Carlyle Spedding met au point des volets d'aération dans les mines.

Les embarras de Paris. Le Pont-Neuf avec, au centre, la statue équestre d'Henri IV. Pendant deux siècles, le Pont-Neuf fut le centre de la vie parisienne.

Des villes bruyantes, sales mais attirantes

Europe, vers 1750
Les villes d'Europe sont de plus en plus peuplées et s'agrandissent. Londres et Paris sont devenues des agglomérations populeuses atteignant le demi-million d'habitants, drainant la population des campagnes avoisinantes. Elles sont aussi des capitales opulentes où une bourgeoisie de plus en plus entreprenante côtoie une aristocratie qui a définitivement abandonné ses châteaux pour se faire construire des hôtels à la périphérie. Les rues du centre sont sales, bruyantes, empuanties par les miasmes des déjections humaines et animales, sans trottoirs et perpétuellement encombrées. Toutefois, de nouvelles préoccupations se font jour : le maintien de l'ordre et la sécurité des personnes est à l'ordre du jour. Londres montre l'exemple avec ses trottoirs, et on commence à éclairer les rues. La construction des nouveaux quartiers est plus organisée. Des places aèrent le tissu urbain trop dense. De même pour les maisons : les habitations aristocratiques offrent des appartements plus spacieux. Mais la majeure partie de la population vit dans la promiscuité. Les architectes, influencés par les idées du temps, célèbrent l'avènement de la Raison en modelant le paysage urbain selon des principes géométriques, attentifs à la symétrie. Ils tracent des rues plus larges et construisent des bâtiments plus imposants, comme à Saint-Pétersbourg ou à Lisbonne.

L'esprit des Lumières gagne le Portugal

Lisbonne, 31 juillet 1750
Le nouveau roi du Portugal Joseph Ier Emmanuel, appelle à ses côtés Sebastião de Carvalho e Melo, marquis de Pombal, que les philosophes enthousiastes ne vont pas tarder à surnommer le « Richelieu portugais ». Il veut faire de son pays un Etat moderne et recourt aux méthodes autoritaires déjà expérimentées par Frédéric II. Centralisateur, il s'attaque aux privilégiés et au clergé. En 1759, il ordonne l'expulsion des jésuites et la fermeture des couvents ; il interdit les autodafés. Parallèlement, il crée un enseignement laïc à tous les degrés. Il réorganise l'armée et l'administration sur le modèle prussien. En matière économique, il pratique une politique mercantiliste et étatiste. Les aides qu'il apporte à l'agriculture permettent de développer la viticulture dans la vallée du Douro qui produit le vin de Porto. Mais il se heurte à la mainmise anglaise sur le commerce du pays.

"Tom Jones", un récit picaresque de Fielding

Londres, 1750
Le romancier et publiciste anglais Henry Fielding, né le 22 avril 1707, vient de publier une œuvre d'envergure : *Tom Jones, histoire d'un enfant trouvé*, qui enthousiasme le public. Fielding s'est déjà imposé en 1743 avec la *Vie de Jonathan Wild le Grand*, qui l'a placé en tête des auteurs satiriques. Tom Jones est un enfant recueilli et élevé par un riche philanthrope, Mr. Allworthy. Dans un foisonnement d'aventures savoureuses, affluent les personnages les plus divers. Tout un peuple d'aubergistes, de servantes, de propriétaires terriens, de soldats, ou des types tels Lady Bellaston et le révérend Adams illustrent une vérité sociale. Le dénouement heureux de l'intrigue exprime enfin la croyance de Fielding en une bonté naturelle du cœur humain qui lui permet de surmonter tous les obstacles. Epuisé par son activité intense, l'écrivain mourra, à Lisbonne, le 8 octobre 1754.

L'Histoire naturelle de Buffon fait scandale

Paris, 1749

Avec les trois premiers tomes de son *Histoire naturelle*, Georges Louis Leclerc de Buffon choque certaines idées sur l'évolution des espèces animales. Né à Montbard en 1707, il entre à l'Académie des sciences en 1733. Son *Histoire* paraîtra de 1749 à 1767 et comprendra quinze volumes, plus sept qui forment le *Supplément*, publié entre 1774 et 1789 (→1778).

Mouffette d'Amérique du Sud. Illustration de « L'Histoire naturelle » de Buffon.

Piranèse, graveur visionnaire

Rome, 1750

Archéologue, théoricien, « architecte vénitien » comme il aime à se présenter, Giambattista Piranesi, dit Piranèse, est né à Mestre en 1720. Très jeune, il se spécialise dans la confection de « vues » et devient l'un des *vedutisti* les plus appréciés d'Italie. Avec sa série des *Prisons* publiée en 1745, il fait montre d'un génie expressif pour faire sentir le désespoir de l'enfermement et la noirceur de l'oubli.

Une des « Prisons » imaginaires de Piranèse. 1750. Eau-forte. Cabinet des Estampes, Bibliothèque nationale, Paris.

Le temple du Ciel est restauré à Pékin

Chine, 1751

Le temple du Ciel, d'une conception grandiose, est une représentation parfaite de l'idée que les Chinois se faisaient du monde et de la façon de le gouverner. En reprenant à leur compte les rites les plus sacrés qui s'y déroulaient chaque année, les empereurs Qing espéraient assurer légitimité et prospérité à leur nouvel empire. Le temple du Ciel fut édifié en même temps que le palais impérial, au début du xve siècle, par l'empereur Yongle, des Ming (1368-1644). Il occupe une surface de 270 hectares, entourée d'un mur d'enceinte de plus de six kilomètres. Les trois constructions essentielles sont alignées selon un axe nord-sud : l'autel du ciel, la voûte céleste impériale et le temple de la Prière pour de bonnes moissons. Les Qing ont contribué à restaurer et à embellir le Pékin des Ming, en accentuant parfois l'aspect imposant. Leur désir de grandeur trouve une illustration parfaite dans la construction de la résidence estivale de Chengde au nord de Pékin. Qian Long (1736-1796) y fit construire les reproductions des sanctuaires les plus célèbres des régions annexées.

Quand, dans son recueil *Le Antichita Romane*, il imagine des monuments à l'antique, il amplifie systématiquement les proportions, combine toutes sortes de formes architecturales en les affranchissant des règles classiques. Installé dès 1745 à Rome, il deviendra sur le tard un des architectes les plus influents (avec notamment la construction de l'église de l'ordre de Malte, Santa Maria del Priorato) et jouira des commandes vaticanes de Clément XIII, vénitien comme lui, avant de mourir le 9 novembre 1778.

Naissance de l'"Encyclopédie"

Paris, avril 1751

Le premier volume de l'*Encyclopédie*, ou *Dictionnaire raisonné des sciences, des arts et des métiers* vient de paraître chez l'éditeur Le Breton. Vendu par souscription, il s'agit de la première livraison d'une série de huit volumes et de plus de six cents planches illustrées promises pour 280 livres. L'idée en revient à deux libraires parisiens qui, en 1745, projettent de traduire de l'anglais *La Cyclopédia*, le Dictionnaire universel des arts et des sciences de Chambers paru à Londres dès 1723. Ils obtiennent tout d'abord le soutien du chancelier d'Argenson qui, en 1746, leur scelle le privilège du roi et proposent à Denis Diderot d'en prendre la direction. Mais l'idée de traduire ne tente guère ce dernier ; aussi soumet-il un plan destiné à présenter à l'honnête homme la somme des connaissances de son temps. Il s'entoure de nombreux collaborateurs aux noms déjà illustres, comme Montesquieu pour la politique, Buffon pour la nature,

claration d'intention des auteurs (→1783). Denis Diderot est né le 5 octobre 1713 à Langres, d'un père coutelier dont l'autorité sévère mais attentive marquera profondément l'œuvre morale de son fils. Envoyé à Paris, le jeune Denis abandonne vite son projet d'entrer en religion et mène une vie de bohème dans la capitale après de fort brillantes études. A la même époque, il se mêle aux philosophes et rencontre Jean-Jacques Rousseau (1746). Il consacre désormais son temps à l'aventure encyclopédique. Cette œuvre de longue haleine est certes une aventure de l'esprit mais aussi une aventure financière bien hasardeuse, tant les rebondissements furent nombreux. Tout d'abord, le projet faillit ne pas voir le jour, quand Diderot, en juillet 1749, est arrêté et jeté dans les cachots de Vincennes pour s'être moqué de la maîtresse du comte d'Argenson dans sa *Lettre sur les aveugles*. Relâché quatre mois plus tard sous la pression des libraires, il réussit à publier le pros-

Atelier de gravure et d'impression. Une des planches illustrant l'« Encyclopédie ou Dictionnaire raisonné des sciences, des arts et des métiers » (1751-1772).

Quesnay puis Turgot pour l'économie, d'Holbach pour les mathématiques, La Condamine pour les sciences, Des Brosses pour l'histoire, Rousseau, etc. Toutefois, l'affaire ne se serait pas faite sans l'entente de trois hommes : Diderot, d'Alembert et le chevalier de Jaucourt. Ce dernier, resté dans l'ombre, se révèle vite la cheville ouvrière du projet, l'auxiliaire indispensable des deux premiers. Jean Le Rond d'Alembert est né le 16 novembre 1717. Abandonné par sa mère, Mme de Tencin, il est recueilli par la femme d'un vitrier. Placé en pension, il se révèle vite un enfant très brillant. Admis à vingt ans à l'Académie des sciences en tant qu'astronome, il se consacre aux mathématiques et publie de nombreux ouvrages. C'est à ce titre que Denis Diderot l'appelle à codiriger l'*Encyclopédie* pour laquelle il rédige le *Discours Préliminaire* paru dans le premier tome, véritable dé-

pectus de lancement en 1750, puis le premier volume en 1751. Des ennuis plus sérieux commenceront avec la sortie du deuxième volume en 1752, puis plus tard en 1759 quand ses ennemis jurés, les jésuites, obtiendront que les articles soient soumis à la censure préalable d'un collège de théologiens. Les jésuites organisent également une campagne de pamphlets dirigés contre les « Cacouacs », c'est-à-dire les philosophes. Le cercle des auteurs connaîtra aussi des conflits d'envergure. Ainsi, en 1757, Rousseau, mécontent de l'article consacré à Genève, s'en prend violemment à d'Alembert. Quant à ce dernier, il abandonne l'entreprise en 1759. Tout cela n'empêcha pas l'édition de connaître un réel succès, puisqu'en 1757 elle comptera plus de quatre mille souscripteurs. Finalement, dix-sept volumes seront publiés ainsi que onze autres composés exclusivement de planches, et cela jusqu'en 1772.

1752

France, février
Le parlement de Paris condamne l'*Encyclopédie*.

Inde, juillet
Pendant que Ghazi ed-Din envahit le Dekkan, les Anglais passent à l'offensive : Robert Clive s'empare de Trichinopoly et oblige Bussy à évacuer Aurangâbâd.

Lorraine
Début de l'aménagement de la place Stanislas à Nancy.

Allemagne
Giambattista Tiepolo achève les peintures du palais épiscopal de Wurzbourg. →

1753

Vienne, janvier
Le comte Anton Kaunitz (1711-1794), ancien ambassadeur d'Autriche à Paris, est nommé chancelier par l'impératrice Marie-Thérèse. Il sera le principal artisan du rapprochement franco-autrichien.

Potsdam, 23 mars
Brouille entre Frédéric II et Voltaire. →

Paris, mai
Après lui avoir adressé ses *Grandes Remontrances* sur la question des « billets de confession », le Parlement est exilé par le roi. Il sera rappelé en octobre.

Londres, juin
La conférence qui se tient dans la capitale anglaise a pour objet de régler le conflit anglo-français au sujet de l'Inde.

Paris, 25 août
Lors de sa réception à l'Académie Française, Buffon prononce son fameux *Discours sur le style*.

Italie, 26 décembre
Carlo Goldoni présente sa comédie *La Locandiera*. →

Angleterre
Une émeute populaire détruit la maison de John Kay, celui qui avait mis au point la navette volante en 1733.

Paris
Jean-Jacques Rousseau fait paraître la *Lettre sur la musique française*.

Amérique du Nord
Les colons anglais se heurtent aux Français qui occupent la vallée de l'Ohio et construisent une nouvelle forteresse, Fort Duquesne.

Paris
Le peintre Maurice Quentin de La Tour présente au Salon les portraits de *Jean-Jacques Rousseau* et de *D'Alembert*.

1754

Nouvelle-Angleterre, juin
Au congrès d'Albany qui rassemble les délégués des treize colonies anglaises, Benjamin Franklin (1706-1790) demande la mise sur pied d'un conseil de défense commun pour s'opposer aux Français et aux Indiens.

Inde, août
Dupleix quitte l'Inde, rappelé par la Compagnie des Indes.

Inde, 26 décembre
Envoyé en Inde comme administrateur pour remplacer Dupleix, Charles Godeheu signe un traité par lequel la France s'engage à se retirer des territoires qu'elle a conquis. Cet accord marque le recul de l'influence française dans le sous-continent.

Nouvelle-Angleterre
Fondation à New York de l'université de King's College.

France
Machault d'Arnouville quitte le poste de Contrôleur général pour le ministère de la Marine.

Angleterre
L'industriel Johan Wilkinson fonde une première usine métallurgique avec haut fourneau à Bradley.

France
L'abbé Condillac publie le *Traité des sensations*. →

France
Jean-Jacques Rousseau publie son *Discours sur l'origine et les fondements de l'inégalité parmi les hommes*.

Charles Cochin publie ses *Observations sur les fouilles d'Herculanum et la sculpture des Anciens*.

Pierre Louis Moreau de Maupertuis (1698-1759), mathématicien et savant, fait paraître son *Essai sur la formation des corps organisés* où, pour la première fois, est affirmée philosophiquement l'idée de la transformation des espèces.

La Chine place le Tibet sous protectorat

Lhassa, 1752
Une nouvelle guerre civile ensanglante le pays. Après les troubles de 1727, Pho-lho-nas avait pris le pouvoir, appuyé par la Chine. A sa mort, en 1747, son successeur tente sans succès de s'affranchir de la tutelle des « ambans », les émissaires chinois. Le dalaï-lama rétablit l'ordre et accepte un contrôle étroit de Pékin.

Beyile Kangdoryi, prince des Mongols occidentaux. 1754. Peinture de Jean-Denis Attiret. Berlin-Ouest.

Condillac, un empiriste à la française

Paris, 1754
Etienne Bonnot, abbé de Condillac, né à Grenoble le 30 septembre 1714, publie un *Traité des sensations*, qui connaît un grand succès. Il y soutient que la source de toutes nos connaissances est la sensation, laquelle, en se transformant, devient l'attention, la mémoire, la réflexion. Illustrant sa théorie, l'auteur imagine une « statue », réceptive comme nous au monde extérieur, mais réduite à une pure capacité de sentir. En lui donnant l'usage de l'odorat, par exemple, puis celui du goût, il montre que c'est de la combinaison des sensations que naissent les « jugements », constitutifs de tout raisonnement. Le *Traité* marque une évolution par rapport à l'*Essai sur l'origine des connaissances humaines* (1746). Condillac, dans le sillage de Locke, y faisait dériver la connaissance à la fois de la réflexion et de la sensation. Il se refusait déjà à toute spéculation sur la nature transcendante de l'esprit et s'affirmait comme un observateur fin et ingénieux des mécanismes de la pensée. Précurseur de la psychologie, Condillac se consacrera néanmoins jusqu'à sa mort à l'étude de l'économie politique le 3 août 1780.

Tiepolo au service des princes européens

Wurzbourg, 1752
Leurs grandioses décors intérieurs valurent aux artistes italiens du XVIIIᵉ siècle, à travers l'Europe entière, une très grande réputation de fresquistes. Giambattista Tiepolo, le plus prestigieux d'entre eux, fut convié par toutes les cours de l'Italie du Nord avant d'éxécuter, en 1752, pour le prince-évêque de Wurzbourg, sa plus vaste entreprise : le plafond en trompe-l'œil de l'escalier monumental de la résidence épiscopale. Né à Venise le 5 mars 1696, ce peintre a le don de transfigurer les lieux où il travaille, que ce soient les intérieurs de chapelles comme à Udine en 1726 ou à Bergame en 1732, les salons d'apparat comme à Wurzbourg ou à Madrid en 1762, ou les appartements des villas italiennes où sa peinture devient plus légère et gracieuse. Il donne sa préférence aux sujets qui se prêtent à un déploiement de couleurs vives. Il anime les palais d'immenses mises en scène, d'évocations bibliques comme à Udine, mythologiques comme à Madrid ou bien simplement légendaires comme au Palais Labbia avec le *Festin d'Antoine et Cléopâtre*. Qualifiées parfois de véritables feux d'artifice, les fresques de Tiepolo font écho aux fêtes éclatantes que les princes se plaisent à donner. Il mourra à Madrid le 27 mars 1770.

G.-B. Tiepolo. Mariage de Frédéric Barberousse avec Béatrice de Bourgogne. 1752. Fresque. Kaisersaal, Résidence de Wurzbourg.

Brouille à Potsdam entre Voltaire et Frédéric II de Prusse

Potsdam, 23 mars 1753

Voltaire s'est brouillé avec le roi de Prusse. L'objet de la querelle est bien mince : une satire que Voltaire s'est permise à l'encontre du mathématicien et physicien français Pierre de Maupertuis (1698-1759), qu'il n'aime pas et qui dirige l'Académie de Berlin. Frédéric II prend très mal cette « Diatribe du docteur Akakia, médecin du pape ». Il considère qu'en la personne de son académicien, c'est lui que Voltaire insulte. Pris de colère, il ordonne de faire brûler le libelle sous les fenêtres de son auteur. Prudent, Voltaire se décide à fuir une cour qui lui devient

A la table du roi de Prusse Frédéric II le Grand au château de Sans-Souci, palais édifié en 1745.

inhospitalière. Il obtient un congé pour une cure à Plombières, dans les Vosges. Mais, tout en traversant l'Allemagne, il ne peut s'empêcher de lancer toute une série de pamphlets contre son ancien ami. Mal lui en prend. Il est arrêté à Francfort, détenu pendant un mois, en proie à de mortelles frayeurs. Ainsi s'achève l'idylle du roi avec le philosophe. Frédéric était entré en correspondance avec l'écrivain qu'il admirait tant en 1736. Ils se rencontrèrent une première fois à Clèves en 1740 et Frédéric le pressa de venir s'établir à Berlin. Il attendra dix ans. Car c'est la mort de Mme du Châtelet qui décide Voltaire à répondre à l'invitation royale. Arrivé à Potsdam, le voilà aussitôt fait chambellan, décoré de l'ordre du Mérite et gratifié de vingt mille livres de pension. C'est un enchantement mutuel : le roi l'admire, il admire le roi. L'esprit voltairien règne tout d'abord sans partage à Sans-Souci. Mais rien ne dure et, de part et d'autre, l'enthousiasme tiédit. Bientôt, Frédéric juge Voltaire trop frondeur et Voltaire le roi trop despotique. La situation s'envenime et il suffit d'un éclat de trop pour que l'orage éclate.

L'Inde, nouveau champ clos de la rivalité franco-anglaise

Inde, 1753

Les Compagnies française et anglaise des Indes orientales ont coexisté jusqu'en 1744. Lorsque l'Angleterre et la France entrent en rivalité pour la succession d'Autriche, les deux compagnies commencent à se battre. Les cipayes de Dupleix, embarqués par l'escadre de La Bourdonnais, occupent Madras. Mais un conflit éclate entre le noble La Bourdonnais et le roturier Dupleix qui insiste pour raser le port afin de réduire à néant toute influence anglaise dans cette partie de l'Inde. La paix d'Aix-la-Chapelle (1748) met fin à la querelle : le gouvernement de Louis XV ordonne de rendre Madras aux Anglais, sans en avoir détruit les fortifications. L'année suivante, la guerre éclate de nouveau entre les deux compagnies, par nababs indiens interposés. La guerre aurait pu tourner à l'avantage des Français, si Paris n'était pas, encore une fois, intervenu (1754). Du fait des opérations militaires, les marchandises indiennes ne parviennent plus en France et la compagnie

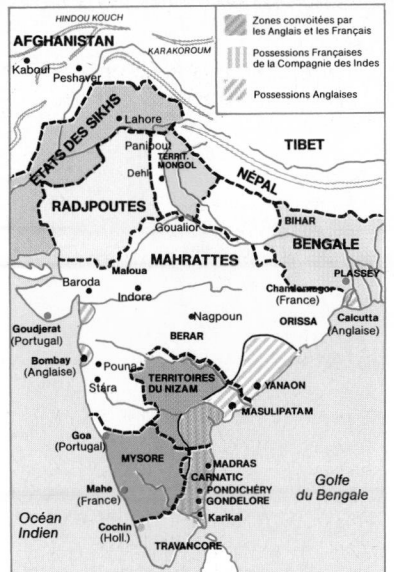

est déficitaire. L'un de ses directeurs arrive en Inde, met fin à la politique de Dupleix et signe un traité avec les Anglais. Dupleix est rappelé. Courte vue de la France qui ne donne pas à Dupleix et à la compagnie française, pourtant entreprise gouvernementale, le soutien que l'Angleterre porte à Clive et à la Compagnie anglaise, pourtant société privée !

Goldoni invente le théâtre réaliste

Venise, 26 décembre 1752

Au théâtre San Angelo, la troupe de Medebac a créé *La Locandiera*, comédie en trois actes de Carlo Goldoni (né en 1707). Mirandolina, la belle aubergiste, est confrontée à quatre hommes différents. L'un deux, le chevalier de Ripafratta, rompt le concert de compliments en étalant sa misogynie. Mais il succombe à la simulation amoureuse d'une femme rusée, puis il est repoussé. Après avoir exposé la théorie de sa réforme

Carlo Goldoni.

dans *Le Théâtre comique* (1750), Goldoni met ici en pratique sa rupture avec la Commedia dell'arte : refus des masques, de l'improvisation, de l'évasion et de la féerie. Son théâtre se veut proche d'un quotidien où les personnages se définissent objectivement par rapport à des limites psychologiques et sociales réalistes.

Un nouveau décor urbain naît sous Louis XV

Dès le début du siècle, de nouvelles tendances architecturales se font jour. Leur grand initiateur, Jules Hardouin-Mansart (1646-1708), sait adapter le goût classique aux désirs nouveaux de confort et de liberté. Il inaugure un nouvel habitat en habillant à la française l'hôtel italien. Ebénistes, sculpteurs et ornemanistes inventent de leur côté un décor de lambris clairs, aux dessins élégants, tirant leurs motifs de la coquille, du palmier, des panaches. Ces formes chantournées font contraster courbes et contre-courbes. Si l'intérieur des hôtels

est marqué par cette richesse ornementale, les façades quant à elles sont allégées, élégantes et sobres. Germain Boffrand (1667-1754), meilleur disciple de Hardouin-Mansart, adapte avec le plus de décision l'esprit nouveau. Après un séjour en Lorraine où il construit les châteaux de Lunéville et de la Malgrange, il s'installe à Paris et dessine les plans de nombreux hôtels qui se signalent tous par l'ingéniosité de la distribution intérieure comme l'hôtel Le Brun, rue du Cardinal-Lemoine ou l'hôtel de Torcy, rue de Lille. Son chef-d'œuvre est l'hôtel Soubise auquel il consacre plus de trente an-

nées de travail. Là encore, c'est dans la décoration intérieure de style rocaille que son talent se manifeste avec le plus d'éclat. Un de ses élèves, grand architecte également, Emmanuel Héré de Corny (1705-1763), réalise de vastes projets à Nancy, la capitale des ducs de Lorraine. C'est à lui que l'on doit cette suite de places harmonieusement rythmées, la place de l'Alliance, la place de la Carrière, avec sa colonnade en hémicycle, et surtout la place Royale (aujourd'hui place Stanislas) avec son admirable décor de ferronnerie dorée dû au talent de Jean Lamour (1698-1771), Nancéen lui aussi.

Fontaine d'Amphitrite, place Stanislas (ancienne place Royale), à Nancy. 1752-1755. Les grilles sont l'œuvre du ferronnier nancéen Jean Lamour.

Le grand Salon ovale de l'hôtel Rohan-Soubise, Paris. 1735-1740. Décoration de Germain Boffrand.

1755

Russie, 12 janvier
Catherine II fonde la première université russe à Moscou, qui ouvrira ses portes le 28 avril.

France, 26 mai
Exécution à Grenoble du bandit et hors-la-loi Louis Mandrin.

Angleterre et France, 8 juillet
Rupture des relations diplomatiques entre les deux pays.

Nouvelle-France, juillet
Les troupes françaises défont deux régiments anglais à Fort-Duquesne.

Acadie, été
Dix-huit mille Acadiens de souche française refusent de prêter allégeance au roi d'Angleterre. Ils sont expulsés et se replient vers l'île du Cap-Breton.

Portugal, 1er novembre
La capitale, Lisbonne, est détruite par un tremblement de terre. →

Canada, novembre
L'amiral britannique Edward Hawke s'empare de trois cents navires de commerce français.

Birmanie
Le roi Alaungpaya fonde une nouvelle capitale, Rangoon.

Suisse
Le mathématicien Euler publie son traité sur le calcul différentiel. →

Paraguay
Les jésuites sont expulsés. →

1756

Londres, 16 janvier
L'Angleterre abandonne l'alliance autrichienne et se tourne vers la Prusse contre laquelle elle avait combattu pendant la guerre de Succession d'Autriche.

France, 1er mai
La France, désormais en conflit avec l'Angleterre, s'allie à l'Autriche.

Saxe, 29 août
Frédéric II envahit la Saxe et déclenche la guerre en Europe. →

Nouvelle France, 14 août
Dès son arrivée en Amérique, en mai, Louis Montcalm de Saint-Véran (1712-1759) se distingue et prend le fort d'Oswego.

Versailles
Un édit de Louis XV crée un nouvel impôt, le second vingtième.

Angleterre
William Pitt (1708-1778) prend en main le cabinet sous l'autorité nominale de W. Cavendish.

Maghreb
Les troupes du bey d'Alger s'emparent de Tunis.

France
Voltaire publie son *Essai sur les mœurs*.

1757

Paris, 5 janvier
Robert François Damiens commet un attentat sur la personne de Louis XV. →

Inde, 28 janvier
Le premier souverain d'Afghânistân, Ahmad Shâh, occupe Delhi et annexe le Panjâb. →

Autriche et Russie, 2 février
Les deux empires contractent une alliance offensive contre la Prusse. →

France, février
Les ministres réformateurs d'Argenson et Machault sont victimes de la disgrâce royale. →

Inde, 23 juin
Robert Clive remporte une victoire décisive sur le nabab du Bengale à Plassey (→1765) après avoir réoccupé Calcutta le 2 janvier et pris Chandernagor le 23 mars.

Londres, 29 juin
William Pitt, après avoir démissionné le 6 avril, reforme un ministère.

Nouvelle-Angleterre
Publication du dernier numéro de l'Almanach du pauvre Richard, commencé en 1732 par Benjamin Franklin sous le pseudonyme de Richard Saunders.

Maroc
Avènement sur le trône de Mûlay Mohammed III ben Abdallah. Il rétablit l'ordre, les finances et l'armée qui avaient souffert de l'anarchie régnant à partir de la mort de Mûlay Ismael en 1727.

France
Denis Diderot publie *Le Fils naturel* « drame bourgeois ».

Jean Philippe Rameau présente *Les Surprises de l'amour*, un opéra-ballet.

Destruction de la cité idéale des jésuites au Paraguay

Paraguay, 1755
Année difficile pour les jésuites qui sont expulsés du Paraguay. Au début du siècle dernier, informé par le père Acquaviva des abus des colons espagnols et de l'extrême misère des Indiens Guaranis, Philippe III avait confié aux missionnaires jésuites l'administration de vastes territoires le long du fleuve Parana. Rêvant d'une société idéale, les pères se mirent aussitôt à l'œuvre. Ils édifièrent des villages, tous construits selon un plan unique, firent bâtir pour les indigènes des maisons toutes égales, sur le modèle d'un collège jésuite mais à l'échelle d'un Etat. La vie y était minutieusement réglée et la religion y tenait une place centrale. Mais, en 1750, un nouvel accord frontalier entre l'Espagne et le Portugal fait passer une grande partie des missions sous contrôle portugais. Les nouveaux occupants imposent le retour aux anciennes méthodes de colonisation. A nouveau, les Indiens sont exploités sans scrupule. Habitués à un régime plus doux, ils ne tardent pas à se révolter. Accusés par les Portugais de fomenter ces troubles, les jésuites sont expulsés et remplacés par des religieux moins entreprenants.

Un tremblement de terre ravage Lisbonne

Lisbonne, 1er novembre 1755
En ce jour de Toussaint, la terreur s'est abattue sur la riche capitale du Portugal. La ville, forte de 250 000 habitants, a été ravagée vers neuf heures du matin par plusieurs terribles secousses, pendant près de neuf minutes. Les eaux du Tage ont disparu un instant pour ensuite inonder tous les quartiers ; puis un gigantesque incendie a achevé l'œuvre de

Euler, mathématicien suisse, rénove la science des nombres

Bâle, 1755
Né en 1707, Leonhard Euler partage sa vie entre son enseignement à Bâle et ses travaux aux Académies de Saint-Pétersbourg et de Berlin. Son œuvre complète comprend près de soixante-quinze volumes répartis entre mathématiques, mécanique et astronomie. Il contribue à la théorie des nombres en démontrant le petit théorème de Fermat et renouvelle l'étude de la grande conjecture du même auteur. En géométrie analytique, il donne une classification des courbes algébriques pour les degrés 3 et 4. En 1755, son livre *Institutiones calculi differentialis* fait progresser de façon décisive le calcul infinitésimal. Il rénove en outre la base de la construction mathématique en plaçant à l'avant-plan le concept de fonction dont il donne une classification formelle en 1748 dans son *Introductio in analysi innfinitorum*. Il applique ensuite cet outil puissant à l'étude de problèmes de géométrie, de mécanique et d'astronomie : équation aux cordes vibrantes, théorie du mouvement, optique, hydrodynamique. Devenu aveugle en 1771, il poursuit son œuvre avec l'aide de son fils aîné et meurt à Saint-Pétersbourg en 1783.

destruction infernale pendant près de six jours. Les trois quarts des bâtiments sont inhabitables et plus de 10 000 personnes ont péri. La catastrophe impressionne l'Europe et ébranle l'optimisme affiché par tous. Energique comme à l'accoutumée, le Premier ministre Pombal se met au travail et charge un ingénieur militaire, Manuel de Maia (né en 1677), de tracer les plans d'une ville nouvelle qui adopte les principes modernes et devienne ainsi « absolument belle et absolument régulière ».

Une vue de Lisbonne avant le tremblement de terre du 1er novembre 1755, qui détruisit la ville dans sa quasi-totalité. Gravure sur cuivre.

Jusqu'où ira l'armée prussienne ?

Prusse, décembre 1757

En un an, l'armée prussienne a défait à plusieurs reprises ses adversaires autrichiens et russes. Frédéric II a déclenché la guerre, se sentant menacé par une série de renversements d'alliances entre les grandes puissances européennes. On sait que le traité d'Aix-la-Chapelle en 1748 n'avait instauré qu'une paix boiteuse. La rivalité coloniale de la France et de l'Angleterre d'une part, la volonté autrichienne de reconquérir la Silésie d'autre part, créaient une situation périlleuse. Un incident au large de Terre-Neuve met le feu aux poudres : la France déclare la guerre à l'Angleterre le 10 janvier 1756. Le jeu des alliances se transforme rapidement. L'Angleterre rompt avec l'Autriche et se rapproche de la Prusse : les deux pays signent l'alliance de Westminster le 16 janvier 1756, garantissant leur souveraineté réciproque sur le Hanovre et la Silésie. La France se tourne vers l'Autriche et signe le traité de Ver-

sailles le 1er mai 1756. C'est ce moment que choisit Frédéric II pour lancer son armée contre la Saxe, alliée de l'Autriche, dont il contraint le roi, Auguste III, à capituler le 15 octobre à Pirna. Peu avant, il occupe la Bohême et bat les Autrichiens à Lobositz le 1er octobre. L'Autriche, inquiète, renforce ses alliances avec la France par un second traité de Versailles le 1er mai 1757 et avec la Russie le 2 février 1757. Malgré cette « grande coalition » Frédéric II continue son offensive. Il s'installe en Bohême et encercle les Autrichiens à Prague. Il connaît un moment quelques revers quand les Français occupent le Hanovre en septembre 1757 et que les Russes s'avancent en Prusse orientale et triomphent à la bataille de Gross-Jägersdorf le 20 août, tandis que les Autrichiens commandés par Daun font une percée en Silésie et s'installent à Breslau. Mais les Prussiens reprennent vite l'avantage en remportant deux victoires : l'une contre les Français de Soubise à Rossbach, le 5 novembre, et l'autre contre les Autrichiens à Leuthen, le 25 décembre.

En France, le roi et le Parlement hostiles aux réformes

Paris, février 1757

Au lendemain de l'attentat manqué de Damiens et après de longues années d'agitation, Louis XV renvoie ses deux principaux ministres, le comte d'Argenson et surtout Machault d'Arnouville, en qui tous ceux qui souhaitaient une réforme de la monarchie avaient placé leurs espoirs. Le premier, secrétaire d'État à la Guerre, avait ouvert plus largement la carrière militaire aux officiers roturiers et créé l'Ecole militaire de Paris en 1751, destinée aux jeunes nobles peu fortunés. Machault d'Arnouville, quant à lui, était entré au Contrôle général en 1745. Ancien intendant, esprit éclairé, ami des philosophes, il avait tenté une audacieuse réforme fiscale en créant

Machault d'Arnouville.

un impôt, égal au vingtième des revenus, impôt qui pèserait sur tous les biens. Ces mesures rencontrèrent aussitôt l'hostilité de tous les privilégiés, provoquant les protestations du Parlement de Paris, des Etats d'Artois, de Bretagne et du Languedoc ainsi que l'opposition de l'Assemblée du clergé. Dès 1751, Machault fut contraint de transiger : un nouvel édit daté du 23 décembre suspendait l'application du vingtième sur les biens du clergé, sans toutefois mettre un terme à l'agitation. Les privilégiés triomphent.

L'attentat manqué de Damiens contre Louis XV

Versailles, 5 janvier 1757

Le 5 janvier à 6 heures du soir, le « Bien-Aimé » sort du domicile de ses filles pour se rendre au Trianon. Au moment où il monte dans son carosse, un « monstre travesti en col-

porteur », selon le *Courrier d'Avignon*, se rue sur le roi et le blesse à l'épaule avec un couteau à deux lames. Folie, complot, nul ne le sait, car Robert François Damiens, bien que torturé, ne parle pas. Jugé par le Parlement de Paris le 12 février, il sera supplicié pendant toute une journée en place de Grève, le 28 mars.

Exécution de Robert François Damiens, qui sera supplicié toute une journée en place de Grève, le 28 mars 1757, à Paris, l'Hôtel de Ville.

Voltaire, historien et philosophe

Paris, 1756

L'Essai sur les mœurs et l'esprit des nations, venant après *L'Histoire de Charles XII* en 1731 et *Le Siècle de Louis XIV* en 1751, consacre Voltaire dans sa réputation d'historien. Ouvrage ambitieux dans lequel il se propose de retracer l'histoire du monde, Amérique et Extrême-Orient compris, depuis Charlemagne jusqu'à Louis XIV. S'appuyant sur les faits, il s'efforce de montrer comment, au fil des siècles, la civilisation s'est perfectionnée, dans les mœurs comme dans les arts et les sciences, triomphant de la barbarie et de la superstition. Pour Voltaire, le sens de l'histoire est avant tout le progrès de la Raison.

Boucher nommé aux Gobelins

Paris, 1755

François Boucher est bien le favori de Mme de Pompadour. Le voilà désormais inspecteur des Gobelins où il va pouvoir donner libre cours à sa fantaisie décorative. Né en 1703 à Paris, il reçoit à partir de 1735 ses premières commandes. Il sait traduire l'esprit du temps en célébrant la gloire de l'amour. Chez lui, les déesses de l'Olympe n'ont plus rien de divin ni de surnaturel, avec leurs chairs roses, nacrées, fermes et voluptueuses. Elles ont le même charme que cette jeune femme allongée, Louise O'Murphy, son épouse.

Les Indes envahies de toutes parts

Inde, 28 janvier 1756

Après sa victoire (1739), Nadir Shah obtient de l'empereur moghol un firman lui attribuant toutes les possessions mogholes situées au nord de l'Indus. Mais les Afghans ne restent pas longtemps soumis à l'Iran et, après l'assassinat de Nadir Shah (1747), un Etat afghan indépendant se constitue avec, à sa tête, Ahmad Shah Abdali al-Durrani. Ce dernier, qui était dans l'armée de Nadir à Delhi, est convaincu de la faiblesse des Moghols. Aussi décide-t-il de conquérir toute l'Inde. Il met sur pied cinq expéditions successives en 1748, 1752, 1756-1757, 1758 et 1759. L'armée moghole ne lui oppose aucune résistance sérieuse. Les sikhs apparaissent comme ses principaux adversaires. Ils finiront par le contraindre à la retraite après avoir coupé ses communications avec l'Afghânistân. Forts de cette victoire, les sikhs chassent les garnisons afghanes du Pendjad où ils créent un Etat indépendant. Le centre de l'activité économique se déplace définitivement de la région d'Agra-Delhi, dévastée par les guerres, vers le Bengale et l'Inde du Sud. Mais le pays est exsangue et ne peut plus offrir de résistance aux incursions des colonisateurs européens. Le rapport des forces entre les Etats indiens, multiples et rivaux, et les comptoirs commerciaux étrangers, qui avaient arraché depuis de nombreuses années des privilèges à la fois commerciaux et territoriaux, se modifie durablement à l'avantage de ces derniers.

François Boucher. Louise O'Murphy, jeune favorite de Louis XV. 1751. Wallraf-Richartz Museum, Cologne.

1758

Inde, avril
Le comte Lally, baron de Tollendal, est nommé gouverneur des Indes françaises.

Allemagne, 23 juin
Les Français sont repoussés par les Prussiens à Krefeld. →

France, 27 juillet
Claude Helvétius (1715-1771) publie *De l'esprit.*

Nouvelle France, juillet-août
Les Français perdent successivement Louisbourg le 26 juillet et le fort de Frontenac le 26 août, au profit des Anglais. En décembre, ils sont contraints d'évacuer Fort-Duquesne.

Afrique de l'Ouest, décembre
Les possessions françaises du Sénégal sont conquises par les Anglais. Après Saint-Louis le 30 avril, c'est le tour de l'île de Gorée en décembre (→ 1762).

François Quesnay fait paraître son *Tableau économique.* →

Jean-Jacques Rousseau publie la *Lettre à d'Alembert.*

Diderot rend public son *Père de famille.* →

1759

Paris, 8 mars
Le parlement de Paris condamne une seconde fois l'*Encyclopédie* (→1752).

Antilles, 23 avril
Les Anglais s'emparent de Basse-Terre et de la Guadeloupe.

Espagne, 10 août
A la mort de Ferdinand VI, c'est son demi-frère Charles III qui lui succède. →

Prusse, 12 août
Frédéric II est sévèrement défait par les Austro-Russes à Kunersdorf. →

Portugal, septembre
Pombal décide l'expulsion des jésuites du pays et de tout l'empire.

Nouvelle France, 18 octobre
Montcalm meurt devant Québec à la bataille du plateau d'Abraham, en même temps que son rival anglais le général Wolfe.

Suisse
Le Suisse Albrecht von Haller (1708-1777) fonde la physiologie. →

France
Voltaire fait paraître *Candide.*

Londres
L'écrivain anglais Laurence Sterne (1713-1768) publie les deux premiers volumes de son roman *Vie et opinions de Tristram Shandy.*

Londres
Fondé six ans plus tôt, le British Museum ouvre ses portes au public.

1760

Inde, 22 janvier
Lally-Tollendal, défait à Wandowash, est assiégé dans Pondichéry. Il devra capituler après une longue résistance, le 16 janvier 1761. Embastillé, il sera jugé, condamné pour haute trahison et exécuté le 9 mai 1766. Son jugement sera révisé en 1778 et il sera réhabilité.

Provinces-Unies, avril
Les négociations entamées à La Haye pour mettre fin au conflit européen échouent.

Nouvelle France, 8 septembre
Montréal capitule. →

Prusse, 9 octobre
Les Austro-Russes pillent Berlin. →

Angleterre, 25 octobre
Avènement de George III à la mort de son père George II (né en 1683).

France
Jean-Jacques Rousseau fait paraître *Julie ou la Nouvelle Héloïse.*

Chine
Canton devient le seul port autorisé à commercer avec l'étranger.

Italie
Carlo Goldoni (1707-1793) donne *Les Rustres.*

Angleterre
Le poète anglais James Macpherson (1736-1796) édite les *Poèmes d'Ossian,* prétendûment traduits du gaélique. En fait, il en était l'auteur.

Pays de Gex
Voltaire se retire à Ferney.

La France boutée hors du Canada

Montréal, 8 septembre 1760
Pendant qu'en Europe la Prusse et l'Autriche se disputent la Silésie, de l'autre côté de l'Atlantique, la France et l'Angleterre se battent pour la possession du Canada, guerre décisive après un demi-siècle de conflits larvés. Avant de devenir territoriale, la rivalité franco-anglaise avait été longtemps de nature simplement commerciale. Deux régions contestées risquaient cependant d'entraîner les deux pays dans une guerre ouverte : l'Acadie d'une part, territoire majoritairement peuplé de colons français, mais devenue de droit une possession anglaise ; la région de l'Ohio d'autre part. Le premier conflit éclate en Acadie à la suite de la rupture franco-anglaise en Europe pendant la guerre de succession d'Autriche. Après la prise du fort de Louisbourg par les Anglais, la France, décidée à réagir, tente de reconquérir l'Acadie mais elle échoue et les traités de 1748 rétablissent le *statu quo.* L'autre point sensible, la vallée de l'Ohio, était le débouché naturel du Canada français vers le Mississipi et la Louisiane. Or, cette région était convoitée par les colons anglais installés en Virginie. Dans le dessein de mettre en valeur le pays, ils avaient fondé l'« Ohio Company » et considéraient l'aval du fleuve comme le terme naturel de leur expansion. Pour mettre un terme à ces entreprises, la France, intéressée à maintenir la liaison entre le Saint-Laurent et la Louisiane, établit une ligne de forts entre le lac Erié et l'Ohio. En 1754, les premiers incidents éclatent. Arrivé au Canada en 1756, Montcalm prend l'offensive. Ayant dégagé les abords du lac Ontario par la prise du fort Oswego, il repousse les Anglais au sud du lac Champlain et prend le fort William Henry à l'entrée de la rivière Hudson. Mais Pitt, décidé cette fois à jeter les Français hors du Canada, met sur pied une vaste contre-offensive. Louisbourg capitule le 26 juillet 1758. Portant ensuite leurs efforts sur l'Ontario et l'Ohio, les Anglais prennent Frontenac et le fort Duquesne, respectivement en août et novembre 1758. Replié sur le Saint-Laurent pour tenter d'y concentrer ses forces, Montcalm est tué lors de la prise de Québec, le 18 septembre 1759. Le 8 septembre 1760, Montréal tombe.

Commandant des troupes françaises au Canada, Montcalm est mortellement blessé lors de la défense de Québec. Gravure.

L'économie selon les physiocrates

France, 1758
Né à Méré en 1694, le docteur Quesnay, avant d'être médecin, est un passionné d'économie politique. A ce titre, il collabore à l'*Encyclopédie* qui lui doit en particulier les articles « Grains » et « Fermier ». Avec le *Tableau économique,* il apparaît comme le fondateur et le théoricien de l'école physiocratique (physiocrate voulant dire le « gouvernement de la nature »). Pour Quesnay, l'argent ne constitue pas la véritable richesse et le commerce n'est pas la cause essentielle de la prospérité. L'unique véritable richesse, c'est la terre ; la prospérité d'une nation ne consiste en rien d'autre que dans l'accroissement de la production agricole. La terre seule en effet restitue aux hommes qui la cultivent une matière plus abondante que celle qu'elle reçoit d'eux. Parce qu'elle multiplie la richesse, elle seule laisse un produit net. Selon lui, le commerce et l'industrie, qui se bornent à transformer ou à faire circuler une matière déjà donnée et qu'ils ne peuvent accroître, sont fondamentalement des activités stériles. La paysannerie est donc la seule classe productive. Quesnay est par ailleurs un adversaire résolu des méthodes dirigistes de la tradition mercantiliste. Enquêtant sur la situation de l'agriculture en France, il dénonce les freins et les entraves à l'initiative individuelle : les impôts trop lourds qui frappent la production, les lois qui restreignent la circulation des grains, les règlements périmés des corps de métiers. Sous un pareil régime de contraintes, la production ne peut que stagner. Quesnay réclame donc un régime plus libéral et refuse à l'Etat le droit d'intervenir dans le domaine économique.

La Prusse aux abois, les Russes à Berlin

Prusse, 9 octobre 1760

Bien que l'Angleterre ait renouvelé son alliance avec la Prusse par la convention de Londres du 11 avril 1758, le sort des armes semble à présent jouer contre Frédéric II. Si, sur le front occidental, les Français voient alterner succès et revers (battus à Crefeld le 23 juin 1758, puis à Minden le 1er août 1759, ils remportent la bataille de Bergen le 13 avril 1759), à l'est, en revanche, les Russes, très largement supérieurs en nombre, lancent une vigoureuse offensive qui leur permet d'occuper la Prusse orientale et de s'avancer jusqu'au Brandebourg. Frédéric II contre-attaque à partir de la Moravie où il s'est caché et parvient, non sans mal, à repousser les troupes russes, à la bataille de Zorndorf, le 25 août 1758. Mais, pour le roi de Prusse, il

ne s'agit que d'un bref répit. Quelques mois plus tard, les troupes russes et autrichiennes opèrent leur jonction et occupent Francfort-sur-l'Oder, à trois jours de marche seulement de Berlin. Frédéric II tente de dégager sa capitale mais subit une défaite écrasante à Kunersdorf le 12 août 1759. Les coalisés s'avancent alors en Saxe et en Silésie. L'année suivante, ils s'emparent de Berlin et la pillent le 9 octobre 1760. Frédéric II est en train de payer très cher son audacieuse politique. Son pays est épuisé par le lourd effort imposé par la guerre et il semble au bord de la ruine. Ses armées sont presque décimées, son artillerie anéantie. Au lendemain de la défaite de Kunersdorf, conscient de l'étendue du désastre, le roi désespère de la situation et il imagine déjà la Prusse rayée de la carte de l'Europe ; ne voulant pas survivre à son pays, il songe au suicide.

Le général prussien von Seydlitz.

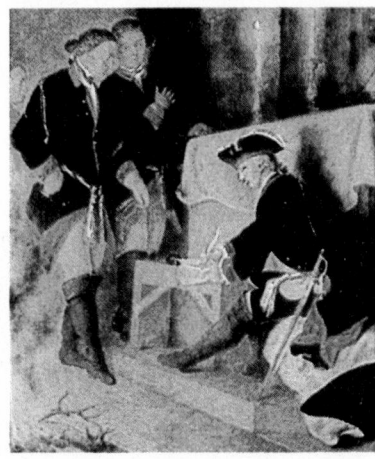

Frédéric II (à droite) avant la bataille.

Helvétius, un athée incorrigible

Paris, 27 juillet 1758

Le Paris de la littérature et de la politique est mis en émoi par la publication du livre de Claude Helvétius intitulé *De l'esprit*. Né en 1715, fils du médecin de la reine, d'abord fermier général, il décide en 1749 de se consacrer entièrement à l'étude de la philosophie et rejoint les Encyclopédistes. A la différence de ses amis, il ne tient pas à éditer ailleurs qu'à Paris ; pour ce faire, il se soumet à la censure préalable. Celle-ci est dirigée par un ami des philosophes, Malesherbes, qui autorise l'ouvrage. Mais quand paraît l'ouvrage, c'est le scandale ; car Helvétius choque les catholiques les plus intransigeants. En effet, il décrit les hommes comme des êtres égaux que seule l'éducation différencie. Mais surtout, indifférent à toute religion révélée, il ne s'affirme même pas déiste. Cet athéisme militant rebutera jusqu'à ses amis. Si l'ouvrage est interdit, les philosophes n'en gagnent pas moins la bataille de l'opinion. Quant à l'auteur, devenu prudent, il ne publiera plus jusqu'à sa mort en 1771.

Les pérégrinations de Tristram Shandy

Londres, 1759

Un pasteur anglais Laurence Sterne, né le 24 novembre 1713 à Clonmel en Irlande, vient de publier les premiers volumes d'un roman humoristique, *La Vie et les Opinions de Tristram Shandy*. L'œuvre surprend autant qu'elle amuse par la singularité des personnages et la nouveauté de l'écriture. Ce sont les opinions de Walter Shandy, le père du héros, et de l'oncle Toby qui prédominent, Tristram n'étant que sur le point de naître, à mi-parcours de l'ouvrage. Le caporal Trim et le curé Yorick comptent parmi les créations les plus pittoresques de Sterne. De plus, l'abondance ou l'inattendu des digressions, qu'il s'agisse d'évoquer les causes de nos idées obscures, la précocité des enfants ou encore les vêtements des anciens Romains, constituent de véritables pérégrinations pour l'esprit, tout à la fois savantes et excentriques. Face à la rigidité des systèmes, l'auteur a voulu opposer une restauration de l'individu. Humour et perspicacité s'y mêlent de la plus heureuse façon.

L'Espagne à l'heure du despotisme éclairé

Madrid, 10 août 1759

Depuis quelques années, l'Espagne semblait entrer en décadence. Des réformes s'imposaient. Elle trouve enfin en la personne de Charles III (né le 20 juin 1716) un partisan des Lumières et un politique novateur. Secondé par des hommes de valeur comme le comte d'Aranda, ami de Voltaire, l'économiste Campomanès ou le philosophe Juvellanos, il trouve aussi le soutien d'une élite cultivée regroupée au sein de « Sociétés des amis du pays ». Il rétablit l'autorité de l'Etat ; des intendants se substituent aux autorités locales engourdies par les traditions. La remise en état de l'armée et de la flotte suivra la réorganisation des finances. Pour lutter contre l'emprise cléricale, il ordonne la réduction des privilèges et des effectifs du clergé avant de décréter l'expulsion des jésuites. L'enseignement est confié à des laïcs ; il est modernisé et ouvert aux sciences et aux techniques. C'est à l'Etat enfin que revient la remise à flot de l'économie, victime du système colonial (→1788).

L'empire du Milieu s'étend vers l'ouest

Chine, 1760

Jamais l'Empire chinois n'a été aussi vaste. Il s'étend sur près de douze millions de km². La dynastie mandchoue des Qing, installée depuis 1644, a réalisé en un siècle les projets millénaires d'expansion de la Chine en Asie centrale. Elle a réussi à imposer son protectorat à la Mongolie extérieure vers 1697, au Tibet en 1751 et à la Dzoungarie vers 1757. Dans le nord, le traité de Nerchinsk de 1689 écarte la menace russe sur la Mandchourie. L'influence des Qing s'exerce encore bien au delà des frontières. La plupart des pays d'Asie, la Corée, la Birmanie et le

Haller invente la physiologie

Suisse, 1759

En 1747, Albrecht von Haller, botaniste médecin et physiologiste suisse, né à Berne en 1708, publie les *Primae Linae physiologiae* où l'on trouve, pour la première fois, des considérations sur la physiologie, indépendamment de tout discours médical. Le couronnement de l'œuvre s'élaborera entre 1757 et 1768, début et fin de la publication des *Elementa physiologiae corporis humani*, véritable somme en huit volumes. L'œuvre de Haller est importante à plus d'un titre, outre le fait qu'elle fonde une nouvelle discipline. Il y propose la théorie de l'irritabilité, généralisation du modèle newtonien : les fibres sont irritables comme les planètes s'attirent. Grand admirateur de Newton, Haller n'en rejette pas moins son hypothèse sur la vibration des nerfs et montre que la sensibilité est la propriété des seules fibres nerveuses. Mécaniste convaincu, il adhérera, en matière de théorie de la génération, à la préexistence des germes et s'opposera aux partisans de la théorie de l'épigénèse.

Népal, reconnaissent sa souveraineté. Les grands empereurs Kangxi (1662-1723), Yongzheng (1723-1736) et QianLong (1736-1796) se sont succédé, faisant preuve d'un sens politique et diplomatique remarquable. L'antagonisme entre Chinois et Mandchous a presque disparu. Les souverains Qing ont fait de l'ordre moral confucéen le fondement même de leur régime. Avec le XVIIIe siècle, la Chine est entrée dans une période de prospérité due à un essor agricole, artisanal et commercial sans précédent. Elle connaît aussi une extraordinaire poussée démographique avec 200 millions d'habitants recensés contre 140 millions en 1741. La Chine est alors le plus grand et le plus riche Etat du monde.

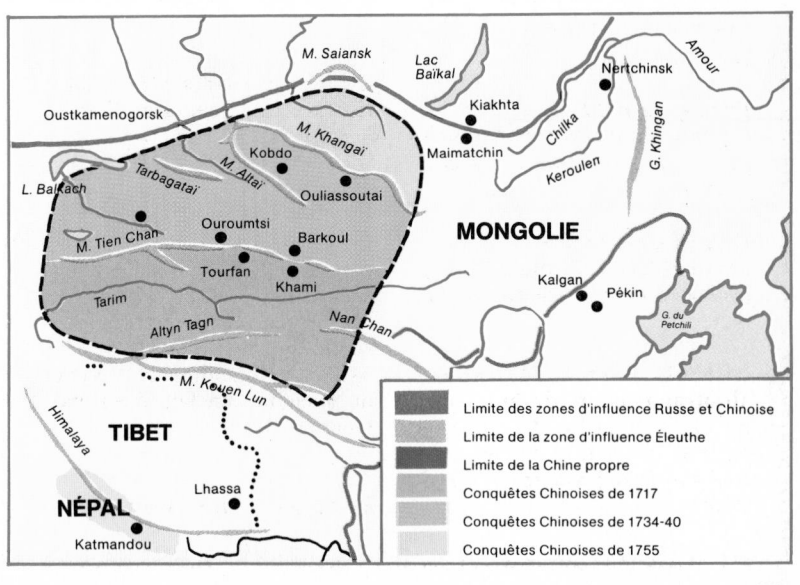

1761

Inde, 8 janvier
La garnison française de Pondichéry capitule. En février, ce sera le tour de celle de Mahé.

Versailles, 27 janvier
Louis XV nomme le comte de Choiseul secrétaire d'Etat à la Guerre.

France, 31 mars
Le gouvernement français adresse des propositions de paix au gouvernement britannique.

Angleterre, mars
L'Ecossais Lord Bute, favori de George III, fait son entrée dans le gouvernement.

Versailles, juin-septembre
Des négociations s'engagent entre Français et Anglais mais sans aboutir, d'autant que le 8 juin ces derniers s'emparent de Belle-Ile.

Paris, 6 août
A la suite du procès intenté au père jésuite Antoine de La Valette, supérieur général des maisons françaises en Amérique du Sud, le Parlement de Paris est conduit à incriminer les Constitutions de la Compagnie de Jésus. →

Europe, 15 août
Le comte de Choiseul met au point le troisième pacte de Famille alliant toutes les dynasties régnantes appartenant à la branche des Bourbons dans un traité d'assistance mutuelle.

Angleterre, 6 octobre
William Pitt ayant démissionné, John Bute (1713-1792) est chargé de former un ministère.

France
Turgot est nommé intendant du Limousin. →

France
Le peintre Jean-Baptiste Greuze (1725-1805) présente au Salon *L'Accordée de village* : l'œuvre surprend et remporte un vif succès. →

France
C'est probablement vers cette date que Diderot compose *Le Neveu de Rameau*, qui ne sera publié qu'en 1805, dans une traduction allemande de Goethe.

1762

Angleterre, 2 janvier
L'Angleterre déclare la guerre à l'Espagne et envahit le Portugal en février.

Russie, 4 janvier
Petit-fils de Pierre le Grand par sa mère, Pierre III succède à la tsarine Elisabeth, sa tante, sur le trône de Russie.

Antilles, 5 février
La Martinique capitule devant les Anglais.

Toulouse, 10 mars
Condamné au supplice de la roue, le négociant calviniste de Toulouse, Jean Calas (né en 1698) est exécuté. (→1765).

Angleterre et France, mars
Reprise des négociations entre les deux pays.

Prusse, mai
Frédéric II réussit à se réconcilier avec les Russes le 5 et signe de même un traité avec les Suédois le 22.

Saint-Pétersbourg, 28 juin
Personnage débile et falot, Pierre III est déposé à la faveur d'un complot ; Catherine II, sa femme, lui succède. →

Autriche, 5 octobre
Gluck met en scène son opéra *Orphée et Eurydice*.

Autriche et Prusse, 24 novembre
Les deux ennemis signent une trêve.

Savoie
Deux édits permettant d'affranchir les serfs sont promulgués par Charles-Emmanuel de Savoie.

Paris
Jean-Jacques Rousseau publie, la même année, deux de ses ouvrages les plus importants : *Du contrat social ou Principes du droit politique* et l'*Emile ou De l'éducation*.

France
L'architecte Jacques-Ange Gabriel (1698-1782) commence la construction du Petit Trianon. Celle-ci sera achevée en 1768.

Rome
Achèvement de la fontaine de Trevi, œuvre de l'architecte Niccolò Salvi (1697-1751). Selon une tradition très ancienne, le voyageur qui jette dans la vasque de la fontaine une pièce de monnaie est assuré de revenir à Rome.

Turgot est nommé intendant du Limousin

France, 1761
Jacques Turgot, qui vient d'être nommé intendant de la généralité du Limousin, est né en 1727 à Paris. Il est le fils d'un prévôt des marchands. Après des études de théologie, il renonce à la carrière ecclésiastique par manque de vocation et débute comme conseiller au parlement de Paris, avant d'être promu maître des requêtes. Disciple de Quesnay et de Gournay, il collabore à l'*Encyclopédie*. L'Intendance était à l'origine destinée à parer aux dangers suscités par la vénalité des offices, c'est-à-dire l'incompétence administrative des officiers ou encore leur excès d'indépendance vis-à-vis du pouvoir royal.

Jacques Turgot.

Sous le règne de Louis XIV, les intendants étaient les agents les plus efficaces de la centralisation monarchique. Aujourd'hui, ils sont volontiers novateurs. Poussés par les impératifs de l'administration, ils s'occupent à présent de statistique, d'économie et de démographie. L'observation attentive de la vie sociale en fait souvent des partisans des réformes. Mais l'affaiblissement du pouvoir royal et la résistance des ordres privilégiés diminuent en partie leur pouvoir réel.

Greuze, peintre des moments pathétiques

Paris, 1761
Avec *L'Accordée de village,* Jean-Baptiste Greuze, né en 1725, poursuit sa carrière de peintre des vertus bourgeoises, hostile aux exagérations du

William Pitt à la Chambre des Communes en 1761, proposant d'étendre la guerre à l'Espagne.

Le Premier ministre anglais William Pitt démissionne

Londres, 6 octobre 1761
William Pitt, Premier ministre depuis décembre 1756, a proposé au Conseil de déclarer la guerre à l'Espagne afin de lui ravir ses colonies. Devant l'hostilité du roi George III et de son entourage à ce projet, il est contraint de démissionner, malgré le soutien des Communes et un large crédit autant populaire par son patriotisme, que dans les milieux d'affaires favorables à la guerre. Ce départ illustre la volonté du roi de renforcer son autorité contre les whigs. C'est un tory dévoué au roi, John Bute, qui remplace Pitt.

rococo. Bien que loué par Diderot pour la vérité de ses compositions et des états d'âme qu'il dépeint, Greuze n'échappe pas toujours à la convention et, sous des dehors moralisateur, il lui arrive parfois de céder aux goûts libertins de l'époque (*La Cruche cassée,* 1772, Paris, Louvre).

Jean-Baptiste Greuze. « L'Accordée de village ». Musée du Louvre, Paris. Présentée au Salon de 1761, l'œuvre enthousiasma les âmes sensibles.

J.-J. Rousseau se pose en directeur des consciences

France, 1762

C'est une année faste pour Jean-Jacques Rousseau. A quelques semaines d'intervalle, les colporteurs qui fournissent au public français ses œuvres (soi-disant publiées en Hollande afin d'éviter les foudres de la censure), introduisent deux textes majeurs de l'auteur : le *Contrat social* et l'*Emile*. Né le 28 juin 1712 à Genève, Rousseau est déjà célèbre à Paris où il a connu une ascension fulgurante, quoique sa vocation d'écrivain soit tardive. Ce n'est qu'à trente-huit ans qu'il se décide à écrire. En quelques mois, il devient célèbre grâce à son *Discours sur les sciences et les arts* puis en 1755 avec le *Discours sur l'origine de l'inégalité*. Depuis, il ne cesse de publier et le public a découvert en 1761 *La Nouvelle Héloïse*. Ses parutions les plus récentes partent du même constat : la société n'est désormais plus supportable, tant elle est immorale et corrompue. La critique est sévère. Elle va même à l'encontre de certaines idées de ses amis, les encyclopédistes, qui voient dans le progrès des connaissances un remède à ces maux. Rousseau s'engage courageusement sur un chemin solitaire et pavé d'embûches : comment réformer cette société où l'homme perd le contact avec la nature, s'enfonce dans une quête hypothétique du bonheur au nom du progrès, sans réformer les relations sociales qu'il entretient avec ses semblables ? Dans l'*Emile*, il propose une pédagogie qui favorise toutes les virtualités présentes chez l'enfant. Celui-ci doit tout apprendre de lui-même, aidé par la présence discrète du pédagogue. Dans *Le Contrat social*, il se propose de définir les conditions grâce auxquelles les lois qui régissent les rapports entre les hommes sont légitimes. Elles doivent garantir la liberté et la sécurité à chaque individu et permettre l'expression d'une volonté générale. Rousseau, à la différence de Montesquieu, ne se pose pas en historien mais en philosophe. Il se fait le chantre de l'égalité, du contrat entre individus libres et égaux, rejetant toute justification de la loi par la loi du plus fort ou par une autorité résultant de privilèges. Ces ouvrages vont profondément influencer le cours de sa vie, le plongeant dans la solitude. Condamné par les pouvoirs établis et se sentant persécuté, il connaîtra divers refuges précaires avant de s'exiler à Ermenonville où il mourra le 2 juillet 1778.

Maurice Quentin de La Tour. « Portrait de Jean-Jacques Rousseau ». 1753. Genève.

Gluck, le réformateur de l'opéra, présente "Orphée et Eurydice"

Vienne, 5 octobre 1762

Le compositeur allemand Gluck avait frappé le public viennois l'année dernière avec son ballet *Don Juan*. Directeur de la musique de la cour depuis 1754, il vient de créer, en collaboration avec l'écrivain italien Calzabigi *Orphée et Eurydice*, véritable rénovation du drame musical. L'action est dépouillée à l'extrême, les personnages réduits aux protagonistes : Orphée, Eurydice et l'Amour. De l'opéra italien, Gluck conserve l'aura poétique de la pastorale ; les chœurs, partie intégrante de la progression dramatique, perdent toute fonction décorative ; des scènes structurées supplantent les airs souvent stéréotypés qui interrompent l'action. Ainsi remanié, l'opéra se voit attribuer un but unique : l'épanouissement de la musique. Reconnu dans toute l'Europe comme la figure centrale des débats sur l'avenir de l'opéra, Gluck mourra à Vienne le 15 novembre 1787 d'une attaque d'apoplexie.

Le parlement de Paris condamne les jésuites

Paris, 6 août 1761

La Compagnie de Jésus vient de subir un revers considérable. Lors du procès d'un des siens, le père Antoine La Valette, elle perd tous ses biens. Supérieur de la mission de la Martinique, il s'était lancé dans une entreprise commerciale vaste et avait obtenu le monopole de fait de tout le commerce avec l'île. La guerre opposant la France et l'Angleterre cause sa perte ; les Anglais s'emparent de tous les navires, cargaisons comprises. L'entreprise est mise en faillite. Les créanciers, des armateurs marseillais, se retournent contre les jésuites. Le parlement qui, comme une bonne partie de l'opinion française, ne les aime pas, décide d'indemniser les plaignants en séquestrant les biens des religieux. Ceux-ci sont considérés par les gallicans comme des agents de l'étranger, Rome en l'occurrence, par les jansénistes comme les fossoyeurs du christianisme et par les philosophes comme les remparts de la superstition.

L'Angleterre se bat sur tous les fronts

Angleterre, 1762

Entraînée par son Premier ministre Pitt et sa volonté de lutte à outrance, l'Angleterre mène une guerre à l'échelle planétaire, sur terre comme sur mer. Elle est engagée en Allemagne pour défendre l'électorat de Hanovre et soutenir son allié prussien. Le long des côtes de France, ses navires menacent Rochefort et Cherbourg. En Méditerranée, ses escadres sont présentes à Minorque et à Gibraltar. Elle se bat aux Indes et au Canada. En Afrique elle déloge les Français de l'embouchure du Sénégal en prenant le fort de Saint-Louis le 30 avril 1758 et l'île de Gorée en décembre. Aux Antilles, elle s'empare des colonies françaises, prend Basse-Terre en Guadeloupe le 23 avril 1759 et obtient la capitulation de la Martinique le 5 février 1762. L'Espagne entrant à son tour dans le conflit le 2 janvier 1762, l'Angleterre s'empare de La Havane le 13 août, investit Cuba, attaque la flotte espagnole dans le golfe du Mexique et prend la Floride. Présente également dans l'océan Pacifique, de l'Amérique du Sud à la Malaisie, elle menace les colonies espagnoles des Philippines par la prise de Manille le 21 septembre 1762.

L'architecture russe à l'heure italienne

Saint-Pétersbourg, 1761

Dès qu'elle s'est ouverte sur l'Occident, la Russie a attiré les artistes étrangers, peintres, musiciens, décorateurs, sculpteurs ou architectes. Pierre le Grand, qui avait séjourné à Versailles et à Marly, voulut à son tour rivaliser de magnificence avec l'art monarchique français. C'est donc à un architecte et à un ornemaniste français, Le Blond et Pineau, qu'il fit appel pour aménager sa résidence de Peterhof. Mais, en Russie comme partout ailleurs en Europe, ce sont les artistes italiens, grands voyageurs, qui prirent la première place et imposèrent le style rocaille alors dominant. Le plus grand d'entre eux est assurément l'architecte Bartolomeo Rastrelli, fils d'un sculpteur florentin installé au service des tsars. Inspecteur général des monuments sous le règne de la tsarine Elisabeth, il marque le pays de son empreinte. Venant après les palais Vorontzov et Stroganov à Saint-Pétersbourg et le couvent de Smolny, le palais d'Hiver qu'il achève sur les bords de la Neva après dix ans de travail est le couronnement de son œuvre.

Catherine II monte sur le trône de Russie

Saint-Pétersbourg, 28 juin 1762

C'est par un coup d'Etat, aggravé d'un assassinat, que Catherine, née le 2 mai 1729 à Stettin, princesse d'Anhalt-Zerbst parvient au trône. Profitant d'une absence de son mari, le tsar Pierre III qu'elle avait épousé en 1745, elle conspire avec quelques officiers et, avec le soutien du Sénat, se fait proclamer autocrate par la garde du palais. Sous la contrainte, Pierre III abdique ; mais, quatre jours plus tard, on le retrouve mort dans une chambre du château impérial. En quelques mois, le tsar s'était aliéné toute l'armée en abandonnant les conquêtes faites en Prusse et en rompant les alliances tissées par la tsarine Elisabeth Petrovna (qui régna de 1741 à 1762). Si Pierre, lui-même en partie d'origine allemande, ne sut pas se faire aimer des Russes, ce n'est pas le cas de Catherine qui se met rapidement à l'heure de sa nouvelle patrie. Elle apprend le russe et se convertit à la confession orthodoxe. Bien qu'attirée elle aussi par les réformes inspirées par les philosophes français, elle ne se départ pas de sa prudence naturelle et s'entoure des grandes familles nobles dont les Orlov ou les Potemkine.

L'impressionnante façade du palais d'Hiver à Saint-Pétersbourg (aujourd'hui Léningrad), œuvre de Bartolomeo Rastrelli, édifiée entre 1754 et 1762.

1763

Paris, 10 février
Signature du traité mettant fin à la guerre entre Anglais et Français. →

Hubertsburg, 15 février
Signature à Hubertsburg du traité mettant fin aux hostilités entre Autrichiens et Prussiens. →

Angleterre, avril
Lord Bute démissionne ; il est remplacé par George Grenville (1712-1770). Le 23, débute l'affaire Wilkes. →

Lituanie, septembre
Les troupes russes envahissent le territoire qui fait partie du royaume de Pologne.

Pologne, 5 octobre
Mort du roi de Pologne Frédéric-Auguste II, électeur de Saxe (né en 1696).

Brésil
Rio supplante Bahia comme capitale du pays. →

Chine
L'écrivain Cao Xueqin laisse à sa mort le manuscrit inachevé du *Rêve dans le pavillon rouge*. →

France
Les physiocrates éditent désormais un journal, *La Gazette du commerce*.

Inde
La révolte du « soubab » du Bengale contre les Anglais tourne court et il est déposé.

Irak
Le port de Bassora devient la plaque tournante du commerce britannique.

Nouvelle-Angleterre
L'usage des terres au delà des Alleghanys est interdit à tous les colons américains.

Russie
Catherine II convoque une commission destinée à fixer le futur statut de la noblesse russe.

1764

Angleterre, 19 janvier
Le député Wilkes est exclu de la Chambre des Communes. →

Versailles, 15 avril
Mort de la marquise de Pompadour (née en 1721).

Rennes, 5 juin
Caradeuc de la Chalotais (1701-

1785) mène l'offensive du parlement de Bretagne contre le duc d'Aiguillon. →

Italie, juillet
Cesare Bonesana, marquis de Beccaria (1738-1794) fait paraître son traité *Des délits et des peines*. →

Pologne, 6 septembre
Le prétendant préféré des Russes, Stanislas Poniatowski, est élu roi de Pologne.

France, novembre
Le roi Louis XV dissout par décret l'ordre des Jésuites.

Russie
Catherine II rédige une « Instruction » (ou *Nakaz*), où se trouve consigné son programme de réformes. Elle fonde l'institut Smolnyi.

Inde
Les Anglais battent à Buxar le Grand Moghol et le nabab de l'Aouth (→1765).

France
Condamnation à mort par contumace de Pierre Sirven (1709-1777), accusé injustement d'avoir assassiné sa fille pour qu'elle n'abjure pas sa foi protestante.

Voltaire publie son *Dictionnaire philosophique*, pamphlet qui eut un énorme retentissement.

Dresde
Publication par l'archéologue allemand Johann Joachim Winckelmann (1717-1768) de son *Histoire de l'art dans l'Antiquité*, où il se fait le défenseur du retour à la tradition classique.

Russie
L'architecte français Jean-Baptiste Vallin de la Mothe (1729-1800) commence à Saint-Pétersbourg la construction du Petit Ermitage, destiné à abriter les collections de Catherine II. Le bâtiment sera achevé deux ans plus tard.

Paris
Julie de Lespinasse ouvre son salon littéraire.

Paris
Mise en chantier de l'église Sainte-Geneviève, dessinée par Germain Soufflot (1713-1780) : celle-ci sera tout juste achevée à sa mort.

Une mystérieuse bête féroce ravage la région du Gévaudan dans le sud de l'Auvergne, excitant l'imagination et la frayeur populaires.

Le traité de Paris met fin à la guerre de Sept Ans

Paris, 10 février 1763
Signé après deux années de difficiles négociations, entamées par Choiseul sur la base de ses propositions de paix du 31 janvier 1761, et retardé par l'obstination de Pitt qui souhaitait prolonger la guerre jusqu'au complet anéantissement des forces françaises, le traité de Paris met fin à la guerre franco-anglaise. L'Angleterre obtient le Canada, les îles de la Dominique, de la Grenade, de Pador et de Galam sur le fleuve Sénégal en Afrique, un protectorat sur le Dekkan et le Carnatic aux Indes. La France conserve l'île de Gorée à l'embouchure du Sénégal, les îles de la Guadeloupe et de la Martinique dans les Antilles, la possession de cinq comptoirs en Inde (Chandernagor, Karikal, Mahé, Pondichéry et Yanaon), le droit de pêche près des côtes de Terre-Neuve et les îles de Saint-Pierre et Miquelon. L'Espagne retrouve Cuba et Manille et obtient de la France la Louisiane, en compensation de la Floride cédée à l'Angleterre. Suivant de quelques jours le traité de Paris, la conclusion du traité d'Hubertsbourg, le 15 janvier 1763, met fin au conflit entre la Prusse et l'Autriche. La Prusse conserve les acquis de la guerre de succession d'Au-

triche : la Silésie et le comté de Glatz. Après Kunersdorf, la France et l'Autriche n'avaient pas su exploiter leur victoire et avaient laissé à la Prusse le temps de se relever. De plus, à la mort de la tsarine Elisabeth, le nouveau tsar Pierre III abandonne la Grande Coalition et restitue la Prusse orientale. Frédéric II remporte alors entre 1760 et 1762 une série de victoires sur les armées autrichiennes, à Liegnitz, Torgau, Durkersdorf et Reichenbach ; Marie-Thérèse se résigne à la perte définitive de la Silésie. La Prusse rend cependant la Saxe à son légitime propriétaire.

Entrée de Frédéric-II de Prusse à Berlin après le traité d'Hubertsbourg.

Adolphe-Frédéric de Suède et Frédéric II de Prusse en 1763.

Rêve inachevé dans un pavillon chinois

Chine, 1763
Cao Xueqin laisse inachevé à sa mort son grand roman le *Rêve dans le pavillon rouge*. Il est né vers 1715 à Nankin dans une famille alliée à la cour impériale du temps de l'empereur Kangxi (1662-1723), mais déjà sur son déclin. Cao Xueqin connaît une existence difficile. Peintre accompli, il lui arrive parfois de vendre des tableaux. Le *Rêve dans le pavillon rouge* est son seul roman connu. Il comprend cent vingt chapitres, mais les quarante derniers ne sont pas de sa main. Ecrit dans un pur dialecte de Pékin, c'est une fresque où apparaissent plus de quatre cents personnages, parfaitement individualisés. Il raconte les amours contrariées du héros Bao Yu, né avec une pierre de jade précieux dans la bouche, et de

sa cousine. Mais l'œuvre est loin de se réduire à une simple intrigue amoureuse. A travers sa propre expérience et celle de sa famille, Cao montre le destin inéluctable de cette société de privilégiés. Dans le préambule de son roman, il écrit pourtant que son seul désir était de perpétuer la mémoire des femmes qu'il avait connues dans le gynécée de son enfance. C'est dans une langue classique, pleine d'allusions littéraires que l'ouvrage a été écrit. En effet, dès la fin du XVIIe siècle, se dessine une réaction contre les ouvrages en langue vulgaire. La *Chronique indiscrète des mandarins*, écrite en 1745 par Wu Jingzi, est, comme le *Rêve dans le pavillon rouge*, un merveilleux exemple de ces romans tout en finesse qui décrivent tous les aspects de la société chinoise du XVIIIe siècle. C'est désormais un « classique » de la littérature mondiale.

Mort de Hogarth, peintre satirique

Londres, 1764

Né en 1697 dans une famille modeste mais cultivée, William Hogarth s'affirme très vite comme un remarquable graveur. Très impressionné par les spectacles scéniques, il adapte leur dramaturgie particulière au monde de la peinture. En effet, il brosse des séries de tableaux sur un thème particulier, mettant en scène des « sujets moraux » qu'il traite comme autant de pièces de théâtre. Le spectateur peut ainsi « lire » sa peinture comme une histoire à épisodes successifs : c'est toute la vénalité, l'injustice et la violence de la société qui apparaissent à travers ses séries de *La Carrière d'une prostituée* (1731), *La Carrière d'un roué* (1735), *L'Election parlementaire* (1743-1745). Le portrait, genre auquel il s'adonne dès 1740, témoigne également de son sens critique et de son art de l'instantané.

William Hogarth. « Peu après le mariage ». Un des six tableaux illustrant « Le Mariage à la mode ». 1745. National Gallery, Londres.

Julie de Lespinasse ouvre son propre salon littéraire

Paris, 1764

Julie de Lespinasse (née en 1732) vécut longtemps dans l'ombre de Mme du Deffand, femme de lettres parisienne dont elle était depuis 1754 la demoiselle de compagnie. Les années passant, elle supporte de plus en plus difficilement le despotisme de sa protectrice ; d'autant qu'elle devient au fil des jours l'âme de la brillante société qui fréquente cette maison très hospitalière. En effet, quelques-uns des membres les plus éminents du monde des lettres (Voltaire, Montesquieu, Marmontel), des hommes d'esprit (le président Hénault), des politiciens (le duc de Choiseul et le jeune intendant Turgot), des étrangers célèbres (Horace Walpole et le philosophe David Hume), se réunissent régulièrement dans les salons lambrissés de leur hôtesse. Tout ce beau monde tombe sous le charme de Mademoiselle de Lespinasse dont le tact, la vivacité et l'esprit emportent tous les suffrages. La maîtresse des lieux commence à en prendre ombrage : le conflit éclate à l'occasion de la rivalité sentimentale qui oppose les deux femmes au sujet du mathématicien et philosophe d'Alembert, académicien et principal collaborateur de Diderot dans l'entreprise encyclopédique. Julie quitte la marquise pour s'installer avec d'Alembert rue Saint-Dominique, non loin de là, et décide d'ouvrir son propre salon. Dans toute la société, l'émoi causé par cette rupture est grand et rien ne montre mieux l'importance qu'a prise dans la vie parisienne cette institution qu'est devenue le salon. Il faut remonter, pour en trouver la source, à l'époque de la Régence. Paris a détrôné Versailles et, la cour cessant d'être le phare de la vie mondaine, la société se trouve émiettée. Louis XV, à la différence de son prédécesseur, ne réussissant pas à regrouper autour de lui l'élite intellectuelle, contribue indirectement à l'épanouissement des salons qui se multiplient à Paris : si, en général, jusque vers le milieu du siècle, on se préoccupe assez peu d'idées nouvelles pour donner le pas au bel esprit et aux bons mots, la discussion politique prend en revanche une part importante chez Mme de Lambert ou chez Mme du Tencin, puis vers 1764, chez Mme Necker, tandis que les salons de Mme du Deffand, de Mme Geoffrin, la « mère de l'Encyclopédie » ou de Mme d'Epinay, qui accueille parmi ses familiers Rousseau, Grimm, Diderot et Voltaire, sont une véritable tribune pour le parti des philosophes et des réformateurs. Les conversations y sont très sérieuses, sans pour autant cesser d'être spirituelles. Tel sera, à partir de 1764, l'esprit qui règnera chez Julie de Lespinasse.

Beccaria cloue la justice des hommes au pilori

Italie, juillet 1764

En publiant son traité *Des délits et des peines*, le marquis de Beccaria se pose en rénovateur du droit pénal. Né à Milan en 1738, docteur en droit de l'université de Paris, Beccaria est un lecteur et un grand admirateur des philosophes français. Pour remédier à l'obscurité des sources du droit pénal, Beccaria préconise l'adoption de textes simples issus du pouvoir législatif. Il considère que l'utilité sociale est la seule justification de la répression. Les peines doivent être inévitables, mais modérées. Il faut supprimer la prescription, les excuses absolutoires et même le droit d'asile. La justice doit être strictement individuelle (les peines ne devant pas rejaillir sur la famille) et universelle (les hommes sont égaux devant le droit). Il réclame aussi l'abrogation des délits en matière religieuse et la suppression de la torture à l'instruction. Il insiste enfin sur les causes économiques et sociales de la criminalité. Son ouvrage est accueilli avec enthousiasme. C'est la gloire de Beccaria ; il est invité par les encyclopédistes à Paris, on l'y fête, mais il rentre à Milan, où l'on crée une chaire pour lui. Il y mourra en 1794.

Rio détrône Bahia comme capitale

Rio de Janeiro, 1763

Premier ministre portugais, le marquis de Pombal a décidé de transférer le siège de la vice-royauté du Brésil, installé en 1720 à Bahia, la ville du centre, à Rio de Janeiro, le grand port du sud. Cette décision marque l'importance croissante du mouvement de colonisation qui touche toute une région allant de São Paulo à Rio. Depuis 1700, les Paulistes, des métis de Blancs et d'Indiens, ont découvert dans la région du fleuve Paraná de nombreuses mines d'or et de diamants. Ils colonisent l'intérieur du pays et poussent jusqu'à l'embouchure du Rio de La Plata où étaient installés des établissements espagnols. Plus dynamiques, ils gagnent en importance au détriment du Nord du pays, de Pernambouc à Bahia, essentiellement sucrier. Mais Pombal ne s'arrête pas à cette mesure somme toute mineure. Il veut réformer les relations jusque-là très lâches entre Lisbonne et sa colonie. Il remplace les capitaines généraux, devenus des petits potentats locaux difficiles à contrôler, par des fonctionnaires qui pourront désormais rester à demeure, aux ordres d'un vice-roi aux pouvoirs accrus. A cette réforme d'ordre politique et administratif, Pombal ajoute des mesures économiques destinées à minimiser l'influence commerciale anglaise.

L'archéologue Winckelmann met l'antique à la mode

Allemagne, 1764

Dans son *Histoire de l'art dans l'Antiquité*, Johann Winckelmann se propose un double but : il veut renouveler la connaissance de l'Antiquité et surtout plaider en faveur d'un nouveau classicisme. Adversaire résolu de l'art baroque dont il condamne l'emphase et la grandiloquence, il

Winckelmann.

préconise un retour à l'idéal de la beauté antique. Aussi conseille-t-il aux artistes l'imitation raisonnée des chefs-d'œuvre de l'art grec. Malgré une enfance pauvre, Winckelmann parvint à mener à bien des études classiques. Ses débuts de précepteur et de bibliothécaire lui permettent d'approfondir sa connaissance des langues et des civilisations anciennes. En 1755, âgé de trente-huit ans, il part pour Rome où il devient préfet des Antiquités romaines et bibliothécaire du Vatican. Il mourra assassiné à Trieste le 8 juin 1768.

Un journaliste anglais très contestataire

Londres, 23 avril 1763

Dès le lendemain de son avènement, en 1760, George III manifeste sa volonté de rétablir les prérogatives royales en limitant l'autorité du parlement et en contrôlant très étroitement le cabinet. La démission de Pitt lui permet d'imposer sa propre politique, mais l'opinion anglaise a pris goût au régime parlementaire. Le gouvernement direct du roi suscite bientôt une vive hostilité. L'opposition ne vient pas tant du parlement, lui-même contraint au silence par la corruption et des pensions bien distribuées, que de la presse qui acquiert de plus en plus d'audience, notamment un certain Wilkes qui s'en prend directement au pouvoir royal dans son propre journal, le *North Britain*, en dénonçant le discours du trône du Premier ministre Bute en 1763. Enhardi par son audience, il s'attaque au roi lui-même, qu'il accuse de jeter bas les « libertés anglaises ». Bien que député, Wilkes est poursuivi en justice ; son élection est invalidée et il est exclu des Communes. L'opinion publique se passionne pour cette affaire qui met en jeu à la fois la liberté de la presse, l'inviolabilité parlementaire et le droit des électeurs à choisir leurs représentants. Wilkes devient le symbole de la résistance à l'absolutisme royal.

1765

France, 9 mars
Voltaire obtient la réhabilitation de Jean Calas. →

Saint-Pétersbourg, 15 avril
Mort de l'écrivain et savant russe Mikhaïl Lomonossov (né en 1711).

Bretagne, 12 mai
Le parlement de Rennes démissionne et son dirigeant, La Chalotais, est arrêté. D'abord incarcéré à Saint-Malo, il sera exilé à Saintes de 1767 à 1774.

1766

Danemark, janvier
Christian VII succède à son père, Frédéric V.

Lunéville, 23 février
La mort de Stanislas Leszczynski permet le rattachement de la Lorraine à la France. →

Versailles, 3 mars
Le parlement de Paris, qui a pris fait et cause pour son homologue de Rennes, se soumet à la séance de la Flagellation en présence de Louis XV.

Espagne, juin
Les jésuites sont chassés d'Espagne. Charles III nomme le comte d'Aranda (1718-1798) Premier ministre.

Nouvelle-Angleterre, 24 juin
Adoption des résolutions de Virginie pour protester contre la décision de la Chambre des Communes de Londres de lever un nouvel impôt sur les importations des colons américains. →

Londres, 12 juillet
William Pitt, dit le Premier Pitt, obtient la suppression de l'acte du Timbre grâce au *Declaratory Act*.

Angleterre, 16 juillet
Lord Grenville démissionne ; il est remplacé par Lord Rockingham.

Bengale, 12 août
Le territoire est administré par la Compagnie des Indes orientales.

Vienne, 18 août
François Ier d'Autriche meurt. Son fils aîné Joseph II lui succède. Couronné empereur par sa mère Marie-Thérèse, il ne régnera effectivement qu'à la mort de celle-ci, en 1780.

France
Ingénieur militaire, de Gribeauval entreprend une réforme de l'artillerie française, qui devint grâce à lui la première d'Europe.

Russie
Catherine II confirme les privilèges de la noblesse.

Angleterre
James Hargreaves (1710-1778) invente la *Spinning Jenny*. →

Prusse
Frédéric II fonde la Banque de Berlin.

Angleterre
L'écrivain irlandais Oliver Goldsmith fait paraître son roman *Le Vicaire de Wakefield*.

Angleterre
Travaux du physicien Henry Cavendish (1731-1810) sur l'hydrogène.

France
A Abbeville, Jean-François Lefèbvre, chevalier de la Barre, âgé de dix-neuf ans, est torturé puis décapité, avant d'être brûlé, pour ne s'être pas découvert au passage d'une procession et avoir mutilé un crucifix. La révision de son procès fut demandée en vain par Voltaire. Il ne sera réhabilité qu'en 1793 par la Convention.

Brest
Louis Antoine de Bougainville entreprend un voyage autour du monde. →

France
Fondation de l'Ecole vétérinaire d'Alfort.

Turgot publie ses *Réflexions sur la formation et la distribution des richesses*.

Allemagne
Lessing (1729-1781) publie *Laokoon*, ouvrage d'esthétique sur les rapports de la poésie et de la peinture.

Angleterre
L'architecte anglais Robert Adam (1728-1792) construit la résidence de Luton Hoo, près de Bedford, bon exemple du style néo-classique.

Russie
Le sculpteur français Etienne Falconet (1716-1791) est chargé par Catherine II de concevoir une statue équestre de Pierre le Grand pour Saint-Pétersbourg.

Calas est réhabilité grâce à Voltaire

Paris, 9 mars 1765
Voltaire triomphe : grâce à lui, Jean Calas est réhabilité, ce qui met fin à une longue et pénible affaire commencée quatre ans plus tôt. En 1761 à Toulouse, un jeune homme, Marc-Antoine Calas, qui avait disparu, est retrouvé mort dans la maison paternelle. Suicide ou crime ? La rumeur publique accuse le père, Jean Calas, un calviniste farouchement attaché à sa religion. Il aurait, dit-on, assassiné son fils parce que celui-ci voulait se convertir au catholicisme. Les vieilles haines religieuses, jamais tout à fait éteintes, se rallument ; les passions bientôt se déchaînent, et les juges chargés de l'instruction du procès sont eux-mêmes entraînés dans le mouvement. Bien que l'accusé ne cesse de proclamer son innocence, on ne l'écoute pas. Condamné, il subit le supplice de la roue le 10 mars 1762. Ses fils sont bannis, ses filles enfermées dans un couvent. Peu de temps après, Voltaire recueille chez lui les deux bannis, Donat et Pierre Calas, qui plaident la cause de leur père. D'abord sceptique et indécis sur la valeur du jugement rendu, en raison de l'apparent sérieux des preuves alléguées contre l'accusé, Voltaire interroge les deux réfugiés et finit pas acquérir la conviction de l'innocence de Jean Calas. Il s'engage alors à obtenir la révision du procès. Il décide sa veuve à venir à Paris, paie les avocats, fait appel à ses amis les plus influents, lance l'affaire dans l'opinion publique en faisant paraître toute une série de libelles dans lesquels il soutient la thèse du suicide et réfute les arguments de l'accusation (Lettres de Donat Calas, Déclaration de Pierre Calas, Mémoires des avocats, etc.). Ayant obtenu un premier arrêt favorable à Calas, il oblige le parlement de Toulouse à rendre publique la procédure, à la suite de quoi il obtient la cassation du jugement en 1764. L'affaire est alors jugée une seconde fois et le condamné est réhabilité à l'unanimité. L'affaire Calas a fournit à Voltaire l'occasion d'écrire un *Traité sur la tolérance* en 1763.

La Lorraine rattachée au royaume de France

Lunéville, 23 février 1766
L'ancien roi de Pologne Stanislas Leszczynski, beau-père de Louis XV et duc de Lorraine depuis 1737, connaît une fin tragique en son château de Lunéville. S'étant assoupi trop près d'une cheminée, sa robe de chambre s'est embrasée et il est mort brûlé vif. Sa disparition sonne le glas de l'indépendance du duché de Lorraine. En exécution des traités, l'héritage doit passer à la France. A vrai dire, l'indépendance lorraine était toute nominale. Depuis l'annexion des Trois-Evêchés de Metz, Toul et Verdun en 1552, la France n'avait cessé d'intervenir dans les affaires du duché, pourtant terre d'empire. Le duc Charles IV ayant rallié le parti impérial lors de la guerre de Trente Ans, la France l'avait dépouillé de ses Etats à deux reprises et il était mort en essayant de récupérer son duché. Son successeur, Charles V, n'avait jamais pu prendre possession de ses biens, toujours occupés par la France. Il passa toute son existence réfugié à la cour de Vienne. Ce n'est qu'en 1697, après le traité de Ryswick, que la Lorraine retrouve son indépendance. Mais le nouveau duc, Léopold Ier, choisit immédiatement de se placer sous la protection de son puissant voisin et l'influence française croissante prépare insensiblement l'annexion. Le duché n'est plus qu'un enjeu dans les tractations diplomatiques qui suivent la guerre de succession de Pologne. Offert à Stanislas en compensation d'un trône perdu, il appartenait, de fait, déjà tout entier à la France.

Bougainville en route pour les mers du Sud

Brest, 1766
Dans la rade de Brest, deux frégates royales, *La Boudeuse* et *L'Etoile* sont prêtes à appareiller. Le comte de Bougainville s'embarque pour un tour du monde. Cet homme aventureux, né à Paris en 1729, a commencé sa vie dans une étude de notaire au Châtelet. Comme le droit l'ennuyait, il abandonna sa charge et entreprit d'étudier la littérature et les mathématiques. Attiré par la carrière des armes, il entra en 1753 au bataillon de Picardie. Après un intermède diplomatique, il reprit du service dans les troupes de Montcalm au Canada. La paix revenue, il devint en 1763 officier de marine. Il fut chargé par le gouvernement de la création d'une colonie aux Malouines ; mais, au bout d'un an, la France céda ce territoire à l'Espagne. Et voilà Bougainville de retour en France, sans emploi. Une question alors passionne les esprits à Paris : y-a-t-il un continent austral dans les mers du Sud ? Buffon avait posé le problème dans son *Histoire naturelle*. Vers la même époque, un autre sujet retient l'attention : l'origine des premières sociétés humaines. Dans son *Discours sur l'origine et le fondement de l'inégalité parmi les hommes*, Rousseau en appelait en 1754 aux témoignages de voyageurs. Ces livres passionnent Bougainville. On est au lendemain du traité de Paris et la France, qui a perdu toutes ses colonies, est à la recherche de nouveaux territoires : aussi, lorsque Bougainville fait part au gouvernement d'un projet d'exploration vers le Pacifique, il est aussitôt agréé.

Les colons d'Amérique s'opposent aux taxes d'importation

Virginie, 24 juin 1765

Le mécontentement croît en Nouvelle-Angleterre. Le gouvernement de Londres prend des mesures fiscales pour obliger les colons à participer à l'entretien de l'armée britannique présente et aux frais des guerres contre les Français et les Indiens. En 1764 déjà, le Parlement anglais avait adopté le *Sugar Act* pour s'opposer à la contrebande sur le sucre, la mélasse et d'autres produits provenant de différentes régions du monde. En février 1765, il récidive en adoptant une nouvelle mesure fiscale : le *Stamp Act*, instaurant des droits de timbre sur les journaux et les documents officiels. Quand, fin avril, la nouvelle parvient en Virginie, la réaction est immédiate. Conduite par un jeune député, Patrick Henry, l'assemblée locale adopte cinq résolutions appelant à la désobéissance civile. La Chambre de la bourgeoisie affirme qu'elle refuse de faire obéir à des lois qu'elle n'aurait pas votées elle-même. A la fin de l'année, d'autres Etats suivent la même voie que les Virginiens, apportant leur contribution à l'hostilité croissante à l'égard de Londres.

Effervescence au parlement de Bretagne

Versailles, 12 mai 1765

Les magistrats du parlement de Rennes, entraînés par le procureur général Caradeuc de la Chalotais (né à Rennes en 1701), s'opposent au gouverneur de Bretagne, le jeune duc d'Aiguillon, sur la question des nouveaux impôts ainsi que sur l'attitude à prendre vis-à-vis des jésuites. Admonestés par Louis XV à Versailles, ils prennent la décision de démissionner en bloc. La Chalotais et quatre autres parlementaires que l'on soupçonne d'avoir adressé des lettres anonymes injurieuses pour le souverain à un ministre, Saint-Florentin, sont arrêtés et emprisonnés à Saint-Malo. Davantage qu'une simple manifestation du traditionnel particularisme breton attaché à la défense de privilèges locaux, c'est d'une rébellion de la magistrature en tant qu'ordre qu'il s'agit. Les parlements de Paris et de Rouen se déclarent d'ailleurs immédiatement solidarisés avec leurs collègues bretons, affirmant qu'il n'existe point en France de parlements séparés, mais un parlement unique en plusieurs corps. La fronde des parlementaires est ancienne. Usant et abusant du droit de remontrance, ils s'opposent à chaque nouvelle mesure fiscale pour apparaître comme les défenseurs des malheureux sujets accablés d'impôts. En réalité, outrepassant leurs attributions, c'est tout l'Etat qu'ils prétendent contrôler.

« Spinning-jenny » avec seize bobines et roue d'entraînement.

« Mule-jenny » (machine à filer) à entraînement manuel.

Révolution dans le textile

Angleterre, 1765

Lorsque John Kay (1704-1764) invente en 1733 la navette volante qui accélère les opérations de tissage, il entame un long processus de modernisation de l'industrie textile dont les répercussions vont se faire sentir dans le domaine de la technique et dans celui de l'organisation sociale en général. En 1745, le Français Vaucanson (1709-1782), par ailleurs célèbre pour ces fameux automates, réalise le premier métier à tisser la soie. Mais c'est en Angleterre et dans le domaine de l'industrie du coton que les progrès décisifs seront accomplis. L'accélération des opérations de tissage imposait qu'en amont on améliorât le procédé du filage. James Hargreaves (1710-1778) met au point entre 1764 et 1769 la *Spinning Jenny* (Jeanne la Fileuse). Son inventeur véritable serait en fait Thomas Highs qui lui donna le prénom de sa fille. Richard Arkwright, un mécanicien, perfectionna encore le système en utilisant l'énergie hydraulique pour mouvoir le métier : c'est le système du *water frame*. En combinant les avantages de la *Spinning Jenny* et ceux du *water frame*, Samuel Crompton (1753-1827) met au point la *Mule Jenny*. Ce procédé consiste à enrouler sur une bobine l'aiguillée obtenue à chaque course du chariot. L'ensemble de ces modifications techniques transforme l'organisation et les conditions matérielles du travail. L'urbanisation s'accélère en liaison avec l'accroissement de la main-d'œuvre. Par ailleurs, si le coton se prête bien à ces nouveaux métiers, son travail nécessite une atmosphère très humide et impose des conditions de travail très dures.

La filature Bedworth, près de Coventry, spécialisée dans le traitement de la laine. Cette usine fonctionnait à l'aide de l'énergie hydraulique.

La Compagnie des Indes contrôle le Bengale

Buxar, Bengale, 12 août 1765

Après la victoire décisive de Buxar, Robert Clive est nommé gouverneur du Bengale. Il contraint son prisonnier, Shah Alam II, à signer un firman qui accorde à la Compagnie des Indes orientales le droit de gestion financière. Bien que politiquement décisive, Buxar n'est que l'épilogue d'une victoire antérieure remportée le 23 juin 1757 à Plassey. C'est de ce jour que les Anglais datent leur domination sur l'Inde, quoique, s'il y eut effectivement victoire, il n'y eut pas réellement bataille. Pour faire échec au nouveau nabab du Bengale, Siraj ud-Dawla, Clive avait établi des contacts avec deux banquiers indiens et, par leur intermédiaire, avec le commandant en chef des troupes du nabab, Mir Jaffar, à qui il avait promis, en cas de victoire, la place de son maître. A Plassey, la trahison de Mir Jaffar scella le sort de la bataille avant même qu'elle ne fut livrée. Fidèles à leur promesse, les Anglais nommèrent Mir Jaffar nabab du Bengale, mais exigèrent de lui la somme colossale de dix-huit millions de livres sterling. Trois ans plus tard, le nouveau gouverneur, H. Vansittard, trouva moyen d'éliminer Mir Jaffar et de le remplacer par son gendre, Mir Kassem, qui lui avait payé ainsi qu'aux membres de son Conseil, 200 000 livres et avait livré à la compagnie, en toute propriété, trois des plus riches régions du Bengale. Le pillage se fit alors systématique. Les richesses de l'Inde commencèrent à être transférées en Angleterre, sans contrepartie aucune, et les fonctionnaires de la compagnie mirent à profit leur situation de conquérants pour s'enrichir personnellement. Mir Kassem finit par en être exaspéré. Il fomenta une révolte et s'allia au nabab d'Aouth et au jeune Shah Alam II. Ce sont les armées de cette coalition qui furent vaincues à Buxar.

Robert Clive en compagnie de Shâh Alam II, le prince du Bengale. 1775. India Office Library, Londres.

1767

Inde, février
Le rappel du gouverneur anglais de la Compagnie des Indes, Robert Clive, annonce un ralentissement des activités de conquête.

Espagne, 27 février
Les jésuites sont expulsés du pays par le nouveau Premier ministre Aranda, nommé par le roi Charles III.

France, mai
Le bannissement des jésuites décidé par le roi met fin entre autres à la publication de leur tribune, le *Journal de Trévoux*.

Nouvelle-Angleterre, 29 juin
Le Parlement anglais vote de nouveaux droits de douane : les *Townshends Duties*.

Nouvelle-Angleterre, 28 octobre
La ville de Boston prend la tête d'un mouvement de boycottage des marchandises britanniques.

Nouvelle-Angleterre, 5 novembre
John Dickinson publie la première de ses quatorze *Lettres d'un fermier de Pennsylvanie*.

Thaïlande
Les Birmans envahissent le pays. →

Angleterre
James Watt achève la construction de sa machine à vapeur (→ 1775).

Danemark
Le nouveau roi Christian VII (couronné le 14 janvier 1766) étend son pouvoir sur le Schleswig et le Holstein.

Russie
Catherine II réunit la Grande Commission composée de toutes les classes de la société (à l'exclusion des serfs) en vue d'élaborer un code de réformes. La Commission sera renvoyée l'année suivante, sans résultats positifs.

Angleterre
Le chimiste Joseph Priestley publie une *Histoire de l'électricité*. De son côté, l'ingénieur Richard Arkwright met au point le *Water-Frame* qui sera breveté en 1769.

Allemagne, 30 septembre
Le dramaturge Ephraïm Gotthold Lessing fait représenter son drame *Minna von Barnhelm*. →

Autriche
Le musicien allemand Gluck compose son opéra *Alceste*.

Autriche
Joseph II exige le contrôle des textes pontificaux.

1768

Nouvelle-Angleterre, 11 février
L'Assemblée des représentants du Massachusetts envoie une pétition afin d'organiser une convention regroupant toutes les colonies à Boston.

Pologne, 29 février
La noblesse forme la Confédération de Bar. →

Londres, 10 mai
Des émeutes éclatent à la suite de l'arrestation du journaliste Wilkes.

France, 15 mai
Par le traité de Versailles, la France acquiert la Corse. →

France, 16 septembre
René de Maupeou (1714-1792) est nommé chancelier à la place de Guillaume de Lamoignon (→ 1771).

Nouvelle-Angleterre, 1er octobre
Le gouvernement anglais envoie à Boston deux régiments.

Empire ottoman, octobre
Le sultan Mustapha III déclare la guerre à la Russie qui vient d'occuper la Pologne au mépris de la paix de Pruth (→ 1770-1774).

Bâle, Suisse
Le mathématicien Euler publie les *Institutiones calculi integralis*.

Angleterre
Fondation de la Royal Academy of Arts de Londres présidée par le peintre Sir Joshua Reynolds.

James Cook quitte Southampton à bord de l'*Endeavor* pour son premier voyage dans le Pacifique (→ 1770).

France
Début de la faveur de Jeanne Bécu, comtesse du Barry, auprès du roi Louis XV.

France
Découverte à Saint-Yrieix de gisements de kaolin qui permettent le développement de la porcelaine de Limoges.

Espagne
Le roi Charles III ordonne le partage des terres communales.

Les Birmans enlèvent la capitale des Thaï

Thaïlande, 1767
Ayuthyâ, la capitale des Thaï, vient d'être détruite par une invasion birmane. Le projet des Thaï de s'emparer du Cambodge a été contrecarré par la montée sur le trône de Birmanie en 1752 du roi Alaungpaya, fondateur du troisième empire birman. Celui-ci a en effet redonné à la Birmanie ses anciennes frontières en procédant à de nombreuses conquêtes. Déjà, en 1760, les Birmans avaient envahi la Thaïlande mais une grave maladie qui devait l'emporter avait empêché Alaungpaya de s'emparer de la ville. C'est son successeur qui réussit à prendre Ayuthyâ, la plus riche de toutes les villes du Sud-Est asiatique.

Juché sur son éléphant, le roi des Thaï est salué par ses sujets. 1686. Gravure sur cuivre de Vermeulen.

Fragonard, peintre virtuose et sensuel

Paris, 1768
L'amour est le thème dominant de l'œuvre de Jean-Honoré Fragonard, (né le 5 avril 1732 à Grasse) : l'amour joyeux et enjoué comme dans *La Poursuite*, passionné et sensuel dans *Le Verrou tiré*. Il met une sorte de verve endiablée à surprendre ses modèles. Dans *Les Hasards heureux de l'escarpolette* de 1767, la facture est plus fine que dans les *Portraits de fantaisie* de 1769. Quels que soient les thèmes qu'il aborde, son travail conserve toujours ce caractère léger qui convient à l'esquisse et donne à ses œuvres la vie de l'instantané (*Les Baigneuses*, Louvre, Paris). Ainsi Fragonard nous montre-t-il que la beauté vient moins du sujet lui-même que du langage des couleurs. Après une brillante carrière jusqu'à la Révolution, il mourra dans l'oubli le 22 août 1806 à Paris.

Fragonard. « Les Hasards heureux de l'escarpolette ». 1767. Détail. Wallace Collection, Londres.

Monge, inventeur de la géométrie descriptive

France, 1778
Longtemps dominée par les méthodes analytiques, la géométrie renoue avec ses méthodes propres, grâce à Gaspard Monge (1746-1818). Scientifique précoce, il enseigne à seize ans la physique au collège des Oratoriens de Lyon. Mais c'est vers 1765, alors qu'il occupe un poste de dessinateur à l'Ecole du génie de Mézières, que son projet prend forme. Pour Monge, la géométrie descriptive est un procédé graphique permettant de résoudre de nombreux problèmes pratiques : plans des charpentes et des machines, taille des pierres, relevés cartographiques, perspective... Mais Monge fut aussi un grand politique de l'éducation. Il contribua à la réorganisation de l'enseignement supérieur durant la période révolutionnaire et se consacra à la création de l'Ecole centrale (la future Ecole polytechnique).

Le compositeur Telemann meurt à Hambourg

Hambourg, 25 juin 1767
Le compositeur Georg Philipp Telemann, né à Magdebourg le 14 mars 1681, vient de mourir. Il laisse quelque six mille œuvres, dominées par près de cent oratorios, dont *Le Jugement dernier* (1762), quarante-quatre passions, quarante opéras, près de six cents ouvertures à la française et les innombrables pièces de la *Musique de table* (1733). Influencé par le style des compositeurs français Lully et Campra, par celui des Italiens Corelli et Caldera, ami personnel de Haendel, Telemann, en tant que directeur général de la musique à Hambourg, constitue le trait d'union entre Rome, Versailles et sa ville. Il a su apporter l'allégresse et le naturel qui manquaient à la musique allemande et concilier les exigences de l'ancienne polyphonie avec le style galant très ornementé.

Les nobles polonais se rassemblent dans la Confédération de Bar

Bar, 29 février 1768

Indignés à la fois par l'ingérence russe et par la politique du roi Stanislas Poniatowski, la noblesse polonaise se confédère à Bar, en Podolie, « pour la défense de la liberté et de la foi ». Bien qu'élu sous le patronage de la Russie le 7 septembre 1764, Stanislas Poniatowski ne voulait pas être inféodé à ses protecteurs. Il souhaitait réformer la constitution polonaise et raffermir l'autorité de l'Etat en mettant un terme à l'anarchie nobiliaire. Il parvint à faire supprimer le *Liberum Veto* qui entravait le fonctionnement de la Diète et introduisit le suffrage majoritaire. Naturellement, ces réformes mécontentèrent une partie de la noblesse, jalouse de ses privilèges, qui se confédéra une première fois à Radom pour renverser le roi. Ces réformes mécontentèrent également Catherine II qui préférait en face d'elle un Etat faible. En 1767, sous prétexte de défendre les anciennes libertés polonaises ainsi que les droits des minorités religieuses, orthodoxes et protestantes, la Russie intervient militairement et impose son protectorat sur la Pologne.

Canaletto. Le doge sur le Bucentaure se rendant aux « Fiançailles de la mer », le jour de l'Ascension. Vers 1730. Collection Crespi, Milan.

Canaletto, peintre de la chronique vénitienne

Venise, 20 avril 1768

Giovanni Antonio Canal, dit Canaletto (né le 18 octobre 1697), vient de disparaître dans sa bonne ville de Venise après en avoir restitué la splendeur dans ses *vedute*. Tantôt sous forme de simples vues d'architecture, tantôt dans le cadre de fêtes chatoyantes, la ville fut son sujet de prédilection. De 1722 à 1746, on le trouve partout au travail, aussi bien dans son atelier que campé devant un chevalet en pleine rue, ou encore sur sa gondole transformée en studio. De 1746 à 1755, il séjourne à Londres. Ses vues de la Tamise ressemblent à celles du Grand Canal. Il est vrai qu'il n'évita pas toujours la monotonie.

Lessing réforme le théâtre allemand

Hambourg, 30 septembre 1767

L'écrivain et critique dramatique Lessing (né à Kamenz, en Saxe, le 22 janvier 1729) vient de faire représenter au Théâtre national de Hambourg une comédie originale, *Minna von Barnhelm*. L'auteur a déjà exposé ses idées sur le théâtre dans un ouvrage remarqué, les *Lettres sur la littérature moderne* (1759-1765) où il réclamait une interprétation plus réaliste de la « nature ». Ici, il met en scène la passion amoureuse de Minna, une noble saxonne, pour l'ex-officier prussien von Tellheim, mutilé et au bord de la misère. *Minna von Barnhelm* innove la comédie bourgeoise, excluant toute rhétorique sentimentale au profit de situations réalistes mettant aux prises l'honneur et l'amour, l'argent et les sentiments. Avec cette œuvre, le théâtre allemand s'affranchit du modèle de la tragédie française, perçue de plus en plus comme une restriction au libre élan créateur de l'artiste. Lessing, qui au départ avait été attiré par Diderot et le rationalisme des Lumières, se tourna ensuite vers Shakespeare qui correspondait mieux au renouvellement des sensibilités. Sa carrière se poursuivra avec *Emilia Galotti* (1772), modèle de la nouvelle tragédie allemande, et *Nathan le Sage* (1779), où il prône l'esprit de tolérance. Lessing mourra à Brunswick le 15 février 1781.

La Corse achetée par la France aux Génois

Versailles, 15 mai 1768

Par le traité qui vient d'être signé à Versailles, Gênes cède ses droits sur la Corse à la France contre 40 millions de livres. Théoriquement vassale de la république de Gênes, l'île était de fait quasi indépendante depuis juillet 1755, après la courte guerre menée par Pascal Paoli contre les occupants italiens. Les Génois ne détenaient plus que quelques bastions comme le port de Calvi. En novembre 1755, une assemblée avait été réunie à Corte, devenue capitale, pour donner une constitution démocratique au pays, une assemblée législative, la Consulta, élue au suffrage universel, et un exécutif avec un Conseil d'Etat présidé par Paoli. Une œuvre de réorganisation économique est entreprise ; une université ouverte à des étudiants boursiers et une imprimerie nationale sont créées. Lorsque le gouvernement corse se décide à former une armée permanente et à se doter d'une marine de guerre, les Génois, inquiets du sort de leurs dernières possessions, réagissent, font appel à la France qui intervient à plusieurs reprises, jusqu'à occuper les places les plus importantes. Il se forme peu à peu un parti français favorable à l'annexion. La situation est mûre : l'habileté de Choiseul, qui trouve là une compensation aux pertes subies au traité de Paris, fait le reste.

Gabriel construit le Petit Trianon

Versailles, 1768

Jacques-Ange Gabriel achève enfin la résidence du Petit Trianon dans les jardins de Versailles, commencée six ans auparavant, en 1762, au temps de Mme de Pompadour. C'est, en effet, pour répondre aux vœux de la marquise, désireuse d'un séjour plus intime que les vastes appartements de Versailles, que le roi voulut faire édifier ce petit château. Le projet en fut tout naturellement confié à Gabriel, l'un des protégés de la favorite qui disparut en 1764 sans en voir le terme. Né en 1698, Gabriel, contrôleur général des Bâtiments et premier architecte du roi à la mort de son père en 1742, est alors au sommet de son génie. A la même époque, il mène de front, outre le Petit Trianon, la construction de l'Ecole militaire et l'aménagement de la place Louis XV à Paris. S'il n'est pas étranger au mouvement de retour à l'antique, il se recommande aussi de ses grands prédécesseurs, Le Vau et Mansart. Son style se veut la synthèse du goût antique et de la plus pure tradition française. Son art, par la noblesse de ses lignes, la sobriété du décor, sa finesse et son élégance, affirme la vigueur du classicisme français.

Jacques-Ange Gabriel. Le Petit Trianon, Versailles. 1762-1768. Façade sur jardin. Œuvre typique du classicisme français.

1769

France, 1ᵉʳ mai
Le compositeur André Grétry (1741-1813) donne son opéra *Lucile*, sur un livret de Marmontel.

Rome, 17 mai
Giovanni Vicenzo Ganganelli (né en 1705) est élu pape sous le nom de Clément XIV.

Nouvelle-Angleterre, 18 mai
La chambre des Bourgeois de Virginie condamne la politique de Londres. Dissoute par le gouverneur de la colonie, elle décide le boycottage des marchandises britanniques. Elle sera rejointe le 22 juin par le Maryland, le 22 juillet par la Caroline du Sud, puis en septembre-octobre par la Géorgie, la Caroline du Nord, le Delaware et le Connecticut.

Pacifique, 17 juin
Le navigateur anglais James Cook observe la planète Vénus.

France, 13 août
Le privilège royal accordé à la Compagnie française des Indes est supprimé.

France, 23 décembre
L'abbé Terray est nommé contrôleur général des Finances.

Russie
Les troupes impériales occupent les principautés roumaines appartenant aux Ottomans.

Suède
Conflit entre les deux grandes forces politiques présentes au parlement de Stockholm, les « Bonnets » et les « Chapeaux ».

Chine
Parution de l'*Atlas* de Qianlong. →

France
Denis Diderot compose *Le Rêve de d'Alembert*, audacieux essai philosophique où l'auteur expose sa conception matérialiste de l'univers. L'œuvre ne sera éditée qu'après sa mort, en 1830.

Angleterre
Le député Wilkes est exclu du Parlement puis réélu à trois reprises.

1770

Nouvelle-Angleterre, 19 janvier
Une bataille rangée oppose à New York habitants et soldats anglais.

Nouvelle-Angleterre, 5 mars
Le massacre de Boston fait cinq morts du côté américain. Les soldats anglais ont ouvert le feu sur une manifestation de colons protestant contre le cantonnement des soldats anglais chez l'habitant.

Nouvelle-Angleterre, 12 avril
A la suite de la suppression des *Townshends Duties*, la campagne de boycottage est suspendue.

France, 16 mai
Le dauphin Louis épouse Marie-Antoinette d'Autriche, fille de Marie-Thérèse.

Smyrne, 6 juillet
Défaite navale des Ottomans à Tchesmé. →

France, 7 décembre
Louis XV enregistre en lit de justice un édit de Discipline qui provoque la démission en bloc de tous les membres du Parlement de Paris, auxquels se joignent certains parlementaires de province.

France, 24 décembre
Disgrâce de Choiseul. →

Danemark
Le comte von Struensee succède au ministre C.F. Bernstorff à la tête du gouvernement (→ 1772).

Grèce
Soulèvement anti-ottoman dans le Péloponnèse à l'instigation d'agents russes

Autriche
Marie-Thérèse fait publier un nouveau code pénal tandis qu'en Bohême les paysans se soulèvent.

Iles Falkland
Anglais et Espagnols se disputent l'archipel jusqu'en 1771.

Angleterre
Lord North, favorable au pouvoir personnel de George III, est nommé Premier ministre. De son côté, Wilkes est élu lord-maire de Londres.

France
Le baron d'Holbach (1723-1789) publie le *Système de la nature*. →

Angleterre
Le peintre anglais Thomas Gainsborough travaille à son fameux *Blue Boy*.

L'Atlas de Qianlong

Chine, 1769
Les missionnaires jésuites sont installés en Chine depuis la fin du XVIᵉ siècle et parviendront à s'y maintenir jusqu'à la fin du XVIIIᵉ siècle. Sous le patronage libéral des empereurs mandchous Kangxi (1662-1723) et Qianlong (K'ien-Long, 1736-1796), les jésuites poursuivent leurs travaux, apportant à la science chinoise une incontestable contribution. En dehors de leurs recherches sur l'astronomie et les mathématiques, c'est dans le domaine de la cartographie qu'ils vont se distinguer. Une fructueuse collaboration aboutit en 1717 à l'*Atlas* de Kangxi, nettement supérieur à tout ce qui se fait en Europe au même moment. Les jésuites procéderont à des relevés encore plus précis (à l'échelle de 1 500 000), qui donneront naissance en 1769 à l'*Atlas* de Qianlong.

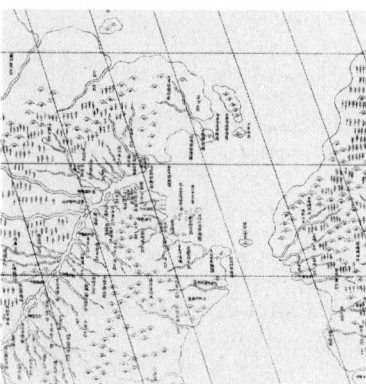

Carte (extrait) de l'Atlas des Jésuites en Chine en 1717. Atlas de Kangxi. Fac-similé : Musée Guimet.

Les Russes détruisent la flotte ottomane

Smyrne, 6 juillet 1770
Une nouvelle guerre russo-turque a éclaté en 1769 à la suite de l'attaque russe contre la Pologne, pays protégé par les Ottomans. Une flotte russe passe de la Baltique à la Méditerranée, détruit la marine de guerre ottomane près de Smyrne, à Tchechmé, et jette le trouble parmi les

D'Holbach propose un Système de la nature

Londres, 1770
L'écrivain français d'origine allemande Paul Henri Dietrich, baron d'Holbach, est contraint, à cause de la hardiesse des thèses politiques et religieuses qu'il soutient, de publier à Londres, et sous le pseudonyme de Mirabaud, son *Système de la nature ou Des lois du monde physique et moral*. Formé aux sciences naturelles, le baron d'Holbach a écrit de nombreux articles de chimie pour l'*Encyclopédie*. Il tient à Paris un salon célèbre où se réunissent tous les écrivains du moment. Les théories qu'il avance procèdent d'une vision mécaniste du monde, selon laquelle toute connaissance vient de l'expérience et des sensations. Placé dans le carcan de lois universelles immuables, l'homme ne peut qu'établir des relations entre les objets, sans possibilité pour lui de s'en affranchir, même par la pensée. La nature, pour l'auteur, peut véhiculer l'esprit ; tout au plus détient-elle un ordre rationnel qui s'identifie au réel. Le monde n'est ainsi qu'un assemblage de matière et de mouvements déterminés, d'où toute création est exclue. D'Holbach, en matérialiste conséquent, affirme que la conscience est le produit de dispositions héréditaires « voulues » par la nature. Les positions extrêmes de l'auteur font scandale ; Voltaire et Frédéric II se sentent offensés ; seul Diderot manifeste son plein accord. D'Holbach a encore publié notamment *Le Christianisme dévoilé* (1767). Il mourra le 21 janvier 1789.

Grecs de Morée. Cette défaite prévisible marque un tournant dans l'histoire de l'Empire ottoman. Les Russes, victorieux, avaient tiré peu de profit du traité de Belgrade de 1739 dont les termes, favorables à la « Sublime Porte », n'étaient dus qu'au soutien diplomatique de la France. Pendant trente années de paix, les Turcs ne firent pratiquement rien pour se renforcer et ignorèrent le développement de la puissance russe.

Destruction de la marine de guerre ottomane par la flotte russe le 6 juillet au large de la côte anatolienne. Gravure sur bois.

Le duc de Choiseul en disgrâce

Paris, 24 décembre 1770

Par un laconique billet, Louis XV ordonne au duc de Choiseul de se démettre de toutes ses charges et de se retirer sur ses terres tourangelles de Chanteloup. Son cousin, le duc de Praslin, est entraîné dans sa chute. Le pouvoir du ministre et sa faveur auprès du roi étaient minés depuis deux ans déjà. Les derniers changements intervenus dans le cabinet lui étaient

Portrait du duc de Choiseul (1719-1785). Favorable aux Lumières, le duc fut un ami des Encyclopédistes.

peu favorables. Maupeou, le nouveau garde des Sceaux, qui avait succédé au président Lamoignon en 1768, et l'abbé Terray, nommé l'année suivante au contrôle général des Finances, engagent de concert la bataille contre Choiseul, le premier lui

reprochant de soutenir en secret la fronde des Parlements et de saper l'autorité royale, le second critiquant ses dépenses militaires. D'autre part, si la marquise de Pompadour, morte en 1764, avait toujours fidèlement soutenu Choiseul, la nouvelle favorite, Mme du Barry, installée officiellement à la cour après la mort de la reine en juin 1768, blessée par les impertinences et l'ironie du ministre, groupa autour d'elle tous les ennemis de Choiseul, l'abbé Terray, Maupeou et le duc d'Aiguillon en tête. Pour essayer de rétablir son crédit ainsi entamé, Choiseul entreprit de hâter le mariage, projeté depuis longtemps déjà, du Dauphin avec la fille de Marie-Thérèse d'Autriche, l'archiduchesse Marie-Antoinette. Accueillie à Versailles au printemps 1770, la fiancée du Dauphin afficha une hostilité méprisante à l'égard de la favorite, attitude qui ne pouvait qu'être défavorable à Choiseul. Ses adversaires n'attendent plus qu'une occasion : elle se présente lorsqu'un conflit oppose l'Espagne à l'Angleterre à propos des îles Falkland dans l'Atlantique Sud. Choiseul, appuyant le « Pacte de famille » qui lie les Bourbons de France et d'Espagne, pousse à la guerre. Maupeou et Terray n'ont aucun mal à déconseiller une entreprise que les problèmes intérieurs rendaient hasardeuse et, en plein conseil, en présence du roi, ils font le procès de toute l'administration de Choiseul, le 6 décembre 1770. Louis XV qui aspire à la paix se résout à se séparer de son trop belliqueux ministre.

Thomas Gainsborough, peintre de la Gentry

Bath, Angleterre, 1770

Le talent de Thomas Gainsborough (né le 14 mai 1727 à Sudbury dans le Suffolk) se forge et s'épanouit loin de Londres, à l'écart des influences artistiques dominantes. Il a choisi de

Thomas Gainsborough. Le « Blue Boy » (Master Jonathan Buttall). 1770. San Marino, Californie.

s'installer à Ipswich (de 1750 à 1759) puis à Bath (1759-1774), localités très à la mode dans l'aristocratie où il trouve sa clientèle. Peintre essentiellement paysagiste, il décide alors de se consacrer au portrait. Les premiers qu'il exécute trahissent une certaine raideur et rappellent un peu les figurines de cire dont il se servait pour camper ses personnages, méthode qu'il avait héritée de son premier maître, le graveur français Hubert Gravelot. Mais les portraits qu'il réalise après s'être installé à Bath accusent, par contre, une importante évolution et laissent apparaître l'influence prédominante du Flamand Van Dyck. Le *Blue Boy,* peint en 1770, constitue une sorte de défi lancé à Reynolds qui régnait alors sur le monde artistique de la capitale : la très belle symphonie des bleus contredit en effet l'assertion de ce peintre sur le peu de place qu'il convenait d'accorder aux tons froids dans un tableau. Gainsborough est aussi un grand paysagiste. Dans son *Portrait de M. et Mme Andrews,* plus de la moitié de l'œuvre est composée d'un paysage dans le goût hollandais. Il ne s'installera à Londres qu'à partir de 1774 où il s'éteindra, célèbre, le 2 août 1788.

Grâce à James Cook, l'Australie est anglaise

Botany Bay, avril 1770

Le navigateur anglais James Cook vient d'aborder le continent austral en un point de la côte qui fascine le marin par la richesse de sa végétation. Pendant plusieurs mois il va explorer les côtes de l'Australie, prenant toutes sortes de notes, établissant des cartes, comme il l'avait fait déjà à Tahiti, abordée en avril 1769

et en Nouvelle-Zélande, découverte le 7 septembre 1769. Né le 27 octobre 1727, il s'embarque à quinze ans et, à vingt-sept ans, il reçoit le commandement d'un petit bâtiment. Autodidacte, il étudie les mathématiques et l'astronomie. En 1768, il est chargé par la Société royale de géographie de Londres de rejoindre l'île de Tahiti pour étudier le passage de la planète Vénus devant le soleil. Parti de Plymouth en août 1768, il ne regagnera l'Angleterre qu'en juin 771.

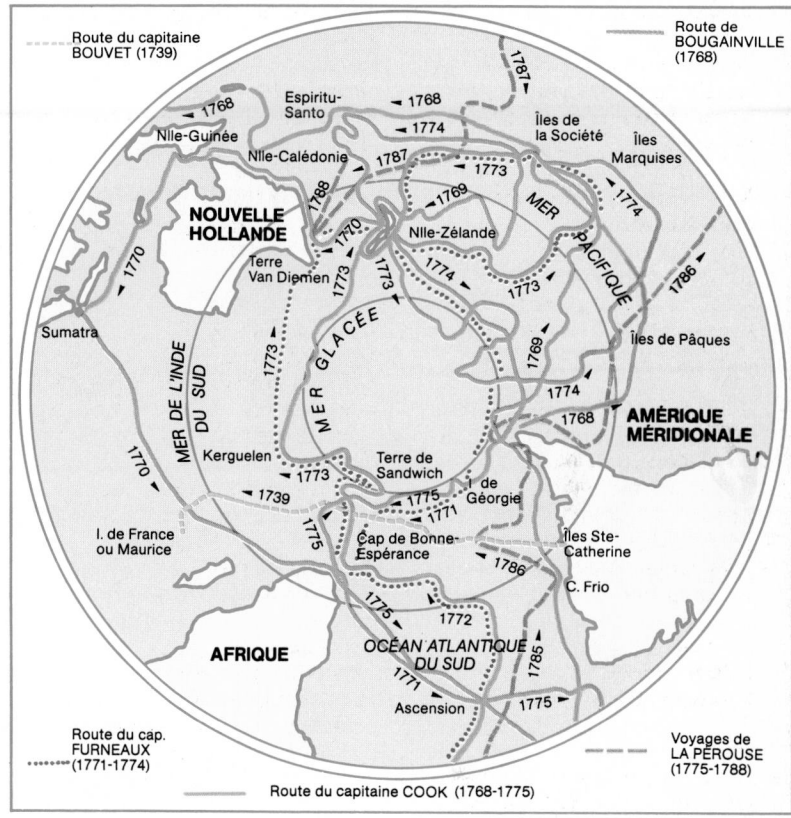

Cugnot invente une voiture à vapeur

France, 1770

En 1771, un mécanicien lorrain, Joseph Cugnot (1725-1804), présente le premier modèle de véhicule automobile à vapeur. Cette voiture à trois roues et moteur à deux cylindres a pour fonction le transport de lourdes

charges. On la baptise, pour cette raison, le « fardier de Cugnot ». Conçu pour un usage militaire, il n'a guère de succès, probablement en raison de la grande difficulté à le manœuvrer. En effet, la roue avant directrice se trouve précédée et surmontée d'une énorme chaudière qui cache complètement la vue du conducteur.

La voiture à vapeur de l'ingénieur-mécanicien Joseph Cugnot. 1770. Conservatoire national des Arts et Métiers, Paris.

1771

Suède, 12 février
Gustave III succède à Adolphe-Frédéric.

France, 23 février
Le chancelier Maupeou, qui vient de remplacer Choiseul, fait arrêter les parlementaires pour les remplacer par des magistrats dociles. →

Allemagne
L'écrivain Johann Gottfried Herder présente à l'Académie royale des Sciences de Berlin son *Essai sur l'origine du langage*. →

France
Le mathématicien Gaspard Monge invente la géométrie analytique ; le chimiste Lavoisier analyse la composition de l'air.

Paris
L'architecte Germain Soufflot commence la construction de l'Ecole de droit qui ne sera achevée qu'en 1783, après sa mort.

Bavière
Le souverain Maximilien-Joseph fait établir le recensement de la population du royaume.

France
A la suite de soulèvements urbains en Anjou, en Lorraine et dans le centre de la France, le contrôleur général des Finances, l'abbé Terray, interdit l'exportation des grains.

France
Départ des expéditions maritimes commandées par les marins Maisons-Dufresne, Crozat et Kerguelen en direction des îles des mers du Sud.

Savoie
Le servage est aboli sur les terres de la Couronne. →

Russie
Les troupes impériales conquièrent la Crimée.

Autriche
Face au danger russe, l'Autriche et la Sublime Porte signent une alliance défensive.

1772

Pologne, 17 février
Le premier partage du pays est décidé. Il sera confirmé par un second traité signé le 5 août de la même année entre la Prusse, l'Autriche et la Russie. →

Danemark, 28 avril
Le comte von Struensee est exécuté. →

Suède, 19 août
Le roi Gustave III organise un coup d'Etat pour pouvoir régner sans contestation.

Nouvelle-Angleterre, 2 novembre
Devant la multiplication des incidents entre les autorités anglaises et les colons à propos de l'application des mesures douanières, les plus radicaux parmi les Américains s'organisent en comités de correspondance.

Angleterre
James Cook entame son second voyage dans le Pacifique ; il durera jusqu'en 1775.

Inde
L'Anglais Warren Hastings est nommé gouverneur du Bengale. →

France
L'écrivain Jacques Cazotte (1719-1792) publie *Le Diable amoureux*.

Russie
Catherine II abolit les privilèges des Cosaques.

Portugal
Le marquis de Pombal introduit l'enseignement des sciences exactes à l'université de Coïmbre.

France
Parution posthume de l'essai de Claude Helvétius (1715-1771) : *De l'homme, de ses facultés intellectuelles, de son éducation.*

Denis Diderot écrit le *Supplément au voyage de Bougainville*, qui ne sera publié qu'en 1796 et achève la publication de l'*Encyclopédie*.

Allemagne
Le poète et dramaturge allemand Johann Wolfgang Goethe achève son drame *Götz von Berlichingen*.

France
L'architecte Claude Nicolas Ledoux (1736-1806) commence la construction des salines de Chaux près d'Arc-et-Senans, qui l'occuperont jusqu'en 1779.

Angleterre
Joseph Priestley (1733-1804) publie ses *Observations sur l'air*.

Allemagne
L'écrivain Christoph Martin Wieland (1733-1813) publie *Le Miroir doré*, roman à caractère politique.

La dynastie marathe s'installe à Delhi

Delhi, 1771
A la tête d'une puissante armée, le Marathe Mahâdâjî Sindhia entre dans Delhi pour rétablir la légitimité de Shâh Alam II, l'empereur moghol exilé à Allâhâbâd. C'est l'apogée d'une ascension commencée au milieu du siècle précédent. Les Marathes avaient profité de la lente désagrégation de l'Empire moghol pour étendre leur pouvoir bien au delà des frontières de leur province d'origine, le Mahârâstra, qui occupe le quart

« Un Prince et sa cour ». Miniature. Inde du Sud, fin XVIIᵉ siècle. Musée Guimet.

Le royaume de Savoie abolit le servage

Turin, 19 décembre 1771
Un nouvel édit de Charles-Emmanuel III consacre une politique tendant à l'amélioration de la situation des classes rurales et à la suppression des abus féodaux. Déjà, en 1762, il avait décrété par un premier édit l'affranchissement de tous les mainmortables sur les terres relevant de la Couronne et engagé sa noblesse à suivre cet exemple. Cette fois, il offre aux paysans la possibilité de libérer les terres soumises aux droits féodaux. En compensation, les seigneurs recevront une indemnité équivalant à vingt fois le montant annuel des taxes féodales. Une partie de ces sommes sera fournie par une caisse générale des affranchissements qui prélèvera un impôt sur les terres, une autre par la vente des biens communaux. Cet édit favorise cependant presque exclusivement les paysans aisés qui sont en mesure de racheter leurs droits, et dans une moindre mesure la bourgeoisie qui peut ainsi acquérir à bon prix les anciennes terres communales, privant par là les paysans les plus pauvres de leur seul moyen de subsistance. Ces derniers, tout comme les nobles, s'opposent violemment à l'application de cette réforme.

nord-ouest du Deccan. La cuisante défaite de Panipat, en 1761, avait brisé leur avance vers le nord, leur faisant perdre de surcroît leur crédibilité dans les provinces. Cependant, tout au long de cette période, hormis quelques révoltes contre les atrocités du dernier des Grands Moghols, les Marathes étaient restés fidèles aux empereurs moghols. C'est en 1766 que les Marathes réapparaissent sur le devant de la scène, en matant la rébellion de souverains locaux. Ces victoires produisent une forte impression sur Shâh Alam. Le souverain légitime était alors réfugié à Allâhâbâd, où il bénéficiait de la protection britannique. Les Anglais le berçaient, depuis plusieurs années, de promesses illusoires, et il désespérait de retrouver un jour Delhi, capitale de l'empire depuis le règne de Shâh Jahân (1628-1658), et les fastes du pouvoir. Il se décide, en 1770, à jouer la carte marathe. Des pourparlers secrets sont engagés. Au début de l'année 1771, Mâhâdâji Sindhia entraîne les Marathes vers la capitale, alors aux mains des Rohillas, leurs ennemis de toujours. Delhi tombe le 10 février. Aussitôt, le fils de Shâh Alam est placé sur le trône, vivant symbole de l'autorité moghole restaurée. Le 12 avril, Shâh Alam lui-même quitte Allâhâbâd et la protection britannique. Un voyage en plusieurs étapes le mène le 6 janvier suivant à Delhi où il n'est, en réalité, que l'homme de paille des tout-puissants Marathes.

Le philosophe allemand Herder exalte le langage comme création populaire

Berlin, 1771
L'Académie royale des sciences vient de couronner l'*Essai sur l'origine du langage* de l'écrivain Johann Gottfried Herder, pasteur né à Mohrungen en Prusse orientale le 25 août 1744. L'auteur démontre que le langage, frère aîné de la poésie, est une création humaine spontanée, produite par les seules facultés naturelles de l'individu. Comme tel, il ne dépend pas d'une origine divine, mais de la raison propre à l'homme. Celle-ci conduit la langue naturelle qui exprime les instincts et les émotions, à un stade supérieur. Herder conçoit la raison comme un dynamisme inné de toutes les facultés de l'individu, qui l'oriente vers l'esprit. Tout acte de connaissance dépasse ainsi le seul pouvoir de l'intellect pour s'enraciner dans la nature, force intelligente et créatrice. Le langage, de même que toute poésie véritable, puise à cette source et constitue une « création populaire ». Herder publiera d'autres œuvres dont l'*Education du genre humain*, très appréciée de Goethe ; il mourra à Weimar le 18 décembre 1803.

La Pologne amputée du tiers de ses terres

Saint-Pétersbourg, 5 août 1772
Depuis longtemps la Pologne n'était plus maîtresse de son destin mais l'enjeu des ambitions rivales des puissances voisines. Le traité conclu entre la Prusse, l'Autriche et la Russie fait succéder le partage des territoires au partage des influences. Il est le fruit d'un calcul cynique : la Russie et l'Autriche, plutôt que de s'affronter dans les Balkans, décident de s'offrir quelques compensations. Catherine II obtient une partie de la Russie blanche à l'est de la Duna, du Prut et du Dniepr ainsi que la Livo-nie. L'Autriche s'approprie la Galicie orientale et la Petite Pologne, moins Cracovie. De son côté, Frédéric II occupe la Prusse occidentale à l'exception des villes de Thorn et de Dantzig qui deviennent des enclaves isolées. La Pologne est ainsi amputée du tiers de son territoire et perd quatre millions d'habitants. Frédéric II, l'instigateur du projet, pensant que les territoires concédés à l'Autriche lui feraient oublier la Silésie, en est le grand bénéficiaire : la Prusse occidentale, avec ses riches terres à céréales, constitue la meilleure part du butin. Le « roi-philosophe » va dorénavant régner sur un territoire continu qui s'étend de Berlin à Königsberg.

Portrait d'un gentilhomme d'armes polonais. Peinture anonyme, XVIIIᵉ siècle.

Franciszek Smuglewicz. « La famille Prozor ». 1789. Muzeum Naradowe, Varsovie.

Le coup d'Etat royal en Suède

Stockholm, 19 août 1772
La Suède vient de connaître un événement paradoxal. Son nouveau souverain, afin de conforter son pouvoir, a organisé un véritable coup d'Etat. Gustave III est monté sur le trône le 12 février 1772 à la suite du décès de son père Adolphe-Frédéric. Le pays était jusqu'à cette époque dominé alternativement par deux clans, celui des Chapeaux et celui des Bonnets. Les Bonnets, russophiles, possédaient depuis 1765 la majorité dans tous les collèges du Parlement, le Riksdag. Elles s'appuyaient essentiellement sur les roturiers. Quant aux Chapeaux, favorables aux Français et qui avaient eu le pouvoir pendant trois quarts de siècle, ils cherchaient à maintenir la domination de la noblesse. Dans la lignée des despotes éclairés, le nouveau roi voulut assumer complètement la conduite des affaires et projeta un coup d'Etat. Il contracta avec Louis XV un traité d'aide financière pour armer des troupes fidèles dans diverses parties du pays (Scanie, Finlande et Stockholm) et, le jour choisi, marcha sur la capitale et arrêta les membres du Parlement. Il put mener désormais sans frein une politique à la fois brillante dans le domaine culturel et belliqueuse quant à ses relations avec son puissant voisin russe qui le vaincra en 1790.

Un ministre décapité pour l'amour d'une reine

Copenhague, 28 avril 1772
Le bref passage au pouvoir de Johann Friedrich, comte de Struensee, vient de s'achever dans l'horreur. Arrêté en février pour des relations coupables avec la jeune reine du Danemark, Caroline Mathilde, dont il eut une fille en juillet 1771, il est mort dans d'atroces souffrances, écartelé, noyé et décapité. Né en 1737 en Allemagne, physicien municipal à Altona, il devient le médecin personnel du roi du Danemark Christian VII en 1768. Très rapidement, il prend de l'ascendant sur le souverain, faible au demeurant, et lui dicte la conduite de ses affaires. Très influencé par les Lumières et en particulier par Frédéric II, il obtient rapidement le départ du Premier ministre Bernstorff et dispose des pleins pouvoirs. Nommé secrétaire du cabinet du roi, il engage en un peu plus d'une année un nombre considérable de réformes (six cents décrets) afin d'améliorer le bien-être de la population et de garantir la liberté d'opinion. Il décrète la liberté de la presse, la tolérance religieuse, l'abolition de la torture. Mais son autoritarisme, son mépris des traditions, l'usage de l'allemand comme langue administrative, le renvoi de nombreux fonctionnaires, sans parler de sa liaison avec la reine, lui assurent de nombreuses inimitiés. Une conjuration nobiliaire contraint le roi à ordonner son arrestation.

Le garde des Sceaux Maupeou tente une réforme judiciaire

Paris, 23 février 1771
L'opposition parlementaire ne désarme pas : l'affaire de Bretagne reste toujours pendante et les mesures financières de l'abbé Terray suscitent un nouveau conflit. Après le lit de justice du 7 décembre 1770, au cours duquel ils avaient été contraints d'enregistrer de force un édit interdisant toute correspondance entre les Parlements, les magistrats parisiens se mettent en grève et suspendent le cours de la justice. Sommés de reprendre leur service, ils refusent. Maupeou, garde des Sceaux, soutenu par le roi, exile les parlementaires et confisque leurs charges. L'édit publié le 23 février 1771, dont le but est de pourvoir au remplacement des magistrats expulsés, amorce une réforme radicale de la justice, presque une révolution. La vénalité des charges est abolie, supprimant du même coup la noblesse de robe qui, devenue héréditaire avec le temps, se dressait comme un Etat dans l'Etat. La justice est désormais gratuite, la pratique des « épices » est interdite. Un nouveau parlement est créé à Paris, dont les sièges sont pourvus par le roi ; il est composé de juges appointés et révo-cables. Cinq conseils supérieurs sont institués dans les principales villes du ressort de l'ancien parlement de Paris (Blois, Châlons, Clermont-Ferrand, Lyon et Poitiers) pour limiter les attributions des magistrats parisiens. Ceux des parlements de province, qui avaient soutenu la fronde du parlement de Paris, comme ceux de Douai, de Rouen ou d'Artois, sont également supprimés et remplacés par des Conseils supérieurs. La cour des Aides de Paris, qui avait protesté contre les mesures ministérielles et lancé un appel pour une réunion des Etats généraux, est dissoute, ainsi que le Grand Conseil et toutes les autres cours souveraines de Paris et de province. Maupeou, l'initiateur de ces réformes, appartient lui-même à la noblesse de robe, son père ayant été premier président du parlement de Paris. Il devient chancelier en 1768, peu avant d'être nommé garde des Sceaux dans le dernier ministère Choiseul. C'est un juriste compétent, travailleur et autoritaire. Depuis la chute et la disgrâce de Choiseul, à laquelle il a pour sa part contribué, il est devenu l'un des ministres les plus influents du cabinet, formant avec l'abbé Terray, contrôleur général des Finances, et le duc d'Aiguillon, secrétaire d'Etat aux Affaires étrangères, une sorte de triumvirat qui domine la politique française.

Guibert transforme l'art de la guerre

France, 1771
En publiant son *Essai général de tactique*, le comte de Guibert bouleverse toutes les conceptions de la guerre. Agé de vingt-huit ans seulement, il peut se compter au nombre des grands écrivains militaires. Son livre devient le bréviaire de tous les officiers. Grand admirateur de Frédéric II, il prend l'armée prussienne comme modèle. Il s'élève par exemple contre l'« ordre profond » utilisé dans la disposition des troupes depuis l'époque de Turenne au profit de l'« ordre mince » qui rend plus efficace le feu des fantassins et qu'imposent les progrès de l'artillerie de campagne. Pour le code de discipline, il se réclame également de l'exemple prussien. Il recommande enfin une complète réorganisation des armées, fondée sur les principes divisionnaires. Prenant le contre-pied de toutes les traditions du siècle, il préconise et prévoit les victoires en rase campagne par la destruction de toutes les forces vives de l'adversaire.

L'artillerie légère. Gravure de Thiébault. 1755. François Apollini, comte de Guibert, bouleversa les données de la tactique militaire de son temps.

1773

Vatican, 21 juillet
Le pape Clément XIV dissout la Compagnie de Jésus. →

Russie, septembre
Début de la révolte des Cosaques, conduite par Iémélian Ivanovitch Pougatchev. Il assiège les villes d'Orenbourg, puis de Kazan qu'il prend en juillet 1774 (→ 1775).

Nouvelle-Angleterre, 16 décembre
Tea-Party de Boston. →

Empire ottoman, 24 décembre
Abd-ûl Hamid Iᵉʳ succède à son père Mustapha III.

Angleterre
Robert Clive, suspecté de malversations pendant son séjour aux Indes, est acquitté pour services rendus à la nation. Profondément affecté, il se suicidera en 1774. Début de la construction du premier pont en fer à Coalbrookdale sur la Severn (→ 1779).

Russie
Denis Diderot se rend à Saint-Pétersbourg sur l'invitation de Catherine II.

France
La Grande Loge de France, principale organisation maçonnique du pays, fondée en 1755, est réformée par le duc de Chartres.

Angleterre
Les frères Robert et James Adam publient leurs *Works of Architecture*, manifeste du mouvement néo-classique (→ 1775).

Espagne
Le Premier ministre Aranda tombe en disgrâce.

Inde
La nomination de Warren Hastings comme gouverneur général de l'Inde va relancer l'expansion anglaise dans le sous-continent. Le *Regulating Act* tente de sauver la Compagnie des Indes en établissant un contrôle étatique plus étroit sur ses activités.

France
L'écrivain Bernardin de Saint-Pierre (1737-1814) publie son *Voyage à l'Isle de France.*

1774

Paris, 18 avril
Le compositeur allemand Christoph Willibald Gluck fait repré-senter son premier opéra en français, *Iphigénie en Aulide*. En août de la même année, il présenta avec un égal succès son *Orfeo.*

Versailles, 10 mai
Mort de Louis XV. Son petit-fils Louis XVI lui succède. →

Canada, 22 juin
Le parlement de Londres promulgue le *Quebec Act,* qui accorde un statut particulier aux Canadiens francophones.

Empire ottoman, 10 juillet
Signature du traité de Kutchuk-Kaïnardji. →

France, 20 juillet
Louis XVI change de ministres : Maurepas devient conseiller, le comte de Vergennes secrétaire aux Affaires étrangères, Turgot est nommé à la Maison du roi puis aux Finances le 24 août.

Nouvelle-Angleterre, juillet
Publication par Thomas Jefferson de son *Aperçu sommaire des droits de l'Amérique britannique,* qui lui valut d'être proscrit en Grande-Bretagne et où se trouvent exposées les idées fondamentales qui seront à la base de la Déclaration d'indépendance des Etats-Unis.

France, 13 septembre
Turgot décide la libre circulation des grains et réduit la Ferme générale.

Nouvelle-Angleterre, septembre
Réunion du premier Congrès continental à Philadelphie. →

France
Louis XVI rappelle les Parlements.

Allemagne
Publication du roman de Goethe : *Les Souffrances du jeune Werther.* →

France
Le peintre Louis David remporte le grand prix de Rome.

Autriche
Wolfgang Amadeus Mozart écrit sa *Messe en fa majeur.*

Angleterre
L'astronome anglais d'origine allemande William Herschel (1738-1822) construit son grand télescope.

Autriche
Marie-Thérèse accorde la tolérance aux non-catholiques de Hongrie.

Clément XIV dissout la Compagnie de Jésus

Rome, 21 juillet 1773
Par le bref *Dominus ac Redemptor,* le pape Clément XIV ordonne la dissolution de la Compagnie de Jésus. Condamnés lors de la querelle des rites chinois, chassés ou interdits partout en Europe du Sud, les jésuites avaient aussi perdu leur crédit à Rome. Déjà, Innocent XIII (1721-1724) s'était montré critique à leur endroit. Benoît XIV (1740-1758) avait souscrit aux objections faites par les rois d'Espagne et du Portugal contre la Compagnie. Elle connaît un temps de répit sous Clément XIII (1758-1769) qui refuse toute concession, allant jusqu'à identifier, dans son encyclique *Apostolicum pascendi munus* (1765), la cause des jésuites à celle de l'Eglise. Mais son successeur, Clément XIV, élu par les cardinaux français et espagnols n'oppose aucune résistance aux pressions conjuguées de tous les Bourbons d'Europe. En février 1773, il capitule, soumettant même le texte de son bref aux rois d'Espagne et de France, soulignant ainsi sa faiblesse.

Les Bostoniens en lutte contre les taxes

Boston, 16 décembre 1773
A l'issue d'un rassemblement de plusieurs milliers de personnes, quelques dizaines de citoyens déguisés en Indiens se rendent sur la jetée du port, abordent le navire du capitaine Hall, sortent les caisses de thé de la soute et les jettent dans l'eau. Grâce à cette *Tea-Party,* la précieuse infusion, indispensable à la population des colonies, entre dans l'Histoire. Les colons ripostent ainsi à une mesure prise par le parlement de Londres qu'ils jugent discriminatoire : le 10 mai, celui-ci a décidé d'exempter la Compagnie des Indes de droits sur le thé à l'entrée des ports anglais,

Les Ottomans cèdent devant la pression russe

Kutchuk-Kaïnardji, 10 juillet 1774
Par le traité de paix de Kutchuk-Kaïnardji signé entre les Russes et les Ottomans, la Sublime Porte reconnaît l'indépendance des Tatars de Crimée qui ne restent plus soumis au sultan-calife que sur le plan religieux. C'est, il est vrai, la première affirmation reconnue internationalement des droits du sultan sur les musulmans à l'extérieur des frontières de l'empire. Mais c'est aussi la première fois que la Russie reçoit une partie des côtes septentrionales de la mer Noire, de l'embouchure du Bug à celle du Don. Elle peut désormais instaurer une navigation libre dans cette mer Noire jusqu'alors lac ottoman et accéder aux détroits du Bosphore et des Dardanelles. L'expansion russe dans cette partie du monde commence à inquiéter les Autrichiens et les Français, mais surtout les Anglais qui voient un nouveau protagoniste manifester ses ambitions sur une région stratégique pour les communications et le commerce international.

mais de les maintenir dans les colonies. Il s'agit pour Londres de renflouer la Compagnie en lui offrant un nouveau marché, celui de l'Amérique. Mécontents de cette nouvelle concurrence, les importateurs américains se joignent aux colons les plus activistes. Le 21 octobre, les comités de Correspondance du Massachusetts décident d'empêcher le débarquement du thé en Amérique. L'arrivée de trois navires chargés de thé, le 27 décembre, leur apparaît comme une provocation. Ils donnent vingt jours au gouverneur pour ordonner le renvoi de la cargaison vers l'Angleterre. Au soir du vingtième jour, les Fils de la liberté, l'organisation clandestine regroupant les plus radicaux, passent à l'action.

Le massacre de Boston du 5 mars 1770. Les soldats anglais ouvrent le feu sur une manifestation pacifique de colons américains.

La chimie connaît de rapides progrès

Europe, 1773

L'année 1773 voit s'ouvrir une période faste pour le développement de la chimie. La découverte des corps simples progresse rapidement. H. Cavendish (1731-1810) avait découvert l'hydrogène en 1765 ; l'année 1774 sera celle de la découverte de l'oxygène. Il n'est guère possible d'en attribuer la paternité à un seul chimiste. En effet, l'Anglais Joseph Priestley (1733-1804), un pasteur passionné de chimie, le Français Antoine-Laurent de Lavoisier (1743-1794) et le pharmacien suédois Carl Wilhelm Scheele (1742-1786) peuvent légitimement revendiquer cette découverte. Peu après, Priestley établira clairement le pouvoir comburant de l'oxygène et son rôle dans la respiration. Scheele contribua également à la découverte du chlore et prépara celle du manganèse. Ses travaux les plus importants portent cependant sur la chimie organique dont il fut le véritable fondateur. Les efforts de ces chimistes contribuèrent à la ruine de la théorie du phlogistique (principe du feu), dont Georges Stahl (1660-1734) avait fait l'agent unique des réactions chimiques. Leurs travaux font émerger une nouvelle conception du principe « d'affinité », c'est-à-dire de combinaison entre les éléments simples.

Louis le Bien-Aimé meurt dans l'indifférence

Versailles, 10 mai 1774

Vers la fin du mois d'avril, le roi, en villégiature à Trianon, se sent incommodé par des douleurs à la tête, des frissons et des courbatures, au retour d'une partie de chasse. On le ramène à Versailles et on éloigne Mme du Barry. La situation du malade empire. Les médecins qui ont décelé la petite vérole ne peuvent rien faire et le 10 mai, après avoir reçu tous les sacrements de l'Eglise, Louis XV rend son dernier soupir à soixante-quatorze ans. Lors du transport de la dépouille mortelle à Saint-Denis, les nombreuses manifestations d'irrespect qui accompagnent le cortège témoignent du discrédit où est tombé le Bien-Aimé dans les dernières années de son règne. En 1757, six mille messes avaient été offertes à Notre-Dame pour la guérison du roi, suite à l'attentat de Damiens. Au cours de sa dernière maladie, on n'en célébra que trois. Il a passé ses dernières années à Versailles, tout à sa passion pour Mme du Barry, laissant le soin des affaires à ses ministres. L'impuissance de la France lors du partage de la Pologne et le renvoi de Choiseul, ministre très populaire, ont précipité le discrédit de Louis XV.

La Compagnie des Indes s'assure le monopole du commerce de l'opium

Chine, 1773

L'opium est connu en Chine depuis le XVIe siècle. A la fin du XVIIe siècle, les Portugais sont les premiers à l'importer dans la province du Fujian (Fou Kien). Ces importations, qui atteignent deux cents caisses par an au début du XVIIIe, vont passer à quatre mille à la fin de ce même siècle. L'accroissement est constant malgré les interdictions du gouvernement chinois, impuissant devant ce fléau. La première prohibition remonte à 1729. Après l'occupation des Indes par les Anglais, la culture du pavot se développe et, en 1773, la Compagnie des Indes orientales s'empare du monopole de la contrebande de l'opium en Chine dont elle va tirer de fructueux bénéfices. Malgré la progression des achats des produits chinois, le thé, la soie et le coton, ce trafic va mettre en péril l'économie du pays. Autre danger : Canton, le port où arrivent les caisses d'opium, devient un haut lieu de corruption.

Navires chinois. Gravure du XVIIIe siècle. Outre le commerce des épices, de la soie et du coton, la Compagnie des Indes orientales s'assura le monopole de l'opium.

Vanvitelli construit un palais à Caserte

Italie, 1773

Charles III, roi des Deux-Siciles, pour rivaliser avec les Bourbons de France, avait décidé de se faire construire un palais qui puisse rivaliser avec Versailles. Il en confia la réalisation en 1752 à Luigi Vanvitelli, fils du peintre Caspar Vanvitelli, un disciple du très baroque Juvara, l'architecte de Turin, mais aussi un admirateur passionné de Bramante et de Palladio. Le palais est édifié à 4 km de la petite ville de Caserte, en Campanie. C'est une importante demeure, au milieu d'un vaste parc, faite pour loger toute une cour et d'un modèle inédit en Italie ; il ne rappelle ni les villas de Toscane ni les palais romains. Délaissant le baroque, Vanvitelli renoue avec le classique. Construit sur un plan rectangulaire, avec une longue façade de 250 m, le château est traversé de bout en bout par un portique orné de colonnes qui aboutit au centre sur un grand espace polygonal. Sur un de ses côtés part un large escalier à deux rampes menant à un magnifique vestibule fermé par une colonnade de marbre, l'une des parties les plus remarquables de l'ouvrage de Vanvitelli.

Le Palais royal de Caserte (1752-1774). Œuvre de l'architecte Luigi Vanvitelli, réalisée pour le roi de Naples Charles III de Bourbon.

Le "Werther" de Goethe suscite une vague de suicides

Francfort, 1774

Un jeune poète du nom de Johann Wolfgang Goethe, né le 28 août 1749, avocat auprès de la cour impériale de justice de Francfort, publie une œuvre autobiographique, *Les souffrances du jeune Werther*. L'impact de ce roman épistolaire est tel qu'il suscite à travers toute l'Europe le suicide de jeunes gens frappés comme Werther, par le désespoir amoureux. Goethe a transposé sa propre passion pour Charlotte Buff, rencontrée à Wetzlar mais fiancée à son ami Kestner, et le suicide d'un autre ami, le diplomate Jerusalem. La passion de Werther pour Charlotte fiancée à Albert, un homme terne, retrace dans le roman tous les faits vécus par l'auteur, de la première rencontre à la séparation dramatique. Né d'un tourment intérieur, l'ouvrage rencontre et alimente la sensibilité qui se fait jour en Allemagne, où le sentiment prime sur la raison et où l'individu prend conscience, à l'instar de l'artiste, de la richesse créatrice de sa sensibilité. Werther est, en effet, une « âme sensible », blessée par la réalité quotidienne et nourrie de sentiments religieux qu'exalte le contact avec la Nature, véritable force mystique. Déchiré entre sa propre solitude et des moments de présence divine, Werther aspire à la mort. Goethe donne ainsi à la description de la vie et des mœurs bourgeoises une dimension accordée à l'exigence d'absolu qui s'empare alors de la jeunesse allemande. Le courant littéraire du *Sturm und Drang* trouve en lui sa vérité psychologique. L'auteur avait rompu, en 1770, avec une esthétique empruntée à la France, avant de rejoindre le courant antirationaliste du penseur Hamann. En 1773, il avait créé *Götz von Berlichingen*, retraçant un épisode de l'histoire allemande, dont l'idéal de liberté avait enthousiasmé le public.

Wilhelm Tischbein. Gœthe en Italie. 1787. Détail.

Le temps des révolutions

1776-1799

Lorsqu'en juillet 1776 les délégués américains adoptent la déclaration d'Indépendance, ils donnent corps aux idées de Loi et de Nation. En janvier 1793, c'est en leur nom que les conventionnels décident la mort de Louis XVI. A dix-sept ans de distance, des deux côtés de l'Atlantique, les délégués élus de deux nations enfin assemblées franchissent le dernier obstacle qui les sépare de l'indépendance et de la souveraineté nationales en s'affranchissant du lien royal. Ces deux révolutions n'ont pas connu la même postérité. La première est souvent oubliée, bien qu'elle soit la première lutte de libération nationale victorieuse de l'époque moderne et, en même temps, le premier mouvement d'émancipation d'une colonie vis-à-vis de sa métropole. La seconde, au contraire, de par la multitude des regards qui se sont penchés sur elle, revêt d'emblée une portée universelle. Et pourtant, dans son genre, elle a connu une devancière, la première révolution anglaise de 1642, qui a vu l'autorité royale contestée, offrant à l'Angleterre une forme de gouvernement que Voltaire et Montesquieu envieront quelques décennies plus tard. Dès lors, le destin fascinant et glorieux de la Révolution française tient à ce qu'elle s'est révélée, au fil des jours, en parfaite conformité avec son temps, répondant aux interrogations et aux désirs des hommes et des femmes de cette fin du XVIIIᵉ siècle. Souvent même, elle anticipa sur les problèmes que pose l'exercice de la démocratie, offrant ainsi aux générations futures un modèle à étudier et une leçon à méditer.

Des idées qui font leur chemin

Rapprochées dans le temps, ces deux révolutions ont été nourries par les mêmes valeurs intellectuelles : le refus du pouvoir d'un seul, la volonté de s'affirmer pour les couches sociales nouvelles, la foi dans les capacités des individus, la conviction que les sociétés humaines sont perfectibles et donc en marche vers le progrès. Nées et confortées par le travail des philosophes, ces idées deviennent le patrimoine commun de la jeunesse des villes : le présent est trop alourdi par le passé, un avenir est à inventer. Dans cette attente, les appels à la liberté se multiplient et un ouvrage, paru à Londres en 1774, dénonce *Les Chaînes de l'esclavage* : l'auteur en est un médecin, né à Neuchâtel, fils d'un Sarde et d'une Suissesse, et qui francise son nom ; s'appelant Jean-Paul Mara, il lui adjoint un *t*. En Nouvelle-Angleterre, Thomas Paine, un journaliste d'origine anglaise, fraîchement émigré, prend sa plume et rédige un pamphlet qui remporte un succès immédiat, *Le Sens commun* (1776). Journalistes, avocats, médecins, parfois professeurs ou anciens prêtres, tels seront les révolutionnaires dans leur grande majorité, lecteurs passionnés de Rousseau et armés d'éloquence.

Des économies en crise profonde

Ces idées nourrissent aussi les critiques que les peuples formulent aux autorités de l'Etat, dont l'intelligence ne semble en éveil que pour inventer de nouvelles taxes. En Nouvelle-Angleterre comme en France, c'est autour de la question fiscale que se nouent les alliances et le sort des régimes. Quand Paine défend le bien-fondé de la revendication d'indépendance formulée par certains colons radicaux, c'est pour fustiger le lien colonial aberrant qui oblige les Américains à payer chèrement des produits venant d'Angleterre et qu'ils pourraient acquérir à moindre frais sur le continent même. Quand le peuple soutient le combat du Parlement de Paris contre la politique fiscale des réformateurs, c'est moins pour défendre les pouvoirs de ce Parlement que parce qu'il lui apparaît comme son meilleur protecteur devant les exigences d'un Etat miné par la banqueroute et l'impuissance face aux graves crises alimentaires.

La lourdeur des inégalités

Les aspirations à la liberté s'opposent aux tensions économiques que les structures sociales ne sont plus prêtes à contrôler. Un sentiment d'injustice se répand quand les rêves des individus butent sur des interdits infranchissables. Et ceux de l'Ancien Régime, marqués par ce qu'il convient d'appeler la « réaction aristocratique », le sont bien. Les barrières de la naissance empêchent les fils de la petite bourgeoisie des villes ou ceux des paysans aisés de parvenir à des fonctions de responsabilité dans l'armée ou dans l'administration. Seules les voies du clergé restent ouvertes et permettront à cet ordre de répondre aux sollicitations du tiers état et de s'insérer dans les rangs de la nation grâce à l'existence d'un bas clergé, hostile lui aussi à l'aristocratie. Les barrières imposées par la fortune sont elles-aussi évidemment contestées, mais bien moins que le traitement inégal devant l'impôt selon que l'on est noble, clerc ou roturier. L'idée que les hommes doivent être libres, égaux et fraternels gagne les esprits, sinon de tous les signataires des Cahiers de doléances de février 1789, du moins de nombre d'entre eux. Dans cette société d'ordre qu'est la société française, reconnaître tous les individus comme égaux ne va pas de soi. Pour que « monsieur » cède la place à « citoyen », il faudra qu'à l'exaltation de l'insurrection succède l'invention quotidienne de la politique et de la démocratie.

Une révolution fraternelle

Trois mois après la séance d'ouverture des Etats généraux, l'Assemblée nationale, au cours d'une séance mémorable, poussée par les révoltes qui grondent dans le royaume, décide d'abolir les privilèges des individus, des ordres et des corporations. D'un seul élan, table rase est faite de l'Ancien Régime. Lors de cette cérémonie incantatoire où les orateurs se sont succédé pour faire don de leurs statuts particuliers, les députés ont travaillé pour la légende dorée de l'Histoire, tout comme les Parisiens se lançant à l'assaut de la Bastille, par un après-midi ensoleillé de 14 juillet. Néanmoins, dès le lendemain du 4 Août, nombre des « officiants » de la veille étaient prêts à revenir sur leurs sacrifices. Il faudra tout un travail législatif, obscur mais constant, pour que l'émotion égalitaire se traduise dans les lois de la nation et façonne la société tout entière. Autre moment d'exception : le grand mouvement fédéraliste de 1789-1790 qui débouche sur la fête de la Fédération. Les Français aspirent à une Nation, à une Loi et à un Roi pour quelque temps encore. Pour de nombreux acteurs, et pour certains historiens, la Révolution aurait pu s'arrêter là, en adoptant le régime de la monarchie constitutionnelle. Le général de La Fayette, héros de l'Amérique, devenu celui de Paris et du roi, aurait symbolisé l'identité de projet des deux révolutions.

La révolution démocratique

Mais ce projet ne trouva ni les hommes, ni la situation pour s'imposer. Le roi, qui jusqu'en 1790 n'était contesté ni dans sa personne ni dans sa fonction, sinon par quelques propagandistes de l'idée républicaine, ne voulait pas admettre que son pouvoir soit limité de quelque façon que ce soit. Aussi ressentait-il comme un carcan la surveillance que Paris, à travers l'Assemblée et les mouvements politiques, exerçait sur lui. De leur côté, les forces patriotiques voyaient dans le roi un obstacle à la construction d'une nouvelle société. Le veto attribué au roi par la première Constitution, celle de 1790, devenait de plus en plus insupportable et entérinait l'existence de deux pouvoirs opposés sur les problèmes de fond, comme celui de l'avenir du clergé. D'autre part, la Constitution libérale, en instituant un régime électoral censitaire, excluait nombre de citoyens de l'exercice des droits politiques. Rares ont été les députés à s'élever immédiatement contre cette mesure, tant l'idée que la politique ne pouvait être qu'un attribut de l'indépendance, du savoir et de la distinction restait forte. Il faudra que la rue, à travers plusieurs journées insurrectionnelles, impose sa présence pour que le régime se démocratise. C'est dans les sections parisiennes, par la voix des Jacobins, en août 1792, que la proposition de déchéance du roi émerge ; il faudra attendre un nouvel assaut des Tuileries pour que l'Assemblée suive les vœux des plus radicaux.

Une nouvelle culture politique

Des partis, des clubs, des journaux, des projets de société, des fêtes s'organisent, puis se défont. Les royalistes adoptent aussi les nouvelles mœurs politiques. De leur côté, les sans-culottes parisiens symbolisent les « militants » de 1793. Le plus souvent artisans, parfois compagnons, ils sont le peuple actif qui agit, qui parle dans les sections et dans les cabarets, qui se mobilise pour célébrer sa liberté et pour accroître son pouvoir, comme il se mobilisera pour défendre ses frontières lorsque l'Assemblée constituante

décidera que la guerre pourrait bien être un bon moyen pour stabiliser le régime révolutionnaire. Une guerre voulue aussi par le roi, pour des raisons diamétralement opposées, la défaite de la France devant lui permettre de rétablir ses prérogatives. Il rompait ainsi le lien ténu qui le rattachait encore à la nation. Celle-ci lui échappait déjà, depuis qu'elle s'attaquait au pilier de l'Ancien Régime, le clergé. Puissance spirituelle, judiciaire et économique, le clergé, plus que la noblesse, était une institution profondément enracinée dans la société grâce aux différentes tâches sociales qu'il assumait, éducation, charité, soins, et à son rôle de directeur des consciences. En voulant réduire son rôle, les révolutionnaires ont affronté une Église multiforme, qui dans certaines régions s'est faite le champion de la contre-révolution, alors qu'à Paris quelques-uns de ses dignitaires, comme Talleyrand, ont proposé la sécularisation des biens religieux, dévoilant ainsi brutalement les différences existant entre la religiosité populaire et celle de certaines élites. Finalement, c'est la politique anticléricale, plus que la politique financière ou la guerre, qui a divisé la France et l'a plongée dans la guerre civile, cristallisant pour des générations le paysage politique des provinces françaises.

La « dictature des Comités »

Gouvernée une année durant par la fraction girondine de la Montagne, la Convention devient jacobine à la suite des atermoiements et des inconséquences révélées dans la conduite de la guerre par Brissot et ses amis. Scissions, exécutions et épurations plongent le pays dans la guerre civile. Menacée, voire envahie par l'étranger, déchirée par les révoltes régionales comme en Vendée ou par le fédéralisme girondin dans certaines villes du sud, la France connaît la « Grande Terreur » à partir de la fin 1793, sous l'égide des Comités, dont celui de Salut public. Né de ces circonstances dramatiques, le Comité et le groupe de députés qui se rassemblent autour de Robespierre et de Saint-Just adoptent une ligne socialement plus généreuse et politiquement plus intransigeante. Tandis que la guillotine a du mal à suivre les cadences imposées par le Tribunal révolutionnaire, la Convention vote des mesures de solidarité sociale sans équivalent pour les indigents et les chargés de famille. La perspective « égalitariste » augmente, la radicalisation des masses parisiennes s'accentue, non sans inquiéter sérieusement tous ceux pour qui l'égalité ne saurait être que politique. Minée par ses contradictions et par la lassitude d'une partie importante du peuple, l'expérience robespierriste s'achève un soir de Thermidor sous les coups conjugués de la peur et de l'affairisme.

Vers la dictature d'un seul

Il faudra pourtant cinq ans, de juillet 1794 à novembre 1799, de Thermidor à Brumaire, pour que le régime politique se stabilise. Alors que le travail législatif au sein des commissions de la Convention, puis des Cinq-Cents, consolide les mesures libérales proposées par la bourgeoisie, la vie politique est marquée par la résurgence des forces royalistes. Les directeurs tentent d'assurer leur pouvoir en s'attaquant alternativement sur leur gauche, aux Jacobins, sur leur droite, aux royalistes. Dans un climat de paix civile presque retrouvée, puisque la Terreur a cessé d'être une méthode de gouvernement dès 1794, les coups de force se multiplient. Les grands mouvements populaires cèdent la place aux actions d'ampleur plus limitée, complots, conjurations et tentatives de coup d'État. Les Français, lassés, attendent l'homme providentiel. Cet homme, le directeur Barras croit l'avoir trouvé en la personne d'un jeune Corse, Napoléon Bonaparte, un général talentueux et aimé de ses troupes, qu'il espère bien pouvoir contrôler. En Brumaire, chaussant les larges bottes de la Révolution, Bonaparte s'en accommode mieux que ne pouvait l'envisager son protecteur. Après dix années torrides, le peuple souverain laisse une dictature s'installer. Celle-ci s'achèvera en 1815 au fond d'une morne plaine. Pourtant, Bonaparte a bien prolongé, dans une certaine mesure, le travail de la Révolution, tout en tournant les regards du peuple vers la conquête de l'Europe. Mais, cette fois, il ne s'agit plus de bonheur, comme l'entendait Saint-Just (« Le bonheur est une idée neuve en Europe »), mais seulement de gloire.

Un bilan sans cesse remis en question

La Révolution française a donné lieu à de multiples commentaires et jugements. Certains, comme Georges Clemenceau, la perçoivent une et indivisible, d'autres la partagent en bonnes et mauvaises périodes (Edgar Quinet, Jules Michelet). Les uns y voient l'aboutissement quasiment involontaire de tendances déjà inscrites dans l'histoire, comme Alexandre de Tocqueville : d'autres en font le point de départ d'un monde nouveau, fraternel et égalitaire, comme Michelet et les Romantiques ; sans compter ceux qui pensent que la France aurait pu en faire l'économie (Pierre Gaxotte, par exemple) et ceux qui voient dans son déroulement la marque des lois de l'histoire. Flamme vivante dans les mémoires, elle a fondé la France moderne et, par son influence internationale, profondément modelé les XIXe et XXe siècles. Elle offre toujours la chronique passionnée, tragique et enthousiaste, d'un moment unique.

1775

Russie, 21 janvier
Le rebelle cosaque Pougatchev est exécuté. →

France, 23 février
L'auteur dramatique Pierre Augustin Caron de Beaumarchais fait représenter « par le théâtre de la Comédie Française aux Tuileries » *Le Barbier de Séville*.

Nouvelle-Angleterre, 27 février
Le Premier ministre anglais Lord North parvient à faire adopter un plan de réconciliation avec les Colonies.

Nouvelle-Angleterre, 19 avril
Massacre de Lexington dans le Massachusetts, puis incidents sanglants à Concord. →

Nouvelle-Angleterre, 10 mai
Tandis que le fort Ticonderoga, occupé par les Anglais, est conquis par les Américains, la première séance du deuxième Congrès continental s'ouvre à Philadelphie.

France, mai
La disette touche Paris. La libération du prix des grains mécontente toute la population, commerçants, acheteurs et accapareurs. Les émeutes se multiplient, compromettant la politique de réforme de Turgot. C'est la « guerre des Farines ».

Nouvelle-Angleterre, 15 juin
George Washington, originaire de la colonie de Virginie, est nommé commandant en chef des troupes continentales.

Nouvelle-Angleterre, 17 juillet
Les Anglais réussissent à briser l'encerclement américain de Boston en emportant Bunker Hill.

France, 21 juillet
Malesherbes est nommé secrétaire d'Etat à la Maison du roi.

Nouvelle-Angleterre, 23 août
Le roi George III proclame les colonies en état de rébellion. →

Nouvelle-Angleterre, août-décembre
Les Américains tentent de porter la guerre au Canada, mais subissent de nombreux revers.

Nouvelle-Angleterre, 13 octobre
Le Congrès décide de se doter d'une marine.

France, 27 octobre
Le comte de Saint-Germain est nommé au secrétariat à la Guerre, mais il tombera en disgrâce dès l'année suivante, en mai.

Nouvelle-Angleterre, 11 décembre
La guerre gagne les colonies du sud, les Caroline et la Géorgie.

Autriche
Marie-Thérèse obtient à l'extérieur que la Turquie lui cède la Bukovine et, sur le plan intérieur, publie une Patente abolissant la corvée en Bohême et dans les territoires autrichiens.

Russie
Catherine II procède à une importante réforme de l'administration (la Russie est divisée en 50 gouvernements, eux-mêmes subdivisés en districts) et assure, d'autre part, la liberté du commerce et de l'industrie.

Portugal
La place du Commerce de Lisbonne est inaugurée. La capitale lusitannienne renaît après le terrible tremblement de terre de 1755. →

Angleterre
Robert Adam décore la *Home House*. →

France
Jean-Jacques Rousseau publie *Dialogues (Rousseau juge de Jean-Jacques)*.

Paris
Le compositeur Gluck fait représenter *Alceste*, tragédie-opéra en version française.

France
L'économiste Pierre Samuel Dupont de Nemours fait paraître son *Mémoire sur les municipalités*.

Angleterre
L'auteur dramatique Sheridan connaît le succès avec sa première comédie *Les Rivaux*.

Angleterre
L'ingénieur anglais James Watt vend sa première machine à vapeur à l'industriel John Wilkinson.

Russie
Reconstruction de la *lavra* (monastère) d'Alexandre Nevski par l'architecte Ivan Starov.

Brésil
Construction de l'église Notre-Dame de la Candelaria à Rio de Janeiro.

Insurrection en Nouvelle-Angleterre

Londres, 23 août 1775

Le roi d'Angleterre George III vient de proclamer solennellement les colonies en état de rébellion. Les dernières tentatives de conciliation entre la métropole et ses colonies ont échoué et Londres décide de faire la guerre. Une guerre qui existe de fait depuis plusieurs mois. En effet, à la

Charles Wilson Peale. Le général George Washington. 1777. Pennsylvania Academy, Philadelphie.

suite de la *Tea Party* de Boston, en décembre 1773 (→), la situation s'est profondément transformée. En prenant des sanctions sévères contre Boston en 1774, le roi a poussé les éléments les plus modérés dans les bras des radicaux. Les lois de mars et d'avril 1774 destinées à faire plier la ville la plus agitée du pays serviront de tremplin à des militants comme Samuel Adams ou Paul Revere pour rassembler les Américains dans la lutte antianglaise. Autour du Massachusetts « martyr », occupé militairement par les troupes anglaises, les autres colonies serrèrent les rangs, d'autant que le gouvernement de Londres étendit bientôt ses mesures coercitives à l'ensemble des treize colonies. La chambre des Représentants du Massachusetts, à la suite de celle de Virginie, convoqua un congrès auquel participèrent douze délégations, à l'exception de celle de la Géorgie. Réuni à Philadelphie du 5 septembre au 26 octobre 1774, il laissa entrevoir des divisions sérieuses entre d'un côté les modérés qui voulaient rester loyaux envers la Couronne, et de l'autre les radicaux qui voulaient s'affirmer américains et qui aspiraient à l'indépendance. Le Congrès hésitait entre les deux options au gré des différentes motions. Toutefois, le 18 octobre, les colonies s'engagèrent à boycotter les marchandises anglaises et à ne plus exporter vers la métropole. Pendant ce temps, dans chaque colonie, des milices armées se constituaient, comme en Virginie et dans le Massachusetts. L'irréparable se produisit quand, le 19 avril 1775, un affrontement meurtrier opposa à Lexington troupes anglaises et miliciens, causant la mort de plus de deux cents soldats anglais. La guerre était lancée. Les Anglais pensaient qu'ils allaient vaincre rapidement, compte tenu du manque d'organisation des insurgés et de la victoire qu'ils remportèrent le 17 juin près de Boston, à Bunker Hill.

G. Washington traversant le « Delaware ».

Le combat de Bunker Hill, première bataille de la guerre d'Indépendance américaine, le 17 juin 1775. Gravure sur cuivre.

James Watt se lance dans l'industrie

Angleterre, 1775

Mathématicien et mécanicien de formation, James Watt (1736-1819) opte, dès l'âge de vingt ans, pour les sciences appliquées. Il travaille tout d'abord chez un constructeur d'instruments de physique puis, nommé ingénieur de l'université de Glasgow, il s'intéresse à la machine à vapeur. Thomas Savery avait déposé en 1698 le brevet d'une machine atmosphérique, bientôt suivie de la machine de Newcomen qui utilisait le système cylindre-piston (1705). Ce sont ces « pompes à feu » que Watt va perfectionner. En 1764, il propose un modèle dans lequel le système cylindre-piston se trouve séparé de la chaudière et du condenseur. Il s'inspire des travaux théoriques du physicien écossais Joseph Black (1728-1799), un des fondateurs, avec Lavoisier et Laplace, de la calorimétrie ou mesure de la quantité de chaleur. Dès 1775, Watt se lance dans l'aventure industrielle. Il s'associe avec Matthew Boulton (1728-1809) avec lequel il fonde la manufacture de Soho, près de Birmingham. En 1776, il met au point la machine à double effet grâce à l'invention du régulateur automatique qui maintient la vitesse de rotation de l'arbre de la machine à vapeur. Le mouvement rectiligne du piston se transforme en mouvement circulaire régulier. James Watt est fortement soutenu dans ses projets industriels par la « Société lunaire » qui compte parmi ses membres des industriels, mais aussi des scientifiques comme J. Priestley.

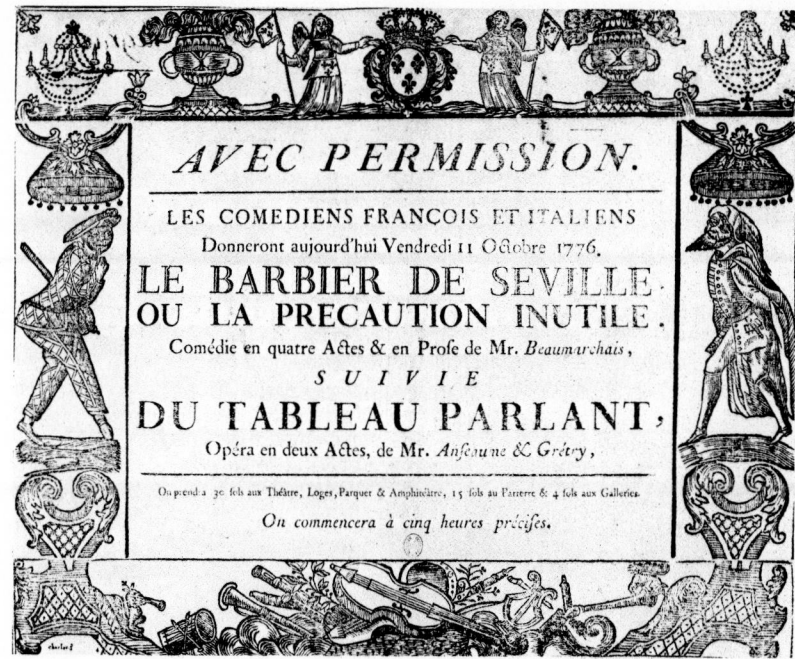

L'affiche-annonce pour une représentation du « Barbier de Séville » par les Comédiens Français et Italiens. La « première » avait eu lieu en février 1775.

La machine à vapeur de James Watt (1775). Avec Matthew Boulton, James Watt ouvrit la manufacture de Soho.

Beaumarchais triomphe à Paris avec "Le Barbier de Séville"

Paris, 23 février 1775

Cette comédie représentée par les Comédiens-Français connaît très vite un immense succès. Le public applaudit la pièce la plus originale qui, depuis *L'Ecole des femmes*, ait été écrite sur le thème du barbon dupé. Convoitée par Bartolo, son vieux tuteur, et par le comte Almaviva, Rosine est l'enjeu de l'intrigue. Grâce aux stratagèmes de son ancien valet, devenu barbier du docteur Bartolo, le comte emportera le cœur de la belle. Mais le public aime aussi se reconnaître dans le personnage de Figaro qui, à travers sa critique sociale et politique, aspire à plus de justice et de liberté. Conçue d'abord comme un opéra-comique, la pièce intègre airs et chansons. Beaumarchais, né Pierre Augustin Caron en 1732, a mené une vie aventureuse. Il a mis beaucoup de lui-même dans Figaro.

Le style néo-classique s'impose en Angleterre avec les frères Adam

Angleterre, 1775

L'Angleterre, restée fidèle à l'esprit de Palladio, n'a jamais adopté le baroque. Aussi fait-elle bon accueil à ce mouvement de retour au classicisme qui gagne toute l'Europe et dont les frères Adam se font les porte-paroles en Angleterre. L'aîné, Robert (1728-1792), a séjourné en Italie. S'inspirant à travers l'œuvre de Palladio des formes héritées de l'Antiquité, il réalisa, en collaboration avec son frère James de nombreuses demeures, dont la célèbre *Syon House* (1764).

Echec et mort de Pougatchev

Moscou, 21 janvier 1775

Livré par les siens, Pougatchev, le Cosaque rebelle chef de l'insurrection de 1773-1774, est décapité. Catherine II, dans sa volonté de réforme et de centralisation, avait, en 1772, aboli les institutions autonomes des Cosaques. Une révolte éclata qui fut réprimée dans le sang. C'est alors que Pougatchev, se faisant passer pour le tsar Pierre III, que Catherine avait fait assassiner en 1762, appelle les Cosaques du Don à la vengeance et à la reconquête de leurs libertés. En septembre 1773, il s'empare, avec ses troupes, des forteresses de l'Oural. A leur tour, les Bachkirs musulmans se soulèvent et se joignent au mouvement. En mars 1774, la ville d'Orenbourg est assiégée. Dans la région de Kazan, la révolte gagne les serfs. A Nijni-Novgorod, ils brûlent les manoirs et égorgent leurs maîtres. On s'attend à voir Pougatchev marcher sur Moscou. Voyant poindre une véritable guerre sociale, le gouvernement, qui n'avait pas jusqu'alors pris la mesure exacte du péril, se décide à réagir. L'armée du général Bibikov libère Orenbourg. Mais surtout, les Cosaques, lassés par les excès du nouveau « tsar », supportent de plus en plus mal de voir leurs intérêts confondus avec ceux des serfs révoltés ; ce sont eux qui décident d'en finir avec Pougatchev.

Lecture de la condamnation à mort de Pougatchev. Aquarelle de A. Bolotov. Musée Historique, Moscou.

Robert Adam. L'escalier de la « Home House » (Courtauld Institute).

1776

France, 5 janvier
Turgot supprime la corvée et les corporations. Ces mesures causeront sa chute le 12 mai et seront rapportées le 11 août. →

Nouvelle-Angleterre, 9 janvier
Le journaliste américain Thomas Paine publie son pamphlet *Le Sens commun.*

Nouvelle-Angleterre, 15 mai
La Virginie se prononce pour l'indépendance des colonies.

Nouvelle-Angleterre, 7 juin
Richard Henri Lee propose au Congrès le vote d'une résolution d'indépendance qui est adoptée par douze colonies. Seule celle de New York ne prend pas part au vote.

Nouvelle-Angleterre, 4 juillet
Adoption de la *Déclaration d'indépendance* rédigée par Thomas Jefferson. →

Nouvelle-Angleterre, 8 juillet
Proclamation de la *Déclaration d'indépendance.* Le lendemain, la colonie de New York s'y rallie.

France, septembre
Le délégué des colonies anglaises, Benjamin Franklin, se rend à Paris pour demander l'aide de la France.

France, octobre
Jacques Necker est nommé adjoint au contrôleur général des Finances.

Rio de la Plata
Le territoire de l'Argentine est détaché de la vice-royauté du Pérou et érigé en vice-royauté indépendante, dite du Rio de la Plata, à laquelle sera rattaché le territoire du Paraguay.

Fouta-tors, Sénégal
Les Torobé, d'origine toucouleur, prennent le pouvoir aux dépens de la dynastie animiste des Deniankobé, sous la direction de Suleyman Bal qui assure la prépondérance de l'islam.

Espagne
Le roi Charles III nomme Floridablanca Premier ministre.

Angleterre
L'économiste Adam Smith (1723-1790) publie ses *Recherches sur la nature et les causes de la richesse des nations.* →

France
Jean-Baptiste de Gribeauval (1715-1789) devient inspecteur de l'artillerie. →

France
Jouffroy d'Abbans fait naviguer un bateau à vapeur sur la Saône.

Angleterre
Création du premier syndicat ouvrier.

France
Le baron d'Holbach publie *La Morale universelle ou les Devoirs de l'homme fondés sur la nature,* qui contient de violentes attaques contre la religion.

Paris
Denis Diderot fait paraître ses *Entretiens d'un philosophe avec la Maréchale de...*

L'abbé Mably publie ses *Principes des lois.*

France
Fabrication des premiers rails. Cette innovation a déjà été réalisée en Angleterre quelques années auparavant.

Angleterre
Le navigateur James Cook entame une troisième expédition en direction du Pacifique (→1779).

Londres
Contrôleur des Bâtiments royaux depuis 1769, l'architecte William Chambers (1723-1796) se voit confier la construction de Somerset House, l'un des plus grands édifices de l'Angleterre, dont il assura également la décoration, y faisant preuve d'un éclectisme raffiné.

Vienne
W.A. Mozart compose sa *Sérénade* dite *en rè,* écrite pour les noces d'Elisabeth Haffner.

Amérique Centrale
Fondation de Guatemala Nueva.

France-Espagne, 1er mars
Le ministre des Affaires étrangères français Charles Gravier, comte de Vergennes, conseille à son collègue espagnol Jeronimo de Grimaldi de soutenir les insurgés américains contre l'Angleterre.

Royaume de Naples
Le ministre Bernardo Tanucci, catholique ouvert aux réformes, est contraint de se retirer après avoir gouverné plus de vingt années aux côtés du roi Charles de Bourbon puis de Ferdinand IV.

Turgot est chassé : un nouvel échec pour les réformateurs

Versailles, 12 mai 1776
Victime de la coalition des privilégiés, qui n'avaient pas cessé de se dresser contre celui qui menaçait leurs intérêts, et abandonné par le roi, Turgot est contraint à la démission. C'est le parti de la réforme qui tombe avec lui. Appelé le 24 août 1774 au contrôle général des Finances, il avait aussitôt adressé à Louis XVI une *Lettre au roi* qui contenait des mesures pour la rénovation de la monarchie. En premier lieu un projet de refonte complète de l'impôt : aux multiples taxes inégalement réparties, Turgot voulait substituer une « subvention territoriale » pesant sur tous les propriétaires sans exception ; il proposait en outre l'abolition de la dîme destinée au clergé et la suppression des droits féodaux. Quant aux mesures économiques, elles s'inspiraient pour l'essentiel des idées libérales du physiocrate Quesnay, son ami. Comme lui, il réclamait la suppression de toutes les entraves qui paralysaient l'initiative individuelle et limitaient la circulation des biens (abolition des corporations, de la réglementation du travail, des douanes intérieures). En matière politique, Turgot ne voulait en aucune façon porter atteinte au pouvoir royal. Il souhaitait, cependant, pour remplacer les anciennes juridictions, la création d'un système d'assemblées (municipales, provinciales, nationale) au rôle purement consultatif. La brièveté de son ministère ne lui permit pas d'appliquer son programme. Néanmoins, il réussit à remédier au déficit chronique du budget en supprimant des charges et des offices inutiles et en limitant le rôle des fermiers généraux. En 1774, il instaure la liberté du commerce des grains, et, en 1776, il met fin à l'obligation de la corvée et supprime le système corporatif.

La richesse des nations selon Adam Smith

Londres, 1776
L'Ecossais Adam Smith (baptisé le 5 juin 1723 à Kirkcaldy) livre enfin au public l'ouvrage auquel il travaille depuis plus de dix ans, les *Recherches sur la nature et les causes de la richesse des nations.* Philosophe de formation, professeur à l'université de Glasgow, les questions économiques l'ont toujours intéressé. Passionné par l'intense activité commerciale du port de Glasgow, il quitta l'université pour accompagner un jeune aristocrate dans son tour d'Europe. A cette occasion, il visita Toulon, Genève et Paris où il rencontra les physiocrates. Dès son retour en 1766, il se mit au travail. Dans son exposé, Smith distingue deux facteurs dans la production : le travail, rémunéré par le salaire, et le capital, qui engendre le profit. La croissance économique, selon lui, est le résultat de l'accumulation progressive du capital qui permet une augmentation de la division du travail, et donc de la productivité. Adversaire du mercantilisme, Adam Smith, tout comme Quesnay, est un partisan résolu de l'initiative individuelle.

RECHERCHES
SUR
LA NATURE ET LES CAUSES
DE
LA RICHESSE DES NATIONS.

INTRODUCTION
ET
PLAN DE L'OUVRAGE.

LE *travail annuel* d'une nation est la source primitive d'où elle tire toutes les choses propres aux besoins et aux commodités de la vie, et qui composent sa consommation ; et ces choses sont toujours, ou le produit immédiat de ce travail, ou achetées des autres nations avec ce produit.

Ainsi, selon que ce produit, ou ce qui est acheté avec ce produit, se trouvera être dans une proportion plus ou moins grande avec le nombre des consommateurs, la nation sera plus ou moins bien pourvue de toutes les choses nécessaires ou commodes qu'elle voudra se procurer.

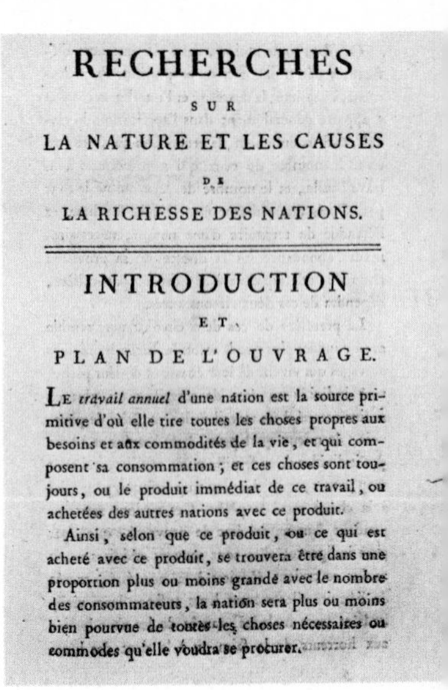

Page d'introduction du traité d'Adam Smith sur la richesse des nations. Edition française du XVIIIe siècle.

Le moteur à vapeur s'applique au bateau

France, 1776
Ces années qui voient se réaliser tant de choses dans le domaine des machines à vapeur ne sont cependant pas très heureuses pour tous ceux qui veulent adapter cette technique aux transports et aux moyens de communication. Il y a déjà longtemps que Denis Papin a fait son premier essai de bateau à vapeur. C'était en 1707, sur la Fulda, une petite rivière de l'Allemagne du Nord. Ce fut une réussite technique, mais un échec social. En effet, les bateliers, réalisant probablement que cette innovation pourrait avoir des conséquences fâcheuses sur la main-d'œuvre, détruisirent son bateau. C'est le marquis Claude-François Jouffroy d'Abbans (1751-1832) qui reprend cette idée et qui réalise ses premiers essais sur la Saône en 1776. Il sera rapidement imité par un Américain installé en France, Robert Fulton (1765-1815). Ces pionniers ne rencontrent qu'indifférence. Aussi bien les pouvoirs publics que les entrepreneurs semblent peu pressés de voir progresser ces inventions car il est plus difficile de faire évoluer les mentalités que de vaincre les obstacles technologiques les plus ardus.

Abolition de la torture par Joseph II

Vienne, 2 janvier 1776

En prenant la décision d'abolir la torture dans tous ses Etats, Joseph II se montre un disciple fidèle des idées de Beccaria. Nommé corégent et élu empereur, à la mort de son père, en 1765, le fils de Marie-Thérèse est depuis toujours acquis à l'esprit des Lumières. Soucieux de n'agir en tout que selon les règles de la raison, il se veut l'ennemi de la superstition et du fanatisme. Ayant parcouru l'Europe en simple particulier, comme Pierre le Grand avant lui, il a rencontré et admiré les philosophes français. Prenant Frédéric II pour modèle, il envisage la réforme et l'unification de l'héritage bigarré des Habsbourg, sans prendre en considération ces fardeaux inutiles du passé que sont les traditions et les coutumes.

L'empereur Joseph II (1741-1790). Admirateur des philosophes, il règna en despote éclairé.

Gribeauval réforme l'armée française

France, 1776

Jean-Baptiste de Gribeauval est nommé lieutenant-général et premier inspecteur de l'artillerie, chargé par le comte de Saint-Germain, secrétaire d'Etat à la Guerre, de la réforme de cette arme. Entré dans l'artillerie dès 1732, alors qu'il était âgé de dix-sept ans, il a également publié un mémoire sur l'artillerie légère prussienne. Pendant la guerre de Sept Ans, qu'il fit au service de Marie-Thérèse, il put apprécier l'efficacité des canonniers de Frédéric II. La première réforme qu'il entreprend est d'établir une séparation entre l'artillerie de forteresse et l'artillerie de campagne qu'il rend plus légère et plus mobile. Il charge les ingénieurs de calculer soigneusement le calibrage des canons ainsi que celui des boulets ; les canons sont par ailleurs dotés d'une vis de pointage et d'une hausse permettant d'ajuster le tir. Le système d'attelage des affûts est amélioré et des caissons à munitions sont aménagés. Gribeauval fait de l'artillerie française la première d'Europe.

Thomas Jefferson proclame l'indépendance

Philadelphie, 4 juillet 1776

C'est dans l'enthousiasme que Philadelphie accueille la nouvelle de la proclamation de l'indépendance par le Congrès. Partout on chante, on danse, on fait des feux de joie et les statues de George III sont renversées dans l'allégresse. Car, depuis le début de l'année, le nom est sur toutes les bouches. En janvier, un jeune Anglais inconnu, Thomas Paine né à Thetford dans le Norfolk en 1737, publie un pamphlet, *Common Sense* (Le Sens commun) qui connaît un succès extraordinaire. En quelques semaines, plus de cent vingt mille exemplaires sont vendus. Récemment débarqué d'Angleterre, Thomas Paine affirme que les Américains n'ont d'autre choix que celui de l'indépendance. Très violent contre le roi qu'il accuse de tyrannie, il fait l'apologie des « nouvelles terres » où seule la loi est souveraine. L'idée d'indépendance gagne de plus en plus de terrain du fait même que, pour continuer leur combat, les insurgés sont obligés d'agir comme une puissance souveraine, cherchant des alliés, acceptant de traiter avec eux d'égal à égal. Courant avril, des assemblées préconisent la Déclaration d'indépendance : en Caroline du Nord d'abord, puis en Virginie le 15 mai. Lorsque le débat s'ouvre le 7 juin devant le Congrès, le Virginien Richard Henry Lee soumet une résolution où les « Colonies unies » se doivent d'être de droit des Etats libres et indépendants. Quelques colonies sont encore réticentes, surtout celles du centre du pays. Toutefois, le Congrès décide de constituer trois comités. L'un est chargé de traiter avec la France qui a accepté d'aider les insurgés, le deuxième de préparer les articles de Confédération et le troisième de rédiger une Déclaration d'indépendance. Ce dernier est composé de Thomas Jefferson, John Adams, Benjamin Franklin, Roger Sherman et Robert R. Livingston ; il charge Thomas Jefferson, reconnu pour sa plume magistrale, d'en écrire le texte. Soumis au Congrès, celui-ci est voté par toutes les délégations, exceptée celle de New York qui l'approuve seulement le 9 juillet. Réquisitoire contre la politique de George III, il se termine par la Déclaration d'indépendance des Colonies unies qui par là même rompent tous leurs liens avec la métropole.

La voie de l'indépendance avait d'ailleurs déjà été prise quelques semaines auparavant quand le Congrès avait adopté une résolution encourageant les colonies à former chacune un gouvernement pour organiser concrètement le soutien à l'effort de guerre. Car la guerre qui oppose Américains et Anglais est de plus en plus âpre. Si, le 17 mars, les Anglais sont contraints d'évacuer Boston à la suite d'une belle manœuvre de

Thomas Jefferson, auteur de la « Déclaration d'indépendance » américaine, par Houdon. Musée franco-américain. Blérancourt.

Washington, les Américains ont subi un échec majeur lorsqu'ils ont voulu porter la guerre au nord, au Québec. De plus, la guerre a gagné le sud depuis le 11 décembre 1775. Le commandant en chef des troupes américaines, George Washington, appelé à ce poste pour sa participation à la guerre contre les Français, dispose aussi d'une expérience en matière d'organisation et d'adminis-tration. Il n'est pas d'accord avec les pratiques des organisations clandestines comme les Fils de la liberté ou les Minutemen, prompts aux attaques surprise. Ce qu'il veut, c'est organiser une armée régulière et disciplinée, sur le modèle des armées continentales. La fin de l'année 1776 est particulièrement dramatique pour les insurgés. Les troupes anglaises, renforcées par des contingents frais, réussissent à occuper New York puis Philadelphie, contraignant le Congrès à abandonner sa ville de prédilection pour se replier sur Baltimore. En novembre, les Américains sont repoussés vers le nord, au bord du lac Champlain. George Washington doit battre en retraite à travers le New Jersey. Cette série de défaites est due à la disproportion entre les forces en présence. Si les troupes anglaises évoluent dans un environnement hostile, elles sont plus nombreuses et bénéficient d'un bien meilleur approvisionnement tant en matériel qu'en hommes. Aux trente-cinq mille soldats anglais il faut ajouter les dix-huit mille mercenaires allemands que le roi achète à prix d'or. En face, les Américains disposent de vingt mille hommes tout au plus, beaucoup moins bien équipés. Les indigènes, les Indiens en particulier, sont l'objet de sollicitations empressées de la part des deux camps qui leur demandent chacun de prendre position dans le combat. D'autre part, les Anglais ont parfois promis la liberté aux esclaves noirs s'ils s'engagent dans les rangs de Sa Gracieuse Majesté ; un geste que les Virginiens, en particulier, n'ont guère apprécié. Bien que rendues célèbres dans le monde entier par leur déclaration de Juillet, les colonies américaines restent faibles, cherchant leur salut dans une alliance avec les ennemis de l'Angleterre, notamment la France. C'est seulement à la fin du mois de décembre que le sort des armes semble enfin s'inverser, quand Washington réussit à battre des détachements anglais, tout d'abord à Trenton, le 26 décembre, puis à Princeton le 3 janvier 1777.

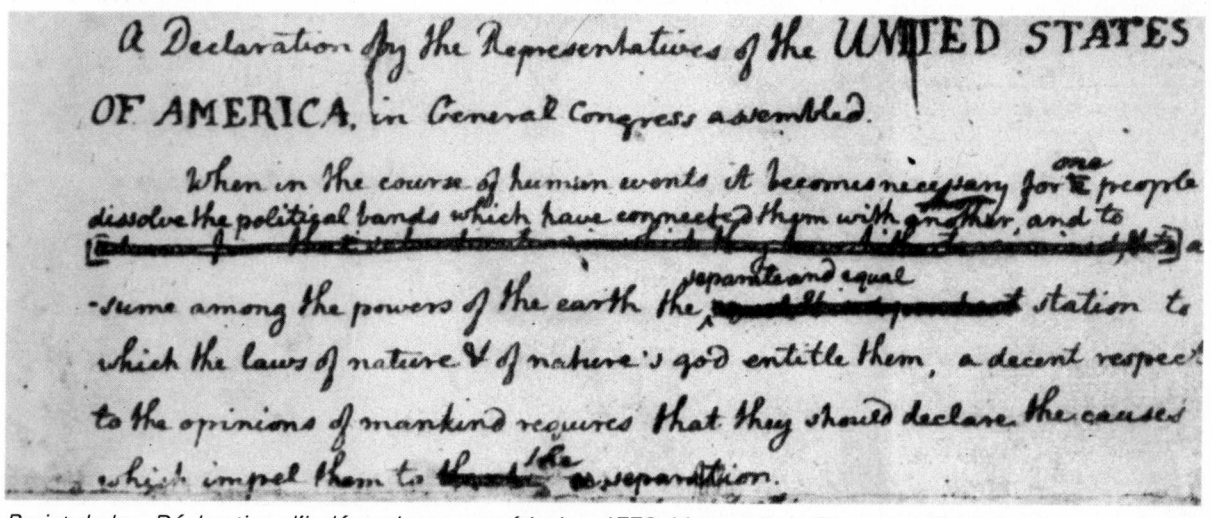

Projet de la « Déclaration d'indépendance » américaine. 1776. Manuscrit de Thomas Jefferson.

1777

France, 1er janvier
Parution du premier quotidien français. →

Portugal, 24 février
A la mort du roi José Ier, c'est sa fille Marie Ire de Bragance qui lui succède. Le marquis de Pombal se voit congédié.

Nouvelle-Angleterre, 13 mars
Le Congrès donne l'ordre à ses émissaires en Europe de faire appel à des officiers étrangers de rang supérieur pour renforcer l'armée américaine.

Nouvelle-Angleterre, juin-juillet
Les troupes anglaises lancent une importante offensive et s'emparent de Philadelphie le 26 septembre.

Nouvelle-Angleterre, 27 juillet
Marie Joseph Motier, marquis de La Fayette, arrive en Amérique pour aider les insurgés ; il est accompagné d'autres officiers européens dont de Kalb, un Allemand au service du roi de France. Ils seront rejoints quelques mois plus tard par le Polonais Thadée Kosciuszko et l'Allemand Wilhelm von Steuben.

Nouvelle-Angleterre, 17 octobre
Les troupes anglaises venues du Canada sont défaites à Saratoga.

Nouvelle-Angleterre, 15 novembre
Le Congrès adopte les Articles de Confédération qu'il soumet à l'approbation des Etats.

France
Le roi Louis XVI signe un traité d'alliance avec les cantons suisses.

Paris
Une Ecole de guerre est créée dans le cadre des réformes de Gribeauval (→ 1776).

France
Le chimiste Antoine de Lavoisier (1743-1794) met au point sa théorie de la combustion.

France
Tandis que Jean-Baptiste Pigalle met la dernière main au tombeau monumental du Maréchal de Saxe, à Saint-Thomas de Strasbourg, et sculpte par ailleurs un portrait étonnamment véridique de Diderot, le sculpteur Houdon donne, de son côté, une première version, en bronze, de sa *Diane*.

1778

France et Etats-Unis, 6 février
Signature d'un traité d'alliance et de commerce à Versailles. →

Paris, 30 mai
Mort de Voltaire à quatre-vingt-quatre ans, deux mois après qu'il eut assisté à une représentation triomphale de sa tragédie *Irène*, au cours de laquelle son buste, sur scène, fut couronné de lauriers.

Nouvelle-Angleterre, 28 juin
Les Américains remportent la bataille de Monmouth qui leur permet de reprendre le New Jersey. Les Anglais évacuent Philadelphie pour s'opposer à une attaque de la flotte française.

Ermenonville, 2 juillet
Mort en solitaire de Jean-Jacques Rousseau dans un pavillon proche du château d'Ermenonville.

Nouvelle-Angleterre, juillet-août
La flotte française renonce à attaquer New York et échoue devant Newport.

Nouvelle-Angleterre, 29 décembre
Les Anglais portent la guerre dans le sud et s'emparent de Savannah, la capitale de la Géorgie.

France
Création de la Caisse d'escompte de Paris.

France
Une assemblée provinciale est créée dans le Berry pour servir d'exemple dans le cadre d'une réforme de la monarchie.

France
La naturaliste Buffon publie *Les Epoques de la nature*. →

Paris
Wolfgang Amadeus Mozart, en visite à Paris, donne *Les Petits Riens*.

Milan
Nouveau théâtre lyrique, la Scala est inaugurée.

Bavière
Une crise de succession s'ouvre à la suite de la mort sans héritier de l'Electeur Maximilien III, le 30 décembre 1777. Le conflit s'envenime quand l'Electeur palatin devient Electeur de Bavière. Joseph II refuse. Les Prussiens et les Saxons décident alors d'envahir la Bohême en juillet 1778.

Les insurgés américains s'adressent à la France

Benjamin Franklin. Ecrivain, physicien (il inventa le paratonnerre) et homme d'Etat américain.

Etats-Unis et France, 6 février 1778
En signant un traité de commerce avec les Etats-Unis, la France s'engage dans une guerre contre l'Angleterre qui deviendra effective en juin. Ce traité est le fruit de longues négociations menées par Benjamin Franklin qui fait figure d'ambassadeur permanent auprès de la cour de Versailles. Les relations franco-américaines datent du début de l'année 1776, lorsque les Américains s'étaient rendu compte qu'ils ne pourraient battre seuls les Anglais. C'est la raison pour laquelle ils avaient mis sur pied un Comité de correspondance secrète chargé d'entrer en contact avec des alliés potentiels. La France, étant donné ses défaites passées face aux Anglais semble, aux yeux des Américains, un interlocuteur tout indiqué. D'autant que le mouvement insurrectionnel suscite de nombreuses sympathies dans de larges cercles de l'opinion publique. Vergennes, le secrétaire d'Etat aux Affaires étrangères, est certes favorable à une intervention, mais il reste prudent, d'autant que la situation militaire des insurgés n'est pas des plus favorables. Le large mouvement de sympathie se concrétise par le départ d'officiers supérieurs français et ce malgré la désapprobation de la cour. Répondant à l'appel du Congrès lancé le 13 mars, La Fayette, âgé de dix-neuf ans, accompagné de de Kalb, un officier allemand au service de la France, décide de se rendre en Amérique et affrète un bâtiment. Arrivés à Philadelphie le 27 juillet, ils seront rejoints plus tard par d'autres jeunes officiers comme le Polonais Kosciusko et le Prussien von Steuben. Mais c'est finalement la capitulation, à Saratoga, dans le nord du pays, des cinq mille hommes du général Burgoyne qui décida la France à apporter son soutien aux Américains. Parti du Canada vers la rivière Hudson pour rejoindre le commandant en chef Howe, Burgoyne s'était engagé dans une région forestière sauvage et avait dû céder devant les multiples embuscades des troupes américaines menées par les généraux Gates et Benedict Arnold. Le retentissement de Saratoga est énorme et convainc définitivement les Français que les Américains ne défendent pas une cause désespérée. A Londres aussi, la défaite renforce le parti de la modération. Une course de vitesse s'engage alors entre Londres et Paris pour obtenir l'alliance américaine. Les délégués américains en Europe repoussent les offres anglaises. De son côté, Louis XVI reconnaît l'indépendance des colonies le 17 décembre 1777 et donne son accord pour une négociation entre les deux parties. Les pourparlers commencent le 8 janvier pour se terminer par une signature le 6 février. La France promet subsides, armes, soldats et ouvre ses ports au commerce américain. Les Américains ont gagné leur pari : isoler l'Angleterre. Plus rien désormais ne semble s'opposer à leur victoire sur le terrain.

George Washington (1732-1797) entouré de ses généraux. Premier président des Etats-Unis. Gravure sur cuivre coloriée.

Un financier genevois au chevet des finances de la France

Paris, juin 1777

Clugny, qui avait pris la succession de Turgot au Contrôle général des Finances, étant mort en octobre 1776, Maurepas juge opportun pour le remplacer de faire appel à un technicien. Sur les propositions d'un certain Pezay, un aventurier qui avait eu l'art de se mettre en correspondance avec le roi, il fait appel à un banquier suisse, Jacques Necker. Né à Genève en 1732, fils d'un modeste régent de collège, Necker s'était installé à Paris dans une banque où il se fit rapidement connaître, notamment par la spéculation sur les actions de la Compagnie des Indes. Grâce à son habileté, il a en moins de dix ans amassé une fortune considérable. Connu dans la société parisienne, il aime fréquenter les philosophes et les écrivains qu'il rencontre dans le salon que sa femme tient depuis 1764. Mais il reste un praticien, dépourvu de hauteur de vue, davantage porté à se satisfaire de compromis qu'à adopter des solutions radicales. C'est ainsi que pour combler le déficit chronique du budget, plutôt que de pratiquer une politique de stricte

J.-S. Duplessis. Portrait de Jacques Necker. Vers 1781. Détail. Musée du Château de Versailles.

économie ou de réformer l'impôt, Necker préfère recourir à l'emprunt. Pour conserver l'appui des novateurs, il lance un plan de réformes administratives en reprenant les projets de Turgot et propose la mise en place d'assemblées provinciales.

"Sturm und Drang", signe de ralliement de la jeunesse allemande

Francfort-sur-le-Main, 2 juillet 1777

Le poète et dramaturge Friedrich Maximilian Klinger (né le 17 février 1752) vient de présenter *Tempête et Passion (Sturm und Drang)*, une tragédie dont l'action tumultueuse, la démesure des personnages et le mépris des règles habituelles de la dramaturgie déroutent le public. L'œuvre met en scène la rivalité de deux familles écossaises pendant la guerre d'Indépendance américaine : Lord Berkley accuse Lord Bushley de lui avoir enlevé son fils Henri, tandis que Charles, fils de Lord Bushley, croit que Henri a tué son père. Klinger, proche par ses idées de Jean-Jacques Rousseau, à travers des symboles qui seront chers au romantisme, exprime l'ingénuité originelle de l'âme humaine. Toute l'atmosphère de la pièce révèle, à travers le désordre des passions et le jeu des intérêts, l'attirance de l'auteur pour la nature, force supérieure et créatrice, détrônant la confiance absolue que l'Allemagne, dans le prolongement des Lumières, avait placée dans la raison. Reprenant à son compte le titre *Sturm und Drang*, toute une jeunesse va voir en Klinger le poète inspiré, interprète par excellence de la nature, l'homme qu'aucune règle, aucun modèle ne sauraient soumettre.

Diderot achève son "Paradoxe sur le comédien"

Paris, 1778

Diderot mit près de dix ans pour élaborer son ouvrage sur l'art du comédien. La première ébauche date de novembre 1769 ; elle fait allusion à une brochure intitulée *Garrick ou les Acteurs anglais* dans une lettre à Grimm. Plusieurs versions seront rédigées par la suite : ainsi, en 1773, il écrit de La Haye à Mᵐᵉ d'Epinay qu'« un certain pamphlet sur l'art de l'acteur est presque devenu un ouvrage ». Analysant l'acte créateur du comédien en scène, Diderot critique la sensibilité, c'est-à-dire l'émotion ou l'émotivité. Pour lui, l'acteur doit s'en détacher au profit du « sang froid » qui permet de jouer les apparences extérieures du sentiment et d'entraîner l'adhésion du spectateur. Un comédien sublime fait appel à sa tête, maîtrise les mouvements de son corps et se montre capable de substituer une sensibilité jouée à la sensibilité naturelle. Le paradoxe scandaleux fut d'affirmer que la raison et l'intelligence pouvaient exercer un contrôle sur les sentiments et permettre au comédien de cofabriquer un personnage crédible aux yeux du public. Diderot voulait réformer le « genre sérieux ». Mais ses propres pièces (*Le Père de famille, Le Fils naturel*) furent des échecs et il mourut le 31 juillet 1784 sans avoir pu réaliser son rêve d'un théâtre populaire.

Buffon ouvre la voie au transformisme

France, 1778

C'est avec le volume V du *Supplément à l'Histoire naturelle*, comportant *Les Epoques de la nature* que Buffon ouvre la voie au transformisme. Il s'y oppose violemment à Linné et à sa conception exclusivement classificatrice de l'histoire naturelle. Buffon préconise une étude des animaux organisée autour des conditions de production et de reproduction. Il en dégage l'idée que les individus et les espèces ont une histoire. Plus particulièrement, l'histoire des espèces doit être mise en parallèle avec celle de la Terre. Cela conduit Buffon à s'intéresser à la paléontologie et à l'examen des fossiles dont Jean-Etienne Guettard (1715-1786) fut, en France, l'un des promoteurs. Par ailleurs, Buffon préconise une étude de l'animal sur le terrain, se présentant alors comme précurseur de l'éthologie, science des comportements des espèces animales dans leur milieu naturel. Il s'intéresse à la répartition des animaux sur les continents et au problème des migrations. Il dégage de ces études, menées sous divers angles, une nouvelle définition du concept d'espèce. Celle-ci se caractérise « autant par le climat et par le naturel que par la figure et la conformation ». Mais pour Buffon, une fois l'espèce fixée, rien ne peut l'affecter sauf les conditions de l'environnement et plus particulièrement le climat, uniquement pour la dégrader. Il n'y a donc pas d'évolution mais stabilité ou disparition. Pour être transformiste, il manquera à Buffon d'avoir dégagé le concept essentiel d'adaptation d'une espèce à son milieu.

Georges Louis Leclerc, comte de Buffon (1707-1788). Gravure d'époque.

Le premier quotidien français sort des presses

Paris, 1ᵉʳ janvier 1777

La presse parisienne s'enrichit d'un nouveau titre, *Le Journal de Paris*. Il se présente sous la forme d'un in-quarto sur quatre pages inspiré du *London Evening Post*. Son directeur, Pierre Antoine de La Place, le dénomme également *La Poste du Soir*. Il s'agit du premier quotidien lancé en France alors qu'en Angleterre la formule existe depuis 1702. Après avoir bravé les contraintes juridiques et obtenu un privilège du roi, la rédac-

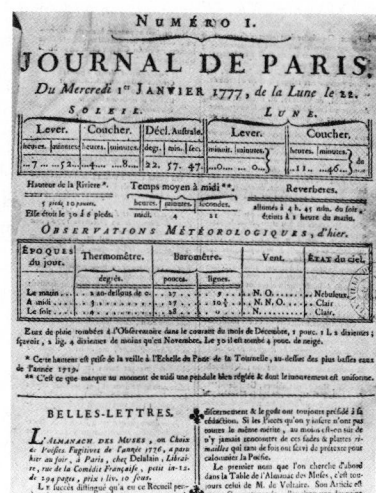

Le « Journal de Paris » (premier numéro, 1ᵉʳ janvier 1777).

tion s'installe dans un hôtel de la rue du Faubourg Saint-Honoré. Intéressant et varié (on y trouve des rubriques sur la vie sociale et littéraire de la capitale), le journal connaît un vif succès et surmonte les premières tracasseries administratives. Vers 1790, son tirage atteindra près de 20 000 exemplaires.

Moheau dénonce de "funestes secrets"

France, 1778

Dans un ouvrage intitulé *Les Recherches et Considérations sur la population de la France*, Moheau s'attache à établir si la population de la France augmente ou décroît comme beaucoup semblent le croire en ce temps. Secrétaire de l'intendant d'Auvergne, Montyon, il synthétise les résultats d'une science toute nouvelle, la statistique démographique, dont les intendants et depuis 1772 l'abbé Terray lui-même se font les ardents propagateurs en lançant des enquêtes pour connaître chaque année le nombre des naissances, mariages et décès dans leur généralité. Suivant les traces de Saugrain, un libraire parisien qui publia en 1709 un premier *Dénombrement de France*, et de La Michodière, intendant d'Auvergne, il démontre que la population française s'accroît. Il s'intéresse aussi aux causes du progrès et de la décadence de la population. Il y dénonce comme dangereuse la restriction volontaire des naissances, ces « funestes secrets » qui commencent à gagner les campagnes et dont l'influence se fait de plus en plus sentir en Angleterre, mais aussi et surtout en France. Il fustige le « luxe » et la « débauche », appelant de ses vœux une législation favorable à l'expansion démographique.

1779

Iles Hawaï, 14 février
Le navigateur anglais James Cook (né le 27 octobre 1728 à Marton, Yorkshire) est tué par des indigènes. →

Aïnali-Kawak, 31 mars
Les Russes et les Turcs signent une convention selon laquelle ils se promettent de ne pas intervenir militairement en Crimée (→ 1783).

Aranjuez, 12 avril
L'Espagne et la France signent une convention secrète garantissant à l'Espagne de nombreux avantages en échange de son entrée en guerre contre l'Angleterre aux côtés des Insurgés américains.

Autriche-Prusse, 13 mai
Le traité de Teschen (Silésie) met fin à la guerre de Succession de Bavière commencée en juillet 1778. Frédéric II avait envahi la Bohême tandis que l'Autriche s'emparait de la Basse-Bavière. Un armistice avait été signé en janvier 1799. Le traité de Teschen concède à l'Autriche le district de l'Inn tandis que Frédéric II renonce à la Bavière et se prépare à récupérer des terres appartenant à la branche cadette des Hohenzollern.

France, août
Louis XVI libère gratuitement les derniers serfs du domaine royal. →

Angleterre
Le tisserand Samuel Crompton (1753-1827), originaire du Lancashire, combine les dispositifs de la *jenny* et du *water-frame* et invente la *mule-jenny* capable de produire des fils de coton pour tous tissus.

Russie
La liberté d'entreprise est assurée par décret.

France
Dans le cadre des réformes de Turgot, une assemblée provinciale est créée en Guyenne.

Allemagne
Goethe achève son *Iphigénie en Tauride*, et Lessing son *Nathan le Sage*.

Paris
L'opéra de Gluck, *Iphigénie en Aulide*, est présenté avec succès.

Venise
Dédale et Icare, première œuvre de style néoclassique du sculpteur Antonio Canova.

1780

Europe, 28 février
A l'initiative de Catherine II, les neutres sont appelés à se liguer contre l'Angleterre pour imposer une neutralité armée. A cette ligue adhèreront le Danemark (9 juillet), la Suède (1er août) ; en 1781, les Provinces-Unies (3 janvier), la Prusse (8 mai), l'Autriche (13 octobre) ; en 1782, le Portugal (13 juillet) et en 1783, Naples (10 février).

Méditerranée, février
L'escadre de l'amiral anglais Rodney force les Espagnols à lever le siège de Gibraltar.

Madrid, 11 mai
Début des négociations entre l'Espagne et les Insurgés américains.

Nouvelle-Angleterre, mai
Envoyé au secours des Insurgés, un corps de 6000 hommes commandés par le comte de Rochambeau débarque en Amérique (→ 1781).

Mohilev, Russie, juin
Catherine II et Joseph II se rencontrent sur le Dniepr, puis à Saint-Pétersbourg pour envisager de nouvelles conquêtes aux dépens de l'Empire ottoman.

France, 24 août
Louis XVI abolit le servage et la torture. →

Pendant l'été, Jacques Necker avertit le roi que l'État est menacé de banqueroute à la suite de son soutien financier aux Américains.

Inde, septembre
Haidar Alî Khân Bahâdûr, râja du Maisûr, entreprend un raid sur le Carnatic et menace Madras.

Nouvelle-Angleterre, octobre
Le général américain, Benedict Arnold, s'estimant injustement traité, trahit au profit des Anglais en leur offrant la possibilité de s'emparer de West Point.

Angleterre, 20 novembre
L'Angleterre déclare la guerre à la Hollande.

Autriche, 29 novembre
Mort à Vienne de l'impératrice Marie-Thérèse. →

Le capitaine Cook est tué au cours d'une bataille avec les indigènes des îles Hawaï. Estampe. Staatsbibliothek, Berlin-Ouest.

James Cook trouve la mort aux îles Hawaï

Hawaï, 14 février 1779
Revenant du détroit de Béring, en novembre 1778, pour hiverner dans les îles Hawaï, qu'il avait découvertes quelques mois auparavant, en allant de Tahiti vers les côtes américaines, le capitaine Cook est tué au cours d'une bataille avec les indigènes, alors qu'il tentait de protéger ses hommes. Ainsi prend tragiquement fin sa troisième expédition. Après un premier voyage de trois ans au cours duquel il découvrit les îles de la Société et croisa au large des côtes de la Nouvelle-Zélande et de l'Australie méridionale, il rentre en Angleterre par l'océan Indien et le cap de Bonne-Espérance (→ 1770). Au cours de son deuxième voyage (1772-1775), il poursuivit l'exploration des mers australes jusqu'au voisinage de l'Antarctique, franchissant le premier le cercle polaire, avant de découvrir, sur la route du retour, la Nouvelle-Calédonie. Sa dernière entreprise l'entraîna cette fois dans le Pacifique Nord vers l'Alaska, les îles Aléoutiennes et le détroit de Béring. Il voulait savoir s'il existait un passage entre le Pacifique et l'Atlantique, le passage du Nord-Ouest que les explorateurs recherchaient depuis trois siècles.

Les modèles de Houdon continuent de vivre dans la pierre

Paris, 1780
Antoine Houdon (né en 1741) a d'abord été l'élève de Pigalle à Paris avant de séjourner quatre ans à l'Académie de France à Rome (1764-1768). Là, comme beaucoup de ses contemporains, il est gagné par les idées nouvelles et se fait le tenant d'un classicisme rénové par l'antique et fondé sur l'étude de la nature. Il s'applique à copier librement les chefs-d'œuvre de l'Antiquité, mais étudie aussi l'anatomie avec soin (*L'Ecorché* de 1766 témoigne de la sûreté de ses connaissances en la matière). De retour à Paris, le jeune sculpteur présente ses œuvres romaines au Salon de 1769, espérant la faveur de commandes royales. Mais celles-ci se font rares. Aussi renonce-t-il vite à la sculpture monumentale ; il se spécialise dans les bustes et les portraits. Observateur minutieux et précis, il fait vivre dans la pierre toute la société de son temps, de Louis XVI à Diderot, de Turgot à Voltaire, de Malesherbes à Gluck. Dans ses différents *Voltaire* (ceux de 1778 et de 1780), il associe avec bonheur les caractères naturalistes et les éléments empruntés à l'héroïsme antique. Son art, parfois sévère, s'inscrit toujours dans la ligne d'un strict réalisme et affirme un refus sans appel de toute forme d'apparat, rompant définitivement avec la rhétorique baroque.

Portrait de Voltaire sculpté par Antoine Houdon. 1778. Musée du Louvre, Paris.

L'Iron Bridge sur la Severn. Dessiné par l'ingénieur A. Darby III, d'une portée de 30 m, c'est le premier pont en fer.

Le premier pont en fer enjambe la Severn

Angleterre, 1779

L'ingénieur anglais A. Darby III, héritier de maîtres de forge qui ont mis au point la fonte au coke, a dressé les plans du premier pont en fer. Avec le concours de John Wilkinson, il le construit au-dessus de la Severn, dans l'est de l'Angleterre. Ce pont déploie son arc métallique, fabriqué dans les aciéries de Coalbrookdale, sur une portée de 30 m. Cette première réalisation sera suivie de nombreuses autres qui porteront la métallurgie anglaise au premier rang. En 1797, Wilkinson lancera un autre pont, en fonte cette fois, au-dessus de la Wear, à Sunderland.

Louis XVI abolit le servage et la question

France, 1779-1780

En 1779, Louis XVI édicte la suppression du servage et de la mainmorte paysanne sur tous les domaines qui relèvent directement de la Couronne. L'année suivante, le 24 août 1780, il décrète l'abolition de la question préparatoire, autrement dit de la torture. La France est ainsi à l'unisson de la plupart des pays européens, Prusse, Autriche, Piémont-Savoie. Ces deux mesures ont été préparées par le chancelier Malesherbes, l'ami des philosophes, qui, chargé de la censure et de la librairie, a protégé et favorisé l'impression de l'*Encyclopédie*. Malesherbes, ministre de 1774 à 1776, est animé du même esprit que Turgot et démissionne en même temps que lui. Durant son court ministère, il s'est également efforcé d'améliorer le régime des prisons, adoucissant les peines, mettant fin aux abus les plus criants. Il a par ailleurs préparé l'établissement d'un état civil pour les protestants, toujours tenus, depuis la révocation de l'édit de Nantes, pour des sujets de second rang et légalement privés de droits. Louis XVI est lui-même plutôt disposé à la tolérance ; sa faveur va à Turgot et au parti des réformateurs. Homme sincère, de bonne volonté, dévoué au bien public, le roi est malheureusement dépourvu de caractère. Faible, timide et influençable, il est prisonnier de son entourage. Il ne fait pas preuve de la fermeté nécessaire pour soutenir ses ministres réformateurs contre leurs ennemis.

Mort d'une impératrice aimée de ses sujets

Vienne, 29 novembre 1780

Marie-Thérèse, impératrice d'Allemagne, archiduchesse d'Autriche et reine de Bohême et de Hongrie, meurt à soixante-trois ans après un long règne de quarante ans, unanimement regrettée par ses sujets. Déjà, son courage et sa ténacité lors de la guerre de Succession avaient conquis les cœurs alors qu'elle avait à peine vingt-trois ans. Pieuse et simple, elle vouait un culte aux vertus domestiques ; elle aima tendrement François de Lorraine qu'elle perdit en 1765 et dont elle eut seize enfants parmi lesquels Joseph II, Léopold, grand-duc de Toscane, et Marie-Antoinette, reine de France. Les pays autrichiens, sous son règne, passèrent insensiblement du Baroque aux Lumières. C'est là le paradoxe de cette souveraine qui, profondément attachée aux traditions, se fit pourtant réformatrice pour sauver ses Etats. Elle centralisa l'administration, substituant aux anciens collèges des fonctionnaires relevant de la Couronne, supprimant les vieilles chancelleries autonomes de Bohême

Le tombeau de Marie-Thérèse, impératrice d'Allemagne, et de son époux, François de Lorraine. Caveau impérial, Vienne.

et d'Autriche remplacées par un directoire commun. Elle ordonna l'établissement de cadastres, créa des manufactures d'Etat modèles à Vienne et à Linz et institua une commission des réformes scolaires. Elle sut s'entourer de collaborateurs de très grande valeur comme Haugwitz et surtout le comte Kaunitz, chancelier d'Etat.

Le néo-classicisme gagne la France

Avec Jacques Germain Soufflot, c'est l'un des initiateurs de l'architecture néo-classique en France qui disparaît en 1780. Deux ans plus tôt, il travaillait encore à son œuvre majeure, l'église Sainte-Geneviève (futur Panthéon), dont les projets l'occupaient depuis 1757. Né en 1713, il avait accompagné Cochin et le futur marquis de Marigny à Rome en 1749, à l'époque des découvertes archéologiques de Pompéi et d'Herculanum, au moment où se formait le goût nouveau. Ensemble composite, l'église tient à la fois du temple de Vesta à Tivoli, des colonnades des basiliques romaines, du Tempietto de Bramante et de la coupole de Saint-Pierre de Rome. On doit encore à Soufflot les bâtiments de l'Ecole de droit de Paris. Dans les mêmes années, d'autres architectes de renom œuvrent dans le même esprit. Jacques Gondoin dessine pour l'Ecole de chirurgie une façade sans ressauts et fait appel lui aussi aux colonnades, tandis que Charles de Wailly achève le théâtre de l'Odéon (1782). Avec Claude Nicolas Ledoux (né en 1736), et Etienne Louis Boullée (né en 1728), l'histoire n'est plus qu'un prétexte à l'imaginaire qui enfante des projets démesurés d'urbanisme total (Ledoux et sa ville idéale de Chaux) ou qui cède au délire des formes géométriques (Boullée et son projet de monument à Newton).

Claude Nicolas Ledoux. Dessin pour la « Maison du Directeur » aux salines de Chaux, Arc-et-Senans. Celle-ci a été effectivement construite en 1775-1779.

La nouvelle église Sainte-Geneviève à Paris : cérémonie symbolique de la pose de la première pierre. Peinture de Demachy.

1781

France, février
Jacques Necker adresse un *Compte rendu au Roy* dans lequel il expose les réformes qu'il estime nécessaires.

Ile de Saint-Eustache, Antilles, 3 février
L'amiral anglais Rodney s'empare de l'île hollandaise, qui appartient aux Hollandais.

Antilles, mars
La flotte française commandée par le chef d'escadre de Grasse atteint la mer des Caraïbes.

France, 19 mai
Démission de Jacques Necker. →

Nouvelle-Angleterre, mai
Le général anglais Charles Cornwallis envahit la Virginie.

France, mai
L'édit des Quatre Quartiers réserve les grades militaires à la noblesse et constitue une étape capitale de la réaction nobiliaire.

Russie, mai
Un échange de lettres entre Catherine II et Joseph II tient lieu de traité d'alliance défensive valable pour huit ans et dirigé contre l'Empire ottoman.

Inde, 1er juillet
Haidar Alî est battu à Porto Novo.

Nouvelle-Angleterre, 19 octobre
La capitulation à Yorktown du général anglais Cornwallis face à Washington met fin à la guerre d'indépendance américaine. →

Pays-Bas autrichiens, novembre
Joseph II met fin au régime dit de la Barrière, instauré lors du traité d'Utrecht en 1713. Il demande le démantèlement de toutes les places fortes des Provinces-Unies aux Pays-Bas autrichiens.

Angleterre
Fondation des Ecoles du dimanche.

Autriche
Joseph II promulgue de nombreux édits libérant la mainmorte paysanne et garantissant la tolérance religieuse. →

Königsberg
Le philosophe Emmanuel Kant publie la *Critique de la raison pure*. →

Angleterre
L'astronome William Herschel (1738-1822) découvre la planète Uranus.

France
Jean-Jacques Rousseau publie ses *Confessions*. →

Versailles
Richard Mique (1728-1794) commence dans les jardins du Petit Trianon la construction du Hameau de Marie-Antoinette.

1782

Mannheim, 13 janvier
Friedrich Schiller fait jouer *Les Brigands*. →

Angleterre, 11 mars
Le Premier ministre Lord North démissionne ; il est remplacé par Lord Rockingham le 19. William Pitt le Jeune demande la réforme du Parlement.

Paris, 10 avril
Choderlos de Laclos : *Les Liaisons dangereuses*. →

Antilles, 12 avril
Bataille navale entre Anglais et Français près de l'île de Saintes.

Irlande, mai
L'Irlandais Henry Grattan (1746-1820), après avoir plaidé l'indépendance de l'Irlande devant les Communes en 1780, obtient l'indépendance législative du parlement de Dublin.

Autriche, 10 juillet
Joseph II établit la liberté du travail ; en octobre, il sécularise les couvents. →

Vienne, Autriche, 16 juillet
Première représentation de *L'Enlèvement au sérail* de W. A. Mozart.

Nouvelle-Angleterre, 30 novembre
L'Angleterre et les Etats-Unis signent les préliminaires de paix. →

France, 18 décembre
Fondation du centre métallurgique du Creusot par la Société Perrier, Bellinger et C, à laquelle participe Ignace de Wendel.

Prusse
L'Académie de Berlin prime le *Discours sur l'universalité de la langue française* de Rivarol (1753-1801).

Russie
L'architecte italien Giacomo Quarenghi réalise le théâtre de l'Ermitage à Saint-Pétersbourg.

Les Anglais capitulent devant les Insurgés

Yorktown, 19 octobre 1781
Les forces américano-françaises viennent d'obtenir un succès décisif en contraignant le général Cornwallis à capituler. La base britannique de Yorktown en Virginie, forte de huit mille hommes, est encerclée depuis septembre par voie de terre comme de mer par les forces américaines et françaises. Une manœuvre conjointe a permis de regrouper la marine française commandée par l'amiral de Grasse et forte de trois mille hommes, les Américains de Washington au nombre de neuf mille, les volontaires de La Fayette et les soldats réguliers du comte de Rochambeau. Bombardées pendant plusieurs jours, les troupes anglaises n'ont plus d'issue et Cornwallis prend la décision de se rendre. Le 19, ses soldats déposent leurs armes, au son des fifres qui jouent un air au titre évocateur : *Le monde est sens dessus dessous*. Son adjoint, le général O'Hara, remet son épée à Rochambeau qui la refuse et lui désigne Washington. Le coup est sévère pour les Anglais. Toutefois la situation n'est pas désespérée puisqu'ils tiennent encore New York, la ville de Charleston, la Géorgie et bien entendu le Canada. Mais ce qui manque, c'est la volonté politique de poursuivre la guerre. Les Anglais se trouvent désormais face à plusieurs ennemis, la France, la Hollande et l'Espagne qui soutiennent par leurs marines, leurs budgets et des corps expéditionnaires importants les Insurgés. Si, sur le terrain, par exemple dans le nord du pays, les Anglais maintiennent leurs positions, dans le sud l'arrivée en juillet 1780 du corps expéditionnaire de Rochambeau donne l'avantage aux Insurgés. D'autre part, les routes maritimes sont sous le contrôle des alliés et les actes de piraterie des marins américains provoquent la lassitude des marchands et des armateurs. La guerre s'éternisant, les partisans de la fermeté qui avaient prévu un conflit rapide ne convainquent plus. Le 22 février 1782, le général Conway soumet aux Communes une résolution proposant l'ouverture de négociations. Adoptée le 5 mars, elle ouvre une crise ministérielle qui voit les jusqu'au-boutistes autour du roi George III céder devant la volonté de paix.

La capitulation de Yorktown (Virginie), le 19 octobre 1781. Gouache de Louis Nicolas van Blarenberghe. Musée de Versailles.

Révolte des Indiens du Pérou sous la conduite de Tupac Amaru II

Cuzco, 18 mai 1781
L'Indien rebelle Tupac Amaru II vient de périr dans d'horribles souffrances après avoir assisté à l'exécution de sa femme et de ses fils sur la place centrale de Cuzco. Cacique, c'est-à-dire chef indien héréditaire, né à Tungasuca vers 1740, José Gabriel Condorcanqui s'était fait reconnaître en 1770 par les Espagnols comme le légitime descendant du dernier Inca, Tupac Amaru, mis à mort en 1572. En 1780, il se rebelle contre un *corregidor* local et soulève les Indiens, non pour secouer le joug du roi d'Espagne, mais pour obtenir l'application des lois édictées pour protéger les indigènes. La révolte s'étend et Tupac Amaru remporte une première victoire à Sangarana le 17 novembre 1780. Mais il tarde à armer les Mulâtres, les Noirs et les Indiens. Le 8 janvier 1781, une bataille indécise l'engage à proposer une conciliation. Mais la défaite de Tinta, le 6 avril, le contraint à la fuite. Trahi par les siens, il est livré aux Espagnols. Sa mort ne met pas fin à la révolte, désormais dirigée par son cousin Diego Tupac Amaru qui se soumettra deux ans plus tard avant d'être pendu le 19 juillet 1783, malgré une promesse de pardon. Quatre-vingt mille Indiens périront dans cette révolte, obligeant toutefois les Espagnols à décider quelques réformes.

Joseph II fait entrer l'Autriche dans l'ère des réformes

Vienne, 1781-1782

Associé au pouvoir depuis 1765, ce n'est qu'à la mort de Marie-Thérèse, en 1780, que Joseph II peut enfin agir à sa guise et donner libre cours à sa frénésie réformatrice. Dès lors, édits et décrets se suivent à un rythme précipité. Marie-Thérèse avait entrepris une politique d'unification administrative et de centralisation du pouvoir réaliste et mesurée. Joseph II n'a pas ces scrupules. La Hongrie avait gardé une part de son autonomie. Joseph II refuse d'aller, selon la tradition, recevoir à Pressbourg la couronne de Saint-Etienne dont il ordonne le transfert à Vienne, à la grande indignation de tous les sujets hongrois. Le palais royal de Prague est désaffecté et transformé en caserne de cavalerie. Vienne est désormais la seule capitale. L'allemand devient la langue administrative. L'ensemble des Etats est divisé en treize gouvernements, eux-mêmes subdivisés en cercles ayant à leur tête des capitaines qui se substituent aux anciennes autorités locales et limitent les pouvoirs de la noblesse. Un code unique de justice est institué. En matière religieuse, la rupture avec le régime précédent est encore plus brutale. Un édit de tolérance accorde la liberté de conscience et la liberté de culte aux réformés et aux orthodoxes. Les francs-maçons sont reconnus et l'Université ouverte aux Juifs. L'Eglise est subordonnée à l'Etat ; il est désormais interdit au clergé de publier les bulles pontificales sans l'assentiment de l'empereur qui s'octroie par ailleurs le droit de légiférer en matière ecclésiastique, impose un serment aux évêques, modifie à sa guise les circonscriptions des diocèses et des paroisses, réglemente le cérémonial. Estimant que les « principes du monachisme sont en contradiction avec la raison humaine », Joseph II ordonne la suppression de tous les monastères qui ne se consacrent ni à l'enseignement, ni à l'éducation, ni au soin des malades et la sécularisation de leurs biens. Pèlerinages et processions sont interdits. Enfin, le mariage civil est reconnu et le divorce autorisé. Quant à la politique économique, elle s'inspire directement des physiocrates : liberté du commerce des grains, abolition du servage, suppression des corporations et liberté du travail, impôt unique pesant sur toutes les terres, y compris les domaines de la noblesse et du clergé.

Emmanuel Kant jette les fondements de la raison pure

Königsberg, 1781

Le philosophe Emmanuel Kant (né à Königsberg en 1724), professeur de mathématiques à l'université, publie la *Critique de la raison pure* qui révolutionne le monde intellectuel. L'œuvre avait été déjà esquissée en 1770, dans une dissertation sur « la forme et les principes du monde sensible et intelligible ». Kant examine la valeur universelle de courants tels que l'empirisme et le rationalisme. Le premier, faisant dériver toute connaissance de la sensation, aboutit à un savoir relatif à l'individu. Le second, reposant sur la conception d'un savoir inné, ne peut justifier l'extension continuelle de nos connaissances. La possibilité d'une compréhension nouvelle de l'esprit repose sur les jugements « a priori », soustraits à l'apport de l'expérience, tels ceux que les mathématiques ou la physique mettent en œuvre. Ces mêmes sciences permettent cependant un accroissement de nos connaissances. Comment est-ce possible, si elles ne sont pas tributaires de l'expérience ? Kant montre que les jugements a priori reposent sur deux concepts intuitifs et universels, l'espace et le temps, auxquels l'intellect donne une cohésion. Kant poursuivra son œuvre par la *Critique de la raison pratique* (1788) et par la *Critique du jugement* (1790) dont l'ensemble constitue une somme jamais égalée.

Avec "Les Brigands", Schiller révolutionne le théâtre allemand

Mannheim, 13 janvier 1782

Les Brigands, première pièce du poète Friedrich von Schiller (né à Marbach en 1759), vient d'être donnée au Théâtre national devant un public enthousiaste. Cette tragédie met en scène la rivalité de deux frères, Charles le perfide et Franz l'idéaliste, brigand vertueux qui guerroie contre une société corrompue. Schiller exprime ici sa révolte contre la tyrannie du duc de Wurtemberg. Influencé par les poètes du *Sturm und Drang*, réfractaires à la prétendue justice de l'ordre établi, l'auteur donne une tonalité nouvelle à l'idéal de liberté, fondé non plus sur la destruction du passé mais sur le renouvellement spirituel de l'individu. Schiller mourra à Weimar le 9 mai 1805.

Schiller présente « Les Brigands » à ses camarades de la Karlsschule.

Mozart décide de vivre de sa musique

Vienne, 28 avril 1781

Le compositeur Wolfgang Amadeus Mozart (né à Salzbourg le 27 janvier 1756), et dont l'opéra *Idoménée* vient d'être représenté avec succès le 29 janvier au carnaval de Munich, a décidé de rompre avec Colloredo, prince-archevêque de Salzbourg, au service duquel il était entré le 15 août 1772. Pour la première fois, un musicien, jugeant la liberté indispensable à sa création, ose traiter d'égal à égal avec un prince qui ne voit en lui qu'un serviteur. Traité par Colloredo de « polisson », Mozart décide de rester à Vienne. Le 30 juillet, Gottlieb Stephanie, inspecteur du théâtre allemand, lui passe commande d'un opéra : *L'Enlèvement au sérail*. L'œuvre sera présentée au Burgtheater le 16 juillet 1782 ; l'empereur Joseph II reprochera au compositeur d'avoir mis trop de notes dans sa partition. Entre-temps, Mozart a été préoccupé par sa candidature au poste de professeur de la princesse Elisabeth de Wurtemberg, qui sera finalement confié au compositeur italien Salieri. D'autre part, il s'est enflammé pour Constance, l'une des trois filles de la veuve Weber chez qui il loge. Il l'épousera le 4 août 1782.

« Mozart et sa sœur au clavecin, accompagnés au violon par leur père ». 1781. Peinture de Johann N. della Croce.

Choderlos de Laclos, stratège de la séduction

Paris, 10 avril 1782

L'éditeur Durand publie *Les Liaisons dangereuses*, œuvre d'un lieutenant d'artillerie, Pierre Choderlos de Laclos (né à Amiens en 1741). Le roman connaît un succès de scandale en raison de la conduite libertine des personnages, dont le public tente de trouver les « clefs ». L'écrivain se voit traité d'impie et de blasphémateur car Valmont, son héros, un homme fortuné, séduit plus par goût de la stratégie que par plaisir. Aucune frivolité, aucune sentimentalité n'inspirent sa conduite, mais une détermination froide et l'absence de scrupules moraux. Le mal, qui prévaut en lui, est dépeint d'une touche impassible et porté à un haut degré de perfection. Si Valmont séduit la belle présidente de Tourvel, c'est pour se préserver du ridicule d'en tomber amoureux ; amant de la marquise de Merteuil, il se fait complice de ses cruelles fantaisies lorsqu'il s'agit d'abuser, puis de corrompre la jeune Cécile de Volanges à peine sortie du couvent. Valmont trompera encore Mme de Tourvel avant de finir dans un duel qui l'opposera à Danceny, fiancé de Cécile. Choderlos de Laclos met à nu, dans ce roman épistolaire, les tares de la société et, en pessimiste convaincu, illustre la fascination qu'exerce le mal sur l'âme humaine, corrompue dès l'origine. Après *Les Liaisons dangereuses*, l'auteur entreprendra *De l'éducation des femmes*, un essai inachevé, et deux mémoires de stratégie militaire. Il mourra en Italie le 5 septembre 1803.

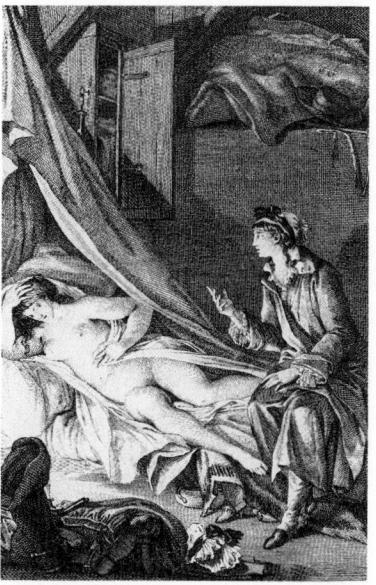

Illustration pour « Les Liaisons dangereuses », le roman de Pierre Choderlos de Laclos. Première édition anglaise, XVIIIe siècle.

1783

Europe, 20 janvier
L'Angleterre signe respectivement avec la France et l'Espagne des préliminaires de paix.

Angleterre, 19 février
Le Second Pitt, William, est nommé à vingt-quatre ans Premier ministre, soutenu par le parti des tories. C'est le premier des Premiers ministres qui ne soit pas seulement responsable devant le roi, mais aussi devant les Communes.

Russie, 8 avril
Catherine II envahit la Crimée à la suite du renversement du khân par une révolte. →

Russie, 3 mai
Le servage est introduit officiellement en Ukraine.

Annonay, France, 5 juin
Lancement d'un aérostat par les frères de Montgolfier. →

Paris, 22 août
Le peintre Louis David est reçu à l'Académie après avoir présenté comme morceau de réception *La douleur d'Andromaque*, qu'il expose sitôt après au Salon.

Versailles, 3 septembre
Traité de paix anglo-américain : l'Angleterre reconnaît l'indépendance des Etats-Unis et leur cède tous les territoires au sud du Canada.

Versailles, 19 septembre
Expérience d'aérostation des frères de Montgolfier devant le roi. →

France, 10 novembre
Alexandre de Calonne (1734-1802) est nommé contrôleur général des Finances.

Paris, 21 novembre
Vol en montgolfière de Pilâtre de Rozier. →

Etats-Unis d'Amérique, 25 novembre
Les troupes anglaises évacuent New York.

Venise, novembre
Peinture de Francesco Guardi représentant *L'ascension d'une montgolfière au-dessus du canal de la Giudecca*, ascension entreprise par le comte Francesco Zambeccari.

Espagne
Le juriste et économiste Pedro Campomans, procureur du conseil de Castille depuis 1762, en devient le président.

Espagne
Le financier François de Cabarrus fonde à Madrid la banque San Carlos.

Rome
L'empereur Joseph II signe un concordat concernant la Lombardie.

Autriche
Joseph II poursuit la réorganisation du clergé séculier et prend des mesures contre les sectes. Dans le domaine économique, il abolit les péages privés ainsi que les corvées et assouplit le régime de vente des produits manufacturés.

Paris
L'imprimeur François-Ambroise Didot (1730-1804) invente un caractère d'imprimerie qui porte désormais son nom. C'est lui également qui inventa la mesure typographique en « point didot ».

France
En faisant brûler deux corps simples, de l'hydrogène dans de l'oxygène, le chimiste Lavoisier réalise la synthèse de l'eau.

Prusse
Le philosophe Emmanuel Kant publie ses *Prolégomènes à toute métaphysique future qui pourra se présenter comme science*.

Angleterre
Invention du puddlage dont le brevet sera déposé en 1784. →

France
L'abbé Mably publie son traité *De la manière d'écrire l'histoire*. →

Bohême
Des révoltes paysannes éclatent consécutivement aux réformes agraires.

Autriche
W. A. Mozart achève sa *Symphonie en do majeur*, dite *de Linz*.

Japon
Plusieurs famines vont se succéder jusqu'en 1788, provoquant des « révoltes du riz ».

Grenoble
Naissance de Henri Beyle, qui deviendra un romancier célèbre sous le pseudonyme de Stendhal.

Paris
Mort de d'Alembert, fondateur, avec Diderot, de l'Encyclopédie.

Reconnaissance de l'indépendance des Etats-Unis d'Amérique

Versailles, 3 septembre 1783
Après un an de pourparlers, le traité de Versailles met fin à la guerre d'Indépendance américaine. Pour la première fois, une colonie occidentale obtient son indépendance les armes à la main. Les négociations ont été longues, ayant commencé en avril 1782 à Paris. Les Américains y sont représentés par John Jay, plénipotentiaire à Madrid, John Adams, qui vient de Hollande et n'est guère favorable aux Français, et Benjamin Franklin. La délégation américaine se veut plus indépendante des Français que le Congrès ne lui demande de l'être. De leur côté, les Anglais veulent conserver les colonies dans l'empire, à tout le moins le Canada, et mener deux négociations séparées, l'une avec les Américains, l'autre avec leurs alliés. Quant à la France et à l'Espagne, elles se préoccupent plus de leurs intérêts de grandes puissances que de l'extension territoriale des treize ex-colonies. De nombreuses intrigues se nouent qui aboutissent à un accord séparé anglo-américain le 30 novembre après que, le 19 septembre 1782, le Britannique Oswald eut été chargé de négocier avec les « Treize Etats Unis », reconnaissant par là même leur indépendance. Cet accord fâche Vergennes ; Benjamin Franklin est chargé de le rassurer. L'armistice est proclamé le 4 février et le traité signé le 3 septembre 1783. L'Angleterre conserve le Canada mais abandonne ses treize anciennes colonies. La frontière nord est fixée à la hauteur du 45e parallèle. Au sud, l'Espagne reprend la Floride. A l'ouest, les Américains gagnent les territoires entre la chaîne des Alleghanies et le Mississippi dont ils garantissent la liberté de navigation. La France récupère les îles Saint-Pierre et Miquelon et obtient quelques avantages aux Antilles et aux Indes. L'Espagne récupère l'île de Minorque dans les Baléares. Les Américains ont tout lieu d'être satisfaits, même s'ils n'obtiennent pas le Canada : dès la fin de l'année, les troupes anglaises quittent New York.

James Watt améliore la machine à vapeur

Angleterre, 1783
Depuis le début du siècle, les expériences sur l'utilisation de la vapeur se multiplient. Dès 1706, une « pompe à feu » permit de puiser l'eau au fond des mines. Mais elle ne développait aucune énergie mécanique. Les travaux de James Watt (1736-1819) permettent depuis 1769 d'utiliser la vapeur pour produire un travail. En 1774, il s'associa avec M. Boulton pour produire des machines à Soho. En 1783, il réalise une machine à double effet dont le piston subit un va-et-vient ininterrompu, idéale pour faire tourner l'outillage. Les manufactures anglaises s'équipent très vite : dès 1776 dans les mines et la métallurgie. En 1784, ce sera le tour de la minoterie et en 1786, de la filature. Le Continent s'empare très tôt de cette découverte. En France, les frères Périer ont acheté un premier modèle dès 1781, tandis qu'en 1785 la machine à double effet pénètrera en Allemagne. Cinq cents machines seront construites à Soho jusqu'en 1800. Sur le Continent, Périer s'assurera la construction des machines à double effet dès 1790. Il avait fait espionner Watt par un ingénieur envoyé à Soho. Mais les ingénieurs anglais viendront également sur le Continent diffuser leur savoir.

La machine à vapeur de l'ingénieur britannique James Watt. Estampe du XIXe siècle. Un double piston y subit un va-et-vient ininterrompu.

La Russie annexe le khânat de Crimée

Empire ottoman, 1783

Catherine II s'intéresse à Constantinople. Délaissant la Baltique, elle transforme les terres méridionales récemment conquises et fait appel pour les coloniser à des Allemands originaires du Palatinat. La naissance d'un petit-fils, qu'elle prénomme Constantin, donne matière aux projets les plus ambitieux, comme celui de fonder un grand empire gréco-russe. Une révolte en Crimée lui fournit en 1782 un prétexte pour continuer son avancée vers le sud. Le khân protégé par Catherine II est renversé et elle intervient militairement le 8 avril pour le rétablir. Le sultan, garant de l'indépendance du pays, est bafoué. Mais il ne relèvera pas le défi, son seul allié, la France de Vergennes, lui conseillant de ne rien faire. Un conseil de prudence justifié par un début d'entente entre Catherine II et Joseph II d'Autriche qui se serait soldée par une guerre dont l'objectif était le dépeçage de l'empire. Le 8 janvier 1784, le sultan signe une convention par laquelle il reconnaît que le khân de Crimée devient vassal du tsar. Cinq mois plus tard, Catherine annexera purement et simplement le pays.

L'Anglais Henry Cort invente le puddlage

Angleterre, 1783

L'Angleterre, riche en minerai de fer, manque au XVIIIe siècle de combustible. Le bois se faisant rare, un maître de forge, A. Darby, en vint à utiliser le charbon de terre dès 1709. Il mit au point en 1713 le coke mais sa fonte restait de mauvaise qualité, trop cassante. Il fallut près de quarante ans pour l'améliorer grâce à la mise au point de la technique du puddlage par Henry Cort. La fonte est cassée, affinée sur un feu de coke, puis en pâte, elle est placée dans un four à réverbère avec des scories riches en fer. Le carbone et les impuretés sont ainsi éliminés. Le métal en fusion est ensuite laminé. Toute la métallurgie de transformation naît de cette invention. Jusque-là le fer était rare. A partir de 1784, il devient de production facile. A Cyfarthfa (pays de Galles), dans les hauts fourneaux de R. Crawshay, la production passe de 10 tonnes par semaine à 200. Les entreprises se concentrent, comme celle de Darby qui comprend dès 1784 huit hauts fourneaux, neuf forges, des mines de fer. La production totale passe en une génération de 500 à 14 000 tonnes par an. Le fer se substitue peu à peu au bois dans la construction navale, le secteur industriel et dans l'agriculture. Très tôt, Cort rencontre Watt et Boulton : ce sera le point de départ de l'industrialisation de la Grande-Bretagne et de l'Europe.

Lancement en présence de Louis XV, du ballon à air chaud des frères Montgolfier, le « Martial ».

A Versailles, les frères Montgolfier conquièrent le ciel

Versailles, 19 septembre 1783
A Versailles, en présence du roi Louis XVI, Etienne de Montgolfier lance *Le Martial*. Une foule considérable est rassemblée devant la cour du château. A bord, se trouvent un coq, un canard et un mouton, les premiers passagers aériens de l'histoire. La machine est chargée de 100 kg de poids étranger à sa structure. Elle s'élève à 480 m et reste dix minutes en l'air. Elle retombe, avec une douceur surprenante, à 1 700 m de son lieu de départ. Le roi, la reine et la famille royale se font expliquer son fonctionnement. L'expérience prouve qu'il est « possible de respirer à quelques dizaines de mètres au-dessus du sol ». Quant aux passagers, ils connaissent des sorts divers. Le coq a eu la tête fracturée à l'atterrissage mais le mouton, indemne, fera désormais partie de la ménagerie de Marie-Antoinette. Ce succès triomphal a déjà une histoire riche et colorée. En effet, l'année précédente, le directeur d'une manufacture familiale de papier à Annonay, Joseph de Montgolfier, a inventé le premier ballon à air chaud qu'il parvient à faire élever dans l'air. Le 5 juin 1783, à l'occasion de l'assemblée des états du Vivarais à Annonay, il décide, avec son frère Etienne, de sortir

leur machine volante, un globe de toile enduit de papier collé, mesurant onze mètres de diamètre, et de renouveler l'expérience. Celle-ci s'avère concluante : rempli de gaz inflammable obtenu en faisant brûler de la paille mouillée, l'aérostat s'élève à environ 950 m et redescend au bout de dix minutes. Quelques jours plus tard, d'autres pionniers, Jacques Charles et les frères Jean et

Premier vol du ballon à air chaud des frères Montgolfier à Annonay, le 5 juin 1783. Gravure d'époque.

Nicolas Robert, à Paris cette fois, font voler en plein Champ-de-Mars le premier ballon à hydrogène. Mais la machine disparaît dans le ciel et tombe à 16 km de là, à Gonesse. La population est affolée par cette expérience, elle croit à un monstre céleste et se rue sur lui avec des armes. Le ballon est lapidé ! Toute l'année 1783 sera marquée par de nombreuses expériences, tant en France qu'à l'étranger. La première ascension humaine a lieu le 15 octobre à Paris. Le héros du jour, François Pilâtre de Rozier, professeur de physique et de chimie à Reims, s'élève à 26 m au-dessus du sol à bord d'un ballon captif. Un mois plus tard, accompagné par le marquis d'Arlandes, major d'infanterie, Pilâtre de Rozier s'envole du château de la Muette et s'élève jusqu'à l'altitude de 960 m avant de se poser sur la Butte-aux-Cailles. L'Académie des sciences a assisté à cette nouvelle première et en a dressé un procès-verbal. La mode de la montgolfière gagne Londres le 25 novembre, puis Venise, grâce aux tentatives du comte Francesco Zambeccari, Milan en janvier 1784, la Belgique, la Prusse et les Etats-Unis, avant que le 26 août 1785 Jean-Pierre Blanchard ne réussisse à traverser la Manche de Douvres à Calais.

Réflexion de Mably sur l'historiographie

Paris, 1783

L'abbé Mably, en faisant publier son traité *De la manière d'écrire l'histoire*, destiné au prince de Parme dont il est, à l'instar de son frère Condillac, le précepteur, s'élève contre les idées répandues par les philosophes. Certes, lui aussi invoque les desseins

de l'ordre naturel plutôt que la Providence à la façon de Bossuet, mais il ne partage pas l'optimisme de ses contemporains. En un mot, il ne croit pas au progrès. Pour lui, l'histoire se répète, les mêmes causes produisant toujours les mêmes effets ; partout on retrouve les mêmes lois, passions, vertus ou vices. L'étude de l'histoire est d'abord une école de morale. Plutarque, en nous contant la vie de ses

héros, nous engage à les imiter. Mably (qui était né en 1709), a beaucoup publié sur l'histoire : en 1740, *Parallèles entre les Romains et les Français* ; en 1751, des *Observations sur les Romains*, suivies en 1765 des *Observations sur l'histoire de France*. Solitaire, retranché du siècle, il en prend le représentants à partie en s'opposant notamment à Voltaire, Hume et Gibbon.

1784

Constantinople, 8 janvier
A la suite de l'intervention du secrétaire d'Etat aux Affaires étrangères français Vergennes, le sultan cède la Crimée à la Russie. En juillet, l'empereur d'Autriche Joseph II obtient la libre circulation de sa marine dans les Détroits.

Inde, 11 mars
Tippu Sahib, râjah de Mysore, signe avec les Anglais la paix de Mangalore par laquelle : les protagonistes renoncent à leurs conquêtes réciproques.

France, 27 avril
Beaumarchais fait jouer *Le Mariage de Figaro.* →

Angleterre, mai
Le vote d'un bill sur l'Inde corrige le *Regulating Act* et provoque le retour en Angleterre de Warren Hastings (→ 1787).

Versailles, 20 mai
L'Angleterre et les Provinces-Unies signent un traité qui met fin à la guerre qui les opposait dans le cadre du conflit américain.

Autriche et Provinces-Unies, 18 octobre
Conflit austro-anglais à la suite de la décision unilatérale de Joseph II de rouvrir la circulation fluviale sur l'Escaut.

Autriche
Joseph II modifie la structure ecclésiastique de ses Etats, ordonne la destruction des livres de théologie et impose l'allemand comme langue officielle (→ 1782).

Paris
L'architecte Claude Nicolas Ledoux édifie autour de Paris l'enceinte des Fermiers généraux (elle sera terminée en 1791).

Danemark
Le régent Frédéric, héritier du royaume, rend au comte Andreas Peter Bernstorff la charge du département des Affaires étrangères qu'il avait perdue en 1780.

Paris
Bernardin de Saint-Pierre publie ses *Etudes de la nature.*

Espagne
Fondation de la Compagnie espagnole des Philippines.

Angleterre
Le peintre Sir Joshua Reynolds achève *Mrs. Siddons en muse de la Tragédie.*

1785

Empire d'Allemagne, 23 juillet
A l'initiative de Frédéric II, fondation de la Ligue des princes allemands (*Fürstenbund*) avec l'Electeur de Saxe et de Hanovre, en vue de briser l'isolement de la Prusse et à empêcher l'Autriche de s'emparer de la Bavière à l'occasion de difficultés successorales.

Brest, 1er août
Départ de l'expédition de La Pérouse (→ 1788).

Prusse et Etats-Unis, 10 septembre
Signature d'un traité de commerce entre les deux Etats.

Fontainebleau, 8 et 10 novembre
A la suite de la médiation de la France, Joseph II accepte la fermeture de l'Escaut et renonce à ses droits sur la ville de Maastrich.

France
Calonne reconstitue la Compagnie française des Indes.

Claude Louis Berthollet réalise la synthèse de l'ammoniaque.

Le poète André Chénier écrit ses premières *Elégies.*

Angleterre
Installation de la première filature à vapeur à Nottingham.

Allemagne
Emmanuel Kant publie les *Fondements de la métaphysique des mœurs.*

France
Jacques Necker fait paraître son traité *De l'administration des finances de la France.*

Louis David présente au Salon *Le Serment des Horaces.* →

Début de l'affaire du Collier de la reine. →

Le marquis de Sade achève *Les cent vingt journées* de Sodome. →

Provinces-Unies
Le monopole de la Compagnie hollandaise des Indes orientales est supprimé.

Angleterre
Le Peintre Thomas Gainsborough peint *La Promenade du matin.*

Figaro le roturier, célèbre grâce à Beaumarchais et Mozart

Paris, 27 avril 1784 ; Vienne, 1er mai 1786
A la Comédie-Française, le public s'est bousculé pour assister à la première du *Mariage de Figaro* de Beaumarchais. Le succès est d'autant plus considérable que, depuis quatre ans, le Tout-Paris parle de cette pièce. La rumeur est entretenue par les difficultés rencontrées par l'auteur pour faire représenter sa comédie qui a été soumise successivement à six censeurs. Louis XVI l'a jugée « détestable et injouable » et a prescrit son interdiction. Lue et relue dans les salons, la pièce devait être jouée le 13 juin 1783 à Versailles, mais fut interdite au dernier moment. Le 27 septembre de la même année, le *Mariage* est donné sur la scène du théâtre privé de M. de Vaudreuil. La longue opposition du roi renforce la portée satirique de l'œuvre. Aussi son autorisation en mars 1784 apparaît-elle comme un symbole de la contestation, victorieuse de l'arbitraire et de la censure, signe avant-coureur de la Révolution. Imprudent dans son triomphe, l'auteur à la mode sera emprisonné pour quelques jours, en mars 1785. Depuis *Le Barbier de Séville*, Figaro a mûri : amoureux de Suzanne, la chambrière de la comtesse Almaviva, il pense l'épouser le jour même. Mais, entendant obtenir certaines faveurs

Le costume de Figaro le roturier dans « Le Barbier de Séville ».

de la jeune fille, le comte veut empêcher ce mariage. A l'issue d'une « Folle Journée », Figaro finira par triompher grâce à la ruse. L'opposition du valet et du maître au sujet de Suzanne devient le symbole d'une lutte entre la liberté et l'autorité. Excité par la censure royale, le public transpose sur un plan social tous les sarcasmes du valet. Pour lui, Figaro est le type du roturier maltraité par le sort qui ridiculise le noble privilégié. Bien que Da Ponte, le librettiste italien des *Noces de Figaro*, ait supprimé les allusions politiques, la musique de Mozart n'en continue pas moins de souligner l'ironie virulente du valet, dont le rôle est écrit pour un baryton.

Lavoisier réalise la synthèse de l'eau

Paris, 16 février 1785
Le 16 février 1785, devant la classe de chimie de l'Académie des sciences au complet, Lavoisier (1743-1794), aidé par Meusnier, organise une expérience qu'il vient de mettre au point : la décomposition de l'eau en oxygène et en hydrogène. L'eau est transformée en vapeur par l'immersion d'un fer chauffé au rouge et cette vapeur est décomposée dans un canon de fusil chauffé à blanc. Il apparaît à sa sortie de l'« air inflammable » (hydrogène). L'« air vital » (oxygène) s'est fixé sur le fer. Lavoisier réussit ainsi à convaincre le monde des chimistes, de ce que l'eau n'est pas un corps simple. Cette réussite fait suite à une première synthèse de l'eau réalisée le 24 juin 1783, dans son laboratoire de l'Arsenal. Ce jour-là, il montra que l'air vital et l'air inflammable mélangés et soumis à la combustion donnent de l'eau pure. Mais il lui fallut attendre 1785 pour accéder à la direction de l'Académie. A partir de ces expériences, la chimie prit son essor. Cette révolution impliquait de réviser toute la nomenclature chimique, restée jusque-là fort vague. Avec Berthollet et Fourcroy, il entreprit la rédaction de la *Méthode*

de nomenclature chimique qui parut en 1787. Il y insiste pour que le nom qui désigne une substance rappelle sa constitution. La somme de ses idées parut en 1789 dans son *Traité élémentaire de chimie*. Fermier général, il sera entraîné dans la Révolution et guillotiné en 1794. Lagrange déclara à cette occasion : « Il ne leur a fallu qu'un moment pour faire tomber cette tête et cent années ne suffiront pas pour en reproduire une semblable. »

Louis David. Portrait du chimiste Lavoisier et de son épouse. 1788.

Marie-Antoinette victime d'un collier

Versailles, 1785

Le cardinal-prince de Rohan souffrait de n'avoir jamais pu trouver grâce auprès de Marie-Antoinette. La comtesse Jeanne de La Motte, se prétendant admise dans l'entourage de la reine, lui fait espérer une ouverture. Tout d'abord, elle lui fait rencontrer, de nuit, dans un bosquet de Versailles, une femme que le prélat prend pour la reine et qui n'est que la baronne d'Oliva, une amie de M\ᵐᵉ de La Motte. Puis elle lui confie que la reine souhaite acquérir un collier de diamants, un joyau estimé à 1 600 000 livres. Rohan, sur le conseil de Cagliostro, son ami, achète le collier à crédit, le remet à la comtesse qui s'empresse de le vendre. Le bijoutier, qui n'a pas été payé, finit par s'adresser à la reine. Celle-ci, persuadée que le cardinal s'est servi de son nom à seule fin de mener à bien une escroquerie, obtient son arrestation. Le procès a lieu devant les parlements de Paris. Le cardinal est acquitté et la vraie coupable, M\ᵐᵉ de La Motte, condamnée. Mais l'opinion se retourne alors contre

Les personnages de l'« Affaire du Collier de la Reine ». En partant du haut : le roi, Jeanne de Saint-Rémy de Valois, le comte de la Motte, M\ˡˡᵉ de la Tour, Cagliostro, Séraphinia Pelichiani, M\ᵐᵉ Le Guet Designy Dolisva, Bette Detenville, M\ˡˡᵉ Mella de Courville Sulbark, le baron de Fages, la femme de chambre, le père Loth. B.N., Paris.

Marie-Antoinette, déjà bien impopulaire. Pour le peuple, si Rohan est innocent, c'est la reine qui est coupable. Et lorsque M\ᵐᵉ de La Motte subit la punition du fer rouge, toutes les sympathies sont pour elle. La police conseille désormais à la reine d'éviter tout voyage à Paris où la colère gronde contre « l'étrangère » accusée d'une scandaleuse légèreté.

Rivarol fait l'éloge de la langue française

Paris, 1784

Le *Discours sur l'universalité de la langue française*, couronné il y a deux ans par l'Académie de Berlin, vient de paraître. Il est dû au jeune polémiste Antoine de Rivarol, né en 1753 à Bagnols, dans le Languedoc. Résumant avec brio les acquisitions intellectuelles des Lumières, l'auteur montre que le caractère d'un peuple modèle une langue dans ses moindres détails. Si le français s'est élevé au rang de langue européenne, c'est que son caractère social et l'ordre logique de sa phrase en font l'outil par excellence de l'échange des idées. Ceci explique que, conforme à la vérité de la nature, il soit devenu la langue de la diplomatie puis celle de la philosophie. Après avoir conçu le projet d'un *Nouveau Dictionnaire de la langue française*, Rivarol mourra à Berlin en 1801.

Erotisme et philosophie chez le divin marquis

Paris, 29 février 1784

Donatien, marquis de Sade, seigneur de Lacoste et de Saumane (né à Paris en 1740), vient d'être transféré du donjon de Vincennes, où il était détenu depuis le 8 septembre 1778, à la Bastille. Condamné à mort en 1772 par le parlement de Provence pour crimes d'empoisonnement et de sodomie, le marquis, en fuite en Italie, avait été exécuté en effigie à Aix. Sade fait violence dans ses écrits au langage et aux sentiments. Au-delà de la description de sens déréglés, il dénonce le mythe de la bonté naturelle de l'homme (*Justine*, 1791), soutenant que seul le libertin accomplit la volonté de la nature. Nombre d'écrits posthumes, tels *Les cent vingt journées de Sodome*, ou *Aline et Valcour*, consacreront cette philosophie. Sade mourra à l'hospice de Charenton en 1814.

Louis David. « Le Serment des Horaces ». 1785. L'œuvre fut accueillie comme le manifeste de la nouvelle école classique.

Au Salon, le "Serment des Horaces" de David fait sensation

Paris, 1785

Si Louis David choisit de se rendre à Rome en juin 1784 pour peindre le drame des Horaces, c'est qu'en Italie il avait subi un choc : la découverte des ruines de Pompéi et d'Herculanum, qui l'avait délibérément orienté vers une forme rigoureuse de classicisme. *Le Serment des Horaces*, sobre jusqu'à l'austérité, est en effet accueilli comme le manifeste de la nouvelle école classique. De plus, cet épisode tragique de l'histoire antique lui donne l'occasion de peindre un bel exemple de vertu : le rôle moral et didactique de son art se confirmera encore durant la période révolutionnaire. Il veut offrir au regard du peuple « les traits d'héroïsme, de vertus civiques qui électrisent son âme ». Pour faire naître ces passions, David peindra les bienfaiteurs et les martyrs de l'humanité dans ses œuvres héroïques de l'an II et de l'an III : *Marat assassiné*, véritable pietà jacobine, ou *La Mort de Bara*. Après la Révolution, il servira l'Empire par de grandes mises en scène, qui contrastent avec la simplicité des œuvres antérieures.

L'étrange médecin Mesmer quitte Paris

France, 1784

Pour Mesmer, la défaite succède au triomphe. Ce médecin allemand, né en 1734, avait imaginé une thérapeutique fondée sur le magnétisme. Il faisait avaler à ses patients des solutions ferreuses avant de les traiter par des applications d'aimants. Après avoir conquis Vienne, il connaît l'hostilité de ses confrères et gagne Paris en 1778. Là aussi, il conquiert une gloire très rapide en utilisant cette fois le fluide électrique : les malades sont immergés dans un « baquet » dérivé de la fameuse bouteille de Leyde. Il est accusé de charlatanisme et ses méthodes divisent l'opinion. Le gouvernement crée en 1784 une commission qui condamne ses pratiques. Humilié, Mesmer quitte Paris.

Le « baquet » de Mesmer : une cuve remplie d'eau, de limaille de fer et de verre pilé, d'où émergeaient des tiges de fer que l'on appliquait sur les parties malades.

1786

Prusse, 4 janvier
Mort du philosophe juif Moses
Mendelssohn. →

*Etats-Unis d'Amérique, 16 jan-
vier*
L'assemblée de Virginie adopte
un statut garantissant la liberté
religieuse.

Suède, 21 mai
Mort du chimiste Carl Wilhelm
Scheele. →

Egypte, juillet
Le sultan ottoman envoie un
corps expéditionnaire de 1 500
hommes à Alexandrie. Ils occupent le Delta et chassent le bey
qui se réfugie en Haute-Egypte
et entame une guerre civile. Le
sultan lui reproche d'avoir signé
une convention en janvier 1785
par laquelle la France obtenait la
garantie de la sécurité des marchandises transitant de Suez à
Alexandrie.

Savoie, 8 août
Jacques Balmat, un guide chamoniard, réalise la première ascension du mont Blanc. →

Prusse, 17 août
Le roi Frédéric II le Grand meurt
à Potsdam. Son neveu Frédéric-
Guillaume II lui succède. →

Paris, 20 août
Calonne met au point ses projets
de réforme financière. →

Allemagne, 25 août
Les archevêques de Cologne,
Mayence, Trèves et Salzbourg
publient à Ems une déclaration
par laquelle ils réclament une
plus grande indépendance des
Eglises catholiques à l'occasion
d'une réunion destinée à confirmer la nomination d'un nonce
papal en Bavière. Cette manifestation d'autonomie s'inscrit dans
le courant animé par Febronius,
auteur en 1763 d'un ouvrage réclamant la possibilité de protester contre les décisions papales :
le *De Statu ecclesiae et legitima protes-
tate romani pontificis liber singularis.*

*Etats-Unis d'Amérique, 11 sep-
tembre*
Ouverture de la convention
d'Annapolis dans le Maryland,
chargée de réviser des articles de
la Confédération de 1776.

*France et Angleterre, 26 sep-
tembre*
Signature d'un traité commercial. →

*Etats-Unis d'Amérique, décem-
bre*
La révolte menée par Daniel
Shays, après avoir gagné tout
l'ouest de l'Etat du Massachusetts, est définitivement vaincue.
Les révoltés s'insurgeaient depuis le mois d'août contre les décisions des tribunaux qui imposaient le remboursement des dettes. Cette révolte posa le problème du maintien de l'ordre au
niveau de la Confédération :
comment porter secours à un
gouvernement menacé par une
rébellion, sans enfreindre le
principe de l'indépendance des
Etats ? Les révoltes ont été réprimées par les seules milices de
l'Etat.

Perse
Un chef de tribu qadjar s'impose
à Téhéran. →

Toscane
Le grand-duc de Toscane Léopold Ier, frère de l'empereur Joseph II, propose aux évêques une
réforme ecclésiastique fortement marquée de jansénisme. A
cet effet, il organise un synode à
Pistoia en septembre qui approuve la réforme religieuse : ces
textes sont principalement
orientés contre la doctrine catholique romaine. Le grand-duc
poursuit sa politique réformatrice, en abolissant en novembre la torture et la peine de mort.

Royaume des Deux-Siciles
Domenico Caracciolo devient le
principal ministre de Ferdinand IV, roi des Deux-Siciles, et
prend le titre de vice-roi. Ses tentatives de transformations politiques et sociales de l'île se heurtent à l'apathie du gouvernement
central et à l'opposition de la noblesse sicilienne.

Suède
Le roi Gustave III fonde à Stockholm l'Académie des Dix-Huit, à
l'imitation des modèles prussiens et français. Lors de ses
voyages à Paris, il assiste aux
séances de l'Académie française.
Mais il s'attache davantage aux
arts et aux lettres de son temps
qu'au contenu des idées des
philosophes.

Autriche
Joseph II abolit les corps de métier et conseille à l'Eglise catholique de faire dire les messes en
langue vulgaire.

Prusse
Le comte de Mirabeau (1749-
1791) effectue un voyage en Europe et fait halte à Potsdam.

La Prusse pleure la mort du "Vieux Fritz"

Potsdam, 17 août 1786
L'émotion est grande en Prusse à la
nouvelle de la mort de Frédéric II,
à l'âge de soixante-quatorze ans.
Certes, avec le temps, le « Vieux
Fritz », comme l'ont surnommé les
Berlinois, était devenu de plus en
plus solitaire. La maladie, accentuant
encore une misanthropie naturelle,
finit par l'éloigner de ses semblables.
Tous ses amis étaient morts et la vie
joyeuse de Sans-Souci n'était plus
qu'un souvenir. Mais, jusqu'à la fin,
il resta l'une des figures de proue de
la politique européenne. Après quarante-six années de règne, le souverain laisse un royaume agrandi
(200 000 km² contre 120 000 en
1740, six millions d'habitants contre
deux millions), augmenté de la Silésie conquise sur l'Autriche et de la
Prusse orientale. Il laisse aussi la
meilleure armée d'Europe, entraînée, moderne, nombreuse (200 000
hommes en 1786 contre 83 000 en
1740). Car l'armée était restée son
souci dominant et les réformes administratives n'avaient souvent servi
qu'à faciliter la levée de l'impôt pour
alimenter le trésor de guerre. Mais
son œuvre ne se limite pas à cela : il
a également travaillé au développement industriel du royaume. L'extraction de la houille a commencé
dans la Ruhr ; la métallurgie et le
textile s'installent en Silésie. La Banque de Berlin est une fondation

*Frédéric le Grand. Peinture d'Anton
Graff. Château de Charlottenburg,
Berlin.*

royale (1765). Dans le domaine de la
justice, la torture est abolie et un
nouveau code juridique en voie d'application. Il est un des rares souverains d'Europe à accorder une liberté
religieuse pleine et entière à tous ses
sujets. L'enseignement n'a pas été
oublié : une loi le rend obligatoire
pour tous jusqu'à treize ans. Mais
l'enseignement secondaire, destiné
à la formation des fonctionnaires,
souffre d'un manque de maîtres et
Berlin est la seule capitale d'Europe
à ne pas disposer d'université, malgré sa prestigieuse Académie.

En France, Calonne est appelé au chevet des finances de l'Etat

Paris, 20 août 1786
Les caisses de l'Etat sont vides et Calonne aux abois. Comme Turgot et
Necker avant lui, il réclame une réforme rapide de l'impôt. Il reprend à
son compte l'idée des assemblées provinciales, la défense de la liberté du
commerce et le projet d'une subvention territoriale, un impôt payable par
tous, sans privilège aucun, seul remède au déficit catastrophique. Contrôleur général des Finances depuis le
10 novembre 1783, Calonne avait dû
assumer un lourd héritage. Les emprunts, selon la méthode chère à Necker, avaient été multipliés les années
précédentes, pour le plus grand bénéfice des banquiers, et les impôts alour-
dis. Calonne, pour redonner confiance, fit payer ponctuellement les
rentes et réorganisa la Caisse d'escompte. Mais les intérêts de cette dette et les gaspillages de la Cour empêchaient toute économie. Contraint par
les événements, Calonne a dû recourir à son tour à l'emprunt. De 1783 à
1785, la totalité des sommes empruntées s'élève à plus de 800 millions de
livres pour un budget annuel de
550 millions. A terme, si l'impôt n'est
pas réformé, c'est la banqueroute.

Le traité Eden règle le commerce franco-anglais

Versailles, 26 septembre 1786
Les ministres Vergennes, pour la
France, et Eden, pour l'Angleterre, ont
signé à Versailles un traité de commerce qui est une victoire pour les partisans du libre-échange. Les tories, en
effet, qui sont au pouvoir en Angleterre, adeptes d'Adam Smith, sont de fervents partisans du libéralisme économique. Mais ce traité obéit aussi à d'autres motivations, politiques celles-là.
Le comte de Vergennes, secrétaire aux
Affaires étrangères depuis 1774, après
avoir été l'un des principaux animateurs de l'intervention française contre
l'Angleterre dans la guerre d'Amérique, est à présent soucieux de rétablir
l'équilibre européen ; il souhaite un
rapprochement avec l'adversaire
d'hier. Ce traité place l'Angleterre au
rang de la nation la plus favorisée et
abaisse à 12 % les droits de douane sur
les principaux produits anglais en
échange d'un abaissement des droits
anglais sur les vins français. Il avantage
nettement l'Angleterre aux dépens de
la France. En raison de la supériorité
de son industrie, elle peut désormais
conquérir le marché français sans
craindre la concurrence des manufactures locales.

Catherine II fait construire une résidence à Tsarskoïe Selo

Russie, 1786-1796

Catherine II de Russie est une adepte passionnée du style architectural classique et une fervente du goût antiquisant qui commence à se répandre dans toute l'Europe. Sur les conseils de Soufflot, c'est un disciple de Blondel et de Gabriel, Vallin de La Mothe, qu'elle avait choisi pour édifier l'Académie des beaux-arts de Saint-Pétersbourg. Mais, au jugement de la tsarine, ce style était encore trop empreint des grâces françaises. Elle aspirait à la sévérité « pompéienne ». Après l'architecte-décorateur Clérisseau, un partisan du style sévère devenu premier architecte de l'Impératrice, elle fait venir l'Ecossais Cameron, un dessinateur dont la spécialité est la copie d'antiques, puis un Italien élève de Palladio, Giacomo Quarenghi. Tels sont les maîtres d'œuvre successifs chargés de la construction de la nouvelle résidence de Tsarskoïe Selo.

Le palais Alexandre de Tsarskoïe Selo (1792-1796) édifié par Giacomo Quarenghi pour Catherine II de Russie. Résidence d'été des tsars.

Galvani découvre l'électricité animale

Bologne, Italie vers 1786

Ces dernières années, les travaux sur la nature des courants électriques se multiplient. La bouteille de Leyde permet de conserver l'électricité pour l'utiliser ensuite. Franklin découvre la nature de la foudre, Walsh (1775) montre l'identité du courant produit par le poisson torpille et de celui de la bouteille de Leyde. Le Français Coulomb et l'Anglais Cavendish établissent les premières mesures de ce phénomène. A Bologne, un médecin, Luigi Galvani (1737-1798) découvre par hasard les propriétés des muscles de grenouille. Vers 1786, sur une table où fonctionnait une machine électrique, un de ses aides met en contact les nerfs d'une grenouille avec un scalpel. Galvani constate alors une contraction des restes de l'animal. Il recommencera cette expérience et arrivera en 1791, en interposant un arc de métal entre deux parties du tronc de l'animal, à mettre en évidence le passage d'un courant électrique. Il en conclura que les nerfs et les muscles sont chargés par une électricité d'origine animale. La grenouille réagit comme les armatures d'une bouteille de Leyde. Son élève Alexandre Volta (1745-1827) reprendra ces expériences et en tirera des conséquences qui lui permettront de dépasser son maître.

Le chimiste Carl Scheele s'est éteint

Suède, 21 mai 1786

Un des fondateurs de la chimie, le Suédois d'origine allemande Carl Scheele, vient de mourir à quarante-trois ans à Köping, près de Stockholm. Pharmacien de son état, il devint célèbre grâce à son ami Bergmann, professeur de chimie à Up-

Gravure représentant un laboratoire de chimie. 1718

sala. Il utilisait ses loisirs à faire des recherches : il découvrit de nombreux corps simples comme le chlore, l'oxygène, la baryte et le manganèse. Remarquable manipulateur, il ne réussit pas à dégager une théorie de la nature comme s'y efforcent en même temps que lui, Priestley et Lavoisier.

Les Qadjars s'emparent du trône de Perse

Téhéran, 1786

A la mort d'Ali Murad (1785), Agha Muhammad, chef d'une des tribus qui avaient soutenu les premiers Safavides, marche sur Ispahan, qu'il occupe, et s'empare de Téhéran dont il fait sa capitale. Il avait déjà expulsé les Russes de la colonie qu'ils avaient établie à Ashraf (1780) et il s'était rendu maître du Gurgân, du Mazandérân et du Gilân (1785). Maître des villes, il entreprend alors d'éliminer tous ses rivaux et parvient à établir sa domination sur la majeure partie de la Perse, à l'exception du Khurâsân. Le problème qui se pose est celui de la restauration de l'autorité du gouvernement et de la réaffirmation de l'indépendance du pays. Il caresse même l'idée de ramener la Géorgie au sein de la Perse : il l'envahit et met Tiflis à sac. Il attendra pourtant dix ans avant de se faire couronner (1796) et mourra assassiné l'année suivante (17 juin 1797) lors d'une nouvelle campagne contre la Géorgie au cours de laquelle, après avoir traversé l'Arax, il s'était emparé de Shusha. Il est remplacé sur le trône de la Perse quasi unifiée par son neveu, Fath Ali Shâh. La dynastie qadjar, qui gouverne la Perse jusqu'au lendemain de la Première Guerre mondiale (1921), est dominée par la forte personnalité de son fondateur, Agha Muhammad Khan. L'histoire de ses successeurs est celle d'une longue suite d'échecs et d'humiliations.

Première ascension du mont Blanc par le Savoyard Jacques Balmat

Chamonix, 8 août 1786

Le naturaliste genevois Horace Bénédict de Saussure avait promis une forte récompense à qui gravirait les pentes du plus haut sommet d'Europe, le mont Blanc. Son offre suscite l'émulation dans les vallées sa-

Moses Mendelssohn, un Juif de cour à Berlin

Berlin, 4 janvier 1786

Le philosophe juif Moses Mendelssohn disparaît quelques mois avant son protecteur Frédéric II, qui l'avait dégagé en 1763 du statut inférieur dans lequel les Juifs étaient relégués. Figure de proue de la bourgeoisie intellectuelle, né à Dessau en 1729, Mendelssohn réussit à fréquenter les salons de Berlin et anima le Club du lundi avec Lessing, qu'il gagna à ses idées de tolérance et auquel il servit de modèle pour son personnage de Nathan le Sage.

Portrait du philosophe Moses Mendelssohn, représentant des « Lumières ».

voyardes. Après de nombreuses tentatives infructueuses, c'est le chasseur et cristallier Jacques Balmat qui, en compagnie d'un médecin, chamoniard lui aussi, Michel-Gabriel Paccard, parvient le premier jusqu'au sommet. La montagne est en effet à la mode. Le temps des superstitions est passé. Poètes et écrivains, de Haller à Rousseau, célèbrent le pittoresque et la grandeur des paysages alpestres.

Première ascension du mont Blanc par Jacques Balmat et Michel-Gabriel Paccard. Peinture anonyme. Collection Wahl.

1787

France-Russie, 11 janvier
Le traité de commerce franco-russe accorde des facilités nouvelles aux marchands français en Baltique et dans la mer Noire.

France, 22 février
Calonne demande devant l'Assemblée des notables une meilleure répartition des impôts. →

France, 8 avril
Calonne démissionne de ses fonctions et est remplacé par Loménie de Brienne. →

Toscane, 23 avril
L'assemblée des évêques toscans se réunit pour discuter les thèses jansénistes présentées par le grand-duc Léopold Ier et son conseiller Scipione Dei Ricci. La majorité, conduite par l'archevêque de Florence, Martini, les repousse. Le 20, une émeute à Prato sonne le glas de la réforme janséniste : des fidèles envahissent la cathédrale et piétinent les insignes de Ricci.

France, 25 mai
Le roi décide de renvoyer les Notables. →

Etats-Unis d'Amérique, 25 mai
Ouverture à Philadelphie de la Convention destinée à mettre sur pied une nouvelle Constitution.

Kherson, Ukraine, printemps
Seconde rencontre entre Joseph II et Catherine II lors de laquelle ils abordent une nouvelle fois leur « projet grec » de reconquête de Constantinople.

Espagne, 8 juillet
Le roi Charles III instaure par décret, à l'instigation du ministre Floridablanca, une Junte suprême d'Etat, c'est-à-dire un véritable conseil ministériel. Cette mesure tardive tente de moderniser le gouvernement central en créant une liaison permanente entre les différents départements ministériels, jusqu'alors très cloisonnés.

Etats-Unis d'Amérique, 13 juillet
Le Congrès adopte l'ordonnance du Nord-Ouest qui organise la future colonisation des territoires compris entre l'Ohio, les Grands Lacs, les Appalaches et le Mississippi. Ces territoires seront d'abord administrés par des fonctionnaires nommés par le Congrès. Prévoyant la création d'un certain nombre d'Etats, elle fixe le cadre transitoire entre les terres vierges et l'entrée d'un nouvel Etat dans l'Union. Tout territoire habité par plus de 60 000 personnes est en mesure d'entrer au Congrès.

Russie et Turquie, 13 août
La Turquie déclare la guerre à la Russie à la suite du rejet par Catherine II de son ultimatum exigeant l'abandon du protectorat russe sur la Crimée.

Crimée, été
Catherine II effectue un voyage triomphal en Crimée.

Paris, août-septembre
David présente au Salon *La Mort de Socrate*.

Etats-Unis d'Amérique, 17 septembre
La Convention de Philadelphie achève ses travaux par la publication d'une nouvelle Constitution.

Prague, 20 octobre
Première représentation du *Don Giovanni* de W. A. Mozart. →

France, 19 novembre
La création d'impôts nouveaux est une nouvelle fois refusée par le Parlement. Un lit de justice le contraint à les enregistrer.

France, 29 novembre
L'édit de tolérance de Louis XVI rend un état-civil aux protestants, qui en étaient dépouillés. L'état-civil était alors entre les mains de l'Eglise et les protestants ne pouvaient faire légitimer ni leur mariage, ni leurs enfants ni leurs testaments.

Europe
Une triple alliance anglo-hollandaise et prussienne se tisse, contre la France et l'Autriche.

Madagascar
Le chef Andrianampoinimerina commence la construction d'un grand royaume Hova sur le plateau central de l'île. →

France
Le marquis de Sade publie *Les Infortunes de la vertu*, première version de *Justine* ; Restif de La Bretonne *Les Nuits de Paris* et Bernardin de Saint-Pierre *Paul et Virginie*. →

Paris
Le mathématicien Joseph Louis Lagrange publie son traité de *Mécanique analytique*. →

Autriche
Joseph II promulgue le code Joséphin qui établit l'égalité de tous les sujets devant la loi.

La peur devant les réformes bloque la société française

France, 1787
Le contrôleur des Finances Calonne savait que son programme de réformes ne serait pas accepté par les parlements. Pour passer outre à cette opposition, il propose au roi la convocation d'une Assemblée des notables. Ces notables, au nombre de cent quarante-quatre, comprennent des princes du sang, des archevêques et des évêques, des conseillers d'Etat (appartenant en majorité à la noblesse), enfin des officiers municipaux. C'est dire combien cette Assemblée, loin de consentir à la politique proposée par Calonne, est *de facto* favorable aux abus qu'il veut combattre. La première réunion se tient le 22 février 1787. Le projet concernant les assemblées provinciales est accepté, mais l'idée d'une subvention territoriale est repoussée. Le 8 avril, Calonne démissionne. Louis XVI nomme alors pour lui succéder Loménie de Brienne, archevêque de Toulouse, qui reprend ses projets. Devant l'impossibilité d'une entente, le roi décide de mettre fin à la session des Notables le 25 mai. C'est renvoyer la balle aux parlements. Et tout recommence comme par le passé. Les parlementaires s'opposent à la subvention territoriale ; ils présentent leurs remontrances. La Cour des aides invoque la raison et la justice, la légitimité de la propriété, la nécessité du consentement à l'impôt, les droits inaliéna-

Louis XVI et Jacques Necker, devant les caisses vides de l'Etat. Caricature de Cruikshank.

bles de la nation... Une nouvelle fois, le parlement est exilé de Paris, le 27 juillet. Les assemblées de province protestent ; les exilés réclament la réunion des Etats généraux qui « peuvent seuls guérir les plaies de l'Etat et octroyer l'impôt ». A Paris, on brocarde le roi et son ministre : bientôt c'est l'émeute, le Châtelet est envahi et les troupes du maréchal de Biron doivent rétablir l'ordre. Les ministres sont divisés. Alors que le garde des Sceaux Lamoignon veut mettre les parlements à la raison, Brienne aspire à la conciliation. Le 19 septembre, le parlement est rappelé à Paris. Les édits de Calonne sont définitivement retirés. A la place de la subvention territoriale, Brienne rétablit les deux vingtièmes et décide d'en revenir à la pratique de l'emprunt. Tous les plans de réformes fiscales et sociales s'effondrent. La monarchie témoigne une nouvelle fois de son impuissance à se réformer elle-même et de sa faiblesse devant l'opposition des privilégiés.

Paul et Virginie à la recherche de l'amour simple

Paris, 1787
L'écrivain Bernardin de Saint-Pierre, né au Havre en 1737 et connu pour ses *Etudes de la nature* où abondent les descriptions exotiques, publie *Paul et Virginie*, un roman pastoral qui suscite l'enthousiasme. Il y tente d'associer la beauté tropicale à la beauté morale d'une petite société et subordonne le bonheur à l'aptitude à vivre en accord avec la nature. Le roman prend pour cadre un canton désert de l'île de France (île Maurice) où deux jeunes gens, Paul et Virginie, sont élevés comme frère et sœur dans une pauvreté qui n'exclut pas un certain bonheur rustique. Ils se découvrent une attirance mutuelle, lorsque Virginie est rappelée en France. Paul sombre dans le désespoir et explore tous les lieux de l'île qui ont abrité leur amour chaste. Quelques mois s'écoulent, puis Virginie, rebutée par la société, annonce son retour. Mais le navire se brise dans une tempête au moment où l'île est en vue. Virginie, qui a refusé de se dévêtir pour recevoir l'aide d'un matelot, est engloutie. Fou de chagrin,

Paul ne lui survit pas. Dépassant l'aspect purement descriptif, l'auteur, adepte des théories de Jean-Jacques Rousseau, évoque, à travers nombre d'épisodes naïfs et grandioses, la nostalgie d'un paradis perdu. Bernardin de Saint-Pierre publiera, après cette « bergerie tropicale », des *Harmonies de la nature* (1796) très appréciées et mourra, près de Paris, le 21 janvier 1814.

« Paul et Virginie ». Gravure pour une édition du roman de Bernardin de Saint-Pierre. 1805.

Les Etats-Unis d'Amérique adoptent une constitution

Philadelphie, 17 septembre 1787
Après de nombreuses discussions, les délégués des treize Etats réunis à Philadelphie depuis le mois de mai ont décidé d'abandonner le système politique de la confédération d'Etats indépendants pratiqué jusque-là pour la création d'un Etat fédéral. Au fil des années, le système confédéral est apparu de plus en plus lourd, par exemple sur le plan commercial, les règlements particuliers des Etats paralysant l'activité économique. Les responsables politiques exigent une harmonisation des lois et des règlements. Ce sont essentiellement des citadins, liés aux milieux financiers et commerciaux, qui réclament un gouvernement national capable de battre monnaie, de garantir la sécurité des frontières en cas de conflit et d'assurer la représentation au niveau international. S'inspirant des idées de Montesquieu sur la nécessaire séparation des pouvoirs, les délégués décident d'établir un pouvoir présidentiel équilibré par des contre-pouvoirs juridiques et législatifs conséquents. Un président unique, exerçant un mandat de quatre ans renouvelable, est désigné par des électeurs choisis par les Etats. Il dispose d'un droit de veto que le Congrès peut annuler à la majorité des deux tiers. Il est susceptible d'être mis en accusation par la Chambre des représentants, d'être jugé par le Sénat. Dans le domaine juridique, une Cour suprême est prévue, dont les attributions seront définies ultérieurement : elle aura à s'occuper de tous les litiges concernant les activités et les institutions nationales, les Etats restant maîtres de leurs lois. Si l'opposition anti-fédéraliste dénonce ce projet comme devant nécessairement déboucher sur le despotisme, elle ne réussit pas à en empêcher l'adoption par tous les Etats. Il ne signera le texte qu'en 1790. Seul le petit Etat de Rhode Island est hostile au projet des nationalistes.

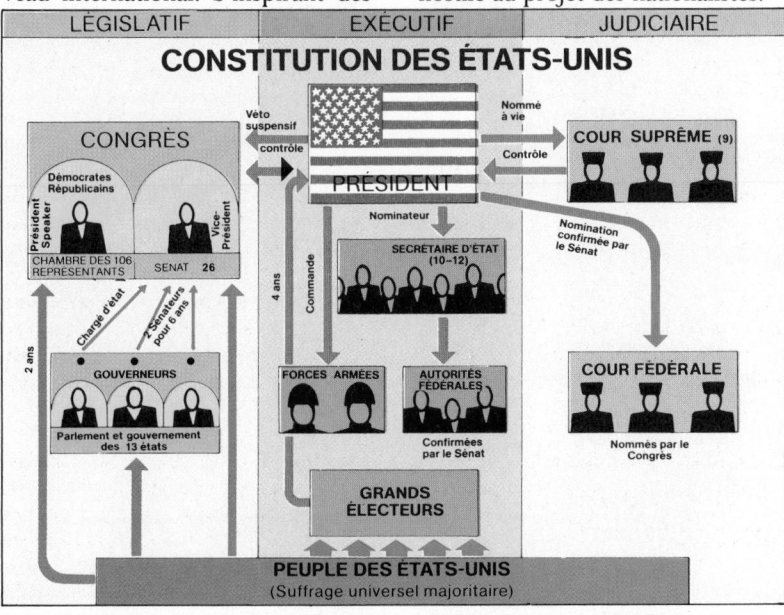

Constitution des États-Unis

A Madagascar, le chef Andrianampoinimerina crée un royaume

Madagascar, 1787
Vers 1785, la région centrale de la grande île de l'océan Indien, l'Imérina, compte trois royaumes. Un coup d'Etat permet au neveu du roi d'un de ces royaumes de chasser son oncle et de se faire proclamer roi sous le nom d'Andrianampoinimerina. Aidé par les clans Hova qu'il associe à son pouvoir, il renforce l'autorité royale et s'engage dans une politique de conquêtes pour s'imposer aux autres royaumes malgaches. Il s'installera définitivement à Tananarive en 1796, après l'avoir conquise et perdue deux fois. Il soumettra le sud du plateau central où vivent plus de 300 000 habitants. A partir de 1800, il fondera le royaume de Madagascar. A sa mort, en 1810, il aura posé les bases administratives du grand royaume Hova.

Lagrange définit la mécanique analytique

Paris, 1787
Le traité de *Mécanique analytique* qui paraît en 1787 sous la plume de Joseph Louis Lagrange (1736-1813) fixe les bases de l'analyse mathématique de la mécanique. Le mathématicien français traduit l'équivalence du système de quantité d'accélération en système d'équations différentielles. Ses travaux antérieurs sur le mouvement de rotation d'un corps solide et sur la théorie des nombres l'ont amené à privilégier l'analyse différentielle en mécanique. Sa méthode ne demande que « des opérations algébriques assujetties à une marche régulière et uniforme ». Reconnu par les princes européens, il succéda à Euler à l'Académie de Frédéric II en 1766 ; en 1787, il accepte l'invitation de Louis XVI. Après la Révolution, il sera nommé sénateur et comte par Napoléon. Il enseignera à l'Ecole polytechnique jusqu'à sa mort.

Page de titre de la parution du « Don Juan » de W.A. Mozart.

Don Juan rencontre "Don Giovanni"

Prague, 29 octobre 1787
Casanova de Seingalt, aventurier né à Venise en 1725, grand voyageur et séducteur, vient d'arriver à Prague où Wolfgang Amadeus Mozart fait représenter *Don Giovanni,* drame comique en deux actes, sur un livret de Lorenzo Da Ponte. Casanova a sans doute inspiré le librettiste par le récit de ses nombreuses aventures amoureuses, quelque cent vingt-deux conquêtes en trente-neuf ans. Insouciant, dépourvu de remords, fréquentant des femmes mariées de haut rang aussi bien que des souillons, il s'enorgueillit de ses scandales galants et de ses dettes de jeu, n'ayant à son passif qu'une seule défaite, à Londres, avec la coquette Charpillon. Le spectacle qu'il vient applaudir aujourd'hui donne une ampleur nouvelle au personnage de Molière. Don Juan, qui a tenté de séduire dona Anna, fille du Commandeur, tue celui-ci en duel, tandis qu'Anna fait jurer à Ottavio, son fiancé, de venger son père. Mais Don Juan se trouve tout à coup attiré par Zerline dont on annonce les noces prochaines avec Masetto. Le séducteur, aidé de son valet Leporello, tente d'éloigner le fiancé et de séduire Zerline. Il est interrompu par l'arrivée d'Elvire, l'épouse abandonnée. L'acte II est dominé par l'image spectrale du Commandeur qui s'introduit dans la maison où Don Juan soupe gaiement et lui intime l'ordre de se repentir. Mais le dépravé refuse avec insolence et un abîme de flammes s'entrouvre, laissant échapper un chœur rugissant de furies entraînant Don Juan dans la mort. L'œuvre de Mozart, qui doit beaucoup au style de l'opéra bouffe, subordonne entièrement les paroles à la musique, créant un rythme à partir duquel les personnages, très évocateurs, s'éclairent mutuellement. Trois ans plus tard, une nouvelle collaboration du compositeur avec Da Ponte conduira à la création de *Cosi fan tutte,* le 26 janvier 1790.

Edmund Cartwright met au point un métier à tisser mécanique

Angleterre, 1787
Dans la lutte de vitesse qui oppose la filature au tissage, les progrès décisifs sont plus rapides dans la première. Le tissage mécanique rencontre en effet des difficultés. Il faut attendre 1784 pour qu'un clergyman autodidacte, Edmund Cartwright, invente le premier métier mécanique utilisant la machine à vapeur de Watt. Celle-ci impose un mouvement automatique au passage de la navette, au tassement du peigne et à la progression de la chaîne. Mais la trop forte puissance du métier nécessite au moins deux hommes. De nombreux perfectionnements ont dû être assurés par des tisserands avant que ce métier puisse concurrencer les métiers à bras. En Angleterre, vers 1814, on en comptera 2 500 contre 200 000 à bras. Le métier mécanique ne sera employé par les tisserands que vers 1830. En France, on lui associera souvent le nom de Joseph Jacquard (1752-1834), qui perfectionnera un métier à bras de façon à permettre à un seul ouvrier l'exécution de tissus façonnés. Ce métier, inventé en 1801 et amélioré en 1816, permettra de réaliser les fameux tissus à motifs jacquards.

Les affaires indiennes révélées par le scandale W. Hastings

Londres, 3 avril 1787
A la suite d'une campagne menée par le député Edmund Burke et Patrick Francis, Warren Hastings, Premier gouverneur général du Bengale, est accusé par le Parlement de Londres de malversations. Efficace et sans scrupule, Warren Hastings, né en 1732 dans le comté d'Oxford, a profondément marqué la politique anglaise aux Indes. Arrivé en 1750 comme fonctionnaire, il représente la Compagnie des Indes orientales auprès des nababs du Bengale de 1758 à 1761. Admis au conseil de la Compagnie de 1761 à 1764, il entre en conflit avec ses collègues et doit rentrer en Angleterre. Toutefois les Indes lui manquent et il retourne à Madras en 1769, bien décidé à mener une nouvelle politique. Il impose la perception des impôts directement par la Compagnie et non plus par les Indiens. Il n'hésite pas à utiliser des moyens illicites pour se faire des alliés, ou pour s'enrichir, et engage la Compagnie dans les conflits locaux. Diverses affaires, dont le vol du trésor des bégums d'Oudh, achèvent de miner sa réputation. Jugé à Londres, il sera acquitté, après un long procès, en 1795.

La Révolution industrielle

1750-1850

Au cœur même de l'économie planétaire dominante, c'est-à-dire en Angleterre, naît une nouvelle société. Pendant un siècle, avec plus ou moins de bonheur, mais sans relâchement, les sociétés européennes vont se transformer sous le coup d'innovations techniques. La course vers le progrès ne mobilise pas seulement les esprits, mais s'inscrit au fil des années dans l'ensemble du corps social. De nouvelles règles du jeu apparaissent : la vitesse grâce au chemin de fer, le mouvement des populations tant à l'intérieur des pays par l'exode rural qu'à l'extérieur par la colonisation, l'accroissement des richesses par la production de plus en plus massive de biens d'équipement et de consommation. Enfin, de nouvelles hiérarchies sociales et mondiales apparaissent, réglées par des maîtres-mots, la compétition et la concurrence. Tels sont les effets de la Révolution industrielle.

De nouvelles techniques

Née au cours de la deuxième moitié du XVIIIᵉ siècle en Grande-Bretagne, la Révolution industrielle atteignit avec un retard variable l'ensemble du continent européen et les Etats-Unis d'Amérique. La rapide évolution des techniques, entre 1750 et 1850, entraîna de profonds bouleversements des structures économiques. La production industrielle devint le moteur du développement économique et la source de la croissance. Le premier stade de la Révolution industrielle fut marqué par la mécanisation de l'industrie textile et l'utilisation du charbon pour produire de l'énergie. Dans un deuxième temps, c'est le développement des chemins de fer qui devint le moteur de l'industrialisation. La rapidité et la fiabilité de ce nouveau moyen de transport favorisèrent non seulement les communications, mais aussi l'utilisation du charbon et de l'acier. La production d'acier peut être considérée comme l'industrie clé de la deuxième phase de la Révolution industrielle. Le développement de l'industrie avait certes accru le revenu global des populations ; mais il avait aussi favorisé, par l'accroissement démogra-

phique et la paupérisation des campagnes, la naissance d'un prolétariat « industriel », soumis à des conditions de travail très difficiles et regroupé dans des quartiers misérables. L'importance du phénomène industriel apparut nettement lors de la crise économique de 1857, due à une surproduction et à des difficultés d'écoulement des marchandises, qui affecta tous les pays participant à l'économie mondiale.

La révolution britannique

La population britannique, passée de 6,7 à 10,2 millions d'habitants entre 1750 et 1800, avait doublé en 1851 (21 millions d'habitants). Cet accroissement considérable était dû à deux facteurs essentiels : l'amélioration des soins médicaux d'une part, la brusque extension du secteur agricole d'autre part. La modicité des prix des denrées, comparés à ceux du continent, permirent aux couches moyennes de la population britannique d'utiliser leurs revenus pour acquérir des biens en sus du nécessaire. L'augmentation de la consommation profita essentiellement à l'industrie textile, qui disposait grâce à un important cheptel ovin de vastes et sûres ressources en matière première. La noblesse avait commencé dès le XVIIᵉ siècle à consacrer des terres exclusivement à l'élevage des moutons, ce qui en bannissait les paysans. Nombreux d'entre eux se firent bergers, les autres émigrèrent vers les villes, alors en plein essor économique. Le rassemblement d'une main-d'œuvre abondante était la première condition d'établissement d'une fabrique de taille. Contrairement à ce qui se passait alors sur le continent, où des réglementations sévères, corporatistes et légales, encadraient étroitement l'activité industrielle, la Grande-Bretagne était libre de contraintes sur ce plan. La noblesse y était depuis longtemps mêlée aux affaires commerciales, s'associant à la bourgeoisie pour défendre leurs privilèges économiques. Une stricte division administrative interne n'empêchait pas la libre circulation des marchandises, comme c'était le cas par exemple en Prusse. Un réseau routier et flu-

vial harmonieux permit en Grande-Bretagne un développement coordonné des grandes cités. A l'accroissement de la consommation intérieure succéda naturellement une tendance exportatrice, facilitée par la suprématie de la marine britannique sur les mers du globe. L'important capital amassé par un commerce fructueux était prêt à s'investir dans des techniques nouvelles de production. De nouveaux entrepreneurs apparurent, passionnés d'innovations techniques et doués d'un esprit de compétition. La nouvelle éthique économique reçut ses lettres de noblesse par la plume de l'économiste écossais Adam Smith. Son ouvrage sur les sources du bien-être du peuple, publié en 1776, défendait le principe d'une économie livrée au jeu naturel de ses constituants, qui devait seule garantir le bien-être individuel et collectif.

La mécanisation du textile

Compte tenu des nombreuses étapes obligatoires qui conduisent de la laine à l'étoffe, la production de tissus ne pouvait être augmentée avec les techniques de filature utilisées qu'au prix d'une augmentation proportionnelle de la main-d'œuvre. Près de 27 % des ouvriers d'Angleterre et du pays de Galles étant employés en 1750 dans l'industrie textile, seule une élévation de la productivité pouvait permettre une augmentation de la production. Cette nouvelle productivité ne pouvait être fournie que par une innovation technologique. Le premier système de filage mécanique du coton fut présenté en 1764 par James Hargreaves. Sa *spinning-jenny* restait pourtant très proche des techniques artisanales de filage. Le *water-frame* de Richard Arkwright en 1768 et la *mule-jenny* de Samuel Crompton en 1779 ouvrirent définitivement la voie à l'automatisation du filage. Le second domaine de la production textile, le passage du fil à l'étoffe, ne fut touché que plus tardivement par la mécanisation : Edmond Cartwright ne commença qu'en 1785 la construction d'un métier à tisser mécanique. Son emploi ne se généralisa pourtant qu'après 1823, lorsqu'il s'avéra que la machine fournissait un travail de meilleure qualité que l'homme. L'invention des techniques de production d'énergie « à demeure » rendit les industries indépendantes du contexte géographique. Le rythme, la productivité et la précision du travail atteignaient un niveau inégalé. La machine à vapeur, inventée et développée par James Watt dès 1776, abandonna son utilisation première – l'actionnement d'un soufflet dans un haut-fourneau – et fit son entrée dans l'industrie lourde et textile. Il y avait environ 1 000 machines à vapeur en action vers 1800. L'industrie lourde succéda à l'industrie textile dans le train des innovations techniques. Le procédé de puddlage, inventé par Henry Cort en 1784, permit d'améliorer la production sidérurgique grâce à de nouveaux procédés de laminage ; il devint possible de travailler l'acier en quantités importantes, les hauts fourneaux à coke préfigurant les usines métallurgiques contemporaines.

Le rail, moteur du progrès

La modernisation de la production industrielle supposait aussi un accroissement des capacités des réseaux de transport. Le réseau fluvial fut exploité très tôt en Grande-Bretagne : le réseau de canaux passa de 165 à 1 004 km au cours du XVIIIe siècle. En trois ans, entre 1791 et 1794, 42 sociétés de construction de canaux furent créées, représentant un capital de 6,5 millions de livres. Le transport fluvial permettait la livraison de matériaux massifs, charbon et acier. Outre la diminution relative du coût des transports, l'accroissement de leur vitesse constitua pour tous ceux qui en furent témoins le signe inutable de la Révolution industrielle. L'introduction réussie des machines à vapeur dans le domaine industriel fut immédiatement suivie par des recherches visant à en adapter le principe aux moyens de locomotion. Ainsi Richard Trevithick construisait-il dès 1804 une locomotive d'un poids de cinq tonnes qui n'eut pas les honneurs du rail. C'est à George Stephenson, qui s'était familiarisé dans les mines de Newcastle avec la construction des locomotives, que revint en 1829 l'honneur d'inaugurer l'ère du chemin de fer, lorsqu'il lança sa « Rocket ». Le 15 septembre 1830, un trafic régulier de voyageurs était inauguré sur la ligne Liverpool-Manchester. L'exploitation du chemin de fer permit non seulement d'assouplir le transport des marchandises, notamment du charbon et des minerais, mais entraîna de surcroît l'apparition d'un marché considérable pour la sidérurgie : le réseau ferré britannique passa entre 1830 et 1850 de 152 à 10 653 km, la fabrication des rails, locomotives et wagons précédant le réseau. A la même date (1850), le réseau ferré français ne comptait que 3 150 km, le réseau allemand, datant de 1835, 6 044 km

et le réseau américain 14 524 km. L'importance des sommes engagées pour la construction des chemins de fer (en Grande-Bretagne, de 4,3 à 36,8 millions de livres de 1844 à 1847) modifia radicalement la nature et la répartition du capital : les sociétés anonymes apparurent, et, avec elles, ce nouveau type de propriétaire que sont les actionnaires.

En Europe et aux Etats-Unis

Le développement industriel fut plus tardif dans le reste du monde. La Belgique, les Pays-Bas, la France et la Suisse, furent touchés qu'au cours du premier tiers du XIXe siècle, l'Allemagne au milieu du siècle, les autres nations plus tardivement encore. Les raisons qui avaient permis en Grande-Bretagne l'explosion de la Révolution industrielle manquaient en Europe : le mercantilisme en France et la multiplication des petits Etats en Allemagne s'ajoutaient à l'absence d'une couche d'entrepreneurs motivés par la modernisation. L'Allemagne ne parvint à surmonter ses barrières économiques internes qu'après 1815 ; seule l'union douanière réalisée en 1834 permit le plein développement des régions industriellement avancées, la région rhénane surtout. Les Etats-Unis, qui devinrent une grande puissance industrielle à la fin du XIXe siècle aux côtés de l'Angleterre et de l'Allemagne, ne connurent leur démarrage industriel qu'avec l'accroissement important de l'immigration après 1850. Leur principal produit d'exportation demeura longtemps le coton, malgré le développement de l'industrie lourde dans le sillage du chemin de fer après 1830. La découverte du pétrole allait donner naissance à un des autres pôles de la vie économique et du capitalisme naissant.

L'industrialisation en France

L'agriculture demeura en France tout au long du XIXe siècle l'activité économique principale. L'industrie textile, celle du charbon et de l'acier accusaient un retard marqué en regard de leurs concurrentes d'outre-Manche. Ainsi la première fonte au coke, effectuée au Creusot en 1785, avait près de trois quarts de siècle de retard, et l'acier obtenu par « puddlage » ne fut produit qu'en 1815-1816, soit quarante ans après Henry Cort. Ce retard français, déjà important sous l'Ancien Régime, s'accéléra entre 1793 et 1815. L'économie de guerre, l'inflation et l'arrêt des relations technologiques avec la Grande-Bretagne ne facilitèrent pas l'accession de la France à la civilisation industrielle. Aussi ne faut-il pas s'étonner qu'elle se soit engagée dans cette voie seulement à partir de 1820, et encore à pas feutrés. Cette évolution lente provient également d'un choix industriel, qui se porte plus vers les secteurs de consommation que d'ac-

cumulation. Ainsi, à défaut de s'élargir comme en Angleterre et plus tard en Allemagne, la base industrielle française se contenta de s'agrandir. Cette attitude renvoie autant aux projets et aux mentalités des capitalistes et entrepreneurs qu'à l'ensemble des rapports politiques et sociaux régnant dans le pays depuis la fin du XVIIIe siècle. Bien que libérée des entraves féodales, la classe paysanne n'en constitua pas moins un facteur humain très lourd dans l'économie et la politique françaises. Cette économie ne rentra véritablement dans l'ère moderne qu'après la dernière crise économique de l'Ancien Régime, celle de 1847.

Une nouvelle hiérarchie sociale

La Révolution industrielle transforma aussi les hiérarchies sociales. Si elle permit une hausse générale des revenus et, à long terme, la montée presque irréversible du taux de salaire et du pouvoir d'achat, les écarts sociaux se maintinrent et parfois s'aggravèrent à certaines périodes. Ainsi, en France à partir de 1840, les entrepreneurs dépassèrent en richesse les propriétaires terriens. Quand plus des trois quarts des adultes dans les villes n'avaient aucun bien à leurs décès, l'écart moyen entre la fortune d'un ouvrier et celle d'un industriel atteignait le rapport de 1 à 10 000, pour doubler à la fin du Second Empire. Dans les Etats industriels, deux nouveaux types sociaux aux intérêts contradictoires s'ajoutèrent aux classes traditionnelles, noblesse, paysannerie et artisanat : le capitaliste et le salarié. La mécanisation de la production avait entraîné une division et une spécialisation des tâches : le travail de l'homme était soumis au rythme de la machine. La stricte délimitation des tâches entraîna une diminution globale de la qualification professionnelle et permit d'employer aux fabriques femmes et enfants. La durée extrême du temps de travail, les mauvaises conditions d'hygiène régnant sur les lieux de production et l'insalubrité de l'habitat ouvrier étaient responsables d'une surmortalité notable de la population ouvrière. Le travail des femmes et des enfants ne fut limité en Grande-Bretagne par des lois sociales qu'en 1833, en Prusse après 1839, en France en 1841. Les conditions insupportables de vie des ouvriers les avaient déjà poussés à l'action, tout d'abord dirigée contre les machines, considérées comme responsables de leurs maux. C'est ainsi que naquit la « question sociale », une question qui dominera tout le siècle. Sur ce point aussi, l'Angleterre est bien évidemment en avance puisque, dès la fin du XIXe siècle, des mouvements ouvriers s'organisèrent lors de révoltes impressionnantes ou dans de petites salles d'auberge pour fonder sociétés politiques et plus tard des syndicats de métier. Le continent lui emboîtera le pas quelques années plus tard.

1788

Angleterre, 1er janvier
Le quotidien *Daily Universal Register* prend le nom de *Times*. →

France, janvier
La France rappelle tous ses ressortissants mis au service de l'Empire ottoman à la suite des protestations émises par Catherine II de Russie.

Australie, 26 janvier
L'escadre du capitaine anglais Arthur Philipp fonde une colonie pénitentiaire à Sydney Cove en Nouvelle-Galles du Sud. →

France, 7 juin
L'agitation parlementaire gagne la province où elle se transforme en mouvement populaire. A Grenoble, une émeute oppose des manifestants favorables aux parlementaires de l'Assemblée provinciale du Dauphiné, menée par Antoine Barnave et Jean-Joseph Mounier, aux troupes royales. Les émeutiers prennent d'assaut l'hôtel du gouverneur et imposent à ce dernier, le duc de Clermont-Tonnerre, le rétablissement du Parlement : c'est la journée des Tuiles. Des événements semblables, mais de moindre ampleur, se déroulent en Bretagne.

Etats-Unis, 21 juin
La Constitution américaine entre en vigueur, ratifiée par neuf Etats. Le 25 juin, la Virginie se prononce en faveur de la nouvelle Constitution. Elle sera suivie le 25 juillet par l'Etat de New York, puis par la Caroline du Nord. Seul le Rhode Island reste provisoirement à l'écart.

Suède, 21 juin
Le roi Gustave III attaque sans déclaration de guerre la Russie qui se trouve au même moment en conflit avec les Ottomans.

Vizille, 21 juillet
Les états du Dauphiné, réunis au château de Vizille, réclament la convocation des Etats généraux.

Versailles, 8 août
Louis XVI annonce la convocation des Etats généraux. →

Berlin, 13 août
Les Pays-Bas, la Prusse et l'Angleterre signent un traité d'alliance confirmé le 15 septembre à La Haye.

France, 25 août
Loménie de Brienne démis-sionne ; il est remplacé le lendemain par Jacques Necker.

Pologne, 6 octobre
Le pays connaît une nouvelle révolution politique. La Diète commence une session et décide de siéger quatre ans. Le lendemain, elle se transforme en confédération présidée par Stanislaw Malachowski. Sollicitée par la Prusse pour contracter une alliance concurrente de l'alliance russe, la Diète décide de créer une armée de 100 000 hommes et de ne s'allier ni à la Russie ni à la Prusse.

France, 6 novembre
Une seconde Assemblée des notables est chargée de voter les réformes proposées par Necker. Elle se sépare le 12 décembre.

Espagne, 14 décembre
Mort du roi Charles III (né en 1716 à Madrid). Son second fils, Charles, lui succède tout en laissant la direction des Affaires à sa femme, Marie-Louise de Parme.

France, 26 décembre
Le rapport de Necker sur la convocation des Etats généraux comporte le doublement de la délégation du tiers état. →

Prusse
Un « édit de religion » abroge toutes les libertés de culte concédées jusque-là.

Empire ottoman
Ali de Teleben, un noble albanais, s'empare de la ville de Yanina et se proclame pacha de l'ensemble du pays albanais.

Turin
Iphigénie an Aulide, mélodrame musical de Luigi Cherubini.

Paris
David exécute le *Portrait de Lavoisier et de sa femme*.

L'érudit Jean-Jacques Barthélemy publie le *Voyage du jeune Anacharsis en Grèce vers le milieu du IVe siècle avant l'ère vulgaire*. →

Danemark
Le comte Bernstorff libère les serfs du royaume.

Riga
Le philosophe Emmanuel Kant publie la *Critique de la raison pratique*. →

Angleterre
Le philosophe Jeremy Bentham fait paraître son *Introduction aux principes de la morale et de la législation* (→ 1792).

Louis XVI convoque les Etats généraux

Versailles, 8 août 1788
L'épreuve de force entre les parlements et le roi prend une ampleur jamais atteinte. Le roi vient de décider de convoquer les Etats généraux, une institution qui n'avait pas été réunie depuis près de deux siècles. La dernière convocation remonte à 1614, lors de la minorité de Louis XIII. Ce recours est une vieille revendication des parlements. Ceux-ci affirment qu'une réforme fondamentale de l'imposition ne saurait qu'être approuvée par les Etats généraux. Certains, comme La Fayette, évoquent déjà une Assemblée nationale. Cette revendication renforça l'autorité des parlements qui voyaient là une occasion de souder à la fois ceux qui espéraient des réformes et ceux qui espéraient ne rien perdre de leurs privilèges fiscaux. L'agitation sortit même des cours parlementaires pour gagner le pays tout entier. La lutte entre les parlements et le roi s'intensifia et la rue de son côté commença à gronder. En 1787, Calonne a été remplacé par Loménie de Brienne, un prélat mondain et philosophe qui reprend les projets de son prédécesseur et se heurte une nouvelle fois aux parlements et à la seconde Assemblée des notables. Le parlement est une fois encore exilé, à Troyes, mais le roi subit une défaite en le voyant revenir triomphalement accueilli à Paris quelques mois plus tard. Dans ces conditions, gouverner devient impossible. Pourtant, cette situation dure plus d'un an, les enregistrements forcés des nouveaux édits se succédant les uns aux autres. Louis XVI se doit de prendre une mesure énergique. Il le fait en faisant rédiger par Lamoignon une série d'ordonnances dirigées contre le parlement qui n'est plus chargé d'enregistrer les édits, tandis que ses pouvoirs judiciaires sont réduits au profit de quarante-cinq bailliages. Le parlement répond immédiatement en publiant les *Lois fondamentales du royaume*, texte dans lequel il réclame la tenue des Etats généraux. Louis XVI, devant cette leçon de droit, casse l'arrêt du parlement, le met en vacances et impose les ordonnances de Lamoignon. Les parlementaires libérés de leurs obligations entretiennent l'agitation en Bretagne, en Dauphiné et en Béarn. La noblesse se joint à eux. Des nobles bretons reçus en audience parlent si durement au roi qu'ils sont conduits à la Bastille. L'émeute gronde à Grenoble, Rennes, Toulouse et Lille quand le peuple rejoint les nobles et les parlementaires. Il n'est que temps de convoquer les Etats généraux pour le mois de mai 1789.

« La Boussole » et « L'Astrolabe », les deux bateaux de l'expédition du comte de La Pérouse. Gravure. Service historique de la Marine, Vincennes.

Naufrage corps et biens de l'expédition La Pérouse

Nouvelles-Hébrides, 1788
En janvier 1788, le capitaine anglais Arthur Philipp rencontre l'escadre du comte de La Pérouse (né en 1741). Il sera le dernier à voir les deux bateaux français, *La Boussole* et *L'Astrolabe*, aménagés spécialement pour cette expédition scientifique et commerciale partie de Brest le 1er août 1785. La Pérouse est pourtant parti sous les meilleurs auspices. Louis XVI en personne a suivi l'organisation de cette mission qui a pour but d'ouvrir la Chine et le Japon au commerce des peaux. Elle sillonne d'abord le Pacifique Nord, des côtes américaines à la Chine. Elle longe ensuite le Japon et la Sibérie pour débarquer J.-B. de Lesseps, chargé de constituer un rapport à l'intention du roi. Puis La Pérouse met le cap vers le sud : aux îles Samoa, son adjoint Fleuriot de Langle est tué par des indigènes en décembre 1787 ; courant 1788, les bateaux disparaissent. De nombreuses missions sont organisées pour les retrouver, mais en vain. En 1827 seulement, l'Anglais Dillon retrouvera des épaves au large de l'île de Vanikoro.

Le premier numéro du "Times" est paru

Londres, 1ᵉʳ janvier 1788
John Walter transforme le titre de son quotidien fondé en 1785, le *Daily Universal Register,* qui devient, le 1ᵉʳ janvier 1788, le *Times.* Dans son premier numéro, le directeur affirme que « le *Times* a deux faces comme Janus : avec l'une il sourira constamment aux amis de la vieille Angleterre, avec l'autre, il froncera toujours le sourcil contre ses ennemis ». Une profession de foi qui ne signifie pas pour autant servilité envers le pouvoir, puisque John Walter restera seize mois en prison pour avoir tenu des propos désobligeants envers la famille royale. Imprimé sur une feuille unique, le journal dispose déjà de correspondants à l'étranger et obtient un succès auprès des élites cultivées en reproduisant intégralement les débats du Parlement.

En-tête du premier numéro du « Times », le 1ᵉʳ janvier 1788.

Edition posthume des "Confessions" de J.-J. Rousseau

Genève, 1788-1789
Les éditeurs Barde et Minget viennent de publier le récit autobiographique de Jean-Jacques Rousseau intitulé *Les Confessions* que celui-ci n'avait pas voulu éditer de son vivant. Mais, dès 1782, des fragments sont parus à Paris et à Genève. Jean-Jacques l'avait entrepris quelques années avant sa mort afin d'expliquer

J.-J. Rousseau.

sa conduite et sa personnalité. L'auteur cherche à comprendre ce qui lui est arrivé après les années de gloire où il publia *Le Contrat social* et l'*Emile.* Jusqu'alors choyé par la société parisienne, le voilà en butte aux sarcasmes de ses confrères et à la persécution des pouvoirs. Chassé de Genève, puis de Neuchâtel, contraint un temps de s'exiler en Angleterre, Rousseau, se croit la cible d'un complot permanent. D'où cette volonté de se mettre à nu et de rechercher une vérité intime. En retraçant sa vie depuis l'enfance, il nous livre un autoportrait psychologique, qui garde un nouveau genre littéraire.

Le jeune Anacharsis guide ses lecteurs au pays des anciens Grecs

Paris, 1788
Malgré la tension politique que connaît la capitale, le public cultivé s'enflamme pour un ouvrage qui le transporte dans l'atmosphère excitante de la Grèce ancienne. Ce *Voyage du jeune Anacharsis en Grèce vers le milieu du IVᵉ siècle avant l'ère vulgaire* raconte la vie quotidienne des Grecs, vue par un jeune Scythe qui parcourt la péninsule pour converser avec Xénophon, Aristote ou Démosthène. Doué d'un style alerte et animé, son auteur, Jean-Jacques Barthélemy, né à Cassis en 1716, nous guide à travers les institutions et les mœurs avec science et précision. Abbé de son état, c'est un excellent orientaliste. Après un séjour de trois ans à Rome, où il tenta de sauver les collections précieuses de papyrus d'Herculanum, il s'occupa du cabinet des Médailles jusqu'en 1789. En 1793, après un séjour en prison, il fut rappelé et nommé bibliothécaire à la Bibliothèque nationale.

Platon et ses disciples au cap Sunion. Illustration pour « Le voyage du jeune Anacharsis en Grèce », de l'abbé Barthélemy.

Avec Gibbon, l'histoire romaine sort des limbes

Londres, 1788
Le dernier volume de l'*Histoire du déclin et de la chute de l'Empire romain* d'Edward Gibbon vient de paraître. La publication de ce vaste ouvrage, commencée en 1776, connut un succès immédiat. L'auteur (né en 1737), a déjà publié en français un *Essai sur l'étude de la littérature.* Il a voyagé, à Paris (où il a rencontré d'Alembert, Diderot et Buffon) et en Italie : c'est à Rome, le 15 octobre 1764, dans une église franciscaine située près des ruines du Capitole, qu'il conçoit le projet de son grand œuvre. Il y travaille à son retour en Angleterre, puis en Suisse, où il s'installe. L'ouvrage est divisé en deux parties : la première traite de la fin de l'empire de Rome de 180 à 641, la seconde narre l'histoire de Byzance jusqu'à sa chute en 1453. Comme Montesquieu, Gibbon voit dans le développement du christianisme la cause majeure de l'effondrement du monde antique. « J'ai décrit, écrit-il en guise de conclusion, le triomphe de la barbarie et de la religion. » Mais, à la différence de son prédécesseur, il critique l'utilisation des explications abstraites. L'étude de l'histoire démontre, selon lui, la complexité des affaires humaines, l'entremêlement des causes particulières. S'opposant à un rationalisme exclusif, Gibbon maintient la part irréductible de la contingence.

Kant critique la "Raison pratique"

Riga, 1788
Emmanuel Kant, le philosophe très apprécié de la *Critique de la raison pure* (1781), publie une importante *Critique de la raison pratique,* amorcée trois ans auparavant avec les *Fondements de la métaphysique des mœurs.* Poursuivant la réflexion de cet ouvrage sur les principes rationnels et universels de nos actions morales, Kant présente aujourd'hui une conception originale du bien et de la liberté. Ceux-ci découlent de la « loi morale » dans laquelle la raison pure, indépendante des impulsions de la nature sensible, est seule capable de déterminer nos actions, de les ériger en « lois » valables pour tout être rationnel, différentes en ce sens des « maximes » reconnues valables par la volonté du sujet. Seule une volonté guidée par la « forme » de la loi -et donc indépendante d'objets particuliers tel le bonheur personnel, tributaire de la nature empirique du sujet -est véritablement libre. Le respect de la loi constitue, pour l'auteur, la moralité elle-même. Cependant, le lien entre l'exercice de la raison pure et le vécu sensible du sujet demeure un point difficile de la pensée de Kant. Le philosophe publiera encore la *Critique du jugement* (1790) et divers ouvrages touchant à la politique, la morale et la philosophie de la religion, avant de mourir à Königsberg, le 12 février 1804.

Des forçats vont peupler l'Australie

Sydney Cove, 26 janvier 1788
Une flotte de onze vaisseaux dont six de transport, dirigée par le capitaine anglais Arthur Philipp, débarque à Botany Bay le 20 janvier. Mais l'endroit est hostile et la flotte remonte vers le nord pour trouver une terre plus apte à remplir la mission confiée au capitaine Philipp. Le 18 août 1786, le secrétaire d'Etat aux Affaires intérieures, Lord Townshend, l'a chargé d'installer en Australie une colonie pénitentiaire pour 730 condamnés (570 hommes et 160 femmes). L'Angleterre ne dispose plus des colonies américaines, devenues indépendantes, pour y transporter ses criminels. C'est de plus un moyen pour elle d'occuper les régions australes, que lui disputent les Français.

Arthur Philipp, gouverneur de Sydney (Australie). Peinture de Wheatley.

La représentation du Tiers sera doublée aux Etats généraux

Versailles, 26 décembre 1788
Dès que la convocation des Etats généraux est connue, la question de leur composition s'impose. Doit-on conserver les règles traditionnelles en vigueur depuis 1614, à savoir le vote par ordre ? L'assemblée représente les trois ordres : la noblesse, le clergé et le tiers état (la bourgeoisie). Déjà, les motions adoptées par les états provinciaux du Dauphiné, réunis à Vizille en juillet, avaient montré que les opposants les plus radicaux réclamaient l'abandon du vote par ordre au profit du vote par tête. Mais les parlementaires les plus attachés à leurs prérogatives et les nobles préfèrent en rester aux vieilles règles et font pression sur Necker pour qu'il maintienne sa décision de procéder comme en 1614. Pris entre deux feux, Necker souscrit partiellement aux vœux du Tiers en doublant sa représentation mais en laissant aux Etats généraux eux-mêmes le choix du mode de scrutin.

1789

Pologne, 19 janvier
La Diète supprime le Conseil permanent et prend en charge tous les pouvoirs.

France, 24 janvier
Les convocations aux Etats généraux sont envoyées ainsi que le mode d'élection selon les provinces.

Provence, 25 janvier
Session des Etats de Provence, dont le principe avait été adopté un an plus tôt à Lambesc. A cette occasion, Mirabeau présente une *Adresse à la nation provençale* et dénie aux nobles une représentativité exclusive.

Bretagne, 26-27 janvier
A Rennes, des bagarres opposent des nobles à de jeunes roturiers à la fin de la session des Etats de Bretagne qui a vu la noblesse refuser en bloc le programme de réformes présenté par le Tiers. Les nobles refusent de désigner leurs représentants aux Etats généraux, laissant le Tiers et le bas clergé représenter la province. Le mois de février est marqué par de nombreux mouvements et émeutes.

Suède, 20 février
Le roi Gustave III impose au Riksdag la loi d'Union et de Sécurité.

Dauphiné, 15 mars
La municipalité de Saint-Marcellin convoque le « Vizille des démocrates » pour protester contre une décision des Etats du Dauphiné, prise le 9 janvier, d'indemniser les possesseurs de biens nobles en cas de suppression des privilèges.

Aix-en-Provence, 25 mars
Emeute due à la disette lors des réunions électorales aux Etats généraux.

France, mars
Elections primaires et tenue des Cahiers de doléances. →

Pologne, mars
La Diète adopte un impôt égal de 10 % sur les revenus des biens fonciers et de 20 % sur les biens ecclésiastiques.

Istanbul, 7 avril
Avènement du sultan Sélim III qui succède à son oncle Abdûl-Hamid Ier.

Paris, 27 avril
Une émeute dirigée contre les accapareurs de denrées alimentaires aboutit au pillage de la grande fabrique de papiers peints Reveillon.

Pacifique, 28 avril
Mutinerie à bord du *Bounty*. →

Etats-Unis d'Amérique, 30 avril
Election de George Washington à la présidence. →

Versailles, 2 mai
Présentation à Louis XVI des élus aux Etats généraux. →

Versailles, 5 mai
Ouverture des Etats généraux. →

Brésil, 10 mai
Arrestation de José Joaquim Da Silva, chef de la conjuration du Minas Geraes. →

Versailles, 10 mai
Le tiers état invite les deux autres ordres à vérifier ensemble les mandats.

Meudon, 14 mai
Le dauphin Louis, fils de Louis XVI, meurt.

Ukraine, printemps
Des troubles se succèdent dans la paysannerie dont les nobles polonais attribuent la responsabilité à des agents russes infiltrés.

Prusse, mai
Le ministre des Affaires étrangères prussien Herzberg élabore un plan pour contrer l'influence russe en Pologne.

Autriche, mai-juin
Les Etats de Styrie et de Carniole se révoltent contre Joseph II.

Versailles, 12 juin
Le tiers état procède seul à la vérification des pouvoirs des délégués de tous les ordres.

Versailles, 13 juin
Trois curés originaires du Poitou répondent à l'appel du tiers état. Dans les jours suivants, ils sont rejoints par seize autres curés.

Versailles, 17 juin
L'appel terminé, les députés du Tiers s'érigent en Assemblée nationale par 490 voix contre 90. →

Versailles, 19 juin
Le clergé, par 149 voix contre 139, décide de se joindre au tiers état.

Versailles, 20 juin
Serment du Jeu de paume. →

Versailles, 22 juin
Le clergé se joint au Tiers ainsi que les deux premiers nobles, le marquis de Blacons et le comte d'Agout.

George Washington, premier président des Etats-Unis, prête serment sur la Bible au balcon du Federal Hall de New York. 1789

George Washington, premier président des Etats-Unis

Philadelphie, 30 avril 1789
En application de la Constitution, le Congrès des Etats-Unis a élu à l'unanimité George Washington à la présidence de la République. Ce choix s'imposait, l'homme de l'indépendance n'ayant qu'un seul rival à sa taille, Thomas Jefferson. Né en 1732 en Virginie, originaire d'une riche famille de propriétaires fonciers de Mount Vernon, il commanda la milice de son Etat avant de participer aux guerres de frontières (1755-1759) qui opposaient les colons anglais aux Français et aux Indiens. En 1775, nommé commandant en chef des Insurgés, il fait montre de ses talents d'organisateur plus que de ceux de stratège militaire. L'indépendance acquise, il ne cesse de prôner une organisation confédérale pour concrétiser l'idée de nation américaine. C'est grâce à lui que la Virginie provoque la réunion de la Convention qui adopte la Constitution en 1787. Homme de dialogue, il choisit pour occuper le poste de vice-président un des adversaires de la Constitution, le fédéraliste John Adams. Washington constitue de toutes pièces le nouvel exécutif fédéral : ses finances, sa politique extérieure, sa force armée et sa justice. Il obtient du Congrès que les secrétaires des différents départements ne soient responsables que devant lui. Il sera reconduit dans ses fonctions en 1793 et mourra en 1797.

Au Brésil, un "dentiste" conduit la révolte pour l'indépendance

Minas Geraes, 10 mai 1789
Le vice-roi du Brésil vient de faire arrêter les membres d'un vaste complot qui projetait de proclamer l'indépendance. Dirigé par le sous-lieutenant de dragon José Joaquim Da Silva, surnommé « Tiradentes » à cause de ses connaissances en chirurgie dentaire, ce complot regroupe les classes moyennes du Minas Geraes qui a connu une grande prospérité au milieu du siècle grâce aux mines d'or. Mais, depuis quelques années, la production baisse, les veines les plus facilement exploitables s'épuisant. Alors qu'il faudrait investir, le gouvernement portugais préfère attribuer cette baisse à la fraude. Aussi décide-t-il pour la combattre de créer un nouvel impôt, la dirrama. Un gouverneur nommé en 1788 est chargé de le percevoir. Les conjurés, des prêtres, des officiers, des propriétaires terriens couverts de dettes, s'organisent pour prendre le pouvoir quand, en février

Une fabrique de sucre dans une plantation au Brésil. Peinture de Frans Post. XVIIe siècle.

1789, l'administration renonce à l'impôt. Un des conjurés ayant trahi ses compagnons, Tiradentes sera exécuté après un long procès, les autres étant condamnés à de longues peines de prison et déportés au Portugal ou en Afrique comme les poètes Gonzaga (1744-1810), et Alvarenga Peixoto (1748-1793).

Avec les Cahiers de doléances les Français prennent la parole

France, mars 1789

Conformément aux règles de convocation des Etats généraux, les Français sont appelés à établir des Cahiers de doléances dans lesquels ils peuvent exposer leurs revendications et leurs espoirs. Au niveau de la paroisse, seuls les hommes âgés de plus de vingt-cinq ans et payant des impôts sont habilités à participer à la réunion de rédaction qui se tient dans les locaux de l'assemblée paroissiale. Ces réunions sont en général présidées par un notaire. Le plus souvent, ces Cahiers prennent la forme d'un catalogue en plusieurs points qui touchent essentiellement aux questions fiscales, auxquelles s'ajoutent des revendications d'ordre local. En même temps, l'assemblée paroissiale désigne des délégués à l'Assemblée de bailliage ou de sénéchaussée qui synthétisera les Cahiers de toutes les paroisses. Dans les villes, les modalités sont plus complexes, la corporation pouvant aussi constituer l'organe de base. Que disent les Français ? Tout d'abord qu'ils se sentent appartenir à une région plus qu'à une nation ; ils sont en quelque sorte fédéralistes, très attachés à la personne royale, hostiles à l'arbitraire de l'administration, aux droits féodaux, aux impôts sur la consommation et favorables à une constitution. Le tiers état dénonce le pouvoir de la noblesse et le bas clergé son luxe. Le Tiers reproche au clergé son exemption d'impôt et son improductivité. De son côté, le clergé se plaint de la crise morale et religieuse que connaît la société.

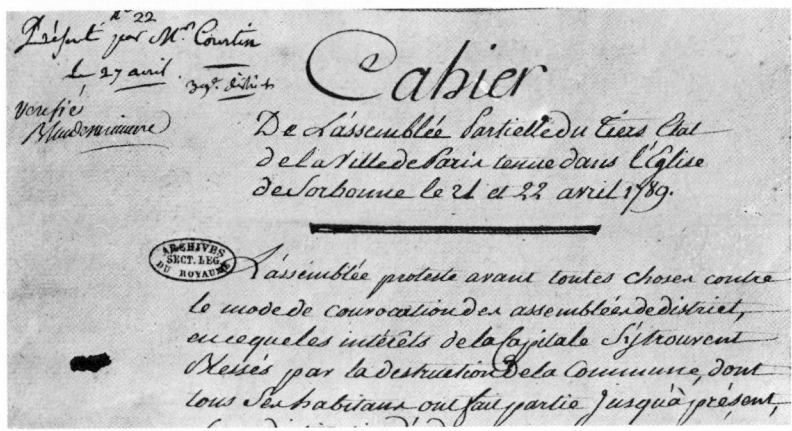

Entête du « Cahier de l'Assemblée partielle du tiers état de la ville de Paris, tenue dans l'église de la Sorbonne, les 21 et 22 avril 1789 ».

Quels délégués siégeront aux Etats généraux ?

Paris, mars 1789

Le 8 août 1788, Louis XVI a promis la convocation des Etats généraux pour le 1er mai 1789. Le 21 septembre 1788, le Parlement de Paris a pris un arrêt au terme duquel les Etats généraux seront convoqués selon les modalités de 1614 ; le 27 décembre, le roi a doublé la représentation du Tiers, malgré les protestations de la noblesse. La question du vote par ordre ou par tête demeure en suspens. Le règlement électoral portant sur la désignation des membres des Etats généraux est fixé le 21 janvier 1789. Cette fois, toutes les villes et l'ensemble des campagnes sont appelés à élire leurs délégués. Plusieurs millions de Français peuvent ainsi prendre la parole (chefs de famille et citoyens soumis à l'impôt). Le bailliage et la sénéchaussée forment la circonscription électorale. Ceux qui appartiennent aux ordres privilégiés élisent leurs représentants au scrutin secret. Pour le tiers état, le système est plus complexe. Les communautés rurales réunies en assemblées de paroisse désignent deux représentants pour cent membres ; ces délégués forment l'assemblée électorale de la ville. 1165 députés sont désignés lors des assemblées de mars : 578 pour le Tiers, 291 pour le clergé et 270 pour la noblesse. Aucun artisan ni paysan dans la députation du Tiers qui est formée pour moitié d'avocats et de gens de robe, pour une centaine d'industriels et de commerçants. Pour le clergé, les curés forment la majorité des députés contre seulement quarante-six évêques et archevêques.

A Versailles, ouverture des Etats généraux

Versailles, 5 mai 1789

L'ouverture, fixée au 27 avril par suite de dissensions dans l'entourage royal, a été reportée au 5 mai. Dès le 2 mai, les députés ont été présentés à Louis XVI, chaque ordre séparément et selon un cérémonial différent mis au point par de Dreux-Brézé. Un costume particulier a été assigné à chaque ordre, brillant et coloré pour les nobles, austère et sombre pour les roturiers. Le 4, la procession du Saint-Esprit se fait selon le même rituel. L'hôtel des Menus-Plaisirs a été aménagé pour les réunions du clergé et de la noblesse, le Tiers disposant d'une autre salle, rue des Chantiers. Enfin, le 5 mai, le roi préside à l'ouverture solennelle des Etats généraux, en présence de plusieurs centaines de spectateurs. Son trône fait face aux banquettes des députés du Tiers, tandis que la noblesse et le clergé sont assis respectivement à sa gauche et à sa droite. Très attendu, le roi prend la parole, mais trop brièvement. A la surprise des députés, il ne fait mention d'aucun programme politique et ne précise pas davantage les modalités des votes, questions que tous se posent. Le discours de Necker n'apporte pas plus d'éclaircissement, et les députés du Tiers se retirent déçus.

Portrait de l'abbé Sieyès. Gravure révolutionnaire par Vérité.

L'Abbé Sieyès (1748-1836)

L'abbé Sieyès, né à Fréjus en 1748, est l'homme du jour. Son pamphlet, paru à la veille des élections aux Etats généraux, connaît un succès immense. Déjà connu pour un *Essai sur les privilèges*, Sieyès est un membre en vue du parti patriote qui se réunit chez La Fayette. Il présente, en formules lapidaires, les idées partagées par tous les adversaires de l'aristocratie. « Qu'est-ce que le tiers état ? Tout. » En effet, l'ensemble des fonctions réellement productives est occupé par le Tiers qui constitue à lui seul une nation complète. « Qu'a-t-il été jusqu'à présent dans l'ordre politique ? Rien. » Car on n'est rien en France quand on ne possède pas quelque privilège ! « Que demande-t-il ? A y devenir quelque chose. » Et Sieyès de reprendre trois revendications du Tiers : avoir de vrais représentants aux Etats généraux, un nombre de députés au moins égal à celui des deux autres ordres et le vote par tête.

Ouverture des Etats généraux à Versailles le 5 mai 1789. Peinture d'Auguste Couder. 1839.

1789

Versailles, 23 juin
En séance de lit de justice, le roi fait savoir au Tiers qu'il casse ses arrêtés. Mirabeau, au nom du Tiers, refuse de se soumettre. →

Versailles, 25 juin
Quarante-sept nobles, à la suite du duc d'Orléans, se rendent à la réunion du Tiers.

Paris, 29 juin
Les quatre cents électeurs de Paris mettent sur pied une garde bourgeoise.

Paris, 30 juin
Une manifestation populaire délivre une dizaine de Gardes-françaises détenus à l'Abbaye.

Versailles, 8 juillet
Mirabeau fait voter à l'Assemblée une motion demandant au roi de faire lever le siège de Paris.

Versailles, 9 juillet
L'Assemblée se déclare Assemblée constituante.

Versailles, 11 juillet
Louis XVI renvoie le baron Necker.

Paris, 12 juillet
Scènes d'émeute et début de l'insurrection.

Paris, 13 juillet
Tandis que la population s'arme, un Comité permanent prend en charge l'administration de la ville.

Paris, 14 juillet
Prise de la Bastille. →

Versailles, 15 juillet
Louis XVI se rend devant la Constituante et décide de renvoyer ses troupes.

Bailly est élu maire de Paris et La Fayette commandant de la Garde nationale.

Versailles, 16 juillet
Louis XVI rappelle Necker.

Paris, 17 juillet
Louis XVI se rend à l'Hôtel de Ville et reçoit la nouvelle cocarde tricolore.

Normandie, 17 juillet
Début de l'insurrection du bocage. Les paysans pillent les châteaux et brûlent les titres de propriété des seigneurs. La révolte dure jusqu'à la fin du mois de juillet.

Versailles, 18 juillet
Le comte d'Artois, frère du roi,

partisan de la manière forte, prend le chemin de l'exil.

Ile-de-France, 20 juillet
Des émeutes paysannes secouent les campagnes, inaugurant le mouvement de la Grande Peur. →

Paris, 22 juillet
Le peintre Louis David présente les *Licteurs portant à Brutus le corps de ses fils* au Salon.

Massacre de Foulon et de Bertier, intendants de Paris.

Bourgogne, 29 juillet
Deux bandes de paysans révoltés sont battues près de Cluny et du château de Cormartin.

Dauphiné, juillet
La Grande Peur gagne toute la région autour de Bourgoin et de La Tour-du-Pin : violences, pillages de châteaux, destruction de garennes.

France, fin juillet
Un peu partout en province se constituent des municipalités et des gardes bourgeoises.

Versailles, 4 août
Louis XVI nomme à son ministère trois partisans de La Fayette : les archevêques de Bordeaux et de Vienne et le comte de Saint-Priest.

Dans la nuit, l'Assemblée constituante abolit les privilèges et les droits féodaux. →

Versailles, 11 août
La Constituante adopte des lois complémentaires prévoyant le rachat des droits féodaux et l'indemnisation des privilégiés.

Liège, 18 août
Les démocrates liégeois se soulèvent contre le prince-évêque César Constantin de Hoensbrœck qui sera rétabli dans ses prérogatives par les troupes autrichiennes. →

Versailles, 23 août
Par décret, l'Assemblée constituante reconnaît la liberté religieuse et refuse au catholicisme le titre de religion d'Etat.

Versailles, 24 août
L'Assemblée constituante abroge toutes les lois contraignantes pour la liberté de la presse.

Versailles, 26 août
L'Assemblée adopte la Déclaration des droits de l'homme et du citoyen. →

Le capitaine William Bligh et dix-huit marins expulsés du « Bounty » par les mutins, le 28 avril 1789.

Les marins anglais du "Bounty" se mutinent

Océan Pacifique, 28 avril 1789
Le *Bounty* et son équipage de quarante-quatre hommes, dont un botaniste et un jardinier, sont partis d'Angleterre le 23 décembre 1787. Son capitaine, William Bligh, est chargé de transporter de Tahiti aux Caraïbes les arbres à pain découverts en compagnie de Cook, dont les Anglais pensent qu'ils pourraient servir de nourriture aux esclaves. William Bligh, homme autoritaire, fait régner une discipline de fer. Après un séjour à Tahiti, une partie de l'équipage, dirigée par le quartier-maître Christian Fletcher, se mutine, s'empare du navire et décide d'abandonner dans une barque Bligh et dix-huit marins. Ceux-ci réussiront à atteindre les Indes occidentales après un périple de 4 000 miles. Quant aux mutins, certains reviennent à Tahiti où ils seront finalement retrouvés, jugés et pendus ; la plupart se réfugient sur l'île de Pitcairn où ils fondent une colonie qui ne sera découverte qu'en 1808. De son côté, Bligh finira amiral malgré une carrière émaillée de mutineries.

Coup d'éclat : le tiers état se proclame Assemblée nationale

Versailles, 17 juin 1789
Le 17 juin, la motion de Legrand, un représentant du Berry, reprise et soutenue par Sieyès, est adoptée par les députés du Tiers et les quelques membres du clergé qui se sont joints à eux, par 490 voix contre 90. Dans une déclaration sur la constitution de l'Assemblée, les Communes prennent le titre d'Assemblée nationale. Aussitôt après, un décret qui assure la perception des impôts et le règlement de la dette publique est voté. Déçus par l'attitude du roi au soir de l'ouverture des Etats généraux, les représentants du Tiers ont refusé de se constituer en chambre particulière et de reconnaître la traditionnelle division des états en ordres séparés. Le 6 mai, ils adoptent le titre de députés des Communes, suivant l'exemple britannique. Ils invitent les deux autres ordres à se joindre à eux pour procéder à la vérification des pouvoirs. En vain. La noblesse rejette le vote par titre par 141 voix contre 47 et commence séparément la vérification des pouvoirs des députés ; le 11 mai, elle se déclare constituée. L'attitude du clergé est plus conciliante. 133 de ses députés contre 114 se refusent à toute concession. Des semaines s'écoulent en pourparlers inutiles entre les trois ordres qui continuent à siéger séparément. On nomme une mission de conciliation pour trouver un terrain d'entente, qui échoue peu après. Le 4 juin, Necker formule un projet d'accord : chaque ordre, après avoir vérifié les pouvoirs de ses membres, communiquera les résultats aux autres et examinera leurs objections. Au cas où l'entente ne se réaliserait pas, le roi trancherait. Mais la noblesse refuse l'arbitrage du roi. Le Tiers reste ferme. Le 6 juin, les Communes renouvellent l'appel déjà lancé en direction du clergé, lui demandant de se joindre à elles. Le 10 juin, à la demande de Sieyès, elles tentent une dernière démarche, les Etats généraux ne pouvant plus rester dans l'expectative sans trahir les intérêts de la nation. Les députés de la noblesse et du clergé sont contraints de se réunir aux Communes pour procéder à la vérification des pouvoirs, l'appel de tous les bailliages se faisant le jour même. C'est à nouveau l'échec, les trois ordres restant sur leur position. Seuls quelques députés du clergé se soumettent entre le 13 et le 16 juin. Le 15, Sieyès déclare que les députés du Tiers, représentant les quatre-vingt-seize centièmes de la nation, peuvent bien commencer seuls l'œuvre de restauration en l'absence des ordres privilégiés.

Les députés du tiers état prêtent serment au Jeu de paume

Versailles, 20 juin 1789

Le 19 juin, Louis XVI, poussé par la noblesse qui a identifié la défense de ses intérêts à celle de la Couronne, a décidé, sous l'influence des princes du sang, de casser les décisions prises par les députés du tiers état. Il projette à cet effet une réunion plénière des états qui prendrait la forme solennelle d'un lit de justice au cours duquel il dicterait ses volontés. En attendant, et pour rendre impossible l'alliance annoncée le même jour des députés du clergé avec ceux du Tiers, il ordonne que l'on ferme la salle de réunion des états sous le prétexte d'aménagements intérieurs. Le lendemain matin, les députés qui n'ont pas été prévenus trouvent les portes de la salle des Menus-Plaisirs closes et gardées par des hommes armés. Ils décident alors, à la suggestion du député Guillotin, de se réunir dans la salle du Jeu de paume, qui servait aux divertissements des courtisans. Là, sous la présidence de Bailly, le député du Dauphiné, Mounier propose que tous les députés fassent « le serment solennel de ne jamais se séparer et de se rassembler partout où les circonstances l'exigeront, jusqu'à ce que la Constitution du royaume soit établie et affermie sur des fondements solides ». L'assemblée enthousiaste adopte cette proposition à l'exception du représentant de Carcassonne, Martin Dauch.

Le marquis Honoré Gabriel de Mirabeau. Elu du tiers état de Provence.

Mirabeau (1749-1791)

Mirabeau, rejeton d'une vieille et riche famille noble d'Aix-en-Provence, n'est pas l'élu de son ordre mais celui du tiers état de Provence. Ce « déclassement » sanctionne une vie riche en aventures et ponctuée de scandales amoureux et financiers. Laid, voire monstrueux, Gabriel Riqueti, marquis de Mirabeau, est né en 1749. Ambitieux, il accumule les lettres de cachet qui lui valent de passer plusieurs années en prison où il écrit de nombreux essais dont un sur le despotisme, dans la lignée de Rousseau. Journaliste financier à la veille de 1789, il se lance dans la politique avec fougue et, à partir de son éclat du 23 juin, s'affirme comme le tribun du parti patriote. Mais cette place ne lui suffit pas : il veut gouverner. A la fin de l'année, il devient le conseiller secret du roi. La cour éponge ses dettes en mai 1790, sans toutefois suivre ses conseils de mettre un terme à la Révolution sans revenir sur les privilèges. Il mourra prématurément le 2 avril 1791.

Serment des députés du tiers état dans la salle du jeu de Paume. Exécutée par un collaborateur de David.

Le roi plie devant le tiers état

Versailles, 27 juin 1789

C'est à présent Louis XVI qui invite les deux ordres privilégiés à se réunir à l'Assemblée. Le roi, quatre jours seulement auparavant, après avoir ordonné sous un faux prétexte, de fermer la salle des Menus-Plaisirs, avait enjoint aux ordres, au cours de la séance du 23 juin, de délibérer séparément en se conformant au règlement des états ; il avait en outre cassé toutes les décisions du Tiers en matière fiscale et défendu les droits féodaux. Mais le Tiers n'a pas cédé et ne s'est pas laissé intimider par le discours du roi qui menace de dissoudre l'Assemblée si les députés refusent de se soumettre. Au marquis de Dreux-Brézé, grand maître des cérémonies, qui renouvelle les ordres du souverain, Bailly répond que la nation assemblée ne peut recevoir d'ordre ; Mirabeau renchérit : « Nous sommes ici par la volonté du peuple et nous ne quitterons nos places que par la force des baïonnettes. » Le Tiers l'emporte par sa détermination, rejoint le lendemain par la majorité du clergé, imité par quarante-sept députés de la noblesse, le duc d'Orléans en tête. N'osant pas recourir à la force contre le Tiers, Louis XVI se soumet en conseillant lui-même aux récalcitrants de se joindre à eux.

Louis XVI recourt à la voix des armes

Versailles, 26 juin 1789

Depuis quelques jours, Louis XVI voit se dresser les uns après les autres, le tiers état, une partie du clergé qui rejoint les députés du Tiers, les nobles les plus avancés qui empêchent l'exécution des ordres du roi, les milieux d'affaires qui craignent le départ de Necker et la rue qui, à Versailles comme à Paris, commence à manifester son mécontentement.

Les espoirs mis dans la tenue des Etats généraux vont-ils se révéler vains ? Louis XVI voit le 25 juin quelques nobles rejoindre le Tiers. Ulcéré, il décide dans la soirée de mobiliser les régiments étrangers. Début juillet, vingt mille hommes campent autour de Paris, tandis qu'à l'intérieur de la ville des ébauches de sédition, voire de désertion, se font jour. Le 29 juin, les électeurs parisiens décident d'organiser une garde bourgeoise. La tension monte et l'affrontement paraît inévitable.

Une année difficile pour les Français

France, printemps 1789

La crise économique que connaît le royaume n'est pas étrangère à l'effervescence révolutionnaire qui le gagne. En 1787 et 1788, des hivers rigoureux compromettent l'approvisionnement des villes. Cette période de l'année est toujours délicate : les réserves de la récolte précédente s'épuisent avant que la nouvelle récolte ne parvienne à maturité. La farine et le pain qui constituent la nourriture de base viennent à manquer : les prix montent, le mécontentement grandit et les émeutes populaires se multiplient. Cette crise de subsistance se mêle aux revendications politiques. Le peuple commence à apparaître sur le devant de la scène.

« Ah, faut espérer que ce jeu-là finisse bientôt. » Estampe révolutionnaire. B.N., Paris.

« L'Homme de Village » : élevage et travaux des champs. Gravure rehaussée de couleurs. Vers 1790.

1789

Paris, 31 août
A la suite de l'adoption par la Constituante d'un projet prévoyant un veto absolu pour le roi et la création d'une seconde Chambre, une vive agitation s'instaure à Paris et en province. A Rennes, les députés bretons font envoyer une motion au roi dans laquelle ils lui demandent d'adopter au plus vite les décrets d'août. En effet, conseillé par les ministres modérés, Louis XVI n'entérine pas les déclarations des 4 et 26 août.

Paris, 1er septembre
Les gardes nationaux sont chargés de stationner devant toutes les boulangeries. Ils y resteront pendant seize jours afin de prévenir l'émeute. Le peuple se demande si un « pacte de famine » n'a pas été signé contre lui.

Versailles, 10 septembre
L'Assemblée constituante repousse l'idée d'une seconde Chambre à une large majorité de 849 voix contre 89 et 122 abstentions. Les nobles de province ont voté avec le Tiers par défiance envers la haute noblesse. De plus, l'Assemblée crée un comité pour réformer la justice criminelle.

Versailles, 11 septembre
Un veto suspensif est accordé au roi pour deux législatures par 673 voix contre 325 à la demande de Mirabeau et de Mounier, Robespierre et Pétion de Villeneuve menant l'opposition.

Paris, 12 septembre
Jean-Paul Marat, associé au libraire Dufour, sort le premier numéro de *L'Ami du peuple*. Après cinq numéros écrits sur un ton sévère, Marat change de style et adopte celui, percutant et agressif, qui va le rendre célèbre.

Versailles, 13 septembre
Une émeute pour le pain touche la ville. Devant l'accumulation des périls, certains modérés groupés autour du député Mounier veulent transférer le roi dans une ville moins exposée, Compiègne. Le roi refuse et fait venir, le 23 septembre, le régiment de Flandres.

Paris, 18 septembre
Les électeurs des soixante districts parisiens nomment une assemblée de trois cents membres.

Versailles, 24 septembre
Les protestants sont dorénavant admis à postuler à des emplois publics.

Versailles, 1er octobre
Lors d'un banquet donné en l'honneur du régiment de Flandres, des officiers supérieurs foulent du pied la cocarde tricolore en présence du roi.

Paris, 4 octobre
L'affaire de la cocarde est reprise par toute la presse révolutionnaire comme le signe d'un complot monarchique. Marat, dans *L'Ami du peuple*, appelle aux armes.

Versailles, 5 octobre
Marche des femmes de Paris sur Versailles. →

Versailles, 6 octobre
Les Parisiennes ramènent à Paris la famille royale. →

Belgrade, 9 octobre
Les troupes autrichiennes s'emparent de la ville détenue par les Ottomans. →

Versailles, 12 octobre
L'Assemblée constituante décide de se transférer à Paris.

Paris, 15 octobre
Mirabeau adresse à Louis XVI sa première note secrète.

Paris, mi-octobre
La Fayette, à la suite des émeutes de Versailles, se met à la disposition du roi et contraint le duc d'Orléans à quitter le pays. →

Paris, 19 octobre
La Constituante siège pour la première fois à Paris, dans la salle du Manège, aux Tuileries.

Paris, 21 octobre
A la suite de nombreux meurtres lors d'émeutes de la faim dans la capitale, l'Assemblée constituante décrète la peine de mort pour rébellion, la censure de la presse et la loi martiale.

Paris, octobre
Les députés bretons occupent l'ancien couvent des Jacobins et y fondent leur club. →

Russie, octobre
Le général russe Souvorov s'empare d'Otchakov, port à l'embouchure du Bug.

Paris, 2 novembre
Par décret, l'Assemblée constituante met « les biens du clergé à la disposition de la nation ». →

Paris, 3 novembre
L'Assemblée constituante proroge indéfiniment les vacances des parlements.

La province est gagnée par la fièvre et la peur

France, juillet-août 1789
La nouvelle de la prise de la Bastille se répand comme une traînée de poudre dans tout le royaume. Dans les villes, les électeurs aux Etats généraux forment des comités municipaux et organisent des gardes nationales qui prennent possession des bastilles locales. Les Bordelais s'emparent du Château-Trompette, les Caennais de la citadelle. L'ancienne administration disparaît sans coup férir. Dans les campagnes, les paysans impatients prennent les armes, se rassemblent au son du tocsin et s'attaquent aux châteaux et aux abbayes. Ils en profitent pour brûler les chartes qui établissent les droits féodaux. Le mouvement est parti d'Ile-de-France le 20 juillet ; il atteint la Bourgogne le 24, Valence le 28 et Aix-en-Provence le 30. Mais le soulèvement des campagnes attise des ressentiments. En Alsace, des paysans s'attaquent aux marchands juifs dont un certain nombre se réfugie à Bâle. Dans le Mâconnais et le Beaujolais, des bandes de paysans sont battues par des milices urbaines, leurs membres condamnés à mort à Dijon. En Dauphiné, une guerre de classe oppose les ouvriers lyonnais et les paysans aux bourgeois et aux nobles. A part quelques régions excentrées comme la Bretagne, l'ensemble du pays est touché par ce phénomène. Quelques villages constituent les épicentres du mouvement qui se propage : Estrées, Romilly, Saint-Florentin, Louhans, La Ferté, Ruffec. Cette manifestation de panique devant une violence le plus souvent imaginaire (celle de brigands) se transforme en une lutte sociale à l'échelle du royaume.

Le Grand Château de Chantilly. Le 8 août 1789, les canons sont enlevés. La bâtisse sera entièrement dévastée par les révolutionnaires.

Dans la nuit du 4 août, les privilèges sont solennellement abolis

Versailles, 4 août 1789
Journée sans égale. Tout d'abord, l'Assemblée est bouleversée par un rapport relatant l'effervescence des provinces et la révolte des paysans contre leurs seigneurs. Puis le vicomte de Noailles prend la parole et propose que l'impôt soit désormais payé par tous les citoyens en proportion de leurs revenus, que les droits féodaux pesant sur les terres soient rachetables par les communautés, enfin que les corvées seigneuriales, les mainmortes et autres servitudes personnelles soient abolies sans rachat. Noailles est aussitôt appuyé par un noble libéral, le duc d'Aiguillon, qui reprend ses propositions. C'est ensuite au tour d'un député du Tiers, Dupont de Nemours, d'intervenir. L'enthousiasme s'empare de toute l'Assemblée et les motions se succèdent : suppression des justices seigneuriales et égalité des peines ; admission de tous, sans distinction de naissance, aux fonctions publiques, civiles et militaires ; abolition des droits exclusifs de chasse, de garenne et de colombier... Au terme des débats, l'Assemblée décrète l'entière destruction du régime féodal et de ses privilèges. Elle affirme la nécessité de l'unité juridique de la nation. Tous les privilèges particuliers des provinces, principautés, pays, villes ou communautés sont abolis et confondus dans le droit naturel de tous les Français. Il n'y aura plus de distinction entre pays d'état et pays d'élection, plus de provinces réputées étrangères, de pays de droit coutumier ou de droit romain. A deux heures du matin, sur proposition de Lally-Tollendal, Louis XVI est proclamé « restaurateur de la liberté française ». L'Assemblée se sépare enfin aux cris de « Vive le Roi ! Vive Louis XVI ! »

Le peuple de Paris s'empare de la prison de la Bastille

Paris, 14 juillet

Paris vit des heures mémorables. Depuis le 12 juillet, l'agitation est à son comble. La nouvelle de l'exil de Necker est parvenue vers midi de Versailles. Le Palais-Royal, depuis quelques semaines poumon de l'activité politique spontanée de la capitale, devient le centre des débats et des initiatives. Des orateurs, comme Camille Desmoulins, lancent des appels aux armes et prévoient l'anéantissement du peuple par les forces armées stationnées autour de Paris. Des groupes de Parisiens se constituent et sillonnent les rues en quête d'armes. Des affrontements avec les soldats se terminent par la victoire des insurgés. La capitale se vide de l'armée qui se réfugie au Champ-de-Mars. Des scènes de pillage se multiplient ; des chômeurs cherchent des grains ou de l'argent ; de jeunes artisans s'emparent des armureries et des maisons religieuses. Le 13, Saint-Lazare est incendié. Les députés de Paris s'inquiètent et constituent un comité permanent qui remplace la vieille municipalité. Afin de contrôler le mouvement de distribution des armes, ils fondent une milice bourgeoise capable de s'opposer à la menace extérieure et à l'« anarchie » intérieure. Immédiatement, ce nouveau pouvoir occupe les rues et désarme ceux qui portent illégalement des armes. La milice est constituée essentiellement d'hommes mûrs et honorables. Le lendemain, 14 juillet, la quête des armes continue. L'hôtel des Invalides est pris et plusieurs milliers de fusils sont emportés par la milice accompagnée d'une foule nombreuse. La rumeur court d'un bout à l'autre de Paris que la poudre a été transportée de l'Arsenal à la Bastille. D'autres rumeurs plus dramatiques encore, comme celle de l'arrivée de trente mille soldats dans le faubourg Saint-Antoine, électrisent la foule. Vers dix heures du matin, une députation est envoyée au gouverneur de Launay pour qu'il remette les clés de la forteresse. La discussion dure, pendant qu'à l'extérieur une foule de plus en plus nombreuse s'attroupe, impatiente. Des individus parviennent à abaisser le pont-levis et s'engouffrent dans la cour. De Launay donne l'ordre de tirer : plus de quatre-vingts Parisiens sont tués. La foule recule. Des électeurs vont chercher deux détachements de Gardes-françaises, armés de canons. Sous la mitraille, ils arrivent à pointer les murailles de la prison. Prévoyant une issue funeste, de Launay consent à capituler moyennant la vie sauve pour les défenseurs. Les députés la lui accordent, mais la foule réclame vengeance. Sept soldats et de Launay sont massacrés. Les vainqueurs de la Bastille sont essentiellement des artisans et des boutiquiers, provenant en majeure partie du quartier Saint-Antoine. Plus qu'une prison pleine de poudre et bien avare en prisonniers (sept exactement), ils ont fait tomber le symbole de l'arbitraire royal. Le 15, l'archevêque de Paris fait célébrer un *Te Deum* à Notre-Dame, tandis que les pioches des démolisseurs commencent à s'activer.

La prise de la Bastille et l'arrestation du gouverneur de Launay, le 14 juillet 1789. Gouache. Musée Carnavalet, Paris.

Le marquis de La Fayette. Peinture de Gilbert Court.

La Fayette (1757-1834)

Lorsque le héros de l'indépendance américaine, Marie Joseph Motier, marquis de La Fayette rentre en France en 1779, c'est pour réformer la vieille monarchie. Cet Auvergnat propage un esprit républicain dans les salons parisiens. Membre de l'Assemblée des notables en 1787, il intervient pour adopter l'édit sur les protestants. Elu aux Etats généraux par la noblesse d'Auvergne, il devient un des membres les plus influents de l'Assemblée constituante. Louis XVI le craint et sa popularité grandit. Vice-président de l'Assemblée, il est nommé commandant général de la garde nationale le 15 juillet et invente la cocarde tricolore : le bleu et le rouge de Paris entourant le blanc, symbole de la royauté. Favorable à la monarchie constitutionnelle, il est pendant près de deux ans le vrai « maire du palais ». En 1792, plutôt que de combattre, il préférera négocier avec les Autrichiens.

Dénonciation de la tyrannie au théâtre par Marie-Joseph de Chénier

Paris, 4 novembre 1789

Ecrite en 1788, la tragédie en cinq actes *Charles IX ou l'Ecole des rois* avait été interdite par la police. C'est le peuple qui va imposer sa représentation. L'auteur y dénonce la faiblesse du roi qui, dominé par la reine mère Catherine de Médicis, le cardinal de Lorraine et le duc de Guise, consent au massacre des protestants lors de la Saint-Barthélemy. L'allusion au rôle néfaste de l'entourage de Louis XVI est évidente.

L'Assemblée proclame les Droits de l'homme et du citoyen

Paris, 26 août 1789

Après six jours de discussions, le texte définitif de la Déclaration des droits de l'homme et du citoyen est approuvé par l'Assemblée nationale. L'idée de cette Déclaration est due à Jean-Joseph Mounier, député du Dauphiné et l'un des porte-paroles de l'Assemblée. Dès avant la prise de la Bastille, il a affirmé à plusieurs reprises que toute constitution devait être fondée sur la reconnaissance des droits naturels de l'homme, une idée influencée par la constitution américaine. Le premier article proclame l'égalité de tous les hommes : « Les hommes naissent et demeurent libres et égaux en droit. » Puis le texte définit les droits naturels et imprescriptibles de l'homme : la liberté, la propriété, la sûreté et la résistance à l'oppression. La liberté n'a d'autre limite que celle des intérêts d'autrui. L'article 11 précise que « la libre communication des pensées est un des droits les plus précieux de l'homme ». Chacun peut penser, parler, écrire librement ; la liberté de la presse accompagne la liberté de conscience. L'homme ne peut être contraint, l'autorité et la souveraineté appartiennent à l'ensemble des citoyens. Quant à la loi, suivant le principe de Jean-Jacques Rousseau, elle est l'expression de la volonté générale, elle s'applique à tous et ne peut interdire que les actions néfastes à la société.

Frontispice de la « Déclaration des droits de l'homme et du citoyen ».

1789

Paris, 4 novembre
Marie-Joseph de Chénier fait donner avec succès *Charles IX.* →

Corse, 5 novembre
Napoléon Bonaparte se rend à Bastia pour faire arborer aux patriotes et à ses partisans pro-français la cocarde tricolore.

Paris, 7 novembre
Pour éviter que Mirabeau ne soit ministre, l'Assemblée constituante décrète qu'un député ne peut le devenir. En effet, des rumeurs concernant un accord entre Mirabeau et la cour commencent à filtrer, ce qui n'empêchera pas Mirabeau de continuer à tisser des intrigues pour atteindre son but : gouverner.

Pays-Bas autrichiens, 18 novembre
Les révolutionnaires belges ont chassé les troupes autrichiennes. →

Paris, 21 novembre
Lavoisier, au nom des administrateurs de la Caisse d'escompte, présente le bilan de faillite de cet organisme qui souffre d'un découvert de vingt-sept millions de livres.

Valence, 29 novembre
A Etoile, une bourgade proche de Valence, des représentants de quarante communautés et de plus de 12 000 gardes nationaux célèbrent la première Fédération au cours d'une fête fraternelle.

Paris, 30 novembre
Le député corse Salicetti dépose une motion, qui sera adoptée, stipulant que « la Corse fait partie intégrante de l'Empire français ». Mirabeau demande une amnistie générale relative aux guerres antérieures.

Paris, novembre
Louis XVI envoie secrètement auprès du roi d'Espagne, puis de l'empereur d'Autriche, un émissaire, l'abbé de Fontbrune, pour les intéresser à son sort. Il fait remettre à son cousin le roi d'Espagne une déclaration dans laquelle il annule d'avance tout ce qu'il pourrait faire et signer sous la pression des révolutionnaires.

Paris, 1er décembre
Le docteur Joseph Ignace Guillotin propose une nouvelle machine à tuer devant la Constituante. Déjà, le 10 octobre, il avait déposé un projet en six articles qui fut repoussé (→ 1791).

Paris, 14 décembre
L'Assemblée adopte une loi uniformisant le statut des municipalités.

Paris, 17 décembre
L'Assemblée décide d'éponger la dette publique en vendant les biens du clergé. →

Paris, 19 décembre
Création de l'assignat. C'est une lettre de change gagée (assignée) sur les biens nationaux, qui porte intérêt à 5 %.

Etats-Unis, 22 décembre
Depuis le 9 septembre, le Congrès est réuni pour élaborer le *Bill of Rights*, c'est-à-dire les dix premiers amendements à la Constitution. Il sera adopté en décembre 1791.

Paris, 22 décembre
L'Assemblée constituante adopte un décret organisant l'administration des nouvelles structures territoriales : les départements ne comptent aucun agent du pouvoir central à leur tête, mais un conseil de vingt-huit membres, un directoire de huit membres et un procureur général-syndic chargé de faire appliquer les lois. Tous les responsables sont élus par les citoyens actifs. Après un long débat, l'Assemblée a renoncé à établir les nouvelles divisions sur une base géométrique, à l'exemple des Etats-Unis. Un « Comité de division », formé de trois parlementaires, est chargé d'établir une division du royaume fondée sur les anciennes provinces.

Paris, 24 décembre
L'Assemblée adopte un décret reconnaissant les protestants aptes à tous les emplois civils et militaires. Elle leur assure également le droit d'élection et d'éligibilité.

Angleterre
Le député anglais Wilberforce commence sa campagne aux Communes contre la traite des Noirs sur la base d'un rapport de l'abolitionniste Carlson. Les abolitionnistes britanniques avaient déjà fondé une ville au Sierra Leone, Freetown, en 1787.

France
Le botaniste Jussieu publie son *Genera plantarum secundum ordines naturales disposita.*

Lavoisier fait paraître son *Traité de chimie élémentaire.*

Le peintre Louis David exécute *Le Serment du Jeu de paume.*

« A Versailles ! » Marche des Parisiennes sur la résidence royale, le 5 octobre 1789. Gravure révolutionnaire rehaussée de couleurs.

Les femmes marchent sur Versailles et ramènent le roi à Paris

Versailles, 5 et 6 octobre 1789
L'effervescence de juillet reconquiert l'esprit de la capitale. Les manœuvres dilatoires du roi destinées à freiner l'adoption des décrets pris en août, le scandale provoqué le 1er octobre par l'outrage perpétré contre la cocarde tricolore en présence du roi par quelques officiers du régiment de Flandres, le manque de farine et le renchérissement du pain inquiètent la population parisienne qui y voit un complot aristocratique. Marat, dans *L'Ami du peuple*, appelle aux armes ; Danton, au club des Cordeliers, exige de la Commune de Paris qu'elle charge La Fayette de se rendre à Versailles pour obtenir le renvoi des troupes. Le matin du 5 octobre, de nombreuses femmes de toutes conditions se rassemblent à l'Hôtel de Ville. Guidées par l'huissier Maillard, elles décident de se rendre sous la pluie à Versailles pour réclamer du pain. Elles arrivent dans l'après-midi et délèguent une députation à l'Assemblée. Maillard obtient le soutien de l'Assemblée pour présenter ses doléances au roi. Dans la soirée, les femmes sont reçues par le roi qui leur promet de faire ravitailler la ville. Ne pouvant retourner à Paris dans la nuit, elles décident de camper dans la cour du château. Le 6 au matin, une échauffourée se transforme en un assaut qui contraint Louis XVI à s'installer à Paris. Le roi est désormais sous contrôle et doit accepter les décrets d'août. L'Assemblée décide de s'installer elle aussi à Paris. La Révolution est confortée.

La Chine établit son protectorat sur l'Annam

Annam, 1789
Un corps expéditionnaire chinois de 200 000 hommes pénètre sur le territoire annamite. La tâche semblait aisée dans un pays déchiré et divisé depuis le début du XVIIIe siècle. Au nord, la dynastie des Lè n'exerçait plus qu'un pouvoir nominal dont la lignée noble Trinh détenait la réalité. Au sud, la famille Nguyen accroissait sa puissance et son territoire. En 1737, éclata une révolte paysanne difficilement réprimée au nord mais qui rencontra un vif succès dans le sud. En 1771, les frères Tay-Son organisent un soulèvement. L'un d'eux, Nguyen Hue, se met en marche vers le nord et prend Thanh Long, la capitale des Lè. L'empereur Lè Chiêuf Thông fait alors appel aux Chinois. Sur avis favorable du gouverneur de Guangxi Guangdong, Pékin décide l'envoi d'une expédition militaire. Les troupes chinoises ne rencontrent à leur arrivée en 1788 aucune résistance : les rebelles ont préféré se replier plus au sud, à la limite de la province de Thanh Hoa.

Xiang-fei, la favorite de l'empereur de Chine. Peinture de Lang Shining (alias Giuseppe Castiglione).

Lè Chiêuf Thông accueille ses alliés et entre avec eux à Thang Long. Aussitôt, les Chinois s'installent autour de la capitale. L'oppression qu'ils exercent prépare en un temps record le terrain favorable à une nouvelle révolte en 1790.

A Paris, clubs et journaux se multiplient

Paris, 1789

La capitale découvre en même temps qu'elle le crée un nouveau monde où l'on échange des idées, où l'on écoute des commentaires sur l'actualité et où l'on décide de ce que sera le lendemain. Ces endroits privilégiés sont les clubs ou, plus tard, les sociétés patriotiques. Quelques-uns ont déjà une influence prépondérante sur le cours des événements. Ainsi le club des Jacobins, de son vrai nom Société des amis de la Constitution, formé à Versailles par les députés bretons et qui se transporte en octobre dans la bibliothèque du couvent des Jacobins, rue Saint-Honoré. Club fermé, on y entre par cooptation. Il réunit des bourgeois aisés, des littérateurs, des journalistes, mais aussi des nobles et des prêtres. L'inscription est de douze livres et la cotisation de vingt-quatre livres par an. Fin 1790, il comptera plus d'un millier de membres. Il entretient des correspondances avec la province et son rôle original est de préparer les réunions de l'Assemblée. Le club des Cordeliers, dont le véritable nom est la Société des Droits de l'homme et du citoyen s'avère plus franchement démocratique. C'est une société vraiment populaire, antibourgeoise, aux tribunes publiques, avec un auditoire de citoyens qui en 1790 ne sont pas autorisés à voter, les inactifs et les femmes. Celles-ci participent aussi à la vie politique parisienne grâce à l'influence de certaines d'entre elles comme Mme Roland et Sophie de Condorcet, mais aussi au travers de la Société fraternelle des Deux Sexes dont les adhérents, siégeant dans les locaux des Jacobins, en diffusent les idées dans le peuple parisien. Quant aux monarchistes, leur club des Impartiaux, fondé par Clermont-Tonnerre, se transforme en club des amis de la Constitution monarchique, dispose de plusieurs feuilles comme *Les Actes des Apôtres* de Rivarol ; elle a également accès au *Mercure de France*. Les partisans de la monarchie constitutionnelle disposent de nombreux titres, parmi les mieux informés avec *Le Moniteur universel* de Panckoucke, le *Journal de Paris*, *L'Ami des patriotes* de Duquesnoy et Saint-Jean d'Angely. Les travaux du club des Jacobins transparaissent dans de nombreux titres comme *Le Patriote français* de Brissot, les *Révolutions de Paris* dirigées successivement par Loustalot, Sylvain Maréchal, Fabre d'Eglantine et Chaumette, *Les Révolutions de France et de Brabant* de Camille Desmoulins et le *Journal universel* d'Audhoin. Quant au parti démocratique qui se crée, il dispose des voix puissantes de *L'Ami du peuple* de Marat et du *Père Duchesne* de Hébert.

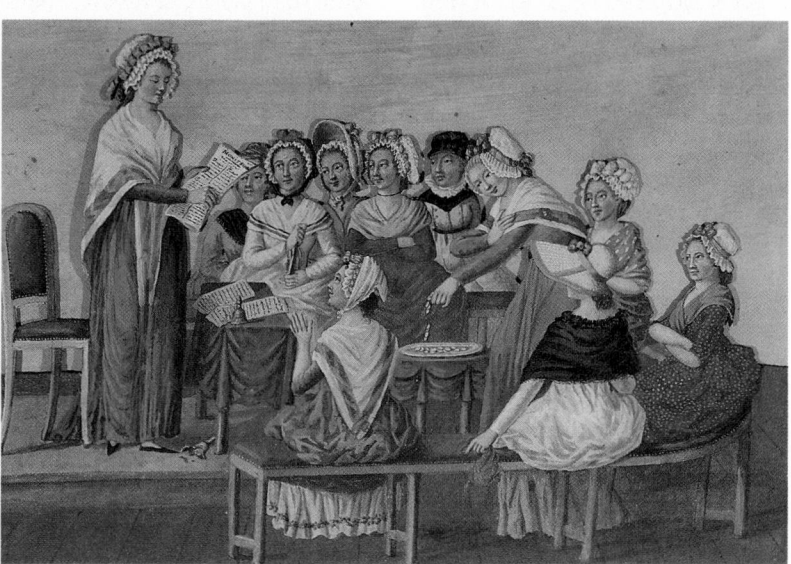

« Club patriotique de femmes ». Lecture des séances de la Convention nationale.

L'empereur Joseph II s'empare de Belgrade

Belgrade, 9 octobre 1789

Après avoir subi un cuisant échec devant les Turcs, les Autrichiens se ressaisissent et parviennent à reprendre Belgrade, tandis que les Russes s'emparent d'Otchakov. C'est en 1782 que Catherine II et Joseph II ont signé un traité d'alliance contre la Turquie. Leurs projets visent à démembrer l'Empire ottoman afin de restaurer l'empire grec d'Orient, les provinces serbes et les anciennes possessions vénitiennes revenant à l'Autriche. La France et l'Angleterre désapprouvent cette initiative, la première en raison de ses relations privilégiées avec le sultan, la seconde parce qu'elle souhaite tenir les Russes à distance de la Méditerranée et de la route des Indes. En août 1788, devant le péril qui les menace, les Turcs décident de prendre les devants. Leur offensive est tout d'abord couronnée de succès : ils contiennent les Russes sur le Dniepr et tiennent en échec les Autrichiens avant d'envahir le Banat.

Louis XVI, Marie-Antoinette et leurs enfants. Musée Carnavalet, Paris.

Louis XVI (1754-1793)

Installé à Paris depuis les journées d'Octobre, Louis XVI, en cette fin d'année 1789, a le sentiment de vivre une déchéance et de n'être en fin de compte qu'un prisonnier. C'est de l'Assemblée, désormais, que viennent toutes les initiatives. Aux Tuileries, la vie de cour déroule ses fastes comme si rien ne s'était passé. La noblesse qui s'obstine dans le refus de la nouveauté entraîne le souverain avec elle. Mais les possibilités d'une reprise en main monarchique par la force se font de plus en plus incertaines. La grande faiblesse du roi réside dans son irrésolution qui le fait passer sans transition du compromis au refus. A cet égard, les événements de ces derniers mois ont valeur d'exemple. Jamais Louis XVI ne s'est montré capable d'imposer sa volonté. 1789 est pour lui l'année des occasions manquées. Il aurait pu, avec le crédit que lui donnait sa popularité, qui somme toute n'a cessé de croître, se rapprocher du parti des réformateurs, prendre ainsi leur tête et sauver la monarchie.

Les biens du clergé sont rendus à la nation

Paris, 2 novembre 1789

L'Assemblée nationale décrète que tous les biens ecclésiastiques sont à la disposition de la nation, charge à elle de pourvoir aux frais du culte, à l'entretien de ses ministres et au soulagement des pauvres. Cette mesure est la conséquence de la crise financière qui est allée en s'aggravant. Au lendemain des journées d'Octobre, Necker a dû avouer l'échec de sa politique. Les emprunts ne sont plus couverts, la Caisse d'escompte est en faillite et la contribution patriotique récemment instituée ne fait guère recette. Pour y remédier, un prélat, Talleyrand, évêque d'Autun, propose de vendre les biens du clergé, dont la valeur est estimée à trois milliards, pour régler une partie de la dette publique. Cette offre suscite des discussions et polémiques. Pour le tiers état, l'Eglise n'est que le dépositaire de biens dont la propriété appartient de droit à la nation ; pour les défenseurs de l'Eglise, il s'agit là d'une spoliation.

Expropriation des biens du clergé. Novembre 1789. Gravure satirique.

La Révolution gagne les régions du Brabant

Brabant, novembre

Depuis plusieurs années, une opposition de plus en plus ouverte s'exprime dans les Pays-Bas autrichiens contre la politique de Joseph II. Sa mise sous tutelle en 1781 des administrations provinciales a donné naissance à un mouvement d'où émergent deux fortes personnalités : l'avocat au Conseil du Brabant, Jean-François Vonck, favorable aux Lumières et un autre avocat de Bruxelles, Henri Van der Noot, qui prône le retour au pouvoir des Etats provinciaux. Malgré leurs divergences, ils forment un comité patriotique qui anime la résistance des Etats de Hainaut et de Brabant, notamment dans leur refus de voter l'impôt à l'automne 1788. Déjà, en décembre 1787, Bruxelles avait connu une émeute meurtrière en voulant s'opposer à la politique impériale. L'agitation politique et sociale en France fait force d'exemple et, en juillet, les villes de Tirlemont, Mons, Louvain et Tournai se soulèvent. Une bataille décisive a lieu à Turnhout quand trois mille patriotes, commandés par Jean Van der Mersch, attirent dans la ville les soldats autrichiens pour leur infliger une défaite sanglante. De son côté, Henri Van der Noot proclame le Manifeste du peuple brabançon qui déchoit Joseph II de ses droits. La révolte s'étend. Liège se soulève le 18 août et chasse le prince-évêque. En novembre, les villes de Gand et de Bruges sont libérées par les partisans de Vonck ; l'administration autrichienne est en fuite. En décembre, c'est le tour de Bruxelles qui contraint à la fuite le gouverneur autrichien d'Alton. Les démocrates, bien que plus actifs, voient Henri Van der Noot prendre les rênes du pays.

1790

Belgique, 7 janvier
Les états généraux de Belgique promulguent l'acte de constitution des Etats belgiques unis. Ils restaurent les traditions passées et n'accordent de droits qu'aux ordres privilégiés. →

Paris, 15 janvier
Un décret fixe à 83 le nombre de départements.

Paris, 21 janvier
La réponse de la république de Gênes tendant à contester le rattachement de la Corse à la France suscite une séance mouvementée à l'Assemblée constituante.

Valence, janvier
Une nouvelle fête de la Fédération représente 100 000 gardes nationaux.

Paris, 2 février
Création de la première Société fraternelle des Deux Sexes.

Paris, 4 février
Louis XVI se rend devant l'Assemblée et lui affirme qu'il accepte le nouvel ordre des choses sans arrière-pensée. Les députés prêtent serment d'être fidèles à la nation, à la Loi et au roi. Ce serment doit être prêté dorénavant par tous les fonctionnaires, ecclésiastiques compris (→ 12.7.1790).

France, 13 février
Les ordres monastiques et les congrégations religieuses sont interdits.

Paris, 19 février
Le marquis de Favras est exécuté. Il paie de sa vie une intrigue menée par Mirabeau et le duc d'Orléans organisant la fuite du roi et prévoyant la levée d'une armée monarchiste.

Autriche, 20 février
Mort de Joseph II, empereur d'Autriche ; son frère Léopold, grand-duc de Toscane, lui succède et est couronné empereur le 30 septembre.

Belgique, 7 mars
Réunion de la première assemblée générale du duché de Bouillon.

Paris, 17 mars
Dans le but de redonner confiance au public envers les assignats, la Constituante décide de ne plus les gager par les biens du clergé. Ils sont désormais du pa-

pier-monnaie. Les biens du clergé disponibles seront vendus par l'intermédiaire des municipalités.

Grenoble, 11 avril
Une fête de la Fédération impressionnante rassemble des milliers de personnes sur le Champ-de-Mars.

Paris, 17 avril
L'Assemblée poursuit sa réforme financière en stipulant que les assignats auront « cours de monnaie entre les personnes et seraient reçus comme espèces sonnantes dans toutes les caisses publiques et particulières ». Ils ne portent plus intérêt qu'à 3 %.

Paris, 28 avril
Un décret ôte aux nobles le monopole des grades militaires.

Paris, 12 mai
La Fayette, Condorcet et Sieyès fondent la Société de 1789, un club fermé de 600 membres rassemblant les modérés. Le club patronne le *Journal de la Société de 1789*, dirigé par Condorcet.

Paris, 22 mai
La Constituante déclare que la « nation française renonce aux guerres de conquête ». →

Belgique, 24 mai
Le duché de Bouillon abolit les droits féodaux.

Paris, 5 juin
La Commune de Paris, reprenant le mouvement qui bouleverse la province, propose une « fédération générale de tous les départements ».

Paris, 9 juin
Un décret fixe la liste civile du roi, ensemble des biens mobiliers et immobiliers qui lui sont accordés.

Comtat Venaissin, 12 juin
A Avignon, un soulèvement des révolutionnaires chasse le légat du pape et la nouvelle municipalité demande son rattachement à la France. →

Paris, 16 juin
Les ateliers de secours destinés à employer les nombreux chômeurs que compte la capitale sont fermés.

France, 19 juin
L'Assemblée constituante abolit les titres de noblesse.

Strasbourg, juin
Les premiers baptêmes civiques sont célébrés.

La Révolution vue par un écrivain britannique

Londres, novembre 1790
Edmund Burke condamne sans appel la révolution en France. En publiant ses *Réflexions sur la Révolution en France*, il se fait le champion de la tradition contre l'esprit d'innovation. Le livre est écrit sous la forme d'une correspondance imaginaire échangée entre l'auteur et un gentilhomme français. Hostile à la philosophie des Lumières, dont il critique une excessive abstraction et un détachement du réel, Burke lui oppose une pensée respectueuse de la complexité de la nature humaine et de l'histoire. Il démontre l'impossibilité d'une politique rationnelle. Les sociétés humaines évoluent à la façon de la nature, par un processus lent et imperceptible, une adaptation insensible qui chaque fois conserve l'acquis. La Constitution anglaise en donne l'exemple, produit de l'histoire et de l'expérience. Les révolutionnaires français prétendent au contraire rompre avec le passé, édifier une société inédite. L'auteur trace un parallèle entre l'histoire des deux pays, comparant les révolutions anglaises de 1648 et de 1688, dont il montre qu'elles s'inscrivent, malgré les apparences, dans la continuité d'une tradition nationale, et l'esprit de 1789. Edmund Burke, né en 1729 à Dublin, n'est pas un réactionnaire au sens strict du terme. Orateur du parti whig, il a soutenu la cause de l'indépendance américaine. C'est un adepte du libéralisme à base d'empirisme, qui se défie des formules et des grands principes.

Au Cameroun, Nsa're fonde un nouveau royaume

Hauts plateaux du Cameroun, XVIIIe siècle
Pendant tout le siècle, des migrations de population transforment le paysage humain des terres africaines. Ainsi des émigrants venant du Royaume mbankin d'origine mboum s'installent dans une région délimitée par les rivières Mbam et Vi. Ils sont conduits par un membre de la famille royale mbankin, Nsa're, qui installe une capitale à Foumban. Ce royaume connaîtra au cours du XIXe siècle une expansion territoriale sous la conduite du roi Mbuembue entre 1820 et 1840 et devra résister aux avancées des Peuls. La grande activité du royaume est le commerce, aux mains des femmes pour les échanges locaux et des hommes pour les plus lointains. Seuls les marchands du roi sont habilités à commercer avec les marchands étrangers. Les autres s'arrêtent aux frontières du royaume.

Edmund Burke, homme politique et écrivain anglais, auteur de « Réflexions sur la Révolution en France ».

L'assignat devient papier-monnaie

Paris, 27 août 1790
Le manque cruel de numéraire a contraint l'Assemblée constituante à prendre la décision de transformer l'assignat en une monnaie échangeable. Originellement, il s'agissait d'un simple bon hypothécaire garanti par l'Etat sur la future vente des biens nationaux qui avaient appartenu à la Couronne et au clergé. Une première impression de 400 millions en assignats est décidée pour le 1er avril. Les députés vont devoir supprimer l'intérêt que rapportait la possession d'un assignat, à savoir 3 % depuis le 15 avril 1790. Le 29 septembre, ils fixeront à 1200 millions la masse maxima d'assignats à produire en coupures de 500, 100 et bientôt 5 £

Les Etats-Unis décident d'une nouvelle capitale

Philadelphie, 1790
Le Congrès des Etats-Unis a décidé de consacrer une partie du territoire à l'édification d'une capitale fédérale afin de se doter d'un siège permanent. Il s'agit d'une enclave de 177 km² prise dans l'Etat du Maryland, le long de la rivière Potomac en face de la Virginie. Cette décision prise dans le but d'épargner les pressions partisanes à l'exécutif de la nation. En effet, en 1783, des soldats mécontents de leur solde avaient envahi le Congrès à Philadelphie. Depuis, la crainte de voir se renouveler de tels épisodes a fait son chemin. George Washington charge un ingénieur militaire français, Pierre Charles L'Enfant, d'établir les plans de la cité. Les débuts de la nouvelle capitale sont difficiles ; c'est seulement à la suite de l'incendie de la ville par les Anglais en 1812 que Washington sera considérée par les Américains comme leur véritable capitale.

La traite des Noirs fournit l'Amérique en main-d'œuvre

Afrique-Amérique, XVIIIᵉ siècle

Chaque année, au cours de la seconde moitié du siècle, près de 100 000 hommes, femmes et enfants noirs d'Afrique tropicale sont embarqués à bord de plusieurs centaines de navires à destination des côtes américaines. Plus de la moitié proviennent des régions du golfe du Biafra. Destinés au travail des plantations, ils sont les marchandises privilégiées de l'immense marché d'esclaves qui s'organise à travers le monde. Le développement de la traite épuise les richesses démographiques du continent africain et transforme profondément les structures politiques, sociales et économiques de l'Afrique noire. Les grands royaumes du XVIIᵉ siècle, comme ceux du Bénin ou du Congo, périclitent, saignés par l'horrible commerce. Un commerce florissant et très bien organisé ! Les puissantes compagnies à charte anglaises, françaises, hollandaises, portugaises et espagnoles ont reçu de leur souverain respectif ce privilège, résultant d'une association entre capitalistes et armateurs. Ayant leur siège dans les grands ports d'Europe comme Londres, Liverpool, Nantes, Bordeaux, elles disposent de comptoirs sur les côtes africaines au Sénégal, à Saint-Louis, Podor, Gorée, en Casamance pour les Français, en Gambie, en Sierra Leone et sur la côte de l'Or pour les Anglais, sur le golfe du Bénin pour les Danois et les Hollandais, plus au sud à Saint-Paul de Loanda ou Saint-Philippe de Benguéla pour les Portugais. L'approvisionnement en esclaves se fait de deux façons : la razzia ou le trafic. Si la première est la tradition des marchands arabes ou des métis portugais comme les *pombeiros*, la seconde suppose une organisation de grande envergure. Des chefs africains locaux se chargent de rabattre une certaine quantité d'hommes, d'où la guerre perpétuelle que se livrent les roitelets africains en échange de marchandises de faible valeur : quincaillerie, verroteries et tissus. Les prisonniers sont conduits jusqu'aux bateaux, attachés au cou par de longues perches puis marqués au fer rouge. Sitôt arrivés en Amérique, les capitaines échangent leur cargaison humaine pour les mélasses et les sucres des Antilles ainsi que le tabac et l'indigo qu'ils ramènent en Europe. C'est le trafic triangulaire qui touche trois continents. Mais dans les années 1780, des voix, comme celle de l'Anglais Wilberforce, se font entendre pour dénoncer ces pratiques inhumaines et ce qui apparaît aussi comme un gigantesque mouroir.

Les Esterhazy, mécènes éclairés

La famille des Esterhazy est l'une des plus riches de Hongrie et, contrairement à l'ensemble de la noblesse du pays, est très introduite auprès des cours européennes. Les princes Nicolas-Joseph et Paul-Antoine comptent parmi les plus grands mécènes du siècle. Le compositeur autrichien Joseph Haydn doit sa carrière à Nicolas-Joseph qui lui commanda de nombreuses œuvres et qui les fit jouer dans son château de Esterhaza près de Fertöd en Hongrie. Véritable Versailles magyar, ce château fut un des rendez-vous des arts et de la science pendant tout le siècle.

Nicolas-Joseph Esterhazy. Haydn Museum, Eisenstadt, Autriche.

Représentation d'un opéra au théâtre du château des Esterhazy, riche famille hongroise.

Le comtat Venaissin veut devenir français

Avignon, 1790

Par deux fois, cette année, l'Assemblée constituante refuse la demande formulée par une partie de la population du comtat Venaissin d'être réunie à la France. Les 27 août et 20 novembre 1790, en effet, la Constituante fait savoir aux délégués avignonnais qu'elle n'accède pas à leur demande pour les raisons suivantes. La première, d'ordre extérieur : l'Assemblée ne veut pas s'aliéner une fois de plus la papauté, à qui appartient le comtat, au moment où se discute l'avenir de l'Eglise en France. La seconde, d'ordre intérieur : la situation dans le pays n'est pas encore très sûre. En effet, si une partie de la bourgeoisie locale et le petit peuple, touchés par la crise économique et hostiles à l'administration pontificale, sont favorables au rattachement à la France, il n'en est pas de même de la noblesse, de l'administration, des professions libérales et d'une partie de la paysannerie. Des oppositions régionales rendent le conflit encore plus aigu. Carpentras et le haut Comtat s'opposent à Avignon, plutôt révolutionnaire, et au bas Comtat. Le pays connaît très vite des troubles : dès 1789 le pape consent à réunir les Etats généraux et autorise l'établissement de cahiers de doléances. Mais au printemps 1790, une poussée populaire à Avignon expulse le légat du pape, installe une municipalité révolutionnaire et organise une garde nationale. De janvier à mai 1791, une véritable guerre civile opposera les communautés du haut Comtat au pacte fédératif des communes favorables au rattachement à la France. L'intervention de médiateurs français ne mettra pas immédiatement fin au conflit, ni même la réponse favorable de la Constituante le 14 septembre 1791 à la demande d'annexion votée par les communautés comtadines le 18 août à Bédarrides.

La république de Genève saisie par la Révolution

Genève, 1790

Après les émeutes de l'hiver 1789, dues à la cherté du pain, le gouvernement aristocratique, qui avait été rétabli en 1782 avec l'aide militaire de la France, de la Savoie et de Berne, se rapproche du parti bourgeois. Mais cette réconciliation momentanée des patriciens et des bourgeois est impuissante à contenir la montée des revendications des 4 000 « natifs citadins », privés des droits politiques et des 1 000 sujets de la campagne genevoise. A l'heure où les idées politiques venues de France se répandent, Horace Benedict de Saussure demande une libéralisation

Camille Desmoulins, un des orateurs révolutionnaires les plus populaires. Il mourra sur l'échafaud avec Danton.

Camille Desmoulins (1760-1794)

Avocat au parlement de Paris depuis 1785, Camille Desmoulins est né en 1760. Elève boursier à Louis-le-Grand à Paris, il y fait connaissance de Maximilien de Robespierre et se laisse fortement influencer par le mouvement réformateur. Elu aux Etats généraux, il devient l'un des orateurs populaires les plus talentueux du Palais-Royal malgré un bégaiement prononcé ; son appel aux armes le 12 juillet a eu le succès que l'on sait. Journaliste, il lance en novembre 1789 les *Révolutions de France et de Brabant*, qu'il abandonnera contraint après la fusillade du 17 juillet 1791. Pourfendeur du « complot aristocratique », il s'élève contre les mesures anti-égalitaires de l'Assemblée constituante et en particulier contre le suffrage censitaire. Plus tard, il liera son sort à Danton et sera la tête pensante du mouvement des Indulgents. Hostile à certains Girondins comme Brissot, il réprouvera leur arrestation et leur condamnation avant de périr lui-même sur l'échafaud le 5 avril 1794.

de la Constitution. D'autres, plus radicaux, réclament la convocation d'une Assemblée nationale. Les patriciens du Petit Conseil persistent à ne voir là que l'action d'une poignée d'agitateurs. Le 14 août 1790, ils rejettent une requête qui réclamait pour tous les Genevois nés sur le territoire de la république au moins le même statut que celui des natifs citadins. L'hiver suivant sera rude et de nouvelles émeutes éclateront en février 1791. Les natifs insurgés se rendront maîtres de la cité et les campagnards se prépareront à leur prêter main-forte. Mais les milices parviendront à rétablir l'ordre. En mars, le calme sera revenu. Le code Du Reverey, édicté en novembre, prétendra faire taire les revendications mais les concessions faites seront en réalité de pure forme.

1790

Russie-Suède, 9 juillet
La Russie défait la marine suédoise à Svenka Sund.

Paris, 12 juillet
L'Assemblée constituante vote la
Constitution civile du clergé. →

Paris, 14 juillet
La fête de la Fédération au
Champ-de-Mars semble sceller
la réconciliation de la nation et
du roi. →

Vatican, 23 juillet
Le pape Pie VI dénonce dans une
lettre adressée à Louis XVI la
Constitution civile du clergé
comme schismatique.

Autriche-Prusse, 27 juillet
Les deux puissances signent un
traité d'alliance à Reichenbach
sous les auspices de l'Angleterre.
L'Autriche a désormais les mains
libres pour intervenir contre les
Belges.

Russie-Suède, 14 août
La Suède et la Russie signent à
Varälä un traité mettant fin à leur
guerre et maintenant le statu
quo.

Jalès (Ardèche), 18 août
Un rassemblement royaliste organise un camp retranché permanent. →

Paris, 16-24 août
La Justice est réorganisée.

France, 26 août
Le pacte de famille entre les
Bourbons est rompu à la suite du
refus de la Constituante de soutenir l'Espagne dans ses démêlés
avec l'Angleterre.

Nancy, 31 août
Des désordres disciplinaires et
la provocation de certains officiers supérieurs aboutit à la mutinerie du régiment des Suisses
de Châteauvieux. Ils sont violemment réprimés par la garnison de Metz commandée par
Bouillé qui instaure la loi martiale.

Paris, 4 septembre
Alors que le roi, La Fayette et
l'Assemblée félicitent Bouillé,
des manifestations populaires
protestent contre la cruauté de la
répression ; la garde nationale
parisienne fait célébrer une fête
funèbre au Champ-de-Mars.

Paris, 4 septembre
Le baron Necker démissionne.

Paris, 7 septembre
Les parlements sont définitivement supprimés.

Corse, 9 septembre
La consulte (assemblée) d'Orezza
proclame Pascal Paoli président du
Conseil administratif de Corse.

Paris, septembre
Hébert lance *Le Père Duchesne.*

Paris, été
L'ingénieur Dufourny, le médecin Saintex et l'imprimeur Momoro fondent la Société des amis
des droits de l'homme et du citoyen qui se réunit dans l'ancien
district des Cordeliers.

Paris, octobre
Fondation du cercle des Amis de
la Vérité par le franc-maçon Nicolas de Bouteville, directeur de
La Bouche de Fer, aux idées sociales
très avancées.

Paris, 25 novembre
Vote de la contribution foncière.

Paris, 27 novembre
L'Assemblée impose le serment
aux ecclésiastiques.

Alsace, novembre
La Constituante repousse les
griefs des princes allemands pos-
sessionnés d'Alsace protestant
contre le rattachement de leurs
domaines aux départements du
Haut et Bas-Rhin.

Belgique, 2 décembre
Bruxelles est reprise par les
Autrichiens.

Empire ottoman, 22 décembre
Le général russe Souvorov prend
Ismaïl, en Bessarabie (Roumanie).

Paris, 26 décembre
Louis XVI entérine avec réticence
la Constitution civile du clergé.

France
Jussieu organise le Jardin des
plantes à Paris.

Riga
Le philosophe Emmanuel Kant
publie sa *Critique du jugement.*

Angleterre
Le libéral Edmund Burke publie
ses *Réflexions sur la Révolution
française.*

Allemagne
Goethe publie *Torquato Tasso* et
des fragments de son *Faust.*

Autriche,
W. A. Mozart fait représenter *Cosi
fan tutte.*

Au Champ-de-Mars, Paris et la province fêtent la Révolution

Paris, 14 juillet 1790
La célébration de la prise de la Bastille
est l'occasion pour la Nation de manifester solennellement son unité. Elle
marque aussi le triomphe de La
Fayette. Après la messe célébrée par
Talleyrand sur l'autel de la patrie, il
prête serment devant la garde nationale, avant le roi qui jure de maintenir la Constitution. En dépit des
averses, une foule enthousiaste de
500 000 bourgeois, aristocrates et
gens du peuple applaudit, massée sur
un amphithéâtre de terre et de gazon,
le défilé des gardes nationaux. La province a beaucoup contribué à cette
fête de la Fédération. Le 29 novembre
1789 déjà, à Etoile, près de Valence,
12 000 gardes nationaux du Dauphiné
et du Vivarais s'étaient liés par un
serment fédératif. En décembre, la
même cérémonie a lieu à Dijon. Puis
en Bretagne, en Anjou et en Franche-
Comté. Le 30 mai, Lyon pavoisait, en
juin Strasbourg et Lille. Les Bretons
proposèrent les premiers l'envoi
d'une délégation à Paris avant même
que la Commune n'adopte le principe
d'une fédération à l'échelle nationale.

*Salle de bal en plein air, établie sur l'emplacement de la Bastille, pour la fête
du 14 juillet 1790. Gravure coloriée. B.N., Paris.*

Victor Louis achève les galeries du Palais-Royal à Paris

Paris, 1790
Depuis dix ans, Victor Louis travaille
à l'aménagement du Palais-Royal. En
1784, il construisait le théâtre des Pe-
tits-Comédiens du comte de Beaujolais, l'année suivante, le Théâtre-
Français. Il lui restait à achever la cour,
les galeries et les arcades. Né à Paris
en 1731, il a séjourné en Italie avant
de commencer sa carrière au service
du roi de Pologne, Stanislas Poniatowski. De retour en France, il construit l'hôtel de l'Intendance de Franche-Comté à Besançon (1770-1778) et
surtout le Grand-Théâtre de Bordeaux
(1773-1780). Comme tous ses contemporains, il subit l'influence du renouveau classique qu'il tempère par un
parti pris palladien. Quant au Palais-
Royal, il est depuis longtemps ouvert
au public. Avec ses cafés et ses boutiques ouvertes sous les arcades et ses
attractions, il est le lieu de rencontre
le plus animé de Paris, et le rendez-
vous des amis du duc d'Orléans.

*Le Palais-Royal et ses jardins en 1794. Reconstitution par Hoffbauer. Musée
Carnavalet, Paris.*

La Constitution du clergé intègre l'Eglise de France à la nation

Paris, 24 août 1790

Discutée depuis le 29 mai 1790 par l'Assemblée constituante, votée enfin le 12 juillet, la Constitution civile du clergé est promulguée le 24 août. La nationalisation des biens du clergé rendait inévitable un réexamen des rapports de l'Eglise et de l'Etat. La volonté réformatrice de l'Assemblée, qui ne voulait ignorer aucun élément de la vie nationale, ne pouvait délaisser les problèmes ecclésiastiques. La nouvelle Constitution supprime les anciens découpages ecclésiastiques, la carte religieuse devant se modeler sur la carte administrative. Les diocèses sont modifiés : ils s'inscrivent à présent dans le cadre du département. Il y aura 83 évêques pour les 83 départements, élus comme les autres fonctionnaires et appointés par l'Etat (de 12 à 50 000 livres). Tous les corps intermédiaires, tels que les chapitres par exemple, sont abolis. En lieu et place, des vicaires généraux assisteront l'évêque dans sa tâche administrative. Les curés, à l'échelon de la commune, seront pareillement élus et recevront eux aussi un traitement de l'Etat. La désignation par élection ne suffit pourtant pas. Les évêques donneront l'institution canonique aux curés et les évêques « métropolitains » (les anciens archevêques) aux évêques. Quant au clergé régulier, depuis longtemps en butte aux attaques des philosophes et des économistes qui l'accusaient de parasitisme, il a été supprimé le 13 février 1790. Les moines qui le souhaitent peuvent retourner à la vie laïque avec une pension, les autres seront rassemblés dans quelques monastères provisoirement conservés. Un régime de faveur est accordé aux ordres enseignants et charitables qui sont maintenus, mais interdiction leur est faite de prononcer des vœux, ce qui les condamne à brève échéance. A l'égard de Rome, c'est un gallicanisme radical qui triomphe. La Constitution reconnaît au pape la « primauté » sur l'Eglise de France, mais lui dénie la « juridiction » sur les affaires du clergé. Les évêques n'auront plus à lui demander leur confirmation. Le pape ne pourra plus tirer de l'argent de l'Eglise de France, les annates (redevances annuelles payées au Saint-Siège) avaient déjà été abolies le 4 août 1789 et Avignon était rattaché à la France depuis le 11 juin. La Constitution civile du clergé intègre donc étroitement l'Eglise dans l'Etat qui attend des prêtres et des évêques, comme de tous ses fonctionnaires, une loyauté sans réserve à l'égard des institutions. Il est question de faire lire lors du prône tous les décrets pris par l'Assemblée.

William Blake, un poète et un graveur pour temps de révolution

Londres, 1790

William Blake, poète et graveur, publie le *Mariage du Ciel et de l'Enfer*, texte prophétique et révolté qui traduit l'impression laissée sur l'auteur par les révolutions française et américaine. Pour Blake, l'attraction et la répulsion, le bien et le mal, en ce qu'ils représentent le choc des contraires, sont nécessaires à la progression de l'homme. Le bien, élément passif, obéit à la raison ; le mal, actif, est produit par l'énergie qui engendre la joie. Contre toute opinion reçue et toute organisation sociale sclérosée, Blake brandit le désir, force créatrice supérieure à la raison. Créateur vers 1788 de la gravure enluminée, Blake imprimera à l'aide de ce procédé ses grandes œuvres ultérieures, tels les *Chants de l'expérience* (1794) ou les poèmes *Milton* (1804) et *Jerusalem* (1804-1820). Blake mourra à Londres en 1827.

William Blake. « Pitié ». Vers 1795. Monotype en couleurs sur papier. Tate Gallery, Londres.

Vancouver découvre les côtes américaines du Pacifique

Pacifique, 1790

Les côtes pacifiques de l'Amérique du Nord avaient déjà été repérées à deux reprises par le Danois Béring en 1741 pour ce qui concerne l'extrême-nord, puis par l'Anglais James Cook, en 1778, à partir de la grande île qui porte aujourd'hui le nom de Vancouver, jusque vers l'Alaska. Cette fois, le navigateur britannique George Vancouver, né en 1757, décide de longer toute la côte Pacifique américaine. Parti d'Angleterre en 1789, il double le cap Horn et longe le continent américain. Il visite, repère et décrit les côtes de l'actuelle Colombie britannique, en particulier les îles Rupert et Vancouver. Revenu en Angleterre, il laisse une relation minutieuse de son voyage. Presque en même temps la Colombie britannique est atteinte par voie de terre : en 1793, l'Anglais Alexander Mackenzie franchit les montagnes Rocheuses et atteint la côte. Pour la première fois un Blanc a traversé de part en part l'Amérique du Nord. Quelques années plus tard, la région concédée à la Compagnie de l'Hudson verra s'implanter des trafiquants de fourrures qui y établiront deux postes, Fort-Langley à l'embouchure de la Fraser, et Victoria au sud de l'île de Vancouver.

Proclamation des Etats belgiques unis

Bruxelles, 7 janvier 1790

Les Pays-Bas, entièrement délivrés de l'occupation militaire autrichienne, décident de réunir leurs Etats généraux qui n'avaient pas été convoqués depuis 1630. Les délégués se réunissent à l'invitation des Etats du Brabant à Bruxelles le 7 janvier et adoptent les actes de constitution des Etats belgiques unis, qui reprennent le texte de la Constitution américaine. La nouvelle république se donne un Premier ministre, mais elle sera éphémère, les Autrichiens ayant réoccupé Bruxelles à la fin de l'année.

20 000 royalistes se rassemblent à Jalès

Jalès, Ardèche, 18 août 1790

La cause contre-révolutionnaire trouve un écho favorable auprès des catholiques languedociens monarchistes. La tension qui les oppose aux protestants est exacerbée par les mesures de la Constituante à l'encontre des nobles et du clergé, et aboutit au massacre de catholiques en juin 1790 à Nîmes. Le 18 août, 20 000 hommes se rassemblent au château de Jalès à l'instigation du comité contre-révolutionnaire de Turin. Ce rassemblement se compose de nobles et d'ec-

Portrait de Fabre d'Eglantine par Greuze. Il donna leurs noms aux mois du calendrier républicain.

Fabre d'Eglantine (1750-1794)

Poète et publiciste révolutionnaire, Philippe Fabre est le fils d'un bourgeois de Carcassonne, marchand drapier de son état. Né en 1750, il est l'auteur d'opérettes dont certains airs connaissent un succès populaire, comme par exemple *il pleut, il pleut, bergère*. Comédien ambulant, il est particulièrement dispendieux et peu regardant quant aux principes. Fidèle du club des Cordeliers, il y rencontre Danton, dont il devient l'homme de plume. Il participe à la commission qui élabore le nouveau calendrier, dont il passe pour être le fondateur, et qui sera adopté le 4 frimaire an II (24 novembre 1793). Il représente aussi ce milieu arriviste, qui désire s'enrichir vite et pour lequel la scène révolutionnaire est une occasion à saisir. Personnalité douteuse, Fabre d'Eglantine représente ce qu'il y a de plus trouble dans la lutte politique qui oppose la cour aux républicains. Il reçoit plusieurs millions pour devenir son agent d'influence au sein du club des Jacobins en 1791, ce qui ne l'empêchera pas de tenir des propos fort radicaux après le 10 août 1792. Compromis en 1794, il fera partie de la même charrette que Danton et Camille Desmoulins.

clésiastiques comme l'évêque d'Uzès, et des gardes nationales des départements voisins. Adoptant les formes d'organisation révolutionnaires, ils se constituent en camp fédératif et élisent un comité permanent. Celui-ci vote des motions royalistes et rédige un manifeste qui condamne les membres et les décisions de l'Assemblée ainsi que la future Constitution. Les fédérés vitupèrent contre les protestants, mais seront dispersés sans combat en février 1791. Le camp de Jalès restera toutefois un noyau d'opposition qui se réveillera fin 1791 pour agir de manière plus active.

1791

Paris, 15 janvier
Le nouvel impôt, la contribution mobilière, est institué.

Paris, 24 février
Les premiers évêques constitutionnels sont intronisés.

Paris, 28 février
Le roi, qui depuis décembre prépare sa fuite, a fait partir ses sœurs le 21 février. L'émotion est grande, les femmes des Halles assiègent les Tuileries le 24 ; le 28, les ouvriers et artisans du faubourg Saint-Antoine s'attaquent au donjon de Vincennes. Pendant ce temps, quatre cents nobles tentent de prendre les Tuileries. C'est le complot des « Chevaliers du Poignard ».

Vatican, 10 mars
Le pape Pie VI condamne une nouvelle fois la Constitution civile du clergé et s'attaque aux principes mêmes de la Déclaration des droits de l'homme et du citoyen.

Paris, 17 mars
L'Assemblée constituante supprime les corporations.

Angleterre-Prusse, 21 mars
Les deux puissances s'entendent pour s'opposer aux visées expansionnistes de la Russie.

Paris, 2 avril
Mirabeau meurt. Son corps est transféré au Panthéon malgré l'opposition de la gauche du club des Jacobins et du club des Cordeliers qui dénoncent ses accointances avec la Cour.

Paris, 18 avril
Le peuple parisien empêche Louis XVI de se rendre à Saint-Cloud pour fêter Pâques, craignant qu'il n'en profite pour s'enfuir.

Varsovie, 3 mai
La Diète adopte la nouvelle constitution grâce à un coup de force des patriotes polonais. →

Canada, 6 mai
Le roi et le Parlement britannique accordent par le vote d'un nouveau bill l'autonomie aux Canadiens français. →

Paris, 7 mai
La Constituante accorde une tolérance aux prêtres réfractaires sur tout le royaume après l'avoir concédée le 11 avril à des prêtres parisiens.

Paris, 18 mai
L'Assemblée constituante autorise une nouvelle émission de 600 millions d'assignats.

Paris, 31 mai
La guillotine est adoptée. →

Paris, 11 juin
Les cendres de Voltaire sont conduites au Panthéon.

Paris, 14 juin
L'Assemblée adopte la loi Le Chapelier qui interdit les associations de citoyens « tendant à refuser de concert ou n'accorder qu'à un prix déterminé le secours de leur industrie ou de leurs travaux ». C'est l'interdiction des associations professionnelles ouvrières ou patronales qui contreviennent « à la liberté et à la Déclaration des droits de l'homme et du citoyen ».

Paris, 21 juin
La famille royale s'enfuit. →

Paris, 22 juin
L'Assemblée constituante suspend le roi de ses fonctions.

Paris, 27 juin
Robespierre proteste contre la « fiction juridique » de l'enlèvement du roi avancée par l'Assemblée.

Autriche, 6 juillet
De Padoue, Léopold II appelle les souverains à entreprendre une action commune contre la Révolution en France.

Paris, 9 juillet
Un décret ordonne aux émigrés de rentrer en France dans les deux mois.

Paris, 15 juillet
L'Assemblée disculpe le roi de toute responsabilité dans sa fuite.

Paris, 16 juillet
Le club des Feuillants, scission conservatrice des Jacobins, est fondé par Alexandre Lameth et Antoine Barnave.

Paris, 17 juillet
Les pétitionnaires appelés par les Cordeliers sont abattus sur le Champ-de-Mars. →

Paris, juillet
La baronne Etta Palm lance un appel aux Françaises sur la régénération des mœurs et la nécessité de l'influence des femmes dans un gouvernement libre.

France, juillet
Répression organisée par le gouvernement contre les partisans de la déchéance du roi et d'un régime républicain.

La Pologne se dote d'une Constitution libérale

Varsovie, 3 mai 1791
La Pologne est à nouveau menacée par les Russes. Devant le péril, les principaux chefs du parti patriote, Jean Potocki, Malachovski, Kollataj et Czartoryski, se sont enfin réconciliés avec le roi, Stanislas-Auguste Poniatowski. Ensemble, ils parviennent à imposer à la Diète une nouvelle Constitution qui doit mettre un terme au désordre politique. Inspirée par les idées venues de France et par le précédent américain, cette Constitution porte la marque du libéralisme. La royauté élective est abolie ; désormais héréditaire, la Couronne, après la mort de Stanislas, reviendra à la fille de l'électeur de Saxe, la succession appartenant définitivement à la maison de Saxe, la dynastie des Wettin. Le souverain sera assisté par deux Chambres, chargées de représenter la nation, selon le système britannique. Le *Liberum veto* qui avait paralysé la délibération de l'ancienne Diète est supprimé et le suffrage majoritaire établi. La Pologne devient ainsi la première monarchie constitutionnelle d'Europe. Mais ces réformes viennent trop tard car Catherine II envahit le pays. La Prusse et l'Autriche, pour tenir tête à la Russie, s'étaient unies pour reconnaître la Constitution, mais ni Léopold, ni Frédéric-Guillaume ne réagissent à l'initiative russe.

L'acte constitutionnel fonde le Canada

Canada, 6 mai 1791
Par un acte constitutionnel, le roi d'Angleterre George III partage le pays en deux provinces séparées par la rivière Ottawa. A l'ouest, le Haut-Canada, l'Ontario, est presque entièrement anglais ; à l'est, le Bas-Canada, ou Québec, est français. Le roi récompense ainsi les populations francophones de leur fidélité à la Couronne pendant la guerre d'Indépendance américaine. Ils disposent désormais d'une assemblée représentative, avec une large majorité française. Le français est reconnu comme l'anglais ainsi que le droit à professer la foi catholique. Seul l'exécutif reste nommé par le roi. Les Canadiens-Français reviennent de loin. En 1763, George III avait exclu les catholiques de toutes les charges administratives. La guerre américaine l'obligea à réviser sa politique et en 1774, l'acte du Québec autorisait la liberté du culte catholique et dispensait les Canadiens de se soumettre au bill du *Test*. La nomination d'un gouverneur libéral facilita les relations entre le clergé et la Couronne. L'équilibre fut rompu par l'arrivée des loyalistes américains qui s'installèrent au nord-ouest du lac Ontario refoulant les Acadiens. Toutefois, les francophones réussirent à maintenir leur culture et obligèrent la Couronne à les respecter.

Chappe met au point le télégraphe optique

Paris, 1791
Après des essais dans son pays natal, la Sarthe, Claude Chappe (1763-1805) arrive à Paris en 1791 pour présenter son télégraphe optique, ou télégraphe aérien. Il réussit à construire ses installations sur les collines de Ménilmontant et de Saint-Martin-du-Tertre. Le mécanisme est simple : il se constitue d'une potence dont la branche horizontale peut pivoter autour d'un axe et qui porte à chaque extrémité un bras articulé. Un dispositif de cordes permet de donner à ces bras des positions multiples. Mais pour être utilisés, il faut que l'on puisse les voir de loin. A cette date la lunette d'observation est d'usage assez courant. L'originalité de Chappe est de les combiner avec des signaux qui s'inscrivent dans le ciel. Il réalise un code de 92 positions pour les bras qui renvoient à un lexique de 92 pages. Le succès est immédiat. La Convention décide de construire une ligne Paris-Lille qui transmet en 1794 la nouvelle de la reprise de Condé-sur-l'Escaut par les Français. Entre 1830 et 1848 le réseau sera étendu, retardant l'extension du télégraphe électrique.

Claude Chappe faisant la démonstration de son télégraphe optique devant les notables parisiens, le 2 mars 1791.

Retour du roi à Paris le 25 juin 1791. On pouvait lire sur les murs de la capitale : « Celui qui le saluera sera fustigé ; celui qui l'insultera sera fusillé. »

La fuite de Louis XVI s'est arrêtée à Varennes

Varennes, 21 juin 1791

Le 20 juin, vers minuit, Louis XVI, déguisé en valet de chambre, sort du palais des Tuileries pour s'engouffrer dans une grosse berline verte où l'attendent Marie-Antoinette, leurs deux enfants, une des sœurs du roi et la gouvernante des enfants. Avant de partir, Louis XVI a laissé un document dans lequel il justifie sa fuite. Le but du voyage est Metz où il compte rejoindre l'armée du marquis de Bouillé qui doit l'aider à reconquérir le royaume. Préparée de longue date, cette entreprise échoue de peu à cause d'une série de contretemps. Reconnu le long du trajet, le cortège royal bénéficie d'abord de sympathies. Mais lorsqu'il atteint Sainte-Menehould, le maître de poste Drouet donne l'alerte. A Paris, pendant ce temps, les monarchiens (partisans d'une monarchie constitutionnelle) émettent l'idée que le roi a été enlevé et La Fayette veut l'arracher à ses ravisseurs. L'Assemblée se satisfait de cette version et décide de fermer toutes les frontières. A Varennes, la berline royale est définitivement arrêtée. Le retour vers Paris est difficile car le peuple se sent trahi par la fuite du souverain. A l'annonce de son départ, Paris a immédiatement pensé que cela signifiait la guerre avec l'Europe. Les réactions sont violentes : statues et symboles de la royauté sont arrachés. Des pétitions exigeant la déchéance du roi circulent. C'est dans un silence lourd de menaces que Louis XVI rentre à Paris le 25 juin. L'Assemblée pourtant lui accorde un sursis, ne prenant aucune sanction contre lui, décidant seulement de le retenir sous bonne garde aux Tuileries et ordonnant au ministre de la Justice d'apposer lui-même les sceaux aux décrets qu'elle voterait sans contreseing royal.

Toussaint-Louverture conduit la révolte de Saint-Domingue

Saint-Domingue, 1791

L'une des grandes îles des Caraïbes entre elle aussi en révolution. Occupée par les Français et les Espagnols, l'île exporte sucre et café produits par près d'un demi-million d'esclaves. La société, très hiérarchisée, est complexe du fait de la fréquence du concubinage et du métissage. Ce sont d'abord en 1790 des mulâtres qui veulent faire appliquer un décret de l'Assemblée constituante affirmant que « tout homme de couleur peut occuper n'importe quelle place dans l'administration pourvu qu'il en soit capable ». Puis, le 12 août 1790, un immense rassemblement d'esclaves au bois Caïman, dans le Nord, sonne l'heure de la révolte. Les sucreries et les plantations sont pillées et les planteurs contraints de se réfugier dans la ville du Cap. Désormais, la révolte occupe une partie de l'île. Les corps expéditionnaires français s'y enlisent. Mais c'est Toussaint-Louverture qui, en 1791, transformera cette jacquerie en un véritable mouvement de libération.

Toussaint-Louverture commandant la révolte des esclaves noirs de Saint-Domingue. 1791.

Grégory Potemkine, favori d'une impératrice

Russie, 16 octobre 1791

En perdant le prince Potemkine Catherine II ne perd pas seulement un ami très proche, mais aussi un grand homme d'Etat qui l'a aidé fidèlement dans toutes ses entreprises. Né en 1739 dans la région de Smolensk, de petite noblesse, il est remarqué en 1774 par la tsarine qui en fait son amant, lui donne le titre de comte, puis le nomme général et feld-général. Membre du Conseil impérial et président du Conseil de guerre, il détermine la politique d'expansion vers le sud. Principal artisan de la conquête de la Crimée, il renforce le pouvoir impérial en Ukraine en contraignant le pays à se moderniser très vite sans regarder aux pertes en vies humaines. Il installe une flotte de guerre dans la mer Noire, fait construire des villes, des ports et des arsenaux par des paysans réquisitionnés.

Portrait du prince Grégory Potemkine, conseiller de Catherine II. Gravure de Chanzonov.

Mozart laisse à sa mort le "Requiem" inachevé

Vienne, 5 décembre 1791

Le compositeur Wolfgang Amadeus Mozart est mort aujourd'hui, laissant inachevé un *Requiem* qui lui a été commandé dans des circonstances assez mystérieuses et dont il n'a pu terminer que l'*Introït* et le *Kyrie*. A la fin de juillet, le compositeur reçut la visite d'un inconnu qui lui remit une lettre non signée dans laquelle il lui était demandé d'entreprendre la composition d'une messe des Morts : à Mozart de fixer son prix et son délai. Peu de temps après, le messager reparut, lui apportant, en plus de la somme convenue, la promesse d'un supplément important lors de la livraison de l'ouvrage. Il devait écrire selon son inspiration, sans chercher à connaître son commanditaire, qui se révéla être le comte Franz von Walsegg, habitué à commander à des musiciens des pièces

Le marquis de Condorcet, chef du « parti philosophique », défenseur des droits de l'homme.

Condorcet (1743-1791)

Marquis de son état, Marie Jean Condorcet est né en 1743. Dès ses vingt ans il se place résolument du côté des philosophes et travaille pour *l'Encyclopédie*. Mathématicien, il devient secrétaire perpétuel de l'Académie des sciences et directeur de la Monnaie. Très tôt il professe des idées radicales : il réclame dès 1774 l'abolition de l'esclavage, puis l'égalité des droits pour les femmes et prend la défense des athées. Absent des Etats généraux, il suit en journaliste les événements de 1789. Mais élu en 1790 à la Législative, il s'y révèle comme la tête la mieux faite. Toutefois, son absence de talent oratoire l'handicape pour devenir le chef de l'Assemblée. Républicain, il se refuse au régicide ; modéré mais homme de principe, il veut concilier les Girondins et les Montagnards, tâche impossible qui lui coûte la liberté puis la vie en 1794. Arrêté par les agents de la Terreur, il s'empoisonna dans sa cellule.

qu'il faisait ensuite exécuter en son propre nom. Le *Requiem* exprime la sérénité face à la mort et constitue une méditation sur les principaux mystères de la foi. Il sera achevé par Franz Süssmayer, disciple de Mozart qui utilisera les indications laissées par le compositeur. Le 6 septembre, Mozart avait donné à Prague *La Clémence de Titus*, composée pour le couronnement de l'empereur Léopold II, roi de Bohême, brève diversion dans la composition de *La Flûte enchantée*, commandée par la compagnie théâtrale de Schikaneder. L'œuvre avait requis de Mozart un travail acharné, qui avait ébranlé sa santé précaire. Au moment où il rend son dernier soupir, sa fortune s'élève à 60 florins, ses dettes à 3 000 florins. L'enterrement a lieu le 6 décembre : un service religieux bâclé, un convoi de troisième classe et la fosse commune, point d'orgue affligeant la mémoire du plus brillant compositeur de tous les temps.

1791

Paris, 30 juillet
Les ordres de chevalerie sont abolis.

Autriche-Turquie, 4 août
Les deux puissances signent la paix de Sistova.

Russie-Turquie, 11 août
Les deux empires mettent fin à la guerre par le traité de Galatz.

Paris, 27 août
L'Assemblée constituante élève le cens nécessaire pour être citoyen actif tout en abandonnant le marc d'argent, valeur de l'impôt que tout citoyen devait payer pour être éligible.

Autriche, 27 août
Par la déclaration de Pillnitz, l'empereur d'Autriche et le roi de Prusse menacent l'Assemblée. →

Paris, 3 septembre
L'Assemblée adopte la Constitution. →

Europe, 10 septembre
Les princes émigrés adjurent le roi dans un violent manifeste de ne pas adopter la Constitution.

Paris, 12 septembre
La Constituante adopte le rattachement d'Avignon à la France. →

Paris, 14 septembre
Louis XVI prête serment à la Constitution.

Paris, 27 septembre
L'Assemblée accorde tous les droits du citoyen aux Juifs.

Paris, 30 septembre
L'Assemblée constituante se sépare.

Paris, septembre
Olympe de Gouges publie le pamphlet le plus radical contre l'oppression des femmes : la *Déclaration des droits de la femme et de la citoyenne.*

Paris, 1er octobre
Première séance de l'Assemblée législative. Elle compte 745 membres, tous nouveaux puisqu'aucun membre de la Constituante n'a été admis à se présenter. A droite, les Feuillants sont 264 ; à gauche, 136 Jacobins dirigés par Condorcet et Brissot. Au centre, 400 indépendants environ, la Plaine.

Paris, 8 octobre
La Fayette démissionne de sa charge de commandant de la garde nationale.

Paris, 31 octobre
La Législative déclare les émigrés suspects de conjuration contre la patrie. →

Paris, 9 novembre
La Législative ordonne aux princes émigrés l'ordre de se disperser (le roi oppose son veto). →

Paris, 16 novembre
Bailly se retirant de la mairie de Paris, La Fayette se présente mais est battu par le Jacobin Pétion.

Paris, 29 novembre
La Législative renouvelle l'obligation faite aux prêtres de prêter le serment civique (le roi oppose son veto). Par ailleurs, elle envoie un ultimatum à l'électeur de Trêves pour qu'il disperse les rassemblements émigrés stationnés sur son territoire.

Paris, 2 décembre
Louis-Pierre Manuel est élu procureur de la Commune.

Paris, 3 décembre
Louis XVI adresse une lettre secrète au roi de Prusse lui demandant son aide.

Vienne, 5 décembre
Mort de W. A. Mozart. →

Etats-Unis, 15 décembre
Vote des Dix amendements à la Constitution et admission du Kentucky, 15e Etat de l'Union.

Autriche, 21 décembre
Léopold II fait disperser les émigrés de Trêves, mais renouvelle la déclaration de Pillnitz.

Irlande, décembre
Le patriote Wolff Tone fonde la Société des Irlandais Unis.

France
Claude Chappe réalise un télégraphe optique.

Angleterre
L'écrivain James Boswell publie la *Vie de Samuel Johnson.*

France
Le comte de Sivrac présente son célérifère, ancêtre de la bicyclette : une poutre de bois portée par deux roues que le cavalier propulse en poussant alternativement avec chaque pied.

France
Lenoir crée le musée des Monuments français.

Paris
L'ingénieur Jean Perronet construit le pont de la Concorde sur la Seine.

La garde nationale tire sur les "républicains" au Champ-de-Mars

Paris, 17 juillet 1791
La fuite du roi a changé le climat politique dans la capitale. Les opinions républicaines jusque-là minoritaires connaissent dès lors un succès grandissant. L'opinion commence à être méfiante envers la Constituante, et dès le 24 juillet, une pétition exige qu'elle ne décide rien quant au sort du roi Louis XVI avant d'avoir eu connaissance de l'avis de la nation. Pendant ce temps le journal *Les Révolutions de Paris* essaie de provoquer un pétitionnement en faveur de la république, mais les Jacobins restent timorés. Un de leurs orateurs, Billaud-Varenne, est même hué par eux lorsqu'il ose parler de république. Les Constituants sont en effet favorables au maintien d'un roi déconsidéré et affaibli. Barnave et Lameth, les hommes forts de l'Assemblée, obtiennent ainsi la mise hors de cause du roi malgré les efforts de Maximilien de Robespierre. Une procédure est alors engagée contre le marquis de Bouillé, le responsable de « l'enlèvement » qui se trouvait à l'étranger, prêt à intervenir. Le but de cette mascarade était pour Barnave de faire avorter la révolution. Le 15 juillet, il élève une mise en garde : « Un pas de plus dans la ligne de la liberté serait la destruction de la royauté, dans la ligne de l'égalité, la destruction de la propriété. » L'agitation antiroyaliste se retourne contre l'Assemblée. Le club des Cordeliers prend l'initiative et appelle le peuple à se réunir le 17 juillet, au Champ-de-Mars, pour signer une pétition, rédigée par Robert sur l'initiative des sociétés populaires. L'Assemblée prend prétexte d'un meurtre dans le quartier voisin du Gros-Caillou pour ordonner la dispersion *manu militari* du rassemblement. Les gardes nationaux de La Fayette tirent sans sommation, des dizaines de corps gisent sur le sol. L'Assemblée instaure la loi martiale.

Massacre des Pétitionnaires sur l'autel de la Patrie, au Champs-de-Mars, le 17 juillet 1791, par les gardes nationaux de La Fayette.

Les nobles émigrés deviennent des suspects

Paris, 9 novembre 1791
Les activités des émigrés justifient le décret de novembre 1791 qui marque un tournant dans l'attitude de l'Assemblée à leur égard. Depuis 1789, trois vagues d'émigration se sont succédé, qui portent le nombre des exilés à près de 80 000, dont 18 % de nobles. Les premiers départs conduisent hors de France le comte d'Artois, le plus jeune frère du roi, et des dignitaires de la Cour, bientôt rejoints par des officiers et des monarchiens déçus. En 1790, de nombreux ecclésiastiques et magistrats, inquiets pour leurs statuts, partent à leur tour. Enfin, en 1791, après l'arrestation du roi, la tendance s'accélère. Les émigrés, regroupés autour des frères de Louis XVI, tentent de provoquer une contre-révolution : complots en vue d'une insurrection générale et intrigues diverses. Ce sont déjà des opposants actifs au nouveau régime. L'Assemblée, qui s'en soucie peu, prend des mesures modérées. En 1790, elle supprime les rentes et les charges des émigrés et, après Varennes, l'usage du passeport devient obligatoire. Ces décisions sont dérisoires face au ressentiment des émigrés, qui poussent les puissances européennes au conflit armé contre la France : la déclaration de Pillnitz impressionne les révolutionnaires. Les Girondins appellent les députés à prendre des mesures énergiques. En octobre, ils menacent le comte de Provence, autre frère du roi, de lui ôter ses droits à la régence. Le 9 novembre, ils déclarent suspects de conjuration, passibles de confiscation de biens et de peine de mort les émigrés qui demeureront hors du pays après le 1er janvier 1792. La rupture des exilés avec la France est définitive. Ils sont désormais considérés comme des traîtres à la nation.

A Pillnitz, l'empereur et le roi de Prusse menacent la Constituante

Pillnitz, 27 août 1791
Par une déclaration commune, l'empereur d'Autriche, Léopold II, et le roi de Prusse, Frédéric-Guillaume II, proclament d'intérêt européen le rétablissement de l'ordre public et la restauration de l'autorité royale en France. Ils invitent tous les autres monarques à se joindre à eux pour, éventuellement, mener l'offensive contre le gouvernement révolutionnaire. A Paris, cette déclaration fait office d'ultimatum : on juge le conflit imminent. En réalité, il ne s'agit que d'une action diplomatique, destinée seulement à intimider la Constituante. Pour l'heure, d'autres fronts les sollicitent : la guerre turque et la révolte des Pays-Bas autrichiens, ainsi que la question polonaise. Seuls Gustave III de Suède, le roi de Sardaigne et Charles III d'Espagne semblent décidés à mener une croisade anti-révolutionnaire.

Les cendres de Voltaire au Panthéon

Paris, 11 juillet 1791
Sur un décret de la Constituante, les cendres de Voltaire viennent d'être transférées au Panthéon. Le char funèbre, dessiné par David et tiré par douze chevaux blancs, était précédé d'une députation des théâtres et d'hommes habillés à l'antique portant la statue dorée de Voltaire couronné de lauriers.

Portrait de Danton. Sa forte personnalité le conduisit sur le devant de la scène politique.

Danton (1759-1794)

Georges-Jacques Danton est une force de la nature, jovial et jouisseur, qui mêle sans scrupule ses activités politiques à des affaires d'argent. Il doit sa soudaine gloire à des talents d'orateur qu'il déploie tout d'abord au club des Cordeliers dont il devient le président, puis au club des Jacobins qu'il rallie en 1790. Son éloquence impétueuse lui doit d'être nommé, le 6 décembre 1791, substitut du procureur de la Commune de Paris. Toutefois, c'est à partir de l'assaut révolutionnaire du 10 août contre les Tuileries qu'il devient l'un des grands personnages de la scène politique. Seul face aux Girondins, il affirmera que la république doit faire preuve d'esprit offensif pour conjurer les menaces tant à l'intérieur qu'à l'extérieur de ses frontières. Disposant d'alliés dans tous les milieux et plus particulièrement parmi les moins recommandables il ne pourra pas résister en 1794 à la dictature de la vertu.

L'Assemblée adopte la première Constitution

Paris, 3 septembre 1791
Après deux années de travail, l'Assemblée, proclamée constituante le 9 juillet 1789, achève la rédaction de la première Constitution française. C'est une réorganisation complète des institutions du pays. La France demeure une monarchie ayant à sa tête un roi héréditaire. Mais ce roi, qui doit prêter serment à la Constitution, n'est plus que le représentant de la nation. Il a cessé d'être un autocrate de droit divin, pour être, lui aussi, soumis à la puissance des lois. Il devient le premier fonctionnaire de l'Etat, appointé par une liste civile de 25 millions de livres. Il conserve le droit de choisir ses ministres, au nombre de six, et il nomme les hauts fonctionnaires, les ambassadeurs et les généraux. Il garde une partie du pouvoir législatif, grâce au droit de veto suspensif, mais ce droit ne s'applique ni aux lois constitutionnelles, ni aux lois fiscales. D'autre part, il ne peut agir sans le contreseing de son ministère. Enfin, il peut être déchu en cas de haute trahison ou de départ à l'étranger. Les attributions législatives des anciens conseils passent à un corps unique, une assemblée législative, formée de 745 députés, élus pour deux ans par 50 000 électeurs, eux-mêmes désignés par l'ensemble des citoyens « actifs », payant un impôt annuel au moins égal à trois journées de travail. Elle dispose d'un pouvoir absolu en matière financière, car elle seule établit et vote le budget. En matière diplomatique et militaire, elle partage ou contrôle l'action du roi. Elle ne peut être dissoute par le gouvernement ; à l'inverse, si les ministres ne sont pas responsables devant elle, elle peut néanmoins les mettre en accusation. La Constitution supprime les anciennes divisions administratives, telles que les bailliages ou généralités. Elles sont remplacées par un cadre unique, le département, subdivisé en districts, cantons et communes. A la tête de chacun des 83 départements, un conseil élu et un directoire sans qu'aucun agent direct du pouvoir n'y représente l'autorité centrale. Les communes sont administrées par un maire ou un corps municipal, désigné par une assemblée élue. Enfin, une justice unique et égale pour tous est instituée avec, à sa base, un juge de paix élu pour deux ans.

Les Jacobins plantant le premier « arbre de la Liberté », symbole de la Révolution. 1790. Dessin aquarellé.

La machine du "bon docteur" Guillotin

Paris, 1791
« Avec ma machine, je vous fais sauter la tête en un clin d'oeil et vous ne souffrez pas. » C'est avec ces mots que le docteur Joseph Guillotin présente sa machine à tuer le 1er décembre 1789 à l'Assemblée constituante. Malgré un premier échec, il défend son projet avec ardeur : le 20 mars 1792, après un avis favorable de l'Académie de chirurgie, son procédé est adopté. Surnommée d'abord la « Petite Louison » du nom du secrétaire de l'Académie, la machine est inaugurée le 25 avril lors de l'exécution d'un assassin. Le premier condamné politique sera exécuté le 21 août. L'objectif de Guillotin est de rendre la condamnation à mort égale pour tous et que l'infamie attachée à certains modes d'exécution soit épargnée aux familles. Homme de progrès, il se fera le propagateur de la vaccination après avoir condamné le mesmérisme en 1784.

La première démonstration de la machine du docteur Guillotin a lieu le 25 avril 1792.

1792

Paris, 2 janvier
Au club des Jacobins, Robespierre prononce un discours contre la guerre.

Allemagne, 6 janvier
Suite à l'ultimatum de la Législative, l'Electeur de Trèves disperse les Emigrés.

Empire ottoman, 8 janvier
Signature du traité de Jassy. →

Paris, 23 janvier
La capitale connaît des troubles dus à la pénurie de sucre et de café.

Angleterre, 25 janvier
Création de la London Corresponding Society, première organisation politique des classes pauvres. À la fin de l'année, elle comptera 3 000 membres.

France, fin janvier
La chute de l'assignat continue : un assignat de cent livres n'en vaut plus que soixante-trois.

Vienne, 7 février
Le compositeur italien Cimarosa présente son opéra bouffe *Le Mariage secret*. →

Autriche-Prusse, 7 février
Les deux pays signent une alliance défensive contre la France.

Paris, 9 février
La Législative prononce le séquestre des biens des Emigrés, qui sera réglementé le 29 mars.

Londres, 23 février
Mort du peintre Joshua Reynolds. →

France, février-mars
Des troubles éclatent dans les campagnes ; les manifestants exigent une taxe pour empêcher l'agiotage sur les produits de première nécessité.

Des actions contre-révolutionnaires sont menées en Lozère, tandis que dans l'Ouest, un noble, La Rouërie, organise une conjuration.

Vienne, 1er mars
L'empereur Léopold II meurt ; son fils François II lui succède. Il sera couronné empereur le 5 juillet à Francfort-sur-le-Main.

Etampes, 3 mars
Le maire d'Etampes, Simonneau, est tué alors qu'il s'opposait à une émeute exigeant la taxation des produits.

Paris, 10 mars
Le ministre des Affaires étrangères Delessart est mis en accusation pour sa politique pacifique.

Paris, 15 mars
Formation d'un ministère girondin. →

Stockholm, 16 mars
Le roi de Suède, Gustave III, est assassiné. →

Etats-Unis d'Amérique, 2 avril
Le premier dollar est frappé. →

Paris, 15 avril
La capitale fête la Liberté en l'honneur des soldats suisses du régiment de Châteauvieux libérés. Ils s'étaient révoltés à Nancy en août 1790.

Paris, 20 avril
La Législative déclare la guerre « au roi de Bohême et de Hongrie », car François II n'est pas encore élu empereur. →

Strasbourg, 26 avril
Rouget de Lisle compose les paroles et la musique du *Chant de guerre pour l'armée du Rhin*, future *Marseillaise*.

France, 29 avril
Les opérations militaires françaises se soldent par des défaites. La cavalerie, formée d'aristocrates, simule la panique au contact des forces ennemies et reflue sur les fantassins. A Lille, ces derniers massacrent leur général, Dillon. Le général Biron se replie sur Valenciennes.

France, avril
Le gouvernement français propose au roi de Sardaigne, Victor-Amédée III, une alliance contre l'Autriche moyennant l'échange de la Savoie contre le Milanais en cas de victoire.

Pologne, 18 mai
Les troupes russes envahissent le pays.

Paris, 27 mai
La Législative décrète que tout prêtre reconnu comme réfractaire encourt la déportation. Le roi oppose son veto à cette mesure.

Paris, 29 mai
La Législative dissout la garde personnelle du roi. Il sera désormais protégé par la garde nationale.

Paris, mai
Jacques Roux, un futur « Enragé », exige la peine de mort contre les accapareurs.

Nouvelles victoires russes aux dépens des Ottomans

Jassy, 8 janvier 1792
Intransigeant, Sélim III, sultan depuis 1789, refuse l'accord séparé conclu en son nom par Frédéric-Guillaume II de Prusse (soucieux de mobiliser tous les efforts européens contre la révolution française), avec l'empereur Léopold II et par lequel l'Autriche abandonne toutes ses conquêtes en territoire ottoman. Malgré cette défection de son allié autrichien, Catherine II parvient à mettre en déroute et à massacrer l'armée ottomane à Mashin, le 4 avril 1791. Sélim III n'a plus les moyens de son intransigeance. Il s'empresse d'entériner l'accord avec l'Autriche (traité de Sistova, 4 août 1791) et demande la médiation de la Prusse auprès de la Russie. Par le traité de Jassy, il reconnaît l'annexion de la Crimée par les Russes et leur suzeraineté sur la Géorgie. La frontière entre les deux empires est fixée sur le Dniestr. La Russie bénéficie, désormais, d'une

Catherine II la Grande, impératrice de Russie. 1785. Eau-forte sur cuivre.

position qui lui permet de dominer aussi bien les principautés danubiennes que la mer Noire.

L'armée ottomane en campagne : ordre et discipline. Gravure sur cuivre d'après un dessin de Luigi Mayer (1810).

Les Etats-Unis se dotent d'une monnaie : le dollar

Etats-Unis d'Amérique, 2 avril 1792
Pendant la période coloniale, la monnaie de papier était plus répandue que la monnaie métallique. En 1786, le Congrès avait adopté une unité monétaire baptisée dollar, afin de renforcer son indépendance. Mais l'Etat américain ne disposait pas, alors, d'établissement monétaire. Après avoir fondé une banque nationale, en 1792, il peut enfin frapper un dollar d'argent qui contient 371,25 grains de métal pur (un grain valant 0,065 g). Auparavant, le mot dollar servait à désigner les diverses monnaies espagnoles, les pesos. Quant à son étymologie, elle provient du flamand. Toutefois, le dollar connaîtra pendant longtemps des difficultés, la banque nationale ne jouant pas le rôle d'une banque d'émission.

Les Anglais s'emparent du royaume du Mysore

Inde du Sud, 1792
La troisième guerre du Mysore s'achève. Elle a conduit Tippu Sahib à déposer les armes, après deux ans de combats, devant une coalition formée par les Anglais, les Marathes et le Nizâm de Hyderâbâd. Le royaume hindou du Mysore était tombé, en 1762, aux mains d'un usurpateur et aventurier de génie, Haidar Ali Khan, auquel Tippu Sahib, son fils, succédait en 1782. La puissance croissante du Mysore représentait donc, depuis une trentaine d'années, un danger grave pour les intérêts occidentaux en Inde du Sud. Commencée en 1790, la guerre se poursuit deux ans, en trois campagnes difficiles. Enfin, en 1792, Tippu est forcé de négocier. La moitié des territoires lui appartenant sont annexés à l'Empire britannique, et les alliés des Anglais reçoivent leur part.

La France déclare la guerre à l'Autriche

Paris, 20 avril 1792

L'Assemblée législative a voté la déclaration de guerre « au roi de Bohême et de Hongrie ». Le sens de la formule est clair : c'est l'Autriche qui est visée, puisque les couronnes de Bohême et de Hongrie font partie des domaines héréditaires. L'Autriche et non l'Empire, puisque Léopold II est aussi empereur d'Allemagne. Cette déclaration est votée presque à l'unanimité, et non par les seuls Girondins. Ni Carnot, ni Cambon, ni Merlin de Thionville, l'animateur des Cordeliers, ne s'y sont opposés. Robespierre est l'un des rares opposants résolus à la guerre, dont il dénonce les périls : la résistance des peuples envahis contre les troupes républicaines, les « missionnaires armés », la dictature inévitable à terme à l'intérieur, les charges financières écrasantes, la lassitude qui finira par affaiblir les révolutionnaires. Robespierre estime également que la France n'est pas menacée, que les intentions des souverains, malgré leurs déclarations belliqueuses, sont en définitive pacifiques. Mais la Gironde et ses chefs, Vergniaud, Brissot, Roland, veulent la guerre. Ils en attendent un surcroît de popularité pour leur parti. En multipliant les déclarations sur la Révolution menacée, ils entendent faire la preuve de leur ardeur de patriotes et de républicains. Ils ont une autre arrière-pensée : la guerre mettra le roi au pied du mur et l'obligera à choisir son parti. Mais si les Girondins souhaitent la guerre pour abattre le pouvoir royal, d'autres escomptent un résultat tout opposé. En effet, La Fayette et ses amis, qui ont réussi à faire partager leurs vues à la Cour et à convaincre le roi lui-même, espèrent que le conflit servira à fortifier la monarchie. La Fayette pense que le commandement des armées lui reviendra. La guerre justifiera les mesures prises contre les factieux, contre lesquels on pourra ensuite retourner les troupes victorieuses. Entre les monarchistes, les amis de La Fayette et la Gironde, des intrigues se nouent, vivement dénoncées par Robespierre. Le salon de Mme de Staël en est le foyer. Les deux partis poursuivent des buts opposés, mais ayant la guerre pour premier objectif, ils peuvent s'entendre pour la provoquer. Les Emigrés rassemblés à Trèves sont un prétexte idéal. Le 14 décembre 1791, le roi annonce à l'Assemblée qu'il va sommer l'Electeur de Trèves de disperser les Emigrés et demande la constitution de trois armées, dont une commandée par La Fayette. Mais le 21 décembre, sur les conseils de l'empereur, l'Electeur cède. Léopold renouvelle toutefois les menaces de Pillnitz. Il n'en faut pas davantage aux Girondins. Le 13 janvier, Gensonné, député de la Gironde, lance un ultimatum enjoignant l'Autriche de désavouer la déclaration de Pillnitz. Brissot et Vergniaud le soutiennent à fond. Un nouvel intervenant, Dumouriez, joue un rôle décisif ; lié aux deux partis, il est l'homme des Girondins et celui du roi. Devenu ministre, c'est lui qui envoie deux autres ultimatums, les 18 et 25 mars, auxquels l'Autriche ne répond pas.

Le départ des volontaires de 1792. Peinture de Pierre-Etienne Le Sueur. Musée Carnavalet, Paris.

Le général Dumouriez. Peinture de J.S. Rouillard (1835). Château de Versailles.

Général Dumouriez (1739-1823)

Charles-François Du Périer, dit Dumouriez, est né en 1739. Après une rapide carrière militaire pendant la guerre de Sept Ans, il passe à la diplomatie. 1789 le trouve à Cherbourg où il prend la tête de la garde nationale. Lié à La Fayette et à Mirabeau, il entre en 1790 au club des Jacobins, mais simultanément intrigue avec la Cour. En 1792 il devient ministre girondin des Relations extérieures et pousse à la guerre contre l'Autriche. Après la chute du ministère, il prend le commandement de l'armée du Nord et remporte les victoires de Valmy et de Jemmapes. Battu à Neerwinden en 1793, il est relevé de son commandement et passe à l'ennemi.

Sir Joshua Reynolds, fondateur de la Royal Academy, disparaît

Londres, 23 février 1792

Premier président de la Royal Academy britannique en 1768 jusqu'à sa mort, sir Joshua Reynolds a été le plus brillant portraitiste de la société de son temps. Toutefois, il aspire aussi à codifier la pratique et les principes picturaux. Il veut faire une peinture savante et éclectique, qu'il a définie dans les quinze *Discours* prononcés dans le cadre de la Royal Academy, dont il fut le premier président. Promoteur de la « peinture d'histoire », sans pourtant la pratiquer beaucoup, il conçoit son travail comme le produit des savoirs des traditions italienne et flamande, qu'il étudie lors de ses différents voyages sur le Continent. Par là, Reynolds, comme Lebrun en France, annonce le remplacement de l'allégorie et du commentaire religieux par l'histoire, plus didactique. Jusqu'à sa cécité en 1789, il resta pourtant le peintre de la représentation de la richesse individuelle. Du *Capitaine John Hamilton* de 1746 à *Lord Heathfield* en 1787, en passant par *L'Honorable August Keppel* en 1753, le projet pictural évolue peu, mais la technique s'affirme, empruntant ici et là, renvoyant à tel ou tel pose ou cadrage, devenu classique. Son inlassable activité permit de faire admettre la peinture comme art libéral en Angleterre, avec un statut professionnel.

Joshua Reynolds. Portrait de Lord Heathfield. 1787. National Gallery, Londres.

Bentham, le réformateur des prisons, honoré par la Législative

Paris, 23 août 1792

L'Assemblée législative vient de décerner au philosophe anglais Jeremy Bentham, né à Houndsditch près de Londres en 1748, le titre de citoyen français, en récompense des ouvrages sur l'administration coloniale et sur les réformes pénitentiaires dont l'auteur avait fait hommage, l'année passée, à l'Assemblée constituante. Le projet de réforme du régime pénitentiaire, pour la documentation duquel l'auteur a effectué de nombreux voyages à l'étranger, et notamment en Russie, est consigné dans le *Panoptique : mémoire sur un nouveau principe pour construire des maisons d'inspection et nommément des maisons de force* (1791). Bentham s'appuie sur cette notion que les malfaiteurs sont de mauvais calculateurs auxquels il faut enseigner les vraies règles de l'« arithmétique morale ». Celle-ci, que l'auteur tente d'ériger en véritable science, repose sur l'évaluation d'une action d'après les plaisirs qu'elle doit procurer. Le mal, dans cette arithmétique des plaisirs, est assimilé à une « dépense », tandis que le bien constitue une « recette ». Bentham substitue ainsi à la vertu des anciennes morales fondées sur l'autorité des principes utilitaires, inhérents à la nature humaine. Le philosophe écrira encore sur la législation civile et pénale, avant de mourir à Londres, en 1832.

Jeremy Bentham (1748-1832), jurisconsulte et philosophe anglais. Gravure d'époque.

1792

Paris, 8 juin
La Législative a décidé de créer un camp de 20 000 fédérés armés autour de la capitale pour prévenir des actions des royalistes et des Feuillants. Louis XVI oppose son veto le 11.

Paris, 13 juin
Louis XVI renvoie les trois ministres girondins, tout en essayant de garder Dumouriez. Ce dernier démissionne tout de même le 16 et un nouveau ministère feuillant est constitué. →

Paris, 20 juin
A l'initiative de Santerre, brasseur au faubourg Saint-Antoine, la population parisienne marche sur les Tuileries pour obtenir la levée par le roi de ses veto, mais sans succès. Le soir, les Tuileries sont évacuées.

Paris, 27 juin
La Fayette, rentré du front en catastrophe, menace l'Assemblée si elle ne respecte pas le roi et la somme de disperser les clubs. Le maire de Paris, Pétion, est suspendu.

Paris, 11 juillet
Le Girondin Vergniaud fait proclamer par l'Assemblée « la Patrie en danger ». →

Pologne, 24 juillet
En adhérant à la Confédération formée à Targowica par une fraction de la noblesse polonaise russophile, le roi de Pologne, Stanislas-Auguste, se soumet à Catherine II.

Paris, 3 août
Quarante-sept sections parisiennes sur quarante-huit exigent la déchéance du roi.

Paris, 10 août
L'insurrection parisienne obtient la suspension du roi (→).

Création de la Commune insurrectionnelle de Paris ; Santerre est nommé à la tête de la garde nationale, l'Assemblée nomme un Conseil exécutif provisoire de six membres, dont Danton (Justice) et Roland (Intérieur), et convoque une Convention nationale.

Paris, 12 août
Louis XVI et sa famille sont internés au Temple.

France, 14 août
La Fayette tente de faire marcher son armée sur Paris. Après son échec, il émigre le 19 août. La Législative proclame les biens des Emigrés « biens nationaux ».

Paris, 17 août
Sur proposition de Danton, création d'un tribunal criminel extraordinaire pour juger les défenseurs royalistes des Tuileries. D'autre part, le commandement des armées est confié à Dumouriez (Est) et à Kellermann (Nord).

Longwy, 23 août
La cité capitule sans combats devant les Prussiens.

Paris, 25 août
Suppression des redevances féodales non justifiées par des titres.

Verdun, 2 septembre
La ville capitule à son tour.

Paris, 5-9 septembre
Elections à la Convention ; sont élus pour Paris : Robespierre le 5, Danton et Collot d'Herbois le 6, Desmoulins le 8 et Marat le 9.

Paris, 17 septembre
La Législative dissout la Commune insurrectionnelle de Paris. →

Valmy, 20 septembre
Victoire française à Valmy. →

Paris, 20 septembre
Avant de se séparer, l'Assemblée législative laïcise l'état civil et institue le divorce. Son travail est poursuivi par la Convention. →

Paris, 21 septembre
Réunie la veille, la Convention tient sa première réunion publique et se donne Pétion comme président. Elle décrète l'abolition de la royauté (→). La nouvelle assemblée compte 749 députés dont un tiers de juristes. Ils appartiennent à la bourgeoisie, à deux exceptions près. Les Girondins dominent l'assemblée ; ils sont près de deux cents contre une centaine de Montagnards.

Paris, 22 septembre
La Convention décide de dater les actes publics de l'an I de la République. →

Paris, 25 septembre
La République française est déclarée Une et Indivisible. →

France, 29 septembre
Le général français Anselme occupe Nice, tandis que d'autres troupes sont entrées dans Chambéry le 24 pour répondre à l'alliance signée entre le Piémont et l'Autriche.

Menace étrangère contre la Révolution : le manifeste de Brunswick

Coblence, 25 juillet 1792
La déclaration du duc de Brunswick a été rédigée en fait par un Emigré français, le marquis de Limon, dont le texte a été préféré à celui, plus pondéré, de Mallet Du Pan, inspiré par les Feuillants. Le duc, qui commande l'armée des Coalisés, s'est contenté d'y apposer sa signature. Ce manifeste est d'un ton sans nuance et d'une violence extrême. Il

menace en effet le gouvernement révolutionnaire, « s'il est fait le moindre outrage à la famille royale » d'une « vengeance exemplaire, en livrant la ville de Paris à une exécution militaire et à une subversion totale, et les révoltés aux supplices qu'ils auront mérités ». Il faut chercher l'origine de cette déclaration incendiaire dans les événements du 20 juin lorsque le peuple en armes, après avoir envahi l'Assemblée et les Tuileries, avait coiffé le roi du bonnet phrygien et l'avait obligé à boire à la santé de la Nation. Pareille injure méritait un châtiment exemplaire.

Lors de la prise des Tuileries le 20 juin 1792, Louis XVI avait dû coiffer le bonnet phrygien. Lorsqu'il est conduit au Temple avec sa famille le 12 août, on le lui retire pour le coiffer du bonnet vert des forçats.

Les Girondins après les Feuillants à la tête du gouvernement

Paris, 23 mars 1792
Le débat sur l'entrée en guerre de la France vient de faire tomber le gouvernement. Le ministre des Relations extérieures, Delessart, est violemment attaqué le 10 mars devant la Législative par le Girondin Brissot. Ce dernier lui reproche d'avoir freiné les dispositions de l'Assemblée et de négocier la paix avec l'empereur Léopold. Brissot attaque à la fois la Cour, qui voudrait imposer sa politique à l'Assemblée, et Robespierre, qui se tromperait dans son estimation des intrigues monarchistes. Vergniaud obtient la mise en accusation de Delessart. Les Feuillants, autour des frères Lameth, conjurent le roi de soutenir Delessart ou de dissoudre l'Assemblée. Favorable à la guerre, Louis XVI nomme les Girondins que Brissot lui présente : Roland à l'Intérieur, Clavière aux Finances, Dumouriez aux Relations extérieures, Duranthon à la Justice et de Grave à la Guerre. Dumouriez est l'homme fort de ce gouvernement qui n'a qu'une tâche : organiser la guerre.

Le compositeur italien Cimarosa présente "Le Mariage secret"

Vienne, 7 février 1792
Le compositeur Domenico Cimarosa, né à Aversa en décembre 1749 et célèbre à travers toute l'Europe pour ses opéras bouffes, vient de connaître un triomphe avec Le Mariage secret, opéra-comique sur un livret de Giovanni Bertati. L'intrigue se développe autour de Paolino, jeune employé de Geronimo, un riche négociant, et de Carolina, fille cadette de ce dernier, qu'il a épousée en secret. Le caractère primesautier de Carolina contraste avec l'habituelle raideur des personnages d'opéra. Le Mariage secret connaîtra un tel succès à Naples, l'année suivante, que Ferdinand IV nommera le compositeur maître de la Chapelle royale. Poursuivi pour avoir écrit un hymne républicain, il devra se réfugier à Venise, où il mourra en 1801.

Florian remet les fables au goût du jour

Paris, 1792
L'auteur dramatique et romancier Jean-Pierre Claris de Florian, né dans les Cévennes en 1754, apprécié pour ses comédies inspirées des « arlequinades » du théâtre italien publie des Fables qui introduisent le lecteur dans un monde pastoral plein de vivacité souriante. L'auteur agrémente de traits malicieux, voire railleurs, son observation aiguë de la réalité sociale qu'illustre une grande variété de personnages pittoresques. Le singe qui montre la lanterne magique ou Le Perroquet, tournent en dérision les « beaux esprits » qui se targuent de clarté, ou les velléités et les jugements des critiques. Touché par le décret de la Révolution interdisant aux nobles de séjourner à Paris, Florian, dernier poète d'une société frivole et raffinée, sera banni en 1793, incarcéré puis libéré et mourra en 1794, brisé par les émotions.

Prise du palais des Tuileries le 10 août 1792. Peinture de Jacques Bertaux. Musée historique du château de Versailles.

En Suède, mort de Gustave III, roi lettré et autoritaire

Stockholm, 16 mars 1792

Le roi de Suède, Gustave III, vient d'être assassiné par un officier noble. Né en 1746, élevé à la française, ayant longuement séjourné à Paris, le roi était monté sur le trône en 1771. Dès l'année suivante, par un coup d'Etat appuyé par la France, il imposait une nouvelle Constitution qui supprimait les partis et réduisait les pouvoirs du Conseil et de la Diète. Il mettait ainsi fin au système inauguré en 1718, par lequel la vie politique était dominée par l'aristocratie, divisée en deux fractions rivales. De 1772 à 1788, le roi gouverne à la façon d'un despote éclairé. Il renforce l'Etat, centralise l'administration, abolit la torture, accorde la liberté de conscience. Ami des sciences et des arts, il fonde l'Académie suédoise et inaugure l'Opéra de Stockholm. En janvier 1789, par l'Acte d'union et de sécurité, il supprime les privilèges de la noblesse, instaure l'égalité juridique et se réserve l'initiative des lois.

Pierre Victorien Vergniaud. Gravure de Bonneville. Bibliothèque nationale, Paris.

Pierre Vergniaud (1753-1793)

Cet avocat bordelais (né à Limoges en 1753) est avec Jacques-Pierre Brissot l'une des figures marquantes des Girondins, maîtres du gouvernement et de l'Assemblée en cette année 1792. Orateur doué d'une force de persuasion peu commune, il enlève à plusieurs reprises les votes de l'Assemblée et détermine souvent à lui seul la politique qu'elle va adopter. C'est ainsi qu'il légitime le coup de force des sans-culottes parisiens le 20 juin, en affirmant qu'il « est des cas où la loi mérite d'être violée ». Favorable à l'entrée en guerre, il fait aussi voter en avril le décret de déportation des prêtres réfractaires. En janvier 1793, il vote la mort immédiate de Louis XVI. Toutefois, chez Vergniaud, cette intransigeance révolutionnaire est tempérée par une sorte d'indolence qui l'empêche d'aller jusqu'au bout de ses principes. Un trait de caractère qui ne sera pas étranger à la chute de son parti en 1793.

Le 10 août, les sans-culottes prennent les Tuileries d'assaut

Paris, 10 août 1792

Le peuple de Paris, pour la seconde fois, s'empare des Tuileries. Cette fois, les sans-culottes ne sont pas seuls : les bataillons de Fédérés, venus pour le 14 Juillet, sont présents. Depuis le 20 juin, la tension a encore monté d'un cran. Robespierre n'a de cesse de dénoncer les projets d'évasion du roi et de demander sa déchéance. L'insurrection est imminente. Un directoire secret est constitué et dirigé par Anthoine, ami de Robespierre et de la Commune de Paris. Par une nuit claire, du 9 au 10, cette dernière décide de faire sonner le tocsin et de battre la générale. Partis du faubourg Saint-Antoine, des milliers de patriotes armés donnent l'assaut au palais, contraignant la famille royale à se réfugier sous la protection de l'Assemblée. Après un violent combat, les Suisses sont massacrés et le palais pillé. Des centaines de sans-culottes ont péri. Mais la monarchie est tombée.

Gustave III, roi de Suède. Peinture de Niklas Lafrensen. Château de Gripsholm.

Massacre de prisonniers au Châtelet et à la maison d'arrêt de Bicêtre, les 2-4 septembre 1792. Gravures d'époque.

Massacres dans les prisons de Paris

Paris, 2-4 septembre 1792

Les nouvelles du passage de La Fayette à l'ennemi et de l'avancée des troupes prussiennes, grâce aux trahisons de Longwy et de Verdun, causent une émotion indescriptible dans la capitale. Les rumeurs les plus folles courent les moindres ruelles de la ville. La peur de l'invasion, la crainte des complots nourrissent autant l'enthousiasme que la haine. La Commune appelle aux armes, tandis que des sections décident que le peuple doit exercer sa vengeance sur le champ. Par dizaines, durant trois jours, des groupes envahissent les prisons, à l'Abbaye, à la Force, à la Conciergerie, à Bicêtre, établissent des « tribunaux révolutionnaires » qui, après un jugement expéditif, envoient les prisonniers à la mort : aristocrates, prêtres réfractaires, droits communs, plus d'un millier au total en trois journées hystériques. En même temps, Paris prépare sa défense et mobilise les Volontaires.

De nouveaux symboles pour la Révolution

France, 1792

Au cours de l'hiver 1792, le bonnet rouge est à la mode parmi les sans-culottes et les citoyens s'arment de piques. Ainsi, peu à peu, la Révolution invente et précise ses symboles. En cultivant le port d'un costume spécifique, les révolutionnaires affirment aussi leur identité et se reconnaissent dans l'appartenance commune au mouvement : le bonnet rouge, dit phrygien, qui veut rappeler le bonnet de laine porté par les esclaves antiques, symbole de l'oppression ; mais aussi la cocarde tricolore, les amples pantalons opposés aux culottes des aristocrates et la Carmagnole, une veste courte.

Le symbole de la République : le bonnet phrygien coiffant une pique émergeant d'un faisceau. 30 juin 1793.

1792

Paris, 1er octobre
La Convention crée le Comité de sûreté générale et de surveillance, responsable de la sécurité du territoire.

Allemagne, 1er octobre
Commandées par le général Custine, les troupes françaises occupent Mayence.

France, 8 octobre
Les Prussiens évacuent Verdun.

Paris, 9 octobre
La Convention décide que les Emigrés pris les armes à la main seront guillotinés dans les vingt-quatre heures.

Paris, 10 octobre
Le Girondin Brissot est exclu du club des Jacobins.

Paris, 29 octobre
A la Convention, les députés girondins Louvet et Roland accusent Robespierre d'aspirer à la dictature.

Savoie, octobre
Les Français convoquent une assemblée nationale des Allobroges, qui décrète l'union de la Savoie à la France ratifiée par la Convention le 27 novembre.

Belgique, 6 novembre
Entré en Belgique le 27 octobre, le général Dumouriez défait les Prussiens à Jemmapes avant de prendre Mons le 7 et d'entrer dans Bruxelles le 14.

Paris, 13 novembre
A la Convention, le débat sur l'inviolabilité du roi, ouvert par Pétion, aboutit à la décision d'intenter un procès à Louis XVI.

Espagne, 14 novembre
Le roi Charles IV décharge le ministre Aranda de ses fonctions et nomme Manuel de Godoy pour le remplacer.

Paris, 15 novembre
La Gironde perd la présidence de la Convention. L'ex-abbé Grégoire est élu.

Paris, 19 novembre
La Convention décrète accorder « fraternité et secours » aux peuples qui voudraient recouvrer leur liberté. →

Paris, 20 novembre
Découverte de l'« armoire de fer » compromettant Mirabeau. →

Ile-de-France, 22 novembre
Des troubles ruraux éclatent dans la Beauce pour obtenir la taxation des grains.

Belgique, 30 novembre
Après avoir pris Liège le 28, une autre armée française occupe Anvers.

Paris, 2 décembre
Le renouvellement de la Commune de Paris porte au pouvoir une nouvelle génération, le plus souvent des artisans, jacobins et hébertistes. Seule le maire Chambon est girondin.

Paris, 8 décembre
La Convention décrète la liberté du commerce des grains et supprime la réglementation.

Paris, 10 décembre
Le député Robert Lindet présente devant la Convention l'acte d'accusation contre Louis XVI qui comparaît le lendemain.

Paris, 15 décembre
Les territoires d'Europe occupés par les armées françaises sont désormais régis par l'administration révolutionnaire.

Naples, décembre
A l'occasion de l'arrivée d'une flotte française, des « jacobins » locaux organisent vainement un complot pour abattre la monarchie.

Pologne, décembre
La Prusse occupe les villes de Torun, Gdansk et la Petite Pologne.

Inde, Panjâb
Ranjit Singh devient roi des Sikhs à l'âge de douze ans. Il régnera effectivement de 1809 à 1839.

Paris
L'écrivain Florian publie ses *Fables*. →

Angleterre
Le chimiste William Murdoch met au point l'éclairage au gaz.

Inde du Sud
Les Anglais s'emparent du Mysore. →

Paris
Marie-Joseph Chénier remporte un grand succès avec sa tragédie *Caïus Gracchus*.

Allemagne
Le philosophe Fichte, grâce à une recommandation de Kant, parvient à publier sa *Critique de toute révélation*.

La bataille de Valmy, le 20 septembre 1792. Gravure de Bovineti. Cabinet des Estampes, B.N., Paris.

La patrie en danger sauvée à Valmy

Valmy, 20 septembre 1792
Le 20 septembre au matin, sous une pluie tenace, les troupes de Dumouriez et de Kellermann prennent position sur les hauteurs de Valmy, au-dessus de la plaine d'Argonne. Les buttes, dont une avec son moulin, sont immédiatement occupées. L'artillerie, que La Fayette a dotée de batteries à cheval, s'installe. L'objectif des deux généraux est de couper à l'ennemi la route de Châlons-sur-Marne et de Paris. Les canonniers français ouvrent la bataille. Dans l'après-midi, c'est au tour de l'infanterie de mener le combat et, face aux régiments prussiens accoutumés aux plus savantes manœuvres, les bataillons de Volontaires font bonne figure, malgré leur inexpérience. Au bout de quelques heures, le duc de Brunswick, ébranlé par la résistance française, ordonne la retraite. Johann Wolfgang von Gœthe, présent, s'écrit même : « De ce lieu et de ce jour date une ère nouvelle dans l'histoire du monde. » Paris s'enthousiasme lorsque la nouvelle lui parvient, car l'invasion était lente, mais menaçante. Les armées prussienne et autrichienne avaient franchi la frontière le 19 août, bombardé et contraint Longwy à capituler le 23 et Verdun, assiégée pendant trois jours, le 2 septembre. De son côté, Dumouriez, croyant que Brunswick voulait défendre les Pays-Bas, envisageait d'envahir la Belgique. Or, Paris était bien la cible, surtout quand Brunswick atteignit la Meuse. En catastrophe, Dumouriez quitta Sedan pour gagner l'Argonne et arrêter l'ennemi.

La Législative dissout la Commune de Paris

Paris, 17 septembre
Un long duel de six semaines s'achève par cette décision de l'Assemblée législative. La Commune insurrectionnelle de Paris, instigatrice de la chute de la royauté à la suite du 10 août, est sanctionnée pour son impuissance devant la vague de massacres du début du mois. C'est toutefois le prétexte qu'utilise Roland devant l'Assemblée pour mettre fin à ce deuxième pouvoir bien incontrôlable. Les Girondins opposent la France à la Commune de Paris et présentent cette dernière comme préparant de nouveaux massacres et intriguant avec les Prussiens. Ils lui reprochent son radicalisme en matière de réquisition, son égalitarisme. En fait, la question royale et le cours à donner à la Révolution sont les vraies raisons d'un conflit sans pitié. Le lendemain, l'Assemblée ordonne le renouvellement de la Commune et rétablit Pétion à sa tête. Son conseil général accepte de sacrifier son Comité de surveillance générale. C'est le dernier acte important de la Législative avant de laisser place à la Convention.

La Convention abolit la royauté et proclame la République

Paris, 21 et 25 septembre 1792
La Convention nationale se réunit pour la première fois et élit son bureau le 20 septembre, le jour même de la victoire de Valmy. Le lendemain, elle vient prendre la succession de l'Assemblée législative dans la salle du Manège. C'est à la fin de cette séance qu'un député, Collot d'Herbois, avec le soutien de l'abbé Grégoire, propose l'abolition de la royauté et l'instauration de la République. Il est suivi par l'ensemble de l'Assemblée. Sur la suggestion de Billaud-Varenne, les décrets pris à partir de ce jour seront datés de l'an I de la République. Le 25 septembre enfin, sur une proposition de Couthon, la Convention proclame solennellement la République Une et Indivisible, afin de prévenir les tendances séparatistes, surtout en province. La crise institutionnelle, ouverte le 10 août par la prise des Tuileries et la proclamation de la déchéance du roi, est résolue.

Paris découvre la fête et les spectacles

Paris, 1792

Depuis 1789, des fêtes se succèdent : deux fêtes de la Fédération, deux « panthéonisations » (Mirabeau et Voltaire). Elles revêtent encore des aspects religieux. C'est en 1792 qu'elles deviennent civiques et se répandent en longs cortèges dans les rues de Paris. Le 15 avril, une fête de la Liberté glorifie les Suisses de Châteauvieux qui, après leur révolte d'août 1790, avaient été envoyés aux galères. Cet hommage rendu à des rebelles connaît un immense succès populaire : de la Barrière du Trône au Champ-de-Mars, s'écoule un flot joyeux de citoyens à l'allure souvent modeste. L'indignation de la bourgeoisie modérée en fit le symbole d'une saturnale scandaleuse. Aussi, le 3 juin, est organisé une fête de la Loi pour honorer le maire d'Etampes, Simonneau, tué lors d'une émeute populaire en faisant respecter le décret sur les subsistances. Cette fois, la pompe des uniformes des gardes nationales et des soldats de ligne domine. Souvent, le visage de la fête oscillera entre ces deux aspects : celui du défoulement des « bras nus » et celui des cérémonies compassées des bourgeois. Quant à l'athéisme militant des fêtes de la Raison, il fera place aux fêtes de l'Etre Suprême en 1794. Décrétée en janvier 1791, la liberté des spectacles autorisa toute personne à fonder un théâtre. Ceux-ci se multiplient et le public accourt pour applaudir les spectacles révolutionnaires. Marie-Joseph Chénier est un des auteurs les plus joués. En compagnie de Louis David, il organise les fêtes nationales. A partir du 2 août 1793, la Convention imposera une censure sur les œuvres jugées non révolutionnaires.

Patriotes dansant la Carmagnole autour d'un arbre de la Liberté. Gouache des frères Lesueur. Musée Carnavalet.

La Convention autorise le divorce par consentement mutuel

Paris, 20-25 septembre 1792

L'œuvre législatrice de la Convention poursuit celle de la Législative par la légalisation du divorce. Cette mesure, à laquelle aucun signataire de cahiers de doléances, trois ans auparavant, n'aurait seulement songé, montre combien les mentalités ont changé. Elle fait partie de tout un ensemble de décisions qui transforment le paysage de la famille dans la société française. Le 21 septembre, la gestion de l'état civil est retirée aux prêtres pour être attribuée aux municipalités. Les prêtres peuvent continuer à dresser l'enregistrement des mariages, des naissances et des décès, mais ils n'ont plus force de loi. Cette laïcisation est renforcée par l'institutionnalisation du mariage civil et par la légalisation du divorce. Cette dernière mesure rentre dans la condamnation de toutes les entraves qui empêchent de vivre librement. La nouvelle moralité n'admet pas les mariages forcés, ni l'hypocrisie de certaines unions illégitimes. Le divorce est admis en trois occasions : en cas d'incompatibilité d'humeur - si après une période de conciliation de six mois l'entente n'est pas rétablie, le conjoint peut se remarier immédiatement, sa conjointe, elle, devra attendre dix mois ; en cas de mauvais traitements, d'abandon de domicile conjugal de plus de deux ans, d'absence non justifiée, de démence de l'un des époux, de peine infamante, d'émigration ; par consentement mutuel. Dans ce dernier cas, la garde des enfants est attribuée à la mère jusqu'à l'âge de sept ans, puis au père. La libéralisation générale des lois sur le mariage - en 1793 la publication des bans sera nécessaire seulement un jour à l'avance et les futurs époux n'auront besoin que de quatre témoins - entraînera une véritable « fureur de mariages » dont le nombre augmentera de plus de 50% pour les années 1793 et 1794. Il s'ensuivra un boom démographique inconnu jusqu'alors : plus d'un million de naissances en 1794.

« Le Mariage républicain » ou l'un des premiers mariages civils sous la Révolution. B.N., Paris. Dans le même temps, le divorce était légalisé.

La Révolution se veut le défenseur des peuples opprimés

Paris, 19 novembre 1792

Les révolutionnaires appellent tous les peuples d'Europe à se révolter contre l'ordre monarchique et à se libérer de leurs chaînes. Ce faisant, ils contractent à leur égard une obligation morale : les idéaux républicains impliquent en effet l'aide et la protection des révoltés. Début novembre, les habitants du bailliage de Bergzabern, dans le duché de Deux-Ponts (petite principauté allemande voisine de la Lorraine), encouragés par le club de Landau, avaient planté l'arbre de la Liberté, supprimé les droits féodaux et réclamé leur réunion à la France. La révolte gagne tout le duché, mais la répression s'abat et les troupes du duc arrêtent les meneurs. La France peut-elle assister sans réagir à de pareils événements ? Le 19 novembre, Rhül expose ces faits devant la Convention : « Je demande, conclut-il, que vous déclariez que les peuples qui voudront fraterniser avec nous seront protégés par la nation française. » De nombreux orateurs soutiennent la proposition et la Convention, malgré l'opposition de Brissot, adopte le même jour le projet de décret que lui soumet La Revillière-Lepeaux : « La Convention nationale déclare, au nom de la nation française, qu'elle accordera fraternité et secours à tous les peuples qui voudront recouvrer leur liberté et charge le pouvoir exécutif de donner aux généraux les ordres nécessaires pour porter secours à ces peuples et défendre les citoyens qui auront été vexés ou qui pourraient l'être pour la cause de la liberté. » La Convention affirme ainsi la solidarité de tous les révolutionnaires qui combattent leur ennemi commun, les monarques coalisés.

Lazare Carnot. Peinture de F. Bouchot. Musée de l'Armée, Paris.

Lazare Carnot (1753-1823)

Des années durant, Lazare Carnot (né en 1753) a été la victime des injustices et des privilèges de l'Ancien Régime, qui entravaient sa carrière. En 1770, ce fils de notaire, attiré par le métier des armes, entre à l'Ecole du génie de Mézières, l'une des très rares écoles militaires ouvertes aux roturiers. Ingénieur militaire, il exerce ses talents à Calais, Cherbourg, Béthune et Arras. En 1784, il se fait connaître en publiant un *Eloge de Vauban*, couronné par l'académie de Dijon. Mais ses origines modestes font obstacle à son avancement. Il se brouille enfin avec les chefs du corps royal du génie qui refusent l'examen d'un nouveau système de fortification dont il est l'auteur. Toutes ces vicissitudes font de lui un partisan de la première heure de la Révolution. Député à la Législative, inscrit au club des Jacobins, ses interventions sont remarquées. Il sera l'un des artisans de la chute de Robespierre.

Scandale autour d'une armoire de fer

Paris, 20 novembre 1792

Le 20 novembre 1792, le ministre Roland, aidé du serrurier Gamain, ouvre une armoire de fer cachée sous des boiseries aux Tuileries. Il y trouve la correspondance du roi avec Calonne, meneur de l'émigration, et avec les cours étrangères. Sa trahison ne paraît plus douteuse. Mais plus grave encore, le coffre renferme des documents attestant la corruption de certains révolutionnaires. Des noms circulent, tel celui du député Kersaint. L'opprobre se concentre sur Mirabeau, dont les cendres sont au Panthéon. On découvre ses lettres secrètes au roi et la preuve de sa vénalité. On crie à l'infamie, et ses restes sont jetés à la fosse commune. Le scandale est retentissant et l'agitation profonde parmi les conventionnels.

1793

Paris, 1er janvier
La Convention crée un Comité de défense générale.

Paris, 17 janvier
Louis XVI est condamné à mort et exécuté le 21. →

Paris, 20 janvier
Le Montagnard Le Peletier de Saint-Fargeau est assassiné par le garde du corps du roi, Pâris, pour avoir voté la mort de Louis XVI.

Paris, 22 janvier
Le Girondin Roland donne sa démission du ministère de l'Intérieur.

Pologne, 23 janvier
Second partage du pays. →

France, 31 janvier
Nice est annexée.

Rome, janvier
Le diplomate français Basville est assassiné par la plèbe romaine hostile à la Révolution.

Empire ottoman, janvier
Sélim III promulgue un « nouveau règlement administratif » et réorganise l'armée sur le modèle européen.

Irlande, janvier
Les catholiques se voient reconnaître le droit de vote.

Europe, 1er février
La Convention déclare la guerre à l'Angleterre et à la Hollande (→). L'Angleterre ne veut pas que la France ouvre à la navigation l'Escaut et la Scheldt qui risquent de concurrencer les ports hollandais.

Paris, 14 février
Jean Nicolas Pache, rallié aux Montagnards, est élu maire de la commune de Paris. C'est lui qui fait graver sur les monuments publics la devise : « Liberté, Egalité, Fraternité ».

Paris, 21 février
Adoption du décret sur « l'amalgame ». Le 24, une levée de 300 000 hommes est décidée. →

Paris, 25-26 février
Des épiceries sont pillées et le savon et le sucre taxés par les émeutiers.

Belgique, 6 mars
Après que le Hainaut ait été transformé en département de Jemmapes le 2, Tournai et Louvain sont réunis à la France.

Paris, 9 mars
Une insurrection contre les Girondins aboutit à la mise à sac des imprimeries de leurs journaux.

Vendée, 10 mars
Les troupes du vendéen Charette massacrent à Machecoul trois cents républicains.

Paris, 10 mars
Création du tribunal révolutionnaire.

Provinces-Unies, 18 mars
Entré à Breda le 25 février, le général Dumouriez est défait à Neerwinden par les Autrichiens.

Paris, 21 mars
Création des comités de surveillance révolutionnaires dans les communes et dans les sections, chargés de surveiller étrangers et suspects.

France, 23 mars
Après avoir annexé la rive allemande du Rhin le 17, la Convention incorpore à la République l'évêché de Bâle et une partie du Jura suisse.

Europe, 25 mars
Par le traité de Londres, la Russie adhère à la première coalition. →

France, 1er avril
Le général Dumouriez, en contact avec son homologue autrichien Mack, trahit et rejoint l'ennemi.

Paris, 6 avril
Un Comité de salut public, composé de six membres (dont Danton, Barrère et Cambon) renouvelables chaque mois, est créé pour remplacer le Comité de défense générale. Il délibère en secret, surveille et accélère le travail d'un comité exécutif, chargé de faire appliquer sans délai ses décisions.

Paris, 11 avril
L'assignat est doté d'un cours forcé.

Etats-Unis d'Amérique, 21 avril
Le Congrès déclare rester neutre dans le conflit européen.

Paris, 24 avril
Les Girondins obtiennent la mise en accusation de Marat le 12 avril, mais il sera acquitté par le tribunal révolutionnaire.

Europe, 28 avril
Tandis que les Espagnols envahissent la France et prennent Céret le 20, les Français reculent en Belgique.

La Pologne dépecée une seconde fois

Varsovie, 23 janvier 1793
Au lendemain de l'invasion de juin 1792, Catherine II hésite encore sur le sort qu'elle entend réserver à la Pologne. Elle envisage d'abord de conserver intactes les frontières du royaume et d'en faire une sorte de protectorat russe. Mais c'est courir le risque de voir le pays lui échapper avec l'appui des voisins occidentaux. Par ailleurs, la tsarine tient à mettre la France à la raison et, pour cela, le concours de ses alliés, la Prusse et l'Autriche, lui est indispensable. Or, il n'est pas douteux que la Prusse finira par abandonner la partie si on lui refuse « sa part de Pologne ». De son côté l'Autriche a d'autres ambitions. Elle souhaite acquérir la Bavière, quitte à l'échanger contre les Pays-Bas. Catherine II décide de s'entendre tout d'abord avec la Prusse. Le traité, signé à la hâte le 23 janvier, règle le deuxième partage de la Pologne. La Russie, qui annexe les territoires ukrainiens et biélorusses ainsi que la totalité de la Podolie, de la Lituanie et de la Volhynie, occupe désormais plus de 40 % des terres polonaises et s'accroît de quatre millions de sujets. La part de la Prusse, plus modeste, n'est pas négligeable. Contre l'engagement de continuer la guerre à l'Ouest, Frédéric-Guillaume II obtient Dantzig, Thorn, Posen et Kalish, soit 15 % du territoire polonais. Le traité n'est appliqué que dans les mois qui suivent. Le 4 avril, avec la capitulation de Dantzig, l'occupation prussienne est achevée et, le 7, les manifestes d'annexion sont publiés. Sous la contrainte (arrestation des députés, saisie de leurs biens), la Diète polonaise ratifie l'accord avec la Russie le 22 juillet. En Autriche, la communication du traité, le 23 mars, déchaîne la tempête. Le nouveau ministre des Affaires étrangères autrichien, Thugut, en espérant des compensations, décide d'ajourner la reconnaissance du traité et rejette la demande d'adhésion faite conjointement par les deux Etats protagonistes.

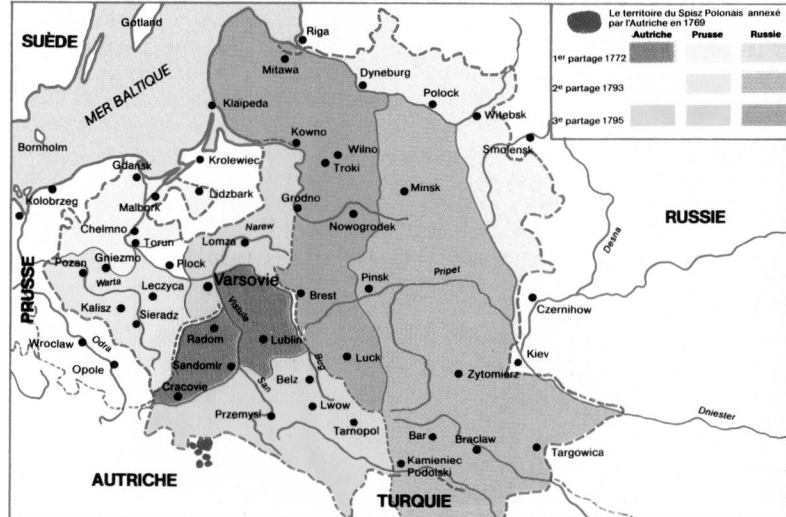

Restif de La Bretonne décrit les nuits du Paris révolutionnaire

Paris, 1793
Le romancier Restif de La Bretonne, né à Sacy en 1734 et auteur d'un célèbre recueil de nouvelles, *Les Contemporaines ou Aventures des plus jolies femmes de l'âge présent* (1780-1788), publie *Les Nuits de Paris ou le Spectateur nocturne*, une œuvre à mi-chemin entre la fiction et le mémoire. L'auteur y décrit les « mœurs d'une nation » sous l'Ancien Régime, créant une suite de tableaux où abondent les choses vues et senties, sorte d'épopée nocturne dans les « repaires du vice et du crime ». Les quinzième et seizième parties de l'ouvrage constituent le journal personnel de Restif pendant la Révolution, depuis le 23 avril 1789 jusqu'au 31 octobre 1793 ; il y évoque, parmi une abondance de faits, la mort de l'Intendant de Paris, Bertier, pendu à un réverbère, ou la fuite soudaine de Louis XVI. Après *Les Nuits,* Restif écrira encore une autobiographie, *Monsieur Nicolas ou le Cœur humain dévoilé* (1794-1797), et mourra à Paris en 1806.

Portrait de Restif de la Bretonne (1734-1806). Collection particulière.

Louis XVI est guillotiné place de la Révolution

Paris, 21 janvier 1793

De novembre 1792 à janvier 1793, un très long débat politique conduit la Convention à exécuter Louis Capet, anciennement Louis XVI, roi absolu et de droit divin. Des questions de principe sont posées et leurs réponses s'expriment par le verdict final. Enfermé au Temple, Louis XVI est coupable des morts du 10 août aux yeux de l'opinion. Les sections, les clubs, la presse en sont les porte-parole et exercent une pression continue sur la Convention pour obtenir la condamnation du roi. Le pouvoir légal hésite : il lui faut préalablement déterminer son degré de culpabilité et la légalité d'une telle procédure. Le 6 novembre, un rapport établi d'après les papiers des Tuileries atteste la correspondance de Louis XVI avec ses frères, sans le convaincre de trahison. Le problème de droit est plus délicat. Certains

députés avancent l'inviolabilité du roi en se retranchant derrière la Constitution de 1791 qui, pourtant, n'est plus en vigueur. A l'opposé, Robespierre considère le roi déjà condamné par le peuple. Le comité de législation conclut le 7 novembre que le roi est jugeable, et doit l'être par l'Assemblée, représentante de la nation. La découverte de l'« armoire de fer » achève de rendre le procès inévitable. Il s'ouvre le 10 décembre 1792, quand Lindet énumère les charges retenues qui portent sur l'attitude du roi depuis 1789. Modérés et Girondins souhaitent l'épargner. Les Montagnards, au contraire, posent le régicide en principe. Ils arguent d'abord de l'infaillibilité de la nation qui a déchu Louis XVI. « S'il est innocent, le peuple est coupable », s'écrie Saint-Just. Ils préconisent ensuite la mort comme mesure de salut public et garantie de la Répu-

blique libératrice. « Louis doit être puni ou la République est une chimère », lance Robespierre. Le roi comparaît le 11 décembre et nie toute trahison. Sa défense est assurée par Tronchet, de Sèze et Malesherbes, rentré d'émigration. Le 26 décembre, de Sèze plaide l'irresponsabilité et critique le vote public : « Je cherche parmi vous des juges et je ne vois que des accusateurs. » Peu convaincus, les Montagnards prônent la mort immédiate, tandis que la Gironde veut en appeler au peuple. Au cours du débat, les opposants au plébiscite, craignant l'acquittement, invoquent les risques de guerre civile et la légalité de la Convention, émanation de la nation. Le procès achevé, on décide que l'Assemblée doit se prononcer sur trois questions : la culpabilité, l'appel au peuple et la peine. Le 15 janvier 1793, 691 députés reconnaissent le roi coupable de conspiration. Le même jour, 424 d'entre eux, dont certains Girondins, refusent le plébiscite. Le 17 janvier, on vote sur la peine. Compte tenu des absents, la majorité absolue est de 361 voix. Le scrutin est relativement serré dans la mesure où 387 conventionnels, dont Philippe-Egalité, votent pour la mort, parmi lesquels 361 pour la mort immédiate. Cette journée consacre la victoire de la Commune et des Montagnards. Leurs arguments se sont imposés aux Girondins, défavorables à la peine capitale au début du procès. Au travers des débats, le régicide est justifié par la souveraineté de la nation qui prévaut sur celle de Louis XVI, pris comme symbole de la royauté et condamné à ce titre. Le 21 janvier 1793, Louis Capet monte sur l'échafaud. Les Emigrés, cruellement déçus, se regroupent autour du comte de Provence, qui se proclame Régent.

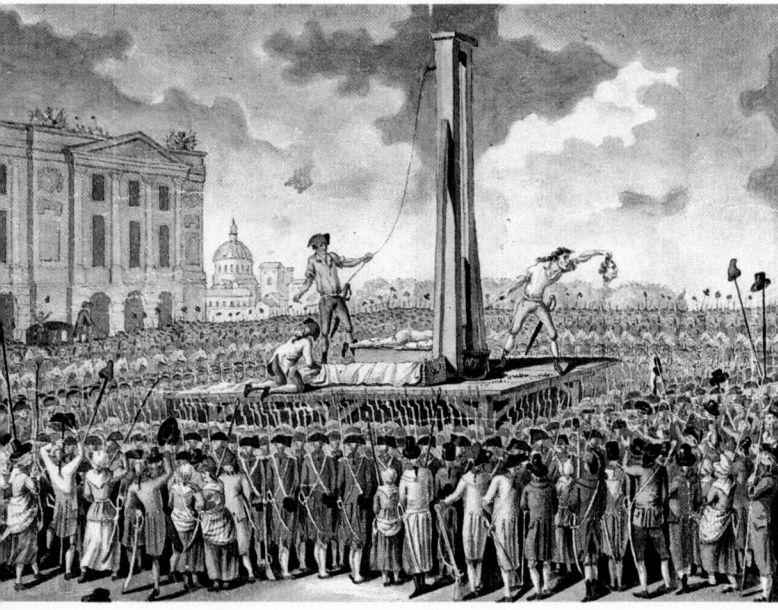

Exécution de Louis XVI le 21 janvier 1793, place de la Révolution (actuelle place de la Concorde). Gravure populaire.

Triomphe de « l'Ami du Peuple ». Gravure des frères Le Sueur.

Marat (1743-1793)

Ce petit homme taillé en force soulève les jugements les plus contradictoires. Monstrueux et ridicule pour les Girondins, ardent patriote et ami du peuple pour certains Montagnards. Né en 1743 à Neuchâtel (Suisse), de parents sardes, Jean-Paul Marat s'installe en France à seize ans avant de s'embarquer pour Londres où il publie, en 1774, un pamphlet contre toutes les tyrannies, *Les Chaînes de l'esclavage.* Médecin, il s'intéresse à la physiologie et à la psychologie. Républicain de la première heure, il fonde son propre journal, *L'Ami du peuple,* qui lui sert de tribune pour dénoncer avec violence complots et intrigues, réels ou imaginaires, dirigés contre le peuple. En 1789-1790, il accuse à plusieurs reprises Necker. En 1792, il se présente aux élections à la Convention où il est élu pour Paris le 9 septembre. Il s'y révèle courageux, face aux tempêtes que sa présence déchaîne chez les Girondins dont il dénonce les atermoiements. L'« Exagéré » devient un symbole pour les sans-culottes.

Les rois d'Europe se coalisent contre la République

Europe, février-septembre 1793

C'est de l'Autriche qu'est venue la première initiative dans la lutte de l'Europe contre la Révolution ; la Prusse s'est bientôt jointe à elle, appuyée par la Russie. Mais la première véritable coalition est l'œuvre de l'Angleterre. Lorsque la Convention déclare la guerre à la Grande-Bretagne et à la Hollande le 1er février 1793, la première, suivant l'ancienne tradition qui lui prescrit de susciter des ennemis à la France sur le Continent, subsides à l'appui s'il le faut, entreprend de regrouper derrière elle tous les monarques ennemis de la Révolution. Déjà, en novembre 1792, avant même l'ultimatum français, le Premier ministre Grenville avait fait des ouvertures en

direction de l'Autriche. Après le 1er février, il signe des alliances avec tous les belligérants : le 25 mars avec la Russie, le 25 avril avec la Sardaigne, le 25 mai avec l'Espagne, le 12 juillet avec Naples, le 14 juillet avec la Prusse, le 30 août avec l'Autriche et le 26 septembre enfin, avec le Portugal. Quant à la Hollande, elle était déjà alliée à l'Angleterre. En avril, la première conférence de la coalition se tient à Anvers. Son but est double : restaurer la monarchie et obtenir de la France qu'elle restitue toutes ses conquêtes. Si les objectifs communs créent entre les coalisés une certaine solidarité, aucun pacte général cependant n'est signé. Il n'est ni question d'un commandement unique ni d'une mise en commun des moyens. D'ailleurs, les disparités entre les divers alliés de l'Angleterre, la diversité de leurs situations mettent un obstacle à cette unité d'action.

La déchristianisation du pays s'amplifie

France, novembre 1793

Le mouvement de déchristianisation se radicalise. Le 6 novembre un décret stipule que les municipalités sont libres de renoncer au culte catholique et peuvent, à leur gré, désaffecter les églises. Le 23 novembre, la Commune de Paris fait fermer et réquisitionner toutes les églises de la ville. Le mouvement se répand en province. Ici, les églises sont détruites, là, elles sont transformées en temple de la Raison, ailleurs, en centre de réunion de sociétés patriotiques. Certaines sont aménagées en prisons, d'autres en hôpitaux. Les objets du culte, lorsqu'ils n'ont pas été pillés, sont pareillement réquisitionnés ; ainsi les cloches serviront à fondre des canons. La célébration de messes privées est interdite sous

peine d'emprisonnement. Cette vague antireligieuse a déjà été amorcée au cours des mois précédents. Alors que jusque-là on avait toujours associé les cérémonies religieuses aux célébrations patriotiques, les fêtes du 10 août 1793 ont été pour la première fois entièrement laïques. Deux mois auparavant, en juin, les cérémonies et les processions hors des églises ainsi que le port des insignes sacerdotaux avaient été interdits. Le 10 octobre, Fouché ordonne que l'on laïcise les convois funèbres, ainsi que les cimetières à Nevers ; son exemple est suivi à Paris. Le 5 novembre, un rapport de Marie-Joseph Chénier envisage la création d'un culte national qui remplacerait le christianisme. L'adoption du calendrier républicain témoigne, lui aussi, de l'hostilité des conventionnels à l'égard de la religion, mais c'est parmi les sans-culottes que le mouvement est le plus radical.

1793

Piémont, avril
Le roi Victor-Amédée III fait alliance avec l'Angleterre. En mai, des « jacobins » forment une organisation secrète pour préparer une insurrection contre la monarchie.

France, 4 mai
La Convention décide une première taxation maximale des grains, déterminée par les départements.

Vendée, 5 mai
Le républicain Quétineau capitule à Thouars devant les Chouans.

Paris, 16 mai
La Convention décide de changer de lieu de réunion. Elle abandonne la salle du Manège pour l'ancien théâtre des Tuileries.

Paris, 18 mai
A l'initiative des Girondins, une commission dite des Douze est nommée pour enquêter sur les activités de la Commune.

Paris, 20 mai
Emprunt forcé d'un milliard sur les riches pour financer la guerre.

Paris, 24 mai
La commission des Douze ordonne l'arrestation de Varlet, Marino et Hébert, substitut au tribunal, directeur du *Père Duchesne*, qui obtient le lendemain le soutien de la Commune de Paris.

Vendée, 26 mai
Les Chouans s'emparent de Fontenay et créent un Conseil supérieur pour administrer les territoires conquis.

Paris, 31 mai
Une manifestation dirigée par Varlet et Roux, encercle la Convention et exige l'arrestation de chefs Girondins.

Paris, 2 juin
Le Comité insurrectionnel, aidé de la garde nationale commandée par Hanriot, impose à la Convention la mise en accusation de vingt-deux députés girondins qui sont proscrits. →

Paris, 3 juin
Décret sur la vente des biens des Emigrés.

France, 6 juin
A l'annonce des mesures prises contre les Girondins, leurs partisans dans les grandes villes de province prennent le pouvoir. Le 6 à Marseille, Toulon et Nîmes, le 7 à Bordeaux et dans le Calvados. Lyon avait commencé dès le 29 mai.

Paris, 10 juin
Un décret organise le partage des biens communaux.

Paris, 13 juin
A la demande de Robespierre, cinq adjoints sont élus au Comité de salut public, dont ses amis Couthon et Saint-Just.

Pologne, 17 juin
La Diète polonaise ratifie le démembrement du pays à Grodno. Elle signera les documents officiels le 17 août avec la Russie et le 23 septembre avec la Prusse.

Vendée, 17 juin
Les Chouans s'emparent d'Angers après avoir pris Saumur.

Paris, 24 juin
La Convention, après treize jours de débats, adopte le projet de constitution de Hérault de Séchelles, dite de 1793. →

Paris, 25 juin
Jacques Roux, leader des Enragés, présente une pétition exigeant la taxation et la peine de mort contre les accapareurs.

Vendée, 29 juin
Défaite des Chouans à Nantes. Un de leurs chefs, Cathelineau, est mortellement blessé.

Paris, 10 juillet
Danton est écarté lors du renouvellement du Comité de salut public. →

Paris, 13 juillet
Marat est assassiné par Charlotte Corday. →

France, 17 juillet
Les droits féodaux sont définitivement abolis, et sans indemnités.

Paris, 27 juillet
Robespierre entre au Comité de salut public. →

France, 28 juillet
Les armées de la République cèdent sur le front du Nord.

France, 4 août
La Constitution est adoptée par référendum : 1 800 000 oui, 17 000 non ; promulguée le 10, lors de la fête de l'Unité de la République, elle ne sera pourtant jamais appliquée.

La République se dote d'une armée nationale

Paris, 21 février 1793
Par une décision du 21 février 1793, la Convention instaure l'amalgame des Volontaires et des troupes de ligne. Ce décret fait suite au rapport du 25 janvier dans lequel Dubois-Crancé exposa à l'Assemblée la nécessité, d'une part de lever encore 300 000 hommes pour porter l'effectif total de l'armée à 500 000, et d'autre part d'unifier l'organisation militaire par la fusion des Volontaires de 1792

Un « sans-culotte » arborant le célèbre pantalon à rayures bleues et blanches. Vers 1792. Dessin aquarellé.

et de l'armée régulière. Les nouveaux régiments (les demi-brigades) devant être formés par l'association de deux bataillons de Volontaires et d'un bataillon de ligne. Cette mesure, toutefois, ne doit concerner que l'infanterie, les effectifs de la cavalerie et de l'artillerie, armes plus « techniques », continueront d'être recrutés par engagement exclusivement. La tâche n'est pas aisée. Bien des choses séparent les combattants improvisés de la Révolution, les Bleus ainsi qu'on les surnomme à cause de la couleur de leur uniforme, et les soldats de métier : la mentalité, la discipline, l'attitude au combat, l'entraînement. Mais cette mesure, à laquelle l'Assemblée législative s'était toujours refusée, est indispensable. Elle doit contribuer à doter le pays, menacé sur ses frontières, d'une armée réellement nationale, démocratique, attachée à la défense des idéaux de la Révolution. Conserver les acquis et l'expérience de l'ancienne armée royale, mais rompre avec ses traditions et son esprit de caste, tel est le but que se fixe la Convention. Un certain nombre de mesures ont déjà préparé le décret du 21 février comme l'unification de la solde, puis celle de l'uniforme le 21 décembre 1792. Il restait à définir les modalités d'avancement pour les troupes de ligne et les Volontaires. Le choix se fera à l'ancienneté et l'élection, presque exclusive en 1792, sera réduite. Désormais seuls les caporaux seront élus. La discipline sera rétablie et le commandement, après l'épuration des officiers nobles dont la loyauté sera jugée douteuse, reconstitué.

Des musées pour l'éducation du peuple

Paris, 10 juin 1793
Le « Jardin du roi » vient d'être nationalisé par la Convention, sur proposition de Lakanal, et s'appellera désormais Muséum d'histoire naturelle. Il comportera douze nouvelles chaires, en plus de la création d'une bibliothèque. Cette politique se poursuit par l'installation progressive, sous la direction de Bernardin de Saint-Pierre, d'une ménagerie dont certaines « bêtes sauvages » seront confisquées, pour « incivisme », à quelques forains. Le 10 août, la Grande Galerie du palais du Louvre, transformée elle aussi en « Muséum », est inaugurée, tandis qu'au château de Versailles s'ouvre un musée provisoire de l'Ecole française.

Le « Jardin du roi », futur Jardin des plantes du Muséum d'histoire naturelle, créé en 1793 par la Convention. Musée Carnavalet, Paris.

La Vendée paysanne se soulève contre la République citadine

Vendée, 10 mars 1793

Le 10 mars 1793, les paysans vendéens se soulèvent à la suite de la levée en masse de 300 000 hommes promulguée ce même jour par la Convention. Leur action se porte contre les villes qui abritent les bourgeois jugés accapareurs des biens d'Eglise et qui diffusent les mesures révolutionnaires. Le 11 mars, les révoltés massacrent les citoyens de Machecoul et prennent Cholet le 14. D'abord isolés, ils se groupent autour de chefs roturiers (Stofflet, Cathelineau) ou nobles (Lescure, d'Elbée, La Rochejacquelin). Sous l'influence du clergé vendéen, réfractaire à 80 %, et de la noblesse, l'Armée catholique royale est créée. Ses 40 000 hommes sont placés sous le commandement unique de Cathelineau, dit le Saint de l'Anjou. L'insurrection paysanne prend l'allure d'une guerre contre-révolutionnaire. Les généraux républicains et le décret de mars 1793 qui punit de mort tout rebelle armé, sont inefficaces. Malgré son armement de fortune et son indiscipline, l'armée vendéenne s'empare de Parthenay en mai, de Saumur et d'Angers en juin. Sa progression est arrêtée le 29 juin par les républicains nantais. Le 1er août, la Convention déclare la guerre totale à la Vendée et y dépêche l'armée de Mayence menée par Kléber. Celui-ci bat les Vendéens encerclés à Cholet le 17 octobre. La débâcle commence. Réfugiés à Granville, ils espèrent une aide anglaise, en vain. Démoralisés et affaiblis, ils cherchent à rentrer en Vendée. Mais les Bleus protègent Angers et la Loire est infranchissable. L'armée royaliste est décimée au Mans les 12 et 13 décembre, et définitivement battue à Savenay le 23. La Vendée militaire n'existe plus sauf dans le marais breton où Charette résiste. Carrier à Nantes, et les « colonnes infernales » du général Turreau exercent une répression sanglante jusqu'en mai 1794. Mais les survivants se lancent dans une guérilla féroce qui subsiste encore fin 1794. Conduits par la noblesse, les paysans se révoltent contre les villes.

Paysans vendéens en lutte contre les armées de la République. 1793. Gravure d'époque.

La Révolution se fait aussi en chantant

France, 1793

« Ah ! ça ira, ça ira, ça ira ! Les aristocrates à la lanterne. » Conçu par le chanteur ambulant Ladré à l'instigation de La Fayette, dit-on, ce refrain avait éclaté, au milieu de la musique et des cris de joie, lors des fêtes de la Fédération, le 14 juillet 1790. Il faut attendre le 26 avril 1792 pour que surgisse un air à la mesure de l'ardeur patriotique. Ce soir-là, Dietrich, maire de Strasbourg, qui trouvait le « ça ira » trop vulgaire, reçoit le capitaine du génie Rouget de Lisle qui entonne un *Chant de guerre de l'armée du Rhin*. L'enthousiasme est tel que le 29 avril le chant, orchestré aussitôt, est créé sur la place d'Armes tandis que défile un « superbe bataillon de Rhône et Loire, commandé par Cérisiat, ayant en tête une aigle d'or aux ailes déployées ». Le 25 juin, un nommé Mirens entonne l'air dans un banquet civique à Marseille. Adopté dès le lendemain par les Fédérés marseillais, il ponctuera leur entrée dans Paris, le 30 juillet, et retentira le 10 août à l'attaque des Tuileries. Un septième couplet s'adjoindra, le 14 octobre, à ce qui s'intitule désormais *La Marseillaise* : « Nous entrerons dans la carrière quand nos aînés n'y seront plus. Nous y trouverons leur poussière et la trace de leurs vertus. » Mais, alors que le roi et la reine sont emprisonnés au Temple, apparaît *La Carmagnole*, jouée en pas redoublés par la musique militaire, tandis que les sans-culottes dansent d'interminables rondes autour des arbres de la Liberté : « Dansons la carmagnole, vive le son, vive le son. Dansons la carmagnole, vive le son du canon. » A ce canon répondra la chanson contre-révolutionnaire de l'armée de Charette, chef vendéen qui allait appuyer les troupes royalistes à Nantes : « Sont les gars du Berry, rataplan tire lire, qu'ont descendu z'à Nantes. »

Portrait de Mme Roland. 1792. Son salon fut fréquenté par les Girondins. Elle périra sur l'échafaud.

Madame Roland (1754-1793)

Le 8 novembre 1793, Mme Roland est guillotinée. Elle figurait sur la liste des proscrits dressée par la Convention après le 2 juin 1793. Tandis que son mari parvint à s'enfuir, elle est arrêtée et internée à la Conciergerie. Elle a employé ses derniers mois à rédiger ses mémoires afin de se justifier devant l'opinion des accusations portées contre elle et les Girondins. Fille d'un artisan parisien, Manon Phlipon est née en 1754. Intelligente, ambitieuse, elle a fait seule son éducation, lisant, s'initiant à la peinture et à la musique. En 1780, elle épouse Jean-Marie Roland. Celui-ci devenu, en 1792, ministre de l'Intérieur, elle joue un rôle de premier plan. Elle rédige ses proclamations et fait de son salon de la rue Guénégaud le rendez-vous de la Gironde. Elle n'a pas hésité à venir s'expliquer devant la Convention qui l'accusait de trahison.

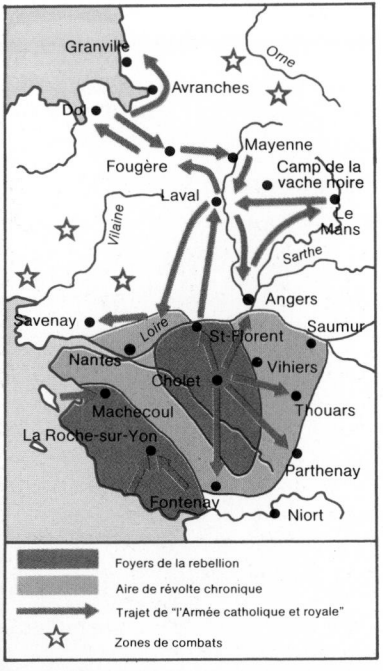

Crise économique et contrôle des prix

Paris, 29 septembre 1793

La Convention vient de voter une loi dite du Maximum général qui établit le montant maximal auquel doivent être vendues les marchandises, mais aussi le montant des salaires. Cette mesure conclut un long processus de taxation des denrées alimentaires de première nécessité, commencé le 4 mai par l'établissement d'un prix maximal des grains. Mais cette décision n'avait rien réglé. La crise économique continuait à s'approfondir. Les prix grimpaient, la valeur de l'assignat poursuivait sa chute, les villes n'étaient plus approvisionnées et des mouvements populaires éclataient un peu partout dans le pays contre la famine et les accapareurs. Les mesures de financement prises contre les biens des Emigrés ou les emprunts couvraient difficilement l'effort de guerre qui obérait les finances de l'Etat. Les mesures de réquisition des récoltes, rendues nécessaires pour nourrir les citadins et surtout les armées postées aux frontières du pays, soulevaient l'inquiétude des paysans. Malgré cette situation économique et sociale grave, la Convention hésite à s'engager définitivement dans la voie du maximum général. Elle préfère répondre au coup par coup. A la fin août, elle discute de son opportunité, quand le 6 septembre les manifestations des Enragés, conduits par Jacques Roux, forcent le Comité de salut public à adopter leur programme économique : la taxation et les réquisitions généralisées. L'avant-veille, le 4 septembre, la Convention avait bien voté son principe et chargé une commission d'élaborer un projet de loi. Mais, composée de Montagnards, comme Danton, Merlino et Chabot, elle cherche plutôt à gagner du temps, indécise quant à l'effet économique d'une telle loi. Certains préfèrent des lois punitives dirigées contre les accapareurs et les marchands responsables des hausses, à ce contrôle généralisé de l'économie. Mais cette mesure apaise le mécontentement populaire.

Un assignat de 100 francs, émis en 1792. Bibliothèque nationale, Paris.

(Carte)

- Foyers de la rebellion
- Aire de révolte chronique
- Trajet de l'"Armée catholique et royale"
- ☆ Zones de combats

Granville · Orne · Avranches · Dol · Mayenne · Fougère · Camp de la vache noire · Laval · Le Mans · Vilaine · Sarthe · Savenay · Loire · Angers · Saumur · Nantes · St-Florent · Vihiers · Cholet · Thouars · Machecoul · La Roche-sur-Yon · Parthenay · Fontenay · Niort

1793

Lyon, 8 août
Une armée révolutionnaire de vingt-mille hommes investit la ville.

Paris, 14 août
Carnot et Prieur de la Côte-d'Or entrent au Comité de salut public.

France, 23 août
La Convention décrète la levée en masse, appelant deux millions de Français sous les armes.

Paris, 24 août
Un décret institue le Grand Livre de la dette publique proposé le 15 par Cambon.

Marseille, 25 août
Reprise de la ville par l'armée révolutionnaire.

Toulon, 29 août
Les Anglais s'emparent du port que les royalistes locaux leur remettent.

Paris, 5 septembre
La ville se soulève contre les riches et occupe la Convention, qui proclame la Terreur. →

Paris, 6 septembre
Billaud-Varenne et Collot d'Herbois entrent au Comité de salut public.

France, 8 septembre
Le général français Houchard débloque Dunkerque, assiégée par le duc d'York, après la victoire d'Hondschoote.

France, 9 septembre
Création de l'armée révolutionnaire destinée à assurer le ravitaillement de la capitale et le châtiment des traîtres. A sa tête a été nommé Ronsin, un Hébertiste.

Paris, 17 septembre
La loi des Suspects, rapportée par Merlin de Douai, est adoptée par la Convention.

France, 24 septembre
Le général Jourdan commande l'armée du Nord.

Paris, 29 septembre
Adoption de la loi du Maximum. →

Lyon, 8 octobre
La ville est prise après un siège de deux mois. →

France, 9 octobre
Les marchandises anglaises sont prohibées. Il s'agit d'une riposte à la décision de Pitt d'interdire l'exportation des grains en France, prise le 8 juin.

Paris, 10 octobre
La Convention adopte le rapport présenté par Saint-Just décrétant : « Le gouvernement provisoire de la France est révolutionnaire jusqu'à la paix. »

Paris, 16 octobre
L'ex-reine Marie-Antoinette d'Autriche meurt sur l'échafaud.

Nord de la France, 16 octobre
Jourdan débloque Maubeuge, assiégée depuis le 23 septembre.

Vendée, 17 octobre
L'armée des Chouans est vaincue par Marceau et Kléber à Cholet.

France, 24 octobre
Le calendrier républicain est institué, la date de référence adoptée pour le début de l'ère nouvelle étant le 22 septembre 1792.

Paris, 31 octobre (10 brumaire)
Jugés depuis le 3 brumaire, les Girondins sont condamnés à mort le 9 et exécutés.

France, 6 novembre (16 brumaire)
La Convention autorise les communes à fermer les églises. →

Angleterre, 6 novembre
Un « ordre en conseil » du gouvernement interdit aux Etats neutres de commercer avec les colonies françaises.

Paris, 10 novembre (20 brumaire)
La Commune de Paris fait célébrer à Notre-Dame la fête de la Raison.

Paris, 21 novembre (1er frimaire)
Robespierre s'élève contre les « mascarades religieuses ». Rejoint par Danton, il obtient le 16 frimaire l'interdiction de « toutes violences et mesures contraires à la liberté des cultes ».

Paris, 4 décembre (14 frimaire)
Le Comité de salut public dirige désormais les affaires politiques et militaires, tandis que le Comité de sûreté générale s'occupe des Comités révolutionnaires et de la police politique.

Paris, 5 décembre (15 frimaire)
Camille Desmoulins lance *Le Vieux Cordelier*. →

Allemagne
Friedrich Schiller publie une *Histoire de la guerre de Trente Ans*.

Les Girondins balayés par les Montagnards

Paris, 2 juin 1793
Trois journées « insurrectionnelles », dirigées par les Montagnards et les Hébertistes, ont mis fin aux mandats de certains Girondins à la Convention. Véritablement emprisonnés dans la salle des débats, aux Tuileries, les députés ont voté la suspension des vingt-deux chefs girondins : Brissot, Vergniaud, Guadet, Gensonné, etc. Le contentieux entre les deux grands partis de l'Assemblée s'est alourdi depuis janvier. Les mesures économiques prises au printemps, la trahison de Dumouriez et les défaites militaires en Vendée, assorties d'une invasion espagnole en Roussillon, achèvent d'effriter la popularité et le pouvoir des Girondins. Leurs tentatives de discréditer Marat et Hébert échouent et dressent la Commune contre la Gironde. Des soulèvements en province contre les « représentants du peuple en mission », pour la plupart des Montagnards, sont le signe, pour les sans-culottes, d'une alliance entre les Girondins et les royalistes. Une véritable lutte de classe se développe à la Convention entre la bourgeoisie financière et commerçante et les classes populaires. Le 26 mai, Robespierre appelle le peuple aux armes. Le 31, un Comité insurrectionnel secret prend l'Hôtel de Ville, nomme Hanriot commandant de la garde nationale, qui fait tirer le canon d'alarme. Pendant ce temps, à la Convention, un long débat, souvent confus, s'engage, opposant une dernière fois Vergniaud à Robespierre. Il faut attendre le surlendemain pour que les députés cèdent à la pression des sans-culottes.

Les vingt-deux chefs girondins conduits au supplice, le 31 octobre 1793. Dessin de Monnet, gravé par Helman.

Marat assassiné par Charlotte Corday

Paris, 13 juillet 1793
Il fait une chaleur torride sur Paris en ce mois de juillet. Chez lui, au 20 de la rue des Cordeliers, comme chaque jour, Jean-Paul Marat travaille dans sa baignoire. Il lit une lettre qu'une jeune normande, Charlotte Corday, vient de lui faire parvenir. Quelques minutes plus tard, elle apparaît au seuil de sa porte, et il l'invite à lui donner les nouvelles qu'elle lui promettait. Au bout de dix minutes de conversation, Charlotte Corday poignarde celui qui était pour elle « un monstre ». Quelques instants plus tard l'« Ami du peuple » expire. Si Paris, à l'annonce de l'attentat, s'émeut, son peuple sera presque absent à son enterrement.

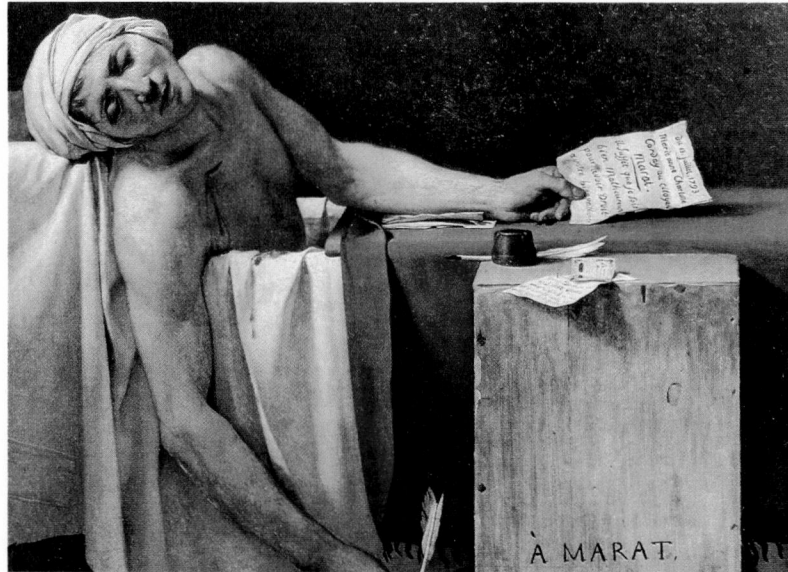

« Marat assassiné ». Peinture de Louis David (1793). Musées royaux des Beaux-Arts, Bruxelles.

Thomas Jefferson donne sa démission du gouvernement

Etats-Unis, 31 décembre 1793
Thomas Jefferson, l'un des combattants les plus prestigieux de l'Indépendance américaine, secrétaire d'Etat aux Affaires étrangères, a démissionné à la suite du conflit qui l'oppose depuis 1792 à Alexander Hamilton, le ministre des Finances. L'objet du conflit est autant intérieur qu'extérieur. Hamilton est un des chefs du parti fédéraliste qui désire

un exécutif centralisé et puissant, alors que Jefferson, ancien gouverneur de Virginie de 1779 à 1781, soutient les revendications d'autonomie locale des Etats. Hamilton est pro-Anglais, alors que Jefferson est favorable à la France révolutionnaire. Ancien ambassadeur à Paris de 1784 à 1789, il est complètement acquis aux idéaux de la Révolution. De son côté, la France cherche à obtenir l'appui américain contre l'Angleterre, en compensation de l'aide apportée dix ans auparavant. Le gouvernement français envoie en 1792 un ambassadeur, le Girondin Edmond-Charles Genet, pour négocier un traité de commerce ou au moins obtenir un crédit important afin de financer la guerre. Genet, qui est accueilli avec enthousiasme, voudrait entraîner les Etats-Unis dans la guerre contre les Anglais, mais se heurte à Washington, qui décide de préserver une stricte neutralité vis-à-vis des puissances européennes. Aussi refuse-t-il avec les mêmes arguments d'octroyer un crédit à la France. Et Jefferson, sur ce point, ne peut rien obtenir d'autant que le comportement intempestif de Genet a affaibli sa position. En cette fin décembre, il donne sa démission à George Washington. Il continue néanmoins son action critique vis-à-vis de la politique des fédéralistes auxquels il reproche de porter atteinte à la liberté et aux droits de l'individu. En 1798, les Résolutions du Kentucky proposent que les Etats puissent annuler les lois fédérales qui enfreindraient les libertés naturelles.

Thomas Jefferson par James Sharples. National Park Service, Philadelphie.

Collot d'Herbois mâte la révolte lyonnaise

Lyon, novembre 1793
La reprise, le 8 octobre, de la seconde ville du pays par une armée révolutionnaire de vingt mille hommes est l'enjeu d'un conflit serré entre Robespierre et les Hébertistes. La ville, restée très girondine, dominée par une bourgeoisie manufacturière et commerçante importante, avait

presque fait sécession en juillet en envoyant à la guillotine le dirigeant jacobin et ex-prêtre Chalier. Le Comité de salut public décide d'adopter la proposition de Collot d'Herbois : raser les maisons des riches de la ville et élever une colonne portant une phrase lapidaire : « Lyon s'est révoltée, Lyon n'est plus. » Envoyé en novembre avec Fouché, Collot d'Herbois organise une répression violente se soldant par la mort de 1 600 personnes.

Le siège et la prise de la ville de Lyon par les troupes de Collot d'Herbois. 1793. Gravure d'époque. Musée Carnavalet, Paris.

La Terreur est à l'ordre du jour

Paris, 5 septembre 1793
Nouvelle séance dramatique à la Convention. Pour la troisième fois, les députés sont contraints de faire un pas de plus vers une politique plus répressive. Le mouvement des sans-culottes, ouvriers et artisans des faubourgs, guidé par les Enragés et les Hébertistes, vient de remporter une nouvelle victoire en obtenant que la politique de « terreur » soit à l'ordre du jour. Excédés par les demi-mesures des tribunaux révolutionnaires, inquiets du cours de la guerre et surtout impatients de voir régler la question économique, les sectionnaires parisiens exigent une répression accrue qui permette d'éliminer physiquement tous les « accapareurs », tous ceux qui semblent ne pas vouloir adopter les mesures les plus dirigistes dans la conduite de la guerre ou dans la politique économique. Devant cette opposition active qui prend de plus en plus d'importance dans la rue et dans l'Assemblée, le Comité de salut public lui-même est contraint de céder. Ce dernier admet en son sein deux partisans des sans-culottes, Billaud-Varenne et Collot d'Herbois. Leur admission renforce l'autorité du Comité face à la Convention, car il dispose de la force des clubs et des sociétés populaires. Les premières lois de terreur sont adoptées au cours du mois de septembre. Le 17 septembre, Merlin de Douai fait voter la loi des Suspects, qui établit les six critères définissant la condition de suspect : avoir été partisan de la tyrannie ou du fédéralisme, ne pas pouvoir justifier de ses moyens d'existence et de l'acquit de ses devoirs civiques, s'être vu refuser un certificat de civisme, être fonctionnaire suspendu non réintégré, être parent d'émigré ou avoir émigré entre le 1er juillet 1789 et le 30 mars 1792. La Terreur devient permanente.

Robespierre entre au Comité de salut public

Paris, 27 juillet
Le Comité de salut public, sur demande de Couthon, vient d'inviter Robespierre à participer à ses travaux. Celui-ci accepte, dit-il, « contre son inclination ». Son entrée était prévisible depuis plusieurs jours, depuis le 10 juillet, quand le renouvellement du Comité a été marqué par l'entrée de plusieurs de ses amis : Jeanbon Saint-André, Couthon, Hérault de Séchelles, Prieur de La Marne et Saint-Just, qui constituent la gauche du Comité. Les quatre autres membres, Barère, Gasparin, Thuriot et Robert Lindet, appartiennent aux fractions plus modérées de la Montagne. La chute du premier Comité, élu le 6 avril, est due à son incapacité à maîtriser les différentes révoltes qui gagnent le pays, en Vendée d'un

Maximilien Robespierre, l'Incorruptible. Peinture anonyme. Musée Carnavalet, Paris.

Robespierre (1758-1794)

L'ancien boursier du lycée Saint-Louis de Paris, député aux Etats généraux grâce aux voix les plus modestes du tiers état d'Arras, est un avocat peu fortuné, profondément marqué par ses lectures de Jean-Jacques Rousseau. Avec ténacité, il intervient pendant près de trois ans dans la vie publique parisienne en prônant le point de vue d'une démocratie égalitaire : il défend, le plus souvent solitaire, les citoyens passifs, les hommes de couleur des Antilles. Son attitude intransigeante lui assure des sympathies fidèles mais surtout l'antipathie, voire la haine de tous ceux qui ne supportent pas son exigence vertueuse. Figure de proue de la Convention montagnarde, il tente de mener une politique rigoureuse qui puisse mobiliser à la fois l'ardeur populaire et la pusillanimité foncière de l'Assemblée. Sa popularité auprès des sans-culottes est en effet fragile. « L'Incorruptible » ne se reconnaît pas dans le radicalisme économique et anticlérical des Hébertistes et ne se laisse pas tenter par la démagogie.

côté, mais aussi dans les grandes villes de province, à Lyon, à Marseille, à Bordeaux, à Caen, où les députés girondins ont pu se réfugier. A cela s'ajoute la fronde des généraux dirigée contre sa manière de conduire la guerre. La Convention, depuis la suspension des Girondins début juin, est également transformée. Mais surtout la mobilisation populaire permanente à Paris a achevé de rendre la situation intenable pour l'équipe dominée par Danton. Il apparaît comme la grande victime de ce remaniement. Robespierre exige une concentration accrue des pouvoirs, l'adoption de mesures économiques radicales (taxation des denrées et suppression des droits féodaux sans indemnité), l'abolition de certaines libertés, dont celle de la presse et la mobilisation des sans-culottes. Son entrée au Comité marque une évolution décisive.

1793

Paris, 16 déc. (26 frimaire)
Arrestation du chef de l'armée révolutionnaire, Ronsin.

Toulon, 19 déc. (29 frimaire)
Le général Dugommier reprend le port de Toulon aux Anglais grâce au travail du canonnier Bonaparte.

Paris, 9 déc. (29 frimaire)
Un décret de la Convention institue la gratuité et l'obligation de l'enseignement primaire.

France, 23 déc. (3 nivôse)
Les Vendéens sont battus à Savenay après avoir connu plusieurs échecs devant Granville le 23 brumaire (13 nov.), puis au Mans le 22 frimaire (12 déc.).

France, 26 déc. (6 nivôse)
Le général Hoche bat le général autrichien Würmser au Geisberg, et débloque la place de Landau.

Etats-Unis d'Amérique, 31 décembre
Thomas Jefferson démissionne. →

Paris
Louis David peint *Marat assassiné dans sa baignoire*.

L'écrivain Restif de La Bretonne publie *Les Nuits de Paris*. →

Allemagne
Le philosophe Johann Gottfried Herder commence l'édition de ses *Lettres pour le progrès de l'humanisme*.

L'écrivain Friedrich Schiller publie *Du sublime*.

1794

France, déc.-janv. (nivôse)
Cent livres-assignats ne valent plus que quarante-huit livres en argent métallique.

Paris, 10 janv. (21 nivôse)
Camille Desmoulins est exclu du club des Jacobins.

Paris, 12 janv. (23 nivôse)
Fabre d'Eglantine est arrêté lors du débat à la Convention sur le scandale de la falsification du décret de liquidation de la Compagnie des Indes, mis au jour le 27 brumaire (17 novembre).

Paris, 27 janv. (8 pluviôse)
La Convention décide que le français est la langue obliga-

toire pour tous les documents publics.

Vendée, 28 janv. (9 pluviôse)
Le chef chouan La Rochejaquelein meurt au cours de la bataille de Nuaillé. Il est tué par un Bleu alors qu'il venait de se rendre.

Paris, 4 fév. (16 pluviôse)
La Convention abolit l'esclavage. →

Paris, 10 fév. (22 pluviôse)
Lorqu'il apprend en prison sa condamnation par le tribunal révolutionnaire, l'Enragé Jacques Roux se suicide dans sa prison. Critiquant les thèses économiques des Montagnards, il avait défendu la propriété collective de la terre et avait été arrêté en août 1793.

Paris, 12 fév. (24 pluviôse)
Le Cordelier Momoro dénonce le « modérantisme » à la Convention.

Pologne, 21 février
Le Conseil permanent décide de réduire les effectifs de l'armée et d'arrêter un réseau de conspirateurs patriotes.

Paris, 26 fév. (8 ventôse)
Premier décret, dit de ventôse, par lequel les biens de tous les suspects sont confisqués. Un second décret est adopté le 13. →

Autriche et Russie, 27 février
Les deux Empires s'accordent sur le partage des possessions de Venise en Méditerranée.

Corse, février
Pascal Paoli appelle les Anglais à l'aide pour maintenir l'autonomie de la République corse. Deux clans, deux gouvernements coexistent, l'un jacobin, l'autre corse. Une assemblée nationaliste proclame George III, roi d'Angleterre, souverain de l'île.

Paris, 4 mars (14 ventôse)
Le club des Cordeliers, animé par les Enragés, disciples de Jacques Roux, se déclarent en état d'insurrection contre la Convention « jusqu'à ce qu'on vît cesser la disette et punir les ennemis du peuple » et mettent un crêpe noir sur la Déclaration des droits de l'homme.

Paris, 6 mars (16 ventôse)
A la Convention, Barère présente un rapport sur l'extinction de la mendicité.

Paris, 10 mars (20 ventôse)
Le Théâtre-Français est rebaptisé Théâtre du Peuple.

Camille Desmoulins et Danton en campagne pour l'indulgence

Paris, 5 décembre 1793
En faisant paraître *le Vieux Cordelier*, Camille Desmoulins et ses amis tentent d'élargir l'audience de leur nouvelle politique : l'Indulgence. Inquiets des développements de la Terreur, se sentant menacés par la découverte d'affaires louches où la politique se mêle étroitement aux affaires, Danton et Camille Desmoulins essaient de regagner leur influence perdue depuis plusieurs mois auprès des clubs, Jacobins et Cordeliers. Ils préconisent l'arrêt de la Terreur, la fin de l'état d'exception dans lequel se trouve le pays. Une telle campagne, pour réussir, se doit de mobiliser l'ensemble de la Convention contre les « patriotes exagérés », c'est-à-dire les Hébertistes. Comme ceux-ci ne cessaient de dénoncer les modérés comme des « agents de Pitt », chargés de vendre le pays à l'étranger, Desmoulins décide de retourner l'argument et dénonce les Hébertistes et toutes les formes de radicalisme, anticlérical par exemple, comme un effet du complot étranger. Mais rapidement, l'objectif de Desmoulins et de Dan-

ton apparaît. La politique de modération nécessite la destruction de toutes les instances de pouvoir qui constituent la société révolutionnaire : les comités révolutionnaires, les sociétés fraternelles et surtout les commissaires de la Convention qui, envoyés en province, exercent une dictature parfois sanglante. Desmoulins connaît un vif succès et réussit à ébranler les positions des Hébertistes dans les clubs en réclamant l'ouverture des prisons.

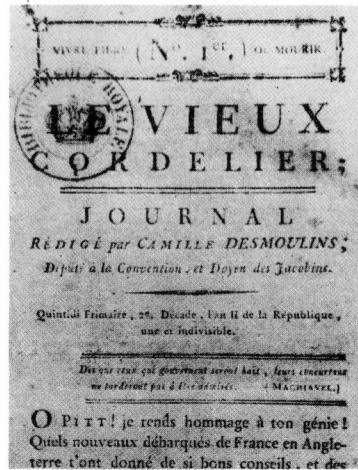

« Le Vieux Cordelier », premier numéro du journal de Camille Desmoulins, « doyen des Jacobins ».

Le nouveau calendrier révolutionnaire

Sur proposition du professeur de mathématiques Charles Gilbert Romme et du poète Fabre d'Eglantine, la Convention décide le 24 octobre 1793 d'adopter un nouveau calendrier. Il s'agit d'effacer les traces du passé, de déchristianiser la vie quotidienne. Calendrier de la République, l'événement fondateur n'en est plus la naissance du Christ, mais la journée historique du 22 septembre 1792 qui ouvre l'an I de l'ère nouvelle. L'année sera divisée en douze mois de trente jours, groupés par trois, qui tireront leur dénomination des phénomènes climatiques ou saisonniers : nivôse (décembre-janvier) ou frimaire (novembre-décembre) évoquent la neige et le froid ; germinal (mars-avril) et floréal (avril-mai), la nature printanière ; messidor (juin-juillet), le temps des moissons. Les cinq jours restant seront appelés « sans-culottides ». Chaque mois sera divisé en trois décadis et les jours désignés dans leur ordre de succession dans le décadi (primidi au lieu de lundi, duodi, etc.). Le décadi se substituera au dimanche et sera célébré par un culte civique. Les saints ou les fêtes chrétiennes seront remplacés par les noms des grands hommes qui ont contribué au progrès de l'humanité, par la mention des inventions, des arts, des sciences ou des techniques, ou bien le rappel des grands principes de la Révolution.

Page de couverture du calendrier révolutionnaire. An II (1794).

Vendémiaire (septembre). Gravure d'après Lafitte.

L'esclavage est aboli par la Convention

Paris, 4 février 1794

Sur proposition des députés Levasseur (Sarthe), Danton et Lacroix (Eure-et-Loir), la Convention vote dans l'enthousiasme l'abolition de l'esclavage sur tout le territoire de la République. Les députés de Saint-Domingue sont conduits à la tribune et ovationnés, tandis que le président de séance leur donne l'accolade. Un long combat s'achève, longtemps freiné par la pression qu'exerça sur la Constituante puis la Législative les représentants des colons de Saint-Domingue. C'est ainsi qu'en septembre 1791 l'Assemblée décide de laisser aux assemblées coloniales la tâche de rédiger les lois concernant les esclaves et le statut politique des hommes de couleur. L'activité incessante de l'abbé Grégoire, député à la Convention, permettra à celle-ci de se mettre enfin en conformité avec la Déclaration des droits de l'homme et du citoyen.

« Les mortels sont tous égaux ». Illustration révolutionnaire pour l'abolition de l'esclavage.

Les décrets de ventôse renforcent la Terreur

Paris, 3 mars 1794

Le 26 février, Saint-Just, revenu en catastrophe de l'armée du Nord auprès de laquelle il occupe le poste de représentant en mission de la Convention, obtient de celle-ci un renforcement des mesures répressives. Dans un discours passionné, Saint-Just affirme que la Révolution est « glacée », que la bureaucratie envahit tout, que les tribunaux ne punissent pas les vrais coupables qui se cachent encore. Il vise indirectement les Indulgents et les Hébertistes et propose des mesures toujours plus exceptionnelles et radicales, destinées à saper la base sociale de ces derniers. Désormais les biens des aristocrates mis sous la main de la nation ne seront plus vendus mais distribués aux patriotes et deviendront de la sorte inviolables. Mais surtout les pouvoirs du Comité de salut public sont étendus. Il peut seul dorénavant envoyer, sans contrôle de la Convention, des représentants en mission.

La Pologne se révolte sous la conduite de Tadeusz Kosciuszko

Pologne, mars-novembre 1794

Les patriotes polonais ne se résignent pas au démembrement de leur

Tadeusz Kosciuszko.

Condorcet proclame sa foi dans les progrès de l'esprit humain

Paris, 1793

Nicolas Condorcet, né en 1743 dans l'Aisne, philosophe et savant illustre, rallié aux Girondins, décrété d'arrestation par la Convention, écrit, dissimulé chez une amie, l'*Esquisse d'un tableau historique des progrès de l'esprit humain*. Condorcet s'y révèle le premier à regarder l'histoire non plus sous l'angle des faits politiques, mais sous celui des progrès de l'esprit. Affichant une foi absolue en la perfectibilité infinie de l'homme, il éta-

pays. Tadeusz Kosciuszko prend la tête de la révolte. Cet officier, né en 1746, est un ancien combattant de la guerre d'Indépendance américaine. En juin 1792, lors de l'invasion russe, il est le principal lieutenant de Stanislas Poniatowski. Réfugié depuis en Saxe, il y prépare l'insurrection qui éclate en mars 1794, précipitée par le licenciement des régiments polonais. Kosciuszko se rend aussitôt à Cracovie pour y organiser la lutte armée. Le 4 avril, ses troupes battent les Russes à Razlawice. A cette nouvelle, Varsovie se soulève et, le 29, les occupants évacuent la ville. Kosciuszko est nommé dictateur. Mais la coalition austro-prusso-russe, un instant ébranlée, se reconstitue tandis que les Polonais se divisent. Les démocrates veulent une Constitution à la française et l'émancipation des paysans, les royalistes, non. Le 15 juin, les Prussiens occupent Cracovie avant d'assiéger, avec les Russes, Kosciuszko à Varsovie. qui capitulera le 6 novembre après la défaite de Maciejowice.

blit en effet un parallèle entre la progression morale de l'humanité, comparable à un individu passant successivement de l'enfance à l'adolescence puis à la maturité, et le progrès de la science des « Lumières ». Appuyant sa conception sur la confiance en une nature humaine guidée par la raison et par la vertu, l'auteur n'interroge l'histoire qu'en vue de sonder l'avenir et se fixe comme but la découverte de « lois » qui rendraient le progrès plus facile. Poursuivi par la police, Condorcet, après quelques refuges précaires, sera appréhendé à Bourg-la-Reine où il mourra empoisonné, croit-on, le 7 avril 1794, le lendemain de son arrestation.

L'art révolutionnaire au quotidien

A côté de l'école, des cultes civiques, les divers langages artistiques peuvent, eux aussi, contribuer à « fonder la morale d'un peuple » et à enraciner la République dans les esprits et les cœurs. François de Neufchâteau, par exemple, avait particulièrement insisté sur l'importance des arts dans la formation de l'esprit public. Aux antipodes de l'art de l'Ancien Régime qui répondait aux exigences d'une élite restreinte de privilégiés et à ses valeurs (recherche du plaisir, luxe, affirmation du prestige), cet art nouveau réclamé par les révolutionnaires est destiné au peuple et à son éducation. Les illustrations des calendriers révolutionnaires ou les vignettes décorant les assignats en fournissent l'exemple. Elles traduisent en image les principes républicains. A ces intentions exprimées par les dirigeants correspond une explosion

de créations réellement populaires qui sont l'œuvre de la foule des artisans anonymes. Leurs domaines d'élection sont le décor de la vie quotidienne, les objets d'usage familier, de la faïencerie aux cartes à jouer, mais aussi l'estampe et la gravure, arts de très large diffusion. Les thèmes se retrouvent partout identiques : allégories patriotiques, portraits de héros de la Révolution, caricatures politiques, scènes de la rue, images de l'actualité.

Assiette et Carte à jouer (à l'effigie de J.-J. Rousseau).

Jacques Hébert, un fanatique du culte de la Raison. Bibliothèque nationale, Paris.

Hébert (1757-1794)

Originaire d'Alençon où il est né en 1757, Jacques Hébert mène une existence très précaire à Paris jusqu'en 1789. Pris par le mouvement, il fréquente le club des Cordeliers, puis en septembre 1790 prend en main un journal, *Le Père Duchesne*. Ce titre, commun pour l'époque, reprend le nom d'un personnage familier et débonnaire des spectacles de marionnettes. Hébert y adopte un style violent et volontiers obscène, qui lui assure une grande popularité parmi les sans-culottes. Après l'assassinat de Marat et l'arrêt de *L'Ami du Peuple*, il représente les éléments les plus radicaux des sectionnaires parisiens, réclamant la guerre à outrance, tant civile qu'extérieure. Ardent propagandiste du culte de la Raison, il soutient avec force le mouvement de déchristianisation. Aidé par Chaumette et Cloots, mais souvent débordé par sa propre base, il ne fait pas montre de grands talents de tribun, ni de politique avisé. Isolé, il est arrêté avec vingt de ses partisans. Accusé de comploter contre l'Assemblée, il sera exécuté le 4 germinal an II (24 mars 1794).

« Le Père Duchesne », gravure illustrant le journal fondé par Hébert. B.N., Paris.

1794

Paris, 11 mars (21 ventôse)
Création de l'Ecole polytechnique.

Paris, 24 mars (4 germinal)
Jacques Hébert et ses amis, « patriotes prononcés » ou Enragés, comme Ronsin, Momoro, Cloots ou Vincent, sont exécutés. Arrêtés le 24 ventôse à la suite du discours de Saint-Just « sur les conjurations contre le peuple français et la liberté », ils sont jugés du 1er au 4 germinal et condamnés à mort.

Pologne, 24 mars
Début de la révolte de Kosciuszko. →

Europe, 27 mars
Les Etats scandinaves créent une Ligue de neutralité armée.

Paris, 28 mars (8 germinal)
Condorcet se suicide. →

Paris, 2 avr. (13 germinal)
Remaniement des structures de gouvernement. Le Conseil exécutif provisoire et divers ministères sont supprimés au profit de Commissions exécutives.

Pologne, 4 avril
Victoire des insurgés à Raglawice.

Paris, 4 avr. (15 germinal)
Saint-Just fait voter par la Convention un décret prévoyant l'exclusion des accusés lors de leur procès.

Paris, 5 avr. (16 germinal)
Danton, Desmoulins, Hérault de Séchelles, Fabre d'Eglantine et leurs amis sont exécutés. Arrêtés le 10 germinal (30 mars), ils passent en procès le 13 et le 14. →

Paris, 14 avr. (25 germinal)
Les cendres de Jean-Jacques Rousseau sont conduites au Panthéon.

Paris, 15 avr. (26 germinal)
La Convention supprime les tribunaux révolutionnaires départementaux au bénéfice exclusif de celui de Paris.

Europe, 19 avril
A La Haye, l'Angleterre, la Prusse et la Hollande signent un traité contre la France.

Paris, 23 avr. (4 floréal)
Saint-Just est chargé du bureau de Police générale.

Pologne, 29 avril
L'armée russe évacue Varsovie à la suite de la révolte de ses habitants.

Paris, 7 mai (18 floréal)
A la suite du discours de Robespierre, la Convention adopte un décret organisant le culte de l'Etre suprême.

Paris, 11 mai (22 floréal)
Un décret institue le livre de la bienfaisance nationale établissant, par département, la liste des vieillards, infirmes, veuves et femmes chargées d'enfants appelés à recevoir une aide financière.

Angleterre, 12 mai
La « convention » des clubs des radicaux écossais créée en octobre 1793, dispersée par la force en décembre, voit ses membres arrêtés. L'*habeas corpus* est même suspendu.

France, 18 mai (29 floréal)
Le général Jourdan bat le duc de Cobourg à Tourcoing tandis qu'au sud, les troupes françaises envahissent la Catalogne.

Paris, 23 mai (4 prairial)
Après Collot d'Herbois la veille, c'est Robespierre qui échappe à une tentative d'assassinat.

Piémont, 24 mai
A la suite de l'échec de son complot, le révolutionnaire Francesco De Stefanis est pendu à Bielle. Plus tard, les clubs patriotiques de Turin seront réprimés, les dirigeants révolutionnaires Franscisco Junot et Giovanni Chatel pendus.

Piémont, 29 mai
Les Autrichiens et les Piémontais signent un traité de défense mutuelle à Valenciennes.

Paris, 4 juin (16 prairial)
Robespierre est élu président de la Convention à l'unanimité.

Paris, 8 juin (20 prairial)
Fête de l'Etre suprême. →

Paris, 10 juin (22 prairial)
La loi de prairial accélère la procédure de jugement, supprime toute garantie judiciaire pour les accusés et inaugure la Grande Terreur.

Paris, 25 juin (7 messidor)
Création des Archives nationales.

France, 26 juin (8 messidor)
Bataille de Fleurus. →

Les Indulgents sont conduits à l'échafaud

Paris, 5 avril 1794
La lutte qui depuis plusieurs semaines opposaient les trois factions les plus organisées de la Montagne vient de s'achever par la victoire des partisans de Robespierre. Après avoir éliminés les Hébertistes, voici les Indulgents, avec Danton, Camille Desmoulins, Fabre d'Eglantine, Hérault de Séchelles, arrêtés, jugés par le tribunal révolutionnaire et guillotinés. A la Convention, Saint-Just et Robespierre ont une nouvelle fois fait office de procureur contre leurs adversaires aux dossiers particulièrement chargés. Affaires de corruption, contacts anciens avec des royalistes ou avec la Cour ont servi de prétextes pour condamner une ligne politique précise. Danton et Desmoulins s'en prenaient aux activités des Comités qu'ils accusent de dictature, préférant voir la Convention reprendre en main tous les pouvoirs. Si cette politique est souhaitée par de plus en plus de conventionnels qui ne participent pas à des factions, ceux-ci craignent de se dévoiler. Aussi avalisent-ils la décision des Comités de salut public et de sûreté, réunis pour l'occasion, de procéder à l'arrestation de Danton et de ses amis dans la nuit du 30 au 31 mars. A 6 heures du matin, ils sont appréhendés à leurs domiciles respectifs et conduits au Luxembourg transformé en prison. Le procès devant le tribunal révolutionnaire dure deux jours pendant lesquels l'éloquence de Danton transporta d'enthousiasme le public présent. Ne pouvant plus contrôler le procès, Fouquier-Tinville obtient de la Convention l'exclusion des accusés en cas de troubles. Le sort en est jeté ; le 5 avril, le bourreau montre au public la tête de Danton, comme ce dernier le lui avait commandé quelques instants auparavant.

Les Indulgents menés à l'échafaud sous la figure de la « Liberté ». Eau-forte d'après Raffet. XIXe siècle.

Qui sont les victimes de la Terreur ?

Paris, juin-juillet 1794
A la suite de la loi du 22 prairial (10 juin) réorganisant la procédure de jugement devant le Tribunal révolutionnaire, les condamnations à mort se succèdent à un rythme accéléré. Désormais, seul le pouvoir central a l'initiative des poursuites. L'appareil judiciaire est allégé : le nombre des juges est réduit, mais surtout les défenseurs et les témoins sont supprimés lorsque les preuves matérielles sont suffisantes pour établir la culpabilité. Le Tribunal est divisé en sections pour qu'il puisse travailler plus vite et le jury doit être composé de patriotes reconnus et éprouvés, aptes à frapper les « ennemis du peuple ». Créé en mars 1793, le Tribunal avait fait montre d'une relative modération jusqu'en octobre. Mais à partir de ce moment, la machine s'emballe. Près de la moitié des accusés est condamnée à mort d'octobre à décembre 1793, soit 177 personnes, parmi eux les Girondins. Les suspects, d'origine sociale très diverse, affluent dans les prisons. Il faut en ouvrir plusieurs, au Luxembourg, à Port-Royal, devenu Port-Libre. La Grande Terreur de messidor (juin-juillet 1794) atteint des sommets inconnus jusque-là. 1373 exécutions, le plus souvent de personnes innocentes des crimes qui leur sont imputés. Le chiffre des prisonniers tourne autour de 8 000 suspects. Parmi eux des écrivains, comme le fabuliste Florian, des généraux provisoirement accusés d'incompétence ou d'indiscipline face aux ordres des représentants en mission du Comité de salut public comme Hoche et Kellermann. Parmi les guillotinés les plus célèbres, le chimiste Lavoisier en compagnie de vingt-huit fermiers généraux et le poète André Chénier. La chute de Robespierre n'arrêta pas la guillotine, puisqu'une centaine d'exécutions anéantira les membres de la Commune de Paris. Le dégoût qu'inspire la multiplication des exécutions affaiblit les positions de Robespierre et de ses amis.

Robespierre fête l'Etre suprême au Champ-de-Mars

Paris, 8 juin 1794

Organisée par Louis David, solennelle et simple à la fois, la fête dédiée à l'Etre suprême et à la Nature a réuni plusieurs dizaines de milliers de personnes au Champ-de-Mars. A cinq heures du matin, la population parisienne sort de ses maisons déjà ornées de fleurs et de feuillages, et se dirige vers les Tuileries, dans une ville qui a, pour une fois, une odeur de campagne. Robespierre, rayonnant, un bouquet d'épis à la main, conduit l'immense cortège qui se rend au Champ-de-Mars. Toutefois, un incident gâte la cérémonie quand Robespierre doit dégager la statue de la Sagesse en faisant brûler le voile qui la couvre : la statue est noircie par les flammes. Les conventionnels présents trouvent matière à sarcasmes. D'autant que pour nombre d'entre eux, cette fête recouvre des allures religieuses. Proposée par le député Romme en avril 1793, elle heurte les sentiments athéistes de nombre d'entre eux, puisqu'elle affirme aussi l'immortalité de l'âme. D'autres craignent qu'en cette occasion, Robespierre ne fasse alliance avec le catholicisme. Pour ce dernier, il s'agit de montrer qu'une société ne peut subsister sans un culte commun. Mais la plupart des conventionnels interprètent cette cérémonie comme l'affirmation du pouvoir d'un seul homme sur la nation.

La fête de l'Etre suprême au Champ-de-Mars le 20 prairial an II (8 juin 1794). Peinture de Demachy.

Chute de Robespierre et de Saint-Just, le 9 thermidor

Paris, 27 juillet 1794

« A l'arrestation ! », « A l'accusation ! » Du haut des gradins de la Convention, le député Louchet vient de lancer un cri repris par l'Assemblée. Il est adressé à Robespierre qui n'arrive pas à obtenir la parole tant le vacarme et le brouhaha sont grands dans la salle. Déjà quelques minutes auparavant, Saint-Just a été interrompu dans son discours par Tallien. Billaud-Varenne, du Comité de salut public, accuse Robespierre de « vouloir égorger la Convention nationale ». L'alliance de certains membres du Comité comme Carnot, Barère, Billaud-Varenne et Collot d'Herbois avec la Plaine, les conventionnels modérés, joue à plein. Ils échangent la vie de Robespierre et de ses amis avec la fin de la Terreur. Scellée depuis quelques jours, cette alliance profite d'une erreur politique de Robespierre le 8 thermidor, pour rassembler l'ensemble des modérés qui craignent une nouvelle charrette de condamnés. En effet, celui-ci s'était absenté depuis plusieurs semaines du Comité et de la Convention, malade, sitôt après la fête de l'Etre suprême. Il prépara, lors de son repos, un discours qui s'attaquait une nouvelle fois aux faiblesses du gouvernement de la nation. Robespierre mit en cause Carnot, mais aussi des Indulgents comme Dubois-Crancé, auquel il reprochait son attitude à Lyon. Mais il s'arrêta là, laissant planer le doute et l'incertitude du lendemain aux nombreux autres conventionnels qui pouvaient se voir reprocher quelque chose par ses partisans. L'occasion était favorable pour rassembler toutes les oppositions. Dans l'après-midi, Robespierre, Saint-Just, Couthon, Lebas, Augustin Robespierre sont conduits devant le Comité de surveillance générale. Sitôt la nouvelle connue, leurs partisans à la Commune de Paris, guidés par Coffinhal, les libèrent et les ramènent à l'Hôtel de Ville. Mais Robespierre refuse de signer un appel à l'insurrection. Dans la nuit, des gendarmes pénètrent dans l'Hôtel de Ville. Le soldat Merda blesse « l'Incorruptible » au visage. Le 10 thermidor, avec vingt de ses partisans, dont Saint-Just et Couthon, il est guillotiné, sans avoir été jugé.

Robespierre blessé, étendu sur une table dans l'anti-salle du Comité de Salut public, aux Tuileries (nuit du 9 au 10 thermidor). Gravure du XIXe siècle.

Portrait de Saint-Just, fidèle allié de Robespierre. Peinture de Louis David.

Saint-Just (1767-1794)

Dans le monde des conventionnels, Saint-Just tranche par sa grande jeunesse. Né en 1767 dans une famille bourgeoise, il achevait ses études de droit quand éclata la Révolution. Il se fait élire à vingt-quatre ans à la Législative, sur les listes de l'Aisne, mais ses concurrents obtiennent son invalidation à cause de l'âge. Influencé par la lecture assidue de Rousseau, il contacte très vite Robespierre, avec lequel il entre à la Convention. Après des débuts timides, il s'impose par son éloquence incisive. Elu au Comité de salut public le 10 juillet 1792, il est envoyé comme représentant en mission auprès de l'armée d'Alsace, où il rétablit la discipline. Partisan d'un pouvoir intransigeant, il devient le porte-parole de Robespierre dans les conflits avec les Hébertistes et les amis de Danton et fait adopter les lois de ventôse. Ardent adepte d'une dictature morale, surnommé l'« Archange de la Terreur » pour l'impression de fragilité qui émane de lui, il sera absent de la fête de l'Etre suprême. Mais ces dissensions avec Robespierre n'altèrent pas sa fidélité : il l'accompagne jusqu'à l'échafaud.

Succès au théâtre du "Jugement dernier des rois" de Sylvain Maréchal

Paris, 17 octobre 1793

C'est le lendemain de l'exécution de Marie-Antoinette qu'a lieu la première représentation publique de cette pièce, sous-titrée « Prophétie en un acte, en prose ». Dans la salle archicomble du théâtre de la République, le public déchaîné manifeste son enthousiasme au spectacle du châtiment de tous les rois d'Europe détrônés, déportés dans une île et engloutis par un volcan. Le Comité de salut public manifeste son approbation par un soutien financier.

1794

Paris, 14 juil. (26 messidor)
Fouché est exclu du club des Jacobins.

Paris, 23 juil. (5 thermidor)
La Commune de Paris décide une baisse autoritaire des salaires.

Paris, 25 juil. (7 thermidor)
André de Chénier monte sur l'échafaud. Violemment antijacobin, il a écrit ses *Iambes* en prison, qui ne seront publiés que plus tard dans la revue des idéologues, *la Décade philosophique*.

Paris, 27 juil. (9 thermidor)
Chute de Robespierre et de Saint-Just, qui sont exécutés le lendemain. →

Europe, 27 juil (9 thermidor)
Au nord, le général français Pichegru s'empare d'Anvers ; au sud, les troupes françaises prennent Fontarabie le 6 et Saint-Sébastien le 7 aux Espagnols.

France, 28 juil. (10 thermidor)
Barère précise que rien n'est changé dans les institutions.

Paris, 31 juil. (13 thermidor)
Le renouvellement des comités amène Tallien et Thuriot au Comité de salut public et Merlin de Thionville et Legendre au Comité de sûreté générale.

Paris, 1er août (14 thermidor)
La loi de prairial est rapportée et l'accusateur public Fouquier-Tinville est décrété d'accusation.

Paris, 5 août (18 thermidor)
Les libérations des suspects commencent.

Paris, 9 août (18 vendémiaire)
Dans une *Adresse de la Convention au peuple français*, Cambacérès, qui siège depuis peu au Comité de salut public, définit le caractère nouveau du gouvernement révolutionnaire.

Paris, 10 août (19 vendémiaire)
Création du conservatoire national des Arts et Métiers.

Paris, 24 août (7 fructidor)
Le gouvernement est réorganisé en seize comités, correspondant à des ministères, rattachés à des commissions de la Convention.

France, 18 sept. (2e sans-culottide)
La suppression du budget du culte introduit la séparation de fait de l'Eglise et de l'Etat.

Paris, 18 sept. (2e sans-culottide)
La jeunesse contre-révolutionnaire, les « Muscadins », organisent un premier soulèvement au Palais-Royal.

An III

Pologne, 10 octobre
Kosciuszko défait à Maciejowice. →

Europe, 17 octobre
Le Premier ministre anglais, Pitt, coupe les subsides aux Prussiens.

Italie, 17 octobre
Le révolutionnaire Emmanuel De Deo, originaire des Pouilles, est pendu.

Europe, 23 octobre
Le général Jourdan prend Coblence en Allemagne.

Europe, 25 octobre
La Prusse dénonce le traité de La Haye.

Paris, 30 oct. (9 brumaire)
Fondation de l'Ecole normale supérieure. →

Pologne, 4 novembre
Les insurgés sont battus et massacrés à Praga.

Paris, 19 nov. (29 brumaire)
Le club des Jacobins est fermé. Déjà, le 25 vendémiaire (16 oct.), un décret avait interdit la formation de sociétés populaires et la correspondance des clubs.

Paris, 8 déc. (18 frimaire)
Les Girondins proscrits en juin sont réintégrés à la Convention.

Paris, 16 déc. (26 frimaire)
Exécution de Carrier. →

Europe, 24 décembre
Début des négociations entre la France et la Prusse.

Paris, 24 déc. (4 nivôse)
Le Maximum est aboli.

Europe, 27 décembre
Les troupes françaises entrent en Hollande.

Allemagne
Le philosophe Fichte publie ses *Fondements de la doctrine générale de la science*. Les écrivains allemands Gœthe et Schiller se rencontrent à Iéna et décident de travailler ensemble.

Réorganisation du pouvoir révolutionnaire

Paris, printemps 1794
Provisoire depuis le 10 août 1792, le gouvernement devait, après la ratification de la nouvelle Constitution, retrouver son cours normal. La guerre et les menées contre-révolutionnaires à l'intérieur l'en empêchent. Le 10 octobre 1793, le gouvernement est déclaré « révolutionnaire jusqu'à la paix ». Billaud, s'inspirant de Saint-Just, en a défini les principes dans son rapport du 18 novembre et ses traits essentiels sont fixés par le décret du 4 décembre. Rien ne doit limiter le pouvoir du gouvernement, son autorité ne saurait être divisée, l'unité étant sa maxime fondamentale. En vérité, il s'agit d'une dictature que justifient « le salut public, la plus sainte des lois » et « la nécessité, le plus irréfragable de tous les titres ». Les deux organes du nouveau pouvoir sont la Convention, où la Montagne s'est assurée la majorité, et le Comité de salut public. La Convention poursuit son œuvre de législation. Le Comité de salut public en est théoriquement l'exécutif, en principe une émanation de l'Assemblée qui doit, tous les mois, confirmer ses pouvoirs. En réalité, c'est le Comité qui domine. Composé de onze membres (Robespierre, Saint-Just, Carnot, Couthon, Collot d'Herbois, Barère, Billaud-Varenne, Saint-André, Lindet, les deux Prieur), son pouvoir de décision est collégial, chaque arrêté exigeant au moins trois signatures. Les ministres sont placés sous sa dépendance et son contrôle. L'administration provinciale est, elle aussi, transformée, dans un souci de centralisation et d'efficacité. Les instances départementales, suspectées de « fédéralisme », perdent l'essentiel de leurs attributions. Les districts et les municipalités, rouages essentiels du nouveau système, sont étroitement soumis au pouvoir central par l'intermédiaire des représentants en mission : c'est le triomphe absolu des idées jacobines.

Fondation de l'Ecole normale supérieure

Paris, 30 octobre 1794
Un décret du 9 brumaire, en fondant l'Ecole normale supérieure, crée une nouvelle institution et un nouveau type d'enseignement. Cet établissement doit accueillir 1 400 élèves de plus de vingt ans, venus de toutes les régions de France, choisis et délégués par les districts. Ils y recevront une formation accélérée d'un haut niveau, qui fera d'eux des professeurs qualifiés, capables à leur tour de former les candidats instituteurs. Les cours seront dispensés par les savants les plus éminents, tels l'astronome Laplace, le mathématicien Monge, le chimiste Berthollet ou même l'historien et orientaliste Volney. Ainsi, les Thermidoriens poursuivent, en ce domaine, l'œuvre des Montagnards qui avaient eu pour souci de créer un enseignement moderne, ouvert à tous, laïque et républicain. Mais il est rapidement apparu une carence en maîtres qualifiés et il fallait donc en priorité instruire un corps d'éducateurs à la hauteur de leur tâche. C'est à ce besoin que répond la création de l'Ecole normale. Un deuxième décret du 27 brumaire (17 novembre) fait obligation à toutes les communes de plus de mille habitants de créer une école dont elles rétribueraient les maîtres, choisis et inspectés par un jury d'instruction désigné par le district.

Les Chénier, deux frères ennemis jusque dans la mort

Paris, le 25 juillet 1794
Le poète André de Chénier, condamné à mort comme « ennemi du peuple », a été guillotiné. Né en 1762, sa vocation poétique s'affirma précocement. Admirateur de la Grèce antique, il élabora un vaste projet exposé dans son poème *L'Invention*. Son dessein était d'exprimer les idées de son temps sous une forme classique. En 1790, il participa avec enthousiasme aux débuts de la Révolution : constitution de la « Société de 1789 » avec les frères Trudaine et composition d'une Ode au serment du Jeu de paume. Mais, très vite, il affirma sa modération et protesta contre les excès des Jacobins : indignation envers l'accueil triomphal réservé à des soldats mutinés, défense de Louis XVI et de Charlotte Corday, invectives violentes envers Robespierre et Collot d'Herbois. Devenu suspect, il est incarcéré à la prison de Saint-Lazare où il écrit *La Jeune Captive* et des *Iambes* dénonçant la tyrannie jacobine. Son frère Marie-Joseph (1764-1811) connut, en revanche, la réussite politique sous la Révolution et fut, entre autres, l'auteur des paroles du *Chant du départ*. Membre du club des Jacobins et de la Convention, on le dénomma « le frère d'Abel Chénier ». Dans son *Epître sur la calomnie* (1797), il tenta de se défendre contre ceux qui l'accusaient de n'avoir rien fait pour sauver son frère de la guillotine.

Le poète André Chénier et son frère Marie-Joseph, auteur du « Chant du départ ».

La Révolution française vue de l'étranger

La Révolution française a suscité un énorme intérêt sur les continents européen et américain. Toutefois, l'enthousiasme qui a accueilli les événements de 1789, comme la prise de la Bastille, ne s'est pas maintenu jusqu'en 1794. A partir du moment où la Révolution a perdu son unité au profit de luttes politiques complexes qui se réglaient dans la violence, nombre de ses partisans l'ont abandonnée, et quelques-uns en sont devenus les ennemis jurés. La diffusion des nouvelles et des idées révolutionnaires se fait grâce aux journaux. Ainsi, à Paris, *L'Union ou Le Journal de la Liberté* est-il publié à la fois en anglais et en français. De plus, à partir de 1790, les grands textes, comme la Déclaration des droits de l'homme, sont traduits en de nombreuses langues. Paris devient le but des voyages de tous ceux qui veulent vivre cet événement : des Allemands comme Forster, l'un des frères Humboldt, Guillaume, des Anglais comme le poète Wordsworth. Certains s'y installent et participent de plein droit avant qu'en 1794 les étrangers ne deviennent des suspects : l'Allemand Anacharsis Cloots, qui meurt sur l'échafaud avec les Hébertistes, l'Américain Thomas Paine, emprisonné sous la Grande Terreur. D'autres, sans faire le voyage, expriment leur solidarité avec les premiers événements. Emmanuel Kant bouscule l'itinéraire habituel de sa promenade à l'annonce de la prise de la Bastille, dit-on, avant de s'opposer pourtant à ce qu'il appelait de ses vœux, « la mise en vigueur du contrat social ». La Convention de son côté honore des étrangers pour leur œuvre digne de la Révolution, comme le poète allemand Klopstock, l'Américain Paine, les Anglais Bentham et Prietsley, le chimiste qui refusera d'être déclaré citoyen d'honneur de la République. C'est en Angleterre que le soutien, surtout populaire, fut des plus importants. Les radicaux anglais y voient une occasion de ranimer le large mouvement qu'avait connu le pays de 1770 à 1780 lors de l'affaire Wilkes. Une société de correspondance est créée à Londres en 1792, et la chute de la royauté est saluée avec enthousiasme à Sheffield, Manchester et Edimbourg. De son côté, le gouvernement britannique, par l'intermédiaire de Pitt, prend la tête de la croisade contre la Révolution, le 21 mai 1791, dans une proclamation royale dirigée contre « les principes français ».

« Le zénith de la gloire française ». Gravure satirique de Gillray.

Gravure satirique polonaise raillant la liberté « à la française ».

Antoine Quentin Fouquier-Tinville, l'accusateur public au Tribunal révolutionnaire.

Fouquier-Tinville (1746-1795)

Parent éloigné de Camille Desmoulins, Antoine Fouquier-Tinville (né en 1746) est le fils de paysans aisés de Picardie. Ses études de droit le prédisposaient à entrer dans l'administration judiciaire révolutionnaire. Tour à tour commissaire de son district, puis juré au Tribunal révolutionnaire, il devient finalement accusateur public. N'appartenant à aucune faction, il charge tour à tour Girondins, Hébertistes et Dantonistes. Jugé en mars 1795, il sera guillotiné le 6 mai.

Les Autrichiens stoppés à Fleurus

Fleurus, 26 juin 1794
A Fleurus, l'offensive autrichienne est arrêtée et la Belgique s'ouvre aux armées républicaines. Frédéric de Saxe-Cobourg, feld-maréchal d'Autriche, le vainqueur de Dumouriez à Neerwinden, a déployé les 185 000 hommes de son armée entre le Luxembourg et la mer du Nord. Il concentre une première offensive sur la Sambre et parvient à s'emparer de Landrecies, avant de se diriger vers Lille, mais est battu à Tourcoing par un lieutenant de Pichegru, Moreau, le 13 mai 1794. Jourdan, avec une partie de l'armée de la Moselle, à laquelle le Comité de salut public avait joint celle des Ardennes, 80 000 hommes au total, après avoir obtenu la capitulation de Charleroi, prend Frédéric de Saxe-Cobourg à revers dans le Hainaut, près du village de Fleurus. Les Autrichiens sont repoussés et se replient en évacuant la Belgique. La route de Bruxelles est libre pour Jourdan. Il y rejoint Pichegru qui vient quant à lui de prendre Ypres.

La bataille de Fleurus remportée sur les Autrichiens par l'armée française, le 8 messidor an II (26 juin 1794). Gravure d'époque.

Carrier, le bourreau de Nantes, est exécuté

Paris, 16 décembre 1794
La lutte entre les Thermidoriens, des anciens Hébertistes comme Collot d'Herbois et des modérés liés aux milieux financiers comme Tallien, aboutit à la mise en accusation du conventionnel Jean-Baptiste Carrier, député du Cantal. Il avait été chargé d'organiser la politique révolutionnaire en Bretagne par le Comité de salut public fin septembre 1793. Les massacres se succédaient, commis à tour de rôle par les Blancs et par les Bleus. Devant les complicités dont diposaient à l'intérieur de la ville de Nantes les insurgés, Carrier, appliquant les mesures de Terreur, organisa des noyades collectives, de prêtres en septembre, de prisonniers en octobre, puis en février 1794 des insurgés qui s'étaient rendus aux républicains après la défaite de Savenay. Ces affaires resurgissent après thermidor, quand un groupe de prisonniers nantais est jugé par le Tribunal révolutionnaire. Leurs accusations contre Carrier aboutissent à son procès le 23 novembre et à sa condamnation à mort.

Les noyades dans la Loire ordonnées par Jean-Baptiste Carrier en décembre 1793. Gravure de Duplessis-Bertaux.

1795

La secte du Lotus blanc se soulève en Chine

Chine, 1795
Misère et injustice redonnent vie en 1793 à la secte du Lotus blanc qui avait déjà joué un grand rôle lors des soulèvements du milieu du XIVe siècle, puis à la fin de la dynastie Ming. La secte du Lotus blanc (Bailian) vouée à l'adoration du Bouddha Amitâbha, a été fondée peu avant 1133 par un certain Mao Ziyuan. Elle recrute surtout chez les paysans pauvres ; ses adeptes observent un strict végétarisme, refusent de payer l'impôt et d'accomplir des corvées. Cette secte développe une activité anti-mandchoue avec le slogan : « Renverser les Qing, restaurer les Ming ». Les sociétés secrètes expriment une réalité sociale et une contradiction fondamentale entre la masse des paysans et le pouvoir impérial. Elles constituent, tout au long de l'histoire de la Chine, une force d'opposition organisée, cohérente et continue. Les causes des soulèvements sont invariablement les mêmes : l'arbitraire et la brutalité du pouvoir, l'accaparement des terres, le fardeau insupportable des impôts et la corruption de l'administration. Malgré la répression féroce dont elles font l'objet, les sociétés secrètes sont en plein essor à la fin du XVIIIe siècle.

La révolte avortée des sans-culottes

Paris, 1er avril et 20-23 mai 1795
Par deux fois, les sans-culottes parisiens se révoltent à l'appel des sections les plus actives contre le régime thermidorien. L'abandon des structures gouvernementales jacobines (la Commune de Paris et les comités révolutionnaires locaux), l'adoption de mesures économiques libérales ont dépossédé les révolutionnaires de tous leurs pouvoirs. La disette s'installe dans les villes, les prix montent et le mécontentement s'amplifie après la courte période de soulagement qui a succédé à Thermidor. Dès novembre 1794, une agitation ouvrière se manifeste par l'envoi de délégations auprès de la Convention. L'agitation, de l'atelier, gagne la rue et, fin mars, des émeutes pour le pain sont organisées par des sections, comme celle des Gravilliers. Les manifestants réclament du pain et la Constitution de 1793, mais cette fois-ci la Convention, qui dispose de la force armée, fait disperser les meneurs et décrète la déportation de Collot d'Herbois et de ses amis. Sept semaines plus tard, un mouvement analogue aboutira à un échec plus sanglant et la répression touchera des milliers de sans-culottes.

Les Parisiens affamés envahissent la Convention et massacrent le député Ferraud qui cherchait à s'interposer : journée du 1er prairial an III (20 mai 1795).

La Convention adopte le système métrique

France, 7 avril 1795
La Convention vient d'adopter le rapport présenté le 11 ventôse par Prieur, député de la Côte-d'Or, et qui officialise le système métrique, destiné à offrir une échelle de mesure universellement acceptable. Plus de quatre ans de travail ont été nécessaires pour en arriver là ; de nombreux savants français ont été mis à contribution dès 1790, à la suite de l'adoption par l'Assemblée nationale de son principe. Des commissions animées par Lagrange, Laplace, Monge, Cassini, Haüy, Condorcet, Lavoisier et Coulomb ont été chargées de définir cette unité de mesure. Le mètre est donc la dix millionième partie du quart d'un méridien terrestre. Son étalon prototype, ainsi que celui du kilogramme, sera réalisé en platine en 1799 et présenté au Corps législatif.

« L'usage des nouvelles mesures » : le litre, le gramme et le mètre. Gravure de Labrousse. B.N., Paris.

La Pologne rayée de la carte de l'Europe

Varsovie, 25 novembre 1795

La Pologne n'existe plus. Le roi Stanislas-Auguste vient d'abdiquer. Ainsi en ont décidé les trois puissances qui ont vaincu la révolte de Kosciuszko. Déjà, pendant les combats, elles s'étaient entretenues du sort réservé au pays, mais les trois armées cherchaient à occuper le plus de terrain possible. Aussi le marchandage fut-il âpre et même violent. L'Autriche et la Russie s'allient en janvier 1795 contre la Prusse, qui cède en août. L'accord peut se faire le 24 octobre. La ligne de démarcation entre les trois puissances suit le cours de trois rivières : la Pilica, la moyenne Vistule et le Bug. La Prusse détient Varsovie, mais c'est la Russie qui réalise le gain territorial le plus important. Dans un article secret, les trois puissances s'engagent à faire disparaître le nom de la Pologne du droit international, espérant ainsi étouffer tout sursaut national.

Gravure satirique représentant le « Gâteau polonais » que se partagent les puissances européennes.

Les Français installent la République batave

La Haye, 16 mai 1795

Les armées de la République, en décembre et en janvier 1794, conquièrent la rive gauche du Rhin. L'armée commandée par Pichegru fait prisonnière la flotte hollandaise bloquée par les glaces au Helder. Profitant de la paix de Bâle signée avec la

La Constitution de l'an III institue un Directoire

Paris, 22 août 1795

Deux mois de travail ont permis à la commission de onze membres nommée par la Convention de présenter un projet de nouvelle Constitution. Deux mois plus tard, il est adopté, précédé

L'Ecossais Mungo Park explore le Niger

Gambie, 21 juin 1795

Le médecin Mungo Park a été sollicité par l'Association africaine de Londres pour savoir si le Niger est un affluent du Nil. Park s'est fait connaître auparavant par un travail sur la faune et la flore de Sumatra. Il remonte le fleuve Gambie jusqu'à Karantaba, un comptoir anglais. De là, dans des conditions difficiles, il rejoint seul le Niger le 20 juillet 1796 à Ségou, après avoir été prisonnier des Arabes, des mains desquels il s'échappe. Il rejoint la côte par le fleuve et rentre en Angleterre où la relation de son voyage, publiée en 1797, obtient un grand succès. Il trouve la mort lors de son second voyage, en 1805.

Mungo Park.

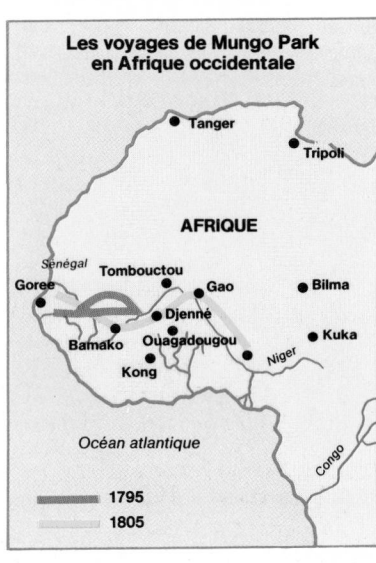

Prusse, elle passe le Rhin. Une révolte populaire chasse le stathouder et les patriotes hollandais signent un traité à La Haye, le 16 mai, au nom des Provinces-Unies qui deviennent la République batave en adoptant des institutions calquées sur la Constitution de l'an III. République sœur, elle accepte l'établissement d'une base militaire française à Flessingue et s'allie à la France contre l'Angleterre.

d'une Déclaration des droits et des devoirs. Le corps législatif est divisé en deux Assemblées, le Conseil des Cinq-Cents qui propose et le Conseil des Anciens qui légifère. Le pouvoir exécutif est confié à un Directoire de cinq membres, choisis par les Anciens sur une liste proposée par les Cinq-Cents. Les charges sont renouvelées partiellement chaque année, à raison d'un directeur et d'un tiers des représentants.

Le 13 vendémiaire an IV (5 octobre 1795), les royalistes sont mitraillés sur les marches de l'église Saint-Roch par les troupes de la Convention dirigées par le général Bonaparte.

Le général Bonaparte mâte les royalistes devant Saint-Roch

Paris, 5 octobre 1795

Une disposition de la nouvelle Constitution alimente l'opposition royaliste. La Convention a décidé que les électeurs devaient réélire au moins les deux tiers de ses membres, sinon elle en coopterait elle-même le nombre nécessaire. Les royalistes appellent à l'insurrection contre les « perpétuels ». Le 2, apprenant la nouvelle de mouvements séditieux, l'Assemblée nomme un comité dirigé par Barras qui arme les patriotes de 1789 sous le commandement de généraux fidèles : Brune, Carteaux et Bonaparte. Le 5, après avoir occupé sans difficulté la rive gauche, les royalistes passent la Seine mais échouent sur les marches de l'église Saint-Roch, pris sous le feu des canons de Bonaparte, en perdant trois cents des leurs.

L'Allemand Jean-Paul, poète de la rêverie

Allemagne, 1795

L'écrivain allemand Jean-Paul Richter, qui se fait appeler par son seul prénom, publie un nouveau roman *Hesperus ou Quarante-cinq Jours de la poste au chien.* Tout en racontant une idylle dans une petite cour allemande, l'auteur exprime à travers ses personnages ses propres sensations devant la nature. Issu d'une famille pauvre, il reste sans instruction jusqu'à l'âge de treize ans, plongé dans l'univers de la campagne. Cette enfance solitaire et naturelle s'exprime dans toute son œuvre. Après de courtes études à Leipzig, interrompues par la pauvreté, il devient précepteur. Loin d'être larmoyante, sa production fait appel aux rêves, à l'imagination teintée de raillerie et d'humour envers ses personnages, c'est-à-dire envers lui-même. Rarement un écrivain aura autant travaillé sur lui-même que Richter. Ses œuvres sont plus appréciées par ses pairs que par le public ; *Hesperus,* en particulier, déroute les lecteurs par l'ajout, entre les phases de l'intrigue, de « feuillets extraordinaires » où l'auteur s'adonne à un commentaire sur l'ambiance politique et culturelle de son temps. En 1796, il publiera la *Vie de Quintus Fixlein,* puis en 1803 *Titan,* avant de s'installer à Bayreuth où il mourra en 1825.

Les "idéologues" : des philosophes au pouvoir

Paris, 25 octobre 1795

Le conventionnel Daunou vient de faire voter une loi créant l'Institut. Cette institution intellectuelle et scientifique est chargée « d'effacer en splendeur toutes les académies des rois » et d'établir « le corps représentatif de la République des Lettres ». Elle comprend trois classes : les sciences physiques et mathématiques ; les sciences morales et politiques ; les lettres et les beaux-arts. Pour ce faire, l'Institut a pour tâche de « recueillir les découvertes, de perfectionner les sciences et les arts ». Son promoteur, un républicain convaincu mais modéré, est avec nombre d'autres penseurs comme Destutt de Tracy, Cabanis, ou des scientifiques comme Laplace et Lakanal, un membre de cette génération que le Directoire voit apparaître au pouvoir. Leur figure de proue, Destutt de Tracy, les baptise les idéologues, car ils veulent fonder une nouvelle science qui puisse rendre compte de toutes : la science des idées, l'idéologie, en mettant à profit les méthodes scientifiques les plus modernes. Il n'est dès lors pas étonnant de retrouver dans ce cercle les plus grands savants de l'époque. Pour la plupart fidèles aux idées républicaines, ils refuseront de travailler avec Bonaparte devenu empereur.

1796

France, 1er janv. (11 nivôse)
Un ministère de la Police remplace les différents comités chargés de surveiller le territoire.

France, 19 fév. (30 pluviôse)
La décision du ministre des Finances, Ramel, d'arrêter l'émission des assignats est illustrée par la destruction de la « planche à assignats ».

Vendée, 25 fév. (6 ventôse)
Le chef vendéen Stofflet est fusillé à Angers ; le 29 mars (9 germinal) ce sera le tour de Charette à Nantes.

Paris, 28 fév. (9 ventôse)
Le club du Panthéon de tendance jacobine est fermé par décision des directeurs. De son vrai nom « La Réunion des amis de la République », il a adopté au cours de l'hiver les thèses babouvistes.

France, 2 mars (12 ventôse)
Le général de division Napoléon Bonaparte est nommé commandant de l'armée d'Italie. Il rejoint le 21 ventôse son quartier général de Savone.

Paris, 9 mars (19 ventôse)
Napoléon Bonaparte épouse civilement Joséphine de Beauharnais, veuve du général de Beauharnais et mère de deux enfants, Hortense et Eugène.

France, 18 mars (28 ventôse)
Un nouveau papier-monnaie est institué : le mandat territorial.

Europe, 20 mars (30 ventôse)
Le Directoire repousse les propositions de paix anglaises formulées le 20 ventôse.

Italie, 11 avril
Bonaparte entame la campagne à la tête de 40 000 hommes. Il gagne les batailles de Montenotte, Millesimo, Dego et Mondovi du 13 au 22 avril. →

France, 10 mai (21 floréal)
Arrestation de Gracchus Babeuf et ses amis, Philippe Buonarroti et Darthé. →

Italie, 14 mai
Après avoir battu les Autrichiens à Lodi le 10, Bonaparte entre à Milan.

Italie, 15 mai
Le traité de Paris signé entre la France et le Piémont-Sardaigne fait suite à l'armistice de Cherasco signé le 28 avril entre les

deux armées. Le roi cède la Savoie, les comtés de Nice, Tende et Breuil et garantit le libre passage des troupes françaises sur ses terres.

Italie, 6 juin
Venant après ceux de Parme (9 mai) et de Modène (17 mai), un dernier armistice est signé par Bonaparte à Naples.

Europe, 18 août
Le traité de paix signé entre la France et l'Espagne à San Ildefonso établit une alliance défensive et offensive perpétuelle dirigée contre l'Angleterre.

Paris, 9-10 sept. (23-24 fructidor)
Une émeute babouviste tendant à renverser le Directoire échoue au camp de Grenelle.

Italie, 13 septembre
Après Castiglione le 5 août, Bonaparte remporte la victoire de Bassano.

Allemagne, 21 septembre
Les troupes françaises sont battues à Altenkirchen, où meurt le général Marceau, et repoussées au-delà du Rhin qu'elles avaient franchi en juin.

Europe, 5 octobre
Le roi d'Espagne déclare la guerre à l'Angleterre. Inférieurs en nombre, les Anglais quittent la Méditerranée.

Russie, 7 novembre
Mort de Catherine II. →

Italie, 15-17 novembre
Bonaparte échoue dans le blocus de Mantoue lors des engagements autour d'Arcole contre les Autrichiens.

Irlande, 16-29 décembre
Echec de la tentative de débarquement des troupes du général Hoche afin de porter la guerre dans les Iles Britanniques.

Italie, 30 décembre
Une assemblée réunie à Reggio d'Emilie confirme la fondation de la République cispadane, décidée à Modène le 15 octobre lors d'une réunion convoquée par Bonaparte.

France
Le savant Laplace publie son *Exposition du système du monde*. →

Allemagne
Le poète Jean-Paul Richter publie le roman, la *Vie de Quintus Fixlein* et Goethe *Les Années d'apprentissage de Wilhelm Meister*.

Entrée des troupes françaises à Milan le 14 mai 1796. Gravure d'après un dessin de Carle Vernet. Bibliothèque nationale, Paris.

Bonaparte défait les Autrichiens en Italie

Italie du Nord, 1796
Lorsqu'en mars 1796 Bonaparte obtient, à vingt-sept ans, le commandement de l'armée d'Italie, l'objectif du Directoire est double : chasser les Autrichiens du pays, contraindre ensuite le roi de Sardaigne à la paix et obtenir son alliance. Bonaparte décide de se porter d'abord sur le Piémont afin d'isoler les armées autrichiennes. C'est un succès : les troupes sardes sont battues à Millesimo, puis à Mondovi les 13 et 22 avril. L'armée française arrive aux portes de Turin et contraint Victor-Amédée III à signer l'armistice de Cherasco le 27 avril, puis le traité de Paris qui cède Nice et la Savoie à la France. C'est au tour des Autrichiens de se faire battre le 10 mai à Lodi et, le 14, Bonaparte entre à Milan en libérateur. En juin, il occupe Bologne, Ferrare et Livourne avant de passer en Vénétie et d'assiéger Mantoue. Mais les soldats sont épuisés et les Autrichiens lancent une nouvelle offensive. Au début de novembre, Masséna est battu à Bassano, Augereau à Caldiso. Par une manœuvre désespérée, Bonaparte se porte sur les arrières de l'armée autrichienne, dans la région de l'Adige et, après deux jours de combat, réussit à faire reculer son adversaire à Arcole le 17 novembre. Ce répit lui permet de réorganiser ses troupes. En janvier 1797, les Autrichiens qui se dirigeront sur Mantoue seront battus à Rivoli le 14 et Mantoue capitulera le 3 février, ouvrant la route du Tyrol.

De Bonald, critique de la Révolution

Constance, Allemagne, 1796
La *Théorie du pouvoir politique et religieux dans la société civile, démontrée par le raisonnement et par l'histoire* du vicomte de Bonald (1754-1840), vient de paraître. L'auteur de ces trois volumes, autrefois maire de Millau, est réfugié en Allemagne. C'est son premier ouvrage. La thèse du livre apparaît dès le début : « L'homme ne peut pas plus donner une constitution à la société religieuse ou politique, qu'il ne peut donner la pesanteur aux corps. » Il s'agit de ruiner les fondements théoriques de la Révolution. La société est un être nécessaire, mais seule la monarchie est sociale. Le roi en est le secrétaire. Les ordres, en investissant les individus de la dignité et du savoir, censurent toute tyrannie. Les corporations organisent l'action technique et morale du peuple. La Révolution, en libérant la volonté corrompue des hommes contre la volonté sociale, a détruit l'ordre et livré le monde à la dissolution. L'ouvrage de Bonald connaîtra un grand succès.

Les conditions de la liberté selon Fichte

Iéna, 1796
Johann Gottlieb Fichte, né en Saxe en 1762, professeur de philosophie à l'université, qui a donné il y a deux ans une *Doctrine de la science*, publie aujourd'hui les *Fondements du droit naturel selon les principes de la doctrine de la science*. Il s'y attache à définir le droit, certes comme manifestation de l'esprit humain, mais aussi comme exigence de liberté. Car c'est à travers la représentation de la liberté d'autrui que nous pouvons nous affranchir des lois mécaniques du monde physique et accéder à la conscience de notre propre liberté. Le droit se caractérise par un rapport entre des êtres libres dans lequel chacun restreint volontairement son champ d'action de façon à ne pas empiéter sur le domaine d'autrui. Fondé sur la raison et la liberté, le droit est la condition de toute la morale, l'expression d'une communauté d'êtres libres. En 1799, il démissionnera de l'université lorsque seront dénoncés son idéalisme et son athéisme.

L'Anglais Jenner invente la vaccine

Angleterre, 14 mai 1796

Au bout de vingt années d'observation, Edward Jenner (1749-1823) inocule au jeune James Philipp le pus d'une femme atteinte de vaccine. C'est la première vaccination antivariolique efficace. La variole cause encore la mort d'environ 400 000 personnes au XVIIIe siècle. Jenner, chirurgien et médecin, était retourné dans son village natal après ses études. C'est là qu'il s'aperçoit, en 1776, que les valets de ferme ont souvent les mains recouvertes de pustules semblables à celles que la vaccine provoque sur les pis de vache. Il observe surtout que ces valets ne sont jamais atteints par les épidémies de variole. Son inoculation en 1796 est un succès qu'il fait connaître par un opuscule publié à ses frais en 1798. En 1800, il part pour Londres où il vaccine gratuitement jusqu'à trois cents personnes chaque jour. Ses articles et son activité diffusent sa découverte. Bientôt ruiné, il ne doit sa survie qu'à une subvention accordée par le Parlement. L'appli-

cation rapide de la vaccination jennérienne révolutionne les conditions sanitaires de l'Europe. La régression de la maladie est une des causes de l'essor démographique que connaissent les pays industrialisés. Jenner finit sa vie dans son village de Berkeley où, élu maire, il reprendra ses activités médicales.

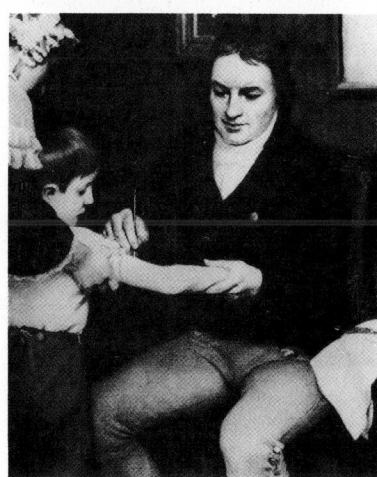

Edward Jenner réalisant la première vaccination antivariolique sur le jeune James Philipp.

Echec et arrestation des conjurés babouvistes

Paris, 10 mai 1796

A partir du mois de décembre 1795, un mécontentement populaire contre la vie chère commence à se développer. En mai 1796, l'exaspération est à son comble. Le gouvernement s'inquiète de l'activité du groupe des Egaux. Pourtant, ces radicaux ont abandonné leur programme radical (le *Manifeste* rédigé par Sylvain Maréchal), prônant l'égalité politique et économique pour proposer leur soutien à Lazare Carnot contre le péril royaliste. L'agitation se limite aux revendications économiques ; les rapports de police signalent que le peuple n'est pas prêt à suivre les conjurés babouvistes. Ceux-ci, au contraire, s'imaginent qu'ils peuvent

être débordés s'ils ne passent pas à l'action. Les chefs du Directoire secret insurrectionnel (Buonarroti, Darthé, Germain) et du *Tribun du peuple* croient possible l'alliance avec les Thermidoriens. Mais Carnot agit avec résolution. Ayant introduit un mouchard parmi les Egaux, il peut indiquer au ministre de la Police, Cochon de Lapparent, la marche à suivre pour arrêter les conjurés. A l'issue du procès de Vendôme, les babouvistes seront envoyés à l'échafaud et guillotinés (27 mai 1797).

Gracchus Babeuf.

Allégorie dénonçant la conjuration de Babeuf : le Génie de la République transperce l'Anarchie qui s'apprêtait à poignarder la France.

Mort de la tsarine de toutes les Russies

Tsarskoïe Selo, 7 novembre 1796

Catherine II disparaît. Celle qui fut l'idole des philosophes, la « Sémiramis du Nord », avait rêvé de régénérer la Russie. Dans l'Instruction de 1767, le *Nakaz*, véritable manifeste de l'autocratie éclairée, elle avait exposé ses idées. En réorganisant son administration, en encourageant le développement économique, en favorisant l'instruction par la création d'une académie et d'une université, elle s'est montrée fidèle à son programme. Mais ses ambitions extérieures, la guerre turque et surtout l'inique partage de la Pologne ont terni sa réputation. Son hostilité à l'égard de la Révolution française lui fit adopter une politique de plus en plus réactionnaire. Accueillant les émigrés, elle ne cessa de prêcher la croisade pour le rétablissement de la monarchie. « Détruire l'anarchie française, écrivait-elle, c'est se préparer une gloire éternelle. » Dans les

Catherine II. 1783. Peinture de Dimitri Levitski. Galerie Tretiakov, Moscou.

dernières années de son règne, sa politique s'était encore durcie (condamnations et déportations des éléments « libéraux »). En s'éteignant, la grande Catherine laissa la Russie plus grande, plus forte, mais également plus despotique qu'avant.

Atmosphère de fin de règne sous Qianlong

Chine, 1796

A partir de 1775, l'empereur déjà vieillissant s'entiche de Heshen (1750-1799), jeune général ambitieux. Celui-ci, cumulant de nombreuses fonctions, organise de vastes réseaux de corruption et détourne des fonds destinés notamment à des ouvrages de régulation des eaux. Des guerres lointaines et l'entretien

d'une cour nombreuse absorbent une grande partie des ressources. Des révoltes paysannes sont durement réprimées. Jusqu'alors, l'Etat avait favorisé l'essor des lettres, des arts et de l'érudition. Comme son prédécesseur Kangxi, Qianlong (K'ienlong) a patronné un grand nombre de projets ambitieux. Il s'est aussi rendu célèbre en menant durant les années 1774-1789 une « inquisition littéraire ». Imprévoyance et gaspillage marquent la fin de son règne.

De nouveaux procédés en imprimerie

Europe, 1796

Le développement de la lecture et de l'artisanat du livre donne lieu à des innovations dans les techniques utilisées et à des recherches en matière de caractères d'imprimerie. En Allemagne, Aloys Senefelder, un acteur qui cherche à imprimer ses propres écrits à peu de frais, réussit en 1796 à imprimer des images sans les graver, en utilisant un calcaire spécial enduit d'un corps gras, inventant

ainsi la lithographie. En France, la famille Didot, dans ses établissements du Mesnil-sur-l'Estrée (Eure) et à la papeterie d'Essonnes, contribue aussi à la modernisation des méthodes. Firmin Didot invente la stéréotypie pour laquelle il obtient un brevet en 1799 et qui permet de conserver et de réemployer les formes typographiques. Il se lance alors dans l'édition à bon marché des classiques littéraires. En 1798, le contremaître Louis-Nicolas Robert construira la première machine à fabriquer le papier en continu.

Le mathématicien Laplace expose son système du monde

France, 1796

L'*Exposition du système du monde* paraît sous la plume de Pierre Simon de Laplace. Cet ouvrage contient une hypothèse générale sur la formation de l'univers. D'après Laplace, tous les corps de l'univers se seraient formés au sein d'une nébuleuse primitive diffuse et chaude, sous l'effet du refroidissement et de la condensation. De ce livre qui marque le rôle

de Laplace dans le monde scientifique de son temps, on retient surtout la tentative de synthèse des connaissances d'alors. C'est une tentative du même ordre qu'il entreprendra en 1798 avec son *Traité de mécanique céleste*. Reprenant les équations de Lagrange, il les généralise et substitue à la coordination force-mouvement « toutes les relations mathématiques possibles entre la force et la vitesse ». La force s'exprime donc en fonction de la vitesse. Laplace s'impose dans la société. Reconnu sous la Révolution et par Napoléon, il entrera au Sénat en 1799.

1797

Italie, 12-16 janvier
La victoire de Bonaparte contre les troupes de l'Autrichien Alvinczy à Rivoli provoque la reddition du général Wurmser à Mantoue le 2 février.

France, 4 fév. (16 pluviôse, an V)
Les paiements se feront désormais en numéraire après l'abandon du « mandat territorial » en papier.

France, 19 fév. (1er ventôse)
Par le traité de Tolentino, le pape Pie VI reconnaît la cession d'Avignon et du comtat Venaissin.

Etats-Unis d'Amérique, 4 mars
Le vice-président John Adams, élu le 7 décembre à la place de George Washington, entre en fonction à la présidence des Etats-Unis.

Londres, 18 mars
Chateaubriand fait paraître l'*Essai historique sur les révolutions*, qui le rend célèbre dans la haute société émigrée.

France, mars-avril (germinal)
Les élections de l'an V portant sur un tiers des députés marquent la victoire des royalistes au détriment des partisans du Directoire : 182 députés royalistes, 44 indépendants et 34 républicains.

Angleterre, 16 avril
L'agitation politique dans la marine anglaise conduit à une mutinerie parmi la flotte du Spithead. La flotte de la mer du Nord se mutinera à son tour le 11 mai.

Vérone, 17 avril
La révolte des populations de Vérone et Venise contre les exactions françaises est violemment réprimée ; le doge est déposé.

Europe, 18 avril
L'avancée des troupes françaises dans le Tyrol, après la prise de Gorizia le 21 mars, puis de Klagenfurt le 28, contraint les Autrichiens à entamer les préliminaires de Leoben.

Venise, 12 mai
Le Grand Conseil transforme la Seigneurie en République démocratique.

France, 19 mai (30 floréal)
Le monarchiste Barthélemy remplace Letourneur au Directoire ; le général Pichegru préside le Conseil des Cinq-Cents.

France, 27 mai (8 prairial)
Exécution de Babeuf. →

Perse, 17 juin
Le shâh Agha Muhammad est assassiné ; lui succède son neveu Fath Ali. →

France, 1er juil. (13 messidor)
Le général Hoche fait marcher ses troupes sur Paris pour soutenir les Directeurs contre les Conseils dominés par les royalistes et favorables à la nomination de Pichegru à la tête du commandement de Paris.

Italie, 9 juillet
Fondation de la République cisalpine.

France, 14 juil. (26 messidor)
Hoche est nommé ministre de la Guerre (il mourra au combat le 18 septembre) et Talleyrand aux Relations extérieures.

France, 16 juil. (28 messidor)
Les lois contre les prêtres réfractaires sont abolies.

France, 4 sept. (18 fructidor)
Barras aidé d'Augereau, envoyé par Bonaparte pour prendre la tête des troupes de Paris, organise un coup d'Etat. →

Europe, 19 septembre
Les conférences de Lille entre Français et Anglais pour négocier la paix échouent.

France, 30 sept. (9 vendémiaire, an VI)
Le ministre des Finances Ramel fait adopter une loi réduisant des deux tiers la dette publique.

Italie, 28 octobre
Traité de Campoformio. →

France, 12 nov. (22 brumaire)
Les contributions directes sont réorganisées selon des principes centralisateurs.

Prusse, 16 novembre
Frédéric-Guillaume II meurt ; son fils Frédéric-Guillaume III lui succède. →

Allemagne, 28 novembre
Ouverture du congrès de Rastatt auquel participent les princes allemands et les puissances continentales, Autriche, France et Prusse.

France, 25 décembre (5 nivôse)
Bonaparte est élu à l'Institut.

Allemagne
Goethe publie *Hermann et Dorothée*, et le philosophe Schelling ses *Idées pour une philosophie de la nature*.

Le shâh de Perse Agha Muhammad assassiné

Géorgie, 17 juin 1797
Agha Muhammad venait de traverser l'Araxe et d'occuper Suse lorsqu'il est assassiné par deux esclaves qui, condamnés à mort, avaient pourtant été laissés en liberté, pendant la nuit, dans le camp. Le fondateur de la dynastie Qâdjâr de Perse, né en 1742 et couronné shâh en 1796, avait fait preuve d'un véritable talent d'homme d'Etat et de chef militaire. On ne retient pourtant de lui que son caractère vindicatif, sa cruauté et son avarice. Il avait six ans lorsqu'il était tombé entre les mains de Adib shâh, le neveu de Nâdir shâh, qui s'était empressé de le châtrer. Toute sa vie fut certainement marquée par cette cruelle mutilation. A la mort de Karim shâh (1779) à la cour duquel il avait vécu comme otage (pour garantir la bonne conduite de sa tribu), il engagea une longue lutte contre ses descendants, avec pour objectif la couronne de Perse. Vers 1785, il était déjà maître du nord et du centre du pays et, afin de se démarquer, avait

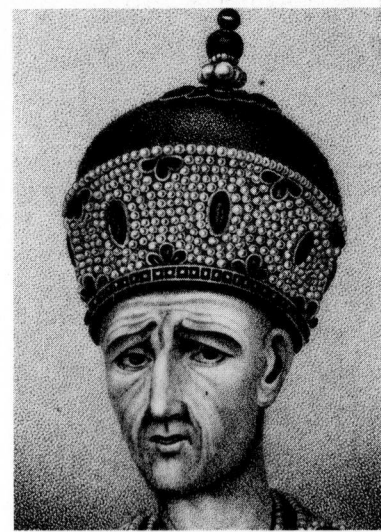

Agha Muhammad, shâh de Perse, fondateur de la dynastie Qâdjâr. 1815. Gravure.

choisi pour capitale Téhéran. Après avoir rétabli l'autorité persane sur la Géorgie dont le souverain, Héraclius, s'était placé sous la protection de la Russie, il s'était fait couronner.

L'Italie à l'heure des républiques

Italie, 1797
Le traité de Campoformio consacre la nouvelle géographie politique de l'Italie. Suscitées à la fois par la présence française et par l'action des révolutionnaires italiens, des républiques se sont installées, liées à la France dont elles adoptent la Constitution. Au nord-ouest, le royaume de Piémont-Sardaigne subsiste, amputé de Nice et de la Savoie ; le roi a signé un traité d'alliance avec la France. Les Jacobins milanais ont tenté de provoquer un soulèvement à Turin pour renverser la monarchie avec le soutien de Brune et de l'envoyé français Guingéné, mais le Directoire s'est dérobé. A Gênes, les Jacobins se sont soulevés et ont demandé le secours de la France. Un ultimatum de Bonaparte fait céder l'aristocratie et Gênes devient la capitale d'une République ligurienne. La Lombardie autrichienne, occupée par la France, a d'abord été gouvernée par une « agence militaire » puis par une « administration générale » sous contrôle français, avec la participation des démocrates lombards. Le 29 juin 1797, Bonaparte proclame à Milan la République cisalpine. Plus au sud, la France avait occupé le duché de Modène et les Légations qui appartenaient aux Etats pontificaux. Le 16 octobre 1796, les députés de Reggio, Ferrare et Bologne, réunis à Modène, convoquent une Constituante et proclament, avec le soutien de la France, la République cispadane qui est réunie à la Cisalpine en 1797. Le duché de Toscane, neutre depuis 1795, est préservé. A l'est, en Vénétie, Bergame et Brescia se soulèvent du 11 au 28 mars contre la domination du patriciat vénitien et obtiennent leur rattachement à la Cispadane.

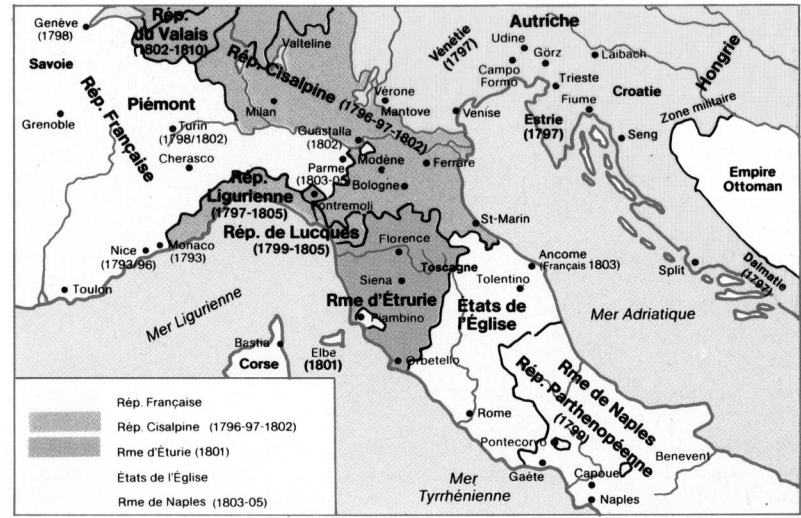

L'Autriche cède devant la France à Campoformio

Campoformio, 28 octobre 1797
Venant après l'armistice et la convention préliminaire de Leoben les 7 et 18 avril 1797, le traité signé par Bonaparte et Cobenzl au château de Passariano près de Campoformio dans le Milanais, met fin à la guerre entre la France et l'Autriche. La première coalition a vécu. L'Autriche reconnaît l'annexion de la Belgique, mais la question de la rive gauche du Rhin reste en suspens : elle devra être examinée par une conférence fran-co-allemande qui se tiendra à Rastatt. Elle reconnaît également la République cisalpine, constituée par la Lombardie augmentée de la Cispadane avec Modène, et les Légations enlevées au pape. Quant à la Vénétie, son territoire est partagé. L'Autriche reçoit la Dalmatie, l'Istrie et la Terre Ferme jusqu'à l'Adige. De son côté, Venise, qui voit son indépendance préservée, conserve les îles Ioniennes. Bonaparte a signé ce traité de sa propre initiative, passant outre aux instructions du Directoire qui exigeait l'annexion immédiate de la rive gauche du Rhin, de Bâle à Andernach, et la sauvegarde de l'indépendance de la Vénétie.

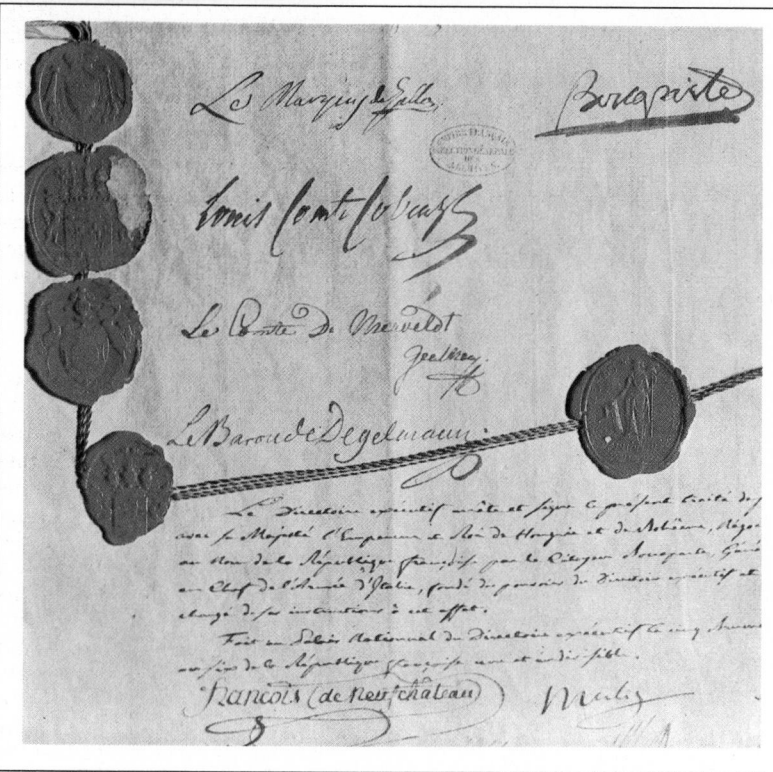

Dernière page du traité de Campoformio, avec les signatures notamment de Bonaparte et du comte Cobenzl, 28 octobre 1797.

Le 18 fructidor, Barras aidé par Bonaparte, prend le pouvoir

Paris, 4 septembre 1797
La politique menée par les directeurs suscite de plus en plus de mécontentement. La situation économique est catastrophique, le pays endetté, même si des fortunes fulgurantes se constituent grâce à la guerre. Cette atmosphère de scandales achève de déconsidérer le gouvernement. Les élections de mars et d'avril 1797 sont désastreuses pour lui. Seuls treize conventionnels sont réélus sur 216 ! La propagande royaliste s'intensifie, tout en s'adaptant aux événements. Elle cherche à rallier bourgeois et paysans et dispose désormais de nombreux élus. Les Conseils poussent alors les directeurs à changer de ministres. Mais ceux-ci ne sont pas prêts à redonner le pouvoir à la droite. Barras et Rewbell constituent une alliance groupant l'armée, les anciens conventionnels anticléricaux, ainsi que tous ceux qui profitent de la situation. Déjà, en juillet, aidés par le général Hoche qu'ils nomment ministre de la Guerre, ils ont tenté en vain de peser sur les Assemblées. En septembre, c'est Bo-naparte, fort de sa gloire récente, qui envoie trente mille hommes commandés par Augereau, cerner les Tuileries et conforter les pouvoirs des directeurs. De nombreuses élections sont annulées par décret, les lois contre les émigrés et les prêtres réfractaires sont remises en vigueur, la presse est surveillée. Carnot et Barthélemy sont remplacés par Merlin de Douai et François de Neufchâteau au Directoire. Le premier Directoire a vécu.

Portrait du conventionnel Paul Barras. Gravure de Bonneville. Bibliothèque nationale, Paris.

Mort du roi de Prusse Frédéric-Guillaume II

Berlin, 16 novembre 1797
Le successeur de Frédéric II a entraîné la Prusse sur une autre voie que celle tracée par son oncle. Sans énergie, inconstant, surtout intéressé par les arts et les sciences, il laissa ses conseillers gouverner. Mystique et rose-croix, il mena une politique religieuse aux antipodes de la tolérance érigée en principe par les Lumières. En 1788, l'édit de Reli-gion revint sur la reconnaissance des droits des catholiques et des Juifs. Les articles organisant la censure permirent de sanctionner les œuvres des philosophes et écrivains Emmanuel Kant et Friedrich Nicolaï. En politique extérieure, il poursuivit, aidé du comte Ewald von Hertzberg, la politique de son oncle dirigée contre l'Autriche. Mais, de 1790 à 1795, les deux pays adoptèrent une politique commune contre la France révolutionnaire, avant que leur antagonisme ne reprenne le dessus.

Premier saut en parachute de Garnerin

Paris, 22 octobre 1797
André-Jacques Garnerin vient d'effectuer un saut en parachute de plus de 1 000 m au-dessus du parc Monceau. S'étant élevé grâce à un ballon, il s'élança dans le vide après avoir coupé la corde qui retenait la nacelle au ballon. Plié à la partie inférieure de l'aérostat, le parachute s'est normalement déployé et a ralenti la chute de la nacelle. Il est constitué de trente-six fuseaux d'étoffe cousus ensemble et formant une sorte de calotte sphérique de 8 m de diamètre. La descente a été difficile, mais l'aéronaute atterrit sain et sauf. Garnerin (né à Paris en 1769) a été l'élève du physicien Charles, puis le promoteur de l'aérostation militaire, avant de mettre au point son engin, aidé de son frère aîné Jean-Baptiste. Ils le perfectionneront, en ménageant au sommet de l'appareil une ouverture circulaire afin que l'air puisse s'échapper sans à-coups. Plus tard, les deux frères se fâcheront au sujet de leur part respective de mérite dans l'invention.

Le premier saut en parachute d'André-Jacques Garnerin au-dessus du parc Monceau.

Hölderlin fonde la poésie romantique

Francfort-sur-le-Main, 1797
Le poète Friedrich Hölderlin (né en 1770 à Lauffen) publie le premier volume d'un roman lyrique, *Hypérion ou l'Ermite de Grèce*. Pour l'auteur, la civilisation hellénique exprime une harmonie totale entre le peuple, la nature et la divinité. C'est le retour à cet idéal que le poète préconise à travers Hypérion, un jeune Grec de 1770 révolté contre le joug des Turcs. Mais Hypérion, dépouillé du contact permanent avec les forces de la nature et les dieux qui les personnifient, heurté par l'opposition entre le rêve et la vie, voit s'évanouir son idéal d'une Hellade nouvelle. La mort de Diotima, la femme aimée, accentuera encore ce désenchantement. Poète de l'innocence, Hölderlin chantera cet idéal perdu dans ses *Odes*, ses *Élégies* et ses *Hymnes*, créant une prosodie nouvelle dont les rythmes le poursuivront jusque dans la folie où il sombrera dès 1804. Il mourra à Tübingen, trente-neuf ans plus tard, sans avoir recouvré la raison.

Friedrich Hölderlin. 1792. Détail. Pastel de Hiemer. Schiller-Museum, Marback.

1798

France, 18 janv. (29 nivôse)
Les navires neutres transportant des marchandises anglaises sont déclarés de bonne prise.

Pays-Bas, 22 janvier
La République batave est organisée.

France, 28 janv. (9 pluviôse)
Mulhouse est annexée.

Rome, 5 février
A la suite de l'assassinat du général Duphot le 27 décembre 1796 par la foule romaine, les troupes françaises entrent dans la ville et proclament la République romaine. Le pape, qui avait décidé en décembre 1796 de reprendre les armes contre la France, est exilé en Toscane puis en France.

Suisse, avril
Organisation de la République helvétique. →

Genève, 15 avril
La ville occupée est annexée par la France. Ne faisant pas partie de la Confédération suisse, elle devient le chef-lieu d'un nouveau département : le Léman.

France, mars-avril (germinal)
Les élections de l'an VI permettent le renforcement de l'opposition jacobine, du fait des abstentions royalistes.

Autriche, 29 avril
Joseph Haydn présente son oratorio *La Création*. →

France, 11 mai (22 floréal)
Le Directoire organise un coup d'Etat en invalidant les élections de germinal dans trente-sept départements : 106 députés sont remplacés par ses partisans. Le 16 mai, François de Neufchâteau est remplacé par Treilhard au Directoire.

Toulon, 19 mai (30 floréal)
Départ de l'expédition d'Egypte décidée le 5 mars par le Directoire, sous le commandement de Bonaparte. →

France, 17 juin (29 prairial)
François de Neufchâteau est nommé ministre de l'Intérieur.

Egypte, 23 juillet
Bonaparte prend Le Caire après avoir remporté la bataille des Pyramides le 21. Le 1er juillet, il avait pris Alexandrie. →

Egypte, 1er août
La flotte française est détruite par l'amiral Nelson à Aboukir.

Europe, 19 août
Traité d'alliance militaire entre la France et les Cantons suisses.

Egypte, 22 août
Bonaparte fonde l'Institut du Caire qui apporte au pays les techniques occidentales. Son organisateur, Conté, y installe la première imprimerie.

Europe, été
Formation d'une deuxième coalition contre la France. →

France, 5 sept. (19 fructidor)
La loi Jourdan qui établit la conscription décrète le service militaire obligatoire.

Europe, 9 septembre
L'Empire ottoman déclare la guerre à la France qui occupe l'Egypte.

Italie, 15 septembre
Les troupes françaises occupent la citadelle de Turin puis, le 9 décembre, le Piémont tout entier. Le roi Charles-Emmanuel sera contraint d'abdiquer en décembre et de se retirer en Sardaigne, sous protection anglaise, où il se rétractera.

Paris, 22 sept. - 1er oct. (1-10 vendémiaire, an VII)
Tenue d'une exposition industrielle au Champ-de-Mars.

France, 1er oct. (10 vendémiaire)
Une administration des contributions directes est créée par le ministre Ramel.

Allemagne
Tandis que les frères Schlegel animent le cercle d'Iéna avec Novalis et fondent la revue *Athenaeum*, le philosophe Schelling publie son traité *L'Ame du monde*. →

Angleterre
Publication de *Ballades lyriques* par Coleridge et Wordsworth. →

Autriche
Beethoven présente sa sonate dite la *Pathétique* op. 13 pour piano.

Angleterre
Le pasteur Malthus publie son *Essai sur le principe de population*. →

France
Lacépède publie l'*Histoire naturelle des poissons*.

Débarquement à Malte, le 9 juin 1798, des troupes de Bonaparte en route pour l'Egypte. Cabinet des Estampes, Bibliothèque nationale, Paris.

Bonaparte s'embarque pour l'Egypte

Toulon, 19 mai 1798
Tout est fin prêt. La flotte de Bonaparte, formée de trois cent cinquante vaisseaux de toutes tailles et de barques, sur lesquels a pris place une armée de trente mille hommes avec son artillerie, quitte la rade de Toulon. Les préparatifs n'avaient été entourés d'aucun secret. En effet, toute l'Europe, y compris l'Angleterre, savait parfaitement bien qu'une expédition navale se préparait et qu'une activité intense régnait dans tous les ports du midi de la France où des troupes affluaient sans interruption.

Personne n'ignorait non plus que le général Bonaparte était placé à la tête de l'expédition. Avec l'aide de Talleyrand, Bonaparte avait cependant fait répandre le bruit qu'il avait l'intention de franchir le détroit de Gibraltar et, en coutournant l'Espagne, de tenter un débarquement en Irlande. S'étant laissé intoxiquer, Nelson attend Bonaparte dans les environs de Gibraltar, tandis que la flotte française, sortie du port, met le cap droit vers l'est, sur Malte, avec pour destination... l'Egypte !

Pour l'Anglais Malthus, il y aura bientôt trop d'hommes sur terre

Angleterre, 1798
L'économiste et pasteur anglican Thomas Robert Malthus (né dans le Surrey en 1766) publie anonymement un *Essai sur le principe de population*. L'auteur affirme que la cause unique des maux dont souffre l'humanité tient au désir de tous les êtres vivants « de se multiplier plus que ne le permet la quantité de nourriture dont ils disposent ». La population double tous les vingt-cinq ans, tandis que la nourriture disponible croît moins vite. Seule la conscience morale des hommes peut freiner une procréation excessive. Malthus occupera en 1805 la première chaire d'économie politique créée en Angleterre et mourra à Bath en 1834.

Robert Malthus

A Vienne, Joseph Haydn fait jouer son oratorio "La Création"

Vienne, 29 avril 1798
Le compositeur Joseph Haydn (né en 1732), maître de chapelle au Palais Esterhazy, célèbre pour ses quatuors et ses symphonies, vient de faire triompher *La Création*, un oratorio inspiré du *Paradis perdu* de Milton et des *Saisons* de Thomson. L'œuvre est conçue pour vingt-quatre choristes, soixante instrumentistes et trois solistes ; le chœur, divisé en quatre parties, dialogue avec l'orchestre. Haydn exprime, pour la première fois, une émotion toute pénétrée par le mystère de la nature, tandis que la forme musicale contraste par son dynamisme avec le classicisme des symphonies antérieures. L'évocation des ténèbres, caractérisée par un chromatisme descendant, comme le chant de Raphaël célébrant la création des eaux, décrit une nature grandiose et exalte les sentiments. Par la suite, Haydn travaillera aux *Saisons*, qui connaîtront en 1801 un égal succès, puis aux *Sept Paroles du Christ*. Il mourra à Vienne en 1809.

La traite des Noirs abolie aux Etats-Unis

Etats-Unis d'Amérique, 1798

Lors de l'adoption de la Constitution de 1787, la Commission constitutionnelle avait introduit l'idée d'interdire le commerce des Noirs ; mais, afin de concilier les intérêts des Etats serviles, un délai de dix ans était accordé. Ainsi les Etats ont-ils de leur propre autorité commencé à interdire la traite des Noirs. Aux conceptions humanitaires se mêlent des arguments plus intéressés. L'opposition entre Etats libres et Etats ser-viles empoisonne l'exécutif du pays. Déjà, les Etats du Sud profitent de vingt sièges supplémentaires au Congrès pour représenter une population noire qui n'a ni droits ni devoirs électoraux. En 1790, elle atteint 700 000 personnes. Certains s'inquiètent de cette présence ; souhaitant que la population soit uniquement blanche, ils préféreraient reconduire les Noirs en Afrique. Les démocrates les plus influents et les plus égalitaires comme Thomas Jefferson, ardent propagandiste de l'abolition de l'esclavage, se refusent à l'idée d'un pays aux sangs mêlés.

La rafle d'esclaves ou le fructueux commerce de la traite des Noirs. Peinture du XIXᵉ siècle. Musée des Arts africains et océaniens, Paris.

Schelling, philosophe de l'unité de l'esprit et de la nature

Iéna, 1798

Poursuivant la réflexion commencée l'année précédente avec ses *Idées pour une philosophie de la nature*, le jeune Schelling publie un ouvrage de synthèse, *L'Ame du monde*, où il entend faire valoir la possibilité d'une science spéculative *a priori*, capable de rendre compte des dernières découvertes de la physique, de la chimie et de la biologie. Critiquant les théories mécanistes et matérialistes, il conçoit l'univers à la façon d'un organisme vivant, comme une totalité dynamique qui renferme en elle-même son principe productif. Né en 1775, Friedrich Wilhelm Schelling a étudié la théologie à Tübingen, où Hegel et Hölderlin furent ses condisciples. La lecture de Fichte l'oriente vers la philosophie. Ses premiers écrits se situent dans le sillage de l'idéalisme kantien, tel que l'interprète Fichte. Mais déjà, dans les *Lettres sur le dogmatisme et le criticisme* de 1795, il tentait d'échapper au subjectivisme, en opposant Spinoza à Kant. L'étude des sciences naturelles à laquelle il se consacre à partir de 1795 confirme dans cette voie. La nature lui apparaît comme une réalité analogue à celle de l'esprit.

Les poètes Wordsworth et Coleridge publient des "Ballades lyriques"

Angleterre, 1798

Les poètes William Wordsworth (né en 1770) et Samuel Taylor Coleridge (né en 1772) publient ensemble un recueil de *Ballades lyriques* qui constitue un véritable manifeste du romantisme anglais. Ils y font triompher l'originalité créatrice, la libre expression des émotions et la nature fantastique de toute imagination. Il s'agit surtout de retrouver « l'extase confuse » des enfants devant le mystère du monde. Coleridge, en réaction contre la diction poétique du XVIIIᵉ siècle, redonne à la langue toute sa force primitive d'envoûtement par l'usage savant d'archaïsmes et d'allitérations, générateurs de couleurs, de musique et propres à rendre tangible le surnaturel comme dans *La Ballade du vieux marin* ou *Le Rossignol*. Wordsworth, pour sa part, développe une langue qui vise à transformer la réalité quotidienne et à atteindre l'union mystique avec la nature, ce que traduisent les *Vers écrits à quelques milles de Tintern Abbey* ou *Promenade d'un soir*. Coleridge avait déjà fait paraître des *Poèmes sur divers sujets* en 1796 et Wordsworth, lui, avait publié des *Esquisses descriptives* en 1793.

Cavendish détermine la densité de la Terre

Angleterre, 1798

Le physicien anglais Henry Cavendish (1731-1810) publie les résultats de sa détermination expérimentale de la densité de la Terre. Ce problème lié à la théorie de la gravitation est abordé par Cavendish avec précision. Il observe les interactions d'un système mobile de deux coupes de sphères de plomb dont les diamètres sont inégaux. La valeur qu'il déduit de cette observation - 5,45 - est très proche de celle qui sera admise au XXᵉ siècle : 5,674. Cavendish a joué un rôle scientifique important au XVIIIᵉ siècle. Chimiste, il est le premier à étudier la composition de l'eau et de l'air. Physicien, il étudie les interactions des charges électriques sur les conducteurs. Mais il hésite à publier ses résultats.

Proclamation de la République helvétique

Suisse, avril 1798

Déjà secouée par des soulèvements locaux depuis 1795, la confédération des dix-huit Cantons s'écroule en quelques mois sous l'effet de la pression française et de mouvements insurrectionnels internes. En janvier, Bâle s'était libérée et à Lausanne, une République lémanique naît le 8 février. Quand les Bernois tentent de mater la révolte, les troupes françaises pénètrent sur le territoire de la Confédération et le général Brune prend la ville le 15 mars. En avril, une Constitution calquée sur le modèle français institue une démocratie représentative et centraliste. Les cantons sont réduits à de simples unités administratives ; certains sont divisés, celui de Berne en particulier, d'autres regroupés. Les cantons récalcitrants cèdent devant les canons à la bataille de Morgarten, le 3 mai.

L'Américain Fulton présente son sous-marin

France, 1798

Robert Fulton (1765-1815), mécanicien américain, invente en 1798 le premier submersible. Arrivé en France en 1796, il propose au Directoire son projet. Deux ans plus tard, le *Nautilus* plonge. De forme ellipsoïdale, il mesure 6,5 m sur 2 m. Il est équipé d'une pompe à main qui permet d'aspirer l'eau de mer en plongée et d'une hélice commandée de l'intérieur. Un treuil isolé dans un compartiment intérieur enroule un câble qui entraîne un baril chargé d'explosifs pouvant être largué sous l'ennemi. Plongeant avec succès à plusieurs reprises au large du Havre (1800) et de Brest (1801), devant les officiers, le *Nautilus* ne les convainc pas et le gouvernement rejette le projet, comme le fera quelques années plus tard la marine anglaise.

Dalton étudie les troubles de la vision

Angleterre, 1798

Le physicien anglais John Dalton (1766-1844) publie un opuscule où il décrit les défauts de la vision colorée. Depuis 1794, il s'est aperçu qu'il lui est impossible de différencier le rouge du vert. C'est la description du daltonisme. Mais, surtout, John Dalton s'intéresse à la météorologie et à la composition des gaz. Après des travaux sur leur dilatation, il étudie la masse des particules ultimes. En 1803, il exposera sa théorie atomiste qu'il publiera en 1808. C'est une véritable révolution : il considère que chaque élément est constitué de particules insécables, les atomes, différents en masse des atomes des autres éléments. Leurs arrangements sans altération constituent les réactions chimiques.

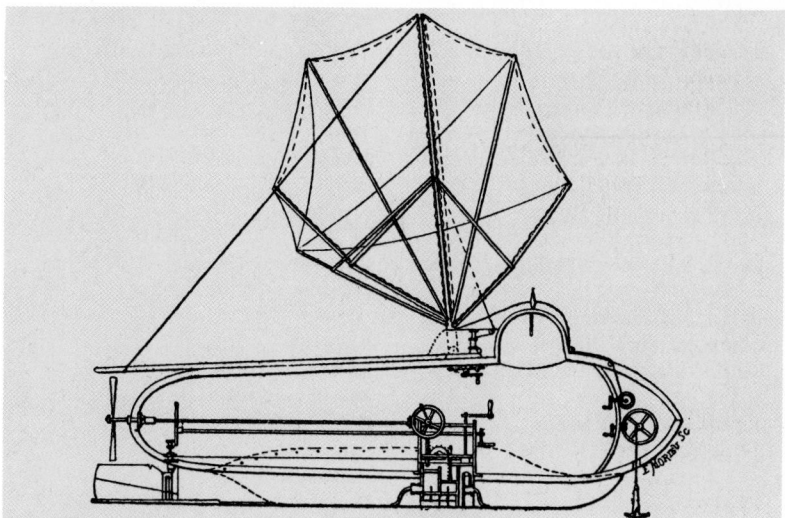

Le « Nautilus », le sous-marin de l'Américain Robert Fulton. 1798. Schéma descriptif. C'est l'ancêtre de nos sous-marins.

1799

Italie, 26 janvier
Arrivé le 23 à Naples, le général français Championnet proclame la République parthénopéenne. Il avait vaincu les troupes napolitaines le 5 décembre à Civita Castellana et avait dû affronter la résistance de la plèbe napolitaine, très religieuse, combattant au nom de saint Janvier.

Egypte, 25 février
Bonaparte entre à Gaza. Il met le siège devant Jaffa le 4 mars puis devant Saint-Jean-d'Acre le 19 mars. Il triomphe au mont Thabor le 16 avril, avant de lever le siège de Saint-Jean-d'Acre qu'il n'a pu conquérir.

Allemagne, 28 avril
Deux diplomates français présents au congrès de Rastatt sont assassinés.

France, mars-avril (germinal)
Succès des jacobins et des modérés aux élections de l'an VII. Sieyès est nommé directeur à la place de Reubell, le 16 mai (27 floréal).

Europe, avril-juin
Les troupes françaises reculent devant l'engagement de l'armée russe. Le général Jourdan avait été vaincu à Stokach par l'archiduc Charles le 21 mars. Le général Souvorov défait Moreau à Cassano le 27 avril et s'empare de Milan le lendemain. Les Français quittent le Piémont à la suite de la défaite de Macdonald à *Trébie* (17-19 juin) lors de sa retraite de Naples vers la France.

Inde, 4 mai
Le roi de Mysore, Tippu Sahib, meurt en combattant les Anglais dirigés par le gouverneur Lord Wellesley, frère du duc de Wellington.

France, 18 juin (30 prairial)
Les Conseils, devenus néo-jacobins, nomment Gohier, Roger Ducos et Moulin auprès de Barras et de Sieyès au Directoire. Différentes mesures illustrent ce revirement vers la gauche. Un emprunt forcé est levé sur les riches, le 28 juin (10 messidor) ; le club des Jacobins est reconstitué le 5 juillet (17 messidor) à la salle du Manège. (Les clubs étaient interdits depuis juillet 1796).

Angleterre, 12 juillet
Adoption du *Conspiration Act.* →

Egypte, 23 juillet
Les Ottomans sont défaits sur terre à Aboukir par Bonaparte revenu de Syrie.

Italie, 15 août
Souvorov bat les Français à Novi où le général Joubert trouve la mort.

Egypte, 23 août
Bonaparte quitte secrètement l'Egypte, laissant le commandement à Kléber.

Hollande, 25 août
Une armée anglaise débarque au Helder.

Europe, septembre-octobre
Les armées françaises renversent la situation. En Suisse, à Zurich, le général Masséna défait les Russes du général Korsakov du 25 au 27 septembre. En Hollande, le 18 octobre, l'armée coalisée anglo-hollandaise capitule à Alkmaar après la victoire de Brune à Bergen le 19 septembre.

France, 16 oct. (24 vendémiaire)
Bonaparte, débarqué à Fréjus le 9 octobre, arrive à Paris.

France, 23 oct. (1er brumaire)
Lucien Bonaparte est élu président du Conseil des Cinq-Cents.

France, 9 nov. (18 brumaire)
Coup d'Etat de Napoléon Bonaparte qui devient consul avec Sieyès et Roger Ducos. →

France, 25 nov. (5 frimaire)
Un cessez-le-feu est signé avec les Vendéens qui ont repris les armes au printemps.

France, 25 déc. (3 nivôse)
Entrée en vigueur de la Constitution de l'an VIII promulguée le 23 frimaire (13 décembre). Le lendemain, 4 nivôse, parution du décret organisant le Conseil d'Etat.

Allemagne
Friedrich Schlegel publie un roman intitulé *Lucinde*, tandis que Friedrich Schleiermacher édite ses *Discours sur la religion*. Friedrich Schiller termine sa trilogie dramatique *Wallenstein*.

France
Le philosophe Cabanis publie son traité sur les *Rapports du physique et du moral de l'homme*.

Espagne
Francisco Goya peint ses deux *Majas*, la *desnuda* et la *vestida* et publie ses fameux *Caprices*, recueil d'eaux-fortes que l'artiste lui-même retira de la vente deux jours après leur sortie, par peur de l'Inquisition. →

Syndicats et partis interdits en Angleterre

Angleterre, 1799
Avec le développement de l'industrie, l'influence croissante des idées révolutionnaires, tant sociales que nationales, au sein des classes pauvres inquiète le gouvernement britannique. Déjà, en 1797, les « sociétés de correspondances » ainsi que les sociétés du type Ecossais ou Irlandais Unis avaient été interdites. Mais cela n'empêcha pas le développement d'actions syndicales dans les nouvelles fabriques métallurgiques ou textiles : les grèves et les actes de sabotage contre les machines se multiplient ; les patrons demandent l'interdiction de toute association. Du 17 juin au 17 juillet, le Parlement va adopter des lois les interdisant ainsi que toute réunion ayant pour but d'en créer. Ceux qui enfreindront la loi pourront être déférés devant n'importe quel juge et seront passibles de trois mois de prison. Si le nombre de pétitions hostiles aux lois contraignit le Parlement à nuancer cette loi l'année suivante, elle n'en fut pas moins paralysante pour le monde ouvrier.

L'Egypte aux mains des troupes françaises

Le Caire, 23 juillet 1798
Après avoir joué à cache-cache avec Nelson, arrivé 48 heures avant lui puis reparti, Bonaparte et ses troupes débarquent près d'Alexandrie, restent quelques jours dans la ville et s'enfoncent vers le sud. Le 20 juillet, ils arrivent en vue des pyramides. Mot historique (« Du haut de ces pyramides, vingt siècles vous contemplent ») et proclamation en arabe (« On vous dira que je viens détruire votre religion ; ne le croyez pas ; répondez que je viens vous restituer vos droits, punir les usurpateurs, et que je respecte, plus que les Mamelouks, Dieu, son Prophète et le Coran »). La défaite des Mamelouks est totale et Bonaparte fait son entrée au Caire. L'Egypte était mûre pour en finir avec les Mamelouks. L'est-elle pour accepter les Français ? Rien n'est moins sûr.

La bataille des Pyramides menée par le général Bonaparte. Peinture de François Watteau. Musée des Beaux-Arts, Valenciennes.

Les communautés juives d'Europe

Europe, 1799
Les communautés juives sont parcourues par deux courants tout au long du XVIIIe siècle. L'un, qui se revendique du mouvement des « Lumières », prône l'intégration socio-économique et culturelle des communautés dans les différents pays où elles vivent. Ses éléments les plus avancés, le Berlinois Moses Mendelssohn, œuvrent pour obtenir la reconnaissance des Juifs par les autorités. En Autriche, grâce à Joseph II, des mesures tendent à leur donner l'égalité juridique : selon l'acte de tolérance du 2 janvier 1782, ils ne sont plus astreints au péage corporel et peuvent exercer des professions agricoles et artisanales. Aux Etats-Unis, la communauté de Philadelphie est reconnue le 13 décembre 1790. En France, c'est le 27 septembre 1791 que l'égalité des Juifs et des autres citoyens est décrétée. Ensuite, l'Europe révolutionnaire adoptera des mesures analogues. La seconde attitude est marquée par les formes nouvelles de religiosité qui s'étaient développées tout au long du XVIIe siècle, en particulier lors de la prédication de Sabbataï Zvi (1626-1676), qui se proclama « Messie » et préconisa le retour à Sion. S'attachant à une façon modeste de servir Dieu, un mouvement plus intimiste, le hassidisme, naquit en Podolie sous l'impulsion de Baal Chem Tov (1700-1760) ; c'est davantage un art de vivre « pieux », organisé autour de la prière, qu'une doctrine spécifique.

Alexandre von Humboldt explore l'intérieur de l'Amérique du Sud

La Coruña, Espagne, 5 juin 1799
Le naturaliste et voyageur Alexandre von Humboldt (né à Berlin en 1769) vient d'appareiller sur la corvette *Pizzarro* en direction de l'Amérique. Il est accompagné du naturaliste français Aimé Bonpland, dont il a fait la connaissance à Paris. Ensemble, ils vont explorer pendant quatre ans le Venezuela, la Colombie et le Pérou. Une des principales découvertes d'Humboldt sera de déterminer le point de confluence entre les bassins de l'Orénoque et de l'Amazone. Il étudiera, en outre, les variations d'intensité des champs magnétiques terrestres du pôle à l'Equateur et, en fin de voyage, entreprendra d'importantes recherches sur le courant marin auquel il a donné son nom. Il consignera ses différentes décou-

Un couple d'Indiens du Michoacán (Mexique) au XIXᵉ siècle. Gravure de Bouquet d'après von Humboldt.

vertes dans les trente volumes de son *Voyage aux régions équinoxiales du Nouveau Continent fait de 1799 à 1804*. Il mourra à Berlin en 1859.

Les contreforts de la cordillère des Andes. Dessinés par Marchais d'après une esquisse de A. von Humboldt.

18 brumaire : coup d'Etat de Bonaparte

Saint-Cloud, 9 novembre 1799
Le Directoire est doublement menacé. Sur sa droite, par le complot royaliste et sur sa gauche, par les Jacobins irréductibles. Les revers de la politique extérieure ont également discrédité ce régime faible car instable et divisé. Une révision de la Constitution de l'an IV, allant dans le sens d'un renforcement de l'exécutif, paraît inévitable. Cette révision étant impossible dans l'immédiat, Sieyès songe à un coup d'Etat et cherche une « épée » susceptible de le mener à bien. Bernadotte sollicité refuse, Moreau hésite. Bonaparte, rentré à Paris le 16 octobre, est disponible. Talleyrand l'entreprend et le rallie aux projets de Sieyès. Roger Ducos, Cambacérès et Fouché sont dans le secret. Pour justifier l'entreprise, les conjurés allèguent la menace d'un imminent complot terroriste. Le matin du 18 brumaire, le Conseil des Anciens est convoqué pour décider du transfert des Conseils à Saint-Cloud et confie à Bonaparte le commandement des troupes parisiennes. Après le vote de ces deux résolutions, le général salue les Anciens avant de se rendre au palais du Luxembourg. Aussitôt, Sieyès et Roger Ducos démissionnent ; Barras, d'abord réticent, y consent à son tour. Les deux autres directeurs, Gohier et Moulin, qui refusent de quitter leur poste sont placés sous la garde de Moreau. Le lendemain, les deux Conseils se réunissent à Saint-Cloud. Le château est cerné par les troupes venues de Paris. Le Conseil des Cinq-Cents, à qui appartient l'initiative législative, se refuse à modi-

Le général Bonaparte. Portrait peint pendant la campagne d'Italie par Bacler d'Albe, directeur du bureau topographique de l'armée.

fier la Constitution. Bonaparte y est traité de hors-la-loi. Sieyès persuade alors Bonaparte de faire avancer la troupe. On fait croire aux soldats, ainsi qu'à Murat, à un attentat contre le général. Indignés, ils marchent sur l'Orangerie et en expulsent les députés des Cinq-Cents. Le Conseil des Anciens accepte, sous la menace, de voter le remplacement du Directoire par un exécutif de trois consuls (Bonaparte, Sieyès et Roger Ducos), l'ajournement des deux Conseils jusqu'au 1ᵉʳ ventôse (19 février 1800) et la création de deux commissions législatives, avant de recevoir le serment des nouveaux consuls. Dans la nuit, tout le monde regagne Paris.

Une nouvelle coalition contre la France

Europe, 1799
Lorsqu'en 1797 l'Autriche signe avec la France le traité de Campoformio, la première coalition contre la république est réduite à la seule Angleterre. Bonaparte décide alors de porter le conflit outre-mer, aux Indes, afin de frapper l'Empire anglais et il imagine dans ce but l'expédition d'Egypte. Maîtresse des mers, omniprésente en Méditerranée où elle détruit la flotte française, l'Angleterre tente de reconstituer une alliance sur le continent. La Russie, absente de la première coalition, connaît un changement dynastique depuis la mort de Catherine II. Son successeur Paul Iᵉʳ est violemment antirévolutionnaire et favorable aux arguments anglais. D'autant que les Français, en route pour l'Egypte, se sont emparés de l'île de Malte dont il est le grand

maître de l'ordre. Au printemps, il se joint à l'alliance anglo-autrichienne constituée à la fin de l'année 1798. L'Angleterre peut désormais faire flotter son pavillon dans les Détroits ainsi qu'en mer Noire puisque les Ottomans, attaqués en Egypte, se sont joints à la coalition. La Suède et le royaume de Naples et des Deux-Siciles complètent la coalition européenne. L'offensive des coalisés est couronnée de succès sur tous les fronts. A l'est, les troupes austro-russes commandées par le général Souvorof entrent dans Milan le 27 avril, occupent l'Italie du Nord et envahissent la République helvétique. Au nord, les Anglo-Russes débarquent en Hollande, tandis qu'en Allemagne les troupes autrichiennes atteignent le Rhin. Mais, en septembre, retournement complet de la situation : les généraux Masséna à Zurich et Brune en Hollande repoussent leurs adversaires.

Francisco Goya. « La Maja desnuda ». Vers 1798-1800. Musée du Prado, Madrid. Il existe une autre version de ce tableau, où la Maja est « vestida ».

Le regard neuf du peintre espagnol Goya

Espagne, 1799
C'est vers cette époque que Goya peint ces toiles, uniques et insolites, que sont les deux *Majas* et dont on sait qu'elles lui furent commandées sans qu'il connaisse le commanditaire. Elles devaient lui valoir plus tard d'être dénoncé à l'Inquisition, à cause de la prétendue « obscé-

nité » de leur sujet. Goya est alors un peintre qui a toutes les faveurs de la cour ; et qu'il s'agisse des cartons de tapisserie pour la manufacture de Santa Barbara ou des nombreux portraits qu'il exécute, ses œuvres reflètent la vie légère de ce XVIIIᵉ siècle finissant. Mais déjà perce cette vision âpre et lucide du monde qui marquera ses dernières années et dont les *Caprices* (recueil d'eaux-fortes, 1799) donnent un avant-goût.

1800

France, 17 janv. (27 nivôse)
Le nombre des journaux parisiens est ramené de 173 à 13 « pour la durée de la guerre ». Cette mesure permet de supprimer les journaux d'opposition.

Egypte, 24 janvier
A El-Arich, le général Kléber signe avec les Anglais une convention d'évacuation des troupes françaises que les Anglais refusèrent d'appliquer.

France, 1er fév. (12 pluviôse)
Par référendum, la Constitution est adoptée : 3 011 007 voix pour et 1 562 contre.

Londres, 5 février
Le Parlement adopte l'Acte d'union de l'Angleterre et de l'Irlande. →

France, 13 fév. (24 pluviôse)
Création de la Banque de France.

Vendée, 14 fév. (25 pluviôse)
Le chef chouan Georges Cadoudal se soumet ; les autres dirigeants avaient déposé leurs armes en janvier.

France, 17 fév. (28 pluviôse)
Adoption de la loi présentée par Chaptal sur « la nouvelle division du territoire et l'établissement des préfectures ». Des fonctionnaires nommés par le pouvoir occupent désormais tous les postes à responsabilités des différentes divisions administratives. L'arrondissement, l'ancien district, est rétabli. La centralisation est accrue.

France, 3 mars (12 ventôse)
Bonaparte clôt la liste des émigrés.

Rome, 14 mars
Pie VII succède à Pie VI, décédé en 1799.

France, 18 mars (27 ventôse)
Adoption de la loi réorganisant la justice. Les juges appointés deviennent inamovibles après un stage.

Egypte, 20 mars
Kléber triomphe du grand vizir Ibrahim Bey, à Héliopolis, avant d'être assassiné le 14 juin.

Italie, 6 avril
Les Autrichiens lancent une offensive à laquelle Bonaparte répond en passant par le col du Grand-Saint-Bernard du 14 au 23 mai. Il s'empare de Milan le

2 juin, bat les Autrichiens à Montebello (avec l'aide de Lannes) le 9 juin, puis à Marengo le 14, signe enfin une convention, le 15, à Alessandria par laquelle le général autrichien Melas lui livre toute l'Italie jusqu'au Mincio.

Allemagne, 28 avril
Le général Moreau envahit la Bavière et occupe le pays.

Italie, 17 juin
Bonaparte reconstitue la République cisalpine.

France, 12 août (24 thermidor)
La commission chargée de rédiger le Code civil commence ses travaux.

Europe, 22 novembre
Les hostilités reprennent entre Autrichiens et Français.

Autriche, 3 décembre
Victoire de Moreau à Hohenlinden qui débouche sur l'armistice de Steyr le 25. →

Europe, 16 décembre
La Russie, qui a quitté les champs de bataille après Zurich en 1799, anime une Ligue des neutres, dirigée contre l'Angleterre, avec les Etats scandinaves que la Prusse rallie.

Paris, 24 déc. (2 nivôse, an IX)
Attentat de la rue Saint-Nicaise contre Napoléon Bonaparte. →

Inde
Les Anglais imposent leur protectorat au nizâm de Haidarâbâd.

Italie
Le physicien Volta invente la pile électrique. →

Allemagne
Novalis publie dans le dernier numéro de l'*Athenaeum* ses *Hymnes à la nuit*. →

Angleterre
L'Anglais Fulton réalise des expériences avec un navire sous-marin de sa confection. →

Allemagne
Première édition des *Ballades et Romances* de Goethe.

France
Le médecin Marie François Xavier Bichat publie ses *Recherches physiologiques sur la vie et la mort*.

Allemagne
Fichte fait paraître *L'Etat commercial fermé*, et Friedrich Schelling son *Système de l'idéalisme transcendantal*.

William Pitt unit l'Irlande à l'Angleterre

Dublin, 5 février 1800
Le Premier ministre anglais William Pitt, inquiet de l'activité des patriotes irlandais regroupés dans l'organisation clandestine *United Irishmen* (les Irlandais unis) dirigée par Theobald Wolfe Tone, fait adopter l'Acte d'union. Les patriotes irlandais, une alliance de presbytériens et de catholiques des classes moyennes, se sont liés à la France et ont cherché à organiser des soulèvements liés aux interventions militaires françaises en 1796 et en 1799. La poursuite de la guerre sur le continent nécessite aux yeux de Pitt l'intégration de l'Irlande à la couronne britannique et la création du Royaume-Uni. Cette dénomination nouvelle recouvre la Grande-Bretagne, l'Ecosse et l'Irlande. Cet Acte d'union est signé à Dublin le 5 février 1800 et ratifié à Londres en mai. C'est au lendemain de ces insurrections que William Pitt a pris la résolution de détruire ce qui subsistait encore de l'indépendance irlandaise. Il décide donc la suppression du gouvernement particulier et du parlement de Dublin ; les députés de l'île et les trente-deux lords irlandais siégeront à Westminster avec tous les autres parlementaires britanniques. Quant aux finances, si l'Irlande conserve sa dette et ses im-

William Pitt, dit le Second Pitt. Copie d'après une œuvre de Thomas Lawrence.

pôts particuliers, elle contribuera pour les deux septièmes aux dépenses de la Couronne. En compensation, Pitt promet d'abolir le « Test » qui interdit l'entrée des catholiques au Parlement et d'« établir » officiellement l'Eglise catholique en Irlande. Cette dernière mesure provoque l'hostilité des Irlandais protestants qui accueillent favorablement le projet d'union avec l'Angleterre. Pour le député Henry Grattan, porte-parole des catholiques au Parlement, c'est la fin de la nation irlandaise.

Volta invente la pile électrique

Pavie, 1800
Au début de l'année, Alessandro Volta (1745-1827) met au point la pile électrique dans son laboratoire de l'université de Pavie. C'est en reprenant les constatations de Galvani et du Suisse Sulzer sur les métaux qu'il découvre un moyen de produire du courant électrique. Sa pile est composée de couples de lamelles de zinc et de cuivre en contact direct, chaque couple étant séparé du suivant par un carton humide. L'action de cet appareil est celle d'une grande batterie de condensateurs qui se recharge immédiatement. Cette découverte est fondamentale, l'électricité jusque-là statique devenant dynamique. Chacun pourra en produire sur de longues durées et étudier ces phénomènes en laboratoire.

Alessandro Volta, inventeur de la pile électrique. Détail d'une fresque de N. Cianfanelli, Florence.

Bonaparte fonde la Banque de France

Paris, 13 février 1800
Malgré la création d'une Caisse d'amortissement, l'Etat est obligé d'emprunter à de puissants financiers. Ceux-ci détiennent des établissements privés, tels que la Caisse des comptes courants et la Caisse d'escompte du commerce. Pour s'assurer leur coopération, Bonaparte décide de s'appuyer sur la seule Caisse des comptes courants de Perrégaux, Lecoulteux et Récamier. Contre certains avantages, elle doit être à la disposition de l'Etat et lui concéder des avances. Le 13 février 1800, elle prend le nom de Banque de France et reçoit les fonds de la Caisse d'amortissement, convertis pour moitié en actions et pour moitié en compte courant. C'est donc une banque parisienne et privée, au capital de 30 millions de francs, sous forme de 30 000 actions de 1 000 francs. La Caisse est propriétaire de 5 000 d'entre elles et le gouvernement place les autres. Administrée par une Assemblée générale d'actionnaires et dirigée par quinze régents, elle ouvre ses guichets le 20 février. Le Premier consul souscrit trente actions et pousse son entourage à l'imiter. La confiance s'installe et, au bout d'un an, les actions rapportent déjà 10 %. En liant les intérêts privés et publics, Bonaparte poursuit son œuvre d'assainissement financier.

Kléber assassiné au Caire ; les Français quittent l'Egypte

Egypte, 1800

Le 14 juin, le général Kléber, lieutenant de Bonaparte en Egypte, est assassiné. Il est remplacé par le général Menou qui s'est converti à l'islam et épousé une Egyptienne. Ce n'est qu'un replâtrage provisoire qui ne durera pas. L'expédition française est condamnée. Certes, la victoire des Pyramides avait précipité la chute des Mamelouks. Mais il était vain de croire que l'armée française allait pouvoir combler le vide. D'autant que, contrairement à Muhammad Ali plus tard, Bonaparte ne songea pas à lier son destin à celui de l'Egypte. Son regard était toujours fixé sur la France : c'est là qu'était son avenir. Dans cette perspective, peu importait la destruction de sa flotte par les Anglais, à Aboukir le 1er août 1798, ou son insuccès devant Saint-Jean-d'Acre. Aussi n'hésite-t-il pas à tout laisser en l'état et à rentrer précipitamment à Paris où l'attendaient son destin et celui de la France. En Egypte même, la campagne est également une déconfiture, les Français n'ayant pu rallier qu'une frange étroite de la population. Les « voyous du Caire » s'insurgent dès le 21 octobre, moins de quatre mois après la fameuse déclaration, en arabe, aux « peuples d'Egypte » ! Et depuis, la résistance est continuelle. Dès que les Anglais et les Ottomans lui proposeront de se retirer avec armes et bagages, le général Menou s'empressera d'accepter (juin 1801). Il ne lui restera plus alors qu'à attendre les bateaux envoyés par Bonaparte pour réembarquer (8 septembre 1801).

Assassinat du général Kléber dans une rue du Caire. Gravure d'après un tableau de Desrais.

Le portrait de Juliette Récamier. 1800. Peinture de Louis David. Musée du Louvre, Paris.

Les deux reines des salons de Paris

Paris, 1800

Madame Récamier (née à Lyon en 1777) avait épousé à quinze ans un riche banquier. En 1798, son mari ayant acquis l'hôtel Necker, elle ouvre un salon que vont fréquenter les opposants à Bonaparte. Son ambition est de plaire, ce que montre bien le célèbre tableau peint par Gérard. Elle se déclare « amoureuse de l'amitié » et sait se faire des amis de tous ses courtisans auxquels elle ne cède pas, comme Ampère et Benjamin Constant. Vieillie, elle se rapprochera de Chateaubriand, mais ne l'épousera pas malgré leur veuvage respectif. Madame de Staël, fille du banquier Necker qui fut ministre de Louis XVI, est une de ses amies les plus fidèles, qu'elle rencontre en 1798 lors de la vente de l'hôtel familial. Née à Paris en 1766, elle brilla très tôt dans le salon de sa mère. Mariée à l'ambassadeur de Suède, le baron de Staël-Holstein, elle rayonne ensuite dans son salon de la rue du Bac. Sa fréquentation des beaux esprits de l'époque va lui donner un prestige beaucoup plus grand que son œuvre. Mais l'arrivée au pouvoir de Bonaparte sape son crédit car son salon devient lui aussi le rendez-vous des mécontents. Inquiet de son libéralisme, le Premier consul lui impose une résidence à quarante lieues de Paris en 1803.

Novalis, chantre des "Hymnes à la nuit"

Allemagne, 1800

Le poète Friedrich von Hardenberg, dit Novalis (né en Saxe prussienne en 1772), publie dans la revue des frères Schlegel, *Athenaeum*, une œuvre en prose rythmée, entrecoupée de vers : les *Hymnes à la nuit*. Il y exprime le lien mystique qui le lie à Sophie von Kühn, sa fiancée, morte en 1797 à l'âge de quinze ans. Se sentant entouré par « la présence réelle de la morte », le poète déclare percevoir les « doux appels de l'invisible » et vouloir rejoindre sa bien-aimée, non par le suicide mais par un acte de volonté. Cet acte traduit l'effort de libération intérieure du poète et son sentiment d'extase amoureuse, lié au sentiment religieux d'éternité. La poésie atteint par la densité et la musicalité de la phrase une force d'expression toute nouvelle, à laquelle se référeront les théoriciens du romantisme, tels les frères Grimm, Schlegel et Ludwig Tieck. Après les *Hymnes*, Novalis entreprendra les *Disciples de Saïs*, un ouvrage poétique et philosophique interrompu par sa mort en 1801.

Friedrich von Hardenberg, dit Novalis. L'un des poètes les plus importants de l'école romantique.

Explosion, rue Saint-Nicaise, au passage de la voiture de Bonaparte, de la « machine infernale » mise au point par le chouan Cadoudal.

Vienne est menacée par le général Moreau

Autriche, décembre 1800

Moreau, en battant les Autrichiens à Hohenlinden le 3 décembre, ouvre la route de Vienne. Pour sauver sa capitale, l'Autriche signe l'armistice de Steyr le 25 et consent à une paix séparée. L'armée de Moreau avait franchi le Rhin entre Schaffhouse et Brisach au printemps et marché à travers la Forêt-Noire. Il bat les Autrichiens de Kray à Eugen, Stokach et Mösskirch du 3 au 5 mai. Il s'avance alors vers l'Ill et le Vorarlberg pour séparer Kray des troupes du Tyrol. Kray se replie près d'Ulm. Le 9 juin, Moreau force le Danube à Höchstädt et contraint les Autrichiens à se replier sur l'Isar puis, après la chute de Munich, sur l'Inn. Un premier armistice est alors signé à Passdorf le 15 juillet. Mais, après un nouvel accord anglo-autrichien, la guerre reprend.

La machine infernale de la rue Saint-Nicaise

Paris, 24 décembre 1800

La Chouannerie vaincue, Cadoudal, un de ses derniers chefs, projette d'assassiner le Premier consul. Le 24 décembre 1800, des tonneaux remplis de poudre explosent rue Saint-Nicaise au passage de Bonaparte. Il en sort indemne, mais la machine infernale tue et blesse des passants. Les soupçons de Bonaparte se portent aussitôt sur les Jacobins qui ont déjà comploté contre lui. Avec l'accord du Sénat, il fait déporter aux Seychelles cent trente anciens conventionnels. Mais l'enquête de Fouché découvre les vrais coupables, les royalistes. Quatre-vingts d'entre eux sont arrêtés et les auteurs de l'attentat sont condamnés à mort. Toutefois Cadoudal échappe à la police. Ce complot permet à Bonaparte d'éliminer les factions de droite et de gauche qui lui sont les plus hostiles.

1801

France, 9 janv. (19 nivôse)
Quatre Jacobins accusés d'avoir participé à l'attentat de la rue Saint-Nicaise sont exécutés, après que cent-trente autres ont été déportés sans jugement.

Europe, 9 février
Signature du traité de Lunéville entre l'Autriche et la France. Les négociations avaient commencé le 5 novembre 1800. →

Egypte, 6 mars
Les Anglais débarquent en Egypte. Après de nombreuses défaites (perte du Caire le 28 juin et d'Alexandrie le 30 août) les troupes françaises du général Menou quitteront l'Egypte le 2 septembre. →

Angleterre, 14 mars
William Pitt démissionne au profit de Lord Addington, n'ayant pu obtenir de George III l'entrée des catholiques irlandais au Parlement.

Italie, 18 mars
La France signe avec le roi des Deux-Siciles le traité de Florence. L'île d'Elbe est cédée à la France, les ports du royaume sont fermés aux Anglais ; Otrante et Brindisi, sur l'Adriatique, reçoivent provisoirement des garnisons françaises.

France, 21 mars (30 ventôse)
La dette est liquidée.

Espagne, 21 mars
La France signe avec l'Espagne le traité d'Aranjuez. Le duché de Toscane est transformé en royaume d'Etrurie et la Louisiane est rétrocédée à la France.

Danemark, 28 mars
Les Anglais bombardent le port de Copenhague, accélérant la dissolution de la ligue des Neutres, dont le principal instigateur, le tsar Paul Ier, a été assassiné le 23 mars. Son fils Alexandre Ier lui succède.

France, 20 avril (30 germinal)
Exécution à Paris des auteurs de l'attentat de la rue Saint-Nicaise, Carbon et Saint-Réjeant.

France, avril
Chateaubriand publie *Atala*. →

France, 16 juil. (27 messidor)
Signature du Concordat. Il sera voté le 5 avril 1802 (15 germinal, an X) et promulgué le 8, après l'adoption des Articles organiques, réglant la police du culte. →

Espagne et Portugal, 29 septembre
Le traité de Madrid clôt le conflit armé qui oppose l'Espagne au Portugal dans la « guerre des Oranges ». Les Portugais accèdent aux exigences françaises de fermer leurs ports aux forces navales anglaises. L'Espagne obtient la ville frontière d'Olivenza. A l'occasion de ce conflit, l'Angleterre a pris possession de Madère et des comptoirs portugais aux Indes.

Hollande, 6 octobre
Bonaparte impose une nouvelle Constitution au pays.

Paris, 8 oct. (16 vendémiaire, an X)
Bonaparte signe un traité avec la Russie, couronnant ainsi le rapprochement esquissé depuis 1800.

France, 22 nov. (1er frimaire)
Le général Charles Leclerc, époux de Pauline Bonaparte, quitte la France pour l'île de Saint-Domingue à la tête d'une expédition militaire.

France, 28 déc. (7 nivôse)
Le Tribunat repousse les premiers articles du Code civil. Mécontent, Bonaparte suspend pendant quelque temps les travaux de la commission.

Perse
Les Anglais et le shâh signent un traité de commerce.

Allemagne
Ludwig van Beethoven compose la sonate pour piano dite *Au clair de lune*. →

France
Anne Louis Girodet-Trioson peint pour le château de Malmaison une *Apothéose* à la gloire des généraux de la république.

Antoine Gros présente au Louvre une esquisse pour *La Bataille de Nazareth*, qui est retenue par le jury.

Allemagne
Création de *Marie Stuart* de Friedrich Schiller.

Etats-Unis d'Amérique
L'Américain Evans montre, sans succès, sa voiture à vapeur dans les rues de Philadelphie.

France
Le médecin Bichat publie une *Anatomie générale appliquée à la physiologie et à la médecine*.

Créateur de la minéralogie moderne, l'abbé René-Just d'Haüy publie son *Traité de minéralogie*.

L'effigie de Bonaparte portée par deux figures allégoriques célébrant la paix signée entre l'Autriche et la France à Lunéville.

La paix de Lunéville met fin à la guerre avec l'Autriche

Lunéville, 9 février 1801
La paix de Lunéville confirme et élargit les clauses du traité de Campoformio. L'empire doit céder la rive gauche du Rhin ; la République cisalpine s'étend vers l'Adige, annexe Vérone et Novare ; un royaume d'Etrurie est créé en Toscane. En juillet 1798, l'Autriche avait formé avec l'Angleterre et la Russie une deuxième coalition. Au printemps 1799, avec l'aide des troupes russes, elle reprend l'offensive en Italie, en Suisse et en Allemagne. D'abord avec succès : Jourdan est battu à Stokach le 25 mars, près du Danube, et doit repasser le Rhin ; Masséna qui s'était avancé jusqu'au Tyrol s'est lui aussi replié : Milan (17 juin) puis La Trébie (19 juin) sont tombées. Mais les armées françaises reprennent le dessus. En Italie, Bonaparte, après avoir repris Milan, bat les Autrichiens à Marengo le 14 juin 1800 ; en Allemagne, Moreau remporte la victoire décisive de Hohenlinden le 3 décembre. La paix signée avec l'Autriche, Bonaparte peut porter tous ses efforts contre l'Angleterre.

Signature du concordat par Joseph Bonaparte, l'archevêque de Corinthe et le cardinal Gonsalvi, le conseiller d'Etat Crétet, les prêtres Bernier et Casellia

Le Premier consul signe un concordat avec le pape Pie VII

Paris, 16 juillet 1801
Ce concordat, laborieusement négocié, déclare le catholicisme religion de la majorité des Français et des consuls et abolit la loi de 1795 séparant l'Eglise de l'Etat. En retour, le Saint-Siège reconnaît la légitimité de la république. Le culte est libre, sous réserve de se conformer aux règlements de police. Les évêques, nommés par le Premier consul, recevront du pape l'investiture canonique ; les curés, nommés par les évêques, seront choisis parmi les candidats agréés par le gouvernement. Les Biens nationaux demeurant acquis à leurs propriétaires, tous les ecclésiastiques percevront un traitement de l'Etat. Les évêques, tant constitutionnels que réfractaires, devront démissionner pour laisser place à un nouvel épiscopat qui prêtera serment d'obéissance et de fidélité au gouvernement. Un schisme long de dix ans prend fin.

Chateaubriand célèbre les amours d'Atala

Paris, avril 1801

L'écrivain François René de Chateaubriand (né en 1768 à Saint-Malo) publie *Atala ou les Amours de deux sauvages dans le désert,* récit qui doit illustrer, annonce l'auteur, le chapitre consacré au « vague des passions » dans un ouvrage de grande envergure, *Le Génie du christianisme.* L'œuvre connaît un succès immédiat en raison de la correspondance qu'établit Chateaubriand entre une vision pénétrante des passions humaines et la description d'une nature à la mesure des aspirations de l'âme et confidente de ses troubles. Le vieil Indien Chactas raconte à un jeune Français, René, exilé dans les forêts d'Amérique, son amour pour Atala, une jeune fille chrétienne qui l'avait aidé à échapper à la mort. Après une longue errance dans la forêt, le couple est recueilli par le père Aubra, un missionnaire. Chactas décide alors de se convertir au christianisme pour pouvoir épouser Atala, mais celle-ci lui révèle le vœu qu'elle a fait de se consacrer entièrement à la religion. Déchirée entre cette exigence de fidélité et la passion qui envahit son cœur, la jeune fille, prise de désespoir, s'empoisonne. Chactas, effondré, l'ensevelit avec l'aide du missionnaire. Chateaubriand relie ce drame à un fait historique, dont il constitue un épisode : le massacre de la tribu rebelle des Natchez par les Français en Louisiane en 1727. C'est à son retour d'Amérique qu'il avait conçu le projet d'un ouvrage traitant des mœurs indiennes. En 1791, il s'était rendu aux chutes du Niagara puis était descendu jusqu'au confluent de l'Ohio et du Mississippi avant de séjourner quelques temps dans les territoires indiens des Natchez.

La fuite d'Atala et de Chactas. Affichette illustrant le récit de Chateaubriand.

Les généraux de la République entrent dans la légende

France, 1801

Répondant à une commande du Premier consul pour le château de Malmaison, le peintre Girodet-Trioson (né en 1767) conçoit un tableau où, s'inspirant d'un poème de Macpherson, il montre les généraux de la République morts pour la Patrie reçus au paradis d'Odin par Ossian le barde. L'œuvre présente tous les ingrédients de la symbolique française. Coq, aigle et drapeaux protègent les ombres des généraux Marceau, Hoche et Kléber, morts au champ d'honneur. Lorsque l'œuvre fut présentée au Salon de 1802, David s'écria, parlant de celui qui avait été son élève : « Girodet est fou ! Ce sont des personnages de cristal qu'il nous a fait là ! » L'œuvre suscita la surprise. Et Girodet-Trioson renoncera bientôt à ces grandes mises en scène pour un romantisme moins échevelé (*Atala au tombeau*, 1808).

Ludwig van Beethoven compose la "Sonate au Clair de lune"

Allemagne, 1801

Le compositeur Ludwig van Beethoven, né à Bonn en 1770, dédie à la comtesse Giulietta Guicciardi la *Sonate pour piano quasi una fantasia* en ut dièse mineur. Elle sera baptisée plus tard *au Clair de lune* par le poète Ludwig Rellstab, qui évoquera à son propos « une barque au clair de lune sur le lac des Quatre Cantons », tandis que Franz Liszt la surnommera « une fleur entre deux abîmes » et les contemporains de Beethoven la « Sonate de la Tonnelle ». C'est une œuvre d'une unité parfaite, « taillée d'un seul bloc de marbre », inspirée par l'élan amoureux du compositeur pour la jeune Giulietta. Le piano y est l'instrument privilégié des émotions les plus nuancées. Une douleur calme s'exprime dans l'adagio initial puis semble se replier sur elle-même et se consumer, tandis que l'allegro qui sait jouer un rôle de transition entre cette méditation solitaire et l'irruption du troisième mouvement, *presto agitato,* dont le dessin mélodique semble ébranler avec fureur tout le clavier. Cette passion se résout progressivement en une conclusion pleine de majesté. L'impétuosité du pianiste Ludwig van Beethoven et la présence d'une force morale sous-jacente bousculent les routines de la musique que l'on a coutume d'entendre au XVIIIᵉ siècle et impressionnent le public viennois. Beethoven est déjà connu par ses concertos pour piano et orchestre ainsi que par une *Sonate en do majeur, op. 21,* qu'il avait achevée en avril 1800. De plus, il a composé, en 1800, les *six premiers quatuors à cordes.*

La France compte 27 millions d'habitants

France, 9 avril 1801

Le 9 avril 1801, le ministre de l'Intérieur Chaptal édicte une circulaire ordonnant une collecte des données sur la population à tous les échelons administratifs. Il veut comparer la situation de 1801 à celle de 1789. Ce dénombrement recense 27 500 000 Français contre 27 millions en 1789. Ce faible accroissement démographique tient surtout à la baisse de la natalité. La nuptialité est momentanément en baisse (moins de 200 000 mariages en 1801), et les familles françaises n'ont en moyenne que quatre enfants au lieu de six. Le monde urbain connaît une baisse provisoire de sa population : Paris passe de 650 000 à 500 000 habitants. La structure sociale de cette population, plus fluide, n'affecte guère les cadres anciens. Le monde paysan, où seuls quelques fermiers ont accédé à la propriété, les ouvriers encore peu nombreux, l'artisanat et la boutique n'évoluent que lentement. La bourgeoisie est la principale bénéficiaire du changement. L'industrie renaissante et l'achat des biens nationaux confortent sa position, bientôt favorisée par l'action du gouvernement. Les hommes nouveaux forment une notabilité souvent très aisée, qui se substitue ou s'amalgame à l'ancienne noblesse. La France de 1801, encore ralentie démographiquement, apparaît prête à poursuivre les modifications sociales ébauchées par la Révolution.

Anne Louis Girodet-Trioson. « Les Ombres des héros morts pour la patrie reçues par Ossian ». 1801. Château de Malmaison.

Le physicien allemand Ritter découvre les rayons ultra-violets

Allemagne, 1801

En projetant un spectre solaire sur une plaque recouverte de sel de nitrate d'argent, le physicien Johann Ritter (1776-1810) observe que le noircissement s'étend au-delà du spectre visible. Cette extension se faisant du côté de la lumière violette, il en déduit l'existence d'un rayonnement ultra-violet. Cette nouvelle extension du spectre sera précisée en 1811 et 1814. Mais Ritter, qui affirme la continuité du spectre visible avec les rayonnements invisibles, tels les ultra-violets ou les infrarouges découverts la même année, se heurte à de nombreux détracteurs. Il faudra attendre la photographie pour que la démonstration soit faite. Ritter continue ses recherches physiques et spécule sur les différences entre matière inerte et matière vivante mais considère qu'il existe entre les deux une continuité.

1802

France, 18 janv. (28 nivôse)
Bonaparte chasse les membres du Tribunat qui lui sont hostiles.

Italie, 26 janvier
Bonaparte est élu président de la République italienne, nouveau nom donné à la République cisalpine.

Tunis, 23 février
La France signe avec le bey de Tunis un traité d'alliance contre les Anglais.

Europe, 25 mars
Signature de la paix d'Amiens avec l'Angleterre. →

France, 1er mai (11 floréal)
Création des lycées. →

France, 12 mai (22 floréal)
Le Tribunat et le Corps législatif ouvrent le plébiscite sur le Consulat à vie.

France, 19 mai (29 floréal)
Un décret institue la Légion d'honneur pour récompenser les services civils et militaires. Elle remplace les ordres de la monarchie. La décoration sera distribuée pour la première fois le 15 juillet 1804 aux Invalides.

France et Empire turc, 26 juin
Un traité met fin à l'état de guerre entre les deux pays.

France, 2 juil. (13 messidor)
La Comédie-Française reçoit une rente de 100 000 francs.

France, 2 août (14 thermidor)
Bonaparte proclamé Consul à vie par plébiscite.

France, 4 août (16 thermidor)
Un senatus-consulte ayant modifié la Constitution en vigueur, en réduisant notamment à cinquante le nombre des membres du Tribunat, une nouvelle Constitution dite de l'an X entre en vigueur.

Italie, 11 septembre
Après l'île d'Elbe en août, c'est au tour du Piémont d'être annexé. Le 9 octobre, le duché de Parme deviendra français.

Saint-Domingue, 13 sept. (26 fructidor)
L'île se révolte contre le général Leclerc, arrivé en février, après qu'il se fut emparé de Toussaint-Louverture le 7 juin. →

France, 13 sept. (26 fructidor)
Le ministre de la Police Fouché en disgrâce.

Russie, 20 septembre
Alexandre Ier accorde des prérogatives législatives et judiciaires au Sénat.

Louisiane, 24 septembre
Le général Victor est nommé par Bonaparte capitaine général de Louisiane.

France, 18 oct. (26 vendémiaire, an XI)
Les jurys populaires sont suspendus dans les départements troublés.

France, 24 déc. (3 nivôse)
Un arrêt organise la création des chambres de commerce dans vingt-deux villes.

Empire ottoman
Le tsar Alexandre Ier fait reconnaître son protectorat sur les principautés roumaines par le sultan, en obtenant que les « hospodars », les gouverneurs, soient nommés pour au moins sept ans.

Angleterre
Le *Factory Bill* adopté par le Parlement vise à protéger, bien timidement, les enfants au travail : interdiction est faite de les employer plus de douze heures par jour dans les manufactures, quand ils ont moins de neuf ans.

Allemagne
Novalis meurt avant d'avoir achevé son roman *Henri d'Ofterdingen*.

Viêt-nam
Nguyên Anh devient empereur d'Annam. →

France
Chateaubriand publie *Le Génie du christianisme*. Apologie du christianisme, cette œuvre est une réaction à la philosophie du siècle des Lumières et exalte les beautés du merveilleux chrétien.

Louis de Bonald : *De la législation primitive*.

Maine de Biran : *Influence de l'habitude sur la faculté de penser*.

Le physicien Gay-Lussac énonce la loi de la dilatation des gaz. →

Italie
Ugo Foscolo publie *Les dernières lettres de Jacopo Ortis*, roman épistolaire plein d'ardeur patriotique.

« Bonaparte signant la paix d'Amiens ». Peinture allégorique, dans le style néo-classique, d'Anatole Devosge, qui fut élève de David.

Bonaparte signe la paix d'Amiens

Amiens, 25 mars 1802
L'Anglais Cornwallis et Joseph Bonaparte signent à Amiens un traité entre la France et l'Angleterre. Ce traité, venant après celui de Lunéville, marque la fin des guerres de la deuxième coalition. Après dix années de conflits, le calme semble revenu en Europe. Le 8 octobre précédent, Bonaparte avait signé une paix séparée avec le tsar Alexandre Ier. Il apparaît vêtu d'une tenue civile, geste symbolique qui lui vaut un triomphe. Selon les clauses de l'accord, la France abandonne l'Egypte. Menou, le successeur de Kléber, avait en effet été battu par les Anglais ; Alexandrie et Le Caire avaient dû capituler (juin et août 1801). Provisoirement occupée par l'Angleterre, l'Egypte sera ultérieurement restituée à l'Empire ottoman. La France doit d'autre part évacuer tous les ports qu'elle occupait dans le Royaume napolitain. Quant à l'Angleterre, elle est invitée à restituer toutes les colonies qu'elle avait conquises sur la France ou sur ses alliés hollandais et espagnols, à l'exception de la Trinité qui appartenait à l'Espagne et de Ceylan, ancienne possession néerlandaise. Malte retourne aux chevaliers de Saint-Jean-de-Jérusalem, Minorque et l'île d'Elbe à l'Espagne et les Antilles à la France. Une restriction importante : le traité ne fait pas état de la situation sur le continent. Bonaparte avait demandé à l'Angleterre, au cours des discussions préliminaires d'octobre 1801, de reconnaître les nouvelles républiques d'Italie, de Belgique et de Hollande ; mais elle s'y est refusée.

Gay-Lussac découvre la loi sur la dilatation des gaz

France, 1802
Un jeune préparateur de Polytechnique, Louis Joseph Gay-Lussac (1778-1850), vient d'établir que les divers gaz qu'il étudie (air, azote, oxygène) « se dilatent également par les mêmes degrés de chaleur ». Opérant entre 0 ° et 100 °C, il trouve pour ces gaz un coefficient de dilatation uniforme et indépendant de leur nature, qu'il fixe à 1267. Cette première loi sera suivie en 1808 par une autre, d'après laquelle les gaz se combinent entre eux selon des rapports volumétriques simples. Ses travaux embrassent de nombreux domaines : étude de l'atmosphère en ballon, travaux sur les propriétés de l'iode... Avec Jacques Thenard, il préparera le potassium (1808), isolera le bore et améliorera les méthodes de l'analyse organique. Puis il perfectionnera la fabrication de l'acide sulfurique (1827-1828) et inventera plusieurs méthodes de dosage. Sa carrière le mènera de la Sorbonne au Jardin des plantes.

Louis Joseph Gay-Lussac, physicien et chimiste français. Bibliothèque nationale, Paris.

La révolte de Haïti fatale au général Toussaint-Louverture

Saint-Domingue, 13 septembre 1802

Le général de division Toussaint-Louverture se soumet aux troupes du général Leclerc envoyées par Bonaparte pour stopper les activités indépendantistes de celui qui venait de se faire accorder le titre de gouverneur général à vie. Toussaint-Louverture est né en 1743 ; fils d'esclaves mais « nègre à talent », il devient cocher, puis s'engage dans l'armée espagnole qui occupe la partie occidentale de l'île. Il combat victorieusement les Français jusqu'au 18 mai 1794, date à laquelle il se rallie à la France qui a décidé d'affranchir les esclaves. Il est ensuite chargé de faire appliquer le traité de Bâle du 24 juillet 1795 qui attribue toute l'île à la France et chasse les Espagnols et les Anglais. Afin de remédier à la crise économique, il signe des traités avec l'Angleterre et les Etats-Unis que Paris accepte. En 1801, Bonaparte décide de rétablir le pouvoir français et envoie une expédition de plus de 20 000 soldats sur 86 vaisseaux commandés par le général Leclerc. Celui-ci débarque le 1er février 1802 mais se heurte à la résistance courageuse des généraux noirs : le général Dessalines résiste trois semaines aux assauts français tandis que Toussaint est vaincu à la Ravine aux couleuvres. Trahi et arrêté, il est déporté en France où il meurt au fort de Joux en 1803. Pendant ce temps, les Français, décimés par la fièvre jaune, quittent l'île.

Fondation de la dynastie Nguyên

Viêt-nam, 1802

De retour d'exil à Bangkok, Nguyên Anh s'empare de Gia Dinh et, en 1789, se rend maître de la Cochinchine. Le territoire du Viêt-nam était alors divisé en trois domaines : le delta du Mekong, aux mains de Nguyên Anh ; le sud-est, jusqu'au col des Nuages, tenu par Nguyên Nhac ; le nord, enfin, sous la domination de Nguyên Hué, le frère de Nguyên Nhac. En 1788, Nguyên Hué se proclame roi, après avoir mis en déroute une armée chinoise venue assister le dernier héritier de la dynastie des Lê. Mais il ne peut répondre aux aspirations du peuple et ne cesse de se heurter à son frère. Ces dissensions familiales favorisent les projets de Nguyên Anh qui, aidé par des volontaires français, commence des campagnes saisonnières vers le nord, avec la Cochinchine pour base. Il entre à Hué en 1801, à Thanh Long en 1802. Il déclare alors ouverte l'ère Gia-Long et fonde la dynastie des Nguyên. Il unifie sous son autorité l'ensemble du Viêt-nam pour la première fois de son histoire.

Des lycées pour la jeunesse de France

Paris, 1er mai 1802

Préparée par Fourcroy et Chaptal, la loi sur l'instruction publique du 11 floréal (1er mai) décrète la création de quarante-cinq lycées, établissements d'enseignement d'un type nouveau destinés à remplacer les Ecoles centrales qui viennent d'être supprimées. Ces dernières, qui avaient été instaurées par le Directoire par la loi du 3 brumaire an IV, étaient l'objet de très vives critiques. On leur reprochait d'abord le libéralisme excessif de la pédagogie et de la discipline. Ainsi, les élèves n'étaient pas tenus d'assister à tous les cours de leur section et pouvaient choisir les enseignements qui les intéressaient le plus. Quant aux professeurs, ils n'étaient astreints à aucun programme. On contestait également la place prépondérante faite aux sciences, au détriment des langues anciennes, de l'histoire et de la littérature. Réagissant contre cette orientation, le lycée rétablit la primauté des études classiques, avec ses six années de latin et de grec obligatoires. La discipline de ces établissements sera rigoureuse. Le système de l'internat, emprunté aux collèges de l'Ancien Régime, doit y être la règle. Destinés, dans l'esprit du législateur, à dispenser une formation générale aux futurs membres des professions libérales, mais aussi et surtout aux futurs fonctionnaires et officiers dont l'Etat a besoin, les lycées devront être des écoles de civisme. La loi du 11 floréal ne touche pas à l'enseignement primaire, laissé, comme par le passé, à l'initiative et à la charge des communes ou des familles.

Jeunes élèves en uniforme du lycée Napoléon. Bibliothèque nationale, Paris.

Portrait de Bonaparte, Premier consul peint par Antoine-Jean Gros. Collection particulière, Paris. Après la signature de la paix d'Amiens, ratifiée par le Tribunat, Bonaparte est au faîte de sa popularité. C'est alors qu'il décide d'en appeler au peuple et se fait élire Premier consul à vie le 2 août 1802. En quelques années, il aura franchi les étapes qui font d'un simple soldat le premier personnage politique de la France : « Je le ferai si le vœu du peuple me commande ce que votre suffrage m'autorise. »

Bonaparte nommé consul à vie

Paris, 2 août 1802

L'opinion publique attribue à Bonaparte, restaurateur de l'économie et réconciliateur de la nation, le « miracle du Consulat ». Sa popularité, accrue par la paix d'Amiens, lui sert de tremplin pour consolider son pouvoir. Le 6 mai 1802, le Tribunat ratifie le traité dans l'enthousiasme général et, inspiré par Bonaparte, propose au Sénat de donner au consul une preuve de la gratitude nationale. L'assemblée est en grande majorité favorable à cette idée de récompense. Toutefois, le poids des républicains, influencés par Fouché, freine l'élan des sénateurs. Ils votent, par anticipation, la prorogation du mandat consulaire pour dix ans, sans accorder la magistrature à vie. Déçu et irrité, Bonaparte décide d'en appeler au peuple. Concernant la décision du Sénat, il répond : « Je le ferai si le vœu du peuple me commande ce que votre suffrage m'autorise. » Par le biais du plébiscite, il se pose en héritier de la Révolution et présente sa légitimité comme une émanation de la souveraineté populaire. Le Conseil d'Etat formule les questions qui doivent être posées à la nation. L'une concerne la magistrature à vie, la seconde donne au Premier consul la possibilité de désigner son successeur. Bonaparte ne retient que la première proposition : « Napoléon Bonaparte sera-t-il consul à vie ? » Le peuple se prononce en sa faveur par 3 500 000 voix contre 8 374. C'est un véritable consensus national. Paris ne recueille que quatre-vingts non, la Vendée six. Carnot et La Fayette votent également non. Le 2 août, le Sénat entérine le plébiscite, et nomme Bonaparte consul à vie. Installé définitivement à la tête de l'Etat, il conforte sa position en modifiant la Constitution de l'an VIII. Ratifiée par le Sénat le 4 août, la Constitution de l'an X montre l'habileté de Bonaparte qui, tout en maintenant les cadres de la Constitution précédente, se crédite de tous les pouvoirs. Le Tribunat, réduit à cinquante membres, et le Corps législatif sont soumis à la dissolution du Sénat. Cette dernière assemblée, apparemment favorisée par les nouvelles institutions, est en réalité sous la tutelle du Premier consul. Trois consuls à vie sont maintenus au sommet de l'exécutif, mais Bonaparte concentre les décisions importantes. Il peut nommer son successeur, possède le droit de grâce et l'initiative des sénatus-consultes, ratifie les traités et les alliances et choisit les députés parmi les collèges électoraux dont il nomme le président. Sous des allures démocratiques, cette constitution consacre la toute-puissance de Bonaparte. Il a obtenu le Consulat à vie grâce à son habileté politique ; la faculté de désigner son successeur ouvre la voie à un régime dynastique.

1803

Suisse, 19 février
Bonaparte impose l'Acte de médiation qui restaure presque intégralement les treize cantons d'avant 1798, moins Genève et Mulhouse. Six cantons nouveaux sont créés. La Constitution est fédéraliste, les cantons disposant d'une Diète fédérale pour la politique extérieure.

Allemagne, 25 février
Le recès d'Empire est adopté à Ratisbonne. →

Océan Indien, 6 mars
Envoyé pour réoccuper les villes françaises de l'Inde, l'amiral Decaen s'embarque à Brest à la tête d'une flotte nombreuse. Sa première destination : l'île de France (l'île Maurice).

Angleterre, 15 mars
Le gouvernement anglais réclame le droit de se maintenir dix ans dans l'île de Malte.

France, 28 mars (7 germinal)
Création du franc germinal. →

France, 12 avril (22 germinal)
L'interdiction faite aux ouvriers de s'associer est renouvelée. La même loi crée des chambres de manufactures pour réglementer les marques de fabrique.

France, 14 avril (24 germinal)
La Banque de France reçoit le privilège d'émettre du papier-monnaie pour quinze ans, valable uniquement à Paris.

Europe, avril
Bonaparte fait occuper Flessingue et le Brabant hollandais. Cette mesure inquiète l'Angleterre qui lance un ultimatum le 26 avril. Bonaparte rompt le 12 mai, tandis que les Anglais dénoncent la paix d'Amiens le 16 et rétablissent le 18 le blocus fictif des côtes françaises.

France, 3 mai (13 floréal)
Bonaparte vend la Louisiane aux Etats-Unis d'Amérique. →

Allemagne, mai
Le général Mortier occupe le royaume de Hanovre, possession personnelle du roi d'Angleterre.

France, mai (floréal-prairial)
Reprise de la chouannerie.

Europe, 5 juin
Le tsar Alexandre Ier propose sans succès sa médiation aux Anglais et aux Français.

France, 20 juin (1er messidor)
Prohibition des marchandises anglaises. →

Irlande, 23 juillet
Insurrection patriotique à Dublin. →

France, 20 août (2 fructidor)
Georges Cadoudal rentre clandestinement en France et tente d'organiser un complot afin d'enlever le Premier consul. A cette fin, il entre en contact avec les généraux Pichegru et Moreau.

Saint-Domingue, 29 août
Le général Dessalines proclame l'indépendance d'Haïti.

Europe, 27 septembre
La France et la République helvétique signent un traité d'alliance militaire.

Florence, 8 octobre
Mort du dramaturge Vittorio Alfieri. →

Saint-Domingue, 19 novembre
Les garnisons françaises capitulent les unes après les autres devant les troupes noires du général Dessalines : à Port-au-Prince en octobre, au Cap en novembre, au môle Saint-Nicolas en décembre.

France, 1er déc. (9 frimaire, an XII)
Le livret ouvrier est institué. Il suit l'ouvrier dans ses différents emplois et devient indispensable à l'embauche.

France, 2 déc. (10 frimaire)
Mise sur pied, au « camp de Boulogne », d'une armée destinée à envahir l'Angleterre.

Russie
Alexandre Ier envahit la Géorgie au sud et occupe l'Alaska à l'est.

Antilles
L'Angleterre occupe les îles de Sainte-Lucie et Tobago, ainsi que la Guyane hollandaise.

Chine
Vers la fin du soulèvement des sociétés secrètes du Lotus blanc et de la Triade.

Paris
Début de la construction du pont des Arts.

France
L'économiste Jean-Baptiste Say publie son *Traité d'économie politique*, de tendance libérale.

Les mésaventures d'un inventeur de génie

Paris, 9 août 1803
En présence de Bonaparte, Robert Fulton navigue sur la Seine à bord d'un bateau à vapeur. Son navire mesure 31 m de long, 2,4 m de large et 0,6 m de tirant d'eau. Propulsé par deux roues à aubes de 3,5 m de diamètre, il atteint la vitesse de 2,9 nœuds. Mais cette démonstration ne parvient pas à forcer l'attention des autorités, ni celle de l'opinion publique plus préoccupée par la guerre. Fulton (né aux Etats-Unis en 1765) gagne l'Angleterre en 1786 où il apprend la mécanique. Il arrive en France en 1796 mais tous ses essais pour convaincre de l'intérêt de ses réalisations échouent. Devant cette situation, Fulton retourne en Angleterre en 1804. Associé à Livingston qui possède le privilège de la navigation dans l'Etat de New York, il achète à James Watt une machine à vapeur puissante et part en 1806 pour les Etats-Unis. C'est là qu'il construit le premier bateau à vapeur capable de naviguer, le *Clermont*. Cette fois encore, il n'arrive pas à organiser un service de navigation, idée qui ne sera appliquée qu'en 1812, trois ans avant sa mort.

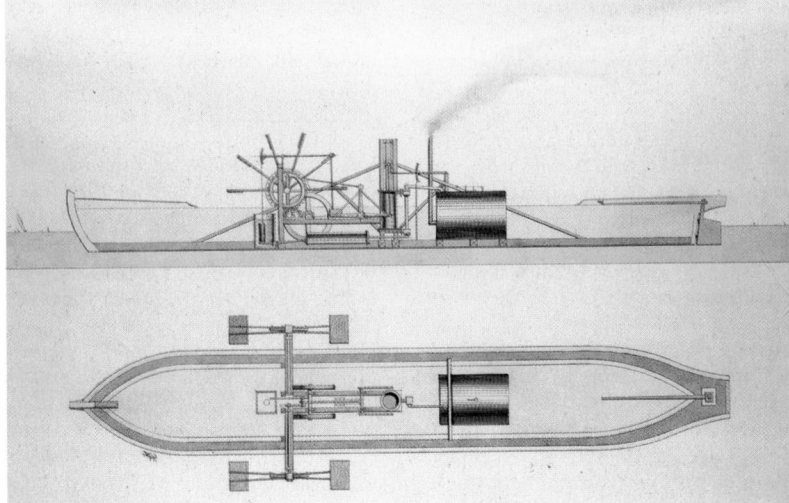

Plan et coupe du bateau à vapeur de Robert Fulton : le « Clermont ». Dessin aquarellé. Musée de la Marine, Paris.

L'islam progresse chez les Peuls, en Afrique

Afrique, 1803
Dans le pays Haoussa, aux yeux de certains, l'islam demeurait superficiel. Il n'était suivi que du bout des lèvres et était surtout ajusté à la coutume et à la foi africaines préexistantes. C'est pour protester contre cet état de choses que Usman dan Fodio (né en 1754), influencé par la nouvelle doctrine wahhabite, entre en guerre. Il rassemble les clans peuls éparpillés, s'investit « commandant des croyants » et proclame le *djihad*. Il est aidé dans son entreprise par des paysans haoussas révoltés contre leurs seigneurs. L'un après l'autre, il abat les émirs haoussas du nord, porte les bannières blanches de ses cavaliers jusque dans le nord du Cameroun et fonde ainsi l'empire de Sokoto. L'islam réformé de Usman dan Fodio est basé sur un imamat central qui délègue son autorité à des gouverneurs et des chefs militaires de province. L'autorité de l'imam découle de la sanction divine et de l'application rigoureuse de la *sharia* (jurisprudence musulmane).

Mort du comte Alfieri, chantre de la liberté contre les tyrans

Florence, 8 octobre 1803
Né à Asti (Piémont) en 1749, Vittorio Alfieri perd son père à l'âge d'un an. De 1758 à 1766, il est « enfermé » à l'Académie militaire de Turin, l'un des meilleurs collèges d'Europe. Il en sort avec une tendance à l'inquiétude et à la révolte qui marque sa nature préromantique. C'est au cours de ses voyages dans toute l'Europe qu'il acquiert un esprit antityrannique influencé par les Lumières, qui annonce le Risorgimento italien. Il devient même libertaire en estimant que l'humanité se divise en deux catégories également méprisables : les esclaves et les tyrans. Seule l'Angleterre lui apparaît comme un asile de liberté. Regagnant Turin en 1773, il se consacre à la littérature. Jusqu'en 1790, il produit dix-neuf tragédies (*Cléopâtre, Saül, Mérope...*) et des écrits politiques (*De la tyrannie, Paris débastillé...*) où il exprime le drame d'un homme profondément malheureux et victime d'un destin infortuné. Retiré à Florence après avoir assisté au début de la Révolution en France, il finit sa vie en rédigeant des *Satires*, et un *Second Alceste* imité d'Euripide.

Une nouvelle monnaie pour la France : le franc germinal

Paris, 28 mars 1803

La poursuite du redressement financier et la relance économique nécessitent une nouvelle monnaie. Par crainte de la monnaie fiduciaire, Bonaparte ne veut pas de papier-monnaie, mais décide de s'appuyer sur un système métallique. La loi du 7 germinal an XI définit le franc par son poids d'argent et fixe le rapport entre l'or et l'argent à 115,5. Le régime du bimétallisme est organisé, la libre frappe est conservée. La pièce d'1 franc pèse 5 g au titre de 910e d'argent. On frappe aussi des pièces d'or de 20 et 40 francs sur la base de 155 pièces de 20 francs au kilogramme d'or, et des pièces de cuivre de 2, 3 et 5 centimes. Le franc germinal, très proche du système antérieur quant au rapport des métaux, s'impose difficilement face à la livre tournois qui circule toujours. Il se heurte à la spéculation sur le métal précieux et se voit immobilisé par la thésaurisation. Malgré ces quelques troubles, cette monnaie « droite et saine » facilite la progression économique et le soutien des possédants au régime consulaire. Sa valeur est d'une très grande stabilité par rapport au métal et aux monnaies étrangères ; elle restera en vigueur tout au long du siècle.

Edo, capitale du théâtre kabuki

Japon, 1803

Le kabuki, expression du théâtre des couches bourgeoises au Japon, se développe à partir du début du XVIIIe siècle quand le centre de la culture urbaine se déplace d'Osaka vers Edo, la capitale shôgunale. A la fois drame et grand spectacle, le kabuki fascine le public par sa mise en scène d'épisodes historiques connus de tous et où s'affrontent sens du devoir et passions humaines. L'amour impossible conduit souvent au double suicide des amants. Au XIXe siècle, le kabuki est dominé par deux dramaturges : Tsuruya Namboku (1755-1829), génie de la mise en scène et du « trucage », qui crée un théâtre fantastique et souvent cruel et Kawatake Mokuami (1816-1893), qui met en scène la gouaille du petit peuple d'Edo, marginaux et petits voleurs. Ainsi, pendant plus de deux siècles, autour du kabuki, des estampes, du roman populaire et des quartiers de plaisir fleurit une culture parfois licencieuse et ironique, libérée des contraintes de la société féodale.

La France vend la Louisiane aux Etats-Unis

France, 3 mai 1803

Par le traité de Paris, la France cède aux Etats-Unis, pour 80 millions de francs, le territoire qu'elle possède depuis peu. En effet, cette région comprenant toute une partie de la vallée du Mississippi était espagnole depuis 1763 ; mais, en 1802, par traité secret, la France en avait pris possession. Bonaparte, appuyé par Talleyrand, pensait alors construire un Empire français d'Amérique, qui irait du golfe du Mexique aux rives du Saint-Laurent et qui délogerait les Anglais de leurs positions. Inquiets de cette perspective ainsi que de voir remis en cause les droits de passage et de navigation qu'ils ont obtenus des Espagnols, les Américains proposent aux Français l'achat de La Nouvelle-Orléans et de la Floride pour 50 millions de francs. Les préparatifs de guerre grevant le budget, Bonaparte décide opportunément de saisir l'occasion : il abandonne ses rêves américains et propose aux Américains étonnés de tout leur céder. La négociation menée par Monroe et Barbé de Marbois aboutit rapidement. Grâce à cette transaction, les Etats-Unis voient leur superficie doubler. Il n'y a désormais plus d'obstacles pour conquérir les terres occidentales.

La machine de l'Anglais Richard Trevithick : première locomotive à vapeur qui fut construite en 1803 et essayée en 1804 au pays de Galles.

La première locomotive à vapeur

L'Anglais Richard Trevithick, ingénieur dans les mines de Cornouailles, cherche à construire un engin à vapeur capable de soulever ou de tirer le minerai. Après avoir obtenu un brevet en 1802, il met au point la première locomotive, expérimentée la veille de Noël.

L'Allemagne est remodelée par le recès de Ratisbonne

Ratisbonne, 25 février 1803

Le recès enfin adopté par la diète de Ratisbonne bouleverse, dans le sens d'une considérable simplification, la carte politique et administrative du Saint Empire. Des trois cent cinquante Etats initiaux, il n'en reste plus que deux cents. Toutes les principautés ecclésiastiques, sauf celle de Mayence, siège de l'archichancellerie impériale, sont supprimées. L'Eglise catholique perd ainsi plus de deux millions de sujets, 21 millions de florins de revenus, ses couvents et les dix-huit universités qu'elle administrait. Elle n'avait pas connu pareille catastrophe depuis les dernières sécularisations de 1555 et de 1648. La Prusse obtient les évêchés de Paderborn, Hildesheim, Erfurt et Münster ; la Bavière, ceux de Freising et de Passau ; le pays de Bade s'annexe l'évêché de Spire. Le roi d'Angleterre, qui est aussi électeur de Hanovre, reçoit pour sa part l'évêché d'Osnabrück et le grand-duc de Toscane, celui de Salzbourg. Par ailleurs, le Wurtemberg, Bade et la Hesse-Kassel, Etats de confession luthérienne, deviennent des électorats et les catholiques perdent la majorité dans le collège électoral. Enfin, sur les cinquante et une villes libres, il n'en reste plus que six. Ce remaniement se fait au détriment de l'Autriche qui va perdre la couronne impériale aux prochaines élections et qui d'autre part, outre Salzbourg, perd le Brisgau, à l'ouest de la Forêt-Noire, cédé au duc de Modène. La France voit grandir son influence dans les Etats d'Allemagne du Sud ; mais Bonaparte, qui souhaitait l'établissement d'une confédération d'Etats entièrement séparée de l'Autriche et de la Prusse, n'a pas obtenu pleine satisfaction. Territorialement, c'est le roi de Prusse qui est le principal bénéficiaire de l'opération.

L'Irlande se révolte contre l'Acte d'union

Dublin, 23 juillet 1803

L'Acte d'union de 1800 n'a pas rallié les cercles de patriotes irlandais, bien au contraire. D'autant que les mesures promises en faveur des catholiques ne sont pas appliquées, le roi George III se refusant à leur accorder le droit de vote et d'éligibilité au Parlement. Aussi des militants nationalistes en exil en France cherchent-ils à rééditer les tentatives de soulèvement qui avaient échoué en 1796 et 1799. Leur leader, Robert Emmet, retourne en France en 1802 et organise un complot. Il collecte et cache les armes à Dublin pour le 23 juillet.

A l'aube, une colonne d'insurgés, conduite par Emmet dans un uniforme vert et blanc, se dirige vers le château de la capitale pour le prendre d'assaut. S'ils arrivent à massacrer le lord-chief de la Justice en Irlande et son neveu, ils ne peuvent aller plus loin car les insurgés des régions de Kildare et des monts Wicklow ne sont pas au rendez-vous ; le coup d'Etat se termine dans la confusion. Les insurgés doivent quitter précipitamment la ville, les leaders étant recherchés. Robert Emmet se cache au nord de Dublin jusqu'à sa capture, le 25 août 1803. Jugé, il est condamné à mort ainsi qu'un autre dirigeant, Russel, le 20 septembre 1803.

Théâtre japonais : la scène et son décor. Estampe du XIXe siècle. Capitale des plaisirs, Edo fut aussi la capitale du théâtre.

1804

Haïti, 1er janvier
Jean-Jacques Dessalines proclame une nouvelle fois l'indépendance. →

France, 15 février (15 pluviôse)
Le général Moreau est arrêté à la suite de la découverte d'un complot royaliste organisé par Georges Cadoudal et destiné à abattre le Premier consul. Le général Pichegru, autre comploteur, est arrêté le 28 février et Cadoudal le 9 mars. Les comploteurs connaîtront des fortunes différentes, Moreau sera banni, Pichegru retrouvé étranglé dans sa cellule le 6 avril et Cadoudal exécuté le 28 juin.

Serbie, février
Révolte de Karageorges. →

Weimar, 17 mars
Première de *Guillaume Tell* de Friedrich Schiller. →

France, 21 mars (30 ventôse)
Promulgation du Code civil. →

Vincennes, 21 mars (30 ventôse)
Exécution du duc d'Enghien. →

Angleterre, 10 mai
William Pitt le Jeune retrouve la charge de Premier ministre qu'il avait quittée en mars 1801. →

Saint Louis, Etats-Unis, 14 mai
Départ des explorateurs Meriwether Lewis et William Clark pour rejoindre le Pacifique. Ils remontent le Missouri puis se dirigent vers l'ouest et traversent les montagnes Rocheuses. Ils seront de retour à Saint Louis en 1806, après un voyage de 12 372 km.

France, 18 mai (28 floréal)
Le Sénat adopte le sénatus-consulte qui proclame Napoléon empereur des Français. →

France, 19 mai (29 floréal)
Napoléon Ier porte au grade de maréchal dix-huit de ses généraux dont Berthier, Murat, Bernadotte, Lannes et Ney.

France, 11 juillet (22 messidor)
Un décret rétablit le ministère de la Police générale, occupé par Fouché.

Autriche, 10 août
Craignant que la nouvelle configuration de l'Allemagne, issue du Recès de 1803, ne garantisse plus à son héritier le titre d'empereur du Saint Empire, François II se proclame empereur héréditaire d'Autriche sous le nom de François Ier.

France, 15 août (27 thermidor)
La Saint-Napoléon devient fête officielle en France. A cette occasion, l'empereur distribue aux invalides les premières croix de la Légion d'honneur. Le lendemain, il distribue les aigles aux régiments stationnés à Boulogne en vue de l'invasion de l'Angleterre.

France, 16 septembre (29 fructidor)
Le physicien Gay-Lussac établit un record d'altitude, 7 016 m, lors d'une ascension en ballon ayant pour but d'évaluer les modifications éventuelles de la composition de l'air.

France, 6 novembre (15 brumaire)
Un plébiscite ratifie la nomination de Bonaparte, empereur héréditaire par 3 500 000 oui contre 8 374 non.

Europe, 6 novembre
L'Autriche et la Russie signent une convention secrète dirigée contre la France.

Paris, 2 décembre (11 frimaire)
Sacre de Napoléon à Notre-Dame. →

France
L'écrivain Senancour (1770-1846) publie *Oberman*, roman autobiographique.

Allemagne
Ludwig van Beethoven supprime la dédicace à Napoléon de sa *Troisième Symphonie* (*Eroica*).

Danemark
Le roi Frédéric VI (1768-1839) abolit le servage dans ses Etats.

Soudan nigérien
Le chef peul Othman dan Folio se proclame commandeur des Croyants.

France
Charles Nicolas Appert (1752-1841) rend public son procédé de conservation des aliments, inventé dès 1795.

Angleterre
Richard Trevithick construit la première machine à vapeur roulant sur un « chemin à rails », la *Penn-y-Daran*.

Paris
Commencé en 1802, le pont des Arts, premier pont métallique sur la Seine, œuvre de Dillon et De Cessart, est achevé.

Le Code civil donne force de loi aux acquis révolutionnaires

France, 21 mars 1804
Quatre années de travail de commissions, puis d'examen par le pouvoir législatif viennent de couronner un projet ardemment souhaité par les assemblées révolutionnaires depuis 1790, mais plusieurs fois retardé : l'établissement d'un code juridique unique pour l'ensemble des Français. Une manière de réaliser un des principes des révolutionnaires de 1789, l'égalité de tous et de chacun devant la loi. A quatre reprises déjà, en 1790 sous la Constituante, en 1793 et 1794 sous la Convention, puis en 1796, sous le Directoire, le pouvoir avait promis un code. Bonaparte nomme en 1800 une commission de quatre juristes, Bigot de Préameneu, Tronchet, Portalis et Male-

ville, qui présente un projet quatre mois plus tard. Discuté et amendé plusieurs fois par les tribunaux, puis par le Conseil d'Etat et enfin par le Tribunat, il fut transformé dans un sens plus conservateur. Ce projet n'en affirme pas moins quatre principes nouveaux pour le droit. Premièrement : le droit est unique et il s'applique en tout lieu du territoire national. Deuxièmement : la loi émane du législateur élu par le peuple, le juge n'ayant dans ce cas qu'à appliquer la loi et rien que la loi. Troisièmement : la loi régit tous les rapports sociaux, la famille en particulier. Quatrièmement : le droit doit se séparer de la morale, de la religion et de la politique. Pratiquement, il consacre la liberté individuelle, la liberté du travail, la liberté de conscience, la laïcité de l'Etat et la propriété individuelle. Toutefois, la femme ne jouit pas d'autant de droits que l'homme.

L'institution du Code civil, un même code juridique pour l'ensemble des Français. Mars 1804. Gravure. B.N., Paris.

Guillaume Tell, héros de Schiller

Weimar, 17 mars 1804
Le poète et dramaturge Friedrich Schiller fait représenter *Guillaume Tell*, drame en cinq actes, inspiré de la *Chronique suisse* de Tschudi. L'auteur a déjà porté à la scène, avec *Marie Stuart* (1801), le conflit de l'individu et de la société et, avec *La Pucelle d'Orléans* (1802), la lutte pour l'indépendance de la nation. Guillaume Tell est le héros que sa passion de la liberté conduit aux plus hauts exploits. La conjuration des Cantons suisses et le cynique défi du bailli Gessler (accusant Guillaume de rébellion, il lui ordonne de traverser d'une flèche une pomme posée sur la tête de son fils) confèrent à l'œuvre un souffle qu'amplifie encore le décor de lacs et de montagnes. *Guillaume Tell* sera la dernière œuvre de Schiller, auteur aussi d'ouvrages historiques et esthétiques, qui mourra en 1805, laissant une vingtaine de pièces inachevées.

Karageorges, chef de la révolte serbe

Serbie, février 1804
La première dans les Balkans, la Serbie donne le signal des guerres d'indépendance. La révolte éclate en 1804, provoquée par les excès des janissaires et encouragée par l'entrée en scène de la Russie qui, depuis la paix de Kutchuk-Kaïnardji (1774), a pris en main la protection, peu désintéressée, des « orthodoxes opprimés ». Elle est menée par un paysan enrichi dans le commerce du porc, Georges Petrovitch, dit Georges Le Noir ou encore Karageorges, qui remporte des succès (prise de Belgrade) avant de succomber, faute de soutien de la Russie, engagée dans les guerres napoléoniennes. Karageorges (né vers 1752) se réfugie en Hongrie. Dans l'espoir d'organiser un soulèvement général, en liaison avec les Grecs, il rentre en Serbie où il est assassiné par Miloch Obrénovitch, son rival dans la résistance, en 1817.

Bonaparte se fait sacrer empereur des Français

« Le Sacre de Napoléon ». Peinture de Louis David. 1805-1807. Musée du Louvre, Paris.

Paris, 2 décembre 1804

Empereur depuis le 18 mai, Napoléon veut magnifier son titre par un sacre à l'image de celui de Charlemagne. Pie VII, reconnaissant pour le Concordat, se rend fin novembre en France sous la garde de ses mamelouks. Le 1er décembre, Napoléon accorde une ultime concession au pape et fait bénir son union avec Joséphine de Beauharnais. Le mé-

contentement de la famille Bonaparte, hostile à l'impératrice, est vaincu, même si Lætitia, mère de l'empereur, refuse d'assister au couronnement. La journée du 2 décembre s'ouvre par la proclamation du plébiscite populaire qui approuve l'Empire avec 3 572 329 voix. La cérémonie à Notre-Dame est fastueuse. Le pontife administre à l'empereur, entouré des grands dignitaires, la tri-

ple onction et l'investit des attributs de sa charge. S'il accepte la religiosité du sacre, Napoléon entend rappeler qu'il tient son pouvoir de la nation. Il couronne donc l'impératrice après s'être couronné lui-même et prête serment aux principes de liberté et d'égalité. Il est acclamé par la foule en liesse. A l'issue de la cérémonie, deux semaines de fête se déroulent dans la capitale.

Bonaparte fait fusiller le duc d'Enghien

Vincennes, 21 mars 1804

Bonaparte apprend la venue imminente d'un Bourbon en France et songe au duc d'Enghien, fils du prince de Condé, installé près de la frontière. Le Premier consul fait en-

lever le duc en territoire badois, bravant ainsi les lois internationales. Il est déterminé à se venger des complots royalistes en exécutant l'un des leurs. Transféré le 20 à Vincennes, le duc d'Enghien est condamné à mort par une commission militaire. Le 21 au matin, il est fusillé dans les fossés du château de Vincennes.

Napoléon se prépare à envahir l'Angleterre

Boulogne, 25 mai 1804

Napoléon concentre plus de 2 000 bâtiments pouvant transporter chacun une centaine de soldats dans les ports de la Manche, ainsi que 150 000 hommes et 400 canons à

Dessalines proclame l'indépendance d'Haïti

Haïti, 1er janvier 1804

Alors que la partie espagnole de l'île est toujours occupée par les Français, à l'ouest, le général Jean-Jacques Dessalines lit l'Acte d'indépendance de la première république noire qui prend le nom que lui donnaient autrefois les Indiens : Haïti. Né en 1758, ancien esclave d'un nègre libre, Dessalines est devenu le principal chef militaire à la mort de Toussaint-Louverture. D'abord gouverneur général à vie, il se fait proclamer empereur le 22 septembre 1804 sous le nom de Jacques Ier. Son caractère tyrannique et ses mesures économiques lui aliènent ses anciens amis. Il sera assassiné au cours d'une révolte le 17 octobre 1806.

William Pitt le Jeune à nouveau au pouvoir

Londres, 10 mai 1804

Après avoir démissionné sur la question irlandaise, William Pitt le Jeune est rappelé au pouvoir par le Parlement. Son successeur, Addington n'avait pas convaincu, sinon de son impuissance à mener la seule politique que Pitt conçoit : la guerre contre la France. Après avoir poussé au conflit dans l'opposition, il peut désormais tisser les fils d'une coalition européenne contre Napoléon. Il dispose pour cela de la confiance absolue du souverain, de capacités politiques hors du commun et de la majorité du Parlement. Il peut mener sa politique à sa guise et gouverner sans partage. Il mourra épuisé le 21 mars 1806.

Boulogne, en face de l'Angleterre. Il met au point un plan complet qui prévoit le ralliement rapide de toute la flotte française à Brest afin de bloquer la flotte anglaise pour réussir le premier débarquement depuis 1066. Ce plan audacieux présente une faille, la faiblesse de la marine française depuis Aboukir, en 1798.

L'exécution du duc d'Enghien, au fort de Vincennes. B.N., Paris.

Le camp de Boulogne : préparatifs en vue de l'attaque contre l'Angleterre.

1805

Europe, 8 janvier
La France et l'Espagne signent une convention maritime fixant l'aide navale que cette dernière doit apporter à la France dans la guerre commune contre l'Angleterre. En effet, après une attaque anglaise contre des bâtiments espagnols le 5 octobre 1804, le Premier ministre Godoy a déclaré la guerre à l'Angleterre le 12 décembre.

Italie, 17 mars
La République italienne est érigée en royaume d'Italie, dont Napoléon est le souverain. Royaume héréditaire, l'Italie restera toutefois indépendante. Couronné à Milan le 28 mai, il nomme son beau-fils, Eugène de Beauharnais, vice-roi.

Vienne, 7 avril
Beethoven présente sa *Symphonie n° 3, Héroïque.*

Europe, 11 avril
L'Angleterre et la Russie signent la convention de Saint-Pétersbourg dirigée contre la France, inaugurant ainsi la troisième coalition à laquelle adhèrent la Suède, déjà liée à la Russie par une alliance signée en janvier, et le royaume de Piémont-Sardaigne.

Gênes, 10 juin
L'Assemblée constitutionnelle ratifie l'annexion à l'empire de la Ligurie.

Egypte, juillet
Muhammad-Ali s'empare du pouvoir. →

Europe, 9 août
L'Autriche décide d'adhérer à la coalition antifrançaise.

Europe, 25 août
Napoléon signe avec la Bavière le traité d'alliance de Bogenhausen. Contre une aide en hommes, l'électeur de Bavière obtient le maintien de son trône. Napoléon établit deux autres traités du même type, avec le pays de Bade le 5 septembre et avec le Wurtemberg le 5 octobre.

France, 25 août (7 fructidor an XIII)
Napoléon renverse ses plans de campagne et donne l'ordre à l'armée, installée à Boulogne, de gagner l'Autriche, ce qu'elle commence à faire le 3 septembre.

Bavière, 8 septembre
L'Autriche envahit la Bavière,

s'avance jusqu'à Ulm où elle est arrêtée par la Grande Armée le 8 octobre. Soult occupe Augsbourg le même jour, Ney, vainqueur à Elchingen le 14, obtient la reddition de la garnison d'Ulm le 20.

Trafalgar, 21 octobre
L'amiral anglais Nelson périt tout en triomphant des flottes franco-espagnole. →

Autriche, 14 novembre
Les troupes françaises conduites par Masséna entrent à Vienne.

Autriche, 2 décembre
Victoire de Napoléon à Austerlitz. →

Allemagne, 10 décembre
Dans le cadre des traités de Brünn signés entre Napoléon et les électeurs de Bade, Bavière et Wurtemberg, leurs possessions sont érigées en royaumes.

Prusse et France, 15 décembre
La Prusse, pressée par le tsar, s'était ralliée à la coalition par une alliance secrète, signée à Potsdam le 3 novembre ; mais à l'annonce d'Austerlitz, elle préfère signer immédiatement avec la France le traité de Schönbrunn.

Europe, 26 décembre
L'Autriche signe la paix de Presbourg avec la France.

Italie, 27 décembre
Napoléon proclame la déchéance de la maison de Naples et contraint le roi à la fuite.

France, 31 déc. (10 nivôse an XIV)
Le calendrier républicain est abandonné au profit du calendrier grégorien.

Inde
Le gouverneur général Wellesley étend la domination anglaise sur le Bengale.

Chine
La Chine se ferme aux idées occidentales. →

France
Jacquard présente ses premiers métiers à tisser. →

Brésil
Antonio Francisco Lisboa, dit l'Aleijadinho (« petit estropié ») achève les sculptures destinées à la terrasse de l'église du Bon Jésus de Matosinhos, à Congonhas do Campo, dans la province du Minas Gerais.

Fouché et Talleyrand soutiennent Napoléon

Paris, 1805
« Le vice appuyé sur le crime », dit Napoléon de Talleyrand et Fouché. D'origines sociales très différentes, ils font montre d'une grande capacité d'adaptation politique. Roturier

Portrait de Talleyrand par Pierre-Paul Prud'hon.

Joseph Fouché. Détail d'une miniature de Jean-Baptiste Sambat.

et oratorien de formation, Joseph Fouché (1758-1820) est député en 1792. Régicide et anticlérical, il opère une cruelle répression à Lyon. Promu ministre de la Police sous le Directoire, il laisse faire le coup d'Etat. Bonaparte le maintient dans sa charge où il montre une grande efficacité. Disgracié en 1802 pour ne pas avoir soutenu le Consulat à vie,

il est réintégré dans ses fonctions en 1804. A sa rigueur s'opposent la finesse et l'habileté de Charles Maurice de Talleyrand-Périgord (1754-1838), issu de l'aristocratie et voué malgré lui à l'Eglise. Son opportunisme sert sa passion de l'argent et des femmes. Député en 1789, l'évêque d'Autun mène le clergé constitu-

tionnel et est désavoué par le pape. Profitant d'une mission à Londres, il émigre aux Etats-Unis. Il devient ministre des Relations extérieures du Directoire et prépare le 18 brumaire. Négociateur de traités de Bonaparte, il est nommé grand chambellan en 1804. Fouché et Talleyrand se détestent, mais travaillent tous deux à la prospérité de l'Empire.

Muhammad-Ali libéré de la tutelle du sultan

Le Caire, juillet 1805
Aux ulémas réunis au domicile de Muhammad-Ali, l'envoyé du sultan donne lecture d'un firman (édit) impérial : « La Sublime Porte approuve le choix fait par les ulémas en la personne de Muhammad-Ali et déclare Ahmet Pasha Khurshid relevé

Muhammad-Ali, « vice-roi » d'Egypte.

de ses fonctions... » Pour la première fois dans l'histoire de l'empire, le sultan est dans l'obligation d'entériner une décision prise en dehors de lui et même contre lui. Un mois plus

tôt, à une délégation venue l'informer de sa destitution et de son remplacement par Muhammad-Ali, le vice-roi avait répondu : « Je suis vice-roi d'Egypte en vertu des titres qui m'ont été conférés par le sultan. Je ne reconnais pas une destitution prononcée par des fellahs. » Avec une garde de quinze cents hommes, Khurshid s'était ensuite enfermé dans la citadelle du Caire d'où il bombardait la population. A la tête de trois cents hommes, Muhammad-Ali était venu en Egypte pour participer à l'action ottomane contre la présence française. Son trait de génie fut alors de constater l'émergence, sur la scène publique, d'un élément nouveau. Pendant l'occupation française, la population du Caire s'était soulevée à deux reprises, une première fois en octobre 1799 et une seconde en mars-avril 1800. Pourquoi, sortie de sa torpeur, cette population ne ferait-elle pas une troisième révolution, cette fois contre le pouvoir établi par le sultan ? De ce peuple du Caire, Muhammad-Ali fit son parti et son instrument, contre les Osmanlis d'abord, contre les mamelouks ensuite, contre ses propres troupes albanaises enfin. Depuis trois siècles, l'Egypte attendait un maître qui s'identifiât réellement à elle. L'ayant enfin trouvé, elle lui donnera les moyens de ses ambitions.

Le soleil se lève à Austerlitz pour Napoléon

Austerlitz, 2 décembre 1805

Victorieux à Ulm où il a capturé la moitié des forces autrichiennes, Napoléon entend remporter une victoire décisive. Il s'installe à Brünn pour préparer sa campagne. Il doit combattre les 90 000 hommes de François II et du tsar, qui ont fait leur jonction. De son cantonnement, Napoléon étudie le terrain. À l'ouest du village d'Austerlitz, s'élève le plateau de Pratzen qui surplombe des étangs gelés. L'empereur veut attirer les coalisés sur la colline de Pratzen et, anticipant leur résolution de lui couper la route de Vienne, les forcer à quitter ces hauteurs stratégiques en divisant leur armée. Le 30 novembre, les Alliés sont à Austerlitz et Napoléon place ses 73 000 hommes. Le gros des troupes, avec Soult, fait face au plateau ; au nord, Lannes dirige l'aile gauche chargée de contenir le Russe Bagration. L'aile droite, volontairement faible pour pousser l'ennemi à l'attaque, est confiée à Davout. Napoléon et sa garde, en retrait, n'interviendront que pour l'assaut final. Le 2 décembre à l'aube, les Alliés tombent dans le piège. Les Austro-Russes se portent contre Davout, tandis que Soult se rend maître du plateau et repousse la garde du tsar. Bagration, encerclé par Lannes, est immobilisé. L'armée des coalisés tout entière est bloquée par les deux ailes françaises. Des soldats tentent de s'échapper par les étangs gelés et périssent noyés. Les Alliés perdent plus de 30 000 hommes contre 7 000 du côté français. La brillante tactique de Napoléon a pallié la faiblesse de ses effectifs. L'Autriche demande l'armistice. La 3ᵉ coalition est dissoute. Par la paix de Presbourg, signée 24 jours plus tard, l'Autriche cédait à la France la Vénétie et à la Bavière le Tyrol et le Trentin.

L'amiral Nelson meurt vainqueur à Trafalgar

Cap Trafalgar, 21 octobre 1805

À bord de son navire amiral, le *Victory*, le commandant de la flotte anglaise en Méditerranée, Horace Nelson, est en train de remporter une victoire éclatante sur la flotte franco-espagnole de l'amiral Villeneuve. Inférieurs en nombre, les vingt-sept navires anglais manœuvrent si bien qu'ils anéantissent plus de la moitié de l'escadre adverse : dix-huit navires sur trente-trois. Les pertes en vies humaines atteignent 4 000 hommes d'un côté et seulement 450 chez les Anglais. Nelson peut être satisfait, quand un éclat d'obus le touche mortellement à la colonne vertébrale. L'Angleterre a perdu son héros. Né en 1758, il s'est embarqué dès l'âge de douze ans à bord du navire d'un oncle. Capitaine à vingt ans, il sillonne les mers lors de tous les conflits. C'est à partir de 1793 qu'il se met en valeur. Blessé en 1794 dans les batailles qu'il mène contre les Français en Méditerranée, il devient contre-amiral. En 1798, si la flotte de Bonaparte en route pour l'Égypte lui échappe un moment, il la rejoint et l'écrase à Aboukir. En 1799, il sauve le trône des Bourbons de Naples, et en même temps sa passion amoureuse, Lady Hamilton. Vainqueur de la flotte danoise en 1801, il retrouve la flotte française devant Cadix où Villeneuve s'est réfugié après la bataille des Quinze-Vingts. Celui-ci devait, en 1804, entraîner la flotte anglaise dans l'Atlantique et revenir avant elle pour bloquer la Manche et assurer le débarquement de la Grande Armée en Angleterre. Mais Nelson ne se fit pas prendre à ce jeu et attendit les Franco-Espagnols. Le malheureux Villeneuve, assailli par un télégramme comminatoire de Napoléon lui enjoignant de gagner Brest, se jeta dans le piège tendu par l'amiral. Cette victoire assure à l'Angleterre la maîtrise absolue des mers.

Napoléon conduisant la bataille d'Austerlitz. Papier peint. Début XIXᵉ siècle.

La flotte britannique à Trafalgar. Détail. Peinture de Nicolas Pocok.

Maine de Biran tente de réfuter Kant

Paris, 1805

Le philosophe Maine de Biran (né à Bergerac en 1766), dont l'ouvrage l'*Influence de l'habitude sur la faculté de penser* a été couronné par l'Institut il y a trois ans, publie un mémoire sur la *Décomposition de la pensée*. L'auteur y décrit le fonctionnement de l'esprit, non plus sur le modèle de Kant qui, s'inspirant des raisonnements mathématiques et physiques, mettait en évidence une pensée pure, soustraite à l'influence des sens, mais en établissant un lien entre l'activité volontaire et la conscience. En effet, l'analyse de l'effort moteur volontaire révèle l'existence d'un « sens intime », perception subtile dont la portée dépasse les simples faits de conscience établis par l'empirisme. Maine de Biran mourra à Paris en 1824, laissant inachevés les *Nouveaux Essais d'anthropologie* qui l'orientent vers un certain spiritualisme mystique.

La Chine se ferme aux idées occidentales

Chine, vers 1805

Les relations de la Chine de Jiaqing avec l'Occident se dégradent parallèlement à la situation intérieure du pays. Le règne de Kangxi (1661-1723) et la première partie de celui de Qianlong (1735-1796) avaient pourtant vu se manifester un intérêt réel et réciproque entre les deux civilisations, concrétisé par l'intervention des jésuites dans de nombreux domaines des arts et des sciences. Mais, au début du XIXᵉ siècle, l'orthodoxie de pensée revient en force et le pays se replie sur lui-même. Dans les milieux lettrés, persuadés de l'autosuffisance économique et de la supériorité intellectuelle de leur pays, l'intérêt pour l'Occident s'émousse. Les relations intellectuelles égalitaires du XVIIIᵉ siècle vont se transformer, au XIXᵉ, en une véritable aliénation économique.

Jacquard perfectionne le métier à tisser

France, 1805

Joseph Marie Jacquard (1752-1834), fils d'un ouvrier tisserand lyonnais, s'intéresse très tôt au tissage. Après un long apprentissage, il décide de résoudre le problème des tissus façonnés. Des « tireurs de lacs » soulevaient alors les fils de chaîne entre lesquels on passait les fils polychromes du dessin. Il construit une première machine qu'il fait breveter en 1801. En 1805, il met au point un système qui améliore le métier automatique en lui adjoignant un dispositif de cartons perforés dont le rôle est de déterminer l'exécution du dessin. Ainsi, les étoffes décorées pourront être fabriquées par un seul ouvrier, au lieu de cinq auparavant. Soutenu par le gouvernement impérial, son métier se répand (11 000 unités en 1812, 20 000 en 1833), mais est violemment combattu par les ouvriers.

Métier à tisser de Jacquard. Musée des Arts et Métiers, Paris.

1806

Afrique australe, 7 janvier
La flotte anglaise s'empare de la colonie hollandaise du Cap. →

Angleterre, 23 janvier
Le Premier ministre William Pitt meurt. Le gouvernement est dirigé par Lord Grenville et Lord Fox.

France, 13 février
Napoléon rompt avec Pie VII à la suite des réserves énoncées par le pape à propos du « catéchisme impérial » qui sera proclamé le 4 avril et qui fait de Napoléon le « ministre de Dieu sur terre ».

Europe, 15 février
Signature du traité de Paris entre la France et la Prusse. Cette dernière est contrainte à accepter la fermeture de ses ports aux marchandises anglaises. L'Angleterre déclare la guerre à la Prusse.

Paris, 26 février
Début de la construction par Chalgrin de l'Arc de Triomphe de l'Etoile commandé par Napoléon en l'honneur de la Grande Armée.

Amérique espagnole, février
Le général Francisco Miranda tente de se rendre maître du Venezuela.

Paris, 18 mars
Création des conseils de prud'hommes.

Italie, 30 mars
Napoléon nomme son frère Joseph roi de Naples.

Europe, 31 mars
Une loi organise la « famille impériale ». →

France, 22 avril
Réorganisation de la Banque de France. Son gouverneur sera désormais nommé par l'Etat.

France, 10 mai
Une loi fonde l'université de France.

Angleterre, 16 mai
Le Conseil des ministres anglais décrète le blocus des côtes européennes de Brest à Hambourg.

Hollande, 5 juin
La République batave est transformée en royaume de Hollande, confié à Louis Bonaparte.

Allemagne, 12 juillet
Création de la confédération du Rhin.

Europe, 24 juillet
La Prusse et la Russie signent une convention antifrançaise. Toutefois, la Russie signe de son côté un accord avec la France, lui accordant la possession du port de Cattaro, en Illyrie, le 20 juillet.

Allemagne, 1er août
Napoléon notifie à l'empereur François II la fin du Saint Empire romain germanique. Celui accepte l'ultimatum le 6 août et abdique.

Amérique espagnole, 12 août
Les Anglais, après s'être emparés de Buenos Aires le 27 juin, en sont chassés.

Prusse, 9 septembre
La Prusse mobilise et envahit la Saxe le 12. Le 26, elle lancera un ultimatum à la France lui enjoignant de quitter la rive droite du Rhin.

Angleterre, 13 septembre
La mort du ministre des Affaires étrangères anglais Fox interrompt la mission de Lord Yarmouth chargé de négocier la paix avec la France depuis le mois de mars.

Prusse, 14 octobre
Napoléon bat les Prussiens à Iéna et Davout fait de même à Auerstedt. →

Berlin, 21 novembre
Napoléon institue par décret le Blocus continental. →

France, 10 décembre
Le Grand Sanhédrin, institution officielle de la communauté juive, est créé. Il fait suite à la réunion de cent onze représentants des communautés juives de France et d'Italie qui a eu lieu le 30 mai à Paris. Il marque la reconnaissance du caractère français des Juifs de l'empire. En 1807-1808, il obtiendra l'édification d'une synagogue par communauté départementale de plus de 2 000 fidèles, avec, à Paris, un consistoire central.

Empire ottoman, 12 décembre
Les Serbes chassent les Turcs de Belgrade.

Empire ottoman, 30 décembre
Les Ottomans déclarent la guerre à la Russie. Les Russes occupent Bakou.

Angleterre
L'amiral Francis Beaufort (1774-1857) met au point une échelle graduée pour mesurer la vitesse des vents.

Les Bonaparte sur les trônes d'Europe

France, 31 mars 1806
En plaçant les membres de sa famille sur des trônes parfois anciens, mais le plus souvent de création récente, Napoléon achève de construire une monarchie impériale à l'échelle de l'Europe. Il édicte une loi le 31 mars pour organiser la « famille impériale ». Un dernier pas, et Napoléon pratiquera une politique matrimoniale destinée à contrôler, toujours plus, le Vieux Continent.

Joseph, roi de Naples

-Joseph (1768-1844), l'aîné, épouse en 1794 Julie Clary, fille d'un riche négociant. Il est nommé roi de Naples en 1806 et, pour asseoir sa popularité, exerce une politique libérale en modernisant l'administration et en supprimant les vestiges de la féodalité. Sa nomination au trône d'Espagne provoque la guerre civile, mais il reste roi jusqu'en 1813.

Lucien, prince de Canino

-Lucien, (1775-1840), prince de Canino, appartient au Conseil des Cinq-Cents en 1795 et prépare le coup d'Etat. Ambitieux, intelligent et sans scrupules, il se dispute avec son frère en 1804, après avoir refusé de faire annuler son mariage avec Alexandrine Jouberthon. Capturé par les Anglais en 1810, il ne peut regagner Rome qu'en 1814.

Elisa, grande duchesse de Toscane

-Elisa, (Maria-Anna) (1777-1820) épouse en 1797 le capitaine corse Félix Bacciochi. Efficace et active, elle administre avec tact et fermeté les principautés de Lucques et de Piombino confiées par l'empereur en 1805. En récompense, elle reçoit le titre de grande-duchesse de Toscane en 1809, et gouverne les Etats toscans réunis à la France.

Louis, roi de Hollande

-Louis, (1778-1846), ombrageux et susceptible, a épousé Hortense de Beauharnais, en 1802. Nommé roi de Hollande en 1806, il se comporte en souverain autonome et entre en conflit avec l'empereur pour ne pas appliquer le blocus avec assez de rigueur. En février 1810, il abandonne à l'empire le Brabant et la Zélande. Il abdique en juillet.

Pauline, princesse Borghèse

-Pauline, (Marie-Paulette) (1780-1825) est réputée pour sa grande beauté. Elle est très proche de Napoléon qui la sait incapable d'administrer un Etat. Elle épouse en 1797 le général Leclerc, puis provoque un scandale en posant nue. En 1803, elle se marie au prince Camille Borghèse, doté d'une grosse fortune, promu prince-duc de Guastalla en 1806.

Caroline, duchesse de Berg

-Caroline, (Marie-Annonciade) (1782-1839) satisfait ses ambitions grâce à son charme et son intelligence. Elle a un grand ascendant sur le général Murat qu'elle a épousé en 1800. Nommée duchesse de Berg et de Clèves en 1805, puis reine de Naples en 1808, elle pousse Murat à s'allier avec l'Autriche en 1814 pour garder sa couronne, en vain.

Jérôme, roi de Westphalie

-Jérôme, (1784-1860), maréchal de France, est promu roi de Westphalie en 1807. Il se remarie avec la princesse Catherine de Wurtemberg. De caractère fantasque, il est incapable de gouverner ; il laisse impunément les Français piller son Etat et doit abdiquer en 1813, puis se réfugier à Trieste en 1815, où il demeure jusqu'en 1848.

La Prusse est battue à Iéna et Auerstedt

Prusse, 14 octobre 1806

Les troupes françaises sont menées à marche forcée par l'empereur jusqu'en Saxe, où il descend le cours de la Saale. La rapidité de cette avance surprend les 153 000 Prussiens, car elle leur barre la route de Dresde et de Berlin. De leur côté, Brunswick et le prince Hohenlohe se regroupent à Weimar pour attaquer les 135 000 Français de flanc. Mais Napoléon décide d'anéantir les Prussiens par une tactique enveloppante ; il établit son quartier général dans la forteresse d'Iéna. Il dépêche Ney au sud et Davout au nord pour qu'ils se rabattent sur l'adversaire. Inquiète des opérations impériales, l'armée prussienne se scinde en deux le 13 octobre. Tandis qu'Hohenlohe reste à Weimar, Brunswick et le roi tentent de gagner Leipzig par le nord. Le 14, la bataille d'Iéna s'engage par une fusillade déclenchée par Hohenlohe, à laquelle les Français répondent mollement. Les Prussiens s'essoufflent au moment même où l'armée française se déploie. Ils reculent et laissent sur le champ de bataille plus de 12 000 tués ou blessés. Triomphant, l'empereur investit Weimar. Cependant, toute l'armée prussienne n'est pas encore vaincue car, au nord, les 28 000 hommes de Davout se heurtent aux 65 000 soldats de Brunswick. Courageusement, Davout se lance dans le combat, où Brunswick trouve la mort. Affolé, le roi commande la retraite, et les Français enlèvent Auerstedt. La victoire de Davout, qui sera fait duc d'Auerstedt, achève de détruire l'armée prussienne, et Napoléon peut rentrer à Berlin le 27 octobre.

L'entrée de Napoléon Ier à Berlin par la porte de Brandebourg, le 20 octobre 1806. Dessin de Ludwig Wolf. Musée de Berlin-Est.

Heidelberg, capitale du romantisme allemand

Heidelberg, 1806

Le poète Clemens Brentano et l'écrivain Achim von Arnim concentrent à Heidelberg, où ils fondent le *Journal des ermites*, l'intérêt d'une seconde génération de jeunes romantiques ralliés à l'idéal d'une poésie et d'une culture populaires. Brentano écrit la *Chronique d'un écolier vagabond*, où il ressuscite le ton des récits populaires médiévaux, tandis que von Arnim laisse s'exprimer dans ses premiers romans une fantaisie turbulente. Les deux poètes publient les premiers volumes du *Cor merveilleux*, un recueil de romances et de ballades inspirées de chants populaires, dont Goethe appréciera la liberté d'invention par rapport aux textes originaux. Au groupe de Heidelberg se joindra l'écrivain Joseph von Görres, propagandiste révolutionnaire, éditeur de *La Feuille rouge*. Görres donnera un ouvrage sur les livres populaires allemands, suivi d'un *Lohengrin*.

Napoléon décrète le Blocus continental

Berlin, 21 novembre 1806

L'avance industrielle de l'Angleterre et l'importance de ses exportations vers Europe accréditent l'idée d'un blocus commercial à son encontre pour l'anéantir. Après la défaite de la marine française à Trafalgar, Napoléon est convaincu que seul un blocus étendu à l'ensemble de l'Europe peut être fatal à la vie économique anglaise, en créant une crise de surproduction. La mesure était à l'étude lorsque, le 6 mai 1806, un ordre du Conseil britannique déclare le blocus de tous les ports, de l'Elbe à Brest. Napoléon n'hésite pas. Le 21 novembre, il réplique en signant le décret de Berlin qui instaure le Blocus continental, en réponse au blocus maritime anglais, et ferme les ports aux marchandises et navires britanniques. La suzeraineté française sur de nombreuses côtes européennes s'étant encore accrue depuis la reddition de la Prusse, l'Europe entière est concernée par cette mesure.

L'entrée des Français à Varsovie

L'entrée des Français à Varsovie, novembre 1806. B.N., Paris.

Les Anglais occupent la ville du Cap

Le Cap, 7 janvier 1806

Déjà « prise sous la protection » de l'Angleterre de 1795 à 1803, la colonie hollandaise du Cap est occupée par la marine britannique. Il s'agit pour les Anglais, qui viennent de détruire définitivement la flotte française à Trafalgar, d'assurer la protection des routes commerciales avec les Indes. La République batave, alliée de la France, perd une nouvelle fois cette colonie de peuplement forte de 22 000 Blancs, descendants de Hollandais et de huguenots français installés au cours du XVIIe siècle. A leurs côtés, autant d'esclaves et le peuple voisin des Khoisans. La colonie est gouvernée par un Sénat de six membres, trois bourgeois et trois fonctionnaires de la Compagnie néerlandaise des Indes orientales, puis du Colonial Office britannique. La domination anglaise suscite l'opposition de nombreux fermiers. Trois rébellions ont déjà eu lieu lors de la première occupation, en 1795, 1799 et 1801. En 1799, les fermiers se sont même alliés avec les tribus noires du peuple Xhosa. Les gouverneurs anglais ont introduit des réformes en matière d'éducation et de religion. La souveraineté anglaise sera confirmée en 1814 lorsque la Hollande cédera la colonie pour 6 millions de livres.

Mort d'Utamaro, un maître de l'estampe

Japon, 1806

Kitagawa Utamaro (né en 1753) est l'un des maîtres de l'estampe japonaise de la fin de l'époque d'Edo. Il est à l'origine d'une école de peinture traditionnelle, connue au Japon sous le nom de Kitagawa. Utamaro, au début de sa carrière, gagne sa vie en dessinant des illustrations pour romans populaires et des ouvrages licencieux et il se taille une réputation pour sa maîtrise dans les descriptions rigoureuses des paysages ou des éléments naturels. Ses œuvres de l'époque 1785-1790, *Le Livre des insectes* et *Dons de la marée basse* témoignent de son don d'observation. Par la suite, à l'instar de Harunobu (1724-1770), il s'intéresse à la représentation de la beauté féminine. Il s'installe à proximité des quartiers de plaisir et son talent finit par éclater dans les estampes représentant la vie des courtisanes, au point qu'il marque fortement le style Ukiyoe (« images du monde flottant »). La fascination qu'exercent sur lui les visages féminins transparaît dans ses *bijins*, portraits de jeunes femmes, qui concrétisent l'idéal de beauté de l'époque. Visages fins et gracieux. En 1804, il est emprisonné pour l'une de ses œuvres, *Les Cinq Courtisanes du ministre*, considérée comme une satire outrageuse. Utamaro meurt peu après, en 1806. Parmi ses œuvres les plus célèbres, notons *Dix Etudes de physiognomonie féminine, Douze Heures des quartiers de plaisir* et *Le Cadran solaire des jeunes filles*.

Kitagawa Utamaro. Yama Uba allaitant Kintoki. Estampe.

1807

Paris, 4 janvier
Visite de Napoléon à l'atelier du peintre David, qui vient d'achever sa monumentale composition du *Sacre de l'Empereur* commencée le 21 décembre 1805.

Europe, 28 janvier
L'Angleterre et la Prusse signent la paix de Memel par laquelle la Prusse renonce au Hanovre et rétablit la liberté de commerce pour les marchandises anglaises.

Prusse, 8 février
Bataille indécise à Eylau. →

Paris, 17 février
Le compositeur Etienne Méhul présente son opéra *Joseph*.

Europe, 19 février
L'Espagne adhère au Blocus continental.

Angleterre, 2 mars
L'Angleterre interdit la traite des Noirs, décision qui sera confirmée en 1813.

Empire ottoman, 25 mai
Une révolte des janissaires conduit à la déposition de Sélim III et à son remplacement par Mustapha IV.

Prusse, 14 juin
Napoléon remporte la bataille de Friedland. →

France, 4 juillet
A la suite d'un article paru dans le *Mercure*, François-René de Chateaubriand est contraint à s'exiler « à deux lieues au moins » de Paris. C'est alors qu'il achète une « chaumière » à Châtenay, dans la Vallée-aux-Loups.

Amérique espagnole, 5 juillet
Après avoir pris Montevido le 3 février, les Anglais échouent devant Buenos Aires.

Tilsit, 7 juillet
Après une négociation entamée le 25 juin, Napoléon et le tsar Alexandre Ier signent un traité de paix et d'alliance, complété le 9 par un accord franco-prussien. →

Prusse, juillet
Les ministres Gneisenau et Scharnhorst réorganisent l'armée prussienne. Leur tâche s'achèvera en 1808. →

Paris, 9 août
A la suite de désaccords grandissants avec l'Empereur en matière

de politique internationale, Talleyrand doit abandonner son portefeuille de ministre et reçoit le titre de vice-grand électeur.

France, 19 août
Le Tribunat est supprimé.

Prusse, septembre
Renvoyé le 3 janvier 1807 par Frédéric-Guillaume III, Karl von Stein est rappelé sur intervention de la reine, avec l'accord implicite de Napoléon qui voyait dans ses qualités d'organisateur une garantie quant au paiement des dettes de guerre par la Prusse.

Danemark, 2-7 septembre
Après avoir été contraint d'adhérer au Blocus continental, le Danemark essuie un bombardement anglais sur Copenhague et s'allie à la France le 30 octobre.

France, 16 septembre
La Cour des comptes est rétablie. Auparavant, le 28 août, un Code du commerce a été promulgué.

Prusse, 9 octobre
Stein inaugure les grandes réformes qui allaient faire de la Prusse un Etat moderne, notamment la suppression du servage et l'abolition des privilèges nobiliaires.

Europe, 27 octobre
La France et l'Espagne se partagent le Portugal au traité de Fontainebleau. →

Europe, 7 novembre
A la suite du traité de Tilsit, l'alliance anglo-russe est rompue. Le 11 novembre, l'Angleterre étend les limites de son blocus aux côtes russes et menace les pays neutres de représailles s'ils refusent de se soumettre à un contrôle.

Portugal, 30 novembre
Junot entre à Lisbonne. →

Etats-Unis d'Amérique, 22 décembre
Le Président Thomas Jefferson met l'embargo sur la navigation anglaise.

Berlin
Publication en un volume, sous le titre de *Discours à la maison allemande*, des quatorze leçons données par le philosophe Fichte à l'Université au cours des années 1807-1808. →

Bamberg
Publication de *La Phénoménologie de l'esprit* de Hegel. →

La Russie cède à son tour devant Napoléon

Friedland, 14 juin 1807
En battant l'armée russe le 14 juin à Friedland, en Prusse orientale, Napoléon vient à bout de la quatrième coalition. La guerre contre la Russie a débuté juste après les défaites prussiennes de novembre 1806. En plein hiver, Napoléon mène une première offensive au nord de Varsovie. Le 26 décembre, les deux armées se font face à Pulstuck ; bataille indécise, au cours de laquelle les Français parviennent néanmoins à affaiblir leurs adversaires, avant de se replier en direction de la Vistule. Le général russe Bennigsen décide de se porter en Prusse orientale. Le 3 février 1807, Russes et Français se retrouvent dans la région de Königsberg et, le 7, s'affrontent à Eylau. Après de violents combats dans la neige et la boue qui font plus de 30 000 victimes, Davout perce les lignes russes, sans pouvoir arracher la victoire. Napoléon fait appel à ses réserves. Le 20 mai, le maréchal Lefebvre prend Dantzig, relais commercial de l'Angleterre en Baltique et centre de liaison entre les coalisés. Pour sauver la citadelle de

Napoléon à la bataille de Friedland. Détail. Peinture d'Horace Vernet.

Königsberg qui risquait de connaître le même sort, Bennigsen reprend l'offensive mais, le 10 juin, il doit abandonner la place forte de Heilsberg. Il prend alors position à Friedland et, le 14 juin, se heurte à Lannes bientôt rejoint par Napoléon et Ney avec trois corps d'armées. Acculé au fleuve, Bennigsen, avec les débris de son armée, s'enfuit vers Tilsit, poursuivi par les troupes françaises.

Napoléon sur le champ de bataille d'Eylau, le 7 juin 1807. Peinture d'Antoine Gros. 1808. Louvre, Paris.

La Prusse vaincue s'engage dans la voie des réformes

Prusse, juillet 1807
La Prusse vivait dans le mythe de Frédéric le Grand. Sûre d'elle-même, elle avait aussi toute confiance en son armée, l'une des premières d'Europe. Or, cette armée n'a pas résisté un mois à l'offensive française. Ce désastre, au lieu de paralyser les volontés, provoque un sursaut national ; un vent de réformes souffle sur le royaume. C'est de l'aristocratie que vient l'initiative. Certains de ses réformateurs sont des Prussiens de vieille souche comme Clausewitz, mais Stein est rhénan, Gneisenau saxon, Scharnhorst vient du Hanovre, Niebuhr du Holstein. Tous, néanmoins, participent du

même esprit. Après Tilsit, Stein présente au roi Frédéric-Guillaume III, qui s'est réfugié à Königsberg, son plan de réformes, le *Mémoire de Nassau*. Par ordonnance, le roi décrète l'abolition du régime féodal, accorde le droit de posséder des terres aux paysans. Stein réorganise l'administration. Il veut réduire la toute-puissance de la bureaucratie en lui associant des représentants de la nation, et souhaite l'élection d'un Landtag. Gneisenau et Scharnhorst sont, quant à eux, chargés des réformes militaires. A l'exemple de la France, ils veulent faire de l'armée une institution véritablement nationale. L'artillerie est reconstituée, l'enseignement des écoles de guerre modernisé. Ces réformateurs, héritiers du despotisme éclairé, en voulant associer la nation à leur effort, tirent les leçons de 1789.

La rencontre de la reine Louise de Prusse et de Napoléon Ier à Tilsit, juillet 1807. Estampe.

Alliance franco-russe à Tilsit

Tilsit, 7 juillet 1807

Après Friedland, les Russes avaient encore les moyens de se battre et leur territoire n'était même pas entamé. Mais, décontenancés, leurs généraux estiment qu'il faut demander l'armistice sans tarder. Le tsar, qui par ailleurs juge insuffisante l'aide apportée par l'Angleterre, accepte aussitôt. Le 25 juin, Alexandre Ier rencontre Napoléon sur le Niémen. Les accords signés le 7 juillet à Tilsit comprennent un traité de paix, un pacte d'alliance ainsi qu'un certain nombre d'articles secrets. La Russie cède à la France Cattaro et les îles Ioniennes acquises par Paul Ier. Elle évacue les provinces danubiennes qu'elle occupait ; la Moldavie et la Valachie redeviennent ottomanes. Le 9 juillet, les deux empereurs règlent également d'un commun accord le sort de la Prusse qui perd tous les territoires qu'elle possédait à l'ouest de l'Elbe et qui constitueront un royaume de Westphalie attribué à Jérôme Bonaparte. Elle perd également ses provinces polonaises qui formeront le grand-duché de Varsovie gouverné par le roi de Saxe. Ces deux nouveaux Etats feront partie de la confédération du Rhin. Dantzig sera érigée en ville libre. Enfin, le tsar devra imposer sa médiation à l'Angleterre afin de la contraindre à restituer les colonies qu'elle occupe et à reconnaître la liberté des mers. En cas d'échec, il s'alliera à Napoléon contre elle.

Hegel publie la "Phénoménologie de l'esprit"

Bamberg, 1807

Le philosophe Friedrich Hegel (né à Stuttgart en 1770), professeur à l'université d'Iéna, publie la *Phénoménologie de l'esprit*, qui consomme sa rupture avec la philosophie romantique. Pour l'auteur, l'évolution de l'esprit humain repose sur une affirmation et un dépassement continuels des états de la conscience. Par ailleurs, ces différents états caractérisent l'histoire en ce que celle-ci est révélatrice de la formation de l'esprit humain, depuis le stade primitif de la sensation suivi de celui de la raison, organisatrice d'un monde objectif soumis à des lois, jusqu'à sa transformation en un degré supérieur : l'esprit moral et la religion. Celle-ci apparaît comme l'étape décisive par laquelle l'esprit absolu accède à une représentation totale de lui-même. La *Phénoménologie de l'esprit*, en mettant en évidence le passage de la conscience commune à la conscience philosophique, révèle la tâche véritable de celle-ci, qui est d'étudier les formes prises par la connaissance humaine dans son cheminement vers l'autocompréhension. Hegel poursuivra son œuvre par la publication de la *Science de la logique* et de l'*Encyclopédie des sciences philosophiques,* qui lui vaudra d'atteindre, avec sa nomination à l'université de Berlin, le sommet de sa carrière professorale. Il mourra du choléra à Berlin, en 1831.

Portrait du philosophe allemand Friedrich Hegel. Collection particulière.

Les vibrants discours de Fichte éveillent la nation allemande

Berlin, décembre 1807

Le philosophe Johann Gottlieb Fichte, qui s'était réfugié au Danemark à la suite de l'occupation d'Iéna, puis de Königsberg par les Français, vient de regagner Berlin où il s'est inscrit à la ligue nationaliste, le « Tugendbund ». Du 15 décembre 1807 au 20 mars 1808, Fichte prononce à l'université quatorze discours par lesquels il exhorte la nation allemande à se relever moralement. Pour réaffirmer sa vitalité, la nation doit former des individus nouveaux et donc réformer le système éducatif. Celui-ci ne doit plus reposer sur une morale utilitaire mais sur la conviction que tout individu, au delà de la recherche du bonheur individuel, est un créateur de valeurs. Les valeurs nouvelles apparaîtront quand l'individu sera guidé tant par la fidélité au devoir que par l'amour divin. C'est à cette condition que le peuple allemand pourra retrouver une claire conscience de la mission humaniste dont il est investi.

Le Blocus continental divise l'Europe

Europe, 1807

Face au blocus, la neutralité est impossible. L'Europe se scinde en deux blocs rivaux autour de la France et l'Angleterre. La puissance territoriale de Napoléon est renforcée par ses bonnes relations avec le Danemark, l'Autriche et la Russie, qui semblent respecter le décret de Berlin. A l'été 1807, l'Angleterre a vu le volume de ses exportations s'effondrer de 20 %. Seules ses relations privilégiées avec le Portugal, grande puissance coloniale, et son entente avec la Sicile et la Sardaigne, qui assure sa présence en Méditerranée, lui permettent de tenir. Mal ressenti par les populations, le blocus pousse la France et l'Angleterre à l'escalade et les force à étendre leur influence. Le gouvernement britannique envoie ses troupes au Danemark, s'empare d'Hélgoland en novembre et s'ouvre la mer Baltique. Au même moment, la France pénètre au Portugal, allié privilégié des Anglais. Napoléon édicte le décret de Milan en décembre, par lequel il ordonne un blocus rigoureux de l'Angleterre.

Caricature française sur le Blocus continental. Vers 1806-1807. Gravure rehaussée de couleurs.

Junot et ses troupes entrent au Portugal

Portugal, novembre-décembre 1807

Dès le 29 juillet, un corps expéditionnaire de 25 000 hommes avait été rassemblé à Bordeaux et placé sous le commandement de Junot. Le 12 octobre, il se met en mouvement. S'avançant à marche forcée sur de mauvais chemins, mais ne rencontrant aucune résistance sérieuse, il atteint Lisbonne à la fin du mois de novembre. Le 29, le régent Jean et la cour prennent la fuite et s'embarquent pour le Brésil ; la ville capitule le 30. Le Portugal, dont l'essentiel du commerce se fait avec l'Angleterre, s'était obstinément refusé à appliquer les règles du blocus. Aussi, au lendemain de Tilsit, Napoléon avait pris la décision de conquérir le pays. Le 27 octobre, il signe avec Godoy, le ministre espagnol, le traité de Fontainebleau qui prévoit la future division du pays. Le nord reviendra à la reine d'Etrurie pour son fils, petit-fils de Charles IV d'Espagne, dépossédée de ses Etats en Italie et le sud à l'Espagne, la France se réservant la région de Lisbonne avec la disposition de son port.

1808

Etats-Unis d'Amérique, 1er janvier
Les derniers Etats pratiquant encore la traite des Noirs sont tenus de cesser ce commerce.

Europe, 21 février
La Russie envahit et occupe la Finlande sous domination suédoise.

France, 1er mars
Napoléon crée une noblesse impériale. →

Espagne, 18 mars
Le ministre Godoy est renversé. →

Prusse, 16 avril
Des patriotes allemands fondent le Tugendbund, une association culturelle et scientifique dirigée contre Napoléon. Elle sera dissoute le 31 décembre 1809 par le roi de Prusse.

France, avril
L'amiral Sébastiani, commandant la flotte française en Méditerranée orientale, est rappelé. Il avait réussi à repousser une flotte anglaise qui s'était présentée devant Istanbul le 3 mars 1807. Cette mesure laisse la place libre aux Anglais face aux Ottomans.

Bayonne, 5-6 mai
L'entrevue entre les souverains espagnols et Napoléon se termine par leur abdication forcée.

Espagne, 6 juin
Une junte repliée à Séville déclare la guerre à la France, à l'annonce de la décision de Napoléon de nommer son frère Joseph roi d'Espagne.

Espagne, 22 juillet
Alors que Joseph Bonaparte entre à Madrid le 20 juillet, les patriotes espagnols commandés par le général Francisco Javier Castaños encerclent l'armée française du général Dupont et le contraignent à capituler à Bailen, en Andalousie.

Empire ottoman, 28 juillet
Le sultan Mustafa IV est détrôné par son cousin Mahmut, âgé de vingt-quatre ans.

Amérique espagnole, juillet
Bolivar s'empare du pouvoir à Caracas.

Portugal, 1er août
Le général anglais Wellesley débarque dans le pays et s'avance

jusqu'à Cintra où il contraint le général français Junot à capituler le 30 août.

Algérie, 27 août
La flotte anglaise bombarde Alger.

France, 17 septembre
Promulgation d'un décret portant sur l'organisation de l'Université.

Europe, 12 octobre
Lors de l'entrevue d'Erfurt, qui dura du 27 septembre au 14 octobre, Napoléon et Alexandre Ier se partagent l'Europe. A Napoléon l'Espagne, à Alexandre la Finlande, la Moldavie et la Valachie.

Prusse, 24 novembre
Napoléon obtient le renvoi du ministre Stein qu'il soupçonne d'organiser un soulèvement de la Prusse. Le 19 novembre, la Prusse avait adopté diverses mesures touchant l'organisation municipale, inspirée de Stein.

Espagne, 4 décembre
Napoléon, entré en Espagne le 5 novembre, conquiert Madrid après avoir vaincu les insurgés à Somosierra le 30 novembre.

Allemagne, 22 décembre
Beethoven fait jouer sa *Symphonie n° 6*, dite *Pastorale*.

Serbie, décembre
Karageorges se fait reconnaître prince héréditaire des Serbes par une assemblée populaire.

Londres
Achèvement de la Banque d'Angleterre, œuvre de l'architecte John Soane, commencée en 1788.

Allemagne
Goethe, qui a accepté le 2 octobre la Légion d'honneur de Napoléon, publie la première partie de son *Faust*. Sous l'influence de son amour pour Minna Herzlieb, il écrit *Les Affinités électives*.

Angleterre
Richard Trevithick fait marcher sa seconde locomotive, appelée *Catch me who can* (« M'attrape qui peut ») dans une enceinte fermée et sur des rails circulaires, devant un public curieux mais méfiant.

France
Ses recherches sur l'oxygène et l'hydrogène amènent Gay-Lussac à formuler une loi volumétrique sur les combinaisons gazeuses, qui porte aujourd'hui son nom.

En Espagne, un coup d'Etat met fin au pouvoir de Godoy

Aranjuez, 18 mars 1808
Conduits par le comte de Montijo, des hommes de main venus de Madrid ont semé l'agitation parmi la cour qui réside à Aranjuez et se sont assurés du soutien de l'armée. Le *pronunciamiento* débute dans la nuit du 17 au 18 mars. Les conjurés, favorables au prince Ferdinand soutenu par Napoléon, dirigent l'émeute contre le palais de Godoy, qui est mis à sac. Depuis janvier 1807, le roi Charles IV avait laissé à celui-ci la présidence du Conseil d'Etat, ce qui en faisait le véritable roi. Craignant la tyrannie de Godoy, les traditionalistes et les réformateurs entamèrent alors contre lui une campagne de dénonciation qui fut soutenue par l'Eglise. Devant le succès du coup d'Etat, le roi signe la destitution de Godoy et abdique en faveur de son fils. Issu d'une famille de petite noblesse d'Estrémadure, Godoy avait été nommé Premier ministre par Charles IV (novembre 1792). Il devint l'amant de la reine, Marie-Louise de Parme, qui avait la réputation d'être une coquette intrigante. Son œuvre essentielle fut la formation d'une armée moderne. Il tenta de maintenir l'indépendance de l'Espagne contre les pressions de l'Angleterre et de la France, ce qui lui valut la haine des deux puissances.

La fusillade du 3 mai 1808. Peinture de Goya. 1814. Prado, Madrid. Œuvre vengeresse célébrant la résistance des Madrilènes à l'occupation française.

L'Espagne se soulève contre les Français

Madrid, 2 mai 1808
Mécontente de l'occupation des troupes napoléoniennes, refusant de laisser partir l'infant don Francisco et l'ex-reine d'Etrurie pour Bayonne et ne voulant pas reconnaître Charles IV qui avait annulé son abdication, la junte de gouvernement laisse se développer l'agitation pendant que Ferdinand VII négocie avec l'empereur. A Madrid, le 2 mai, une émeute éclate : l'artillerie tire sans sommation sur la foule. Avec l'appui d'unités militaires, cette émeute devient une véritable insurrection : c'est le fameux « Dos de Mayo ». La répression du général Murat est terrible : fusillades, pillages et viols. Charles IV cède son trône à Joseph Bonaparte. Il s'ensuit un soulèvement du peuple espagnol auquel se mêlent l'Eglise, la noblesse et les libéraux appuyés par l'Angleterre. Des juntes se constituent partout ; celle de Séville se proclame « junte suprême d'Espagne et des Indes » et lance un appel à la résistance.

Le médecin allemand Franz Joseph Gall invente la phrénologie

Paris, 1808
Chassé de Vienne, Franz Joseph Gall se fixe à Paris, où, en 1808, il fait paraître son livre *Fonctions du cerveau* qui décrit la cranioscopie. Cette science doit reconnaître les instincts, les talents et les dispositions morales des hommes par la configuration de leur cerveau. Gall propose donc de rapporter les fonctions psychologiques à l'organisation du cerveau. Cette intuition aurait pu s'avérer féconde si Gall n'avait pas voulu fonder une pseudo-science. Toutefois, le public l'accueille bien et admire les trente-sept organes que Gall identifie dans le cerveau et qui ont chacun une fonction précise : amour, haine, mémoire... La phrénologie, comme la nomme son disciple G. Spurzheim en 1810, ne survit pas à son fondateur, rapidement balayée par la physiologie et la psychologie moderne. Mais Gall reste un pionnier, malgré ses vues erronées sur la détermination physique de l'intelligence.

Les idées du comte de Saint-Simon pour un monde meilleur

Paris, 1808

L'économiste Claude Henri de Rouvroy, comte de Saint-Simon (né à Paris en 1760) cherche à fonder la politique comme science. Il révèle l'inutilité des classes dirigeantes actuelles, dont l'origine est militaire, et estime que l'avenir dépend de l'organisation scientifique d'un monde meilleur, assurée par les savants, les banquiers, les industriels, dont les intérêts seraient harmonisés avec ceux des ouvriers. Estimant urgente la tâche de promouvoir un renouvellement des élites dirigeantes, Saint-Simon publiera en 1814 *De la réorganisation de la société européenne* ou *De la nécessité et des moyens de rassembler les peuples de l'Europe en un seul corps politique, en conservant à chacun sa nationalité,* qui tentera d'apporter la philosophie capable de rallier les esprits à ce monde réformé.

Charles Fourier, réformateur social

Lyon, 1808

C'est dans un écrit anonyme que Charles Fourier expose son projet de réforme sociale. L'ouvrage s'intitule *Théorie des quatre mouvements* et critique le mécanisme civilisé dont les fondements sont le commerce et le mariage. Suivant la méthode inductive propre aux sciences physiques, l'auteur pense que l'attraction universelle qui régit le monde planétaire doit exercer sa force sur le mouvement social. Pour lui, le moteur secret des sociétés est la loi de « l'attraction passionnée ». La société nouvelle sera donc mue par un libre développement des passions utilisées dans des structures complexes. A titre d'expérience, Fourier propose un ordre social modèle qu'il appelle « phalanstère », groupe de producteurs vivant en autarcie, et dont les principes de base sont l'association pour la production, la consommation et l'éducation collective des enfants. Né en 1772, il mourra à Paris en 1837 sans avoir réalisé son projet.

Antonio Canova. Pauline Bonaparte, princesse Borghese. 1808. Marbre. Galerie Borghese, Rome. Œuvre représentative du style néo-classique.

Le néo-classicisme en sculpture avec Canova

France, 1808

Vénitien né en 1757, Canova a d'abord été peintre. Son séjour à Rome lui fait découvrir la sculpture grecque et l'esthétique néo-classique. Sculpteur officiel de l'Europe napoléonienne, il est l'auteur de monuments funéraires inspirés des sarcophages antiques, de bustes et de statues. Son *Napoléon Bonaparte* exalte l'énergie et la force héroïque ; *Pauline,* sœur de l'empereur, figure une Vénus victorieuse. Si Canova se veut un pur classique, son tempérament, baroque, et sa sensibilité le préservent de toute froideur, comme en témoigne le groupe *L'Amour et Psyché.*

Napoléon dote la France d'une nouvelle noblesse

Paris, 1er mars 1808

Avec les titres de princes et princesses des Bonaparte et les dotations importantes versées aux militaires depuis 1804, une nouvelle aristocratie s'ébauche, qui répond au besoin d'apparat de l'empire. Le sénatus-consulte du 1er mars 1808 systématise ces mesures ponctuelles et hiérarchise rigoureusement les divers titres de duc, comte, baron et chevalier. Chaque fonction civile confère automatiquement une dignité nobiliaire précise qui rompt avec le caractère féodal de l'Ancien Régime : les maires et évêques sont barons, les ministres comtes... Mais Napoléon se réserve l'initiative de certains anoblissements. Cette nouvelle noblesse se compose à 59 % de militaires et à 22 % de hauts fonctionnaires. Seule la titulature impériale est légale et, selon les vœux de l'empereur, l'ancienne aristocratie s'intègre facilement en cumulant les titres ; nombre de ses membres se rallient donc à Napoléon.

L'Arc de triomphe du Carrousel à Paris célèbre les victoires de l'Empire. 1806-1808. Œuvre de Percier et Fontaine.

Napoléon remodèle le paysage parisien

Paris, 1808

« L'empereur a voulu que sa capitale, devenue la première capitale de l'univers, répondît par son aspect à une si glorieuse destination. » Cette préoccupation clairement exprimée d'urbanisme se traduit dans les faits beaucoup moins par la construction d'édifices nouveaux que par un réaménagement plus rationnel du site parisien. Rare exception à cette règle, la Bourse d'Alexandre Brongniart. Le premier souci des architectes et des conseillers de Napoléon, Percier, Fontaine et Denon, est de mettre en valeur les monuments déjà existants grâce à de larges dégagements et à d'amples perspectives. On détruit beaucoup durant toutes ces années : la forteresse du Châtelet, les anciens séminaires de Saint-Sulpice sont abattus au profit de places nouvelles. Le vieux quartier entre le Louvre et les Tuileries est démoli et la place du Carrousel créée. Un grand axe est-ouest est percé entre les Tuileries et la Bastille : la rue de Rivoli. Les rives de la Seine sont aménagées et 3 km de quais construits. Quatre nouveaux ponts sont mis en chantier : les ponts Saint-Louis, des Arts, d'Iéna et d'Austerlitz. Poyet reconstruit la façade du Palais-Bourbon pour faire pendant à la Madeleine dans la perspective de la rue Royale. Le grand projet du règne, la construction du palais du roi de Rome sur la colline de Chaillot et l'édification de nouveaux quartiers dans la plaine de Grenelle, ne sera pas réalisé.

L'Anglais Cayley invente le planeur

Après les plans d'un hélicoptère, George Cayley (1773-1857) construit en 1808 un planeur à l'échelle humaine, qui vole effectivement mais sans passager, posant ainsi les principes de l'aéroplane.

Le planeur triplan avec lequel George Cayley tenta de faire voler un jeune garçon en 1845.

1809

Espagne, 17 janvier
Napoléon décide de rentrer en France après avoir poursuivi les Anglais du général Moore jusqu'à La Corogne, où ils ont pu toutefois rembarquer.

France, 28 janvier
Ayant intrigué contre l'empereur avec Fouché, Talleyrand tombe en disgrâce. Toute fonction lui ayant été retirée, il va se mettre au service de Metternich, ambassadeur d'Autriche à Paris.

Espagne, 20 février
Après une résistance de près de trois mois, Saragosse se rend au maréchal Lannes.

Perse, 12 mars
L'Angleterre signe avec la Perse un traité, qui contraint les Français à quitter le pays.

France, mars
Napoléon crée des licences de commerce avec l'Angleterre.

Tyrol, 8 avril
Le Tyrol, qui est soumis à la Bavière, se révolte sous la conduite de l'aubergiste Andreas Hofer. Malgré des succès initiaux, comme la prise d'Innsbruck du 25 au 29 mai, et une résistance farouche, les Tyroliens seront défaits après la paix de Schönbrunn par les forces franco-bavaroises. Arrêté à la suite d'une trahison, Hofer sera fusillé le 20 février 1810.

Europe, 10 avril
L'Autriche déclare la guerre à la France et les troupes de l'archiduc Charles pénètrent en Bavière.

Portugal, 22 avril
Second débarquement anglais sous la conduite de Wellington. Après s'être emparé de Porto le 29 mars, Soult sera contraint d'abandonner le pays après la reprise de la ville le 12 mai par les Anglais.

Europe, avril-octobre
Campagne de Napoléon contre la cinquième coalition. Elle est marquée par de nombreux mouvements insurrectionnels en Allemagne et en Autriche, dirigés contre l'occupation française.

Paris, 29 juin
Le général Malet organise une première conjuration contre l'empereur, qui n'aboutit pas.

Wagram, 6 juillet
Victoire française sur l'Autriche. →

Rome, 6 juillet
Pour avoir excommunié Napoléon le 12 juin, Pie VII est arrêté sur ordre de l'empereur. Conduit d'abord à Grenoble, il est transféré le 20 août à Savone.

Espagne, 28 juillet
Une bataille indécise oppose Français et Anglo-Espagnols à Talavera.

Hollande, 30 juillet
Une armée britannique débarque à Walcheren, mais elle sera contrainte à rembarquer dès le 30 septembre.

Russie et Suède, 17 septembre
La signature du traité de paix de Hamina garantit la possession de la Finlande au tsar qui devient grand-duc de Finlande.

Europe, 14 octobre
Signature de la paix de Schönbrunn (ou de Vienne). →

Amérique espagnole, 6 novembre
Les Anglais sont autorisés à commercer à Buenos Aires.

Illyrie, 25 décembre
Les Provinces illyriennes sont organisées par Napoléon.

Allemagne
Le philosophe Friedrich Schelling publie *Les Recherches philosophiques sur l'essence de la liberté humaine.*

Publication du roman de Goethe *Les Affinités électives.* →

Angleterre
Fondation de la *Quarterly Review.* →

Le peintre Turner expose *Londres vu de Greenwich.*

France
Publication des *Martyrs* de Chateaubriand.

Le savant Lamarck édite sa *Philosophie zoologique,* où il expose sa théorie sur l'origine et l'évolution des espèces.

Espagne
Francisco Goya monte *Le Pèlerinage de saint Isidore.*

Italie
Le romancier Alessandro Manzoni fait paraître *Uranie.*

L'Autriche se révolte, mais est de nouveau battue à Wagram

Wagram, 4 juillet 1809
Après Austerlitz et la fin de la troisième coalition, l'archiduc Charles et le chancelier Stadion étaient partisans d'une paix durable avec la France. En signe de bonne entente, François Ier a rompu avec l'Angleterre et accepté d'adhérer au Blocus continental. Cependant, un parti de la guerre subsiste à Vienne et les patriotes allemands, après la défaite de la Prusse, se tournent vers l'Autriche en prêchant une nouvelle croisade. Les nouvelles venues d'Espagne et l'argent anglais vont influencer le gouvernement. Après avoir encouragé les Tyroliens à la révolte, le 8 avril, il déclare la guerre à la France. L'archiduc Charles hésite à prendre l'offensive. Le 22, il est battu à Eckmühl par Davout qui ouvre ainsi à Napoléon la route de Vienne. Le 12 mai, la ville est occupée. Mais les troupes autrichiennes ont eu le temps de passer le Danube en coupant toutes les voies de communication. Les Français édifient alors des ponts de fortune, mais, au moment où ils parviennent à franchir le fleuve, une crue subite isole l'avant-garde à Aspern et Essling, tandis que le gros de la troupe et les munitions se trouvent

Andreas Hofer, chef populaire tyrolien, qui lutta contre l'armée du général Lefebvre.

encore sur l'île de Lobau. Lannes et Masséna sauvent la situation et, le 4 juillet, après deux jours de combats meurtriers (plus de 60 000 morts), les Autrichiens sont battus à Wagram, un petit village au nord-est de Vienne. Le 12, l'archiduc demande l'armistice ; le 14 octobre, François Ier signe la paix de Vienne. L'Autriche doit céder Salzbourg et le Trentin à la Bavière ; l'Istrie, la Carinthie et la Carniole forment avec la Dalmatie et la Croatie les Provinces illyriennes, placées sous l'autorité de Marmont ; la Galicie est partagée entre le grand-duché de Varsovie et la Russie.

L'arrestation du pape Pie VII à Rome par la gendarmerie française.

Napoléon fait arrêter le pape Pie VII

Rome, 6 juillet 1809
Le pape est arrêté par la gendarmerie française. Cet événement sans précédent fait suite à deux années de tensions entre la France et le Saint-Siège. En 1807, Napoléon avait annexé les ports d'Ancône et de Civitavecchia qui appartenaient au pape, pour empêcher ce dernier de continuer à commercer avec l'Angleterre. L'année suivante, il occupait l'ensemble des Etats pontificaux, ne laissant plus à la papauté qu'un semblant de pouvoir. Le 17 mai 1809 enfin, passant outre à toutes les protesta-

tions, il avait décidé d'annexer Rome. A la nouvelle que le pape refusait de se soumettre et se préparait à l'excommunier, Napoléon donne l'ordre de l'enlever et de le déporter. Après son arrestation, Pie VII est d'abord emmené à Florence, puis à Turin, à Savone enfin, en Ligurie, non loin de Gênes où il est emprisonné. C'est donc un motif purement temporel et non un différend religieux qui a provoqué la rupture avec Pie VII. Cette action risque de faire perdre à l'empereur le soutien des catholiques, dont il avait jusque-là bénéficié et d'annuler la faveur qu'il avait pu retirer de la signature du Concordat.

Goethe publie "Les Affinités électives"

Tübingen, 1809

Johann Wolfgang von Goethe (1749-1832) publie, après *Werther* (1774) et *Les Années d'apprentissage de Wilhelm Meister* (1796), son troisième grand roman, *Les Affinités électives*, écrit sous l'influence de son amour pour Minna Herzlieb et de la philosophie romantique de la nature. Cette œuvre, dont il disait que chaque ligne était un moment de sa vie, est la transposition psychologique d'une loi chimique, *attractio electiva duplex*, énoncée par le Suédois Torbern Olof Bergman (1735-1784) dans son *Traité des affinités chimiques*. Cette loi établit que deux éléments associés peuvent se désagréger pour former, sous l'action simultanée de deux autres, des couples dotés de propriétés nouvelles. Transposée à la dimension des sentiments humains, cette loi se traduit par la subtile interrelation entre l'homme et la nature, véritable force magnétique agissant sur les âmes. Mais, alors que dans la nature les lois s'accordent entre elles, dans le cœur humain un conflit peut surgir entre le sentiment et la loi morale : Goethe raconte l'histoire d'un couple, apparemment uni et heureux (Charlotte et Edouard) dont les relations se défont sous l'influence de deux êtres : un de ses amis (le capitaine) et une de ses nièces (Odile), pour former, selon la loi des affinités électives, deux nouvelles relations. Proche des œuvres romantiques, ce roman est toutefois placé sous le signe du renoncement : partagés entre la passion et le devoir, les personnages ne peuvent trouver le bonheur ni dans un abandon à leur inclination naturelle, ni dans le respect de l'ordre moral, ni dans l'élaboration d'une nouvelle éthique.

Walter Scott fonde la "Quarterly Review"

Londres, 1809

Walter Scott, avocat et écrivain (né à Edimbourg en 1771) est à ce jour l'auteur de deux recueils de *Poésies écossaises*. Ses fonctions de chancelier à la Cour d'Edimbourg l'ont mis en contact avec les milieux tory et il se trouve ainsi étroitement mêlé à la création de la *Quarterly Review*. Organe tory dirigé par Gilford, cette revue est la rivale de l'*Edinburgh* qui soutient la cause libérale et se pique de philosophie. Les deux revues ont cependant en commun une rigidité doctrinale, une méfiance à l'égard des innovations des poètes romantiques et un ton souvent mordant, brillant, voire grandiloquent. La *Quarterly*, tout en orientant le goût littéraire du public, fournira aux écrivains les moyens d'exercer leur talent, sans courir les risques d'une publication individuelle.

La Pologne renaît de ses cendres et apporte son soutien à Napoléon

Pologne, 19 avril 1809

En sauvant Varsovie de l'offensive autrichienne, le prince Joseph Poniatowski et ses 12 000 Polonais montrent à Napoléon qu'ils méritent plus que ce qu'il leur a concédé en 1807, à savoir un duché de Varsovie squelettique. De plus, tous les pouvoirs sont contrôlés par le résident français et cette petite Pologne sert de réservoir de main d'œuvre à la Grande Armée. L'attaque surprise de l'Autriche, pendant que Napoléon est en Espagne, permet au duché de conserver les territoires gagnés sur le terrain ; mais c'est une maigre consolation en regard des espoirs soulevés par Napoléon en 1806.

Un nouveau chancelier d'Autriche : Metternich

Vienne, 8 octobre 1809

Nommé par le chancelier Stadion ambassadeur d'Autriche à Paris en 1806, le comte Klemens von Metternich devient chancelier d'Autriche pour mener une politique d'alliance avec la France, qu'il n'a jusqu'à maintenant jamais ménagée. Réaliste, il prend en compte les intérêts d'une Autriche qui a besoin de se renforcer après les défaites qu'elle a subies. Profiter de la rivalité franco-russe, et dès qu'un des adversaires montrera un signe de faiblesse, s'allier avec le plus fort, telle est la stratégie de Metternich. Cette politique pragmatique, menée selon les règles d'une diplomatie fondée sur l'équilibre européen, rencontre de nombreuses oppositions parmi l'aristocratie et les mouvements patriotiques germaniques, plus soucieux de mener une sorte de « guerre sainte » contre la France.

Le prince Klemens von Metternich, ambassadeur d'Autriche à Paris en 1806.

Percier et Fontaine : le style Empire

Charles Percier et Pierre-François Fontaine sont les deux grands maîtres d'œuvre du style Empire dans le domaine architectural et les promoteurs de ce classicisme un peu étroit qui répudie le goût grec ou étrusque, jugé trop frivole, et qui se veut de tradition exclusivement romaine. Percier (né en 1764) est essentiellement un dessinateur, attiré par les arts décoratifs ou industriels tout autant que par l'architecture. Fontaine, de deux ans son aîné, est architecte avant tout. Dans l'association qu'ils ont formée, le premier conçoit, le second construit. On leur doit, entre autres, le réaménagement du Louvre (la façade du côté de la rue de Rivoli, la Grande Galerie, la salle des Cariatides et les escaliers monumentaux), les façades à arcades de la rue de Rivoli et l'arc de triomphe du Carrousel dessiné sur le modèle de l'arc de Septime Sévère à Rome.

Assiette en faïence avec, en impression, une perspective de la rue de Rivoli.

Fauteuil de style Empire. Hôtel de Beauharnais, Paris.

Napoléon est pris dans le guêpier espagnol

Espagne, 1809

Malgré plusieurs victoires, les troupes de Napoléon se heurtent vite à la résistance farouche du peuple espagnol. Ainsi, le 19 juillet 1808, après la défaite de Bailen, le général Dupont bat en retraite devant l'armée populaire de Castaños. Le 22, il signe sa capitulation. Les conséquences de cette bataille sont immenses : en Espagne, elles renforcent le parti de la guerre ; à l'étranger, elles montrent qu'une armée réputée invincible peut être battue ; et Joseph Bonaparte, à peine arrivé à Madrid, court se retrancher derrière l'Ebre. Ayant repris l'offensive, Napoléon entre dans Madrid (2 décembre 1808). Mais, durant l'année 1809, la résistance espagnole redouble d'intensité. Au deuxième siège de Saragosse (décembre-février), les habitants se défendent maison par maison. Avant de se rendre, la ville devient un charnier. La Junte centrale appelle à la formation de guérillas qui doivent intercepter les convois français. Leur développement est foudroyant : le peuple en armes se dresse contre l'envahisseur. Le deuxième siège de Gérone dure de mars à décembre avec des bombardements intensifs : 9 000 morts du côté espagnol, 20 000 du côté français. Face à une guerre non conventionnelle, harcelée par les patriotes, l'armée de Napoléon voit le piège se refermer, d'autant que ses représailles terribles attise la haine.

Jean-Baptiste de Monet, chevalier de Lamarck. Ses théories influencèrent fortement Darwin.

Lamarck, fondateur de l'évolutionnisme

Paris, 1809

En 1809, Jean-Baptiste de Monet de Lamarck (1744-1829) publie un ouvrage général, *Philosophie zoologique* qui fonde le transformisme : l'explication de l'évolution des formes animales au cours des temps géologiques par l'hérédité des caractères acquis sous l'influence du milieu, du régime et de l'usage des organes. Ainsi, un changement de circonstances implique un changement des actes, ce qui provoque un changement de la forme qui se transmet aux générations suivantes. Lamarck prend l'exemple de la girafe. Cette théorie passa inaperçue à l'époque, bien que combattue par Cuvier. La vieillesse de Lamarck se déroula dans la solitude et l'oubli.

1810

Russie, 4 février
Malgré toutes les assurances données par Napoléon, le tsar Alexandre Ier lui refuse la main de sa sœur Anna, âgée de quinze ans.

Espagne, 8 février
Tandis que dans le sud les Français s'emparent de Séville le 1er et de Malaga le 5, un décret établit quatre gouvernements militaires dans le nord.

France, 15 février
Après le rétablissement de la censure le 5, le nombre des imprimeries autorisées est limité par décret.

Italie, 17 février
Les Etats pontificaux sont annexés à l'empire et transformés en deux départements.

France, 3 mars
Par décret, les prisons d'Etat sont rétablies.

France, 1er avril
Mariage civil de Napoléon et de Marie-Louise, fille de l'empereur d'Autriche. →

France, 3 juin
Fouché est démis de ses fonctions de ministre de la Police au profit de Savary.

Hollande, 9 juillet
A la suite de l'abdication de Louis Bonaparte, en désaccord avec son frère sur l'utilité du blocus, le royaume de Hollande est annexé et démantelé en sept départements.

France, 3 août
Le nombre de journaux est limité à un par département et quatre pour Paris.

Suède, 21 août
Le maréchal Bernadotte devient prince héritier de Suède. →

Mexique, septembre
Un vent de révolte gagne l'ensemble des colonies espagnoles, en particulier le Mexique. →

Italie, septembre
Le maréchal Murat échoue dans sa tentative d'envahir la Sicile.

Allemagne, automne
Début des cours de l'université de Berlin, fondée le 16 août 1809 et dont le premier recteur est le philosophe Fichte.

Etats-Unis d'Amérique, 2 novembre
Le président Madison, élu le 4 mars 1809, rétablit la liberté de commerce avec l'empire.

République helvétique, 12 novembre
Le Valais est annexé et transformé en département du Simplon.

Europe, 17 novembre
La Suède déclare la guerre à l'Angleterre.

Océan Indien, 3 décembre
Les Anglais s'emparent des îles de la Réunion et de Maurice, à la suite de la bataille du Grand Port en août. Ils s'engagent à respecter les langues, lois et coutumes des habitants.

Antilles, 3 décembre
Les Anglais s'emparent de la Guadeloupe après avoir occupé, en 1809, la Guyane française et la Martinique.

Allemagne, 13 décembre
Le littoral de la mer du Nord, dont le duché d'Oldenbourg, est annexé à l'empire.

Russie, 31 décembre
Le tsar rompt le Blocus continental, en ouvrant les ports russes au commerce des Neutres, et interdit parallèlement l'accès de l'Empire russe aux produits français.

Allemagne
L'instituteur Friedrich Ludwig Jahn organise des sociétés gymniques afin de mobiliser la jeunesse allemande contre l'occupant.

France
Napoléon fait détruire le manuscrit de Mme de Staël *De l'Allemagne*. →

L'ingénieur Philippe de Girard invente une machine à filer le lin.

Angleterre
Fondation à Ruthwell (Ecosse) de la première Caisse d'épargne.

Allemagne
Beethoven donne l'ouverture d'*Egmont*.

France
Le philosophe traditionaliste Joseph de Maistre publie son *Essai sur le principe générateur des Constitutions politiques*.

Paris
Achèvement et mise en place de la colonne Vendôme, à la gloire de la Grande Armée. →

Cérémonie du mariage civil, le 1er avril 1810 à Saint-Cloud, de Marie-Louise d'Autriche avec Napoléon. Aquarelle de l'époque.

Napoléon épouse Marie-Louise d'Autriche

Saint-Cloud, 1er-2 avril 1810
Le tsar hésitant à lui donner sa fille, Napoléon se tourne vers l'Autriche. Une descendante de Charles-Quint, petite-nièce de Marie-Antoinette, contenterait son orgueil. Le 8 mars 1810, Berthier demande officiellement la main de Marie-Louise de Habsbourg-Lorraine à François II. Le mariage par procuration est célébré le 11 mars à Vienne. Marie-Louise, qui abomine « le Corsicain » antéchrist, se soumet à la volonté de son père. Le mariage civil a lieu le 1er avril à Saint-Cloud, le mariage religieux le 2, au Louvre. Les cardinaux, contrariés par les libertés que prend Napoléon à l'égard de sa première union, s'abstiennent. La population, mécontente de cette alliance avec une Autrichienne, reste froide.

Bernadotte, héritier du trône de Suède

Orebro, 21 août 1810
C'est pour un Français catholique, ancien républicain et maintenant maréchal de Napoléon que le Parlement suédois réuni à Orebro s'est prononcé pour succéder au roi Charles XIII, âgé de 62 ans et sans enfant. Charles Jean-Baptiste Bernadotte a 43 ans ; il est duc de Ponte-Corvo. Ce choix montre assez l'influence de Napoléon sur l'Europe, les Suédois espérant reprendre la Finlande aux Russes. Bernadotte, qui a déjà combattu les Suédois, est le beau-frère de l'empereur et obtient son agrément avant de s'installer à Stockholm. Faisant office de régent, il devra embrasser la foi luthérienne.

Une colonne de la victoire à Paris

Paris, 1810
L'idée d'ériger des colonnes pour célébrer les grands moments de la nation date du Directoire. Deux projets avaient vu le jour : une colonne de la Nation, place de la Concorde, et une colonne du Département, place Vendôme. Le 14 juillet 1800, la première pierre de la colonne Vendôme avait été posée. Vivant Denon, au lendemain d'Austerlitz, suggéra à Napoléon d'élever un monument, sur le modèle de la colonne Trajane, qui célébrerait cette victoire. Bergeret dessina les bas-reliefs célébrant la campagne de 1805, qui ont été fondus avec le bronze des canons pris à l'ennemi.

Le maréchal Bernadotte. Beau-frère de Napoléon, il monte sur le trône de Suède en 1810.

La colonne Vendôme. Derniers travaux avant l'inauguration. Gravure de Duplessis-Bertaux.

"De l'Allemagne" par Madame de Staël

Paris, 1810

La baronne Germaine de Staël-Holstein, dite Mme de Staël (née à Paris en 1766) avait déjà attiré sur elle la méfiance du pouvoir en place lorsqu'elle avait publié en 1802 son roman *Delphine*, où transparaissaient ses convictions libérales. L'essai intitulé *De l'Allemagne*, qu'elle publie en 1810, n'échappa pas à la vigilance de la police de Napoléon, qui le saisit immédiatement et le détruisit. L'auteur y exhorte les intellectuels français à manifester leur foi en la liberté et à affirmer, sur le modèle allemand, la supériorité de l'esprit sur la matière. La France, estime Mme de Staël, desséchée par la Révolution, a perdu cette confiance dans la liberté créatrice de l'individu, celle-là même qui

Portrait de Mme de Staël par Isabey.

a permis à l'Allemagne, divisée politiquement, de puiser dans un sentiment d'union nationale les forces nécessaires à son redressement.

Fourier et la série trigonométrique

France, 1810

Le mathématicien Joseph Fourier (1768-1830) définit en 1810 les premières séries trigonométriques. Elles sont introduites par Fourier pour résoudre des problèmes physiques, en particulier celui de la propagation du mouvement des cordes vibrantes et surtout de la chaleur. Ces analyses mathématiques très fécondes introduisent au concept moderne de la fonction, à l'analyse fonctionnelle et à la théorie de l'intégration. En 1811, Fourier étudie la pro-

pagation de la chaleur. En 1822, il publie la *Théorie analytique de la chaleur*, première étude mathématique de la propagation de la chaleur dans les solides. Fourier établit les équations du mouvement uniforme de la chaleur en utilisant ses séries trigonométriques. Cette analyse est fondamentale pour la physique mathématique et a une répercussion importante sur l'étude des phénomènes électriques. Il est un des premiers à enseigner à Polytechnique et il suit Bonaparte en Egypte. Nommé préfet de l'Isère en 1802, il est écarté à la Restauration et attendra 1826 pour entrer à l'Académie.

La nature et le rêve chez C. D. Friedrich

Allemagne, 1810

Le peintre Caspar David Friedrich (1774-1840) est le principal représentant du mouvement romantique allemand : la peinture religieuse et

la peinture de paysage cessent d'être deux genres distincts, ce sont les espaces naturels, dans leur immensité, qui doivent évoquer la présence divine. Divers voyages sur les bords de la Baltique (*Moine au bord de la mer*, 1809) l'aideront à donner forme à cette vision panthéiste de l'univers.

Caspar David Friedrich. Le Riesengebirge. Vers 1807-1812. Neue Pinakothek, Munich.

Les libertés dans l'Europe impériale

La marche de l'Aigle impérial aux quatre coins du continent européen, si elle s'accompagne souvent de massacres et laisse des traces sanglantes, est aussi célébrée dans les pays conquis, à défaut d'être libérés. L'administration française met en œuvre des réformes sociales et politiques. Tout d'abord, l'abolition du système féodal. Si certains pays étaient en avance sur la France, d'autres comme l'Illyrie, l'Italie ou la Pologne connaissaient encore des formes plus ou moins vivaces de servage. La suppression du régime féodal n'améliore pas sensiblement la condition du paysan, puisqu'il lui faut racheter corvées et redevances, mais elle contribue à son émancipation. Ensuite, l'adoption du Code civil. Promulgué le 21 mars 1804, il est immédiatement en vigueur dans l'ensemble de l'empire. Introduit en 1806 en Italie, il pénètre en Westphalie en 1808, en Illyrie en

1809, en Pologne en 1810, en Hollande, en Allemagne du Nord et au pays de Bade en 1811. Adapté aux coutumes locales, il introduit l'idée d'une loi égale pour tous, tant en devoirs qu'en droits. Toutefois, certains pays le refusent, comme la Bavière, le pouvoir ne voulant pas inquiéter l'aristocratie. Dès lors, les résistances se multiplient, d'autant que l'arrivée des armées françaises ne s'est jamais accompagnée sous l'empire de révolutions politiques. Napoléon se garde bien de donner une place aux représentations populaires dans les nouvelles constitutions. Au contraire, les membres des assemblées sont nommés et non élus. Les nouvelles libertés s'arrêtent donc aux portes du pouvoir politique et policier qui domine le continent. Car, petit à petit, censures et interdictions construisent une lourde chape de plomb sur les pays soumis.

Interdiction du "Prince de Hombourg"

Berlin, 1810

Le poète et dramaturge Heinrich von Kleist (né en 1777) vient de voir interdire sa dernière pièce, *Le Prince de Hombourg*, écrite à la gloire des Hohenzollern. Les membres de la famille royale, en effet, ne purent admettre la défaillance passagère du héros, la jugeant incompatible avec la dignité dont avaient fait preuve leurs ancêtres. Le jeune officier Frédéric, prince de Hombourg, un homme de passion en qui l'individualisme et l'exigence de fidélité au devoir se combattent, est condamné à mort pour indiscipline. Mais lorsque le Grand Electeur remet la décision suprême de la grâce aux mains du coupable, Frédéric choisit l'Etat et une mort héroïque. Kleist, atteint dans son ambition de réveiller les énergies nationales et assailli par les difficultés matérielles et morales, ne se remettra pas de cette interdiction ; il se suicidera en 1881.

Le poète Heinrich von Kleist. 1801.

A l'appel d'Hidalgo, le Mexique se soulève

Queretaro, 16 septembre 1810

La vice-royauté du Mexique ressent profondément l'effondrement de la monarchie espagnole. De plus, la société a déjà été ébranlée par les idées émancipatrices et, à partir de 1798, complots et révoltes se multiplient. Le pouvoir est aux mains des *gachupines*, les porteurs d'éperons, ces fonctionnaires venus d'Espagne, volontiers méprisants pour les natifs, créoles, métis ou Indiens. Les créoles s'organisent pour renverser les Espagnols et bénéficient en 1810 de l'appui du vice-roi Iturrigaray. Situation précaire puisque les gachupines, dirigés par un riche planteur, Yermo, prennent le pouvoir grâce à un coup d'Etat en août. A Queretaro, des créoles aidés par un prêtre presque sexagénaire, Miguel Hidalgo y Costilla, organisent un soulèvement pour le mois de décembre. Le complot est éventé et les conjurés décident d'appeler à la révolte sur-le-champ. Le 16 septembre, Hidalgo proclame l'indépendance du Mexique et appelle au partage des terres, dans le respect de tous, Indiens compris. Le succès est foudroyant. Par milliers, métis et Indiens se mobilisent et se rassemblent autour de lui. Longtemps contenue, la violence sociale éclate au grand jour ; massacres et pillages des riches plantations se succèdent. La marche triomphale sur Mexico échoue après deux batailles perdues, le 7 novembre 1810 à Aculco et le 16 janvier 1811 à Calderon. La mésentente entre Hidalgo et les créoles précipite leur chute. Hidalgo sera fait prisonnier le 21 mars et fusillé le 27 juillet 1811.

1811

Etats-Unis d'Amérique, 2 février
Le président Madison adresse un ultimatum à l'Angleterre afin qu'elle rapporte ses « ordres du Conseil » de 1807 autorisant le contrôle des flottes neutres.

Angleterre, 5 février
Adoption par les Communes du *Regency Bill* qui autorise George, prince de Galles, a exercer la régence en lieu et place de son père George III, convaincu de démence.

Egypte, 1er mars
Muhammad-Ali fait massacrer les mamelouks. →

Autriche, 15 mars
La vague de spéculation due au Blocus continental et l'inflation causée par les dépenses militaires provoquent la banqueroute de l'Etat.

France, 20 mars
Naissance à Paris du roi de Rome. →

Angleterre, mars
Début des soulèvements luddites dans le comté de Nottingham. →

Angleterre, 10 mai
La crise économique touche aussi l'Angleterre qui est contrainte à adopter le cours forcé du papier-monnaie.

Allemagne, mai
Beethoven donne son *Concerto pour piano, l'Empereur*.

Péninsule Ibérique, 28 juin
Si Masséna est défait par Wellington à Fuentes de Oñoro le 3 mai, Suchet s'empare de la forteresse de Tarragone.

Venezuela, 5 juillet
Francisco Miranda et Simon Bolivar proclament l'indépendance du pays. →

France, 5 août
Le concile national, ouvert depuis le 17 juin, décide qu'après un délai de six mois l'investiture canonique pourra être donnée à tout évêque qui aura été nommé par l'archevêque métropolitain, indépendamment du pape.

Insulinde, août
Les Anglais commencent à occuper l'île de Java. →

Prusse, 14 septembre
En adoptant un édit sur la régularisation des rapports entre seigneurs et paysans, la Prusse abolit le système féodal.

Europe, 17 octobre
Signature entre la Prusse et la Russie d'une convention militaire prévoyant une attitude commune en cas d'invasion française.

Allemagne, 20 novembre
Friedrich Krupp (1787-1826) fonde à Essen une entreprise métallurgique sur le modèle anglais.

France
Le banquier James de Rothschild fonde une succursale à Paris.

A la suite du décret du 25 mars prescrivant l'utilisation de 32 000 ha pour produire de la betterave à sucre, début de la fabrication de sucre à partir de celle-ci.

Balkans
Dans le cadre du conflit qui les oppose depuis 1806, les Russes infligent une défaite écrasante aux Turcs à Roustchouk.

Turin
Le comte Avogadro (1776-1856) formule une loi sur la nature des gaz (*hypothèse d'Avogadro*). →

Afrique australe
Quatrième guerre cafre. →

Chine
Début du soulèvement de la secte de l'Ordre céleste (Tianlijiao) dans les provinces de Shandong et du Hebei.

Après que la prédication chrétienne ait été interdite en 1810, des mesures sont prises contre les missionnaires étrangers et les Chinois convertis.

Etats-Unis d'Amérique,
La tribu indienne des Shawnees est défaite par les Américains à la bataille de Tippecanoe.

Japon
Création d'une commission chargée de traduire des ouvrages néerlandais. →

Paris
Edification par François Bélanger de la Bourse du Commerce (ancienne Halle au blé).

Rome
Alors que s'achève son séjour dans la Ville Eternelle comme pensionnaire de la Villa Médicis, Ingres met la dernière main à *Jupiter et Thétis*.

L'indépendance du Venezuela est proclamée

Caracas, 5 juillet 1811
Depuis le 19 avril 1810, la révolution a éclaté. Après trois siècles d'ère coloniale, les Vénézuéliens accèdent au pouvoir en déposant les représentants de l'Espagne. Profitant de l'affaiblissement de la royauté dû à la guerre en Europe, les seigneurs créoles (gros propriétaires terriens) ont l'indépendance comme objectif. Mais, par prudence, leur gouvernement se prononce « pour le maintien des droits de Ferdinand VII », les couches populaires étant attachées à la couronne de Madrid. Le 7 décembre 1810, Simon Bolivar revient d'une mission diplomatique à Londres : il participe aux réunions de la Société patriotique. En mars 1811, un congrès réunit les conseils municipaux de toutes les villes du Venezuela. Miranda, le chef historique, s'est fait élire député au premier

Simon Bolivar.

congrès qui va proclamer l'indépendance. Le 4 juillet, Bolivar se déclare pour l'indépendance totale. Mais Miranda occupera le devant de la scène jusqu'à son échec face à la réaction armée des Espagnols. Le futur « Libérateur » le fera alors arrêter et s'imposera comme chef incontesté.

Proclamation solennelle de l'indépendance du Venezuela, le 5 juillet 1811. Peinture de Juan Lovera.

Révolte des Luddites contre les machines

Angleterre, mars 1811
Parti de la région de Nottingham en février, un mouvement de révolte ouvrière de grande ampleur gagne les comtés voisins du Lancashire et du Yorkshire. Mécontents des salaires et des conditions de travail, les ouvriers du textile détruisent les machines qu'ils louent à leurs patrons. De nuit, remarquablement organisés, le plus souvent masqués, au nom d'un général Ludd imaginaire, ils terrorisent entrepreneurs et pouvoir politique. Les patrons se voient contraints à augmenter les salaires d'au moins 2 shillings par semaine. Dans le Nottinghamshire, le mouvement cesse lorsque le gouvernement envoie plusieurs milliers de soldats pour pacifier la région, tandis que la Chambre des communes décide que le bris de machine est un crime qui mérite la peine capitale. L'activité luddite se diffusera dans les autres comtés jusqu'en 1813, malgré une répression terrible, marquée par plusieurs pendaisons.

Le chimiste Avogadro énonce la loi sur la nature des gaz

Turin, 1811
Après des études de droit, le comte Amadeo Avogadro se consacre à l'électricité et à la chimie. Reprenant les travaux de Gay-Lussac sur les rapports volumétriques des gaz, il en donne, une interprétation moléculaire. Dans les mêmes conditions de température et de pression, un même volume de gaz contient le même nombre de molécules et cela quelle que soit la nature du gaz. Il suppose aussi qu'il existe un rapport fixe entre la densité d'un gaz et le nombre de molécules par volume. Cette hypothèse ne sera reconnue qu'en 1858.

Naissance d'un héritier à la cour impériale

Paris, 20 mars 1811

La naissance du fils de l'empereur, le 20 mars 1811, est annoncée par 101 coups de canon et revêt l'allure d'un événement national. La France est soulagée de voir ainsi la continuité du régime assurée. L'enfant est destiné aux honneurs les plus grands par deux décrets antérieurs à sa venue au monde. Le 30 janvier 1810, le Sénat avait créé un domaine extra-ordinaire, et lors du rattachement de Rome à la France, le 17 février 1810, il avait été décidé que le titre de roi de Rome serait dévolu au futur héritier de l'empire. Les prétentions au trône de la famille Bonaparte sont anéanties et les fonctions privilégiées qu'elle exerce menacées. François Charles Joseph Bonaparte est

L'impératrice Marie-Louise et le roi de Rome. Peinture de François Gérard.

baptisé en grande pompe le 9 juin, à Notre-Dame de Paris par le cardinal Fesch, qui a déjà officié aux deux mariages de Napoléon. Une nouvelle dynastie est fondée.

La naissance du roi de Rome, le 20 mars 1811. Gravure de Rousseau. Musée Carnavalet, Paris.

Traductions en série de livres néerlandais au Japon

Japon, 1811

A partir du XVIIIᵉ siècle, la politique de fermeture du Japon finit par stériliser le développement des sciences et des techniques. Par le comptoir hollandais de Nagasaki, les connaissances d'Occident filtrent peu à peu pour donner naissance parmi les lettrés à une nouvelle discipline, celle des « études hollandaises ». Dans des domaines divers (physique, chimie, balistique, médecine...), des érudits traduisent en japonais les ouvrages occidentaux. En 1811, est créée à Edo une équipe de traducteurs qui se lance dans un programme de publication d'ouvrages de botanique et d'astronomie. La pénétration des « études hollandaises » parmi les samourai cultivés constitue au XIXᵉ siècle un facteur important de la réussite ultérieure de modernisation.

Beethoven célèbre l'empereur dans son "5ᵉ Concerto"

Wiesbaden, mai 1811

Le compositeur Ludwig van Beethoven publie son *Cinquième Concerto pour piano, en mi bémol majeur*, dit de l'*Empereur* et dédié à l'archiduc Rodolphe. Ecrite pendant la guerre, cette symphonie est la plus martiale des œuvres de Beethoven. Les esquisses du premier mouvement sont parsemées d'indications significatives, telles que *Chant de triomphe pour le combat* ou *Victoire*. Le concerto, qui met en évidence la virtuosité du soliste, constitue une véritable symphonie en raison de l'unité qui relie les trois mouvements. Il sera exécuté pour la première fois le 12 février 1812 par le pianiste Czerny, élève du compositeur. Beethoven a déjà à son actif six symphonies, dont l'*Héroïque* et la *Pastorale*, ainsi que l'opéra *Fidelio*, écrit en 1805. Sa surdité devient totale et ses ressources matérielles précaires. Un apaisement se dessine cependant, qui se fera jour avec la *Septième Symphonie*, en 1812 et toutes ses épreuves renforcent sa foi en son art.

UNIVERSITÉ IMPERIALE.

ACADÉMIE DE PARIS.
FACULTÉ DES SCIENCES.

Les Cours de la Faculté des Sciences de l'Académie de Paris seront ouverts le 22 avril 1811, dans une des Salles du *Collège du Plessis*, rue Saint-Jacques; ces Cours sont partagés en deux séries, de la manière suivante:

I.ʳᵉ SÉRIE, SCIENCES MATHÉMATIQUES.

1ʳᵉ leçon. — 23 avril M. LACROIX, professeur, enseignera le Calcul différentiel et intégral, les mardis et samedis, de 11 heures et demie à 1 heure.

Affiche annonçant le programme des cours de l'Université impériale.

En France, l'université aura le monopole de l'enseignement

Paris, 15 novembre 1811

Venant après la rupture avec Rome, le décret du 15 novembre renforce le monopole universitaire en limitant plus étroitement le rôle des institutions privées, religieuses en particulier, comme les petits séminaires ou les écoles épiscopales. Ce décret complète la loi du 10 mai 1806 qui a fondé l'Université de France. Corps chargé exclusivement de l'enseignement et de l'éducation publique dans tout l'empire, l'université a aussi pour fonction de « diriger les opinions politiques et morales ». A sa tête se trouve un grand-maître, placé sous l'autorité directe de l'empereur, lequel nomme lui-même tous les professeurs. Son financement est assuré par une dotation en rentes de 400 000 francs, ainsi que par une contribution des étudiants. L'empire est divisé en académies dirigées par des recteurs. Seuls, le Collège de France, le Muséum ou l'Ecole polytechnique conservent leur autonomie.

Le pacha d'Egypte Muhammad-Ali se débarrasse des mamelouks

Le Caire, 1ᵉʳ mars 1811

Pour consolider sa position, Muhammad-Ali décide d'en finir avec les mamelouks qui, malgré leur défaite en Haute-Egypte, constituent une menace latente pour le pouvoir central. La guerre d'Arabie, où il est appelé à intervenir, lui en fournit le prétexte. Ayant revêtu son fils du commandement suprême de l'armée, il le fait sortir de la capitale en grande pompe et, à cette occasion, invite toutes les notabilités du pays. La cérémonie se déroule à la citadelle. Tous les beys mamelouks sont là. Sur un signal donné, les portes sont fermées et le massacre commence. Nul n'en réchappe et le pouvoir n'appartient plus qu'à lui seul et, dès lors, Mohammad-Ali peut s'occuper des choses sérieuses. Il abolit tous les privilèges, introduit un nouveau système d'exploitation des sols, instaure un peu partout le monopole d'Etat et entreprend de renforcer l'armée. La situation n'échappe pas au consul de France qui, dès 1812, informe son gouvernement de ce réarmement.

Les Anglais occupent l'île de Java

Java, août 1811

Batavia, capitale javanaise, tombe aux mains des troupes britanniques. Depuis 1807, l'île, ancienne possession hollandaise entrée dans l'empire napoléonien, était tenue en état de blocus par les Anglais, alors maîtres de l'océan Indien. La réorganisation militaire de Daendels, le gouverneur nommé par Louis Bonaparte, roi des Pays-Bas, s'avère insuffisante. En 1811, la capitale succombe sans opposer de résistance. Java est alors rattachée au gouvernement général des Indes anglaises.

Guerres cafres en Afrique australe

Afrique du Sud, 1811

Pour la quatrième fois, une guerre oppose les colons du Cap aux peuples Xhosas, comme ce fut le cas en 1779, 1793, et 1799-1801. D'un côté, les colons boers tentent de pénétrer à l'intérieur du territoire africain ; de l'autre, les Xhosas se déplacent vers l'ouest autour de la rivière Grand Lei. A cela s'ajoutent des conflits portant sur le commerce du bétail, base de l'économie coloniale. En 1811, une armée anglaise affronte les Xhosas et les repousse vers le Zuiveveld.

1812

Espagne, 26 janvier
La Catalogne est annexée à l'Empire. Le 6, le maréchal Suchet s'était emparé de Valence. →

Europe, 24 février
Signature d'une convention militaire franco-prussienne par laquelle la Prusse accorde toutes facilités de stationnement et d'approvisionnement à la Grande Armée en route vers la Russie ainsi que l'envoi d'un corps d'armée de 20 000 hommes. En octobre 1811, le ministre Scharnhorst avait tenté de faire signer au roi une alliance militaire russo-prussienne.

Europe, 4 mars
Napoléon signe avec Metternich une convention avec l'Autriche du même type que celle conclue avec la Prusse. Le corps d'armée autrichien sera de 30 000 hommes ; toutefois dans une note secrète adressée à Alexandre Ier, le 2 juin, Metternich donnera tous apaisements sur l'emploi volontairement inefficace de ces troupes.

France, mars
Un début de disette provoque des émeutes, la plus sérieuse ayant lieu à Caen. Cette vague de mécontentement provoquera le rétablissement du maximum pour les grains le 8 mai.

Angleterre, mars
Le poète Byron publie *Childe Harold's Pilgrimage.* →

Espagne, 6 avril
Le général anglais Wellington s'empare de Badajoz et remonte vers Madrid qu'il occupe le 12 août. →

Finlande, 9 avril
La Russie et la Suède signent à Abo un traité d'alliance à la suite de l'ordre donné à Davout par Napoléon, en janvier, d'occuper la Poméranie suédoise.

Europe, 9 mai
Refusant les propositions du tsar mettant en cause la politique de blocus, Napoléon rompt les relations franco-russes.

Dresde, 15 mai
L'Empereur s'installe dans la ville où il accueille jusqu'au 28 tous les princes qui lui sont soumis.

Bucarest, 28 mai
La Russie et l'Empire ottoman signent un traité de paix par lequel la Russie obtient la Bessarabie et la promesse d'un statut libéral pour la Serbie.

Russie, 24 juin
Napoléon, à la tête de la Grande Armée, franchit le Niemen.

Amérique espagnole, 25 juillet
Le général patriote Miranda capitule après la reconquête du Venezuela par les Espagnols.

Moscou, 14 septembre
Après une marche de trois mois marquée par les prises de Vilna (26 juin), de Vitebsk (24 juillet) et les batailles de Smolensk le 17 août et de la Moskova (Borodino) du 5 au 7 septembre, entrée des troupes impériales dans la ville. Celle-ci sera incendiée le lendemain par les Russes eux-mêmes, ce qui obligea Napoléon à s'en retirer.

France, 23 octobre
Conspiration du général Malet. →

Russie, 25-29 novembre
Désastre français lors du passage de la Berezina. →

Russie, 5 décembre
Napoléon décide de rentrer à Paris et arrive aux Tuileries le 19.

Königsberg, 20 décembre
Les débris de la Grande Armée atteignent la Prusse-Orientale.

Lituanie, 30 décembre
A Tauroggen, la Prusse et la Russie signent une convention de neutralité.

Allemagne
Les frères Grimm publient leurs *Contes pour enfants.* →

Parution du premier volume de *La Science de la Logique* du philosophe Hegel.

France,
Laplace publie sa *Théorie analytique des probabilités.* →

Premier volume des *Recherches sur les ossements fossiles* du naturaliste Georges Cuvier.

Le philosophe Maine de Biran écrit son *Essai sur les fondements de la psychologie et sur ses rapports avec l'étude de la nature*, qui ne sera publié qu'après sa mort.

Angleterre
Le peintre William Turner expose à la Royal Academy *Tempête de neige : l'armée d'Hannibal franchissant les Alpes.*

Moscou en flammes, septembre 1812. Cet incendie obligea les Français à se retirer le 19 octobre. Gravure de Johann Lorenz. 1812.

Désastre napoléonien en Russie

La Berezina, 25-29 novembre
Cinq semaines après le départ de Moscou, les restes de la Grande Armée, 700 000 hommes, atteignent la rivière Berezina, un affluent du Dniepr. Harcelés depuis un mois par les troupes russes du maréchal Koutouzov et les actions de partisans, affamés par la politique de la terre brûlée pratiquée depuis le début de la campagne par les troupes du tsar Alexandre Ier, frigorifiés enfin par les rigueurs de l'hiver russe, les soldats de vingt nations regroupés sous les aigles impériales payent tragiquement les erreurs de leur chef. Depuis juin, Napoléon cherche désespérément le contact avec les armées russes. Il avait poursuivi sa marche en avant, s'inquiétant certes de cette guerre si différente, mais certain qu'arrivé à Moscou, le tsar accepterait la paix. Même s'il avait réussi à battre les Russes devant Moscou, à Borodino, le 7 septembre, c'est à un prix encore jamais payé : 30 000 morts et blessés contre 50 000 aux Russes. Mais déjà l'armée impériale était minée de l'intérieur par la faim, la fatigue et la désertion. Le 14 septembre, elle entra dans Moscou, vidée de ses habitants que les soldats de Koutouzov avaient déplacés dans les forêts alentour, tandis que de cet enchevêtrement de maisons en bois, naissaient des incendies, qui s'étendirent à la ville entière avant d'être éteints par la pluie le 18. Ultime erreur, Napoléon attendit un mois avant de décider la retraite après que le tsar lui eut signifié son refus de traiter. Le rêve napoléonien se transforme en désastre politique et militaire.

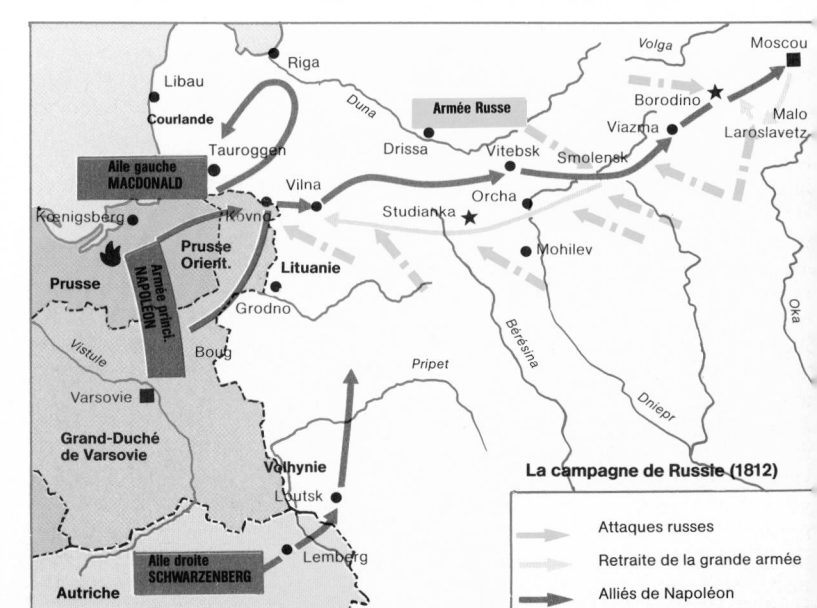

La campagne de Russie (1812)

→ Attaques russes
→ Retraite de la grande armée
→ Alliés de Napoléon

L'exécution du général Malet et des ses complices, le 29 octobre 1812 pour avoir comploté contre l'Empereur.

La conspiration du général Malet échoue

Paris, 29 octobre 1812

Mis à la retraite en 1808, le général Malet veut se venger sur l'Empereur. Il nourrit l'idée de renverser le régime en profitant de l'absence de Napoléon. Arrêté pour une première tentative en 1808, il est enfermé dans une maison de santé où il se lie avec des prisonniers royalistes qui exaltent sa haine du tyran. Il met au point un plan pour instaurer un gouvernement provisoire, composé des mécontents, républicains et royalistes. Pendant que Napoléon combat en Russie, il s'évade dans la nuit du 22 au 23 octobre et passe à l'action. Paré d'un faux senatus-consulte qui an-

nonce la mort de l'Empereur et qui le nomme commandant de la garde de Paris, Malet circonvient la 10ᵉ cohorte et délivre de leur prison deux généraux républicains : Guidal et Lahorie. Persuadés de la bonne foi de Malet, ils arrêtent Pasquier et le ministre de la Police, Savary. Mais, le 23 au matin, Malet se heurte à l'incrédulité du gouverneur de Paris, Hulin, qu'il blesse mortellement avant de se faire arrêter. Il est condamné à mort par une commission militaire constituée d'urgence et fusillé le 29 octobre. Ce complot audacieux ébranle la confiance et ranime l'espoir de l'opposition. Alerté par l'ampleur de la mystification, Napoléon, inquiet, précipite son retour de Russie.

Déclaration de guerre américaine à la Grande-Bretagne

Washington, 18 juin 1812

Le président James Madison vient de déclarer la guerre à la Grande-Bretagne, au nom de la défense du principe de la liberté des mers. Sa décision est approuvée par le Sénat et la Chambre à une petite majorité. En fait, l'opinion y est largement favorable, car depuis la reprise des hostilités en Europe en 1815, la marine anglaise ne cesse d'entraver le commerce américain. Pour la première fois depuis 1789, les Etats-Unis abandonnent leur attitude de

neutralité. Dans un premier temps, le président Madison décide de défendre les ports, tandis que les Anglais attaquent par le continent et s'emparent de Detroit le 16 août. La guerre connaît deux grands théâtres d'opérations : la mer et les Grands Lacs où des batailles navales vont se succéder malgré le déséquilibre criant des forces. En août et septembre 1814, les Anglais prendront et brûleront Washington et Baltimore, avant de connaître des déboires en haute mer, enregistrant une défaite le 8 janvier 1815 devant La Nouvelle-Orléans. Quelques jours auparavant, le 24 décembre 1814, conseillé par Wellington, le cabinet anglais avait signé la paix de Gand.

La frégate américaine « Constitution » lors d'une bataille contre les Anglais.

L'Anglais Wellington s'empare de Madrid

Salamanque, 22 juillet 1812

Depuis l'année 1810, les guérillas harcelaient les envahisseurs français dans toute l'Espagne : elles luttaient dans les sierras, coupaient les communications avec la France et exerçaient des représailles contre les collaborateurs. Mais les troupes de Napoléon reprirent l'offensive en Catalogne et dans le Levant. Ainsi, le général Suchet s'empara de Valence le 6 janvier 1812. La chute de la ville fut durement ressentie par les patriotes. C'est la campagne du Portugal qui décida de l'issue de la guerre. Après la retraite de Masséna, Wellington, aidé par les Espagnols, passa la frontière et remporta la bataille de Fuentes de Onoro (5 mai 1811), tandis que Masséna se repliait sur Ciudad Rodrigo qui capitula en janvier 1812. Les Alliés assiégèrent la ville de Badajoz qui se rendit au mois d'avril et battirent Soult à La Albuera. Le 22 juillet eut lieu la bataille des Arapilles, près de Salamanque : le roi Joseph évacua la capitale, Madrid, se réfugia à Valence et la route fut libre pour Wellington.

Laplace définit les lois des probabilités

France, 1812

Poursuivant ses recherches en physique mathématique, Laplace vient de publier un traité fondamental, *Théorie analytique des probabilités*. Il y définit la probabilité en considérant le rapport des cas favorables aux cas possibles. L'auteur pose ensuite les principes des probabilités concernant les ensembles d'événements, et, de là, ébauche la notion de corrélation.

Mais surtout Laplace étudie le problème des erreurs dans le cas des mesures physiques. Il montre qu'il faut multiplier les observations et les expériences pour atteindre la plus petite erreur possible. Il énonce une loi universelle valable pour les grands nombres d'observations qui est fondée sur la superposition d'erreurs élémentaires. Ce traité, réédité de nombreuses fois, joua un rôle très important en physique et dans le développement des probabilités appliquées.

Le poète anglais Byron publie "Childe Harold"

Angleterre, mars 1812

Le poète Lord Byron (né en 1788), publie les deux premiers chants du *Pèlerinage de Childe Harold*, qui lui valent une gloire immédiate, en raison surtout de la description de la mélancolie du héros, un personnage à la fois révolté et adulé, misanthrope et rassasié de plaisirs, à la recherche de sensations nouvelles. Le Portugal, l'Espagne, les îles Ioniennes et l'Albanie servent tour à tour de décor aux aventures de ce chevalier porteur du « mal du siècle ».

Portrait du jeune poète romantique anglais, Lord Byron.

Publication des "Contes et Légendes" par les frères Grimm

Allemagne, 1812

Les frères Jakob et Wilhelm Grimm, philologues et érudits liés au groupe romantique de Heidelberg par une commune passion pour la poésie nationale et populaire, publient des *Contes* qui connaissent un succès immédiat. Les auteurs y rassemblent des récits populaires relevant notamment de la tradition orale.

Hansel et Gretel, les jeunes héros d'un conte des frères Grimm.

1813

Fontainebleau, 25 janvier
Après qu'ils se furent rencontrés une première fois le 19, Napoléon Ier et le pape Pie VII signent un concordat que le pape rétractera le 24 mars. →

Autriche et Russie, 30 janvier
Les deux empires signent un traité d'armistice.

Königsberg, 5-8 février
Le landtag de Prusse-Orientale sous l'impulsion de l'Oberpräsident de Lituanie et de Prusse, Hans von Auersbach, conseillé par le ministre Stein, appelle au soulèvement contre Napoléon. Il s'agit pour Stein de convaincre le roi Frédéric-Guillaume III de se lancer dans le combat et d'abandonner son attitude louvoyante qui, le 19 janvier, lui a fait repousser les termes de la convention de Tauroggen avec la Russie.

Varsovie, 18 février
A la tête de ses troupes, le tsar Alexandre Ier entre dans la ville. Tandis qu'une majeure partie de l'aristocratie a déjà commencé à négocier avec les Russes dès l'automne 1812, le prince Poniatowski, commandant du 5e corps polonais dans la Grande Armée, refuse de se joindre à l'armée russe et se retire vers l'ouest afin de rejoindre les Français ; il y réussira en mai lorsque les Autrichiens lui laisseront le droit de passer sur leur territoire.

Kalisz, 27 février
Signature par le roi de Prusse, Frédéric-Guillaume III, d'un traité de paix, d'amitié et d'alliance avec la Russie. →

Suède, 3 mars
A Stockholm, le régent Bernadotte signe un traité d'alliance avec l'Angleterre afin de préserver les intérêts économiques de son pays, mis en danger par la persistance du Blocus continental. L'Angleterre lui promet la Norvège ainsi que des territoires aux Antilles, en Guadeloupe, contre la mise à disposition de 30 000 soldats.

Prusse, 10 mars
Le roi Frédéric-Guillaume III crée l'ordre de distinction et la médaille de la Croix de fer.

Allemagne, 18 mars
Les troupes russes qui ont pénétré dans les Etats allemands alliés de la France occupent Hambourg et la capitale du royaume

de Saxe, Dresde, après avoir atteint Berlin le 4 mars, que la garnison française évacua sans combattre.

Prusse, 27 mars
Après avoir lancé un appel patriotique à son peuple le 17, le roi Frédéric-Guillaume III déclare la guerre à la France.

France, 30 mars
Napoléon organise le Conseil de régence dont la présidence est dévolue à l'impératrice Marie-Louise.

Paris, 20-23 mai
Panique à la Bourse. Méfiants vis-à-vis de l'Empire, les financiers s'inquiètent des mesures économiques prises pour financer la campagne.

Silésie, 4 juin
Un armistice est signé à Pleswitz, pour une durée de quarante jours, entre les belligérants dont les armées sont épuisées par les durs combats de Grossgörschen près de Lützen (2 mai) et de Bautzen (20-21 mai). Malgré de lourdes pertes, les troupes de Napoléon ont réussi à repousser les coalisés russo-prussiens jusqu'en Silésie. →

Reichenbach, 14,15 et 27 juin
L'Angleterre organise la 6e coalition par trois conventions signées avec la Prusse, la Russie et l'Autriche. Le 27, Metternich, pour l'Autriche, adhère, en principe, à l'alliance, mais celle-ci ne deviendra effective que si les négociations de paix en cours à Prague avec Napoléon échouent.

Espagne, 21 juin
Les Français sont battus à Vitoria. →

Prague, 10 août
Echec définitif du congrès de paix de Prague après les essais de médiation de Metternich, chaque partie essayant de gagner du temps pour rassembler ses forces.

Autriche, 11 août
L'Autriche décide de faire la guerre à la France et le communique officiellement le 12.

Europe, 17 août
Début de la seconde phase de la guerre. Les souverains de Prusse, de Russie et de Suède s'accordent sur une offensive militaire par le protocole de Trachenberg, auquel Metternich adhère le 9 septembre par le traité d'alliance de Teplice.

Les Français sont chassés d'Espagne
Vitoria, 21 juin 1813.
Le départ du roi Joseph de Madrid met en question ses fonctionnaires : les Cortes décrètent leur révocation et, par un autre décret, établissent la responsabilité des militaires espagnols qui étaient au service du frère de Napoléon. Wellington est nommé généralissime des armées alliées : de nombreuses protestations s'élèvent, en particulier celle du général Ballesteros, qui est limogé. Mais, ayant évacué l'Andalousie, Joseph Bonaparte reprend Madrid et Wellington se replie au Portugal. En mai 1813, tandis que la guérilla continue à l'est, les armées alliées déclenchent l'offensive et repoussent les troupes françaises sur Burgos. Le 21 juin, celles-ci sont battues à Vitoria et le roi Joseph s'enfuit en France. Les Cortes refusent le traité signé à Valençay entre Ferdinand VII et Napoléon sans l'Angleterre. Après la victoire de Wellington à Toulouse (10 avril 1814), un traité mettra fin à la guerre.

Ferdinand VII d'Espagne peint par Francisco Goya. Musée de Saragosse.

Arthur Wellesley, duc de Wellington, par le baron Gérard.

La Russie et la Prusse se liguent contre la France

Kalisz, Pologne, 27 février 1813
Le 5 février 1813, les états de Prusse-Orientale, réunis à Königsberg, envoient une députation au roi pour qu'il rompe son alliance avec Napoléon et qu'il s'unisse avec la Russie. Frédéric-Guillaume se méfie du tsar et multiplie les déclarations d'amitié à l'empereur tout en réorganisant secrètement son armée. L'élan patriotique lui permet de réunir plus de 120 000 hommes sous les drapeaux. Il délègue le général Knesebeck à Kalisz pour soumettre au tsar un projet d'alliance. Le 26, Alexandre Ier et Knesebeck signent un traité qui garantit au premier la possession du grand-duché de Varsovie et au second l'obtention de la Saxe. Ratifié le 27 février par Frédéric-Guillaume, cet accord reste secret pour permettre à la Prusse de renforcer son armée à l'insu de Napoléon. Après l'entrée des Russes à Berlin, la Prusse rompt avec la France.

Le Mexique proclame son indépendance

Mexique, 1813
Lorsque en 1811 le mouvement guidé par le prêtre Miguel Hidalgo s'effondra dans le nord-ouest du pays, des rescapés, toujours organisés, tenaient certaines régions. Ils étaient dirigés par un autre prêtre, José Maria Morelos, né à Valladolid dans le Michoacan en 1765, qui avait été chef de guérilla autour d'Acapulco, de Coaxaca et de Tehuaca. Il entame un important effort d'organisation militaire et politique des insurgés. Après avoir établi un programme radical prévoyant l'indépendance, la suppression des inégalités raciales, il convoque en 1813 un parlement à Chilpancingo, chargé de former un gouvernement qui, en novembre, déclare l'indépendance. En octobre 1814, le Congrès promulgue une Constitution égalitaire. Mais les troupes espagnoles, libérées par la chute de Napoléon en Europe et les créoles s'unissent. Morelos sera capturé par le général Iturbide puis fusillé le 22 décembre 1815.

Napoléon et Pie VII signent un concordat

Fontainebleau, 25 janvier 1813

Le 19 janvier 1813, Napoléon se rend à Fontainebleau, où le pape est retenu depuis mai 1812, et sollicite une audience. Pour la première fois, l'empereur se pose en solliciteur à l'égard du souverain pontife. En effet, l'appui de l'épiscopat lui est indispensable pour apaiser l'opinion catholique, troublée et agitée après son échec devant le tsar. D'autre part, il veut rehausser son prestige en obtenant du pape le double couronnement de Marie-Louise et de son fils. Toutefois, les dissensions entre l'Empire et la papauté sont nombreuses. Outre la question du divorce, non reconnu par l'Eglise, et celle des investitures, le problème de Rome est des plus épineux. Pie VII tient à son pouvoir temporel et refuse depuis trois ans de localiser le siège apostolique hors de Rome. Mais l'empereur ne peut se permettre de différer un accord avec le pape et le contraint à signer un nouveau concordat le 25 janvier 1813, après cinq jours de délibérations. Pie VII admet désormais que les institutions épiscopales puissent être administrées par le plus ancien évêque de la province ecclésiastique au détriment du Saint-Siège. Napoléon est satisfait de cet accord qui semble briser l'opposition catholique en liant sa signature à celle du Saint-Père. Il compte sur la promesse du pape de s'installer à Avignon. Il pense avoir réglé la question de Rome. Cependant, sous la pression du Sacré Collège, Pie VII se rétracte le 24 mars. Le concordat de Fontainebleau reste lettre morte et marque l'échec de Napoléon dans son essai de conciliation. Le conflit s'achève avec la défaite de l'Empire en 1814 et le pontife regagne ses Etats le 24 mai 1814.

La vie économique sous l'Europe impériale

Quelques mois avant la fin d'une longue série de guerres qui ont endeuillé l'Europe entière depuis 1792, la situation économique du continent reste favorable, même si sont apparus certains signes de renversement de tendance dans des pays comme l'Allemagne, dès 1806, ou la péninsule Ibérique depuis 1809. En effet, l'Europe continentale et l'Angleterre, malgré les graves perturbations dues à l'application du blocus commercial, ont continué à accumuler produits et capitaux. La montée des prix agricoles se poursuit, surtout ceux du blé qui reste la base de l'alimentation, sans pour autant que cela soit dû à une diminution de la production, bien au contraire. Il en va de même pour des produits comme la pomme de terre ou le vin. Quant au blocus, il n'eut pas que des effets négatifs ; il favorisa des expérimentations dont la plus célèbre reste la production de la betterave à sucre pour remplacer la canne qui n'arrivait plus jusqu'aux ports européens. Cette hausse des prix renvoie donc plus à l'économie de guerre qui marque l'Europe avec son cortège de réquisitions et de gaspillages qui gonflent la demande. En ce qui concerne l'industrie, les voies ouvertes par la révolution technique s'élargissent. La production textile s'envole en Angleterre, tout comme sur le continent qui est contraint à multiplier le nombre de broches à filer le coton, du fait encore une fois du blocus. Mais c'est surtout la production minière et métallurgique qui connaît un essor considérable, du fait des besoins accrus d'armement. En trente ans, de 1788 à 1818, l'Angleterre, par exemple, multiplie par 5 sa production de fonte. Toutefois, le développement industriel reste inégalement réparti, laissant de côté de nombreux pays : ceux de la ceinture méditerranéenne et l'Europe orientale. Poursuivant sa progression économique, l'Europe a surtout connu, dans certaines régions, une mutation sociale importante, là où l'ancien régime a été aboli.

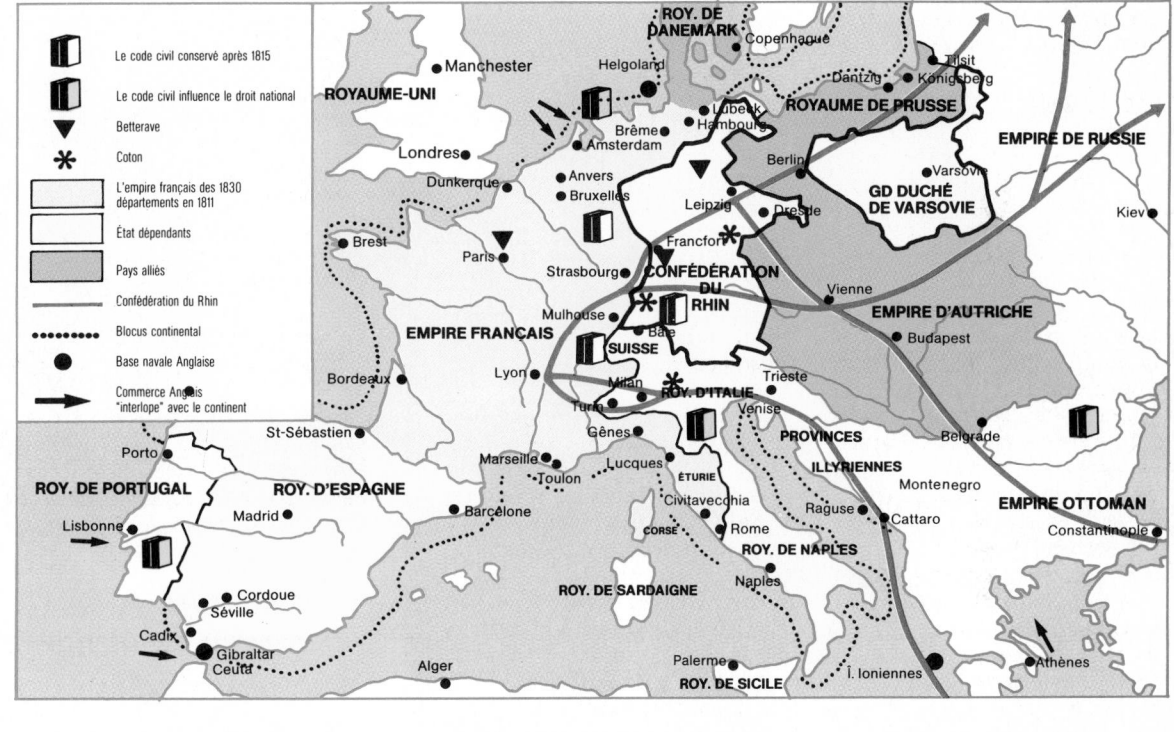

Victoire de Napoléon à Lützen et à Bautzen

Allemagne, 2 mai-21 mai 1813

Avec sous ses ordres une armée réorganisée, Napoléon avance vers les Alliés, qui ont franchi l'Elbe. Les coalisés sont pris entre les troupes du vice-roi d'Italie Eugène de Beauharnais et celles de l'empereur qui veulent réaliser leur jonction. Le 29 avril, Ney se heurte aux Russes à Weissenfels et s'établit en vainqueur à l'est de Lützen. Il est rejoint par le vice-roi Eugène : la Grande Armée est enfin unifiée. L'empereur veut faire reculer les ennemis jusqu'aux monts de Bohême, où, bloqués par la neutralité de l'Autriche, ils seront obligés de capituler. Le 2 mai, l'aile droite de Ney, qui sert de pivot pendant que le reste de l'armée s'avance vers Leipzig, est attaquée par Blücher et 70 000 Russes qui cherchent à rentrer dans la plaine de Lützen. La résistance est rude et Napoléon, à la tête de la garde impériale, se porte à son secours. Les Alliés, en déroute, reculent vers l'est. La victoire de Lützen ne les a pas acculés vers la Bohême, mais permet à l'empereur, rentré le 8 mai à Dresde, d'attendre des renforts pour obtenir une victoire décisive entre l'Elbe et l'Oder. Il se dirige vers Bautzen. Le 20 mai, il franchit la Sprée et s'installe à Bautzen. Il compte sur Ney pour attaquer contre les 25 000 Prussiens de Blücher par derrière, les anéantir et donner ainsi le signal de l'assaut frontal de son armée. Le 21 mai, les hésitations de Ney, qui redoute une attaque prématurée, permettent à Blücher de s'enfuir et de battre en retraite vers l'Oder. Malgré l'échec de sa stratégie, la victoire française est complète et convainc les alliés de la toute puissance de l'empereur, qui les poursuit jusqu'à l'Oder et les contraint à l'armistice.

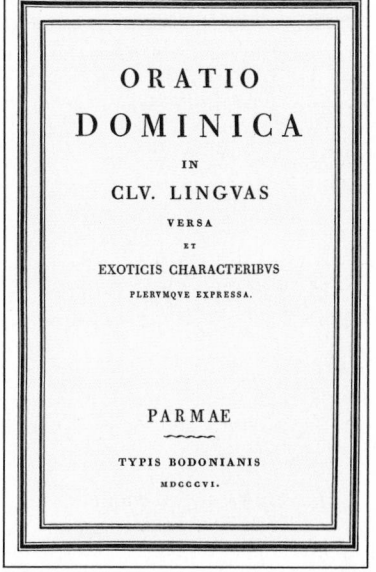

Couverture d'un ouvrage composé (en « Antiqua ») et édité par Giambattista Bodoni à Parme en 1806.

Mort de Bodoni, maître imprimeur

Parme, 29 novembre 1813

Né à Saluces en 1740 dans une famille d'imprimeurs piémontais, Giambattista Bodoni est devenu le grand rénovateur de l'art typographique. Il se rend, alors qu'il est très jeune, à Rome où il est chargé par le préfet de la Propagande auprès du Saint-Siège de mettre de l'ordre dans les caractères de type Garamond, acquis par le pape Sixte Quint au XVIe siècle. Ouvert aux alphabets orientaux, il s'en inspire pour créer ses propres formes. Il diffuse ses méthodes et ses créations : dès 1771, il publie son *Saggio tipografico di carateri e fregi*. Maître également de la mise en page, il travaillera sous l'Empire, après avoir fondé sa propre imprimerie en 1791. Sa femme publiera après sa mort son *Manuale tipografico*.

1813

Empire ottoman, août-octobre
Profitant de la guerre en Europe, les troupes ottomanes ont occupé la Serbie en juillet et défont les forces du prince Karageorges, qui se réfugie en Autriche où il est interné.

Amérique espagnole, août
Alors qu'au sud les Espagnols reconquièrent le Chili, au nord le général Bolivar réoccupe le Venezuela et sa capitale, Caracas, le 6.

Allemagne, août-septembre
Malgré une victoire de Napoléon à Dresde du 25 au 27 août, les armées françaises essuient plusieurs revers : Oudinot est vaincu par les Suédois de Bernadotte le 23 août à Gross-Beeren, Macdonald par Blücher sur la Katzbach près de Wahlstatt le 29 août, Vandamme à Kulm par l'Autrichien Schwarzenberg le 30 août et Ney par le Prussien Bülow à Dennewitz le 6 septembre. Le 3 octobre, les troupes prussiennes passent l'Elbe.

France, 8 octobre
Les troupes anglaises, commandées par Wellington, après avoir libéré l'Espagne de la présence française, envahissent le sud du pays.

Leipzig, 16-19 octobre
Bataille des Nations. →

Bavière, 30 octobre
Les troupes bavaroises, qui sont passées du côté des coalisés, tentent de barrer la route à l'armée française à Hanau, mais sont vaincues.

Wurtemberg, 2 novembre
Après la Bavière le 8 octobre, c'est au tour du Wurtemberg d'abandonner l'alliance française et, par le traité de Fulda, de quitter la Confédération du Rhin.

Confédération du Rhin, 4 novembre
L'organisation, créée par Napoléon, se dissout. →

Paris, 15 novembre
Napoléon Iᵉʳ est de retour à Paris après avoir fait passer le Rhin à ses maigres troupes du 2 au 4 novembre. Des 450 000 hommes formant l'armée au début de l'automne, il ne reste plus qu'environ 50 000 rescapés.

Hollande, 15 novembre
Révolte anti-française. →

Italie, septembre-novembre
Le vice-roi Eugène de Beauharnais résiste aux troupes autrichiennes, qui attaquent la Croatie et prennent Laybach le 29 septembre, et aux troupes anglaises qui occupent Raguse (Dubrovnik) le 28 octobre, en battant leurs adversaires à Caldiero. Repoussant l'offre de ceindre la couronne d'Italie par fidélité à Napoléon, il concentre son pouvoir en Lombardie et en Vénétie. →

Francfort, novembre
Les coalisés signent des traités dénommés « bases » avec différents Etats allemands qui leur garantissent leurs frontières en échange de leur sortie de la Confédération du Rhin et de leur adhésion à la nouvelle coalition. Il s'agit des duchés de Bade et de Saxe-Cobourg ainsi que des différents duchés de Hesse.

Francfort, 4 décembre
Les coalisés, un moment désunis sur l'attitude à adopter vis-à-vis de Napoléon, publient une déclaration par laquelle ils offrent la paix, sans toutefois mentionner les frontières naturelles de la France et en dissociant le sort du pays de celui de l'Empereur. Auparavant, Metternich s'était heurté à la volonté politique de ses alliés anglais, prussiens et russes d'infliger une défaite totale à la France.

Espagne-France, 11 décembre
Par le traité de Valençay, Napoléon reconnaît son prisonnier, Ferdinand VII comme roi d'Espagne et le relâche.

Allemagne, 31 décembre
Dans la nuit de la nouvelle année, les troupes prussiennes de Blücher traversent le Rhin.

Mexique
Proclamation de l'indépendance par José Maria Morelos au Congrès de Chilpancingo. →

Allemagne
Le poète et romancier allemand Ernst Moritz Arndt compose et publie des *Poésies*, dont le lyrisme contribua à exalter les sentiments patriotiques et anti-napoléoniens de ses contemporains.

Italie
L'opéra de Gioacchino Rossini *Tancrède* remporte à Venise le plus vif succès.

Angleterre
Huit éditions du *Giaour*, poème de Byron, sont tirées et vendues dans l'année.

La bataille de Leipzig fatale à Napoléon

Allemagne, 16-19 octobre 1813
Après l'armistice de Pleswitz, Napoléon refuse les conditions de paix et relance la guerre. Il doit affronter les forces russes et prussiennes augmentées de l'armée de Bernadotte et de l'Autrichien Schwarzenberg, soit 320 000 hommes. L'empereur ne dispose que de 180 000 hommes. Le 16 octobre, Blücher attaque le maréchal Marmont au nord de Leipzig, mais est stoppé par une manœuvre de Ney. Pendant ce temps, Napoléon contient Schwarzenberg à Wachau. Le 17, les armées, éprouvées, se contentent de canonner. Mais Schwarzenberg au sud se grossit des troupes du russe Bennigsen, tandis que Bernadotte rejoint l'armée de Blücher au nord. L'armée française, démoralisée par la défection de 15 000 Saxons qui se rangent aux côtés des coalisés, s'essouffle. Submergé, Napoléon ordonne de sonner la retraite le 18 octobre ; son départ est couvert par Macdonald et Poniatowski. Le repli s'opère par un seul pont, sur l'Elster. Le 19 octobre, celui-ci saute prématurément : 20 000 Français restent bloqués et sont tués ou capturés. Poniatowski meurt noyé dans le fleuve. La bataille des Nations provoque la perte des Etats allemands par la France et lui coûte 60 000 hommes.

La bataille des Peuples à Leipzig en octobre 1813.

La Hollande se révolte et se dote d'un stathouder

Hollande, 15 novembre 1813
La défaite de Leipzig agite la Hollande qui supporte mal la tutelle française. Les fonctionnaires impériaux quittent le pays, et Lebrun, gouverneur de Hollande, se réfugie à Utrecht le 6 novembre. C'est le signal de la révolte. Amsterdam s'enflamme le 15. Le 17, la rébellion gagne La Haye, où Van Limburg-Stirum prône le port de la cocarde aux couleurs des Orange-Nassau. Le général Van Hogendorp veut que la Hollande recouvre elle-même son indépendance pour ne pas la devoir aux coalisés. Un gouvernement triumviral se met en place, qui rappelle le prince d'Orange. L'enthousiasme populaire se répand dans toutes les villes. Pour chasser définitivement la France, les Alliés détachent un corps d'armée qui ramène le prince d'Orange le 29 novembre. Acclamé, il est placé à la tête de la Hollande. Les troupes française doivent se retirer.

L'Italie échappe à la tutelle française

Italie, automne 1813
En 1813, l'Italie se déstabilise. Minée de l'intérieur par les revendications nationalistes et les protestations catholiques, elle est l'objet de la convoitise de l'Autriche, de l'Angleterre et de Murat. Eugène, vice-roi d'Italie, est chargé de contenir l'avance autrichienne en Illyrie et en Vénétie, et compte sur l'apport des troupes de Murat. En réalité, sollicité par Metternich et par les Anglais, celui-ci s'apprête à trahir. La débâcle est proche. Avec ses 47 000 hommes Eugène ne peut résister, et, dès le 8 novembre, est refoulé jusqu'à l'Adige. Les Autrichiens tiennent définitivement le nord du pays. En Italie centrale, un corps d'Italiens s'empare de Lucques et marche sur Livourne. Murat, à Rome, dès le 25 novembre, essaie de convaincre Miollis gouverneur des Etats romains, de lui remettre ses troupes. La trahison du roi de Naples en janvier 1814 achèvera de ruiner les positions françaises en Italie.

Le théâtre sous l'Empire : Talma

France, 1813

Napoléon aimait la tragédie, car il pensait qu'elle pouvait servir d'exemple en tant qu'école d'énergie. Il choya donc des acteurs tels que Talma et Mlle George et il déclara : « S'il avait vécu de mon temps, j'aurais fait Corneille prince de l'Empire. » Mais, malgré le soutien officiel, le manque d'invention et de style des écrivains de l'époque ne donna lieu qu'à de pauvres créations. Le décret du 8 juin 1806 avait établi une hiérarchie en divisant les théâtres en deux catégories : les théâtres principaux (Comédie-Française, Opéra, Opéra-Comique et Théâtre de l'Impératrice) et les théâtres secondaires (Vaudeville, Variétés, Ambigu-Comique, Gaîté et le Cirque-Olympique) qui devaient se consacrer à la pantomime. Le décret de Moscou du 15 octobre 1812 fixa l'organisation et l'administration de la Comédie-Française considérée comme « une des gloires nationales ». Attirée vers le théâtre populaire qui lui offrait des spectacles pittoresques, la foule délaissa le théâtre officiel figé dans les copies de son idéal gréco-romain. Né à Paris en 1763, Talma fut la vedette incontestée de la Comédie-Française, reconstituée en 1799. Honoré de l'amitié admi-rative de Napoléon, il triompha dans les pièces de Corneille, Racine et Voltaire. Il intronisa Shakespeare, notamment avec *Hamlet* et *Othello*. Lors de son entrevue avec le tsar à Erfurt (1808), Napoléon le fit jouer « devant un parterre de rois ». Par ses interprétations réalistes, quasi naturalistes (ainsi dans les *Fureurs d'Oreste*), Talma fut en rupture avec l'esthétique de son temps. Il mourut en 1826.

Portrait de Talma par Louis Hersent. Miniature sur ivoire. Musée Carnavalet, Paris.

La dislocation de la Confédération du Rhin

Allemagne, 1813

Affaiblie économiquement par le blocus et pénétrée par le courant nationaliste prussien du Tugenbund, la Confédération du Rhin se désagrège en 1813. Pourtant, le 19 mars 1813, le roi de Prusse l'a dissoute, mais en vain. Le 8 octobre, le roi de Bavière, encouragé par les Alliés et par la pression populaire, conclut une alliance avec les coalisés et met à leur disposition 30 000 hommes. Le coup de grâce est dû à l'échec de Leipzig. Au cours de la bataille, Frédéric-Auguste Ier est fait prisonnier : la Saxe et le grand-duché de Varsovie tombent. L'armée du tsar, installée à Kassel, entraîne l'abandon par Jérôme Bonaparte du royaume de Westphalie. A leur tour, le royaume de Wurtemberg, les grands-duchés de Hesse, de Bade et de Francfort s'allient aux coalisés. Le 6 novembre, les Alliés sont à Francfort. Seules la Rhénanie et la ville libre de Hambourg, tenues par Davout, restent fidèles. La Confédération du Rhin sera officiellement dissoute par le Congrès de Vienne.

Le baron allemand Karl von Drais conçoit un engin à deux roues

Allemagne, 1813

Le premier ancêtre de la bicyclette, nommé célérifère, apparaît à la fin du XVIIIe siècle. Constitué par une barre horizontale montée sur deux roues de même hauteur, il permet à un cycliste de se déplacer en frappant alternativement le sol de l'un et l'autre pied. Cet instrument très simple est considéré à l'époque comme un jouet. Le baron Drais, agriculteur et ingénieur badois, s'y intéresse et le simplifie en 1813. Il conçoit une fourche qui, montée sur un axe, per-met de faire pivoter la roue avant. Ainsi, ce véhicule peut maintenant être dirigé. Le célérifère prend à partir de cette date le nom du baron : la draisienne. Arrivant à Paris en 1818, il en fera la démonstration dans le jardin de Tivoli. La selle remplace alors la barre en bois et rend le véhicule plus confortable. Cet engin fera fureur en Europe, surtout parmi la noblesse. C'est en Angleterre qu'il sera amélioré avec la construction d'une draisienne plus légère et plus résistante. Drais, après cette expérience, inventera en 1831 la première machine à touche qui écrit des combinaisons de signes, ancêtre de la sténotypie.

Hoffmann, un maître du fantastique

Allemagne, 1813

Ernst Theodor Amadeus Hoffmann, magistrat et musicien (né en 1776) publie les *Fantaisies dans la manière de Callot, ou les Pages du journal d'un voyageur enthousiaste*. Cet ouvrage, le premier de l'auteur, consomme la rupture d'Hoffmann avec son passé de critique musical et de compositeur. A l'intense activité d'organisateur de concerts, à Varsovie, de 1804 à 1807, puis à celle de régisseur de théâtre, à Bamberg, de 1807 à 1812, succède désormais celle de conteur. Son génie du fantastique s'y épanouit, marqué par une prédilection pour les zones nocturnes de l'âme, le pressentiment des forces occultes à l'œuvre derrière les êtres et les choses. Le monde quotidien décrit par Hoffmann débouche sur le surnaturel, les personnages de chair et d'os se transforment en images idéales, en caricatures ou en fantoches dérisoires. Dans *Le Vase d'or*, l'un des six récits de l'ouvrage, c'est du réel même que surgit la magie. Les *Kreisleriana*,

Portrait d'Ernst Theodor Hoffmann, un maître du conte fantastique.

recueil de 1814, évoquent, sous les traits du maître de chapelle Johannes Kreisler, musicien de génie mais déchiré entre sa vision d'artiste et la banalité quotidienne, le propre drame d'Hoffmann, celui d'un bohème exaltant son imagination dans le vin. De 1815 à 1822 se succéderont un grand nombre d'écrits, dont *Les Elixirs du diable* ou *Le Chat Murr* (1822). Hoffmann mourra à Berlin le 25 juin 1822.

La France, essoufflée, se jette dans la bataille

France, 1813

En 1813, Napoléon doit reconstituer son armée. Il sait pouvoir compter sur les réserves de la France qui est encore le pays le plus peuplé d'Europe. Depuis le début des hostilités, les pertes sont énormes : 15 000 hommes à Eylau, 7 000 à Friedland et 10 000 à la Moskova, sans compter les blessés. Pour combler ces vides, l'empereur doit prendre des mesures qui dépassent le cadre de la conscription. Dès janvier 1813, il ordonne d'enrôler 100 000 exemptés des classes de 1809 à 1812 et va jusqu'à incorporer dans la troupe de ligne des gardes nationaux. Devant l'insuffisance de cet apport, il réclame 180 000 soldats de plus. Selon les lois de 1803 et de 1805, la conscription s'effectue par tirage au sort. Mais en 1813, le tirage n'est plus qu'une « formalité ». Compte tenu de la pénurie, personne n'échappe au recrutement, à moins de se payer un remplaçant dont le prix peut atteindre 4 000 francs. Les désertions et les insoumissions sont nombreuses. On en compte 160 000 en mai 1813, et l'Empire ne dispose plus d'assez de gendarmes pour courir sus aux réfractaires. Les pressentis ont souvent recours aux fraudes. Certains se mutilent un membre, parfois même se crèvent un œil ou se font passer pour morts. Malgré cela, Napoléon arrive à lever plus de 500 000 conscrits en 1813. C'est le prix à payer pour sauver la France. Fin 1813, l'impératrice signe l'ordonnance de recrutement. Les nouveaux conscrits, les « Marie-Louise », souvent adolescents, se mêlent aux vétérans et assurent avec courage la défense du territoire national.

« Une course de draisiennes. Mais, gare aux spectateurs ! » 1819. Illustration caricaturale anglaise.

1814

Italie, 11 janvier
Le roi de Naples, Murat, passe une alliance avec l'Autriche et décide d'occuper l'Italie centrale.

Norvège, 14 janvier
Par le traité de Kiel, Bernadotte, le prince-régent de Suède et généralissime des armées du Nord contre Napoléon, contraint le Danemark à lui céder la Norvège.

France, 25 janvier
Napoléon quitte Paris pour prendre le commandement de l'armée et se rend à Châlons qu'il atteint le lendemain.

Langres, 25-29 janvier
Le ministre anglais Castlereagh fait discuter le plan qu'il a établi le 26 décembre à l'intention des Alliés. Il prévoit le retour de la France à ses frontières de 1792, moins la Belgique qui serait intégrée au royaume des Pays-Bas.

Belgique, 1er février
Après avoir vaincu Blücher à Brienne le 29 janvier, Napoléon est vaincu à La Rothière.

Châtillon-sur-Seine, 7 février
Les Alliés réunis en congrès depuis le 4 février ont invité Napoléon à négocier. Celui-ci envoie Caulaincourt. Les propositions des Alliés sont simples : retour pour la France aux frontières de 1792. Mais Napoléon refuse dans la nuit du 7 au 8.

Italie, 8 février
Le vice-roi Eugène de Beauharnais, replié sur la rive du Mincio, gagne la bataille de Roverbella sur les Autrichiens.

Vauchamps, 14 février
Quatrième succès consécutif de Napoléon sur Blücher depuis le 10 à Champaubert. Mais, pendant ce temps, les Autrichiens s'approchent de Paris.

France, 24 février
Les Autrichiens, battus deux fois à Mormant et à Montereau le 18, offrent par deux fois une armistice les 17 et 24 février.

Suisse, 26 février
Les troupes du général Augereau repoussent les Alliés passés par la Suisse et approchent des portes de Genève.

Chaumont, 1er-9 mars
Les quatre puissances alliées signent le pacte de Chaumont prévoyant le stationnement pendant vingt ans de 150 000 soldats étrangers en France et l'interdiction aux Bonaparte d'occuper le trône. Obtenu par Castlereagh, ce pacte prévoit le versement de cinq millions de livres sterling aux Alliés comme dommages de guerre.

France, 5 mars
Napoléon décrète la guerre de partisans à Fismes pour s'opposer à l'invasion.

Bordeaux, 12 mars
Wellington, accompagné du comte d'Artois, fait son entrée dans la ville.

Arcis-sur-Aube, 20-21 mars
Après avoir manqué d'anéantir les forces de Blücher, Napoléon est vaincu par les troupes de l'Autrichien Schwarzenberg.

Lyon, 21 mars
Le général Augereau, repoussé par les troupes du général Bubna von Litié, évacue la ville et se replie sur Valence.

Europe, 22 mars
L'Angleterre fait savoir qu'elle ne négociera pas la paix avec Napoléon.

Paris, 30 mars
La ville encerclée, peu défendue et assaillie par des milliers de réfugiés, capitule. Le 31 mars, à dix heures du matin, le tsar et le roi de Prusse pénètrent solennellement dans la ville.

Paris, 3 avril
Le Sénat, convoqué le 1er avril, nomme un gouvernement provisoire de quatre membres et vote à l'unanimité la déchéance de Napoléon.

Fontainebleau, 6 avril
Napoléon abdique, tandis qu'à Paris le Sénat appelle Louis-Stanislas-Xavier, frère du dernier roi, au pouvoir. →

Paris, 11 avril
Un traité est signé par Gourgaud, émissaire de Napoléon, avec les Alliés lui garantissant la souveraineté de l'île d'Elbe. Il quittera Fontainebleau le 20. →

Italie, 16 avril
Eugène de Beauharnais signe un armistice près de Mantoue avec ses adversaires.

Italie, 28 avril
Milan est occupée par les Autrichiens, après s'être révoltée contre les Français dès le 23.

Entrée, le 31 mars 1814, des troupes coalisées dans Paris, à la porte Saint-Denis. Le défilé sur les Grands Boulevards. 1815. Lithographie.

Les coalisés entrent dans Paris

Paris, 31 mars 1814
Depuis janvier, les Alliés sont sur le sol français et se dirigent vers la capitale en suivant les affluents de la Seine. Le 29 mai 1814, ils sont aux portes de Paris. Les 40 000 hommes de l'Empereur n'ont pu arrêter les 160 000 coalisés, pourtant battus à La Rothière le 31 janvier. Les victoires à Champaubert et à Montmirail contre Blücher et celle à Montereau contre Schwarzenberg sont aussi insuffisantes. Après sa défaite d'Arcis-sur-Aube, Napoléon marche vers le nord pour y attirer les troupes ennemies, mais, inexorablement leur marche sur Paris continue. Les corps de Mortier et de Marmont, chargés de bloquer leur avance, sont acculés aux abords de la ville et submergés. Le 30 mars, Paris arme sa garde nationale, les ouvriers demandent des fusils. Schwarzenberg doit attaquer par Pantin et Romainville, Blücher est chargé de prendre Clichy et les hauteurs de Montmartre. Opposés à 100 000 coalisés, les 30 000 hommes du duc de Raguse doivent se soumettre. La capitulation est signée, Marmont est obligé de faire évacuer ses troupes. Les royalistes, qui comptent rétablir la monarchie, essaient de provoquer une manifestation en faveur des Bourbons. Leur tentative est vaine. Seuls quelques aristocrates répondent à l'appel, place de la Concorde, munis de cocardes blanches. Le peuple tout entier est massé le long des grands boulevards. Le 31 mars, les souverains vainqueurs et leurs armées rentrent dans la capitale. Contrairement à la population des faubourgs, qui assiste consternée au défilé, les Parisiens, fatigués de la guerre, sont plus enthousiastes. L'occupation de Paris s'organise. Le tsar est logé par Talleyrand et le roi de Prusse à l'hôtel de Villeroi, tandis que leurs hommes cantonnent sur les Champs-Elysées. Intrigués par le spectacle surprenant et bigarré de ces étrangers, les Parisiens s'attardent devant les soldats russes qui ont construit des huttes de paille. Pendant ce temps, les hautes instances politiques règlent les affaires urgentes. Le 1er avril, Talleyrand constitue un gouvernement provisoire, qui prépare l'arrivée de Louis XVIII et les princes négocient la paix. Paris est évacuée en novembre 1814 et le gouvernement est laissé aux mains des Bourbons.

Napoléon abdique à Fontainebleau

Fontainebleau, 6 avril 1814

Instruit de la capitulation de Paris, Napoléon s'installe avec ses troupes à Fontainebleau pour reprendre la capitale. Le 3 avril, le Sénat vote la déchéance de l'Empereur, accusé d'avoir « déchiré le pacte qui l'unissait à la nation ». L'Empereur est poussé à la reddition par ses maréchaux, mais entouré encore de 60 000 hommes, il se pense assez puissant pour poser ses conditions. Le 4 avril, il signe une abdication en faveur de son fils sous la régence de Marie-Louise. Mais la défection du duc de Raguse, qui fait passer ses troupes du côté de l'ennemi et signe un armistice, prive Napoléon de 10 000 hommes et rend ses exigences irréalisables. Il est acculé à la reddition inconditionnelle. Le principe agréé par les coalisés lui accorde la souveraineté de l'île d'Elbe et une dotation annuelle de 2 millions à la charge de la France. A l'annonce de cette proposition Napoléon se rebiffe et veut reprendre les armes. Mais déjà Ney et Macdonald le consi-

dèrent déchu. Il doit se soumettre. Le 6 avril, il signe son abdication inconditionnelle : « Il n'est aucun sacrifice, même celui de la vie, que je ne suis prêt à faire aux intérêts de la France. » Il demande toutefois une pension pour chacun des membres de sa famille. Destitué, il s'enferme à Fontainebleau, attendant son départ, tandis que la plupart de ses proches se préparent à l'arrivée des Bourbons. Malgré les lettres qu'elle reçoit, Marie-Louise ne lui accorde aucune visite et ne le reverra plus. Les abandons de son entourage sont de plus en plus nombreux. Berthier fait passer l'armée au service du gouvernement provisoire. Trop occupés à se maintenir en place, ses anciens ministres le délaissent. Le 20 avril, Napoléon fait des adieux émouvants à la garde impériale : « Vous n'avez cessé d'être des modèles de fidélité et de bravoure. » Accompagné de quelques fidèles, tels les généraux Bertrand et Drouot et l'ancien ministre Maret, il part, pathétique, pour l'île d'Elbe le jour même.

Les adieux de Napoléon à la garde impériale, le 20 avril 1814, dans la cour du château de Fontainebleau.

Chamisso raconte l'histoire de l'homme qui a perdu son ombre

Allemagne, 1814

Le poète Adalbert von Chamisso (né en 1781) publie l'*Histoire merveilleuse de Peter Schlemihl ou l'Homme qui a perdu son ombre,* un ouvrage qui l'apparente à Hoffmann par son fantastique. Peter, au bord de la misère, rencontre chez le riche Thomas John un personnage effacé qui, se révélant être le démon, lui propose d'échanger son ombre contre une bourse magique. Le pacte est conclu mais, devenu riche, Peter, qui n'a plus d'ombre, perd l'amour de Mina, celle qu'il aime, ainsi que l'estime de toutes les personnes qu'il côtoie. Le démon consent alors à restituer à Peter l'ombre précieuse en échange de son âme. Mais Schlemihl jette la bourse et se décide pour le bonheur quoti-

« Peter Schlemihl ou l'Homme qui a perdu son ombre » : le personnage inventé par Chamisso.

dien et la pratique de solides vertus. Chamisso publiera encore un *Voyage autour du monde* et mourra à Berlin le 21 août 1838.

Invention de la locomotive à vapeur

William Hedley a construit la première machine à vapeur destinée à tracter le minerai. Ayant relié les roues par un mécanisme approprié à la chaudière, Hedley apporte la démonstration que l'adhérence au rail par simple frottement permettait la traction des trains.

La « Puffing Billy » (1813) de l'ingénieur anglais Hedley. Elle fonctionna jusqu'en 1864.

Le traité de Paris ramène la France aux frontières de 1792

Paris, 30 mai 1814

Pour mieux se consacrer aux questions européennes, l'Autriche, l'Angleterre, la Prusse et la Russie précipitent la signature du traité avec la France. Dès l'armistice du 23 avril, elles décident de ramener la France à ses frontières de 1792, mais liées par une promesse imprudente, elles lui concèdent un million de sujets de plus. Devant la fermeté des Alliés, qui refusent de briser la Belgique, la monarchie renonce à étendre son territoire vers le nord. Mais elle obtient le comtat Venaissin, une partie de la Savoie, Mulhouse, Montbéliard et les places fortes de Landau, Sarrelouis, Marienbourg, et Philippeville. Les conquêtes révolutionnaires sont perdues. En outre, la France abandonne à l'Angleterre ses colonies aux Antilles et dans l'océan Indien, parmi lesquelles l'île de France (île Maurice), Sainte-Lucie, Tobago et une partie de la Guyane. L'exemption d'indemnités de guerre et le partage modéré de la flotte ne masquent pas la totale liquidation du Grand Empire.

Guerre entre Anglais et Gurkhas au Népal

Inde, Népal, 1814

Les Anglais commencent une guerre contre les Gurkhas. Installés à Katmandu, au Népal, dès 1768, les Gurkhas étaient en 1814 maîtres d'un territoire jouxtant les possessions britanniques en Inde. En avril 1814, une petite force d'occupation anglaise est massacrée. La guerre éclate en novembre. Dans ces contrées montagneuses, les Anglais se voient infliger de sévères défaites. Le génie militaire du colonel Ochterlony sauve l'honneur : ses victoires aboutissent à la signature d'un premier traité, dont la ratification est refusée par le gouvernement népalais. Les hostilités reprennent. Après la prise de Makwanpur, les Anglais marchent sur la capitale ; les Gurkhas, acculés, acceptent la négociation. Par le traité de Sagauli, ils concèdent aux Anglais les territoires sujets à contestation. Une paix est ainsi conclue.

Un colonel de l'armée britannique lors d'une chasse à l'éléphant.

1814

Paris, 3 mai
Débarqué à Calais le 24 avril, Louis XVIII entre à Paris, après avoir rendue publique la déclaration de Saint-Ouen le 2 mai par laquelle il affirme sa volonté de gouverner en monarque constitutionnel. →

Ile d'Elbe, 4 mai
Napoléon débarque dans l'île à Porto-Ferraio. Il s'était embarqué, le 28 avril à Fréjus, à bord du navire britannique *Undaunted*.

Espagne, 4 mai
Le roi Ferdinand VII abolit la constitution de 1812.

Italie, 20 mai
Le roi de Piémont-Sardaigne, Victor-Emmanuel Ier, fait son entrée solennelle à Turin.

Rome, 24 mai
Relâché en mars par Napoléon, Pie VII rentre à Rome.

France, 29 mai
L'ex-impératrice Joséphine meurt à la Malmaison. →

Paris, 30 mai
Le traité de paix imposé à la France ramène le pays à ses frontières de 1792. →

France, 4 juin
Louis XVIII octroie la Charte constitutionnelle. →

Pays-Bas, 21 juillet
Les Alliés, poussés par l'Angleterre, décident de reconstituer les dix-sept provinces de Charles-Quint et de ne faire qu'un royaume de la Belgique et de la Hollande. →

Angleterre, 25 juillet
George Stephenson expérimente sa première locomotive à vapeur.

Amérique du Nord, 25 juillet
Les Américains lancent une offensive militaire contre le Canada qui s'arrête à la bataille de Lundy's Lane.

Rome, 7 août
Le pape Pie VII rétablit l'ordre des Jésuites.

Etats-Unis d'Amérique, 25 août
Les troupes anglaises lancent une offensive en territoire américain, prennent et incendient la capitale, Washington. Les 12-13 septembre, ils attaquent vainement Baltimore. Au cours des combats

F.S. Key compose *The starspangled banner* (la Bannière étoilée).

Suisse, 9 septembre
La Diète, qui s'est réunie du mois d'avril au mois d'août, voit son projet de Constitution ratifié par les cantons. Le 12, le Valais, Genève et Neuchâtel sont admis dans la confédération. →

France, 23 septembre
Louis XVIII reconnaît les dettes de l'Empire.

Ile Maurice, 15 octobre
Les Anglais obtiennent du traité de Paris la possession de l'île.

Vienne, 1er novembre
Les représentants de tous les pays européens se retrouvent à Vienne. L'ouverture officielle du congrès a lieu le 1er novembre. Entre-temps, le 1er octobre, Talleyrand a obtenu que la France y soit admise.

Gand, 24 décembre
Signature d'un traité de paix entre l'Angleterre et les Etats-Unis.

Amérique espagnole
Les Espagnols reconquièrent le Venezuela.

Espagne
Goya peint le *Dos de Mayo* et le *Tres de Mayo*, qui célèbrent le soulèvement des Madrilènes contre l'occupation française en 1808.

Chine
Un édit interdit le prosélytisme catholique parmi les Chinois. →

Crimée
A Odessa, fondation de l'*Hétairie*, association ayant pour dessein de favoriser la lutte des Grecs contre la Turquie.

Angleterre
Walter Scott fait paraître son premier roman historique, *Waverley*.

Allemagne
Adalbert von Chamisso publie *La Merveilleuse Histoire de Peter Schlemihl,* l'homme qui a perdu son ombre.

Danemark
Dans un mémoire écrit cette année-là, mais publié seulement en 1818, (*Recherches sur l'origine de l'ancienne langue nordique ou islandaise*), le grammairien Kristian Rask (1787-1832) prouve la parenté de l'islandais avec les langues slaves, le grec et le latin. C'est la première fois qu'est évoquée l'idée d'une langue originelle indo-européenne.

L'entrée solennelle de Louis XVIII à Paris le 3 mai 1814. On acclame de nouveau le drapeau blanc de la monarchie.

Restauration de la monarchie en France

France, 1814
Louis XVIII, qui a recouvré son trône, rétablit les cadres et les symboles de l'Ancien Régime. Le drapeau blanc remplace désormais le drapeau tricolore et devient l'emblème de la droite. La religion catholique, déjà remise à l'honneur par la Charte, sert de prétexte pour proposer que le dimanche soit chômé. Si l'épuration des fonctionnaires impériaux, qui conservent leur charge à 76 %, semble modérée, en revanche la moitié de l'armée est dissoute et de nombreux officiers sont mis en demi-solde. Paradoxalement, le monarque reconstitue des corps désuets. On voit ainsi réapparaître la maison civile du roi, la garde suisse et les mousquetaires. Les monuments et fêtes expiatoires à la mémoire de Louis XVI se multiplient. Une messe à la basilique Saint-Denis est même prévue pour le 21 janvier 1815. La Restauration passe plus par des symboles qui agacent l'opinion que par les institutions elles-mêmes, mais la coupure entre deux France s'amorce.

Octroi d'un Charte constitutionnelle par Louis XVIII

Paris, 4 juin 1814
Pour affirmer la prééminence de la personne royale, Louis XVIII refuse le projet de constitution du Sénat. Il veut « octroyer » lui-même une monarchie constitutionnelle et promulgue une charte le 4 juin 1814. Datée de la 19e année de règne, elle confirme le fondement divin de l'autorité royale et le maintien du catholicisme comme religion d'Etat, malgré la reconnaissance de la liberté de culte. Ce retour au passé est tempéré par la garantie des droits publics et privés. Mais le roi conserve la puissance exécutive et est secondé par deux Chambres pour le législatif. Le pouvoir est confiné entre les mains de notables. Les charges de la Chambre des pairs sont héréditaires et l'élection des députés est censitaire.

Portrait de Louis XVIII, roi de France, peint par le baron Gérard. Vers 1820.

L'électeur doit justifier de 300 francs d'impôts et l'élu de 1 000 francs. La Charte est une tentative de conciliation des idéaux royalistes et libéraux mais refuse au peuple son droit à une représentation et à son existence politique.

L'Australie doit son nom à M. Flinders

Port Jackson, 1814
L'officier de marine Matthew Flinders demande que le nom d'Australie soit donné à la grande île de l'hémisphère austral à la place de celui de Nouvelle-Hollande. Au cours de ses nombreux périples, Flinders né en 1774, entré à 15 ans dans la Royal Navy, a montré tout d'abord que la Tasmanie était une île en 1798, puis sur son navire l'*Investigator* que l'Australie était aussi une île en la contournant à partir de Port Jackson (Sydney) qu'il quitta le 22 juillet 1802 pour se diriger vers le nord et qu'il retrouva le 9 juin 1803. Il raconta son parcours dans son *Voyage en terre Australie.* Arrêté par les Français en 1803, il sera interné jusqu'en 1810 à l'île Maurice.

Genève et le Valais rejoignent la Suisse

Genève, 1814

Depuis le début de l'année 1813, la « protection » militaire française sur la Suisse n'est plus qu'un vain mot : les armées alliées ont envahi le territoire de l'Union helvétique et celle-ci se prépare à de nouveaux changements institutionnels. A la fin décembre, Genève se révolte et, le 1er janvier 1814, se libère de la tutelle française, se considérant comme une république autonome. Le Valais, annexé lui aussi en 1810 par la France, décide de s'affranchir. Dans les autres cantons, l'Acte de médiation imposé par Bonaparte en 1803 est aboli et des négociations s'ouvrent qui aboutiront le 7 août 1815 à la signature d'un nouveau pacte juré à Zurich. Comptant déjà 19 cantons par la formation de ceux d'Argovie, de Thurgovie, du Tessin (région prise à la Valteline autrichienne afin d'améliorer le blocus économique) et de Vaud en 1803, la Confédération helvétique, grâce à l'arrivée de Genève, du Valais et du canton de Neufchâtel, qui reste toutefois vassal du roi de Prusse, en a désormais 22. Une Diète, disposant de maigres pouvoirs, nomme un *landammann* (chef de l'exécutif), chargé d'incarner la Confédération.

Henriette de Pereira-Arnstein, l'une des égéries du Congrès de Vienne.

Dorothée, duchesse de Talleyrand-Périgord, princesse de Sagan.

A Vienne, les coalisés célèbrent la chute de "l'Ogre"

Vienne, à partir du 23 septembre « Le Congrès ne marche pas, il danse », dit-on à Vienne. L'afflux de nombreux plénipotentiaires et de têtes couronnées dans la capitale autrichienne occasionne une multitude de divertissements. On fête la chute de Napoléon et les espérances d'acquis territoriaux. Les intrigues politico-mondaines sont menées par les femmes du Congrès. Talleyrand organise des soirées fastueuses avec sa nouvelle favorite, la comtesse de Périgord. La Russie et la Prusse utilisent les charmes de la princesse de Bagration et de la duchesse de Sagan pour soutirer leurs secrets aux diplomates. Le Congrès est dominé par les quatre grandes puissances que sont la Russie, l'Autriche, l'Angleterre et la Prusse, chacune d'entre elles poursuivant des buts contradictoires. Le tsar souhaite garder la Finlande et la Pologne par l'obtention du grand-duché de Varsovie. La Prusse veut acquérir la totalité de la Saxe. Cette prétention est refusée par l'Angleterre qui veut conserver l'équilibre européen. Elle n'a pas de revendication continentale sauf en ce qui concerne le Hanovre. L'autriche désire la Galicie polonaise et une partie de l'Italie. Ces vues incompatibles servent la diplomatie de Talleyrand, qui se présente en défenseur des petits Etats dont il exige la représentation au Congrès.

Joséphine meurt dans sa Malmaison

Rueil-Malmaison, 29 mai 1814

Joséphine, répudiée, n'en garde pas moins sa préséance impériale dans sa propriété de Rueil. La Malmaison, acquise en 1799, entièrement rénovée par les soins de Percier et Fontaine, est son royaume. Suivant ses penchants pour les oiseaux, l'impératrice a rempli son vestibule de cages renfermant des volatiles parmi les plus extraordinaires. Dans ce cadre, elle tient sa cour. Entourée d'une poignée de fidèles, elle s'occupe de marier et de doter les filles de ses amies et de ses dames de compagnie. Les distractions ne manquent pas. Dans l'intimité, elle ne dédaigne pas de taquiner la harpe. Mais le plus souvent, les réceptions succèdent aux soupers fins. Reconnue par tous comme une souveraine, elle reçoit des hôtes de marque, tels le tsar et le roi de Prusse en 1814. Joséphine essaye de maintenir un monde et un mode de vie dignes de son rang. Elle a suivi la carrière de l'Empereur qui l'honore de ses visites. Atteinte d'un refroidissement, elle s'éteint le 29 mai 1814 et ses obsèques se déroulent suivant l'usage de la cour.

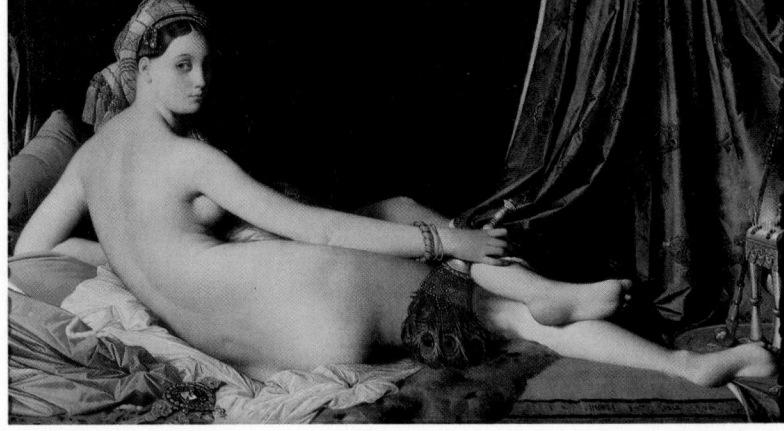

Jean-Dominique Ingres. La « Grande Odalisque ». Musée du Louvre, Paris.

Le salon de Musique, château de Malmaison. Il fut entièrement rénové par Percier et Fontaine pour Joséphine.

En Italie, Ingres peint la "Grande Odalisque"

Italie, 1814

C'est à Rome, où il est envoyé en 1806 comme pensionnaire de la villa Médicis et où il demeurera jusqu'en 1820, qu'Ingres aborde le nu, qui restera l'un de ses sujets de prédilection. Rares sont les œuvres de cette époque qui trouvent dans le public parisien un écho favorable : l'on est tour à tour gêné par le réalisme excessif de sa *Grande Baigneuse* (1808) ou choqué par la présence de détails jugés « répugnants », comme le pied de cadavre et les os qui figurent dans la composition d'*Œdipe et le Sphinx* (1808) ; mais surtout on lui fait grief des déformations anatomiques qu'il fait subir à ses nus. La critique désapprouve fort l'allongement excessif des lignes et croit observer dans la *Grande Odalisque* (1814) une « paire de vertèbres supplémentaire ». En fait, Ingres n'est réaliste que jusqu'à un certain point et ses figures sont dominées par une recherche de l'arabesque qui suscite une sorte de sentiment mélodique, musical. La recherche de la beauté, la stylisation du réel, la perfection du métier sont au premier rang de ses préoccupations et c'est ce qui donne à ses portraits (comme *Mademoiselle Rivière*, en 1805), pourtant étroitement fidèles et ressemblants, une sorte de perfection intemporelle.

1815

Vienne, 3 janvier
Signature entre l'Angleterre, l'Autriche et la France d'un traité secret d'alliance défensive contre les appétits de conquête prussiens et russes au dépend respectivement de la Saxe et de la Pologne.

Etats-Unis d'Amérique, 8 janvier
Le général américain Jackson défait la flotte anglaise devant la Nouvelle-Orléans.

Paris, 17 janvier
Emotion devant l'église Saint-Roch quand le curé refuse de recevoir le corps d'une comédienne, actrice du Théâtre-Français, Mlle Raucourt : signe caractéristique de la restauration des valeurs anciennes.

Paris, 21 janvier
Les cérémonies expiatoires en la mémoire de l'exécution de Louis XVI indisposent une grande partie de la population.

Vienne, 8 février
Le Congrès de Vienne impose la prohibition de la traite des Noirs. →

Golfe-Juan, 1er mars
Napoléon débarque sur le continent et entame son voyage vers Paris. →

Vienne, 13 mars
Le Congrès met Napoléon au ban de l'Europe.

Paris, 20 mars
Après une marche triomphale sur Paris, Napoléon entre dans la capitale.

Vienne, 25 mars
Renouvellement entre l'Angleterre, l'Autriche, la Prusse et la Russie, du pacte de Chaumont qui stipule le combat à outrance contre Napoléon.

Paris, 27 mars
Le Conseil d'Etat relève Napoléon de sa déchéance, qui forme un gouvernement avec Carnot à l'Intérieur, Davout à la Guerre, Caulaincourt aux Affaires étrangères, Gaudin aux Finances et Fouché à la Police.

Italie, 30 mars
Murat publie à Rimini une proclamation dans laquelle il appelle les Italiens à se joindre à lui pour l'indépendance et la liberté.

Le Palud, 8 avril
Les royalistes guidés par Masséna et le duc d'Angoulême sont battus par l'armée napoléonienne.

Italie, 3 mai
Murat est refoulé dans les frontières de son royaume après la défaite de Tolentino.

Italie, 20 mai
Lâché par ses généraux qui signent la convention de Casa Lanza avec l'Angleterre et l'Autriche, Murat quitte Naples. Le 3 juin, il est remplacé par l'ancien souverain, Ferdinand IV.

Prusse, 22 mai
Le roi Frédéric-Guillaume III publie l'édit de Vienne qui renouvelle les promesses de Constitution de 1810 et prévoit une représentation par ordres.

France, 1er juin
Napoléon publie « l'Acte additionnel aux Constitutions de l'Empire », par lequel il maintient l'Empire avec son principe héréditaire, conserve la Chambre des pairs, définit les libertés et élargit la base électorale de la Chambre des députés.

Allemagne, 8 juin
Les Actes fédéraux autorisent la libre circulation entre les Etats et organisent la Confédération allemande.

Vienne, 9 juin
Signature de l'Acte final du Congrès. →

Allemagne, 12 juin
Le mouvement estudiantin s'organise et crée la première association patriotique étudiante, la Burschenschaft de Iéna, bientôt suivie par celle de Giessen.

Belgique, 18 juin
Après avoir battu les Prussiens à Ligny, Napoléon est vaincu par les Anglais et les Prussiens à Waterloo.

France, 22 juin
Napoléon abdique en faveur de son fils, puis quitte l'Elysée et se rend le 25 à la Malmaison. Le 29, il part pour Rochefort d'où il s'embarque pour l'Angleterre, puis pour Sainte-Hélène où il arrivera le 14 octobre. →

France, 3 juillet
Malgré quelques succès dans la région parisienne, Davout, qui pense que seule la soumission freinera les désirs de vengeance des Alliés, leur livre Paris et accepte de se retirer au sud de la Loire.

Le retour triomphal de l'Aigle impérial

Golfe-Juan/Paris, 1er-20 mars 1815
Prisonnier à l'île d'Elbe, Napoléon songe à rentrer en France. Le 26 février, il s'embarque sur l'*Inconstant* et arrive le 1er mars à Golfe-Juan avec 1 100 hommes de la vieille garde et de la garde corse. Compte tenu de la faiblesse de cet effectif, il emprunte la route des Alpes où il espère un accueil favorable de la population. A chaque étape de son périple, il harangue la foule, se posant en représentant des principes révolutionnaires et stigmatisant les Bourbons. Il galvanise ses troupes par un discours patriotique : « L'Aigle, avec les couleurs nationales, volera de clocher en clocher jusqu'aux tours de Notre-Dame. » Et de fait, la population est enthousiaste ; les soldats, dépêchés contre lui par les autorités, refusent de porter les armes contre leur Empereur. A Laffrey, le 5e de ligne jette la cocarde blanche et se rallie au drapeau tricolore. Le 7 mars, Napoléon fait une entrée triomphale à Grenoble, tombée sous la pression de l'armée et du peuple. Il peut partir vers Paris, accompagné de 7 500 hommes. Le gouvernement est débordé. Macdonald et le comte d'Artois s'enfuient de Lyon avec leurs troupes et laissent Napoléon s'emparer de la ville. Pour répondre à l'effervescence et aux acclamations de la foule, ce dernier promulgue des décrets qui annulent les dispositions du gouvernement. L'esprit de 1793 semble renaître. Désormais, les autorités municipales des villes qu'il traverse vont spontanément à sa rencontre. Désemparé devant cette exaltation, le pouvoir royal déclare vainement Napoléon hors la loi. Le ralliement de Ney à l'Empereur achève de convaincre les royalistes de leur échec et Louis XVIII quitte Paris le 19 mars. Les Parisiens, enfiévrés, hissent le drapeau tricolore sur les Tuileries. Porté par la foule, Napoléon reprend sa place le 20 mars sans qu'aucune goutte de sang n'ait été versée depuis son départ de l'île d'Elbe.

LE DÉPART PRÉCIPITÉ ET LE RETOUR IMPRÉVU.

« Ce diable d'homme ne m'a pas seulement donné le temps de me retourner » ou « Le départ précipité et le retour imprévu » : Louis XVIII et Napoléon.

Schubert compose "Le Roi des aulnes"

Vienne, fin automne 1815
Le compositeur Franz Schubert (né à Vienne en 1797) connaît l'une des années les plus fécondes de sa carrière : il compose notamment de nombreuses pièces pour piano et surtout des lieder parmi lesquels *Le Roi des aulnes*. Inspiré du texte de Goethe, ce lied décrit une chevauchée nocturne au cours de laquelle un enfant a la vision du Roi des aulnes s'approchant de lui pour l'enlever. Le père tente de rassurer l'enfant angoissé, mais lorsqu'il arrive au seuil de la maison, celui-ci est déjà mort dans ses bras. Schubert laisse apparaître les trois voix, celle, frêle, de l'enfant, celle, rassurante, du père et celle, insinuante, du Roi des aulnes, en une progression dont l'intensité dramatique modèle la mélodie dans ses moindres inflexions.

Portrait de Franz Schubert (1797-1828). Schubert-Museum, Vienne.

Le Congrès de Vienne remodèle la carte de l'Europe

1. Lord Wellington (Angleterre) 1769-1852.
2. Lobo (Portugal).
3. Duc del Saldana (Portugal) 1790-1876.
4. Löwenhielm (Suède).
5. Prince de Hardenberg (Prusse) 1750-1822.
6. Alexis de Noailles (France).
7. Prince de Metternich (Autriche) 1773-1859.
8. Latour-Dupin (France).
9. Comte Nesselrode 1780-1862.
10. Palmella (Portugal).
11. Vicomte Castlereagh (Angleterre) 1769-1822.
12. Karl Dalberg (France) 1744-1817.
13. Wessemberg (Autriche) 1744-1860.
14. Prince Razoumovsky (Russie) 1752-1836.
15. Lord Stewart (Angleterre).
16. Gomez Labrador (Espagne).
17. Clancarty (Angleterre).
18. Wacken.
19. Friedrich van Gentz (Autriche) 1764-1832.
20. Guillaume de Humboldt (Prusse) 1767-1835.
21. Cathcart (Angleterre).
22. Talleyrand (France) 1754-1838.
23. Stackelberg (Russie).

Vienne, 9 juin 1815

Le travail du Congrès se fait par des comités, chargés de statuer sur l'avenir de l'Europe. L'acte final du 9 juin 1815 établit son nouveau visage. Les grandes puissances partagent l'Empire napoléonien. Le tsar devient le souverain du royaume de Pologne, l'Angleterre récupère le Hanovre et enrichit ses colonies des îles Ioniennes, du Cap et de Ceylan. L'Autriche reprend la Galicie, l'Illyrie, le Tyrol et règne sur la Lombardie-Vénitie. La Prusse, coupée en deux, s'agrandit à l'est de la Posnanie polonaise, de la Poméranie suédoise et d'un tiers de la Saxe. Des compensations sont attribuées à la Suède, qui reçoit la Norvège, et au Danemark, augmenté de trois duchés. Les anciennes dynasties sont rétablies dans leurs droits en Italie et en Allemagne. Le Congrès ceinture la France d'Etats tampons, tels les Pays-Bas, la Suisse ou la Bavière. L'ordre ancien est restauré, mais dans l'ouest de l'Europe, qui a subi la grande influence de la France, les marques de la pensée révolutionnaire survivent, accusant un décalage avec l'est. Le partage arbitraire de l'Europe favorise la montée des revendications nationales.

La carte de l'Italie simplifiée

Italie, 9 juin 1815

Le désordre règne en Italie après la chute de Napoléon. Les Milanais s'insurgent contre l'occupation autrichienne, Gênes veut son indépendance et le pape conteste l'établissement de Murat dans ses légations. Le Congrès doit mettre fin aux troubles tout en satisfaisant les prétentions de chacun. L'acte final du 9 juin 1815 consacre l'hégémonie de l'Autriche. Outre la constitution du Royaume lombardo-vénitien, qui lui est dévolu, elle a une grande influence dans beaucoup d'Etats attribués à des personnalités autrichiennes. Le duché de Parme est donné à Marie-Louise, femme de Napoléon, celui de Modène à François IV de Habsbourg, et le grand-duché de Toscane à l'archiduc Ferdinand. Des garnisons autrichiennes stationnent dans la république de Saint-Marin. La prépondérance de l'Autriche est manifeste en Italie du Nord et s'appuie sur une armée puissante pour étouffer les mouvements libéraux. Peu d'Etats conservent leur autonomie. Les Bourbons dominent à Lucques, où règne Marie-Louise de Bourbon-Espagne, et dans le royaume de Naples, administré par Ferdinand IV de Bourbon-Naples. Le pape a recouvré ses Etats et le roi Victor-Emmanuel Ier se voit donner le royaume de Piémont-Sardaigne. Dans cette reconstitution de l'Italie, le Congrès ne se soucie pas des désirs de la population.

La Belgique et la Hollande unies dans un même royaume

Vienne, juin 1815

Le Congrès de Vienne consacre la création des Pays-Bas qui réunissent la Belgique, la Hollande, l'évêché de Liège et le grand-duché du Luxembourg. En favorisant la constitution de cette vaste entité territoriale, l'Angleterre pense contenir les frontières de la France par une barrière infranchissable. L'administration du nouvel Etat est confiée à la famille d'Orange-Nassau. Toutefois, cette unité politique ne masque pas les différences culturelles de la Belgique et de la Hollande. La langue, la religion et le degré d'influence de la

Guillaume Ier, roi des Pays-Bas et grand-duc de Luxembourg.

France les opposent. Le Congrès a constitué un agrégat de provinces sans réelle unité nationale.

La Confédération germanique est née

Vienne, 8 juin 1815

Par un acte fédératif du 8 juin 1815, 39 Etats allemands se groupent en une Confédération germanique établie sur les ruines de la Confédération du Rhin. Ils se placent sous l'autorité morale de l'Autriche. La Diète, qui siège à Francfort, en est l'organe essentiel. Elle se compose de 69 membres qui gardent la constitution. Cependant, le pouvoir de vote appartient à un comité de 17 plénipotentiaires, parmi lesquels 11 représentent les principaux Etats. Ce bund est inefficace. Malgré une armée fédérale et la ressource de contributions « matriculaires », il n'a ni réalité politique, ni représentation diplomatique. Loin de consacrer l'unité de l'Allemagne, le bund marque la volonté des princes de conserver leur autonomie. Il est dominé par la lutte de la Prusse et de l'Autriche pour la réalisation de l'unité à leur profit et par l'influence des libéraux qui prônent l'application des libertés promises par l'acte fédératif.

Le Congrès abolit la traite des Noirs

Vienne, 1815

Pour la première fois, une conférence diplomatique internationale prend officiellement position sur la question de la traite des Noirs et de l'esclavage. En novembre 1814 déjà les puissances participantes ont condamné la traite et désavoué l'esclavage. Dans un premier temps elles s'engagent à la suppression progressive de la traite. Au traité de Gand, les Etats-Unis confirment leurs décisions de 1798 et de 1808. Quant à l'esclavage, le Congrès d'Aix-la-Chapelle en 1818 conseillera également son abolition progressive. La propagande abolitionniste se développe en effet en Angleterre depuis 1780 mais aussi en France, sous la Restauration, auprès des évangélistes qui ont fondé la Société de morale chrétienne, le Consulat ayant rétabli l'esclavage, la traite et l'importation des Noirs dans les colonies conformément aux lois et règlements antérieurs à 1789, par le décret du 20 floréal an X (10 mai 1802).

1815

France, 8 juillet
Louis XVIII rentre pour la seconde fois dans Paris.

France, 17 juillet
La Terreur blanche commence à frapper tous ceux qui ont accueilli avec enthousiasme le retour de Napoléon. A Nîmes, une partie de la garnison est massacrée par des royalistes.

France, 24 juillet
Fouché dresse une ordonnance de proscription contre les partisans de l'Empire.

France, 2 août
Le maréchal Brune est assassiné à Avignon par des royalistes comme le seront plus tard, le 15 le général Ramel à Toulouse, le 19 le général de La Bédoyère.

Suisse, 7 août
Un traité fédéral est adopté par les vingt-deux cantons qui garantit à chacun une constitution et un territoire. Les cantons sont autorisés à contracter des accords avec des puissances étrangères pour leur fournir des contingents de soldats.

France, 14 août
Début des élections à la Chambre des députés, peu représentative de la nation et au pouvoir législatif très restreint : ne seront discutés que les projets de la loi « présentés de la part du roi » (article 45 de la Charte).

France, 17 août
La Chambre des pairs est renouvelée et la pairie déclarée héréditaire.

France, 21 août
Les élections à la Chambre des députés au suffrage censitaire assure au pouvoir une majorité imposante : 350 ultraroyalistes sont élus sur 400 députés environ : c'est la « Chambre introuvable ». Sur 76 000 électeurs, il y a eu néanmoins 30 % d'abstentions.

France, 19 septembre
Les ministres Fouché et Talleyrand sont renvoyés.

France, 26 septembre
Le duc de Richelieu est nommé Premier ministre et ministre des Affaires étrangères.

Paris, 26 septembre
Alexandre Ier, François Ier d'Autriche et Frédéric-Guillaume III de Prusse signent la Sainte-Alliance. →

France, 7 octobre
Pour avoir rejoint les troupes napoléoniennes et quitté le service du roi, le maréchal Ney est condamné à mort et fusillé.

Calabre, 13 octobre
Murat est exécuté après l'échec d'une reprise du pouvoir à Naples. →

Paris, 20 novembre
Un second traité de Paris met fin à la guerre entre la France et les coalisés et crée une sorte d'organisation chargée de la sécurité collective en Europe, à partir de la concertation entre les quatre grandes puissances victorieuses.

Pologne, 25 novembre
Les provinces les plus orientales sont annexées par la Russie ; la Pologne centrale autour de Varsovie, tout en conservant sa Diète et sa propre constitution, est « unie à jamais à l'empire de Russie ».

Empire ottoman, décembre
En se soulevant, un ancien éleveur de porc devenu riche, Milosh Obrénovitch, est reconnu par les Ottomans comme chef des Serbes et obtient pour ses administrés la liberté de religion et une certaine autonomie.

Arabie
Le pacha Mehmet-Ali contraint les Wahhabites à demander la paix.

Mexique
Les Espagnols reconquièrent le pays et matent la révolte dirigée par José-Maria Morelos. →

Allemagne
Le musicien Franz Schubert compose le lieder *Le Roi des aulnes*.

Goethe publie un recueil de *Poésies* qu'il a établi lui-même et qui rassemble la totalité de son œuvre de poète, à l'exception du *Divan occidental-oriental* qui ne verra le jour qu'en 1819.

Le juriste allemand Friedrich Karl von Savigny publie son *Histoire du droit romain* qui fonde l'école historiciste du Droit.

Le philosophe Friedrich Schlegel fait paraître une *Histoire de la littérature*.

France
Le chimiste Gay-Lussac découvre l'acide cyanhidrique.

La défaite de Waterloo le 18 juin 1815. La vieille garde, reformée en carré, assure la retraite de Napoléon.

Le rêve de Napoléon brisé à Waterloo

Belgique, 18 juin 1815
Le 15 mars, les Alliés renouvellent l'alliance de Chaumont et concentrent des troupes en Belgique. Wellington dispose de 100 000 hommes et Blücher de 125 000 Prussiens. Le conflit est inévitable. Davout a constitué une armée de 500 000 vétérans, mais la nécessité de couvrir les frontières la réduit à 125 000 hommes disponibles. Le 15 juin, l'Empereur franchit la frontière. Le 16, Ney se porte contre les Anglais et Napoléon remporte la bataille de Ligny contre les Prussiens, tandis que Drouet d'Erlon est paralysé par des ordres contradictoires. Le 18 juin, Napoléon affronte Wellington à Waterloo sur un sol détrempé. Son attaque n'est pas assez rapide et Blücher arrive en renfort. Encerclé par ses ennemis, l'Empereur est protégé par la vieille garde avec Cambronne, qui se forme en carré et assure sa retraite vers la capitale. L'insuffisance de son état-major, la faiblesse de ses effectifs provoquent la défaite. Napoléon, vaincu, arrive le 21 juin à Paris, mais les autorités lui refusent le gouvernement. Il est obligé d'abdiquer. L'ère napoléonienne est consommée.

L'île de Sainte-Hélène, terre d'exil de Napoléon dès août 1815. Gravure d'époque. B.N., Paris.

Napoléon exilé à Sainte-Hélène

Londres, 31 juillet
Le 15 juillet, Napoléon s'embarque sur le *Bellerophon* britannique avec l'accord du commandant Maitland. Sachant qu'une querelle parlementaire à son sujet secoue l'Angleterre et que les libéraux reprochent au gouvernement d'appuyer les Bourbons, Napoléon espère obtenir l'asile politique. Le 26 juillet, il approche de Plymouth pendant que les autorités statuent sur son sort. Le 31 juillet, le cabinet de Saint-James rend son verdict. Considéré comme criminel de guerre et indésirable sur le sol anglais, le gouvernement entend le déporter à vie pour des raisons de sécurité. Le choix de sa retraite se porte sur Sainte-Hélène, îlot rocailleux et isolé qui présente l'avantage d'être une possession de la Compagnie des Indes et de décharger la Couronne de toute responsabilité. L'entourage de Napoléon sera réduit à trois compagnons d'exil, en plus de son chirurgien. Transféré le 8 août sur le *Northumberland*, Napoléon débarque à Sainte-Hélène le 13 octobre 1815.

La Terreur blanche s'installe en France

France, été-automne 1815

L'exaltation royaliste, muselée pendant les Cent-Jours, se meut en haine après la défaite de Waterloo. La terreur, qui sévit dans toute la France, est particulièrement intense dans le sud. Outre les vengeances personnelles, une répression d'envergure s'exerce à l'encontre des royalistes modérés et des militaires, taxés de bonapartisme. La guerre civile se déclenche le 24 juin à Marseille où cinquante personnes, déclarées coupables d'avoir favorisé le retour de Napoléon, sont massacrées. Sous la direction d'un comité royaliste, les arrestations se multiplient. Les *verdets*, ultraroyalistes organisés jusqu'alors en société secrète et qui arborent les couleurs du comte d'Artois, agissent ouvertement avec la connivence passive de la bourgeoisie et des autorités. En août, le général Brune, pourtant rallié aux Bourbons, est assassiné à Avignon. A Toulouse, le général Ramel, commandant de la garde nationale et jugé trop modéré est abattu. En Languedoc, les guerres de religion se raniment, provoquant la torture de nombreux protestants, à laquelle la venue du duc d'Angoulême ne peut mettre fin. La pacification du gouvernement reste molle. La terreur anarchique est relayée par une terreur légale. Les autorités, poussées par le fanatisme de la nouvelle Chambre, prennent des mesures répressives pour éliminer les partisans de Napoléon. Le maréchal Ney et le général de La Bédoyère sont condamnés à mort. Cette Terreur blanche résulte de la haine des royalistes fervents envers les jacobins, les bonapartistes « bleus » et les protestants.

Assassinat du maréchal Brune à Avignon, le 2 août 1815, par des royalistes. Gravure d'époque.

Davy conçoit une lampe de sûreté pour les mineurs

Angleterre, 1815

L'extraction du charbon pose le problème de la sécurité dans les mines. Le danger des lampes à flamme nue est très vite reconnu et Wilkinson crée une société d'étude pour lui trouver une solution. Humphry Davy, physicien très connu pour ses travaux sur la chaleur, coopère à cette étude. En 1815, il conçoit le principe de la lampe de sûreté, fondé sur le fait que la combustion explosive d'air et de grisou ne se transmet pas à travers de petits orifices. Cette lampe en toile métallique met donc la flamme à l'abri de ce mélange dangereux. Dès 1818, la lampe Davy est construite en série en France et est rendue obligatoire en 1823. Davy est élu président de la Royal Society en 1820 et apporte toute son énergie à aider la recherche physique.

L'Espagne se révolte contre la monarchie

Espagne, 1815

Rentré en Espagne, Ferdinand VII décide d'abolir le régime constitutionnel. Sûr de l'appui de la noblesse, de l'Eglise et d'une partie de l'armée, le roi dirige un coup de force depuis Valence. Les décrets des Cortes sont déclarés nuls et non avenus et, le 13 mai 1814, il rentre dans Madrid. Il s'entoure de tous les tenants de l'absolutisme, qui se déchaînent contre les libéraux. La répression est féroce (prison, exil, torture...). Les libéraux, qui se sont trompés pour avoir cru aux promesses du roi, font appel à la conspiration et au coup d'État. Ils organisent des sociétés secrètes qui vont se développer. A cette franc-maçonnerie s'ajoutent les actions des Carbonari, des Comuneros, etc. Durant l'année 1815, tout le pays devient une vaste conspiration. Porlier, défenseur de la Galice, échoue dans un coup d'Etat et est fusillé en septembre. Le roi exile ceux qui prônent la conciliation.

Les souverains de la Sainte-Alliance (de gauche à droite : Frédéric-Guillaume III de Prusse, François Ier d'Autriche, Alexandre Ier de Russie).

Le tsar à la tête de la Sainte-Alliance

Paris, 26 septembre 1815

Alexandre Ier (1777-1825) se présente paradoxalement comme un souverain libéral influencé par l'étude des philosophes et comme un tsar imbu de sa puissance autocratique. Cette ambivalence se manifeste dans la Sainte-Alliance créée le 26 septembre 1815 à son instigation. A la fin du Congrès de Vienne, il souhaite maintenir la paix et garantir l'Europe contre de nouvelles épreuves. Sans doute influencé par la mystique Mme de Krüdener, le tsar propose à l'Autriche, la Prusse et l'Angleterre de s'unir « au nom de la Très Sainte et Indivisible Trinité ». Il affirme le devoir divin des souverains à l'égard de leur pays et préconise un engagement d'aide et d'assistance mutuelles. Le préambule de ce pacte célèbre la grandeur de Dieu, les articles qui le composent insistent sur la nécessité de rassembler les peuples « frères ». Le texte, dépourvu de signification, mélange des termes révolutionnaires et des idées traditionalistes. La Grande-Bretagne invoque l'inanité d'une telle proposition, qu'elle décline. La Sainte-Alliance regroupe donc l'Autriche, la Russie, la Prusse puis la France. Mais son inefficacité et l'absence de tout contenu encouragent le ministre anglais Castlereagh à lui substituer une quadruple alliance dès le mois de novembre.

Exécution de Murat le 13 octobre 1815, sur ordre de Ferdinand IV, à Pizzo, en Calabre.

Murat échoue dans sa reconquête du trône

Le Pizzo (Calabre), 13 octobre 1815

Murat tente désespérément de se maintenir à la tête du royaume de Naples en utilisant à son profit le mouvement national italien. Par la déclaration de Rimini (30 mars 1815), il promet aux Italiens l'indépendance, mais doit s'enfuir en France après sa défaite devant l'Autriche à Tolentino. Traqué par la police royale, il se réfugie en Corse. Il tente alors un débarquement en Calabre, mais il est trahi et arrêté ; Ferdinand IV, qui a recouvré son royaume, le fait fusiller le 13 octobre 1815.

1816

France, janvier
La Chambre des députés adopte une loi d'amnistie qui prévoit l'exil pour tous ceux qui ont voté la mort de Louis XVI.

Russie, 9 février
L'officier Alexandre Mouraviov fonde l'« Union du Salut ». →

Rome, février
Succès du *Barbier de Séville* de Gioacchino Rossini. →

Portugal, 20 mars
Empereur du Brésil depuis 1807, date à laquelle il s'était enfui du Portugal pour échapper aux troupes de Napoléon, Jean VI succède à sa mère, Marie Ire de Bragance. Il ne reviendra dans son pays qu'en 1821.

Argentine, 9 juillet
L'Argentine proclame son indépendance. →

France, juillet
Le général Mouton-Duvernet s'était caché après le retour des Bourbons. S'étant livré de lui-même en mars 1816, il est fusillé.

France, 5 septembre
Louis XVIII dissout la Chambre qui manifeste trop d'indépendance et qui conteste ses pouvoirs, en s'opposant aux initiatives du ministère Richelieu.

France, 4 octobre
Les élections assurent la victoire des partisans du roi sur les ultras : 150 royalistes modérés, une douzaine de députés libéraux contre une centaine d'ultras.

Sikkim
Le royaume du Sikkim accepte par traité que ses relations avec les autres Etats indiens soient sous contrôle anglais.

Grande-Bretagne
Le Gold Standard Act institue le monométallisme-or et crée deux unités monétaires, le « souverain » et le « demi-souverain » qui remplacent la guinée.

Belgique
L'ingénieur anglais John Cockerill reprend à Seraing, près de Liège, l'usine que son père avait fondée en 1807 et se lance dans la construction de machines à vapeur.

France
Le naturaliste Georges Cuvier publie *Le règne animal distribué selon son organisation.*

Benjamin Constant fait paraître son roman *Adolphe.*

Chateaubriand, de Bonald et Lamennais fondent *Le Conservateur.*

Allemagne
Le linguiste Franz Bopp à travers son traité *Du système de conjugaison en sanskrit* inaugure la méthode comparative.

1817

Etats-Unis d'Amérique, 4 mars
James Monroe devient le 5e président des Etats-Unis après avoir été le secrétaire d'Etat de son prédécesseur, Madison.

Mexique, 5 avril
Des libéraux espagnols commandés par F.J. Mina débarquent afin de renverser les royalistes au pouvoir.

Allemagne, 17 octobre
Fête des Burschenschaften à la Wartburg. →

Empire ottoman
Rentré en Serbie, Karageorges espère renverser Milosh Obrénovitch qui se rend impopulaire, mais il est assassiné sur ordre de son adversaire.

Amérique espagnole
Le général José de San Martin, après ses victoires sur les Espagnols en Argentine, entreprend de libérer le Chili.

Allemagne
Hegel publie son *Encyclopédie des sciences philosophiques.*

France
Le poète Alphonse de Lamartine compose *Le Lac*, la plus célèbre de ses *Méditations poétiques.* →

Angleterre
David Ricardo publie ses *Principes d'économie politique et de l'impôt.* →

John Keats publie son premier recueil de *Poèmes.*

Lord Byron fait paraître son poème dramatique *Manfred.*

France
James Rothschild s'installe en France : c'est le début de la branche française de la famille.

Etats-Unis d'Amérique
Les travaux de construction d'un canal sur le lac Erié commencent.

« Paysanne russe labourant ». Vers 1821. Peinture d'Alexei Venetsianov. Venetsianov ouvrit une école de dessin pour les paysans serfs de sa propriété.

En Russie, l'Union du salut veut libérer les paysans

Saint-Pétersbourg, 9 février 1816
En 1816, la population russe est encore rurale à 95 %. Elle comprend 45 millions de serfs attachés à leurs terres, et rares (environ un million et demi) sont les paysans libres qui travaillent des petits lots de terre pour leur communauté villageoise. Pour lutter contre cet archaïsme, les nobles libéraux fondent des sociétés secrètes. Le 9 février 1816, le colonel Moraviev crée la Société des véritables amis de la patrie (ou Union du salut) pour promouvoir l'émancipation des paysans et l'établissement d'une monarchie constitutionnelle. Au sein de l'association, certains, tel le futur décabriste Pestel, vont plus loin. Ils prônent l'abolition de toutes distinctions sociales et veulent un partage des terres équitable entre les paysans et l'entreprise privée. Face à ces contestations, le tsar sévit, et l'Union du salut fait place à la Société du bien public, elle-même rongée par les dissensions de ses membres modérés et de ses adhérents révolutionnaires.

L'Argentine proclame son indépendance

Buenos Aires, 9 juillet 1816
Comme dans le nord du continent sud-américain, les créoles se révoltent contre la domination espagnole. Mais des contradictions éclatent entre les partisans de la monarchie et ceux de la république. Cependant, l'union se réalise lors du congrès de Tucuman (mars 1816) et, début juillet, une déclaration formelle d'indépendance en est le résultat. Pour cimenter cette unité, l'Argentine s'élance à l'aide du Chili, puis va marcher à la rencontre de Bolivar, jusqu'au Pérou. La grande figure de cette épopée est le général San Martin. Né en 1778, ce fils de créoles fortunés était devenu colonel dans l'armée espagnole. Ayant regagné sa patrie en 1812, il est nommé deux ans plus tard à la tête de l'armée et la réorganise sur le modèle européen. Grand stratège, il comprit que la clé de voûte de la résistance espagnole se situait au Pérou. Fin 1816, il se jette à travers les Andes, franchit la passe d'Uspallata à 4 200 m d'altitude et bat les Espagnols à Chacabuco (1817). Le Chili est délivré et son indépendance sera conquise par la victoire de Maypu (avril 1818). Refusant la présidence de la République, San Martin va s'attaquer au bastion péruvien.

L'étude du sanskrit stimule la linguistique

Francfort-sur-le-Main, 1816
Le jeune philologue Franz Bopp (né en 1791) publie le *Système de la conjugaison du sanskrit comparé avec celui des langues grecque, latine, persane et germanique.* Cet ouvrage, très remarqué, inaugure un ensemble de travaux parmi lesquels la *Grammaire comparée des langues indo-européennes* (1833), qui fera de Bopp le promoteur des fondements scientifiques de la linguistique. Son œuvre met particulièrement en évidence les lois phonétiques constitutives de la théorie de l'agglutination, qui caractérisent le développement d'une langue et qui donneront l'impulsion à un grand nombre de linguistes.

Une page de sanskrit en caractères devanâgarî.

A la Wartburg, des étudiants appellent à l'unité allemande

Wartburg (Saxe), 18-19 octobre 1817
Quelque cinq cents étudiants ainsi que des professeurs de l'université d'Iéna comme Lorenz Oken et Jakob Fries se réunissent pour célébrer le tricentenaire de la Réformation et l'anniversaire de la bataille de Leipzig de 1813. Quelques universités protestantes n'ont pas envoyé de délégués, les catholiques de leur côté n'ont pas été invités. Il s'agit pour les manifestants de montrer la profonde unité de la Réforme et de la guerre de libération nationale et d'appeler à l'unité et à l'indépendance de l'Allemagne. Dans la soirée du 18 au 19, ils décident de faire un feu de joie des symboles honnis : les livres d'auteurs conservateurs comme Kotzebue, le Code Napoléon, un uniforme de uhlan, une perruque et un bâton de caporal pour dénoncer les absolutismes prussien et autrichien. Le lendemain, un « parlement étudiant » est constitué qui exige la liberté et l'unité de l'Allemagne, avant de se séparer après un dernier service religieux. La fête de la Wartburg connaît un retentissement considérable et inquiète les monarques. Le roi de Prusse fait arrêter ses ressortissants et le 7 novembre Metternich accuse le grand-duc de Saxe Frédéric Auguste Ier, de faire de son pays un repaire de jacobinisme.

Le château de la Wartburg où la « Burschenschaft », l'association des étudiants de Iéna, lança un appel à l'unité allemande.

Le Français Cuvier classe le règne animal

Paris, 1816
Lorsqu'en 1816 paraît le *Règne animal* de Georges Cuvier, le classement zoologique est marqué par le rôle des ressemblances externes entre les espèces. Cuvier fonde sa taxinomie (classement scientifique) sur l'anatomie comparée des animaux. Cuvier décrit quatre plans généraux sur lesquels ont été construits les êtres vivants : les vertébrés, les molusques, les articulés et les zoophytes (animaux dont l'aspect rappelle celui des plantes). Cuvier est donc le fondateur de l'anatomie comparée et de la paléontologie (science des êtres vivant avant l'ère historique). Grâce à l'anatomie comparée, il réussit à reconstituer les squelettes de fossiles à partir d'ossements épars. Professeur au Muséum national d'histoire naturelle, son influence considérable s'exerce sur tous les domaines, de la zoologie à la botanique. Ses prises de position sur le problème de l'évolution marquent le monde scientifique de l'époque.

L'Anglais Ricardo, théoricien de l'économie libérale

Londres, 1817
L'économiste David Ricardo (né à Londres en 1772) qui a déjà publié un essai sur le prix du blé dans lequel il a formulé la théorie de la rente foncière, fait paraître aujourd'hui *Des principes de l'économie politique et de l'impôt*. L'ouvrage repose sur l'analyse de la valeur d'échange qui dépend notamment de la rareté des produits dont le travail ne peut augmenter la quantité, et, pour ceux susceptibles d'accroissement, de la quantité de travail nécessaire à leur production. Ricardo s'attachera à l'analyse des rapports qui règlent la distribution des produits entre les catégories sociales et qu'il détermine en liant la distribution à la valeur d'échange des biens. A partir de 1819, Ricardo se consacrera à son œuvre de théoricien, mettant l'accent sur le commerce extérieur avec sa théorie des « prix de revient comparés » et distinguant les phénomènes monétaires de ceux de l'économie proprement dite. Il mourra à Londres le 11 septembre 1823.

David Ricardo.

Succès du "Barbier de Séville" de Rossini

Rome, février 1816
Le compositeur Gioacchino Rossini (né à Pesaro en 1792), auteur de nombreux opéras-comiques tels *L'Echelle de soie* ou *L'Italienne à Alger*, vient de faire représenter son *Barbier de Séville*, opéra en deux actes sur un livret de Cesare Sterbini. Sifflée le soir de la première le 20 février au théâtre Argentina, l'œuvre connaît à présent un triomphe. Rossini laisse jaillir toute sa verve comique, si différente du sourire léger et gracieux qui avait caractérisé l'opéra du siècle dernier. Un orchestre alerte, qui épouse l'action dans ses moindres détails et accentue le profil des personnages, rythme avec vigueur le chant. L'unité dynamique qui relie les scènes les unes aux autres contribue largement au succès de l'œuvre. Rossini poursuivra une carrière féconde, jalonnée par les succès de *La Pie voleuse* (1817), *Moïse* (1818), *La Dame du lac* (1819),

Gioacchino Rossini. Guillaume Tell, créé à Paris en 1829. Il mourra à Paris le 13 décembre 1868.

Premier recueil d'un jeune poète anglais : John Keats

Londres, 1817
John Keats (né à Londres en 1795) venait d'un milieu londonien modeste. Orphelin à quatorze ans, il avait dû commencer à gagner sa vie en travaillant auprès d'un chirurgien. Mais sa passion de la poésie l'amena très vite à entrer en contact avec le cercle de Leigh Hunt et le premier recueil de poèmes qu'il publie en 1817 se ressent de cette fréquentation. *Endymion*, l'année suivante, n'a pas plus de succès, mais révèle un authentique poète. La richesse verbale, l'exubérance des descriptions, l'originalité des impressions donnent toute leur ampleur aux mythes dont l'auteur s'est inspiré. Violemment critiqué par la *Quarterly Review*, qui lui reprocha de ne rien connaître à la Grèce antique, Keats sera très affecté. Il donnera cependant les deux années suivantes avec ses *Odes*, ainsi que *Lamia et Autres poèmes*, son œuvre majeure. Il mourra à Rome en 1821.

Le romantisme gagne la France avec Lamartine

Paris, 1818
En souvenir d'une femme aimée, Mme Julie Charles (épouse du célèbre physicien), Lamartine rédige l'ode intitulée *Le Lac* qui deviendra le poème le plus célèbre du recueil des *Méditations poétiques* (publié en 1820). Mme Charles n'avait pu se rendre à leur rendez-vous fixé au lac du Bourget en août 1817 et mourut de consomption quelques mois plus tard. A partir du regret de la femme idolâtrée, Lamartine est amené à méditer sur la fugacité du bonheur terrestre et exprime son angoisse devant la fuite du temps. Cette œuvre trouve un écho très favorable parmi une génération dont le romantisme était l'état d'âme général.

A. de Lamartine.

Le "Times" utilise la première rotative

Le *Times* de Londres a décidé d'utiliser le procédé d'impression sur cylindre mis au point par l'ingénieur allemand Kœnig (1775-1833), qui accélère considérablement la production du journal.

Première rotative de presse. 1814. L'invention de ce procédé est dû à l'Allemand Koenig.

1818

Suède, 5 février
Jean-Baptiste Bernadotte, prince royal depuis 1810, succède à Charles XIII, sous le nom de Charles-Jean.

Chili, 5 avril
Victoire du général San Martín à Maipú sur les troupes espagnoles royalistes. →

Allemagne, 26 mai
Le royaume de Bavière adopte une constitution qui attribue de larges pouvoirs au monarque et à la noblesse, à laquelle est réservé l'accès à une première Chambre. Parallèlement est créée une seconde Chambre, plus ouverte aux autres classes. Le 22 août, ce sera au tour du royaume de Bade d'adopter un constitution semblable.

Prusse, 26 mai
La loi présentée par l'économiste et conseiller d'Etat Karl Maassen est adoptée. Elle abolit les douanes intérieures en Prusse et libéralise le commerce.

Paris, 29 juillet
Fondation de la Caisse d'épargne et de prévoyance. →

Aix-la-Chapelle, 27 septembre
Ouverture du Congrès d'Aix-la-Chapelle. →

Allemagne, 18 octobre
Fondation à Iéna de l'Association étudiante générale d'Allemagne, la *Burschenschaft*.

France, 30 novembre
Par suite des accords d'Aix-la-Chapelle, les dernières troupes étrangères quittent le territoire français.

France, décembre
Le Premier ministre, le duc de Richelieu, se retire et est remplacé par le marquis Dessoles tandis qu'Elie Decazes, l'homme fort du gouvernement, après avoir occupé le portefeuille de la Police, est chargé du ministère de l'Intérieur.

Inde
Les Mahrates sont soumis par les troupes britanniques et leur empire est annexé à celui des Indes anglaises.

Afrique australe
Début de la cinquième Guerre cafre opposant colons blancs et africains indigènes au nord de la province du Cap.

Afrique du Centre-Ouest
Au sud-ouest de Tombouctou, fondation par le cheik peul Cheikou Amadou du royaume théocratique de Macina.

Afrique équatoriale
Installation de Noirs d'Amérique par la Société américaine de colonisation du Président Madison.

Proche-Orient
Le pacha d'Egypte Muhammad-Ali soumet les dissidents wahhabites.

Bohême
Fondation du Musée national de Prague.

France
Les savants Pelletier et Caventou découvrent la strychnine. →

Le naturaliste Geoffroy Saint-Hilaire commence la publication de sa *Philosophie anatomique* qu'il poursuivra jusqu'en 1822. →

Le chimiste Louis Thénard (1777-1857) découvre l'eau oxygénée. →

Jean Marie Baptiste Vianney (1786-1859) est nommé curé à Ars-sur-Formans, dans l'Ain.

L'ingénieur Louis Vicat invente un type de ciment qui annonce le béton armé.

Grande-Bretagne
Des ouvriers tentent d'unir leurs organisations de métier et fondent la *Philantropic Society* ou *Philantropic Hercules*, qui obtient un succès à Manchester et à Londres avant de disparaître rapidement. La même année, après une grève, l'arrestation d'imprimeurs sur coton, venus de toute l'Angleterre à Bolton, révèle que ces réunions se déroulaient depuis quelques années.

Le poète John Keats publie *Endymion*, tandis que Mary Shelley fait paraître *Frankenstein ou le Prométhée moderne*. →

Italie
Le poète Giacomo Leopardi publie *Premier Amour*, récit d'une désillusion amoureuse.

Leipzig
Publication de l'œuvre majeure d'Arthur Schopenhauer, *Le Monde comme volonté et comme représentation*.

Le général O'Higgins libère le Chili

Maipú, 5 avril 1818
Après l'indépendance de l'Argentine, San Martín décide de traverser les Andes pour s'attaquer à la domination de la couronne espagnole sur le Chili. En janvier 1817, au prix de difficultés inouïes, son expédition franchit la passe d'Uspallata à 4 200 m d'altitude et remporte la victoire de Chacabuco le 12 février. Cela mène à la libération de Santiago du Chili. Préoccupé par la continuation de son expédition vers le Pérou, San Martín décline l'offre de la présidence de la république. Il appuie le général O'Higgins qui avait été l'un des opposants les plus fermes à l'ordre colonial. Cependant, durant le reste de l'année 1817, les royalistes se sont réorganisés à partir de leur base de Talcahuano et mettent en danger la libération du Chili. En mars 1818, ils gagnent la bataille de Cancha Rayada et parviennent à proximité de Santiago. Combattant aux alentours de la capitale, les in-

Bernardo O'Higgins proclame l'indépendance du Chili.

dépendantistes sont vainqueurs à Maipú et consolident la république malgré une résistance espagnole qui se poursuivra jusqu'en 1826. O'Higgins élabore une constitution autoritaire qui lui donne un pouvoir à peine limité par un Sénat consultatif.

A Aix-la-Chapelle, la France à nouveau dans le concert des nations

Aix-la-Chapelle, 15 nov. 1818
Le congrès réuni depuis le 27 septembre rassemble les délégués d'Angleterre, de Prusse, d'Autriche, de Russie et de France. Il a pour but de redéfinir les rapports entre les Alliés et la France. L'objectif du duc de Richelieu, ministre français, est double. Il désire obtenir l'évacuation complète du territoire et rentrer dans le concert européen sur un pied d'égalité. Les conventions finales du 9 octobre prennent la forme de quatre traités distincts entre la France et chacun des Alliés et admettent le principe de l'évacuation mais le lient au paiement d'indemnités de guerre. Quant au second point, les avis sont partagés : l'Angleterre veut maintenir la Quadruple-Alliance sans la France tandis que le tsar veut faire de l'alliance la base de l'équilibre européen. Les protocoles du 15 novembre sont un compromis : la Quadruple-Alliance est maintenue et la France associée dans la sauvegarde de l'ordre monarchique.

L'exotisme influence l'architecture anglaise

Angleterre, 1818
John Nash (né en 1752) construit le *Pavillon royal* de Brighton, station balnéaire mise à la mode par George IV. Tenant du goût pittoresque, Nash édifie un bâtiment de style composite et fait voisiner l'Extrême-Orient avec la Grèce, l'Arabie avec le Moyen Age gothique.

Le Pavillon royal de Brighton, construit par John Nash pour le prince de Galles. Mélange fantaisiste d'éléments chinois et indiens.

Mary Shelley invente "Frankenstein"

Angleterre, 1818

La jeune Mary Godwin (née en 1797), épouse du poète Percy Bysshe Shelley, publie *Frankenstein ou le Prométhée moderne*. Née de la lecture passionnée de romans allemands ainsi que des conversations avec le poète Byron, l'œuvre, un récit d'épouvante, raconte l'histoire extraordinaire d'un savant nommé Frankenstein, qui veut créer un être « humain » à l'aide de différents corps provenant de cimetières. Cette créature terrifiante, douée d'une force prodigieuse, ressent cependant une différence irréductible avec tous les êtres humains. Habité d'un instinct de vengeance, le monstre, après avoir assassiné le frère et la femme de son créateur, gagne les régions désertiques de l'Arctique où il tuera Frankenstein venu pour l'abattre, puis disparaîtra. Mary Shelley donnera, en 1826, *Le Dernier Homme*, un roman d'anticipation décrivant la

Portrait de Mary Shelley, la créatrice du personnage de Frankenstein. National Portrait Gallery, Londres.

destruction de la race humaine, suivi, neuf ans plus tard, d'une autobiographie, *Lodore*. Elle mourra à Londres le 1er février 1851.

La "Philosophie anatomique" de Geoffroy Saint-Hilaire

Paris, 1818

Dès 1797, le jeune Geoffroy Saint-Hilaire, professeur au Muséum d'histoire naturelle, publia ses premières œuvres où il écrit : « La nature n'a formé tous les êtres vivants que sur un plan unique. » Il suppose donc qu'il existe une unité de composition

Etienne Geoffroy Saint-Hilaire. Gravure d'Ambroise Tardieu.

Le chef Shaka fonde l'Empire zoulou

Afrique australe, 1818

Sur les côtes de l'océan Indien, à plus de 1 500 km du Cap, les tribus noires appartenant au peuple zoulou connaissent des événements d'envergure. Deux ans après avoir pris la direction du clan des Mtetwa, le chef Shaka a déjà vaincu les deux grandes tribus zoulous de la région du Natal, les Ndwandwe et les Qwabe. Né vers 1787 d'une union incestueuse d'un chef de clan, il n'a pas été éduqué par

dans la création. En 1818, il commence à publier son grand ouvrage, *Philosophie anatomique*, où il cherche à savoir si l'organisation des animaux peut être ramenée à un type uniforme. Pour répondre, il travaille sur les analogies, non de forme ou de grandeur des organes, mais sur celle de leur position relative par rapport à l'ensemble du corps. Un exemple explique sa théorie. En étudiant la position terminale du membre supérieur, on voit qu'il est toujours en troisième place après le bras et l'avant-bras, que cela soit sous la forme d'une main, de griffes ou d'une aile. Ce qui est déterminant, c'est qu'il est toujours le troisième segment du membre supérieur. De ces analogies, Saint-Hilaire tire trois lois : la loi de connexion (les organes conservent toujours les mêmes relations), la loi de permanence (aucun organe nouveau ne se crée) et la loi de balancement (un organe ne peut se développer qu'au détriment d'un autre). Sa théorie présente un intérêt considérable pour l'identification des os d'animaux disparus et retrouvés seuls puisqu'elle leur assigne une place préétablie.

sa famille mais a été adopté puis soutenu par le chef des Mtetwa, Dingiswayo. Devenu chef en 1816, il n'a de cesse de rassembler une force militaire puissante et aguerrie pour unifier l'ensemble des tribus de son peuple. Doué d'un génie militaire, il n'hésite pas à utiliser la manière forte pour parvenir à ses fins, dirigeant d'une main de fer l'ensemble du pays. Sa carrière sera arrêtée en plein vol, la mort de sa mère, à laquelle il était très attaché, en 1827, le rendant fou, il sera assassiné par ses demi-frères.

La vision pessimiste de Schopenhauer

Leipzig, 1818

Le philosophe Arthur Schopenhauer (né à Dantzig en 1788), auteur d'une thèse sur *La Quadruple Racine du principe de raison suffisante* (1813), est toujours resté à l'écart de l'idéalisme postkantien. Aujourd'hui, il révèle son œuvre principale, *Le Monde comme volonté et comme représentation*, un ouvrage dans lequel il fait du pessimisme la base d'un système philosophique original et abrupt. Le monde n'est qu'une illusion gigantesque produite par un Vouloir aveugle, impulsif et inconscient. Ce Vouloir s'exprime dans la nature par la force causale et dans l'homme par celle du besoin et du désir ; il génère une réalité sensible mais fictive, qui n'a de valeur que parce qu'elle sous-tend un être véritable, étranger à toutes les formes particulières des phénomènes. L'âme peut s'affranchir de l'esclavage de la « Volonté » par la Connaissance, qui devient, comme

Portrait du philosophe Arthur Schopenhauer par Ruhl. Bibl. universitaire, Francfort.

dans l'art et en particulier la musique, une pure contemplation du monde des Idées, serein et libre.

Découvertes en France de l'eau oxygénée et de la strychnine

France, 1818

Dans la foulée des grands travaux de chimie théorique, on découvre de nouveaux corps. Associé à Gay-Lussac, Louis Jacques Thénard (1777-1857) participe aux travaux sur l'oxydation qui occupent le grand chimiste. C'est en analysant les peroxydes (combinaisons renfermant le plus grand nombre d'atomes d'oxygène) qu'il découvre celui de l'hydrogène (H_2O_2) : l'eau oxygénée, qui trouve d'importantes applications dans le domaine de l'hygiène et dans celui de la fabrication des explosifs. Cette même année, Joseph Caventou s'associe au pharmacien Pelletier qui travaille sur les alcaloïdes végétaux (bases solubles is-

sues des matières organiques qui forment les principes actifs des médications). Un an avant, Pelletier a déjà isolé un premier alcaloïde, l'émétine, en 1817, le principe vomitif de l'ipéca. Leur association s'affirme immédiatement productive. Ils isolent la strychnine, qui à faible dose stimule le système nerveux, et la caféine. Mais surtout, en 1820, ils découvriront la quinine, tirée de l'écorce du quinquina. Cet arbre d'Amérique du Sud est très connu et depuis le XVIIIe siècle on sait utiliser des décoctions de quinquina pour lutter contre les fièvres. Dès 1820, Pelletier et Caventou publieront leurs résultats. Le monde médical est divisé jusqu'à ce qu'un médecin militaire, Clément Maillot, employant la quinine pour lutter contre le paludisme, convainque de son efficacité. Cela permettra de protéger les colons partis à la conquête de l'Afrique.

Fondation à Paris de la Caisse d'épargne

Paris, 29 juillet 1818

A l'instigation de Benjamin Delessert, Pillet-Will, Jacques Laffitte et Vernes fondent la Caisse d'épargne et de prévoyance à partir de la Compagnie d'assurances maritimes. Leur but est « d'aider les vues prévoyantes des citoyens qui voudraient se préparer des ressources à quelque époque que ce soit ». L'expérience a été tentée à Hambourg dès 1780, puis par la Convention de 1793. A partir de 1810, la multiplication des caisses en Angleterre incite les financiers français à créer une Caisse sous forme de société anonyme. Elle est administrée gratuitement par 25 directeurs. Parmi eux, on trouve La Rochefoucauld-Liancourt. La géné-

rosité à l'égard de la nouvelle caisse est générale. Chaque directeur donne 1 000 francs, le comte d'Argout apporte 10 000 francs, la Banque de France 9 000 francs, le baron Davillier, grand collectionneur, 32 000 francs. La Caisse s'installe rue de Richelieu et ouvrira ses guichets le 15 novembre. Les dépôts des particuliers doivent s'élever au moins à un franc et sont convertis en acquisition de rentes sur l'Etat à partir de 50 francs. C'est seulement en 1835 que l'obligation forcée du placement des dépôts en rente sur l'Etat sera abolie. En 1820, Bordeaux et Metz suivront l'exemple parisien, Marseille et Nantes créeront une Caisse à leur tour en 1821 et Lyon en 1822. L'établissement, fondé pour encourager l'épargne, permet de garantir les économies des plus pauvres.

Le siècle des nationalismes

Europe-Amérique, 1800-1918

Lorsque les armées révolutionnaires françaises franchissent les frontières, elles appellent les peuples européens à se débarrasser de leurs souverains respectifs, après que la Convention, le 19 novembre 1792, ait déclaré solennellement qu'« elle accordera fraternité et secours à tous les peuples qui voudront recouvrer leur liberté, et charge le pouvoir exécutif de donner aux généraux les ordres nécessaires pour porter secours à ces peuples et défendre les citoyens qui auraient été vexés ou qui pourraient l'être pour la cause de la Liberté ». Des patriotes, en Italie, en Belgique, dans quelques villes allemandes, en Suisse, établissent des républiques afin d'appliquer les nouveaux principes révolutionnaires d'égalité et de liberté. Mais, très rapidement, la présence militaire française en Europe, de plus en plus massive sous le Directoire, en 1793-1794, lorsqu'existait un contrôle politique réel de la hiérarchie militaire, signifie réquisitions et violences. Sous l'empire, pour les peuples d'Europe, les libérateurs potentiels sont devenus d'insupportables occupants. La Grande Armée, impériale et jacobine à la fois, voit se dresser devant elle, en Espagne, au Tyrol, en Russie, de véritables guérillas populaires, anonymes et nombreuses. Un sentiment national éclôt, soutenu par les appels à la défense du sol de la nation contre l'occupant, lancés par les souverains de Prusse et de Russie. Lorsqu'enfin, en 1815, Napoléon est vaincu, une nouvelle Europe s'installe.

Un nouvel ordre européen

Réunis à Vienne par le prince de Metternich, les diplomates des puissances victorieuses cherchent à équilibrer leurs puissances respectives sur le continent en affaiblissant la France sous l'œil attentif, mais réservé, de la Grande-Bretagne. Car au calcul froid des intérêts de puissance, se mêle toute une idéologie de reconquête conservatrice qui inquiète quelque peu Lord Castelreagh, le ministre anglais. En effet, à l'instigation du tsar Alexandre Ier, le programme de la Sainte-Alliance nie le bouleversement politique et culturel qu'a connu l'Europe depuis 1789. Les trois souverains de Russie, d'Autriche et d'Allemagne veulent rétablir les valeurs aristocratiques, en instaurant un ordre moral dont les accents mystiques renforcent la portée réactionnaire du projet. Toutefois, ils peuvent un moment penser que leur choix est le bon. Car, sitôt les résistances du mouvement national allemand vaincues après la fête de la Wartburg en 1817 et l'assassinat de l'agent tsariste Kotzebue, l'ordre règne en Europe.

Forger un sentiment national

Bien que réprimées, les élites intellectuelles, étudiants et professeurs, jouent un rôle déterminant dans la formation des consciences nationales. Poètes, historiens, musiciens, dans la foulée du romantisme, vont à leur manière aller vers le peuple, pour y puiser une énergie que les formes d'expression classiques ne suscitent plus. Les poètes donnent un souffle nouveau à la langue en imposant des formes littéraires originales. Vers le milieu du siècle, des musiciens, comme le Hongrois Franz Liszt ou le Tchèque Bedrich Smetana plus tard, recherchent dans le folklore musical d'autres rythmes et d'autres accents. Ils participent à la vie politique, même en exil comme le Polonais Frédéric Chopin, propageant et partageant les idées patriotiques et révolutionnaires. Ne voit-on pas sur les barricades de Dresde, en 1849, côte à côte, le déjà célèbre Richard Wagner et le futur anarchiste Michel Bakounine ? Le poète polonais Mickiewicz, le compositeur Giuseppe Verdi, le Hongrois Vörömarty, en offrant par leurs œuvres ces moments privilégiés où les auditeurs et les lecteurs partagent une même passion patriotique, alimentent la croissance du sentiment national.

Une langue et une histoire

Mais la fibre patriotique anime aussi des travaux plus obscurs, destinés à forger une langue et une histoire. Le plus souvent tenues en lisière, peu employées dans les actes officiels des Etats, méprisées par les élites au pouvoir au profit de langues « universelles », le français par exemple, les langues européennes, comme le croate et le roumain, attendent d'être codifiées par une grammaire et un dictionnaire pour pouvoir être enseignées. Journalistes et linguistes participent donc à ce mouvement. Pour les langues disposant d'une diffusion et d'une qualité culturelle reconnue, comme l'italien ou l'allemand, dictionnaires et grammaires se multiplient et les savants recherchent une langue pure, classique, qui puisse être l'outil de référence pour que le peuple entier se comprenne. Une langue pour montrer la communauté nationale en acte, mais aussi une histoire pour justifier la revendication d'exister et le droit à une filiation. Ranimer le souvenir de royaumes indépendants du Moyen Age, d'une grandeur passée avant l'incorporation dans des empires étrangers, telle est la tâche qu'entreprennent un Palacky en Bohême, un Païsi dès le XVIIIe, puis un Rakovski en Bulgarie et un Cogalnitchéanu en Roumanie. En Allemagne, l'historien patriote Leopold Ranke crée une véritable école historique avec Karl von Stein, Sybel et, plus tard, Theodor Mommsen ; en Italie, ce sont Cesare Balbo et Michele Amani, en Pologne Joachim Lelewel.

L'économie au service de la nation

Dans l'esprit des intellectuels, l'idée de nation se mêle à celle de peuple, et nombre d'entre eux partagent les idéaux les plus radicaux en matière de démocratie. Hostiles aux pouvoirs aristocratiques, ils espèrent voir éclore une autre forme de société, certains évoluant vers le socialisme naissant. Mais ce mouvement est aussi porté par des impératifs nés du développement des techniques et des économies. L'accélération des échanges et la naissance d'une industrie sont aussi des facteurs importants dans l'approfondissement de la nation, pensée en tant que marché national, cet espace qu'une bourgeoisie entreprenante entrevoit d'étendre et d'exploiter. Ce mouvement des nationalités trouve donc autant son élan dans les mentalités que dans la production matérielle.

Des itinéraires multiples

Rares sont les voies royales qui mènent les nations d'Europe sur la voie de l'indépendance. Deux processus émergent toutefois de ce long XIXe siècle qui nous mène de 1804 (date de la première indépendance autoproclamée de la Serbie) à 1918. Certaines nations naissent à l'intérieur de grands empires composites, d'autres partent d'un royaume qui unifiera autour de lui la nation éparpillée ; sans oublier celles qui devront attendre la défaite des Empires centraux en 1918 pour accéder à l'indépendance.

Entre autonomie et indépendance

Deux grands ensembles composites dominent l'Europe centrale et méridionale : l'Empire autrichien et l'Empire ottoman. Composés d'entités politiques et culturelles très différentes, ces empires voient se dresser des communautés qui se définissent par un espace, une langue et une histoire. Il en est ainsi des mouvements d'indépendance grec, serbe, bulgare, roumain, monténégrin, comme du tchèque ou du hongrois. Le combat est long et difficile, même contre l'« homme malade » qui n'abandonne ses positions en Europe qu'à l'issue des guerres balkaniques en 1912-1913, à l'exception du détroit des Dardanelles. Quant à l'Empire autrichien, s'il accepte le rétablissement d'une identité politique pour les Hongrois en 1867, il la refuse aux Tchèques qui devront attendre 1918 pour se doter d'un gouvernement propre. Entre-temps, sa volonté de casser les revendications fédéralistes à l'intérieur, et la petite Serbie à l'extérieur, aura conduit l'Europe du XIXe siècle à sombrer dans la boue des tranchées.

Des luttes pour l'unité

Le second processus s'est révélé plus efficace. A partir d'un royaume, il consiste à l'unifier petit à petit, avec patience, ruse et violence. C'est ce qui arrive pour l'Allemagne avec la Prusse, et pour l'Italie avec le Piémont. Une politique réaliste qui sait composer avec les mouvements populaires, plus particulièrement en Italie, sans jamais chercher à en susciter. L'exaltation patriotique est tendue vers la réunification, plus que vers une révolution politique et sociale. Il s'agit d'un processus qui en moins de vingt ans, à partir de 1848, réussit à refaçonner l'Europe occidentale. Personnifiées par Bismarck, d'un côté, et par Cavour de l'autre, ces politiques ont fait peu de place aux idéaux démocratiques et ont gagné autant les cœurs que la raison pour imposer leur hégémonie en éliminant leurs rivaux, pour la Prusse l'Autriche et pour l'Italie le pape.

L'Europe en chantier

Ces combats pour l'indépendance nationale ont remodelé pendant un siècle la carte du continent. Pas un seul d'entre eux qui n'ait suscité une crise internationale, limitée aux relations diplomatiques mais débouchant souvent sur des conflits locaux, voire continentaux. De la Grèce, en 1822, à la Bulgarie en 1912, en passant par l'Italie en 1859, chacun a remis en cause alliances et contre-alliances. Un jeu subtil voit s'opposer les grandes puissances, Autriche, France, Grande-Bretagne, Prusse et Russie, dans lequel les nationalités tentent de se placer dans le but de trouver le protecteur influent qui saura aller le plus loin dans leur sens, tout en sachant que celui-ci n'ira jamais jusqu'au bout : les Italiens après Magenta s'en apercevront cruellement lorsque Napoléon III décidera de traiter avec l'Autriche, sans pousser jusqu'au bout son avantage, tout comme les Bulgares plus tard, quand leur protecteur, le tsar Alexandre III, rompra avec le prince Ferdinand en 1885.

Polonais et Irlandais oubliés

Aux deux extrémités de l'Europe, deux mouvements nationaux puissants connaissent tout au long du siècle un sort commun : celui d'adopter des formes de résistance originales afin d'affirmer leur existence dans un contexte aussi différent que difficile. Deux peuples catholiques rêvant d'insurrection mais contraints de s'organiser sur les plans économique et intellectuel. Les Polonais, marqués par le soulèvement avorté de 1863, tentent de résister aux mesures de germanisation prises à l'ouest et de russification à l'est. Les Irlandais, menés par des leaders politiques de grande envergure (Charles Parnell en particulier), utilisent le système parlementaire britannique avec intelligence et font pression sur lui ; mais malgré leur alliance avec les libéraux de Gladstone, ils n'obtiennent pas l'autonomie souhaitée.

Une nouvelle Amérique

En Amérique également un empire s'écroule. En quinze ans, l'Empire espagnol se morcelle en de multiples unités politiques, où l'apprentissage de la démocratie se heurte à des obstacles de taille. Lorsqu'en novembre 1807 Napoléon donne l'ordre à ses troupes d'occuper l'Espagne, il coupe la tête de l'empire, de son corps. Les ressentiments anti-espagnols, déjà très forts dans la haute société créole, peuvent dorénavant s'exprimer sans risques. La monarchie est déconsidérée, et ses partisans ne constituent pas une couche sociale importante, réduite le plus souvent à quelques grands propriétaires terriens, à la haute administration et aux cadres de l'armée. Stimulés par les exemples américains et français, les révolutionnaires sud-américains comme Francisco Miranda, Simon Bolivar, José de San Martin et Bernardo O'Higgins, tous hommes de guerre, multiplient soulèvements et coups d'Etat. Dans un premier temps (1810-1814), l'indépendance est acquise facilement lorsque le mouvement qui la porte ne traverse pas toute la société. Car alors, comme au Mexique, sur le conflit politique se greffe une véritable guerre sociale, voire ethnique avec les révoltes indiennes, ce qui permet à la société coloniale de se ressouder et de remettre à plus tard un changement institutionnel.

Dans un second temps, lorsque le pouvoir royal est réinstallé dans la métropole, les monarchistes reprennent l'ascendant et, en 1815, on peut croire que la vague d'indépendance est enrayée. Pour une courte parenthèse, car, dès 1817, une nouvelle série de soulèvements emporte définitivement l'Empire espagnol continental. Seules les îles des Caraïbes, Cuba et Saint-Domingue restent dans le domaine de la couronne. L'histoire mouvementée des vingt Amériques latines commence alors dans le désordre institutionnel et celui des frontières. Des guerres fratricides d'une grande violence opposent pour le droit à la mer le Pérou, la Bolivie et le Chili à l'ouest (guerre du Pacifique) et le Paraguay au Brésil et à l'Argentine à l'est (guerre du Chaco). Sur le plan intérieur, les régimes autoritaires prédominent sous la forme originale du « caudillisme », dictature militaire fondée sur le clientélisme. Rares sont les expériences plus libérales, comme au Mexique ou dans certains Etats du Brésil avant 1850, ou constitutionnelles comme en Argentine, au Chili et en Colombie. Cette situation favorise la pénétration des capitaux étrangers, tout d'abord anglais, plus tard américains, qui vers la fin du siècle organisent l'exploitation des richesses nationales.

Le siècle des nationalités

Ainsi, le XIXe siècle voit apparaître une nouvelle forme de communauté que les conditions matérielles vont contribuer à renforcer : la nation. L'enseignement pour tous, l'armée de conscription, le développement des chemins de fer, celui des sciences et des lettres contribuent à la constitution, autour d'une capitale, d'un parler, d'un espace de plus en plus large à mesure que les moyens de communication rapprochent les hommes, au détriment d'autres cultures, aux horizons plus réduits du terroir. Un mouvement qui gagnera l'ensemble de la planète, Asie et Afrique, au XXe siècle, dans des conditions parfois plus tragiques.

1819

Francfort-sur-le-Main, 20 janvier
Karl von Stein fonde la Société d'histoire de l'Allemagne, qui publia la collection des *Monumenta Germaniae historica*.

Etats-Unis, 22 février
Le traité signé entre John Quincy Adams, ministre des Affaires étrangères des Etats-Unis, avec son homologue espagnol, Onis, cède aux Etats-Unis la Floride orientale. La Floride occidentale voit sa frontière fixée au Mississippi, excluant tout le Texas. L'achat officiel en sera fait en 1821 ; la région ne sera organisée en Etat qu'en 1845.

Allemagne, 23 mars
Assassinat du conseiller d'Etat August von Kotzebue à Mannheim. →

Prusse, avril
L'économiste Frédéric List fonde l'Association générale allemande pour le commerce et l'artisanat qui demande la suppression des barrières douanières à l'intérieur de la Confédération germanique.

Atlantique, 20 juin
Le *Savannah* traverse l'Océan (→). Il n'emploie son moteur que pendant une centaine d'heures. Il faudra attendre 1835 pour qu'un navire à roues à aube, propulsé par un moteur, fasse la traversée entière avec ce nouveau procédé. Il s'agira du steamer anglo-américain *Silvius*.

Francfort-sur-le-Main, 20 juillet
Les membres de la Quadruple-Alliance se mettent d'accord sur le règlement du Congrès de Vienne et adoptent le « recès territorial », que la France signe le 20 octobre.

Allemagne, 1er août
Les chanceliers Metternich et Hardenberg mettent au point la Convention secrète de Teplitz, qui inaugure une politique réactionnaire valable pour toute la Confédération germanique. Puis, du 6 au 31 août se déroule à Karlsbad une rencontre des ministres de Prusse et d'Autriche avec les autres membre de la Confédération restreignant les libertés d'enseignement, de presse, et prévoyant l'intervention militaire dans un pays qui ne respecterait pas la politique générale.

Amérique espagnole, 7 août
Simon Bolivar bat les Espagnols de Colombie à Boyacà. Le Venezuela et la Nouvelle-Grenade, formée de la Colombie et de l'Equateur, s'unissent en une république de la Grande Colombie le 17 décembre. →

Grande-Bretagne, 16 août
Massacre de « Peterloo » (→). A la suite de la manifestation, le gouvernement promulgue les « Six Lois ». Elles permettent l'interdiction de toute réunion de plus de cinquante personnes, de tout défilé ou réunion avec des drapeaux, l'arrestation de toute personne portant une arme, l'imposition d'une nouvelle taxe sur les journaux, manière détournée d'empêcher la sortie des publications militantes.

France
L'adoption des trois « lois De Serre » sur la presse marquent une volonté de libéralisation. La censure et l'autorisation préalable sont supprimées, le nombre des délits réduit et le jugement est désormais l'attribution d'un jury. Cette mesure permet la multiplication des journaux d'opinion.

Théodore Géricault expose au Salon *Le Radeau de la Méduse* tandis que le baron Gérard achève sa *Corinne au cap Misère*.

Le médecin René Laennec (1781-1826) publie son *Traité de l'auscultation médiate*, qui décrit les applications de son invention, le stéthoscope.

Péninsule malaise
L'Anglais Sir Stamford Bingley Raffles occupe l'île de Singapour qu'il a achetée au rajah de Johore pour le compte de la Compagnie anglaise des Indes orientales.

Grande-Bretagne
Théoricien du capitalisme libéral, David Ricardo publie ses *Principes de l'économie politique et de l'impôt*.

Le romancier Walter Scott publie son roman historique *Ivanhoé*. →

Ayant découvert les propriétés du caoutchouc Thomas Hancock et Charles Mackintosh, des industriels écossais, mettent au point la fabrication du premier tissu imperméable.

Allemagne
Publication du recueil poétique de Goethe *Le Divan occidental-oriental*. →

L'opposition anglaise massacrée à "Peterloo"

Angleterre, 16 août 1819
L'agitation s'amplifie depuis la fin de la guerre. A la crise économique s'ajoute la revendication d'une réforme du Parlement. Pétitions et manifestations se multiplient et des soulèvements ouvriers sporadiques ont lieu en conclusion de certaines démonstrations, comme en mars 1817 à la suite d'une marche des chômeurs sur Londres ou en juin à Nottingham. La répression de ces révoltes est renforcée par la suspension de l'*Habeas corpus* en janvier 1817. Malgré ces revers l'opposition continue sa progression. L'orateur John Hunt prévoit un rassemblement général de tous les ouvriers et radicaux du Lancashire à Saint Peter's Fields à Manchester. Le jour dit, des milliers d'hommes, de femmes et d'enfants se présentent dans la ville derrière oriflammes et banderoles. Mais au moment où John Hunt prend la parole pour réclamer la liberté de la presse, la liberté de tenir des réunions et le droit à l'organisation politique, un régiment de hussards et la garde à cheval locale chargent et font vingt morts et environ quatre cents blessés. Les organisateurs sont arrêtés, condamnés à de longues peines d'emprisonnement et le gouvernement adopte un train de six lois encore plus répressives.

Le peuple anglais supportant la charge de l'Etat. 1819. Caricature.

« Un Anglais né libre ». Grinçante caricature des années 1820.

Le "Radeau de la Méduse" fait scandale

Paris, 1819
Si toute la presse hurle au scandale lorsque Géricault expose en 1819 *Le Radeau de la Méduse*, les jeunes peintres y voient en revanche la fin de l'école de David. Le tableau n'est pas primé, mais obtient un grand succès en Angleterre et en Irlande. Géricault s'inspire d'un fait divers, le naufrage d'une frégate française au large des côtes africaines et l'attente désespérée des survivants. Malgré une carrière aussi fulgurante que brève il mourra à 33 ans d'une chute de cheval –, Géricault devait marquer profondément les générations suivantes d'artistes.

Théodore Géricault. « Le Radeau de la Méduse ». 1819. Musée du Louvre, Paris. Œuvre inspirée d'un fait divers.

Répression après le meurtre de Kotzebue en Allemagne

Mannheim, 23 mars 1819
Le 23 mars, l'étudiant en théologie Karl Ludwig Sand assassine le conseiller d'Etat August von Kotzebue,

Von Kotzebue.

un auteur de théâtre médiocre à la solde de la Russie qui s'était moqué des patriotes allemands. Sand fait partie de ces associations estudiantines, les *Burschenschaften*, pleines encore de l'esprit des guerres de libération, qui prônent l'unité allemande et l'émancipation nationale. Sand, exécuté, devient le martyr de la cause des peuples. Son geste, imité le 1er juillet par un autre étudiant contre un autre conseiller d'Etat, a des conséquences directes. Metternich se saisit du prétexte pour lancer une politique répressive contre le mouvement nationaliste : les universités et les collèges sont mis sous surveillance.

Bolivar "libertador" de la Colombie

Angostura, 17 décembre 1819
Depuis juillet 1817, Bolivar a établi un camp retranché dans l'île d'Angostura, située sur le fleuve Orénoque. Face au terrible Morillo, chef de l'armée espagnole, qui a écrasé toute résistance en Nouvelle-Grenade et au Venezuela, il est en difficulté et cherche des appuis. Par l'attrait de fortes payes, il réussit à enrôler six mille Anglais et Irlandais, anciens combattants de la lutte contre Napoléon. Par la promesse de répartition des terres et de libre parcours des troupeaux dans les savanes, il parvient à gagner la faveur des habitants des grandes plaines, les *llaneros*. Le 15 février 1819, il inaugure le Congrès au cours duquel il prononce un discours historique, en particulier pour l'abolition de l'esclavage. Le 23 mai, il décide de traverser les Andes pour prendre les royalistes à revers et libérer la Nouvelle-Grenade. Début juillet, à la tête de deux mille Indiens et cinq cents Anglais, il traverse le désert de Pisba. Le 25, il livre bataille dans les marais de Vargas. Le 7 août, c'est la victoire décisive de Boyacà et le 10, il entre dans Santa Fé de Bogota. Sa campagne militaire consacre l'indépendance de la Colombie. Retourné à Angostura, il est élu président par le Congrès qui proclame la République et vote la Constitution (17 décembre). Mais son projet d'unité continentale autour d'une Grande Colombie butera sur les égoïsmes nationaux.

Les songes tragiques de Goya, graveur de génie

Madrid, 1819
Le peintre Francisco de Goya y Lucientes (1746-1828) a entretenu toute sa vie d'étroites relations avec les intellectuels espagnols pénétrés des idées des « Lumières » et de l'Encyclopédie. Traquer l'homme qui a laissé capituler sa raison, dénoncer les passions, les vices et les faiblesses, tel est, au seuil de la vieillesse, l'ultime effort d'un artiste lucide entre tous. Et si Goya fait subir à la réalité des distorsions, c'est pour mieux dégager le profil d'une humanité dégradée, pécheresse et grotesque. Les difformités physiques deviennent les

"Ivanhoé" lance la mode du roman historique

Angleterre, 1819
Le romancier Walter Scott publie *Ivanhoé*, un roman historique qui connaît un immense succès. L'action y est sans cesse relancée par d'habiles contrastes tandis que les scènes intimes de la vie d'autrefois sont vivifiées par l'alternance de l'aventure, du drame ou de la facétie. La couleur historique l'emporte parfois sur l'authenticité des sources ; mais ce que Scott entend combattre principalement, c'est une ignorance et une absence de sympathie ambiante pour l'histoire, en veillant à la vraisemblance des faits sans s'interdire pour autant la liberté des détails. Ainsi se succèdent les épisodes hauts en couleur, tel le grand tournoi d'Ashby où Ivanhoé, aux côtés de Richard Cœur de Lion, écrase les chevaliers du prince Jean ; ou encore l'assaut du château de Torquilstone dans lequel le héros est blessé. Walter Scott poursuivra son œuvre avec notamment *Quentin Durward* (1823), qui se situe dans la France du XVe siècle, ou *Le Talisman* (1825), dont l'histoire a pour cadre les Croisades. L'auteur mourra à Abbotsford en 1832 et sera inhumé dans l'abbaye de Dryburg.

Le romancier anglais Walter Scott. Peinture anonyme. Détail.

reflets des difformités morales, les figures d'animaux symbolisent les vices cloués au pilori. Il faut encore se battre contre la sorcellerie, cette superstition primitive et barbare – nous sommes alors plongés dans ces nuits de sabbat où de vieilles décrépites se livrent sur des nouveau-nés à de répugnants sortilèges. « Le songe de la raison engendre des monstres » : au-dessus du graveur endormi, une chauve-souris gigantesque déploie ses ailes noires, à l'image de ces cauchemars qui hantent le rêveur. Sur les murs de sa maison, la *Quinta del Sordo* (ainsi nommée depuis que l'artiste a été frappé de surdité), Goya exécute une extraordinaire série de « peintures noires » où surgit de nouveau cet univers de cauchemar.

Francisco de Goya. « Disparate (folie) matrimonial ». Eau-forte. Sans date.

Le "Savannah" traverse l'Atlantique

Le premier bateau à vapeur a traversé l'Atlantique en 27 jours. Parti de Savannah, aux Etats-Unis, le 24 mai, il arrive à Liverpool le 20 juin. Jaugeant 703 tonneaux, il est équipé d'un moteur de 90 ch.

Goethe surprend ses lecteurs avec "Le Divan occidental-oriental"

Stuttgart, 1819
L'écrivain Wolfgang Goethe publie un recueil de poèmes, *Le Divan occidental-oriental*, augmenté de notes sur la vie et la poésie des Persans. L'œuvre, inspirée du *Divan* de Hafiz, surprend par son écriture ciselée et ses rimes aux résonances magiques. Elle nous conduit dans un monde de pure fiction, où tout sentiment devient raffinement, grâce sensuelle, et où toute forme se fait symbole. L'Orient et la vie intérieure du poète occidental se fondent, créant cet espace intime, trame chatoyante de « vérité et de rêve ». Goethe témoigne en particulier de sa quête de « la présence de Dieu dans tous les éléments ». Du *Livre du Chanteur*, qui ouvre le recueil, au *Livre du Paradis* qui le termine, la poésie se veut le reflet terrestre de la « vie la plus intense contenue dans le plus petit espace ».

Wolfgang Goethe avec son secrétaire. Peinture de J. J. Schneller.

1820

Grande-Bretagne, 29 janvier
George IV, régent depuis 1811 à la suite de la maladie mentale de son père George III, devient roi à la mort de celui-ci.

France, 14 février
Le duc de Berry est assassiné par Louvel. →

France, 20 février
Decazes, président du Conseil depuis novembre, est contraint de donner sa démission devant l'hostilité des ultras et est remplacé par le duc de Richelieu.

Etats-Unis d'Amérique, 2 mars
Adopté par le Congrès, le compromis du Missouri vise à limiter l'extension de l'esclavage. →

Espagne, 7 mars
Succès du soulèvement lancé à Cadix par le colonel Riego le 1er janvier. →

Europe, 28 mars
Louis XVIII et le roi des Pays-Bas signent le « Traité des Limites » fixant le tracé de la frontière aux délimitations de 1790. L'article 18 prévoit l'obligation de respecter le libre cours de la Semois.

Grande-Bretagne, 1er mai
Exécution des militants radicaux qui ont organisé le complot de Cato Street destiné à assassiner les membres du Cabinet et à prendre le pouvoir. Leur leader, Arthur Thistlewood, est soupçonné d'être un indicateur de police.

Allemagne, 24 mai
La conférence ministérielle de Vienne établit les « Actes définitifs » qui seront adoptés le 20 juillet par la Confédération germanique. La principale disposition prévoit l'intervention armée des membres dans un Etat menacé de troubles intérieurs.

France, 28 juin
La loi du « double vote » permet aux plus favorisés de voter deux fois : on rétablit pour 258 sièges le scrutin d'arrondissement (qui est favorable aux nobles campagnards), et pour les 172 autres sièges, c'est le quart des électeurs les plus imposés qui voteront au scrutin départemental. Le pouvoir s'assure ainsi une victoire confortable aux élections de novembre.

Naples, 2 juillet
Début de la révolte des « car-

bonari » du général Guglielmo Pepe. →

Portugal, 24 août
L'armée portugaise se révolte à Porto.

Europe, 20 octobre-20 décembre
Le congrès des Princes, réuni à Troppau, s'inquiète des développements révolutionnaires en Europe méditerranéenne. Metternich défend l'idée du droit à l'intervention, qui ne rencontre pas l'aval de l'Angleterre.

Etats-Unis, 6 novembre
Le président Monroe est réélu, aucun concurrent ne s'étant présenté.

Afrique
Le pacha d'Egypte Muhammad soumet le Soudan ainsi que la région du Kordofan.

Grande-Bretagne
Le poète Shelley publie *Prométhée délivré* et Keats un volume d'odes et de ballades qui le classe au premier rang des poètes anglais de son temps.

Russie
Publication de *Rousslan et Ludmilla*, de Pouchkine.

France
Alphonse de Lamartine publie ses *Méditations poétiques*, aussitôt admirées pour la sincérité de leur inspiration et la richesse de leur mélodie.

Le physicien Ampère découvre l'électro-dynamique (→) tandis qu'Arago réussit l'aimantation par l'électricité.

Les médecins Pierre Joseph Pelletier et Caventou découvrent la quinine.

Thomas de Colmar invente une machine à calculer, l'« arithmomètre ». →

Viêt-nam
Mort du poète Nguyên-Du. →

Danemark
Le physicien Christian Oersted (1777-1851), directeur de l'Ecole polytechnique de Copenhague, découvre l'électromagnétisme. →

Allemagne
Wilhelm von Humboldt publie une de ses œuvres majeures : *Sur la différence de structure des langues humaines et son influence sur le développement intellectuel de l'humanité.*

Le duc de Berry est assassiné par Louvel

Paris, 14 février 1820
Louis-Pierre Louvel, ouvrier sellier, désirait éteindre la dynastie régnante. Dans la nuit du 13 au 14 février 1820, il poignarde le duc de Berry, fils du comte d'Artois et héritier présomptif du trône. Sa mort presque publique auréole les Bourbons. Le périodique ultraroyaliste *Le Conservateur* et Chateaubriand exploitent l'assassinat et présentent la révolution comme sanguinaire et dangereuse : « La Révolution se rassasie du sang des Bourbons. » Nodier répond dans le *Journal des débats* :

« J'ai vu le poignard de Louvel, c'était une idée libérale. » La crise politique s'instaure. Poussé par la droite, Louis XVIII renvoie son ministre Decazes, accusé de favoriser des principes libéraux, et nomme le duc de Richelieu. Louvel est condamné à mort et exécuté. Son geste était d'ailleurs illusoire, puisque la jeune veuve du duc de Berry met au monde en novembre le duc de Bordeaux, qui assure la continuité dynastique. L'acte de Louvel met fin à la politique libérale de la Restauration et assure la victoire du parti ultraroyaliste. « La mort du duc de Berry fut plus utile que sa vie », a écrit la comtesse de Boigne.

Assassinat du duc de Berry, dans la nuit du 13 février 1820, à la sortie de l'Opéra. Gravure d'époque rehaussée de couleurs.

A Naples, révolte des "carbonari"

Naples, 2 juillet 1820
Le sentiment national italien et les idées républicaines sont véhiculés par des sociétés secrètes qui contestent l'hégémonie autrichienne. Celles du Sud adoptent les rites initiatiques des charbonniers (d'où leur nom) et calquent leur organisation sur la franc-maçonnerie. Ils sont persuadés que le seul moyen d'action efficace est le coup de force. A Naples, l'absolutisme s'incarne en la personne de Ferdinand Ier qui refuse d'appliquer la constitution libérale qu'il avait pourtant promise. Le

2 juillet 1820, le patriote et carbonaro Guglielmo Pepe provoque une insurrection napolitaine et crée un gouvernement provisoire qui impose une constitution au roi. Les Autrichiens, inquiets, réunissent les pays de la Sainte-Alliance le 20 octobre à Troppau à l'instigation de Metternich, puis à Laibach en janvier 1821 pour faire face à la propagation des révoltes italiennes. Le 7 mars 1821, les Napolitains sont vaincus à Rieti par les Autrichiens, qui abrogent la Constitution et rétablissent dans ses droits Ferdinand Ier. La réaction violente est exercée par les *sanfedisti*, défenseurs de l'autocratie, qui pourchassent les carbonari.

Iturbide s'apprête à gouverner le Mexique

Mexique, 1820-1821
En 1815, le général Iturbide avait écrasé la révolte du prêtre Morelos avec l'aide du haut clergé et d'une partie de l'aristocratie inquiète des tendances démocratiques de l'insurrection. A partir de 1820, profitant de la situation créée par la révolution libérale en Espagne, cet ambitieux va de nouveau occuper le devant de la scène. Ce militaire contre-révolutionnaire affirme sa volonté par rap-

port aux élites de la société créole. Le 24 février 1821, il proclame le plan d'Iguala qui propose l'indépendance du Mexique comme empire séparé de l'Espagne. L'autorité du vice-roi de la Nouvelle-Espagne se rétrécit de plus en plus tandis que les troupes d'Iturbide se rapprochent de la capitale. Le 27 août, elles rentrent sans combattre dans Mexico en fête. Prétextant un désaccord espagnol, Iturbide se fera solennellement couronner empereur du Mexique le 18 mai 1822, sous le nom d'Augustin Ier.

Révolution libérale en Espagne avec Riego

Madrid, 7 mars 1820

Face aux difficultés extérieures (émancipation des colonies d'Amérique), un grand nombre d'officiers conspirent pour renverser l'absolutisme et revenir à la constitution de 1812 qu'ils voient comme la solution à tous les problèmes. De nouveau, la répression s'abat contre les libéraux. Mais, le 1er janvier 1820, à Cabezas de San Juan, le colonel Riego réussit à entraîner ses troupes, libère les conspirateurs prisonniers et emprisonne l'état-major. Plusieurs garnisons se révoltent et proclament elles aussi la Constitution. Le général Labisbal rallie les insurgés au lieu de marcher contre eux. Le roi Ferdinand VII, sans troupes pour réagir, se voit contraint de signer le décret du 7 mars par lequel il remet en vigueur la constitution. Il doit se plier aux exigences du peuple de Madrid qui réclame : l'abolition de l'Inquisition, le rétablissement de la municipalité de 1814 et la formation d'une junte provisoire. Celle-ci décrète plusieurs mesures libérales et oblige le roi à constituer un gouvernement avec des personnalités sor-

Ferdinand VII, roi d'Espagne. Détail. Peinture de Goya.

tant de prison. C'est le cabinet des « bagnards ». Le roi prête serment de fidélité devant les Cortes qui lui décernent le titre de Ferdinand VII « le Grand ». Dans un premier temps, les cours d'Europe approuvent le régime constitutionnel et Louis XVIII se permet de suggérer une réforme dans le sens de la Charte française.

Le Congrès américain adopte un compromis sur l'esclavage

Etats-Unis, 2 mars 1820

L'intégration de nouveaux Etats dans l'Union américaine pose de nombreux problèmes aux membres du Congrès. Effectivement, la question qui se pose est de savoir comment agrandir le territoire tout en conservant l'unité et un certain équilibre entre les différents Etats ? En première ligne, la question de l'esclavage divise l'Union. Depuis le début du siècle, celle-ci s'est enrichie de six Etats, trois esclavagistes, la Louisiane en 1812, le Mississippi en

1817 et l'Alabama en 1819, et trois antiesclavagistes, l'Ohio en 1803, l'Indiana en 1816 et l'Illinois en 1818. En 1819, le Missouri, une région qui faisait partie de la Louisiane, achetée à la France, demande son intégration. Après un premier refus, le compromis du Missouri signé le 3 mars 1820 impose désormais que l'esclavage soit interdit sur tout le territoire anciennement français. De plus, l'accueil du Missouri, Etat esclavagiste, est compensé par la création, tout au nord, d'un Etat anti-esclavagiste, le Maine. Les Etats du Nord craignent en effet une possible supériorité numérique de ceux du Sud dans les organes législatifs de l'Union.

Caricature sur l'émancipation des Noirs aux Etats-Unis. Gravure. Début XIXe siècle. Bibliothèque nationale, Paris.

Le poète Shelley écrit "La Sensitive"

Angleterre, 1820

Le poète anglais Percy Bysshe Shelley (né dans le Sussex en 1792), qui a déjà publié des poèmes tels que *La Reine Mab*, donne avec *La Sensitive* l'une de ses œuvres les plus réussies. La sensitive, qui se développe au milieu d'un jardin printanier puis périt à l'automne, « débris sans feuille » parmi les mousses et les lichens, évoque pour l'auteur la destinée de tout homme, voué, après une brève floraison, à se fondre lui aussi dans la nature. Le doux jardin, rempli de l'esprit rayonnant de la « belle Dame », les « suaves formes et odeurs », en réalité, ne disparaissent pas ; c'est nous qui passons, pareils aux « ombres d'un rêve ». Pour l'amour, la beauté, le bonheur, il ne peut y avoir ni changement ni mort, car leur puissance « dépasse nos organes ». Shelley, bien que condamné par la tuberculose, mourut en 1822, lors d'un orage, en pleine mer, au large des côtes italiennes.

Shelley mourut en mer au large de Viareggio en août 1822. Son corps fut brûlé à l'antique, sur un bûcher, par les soins de Byron et de son ami Leigh Hunt. Peinture de L. E. Fournier. 1889.

Ampère découvre l'électrodynamisme

Paris, 1820

Au début de l'année 1820 à Copenhague, le physicien Oersted, poursuivant ses recherches sur l'électricité, constate qu'une aiguille aimantée placée parallèlement à un fil parcouru par un courant électrique est déviée. Il publie alors en latin la description de cette expérience le 21 juillet 1820, sans en donner d'explication. Le monde scientifique européen, en émoi, se met immédiatement à la tâche. En France, André-Marie Ampère publie le 18 septembre ses premières observations. Il montre que les courants électriques s'attirent ou se repoussent mutuellement et il décrit suivant quelles lois ce qu'il nomme « électromagnétisme » ou « électrodynamisme », phénomène qui re-

Ampère.

pose sur l'hypothèse d'une interaction de type newtonien entre éléments de courant (en fonction de la distance et des angles). Puis il dégage clairement dans sa synthèse de 1827, *Théorie mathématique des phénomènes électrodynamiques*, quatre principes : 1°, les actions d'un courant sont inversées quand on inverse ce courant ; 2°, il explique les courants sinueux ; 3°, il démontre que l'action d'un circuit fermé est perpendiculaire à un élément de courant très petit ; 4°, les interactions entre éléments de courant sont proportionnelles entre elles.

Thomas de Colmar invente une machine à calculer

France, 1820

Le chevalier Charles Henry Thomas, dit Thomas de Colmar, met au point une machine à calculer, l'« arithmomètre », dont il dépose le brevet. Cette machine est composée d'un

ensemble de pignons dentés pivotant sur leur axe, ce qui permet de faire entrer dans le mécanisme les nombres à additionner ou à multiplier. Le modèle de 1820 comporte trois chiffres à l'inscripteur et six au totaliseur, ce qui réduit la capacité des opérations. Thomas perfectionnera sa machine jusqu'à présenter à l'Exposition de 1855 un mécanisme à trente chiffres.

Mort de Nguyên Du, écrivain vietnamien

Viêt-nam, 1820

Le poète Nguyên Du est mort. Descendant d'une grande famille mandarinale au service de la dynastie Lê, il s'était retiré dans son village natal, après avoir vainement tenté de s'op-

poser aux frères Tay Son qui avaient pris le pouvoir. Vers 1802, le premier empereur Nguyên parvient à le rallier à la nouvelle dynastie et lui confie d'importantes fonctions. Il est connu comme auteur de *L'Histoire de Khiêu*, roman en vers qui exalte la piété filiale. Il poétisait également en chinois classique.

1821

Yémen, 15 janvier
L'imam du Yémen s'engage « à respecter les droits du résident anglais » représentant de la Compagnie des Indes, ce qui garantit la présence britannique dans la péninsule Arabique. →

Laibach, 26 janvier-12 mai
Après l'ajournement du congrès de Troppau, un nouveau congrès se tient à Laibach et décide, contre l'avis de l'Angleterre, de la France et de l'Italie, d'intervenir dans les révolutions napolitaine et piémontaise.

Mexique, 24 février
Le général Agustin Iturbide proclame l'indépendance.

France, 27 février
L'ordonnance sur l'instruction donne de nouveaux pouvoirs à l'Eglise : les évêques auront la charge de l'inspection des collèges.

Grèce, février
L'évêque Ghermanos, de Patras, appelle à la révolte contre les Ottomans chargés de réprimer le foyer insurgé de l'Epire. En mars, l'insurrection gagne la Morée et, en avril, la ville de Tripolitza est gagnée sur les Turcs.

Piémont et Sardaigne, 12 mars
Turin, après Alexandrie le 10, arbore les trois couleurs italiennes lors de la révolte des garnisons acquises aux libéraux et aux carbonari. Le roi Victor-Emmanuel Ier abdique ; son successeur Charles-Félix accorde le 13 une constitution, mais pour se retourner ensuite contre les constitutionnalistes qui subissent une défaite militaire le 8 avril face aux Autrichiens venus défendre leurs possessions lombardes.

Moldavie, mars-juin
Le neveu d'un ancien hospodar de Valachie, Alexandros Ypsilanti, veut profiter de l'insurrection grecque pour faire de même en Moldavie. Il y intéresse le gouverneur Michel Soutzou, mais leur tentative échoue dans l'indifférence. Les Moldaves ne veulent pas suivre ces élites grecques qui les gouvernent depuis longtemps, les « Phanariotes ». Le sultan, pour les remercier, désigne deux membres de grandes familles roumaines pour gouverner les principautés de Moldavie et de Valachie.

Grande-Bretagne, 1er mai
L'étalon-or est de nouveau en vigueur.

Sainte-Hélène, 5 mai
Mort de Napoléon Bonaparte. →

France, 15 mai
Des membres de la Compagnie des mines de Saint-Etienne demandent l'autorisation de construire un chemin de fer reliant la Loire et le Rhône.

Confédération helvétique, mai
Les Cantons expulsent les libéraux italiens qui se sont réfugiés sur leur territoire après les défaites des mouvements de Turin et de Naples.

Berlin, 10 juin
Le compositeur autrichien Carl-Maria von Weber remporte un véritable triomphe avec *Der Freischütz*.

Pérou, 28 août
Le général San Martín proclame l'indépendance du pays. →

San Salvador, 15 septembre
Après avoir proclamé son indépendance, le gouvernement fait adhérer le nouvel Etat à la Fédération d'Amérique centrale, dont il ne sortira qu'en 1839.

Londres, octobre
Confession d'une opiomane anglais, par Thomas De Quincey.

Allemagne
Des étudiants appartenant aux *Burschenschaften*, réprimées depuis les décisions de Karlsbad, fondent des sociétés secrètes à l'exemple des carbonari italiens.

Le philosophe Hegel, professeur à Berlin depuis 1818, publie son ouvrage intitulé *Fondements de la philosophie du Droit* où il voit dans l'Etat prussien la manifestation de l'esprit du monde.

France
Fondation à Paris de l'Ecole des chartes. →

Le réformateur social Saint-Simon publie *Le Système industriel* tandis que le conservateur Joseph de Maistre fait paraître, juste avant de mourir, *L'Eglise gallicane* et *Les Soirées de Saint-Pétersbourg*. →

Grande-Bretagne
Le peintre John Constable présente sa *Charette de foin passant un gué*. →

Mort de Napoléon à Sainte-Hélène : l'entrée dans la légende

Sainte-Hélène, 5 mai 1821
Après une captivité de « deux mille jours », Napoléon meurt, miné par l'ennui et la maladie. La propagande inconsciente des soldats qui racontent leurs souvenirs accroissent sa popularité et créent la légende de sa gloire. « Que nous étions grands alors », dit Ségur. Dès 1822, le *Mémorial de Sainte-Hélène*, dicté par l'Empereur déchu à Las Cases, est publié. Napoléon s'y affirme comme symbole de la liberté. Les plus grands écrivains se penchent sur sa vie formidable et tragique : Stendhal, Victor Hugo et même Byron. Béranger, chansonnier populaire, écrit des morceaux patriotiques d'épopée napoléonienne qui exaltent le peuple. L'abondance des écrits et des chansons à la gloire de l'Empereur favorise l'enracinement d'un sentiment bonapartiste et libéral.

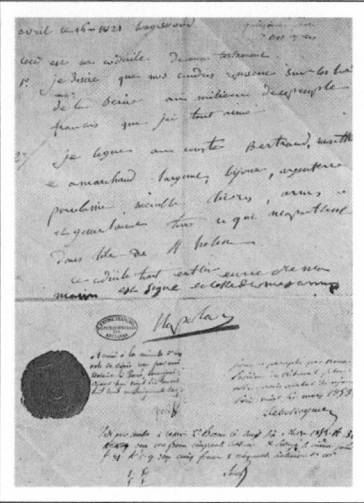

Le testament de Napoléon Ier. Archives de France, Paris.

Portrait de Napoléon à Sainte-Hélène. Lithographie de S. W. Reynolds.

San Martín libère le Pérou

Lima, 28 août 1821
Après avoir participé à la libération du Chili (1818), San Martín veut faire sauter le formidable bastion du Pérou qui représente, depuis trois siècles, la clef de voûte de la domination espagnole. Ne pouvant pas franchir le désert d'Acatama, qui s'étend entre les deux pays, il débarque à Pisco, le 10 septembre 1820, grâce à la flotte de l'Anglais Lord Cochrane, une sorte de grand seigneur aventurier qui a mis son habileté de marin au service de l'indépendance latino-américaine. Tandis que les navires espagnols sont neutralisés, San Martín isole peu à peu la capitale du reste du pays. Le vice-roi doit quitter Lima et les insurgés prennent la ville, où est proclamée l'indépendance.

L'Amérique centrale entre elle aussi dans l'indépendance

Centre Amérique, 15 septembre 1821
En réaction à la réimplantation de l'absolutisme espagnol (1814), les courants libéraux des régions de l'Amérique centrale suivent l'exemple du Mexique, qui a proclamé son indépendance. Poussés par Iturbide, ils adhèrent aux principes de son plan de Iguala. Une Fédération est

Les Anglais prennent pied en Arabie

Mokka, Yémen, 15 janvier 1821
Après avoir soumis le port de Mokka, à l'entrée de la mer Rouge, à un bombardement intensif du 4 au 30 décembre 1820, les Britanniques imposent à l'imam du Yémen un traité de paix, en vertu duquel il s'engage à respecter « les droits » du résident anglais, représentant de la Compagnie des Indes, à reconnaître la juridiction britannique sur tous les sujets de Sa Majesté qui font du commerce à Mokka et à réduire les droits qui frappent les exportations et les importations anglaises de 3,5 à 2,25 %. Quelques mois plus tard, à l'autre bout de la péninsule, sur le golfe Persique, les Anglais mettront sous leur protection l'émir de Bahrein. La Compagnie des Indes veille sur ses communications.

formée pour instituer leur rattachement au Mexique. Mais elle sera de courte durée : le 1er juillet 1823, profitant de l'échec d'Iturbide, le Congrès se réunit à Guatemala et proclame l'indépendance absolue des pays d'Amérique centrale. Le 22 novembre 1824, les députés promulguent une constitution qui instaure une république fédérale, combinant les influences des constitutions nord-américaine et espagnole (celle de Cadix, 1812). L'un des inspirateurs est José Cecilio del Valle (Honduras).

Joseph de Maistre, théoricien catholique de la Restauration

Turin, 1821
Joseph de Maistre vient de s'éteindre à Turin à l'âge de soixante-huit ans. Membre du Sénat de Savoie, exilé successivement en Suisse, en Sardaigne et à Saint-Pétersbourg, le comte de Maistre a représenté en qualité de ministre plénipotentiaire le roi de Piémont-Sardaigne. On lui doit les *Considérations sur la France*, en 1796, où sont annoncés le retour du roi et la régénérescence morale de la France, le traité *Du pape* en 1819, où l'auteur défend l'autorité spirituelle du Saint-Siège, et enfin les *Soirées de Saint-Petersbourg* en 1821. Dans cet ouvrage qui se présente comme la relation de onze entretiens entre trois nobles, de Maistre développe la thèse d'une action providentielle de Dieu et d'une efficience de la prière sur les événements. A cela s'ajoute le thème de la rédemption par le sang et celui de la réversibilité de la souffrance des innocents au profit des coupables. Il conclut sur l'annonce d'une troisième révélation et la promesse d'une grande unification entre les êtres. Malgré son fond ultramontain il influencera aussi bien Auguste Comte que Charles Baudelaire.

Le comte Joseph de Maistre. Détail d'une gravure d'Aubert, d'après Bouillon. Bibliothèque nationale.

Carl Maria von Weber présente son opéra "Der Freischütz"

Berlin, 10 juin 1821
Le compositeur Carl Maria von Weber (né à Oldenbourg en 1786), directeur de l'Opéra de Dresde, fait représenter le *Freischütz*, opéra romantique sur un livret de Friedrich Kind. L'œuvre, inspirée du *Livre des fantômes* d'Appel et Laun, met en scène la fantastique aventure du chasseur Max qui, pour remporter dans un tournoi de tir la victoire qui lui permettra d'épouser la blonde Agathe, se laisse conduire au repaire de Samiel, le chasseur fantôme. Ils doivent y fondre sept balles magiques, dont six destinées à atteindre infailliblement leur cible, et la septième à obéir à la volonté de Samiel. Le thème et la qualité descriptive de l'œuvre l'enracinent dans la tradition allemande. Carl Maria von Weber écrira d'autres opéras, dont *Euryanthe* (1823) et *Obéron*, représenté en avril 1826 à Londres. C'est dans cette ville qu'il mourra le 5 juin de la même année.

Karl Maria von Weber dirigeant, à Covent Garden, Londres, son opéra « Freischütz ».

Thomas De Quincey, fumeur d'opium

Londres, octobre 1821
L'écrivain et helléniste Thomas De Quincey (né à Manchester en 1785) publie les *Confessions d'un opiomane anglais*, récit autobiographique qui, par son atmosphère onirique, connaît d'emblée un immense succès. L'auteur, éprouvé par une enfance malheureuse, relate comment il a été amené à user de l'opium pour calmer de fréquentes

T. de Quincey.

névralgies. Progressivement, il en est venu à augmenter la dose, allant jusqu'à huit mille gouttes par jour, et décrit les cauchemars terribles engendrés par cette habitude, qui durera huit ans. Epouvanté à l'idée d'une mort imminente, il décidera alors de réduire la dose, endurant les pires souffrances physiques et morales. Thomas De Quincey ne cherche pas à justifier son vice, il le présente au contraire comme une expérience humaine, hors du commun certes, mais digne d'intérêt. La franchise de l'écrivain, jointe à la vision d'un monde intérieur, séduiront les romantiques, Musset en particulier, qui verront dans ces confessions l'attrait de l'exotisme et des choses défendues. De Quincey meurt en 1859, à Edimbourg en Ecosse.

L'Anglais Faraday pose le principe du moteur électrique

Angleterre, 1821
Michael Faraday (1791-1867), apprenti relieur, d'une curiosité insatiable, suit seul les cours de la Royal Institution. En 1821, faisant suite aux travaux d'Ampère, il étudie « les nouveaux mouvements électromagnétiques », démontrant qu'un pôle magnétique peut tourner indéfiniment autour d'un circuit électrique. Il effectue un montage simple : un vase rempli de mercure, un aimant à demi immergé (un seul pôle sort du liquide) fixé dans l'axe de l'appareil. Le courant entre par le fond du vase et sort par un fil plongé dans le mercure. Le passage du courant provoque le mouvement de l'aimant autour de son axe. Il pose ainsi le principe du moteur électrique. L'appareil sera perfectionné par Barlow en 1822 qui y ajoutera une roue dentée pouvant entraîner un mouvement. Faraday continuera ses recherches et aboutira en 1831 à démontrer l'existence de l'induction, c'est-à-dire la création d'un courant induit dans un circuit fermé par le mouvement de rotation d'un aimant.

Michael Faraday, chimiste et physicien anglais, s'intéressa notamment aux phénomènes électromagnétiques.

Fondation de l'Ecole des chartes à Paris

Paris, 1821
L'Ecole des chartes, qui vient d'être créée, devra former les futurs archivistes et bibliothécaires du royaume et enseigner toutes les sciences auxiliaires de l'histoire, de la paléographie et de la diplomatique à la numismatique. Elle est placée sous le patronage de l'Académie des inscriptions et des belles-lettres, qui a succédé aux Bénédictins de Saint-Maur dans la publication des sources de l'histoire de France, annales médiévales, etc. Parallèlement est créée la « Société de l'histoire de France » qui publiera des *Documents inédits sur l'histoire de France*.

Eloge de la nature par John Constable

Grande-Bretagne, 1821
Avec *La Charette de foin*, exposée à Londres, John Constable s'affirme comme le peintre par excellence de la campagne anglaise et de la vie rustique. Né en 1776, élève de la Royal Academy à partir de 1799, il se familiarise très tôt avec les maîtres français du paysage classique, Poussin, Dughet et surtout le Lorrain ; il découvre aussi la peinture hollandaise, Ruysdael ou Van Goyen. S'il peint des marines, comme la *Baie de Weymouth*, ou les aspects tourmentés de la région des lacs, Constable se plaît surtout dans la description des paysages calmes et doux, des prairies familières de son Suffolk natal. Il excelle dans le rendu des apparences fugitives. Observateur minutieux des phénomènes atmosphériques, comme dans ses *Etudes de nuages*, il évoque merveilleusement la lumière délicate des ciels anglais souvent noyés de pluie. Exposée à Paris, *La Charette de foin* influencera les artistes français, et tout particulièrement les peintres de l'école de Barbizon.

John Constable. « La Charrette de foin ». 1821. Présentée à Paris en 1824, l'œuvre impressionna fortement Delacroix.

1822

Grèce, 13 janvier
A Epidaure, les insurgés grecs proclament l'indépendance. →

France, 17 février
L'opposition républicaine et libérale s'organise clandestinement en s'affiliant à la Charbonnerie. Le pouvoir découvre des conspirations en province. Le 17 février, un complot dans un régiment transféré de Paris à La Rochelle est dévoilé. Ses protagonistes, les « Quatre Sergents », seront exécutés le 21 septembre.

Chio, mer Egée, avril
Les Turcs massacrent la population insurgée : des milliers de morts.

Pays-Bas, 5 juin
Le roi Guillaume d'Orange autorise la création d'une banque pour favoriser l'industrie nationale, la « Société générale ».

Espagne, 30 juin
Le roi Ferdinand VII est fait prisonnier par les libéraux conduits par Rafael Riego.

Mexique, 21 juillet
Le général Agustin Iturbide se fait couronner empereur du Mexique.

France, 7 septembre
Le comte Villèle, ministre des Finances depuis le 15 décembre 1821, devient Premier ministre.

Sao Paulo, 7 septembre
Dom Pedro proclame l'indépendance du Brésil. →

Europe, 20 oct.-14 déc.
Un nouveau congrès des Princes se tient à Vérone, en Italie. Il réunit les empereurs d'Autriche et de Russie, ainsi que les rois de Naples et de Prusse. Il condamne l'insurrection grecque, mais exige des Ottomans qu'ils satisfassent les demandes russes. Malgré l'opposition de l'Angleterre, représentée par Wellington, il charge la France d'intervenir militairement en Espagne pour rétablir Ferdinand VII dans ses droits.

France, 28 décembre
François René de Chateaubriand est nommé ministre des Affaires étrangères pour mener une politique en tout point favorable à la Sainte-Alliance.

Afrique
Fondation du Liberia. →

Empire ottoman
Assiégée depuis 1820 par l'armée ottomane, Jannina, capitale d'un véritable Etat à l'intérieur de l'Empire ottoman, est prise et son chef, Ali Pacha de Tebelen, assassiné.

Etats-Unis d'Amérique
Le président Monroe reconnaît les nouveaux Etats d'Amérique du Sud.

Equateur
La bataille de Pichunha décide de la libération du pays.

France
Le physicien Fresnel met au point la théorie ondulatoire de la lumière. →

L'égyptologue Jean-François Champollion déchiffre les hiéroglyphes. →

Le socialiste utopiste Charles Fourier publie son *Traité de l'association domestique agricole*.

Stendhal fait paraître *De l'amour*.

Le jeune Victor Hugo, âgé de vingt-cinq ans, publie son premier recueil poétique, *Odes et Ballades*.

Allemagne
E.T. A. Hoffmann fait paraître son récit fantastique *Le Chat Murr*.

Le musicien Franz Schubert laisse inachevée sa 8e symphonie en si mineur. Retrouvée dans les papiers du musicien après sa mort, elle sera jouée pour la première fois à Vienne en 1865.

Russie
Publication de *La Fontaine de Bakhtchissaraï*, d'Alexandre Pouchkine.

1823

Pays-Bas, 1er janvier
Le roi Guillaume décrète que le néerlandais sera la seule langue autorisée dans l'armée, l'administration et les prétoires d'Anvers, de Limbourg et des deux Flandres et prévoit d'étendre cette décision aux autres provinces.

France, 26 février
L'Etat accorde la première concession de chemin de fer en acceptant la demande du 15 mai 1821 concernant la construction d'une ligne reliant Andrézieux à Saint-Etienne.

Les Grecs proclament l'indépendance au congrès d'Epidaure

Epidaure, 1er-12 janvier 1822
C'est une véritable Assemblée nationale qui, à Epidaure, proclame l'indépendance de la Grèce. La guerre d'indépendance avait commencé au début de l'année précédente lorsque le prince grec Alexandros Ypsilanti avait tenté de soulever les principautés danubiennes contre les Turcs. L'aventure échoua : les Roumains ne se sentaient pas concernés, la Russie négociait encore avec les autres puissances européennes et les forces d'Ypsilanti, après avoir traversé le Prout (6 mars), avaient été anéanties. Quelques jours plus tard, le 26 mars, c'est au tour de l'archevêque de Patras, Ghermanos, d'appeler les Grecs à une insurrection générale contre les « Turcs oppresseurs et hérétiques ». Cette fois, des soulèvements ont lieu en Morée, en Roumélie et dans plusieurs îles. Bientôt, la guérilla s'étend à tout le pays. A Epidaure, c'est une indépendance officielle et formelle qui est proclamée. Pour la réalité, il faudra attendre. Les Ottomans sont loin d'être vaincus et l'Europe n'est pas encore prête. La Russie, qui suggère une entente entre les puissances européennes en vue d'un partage de l'Empire ottoman, refuse de présenter le projet concret que réclame la France. Elle se contente d'évoquer des compensations que, de son ambassade à Rome, Chateaubriand situe, en ce qui concerne la France, à Cologne et en Rhénanie. L'Angleterre, la Prusse et les Pays-Bas ne se refusent pas à une refonte de la carte politique du continent, mais veulent savoir à quoi s'en tenir et surtout ne rien déstabiliser de manière irréversible. Les Grecs devront attendre.

« Les Massacres de Scio ». Peinture d'Eugène Delacroix. 1824. Musée du Louvre, Paris. L'œuvre renvoie aux événements de 1822.

Monroe définit la politique étrangère des Etats-Unis

Washington, 2 décembre 1823
Dans son allocution annuelle au Congrès, le président James Monroe (1758-1831) s'élève en termes très clairs contre toute tentative des Européens de poursuivre leurs activités coloniales en Amérique et d'imposer leurs formes de gouvernement dans les Etats américains. Cette prise de position fait suite à la reconnaissance par les Etats-Unis des nouvelles républiques sud-américaines en 1822, et ce sans en référer à une puissance européenne, manifestant ainsi « un point de vue purement américain ». Elle met en garde les membres de la Sainte-Alliance, et plus particulièrement la Russie, contre toute velléité d'implantation sur le continent américain, en Alaska. En même temps, Monroe déclare que les Etats-Unis seront désormais neutres dans tous les conflits européens. Avec cette déclaration, élaborée avec son ministre des Affaires étrangères, Quincy Adams, Monroe reprend la voie ouverte par George Washington, puis par Thomas Jefferson. Ancien ambassadeur en France, il fut sanctionné pour francophilie, avant de pousser à la guerre contre l'Angleterre en 1814.

James Monroe.

Naissance de l'empire du Brésil avec Pedro Ier

Rio de Janeiro, 12 octobre 1822

Depuis le 20 mars 1816, le Brésil a confirmé son autonomie au sein du « Royaume-uni de Portugal, du Brésil et des Algarves ». Devenu roi par la mort de Marie la Folle (20 mars 1810), le régent a pris le titre de Joao VI et séjourne au Brésil jusqu'en 1820. Installé à Rio de Janeiro, son gouvernement s'est ouvert au commerce international et a signé, à ce propos, un traité avec l'Angleterre. Il a donné au pays quelques organes dignes d'un grand Etat moderne. En 1820, stimulée par la restauration du constitutionnalisme en Espagne, une révolution libérale se développe au Portugal. Les Cortes de Lisbonne rappellent le roi dans la métropole, mais celui-ci n'est pas disposé à faire le voyage. En 1821, le mouvement libéral s'étend au Brésil. Poussés par l'armée, les Cortes portugais prétendent alors rétablir une sorte d'autorité coloniale. Le 25 avril, Joao VI doit partir et laisse la régence à son fils cadet, dom Pedro. L'agitation libérale continue de se répandre face aux prétentions de Lisbonne. Pour éviter des débordements révolutionnaires, le régent passe des compromis avec les tendances monarchistes brésiliennes

Pedro Ier, premier empereur du Brésil. Vers 1822. Eau-forte rehaussée de couleurs.

qui veulent l'indépendance sans la république et il s'engage à ne jamais quitter le pays (9 janvier 1822). En février, les troupes portugaises de la capitale regagnent l'Europe. Lors d'un voyage à Sao Paulo, dom Pedro proclame l'indépendance (7 septembre). De retour à Rio, il est acclamé comme empereur et, le 12 octobre, il devient officiellement Pedro Ier, en jurant fidélité à la Constitution appuyée par les Cortes brésiliens.

Champollion découvre les hiéroglyphes

Paris, 27 septembre 1822

Jean-François Champollion (1790-1832) a seize ans lorsqu'il présente à l'académie de Grenoble un mémoire où il affirme sa conviction que le copte n'est qu'une forme tardive de la langue parlée dans l'Egypte ancienne. Il entreprend alors d'étudier, à partir d'une reproduction, la « pierre de Rosette » : cette stèle porte la copie d'un décret de Ptolémée V, inscrit en hiéroglyphes, en démotique et en grec. Estimant qu'il s'agit d'un même texte, il établit une liste de correspondances entre les signes des différents textes. Partant de là, il compléta de proche en proche l'« alphabet » qu'il s'était constitué. C'est par une *Lettre* adressée le 27 septembre 1822 à Monsieur Dacier, de l'Académie des inscriptions, qu'il expose le principe de l'écriture égyptienne qu'il venait de trouver, révélant ainsi sa découverte. Poursuivant ses travaux, il montrera que

Hiéroglyphes tirés d'une page du « Livre des morts » du prêtre Henttaoui. XXIe dynastie.

les hiéroglyphes peuvent tout à la fois être des objets et des sons, autrement dit qu'ils combinent idéogrammes et phonogrammes.

L'Anglais William Ellis invente le rugby

Rugby, 1823

Scène inattendue sur le terrain de sports du collège de Rugby dans le comté de Warwick, en Angleterre. Un étudiant de seize ans, William Webb Ellis (1807-1872), prend le ballon des mains, le met sous son

bras et s'en va derrière la ligne de but adverse, à la stupéfaction de ses compagnons de jeu. Le jeu de rugby ne naîtra pourtant qu'en 1863 lorsque le football anglais adoptera des règles excluant tout contact avec les mains. Les tenants du jeu à la main, à l'initiative du club de Blackheath, réglementent alors ce « jeu de gentlemen ».

Boulevard du crime, succès du mélodrame

Paris, 1822-1823

Le boulevard du Temple est le lieu privilégié des spectacles populaires. Avec *L'Auberge des Adrets*, où s'illustre le comédien Frédérick Lemaître, c'est le mélodrame qui tient le haut de l'affiche. Chaque jour, une foule immense se presse dans les principaux établissements qui jalonnent cette artère. Elle vient assister au lot quotidien de forfaits en tout genre commis sur les différentes scènes, d'où le surnom de boulevard du Crime. Ce sont les couches sociales qui ont pris l'habitude depuis 1789 de descendre dans la rue qui fréquentent assidûment ces salles et cela explique la suspicion du pouvoir et la surveillance policière.

Scène de « L'Auberge des Adrets ». Frédérick Lemaître (à dr.) dans le rôle de Robert Macaire. Lithographie.

L'armée de Louis XVIII intervient en Espagne contre les libéraux

Cadix, 31 août 1823

Menées par le duc d'Angoulême, les troupes françaises pénètrent en Espagne le 7 avril 1823. Poussé par les ultras, en particulier Chateaubriand, et par la Sainte-Alliance, Louis XVIII avait fini par consentir à l'invasion malgré les craintes de rupture avec l'Angleterre. Très rapidement les envahisseurs s'emparent de Madrid (22 mai) car les généraux espagnols, Ballesteros et Labisbal, adoptent des stratégies de compromis. Une régence absolutiste est établie : d'où la

période de « terreur blanche » et de chasse aux « Noirs » (militaires et fonctionnaires libéraux). Entraînant Ferdinand VII avec eux, les Cortes se réfugient à Cadix. Mais l'armée de Louis XVIII rentre en Andalousie et met le siège devant cette ville, tandis que l'amiral Duperré bloque la place par mer. La plupart des places fortes tenues par les libéraux résistent farouchement et il faut de longs sièges pour en venir à bout. Cependant, fin août, le fort du Trocadéro doit capituler. C'est le tournant de la guerre, d'autant que Riego est livré à la régence et pendu. En octobre, la ville de Cadix se soumet pour éviter le massacre. L'Espagne retombe dans l'absolutisme.

Fondation du Liberia par d'anciens esclaves

Afrique de l'Ouest, 1822

Le projet de réinstaller des Noirs d'Amérique en Afrique commence à prendre consistance. Plusieurs sociétés de bienfaisance, dont la Société américaine de colonisation, créée en 1816, et la Société de colonisation de Pennsylvanie et du Mississippi, se chargent d'implanter des sociétés à l'américaine afin d'en faire

des exemples politiques et culturels pour les roitelets locaux qui s'opposent à cette nouvelle intrusion. Une ville est fondée et baptisée Monrovia, en l'honneur du président des Etats-Unis, Monroe. Protégées militairement, les sociétés se taillent des principautés indépendantes, sous la direction d'un syndic blanc. A partir de 1834, les comtés se regroupent, pour donner le Liberia en 1847. Il accédera à l'indépendance après la guerre de Sécession.

Fresnel met au point la théorie ondulatoire

France, 1822

Dès le début de ses travaux sur les ombres, Augustin Fresnel (1788-1827) semble acquis au caractère ondulatoire de la lumière. En 1822, soutenu par Arago, il publie un mémoire qui montre que ses expériences optiques ne peuvent se comprendre sans se rapporter aux phénomènes d'interférence des ondes. Le monde scientifique reste réticent au profit d'une théorie corpusculaire de la lumière. Il faudra attendre 1838 pour que Fizeau prouve le bien-fondé de la théorie ondulatoire.

A. Fresnel, physicien français, un des inventeurs de la théorie ondulatoire de la lumière.

1823

Espagne, 7 avril-30 septembre
L'intervention militaire française en Espagne avec l'aval de la Sainte-Alliance culminera le 23 mai avec la prise de Madrid et, le 31 août, avec celle du Trocadéro. →

Prusse, 5 juin
Création de huit assemblées provinciales dans lesquelles la noblesse terrienne dispose des plus grands pouvoirs. Le but de cette réforme est de réduire les différences entre les territoires agricoles protestants et conservateurs de l'est et les pays plus avancés, libéraux et catholiques de l'ouest.

Rome, 20 août
Mort du pape Pie VII, auquel succède Léon XII, élu le 28 août.

Etats-Unis d'Amérique, 2 décembre
Discours du président James Monroe. →

Mexique, 16 décembre
Agustín de Iturbide, qui s'était fait proclamer empereur du Mexique en 1822, doit abdiquer à la suite du soulèvement conduit par le général Santa Anna. Celui-ci proclame ensuite la République.

Guatemala
Le Guatemala quitte le Mexique pour la Fédération d'Amérique centrale. Il y restera jusqu'en 1839.

Grande-Bretagne,
Après le succès d'*Ivanhoé* (1819), le romancier Walter Scott connaît à nouveau la faveur du public avec *Quentin Durward.*

France
Nicéphore Niepce découvre le principe de la photographie.

1824

Empire ottoman, 16 janvier
Par un firman, le sultan charge Muhammad-Ali de pacifier la Morée. →

France, 25 février-6 mars
Après la dissolution de la Chambre le 24 décembre 1823, les élections donnent une large victoire à la droite, les indépendants n'ayant que 15 à 20 représentants sur 430 sièges. Pour conforter son pouvoir, le Premier ministre Villèle fait voter la loi de Septennalité, qui porte à sept ans la durée de la législature.

France, 8 avril
Les évêques reçoivent la haute main sur l'enseignement primaire.

Grèce, 19 avril
Lord Byron meurt à Missolonghi. →

Birmanie, 11 mai
Une expédition anglaise s'empare de la ville de Rangoon et occupe le pays.

Angleterre, 6 juin
Une loi reconnaît de droit de grève.

Paris, 6 juin
Le ministre des Affaires étrangères Chateaubriand, en désaccord croissant avec Villèle, notamment sur l'affaire grecque, est brutalement congédié (« comme s'il avait volé la montre du roi sur la cheminée »).

Mexique, 19 juillet
Rentré d'exil en secret, Iturbide est arrêté et fusillé.

France, 15 août,
Rétablissement de la censure.

France, 16 septembre
Mort de Louis XVIII. Charles X lui succède. →

Pérou, 9 décembre
Les troupes espagnoles sont défaites à Ayacucho par les indépendantistes.

Angleterre
L'ingénieur McCormick invente la moissonneuse mécanique. →

France
Sadi Carnot (1796-1832) énonce le deuxième principe de base de la thermodynamique. →

L'ingénieur Marc Séguin (1786-1875) construit le premier pont suspendu à Tournon dans l'Ardèche.

Le peintre Delacroix présente au Salon *Les Massacres de Scio.*

Le comte de Saint-Simon publie *Le Catéchisme des industriels.*

Autriche
Le poète slovaque de langue tchèque Jan Kollar (1793-1852) publie un recueil de sonnets, *La Fille de Slava,* œuvre qui consacre l'apothéose de l'idée panslave. Elle sera enrichie à chaque nouvelle édition.

Mort de Louis XVIII, son frère lui succède

Paris, 16 septembre 1824
Vaincu par la gangrène, Louis XVIII s'éteint le 16 septembre 1824. Après l'avortement de sa politique libérale, il a abandonné le pouvoir aux mains des ultras et s'est réfugié dans son monde, entouré de quelques intimes et de son égérie et inspiratrice, Mᵐᵉ du Cayla. Ses obsèques ont lieu le 25 octobre à la basilique de Saint-Denis. Si Louis XVIII avait compris l'inanité d'un retour au passé, Charles X, au contraire, conserve une admiration sans bornes pour l'Ancien Régime. Beaucoup moins modéré que son frère, le nouveau roi est le chef de file des ultras et considère la Charte comme une concession abusive. Personnage dévot, il ajoute à ses idées absolutistes la volonté de rétablir « l'alliance du Trône et de l'Autel ». La stupeur est générale en France, lorsqu'il se fait sacrer à Reims dans la plus pure tradition monarchique. La cérémonie, au cours de laquelle le souverain prête, malgré lui, serment à la Charte, se déroule le 29 mai 1825. Le règne de la réaction et de l'intolérance commence.

Portrait de Charles X. Tapisserie des Gobelins, XIXᵉ siècle. Musée de Capodimonte, Naples.

Muhammad-Ali intervient en Grèce

Alexandrie, 10 juillet 1824
Ibrahim, fils de Muhammad-Ali, généralissime de l'armée expéditionnaire, appareille d'Alexandrie avec une flotte de 63 navires de guerre, 100 bâtiments de transport et une armée de 16 000 hommes formée à la française. L'efficience de ces troupes régulières et disciplinées n'allait pas tarder à s'imposer à la témérité courageuse des insurgés grecs. Six mois plus tôt, un *firman* (décret) du sultan d'Istanbul avait conféré à Muhammad-Ali le *pashalik* (gouvernement) de Morée. Cette mesure, Mahmud II ne l'avait prise qu'à contre-cœur. Depuis deux ans, il n'avait pas su rétablir son autorité en Grèce et avait même manqué deux expéditions navales. Cette incurie avait permis à l'insurrection grecque de se développer et d'acquérir, au demeurant à juste titre, la sympathie de l'opinion européenne. De plus, dans les chancelleries, le remue-ménage se poursuivait et s'intensifiait. L'Europe finirait sans doute par prendre parti. Muhammad-Ali, dont Mahmud II subodorait les ambitions, pouvait-il rétablir une situation compromise ? Contre les Grecs, certainement. Contre l'Europe coalisée, il y avait fort peu de chances.

Les romantiques solidaires des Grecs

Europe, 1824
L'héroïsme déployé par les insurgés grecs ne manque pas de frapper les imaginations romantiques, rongées par le mal de vivre et qui cherchent des raisons d'enthousiasme, d'exaltation et, plus prosaïquement, l'exotisme. Dans leur fuite d'un monde devenu statique, ces « pèlerins de l'éternité » découvrent le Nouveau Monde, l'Espagne, l'Orient et la Grèce, « paradis perdu de l'enfance de l'humanité ». Platon est remis à l'honneur. Le théâtre grec n'est-il pas rempli de fureur et de bruit. Antigone, avec son mélange de brutalité, de violence et de sang, est réhabilitée. On se prend à l'aimer... et l'on se prend à rêver à ces dieux de la Grèce « que tu pleures toujours » (Gœthe). Et voilà qu'à proximité de l'Acropole, les fils de ces dieux se battent presque seuls. Les romantiques suppléeront à la carence des Etats. En Italie, en France, en Angleterre, aux Etats-Unis se constituent des « comités pour l'Indépendance de la Grèce » qui envoient aux insurgés grecs de l'argent, des armes et des volontaires : Byron mourra (de fièvre !) à Missolonghi, après s'être rallié aux combattants des factions grecques, dont il rêvait de faire l'unité.

Représentation allégorique de la mort de Lord Byron en 1824 au siège de Missolonghi.

Carnot énonce un des principes de la thermodynamique

France, 1824

L'étude de la chaleur reste dans les années 1820 partagée entre deux théories : celle de l'existence d'un fluide « calorique » se transmettant de corps en corps et celle qui explique que la chaleur est le résultat du mouvement moléculaire. Sadi Carnot (1796-1832), polytechnicien, publie en 1824 ses *Réflexions sur la puissance motrice du feu*. Il y essaie de rationaliser les relations entre chaleur et travail en étudiant la structure des machines thermiques. Toute machine thermique suppose une source chaude et une autre froide, et son fonctionnement entraîne le transport d'une quantité de chaleur de la première à la seconde. Ainsi définit-il le second principe de la thermodynamique : à une certaine quantité de chaleur fournie à la chaudière correspond un travail recueilli, fixé uniquement par la température des corps entre lesquels se fait le transport de chaleur. Il faudra attendre près de trente ans pour que le génie de Carnot soit reconnu.

Nicolas Sadi Carnot en costume de polytechnicien. Gravure d'après une peinture de L. L. Boilly.

Beethoven au sommet de son art avec la "Neuvième Symphonie"

Vienne, 7 mai 1824

Le compositeur allemand Ludwig van Beethoven (1770-1827) fait exécuter à Vienne, quelques années avant sa mort, la superbe *Neuvième Symphonie en ré mineur* (opus 125), avec un chœur final sur l'*Ode à la joie* de Schiller. L'ampleur inaccoutumée de ses proportions et la richesse de sa forme font de l'œuvre un des points culminants de la carrière du compositeur. La préparation du concert avait connu certaines péripéties en raison de l'opposition de la censure qui ne voulait pas laisser exécuter en début de soirée, des fragments de la *Messe en ré*, achevée en 1823. Dès l'exécution du second des quatre mouvements de la *Neuvième Symphonie*, le public éclate en applaudissements : au combat tragique du premier mouvement succède un scherzo d'une vigueur inégalée, qui contraste avec la sérénité de l'adagio. Enfin surgit le prodigieux finale qui, pour la première fois, intègre le texte à la forme symphonique. Le projet de réaliser une œuvre orchestrale dans la conclusion de laquelle les voix s'uniraient aux instruments remonte aux esquisses de Beethoven en 1807 : c'est seulement près de quinze ans plus tard que le compositeur opéra le lien entre le poème de Schiller, où se trouve évoqué l'avènement du royaume de Dieu sur terre par la réalisation de la fraternité humaine, et le thème musical qui le hante. Durant cette période, la pensée de l'artiste s'est décantée, exprimant de plus en plus une ouverture à la joie, comme dans la *Symphonie n° 7*, imprégnée d'une ivresse dionysiaque. D'autre part, Beethoven a achevé, en 1823, la *Missa Solemnis*, pour voix, chœurs et orchestre, où il dépasse avec grandeur la dramatique dualité qui l'étouffait.

Développement des sciences historiques en Allemagne

Allemagne, 1824

A la fin de la guerre, le baron von Stein avait renoncé à toute activité politique et s'était tourné vers l'étude de l'histoire. Il songeait alors à entreprendre la publication, selon des méthodes scientifiques, de toutes les sources littéraires de l'histoire allemande. En 1814 déjà, l'historien et juriste Savigny avait créé une *Société pour l'histoire de l'Allemagne* qui se proposait le même but, mais cette initiative resta sans suite. Stein ne trouva aucun soutien dans les milieux gouvernementaux, ni à Berlin, ni à Vienne où Metternich voyait dans cette entreprise une manifestation de propagande libérale. Il ne rencontre pas davantage de faveur auprès des historiens officiels. C'est donc seul, aidé par quelques amis qui lui fournissent les fonds nécessaires, qu'il fonde en 1819 la Société pour l'histoire ancienne de l'Allemagne dont la devise, « Sanctus amor patriae », dit assez bien les intentions patriotiques. L'équipe rassemblée par le baron von Stein, avec à sa tête Pertz, l'archiviste de Hanovre, se met à l'œuvre aussitôt. En 1824, le plan des *Monumenta Germaniae historica* est publié, dont le premier volume paraîtra en 1826. Pour la première fois des textes médiévaux en allemand sont publiés selon tous les critères de la meilleure érudition, accompagnés d'un appareil critique jusqu'alors réservé aux seuls auteurs classiques.

Luttes ouvrières en Angleterre

Profondément touché par le « massacre de Peterloo » et la répression, le mouvement ouvrier s'adapte aux nouvelles conditions politiques. D'un côté, il se donne des organisations corporatives, le plus souvent temporaires, qui jouent le rôle de syndicats, de l'autre il se bat contre les Six Lois édictées en 1819, imposant des conditions draconiennes aux associations. Les ouvriers bénéficient du soutien de l'ensemble des poètes romantiques, de Byron à Shelley. Sous l'impulsion de John Gast, John Doherty et Francis Place, les comités de coordination ouvriers obtiennent l'abolition des Six Lois en 1825.

Dans les mines du Lancashire.

Atelier de filature en Angleterre équipé d'une « mule-jenny » semi-automatique. Les débuts de la grande industrie cotonnière.

McCormick invente la moissonneuse

Dans ces années, plus de soixante brevets sont déposés. Celui de McCormick en 1824 est le plus efficace. Sa « faucheuse-moissonneuse » est tirée par un attelage. Des couteaux mobiles coupent la plante et la projette sur une table. Des hommes suivent et lient les gerbes. Cette machine moissonnera trois fois plus vite que n'importe quel autre instrument.

La faucheuse-moissonneuse de McCormick, tirée par un attelage à deux chevaux. Modèle de 1831.

1825

Moscou, 6 janvier
Ouverture du théâtre Bolchoï. →

Amérique du Sud, janvier
L'Angleterre, à son tour, reconnaît les nouvelles républiques indépendantes.

Grèce, février
Les troupes égyptiennes débarquent en Morée et prennent le port de Pylos.

Empire ottoman, 12 mars
L'Angleterre et la Russie signent un protocole qui admet un « principe d'intervention dans l'Empire ottoman » afin de « faire cesser les incidents ».

Caraïbes, 17 mars
La partie espagnole de l'île de Saint-Domingue proclame son indépendance sous le nom de République dominicaine.

Etats-Unis d'Amérique, 3 avril
Le secrétaire d'Etat aux Affaires étrangères de James Monroe, John Quincy Adams, le remplace à la présidence de l'Union.

France, 28 avril
Le Premier ministre Villèle fait adopter par la Chambre la loi dite du « milliard des émigrés ». Il s'agit d'une estimation des biens des émigrés spoliés par la Révolution et qui s'élève à 987 819 962,96 francs remboursables en cinq ans.

Allemagne, 30 avril
Fondation à Leipzig de la Bourse des libraires allemands.

France, 29 mai
Charles X se fait couronner à Reims.

Bolivie, 8 juin
La Bolivie devient indépendante à partir d'une scission d'avec le Bas-Pérou. →

Saint-Pétersbourg, juin
Le tsar Alexandre Ier convoque une conférence sur la question grecque afin de se faire reconnaître, par les cinq grandes puissances européennes, le droit d'intervention en proposant de diviser la Grèce en trois principautés, qui resteraient vassales du sultan.

Grèce, juillet
Les indépendantistes grecs sollicitent le protectorat britannique depuis que l'Angleterre a décidé d'apporter un certain soutien à leur cause.

Grande-Bretagne, 27 septembre
L'ingénieur Stephenson utilise la ligne de chemin de fer Stockton-Darlington pour réaliser le premier transport de voyageurs. →

Etats-Unis d'Amérique, 26 octobre
Le canal de l'Erié qui relie l'Hudson au lac Erié, de la ville d'Albany à Buffalo, est achevé.

Russie, 1er décembre
Après avoir abdiqué le 13 septembre, ouvrant ainsi une période d'incertitude successorale, Alexandre Ier meurt subitement à Taganrog. Nicolas Ier ne monte sur le trône que le 24 décembre. Le lendemain éclate la révolte décabriste. →

France
Parution du dernier volume de *Description de l'Egypte*. →

L'écrivain Brillat-Savarin publie, anonymement, *La physiologie du goût ou Méditations de gastronomie transcendente*. →

Prosper Mérimée procède à une supercherie littéraire en publiant le *Théâtre de Clara Gazul* qui connaît un très grand succès.

Les savants Chevreul et Gay-Lussac mettent au point la bougie à base de stéarine.

Les géologues Elie de Beaumont et Dufrénoy commencent la publication de la première carte géologique de France.

L'historien Augustin Thierry publie l'*Histoire de la Conquête de l'Angleterre par les Normands*.

Le musicien Boieldieu compose son opéra *La Dame blanche*.

Italie
Le romancier Alessandro Manzoni fait paraître *Les Fiancés*. →

Danemark
Le chimiste Christian Oersted (1777-1851) isole l'aluminium en réduisant du chlorure d'aluminium avec du potassium.

Archipel indonésien
L'aristocratie de l'ancien royaume de Java, dirigée par le prince Diponegoro, se soulève contre les colons néerlandais. Le conflit se terminera en 1830 par la capture de Diponegoro et son exil à Macassar.

Echec de la révolte décabriste en Russie

Moscou, 24 décembre 1825
Alexandre Ier abdique le 13 septembre pour mourir le 1er décembre. Son frère Constantin laisse le trône à Nicolas, qui l'accepte le 24 décembre. Pendant cet interrègne, des conspirateurs entendent profiter de la confusion pour se soulever. Le 25, le régiment de Moscou dont les officiers font partie de la conjuration refuse de prêter serment au nouveau tsar et c'est le début de l'insurrection. Mais les troupes restées fidèles à Nicolas viennent à bout des rebelles trop isolés. La répression est sanglante. Plus de cent vingt personnes qui appartiennent à la noblesse sont exécutées, sept princes sont pendus. Sous le règne d'Alexandre qui inclinait de plus en plus vers le despotisme, la noblesse libérale a commencé à réagir. Certains penchaient pour la monarchie constitutionnelle ; d'autres rêvaient d'abolir l'autocratie pour instaurer la Répu-

Nicolas Ier, tsar de Russie. Eau-forte rehaussée de couleurs.

blique. Ces divergences firent éclater l'Union du bien public de Mouraviev, les modérés créant la Société du Nord, les radicaux, partisans du coup d'Etat, la Société du Sud d'où partit la révolte du 25 décembre.

Emeutes républicaines lors des obsèques du général Foy

Paris, novembre 1825
Le courant républicain sous la Restauration rassemble des héritiers des principes révolutionnaires et des tenants du mouvement bonapartiste. Ces mouvements s'organisent en sociétés secrètes et essaient de provoquer des révoltes populaires. Un des principaux orateurs des idées libérales à la Chambre est le général Foy, un proche de Napoléon, qui passe pour un héros des victoires impériales et lutte pour les libertés publiques et individuelles. Il attaque violemment les ultras sur la question de l'indemnité des émigrés. Les conservateurs mesurent la force des libéraux lors des obsèques du général en novembre 1825. Plus de cent mille personnes accompagnent le cortège funèbre, manifestant ainsi leurs idées. En quelques semaines, la souscription ouverte pour les en-

Portrait du général Maximilien Sébastien Foy. Ses obsèques rassemblèrent plus de 100 000 personnes.

fants du général Foy s'élève à un million. Grâce à ce rassemblement spontané, les libéraux prennent conscience de leur poids.

La Bolivie naît de la scission du Pérou

Bolivie, 1825
Après sa célèbre entrevue avec Bolivar des 26 et 27 juillet 1822, San Martin a décidé de se retirer. Mais le « Libérateur » poursuit ses campagnes et progresse vers le sud. Face à la résistance espagnole qui aboutit à la reprise de Lima, le lieutenant de Bolivar, Antonio José Sucre, remporte la victoire décisive d'Ayacucho (9 décembre 1824) et consolide l'indépendance du Pérou acquise en 1821. Mais une scission se produit entre le Haut-Pérou, qui prend le nom de Bolivie par fidélité au chef

vénézuélien, et le Bas-Pérou, qui gardera celui de Pérou. Cette division est un héritage de la situation qui fut créée à l'époque du Haut-Pérou colonial, région placée successivement sous la domination administrative et commerciale de Lima et de Buenos Aires. De plus, pour gagner l'appui de Bolivar dans un conflit inégal avec le Brésil, les élites locales de l'altiplano se rangent avec enthousiasme derrière Casimiro Olaneta lorsqu'il provoque la scission et proclame la république de Bolivie, dont la présidence sera assurée par le général Sucre. Fragile, ce nouvel Etat va adhérer au projet bolivarien d'unité interaméricaine.

Le nouveau théâtre du Bolchoï à Moscou, inauguré le 6 janvier 1825. Œuvre de l'architecte Ossip Ivanovitch Bove.

Ouverture à Moscou du théâtre Bolchoï

Moscou, 6 janvier 1825

C'est sur un emplacement consacré au théâtre depuis 1776, non loin du Kremlin, que l'architecte Ossip Bove a construit ce *Bolschoï Petrovski Teatr.* Son architecture mêle des éléments « vieux russes » à des formes très classiques, comme ce fronton avancé porté par huit colonnes et surmonté par un quadrige d'Apollon. Les acteurs et les danseurs disposent d'une immense scène dont le plateau est aussi vaste que la salle. Le théâtre sera reconstruit à l'identique en 1856, après avoir brûlé.

Avec "Les Fiancés", Manzoni fonde le roman italien

Italie, 1825

L'écrivain Alessandro Manzoni (né à Milan en 1785) auteur d'essais sur l'histoire lombarde, publie *Les Fiancés*, un roman historique inspiré par Walter Scott. L'auteur y décrit les vicissitudes de deux fiancés, Renzo et Lucia, plongés au cœur des événements de la guerre de Trente Ans, qui constituent le prétexte à une vaste description de la Lombardie du XVIIe siècle. Mettant en scène toutes les classes sociales et tirant des faits un enseignement patriotique, Manzoni réaffirme avec *Les Fiancés* ses principes libéraux, romantiques et chrétiens. L'auteur s'adresse au peuple italien tout entier, lui faisant ressentir par analogie sa condition sous le joug autrichien. Après

Portrait d'Alessandro Manzoni, libéral convaincu, représentant du romantisme italien.

divers ouvrages, dont *Le Romantisme en Italie*, Manzoni mourra à Milan en 1873.

Brillat-Savarin publie un "essai culinaire"

Paris, 1825

Anthelme Brillat-Savarin, magistrat et littérateur (né dans l'Ain en 1755), très féru de cuisine, publie *La Physiologie du goût ou Méditations de gastronomie transcendante*. L'auteur, qui affirme non sans humour que « la destinée des nations dépend de la manière dont elles se nourrissent », ou qui déclare en des aphorismes facétieux : « Dis-moi ce que tu manges, je te dirai ce que tu es », mêle à la verve de ses descriptions culinaires

nombre de réflexions sur les hommes et les choses. Les truculentes digressions de cet épicurien sur les plaisirs de la table font alterner l'anecdote et l'histoire philosophique de la cuisine. Après le 18 brumaire, Brillat-Savarin sera nommé conseiller à la Cour de cassation ; il mourra à Paris en 1826.

Brillat-Savarin.

L'Egypte pharaonique révélée à l'Europe

Paris, 1825

Le vingt-et-unième et dernier volume de la monumentale *Description de l'Egypte*, paru en 1822, met un terme à une entreprise gigantesque. Comme l'indique la page de titre du premier volume, paru en 1809, cette publication (qui fut menée à bien par l'Institut d'Egypte fondé en août 1788 par Bonaparte avec le concours d'artistes et de savants tels que Monge, Berthollet, Saint-Hilaire, etc.) consiste en un « recueil des observations et des recherches qui ont été faites en Egypte pendant l'expédition de l'Armée française ». Financée par le gouvernement français, cette publication se compose de quatre tomes sur les « Antiquités » pharaoniques, trois sur l'histoire de l'Egypte postérieure à la conquête arabe, deux sur l'histoire naturelle, enfin, douze volumes regroupant plus de neuf cents planches (un de ses volumes contenant un atlas et des cartes si précises que l'on peut encore les utiliser aujourd'hui). L'échelle choisie pour les dessins et relevés nécessita des feuilles de papier de très grand format, pour lesquelles il fallut construire des presses spéciales. Les savants et les artistes qui travaillèrent à ce monument de l'édition furent si impressionnés par la grandeur et la beauté des ruines pharaoniques qu'ils les reproduisirent jusque dans les moindres détails, recopiant notamment avec fidélité les hiéroglyphes qui, à l'époque, n'étaient pourtant pas déchiffrés et n'avaient donc aucune signification.

Edfou. Portique du grand temple, vue intérieure. Gravure de Lorieux (d'après Cécile) tirée de la « Description de l'Egypte ».

Première voie ferrée en Angleterre

L'ingénieur George Stephenson a construit une nouvelle locomotive baptisée *Locomotion*. Impressionnante, elle atteint la vitesse de 15 kilomètres à l'heure en tirant des wagons transportant plus de 450 personnes, le 27 septembre 1825. La voie ferrée, construite entre les villes minières de Stockton et Darlington, a été commanditée par un entrepreneur, Edward Pean, qui finança George Stephenson.

Inauguration de la première voie ferrée en Angleterre reliant Stockton à Darlington, le 27 septembre 1825. Gravure.

1826

Saint-Pétersbourg, 4 avril
La Russie et l'Angleterre signent un protocole secret prévoyant la fondation d'un Etat grec sous autorité ottomane.

Grèce, 23 avril
Missolonghi tombe aux mains d'Ibrahim pacha.

France, avril
Un projet de loi rétablissant le droit d'aînesse, aboli au cours de la Révolution, est repoussé par la Chambre des députés.

Portugal, 2 mai
Après avoir octroyé une constitution libérale le 26 avril, le roi Pierre IV (1798-1834), par ailleurs empereur du Brésil sous le nom de Pierre Iᵉʳ, renonce au trône du Portugal dont il a hérité le 18 mars, à la mort de son père Joáo VI. Il laisse la couronne à sa fille aînée Maria II da Gloria, âgée de sept ans. Elle sera fiancée officiellement à son oncle Miguel qui la dépossédera de son titre le 28 juin 1828.

Istanbul, 16 juin
Le sultan Mahmud II liquide le corps d'armée des janissaires, hostiles à toute réforme militaire. Désormais, l'armée ottomane sera instruite par des officiers étrangers.

Allemagne, 8 octobre
Alfred Krupp reprend l'entreprise de son père. →

Panama
Réunion d'un congrès interaméricain sous l'impulsion de Bolivar.

Allemagne
Le musicien Mendelssohn compose une ouverture pour *Le Songe d'une nuit d'été*.

Etats-Unis d'Amérique
Fenimore Cooper publie *Le Dernier des Mohicans*. →

France
Nicéphore Niepce réalise sa première photographie dans une chambre noire.

Alfred de Vigny publie ses *Poèmes antiques et modernes* et son roman *Cinq-Mars*.

1827

Pérou, 26 janvier
Le Pérou proclame son indépendance.

Suisse, 12 février
Mort du pédagogue suisse Pestalozzi. →

Vienne, 26 mars
Mort du compositeur Ludwig van Beethoven. →

Alger, 30 avril
Le consul de France, Deval, est outragé par le dey qui le soufflette avec son éventail.

Europe, 6 juillet
Les accords de Londres, signés entre la France, l'Angleterre et la Russie, prévoient une médiation entre la Grèce et le sultan.

France, août
Guizot et ses amis libéraux du journal *Le Globe* constituent la société « Aide-toi, le ciel t'aidera », qui se propose de faire l'éducation politique des citoyens et surtout de vérifier les listes électorales.

Grèce, 20 octobre
Défaite ottomane à Navarin. →

France, 17 et 24 novembre
Des élections anticipées, à la suite de la dissolution de la Chambre par Villèle le 6 novembre, sont un triomphe pour les oppositions qui remportent la majorité des sièges.

Allemagne
Georg Simon Ohm découvre la loi fondamentale des courants électriques. →

Angleterre
John Dalton (1766-1844), dans son ouvrage *New System of Chemical Philosophy*, donne la première formulation moderne de la théorie atomique.

Le botaniste écossais Robert Brown (1773-1858) constate que des grains de pollen en suspension dans l'eau sont en agitation continuelle et que leurs mouvements sont d'autant plus rapides qu'ils sont petits : c'est la découverte du « mouvement brownien ».

Paris
Au Salon se font face deux œuvres significatives : *L'Apothéose d'Homère* d'Ingres, sorte de plaidoyer en faveur du néo-classicisme, et *La Mort de Sardanapale* de Delacroix dont l'audace enchante les romantiques et suscite les plus violentes critiques. →

La même année, Hugo publie *Cromwell*, dont la préface constitue un manifeste en faveur du drame romantique.

Français, Anglais et Russes à l'aide des Grecs

Navarin, 20 octobre 1827
L'escadre anglo-franco-russe bloque les vaisseaux turcs et égyptiens mouillés dans la rade de Navarin. Sans préavis et sous prétexte d'un coup de feu tiré par un navire turc, l'amiral français de Rigny ordonne la destruction de la flotte ennemie. Tout est consommé en quelques heures. L'opinion européenne apprécie diversement l'opération. Pour réparer cette « bavure », la France sera amenée à participer activement à la reconstitution de la flotte égyptienne, instrument indispensable de sa politique en Méditerranée orientale. L'intervention militaire de l'Alliance tripartite fut présentée comme une aide au soulèvement grec qui comptait, en Europe, de nombreux partisans. Il aura pourtant fallu deux ans de laborieuses négociations pour parvenir au protocole du 6 juillet 1827, qui ne préconise, au demeurant, qu'une « autonomie de la Grèce dans le cadre de la suzeraineté turque. » En fait, l'ambition de la Russie couvrait l'ensemble des Balkans et était donc opposée à une quelconque indépendance grecque. La Grande-Bretagne souhaitait conjuguer l'indépendance de la Grèce avec celle de l'Egypte, en attendant de soumettre les deux pays à sa tutelle. La France, enfin, favorisait la création d'un empire égyptien puissant au sein d'un empire ottoman affaibli. Dans tous ces projets, la Grèce n'était qu'un souci second.

Défaite de la flotte turco-égyptienne mouillée dans la rade de Navarin.

Le physicien Ohm découvre la loi de l'électricité

Allemagne, 1827
Ampère avait donné une première définition de l'intensité d'un courant électrique en l'assimilant à la mesure d'une force. Volta essaya à son tour de déterminer la notion de tension. Des progrès quant à la compréhension exacte des phénomènes électriques sont réalisés avec les travaux de Georg Simon Ohm (1787-1854). En 1826, utilisant des éléments thermo-électriques plus constants dans la production de courant, il établit sa loi. Il montre que l'intensité du courant dépend de la tension de la pile, ramenée à la somme de la résistance de la pile et à celle du circuit extérieur. En 1827, il retrouve cette loi par le calcul en appliquant au courant les hypothèses que Fourier utilise pour la chaleur. Ohm est le premier à définir quantitativement la notion d'intensité, de résistance et la tension d'une pile. Vérifiée en 1829 par Fechner et en 1837 par Pouillet, sa loi s'imposera très vite.

Le drame des Indiens selon Fenimore Cooper

Etats-Unis, 1826
Publié comme deuxième partie du *Roman de Bas-de-Cuir*, *Le Dernier des Mohicans* se déroule à l'époque de la dernière guerre entre la France et l'Angleterre, dans le nord de l'Amérique. A travers un récit ponctué de multiples aventures à rebondissements, James Fenimore Cooper (1789-1851) nous dépeint le drame des tribus indiennes, qui se mettent au service de l'une ou de l'autre des grandes puissances luttant pour la domination de ces régions américaines. Ce drame est évoqué par l'intermédiaire d'un personnage, Uncas, qui étant le dernier des Mohicans donne son titre au livre. Le territoire de cette tribu se trouvait dans la vallée supérieure de l'Hudson qui appartient désormais à l'Etat de New York. En guerre contre les Mohawks, ils furent vaincus (1664) et forcés d'émigrer dans un nouvel Etat, le Massachusetts. Ils vendirent peu à peu leurs terres et, en 1736, il ne restait qu'un petit groupe préservant son identité alors que les autres s'étaient éparpillés ou fondus dans d'autres tribus. L'ouvrage de Cooper est émouvant et romantique par ses descriptions des régions sauvages.

Eugène Delacroix. « La Mort de Sardanapale ». 1827. Musée du Louvre, Paris. Une œuvre où triomphe le souffle sensuel du romantisme.

Eugène Delacroix, peintre de la passion et de la violence

Paris, 1827

La Mort de Sardanapale, qu'expose Eugène Delacroix (1798-1863), marque l'un des épisodes du conflit qui, depuis son premier envoi au Salon de 1822, oppose les tenants du néo-classicisme, dont Ingres est le chef de file, aux partisans « révolutionnaires » du romantisme. Tandis qu'Ingres et son école admirent Poussin et Raphaël, Delacroix préfère les Vénitiens et Rubens. Cette scène d'holocauste ne peut pas ne pas évoquer, par l'éclat de ses couleurs, la sensualité qui en émane, l'univers du grand peintre flamand. Delacroix était pourtant entré, dès l'âge de dix-sept ans, dans l'atelier de Guérin, un disciple de David. Mais il avouera dans son *Journal* avoir d'emblée éprouvé une répugnance pour les recettes académiques et préféré Prud'hon et Gros à Guérin et Girodet. C'est sa rencontre avec Géricault, qu'il admire profondément et qui le prend comme modèle pour un des naufragés de son *Radeau de la Méduse*, qui décide de son orientation. Il était devenu célèbre en 1824 avec *Les Massacres de Scio*. En 1832, Delacroix séjournera en Afrique du Nord, où il réalisera un très grand nombre de croquis et d'aquarelles qui répandront la mode de l'exotisme oriental dans la peinture romantique. A son retour, il obtiendra d'importantes commandes officielles pour la décoration de bâtiments publics comme la galerie d'Apollon au Louvre et la chapelle des Saints-Anges à l'église Saint-Sulpice.

Mort du pédagogue suisse Pestalozzi

Brugg, Suisse, 12 février 1827

Après des études de théologie et de droit, Johann Pestalozzi se consacre entièrement à l'émancipation intellectuelle des classes pauvres, convaincu que la cause de leur misère réside d'abord dans leur manque d'éducation et d'instruction. Influencé par l'*Emile* de Rousseau, il fonde tout d'abord un asile rural pour les petits mendiants et les jeunes vagabonds à Neuhof en 1769, puis une école d'orphelins. Malgré des revers financiers et l'hostilité de nombreux détracteurs, il élabore des méthodes nouvelles qui le rendent célèbre dans toute l'Europe. Partant de l'idée que l'enfant est par essence un être bon, il refuse la transmission autoritaire des connaissances et des principes moraux, réserve une grande place au travail manuel et préfère la nature et la vie au savoir livresque. Toutes les facultés de l'enfant doivent être sollicitées et déve-

Portrait du pédagogue Johann Heinrich Pestalozzi par Georg F. A. Schöner. Musée Pestalozzi, Zurich.

loppées au plus tôt ; aussi le rôle donné à la mère, première institutrice de ses enfants, est-il important. L'objectif est de faire progresser les apprentissages du corps et de la raison selon l'ordre de la nature.

Alfred Krupp reprend la forge de son père

Essen, 8 octobre 1826

Friedrich Krupp (1787-1826) qui avait fondé son usine de production d'acier et de fonte le 20 novembre 1811, selon le modèle anglais, ne laisse à son héritier, Alfred (1812-1887), qu'un modeste héritage. Une très petite entreprise disposant de quatre salariés seulement et en proie à des difficultés financières. Profitant de conditions politiques favorables et de la richesse du bassin charbonnier de la Ruhr, Friedrich Krupp transformera au fil des ans la petite forge d'Essen en un immense complexe sidérurgique qui fera l'admiration de l'Europe industrielle. Le développement impétueux des commandes, liées à la construction d'un réseau ferré particulièrement dense, lui assurera des débouchés très fructueux. Ses ingénieurs amélioreront la qualité des produits du rail en réalisant des essieux et des ressorts en acier fondu, des bielles, des bandages de roue sans soudure, des tiges pour des pistons de locomotive. Ce travail spécialisé lui vaudra l'estime des souverains prussiens. En matière de politique sociale, Alfred Krupp empêchera le mouvement syndical de pénétrer dans l'usine, en offrant des salaires assez élevés pour cette branche et en dotant les ouvriers de garanties sociales.

« Laura », un des premiers hauts fourneaux en activité en Haute-Silésie. 1840.

Grandioses funérailles pour Beethoven à Vienne

Vienne, 26 mars 1827

Le compositeur Ludwig van Beethoven est mort. Quelque vingt mille personnes ont suivi avec recueillement le cortège funèbre. Un sentiment d'apaisement et d'équilibre avait marqué les dernières années du maître. Beethoven se consacrait à la composition de ses quatuors, dédiés au prince Galitzi ou à l'archiduc Rodolphe. Ces pièces comptent parmi ses productions les plus chargées d'intériorité, comme le *Chant de reconnaissance*, qui constitue le deuxième mouvement du *Quatuor n° 15*, et la *Grande Fugue*, morceau détaché qui devait primitivement constituer le finale du *Quatuor n° 13*, ou encore la voix sereine du *Doux Chant de repos* qui émerge du *Quatuor n° 16*. Beethoven laisse également les esquisses d'une dixième symphonie ; le 18 mars encore, il souhaitait y travailler. De la détresse surmontée du compositeur avaient surgi ces dernières années les *33 Variations sur une valse de Diabelli*, achevées en 1823, œuvre visionnaire à la facture hardie, ainsi que la *Neuvième Symphonie* dominée par *L'Hymne à la joie*.

Les funérailles de Ludwig van Beethoven à Vienne. Aquarelle.

1828

France, 4 janvier
Le Premier ministre Villèle démissionne à la suite des élections et est remplacé par un monarchiste modéré, Martignac. →

Grande-Bretagne, 25 janvier
Le duc de Wellington, leader des conservateurs, et Robert Peel forment un gouvernement tory qui adapte les idées conservatrices à la situation politique. Ainsi, face à la recrudescence des troubles irlandais, ils feront voter en 1829 la loi d'émancipation des catholiques.

Perse, 22 février
Signature entre la Perse et la Russie du traité de Turkmantchaï.

Paris, 15 avril
La réintégration de Victor Cousin, puis de Guizot, à la Sorbonne marque le début d'un mouvement de libéralisation. →

Afrique noire, 20 avril
Le Français René Caillié pénètre dans Tombouctou. →

Empire ottoman, 26 avril
Le sultan déclare la guerre à la Russie, présente à Navarin.

France, 16 juin
Le gouvernement Martignac fait quelques concessions aux libéraux, en édictant par exemple des ordonnances interdisant l'enseignement aux jésuites et limitant le nombre des élèves dans les séminaires.

Portugal, 30 juin
Après avoir décidé d'écarter du trône Doña Maria, la nièce de Pierre IV à laquelle il est fiancé, dom Miguel abolit la constitution libérale et se proclame monarque absolu.

Grande-Bretagne, 5 juillet
Bien qu'inéligible parce que catholique, le leader Daniel O'Connel est triomphalement élu à la Chambre des communes aux dépens du ministre Fitzgerald, un protestant libéral. Il se rend à Londres où il refuse de prêter le serment antipapiste de 1692 : son élection est annulée.

Egypte, 18 août
La France renoue avec l'Egypte, en envoyant une mission scientifique conduite par l'égyptologue Champollion, puis le 25 une mission diplomatique.

Uruguay, 27 août
Le nouvel Etat proclame son indépendance. →

Cassel, 24 septembre
Après avoir signé avec la Prusse un accord douanier (*Zollverein*) et s'être engagés à Francfort à ne jamais participer à aucune autre alliance, plusieurs Etats allemands fondent l'Union commerciale d'Allemagne centrale.

France, 1er octobre
Ouverture officielle de la voie de chemin de fer Saint-Etienne-Andrézieux, réservée aux voyageurs, avec traction à cheval. C'est seulement en 1832 que la locomotive à vapeur sera mise en service.

Grèce, octobre-novembre
Les troupes françaises mènent une expédition militaire en Morée au secours des Grecs.

Washington, 3 décembre
Andrew Jackson, président des Etats-Unis. →

Madagascar
Avènement de la reine Ranavalona Ire, à la suite du décès de son mari, le roi Radama Ier.

Pacifique
Le navigateur français Dumont d'Urville prend possession des Nouvelles-Hébrides.

Canada
Nommé membre du Conseil, le député francophone Papineau rédige une document violemment revendicatif à l'adresse du gouvernement anglais, les « quatre-vingt-douze résolutions ».

France
Le médecin Broussais publie son *Traité de l'irritation et de la folie*. →

L'ingénieur Marc Seguin invente une chaudière tubulaire pour sa locomotive à vapeur.

L'industriel et mécanicien Onésiphore Pecqueur invente le différentiel.

Grande-Bretagne
Création de l'hebdomadaire culturel londonien *The Spectator*.

Allemagne
L'architecte Karl Friedrich Schinkel construit l'« Ancien Musée » à Berlin, d'une grande majesté avec sa longue colonnade ionique en façade.

Le chimiste Friedrich Wöhler, ami de Liebig, réussit la synthèse de l'urée. →

Le Français Caillié pénètre à Tombouctou

Tombouctou, 20 avril 1828
Le premier Européen à entrer dans la ville mystérieuse de Tombouctou est un jeune Français passionné de voyages et de l'Afrique. Né en 1799 dans les Deux-Sèvres, très tôt orphelin, il prend vite la route et s'embarque pour le Sénégal. Vivant de commerce, il explore la région, côtoie les indigènes et apprend l'arabe. Après avoir économisé quelque argent, il décide de rallier Tombouctou, située sur le Niger. Pour gagner la cité interdite, il se fait passer pour un jeune Egyptien enlevé par les Français et qui souhaite regagner son pays. Parti de la ville de Kakoudy le 19 avril 1827, il gagne le Niger le 13 juin et atteint Timé le 3 août. Mais il est contraint de s'arrêter quelques mois pour soigner le scorbut qu'il a contracté. Guéri, il reprend son chemin et pénètre dans Tombouctou le 20 avril 1828. Il en repart le 4 mai

Portrait de l'explorateur René Caillié par Alix Grand de Saint-Aubin. Musée des Arts africains, Paris.

avec une caravane qui traverse le désert pour Fez au Maroc, qu'il gagne le 12 août. Rentré en France, il connaît gloire et récompenses avant de mourir en 1838.

Illustration extraite du journal de René Caillié représentant Tombouctou.

Le médecin Broussais définit l'état de folie

Paris, 1828
François-Joseph Broussais est d'abord officier de santé à bord d'un corsaire, avant de monter à Paris pour étudier la médecine et soutenir sa thèse en 1803. Faute de clientèle, il part pour Utrecht comme médecin militaire en 1805. Là, atteint par une fièvre, il guérit en s'exposant au froid vif qui règne. Cette première observation est complétée par toutes celles qu'il fait lors de ses voyages. Responsable des services de santé en Espagne, il autopsie de très nombreux cadavres, déclarant : « Si vous voulez faire avancer la science, interrogez les cadavres. » De retour en France, il est nommé à l'hôpital du Val-de-Grâce. C'est à ce poste qu'il énonce sa théorie, la « médecine physiologique ». Théoricien irascible, il pourfend tous ceux qui s'opposent à lui. Régnant sur les étudiants, il applique la physiologie à toutes les maladies. C'est ainsi qu'en 1828 il publie son *Traité de l'irritation et de la folie*. Pour lui toute maladie, qu'elle soit mentale ou non, a une cause unique : l'inflammation des tissus, et en particulier l'irritation digestive. Selon Broussais, si cette inflammation est modérée, alors on est en pleine santé, si elle est trop faible, c'est la débilité, trop forte c'est la maladie. La folie n'étant pour lui qu'un cas d'inflammation à soigner comme tous les autres cas par des saignées et des diètes. Cette théorie est à l'origine de nombreux décès et retarda les progrès de la méthode clinique. Son système fut abandonné après son insuccès lors de l'épidémie de choléra en 1832.

Un nouvel Etat sur les bords du Rio de La Plata : l'Uruguay

Rio de Janeiro, 27 août 1828

Par un traité signé dans cette ville du Brésil, est créé un nouvel Etat indépendant, l'Uruguay. En 1814, le chef du mouvement nationaliste, Artigas, avait conquis, à la tête de ses « gauchos », la région orientale du Rio de La Plata aux dépens des Argentins. Mais, l'alliance de ceux-ci avec le Brésil l'avait forcé à se réfugier au Paraguay (1820). La région libérée avait alors été incorporée dans le nouvel empire du Brésil (1821). Les propriétaires des grands domaines d'élevage formèrent un groupe (que l'on appellera « les trente-trois libérateurs ») qui prit la tête du mouvement de libération (1824). L'année suivante, la guerre éclata entre les Provinces-Unies de La Plata et le Brésil. Malgré le blocage naval de l'estuaire, l'armée des nationalistes, encadrée par les Argentins, remporta la victoire terrestre d'Ituzaingo (20 février 1827). La défaite du Brésil débouche sur la création de l'Uruguay, qui s'avérera un Etat tampon dans la rivalité entre les deux grandes puissances du sud de l'Amérique. En 1830, une constitution dotera l'Uruguay d'un régime centralisé, avec un président élu par un congrès de deux Chambres (le premier sera le général Fructuoso Rivera).

Victor Cousin retrouve sa chaire à la Sorbonne

Paris, 15 avril 1828

La réintégration du philosophe Victor Cousin, ainsi que de Guizot, à la Sorbonne, marque le début d'un mouvement de libéralisation. Le ministre de l'Instruction publique et des cultes rend ainsi leurs traitements et leurs élèves aux professeurs écartés de l'enseignement en 1820. Introducteur de la philosophie de Kant et des idéalistes allemands, Cousin s'est voué pendant six ans à des traductions de Procus et de Platon avant de connaître les prisons de Berlin en 1824-1825, accusé de fomenter un complot libéral contre la Sainte-Alliance. Cet épisode lui assure une image de martyr de la cause

Victor Cousin.

de la liberté de penser et du bon droit. Dès la reprise de ses cours, ses leçons sont répercutées dans la presse parisienne et provinciale, circulent dans toute l'Europe et « mettent le feu à la philosophie », selon le mot d'un de ses disciples. Cousin introduisit la philosophie de Hegel en France, bien que celui-ci ait trouvé qu'il l'avait adaptée trop librement à son projet éclectique. Partisan d'un Etat laïque, il deviendra le chef de file de la monarchie de Juillet.

Chute du ministère Villèle en France

Paris, 4 janvier 1828

Poussé par la droite ultra et dévote, Jean-Baptiste Villèle multiplie les propositions de lois extrêmes. Il se heurte à l'opposition de la Chambre des pairs sur le projet de loi concernant le droit d'aînesse. L'opposition est particulièrement exaspérée par l'alliance « du Trône et de l'Autel ». En 1825, Villèle fait voter la loi des sacrilèges qui punit les profanations. En 1826, il prépare un nouveau texte législatif pour museler la presse. Une partie de la droite passe dans l'opposition parlementaire. Pour renforcer sa majorité, Villèle nomme quarante nouveaux pairs à la Chambre haute et dissout l'Assemblée nationale. Mais les élections de décembre 1827 consacrent l'échec du gouvernement. Le centre et la gauche acquièrent 124 sièges, soit autant que la droite ministérielle, mais la droite d'opposition remporte 70 sièges. Devenu minoritaire à la Chambre, Villèle doit donner sa démission le 4 janvier 1828.

A Paris, succès pour "La Muette de Portici", un opéra d'Auber

Paris, 29 février 1828

La Muette de Portici, opéra en cinq actes de Daniel-François Auber, sur un livret de Scribe et Delavigne, remporte un vif succès en raison de ses airs entraînants et de ses grandes scènes d'ensemble. Le rôle muet de Fenella est tenu par une danseuse. C'est le duo *Amour sacré de la patrie*, qui donnera le signal de la révolution belge, à Bruxelles en 1830.

Daniel-François Auber. Gravure.

Jackson élu président des Etats-Unis

Washington, 3 décembre

Andrew Jackson est élu par le Congrès, après une dure campagne électorale, par 178 voix contre 83 à son rival John Quincy Adams. Né en 1767, en Caroline du Sud, il s'installe très vite à Nashville, dans ce qui est depuis 1796 l'Etat du Tennessee, dont il fut un des membres fondateurs et où il mena une prospère carrière d'avocat. Elu au Sénat en 1797, il le quitte l'année suivante pour retourner dans le Tennessee où, en 1802, il est nommé major de la milice. Animé d'une hostilité profonde envers l'Angleterre, il se fait remarquer dans la guerre qui oppose les deux pays à partir de 1812. Il conquiert ensuite la Floride contre les Indiens Séminoles et les Espagnols en 1818. Devenu un des favoris à la course à la présidence, il échoue une première fois en 1824, bien qu'arrivé en tête des quatre prétendants, victime d'une coalition très hétéroclite qui propulse John Quincy Adams à la présidence. Son succès en 1828 marque la fin du règne des Virginiens, car il est le premier président originaire de l'Ouest.

La Russie atteint l'Araxe au traité de Tourkmantchaï

Tourkmantchaï, 1828

Bien qu'entraînée et équipée à l'européenne, l'armée perse ne peut résister à l'offensive russe et Fath Ali Shâh est réduit à signer le traité de Tourkmantchaï qui détache l'Arménie orientale de la Perse et fixe la frontière russe à l'Araxe. Déjà, une première guerre entre la Russie et la

Fondation du "Parti des Travailleurs" à Philadelphie

Philadelphie, 1828

Un an après s'être organisés syndicalement, des travailleurs fondent le premier parti politique ouvrier du Nouveau Monde. En effet, en 1827, une grève de charpentiers ayant échoué à obtenir la journée de dix heures, ses leaders fondent un syndicat, l'Association des métiers de la mécanique. Mais rapidement ils ne se satisfont pas de la lutte pour de meilleures conditions de travail et de salaire. Ils revendiquent le changement d'une société qui maintient, si fort, les différences entre les riches et les pauvres. A Philadelphie, puis à New York en 1829, des partis se créent réclamant une éducation démocratique, l'abolition de l'emprisonnement pour dettes, l'élection directe aux fonctions civiques, etc., au grand dam de la bourgeoisie.

« Né pour régner ». Caricature représentant Andrew Jackson lors de la campagne présidentielle américaine.

Pour asseoir son autorité, il décide de remplacer deux mille fonctionnaires sur les quatorze mille que compte l'administration fédérale, utilisant le *spoil system* (le système des dépouilles), qui veut qu'à chaque élection présidentielle, nombre de fonctions publiques changent de titulaire selon la couleur politique de l'élu.

Perse avait débouché sur le traité de Golestan (1812) qui avait consacré l'abandon de la Géorgie. Fath Ali Shâh, neveu et successeur d'Agha Muhammad Shâh, fondateur de la dynastie des Kadjars, ne pourra, tout au long de son règne (1797-1834), tenir la Perse à l'abri des rivalités coloniales européennes, franco-anglaise d'abord, anglo-russe ensuite. En 1828, la triple alliance anglo-franco-russe joua non seulement contre les Ottomans, mais également contre les Perses.

Le chimiste Wöhler réussit la première synthèse de l'urée

Allemagne, 1828

Après des études de médecine, Friedrich Wöhler (1800-1882) se consacre à la chimie. Professeur à Berlin puis à Göttingen, il travaille sur les synthèses des produits d'origine animale. En 1828, il réussit la synthèse de l'urée à partir du ferrocyanure de potassium. Il déclare alors : « Je peux faire de l'urée sans avoir besoin de reins ou même d'un animal. » Cette synthèse met en cause l'existence de la « force vitale » censée caractériser les corps issus des êtres vivants. De nombreux chimistes supposent cette force pour différencier les éléments organiques des minéraux. Mais la synthèse organique ne se développe pas immédiatement dans la mesure où la connaissance de la structure des composés organiques est peu avancée.

1829

Etats-Unis d'Amérique, 4 mars
Elu en décembre 1828, Andrew Jackson entre en fonction à la Maison-Blanche.

Rome, 31 mars
A la suite de la mort de Léon XII, survenue le 10 février, élection du pape Pie VIII, hostile au libéralisme et aux sociétés secrètes des démocrates italiens.

France, 8 avril
Un projet de réorganisation administrative, prévoyant le recrutement, non par élection, mais par nomination royale des conseils municipaux et des conseils généraux, échoue.

Grande-Bretagne, 13 avril
La Chambre des communes adopte le *Bill* d'émancipation des catholiques britanniques, exclus de la vie publique depuis l'adoption du *Test Act* de 1673. →

France, 8 août
Charles X met fin le 6 août au ministère Martignac ; celui-ci est remplacé par le prince de Polignac, un ultra, entouré de Bourmont et de La Bourdonnais.

Andrinople, 14 septembre
A la suite des succès russes remportés à Silistrie et à Andrinople, le sultan signe la paix avec le tsar. Il accepte les dispositions des protocoles de Londres, signés en novembre 1828 et mars 1829, qui fixent les limites de la Grèce.

Etats-Unis d'Amérique
Echec de la colonie communautaire fondée par Robert Owen, *New Harmony.* →

Pays-Bas
Les catholiques et les libéraux prennent leurs distances vis-à-vis du roi Guillaume Ier, lui reprochant ses attitudes de plus en plus autocratiques. Malgré la signature en 1827 d'un concordat avec le pape, l'opposition exige l'application du principe de la non-intervention de l'Etat dans les affaires de l'Eglise et celui de la liberté de l'enseignement.

France
Victor Hugo fait paraître son recueil *Les Orientales.*

La Revue des Deux-Mondes est fondée à Paris. →

Parution du *Mémorial de Sainte-Hélène* écrit par Las Cases et qui rapporte les souvenirs de la capti-vité de Napoléon, dans l'île anglaise de Sainte-Hélène, de 1815 à 1821.

Edition posthume d'une partie des lettres écrites par Denis Diderot à sa maîtresse et confidente Sophie Volland.

Le chimiste Antoine Becquerel (1788-1878) invente une pile impolarisable à deux liquides.

L'imprimeur Claude Genoux de Lyon met au point un procédé permettant de préparer les clichés d'imprimerie à partir d'empreintes de carton ou « flans ».

Belgique
Le mathématicien Adolphe Quételet réalise la première analyse statistique d'un recensement.

Canada
Fondation de l'université Mac Gill à Montréal.

Berlin
Lors du vendredi saint, Félix Mendelssohn-Bartholdy joue, avec les chœurs de l'Académie de Berlin, l'œuvre de Jean-Sébastien Bach *La Passion selon saint Matthieu*, oubliée depuis un siècle. C'est de ce jour que date le début du culte universel qui sera rendu à J.-S. Bach.

Europe
Apparue à la fin du XVIIIe siècle, la valse conquiert toute l'Europe. Enseignée tout d'abord dans les salles de danse des villes d'Europe centrale, elle a gagné entre 1810 et 1820 toutes les cours princières, provoquant des réactions d'hostilité, en particulier en Prusse où elle sera interdite un moment comme danse de cour.

Russie
Le mathématicien Lobatchevski (1793-1856) établit sa géométrie non euclidienne. →

L'architecte Carlo Rossi (1775-1849) achève l'Hémicycle de l'Etat-Major à Saint-Pétersbourg, commencé dix ans plus tôt. Avec cette œuvre et le Palais Michel, édifié en 1823 pour le plus jeune frère d'Alexandre Ier, ainsi qu'avec le théâtre Alexandra (1832), Carlo Rossi, architecte d'origine italienne, a doté Saint-Pétersbourg d'ensembles architecturaux de style Empire sans équivalent en Europe.

Le naturaliste et géographe allemand Alexander von Humboldt (1769-1859) commence son voyage à travers l'Asie russe.

Le Russe Lobatchevski fonde la géométrie non euclidienne

Russie, 1829
Dès le début du XIXe siècle les postulats de base de la géométrie euclidienne sont remis en cause, en particulier par le mathématicien Gauss. Mais c'est un professeur de l'université de Kazan, Lobatchevski, qui développe une géométrie nouvelle, où le postulat des parallèles est différent. Sa géométrie « hyperbolique » ou « imaginaire » est publiée en 1829 dans ses *Eléments de géométrie.* Ses postulats sont nouveaux : « par tout point extérieur à une droite, il passe une infinité de parallèles à cette droite », et « la somme des angles d'un triangle est inférieure à 180⁰ ». Ses travaux ne convainquent pas et à sa mort sa géométrie est encore incomprise.

Lobatchevski.

O'Connell émancipe les catholiques anglais

Londres, 13 avril
Le bill approuvé par les Communes permet aux catholiques de remplir tous les emplois publics sauf la royauté et la régence. Ils obtiennent ce qui avait été consenti, en 1828, aux presbytériens, baptistes et méthodistes. Ils le doivent à la personnalité de Daniel O'Connell et à la force du mouvement catholique irlandais. Cet avocat brillant, né en 1775, un temps organisé dans les rangs révolutionnaires des Irlandais unis, a entrepris de lier la libération nationale irlandaise à la cause du catholicisme. En 1823, il fonde une Association catholique, qui s'appuie sur le clergé et qui est financée par le peuple. A force de meetings de masse et malgré

Le général prussien Karl von Clausewitz écrit "De la guerre"

Allemagne, 1829
L'officier Karl von Clausewitz écrit un traité d'art militaire qui sera publié à titre posthume. Fortement impressionné par les bouleversements apportés dans l'art de la guerre par l'apparition des armées de masse et l'irruption des passions révolutionnaires ou nationales, Clausewitz tente de dégager, en dehors de tout dogmatisme, les lois et les principes de l'action militaire. Une guerre est étroitement liée au niveau de conscience d'un peuple, à la force de son esprit. Cette dernière se traduit dans

Première publication à Paris de "La Revue des Deux-Mondes"

Paris, août 1829
Fondée par Prosper Mauroy et Ségur-Dupeyron, cette revue se consacre à la politique, l'économie et l'histoire. Peu à peu, elle va jouer dans la vie culturelle française un rôle considérable d'incitation, de réflexion et de liaison avec des civilisations étrangères. En 1830, elle absorbe le *Journal des Voyages* et s'adjoint ainsi des articles de géographie. Elle est rachetée, la même année, par l'imprimeur Auffray qui prend comme collaborateur un jeune Savoyard, François Buloz. En 1831, celui-ci deviendra le rédacteur en chef puis le propriétaire principal et le véritable « inventeur » de la revue en rénovant son contenu. Profitant de l'effervescence intellectuelle qui suit la révolution de Juillet, il saura s'attirer d'éclatantes collaborations parmi les milieux littéraires : Lamartine, Balzac, Hugo, Vigny, Sand, Stendhal, Mérimée, entre autres, y publieront des articles ou des fragments de leurs ouvrages.

Daniel O'Connell. Détail. Miniature sur ivoire de B. Mulrenin. National Portrait Gallery, Londres.

son interdiction, elle intervient dans le jeu électoral, faisant élire O'Connell contre un ministre en 1828.

le « génie du chef », caractérisé par un vouloir offensif, ainsi que par l'habileté à disposer des moyens tactiques et stratégiques. Ainsi les forces matérielles, hommes et événements pourront-elles être accordées aux forces morales. Pour Clausewitz, la guerre n'est finalement que « la continuation de la politique par d'autres moyens », formule devenue célèbre qui indique bien que la conduite des armées doit être inconditionnellement surbordonnée à la politique, définie comme la somme des intérêts majeurs du pays. Von Clausewitz sera nommé inspecteur de l'artillerie à Breslau ; il produira également nombre d'ouvrages historiques, dont une *Note sur la Prusse dans sa grande catastrophe de 1806.*

Echec des communautés lancées par Owen

New Harmony, 1829

Le rêve social et politique de Robert Owen s'est écroulé. Parti plein d'espoir pour réaliser en Amérique une société industrieuse et égalitaire, émancipatrice des individus qui la composent, Owen est revenu ruiné en Angleterre. L'expérience socialiste de la « Nouvelle-Harmonie », ce village de 30 000 arpents, puis les projets grandioses d'installation dans le nord du Mexique tournent court. Robert Owen voulait y réaliser en grand ce qu'il avait commencé

Le réformateur anglais Robert Owen (1771-1858). Peinture de William Brook.

dans son importante manufacture de coton en Ecosse. Philanthrope, paternaliste et autoritaire, il révolutionna les relations sociales dans son entreprise. Préoccupé des intérêts matériels et moraux de ses ouvriers, il organisa également des économats dans l'usine, ouvrit des écoles pour tous les enfants jusqu'à douze ans. Il garantit aussi des salaires plus élevés que dans les autres usines de la région, ce qui eut pour effet de susciter l'hostilité des autres patrons. En 1812, il publia un ouvrage important, ses *Essais sur la formation du caractère humain* où il exposait sa philosophie : l'homme étant irresponsable, ni les punitions ni les récompenses n'auront d'effet sur lui ; seule l'étude et le savoir peuvent lui permettre de dépasser cet état, ainsi que la vie en commun en toute égalité. L'idée germait chez lui que la question sociale serait résolue si l'on décidait de multiplier les villages coopératifs, les communautés autonomes de travailleurs regroupant cinq cents à deux mille personnes. Owen avait aussi une conscience très exacte de la rationalité indispensable à la gestion des entreprises. Rapidement, il pensa que cette expérience pourrait réussir dans un pays neuf où tout est à faire. En vain, car ni lui, ni ses disciples ne réussirent à construire une communauté stable. Rentré en Angleterre, il apportera son soutien à toutes les initiatives coopératives, syndicales et mutualistes. Il créera en 1834 la *Grand National Consolidated Trades Union,* au destin éphémère, avant de mourir en 1858.

Louis Braille conçoit une méthode de lecture pour aveugle

Paris, 1829

De père bourrelier, le petit Louis Braille se blesse à l'œil à trois ans en jouant. L'année suivante, il devient aveugle. A dix ans, en 1809, il est admis à l'Institut impérial pour aveugles. Passionné par la musique, il devient organiste et joue dans de nombreuses paroisses parisiennes. Parallèlement, il enseigne à l'Institut pour aveugles et compose des ouvrages pour ses jeunes élèves. C'est là qu'il s'intéresse à un système d'écriture en relief. Dès 1825, il y travaille et, en 1829, le met définitivement au point. Ce système s'écrit simplement avec un poinçon et une tablette, mais surtout se lit très rapidement avec la dernière phalange de l'index. Le braille comporte de un à six points en relief, disposés dans un rectangle de deux points de largeur et de six de hauteur. Chaque lettre est représentée par l'arrangement d'un nombre limité de points à l'intérieur de ce rectangle. Ainsi le A est-il représenté par un point en relief placé dans le coin supérieur gauche dudit rectangle. Ce système permet aussi de noter les signes mathémati-

Buste de Louis Braille.

ques, les chiffres et la ponctuation. Braille y a adjoint une notation des principaux sons phonétiques. Immédiatement cette écriture connaît le succès auprès des jeunes aveugles. Le braille leur permet de découvrir les grandes œuvres littéraires et assure à l'enseignement de l'Institut des aveugles une base écrite plus sûre. La méthode se diffusera à l'étranger dans les années 1840-1850 et ouvrira aux aveugles le monde de la lecture. Quand en 1852 Louis Braille mourra, son système lui survivra pour longtemps.

Hokusai. "Le Mont Fuji sous l'orage". Vers 1830-1833. Estampe.

Le Japonais Hokusai célèbre le mont Fuji

Japon, 1829-1833

Hokusai est l'un des grands maîtres de la peinture japonaise de la fin de l'époque Edo. Ses *Trente-six Vues du mont Fuji,* publiées vers 1833, et en particulier *La Vague* et *Le Fuji rouge,* sont devenues des classiques. Hokusai attira l'attention par son usage très personnel de la perspective, l'homme apparaissant souvent au premier plan comme une frêle silhouette face à la majesté de la nature ; il fut, en outre, le premier artiste à utiliser au Japon le bleu de Prusse. Né à Edo en 1760, il commença comme apprenti dans un ate-

lier de xylographie ; mais, très vite, il est admis comme élève dans un atelier de peinture où il exécute des portraits. Ainsi que la plupart des peintres de son temps, il gagne sa vie comme illustrateur de livres populaires. Il réalise même des estampes à but publicitaire pour certains marchands de la capitale. Vers 1790, il rejoint l'*Ukiyo-e.* Mieux qu'un autre, il saura saisir ces reflets du monde « flottant », éphémère, fixant scènes urbaines et paysages de rêve, portraits de femmes galantes, de lutteurs ou d'acteurs, moments érotiques ou beautés fugaces de la nature. Hokusai fut un peintre inspiré. Il finira sa vie en 1849 dans la misère, après être devenu à moitié fou.

George Stephenson, l'ingénieur des locomotives à vapeur

Angleterre, 1829

Fils d'un mineur, George Stephenson (1781-1848) connaît très jeune la misère. Après le travail dans la mine, il étudie seul et devient ingénieur en 1812. Dès 1814, il crée une première locomotive utilisée pour tracter les wagonnets dans les mines. Avec l'ouverture de la première ligne se pose le problème de la traction. Alors, il crée en 1823 une société de construction de locomotives à va-

peur, dirigée par son fils Robert. La croissance économique augmente le trafic des marchandises et, en 1824, des promoteurs décident la construction de la ligne de Manchester à Liverpool. Trois cent mille livres sont récoltées et Stephenson est nommé ingénieur. Les travaux durent, car le tracé de la voie implique l'expropriation de nombreux cultivateurs. En 1829, les dirigeants mettent au concours le moyen de traction. C'est la société de Stephenson qui le gagne avec *The Rocket* (la Fusée), locomotive de 4,25 tonnes à chauffage tubulaire, qui deviendra le modèle courant dès 1830.

« The Rocket », la locomotive à vapeur de George Stephenson qui remporta le concours organisé en 1829 sur la ligne Manchester-Liverpool.

1830

Grèce, 3 février
Le protocole de Londres confirme l'indépendance de la Grèce et accorde la liberté de navigation à la marine russe dans la mer Noire. →

Serbie, 5 février
Le prince Miloch Obrenovitch se fait proclamer prince héréditaire du pays.

Paris, 25 février
Première de la pièce de Victor Hugo *Hernani*. →

France, 18 mars
A la suite d'un discours menaçant du roi Charles X devant les Chambres, 221 députés de l'opposition le rappellent aux termes de la Charte dans une adresse.

France, avril
Barthélemy Thimonnier invente une machine à coudre et en dépose le brevet. →

Equateur, 13 mai
Déclaration d'indépendance et création de la république d'Equateur.

France, 16 mai
Le prince de Polignac dissout la Chambre et convoque les électeurs pour les 23 juin et 3 juillet.

Paris, 25 mai
Le poète Alphonse de Lamartine publie les *Harmonies poétiques et religieuses*.

Etats-Unis d'Amérique, 6 juin
Joseph Smith fonde l'Eglise des Mormons. →

Grande-Bretagne, 25 juin
A la mort de George IV, c'est son frère Guillaume IV qui lui succède.

Algérie, 5 juillet
Débarquées le 14 juin dans la baie de Sidi Ferruch, les troupes françaises s'emparent d'Alger. →

Uruguay, 18 juillet
Le pays adopte une constitution libérale.

France, 20 juillet
Malgré l'opération d'Alger organisée par le roi pour regagner l'opinion, les résultats des élections confirment la poussée de l'opposition. Celle-ci enlève 274 sièges, les gouvernementaux étant réduits à 143 partisans.

Paris, 26 juillet
Le roi Charles X publie les « Quatre ordonnances ».

Paris, 27 au 29 juillet
Les « Trois Glorieuses ». →

Paris, 30 juillet
Charles X retire les ordonnances. Mais son nouveau Premier ministre, le duc de Mortemart, qu'il a nommé la veille à Saint-Cloud, quitte Paris quand Adolphe Thiers fait appel au duc d'Orléans, qui y entre pour s'installer au Palais-Royal.

Paris, 31 juillet
Louis Blanqui adhère à la société clandestine des « Amis du Peuple ».

Paris, 7 août
Nommé le 31 juillet par les députés de l'opposition lieutenant général du royaume, le duc d'Orléans est désigné, après l'abdication de Charles X le 2 août, roi des Français sous le nom de Louis-Philippe Iᵉʳ.

Paris, 9 août
Louis-Philippe Iᵉʳ prête serment à la nouvelle constitution, qui reprend les termes de la Charte avec quelques modifications. Cette constitution n'est pas soumise à un référendum.

Paris, 11 août
Formation du premier ministère avec Guizot, Molé et le baron Louis.

Bruxelles, 25 août
Le peuple de Bruxelles se soulève à la suite d'une manifestation née après la représentation d'un opéra d'Auber, *La Muette de Portici*. La veille, des affiches appelant à l'imitation des événements français avaient été placardées dans la ville. Du 23 au 26 septembre, une dure bataille opposera l'armée royale à la garde civile bruxelloise et au peuple, descendu dans la rue. Les troupes hollandaises, vaincues, se retirent le 27. →

Grande-Bretagne, août
Les élections générales mettent fin à la longue domination du parti tory.

Brunswick, 9 septembre
A la suite d'un soulèvement populaire les 6 et 7 septembre, pendant lequel le château princier est incendié, le duc Charles III abdique.

Grande-Bretagne, 15 sept.
Inauguration du chemin de fer Manchester-Liverpool. →

Au théâtre, la bataille d'"Hernani" fait rage

Paris, 25 février 1830
Lors de la première représentation du drame romantique de Victor Hugo (1802-1885), *Hernani*, la salle de la Comédie-Française est investie par la claque des « Jeune-France » – poètes, étudiants ou rapins – qui mènent l'assaut contre les « perruques », c'est-à-dire les défenseurs des règles théâtrales classiques. Or, avec cette pièce dont la trame se situe au moment des complots contre le roi d'Espagne, qui va devenir l'empereur Charles Quint, l'auteur met en application les principes anticlassiques qu'il avait exposés dans sa *Préface de Cromwell* (1827). Le drame du proscrit Hernani rompt avec les unités de lieu et de temps, tandis que son intrigue préserve l'unité d'action en tant qu'unité d'ensemble. Par ses hardiesses de ton, de style et de versification, il fait passer un souffle frais sur le théâtre français. Parmi les soutiens d'Hugo figurent notamment Alexandre Dumas, Théophile Gautier, Gérard de Nerval. Leur enthousiasme va assurer le triomphe de la pièce. Cette bataille théâtrale précède de peu la révolution politique de juillet, ce que pressentit Hugo en comparant le romantisme au libéralisme.

La bataille d'« Hernani » au théâtre de la Comédie-Française, le 25 février 1830. Peinture d'Albert Besnard. Musée Victor-Hugo, Paris.

Enthousiasme des romantiques pour Hector Berlioz

Paris, 5 décembre 1830
Le compositeur Hector Berlioz (né en 1803) fait exécuter la *Symphonie fantastique*, qui déchaîne l'enthousiasme. L'œuvre, qui porte en sous-titre *Episode d'une vie d'artiste*, est divisée en cinq parties où se développe une science éclatante des contrastes et de la couleur orchestrale. Du morceau intitulé *Songe et existence passionnée*, qui ouvre l'œuvre, au *Songe d'une nuit de sabbat* qui la clôt, apparaît l'image de la femme aimée, accentuant encore l'élan de ce poème romantique. Berlioz en effet s'est épris de l'actrice irlandaise Harriet Smithson, qui interprète à l'Odéon les rôles d'Ophélie dans *Hamlet* et de Juliette dans *Roméo et Juliette*. Les thèmes de la symphonie constituent des personnages mélodiques, encadrés par l'orchestre, véritable décor et lieu scénique. Le compositeur confère à l'action dramatique des éclairages divers, tantôt s'en détachant pour la commenter, tantôt s'y intégrant pour la vivre intensément. Berlioz donnera, avec *Lélio ou Le Retour à la vie*, une suite à cette *Symphonie fantastique*, qui demeure de loin son œuvre la plus populaire. Il épousera d'ailleurs en 1833 son inspiratrice, dont il aura un fils, Louis, en 1834.

Le compositeur Hector Berlioz.

L'armée française occupe Alger

Alger, 5 juillet 1830
Le matin, le dey d'Alger signe la convention dictée la veille par le général Bourmont. En échange de la reddition de la casbah et des forts, le dey est assuré de la liberté, ainsi que de la possession de toutes ses richesses personnelles. Une clause spéciale concerne la population : « La liberté de toutes les classes d'habitants, leur religion, leur industrie, ne recevront aucune atteinte. Les femmes seront respectées. Le général en chef en prend l'engagement sur l'honneur. » A midi, les troupes françaises pénètrent dans la ville. A l'indignation du général Berthézène, le sac commence. « Des officiers avec de beaux noms », appartenant à l'état-major même de Bourmont, y participent. Le scandale sera grand, tant en Algérie qu'en France. Le corps expéditionnaire, composé de trente-sept mille hommes, était placé sous le commandement en chef du général Bourmont, mal accepté par l'opinion française qui lui reprochait d'avoir abandonné Napoléon à la veille de Waterloo et surtout d'avoir déposé au procès qui avait condamné à mort son ancien supérieur, le maréchal Ney. L'embarquement avait eu lieu du 11 au 18 mai, au milieu d'un grand enthousiasme, car contrairement à Paris, Marseille était tout acquise à l'expédition. Le remaniement ministériel du 19 mai et la dissolution de la Chambre des députés avait, cependant, retardé le départ au 25 mai. Après une halte d'une semaine dans la baie de Palma, aux Baléares, le débarquement avait eu lieu dans la rade de Sidi Ferruch, le 14 juin. Le 19, les troupes algériennes, massées sur le plateau de Staouli, avaient attaqué sur tout le front, mais pour essuyer un échec. Après une contre-attaque, le général Berthézène avait fini par enlever le camp de Staouli. Cette victoire avait mis Alger à la merci des Français, mais le général Bourmont n'avait pas su profiter de la dislocation des défenses algériennes. Il en avait résulté plusieurs batailles inutiles et coûteuses, en hommes et en matériel. Enfin, le 29 juin, le corps expéditionnaire avait repris sa marche et occupé, le soir même, le plateau d'El Biar qui dominait le fort de l'Empereur, dont le bombardement et l'assaut ne furent ordonnés que le 4 juillet. Cinq heures de bombardement ayant suffi pour rendre la position intenable, il ne restait à Alger qu'à capituler.

Le dey d'Alger frappant d'un coup d'éventail le consul français Deval. 1827.

Vue de la ville d'Alger et du port en 1830. Gravure d'époque.

L'Equateur devient une république

Quito, 1830
Sous la direction du général Juan José Flores, originaire du Venezuela mais lié par son mariage aux grands propriétaires de la sierra, Quito se sépare formellement de la Grande-Colombie. La constitution de l'Equateur, en tant que république indépendante, est rendue possible par l'unité instaurée entre la capitale de l'intérieur montagneux et le grand port de la côte, Guayaquil, siège des vieilles maisons de commerce. Depuis 1825, l'élite côtière des marchands cherchait à réduire le poids financier et politique de l'administration qu'imposait la structure de la Grande-Colombie, mise en place par Bolivar. La Constitution interdit la réélection présidentielle sans un intervalle entre deux périodes.

La cathédrale de Chartres vue par Corot

France, 1830
Paysages normands et beaucerons, beffroi de Douai et cathédrale de Chartres... On peut suivre ainsi d'œuvre en œuvre les pérégrinations de ce peintre-voyageur. Mais Corot ne sillonne pas seulement la France ; il se rend à trois reprises en Italie, d'où il rapporte de nombreuses petites études faites sur le vif, d'après lesquelles il compose de plus grandes toiles. Dans ses souvenirs, les couleurs vives et franches des paysages italiens s'atténuent pour se métamorphoser en une gamme de gris perlés. Ses œuvres évoquent alors des crépuscules vaporeux et des matins trempés de rosée. A partir de 1848, Corot présentera chaque année au Salon une de ces vues de Ville-d'Avray qui lui vaudront une grande notoriété.

Jean-Baptiste Camille Corot : « La Cathédrale de Chartres ». 1830. Musée du Louvre, Paris.

Thimonnier invente la machine à coudre

Paris, 1830
Tisseur de son état, Barthélemy Thimonnier (1793-1857) met en application les principes de la broderie industrielle. Sa machine à coudre repose sur une aiguille placée au-dessus d'une platine qui supporte l'étoffe. Elle la pique, accroche le fil tendu et le tire en boucle. Ce mécanisme ne connaîtra pas d'application avant 1845, date à laquelle il sera simplifié par Magin.

La Grèce accède enfin à l'indépendance

Londres, 3 février 1830
C'est à Londres que les puissances européennes signent un protocole par lequel elles reconnaissent de fait l'indépendance de la Grèce. En même temps, elles manifestent le peu de considération qu'elles portent à la lutte du peuple grec en offrant la couronne du nouvel Etat à Léopold de Saxe-Cobourg. Les partisans de Capo d'Istria, élu président provisoire par la troisième Assemblée nationale grecque, ressentent cette nomination comme une insulte. Ils écartent Léopold et renforcent leur emprise au détriment des « bourgeois libéraux » menés par Mavrocordatos. Cette manifestation d'indépendance déplaît souverainement aux Anglais qui organiseront l'assassinat de Capo d'Istria (9 octobre 1831) et laisseront la situation pourrir afin de pouvoir mieux la contrôler. Dans le pays, l'anarchie sera telle que la Russie, l'Angleterre et la France n'auront plus les moyens d'intervenir. Elles se retrouveront de nouveau à Londres, en mai 1832, feront alors de la Grèce un Etat indépendant *de jure*, la mettront sous leur « protection », installeront sur le trône Othon de Bavière et laisseront les vétérans de la lutte pour l'indépendance méditer sur le désintéressement de leurs protecteurs.

Cauchy et la théorie des fonctions

Paris, 1830
Professeur à la Sorbonne, Augustin Cauchy (1789-1857) donne aux mathématiques un outil conceptuel remarquable avec sa théorie des fonctions d'une variable complexe. Il définit clairement les intégrales de ce type de fonctions et en développe, avec une rigueur vivifiante, toutes les possibilités : développement en série, en produits finis, solutions d'équations différentielles.

Geoffroy Saint-Hilaire et Cuvier s'opposent

Paris, 1830
Dominant les sciences de la vie, Cuvier et Geoffroy Saint-Hilaire défendent des conceptions opposées sur l'organisation des êtres vivants. C'est à propos d'un mémoire présenté à l'Académie des sciences par Meyraux et Laurencet que ces différences s'affirment. Les deux disciples de Geoffroy Saint-Hilaire affirment que les mollusques peuvent s'inscrire dans la disposition générale. Ils soutiennent qu'il n'existe qu'un seul plan, un seul type uniforme d'organisation des être vivants. Cuvier prend position, défendant l'existence de quatre plans différents, les vertébrés, les mollusques, les articulés et les rayonnés. Le débat n'est pas entre une position fixiste et transformiste, mais entre un plan unique d'organisation de la vie et des plans distincts et indépendants.

1830

Belgique, 4 octobre
Le gouvernement provisoire proclame l'indépendance belge après que les villes du sud des Pays-Bas eurent imité l'exemple bruxellois, à l'exception toutefois de Gand et Anvers.

France, 16 octobre
Lamennais, en compagnie de Lacordaire et de Montalembert, publie le quotidien *L'Avenir*, qui militera pour que l'Eglise prenne ses distances avec la monarchie. Il parut jusqu'au 15 novembre 1831.

Grande-Bretagne, 16 novembre
Le duc de Wellington démissionne au profit du chef whig Lord Grey.

Varsovie, 29 novembre
Dix jours après l'annonce par voie de presse de la mobilisation des jeunes Polonais dans l'armée russe chargée d'intervenir contre les Belges dans le cadre des accords de la Sainte-Alliance, des conjurés civils donnent l'assaut au palais du Belvédère pour assassiner le grand-duc Constantin. Malgré l'échec de cette opération, le peuple se soulève et s'empare de la ville.

Grande-Bretagne, novembre
De violentes émeutes de travailleurs agricoles dans le sud de l'Angleterre sont durement réprimées par la troupe. Des « assises sanglantes » condamnent neuf ouvriers à la pendaison ; près de cinq cents sont déportés et des centaines emprisonnés.

Paris, 1er décembre
Echec au théâtre de *La Nuit vénitienne*, d'Alfred de Musset.

Varsovie, 5 décembre
Le général Jozef Chlopicki se proclame dictateur et rétablit l'ordre dans la ville en désarmant le peuple. Hostile à une guerre contre la Russie qu'il voit perdue d'avance, il cherche à négocier avec le tsar et laisse le grand-duc Constantin quitter la Pologne avec ses troupes.

Amérique du Sud, 10 décembre
Mort du libérateur des Amériques, le général Simon Bolivar (né en 1783 à Caracas).

Varsovie, 18 décembre
La Diète adopte à l'unanimité un manifeste qui reconnaît le caractère national de l'insurrection, contraignant le dictateur Chlopicki à accepter le contrôle d'une commission désignée par la Diète et à accélérer l'armement de la nation polonaise.

Europe, 20 décembre
La conférence de Londres des grandes puissances européennes, réunie depuis le 4 novembre, reconnaît la séparation de la Belgique d'avec la Hollande.

Birmingham
Fondation d'une Union politique réunissant bourgeois, industriels et membres de la classe ouvrière dans le but d'obtenir une réforme électorale.

Suisse
Les effets des révolutions de France et de Belgique se font sentir aussi en Suisse. Un puissant mouvement libéral, sous le nom de Régénération, prend le pouvoir dans la majorité des cantons en exigeant un Etat constitutionnel fondé sur la souveraineté du peuple et sur l'égalité juridique entre les citoyens. En 1830 et 1831, dans douze cantons, les démocrates renversent les aristocraties locales. →

Indonésie
Le gouverneur général néerlandais des Indes orientales, Johannes Van den Bosch, instaure un système de culture particulièrement contraignant pour les populations, qui sont tenues de réserver le cinquième de leurs terres avec leurs récoltes au gouvernement.

France
Le naturaliste Geoffroy Saint-Hilaire publie ses *Principes de philosophie zoologique*.

Le romancier Henri Beyle, dit Stendhal, fait paraître *Le Rouge et le Noir*. →

Alfred de Musset publie ses *Contes d'Espagne et d'Italie*.

Le philosophe Auguste Comte commence la publication de ses *Cours de philosophie positive* qu'il poursuivra jusqu'en 1842.

Le mathématicien Cauchy met au point la théorie des fonctions d'une variable imaginaire complexe. →

Dispute entre Cuvier et Geoffroy Saint-Hilaire concernant l'anatomie comparée. →

Grande-Bretagne
Le physicien Faraday découvre les phénomènes d'induction en électricité.

Les "Trois Glorieuses" chassent le roi

Paris, 27, 28 et 29 juillet
Après trois jours d'émeutes et de sanglants combats, Paris insurgée contre Charles X obtient son départ. L'agitation politique a pris un cours plus radical à l'occasion de l'adresse signée par 221 opposants, le 18 mars. Cette adresse au roi répondait au discours du Trône prononcé au début de la session parlementaire. Ce texte ouvre une véritable crise politique, car il condamne sans ambages la politique récente suivie par Charles X. En août 1829, celui-ci avait constitué un ministère selon son cœur et avait nommé aux postes clés les hommes les plus impopulaires et les plus incompétents : Jules de Polignac aux Affaires étrangères,

« La Liberté guidant le peuple ». 1831. Peinture de Delacroix.

La Bourdonnais à l'Intérieur et Bourmont à la Guerre. Le 18 mars 1830, les 221 parlementaires ont désavoué ce choix et posé le problème du libre choix des ministres par le roi. Plutôt que de renvoyer ses ministres, Charles X préfère dissoudre la Chambre pour se débarrasser des 221 opposants. Mais les élections ne font que renforcer l'opposition, puisque les 221 deviennent 274. Charles X se réfère alors à l'article 14 de la Charte en vertu duquel le roi peut gouverner par ordonnances quand la sûreté de l'Etat est en cause. Il estime que les circonstances sont exceptionnelles et qu'elles justifient cette procédure. Le 25 juillet, le roi et ses ministres signent quatre ordonnances préparées en secret. La première suspend la liberté de la presse, rétablit la censure, soumet tous les périodiques et toutes les brochures à une autorisation préalable, renouvelable tous les trois mois. La deuxième prononce la dissolution de la Chambre qui vient d'être élue. La troisième modifie la loi électorale :

la patente et l'impôt des portes et des fenêtres n'entrant plus en ligne de compte dans le calcul du cens électoral, le nombre des électeurs s'en trouve réduit. La quatrième convo que les collèges électoraux pour les 6 et 13 septembre. Ces quatre ordonnances sont publiées dans la presse dès le 26 juillet. Les ouvriers typographes protestent aussitôt contre la première ordonnance, qui met en cause leur gagne-pain. Plusieurs journalistes se réunissent dans les bureaux du *National* et, sous la direction de leur jeune confrère Adolphe Thiers, rédigent une protestation solennelle. De leur côté, des électeurs frappés par la troisième ordonnance se réunissent. Ce sont des commer

çants, des négociants qui voient leur impôt, la patente, ne plus figurer dans le calcul du cens. Dès le 27 l'émeute gronde dans la capitale. De tumultes éclatent dans les imprime ries où les policiers pénètrent ; de nombreux commerçants et patrons ferment leurs ateliers ; des étudiants se portent à la tête de divers rassemblements. Le roi nomme l'impopulaire maréchal Marmont à la tête des troupes de Paris, aggravant ainsi le mécontentement. Dans la nuit du 27 au 28 juillet on passe de l'émeute à l'insurrection. En grand nombre, les barricades se dressent dans les quartiers populaires. Le 29, la ville appartient entièrement aux insurgés, les troupes de Marmont se sont repliées et les autorités prennent la fuite. Le bilan de ces trois journées est lourd : deux cents tués et huit cents blessés chez les soldats, mais huit cents morts et quatre mille blessés parmi les insurgés. Quant aux libéraux, ils arrivent à imposer une autre solution monarchique, en appelant le duc d'Orléans.

Bruxelles s'insurge contre les Hollandais

Bruxelles, 20 décembre 1830

Le royaume des Pays-Bas, créé par les traités de 1815 pour opposer une barrière à la France, se disloque. L'existence d'un Etat belge indépendant transforme le statut donné à l'Europe par le congrès de Vienne. L'opposition des Belges, au sein des Pays-Bas, ne cessait de grandir. Les Belges accusaient Guillaume Ier d'assurer aux Hollandais une prépondérance au sein de l'Etat, alors que, sur six millions d'habitants, trois millions et demi étaient belges. Ces deux peuples n'ont pas la même religion, ni les mêmes traditions. De plus, le coût de la vie ne faisait qu'augmenter et le gouvernement en était tenu pour responsable. Toutes ces raisons créaient un profond malaise chez les Belges. Exaltée par la réussite de la révolution parisienne de juillet 1830, Bruxelles, un mois après, élevait à son tour des barricades. Cette manifestation, d'abord sociale, se transforma en manifestation politique lorsque la bourgeoisie, d'abord réticente, prit la tête du mouvement. Elle réclama la séparation administrative entre les provinces belges et hollandaises. Lorsque Guillaume Ier refusa d'envisager cette séparation et fit occuper Bruxelles par ses troupes, la « libéra-

tion nationale » devint le but des révolutionnaires. Du 23 au 26 septembre, les troupes hollandaises se heurtèrent à la résistance belge et finirent par se replier. Les révolutionnaires remportaient la victoire. Le tsar, immobilisé par l'insurrection polonaise, ne put venir en aide à Guillaume Ier. Les Belges l'ont emporté sur les Hollandais.

Combat de rues : le peuple belge en armes contre les troupes hollandaises, le 23 septembre 1830.

Wergeland, maître du romantisme norvégien

Norvège, 1830

Arnold Wergeland (né en 1808) a entrepris de brosser une épopée de l'humanité, à laquelle il donne le titre de *La Création, l'Homme et le Messie,* et qu'il définira, par la suite, comme une « bible des républicains ». L'œuvre, qui tente d'unir les courants de la pensée romantique et illuministe, trouvera son aspect définitif en 1845 sous la forme d'un poème dans lequel l'auteur fait dialoguer

deux esprits célestes, un esprit sceptique, Phun-Abiriel, et un esprit rempli d'amour, Ohebiel. Assistant aux six jours de la création du monde, Phun-Abiriel se glisse dans le corps de l'homme, dont il envie l'innocence et l'ignorance qui doivent faire de lui le maître du monde, tandis que Ohebiel, par amour pour Phun-Abiriel, se glisse dans celui de la femme. Wergeland exprime l'idée que les êtres humains portent en eux la réminiscence d'un état édénique et céleste, qui prélude à l'avènement du Messie.

Joseph Smith fonde l'Eglise des Mormons

Fayette, 6 avril 1830

Né dans le Vermont en 1805, Joseph Smith fut élevé dans un milieu presbytérien extrêmement pieux. Sa famille gagna rapidement New York, qui connaissait dans les années 20 une atmosphère de profonde renaissance chrétienne. Héritant du mysticisme de sa mère, il affirme dès l'âge de quatorze ans avoir vécu une révélation divine lui affirmant que des plats d'or contenant l'histoire des Indiens américains étaient enfouis en quelque lieu secret. Selon ce livre, écrit en égyptien réformé, les Indiens sont les descendants des tribus perdues d'Israël. Après avoir fondé la nouvelle religion, il parcourt l'Ouest avant de connaître une fin tragique, lynché par des dissidents en 1849.

Joseph Smith. Son recueil « Mormon » pose les fondements de l'Eglise des Mormons.

L'Angleterre à l'heure du chemin de fer

Angleterre, 1830

Le 15 septembre 1830, la première ligne régulière de chemin de fer est inaugurée. Elle relie Liverpool à Manchester. C'est le premier service régulier de marchandises et de passagers. Dès cette ligne, il faut mettre en place tout ce dont le chemin de fer a besoin : gares, ouvrages d'art et matériel roulant. Face au succès, les lignes se multiplient en Angleterre. En dix ans on passe de cent miles en 1830 à mille cinq cents en 1840. Mais cette frénésie ferroviaire coûte cher. On estime à quarante mille livres le coût d'un mile de voie ferrée. Ainsi en 1850, alors que le réseau couvre six mille miles, le capital investi représente 235 millions de livres, soit la moitié du revenu national anglais. Les compagnies ont donc dû faire appel à l'épargne pour assurer leurs dépenses. Si au départ on trouve des ingénieurs tel Stephen-

son, des industriels ou des administrateurs, ils doivent obtenir l'appui des banques londoniennes pour continuer la construction. Les dividendes élevés que rapportent les actions de ces compagnies (de 6 à 10 %) attirent la petite bourgeoisie urbaine et rurale. Ce développement considérable transforme l'économie anglaise. Les trois cents compagnies qui emploieront six cent mille personnes en 1850 passent des commandes considérables à l'industrie métallurgique pour les rails en fer qui doivent être changés très souvent. Les grands centres sont reliés, Londres à Plymouth à l'ouest, à Aberdeen au nord. Ainsi en vingt ans les chemins de fer joueront un rôle clé dans la croissance, absorbant 2,5 millions de tonnes de fonte, mobilisant l'épargne, marquant le paysage anglais et donnant même naissance à un folklore nouveau.

Premiers trains circulant sur la ligne Liverpool-Manchester. En haut : les wagons de première classe ; en bas : ceux de seconde. Gravure d'époque.

Julien Sorel, un cynique victime de sa passion

Paris, 1830

Avec *Le Rouge et le Noir,* un ouvrage qui fera certainement date, Stendhal surprend ses contemporains en campant un personnage d'une complexité inhabituelle. Héros révolté, « rêvant des plus nobles passions », l'amour et la gloire, Julien Sorel se distingue par une sorte de dandysme, nourri par une sensibilité esthétique intense. Fils de paysans, « en révolte contre la bassesse de sa fortune », fasciné par l'épopée napoléonienne (le Rouge), il comprend qu'il ne peut réussir dans la société de la Restauration que par le cynisme et la dissimulation : « il faut être prêtre » (le Noir). Quand sa maîtresse, la tendre Mme de Rénal, empêche son mariage avec Mathilde de La Mole qu'il a conquise par son énergie, Julien tire sur son ancienne partenaire. Dans sa

prison, à la veille de mourir, il laissera la passion l'emporter et découvrira, pour la première fois, le bonheur. « Héros de l'énergie », Julien Sorel fera longtemps rêver ses lecteurs.

Stendhal en 1835 alors qu'il était consul.

1831

Belgique, 20 janvier
La conférence de Londres proclame la neutralité perpétuelle du nouvel Etat, garantie par les grandes puissances européennes. Ses frontières sont modifiées et la Belgique doit renoncer à la Flandre zélandaise, au Limbourg hollandais et au Luxembourg.

Varsovie, 25 janvier
La Diète polonaise proclame la déchéance du tsar Nicolas Ier.

Belgique, 3 février
Le duc de Nemours, second fils de Louis-Philippe, pressenti pour être roi des Belges, refuse sous la pression de l'Angleterre.

Italie, 5 février
Une insurrection populaire dans le duché de Modène s'étend à Bologne, dans les Etats pontificaux et, en moins de quinze jours, les libéraux prennent le pouvoir dans toute l'Italie centrale. Le 26, une assemblée propose de nommer tous ces territoires les Provinces-Unies italiennes. Pendant ce temps, à Marseille où il s'est réfugié à la suite de la peine de bannissement perpétuel dont il a été frappé par les tribunaux du Piémont, Mazzini fonde le mouvement secret « Jeune-Italie ». →

Paris, 14 et 15 février
Journées d'émeutes dans les quartiers de Saint-Germain-l'Auxerrois et de l'archevêché.

Belgique, 24 février
Le Congrès national belge décide de confier la régence du pays à son président, le baron Erasme Surlet de Chokier.

France, 13 mars
Considéré comme trop libéral par le roi, Lafitte est remplacé à la tête du gouvernement par Casimir-Périer.

Paris, 16 mars
Victor Hugo publie son roman *Notre-Dame de Paris*. La même année, paraissent *Les Feuilles d'automne*.

Italie, 26 mars
Le gouvernement provisoire capitule devant les forces autrichiennes et papales, moyennant une amnistie.

Brésil, 7 avril
Sous la pression conjuguée de l'armée et du peuple, l'empereur Pedro Ier, devenu impopulaire au fil des années, est contraint d'abdiquer en faveur de son fils, âgé de cinq ans.

France, 15 avril
La nouvelle loi électorale adoptée ramène de 300 à 200 francs le taux du cens pour être électeur, et de 1 000 à 500 francs celui pour être éligible. Cette mesure permet de doubler le corps électoral qui passe à 167 000 électeurs.

Pologne, 26 mai
L'offensive polonaise dirigée par le généralissime Jan Skrzynecki contre un corps d'armée russe échoue à Ostroleka.

Belgique, 4 juin
Le Congrès national élit par 152 voix sur 169 votants le prince Léopold de Saxe-Cobourg qui inaugure son règne le 21 juillet. →

Belgique, 2 août
Le roi de Hollande rompt la trêve et lance son armée contre la Belgique (campagne des Dix-Jours). Mais, sous la pression des grandes puissances, il est obligé de la rappeler. Cette offensive aboutira à la signature, le 15 octobre, du traité des vingt-quatre articles, nettement moins favorable à la Belgique et que la Hollande refusa d'ailleurs de reconnaître.

Varsovie, 15 août
Une émeute populaire dirigée contre le gouvernement polonais, jugé trop timoré, échoue et ses dirigeants sont exécutés. Les troupes russes occuperont Varsovie le 8 septembre. →

Empire ottoman, 4 novembre
Muhammad-Ali à la conquête de la Syrie. →

Lyon, 20-22 novembre
Révolte des canuts. →

France
Honoré de Balzac publie *La Peau de chagrin*.

L'œuvre de Delacroix, *La Liberté guidant le peuple*, écho des journées révolutionnaires de 1830, fait sensation au Salon. Jamais un peintre n'avait aussi souverainement transfiguré un fait historique, lui donnant une valeur universelle.

Japon
Le peintre Hokusai réalise sa série d'estampes *Les Trente-Six Vues du mont Fuji*.

Léopold Ier couronné roi des Belges

Bruxelles, 4 juin 1831
Le Congrès national belge vient d'appeler au trône Léopold de Saxe-Cobourg. Il aura fallu un peu plus de six mois, depuis que l'Assemblée constituante a décidé, le 22 novembre 1830, que le nouvel Etat serait une monarchie constitutionnelle, pour qu'un souverain soit désigné. Ce choix a été retardé par les divergences qui ont opposé les grandes puissances à l'Assemblée constituante belge. La conférence de Londres, en janvier, a décidé que le nouvel Etat belge serait perpétuellement neutre et que cette neutralité serait garantie par les puissances signataires ; elle a ensuite fixé les limites territoriales, refusant à la Belgique le Luxembourg et le Limbourg hollandais. Mécontente de ces limites territoriales, l'Assemblée belge a cherché à en obtenir la révision, en menaçant l'Angleterre d'aller chercher l'aide de la France et en choisis-

Léopold Ier, roi des Belges. 1840. Peinture de Winterhalter.

sant pour roi, le 3 février, un des fils de Louis-Philippe, le duc de Nemours. Cependant, sachant qu'une acceptation serait aux yeux de l'Angleterre une annexion déguisée, Louis-Philippe refuse la couronne au nom de son fils. Il se rallie à la candidature, soutenue par l'Angleterre, du prince Léopold de Saxe-Cobourg. Le Congrès belge ratifie ce choix.

La révolte polonaise écrasée par les Russes

Varsovie, 8 septembre 1831
Après neuf mois de guerre les troupes russes ont repris Varsovie, signant ainsi l'échec de l'insurrection polonaise. Depuis 1815, la Pologne soumise à la Russie bénéficiait néanmoins d'une certaine autonomie. Elle avait sa propre armée et sa Diète. Mais ce régime, plus favorable que celui des autres sujets du tsar, ne pouvait satisfaire les Polonais. Les nobles et les bourgeois étaient prêts à obtenir leur indépendance par un coup de force. L'occasion leur parut propice lorsque le tsar, Nicolas Ier, leva l'armée polonaise pour intervenir en Belgique. Les cadres de l'armée, en grande partie révolutionnaires, se soulevèrent le 29 novembre 1830 et s'emparèrent de Varsovie. Deux mois plus tard, le 25 janvier 1831, la Diète proclamait la dé-

chéance de Nicolas Ier et l'indépendance de la Pologne. Cette insurrection, d'une témérité folle, d'autant que ses chefs militaires se montrèrent aussi indécis qu'incompétents, comptait sur une aide européenne. Mais la France, seule à être favorable aux Polonais, n'intervint pas. De plus, les insurgés s'opposaient sur les buts à atteindre. Si les « blancs », souvent nobles, ne désiraient que l'indépendance, les « rouges » voulaient mobiliser le peuple et réaliser une réforme agraire. Varsovie prise, la répression russe se déchaîne, dirigée par le gouverneur Paskievitch. Les institutions autonomes seront supprimées en 1832, et la russification de l'enseignement se fera de manière brutale. Un large mouvement d'émigration conduit plus de neuf mille militants et intellectuels vers l'Ouest et Paris en particulier, où des poètes comme Adam Mickiewicz exalteront le sentiment national.

Les révolutionnaires polonais de Varsovie affrontant les troupes du tsar. 1831. Gravure d'époque. Musée de Nuremberg.

Révolte de Nat Turner contre l'esclavage

Virginie, 13 août 1831

Né en 1800, dans le comté de Southampton, d'une mère originaire d'Afrique, Nat a pris le nom de son premier propriétaire, Turner. Au début des années 20 il est vendu à un voisin, Joseph Travis. Profondément mystique, il interprète des phénomènes naturels qui surviennent en 1831 comme autant de signes divins qui lui enjoindraient de se soulever contre les propriétaires d'esclaves.

Après avoir convaincu quelques-uns de ses frères d'infortune, il se lance dans un raid sanglant de deux jours qui se solde par plus de cinquante morts, avant d'être arrêté. Parti avec sept camarades il n'en gagnera à sa cause que sept dizaines alors que la Virginie compte plusieurs dizaines de milliers de Noirs. Pris de panique, les planteurs se déchaînent et organisent une répression aveugle. L'épopée de Nat Turner marque les esprits des esclaves et son exécution le 11 novembre lui assurera une auréole de martyr de la liberté.

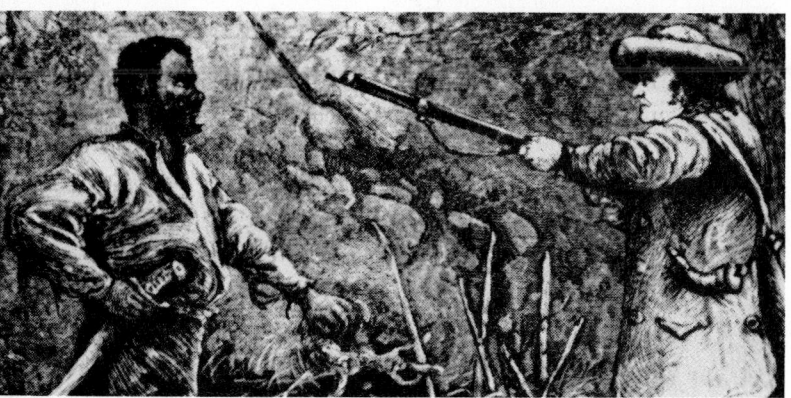

Après sa rébellion sanglante, Nat Turner est pris. Il sera exécuté le 11 novembre 1831.

Parution des "Canti" du poète Leopardi

Florence, 1831

Le poète Giacomo Leopardi (né en 1798), auteur de nombreux cantiques tel *L'Approche de la mort*, publie un recueil de *Chants* dont certains remontent à 1816. Les thèmes qui alimenteront toute l'œuvre de l'auteur y sont présents, représentés avec un lyrisme où point une mélancolie qui va progressivement se transformer en un sentiment désespéré de l'univers, ne laissant qu'une maigre place aux moments de confiance ou de sérénité. Du poème intitulé *Dernier Chant de Sapho* s'échappe ce cri désabusé : « Tout est mystère, hormis notre douleur », tandis que *L'Hymne aux patriarches* évoque les paysages sereins d'un monde primitif, et *Amour et Mort* la consolation de l'amour aux

malheurs de la vie et la libération que constitue la mort. A travers le thème de la douleur universelle apparaît cependant le désir de la jeunesse, du renouveau, qu'il s'agisse du printemps ou, dans *Le Passereau solitaire*, de l'adolescence de Sylvie ou du pasteur nomade absorbé par la contemplation des sources. Leopardi mêle douleur et joie, nostalgie et tendresse, faisant de ces *Chants* les

Giacomo Leopardi.

mouvements privilégiés de l'âme. L'amour malheureux du poète pour Fanny Tozzetti lui inspirera nombre de pièces, dont *Consalvo* ou *A soi-même*. Il mourra à Naples en 1837.

Le pacha Muhammad-Ali conquiert la Syrie

Acre, 27 mai 1832

La chute d'Acre, après une résistance de six mois, marque un tournant dans la guerre égypto-turque. « Pour défendre la ville », déclarera le Pacha de la ville, « j'avais des murailles, des hommes, de l'argent. Quand Ibrahim s'en est emparé, les murailles étaient tombées, des six mille combattants, cinq mille six cents étaient morts, et il ne me restait que quelques bijoux. » Quelques jours plus tôt, le 23 avril, le sultan avait, devant une assemblée d'ulémas spécialement convoquée à cet effet, déclaré Muhammad-Ali « rebelle et traître à la

religion et à son souverain », et l'avait déchu de la vice-royauté d'Egypte. Le fils de Muhammad-Ali, Ibrahim, qui commandait les troupes égyptiennes, n'avait donc plus de ménagements à prendre. Il entrera à Damas le 13 juin, à Homs le 8 juillet, à Hama le 10 et à Alep le 14. Moins de trois mois après sa révocation, Muhammad-Ali sera ainsi maître non seulement de l'Egypte, mais également de la Syrie. Les victoires fulgurantes d'Ibrahim sont dues, non seulement à son génie militaire et à l'organisation moderne de son armée, formée à la française par le colonel de Sève (Soliman Pacha), mais également à l'état général de l'Empire ottoman, en pleine décomposition.

Giuseppe Mazzini fonde le mouvement "Jeune-Italie"

Marseille, 1831

Giuseppe Mazzini, exilé à Marseille, poursuit son action de libération et d'unification de l'Italie. Il a d'abord envoyé une lettre ouverte à Charles-Albert, roi du Piémont, l'adjurant de donner au Piémont une constitution, de se mettre à la tête d'un mouvement émancipateur et de chasser les Autrichiens de la Lombardie-Vénétie. La lettre fit le tour de la péninsule et Charles-Albert menaça Mazzini d'arrestation. Giuseppe Mazzini décide alors de fonder une association, composée de jeunes patriotes italiens. Cette association, baptisée « Jeune-Italie », se propose de libérer et d'unifier l'Italie par une république libre et indépendante. Ses méthodes d'action, l'éducation et l'insurrection doivent respecter les croyances en Dieu, au progrès, au devoir, au sacrifice. « Jeune-Italie » constitue le premier mouvement démocratique italien regroupant toutes les classes sociales, car Mazzini croit que seule une initiative émanant du peuple peut sauver l'Italie. « Ni pape, ni roi, déclare-t-il, seuls Dieu et le peuple pourront nous ouvrir le chemin de l'avenir. » Ce mouvement remporte beaucoup de succès. Des ramifications se créent à Gênes et dans d'autres villes. Dès 1833, il rassemble soixante mille membres. Cependant ses tentatives de soulèvement échouent. Malgré ces nombreux échecs, « Jeune-Italie » aida à forger la conscience nationale italienne.

Giuseppe Mazzini, patriote et révolutionnaire italien. 1865. Portrait par L. Zuccoli.

La révolte des canuts lyonnais écrasée dans le sang

Lyon, décembre 1831

L'insurrection à Lyon des canuts (ouvriers de la soie) est brisée. La ville est occupée militairement, placée sous la dictature du maréchal Soult, le tarif annulé, près de dix mille ouvriers sont renvoyés. Voilà un triste bilan pour une insurrection qui a été le premier mouvement ouvrier de masse en France. La question du tarif est à l'origine de cette révolte. Un tarif minimum des salaires avait été négocié, il y a un mois, entre fabricants de soie d'une part, chefs d'atelier et canuts de l'autre. Cependant une fois signé, voilà qu'une centaine de fabricants a refusé d'appliquer ce tarif. Les canuts ont aussitôt protesté ; ils ont organisé des rassemblements afin d'interdire aux ouvriers de travailler pour des patrons n'appliquant pas le tarif. Les émeutes ont gagné le 22 novembre tous les quartiers ouvriers de Lyon, la Croix-Rousse, la Guillotière. Près de neuf cents fantassins ont pactisé avec les émeutiers ; les troupes de la ville ont été retirées dans la nuit du 22 au 23. Même les autorités locales ont abandonné l'hôtel de ville. Pendant que les pourparlers se poursuivaient, les ouvriers continuaient de protester avec, pour emblème, un drapeau noir et pour devise : « Vivre en travaillant ou mourir en combattant. » Mais les canuts n'ont su que faire de leur victoire et ont perdu du temps. Le gouvernement a alors envoyé ses troupes pour réprimer l'insurrection. La révolte des canuts est écrasée dans le sang.

Ecrasement de la révolte des canuts lyonnais à la Croix-Rousse par la troupe.

1832

Etats-Unis, 11 janvier
L'assemblée de Virginie, réunie à Richmond, aborde pendant quinze jours un débat public consacré à la question de l'esclavage. Le 25 janvier, l'abolition immédiate de l'esclavage est repoussée.

Italie, 22 février
Des troupes françaises débarquent dans le port d'Ancône, sur l'Adriatique, afin de contrer l'influence grandissante de l'Autriche dans la région, à l'occasion de nombreux soulèvements et émeutes touchant notamment les Etats pontificaux et la région des Marches.

France, mars
Une épidémie de choléra touche la France. →

France, 28 avril
La duchesse de Berry tente de rallier les légitimistes favorables aux Bourbons afin de renverser Louis-Philippe. A cet effet, elle débarque à Marseille, gagne la Vendée, où elle suscite quelques troubles, avant d'être arrêtée le 6 novembre.

Liban, avril
A la suite de victoires militaires en Palestine et en Syrie pendant les mois d'avril et de mai, Muhammad-Ali obtient le ralliement des autorités locales, l'émir Béchir, puis, le 23 mai, le patriarche maronite.

Paris, 18 mai
George Sand publie *Indiana*.

Allemagne, 17 au 30 mai
Rassemblement démocratique et nationaliste à Hambach. →

Paris, 29 mai
Les auteurs dramatiques Alexandre Dumas et Gaillardet présentent leur drame, *La Tour de Nesle*.

Grande-Bretagne, 4 juin
Le Parlement vote une réforme électorale. →

France, 5 et 6 juin
De violentes manifestations ont lieu à l'occasion des obsèques du général Lamarque, victime du choléra et un des chefs de l'opposition libérale. Les insurgés, retranchés rue du Cloître-Saint-Merri, seront en grande partie massacrés par la garde nationale. L'épisode sera immortalisé par Hugo dans *Les Misérables*.

Rome, 9 juin
Le pape Grégoire XVI publie son encyclique *Mirari vos* qui provoque la rupture du dominicain français Lamennais d'avec l'Eglise ; son journal *L'Avenir* sera condamné le 15 août par le Vatican.

Allemagne, 28 juin-5 juillet
La Confédération allemande réagit à la manifestation de Hambach, en édictant des décrets restreignant les libertés de presse, d'association et de réunion.

Schönbrunn, 22 juillet
Mort du duc de Reichstadt, né roi de Rome, fils de Napoléon Ier et de Marie-Louise d'Autriche. Il sera immortalisé à la fin du siècle par Edmond Rostand dans son drame *L'Aiglon*.

Grèce, 8 août
L'Assemblée nationale grecque adopte la proposition des grandes puissances de nommer le deuxième fils du roi de Bavière, Othon, roi de Grèce.

Belgique, 9 août
Le roi de Belgique, Léopold, épouse la fille de Louis-Philippe, la princesse Louise d'Orléans.

Paris, 27 août
Procès des saint-simoniens. →

France, 3 octobre
Inauguration du canal du Rhône au Rhin.

Allemagne, 12 octobre
Le duché de Brunswick se dote d'une constitution.

France, 13 octobre
Un nouveau ministère, conduit par le maréchal Soult, est formé avec les dirigeants libéraux Thiers, Guizot et de Broglie.

Empire ottoman, 21 décembre
La Russie offre au sultan son assistance militaire pour résister aux conquêtes de Muhammad-Ali, dont les troupes viennent de s'emparer de Konya.

France, décembre
Alors que la Société des amis du peuple se dissout, une autre, très liée à la classe ouvrière, comprenant trois cents sections et regroupant environ six mille membres, apparaît : la *Société des droits de l'Homme*.

Algérie
Abd el-Kader est reconnu comme émir de Mascara, tandis que les Français occupent les villes de Bône et de Bougie.

Les libéraux allemands, réunis à Hambach, dressent le drapeau noir, rouge et or de la Burschenschaft le 27 mai 1832.

Rassemblement des démocrates allemands à Hambach

Hambach, 27 mai 1832
L'insurrection nationale polonaise réveille les aspirations nationales allemandes. A l'occasion d'un banquet offert à des réfugiés polonais, à Hambach dans le Palatinat bavarois, trente mille libéraux allemands arborent le drapeau noir, rouge et or de la Burschenschaft (association d'étudiants allemands nationalistes et libéraux). Ils boivent en l'honneur de la souveraineté du peuple et réclament un gouvernement républicain qui se poserait en rival de la Diète germanique. Mais les promoteurs de cette manifestation, outre leur volonté d'unité de l'Allemagne, n'ont pas de programme précis. C'est pourquoi Metternich réussit facilement à convaincre le roi de Prusse de la nécessité d'une réaction et obtient de la Diète « le protocole des six articles », dirigé à la fois contre les mouvements libéraux et le mouvement national. Ce protocole ne reconnaît pas les constitutions libérales et interdit de critiquer le système établi en 1815. Plusieurs écrivains, comme Henri Heine, qui ont formé le mouvement de la « Jeune-Allemagne » sont contraints à l'exil.

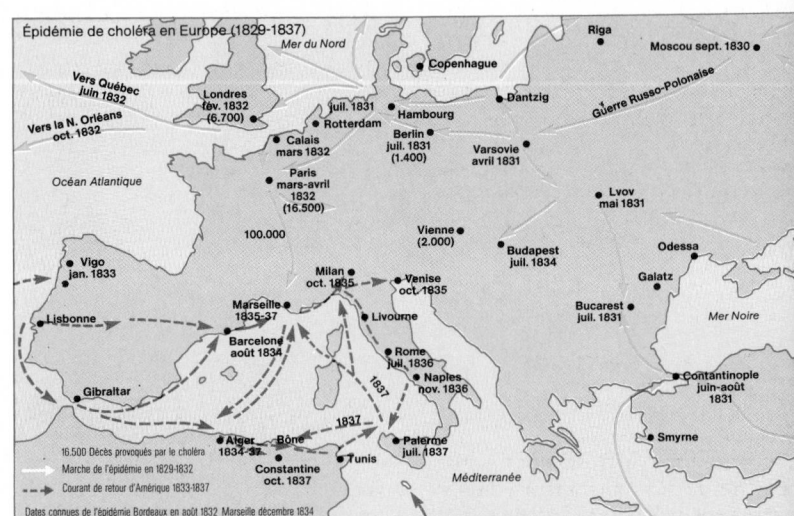

L'épidémie de choléra touche la France

Europe, 1832
Le choléra était à Varsovie en avril 1831, en Allemagne en juillet, à Londres en février 1832, à Calais le 15 mars et à Paris le 26. Cette maladie, qui est capable d'entraîner plus ou moins rapidement la mort, sème la panique. C'est à Paris que l'épidémie fait les ravages les plus importants : 18 402 victimes en six mois dont 12 733 dans le seul mois d'avril. C'est un très lourd bilan quand on sait que la population parisienne compte moins d'un million d'habitants. Quels remèdes appliquer ? Bismuth, chlore, quinine, bains de vapeur. Avec le président du Conseil, Casimir Périer, Champollion Le Jeune, Cuvier, Sadi Carnot disparaissent. Mais l'épidémie frappe surtout les quartiers pauvres de Paris.

Un patron de presse vu par Ingres

France, 1832

Avec l'effigie de Monsieur Bertin, Ingres fait preuve, en tant que peintre, d'un talent analogue à celui de Balzac écrivain ; chacun d'eux possède l'art de révéler toute une personnalité par le soulignement exact de certains traits. Si Théophile Gautier voit d'emblée dans ce portrait le symbole de toute une époque, c'est que le peintre a su faire transparaître, au travers de cet homme sûr de lui, la toute nouvelle puissance de la bourgeoisie victorieuse. Monsieur Bertin est le fondateur du *Journal des Débats*, qui joua précisément un rôle capital dans l'accession au pouvoir de la bourgeoisie.

Portrait de Bertin l'Aîné, fondateur du « Journal des Débats » par J. D. Ingres. 1832. Louvre, Paris.

Le Français Sauvage invente l'hélice

Paris, 1832

Avec le développement de la navigation à vapeur, la sûreté des roues à aubes est remise en cause. Entre 1800 et 1830 se multiplient les recherches sur un autre moyen de propulsion, en particulier sur l'hélice. Frédéric Sauvage (né en 1786) dépose un brevet à propos d'une hélice qui, affirme-t-il, représente le meilleur moyen et le plus sûr. Son hélice est un hélicoïde à une spire. Voulant convaincre, il lui faut essayer avec un gros navire. Il rencontre un constructeur entreprenant, Normand, qui lui propose de prendre en charge les frais de construction du navire en échange du droit de modifier son projet d'hélice. Les essais qu'effectue Normand portent sur plusieurs types d'hélices. Aidé par l'Anglais Barnes, Normand trouve que l'hélice de Sauvage est moins efficace qu'une hélice à plusieurs ailes. Ce dernier proteste avec véhémence, mais à la suite de son accord avec Normand, il doit abandonner l'affaire. Ruiné, sauvage, il devient fou et meurt interné en 1857.

La réforme électorale en Angleterre

Angleterre, 4 juin 1832

La Chambre des lords adopte le projet de réforme électorale déjà approuvé, il y a un an, par la Chambre des communes. Cette loi électorale conserve la distinction entre comtés et bourgs mais répartit les sièges autrement : 56 « bourgs pourris », c'est-à-dire de moins de 2 000 habitants, disparaissent tandis que 30 autres perdent un de leurs deux représentants. En revanche, 143 nouveaux sièges sont répartis entre les comtés, Londres et 22 grandes villes. Cette loi, par ailleurs, uniformise les conditions de l'électorat : certes, le droit de vote reste un privilège réservé à ceux qui justifient d'un certain revenu ; mais désormais, à côté des propriétaires, les tenanciers ou les locataires jouissant d'un revenu important deviennent électeurs. Cette réforme double presque le nombre des votants, qui dépasse maintenant huit cent mille. Les représentants des villes industrielles du Nord pénètrent enfin au Parlement.

Goethe laisse son "Faust" inachevé

Weimar, 22 mars 1832

L'écrivain Johann Wolfgang Goethe vient de mourir, laissant inachevée la tragédie qu'il avait sans cesse approfondie depuis 1749. L'été dernier, le poète, qui estimait son *Faust* presque terminé, avait décidé d'y apporter encore certaines « retouches de détail ». L'œuvre résume les thèmes qui ont préoccupé Goethe toute sa vie durant : le problème des rapports de l'homme avec Dieu, de la nature avec la société ou celui des limites de la puissance humaine. Des premiers états du drame, où domine l'appel aux forces créatrices de l'humanité, à son état final où Faust, s'inscrivant, dans le quatrième acte, comme un être concret au milieu des réalités du monde, arrache à la mer des lambeaux de terre pour le bien des hommes, se déploient toutes les acquisitions spirituelles du poète. Après les épreuves de la connaissance et de l'amour, thèmes du premier *Faust*, d'où se détachera la tragédie de Marguerite, l'amante abandonnée qui perd la raison, se développent les thèmes de la beauté et de la fécondité de l'action humaine. Dans le final grandiose de l'œuvre, Faust quitte son enveloppe charnelle, appelé dans une sphère supérieure, laissant Méphistophélès battre en vain le rappel de ses « diables gras » et de ses « diables maigres ».

La Taglioni triomphe dans "La Sylphide"

Paris, 1832

L'Académie royale de musique vient de représenter *La Sylphide*, ballet en deux actes sur un livret d'Adolphe Nourrit. Dans des décors de Ciceri et des costumes d'Eugène Lamy, l'œuvre, inspirée d'une nouvelle de Charles Nodier, est due au chorégraphe Filippo Taglioni. C'est sa propre fille, Marie, qui interprète la sylphide ; James est joué par Mazilier et Effie par Mlle Noblet. Inaugurant l'entrée des pointes sur la scène ainsi que le tutu de mousseline blanche, *La Sylphide* innove une technique faite d'envols, de développés, de grands jetés et d'arabesques. La scène où James, amoureux de la sylphide, jette sur ses épaules le voile magique et voit mourir la bien-aimée dans ses bras, contribue largement, par l'intensité de l'émotion, au succès romantique de l'œuvre. Marie Taglioni sut créer une « poésie de la danse, véritable caprice ailé, vivant de malice dans un flocon de gaze et mourant pour s'être laissé surprendre par l'amour ». Après le triomphe de l'œuvre sur les grandes scènes, dans toute l'Europe, Marie Taglioni créera avec un égal bonheur *La Fille du Danube, Cendrillon, La Révolte au sérail* ou *Guillaume Tell*. Elle s'éteindra à Marseille en 1884, âgée de quatre-vingts ans, au terme d'une carrière partout couronnée de succès.

Evariste Galois est tué dans un duel

Paris, 2 juin 1832

A l'aube, E. Galois est tué en duel. Républicain avoué et mathématicien prometteur, il laisse à 21 ans un seul mémoire : *Sur les conditions de résolution des équations par radicaux.* Il montre qu'à chaque équation on peut associer un groupe de substitutions portant sur l'ensemble de ses racines et où se reflètent les propriétés de cette équation. Il fonde donc, dans cet opuscule passé inaperçu en 1831, la notion de groupes qui, en algèbre et dans la théorie des équations, sera fondamentale.

Evariste Galois, mathématicien de génie mort à vingt et un ans. Dessin à la pierre noire.

A Paris, procès des saint-simoniens

Paris, 1833

Le couvent de Ménilmontant est dissous, la communauté saint-simonienne dispersée, le père Enfantin et l'ingénieur Michel Chevalier sont condamnés à un an de prison. Tel est le résultat du procès intenté « pour atteinte à la moralité publique » aux disciples de Saint-Simon. Claude de Saint-Simon, fondateur d'un mouvement utopiste, désirait « améliorer l'existence morale et physique de la classe la plus pauvre ». Il souhaitait aussi l'avènement d'une société industrielle, gérée par les producteurs, c'est-à-dire les banquiers, les industriels, les savants, où « chacun serait placé selon sa capacité et rétribué selon ses œuvres » et excluant l'oisiveté liée à la rente et au privilège. Ses disciples ont créé une école destinée à étudier la pensée du maître. Sous l'impulsion de Prosper Enfantin, la « famille » saint-simonienne (une quarantaine de membres) s'était retirée en 1832, comme une secte religieuse, à Ménilmontant. Mais leur dispersion ne les fera pas disparaître.

Caricature brocardant la communauté saint-simonienne installée à Ménilmontant. Gravure d'époque. Bibliothèque nationale, Paris.

1833

Allemagne, 22 mars
A Berlin, signature d'un traité d'unification douanière entre, d'une part, la Bavière et le Wurtemberg et, de l'autre, la Prusse et la Hesse-Darmstadt. Metternich ne peut s'opposer à l'adhésion dans les mois suivants de la plupart des Etats allemands, un phénomène qui illustre la prépondérance de la Prusse.

Algérie, mars
Les troupes françaises occupent les villes d'Oran et de Mostaganem.

Allemagne, 4 avril
Des étudiants organisent un putsch contre la police de Francfort-sur-le-Main, sévèrement réprimé.

Piémont, avril
Mazzini, qui a retiré sa confiance au roi Charles-Albert, organise un complot, découvert par l'armée. Ses initiateurs, Andrea Vochieri, Jacopo Ruffini, disparaissent. Sur vingt-sept condamnations à mort, douze seront exécutées. Quant à Mazzini, il est condamné à mort par contumace.

Empire ottoman, 4 mai
Le traité de Kütahya entre le sultan et Muhammad-Ali attribue au pacha d'Egypte la souveraineté sur la Syrie et la Cilicie.

France, 28 juin-1er juillet
Le ministre Guizot fait adopter une loi sur l'enseignement primaire. →

Empire ottoman, 8 juillet
A l'occasion du traité d'Unkiar-Skelessi signé entre le sultan et le tsar, celui-ci devient le garant de l'indépendance ottomane et obtient, en échange, la fermeture du détroit des Dardanelles à tout navire de guerre étranger. Le tsar accepte en outre le retrait de ses troupes des territoires ottomans.

Grande-Bretagne, 14 juillet
Keble lance un mouvement de réforme anglican à Oxford. →

Espagne, 29 septembre
A la mort du roi Ferdinand VII, l'avènement de sa veuve, la reine Marie-Christine, comme régente à la place de leur fille Isabelle II âgée de trois ans, plonge le pays dans les guerres carlistes. →

Grande-Bretagne, octobre
Robert Owen préside une conférence syndicale à la National Equitable Labour Exchange, qui décide de constituer un syndicat ouvrier englobant tous les métiers. Il se donne pour nom celui de Grand National Consolidated Trades Union. La création officielle aura lieu en février 1834, lors d'une assemblée où toutes les organisations de métiers seront présentes sauf celle des constructeurs. La nouvelle organisation connaît un succès immédiat et regroupe rapidement plus d'un demi-million de membres.

Mexique
Le général Santa Anna est élu président de la République. En 1834, il se lancera dans l'exercice solitaire du pouvoir en éliminant son vice-président, Gomez Farias.

Grande-Bretagne
Le Parlement adopte une loi organisant l'inspection du travail des enfants. →

Le physicien Michael Faraday commence ses études sur les phénomènes électrolytiques.

Grèce
L'Eglise grecque décide de se rendre indépendante et de ne plus dépendre du patriarche de Constantinople.

Vatican
Le pape Grégoire XVI organise des missions d'évangélisation en Océanie.

France
Le romancier Honoré de Balzac publie Eugénie Grandet, tandis qu'Alfred de Musset fait paraître le texte de sa comédie Les Caprices de Marianne. →

L'historien Jules Michelet commence à éditer les premiers tomes de son Histoire de France, qu'il achèvera en 1844.

François Rude est chargé par Thiers de la décoration d'un des piédroits de l'Arc de Triomphe de l'Etoile.

Frédéric Ozanam (1813-1853) fonde la société de Saint-Vincent-de-Paul destinée à secourir les indigents. Ses idées et ses initiatives inspireront le catholicisme social et le libéralisme catholique.

Allemagne
Le physicien Gauss invente le télégraphe électrique.

Parution posthume du second Faust de Goethe.

Première loi sur le travail des enfants en Angleterre

Grande-Bretagne, 1833
La première loi sur le travail des enfants en Angleterre est adoptée. Elle reprend les conclusions d'une commission royale d'enquête, qui a montré combien les longues heures de travail étaient nocives pour la santé physique et morale des enfants. Interdisant le travail des enfants au-dessous de neuf ans ainsi que le travail de nuit dans les usines textiles, elle limite les horaires à quarante-huit heures par semaine de neuf à treize ans et à soixante-neuf heures de treize à dix-huit ans. Plusieurs lois sur le travail des enfants ont déjà été votées depuis le début du siècle, mais elles n'ont jamais été appliquées. Pour que cette nouvelle loi soit plus efficace, les membres de la commission ont envisagé la création d'un service d'inspection et de contrôle formé de fonctionnaires rémunérés, des inspecteurs du travail. Il aurait été absurde de s'en remettre, pour punir les délinquants, aux juges de paix des comtés, qui n'ont aucune compétence spéciale et qui parfois sont des manufacturiers devant les-quels les individus lésés n'oseraient pas même porter plainte. La pression ouvrière en faveur de la réduction des heures de travail, l'indignation et l'action humanitaire de certains bourgeois et aristocrates dans les milieux dirigeants ont rendu possible l'adoption de cette loi.

Fillette dans une filature anglaise chargée de surveiller les dévidoirs.

Musset : des pièces écrites pour la lecture et non pour la scène

Paris, 1833
Suite à l'échec de La Nuit vénitienne lors de sa représentation à l'Odéon, Musset ne se détourne pas du drame. Au contraire, il décide de rédiger des pièces destinées à la lecture et non à la scène. Ainsi, en décembre 1832, il publie Un spectacle dans un fauteuil qui contient deux pièces : La Coupe et les Lèvres et A quoi rêvent les jeunes filles. Affranchi de toute convention scénique, l'auteur laisse libre cours à sa fantaisie et s'adresse à l'imagination de ses lecteurs. Sous la double influence de Shakespeare et de Byron, Musset multiplie les tableaux et exprime les tourments de sa propre vie. Collaborant avec Buloz, il est publié en 1833 par La Revue des Deux-Mondes : André del Sarto (1er avril), Les Caprices de Marianne (15 mai), Rolla (15 août). Ce sont trois drames de l'amour qui nous présentent deux visages de Musset : le pur et le débauché, et toute son œuvre est ainsi le reflet de sa vie intime et de son déchirement. En 1834, sous l'influence de sa liaison passionnée avec George Sand, il écrira Fantasio, On ne badine pas avec l'amour et Lorenzaccio, drame historique dont le sujet est emprunté aux Chroniques florentines de Varchi.

Alfred de Musset, poète mais aussi dramaturge. Peinture de Charles Landelle. 1878.

En Espagne, révolte contre l'héritière

Madrid, 29 septembre 1833
Ferdinand VII meurt sans que la querelle dynastique soit réglée. En effet, de son mariage avec sa nièce Marie-Christine de Naples était née la princesse Isabelle (octobre 1830). Selon la loi salique, la succession revenait à son frère, don Carlos, mais la « Pragmatique » des Cortes avait abrogé cette loi en 1789. Le roi avait de plus en plus associé sa femme au pouvoir et convoqué les Cortes pour qu'ils reconnaissent la petite Isabelle comme héritière du trône. Cependant, conspirant à partir du Portugal, don Carlos se proclame roi sous le nom de Carlos V. Aussi, pendant la régence de Marie-Christine, des bandes carlistes se révoltent et s'organisent. C'est le début d'une longue guerre civile.

Honoré de Balzac publie "Eugénie Grandet"

Paris, 1833

Le romancier Honoré de Balzac (né à Tours en 1799), dont le nom est lié déjà au succès des *Chouans* (1829) et de *La Peau de chagrin* (1831), publie *Eugénie Grandet*, une œuvre saluée comme un événement. Eugénie est la fille d'un ex-tonnelier, le père Grandet, qui à force d'avarice et de spéculations, a amassé une fortune considérable. Deux familles bourgeoises rivalisent de cupidité et d'intrigues pour obtenir la main de la délicate jeune fille. Mais un jeune Parisien arrive à l'improviste à Saumur, Charles, fils d'un frère ruiné du vieux Grandet et qui le prie par lettre d'aider son fils à gagner les Indes. Eugénie tombe amoureuse du jeune homme, Charles, qui lui promet bientôt fidélité. Le temps passe, le père Grandet meurt, remettant son immense fortune aux mains d'Eugénie. Charles revient des Indes, nouvellement enrichi, mais délaisse Eugénie, dont il ignore l'héritage, pour un quelconque mariage d'intérêt. Balzac dessine des personnages d'un relief incomparable, dominés par la terrible image du vieux Grandet. L'épisode de la mort du vieillard, qui se résout enfin à faire don de l'argent à sa fille, compte parmi les plus saisissants du roman. Balzac publiera l'année suivante un autre succès : *Le Père Goriot*. C'est en 1841 qu'il mettra sur pied le vaste plan de *La Comédie humaine*, exprimant dans l'avant-propos l'idée que l'humanité est divisée en espèces sociales et dont le puissant moteur est l'intérêt.

Honoré de Balzac, le créateur de la « Comédie humaine ».

Adoption d'une loi sur l'instruction publique en France

Paris, 28 juin 1833

Une loi sur l'instruction primaire a été adoptée. Cette loi oblige chaque commune à ouvrir une école et à rémunérer un instituteur, afin de permettre aux enfants les plus pauvres de s'instruire gratuitement, les autres enfants payant une rétribution mensuelle. Les instituteurs, laïques ou religieux, sont placés sous la tutelle des maires et des préfets. Préparée par Guizot, ministre de l'Instruction publique, cette loi ne désire nullement être un instrument d'ascension sociale. Elle traduit l'idée selon laquelle des masses plus instruites sont moins promptes à se révolter. L'instruction, en favorisant la compréhension des méthodes de travail, accroît la production et donc réduit la misère. L'instruction primaire doit permettre au citoyen de participer à la vie publique de son pays. Malgré ses limites, elle a néanmoins donné une impulsion à l'instruction. Le pourcentage des conscrits analphabètes passera de 50 % en 1835 à 39 % en 1850.

François Guizot, fondateur de la société «Aide-toi, le ciel t'aidera». Peinture de Vibert d'après Delaroche.

La "Symphonie italienne" de Félix Mendelssohn

Londres, 13 mai 1833

Le compositeur et chef d'orchestre Félix Mendelssohn-Bartholdy (né à Hambourg en 1809), auteur notamment de l'éclatante musique du *Songe d'une nuit d'été* d'après Shakespeare et de la symphonie *Réformation*, fait exécuter aujourd'hui à Londres sa *Symphonie n° 4*, en la majeur, opus 90, *Italienne*. Elle a été ébauchée lors d'un voyage qu'il a fait en Italie. L'œuvre traduit avec profusion les impressions de lumière et d'émerveillement ressenties au contact de ce pays. L'imagination de Mendelssohn, fervente des paysages et légendes nordiques, s'ouvre ici à un monde nouveau qui trouve son apothéose dans un finale où se trouve transposée la *saltarella*, une danse populaire romaine. Mendelssohn poursuivra une carrière féconde, dominée par l'oratorio, et mourra à Leipzig en 1847.

Les "53 étapes du Tokaido" d'Hiroshige

Edo, 1833

En 1832, Hiroshige (1797-1858) est autorisé à suivre le cortège de chevaux offerts par le shôgun à l'empereur, cortège qui emprunte la route reliant Edo à Kyôto, le fameux Tokaido, lequel passe au pied du mont Fuji. De ce voyage, Hiroshige tire des croquis à chaque relais le long de la route. Il élabore ainsi l'œuvre finalement publiée par un éditeur d'Edo, *Images des 53 relais du Tokaido*. Plaçant ses scènes dans le cycle des saisons, il introduit le vent, la neige, la chaleur moite. Sur le plan pictural, l'utilisation des noirs et des gris est une véritable innovation. Le succès tient aussi à la dimension burlesque de l'œuvre, par ses références à un roman picaresque très populaire.

Hiroshige. "Le Temple de Yakushi en pierre". 1833. Une des « 53 Etapes (la 44e) du Tokaido », la route menant de Edo à Kyôto.

Abd el-Kader s'impose comme chef de la résistance algérienne

Mascara, 1833

Les tribus décidées à résister aux Français s'étaient réunies en novembre 1832 dans la plaine d'Eghris. Mohyi al-Din qui, en avril, avait proclamé la Guerre sainte (le *Jihâd*), s'était reconnu trop vieux et avait demandé que le pouvoir soit transmis à son fils Abd el-Kader. L'assemblée avait approuvé et conféré au jeune marabout (né en 1808) le titre de sultan ; mais celui-ci s'était contenté du titre, plus modeste, d'émir. Lorsque, deux ans auparavant, les Français s'étaient emparés d'Alger, personne n'était sérieusement intervenu. Ni la Turquie, occupée ailleurs, ni le bey de Tunis, ni le sultan du Maroc. Même l'arrière-pays semblait se désintéresser. C'est qu'on croyait, généralement, que la présence française n'allait pas s'éterniser et qu'elle se limiterait en tout cas à la seule ville d'Alger. Mais lorsqu'en 1831 le caractère colonial de l'expédition devint évident, des foyers de résistance apparurent et Abd el-Kader sut imposer son autorité.

Portrait d'Abd el-Kader, chef de la résistance algérienne, par Ange Tissier. Château de Versailles.

Le mouvement d'Oxford prône un renouveau religieux

Angleterre, 14 juillet 1833

John Keble, professeur de poésie à Oxford, prononce un discours sur l'« apostasie nationale », qui marque le début du mouvement d'Oxford. Celui-ci est animé par un groupe de jeunes professeurs et de théologiens désireux de rénover l'Eglise anglicane. Ils veulent restaurer le sens de l'institution divine de l'Eglise, la continuité avec les sources primitives au temps des Pères de l'Eglise, la fidélité à la tradition liturgique. Matthew Arnold, H. Froude, E. B. Pusey, J. H. Newman, sont connus aussi sous le nom de « tractariens », car ils exposèrent leurs idées dans des *Tracts for the Times*, rédigés principalement par Newman. Acteurs du mouvement de rénovation, ils se rapprocheront du catholicisme auquel certains d'entre eux se convertiront.

1834

Allemagne, 1er janvier
Entrée en vigueur du Zollverein. →

Algérie, 26 février
Le général Desmichels signe, sans l'avis du gouvernement français, un traité avec le chef berbère Abd-el-Kader qui reconnaît à ce dernier le titre de commandeur des croyants et la souveraineté sur le beylik d'Oran, à l'exclusion des villes : Oran, Arzew et Mostaganem.

Savoie, février
Des groupes de révolutionnaires, guidés par Mazzini et le Génois Ramorino, s'infiltrent dans la région d'Annemasse pour prendre le pouvoir, mais sont dispersés par les paysans.

France, 9 au 14 avril
Insurrection et émeutes à Lyon (9 au 12) et à Paris (13 et 14). →

Europe, 22 avril
La Quadruple-Alliance est scellée à Londres entre l'Angleterre, l'Espagne, la France et le Portugal pour garantir en commun l'indépendance de la Belgique et maintenir les droits au trône d'Espagne de la reine Isabelle, contestée par les carlistes.

Paris, 30 avril
Lamennais publie *Paroles d'un croyant.* →

Portugal, 24 mai
Le roi Miguel Ier capitule devant son frère Pierre Ier, empereur du Brésil, qui rétablit dans ses droits sa fille Maria II da Gloria, âgée de quinze ans, désormais reine du Portugal.

Belgique, 10 juin
Les évêques décident de créer une université à Bruxelles sur le modèle de celle de Louvain.

Paris, 1er juillet
La publication par *La Revue de Paris* de la pièce de Musset : *On ne badine pas avec l'amour*, est suivie, en août, de la parution en librairie de *Lorenzaccio.*

Angleterre, 1er août
L'esclavage est aboli dans toutes les colonies anglaises. →

Afrique australe, novembre
Début du grand *Trek* des Boers (→ 1835).

Angleterre
Lord Grey, Premier ministre, dé-

missionne sur la question des catholiques au profit de Robert Peel.

Perse
L'armée perse s'empare de la ville de Serakhs en Afghânistân, tandis que les Anglais et les Russes s'accordent sur la définition de leurs zones d'influence réciproques dans la région.

Angleterre
Six journaliers de Dorchester, qui avaient tenté de s'organiser pour défendre leurs intérêts salariaux, sont jugés et condamnés à mort. Parallèlement, les organisations embryonnaires de syndicalisme ne résistent pas à la répression. Le *Trade Union* et la Bourse du travail de Londres disparaissent. →

Russie
Alexandre Pouchkine publie une nouvelle, *La Dame de pique.*

Paris
Tandis que Daumier exécute une gravure dénonçant avec force les massacres de républicains dans *La Rue Transnonain*, Delacroix expose ses *Femmes d'Alger dans leur appartement*, témoignage éclatant de la révélation qu'a constituée pour le peintre un voyage accompli en Afrique du Nord en 1832.

France
Honoré de Balzac publie *Le Père Goriot.* →

En exil à Paris, le poète polonais Adam Mickiewicz y publie son épopée historique *Messire Thadée.* →

Angleterre
Parution du roman historique *Les Derniers Jours de Pompéi* de Bulwer-Lytton.

Russie
Parution de *Tarass Boulba* de Nicolas Gogol. Ce récit haut en couleur, où passe un souffle épique, est un hymne à la gloire du peuple cosaque, dont il exalte la nature primitive et sauvage.

France
L'ingénieur Fourneyron construit la première turbine hydraulique.

Le physicien Ampère publie son *Essai sur la philosophie des sciences.*

Allemagne
Le chimiste Runge obtient de la teinture d'aniline à partir du goudron de la houille.

Entrée en vigueur du "Zollverein" en Allemagne

Allemagne, 1er janvier 1834
Un long processus d'unification économique sous l'égide de la Prusse trouve une première concrétisation par l'entrée en vigueur de cette « Union douanière allemande ». Elle rassemble 18 Etats indépendants couvrant 425 023 km² et peuplés de 23 millions d'habitants. A la volonté d'unité politique prônée par les mouvements nationalistes ou révolutionnaires allemands hostiles aux pouvoirs monarchiques prussien et autrichien, la Prusse répond par le pragmatisme d'une politique douanière destinée à intéresser l'ensemble du pays à la modernisation très rapide de l'appareil productif. Pour ce faire, elle a besoin d'un marché de plus en plus large, aussi cherche-t-elle à profiter des opportunités laissées par l'article 19 de la Confédération germanique qui, en 1815, autorise la formation d'ententes commerciales. En 1817, puis en 1819, deux conférences générales convoquées par la Prusse échouent du fait de la rivalité avec l'Autriche. Le 26 mai 1818, la Prusse montre l'exemple à l'intérieur de ses propres frontières en abolissant les taxes intérieures, en édictant un tarif unique et en reportant à ses frontières la ligne de douane. En même temps, elle conclut des traités d'adhésion avec les principaux Etats qui forment des enclaves à l'intérieur de son territoire. De leur côté, le duché de Bade et la Hesse-Darmstadt avaient signé le 8 septembre 1824 un accord douanier. Le 18 janvier 1828, la Bavière adhère à cet accord, et la Prusse, le 14 février, signe avec la Hesse-Darmstadt un traité parallèle. Les bases d'une union douanière générale semblent données. Mais d'autres Etats d'Allemagne centrale ne voient pas du meilleur œil les effets de la politique prussienne et, aidés par les grandes puissances, se liguent en une union douanière concurrente dont les membres décident le 24 septembre d'œuvrer à la perte du Zollverein. Mais, avec patience, la politique prussienne réussit à diviser l'opposition et la formation par les Etats de Thuringe d'une union douanière propre, qui signe un accord avec elle le 10 mai 1833, ouvre la voie au Zollverein. Les essais de constituer d'autres unions concurrentes échoueront devant la vitalité de l'économie prussienne.

Abolition de la loi des Pauvres en Angleterre

Londres, 1834
La loi des Pauvres de 1601 est abolie et remplacée par une nouvelle loi proposée par une commission royale dirigée par Chadwick et Nassau Senior. Il s'agit de mettre fin à l'ancien système d'assistance, en vertu duquel l'entretien des indigents était traditionnellement confié aux paroisses. Mécontents de la lourdeur croissante de la « taxe des pauvres », les propriétaires fonciers protestaient contre un tel système qui encourageait les patrons à verser eux-mêmes de bas salaires, puisque cet impôt servait à remédier à l'insuffisance des salaires. La nouvelle loi des Pauvres de 1834 supprime les secours à domicile et contraint les indigents à entrer dans une *workhouse*, « asile » et « maison de travail » à la fois. Il importe, selon Nassau Senior, « d'y rendre la vie moins souhaitable que celle des plus malheureux des ouvriers indépendants ». La *workhouse* devient « une Bastille des pauvres », haïe et redoutée.

Le workhouse d'Alingdon. Un asile où hommes et femmes vivent dans des ailes séparées.

Exemple de châtiment des esclaves.

L'esclavage aboli dans les colonies anglaises

Londres, 1834

L'entrée en vigueur de la loi britannique *Emancipation Act*, adoptée en 1833, met fin à l'esclavage dans les colonies anglaises. L'Angleterre prend ainsi la tête du mouvement anti-esclavagiste dans le monde. C'est déjà elle qui a été la première, en 1807, à interdire la traite des Noirs. La propagande ardente de Wilberforce et de Fox, soutenue par un puissant mouvement d'opinion, avait convaincu le parlement de Londres d'adopter un texte interdisant le commerce négrier. Cette première étape ne résolvait pas le problème des esclaves des colonies anglaises. La campagne s'est alors poursuivie, croisade morale pour le respect des droits de la personne humaine et du christianisme. Ses animateurs se sont heurtés à l'hostilité acharnée du « lobby antillais », composé de planteurs locaux et de commerçants de la métropole. Les planteurs persécutaient les missionnaires qui enseignaient aux Noirs l'égalité des races. Soutenue à la fois par les libéraux et les non-conformistes, la réforme de 1833 est accueillie par les Eglises dissidentes comme une grande victoire ; grâce à elle, les 700 000 esclaves des colonies anglaises sont proclamés libres ; une indemnité de vingt millions de livres est accordée en échange aux planteurs. Cette loi aggravera dans l'immédiat le marasme dont souffrait la Jamaïque, et, au Cap, les Boers, colons d'origine hollandaise, préféreront émigrer plutôt que de renoncer à la main-d'œuvre servile.

Lamennais se convertit à la démocratie

Paris, 1834

La publication par Lamennais des *Paroles d'un croyant* suscite des réactions passionnées. La même ferveur pousse maintenant ses admirateurs à en lire à voix haute, dans les rues de Paris, les strophes les plus ardentes : « Jeune soldat, où vas-tu ? Je vais combattre contre les hommes iniques, pour ceux qu'ils renversent et foulent aux pieds, contre les maîtres pour les esclaves, contre les tyrans pour la liberté ; que tes armes soient bénies, jeune soldat ! » Par contre, ces lignes suscitent l'indignation des autorités ecclésiastiques et le pape a condamné ce livre « peu considérable par son volume, mais immense par sa perversité ». C'est ainsi que le petit abbé breton, qui, il y a dix ans, faisait figure de défenseur de la papauté et du catholicisme le plus intransigeant, a résolu de se tourner vers les idées républicaines et de rompre avec une Eglise insensible à la misère des ouvriers et à l'écrasement de la liberté des peuples.

L'abbé Félicité de Lamennais. Peinture de P. Guérin.

De l'amour filial à la déchéance chez "Le Père Goriot"

Paris, septembre 1834

Eugène de Rastignac, jeune étudiant désargenté, découvre les turpitudes de la vie parisienne sous la Restauration. Logé dans la misérable pension Vauquer de la rue du Mont-Sainte-Geneviève, il est ébloui par le luxe du faubourg Saint-Germain. Goriot vit, abandonné des siens dans cette pension sordide. Cet ancien vermicellier s'est dépouillé de tous ses biens pour assurer à ses filles, la comtesse de Beauséant et la baronne de Nuncingen, une position élevée. Légères et égoïstes, celles-ci renient leur passé populaire jusqu'à laisser mourir leur père dans la déchéance complète et dans l'indifférence. Rastignac assiste à la chute lamentable du Père Goriot, dont il accompagne le corps au Père-Lachaise, et se jure de conquérir la brillante société parisienne : « A nous deux maintenant ! » Le roman de Balzac, véritable tableau de mœurs, décrit sans complaisance la dureté et l'ambition qui sévissent à Paris. Goriot, aveuglé par sa tendresse paternelle, y a tout perdu.

Mickiewicz, poète du patriotisme polonais

Paris, 1834

Le poète Adam Mickiewicz (né en 1798 en Lituanie), auteur d'une *Ode à la jeunesse*, galvanise l'élan révolutionnaire du peuple polonais. Exilé en France, il exalte les poètes de l'époque de Kosciuszko, composant à la gloire de celui-ci *Messire Thadée*. Tadeusz Kosciuszko, auréolé de prestige en raison de ses nombreux combats pour la liberté, a dirigé l'insurrection de Varsovie, Cracovie et Wilnius. Le poète célèbre la bravoure des masses paysannes et des soldats armés de faux qui, emportés par l'enthousiasme de Kosciuszko, devaient remporter la victoire de Raclawia. Sur son chemin d'exil, qui, après Moscou, Weimar où il se lie avec Goethe, Rome et Paris, le conduit à Dresde, Mickiewicz écoute les récits de l'insurrection de Varsovie. Composant la dernière partie des *Aïeux*, il dépeint alors la souffrance du peuple, insistant sur les persécutions dont les associations patriotiques font l'objet. Dans *Le Livre de la nation et des pèlerins polonais*, publié en 1832, il affirme sa foi dans la résurrection de la Patrie, qu'il appelle le « Christ des nations ». A partir de 1840, Mickiewicz, nommé au Collège de France, enseignera la littérature polonaise, dotée selon lui d'un rôle messianique. Frappé de choléra, il mourra à Constantinople en 1855.

"La Dame de pique" de Pouchkine

Saint-Pétersbourg, 1834

Pouchkine réalise là une fusion inimitable entre rêve, folie et réalité. Se souvenant des *Contes* d'Hoffmann, il nous fait partager l'obsession d'un jeune homme pauvre qui veut arracher à une vieille comtesse le secret qui lui permet de gagner au jeu. S'étant introduit chez elle de nuit, il provoque sa mort sans avoir pu la faire avouer. Mais son spectre lui parle et lui indique trois cartes. Croyant avoir pris un as, c'est une dame de pique qui lui échoit. Il en perd la raison. Dans sa brièveté même, ce récit est un chef-d'œuvre d'écriture.

Alexandre Sergueïevitch Pouchkine.

Agitation républicaine à Lyon et à Paris

Avril 1834

Le gouvernement, par la loi du 10 avril, porte atteinte au droit d'association afin de contenir l'opposition républicaine au régime. Cette loi soumet les associations de plus de vingt membres à l'autorisation du gouvernement et à son contrôle. Pour protester contre cette mesure qui frappe les sociétés de secours mutuels, les ouvriers de Lyon se révoltent pendant trois jours (10-12 avril). A Paris, Thiers charge le général Bugeaud de réduire les barricades proches de l'Hôtel de Ville. Le massacre de la rue Transnonain, où des habitants sont tués dans leur sommeil, vaudra à Bugeaud la haine du peuple parisien.

Rue Transnonain, le 14 avril 1834. Lithographie d'Honoré Daumier.

1835

Paris, 12 février
Première de *Chatterton* d'Alfred de Vigny au Théâtre-Français. En cette même année, il publiera *Servitude et Grandeur militaire.* →

Finlande, 28 février
Publication du *Kalevala.* →

Vienne, 2 mars
Mort de l'empereur d'Autriche, François Ier. Son fils Ferdinand Ier lui succède, mais, incapable de régner seul, il est assisté d'un Conseil de régence dominé et paralysé par les personnalités opposées de Metternich et du comte Franz von Kolowrat-Liebsteinsky.

Empire ottoman, 24 mars
Le sultan accorde à l'Angleterre « la liberté entière pour le commerce de la soie en Syrie », une disposition que Muhammad-Ali, pacha d'Egypte, refuse d'appliquer.

Belgique, 5 mai
Inauguration de la ligne Bruxelles-Malines, premier trajet pour voyageurs en Europe continentale.

Etats-Unis, 6 mai
James Gordon Benett fonde le *New York Herald.* →

Algérie, 28 mai
Abd el-Kader attaque et bat les troupes françaises dans le défilé de la Macta. En juin, Louis-Philippe Ier nomme Clauzel gouverneur-général.

Paris, 26 juin
Le corps du peintre Jean-Antoine Gros est retrouvé dans la Seine.

France, 9 juillet
La ligne de chemin de fer Saint-Etienne-Lyon s'ouvre pour la première fois au trafic de voyageurs.

Paris, 28 juillet
Le Corse Fieschi, aidé de deux complices, lance une bombe contre le roi Louis-Philippe, causant la mort de dix-huit personnes dont le maréchal Mortier. →

Angleterre, 9 septembre
Adoption d'une nouvelle loi municipale.

Italie, 26 septembre
Le compositeur Donizetti présente son opéra *Lucia di Lammermoor.*

France, septembre
Le gouvernement, afin de combattre les idées républicaines édicte plusieurs lois renforçant les procédures de justice et réprimant plus sévèrement les délits de presse.

Paris, 27 octobre
Victor Hugo fait paraître ses *Chants du crépuscule.*

Mexique, 7 novembre
Le Texas, où vivent plusieurs dizaines de milliers d'Américains, décide de faire sécession provoquant la guerre contre le président mexicain Santa Anna.

Bavière, 7 décembre
La première ligne de chemin de fer allemande Nuremberg-Fürth est désormais gérée en régie privée.

Angleterre
Robert Peel est remplacé par Lord Melbourne au poste de Premier ministre.

Argentine
Le gouverneur de Buenos-Aires, Juan Manuel de Rosas, se fait attribuer des pouvoirs dictatoriaux et commence à régner par la terreur.

Allemagne
Le médecin et poète Georg Büchner publie un drame tiré de la Révolution française, la *Mort de Danton*. En compagnie d'un professeur de latin, Friedrich Weidig (1791-1837), il avait publié en juillet 1834 un tract révolutionnaire destiné à connaître un grand succès et intitulé *Le Courrier Hessois*.

France
Alfred de Musset écrit *La Nuit de mai* (→) et publie sa *Confession d'un enfant du siècle.*

Russie
Nicolas Gogol fait paraître son *Journal d'un fou*, dont l'inspiration relève étroitement du romantisme allemand.

Allemagne
Le théologien et écrivain David Strauss (1808-1874) publie la *Vie de Jésus* qui suscite une violente attaque des autorités religieuses et qui lui vaut des poursuites judiciaires. Il y interprète le Nouveau Testament comme le produit d'un esprit communautaire chrétien et non comme une révélation divine.

France
Création de l'Agence Havas. →

L'attentat à la bombe de Joseph Fieschi, à Paris, le 28 juillet 1835. Aquarelle du prince de Joinville. Collection du comte de Paris.

Louis-Philippe échappe à l'attentat de Fieschi

Paris, 28 juillet 1835
Le roi Louis-Philippe a échappé à un nouvel attentat, boulevard du Temple, alors qu'il passait en revue les gardes nationaux. Cet attentat à la bombe a fait 18 victimes (dont le maréchal Mortier) et 22 blessés. Son auteur, Joseph Fieschi, avait servi quelque temps d'agent provocateur dans la police, avant d'organiser son action avec deux amis républicains. Condamné à mort avec eux par la Chambre des pairs, il sera décapité. Le gouvernement profite de l'occasion pour adopter en septembre, des lois destinées à étouffer l'opposition républicaine. Préparées par Adolphe Thiers, ministre de l'Intérieur, elles restreignent la liberté de la presse en punissant l'offense au roi et les attaques contre la forme du régime (il est ainsi interdit de s'affirmer républicain). De plus on institue la censure sur les dessins et les gravures.

Charles Havas fonde à Paris la première agence de presse

Paris, 1835
Charles Havas prend la direction à Paris d'un petit bureau de traduction de journaux étrangers, pour en communiquer - par abonnement mensuel - les principaux articles à la presse de Paris et aux ambassades. Charles Havas, pour attirer l'attention publique sur son agence, aura une idée de génie : il créera, en 1840, un service d'été régulier par pigeons voyageurs entre Londres, Bruxelles et Paris. Les pigeons mettront en moyenne six heures pour franchir la distance qui sépare Londres de Paris. Havas saura ensuite utiliser le chemin de fer et la télégraphie électrique pour développer son agence qui, en 1850, aura un correspondant à demeure dans toutes les capitales d'Europe.

Parution au Caire de l'édition complète des "Mille et Une Nuits"

Le Caire, 1835
Il n'est pas étonnant que dès l'introduction de l'imprimerie (1821), on ait pensé à publier cette œuvre collective et monumentale. Cette édition dite « de Boulac » est considérée comme la plus complète, en même temps que la plus riche en expressions authentiquement arabes. Plusieurs versions de ce chef-d'œuvre avaient précédemment circulé, tant en Egypte que dans d'autres pays. Toutefois, ces versions ne concordaient pas entre elles. Les rédactions antérieures à l'édition de Boulac étaient influencées par leur lieu d'origine. Bien que la nouvelle édition se ressente, elle aussi, de sa rédaction égyptienne, elle présente l'avantage de fixer une fois pour toutes les récits du recueil ainsi que leur forme. Elle finira d'ailleurs par être admise comme la version complète et définitive d'une œuvre dont Balzac dira qu'il rêve de manquer de mémoire afin d'éprouver, à chaque relecture, une volupté nouvelle.

Page de titre des « Mille et Une Nuits », recueil de contes arabes.

Alfred de Vigny rend hommage au poète anglais Chatterton

Paris, 12 février 1835
La première représentation de *Chatterton*, drame en trois actes et en prose de Vigny, a ému le public et en particulier la jeunesse intellectuelle. L'auteur a porté à la scène un thème qui lui est cher et qu'il avait déjà développé dans les trois nouvelles de *Stello* (1832) : les poètes sont des parias de la société. Contre un monde matérialiste qui étouffe l'esprit, il défend la poésie avec toute la fougue d'une passion romantique. Pour exposer le « drame de la pensée », Vigny se sert de l'exemple du poète anglais Chatterton qui avait été acculé au suicide par une monarchie constitutionnelle et bourgeoise méprisant les poètes comme des inutiles. Mais, il n'hésite pas à déformer quelque peu la vérité historique : du vrai Chatterton, pamphlétaire compromis, il fait le symbole de la pureté poétique, tandis que le Lord-Maire Beckford, qui était en réalité un hom-

Le jeune Alfred de Vigny en uniforme. Peinture du XIXe siècle. Détail.

me éclairé, devient l'incarnation de l'odieuse société mercantile. Dans la pièce, ayant reçu un article de critique qui conteste l'authenticité de ses œuvres, le poète s'empoisonne après avoir brûlé tous ses manuscrits. Kitty Bell, la femme de son riche logeur, l'aimait en secret et meurt de douleur. Ce rôle féminin fut créé par l'actrice Marie Dorval (1798-1849), alors maîtresse d'Alfred de Vigny.

Les mélodies neuves et vibrantes de Robert Schumann

Allemagne, 1835
Le pianiste et compositeur Robert Schumann (né à Zwickau en 1810,) compose les *Etudes symphoniques,* (opus 13), variations très séduisantes et personnalisées. Le musicien s'y révèle déjà le romantique dont l'inspiration se nourrira du rêve, de la fantaisie, du contact étroit avec la nature, mais aussi de l'enfance, des sentiments, de la vie intérieure. C'est au cours de l'année 1840 que Schumann trouvera avec la composition de *lieder* son plein épanouissement : 136 œuvres verront le jour, inspirées des poésies de Heine, Rückert, Goethe, Schiller, telles les *Liederkreis,* (opus 24), *Myrtes* (opus 25), *L'amour et la vie d'une femme* (opus 42), et *Les amours du poète* (opus 48). Le piano y crée une atmosphère singulière à chaque fois, sur laquelle, docile aux

Robert Schumann. Vers 1840.

inflexions de l'âme, réalisant une parfaite fusion avec les sonorités, viendra se fondre la voix. Robert Schumann écrira de nombreux recueils de mélodies et divers oratorios et opéras, dont *Genoveva* (1848), avant de mourir à Endenich, le 29 juillet 1856.

Le merveilleux dans les contes d'Andersen

Danemark, 1835
Le poète Hans Christian Andersen (né à Odense en 1805), publie un premier recueil de *Contes pour enfants,* d'une fantaisie étincelante, sur le modèle de récits populaires entendus dans son enfance. L'auteur transpose, dans un style raffiné, des légendes ou des sagas, emprunte à des sources littéraires, ou laisse vagabonder son imagination féconde, ouverte aux souffles de la nature. Andersen affectionne les décors de fleurs et de plantes, créant des per-

sonnages tantôt fleurs tantôt plantes, comme dans *La Pâquerette* ou *Le Dernier Rêve du vieux chêne*. D'autres fois, ce sont les animaux ou les objets qui servent de tremplin à la fantaisie du poète, ainsi dans *Le Vilain Petit Canard* ou *L'Inébranlable Soldat de plomb*. Les contes constituent à bien des égards un reflet de la vie d'Andersen, comme *Le Porcher* ou *L'Ombre*. « Ma vie est un beau conte » constatera l'auteur dans un ouvrage autobiographique publié de 1866 à 1869, et il ajoutera : « L'histoire de ma vie enseignera au monde ce qu'elle m'a enseigné à moi-même. » Andersen mourra à Copenhague en 1875.

L'Américain Gordon Bennett fonde le "New York Herald"

New York, 6 mai 1835
Le journaliste d'origine écossaise James Gordon Bennett (né en 1795) arrivé en Amérique en 1819, lance avec un capital de cinq cent dollars un journal de quatre pages au prix modique d'un penny dont il est à la fois le directeur, le propriétaire et le seul vendeur. Mais un succès immédiat vient pallier cette faiblesse initiale.

Bennett fait un journal qui tranche avec la presse américaine, trop politisée à son goût. Il opte pour un journalisme qui ne doit pas instruire mais surprendre dans sa recherche des nouvelles. Il est le premier en Amérique à publier un article sur les cours de la Bourse de Wall Street le 6 juin, et ses reportages sur l'incendie de New York en décembre achèvent de lui assurer une clientèle parmi les couches populaires et les nouveaux immigrants. En un an le *New York Herald* se vend à quarante mille exemplaires.

Les Boers quittent Le Cap et commencent le "Grand Trek"

Afrique australe, 1835
Depuis le mois de septembre 1834, plusieurs milliers de colons d'origine néerlandaise quittent les ports du Cap, de Port-Elizabeth et d'East London. Des colonnes de chariots bâchés où s'entassent femmes, enfants et matériel agricole, se dirigent vers

le nord pour s'installer le long des rives de l'Orange, du Vaal et même du Limpopo. Ils s'établissent sur des terres qu'ils prennent le plus souvent de force aux tribus noires. Cet exode fait suite à un profond désaccord avec la politique de l'administration anglaise : installation de cinq mille colons anglais en 1820, vérification des titres de propriété des terres afin de lever un impôt, et enfin abolition de l'esclavage depuis le 1er décembre 1834.

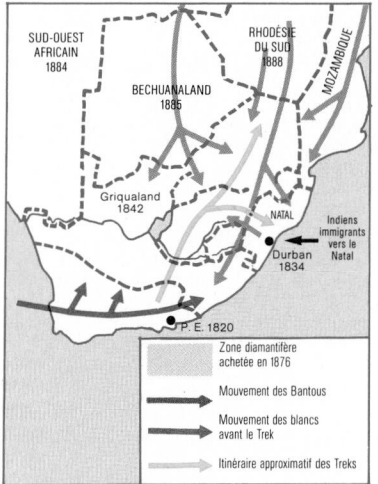

Andries Pretorius, un des chefs boers.

"Enfant du siècle", Alfred de Musset publie "La Nuit de mai"

Paris, mai 1835
Depuis sa rupture avec George Sand, deux mois auparavant, Musset n'a rien écrit. Puis, soudain, dans un élan d'enthousiasme créateur, il rédige son poème *La Nuit de mai* en deux nuits et un jour. Encore très jeune (il est né en 1810), Musset commence à évoquer le problème du rôle de la souffrance dans la création poétique et dans la vie. Il poursuivra l'expression de son lyrisme personnel dans les autres *Nuits* et livrera son cœur dans le roman autobiographique *La Confession d'un enfant du siècle*. Du dialogue entre la Muse tendrement maternelle et le Poète tourmenté par la souffrance, il apparaît que la création naît des moments de vive émotion et que la poésie se fonde sur la sincérité totale.

Avec le "Kalevala", les Finlandais disposent d'une épopée nationale

Finlande, 28 novembre 1835
L'écrivain Elias Lönnrot (né en 1802), médecin de district, recueille oralement, à travers les provinces, des chansons populaires, à partir desquelles il constitue un poème épique de plus de douze mille vers. Intitulé *Kalevala*, ce cycle raconte les exploits de trois héros du pays de Kaleva : le mage-chanteur Vainämöien, le forgeron Ilmarinen et l'aventurier-amoureux Lemminkäinen, prétendants d'une jeune fille de Pohjola, pays de l'extrême-nord. La quête du Sampo, objet magique et fabuleux, permettra seule d'obtenir la main de la jeune fille. Poursuivant sa recherche au cœur des légendes finlandaises, Lönnrot fera paraître, en 1849, le *Nouveau Kalevala*, constitué de 50 chants et plus de 22 000 mille vers.

1836

Algérie, 25 janvier
Le gouverneur-général Clauzel repousse Abd el-Kader des gorges de la Tafna. En mars, il occupera la ville de Mascara, sa capitale, mais il ne réussira pas à occuper le pays de manière permanente.

Paris, 15 février
Publication de *Jocelyn*, poème d'Alphonse de Lamartine.

Paris, 29 février
G. Meyerbeer présente son opéra *Les Huguenots*.

Texas, 2 mars
Les Texans proclament leur indépendance tandis que, depuis le 24 février, 187 Américains soutiennent le siège de plus de 5 000 Mexicains au Fort Alamo. Ils seront massacrés à la fin du siège, le 6 mars. Parmi eux, le célèbre trappeur Davy Crockett. Les Texans infligeront une lourde défaite aux Mexicains le 21 avril à San Jacinto, où ils feront prisonnier le président Santa Anna.

Russie, 19 avril
Nicolas Gogol fait jouer son drame *Le Revizor*. →

Angleterre, 16 juin
Fondation de la London Working Men Association.

Paris, 1er juillet
Emile de Girardin fonde *La Presse*. →

Alfred de Musset publie dans *La Revue des Deux Mondes* sa pièce *Il ne faut jurer de rien*, petit chef-d'œuvre d'inspiration légère, plein de fraîcheur et de jeunesse, mettant en scène des personnages mondains empruntés à la société de son temps.

Algérie, 6 juillet
Le général Bugeaud, envoyé en Algérie, remporte une victoire sur les troupes d'Abd el-Kader au bord de la rivière Sikkak. Clauzel ne sait profiter de cet avantage et échoue dans son expédition vers l'est, devant Constantine, en novembre.

Strasbourg, 30 octobre
Le prince Louis-Napoléon Bonaparte, qui a pris contact avec des dirigeants de l'opposition de gauche et des militaires, essaie de soulever la garnison locale contre le régime, mais est arrêté. Mis au secret, il est grâcié par Louis-Philippe et banni en Amérique, pour laquelle il s'embarque le 21 novembre.

Autriche, 6 novembre
Mort à Görz, en exil, de Charles X, renversé en 1830 par les « Trois Glorieuses ».

Angleterre, 7 novembre
Un aéronaute anglais, Charles Green, quitte Londres à bord de la montgolfière *Royal Vauxhall*, traverse la Manche et atterrit près de Nassau, en Allemagne, au bout d'un voyage de 768 km réalisé en 18 heures.

France
Fondation de la Société Schneider au Creusot. →

Angleterre
Début d'une grave crise économique et financière qui durera jusqu'en 1839. →

Autriche
L'écrivain et homme politique croate Ljudevit Gaj fonde *La Gazette nationale illyrienne*. →

Allemagne
Georg Büchner écrit son *Woyzeck*. →

Etats-Unis d'Amérique
L'écrivain Ralph Waldo Emerson publie *Nature*.

Prague
L'écrivain Frantisek Palacky pose les bases de l'école historique tchèque en publiant son *Histoire de la Bohême* (en allemand) ; réécrite en tchèque, elle sera publiée en 1848 sous le titre *Histoire de la nation tchèque en Bohême et en Moravie*. →

Allemagne
Fondation de la ligue des Justes, qui fait suite à la ligue des Réprouvés créée en 1832 à Paris. Regroupant des apprentis et des compagnons, elle se donne pour but de libérer l'Allemagne de l'oppression et l'humanité de l'esclavage afin de réaliser les Droits de l'homme et du citoyen.

Angleterre
Par le *Locomotive Act,* le gouvernement limite la vitesse de tout véhicule à cinq miles à l'heure et oblige à le faire précéder d'un homme porteur d'un drapeau rouge.

Mort de l'ingénieur écossais John McAdam (né en 1756) qui inventa un revêtement pour les routes. Il imagina de leur donner un profil bombé pour faciliter le drainage et proposa de les revêtir de pierres concassées que des véhicules araseraient jusqu'à former une couche lisse et imperméable.

La crise favorise le libre-échange

Angleterre, 1836
La crise économique qui sévit relance le débat sur le libre-échange et l'abolition des *Corn Laws*. L'industrie anglaise, à la recherche de débouchés, n'a plus besoin de la protection de l'Etat. Les lois sur les céréales, adoptées en 1815, garantissent aux propriétaires et aux exploitants du sol un prix du grain suffisamment élevé pour leur assurer de bons revenus, et les protègent contre la concurrence étrangère par des droits de douane élevés. Un tel système avantage les producteurs fonciers au détriment de la masse des salariés des villes et des campagnes, mécontente de ces lois qui maintiennent le pain cher. Un puissant mouvement réunit industriels, radicaux et masses populaires, et réclame la liberté des échanges. Sous l'impulsion d'un grand fabricant de cotonnades, Richard Cobden et d'un orateur radical, John Bright, une campagne d'opinion avec propagande écrite et puissants meetings se développe à partir de 1837, sous la devise « paix, économies, libre-échange ».

Vue des puits Saint-Pierre et Saint-Paul, houillères du Creusot.

Les frères Schneider fondent leur propre société au Creusot

Le Creusot, décembre 1836
Eugène Schneider (né en 1805) poursuit son ascension professionnelle par l'acquisition avec son frère Adolphe des usines métallurgiques du Creusot proches de la faillite. Ils fondent une société en commandite par actions, dont ils sont les gérants et qui porte le nom de « Schneider frères et Cie ». Energiques et entreprenants ils s'adaptent au marché de la construction mécanique, qui est en pleine expansion grâce au développement des chemins de fer. Dès 1838, ils produisent la première locomotive construite en France, puis des bateaux à moteur pour les canaux de la Saône et du Rhône. A partir de 1842, ils construisent des éléments pour les premiers paquebots français. En dix ans, l'usine multiplie par 7 sa production d'acier et de fer. Le Creusot deviendra le centre de l'activité métallurgique de transformation du pays et Eugène Schneider, un personnage clef du Second Empire.

Succès de "La Vie pour le tsar" de Glinka

Saint-Pétersbourg, 9 décembre 1836
Le compositeur Mikhaïl Glinka (né en 1804) fait représenter son premier opéra *La Vie pour le tsar,* qui connaît un vif succès en raison de son inspiration patriotique. L'œuvre renvoie à des épisodes de la guerre russo-polonaise de 1633 et dépeint l'héroïsme du paysan Ivan Soussanine, sacrifiant sa vie pour le jeune tsar Michel Romanov. Les rythmes spécifiques de la chanson populaire russe, la riche couleur orchestrale, constituent une véritable recréation de la tradition musicale. Glinka produira encore maintes œuvres, dont *Rousslan et Ludmilla* (1842).

Pugin jette les bases du style néo-gothique

Londres, 1836
Augustus Pugin (né à Londres en 1812) est le maître et le doctrinaire du *gothic revival*. Il soutient qu'il ne suffit pas d'imiter l'architecture médiévale, mais que cette redécouverte doit s'accompagner d'une régénération morale et spirituelle du monde moderne, desséché par les excès du rationalisme. Il s'agit de retrouver avec les anciennes techniques, les formes de pensée qui ont fait la grandeur des siècles catholiques. Avec Sir Charles Barry, il travaille à la reconstruction, dans le style du gothique perpendiculaire, du palais de Westminster.

La bureaucratie russe vue par Nicolas Gogol

Saint-Pétersbourg, 19 avril 1836

Le même jour, la comédie en cinq actes de Gogol intitulée *Le Revizor* connaît sa première représentation et sort en librairie. Le thème de la pièce fut inspiré par Pouchkine qui, à l'automne 1835, avait raconté à Gogol l'aventure survenue au journaliste Paul Svinine en Bessarabie : il avait été pris pour un envoyé du gouvernement. Pour la plupart des spectateurs, *Le Revizor* n'est qu'une farce amusante, et malgré le grand succès remporté, l'effet n'est pas celui qu'escomptait l'auteur. Cependant, les milieux conservateurs accusent Gogol de saper les bases de la société, tandis que les courants libéraux le félicitent de ridiculiser des institutions pourries. A l'époque de l'absolutisme du tsar Nicolas Ier, l'inspecteur général (le revizor) en mission était le personnage le plus redouté, car il pouvait prendre de graves sanctions immédiates à l'encontre des fonctionnaires de l'administration provinciale. Dans la pièce, l'annonce de son arrivée provoque une grande frayeur parmi les notables de la région, qui sont tous corrompus et vont rivaliser d'ardeur pour recueillir les faveurs d'un imposteur. A la suite de cette satire sociale contre la bureaucratie, Gogol fera des séjours fréquents à l'étranger. Lors de la première, le tsar aurait dit : « Tout le monde en a eu pour sa part, et moi un peu plus que les autres. »

L'écrivain russe Nicolas Gogol. Dessin du peintre ukrainien Tarass G. Chevtchenko.

"Woyzeck", drame de la fatalité

Allemagne, 1836

Georg Büchner (né en 1813), auteur de la *Mort de Danton,* est tout juste âgé de vingt-trois ans lorsqu'il compose *Woyzeck.* Le personnage central en est le soldat Woyzeck, meurtrier de sa femme Maria, qui le trompe avec le don juan du régiment. Obsédé par son crime, Woyzeck finit par se noyer, poussé par une fatalité aveugle, impuissant à surmonter la douleur qui l'habite. Büchner concentre dans son personnage tout le désarroi affectif du peuple, découvrant l'hypocrisie de la morale bourgeoise, mais révélant aussi le nihilisme sous-jacent en chaque individu. Le lyrisme sombre de la pièce, la succession de courts tableaux, en feront l'exemple même du théâtre expressionniste. Büchner mourra à Zurich en 1837, laissant une œuvre posthume : *Léonce et Léna.*

Le poète allemand Georg Büchner (1813-1837), auteur du personnage célèbre Woyzeck.

Emile de Girardin lance "La Presse"

Paris, 1er juillet 1836

De nombreux journaux apparaissent sous le règne de Louis-Philippe malgré des lois encore strictes. La censure s'exerce sur les dessins. Toute offense au Roi et toute pensée républicaine exprimée subissent une sévère répression. Le 1er juillet 1836 est marqué par la naissance de deux périodiques : *Le Siècle,* lancé par Dutacq, et *La Presse,* plus loyaliste. Cette dernière publication est due à Emile de Girardin (1806-1881), homme politique et publiciste, qui a déjà favorisé la naissance de journaux à succès. Les progrès techniques d'impression et de communication facilitent sa tentative. Il s'appuie sur les annonces publicitaires, dont les tarifs sont proportionnés au tirage, pour réduire de moitié le prix de vente. L'abonnement s'élève dorénavant à 40 francs au lieu de 80 francs. De 10 000 exemplaires tirés en 1836, *La Presse* passe rapidement à plus de 22 000 en 1845. Plus de la moitié du tirage est diffusé hors de Paris. De tendance dynastique, bien que reflétant les idées personnelles de son créateur, *La Presse* contribue à développer le goût de la polémique politique. Girardin emploie un personnel compétent. Théophile Gautier est plus particulièrement chargé de la critique littéraire, tandis que Delphine de Girardin, l'épouse du directeur, s'occupe brillamment de la rubrique des spectacles. Traduisant le plus souvent les aspirations de la bourgeoisie, *La Presse,* joue un rôle non négligeable dans la vie politique.

L'écrivain Ljudevit Gaj fixe les règles du serbo-croate

Zagreb, 1836

Ardent partisan de l'unité des Slaves du Sud, l'érudit Ljudevit Gaj a pris d'importantes initiatives en ce sens. Sa revue littéraire *Danica ilirska* ne sera plus rédigée dans le dialecte de Zagreb, compris des seuls Croates, mais dans une langue accessible également aux Serbes. C'est l'alphabet latin qui est utilisé, mais enrichi d'un système de transcription phonétique, dont Gaj avait posé les bases dans ses savants travaux sur l'orthographe des langues slaves du sud-est de l'Europe. En fait, les préoccupations de Gaj ne se limitent pas aux problèmes linguistiques et littéraires. Pour lui, renaissance culturelle et « réveil » politique sont étroitement liés : c'est ce qu'il explique dans le retentissant « manifeste de l'illyrisme » publié dans sa revue. Les Slaves du Sud doivent s'unir, se donner une identité commune, l'illyrisme, et mettre fin à la domination dont ils sont victimes.

Le Tchèque Palacky publie l'histoire de son pays

Prague, 1836

La publication du premier tome d'*Histoire de la Bohême* de Frantisek Palacky soulève un vif intérêt, en raison du rôle de son auteur dans le mouvement de renaissance de la culture tchèque. Il a notamment été l'un des initiateurs de la *Matice ceska,* cette fondation financée par des patriotes et qui se consacre à l'édition et à la diffusion de livres en langue tchèque. Ses activités lui ont d'ailleurs valu quelques tracasseries. Son œuvre historique, d'une grande érudition, est inspirée avant tout par un puissant sentiment national : exaltant les combats que les Tchèques ont dû livrer au long de leur histoire, il y voit la résistance d'un peuple épris de la liberté de conscience contre des forces brutales et obscurantistes. C'est ainsi qu'il voit dans les hussites l'âme de la nation tchèque. Son influence sur ses contemporains fut telle qu'on l'a surnommé « le père de la nation ».

François Rude. « La Marseillaise » (Le Départ des Volontaires en 1792). 1836.

François Rude sculpte "La Marseillaise"

Paris, 1836

François Rude achève de sculpter la frise en haut-relief qui doit orner un des piédroits de l'Arc de Triomphe de l'Etoile et que le gouvernement lui a commandé en 1832. Rude a voulu rappeler le souvenir de la première campagne victorieuse de la France révolutionnaire. Le titre initial était *Le Départ des Volontaires de 1792,* mais les premiers spectateurs la baptisèrent *La Marseillaise.* François Rude est né à Dijon en 1784 et il commença d'étudier la sculpture dans cette ville avant de venir s'installer à Paris. Grand Prix de Rome en 1812, son talent d'emblée reconnu, il s'exila volontairement à Bruxelles lors de la chute de l'Empire et ne rentra à Paris qu'en 1827. Formé à l'école académique, Rude fut d'abord un maître de la tradition classique, recherchant son inspiration dans l'imitation de la statuaire antique, comme en témoigne le *Mercure rattachant sa talonnière* exposé au Salon de 1828. Mais, peu à peu, il parvint à s'affranchir de l'étroitesse des canons néo-classiques et, sous l'influence du romantisme naissant, il se découvrit une force épique et un lyrisme, un sentiment nouveau de la vie, retenu et contraint jusqu'alors.

1837

Etats-Unis d'Amérique, 4 mars
Le sénateur démocrate de l'Etat de New York, ancien vice-président et conseiller d'Andrew Jackson, Martin Van Buren, élu président en novembre 1836, commence sa législature.

Algérie, 30 mai
Signature du traité de la Tafna avec Abd el-Kader. →

Etats-Unis, mai
La crise financière aboutit à la suspension de la conversion des billets de banque. →

Angleterre, 20 juin
A la mort de son oncle Guillaume III, la princesse Victoria (née en 1819) devient reine de Grande-Bretagne et d'Irlande.

Angleterre, juillet
L'Union politique de Birmingham, dirigée par le banquier et député Thomas Attwood, organise une manifestation rassemblant cinquante mille personnes favorables à un programme politique de réformes réclamant notamment le suffrage universel. A la fin de l'année, l'Union alignera son programme sur celui de la *London Workers Men Association* (Association des Travailleurs londoniens).

France, 24 août
Inauguration de la ligne de chemin de fer Paris-Saint-Germain-en-Laye. Le 26, la ligne sera concédée pour 99 ans à une société privée. →

Russie, 10 octobre
Inauguration de la première ligne de chemin de fer entre Saint-Pétersbourg et Tsarskoïe-Selo.

Algérie, 13 octobre,
Prise de la ville de Constantine par le général Valée, qui assure la suzeraineté française sur la « province de Constantine ».

Sicile
Des émeutes ont lieu à Messine, Syracuse et Catane, dues à des rumeurs indiquant que le choléra, qui fait de nombreuses victimes, est propagé par des poudres vénéneuses distribuées par le gouvernement.

Suisse
Le révolutionnaire italien Giuseppe Mazzini est contraint de quitter le pays pour l'Angleterre, à cause de ses activités politiques. Il a, en effet, fondé à Zurich, en 1834, une organisation, la « Jeune-Europe », ayant pour but de libérer tous les peuples d'Europe de la tyrannie monarchique. En 1835, deux sections ont été fondées, la « Jeune-Suisse » et la « Jeune-Allemagne ». Bien que ces associations ne déploient qu'une activité idéologique et n'engagent aucune véritable action politique, elles inquiètent suffisamment les gouvernements européens pour qu'ils obtiennent l'expulsion de Mazzini.

Angleterre
Une première mesure favorable aux catholiques irlandais vient d'être obtenue par O'Connell : ils sont dispensés désormais de payer la dîme à l'Eglise anglicane.

Afghânistân
Les Anglais, venus des Indes, empêchent les Perses d'occuper la ville de Hérat et la région environnante.

Allemagne
Publications posthumes des *Leçons sur la philosophie de l'Histoire* de Hegel, et de l'essai de Clausewitz *De la guerre*.

Angleterre
Publication de l'*Histoire de la Révolution française* de Carlyle.

Etats-Unis
Les aventures d'Arthur Gordon Pym de Nantucket, récit d'Edgar Allan Poe.

France
Création d'une Commission des Monuments historiques de France.

Grandeur et décadence de César Birotteau de Balzac.

Les Voix intérieures, recueil de poèmes de Victor Hugo.

Le mathématicien Charles publie son *Aperçu historique* sur l'origine et le développement des méthodes en géométrie.

Allemagne
Le pédagogue Friedrich Fröbel, disciple de Pestalozzi, fonde à Bad Blankenburg, en Thuringe, le premier jardin d'enfants du monde. Ils seront interdits en 1851 en tant qu'« expression athée et démagogique » mettant en cause la cellule familiale, avant d'être finalement rétablis dix ans plus tard.

L'émeute du riz à Osaka ébranle le shôgunat

Osaka, 1837
Depuis quelques années les mauvaises récoltes aggravent la condition paysanne, rendue difficile par le taux élevé de la rente foncière. Les famines frappent de manière récurrente, entraînant émeutes paysannes et révoltes urbaines. En 1837, un lettré cultivé, administrateur de la police de la ville d'Osaka, Oshio Heihachiro, affligé par la misère du peuple, excédé par l'incompétence et la morgue des responsables, prend la tête d'une insurrection, pour la « correction des injustices », à laquelle se joignent bientôt paysans pauvres et parias. Oshio veut faire le siège des greniers pour opérer des distributions gratuites de riz ; mais la foule pille et incendie les maisons des usuriers et des accapareurs. Une partie des insurgés s'enivre. La répression est immédiate. A Osaka, Oshio doit se suicider, ses complices sont suppliciés. Pourtant, les troubles s'étendent et gagnent d'autres provinces. Si l'insurrection d'Oshio fut un fiasco complet, elle n'en eut pas moins un grand retentissement dans tout le pays. En 1837, on dénombre trente-six insurrections, et une moyenne de vingt-cinq par an jusqu'en 1867, date à laquelle le régime shôgunal s'effondre.

Scène paysanne vue par Andô Hiroshige (1797-1853). Vue de Shônô (1833).

Le "Paris-Saint-Germain-en-Laye" est inauguré

France, 24 août 1837
Devant une assistance nombreuse, le départ officiel de la première rame de chemin de fer transportant des voyageurs a été donné. Parmi eux on notait la présence de la reine Amélie, femme de Louis-Philippe, et de l'héritier du trône. La ligne Paris-Saint-Germain-en-Laye fait dix-huit kilomètres de long et s'arrête au terminus en gare du Pecq. Le train comporte trois classes de voitures, dont seule la troisième est découverte et sans banquettes. Cette ligne commanditée par les banquiers Péreire et Rothschild a nécessité un investissement de seize millions de francs. En effet, l'Etat cède une concession à des entrepreneurs pour une durée de 99 ans. Auparavant, le gouvernement n'avait autorisé que des lignes fort modestes, en province, dans les bassins houillers. Le gouvernement tente de se forger une politique ferroviaire afin de rattraper le niveau atteint par le chemin de fer dans d'autres pays. En 1840, la France ne comptera que 400 km contre 2 000 en Angleterre.

Locomotive et wagon du premier « Paris-Saint-Germain-en-Laye », ligne de 18 km, inaugurée le 24 août 1837.

Abd el-Kader signe un traité avec la France

Tafna, 30 mai 1837
La victoire remportée par les Français à la Sikkak, le 6 juillet 1836, n'ayant pu être exploitée, Bugeaud est dans l'obligation de négocier avec Abd el-Kader. Le traité de Tafna étend le domaine de ce dernier jusqu'aux confins du beylicat de Constantine, mais il instaure un malentendu explosif. Bugeaud y voit une limitation restrictive du royaume arabe et une acceptation par Abd el-Kader de la souveraineté française sur l'autre partie du territoire algérien, ce qui, pour Abd el-Kader, n'est certainement pas le cas. Dès l'année précédente, dans une lettre aux juristes de Fès, il avait d'ailleurs évoqué la « patrie algérienne ». Aussi, lorsqu'en octobre 1837 Bugeaud occupera la ville de Constantine, Abd el-Kader verra dans cette action une rupture. Déjà, le traité signé le 26 février 1834 entre les Français et Abd el-Kader n'avait pas résisté à la même contradiction, la logique nationale d'Abd el-Kader pouvant, à la rigueur, fermer les yeux sur la présence française, mais ne pouvant en aucun cas accepter un quelconque partage. La contradiction entre les deux logiques, la française et l'algérienne, est donc totale. Inévitablement, la guerre reprendra plus âpre et plus sanglante que jamais.

Samuel Morse réalise la première démonstration de son télégraphe

Etats-Unis, 1837
Contemporain de nombreuses recherches sur le télégraphe électrique, Samuel Morse s'intéresse à ce problème depuis 1832, mais ne parvient guère à susciter l'intérêt. En 1837, il fait les premières démonstrations de son appareil, qui se compose d'un électro-aimant, dont l'armature porte un stylet inscripteur qui laisse des marques longues ou brèves sur le papier. Ce premier mode d'inscription n'est pas encore satisfaisant et Morse adoptera pour la première ligne qui joint Washington à Baltimore (le 24 mai 1844) une tige de métal arrondie qui gaufre le papier. Cette invention repose sur deux idées simples. Exécuter des signaux avec un engin mécanique dont chaque mouvement, en fermant un circuit électrique, doit provoquer dans l'appareil récepteur des mouvements identiques. Etablir un code de signaux composé de deux éléments, un signal bref et un signal long, dont la combinaison, quatre par quatre, suffit à transcrire tout l'alphabet. Dès 1845, ce système connut un développement rapide aux Etats-Unis et en Europe.

L'appareil télégraphique inventé par Samuel Morse. 1837.

Alexandre Pouchkine meurt lors d'un duel

Saint-Pétersbourg, 29 janvier 1837
A l'automne 1836, la belle et jeune femme de Pouchkine est l'objet des assiduités d'un émigré français de vingt-quatre ans, Georges d'Anthès, fils adoptif du ministre des Pays-Bas en Russie, le baron de Heeckeren. Après un duel évité de justesse, Pouchkine somme ce dernier de mettre fin aux « agissements » et au « manège » de son chenapan de fils et demande réparation. Le duel, cette fois, a lieu le 27 janvier : blessé au ventre, l'écrivain va agoniser pendant trois jours. Sa mort est ressentie comme un deuil national : cinquante mille personnes, de toutes conditions, défilent devant son cercueil. Dramaturge (*Boris Godounov*), romancier (*La Fille du capitaine*), historien, critique, Pouchkine a eu une influence considérable en tant que poète lyrique et épique. La plus importante de ses œuvres, *Eugène Onéguine*, compose un tableau de la vie russe. Mais ce qui en fait, avant tout, le prix, c'est l'extrême concision et la pureté même du langage, sa grande musicalité.

Dessin d'Alexandre Pouchkine illustrant une scène d'« Eugène Onéguine ». Vers 1824.

Révolte des Canadiens français guidés par Louis-Joseph Papineau

Canada, 1837
Les Canadiens français ont pris les armes contre les autorités britanniques. Déjà, au début de l'automne, les affrontements s'étaient multipliés, à Montréal, entre les « Fils de la Liberté » francophones et les loyalistes. Mais le mouvement a pris depuis la forme d'une véritable insurrection. Regroupés dans la vallée du Richelieu et au nord de Montréal, les rebelles ne disposaient cependant que de moyens bien limités. Après avoir réussi à repousser un assaut isolé, les insurgés n'ont pu résister aux forces régulières regroupées. Celles-ci ont pris Saint-Charles et Saint-Denis, puis ont marché vers Saint-Eustache que tenaient encore cinq mille patriotes. Malgré leur héroïsme, le 14 décembre tout était fini. Ainsi s'est achevée dans le sang une révolte insuffisamment préparée : Papineau, le chef du parti patriote, a d'ailleurs semblé quelque peu dé-

Louis-Joseph Papineau. Peinture anonyme.

bordé par les initiatives de certains de ses compagnons. Cette révolte apparaît pourtant comme un aboutissement du mouvement de revendication lancé par Papineau en février 1834, avec les célèbres « 92 résolutions » dans lesquelles l'aile radicale énumérait sur un ton très agressif l'ensemble de ses griefs contre l'administration anglaise. Maladresses politiques et récoltes désastreuses ont, alors, fait le reste.

Au Portugal, sacre du roi Ferdinand II

Lisbonne, 16 septembre 1837
Le duc Ferdinand de Saxe-Cobourg-Gotha vient d'être couronné roi, un an et demi après avoir épousé l'héritière légitime de la dynastie de Bragance, la reine Maria da Gloria. Neveu du roi des Belges et cousin de la reine Victoria, il a la réputation d'être respectueux de la Constitution et très conciliateur. Même s'il n'est en fait que prince consort et n'a donc aucun pouvoir institutionnel, il pourrait jouer un rôle modérateur appréciable dans le contexte portugais. En effet, il y a seulement deux ans qu'a pris fin la guerre civile causée par l'oncle de la reine, dom Miguel, qui s'appuyait sur les forces conservatrices du pays. Depuis, ce sont des libéraux de différentes tendances qui se succèdent au pouvoir dans des conditions mouvementées. Ce sont les plus radicaux d'entre eux qui sont actuellement au gouvernement : on les nomme « septembristes » car c'est en septembre 1836 qu'une révolte leur a permis de s'imposer. Mais leurs adversaires n'ont pas désarmé, comme le montre la récente tentative de coup d'Etat.

La reine du Portugal, Maria de Gloria, héritière des Bragance.

Quételet introduit la statistique dans les sciences sociales

Belgique, 1837
Après un séjour en France où Adolphe Quételet s'initie aux théories statistiques de Poisson et Fourier, il publie en 1837 un traité de statistiques. Il propose d'utiliser la loi des grands nombres pour étudier les phénomènes sociaux. Pour lui, « l'urne que nous interrogeons, c'est la nature ». Organisateur des premiers congrès scientifiques internationaux, Quételet fut, en outre, le fondateur de l'observatoire de Bruxelles.

Une crise financière ébranle l'économie américaine

Etats-Unis, mai 1837
A New York, la crise bancaire tourne à la panique. Devant la multiplication des faillites, des mesures de fermeture provisoire de guichets ont été prises. C'est dans l'Ouest que le mouvement avait commencé : le Président Jackson avait en effet décidé en juillet 1836 que l'achat des terres de l'Etat se ferait désormais en or ou en argent, ce qui avait provoqué une ruée des spéculateurs sur les banques pour changer leurs billets.

1838

Autriche, 6 janvier
Inauguration de la première ligne de chemin de fer reliant Vienne à Wagram via Florisdorf.

Angleterre, 8 mai
Meeting de Birmingham : naissance du mouvement chartiste. →

Canada, 28 mai
Arrivée de Lord Durham, nommé haut-commissaire et gouverneur général de l'Amérique du Nord britannique, chargé d'arbitrer le conflit entre anglophones et francophones. Il retourne en Angleterre au bout de cinq mois le 1er novembre. En 1839, il publie son rapport qui conseille de lutter contre l'élément français et de donner au Canada un gouvernement autonome responsable.

Allemagne, juillet-août
Lors de la convention de Dresde, l'Allemagne fait un pas vers l'unité monétaire. →

Empire ottoman, 16 août
La Sublime Porte signe un traité de commerce avec l'Angleterre qui prévoit l'abolition des monopoles commerciaux dans toute l'étendue de l'empire, y compris l'Egypte. Le pacha Muhammad-Ali, hostile à cette mesure, est contraint à la guerre.

Paris, 12 novembre
Première de la pièce en cinq actes de Victor Hugo *Ruy Blas.*.

Canada
Un rescapé de l'insurrection menée par Papineau, Robert Nelson, décide de continuer le combat armé jusqu'au bout et se proclame président de la République du Bas-Canada. Après avoir pris la ville de Napierville, dont il fait sa capitale provisoire, il est contraint à fuir sous la pression de l'armée anglaise de John Colborne.

Italie
Les corps expéditionnaires français et autrichiens quittent respectivement les villes d'Ancône et de Bologne qui font partie des territoires pontificaux, où ils avaient été appelés en 1832 pour garantir l'ordre.

Guatemala
Fin du gouvernement de Mariano Galvez, inauguré en 1831, et qui a appliqué des « réformes libérales ». Depuis 1837, le pays est touché par une épidémie de choléra et doit faire face, en outre, à une insurrection indienne dirigée par Rafael Carrera, qui prendra le pouvoir en 1839.

Allemagne
Le physicien Gauss (1777-1855) mesure les actions magnétiques (→).

Le botaniste Mathias Jacob Schleiden (1804-1881) définit la structure cellulaire des végétaux.

France
Jacques Daguerre (1787-1851) invente un procédé de reproduction photographique, le daguerréotype, dont le principe avait été découvert et expérimenté par son associé Joseph Nicéphore Niepce (1765-1833). →

Le paléontologue Boucher de Perthes découvre dans les environs d'Abbeville des instruments de silex grossièrement taillés : il jette les bases de la préhistoire.

Le naturaliste Etienne Geoffroy Saint-Hilaire publie les *Notions synthétiques de philosophie naturelle*.

Belgique
Le romancier d'expression flamande Hendrik Conscience (1812-1883) publie *Le Lion de Flandre*. →

Etats-Unis d'Amérique
L'Américain David Bruce (1802-1892) construit la première machine automatique à fondre les caractères d'imprimerie, à raison de cent caractères à l'heure.

Allemagne
Depuis 1837, une dispute oppose partisans et adversaires des mariages mixtes entre catholiques et protestants. Admis, depuis 1820, par une convention secrète entre le roi de Prusse et l'archevêque de Cologne, le mariage mixte est dénoncé par le nouvel archevêque : le roi de Prusse le fait interner.

Japon
Fondation de la secte Tenri.

Ile de Majorque
Frédéric Chopin compose ses *Préludes* pendant l'hiver 1838-1839 où il réside à Palma en compagnie de George Sand. Par la diversité de leur écriture et la richesse de leurs couleurs, ces préludes sont l'une des œuvres les plus profondes et les plus spontanées du musicien. Il les publiera en 1839 avec une dédicace au facteur de piano Camille Pleyel, ami du compositeur.

L'Antarctique convoitée par l'Europe

Antarctique, février-mars 1838
La première reconnaissance de l'Antarctique est réalisée par le Britannique Weddell qui pénètre en 1823 jusqu'au 74e degré sud. Louis-Philippe, passionné de géographie, met sur pied une expédition scientifique conduite par Jules Dumont d'Urville. Ce grand navigateur, qui a déjà accompli des explorations sur les côtes de Nouvelle-Zélande, soumet au roi un plan d'études des terres australes. On ajoute à *l'Astrolabe* le navire *la Zélée* sous les ordres de l'amiral Jacquinot. De nombreux savants, dont un hydrographe et un phrénologue, se joignent à l'expédition. En 1837, les navires quittent la France pour un voyage pénible. Dumont d'Urville tente de forcer la route du Pôle, mais reste bloqué par les glaces en mer de Weddell dans les premiers jours de février 1838. Finalement, il découvre le 5 mars les terres Louis-Philippe et l'île de Joinville. Obligé de s'arrêter au Chili pour soigner son équipage atteint du scorbut, il ne rentre en France qu'en 1840. Sa tentative est suivie de celle de l'américain Wilkes en 1839, et de celle de l'anglais Ross en 1842. Cette émulation prouve assez l'intérêt d'une pareille conquête.

« *L'Astrolabe* » et « *La Zélée* », les deux navires de l'expédition de Dumont d'Urville dans les glaces de l'Antarctique. Février 1838.

L'Allemagne se donne une monnaie : le mark

Dresde, 30 juillet 1838
Depuis la fondation de l'Union douanière allemande en 1834, les contacts entre les différents Etats allemands se poursuivent afin de se donner une unité monétaire commune. Le 30 juillet, s'ouvre enfin une « Convention monétaire générale » à Dresde, en Saxe, regroupant les membres signataires du Zollverein auxquels se sont joints en 1836 le Grand-duché de Bade, le Duché de Nassau et la ville de Francfort, afin de simplifier le change des monnaies en Allemagne. Sous la dénomination commune de *mark*, de nombreuses monnaies de valeurs différentes ont cours dans les différents pays, compliquant ainsi des relations financières et bancaires de plus en plus importantes. La convention décide d'adopter comme unité commune le mark dit de Cologne (233,8 g), subdivisé en 16 schillings de 12 pfennigs chacun. Toutefois, même si cette mesure n'est que provisoire, le mark de Cologne sera en vigueur jusqu'en 1857 dans le cadre du Zollverein, et en 1858 en Autriche, avant que ne soit fondé, au moment de la proclamation de l'Empire allemand, le Reichsmark en 1870.

L'Allemand Gauss mesure le magnétisme

Allemagne, 1838
A partir d'une collaboration avec le physicien W. Weber, le mathématicien Karl Gauss définit le champ magnétique terrestre en valeur absolue. Il a publié de 1797 à 1827 des travaux fondamentaux en mathématique sur le calcul des objets abstraits, les groupes, la notion d'espace et surtout sur l'étude des séries. Mathématicien hors pair, il travaille aussi sur l'électricité et publie la première théorie du potentiel en 1839.

"Le Lion de Flandre" d'Hendrik Conscience

Belgique, 1838
L'écrivain flamand Hendrik Conscience (né à Anvers en 1812) publie *Le Lion de Flandre*, une œuvre qui constitue le premier exemple de roman historique flamand en raison du récit de la bataille « des Eperons d'or », en 1302, qui vit les communes de Flandre l'emporter sur l'armée du roi de France Philippe IV le Bel. Le souffle épique de l'auteur, qui mourra à Bruxelles en 1883, se retrouvera dans le roman *Jacob Van Artevelde*.

L'un des premiers daguerréotypes. Vue du boulevard du Temple à Paris. 1839.

L'invention de la photographie

Paris, 1838

La mise au point de la photographie s'appuie sur deux séries de recherches : chimiques et optiques. Associé à Nicéphore Niepce en 1829, Louis Daguerre profite des acquis dans ces domaines et crée un procédé permettant, après une pose de quinze à trente minutes, de fixer une image sur une plaque de cuivre argentée et de la fixer ensuite, en la traitant avec de l'iode, du sel marin et du mercure. Le daguerréotype est né en 1838. Immédiatement, il connaît le succès. Il met, en effet, le portrait à la portée de la petite bourgeoisie. En 1839, on fait des daguerréotypes des rues de Paris, des monuments historiques, de levures microscopiques et même du soleil. Mais, en plus de la longueur du temps de pose qu'elle implique, l'invention de Daguerre a l'inconvénient majeur de fournir une image en positif qui ne peut pas être reproduite. En 1840, en Grande-Bretagne, Talbot découvrira un procédé pour fixer une image négative sur un papier léger et sensible. Ceci lui permettra de publier, dès 1844, le premier livre illustré de photographies. Cette découverte remplace vite le daguerréotype qui fut abandonné vers 1860.

L'appareil utilisé par Louis Daguerre en 1839.

Bourdon invente le marteau-pilon

France, 1838

De retour des Etats-Unis, Bourdon imagine un marteau à vapeur. En 1838, il réalise un modèle réduit dont les essais séduisent les frères Schneider qui le feront construire au Creusot en 1841. Ce marteau-pilon a une masse de 2 500 kg tombant de deux mètres. Composé de quatre montants de fonte et surmonté d'une plaque sur laquelle repose le cylindre à vapeur, il peut usiner les grosses pièces.

Début du chartisme en Angleterre

Angleterre, 8 mai 1838

La Charte du Peuple, publiée le 8 mai, est un programme de démocratie avancée, établi sous l'impulsion de William Lovett qui a fondé, il y a deux ans, « l'Association des travailleurs londoniens » et de Henry Hetherington, tous deux ouvriers qualifiés. Cette Charte du Peuple (d'où le nom donné au mouvement) réclame le suffrage universel masculin, le scrutin secret, le renouvellement annuel du Parlement, une indemnité parlementaire pour les députés, la suppression du cens pour être éligible, un découpage équitable des circonscriptions électorales. L'adhésion des masses prolétariennes donne au chartisme une impulsion décisive, le ton devient révolutionnaire. La colère s'empare des ouvriers : la réforme électorale de 1832, au seul bénéfice des classes dirigeantes les a déçus ; la crise économique fait peser sur eux le double danger du chômage et de la disette ; l'application de la nouvelle loi des Pauvres, adoptée en 1834, déchaîne leur fureur et leur indignation. Le mouvement chartiste reflète les conditions nouvelles de l'ère industrielle : il s'agit pour lui de libérer les « classes utiles », les travailleurs, de l'asservissement auquel les condamnent les « classes stériles », l'aristocratie et la bourgeoisie. Mais les leaders du mouvement sont divisés. Si Lovett, partisan de la « force morale », préconise l'emploi exclusif des moyens constitutionnels pour attirer l'attention parlementaire, l'Irlandais O'Connor, partisan de la « force physique », envisage le recours à la violence. Très vite considéré comme le principal leader aux yeux des masses, O'Connor met sur pied un journal, le *Northern Star,* qui acquiert une immense audience en tirant bientôt à cinquante mille exemplaires. L'agitation atteindra son point culminant en 1839, lors de la Convention de Londres, où s'affronteront modérés et extrémistes.

Manifestation organisée par le mouvement chartiste à Kennington-Common, le 10 avril 1848. Gravure d'époque.

Les "Préludes" de Chopin

Paris, 1838

Le compositeur Frédéric Chopin (né en Pologne en 1810) séduit les milieux aristocratiques par son talent raffiné de pianiste et publie des pièces lyriques, de forme très libre, *Nocturnes, Impromptus,* ou *Préludes.* Les *Préludes* (opus 28), constitués de vingt-quatre morceaux, composés à Majorque aux côtés de George Sand, expriment des sentiments, rêves ou passions, confiés en toute spontanéité au clavier. Une émotion subtile, faite de tendresse mélancolique ou de révolte, y côtoie des moments de sérénité ou de majestueuse gravité. La diversité d'écriture de ces courtes pièces, leur richesse harmonique propre à faire vibrer l'âme en ses tréfonds, révèlent un musicien affranchi de toute préoccupation formelle de genre ou d'école. Chopin se fixera bientôt à Nohant avec George Sand, où il connaîtra une période de création intense. Sa santé fragile s'étant altérée, Chopin devra s'aliter. Et c'est à trente-neuf ans qu'il mourra.

Frédéric Chopin. L'unique photographie connue du compositeur.

1839

France, 2 février
La Chambre est dissoute par le roi après que le Premier ministre, le comte Molé, a offert sa démission à la suite d'un vote « pas assez favorable », une coalition des principaux chefs parlementaires, Odilon Barrot, Dupin, Guizot et Thiers ayant décidé de se débarrasser de lui.

France, 2 mars
La coalition triomphe aux élections à la Chambre, obtenant deux cent quarante voix contre vingt aux partisans de Molé. Le roi appelle Soult pour former un ministère, qui démissionnera le 1er mars 1840.

France, 25 mars
Le poète Alphonse de Lamartine publie *Les Recueillements*.

Londres, 19 avril
Le traité signé entre les grandes puissances européennes règle définitivement la question belge en entérinant le statu quo.

France, 12-13 mai
Insurrection blanquiste à Paris. →

Chine
Le gouverneur Lin Zexu prend des mesures contre les importations d'opium, qui aggravent le conflit avec les Anglais. →

Empire ottoman, 24 juin
Le sultan Mahmud II lance une offensive contre Muhammad-Ali, pacha d'Egypte : il est écrasé à Nezib. Après sa mort, les puissances européennes imposent à la Sublime Porte leur médiation le 27 juillet.

Empire ottoman, 1er juillet
A la mort de Mahmud II, son fils Mahmud Abdül-Medjid lui succède.

Espagne, 31 août
La Convention de Vergara met fin à la guerre carliste. →

Empire ottoman, 3 novembre
Le sultan Mahmud Abdül-Medjid promulgue une Charte impériale, la « Tanzimât », qui affirme l'égalité de tous les citoyens de l'empire, garantit la liberté et la propriété individuelle et promet l'assainissement du système fiscal.

Algérie, 3 novembre
A la suite d'une expédition du général Valée en octobre sur le territoire d'Hamza, l'émir Abd el-Kader lance ses cavaliers contre les plantations de la Mitidja et reprend les hostilités contre la France.

Paris, 24 novembre
Le compositeur Hector Berlioz fait jouer son opéra *Roméo et Juliette*.

Russie
Le tsar Nicolas Ier réalise l'union de l'Eglise uniate de Ruthénie avec l'Eglise russe.

Une expédition militaire russe en Asie centrale échoue dans la conquête de la ville oasis de Khiva.

France
Le théoricien républicain Louis Blanc publie un essai sur *L'organisation du travail*, et fonde *La Revue du progrès*.

Parution de *La Chartreuse de Parme* de Stendhal. →

Le philosophe Ravaisson-Mollien publie son essai *De l'habitude*.

Agricol Perdiguier publie le *Livre du compagnonnage*. →

Angleterre
Le peintre Turner présente à la Royal Academy cinq huiles, dont *Le Vaisseau de ligne « Le Téméraire » remorqué à son dernier mouillage pour y être démoli*.

Etats-Unis d'Amérique
L'Américain Charles Page, professeur à Washington, construit la première locomotive électrique qui est expérimentée sur le réseau de la compagnie *Baltimore & Ohio Railroad*.

Charles Goodyear (1800-1860) découvre la vulcanisation du caoutchouc.

Angleterre
William Cooke (1806-1879) et Charles Wheatstone (1802-1875) installent le premier télégraphe commercial entre Paddington et West Drayton, sur la ligne de chemin de fer du « Grand-Ouest ».

Allemagne
Le libraire et éditeur de Leipzig, Karl Baedeker, commence à publier des guides de voyage pour l'Europe, puis l'Amérique et le monde entier.

Afghânistân
Les Anglais s'attaquent à l'émir de Kaboul, Dust Muhammad Khan.

Louis Blanqui prépare le soulèvement de la "Société des Saisons"

Paris, 12 mai 1839
Louis Blanqui, théoricien de la révolution et praticien de l'insurrection, pense que la prise de pouvoir ne peut être le fait que d'une petite minorité. La démission du ministère Molé le 8 mars se conjuguant avec des difficultés économiques, Blanqui, fondateur de la « Société des Saisons », pense que l'occasion est favorable pour se soulever contre la monarchie de Juillet. S'occupant des moindres détails, il fixe avec ses deux complices Barbès et Bernard la date de l'insurrection au 12 mai, car ce jour-là les courses au Champ-de-Mars attireront une partie de la police et les hauts fonctionnaires. Des conditions idéales pour une attaque surprise des insurgés, qui pourront s'emparer des points clés de Paris. Après la prise de l'Hôtel de Ville, le 12 mai dans l'après-midi, les « saisons », privés du soutien populaire escompté, se trouvent vite isolés et les combats cessent le 13. Blanqui, arrêté, sera condamné à mort, avant de voir sa peine commuée en déportation à vie au Mont-Saint-Michel.

Portrait de Louis Blanqui. Vers 1835.

La convention de Vergara met fin à la guerre carliste

Vergara, 31 août 1839
Minée par ses divisions internes, l'armée carliste cède devant l'offensive que le général Espartero a déclenchée depuis le mois d'avril. Se méfiant de don Carlos, des fanatiques religieux et du général Maroto, des officiers se mettent en rapport avec les troupes de la reine régente Marie-Christine et passent un compromis (reconnaissance de leurs grades pour entrer au service de la reine ; maintien des *fueros* : droits pour les Basques et les Navarrais). Maroto est alors obligé de signer une convention avec Espartero, tandis que le reste des carlistes est chassé en France, avec don Carlos et sa suite (14 septembre).

Agricol Perdiguier, ouvrier compagnon du Tour de France

Paris, 1839
Agricol Perdiguier, compagnon menuisier, dit « Avignonnais la Vertu », publie le *Livre du compagnonnage*. Cet ouvrage s'inscrit dans le grand projet conçu par l'auteur : réconcilier les compagnons de trois rites adverses. Les compagnons doivent être unis pour mieux défendre l'exceptionnelle qualification qu'ils ont acquise au cours de leur tour de France. Le premier tour de France d'A. Perdiguier, entrepris en 1824, a duré quatre ans et demi. Dans chaque ville, Agricol a logé chez la « mère », à la fois aubergiste et surveillante des mœurs ; le « rouleur », chargé de faire embaucher « l'arrivant », lui a trouvé du travail. Après s'être ainsi perfectionné dans le métier, Agricol a regagné Paris. Il travaille le jour dans un atelier, le soir donne des cours de dessin ; le reste du temps, il lit et écrit. Après la publication de son ouvrage, Agricol commencera un second tour de France, moins pour perfectionner sa technique que pour répandre ses idées.

Agricol Perdiguier. Lithographie. Bibliothèque nationale, Paris.

Les Anglais achètent et occupent le port d'Aden

Aden, septembre 1839
Ayant amené l'émir d'Aden à lui céder son territoire pour le prix de 1 500 livres, la Compagnie des Indes y fait immédiatement débarquer un détachement militaire. Le gouvernement de Londres informe Muhammad-Ali de ce nouveau « fait diplomatique », en soulignant les conséquences militaires qui découleraient d'une éventuelle « agression » égyptienne.

Lin Zexu s'oppose aux Anglais sur la question de l'opium

Canton, mai-juin 1839
Lin Zexu, envoyé de l'empereur Dao Guang, fait saisir et détruire l'opium. Dès la fin du XVIIIe siècle, et en dépit des interdictions du gouvernement chinois, les partisans d'une réglementation stricte des entrées s'opposent aux partisans d'une prohibition totale. Ces derniers l'emportent en 1839 : l'empereur Dao Guang nom-me haut commissaire impérial au Guandong un fonctionnaire honnête, Lin Zexu. Il arrive à Canton le 10 mars, nanti de pouvoirs exceptionnels pour rétablir l'ordre. Très vite, il donne ordre aux étrangers de remettre aux mains des autorités chinoises tout l'opium qui se trouve en leur possession. 20 291 caisses sont livrées, et leur destruction commence le 3 juin. Dès le 24 mai, les Anglais avaient quitté la ville. L'opium détruit, Lin Zexu rouvre le commerce. Mais après cet affront, la guerre est inévitable.

Le navire britannique « Nemesis » coulant plusieurs jonques chinoises lors de la guerre de l'opium.

"La Chartreuse de Parme", chef-d'œuvre né en deux mois

Paris, 1839
En l'espace de deux années, Stendhal publie *Les Mémoires d'un touriste* (1838), *Les Chroniques italiennes* (1839) et *La Chartreuse de Parme*, qui sera le dernier roman publié de son vivant. Le héros du récit, Fabrice del Dongo, jeune aristocrate milanais, après s'être engagé par pur idéalisme dans les armées napoléoniennes au moment de la campagne de Waterloo, s'en revient en Italie. Victime à la cour du duc de Parme des manœuvres des ennemis du Premier ministre Mosca et de sa tante, la duchesse Sanseverina, dont il est le protégé, il est, sous un mauvais prétexte, jeté en prison dans la tour Farnèse. Durant ces mois de captivité, il va s'éprendre de Clélia Conti, la fille du gouverneur de la forteresse. Avec l'aide de la Sanseverina, il réussira à s'évader. Bien que Clélia ait été obligée de se marier, Fabrice finira par la rejoindre après une autre incarcération, dont il est une nouvelle fois libéré grâce à la Sanseverina. Mais la mort de leur petit enfant pousse Clélia à la tombe et, renvoyant toutes les dignités (il était devenu un prédicateur célèbre), Fabrice se retire à la Chartreuse de Parme malgré l'amour que lui porte la belle Sanseverina. Roman historique et politique, la *Chartreuse* est d'abord le roman de la passion : Stendhal a donné là une œuvre où l'action se confond avec les mouvements du cœur.

L'armée d'Abd el-Kader marche sur Alger

Algérie, 1839
L'occupation par les Français de Constantine est considérée par Abd el-Kader comme une rupture du traité de Tafna (1837). Aussi, l'expédition menée par le maréchal Valée pour relier Constantine à Alger à travers des territoires qui relèvent directement de la souveraineté d'Abd el-Kader (passage des Portes de Fer) est considérée par ce dernier comme un acte de guerre. Les combats reprennent. Cette fois, dans la Mitidja, non loin d'Alger. Les Français connaissent une période difficile qui les incite à tenter « d'en finir ». En décembre 1840, Bugeaud sera nommé gouverneur général de l'Algérie avec, pour mission, de pacifier l'ensemble du pays. Pour cela, il lui faudra cent mille hommes. Il lui faudra également mener une guerre inexpiable, faite de razzias systématiques et de dévastations méthodiques. Après une longue « mise à l'écart », la France venait de rallier le concert européen. Elle pouvait se permettre d'agir fortement et à sa guise.

Le Japon féodal s'engage dans les réformes

Japon, 1835-1845
Au moment où des révoltes populaires couvent dans les campagnes japonaises et que les samouraïs s'appauvrissent sous les effets de la hausse des prix, le shôgunat tente de réagir en lançant un train de réformes qui va dans le sens d'un durcissement du pouvoir. Comme les précédentes tentatives du XVIIIe siècle, ces réformes dites de Tempô, cherchent à lutter contre le luxe et le relâchement des mœurs rendus responsables des misères du temps. Le shôgunat édicte des mesures pour le retour aux anciennes coutumes. Des mesures économiques sont prises pour lutter contre l'inflation liée à la spéculation. Les syndicats de marchands grossistes qui monopolisaient le commerce urbain sont dissous. Le gouvernement favorise la liberté du commerce et autorise les petits marchands des campagnes à venir vendre en ville. Cependant, dès 1843, les réformes sont stoppées dans les territoires du shôgun, mais, dans les fiefs qui bénéficient d'une autonomie importante, des réformes plus radicales sont poursuivies. Les finances sont consolidées, les hommes de talent promus aux postes clés, les armées modernisées.

Lermontov décrit un héros de son temps

Russie, 1839
Le poète Mikhaïl Lermontov (né à Moscou en 1814), officier des hussards de la Garde à Saint-Pétersbourg, publie cinq nouvelles sous le titre *Un héros de notre temps*. Le personnage principal de ces récits, Petchorine, tantôt protagoniste tantôt narrateur, enlève pour la délaisser ensuite, dans le récit *Bela*, la fille d'un prince tatar. Dans *Taman*, Petchorine démasque une jeune contrebandière qui tentera par la suite de le tuer. Le récit *Le Fataliste*, dernier de l'œuvre, est dépourvu d'intrigue et tend à montrer l'homme soumis sans recours à la fatalité. L'ouvrage met en lumière, par touches successives, une personnalité tourmentée, dominée par les passions, Petchorine se confondant avec Lermontov lui-même sous plus d'un aspect. L'auteur, qui a déjà composé *Le Novice* et *Le Chant du marchand Kalachnikov*, poursuivra son œuvre par des poèmes autobiographiques, tel *Le Démon*, très remarqué pour ses qualités narratives. Alors qu'il est en garnison dans le Caucase, le grand poète Lermontov sera tué en duel le 27 juillet 1841.

Le poète Mikhaïl Lermontov. 1841. Aquarelle de K.A. Gorbounov.

Echec de la Chartre à Londres

Londres, juillet 1839
La pétition, portant plus d'un million de signatures, préparée par la Convention chartiste, est rejetée par la Chambre des communes. La « Convention », déçue, se sépare sans avoir décidé ni l'insurrection ni la grève générale. De son côté, le gouvernement passe à l'action et fait procéder à l'arrestation de plusieurs chefs chartistes et de centaines de militants locaux. A la fin de l'année seulement, des mineurs gallois, conduits par John Frost, se soulèveront et tenteront de s'emparer de Newport. Mais, vite dispersés par les troupes, ils seront emprisonnés.

Le mouvement chartiste anglais caricaturé par le dessinateur Cham.

1840

Canada, 10 février
Signature de l'Acte d'union. →

Angleterre, 10 février
Mariage à Londres de la reine Victoria avec le prince Albert de Saxe-Cobourg-Gotha (1819-1861).

France, 1er mars
A la suite d'une crise ministérielle provoquée par le refus de la Chambre d'attribuer une dotation au duc de Nemours, le ministère Soult démissionne. Il est remplacé par une équipe menée par Adolphe Thiers.

Grande-Bretagne, 6 mai
Emission du premier timbre-poste. →

Prusse, 7 juin
A la mort de Frédéric-Guillaume III, son fils Frédéric-Guillaume IV lui succède. Attendu par les libéraux pour sa réputation de « romantique », il les décevra vite et subira l'influence d'une camarilla conservatrice et efficace.

Empire ottoman, 15 juillet
Le traité de Londres scelle la défaite diplomatique de l'Egypte et de la France. →

Boulogne, 6 août
Louis-Napoléon Bonaparte tente un nouveau coup d'Etat. →

Empire ottoman, 6 octobre
Les troupes de la Quadruple-Alliance occupent le littoral syro-palestinien afin de couper la route de l'Asie Mineure à Muhammad-Ali. Le 4 novembre, la flotte anglaise bombarde les ports de Beyrouth et de Saint-Jean-d'Acre.

Pays-Bas, 10 octobre
A la suite de l'abdication de son père Guillaume Ier qui refuse de se soumettre aux règles constitutionnelles, Guillaume II lui succède.

France, 29 octobre
Adolphe Thiers démissionne à la suite du traité de Londres. Il est remplacé par Soult et Guizot, ambassadeur à Londres depuis le mois de mars.

Prusse, 4 décembre
L'armée adopte la cartouche mise au point vers 1836-1837 par l'armurier Nicolas Dreyse (1787-1867) et qui combine les étapes de l'amorce, de la charge et du projectile.

France, 15 décembre
Retour des cendres de Napoléon Ier à Paris. →

Algérie, 29 décembre
Le général Bugeaud est nommé gouverneur général.

Grande-Bretagne
L'armateur anglo-canadien Samuel Cunard fonde la première ligne régulière de navires à vapeur reliant Liverpool à Boston et New York.

Océan Indien
La France annexe l'île de Mayotte dans l'archipel des Comores et le port de Nossi-Bé.

Chine
Le mandarin Lin Zexu est révoqué à la suite des succès anglais le long des côtes du Guandong. La guerre de l'opium se poursuit.

Nouvelle-Zélande
Les Anglais s'installent dans l'archipel.

France
L'essayiste Alexis de Tocqueville publie *De la démocratie en Amérique*, ouvrage d'une pénétrante analyse qui le rend célèbre.

Les socialistes Proudhon et Paul Cabet publient respectivement *Qu'est-ce que la propriété ?* et *Le Voyage en Icarie*. →

L'historien Augustin Thierry fait paraître ses *Récits des temps mérovingiens*, tableau évocateur de la Gaule au VIe siècle.

Prosper Mérimée publie le roman *Colomba*.

Victor Hugo publie *Les Rayons et les Ombres*, recueil poétique contenant quelques-unes de ses pièces les plus célèbres, telles *Ocano Nox* et la *Tristesse d'Olympio*.

Le sculpteur Antoine-Louis Barye réalise le *Lion en marche de la colonne de Juillet*, pour la place de la Bastille à Paris.

Adam Mickiewicz est nommé professeur au Collège de France (chaire des littératures slaves).

Allemagne
Le chimiste Justus von Liebig publie *La chimie organique appliquée à l'agriculture et à la physiologie*, ouvrage qui fait de son auteur un des fondateurs de la chimie agricole.

Soutien européen aux Turcs

Londres, 15 juillet 1840
L'Angleterre, la Russie, l'Autriche et la Prusse signent le « traité de Londres ». Par cet accord, les gouvernements de la Quadruple-Alliance s'engagent à unir leurs efforts pour amener le vice-roi d'Egypte, Muhammad-Ali, à souscrire à l'acte séparé de la convention qui déterminait ses rapports avec la Porte et les limites des provinces qu'on voulait bien lui concéder. S'il s'y refusait, on devait user, « à la requisition du sultan », de tous les moyens de coercition. Et si le vice-roi osait « se diriger sur Constantinople », par mer ou par terre, les alliés « se rendraient à l'invitation du sultan » pour mettre les détroits du Bosphore et des Dardanelles à l'abri de toute attaque. En attendant, un blocus sévère de l'Egypte devait lui interdire toute communication, par mer, avec la Syrie. Le traité de Londres est l'aboutissement de la politique de Palmerston, menée depuis 1833, avec une constance sans faille, alors que la politique franco-égyptienne manquait de cohésion. La politique personnelle de Louis-Philippe était, en effet, tantôt égyptienne, ou encore s'efforçait de garder la balance entre ces deux positions, alors que tous les ambassadeurs de France étaient fermement anti-égyptiens et partisans d'une politique pro-ottomane. De son côté, la politique menée par Muhammad-Ali était incertaine et aventureuse. Lord Palmerston, lui, savait ce qu'il voulait. Et ce qu'il voulait, il le voulait en exclusivité. Il n'entendait partager les routes de l'Empire avec personne.

Vue des faubourgs d'Istanbul, capitale de l'empire ottoman : la muraille byzantine. 1852. Lithographie de Gaspare Fossati.

Proudhon veut allier science et liberté

Besançon, juin 1840
Né dans cette ville en 1809 et issu d'une famille ouvrière, Pierre-Joseph Proudhon entre dans l'activité politique en présentant son mémoire *Qu'est-ce que la propriété ?* Cet ouvrage le rend immédiatement célèbre avec la formule des premières pages qui est toujours citée : « La propriété, c'est le vol. » Mais cette formule ne résume nullement la pensée de l'auteur. En effet, s'il s'élève contre le droit à un revenu sans travail, toute forme de propriété ne lui apparaît pas pour autant comme le produit d'un vol. Au contraire, partant de ses lectures scientifiques sur le monde naturel et de son observation de la réalité sociale, il pense que le pluralisme est synonyme de liberté.

Portrait de Proudhon en 1853 avec ses enfants. 1865. Peinture de Gustave Courbet. Petit Palais, Paris.

Des timbres pour affranchir le courrier

Angleterre, 1840

Rowland Hill réforme l'organisation du système postal britannique. Pour abaisser le prix de transport des lettres, Rowland Hill invente le timbre-poste, en vente dans les bureaux de poste, payé à un prix uniforme, quelle que soit la distance, et collé sur la lettre. Ces timbres-poste sont de un « penny » pour une lettre de 14 grammes. Le *penny post*, payable d'avance, connaît rapidement un grand succès. L'expédition du courrier est désormais bon marché et aussi mieux organisée. Cette réforme bénéficie du développement des chemins de fer. Elle sera adoptée par

« One Penny » et « Two Pence » : l'Angleterre met en circulation les premiers timbres. C'est un succès.

les pays du monde entier, à commencer par la Suisse et le Brésil dès 1843.

Mort de Paganini, violoniste virtuose

Nice, 27 mai 1840

Le violoniste et compositeur Niccolo Paganini (né à Gênes en 1782), vient de mourir. Sa virtuosité spectaculaire, suscitant un véritable envoûtement, avait enthousiasmé l'Europe toute entière. En effet, Paganini se jouait des difficultés les plus acrobatiques du violon, si bien que ses dons étaient jugés comme étant « surnaturels ». Sa silhouette méphistophélique et le halo de mystère dont il s'entourait autorisaient la légende d'un pacte noué avec le diable. Paganini ne se séparait jamais de son violon *Guarnerius del Gesu*, cadeau d'un négociant subjugué par l'art du musicien.

Portrait de Niccolo Paganini. Sa virtuosité lui valut d'être surnommé le « violoniste du diable ».

Viollet-le-Duc restaure les œuvres du passé

France, 1840

« Restaurer un édifice, écrit E. Viollet-le-Duc, ce n'est pas le réparer ou le refaire, c'est le rétablir dans un état complet qui peut n'avoir jamais existé à un moment donné. » En 1840, choisi par Mérimée inspecteur des monuments historiques, il restaure la Madeleine de Vézelay. C'est l'un des tous premiers édifices qu'a restauré Viollet-le-Duc. Son action se porta principalement sur la façade ; il intervint en particulier sur le portail central du narthex où, grâce à ses soins, purent être sauvées les fameuses sculptures du tympan représentant le *Jugement dernier*, un des chefs-d'œuvre représentatif de l'art roman bourguignon. Son intervention se fait également sentir dans la nef, dont la grandiose perspective et l'appareil sont renforcés par l'utilisation, conforme à l'esprit de l'édifice, de pierres blanches et brunes dans la reconstruction des arcs doubleaux. C'est en 1849 qu'il commencera les chantiers de la cité de Carcassonne et de la cathédrale d'Amiens. Son travail s'accompagne toujours de relevés archéologiques et de dessins minutieux.

La basilique de la Madeleine à Vézelay. Elle a été restaurée de 1840 à 1861 par Viollet-le-Duc qui la sauva de la ruine.

Le coup d'Etat manqué de Louis-Napoléon

Boulogne, 6 août

Louis-Napoléon Bonaparte, neveu de l'Empereur (son père Louis Bonaparte était le frère de Napoléon Ier), a tenté un coup de main sur Boulogne. Rapidement arrêté, il est condamné par la Chambre des pairs à la détention perpétuelle au fort de Ham. Louis-Napoléon voulait profiter de l'intense émotion suscitée par le récent transfert des cendres de son oncle pour renverser le régime en place, en débarquant à Boulogne, haut-lieu de la légende napoléonienne. Encore un échec pour celui qui avait déjà essayé en 1836 de soulever la garnison de Strasbourg contre la monarchie de Juillet. Depuis la mort du duc de Reichstadt en 1832, Louis-Napoléon Bonaparte se considère comme le véritable chef dynastique des Bonaparte. Même si les idées napoléoniennes connaissent un regain de vigueur, l'opposition bonapartiste, faute d'un parti organisé, ne peut cependant mettre en péril le régime de Louis-Philippe.

Les Anglais accordent l'autonomie au Canada

Canada, 23 juillet 1840

La loi instituant l'Union législative du Haut et du Bas-Canada a obtenu la sanction royale, après avoir été votée par le Parlement. Elle est inspirée du rapport de Lord Durham qui avait été envoyé par Londres après les révoltes de 1837. Elle reprend ses vues sur le sort des francophones qu'il souhaite angliciser. L'anglais devient la seule langue officielle et le Haut-Canada, bien que moins peuplé, se voit attribuer le même nombre de députés que le Bas-Canada. Mais cette loi ouvre aussi la voie à une évolution du Canada vers l'autonomie. En effet, même si le gouverneur, nommé par le roi, conserve un rôle majeur, l'exécutif est confié à un conseil de huit députés choisis par lui, et s'ils ne sont pas responsables devant l'Assemblée, celle-ci dispose de larges prérogatives.

Etienne Cabet publie son "Voyage en Icarie"

Paris, 1840

Né à Dijon en 1788, Etienne Cabet s'affilia au mouvement carbonariste. Il fonda le journal *Le Populaire* dans lequel il attaqua les ministères Thiers et Guizot. Contraint de s'exiler en Angleterre, il en revient gagné aux idées de l'utopiste Robert Owen. C'est alors qu'il publie son plus célèbre ouvrage où il raconte un pays imaginaire dont les habitants vivent en régime communautaire parfait. Toutes les sources de conflit entre les hommes ont été taries : instruction complète pour tous les enfants ; inexistence de la propriété privée ; réduction du gouvernement aux tâches de pure administration matérielle ; égalité absolue des sexes ; tolérance religieuse ; justice rendue par des assemblées populaires, etc. Refusant d'utiliser la violence pour rompre avec l'ordre social existant, Etienne Cabet tentera de mettre en pratique ses théories idéales. Ayant acheté des terrains aux Etats-Unis, il y créera une communauté avec ses disciples. Ce sera un échec et il mourra en 1851.

Retour des cendres de Napoléon

Cherbourg, 30 novembre 1840

Pour se concilier les bonapartistes, Louis-Philippe fait voter, en mai 1840, le retour en France des restes de Napoléon. Partie le 7 juillet, la frégate *La Belle-Poule* revient mouiller au port de Cherbourg le 30 novembre. Des obsèques solennelles sont organisées à Paris et les cendres sont transférées aux Invalides le 15 décembre. Son tombeau devient un lieu de pèlerinage.

Le retour des cendres de Napoléon, le 15 décembre 1840. Le passage du cortège sur le pont de la Concorde à Paris. Lithographie.

1841

France, 7 janvier
Après trois échecs qui l'affectèrent profondément, Victor Hugo est élu à l'Académie française.

Chine, 29 janvier
Des navires anglais occupent l'île chinoise de Hong Kong. Les attaques anglaises se poursuivent sur les côtes de la Chine, à Amoy, Ningbo et Shanghaï, pour y imposer le commerce de l'opium.

France, 21 mars
La Chambre adopte une loi limitant le travail des enfants dans l'industrie. →

Empire ottoman, 13 juillet
La convention de Londres sur les détroits des Dardanelles interdit le passage des navires de guerre non turcs. →

Allemagne, 26 août
Le poète de tendance libérale-démocrate Hoffmann von Fallersleben (1798-1874) compose le *Deutschlandlied*, qui, mis en musique sur une mélodie de Joseph Haydn, sera publié le 4 septembre et deviendra l'hymne national allemand en 1922.

Europe, 19 septembre
La première liaison européenne par voie de chemin de fer est réalisée entre Strasbourg et Bâle.

Afghânistân
Les troupes anglaises commandées par Lord Auckland subissent un désastre devant les armées de l'émir de Kaboul Dûst Muhammad. →

Prusse
Publication par Friedrich List du *Système national d'économie politique.* →

Saxe
L'architecte Gottfried Semper construit l'Opéra de Dresde. →

Allemagne
Le philosophe Ludwig Feuerbach (1804-1872) publie *L'Essence du christianisme.* →

Allemagne
Le philosophe Arthur Schopenhauer publie *Les Deux Problèmes fondamentaux de l'éthique*

Thomas Carlyle publie son livre sur *Les Héros et le Culte des héros* : les périodes sans héros, ni figures légendaires sont de tristes périodes de scepticisme et de décadence. Les héros de Carlyle sont Odin, Mahomet, Dante et Shakespeare, Luther et Knox, Johnson, Rousseau et Burns, Cromwell et Napoléon.

Grande-Bretagne
Fondation du journal satirique *The Punch.* →

Italie
Le compositeur italien Gioacchino Rossini compose son *Stabat Mater*.

Grande-Bretagne
James Prescott Joule énonce les lois sur le dégagement de chaleur produit par le passage d'un courant électrique dans un conducteur. →

Création de la *National Charter Association* (Association nationale de la Charte), qui se propose de relancer les revendications politiques ouvrières après la défaite de 1840. Fondée sur la Charte du Peuple, elle affirme que seuls les moyens pacifiques seront désormais utilisés pour aboutir à son application. Elle connaît un grand succès et regroupe à la fin de l'année 282 filiales, qui en 1842 déclareront près de 50 000 membres.

Italie
Une insurrection à L'Aquila contre la domination du pape est sévèrement réprimée.

Angleterre
Fondation du syndicat des mineurs. →

Grande-Bretagne
Thomas Cook (1808-1892) ouvre une agence de voyages. →

Etats-Unis d'Amérique
Trente et un jours après sa prise de fonction, le nouveau président William Henry Harrison meurt et est remplacé par John Tyler.

Amérique Centrale
L'Etat de Salvador décide de se proclamer indépendant et met ainsi fin à la Confédération des Etats d'Amérique Centrale, fondée en 1823. Déjà, en 1838, le Nicaragua et le Costa-Rica s'en étaient retirés, suivis en 1839 du Guatemala et du Honduras.

Etats-Unis d'Amérique
La conquête de l'Ouest se poursuit : une colonne de 130 colons a franchi la barrière des montagnes Rocheuses à South Pass et atteint Walla Walla dans l'Oregon après un périple d'environ 3 200 kilomètres.

Les mineurs anglais fondent leur syndicat

Grande-Bretagne, 1841
Le mouvement de syndicalisation gagne les mines. Pourtant, la classe ouvrière anglaise s'est déjà dotée d'organisations de métier. En 1805, les fabricants de brosses de Londres, puis les charpentiers de Preston en 1807, et enfin les tonneliers de la capitale en 1813 s'organisent pour obtenir des salaires plus élevés. L'essor du mouvement est facilité par les lois de 1824 qui autorisent les associations ouvrières grâce auxquelles, autour de 1830, des ouvriers des filatures, suivis l'année suivante de ceux du bâtiment, se regroupent. Quand en 1841, des mineurs forment la *Miners' Association of Great Britain and Ireland*, ils ont la tâche difficile pour mobiliser les deux cent mille travailleurs dont plus d'un quart a moins de vingt ans. Très minoritaire, le syndicat essaie de mêler pétitions et grèves. En mars 1844, il décidera de présenter des demandes de hausse de salaire aux propriétaires des mines. Mais la grève qui fera suite aux refus patronaux sera un échec et ruinera l'association qui cessera d'exister en 1850.

La houillère de Glyn Pit, mine de charbon du Pays de Galles.

Lancement du journal satirique "The Punch"

Londres, 1841
Les journalistes Henry Mayhew (1812-1887) et Mark Lemon (1809-1870) ajoutent un nouveau titre à la presse anglaise, déjà fort puissante : *The Punch*. Ils ont donc choisi l'enseigne de Polichinelle (Punch est l'abréviation de Pulchinella, traduction anglaise du personnage de la commedia dell'arte italienne). Il s'agit d'un périodique satirique au sous-titre évocateur : *The London Charivari*. Rapidement, grâce au talent de ses dessinateurs et de ses caricaturistes, il se place en tête de la presse radicale anglaise. Maniant l'humour, *The Punch* s'attaque aux vices de la vie politique et sociale sans toutefois prendre un caractère partisan. Parmi ses collaborateurs les plus célèbres, on note l'écrivain William Thackeray (1811-1864) qui y publie sa série sur les snobs d'Angleterre, ainsi que le poète Thomas Hood (1799-1848), célèbre pour son humour noir. Mais ce sont les graphistes qui apporteront au journal toute sa renommée. Tout d'abord John Leach, puis John Tenniel (1820-1914), qui collaborera à partir de 1850, reprenant la célèbre page couleur de couverture inaugurée en 1849 par Richard Doyle, et qui amènera le dessin politique à une composition des plus classiques. C'est lui qui mettra en image la démission de Bismark en 1890, avec un sens aigu de l'événement.

Gottfried Semper construit l'Opéra de Dresde

Dresde, 1841
Semper, après un voyage en Italie et en Grèce, est nommé professeur d'architecture à Dresde, où il construit l'opéra et la pinacothèque.

L'Opéra de Dresde. 1837-1841. Œuvre de l'architecte Gottfried Semper, dont le rôle en Allemagne comme théoricien fut considérable.

A Londres, les grandes puissances fixent le statut des Dardanelles

Londres, 13 juillet 1841
La réconciliation européenne, scellée par la rentrée de la France de Guizot dans le concert des grandes puissances, aboutit à la signature, à Londres, de la convention des Détroits (le Bosphore et les Dardanelles). Le passage de ces détroits doit désormais rester fermé à tous les bâtiments de guerre étrangers tant que la Porte se trouve en paix, « sauf aux bâtiments légers, sans pavillon de guerre, employés selon l'usage au service des légations des puissances amies ». Naturellement, en cas de guerre, la Porte reprendrait son droit d'appeler dans ses eaux la flotte de ses alliés. Si le sultan perd ainsi ses droits naturels en devenant « le portier » de l'Europe dans son propre domaine, il obtient, en échange, l'assurance du maintien de son intégrité territoriale. Mais la portée de cet acte est internationale. La concurrence anglo-russe y trouve des compensations et des garanties réciproques dans l'hypothèse d'un éventuel conflit. Le grand vainqueur de ce concert européen est Lord Palmerston. Dès le 30 juin, à propos des derniers échanges de notes entre Guizot et Palmerston, Metternich écrivait : « Ainsi, les puissances sont dans ses mains des instruments qu'il aime à faire jouer à son gré. » Ce succès consolide l'hégémonie britannique dans la diplomatie internationale.

Les Afghâns résistent aux Anglais

Kaboul, décembre 1841
L'insurrection populaire contre l'occupation britannique enregistre des succès notoires. Chudja, le souverain fantoche installé à Kaboul par la Compagnie des Indes, est assassiné. Le commandant de l'expédition britannique, Sir Alexander Burns, l'est à son tour. Il ne reste au corps expéditionnaire qu'à capituler. La crise avait commencé lorsque Dûst Muhammad, qui s'était fait proclamer émir en 1828, crut pouvoir jouer sur la rivalité entre la Russie et l'Angleterre qui, toutes deux, s'intéressaient à l'ancienne route de la soie. Cette attitude équivoque avait fini par inquiéter les Anglais qui envahirent l'Afghânistân, et s'empressèrent de déposer Dûst Muhammad et de l'emmener captif à Calcutta. Par la suite, l'insurrection populaire les força à capituler. Provisoirement, car ne pouvant rester sur une défaite qui, dans le jeu des puissances, favorise les Russes, les Anglais reviendront en force, mais avec une nouvelle politique : rétablir Dûst Muhammad et le forcer à leur être favorable.

Guerriers afghâns. Leur habileté de cavaliers est légendaire, comme en témoigne le jeu du « bouzkachi ».

Adoption en France d'une loi limitant le travail des enfants

France, 22 mars 1841
La Chambre vient d'adopter une loi qui ne concerne que les entreprises de plus de vingt ouvriers et qui interdit le travail des enfants au-dessous de huit ans, le limite à huit heures pour ceux de huit à douze ans, à douze heures avant seize ans. Mal appliquée, elle ne supprimera pas « la torture qu'on inflige à des enfants de six à huit ans, obligés de parcourir dès cinq heures du matin, la longue distance qui les sépare des ateliers ».

Le mineur et le puddleur : deux figures de la révolution industrielle.

Thomas Cook crée une agence de voyages

Angleterre, 1841
C'est une société de tempérance qui a été la première cliente de l'agence fondée par Thomas Cook. Rien d'étonnant : devenu lui-même apôtre de la tempérance, il vient d'avoir l'idée de populariser cette noble cause en organisant, pour le compte de la société de Loughborough, une excursion ferroviaire d'agrément à destination de Leicester. Le succès de cette initiative a été tel que les demandes affluent au siège de l'agence. Conscient des possibilités immenses qui s'ouvrent pour ce type d'activité, Thomas Cook envisage maintenant de diversifier sa clientèle et de constituer un réseau de succursales.

Le premier bureau de l'agence de voyage Cook à Leicester.

L'Anglais Joule énonce les lois de la chaleur

Angleterre, 1841
Multipliant les expériences sur des circuits électriques, James P. Joule, fils d'un riche brasseur anglais, suppose que la chaleur dégagée est proportionnelle au travail fourni. Grâce aux premières dynamos, il arrive à mesurer le travail accompli en actionnant la manivelle et la chaleur qui se produit. En 1841, il définit une première valeur de l'équivalence chaleur-travail (que l'on nommera le « joule »). Selon ses calculs, un travail de 838 pieds/livre est nécessaire pour élever d'un degré Fahrenheit une livre d'eau (soit 4,51 joules par calorie). En 1847, en tournant une roue à ailettes dans un récipient d'eau, il donne une nouvelle définition de cette équivalence, soit 4,16 joules par calorie. La même année, il rencontre W. Thomson qui, analysant les travaux de Carnot, montre la liaison entre la thermodynamique et les travaux de Joule. Ses travaux ultérieurs consisteront à préciser la valeur de son unité.

Friedrich List critique le libéralisme au nom des nations

Prusse, 1841
Friedrich List, l'un des organisateurs des chemins de fer allemands et le principal artisan de l'union douanière, le *Zollverein*, publie son *Système national d'économie politique*. Né en 1789, il a passé de nombreuses années aux Etats-Unis où il a vu une nation jeune, dotée de ressources infinies, mais que sa dépendance commerciale vis-à-vis de l'Angleterre empêchait de progresser industriellement. Cette expérience américaine le convainc des lacunes du système libéral, dont la principale tient dans le refus de reconnaître le fait national. Il est impossible de considérer le monde sans tenir compte des frontières et, pour subsister, les nations doivent assumer seules leur existence en réunissant sur leurs territoires tous les types d'activité industrielle. Le recours au protectionnisme apparaît comme une condition du développement économique des nations, car il faut protéger les industries naissantes et viables si l'on veut éviter qu'elles ne soient étouffées par la concurrence des pays plus avancés avant même d'avoir pu s'épanouir. Jusqu'ici, constate List, le libre-échange n'a profité qu'à l'Angleterre.

Le christianisme sous le feu de la critique de Ludwig Feuerbach

Allemagne, 1841
Le philosophe et sociologue Ludwig Feuerbach (né en Bavière en 1804), auteur d'une étude sur Hegel et de travaux de critique religieuse, publie *L'Essence du christianisme*. Selon lui, toute religion exprime dans son essence le désir de créer des dieux, toute théologie est ainsi une psychologie dans la mesure où elle révèle non pas une connaissance objective, mais les aspirations les plus élevées de l'homme, telles la justice ou la bonté. En
Ludwig Feuerbach.
reportant ses propres qualités sur un être absolu, l'homme risque cependant de créer une division en lui-même, altérant sa propre conscience. C'est en approfondissant la conscience de sa propre humanité que l'homme pourra échapper à cette projection fallacieuse. Feuerbach, qui publiera de 1851 à 1857 ses leçons sur l'essence de la religion et sa *Théogonie*, mourra à Nuremberg, le 13 septembre 1872.

1842

Afghanistan, 6 janvier
Les troupes anglaises, fortes de 4 500 Britanniques et de 12 000 Indiens et commandées par Lord Auckland, installées à Kaboul depuis 1839, quittent la ville et sont massacrées pendant leur retraite.

France, janvier
Le traité sur le droit de visite est rejeté. Ce droit permet à la marine de guerre des pays signataires d'exiger des navires marchands qu'ils montrent leur pavillon et acceptent une visite de vérification par un officier.

Meudon, 8 mai
Première grande catastrophe ferroviaire, sur la ligne Paris-Versailles. →

Grande-Bretagne, mai
Le mouvement chartiste, dans sa pétition de 1842, se révèle plus exigeant qu'en 1839 en posant directement la question du sort des ouvriers d'industrie. La pétition sera repoussée par les Communes par 287 voix contre 49.

France, 11 juin
La Chambre adopte une loi organisant les chemins de fer français. →

France, 9 juillet
Les élections, tout en étant favorables au gouvernement de Guizot, ne lui apportent pas le succès escompté. Alphonse de Lamartine remarque que « la France s'ennuie ».

Canada et Etats-Unis, 9 août
Le traité Webster-Ashburton fixe la frontière entre le Nouveau-Brunswick au nord et l'Etat du Maine au sud de la rivière Sainte-Croix.

France, 13 août
A la suite de la mort accidentelle du duc d'Orléans, fils aîné de Louis-Philippe Ier, le 13 juillet, une loi est adoptée qui organise une régence éventuelle.

Chine, 29 août
Le traité de Nankin met fin à la guerre de l'Opium. →

Tahiti, 9 septembre
La reine Pomaré signe avec la France un traité de protectorat. →

Russie, 9 décembre
Le compositeur russe Glinka présente son opéra *Rousslan et Lud-*

milla sur un livret tiré de l'œuvre de Pouchkine.

Grande-Bretagne
Le Premier ministre Robert Peel présente devant les Communes un budget d'inspiration libérale dans lequel il prévoit l'abaissement des barrières douanières sur 450 produits, soit un tiers des marchandises concernées. Pour compenser le manque à percevoir, il propose un impôt sur les revenus supérieurs à 150 livres.

Irlande
Davis fonde le journal *The Nation*, organe de la Jeune-Irlande, affiliée au mouvement de Mazzini, la Jeune-Europe.

Chine
Le lettré Wei Yuan publie le *Shengwuji*, un ouvrage qui insiste sur la nécessaire rénovation des armements et la réforme des institutions politiques.

Serbie
Michel Obrénovitch, fils de Miloch Obrénovitch, prince depuis 1839 à l'âge de 16 ans, abdique. Le Sénat appelle Alexandre Karageorgevitch, en exil en Russie. Le gouvernement turc n'accepte son investiture qu'à caractère viager et non héréditaire.

Pays-Bas
Le musicien belge Adolphe Sax (1814-1894) conçoit un instrument en cuivre, dit saxophone, dérivé de la clarinette et qui sera breveté en 1845.

France
Du poète et narrateur Aloysius Bertrand (1807-1841), sont publiés posthumement les poèmes en prose : *Gaspard de la nuit, fantaisies à la manière de Rembrandt et de Callot.*

Russie
Le romancier Nicolas Gogol publie *Les Ames mortes*. Ce sombre tableau de la vie russe au temps du servage suscita chez Gogol un tel remords qu'il entreprit de lui donner une seconde partie où seraient réhabilités quelques-uns des personnages qu'il avait si fortement stigmatisés. Cette entreprise occupa les dix dernières années de sa vie : insatisfait, il brûla son manuscrit, peu avant de mourir, persuadé d'avoir failli à sa mission en calomniant l'humanité et la sainte mère Russie.

Londres
L'ingénieur Marc Brunel perce un tunnel sous la Tamise. →

Premier accident ferroviaire à Meudon

Meudon, 8 mai 1842
Ce dimanche, les Parisiens se sont rendus par le chemin de fer à Versailles pour assister au spectacle des grandes eaux. Au retour, le train, composé de dix-huit wagons et de deux locomotives, déraille près de Meudon. C'est la catastrophe. Les voitures s'enflamment, et les compartiments, fermés à clef suivant l'usage, empêchent les voyageurs d'échapper à l'incendie. Quarante-cinq personnes périssent, soit tuées par le choc, soit brûlées vives. Parmi les victimes, on découvre l'amiral explorateur Dumont d'Urville, sa femme et son fils. La France est en état de choc devant cette première catastrophe technique.

La catastrophe ferroviaire du 8 mai 1842 sur la ligne « Paris-Versailles ».

Les Boers fondent l'Etat libre d'Orange

Orange, 1842
L'installation de colons d'origine néerlandaise a commencé dans cette région délimitée par les fleuves Orange et Vaal quelques années avant le Grand Trek. Jusque-là fort réduite, elle connaît à partir de 1836 l'arrivée de plusieurs milliers de Boers. Occupant les terres et refoulant les tribus noires, ils établissent de petites communautés repliées sur elles-mêmes. Quand la tension augmente avec les Noirs, elles font appel aux Anglais du Cap pour les protéger. Ces derniers ne reconnaissent pas le nouvel Etat et n'attendent qu'une occasion pour l'annexer.

Les Américains à la conquête du Far West

Etats-Unis, 1842
Région de prairies verdoyantes, de cascades et de forêts, les territoires de l'Oregon attirent des milliers de pionniers. La « piste de l'Oregon » n'est pourtant pas sans péril. C'est à Independence, dans la vallée du Missouri, que se forment les convois. Jusqu'à Santa Fe, ils suivent la même piste que ceux qui partent pour la Californie, puis ils bifurquent vers le nord-ouest. Après les plaines du Kansas, il leur faut alors s'engager dans de grandioses paysages montagneux. Les pentes y sont souvent si raides que des treuils sont nécessaires pour hisser ou retenir les chariots : les accidents ne sont pas rares. Serpents à sonnette et bêtes sauvages abondent, mais les colons redoutent plus encore les Indiens.

Convoi de pionniers avec leurs chariots bâchés au large des montagnes Rocheuses. 1849. Lithographie de Nathaniel Currier.

Auguste Comte enseigne le positivisme

Paris, 1842

Auguste Comte (né à Montpellier en 1798), polytechnicien et philosophe, achève la publication de ses *Cours de philosophie positive*, entamée en 1830. L'auteur y approfondit des travaux antérieurs, dont le *Plan des travaux scientifiques nécessaires pour réorganiser la société*, fondé sur l'idée d'une rénovation intellectuelle et spirituelle inséparable du développement des sciences positives. Auguste Comte présente l'état positif comme celui dans lequel l'esprit, en approfondissant l'expérience et le raisonnement, renonce à rechercher l'origine des choses ou leur but final, au profit des lois naturelles et invariables qui régissent les phénomènes. Comte distingue ainsi six sciences (par ordre de complexité croissante), les mathé- matiques, l'astronomie, la physique, la chimie, la biologie, la sociologie, qui doivent se fonder sur le modèle des raisonnements mathématiques. Il sera dès lors possible de hâter le passage des conceptions subjectives des états « métaphysique » et « théologique » de l'esprit aux conceptions objectives, celles de la science positive. Selon lui, le stade théologique, primitif, caractérise la recherche des causes finales des phénomènes, et présente ceux-ci comme le résultat de l'intervention d'agents surnaturels ; l'état métaphysique ou abstrait, modification du précédent, substitue aux puissances divines des forces impersonnelles, causes des phénomènes. Comte englobera l'ensemble du système des sciences dans une philosophie sociale et publiera, en 1852, des *Discours sur l'ensemble du positivisme,* avant de mourir à Paris en 1857.

Des comptoirs anglais sur les côtes de Chine

Chine, 1842

Le 27 octobre, l'empereur Dao Guang ratifie le traité de Nankin, par lequel cinq ports des côtes chinoises sont ouverts au commerce étranger. La volonté d'interdire le trafic de l'opium en Chine avait envenimé une situation déjà critique. La guerre ouverte commence en 1840. La supé- riorité occidentale est écrasante, et, après plusieurs victoires anglaises, Nankin se rend sans combattre, en août. Signé le 29, le traité de Nankin comporte treize articles, dont les principaux prévoient la cession de l'île de Hong Kong aux Anglais et l'ouverture au commerce étranger. Il marque une étape de l'histoire des échanges de l'Europe avec la Chine et force les Chinois à modifier leur position.

Navires de commerce britanniques dans la baie de Hong Kong. Vers 1850. Peinture anonyme. Societa geographica, Rome.

Le tunnel sous la Tamise. Détail. Médaille commémorative frappée en 1843, après la visite du tunnel par la reine Victoria.

A Londres, un tunnel sous la Tamise

Londres, 1842

En liaison avec le développement des transport en commun vient d'être inauguré un tunnel qui passe sous le lit de la Tamise : c'est le premier du genre. Commencés en 1824, les travaux avaient été interrompus en 1828 à la suite d'un accident, puis repris en 1835. Méfiant, le public hésite à l'emprunter.

La France établit son protectorat sur Tahiti

Tahiti, 9 septembre 1842

Depuis 1838, la reine Pomaré IV, qui règne sur Tahiti, soutenue par le consul britannique Pritchard, refuse l'accès de son territoire à deux missionnaires français. La France, excédée, dépêche l'amiral Dupetit-Thouars pour régler ce différend. En avril 1839, Pomaré signe avec la France une convention d'entente. Celle-ci est renforcée le 9 septembre 1842, grâce à l'influence du consul Moerenhout, et la reine se place sous protectorat français.

La reine Pomaré IV de Tahiti. Peinture de Giraud.

Paris, centre du futur réseau ferroviaire

Paris, juin 1842

Il aura fallu attendre le gouvernement Guizot et une brève reprise économique pour que la France se couvre d'un large réseau ferroviaire. La loi du 11 juin 1842 est capitale dans l'histoire des chemins de fer français. Elle établit que l'Etat se charge de l'acquisition des terrains, de l'exécution des terrassements et des stations. Les travaux de superstructure, la fourniture du matériel roulant et l'exploitation sont confiés à des entreprises privées soutenues par l'Etat. Cette loi prévoit qu'il sera constitué un réseau de neuf lignes se dirigeant, de Paris, vers la frontière belge par Lille et Valenciennes ; vers l'Angleterre par le littoral de la Manche ; vers la frontière d'Allemagne par Nancy et Strasbourg ; vers la Méditerranée par Lyon, Marseille et Sète ; vers la frontière d'Espagne par Tours, Poitiers, Angoulême, Bor- deaux et Bayonne ; vers l'océan par Tours et Nantes ; vers le centre de la France par Bourges. Deux lignes transversales complètent ce réseau étoilé : l'une de la Méditerranée au Rhin par Lyon, Dijon et Mulhouse, l'autre de l'océan à la Méditerranée par Bordeaux, Toulouse et Marseille. Cette loi entraîne la formation de nouvelles sociétés, la hausse rapide des actions, l'allongement des chantiers ; elle donne une vive impulsion aux travaux de chemins de fer. La principale compagnie, celle du chemin de fer du Nord, financée par les Rothschild et dirigée par les Pereire, reliera en 1845 Paris à Lille et à la Belgique. La crise financière qui interviendra en 1847 ralentira les travaux. Ainsi, en 1848, pour se rendre de Paris à Lyon, on pourra prendre le train jusqu'à Corbeil, puis de Melun à Troyes, de Dijon à Chalon, mais il faudra emprunter la route ou le coche d'eau entre Corbeil et Melun, entre Troyes et Dijon, entre Chalon et Lyon.

1843

Allemagne, 2 janvier
Le compositeur allemand Richard Wagner présente son opéra *Le Vaisseau fantôme*. →

Paris, 7 mars
Le dramaturge Victor Hugo connaît un échec pour sa pièce *Les Burgraves* représentée à la Comédie-Française.

France, 17 avril
La Chambre ratifie le protectorat sur Tahiti établit en 1842.

Afrique australe, 12 mai
Les Anglais annexent la république du Natal, poussant ainsi les Boers à se lancer dans un nouveau périple, vers l'intérieur des terres et plus au nord.

Algérie, 16 mai
Les troupes du duc d'Aumale s'emparent de la smala d'Abd el-Kader. →

Chine, 26 juin
Faisant suite au traité de Nankin, un protocole annexe est signé entre les Anglais et les Chinois qui fixe le statut juridique des biens, puis le 8 octobre un traité qui détermine la compétence des consuls et les droits des nationaux anglais sur le territoire chinois. Cette clause inaugure les avantages d'extra-territorialité reconnus aux ressortissants des pays européens.

Espagne, juillet
Le régent Espartero est contraint à l'exil par un nouveau soulèvement, soutenu par l'ex-régente Marie-Christine. Le général Manuel Narváez (1800-1868) lui succède. Chef de file des modérés, il a dirigé, en exil à Paris, l'Ordre militaire espagnol, et, sitôt au pouvoir, projette de restaurer la monarchie dans tous ses pouvoirs.

France, 26 août
Fondation du journal démocrate *La Réforme*.

Suisse, août
Après l'affaire du putsch d'Argovie en 1841, les fondations monastiques féminines avaient été rétablies. En 1843, le Conseil des cantons est appuyé par la Diète fédérale qui autorise la fermeture de tous les monastères. Les cantons de Lucerne, de Fribourg et de Zong s'allient et demandent l'aide de la France, du Piémont et de l'Autriche pour obtenir le report de cette décision (→ 1847).

France, 2 au 7 septembre
Lors de sa visite à Eu, la reine Victoria d'Angleterre rencontre Louis-Philippe Ier. En décembre, c'est au tour du duc de Bordeaux, fils du roi et héritier, de se rendre en Angleterre.

Grèce, septembre
A la suite d'un soulèvement militaire, le roi Othon convoque une Assemblée nationale. →

Allemagne
Le socialiste utopique Wilhelm Weitling (1808-1871) publie *L'Evangile du pauvre pêcheur* après avoir écrit en 1838-1839 *L'Humanité telle qu'elle est et telle qu'elle devrait être*, et en 1842 *Les Garanties de l'harmonie et de la liberté*.

Irlande
L'agitation nationaliste pour le rappel de l'acte d'Union culmine jusqu'à la convocation du meeting de Clontarf. →

Italie
Vincenzo Gioberti (1805-1852), alors en exil, publie un manifeste qui affirme la primauté de la papauté dans le mouvement national italien, intitulé *De la primauté morale et politique des Italiens*.

Tripolitaine
Fondation de la secte des Senoussis. →

Inde
Les Anglais conquièrent la région du Sind.

Grande-Bretagne
Le philosophe John Stuart Mill publie deux ouvrages, *La Psychologie comme science indépendante* et le *Système de logique inductive et déductive*.

Le physicien Joule formule le principe de l'équivalence des formes de l'énergie.

Le physicien Michael Faraday énonce les lois quantitatives de l'électrolyse.

Danemark
Le physicien Georg Simon Ohm énonce sa loi sur les vibrations sonores.

Le philosophe Sören Kierkegaard fait paraître plusieurs ouvrages dont *L'Alternative, La Répétition, Crainte et Tremblement* et *Le Journal d'un séducteur*. →

France
Le romancier Honoré de Balzac publie *Les Illusions perdues*. →

Bugeaud décime la smala d'Abd el-Kader

Algérie, 16 mai 1843
Dès le début de l'année, Bugeaud décide d'en finir avec Abd el-Kader. Il organise la chasse à l'émir qui en est réduit à se déplacer avec sa smala, véritable capitale ambulante comptant 30 000 hommes de sa famille et des tribus fidèles, encadrée par 5 000 réguliers et traînant, derrière elle, ses trésors, ses biens et ses troupeaux. Ce 16 mai, en route vers le djebel Amour, la smala est surprise par un escadron de 500 hommes commandé par le duc d'Aumale. La charge est audacieuse et quelque peu téméraire : le fils du roi de France, prisonnier d'Abd el-Kader, aurait compromis toute l'entreprise algérienne. Mais la cohorte traînée par l'émir est trop lourde et trop hétéroclite pour offrir une résistance efficace. Elle se disloque rapidement, laissant entre les mains du duc 3 000 prisonniers et un riche butin. Il ne restera plus à Abd el-Kader qu'à se réfugier au Maroc. Le 31 juillet, Bugeaud recevra son bâton de maréchal et annoncera, à l'occasion, que « la guerre sérieuse est finie ». C'est aller un peu vite. La paix est encore lointaine.

Prise de la smala d'Abd el-Kader par le duc d'Aumale.

Le roi de Grèce Othon devra convoquer une Assemblée nationale

Athènes, septembre 1843
C'est l'armée qui constitue le fer de lance de la révolte qui a éclaté en Grèce avec le soutien du peuple d'Athènes. Le roi Othon n'a guère pu y opposer de résistance et il a dû rapidement accepter de convoquer une Assemblée nationale et d'accorder une constitution. La popularité dont jouissait le jeune souverain au moment de sa désignation, en 1832, s'est donc bien vite effondrée. Il avait été choisi en raison de la réputation de « philhellène » de son père, le roi de Bavière, mais l'autoritarisme et la maladresse d'Othon ont ruiné ce prestige initial, d'autant qu'il n'a pas réussi à rattacher la Crète au royaume.

La "comédie humaine" : splendeurs et misères

France, 1843
« Il me faut bien faire Paris vrai », écrit Balzac en 1843, lors de la publication des trois premières parties de son roman. L'intrigue plonge le lecteur dans le Paris nocturne des demi-mondaines et des truands. Incarné par Vautrin, alias Jacques Collin, le grand maître de cet univers inquiétant porte un regard cynique sur le monde. Pour servir son ambition et contrôler la belle société, il condamne l'amour passionné de Lucien de Rubempré et d'Esther Gosbeck, fille entretenue sous le nom de la Torpille. Il projette de marier Rubempré à une jeune aristocrate et vend Esther au baron de Nuncingen. Déchirée, celle-ci s'empoisonne. Accusé de meurtre, Lucien se pend dans sa cellule, tandis que Vautrin s'entend avec les autorités et devient chef de la sûreté (allusion certaine au forçat Vidocq). La complexité des complots et le foisonnement des personnages forment la trame du roman, sur laquelle se détachent les figures de Rubempré et Jacques Collin. Balzac achève avec dérision leurs destinées respectives. Le brillant avenir auquel était voué Lucien est brusquement compromis. Au contraire, les vices et les crimes profitent au malfaiteur qui acquiert l'honorabilité. Le Mal triomphe dans *Splendeurs et Misères des courtisanes*, œuvre monumentale qui fait suite aux *Illusions perdues* et composée de 1838 à 1847.

Séduction et angoisse chez Kierkegaard

Copenhague, 1843

Né en 1813 dans la capitale du Danemark, Sören Aabye Kierkegaard est marqué par la relation avec son vieux père dont il est le septième et dernier enfant. Profondément religieux, celui-ci veut expier sa prospérité commerciale qu'il vit dans une aggravation de sa culpabilité envers Dieu. Aussi, dans *Crainte et Tremblement*, Sören se reconnaît dans Abraham, le père des croyants, et s'identifie à Isaac, le fils sacrifié. Même la foi ne donne à l'homme aucune assurance, tout se passe dans l'angoisse. Après la mort du père et la fin de ses études de théologie, sa vie va tourner autour de l'histoire des fiançailles rompues avec Régine Olsen. Cette rupture tient une place capitale dans son œuvre où il poursuit le dialogue avec Régine, devenue femme mariée

Portrait du philosophe danois Sören Kierkegaard. 1840.

par ailleurs. Elle lui permet de dépasser le stade esthétique de la séduction et de franchir le stade éthique pour s'affirmer sur le plan religieux. C'est ce qu'il expose de façon romancée dans *L'Alternative (Ou bien... Ou bien)*.

Agitation en Irlande avec l'acte d'Union

Irlande, 1843

L'agitation sévit en Irlande à propos de l'acte d'Union qui, depuis 1800, intègre l'Irlande au sein du Royaume-Uni. L'Union, imposée aux Irlandais, a toujours été factice. Pays conquis, pays catholique, l'Irlande réclame l'autonomie, le *Home Rule*. Daniel O'Connell, le chef du parti catholique, a créé en 1840 l'Association pour l'abolition de l'Union.

Il proclame que 1843 sera l'année de l'abrogation de l'Union et organise de gigantesques rassemblements destinés à intimider le gouvernement britannique. Par centaines de milliers les Irlandais se rassemblent à Cork, à Clave, à Tara. Le gouvernement décide de réagir et interdit le meeting convoqué à Clontarf en octobre. Craignant une épreuve de force, O'Connell se soumet et annule le meeting. Les jeunes nationalistes irlandais, déçus, rompront avec lui et son légalisme.

Mort de l'inventeur de l'homéopathie

Paris, 1843

Né en Saxe en 1755 et docteur en médecine en 1779, Samuel Hahnemann exerce à Dessau tout en étant de plus en plus convaincu de l'inanité de ses remèdes. Expérimentant le quinquina sur lui, il en étudie les effets et découvre qu'il produit des fièvres identiques à celles qu'il doit soigner. Il renouvelle cette expérience, l'étend à d'autres substances

et en tire dans un ouvrage en 1810 la première loi de l'homéopathie, la loi de similitude : toute substance qui détermine sur l'homme sain certaines manifestations doit les combattre chez l'homme malade. En 1828 il démontre qu'il faut étudier l'individu malade dans son entier et donc la nécessité d'individualiser le remède. Selon Hahnemann les maladies sont sporadiques, épidémiques ou chroniques. Ses théories sont étudiées par un petit groupe quand il meurt, à Paris, en 1843.

Flora Tristan fonde "L'Union ouvrière"

Paris, 1er juin 1843

Dans *L'Union ouvrière*, Flora Tristan prône l'union des travailleurs sans distinction de métier sur le plan national et international. Seule l'union permettra aux ouvriers et ouvrières de se constituer en classe et de revendiquer le pouvoir. Flora Tristan ne disjoint pas la cause de la femme de celle de la classe ouvrière. « Je réclame des droits pour la femme, parce que c'est l'unique moyen qu'on s'occupe de son éducation et que de l'éducation de la femme dépend celle de l'homme en général et particulièrement celle de l'homme du peuple. »

Flora Tristan, qui s'adresse d'abord aux ouvriers, ne rencontre auprès d'eux que peu d'encouragement ; ils lui reprochent de faire connaître les vices de la classe ouvrière aux bourgeois. Ne trouvant aucun éditeur, Flora Tristan va mendier des souscriptions. Grâce à Béranger, George Sand, Pauline

Flora Tristan.

Rolland, Victor Considérant... Flora réussit à faire paraître *L'Union ouvrière* le 1er juin 1843.

"Les Mystères de Paris" d'Eugène Sue publiés en feuilleton

Paris, 1843

Autour de 1840, les journaux commencent à publier de longs romans à épisodes qui connaissent immédiatement un grand succès populaire. Ainsi, *Le Journal des débats* fait paraître en feuilleton *Les Mystères de Paris*. Le public se passionne pour les aventures de Fleur-de-Marie, une malheureuse enfant contrainte de se livrer à la prostitution. Ayant trouvé un protecteur en la personne de Rodolphe, grand-duc allemand déguisé en ouvrier et fréquentant les bas-fonds de Paris pour expier une faute ancienne, elle retombe plusieurs fois entre les mains de ses persécuteurs jusqu'au dénouement inattendu. Au-delà d'une intrigue qui tient ses lecteurs en haleine, Eugène Sue (1804-1857) fait la peinture réaliste des misères du peuple. Il annonce le roman social.

« La Rue aux fèves ». Lithographie une édition des « Mystères de Paris ».

L'Américain Audubon, peintre des oiseaux

Etats-Unis d'Amérique, 1843

Après avoir été l'élève de David à Paris, mais sans avoir souscrit durablement à l'esthétique néo-classique, John James Audubon (1785-

Richard Wagner compose "Le Vaisseau fantôme"

Dresde, 2 janvier 1843

Le compositeur Richard Wagner, né à Leipzig en 1813, chef d'orchestre au théâtre royal de Dresde, présente son opéra *Le Vaisseau fantôme*. L'œuvre s'inspire d'une légende nordique du xve siècle et se libère, par l'ampleur des thèmes, de la mélodie conventionnelle, annonçant le *leitmotiv*.

Installé en Cyrénaïque, le mystique Senoussi est exclu de l'islam

Le Caire, 1843

Muhammad ibn Ali es-Senoussi (1781-1857) est à La Mecque lorsqu'une *fatwa* (opinion religieuse) de l'université d'al-Azhar le déclare « exclu de l'islam ». Tant que son mysticisme ultra-conservateur l'avait opposé au modernisme de Muhammad-Ali, es-Senoussi pouvait poursuivre sa prédication : le vice-roi d'Egypte n'était pas sensible à ce genre d'opposition. Mais lorsque le retour aux sources de l'islam l'amena à prôner l'imamat kurayshite (selon lequel le califat doit demeurer dans la descendance de Kuraysh), contestant du même coup la légitimité du calife ottoman, il ne pouvait échapper au courroux de ce dernier, d'autant qu'il se prétendait descendre de Ali, cousin et gendre du Prophète. Es-Senoussi développera son prosélytisme parmi les Libyens et les populations d'Afrique centrale.

1851) retourne aux Etats-Unis. Il se consacre alors à l'histoire naturelle et peint un très grand nombre d'aquarelles d'après les oiseaux d'Amérique (1827-1828). Cuvier salue dans son œuvre « le plus magnifique monument que l'art ait encore élevé à la science ».

J. J. Audubon. Le râle de Virginie. Planche gravée sur cuivre, coloriée à la main. Extraite des « Oiseaux d'Amérique » (1827-1828).

1844

France, 15 février
La première grande gare de marchandises est ouverte à Paris, aux Batignolles.

Suède, 8 mars
Mort de Charles XIV (Jean-Baptiste Bernadotte). Son fils, Oscar Ier, lui succède.

Espagne, 13 mai
Narváez fonde le corps de police intérieure, la « guardia civil ».

Etats-Unis d'Amérique, 24 mai
Samuel Morse transmet le premier télégramme en morse entre Washington et Baltimore. →

Prusse, 4 au 6 juin
Soulèvement des tisserands silésiens. →

Italie, juin-juillet
Insurrection des frères Bandiera en Calabre.

Maroc, 1er juillet
L'escadre française commandée par le duc de Joinville bombarde le port marocain de Tanger.

Chine, 3 juillet
Par le traité de Wang Hia, près de Macao, les Américains obtiennent les mêmes avantages que les Anglais au traité de Nankin. De plus, ils ont le droit d'avoir des cimetières et des hôpitaux et leur consul dispose d'un droit de juridiction sur leurs nationaux.

Grande-Bretagne, 19 juillet
La Banque d'Angleterre est réorganisée.

Maroc, 14 août
Le général Bugeaud défait l'armée marocaine sur la rivière Isly. Le souverain marocain sera contraint de signer le traité de Lalla Marnia. →

Chine, 24 octobre
La France, représentée par Lagrené, signe avec la Chine le traité de Whampoa, qui sera ratifié le 25 août 1845. →

Piémont
Le roi Charles-Albert, après une politique de réformes dans la droite ligne des Lumières, avec la promulgation d'un code civil en 1837 puis d'un code pénal en 1839 qui réduit la dureté des peines et établit l'égalité devant la loi, s'engage sur une voie encore plus libérale en autorisant la fondation, en 1842, d'une association agraire pour tout le Piémont et, en 1844, la construction d'écoles normales pour diminuer l'influence des jésuites.

Antilles
La république Dominicaine fait sécession de Haïti. Les forces espagnoles en reprendront possession quelques années, entre 1861 et 1865, pendant la guerre de Sécession américaine.

Grande-Bretagne
Le mouvement coopératif et mutualiste prend son essor avec l'initiative des pionniers de Rochdale qui ouvrent un magasin répartissant entre ses membres des dividendes proportionnels à la valeur de leurs achats.

Galloway invente le linoléum.

Le peintre William Turner présente sa toile *Pluie, Vapeur et Vitesse*. →

France
Le romancier Alexandre Dumas publie *Les Trois Mousquetaires*. →

Publication posthume de *La Vie de Rancé*, de François René de Chateaubriand.

Danemark
Le philosophe Sören Kierkegaard fait paraître *Le Concept d'angoisse*.

Atlantique
Le premier vapeur à coque en fer, le *Great Britain*, traverse l'Atlantique. →

Allemagne
Keller et Völter inventent la pâte à papier mécanique, à partir de copeaux de bois désagrégé par frottement sur des meules.

Le poète Heinrich Heine publie un recueil de *Nouvelles Poésies*, ainsi que *Allemagne, conte d'hiver*.

Serbie
Le prince Alexandre Karageorgevitch engage une politique de réformes et tente de transformer la *zadrouga*, ce régime de communauté familiale très élargie, afin de permettre aux individus d'être plus indépendants et de changer les bases du régime de propriété, en passant de la propriété collective à la propriété individuelle.

L'historien Thomas Carlyle (1795-1881) publie son essai *Past and Present*.
Narváez fonde la *Guardia civil*. Utilisé à des fins essentiellement répressives, ce corps de police intérieure restera un des piliers de l'ordre et deviendra très impopulaire.

Joseph Mallord William Turner. « Pluie, Vapeur et Vitesse ». 1844. National Gallery, Londres.

William Turner, peintre fulgurant de la lumière

Angleterre, 1844
William Turner (1775-1851) est essentiellement peintre de paysages. Ce sont d'abord des paysages paisibles et nuancés, anglais ou italiens, comme *La Traversée du ruisseau* en 1815, où transparaît son admiration pour le Lorrain. Mais, lorsqu'il peint la mer, Turner bouleverse les calmes horizons des marines hollandaises du XVIIe siècle et exprime avec force sa vision romantique de la nature. Un autre aspect de son évolution demeure plus remarquable encore : les éléments « solides » du paysage, ceux qui permettent de l'identifier, vont disparaître, en laissant tout l'espace de la toile aux variations lumineuses et colorées, et donner naissance à des œuvres presque abstraites.

Petöfi, chantre de la nation magyare

Hongrie, novembre 1844
Le poète Sandor Petöfi, né le 1er janvier 1823, publie *Le Marteau du village*, un recueil d'un style nouveau, éloigné du romantisme aristocratique hongrois. A travers des sujets simples, tels l'amour pour ses parents et pour sa femme, la vie de famille, l'auteur effectue un retour aux sources de la poésie. Les *Chansons populaires* et le poème *Jean le Preux* expriment une vision populaire du monde. Petöfi poursuivra son œuvre, en 1847, par la célébration du bonheur conjugal et par les ouvrages *Etienne le fou* et *Fin de septembre*. L'élan national constituera le ferment de maints écrits, exprimé d'abord à travers la révolte contre le servage des paysans et la tyrannie du pouvoir, puis amplifié par l'ardeur révolutionnaire et patriotique du poème *L'Apôtre (Debout Hongrois, la patrie t'appelle)*. Petöfi mourra en 1849 sur le champ de bataille de Segesvar.

Portrait de Sandor Petöfi, poète national hongrois.

Le "Bâb" fonde une nouvelle religion

Tabriz, 1844
Mîrzâ Alî Muhammad (né à Chiraz en 1819) se contente d'affirmer qu'il est le *Bâb*, la « porte » par laquelle on accède à la connaissance de Dieu. Le mouvement qu'il fonde se veut réformateur. Contre le rigorisme shi'ite et la corruption qu'il abrite, il prône un islam plus libre et plus égalitaire. Ce sont justement ses idées réformistes qui lui valent la vindicte du clergé et de Muhammad Shâh (1834-1848) qui le fera arrêter, avant que son successeur, Nâsir ed-Dîr Shâh, ne le fasse fusiller, le 9 juillet 1850. Le Bahâ'isme, nouvelle religion universelle à caractère syncrétique, se réclamera, plus ou moins abusivement, du babisme, mais contrairement au Bâb, fusillé à 31 ans, Bahâ U'llah (« gloire de Dieu ») mourra dans son lit, à l'âge de 75 ans.

Exploits et aventures des mousquetaires d'Alexandre Dumas

Paris, 1844

Le XIXᵉ siècle français redécouvre son passé et favorise la floraison des romans historiques. Alexandre Dumas (1802-1870), aidé de collaborateurs qui lui fournissent les détails d'époque, contribue à forger des figures populaires. Assisté de Maquet, professeur et écrivain, il se penche sur les *Mémoires de Monsieur d'Artagnan* (1709), pour créer le cadre de sa nouvelle œuvre. *Les Trois Mousquetaires*, roman coloré de cape et d'épée, met en scène le cadet de Gascogne d'Artagnan, qui se joint au trio Athos, Porthos et Aramis, mousquetaires du roi. D'intrigues en aventures, ils servent avec bravoure et fidèlement la reine Anne d'Autriche, menacée par Richelieu. Le Cardinal, intelligent et aveuglé par la raison d'Etat, domine Louis XIII, présenté comme un souverain falot. Cette peinture de la politique du XVIIᵉ siècle empreint fortement les esprits, qui garderont en mémoire l'image

Portrait-charge du romancier Alexandre Dumas père par E. Giraud.

d'un Louis XIII étouffé par le Cardinal dictatorial. La verve et les rebondissements multiples du récit assurent son succès. Bientôt, Dumas publie la suite des exploits de d'Artagnan dans *Vingt Ans après*, en 1845. Il reste le champion du roman historique.

Les tisserands se révoltent en Silésie

Prusse, 4 au 6 juin 1844

En Silésie, les tisserands de plusieurs villages se sont révoltés en raison de l'effondrement de leurs salaires. En effet, la concurrence des métiers mécaniques a conduit les patrons à réduire la rémunération du tissage manuel ; acculés à la violence par la misère, les ouvriers se sont attaqués à une importante fabrique qu'ils ont dévastée. Mais au bout de trois jours, l'armée a réprimé la rébellion dans le sang. Cet épisode inspire à Heinrich Heine un poème vibrant d'émotion et de colère.

« La Vie misérable des tisserands silésiens ». 1844. Peinture de Carl Wilhelm Hübner.

Echec des partisans de Giuseppe Mazzini en Sicile et en Calabre

Rovito, 25 juillet 1844

Lorsque Attilio et Emilio Bandiera, partisans de Mazzini, débarquent le 16 juin en Calabre, près de Crotone, le soulèvement qui devait éclater en Sicile et en Calabre n'a finalement lieu qu'à Cosenza et est aisément étouffé. Aussi Mazzini essaie-t-il d'empêcher les frères Bandiera et leurs compagnons de déclencher une nouvelle insurrection ; en vain car ils sont convaincus qu'un exemple est nécessaire pour secouer les Italiens. Rapidement faits prisonniers par les troupes royales, ils sont fusillés le 25 juillet et tombent au cri de « Vive l'Italie, vive la Liberté ».

Conflit religieux en Suisse, à Lucerne

Lucerne, décembre 1844

Un conflit religieux et politique agite la Suisse depuis plusieurs années, qui oppose les radicaux anticléricaux aux catholiques ultramontains. Ces derniers remportent les élections dans le Tessin, puis à Lucerne, et sont bien décidés à obtenir la réouverture des couvents dans le canton d'Argovie. Lucerne, bastion des ultramontains, rappelle les jésuites et son gouvernement se prépare à leur confier officiellement l'administration des collèges. Ce geste exaspère les radicaux de la Diète, qui menacent de modifier l'Acte fédéral helvétique de 1815 de façon à empêcher le triomphe religieux des conservateurs. Le problème politique se juxtapose au conflit religieux. Le parti radical entend affirmer le pouvoir de la Diète, tandis que les catholiques se font les champions de l'autonomie cantonale. Les passions s'exacerbent. L'unité de la Confédération est menacée par la sécession des cantons catholiques. En décembre 1844, le gouvernement fédéral, poussé par les radicaux, lève une armée de volontaires pour marcher contre Lucerne. Devant la résistance de la ville, c'est un échec. Une deuxième expédition punitive coûte aux insurgés plus de 100 morts et 1 700 prisonniers. Toutefois la révolte n'est pas matée et, en 1845, les cantons catholiques s'uniront.

Les Français battent les Marocains à Isly

Oujda, 14 août 1844

Le matin, le maréchal Bugeaud donne à ses troupes l'ordre de franchir l'oued d'Isly et d'engager le combat contre la cavalerie marocaine. A midi, la victoire est complète et les Français prennent possession de la tente chérifienne. Les pertes des deux côtés, telles que présentées par Bugeaud (800 tués marocains et 27 français), relativisent « la gloire des armes » revendiquée par le maréchal. La veille, 13 août, le gouvernement français qui, après le bombardement de Tanger par la flotte du prince de Joinville entendait circonscrire le conflit, avait donné à Bugeaud l'ordre de ne pas franchir la frontière marocaine. Le maréchal se piquera d'avoir su « dépasser les ordres du ministre de la Guerre ». Quoiqu'il en soit, la victoire d'Isly est moins décisive que Bugeaud, passé maître dans l'art de la vantardise, ne voudra le prétendre. Elle l'eût été s'il

Bugeaud à la bataille d'Isly. Détail. Peinture d'Horace Vernet.

avait poursuivi sa marche sur Fès, mais il ne put le faire, se contentant de « parcourir et de ruiner une zone de 15 à 20 lieues de pays ». D'ailleurs, le sultan du Maroc sera beaucoup plus impressionné par le bombardement de ses ports que par la bataille d'Isly. Le traité de Tanger sera signé le 10 septembre, sans que le maréchal soit consulté.

Le "Great Britain" traverse l'Atlantique

Bristol, 1844

Construit en 1843 d'après les plans de l'ingénieur Isambard Kingdom Brunel (1806-1859), ce navire, long de 98 m, entièrement en fer et doté d'un moteur à hélice, est le premier vapeur transportant des passagers à travers l'Atlantique.

Le « Great Britain », premier bateau à vapeur sur une ligne transatlantique.

1845

Belgique, 1er février
Le militant politique et philosophe allemand Karl Marx, chassé de France, s'installe à Bruxelles.

Amérique du Nord, 28 mars
Le Mexique rompt ses relations diplomatiques avec les Etats-Unis à la suite de la ratification le 1er mars par le Sénat américain de l'annexion du Texas. Le président de la République indépendante du Texas, Samuel Houston, n'était pas sûr de l'intérêt de son pays à entrer dans la Fédération et en 1844 a conclu une alliance bilatérale avec les Anglais et les Français pour affirmer son indépendance. Au sein de l'Union, le débat entre les partisans d'une union réduite et ceux d'une union large s'opposent, les premiers, le plus souvent du Nord, craignant une mainmise du Sud par l'agrandissement des Etats-Unis.

Suisse, 31 mars
Seconde campagne militaire des radicaux contre le canton catholique de Lucerne (la première a eu lieu le 8 décembre 1844). De petite envergure, elle reste sans effet.

France, 8 mai
Après que Victor Hugo eut été fait pair de France par Louis-Philippe le 13 avril, c'est au tour d'Alfred de Vigny d'être honoré, cette fois par l'Académie française qui l'accueille parmi les « immortels ».

Chine, 25 juillet
La Belgique obtient du commissaire chinois K'i Ying les mêmes avantages commerciaux que l'Angleterre, les Etats-Unis et la France.

Algérie, 28 septembre
Les combats se succèdent ; ainsi à Sidi Brahim, une colonne française capitule, tandis que quelque temps auparavant, en juin, la tuerie des Ouled Naïl marquait tragiquement la guerre.

Saxe, 21 octobre
Le compositeur Richard Wagner fait représenter son opéra *Tannhäuser*.

Inde, décembre
Les troupes anglaises entament la conquête du Panjâb et du Cachemire.

Grande-Bretagne
L'écrivain John Henry Newman (1801-1890), principal animateur du mouvement d'Oxford, inauguré en 1833, se convertit au catholicisme.

Une loi accorde aux Juifs le droit d'être éligible.

Irlande
Une mauvaise récolte de pommes de terre provoque un début de famine qui ira s'amplifiant. →

Espagne
Manuel Narváez, appuyé par la reine Marie-Christine, impose une constitution autoritaire.

Pologne
Dans le cadre de la politique de russification, le code pénal polonais est abrogé au profit du code pénal russe.

Chine
Les limites de la concession britannique de Shanghai sont fixées. Le port de Hong Kong est désormais relié à Londres par une ligne maritime régulière.

Europe
Un nouveau véhicule apparaît, le coupé, cabriolet à deux places que l'on utilise pour la ville. Il obtient un succès immédiat, car il assure discrétion et intimité aux passagers. Ensuite apparaîtront des modèles à quatre places, tirés par deux chevaux, appelés landau, du nom de la ville allemande où ils furent créés.

Grande-Bretagne
L'Ecossais R. W. Thompson invente et dépose le brevet du pneumatique pour enrober les roues d'un coupé de ville.

France
L'écrivain Prosper Mérimée fait paraître la nouvelle *Carmen*. Le feuilletoniste Eugène Sue publie *Le Juif errant*.

Allemagne
Le jeune philosophe néo-hégélien de gauche Friedrich Engels fait paraître son enquête sur *La Situation des classes laborieuses en Angleterre*.

Pérou
A la suite d'un coup d'Etat, Ramon Castillo établit sa dictature réformiste jusqu'en 1851, puis de 1855 à 1862. Il imposera l'abolition de l'esclavage et délivrera les Indiens du paiement d'un tribut.

Etats-Unis d'Amérique
L'écrivain Edgar Allan Poe publie ses *Histoires extraordinaires*.

La famine décime les Irlandais ou les contraint à l'exil

Irlande, 1845
Les campagnes surpeuplées sont de moins en moins capables de faire vivre leurs habitants. L'essor démographique (de 6 000 000 en 1814, la population est passée en 1845 à 8 300 000) a intensifié la parcellisation des terres. A l'automne 1845, une maladie touche la pomme de terre, base essentielle de l'alimentation, et rend inconsommable une partie de la récolte, avant d'en détruire la totalité en 1846. C'est la catastrophe. Des dizaines de milliers de mendiants errent à la recherche de nourriture ; sous-alimentés, ils sont victimes du typhus et du choléra. Le pays se vide de ses habitants ; en 1847, aux 250 000 morts s'ajouteront 200 000 émigrants. En 4 ans, il perdra 1 750 000 habitants.

Emigrants irlandais dans l'attente d'embarquer. Un épisode qui se renouvellera tout au long du XIXe siècle.

Max Stirner fonde la pensée anarchiste

Berlin, 1844-1845
Max Stirner fréquente vers 1840 le groupe des Affranchis, un des cercles révolutionnaires allemands où viennent aussi Bruno Bauer, Friedrich Engels et Karl Marx. Son ouvrage fondamental, *L'Unique et sa propriété*, provoque une controverse très importante dans les mois qui suivent. Né à Bayreuth en 1806, Stirner avait été quelque temps auditeur des cours de philosophie de Hegel à Berlin et il collabora à la première *Gazette Rhénane*, journal des jeunes hégéliens de gauche. Rompant avec ce courant, le thème de son livre est l'affirmation d'un individualisme absolu qui se pose comme critère d'interprétation de l'histoire, mais aussi comme principe radical de pensée critique et de vision de l'humanité. Au nom du « moi » égoïste, Stirner remet en cause tout l'ordre social traditionnel fondé sur les concepts de Dieu, d'humanité, d'Etat, de peuple, de savoir, de vérité, de liberté, etc. Sa pensée deviendra le ferment de la philosophie anarchiste et de sa conception de l'individu. Il mourra dans la misère le 26 juin 1856.

Max Stirner.

Le Verrier soupçonne l'existence d'une planète inconnue

Paris, 1845
Chargé en 1837 d'enseigner l'astronomie à l'Ecole polytechnique, Urbain Le Verrier suppose la présence d'une planète inconnue pour expliquer les anomalies dans l'orbite d'Uranus. Indépendamment de l'Anglais J. C. Adams, il calcule les dimensions et les proportions de cette planète. Mais, en imaginant cette existence, Le Verrier se heurte à des équations qui comportent quatorze inconnues. Il simplifie ses hypothèses, en admettant que les orbites des deux planètes sont dans le même axe et le même plan. Ces calculs faits, il sollicite l'astronome allemand J. Galle et lui demande de vérifier à l'observatoire de Berlin l'existence de la planète dont il a calculé la position. Le 23 septembre 1846, Galle vérifie le bien-fondé des hypothèses de Le Verrier en observant un corps astral. Le lendemain, ce corps s'étant déplacé, il ne peut s'agir que d'une planète. La découverte fait sensation, alors que se développe une polémique pour savoir à qui l'on doit attribuer la paternité de cette découverte, l'Anglais Adams pouvant aussi la revendiquer. Cette lutte reste plus nationaliste que savante, car les deux scientifiques collaborent dans la suite de leurs travaux. Le Verrier deviendra directeur de l'Observatoire.

Les Anglais soumettent le Panjâb

Inde, décembre 1845

Les troupes sikhs traversent la frontière du Panjâb qui les sépare de l'Inde britannique. Fondant leur unité sur leur religion, synthèse de l'islam et de l'hindouisme, les Sikhs étaient devenus une force non négligeable. Leur organisation en un véritable Etat au Panjâb était l'œuvre de Ranjit Singh, leur chef de 1792 à 1839. Les Anglais, comprenant le danger, avaient obtenu de lui, en 1809, le traité d'Amritsar qui limitait l'avance des Sikhs vers le sud-est. Le système créé par Ranjit Singh reposait cependant tout entier sur sa propre personnalité. Cette faiblesse éclate au grand jour à sa mort et durant six années, une véritable guerre de succession secoue le Panjâb. C'est le chaos, et le régent qui gouverne au nom du jeune prince Dulip Singh ne peut envisager que deux solutions pour ramener le calme dans les esprits. Une dissolution de l'armée étant hors de question, il décide de lancer les troupes dans une aventure guerrière, en rompant les clauses du traité d'Amritsar. Après l'invasion des Sikhs, il s'ensuit une guerre brève et féroce, qui se terminera en février 1846 par la victoire anglaise de Sobraon. Le Panjâb jouira d'une relative autonomie jusqu'en 1849.

Le 22ᵉ régiment de l'armée coloniale britannique en opération dans la province du Sind. Aquarelle.

Barbizon : les peintres retournent à la nature

Barbizon, 1845

A partir de 1825, une colonie de peintres paysagistes se forme à Barbizon à l'orée de la forêt de Fontainebleau. Corot, Théodore Rousseau, Millet et Daubigny sont les personnalités les plus marquantes de ce groupe. Ces peintres, en vouant une dévotion presque exclusive à l'art du paysage, provoquent une révolution dans la peinture européenne du milieu du XIXᵉ siècle. Les doctrines académiques, en effet, n'étaient pas encore mortes, selon lesquelles la peinture devait être « noble ». Les hommes ont été bannis des paysages de Rousseau : c'est une nature dense, habitée seulement d'arbres centenaires aux épaisses frondaisons.

Théodore Rousseau. « L'Allée des châtaigniers ». 1834. L'œuvre sera refusée au Salon, ostracisme dont Rousseau pâtira pendant douze ans.

Soulèvement maori contre les Anglais en Nouvelle-Zélande.

Nouvelle-Zélande, 11 mars 1845

Le 11 mars, 700 Maoris, conduits par leur chef tribal Hone-Heke, incendient la petite ville de Kororareka. Ils sont exaspérés par les agissements de la Compagnie de la Nouvelle-Zélande qui organise la colonisation de façon abusive et installe plus de 20 000 colons, opposant la propriété individuelle à la propriété collective des Maoris. Privés de leurs terres les plus riches, malgré le traité de Waitangi (1840) qui leur garantissait leurs propriétés, les Maoris se rebellent dès 1844. Le gouvernement britannique envoie George Grey, qui connaît leurs coutumes et parle leur langue et qui viendra à bout de la révolte en 1846. Cette colonie avait été fondée en 1840 par les missionnaires australiens à la suite de la signature du traité de Waitangi avec les principaux chefs maoris.

Guerrier maori de l'île Massacre. XIXᵉ siècle. Gravure de Massard.

Le fantastique dans l'œuvre d'Edgar Poe

Etats-Unis, 1845

Edgar Allan Poe rompt avec la tradition du romantisme fantastique. Son œuvre poétique, comme *Le Corbeau*, ou ses nouvelles reflètent une érudition aussi étendue en matière scientifique que dans le domaine ésotérique. Poe, auteur de l'extrême, brise la limite entre le naturel et le surnaturel. Quelques-uns de ses récits sont terrifiants, tel *Le Puits et le Pendule* ; d'autres sont empreints d'occultisme, comme *Legeia*. Certains font appel à la déduction logique ou présentent un aventure technique, mais toujours l'anormal régit ses contes. La plupart de ses œuvres extraordinaires paraissent en 1845 dans les journaux américains mais il reste méconnu dans son pays. Baudelaire le traduira (ainsi que Mallarmé) en France et le publiera dès 1856.

Le poète Edgar Allan Poe. Daguerréotype de Matthew Brady.

Daumier, maître de la caricature sociale

Paris, 1845

Daumier est comme Balzac le témoin de son époque. Le premier est le dessinateur, le second le collaborateur littéraire du journal satirique *La Caricature*. Daumier y montre le roi Louis-Philippe, la tête en forme de poire, se gorgeant des taxes et des impôts auxquels sont soumis ses sujets, un dessin qui lui valut six mois de prison. *La Caricature* interdite en 1835, le dessinateur travaille, 25 ans durant, pour le *Charivari*, dans lequel paraissent *Les Gens de justice*. Il modèle des statuettes, constituant une sorte de société sculptée qu'il dessine ensuite, et inaugure ainsi une forme singulière d'art, la « caricature sculptée ».

Honoré Daumier. « Trois Avocats causant ». Vers 1865. Phillips Collection, Washington.

1846

Galicie, 18 février
Dans les régions polonaises soumises aux Autrichiens, les paysans s'arment et se soulèvent. La ville de Cracovie se libère pendant quatre jours, mais cède vite devant les Russes et les Autrichiens. Le 6 novembre, elle sera annexée à l'Autriche.

Chine, 20 février
La France obtient un édit de tolérance de la pratique du catholicisme dans la totalité de l'empire. →

Maroc, 24 avril
Les troupes françaises sont vaincues sur la Moulouya.

Amérique du Nord, 13 mai
Les Etats-Unis déclarent la guerre au Mexique au sujet du Texas. →

Grande-Bretagne, 23 mai
Le Premier ministre Robert Peel obtient l'abolition des taxes sur le blé. →

France, 25 mai
Louis-Napoléon Bonaparte s'évade du fort de Ham, où il était incarcéré depuis son coup de force de Boulogne le 6 août 1840. →

Grande-Bretagne, mai-juin
Sir Robert Peel est renversé par ses amis conservateurs déçus de son adhésion au libéralisme économique en mai. Il est remplacé par les libéraux Lord Russell et Lord Palmerston. →

Etats-Unis d'Amérique, 15 juin
Par le traité de Washington, les Etats-Unis et la Grande-Bretagne s'accordent sur le tracé de la frontière nord entre le Canada et les Etats-Unis. Elle suivra le 49e parallèle, ce qui permettra, au sud de cette ligne, de former plus tard les Etats de Washington, d'Idaho et d'Oregon. En 1846, un nouvel Etat est admis dans l'Union, l'Iowa.

Rome, 16 juin
Le cardinal Giovanni Maria Mastaï-Ferreti (1792-1878) succède au pape Grégoire XVI et prend le nom de Pie IX. Le 16 juillet, il décrète une amnistie des prisonniers politiques, ce qui suffit à asseoir sa réputation de libéral.

Danemark, 8 juillet
Le roi du Danemark, Christian VIII, rend publique une lettre ouverte concernant le sort des duchés indépendants du Schleswig et du Holstein qu'il désire incorporer au Danemark. Il y affirme que les successions se transmettent autant par les hommes que par les femmes et, qu'à ce titre, ils lui reviennent.

France, 8 août
Parution à Paris du roman de George Sand, La Mare au diable. →

France, août
Les élections législatives donnent une majorité absolue à Guizot : 290 « conservateurs ministériels » contre 168 députés des différents partis de l'opposition.

Espagne, août-11 octobre
Les relations étroites entre la France et l'Angleterre, tissées sous la direction de Guizot, sont fortement détériorées par l'affaire des « mariages espagnols ». La jeune reine d'Espagne, Isabelle II, a deux prétendants : d'un côté le duc de Montpensier, fils cadet de Louis-Philippe, de l'autre Léopold de Saxe-Cobourg-Gotha, cousin de Victoria. Si le prétendant français n'épouse pas la reine, il est marié à sa sœur, Fernanda, tandis qu'Isabelle choisit son cousin, don François d'Assise de Bourbon .

France, 11 septembre
Fondation de l'Ecole française d'Athènes. →

Etats-Unis d'Amérique, 16 octobre
William Morton réussit la première intervention chirurgicale sous anesthésie locale en utilisant le protoxyde d'azote.

Paris, 6 décembre
La représentation de La Damnation de Faust de Berlioz se solde par un échec.

Portugal
A la suite de la publication d'un décret sur la santé publique qui enjoignait aux paysans portugais d'être propres et qui plaçait dorénavant les cimetières en dehors des agglomérations, des paysans guidés par des prêtres de la région du Minho se révoltent et renversent le gouvernement dictatorial de Costa Cabral.

France
L'archéologue Jacques Boucher de Perthes publie ses Antiquités celtiques et antédiluvienne. →

L'historien Jules Michelet publie son essai sur Le Peuple. →

L'historien Michelet exalte le peuple

Paris, 1846
Déjà réputé par ses ouvrages historiques, Jules Michelet s'adresse directement aux Français dans Le Peuple, publié en 1846. Son humanisme le pousse à réfuter le conservatisme, dont les idées sont véhiculées à travers les romans de son temps. Le Peuple brosse un tableau des diverses couches sociales françaises et dénonce les critiques caricaturales et superficielles dont elles sont l'objet. Il refuse le déterminisme historique et veut réveiller la société pour lui prouver qu'elle est la source vive de l'avance de l'histoire. La bourgeoisie, pourtant instigatrice de la révolution de 1789, s'est arrêtée trop tôt dans sa quête de la liberté et du progrès en imitant l'aristocratie. Le peuple doit se servir de son instinct et de la nature : « L'homme de génie est par excellence le simple, l'enfant et le peuple. » Michelet, profondément nationaliste, prône l'amitié des hommes et la reconnaissance de leur identité dans la patrie, leur union seule pouvant les servir. Il développe

Jules Michelet. Détail d'un portrait par Thomas Couture.

l'idée originale du peuple maître de son destin et vivant. Michelet est un historien inspiré : enthousiaste, poète, quelquefois injuste. Avec lui, l'histoire quitte les rayons poussiéreux pour vivre en chacun. Sa pensée s'affinera tout au long de ses œuvres et sera réexpliquée dans Préface, en 1869 : « L'homme est son propre Prométhée. »

L'abolition des taxes sur le blé vaut à Peel d'être renversé

Londres, mai-juin 1846
Décidé à brusquer les choses face à la famine en Irlande et convaincu que le libre-échange correspond à l'intérêt du pays, le Premier ministre Sir Robert Peel annonce son intention de suspendre l'application des corn-laws. La position de Peel, chef du parti conservateur, surprend ses amis politiques, hostiles dans leur majorité au libre-échange. Lord Stanley, membre le plus influent du cabinet après Peel, soutient que l'on ne saura rien de la récolte avant deux mois et que l'entrée des blés étrangers ne nourrira pas les Irlandais, incapables d'en acheter. En fait,

Robert Peel est convaincu que le libre-échange assurera l'équilibre social et économique en Angleterre. De plus, il bénéficie du soutien du prince Albert et de la reine. A l'intérieur de son propre parti, l'opposition est menée par deux hommes, fort différents l'un de l'autre, George Bentinck et Benjamin Disraeli. Après de longs débats passionnés, l'abolition des taxes sur les blés est votée en même temps qu'une diminution des droits de douane sur les autres produits agricoles. Robert Peel doit ce succès au ralliement de l'opposition whig, libre-échangiste, à ses propres amis. Mais, accusé par les conservateurs protectionnistes d'avoir brisé le parti et abandonné par les libres-échangistes du parti libéral, Robert Peel sera renversé quelques jours plus tard.

Le prélèvement des taxes sur le blé. Caricature anglaise. 1847.

L'humeur inconstante des actionnaires. Caricature anglaise d'époque.

Le Mexique et les Etats-Unis en guerre pour le Texas

Mexique, mai 1846

Les Etats-Unis ont décidé d'envahir le Mexique pour le contraindre à reconnaître définitivement la perte du Texas et la fixation de la frontière sur le Rio Grande. Dès le mois de mai 1846, une première armée, commandée par le général Taylor, s'est emparée de la ville de Monterey, dans le nord du pays. En février 1847, Taylor repoussera sans mal une téméraire attaque du général Santa Anna, dont la cavalerie sera décimée au cours d'une imprudente charge contre l'artillerie américaine. Mais les Mexicains ne voudront toujours pas céder : il deviendra alors de plus en plus évident aux yeux des Américains que seule la prise de Mexico pourrait contraindre leurs adversaires à se rendre. Mais l'armée de Taylor était beaucoup trop loin de la capitale. C'est alors au général Scott, débarqué à Veracruz en mars 1847, que reviendra le rôle décisif : après une longue et difficile campagne, ses troupes s'empareront de Mexico en septembre 1847. Le Mexique s'inclinera et reconnaîtra par le traité de Guadalupe Hidalgo, en février 1848, les droits des Américains sur le Texas jusqu'au Rio Grande, sur le Nouveau-Mexique et la Californie, où des combats ont également eu lieu.

La prise de Mexico par les troupes américaines du général Scott, les 14 et 15 septembre 1847. Gravure d'époque.

Boucher de Perthes affirme l'existence de l'homme antédiluvien

France, 1846

L'archéologue Boucher de Perthes (1788-1868) vient d'achever la rédaction de ses *Antiquités celtiques et antédiluviennes*. Il s'est donné pour tâche d'établir un vaste répertoire dans lequel il classe les monuments des différents âges de pierre et fait remonter l'origine de l'homme bien avant l'époque du déluge mise en avant par la Bible. C'est près d'Abbeville, découvrant des silex taillés dans les alluvions de la Somme, qu'il en vint à affirmer l'ancienneté des civilisations humaines. Dure bataille d'idées, mais avancée spectaculaire de la pensée scientifique.

Evasion de Louis-Napoléon Bonaparte du fort de Ham

Ham, 25 mai 1846

Après six ans de captivité, Louis-Napoléon Bonaparte s'évade du fort de Ham car il veut revoir son père qui est mourant. Le 15 mai, Louis Napoléon écrit à son médecin : « On fait des réparations de maçonnerie et de menuiserie dans l'escalier qui conduit à ma chambre. Je me déguiserai en ouvrier. Jamais occasion ne sera plus favorable. » Le 25 mai, dès l'aube, le prince rase ses moustaches, se coiffe d'une perruque et enfonce une casquette ; dès que les ouvriers arrivent, il s'échappe, une planche sur l'épaule pour mieux cacher son visage.

Le fort de Ham qui servait alors de prison d'Etat. Louis-Napoléon s'en évada en 1846.

Une romancière de talent derrière un pseudonyme masculin

Nohant, 1846

Retirée dans son Berry natal, celle qui deviendra « la bonne dame de Nohant » rédige son premier roman champêtre, *La Mare au diable*. Aurore Dupin, née à Paris en 1804, s'était mariée au baron Dudevant dont elle se sépara rapidement. Menant une existence de bohème, elle connut plusieurs aventures sentimentales (Musset, Chopin...) dont une avec Jules Sandeau, d'où son pseudonyme : George Sand. Avec la sérénité de la campagne, elle va trouver une inspiration qui, à travers la peinture de paysages et d'êtres chers, est la meilleure expression de son talent. Son roman raconte la naissance d'une idylle entre un laboureur resté veuf avec trois enfants et une jeune paysanne. Mais, au-delà de l'intrigue, le récit traduit avec beaucoup de naturel la poésie des paysages et des travaux champêtres. Les cœurs purs des personnages sont nourris du recueillement de la terre et de la campagne. Ainsi, la nuit passée près de la mare au diable favorise par son silence les confidences qui feront épanouir l'amour.

Portrait de George Sand par Alfred de Musset. 1833. Dessin.

La Chine autorise le culte catholique

Chine, 20 février 1846

Un édit impérial réaffirme l'autorisation, avec certaines réserves, de l'exercice du culte catholique sur le territoire chinois. Le traité de Nankin signé en 1842 n'abordant pas les problèmes religieux, Lagrené, l'envoyé français, se fait le champion du catholicisme et obtient, par l'intermédiaire du commissaire chinois, deux édits impériaux qui garantissent au catholicisme une place plus favorable dans le pays. Le premier édit, publié en 1844, autorisait la pratique religieuse aux étrangers et aux Chinois dans les cinq ports ouverts. Mais il leur était interdit de se livrer à un quelconque prosélytisme hors de ces limites territoriales. L'édit de 1846 réaffirme cette liberté de culte et ordonne en outre la restitution des églises édifiées au XVIIIe siècle, confisquées depuis. Cependant, les autorités chinoises ne feront respecter ces édits, consentis par la contrainte d'une défaite militaire, qu'avec une extrême mauvaise volonté. Les persécutions envers les convertis reprendront très vite.

Fondation de l'Ecole française d'Athènes

Paris, 11 septembre 1846

En fondant l'Ecole française d'Athènes, la monarchie de Juillet a voulu contribuer au développement des études archéologiques qui étaient jusqu'alors à la charge exclusive de riches particuliers. Elle permet ainsi à de jeunes étudiants de se former à la pratique sur le terrain et offre aux savants la possibilité de continuer leurs travaux dans des conditions meilleures. Les campagnes de fouilles, déjà nombreuses depuis l'indépendance grecque, iront désormais en se multipliant.

L'Ecole française d'Athènes commença en 1873 l'exploration de l'île de Délos, dont on voit ici la fameuse allée des Lions.

1847

France, 28 janvier
Tandis qu'une loi facilitant l'importation des grains est adoptée, des troubles agraires éclatent dans le centre de la France, dans le Buzançais, dus à la disette.

Canada, janvier
Un nouveau gouverneur britannique est envoyé, Lord Elgin, un libéral, ami de Robert Peel. A son arrivée, la reine Victoria annonce l'amnistie de toutes les condamnations prononcées après les soulèvements de 1837-1838. Après les élections de décembre, qui verront la victoire des réformistes, il proclamera, dans son adresse à la nouvelle chambre, la naissance officielle du système parlementaire.

Prusse, 3 février
Le roi Frédéric-Guillaume IV crée par une « patente » une assemblée unifiée rassemblant les délégués des huit provinces prussiennes, dont la première réunion aura lieu le 26 juin et dont les deux chambres ne siégeront ensemble que pour ratifier les impôts.

Rome, mars
Le pape Pie IX édicte une loi libérale sur la presse qui confie la censure à une commission laïque. Puis en juin, il constitue un conseil des ministres et une garde civique. Son exemple est suivi par les autres souverains italiens.

France, 21 avril
Deux projets de réforme de la loi électorale viennent d'être rejetés coup sur coup. Le premier, en mars, proposait l'abaissement du cens électoral de 200 à 100 francs. Le second déclarait l'incompatibilité du mandat de député avec l'exercice d'un emploi dans la fonction publique.

Grande-Bretagne, 8 juin
La journée de dix heures pour les femmes et les enfants est votée.

Grande-Bretagne, juin
A Londres, Karl Marx, Friedrich Engels et Stephan Born fondent la Ligue des communistes, qui tiendra un congrès international du 29 novembre au 8 décembre et adoptera les principes proposés par Marx : renversement de la bourgeoisie et dictature du prolétariat.

Paris, 9 juillet
Premier banquet organisé par l'opposition, qui revendique une transformation profonde de la loi électorale.

Berlin, 23 juillet
Le physicien Helmholtz formule le principe de la conservation de l'énergie. →

Ferrare, 13 août
L'Autriche, inquiète des mesures libérales, occupe la ville mais devra retirer ses troupes en décembre.

Royaume de Bade, 12 septembre
L'opposition radicale et bourgeoise réunie à Offenburg adopte un programme de réformes profondes, libérales et démocratiques : abolition des privilèges, liberté de la presse, égalité électorale.

France, 19 septembre
Guizot est nommé président du Conseil par Louis-Philippe.

Prusse, 10 octobre
Des hommes politiques prussiens, réunis à Eppenheim, demandent la réunion d'un parlement allemand et la création d'un gouvernement commun à tous les membres de l'union douanière.

Algérie, 23 octobre
L'émir Abd el-Kader se rend au duc d'Aumale.

Allemagne
En fondant la première ligne de transport de courrier régulière entre l'Europe et l'Amérique, Arnold Duckwitz assure à Hambourg le monopole du courrier avec les Etats-Unis. →

Autriche
Le médecin Ignace Semmelweis (1818-1865) découvre que la forte mortalité infantile à la naissance est due aux infections.

Libéria
L'Etat fondé par les sociétés antiesclavagistes américaines proclame son indépendance.

Viêt-nam
Tu Duc (1830-1883) devient empereur d'Annam. →

Angleterre
Les sœurs Brontë publient leurs principales œuvres. →

France
Jules Michelet commence la publication de son *Histoire de la Révolution française*, qu'il achèvera en 1853. Lamartine publie son *Histoire des Girondins*. →

Le chimiste Helmholtz étudie la conservation de l'énergie

Berlin, 23 juillet 1847
Hermann Helmholtz (1821-1894), physicien et chimiste allemand, lit le 23 juillet 1847 à la Société berlinoise de physique son mémoire *Sur la conservation de la force*. Il y fait la démonstration que l'on peut appliquer à l'ensemble de la physique la notion de conservation de l'énergie. Ce mémoire formule rigoureusement ce principe et montre que la somme des énergies potentielles et des forces vives est toujours constante et qu'elle est valable pour des phénomènes électriques et pour la transformation du travail en chaleur. Helmholtz produit d'autres travaux fondamentaux en physique sur la chaleur animale et la respiration. En acoustique il développe une théorie des sensations des sons et surtout défend les travaux de Maxwell lorsqu'ils sont introduits en Allemagne. Il démontrera la structure atomique de l'électricité.

Agitation politique en Europe

Europe, 1847
L'Europe est agitée par des mouvements libéraux et nationaux. La guerre civile qui ébranle la Suisse en novembre 1847 prend valeur d'exemple. Un ministre français conservateur note que « les républicains allemands, les nationalistes italiens, les réformistes français, les socialistes de tous les pays suivent les événements de Suisse avec une fiévreuse attention ». La victoire des radicaux suisses sur les sept cantons catholiques du Sonderbund constitue « le premier triomphe de l'idée de souveraineté du peuple ». A la fin de 1847, lorsque se termine la guerre civile suisse, les mouvements se multiplient. En Prusse l'agitation libérale contraint Frédéric-Guillaume IV à établir un « landtag uni » ; en Italie des troubles politiques menaçent le régime absolutiste dans le royaume des Deux-Siciles et le grand-duché de Toscane ; dans l'Empire autrichien, la Diète de Hongrie invoque contre le gouvernement impérial les « libertés magyares ». Ces mouvements visent à modifier les institutions politiques et à satisfaire des revendications nationales. En France les libéraux lancent une campagne de banquets au cours desquels ils réclament une réforme qui accorderait le droit de vote à des gens instruits même s'ils ne payent pas le cens.

Le banquet réformiste d'Amiens, le 5 décembre 1847, souligna l'importance de l'opposition dans un pays en quête de démocratie politique.

Le Sonderbund écrasé par l'armée suisse

Rotenburg (Suisse), 23 novembre 1847
Le conflit entre les catholiques et les radicaux s'exacerbent. En 1845, sept cantons d'obédience catholique romaine se sont unis secrètement pour une alliance défensive : le Sonderbund. Déjà majoritaires dans dix cantons, les radicaux obtiennent en 1847 ceux de Genève (mai) et de Saint-Gall avec Jacques Fazy. Ils sont maîtres de la Diète et de ses décisions. La situation s'envenime quand Ochsenbein, commandant de la deuxième expédition des volontaires contre Lucerne, est élu président de l'Assemblée. En juillet 1847, il prononce solennellement la dissolution du Sonderbund, déclaré incompatible avec l'Acte fédératif. Devant l'opposition grandissante des catholiques, le gouvernement fédéral décide de briser leur ligue par la force. Le général Dufour, quartier-maître de la Confédération, marche avec une armée contre les cantons catholiques et combat deux mois avant d'annihiler la résistance ultramontaine. Le combat de Rotenburg du 23 novembre 1847 est décisif. Les Lucernois, abandonnés par leurs chefs et les autres cantons, s'inclinent au terme de la campagne.

Avènement de l'empereur Tu Duc

Viêt-nam, 1847

L'empereur Tu Duc, de la dynastie Nguyên, monte sur le trône. Le Viêtnam est alors l'Etat le plus vaste et le plus puissant de la péninsule indochinoise. Toutefois, le royaume est en train de se scléroser : l'influence vietnamienne recule au Cambodge et l'Europe montre par les guerres de l'opium qu'elle est prête à s'ouvrir par la force les marchés asiatiques. Mais l'empereur et son entourage se ferment à tout projet de modernisation, à toute ouverture. Affaibli, l'empire des Nguyên s'effondrera avant même que l'Occident ne se présente à ses portes.

Audience accordée à la mission française par l'empereur Tu Duc.

La poésie envoûtante et tragique des "Hauts de Hurlevent"

Angleterre, 1847

La romancière Emily Brontë, née dans le Yorkshire en 1818, publie le roman *Les Hauts de Hurlevent*, une œuvre qui fait évoluer, dans une atmosphère envoûtante et rude, des personnages aux passions farouches. Heathcliff, enfant de Bohémiens et abandonné par ses parents, est recueilli par Mr. Earnshaw. Mais à la mort de celui-ci, son fils Hindley exprime toute sa haine au jeune homme qui se tourne alors vers Catherine, la fille d'Earnshaw, auprès de laquelle il trouve une sécurité affective qui bientôt se transforme en une passion amoureuse absolue et violente. Du personnage fatal de Heathcliff émane le sentiment d'une sourde angoisse que concrétise le décor de la lande déserte. Emily Brontë, auteur également de poésie, passera sa vie aux côtés de ses deux sœurs, Anne et

Charlotte, et d'un frère ivrogne et débauché, Branwell. Anne publiera deux romans, *Agnés Grey* et *La Châtelaine de Wildfell Hall* (1848) ; et Charlotte *Jane Eyre* (1847), *Shirley* (1849) et *Villette* (1853). Emily, qui restera la plus célèbre des trois romancières, mourra à Haworth en 1848.

Les trois sœurs Brontë peintes par leur frère B. P. Brontë.

Mort du caricaturiste français Grandville

Vanves, 17 mars 1847

Grandville travailla comme dessinateur satirique pour des journaux tels *La Caricature* et *Le Charivari*. Mais les illustrations constituent la part la plus remarquable de son œuvre. Il y construit un monde étrange, plein de métamorphoses et que Baudelaire comparera à « un appartement où le désordre serait systématiquement organisé ».

« Un mariage de raison ». 1829. Caricature du dessinateur français Grandville.

Samuel Colt invente le revolver à six coups

Etats-Unis, 1847

Samuel Colt travaille depuis longtemps à la création d'un revolver automatique. Le magasin à munitions, cylindrique, tourne autour d'un axe et présente une cartouche après chaque coup. En 1847, la guerre contre le Mexique fait que l'armée adopte son revolver, qui deviendra l'arme de l'Ouest par excellence.

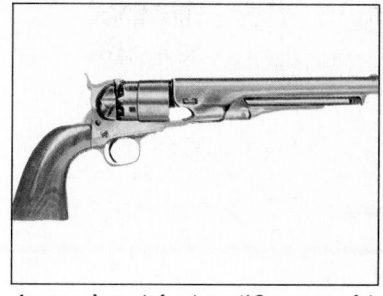

Arme très usitée dans l'Ouest américain : le colt. 1860.

La Révolution de 1789 sous le regard des historiens français

Paris, 1847

Née d'une révolte contre la restauration monarchique la plus ultra, la monarchie de Juillet voit les intellectuels se pencher sur la Grande Révolution. 1847 est l'année de publication de plusieurs histoires passionnées pour cette épopée populaire. Alphonse Esquiros avec son *Histoire des Montagnards*, Alphonse de Lamartine avec celle des Girondins côtoient Louis Blanc et Jules Michelet dont les premiers volumes de leur *Histoire de la Révolution française* commencent à paraître. Seul Jules Michelet est un historien professionnel, mais tous se situent dans les rangs de l'opposition démocratique. Le public accueille avec chaleur ces parutions et fait un triomphe à l'ouvrage de Lamartine dont les ventes dépassent celles du très populaire *Mystères de Paris*, d'Eugène Sue. Volontiers lyriques et romantiques, ces histoires exaltent le peuple, pardonnent les violences, notent le rôle d'accoucheurs d'une humanité libérée joué par les Français de 1789 et pensent la Révolution comme un tout. Seul Michelet prend ses distances avec l'épisode robespierriste, trop religieux et dictatorial à son goût.

Portrait d'Alphonse de Lamartine par le baron Gérard.

Premier long-courrier transatlantique

Allemagne, 1847

A Hambourg est créée la première compagnie qui assure un service régulier vers les Etats-Unis. Le navire est à vapeur, mû par une roue à aube et met 15 jours pour faire le voyage, gagnant près de 10 jours sur un navire à voile. Cette compagnie joue un rôle très important dans l'émigration des Allemands vers les villes du Nouveau-Monde et dans le transport du courrier.

Arrivée à Hambourg du vapeur à roues « Washington » de la Hamburg-Amerika Linie. La traversée durait dix-huit jours. Gravure d'époque.

1848

Milan, 3 janvier
Des heurts ont lieu lors d'une manifestation antiautrichienne organisée par les libéraux.

Sicile, 12 janvier
Insurrection à Palerme contre les Bourbons. →

Danemark, 20 janvier
Frédéric VII succède à son père Christian VIII.

Californie, 24 janvier
Découverte de pépites d'or sur le terrain d'un immigrant helvétique, J. A. Sutter. →

Naples, 27 janvier
C'est au tour de Naples de se soulever et de réclamer une constitution au roi Ferdinand II, qui, isolé, décide de céder. Elle sera promulguée le 10 février. Il sera suivi du duc de Toscane le 17.

Londres, janvier
Parution du *Manifeste du Parti communiste*. →

Etats-Unis d'Amérique, 2 février
Le traité de Guadalupe Hidalgo attribue le territoire de la Californie aux Etats-Unis. →

France, 14 février
Le président du Conseil, Guizot, interdit un banquet républicain prévu le 22 à la mairie du XIIᵉ arrondissement.

Paris, 22-24 février
Les trois journées insurrectionnelles aboutissent à l'abdication de Louis-Philippe et à la formation d'un gouvernement provisoire après que Lamartine eut proclamé la République. →

Royaume de Bade, 27 février
Une assemblée populaire formule les « revendications de mars » (liberté de la presse, constitution, armée populaire, justice démocratique). Des rassemblements analogues ont lieu dans différents Etats allemands.

France, 28 février
Les Ateliers nationaux, destinés à résorber le chômage en réalisant des grands travaux, sont créés par décret signé par le ministre des Travaux publics, Marie. Par milliers, les ouvriers, dont le droit au travail a été reconnu le 25 février, s'inscrivent au bureau d'embauche. Fin juin, ils seront près de 100 000.

Suisse, 2 mars
Dans le 21ᵉ canton, Neuchâtel, le parti patriotique proclame la république.

Berlin, 7 mars
La ville connaît des affrontements révolutionnaires.

Bavière, 11 mars
Les troubles à Munich contraignent le roi Louis Iᵉʳ à bannir de la ville sa maîtresse, la très impopulaire Lola Montès. Il abdiquera le 20 et laissera le trône à son fils, Maximilien-Joseph.

Vienne, 13 mars
Des étudiants lancent un mouvement de révolte contre la domination de Metternich.

Milan, 22 mars
Les 20 000 Autrichiens de Radetzky sont chassés par la révolte populaire, qui a débuté le 18.

Venise, 22 mars
Avertis de la révolte de Vienne, les Vénitiens créent un gouvernement provisoire.

Piémont, 23 mars
Le roi Charles-Albert publie une proclamation dans laquelle il annonce son intervention dans la péninsule offrant « cette aide que le frère attend du frère, l'ami de l'ami ». Toutefois, pas assez rapide, il n'empêche pas les Autrichiens de se replier sans grandes pertes.

Francfort-sur-le-Main, 31 mars
Ouverture dans l'église Saint-Paul du parlement allemand. →

Londres, 10 avril
La manifestation organisée lors du dépôt d'une troisième pétition par le mouvement chartiste est interdite par le gouvernement. Les chartistes, qui ont réuni près de deux millions de signatures, subissent là un échec cuisant.

Posnanie (Pologne), 11 avril
Dans la Pologne soumise aux Prussiens, quelques mouvements insurrectionnels ont lieu, et en particulier à Poznan où une armée dirigée par Ludwik Mierolawski bat les Prussiens le 30 avril à Miloslaw, avant de se désagréger et de laisser la place à une pacification brutale.

Vienne, 25 avril
Le Premier ministre Franz von Pillersdorf octroie une constitution qui est rejetée par les démocrates.

Karl Marx publie le "Manifeste du Parti communiste"

Londres, janvier 1848
C'est sur mandat du deuxième congrès de la Ligue des communistes (décembre 1847) que Karl Marx, aidé par son fidèle ami Friedrich Engels, rédige le célèbre *Manifeste*. Expulsé de France par Guizot le 25 janvier 1845, Marx s'est réfugié à Bruxelles, puis à Londres, victime des tracasseries policières. Cet écrit, imprimé et publié à Londres quelques semaines avant la révolution du 24 février en France, marque une étape fondamentale dans l'histoire des doctrines sociales. Il analyse scientifiquement l'histoire et énonce la primauté de l'économique, qui détermine les formes politiques, et, en dernière analyse, les manifestations intellectuelles : la division de la société en classes est née de la dissolution du communisme primitif (caractérisé par la mise en commun des tâches et des ressources). Or, pour Marx, l'histoire de l'humanité a pour moteur celle de la lutte des classes. Classes exploitées contre classes

Avant son exil à Londres, Mar. dirigeait à Cologne le « Rheinisch Zeitung » : on le voit ici, avec Engels dans l'imprimerie de ce journal.

exploiteuses, chaque société nouvell surgissant du dépassement des con tradictions de la précédente. A l'épo que du capitalisme, la tâche d'instau rer un communisme développé in combe au prolétariat, classe créatric des richesses réelles. La conclusio du *Manifeste* s'achève sur ce mot d'or dre combatif, désormais célèbre « Prolétaires de tous les pays, unissez vous ! » Sa nouveauté par rapport au systèmes socialistes utopiques résid dans l'idée que « la bourgeoisie pro duit ses propres fossoyeurs ».

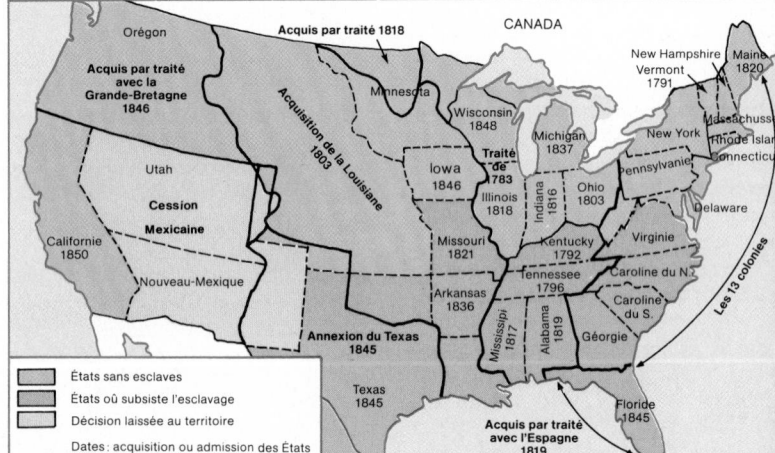

La Californie et le Texas annexés par les Etats-Unis

Etats-Unis, 2 février
Après le Texas en 1845, voici la Californie qui passe sous la domination américaine. Le traité de Guadalupe Hidalgo, signé avec le Mexique, reconnaît la souveraineté de Washington sur tous les territoires au nord du Rio Grande, sanctionnant ainsi sa défaite militaire devant le grand voisin qui continue ainsi sa marche vers l'Ouest. L'établissement américain en Californie est très récent, puisqu' en 1843 des colons commencent à s'installer dans la vallée du San Joaquin, alors que la présence espagnole, puis mexicaine date de plusieurs siècles déjà. En 1846, il n'y a que cinq cents colons américains sur la côte californienne à côté de 10 000 Mexicains et de 20 000 In-

diens. Ce déséquilibre sera vit compensé par l'arrivée massive de chercheurs d'or dans le courant d l'année 1848. Mais les nouveau venus partagent l'opinion de nom breux hommes de l'Est, à savoir qu les Etats-Unis sont destinés à s'éter dre jusqu'à l'isthme de Panama. Au si proclament-ils, dès 1846, une ré publique californienne à l'existenc précaire. L'intervention de l'armé mexicaine provoque celle des Etat Unis, qui prend rapidement le des sus. Dans l'affaire, le Mexique per près de la moitié de sa superfici tandis que les Etats-Unis héritent d plus de 3 millions de km². Les Etat Unis consentent à verser un dédom magement de 15 millions de dolla et à prendre en charge les dette contractées par l'Etat mexicain au près de créanciers nord-américain jusqu'à concurrence de 3,25 m lions. La Californie sera admise dan l'Union en 1850.

1848 : le printemps des peuples et des démocrates européens

« Le Printemps des peuples unis dans une république universelle et sociale ». 1848. Lithographie de F. Sorrien.

Soulèvement du royaume de Sicile

Palerme, 12 Janvier 1848
L'obscurantisme du roi Ferdinand Ier rend son régime intolérable. Après l'échec d'une première insurrection en Calabre, les Napolitains ne prennent plus d'initiatives. La Sicile décide alors d'agir seule pour demander une constitution et son autonomie. Un jurisconsulte sicilien, Crispi, et Ruggiero Settimo préparent l'insurrection. Le 12 janvier, les habitants de Palerme s'arment et attaquent la garnison. Le soulèvement populaire est général ; et des moyens de fortune sont utilisés contre les soldats, accueillis à coups de briques et de jets d'huile bouillante. Les violences durent huit jours et le gouvernement est obligé de transiger. Il propose aux Siciliens l'indépendance administrative et la liberté de la presse. Mais les chefs libéraux, non satisfaits, exigent une constitution. Le commandant de la garnison, à court de vivres et effrayé, bat en retraite le 27 janvier et rentre à Naples. Le gouvernement n'a plus de point d'appui dans l'île hormis Messine et trois forts. Les autorités siciliennes libérales rétablissent la constitution de 1812. Le succès de la révolution de Sicile encourage Naples à secouer le joug de l'absolutisme.

Europe, 1848
Le carcan imposé à l'Europe par la Sainte-Alliance depuis 1815 se brise. Sous l'effet conjugué d'une crise économique due à de mauvaises récoltes et d'une crise politique, les peuples européens se soulèvent, qui pour conquérir la liberté et l'égalité civique, qui pour arracher l'indépendance. Toutefois apparaît un nouveau protagoniste qui soulève la question sociale : l'ouvrier.

Paris insurgée proclame la République une et indivisible

Paris, 22-24 février 1848
Les insurrections qui ont lieu à Paris les 22, 23 et 24 février entraînent l'abdication de Louis-Philippe en faveur de son petit-fils, le comte de Paris. Alors que le roi s'enfuit pour gagner l'Angleterre, la duchesse d'Orléans, le 24 février, essaie de présenter son fils à la Chambre des députés et de faire proclamer la régence. L'entrée des révolutionnaires dans le Palais-Bourbon provoque l'affolement des députés et précipite le départ de la duchesse. Les insurgés proclament la République. Un gouvernement provisoire est constitué le même jour ; Lamartine, Ledru-Rollin, Louis Blanc, Arago, l'ouvrier Albert en font partie. Cette équipe improvisée, portée par les circonstances à la tête de l'État, détient, en l'absence de toute autre institution, les pouvoirs exécutif et législatif : elle légifère et gouverne en même temps. Bien que ce gouvernement provisoire ne soit pas habilité à décider de la forme des futures institutions, il prend deux mesures essentielles qui engagent l'avenir : la proclamation de la République et l'établissement du suffrage universel et direct sans la moindre condition de cens, ce qui est une innovation révolutionnaire. Un décret du 5 mars fixe les modalités qui réglementeront l'élection des membres de la future Assemblée constituante. Sont électeurs tous les Français âgés de plus de 21 ans, résidant dans la commune depuis six mois et jouissant de la totalité de leurs droits civiques. La portée de ce décret est considérable : le corps électoral va passer de 200 000 à plus de 9 millions. Avec l'adoption du suffrage universel, direct et secret, la République une et indivisible devient démocratique.

Les révolutionnaires dans la salle du Trône au palais des Tuileries, le 24 février 1848. Gravure de V. Adam et I. Arnout. Bibliothèque nationale, Paris.

Lamartine imposant le drapeau tricolore comme emblème national au lieu du drapeau rouge, le soir du 25 février 1848. Peinture d'Henri Philippoteaux. Musée Carnavalet, Paris.

1848

Rome, 29 avril
Le pape Pie IX condamne la guerre qu'entreprend le roi de Piémont contre l'Autriche.

Europe, avril
Le mouvement de libération s'est étendu comme une tache d'huile sur le continent. Les déclarations d'indépendance se multiplient. Venise a proclamé la sienne le 22 mars, le lendemain la Hongrie fait de même et sa Diète, réunie le 11 avril, proclame la démocratie. Le 13 avril, c'est au tour de la Sicile de se proclamer indépendante, tandis que la Lombardie préfère se rattacher au Piémont.

Paris, 4 mai
Séance d'ouverture de l'Assemblée constituante dont les élections ont eu lieu les 23 et 24 avril. Première élection au suffrage universel, elle a connu un très large succès : 84 % de participation pour 9 395 000 inscrits. Victoire des républicains modérés (580 députés) et défaite des socialistes (100 environ), la droite monarchiste rassemblant 200 sièges.

Serbie, 13 mai
Une Assemblée nationale serbe se réunit à Karlowitz.

Transylvanie, 15 mai
Les Roumains de Transylvanie, sous autorité hongroise, se rebellent contre Budapest et se réunissent à Blassendorf. Le mouvement gagne les autres provinces roumaines sous obédience ottomane, la Valachie et la Moldavie.

Paris, 15 mai
Une manifestation en faveur de la Pologne s'achève par la prise du Palais-Bourbon, siège de l'Assemblée. Barbès et Huber proclament la dissolution de l'Assemblée et installent un gouvernement insurrectionnel à l'Hôtel de Ville, avant d'être arrêtés.

Allemagne, 18 mai
Réunion de l'Assemblée nationale allemande à Francfort. →

Naples, 22 mai
Les libéraux sont massacrés par les extrémistes monarchistes et catholiques.

Prusse, 22 mai
Réunion de l'Assemblée constituante prussienne à Berlin.

La guerre des duchés se termine à l'avantage de la Prusse. →

Cologne, 1er juin
Karl Marx et Friedrich Engels éditent le premier numéro de la *Nouvelle Gazette rhénane*.

Prague, 2 juin
Frantisek Palacky préside le premier Congrès panslave, qui s'achèvera le 12 en réclamant la transformation de l'Empire autrichien en une fédération de peuples égaux en droits. Le lendemain, la ville se soulève mais est réinvestie le 16 par les troupes du général Windishgrätz.

France, 4 et 5 juin
A l'occasion d'élections partielles dans le département de la Seine, le prince Louis-Napoléon Bonaparte est élu.

France, 21 juin
Les Ateliers nationaux sont dissous par l'Assemblée.

Paris, 23-26 juin
L'insurrection ouvrière de la capitale se termine dans un bain de sang. →

Allemagne, 27 juin
Le président de l'Assemblée nationale allemande, Heinrich von Gagern, décrète la formation d'un gouvernement central provisoire dont il nomme les membres parmi les aristocrates de Bavière et d'Autriche.

France, 5 juillet
Godefroy Cavaignac, qui a dirigé la répression en juin, est nommé président du Conseil.

Italie, 25 juillet
L'armée piémontaise est balayée par les troupes autrichiennes à Custozza (→). Le 9 août un armistice est signé à Vigevano qui engage le Piémont à abandonner la Lombardie et Venise. Giuseppe Garibaldi et ses volontaires résistent jusqu'au 26 août à la bataille de Morazzone, qu'ils perdent avant de se replier sur le Tessin.

Suède, 26 août
La Prusse et le Danemark signent le traité de Malmö, qui met fin à la guerre des duchés. →

Irlande, juillet-août
Les confédérés irlandais dirigés par Mitchell et Smith O'Brien échouent dans leur tentative de soulèvement national.

Autriche, 7 septembre
L'Assemblée constituante de Vienne, ouverte le 22 juillet, décide d'abolir le régime féodal.

Les Viennois exigent une constitution

Vienne, 1848
L'écho de la révolution parisienne a déclenché la révolte de la population viennoise. C'est en effet dès le 13 mars que des étudiants et des bourgeois « en gants de peau » se sont rassemblés devant le bâtiment de la Diète pour exiger une constitution libérale et le renvoi de Metternich, qui symbolise l'absolutisme. La troupe a alors tiré, mais la répression n'a fait que donner plus d'ampleur au mouvement : les faubourgs se sont soulevés et ces émeutes populaires ont contraint le vieux chancelier à démissionner. Gagnant la Moravie, avant de partir pour l'Angleterre, il a dû quitter Vienne dans une voiture de blanchisseuse pour échapper à la vindicte populaire. Ce premier succès n'a pas mis fin à l'agitation et le gouvernement a dû promettre une constitution, le 15 avril. Mais quand le texte de celle-ci fut publié, quelques jours plus tard, les Viennois la trouvèrent timorée et de nouvelles

Barricade à Vienne, dite de l'Empereur. Gravure d'époque.

émeutes ne tardèrent pas à éclater. Le gouvernement dut alors se résoudre à annoncer la convocation d'un parlement élu au suffrage universel et doté de pouvoirs constituants.

Distribution d'armes aux étudiants, le 13 mars 1848, à Vienne. Estampe de Ferdinand Haufbauer. Heeresgeschichtliches Museum, Vienne.

Le peuple milanais chasse les Autrichiens

Milan, 18-22 mars 1848
Dès janvier 1848, Milan s'agite sous la botte autrichienne. Pour contester un impôt sur le tabac, les Milanais cessent de fumer, tandis que les soldats les narguent avec de gros cigares. Cette « émeute des cigares » est suivie en mars d'une révolte à l'issue de laquelle les Autrichiens quittent la ville. A la nouvelle de l'insurrection de Vienne, le 18 mars, une foule énorme, conduite par le podestat Casati, marche sur la résidence du vice-gouverneur. Elle exige le licenciement de la police et la constitution d'une garde civique municipale. Mais les chefs du mouvement réclament aussi l'indépendance. Le conflit violent est inévitable. La population se heurte aux 13 000 hommes du gouverneur Radetzky et dresse des barricades. La révolte est menée par Carlo Cattaneo, un écrivain qui

refuse la proposition d'armistice. Radetzky fait alors bombarder Milan, mais les villes voisines et les paysans se portent au secours des Milanais et le gouverneur doit évacuer le 22 mars. Les insurgés victorieux acclament Charles-Albert, roi de Piémont, et ses troupes qui rentrent à Milan le 25 mars. La ville ne sera reprise que le 6 août par les Autrichiens.

Emeute révolutionnaire à Milan conduite par l'écrivain Carlo Cattaneo

Berlin se soulève pour un nouveau ministère

Berlin, 16 mars 1848
A la nouvelle de la révolution autrichienne et de la chute de Metternich le 16 mars, l'enthousiasme s'empare des Berlinois, qui se répandent dans les rues de la capitale. Des cocardes aux couleurs allemandes (noir, rouge et or) apparaissent. Les manifestations se multiplient contre le gouvernement de Frédéric-Guillaume IV. Des affrontements avec la troupe font deux morts et de très nombreux blessés. Les rues se couvrent de barricades. Cédant aux pressions, le roi fait préparer par son ministre Bodelschwing deux lettres-patentes qui font appel au sentiment national allemand. Il déclare nécessaire la rénovation de la Confédération par la création d'un Etat fondé sur l'union des princes et du peuple et se prononce en faveur de la réunion immédiate d'un parlement fédéral, de la création d'une armée et d'une flotte nationale et de l'extension du Zollverein. Il accorde égale-

Combats de rue dans la Breite Strasse à Berlin les 18 et 19 mars 1848.

ment quelques concessions aux libéraux en décrétant l'abolition de la censure et en promettant la convocation prochaine du landtag. Les lettres patentes paraissent le 18 mars, trop tard pour arrêter la révolution.

L'Allemagne libérale se dote d'un parlement

Francfort-sur-le-Main, 18 mai
Premier parlement allemand élu, l'Assemblée nationale constituante se réunit le 18 mai dans l'église Saint-Paul de Francfort. Les libéraux en forment la majorité. C'est le 30 mars que la Diète confédérale a décidé de procéder à l'élection de représentants de toute l'Allemagne et, le 31, un parlement préparatoire est constitué. Très rapidement, les républicains et les radicaux sont mis en minorité par les partisans d'une monarchie constitutionnelle. La discussion porte également sur la forme que devra prendre le futur Etat allemand. La majorité est en faveur d'un Etat fédéral sous la direction de la Prusse excluant l'Autriche, mais le roi de Prusse souhaite la rénovation du système impérial. Les Bavarois, de leur côté, sont partisans d'une union, for-

mée avec la Prusse et l'Autriche.

Séance inaugurale de l'Assemblée nationale constituante allemande dans l'église Saint-Paul de Francfort. 1848.

Prague écrasée par Windischgrätz

Prague, juin 1848
Le Congrès slave réuni à Prague sur l'initiative de Palacky préconise l'abolition des privilèges et l'égalité des droits entre Slaves et Allemands dans la monarchie autrichienne. Une vive agitation accompagne ces débats et le général Windischgrätz, qui commande l'armée de Bohême, menace de rétablir l'ordre par la force : une véritable insurrection éclate alors le 12 juin. Conduite par les patriotes les plus radicaux, elle est désavouée par Palacky, qui tente une médiation, mais sans succès.

Victor Schœlcher fait abolir l'esclavage

France, 27 avril 1848
Victor Schœlcher, grand bourgeois libéral ayant voyagé aux colonies, est partisan de l'abolition de l'esclavage. En mars, il devient sous-secrétaire d'Etat à la marine, qui fait office de ministère des Colonies, et fait passer le décret d'abolition de l'esclavage le 27 avril. Un groupe de travail prépare l'application de la réforme et l'indemnisation des colons dépossédés de ce qui avait été leur « propriété ». Victor Schœlcher rédige l'article de la constitution qui octroie aux esclaves le statut de citoyens.

Prusse et Danemark en guerre pour les duchés

Schleswig-Holstein, mars-avril
Les troupes prussiennes envahissent les duchés du Schleswig-Holstein et entrent en guerre avec l'armée danoise. Victorieuses, elles devront cependant se retirer au mois de mai, la Prusse ayant cédé aux pressions du gouvernement russe qui soutient le Danemark. C'est l'arrivée au pouvoir à Copenhague d'un ministère partisan du « Grand Danemark » déter-

miné à achever l'annexion et l'assimilation des duchés qui avait provoqué la rébellion des Allemands, qui forment la majorité de la population. Le 24 mars, un gouvernement provisoire était formé à Kiel. La révolte devient guerre ouverte. Battus par les Danois à Bau, près de Flensbourg, le 9 avril, le corps des volontaires allemands réclame le secours de la Prusse et de l'ensemble de l'Allemagne. Le 12 avril, la Diète confédérale se prononce en faveur du gouvernement de Kiel.

A Custozza, les espoirs d'unité des Italiens s'évanouissent

Custozza, 25 juillet 1848
Fort de son emprise sur les Italiens du Nord, le roi Charles-Albert de Sardaigne déclare la guerre à l'Autriche. Il dispose des troupes piémontaises et lombardes, et l'enthousiasme patriotique de ses hommes lui permet de remporter la victoire de

Goïto au début des opérations militaires. Toutefois, Radetzky reçoit d'importants renforts de l'Autriche et peut porter 60 000 soldats équipés contre les 20 000 volontaires italiens. Déjà maître de plusieurs villes vénitiennes, Radetzky brise l'élan italien en remportant la victoire décisive de Custozza le 25 juillet 1848. Le roi Charles-Albert se réfugie à Milan, investie par les Autrichiens le 5 août. Un armistice est alors signé qui met fin à la guerre.

En France, un large mouvement féministe

France, 1848
La femme, adulée mais socialement opprimée, précise avec plus de netteté ses revendications. En 1848, les clubs de femmes se multiplient et demandent l'égalité des sexes. La femme de la bourgeoisie est considérée comme une « gentille poupée » ou une esclave destinée à amuser son maître et à le servir. Dans la classe ouvrière, la femme est mise en apprentissage à 12 ans, parfois moins ; elle est exploitée par sa patronne,

puis plus tard par son mari. Les porte-parole du mouvement féministe, George Sand, la comtesse Marie d'Agoult, dite Daniel Stern, et Pauline Rolland, réclament l'affranchissement de la compagne de l'homme et font valoir les droits de la femme à l'instruction, comme l'exprimait Flora Tristan dans son journal l'*Unité ouvrière*. George Sand se lance même dans la politique ; elle est chargée, en mars 1848, par le gouvernement provisoire de rédiger des articles dans le *Bulletin de la République*, journal-affiche destiné à être placardé dans les communes.

Un club de femmes à Paris. Le décret du 4 mars 1848 ayant accordé la liberté de réunion, les clubs se sont multipliés. Dessin d'époque.

1848

Allemagne, 13 septembre
L'acceptation par le parlement de Francfort du cessez-le-feu entre la Prusse et le Danemark provoque un nouveau mouvement populaire. →

France, 17 septembre
Lors d'élections partielles, Louis-Napoléon Bonaparte est élu à l'Assemblée nationale dans la Seine, dans l'Yonne, en Moselle, en Charente-Inférieure et en Corse.

Paris, 21 septembre
Un banquet démocratique est organisé pour célébrer l'anniversaire de la première République de 1792.

Budapest, 28 septembre
Le comte Lambert, représentant de l'empereur d'Autriche, est assassiné.

Suisse, septembre
Une constitution fédérale est adoptée qui remplace le pacte de 1815. Un Conseil fédéral de sept membres est chargé des Affaires étrangères, de la Poste, de la Monnaie, des Douanes et de l'Armée. Deux assemblées s'occupent du travail législatif : un Conseil national, élu au suffrage universel, et un conseil des Etats.

Perse, septembre
A la mort de Muhammad Shâh, qui règne depuis 1834, c'est son fils Nâsir ed-Dîr qui lui succède.

Hongrie, 3 octobre
Lajos Kossuth dissout la Diète.

Vienne, 6-7 octobre
Troisième soulèvement révolutionnaire qui s'achèvera dans la semaine du 26 au 31. →

France, 15 octobre
Le remaniement ministériel donne l'occasion à des membres du parti de l'ordre animé par Thiers, Bugeaud, Molé et Montalembert, de revenir au gouvernement.

France, 21 octobre
Le premier feuilleton des *Mémoires d'outre-tombe* de François René de Chateaubriand paraît dans le quotidien *La Presse*. →

Allemagne, 31 octobre
Le parlement de Francfort rompt ses relations avec l'Autriche en signe de protestation contre la brutale répression qui frappe le mouvement démocratique autrichien.

Prusse, 2 novembre
Tandis que les *Junkers* fondent diverses formations politiques pour défendre leurs intérêts avec l'aide des Eglises protestantes, Frédéric-Guillaume IV nomme à la tête du gouvernement le comte Friedrich-Wilhelm Brandenburg avec mission de réduire les libéraux. Le 9 novembre, il suspend les séances de l'Assemblée nationale prussienne et, le 27, l'exile en province, dans le Brandebourg. L'Assemblée appelle à la résistance passive et à la grève de l'impôt, sans succès.

France, 12 novembre
Votée le 4, la nouvelle constitution est promulguée. Elle prévoit une assemblée unique de 750 représentants élus pour trois ans au suffrage universel et un président de la République, élu pour quatre ans au suffrage universel, mais non renouvelable.

Italie, 15 novembre
L'assassinat du ministre Pellegrino Rossi ouvre une crise politique qui contraint le pape à fuir Rome pour Gaëte le 24 décembre.

Autriche, 2 décembre
Le ministre-président Félix Schwarzenberg obtient l'abdication de l'empereur Ferdinand Ier au profit de son neveu François-Joseph Ier.

Prusse, 5 décembre
Le roi dissout l'Assemblée nationale et octroie une constitution à la demande de ses ministres. Plus avancée que ses modèles belges et français (la Charte de 1814), elle offre quelques satisfactions aux libéraux (interdiction des fidéicommis et des polices liées aux propriétaires terriens, abandon d'une première Chambre uniquement aristocratique). Cette constitution prendra effet le 31 janvier 1850.

France, 10 décembre
Louis-Napoléon Bonaparte est élu président de la République. →

Hongrie, 15 décembre
L'armée autrichienne commandée par le comte Alfred Windischgrätz envahit le pays.

Angleterre
Le peintre Dante Gabriel Rossetti fonde, avec William Holman Hunt, la *Préraphaelite Brotherhood*. →

France
Claude Bernard découvre la fonction glycogénique du foie.

Echec à Paris de la révolution sociale

Paris, juin 1848
L'insurrection ouvrière, les 23, 24, 25 et 26 juin, est une réaction de désespoir contre la fermeture des ateliers nationaux. Le gouvernement provisoire s'était engagé à garantir le travail à tous les citoyens. Il avait institué, par le décret du 27 février, des ateliers nationaux à Paris sous le contrôle de la commission du Luxembourg, présidée par Louis Blanc. Tous les ouvriers sans travail étaient admis, sans distinction de profession, à des travaux de terrassement ou de voirie pour la construction des gares Saint-Lazare et Montparnasse. Avec l'aggravation de la crise économique, les chômeurs des industries et du bâtiment affluaient de plus en plus vers les ateliers nationaux. L'Assemblée constituante, élue le 23 avril au suffrage universel, comprend une majorité d'élus conservateurs hostiles à l'intervention de l'Etat sur le plan social ; aussi désapprouve-t-elle ces ateliers. Le 21 juin, elle en ordonne la fermeture. Dès le 23, les ouvriers manifestent leur désespoir et leur lassitude à l'égard de cette assemblée qui soudainement les prive de leur moyen de subsistance. La répression de cette insurrection confiée à Cavaignac est féroce : 4 000 morts du côté des insurgés, 1 600 dans les forces de l'ordre. Ces journées de juin condamneront à terme la IIe République à mort, en la privant du soutien des couches ouvrières.

Les ouvriers parisiens hissant le drapeau rouge sur les barricades en juin 1848. Gravure d'époque.

Cinq jeunes peintres fondent la "Confrérie préraphaélite"

Londres, 1848
Devant l'inertie académique et dans le but de redonner vie à l'art, cinq jeunes hommes décident de se regrouper pour défendre leurs idées. Autour de D. G. Rossetti et de W. H. Hunt, ce sont J. E. Millais, E. Burne-Jones et William Morris. Admirateurs de Raphaël, ils réfutent pourtant les conventions nées de son enseignement et vont chercher leur inspiration chez les primitifs italiens et dans la nature même. W. H. Hunt, lisant en 1847 *Les Peintres modernes* de Ruskin, avait trouvé les principes de leur révolte dans ce conseil : « En ne rejetant rien, en ne méprisant rien, en croyant que toutes choses sont bonnes et justes, et en puisant sa joie dans la vérité. »

John Everett Millais. « Ophélie ». 1852. Tate Gallery, Londres. Cette œuvre s'inspire de l'imagerie shakespearienne.

Défaites révolutionnaires en automne

Vienne, 6-7 octobre 1848

La ville se soulève une troisième fois cette année, les 6 et 7 octobre, pour suivre l'exemple hongrois de Lajos Kossuth qui, à Pest, s'est emparé du pouvoir. Des étudiants, des bourgeois et des ouvriers prennent la ville et dès les premières heures, le ministre de la Guerre est tué par des soldats insurgés dans son propre ministère. L'empereur s'enfuit à Olmütz. L'atmosphère de liesse que connaît la ville dure peu, car l'aristocratie et les militaires se réorganisent. Après cinq jours de violents combats, Vienne, isolée, succombe face aux troupes impériales commandées par Windischgrätz et le lieutenant-maréchal Jellacic. Une période de répression sanglante s'ouvre. Procès et exécutions sommaires se multiplient.

Un membre radical du parlement de Francfort, pris sur les barricades, Robert Blum, est fusillé le 9 novembre.

Exécution de Robert Blum.

Etudiants italiens du « Risorgimento » arborant leur butin de guerre, des casquettes prises à des soldats autrichiens. 1848.

Italie, automne 1848

La défaite des Piémontais porte un coup fatal aux espoirs d'unité nationale des Italiens. D'autant que dans les Etats où ils ont pris le pouvoir, démocrates, républicains et modérés s'opposent. Dans deux Etats, pourtant, le mouvement démocratique connaît des développements plus heureux. A Rome, le pape, qui veut conserver ses pouvoirs temporels sans conflit, s'oppose aux libéraux qui veulent la guerre contre les Autrichiens et une constitution.

Allemagne, 13 sept. 1848

La décision du parlement de Francfort de revenir sur un vote antérieur, en refusant de poursuivre la guerre menée en faveur des Duchés, provoque le soulèvement du parti démocratique. Le 13 septembre, la foule rassemblée à Cologne réclame la république et les manifestants arborent le drapeau rouge. Une émeute éclate à Francfort et l'église Saint-Paul où siègent les députés est encerclée par les barricades. A la nouvelle

Des révolutionnaires assassinent le ministre Pellegrino Rossi, le 15 novembre, au moment où il se rend à la séance de réouverture du parlement, et le lendemain une manifestation populaire se transforme en émeute. Les démocrates prennent le pouvoir et le parlement décide d'organiser des élections pour 1849. En Toscane, le 27 octobre, des démocrates ont également pris le pouvoir et forment un gouvernement provisoire obligeant le grand-duc à se réfugier auprès du pape.

de ces événements, les républicains allemands exilés à Paris reviennent, croyant leur heure venue. Gustav von Struve, qui vient de publier un plan de réorganisation de l'Allemagne en vingt-trois républiques fédérées, passe la frontière le 21 et proclame le gouvernement provisoire de la République sociale allemande. Mais dès le 26, l'armée réprime le mouvement. Struve est arrêté. Et partout, des mesures énergiques sont prises contre les républicains.

L'utilitarisme selon John Stuart Mill

Angleterre, 1848

L'économiste et philosophe John Stuart Mill (né à Londres en 1806) publie les *Principes d'économie politique*. Il y formule notamment la théorie de l'« état stationnaire » qui pose la question de la condition où sera placée l'humanité au terme des progrès industriels et compte tenu de la limitation des richesses. En effet, l'humanité ne pourra échapper à la misère qu'en limitant la population ainsi qu'en organisant une distribution plus juste de la production entre les différentes classes sociales. L'ouvrage essaie de concilier les aspirations individualistes et socialistes que l'auteur approfondira dans son essai de 1861 *Sur l'utilitarisme*. Stuart Mill y reprend la théorie de l'arithmétique des plaisirs de Bentham, ajoutant au critère utilitaire de la quantité, celui de la qualité des plaisirs, distinguant la simple satisfaction du bonheur. Il soulignera, par ailleurs, que le bonheur personnel se découvre en travaillant au bonheur des autres, débouchant ainsi sur les notions de sympathie et de fraternité. Stuart Mill mourra à Avignon, en 1873.

Un Bonaparte est élu à la présidence de la République

France, 10-11 décembre 1848

Innovation : la Constitution de 1848 délègue le pouvoir exécutif à un président de la République élu pour quatre ans au suffrage universel. L'élection est fixée aux dimanche 10 et lundi 11 décembre. Cinq candidats se présentent : Lamartine, Cavaignac, Ledru-Rollin, Raspail et Louis-Napoléon Bonaparte. Cavaignac semble le mieux placé. C'est finalement Louis-Napoléon Bonaparte qui emporte l'élection avec plus de 74 % des suffrages exprimés. C'est une belle revanche pour le conspirateur malheureux de Strasbourg et de Boulogne. C'est un immense succès qui dépasse toute attente. Il est clair que Louis-Napoléon Bonaparte, neveu de l'Empereur, recueille l'héritage d'une légende qui n'a cessé de s'amplifier depuis la mort de Napoléon (1821), et dont le retour des cendres, en 1840, a marqué la consécration. Louis-Napoléon Bonaparte a bénéfi-

Louis-Napoléon Bonaparte élu président de la République.

cié, en outre, du soutien des conservateurs qui comptent sur lui pour assurer l'ordre public contre l'agitation de la rue, du soutien des ouvriers aussi qui votent pour lui par patriotisme et de celui enfin des paysans fidèles au souvenir de Napoléon.

Début de la ruée vers l'or en Californie

Californie, février 1848

En février, des prospecteurs d'or inspectent les rives du fleuve Sacramento en Californie. C'est à 45 miles au nord de Fort Sutter, sur un terrain appartenant à A. Sutter que James W. Marshall trouve le précieux minerai. Annoncée en août dans la presse locale, puis très officiellement par le président James K. Polk dans son discours sur l'état de l'Union le 5 décembre, la nouvelle suscite un extraordinaire engouement tant aux Etats-Unis que partout ailleurs dans le monde. La Californie devient le nouvel Eldorado. Ses quelques milliers d'habitants voient, en l'espace de trois mois, arriver par milliers des aspirants à la fortune. Ils seront 100 000 à la fin de 1849. En 1851, l'extraction rapportera déjà 55 millions de dollars. Des villes nouvelles, Calico, Bodie (à partir de 1859), puis plus tard Jerome (1880) se multi-

plieront le long des chantiers, lieux passionnés et violents, où se côtoieront, et parfois se succéderont misère et richesse.

Chercheur d'or américain. Photographie de 1849.

1849

France, 29 janvier
A la suite d'une manifestation contre le régime, Louis-Napoléon fait procéder à l'arrestation de vingt-sept responsables montagnards.

Rome, 9 février
Après avoir combattu dans les troupes garibaldiennes, Mazzini participe à la proclamation de la République romaine, dont il devient un des triumvirs.

Hongrie, 26 février
Après avoir occupé Buda et Pest les 5 et 8 janvier, le général Windischgrätz défait les Hongrois à Kapolna.

Autriche, 4 mars
La Constitution, particulièrement centraliste, octroyée par François-Joseph permet de dissoudre l'Assemblée nationale de Kremsier.

Piémont, 24 mars
Charles-Albert abdique au profit du duc de Savoie, Victor-Emmanuel II, à la suite de la défaite de ses troupes le 23 à Novare devant l'armée autrichienne de Radetzky. Le nouveau roi signe l'armistice de Vignale qui aboutira à la paix de Milan, le 6 août.

Allemagne, 28 mars
Par 290 voix contre 248, une nouvelle constitution est adoptée par l'Assemblée nationale de Francfort, qui propose la couronne impériale à Frédéric-Guillaume IV, qui la refuse. Celui-ci n'en soutient pas moins la politique de la « petite Allemagne » (c'est-à-dire sans l'Autriche). Vingt-huit Etats adoptent cette constitution, sauf les royaumes de Bavière, Saxe et Wurtemberg.

Hongrie, 14 avril
Après avoir repris la capitale et vaincu les Autrichiens à Gödöllö le 7, les Hongrois réunis en congrès à Debrecen décident la déchéance des Habsbourg.

Allemagne, 3 au 9 mai
Soulèvement à Dresde, dirigé par Michel Bakounine, puis à Breslau du 5 au 7 mai. L'intervention de la Prusse y met fin rapidement. La révolte qui éclate à partir du 11 mai dans le pays de Bade est plus sérieuse et ne sera pas matée avant le 23 juillet. →

Sicile, 11 mai
Le roi Ferdinand de Naples contraint Palerme à se rendre après avoir soumis Catane.

France, 13 mai
Les élections législatives marquent le triomphe du parti de l'ordre qui dispose de plus de 500 sièges contre 180 aux nouveaux montagnards de Ledru-Rollin et moins de 80 aux républicains modérés, les grands vaincus de la consultation. Leurs chefs, Lamartine et Garnier-Pagès, n'ont pas été réélus.

Toscane, 25 mai
Les Autrichiens réduisent Livourne les 10 et 11 mai et pénètrent dans Florence.

Hongrie, mai
L'empereur François-Joseph appelle le tsar Nicolas Ier à l'aide pour vaincre l'insurrection hongroise.

Allemagne, 18 juin
Le Parlement, qui siège à Stuttgart depuis le 30 mai, est dissous par le gouvernement du Wurtemberg après avoir appelé le peuple allemand à combattre pour la constitution du 28 mars.

Rome, 4 juillet
Les troupes françaises commandées par le général Oudinot occupent la ville assiégée depuis début mai. Le corps expéditionnaire français avait débarqué le 25 avril à Civitavecchia à la demande de Pie IX.

Hongrie, 13 août
Les Autrichiens obtiennent à Vilagos la capitulation des Hongrois du général Arthur von Görgey battu par les Russes près de Temesvar le 9.

Rome, 12 septembre
Par le motu proprio de Portici, Pie IX annonce une série de réformes avant de rentrer à Rome, en avril 1850.

Paris, 17 octobre
Mort de Frédéric Chopin. →

Allemagne, 20 décembre
La démission du vicaire d'Empire, le grand-duc Jean, symbolise la fin de la révolution allemande de 1848-1849.

Danemark
Le philosophe Sören Kierkegaard publie le *Traité du désespoir*.

France
Courbet expose au Salon *L'Après-dîner à Ornans*, qui retient l'attention aussi bien d'Ingres que de Delacroix. La même année, l'artiste travaille aux *Casseurs de pierre*.

Les patriotes hongrois guidés par Kossuth battus par les Russes

Hongrie, 13 août 1849
Ce sont les troupes russes appelées à la rescousse par le gouvernement autrichien qui sont finalement venues à bout de l'insurrection hongroise. Après avoir été écrasées à Temesvar, les forces du général Görgey ont capitulé à Vilagos, le 13 août 1849. La répression est alors d'une terrible cruauté. Ainsi s'achève un mouvement qui avait commencé en mars 1848, lorsque les Hongrois avaient exigé une constitution. Dirigé par des modérés, le gouvernement qui s'était alors mis en place comptait cependant en la personne de Kossuth, ministre des Finances, un des plus ardents hérauts de la renaissance nationale. Cet avocat, issu de la petite noblesse luthérienne, admirateur des institutions politiques anglaises, devint l'âme de la révolte hongroise, lorsque la rupture fut consommée entre les Magyars et Vienne. Il proclama le 14 avril 1849 la déchéance des Habsbourg et l'indépendance de la République hongroise. Mais, malgré leur héroïsme, les Magyars furent vite en situation difficile, en raison de leur isolement. En outre, ayant refusé toute concession aux nationalités non magyares qu'ils dominaient, ils eurent à faire face à la révolte des Croates de Jellacic, qui fut un redoutable allié des troupes autrichiennes dans l'écrasement de l'insurrection. Il dut s'exiler, et son périple le conduisit en Turquie, à Londres et enfin à Turin où il mourut en 1894, âgé de 92 ans.

Lajos Kossuth à Pest, le 14 avril 1848. Musée hongrois de la Guerre.

John Ruskin, esthète, critique et démocrate

Angleterre, 1849
L'écrivain John Ruskin (né à Londres en 1819), auteur d'un ouvrage sur *Les Peintres modernes,* dans lequel il exprime son admiration pour Turner et les préraphaélites, obtient un grand succès avec la publication des *Sept Lampes de l'architecture,* où apparaît l'idée que l'art d'un peuple, et en particulier son architecture, est le reflet de ses habitudes sociales et de sa morale. L'architecture exige l'obéissance à sept grandes lois que Ruskin dénomme « lampes ». Ce sont, successivement, le sacrifice, la vérité, la force, la beauté, la vie et le souvenir, qui confèrent à cet art un caractère quasi sacré. Quant à la septième « lampe », l'obéissance, elle requiert des architectes de se soumettre aux exigences d'un art qui soit national. John Ruskin publiera encore divers ouvrages sur l'art, l'éducation, la morale, les problèmes sociaux (*L'Economie politique de l'art,* 1857). L'auteur mourra à Brantwood en 1900.

John Ruskin assurera une forme de magistère intellectuel à la fin du XIXe siècle.

La France intervient contre les républicains

Rome, mai-juillet 1849
Rome est tenue par les républicains qui proclament (février 1849) la déchéance du pouvoir temporel du pape et qui confient le pouvoir exécutif à un triumvirat, dont Mazzini est la figure essentielle. L'armée républicaine est dirigée par Garibaldi. La France décide d'intervenir pour empêcher les Autrichiens de s'étendre au sud et pour se ménager une zone d'influence en Italie. Le 30 avril, le général Oudinot commande une première attaque contre Rome et tente de forcer les portes du Vatican. Mais les 10 000 « Chemises rouges » de Garibaldi repoussent les troupes françaises. Le 30 mai, Ferdinand de Lesseps renonce à l'occupation de Rome, mais refuse de reconnaître la République. Tocqueville, ministre des Affaires étrangères, reprend les hostilités et désavoue Lesseps. Rome est finalement prise et occupée par Oudinot les 2 et 3 juillet 1849. Pie IX rentrera dans ses Etats et confiera au cardinal Antonelli le soin de restaurer intégralement les vieilles institutions.

Série de soulèvements en Allemagne

Allemagne, mai-juin 1849

En mai 1849, le parlement de Francfort se dissout devant le refus des souverains de ratifier le projet de constitution d'empire qu'il était parvenu à présenter en janvier. Un projet pourtant peu radical puisqu'il rétablissait la charge impériale disposant du pouvoir exécutif, auquel était adjoint un parlement. Le « parlement-croupion » de Stuttgart, qui avait essayé d'organiser un mouvement populaire et constitué une « régence d'empire », est dispersé par la troupe le 18 juin. L'expérience parlementaire était close. Les espérances déçues suscitent de nouveaux troubles. En Saxe d'abord, le 3 mai une émeute éclate à Dresde : elle est rapidement maîtrisée par la police avec le renfort des troupes prussiennes. A Cologne, à Düsseldorf, Karl Marx, Friedrich Engels, Stefan Born organisent des « fraternités » ouvrières et l'agitation gagne toute l'Allemagne du Sud-Ouest, théâtre de sanglantes manifestations. Fin mai, le Palatinat se soulève, un gouvernement provisoire se constitue, auquel se rallient des éléments de l'armée régulière. Dans le pays de Bade également, l'armée participe à l'insurrection. A Karlsruhe, un parlement révolutionnaire se réunit ; des clubs, des comités se forment ; des légions, encadrées par des commissaires du peuple, sont recrutées. Mais dès la fin du mois de juin une violente répression met un terme à ces mouvements. L'ordre est rétabli, le parti républicain anéanti et le roi de Prusse, Frédéric-Guillaume IV assoit son autorité sur le pays.

Les républicains attaquent le Parlement de Francfort, 18 septembre 1848.

Les chefs de la révolte en Bade : Struve, Hecker, Schimmelpfennig.

Selon Fizeau, la lumière se déplace à 315 300 km/s

Paris, 1849

A la suite des progrès de l'optique au début du XIXe siècle, les physiciens s'intéressent au problème de la vitesse de la lumière : la célérité. Hippolyte Fizeau (1819-1896), soucieux de savoir si la lumière est composée d'ondes ou de corpuscules, s'attache à ce problème et en donne une première solution en 1849. Pour mesurer cette vitesse, il envoie un rayon lumineux sur un miroir qui le réfléchit sur une roue dentée. Quand elle tourne, elle envoie de brefs éclairs qui vont se réfléchir à 8633 mètres de là et reviennent vers leur point d'origine. Si entre l'aller et le retour, c'est-à-dire entre Suresnes et Montmartre, une dent est venue prendre la place d'un espace libre, l'observateur ne verra rien. Connaissant la vitesse de rotation de la roue, le nombre de dents (720) et la distance aller-retour, Fizeau calcule la célérité et obtient 315 300 km/s, résultat qui confirmait indirectement le caractère ondulatoire de la lumière.

Forte abstention aux élections législatives

France, mai 1849

Les élections, fixées aux 13 et 14 mai, mettent en place une Assemblée législative unique, élue pour trois ans au suffrage universel. Le nombre des représentants est réduit à 750. Par rapport à l'élection de l'Assemblée constituante il y a un an, le taux des abstentions est passé de 16,4 % à 31,9 %, ce qui montre la désaffection d'une partie de l'électorat, déçu dans les campagnes par l'augmentation des impôts de 45 %, mécontent dans les faubourgs par l'orientation conservatrice du gouvernement. Plus important est le changement dans les choix politiques. Le centre est écrasé : les républicains modérés, qui avaient obtenu en avril 1848 une très forte majorité, ne rassemblent plus que 12 % des suffrages exprimés. La gauche démocrate-socialiste, avec 2 300 000 voix, groupe plus d'un tiers du corps électoral et dispose de 210 élus. Malgré la progression de la gauche, y compris dans les zones rurales, c'est la droite qui triomphe aux élections de mai 1849. Cela montre que le pays profond aspire à une quiétude politique et sociale de nature conservatrice.

Frédéric Chopin meurt à Paris

Paris, 17 octobre 1849

L'état de santé de Frédéric Chopin, joint à de sérieuses difficultés financières, s'était dramatiquement aggravé depuis son retour d'Angleterre. Après son dernier concert parisien, en effet, le 16 février 1848, Chopin avait quitté la France et, le 28 août, donné à Manchester, devant quelque 1 200 personnes, une soirée mémorable. La sérénité du compositeur était d'autre part fortement ébranlée depuis sa rupture, en août 1847, avec la romancière George Sand. Leur rencontre datait du 13 décembre 1836. C'est à ses côtés, à Nohant, qu'il avait cependant connu une période d'enthousiasme créateur, marquée par la composition des *Polonaises*, *Nocturnes*, *Valses*, *Ballades*, créant ce style si caractéristique où apparaissent les variations ornementales, qui se succèdent, tantôt douloureuses, tantôt pathétiques ou passionnées. Les formes musicales établies fournissent une simple invitation thématique ou bien le support rythmique dont le compositeur a besoin et dans lequel se glissera la fluidité de son jeu, génératrice d'états d'âme tout en nuances et intensités.

Frédéric Chopin reçu dans un salon de la haute société parisienne. Eau-forte d'Auguste Fauchery d'après un dessin de Devéria.

Les Anglais annexent le royaume des Sikhs

Inde, 1849

Le Panjâb est annexé à l'Empire britannique des Indes. Depuis le début du siècle, cette province du nord-ouest était aux mains des Sikhs. Les troubles consécutifs à la disparition de Ranjit Singh avaient permis aux Anglais de remporter sur ces derniers, la victoire de Sobraon, en 1846. Repoussant alors aussi bien l'idée d'une annexion que d'une alliance qui aurait maintenu un gouvernement sikh sous contrôle anglais, le représentant de la Couronne opta pour un traité limitant les territoires et les forces des Sikhs. Mais, très vite, une violente insurrection entraîna la révision du traité et amena un renforcement de la présence britannique au Panjâb. Une seconde guerre était inévitable. Le meurtre de deux envoyés de la Couronne, à Multan, mit le feu aux poudres. Le mouvement s'étendit très rapidement. Après plusieurs victoires britanniques, remportées non sans difficultés, la chute de Peshawar, en mars 1849, allait marquer la fin de l'indépendance sikh. L'annexion est proclamée le 30 : le souverain sikh est assigné à résidence et un *Board of government* britannique est chargé de l'administration du Panjâb.

Officiant sikh récitant l'« Adi Granth » dans le Temple d'or d'Amritsar.

Question sociale et socialismes

Europe-Amérique, XIXᵉ siècle

A Paris, en janvier 1832, au Palais de justice, le président du tribunal interroge un prévenu du nom de Louis Auguste Blanqui et lui demande : « Quel est votre métier ? » L'ancien étudiant en droit et en médecine, militant républicain depuis près de dix ans, lui répond : « Prolétaire ! » Le président, impatient, rejette sèchement ce propos par un : « Ce n'est pas un métier ! » Blanqui s'enflamme alors et lance : « Comment ! Ce n'est pas un métier ? C'est le métier de trente millions de Français qui vivent de leur travail et qui sont privés de droit ! » Seize ans plus tard, c'est au nom de ces mêmes prolétaires que paraît à Londres un manifeste écrit par Karl Marx et Friedrich Engels, intitulé *Le Manifeste du parti communiste*. Ecrit à la demande de la Ligue des communistes, une organisation révolutionnaire et ouvrière allemande, l'ouvrage sort des presses quelques jours avant que les peuples européens ne connaissent leur printemps. Les auteurs insistent sur une idée : une classe, celle des travailleurs, celle de ceux qui ne possèdent rien, sinon leur capacité à se vendre sur le marché du travail, est la classe révolutionnaire par excellence, capable par elle-même de renverser la société bourgeoise et d'instaurer une autre forme de communauté humaine. Le propos n'est pas nouveau, mais le texte, sobre et vigoureux, donne au projet communiste une force de conviction jamais encore atteinte jusque-là. Car la revendication communiste est déjà ancienne et des ouvriers sont déjà apparus collectivement sur le devant de la scène tant en Angleterre avec les luddistes (1811-1815) et le chartisme (1820-1840) qu'en France, avec les révoltes des canuts lyonnais (1834).

Apparition d'une nouvelle classe

Le développement du travail artisanal et préindustriel, tout au long du XVIIᵉ siècle et au début du XVIIIᵉ, a nécessité l'emploi de milliers d'ouvriers sans pour autant créer de grandes concentrations industrielles. Car, dans le textile, qui reste l'industrie de base sous l'Ancien Régime, le travail est réalisé à la maison, dans et autour des villes par de nombreuses familles possédant leurs propres métiers. C'est ce que les Anglais appellent le *domestic system*. Il faut attendre les progrès réalisés dans la maîtrise de l'énergie grâce à l'usage de la machine à vapeur, ainsi que des inventions dans les méthodes de tissage et filage pour que l'ensemble du processus industriel fasse un bond en matière de concentration, tant en ce qui concerne le capital que la main-d'œuvre. Au début du XIXᵉ siècle, cette main-d'œuvre, dans le textile plus particulièrement, est très jeune et très féminisée, femmes et enfants assurant les tâches les moins qualifiées et les plus répétitives, aux hommes adultes étant réservés les travaux plus qualifiés et de contrôle. Ainsi, entre 1834 et 1847, seul le quart de la main-d'œuvre est constitué d'hommes adultes. Si les conditions de travail sont exténuantes, la mortalité ouvrière importante, l'usine est toutefois entrevue comme la possibilité de gagner son indépendance (un sentiment nouveau qui casse les solidarités familiales et communautaires des sociétés paysannes). Ces hommes et femmes des campagnes, au lieu de trouver la liberté, se voient imposer de nouvelles contraintes, bien différentes des anciennes, car la discipline du travail est désormais à l'ordre du jour : règlements, amendes, hiérarchies, primat de la productivité, tout un univers se met en place. Entre 1801 et 1871, la population active employée dans l'industrie en Angleterre passe de 1,4 à 5,3 millions en passant par 3,3 millions en 1841, tandis qu'en France elle ne fait que doubler entre 1781-1790 et 1865-1875 passant de 1,6 à 3,8 millions. Aux Etats-Unis, la part de l'industrie dans la population active double entre 1820 et 1850, ce mouvement s'amplifiant jusqu'à la veille de la Première Guerre mondiale. Cette croissance inédite implique des mouvements de population de grande envergure. L'exode rural, les migrations intérieures et internationales massives transforment les paysages urbains et les démographies nationales. Les Irlandais, après la grande famine des années 1840, mais aussi de nombreux Allemands et Suédois, gagnent les rives atlantiques de l'Amérique à la recherche de l'Eldorado, avant d'être remplacés par les émigrations méditerranéennes, italiennes plus particulièrement, et d'Europe centrale et orientale (Polonais, Juifs, Russes). Entre 1841 et 1870, 2,3 millions d'Allemands quittent l'Europe par les ports de la mer du Nord et de la Baltique.

La résistance au déracinement

Pour ces populations qui entrent dans une nouvelle civilisation, celle des fabriques et des usines, le déracinement est complet. La précarité d'une existence urbaine dépendant d'un salaire tout juste capable d'assurer la survie succède à l'impuissance paysanne devant la nature. Dans ce contexte de plus en plus défavorable, la résistance ouvrière aux conditions de vie et de travail apparaît très tôt. Mais, dans un premier temps, elle ne se maintient que difficilement. L'extrême mobilité, forcée ou consentie, de ces populations laborieuses empêche pendant de longues années la construction de structures politiques, sociales ou économiques stables. Les premières organisations de défense des intérêts des travailleurs apparaissent en Angleterre dès les années 1780, alors que le droit d'association et de grève n'est pas reconnu. Pour les Etats-Unis, ce sera dans les années 1820 et en France dans les années 1830. Il faudra toutefois attendre plusieurs décennies pour que les ouvriers obtiennent des droits syndicaux : 1824 en Angleterre, 1864 puis 1884 en France, 1869 puis 1918 en Allemagne. Des droits dont les modalités d'application sont très différentes selon les Etats. Entre-temps, la classe ouvrière a adopté de multiples formes d'organisation, dont les premières ont un caractère immédiat de solidarité financière en cas d'accidents, de maladies ou pour fait de grève. Les sociétés de secours mutuels, autorisées en France en 1852, confirmées en 1860, les coopératives, les mutuelles, puis les bourses du travail vers 1885 sont autant d'expériences concrètes qui fortifient la conscience d'un sort commun partagé par les ouvriers dans le système capitaliste.

Une présence inquiétante

Classe laborieuse, mais aussi classe dangereuse. En effet, rapidement, l'ouvrier prend une place particulière dans l'imaginaire de la société bourgeoise de la première moitié du siècle. Au fur et à mesure de ses apparitions, grèves, manifestations, parfois révoltes, il exige une place dans la société politique de son temps. Tout d'abord, prenant au mot les idées d'égalité, il réclame son dû : le droit au suffrage. Mais, dans une société où le politique doit rester le privilège de la propriété et de l'instruction, cette revendication scandalise les bourgeois et inquiète les employeurs. Dans une société qui impose un autre ordre que celui des temps anciens, la revendication d'un droit pour les ouvriers apparaît comme une incongruité à ceux qui prétendent parler au nom de l'universalité. Cette société qui naît dans l'usine fait peur. A la Chambre des députés française, Saint-Marc Girardin s'écrie : « Chaque usinier vit dans son usine comme le propriétaire d'une plantation coloniale au milieu de ses esclaves. Les barbares qui menacent la société ne se trouvent ni au Caucase, ni dans la steppe tartare : ils vivent dans les faubourgs des villes industrielles. » Mais cette attitude d'exclusion ne trouve pas l'aval de la classe bourgeoise tout entière qui ressent comme un défi la propagation des idées socialistes.

Paternalisme et philanthropie

Ainsi apparaissent parmi les capitalistes des chrétiens qui se proposent de réintégrer dans la famille nationale ces exclus que sont les ouvriers. Ils élaborent une politique philanthropique au caractère paternaliste, destinée à « moraliser » la classe ouvrière par l'instruction et la religion. Ils rêvent de régler les futures relations sociales sur le modèle de la vie familiale, où les rôles de chacun sont bien établis et respectés. Des hommes comme Frédéric Le Play (1802-1882) en France, ou le médecin Louis René Villermé, auteur d'un *Tableau de l'état physique et moral des ouvriers dans les fabriques de coton, de laine et de soie*, mettent en forme leurs projets et influencent les premières lois sociales. Ces réformateurs se proposent d'abolir ce qui est socialement dangereux et pervers du point de vue de la morale chrétienne : le travail des enfants et des femmes. Par réformes successives, le travail des enfants de moins de douze ans dans les mines est interdit en Grande-Bretagne à partir de 1833, en France en 1841 et en Allemagne en 1853. Puis ce sera le tour du travail des femmes dans le même secteur industriel.

Débuts difficiles du syndicalisme

Le syndicalisme connaît des débuts difficiles, même lorsqu'il obtient sa légalisation partielle. Celle-ci ne signifie en aucun cas une victoire réelle et immédiate des militants, car, souvent à bon compte, les employeurs voient là un moyen de repérer les agitateurs potentiels et de prendre des mesures répressives. Parmi les ouvriers, une certaine méfiance accueille ces mesures qu'ils pressentent comme une volonté de contrôle. Présent sur le territoire plus que sur les lieux de travail, le mouvement syndical insiste sur l'union entre tous les travailleurs et se lance dans une grande bataille : la journée de huit heures. Mais la multiplicité des organisations ouvrières retarde le processus d'unification qui se fait jour à partir de 1880-1890 dans la plupart des pays. L'importance à accorder aux intérêts économiques de la classe ouvrière est ressentie, désormais, par tous. Dès lors, il ne faut pas s'étonner de voir des syndicats chrétiens ou d'idéologie libérale se constituer comme autant de machines de guerre contre les syndicats révolutionnaires, socialistes ou anarchistes. A cet égard, l'évolution de l'attitude de l'Eglise sous Léon XIII témoigne de l'importance de la question sociale. En publiant coup sur coup plusieurs encycliques qui expriment une politique sociale de l'Eglise, Léon XIII montre du doigt sa crainte de voir s'accélérer la déchristianisation en milieu urbain. Cette bataille engage aussi les patrons qui créent de leur côté des syndicats maison illustrant ainsi que le fait syndical devient essentiel dans les relations sociales dès l'orée du XXe siècle.

Une culture d'opposition

La croissance de la classe ouvrière et ses résistances multiples en font la classe montante. De nombreux intellectuels la considèrent comme le « nouveau Prométhée », capable de transformer la société bourgeoise qu'ils dénoncent pour son égoïsme. A partir de cet espace nouveau qu'est la manufacture, puis l'usine, de nombreux thèmes de réformes de la société voient le jour. Dès 1813, avec *A New View of Society*, l'Anglais Robert Owen veut construire une nouvelle communauté de vie et de travail qu'il transporte dans le Nouveau Monde. Mais c'est en France que les projets utopistes se développent avec le plus de force. Etienne Cabet pense que désormais la communauté est la forme d'agrégation des hommes la plus adaptée au développement technique. Le premier, il commence à raisonner à partir de l'idée d'abondance potentielle que l'homme est en état d'atteindre. A côté de lui, Charles Fourier décrit le phalanstère, une communauté idéale et libertaire. Quelques années plus tard, Pierre-Joseph Proudhon, l'un des rares théoriciens socialistes à être issu d'un milieu populaire, jouit d'une influence considérable. Exprimant un socialisme libertaire, fédéraliste et associationniste, ce courant politique, fortement implanté dans l'Europe méridionale, voit surgir sur le continent au début de la seconde moitié du siècle une autre école socialiste, la social-démocratie.

Réformes ou révolution

Partiellement influencée par le travail politique et théorique de Karl Marx et de ses continuateurs, profitant des déséquilibres imposés à la société allemande par une industrialisation rapide et jouissant d'un prestige international du fait de ses nombreux succès électoraux et de son affrontement victorieux avec la politique de « socialisme étatique » du chancelier Bismarck, la social-démocratie allemande ouvre la voie à un socialisme démocratique, sachant s'adapter aux normes légales des Etats. Le monde naissant de la grande industrie fait apparaître une nouvelle culture politique qui s'éloigne des rêves communautaires des premiers temps. Désormais, dans toute l'Europe du Nord, l'alliance entre le mouvement ouvrier et des éléments des classes moyennes, voire d'une partie de la bourgeoisie libérale, se fait jour. Le mouvement socialiste tend alors à devenir un parti du peuple tout entier, s'adaptant ainsi à la nouvelle forme de l'Etat, la démocratie représentative. Le socialisme européen se dirige vers une voie réformiste dès les années 1880-1890 ; ses représentants entrent dans les différents parlements, accédant parfois au pouvoir, non sans crises internes. Mais ce courant démocratique n'est pas le seul à trouver une audience auprès des jeunes générations d'extraction ouvrière ou non. Le siècle est jalonné de regroupements révolutionnaires dont la vocation naturelle est l'insurrection. Voulant renouer avec les exemples de 1830, 1848 mais surtout 1871, ils se tiennent éloignés des perspectives électorales et définissent la politique comme un lieu de perdition et de marchandage, une voie sans issue.

Vers la société de masse

A l'aube du XXe siècle, la question sociale se pose toujours avec acuité, mais dans des termes déjà fort différents du début du XIXe siècle. Les « classes pauvres » disparaissent au profit des « classes ouvrières » ; on parle moins de révolte que de réforme ; le poids des organisations qui s'en réclament devient de plus en plus important. La marche du socialisme vers le pouvoir semble à certains inéluctable. Les socialistes eux-mêmes révisent leurs positions sur l'ensemble de la société. Au même moment, dans l'anonymat de petits ateliers automobiles, de l'autre côté de l'Atlantique, des innovations d'importance capitale voient le jour, prélude à une réorganisation complète du processus productif et de la classe ouvrière elle-même. Ford et Taylor posent les bases d'une nouvelle société qui, pensent-ils, permettront aux « gestionnaires » de détrôner les producteurs de leurs pouvoirs et de rationaliser économie et rapports sociaux.

1850

Prusse, 6 février
La Constitution de 1848 est révisée par l'introduction du système électoral des « trois classes », système fondamentalement antidémocratique.

Belgique, 14 février
La loi sur l'enseignement secondaire provoque la mobilisation des catholiques.

Allemagne, 27 février
Signée à Munich par les rois de Bavière, Hanovre, Saxe et Wurtemberg, l'Alliance des quatre rois décide d'imposer la présence de l'Autriche au sein de la Confédération allemande.

France, 15 mars
Adoption de la loi Falloux. →

Allemagne, 20 mars-29 avril
Réunion à Erfurt du Parlement, dominé par les délégués des Etats favorables à la Prusse. Il est constitué de deux Chambres, l'une dite des Etats avec les représentants des principautés et villes libres, l'autre baptisée Chambre du peuple, élue selon le système des « trois classes ».

Piémont, 9 avril
Le ministre de la Justice Siccardi abolit certains privilèges ecclésiastiques, comme le droit d'asile.

Palestine, 28 mai
La France réaffirme ses droits sur les Lieux saints.

France, 31 mai
La nouvelle loi électorale réduit d'un tiers le nombre des Français autorisés à voter. En sont exclus les condamnés politiques et tous ceux qui ne peuvent justifier de trois ans de résidence dans le même canton.

Danemark-Prusse, 2 juillet
Signature de la paix mettant fin au conflit des Duchés. En août, à Londres, le Danemark obtient des grandes puissances et de la Suède la garantie de son intégrité territoriale.

France, 16 juillet
La censure sur la presse est rétablie. →

Perse, 19 juillet
Le shâh Nâsir ed-Dîr fait fusiller le Bab.

Egypte, 2 août
Mort du pacha Muhammad-Ali.

Weimar, 28 août
Première représentation de l'opéra de Wagner *Lohengrin*. →

Etats-Unis, 18 septembre
L'admission au sein de l'Union d'un nouvel Etat, la Californie, donne lieu à un aménagement de l'accord existant entre le Nord et le Sud au sujet de l'esclavage : c'est le compromis Clay.

Allemagne, 20 septembre
La Prusse et ses Etats amis interviennent en Hesse à l'appel du nouveau ministre Hans Hassenpflug (1794-1862) dont la politique réactionnaire a provoqué la révolte du pays.

Piémont, 11 octobre
Chargé par Victor-Emmanuel II de former un ministère, Massimo d'Azeglio fait appel au comte Cavour qu'il charge de l'Agriculture, puis des Finances.

Allemagne, 11-12 octobre
L'Autriche, la Bavière, la Saxe et le Wurtemberg signent le traité de Bregenz par lequel ils exigent le rétablissement de la Confédération germanique et menacent la Prusse d'une intervention militaire en cas de non-exécution.

Autriche-Russie, 28 octobre
Dans le cadre de sa politique antiprussienne, le chancelier Schwarzenberg obtient à Varsovie le soutien de la Russie.

Allemagne, 29 novembre
La rivalité austro-prussienne conduit à la « reculade d'Olmütz ». →

Afrique centrale
L'Allemand Heinrich Barth explore le Soudan en compagnie d'une expédition anglaise.

Chine
Tandis que l'empereur Dao Guang (Tao-Koang) meurt et laisse le trône à son héritier de vingt ans, Xian Feng (Hien Fong), les Taïping (adeptes de la Grande Pureté) déclenchent une révolte dans la province de Guangxi (Kouang-si).

Angleterre
Lord Kelvin publie un *Mémoire sur la chaleur*. →

France
L'économiste Frédéric Bastiat, adversaire des protectionnistes et des socialistes, fait paraître ses *Harmonies économiques*.

Etats-Unis
Le romancier Nathaniel Hawthorne publie *La Lettre écarlate*. →

La Prusse recule devant l'obstination des Autrichiens

Olmütz, 29 novembre 1850
La convention qui vient d'être signée entre la Prusse et l'Autriche marque la fin de la tension qui s'était développée ces derniers mois entre les deux Etats. Il s'agit, en fait, d'une véritable humiliation pour la Prusse, qui a dû céder sur tous les points. C'est un échec pour le roi Frédéric-Guillaume, qui voulait constituer un Empire allemand unifiant l'ensemble des royaumes et des principautés sous sa direction, en mettant fin du même coup à l'influence de l'Autriche dans le monde germanique. La guerre semblait imminente, puisque la Prusse avait mobilisé, mais la fermeté de l'Autriche et le soutien du tsar à celle-ci ont contraint le roi à cette « reculade ».

Frédéric Guillaume IV de Prusse dut renoncer à unifier les Etats allemands.

"David Copperfield" ou les misères d'une enfance londonienne

Londres, 1850
Le romancier Charles Dickens (né en 1812), qui a déjà fait paraître *Les Aventures de Mr Pickwick* et *Oliver Twist*, donne avec *David Copperfield* un roman fondé en grande partie sur des souvenirs autobiographiques. Chaque personnage rencontré par l'auteur, durant son enfance malheureuse, s'y trouve transposé et prend valeur de symbole. David Copperfield, terrorisé et en révolte contre son beau-père, un homme cruel, est condamné par celui-ci à des besognes serviles dans son magasin à Londres, transposition de la vie de Dickens, enfant, dans une fabrique de cirage. David s'enfuit et trouve refuge chez une tante, à Douvres, Betsy Trotwood. L'éducation de David se poursuivra chez l'avocat de celle-ci, dont la fille Agnès s'éprendra de David. Dickens poursuivra la publication de nombreux romans, passant du témoignage bouleversant d'une enfance à l'univers des *Temps difficiles*, roman dans lequel il dénonce le capitalisme et l'idéologie utilitariste dont il se revendique, puis à celui de *La Petite Dorrit* (1857), mettant en évidence le conflit entre la réalité psychique et la réalité sociale, enfin à celui des *Grandes Espérances* (1861), où il met à nu les liens unissant le monde du crime et celui de la « bonne société ».

David Copperfield. Illustrations de H. K. Browne.

"L'Enterrement à Ornans", manifeste réaliste de Courbet

Paris, 1850
Le peintre Gustave Courbet vient de faire scandale au Salon de 1850 en présentant son *Enterrement à Ornans*. Pourtant, contrairement à certaines de ses œuvres antérieures comme les *Casseurs de pierre* que certains considèrent comme la première peinture « socialiste » (Proudhon), il est difficile de voir là une « protestation » contre quoi que ce soit, ou d'y lire un appel à la subversion. Il s'agit d'un banal enterrement de campagne, réunissant une cinquantaine de villageois, autour d'une fosse. La frontalité des personnages disposés de face, selon une ordre bien établi, sans grandiloquence et sans recul, évoque les frises antiques, l'imagerie populaire ou certains portraits de corporations hollandais. Unique dans l'œuvre de Courbet généralement pleine de vitalité et de sensualité, ce sujet funèbre traité avec sobriété dans des tonalités de noir et de blanc rehaussées de quelques touches de rouge, procède de cet intérêt dont il a constamment fait preuve à l'égard du terroir et de la vie rurale. D'ailleurs, Ornans est son village natal, dans le Doubs et il y retourne fréquemment.

Les "Mémoires d'outre-tombe" de René de Chateaubriand

Paris, 3 juillet 1850
La publication dans *La Presse*, sous forme de feuilleton, des *Mémoires d'outre-tombe* de Chateaubriand s'achève le 3 juillet 1850. Elle avait débuté deux ans auparavant, le 21 octobre 1848, quatre mois après la mort de l'auteur. Commencés dès 1803, les *Mémoires* avaient été sans cesse repris, modifiés, complétés par Chateau-briand. En 1834, il en avait commencé la lecture à l'abbaye aux Bois, chez Mᵐᵉ Récamier, et des fragments étaient parus dans diverses revues. L'œuvre était achevée en 1841. Au cours des quarante années de rédaction et de révision, de nombreux changements ont été effectués, qui ont de plus en plus transformé les *Mémoires*, initialement prévus comme un poème coupé de réflexions et de méditations, en un récit où se déploie la plus majestueuse des proses et où la vérité esthétique prend le pas sur toutes les autres données.

En France, la censure est rétablie

France, 16 juillet 1850
La loi du 16 juillet 1850 réglemente et restreint la liberté de la presse. Le rétablissement du cautionnement et du timbre pour les journaux limite la liberté d'écrire : ne peuvent en user que les plus fortunés. En outre, tout article de portée politique, philosophique ou religieuse devra être signé, afin que les poursuites judiciaires soient plus aisées.

Louis-Napoléon passant en revue les troupes à Satory le 10 octobre 1850.

Succès de "La Lettre écarlate" de Hawthorne

Etats-Unis, 1850
En publiant *La Lettre écarlate*, il est bien évident que Nathaniel Hawthorne (né à Salem en 1804) s'est donné pour but de stigmatiser l'esprit puritain qui règne alors aux Etats-Unis. L'histoire est celle d'un pasteur, Arthur Dimmesdale, coupable d'adultère avec la jeune Esther Prynne, mariée à un médecin anglais. Les souffrances morales infligées du-rant les années au pasteur par le mari d'Esther, animé d'un esprit de vengeance féroce, le conduiront à se confesser publiquement. Il mourra peu après dans les bras d'Esther. Pour Hawthorne, qui met en évidence le problème du péché, la justice des hommes ne peut saisir l'essence de la faute commise. Celle-ci n'existe que dans le secret du cœur, ainsi que l'exprime la douleur extériorisée d'Esther en contraste avec la souffrance lancinante de Dimmes-dale.

La loi Falloux accroît la part de l'Eglise dans l'enseignement

France, 15 mars 1850
La loi Falloux, votée le 15 mars 1850 par l'Assemblée législative, supprime le monopole de l'Université pour l'enseignement secondaire. Libérale dans son principe, cette loi est réactionnaire dans son application, car elle établit deux régimes distincts avec un statut privilégié pour l'Eglise. Ceux qui appartiennent à l'Eglise ne sont pas astreints aux mêmes conditions que les autres pour avoir droit d'enseigner ; d'autre part les auto-rités religieuses, évêque dans le diocèse, curé dans la commune, reçoivent un droit de regard sur l'enseignement donné par l'école publique. Dans le secondaire, la liberté d'enseigner est établie puisqu'il suffit d'être bachelier pour ouvrir une école et qu'aucun titre n'est exigé des maîtres ; les congrégations même non autorisées (jésuites) peuvent assurer la direction des institutions secondaires. La loi Falloux, en faisant du cléricalisme une pièce maîtresse du système conservateur, mobilisera, par contrecoup, sous la IIIᵉ République les républicains anticléricaux, partisans farouches de la laïcité de l'école et de l'Etat.

"Mémoire sur la chaleur" de Kelvin

Angleterre, 1850
A la suite de Carnot, l'Anglais William Thomson (1824-1907), futur Lord Kelvin, tente de définir les échelles thermométriques de façon opératoire et absolue. Jusqu'à lui, les températures étaient repérables mais non mesurables. En 1850, il propose une égalité entre le travail de deux machines thermiques et les températures qu'elles mettent en œuvre. Connaissant le travail on peut alors mesurer la température, premier succès d'une série qui mè-nera Kelvin à la notoriété.

A Weimar, Liszt dirige "Lohengrin" de Wagner

Weimar, 28 août 1850
Pianiste et compositeur, Franz Liszt (qui est né en 1811 en Hongrie) dirige depuis 1841, à la demande du grand-duc de Weimar, l'orchestre du duché. Il en profite pour donner, en pre-mière représentation, le *Lohengrin* de Richard Wagner, dont il a fait la con-naissance à Paris en 1841. Ce 28 août est le jour anniversaire de la naissance de Goethe. Des invités de marque sont présents, dont Achim et Bettina von Arnim. L'œuvre ne manque pas de déconcerter par sa nouveauté, mais Liszt y trouve l'occasion d'expé-rimenter un domaine qu'il a jusqu'ici peu pratiqué. Quatre jours aupara-vant il avait présenté un *Prométhée*, poème symphonique visant à établir de nouvelles relations entre poésie et musique. Liszt composera à Weimar la plupart de ses poèmes symphoni-ques, dont *Les Préludes*, inspirés des *Méditations poétiques* de Lamartine. L'œuvre ménage l'alternance des épisodes tumultueux et des moments de contemplation et évoque l'amour, la douleur humaine, le refuge conso-lateur de la nature, enfin la lutte de l'homme dont la vie n'est qu'une suc-cession de préludes à la mort. Pour-suivant dans cette veine, Liszt don-nera encore la *Dante-Symphonie* en 1855-1856 et la *Faust-Symphonie* en 1854-1857. Ainsi, pendant près de vingt ans (jusqu'en 1861), il fera de Weimar un véritable foyer musical.

Franz Liszt par Miklós Barabás. 1847. Pinacothèque, Budapest.

L'architecte Labrouste achève la bibliothèque Sainte-Geneviève

Paris, 1850
Quand Labrouste eut à construire la bibliothèque Sainte-Geneviève, il se trouva devant un programme d'au-tant plus difficile à remplir qu'il dis-posait d'un terrain exigu et que cette bibliothèque devait répondre à des objectifs précis d'utilisation. Il re-courut à une structure métallique qu'il habilla d'une façade extérieure de style parfaitement traditionnel. L'œuvre eut toutefois, d'emblée, la valeur d'un manifeste, dont il tirera toutes les conséquences lorsqu'il aura à donner un projet de couver-ture pour la Bibliothèque nationale en 1853-1857.

La bibliothèque Sainte-Geneviève à Paris. La salle de lecture. 1843-1850. Architecte : Henri Labrouste.

1851

Grande-Bretagne, 6 janvier
Fondation de l'*Amalgamated Society of Engineers*, la fédération générale des mécaniciens, par William Newton et William Allen. Elle comptera rapidement 11 000 membres dans le Lancashire et la région de Londres.

France, 9 janvier
Le général Changarnier, commandant de Paris, que les royalistes voudraient voir au pouvoir, est limogé. Cette décision ouvre une crise ministérielle. Le nouveau ministère est formé d'hommes favorables au maintien du prince-président au pouvoir.

Australie, 12 février
Le prospecteur Edward Hargreaves trouve de l'or dans la vallée de la Macquarie. →

Italie, 11 mars
Giuseppe Verdi donne son opéra *Rigoletto*. →

Viêt-nam, 21 mars
L'empereur Tu Duc fait mettre à mort des prêtres chrétiens.

Paris, mars
Au cours d'une expérience qui attire au Panthéon un public de savants et de curieux, le physicien Léon Foucault fait une éclatante démonstration du mouvement de rotation de la Terre, à l'aide simplement d'un pendule de 28 kg suspendu à un fil d'acier de 67 m. →

Grande-Bretagne, 6 avril
Le prélat anglican Henry Manning (1808-1892) se convertit au catholicisme lors de l'affaire Gorham, quand le pouvoir royal tranche contre le pouvoir épiscopal.

Grande-Bretagne, 1er mai
Ouverture à Londres de la première Exposition universelle. →

Portugal, 15 mai
Revenu d'Angleterre, où il avait dû s'exiler en 1847, Saldanha, partisan d'une charte conservatrice, occupe Lisbonne et évince Cabral du pouvoir. Avec l'appui de la bourgeoisie, il fonde un parti monarchiste, *Régénération*. Il restera à la tête des affaires jusqu'en 1856.

Argentine, 25 mai
José Justo de Urquiza (1800-1870) s'oppose à la politique autoritaire de son ancien allié, Juan Manuel de Rosas (1793-1877).

Etats-Unis, mai
Publication de *La Case de l'oncle Tom* d'Harriet Beecher-Stowe.

France, 1er juin
A Dijon, lors de l'inauguration de la ligne de chemin de fer Auxerre-Dijon, Louis-Napoléon se met à la disposition du peuple si celui-ci veut bien lui donner les moyens de rester au pouvoir.

Danemark-Russie, 5 juin
Frédéric VII de Danemark, étant sans héritier, s'entend avec le tsar Nicolas Ier pour choisir son successeur dans une famille fidèle au pays et peu suspecte de sympathie pour la Prusse, les Sonderburg-Glücksburg.

France, 19 juillet
L'Assemblée repousse la tentative de Louis-Napoléon d'obtenir sa réélection par le biais d'une réforme de la Constitution.

Allemagne, 7 septembre
Succès diplomatique pour la Prusse qui obtient que le Hanovre, jusque-là partisan de l'Autriche, adhère à l'Union douanière.

Paris, 21 octobre
Première des *Caprices de Marianne* d'Alfred de Musset.

Empire ottoman, octobre
Le tsar exige le maintien des autorités orthodoxes sur les Lieux saints, concurrençant la France dans la protection de cette région.

France, 13 novembre
L'Assemblée repousse une demande de Louis-Napoléon, en date du 10 octobre, proposant de modifier la loi électorale. Cette demande a déjà entraîné, en fait, la démission du gouvernement, qui a été remplacé le 27 octobre par une équipe sans relief, mais où un fidèle du président, le général de Saint-Arnaud, est ministre de la Guerre.

France, 2 décembre
Coup d'Etat de Louis-Napoléon Bonaparte. Cette action sera plébiscitée massivement le 21 décembre par les électeurs. →

Autriche, 31 décembre
L'abolition de la Constitution de 1849 conduit à une centralisation accrue des pouvoirs impériaux.

France
Le poète Gérard de Nerval publie la relation de son *Voyage en Orient*.

Le Crystal Palace érigé en six mois par Sir Joseph Paxton dans Hyde Park, à Londres, pour la première Exposition universelle. Gravure d'époque.

Ouverture à Londres de la première Exposition universelle

Londres, 1er mai 1851
De mai à octobre 1851, plus de six millions de visiteurs vont affluer à Londres pour admirer les stands des quelque 14 000 exposants qui participent à la *great exhibition*. C'est la reine Victoria qui a inauguré cette manifestation d'une ampleur sans précédent. Son mari, le prince consort Albert, fut pour elle un guide particulièrement éclairé, puisque, en tant que président de la Commission royale, il avait été un des plus actifs initiateurs du projet. Tous les Etats du monde ont été invités à présenter les réalisations les plus modernes de leurs usines et ateliers. Il s'agit ainsi d'une extraordinaire occasion de rencontres et de comparaisons entre les nations, mais aussi d'une véritable célébration de la civilisation industrielle. Cette confrontation pacifique et fructueuse entre tous les pays du monde permet aussi de se rendre compte de la formidable avance de l'économie anglaise, pionnière de la révolution industrielle. La plus spectaculaire attraction de l'Exposition, le Crystal Palace, témoigne de la maîtrise anglaise dans l'utilisation des matériaux nouveaux : c'est un gigantesque bâtiment de fer et de verre, construit en six mois grâce à la mise au point d'éléments préfabriqués ; il est l'œuvre d'un spécialiste des serres de jardin, Joseph Paxton, aidé par des ingénieurs des chemins de fer. Parmi les réalisations étrangères, il faut surtout citer le cylindre d'acier fondu de 4 300 livres exposé par Krupp. Dépassant de moitié les plus gros blocs jamais produits par la sidérurgie anglaise, il symbolise les ambitions allemandes dans ce domaine.

Verdi, un compositeur à la fibre patriotique

Venise, 11 mars 1851
Le compositeur Giuseppe Verdi (né en 1813 près de Parme) fait représenter au théâtre de la Fenice son dix-septième opéra, *Rigoletto,* sur un livret de Francesco Maria Piave. L'œuvre s'inspire du drame de Victor Hugo *Le roi s'amuse* en le transposant. La censure vénitienne s'est irritée des épisodes mettant en présence un monarque absolu et un bouffon possédé par l'esprit de vengeance. Le compositeur a cependant conservé les caractéristiques du drame de Hugo, qu'il estime « original et puissant ». Favorable à la cause du *Risorgimento*, Verdi ne craint ni les allusions, ni les sous-entendus politiques. Déjà, avec *La Bataille de Legnano* (1849), il avait traité le thème de la révolte, celle des patriotes lombards contre l'empereur Frédéric Barberousse. Le public se souvenait aussi, comme d'un hymne à la liberté, du célèbre chœur des Hébreux en exil dans *Nabucco*, donné à la Scala de Milan en mars 1842. *Rigoletto* fut, dans ce contexte, un véritable triomphe.

Le musicien Giuseppe Verdi, ardent défenseur du « Risorgimento ».

Le coup d'Etat de Louis-Napoléon Bonaparte relance la guerre civile

France, 2 décembre 1851

Le mandat du président de la République et celui de l'Assemblée expirent tous les deux la même année ; le remplacement de ces deux pouvoirs doit avoir lieu en mars 1852. Selon la Constitution, le président de la République, élu pour 4 ans, n'est pas immédiatement rééligible. Louis-Napoléon Bonaparte, qui ne veut pas abandonner le pouvoir, décide un coup d'Etat. Il choisit le 2 décembre : date anniversaire du sacre de Napoléon et de la victoire d'Austerlitz. Le secret est parfaitement gardé, l'armée est favorable au président, tous les chefs présumés de l'opposition sont arrêtés. Au matin, les murs de Paris sont recouverts d'affiches qui annoncent la dissolution de l'Assemblée législative, la préparation d'une nouvelle constitution, un plébiscite pour la ratifier et surtout le rétablissement du suffrage universel. Le coup d'Etat est présenté comme une revanche du peuple sur les notables. L'homme de la rue, en découvrant ces affiches, est hésitant. Les républicains de l'Assemblée, pour leur part, optent tout de suite pour l'appel au peuple. Dans la journée un Comité de résistance restreint, dont sont membres V. Hugo et V. Schœlcher, décide que le lendemain des barricades doivent être dressées dans les rues ; les premières apparaissent faubourg Saint-Antoine, le 3 au matin. La mort d'un député, A. Baudin, tué par des soldats accroît la tension et pousse d'autres quartiers à l'émeute. Le 4 décembre, les combattants de plus en plus nombreux se défendent énergiquement. Boulevard Bonne-Nouvelle, les troupes répliquent par une fusillade intense et générale qui révèle la résolution des hommes de l'Elysée d'aller jusqu'au bout. La résistance des ouvriers parisiens, comme celle des paysans du Centre et du Sud-Ouest, sera écrasée.

Devant les ouvriers indifférents, le député Baudin s'élance sur la barricade où il va trouver la mort. Lithographie. B.N., Paris.

L'Américain Singer perfectionne la machine à coudre

New York, 1851

Manœuvre à Rochester, puis mécanicien à Boston, Isaac Singer fonde à New York une usine, la *Singer Company* pour construire les machines à coudre qu'il vient de simplifier et d'améliorer. Sa machine utilise deux fils en continu et une navette fait un va-et-vient qui assure la couture. Mais Elias Howe, autre inventeur américain, lui fait un procès à propos de la paternité de l'engin. Dès 1851, Singer fabrique des machines à double fil et même à point de chaînette bien que ce procédé soit plus ancien. Très vite prospère, son entreprise occupera une place prépondérante dans ce domaine.

La machine à coudre n° 1 (grand format) inventée par Isaac Singer.

Immigration massive en Australie après le "boom" de l'or

Australie, 1851

Depuis qu'en 1840 l'Australie cesse de servir de bagne permanent à l'Angleterre, la population, qui n'atteint pas 500 000 habitants, est groupée autour de grandes villes maritimes, chefs-lieux de six colonies indépendantes. Pire, depuis la découverte des gisements aurifères californiens, nombre d'Australiens sont allés tenter leur chance de l'autre côté du Pacifique. L'un d'eux, Edward Hargreaves, malgré son échec, a pourtant remarqué que les terrains californiens ressemblaient étrangement aux terres alluviales de la Nouvelle-Galles. Il décide de retourner à Sydney, qu'il atteint en janvier 1851, et gagne le site de Bathurst où il trouve de l'or. Immédiatement les villes de Sydney et de Melbourne se vident. La fièvre gagne le monde, les immigrants arrivent, alléchés par la multiplication des sites aurifères dans le bassin de la Macquarie. En dix ans, Melbourne passera de 39 000 à 140 000 habitants, tandis que le pays tout entier atteindra 1 146 000 habitants. Ces prospecteurs extrairont ainsi 40 % de la production mondiale du précieux métal.

Antoine-Louis Barye, sculpteur animalier

Paris, 1851

C'est le retour de Barye au Salon, où il expose *Le Lapithe et le Centaure*. Cet homme, dont on raille la « ménagerie », trouve son véritable atelier au Jardin des Plantes. Les lectures de Cuvier et de Lacépède font de lui un grand observateur de la nature et du mouvement. Le *Jaguar dévorant un lièvre* (1851) sera présenté à l'Exposition universelle de 1855. Le thème de la lutte pour la survie de l'animal ou de l'homme y tient une grande place et pour Barye, ces représentations sont une métaphore de l'homme menacé par la société industrielle. Son thème de prédilection est le combat de fauves, où il affirme sa grande puissance d'expression.

Affluence au Panthéon pour une expérience scientifique

Paris, mars 1851

Un gigantesque pendule de 28 kg a été suspendu sous la coupole du Panthéon au bout d'un fil d'acier de 67 m, pour une expérience publique : devant une foule nombreuse de savants et de curieux, le physicien Léon Foucault (né en 1819) fait la démonstration de la rotation du plan d'oscillation du pendule, d'où découle le mouvement de la Terre.

L'expérience du pendule de Foucault au Panthéon en mars 1851.

Herman Melville à la recherche de Moby Dick

New York, 1851

Herman Melville s'est déjà fait connaître en publiant plusieurs récits nourris de souvenirs polynésiens (*Typee*, 1846 ; *Mardi*, 1849). Œuvre infiniment plus importante, *Moby Dick* a toutes les allures d'un texte prophétique. L'expédition que commande le diabolique capitaine Achab a pour objectif la capture de Moby Dick, une baleine blanche dont on découvre bientôt qu'elle est l'incarnation de la « malignité » du monde. Conduit de main de maître, le récit mêle réalisme de la vie en mer et affrontement symbolique du Bien et du Mal en une quête grandiose et désespérée.

Herman Melville. Photographie. Ses livres sont nourris de son expérience de marin sur une baleinière des mers du Sud.

1852

Afrique australe, 17 janvier
Par la convention de Sand River, les Anglais reconnaissent l'indépendance du Transvaal.

Argentine, 3 février
José Justo de Urquiza défait le président Rosas à Caseros et combat le séparatisme de Buenos Aires.

France, 17 février
Suspendue au lendemain du coup d'Etat, la presse est surveillée et contrôlée plus étroitement que jamais par un ensemble de mesures préventives, d'obligations et de sanctions prévues par le décret du 17 février.

France, 29 février
Après l'adoption, le 14 janvier, d'une nouvelle constitution, inspirée de celle de l'an VIII, des dispositions constitutionnelles organisent le 2 février les élections au Corps législatif. Véritablement universel, le vote se fait toutefois par appel nominal devant le maire et contre-appel le lendemain. Il est prévu qu'en cas de ballottage, un second tour aura lieu. Sur 261 élus, on ne comptera que 8 opposants.

France, 28 mars
Fondation du Crédit Foncier, destiné à venir en aide aux paysans qui veulent rénover leurs exploitations en leur offrant des prêts hypothécaires à long terme. Il sera finalement plutôt utilisé par les propriétaires fonciers urbains.

France, mars
L'Etat entreprend une grande politique ferroviaire. →

Europe, 8 mai
Un second protocole, signé à Londres, confirme l'accord passé à Varsovie en 1851 entre le roi du Danemark et le tsar. Le prochain roi du Danemark sera le prince Christian von Glücksburg.

France, juillet
Le poète Théophile Gautier publie son recueil *Emaux et Camées*.

Jersey, août
Prenant volontairement le chemin de l'exil, Victor Hugo s'installe à Jersey, d'où il lancera ses pamphlets contre le nouveau maître que la France s'est donné. Le premier de ces pamphlets sera intitulé *Napoléon le Petit*.

Belgique, 29 septembre
Le ministère Rogier démissionne, à la suite des ennuis de santé de son président. Député de Liège, Charles Rogier (1800-1885) était devenu président du Conseil en 1847.

Paris, septembre
Première ascension en ballon dirigé, invention de Giffard. →

France, 16 octobre
Louis-Napoléon Bonaparte se rend auprès d'Abd el-Kader, prisonnier au château d'Amboise. L'émir sera bientôt rendu à la liberté et se consacrera, en Turquie, à la rédaction d'ouvrages religieux.

France, 18 novembre
Fondation par les frères Pereire du Crédit Mobilier, une banque d'affaire originale. Elle acquiert des actions dans les différentes affaires commerciales et industrielles en émettant des obligations à long terme pour une valeur correspondant à ses achats et à court terme pour se procurer des fonds de roulement.

France, novembre
L'imprimerie Chaix reçoit l'autorisation d'ouvrir des bibliothèques dans les gares.

France, 2 décembre
L'empire est rétabli à la suite du plébiscite du 21 novembre. →

France, 9 décembre
Leconte de Lisle fait paraître ses *Poèmes antiques*.

France
Léon Foucault invente le gyroscope qui, quelle que soit sa position, conserve la même direction. Cette propriété trouvera son emploi dans la marine.

Le philosophe et sociologue Auguste Comte publie son *Catéchisme positiviste*.

Allemagne
Karl Marx publie *Le 18 Brumaire de Louis-Bonaparte*.

Suède
Le chimiste Johann Lundström (1815-1888) perfectionne le procédé de fabrication des allumettes, en imaginant l'allumette de sûreté, dite « suédoise ».

Russie
Tourgueniev rassemble en un livre ses *Récits d'un chasseur*, publiés dès 1847 dans le journal *Le Contemporain*. Réquisitoire contre le servage, l'ouvrage impressionna vivement le tsar Alexandre II.

L'empire est rétabli après un plébiscite

Paris, 2 décembre 1852
La Constitution du 14 janvier 1852 est un retour aux institutions de la première expérience bonapartiste. Thiers voit juste quand il déclare : « L'empire est fait... Le mot viendra quand on voudra. » Le mot vient le 7 novembre lorsqu'un sénatus-consulte proclame Louis-Napoléon Bonaparte empereur des Français sous le nom de Napoléon III. L'empire est rétabli. Un nouveau plébiscite, le 21 novembre, doit légitimer le régime. Une très forte majorité se dégage : 7 824 189 oui, 253 145 non. Le Second Empire sera proclamé officiellement le 2 décembre.

Bulletin de vote pour le plébiscite du 21 novembre 1852.

"La Case de l'oncle Tom" : une dénonciation de l'esclavage

Etats-Unis, 10 mars 1852
La revue américaine de Washington *The National Era* a publié *La Case de l'oncle Tom* dès mai 1851. Le succès est tel que, le 10 mars 1852, le roman est édité en deux volumes. Pourtant rien ne semblait destiner Harriet Beecher-Stowe, ancienne institutrice et mère de famille, à la composition d'un tel ouvrage. Révoltée par la loi de 1850 qui oblige à la dénonciation des esclaves fugitifs, elle décide de relater les atrocités commises contre les Noirs. La vie tragique de l'oncle Tom, homme bon et pieux, montre le destin pénible des esclaves, toujours à la merci de leurs maîtres. Tom est séparé de sa famille et vendu. Il se conduit en héros chez son second maître, dont il sauve la fille de la noyade. Malheureusement, ce dernier meurt trop tôt pour renvoyer le Noir chez lui, et Tom tombe entre les mains de Legree, sous les coups duquel il succombe pour n'avoir pas révélé le refuge de ses compagnons d'infortune en fuite. Le Sud boycotte l'ouvrage et la police se saisit des exemplaires en circulation. Mais Beecher-Stowe compte des admirateurs dans le monde entier, Dickens et Tolstoï ne sont pas les moins élogieux. Ce livre constitue un plaidoyer fameux en faveur de l'abolitionnisme et des droits de l'homme.

Famille de planteurs. Illustration pour le roman d'Harriet Beecher-Stowe.

Paris pleure à la mort de Marguerite Gautier

Paris, 1852
Portée à la scène, la mort de la courtisane Marguerite Gautier émeut le Tout-Paris. Les représentations de *La Dame aux camélias*, d'Alexandre Dumas fils (1824-1895), connaissent un énorme succès. Le sujet est tiré du roman, que l'auteur avait écrit en 1848. Le personnage féminin dont le pathétique attire la sympathie populaire est inspiré de l'histoire de Marie Duplessis. Le dramaturge avait connu cette fille de concierges devenue hétaïre et que son destin entraîne à la maladie, la misère et la mort. Dans la fiction, Marguerite Gautier s'élève à l'amour pur et au sacrifice des héroïnes classiques. En effet, pour ne pas détruire l'avenir d'un jeune bourgeois, Armand Duval, elle se résigne à abandonner son amant. Gravement malade, sans plus aucune envie de résister, elle va se laisser glisser à la mort. Sa maladie la consume très rapidement et sans espoir de guérison. Le jeune homme n'arrivera à son chevet que pour recevoir son dernier soupir. Avec *La Dame aux camélias*, c'est l'irruption sur scène du quotidien dans sa banalité et sa trivialité.

Marie Duplessis au théâtre. Peinture de Camille Roqueplan. Musée Carnavalet.

Le magasin "Au Bon Marché" révolutionne le commerce

Paris, 1852
Par de multiples initiatives, Aristide Boucicaut (1810-1877) transforme complètement son commerce à l'enseigne du *Bon Marché* : cette boutique de mercerie et de nouveautés devient un établissement d'un type nouveau, un « grand magasin ». Première innovation : l'entrée est libre. Le client peut circuler à son gré sans obligation d'achat. Il peut facilement se faire une idée de l'intérêt d'éventuels achats, car les prix sont affichés, ce qui est une autre originalité. A vrai dire, on comprend aisément que Boucicaut ne fasse pas mystère de ses prix : en effet, il pratique une politique de vente à très petit bénéfice. Attirant ainsi une clientèle plus nombreuse, il se rattrape sur les quantités vendues, qui font plus que compenser la diminution de bénéfice consentie sur chaque article. Pour pousser la clientèle à acheter, Boucicaut a en outre créé le principe du « rendu » : « On reprend la marchandise qui a cessé de plaire. » Peu de clients rapportent ce qu'ils ont acheté. Comme il a, enfin, procédé à une diversification des marchandises vendues, Boucicaut a considérablement accru le chiffre d'affaires du *Bon Marché*, qui est passé de 450 000 francs en 1852 à 67 millions en 1877. Boucicaut consacrera une partie de sa fortune à des œuvres philanthropiques.

Les modestes débuts d'Aristide Boucicaut. Bois gravé.

Pierre Larousse fonde sa maison d'édition

Paris, 1852
Pierre Larousse (né en 1817) était le directeur d'une école primaire supérieure, lorsqu'il se fit remarquer en publiant une série d'ouvrages pédagogiques où il rompait avec les méthodes purement mécaniques d'apprentissage au profit de l'éveil et du maintien de l'intérêt des élèves. Après avoir été un auditeur assidu des cours de l'Observatoire, du Muséum, de la Sorbonne et du Collège de France, il décide en 1852 de fonder, avec Augustin Boyer, une maison d'édition, la Librairie Larousse. Encouragé par le succès qu'il rencontre, il publiera en 1856 un *Dictionnaire de la langue française*, avant de se lancer, à partir de 1864, dans le *Grand Dictionnaire universel du XIXe siècle*, qui sera l'œuvre de sa vie et qui fondera la réputation de sa maison.

Portrait de P. Larousse, auteur du « Grand Dictionnaire universel du XIXe siècle ».

Création d'une grande compagnie ferroviaire, "Paris-Orléans"

France, mars 1852
Une importante série de fusions fait du Paris-Orléans une des plus grandes compagnies françaises ; celle-ci absorbe en effet les compagnies du Centre et de Tours à Nantes. Cette opération, conduite en plein accord avec les pouvoirs publics, est caractéristique de la politique du nouveau régime. Il s'agit de diminuer le nombre des compagnies, afin que chacune dispose d'un réseau rentable ; en outre, l'Etat accorde désormais des baux d'exploitation de 99 ans, qui laissent espérer d'intéressants profits. On pense pouvoir donner ainsi une efficacité plus grande à la loi de 1842 sur les chemins de fer, qui établissait une étroite collaboration entre l'Etat et le secteur privé. D'ores et déjà, une intense activité se déploie dans les milieux d'affaires pour obtenir les meilleures parts : c'est ainsi que Bartholony, le principal dirigeant du Paris-Orléans, est soutenu par le baron James de Rothschild et la Compagnie des mines de la Loire. Mais c'est l'appui de Morny, le demi-frère du prince-président, qui lui sera le plus précieux. Les banques, quant à elles, jouent un rôle majeur dans cette fièvre ferroviaire en assurant la diffusion des obligations dans un large public ; les frères Pereire et leur Crédit Mobilier sont les grands concurrents du baron James.

A Turin, le roi du Piémont appelle Cavour au pouvoir

Turin, 4 novembre 1852
A la suite de la défaite de Novare (mars 1849), Charles-Albert abdique en faveur de son fils. La plupart des républicains se rallient à Victor-Emmanuel II pour réaliser l'unité italienne. Le 4 novembre 1852, le nouveau souverain appelle Camille Benzo, comte de Cavour, à la présidence du Conseil. Cavour est né en 1810 à Turin et a dû quitter l'armée en 1831 à cause de ses idées libérales. Il participe à la vie politique italienne en créant en 1847 le journal *Risorgimento*. En 1850, d'Azeglio le nomme ministre de l'Agriculture et du Commerce. Ses idées anticléricales le rapprochent de la gauche, et il reste à la tête du Piémont jusqu'en 1859. Il réorganise le pays. Pour renforcer la marine, il crée près de Gênes l'arsenal de La Spezzia et favorise une politique économique libre-échangiste. Par voie diplomatique, il se rapproche de la France et de l'Angleterre et envoie des troupes en Crimée. Il impose ainsi le Piémont en Europe.

Cavour contribua à imposer le Piémont sur la scène internationale.

La "Wells Fargo" est fondée aux Etats-Unis

Etats-Unis, 1852
Deux hommes d'affaires américains, Henry Wells et William Fargo ont fondé une société de transport de fonds et de marchandises. Avec la conquête de l'Ouest un important marché s'ouvre pour l'industrie du transport. Le transport maritime entre New York et San Francisco passe par l'isthme de Panama où le fret est débarqué et conduit jusqu'à la côte Pacifique en chariots.

Station de diligences en Californie « Wells Fargo and Co ».

Henri Giffard invente le dirigeable

Paris, septembre 1852
Après un long passage par les ateliers des chemins de fer de l'Ouest, Henri Giffard s'occupe des problèmes de la locomotion aérienne à vapeur. Le 24 septembre 1852, il donne aux Parisiens le spectacle de la première ascension en ballon, dirigé par un moteur à vapeur placé 6 mètres en dessous. Un voile triangulaire en bout de ballon sert de gouvernail. Cette ascension est une réussite malgré les vents contraires et Giffard arrive bien à modifier la trajectoire de son engin. Mais des problèmes financiers l'empêchent de recommencer avant 1858, date à laquelle il inventera un injecteur à vapeur qui fera sa fortune et lui permettra de continuer ses expériences.

Le dirigeable à vapeur de Henri Giffard dans le ciel de Paris.

1853

Rome, 19 janvier
Rome, 19 janvier
Giuseppe Verdi présente son opéra *Le Trouvère*.

France, 30 janvier
Mariage à Notre-Dame de Napoléon III et d'Eugénia Maria de Montijo de Guzmán, comtesse de Teba, fille d'un des rares *afrancesados*, officiers espagnols au service de Napoléon Ier.

Italie, 6 février
Echec d'une tentative de soulèvement inspirée par Mazzini à Milan, où règne la dictature militaire de l'Autrichien Radetzky. Le 13 décembre, les biens des émigrés politiques seront confisqués.

Allemagne, 19 février
L'Autriche et la Prusse signent un traité de commerce d'une durée de douze ans.

Montenegro, 3 mars
Signature d'un traité de paix entre le sultan et le prince Danilo II. Arrivé au pouvoir en 1852, à la suite de la mort de son oncle, le prince-évêque Pierre II, il décide de séculariser le pouvoir sur les conseils du tsar. Les Turcs tentent d'envahir le pays, mais sont repoussés et contraints à la paix.

Pays-Bas, 3 mars
Après l'Angleterre, c'est au tour des Pays-Bas calvinistes de connaître l'organisation d'une hiérarchie catholique. Cette décision provoque la chute du Premier ministre libéral Jean-Rodolphe Thorbeke (1796-1872) le 20 avril. Son successeur Van Hall restreint le champ d'application de la loi sans l'abroger.

Venise, 6 mars
Giuseppe Verdi ne connaît qu'un succès mitigé avec *La Traviata*. →

Chine, 19 mars
Les Taïping s'emparent de Nankin. →

Allemagne, 4 avril
Les accords douaniers signés entre les différents Etats allemands sont prolongés de douze ans ; l'Autriche en est toujours exclue.

Argentine, 25 mai
Adoption d'une nouvelle Constitution. →

France, juin
Différentes mesures illustrent la politique sociale du nouveau régime. Après la publication d'une loi sur les prud'hommes, le 9 juin, une caisse de retraite pour les fonctionnaires est instituée. Des institutions sont créées pour améliorer l'habitat ouvrier.

France, 1er juillet
Le baron Georges Haussmann est nommé préfet de la Seine.

Europe, 3 juillet
Maintenant sa pression sur l'Empire ottoman, la Russie avait proposé à l'Angleterre, lors de négociations du 9 au 21 février, d'en partager les dépouilles. Le 29 février, le tsar avait envoyé auprès de la Sublime Porte son ambassadeur Alexandre Menchikov (1787-1869) pour réaffirmer le droit de protection qu'il entendait exercer à l'égard des chrétiens d'Orient. Devant le refus ottoman, le tsar fait envahir les principautés moldave et valaque par ses troupes. Entre-temps, une flotte franco-anglaise a été envoyée dans les Dardanelles.

Japon, 8 juillet
Le commodore américain Perry jette l'ancre dans la baie de Edo. Les Russes demandent les mêmes avantages, le 20 août, et envoient une flotte devant Nagasaki sous la direction du vice-amiral Putiatine. →

Belgique, octobre
Lancement à Bruxelles d'une édition expurgée des *Châtiments* de Victor Hugo. →

Portugal, 15 novembre
Après le décès de la reine Maria II, le pouvoir revient à son fils Pierre V (1837-1861).

Empire ottoman, 30 novembre
La flotte turque est détruite à la bataille de Sinope. →

France
François Rude achève sa statue dédiée au maréchal Ney.

Le comte Joseph Gobineau rédige son *Essai sur l'inégalité des races humaines*, où il prétend fonder une théorie de la supériorité de la race germanique à partir de critères physiques.

Allemagne
Installé à Weimar, Franz Liszt y compose sa *Sonate en si mineur*.

Inde
Ouverture de la première ligne de chemin de fer reliant Bombay à Tana (34 km).

En Chine, les Taïping s'emparent de Nankin

Chine, 1853
Nankin tombe aux mains des rebelles Taïping. La situation économique et sociale n'avait cessé de se dégrader. Issu de la minorité ethnique des Hakka, Hong Xiuquan, influencé par les prêches des missionnaires protestants, fonde une association des Adorateurs de Dieu, qui prend bientôt le nom de Taïping, déjà utilisé par les Turbans jaunes, au IIe siècle, pour qualifier l'ère de paix et de pureté qu'ils comptent établir en Chine. C'est un mouvement révolutionnaire, égalitaire, puritain et féministe. L'insurrection débute en 1850, au Guangdong, et s'étend très vite aux provinces voisines. En 1851, Hong fonde le Royaume du ciel et s'en proclame roi. Nankin sera le centre politique et administratif des Taïping.

L'attaque de Nankin, où s'étaient retranchés les Taïping, par les troupes impériales en 1864. Gravure chinoise de l'époque.

Le Japon abordé par une escadre américaine

Edo, 8 juillet 1853
Les Japonais sont stupéfaits, en ce mois de juillet, de voir mouiller dans la baie de Edo les quatre « bateaux noirs » du commodore américain Perry. Dans cet archipel replié complètement sur lui-même depuis plus de deux siècles, cette arrivée marque le début de l'ouverture du pays aux étrangers. Les Américains, de leur côté, sont surtout à la recherche de ports d'escale pour leurs navires de commerce en route pour la Chine et pour leurs baleiniers qui sillonnent les mers du Pacifique Nord. Perry est porteur d'un message du président des Etats-Unis pour l'empereur du Japon, qui demande l'ouverture des ports aux navires américains et la signature d'un traité d'amitié entre les deux pays. Les autorités shôgunales vivent alors dans une atmosphère de crise tout à fait extraordinaire. Le parti temporisateur l'emporte, mais décide de céder à la pression lors d'une seconde visite de Perry, en février 1854 à la tête d'une flotte de huit navires particulièrement menaçants. Après plusieurs semaines de discussion les Japonais acceptent d'ouvrir deux petits ports, Shimoda et Hakodate, tandis qu'un consul américain est toléré à Shimoda.

L'expédition américaine sous les ordres du commodore Perry abordant au Japon en 1853. Peinture de Wilhelm Heine.

"La Dame aux camélias" vue par Giuseppe Verdi

Venise, 6 mars 1853
Après *Rigoletto* et *Le Trouvère*, dont la première a eu lieu à Rome, le compositeur Giuseppe Verdi donne *La Traviata*, une œuvre inspirée du roman d'Alexandre Dumas fils *La Dame aux camélias*. Les états d'âme des personnages, l'évolution de leurs passions constituent l'essentiel de l'opéra. La musique, par la souplesse avec laquelle elle épouse l'intimité des sentiments, atteint à une grande intensité émotive où se mêlent ardeur, tendresse et mélancolie. Aux côtés d'Alfredo, transposition du personnage d'Armand, et de Violetta, transposition de Marguerite, Giorgio Germont, le père d'Alfredo, prend un relief particulier en raison du conformisme moral et social qui ressort de sa rencontre avec Violetta. L'œuvre de Dumas fils était tournée déjà

vers l'observation réaliste des modes de vie d'une société. *La Traviata*, desservie notamment par la chanteuse Salvini-Donatelli, dont la stature ne convient pas au rôle de Violetta, ne connaîtra le succès que lors de sa reprise, la saison suivante.

Page de titre du livret et de la partition de « La Traviata ».

"Les Châtiments" de Victor Hugo mobilisent l'opposition

Bruxelles, octobre 1853
Exilé après le coup d'Etat du 2 décembre 1851, Victor Hugo compose et publie le recueil de poèmes satiriques intitulé *Les Châtiments*. Poursuivant son œuvre vengeresse qu'il avait entamée avec le pamphlet *Napoléon le Petit* (1852), désabusé par l'apathie populaire, il clame sa haine contre la tyrannie de Napoléon III, son amour de la liberté et son espoir en des temps meilleurs. Des ténèbres, *Nox*, à la clarté de l'espérance, *Lux*, une inspiration épique et une verve ironique animent ce recueil. Le poète laisse libre cours à sa fureur et à son exaltation passionnée. Il émet des prophéties lyriques annonçant un monde régénéré où régnera la Répu-

blique universelle. Répandu clandestinement en France, l'ouvrage galvanise l'opposition républicaine qui fait de l'illustre proscrit de Jersey son chef spirituel.

Victor Hugo à Jersey sur le « rocher des Proscrits ». Photographie.

Les Français prennent possession de la Nouvelle-Calédonie

Nouvelle-Calédonie, 24 septembre 1853
Envoyé par Napoléon III, le contre-amiral Febvrier-Despointes accoste avec sa corvette à vapeur *Le Phoque* à Balade et prend solennellement possession de la Nouvelle-Calédonie au nom de la France. L'île doit son nom à Cook, qui l'a découverte en 1774. La première mission française remontait à 1843, mais le massacre des religieux par les Mélanésiens avait donné un coup d'arrêt à la colonisation. L'implantation de la France en Nouvelle-Calédonie est lente. En 1854, le capitaine de vaisseau et géographe, Tardy de Montravel, découvrira Nouméa, baptisée Port-de-France. Il y fixera le chef-lieu de l'île.

Mélanésien de Nouvelle-Calédonie. Vers 1860-1870.

Accueil triomphal en Russie de Tourgueniev, défenseur des serfs

Russie, novembre 1853
Le romancier Ivan Tourgueniev (né en 1818 à Orel) qui a publié l'an dernier les *Récits d'un chasseur*, connaît, en raison de l'événement social et littéraire que constitue l'ouvrage, un accueil triomphal à Saint-Pétersbourg. A travers la description du monde paysan, le public découvre tout un arrière-plan de traditions et de passions, les drames qui se déroulent entre les serfs et la classe des propriétaires mesquins, pervertis par la vie des villes. Il souligne l'accord profond du paysan avec les rythmes de la nature.

Ivan Tourgueniev. Peinture de A. A. Kharlamov. Gal. Tretiakov, Moscou.

L'Argentine adopte une nouvelle Constitution

Santa Fe, 25 mai 1853
Depuis les débuts de la république Argentine, une opposition s'est développée entre les prétentions centralistes de Buenos Aires et le fédéralisme des provinces de l'intérieur. Après la chute du dictateur Rosas, le Congrès réuni à Santa Fe établit une Constitution qui fait de l'Argentine un Etat fédéral. Treize provinces donnent à Urquiza le titre de « directeur provisoire de la confédération Argentine », mais pas Buenos Aires.

Des "prud'hommes" pour régler les conflits du travail en France

France, 1er juin 1853
Une loi établit l'égalité entre patrons et ouvriers au sein des conseils de prud'hommes, chargés de régler les conflits individuels du travail. Les patrons réunis en assemblée nomment les prud'hommes qui les représenteront ; les contremaîtres, chefs d'atelier et ouvriers élisent, de leur côté, un nombre égal de prud'hommes. Juridiction d'exception, à l'origine, le conseil des prud'hommes est désormais un organisme paritaire.

La flotte ottomane défaite par les Russes

Sinope, 30 novembre 1853
Après avoir occupé les principautés moldo-valaques, les Russes détruisent une escadre de treize vaisseaux dans le port turc de Sinope. Encouragé par les Anglais, le sultan Abdul-Medjid Ier avait refusé de reconnaître le protectorat du tsar sur les orthodoxes de l'Empire ottoman et avait déclaré la guerre à la Russie. La défaite de Sinope provoquera l'intervention de l'Angleterre et de la France, puis de la Sardaigne, désireuses de mettre un terme à l'expansionnisme russe.

L'escadre russe coulant treize vaisseaux ottomans dans le port de Sinope. Gravure d'époque.

1854

Afrique australe, 23 février
A la suite de l'annexion par les Anglais des territoires au nord du fleuve Orange, peuplés par des Africains et des Boers, Andries Pretorius (1798-1853) organise un soulèvement et repousse les Anglais. Ces derniers, par la convention de Bloemfontein, reconnaissent l'indépendance de l'Etat d'Orange.

Japon, 8 mars
Signature du traité provisoire entre Américains et Japonais (il sera ratifié en janvier et en février 1855 par les Etats-Unis, puis par le Japon). Le 14 octobre, c'est au tour des Anglais, par le traité de Nagasaki, d'obtenir la clause de la nation la plus favorisée et le droit de ravitaillement à Nagasaki et Hakodate.

Europe, 12 mars
La signature d'un traité d'alliance anglo-franco-turc et l'envoi d'un ultimatum commun à la Russie précipitent l'Europe dans une guerre qui durera jusqu'au 30 mars 1856 : la guerre de Crimée. →

Grèce, 26 mai
Les forces navales franco-anglaises occupent le port du Pirée, pour éviter que les Grecs ne s'associent aux Russes contre les Ottomans. L'occupation durera jusqu'au 28 février 1857.

France, 22 juin
Une loi oblige les ouvriers des deux sexes à posséder un livret de travail, qu'ils travaillent chez eux, en atelier ou en usine. Créé sous le Consulat, il s'agit d'une pièce d'identité, mais aussi d'un curriculum de la vie professionnelle de l'embauché qui doit le présenter à son employeur.

Espagne, 28 juin
Le général Leopoldo O'Donnel (1809-1867) organise un *pronunciamiento* progressiste en compagnie de Baldomero Espartero et chasse la très autoritaire reine Marie-Christine. Sa fille, Isabelle II, monte sur le trône et convoque des assemblées de Cortes constituantes.

Egypte, 13 juillet
Le vice-roi d'Egypte Abbas Ier (1813-1854) est assassiné près du Caire. Il est remplacé par Saïd (1822-1863), son oncle, un fils de Muhammad-Ali.

Madison, Etats-Unis, 13 juillet
Fondation d'un nouveau parti politique antiesclavagiste, le Parti républicain. →

Europe, 5 novembre
Les Alliés, après avoir abandonné le port de Varna sur la mer Noire le 7 septembre, débarquent à Eupatoria sur la côte ouest de la Crimée le 14. Ils remportent les batailles de l'Alma le 20, de la Balaklava le 25 octobre, d'Inkermann le 5 novembre et font le siège de la base navale de l'armée russe, Sébastopol.

Egypte, 30 novembre
Le Français Ferdinand de Lesseps obtient de Saïd Pacha une concession de 99 ans pour construire un canal reliant la mer Rouge à la Méditerranée.

Rome, 8 décembre
Le pape Pie IX publie la bulle *Ineffabilis Deus*. →

Sénégal, 16 décembre
Le général Louis Faidherbe (1818-1889) est nommé gouverneur du Sénégal. →

Etats-Unis
L'admission des Etats du Kansas et du Nebraska au sein de l'Union donne lieu à un conflit sur la réglementation agraire des terres dont les occupants, les colons, ne possèdent pas les titres de propriété. Organisés en territoire, ils ne deviendront des Etats respectivement qu'en 1861 et en 1867. →

Elisha Otis (1811-1861) installe un ascenseur à vapeur dans un grand magasin.

Inde
Fondation de la première filature de coton à Bombay.

France
Gérard de Nerval publie *Les Filles de feu*, auxquelles sont joints, en appendice, les douze sonnets des *Chimères* qui, par leur qualité musicale et la mystérieuse beauté de leurs images, comptent parmi les créations majeures de la poésie.

Des écrivains de langue occitane, dont Mistral, Aubanel et Roumanille, fondent le félibrige.

Le chimiste Henri Sainte-Claire Deville met au point un procédé de préparation industrielle de l'aluminium. →

Göttingen
Le mathématicien Bernhard Riemann (1826-1866) invente la géométrie non euclidienne. →

Le Sénégal conquis par le général Faidherbe

Sénégal, 16 décembre 1854

En 1851, les commerçants du comptoir français de Saint-Louis se plaignent des exactions des indigènes à leur égard. Le 16 décembre 1854, le colonel Faidherbe (1818-1889) est nommé gouverneur du Sénégal et entreprend d'assurer le contrôle français dans toute la vallée du fleuve Sénégal. Ce républicain antiesclavagiste parle couramment le ouolof et l'arabe. Pour ses campagnes militaires, il est assisté de deux bataillons de tirailleurs sénégalais. Il commence par annexer le pays Ouolof et, pendant la saison sèche, pousse son avance au nord, où il lutte contre les Maures Trarza et leur chef Mohamed el-Habid. Durant la saison des pluies, il profite des crues du fleuve pour combattre Hadj Omar, marabout des Toucouleurs, et fonde le poste de Médine. Il décide de mettre en valeur les territoires conquis et favorise les cultures du coton et des arachides. Il fonde la Banque du Sénégal et crée le port de Rufisque pour compléter le développement économique du pays. Il charge le commandant Protet de fonder la ville de Dakar.

La relève du drapeau au camp de Châlons, en 1858, où étaient cantonnées diverses troupes coloniales. Photographie.

Bernhard Riemann invente la géométrie non euclidienne

Göttingen, 1854

Après les travaux de Gauss et de Lobatchevski encore mal connus au milieu du siècle, Bernhard Riemann révolutionne la géométrie avec sa thèse soutenue en 1854 : *Sur les hypothèses qui servent de base à la géométrie*. Il propose un espace où la somme des angles d'un triangle est supérieure à 180°, où on ne peut mener une parallèle à une droite par un point extérieur et où les droites ne sont plus infinies. Il fonde ainsi la notion d'espace général et de géométrie elliptique. Ses conceptions le poussent même à envisager la possibilité d'interactions entre l'espace et les corps qui y sont plongés, transformant alors les données de base qui servent à le définir. Ses travaux se diffuseront lentement.

Boole établit les "lois de la pensée logique"

Angleterre, 1854

Autodidacte, obligé de travailler à seize ans, George Boole (1815-1864) s'intéresse très vite aux mathématiques. Il est l'un des premiers Anglais à s'occuper de logique, et dans son traité de 1854 il étudie les lois fondamentales des opérations de l'esprit, « par l'intermédiaire desquelles s'effectue le raisonnement » et tente de les exprimer dans le « langage symbolique du calcul ». Il suppose qu'il existe une analogie entre les symboles algébriques et ceux qui représentent les formes logiques. Boole opère sur des ensembles simples et réduit d'une certaine manière la logique à un calcul de propositions algébriques, créant une science générale de la logique qui permet l'application des mathématiques à d'autres domaines. En 1859, il publiera sur le calcul différentiel.

Le dogme de "l'Immaculée Conception" proclamé par le pape

Rome, 8 décembre 1854
Le pape Pie IX, dans la bulle *Ineffabilis Deus*, proclame le dogme de l'Immaculée Conception et déclare la Vierge Marie indemne des effets du péché originel. Le Vatican apporte ainsi sa consécration au renouveau de la piété mariale. La dévotion à Marie, en effet, venait de connaître un regain de popularité dans les masses catholiques, à la suite notamment d'une série d'apparitions miraculeuses de la Vierge, lesquelles, si elles ont toutes trouvé lieu en France, ont rapidement conquis un retentissement mondial. L'une des premières apparitions, la plus célébrée aussi, est celle dont fut gratifiée Catherine Labouré en 1830. Partout se développent les congrégations mariales et Pie IX rétablit officiellement les Enfants de Marie en 1847. Les dévotions du mois de mai consacrées à la Vierge rencontrent une faveur croissante. Des théologiens à leur tour consacrent leurs travaux à l'étude des privilèges de Marie et c'est à leur suite que les évêques adressent au pape les pétitions qui aboutissent à la bulle.

Les chefs de l'armée alliée dans le conflit de Crimée : Lord Raglan, Omar Pacha et le général Pélissier.

Le général Bosquet devant sa tente lors du siège de Sébastopol.

Internationalisation du conflit en Crimée

Crimée, 1854
La Grande-Bretagne, qui veut se réserver le Moyen-Orient et qui entend, par conséquent, arrêter l'expansion russe, et la France, qui veut rompre la coalition européenne qui réduit le rôle de sa politique étrangère, s'allient à la Turquie et déclarent la guerre à la Russie. Le 14 septembre 1854, elles débarquent leurs troupes qui mettent le siège devant Sébastopol. L'Autriche demeure neutre, mais la Sardaigne ne tardera pas à rejoindre la coalition anglo-franco-turque. En s'internationalisant, le conflit russo-turc prendra des dimensions nouvelles et provoquera une redistribution des cartes et des alliances. Après l'assaut de la tour de Malakov qui entraîna la chute de Sébastopol, les Russes traiteront et, après la mort du tsar Nicolas Ier, le traité de Paris mettra fin au conflit en 1856.

Couronnement de Sissi, impératrice d'Autriche

Vienne, 24 avril 1854
C'est en l'église des Augustins à Vienne que l'empereur d'Autriche François-Joseph, âgé de vingt-trois ans, qui est monté sur le trône à l'abdication de son oncle Ferdinand (1848), a épousé la très jeune princesse Elisabeth. Conquis par la beauté de cette impératrice de seize ans, les Viennois l'ont affectueusement surnommée Sissi. On dit l'empereur éperdument amoureux de son épouse. Lorqu'elle est arrivée en bateau, sur le Danube, il a sauté sur le pont pour l'embrasser, faisant fi du protocole, ce dont il n'est pas coutumier.

Elisabeth de Wittelsbach, impératrice d'Autriche. 1864.

Inauguration de la première voie ferrée alpine

Autriche, 17 juillet 1854
Après six ans de travaux éprouvants, la première voie ferrée en montagne est inaugurée. Elle profite du col du Semmering pour relier Vienne à la région du Steiermark, ouvrant un passage vers l'Italie. Elle comporte quinze tunnels et seize viaducs ; sa pente ne dépasse pas 2,5 %.

Six ans de travaux pour la construction de la première voie ferrée alpine, passant au col du Semmering.

Sainte-Claire Deville réalise la première synthèse de l'aluminium

Paris, 1854
L'aluminium, recherché depuis le XVIIIe siècle dans l'alun, est l'objet de nombreux travaux au milieu du XIXe siècle. Le chimiste Henri Sainte-Claire Deville obtient en 1854 un lingot d'aluminium à l'état pur en décomposant le chlorure double d'aluminium de sodium, par du sodium en présence d'un fondant. Il présente ce lingot à l'Académie des sciences et, en 1855, il est une des vedettes de l'Exposition internationale de Paris. Ce procédé coûteux est mis en application dès 1856 à Nanterre mais ne fournit que quelques dizaines de kilos de métal par an, transformant pendant un temps l'aluminium en un métal rare dont on fait les bijoux.

Création aux Etats-Unis du Parti républicain

Madison, 13 juillet 1854
La question de l'esclavage mine le système politique américain. A l'intérieur des deux partis, les partis whig et démocrate, l'opposition anti-esclavagiste se renforce et proteste contre le *bill Kansas-Nebraska* qui autorise les populations de ces futurs Etats à se prononcer elles-mêmes sur la question. Cette décision remet en cause le compromis de 1820 qui avait interdit l'esclavage sur ces territoires. Lors de meetings des orateurs se définissent comme « républicains » et organisent une convention à Madison. Un nouveau parti est né qui présentera en 1856 un candidat à la présidence, John Frémont, qui obtiendra 33 % des voix.

Désobéissance civile et goût de la nature chez Henry Thoreau

Etats-Unis, 1854
L'écrivain David Henry Thoreau (né à Concord en 1817), disciple du philosophe Emerson et auteur du récit *Une semaine sur les fleuves Concord et Merrimack* (1849), publie *Walden ou la Vie dans les bois*, un recueil d'essais qui sont le fruit de ses longues promenades méditatives. Walden est le journal de Thoreau pendant son séjour solitaire de deux ans sur le territoire de Walden Pond appartenant à Emerson. Thoreau expérimente une vie en accord instinctif avec la nature, hors de toute attirance mystique. L'auteur précisera son idéal de vie simple dans les essais sur *La Désobéissance civile* (1849) et *La Vie sans principe*, publiée à titre posthume, où il déclare vouloir vivre selon la loi morale, supérieure à la loi écrite. Thoreau mourra à Concord en 1862.

1855

Moscou, 7 janvier
Le tsar accepte le protocole de Vienne, élaboré le 8 juillet 1854 entre les Alliés et l'Autriche. Ce texte garantit l'intégrité du territoire ottoman et la pacification de la région.

Piémont, 26 janvier
Sollicité par les Alliés anglais et français, Cavour décide d'engager le Piémont aux côtés des grandes puissances. Le traité d'alliance prévoit l'envoi de 15 000 soldats.

Moscou, 2 mars
A la mort subite du tsar Nicolas Ier, son fils Alexandre II lui succède.

Chine, mars
Les Taïping expulsés du Shandong sont repoussés au sud du Yangzi Jiang. Mais ils reprennent la ville de Wuchang.

France, 2 mai
Le gouvernement publie une loi sur les travaux de Paris et sur la propriété industrielle. La ville est désormais administrée par une commission municipale de 36 puis de 60 membres, nommés par le pouvoir.

France, 14 mai
Le révolutionnaire italien Pianori est exécuté à la suite de son attentat manqué contre Napoléon III, aux Champs-Elysées. En août, un autre Italien, Bellamare, échouera à son tour.

Chine, 19 mai
Un massacre de musulmans dans la province du Yunnan, aux confins de l'Indochine et du Tibet, embrase la région, qui ne cessera de se révolter jusqu'en 1873.

Egypte, 19 mai
Saïd concède à Ferdinand de Lesseps la fondation de la Compagnie du canal de Suez.

Piémont, 29 mai
Cavour abolit tous les ordres religieux et couvents qui ne se sont pas consacrés à la prédication, à l'éducation ou à l'assistance des infirmes.

Paris, mai-novembre
Exposition universelle : 24 000 exposants, 5 163 000 visiteurs. →

Grande-Bretagne, 29 juin
Lancement d'un quotidien destiné aux classes moyennes, le *Daily Telegraph*.

Autriche, 18 août
Signature d'un Concordat entre l'Etat et le cardinal-archevêque de Vienne. L'Eglise catholique retrouve ses droits dans l'enseignement et inspire la nouvelle législation du mariage. Cet acte suscite l'hostilité des libéraux, de certains fonctionnaires et de la bourgeoisie d'affaires.

Crimée, 10 septembre
Sébastopol tombe aux mains des Alliés. →

Pest, Hongrie, 19 novembre
Mort du poète romantique Mihaly Vörösmarty. Il s'inspira du folklore des légendes populaires. Patriote, désespéré par l'échec de 1848, il composa des poèmes tragiques comme *Le Vieux Tsigane*.

Empire ottoman, 27 novembre
Les Russes s'emparent de la ville de Kars, en Arménie.

Ethiopie
Début du règne du négus Kassa, né en 1818, qui prend le titre de Théodore II.

Allemagne
L'écrivain Gustav Freytag (1816-1895) publie son roman monumental *Devoir et Avoir*.

Grande-Bretagne
Principes de psychologie de Spencer. →

Publication des poèmes d'amour *Hommes et Femmes* de Robert Browning.

Paris
Le peintre Courbet présente son *Atelier*. →

Le chimiste Marcelin Berthelot réalise la synthèse de l'alcool.

Essai sur l'inégalité des races humaines, de Joseph A. Gobineau.

Fondation de la Compagnie générale transatlantique.

Chauchard crée le « grand magasin » du Louvre.

Suisse allemande
Gottfried Keller publie un roman d'éducation *Henri le Vert*.

Jakob Burckhardt publie *Le Cicérone, guide de l'art antique et l'art moderne en Italie*.

Amérique Centrale
Un chemin de fer relie le Pacifique à l'Atlantique à travers l'isthme de Panama.

Le siège de Sébastopol par les Français et les Anglais. Gravure d'époque.

Sébastopol capitule face aux troupes franco-anglaises

Sébastopol, 10 septembre 1855
Après la prise par le maréchal Mac-Mahon de la tour Malakoff (8 septembre), il ne restait plus aux défenseurs de Sébastopol qu'à saborder les navires, faire sauter tous les bastions et évacuer la ville occupée par les Alliés. Le siège et la prise de Sébastopol furent le principal épisode de la guerre de Crimée. La place avait été investie immédiatement après la victoire de l'Alma (20 septembre 1854) et à peine quelques jours après le débarquement en Crimée, à Eupatoria, des troupes françaises, commandées par Saint-Arnaud, et anglaises, sous les ordres de Lord Raglan (14 septembre). La Sardaigne ayant décidé de participer aux hostilités en janvier 1855, le total des effectifs alliés avait atteint 185 000 hommes. Le siège de Sébastopol dura une année entière ; les assiégeants eurent à souffrir d'un hiver rigoureux et d'un ravitaillement très mal organisé. La ville était défendue par un officier russe de très grande valeur, Eduard Ivanovitch Totleben. Au début du siège, deux tentatives russes pour briser l'encerclement furent repoussées à Balaklava (25 octobre 1854) et à Inkerman (5 novembre). Ce fut alors une guerre de tranchées éprouvante. Après un hiver entier de piétinement, les Alliés décidèrent d'en finir : la prise du Mamelon-Vert (7 juin 1855), la défaite des Russes à Takrir, sur la Tchernaïa (16 août), et la chute de la tour Malakoff marquent la fin de cette guerre, qui sera conclue par le traité de Paris (1856). La guerre de Crimée, où s'illustrèrent de nombreux militaires français, contribua à consolider le régime du Second Empire et entraîna en Russie une série de réformes sociales, dues à Alexandre II, empereur depuis le 2 mars 1855.

Spencer, un philosophe évolutionniste

Angleterre, 1855
Le philosophe Herbert Spencer, né à Derby en 1820, ancien rédacteur à l'*Economist*, publie les *Principes de psychologie*, un ouvrage dans lequel il distingue la psychologie objective et subjective. Celle-ci tente de ramener les phénomènes de l'esprit à des éléments simples, établissant ainsi une échelle dégressive du raisonnement à la classification puis à la perception. A l'inverse, la psychologie objective étudie la progression de l'esprit vers son autonomie, reconnaissant la manière dont il s'est progressivement détaché de la vie physique pour atteindre un niveau d'activité supérieur. Un état de conscience se développe en se fondant d'abord sur ceux qui l'ont précédé. L'intelligence de tout individu se révèle ainsi le produit de l'expérience organique des générations précédentes, résumée par le cerveau et le système nerveux. Spencer publiera encore *Premiers Principes* (1862), *Principes de biologie* (1864), *Principes de sociologie* (1877-1896) et *Principes d'éthique* (1879). Cette philosophie, influencée par le transformisme de Darwin, reçoit le nom d'« évolutionnisme ». Spencer mourra à Brighton, en 1903.

Herbert Spencer. Peinture de Burgess.

L'Exposition universelle à Paris

Paris, mai-novembre 1855

Paris organise une Exposition universelle, objet d'une grande sollicitude de la part du jeune régime impérial. Le prince Jérôme Napoléon, chargé de coordonner la mise en œuvre du projet, s'est entouré de deux polytechniciens saint-simoniens, Frédéric Le Play et Michel Chevalier. Le souverain lui-même, qui partage leur foi dans les vertus du progrès, a suivi de près leurs travaux. Il fallait bien sûr faire mieux que les Anglais en 1851 : aussi les exposants furent-ils deux fois plus nombreux qu'à Londres pour une superficie supérieure d'un tiers. Les visiteurs ont par contre été moins nombreux. C'est au carré Marigny, sur les Champs-Elysées, qu'a été édifié l'ambitieux palais de l'Industrie, pièce maîtresse de l'Exposition. Parmi les inventions récompensées, une machine à coudre reçoit une médaille : elle fera la fortune d'Isaac Merrit Singer. Enfin, il faut souligner une originalité française : l'Exposition associe les beaux-arts à l'industrie, et l'on peut notamment admirer une impressionnante rétrospective d'Ingres et de Delacroix. Mais Courbet, refusé par le jury du Salon (« C'est de la peinture de démocrate, de ces hommes qui ne changent pas de linge et veulent s'imposer aux gens du monde »), a organisé, huit ans avant le Salon des Refusés, sa propre exposition.

L'Exposition universelle de 1855 à Paris. Au centre, le Palais de l'Industrie, à l'emplacement du carré Marigny.

A Vienne, succès de la réaction catholique

Autriche, 13 novembre 1855

Signé le 18 août après de longues négociations entre l'empereur et le Saint-Siège, le Concordat est promulgué loi d'Etat. C'est une victoire pour les catholiques. La législation joséphiste de 1781, qui avait établi la séparation de l'Eglise et de l'Etat est abolie. François-Joseph abandonne à l'Eglise le soin de diriger l'éducation et de veiller aux bonnes mœurs ; il lui confie également la censure des livres. Le mariage civil est supprimé. Enfin, aucune question confessionnelle ou interconfessionnelle ne sera résolue sans l'accord préalable du Saint-Siège.

Suicide du poète Gérard de Nerval

Paris, 26 janvier 1855

Gérard de Nerval, de son vrai nom Gérard Labrunie, a été découvert ce matin près du Châtelet, pendu. Sa première crise de délire s'était déclenchée en février 1841. Entre ses internements à la clinique du docteur Blanche, il a composé *Les Filles du feu* (1854), *Aurélia*, les sonnets des *Chimères* (1854). Son œuvre préfigure Baudelaire et Mallarmé, aussi bien que les tentatives des surréalistes. Sa passion malheureuse depuis 1836 pour l'actrice Jenny Colon nourrit le mythe féminin, qui intercède pour sa rédemption. *Aurélia ou le Rêve et la Vie* (1865) illustre bien la « descente aux Enfers » du poète : Nerval est convaincu que le songe aide à « percer ces portes d'ivoire ou de corne qui nous séparent du monde invisible ».

Portrait de Gérard de Nerval. Vers 1850. Photographie de Nadar.

Livingstone découvre les chutes de Victoria

Afrique, 1855

David Livingstone (1813-1873) s'embarque en 1841 pour l'Afrique du Sud, après des études de médecine et de théologie. Il se veut avant tout un missionnaire et se consacre à cette tâche jusqu'en 1852. Séduit par l'Afrique, il décide ensuite de parcourir les régions inexplorées de ce continent en s'avançant toujours plus vers le nord. De 1852 à 1854, il parcourt une Afrique encore inconnue, le lac Ngami et le Zambèze. En 1854-1855, il réussit, le premier, la traversée de l'Afrique centrale d'est en ouest et découvre en même temps les chutes qu'il nomme Victoria en l'honneur de sa souverainne. Devenu célèbre, le gouvernement anglais le nomme consul de Quelimane en 1856. Quelques années plus tard, l'explorateur anglais Stanley le retrouve, perdu et malade ; fasciné par ce personnage, il déclare : « Un mysticisme voisin du martyre rejoignait chez lui la soif de la découverte. » Livingstone a permis d'ouvrir des voies nouvelles à l'Empire britannique.

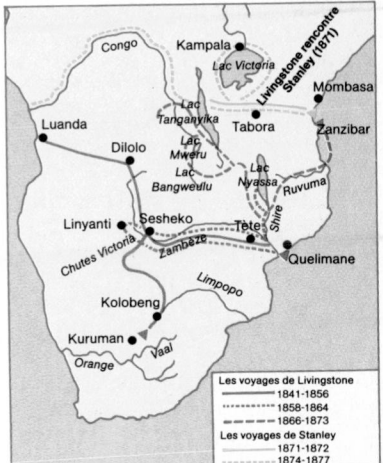

"L'Atelier" de Courbet refusé à l'Exposition universelle de Paris

Paris, mai 1855

Refusé à l'Exposition universelle, Gustave Courbet présente quarante œuvres dans un baraquement particulier, intitulé « Pavillon du Réalisme ». Dans son catalogue, le peintre affirme sa volonté de « faire de l'art vivant ». Depuis la révolution de 1848, il fréquente Proudhon, Champfleury et Baudelaire, et, sous l'influence des théories socialistes qui le portent vers une conception de l'art plus populaire, il défend le réalisme. Cherchant à s'inspirer des événements contemporains et rendre compte de la réalité sociale, il peint *Les Casseurs de pierre* (1849), puis le fameux *Enterrement à Ornans* et son *Atelier*. Ces toiles déchaînent de violentes polémiques : elles évoquent la réalité quotidienne sans pittoresque et sans pathos. Ses *Baigneuses* (1853) ne sont pas mieux reçues : on les juge indécentes parce que le peintre tente de libérer le nu des conventions idéalistes. Cet artiste profondément anticonformiste est cependant célèbre dans toute l'Europe, et obtiendra un vif succès au Salon de 1866 avec la *Remise des chevreuils*.

Gustave Courbet. « L'Atelier du peintre ». 1855. Détail. Musée du Louvre, Paris. Œuvre à programme, ce tableau eut la valeur d'un manifeste.

1856

Empire ottoman, 19 février
Afin de remercier ses alliés, le sultan publie un décret en faveur des chrétiens de l'empire.

France, 12 mars
Charles Baudelaire fait paraître sa traduction des *Histoires extraordinaires* d'Edgar Allan Poe.

Paris, 30 mars
Fin de la guerre de Crimée. →

Italie, 16 avril
Le comte Benso Cavour présente le 16 avril aux représentants de la France et de l'Angleterre réunis à Paris un mémorandum sur l'état politique de l'Italie, montrant qu'elle est un foyer de révolutions que seul le Piémont pourrait éviter. Après avoir gagné la Russie à sa cause, il obtient de l'Angleterre et de la France la condamnation du roi de Naples pour sa manière de gouverner.

France et Belgique, 24 avril
Parution simultanée des *Contemplations* de Victor Hugo. →

Nicaragua, mai
Les Etats-Unis reconnaissent le nouveau maître du pays, Walker. →

France, 9 juin
Napoléon III échoue dans son projet d'instaurer le libre-échange à la suite d'un vote négatif du Corps législatif.

France, 16 juillet
Un sénatus-consulte réorganise la régence à la suite de la naissance le 16 février du prince impérial.

Grande-Bretagne, 17 juillet
Loi sur les sociétés anonymes. →

Suisse, 2 septembre
A Neuchâtel, des royalistes ultraconservateurs, sous la direction du comte Friedrich Pourtalès, organisent un coup d'Etat contre le Conseil cantonal républicain. →

Espagne, 25 octobre
Le pouvoir reste fragile. Après le remplacement de Baldomero Espartero par le général Leopoldo O'Donnell y Jorris, tous deux libéraux, Isabelle II choisit Manuel Ramón Maria Narvaez (1800-1868) pour mener une politique autoritaire et répressive contre les républicains et les carlistes.

France, octobre
Gustave Flaubert commence à publier son roman *Madame Bovary* dans la *Revue de Paris*.

Italie, octobre
A la suite du rejet des remontrances qu'elles avaient formulées au roi de Naples, l'Angleterre et la France rompent leurs relations diplomatiques avec Ferdinand II.

Siam, octobre
Traité avec la France garantissant le respect des frontières du royaume.

Perse, 1er novembre
Début de la guerre contre l'Angleterre concernant les frontières orientales du pays.

Grande-Bretagne
H. Bessemer invente un convertisseur pour la production de l'acier. →

Le chimiste William Henry Perkin découvre la mauvéine. →

Allemagne
Découverte à Néandertal, près de Düsseldorf, des restes d'un *homo sapiens* que l'on estime remonter à 70 000 ans av. J.-C.

Richard Wagner achève *La Walkyrie*.

Le physicien Hermann von Helmholtz publie son *Optique physiologique*.

France
Ingres peint *La Source*.

Tocqueville publie *L'Ancien Régime et la Révolution*. →

Publication posthume des *Mémoires* de Louis de Rouvray, duc de Saint-Simon (1675-1755), qui évoquent la fin du règne de Louis XIV.

Le philosophe positiviste Auguste Comte (1798-1857) publie sa *Synthèse subjective* ou *Système universel des conceptions propres à l'état normal de l'humanité*.

Percement à Paris des boulevards Saint-Michel et du Temple.

Etats-Unis
L'Américain Daniel Wesson met au point une cartouche à amorce atmosphérique.

Egypte
Inauguration de la première ligne de chemin de fer d'Afrique reliant Alexandrie au Caire.

Le traité de Paris stoppe l'avancée russe

Paris, 30 mars 1856
La mort du tsar Nicolas-Ier et la chute de Sébastopol ouvrent la voie à la paix. Le traité, signé au terme du congrès de Paris qui, depuis le 25 février, réunit, sous la présidence de Walewski, les représentants de la France, de l'Angleterre, de la Turquie, de la Sardaigne et de la Russie, consacre la défaite de cette dernière dans la guerre de Crimée (1853-1856). La Russie s'y voit contrainte de reconnaître l'intégrité du territoire turc, de céder une partie de la Bessarabie à la Moldavie et d'accepter la perte de sa tutelle sur les provinces moldaviques qui se voient assurées d'une administration indépendante. La Russie doit également accepter la neutralisation de la mer Noire et l'internationalisation du Danube. Enfin, l'Empire ottoman est momentanément sauvé. Il fait son entrée dans le concert européen, mais sous la garantie collective (euphémisme pour « tutelle ») des grandes puissances, prélude à son partage entre elles. La paix de Paris est un triomphe pour la politique de Napoléon III qui réussit à briser l'isolement de la France et à défaire le système mis en place par le congrès de Vienne en 1815. Dans la nouvelle donne, l'Angleterre est alliée à la France, la Russie est affaiblie, l'Autriche est isolée et la Prusse demeure sans grande influence.

Les représentants de la France, de l'Angleterre, de la Turquie, de la Sardaigne et de la Russie lors du Congrès de Paris, qui se tint du 25 février au 30 mars 1856. Peinture d'Edouard Dubufe. 1856. Château de Versailles.

Le canton de Neuchâtel se libère des Prussiens

Suisse, 2 septembre 1856
Des royalistes neuchâtelois, arborant le chapeau prussien, s'emparent du château et séquestrent les magistrats. La milice cantonale les fait prisonniers. Sommant le gouvernement suisse de libérer ses partisans, le roi de Prusse menace d'intervenir. Le Conseil fédéral propose alors d'amnistier les prisonniers en échange de la renonciation par Frédéric-Guillaume IV de ses droits sur la principauté de Neuchâtel. Le 24 octobre, par l'intermédiaire du général Dufour, Napoléon III offre sa médiation. Les négociations vont durer quatre mois. Le 16 janvier 1857, la proposition de Napoléon – libération préalable des prisonniers et promesse de renonciation prussienne – est acceptée. Le traité de Paris, le 26 mai 1857, confirmera le rattachement de Neuchâtel à la Confédération.

"Les Contemplations" : poèmes visionnaires de Victor Hugo, l'exilé

Bruxelles, 24 avril 1856
En exil à Guernesey, Hugo fait publier un recueil de poèmes écrits à trois périodes différentes : de 1830 à 1843 (la jeunesse), de 1844 à 1848 (le deuil) et de 1852 à 1855 (l'exil). Le poète, profondément éprouvé par la disparition de sa fille Léopoldine, se livre, ici, à une confession douloureuse. Il cherche à établir un dialogue pathétique entre le passé et le présent. Cette évocation de « l'existence humaine sortant de l'énigme du berceau et aboutissant à l'énigme du tombeau » représente son « œuvre de poésie la plus complète ».

Victor Hugo. Photographie prise à Guernesey.

Grâce à Bessemer, on produira de l'acier industriellement

Grande-Bretagne, 1856

Au milieu du XIXe siècle, la fonte au coke a triomphé, mais il reste le problème de la fabrication industrielle de l'acier. Les procédés employés sont insatisfaisants. Henry Bessemer découvre en 1856 une technique facile pour transformer la fonte en acier. La fonte liquide est introduite dans une énorme cornue dont l'intérieur est en terre réfractaire (le « convertisseur ») traversée par un courant d'air très violent et très chaud. Le carbone contenu dans la fonte se dégage en brûlant et, au bout

d'une cinquantaine de minutes, il reste une masse d'acier liquide. C'est une opération d'une étonnante simplicité, mais il faut un minerai très pur pour qu'elle réussisse, ce qui limite la portée pratique du convertisseur. Bessemer doit en même temps construire une cornue pour prouver la validité de son procédé qui n'est pas adopté immédiatement dans la mesure où le minerai lorrain n'est pas très riche. Deux ans plus tard, on arrivera à produire en quantité industrielle un acier beaucoup plus résistant et moins cassant que la fonte. L'« âge de l'acier » commence vers 1860, transformant les installations industrielles qui doivent s'agrandir, ce qui provoque leur concentration.

Intérieur d'une aciérie : coulage de l'acier en fusion.

Les aciéries Borsig. Borsig fut un des créateurs de l'industrie lourde.

Découverte de la mauvéine, premier colorant de synthèse

Grande-Bretagne, 1856

Jusqu'au milieu du XIXe siècle, les progrès de la chimie ne permettent pas de résoudre le problème de la teinture des tissus. La plupart des colorants d'origine naturelle, végétale ou animale, manquent de variété et déteignent souvent. Les recherches que mène William Henry Perkin (1838-1907) aboutissent, à partir de

la distillation du goudron, à séparer ses constituants, benzène, anthracène et naphtalène. En 1856, Perkin obtient dans son laboratoire privé, qui n'occupe que la moitié d'une petite pièce, le premier colorant artificiel créé par réaction de naphtalène sur l'aniline : la mauvéine. Après cette réussite qui ouvre la voie aux colorants synthétiques, le rouge magenta et le noir d'aniline, et donc permet à l'industrie chimique et textile de se développer, Perkin monte avec son frère une société et se retire du monde scientifique.

Un aventurier, Walker, à la tête du Nicaragua

Managua, mai 1856

Depuis le début de la fièvre de l'or en Californie (1848), le Nicaragua était devenu un lieu de passage privilégié pour les aventuriers de tous pays. Au lieu de traverser les Etats-Unis d'est en ouest, ils passaient plus facilement par le fleuve San Juan, le lac Nicaragua et arrivaient sur la côte du Pacifique. Ce trafic déboucha sur la création d'une ligne de vapeurs contrôlée par Cornélius Vanderbilt, renforça l'intérêt stratégique de l'isthme centro-américain et éveilla de gros appétits. Sous l'égide de Rafael Carrera, dictateur du Guatemala influent dans les autres pays, les conservateurs dominaient la vie poli-

tique en Amérique Centrale. Les libéraux connurent plusieurs échecs dans leurs tentatives pour restaurer l'Union. En 1855, ils font appel à un aventurier du Tennessee, William Walker, qui, contre la promesse d'obtenir des concessions de terres, organise une expédition de mercenaires. Il s'impose facilement et son gouvernement est reconnu par les Etats-Unis (mai 1856) dont le projet est alors une véritable annexion. Les Etats centro-américains s'allient contre Walker et une armée commandée par le président du Costa Rica, Juan Rafael Mora, et équipée par l'Angleterre, remporte la victoire après un an de lutte (mai 1857). Cette « Campagne nationale » confirme le pouvoir des conservateurs dans l'isthme.

Mort à Paris du poète allemand Henrich Heine

Paris, 17 février 1856

D'une sensibilité maladive, d'une humeur instable et d'une intelligence caustique, Heine (né en 1797 à Düsseldorf) manie avec brio tantôt le mot d'esprit, tantôt un lyrisme sombre et révolté (*Romanzero*, 1851). Sa rencontre avec Marx avait précipité le poète dans une poésie engagée où la satire politique voisinait avec une critique acerbe des injustices sociales. L'âpre inquiétude de Heine devait trouver son point culminant dans *Les Tisserands de Silésie*, chant de révolte des travailleurs dont les revendications avaient été réprimées dans le sang en Silésie. En 1833, installé à Paris, il avait publié une étude sur *L'Etat actuel de la littérature en Allemagne*, dans laquelle, médiateur entre les cultures allemandes et fran-

çaise, il dénonçait l'idéologie conservatrice des romantiques et les dangers du dynamisme allemand.

Le poète Heinrich Heine. Lithographie de Moritz Oppenheim.

Après l'Amérique, la France sous le regard acéré de Tocqueville

Paris, 1856

Alexis de Tocqueville s'était retiré de la vie politique après le coup d'Etat du 2 décembre 1851. Revenant à ses travaux d'historien, il s'est consacré à une étude sur *L'Ancien Régime et la Révolution*, dont la première partie vient de paraître. Héritier de Montesquieu et de la tradition du libéralisme aristocratique, il tente de montrer que la Révolution française, loin d'introduire une rupture dans l'histoire des institutions, marque en fait l'aboutissement ultime d'une politique monarchique séculaire : le jacobinisme et l'absolutisme monarchique tendent également à la centralisation administrative et à la suppression de tous les corps intermédiaires, dont l'aristocratie était l'une des incarnations. En 1832, Tocqueville avait été chargé par le gouvernement de Juillet d'une mission d'études aux Etats-Unis. En 1835, il publiait *De la démocratie en Amérique*. L'idée d'égalité, qui est à la base du système démocratique, est aussi pour Tocqueville le principe même du monde moderne. Mais il remarque que les pro-

grès de l'égalité vont de pair avec une restriction de la liberté ; ces deux principes sont exclusifs l'un de l'autre. Le nivellement et l'uniformisation des conditions favorisent le développement d'un Etat tout-puissant, lequel en retour accroît l'uniformisation de la société. En 1839, Tocqueville était élu député ; contre Guizot, il se rangeait dans l'opposition ; en 1849, il était pendant quelques mois ministre des Affaires étrangères.

Alexis de Tocqueville. 1850. Peinture de Théodore Chassériau.

Premières sociétés anonymes en Angleterre

Londres, 17 juillet 1856

La législation anglaise sur le financement des entreprises connaît une évolution considérable avec les grandes lois de 1856 et 1862. Les firmes qui le souhaitent peuvent désormais se constituer en *public companies*, c'est-à-dire en sociétés anonymes par actions et à responsabilité limitée. Cette forme juridique offre des avantages décisifs. Elle permet tout d'abord de rassembler des capitaux immenses ; mais elle incite aussi

à l'initiative, puisque l'actionnaire n'est désormais responsable que sur les sommes engagées par lui dans l'entreprise, et non sur l'ensemble de sa fortune personnelle. C'est principalement dans les domaines les plus novateurs de l'industrie anglaise que cette forme juridique rencontre un succès croissant. La chimie, la sidérurgie, les constructions navales sont particulièrement concernées. La plupart des grands Etats capitalistes connaissent des évolutions comparables : ce sera le cas de la France, à la suite de l'adoption des lois de 1863 et 1867.

1857

→

France, 19 janvier
Après une loi sur le drainage, le gouvernement adopte une loi sur les landes afin de favoriser l'extension des terres cultivables. Le Crédit foncier est appelé à financer des travaux destinés à assainir les régions humides.

Vienne, 24 janvier
La conférence monétaire de Vienne aboutit à un accord sur l'unification du système monétaire allemand, fondé sur le monométallisme argent à l'intérieur des frontières. Une monnaie en or est prévue pour les échanges avec l'étranger.

Chine, 3 mars
Prenant prétexte de l'assassinat du missionnaire français Chapdelaine, les gouvernements anglais et français déclarent la guerre à la Chine.

Autriche, 22 mars
Rupture des relations diplomatiques avec le Piémont, à la suite des critiques formulées par Cavour.

Afrique de l'Ouest, 20 avril
Le chef toucouleur musulman El-Hadj Omar poursuit ses conquêtes par le siège de Médine, capitale du Khasso, territoire protégé par la France. En 1854, il s'était emparé de Niono, la capitale des Bambara Massassi.

Paris, 26 mai
Frédéric-Guillaume IV renonce à ses droits sur le canton de Neuchâtel et subit une défaite diplomatique importante.

Inde, 10 juin
Début de la révolte des Cipayes. →

France, 21 juin
Dissous le 29 avril, le Corps législatif est renouvelé lors d'une élection où l'opposition ne rassemble que 665 000 suffrages contre presque 5 millions pour le gouvernement. Paris élit cinq députés républicains. → Lors des élections complémentaires, en 1858, Paris élira deux autres républicains.

France, 25 juin
Baudelaire publie *Les Fleurs du mal*. →

Naples, juin-juillet
A l'instigation de Mazzini, le patriote Carlo Pisacane débarque à Salerne, mais sa marche sur Naples échoue face à la résistance des troupes royales et de la population. Le 29 juin, pour faire diversion, Mazzini avait tenté une insurrection à Gênes. Ces deux échecs retentissants mobilisent pourtant les énergies unitaires.

Piémont, 1er août
Un mois avant sa mort, l'avocat républicain Daniele Manin (1804-1857) fonde la *Società nazionale* favorable à une monarchie unitaire sous l'égide de la maison de Savoie. Garibaldi en est le vice-président.

Etats-Unis, 14 août
Début d'une grave crise économique à la suite des faillites dans l'Ohio. →

Tunisie, 10 septembre
Afin de moderniser le pays, le bey Mohammed ben Naceur octroie une charte, le pacte fondamental stipulant l'égalité des musulmans et des Juifs, qui mécontente la population.

Indochine, septembre
Les Français occupent Tourane et Saigon.

Espagne, 25 octobre
O'Donnell remplace une nouvelle fois le général Narvaez au pouvoir.

Russie, 2 décembre
Des comités aristocrates se forment pour abolir le servage.

Moldavie et Valachie
Les Ottomans organisent dans des conditions scandaleuses un plébiscite sur l'Union. Napoléon III exige une nouvelle consultation, qui voit les partisans de l'Union triompher (84 contre 3). Les élus réclament l'autonomie complète et un gouvernement constitutionnel.

Saint-Pétersbourg
Mily Balakirev fonde le groupe des Cinq. →

Allemagne
« Equation des télégraphistes » par G. Kirchhof. →

France
Les glaneuses de J.-F. Millet. →

Hippolyte Taine publie *Les Philosophes français du XIXe siècle.*

Flaubert est poursuivi pour *Madame Bovary.* →

Départ de l'expédition de Duveyrier chez les Touaregs.

Le monde occidental connaît une grande crise économique

Ohio, 14 août 1857
La crise qui s'ouvre fait suite au boom économique des cinq dernières années et s'étend au monde entier. Après une importante hausse des prix qui coïncide avec un accroissement considérable de la production d'or dans le monde, les premiers signes de fléchissement apparaissent avec la diminution des profits dans l'exploitation des mines d'or et de certaines lignes de chemin de fer. A la suite des chemins de fer, l'industrie du charbon et la sidérurgie sont touchées, aussi bien en Angleterre qu'en France et aux Etats-Unis. La crise est apparue avec la faillite d'une petite banque américaine, l'Ohio Life Insurance and Trust Company. Ce fut le signal d'autres faillites bancaires qui entraînèrent la ruine de nombreuses entreprises. Le point le plus bas est atteint en octobre 1857 quand 62 banques de New York sur 63 doivent suspendre leurs paiements. La crise s'étend et atteint en quelques semaines la plupart des grands centres financiers et industriels européens. Les producteurs de charbon anglais décident de baisser les salaires de 15 %. Une grève générale s'ensuit et les associations ouvrières contraignent les patrons à reculer. Un compromis aboutit à une réduction de salaires compensée par l'instauration de la journée de 8 heures dans les mines. En France, le chômage apparaît à l'automne 1857 et touche l'industrie textile et les houillères. La crise durera jusqu'en 1860.

Wall Street est déjà une place financière connue en 1830. Au fond l'église de la Trinité.

La révolte des Cipayes écrasée par les Anglais

Inde, 10 juin 1857
En 1857, le contrôle britannique s'est étendu à la totalité du sous-continent indien. C'est alors que, le 10 juin, les Cipayes –soldats indiens enrôlés dans les armées étrangères en Inde– de l'armée du Bengale déclenchent une mutinerie, qui devient rébellion ouverte quand, ayant abattu leurs officiers anglais, ils atteignent Delhi. Là, ils obtiennent le soutien de la garnison indienne, s'emparent de la ville et proclament à leur tête Bahâdur Shâh, empereur moghol retiré. L'insurrection s'étend à d'autres villes et prend des proportions nationales. L'armée anglaise, prise au dépourvu, reste disciplinée et bien organisée. Face à elle, les mutins manquent totalement de cohésion. La reconquête se fait alors en trois temps. Aidées par les sikhs, plus hostiles encore aux musulmans qu'aux Occidentaux, les armées anglaises entrent dans Delhi le 20 septembre 1857 ; Bahâdur Shâh à qui l'on promet la vie sauve, se rend ; Lucknow cède à son tour, et une campagne en Inde centrale ramène définitivement l'ordre. Le retour de la paix est malheureusement entaché d'atrocités gratuites, qui font de cette guerre l'une des plus sanglantes du siècle.

Prise de Delhi par les troupes anglaises en septembre 1857 lors de la révolte des Cipayes. Lithographie. B.N., Paris.

Kirchhoff établit l'"équation des télégraphistes"

Allemagne, 1857
Le problème de la propagation d'un signal électrique le long d'un fil télégraphique reste mal connu malgré le développement de ce moyen de communication, avant que Kirchhoff ne s'y attaque. En 1857, il pose cette question en tenant compte à la fois de la résistance, de la capacité répartie le long du fil et de l'induction. En admettant que la densité du courant est partout la même et en se servant de la formule mathématique que Weber a mise au point quelques années plus tôt (qui montre que le rapport entre les intensités mesurées est égal à la vitesse de la lumière), il établit, si la résistance est négligeable, que les signaux se propagent à la vitesse de la lumière. Ce résultat fonde l'électrodynamique des actions à distance et influença profondément la pensée de Maxwell.

Le Russe Balakirev, fondateur du groupe des Cinq

Saint-Pétersbourg, 1857
Le compositeur Mily Alexeïevitch Balakirev (né à Nijni-Novgorod en 1837), autodidacte et grand admirateur de Glinka, tente une réforme musicale qui, basée sur les principes de ce maître, soit propre à faire valoir une musique russe authentique, alimentée aux sources du folklore. Il est bientôt rejoint par le compositeur

"Les Fleurs du mal" passent en justice

Paris, 25 juin 1857
Réunissant la plupart des poèmes qu'il a écrits depuis 1840, Charles Baudelaire (1821-1867) publie *Les Fleurs du mal*. Mûri depuis quinze ans, ce recueil qui devait d'abord s'intituler *Les Lesbiennes*, puis *Les Limbes*, manifeste « cet admirable, immortel instinct du beau qui nous fait considérer la terre et ses spectacles comme un aperçu, comme une correspondance du ciel ». Aussitôt poursuivi pour outrage aux bonnes mœurs, le livre est, au terme d'un procès qui restera célèbre, condamné pour immoralité. En 1861, il publiera une seconde édition expurgée des six poèmes incriminés, mais enrichie de trente-cinq autres pièces. Ce qui a paru scandaleux, c'est la sincérité de l'auteur qui confesse sans voiles son « mal », ses défaillances, sa déchéance. A travers sa propre expérience, il veut retracer la tragédie de l'homme, souvent dissimulée sous une fausse pudeur : « Hypocrite lecteur, mon semblable, mon frère ! » L'homme est double, objet d'un perpétuel conflit entre le Ciel et l'Enfer.

L'élection à Paris de cinq députés républicains fait scandale

Paris, 21 juin 1857
Sur les dix députés de Paris, cinq sont des républicains : ce résultat a semé la stupeur et la consternation dans les milieux gouvernementaux. L'empereur lui-même a été très affecté par ce scrutin, qu'il juge inquiétant. Le résultat global de ces élections au Corps législatif est pourtant excellent pour le régime, dont les candidats obtiennent 90 % des suffrages, mais la progression spectaculaire des républicains dans les villes a davantage frappé les esprits. Plusieurs ministres conseillent à Napoléon III de renoncer au suffrage universel. Chez les républicains, ces élections marquent la victoire d'une nouvelle génération de politiciens, qui acceptent de prêter le serment exigé des membres du Corps législatif, afin de pouvoir siéger. Leur chef est Emile Ollivier.

César Cui, théoricien et auteur de drames lyriques, et ensuite par Moussorgski. L'adhésion des compositeurs Rimski-Korsakov et Borodine viendra plus tardivement, constituant ce qui sera appelé le groupe des Cinq. La nouvelle école russe veut créer un opéra entièrement musical, libéré des moules traditionnels, dans lequel les situations dramatiques et les exigences du texte doivent générer à elles seules des formes originales. Pour divulguer les idées du groupe, Balakirev fondera en 1862 l'Ecole libre de musique.

Cette dualité explique la composition secrète du recueil : à des ensembles de poèmes où paraissent triompher les aspirations vers l'Idéal, succèdent d'autres ensembles qui évoquent les chutes dans le gouffre du désespoir. Miné par la maladie, abusant de drogues et couvert de dettes, Baudelaire s'exilera à Bruxelles où il végétera jusqu'à sa mort.

Baudelaire par lui-même. Vers 1860. Dessin à la plume. B.N., Paris.

"Madame Bovary" victime des conventions de la morale bourgeoise

Paris, 1857
Gustave Flaubert (né à Rouen en 1821) publie *Madame Bovary*, aussitôt condamné pour outrage à la morale publique. L'ouvrage connaît un succès de scandale. Emma Bovary, fille de paysans, s'ennuie auprès d'un mari médiocre et bon. Elle s'évade de cette terne réalité provinciale dans un romantisme de pacotille, puis dans un double adultère, qui la laisse insatisfaite : sa liaison avec Rodolphe, gentilhomme campagnard, la conduit à un désespoir qu'accentue encore sa fragilité nerveuse ; ce n'est qu'auprès de Léon, jeune clerc de notaire, qu'elle connaît quelque bonheur, lequel réveille en elle des goûts de luxe. Acculée bientôt par les dettes, elle se suicide à l'arsenic. A travers ce fait-divers banal, décrit avec un réalisme scrupuleux, Flaubert a peint un sentiment d'insatis-faction complaisante, baptisé depuis le bovarysme. Ce tableau réaliste et sévère des mœurs de province est également une satire de la société bourgeoise et de son positivisme scientifique et borné et de toutes les formes de conventions, sociales et littéraires.

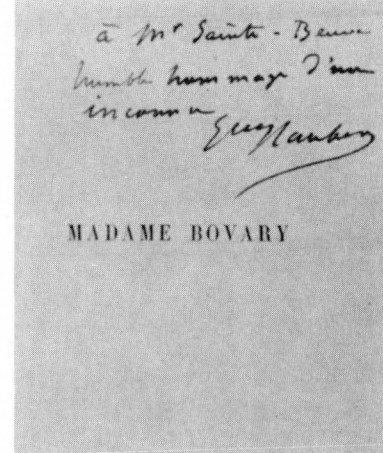
Frontispice de l'édition originale de « Madame Bovary ».

En Algérie, les Français soumettent la Kabylie

Kabylie, 11 juillet 1857
La reddition de la maraboute Lalla Fatma met fin à la résistance. La campagne de Grande Kabylie avait duré 45 jours et coûté 1 500 tués et blessés. La guerre de conquête de l'Algérie est terminée. En mai, Napoléon III avait cédé à la pression de Randon et l'avait autorisé à frapper un grand coup en occupant la Grande Kabylie qui, jalouse de son autonomie, avait jusque-là échappé à la colonisation. Trois colonnes étaient alors parties, le 24 mai, de Tizi Ouzou. La forteresse d'Ichiriden fut enlevée après plusieurs assauts et des luttes au corps à corps : ce fut une des plus dures opérations de la conquête de l'Algérie. Néanmoins, la résistance se poursuivit jusqu'à la chute, le 1er juillet, de Taourirt al Hadjadj. Les irréductibles n'avaient plus qu'à se disperser dans la Djurdjura.

Millet, peintre de la vie paysanne

Barbizon, 1857
Fils de paysans, Jean-François Millet (1814-1875), une fois fixé à Barbizon (1849), se consacre à des thèmes pastoraux : *Les Botteleurs* (1850), *Les Gla-neuses* (1857). Il exécute en 1858 le célèbre *Angelus* où Gambetta, en 1873, verra une leçon de morale sociale et politique. Ses études au pastel et fusain révèlent un talent vigoureux et direct.

Jean-François Millet. « Les Glaneuses ». 1857. Musée du Louvre, Paris. Millet se fixa dès 1849 à Barbizon.

1858

Paris, 14 janvier
Attentat d'Orsini contre Napoléon III. → Il sera exécuté le 13 mars, non sans avoir demandé à Napoléon III d'aider l'Italie à faire son unité.

Mexique, 21 janvier
L'avocat Benito Juarez devient président ; les conservateurs dirigés par Miramon se soulèvent contre lui.

Lourdes, 11 février
Premier « miracle ». →

France, 19 février
Le Corps législatif vote la loi de Sûreté générale, à la suite de l'attentat d'Orsini pour réprimer l'opposition républicaine.

Chine, 31 mars
Après les ravages provoqués par les forces franco-anglaises à Canton, le gouvernement chinois accepte de traiter et reçoit quatre plénipotentiaires occidentaux représentant aussi les Etats-Unis et la Russie.

Chine, 28 mai
Par le traité d'Aigun, la Russie obtient les régions situées au nord de l'Amour et à l'est de l'Oussouri.

Moldavie-Valachie, mai
Une conférence se tient à Paris sur l'avenir des principautés roumaines. A cause de l'attitude de la Grande-Bretagne, elles n'obtiennent pas totalement satisfaction. Les deux principautés restent séparées, même si un organisme commun est créé pour s'occuper de l'armée, des lois, des finances... Toujours suzeraines des Ottomans, elles peuvent toutefois se dénommer « Principautés unies ».

Algérie, 2 juin
Le gouvernement général est remplacé par un ministère de l'Algérie, confié au cousin de l'empereur, Jérôme Napoléon.

Chine, 17 juin
Signature des derniers accords de Tianjin avec les Français et les Anglais. Un accord a été ratifié le 13 avec la Russie, puis le 18 avec les Etats-Unis. →

Russie, 2 juillet
Le tsar libère les serfs travaillant sur le domaine impérial.

Inde, 17 juillet
La révolte des Cipayes est définitivement vaincue par les troupes anglaises à Gwâlior.

France, 21 juillet
Entrevue secrète de Plombières entre Napoléon III et Cavour. →

Grande-Bretagne, 2 août
Le gouvernement autorise la création de banques par actions.

Prusse, 7 octobre
Devenu fou, le régent Frédéric-Guillaume IV est remplacé par son frère Guillaume I er, qui abandonne la politique réactionnaire pour inaugurer la « Nouvelle Ere » libérale et modérée. Cette orientation se trouve confirmée par les élections (12-23 novembre) au Landtag de Prusse, qui donne la victoire aux libéraux.

Grande-Bretagne, 19 novembre
Suppression de la Compagnie des Indes.

Monténégro, novembre
Les grandes puissances européennes reconnaissent l'indépendance du pays, qui a su contrer l'invasion turque le 13 mai à Grahovo.

Serbie, novembre
La Skouptchina (Diète) dépose le prince Alexandre Karageorges dont la politique servile, face à l'Autriche et à l'Empire ottoman et autoritaire à l'intérieur, suscite l'hostilité générale. Devant cette menace, il s'enfuit et se réfugie auprès des Ottomans. La Skouptchina fait appel au vieux Miloch Obrénovitch (1780-1860) qui rentrera à Belgrade en janvier 1859.

Irlande
Un émigré irlandais aux Etats-Unis, John Mahoney, fonde l'Irish Republican Brotherhood (la « Fraternité républicaine irlandaise »). Le mouvement se donne le nom de Fenian.

France
Polémique entre Pasteur et Pouchet sur la génération spontanée. →

Joseph Proudhon publie *De la justice dans la révolution et dans l'Eglise*.

Ouverture de la Bibliothèque nationale et du boulevard Sébastopol.

Allemagne
Le physicien Julius Plücker découvre la fluorescence produite par les rayons cathodiques, ainsi que leur déviation par les champs magnétiques.

Le médecin Rudolph von Virchow publie *La Pathologie cellulaire*. →

L'attentat d'Orsini ouvre la chasse aux républicains

Paris, 14 janvier 1858
Alors qu'ils se rendaient à l'Opéra, l'empereur et l'impératrice ont échappé de justesse à un attentat à la bombe perpétré par un patriote italien, Felice Orsini (qui sera exécuté le 13 mars). Le lendemain, les ministres adjurent l'empereur de se « départir de sa clémence » et de s'engager dans une politique de répression. Bien qu'Orsini n'ait guère bénéficié de complicités françaises, l'occasion paraît bonne pour réagir par la force aux récents progrès de l'opposition républicaine. Le général Espinasse, alors nommé ministre de l'Intérieur, déclare : « Il est temps que les bons se rassurent et que les méchants tremblent. » Plusieurs journaux sont interdits. Le 19 février est promulguée la loi de Sûreté générale, dont le but est de « maintenir l'ordre en France ». Elle permet d'interner ou de déporter toute personne ayant déjà subi des condamnations politiques. Environ deux mille Français sont inquiétés et quelques centaines déportés en Algérie. Dès le printemps, cependant, la vague répressive s'achève ; Espinasse quitte ses fonctions en juin.

L'attentat perpétré par Orsini contre Napoléon III le 14 janvier 1858 à Paris. Peinture de Vittore Romano. Musée Carnavalet.

L'occitan remis en valeur par le Félibrige

France, 1858
L'on assiste depuis peu à une renaissance du provençal comme langue littéraire, sous l'impulsion notamment du poète Joseph Roumanille (1818-1891). Répétiteur à Avignon, il fait partager au jeune Frédéric Mistral (1830-1914) sa passion pour un renouveau de la littérature provençale. Roumanille prend une importance considérable avec ses recueils de poésie, comme *Les Pâquerettes* (*Li Margarideto*, 1847). C'est le 21 mai 1854 que sept jeunes poètes, Aubanel, Brunet, Mathieu, Mistral, Roumanille, Tavan et Giéra créaient au château de Font-Ségugne, près d'Avignon, le Félibrige. Les membres de la nouvelle école s'appellent les félibres : recueilli par Mistral, ce mot a le sens de « docteur de la loi ». Depuis 1855, le Félibrige a son organe de propagande, l'*Armana Prouvençau*.

Le "Roman de la momie" : un rêve de beauté

Paris, 1858
Théophile Gautier (né à Tarbes en 1811) publie le *Roman de la momie*, où il évoque la vie de l'Egypte ancienne, avec un talent de coloriste exceptionnel. Visant dans ses poèmes (*Emaux et Camées*, 1852), à l'instar du miniaturiste, la seule perfection formelle, Gautier s'éloigne de plus en plus des grands sentiments romantiques. Maître et précurseur de la poésie parnassienne, Gautier est également salué par Baudelaire, qui lui dédie *Les Fleurs du mal*, comme le « poète impeccable », le « parfait magicien ès-lettres françaises ». Il mourra à Neuilly en 1872.

Théophile Gautier. 1839. Peinture d'A. de Châtillon. Musée Carnavalet.

De Lesseps fonde une compagnie pour financer le canal de Suez

Paris, 15 décembre 1858
La Compagnie universelle du canal maritime de Suez est née : c'est une société anonyme au capital de 200 millions de francs, divisé en 400 000 actions de 500 francs. Pour les placer, Ferdinand de Lesseps, le fondateur, lance une souscription le 5 novembre. Si l'accueil est favorable en France, il ne l'est ni en Autriche, ni aux Etats-Unis, ni en Russie, ni surtout en Angleterre. Il est vrai que Palmerston, le Premier ministre britannique, est un adversaire résolu de ce projet qui verrait la France contrôler la nouvelle route des Indes. Mais de Lesseps, qui bénéficie du soutien de Napoléon III et du vice-roi d'Egypte, n'est pas homme à se lais-

ser décourager et le premier coup de pioche est donné le 25 avril 1859.

Ferdinand de Lesseps, à l'époque de l'ouverture du canal de Suez.

Le traité de Tianqin assure aux Occidentaux l'impunité en Chine

Chine, 17 juin 1858
Le traité de Tianjin renforce considérablement la puissance occidentale en Chine. Les stipulations du traité de Nankin, signé en 1842, n'étaient respectées ni par la Chine ni par les Occidentaux ; c'est ainsi que des jonques chinoises transportant de l'opium de contrebande étaient autorisées à battre pavillon britannique. L'arraisonnement par la police chinoise de l'une de ces jonques à Canton, en 1857, déclenche l'intervention d'une force alliée franco-anglaise qui occupe Canton et s'empare du fort de Dagu en mars

1858, avant de marcher sur Tianjin. Acculés, les dirigeants chinois doivent s'incliner devant les exigences des Alliés : le traité de Tianqin stipule l'ouverture de dix ports supplémentaires, la création de légations occidentales à Pékin, la libre navigation sur le Yangzi Jiang, l'ouverture de tout le territoire à la prédication des missionnaires chrétiens, ainsi que la révision des traités commerciaux précédents, l'autorisation du commerce de l'opium, et le paiement d'une indemnité de guerre par la Chine. Au-delà des clauses matérielles, ce traité affecte les valeurs morales de la Chine traditionnelle, notamment le confucianisme qui constituait, avec le système tributaire, lui aussi battu en brèche, l'épine dorsale du régime impérial.

Polémique entre Pasteur et Pouchet sur la génération spontanée

Paris, 1858
En 1854, Pasteur, qui travaillait à la fermentation alcoolique de la bière, découvre que les levures se multiplient aux dépens du milieu. Revenant à Paris, il enseigne à l'Ecole normale supérieure et étudie la contamination des liquides par l'air ambiant. En 1858, Pouchet croit dé-

montrer la possibilité de la génération spontanée. Pasteur réfute immédiatement cette hypothèse, dans la mesure où les expériences de Pouchet ne sont, selon lui, que la preuve de la transmission de germes extérieurs aux liquides employés par ce savant. A cet effet, Pasteur entreprend une série d'expériences en montagne et, surtout, met au point des techniques simples pour éviter toute contamination. Le résultat est convaincant, mais la polémique se poursuit néanmoins jusqu'en 1876.

A Lourdes, les visions de Bernadette Soubirous

Lourdes, 11 février 1858
La paisible ville de Lourdes connaît une inhabituelle effervescence : la jeune Bernadette Soubirous, âgée de quatorze ans, fait part des apparitions qui se manifestent à elle. Très vite, la nouvelle se sait et suscite passions et curiosités. Les autorités religieuses, d'abord très réservées comme toujours dans de tels cas,

semblent accorder une confiance grandissante à la visionnaire. Les anticléricaux de la ville prétendent que l'apparition n'est autre que Mᵐᵉ Pailhasson, la femme du pharmacien, qui se serait trouvée en galante compagnie dans la grotte de Massabielle et aurait imaginé ce subterfuge lors de l'arrivée inopinée de Bernadette. Après enquête, on s'aperçoit que cette irrévérencieuse version ne tient pas : le mystère demeure donc entier.

Fondation à Londres d'une agence de presse par Julius Reuter

Londres, 1858
Julius Reuter (1816-1899) commence modestement sa carrière comme clerc dans une banque à Göttingen. D'esprit curieux, il s'intéresse à la technique du télégraphe sans fil. Le 14 octobre 1851, il met cette invention au service de la bourse londonienne. Devant le succès de son entreprise, il fonde en

1858 la première agence de presse anglaise : ses agents recueillent les informations sur le continent et lui télégraphient les nouvelles qu'il peut revendre à la presse. Les dépêches, aussi neutres que possible, permettent à chaque périodique de garder son originalité propre, et leur évitent des frais de correspondants. Séduit par l'idée, le *Daily Telegraph* s'inscrit immédiatement comme client. La réussite de l'expérience encourage des créations similaires, comme celles de la *Central News* en 1870 et de l'*Exchange Telegraph* en 1872.

Rencontre secrète entre Napoléon III et Cavour à Plombières

Plombières, 21 juillet 1858
C'est dans le plus grand secret que l'empereur Napoléon III rencontre Cavour, président du Conseil du Piémont, et qu'ils décident une alliance militaire contre l'Autriche ainsi qu'une réorganisation de l'Italie sous la forme d'une confédération de plusieurs Etats. Pour Napoléon, il s'agit cependant moins de favoriser l'unité italienne que de chasser l'Autriche de la péninsule.

Cavour. Ecole italienne. XIXᵉ siècle. Musée du Risorgimento, Rome.

Le médecin allemand von Virchow fonde la pathologie cellulaire

Berlin, 1858
Après des études sur la typhoïde (1848), Rudolf von Virchow (1821-1902) publie *La Pathologie cellulaire*. Il affirme que là où apparaît une cellule, il doit y en avoir une autre aupa-

ravant. Ainsi, toutes les maladies prennent naissance dans une seule cellule et se propagent ensuite par la multiplication des cellules malignes dans un tissu donné. Mais von Virchow, contrairement à Pasteur, n'admet pas dans son livre l'hypothèse de l'intervention des germes infectieux dans les contagions. Dans les années suivantes, il se lancera dans la vie politique.

Le plus grand vapeur du monde

A Bristol, l'ingénieur Isambard Kingdom Brunel (1806-1859) fait construire le plus grand navire du monde, le *Great Eastern* : 210 m de long, jauge de 32 000 tonnes, deux roues à aube de 17 m de diamètre. Il peut transporter jusqu'à 4 000 passagers.

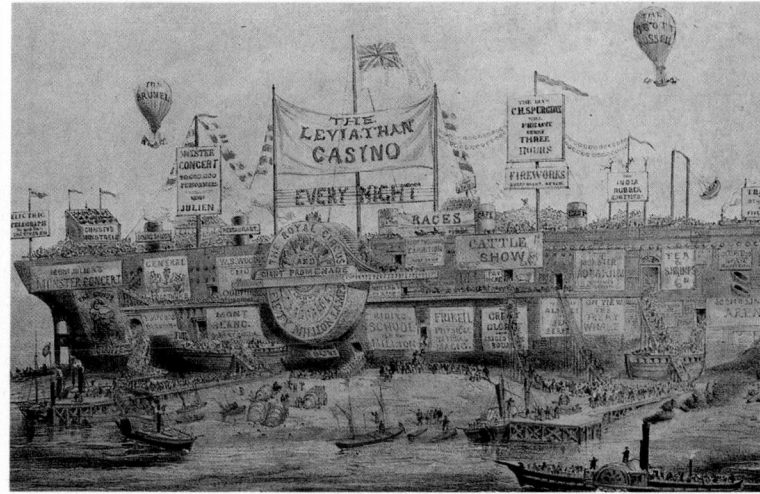

La construction du vapeur géant « Great Eastern », en rade de Bristol, vue par un caricaturiste anglais de l'époque.

1859

Moldavie-Valachie, 5 février
Unification de la Roumanie. →

France, 9 février
Dans une brochure intitulée *Napoléon III et l'Italie*, Louis de la Guéronnière (1816-1875) rend publiques les idées de l'empereur sur le problème italien. Véritable porte-parole de Napoléon III en matière de politique étrangère, il récidivera le 22 décembre par une autre brochure : *Le Pape et le Congrès.*

Indochine, 17 février
L'amiral Rigault de Genouilly (1807-1873) occupe Saigon pour venger le massacre de missionnaires par l'empereur d'Annam Tu Duc. →

Russie, 3 mars
Signature d'un traité secret avec la France stipulant la neutralité bienveillante de la Russie en cas de guerre entre l'Autriche et la France.

Suez, Egypte, 25 avril
Les travaux de percement du canal sont commencés.

France, 11 juin
Loi établissant le régime financier des chemins de fer français.

Piémont, 24 juin
Victoire française contre les Autrichiens à Solferino. →

Chine, 26 juin
Les troupes chinoises arrêtent les armées occidentales en route vers Pékin au fort de Takou. La cour impériale ne veut pas appliquer les accords de Tiangin et se voit menacée d'une nouvelle expédition militaire.

Italie, juin
Après la Toscane le 27 avril, c'est au tour de Parme, le 9 juin, de Modène, le 11 et des Légations le 12 de se soulever. →

Etats-Unis, 1er juillet
En compagnie de trois hommes, l'aéronaute John Wise réalise le premier transport postal en ballon. Son engin, baptisé *Atlantic*, a relié Saint Louis dans le Missouri à Henderson dans l'Etat de New-York, soit 1 300 km en 19 h 40 mn.

Piémont, 12 juillet
Le comte Cavour démissionne en raison de l'offre d'armistice faite par Napoléon III aux Autrichiens.

Autriche, 15 juillet
La défaite militaire contraint François-Joseph à annoncer une révision de sa politique, dans son *Manifeste de Laxenburg.*

France, 15 août
Napoléon III, pour fêter sa victoire, signe un décret d'amnistie au bénéfice des proscrits de 1851.

Pennsylvanie, 29 août
Forage du premier puits de pétrole par le colonel Edwin T. Drake. →

Serbie, septembre
Miloch Obrénovitch meurt ; il est remplacé par son fils Michel (1823-1868) à la tête du pays.

Zurich, 11 novembre
Traité de paix entre l'Autriche vaincue, la France et le Piémont après les négociations préliminaires de Villafranca du 8 au 12 juillet.

Argentine, 11 novembre
La ville de Buenos Aires décide de rentrer dans la Fédération argentine.

Bruxelles
Victor Hugo publie les poèmes de *La Légende des siècles.* →

Grande-Bretagne
Le naturaliste Charles Darwin (1809-1882) fait paraître son étude *De l'origine des espèces au moyen de la sélection naturelle.* →

Le poète Alfred Tennyson compose les *Idylles du roi.*

La romancière George Eliot publie *Adam Bede.*

Contribution à la critique de l'économie politique de Karl Marx.

Charleston, Virginie
Afin de lutter contre l'esclavage, John Brown (1800-1859) décide d'employer la violence : il s'empare d'un arsenal ; arrêté, il est condamné à mort puis pendu.

France
Le poète provençal Frédéric Mistral publie un poème épique en douze chants : *Mireille (Mirèio).*

Delacroix peint *La Lutte de Jacob et de l'Ange.*

Mal accueilli, *Faust* apportera finalement la gloire à Charles Gounod.

Allemagne
Avec *Tristan et Isolde*, Richard Wagner témoigne de sa déchirante passion pour Mathilde Wesendonk.

Napoléon III vainqueur des Autrichiens à Solferino

Italie, 24 juin 1859
La guerre tourne de manière décisive à l'avantage des Français et des Piémontais. Depuis qu'ils ont envahi le Piémont le 27 avril 1859, les Autrichiens ont certes battu leurs adversaires italiens devant Turin, mais ils n'ont pu empêcher les Français de venir à leur secours et la situation militaire s'est rapidement retournée. Repoussés une première fois à Palestro, le 31 mai, ils ont été à nouveau battus à Magenta, le 4 juin, par une armée que commandait Napoléon III en personne. Evacuant alors la Lombardie, les Autrichiens sont regroupés sous le commandement de l'empereur François-Joseph. C'est de manière presque fortuite que, le 24 juin, les armées ennemies se sont retrouvées face à face, à Solferino. Sur un front de 16 km, plus de 300 000 hommes sont engagés dans une impitoyable bataille. Malgré une belle résistance, les Autrichiens sont enfoncés au centre par les Français, puis à droite par les Piémontais. Cependant, les combats ont été effroyablement sanglants et Napoléon III, qui s'inquiète de l'impopularité de cette guerre dans les milieux conservateurs en France, propose finalement un armistice au souverain autrichien, à la grande fureur des Italiens.

Napoléon III à Solférino le 24 juin 1859. Peinture d'Ange-Louis Janet. 1861. La bataille coûta 17 000 morts aux Français et 22 000 aux Autrichiens.

L'Américain Drake découvre du pétrole en Pennsylvanie

Titusville, 29 août 1859
Servant de combustible pour les lampes à huile, le pétrole (naphte) est peu employé. Dès 1853, on sait le distiller pour produire du kérosène. Le colonel Drake, intéressé par ce produit, fore le premier puits de pétrole à une profondeur de vingt-trois mètres, à Old Creek, près de Titusville. C'est le premier derrick ! La fièvre de l'or noir commence. La découverte de nouveaux gisements fait surgir des villes du désert mais pose le problème du transport et du raffinage industriel du pétrole.

Le premier puits de pétrole foré aux Etats-Unis à Titusville en 1859.

Les Français occupent Saigon et l'Indochine

Viêt-nam, 17 février 1859
La flotte française de l'amiral Rigault de Genouilly remonte la rivière de Saigon, détruit les forts qui la bordent et pénètre dans Gia Dinh. L'empereur Tu Duc avait, depuis 1847, suivi une politique d'isolement rigoureux. L'avènement du Second Empire marque la reprise de l'expansion française. Une première mission à Huê échoue ; l'escadre de Chine alors dirigée sur Tourane, est capturée le 1er septembre 1858. Mais les Français ne peuvent remonter la rivière de Huê et se tournent vers la Cochinchine, grenier de l'empire, et plus aisée à conquérir. Saigon est occupée dès les premiers mois de l'année 1859.

La Moldavie et la Valachie élisent un même prince, Cuza

Roumanie, 5 février 1859
La convention (août 1858), qui avait complété le traité de Paris (30 mars 1858), avait stipulé que les deux provinces de Moldavie et de Valachie, arrachées à la tutelle russe, devaient rester séparées. L'Autriche ne souhaitait nullement une réunion qui aurait fondé une « Grande Roumanie », rassemblant les Roumains des pays placés sous sa domination : Transylvanie, Bucovine et Banat. Napoléon III ne l'entendait pas de cette oreille et, pour contourner l'obstacle, il suggéra aux deux provinces de voter pour le même gouverneur : par l'élection d'Alexandre Jean Cuza (1820-1873) comme hospodar de Moldavie (Iasy, 17 janvier) et de Valachie (Bucarest, 5 février), l'unité de la Roumanie est ainsi réalisée, sinon en droit, du moins en fait. Cuza entreprend alors l'unification des deux parties du territoire.

Alexandre Jean Ier Cuza. Le « Monde illustré » du 12 mars 1859.

Insurrections en série pour l'unité italienne

Italie, juillet 1859
Le courant pro-piémontais met en échec Napoléon III, qui voulait ménager les nationalités tout en assurant à la France une place prépondérante dans la péninsule. Dès le début de la guerre contre l'Autriche, les Etats italiens se soulèvent. Le 27 avril 1859, le grand-duc Léopold doit abandonner la Toscane à Boncompagni qui administre l'Etat pour Napoléon III. Malgré le débarquement de Jérôme Bonaparte, le baron Ricasoli fait triompher la cause unitaire et demande le rattachement de la Toscane au Piémont. La victoire de Magenta précipite les révoltes des satellites autrichiens. En juin, Modène chasse François IV et se met sous la direction de Farini, tandis que Parme destitue la duchesse Marie-Louise et proclame la dictature du patriote Manfredi. En juillet, l'insurrection gagne la Romagne et les Légations. Bologne se rebelle contre son cardinal-légat le 11 juillet, et Pérouse le 14. Les troupes pontificales rétablissent l'ordre en Ombrie et dans les Marches mais ne peuvent venir à bout de la Romagne, qui forme une ligue militaire avec la Toscane, Parme et Modène. Le 7 novembre, les quatre Etats se placent sous la régence du prince de Carignan, cousin de Victor-Emmanuel, marquant ainsi leur volonté d'unité autour du Piémont.

Victor Hugo, poète de "La Légende des siècles"

Bruxelles, 1859
Après s'être affirmée dans *Les Châtiments*, l'épopée hugolienne triomphe avec une autre œuvre d'exil : *La Légende des siècles*. La composition du recueil organise dans un mouvement d'ensemble une série de « petites épopées », selon le titre primitif. Le fil conducteur de ce mouvement, c'est l'ascension de l'homme vers le Progrès à travers la succession des siècles. Pour nous conter l'épanouissement du genre humain, le poète n'hésite pas à interpréter et transfigurer les faits historiques en les soumettant à la volontaire désinvolture de son imagination. L'immense fresque débouche donc sur la légende : brassant les mythologies anciennes qui témoignent des aspirations et des croyances humaines, Victor Hugo se veut aussi créateur de mythes. Le merveilleux est l'expression d'une vision du monde où peut se manifester la Providence. Le surnaturel est présent par l'intermédiaire des prodiges (les animaux et les choses interviennent miraculeusement dans le drame humain) ou par des sentiments diffus qui réveillent en l'homme le sens du mystère profond de la vie.

Frontispice pour « La Légende des siècles ». Dessin du poète.

L'origine de l'homme selon Darwin

Angleterre, 1859
Charles Darwin (1809-1882) part à vingt-deux ans en qualité de naturaliste sur le *Beagle* qui explore le Pacifique Sud (1831-1836). Il rapporte de nombreuses observations de ce voyage d'étude. Il constate que la diversité du peuplement des îles Galapagos et les liens de parenté entre les animaux du continent et ceux des îles proches ne peuvent s'accorder avec la théorie fixiste. Une fois revenu à Londres, il étudie ses collections. Il conçoit alors l'espèce animale comme une diversification progressive dans des milieux isolés, ce qui permet d'expliquer l'évolution des formes. Reste à en trouver les causes. C'est ce qu'il analyse dans son ouvrage majeur qui paraît en 1859 : *De l'origine des espèces au moyen de la sélection naturelle*. Il y montre que les changements de milieu déterminent la variation des êtres vivants en agissant sur le corps ou sur les cellules reproductrices. Chaque individu est ainsi placé en concurrence avec ses semblables ; les porteurs de changements avantageux persistent et lèguent leurs variations à leur descendance. La sélection naturelle explique donc la survivance des plus aptes et la disparition des « mutations » inadaptées à l'espèce. Son ouvrage a un succès immédiat ; les éditions se multiplient. Mais si le darwinisme rencontre rapidement l'appui de nombreux savants, il est longtemps combattu de façon très violente dans les milieux conservateurs et religieux. Ces derniers surtout contestent âprement cette théorie transformiste, dont ils perçoivent clairement l'enjeu scientifique et moral : l'origine de l'homme lui-même et son évolution.

Darwin et le singe. Caricature parue dans le « London Sketch Book ».

La Société générale de Belgique fonde une filiale à Paris

Paris, 1859
La Société générale, holding financier fondé en 1822 par Guillaume Ier, bénéficie d'un développement international et s'installe à Paris. Jusqu'en 1830, elle joue un rôle modeste, mais la révolution puis l'indépendance de la Belgique vont marquer un tournant de son histoire : elle fournit désormais au gouvernement belge une aide importante pour organiser la politique monétaire et les finances publiques. Elle fonde diverses sociétés de crédit dès 1835 et draine l'épargne en émettant des obligations par petites coupures et à revenu fixe.

Oblomov, le héros négatif de Gontcharov

Russie, 1859
Né en 1812 en Sibérie, le romancier Ivan Alexandrovitch Gontcharov entre dans la fonction publique, où il restera toute sa vie. Son premier roman, *Une histoire banale* (1846) est l'un des premiers romans réalistes russes. Son deuxième roman, *Oblomov*, est un chef-d'œuvre. Le héros, Oblomov, frappe le public par son manque de volonté, l'inertie, la rêverie stérile, l'indolence qui caractérisent sa vie. L'œuvre séduit aussi par la justesse des peintures de mœurs et l'acuité des caractères. Oblomov, incapable du moindre effort, déçoit Olga, la femme qu'il aime, et, disparaissant de la société, il fait de sa logeuse sa maîtresse. Poussée par son entourage, elle lui soutire toute sa fortune et il finit par en mourir. Le nom d'Oblomov est devenu un nom commun, et l'« oblomovisme » désigne en russe l'inertie, l'indolence. L'auteur mourra à Saint-Pétersbourg, en 1891.

Ivan Alexandrovitch Gontcharov, un maître du roman réaliste russe.

1860

France, 1er janvier
Extension des limites de Paris, désormais divisée en vingt arrondissements par l'annexion des villages limitrophes.

Piémont, 21 janvier
Cavour reprend sa place à la tête du gouvernement et entreprend de réunir au Piémont les duchés de Parme, Modène, Romagne et Toscane par des plébiscites qui ont lieu en mars.

Grande-Bretagne, 23 janvier
Signature d'un traité de commerce avec la France destiné à réduire les taxes douanières sur plus de quarante articles.

Japon, 23 mars
Assassinat de Ii Naosuke, daïmio de Hikone, pour avoir signé le traité de Yedo, le 29 juillet 1858, avec les Etats-Unis. Depuis, de nombreux traités ont été signés avec les principaux pays européens : la Russie, le 19 août 1858 ; la Grande-Bretagne, le 26 août ; la France, le 9 octobre ; le Portugal le 3 août 1860 ; la Prusse, le 24 janvier 1861.

Turin, 24 mars
Traité avec la France permettant au Piémont d'annexer l'Italie centrale tandis que la France se voit promettre Nice et la Savoie.

France, 15 et 23 avril
Les populations du comté de Nice et de la Savoie plébiscitent leur rattachement à la France. →

Italie, 11 mai
Giuseppe Garibaldi, à la tête des Mille, débarque à Marsala, en Sicile. Auparavant, le 4 avril, un soulèvement à Palerme dans le couvent de la Gancia avait échoué ainsi qu'un second, le 6, à Messine. →

Grande-Bretagne, 18 mai
A la suite d'une grève des ouvriers du bâtiment, est fondé le *London Trades Council* (Union des syndicats de Londres) qui regroupe l'ensemble des forces syndicales de la capitale et devient l'organisme semi-officiel du syndicalisme britannique.

Italie centrale, 18 septembre
Afin d'éviter un succès triomphal de Garibaldi, les troupes piémontaises ont été lancées à la conquête des territoires pontificaux. Après avoir occupé les Marches et l'Ombrie, le général Cialdini défait les troupes pontifi-

cales commandées par le général français Lamoricière à Castelfidardo. Poursuivant sa marche vers le sud, il s'emparera de Pérouse le 14 et d'Ancône le 29. Les 4 et 5 novembre, les territoires décideront par plébiscite de s'unir à la monarchie piémontaise.

Chine, 6 octobre
Les troupes franco-anglaises pénètrent dans Pékin. → L'empereur est contraint de confirmer les traités de 1858 et de verser des indemnités à la France et à la Grande-Bretagne. La Russie, quant à elle, obtient le 14 novembre le territoire de l'Oussouri.

Autriche, 20 octobre
Le nouveau ministre de l'Intérieur, le comte Agenor Goluchowski (1812-1875), mène le pays sur la voie de la monarchie constitutionnelle. Le diplôme d'octobre attribue au Conseil d'Empire des compétences en matière fiscale et militaire. Mais les Hongrois, qui refusent d'entrer dans cette instance, provoquent la chute du ministre en décembre.

Italie, 26 octobre
Garibaldi rencontre Victor-Emmanuel près de Teano et le salue du titre de « roi d'Italie ».

Grande-Bretagne, 27 octobre
Dans une circulaire diplomatique, le gouvernement anglais Palmerston-Russell proclame le droit des peuples à disposer d'eux-mêmes.

Etats-Unis, 20 décembre
A la suite de l'élection d'Abraham Lincoln à la présidence (6 novembre), la Caroline du Sud fait sécession. →

Bâle
Publication de Jakob Burckhardt : *La Civilisation de l'Italie au temps de la Renaissance*. →

Maroc
Le général espagnol O'Donnell s'empare de la ville de Tétouan.

France
L'ingénieur Pierre Martin (1824-1915) met au point un procédé d'affinage de l'acier qui consiste en une fusion de fonte et de ferraille mélangées.

Charles Baudelaire publie *Les Paradis artificiels*.

L'ancien député Adolphe Crémieux (1796-1880) fonde l'Alliance israélite universelle.

Garibaldi lance son expédition des Mille

Marsala, Sicile, 11 mai 1860
A la suite de la répression de l'insurrection sicilienne par François II, Garibaldi décide de libérer la Sicile du joug des Bourbons. Il ouvre une souscription qui lui permet de rassembler 1 250 volontaires armés ; dans la nuit du 5 au 6 mai 1860, il s'embarque avec Francesco Crispi vers la Sicile. Ni Cavour ni Victor-Emmanuel ne peuvent soutenir officiellement l'expédition des Mille. Toutefois, ils appuient officieusement Garibaldi. Le 11 mai, les deux vapeurs *Le Piemonte* et *Le Lombardo*

accostent à Marsala, et Garibaldi marche sur Palerme, où s'est réfugié le commandant Landi avec 20 000 hommes. La troupe des Chemises rouges, grossie des populations de l'île, s'empare de Palerme le 27 mai. Ayant installé Crispi à la tête d'un gouvernement provisoire, Garibaldi repasse le détroit de Messine le 20 août et rentre triomphant à Naples le 7 septembre. Peu enclin à briser l'unité de l'Italie en laissant s'établir une république, Garibaldi accueille à Naples Victor-Emmanuel le 26 octobre, et le salue comme roi d'Italie. Ainsi l'expédition des Mille a-t-elle permis d'intégrer l'Italie du Sud au royaume piémontais.

L'embarquement des Mille à Quarto, près de Gênes, dans la nuit du 5 au 6 mai 1860. Peinture d'époque. Istituto Mazziniano, Gênes.

Nice et la Savoie plébiscitent la France

France, 15 et 23 avril 1860
Les populations de Nice et de la Savoie se sont prononcées massivement en faveur de leur rattachement à la France. En Savoie, le plébiscite du 23 avril s'est soldé par 130 533 oui contre 235 non. A Nice, le résultat a été tout aussi indiscutable : 25 743 oui contre 160 non. Déjà rattachés à la France pendant la Révolution et le Premier Empire, ces territoires en avaient été de nouveau séparés en 1815. Les récents plé-

biscites s'expliquent par la politique italienne de Napoléon III : il semble avoir envisagé depuis longtemps que la cession de Nice et de la Savoie pourrait être la contrepartie du soutien accordé par la France au royaume de Piémont-Sardaigne contre l'Autriche. C'est finalement le traité franco-sarde du 24 mars 1860 qui a concrétisé cette ambition : l'empereur permettait à son allié d'annexer l'Italie centrale mais obtenait Nice et la Savoie en échange ; selon les termes de cet accord, les populations devaient être consultées, mais on les savait acquises à ces projets.

Jakob Burckhardt, historien de la Renaissance italienne

Bâle, 1860
Dans son livre *La Civilisation de l'Italie au temps de la Renaissance*, l'historien suisse Jakob Burckhardt (1818-1897) dresse un panorama complet de la vie italienne au Quattrocento, étudiant aussi bien les mœurs politiques agitées des cités républicaines que les aspects de l'existence quotidienne. Mais c'est l'art, dans le sens le plus large du mot, qui sert de fil

conducteur à l'ouvrage. Dans *Le Cicerone*, paru en 1855, Burckhardt s'était déjà intéressé au développement de la peinture et de l'architecture italiennes. Ici, son intention est plus ambitieuse : il veut montrer que c'est dans une vision esthétique du monde qu'il faut chercher le fondement même de la civilisation de la Renaissance, que le souci du beau est partout fondamental, dans l'action politique, dans le culte de la libre individualité, dans l'art de la guerre même. Burckhardt est titulaire depuis 1839 de la chaire d'histoire à l'université de Bâle.

Etienne Lenoir invente le moteur à explosion

France, 1860

L'ingénieur français Etienne Lenoir fait breveter un « système de moteur à air dilaté par la combustion des gaz (kérosène) enflammés par l'électricité », qui doit entraîner le mouvement du piston. Le cycle de la machine ainsi créée est à deux temps et ne comprend pas de compression préalable du carburant, ce qui explique le rendement très bas (à peine 0 %) du moteur Lenoir. En 1863, il perfectionnera son moteur suivant le cycle de Beau de Rochas qui a conçu un moteur où l'allumage du même combustible est précédé d'une compression du carburant. Ce cycle à quatre temps fonctionne. Le principe inauguré par Lenoir restera la base de tous les moteurs à explosion.

Les troupes franco-anglaises s'emparent du palais d'Eté

Pékin, 6 octobre 1860

Le palais d'Eté, au nord-ouest de Pékin, agrémenté en 1747, sur ordre de Quianlong, par l'adjonction de pavillons à l'italienne, de jets d'eau et de peintures à l'occidentale conçus par les pères jésuites, est saccagé par les troupes alliées, qui espéraient y trouver l'empereur, réfugié

en fait à Jehol. En 1859, les autorités chinoises faisant preuve d'une évidente mauvaise volonté dans l'application du traité de Tianqin, les Alliés entreprennent une nouvelle expédition vers le nord. Un corps expéditionnaire atteint Pékin à l'automne 1860 : les récits qu'on leur fait dans la ville des brutalités endurées par les prisonniers occidentaux provoquent la colère des Anglais qui incendient le palais, bien que les Français refusent de s'associer à cette mesure de représailles.

Broca localise les fonctions cérébrales

France, 1860

Par ses travaux de craniologie qui datent de cette expérience, Broca inaugure l'anthropologie physique moderne. Il est surtout connu pour les recherches sur les localisations ces centres cérébraux de la parole (troisième circonvolution cérébrale gauche) et sur l'aphasie consécutive aux lésions de ses centres : son nom reste attaché à l'« aphasie de Broca ». C'est après la mort d'un patient atteint d'aphasie qu'une autopsie lui a permis de localiser le centre de la parole et de vérifier ainsi le substrat anatomique des troubles du langage. Ses recherches avaient été préparées par les travaux de Jean Bouillaud sur les lésions des lobes antérieurs du cerveau et sur les troubles du langage qu'elles occasionnent.

Abraham Lincoln. Portrait par George Healy. Gallery, Washington.

L'élection de Lincoln précipite la guerre civile aux Etats-Unis

Etats-Unis, 20 décembre 1860

Abraham Lincoln a été désigné en mai comme candidat du parti républicain aux élections présidentielles. Le 6 novembre, il est élu président des Etats-Unis, n'obtenant que 38 % des voix et bénéficiant de la scission du parti démocrate. Cet avocat, âgé de cinquante et un ans, dégingandé dans son allure, plein de sagesse et de bon sens, révélera ses extraordinaires qualités de chef. Aussitôt, les Etats du Sud s'inquiètent de la signification de cette élection : ils soupçonnent Lincoln de vouloir en finir avec le système esclavagiste. Peu de temps avant qu'il ne soit élu, Abraham Lincoln déclarait dans un discours retentissant : « Une maison divisée contre elle-même ne peut pas se tenir debout. Un gouvernement ne peut pas indéfiniment demeurer à demi libre et à demi esclave. Je n'entends pas que l'Union soit dissoute, je n'entends pas que la mission s'effondre. Mais j'entends qu'elle cesse d'être divisée. » Divisée, la maison d'Amérique l'est profondément entre les Etats du Sud favorables au maintien de l'esclavage, et les Etats du Nord partisans de son abolition. Lincoln, malgré son action conciliatrice, ne pourra empêcher le déclenchement de la guerre de Sécession en avril 1861. C'est durant ce conflit fratricide que le processus de l'abolition de l'esclavage s'accélérera, jusqu'à la proclamation de l'émancipation des Noirs le 22 septembre 1862.

Le Français Berthelot théorise la chimie organique

Paris, 1860

Dans son ouvrage général sur la *Chimie organique fondée sur la synthèse*, Marcelin Berthelot (1827-1907) montre que la chimie organique appartient totalement au domaine chimique sans que l'on ait besoin de la ramener à l'existence d'une force vitale. Il écrit qu'il faut « bannir la vie de toutes les expérimentations relatives à la chimie ». Ainsi analyse-t-il les grandes synthèses réussies, telle celle des corps gras, de l'acide formique et de l'alcool éthylique. Digne représentant du positivisme et de l'optimisme scientifique qui règnent en ce milieu du XIXᵉ siècle, Berthelot se lancera bientôt dans une brillante carrière politique.

Achèvement à Londres du palais de Westminster

Londres, 1860

Sir Charles Barry et A. W. Pugin reconstruisent le Parlement de Londres, détruit lors d'un incendie en 1834. Inspirée du gothique perpendiculaire anglais (XVᵉ siècle), cette imposante architecture au décor flamboyant permet de comprendre le néo-gothique de l'ère victorienne.

Combat mettant aux prises troupes anglo-françaises et chinoises aux portes de Pékin, le 12 octobre 1860. Gravure sur bois.

Fechner établit le lien entre physique et psychique

Allemagne, 1860

Après des études de médecine et de physique, Gustav Fechner (1801-1887) multiplie les travaux sur l'électricité. En 1839, après un choc émotionnel, il est atteint par une crise religieuse et se préoccupe de fonder ses travaux scientifiques sur des théories philosophiques. Il élabore une conception de l'univers où esprit et matière sont une même et une seule réalité. Voulant démontrer cette idée, il découvre une loi générale des corrélations entre excitations externes et sensations psychologiques. Cette loi est exposée en 1860 dans ses *Eléments de psychophysique*, où il cherche à mesurer l'intensité des réactions à un stimulus en employant une formulation mathématique élaborée.

Le Parlement de Londres. 1836-1863. Architectes : Sir Charles Barry et Augustus Welby Pugin. Exemple parfait du néo-gothique anglais.

1861

Etats-Unis, 8 février
A la suite de la Caroline du Sud, les Etats esclavagistes font sécession et s'organisent en Etats confédérés d'Amérique.

Prusse, 8 février
La bourgeoisie urbaine fonde le parti du progrès, dont le but est l'unité de l'Allemagne sous direction prussienne. Le 20 septembre, les conservateurs fonderont l'Association populaire prussienne, également favorable à l'unité du pays mais attachée aux principes autoritaires.

Italie, 13 février
La prise du port de Gaète par les troupes piémontaises marque la fin de la guerre. Le roi de Naples François II se réfugie à Rome. C'est la fin du royaume des Deux-Siciles.

Autriche, 26 février
La patente de février remet en cause la politique plus libérale du comte Goluchowski. →

Russie, 3 mars
Un rescrit impérial d'Alexandre II proclame l'émancipation des serfs. →

Russie, 10 mars
Mort du poète ukrainien Tarass Chevtchenko (1814-1861), auteur du poème épique Les Haïdamaques (1841).

Italie, 17 mars
Victor-Emmanuel II est proclamé roi par le Parlement italien. →

Etats-Unis, 14 avril
A la suite de l'attaque du fort Sumter (12-14 avril), les combats commencent en Virginie dont les côtes font l'objet d'un blocus. →

Paris, 25 avril
Fondation du quotidien Le Temps. →

Grande-Bretagne, 13 mai
Le gouvernement anglais proclame sa neutralité dans la guerre civile américaine.

Italie, 6 juin
Mort du Premier ministre italien Camillo Benso Cavour.

Chine, 22 août
La mort de l'empereur Hien-Fong à l'âge de trente ans laisse le pouvoir à Ci-Xi (1835-1908), mère de son seul héritier, le prince Tong-Zhi (né en 1857).

Francfort-sur-le-Main, 26 octobre
Le professeur de physique allemand Johann Philipp Reiss (1834-1874) présente à l'Association de physique le premier téléphone.

Londres, 31 octobre
Traité d'intervention européen pour contraindre le Mexique à payer ses dettes extérieures. Le conflit armé commencera au début de 1862.

Portugal, 11 novembre
A la mort de Pierre V, due à une épidémie de fièvre typhoïde, son frère Louis Ier (1838-1889) lui succède.

Paris, 18 novembre
Première à la Comédie-Française de la pièce d'Alfred de Musset On ne badine pas avec l'amour.

Grande-Bretagne
Le romancier Charles Dickens publie Les Grandes Espérances.

Russie
Souvenirs de la maison des morts de Dostoïevski. →

France
Invention du vélocipède. →

France
Le socialiste Pierre Joseph Proudhon publie La Guerre et la Paix.

Le mathématicien Antoine Cournot (1801-1877) fait paraître son Traité de l'enchaînement des idées fondamentales dans les sciences et dans l'histoire.

Inde
Les Anglais transforment l'appareil politique. →

Madagascar
Le successeur de la reine Ranavalona, Radama II, essaie d'occidentaliser les institutions, mais se heurte à l'opposition de l'oligarchie qui se débarrassera de lui en 1863.

Afrique occidentale
Le chef toucouleur El Hadj Omar détruit le royaume bambara de Ségou.

Paris
L'architecte Charles Garnier (1825-1898) vient de remporter le concours ouvert par l'empereur pour l'édification d'un nouvel opéra. Les travaux dureront de 1862 à 1875. Cette œuvre deviendra le symbole de l'architecture Napoléon III.

Les Etats du Sud font sécession

Sumter, Caroline du Sud, 14 avril 1861

Le 20 décembre 1860, le Parlement de Caroline du Sud décidait, à l'unanimité, de se retirer de l'Union. Elle forme avec six autres Etats (la Géorgie, l'Alabama, la Floride, le Mississipi, la Louisiane et le Texas) les Etats confédérés d'Amérique. Quatre autres Etats (l'Arkansas, la Caroline du Nord, la Virginie et le Tennessee) les rejoignent bientôt. Dans son discours d'investiture, le 4 mars, l'anti-esclavagiste Lincoln exclut toute solution de compromis. Les onze Etats confédérés (9 millions d'habitants dont 4 millions de Noirs) veulent éviter la ruine qu'entraînerait l'abolition de l'esclavage. Le 12 avril, ils prennent l'initiative des hostilités en bombardant le fort Sumter. La Confédération des Etats sudistes prendra Richemond pour capitale.

Le général sudiste Robert Edward Lee (1807-1870). Photographie.

Les généraux nordistes (de g. à d.) : Ulysses Grant, Philipp Sheridan, William Sherman

Le tsar Alexandre II abolit le servage

Russie, 3 mars 1861

La volonté de prendre rang économiquement parmi les puissances européennes pousse le tsar à libérer les paysans. Le 2 juillet 1858, il émancipe les serfs de la couronne. Le 3 mars 1861, Alexandre II promulgue un ukase qui étend l'émancipation à l'ensemble des serfs privés et fixe leur statut. L'édit, préparé par Milioutine, accorde la liberté civile à près de 50 millions de paysans, qui reçoivent des lots de terre (3 à 15 ha) à charge pour eux d'indemniser les nobles avec l'aide du crédit de l'Etat. Plus de 100 millions d'hectares sont ainsi distribués. Cependant, les paysans restent écrasés par les dettes et le renforcement de l'autorité du Mir limite les effets de cette émancipation. Ce qui a pour résultat de laisser les moujiks déçus et la noblesse mécontente.

Paysans russes travaillant dans un grand domaine sous la surveillance constante d'un intendant.

Victor-Emmanuel II, premier roi d'Italie

Turin, 17 mars 1861

En moins de deux ans, Cavour a réalisé l'unité italienne, en encourageant systématiquement le courant pro-piémontais et en faisant ainsi échec à l'instauration de républiques. En mars 1860, 426 000 Emiliens (Parme, Modène, Romagne) contre 760 approuvent leur annexion par le Piémont, de même que 336 000 Toscans contre 15 000. Devant l'unanimité des référendums, Napoléon III est obligé de s'incliner. Après la guerre d'Italie, la Lombardie est octroyée au Piémont. A l'issue de l'expédition des Mille, Victor-Em-

manuel est maître de l'Ombrie, des Marches, de la Sicile et de Naples, qui se prononcent tout aussi massivement pour l'unité autour de son royaume. Pour enraciner le principe monarchique et asseoir la dynastie sarde à la tête de l'Italie, Cavour réunit le premier Parlement italien à Turin le 18 février 1861. Le vote du 17 mars consacre Victor-Emmanuel comme « roi d'Italie par la grâce de Dieu et la volonté de la nation ». Seuls le Royaume vénitien et Rome échappent encore à son emprise. Malgré la disparition de Cavour en juin 1861, Victor-Emmanuel, poussé par l'exaltation du sentiment national, va tenter d'intégrer les provinces du Vatican et de l'Autriche.

Salves en l'honneur de l'arrivée de Sa Majesté Victor-Emmanuel II, roi d'Italie, à Naples.

Dostoïevski raconte son expérience dans "La Maison des morts"

Saint-Pétersbourg, 1861

De 1847 à 1849, Dostoïevski fréquente le groupe libéral de Pétrachevski. En 1849, tous les membres du groupe sont arrêtés et condamnés à mort. Au moment où la salve allait être tirée, arrive la grâce du tsar. Dostoïevski rappellera cette journée dans *L'Idiot* (1868). Déporté en Sibérie, il y reste de 1849 à 1853. Ayant la Bible pour seul livre, il traverse

une crise religieuse et devient croyant. De ce bagne d'Omsk et de cette crise témoigne l'œuvre de Dostoïevski la plus célèbre de son vivant : *Souvenirs de la maison des morts*. Il regagne Saint-Pétersbourg dès 1859 et publie un roman, *Le Village de Stepantchikovo et ses habitants*. Il est alors victime de fréquentes crises d'épilepsie, mais publie en 1864 une œuvre philosophique et mystique : *Mémoires écrits dans un souterrain*. En 1866 paraît *Crime et Châtiment*, puis *Le Joueur*. Pour payer ses dettes de jeu, il écrit encore *Les Possédés* (1871) et *Les Frères Karamazov* (1800).

Le MIT, institut de technologie, est créé au Massachusetts

Boston, 1861

Au milieu du XIXᵉ siècle, aux Etats-Unis, la carence en établissements scientifiques se fait sentir face à la croissance industrielle. Seul l'Etat du Massachusetts a une politique en ce domaine. Ainsi, en 1861 est fondé à Cambridge, près de l'université de Harvard, le MIT, chargé de former les ingénieurs et des chercheurs, tout en leur assurant une bonne

culture commerciale. Le *Massachusetts Institute of Technology* est une fondation dont les premières années connaissent des difficultés dues à la guerre de Sécession. Mais, en 1865, les premiers cours commencent devant quinze élèves. Cette volonté d'avoir peu d'inscrits, afin de leur donner une formation scientifique de haut niveau, caractérise cet institut. Après la guerre civile, la science américaine connaît une véritable éclosion : en 1863 est créée l'Académie nationale des sciences dont les membres passent de 536 à 1 555 en dix ans.

L'Angleterre organise son pouvoir aux Indes

Indes, 1861

Les Britanniques promulguent l'*Indian Council Act*, qui organise l'empire des Indes. Le gouvernement, de plus en plus centralisé, devient la plus grande bureaucratie impériale du monde. Cette loi fait du conseil exécutif du vice-roi un véritable cabinet : chacun des cinq membres ordinaires du conseil est chargé d'un secteur spécifique : affaires intérieures, budget, affaires militaires, finances, justice. Le commandant en chef des forces armées siège au conseil en tant que membre extraordinaire. Le vice-roi prend en charge les Affaires et

bénéficie d'un droit de veto sur les décisions du conseil. Des membres supplémentaires, à rôle législatif, avaient été admis au conseil dès 1854. La loi de 1861 accroît leur nombre. Les débats sont ouverts à un public restreint, qui sert ainsi de baromètre d'opinion. Les vice-rois successifs useront cependant avec modération des importants pouvoirs concentrés entre leurs mains. Le problème du statut du représentant militaire devait être, par la suite, à l'origine de crises graves au sein du conseil. Les modifications ultérieures apportées au fonctionnement de cette administration iront toujours dans le sens d'une plus grande centralisation.

L'Autriche accorde la patente aux Hongrois

Vienne, 26 février 1861

La patente du 26 février 1861 annule le diplôme du 20 octobre 1860 qui avait proposé aux nationalistes un programme fédéraliste et promis l'égalité devant la loi. Le Conseil d'Empire, proclamé Chambre consultative par lettre patente du 5 mars 1860, est dédoublé : à la Chambre des seigneurs vient s'ajouter une Chambre des députés élue par les différentes Diètes. Ce Conseil tiendra des séances publiques et aura le droit d'initiative. Mais le système

électoral assure la prépondérance germanique. Aussi, cette nouvelle mesure ne peut-elle que se heurter à l'opposition des nationalistes. Malgré des mesures de faveur, comme la nomination d'un chancelier aulique magyar et la restauration des Comitats, la Hongrie est la première à protester. Deak entraîne les mécontents ; il déclare que la patente conduira inévitablement à l'absorption de la nationalité magyare et réclame le retour aux lois de 1848. Affaiblie par les résistances intérieures et les défaites, l'Autriche devra finalement assouplir sa politique par la création, en 1867, d'une monarchie austro-hongroise.

Les frères Michaux inventent le vélocipède

Paris, 1861

Deux charrons, Ernest et Pierre Michaux, inventent le bicycle à entraînement direct, en montant des pédales sur la roue avant de la draisienne, qui avance ainsi sans que les pieds touchent terre. L'exploitation de ce vélocipède connaît un grand succès à partir de 1861, et durant tout le Second Empire. Les frères Michaux améliorèrent leur modèle en l'allégeant, en créant une suspension pour le siège et en inventant un frein à patin situé sur la roue arrière et actionné à partir du guidon par un cordon.

Manège de la Compagnie parisienne des vélocipèdes, à Paris en 1869.

Fondation à Paris du journal "Le Temps"

Paris, 25 avril 1861

Auguste Nefftzer, ancien rédacteur en chef de *La Presse*, lance à Paris un grand quotidien libéral plus ouvert que *Les Débats* : Le Temps ne relèvera d'aucun parti, d'aucune secte, d'aucune coterie. » Le prospectus fait valoir en outre l'intérêt du journal pour la science et la littérature étrangère. Le tirage reste limité : 3 200 exemplaires en 1861, et 9 000 en 1866. Mais la qualité de l'équipe rédactionnelle assure la pérennité du nouveau journal qui paraîtra jusqu'en 1942.

Les locaux du journal « Le Temps », boulevard des Italiens à Paris.

1862

Mexique, février
Accord avec les Anglais et les Espagnols, qui acceptent de rembarquer leurs troupes à Veracruz. En mai, les Espagnols abandonnent leurs revendications envers le Mexique. De son côté, Napoléon III décide le maintien de l'armée française et lui donne l'ordre de gagner Mexico.

Prusse, 29 mars
Le traité de commerce avec la France renforce le libre-échange en Europe.

Afrique occidentale, 16 mai
Le chef toucouleur El Hadj Omar poursuit ses conquêtes en s'emparant du royaume peul de Macina.

Mexique, 5 mai
Début du siège de Puebla par les troupes françaises. →

Italie, mai
Des patriotes tentent de conquérir Venise et Rome, les deux seules villes qui ne sont pas encore intégrées au royaume. Ils sont arrêtés à Sarnico et à Palazzuolo sur l'ordre du nouveau président du Conseil, Urbano Rattazzi, qui a remplacé en mars le successeur de Cavour, Ricasoli.

Paris, 3 avril-30 juin
Victor Hugo publie *Les Misérables*. →

Japon, 25 juin
Victoire des féodaux favorables à l'empereur aux dépens du shogun : une proclamation impériale annonce l'expulsion des étrangers.

Etats-Unis, 1er juillet
Loi sur l'établissement du premier chemin de fer transcontinental.

Italie, 28 août
Malgré la proclamation du roi, le 3 août, désavouant ses initiatives insurrectionnelles, Garibaldi passe en Calabre et marche sur Rome. Ses Chemises rouges sont arrêtées à Aspromonte par les troupes pontificales. Garibaldi, blessé, est fait prisonnier puis amnistié.

Wolverhampton, 5 septembre
Le météorologiste anglais James Glaisher s'élève à 8 845 m d'altitude. La température est si froide dans la nacelle (- 20° C) que les passagers perdent connaissance et manquent de périr asphyxiés.

Etats-Unis, 22 septembre
Lincoln émancipe les esclaves des Etats confédérés.

Prusse, 23 septembre
Otto von Bismarck est nommé par Guillaume Ier Premier ministre et ministre des Affaires étrangères. Sa nomination sera rendue officielle le 8 octobre. →

Grèce, 26 octobre
Le roi Othon abdique et retourne dans sa Bavière natale. La rébellion organisée à partir de la ville de Nauplie par Konstantinos Kanaris (1790-1877), héros de l'indépendance, est appuyée par l'Assemblée nationale qui vote la déchéance du roi ; son impopularité provient du refus de mécontenter les Anglais et les Français en s'attaquant à l'Empire ottoman pendant la guerre de Crimée.

Prusse
Alfred Krupp applique le procédé Bessemer dans son aciérie.

Autriche
Le musicologue Ludwig Kœchel (1800-1877) publie *Le Catalogue complet, chronologique et thématique des œuvres musicales de W.-A. Mozart.*

Bohême
Fondation des Sokols (« faucons » en tchèque), sociétés de gymnastique d'inspiration nationaliste créées par les minorités nationales de l'Empire austro-hongrois.

Indochine
L'amiral Bonard obtient de l'empereur d'Annam Tu Duc la Cochinchine orientale.

France
Jean-Baptiste Carpeaux : *Ugolin et ses enfants*. →

Ingres : *Le Bain turc* et *Jésus au milieu des docteurs*. →

Claude Bernard découvre le rôle des nerfs vaso-moteurs.

Marcelin Berthelot réalise la synthèse de l'acétylène. →

Londres
Exposition universelle.

Mer Rouge
En réponse à la présence anglaise à Aden, Napoléon III achète Obock, noyau du futur établissement de Djibouti. →

Macina, Mali
Les Toucouleurs envahissent l'Etat peul. →

Nomination de Bismarck à la tête de la Prusse

Berlin, 24 septembre 1862
Le Landtag refusant d'adopter le budget militaire, le roi Guillaume Ier nomme à la présidence du Conseil Bismarck, qui s'engage à imposer la réforme militaire. Il lui confie également quelques semaines plus tard le portefeuille des Affaires étrangères. Bismarck devient alors l'homme fort de la Prusse. Lié au mouvement conservateur chrétien, député au Landtag en 1847, défenseur de la monarchie lors de la crise de 1848, il a pris la tête des partisans de l'exclusion de l'Autriche. En 1859, il engageait le roi à soutenir les Italiens en guerre contre Vienne. Par la suite, il avait été successivement ambassadeur à Saint-Pétersbourg, puis ministre plénipotentiaire à Paris.

Otto Bismarck au temps où il était ministre plénipotentiaire à Paris.

Avec "Les Misérables", Victor Hugo se fait critique social

Paris, 3 avril-30 juin 1862
Victor Hugo commence sa vaste fresque historique, sociale et humaine (d'abord intitulée *Les Misères*), en 1845. Cette œuvre romanesque qui soutient un manifeste idéologique s'appuie sur une structure complexe, où les destins personnels s'entrecroisent avec les mouvements de l'histoire et les bouleversements des forces sociales. Ses personnages symbolisent l'énergie morale (Jean Valjean), la grandeur spirituelle (M Myriel) et la misère sociale (les Thénardier, Fantine). Le personnage principal, le forçat Jean Valjean, personnifie l'optimisme progressiste et généreux de Hugo : les étapes de sa rédemption morale métaphorisent la progressive domination du Bien sur le Mal et sur le déterminisme social, servi par l'inspecteur Javert. Le pittoresque et le réalisme émouvant des portraits (Gavroche, Cosette) mêlent tous les sujets, comme tous les styles, en un monument littéraire parfaitement architecturé.

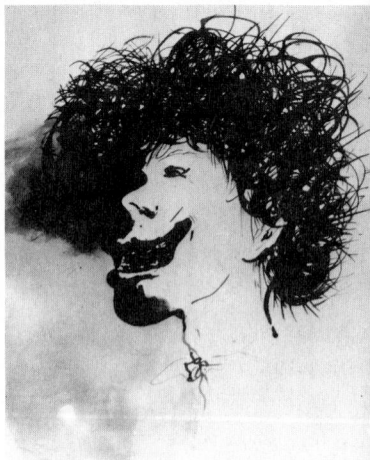

Gavroche à 11 ans. Dessin de Victor Hugo. Musée Victor-Hugo, Paris.

Napoléon III achète le territoire d'Obock

Obock, 1862
Le drapeau français flotte sur Obock, petit port situé sur la côte africaine au niveau du détroit de Bab el-Mandeb, qui relie la mer Rouge au golfe d'Aden. Moyennant 10 000 thalers, la France possède désormais également toute la zone littorale environnante. Telles sont les stipulations du traité signé à Paris par l'empereur et un représentant du sultan de Tadjoura. Depuis plusieurs années, la France avait des visées sur ce territoire aride et pauvre, mais appelé à un grand rôle stratégique après l'achèvement des travaux de percement du canal de Suez. Obock en reste la capitale jusqu'en 1892, date à laquelle le port de Djibouti, fondé par les Français, lui succède.

L'Etat de Macina abattu par les Toucouleurs

Hamdallahi (Mali), 1862
Omai Saïdou Tall, dit El-Hadj Omar (1797-1864), fait son entrée dans Hamdallahi, capitale des Peuls du Macina. L'Etat théocratique du Macina, devenu le centre d'un empire théocratique en 1818, vient de tomber sous les coups des troupes de la confrérie al-Tidjaniyya dont Hadj Omar avait acheté la complicité en leur abandonnant le Sénégal, en aval de Bafoulabé. Victoire éphémère : une révolte générale des Peuls contraindra Hadj Omar à chercher refuge ailleurs. La France ne veut pas se contenter du Sénégal. Ses ambitions s'étendent à toute l'Afrique occidentale. Le général Louis Faidherbe sait jouer des rivalités entre Peuls et Toucouleurs.

Les Mexicains résistent à l'intervention des troupes européennes

Puebla, 5 mai 1862

La décision prise par Benito Juarez de suspendre pendant deux ans le paiement de toute dette extérieure entraîne l'intervention des Européens (Espagne, Angleterre et France) au moment où, déchirés par la guerre de Sécession, les Etats-Unis ne peuvent intervenir. A la tête d'un corps expéditionnaire espagnol, le général Prim débarque devant Vera-cruz en décembre 1861. Il est bientôt rejoint par des détachements anglais et français (janvier 1862). Mais, au-delà du recouvrement de la dette, les troupes de Napoléon III visent à ré-tablir un régime monarchique catho-lique, contre l'avis des Espagnols et des Anglais, qui rembarquent en avril.

Les Français marchent sur Mexico, mais, à Puebla, ils se heurtent à une farouche résistance populaire et sont repoussés vers la côte. Cette opposi-tion empêchera pendant un an les envahisseurs d'atteindre la capitale.

Attaque mexicaine contre une colonne française. Musée de l'Armée, Paris.

Le rêve oriental d'Ingres

Paris, 1862

Défenseur du néo-classicisme face aux partisans du romantisme, In-gres prône la copie des antiques et se veut le continua-teur de David. Ses nus aspirent à une sorte de musique : le peintre ne se dé-lasse-t-il pas lui-même grâce au pro-verbial « violon d'Ingres » ? Dans *Le Bain Turc*, 1859-1863, les corps blancs polis, ins-crits dans un cer-cle harmonieux, contribuent à l'orientalisme des motifs.

Jean Dominique Ingres. « Le Bain turc ». 1862.

Carpeaux scandalise le public avec son "Ugolin"

Paris, 1862

C'est au Salon de 1862 que Jean-Baptiste Carpeaux (1827-1875) dé-cide de montrer son groupe de mar-bre sculpté, *Ugolin et ses enfants* 1861). Inspiré de Michel-Ange, le thème est emprunté à la *Divine Comé-die* de Dante. Le romantisme de cette œuvre vaudra au sculpteur de vio-lentes critiques. Mais le *Buste de la princesse Mathilde* (1861) lui ménage la faveur de Napoléon III : Carpeaux réalisera une série de bustes. Chargé par Lefuel de la décoration du fron-ton du pavillon de Flore, il fait scan-dale par son traitement du nu fémi-nin. Il sera même accusé d'outrage à la pudeur pour son groupe *La Danse* 1869) destiné à la façade de l'Opéra. En 1874, il sculptera *Les Quatre Parties du monde* pour la fontaine de l'Obser-

vatoire. Carpeaux tente d'imposer une conception plus naturaliste de la sculpture, traduisant le naturel par un modèle animé.

Jean-Baptiste Carpeaux. Ugolin et ses enfants. 1861. Plâtre original.

Berthelot réalise la synthèse de l'acétylène

Paris, 1862

Réaliser la synthèse totale de l'acé-tylène, c'est, pour Marcelin Berthe-lot (1827-1907), montrer l'inexis-tence complète d'une quelconque force vitale. Isolé dès 1836, cet hydrocarbure est caractérisé par une très grande réactivité. En 1862, Ber-thelot fait éclater de l'hydrogène dans un arc électrique et obtient de l'acétylène à très haute température qu'il est ensuite obligé de tremper, c'est-à-dire de refroidir brusque-ment, pour l'amener sans décompo-sition à température ordinaire. Cette synthèse est fondamentale pour la théorie mais aussi pour la suite des synthèses organiques et pour la chi-mie industrielle, l'acétylène pouvant dès lors entrer dans de nombreuses compositions organiques.

Les Américains offrent des terrains aux émigrés

Etats-Unis, 1862

L'Amérique, qui connaît un grand essor économique, a besoin d'une main-d'œuvre importante. C'est pourquoi elle adopte en 1862 le *Ho-mestead Act* qui, en accordant 160 ar-pents de terre aux pionniers, provo-que un afflux d'immigrants. Ceux-ci sont embauchés dans les mines, la sidérurgie, l'industrie textile, la construction de canaux et de che-mins de fer. Les immigrants venus d'Europe sont attirés par le faible prix des terres, une offre de travail consi-dérable, un pays qui leur semble ou-vert à tous sans distinction de classe sociale. Le recensement fédéral de 1870 révèle combien le *Homestead Act* de 1862 aura stimulé l'immigration, puisque, sur 38,5 millions d'habi-tants, on comptera 2,5 millions d'im-migrants arrivés en Amérique depuis le début des années 1860. Cette main-d'œuvre comprend essentiellement des Anglais, des Irlandais, des Alle-mands, mais aussi des Scandinaves, des Italiens et des Slaves.

Une famille de pionniers américains devant leur « log-cabin », habitation rudimentaire en rondins. Vers 1862. Photographie.

La Compagnie générale transatlantique créée par les frères Pereire

Paris, 1862

Jacob Emile Pereire (1800-1875) transforme la Compagnie générale maritime en Compagnie générale transatlantique. Son frère Isac et lui-même sont d'anciens saint-simo-niens et d'anciens banquiers : ils dé-veloppent le crédit, peu répandu jus-que-là. Ils ont aussi fondé la Société du chemin de fer du Nord.

Affiche de 1889.

La France s'installe en Cochinchine

Cochinchine, 5 juin 1862

Le traité du 5 juin instaure la domina-tion française en Cochinchine. Après la prise de Saigon en 1859, aucune négociation n'aboutit, et ce n'est qu'à la fin de la campagne de Pékin, en 1860, que la France envisage une installation durable en Cochinchine, qui constituerait une base apprécia-ble pour l'influence française en Extrême-Orient. De février 1861 à mars 1862, les victoires françaises se succèdent et, pour réprimer une ré-volte visant à ramener les Lê au pou-voir au Tonkin, l'empereur Tu Duc est contraint d'accepter les conditions françaises : cession de l'île de Poulo Condor et des trois provinces orien-tales de la Cochinchine, liberté d'évan-gélisation et de commerce, même hors des possessions françaises.

1863

Pologne, 22 janvier
Les conjurés, qui ont quitté les villes à la veille de la conscription et qui se sont réfugiés dans les forêts, attaquent les garnisons russes. →

Algérie, 6 février
Napoléon III proclame l'Algérie « royaume arabe », en demandant l'égalité entre Algériens et Français.

Prusse, 8 février
Pour faire face à la révolte polonaise, la Prusse et la Russie signent la convention d'Alvensleben, qui prévoit une assistance militaire réciproque contre les insurgés.

Genève, 17 février
Fondation de la Croix-Rouge. →

Danemark, 30 mars
Le roi Frédéric VII sépare le Schleswig du Holstein et l'incorpore à ses Etats. Le Parlement adoptera des décrets anti-allemands le 13 novembre.

Mexique, 30 avril
A Camerone, un détachement de la Légion étrangère commandé par le capitaine Danjou livre un combat acharné pendant neuf heures contre 2 000 Mexicains.

Saxe, 23 mai
Ferdinand Lassalle fonde l'Association générale des travailleurs allemands (→). Quinze jours plus tard, une autre tendance, plus libérale et favorable à des actions avec les bourgeois progressistes, fonde un Congrès des associations de travailleurs allemands.

France, 23 mai
Afin de réglementer les formes que doivent prendre les concentrations de capitaux, une loi autorise les sociétés à responsabilité limitée (SARL). Le 26 juillet 1867, un statut sera donné aux sociétés anonymes.

France, 31 mai
Les élections au Corps législatif montrent une progression de l'opposition royaliste et républicaine, qui voit ses suffrages tripler (1 954 000), tandis que les gouvernementaux se maintiennent.

Etats-Unis, 3 juillet
Les Nordistes remportent la sanglante bataille de Gettysburg. →

Mexique, 10 juillet
A la tête de 23 000 hommes, le général Elie Forey, qui a conquis Puebla le 8 mai et Mexico le 10 juin, installe l'archiduc Maximilien.

Cambodge, 11 août
La France impose son protectorat. →

France, 18 octobre
Fondation du Crédit lyonnais. →

Le photographe Nadar (né Félix Tournachon) réalise à bord de son ballon *Le Géant* les premiers clichés en altitude. Le voyage se termine en catastrophe près de Hanovre : Nadar a la jambe brisée.

Grèce, 30 octobre
Après avoir choisi en janvier par plébiscite un prince anglais, les Grecs se voient proposer le neveu du roi de Danemark, Guillaume, qui prend le nom de Georges Ier. Pour faciliter la tâche du nouveau souverain, la Grande-Bretagne cède les îles Ioniennes le 14 novembre.

Francfort, 30 octobre
Fondation de l'Association des protestants allemands, dans le but de démocratiser l'Eglise évangélique, en substituant à l'« Eglise des pasteurs » celle des « communautés de croyants ».

Paris, octobre
Manet au Salon des refusés avec *Le Déjeuner sur l'herbe*. →

Danemark, 15 novembre
A la mort, sans descendance, de Frédéric VII, Christian IX monte sur le trône, en application des décisions du deuxième Protocole de Londres de 1852.

France
L'ingénieur Alphonse Beau de Rochas (1815-1893) met au point la théorie du moteur à explosion à quatre temps.

Belgique
L'industriel Ernest Solvay (1838-1922) invente un procédé pour produire la soude. →

Grande-Bretagne
Le chimiste Thomas Andrews (1813-1885) découvre la technique de liquéfaction des gaz.

La *Football Association* demande aux joueurs de ne plus toucher le ballon avec les mains.

Washington
Inauguration du Capitole, construit par Ch. Bulfinch, B. Latrobe et W. Thornton sur plans de S. Hablet.

A Gettysburg, succès des Nordistes sur les Confédérés

Etats-Unis, 3 juillet 1863
La sanglante bataille de Gettysburg marque un tournant dans la guerre de Sécession car elle donne la victoire aux Nordistes. Jusqu'à présent, les Confédérés l'emportaient. Le 30 juin, les deux armées sont face à face : 92 000 Nordistes, 76 000 Sudistes. Le premier jour est favorable à l'Union, le deuxième indécis. Le 3 juillet, au début de l'après-midi, par une chaleur écrasante, le général sudiste Lee décide d'attaquer de front ; 15 000 fantassins se mettent en marche. Au moment même où ils arrivent au sommet d'une colline, les Nordistes ouvrent le feu. C'est l'hécatombe : à peine un quart des fantassins reviennent sains et saufs. L'échec est total. La bataille de Gettysburg n'est pas pour autant décisive car les Sudistes demeurent supérieurs aux Nordistes sur trois plans. Celui du commandement : les cadres de l'armée sont excellents. Celui du terrain : la plupart des opérations militaires ont lieu dans le Sud. Celui de la volonté de vaincre : le Sud fait preuve d'un acharnement que ne possède pas l'adversaire. Ces atouts compenseront-ils cependant leur infériorité numérique ? Les Sudistes combattent en effet à un contre quatre.

La bataille de Gettysburg, une défaite pour les Confédérés, marque un tournant dans la guerre de Sécession. Juillet 1863.

Fondation de la Croix-Rouge pour aider les soldats blessés

Genève, 17 février 1863
Révolté par le spectacle des 36 000 blessés de la bataille de Solférino (24 juin 1859), le Suisse Henri Dunant (*Un souvenir de Solférino*, 1862) réussit à réunir une conférence à Genève pour fonder un comité international destiné à secourir impartialement les blessés de guerre. La première convention de Genève de 1864 accordera l'immunité au personnel secouriste et adoptera pour l'association le nom de Comité international de la Croix-Rouge, reconnu au départ par quatorze pays.

Henri Dunant, le fondateur de la Croix-Rouge. 1863. Photographie

Le Belge Solvay invente un procédé pour fabriquer la soude

Belgique, 1863
Vers le milieu du siècle, le développement de la chimie industrielle conduit Ernest Solvay à mettre au point le procédé inventé par Schlœsing pour la fabrication de la soude. En essayant de l'isoler de son chlorure par l'action de l'ammoniaque et du gaz carbonique, il obtient un carbonate de sodium particulièrement soluble. Mais la réalisation industrielle de ce cycle chimique présente de sérieuses difficultés techniques. Finalement, Solvay fabrique en 1863 une tour métallique où la solution circule de haut en bas et rencontre le gaz carbonique. Ensuite, la soude est récupérée après avoir recueilli le chlorure de sodium.

Scandale autour de la "Vie de Jésus" de Renan

Paris, 1863
Philologue consacré, Ernest Renan (1823-1892) publie la *Vie de Jésus*, premier volume d'une grande *Histoire des origines du christianisme* (1863-1883), destinée à fonder « le christianisme rationnel et critique ». Si cette *Vie de Jésus*, qui lui a été inspirée par un voyage en Palestine, fait perdre à Renan sa chaire d'hébreu au Collège de France, elle a en Europe une ré-percussion considérable tant par son style que par son interprétation rationaliste de Jésus, « cet homme incomparable ». Renan, qui rejette les dogmes du catholicisme, était destiné à la prêtrise ; il fait ses études au petit séminaire de Saint-Nicolas-du-Chardonnet, dirigé par Mgr Dupanloup, puis au séminaire d'Issy, où la lecture de Hegel provoque, à vingt-deux ans, une grande crise religieuse. En fait, la vraie foi de Renan, toute positiviste, réside dans la raison, la science et le progrès de l'humanité.

L'Allemand Lassalle fonde un parti ouvrier

Leipzig, 23 mai 1863
A l'initiative de Ferdinand Lassalle, les associations et les comités ou-vriers de Dresde, Leipzig, des grands ports et de certaines villes de la Ruhr se sont réunis pour fonder un parti centralisé, l'Association générale des travailleurs allemands. A l'issue de leurs travaux, ils adoptent un pro-gramme qui prévoit, entre autres, diverses revendications : le suffrage universel, l'association libre des tra-vailleurs avec le soutien de l'Etat ; ils élisent Lassalle à la présidence. Né en 1825, Lassalle devient avocat après des études de philosophie ; il ne s'engage dans la politique qu'en 1862, bien qu'il professe des opi-nions radicales depuis sa jeunesse. Hostile aux libéraux, il se propose de donner à la classe ouvrière une expression politique autonome, dé-laissant les activités syndicales et coopératives qui ne sauraient selon lui améliorer le sort des ouvriers.

Ferdinand Lassalle, un des fonda-teurs du socialisme allemand.

Soulèvement national anti-russe en Pologne

Pologne, 22 janvier 1863
La Russie ordonne en janvier le re-crutement de tous les jeunes gens suspects d'être des révolutionnaires. Les Polonais se révoltent le 22 et les blancs modérés se joignent au mou-vement patriotique. Seuls les paysans, auxquels les révoltés pro-mettent pourtant une redistribution des terres, ne se mêlent pas aux combats, vouant ainsi l'insurrection à l'échec. Devant l'étendue de la gué-rilla en Podolie et en Ukraine, le tsar dépêche Mouraviev à Varsovie en juin 1863. Les exactions, le pillage et les exécutions sommaires se multi-plient, à tel point que l'épiscopat po-lonais soutient ouvertement la ré-volte et que l'Europe occidentale commence à s'émouvoir. Le 17 octo-bre, Romuald Traugutt est nommé dictateur et dirige le soulèvement de-puis Varsovie ; en avril 1864, trahi, il est exécuté par la police russe.

« Le Combat ». 1864-1866. Peinture du Polonais Arthur Grottger.

La France établit son protectorat sur le Cambodge

Cambodge, 11 août 1863
Reprenant une initiative de son père, Ang Duong, le roi Norodom Ier ac-cepte le protectorat français. Depuis 1841, le Cambodge était l'enjeu d'une lutte d'influence entre le Siam et l'Indochine. En 1845, un accord siamo-vietnamien prévoit l'instaura-tion d'un condominium sur le Cam-bodge et la désignation des souve-rains khmers conjointement par Huê et Bangkok. Le roi Ang Duong fait, en 1853, secrètement appel à la France pour contenir les ambitions de ses voisins. Napoléon III souhaite passer avec Ang Duong un traité d'al-liance et de commerce, mais la négo-ciation n'aboutira que dix ans plus tard, le 11 août 1863.

Création à Lyon d'une nouvelle banque : le Crédit lyonnais

Lyon, 18 octobre 1863
Chez maître Thomasset est rédigé l'acte constitutif de la banque lyon-naise. Les fondateurs Arlès-Dufour, Schlenke, Emile Vautier et surtout Henri Germain convoquent ce même jour la première assemblée des actionnaires. Leurs dix-neuf col-lègues du conseil d'administration les approuvent dans leur initiative, tandis que les 334 actionnaires n'au-ront jamais aucun droit d'interven-tion dans la marche de la banque. Parmi les actionnaires, on trouve des notables de la soierie comme Prosper Dugas, qui possède 550 actions, de la bourse et de la banque comme Edou-ard Kleinmann qui deviendra sous-directeur du Crédit lyonnais. Il y a aussi des rentiers comme Victor Pi-gnatel, et des industriels. On compte aussi 70 actionnaires suisses, des né-gociants piémontais et milanais. Le négoce et la banque dominent donc parmi les fondateurs. Cette nouvelle banque se spécialise dans le dépôt et commence ses opérations en 1863 dans les locaux du palais du Commerce, rue Impériale.

Le premier métro est construit à Londres

Londres, 10 janvier 1863
Face au développement des voies ferrées dans la ville, les ingénieurs ont l'idée de créer un chemin de fer souterrain. Le 10 janvier 1863 est inaugurée la première ligne de métro du monde, reliant Famington Street à Bishops Road sur 6 km. Il fonc-tionne à la vapeur. Malgré les pro-blèmes d'aération, c'est un succès puisque neuf millions de passagers emprunteront cette ligne dès la pre-mière année.

Une station du métropolitain londo-nien, inauguré en janvier 1863.

Scandale autour d'un "Déjeuner sur l'herbe"

Paris, octobre 1863
« La plupart des erreurs relatives au beau naissent de la fausse conception du XVIIIe siècle relative à la morale », dit Baudelaire à propos de l'énorme scandale provoqué par *Le Déjeuner sur l'herbe* d'Edouard Manet, exposé au Salon des refusés. En fait, le public et les critiques, choqués par la pré-sence d'une femme nue aux côtés de deux hommes élégamment vêtus, ignorent que les lignes principales de cette composition sont empruntées à un dessin de Raphaël (*Le Jugement de Pâris*). Abandonnant la modula-tion des valeurs, cette œuvre pré-sente une « révolution de la tache de couleur », utilisant les teintes plates et franches et schématisant les formes : soustrayant le tableau à la stricte fonction de représentation, Manet le soumet à ses lois propres : *Le Déjeuner* peut être considéré comme la première œuvre de la pein-ture moderne.

Edouard Manet. « Le Déjeuner sur l'herbe », exposé au Salon des refusés en octobre 1863. Musée d'Orsay, Paris.

1864

Russie, 13 janvier
Une loi instaure les *zemstvo*, assemblées territoriales régionales élues par trois collèges (des propriétaires fonciers, des citadins et des paysans), qui disposent de compétences locales.

Danemark, 1er février
En application de l'accord austro-prussien du 16 janvier, les Prussiens envahissent les duchés et en expulsent les Danois. →

Paris, février
Manifeste des Soixante : un ouvrier ciseleur, Henri Tolain, préconisant les candidatures ouvrières et la formation de syndicats, se présente à une élection complémentaire. Délégué à Londres pour la fondation de l'Internationale en septembre, il en sera exclu le 12 avril 1871 pour son hostilité à la Commune de Paris. Il deviendra sénateur en 1875.

Mexique, 10 avril
Maximilien couronné empereur. →

France, 25 mai
Le ministre Emile Ollivier fait adopter une loi sur les coalitions qui autorise la grève.

Etats-Unis, juin
Lincoln qui avait annoncé les conditions de la « reconstruction » du Sud le 8 décembre 1863 entre en conflit avec le Congrès sur ses conditions d'application.

Italie, 15 septembre
Le gouvernement français signe avec le ministre Minghetti une convention prévoyant le départ des troupes françaises de Rome d'ici 1866, date à laquelle le pape devra se constituer une armée. De son côté, le roi d'Italie s'engage à ne pas l'inquiéter et à transférer la capitale de Turin à Florence.

Londres, 28 septembre
Fondation de la Ire Internationale. →

Paraguay, novembre
Début de la guerre du Chaco, qui s'achèvera en 1870. →

Etats-Unis, novembre
Réélection d'Abraham Lincoln.

Rome, 8 décembre
Le pape Pie IX publie les encycliques *Quanta Cura* et *Syllabus*. →

Géorgie, Etats-Unis, décembre
Après Atlanta le 2 septembre, les troupes nordistes du général Sherman progressent dans le Sud, encerclant les forces confédérées.

France
Eugène Schneider rassemble les patrons de la sidérurgie au sein du Comité des Forges afin d'établir une politique concertée des prix et des marchés.

Afrique
Le médecin allemand Gerhard Rohlfs (1831-1896) explore l'Afrique du Nord et traverse le Sahara.

France
La censure impériale interdit *Lorenzaccio* de Musset.

L'historien Numa Fustel de Coulanges (1830-1889) soulève de vives polémiques avec la parution de *La Cité antique*.

L'ingénieur Pierre Martin (1824-1915) perfectionne le four inventé par William Siemens. Il réutilise les gazs chauds au four à sole pour la fusion de l'acier.

Le peintre Jean-Baptiste Corot peint *Souvenir de Mortefontaine*.

Le peintre Gustave Moreau présente son *Œdipe et le Sphinx*. →

Les écrivains Emile Erckmann (1822-1899) et Alexandre Chatrian (1826-1890) publient *L'Ami Fritz*.

Première sculpture d'Auguste Rodin : *L'Homme au nez cassé*. →

L'ingénieur, économiste et sociologue Frédéric Le Play (1806-1882), après son enquête sur *Les Ouvriers européens*, publie *La Réforme sociale*.

Victor Cousin fait paraître son *Histoire de la philosophie*.

La comtesse de Ségur (Sophie Rostopchine, 1799-1874) publie *Les Malheurs de Sophie*.

Grande-Bretagne
Le physicien James Clerk Maxwell expose la théorie électromagnétique. →

Le poète Lord Alfred Tennyson publie *Enoch Arden*.

Russie
Dostoïevski publie les *Mémoires écrits dans un souterrain*.

Nankin, Chine
Suicide des Taïping vaincus. →

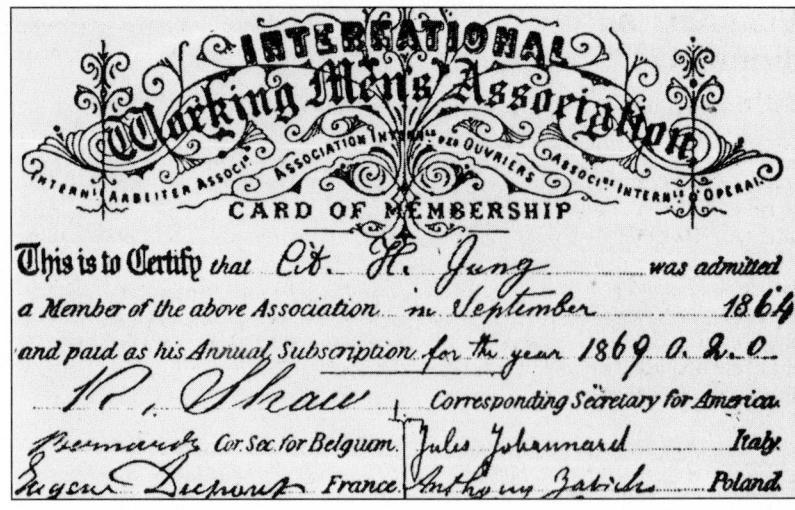

Carte de membre de l'Association internationale des travailleurs, fondée à Londres en 1864.

Première Internationale ouvrière à Londres

Londres, 28 septembre 1864
Le meeting de Saint Martin's Hall approuve le projet des ouvriers français de créer des sections européennes sous la direction d'un comité central. Cet acte marque la fondation de l'Association internationale des travailleurs. Bien qu'essentiellement ouvrière et franco-anglaise, la nouvelle organisation s'ouvre aux intellectuels positivistes et proudhoniens et aux émigrés polonais, allemands et italiens de tendance blanquiste ou mazzinienne. C'est à la suite d'un voyage à l'Exposition industrielle universelle de Londres (1862) que des contacts avaient été noués entre ouvriers français et anglais. L'année suivante, des représentants du prolétariat parisien (les bronziers Tolain et Perrachon, les mécaniciens Aubert et Murat, le maçon Cohadon et le chemisier Bibal) furent invités par les syndicalistes anglais à participer à une manifestation commune en faveur de l'indépendance de la Pologne (meeting du 22 juillet 1863 à Londres). Le premier comité de l'AIT s'occupe de rédiger des statuts, et un certain Karl Marx publie un manifeste, *Adresse inaugurale de l'Internationale*, dans lequel il fait le bilan de l'évolution de la condition ouvrière depuis l'échec des révolutions de 1848.

La Prusse triomphe dans la guerre des Duchés

Danemark, 1er février 1864
Lorsqu'après la mort de Frédéric VII la Confédération germanique avait décidé d'envoyer un contingent pour soutenir, contre Christian IX, nouveau roi du Danemark, les prétentions du candidat allemand, le prince d'Augustenborg, à la succession des duchés de Schleswig-Holstein, la Russie et l'Autriche étaient à l'écart. A la suite d'un revirement politique, elles déclarent la guerre au Danemark, occupent le Jutland et battent l'armée danoise à Düppel. A la paix de Vienne (30 octobre), le Danemark abandonne les duchés, qui sont placés sous tutelle austro-prussienne. Cette guerre sera source de litiges entre la Prusse et l'Autriche.

L'assaut victorieux des troupes prussiennes à Döppel en avril 1864, lors de la guerre des Duchés.

Vaincus, les dirigeants Taïping se suicident

Chine, 1864

La chute de Nankin marque la fin de la rébellion des Taiping, l'une des plus grandes guerres civiles de l'histoire. Ce mouvement d'origine religieuse avait établi son siège à Nankin en 1853, et amorcé dans les campagnes du sud chinois une réforme agraire, qui n'aboutit pas, freinée par une tradition millénaire. La même année est lancée vers le nord une expédition qui atteint Tianqin, mais est contrainte au repli en 1855. Dans le sud, où se concentre désormais la lutte, le pouvoir Qing, se défiant d'une armée officielle sur le déclin, fait appel aux milices paysannes locales. Les troupes des Taiping sont bientôt submergées. En 1864, le dernier bastion, Nankin, s'effondre devant les forces conjuguées des milices locales et de mercenaires chinois, encadrés par des officiers occidentaux. Hong Xiuquan et plusieurs de ses hommes se suicident.

Une révélation au Salon : Gustave Moreau

Paris, 1864

Gustave Moreau, dont Degas dira qu'« il met des chaînes de montre aux dieux de l'Olympe », vient de conquérir un public de critiques, d'intellectuels et d'amateurs raffinés, en exposant au Salon *Œdipe et le Sphinx*. Son art symboliste, héritier du romantisme, accorde plus d'importance à la vision subjective qu'à l'observation réaliste. Cet étrange solitaire, admirateur de Delacroix, crée un univers fantastique qui évoque les rêveries inspirées du folklore médiéval de certains préraphaélites anglais. Son esthétisme raffiné, opposé à l'impressionnisme comme au réalisme, séduit les poètes parnassiens, Huysmans et Proust. Ses œuvres allégoriques et mythologiques sont chargées de décors fantastiques, de palais hallucinés, de lourdes centures, de paysages déchiquetés et d'arbres torturés. Il s'attache au scintillement des ors, des joailleries et des minéraux, entrevoyant des fleurs fabuleuses. Son œuvre influencera largement le style de la fin du siècle.

Gustave Moreau. « Œdipe et le Sphinx ». 1864.

Le pape Pie IX se fait le champion du conservatisme

Rome, 8 décembre 1864

Réputé « libéral » au moment de son élection, en 1846, le pape Pie IX a pris depuis des positions qui lui ont au contraire donné rapidement une image de conservateur intransigeant. La publication de l'encyclique *Quanta Cura* confirme avec éclat cette orientation réactionnaire. Le pontife y réaffirme le fondement divin des pouvoirs politiques en condamnant les principes de 1789. Reconnaître la liberté de conscience et de culte est ainsi qualifié de « délire ». L'encyclique est accompagnée d'un catalogue de 80 « erreurs » rejetées par le Vatican : le *Syllabus*. On peut notamment citer la condamnation sans appel de la proposition suivante : « Le pontife romain peut et doit se réconcilier et transiger avec le progrès, le libéralisme et la civilisation moderne. »

En Amérique du Sud, le Chaco s'embrase

Paraguay, novembre 1864

Le Paraguay a des ambitions territoriales et le dictateur Francisco Solano Lopez, qui a développé une armée puissante, cherche des alliés dans la région du Rio de la Plata, car un conflit frontalier l'oppose au Brésil. Profitant de l'invasion de l'Uruguay par ce pays, il se somme de se retirer et attaque le Mato Grosso. En outre, il sollicite de l'Argentine un droit de passage pour libérer l'Uruguay. Devant le refus de Buenos Aires, Lopez pénètre dans la province de Corrientes. Cet acte marque le début de la guerre du Chaco, région de steppes peu peuplée qui sépare les deux pays. Le 1er mai 1865, l'Argentine, le Brésil et l'Uruguay signeront un pacte d'alliance contre le Paraguay, tandis que par un traité secret l'Argentine et le Brésil décideront de se partager plus de la moitié de son territoire. Cette guerre, dite de la Triple-Alliance, va durer cinq ans. Le Paraguay en sortira vaincu, dépecé, totalement ruiné et ayant perdu la presque totalité de sa population masculine adulte.

L'archiduc Maximilien empereur du Mexique

Mexico, 10 avril 1864

Les troupes françaises ont fini par s'emparer de Puebla, puis de Mexico (10 juin 1863) qui s'est rendue sans combattre. Benito Juarez et le reste de son armée se sont réfugiés dans le nord. Devenu général en chef du corps expéditionnaire, François Bazaine réussit en mars à occuper toutes les villes : les libéraux mexicains sont traduits en conseil de guerre et des plébiscites sont organisés en faveur de Maximilien (1832-1867). Elu empereur avec une écrasante majorité, Maximilien accepte la couronne d'autant plus facilement que, par l'accord de Miramar, Napoléon III s'est engagé à laisser ses troupes au Mexique jusqu'à la fin de 1867. Agé de trente et un ans, l'archiduc d'Autriche, frère de l'empereur François-Joseph et descendant des Habsbourg, est un homme mélancolique et sentimental. Voulant gouverner de façon modérée, il heurte les conservateurs par ses mesures libérales mais devient un ennemi irréductible des partisans de Juarez en signant un décret qui voue les opposants armés à l'exécution sommaire (3 octobre 1865). En fait, contrôlé par Napoléon III, il est privé de toute autorité réelle.

L'archiduc Maximilien et son épouse, Charlotte de Belgique.

L'électromagnétisme selon Maxwell

Angleterre, 1864

James Maxwell (1831-1879), après des travaux sur l'explication mécanique de l'électromagnétisme, publie en 1864 un mémoire « sur la théorie de l'électromagnétisme ». Il y expose que si l'énergie électrique peut être considérée comme potentielle et l'énergie électromagnétique cinétique, on peut alors en donner une expression mathématique avec quelques paramètres simples (quantité d'électricité débitée, intensité du courant) en appliquant les équations de la mécanique analytique. Maxwell a donc pour but « d'orienter l'esprit du lecteur vers des phénomènes mécaniques qui lui serviront à comprendre les phénomènes électriques ».

Le jeune Rodin redéfinit la sculpture

Paris, 1864

Le jury du Salon vient encore de refuser un chef-d'œuvre : *L'Homme au nez cassé*, une petite tête de bronze de 23 cm de haut, qui revitalise toute la sculpture. Dans cette première œuvre d'un artiste de vingt-quatre ans, où la violence du modelé traduit l'intensité de la vie, forme et signification sont intimement liés. Toute la révolution sculpturale inaugurée par Rodin est présente : le sculpteur souligne, au lieu de l'effacer, le processus du « développement », le miracle de la terre prenant vie dans le mouvement de la création en train de se faire. Rodin redéfinit la sculpture au moment même où Manet réactualise la peinture.

Succès immédiat pour "Mireille" de Gounod

Paris, 19 mars 1864

Charles Gounod, qui a donné *Faust* il y a cinq ans, fait représenter *Mireille*, opéra en cinq actes inspiré du poème de Frédéric Mistral. Ourrias, qui dispute à Vincent l'amour de Mireille, tue son rival au cours d'une rixe, tandis que Mireille meurt en traversant la Crau. Les vastes étendues de la Camargue, le Rhône, le sanctuaire des Saintes-Maries déterminent l'atmosphère de cette suite de tableaux d'un lyrisme ardent, sensuel, traversé parfois par un souffle mystique, qui révèlent toute l'âme de la Provence. *Roméo et Juliette* connaîtra le même succès en 1867. Son lyrisme généreux et son style pondéré auront une grande influence sur l'art lyrique.

Rodin. L'homme au nez cassé. 1872. Transposition en marbre du bronze de 1864.

1865

France, 19 janvier
Mort du socialiste Proudhon. →

Etats-Unis, 31 janvier
Le Congrès vote l'abolition de l'esclavage, officialisant la proclamation de l'émancipation des Noirs faite par Abraham Lincoln le 22 septembre 1862.

Leipzig, Allemagne, 24 février
Apparu dans les années 1840, le mouvement féministe s'organise à travers la fondation d'une Association pour la formation des femmes, qui deviendra le 18 octobre l'Association générale des femmes allemandes, de tendance sociale-démocrate.

Brno, Autriche, février-mars
Johann Mendel formule les lois de l'hérédité. →

Etats-Unis, 3 mars
Création du Bureau des libérés afin d'insérer par l'éducation, les soins médicaux et l'assistance, les anciens esclaves dans la vie sociale.

Etats-Unis, 14 avril
Lincoln est assassiné après la capitulation du général confédéré Lee à Appomattox le 9. →

Munich, Bavière, 10 juin
Tristan et Isolde de Wagner. →

France, 14 juin
Une loi reconnaît la valeur du chèque. →

Autriche, 26 juin
Le chancelier Anton von Schmerling (1805-1893) démissionne à la suite de l'opposition des nationalités de l'empire à sa politique ultra-centralisatrice. Le nouveau Premier ministre, le comte Richard Belcredi (1823-1902), restitue certains de leurs droits historiques aux Slaves.

Suisse, 14 juillet
Première ascension du Cervin. →

France, juillet
Fondation de la section française de l'Association internationale des travailleurs.

Gastein, Allemagne, 14 août
La convention signée entre le chancelier Bismarck pour la Prusse et les représentants de l'Autriche règle les limites des pouvoirs des deux puissances sur les deux duchés danois : à la Prusse le Schleswig, à l'Autriche le Holstein.

Irlande, 15 septembre
Les autorités anglaises procèdent à l'arrestation des chefs du mouvement fenian qui préparent un soulèvement.

Biarritz, 4 octobre
La rencontre entre l'empereur Napoléon III et le chancelier Bismarck donne lieu à une déclaration de neutralité informelle de la France en cas de conflit prusso-autrichien.

Japon, novembre
Le shôgun Iyemochi obtient de l'empereur de traiter avec les Occidentaux qui exigent l'ouverture du port d'Osaka.

Etats-Unis, 4 décembre
Le Congrès refuse d'admettre au sein de l'Union les Etats sudistes reconstruits, car, au moment de renouveler les institutions, ils ont préféré réélire d'anciens confédérés, proclamés inéligibles par les Nordistes, au détriment d'unionistes convaincus.

Suède, 7 décembre
La réforme démocratique de la Constitution donne lieu à la création d'un Parlement de deux chambres élues par 10 % de la population.

Belgique, 10 décembre
Léopold II (1835-1909) succède à son père Léopold Ier.

Chine
Tandis que se créent des établissements bancaires à Hong-Kong et à Shanghai, le gouvernement chinois contracte un emprunt auprès des Anglais.

France
Le poète René Prudhomme, dit Sully Prudhomme (1839-1907), publie un recueil intimiste : *Stances et Poèmes*.

Edouard Manet suscite un nouveau scandale avec son *Olympia*.

Le chimiste Marcelin Berthelot perfectionne le calorimètre et publie ses *Leçons sur la thermochimie*.

Grande-Bretagne
Un second *Road Act* exige que tout véhicule à moteur soit précédé d'une personne portant un drapeau rouge. Cette loi, ainsi que celle de 1861, sera abrogée en 1896.

John Stuart Mill publie son *Examen de la philosophie de Hamilton*.

Mark Twain publie *La Célèbre Grenouille sauteuse de Calaveras*.

Assassinat d'Abraham Lincoln

Washington, 14 avril 1865
Lincoln se rend avec sa femme et deux amis au théâtre Ford, à Washington. Un obscur acteur, John Wilkes Booth, fanatique sudiste, entre dans sa loge, lui tire un coup de pistolet à la tête puis bondit sur la scène en s'écriant : « Le Sud est vengé. » Lincoln perd connaissance et meurt le lendemain matin. John Wilkes est exécuté quelques jours plus tard. Des funérailles grandioses sont faites à Lincoln, dont le corps embaumé est transporté à Springfield et enseveli au cimetière d'Oak Ridge le 4 mai. Lincoln, qui venait d'être réélu, n'avait cessé de proclamer son désir d'une paix sans vengeance. Il avait dû faire face aux nécessités de la guerre civile avec un véritable déchirement. Son premier but n'était d'abord pas la libération des esclaves, mais le maintien de l'Union. Les circonstances l'ont obligé à aller bien au-delà des positions qui étaient les siennes lors de sa première élection en 1860. Il a toujours montré une grande modération à l'égard de ses adversaires sudistes. C'est lui qui a assumé jusqu'en 1864 le commandement en chef des armées nordistes avant de transmettre cette charge à Grant, pour se consacrer aux affaires politiques. Ce fils de pionnier demeurera, par son incorruptible honnêteté, sa modestie et son énergie, l'un des personnages les plus sympathiques de la démocratie américaine. Le vice-président Andrew Johnson lui succède.

L'assassinat d'Abraham Lincoln dans sa loge au théâtre Ford de Washington par un fanatique sudiste.

Jules Verne explore les espaces du futur

Paris, 1865
Jules Verne (1828-1905), qui rêve d'écrire le « roman de la science », publie *De la Terre à la Lune*. Lancé par un canon de 900 pieds de long, un énorme projectile d'aluminium doit atteindre la Lune après quatre jours de trajectoire. Doté de l'appareillage le plus perfectionné, l'engin est aménagé à la manière d'un wagon-lit, et ses quatre occupants, dont Barbicane, président du Gun-Club, et Michel Ardan, anagramme de Nadar, échappant à l'attraction terrestre, flottent librement en apesanteur.

L'apesanteur. Illustration d'E. Bayard pour « De la Terre à la Lune ». 1865.

Mort du théoricien socialiste Proudhon

Paris, 19 janvier 1865
Père de l'anarchisme, Pierre Joseph Proudhon reste le fondateur du système mutualiste, du syndicalisme ouvrier et du fédéralisme. Député en 1848, il fut emprisonné (1849-1852) pour son opposition à Louis Napoléon Bonaparte, et même exilé à Bruxelles en 1858. D'abord salué par Marx pour « l'audace provocante avec laquelle il porte la main sur le sanctuaire économique » dans *Qu'est ce que la propriété ?* (1840), qu'il définit comme un vol, il s'attire une violente critique (*Misère de la philosophie*) pour la publication de *La Philosophie de la misère*. Ses partisans s'opposèrent aux représentants du socialisme marxiste au sein de la Ire Internationale.

Johann Mendel pose les bases de la génétique

Autriche, février-mars 1865
Entre 1858 et 1865, Mendel, moine augustin à Brno, fonde, par une recherche en botanique sur les hybridations, la génétique. S'attachant d'abord à obtenir des lignées pures (homozygotes) de pois comestibles, il combine deux à deux chaque variété offrant des différences précises (graines lisses-ridées fleurs blanches-jaunes, tiges courtes-longues, etc.), obtenant ainsi une première génération où domine uniformément un seul des caractères croisés. Aux générations suivantes, il voit réapparaître ceux des caractères disparus au premier croisement (seulement 75 % des sujets ont le caractère de la première génération). Il en déduit qu'il existe des caractères dominants et d'autres récessifs. Ainsi ses travaux montrent-ils l'indépendance des caractères héréditaires à l'intérieur des cellules reproductrices et surtout leur existence continue, même s'ils n'apparaissent pas à une génération. Ces lois de l'hybridation (lois de Mendel) ne seront vérifiées qu'en 1900.

Johann Mendel.

En Suisse, le sommet du Matterhorn vaincu

Suisse, 14 juillet 1865
Une cordée franco-anglaise, conduite par les guides de montagne vaudois Pierre Taugwalder père et fils, vient de réaliser la première escalade du Matterhorn (appelé Cervin en français) qui culmine à 4 478 m et domine les Alpes vaudoises. Malheureusement, quatre membres de l'expédition trouvent la mort lors de la descente : les Anglais Douglas Robert Hadow, Charles Hudson et Lord Francis Douglas, et le Français Michel Croz. Seuls les deux guides et l'Anglais Edward Whymper atteignent la vallée. Il s'en est fallu de peu que leur exploit ne soit évincé par celui d'une cordée italienne partie de Valtournanche trois jours plus tard et conduite par l'alpiniste Giovanni Antonio Carrel qui atteint le sommet par la face sud avec J. B. Bich et réussit à redescendre sans encombre. Ces performances témoignent du goût naissant pour les défis.

Le monde magique de Lewis Carroll

Angleterre, 1865
Mathématicien et logicien réputé, professeur à Oxford, Charles Ludwidge Dodgson écrit, à la demande de la petite Alice Liddel, un conte plein d'humour : *Alice au pays des merveilles*. Le révérend Dodgson (il est diacre), qui aime la compagnie de « tous les petits enfants » (à l'exception toutefois des petits garçons), a choisi le pseudonyme de Lewis Carroll en 1856. Dans ce conte, Alice, entraînée par un lapin blanc semi-humain, est précipitée dans un monde où les lois familières du temps, de l'espace et du langage subissent de subtiles transformations. Alice, que ce monde fascine et amuse, fait l'objet de métamorphoses, qui la transforment tour à tour en naine ou en géante ; mais elle sait que « pour revenir à la réalité, il lui suffirait d'ouvrir les yeux ».

Lewis Carroll.

Le succès est tel qu'une suite paraîtra en 1872 : *Alice à travers le miroir*, où le monde logique des adultes est symbolisé par un échiquier sur lequel se déplace la petite fille ; Alice y devient reine et préside un banquet où les invités s'installent dans les assiettes tandis que les mets prennent leur place. Il publiera aussi *La Chasse au snark*. Dodgson, pour sa part, signera plusieurs textes scientifiques et des traités de mathématiques.

« Alice au pays des merveilles ».
Illustration de John Jenniel.

Claude Bernard fonde la méthode expérimentale

Paris, 1865
Les premiers travaux de Claude Bernard (1813-1878) portent sur le rôle du suc gastrique (1843) et du suc pancréatique (1849) dans la digestion. Mais sa découverte capitale est la fonction glycogénique du foie (1853), isolant le glycogène et donnant une explication de la pathogénie du diabète sucré. Il est nommé au Collège de France en 1855. Ses travaux convergent tous vers le milieu intérieur de l'être vivant, constitué par le sang et la lymphe et dont l'équilibre et la fixité sont la condition d'une vie organique autonome, les troubles pathologiques résultant de la rupture de l'équilibre de ce milieu. En 1865, malade, il formule sa méthode de travail dans son *Introduction à l'étude de la médecine expérimentale*. La « méthode expérimentale » consiste à aborder les expériences sans esprit de système et à se soumettre au contrôle du doute méthodologique. Claude Bernard rejette les notions de force vitale et de cause finale : la physiologie devient une science expérimentale et indépendante qui peut expliquer les fonctions et les dysfonctions de l'organisme.

Claude Bernard avec ses élèves. 1889. Détail. Peinture de Léon Lhermite.

Création de "Tristan et Isolde" de Wagner

Munich, 10 juin 1865
Composé entre 1857 et 1859, cet opéra de Richard Wagner s'inspire librement de la légende celtique de Tristan et Isolde : l'interprétation wagnérienne du mythe le plus célèbre de l'Occident médiéval, marquée par la philosophie de Schopenhauer, postule l'identité du sentiment amoureux et de la révélation religieuse. Tristan et Isolde se découvrent une passion réciproque, à laquelle ils ne peuvent échapper que par la mort. Enchaînés par un philtre d'amour, les deux amants trouveront dans l'anéantissement un affranchissement des liens terrestres, qui les unira à jamais dans l'au-delà. Cet hymne à la toute-puissance de l'amour s'impose comme une figure majeure du romantisme : le style contrapunctique employé pour la première fois suggère tour à tour l'énergie et la langueur, le désir et l'appel de la mort.

Richard Wagner. 1883. Portrait de Giuseppe Tivoli.

L'Union monétaire latine est créée

Paris, 23 décembre 1865
La France, l'Italie, la Suisse et la Belgique fondent l'Union latine, décidant d'abaisser le titre des pièces d'argent de 0,9 à 0,835. Ainsi la valeur réelle des pièces d'argent devient très inférieure à la valeur nominale. On suspend dans le même temps la frappe libre et le pouvoir libératoire illimité des pièces d'argent. Cette convention, ainsi que les mesures qui suivront, ne sonnent pas encore le glas du bimétallisme, auquel les pays européens restent foncièrement attachés. En effet, la pièce de 5 francs échappe totalement à ces mesures. Ce système est cependant devenu « boiteux ». La Grèce rejoindra l'Union monétaire en 1868.

Les chèques comme nouveau moyen de paiement en France

Paris, 14 juin 1865
Une loi légalise en France la pratique du paiement par chèque, employé depuis longtemps sans que son usage soit réglementé. Sa diffusion sera limitée jusqu'en 1870, date de la création d'une chambre de compensation. L'Angleterre connaît les chèques depuis 1742. Leur introduction en France coïncide avec la création des banques de dépôt. Elles fournissent des capitaux aux entreprises en collectant l'épargne populaire.

1866

Mexique, 12 février
Les Etats-Unis, invoquant la doctrine Monroe, exigent le retrait des troupes françaises. Napoléon III s'y résigne, demandant à Maximilien de constituer une armée nationale aidée de volontaires autrichiens, belges et français.

Roumanie, 24 février
La politique de réforme agraire et de sécularisation des biens de l'Eglise provoque le mécontentement des grands propriétaires qui renversent le prince Cuza. Pour le remplacer, Bismarck et Napoléon choisissent Charles-Frédéric, cousin du roi de Prusse, qui prend le nom de Carol Ier. Il régnera jusqu'à sa mort, en 1914.

Chili, 31 mars
Le président José Joaquin Perez prend parti pour le Pérou dans la guerre contre l'Espagne. Par rétorsion, la marine espagnole bombarde le port de Valparaiso.

Russie, 4 avril
La tentative d'assassinat du tsar Alexandre II par Karakosov provoque l'abandon de la politique libérale suivie jusque-là.

Allemagne, 8 avril
Le chancelier Bismarck signe avec l'Italie une alliance dirigée contre l'Autriche pour une durée de trois mois.

Etats-Unis, 13 juin
Le Congrès vote une loi garantissant aux Noirs les mêmes droits civils qu'aux Blancs. →

Custozza, Italie, 24 juin
Les armées autrichiennes commandées par le grand-duc Albert défont les troupes italiennes du marquis Alfonso de La Marmora. Un cessez-le-feu sera signé à Cormon le 12 août.

Schleswig-Holstein, 3 juillet
Les troupes prussiennes écrasent l'Autriche à Sadowa. →

Grande-Bretagne, 6 juillet
Le conservateur Edward Derby forme un ministère. La Chambre a refusé à Gladstone et à Lord John Russell une réforme de la loi électorale abaissant le cens à sept livres.

Etats-Unis, 27 juillet
Le premier câble télégraphique transatlantique est inauguré. Installé par l'entrepreneur Cyrus W. Field, il a nécessité neuf ans de travaux et cinq tentatives infructueuses et doit sa construction au concours du plus grand bateau en service, le *Great Eastern*.

Prague, 23 août
La signature de la paix met fin au conflit austro-prussien et marque la victoire des partisans de la « Petit Allemagne ». L'Autriche doit verser des indemnités ; la Prusse signe avec les différents royaumes allemands des traités de protection et d'alliance et procède à l'annexion du Hanovre, de la Hesse, de Nassau et de Francfort.

Vienne, 3 octobre
Par la paix de Vienne, l'Italie obtient la Lombardie-Vénétie contre le versement de 35 millions de florins.

Paris, 31 octobre
Jacques Offenbach présente *La Vie parisienne*. →

Espagne
Le général Juan Prim y Prats (1814-1870) échoue dans sa tentative de renverser le gouvernement d'Isabelle II.

Paris
Parution du *Parnasse contemporain*. →

Pierre Larousse publie son *Grand Dictionnaire*. →

Etats-Unis
Création du Syndicat national du travail. →

Développement du Ku Klux Klan. →

Asie centrale
Les Russes poursuivent l'occupation du Turkestan depuis 1865 et de Tachkent, capitale du khanat de Kokand.

Suède
Nobel invente la dynamite. →

Rome
Le dramaturge norvégien Henrik Ibsen publie *Brand*, œuvre austère d'un puritanisme intransigeant, mais dont la philosophie quelque peu confuse nuit au déroulement dramatique.

Saint-Pétersbourg
Dostoïevski publie *Le Joueur* et *Crime et Châtiment*. →

Grande-Bretagne
Course de « clippers ». →

Algernon Charles Swinburne (1837-1909) publie le premier volume de *Poésies et Ballades*.

L'Allemagne se bâtira autour de la Prusse

Autriche, 3 juillet 1866
La guerre des Duchés, qui aboutit en 1864 à la défaite du Danemark et au partage des territoires danois entre l'Autriche et la Prusse, a servi de terrain d'essai à l'armée prussienne et a en outre isolé l'Autriche de l'Allemagne, tout en fournissant à Bismarck le *casus belli* qu'il cherchait pour déclencher les hostilités contre les Autrichiens. Après s'être assuré de la neutralité des puissances européennes, la Prusse envahit le Holstein le 9 juin et, le 16, déclare la guerre à l'Autriche. Les armées autrichiennes sont écrasées à Sadowa, près de l'Elbe, le 3 juillet. Par le traité de Prague, signé le 23 août, François-Joseph se soumet à toutes les exigences prussiennes : dissolution de la Confédération germanique et réforme de l'organisation de l'Allemagne sans la participation de l'Autriche. Les 20 délégués des 22 Etats d'Allemagne septentrionale se réunissent à Berlin le 15 décembre et décident de la constitution d'une Confédération de l'Allemagne du Nord. En même temps que les duchés danois, la Prusse annexe les trois Etats qui séparaient ses provinces orientales et occidentales : le Hanovre, le Nassau, Francfort et la Hesse-Cassel ; son territoire est désormais d'un seul tenant, de la Sarre au Niémen.

Guillaume Ier, accompagné de Bismarck, le 3 juillet 1866 à Sadowa. Peinture de Ch. Sell.

Course entre clippers sur l'Atlantique

Grande-Bretagne, 1866
Le transport du thé donne lieu à de véritables courses entre les rapides voiliers que sont les clippers. L'honneur de ramener les premiers thés frais de la nouvelle récolte des Indes jusqu'à Londres et la perspective de primes substantielles stimulent officiers et marins. En 1866, l'*Ariel* et le *Taeping* arrivent à Londres, presque bord à bord après 99 jours de traversée, à seulement dix minutes d'intervalle. Ces navires connaissent la concurrence des premiers bateaux à vapeur qui, s'ils ne sont pas encore aussi rapides, ont une capacité de transport bien plus grande.

La course-poursuite de 99 jours entre les clippers britanniques « Taeping » et « Ariel » en 1866 pour amener du thé frais des Indes.

Le premier syndicat qui réclame la journée de 8 heures

Etats-Unis, 1866

La guerre civile a stimulé la croissance industrielle en assurant le plein emploi. Mais l'expansion de l'industrie s'est accompagnée de tensions accrues entre employeurs et travailleurs, ce qui s'est traduit par le développement de l'activité syndicale. La création, cette année, par William Sylvis, du Syndicat national du travail témoigne de cette volonté de mieux défendre les intérêts des travailleurs. Le Syndicat national du travail veut représenter les intérêts de tous les travailleurs (qualifiés, non qualifiés et même des fermiers) dans un programme commun. Outre la journée de travail de 8 heures, ce programme réclame l'établissement de coopératives réunissant consommateurs et producteurs, la réforme monétaire et bancaire, la restriction de l'immigration, la création d'un ministère du Travail. William Sylvis devient rapidement le leader syndical le plus populaire, le plus efficace. Il est convaincu que les travailleurs doivent s'engager dans la vie politique afin d'obtenir des réformes qui leur soient favorables. C'est pourquoi il encourage vivement la formation de partis ouvriers poursuivant une action réformiste.

Raskolnikov à la recherche du salut

Saint-Pétersbourg, 1866

Le romancier Fiodor Mikhaïlovitch Dostoïevski, après *Humiliés et Offensés* et *Mémoires écrits dans un souterrain*, ses œuvres les plus récentes, publie *Crime et Châtiment*, un roman d'une extraordinaire ampleur psychologique. Le héros, Raskolnikov, devient par orgueil le meurtrier d'une vieille usurière : c'est pour affirmer son indépendance absolue qu'il exerce le droit à disposer de la vie humaine. Or, obsédé jusqu'au délire par ce crime, il est poussé par une puissante nécessité intérieure à se dénoncer, afin de subir un châtiment librement consenti qui prouve sa liberté. Finalement, l'éveil de son amour pour Sonia, humble prostituée, lui fera découvrir une autre vie, plus proche de l'enseignement de l'Evangile. Ce roman, qui lui apporte la célébrité à l'étranger, apparaît comme le chef-d'œuvre de Dostoïevski, dont tous les romans ne cessent d'explorer le déchirement de l'homme entre la présence du mal et la recherche de Dieu. Cette même année, il fera également paraître *Le Joueur*.

Le Parnasse, une école poétique en réaction contre le romantisme

Paris, 1866

Un groupe de jeunes poètes édite chez Alphonse Lemerre un « recueil de vers nouveaux » ; en souvenir de la montagne des Muses, ils l'intitulent *Le Parnasse contemporain*. Ce recueil contient des poèmes de Gautier, Banville, Leconte de Lisle, Baudelaire, Hérédia, Coppée, Verlaine, Mallarmé, Catulle Mendès et Sully Prudhomme. Les parnassiens réagissent contre le romantisme sentimental symbolisé par Alfred de Musset. Ils reconnaissent Leconte de Lisle pour maître et entourent de leur respect Théophile Gautier, champion de l'art pour l'art. Leur tendance essentielle est en effet le culte de la perfection formelle. Hostiles aux débordements du lyrisme romantique et aux défaillances stylistiques qui en résultent, ils assignent à l'art la mission la plus haute : le Beau.

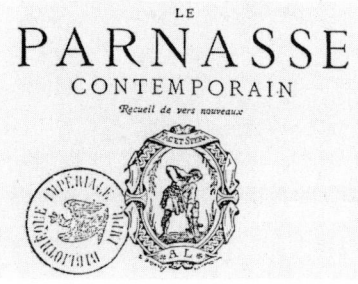

Typographie de la page de titre du « Parnasse contemporain ».

Le Suédois Nobel invente la dynamite

Stockholm, 1866

Seule la poudre noire est connue au milieu du XIXe siècle, mais cet explosif présente de nombreux inconvénients. La nitroglycérine, découverte en 1846, reste inemployée car son maniement est trop dangereux. C'est à ce problème que s'attache un chimiste suédois, Alfred Nobel (1833-1896), dès 1864. Après deux ans d'expériences, il fonde une société afin d'exploiter son invention : de la nitroglycérine fixée par une poudre de Kieselguhr (terre siliceuse) dans une proportion de 25 %. La dynamite est immédiatement utilisée dans cette période de recherches géologiques et d'aménagement des réseaux ferrés qui nécessitent l'emploi d'explosifs puissants. Fortune faite, Nobel s'assure l'exclusivité de son produit et de ses dérivés, dont le « plastic » découvert en 1875, composé de 93 % de nitroglycérine et de 7 % de collodion ; il rédige en 1895 un testament où il lègue son énorme fortune à une fondation chargée de créer cinq prix : les Nobel, distribués à partir de 1901.

Pierre Larousse publie son "Grand Dictionnaire universel du XIXe siècle"

Paris, 1866

L'éditeur Pierre Larousse entame la publication du *Grand Dictionnaire universel du XIXe siècle*. Héritier des encyclopédistes, il entend mettre à la disposition d'un large public une somme impressionnante de connaissances positives. Les sciences et les techniques figurent en bonne place, tandis que la langue elle-même est ramenée à un simple rôle d'outil de transmission. Les articles sont assurés par plusieurs centaines de collaborateurs.

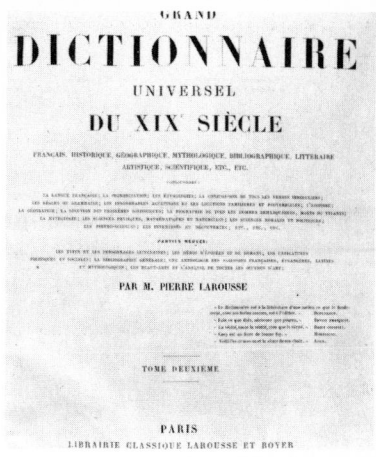

Page de titre du « Grand Dictionnaire universel du XIXe siècle ».

Le Congrès américain donne l'égalité civile aux Noirs

Washington, 13 juin 1866

Lincoln n'a pas attendu la fin de la guerre de Sécession pour proclamer qu'à partir du 1er janvier 1863 tous les esclaves noirs des Etats-Unis seraient « désormais et à jamais libres ». Depuis le 18 décembre 1865, date à laquelle le Congrès a voté le 13e amendement à la Constitution, c'est sur tout le territoire de l'Union que l'esclavage est formellement aboli : « Ni esclavage ni aucune forme de servitude involontaire, excepté en châtiment d'un crime dont l'accusé aura dûment été reconnu coupable, ne pourront exister aux Etats-Unis ni en aucun lieu soumis à leur juridiction... » Le 14e amendement, adopté en juillet 1868, garantira les droits civiques des Noirs et leur égalité devant la loi avec les Blancs.

Les frivolités de "La Vie parisienne" par Jacques Offenbach

Paris, 31 octobre 1866

Jacques Offenbach (1819-1880), auteur de *La Belle Hélène*, représentée en 1864 au théâtre des Variétés, donne aujourd'hui *La Vie parisienne*. L'opérette décrit les mésaventures de deux naïfs débarquant à Paris pour s'y adonner aux plaisirs d'une vie galante et folle. Conduits par deux farceurs dans des situations compromettantes, ils voient se succéder bals, dîners et parties de campagne, rythmés par une musique endiablée où apparaissent des danses d'une hardiesse inhabituelle.

La loge d'Hortense Schneider au théâtre des Variétés en 1873.

Fondation du Ku Klux Klan

Etats-Unis, 1866

Le Ku Klux Klan, fondé en décembre 1865, à Pulaski dans le Tennessee, par d'anciens soldats confédérés, est un mouvement de résistance sudiste. Son but essentiel est d'empêcher les Noirs de voter en les effrayant : rites mystérieux, port d'une cagoule blanche... Rapidement, le Klan, qui s'étend à d'autres Etats et compte 550 000 membres, ne se contente plus de ces manifestations spectaculaires mais se livre à des enlèvements et à des assassinats. Ces violences entraîneront sa dissolution dès 1869 ; mais les cellules locales poursuivront leurs activités.

Cérémonie d'admission d'un nouveau membre du Ku Klux Klan.

1867

France, 19 janvier
Napoléon III annonce une politique libérale en promulgant une loi sur la presse et une autre sur le droit de réunion. →

Allemagne, 24 février
Ouverture du Parlement constitutif d'Allemagne du Nord. La constitution de l'Union de l'Allemagne du Nord entrera en vigueur le 1er juillet. Elle prévoit pour l'exécutif un présidium fédéral où la Prusse exercera son hégémonie et un conseil fédéral où siégeront les représentants de tous les Etats.

Mexique, février
Les troupes françaises s'embarquent pour la métropole, laissant Maximilien qui sera pris par les partisans de Juarez et exécuté le 19 juin. →

Alaska, 13 mars
Les Etats-Unis achètent l'Alaska à la Russie pour 7 200 000 dollars.

Autriche, 15 mars
Compromis austro-hongrois réglant le contentieux entre les deux pays par la constitution d'une « Double Monarchie ». →

Paris, 1er avril
Début de l'Exposition universelle. A cette occasion, le Français Edoux présente le premier ascenseur hydraulique.

Rétrospective de l'œuvre de Jean-François Millet.

Luxembourg, 7-11 mai
La question luxembourgeoise est réglée par la conférence de Londres. Initialement, Napoléon III espérait annexer le grand-duché, sous autorité néerlandaise, en compensation de ses services auprès de Bismarck et des Italiens. Devant l'hostilité des autres puissances, Napoléon III est contraint d'accepter la garantie collective de l'indépendance et de la neutralité du pays.

Bohême, 30 mai
Le compositeur tchèque Bedrich Smetana présente La Fiancée vendue. →

Canada, 1er juillet
Quatre provinces constituent la Fédération canadienne : le Québec, l'Ontario, la Nouvelle-Ecosse et le Nouveau-Brunswick. Elles adoptent une constitution reposant « sur les mêmes principes que celle du Royaume-Uni ». Le gouvernement central y dispose de tous les pouvoirs, ne laissant que quelques compétences locales aux assemblées provinciales. Le Parlement comprend deux chambres : un Sénat composé de membres nommés à vie et une Chambre des communes élue au suffrage universel.

France, 24 juillet
Une loi organise le fonctionnement des sociétés anonymes.

Grande-Bretagne, 15 août
Benjamin Disraeli obtient une réforme du code électoral, qui permet d'augmenter d'un million le nombre des électeurs, des ouvriers pour la plupart.

Salzbourg, 18-22 août
Rencontre des empereurs d'Autriche et de France afin de resserrer leurs liens contre la Prusse.

Hambourg, 14 septembre
Karl Marx publie le premier tome du Capital. →

Italie, 3 novembre
Giuseppe Garibaldi, qui a envahi l'Etat pontifical le 23 octobre, est arrêté à Mentana par les troupes françaises envoyées le 26 sous le commandement du général de Failly. Le pape Pie IX obtient la protection des troupes françaises pour trois années supplémentaires.

Japon, 8 novembre
Le shôgun Yoshinobu, du clan des Tokugawa, démissionne de ses fonctions en faveur de l'empereur. →

Il avait remplacé Iyemoshi, mort d'épuisement le 19 septembre 1866 à Osaka. Mort en janvier 1867, l'empereur Kômei Tennô laisse le trône à son fils Mutsuhito.

Autriche, 1er décembre
Johannes Brahms (1833-1897) présente son Requiem allemand.

Grande-Bretagne, 13 décembre
Second échec à Londres d'un soulèvement des Fenians irlandais. Un premier coup de force à Manchester, le 18 septembre, avait connu le même sort.

Europe
La crise économique gagne l'Europe, faisant suite à la guerre de Sécession qui a perturbé le marché du coton et provoqué de nombreuses faillites en Grande-Bretagne. A la situation financière délicate s'est ajoutée une mauvaise récolte générale.

Libéralisation du Second Empire

Paris, 19 janvier 1867
Une lettre adressée par l'empereur à son ministre d'Etat Rouher et publiée dans *Le Moniteur* annonce des réformes libérales, notamment sur la presse et le droit de réunion, mais aussi sur l'organisation du pouvoir législatif. Quelques jours après, le droit d'adresse est effectivement remplacé par le droit d'interpellation ; désormais, les ministres concernés doivent venir devant le Corps législatif pour défendre leur politique. La procédure reste cependant complexe et on est encore loin d'un véritable régime parlementaire. Quant aux lois sur la presse et le droit de réunion, elles se feront attendre jusqu'au printemps 1868. Ces atermoiements témoignent des hésitations de l'empereur dans sa politique de libéralisation. Depuis 1860, en effet, il s'efforce de gagner des sympathies en accordant diverses concessions à l'opposition. Ces surprenantes initiatives s'expliquent sans doute par le tempérament du souverain, mais aussi par les dissensions croissantes qui le séparent de beaucoup de conservateurs, mécontents de sa politique douanière et de son attitude à l'égard du pape. Les ouvriers, qu'il espérait rallier à l'Empire avec la loi sur les coalitions de 1864 qui leur accorde le droit de grève, sont au contraire de plus en plus liés aux républicains qui utilisent les concessions pour combattre plus efficacement le régime. Le seul succès de cette politique est le ralliement à l'Empire de l'ancien opposant républicain Emile Ollivier. Mais celui-ci n'est appelé à former un gouvernement qu'en décembre 1869. C'est alors seulement qu'on peut véritablement parler d'un Empire libéral, avec le sénatus-consulte du 20 avril 1870, qui infléchit le régime dans le sens du parlementarisme. Quelques semaines avant sa chute, l'Empire paraît ainsi considérablement renforcé, puisqu'une immense majorité de Français approuve cette évolution lors du plébiscite du 8 mai 1870 : 7 350 000 oui contre 1 572 000 non. Confiant, Ollivier déclare alors : « Nous ferons à l'empereur une vieillesse heureuse. »

Le Palais de l'Exposition universelle de 1867 à Paris au Champ-de-Mars, face à l'Ecole militaire. Gravure d'époque.

Till l'Espiègle célébré par Charles de Coster

Belgique, 1867
L'écrivain Charles de Coster (né à Munich en 1827), auteur d'un recueil de *Légendes flamandes* et de *Contes brabançons*, publie, après un labeur acharné de dix ans, *Les Aventures de Uylenspiegel et de Lamme Goedzack au pays de Flandres et ailleurs*. De Coster y transforme le paysan facétieux de la légende germanique très populaire en un défenseur de la justice et de la liberté. Le récit, qui joint l'héroïsme au comique, a pour cadre historique la révolte des Pays-Bas contre la tyrannie de Philippe II, où Till l'Espiègle, à la tête d'une bande de gueux, joue aux Espagnols des tours pendables. Charles de Coster s'éteindra à Bruxelles en 1879.

Mallarmé affirme que "le monde est fait pour aboutir à un beau livre"

Paris, 1867
Le « poète las que la vie étiole », Mallarmé, qui rêve d'un « livre » conçu comme « l'œuvre d'art totale », compose un long poème *Herodiade* (1864-1867). Cette œuvre « musicienne du silence », est le poème magnifique de l'absence, de l'Idée pure. Mallarmé, qui vient de donner (1866) au *Parnasse contemporain* ses premiers poèmes, proclamait dès 1862 un symbolisme hermétique : « *Suggérer*, voilà le rêve... »

L'empire d'Autriche vers le bicéphalisme

Vienne, 15 mars 1867

Affaiblie par un demi-siècle de luttes, l'Autriche a perdu toute influence en Italie et en Allemagne ; vaincue en 1866 par la Prusse (bataille de Sadowa), son armée est détruite et ses finances ruinées. Aussi doit-elle composer à l'intérieur avec la nation la mieux organisée : la Hongrie. Le 15 mars 1867, le chef du gouvernement autrichien, le comte Beust, signe avec les deux représentants hongrois, Deak et Andressy, le « compromis austro-hongrois », qui instaure un régime bicéphale. Deux nouveaux Etats paritaires sont créés, la Cisleithanie et la Transleithanie. La Cisleithanie, ou empire d'Autriche, comprend, outre l'Autriche, la Bohême, la Moravie, la Galicie, la Bucovine, le Trentin, la Dalmatie, la Slavinie et l'Istrie. La Transleithanie, ou royaume de Hongrie, regroupe tous les anciens territoires historiques de la couronne de Saint-

François-Joseph Ier, empereur d'Autriche et roi de Hongrie.

Etienne : Hongrie, Slovaquie, Transylvanie et Croatie. Les deux Etats seront dotés chacun d'un parlement avec un cabinet responsable. Ils sont liés par la personne du souverain, tout à la fois empereur d'Autriche et roi de Hongrie (le 8 juin, François-Joseph est couronné à Budapest). Ce compromis, qui doit être renouvelé tous les dix ans, ne satisfait pas les nationalistes hongrois qui aspirent à l'indépendance ; et surtout, il sacrifie toutes les autres nationalités.

Colonisation française de la Cochinchine

Cochinchine, 1867

Après le traité du 5 juin 1862, qui donnait à la France les trois provinces orientales de la Cochinchine, le remplacement de l'annexion de ces provinces par un protectorat français sur toute la Cochinchine est étudié à plusieurs reprises. Mais le projet est abandonné en 1864, sous la pression des milieux d'affaires et des militaires. Les amiraux sont décidés à achever la conquête du sud indochinois. Le but est également de réduire les révoltes qui persistaient dans plusieurs régions. En 1866-1867, l'amiral La Grandière apporte à la France les trois provinces occidentales.

Une fin tragique pour Maximilien au Mexique

Querétaro, 19 juin 1867

Jugé en conseil de guerre, Maximilien est condamné à mort : Benito Juarez ne lui pardonne pas le décret qui condamnait les opposants à l'exécution immédiate. Restant sourd aux demandes de grâce des souverains européens, le libérateur fait fusiller l'ex-empereur au petit matin sur la colline de Las Campanas. Abandonné par les troupes françaises en mars et refusant l'abdication, Maximilien s'était rendu à Querétaro pour prendre le commandement suprême du reste de l'armée impériale et tenter d'arrêter l'avance des juaristes. S'étant laissé encercler, il refusa d'abandonner ses hommes et fut forcé de se rendre le 14 mai. La nouvelle de son exécution parvint à Paris pendant l'Exposition universelle, alors que l'impératrice Eugénie allait procéder à la remise des récompenses.

L'exécution de l'empereur du Mexique Maximilien. Peinture d'Edouard Manet. 1867-1868. Kunsthalle, Mannheim.

Karl Marx, critique du capitalisme

Hambourg, 14 septembre 1867

L'œuvre fondamentale du philosophe Karl Marx (1818-1883), exilé à Londres, est publiée chez Otto Meissner. Tiré à mille exemplaires, *Le Capital*, sous-titré *Critique de l'économie politique*, passe quasiment inaperçu. Seuls quelques socialistes entrevoient l'importance des théories révolutionnaires exposées dans cet ouvrage. Par une méthode d'analyse fondée sur la dialectique, Marx cherche à mettre à nu les rapports sociaux, en dévoilant le fonctionnement interne du système capitaliste. Dans le premier volume, *Développement de la production capitaliste* (en fait, le seul paru du vivant de Marx, les autres étant rédigés par Engels à partir des notes laissées par Marx), il s'attaque au fétichisme de la marchandise et à la domination de l'argent. Toute sa démonstration s'articule sur la distinction entre valeur d'usage et valeur d'échange. Puis, examinant l'exploitation de la force de travail des prolétaires qui s'échange et s'achète comme n'importe quelle autre marchandise, il démonte les mécanismes de formation de la plus-value. Il forge cette notion pour désigner le sur-travail fourni par les ouvriers (temps supérieur à celui qui correspond aux salaires). La plus-value, en tant qu'excédent par rapport au coût réel du travail, est monopolisée par les capitalistes à travers l'appropriation privée des moyens de production. Mais ceux-ci sont confrontés à la nécessité de l'accumulation et doivent donc augmenter sans cesse la plus-value : ils introduisent de plus en plus de machines dans la production (capital fixe) et diminuent le nombre des ouvriers (capital variable), alors que la plus-value découle de leur travail. C'est un cercle vicieux : pris dans ses contradictions, le capital entre en crise (saturation des marchés, surproduction et sous-consommation). Les rapports de production capitalistes deviennent un obstacle au développement des forces productives. Historiquement, ce système d'exploitation est condamné. Cette critique de l'économie politique débouche sur la lutte des classes.

Karl Marx, philosophe et théoricien du socialisme. 1867.

Ouverture du premier congrès panslave

Moscou, mai 1867

A l'occasion de l'Exposition ethnographique de Moscou se réunit le premier congrès panslave. Tous les peuples slaves sont représentés, à l'exception des Polonais. C'est Frantisek Palacky qui se trouve à la tête de la délégation tchèque : déçu par la politique autrichienne, il attend désormais de la Russie le salut de la nation slave. Affirmation résolue de l'originalité et de la tradition slavophiles, le congrès entend œuvrer à la libération de tous les peuples frères encore opprimés par les Turcs et souhaite la formation d'une vaste confédération réunissant tous les Slaves disséminés de l'Elbe à l'Adriatique sous la protection de la mère patrie russe. Les slavophiles représentent un mouvement littéraire né au début du siècle et défendu par Alexis Stepanovitch, Khomiakov et Sergeï Aksakov, qui affirment face aux occidentalistes l'identité nationale.

Le dernier shôgun démissionne

Japon, 8 novembre 1867

A la suite d'incidents entre samouraï ennemis et de révoltes paysannes, Tokugawa Yoshinobu démissionne de ses fonctions de shôgun et rend le pouvoir au jeune empereur. Désireux de s'aligner sur les démocraties occidentales, Yoshinobu cherchait depuis 1866 à moderniser les institutions. Sa démission marque la fin du shôgunat des Tokugawa, mis en place en 1603. Yoshinobu restera toutefois chef du gouvernement jusqu'à ce que ses partisans cèdent devant les samouraï des fiefs du sud-ouest, favorables à un retour complet au pouvoir impérial.

Tokugawa Yoshinobu, dernier shôgun du Japon.

1868

Japon, 3 janvier
Le coup d'Etat mené par les daïmios du sud-ouest réussit à abattre le régime du shôgunat. →

France, 20 mars
La Section française de l'Internationale ouvrière fondée par Eugène Varlin et Benoît Malon est dissoute. L'organisation sera condamnée une seconde fois le 18 juin.

Japon, 23 et 25 mars
Pour la première fois, l'empereur se montre en public.

Madagascar, mars
L'ancien Premier ministre Raharo tente de reprendre le pouvoir qu'il a perdu le 14 juillet 1864 lorsque sa femme, la reine Rasoherina, a été déposée par son frère Rainilaiarivony. Ce dernier réussit à s'emparer des conjurés ; à la mort de la reine Rasoherina, il épouse la cousine de celle-ci, Ramoma, qui monte sur le trône sous le nom de Ranavalona II.

France, 11 mai
Lois assouplissant le régime de la presse. Cette mesure sera suivie le 6 juin d'une autre loi dispensant d'autorisation préalable les réunions portant sur l'industrie, l'agriculture ou la littérature. →

France, 30 mai
Parution du premier numéro du journal d'Henri Rochefort, *La Lanterne.*

Allemagne, 21 juin
Wagner présente sa comédie lyrique *Les Maîtres chanteurs,* entreprise en 1848.

Belgrade, Serbie, 29 juin
Après avoir obtenu en 1867 le départ des troupes ottomanes du pays, le prince Michel Obrénovitch est assassiné par des inconnus. L'assemblée désigne comme successeur son cousin Milan Obrénovitch, âgé de quatorze ans. Jusqu'à sa majorité en 1872, le pays sera dirigé par Jovan Ristitch.

Etats-Unis, 28 juillet
En faisant adopter le 14e amendement à la Constitution, le Congrès garantit aux Noirs le droit de vote dans tous les Etats. Le refus des premières assemblées sudistes de l'adopter avait conduit le Congrès à replacer dix Etats sudistes sous l'autorité militaire en application de la loi du 2 mars 1867.

France, 31 juillet
Fondation de l'Ecole pratique des hautes études. →

Allemagne, 17 août
Le Parlement de l'Allemagne du Nord adopte le système métrique et le système décimal.

Autriche, 22 août
Mécontent du peu de place laissée aux Tchèques dans le compromis austro-hongrois, les députés tchèques se retirent du Parlement. L'agitation sera vaincue par des mesures d'exception prises contre Prague. De leur côté, les Croates signent un accord avec le Parlement de Budapest, qui leur octroie une autonomie relative et officialise l'usage de la langue croate.

Espagne, 17 septembre
Seconde insurrection du général Prim, qui réussit à chasser Isabelle II le 30. →

Japon, 6 novembre
Les derniers partisans des Tokugawa, commandés par le shôgun Yoshinobu, sont vaincus à la bataille de Wakamatsu.

Manchester
Congrès des *Trade Unions.* →

Afrique australe
Mort du chef Mswazi, fondateur de l'Etat du Swaziland, qui restera indépendant jusqu'en 1902.

Le Caire
Publication du *Livre des chansons.* →

France
Alphonse Daudet publie *Le Petit Chose.*

Henri Labrouste achève la grande salle de lecture de la Bibliothèque nationale de Paris. →

Pierre et Ernest Michaux construisent la première moto à vapeur.

Grande-Bretagne
Charles Darwin publie *De la variation des animaux et des plantes domestiques.*

Le leader libéral William Gladstone devient Premier ministre.

Allemagne
Les historiens Ranke, Sybel, Burkhardt et Mommsen publient un ouvrage de méthode : *Fondement de la science historique.*

L'ère Meiji s'ouvre au Japon

Tokyo, 3 janvier 1868
La restauration du régime impérial est officiellement proclamée. Désormais, le pays entre dans une ère de réformes et de bouleversements institutionnels qui préparent la voie à sa modernisation. Si le jeune empereur Meiji ne joue pas un rôle dirigeant – il règne et on gouverne en son nom –, il sait s'entourer d'esprits brillants et dynamiques qui ont pour objectif principal la sauvegarde de l'indépendance nationale. Leur mot d'ordre est simple : « Faire du Japon un pays riche doté d'une armée puissante. » Dans les années qui suivent, les réformes s'accumulent avec deux orientations prédominantes : d'une part, abolir les vestiges de l'ancien régime féodal et mettre en place un Etat centralisé et efficace ; d'autre part, préparer les conditions de la révolution industrielle à venir. Le tout doit s'accomplir « en empruntant les techniques occidentales tout en préservant les valeurs japonaises ». En 1869, l'abolition des pouvoirs féodaux régaliens consolide l'autorité impériale. Les seigneurs qu'étaient les daïmios sont transformés en fonctionnaires ; puis, en 1871, leurs fiefs sont supprimés et des préfectures sont créées. Les samurais qui, le plus souvent, occupaient des fonctions bureaucratiques deviennent membres de la nouvelle administration impériale. La même année, les anciens ordres féodaux sont supprimés, même si des titres de noblesse subsistent. La discrimination contre les parias est elle aussi officiellement interdite et tout sujet japonais a désormais accès à la fonction publique. En 1870, la mise en place d'un ministère de l'Education chargé d'instaurer la scolarité obligatoire jusqu'à douze ans révèle l'attachement des nouveaux dirigeants pour la culture. Sur le plan de la vie quotidienne, des mesures apparemment anodines viennent bouleverser les habitudes : adoption du calendrier occidental avec repos hebdomadaire le dimanche, système métrique, costume et coiffure à l'occidentale, levée des tabous sur la consommation de viande... En 1873, deux réformes fondamentales couronneront l'œuvre réformatrice. Une loi visera à transformer les redevances féodales en impôts d'Etat et, sous certaines conditions, les paysans pourront racheter la terre, créant une couche de propriétaires fonciers dominant une paysannerie misérable. Par ailleurs, l'Etat décrétera la création d'une armée moderne de conscription. A cette date les piliers de l'ordre social nouveau sont en place.

Combat singulier entre samouraï lors d'un tournoi. Gravure sur bois de Yoshitora. La classe des samouraï fut supprimée vers 1878.

Parution au Caire du "Livre des chansons"

Le Caire, 1868

Il aura fallu attendre près de dix siècles l'introduction de l'imprimerie pour que soit enfin diffusée cette œuvre maîtresse de la littérature arabe : le *Livre des chansons* d'Abû al-Faraj al-Isfahâni (897-967). Certains y voient d'abord une compilation. Pourtant l'auteur, un des précurseurs de l'humanisme, va bien au-delà de la simple anthologie, puisqu'à tout moment il fait à la fois œuvre de critique, de chroniqueur et d'historien : il s'agit bien d'une encyclopédie de l'islam avant la date.

Les lois sur la presse libèrent la parole

Paris, 11 mai 1868

La législation sur la presse entraîne une véritable floraison de nouvelles publications : pas moins de 140 journaux se créent en un an. L'opposition met à profit cette libéralisation pour se déchaîner contre le régime impérial. C'est ainsi que dans son journal, *La Rue*, Jules Vallès fait preuve d'une telle virulence que bientôt ses imprimeurs s'en effraient et mettent fin à la publication après le 34ᵉ numéro. Mais c'est *La Lanterne* d'Henri Rochefort qui obtient le plus spectaculaire succès : 120 000 exemplaires sont vendus chaque semaine. L'empereur y est tourné en dérision avec une ironie féroce. Un exemple : commentant la nomination par le pouvoir d'un célèbre avocat d'assises comme candidat de l'empereur à la députation, il écrit : « Le choix est excellent, personne n'ignore que maître Lachaud défend admirablement les malfaiteurs. »

Première page du nº 1 de « La Lanterne » d'Henri Rochefort.

Les syndicats anglais tiennent congrès

Manchester, 1868

Les délégués de très nombreuses organisations syndicales de métier, de bourses du travail et de mutuelles ont tenu un congrès à Manchester. Depuis quelques années, le mouvement syndical connaît un développement important, retrouvant les grandes mobilisations du temps du chartisme. En 1865, des militants de l'Internationale fondent une ligue pour obtenir des droits légaux qui connaît un succès impressionnant en 1867. Désormais, le mouvement syndical, dont le soutien est sollicité par les réformistes libéraux, se lance dans le combat politique. Le Congrès décide de créer un comité parlementaire pour contrôler l'activité législative du Parlement et y assurer le succès des thèses syndicalistes. En 1874, deux dirigeants des mineurs seront les premiers syndicalistes à entrer aux Communes.

Carte de l'Union nationale des ouvriers et travailleurs du gaz en Grande-Bretagne. 1889.

Une nouvelle révolution chasse Isabelle II

Cadix, 17 septembre 1868

A l'aide de la marine et d'une partie de l'armée de terre, le général Prim déclenche un coup d'Etat. Le peuple se rallie au soulèvement. Une junte de coalition (progressistes, unionistes et démocrates), présidée par le marin Topete, proclame le suffrage universel. Le 29 septembre, les insurgés s'ouvrent la route de Madrid grâce à la victoire d'Alcolea sur le Guadalquivir. Le lendemain, la reine Isabelle II se réfugie à Pau, ville depuis laquelle elle publie une proclamation où elle appelle à la reconnaissance de ses droits divins.

Isabelle II d'Espagne.

La salle de lecture des imprimés à la Bibliothèque nationale, Paris. 1868. Architecte : Henri Labrouste.

Une audacieuse architecture pour la Bibliothèque nationale

Paris, 1868

Après la bibliothèque Sainte-Geneviève (1843-1861), Henri Labrouste construit la Bibliothèque nationale. La salle de lecture, couverte de neuf coupoles revêtues de céramique qui diffusent la lumière et dont le poids retombe sur de fines colonnes, est d'une hardiesse qui pourra être considérée comme le début de l'architecture fonctionnaliste.

Alexandre Herzen réédite la revue "La Cloche"

Genève, 1868

Alexandre Herzen a été en Russie un représentant de la « gauche hégélienne », avant de s'exiler en 1847 pour raisons politiques. Il publie à Londres une revue antitsariste, *L'Etoile polaire*, puis en 1857 une revue politique et littéraire, *La Cloche*, clandestinement diffusée en Russie. Réfugié à Genève en 1868, il reprend la publication de *La Cloche* en français, où il expose un socialisme utopique et slavophile.

Fondation à Paris de l'Ecole pratique des hautes études

Paris, 31 juillet 1868

Le ministre de l'Instruction publique, Victor Duruy (1811-1894), entreprend de réformer l'enseignement supérieur, qu'il juge sclérosé. Sa principale création est l'Ecole pratique des hautes études : disposant d'une grande liberté pour organiser ses travaux et bénéficiant de davantage de matériel que l'université, elle doit former des chercheurs rompus aux méthodes les plus novatrices de la science moderne.

913

1869

Japon, 1er janvier
L'empereur se proclame favorable aux relations avec l'étranger et met en acte le programme défini le 14 février 1868, en ouvrant deux nouveaux ports au commerce avec les Européens : Yedo et Niigata.

France, 20 février
Paul Verlaine publie *Les Fêtes galantes*.

Washington, 4 mars
Le général Ulysses Grant, républicain, prend ses fonctions de président de la République.

Japon, 5 mars
Des daïmios de quatre clans remettent à l'empereur les registres qui consacraient leurs droits féodaux avant qu'ils soient contraints, en juillet, de tous les abandonner. La noblesse civile et militaire, dorénavant unie, constitue la première classe de l'empire, devant les samurais.

Canada, 9 mars
Les régions occidentales entre l'Ontario et les montagnes Rocheuses sont cédées au Canada par la Compagnie de la baie d'Hudson, pour la somme d'un million et demi de dollars. L'accord prendra effet au 1er décembre.

Etats-Unis, 10 mai
Ouverture de la première ligne de chemin de fer transcontinentale. →

Europe, 10 mai
La France signe avec l'Autriche et l'Italie un traité secret dirigé contre la Prusse.

France, 24 mai
Aux législatives, l'opposition gagne des voix : les royalistes obtiennent 41 sièges, les républicains 30 et les bonapartistes 212.

Saint-Etienne, 16 juin
A La Ricamarie, la troupe tire sur des mineurs en grève : 14 morts et des dizaines de blessés.

Prusse, 17 juin
Le roi Guillaume Ier inaugure le port de Wilhelmshaven, sur la mer du Nord, à l'embouchure du golfe de Jade.

France, 12 juillet
Le baron Eugène Rouher est contraint de démissionner après les résultats médiocres des élections.

Irlande, juillet
La loi de « desestablishment » proposée par le ministre Gladstone met fin au problème religieux : désormais, les catholiques irlandais ne seront plus tenus de payer une dîme à l'Eglise anglicane d'Irlande, qui perd son caractère officiel ; de plus, ses biens sont distribués aux presbytériens et aux catholiques ainsi qu'à des œuvres charitables et éducatives.

Allemagne, 7 août
Fondation du nouveau parti social-démocrate au congrès d'Eisenach. →

France, 30 septembre
Napoléon III rencontre le chef de l'opposition républicaine modérée, Emile Ollivier, à Compiègne.

France, septembre
Un nouveau sénatus-consulte accroît les pouvoirs du Corps législatif, qui peut désormais proposer des lois, voter le budget par chapitres, interpeller librement le gouvernement et fournir les futurs ministres.

Paris, 17 novembre
Parution du roman de Gustave Flaubert *L'Education sentimentale*. →

Egypte, 17 novembre
Inauguration du canal de Suez. →

Rome, 8 décembre
Ouverture du concile Vatican I, convoqué en juin 1868 : pour la première fois, les représentants des Etats européens ne sont pas invités.

Espagne
Les nouveaux régents choisissent pour souverain le prince Léopold de Hohenzollern-Sigmaringen.

Russie
Tolstoï publie *Guerre et Paix*. →

Le chimiste Dimitri Mendeleïev fait paraître sa *Classification périodique des éléments*. →

Etats-Unis
L'ingénieur George Westinghouse invente le frein à air comprimé, qui réduit de 90 % la distance nécessaire pour arrêter un train.

Grande-Bretagne
Robert Browning publie un étrange et monumental poème de plus de 20 000 vers : *L'Anneau et le Livre*.

Première traversée du canal de Suez le 17 novembre 1869.

Ouverture solennelle du canal de Suez

Port-Saïd, 17 novembre 1869
En présence de l'impératrice Eugénie, de l'empereur d'Autriche, des princes héritiers d'Angleterre et de Prusse, le vice-roi d'Egypte inaugure le canal qui relie la Méditerranée à la mer Rouge. L'événement couronne dix ans de travaux gigantesques et des siècles de fantasmes. La France avait cru marquer un point lorsque, en 1854, le vice-roi d'Egypte, Mohamed Saïd, avait accordé à Ferdinand de Lesseps la concession des travaux pour percer l'isthme de Suez par un canal navigable, dont l'exploitation serait confiée à une compagnie universelle. C'était compter sans l'Angleterre et les intrigues politiques, stratégiques, financières et commerciales. En recevant Ferdinand de Lesseps à l'Académie française, le 22 avril 1885, Ernest Renan dira : « Un seul Bosphore suffisait bien jusqu'ici aux embarras du monde... Vous venez d'en créer un second, bien plus important que l'autre. Vous aurez ainsi marqué la place des grandes batailles de l'avenir. »

L'Amérique traversée d'est en ouest

Utah, 10 mai 1869
Les deux équipes chargées de la construction du chemin de fer transcontinental, l'une partie d'Omaha dans l'Iowa, l'autre de Sacramento en Californie, se rejoignent le 10 mai 1869 à Promontory Point, dans d'Utah. C'est une date capitale dans la croissance de l'Union : elle réalise l'unité de ce vaste continent ; les deux océans sont reliés. Après avoir autorisé en 1862 cette formidable opération, le Congrès a facilité la construction de ces deux lignes de chemin de fer par de larges subventions. Trois autres trains transcontinentaux s'ajouteront au premier dans les années 1880 : le *Northan Pacific*, de Saint Paul à Portland ; le *Santa Fe*, de Chicago à Los Angeles, et le *Southern Pacific*, de La Nouvelle-Orléans à Los Angeles : l'espace de la « frontière » américaine est vaincu.

La jonction des chemins de fer de l'« Union Pacific » et du « Central Pacific » à Promontory Point, le 10 mai 1869.

Liebknecht fonde le parti social-démocrate allemand à Eisenach

Eisenach, Saxe, 7 août 1869
Le mouvement politique fondé en 1863 par Ferdinand Lassalle connaît depuis la mort tragique en duel de son fondateur une crise profonde due à la direction très autoritaire de son nouveau président, Johann Schweitzer (1833-1875). L'organisation rivale, l'Union des associations allemandes de travailleurs, fondée aussi en 1863 par l'ancien tourneur August Bebel et par le révolutionnaire Wilhelm Liebknecht (1826-1900) de retour d'exil de Londres, connaît plus de succès, n'étant pas compromise avec le « socialisme » du chancelier Bismarck ; bien qu'adhérents de la Ire Internationale, ses fondateurs se font les propagandistes d'une république démocratique obtenue sans violence, grâce à des élections, afin de gagner les lassalliens dissidents et les démocrates appartenant aux nouvelles couches urbaines, ouvriers et employés. Cette modération vaut aux auteurs de ce programme les critiques acides de Karl Marx. Le congrès de fondation a lieu en Saxe ; la nouvelle organisation se démarque par son hostilité à la Prusse. Le parti du peuple saxon, fondé par Bebel en 1866, les associations ouvrières et des dissidents lassalliens se regroupent ainsi au sein du parti social-démocrate.

Destin individuel et destin national dans "Guerre et Paix"

Russie, 1869
Léon Tolstoï (1828-1910) publie le quatrième et dernier volume de sa grande œuvre, une épopée historique qui a pour cadre la Russie de 1803 à 1813 et la guerre patriotique contre Napoléon : *Guerre et Paix*. Tolstoï élargit l'analyse psychologique à la dimension d'un tableau de toute la société russe, montrant comment l'esprit des masses populaires modèle les grands événements de l'histoire. Sur cette trame se développent les péripéties de deux familles nobles, les Bolkonski et les Rostov, dominées par les portraits du général Koutousov, incarnation de la résistance du peuple aux envahisseurs, et de Natacha Rostov, femme russe, animée d'un patriotisme ardent.

Tolstoï.

Le chimiste Mendeleïev classe les éléments

Saint-Pétersbourg, 1869
La *Classification périodique des éléments* de Dimitri Mendeleïev ouvre une nouvelle ère en chimie. Il calcule le poids atomique de chaque élément qu'il connaît et note en même temps ses propriétés et ses combinaisons. Il constate en les classant par ordre croissant que les propriétés se répètent à intervalle régulier. Ainsi les éléments qui ont des propriétés semblables ont-ils des poids atomiques proches. La valeur du poids atomique caractérise donc les propriétés des éléments. En 1871, il publie un tableau amélioré mais qui ne connaît pas le succès. Il faut attendre la découverte, en 1875, d'un nouveau corps, le gallium, pour que les chimistes s'aperçoivent que le tableau prévoyait cet élément, qui était encore inconnu.

L'éducation d'un jeune homme moderne selon Gustave Flaubert

Paris, 17 novembre 1869
Flaubert publie *L'Education sentimentale*, récit des « illusions perdues » de Frédéric Moreau, jeune étudiant impressionnable et velléitaire, qui nourrit des ambitions artistiques et mondaines dans le Paris des années 1840.

N'osant réaliser sa passion « grave, religieuse » pour Marie Arnoux (qui évoque la figure, inoubliable pour l'auteur, d'Elisa Schlésinger), Frédéric hésite entre le plaisir sexuel (la courtisane Rosanette) et la vanité mondaine (la riche Mme Dambreuse). Indécis dans ses choix amoureux, il voue sa vie à l'échec. Le roman dépeint aussi avec justesse le règne de Louis-Philippe et la jeunesse qui devait faire la révolution de 1848.

Flaubert.

Dimitri Mendeleïev. Il inaugura une ère nouvelle en chimie.

Les folies gothiques de Louis II de Bavière

Bavière, 1869
Après la musique, le roi de Bavière s'est découvert une nouvelle passion, l'architecture. Il fait bâtir sur les hauteurs des forêts de Bavière toute une série de châteaux : Neuschwanstein, Berg, Linderhof, Herrenchiemsee, Hohenschwangau. Constructions souvent gigantesques, d'apparence fantastique, ces châteaux, où un gothique de fantaisie voisine avec le rococo le plus extravagant, veulent s'inspirer de Versailles ou, à l'instar de Richard Wagner, évoquer le monde disparu des vieilles légendes germaniques. Mais les dépenses croissantes du roi ont vidé les caisses de l'Etat. Finalement, Louis II sera interné au château de Berg, où il se noiera avec son médecin, dans des circonstances restées incertaines.

Le château de Neuschwanstein, folie néo-gothique de Louis II de Bavière.

De la houille blanche grâce à Aristide Bergès

Lancey, Isère, 1869
L'électricité ne peut devenir une source d'énergie qu'à condition de trouver le moyen de la produire facilement. En 1869, l'industriel et ingénieur Aristide Bergès (1833-1904) a l'idée pour faire tourner les machines de sa papeterie de Lancey (Isère) d'utiliser la force motrice des chutes d'eau. Il construit un barrage situé à 2 000 m au-dessus de l'usine et une conduite capable d'amener 500 litres d'eau à la seconde sur ses aubes. Après la découverte de la dynamo en 1873, il transforme ce mécanisme en y adaptant une génératrice qui lui fournit de l'électricité gratuite pour actionner ses machines. Il a, selon son expression, inventé une nouvelle source d'énergie : la « houille blanche ».

Cruauté et humour chez Lautréamont

Paris, 1869
Isidore Ducasse (1846-1870) publie les six *Chants de Maldoror*, sous le pseudonyme de comte de Lautréamont (le premier avait paru en 1868, sans signature). Manifeste de la révolte contre Dieu, les *Chants* célèbrent la malfaisance de la création, s'appuyant sur tous les crimes dont l'univers est le théâtre : « Moi, je fais servir mon génie à peindre les délices de la cruauté », déclare le double monstrueux du poète dont le long monologue hanté d'animaux fantastiques (« C'est un cauchemar qui tient la plume ») mêle l'ironie, le lyrisme, l'hyperbole, le pastiche et le collage. Cette œuvre fulgurante sera une source féconde de la littérature du XXe siècle.

Portrait imaginaire de Lautréamont par Félix Vallotton.

Charles Cros découvre le procédé de la photographie couleur

Paris, 1869
Inventeur de génie, autodidacte et poète, Charles Cros (1842-1888) ne connaîtra pas la gloire. En 1869, il met au point la photographie en couleur, en partant d'un procédé trichrome. Il réalise dans un premier temps une analyse des couleurs en séparant les radiations visibles provenant de la scène à fixer dans les trois groupes, vert, rouge et bleu. Dans une deuxième étape, il superpose les trois couches sensibles colorées et obtient une reproduction en couleur. Mais, malgré une note envoyée à l'Académie des sciences pour décrire son invention, un autre inventeur met au point un procédé identique et reçoit les honneurs de la découverte. En 1877, Cros met au point le premier phonographe (depuis, l'Académie Charles Gros décerne un prix à sa mémoire). Il mourra dans la misère, en laissant une œuvre poétique goûtée de Verlaine et Manet, qui sera redécouverte par les surréalistes.

1870

Paris, 2 janvier
Les libéraux entrent au gouvernement, sous la présidence d'Emile Ollivier qui révoque le baron Haussmann dès le 5. →

Paris, 12 janvier
Les obsèques du journaliste Yvon Salmon, dit Victor Noir (1848-1870), assassiné par un cousin de Napoléon III, Pierre Bonaparte, donne lieu à une immense manifestation républicaine de plus de 100 000 personnes.

Europe, 2 février
Les agences de presse Havas, Reuter et Wolff signent un accord de coopération et se répartissent le monde pour le couvrir entièrement : à Havas les pays latins, à Reuter la Grande-Bretagne et l'Asie orientale, à Wolff l'Allemagne, l'Europe du Nord et de l'Est.

Algérie, avril
Les troupes du général de Wimpffen progressent difficilement dans le Sud-Oranais.

France, 8 mai
Napoléon III organise un plébiscite pour faire approuver le sénatus-consulte du 20 avril qui modifie la Constitution de 1852 en introduisant plus de parlementarisme dans les institutions. Le gouvernement obtient un vif succès : 7 350 000 oui contre 1 500 000 non.

Espagne, 9 juillet
Le roi Guillaume Ier de Prusse renonce à soutenir la candidature Hohenzollern au trône.

Rome, 18 juillet
Par l'adoption du dogme *Pastor aeternus*, le pape Pie IX se voit reconnaître l'infaillibilité sur les questions théologiques et la totalité des pouvoirs dans ses diocèses. →

France, 19 juillet
La France déclare la guerre à la Prusse à la suite de l'envoi par Bismarck de la « dépêche d'Ems ». →

Irlande, 1er août
Gladstone fait voter un *Land Act* qui accorde aux tenanciers quelques garanties contre les évictions arbitraires des landlords. Cette année, un avocat protestant de Dublin, Isaac Butt (1813-1879), fonde un mouvement pour l'autonomie, le *Home Rule*.

Sedan, 2 septembre
La défaite ouvre le territoire français aux troupes prussiennes. →

France, 4 septembre
Déchéance de l'empire ; la république est proclamée. →

Italie, 6 septembre
Les troupes françaises ayant évacué Rome début août, le ministre Lanza confie au général Raphaël Cadorna la mission de s'emparer de la ville, qui tombe le 20. →

Strasbourg, 28 septembre
Encerclée depuis le 9 août, la ville se rend.

Rome, 2 octobre
Référendum en faveur de l'annexion au royaume d'Italie.

Tours, 24 octobre
Le décret Crémieux accorde aux Juifs la nationalité française. →

Espagne, 16 novembre
Cherchant un candidat au trône, le général Prim obtient l'acceptation d'Amédée de Savoie, fils du roi d'Italie, et l'accord des Cortès. Prim sera assassiné le 30 décembre, quelques jours avant l'arrivée du roi.

France, 4 décembre
L'armée de la Loire, après une première victoire à Coulmiers le 9 novembre, est battue à Beaune-la-Rolande le 28 novembre, puis à Orléans.

Venezuela
Le général Guzman Blanco (1829-1899), déjà vice-président à la suite de la révolution libérale de 1863-1868, reprend le pouvoir aux conservateurs. Président provisoire jusqu'en 1873, il sera confirmé à ce poste jusqu'en 1888, avant d'être renversé. Il ouvrira son pays aux capitaux étrangers et à la modernisation.

Afrique orientale
Les Portugais délimitent les frontières du Mozambique avec la république du Transvaal.

France
Hippolyte Taine expose sa conception sensualiste et associationniste dans *De l'intelligence*.

Etats-Unis
John Davison Rockfeller fonde la Standard Oil Compagny.

Turquie
Heinrich Schliemann, archéologue allemand, entreprend des fouilles à Hissarlik, où il pense avoir découvert le site de Troie.

Le baron Haussmann quitte ses fonctions

Paris, 5 janvier 1870
Un des premiers actes du cabinet Ollivier est de révoquer le baron Haussmann, préfet de la Seine, qui était depuis longtemps une des cibles favorites de l'opposition, notamment en raison de ses dépenses considérables. On se souvient en particulier du pamphlet de Jules Ferry : *Les Comptes fantastiques d'Haussmann*. Nommé par l'empereur dès 1853, cet homme énergique et autoritaire a complètement transformé Paris. Taillant à vif dans le dédale de ruelles tortueuses du centre de la capitale, il a ouvert de larges voies rectilignes, comme le boulevard de Sébastopol coupant à angle droit la rue de Rivoli en plein cœur du vieux Paris. Ces grands axes doivent rendre la circulation plus facile et desservir les gares nouvellement créées :

c'est le cas de la rue de Rennes pour la gare Montparnasse. Mais les préoccupations de maintien de l'ordre ne sont pas absentes : les larges avenues ne se prêtent pas à la construction de barricades, d'autant que le macadam se substitue aux pavés. Le long de ces voies sont construites de grandes maisons de rapport. Tous ces travaux impliquent de très nombreuses expropriations qui repoussent les classes populaires vers les quartiers périphériques, ce qui ne va pas sans créer un mécontentement. Paris s'est agrandi en 1860 en absorbant dix-huit communes, comme Vaugirard, Auteuil, Montmartre. Plusieurs parcs et les bois de Boulogne et de Vincennes datent aussi de l'ère Haussmann, de même que des constructions aussi diverses que les Halles, l'Opéra et la Bibliothèque nationale.

Les Halles centrales de Paris (1854-1870). Architecte : Victor Baltard.

Le décret Crémieux pour les Juifs d'Algérie

Tours, 24 octobre 1870
Isaac Moïse, dit Adolphe Crémieux (1796-1880), ministre de la Justice, fait adopter six décrets réglementant la vie en Algérie. L'un d'eux accorde la citoyenneté française aux Juifs d'Algérie. Un sénatus-consulte du 14 juillet 1865 avait admis la naturalisation individuelle des Juifs qui le souhaiteraient. Or, en quatre ans, les

demandes de naturalisation s'étaient limitées à 144, pour 37 000 Juifs algériens. Le décret Crémieux, qui fait de la naturalisation des Juifs indigènes une contrainte légale, soulève un tel tollé que, le 21 juillet 1871, Thiers ira jusqu'à déposer un projet d'abrogation, qui devra être retiré sous la pression d'Alphonse de Rothschild, menaçant de retirer le concours de sa banque, indispensable au succès des emprunts engagés par le gouvernement.

L'infaillibilité du pape décrétée par le concile Vatican I

Rome, 18 juillet 1870
Le concile œcuménique, réuni à Rome depuis le 8 décembre 1869 à l'initiative de Pie IX, vient d'adopter la constitution *Pastor aeternus* par 533 voix contre 2, une soixantaine d'opposants ayant quitté le Vatican avant le vote. Ce dogme proclame que le souverain pontife est infaillible lorsqu'il parle *ex cathedra*, c'est-à-dire lorsqu'il définit, en vertu de l'autorité de sa charge, un point de

doctrine en matière de foi ou de mœurs. Ainsi, alors que son pouvoir temporel achève de s'effondrer, le pape acquiert une prééminence absolument sans précédent en matière spirituelle. Cette évolution va de pair avec un renforcement considérable de la centralisation à l'intérieur de l'Eglise, au détriment des épiscopats nationaux. Le nouveau dogme n'est d'ailleurs pas sans susciter critiques et réserves en Allemagne. En France, les catholiques libéraux, comme Mgr Dupanloup, sont réticents et ne partagent pas l'enthousiasme des ultramontains, qui allient soutien au pape et conservatisme.

Napoléon III capitule à Sedan

Sedan, 2 septembre 1870

La guerre contre la Prusse, dont Ollivier disait le 15 juillet qu'il l'acceptait « d'un cœur léger », aboutit en quelques semaines à la déroute des armées françaises et à la chute du régime. Isolée sur le plan diplomatique, la France s'est trouvée seule face à la Prusse : le projet d'alliance avec l'Autriche et l'Italie ne s'est pas concrétisé. Or, l'armée française est nettement inférieure à celle de la Prusse à tous points de vue. Ses effectifs ne se montent qu'à 300 000 hommes contre 450 000. Les canons Krupp de l'artillerie allemande, en acier et se chargeant par la culasse, sont très supérieurs aux vieux canons français en bronze qui se chargent par la gueule. En ce qui concerne l'organisation et le commandement, l'armée française est mal préparée à une telle guerre, car beaucoup d'officiers ne connaissent que les expéditions coloniales. Les Prussiens qui attaquent l'Alsace l'emportent à Wissembourg le 4 août et à Woerth-Froeschwiller le 6. Mac-Mahon parvient cependant à se dégager grâce à la charge de la cavalerie à Reichshoffen, mais il doit abandonner l'Alsace. En Lorraine, après d'éphémères succès, les troupes françaises sont battues en raison de mésententes dans le haut commandement. L'empereur laisse alors le commandement en chef à Bazaine qui jouit d'un grand prestige : mais, après quelques atermoiements, celui-ci se replie sur Metz, où il se trouve rapidement bloqué par les Allemands. L'empereur avait rejoint l'armée de Mac-Mahon ; mais ce dernier, blessé, est remplacé par Wimpffen, qui se laisse encercler à Sedan. Pour éviter un massacre inutile, l'empereur décide de capituler : toute l'armée et le souverain lui-même sont faits prisonniers.

Le conseil des ministres du 4 septembre 1870 à l'Hôtel de Ville. De gauche à droite : Adolphe Crémieux, Ernest Picard, Jules Favre, le général Trochu (président du conseil), P. F. Dorian, Magnin, le général Le Flô, l'amiral Fourichon, Léon Gambetta et Jules Simon.

Après sa capitulation, le départ de Napoléon III de Sedan, accompagné de Bismarck, le 2 septembre 1870. Musée de l'Armée, Munich.

La république est proclamée à Paris

Paris, 4 septembre 1870

Dès les premiers revers du mois d'août, Ollivier est renversé : on lui reproche la légèreté avec laquelle il a engagé la France dans un conflit auquel elle n'était manifestement pas préparée. L'impératrice, qui assure la régence pendant que l'empereur est aux armées, remplace Ollivier par le général Cousin-Montauban, comte de Palikao, qui, comme elle, est favorable à une conception autoritaire de l'empire. Mais la succession des défaites remet en cause le régime lui-même. C'est le 3 septembre que la nouvelle de la capitulation de Sedan est connue à Paris. Des tractations confuses ont lieu entre le Corps législatif, l'impératrice, Palikao et le général Trochu, gouverneur militaire de Paris, qui aurait assuré la souveraine de son soutien en lui disant : « Souvenez-vous que je suis breton, catholique et soldat. » Reprochant à l'empereur d'avoir capitulé, la régente ne pense qu'à sauver le trône pour son fils. Mais le dimanche 4 septembre, la foule fait irruption dans la salle des Délibérations et le député Gambetta prononce la déchéance de la dynastie. Sous la conduite d'un autre député républicain, Jules Favre, le peuple de Paris gagne alors l'Hôtel de Ville, où la république est proclamée, après Lyon et Marseille. L'impératrice, réfugiée chez son dentiste, s'enfuit en Angleterre. Un « gouvernement de la Défense nationale » est constitué : il comprend onze membres, qui sont tous des députés de Paris. Jules Favre est aux Affaires étrangères, Gambetta à l'Intérieur. Quant à Trochu, qui n'a rien fait pour sauver l'empire contrairement à la promesse faite à l'impératrice, il se voit « appelé à la présidence du gouvernement ».

Des réserves pour les tribus indiennes

Etats-Unis, 1870

Depuis les années 1840, les tribus indiennes sont refoulées vers l'ouest ou parquées sur des réserves. En 1867, répudiant l'engagement selon lequel les Indiens des plaines pourraient conserver éternellement leurs terrains de chasse, le Congrès a voté une loi prévoyant leur transfert dans des réserves situées dans le Dakota du Sud et en Oklahoma. Les tribus indiennes se rebellent contre les Blancs qui les privent de leurs terres et de leurs moyens de subsistance. L'avance des pionniers entraîne en effet un massacre systématique du bison qui fournit traditionnellement aux Indiens une excellente viande, des peaux très appréciées et un poil laineux nécessaire à la confection des vêtements. La guerre qui oppose les Indiens aux troupes fédérales durera jusqu'en 1875. Les Sioux, qui sont les meilleurs guerriers, continueront de résister jusqu'en 1881. Les Peaux-Rouges survivants seront tous parqués dans des réserves à l'écart des voies de communication.

Le chef de la tribu des Nez-Percés.

Victor-Emmanuel II fait de Rome la capitale de l'Italie

Rome, 20 septembre 1870

Depuis la proclamation du royaume d'Italie, le gouvernement veut installer sa capitale à Rome. Mais la ville est occupée par Napoléon III, qui vient de rétablir le pouvoir temporel du pape. Résigné, Victor-Emmanuel II adopte Florence comme capitale. L'intégration de la Vénétie au Piémont en 1866 accroît le désir des Italiens d'achever la conquête de la péninsule et de prendre Rome. Garibaldi est par deux fois repoussé par les troupes françaises. En septembre 1870, profitant de la guerre et de la chute de Napoléon III, Victor-Emmanuel envahit les Etats pontificaux et prend la ville après la bataille de la Porta Pia, le 20 septembre 1870. L'annexion est consacrée par un plébiscite. Le pape, privé de sa puissance temporelle, refuse les indemnités proposées par le gouvernement italien qui possède désormais une capitale prestigieuse.

Giuseppe Garibaldi. Vers 1850. Peinture anonyme.

1871

Le Mans, 10-12 janvier
L'armée de la Loire, repoussée sur Beaugency (8-10 décembre 1870) par les troupes du général von der Thann, est définitivement vaincue.

Versailles, 18 janvier
Proclamation de l'Empire allemand. →

France, 28 janvier
Paris, encerclée par les troupes prussiennes, capitule. Pendant le siège, la capitale fut reliée par des ballons au reste du pays encore libre. A l'instar du *Neptune* qui parvint à survoler les positions prussiennes, soixante-quatre autres ballons s'envolèrent de Paris : cinq tombèrent aux mains de l'ennemi et deux se perdirent en mer. Ils ont permis de transporter une centaine de personnes. Le 7 octobre, Léon Gambetta, ministre de l'Intérieur, a emprunté cette voie. Parti à bord de l'*Armand-Barbès* de la place Saint-Pierre de Montmartre, il atterrit à Montdidier dans la Somme et tente d'organiser une armée de secours.

Bavière, 30 janvier
Le roi Louis II signe les traités de novembre entre la Prusse et les Etats du Sud, qui assurent à la Prusse l'hégémonie politique.

France, 1er février
Après les combats de la Lisaine (15 au 17 janvier), puis près de Pontarlier, le corps d'armée de Charles Bourbaki (1816-1897), qui avait pour tâche de dégager Belfort est contraint de se réfugier en Suisse où il sera interné.

France, 8 février
Les élections à l'Assemblée nationale donnent une large majorité aux royalistes, toutes tendances confondues, 430 environ contre 200 républicains.

France, 17 février
Adolphe Thiers est nommé chef du pouvoir exécutif de la République et forme un gouvernement d'union nationale qui siégera à Versailles. →

Versailles, 26 février
Signature des préliminaires de paix, qui seront suivis par la paix de Francfort le 10 mai.

Bordeaux, 1er mars
L'Assemblée nationale ratifie les préliminaires de Versailles.

Paris, 3 mars
La Garde nationale se fédère sous l'autorité d'un Comité central qui élira le 15 mars Giuseppe Garibaldi comme général en chef, mais celui-ci refuse. Dans son programme, la nouvelle instance affirme se fixer pour but l'instauration d'une « République démocratique et sociale ».

Allemagne, 3 mars
Les élections au premier Parlement allemand, le Reichstag, donnent au parti national-libéral la première place avec 125 députés, devant le Centre catholique qui obtient 63 sièges.

Algérie, 14 mars
Le bachagha Mohammed Mokrani déclare la guerre au commandant de Sétif, en Kabylie. En quelques jours, il conquiert la région et dispose de 100 000 hommes. Bien qu'il trouve la mort le 5 mai, près de l'oued Soufflat, et que ses alliés, le cheikh Haddad et ses fils se soumettent le 13 juillet, la rébellion ne sera vaincue qu'en janvier 1872.

Paris, 18 mars
La ville se soulève contre Thiers. →

Paris, 26 mars
Les élections au Conseil général de la Commune ne réussissent pas à désigner les 90 membres prévus, du fait des candidatures multiples et des refus de siéger. Comptant une forte minorité d'ouvriers, organe autant exécutif que législatif, il regroupe toutes les tendances révolutionnaires. La Commune est proclamée le 28. →

Paris, 2 avril
Les troupes versaillaises lancent leur première offensive sur Courbevoie. Le lendemain, les troupes de la Commune en trois colonnes tentent de marcher sur Versailles. Mal organisée, l'offensive se transforme en déroute. Les Versaillais commencent à assassiner les otages.

Allemagne, 16 avril
Entrée en vigueur de la Constitution impériale qui fait de l'Empire allemand un Etat fédéral à monarchie constitutionnelle.

France, 19 avril
La Commune de Paris adresse une déclaration solennelle au peuple français dans laquelle elle défend le droit à l'autonomie absolue de toutes les communes. Le mouvement communaliste gagne aussitôt d'autres régions : Lyon, Marseille, Saint-Etienne, le Languedoc et l'Isère.

Guillaume Ier proclamé empereur d'Allemagne dans la galerie des Glaces à Versailles le 18 janvier 1871. Peinture d'Anton von Werner.

L'Empire allemand est proclamé à Versailles

Versailles, 18 janvier 1871
Profitant de sa victoire sur la France, Bismarck achève la réalisation de l'unité allemande. D'abord réticent, Louis II de Bavière, poussé par l'enthousiasme populaire, adhère au nouvel empire, qui compte 41 millions d'habitants, répartis entre quatre royaumes (Prusse, Saxe, Wurtemberg, Bavière) et de nombreuses principautés et villes libres. Le gouvernement de l'Empire centralise les affaires d'intérêt général comme les Forces armées, les Affaires étrangères et le Commerce. Le chef du pouvoir exécutif reçoit le titre d'empereur et nomme le chancelier chargé de diriger la politique. Le pouvoir législatif est partagé entre deux chambres : les membres du Bundesrat sont désignés par les différents Etats, tandis que les députés du Reichstag sont élus au suffrage universel. Le régime fédéral doit respecter dans leurs principes l'originalité des Etats qui le composent, mais la primauté de la Prusse apparaît incontestable : le personnel politique de l'Empire est essentiellement prussien et le titre d'empereur est dévolu au roi de Prusse, de la même façon que son Premier ministre est chancelier. Au Bundesrat, la Prusse a 17 délégués sur 58, alors que 14 voix suffisent à repousser une motion ; quant au Reichstag, il n'a aucun pouvoir de décision. L'Empire allemand permet à la Prusse d'étendre son hégémonie à toute l'Allemagne.

Paris capitule devant les Prussiens

Versailles, 28 janvier 1871
C'est Jules Favre qui a négocié avec Bismarck l'armistice. Celui-ci fixe ses conditions : évacuation des forts, désarmement des troupes à l'exception d'une division pour assurer le maintien de l'ordre, versement d'une indemnité ; moyennant quoi, le ravitaillement de la capitale sera librement assuré. Mais l'accord prévoit aussi l'arrêt des combats pour toutes les armées de province, sauf celles de l'Est. Malgré les privations et les souffrances endurées pendant le siège, la population parisienne accueille fort mal cet armistice.

Des enfants victimes des bombardements pendant le siège de Paris par les Prussiens. Janvier 1871. Photographie.

Paris insurgé proclame la Commune

Paris, 18-28 mars 1871

Un pouvoir insurrectionnel se met en place dans Paris révolté, après la fuite du gouvernement. Ce soulèvement a plusieurs causes. La population, qui a durement souffert pendant le siège, qui a fait montre d'héroïsme, n'a cessé de reprocher leur manque d'initiative aux chefs militaires et elle a très mal accueilli la capitulation. L'élection d'une Assemblée nationale à majorité conservatrice pacifiste n'a fait qu'ajouter à l'amertume des Parisiens, d'autant qu'elle a accumulé les maladresses (ou les provocations) : elle s'est installée à Versailles par défiance, puis elle a supprimé la solde des gardes nationaux parisiens et décrété la fin du moratoire des loyers, mettant le petit peuple de Paris dans une situation matérielle tragique. Mais c'est le 18 mars, quand Thiers a voulu s'emparer des canons de Montmartre, qui avaient été financés par une souscription des Parisiens, que l'insurrection a éclaté. Deux généraux sont arrêtés par la foule et fusillés le soir même. Le comité central de la garde nationale s'installe à l'Hôtel de Ville et annonce l'élection du conseil général de la Commune de Paris, qui a lieu le 26 mars dans des conditions régulières, mais les abstentions sont nombreuses. Les élus modérés, peu nombreux, refusent de siéger. Le 28 mai, la Commune de Paris est officiellement proclamée. Dans plusieurs villes de province, notamment Lyon, Marseille, Le Creusot et Limoges, des mouvements communalistes se manifestent également, mais la plupart, assez vite, succombent à l'échec ou à la répression.

Les Communards s'apprêtant à abattre la colonne Vendôme le 16 mai 1871.

Barricade érigée rue d'Allemagne lors du soulèvement du 18 mars 1871.

La France perd l'Alsace et la Lorraine

Francfort, 10 mai 1871

La signature du traité de Francfort confirme les principaux points des préliminaires élaborés au mois de février. La France perd donc l'Alsace et un tiers de la Lorraine, dont la ville de Metz. Les négociations étaient conduites par Jules Favre et le truculent Pouyer-Quertier, un industriel normand, dont le prodigieux appétit aurait séduit Bismarck au point de lui arracher quelques concessions territoriales. En fait, le traité aggrave les conditions des préliminaires : outre Belfort, la France obtient certes plusieurs communes de ce département, mais en échange, elle a dû abandonner de riches terrains miniers en Lorraine et accepter des conditions plus dures pour le versement de l'indemnité. Enfin, il faut noter que les Alsaciens-Lorrains qui souhaitent rester français pourront exercer un « droit d'option » jusqu'au 1er octobre avec « faculté de transférer leur domicile en France et de s'y fixer ».

Semaine sanglante pour la Commune

Paris, 21-28 mai 1871

Après l'insurrection de mars, les dirigeants de la Commune jettent les bases d'un gouvernement original. Leur tâche n'est pas aisée, car la menace militaire reste présente, pendant les quelques semaines que dure le « Paris libre ». En outre, ils se partagent en tendances politiques sensiblement différentes. Il y a des blanquistes, souvent partisans de l'action violente : c'est le cas de Ferré et de Rigault ; en revanche, Blanqui lui-même, arrêté sur l'ordre de Thiers avant le 18 mars, est absent. Des représentants de la tradition jacobine jouent aussi un rôle important : on peut citer Delescluze, de sensibilité centralisatrice et convaincu de la nécessité de l'alliance du peuple et de la bourgeoisie, ce qui ne l'empêche pas d'être ouvert aux idées socialistes. Il faut évoquer aussi les membres de l'Internationale comme Varlin et Benoît Malon. Il y aussi d'étonnantes personnalités, comme Rossel, jeune officier ulcéré par l'armistice qui rejoint la Commune par patriotisme. Ces divisions ne facilitent ni la mise en œuvre des réformes ni l'organisation de la défense. Cependant, les différentes commissions créées par le Conseil de la Commune se comportent comme de véritables ministères et prennent, quand ils en ont le temps, d'intéressantes initiatives. C'est notamment le cas de la commission du Travail, de l'Industrie et des Echanges dirigée par un membre de l'Internationale, ami de Karl Marx, le Hongrois Léo Frankel : elle institue un moratoire des loyers, abolit le travail de nuit et établit la journée de 10 heures. La Commune décide également la séparation de l'Eglise et de l'Etat et ébauche une réforme de l'enseignement. Mais les problèmes militaires accaparent vite toutes les énergies, sans rendre pour autant la défense efficace : ce n'est pas le courage qui fait défaut, mais la discipline et la compétence. Les forts tenus par les communards tombent un à un, et le 21 mai les Versaillais entrent dans Paris par la porte de Saint-Cloud. C'est le début de la Semaine sanglante. La résistance des communards est acharnée : ils dressent des barricades et incendient les quartiers évacués pour retarder les assaillants. Ceux-ci ne font pas de quartier : 30 000 insurgés au moins sont fusillés en une semaine. Le 28 mai, les derniers coups de feu sont tirés à Belleville : la Commune a succombé à l'impitoyable répression. Parmi les survivants, beaucoup seront déportés en Nouvelle-Calédonie.

Thiers organise la reconquête de Paris

Versailles, mars-mai 1871

Thiers a deux objectifs majeurs : conclure la paix et soumettre Paris. Lorsque l'insurrection du 18 mars éclate, Thiers sait que l'heure est venue de réaliser le second de ses projets. Contre l'avis de la plupart des ministres, il décide d'évacuer complètement la capitale. Il entend laisser la révolte se développer et pendant ce temps préparer méthodiquement une répression d'une ampleur sans précédent. Il va ainsi pouvoir enfin mettre en œuvre les connaissances militaires qu'il se targue d'avoir acquises à l'occasion de ses études sur les guerres napoléoniennes. Au lendemain du 18 mars, il ne dispose que de douze mille hommes, dont le moral est, en outre, fort mauvais. Il les installe dans le camp de Satory, améliore leur ordinaire et leur fait verser des primes exceptionnelles. Mais il sait, par les espions qu'il entretient dans la capitale, que les insurgés s'organisent et que des forces considérables seront nécessaires pour en venir à bout. Aussi négocie-t-il alors avec Bismarck le retour des prisonniers. Dès le mois d'avril, il dispose de plus de cent mille hommes. A leur tête, il place le maréchal Mac-Mahon, mais il est bien décidé à suivre lui-même de près la conduite des opérations. Il attache en particulier une grande attention à l'artillerie et il fait installer à Montretout, dans la banlieue ouest, une énorme batterie destinée à détruire les défenses du Point-du-Jour, un des points faibles des fortifications de la capitale qu'il avait fait construire en 1840.

L'arrestation de Louise Michel. Conduite au camp de Satory, elle sera condamnée à la déportation en Nouvelle-Calédonie où elle passa près de dix ans.

1871

Paris, 24 avril
Le maréchal Mac-Mahon, revenu de captivité le 6 avril, prend en charge la reconquête militaire de la capitale. Après un bombardement du 11 au 24 avril, la conquête des forts prendra un mois.

France, avril
Le peintre Gustave Courbet insiste pour déboulonner la colonne Vendôme, symbole abhorré de « l'empire belliciste ».

Etats-Unis, 8 mai
Les Etats-Unis et la Grande-Bretagne signent une Convention générale d'arbitrage afin de régler tous les contentieux pouvant survenir entre les deux pays.

Rome, 13 mai
Par la « loi des Garanties », le roi d'Italie assure au pape l'extra-territorialité du Vatican, du Latran et de Castel Gandolfo ainsi que la pleine liberté de son ministère spirituel.

Paris, 21-28 mai
Paris insurgé succombe : c'est la « Semaine sanglante ». →

Japon, 27 juin
Instauration du yen. →

Grande-Bretagne, 29 juin
Les syndicats obtiennent un statut légal grâce au *Trade Union Act.* Toutefois, une loi d'amendement au droit criminel limite le droit à constituer des piquets de grève.

France, juin
Le gouvernement lance le premier emprunt pour acquitter les indemnités imposées par l'Allemagne au traité de Francfort.

Italie, 1er juillet
Rome devient la capitale.

France, 2 juillet
Les élections complémentaires dans quarante-six départements sont un succès pour les républicains : plus de cent élus contre quinze monarchistes.

France, 5 juillet
Pour la troisième fois, le comte Henri de Chambord (1820-1883), dernier Bourbon, fils du duc de Berry, fait acte de prétendant au pouvoir.

France et Italie, 17 septembre
Inauguration du tunnel du Mont-Cenis, reliant Paris à Turin. →

Brésil, 28 septembre
Loi du « ventre libre » : le vicomte de Rio Branco fait promulguer une loi rendant libres les futurs enfants d'esclaves.

Japon, 8 octobre
Le principe de l'égalité devant l'impôt est posé, ainsi que celui de l'enseignement obligatoire, bien que non gratuit. De plus est mis en place un système postal moderne.

Autriche, 10 octobre
Le comte Heinrich Clam-Martinic (1826-1887), propriétaire terrien tchèque, présente un « article fondamental » exigeant la révision de la Constitution autrichienne selon des principes fédéralistes et mettant la Bohême sur le même pied d'égalité que la Hongrie. Mais devant l'hostilité des Allemands de Bohême et des autres minorités, l'article est repoussé.

Algérie, 16 octobre
Décret attribuant des terres aux Alsaciens-Lorrains qui ont choisi de rester français.

France, octobre
Parution de *La Fortune des Rougon*, premier titre de la série *Les Rougon-Marcquart*, de Zola. →

Autriche, 25 novembre
Le comte Gulya Andrassy remplace Friedrich Ferdinand Beust aux Affaires étrangères.

Allemagne, 4 décembre
Le mark devient l'unité monétaire.

France, 23 décembre
Le comte Albert de Mun (1841-1914) fonde les cercles catholiques ouvriers dans le but de créer un syndicalisme chrétien.

Le Caire, 24 décembre
Première de *Aïda*, de Verdi. →

France
Jules Lachelier publie *Du fondement de l'induction*.

Le Belge Zénobe Gramme présente sa dynamo électrique. →

Afrique centrale
Expédition de John Stanley pour retrouver le Dr Livingstone. →

Russie
Le ministre de l'Instruction publique, le comte Dimitri Tolstoï réorganise le statut des études et les lycées pour lutter contre le matérialisme et remettre en vigueur l'enseignement classique.

Thiers président de la République

Bordeaux, 17 février 1871
C'est à la « presque unanimité » que l'Assemblée nationale a adopté la résolution nommant Thiers « chef du pouvoir exécutif de la République française ». Monsieur Thiers, élu député par vingt-six départements grâce au système des candidatures multiples, apparaît comme l'homme indispensable dans la situation dramatique que traverse actuellement le pays. La popularité étonnante dont jouit ce personnage, qui s'était attiré tant de haines au cours de sa longue carrière politique, s'explique avant tout par la clairvoyance dont il a fait preuve en s'opposant à la déclaration de guerre. En confirmant ses sombres prédictions, la défaite a fait de lui un prophète. Hostile à Gambetta, qui souhaitait continuer les hostilités, Thiers est le grand vainqueur des élections du 8 février qui ont envoyé à l'Assemblée nationale une immense majorité de députés favorables à la paix. Les pouvoirs dont dispose Thiers ne lui sont cependant attribués qu'à titre provisoire, « en attendant qu'il soit statué sur les institutions de la France ». La majorité monarchiste de l'Assemblée espère que cette période transitoire sera suivie d'une restauration. Quels sont les sentiments de Thiers sur cette question ? On se perd en conjectures, d'autant qu'il a formé un gouvernement de conciliation, comprenant républicains, orléanistes et légitimistes.

« La Richesse de la France », tableau d'Eugène Buland montrant l'empressement des petites gens à répondre à l'emprunt lancé en 1871 par le gouvernement français pour payer les dettes de guerre et hâter la libération du territoire.

La France reliée à l'Italie par le tunnel du Mont-Cenis

France, 1871
Commencé dès 1857 sous Napoléon III, ce tunnel doit relier l'Italie à la France. Après quatorze ans de travaux, les douze kilomètres séparant Bardonnèche de Modane sont creusés. Les travaux ont coûté soixante-quinze millions de francs et ce chantier monumental et difficile a malheureusement provoqué la mort de quarante ouvriers. Le tunnel, qui a huit mètres de largeur et six de hauteur, est maintenu par une maçonnerie de quatre-vingts centimètres d'épaisseur. L'existence de cette voie de communication déclenche une guerre des compagnies ferroviaires, qui aboutira à la construction du tunnel du Saint-Gothard, en 1880.

Le tunnel du Mont-Cenis est terminé. Achèvement des travaux le 18 août 1871.

Le reporter Stanley retrouve Livingstone

Afrique centrale, 1871

Après la guerre de Sécession, John Stanley devient journaliste au *New York Herald* et part suivre les conflits qui se déroulent en Abyssinie. Son directeur, Gordon Bennett, encouragé par ses articles le charge de retrouver Livingstone dont on n'a plus aucune nouvelle. Stanley part alors de Zanzibar avec de gros moyens financiers et matériels et atteint le lac Tanganyka en octobre 1871. C'est là qu'il retrouve Livingstone qui est malade et refuse de l'accompagner. Après la mort du célèbre explorateur, il quitte à nouveau Zanzibar en 1874, accompagné par 360 hommes et remonte les sources du Nil jusqu'au lac Victoria, puis il explore le cours du Congo. Il travaille pour le compte de la Belgique jusqu'en 1884 et participe à la création de l'Etat du Congo. Ses voyages ouvrent le cœur de l'Afrique aux impérialismes européens.

La rencontre de Stanley et de Livingstone le 3 novembre 1871 à Ujiji sur la rive est du lac Tanganyika.

David Livingstone.

Le yen sera la nouvelle monnaie japonaise

Japon, 27 juin 1871

En 1868, l'ère Meiji, « gouvernement éclairé », a débuté par l'installation de l'empereur Mutsu-Hito et de sa cour à Edo, rebaptisée Tokyo. Se mettant à l'école de l'Occident, le Japon accueille savants et techniciens du monde entier et tente de rattraper son retard technologique. Sur le plan financier, le gouvernement décide de faciliter les relations commerciales avec l'Europe et l'Amérique, en mettant en vigueur un nouveau système monétaire : l'ancienne monnaie, le ryo, est remplacé par le yen, qui équivaut à la piastre d'argent, unité monétaire dans laquelle s'effectue les transactions dans le Pacifique. Le yen est divisé en cent sen et le dixième du sen est le rin. Le Japon adopte également l'étalon-or et se met à émettre des pièces de dix yen en or pur. Par contre, la circulation des billets de banque non convertibles sera un échec.

Giuseppe Verdi célèbre l'Egypte avec "Aïda"

Le Caire, 24 décembre 1871

Pour inaugurer l'opéra du Caire, Ismaël Pacha, khédive d'Egypte, commande une œuvre à Verdi. *Aïda* (livret d'Antonio Ghislanzoni) prend pour cadre Thèbes et Memphis, à l'époque des pharaons, au moment où le roi d'Ethiopie envahit l'Egypte pour libérer sa fille, Aïda, prisonnière. Aimée du chef des armées égyptiennes, Radamès qui, arrêté, sera condamné à mourir enseveli vivant sous l'autel de Phtah, elle s'unira à lui dans la mort. Verdi donne ici un impact nouveau à la combinaison des timbres et des rythmes. La fameuse marche de Radamès, sous une haie de trompettes triomphantes, reste dans toutes les mémoires, ainsi que la danse des prêtresses exécutée dans la plus pure tradition orientaliste. Maître incontesté de l'art lyrique, il modèle le chant sur le débit vocal auquel il donne une intensité inégalée. Le raffinement de l'écriture, la nouveauté des ressources harmoniques et orchestrales, l'abandon du récitatif au bénéfice du développement musical marquent son art généreux, acquis à l'idéal humaniste du romantisme.

Zola entame "Les Rougon-Macquart"

Paris, 1871

Avec la publication de *La Fortune des Rougon*, Emile Zola débute la série des *Rougon-Macquart* dont il a tracé le plan d'ensemble à partir de 1868. Dans cette « histoire naturelle et sociale d'une famille sous le Second Empire », l'auteur veut montrer les effets des lois scientifiques qui seraient à l'œuvre dans l'évolution des passions et des caractères de ses personnages à travers cinq générations. Sa fiction romanesque emprunte aux thèses du déterminisme biologique exposées dans le *Traité de l'hérédité naturelle* du Dr Lucas (1850) et aux conceptions de Claude Bernard. Disciple de Taine, Zola cherche à souligner les conditions physiologiques, l'influence des milieux et des circonstances qui peuvent agir sur la psychologie humaine. Le dernier des vingt volumes sera publié en 1893.

Portrait de Zola par Manet. 1867-1868.

La mort de Radamès et de Aïda. Représentation de l'opéra de Verdi sur la scène du Théâtre italien à Paris. Musée Carnavalet, Paris.

Swinburne publie les "Chants d'avant l'aube"

Angleterre, 1871

Algernon Charles Swinburne (1837-1909), qui a connu avec *Poésies et Ballades* un succès de scandale, publie aujourd'hui les *Chants d'avant l'aube*, dédiés au révolutionnaire italien Giuseppe Mazzini. Devenu « l'apôtre d'une croisade », le poète puise son inspiration dans la lutte des peuples pour leur indépendance, en particulier dans les événements italiens, et dans les idéaux républicains. Ce recueil, composé de deux longs poèmes, évoque la tyrannie de Dieu pour exalter un idéal de liberté totale et fait de Swinburne le chantre de la révolte.

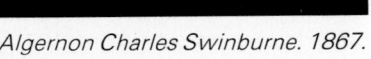

Algernon Charles Swinburne. 1867.

Zénobe Gramme invente la dynamo

Paris, 1871

Ouvrier belge autodidacte, Zénobe Gramme (1826-1901) présente à l'Académie des sciences la première dynamo capable de transformer un mouvement en courant électrique. Formée d'un bobinage fermé sur lui-même et d'un dispositif redresseur, cette découverte prodigieuse est très vite commercialisée quand, à l'Exposition d'électricité de Vienne en 1873, on s'aperçoit que la dynamo est réversible. C'est-à-dire qu'en lui fournissant du courant, elle donne un travail. L'électricité devient une énergie capable de remplacer le charbon.

Le football s'organise en Grande-Bretagne

Angleterre, 1871

Le football suscite un intérêt grandissant. Les règles en ont été fixées par la *Football Association*. Cette organisation aide les ligues nationales anglaise, irlandaise, galloise et écossaise à s'organiser. Le 30 novembre 1872, à Glasgow, le premier match international, entre l'Ecosse et l'Angleterre, se terminera sur un score nul, 0 à 0. La même année, le jeu gagne le Continent avec la création du Club athlétique du Havre. Cet engouement gagnera un public de plus en plus nombreux.

1872

Allemagne, 11 mars
Dans le cadre du *Kulturkampf* « Combat pour la civilisation », l'enseignement retiré à l'église catholique est désormais confié à l'Etat. →

France, 14 mars
Loi contre l'Internationale, inspiratrice de la Commune : toute propagande socialiste ayant en vue de changer la société est interdite.

Bavière, 22 mai
Pose de la première pierre du théâtre des festivals de Bayreuth, destiné aux représentations wagnériennes.

Espagne, mai
Le prétendant au trône don Carlos entre en Navarre mais le général Moriones le refoule au-delà de la frontière.

France, mai
Le maréchal François Bazaine (1811-1888), qui a capitulé à Sedan, se constitue prisonnier. L'instruction de son procès commence immédiatement : il lui est reproché d'avoir cherché à négocier trop rapidement avec Bismarck.

Versailles, 29 juin
Signature avec l'Allemagne d'une convention sur les indemnités de guerre : le paiement en est échelonné, et le gouvernement peut anticiper le règlement et ainsi obtenir plus rapidement le départ des troupes prussiennes.

Allemagne, 4 juillet
Dans le cadre du *Kulturkampf*, une loi interdisant les congrégations religieuses et en particulier les jésuites est promulguée.

Grande-Bretagne, 18 juillet
Instauration du secret du vote. →

France, 27 juillet
La nouvelle loi organique prévoit un service national actif de cinq années pour tous les hommes âgés de 20 à 40 ans. →

France, juillet
L'emprunt de trois milliards souscrit par le gouvernement est couvert quatorze fois : on refuse près de quarante milliards.

Berlin, 9-11 septembre
La réunion des trois empereurs (Allemagne, Autriche, Russie) ne donne lieu qu'à une entente sur le plan policier, contre le républicanisme et le socialisme. →

La Haye, septembre
Le Congrès de l'Internationale est dominé par l'exclusion des partisans de Bakounine (→). Pour échapper à la répression qui touche nombre de ses sections européennes, l'Internationale décide de transférer son siège aux Etats-Unis.

France, 28 novembre
Après qu'Adolphe Thiers ait mis en demeure l'Assemblée nationale d'opter franchement pour la République la Commission des Trente chargée de préparer un projet de loi « réglant les attributions des pouvoirs publics », est mise ne place.

Paris, novembre
Jules Verne publie un roman intitulé *Le Tour du monde en 80 jours*.

Paris, 4 décembre
Charles Lecoq présente son opéra comique *La Fille de Madame Angot*.

Allemagne
Le mathématicien Félix Klein (1849-1925) applique la théorie des groupes à la géométrie dans son *Programme d'Erlanger*.

Nietzsche publie *L'Origine de la Tragédie*.

France
Degas peint *Le Foyer de la danse à l'opéra de la rue Le Pelletier*. →

Georges Bizet (1838-1875) compose *L'Arlésienne*.

L'ingénieur Alphonse Penaud (1850-1880) expose aux Tuileries son *Planophore*, qui a réussi à voler sur 200 mètres.

Grande-Bretagne
Samuel Butler (1835-1902) écrit une satire sur les traditions religieuses et morales dans son ouvrage intitulé *Erewhon*.

Etats-Unis
Un monorail automoteur pour le transport régulier des voyageurs est expérimenté entre Bradford et Derrick City, sur une ligne de 6,5 km.

Westinghouse invente le frein pneumatique. →

Afrique du Sud
On découvre à Kimberley un gisement de diamants d'une fabuleuse richesse. →

Bismarck se lance dans le "Kulturkampf" contre l'Eglise catholique

Allemagne, 14 mai 1872
Bismarck tient à maintenir l'unité de l'Empire autour du royaume de Prusse, et lutte contre les particularismes, parmi lesquels celui des catholiques lui apparaît le plus menaçant. En effet, à la suite des annexions, un tiers de la population de l'Empire est de confession catholique. L'influence de cette communauté religieuse provoque des troubles dans l'ouest du pays, où l'opinion est volontiers séparatiste. En outre, la création du parti du Centre catholique inquiète Bismarck, qui redoute l'ingérence du fait religieux dans la vie politique. A la suite du Concile de 1870, Pie IX, proclame l'infaillibilité du pape et donne un coup de fouet à l'ultramontanisme. Résolu à contrecarrer les revendications du parti du Centre, Bismarck promulgue le 14 mai 1872 une loi qui expulse les jésuites du royaume de Prusse. Le *Kulturkampf* (combat pour la civilisation) est lancé. La même année, il nomme au ministère des Cultes Adalbert Falk (1827-1900), protestant austère et institue le droit d'inspection dans les séminaires et les écoles catholiques. Sa guerre anticléricale s'exerce avec une particulière virulence jusqu'en 1875. L'Etat nomme les membres du clergé, qui doivent prêter un serment d'allégeance. L'état civil se laïcise avec l'instauration du mariage civil. Ces mesures sont vigoureusement appliquées en Prusse, mais peu respectées par le Wurtemberg. Sous l'incitation du clergé, la résistance s'organise et les excommunications répondent aux arrestations. Au Reichstag, le parti du Centre devient le groupe le plus puissant, et face à l'agitation socialiste, Bismarck préférera, en 1880, se rapprocher du modéré Léon XIII.

Un tournoi d'échecs entre Berlin et le Vatican. Caricature de Bismarck.

Formation de la Triple-Alliance

Berlin, 8 et 9 septembre 1872
Dès la fin de la guerre, et pour éviter la résurgence d'un conflit, Bismarck élabore un système d'entente diplomatique en se rapprochant d'Alexandre II et de François-Joseph, alliés potentiels de la France. En effet, l'Autriche-Hongrie, vaincue en 1866, et la Russie, inquiète de l'accroissement de la puissance allemande, pourraient soutenir la France en cas de guerre. Cependant, une alliance de l'Allemagne avec les empires austro-hongrois et russe se heurte à leurs ambitions antagonistes dans les Balkans. Pour pallier ces difficultés, Bismarck développe les thèmes de la solidarité monarchique et de la lutte contre le socialisme. A l'occasion de grandes manœuvres, les trois empereurs Guillaume Ier, François-Joseph, et Alexandre II se rencontrent à Berlin. Intervenue peu après le vote de nouvelles lois militaires en France, cette première victoire de Bismarck l'encourage à poursuivre sa tentative d'union. La conclusion de l'entente, qui scellera l'alliance des trois Etats, interviendra en 1873. Le 6 mai 1873, à Saint-Pétersbourg, une convention germano-russe est signée, qui lie de façon défensive Guillaume Ier et le tsar. Puis, une entente personnelle est passée entre François-Joseph et Alexandre II le 6 juin 1873 à Schoenbrunn. Elle porte sur la promesse de concertation en cas de risque de conflit armé. L'empereur adhère à cette entente le 22 octobre, achevant de tisser un réseau fermé et homogène qui isole la France. Mais l'antagonisme austro-russe qui resurgit dès 1878 brisera définitivement la Triple-Alliance tant souhaitée par Bismarck.

François-Joseph.

Guillaume Ier.

Alexandre II.

Service militaire de cinq ans en France

France, 27 juillet 1872

Alors que les dernières troupes prussiennes d'occupation n'ont pas encore quitté le territoire national, l'Assemblée se préoccupe de réorganiser complètement l'armée. La guerre n'a que trop révélé ses faiblesses et il est d'autant plus urgent de redresser la situation que plusieurs déclarations du chancelier Bismarck laissent craindre un nouveau conflit. La loi organique du 27 juillet 1872 établit le principe du service militaire obligatoire. Les dispositions pratiques introduisent cependant un certain nombre d'inégalités. La durée du service est fixée en principe à cinq ans, mais en fait seule une moitié du contingent annuel, désignée par tirage au sort, sert effectivement pendant cette durée ; a contrario ceux qui ont tiré un « bon numéro » ne font qu'un an de service. Pour satisfaire la bourgeoisie, il est dit que les bacheliers peuvent ne faire qu'un an s'ils devancent l'appel et paient leur équipement. Il existe en outre des dispenses pour les soutiens de famille, les ecclésiastiques et les professeurs.

La fièvre du diamant s'empare de Kimberley

Afrique du Sud, 1872

En 1870, on a découvert au sud du Vaal un gisement de diamants primaires. La valeur des pierres extraites est de beaucoup supérieure à celle des diamants alluvionnaires récoltés près de l'embouchure du Hartz. Les prospecteurs se précipitent à Kimberley : alors que la ville ne comptait que 4 000 habitants en 1870, elle atteint en 1872 une population de 45 000 personnes. Sa mine, particulièrement riche, produira pour près de 50 millions de livres jusqu'en 1914. Des fortunes considérables surgissent. Cecil Rhodes, qui débute sa carrière en simple salarié des concessions particulières, fondera en 1880 la compagnie De Beers, détentrice d'une grande partie de l'exploitation. Le travail de manœuvre, exécuté par les Noirs, favorise l'émergence d'un prolétariat urbain et pauvre et accentue l'inégalité sociale entre Noirs et Blancs. L'Angleterre, intéressée, décide en 1872 l'annexion de Kimberley par sa colonie du Cap.

Boutiques et officines à Kimberley au temps de la richesse facile. Vers 1880.

Wilhelm Wundt fonde la psychologie expérimentale

Allemagne, 1872

Les recherches actuelles de Wilhelm Wundt (1832-1920) joueront un rôle de premier plan dans le développement de la psychologie : il créera, en 1879 à l'université de Leipzig, le premier laboratoire de psychologie expérimentale. Son objectif est d'étudier les réactions aux excitations sensorielles. Wundt sera conduit à distinguer les associations psychiques purement passives de l'aperception purement active qui est la source des synthèses mentales et la base de la pensée logique.

Westinghouse invente un frein pneumatique

Etats-Unis, 1872

Le développement du trafic ferroviaire multiplie les problèmes de sécurité et, en particulier, celui du freinage. En effet, le frein doit être actionné manuellement par un employé dans chaque voiture. En 1872, George Westinghouse met au point un système qui permet au conducteur de la locomotive de freiner l'ensemble du convoi. Chaque frein est actionné par un piston branché sur une conduite générale et mis en marche par de l'air comprimé, depuis la tête du train.

La Grande-Bretagne adopte le vote secret

Angleterre, 18 juillet 1872

La Grande-Bretagne connaît des réformes électorales destinées à instaurer une plus grande équité dans les élections politiques. A partir de 1867, Disraeli abaisse le cens, permettant à la petite bourgeoisie de participer activement à la vie politique. Le corps électoral compte désormais 2 500 000 personnes, parmi lesquelles 800 000 artisans et ouvriers spécialisés. Toutefois les problèmes attachés au vote public donnent lieu à de nombreux scandales, peu propices à instaurer la confiance. Aux élections de 1868, il y eut plus de 111 pétitions à l'encontre des candidats élus. Pour garantir le libre vote, et mettre fin à la corruption électorale, William Gladstone veut faire passer une loi garantissant le vote secret. Ce projet est très âprement discuté par le Parlement, de février à juin 1872. Le député tory Palmerston combat très violemment cette mesure, qu'il juge déshonorante pour les Anglais. Selon lui, l'honorabilité des gentlemen anglais élus ne pouvant être mise en doute, le projet est inutile. Cependant la loi est adoptée le 18 juillet 1872 à une large majorité.

L'anarchiste Bakounine théorise le fédéralisme

Suisse, 1872

Mikhaïl Bakounine (1814-1874), fondateur de l'Alliance des révolutionnaires socialistes (Italie, 1864) de la Ligue de la paix et de la liberté des démocrates bourgeois (Genève, 1867), de l'Alliance internationale de la démocratie socialiste (1868) et membre de la Ire Internationale, en est exclu cette année au congrès de La Haye par Karl Marx. Partisan du coopératisme (*De la coopération*, 1869) et du fédéralisme anti-autoritaire, prônant la suppression de l'Etat par la révolution, cet exilé russe apparaît comme un des grands théoriciens de l'anarchisme. L'ouvrage qu'il écrit cette année directement en français, *Fédéralisme, Socialisme et Antithéologisme* condense toute sa pensée philosophique et politique. Partisan de la liberté la plus totale, Bakounine considère toute forme de pouvoir comme un obstacle au développement des peuples et des individus.

Bakounine. Vers 1845. Photographie de Nadar.

Edgar Degas, peintre de la danse

Paris, 1872

Degas « est tombé amoureux de la vie moderne », écrivent les Goncourt à propos de ses tableaux de danseuses, de blanchisseuses et de repasseuses. Séduction et réalisme contrastent avec une rigueur impitoyable dans ses compositions faussement fortuites. Le point de vue toujours hardi, le mouvement toujours saisi avec rapidité, ses scènes délibérément décentrées présentent des vues obliques, des cadrages arbitraires. Ses célèbres danseuses ne sont pas seulement des créatures aériennes, elles sont aussi des petits rats aux minois chiffonnés abêtis par la monotonie des répétitions.

Edgar Degas. « Le Foyer de la danse à l'Opéra de la rue Le Peletier ». 1872. Musée d'Orsay.

1873

Chislehurst, Kent, 7 janvier
Napoléon III meurt dans la résidence anglaise où il s'était retiré après son internement au château de Wilhelmshöhe, près de Kassel, sitôt après sa capitulation devant les Prussiens.

Japon, janvier
L'armée est réorganisée à la suite du rescrit impérial du 28 décembre 1872 ; on fait appel à de nombreux instructeurs français. →

Madrid, 11 février
Proclamation de la République. →

France, 15 mars
Par une convention signée avec l'Allemagne, Thiers obtient l'accélération du paiement des indemnités de guerre et la libération anticipée du territoire à partir du 5 août, sauf Verdun qui sera évacuée lors du dernier versement, le 5 septembre. La libération sera effective le 16 septembre.

Paris, 19 avril
Le nouveau roman de Zola, *Le Ventre de Paris*, sort en librairie.

Autriche, 8 mai
Une faillite bancaire à Vienne provoque une nouvelle crise économique d'ampleur internationale. →

Allemagne, 11-14 mai
Nouvelles lois contre l'enseignement religieux : les séminaires sont étatisés. Une opposition catholique se précise, essentiellement en Silésie, Pologne et Rhénanie où des mesures d'internement sont prises contre des dignitaires ecclésiastiques.

France, 24 mai
Le président Thiers démissionne et le candidat des droites monarchiques, le maréchal Mac-Mahon, est élu. →

Autriche, 2 juillet
Les députés au Parlement impérial seront désormais élus directement par le peuple et non par les parlements nationaux.

Allemagne, 9 juillet
Le Parlement adopte une loi monétaire qui index le mark sur l'or. → La réforme ne sera totalement effective qu'en octobre 1907.

France, 24 juillet
L'Assemblée nationale autorise

l'expropriation de terrains situés à Montmartre pour y élever une basilique consacrée au Sacré-Cœur. Cette mesure s'inscrit dans la politique d'« ordre moral » pratiquée par le vice-président du Conseil, le duc de Broglie.

Asie centrale, 12 août
Le général russe Mikhaïl Skobelev s'empare de l'oasis de Khiva, capitale du khanat de Khiva, au sud de la mer d'Aral en Ouzbekistân.

Bruxelles, 19 octobre
Une saison en enfer de Rimbaud. →

France, 27 octobre
Alors que les légitimistes et les orléanistes se réconcilient après la visite le 4 août du duc d'Aumale, le comte de Chambord adresse au délégué de la Commission des Neuf, Pierre Chesnelon, chargé d'assurer la restauration du régime monarchique, une lettre désavouant les interprétations qui ont été faites de ses propos. En particulier, il se refuse à admettre le drapeau tricolore comme symbole national.

France, 9 novembre
Le président Mac-Mahon refuse de rencontrer le comte de Chambord, venu incognito à Paris pour faire valoir ses droits et qui regagne, le 21, Frohsdorf en Autriche, son lieu de résidence.

France, 11 décembre
Le maréchal Bazaine est condamné à mort pour haute trahison. Sa peine sera commuée en vingt ans de prison.

Tonkin, 21 décembre
L'officier de marine Francis Garnier meurt devant Hanoi lors d'un combat contre des pirates chinois.

La Paz, Bolivie
Le traité de paix, fixant la frontière entre le Chili et l'Argentine le long de la ligne de crête de la cordillère des Andes, est signé.

San Francisco
Achèvement du tramway funiculaire.

Vienne
Hippolyte Fontaine (1833-1917) démontre à l'Exposition universelle la réversibilité des dynamos de Gramme et invente les premiers moteurs électriques. Il sera le premier à réaliser un transport d'énergie sous la forme d'électricité.

Les privilèges des samouraï sont abolis

Japon, janvier 1873
En créant une armée de conscription organisée sur le modèle occidental, le nouveau gouvernement porte un coup fatal à la classe des samouraï, ces guerriers qui depuis des siècles avaient monopolisé le métier des armes. L'ancienne classe féodale se voit privée de l'une de ses justifications sociales. Cette décision parachève un processus de démantèlement des cadres institutionnels anciens. En 1869, on avait aboli les restrictions professionnelles ; en 1870, les roturiers avaient acquis le droit jusque-là réservé aux samouraï de porter un nom de famille ; et, en 1871, l'empereur avait autorisé les guerriers à ne plus porter les deux sabres, symboles de leur dignité sociale. Mais, plus encore, c'est la perte des privilèges économiques qui leur porte un coup sévère. Le gouvernement donne aux plus pauvres d'entre eux la possibilité de toucher immédiatement une somme équivalant à quatre à six fois leur revenu annuel. Si certains acceptent la nouvelle situation, beaucoup se préparent à la révolte.

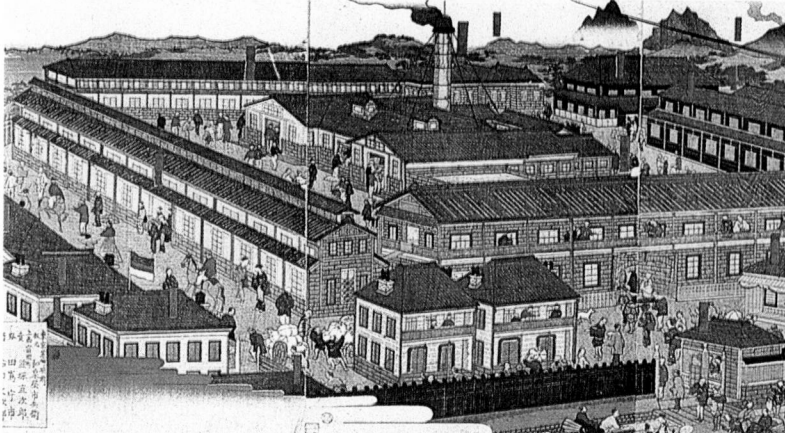
La première filature au Japon, en 1872. L'avènement de l'industrialisation bouleverse les institutions traditionnelles.

Le krach de Vienne annonce une nouvelle crise économique

Vienne, 8 mai 1873
Un krach boursier, qui se déclenche à Vienne le 8 mai 1873 provoque la plus grave crise économique du siècle. Deux grandes banques autrichiennes ainsi que la filiale à Vienne du Crédit foncier sont mises en liquidation. La crise s'étend rapidement en Allemagne où de nombreuses *Maklerbanken* doivent fermer. Les faillites se multiplient. La construction de chemin de fer est ralentie tandis que l'industrie du bâtiment connaît de graves difficultés. La production industrielle, qui chute dangereusement (de 21 % pour la fonte) ne se relèvera pas avant la fin de la décennie. Les prix s'effondrent (36 % pour la fonte). Le chômage est très important dans les secteurs de la métallurgie et du bâtiment. De très nombreux ouvriers au chômage retournent alors à la campagne. La dépression, qui durera jusqu'en 1879, s'achèvera par une crise bancaire menaçant les industries travaillant pour les colonies.

Billet de cinquante gulden.

La langue française honorée par Littré

Paris, 1873
Emile Littré (1801-1881), médecin, philosophe et homme politique, disciple d'Auguste Comte et auteur d'un *Auguste Comte et la Philosophie positive* (1863), vient d'achever la publication de son œuvre principale, le *Dictionnaire de la langue française* (1863-1872). Alors que le *Dictionnaire de l'Académie* ne se préoccupe que du sens principal des mots dans la langue moderne, Littré complète le sens propre par le sens figuré de chaque mot, présentant à la fois la forme usuelle, la forme archaïque et le néologisme, embryon de l'acception future. L'auteur, par un choix de citations à travers les âges, par des observations positives et la compilation d'expériences, applique à l'étude de la langue un système philosophique dans lequel le langage des sciences naturelles se trouve transposé dans la science des mots. Littré accorde enfin une place importante au vieux français, soulignant sa valeur d'appui pour la compréhension de l'évolution de la langue moderne, qui, vivante, évoluera encore.

"Une saison en enfer" avec le jeune Rimbaud

Bruxelles, 19 octobre 1873
Rimbaud, à peine âgé de dix-neuf ans, rédige la relation de ses « folies ». Editée à Bruxelles, *Une saison en enfer* est la seule publication faite par le poète. Toutefois, Rimbaud s'en désintéresse presque aussitôt et néglige de payer l'imprimeur, qui conserve les 500 exemplaires constituant la totalité du tirage. *Une saison en enfer* vient révéler comme l'envers des *Illuminations* (1872-1873), cet « opéra fabuleux » de vers et de poèmes en prose qui, au prix d'un « long, immense et raisonné dérèglement de tous les sens », s'affirme comme « de l'âme pour l'âme, résumant tout, parfums, sons, couleurs, de la pensée accrochant la pensée ; et tirant ». Autobiographie en prose dénonçant au contraire l'impuissance de la poésie à « changer la vie », *Une saison en enfer* restitue dans leur densité pensées, visions, sentiments et mouvements contradictoires de l'expérience révolutionnaire qui est la sienne : la poé-

sie en acte, qui connaît « la réalité rugueuse à étreindre ». Rimbaud va, durant dix-huit ans de silence, se faire trafiquant d'armes, au Harar, avant de mourir, amputé d'une jambe. A part un rapport adressé à la Société de géographie sur la région encore inexplorée de l'Ogaden et une correspondance tout à fait utilitaire, aucun texte postérieur à *Une saison en enfer* ne nous est connu.

Rimbaud en juin 1872. Dessin de Verlaine.

Le roi d'Espagne fait place à la République

Madrid, 11 février 1873
Amédée de Savoie, fils de Victor-Emmanuel II, roi d'Italie, avait été élu roi d'Espagne en 1870 malgré la réticence de l'Allemagne et l'opposition des républicains. Le général Prim était l'instigateur de cette solution royaliste à cause du refus d'abdiquer de la reine Isabelle II qui se trouvait en exil depuis 1868. Mais, après son assassinat le 30 décembre 1870, les difficultés sociales et politiques se développent. Avec la nouvelle guerre carliste (mai 1872), le processus de décomposition de l'armée s'accélère. De plus, la nécessité d'en finir avec la guerre de Cuba, qui dure depuis quatre ans, va précipiter

les événements. Alors qu'un projet d'abolition de l'esclavage est présenté devant les Cortès, le roi Amédée Ier, impuissant à gouverner et ayant échappé avec la reine à un attentat (juillet 1872), décide de renoncer au trône. Le 11 février 1873, à la suite d'un vote des deux Chambres, la République est proclamée. Le 12, Figueras est élu président, et le 14 le premier gouvernement de coalition républicaine est constitué avec Pi y Margall au ministère de l'Intérieur, qui sera élu président après l'échec du complot royaliste du 23 mars et le triomphe électoral des républicains. L'Assemblée nationale vote une constitution qui fait de l'Espagne un Etat fédéral divisé en quinze régions jouissant d'une autonomie administrative totale.

L'étalon-or adopté par l'Allemagne

Allemagne, 9 juillet 1873
L'Allemagne se retrouve avec un stock de métal précieux et décide d'adopter l'étalon-or. Ce stock provient des indemnités de guerre que lui alloue le traité de Francfort : la France vaincue doit verser à l'Allemagne 5 315 millions de francs, réglés pour partie en pièces d'or (273 millions). L'Allemagne peut rembourser ses propres dettes à l'étranger et le gouvernement abolit les systèmes monétaires des Etats germaniques et fait du mark-or l'unique monnaie de base de l'empire. En introduisant la frappe libre de l'or et en décidant que les billets de la Reichsbank sont convertibles en or, l'Allemagne oblige de fait les autres Etats à faire de même.

Le bilinguisme en justice reconnu en Belgique

Belgique, 1873
La prédominance de la langue française dans l'administration belge provoque la naissance d'un mouvement culturel flamand, dont le poète Jan Willems est la figure de proue. Cependant, malgré la création entre 1856 et 1858 d'une commission des griefs flamands, les libéraux n'engagent aucune réforme. De nombreuses manifestations expriment le grave mécontentement des populations flamandes. L'enjeu politique de ce mouvement incite les catholiques à entreprendre des réformes. En 1873, la loi Malou introduit le néerlandais dans la justice pénale. L'effort se poursuivra ; en 1883 le néerlandais sera adopté pour l'enseignement dans les écoles flamandes.

Démission de Thiers ; élection de Mac-Mahon

Versailles, 24 mai 1873
Adolphe Thiers (1797-1877) n'est plus président de la République : il a démissionné à la suite d'un vote hostile de l'Assemblée. Comme elles paraissent loin ces heures de 1871 où les députés, presque unanimes, l'avaient élu à la tête de l'exécutif pour guider le pays au plus fort de la tourmente. En effet, les relations se sont rapidement tendues entre la majorité monarchiste de l'Assemblée et le vieil homme qui exprimait de plus en plus ouvertement ses sentiments républicains. C'est surtout depuis son message du 13 novembre 1872, où il a exalté la « République conservatrice », qu'on savait les chefs monarchistes résolus à mettre fin à ses fonctions. Le 24 mai 1873, l'interpellation du duc de Broglie condamnant la politique du gouvernement a obtenu 360 voix contre 344. Légalement, Thiers n'est pas contraint de démissionner, mais il pense que les monarchistes, trop divisés, sont incapables de lui élire un

successeur. Or, le duc de Broglie fait procéder aussitôt à l'élection du maréchal Mac-Mahon (1808-1898) par la coalition monarchiste. Le plus difficile sera de convaincre celui-ci d'accepter ses nouvelles fonctions : persuadé – à juste titre, disent les mauvaises langues – d'être sans talent pour la politique, il ne cède que fort tard dans la soirée.

Le maréchal de Mac-Mahon.

Triomphe de l'ordre moral en France

Paris, 26 mai 1873
Au lendemain de la chute de Thiers, la France vit à l'heure d'une politique d'intense réaction. La déclaration de Mac-Mahon le 26 mai donne le ton : « Avec l'aide de Dieu, le dévouement de l'armée, qui sera toujours l'esclave de la loi, et l'appui des honnêtes gens, nous continuerons ensemble l'œuvre de la libération du territoire et du rétablissement de l'ordre moral dans notre pays. » Le gouvernement procède au remplacement de nombreux préfets et magistrats ; il recourt à l'état de siège et aux lois de l'empire pour museler la presse républicaine. Il décrète ensuite que tous les maires seront désormais nommés par le préfet. La célébration du 14 Juillet est interdite. Cette politique s'accompagne d'une specta-

culaire réaction religieuse. Les prédicateurs sont nombreux à présenter la défaite comme l'expression du courroux divin et les Français sont appelés à « se repentir ». Les pèlerinages, organisés notamment par les assomptionnistes, attirent des foules croissantes : on prie la Vierge à Lourdes et à La Salette, on chante « Sauvez Rome et la France au nom du Sacré-Cœur » à Paray-le-Monial. Des députés légitimistes participent, cierge à la main, au pèlerinage de Chartres, où Mgr Pie croit pouvoir prophétiser que « la France en détresse attend un chef » lorsque la restauration monarchique paraît imminente. Une loi déclare d'utilité publique l'érection d'un sanctuaire à Montmartre. Les républicains répliquent en suivant en masse les enterrements civils, ce qui conduit le préfet de Lyon à interdire les obsèques après sept heures du matin.

La bénédiction des blés en Artois. Peinture de Jules Breton. Château de Compiègne. Une pratique médiévale remise en honneur.

1874

Allemagne, 10 janvier
Les élections au Reichstag permettent l'entrée des sociaux-démocrates avec neuf députés. Les partis antibismarckiens regroupent plus de 34 % des suffrages.

Suisse, 31 janvier
Une constitution démocratique organise un Etat fédéral avec dix-neuf cantons et six demi-cantons.

Grande-Bretagne, 2 février
Disraeli revient au gouvernement. →

Russie, 8 février
Moussorgsky fait jouer *Boris Godounov*. →

Indochine, 15 mars
La France signe avec l'Annam un traité à Saigon qui reconnaît la présence de la France en basse Cochinchine et lui accorde la liberté de navigation.

Saga, Japon, 13 avril
Etô de Hizen, un samouraï du clan Satsuma, est décapité pour s'être révolté contre la décision impériale de ne pas envahir la Corée qui refusait de recevoir des missions nippones.

Paris, 15 avril
Première exposition impressionniste. →

Allemagne, 20 avril
Loi organisant sur sept ans la programmation militaire.

France, avril
Gustave Flaubert publie *La Tentation de saint Antoine*.

France, 19 mai
Une loi interdit de faire travailler les enfants de moins de douze ans dans l'industrie.

Grande-Bretagne, 30 août
Le *Factory Act* limite la durée du travail dans l'industrie.

Berne, Suisse, 9 octobre
Vingt-deux pays signent un traité d'Union postale générale, qui deviendra en 1878 l'Union postale internationale.

Chine, 31 octobre
Après une tentative japonaise pour s'emparer de Formose, la médiation de la Grande-Bretagne permet à la Chine de garder le contrôle de l'île.

Italie, octobre
Le gouvernement français rappelle le vaisseau *Orénoque* qui stationnait depuis 1870 au large de Civitavecchia pour accueillir le pape dans l'éventualité où il aurait dû quitter Rome. Celui-ci mène une lutte intransigeante contre le gouvernement italien et appelle les catholiques à ne pas participer à la vie politique.

Washington, novembre
Les élections au Congrès voient la victoire des démocrates qui reprennent la majorité aux républicains.

Espagne, 29 décembre
A Sagonte, le général Martinez Campos fait un pronunciamiento et déclare roi d'Espagne l'infant don Alphonse (1857-1885), mettant fin à la dictature du général Francisco Serrano y Dominguez. La république avait cessé d'exister lorsque le 2 janvier 1874, le général Pavia chassa l'Assemblée nationale.

Shanghai, Chine
Introduction du pousse-pousse.

Allemagne
Georg Cantor publie un premier mémoire sur la théorie des ensembles. →

Wilhelm Wundt fait paraître *Eléments de psychologie physiologique*.

Espagne
Le romancier Pedro Antonio de Alarcon y Ariza (1833-1891) publie un court récit dans la tradition picaresque : *Le Tricorne*.

Grande-Bretagne
Sir David Salomons construit une voiture électrique à trois roues.

France
Emile Baudot (1845-1903) invente un système télégraphique permettant de faire passer simultanément plusieurs messages sur un câble et de les séparer à l'arrivée.

Gobineau publie *Les Pléiades*. →

Puvis de Chavannes réalise les fresques du Panthéon à Paris. →

Achille Le Bel et Van't Hoff créent la stéréochimie, base de la chimie moderne, en élaborant la notion de carbone asymétrique.

Etats-Unis
La machine à écrire de Remington est fabriquée dans les usines d'armement, au chômage depuis la fin de la guerre de Sécession. →

Retour au pouvoir de Disraeli en Angleterre

Angleterre, 2 février 1874
En 1868, Benjamin Disraeli succède à Lord Derby à la tête du parti conservateur. Il forme un gouvernement qui dure moins d'un an et cède la place à son rival libéral Gladstone. Le 2 février 1874, les élections le ramènent au pouvoir. Il a alors 70 ans. Ces six années de « règne » marqueront l'apogée d'une carrière difficile et la suprématie de cet esprit brillant, passionnément ambitieux dont toute la vie, de la jeunesse extravagante et romantique à la figure grave et secrète du vieux politique, n'aura été qu'un défi : forcer ce monde qui l'ignore ou méprise ses origines juives à reconnaître son génie. Lors de son premier discours à la Chambre (1837), quittant la tribune sous les huées, il lance aux députés : « Un jour viendra où vous m'écouterez. » Il sait tirer parti des maladresses de ses adversaires et attendre son heure avec la nonchalance d'un grand seigneur. Il sait se concilier les bonnes grâces de la vieille reine Victoria par un habile mélange de déférence et de flatterie

Benjamin Disraeli, le chef du parti conservateur.

et en fait sa principale alliée. Il appuie sa politique, au sein du parti conservateur comme aux affaires du royaume, sur trois grands principes : l'Eglise, la couronne et l'adhésion du peuple à la loi souveraine de l'Empire britannique. Ses convictions influencent toute sa politique extérieure, tandis qu'à l'intérieur il conduit un important train de réformes sociales. Une immense émotion saluera en 1881 la disparition de ce politicien brillant, qui a porté l'Angleterre au faîte de sa puissance.

Londres, port industriel, capitale de l'Empire britannique. 1883. Peinture de W. L. Wyllie. National Maritime Museum, Greenwich.

Un peintre symboliste au Panthéon

Paris, 1874
Puvis de Chavannes reçoit la commande officielle la plus importante de sa carrière de peintre symboliste : *L'Enfance de sainte Geneviève*, pour le Panthéon. Avec cette vaste décoration académique, où l'allégorie prime le style, on mesure l'apport original de ce peintre, délaissant l'anecdote et renonçant à la profondeur pour donner toute sa place au mur. Il réalisera encore de grands ensembles décoratifs pour le musée de Lyon et la Sorbonne, atteignant dans ses compositions aux couleurs pâles une austérité solennelle et une grâce hiératique qui font de lui un des plus grands décorateurs de la fin du siècle.

La Suisse adopte une Constitution libérale

Suisse, 19 avril 1874
La nouvelle Constitution adoptée par les Chambres le 31 janvier 1874 consacre la victoire des libéraux sur les ultramontains et renforce le pouvoir du gouvernement fédéral. Les cantons de Suisse romande de tendance radicale se rapprochent des cantons de langue allemande, influencés par le *Kulturkampf* germanique, et mettent en échec les catholiques. La Confédération helvétique affirme son indépendance à l'égard de l'Eglise, dont aucun représentant n'est admis au sein du gouvernement fédéral, et procède à un référendum : le 19 avril 1874, 340 199 Suisses contre 34 200 acceptent la Constitution.

Succès de l'opéra "Boris Godounov" de Moussorgsky

Saint-Pétersbourg, 8 février 1874
Le compositeur Modest Moussorgsky (1839-1881), membre du « groupe des Cinq », fait jouer *Boris Godounov*. Cette œuvre lyrique, inspirée librement de Pouchkine, connaît un véritable triomphe. En dix tableaux, l'opéra décrit l'avènement du tsar Boris, qui tue le tsarévitch Dimitri pour s'emparer du trône. La révolte du peuple contre le nouveau tsar, les menées d'un certain Grigori qui se fait passer pour Dimitri et les affres de Boris, torturé par le remords, ponctuent la progression dramatique du spectacle jusqu'à ce que le tsar, pris de terreur au récit d'un miracle qui se serait produit sur la tombe de Dimitri, abdique et meure, tandis que la foule en marche sur Moscou acclame le faux Dimitri. Moussorgsky, s'inspirant de la tradi-

tion populaire, suscite des relations nouvelles entre la mélodie et le texte et développe une instrumentation très colorée, dominée par le contraste des timbres. Cette œuvre constitue, par la grandeur du lyrisme, la nouveauté dans l'art du récitatif et l'emploi du style modal, l'un des chefs-d'œuvre de l'histoire de l'opéra.

Moussorgsky par Repine. Détail.

Barbey d'Aurevilly, écrivain des sens

Paris, 1874
Jules Barbey d'Aurevilly (1808-1889) manifeste son mépris pour la médiocrité bourgeoise par la provocation aristocratique et le dandysme. Converti à un catholicisme intransigeant et insolent, il défend avec la verve d'un polémiste féroce l'ultramontanisme et l'absolutisme. *Les Diaboliques* (1874) lui apportent la célébrité : le titre souligne le caractère diabolique des passions extravagantes et insolites qui animent ses héroïnes. Dans *Le Rideau cramoisi*, Alberte allie la plus grande impassibilité à la frénésie sexuelle et sa mort subite plonge son amant dans l'épouvante. *Le Bonheur dans le crime* exalte la hardiesse sans frein d'une escrimeuse redoutable, tandis que dans *Le Dessous des cartes d'une partie de whist*, l'héroïne pratique le meurtre sans remords. *La Vengeance d'une fem-*

me décrit celle, terrible, de la duchesse Sierra-Leone qui se prostitue pour mieux souiller l'honneur de son mari. La cruelle sensualité de ces nouvelles se veut exemplaire : « Toute peinture étant assez morale quand elle est tragique et qu'elle donne l'horreur des choses qu'elle retrace ».

Barbey d'Aurevilly. 1881.

Diffusion de la machine à écrire

Etats-Unis, 1874
Fabricant d'armes, de matériel agricole et de machines à coudre, Philo Remington s'intéresse à la machine à écrire de Sholes, Glidden et Soule, qui ont amélioré en 1867 l'in-

vention de l'Italien Ravizza (1855). Remington construit en série cette machine formée d'un clavier alphabétique et de leviers articulés qui commandent la frappe des caractères et l'avancement parallèle du papier, en la simplifiant et en la réduisant de façon à ce qu'elle puisse tenir sur un bureau.

En Angleterre, la "longue paume" fait place au "lawn-tennis"

Angleterre, février 1874
La « longue paume », qui date de 1793, possède son premier club en 1872. En février 1874, le major Walter Wingfield réglemente le jeu, qu'il

rebaptise « sphairistike », puis « lawn-tennis ». Ce « tennis » se pratique sur gazon, sur un terrain plus étroit au filet qu'au fond des courts. Les règles ne seront mises au point qu'en 1878, un an après le premier championnat de Wimbledon. Le tennis pénétrera en France grâce aux touristes anglais et en 1878, le Tennis-Club de Dinard est fondé.

"Les Pléiades" de Gobineau, un roman désabusé et hautain

Paris, 1874
Utilisant les souvenirs de sa vie de diplomate, le comte Joseph Arthur de Gobineau (1816-1882) écrit un roman accueilli avec indifférence : *Les Pléiades*. Louis de Laudon incarne les traits ridicules du caractère français. A son tempérament méfiant, d'un rationalisme exacerbé, s'oppose celui de Conrad, jeune sculpteur allemand, en qui dominent les élans du cœur. L'amitié qui se noue, au cours d'un voyage, entre Louis, Conrad et un troisième compagnon, l'Anglais Wilfrid Nore, nourrit chez les trois amis qui se qualifient eux-mêmes de « fils de roi » un sentiment

de supériorité à l'égard d'une humanité bornée et servile. Ces vues sur la « noblesse originelle » sont reprises de l'*Essai sur l'inégalité des races* (1853-1855), qui sera exploité par le national-socialisme.

Joseph-Arthur de Gobineau. 1841.

Cantor met au point la théorie des ensembles

Allemagne, 1874
Georg Cantor, né à Saint-Pétersbourg en 1845, étudie les mathématiques à Berlin avant de les enseigner à l'université de Halle dès 1879. Ses premiers travaux portent sur la théorie des nombres, mais, très vite, il s'intéresse aux ensembles. Dans une série d'articles parus entre 1874 et 1883, il introduit de nouveaux concepts mathématiques, constituant une véritable « arithmétique

de l'infini ». Il définit les ensembles comme « toute réunion d'objet de notre conception, déterminés et bien distincts, que nous nommerons éléments ». Il définit les différentes opérations que l'on peut effectuer sur ces ensembles (addition, multiplication associative, etc.). A partir de 1884, il rompt avec les mathématiques traditionnelles, attribuant à la théorie des ensembles un rôle unificateur et synthétique. Ses idées provoquent bien des oppositions, mais l'essentiel sera accepté par la communauté scientifique.

Les impressionnistes refusés au Salon

Paris, 15 avril 1874
Onze ans après la création du Salon des refusés (1863), un groupe d'artistes, de nouveau repoussé en bloc par le jury du Salon de 1874, décide de passer à l'offensive. Regroupés en une « Société des artistes peintres, sculpteurs et graveurs », ils organisent une exposition dans l'atelier du photographe Nadar au 35, boulevard des Capucines, avec une trentaine d'artistes : Monet, Pissarro, Renoir, Degas, Cézanne, Sisley, Guillaumin, Ber-

the Morisot... En gestation depuis 1863, l'heure de l'« impressionnisme » a sonné. L'exposition déchaîne néanmoins de vives protestations, voire l'hilarité. Témoin le critique du *Charivari*, Louis Le Roy qui, devant le tableau de Monet, *Impression soleil levant*, affuble par dérision l'épithète d'« impressionnistes » aux exposants. Le groupe accepta ce nom par défi, mais non sans réticences. En effet, la notion de groupe même n'existait pas réellement, tout au plus une ambition commune. Pourtant, les impressionnistes venaient de découvrir une autre technique picturale, faisant table rase des valeurs sur lesquelles reposait l'acte de peindre (contour, modelé, clair-obscur, perspective et profondeur) : la lumière transforme tout objet et le soumet à ses propres variations. En cela, ils appliquaient le principe de Delacroix, celui du « mélange optique ».

Claude Monet. Impression soleil levant (le port du Havre dans la brume). 1872.

1875

Paris, 5 janvier
L'Opéra est inauguré. →

France, 30 janvier
L'adoption de l'amendement Wallon impose la république. →

Rome, 5 février
Le pape Pie IX condamne dans son encyclique *Quod nunquam* les lois et le *Kulturkampf* de Bismarck qu'il considère comme nuls. En réaction, Bismarck fera voter l'abolition de toutes les congrégations le 31 mai.

Paris, 3 mars
Georges Bizet fait représenter *Carmen*. →

Allemagne, 8 avril
Un collaborateur du chancelier Bismarck publie dans le journal *Die Post* un article intitulé *La guerre est-elle en vue ?* s'inquiétant des mesures de défense prises par la France le 13 mars. Le ministre des Affaires étrangères français Louis Decazes y répond le 6 mai. →

Ciron, Indre, 15 avril
Le ballon le *Zénith* des aéronautes Crocé-Spinelli, Sivel et Tissandier s'écrase après avoir atteint 8 600 m d'altitude.

Londres, 6 mai
Campagne anti-allemande. →

Allemagne, 22-27 mai
Fondation du Parti ouvrier social-démocrate allemand à Gotha. →

France, 12 juillet
Une loi établit la liberté de l'enseignement supérieur.

Paris, 16 juillet
Sortie du premier numéro du journal *Le Petit Parisien*.

Bosnie-Herzégovine, 29 juillet
Les paysans de ces deux provinces montagneuses se soulèvent contre les Ottomans et résistent à l'armée turque. Les Bosniaques veulent s'unir à la Serbie, tandis que les Herzégoviniens préfèrent le Monténégro.

Chine, 11 août
La convention de Tche-fou signée entre les gouvernements anglais et chinois règle la crise déclenchée le 21 février par l'assassinat du consul Margary alors qu'il se rendait à la rencontre d'une mission revenant de Birmanie. Fondée sur un mémorandum

préparé par le diplomate anglais Wade, cette convention prévoit des réparations et des avantages commerciaux pour les Anglais.

Bulgarie, 16 septembre
A la suite du soulèvement en Herzégovine, les patriotes bulgares dirigés par Hristo Botev, président du comité révolutionnaire, déclenchent une insurrection à Stara Zagora. Elle sera rapidement réprimée.

Egypte, 25 novembre
La Grande-Bretagne achète des actions du canal de Suez et renforce son influence sur le pays. →

France, 31 décembre
L'Assemblée nationale se sépare après avoir voté au cours de l'année plusieurs textes organisant les pouvoirs et faisant office de Constitution : l'organisation du Sénat le 24 février, celle des pouvoirs publics le 25, et le 16 juillet sur les rapports du pouvoirs.

Grande-Bretagne
A la suite de nombreux conflits sociaux et devant la progression du mouvement syndical, la Chambre des communes adopte deux lois qui reconnaissent le fait syndical et assouplissent le droit de grève. La première règle les coalitions ouvrières et la protection de la propriété, la seconde les relations entre « employeurs et ouvriers », abolissant ainsi celle qui réglait les relations entre « maître et serviteur ».

Chine
L'empereur Kuang-Hsu, âgé de quatre ans, succède à son oncle T'ung-chih. Mais le pouvoir est entre les mains de l'impératrice douairière Ts'eu-Hi (1835-1908).

Hongrie
Kalman Tisza (1830-1902), chef du parti de centre gauche, fait fusionner son parti avec le DEAK, parti du centre, et forme le Parti libéral qui lui assure la place de Premier ministre.

Afrique centrale
L'explorateur anglais Verney Cameron (1844-1894) traverse l'Afrique d'est en ouest, de Zanzibar à Benguela.

France
Signature à Paris de la Convention du mètre, qui donnera naissance au Bureau international des poids et mesures.

Elisée Reclus publie une *géographie universelle*. →

Vue du canal de Suez pendant sa construction. Il fut mis en service en 1869.

L'Angleterre accroît son influence en Egypte

Londres, 28 novembre 1875
Le Parlement anglais est en vacances : Disraeli, qui a remplacé Gladstone à la tête du gouvernement, a les mains libres. Grâce à la Banque Rothschild, il se porte acquéreur pour 100 millions de livres, des 172 602 actions de la Compagnie du canal de Suez appartenant à l'Egypte et que le vice-roi Ismaïl Pacha a eu la maladresse d'offrir publiquement à la vente. Ce dernier avait inauguré son règne en 1863 sous le signe d'un nationalisme renaissant, en déclarant : « Il n'y a pas plus canaliste que moi, mais je veux que le canal soit à l'Egypte et non l'Egypte au canal ». A cette époque, Palmerston, qui ne croyait pas au canal, était encore au pouvoir et avait multiplié les obstacles pour que le projet n'aboutisse pas. Mais une fois achevé et inauguré par la princesse Eugénie (1869), le canal avait donné la preuve de son immense utilité : dès la première année d'exploitation (1870), 78 % du tonnage aurait transité par Suez. En s'appropriant les actions du vice-roi, l'Angleterre devenait le principal actionnaire du canal. En attendant « que l'Egypte soit au canal » !

L'amendement Wallon fait entrer la France en république

France, 30 janvier 1875
C'est par une seule voix de majorité (353 contre 352) que l'Assemblée nationale a adopté l'amendement Wallon. Celui-ci stipule : « Le président de la République est élu à la majorité absolue des suffrages par le Sénat et par la Chambre des députés réunis en Assemblée nationale. Il est nommé pour sept ans ; il est rééligible. » A l'annonce du résultat du scrutin, de longues et émouvantes acclamations sont montées des travées de la gauche : chacun sait que la République est désormais fondée. Pour la première fois, en effet, l'Assemblée a voté un texte qui implique le caractère durable et non plus transitoire du régime républicain. La composition de l'Assemblée élue en 1871 ne laissait pourtant guère présager un tel aboutissement, les monarchistes étant de loin majoritaires. Mais leurs divisions et l'intransigeance du comte de Chambord, qui refusa de monter sur le trône si le drapeau blanc ne se substituait pas au tricolore, ont assez vite rendu difficile un retour de la royauté. Les républicains voyaient au contraire leurs positions se renforcer à l'occasion de la plupart des élections partielles, ce qui laissait penser que le vote conservateur en février 1871 avait plus été un vote en faveur de la paix qu'en faveur de la monarchie. Un certain nombre de députés orléanistes, plus attachés au parlementarisme qu'à la monarchie, lassés de l'aveuglement des légitimistes et inquiets d'un éventuel retour des bonapartistes, se sont alors rapprochés des républicains qui, sur les conseils de Thiers et même de Gambetta, ont su se montrer rassurants par leur modération : ainsi est fondée la République.

Flemming décompte les chromosomes

Allemagne, 1875
Walther Flemming est surtout connu pour ses travaux sur la coloration et la conservation des coupes microscopiques. C'est lors de ces expériences qu'il note, en 1875, la constance des chromosomes dans une espèce donnée et les décompte. Il décrit ensuite la mitose (division des cellules) et signale la similitude de ce phénomène chez les animaux et les plantes, appuyant par là tous les travaux montrant l'inexistence d'une quelconque force vitale propre aux animaux et donc à l'homme.

Fusion des socialistes allemands à Gotha

Gotha, 22-27 mai 1875

Les deux organisations politiques de la classe ouvrière allemande se sont donné rendez-vous à Gotha, en Thuringe, afin de fusionner. Le Parti ouvrier social-démocrate et l'Association générale des ouvriers allemands comptent 256 660 membres cotisants, répartis dans 354 sections. Ils ont élu 127 délégués qui discutent et adoptent un projet de programme pour le nouveau parti ouvrier socialiste, programme de compromis entre les tendances lassallienne et socialiste. La tâche du parti est de réaliser par des moyens légaux un Etat libre et une société socialiste, l'abolition du salariat et de toute forme d'exploitation, l'éradication de toutes les inégalités politiques et sociales. Il réaffirme le rôle fondamental de la classe ouvrière et de tout le monde du travail, source des richesses de la société, dans le combat pour l'émancipation. Karl Marx manifesta depuis Londres sa désapprobation sur l'ensemble du texte en envoyant une lettre à Wilhelm Liebknecht qui se garda bien de la publier. Quant à l'organisation, elle reprend celle de l'ADAV avec son Congrès tout-puissant qui désigne le bureau exécutif et les rédacteurs des journaux. A la base, les membres restent libres de leur type d'organisation : clubs électoraux, associations populaires ou ouvrières.

August Bebel, fondateur avec Wilhelm Liebknecht, du parti social-démocrate allemand.

Bizet enflamme Paris avec "Carmen"

Paris, 3 mars 1875

Après de nombreux ouvrages (*Les Pêcheurs de perles*, 1863 ; *La Jolie Fille de Perth*, 1866), Georges Bizet compose son chef-d'œuvre : *Carmen*. Le personnage ardent et fataliste de Prosper Mérimée lui inspire un drame lyrique où la musique n'a jamais été aussi en accord avec la psychologie des personnages. Récit d'amour et de mort : le brigadier don José devient brigand pour l'amour de la bohémienne Carmen qu'il tue parce qu'elle ne l'aime plus. Bizet traduit avec force l'esprit méditerranéen du récit, bouleversant l'opéra traditionnel. L'intensité du drame se fonde sur les passions des protagonistes, soutenue par l'envoûtement des rythmes, la richesse orchestrale, et l'éclatante toile de fond de la corrida. Accablé par les critiques virulentes dont il est l'objet, le compositeur meurt à Bougival le 3 juin 1875.

Représentation de « Carmen », l'opéra de Georges Bizet, à l'Opéra-Comique à Paris en 1875.

La voiture à vapeur d'Amédée Bollée

Le Mans, 1875

Depuis plus de vingt ans, l'émulation pousse les inventeurs à trouver le moyen d'utiliser le moteur à vapeur pour propulser des véhicules routiers de dimension variable. Amédée Bollée (1844-1917), fondeur de cloches au Mans, utilisant les progrès réalisés dans la construction des chaudières, réussit à mettre au point un lourd véhicule de douze places. Ce véhicule précurseur, *L'Obéissante*, couvre 230 km en moins de 18 heures. La chaudière est placée à l'arrière de la voiture, le moteur et le système de transmission à l'avant. Dans les années suivantes, Léon Serpollet fabriquera de nombreuses voitures à vapeur qui atteignent la vitesse de 133 km/h. Mais le développement de l'essence et du moteur à quatre temps rendra dès 1900 ce système caduc.

« L'Obéissante » d'Amédée Bollée, mise au point en 1873.

Le contentieux franco-allemand : un danger pour la paix en Europe

Londres, 6 mai 1875

La méfiance persiste entre l'Allemagne et la France. Bismarck entretient la tension et cherche à présenter la France comme une puissance agressive. Le 13 mars 1875, les députés français votent une loi militaire, dite loi des Cadres, qui prévoit une augmentation du nombre des officiers. Profitant de cette menace indirecte, Bismarck évoque l'imminence d'un conflit armé. Un diplomate allemand va jusqu'à dire à l'ambassadeur de France que l'empire entreprendra une guerre défensive. La presse s'empare du différend. Le 6 mai 1875, le *Times* publie un article sous forme de lettre, qui révèle les intentions belliqueuses de l'Allemagne pour reconquérir le territoire de Belfort. L'indignation est à son comble. La reine Victoria écrit elle-même à Guillaume Ier pour l'inviter à la prudence. Le tsar promet au général Le Flô, ambassadeur de France, de l'avertir en cas de danger imminent. La crise profite tant à Decazes qu'on le suspecte d'être l'auteur de l'article du *Times*. Le succès français est manifeste, et fait échec à l'intimidation de Bismarck, pour peu de temps.

Bismarck jouant dangereusement avec le globe. Caricature de J. Renard.

Elisée Reclus publie sa "Géographie universelle"

Paris, 1875

Ardent démocrate, Elisée Reclus s'exila après le coup d'Etat de Louis Napoléon Bonaparte. De retour en France, il prit part à l'opposition républicaine et participa à la Commune de Paris. Condamné en 1871, il est banni et se réfugie en Suisse, où, tout en collaborant à la revue de Piotr Kropotkine, *Le Révolté*, il rédige son œuvre principale : la *Géographie universelle*. Le premier volume paraît à Paris en 1875, suivi de seize autres jusqu'en 1894. Il aborde d'une nouvelle manière la géographie en prenant en compte les bouleversements que connaît le monde industrialisé. Il analyse le rôle des villes et l'inscription des industries dans l'espace. Il rend opératoire un nouveau concept : l'Etat. En revanche, il hésite à définir la notion de région, ce qui lui vaut d'être ignoré par l'école géographique française, toute tournée vers l'étude régionale.

Inauguration de l'Opéra de Garnier

Paris, 5 janvier 1875

Charles Garnier (1825-1898) gagne en 1860 le concours organisé par Napoléon III pour la construction d'un nouvel Opéra à Paris. Le contraste entre ce grand monument commencé en 1862 et le lieu où il se trouve montre à quel point Garnier néglige l'intégration de l'édifice. L'Opéra trône comme un bijou rutilant devant lequel l'environnement doit paraître pauvre et humble. La nouveauté vient de l'exubérance décorative : dôme néo-byzantin, foyer néo-baroque et grand escalier produisent un indéniable effet d'emphase et de grandeur.

Le grand escalier de l'Opéra de Paris un soir de gala. 1875. Lithographie.

1876

France, 5 mars
Second tour des législatives : victoire des républicains qui bénéficient de la division des monarchistes et de nombreuses abstentions (340 élus contre 160).

Italie, 25 mars
Les progressistes, sous la direction d'Agostino Depretis, forment un gouvernement et engagent le pays sur une voie réformiste.

Londres, 27 avril
Victoria devient impératrice des Indes. →

Bulgarie, 1er mai
Le nouveau comité central révolutionnaire déclenche une insurrection générale. Devant la férocité de la répression ottomane, le libéral britannique Gladstone publie en septembre une brochure intitulée *Les Horreurs bulgares et la Question d'Orient.* →

Empire ottoman, 4 juin
Les Jeunes-Turcs déposent le sultan Abdul-Aziz. →

Etats-Unis, 25 juin
Sitting Bull remporte la bataille de Little Big Horn (→). Le chef apache, Geronimo, né vers 1834, commence à organiser la résistance contre les déportations. La gestion des Affaires indiennes donne également lieu à des scandales, puisque le ministre de la Guerre, Belknap, est inculpé pour trafics et complicité.

Serbie, 1er juillet
Sur les conseils du ministre Jovan Ristitch, la Serbie, suivie par le Monténégro, déclare la guerre à l'Empire ottoman. Mais l'armée serbe est battue par les Turcs ; seuls les Monténégrins résistent. Un armistice sera signé le 11 décembre.

Reichstadt, Bohême, 8 juillet
Devant l'extension du conflit armé dans les Balkans, les empereurs d'Autriche et de Russie se rencontrent pour délimiter leurs sphères d'influence : la Serbie pour l'Autriche, et l'est pour la Russie.

Philadelphie, 15 juillet
Dissolution du Congrès de l'Association internationale des travailleurs : depuis le transfert de son bureau à New York, elle n'avait plus qu'une existence théorique.

Bayreuth, 13 août
Inauguration de l'opéra de Bayreuth en présence de l'empereur Guillaume Ier avec *L'Anneau des Nibelungen.* →

Bruxelles, 12 septembre
Léopold II inaugure une conférence internationale de géographie, destinée à coordonner l'activité des explorateurs du continent africain et à « planter l'étendard de la civilisation sur le sol de l'Afrique centrale ».

Egypte, 18 novembre
L'Angleterre et la France constituent une Caisse de la dette égyptienne.

Mexique, 21 novembre
Le général Porfirio Diaz s'empare du pouvoir.

Istanbul, 23 décembre
Les Jeunes-Turcs imposent une constitution. →

Allemagne
A Deutz, l'ingénieur Nicolas Otto (1832-1891) met au point moteur à quatre temps. →

France
Auguste Renoir peint *Le Moulin de la Galette.* →

Mallarmé publie *Monologne d'un faune* (1865) remanié sous le titre : *L'Après-midi d'un faune.*

Afrique
Les explorateurs italiens Cecchi et Chiarini parcourent le Choa et l'Ethiopie, tandis que le Français Pierre Savorgnan de Brazza commence son périple sur les fleuves Ogooué et Congo.

Chine
La pose de la première ligne de chemin de fer entre Shanghai et Woosing suscite la colère des populations qui arrachent la voie.

Etats-Unis
Des ouvriers fondent une organisation clandestine, les Chevaliers du travail *(Knights of Labor)*, qui prendra une part déterminante à la grande grève de 1877.

Josiah Willard Gibbs énonce la loi des phases, fondamentale dans l'étude des phénomènes physico-chimiques.

Le bibliographe Melvil Dewey (1851-1931) invente le système décimal de classification des livres.

Grande-Bretagne
Thomas invente un nouveau procédé d'affinage des fontes. →

Graham Bell invente le téléphone

Boston, 1876
Professeur dans un institut de sourds et muets, Bell s'intéresse à la transmission des sons par l'électricité : ayant établi la différence entre les sons musicaux et les sons articulés, il construit un appareil capable de traduire en oscillations électriques les courbes des vibrations sonores, reproduisant la hauteur des sons, le timbre et l'intensité de la voix. En 1876, il l'expose à Philadelphie ; il réussira à parler de Boston à Essex (22 km) en février 1877, le son étant transmis par un fil télégraphique.

Les débuts du téléphone. Illustration tirée d'un article publié en 1877.

L'ingénieur Otto met au point le moteur à quatre temps

Cologne, 1876
Ayant fait fortune grâce à un moteur à deux temps très économique, Nicolas Otto cherche à mettre au point le moteur à explosion. En 1876, il réussit à créer un cycle à quatre temps, dont le principe a été établi par Beau de Rochas en 1862. Rentable et sans danger, son moteur, qui utilise le gaz comme combustible, est allumé par un transport de flamme, le combustible enflammé étant entraîné vers la chambre de combustion par un tiroir. Les quatre temps se décomposent ainsi : aspiration du gaz, compression, inflammation et détente, renvoi du piston qui chasse les gaz brûlés. Ce moteur reste d'un usage purement industriel et équipe des usines et des centrales électriques. Mais ce principe profitera à Gottlieb Daimler qui, travaillant pour Otto, l'adaptera au pétrole.

Les Jeunes-Turcs obtiennent une Constitution

Istanbul, 23 décembre 1876
Le nouveau sultan, Abd ul-Hamid II, qui régnera jusqu'en 1909, inaugure son règne en réintégrant Midhat Pacha à son poste de grand vizir et en promulgant la première Constitution ottomane, qui institue un système parlementaire bicaméral. Midhat Pacha avait gagné un certain renom de « gouverneur progressiste » ainsi que la confiance des Jeunes-Turcs, mouvement politique fondé en 1865 et qui avait pour devise « Justice, Liberté, Patrie ». En déposant le sultan Abd ul-Aziz (1876) ainsi que son successeur Murât V qui souffrait de troubles mentaux, il avait réussi à s'assurer la loyauté des Jeunes-Turcs, prêts à adhérer à l'« establishment » qu'ils dénonçaient. Après une pause libérale, Abd ul-Hamid II pourra gouverner en despote nullement éclairé.

Gladstone prend parti pour les Bulgares

Londres, septembre 1876
Le chef du parti libéral, William Ewart Gladstone (1809-1886), publie un pamphlet retentissant : *Les Horreurs bulgares et la Question d'Orient*, dans lequel il prend parti pour la grande révolte bulgare et dénonce, en même temps, la répression turque et l'inaction du gouvernement de Disraeli, au nom des exigences « morales qui s'imposent à la politique britannique ». C'est pourtant sous son gouvernement que la politique étrangère de l'Angleterre avait fait preuve de la plus grande inertie, assistant sans réagir à l'écrasement de la France en 1870 et à l'avènement de la puissance allemande, à la dénonciation du traité de Paris (1856) par la Russie et à la reconstitution de la flotte russe en mer Noire. Pendant près de quinze ans, sous un prétexte ou un autre, Gladstone et Disraeli s'accuseront mutuellement de « tiédeur », ce qui suscitera l'extension de l'Empire britannique. C'est Disraeli qui achète les actions de la Compagnie du canal de Suez, et c'est Gladstone qui occupe l'Egypte. Pour la plus grande gloire de l'empire

W. E. Gladstone par J. E. Millais

Louis II de Bavière offre à Richard Wagner un Opéra à sa mesure

Bayreuth, 13 août 1876
Richard Wagner présente, pour l'inauguration de l'Opéra de Bayreuth, la tétralogie *L'Anneau des Nibelungen*, conçue il y a vingt-huit ans. *L'Or du Rhin*, qui en constitue le prologue, est donné le 13 août et sera suivi, les 14, 16 et 17 août, de *La Walkyrie, Siegfried* et *Le Crépuscule des dieux*. Salué comme un événement à la fois artistique et politique, ce premier Festival de Bayreuth revêt un prestige exceptionnel. Guillaume II et l'empereur du Brésil y côtoient le romancier Tolstoï et les musiciens Liszt, Saint-Saëns, Tchaïkovski. C'est en avril 1872 que Wagner, désireux d'édifier un théâtre qui matérialiserait sa conception initiatique du spectacle, avait choisi le site de Bayreuth, petite ville du nord de la Bavière. Construit grâce à l'appui enthousiaste de Louis II, le théâtre dissimule l'orchestre au public et plonge la salle dans l'obscurité durant la représentation, créant ainsi les conditions d'une écoute musicale nouvelle.

Le théâtre Richard-Wagner à Bayreuth, construit entre 1872 et 1876.

Victoria, impératrice des Indes

Angleterre, 27 avril 1876
Lorsque, le 27 avril 1876, Disraeli offre la couronne de l'empire des Indes à la reine Victoria, celle-ci devient la souveraine la plus puissante du monde. Victoria est née en 1819 ; elle est appelée à la tête de l'Angleterre le 20 juin 1837, à la mort de George III. Consciente de l'ampleur de sa tâche et de son inexpérience, elle suit les conseils de Lord Melbourne, Premier ministre jusqu'en 1841. Elle se dit « sincèrement désireuse de faire ce qui est bien et juste ». Et, de fait, soutenue par une grande exigence morale, elle tente de porter au plus haut la gloire de son pays. Son mariage heureux avec Albert de Saxe-Cobourg, le 10 février 1860, demeure un exemple et sert de modèle au peuple britannique. Epanouie dans sa vie conjugale, elle acquiert grâce à son mari toute sa maturité politique. Bien que son pouvoir soit limité par la Constitution, elle exige de ses ministres d'être consultée pour faire valoir ses idées. La politique étrangère et les affaires de l'Eglise sont ses domaines de prédilection et, malgré ses affinités avec certains ministres, elle tente de rester au-dessus des partis. Profondément affectée par la disparition de son mari en 1861, elle reprend part activement à la vie politique à l'arrivée de Disraeli au pouvoir. La ferveur populaire célèbre son règne à l'occasion de deux jubilés, en 1887 et 1897. Le 14 janvier 1901, « la grand-mère de l'Europe » doit s'aliter et meurt le 22 janvier, laissant une empreinte indélébile dans la mentalité anglaise et son nom à toute son époque.

Thomas invente un procédé d'affinage des fontes

Grande-Bretagne, 1876
La fonte peut être produite facilement depuis 1864 grâce au procédé de Pierre Martin. Mais les minerais riches en phosphore posent toujours un problème. Sydney Gilchrist Thomas imagine de tapisser l'intérieur du four Bessemer d'un revêtement basique, la dolomie, qui, portée à haute température, élimine les scories de phosphore contenues dans le minerai de fer. Ce procédé permet à de nombreux gisements de devenir rentables : les mines lorraines, essentielles pour la France depuis 1871 et qui produisaient 600 000 tonnes en 1870, passent à 4 millions en 1880. De plus, le phosphore ainsi recueilli sert d'engrais.

Sitting Bull bat Custer à Little Big Horn

Montana, 25 juin 1876
Fuyant les risques de famine, les Sioux parqués dans les réserves du Dakota partent vers le nord pour rejoindre les camps des rebelles conduits par Sitting Bull (« Taureau-Assis »), surnom de Tatanka Iyotake (né à Grand River, dans le Dakota du Sud, en 1831). Cette révolte trouve aussi son origine dans les infractions répétées des Blancs à l'égard des traités signés avec les tribus indiennes. Ainsi, pour exploiter des mines d'or, les Black Hills avaient été envahies alors que les Indiens considéraient ces montagnes comme sacrées. Pour rétablir l'ordre, des expéditions militaires sont envoyées contre les Sioux. Après celle de mars 1876, une nouvelle part en mai : les troupes du général Crook (1 300 hommes) envahissent le territoire indien. Le 16 juin, aidés par les Cheyennes et leur chef Two Moon, les Sioux commandés par Crazy Horse repoussent l'armée américaine. Au matin du 25, le général George Armstrong Custer se lance à l'assaut sans attendre de renforts. Encerclée près de la Little Big Horn River, sa section de cavalerie (285 hommes) est totalement anéantie et Custer trouve la mort. Dès le 6 juillet, la victoire des Indiens sera dénoncée comme un massacre malgré la provocation de l'armée. Sitting Bull sera tué en 1890.

Le chef sioux Sitting Bull (« Taureau assis »), surnom de Tatanka Iyotake.

Le général Custer, tué à la bataille de Little Big Horn.

Auguste Renoir, peintre des bonheurs

Paris, 1876
Auguste Renoir (1841-1919) est certainement le plus brillant des impressionnistes, sachant saisir avec sensualité la lumière nacrée d'un instant de bonheur : le grain d'une chair pulpeuse, un reflet de soleil sur des cheveux blonds, l'émotion qui rosit les joues d'une jeune femme, les formes opulentes d'une danseuse.

Auguste Renoir. « Le Moulin de la Galette ». 1876. Musée d'Orsay, Paris. Ce bal champêtre se tenait sur la butte Montmartre.

1877

Allemagne, 10 janvier
Aux élections au Reichstag, le parti social-démocrate obtient 9,1 % des suffrages et 12 mandats.

Budapest, 15 janvier
Signature d'une convention entre l'Allemagne et la Russie prévoyant en cas de conflit russo-ottoman que la Bessarabie devienne russe, la Dobroudja roumaine et la Bosnie-Herzégovine autrichienne. Les deux puissances repoussent l'idée d'un Etat slave dans les Balkans.

France, 26 février
Zola devient célèbre avec *L'Assommoir*. →

Washington, 4 mars
R.B. Hayes est élu président.

Empire ottoman, 17 mars
A la suite de la promulgation en 1876 d'une Constitution, ouverture de la première session du Parlement. →

Londres, 31 mars
La conférence internationale sur les Balkans adopte un protocole exigeant des Turcs des réformes au profit des chrétiens.

Afrique du Sud, 12 avril
L'Angleterre annexe le Transvaal.

Empire ottoman, 24 avril
Le tsar Alexandre II déclare la guerre au sultan qui vient de rejeter les mesures proposées par le protocole de Londres.

Roumanie, 9 mai
Profitant de la guerre russo-ottomane, le pays proclame son indépendance. Les troupes russes et roumaines prennent Plevna, qui capitule le 28 novembre.

France, 16 mai
Mac-Mahon renvoie Jules Simon et appelle le duc de Broglie. →

Grande-Bretagne, mai
Gladstone qui avait quitté la présidence du parti libéral en 1875 reprend la tête du Parti pendant le congrès et procède à une réorganisation afin de le rendre plus homogène, et éviter les conflits de personne ; il constitue une véritable organisation, la Fédération nationale libérale, le « caucus », pour donner plus de poids aux organisations locales.

France, 25 juin
A la suite d'un vote de défiance de l'Assemblée le 16 juin, le président Mac-Mahon dissout la Chambre et procède à de nouvelles élections.

Grande-Bretagne, 23 août
Les Communes adoptent le *Merchandise Marks Act*, qui oblige les exportateurs à inscrire le lieu de fabrication de leurs produits.

Etats-Unis, 24 juillet
Déclenchement d'une grève nationale des chemins de fer. →

France, 14-28 octobre
Les républicains conservent une large majorité sur les monarchistes, même s'ils perdent quelques sièges. Ils progressent toutefois, en nombre de suffrages. Les élections partielles de 1878 pour cause d'invalidation accentueront le présence républicaine, qui sera de 400 députés sur 526.

Etats-Unis, 19 décembre
L'inventeur Thomas Edison (1847-1931) dépose le brevet du phonographe. →
Edison met au point un microphone à carbone qui sera également construit par l'Anglais David Hughes (1831-1900)

Premier emploi de wagons frigorifiques.

Russie
Tchaïkovsky (1840-1893) présente *Le Lac des cygnes*. →

Tolstoï publie *Anna Karénine*. →

Japon
La révolte des samouraïs conduite par Saïgo est vaincue par Okubo. →

Italie
Le gouvernement Depretis fait voter la loi Coppino qui assure l'instruction élémentaire gratuite et obligatoire, avec enseignement religieux facultatif.

France
Georges Leclanché (1839-1882) invente la pile électrique.

Hugo publie la deuxième partie de *La Légende des siècles*.

Grande-Bretagne,
Le photographe Edward Muggeridge, dit Muybridge (1830-1904), obtient pour la première fois des images animées d'un cheval au galop en employant 12 puis 25 appareils photographiques, dont les obturateurs à fente sont déclenchés par des fils que le cheval casse lors de son passage devant l'appareil.

L'Américain Edison invente le phonographe

New Jersey, 1877
Etudiant le procédé Bell de transmission des sons, Thomas Edison fait des recherches sur l'enregistrement et la restitution de la voix. Il reprend les expériences antérieures qui ont montré que les sons agissant sur un stylet peuvent s'inscrire sur un cylindre enduit de fumée. Ainsi le 19 décembre 1877, il dépose le brevet du premier phonographe. Celui-ci est constitué d'un cylindre recouvert d'étain qui tourne à la manivelle autour d'un axe fileté. Il subit un double mouvement de rotation et de translation. Devant ce cylindre est disposé un cornet acoustique au bout duquel est placé un diaphragme qui porte un stylet. Tandis que l'on parle devant le cornet, le stylet grave le cylindre en fonction des vibrations du diaphragme. L'enregistrement terminé, on remplace le cylindre et le stylet au point de départ, et celui-ci lit les inscriptions que le diaphragme transforme en sons. Mais ce procédé ne reproduit pas clairement, les voyelles. En 1885, Edison commercialise une version améliorée sous le nom de dictaphone. Il incarne l'idéal pragmatique de cette fin de siècle.

Le phonographe de Thomas Edison, breveté en 1877.

Echec de la révolte des samouraï au Japon

Kagoshima, 10-24 sept. 1877
L'abolition des privilèges féodaux suscite l'hostilité des anciens samouraïs, déçus aussi par le refus du gouvernement d'attaquer la Corée. C'est le charismatique Saigô Takamori, l'un des grands artisans de la chute du shôgunat passé à l'opposition, qui rallie les mécontents, surtout dans le fief de Satsuma dans le sud du pays. Takamori prépare la chute d'un gouvernement qui, selon lui, trahit les idéaux de 1868. Les samouraï réactionnaires du fief de Kagoshima s'insurgent en janvier et demandent à Takamori de se mettre à leur tête. Convaincu de l'échec inéluctable, il prend pourtant le commandement de ces 40 000 samouraï qui se sont emparés des arsenaux de Kagoshima. Ils se heurtent à la nouvelle armée de paysans encadrés par des samouraï loyalistes. Les combats extrêmement sanglants durent jusqu'à l'automne, l'armée impériale triomphant grâce à sa supériorité technologique et à la détermination de ses soldats. De leur côté, les insurgés ne surent rallier tous les samouraï mécontents. Leur défaite marque la fin de l'ordre ancien, et l'ouverture du pays au progrès.

Le samouraï, symbole d'un ordre ancien. Estampe de Toyokuni.

Accueil réservé à Moscou pour "Le lac des Cygnes"

Moscou, 4 mars 1877
Le lac des Cygnes de Piotr Ilitch Tchaïkovski (1840-1893) est monté avec Julius Reisinger. Mais ce ballet, qui ne connaît aucun succès, ne sera mondialement apprécié qu'à partir de 1895, dans la chorégraphie de Marius Petipa et de Lev Ivanov. Cette sorte d'échec est particulièrement redoutée du compositeur, dont la mélancolie le jette chroniquement dans de graves dépressions. Mais cette année, une riche veuve, admiratrice du musicien, Nadejda von Meck, le sauve de l'incertitude matérielle et lui rend, pour une dizaine d'années, la confiance en lui qu'il avait perdue : la seule condition qu'elle met à leur amitié est qu'il n'y ait entre eux que des liens épistolaires.

P. I. Tchaïkovski par N. Kouznetsov.

Disraeli annexe le Transvaal des Boers

Afrique du Sud, 12 avril 1877
Reconnue par l'Angleterre en 1852, la République des Boers n'en est pas moins convoitée par Disraeli. Possédant déjà les colonies du Cap et du Natal, les Anglais sont en lutte avec le Transvaal depuis 1868. En effet, le président Thomas-François Burgers encourage l'immigration néerlandaise et flammande, et mène une politique farouchement indépendante qui inquiète Disraeli. Lord Carnarvon, secrétaire d'Etat aux colonies, dépêche au Cap Sir Shepstone pour réaliser pacifiquement l'annexion de la République des Boers, et la réunir à une fédération sous contrôle britannique. En décembre 1876, Shepstone s'installe à Pretoria. Soutenu par les journaux anglais, il dénonce la faillite financière du Transvaal et l'incapacité de Burgers à contenir les guérillas du chef de tribu Sekoukouni. Encouragé par une minorité de Boers de souche anglaise, il annexe purement et simplement le Transvaal le 12 avril 1877 au nom de la Grande-Bretagne. Les Boers, dont le sentiment national est exacerbé, fondent une revue *l'Afrikaner patriote* qui rassemble plus de 4 000 adhérents. Les Boers se soulèveront en 1881 contre l'Angleterre.

La France racontée à deux enfants

Paris, 1877
Mme Alfred Fouillée publie, sous le pseudonyme de G. Bruno, *Le Tour de France par deux enfants*, un ouvrage éducatif dans lequel l'auteur donne du pays une image des plus concrètes. A pied, sac au dos, André et Julien Volden, deux orphelins, découvrent les paysages et ressources des provinces de France. Ils y acquièrent, à travers un grand nombre d'observations et d'expériences concrètes, une conscience civique et morale résumée par ces deux mots : Devoir et Patrie.

Bois d'orangers près de Nice. Illustration du « Tour de France par deux enfants ». Edition de 1877.

Le coup de force du 16 mai fatal aux conservateurs

Paris, 16 mai 1877
Les républicains ayant gagné les législatives de février-mars 1876. Le maréchal Mac-Mahon avait choisi l'un d'eux, Jules Simon (1814-1896), pour former le nouveau gouvernement. Mais, poussé par ses conseillers royalistes et avec l'appui du Sénat, il voulut faire prévaloir une politique conservatrice. Jules Simon démissionne donc le 16 mai 1877, à la suite d'une lettre de Mac-Mahon. Il est remplacé par le duc de Broglie (1821-1901). L'Assemblée riposte en votant un ordre du jour de défiance. Le gouvernement dissout la Chambre mais les élections d'octobre 1877 donnent à nouveau une large majorité aux républicains. Mac-Mahon doit s'incliner, renvoyer de Broglie et prendre des ministres républicains.

« Salut aux grands citoyens » : Victor Hugo, Louis Blanc, Gambetta et Thiers.

La soif d'absolu d'Anna Karénine

Russie, 1877
Après *Guerre et Paix* (1863-1869), Léon Tolstoï (1828-1910) rédige, de 1873 à 1877 son deuxième grand roman, *Anna Karénine*. L'héroïne, femme d'un haut fonctionnaire, quitte son mari et se perd aux yeux de la société par amour pour son amant, le superficiel Vronski. Anna Karénine, rongée par son exigence de droiture et déçue pas la fausseté de la situation, estime sa vie perdue et se jette sous un train. A cet amour coupable et passionné, Tolstoï oppose le calme bonheur familial de Kitty et Lévine. Dans ce roman psychologique, qui décrit finalement la société russe contemporaine, on voit se mobiliser le vitalisme de l'auteur devant une morale pessimiste envahissante. En écrivant ce roman, Tolstoï fut saisi d'une crise morale et religieuse qui le conduisit à se convertir au catholicisme : l'écrivain athée, devient un moraliste.

Les chemins de fer américains touchés par la grève

Etats-Unis, 24 juillet 1877
Depuis 1870, le capitalisme américain se développe à travers l'industrie du rail. Jay Cooke, Jay Gould, Cornélius Vanderbilt et James Hill se sont taillés de vastes empires ferroviaires. Les compagnies de chemin de fer sont les employeurs les plus importants du pays. Alors qu'ils avaient déjà été réduits de 10% en 1873, les salaires des cheminots subissent une nouvelle baisse de 10 % en 1877. Les ouvriers du rail déclenchent alors une vague de grèves insurrectionnelles à New York, Baltimore, Saint Louis et dans d'autres grandes villes. Le mouvement s'étend aussi sur la côte Ouest. A Pittsburgh, la milice tire sur la foule : vingt morts. Il s'ensuit une véritable émeute et les insurgés sont maîtres de la ville pendant deux jours. A Chicago et à Saint Louis, c'est la grève générale et un Comité ouvrier contrôle ces villes. Le parti socialiste est le plus souvent à la tête des mouvements. La répression des grèves se mène non seulement avec les milices d'Etat mais aussi, pour la première fois dans l'histoire des Etats-Unis, avec des troupes fédérales.

Triomphe pour Zola avec "L'Assommoir"

Paris, 26 février 1877
C'est avec le septième volume des *Rougon-Macquart* que Zola va connaître le succès et la célébrité, en le désignant comme chef de file des romanciers naturalistes, avec Guy de Maupassant et Joris-Karl Huysmans. *L'Assommoir* provoque en effet le scandale pour sa peinture crue du milieu ouvrier (« premier roman sur le peuple qui ait l'odeur du peuple ») et pour le réalisme de son style qui emprunte, pour la première fois dans un roman de nombreux éléments à la langue populaire. Prenant pour thème la vie des ouvriers parisiens, le roman s'attache au malheur qui frappa l'ouvrier zingueur Coupeau, qui a épousé Gervaise Macquart, et dont la déchéance est le symbole de la misère qui frappe toute une classe. Sans emploi depuis qu'il est tombé du haut d'un toit, Coupeau se met à fréquenter l'« Assommoir », un cabaret proche des abattoirs de Belleville où l'alambic devient le symbole d'un monstre qui guette et frappe ses victimes.

Emile Zola. 1898. Dessin.

L'Empire ottoman, proie des ambitions russes

Turquie, 24 avril 1877
Les visées expansionnistes d'Alexandre II, empereur de Russie sont ambitieuses. Après avoir conquis le Caucase (1864), la rive gauche de l'Amour où s'installe le Turkestan russe (1865) et étendu son protectorat aux khânats de Boukhara et Khina, il travaille à l'indépendance, sous sa tutelle, des pays balkaniques. Prenant prétexte de la répression brutale par les Ottomans de la grande révolte bulgare de mai 1876, il déclenche la guerre contre les Turcs. La conjoncture lui était favorable. La cruauté de la répression (on avance le chiffre de 15 000 Bulgares massacrés) avait soulevé l'indignation de l'Europe, particulièrement de l'Angleterre où Gladstone lui-même avait pris la tête de la campagne, au nom des « valeurs morales ». Les armées russes passent les frontières ottomanes et, malgré la défense courageuse de Plevna par Osman Pacha, elles occupent Sofia et Edirne (ancienne Andrinople) et atteignent les faubourgs d'Istanbul. Du coup, oubliant les « valeurs morales » l'Angleterre s'opposera, en mars 1878, au traité de San Stefano qui avait créé, sur le papier, une grande Bulgarie allant du Danube à la mer Egée et de la mer Noire à l'Albanie. Le démantèlemet de ce qui restait de l'Empire ottoman en Europe ne devait pas se faire au profit de la seule Russie. Revenu au pouvoir, Disraeli veille au grain : ce sera le Congrès de Berlin.

Le sultan Abdûl-Hamid II, maître de l'empire ottoman.

1878

Afrique australe, 22 janvier
Victoire du chef zoulou Cetewayo sur une armée britannique à Isandhlwana.

Russie, 23 janvier
Procès des populistes. →

Empire ottoman, 31 janvier
Les troupes russes, roumaines et bulgares s'avancent vers le Bosphore et s'emparent d'Andrinople où les Ottomans acceptent un armistice.

Vatican, 7 février
Mort de Pie IX. C'est son camerlingue depuis 1877, le cardinal Gioacchino Pecci, qui lui succède sous le nom de Léon XIII.

Italie, 9 février
A la mort de Victor-Emmanuel II, son fils Humbert Ier (1844-1900) lui succède.

Etats-Unis, 28 février
Avec la loi Bland-Allison, le Congrès revient au système monétaire bimétallique argent-or. →

San Stefano, 3 mars
Le traité, signé dans ce faubourg de Constantinople entre les Turcs et les Russes, organise une Grande Bulgarie qui ressurgit après six siècles, assurant à la Russie une prépondérance dans la région. Cette perspective inquiète la Grande-Bretagne et l'Allemagne qui imposent à Berlin un nouveau traité le 13 juillet. →

Paris, 1er mai
Inauguration de l'Exposition universelle, à l'occasion de laquelle est construit le palais du Trocadéro. Visitée par plus de 16 millions de personnes, l'Exposition sera marquée par l'immense et spectaculaire galerie des Machines.

Dresde, mai
Nietzsche publie *Humain, trop humain*. →

Allemagne, 2 juin
Après l'apprenti Max Hödel, l'étudiant Karl Nobiling attente à la vie de l'empereur Guillaume Ier.

Crète, 4 juin
A la suite d'une nouvelle insurrection des Crétois, l'Empire ottoman se dessaisit de l'île et la concède à la Grande-Bretagne. Le statut arraché en 1868 est confirmé et précisé par le pacte de Khalépa.

Belgique, 11 juin
Ministère libéral de Hubert Frère-Orban. →

Grande-Bretagne, août
Le prédicateur méthodiste William Booth (1829-1912) fonde l'Armée du salut. →

Allemagne, 19 octobre
Lois antisocialistes. →

Afghanistan, novembre
Les troupes anglaises, pour se préserver de l'avancée russe, attaquent les Afghans à la suite de la visite d'une mission militaire russe à Kaboul. →

Grande-Bretagne
La législation du travail féminin et infantile est codifiée.

Allemagne
Le chimiste Adolf von Baeyer (1835-1917) réussit la synthèse de l'indigo.

Afrique
L'explorateur portugais Serpa Pinto parcourt l'Angola.

Etats-Unis
Edison invente la lampe électrique à incandescence. →

Charles Sanders Peirce (1839-1914) développe la logique mathématique des relations dans *Comment rendre nos idées claires*.

Henry James publie des études sur la femme américaine : *Daisy Miller*.

France
Frédéric Mistral publie un lexique des divers parlers occitans modernes dans son *Trésor du félibrige*.

Hector Malot publie *Sans famille*.

Le premier sac de couchage est confectionné à la demande de l'écrivain Robert Louis Stevenson pour sa traversée des Cévennes.

Genève
Publication du *Programme de Bruxelles*, premier programme socialiste polonais. La même année à Varsovie, des Caisses de résistance sont créées pour subventionner l'agitation des étudiants et des ouvriers.

Madagascar
A l'occasion de son rapprochement avec la Grande-Bretagne, la reine Ranavalona II fait saisir les immeubles Laborde puis occupe la côte du Sambirano, sous protectorat français.

La question des Balkans réglée à Berlin

Berlin, 13 juin-13 juillet 1878

Le traité de San Stefano (3 mars 1878), imposé à la Turquie par les Russes après leur victoire de 1877-1878, avait mis fin à la guerre des Balkans en consacrant le démantèlement de l'Empire ottoman d'Europe, mais au seul profit de Saint-Pétersbourg. La création d'une Grande Bulgarie ne pouvait être ni du goût de la Grande-Bretagne, toujours prête à s'inquiéter d'une menace sur les Détroits, ni du goût de l'Autriche-Hongrie, toujours méfiante à l'égard des nationalités balkaniques, et surtout frustrée de n'avoir pas obtenu la Bosnie-Herzégovine. Disraeli va jusqu'à brandir la menace d'une guerre si le traité n'est pas abrogé. Une conférence de conciliation est alors convoquée à Berlin et placée sous la présidence de Bismarck, manière de souligner le rôle désormais important du nouveau Reich allemand au sein de l'Europe. Bismarck, qui prétend ne jouer au sein du congrès que le rôle d'un « honnête courtier », est pourtant soucieux de préserver l'entente des trois empereurs d'Allemagne, d'Autriche et de Russie, entente dont il avait fait, depuis 1872, la base de sa politique européenne. Le traité signé à Berlin par l'Angleterre, l'Allemagne, l'Autriche, la France, l'Italie, la Russie et la Turquie modifie profondément le traité de San Stefano. La Russie obtient en Europe la Bessarabie et en Asie Batoum et Kars. La Roumanie, la Serbie et le Monténégro sont reconnus indépendants. La Bulgarie est érigée en principauté autonome, mais perd les deux tiers du territoire que lui avait assigné le traité de San Stefano, y compris l'accès à la mer Egée. Sa partie méridionale, la Roumélie orientale, devient principauté sous suzeraineté turque (elle ne sera rattachée à la Bulgarie qu'en 1885). Dans la perspective d'arrêter l'expansion russe dans les Balkans et d'empêcher la réunion des Slaves méridionaux, la Bosnie-Herzégovine est placée sous administration autrichienne, ainsi que le district de Novi-Bazar. La Grèce reste sur des promesses (ce n'est qu'en 1881 qu'elle annexera la Thessalie et une partie de l'Epire). Naturellement, les résultats du congrès de Berlin mécontentent les Russes. Par contre, l'Angleterre s'assure le droit d'occuper et d'administrer l'île de Chypre et s'engage, en contrepartie, à se joindre au sultan pour la défense de ses territoires d'Asie dans le cas de nouvelles usurpations russes. L'occupation de la Tunisie par la France aura lieu en 1881 ; celle de l'Egypte par la Grande-Bretagne suivra en 1882.

Congrès de Berlin : Bismarck recevant les délégations étrangères.

Bismarck promulgue les lois antisocialistes

Allemagne, 19 octobre 1878
Bismarck s'inquiète de la poussée des socialistes et de leur remise en cause des institutions de l'empire. Le 31 mai et le 2 juin 1878, deux attentats terroristes perpétrés contre Guillaume Ier, et attribués à tort aux sociaux-démocrates, lui servent de prétexte pour préparer des lois anti-socialistes. Cependant, devant l'opposition des libéraux, Bismarck doit dissoudre le Reichstag. Les nouvelles élections, qui consacrent la victoire des conservateurs, lui permettent de faire voter des mesures d'exception le 19 octobre 1878. Chaque pays de l'empire peut instituer l'état de siège, et la police dispose du droit d'expulsion. La résistance des nationaux-libéraux est telle que la loi n'est votée que pour une durée de deux ans. Quatre associations ouvrières sont dissoutes et, le 23 octobre, deux périodiques socialistes sont interdits.

L'état d'urgence est proclamé dans l'empire allemand : une réunion social-démocrate interrompue par la police.

En Belgique, le libéral Frère-Orban au pouvoir

Bruxelles, 11 juin 1878
Les doctrinaires et les libéraux proposent un programme commun de défense des intérêts nationaux contre le cléricalisme. Inquiet des déclarations intransigeantes des évêques à Malines, le peuple belge vote massivement contre la droite et, le 11 juin 1878, Hubert Frère-Orban prend le pouvoir. Il conduit les libéraux influencés par le radicalisme français. Sans chercher à réaliser une croisade anticléricale comme le souhaite une fraction de son parti, Frère-Orban institue la laïcité de l'enseignement et crée le premier ministère belge de l'Instruction publique. Cependant, les dissensions au sein de son parti ont raison de sa politique. Opposés à son projet d'augmentation des impôts indirects, les indépendants fondent leur propre parti et ne lui renouvellent pas leur confiance en 1884. La politique modérée de Frère-Orban le conduit à la chute.

En Russie, procès spectaculaire de 193 populistes

Moscou, 23 janvier 1878
L'intelligentsia russe souhaite remplacer le tsarisme autocratique par un régime socialiste. Leur principale action est d'« aller au peuple » en prêchant leurs idées en public. La police multiplie les arrestations. A la mi-octobre 1877, s'ouvre le procès de 193 d'entre eux. Les autorités espèrent, par ce coup de force, mettre définitivement fin à la propagande révolutionnaire dans l'empire. Malgré son déroulement à huis clos, et l'obligation faite à la presse de ne publier que des comptes rendus officiels, le procès a un écho retentissant. Mêlant des accusés de sensibilités politiques diverses, il renforce leur idéal commun de révolution et d'égalitarisme. Les sentences tombent le 23 janvier 1878 : les juges accordent la liberté à plus de cent populistes et ne prononcent aucune condamnation à mort. Loin de calmer l'agitation, ce procès rejette les populistes vers une nouvelle forme d'action : le terrorisme révolutionnaire.

Le tsar Alexandre II. Ses réformes politiques s'avèreront insuffisantes.

Edison invente la lampe à incandescence

Etats-Unis, 1878
L'usage de l'électricité se multiplie dans les années 1870, après l'invention de la dynamo et les premières transmissions de courant sur longue distance. Thomas Edison, inventeur pragmatique, fait des recherches sur l'éclairage électrique. Il reprend les travaux de l'Anglais Swan sur l'ampoule électrique et réussit en 1878 à fabriquer une lampe constituée par un filament de carbone enfermé dans une ampoule vidée d'air. La supériorité de ce type d'éclairage par rapport à celui au gaz s'impose vite, d'autant plus qu'Edison fait installer à New York, en 1882, la première station génératrice de courant électrique afin de fournir les lampes qu'il vend à la ville. Le gaz, odorant et dangereux, est peu à peu abandonné dans les villes. L'électricité introduit des transformations dans la vie quotidienne et dans l'industrie par un éclairage et une force motrice plus fiables. Seul le monde rural connaîtra encore le pétrole pendant la première partie du XXᵉ siècle.

Edison devant le phonographe dont il fut l'inventeur. Vers 1882.

Retour des Etats-Unis au bimétallisme

Etats-Unis, 28 février 1878
Le *Bland Allison Act*, du nom du sénateur Richard Bland, oblige le gouvernement à frapper mensuellement des pièces d'argent pour un montant de deux millions de dollars et sur la base du rapport légal. Cette loi est la conséquence de l'encombrement causé par les *greenbacks*, billets inconvertibles, depuis la fin de la guerre de Sécession. La loi est adoptée après une longue querelle opposant démocrates et républicains, inflationnistes et déflationnistes, et surtout « argentistes » et « monométallistes ». En douze ans, on frappera au total 378 millions de dollars argent à la suite du *Bland Allison Act.*

Nietzsche, critique des valeurs établies

Allemagne, mai 1878
Friedrich Nietzsche (1844-1900), qui a donné en 1872 *L'Origine de la tragédie*, publie *Humain, trop humain*, un recueil d'aphorismes. Dans *L'Origine de la tragédie*, Nietzsche, passionné par l'art grec et tout imprégné de Schopenhauer et de l'esthétique de Wagner, bousculait déjà l'esprit classique symbolisé par le monde serein d'Apollon, accordant sa préférence au monde dionysiaque de la démesure, parcouru par la puissance autant que par la douleur du vouloir vivre. Cette « volonté de santé » réapparaît sous l'ironie positive de *Humain, trop humain*. L'histoire des sentiments moraux, loin d'y révéler l'aspiration de l'homme vers l'idéal, traduit la poussée irrépressible des sentiments. Nietzsche conteste également la vie religieuse qui exalte le mépris de soi. Pour le philosophe, seule compte l'innocence du devenir, à laquelle conduit la création artistique dans son exigence d'élévation.

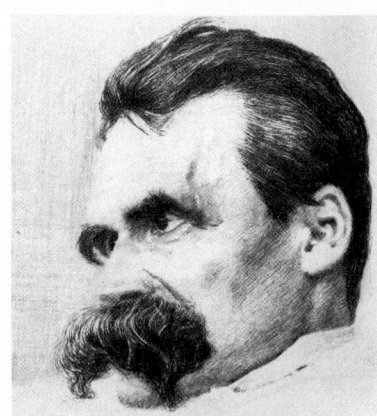

Friedrich Nietzsche.

Fondation de l'Armée du salut par Booth

Londres, août 1878
Le révérend William Booth crée en 1865 la Mission chrétienne, fondée sur le prosélytisme et l'action charitable. En août 1878, elle devient officiellement l'Armée du salut dont le but est de « porter le sang du christianisme et le souffle du Saint-Esprit » dans le monde. Le mouvement prendra un essor considérable, surtout sous l'influence de la fille du fondateur, Evelyne, générale de 1934 à 1939. La mission de l'Armée est de porter secours aux plus démunis mais aussi d'évangéliser les pécheurs et les incrédules. Les membres, organisés sur le modèle militaire, avec un uniforme, se doivent d'observer des règles de vie très strictes, sans alcool ni tabac. L'Armée du salut s'établira en France à partir de 1881 et comptera un siècle plus tard 2 500 000 membres dans 86 pays.

Colonialismes et impérialismes

XIXᵉ - XXᵉ siècle

L'époque de l'impérialisme commence à la fin du XIXᵉ siècle et s'achève avec la Première Guerre mondiale. Apparu au milieu des années 1870 en Grande-Bretagne, l'impérialisme s'étendit très rapidement à l'ensemble du monde au cours des décennies suivantes. A côté des puissances coloniales traditionnelles, Grande-Bretagne, France et Russie, de nouveaux Etats, les Etats-Unis, l'Empire allemand, la Belgique, l'Italie ou le Japon, tentèrent de prendre leur part au découpage du monde.

En 1914, le monde colonisé représentait une superficie de 72 millions de km² et une population de plus de 560 millions d'hommes, soit plus de la moitié des terres émergées et près du tiers de la population mondiale. Les puissances européennes, qui ne contrôlaient en 1870 qu'un tiers de l'Afrique, en contrôlaient les neuf dixièmes en 1890. Toutes les grandes puissances s'étaient assurées des zones d'influence économique et politique en Chine, seules leurs rivalités avaient empêché un morcellement de l'Empire du Milieu.

Une nécessité du capitalisme

En 1885, la conférence de Berlin qui réunit les grandes puissances proclame le libre accès aux commerçants, aux missionnaires et aux explorateurs des vastes régions d'Afrique. En fait, ces grands principes affichés dissimulent mal une inquiétude née de la crise du libéralisme. La foi en un progrès illimité, garanti par les libertés politiques et économiques, qui s'était répandue en Europe occidentale pendant les années 1840-1870 est remise en cause. Pour sortir de la crise économique de 1873 dont l'ombre domine toute la fin du XIXᵉ siècle, les puissances européennes veulent trouver d'autres débouchés et s'assurer de nouvelles sources d'approvisionnement en matières premières. Outre la peur d'une concurrence commerciale acharnée, les gouvernements font appel à des passions nationalistes susceptibles de mobiliser les peuples et d'empêcher la montée en puissance des mouvements socialistes. Alors qu'au milieu du

XIXᵉ siècle, la colonisation faisait figure de réalité archaïque, coûteuse et inefficace, les difficultés de l'accumulation capitaliste transformèrent les mêmes adversaires de la colonisation en apôtres fervents du partage du monde. La politique impérialiste prône l'impératif du prestige national et attise les haines xénophobes. Elle exalte un sentiment de supériorité raciale et culturelle et la « mission » de civilisation attribuée aux Européens, ce fameux « fardeau de l'homme blanc », célébré par le poète anglais Rudyard Kipling. Cecil Rhodes parlait des Anglo-Saxons comme d'une race supérieure, destinée à régner sur les autres peuples. Une Europe puissante et civilisatrice, des continents morcelés en petits Etats ou en tribus soumis à des tyrans : telle était la double image imposée par la colonisation. Ces conceptions, attisant un racisme latent, furent influencées et propagées par la philosophie vulgaire alors dominante du « social-darwinisme », habituant les mentalités à l'exercice d'une politique impérialiste. Cette doctrine reposait sur le concept de la « sélection naturelle » : le combat pour la survie conduit nécessairement à la déshumanisation des politiques et rend le recours à la force brutale inévitable. Nécessité faisant loi, il justifie les politiques les plus aggressives. Cette agressivité des grandes puissances ne dut, en fait, ses succès qu'à l'incapacité des pays visés à se protéger efficacement. L'impossibilité de toute résistance était due à leur retard économique et technique, mais aussi à l'imperfection de leurs systèmes politiques, incapables de mobiliser efficacement leurs peuples contre l'implantation des puissances impérialistes. Toute vélléité de résistance est brutalement anéantie comme à Madagascar, au Soudan ou en Chine avec les Boxers. La conquête coloniale, somme toute rapide, s'accompagne d'une transformation inégale des rapports sociaux dans les colonies. Au nom de l'abolition de l'esclavage, les impérialistes introduisent le travail salarié, dans les mines et les plantations. Ils assoient leur domination en favorisant les élites locales qu'ils contrôlent de diverses manières d'un continent à l'autre. Deux grands empires rivaux se constituent pro-

gressivement, reportant leurs antagonismes à tous les coins de la planète, mais sachant s'allier si nécessaire face à d'autres concurrents.

L'Empire britannique

L'expansion impérialiste commença en Grande-Bretagne sous le gouvernement du Premier ministre Benjamin Disraeli (1874-1880). Sa flotte, la plus puissante du monde, lui rapporta un empire colossal : en 1913, 33 millions de km², 400 millions d'habitants. Le point névralgique de la politique britannique était la protection de la route des Indes, la plus vaste et la plus précieuse des colonies britanniques. L'acquisition de Chypre en 1878 et l'occupation de l'Egypte en 1882 n'avaient que cette seule fin pour but. Dans la lutte pour le partage de l'Afrique, l'impérialisme britannique s'était fixé pour objectif un plan allant « du Caire au Cap », qui devait lui permettre de conquérir un vaste bloc de territoires coloniaux. Avançant simultanément au nord (l'Egypte) et au sud (la colonie du Cap), les Britanniques conquéraient sucessivement la Somalie (1884), le Kenya (1886), la Rhodésie (1891), l'Ouganda (1895) et le Soudan (1899).

Fondement de la puissance politique du British Empire : sa flotte, dont la supériorité garantissait la domination anglo-saxonne sur les mers du globe. Parallèlement, la *Pax britannica* répandait la croyance selon laquelle la Grande-Bretagne apportait dans son sillage le bien-être général des peuples et la paix. Des accords particuliers avec les autres puissances devaient écarter le risque d'un conflit « inter-impérialiste » : règlement de la crise de Fachoda avec la France, accord sur le canal de Panama avec les Etats-Unis, compromis avec la Russie sur la Perse. Le chef de file des impérialistes britanniques et précurseur du système du Commonwealth fut Joseph Chamberlain, ministre des Colonies de sa Majesté. Il propagea l'idée d'un empire mondial fédéral, dont chaque pays possèderait un gouvernement autonome mais qui serait étroitement lié à la Grande-Bretagne, l'« île-mère ». Sur les plans économique, militaire et financier devenaient « dominions » le Canada (1867), l'Australie (1901), la Nouvelle-Zélande (1907) et l'Union d'Afrique du Sud (1910).

L'Empire français

L'impérialisme français s'attacha essentiellement à deux régions : exploitation des territoires d'Afrique et conquête de l'Indochine. La politique impérialiste française fut inaugurée dans les années 1880 par Jules Ferry, alors président du Conseil. Têtes de pont de la pénétration française en Afrique et en Indochine : les possessions coloniales, déjà anciennes, d'Algérie et de Cochinchine (Saigon). Dans ces deux régions, la France se heurta aux Britanniques ; un conflit ouvert des deux impérialismes put cependant être évité. La ligne de conquête française en Afrique partait du nord-ouest et de l'est, de la Tunisie à Madagascar et de l'Afrique occidentale à l'Afrique équatoriale. Le plan d'encerclement de l'Egypte par l'ouest et le sud mit la France aux prises avec les intérêts anglais en Egypte, la crise culmina lors de l'affaire de Fachoda, en 1898, lors du face à face entre le capitaine Marchand et Lord Kitchener. La guerre coloniale n'eut pas lieu, la Grande-Bretagne resta maître du terrain.

De longues années de combats contre la Chine avaient valu à la France le gain du Tonkin, de l'Annam et du Laos. L'Union indochinoise fut réalisée avec le Cambodge en 1887, ravivant les craintes britanniques pour l'Inde. La politique impérialiste de la France peut être considérée à la lumière de la défaite de 1870-1871, celle-ci ayant entraîné un relatif isolement diplomatique de Paris. Le but ouvert de la France était alors de se voir de nouveau reconnaître comme puissance mondiale. Le point culminant de cette politique fut atteint lors de l'Entente cordiale, en 1904, qui mit définitivement fin aux conflits d'intérêts coloniaux entre la France et la Grande-Bretagne. L'entente était scellée au moment où les deux puissances allaient devoir affronter un nouveau concurrent à la « course aux colonies », l'Empire allemand (crises du Maroc de 1906 et 1911).

La « place au soleil » de l'Allemagne

La politique coloniale allemande commença de s'affirmer en 1884-1885 sous le gouvernement de Otto von Bismarck, lorsque l'Afrique du Sud-Ouest, de l'Est et la Nouvelle-Guinée allemandes furent placées sous la protection du Reich. L'Empire allemand entra dans une politique impérialiste ouverte avec le « gouvernement personnel » de l'empereur Guillaume II. Les couches dirigeantes allemandes, politiques et militaires, tenaient une politique mondiale pour impérative, le pouvoir mondial pour un objectif naturel et l'extension de la flotte allemande comme le moyen le plus efficace d'atteindre ce but. Unie depuis seulement treize ans, l'Allemagne (« la nation arrivée trop tard ») avait peur de manquer le train en marche de l'impérialisme. L'importance militaire et économique réelle des territoires coloniaux de l'Allemagne (en Afrique, 1884 et 1885, Kiao Tcheou en 1898, Nouvelle-Guinée de 1885 à 1899) était bien loin de correspondre à l'expression officielle de « prise du pouvoir mondial ». La politique maladroite d'intervention dans les affaires étrangères menée par Guillaume II conduisit à travers quelques affaires malheureuses (dépêche Krüger de 1898, affaire du *Daily Telegraph* de 1908) à l'isolement diplomatique de l'Allemagne. L'« enfant-chéri » du Kaiser, la flotte, érigée au rang de parangon du prestige national, provoqua finalement une grave crise des relations germano-britanniques et le rapprochement franco-britannique. La propagande impériale avait déjà su mettre au service de son idée nationale et impérialiste de vastes organisations de masse, comme « l'Association pan-germanique » ou « l'Association pour la flotte ».

Cette politique d'exaltation de la supériorité allemande conduisit finalement à donner de l'Allemagne l'image d'une puissance pleine de morgue.

« L'impérialisme du dollar »

La victoire américaine dans la guerre contre l'Espagne en 1898 fit des Etats-Unis, puissance régionale, une puissance impérialiste d'ordre mondial qui s'appropria un vaste domaine insulaire, dans les Caraïbes et le Pacifique. Anciennes possessions espagnoles, Cuba, Porto Rico, Guam et les Philippines furent placées sous protectorat américain. L'Amérique centrale, « arrière-cour » des USA et l'Extrême-Orient devinrent les théâtres usuels de la politique impérialiste américaine. Puissance maritime sur l'Atlantique et sur le Pacifique, les USA ne pouvaient garantir leurs possessions que par deux flottes distinctes. Une colossale politique d'équipement maritime, entamée par le président Théodore Roosevelt, permit aux Etats-Unis de devenir en 1907 la deuxième puissance navale du monde derrière la Grande-Bretagne, alors qu'elle n'occupait que le cinquième rang trois ans plus tôt. Au centre des conditions stratégiques de l'impérialisme américain, le canal de Panama, lien entre les deux océans, seul moyen de garantir efficacement l'empire colonial. Le président Roosevelt proclama le droit des USA à intervenir directement dans les affaires intérieures des Etats d'Amérique centrale pour garantir leur sécurité, lorsque les intérêts politiques ou économiques américains l'exigeaient.

Alors que la « diplomatie du dollar », art de la pression politique par moyens financiers interposés, connut un parfait succès en Amérique centrale (Panama en 1904, République dominicaine en 1905, Nicaragua en 1909), elle fut tenue en échec en Chine. La politique américaine en Extrême-Orient reposait sur la notion du « commerce global » : le mythe était loin de la réalité, le commerce avec la Chine ne représentant que 3 % des échanges globaux. La politique économique impérialiste des Etats-Unis et leur exigence d'une « politique de la porte ouverte » dans le Pacifique et en Extrême-Orient se heurtaient à la sphère d'influence de l'autre puissance, sans cesse croissante, de la région, le Japon. Ce conflit économico-politique allait envenimer les relations nippo-américaines jusqu'à l'éclatement de la Deuxième Guerre mondiale.

La concurrence russo-japonaise

L'exemple du Japon montre que le sort qu'ont connu la Chine, le l'Indochie ou l'Inde n'était pas obligatoirement inscrit dans la dépendance coloniale. Dès son ouverture au monde occidental, vers le milieu du XIXᵉ siècle, l'empire insulaire du Japon accéda grâce à une politique expansionniste agressive au rang de première puissance d'Extrême-Orient. Une industrialisation accélérée et l'augmentation très rapide de la démographie (26 millions d'habitants en 1867, 52 millions en 1913) constituaient les bases idéales du développement politique et idéologique de l'impérialisme japonais.

Au cours de deux guerres victorieuses, contre la Chine en 1894-1895 et contre la Russie en 1904-1905, le Japon conquit Formose, la Corée et, surtout, la Mandchourie, dont les importantes ressources naturelles lui conféraient une position-clé, politiquement et économiquement. Le rang de grande puissance du Japon, bientôt reconnu sur le plan international, reposait sur l'efficacité de son armée et de sa flotte, de même que sur la productivité de son économie.

Contrairement à celui des autres grandes puissances, l'impérialisme russe était strictement continental. Poussé en avant par la volonté de puissance des tsars, à la « poursuite d'une frontière dans la Sibérie éternelle », il s'était fixé deux buts essentiels : un accès à l'océan libre de glaces en Asie et la maîtrise au Proche-Orient des Dardaenelles, porte de la Méditerranée. Une vaste politique d'armement et la construction du Transsibérien (1891-1904) devaient en permettre la réalisation. L'occupation en 1900 de la Mandchourie, très convoitée, déclencha quelques années plus tard la guerre contre le Japon. Le fondement de l'idéologie impérialiste russe était le panslavisme, l'idée de l'union politique de tous les peuples slaves sous la conduite de la Russie.

1879

France, 30 janvier
A la suite du renouvellement du tiers du Sénat le 5 janvier, les républicains disposent désormais de la majorité dans les deux Assemblées. Mac-Mahon démissionne, refusant de signer des décrets de nominations de hauts fonctionnaires et de généraux. Jules Grévy est élu à sa place.

Bulgarie, 17 avril
L'Assemblée des notables, réunie à Tirnovo depuis le 10 février, après avoir adopté une constitution, désigne le prince Alexandre Ier de Battenberg, lieutenant de la garde prussienne, comme souverain. →

Afghânistân, 26 mai
Un traité de paix met fin à la guerre avec l'Angleterre. →

Belgique, 1er juin
Le ministère libéral adopte l'enseignement primaire laïque.

Afrique australe, 1er juin
Le fils de l'ex-empereur Napoléon III, le prince Louis Napoléon, meurt au combat contre les Zoulous lors d'une embuscade. Après six mois de campagne et la mobilisation d'un corps expéditionnaire de plus de 20 000 hommes, les troupes britanniques remportent le 4 juillet la bataille d'Ulundi, où périt le chef Cetewayo. Quelques mois plus tard, les Zoulous se soumettent.

Egypte, juin
A la suite de l'aggravation des rapports avec les Franco-Britanniques, Ismaïl Pacha abdique au profit de son fils Tewfik.

Allemagne, 4 juillet
Une loi définit le nouveau statut de l'Alsace-Lorraine comme « territoire d'empire » gouverné par un « protecteur » nommé par l'empereur et résidant à Strasbourg.

Vienne, 12 août
Un cabinet de coalition formé d'Autrichiens, de Tchèques et de Polonais est constitué sous l'autorité du comte Edouard von Taaffe.

Allemagne, 15 août
Le tsar Alexandre II envoie à Guillaume Ier une « lettre-gifle » dans laquelle il se plaint de l'attitude de Bismarck envers la Russie lors de la négociation du traité de Berlin.

Irlande, 18 août
L'ancien ouvrier fenian Michael Davitt fonde la Ligue agraire, connue sous le nom des « 3 F » : *Fixity of tenure, fair rent, free sale* (un contrat de fermage stable et équitable, avec le droit de céder son bail). La Ligue revendique la terre pour le peuple irlandais. Davitt offre la présidence du mouvement à Charles Parnell, leader des catholiques irlandais à la Chambre des communes.

Zurich, 28 septembre
Parution du premier numéro de l'organe du parti social-démocrate allemand sous le titre, *Der Socialdemokrat*.

Allemagne, 7 octobre
Formation de la Duplice avec l'Autriche. →

Marseille, 20-31 octobre
Création de la Fédération du parti des travailleurs socialistes de France. →

Tarapaca, Pérou, novembre
Guerre du Pacifique : victoire chilienne sur la Bolivie et le Pérou. →

Afrique australe, 16 décembre
Les Boers, mécontents de l'annexion anglaise, fondent la république du Transvaal.

Allemagne
Succès de Grieg à Leipzig. →

Le socialiste August Bebel publie *La Femme et le Socialisme* qui connaît un durable succès.

Hongrie
L'enseignement du magyar est imposé à toutes les écoles publiques.

France
Mise en service du premier central téléphonique européen à Paris.

Cézanne rompt avec l'impressionnisme. →

Grande-Bretagne,
L'ingénieur Hughes réalise la première démonstration expérimentale des ondes radiophoniques.

Congo
Arrivée de Savorgnan de Brazza. →

Etats-Unis
Première caisse enregistreuse. En 1892, celle de William Burrough imprimera des tickets.

Danemark
La *Maison de poupée* d'Ibsen. →

Victoire de Jules Guesde à Marseille

Marseille, 20-31 octobre 1879
Le congrès qui donne naissance à la Fédération du parti des travailleurs socialistes de France marque la victoire des principes collectivistes sur le mutuellisme proudhonien. Les quelque 130 délégués adoptent à la majorité les thèses présentées par Jules Guesde et ses partisans (Benoît Malon, Jean Lombard). L'Assemblée reconnaît aussi la dimension internationale de la question sociale et valorise la grève comme instrument de la lutte des classes. Renonçant aux coopératives ouvrières comme moyen d'émancipation, le congrès se prononce pour la transformation des capitaux privés en capitaux « collectifs, impersonnels et inaliénables ». Guesde cherchera à assurer le développement du nouveau parti par l'élaboration d'un programme avec Marx, Engels et Lafargue (Londres, mai 1880). Mais les rapports difficiles avec les tendances réformistes et libertaires empêcheront son unité durable. Le socialisme français connaîtra toute une phase de scissions et de sectarisme.

Une grève de mineurs à Anzin, dans le nord de la France, à la Fosse Saint-Louis. Vers 1880. Gravure tirée du « Journal illustré ».

Le Chili en guerre avec la Bolivie et le Pérou

Tarapaca, Pérou, novembre 1879
En mars 1879, la Bolivie a déclaré la guerre au Chili en entraînant le Pérou qui est lié à elle par le traité de 1873. Dès le début de cette « guerre du Pacifique », la flotte chilienne écrasant ses deux adversaires s'assure la maîtrise totale des voies de communication maritimes. Sur terre, les armées alliées se font battre à Tarapaca, dans le sud péruvien. L'enjeu est de s'assurer le contrôle d'une région riche en nitrates appartenant à la Bolivie qui dispose alors d'un accès à l'océan Pacifique, et au Pérou qui possède les dépôts d'Iquique assurant sa prospérité. Des concessions d'exploitation ont été accordées aux compagnies anglaises et celles-ci font appel au Chili lorsque la Bolivie annule leurs droits. En juillet 1883, la victoire du Chili à Huamachuco mettra fin à la guerre. En octobre, le traité d'Ancon sera désastreux pour les vaincus : la Bolivie perd tout accès à la mer et les nitrates du désert d'Atacama ; le Pérou cède ses provinces du sud avec les gisements convoités et sort de la guerre totalement dévasté. Le Chili annexe environ 200 000 km² et son armée gagne un prestige considérable sur tout le continent.

La Bulgarie adopte une Constitution démocratique

Tirnovo, 17 avril 1879
Le congrès de Berlin avait accordé à la Bulgarie, amputée de la Roumélie orientale, un statut de principauté autonome, mais toujours tributaire du sultan. La première tâche de la nouvelle principauté est donc de se doter de structures politiques afin d'accéder à la pleine indépendance et de récupérer la province perdue. Les conditions sont on ne peut plus favorables à la mise en place de structures démocratiques : la domination ottomane a éliminé toute aristocratie foncière autochtone ; de plus, la Bulgarie a fait sa révolution agraire au cours de la guerre russo-turque de 1877 ; les terres abandonnées par les Turcs en fuite ont été réparties entre les paysans. De ce fait, la constitution de Tirnovo peut être démocratique, partageant le pouvoir entre un prince recommandé par les puissances signataires du traité de Berlin et une Assemblée élue au suffrage universel, et garantissant les libertés individuelles. Toutefois, cette démocratie, toute formelle qu'elle soit, ne durera guère que l'espace d'un printemps. Dès sa désignation à la tête de la principauté, le prince Alexandre Ier de Battenberg s'empresse de suspendre la Constitution, trop libérale à son gré.

L'héroïne de la "Maison de poupée" veut vivre sa vie

Danemark, 1879

Le dramaturge Henrik Ibsen (1828-1906), qui a inauguré sa série des grandes pièces sociales, donne *Maison de poupée*, qui provoque de violentes réactions en raison des prises de position de l'auteur en faveur du féminisme. Nora, dévouée à ses enfants, est choyée par son mari Helmer comme une poupée. Mais le chantage d'un employé de la banque que dirige Helmer plonge Nora, qui a contracté d'importantes dettes pour soigner son mari, dans l'angoisse. Mise tout à coup en présence de la mesquinerie de celui-ci, elle se révolte et décide d'abandonner le foyer conjugal. Si les lois lui donnent tort, estime Nora, c'est qu'elles ont été faites par des hommes. L'œuvre frappe autant par

Henrik Ibsen, l'un des grands auteurs dramatiques de la fin du siècle.

le réalisme concret que par la dimension intérieure des personnages. Ibsen exprime également ici son idéal de perfectionnement moral : c'est la légitime aspiration de tout être humain à la liberté qui justifie la libération des femmes.

En Irlande, mise en quarantaine du capitaine Boycott

Irlande, septembre 1879

La crise économique et sociale irlandaise est un mal endémique accentué par la pauvreté des tenanciers qui doivent payer des fermages élevés. La situation agricole s'aggrave en 1878 et 1879 pour des raisons climatiques qui font craindre une nouvelle famine. Charles Parnell, leader de l'opposition irlandaise, se sert du mécontentement paysan pour faire

valoir ses revendications nationales. Le 8 juin 1879, au cours d'un meeting devant les populations rurales, Parnell appelle les paysans à la mobilisation. Le 17 septembre, à Ennis, il ordonne de traiter les responsables de la misère comme des pestiférés. Le capitaine Boycott est la première victime de la révolte. Mis en quarantaine, il ne trouve plus de main-d'œuvre pour exploiter ses terres. Il recrute des ouvriers protestants d'Ulster, mais est finalement contraint à l'exil. Cette forme d'intimidation s'intensifie et conduira à l'insurrection générale en 1881.

Edvard Grieg fêté par le public de Leipzig

Leipzig, 1879

Joué cette année, le *Concerto pour piano et orchestre* en la mineur, opus 16 d'Edvard Grieg, est une révélation. Composée durant l'été 1868, cette œuvre en trois mouvements s'inspire d'airs populaires norvégiens. La mélodie du piano s'élève au milieu des instruments à cordes et crée d'élégantes arabesques au charme bucolique. En 1875, Grieg avait donné, avec *Peer Gynt*, une expression admirable de l'âme norvégienne.

Edvard Grieg.

Contrôle anglais sur l'Afghânistân

Kaboul, 26 mai 1879

Le successeur de Dûst Muhammad, Shir Ali, règne sur Kaboul, Kandahâr et Hérât. Il tente de tirer profit de la situation qui le place au carrefour des intérêts russes et britanniques pour assurer à son pays une marge d'indépendance durable. La Russie ayant, en juin 1878, massé des troupes sur la frontière, les Anglais adressent le 2 novembre un ultimatum à Shir Ali et, le 22, n'ayant pas

reçu de réponse, envahissent le pays. La résistance est de courte durée et Shir Ali est contraint de se réfugier en Russie, laissant le pouvoir à son fils Ya'cub qui s'empresse de négocier avec les Anglais. Mais un soulèvement populaire incite la Grande-Bretagne à intensifier son intervention en occupant Kaboul et en mettant sur le trône Abdûl Rahman, qui est entièrement acquis aux intérêts britanniques. Cette manœuvre facilite la négociation d'un traité de paix instaurant officiellement le contrôle britannique sur le pays.

Formation de la Duplice contre la Russie

Carlsbad, 7 octobre 1879

Le congrès de Berlin ruine le système d'alliance entre les trois empereurs. Cependant, Bismarck est toujours décidé à isoler la France ; l'Autriche-Hongrie, dont les ambitions sont résolument tournées vers les Balkans, tient à conserver le soutien de l'Allemagne. Le 27 août 1879, Bismarck rencontre le comte Andrassy, ministre des Affaires étrangères austro-hongrois, et lui propose une alliance défensive. Mais Andrassy, qui ne

tient pas à être obligé de participer à un conflit franco-allemand, exige que le traité soit signé exclusivement contre la Russie. Le chancelier allemand est prêt à contenter l'Autriche-Hongrie pour éviter une guerre avec la France. Un conflit éclate alors entre Guillaume, peu enclin à s'engager contre le tsar, et Bismarck, qui menace de démissionner. Devant cette détermination, l'empereur s'incline. Le 7 octobre 1879, Andrassy et Bismarck signent une alliance défensive contre la Russie. L'accord, strictement secret, durera jusqu'en 1918.

Savorgnan de Brazza reçu par le roi Makoko pour la signature solennelle d'un traité.

Savorgnan de Brazza signe un traité avec le roi Makoko

Congo, 1879

Ce n'est pas sans mal que Savorgnan de Brazza a pu organiser une nouvelle expédition en Afrique équatoriale. Il avait financé lui-même sa première exploration de cette région en 1875. Cette fois, il a pu obtenir un soutien financier d'un montant de cent mille francs de la part du ministre de l'Instruction publique, Jules

Ferry, qui est l'un des plus ardents partisans de l'expansion coloniale. Mais, en dehors de ce concours et de quelques autres moins importants, le projet de Brazza a le plus souvent suscité l'indifférence, voire l'hostilité. Au cours de cette nouvelle mission, il a remonté l'Ogooué, puis traversé les plateaux Batékés et rejoint le Congo. Enfin, en septembre 1880, il a conclu un traité de protectorat avec le roi Makoko : nouveau succès de cet étonnant colonisateur, qui préfère conquérir par la persuasion que par la force.

Paul Cézanne prend ses distances avec l'impressionnisme

Paris, 1879

En 1874, Paul Cézanne avait participé à la première exposition des impressionnistes chez Nadar. Il a présenté seize toiles et aquarelles à l'Exposition impressionniste de 1877, rue Pelletier. Blessé par les ricanements du public, il s'abstient cette année d'exposer avec ses amis. Son ambition est désormais de « donner à l'impressionnisme la solidité de l'art des musées » et de « refaire Poussin sur nature ». Son père lui ayant coupé les vivres, le peintre s'installe en 1880 chez Zola, à Médan.

Paul Cézanne. Portrait de l'artiste. Vers 1877-1880.

1880

Panama, 10 janvier
Début du percement du canal. →

Saint-Pétersbourg, 5 février
L'attentat du populiste Khaltourine contre le tsar au palais d'Hiver échoue.

Paris, 27 mars
L'éditeur Charpentier vend dès le premier jour 55 000 exemplaires du nouveau roman d'Emile Zola, *Nana*.

France, 29-30 mars
Décrets contre les congrégations non autorisées, applicables dès juin. →

Grande-Bretagne, 15 avril
A la suite de la victoire libérale aux législatives des 1er et 15 avril, Gladstone succède à Disraeli. →

Paris, 1er mai
Zola publie *Les Soirées de Médan*, recueil de nouvelles du groupe naturaliste. →

Maroc, 3 juillet
La conférence de Madrid consacrée au Maroc se termine. La clause de la nation la plus favorisée est étendue à tous les pays européens et aux Etats-Unis.

France, 11 juillet
Amnistie des prisonniers politiques condamnés pour avoir participé à la Commune de 1871.

France, 14 juillet
Première célébration du 14 Juillet comme fête nationale.

Allemagne, 14 juillet
En adoptant une loi qui adoucit les mesures prises quelques années plus tôt contre la hiérarchie catholique, le chancelier Bismarck met fin au *Kulturkampf*.

Afghânistân, 1er août
Lord Frederick Sleigh Roberts dégage la garnison britannique de Kandahâr assiégée par les Afghans et permet à la Grande-Bretagne d'étendre son protectorat sur la région, grâce à la convention de Zimma.

France, 23 septembre
Jules Ferry, ministre de l'Instruction publique et des Beaux-Arts dans le cabinet dirigé par Charles de Freycinet, lui succède à la tête du gouvernement.

Suisse, 10 octobre
Dissolution de la Fédération jurassienne animée par le militant anarchiste James Guillaume au congrès de La Chaux-de-Fonds : elle regroupait toutes les sections de l'AIT qui s'étaient opposées à Marx en 1871-1872.

Cologne, 15 octobre
Une cérémonie fastueuse marque l'achèvement de la cathédrale. →

Russie, 8 novembre
Dostoïevski publie *Les Frères Karamazov*. →

France, 21 décembre
Camille Sée (1827-1919) crée les lycées pour jeunes filles. →

France, décembre
Rodin réalise *Le Penseur*.

Japon, décembre
Itagaki Taisuke fonde le premier parti politique du pays, le parti de la liberté *(Jiyutô)*, de tendance libérale.

Afrique
L'explorateur français Paul Flatters dirige une expédition dans le Hoggar, au cours de laquelle il trouvera la mort.
L'explorateur Junker remonte le cours de l'Ouellé, aux sources de l'Oubangui jusqu'en 1886, tandis que Lenz visite le Maroc de Tanger à Tombouctou.

France
Flammarion publie l'*Astronomie populaire*. →

Suisse
Johanna Spyri publie un livre pour enfants intitulé *La Jeunesse d'Heidi*, dont l'héroïne connaîtra une renommée mondiale.

Le tunnel du Saint-Gothard, reliant la haute vallée de la Reuss à celle du Tessin (14,9 km), est achevé.

Afrique du Sud
Les Boers déclarent la guerre aux Britanniques, qu'ils chassent du Transvaal. L'insurrection est dirigée par un triumvirat : Petrus Joubert, Paul Kruger et Andries Pretorius.

Moscou
Le professeur de droit Constantin Pobiedonotsev est nommé haut procureur du Saint-Synode. Cette nomination démontre le succès de l'antiréformisme.

Honduras
Le siège de la capitale est transféré de Comayagua, fief des conservateurs, à Tegucigalpa, bastion des libéraux.

Gladstone revient au pouvoir en Angleterre

Londres, 15 avril 1880
Alors que le Parlement de 1874 se réunit pour une 14e session en février 1880, Disraeli, défié par son grand rival Gladstone, le dissout le 24 mars. Le Premier ministre en titre et le leader des libéraux s'opposent au cours de la campagne électorale. William Gladstone fait porter ses attaques sur les conceptions politiques personnelles de Diraeli ; il dénonce avec éloquence les abus du colonialisme de Disraeli et l'extravagance du déficit commercial. Les quotidiens britanniques parient cependant sur la victoire des conservateurs, à tel point que la reine, tranquillisée, part en villégiature à Baden-Baden. Les élections des 1er et 15 avril 1880 créent la surprise en octroyant une majorité libérale, qui obtient cinquante sièges de plus que le parti conservateur. Obligée de conférer à Gladstone, dont elle ne partage pas les idées, le titre de Premier ministre, Victoria est désemparée. Le nouveau chef de gouvernement confie les postes clefs aux personnalités proches de son orientation politique. Cependant, par souci d'équilibre et par respect du scrutin populaire, il s'entoure de quelques radicaux. Habilement, Gladstone associe à son cabinet des politiciens de tendances diverses, qui adhèrent à la ligne traditionnelle du parti, ce qui renforce l'unité des libéraux.

Grâce à Flammarion, l'astronomie devient un sujet populaire

France, 1880
Après des études à l'observatoire de Paris, Camille Flammarion publie en 1862, à l'âge de vingt ans, son premier ouvrage : *La Pluralité des mondes habités*. Il s'occupe ensuite de la partie scientifique du journal *Le Siècle* et entreprend des conférences sur l'astronomie, qui deviennent très populaires. En 1880, il fait paraître son *Astronomie populaire*, qui obtient le prix de l'Académie française. Il y expose dans un style très clair les principaux acquis scientifiques des dernières années.

Camille Flammarion dans son observatoire à Juvisy. 1883.

Jules Ferry ordonne la fermeture des couvents et des congrégations

Paris, 29-30 mars 1880
Voulant « arracher l'âme de la jeunesse française » à la Compagnie de Jésus, Jules Ferry engage la lutte contre les congrégations religieuses en promulguant deux décrets anticléricaux. Le premier impose aux jésuites de se disperser et d'évacuer leurs établissements scolaires d'ici trois mois. Le second invite les compagnies non autorisées à régulariser leur situation dans le même délai. L'application de ces décrets, qui indignent les catholiques, aboutit à la dispersion de cinq mille congréganistes.

« Les religieux guettent aux frontières de la France ». Caricature anti-cléricale de Gilbert Martin.

"Les Soirées de Médan", manifeste de l'école naturaliste

Paris, 1880
Cinq écrivains réunis autour d'Emile Zola publient un recueil de nouvelles, *Les Soirées de Médan*, inspirées des souvenirs de la guerre de 1870. Empreints d'un réalisme violent, ces récits se rallient à l'esthétique naturaliste de Zola qui tente d'appliquer à la littérature les méthodes des sciences de la nature. *L'Attaque du moulin* de Zola frappe par la précision des descriptions. *Boule de Suif* de Guy de Maupassant révèle dans toute son ampleur l'hypocrisie bourgeoise, tandis que Joris-Karl Huysmans rapporte dans un style âpre l'expérience du conscrit de *Sac au dos*. Henry Céard, Léon Hennique et Paul Alexis complètent l'ouvrage.

Révélation d'un nouveau romancier : Henry James

Londres, 1880

Américain de New York, Henry James (1843-1916) vécut à Paris avant de s'établir à Londres, où il écrivit ses œuvres principales. Il sera naturalisé anglais en 1915. Observateur pénétrant des contrastes entre les mentalités européenne et américaine, il publie en 1878 *Daisy Miller*, où il évoque le tempérament désinvolte et coquet de Daisy, jeune, belle et riche Américaine dont les manières indépendantes apparaissent déplacées à la société européenne dans laquelle elle vit. Américain de cœur et Européen d'esprit, James approfondit ses analyses à travers des variations de points de vue qui renouvellent la technique et l'esthétique romanesques. Il oppose l'innocence américaine à la sophistication européenne dans *Les Européens* (1878) et *Washington Square* (1880). Il atteindra le sommet de son art de psychologue et de styliste avec

Henry James.

Les Ailes de la colombe (1902), *Les Ambassadeurs* (1903), où la civilisation est définie comme « la tradition ininterrompue de culture que l'Europe occidentale hérita du monde antique », et *La Coupe d'or* (1904) dont les analyses psychologiques font pressentir Proust. Avec Henry James, le roman exige pour être lu autant de culture qu'en a déployé l'auteur qui annonce James Joyce.

William Morris, écrivain, décorateur et militant socialiste

Angleterre, 1880

Après avoir touché à la peinture et à l'architecture, William Morris (1834-1896) a publié un recueil de poésies nourri de sa passion pour le Moyen Age, *Défense de Guenièvre et autres poèmes*. En 1859, le poète construit sa propre maison (*Red House*). Il fonde alors une entreprise de décoration et de papier peint, qui recevra notamment une commande pour décorer le palais de Saint-James. Partisan de réformes sociales, il quittera en 1881 le parti libéral de Gladstone pour devenir un militant socialiste actif : il fonde en particulier

la Ligue socialiste. Ses romans, *Un rêve de John Bull* (1888) ou *Nouvelles de nulle part* (1891), expriment ses idéaux teintés de socialisme utopique : *Nouvelles de nulle part* décrit la vie idyllique d'une communauté qui a réalisé une société sans classe ; cette fiction progressiste connaîtra un considérable succès. Cet artiste nourri de culture médiévale, ennemi du goût victorien et de la production industrielle, veut avec ses amis créer des formes nouvelles en accord avec la fonction des objets, prônant paradoxalement le retour à des formes inspirées de la nature. Il exercera une profonde influence sur le développement de l'Art nouveau ; il est à l'origine d'un mouvement aboutissant au renouvellement de l'objet usuel.

Succès mondial pour "Ben Hur", le roman de Lewis Wallace

Etats-Unis, 1880

Lewis Wallace (né en 1827) juriste, diplomate et romancier, connaît un succès immédiat avec *Ben Hur*. Injustement condamné aux galères, le jeune Juif Ben Hur est dépouillé par un arrogant praticien, Messala, qui s'empare de ses biens. Cinq ans plus tard, adopté par un magistrat romain à qui il a sauvé la vie, Ben Hur décide de rentrer en Orient pour se venger de Messala. Il triomphera de son ennemi lors d'une course de chars dans le cirque d'Antioche puis se convertira au christianisme. Du roman de Lewis Wallace se dégage, à travers un foisonnement d'épisodes dramatiques, un sentiment religieux sincère.

Papier peint de William Morris. 1876.

Construction du canal de Panama

Panama, 10 janvier 1880

L'inauguration des travaux sur le territoire que la Colombie a concédé commence sous la direction de Ferdinand de Lesseps. Tout auréolé de la gloire que lui a valu la réussite du canal de Suez (1869), il a été chargé par le Congrès géographique international de Paris dès mai 1879, d'un projet de canal à Panama. Malgré ses soixante-quatorze ans, de Lesseps est doué d'une vitalité et d'un charme qui lui permettent de

contracter un emprunt impressionnant en décembre 1880. Dès octobre, il a constitué la Compagnie universelle du canal interocéanique (qui a racheté la Société civile du canal interocéanique de Darien fondée à Paris en 1875 et dont l'instigateur fut le lieutenant Louis Napoléon Bonaparte). Le canal est creusé à travers l'isthme, entre la baie de Limon et celle de Panama, sur une longueur de 75 km, utilisant les cours du rio Chagres et du rio Grange. Il ne sera terminé que le 15 août 1914, sous la direction des Etats-Unis qui seront intervenus à partir de 1898.

En France, les lycées sont ouverts aux jeunes filles par Camille Sée

Paris, 21 décembre 1880

Camille Sée, député de la gauche républicaine, présente un projet de loi sur l'enseignement des jeunes filles : « L'instruction secondaire est une source de nobles et profondes jouissances et prépare aux grands devoirs de la vie. Les filles sont aussi aptes à la recevoir que les garçons. » Des débats passionnés ont lieu à la Chambre et au Sénat. L'Eglise est

farouchement opposée au projet : Mgr Dupanloup demande « qu'on ne forme pas pour l'avenir des femmes libres penseurs ». La loi Camille Sée, finalement adoptée le 21 décembre, institue des externats de jeunes filles, tout en laissant aux municipalités la possibilité de leur annexer des internats. Les lycées et collèges de jeunes filles s'organisent rapidement : on en comptera 23 en 1883, 71 en 1901 et 138 en 1913. A ce nouvel enseignement, il faut des professeurs femmes : pour les recruter et les former, l'Ecole normale supérieure sera créée à Sèvres le 26 juillet 1881.

La cathédrale de Cologne est achevée

Cologne, 15 octobre 1880

« La mère de toutes les cathédrales allemandes », telle est la cathédrale de Cologne. De 1247 à 1560, on la construit ; mais, à cette date, les travaux furent paralysés et après le pillage de 1794, on n'y dit plus d'office. En 1814, Görres appelle à la reprise des travaux, suivi de Boisserée, Schlegel et Reichensperger. La façade ouest sera achevée selon les plans initiaux, que Boisserée a découverts. La cathédrale reprend vie. En 1841, une société pour la finition de la cathédrale est fondée ; parallèlement, le livre de W. Pugin qui considère le style gothique comme le vrai style chrétien inspire beaucoup la continuation des travaux. En 1863, le chœur et la nef sont enfin réunis ; en 1880 les travaux sont achevés, au moment où l'archevêque est en exil.

Gravure éditée pour l'achèvement de la cathédrale de Cologne. Détail.

Les frères Karamazov en quête d'absolu

Russie, 8 novembre 1880

Fiodor Dostoïevski publie son ultime roman (il succombera à une hémorragie le 28 janvier 1881) : *Les Frères Karamazov*. Rapprochés par leur seule haine commune pour leur père, les Karamazov sont quatre : Aliocha, être pur et mystique, Dmitri, athée et passif, Ivan, intellectuel athée et destructeur, et Smerdiakov, enfant illégitime et épileptique, qui

commettra le parricide dicté par Ivan et en subira le châtiment en se suicidant. Accusé par Smerdiakov, Dmitri sera condamné aux travaux forcés, tandis qu'Ivan deviendra fou. Dostoïevski, qui considérait ce livre comme son chef-d'œuvre et envisageait un ouvrage plus ambitieux, *La Vie d'un grand pécheur*, écrivait dès 1870 : « Ce sera mon dernier roman. Le problème principal auquel est consacré toute l'œuvre est celui qui m'a fait souffrir tout le long de mes jours : l'existence de Dieu. »

1881

Saint-Pétersbourg, 31 janvier
Les obsèques de Dostoïevski, mort le 28, sont suivies par 30 000 personnes.

Paris, 10 février
Représentation posthume de l'opéra fantastique d'Offenbach, les *Contes d'Hoffmann*.

Afrique saharienne, 16 février
La mission dirigée par Paul Flatters est massacrée par des Touareg.

Transvaal, février
Les troupes anglaises sont vaincues par les Boers commandés par Petrus Joubert, à Majuba Hills. La paix de Pretoria, le 9 septembre, voit la reconnaissance de l'indépendance du Transvaal par les Britanniques.

Saint-Pétersbourg, 1er mars
Le tsar est victime d'un attentat. →

Irlande, 7 avril
Après une longue bataille parlementaire, les Communes adoptent le *Land Act* proposé par le secrétaire d'Etat à l'Irlande, Forster, qui interdit la Ligue agraire de Michael Davitt mais accepte son programme. Cette loi suscite l'opposition des propriétaires terriens qui expulsent les paysans, et celle des Irlandais qui multiplient les actes de sabotage.

Grande-Bretagne, 19 avril
A la mort de Benjamin Disraeli, les conservateurs choisissent comme leader Robert Gascoyne Cecil, marquis de Salisbury.

Tunisie, 12 mai
Traité du Bardo établissant le protectorat de la France. →

France, mai
Guy de Maupassant publie *La Maison Tellier*.

France, 16 juin
Loi de Jules Ferry sur la gratuité de l'enseignement primaire. →

Allemagne, 18 juin
Les empereurs d'Allemagne, d'Autriche et de Russie signent un traité secret prévoyant la neutralité bienveillante de chacun des signataires en cas de conflit de l'un deux avec une quatrième puissance. Un protocole supplémentaire prévoit l'annexion de la Bosnie-Herzégovine par l'Autriche.

Autriche, 28 juin
Traité secret avec le roi Milan, qui s'engage à interdire toute propagande serbe en Autriche moyennant une vague promesse de reconnaissance de ses droits sur la vallée du Vardar.

Grèce, 2 juillet
Une commission gréco-turque, chargée par le congrès de Berlin de délimiter les frontières entre les deux pays, établit une convention qui attribue à la Grèce les districts de Volo, Larissa et Trikala au nord, tandis que les Ottomans récupèrent la ville de Jannina.

Nouveau-Mexique, 14 juillet
Billy the Kid est abattu par Pat Garett. →

France, 29 juillet
Loi sur la liberté de la presse.

France, 21 août-4 septembre
Législatives : effondrement des monarchistes qui perdent la moitié de leurs suffrages.

Vienne, 8 décembre
Incendie de l'Opéra pendant la deuxième représentation des *Contes d'Hoffmann* de Jacques Offenbach, causant la mort de plus de 400 spectateurs.

Egypte, 20 décembre
La Banque ottomane obtient de gérer la dette de l'Etat, moyennant la perception des principales taxes et crée l'Administration de la dette publique.

Soudan nilotique
Le Soudanais Mohammed Ahmed prêche la guerre sainte contre les Européens et les Egyptiens et se proclame « Mahdi ». Ses succès sur les garnisons égyptiennes lui assurent la domination du pays.

Allemagne
Le médecin Karl Eberth (1835-1926) découvre le bacille de la typhoïde.

Premier tramway électrique à Berlin, inventé par Werner von Siemens.

France
Pasteur expérimente le vaccin anticharbonneux sur des moutons.

Le mathématicien Henri Poincaré découvre les fonctions automorphes de Fuchs et de Klein.

Publication posthume de *Bouvard et Pécuchet* de Flaubert.

L'instruction publique selon J. Ferry

France, 1881
Jules Ferry et ses amis républicains s'appuient sur trois idées principales : l'égalité entre les enfants devant l'instruction doit être assurée ; les enfants ont un droit à l'instruction ; l'Etat a le devoir de satisfaire ce droit. L'enseignement doit être fondé sur trois principes : l'obligation, la gratuité et la laïcité. Ces principes ne peuvent être appliqués et respectés que si l'enseignement primaire est constitué en service public. C'est pour créer ce service public de l'enseignement primaire républicain que diverses lois sont adoptées. La loi du 16 juin 1881 établit la gratuité totale. La loi du 28 mars 1882 impose l'obligation : le chef de famille doit envoyer ses enfants à l'école de sept à treize ans, sauf s'ils obtiennent avant cet âge leur certificat d'études. Cette loi institue par ailleurs la laïcité des programmes. Ferry explique aux députés : « La loi met en dehors du programme obligatoire l'enseignement de tout dogme particulier ; elle y place au premier rang l'enseignement moral et civique. L'instruction religieuse appartient aux familles et à l'Eglise, l'instruction morale à l'école. » Les maîtres doivent être laïques : la loi du 30 octobre 1886 édictera la laïcité du personnel enseignant.

« La Classe ». Peinture d'Henri Geoffroy. A partir de 1882, tous les petits Français prirent le chemin de l'école primaire.

Le droit à la paresse défendu par Lafargue

Londres, 1881
En exil à Londres après la Commune, Paul Lafargue, qui est devenu le gendre de Marx par son mariage avec Laura le 2 avril 1868, collabore au journal de Jules Guesde, *L'Egalité*. C'est là qu'il publie, en plusieurs livraisons (1880), son pamphlet provocateur et paradoxal. Réfutant le droit au travail (revendication de 1848) et critiquant l'aliénation du prolétariat qui en découle, il proclame avec lyrisme *Le Droit à la paresse.*

A Paris, l'Exposition internationale d'électricité

Paris, 1881
Depuis 1873, diverses expositions d'électricité ont lieu dans le monde entier, qui attirent un public nombreux. En cette période d'innovations rapides, l'Exposition de Paris met en évidence les progrès réalisés en moins de dix ans. Edison y présente les premières réalisations d'éclairage électrique, tant domestique que public. Marcel Deprez effectue la première démonstration de transport d'énergie électrique en courant continu. Les inventions technologiques et les machines industrielles que l'on peut voir fonctionner passionnent les foules.

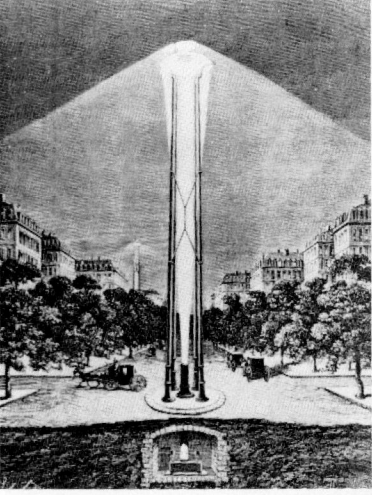

Un des nombreux projets d'éclairage pour les rues de Paris, présenté à l'Exposition internationale d'électricité.

Edouard Manet. « Un bar aux Folies-Bergère ». 1881. D'une facture à la fois libre et franche, ce tableau est la dernière œuvre importante de l'artiste.

La vision audacieuse et libre de Manet

Paris, 1881
Le *Bar aux Folies-Bergère* (qui sera exposé au Salon de 1882 et obtiendra la médaille d'or) témoigne de l'assimilation originale des données impressionnistes, avec un traitement génial de la mise en scène par l'emploi déconcertant d'un miroir. Dans cette toile, Edouard Manet (1832-1883) synthétise le charme de la vie montmartroise, à laquelle il fut longtemps attaché. Malade, il est immobilisé à Rueil, peignant des natures mortes ou esquissant au pastel des portraits de femmes, amies ou visiteuses, d'une élégance inimitable. Depuis quelques années, il est lié d'amitié avec Stéphane Mallarmé et en a fixé les traits dans un tableau à l'huile (1876) qui, malgré ses petites dimensions, compte parmi les chefs-d'œuvre de cet inventeur de la peinture moderne.

Verlaine, repenti, publie "Sagesse"

Paris, 1881
Après avoir blessé Rimbaud de deux coups de revolver en août 1873 à Bruxelles, Paul Verlaine (1844-1896) a été condamné à deux ans de prison à Mons, où il compose *Romances sans paroles* (1874), écho bouleversant de son aventure avec Rimbaud, l'« époux infernal » ; d'autres poèmes appellent au pardon de Mathilde, son épouse, qui obtient en mai 1874 un jugement de séparation. Peu avant sa libération, le poète « saturnien » a opéré une conversion, ardente et sincère, qui inspire les poèmes mystiques de *Sagesse* (1881), puis ceux d'*Amour* (1888-1892). Verlaine s'efforcera de vivre conformément à son nouvel idéal. Mais il recommencera à boire et à mener une existence précaire, bien qu'il commence à jouir d'un certain renom auprès des jeunes symbolistes et « décadents », qui saluent la publication des *Poètes maudits* (1884).

L'Italien Verga, romancier naturaliste

Milan, 1881
Dès ses premiers romans, Giovanni Verga connut le succès : *Eva* (1873) et *Eros* (1875) alliaient le romantisme à une technique déjà réaliste. A partir de 1875, Verga, admirateur de Flaubert et de Zola, est gagné au naturalisme ; ses romans insèrent les passions amoureuses dans une analyse des problèmes sociaux de l'Italie récemment unifiée : il commence en 1881 un cycle intitulé *Les Vaincus*, où il se propose de montrer comment les conditions d'existence influent sur les êtres. Sa description de la Sicile atteint à l'universel par l'évocation grandiose de la lutte des valeurs du passé avec les aspirations modernes.

Mort de l'ethnologue Lewis Henry Morgan

Rochester, 1881
Lewis Henry Morgan, le fondateur de l'anthropologie sociale, vient de mourir. Juriste de formation, il avait consacré de nombreuses études à la culture des Indiens Iroquois, s'intéressant plus particulièrement à leur système de parenté. Il devait étendre cette recherche à près de soixante-dix tribus, parmi lesquelles les Indiens du Kansas, du Nebraska et du Missouri. Son ouvrage sur les *Systèmes de consanguinité et d'affinité de la famille humaine* (1871) et *La Société archaïque* (1877) seront utilisés par Friedrich Engels pour son essai sur *L'Origine de la famille, de la propriété privée et de l'Etat* (1884).

Par le traité du Bardo, la Tunisie passe sous protectorat français

Tunis, 12 mai 1881
Le traité signé au palais de Kasr Said, près du Bardo, dans la banlieue de Tunis, ne fait que donner une apparence légale à une situation de fait. Prétextant une incursion des Kroumirs, le gouvernement français envoya une expédition de 30 000 hommes, commandée par le général Bréard : il s'agissait de prendre l'Italie de vitesse dans le contrôle du pays. Il ne lui a fallu que trois semaines pour parvenir aux portes de Tunis. En réalité, c'est depuis 1869, avec l'institution de la Commission de la dette anglo-franco-italienne, que l'Etat tunisien avait cessé d'exister en tant qu'autorité autonome. Quelle que fût la volonté du ministre des Finances Khayr-Al Dîn, cet Etat ne pouvait plus que servir les intérêts des puissances étrangères. Même les réformes « modernistes » introduites par Khayr al-Dîn ne pouvaient plus, en ébranlant les structures traditionnelles, que conforter les intérêts du colonialisme. A partir de 1869, la seule question qui demeurait posée était celle de savoir quelle était celle des trois puissances européennes qui allait l'emporter sur les deux autres, ou plutôt allait pouvoir se payer le luxe de prendre en charge la Tunisie. Le traité que le bey a été obligé de signer réserve à la France la défense militaire de la Tunisie et les Affaires étrangères.

Billy the Kid, le roi de la gâchette

Nouveau-Mexique, 14 juillet 1881
Henry Mac Carthy (né à New York en 1859) travaille comme conducteur d'attelage dans l'Oklahoma sous le nom d'Henry Antrim, puis de William H. Bonney. Devenu Billy the Kid, il joue un grand rôle dans la lutte qui oppose en 1877 les éleveurs à la Santa Fe Ring, association de négociants véreux cherchant à monopoliser le lucratif marché de la viande. Ce conflit local prend l'allure d'une guerre civile, particulièrement violente entre les Mexicains et les milieux d'affaires américains : la Lincoln County War. Tunsatll, à qui l'on prête des relations homosexuelles avec le Kid, est tué au cours d'une bagarre par le shériff Brady. Pour venger son compagnon, Billy the Kid abat le shérif en avril 1877 à Mesilla, et sa tête est mise à prix pour 5 000 dollars. Arrêté et condamné à mort malgré la promesse d'amnistie du gouverneur Wallace, qui voulait mettre fin à la Lincoln County War, Billy s'évade après avoir assassiné ses deux gardiens. Devenu hors-la-loi, il terrorise les populations. A vingt et un ans, il se vantait d'avoir commis vingt et un meurtres. Le 14 juillet 1881, il est abattu par le shérif Pat Garett. Billy the Kid reste pour les Mexicains une figure légendaire de la lutte contre le pouvoir yankee.

Billy the Kid

Des militants de "La Volonté du peuple" tuent Alexandre II

Saint-Pétersbourg, 1er mars 1881
Alimentés par plusieurs laboratoires d'explosifs clandestins, les anarchistes multiplient les attentats contre les hauts fonctionnaires de l'Etat tsariste. Le puissant groupe révolutionnaire de la Volonté du peuple, dirigé par Zeljabov, crée un comité exécutif qui se fixe pour mission d'abattre Alexandre II. L'échec successif de six attentats contre le tsar ne contrarie en rien la détermination du groupe. Le 1er mars 1882, alors qu'Alexandre II passe le long du canal Catherine, Nicolas Ryssakov, militant des milices ouvrières âgé de dix-neuf ans, lance une première bombe et se blesse. Le tsar, toujours indemne, ne tombe que sous le coup d'une deuxième explosion. Il succombe au palais d'Hiver, la veille du jour où il devait signer un décret visant à promulguer une constitution. Les complices du meurtrier seront pendus le 3 avril 1882.

L'attentat à la bombe contre Alexandre II par le groupe anarchiste de « La volonté du peuple ». Dessin tiré des « Illustrated London News ».

1882

Le Caire, 8 janvier
Dans une note, la France et l'Angleterre s'affirment résolues « à parer par leurs communs efforts à toutes les causes de complications intérieures et extérieures qui viendraient à menacer le régime en Egypte ». →

Indochine, 25 avril
Le commandant Henri Rivière s'empare de la citadelle de Hanoi, véritable provocation au moment où la Chine et la France négocient un protectorat commun sur la région.

Massachusetts, 25 avril
Mort de Ralph W. Emerson. →

Irlande, 6 mai
Le nouveau secrétaire d'Etat à l'Irlande, Lord Frederick Charles Cavendish, est assassiné le soir même de son arrivée à Dublin dans le Phoenix Park, ainsi que son adjoint, Burke, par des membres d'une société secrète, les Invincibles. Le compromis signé le 2 mai à Kilmainham, qui prévoyait la libération des prisonniers politiques, se trouve rompu. En juillet, les Communes adoptent un *Crime's Bill* qui accentue la répression sans toutefois mettre un terme à la violence politique.

Italie, 20 mai
Inquiète de la prise de possession de la Tunisie par la France, l'Italie rejoint la Duplice qui se transforme en Triplice. →

France, 20 mai
Guy de Maupassant publie *Mademoiselle Fifi*.

Russie, mai
Le tsar fait expulser les Juifs. →

Bayreuth, Allemagne, 26 juillet
Représentation de *Parsifal* de Wagner. →

France, août-septembre
Jules Vallès publie *L'Insurgé* en feuilleton. →

Linz, Autriche, 1er septembre
Des politiciens, dont Victor Adler et le chevalier Georg von Schönerer, fondent l'Association nationale allemande dont le programme revendique une politique offensive panallemande et l'incorporation des ouvriers dans les coopératives. En 1885, un paragraphe antisémite excluera les Juifs de ce mouvement.

Egypte, 13 septembre
Le corps expéditionnaire envoyé par Londres contre les troupes révoltées du colonel Arabi Pacha remporte la victoire de Tall al-Kabir. Ayant interdit aux flottes anglaise et française de mouiller à Alexandrie, il avait été tenu responsable du massacre de chrétiens en juin. →

Afrique centrale, 7 octobre
La France s'engage à ne pas entraver l'action de l'Association internationale du Congo qui avait succédé au Comité d'études du Haut-Congo, fondé en 1878 par Léopold II.

Allemagne, décembre
Fondation avec le concours d'industriels et de banquiers de l'Association coloniale allemande.

France
L'ingénieur Frédéric Beaumont fabrique une machine capable de creuser une galerie de 2,3 m de diamètre dans de la craie. Mue par air comprimé, la machine avance de 12 m en 24 heures. Utilisée pour percer un tunnel sous la Manche, elle progressa d'1,6 km avant que les travaux ne soient arrêtés pour des raisons politiques.

Le dramaturge Henry Becque présente *Les Corbeaux*.

Lithographies d'Odilon Redon sur Edgar Poe. →

Allemagne
Koch découvre le bacille de la tuberculose. →

Italie
Formation du parti ouvrier indépendant à l'instigation du Cercle ouvrier de Milan. Son but est de faire entendre sa voix au Parlement. Cette fondation montre un affaiblissement du mouvement anarchiste.

Corée
Les Etats-Unis sont les premiers Occidentaux à signer un traité d'amitié et de commerce, au moment où la Chine fait reconnaître son privilège historique sur le pays par l'accord commercial signé cette même année et qui répond à l'accord de Kanghwa du 27 février 1876, par lequel le Japon avait obtenu un accès à trois ports.

Etats-Unis
Rockefeller crée la Standard Oil and Co. →

Lois sur l'immigration. →

Sélection accrue aux Etats-Unis pour les futurs immigrants

Washington, 1882
Le gouvernement fédéral entend contrôler l'immigration. Ses dispositions visent principalement à interdire l'accès aux débiles mentaux, aux criminels, aux porteurs de tares héréditaires et à ceux qui paraissent destinés à être à la charge de la société. Sous l'impulsion d'un parti fanatique et raciste fondé par Kearney, le gouvernement adopte une loi excluant les travailleurs chinois pour une durée de dix ans. C'est un exemple unique dans l'histoire de la politique d'immigration des Etats-Unis. L'action du parti de Kearney s'explique par les faillites commerciales dont il a voulu rendre responsables les Chinois.

« Le Bateau d'immigrants ». Peinture par Charles Staniland. Vers 1890.

Jules Vallès, chantre de la révolte sociale

Paris, août-septembre 1882
Condamné à mort par contumace le 14 juillet 1872 pour sa participation active à la Commune de Paris, Jules Vallès s'est réfugié à Londres et ne regagnera Paris qu'en 1883. Il fait paraître en feuilleton dans la presse parisienne la fin de sa trilogie romanesque, largement autobiographique, *Jacques Vingtras* : après *L'Enfant* (1879) et *Le Bachelier* (1881) qui évoquent la jeunesse de Vallès, le troisième volet, *L'Insurgé* (qui ne sera publié en volume qu'en 1886) se situe dans le climat tragique de la Commune. Mue par une haine sincère des injustices de la société bourgeoise et de l'éducation qu'elle dispense, son œuvre, riche d'images in-

attendues et relevée par une syntaxe souvent déconcertante, saisit par son style réaliste et violent, animé d'un lyrisme révolutionnaire.

Jules Vallès (1832-1885). Journaliste et écrivain.

L'Empire tsariste expulse les Juifs

Russie, mai 1882
Pour maintenir son autorité sur les populations récemment intégrées à l'empire, Alexandre III entreprend en mai 1882 une politique de russification. Jusqu'alors tolérés et confinés dans des zones de résidence, les Juifs, nombreux en Pologne et au sud, sont les principales victimes de cette politique. Il leur est désormais interdit d'acquérir une propriété rurale. Pour enrayer leur affluence dans les professions médicales, le gouvernement détermine un quota limitant à 3 % le nombre de Juifs admis à l'université. A ces lois vexatoires, s'ajoutent les massacres et exactions diverses exercées par les populations russes, sous l'œil indifférent des autorités. Persécutés, les Juifs se rapprochent des révolutionnaires ; plus de 2 millions d'entre eux émigreront vers les Etats-Unis et l'Europe occidentale entre 1882 et 1914.

Mort de Ralph Emerson, essayiste américain

Concord, Massachusetts, 25 avril 1882
Ralph Waldo Emerson avait, en 1836, fait paraître anonymement son premier ouvrage, *Nature,* où il révélait une correspondance entre les lois naturelles et les lois morales. Ses deux volumes d'*Essais*, en 1841 et 1844, exprimaient les besoins et les idéaux de la culture américaine, marquant son originalité par rapport à la tradition anglaise. Indépendance et rectitude morale y caractérisaient l'homme nouveau et manifestaient la croyance en une intuition supérieure de l'individu. Cependant, *L'Ame anglaise* (1856) et *La Conduite de la vie* (1860) devaient insister davantage sur une sagesse pragmatique et dégager les valeurs morales propres aux différents comportements humains. Emerson était passé maître dans l'art de l'aphorisme, propre à éveiller le lecteur à son propre cheminement.

La quête mystique de Parsifal selon Wagner

Bayreuth, 26 juillet 1882

Pour ce deuxième Festival de Bayreuth, Richard Wagner crée *Parsifal*, drame musical en trois actes. Le chant, porté par la simplicité grandiose de la langue, les mouvements lents et un usage parcimonieux du chromatisme visent à une fusion avec l'imposante marée orchestrale. Titurel est dépositaire du Graal, vase dans lequel a bu le Christ et qui a recueilli le sang coulant de la croix. Il a construit pour ces reliques le sanctuaire de Montsalvat, mais seul celui qui est touché par la grâce divine peut en trouver le chemin. Wagner, accablé de fatigue après la création de *Parsifal*, s'éteindra à Venise le 13 février 1883 et sera inhumé à Bayreuth.

Un hommage d'Odilon Redon à Edgar Poe

Paris, 1882

« La logique du visible au service de l'invisible » est la formule par laquelle Redon définit son art. Edgar Poe lui inspire d'admirables lithographies, dont *L'œil comme un ballon bizarre se dirige vers l'Infini*, œuvre aussi fantastique que terrifiante.

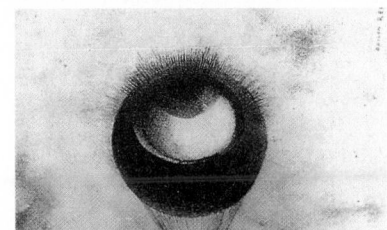

Odilon Redon. « L'œil », comme un ballon bizarre, se dirige vers l'Infini.

Londres établit son protectorat sur l'Egypte

Egypte, 13 septembre 1882

La reine Victoria n'avait pas hésité à l'écrire : « Si l'Egypte doit être soustraite à la Turquie, elle ne saurait tomber entre d'autres mains que les nôtres. » En 1882, l'Egypte est le théâtre d'un mouvement nationaliste qui prend pour cibles les commissaires anglais et français à la Dette et le khédive, accusé de leur être trop favorable. Une force navale anglo-française mouille devant Alexandrie. L'occasion d'intervenir se présente le 11 juin lorsqu'une rixe se transforme en émeute et cause la mort de cinquante Européens. L'amiral de la flotte anglaise exige le désarmement et la reddition des forts d'Alexandrie. Tewfik accepte ; Orabi refuse. Alexandrie est bombardée et occupée. Tewfik destitue Orabi, qui réplique par la constitution d'un gouvernement insurrectionnel. Violant la neutralité du canal, une première colonne britannique débarque à Suez, une seconde à Port-Saïd. Le patriotisme égyptien ne résiste pas aux assauts du général Wol

L'armée britannique dans les rues d'Alexandrie, octobre 1882.

seley. Le 13 septembre, l'armée égyptienne composée de paysans hâtivement mobilisés est mise en déroute à Tall al-Kabir : la route du Caire est ouverte. Les forces britanniques s'y installent et y restaurent l'autorité du khédive. La France était restée neutre.

La Triplice, nouvelle alliance européenne

Italie, 20 mai 1882

Depuis 1873, l'Italie se sentant isolée du reste de l'Europe a tenté un rapprochement avec Bismarck. Au cours d'un voyage en Allemagne en septembre 1873, Victor-Emmanuel s'arrête à Vienne pour rencontrer l'empereur François-Joseph. Pourtant, l'Italie et l'Autriche-Hongrie s'opposent depuis longtemps sur la question des terres irrédentes : le Trentin, Trieste, et l'Istrie ont échappé au Piémont lors de l'élaboration de l'unité italienne, et sont toujours possessions autrichiennes, malgré la violente propagande irrédentiste organisée par l'Italie. Néanmoins, la rencontre de l'empereur austro-hongrois et de Victor-Emmanuel

semble un premier pas vers le compromis. En 1881, le protectorat établi par la France sur la Tunisie est durement ressenti en Italie, où se forme un courant antifrançais. Cela permet à Bismarck, toujours prêt à contracter des alliances contre la France, de réaliser une entente unissant l'Italie, l'Allemagne, et l'Autriche-Hongrie. Les négociations aboutissent au traité du 20 mai 1882, valable pour une durée de cinq ans. Cette alliance défensive dirigée contre la France stipule qu'en cas de guerre franco-italienne, l'Autriche-Hongrie et l'Allemagne prendront les armes pour soutenir l'Italie. En cas d'agression française contre l'Allemagne, seule l'Italie participera au conflit. Bismarck est désormais assuré de l'isolement complet de la France en cas de guerre.

L'une des villes-champignons nées du pétrole : Red Hot (Pennsylvanie).

John Rockefeller fonde la Standard Oil and Co

New Jersey, 1882

John Davison Rockefeller obtient l'accord des autorités pour fusionner de très nombreuses sociétés pétrolières sous l'égide de la Standard Oil Compagny of New Jersey and New York. Ce trust regroupe outre la New Jersey, la Socony Vaccum Oil Corporation, la South Penn Oil Compagny, etc. Rockefeller domine alors toute l'industrie du pétrole américain grâce à ses compagnies de transport, à son réseau de pipe-lines et aux trente-neuf sociétés de raffinages, regroupées au sein de la Standard Oil dont il est le fondateur. La valeur du capital ainsi réuni s'élève à 70 millions de dollars (700 000 actions de 100 dollars). Pour constituer cet empire, Rockefeller avait fondé dès 1860 sa première société pétrolière. Il s'associe à chaque fois avec d'autres

partenaires pour mieux consolider ses compagnies. Il noue des accords secrets avec les compagnies de chemin de fer pour qu'elles transportent son pétrole à moindre prix. A partir de 1887, il commence à être poursuivi en vertu des lois anti-trusts.

John Davison Rockefeller.

Le bacille de la maladie du siècle découvert par Koch

Allemagne, 1882

La tuberculose a été isolée des autres maladies pulmonaires et décrite par Laennec en 1819. Robert Koch vient d'en démontrer le caractère contagieux en découvrant sa cause microbienne. A partir de ces découvertes commence une lutte active contre un fléau endémique qu'on appelle, à juste titre, la « maladie du siècle » tant ses ravages sont importants. Elle frappe surtout les jeunes adultes du sexe féminin, ce qui inspire nombre de drames romantiques, dont la célèbre *Dame aux camélias* d'Alexandre Dumas (1852). Le thème est repris par Verdi dans *La Traviata* (1853).

Cette « peste » se répand d'autant plus vite que les conditions de vie sont mauvaises : entassement de populations dans des logements insalubres et humides. On peut évaluer à plus de 350 pour 100 000 habitants le taux de mortalité par tuberculose à Paris en 1816, alors qu'il tombera à moins de 1 pour 100 000 au milieu du XXe siècle. On ne prescrit alors comme traitement que des séjours de repos dans des régions au climat doux, sec et ensoleillé. Ces cures solitaires inspireront beaucoup de romanciers, notamment Thomas Mann qu'en fait le thème de son chef-d'œuvre, *La Montagne magique* (1924) Chopin, Kafka et Musset en sont morts. La découverte du BCG (bacille de Calmette et Guérin) en 1921 marquera le début du déclin de cette implacable maladie.

1883

Egypte, janvier
L'Angleterre abolit unilatéralement le condominium qu'elle exerçait avec les Français : le consul général de Grande-Bretagne dispose désormais d'une autorité presque illimitée.

Tunisie, 11 février
La France crée un secrétariat général chargé de contrôler les ministres du bey.

France, 19 février
Villiers de l'Isle-Adam publie ses *Contes cruels*, précurseurs du symbolisme.

Londres, 14 mars
Mort de Karl Marx. →

Paris, 14 avril
Première de *Lakmé* de Léo Delibes.

Madagascar, mai
Des bâtiments de guerre français encerclent l'île et occupent le port de Majunga. Mais l'ultimatum français est repoussé par le Premier ministre Rainilaiarivony qui épouse, à la mort de la reine Ranavalona II en juillet, la cousine de celle-ci, qui devient Ranavalona III.

Paris, 5 juin
Inauguration de l'Orient-Express, qui réalise son premier voyage le 4 octobre. →

La Marsa, Tunisie, 8 juin
Convention précisant le traité du Bardo de 1881.

Allemagne, 15 juin
Première loi sur l'assurance maladie. →

Annam, 25 août
Par le traité de Huê, la France obtient du nouvel empereur d'Annam, Disiep-Hoa, le protectorat sur le pays. Toutefois, la guerre n'est pas terminée : le 16 décembre, le général Bouet s'emparera de la ville fortifiée de Son-Tay, sur le fleuve Rouge, et il faudra attendre 1884 pour qu'une grande partie du Tonkin soit occupée militairement. →

Krakatau, 26-28 août
Spectaculaire éruption volcanique. →

Grande-Bretagne, automne
Des militants démocrates et socialisants fondent la Société fabienne. →

Genève, 25 septembre
Le marxiste russe George Plkhanov fonde le groupe Libération du travail. →

New-York, 22 octobre
Ouverture du Metropolitan Opera. →

Vienne, 30 octobre
Dans le cadre de la Triplice, l'Autriche et la Roumanie signent un traité d'alliance secret auquel adhère l'Allemagne ; il ne sera découvert qu'en 1914.

Rapallo
Nietzsche commence à rédiger *Le Gai Savoir* et *Ainsi parlait Zarathoustra*. →

Liban
Mort de Boutros al-Bustani, auteur du dictionnaire *Muhit al-Muhit*, publié en 1870.

France
Monet s'installe à Giverny, dans l'Eure.

Renoir réalise *La Danse à la campagne*.

Après *Les Maladies de la mémoire* en 1881, Théodule Ribot (1839-1916) publie *Les Maladies de la volonté*, qu'il continuera en 1885 avec *Les Maladies de la personnalité*.

Bulgarie
Le Sobranié (haute assemblée) demande à l'unanimité au prince Alexandre Ier de Battenberg le retour à la constitution de Tirnovo, mise en veilleuse le 1er juillet 1881 par l'obtention des pleins pouvoirs pour sept ans.

Maroc
Le vicomte Charles-Eugène de Foucauld, déguisé en rabbin, explore plus de 2 000 km d'itinéraires nouveaux entre 1883 et 1884.

Espagne
L'architecte Antonio Gaudi y Cornet (1852-1926) commence la construction de l'église de la Sagrada Familia à Barcelone, qui restera inachevée.

Etats-Unis
L'influence grandissante de l'anarchisme dans le mouvement ouvrier américain est illustrée par la fondation à Chicago de l'International Working People's Association.

William Le Baron Jenney construit à Chicago le Home Insurance Building, premier gratte-ciel structurel dont la façade est dissociée de l'ossature.

Karl Marx, philosophe et militant socialiste, est mort à Londres

Londres, 14 mars 1883
Atteint de pleurésie, Karl Marx est trouvé mort par son ami Engels. Son enterrement a lieu le 17, au cimetière de Highgate. Une vingtaine de personnes assistent aux discours d'Engels, Liebknecht et Lafargue. Depuis 1873, Marx avait connu plusieurs rechutes et avait dû suivre des cures successives. Ses proches ne sont pas non plus épargnés : le 2 décembre 1881, sa femme Jenny meurt ; le 11 janvier 1883, sa fille aînée, Jenny, épouse de Charles Longuet, meurt à son tour. En outre, la famille est accablée par les soucis d'ordre financier. Après la parution du premier livre du *Capital* et de ses diverses traductions, Marx a rédigé des notes pour la suite qu'il laissera inachevée (les livres II et III seront rédigés par Engels ; le livre IV par Kautsky).

Karl Marx, un nouveau type de philosophe.

Ayant tiré les leçons de la Commune de Paris dans *La Guerre civile en France*, il a dissous l'Internationale et participé de façon critique à la formation des partis socialistes. Son œuvre majeure de critique philosophique, *L'Idéologie allemande*, basée sur un dépassement de la dialectique de Hegel et du matérialisme de Feuerbach, demeurera longtemps inédite.

Bismarck institue une Caisse d'assurance maladie

Allemagne, 15 juin 1883
Pays précurseur en matière de législation sociale, l'Allemagne rend obligatoire, dès 1854, l'affiliation des ouvriers aux caisses de prévoyance. Bismarck, qui a une conception paternaliste de l'Etat et veut convertir les classes moyennes à l'empire, institue en 1883 les Caisses d'assurance maladie pour une meilleure protection sociale. Les réformes seront poursuivies avec l'Assurance maladie en 1884, et la Caisse d'invalidité et de vieillesse en 1889.

Le prince Otto von Bismarck.

A la recherche d'un trésor avec Stevenson

Angleterre, 1883
L'écrivain Robert Louis Stevenson publie un roman d'aventures, *L'Ile au trésor* (*Treasure Island*). L'auteur y réalise un équilibre nouveau entre le réel et le fantastique. L'intrigue, qui se déroule au XVIIIe siècle, raconte la quête mouvementée d'un fabuleux trésor enfoui par le capitaine Flint dans une île déserte. Stevenson ménage le suspense en alternant les narrateurs, qui sont tantôt le jeune Jim Hawkins, tantôt le docteur Livesey.

Page de titre de « L'île au trésor » de R.-L. Stevenson.

Entrée en service de l'Orient-Express

Paris, 5 juin 1883
Le train de luxe destiné à relier Paris à Istanbul par Munich, Vienne, Belgrade et Varna est inauguré sous le nom d'Orient-Express. Ce train, le plus luxueux d'Europe, est équipé de wagons-lits, de salons et d'un restaurant d'une qualité égale à celle des plus grands palaces européens. Il compte parmi ses clients, dès sa mise en service (4 octobre), les dignitaires de toutes les cours européennes. Il circule trois fois par semaine et met environ trois jours pour faire le voyage. Ses wagons-lits inspireront de nombreux écrivains, comme Agatha Christie, Paul Morand ou même Valéry. Après la chute de l'Empire austro-hongrois, il sera détourné par le tunnel du Simplon via Venise, Zagreb, Belgrade et Sofia.

La France impose son protectorat en Annam

Annam, 25 août 1883
L'amiral Courbet force l'entrée de la rivière de Huê et impose à la cour le protectorat. La politique française de conquête en Extrême-Orient, relancée par l'avènement du Second Empire, s'était déjà concrétisée par l'établissement d'un protectorat sur le Cambodge et la colonisation complète de la Cochinchine. Un traité de 1867 reconnaissait l'indépendance de l'Annam vis-à-vis de toute puissance étrangère et lui ga-

rantissait l'aide et l'assistance de la France. Un résident français, pléni-potentiaire, était nommé à Huê afin d'assurer l'exécution du traité. En mai 1882, le gouvernement chinois rappelle ses droits de suzéraineté sur l'Annam. Après la mort du capitaine de frégate Garnier, partisan de l'expansion, le sort de la conquête française est confié à un « triumvirat », dont l'amiral Courbet qui contraint, par la force, la cour de Huê à accepter le protectorat français, le 25 août 1883. Les Annamites devaient toutefois, par la suite, opposer une résistance opiniâtre aux Français.

Le combat de Nam-Dinh en juillet 1883 qui opposa troupes françaises et annamites. Image d'Epinal. B.N., Paris.

Zarathoustra, oracle des temps nouveaux

Rapallo, 1882-1883
Friedrich Nietzsche commence son grand poème philosophique, *Ainsi parlait Zarathoustra* (1883-1885), qui exalte en une prose lyrique et visionnaire la supériorité des valeurs vitales sur la connaissance rationnelle. Le philosophe y développe sa conception du « surhomme », s'insurgeant contre le christianisme, mais aussi le moralisme et le socialisme. Dans la parabole des « Trois métamorphoses », Zarathoustra, qui décide après dix années de retraite solitaire de faire don de sa sagesse aux hommes, révèle quelle doit être l'évolution de l'esprit humain. Le chameau symbolise l'obéissance, le lion la négation violente, et l'enfant

la force de l'affirmation vitale. D'autres discours s'insurgent contre une culture livresque ou le culte de l'Etat, pour glorifier la supériorité de l'énergie créatrice sur les valeurs abstraites. Zarathoustra divulguera, après une nouvelle retraite, le « Chant nocturne », la « Ballade », exaltation de la vie dans sa spontanéité, et le « Chant funèbre », célébration de la volonté de puissance. Le prophète révélera ensuite la doctrine de l'Eternel Retour, reconnaissant l'affirmation inhérente aux forces naturelles, puis donnera un banquet en l'honneur du surhomme, faisant table rase des anciennes valeurs. Le contenu messianique de cet ouvrage trouvera avec *La Volonté de puissance : essai d'une transmutation de toutes les valeurs*, publié à titre posthume, son développement.

L.-A. Salomé, l'amie de Nietzsche.

Friedrich Nietzsche (à gauche) et les membres de la Société philosophique de Bâle. Vers 1869-1872.

Inauguration du Metropolitan Opera de New York

New York, 22 octobre 1883
Le Metropolitan Opera House, situé à Broadway, 39e avenue, est inauguré avec *Faust* de Gounod. La création du Metropolitan avait été décidée il y a peu par un groupe d'hommes d'affaires déçus de ne pas avoir trouvé de loge à l'Académie de musique. Depuis 1847, période musicale marquée par la rivalité des impresarios et des *prima donna*, Astor Place puis

l'Académie de musique étaient les lieux d'élection du concert et de l'opéra. Le 2 octobre 1854, l'Académie avait ouvert ses portes avec la *Norma* de Bellini, Giulia Grisi et Giuseppe Mario interprétant les rôles principaux. Elle possédait alors la plus grande scène du monde et une salle de 4 600 places. Le Metropolitan Opera aura pour directeur, à partir de 1885, le musicien hongrois Anton Seidl, qui succédera à Léopold Damrosch. Seidl avait assisté Wagner pour l'orchestration de *Parsifal*. Il créera à New York un véritable opéra allemand.

Fondation de la Fabian Society en Angleterre

Londres, automne 1883
Un petit groupe de recherche éthique se réunit pour découvrir une voie nouvelle débouchant sur des communautés fraternelles. Il décide de créer une association ayant pour but « la reconstruction de la société en harmonie avec les possibilités morales les plus élevées ». Mais celle-ci se scinde très vite en deux tendances : l'une, baptisée « Fraternité de la vie nouvelle », va continuer la recherche spiritualiste, tandis que l'autre fonde, le 4 janvier 1884, la Fabian Society qui entend promouvoir un socialisme réformiste. Cette société, qui tire son nom de Fabius Cunctator, symbole de la temporisation dans sa lutte contre Hannibal, rejette la lutte des classes et l'ensemble des théories marxistes : elle prône un changement « graduel et pacifique » de la société capitaliste.

Plekhanov fonde un groupe marxiste russe

Genève, 25 septembre 1883
Exilé depuis janvier 1880, Georges Plekhanov a rompu avec le populisme pour devenir marxiste. Avec d'autres intellectuels russes, notamment Axelrod et Vera Zassoulitch, il fonde le groupe Libération du travail : c'est la première organisation à se réclamer ouvertement des théories de Marx et à les appliquer en Russie. Remettant en cause le postulat populiste selon lequel la paysannerie est la classe révolutionnaire primordiale, elle souhaite développer un parti ouvrier socialiste sur le modèle de l'Europe occidentale. Mais la classe ouvrière est trop faible pour s'affirmer et le groupe de Plekhanov aura très peu de partisans en Russie même. Son activité consistera surtout à traduire en russe et à diffuser plusieurs ouvrages de Marx et Engels.

L'explosion du Krakatau, les 26-28 août 1883. Avec celle de Santorin dans l'Antiquité, c'est la plus grande explosion volcanique de l'histoire.

Krakatau, la plus forte explosion volcanique

Indonésie, 26-28 août 1883
Situé entre Java et Sumatra, le Krakatau, dont le nom signifie « mont silencieux », connaît un cycle éruptif très violent dont les déflagrations s'étendent jusqu'à Singapour et en

Australie ; le panache de fumée atteint 15 km de hauteur et des poussières sont satellisées à plus de 70 km dans l'atmosphère. L'effondrement du cratère détruit par l'explosion provoque un immense raz de marée, dont les vagues font le tour de la Terre et qui fait près de 36 000 morts sur les côtes de Java.

1884

France, 19 janvier
Jules Massenet connaît un nouveau succès avec *Manon*.

Asie centrale, 31 janvier
Les Russes poursuivent leur poussée et s'emparent de la ville de Merv au Turkménistan. →

Soudan, 18 février
Le général Gordon, chargé par le gouvernement britannique d'évacuer Khartoum, décide de s'y maintenir. L'année précédente, les troupes du mahdi ont défait l'armée égyptienne commandée par le général britannique Hicks Pacha, donnant l'occasion au mahdi d'occuper le Darfour et le Bahr el-Ghazal.

Afrique, février
L'Angleterre signe avec le Portugal une convention sur le contrôle de l'embouchure du Congo afin d'éviter que la Belgique ne constitue un empire dans cette région.

Paris, 13 mars
Le philosophe afghan Djamâl al-Din al-Afghâni publie en compagnie de Muhammad Abdu le premier numéro de l'hebdomadaire *al-Urwa al-Wuthka* (le Lien indissoluble), revue arabe destinée à contrecarrer la politique britannique en Orient, en développant une pensée plus panarabe que panislamique.

France, 21 mars
La loi Waldeck-Rousseau instaure la reconnaissance des syndicats professionnels. →

Allemagne, mars
Carl Peters fonde la Société pour la colonisation allemande et se rend en Afrique orientale à la fin de l'année.

Afrique occidentale, 24 avril
Franz Lüderitz fonde la première colonie allemande : l'Afrique allemande du Sud-Ouest.

T'ien-Tsin, Chine, 11 mai
Le traité signé entre Li Hong-Tchang et le commandant Fournier établit le protectorat de la France sur le Tonkin, l'autorise à commercer à la frontière chinoise et prévoit le départ des troupes chinoises. Ce traité intervient après la prise de Bac-Ninh le 12 mars et de Hong-Hoa le 12 avril. Mais un accrochage sérieux à Bac-Lê, les 23 et 24 juin, relancera le conflit.

Allemagne, 27 juin
La loi sur l'assurance contre les accidents du travail est adoptée. L'indemnisation commence au bout de la 14e semaine et le salarié reçoit en cas d'invalidité prolongée les deux tiers de son ancien revenu.

Belgique, juin
Les élections ramènent au pouvoir les catholiques, qui avec Jules Malou feront voter le 30 août la loi Jacobs qui assure de larges privilèges aux institutions religieuses d'enseignement.

Afrique équatoriale, 14 juillet
L'Allemagne poursuit sa politique de colonisation et prend, par l'intermédiaire de l'explorateur Gustav Nachtigal, possession du Cameroun après en avoir fait de même avec le Togo, le 5 juillet.

France, 27 juillet
La loi Naquet rétablit le divorce. →

Zurich, octobre
Engels publie *L'Origine de la famille, de la propriété privée et de l'Etat*. →

Berlin, 15 novembre
Ouverture de la conférence internationale sur le Congo, convoquée par le chancelier Bismarck.

Londres
Maxim invente une arme nouvelle : la mitrailleuse.

Etats-Unis
Ottmar Mergenthaler invente la linotype. →

Waterman invente le stylo.

France
Le chimiste Hilaire Chardonnet de Grange dépose un brevet pour la fabrication de la soie artificielle. Il construira en 1891 une usine à Besançon.

Paul Verlaine publie *Jadis et Naguère* et Jean Moréas *Les Syrtes*.

Huysmans publie *A Rebours*. →

Premier Salon des Indépendants. →

Gustave Eiffel construit le viaduc de Garabit. →

Rodin entreprend une œuvre monumentale : *Les Bourgeois de Calais*.

Munich
Ibsen fait jouer *Le Canard sauvage*. →

Un modèle de la linotype inventée en 1884 par Ottmar Mergenthaler : c'est la première machine à utiliser un clavier simple.

L'imprimeur allemand Mergenthaler invente la linotype

Etats-Unis, 1884
Le recours systématique à la force motrice issue de la vapeur et à la photogravure typographique remet en cause la technique de composition dans l'imprimerie, qui reste encore manuelle à la fin du XIXe siècle. L'ouvrier continue à ranger les caractères sur son composeur à une vitesse maximum de 1 200 signes à l'heure. Le problème pour passer à la composition mécanique est celui de la distribution des caractères, c'est-à-dire le retour des lettres après impression. La linotype construite en 1884 par Mergenthaler consiste en un double appareil. A partir d'un clavier, on déclenche le mouvement de matrices (caractères en creux) qui sont amenées en ligne sur le composeur. Des coins en acier sont intercalés entre les mots pour assurer leur stabilité, puis chaque ligne passe sous un creuset qui contient du plomb fondu. Le démoulage effectué, on obtient une ligne de caractères qui passe à l'impression. La rapidité de l'opération est inouïe par rapport à la composition manuelle, mais s'il reste une faute dans une ligne, il faut la refondre en entier pour corriger. Ce système sera utilisé par le *New York Herald* dès 1886.

Le droit d'association enfin reconnu aux ouvriers français

Paris, 21 mars 1884
Abolissant la loi Le Chapelier de 1791, le ministre de l'Intérieur, Waldeck-Rousseau, fait voter une nouvelle loi qui autorise les syndicats professionnels : les associations ouvrières vont donc se développer en intégrant un nombre croissant d'ouvriers. De ce fait, le syndicalisme prend une dimension nouvelle, passant de la défense des privilèges corporatifs à celle plus large de la condition ouvrière.

Manifestation ouvrière au Creusot. 1899. Peinture de Jules Adler.

En France, le droit au divorce est rétabli par la loi Naquet

Paris, 27 juillet 1884
Il faut attendre la IIIe République pour que soit rétabli le divorce, supprimé en 1816, lorsque le catholicisme était redevenu religion d'Etat. Le sénateur Alfred Naquet dépose un projet de loi qui est voté : cependant, la clause sur le consentement mutuel a été supprimée. C'est par la loi du 20 septembre 1792 que l'Assemblée législative, à la veille de sa dissolution, avait introduit le divorce en France en se basant sur le principe de la liberté individuelle et sur la conception du mariage comme simple contrat civil. Sous l'influence de Napoléon Ier, le Code civil avait maintenu le divorce mais en réduisant les causes possibles et en rendant la procédure plus difficile ; il avait rétabli la séparation de corps,

Georges Seurat. « Un dimanche après-midi à l'île de la Grande Jatte ». 1884-1886. Art Institute, Chicago.

Création du Salon des Indépendants

Paris, 1884

Au XVIIIᵉ siècle, les salons où les peintres pouvaient exposer se tenaient deux fois par an. Survivant à tous les régimes, ils devinrent progressivement la place forte de l'académisme. Les protestations de nombreux artistes décident Napoléon III à ouvrir en 1863 le Salon des refusés qui ne dura pas. En 1881, un comité vote les statuts des Artistes français : d'inspiration académique, il s'identifie au Salon. « Sans jury ni récompense » : voilà le Salon des indépendants, créé en 1884 pour les artistes les plus audacieux. Sa première manifestation se tient dans une baraque aux Tuileries où se retrouvent Odilon Redon, Georges Seurat et Paul Signac, président de l'association.

J.-K. Huysmans rompt avec le naturalisme

Paris, 1884

Les premiers romans de Joris-Karl Huysmans sont naturalistes : *En ménage* (1881) et *A vau-l'eau* (1882). *A rebours* (1884) rompt nettement avec cette esthétique. Le héros, Jean Des Esseintes, s'est retiré en province pour cultiver les sensations les plus rares et les plus raffinées. Persuadé que le propre de la civilisation est de s'éloigner toujours plus de la nature, cet esthète s'est constitué un univers entièrement artificiel où il cultive fantasmes libertins et obsessions mystiques. Ces « tendances vers l'artifice » représentent « au fond, des élans vers l'idéal » : véritable « bréviaire de la décadence », *A rebours* ouvre la voie à la littérature symboliste.

Joris-Karl Huysmans.

L'histoire des sociétés humaines selon Engels

Zurich, octobre 1884

Marx avait lu les *Systèmes de consanguinité et d'affinité de la famille humaine* (1871) de l'ethnologue américain Lewis H. Morgan, qui tirait de l'étude de la tribu indienne des Iroquois des conclusions proches des siennes sur l'évolution sociale. A la mort de son ami, Engels reprend ses notes et rédige *L'Origine de la famille, de la propriété privée et de l'Etat*. Le livre connaît un grand succès. Combattant les théories traditionnelles selon lesquelles la famille monogamique, la propriété privée et l'Etat sont des formes permanentes de l'existence sociale, Engels étudie ces phénomènes en tant que produits historiques et en les mettant en relation avec les changements dans les rapports de production. Il critique particulièrement la conception qui fait de la famille monogamique le noyau primitif autour duquel la société et l'Etat se seraient peu à peu constitués. Partant de la société communiste primitive, il analyse les moments où, sous la poussée de la production, se sont opérées les grandes divisions sociales du travail et la séparation de la société en classes antagonistes. Quand les causes qui ont présidé à l'apparition de ces formes d'exploitation disparaîtront, la société pourra s'organiser sur les bases d'une association libre et égalitaire des producteurs.

La Perse menacée par l'avancée russe

Perse, 1884

Au yeux de Nasir Al-Din shah, c'est de la Russie que vient la menace la plus sérieuse. La multiplication des intrusions russes à l'est de la mer Caspienne l'alarme d'autant plus que la « brigade des Cosaques », dont les armes et les munitions sont fournies par le gouvernement tsariste et qui dépend du ministre de la Guerre russe, est la seule force militaire efficace dans toute la Perse. Pour tenter de conserver à son pays une certaine marge d'indépendance, Nasir Al-Din demande à l'Angleterre de lui donner l'assurance formelle de sa protection contre toute agression. Devant les tergiversations anglaises, Nasir Al-Din est amené à conclure un accord secret, par lequel il s'engage à ne pas confier la construction de chemins de fer ou de voies navigables à des sociétés étrangères sans consulter au préalable l'empereur de Russie. Il faudra cette mesure pour amener le gouvernement anglais à envoyer en Perse un nouveau ministre, Sir Harry Drumond, avec les pleins pouvoirs.

Une nouvelle arme : la mitrailleuse Maxim

Angleterre, 1884

Il existe de nombreuses mitrailleuses rudimentaires, mais elles ne sont pas encore automatiques. En 1884, l'ingénieur américain Hiram Stevens Maxim met au point une mitrailleuse entièrement mécanique. Elle accomplit automatiquement l'ensemble du cycle : percussion, ouverture et éjection, approvisionnement et percussion. Le mécanisme est mû par un piston actionné par un emprunt des gaz de combustion au milieu du canon. La mitrailleuse Maxim a une portée de plusieurs kilomètres et une cadence de plusieurs centaines de coups par minute, mais elle pèse 30 kg. Elle sera utilisée pour la première fois pendant la guerre russo-japonaise en 1905.

L'ingénieur Hiram Stevens Maxim avec la mitrailleuse qu'il inventa.

"Le Canard sauvage" : un drame symboliste

Munich, 1884

Le symbolisme du *Canard sauvage* déconcerte le public du dramaturge. Célèbre pour son progressisme et sa morale intransigeante, Henrik Ibsen (1828-1906) produit une œuvre habitée par la pitié et le mysticisme : le photographe Hialmar Ekdal vit avec sa famille dans une mansarde sordide. Le personnage de Grégers, qui tente de sortir Hialmar de son ornière mais échoue, traduit le propre renoncement d'Ibsen à « éduquer le peuple en l'habituant à penser de façon élevée ».

Une œuvre d'Eiffel : le viaduc de Garabit

France, 1884

De 1880 à 1884, Gustave Eiffel (1832-1923) réalise, après l'armature de la statue de la Liberté, le viaduc de Garabit sur la Truyère. Il permet au chemin de fer de franchir les gorges profondes de 120 m qui surplombent la rivière. Eiffel réalise un pont de 564 m de long à 122 m au-dessus du fond avec une arche métallique de 165 m de portée, démontrant son exceptionnelle capacité à travailler les structures en métal.

La construction du viaduc de Garabit sur la Truyère, œuvre audacieuse d'Eiffel.

1885

Khartoum, Soudan, 26 janvier
Les mahdistes contrôlent la ville. →

Berlin, 26 février
Acte de fondation de l'Etat du Congo : Léopold II devient chef de l'Etat congolais le 15 avril. →

France, février
Emile Zola publie *Germinal*.

Afghânistân, 30 mars
Les Russes, inquiets de l'influence britannique, occupent la région.

Bruxelles, 5 avril
Au café du Cygne sur la grand-place, les délégués de 59 groupes ouvriers fondent le parti ouvrier belge, de tendance marxiste, avec César de Paepe.

Corée, 18 avril
Traité sino-japonais : les deux puissances retirent leurs troupes qui s'affrontent depuis 1884 et s'engagent à se concerter sur toute nouvelle action. La Corée est en effet profondément divisée quant aux rapports à développer avec ses trois puissants voisins, Chine, Japon et Russie.

Paris, 22 mai
Mort de Victor Hugo, qui aura des funérailles nationales le 1er juin. →

Chine, 9 juin
Second traité de Tien-Tsin (complétant le traité franco-chinois de Tien-Tsin de 1884). La nouvelle d'un « désastre » français à Lang-Son (occupée le 13 février et évacuée le 28 mars) provoque à Paris la chute du gouvernement de Jules Ferry. De son côté, l'amiral Amédée Courbet (1827-1885) s'empare des îles Pescadores les 29 et 31 mars.

France, 6 juillet
Première vaccination de Pasteur contre la rage. →

Irlande, 14 août
Le nouveau gouvernement britannique, favorable aux visées autonomistes des Irlandais, se rapproche de Charles Parnell et fait voter une nouvelle loi agraire (*Land Bill*) permettant aux paysans irlandais de racheter les terres des propriétaires anglais grâce à d'importants prêts de l'Etat.

Bulgarie, 17 septembre
Un soulèvement en Roumélie orientale organisé par un major de la garde du pacha Gabril, Ni-colaïv, permet à Alexandre Ier de Battenberg, prince de Bulgarie, d'annexer la région.

France, 4 et 18 octobre
Aux élections législatives, les républicains, toutes tendances confondues, l'emportent largement sur l'Union des droites et rassemblent 383 sièges contre 201.

Bulgarie, 1er novembre
L'armée serbe, soutenue par la Russie, a envahi la Bulgarie dès l'annonce de l'union de celle-ci avec la Roumélie : elle est écrasée à Swlaitza, à 40 km de Sofia.

Espagne, 25 novembre
A la mort d'Alphonse XII, sa veuve Marie-Christine lui succède au nom de leur fils Alphonse XIII, qui naîtra le 17 mai 1886.

Mandalay, Birmanie, novembre
Les Britanniques s'emparent de la capitale.

Madagascar, 17 décembre
Par le traité signé à Tamatave, la France obtient le protectorat de la Grande Ile qu'elle est « chargée » de représenter dans toutes les relations extérieures. Les Français, en concurrence avec les Anglais, ont occupé le littoral, mais ne sont pas assez nombreux pour envahir l'intérieur.

Bombay, 28 décembre
Fondation du parti du Congrès. →

Etats-Unis
Stephen Grover Cleveland (1837-1908) est élu président.

Mark Twain publie *Les Aventures d'Huckleberry Finn*. →

Stevenson publie *L'Etrange Cas du Dr Jekyll et Mr. Hyde*.

Essor de l'architecture à Chicago. →

Allemagne
L'ingénieur Gottlieb Daimler construit le premier vélo à moteur.

Friedrich Nietzsche publie à compte d'auteur quarante exemplaires de la dernière partie de *Ainsi parlait Zarathoustra*.

Grande-Bretagne
Le Premier ministre Gladstone réussit à faire voter une loi électorale, qui rend le suffrage presque universel. Mis en minorité, il quitte le pouvoir pendant quelques mois ; reprenant la direction du gouvernement en 1886, il sera de nouveau mis en échec sur la question irlandaise.

L'école d'architecture de Chicago

Chicago, 1885
L'école de Chicago va acquérir une importance mythique dans l'histoire de l'architecture. Après l'incendie de 1871, Chicago était devenue un foyer intense de constructions, en particulier d'immeubles commerciaux, bénéficiant des nouveaux acquis techniques, comme le laminage de l'acier permettant de construire une ossature plus résistante à la traction et à la compression. L'invention de l'ascenseur et l'utilisation du chauffage central favorisent également la construction des gratte-ciel. Avec l'immeuble construit en 1883 par William Le Baron Jenney (neuf étages à carcasse métallique), l'école de Chicago perfectionne un type de constructions amorcé à New York dans les années 1850 : les premières caractéristiques du gratte-ciel se trouvent dans un immeuble de six étages construit par James Bogardus, où sont utilisés la fonte ainsi que l'ascenseur créé par J.P. Gaynor en 1856. Ces deux étapes essentielles permettent la construction de plusieurs gratte-ciel entre 1870 et 1875. Si ceux de New York gardent longtemps un aspect ancien qui les fait ressembler à d'immenses cathédrales, la modernité de l'école de Chicago est au contraire de montrer la structure de l'édifice en en faisant une raison architecturale, même si, à l'origine, des contraintes économiques favorisent cette forme d'exécution. « La forme suit la fonction », suivant la formule de l'architecte Louis Henry Sullivan, auteur avec D.K. Adler de l'*Auditorium Building* (1889).

L'Opéra allemand ou le théâtre de Schiller. 1893. Chicago.

Henri Hobson Richardson. Entrepôts des magasins Marshall Field, Chicago.

Aux Indes, le parti du Congrès fondé sous les auspices des Anglais

Bombay, 28 décembre 1885
La première assemblée du parti du Congrès a lieu au moment où l'Empire britannique atteint son apogée : le parti qui se crée deviendra l'un des principaux organes nationalistes qui amèneront la chute de l'empire. Le nationalisme indien se développe en réaction contre l'implantation du pouvoir britannique et l'importation de la civilisation occidentale. L'indignation soulevée par les mesures du nouveau vice-roi, l'influence des sociétés religieuses comme l'Aryasamaj et surtout la société des théosophistes incitent les jeunes politiciens indiens à s'organiser. Deux conférences ont lieu : en 1883 au Bengale et en 1884 à Madras. C'est en 1885 que se tient la première réunion nationale de l'*Indian National Congress*, qui absorbera rapidement les institutions plus anciennes.

Les enfants lucides de Mark Twain

Etats-Unis, 1885
Après *Les Aventures de Tom Sawyer* en 1876, le romancier Mark Twain publie *Les Aventures d'Huckleberry Finn*, qui racontent les frasques picaresques de ces enfants qui ont pour toute école le voyage et la route. Le jeune Huck quitte le foyer familial et se lie en chemin avec Tom et Jim, un esclave noir en fuite. Les trois amis se heurtent à un monde adulte et urbain et affrontent mille malheurs tous surmontés à la fin du livre. De son vrai nom Samuel Langhorne Clemens, Twain fut typographe, pilote sur le Mississipi, vécut dans les camps de mineurs du Nevada, se fit chercheur d'or et, enfin, réussit dans le journalisme, où il prit pour pseudonyme ce vieux terme de navigation. « Twain » en anglais représente en effet une mesure équivalant à deux brasses de profondeur.

Mark Twain. Photographie.

La révolte mahdiste triomphe au Soudan

Khartoum, 26 janvier 1885
Après une dure bataille au cours de laquelle le gouverneur anglais du Soudan, Gordon Pacha, est tué, Muhammad Ahmad ibn Abd Allâh, dit Al-Mahdi (1843-1885), fait son entrée à Khartoum. Partie du Kordofan, alors condominium anglo-égyptien, l'insurrection mahdiste pour « purifier le pays de l'exaction et des corruptions des détenteurs du pouvoir » a ainsi pu, en trois ans, vaincre tour à tour les armées égyptienne et anglaise, abandonnées, il est vrai, par Le Caire et Londres.

Pasteur sauve un enfant de la rage

Paris, 6 juillet 1885
Après ses travaux sur la génération spontanée, Louis Pasteur fait des recherches sur les infections animales. Persuadé que ces maladies sont d'origine virale, il réussit à en isoler les germes puis, avec ses collaborateurs Calmette, Roux et Chamberland, il découvre (1880) que ces virus peuvent être atténués par la création de vaccins préventifs qui empêchent les animaux d'être atteints par des maladies comme le charbon des moutons ou le choléra des poules (1877-1880). En s'attaquant au virus de la rage, qui fait de véritables ravages chez les enfants, Pasteur bouleverse la médecine. Il isole le virus et l'atténue en le cultivant sur des tissus nerveux de chiens. Il réussit à le transmettre à des chiens puis à les immuniser. Il restait à l'appliquer aux hommes. C'est après beaucoup d'hésitations que Pasteur vaccine, le 6 juillet 1885, le jeune Alsacien Joseph Meister. L'enfant est sauvé et Pasteur multiplie aussitôt les inoculations. Plus de 350 sont réalisées dès 1885. Grâce à cet éclatant succès, Pasteur obtient des crédits pour construire l'Institut Pasteur (1888) qu'il dirigera jusqu'à sa mort en 1895, entouré de nombreux élèves (Yersin, Nicolle et Duclaux). Ses recherches sur les maladies infectieuses auront aussi bouleversé la chirurgie par l'introduction de l'asepsie.

Séance de vaccination, rue Vauquelin, par Louis Pasteur en 1886.

Conférence de Berlin organisée par le chancelier Bismarck, le 15 novembre 1884, pour régler les litiges africains. Gravure d'époque.

Partage de l'Afrique à Berlin

Berlin, 26 février 1885
La question du Congo envenime depuis 1884 les relations entre la Belgique et la Grande-Bretagne. La possession de cette région en plein cœur de l'Afrique détermine en effet l'avenir des politiques coloniales de tous les pays. Aussi le chancelier Bismarck convoque-t-il quatorze pays européens et les Etats-Unis à Berlin pour le 15 novembre 1884. Cette conférence aboutit au partage de l'Afrique entre les différentes puissances, et plus particulièrement l'Allemagne, la France et la Grande-Bretagne : à la première est attribuée l'Afrique du Sud-Ouest ; à la seconde tous les territoires au sud du Sahara, sauf les établissements côtiers déjà en possession des Européens ; la troisième obtient de constituer une voie royale du Cap au Caire en remontant par le Bechuanaland, la Rhodésie et le Kenya. Pour sa part, le Portugal doit se contenter de ses anciens territoires de l'Angola et du Mozambique, perdant tout espoir de pouvoir les relier d'est en ouest. Quant au roi des Belges, il peut réaliser son rêve de colonisateur tout en étant contrôlé par les grandes puissances qui lui imposent la neutralité.

Un roi colonisateur : Léopold II de Belgique

Belgique, 15 avril 1885
Le 15 avril 1885, Léopold II prend le titre de chef de l'Etat indépendant du Congo, qui lui a été reconnu lors de la conférence coloniale de Berlin. Il réalise ainsi pleinement son ambition de doter la Belgique d'une colonie puissante. Dès juillet 1885, le drapeau belge flotte sur Boma, première capitale congolaise. En septembre 1876, le roi avait réuni un congrès dans le but d'« ouvrir à la civilisation la seule partie de notre globe où elle n'a pas encore pénétré ». Plusieurs comités voient le jour à l'issue du congrès, parmi lesquels l'Association internationale africaine, présidée par le souverain lui-même. La revendication coloniale est suivie d'une implantation réfléchie. L'occupation est essentiellement poussée vers la vallée méridionale du Nil. Léopold II tient en outre à établir un réseau ferroviaire le long du fleuve Congo et de ses affluents, et à créer les sources de revenus indispensables à l'autofinancement de son entreprise et à l'auto-administration du territoire conquis. En 1898, la première ligne de chemin de fer,

Léopold II, roi des Belges. Musée de la Dynastie, Bruxelles.

mise en chantier dès 1889, s'ouvrira. Par ailleurs, Léopold II obtient du Parlement belge deux prêts et systématise l'exploitation des ressources locales, principalement l'ivoire et le caoutchouc. La violence de cette colonisation et les exactions exercées à l'encontre des populations indigènes attisent les critiques à l'encontre des Belges. Néanmoins, Léopold II a réussi à faire du Congo une colonie très prospère, qui rapporte à son pays de larges bénéfices.

Grandioses funérailles pour Victor Hugo

Paris, 31 mai 1885
Hugo, qui est mort le 22 mai d'une congestion pulmonaire, a des funérailles nationales : après avoir été exposé sous l'Arc de Triomphe, son cercueil est accompagné par une foule immense au Panthéon. Revenu d'exil le 5 septembre 1870, dès la chute de Napoléon III, il était devenu sénateur inamovible en 1876. Après sa mort vont paraître encore *La Fin de Satan* (1886) et *Dieu*, ainsi que de nombreux textes en prose, complétant ainsi une œuvre monumentale et complexe qui exalte la vérité, « car le Mot c'est le Verbe, et le Verbe, c'est Dieu ».

Exposition du cercueil de Victor Hugo sous l'Arc de Triomphe de l'Etoile. Peinture de G. F. Guiaud. Musée Carnavalet, Paris.

1886

Paris, 7 janvier
Remaniement du troisième cabinet Freycinet : le général Georges Boulanger est nommé ministre de la Guerre.

France, 26 janvier
Révolte des mineurs de Decazeville : le sous-directeur Watrin est défenestré. La grève durera 108 jours. →

Bucarest, Bulgarie, 3 mars
Les Bulgares et les Serbes signent une paix blanche maintenant le *statu quo* entre les deux pays.

Allemagne, 26 avril
Après la Russie, qui a accéléré la « russification » des territoires polonais sous sa souveraineté, l'Allemagne s'attribue « le droit de germaniser la Pologne » en mettant en vigueur une loi de colonisation intérieure concernant la Posnanie.

Grèce, avril-juin
Les grandes puissances organisent un blocus pour empêcher le gouvernement de Théodore Delyannis d'intervenir en Crète. Celui-ci exige en effet des compensations à la suite de la réunion de la Bulgarie avec la Roumélie orientale.

Etats-Unis, 1er mai
Les ouvriers lancent une grève générale pour obtenir la journée de 8 heures.

Paris, 1er mai
César Franck présente ses *Variations symphoniques pour piano et orchestre*.

France, mai-juin
Publication des *Illuminations* d'Arthur Rimbaud.

Grande-Bretagne, 7 juin
Le troisième ministère Gladstone échoue sur la question irlandaise. →

Bavière, 9-10 juin
Le ministre des Affaires étrangères, le comte Krafft von Crailsheim (1841-1926), démet Louis II devenu fou. L'oncle du souverain, Léopold (1821-1912), est nommé prince régent. Le 13 juin, Louis II et son médecin personnel, le psychiatre Bernhard von Gudden, se noient dans le lac de Starnberg près du château de Berg.

France, 22 juin
Une loi renforce la vocation républicaine du régime : les chefs de familles ayant régné en France sont interdits de séjour.

Canada, 4 juillet
Inauguration de la ligne de chemin de fer transcontinentale Montréal-Fort Woody.

Grande-Bretagne, 26 juillet
Le Premier ministre Gladstone est remplacé par Lord Salisbury qui a remporté les élections.

Inde, 15 août
Mort du mystique Râmakrishna. →

Bulgarie, 7 septembre
Alexandre de Battenberg abdique à la suite du coup d'Etat prorusse du 8 août réalisé par un régiment de Sofia. Malgré son rappel par un triumvirat composé de Sava Moutkourov, Veltchev et Stéphane Stambolov, le souverain quitte le pays.

Transvaal, 20 septembre
Un campement de chercheurs d'or installé sur le Witwatersrand est baptisé Johannesburg. →

Lyon, 11-16 octobre
Création de la Fédération nationale des syndicats et groupements corporatifs de France, première tentative d'unification du mouvement ouvrier.

New York, 28 octobre
Inauguration de la statue de la Liberté. →

Allemagne, novembre
Carl Benz dépose le brevet de la première voiture à moteur. →

Paris, 25 décembre
Conversion de Paul Claudel, qui reçoit la révélation de la foi catholique pendant la messe de Noël à Notre-Dame.

France
Paul Héroult extrait de l'aluminium par électrolyse. → Ce procédé est mis au point la même année par le chimiste américain Charles Martin Hall.

Le pamphlétaire antisémite Edouard Drumont publie *La France juive (Essai d'histoire contemporaine)*.

Léon Bloy publie *Le Désespéré*.

Soudan français
Gallieni est nommé gouverneur.

Atlanta, Etats-Unis
Un pharmacien, le Dr Pemberton, met au point une boisson stimulante non alcoolisée, à base d'extraits de feuilles de coca, d'eau et de sucre : le Coca-Cola.

L'American Federation of Labor est née

Etats-Unis, 1886
L'ambition des fondateurs de l'*American Federation of Labor* est d'aligner la législation industrielle américaine sur celle existant en Angleterre. La structure de l'AFL est délibérément calquée sur celle du *British Trade Unions Congress* qui laisse une autonomie complète à ses affiliés. Comme le TUC britannique, elle s'adresse d'abord aux travailleurs qualifiés. Samuel Gompers, du syndicat des cigariers, en est élu président. Le comité directeur et lui ont pour mission de favoriser la création de syndicats locaux dans les branches non encore organisées et même de syndicats nationaux dans les secteurs où il n'en existe pas. Dans le rôle, limité mais important, de conseiller et de conciliateur, Gompers se montrera exceptionnellement adroit. Son habileté dans les négociations permettra de mettre fin à de nombreux conflits sociaux. En 1920, quatre ans avant sa mort, l'AFL comptera 4 200 000 membres.

Ouvriers et militants de l'American Federation of Labor s'opposant à la police à Chicago en mai 1886.

Grève sanglante dans la mine de Decazeville

Decazeville, 26 janvier 1886
Deux mille ouvriers se mettent en grève pour protester contre l'intransigeance du sous-directeur Watrin, à qui ils reprochent de toucher un pourcentage sur les réductions de salaires. Ils protestent, en outre, contre la Compagnie qui les paye avec deux mois de retard. Les ouvriers, qui tentent de négocier, se heurtent au refus patronal. Le cabinet de Watrin est alors envahi et la foule le jette par la fenêtre. Sa mort provoque l'émotion de toute la France et elle est évoquée à la Chambre. Appuyée par les socialistes et par le journal de Jules Vallès, *Le Cri du peuple*, la grève est soutenue financièrement par plusieurs municipalités. Elle durera 108 jours mais les ouvriers n'obtiendront que dix centimes d'augmentation par benne de charbon. C'est une des plus longues grèves avec celle des métallurgistes de Vierzon la même année.

Succès et scandale autour de "Bel-Ami"

Paris, 1886
La vocation de conteur de Guy de Maupassant s'est trouvée déterminée par l'influence de Flaubert, ami d'enfance de sa mère, et de Zola, qui accueille sa première nouvelle dans *Les Soirées de Médan* (1880) : *Boule-de-Suif*. De 1880 à 1891, Maupassant va publier quelque 300 nouvelles, et six romans : *Une vie* (1883), *Mont Auriol* (1887), *Pierre et Jean* (1888), *Fort comme la mort* (1889), *Notre Cœur* (1890) et *Bel-Ami* (1886). Le héros de ce roman, Georges Duroy, pallie son manque d'instruction par son charme et son absence de scrupules. Il fera son ascension dans la presse en s'aidant cyniquement des femmes. Le succès de ce roman ouvre à Maupassant les portes de la haute société. Débordant de vitalité et de sensualité, il n'en est pas moins hanté par des idées angoissantes et bientôt sujet à des hallucinations : le délire se déclarera en 1891 ; après un suicide manqué, il mourra dans la clinique du Dr Blanche, sans avoir retrouvé sa lucidité, après dix-huit mois d'internement.

Guy de Maupassant. 1876.

Ruée vers l'or dans le Transvaal

Afrique du Sud, 20 septembre 1886

Découvert en 1883 et s'étendant sur une longueur de près de 100 km dans le Witwatersrand, ce gisement attire en 1886 de nombreux immigrants, principalement des Anglais et des Juifs. La production atteindra plus de 6 millions d'onces en 1899. L'afflux d'étrangers dans les champs auri-fères du Main Reef entraîne la création de nombreuses villes. Fondée le 20 septembre par Christiaan Johannes Joubert, la cité minière de Johannesburg comptera plus de 100 000 habitants en 1890. La Grande-Bretagne, qui ne perd pas l'espoir d'étendre sa domination sur le Transvaal, pousse les nouveaux venus à réclamer des droits politiques : de ce fait, les heurts entre Boers et immigrants ne vont pas tarder.

Echec de Gladstone sur la question irlandaise

Angleterre, 7 juin 1886

L'action des autonomistes irlandais se durcit. En 1882, Lord Frederick Cavendish, premier secrétaire d'Etat à l'Irlande, est assassiné en plein centre de Dublin. Le problème est d'autant plus épineux pour Gladstone que les Irlandais comptent 86 députés à la Chambre. Les conservateurs ayant 251 sièges et les libéraux 333, les Irlandais de Parnell lui sont indispensables pour gouverner. Pour se concilier les députés d'Ulster et pacifier l'Irlande, Gladstone élabore un projet de *Home Rule*, visant à établir l'autonomie politique : chaque comté irlandais serait doté d'un conseil exécutif aux pouvoirs étendus. Cependant, au sein même du parti libéral et du gouvernement, des dissensions apparaissent : le ministre Chamberlain, porte-parole des unionistes partisans du maintien de l'union entre l'Angleterre et l'Irlande, refuse de cautionner le projet. Désavoué par la Chambre le 7 juin 1886, Gladstone en appelle au peuple britannique. Mais les élections de juillet consacrent la victoire des conservateurs avec 351 sièges, et l'émergence du parti unioniste libéral avec 75 députés. Gladstone ne dispose plus que de 191 voix. Ainsi la question irlandaise modifie profondément l'équilibre politique de l'Angleterre. De retour au pouvoir de 1892 à 1894, un nouveau refus du Parlement d'adopter le *Home Rule* lui fera abandonner la vie publique.

Construction de la statue de « La Liberté » de Bartholdi dans un atelier du boulevard des Batignolles, à Paris. Peinture de V. Dargaud.

"La Liberté" éclairera New York

New York, 28 octobre 1886

Laboulaye, fondateur en 1875 de l'Union franco-américaine, a l'idée à la fin de la guerre de Sécession d'offrir aux New-Yorkais une statue commémorant l'alliance des Français et des Américains. Le sculpteur français Frédéric Auguste Bartholdi a imaginé une colossale femme de bronze, qui a le visage de sa mère : elle tient dans la main gauche la déclaration d'Indépendance et lève une torche de la main droite ; Gustave Eiffel en exécute l'armature en fer. Le 28 octobre 1886, *La Liberté éclairant le monde* est inaugurée.

L'électrolyse de l'aluminium découverte

France, 1886

Après avoir pris connaissance des travaux de Henri Sainte-Claire Deville sur la dissociation thermique, Paul Héroult réussit à séparer l'aluminium par électrolyse de l'alumine, en mettant dans un creuset recouvert de carbone une solution de cryolithe et d'alumine chauffée à 1 000 °C. Le passage de courant électrique dans le bain décompose l'alumine et le métal se dépose au fond du creuset. Héroult dépose en 1886 son brevet, qui permet l'essor de l'industrie électrométallurgique.

Voiture à essence de Carl Benz brevetée en 1886.

Carl Benz présente sa voiture à essence

Allemagne, novembre 1886

Après avoir créé à Mannheim une petite usine pour la construction de machines à gaz à deux temps, Carl Benz (1844-1929) dépose en 1886 le brevet d'une voiture à essence. Il s'agit d'une automobile tricycle mue par un moteur à quatre temps et à une seule vitesse, disposé horizontalement sur le châssis. Mais son invention est concurrencée par le brevet déposé en France en 1887 par l'ingénieur allemand Gottlieb Daimler (1834-1900), qui a perfectionné et allégé le moteur de Nikolaus Otto. Son prototype, construit en 1886, réalise ses premiers voyages expérimentaux en avril 1887 ; il présentera en 1889 la première automobile entièrement construite en acier. René Panhard (1841-1908), qui fonde avec Emile Levassor (1844-1897) la société Panhard et Levassor dès 1886, achète la licence Daimler : ce sont eux qui construisent, en 1891, la première voiture automobile à essence, qui effectue la traversée de Paris ; puis, en 1893, elle réalise le trajet Paris-Nice et gagne en 1895 la course Paris-Bordeaux-Paris en 48 heures, devant les modèles Benz.

George Eastman fait breveter son rouleau de pellicule

Etats-Unis, 1886

A la suite de l'invention de Maddox, George Eastman dépose un brevet pour une plaque photographique sèche au gélatino-bromure d'argent (1878). Il crée en 1886 le premier rouleau de papier enduit de ce produit pour de petits appareils portatifs. Il fonde en 1892 la maison Kodak pour exploiter son brevet et fabrique un appareil à 25 dollars, en proposant à ses clients de développer industriellement les pellicules. Avec Eastman, la photographie devient un loisir et répond à son slogan : « Appuyez sur le bouton, nous ferons le reste. » Il contribue aussi à l'invention du cinéma en créant le film de nitrocellulose (1889).

Mort à Calcutta du philosophe mystique hindou Râmakrishna

Inde, 15 août 1886

Le mystique hindou Râmakrishna (Gadâdhara Chaterji, de son nom laïque) s'éteint à Calcutta, après avoir confié ses disciples à Vivekânanda. Né en 1836, il manifesta dès l'enfance un goût prononcé pour la méditation religieuse. Devenu prêtre d'un temple proche de Calcutta, il parvient à la conviction que toute religion aboutit à la réalisation de l'unité avec le *Brahman* (l'âme universelle). Autodidacte, il répand son enseignement oralement. Sa prédication est déterminante pour la vie religieuse de l'Inde contemporaine : sommet de la tolérance, elle constitue par là même un obstacle à la conversion aux religions occidentales.

1887

Allemagne, 14 janvier
Bismarck dissout le Reichstag pour son refus de voter le budget militaire. A la suite de la victoire du cartel conservateur le 21 février, la seconde loi militaire de sept ans est votée le 11 mars.

Autriche, 20 février
Les accords fondant la Triplice sont maintenus. Le ministre des Affaires étrangères autrichien, le comte Gustave Kalnoky, accepte une modification favorable aux Italiens, pour tempérer leurs revendications irrédentistes.

Méditerranée, février-mai
L'Angleterre, inquiète des développements dans les Balkans, veut stabiliser ses relations avec les pays riverains de la Méditerranée afin d'enrayer les visées russes sur la région. Elle échange avec l'Italie, le 12 février, des lettres secrètes garantissant le *statu quo* en Méditerranée et en mer Noire, ainsi que l'accord tacite sur leurs politiques coloniales respectives en Egypte et en Cyrénaïque. Le 24 mars, l'Autriche signe un texte similaire ainsi que l'Espagne, en mai.

Paris, 30 mars
Le Théâtre-Libre d'André Antoine ouvre ses portes. →

France, 20 avril
L'affaire Schnæbelé aggrave les relations avec l'Allemagne. →

Berlin, 18 juin
Bismarck et le général comte Paul Schuvalov signent un traité secret pour trois ans, par lequel la Russie obtient le renforcement de sa présence dans les Balkans, et l'Allemagne la neutralité russe en cas d'agression française. →

Bulgarie, 7 juillet
Le prince Ferdinand de Saxe-Cobourg-Gotha, officier dans l'armée hongroise, devient prince de Bulgarie.

Paris, 8 juillet
Manifestations de masse pour protester contre la sanction qui frappe le général Boulanger, envoyé commander le 13ᵉ corps d'armée à Clermont-Ferrand.

Cologne, 18 octobre
Brahms donne son *Concerto pour violon et violoncelle*, op. 102. →

France, octobre
La France dénonce le traité de commerce franco-italien et en-

tame une guerre des tarifs afin de sanctionner la politique d'alliance avec l'Allemagne, accentuée par le nouveau Premier ministre italien Francesco Crispi qui a remplacé le 1ᵉʳ août Agostino Depretis, décédé quelques jours plus tôt.

Pacifique Sud, 16 novembre
La France et la Grande-Bretagne administrent conjointement les Nouvelles-Hébrides. →

France, 2 décembre
Le président Jules Grévy, réélu l'année précédente, démissionne à la suite de la découverte d'un trafic de décorations organisé par son gendre. Il sera remplacé par Sadi Carnot.

Allemagne
Le biologiste August Weismann met au point la théorie chromosomique de l'hérédité qu'il fera connaître en 1892 avec ses *Essais sur l'hérédité et la sélection naturelle*.

Le physicien Heinrich Hertz découvre l'effet photo-électrique. →

Nigeria
La Grande-Bretagne établit son protectorat à l'initiative de George Taubman Goldie, fondateur de l'United African Company, devenue la Royal Niger Company par une charte royale de 1896.

Etats-Unis
Le physicien Albert Michelson refait une expérience qu'il avait déjà réalisée en 1881, prouvant qu'il n'existe pas d'espace absolu : ne trouvant pas de « vent d'éther », il affirme que la lumière est la même dans un vide donné, quelles que soient la vitesse de la source qui l'émet, celle de l'observateur et la longueur de l'onde lumineuse.

Tolbert Lanston invente la monotype, machine à composer, qu'il commercialisera en 1892.

Emile Berliner met au point le gramophone. →

France
L'ingénieur Gustave Zédé établit les plans d'un petit sous-marin de trente tonnes, *Gymnote*, filant cinq nœuds en plongée et sept en surface.

Madrid
Benito Pérez Galdos publie *Fortunata et Jacinta*. →

Indochine
La France crée l'Union indochinoise. →

Arrestation du commissaire Schnæbelé à Novéant, en Lorraine annexée.

L'affaire Schnæbelé accroît la tension franco-allemande

Novéant, Lorraine, 20 avril 1887
En plein hiver 1886-1887, face à la fièvre boulangiste, Bismarck prend une mesure d'intimidation en mobilisant les réservistes à proximité de la frontière. C'est alors que le commissaire de police de Pagny-sur-Moselle, Schnæbelé, convoqué par son collègue allemand pour une affaire de service, est arrêté à Novéant, en Lorraine annexée, sous l'inculpation d'espionnage en Alsace. Boulanger, alors ministre de la Guerre, propose d'adresser un ultimatum à l'Allemagne, mais le président Grévy refuse. Le commissaire sera libéré le 30, par règlement diplomatique.

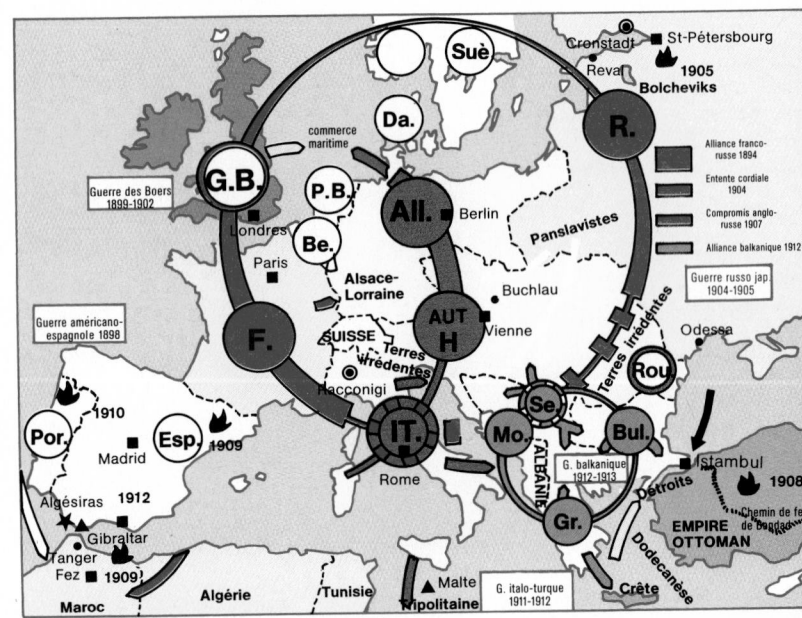

Le chancelier Bismarck isole la France

Berlin, 18 juin 1887
Inquiet de la vague nationaliste qui touche la France à l'occasion de l'affaire Boulanger, mais aussi des développements de l'affaire Schnæbelé, le chancelier Bismarck est également gêné par l'antagonisme qui oppose l'Autriche et la Russie dans les Balkans. De plus, les traités qui lui ont permis de construire son système d'alliance arrivent à leur terme en 1887. Le 20 février 1887, l'accord de Triplice entre l'Allemagne, l'Autriche et l'Italie est confirmé. Le 18 juin, afin de contrer les velléités d'alliance entre la France et la Rus-

sie, il signe avec le général Paul Schuvalov (1830-1908), ambassadeur de Russie en Allemagne, un traité de contre-assurance, destiné à rester secret et valable pour trois ans. Les signataires se promettent la neutralité dans le cas d'un conflit avec une puissance tierce, sauf en cas d'agression allemande contre la France ou russe contre l'Autriche. Peu intéressé par la question des Balkans, Bismarck concède à la Russie la prédominance dans cette région. Ce soutien allemand à la politique russe en direction de la mer Noire entre en contradiction avec les accords signés entre les grandes puissances sur la question méditerranéenne.

L'Allemand Hertz découvre les ondes radio-électriques

Karlsruhe, 1887

Heinrich Hertz (1857-1894) découvre en 1887 l'effet photo-électrique. La même année, il met au point un résonateur couplé à un micromètre à étincelle. Son oscillateur est une tige métallique portant à chaque bout une petite capacité. C'est à partir de ce matériel qu'il découvre l'existence des ondes électro-ma-gnétiques qui portent son nom, en disposant en face d'une des plaques de l'oscillateur une autre plaque qui réfléchit les ondes qui se propagent dans le laboratoire. Il mesure la longueur de ces ondes et en déduit la vitesse de propagation. En 1888, il obtiendra des ondes courtes de très faible portée, mais le principe est posé et sera bientôt utilisé de façon pratique. Ayant découvert que les courants magnétiques produisaient autour d'eux des champs électriques, il montre qu'ils suivent les mêmes lois que la lumière.

Incertitude et mélancolie chez Brahms

Cologne, 18 octobre 1887

Johannes Brahms (1833-1897) donne son *Concerto pour violon et violoncelle*, opus 102. Toujours préoccupé par la recherche instrumentale, Brahms compose une œuvre dense, d'exécution très difficile. Il a largement développé la « variation » : *Variations et fugue sur un thème de Haendel, pour piano*. Ces dernières années, le compositeur a montré sa prédilection pour les lieder, notamment pour voix seule avec accompagnement de piano. En 1885, Brahms terminait également sa *Quatrième Symphonie en mi mineur*, opus 98. Sur le ton de la confidence, avec un goût pour les régions secrètes de l'âme où la raison n'a pas de prise, Brahms donnera encore de nombreuses pièces de musique de chambre, qui témoigneront, à côté d'un certain idéalisme, de son

Johannes Brahms par Josef Novak.

sentiment de résignation. Ses symphonies comme ses lieder restent d'une méditation intimiste, souvent douloureuse. Nietzsche voit dans l'art de Brahms l'expression de « la mélancolie de l'impuissance ».

L'Allemand Berliner invente le gramophone

Etats-Unis, 1887

Avec le système d'enregistrement sur cylindre mis au point par Edison, la reproduction industrielle des sons et de la musique reste difficile. Emile Berliner, Allemand émigré aux Etats-Unis, met au point en 1887 un système d'enregistrement sur de minces galettes circulaires en zinc et enduites de cire. L'appareil servant à graver ces disques, le gramophone, modifie la position de la tête d'enregistrement par rapport au plan du disque et remplace la gravure en profondeur par une gravure sinueuse de profondeur constante. En 1888, Berliner mettra au point la duplication des disques par galvanoplastie, en utilisant l'ébonite. De retour en Allemagne, il fonde en 1898 la Deutsche Gramophon, première grande compagnie de production de disques musicaux.

Pérez Galdos renouvelle le roman espagnol

Madrid, 1887

Dans *Fortunata et Jacinta*, Benito Pérez Galdos (1843-1920) dépeint de façon réaliste les milieux madrilènes de la fin du siècle. Parmi une foule de personnages pittoresques et vivants, les deux héroïnes vivent le drame intérieur de la jalousie : Fortunata, fille du peuple, aime jusqu'au sacrifice de sa vie l'homme qui est devenu l'époux de Jacinta et confie à celle-ci, qui ne peut avoir d'enfant, le garçon né de leur liaison. Depuis 1873 et jusqu'à 1912, Pérez Galdos rédige une vaste fresque du peuple espagnol, les *Episodes nationaux*.

Benito Pérez Galdos.

Anglais et Français gouvernent ensemble les Nouvelles-Hébrides

Mélanésie, 16 novembre 1887

Une convention instaure aux Nouvelles-Hébrides une commission navale mixte franco-anglaise, à laquelle est confiée l'administration de ces territoires. Ces îles du Pacifique avaient été découvertes par Bougainville et Cook, entre 1768 et 1779. Au cours de la première moitié du XIXe siècle, l'intérêt des puissances européennes pour la Mélanésie se manifeste : la France installe un protectorat sur Tahiti et annexe la Nouvelle-Calédonie. Son intérêt pour les Nouvelles-Hébrides se fait plus pressant à partir de 1870. La Grande-Bretagne poursuit dans le Pacifique une politique active d'annexions. Le partage des îles entre les puissances européennes s'achève en 1887 avec la convention qui établit l'autorité d'une commission mixte franco-anglaise sur les Nouvelles-Hébrides. Un condominium sera décidé plus tard, en 1906.

La France crée l'Union indochinoise

Indochine, 1887

Le Parlement français décide l'instauration d'un budget autonome de l'Indochine : l'Union indochinoise est juridiquement née. Son but est d'établir « un lien administratif et financier entre les différents territoires » et de les soumettre à une direction politique unique assurée par un gouverneur général auquel sont subordonnés le gouverneur de la Cochinchine et les résidents supérieurs des trois autres territoires. Afin d'étendre son influence vers l'ouest, la France intervient diplomatiquement et militairement au Laos et à la frontière siamo-khmère. L'Union indochinoise sera, en 1907, étendue par l'adjonction des nouveaux territoires de l'ouest aux anciennes possessions.

Réception chez un mandarin annamite. Gravure d'Adrien Marie.

André Antoine fonde le Théâtre-Libre à Paris

Paris, 30 mars 1887

A 29 ans, André Antoine, employé aux écritures à la Compagnie du gaz, crée le Théâtre-Libre. Admirateur de Zola et de son école naturaliste, ce jeune Limougeaud a pour ambition de montrer le « vrai » sur scène. Fréquentant les cercles anarchistes de Montmartre, il déteste les conventions et la routine du théâtre embourgeoisé de l'époque. Pour échapper à la censure, il fonde une société d'abonnés qui produit ses spectacles et les joue en privé. Les pièces sont courtes et brutales. En général, on en représente quatre par soirée. Marginaux, gens du peuple, prostituées, simples soldats sont pour la première fois représentés sur scène et jouent avec des costumes qui sortent de chez le fripier (et non de chez le loueur). Par pauvreté, on utilise sur la scène de vrais meubles empruntés.

La réalité crue, jetée aux yeux du public, peut aussi prendre la forme de quartiers de viande prêtés par le boucher voisin. Jusqu'en 1897, Antoine sera le metteur en scène de l'opposition dramatique, attirant tous les exclus de la Comédie-Française et de l'Odéon : Jules Renard, Ibsen, Courteline, etc.

Affiche pour le théâtre Antoine.

1888

France, janvier
Création du parti révisionniste, dont le slogan est : « Dissolution, Révision, Constituante ».

France, 7 mai
Edouard Lalo présente avec succès son opéra *Le Roi d'Ys*.

Brésil, 13 mai
A la suite de la résistance farouche des planteurs et grâce à l'activité de deux associations fondées à Rio de Janeiro en 1880, la *Sociedade Brasileira contra a Escradidao* et l'*Associaçao Central Emancipacionista*, l'esclavage est aboli.

Allemagne, 15 juin
Après les décès successifs de Guillaume Ier, le 9 mars, et de son fils Frédéric III, le 15 juin, Guillaume, le fils de Frédéric monte sur le trône impérial. →

Grande-Bretagne, 9 août
En adoptant le *Local Government Act*, les Communes suppriment les pouvoirs très étendus des juges de paix et créent une administration locale élue.

France, août
Soutenu par un comité républicain national, le général Boulanger, mis à la retraite le 27 mars, est élu à différentes élections partielles, en Dordogne, dans le Nord et dans la Somme. →

Paris, 10 décembre
La Russie, après avoir songé à emprunter à l'Allemagne, décide de s'adresser au marché financier français pour émettre un important emprunt. →

Arles, 23 décembre
Dans un accès de folie, à la suite d'une violente discussion avec le peintre Paul Gauguin, Vincent van Gogh se coupe le bout de l'oreille. →

Grande-Bretagne
Le mineur écossais James Keir Hardie, après avoir fondé le syndicat des mineurs écossais, décide de se présenter aux élections et se sépare des libéraux pour créer le parti travailliste écossais, regroupant démocrates et socialistes. Son programme met en avant la revendication de la journée de travail de 8 heures et la nécessité de délégués ouvriers au Parlement.

Dunlop invente un bandage pneumatique en caoutchouc pour les roues des véhicules. →

Recherches sur la liquéfaction des gaz. →

Empire ottoman
La Dresdner Bank obtient les premières concessions pour la construction d'une ligne de chemin de fer en Anatolie occidentale. Elle obtiendra de construire la ligne Berlin-Byzance-Bagdad.

Italie
Le gouvernement Crispi réforme l'administration communale et départementale en faisant élire les présidents des assemblées départementales et les maires des communes les plus importantes.

Ostende, Belgique
Le peintre James Ensor exécute *L'Entrée du Christ à Bruxelles*. →

Suède
August Strindberg donne *Mademoiselle Julie*. →

Allemagne
Le mathématicien Richard Dedekind poursuit ses travaux sur l'arithmétisation des mathématiques, élaborée en 1872 dans son ouvrage *Chiffres irrationnels et permanents*.

France
Le peintre Paul Gauguin affirme sa « vision synthétiste » dans *La Vision après le sermon*.

Maurice Barrès publie *Sous l'œil des Barbares*, premier volume de sa trilogie, *Le Culte du moi*.

Inauguration de l'Institut Pasteur. →

Groenland
L'explorateur norvégien Fridtjof Nansen réalise la traversée du Groenland d'est en ouest.

Etats-Unis
George Eastman met au point le premier appareil Kodak.

La poudre noire est remplacée par le fulmicoton ou nitrocellulose, nouvel explosif propulsif qui brûle plus lentement mais dégage plus de gaz chauds et a, de ce fait, une plus grande puissance.

L'adoption de l'*Allotment Act* par le Congrès prévoit la parcellisation des réserves indiennes.

Russie
Rimski-Korsakov compose *Schéhérazade* et *La Grande Pâque russe*. →

Pologne
Henryk Sienkiewicz publie *Messire Wolodyjowski*. →

Popularité grandissante du général Boulanger

France, août 1888
Depuis 1882, les troubles sociaux consécutifs à la crise économique s'aggravent. Le mécontentement parmi les classes moyennes prend la forme d'une poussée antiparlementaire condamnant l'impuissance du gouvernement à résoudre les problèmes. Le scandale autour d'un trafic de décorations auquel était mêlé le député Wilson, gendre du président de la République Jules Grévy, renforça cette défiance en transformant la crise parlementaire en crise de régime. Celle-ci se cristallisa autour du général Boulanger, beau parleur et politicien opportuniste, qui était devenu ministre de la Guerre en janvier 1886 avec l'appui de Clemenceau. Sachant donner de lui l'image d'un homme fort, en particulier vis-à-vis de l'Allemagne, il gagna très vite une grande popularité. Devenu le point de ralliement de tous les mécontents, le boulangisme se révèle un danger pour la république, d'autant que le général (mis à la retraite par le gouvernement) se fait plébisciter à plusieurs élections partielles (Dordogne, Nord, Somme...) entre avril et août 1888.

Illustration à la gloire de Boulanger et des personnalités qui le soutiennent.

Guillaume II, nouvel empereur d'Allemagne

Berlin, 15 juin 1888
En trois mois, l'Allemagne voit décéder deux empereurs. Frédéric III, qui a succédé le 9 mars à son père Guillaume Ier, âgé de 91 ans, meurt en effet d'un cancer le 15 juin. C'est son fils, âgé de 29 ans, qui monte sur le trône. Familier des milieux militaires de Potsdam, le nouvel empereur s'est peu intéressé aux choses politiques avant son avènement soudain. Considéré par son père comme peu mûr, il surprend son entourage en adoptant une ligne libérale dans les premiers mois de son règne. Vif, curieux, il se targue de n'avoir pas de préjugés. Voulant moderniser au plus vite le pays et rajeunir ses cadres, il se heurtera rapidement au chancelier Bismarck, qui ne veut pas voir son œuvre, si patiemment construite, s'effondrer à cause du nouveau souverain.

L'ouverture du Reichstag par Guillaume II dans la Grande Salle du château royal de Berlin. Peinture d'A. von Werner.

Sienkiewicz à la tête de la résistance littéraire polonaise

Varsovie, 1888
Ecrivain et journaliste, Henryk Sienkiewicz (1846-1916) est un conservateur qui, depuis 1882, est à la tête du quotidien *Slowo*. Alors que la Pologne a été rayée de la carte de l'Europe en tant qu'Etat indépendant, partagée entre la Prusse, l'Autriche et la Russie, Sienkiewicz s'attache à exalter le passé de sa patrie. Avec la publication de *Messire Wolodyjowski*, il achève sa trilogie historique qui se déroule au XVIIᵉ siècle (*Par le fer et par le feu*, 1884 ; *Le Déluge*, 1886). Face aux tentatives de russification et de germanisation et à la répression contre les intellectuels, il a recours à la littérature pour décrire les moments glorieux de la résistance de la Pologne. Avec *Quo Vadis ?* (1896), qui lui vaudra le prix Nobel de littérature et le rendra universellement célèbre, il oppose les valeurs du christianisme naissant à la décadence de la Rome de Néron. Traditionaliste, il se réfère à la force spirituelle que représente l'Eglise catholique dernier refuge en ces temps incertains de l'âme polonaise.

Guerre des sexes et lutte des classes dans l'œuvre de Strindberg

Suède, 1888
August Strindberg (1849-1912), connu pour son antiféminisme affiché dans son recueil de nouvelles *Mariés* (1884), compose un drame naturaliste, *Mademoiselle Julie* (1888). La jeune comtesse Julie, dont le mari est absent, se donne à son valet de chambre Jean. Mais celui-ci révèle son caractère intéressé lorsque, désireux de tirer parti de la situation, il incite la comtesse à voler son père et à fuir. La haine et le mépris de Julie éclatent lorsque, par bravade, Jean tue l'oiseau favori de sa maîtresse. Au retour du comte, la tragédie se précipite et conduit Julie au suicide. Dénonçant le triomphe universel de la violence dans les rapports humains, Strindberg se fait le témoin de l'impossible communication entre homme et femme. Son œuvre se veut le constat d'une civilisation qui a atteint le temps de sa décadence.

August Strindberg.

Gauguin et Van Gogh en Arles pour fonder l'Atelier du Midi

Arles, 23 décembre 1888
Le peintre Emile Bernard, qui fait la connaissance de Vincent van Gogh à l'atelier Cormon, le présente à Gauguin. Les discussions avec son nouvel ami persuadent Van Gogh de la nécessité de dépasser le néo-impressionnisme, et il part pour Arles (février 1888) : il va chercher dans le Midi plus de lumière, plus de couleurs. Il persuade Gauguin qu'il admire de le rejoindre, le 20 octobre 1888. Cette expérience artistique communautaire se solde par la crise du 23 décembre où Van Gogh, en proie au délire, tente de blesser Gauguin, puis se mutile l'oreille. Pendant les dix-huit mois qui lui restent à vivre, Van Gogh va s'efforcer de résister, par un travail acharné, à la perte intermittente de sa lucidité.

Emission d'un emprunt russe à Paris

Paris, 10 décembre 1888
Le premier grand emprunt russe provoque un vaste mouvement populaire de souscription publique auprès des banques. Dès le 11 décembre, les banques publient des bulletins de victoire : bientôt, Paris va devenir le centre de cet emprunt lancé par la Russie, qui connaît à cette date un besoin accru de capitaux pour assurer son décollage industriel. L'Empire russe n'a pas encore accompli sa première révolution industrielle, sauf dans le textile. En 1888, les secteurs de la métallurgie et de l'industrie chimique restent des domaines où les petites unités de production abondent. A côté, on trouve quelques gros producteurs qui cumulent 80 % de la production nationale. Pour favoriser le développement industriel, les ministres russes encouragent la venue de capitaux étrangers. Le ministre des Finances Wichnegradski réunit le montant de l'emprunt à Paris, mais aussi dans quelques autres capitales. Pour lui succéder, le ministre des Transports (qui s'est consacré à la construction d'un chemin de fer transsibérien), le comte Sergueï Ioulievitch Witte, est nommé aux Finances. Pour favoriser l'industrialisation de la Russie, il inaugure une nouvelle politique, qui consiste moins à emprunter à l'étranger qu'à vendre des titres intérieurs.

Le compositeur Rimski-Korsakov célèbre la Grande Pâque russe

Russie, 1888
Le compositeur Nicolaï Andreïevitch Rimski-Korsakov compose deux ambitieuses symphonies : *Schéhérazade* et *La Grande Pâques russe*, inspirées des thèmes de la liturgie orthodoxe. L'œuvre est saisissante par la richesse de sa couleur orchestrale. La sonnerie des trompettes de l'archange y alterne avec le son dansant des cloches, la lecture rapide du diacre avec le chant du prêtre annonçant la nouvelle : « Christ est ressuscité. » Utilisant la liberté propre au poème symphonique, Rimski-Korsakov confère à l'œuvre une intensité qui la rapproche du symbole. Prodigieux orchestrateur, il montre aussi une constante invention mélodique. Son lyrisme trouvera toute son expression dans ses quinze opéras (*Sadko*, 1897 et *Le Coq d'or*, 1909), où il créera un style national qui aura une influence considérable sur la jeune école russe (Prokofiev) comme à l'étranger (Ravel).

Nicolaï Rimsky-Korsakov.

Liquéfaction des gaz au service de l'industrie

Angleterre, 1888
Les gaz permanents comme l'azote, l'oxygène ou l'hydrogène sont difficilement liquéfiables malgré l'emploi de fortes pression depuis le milieu du siècle. Pour les industries nouvelles tels la chimie et le froid, la forme liquide de ces gaz est intéressante, car elle permet transport et stockage de quantités importantes de gaz inflammables d'une manière beaucoup moins dangereuse. Il faudra attendre la fin du siècle pour obtenir en quantité industrielle cette liquéfaction (celle de l'hydrogène en 1898 par Sir James Dewar).

L'Anglais Dunlop invente le pneumatique

Angleterre, 1888
Le vétérinaire écossais John Boyd Dunlop (1840-1921) imagine, pour amortir les vibrations du tricycle de son fils malade, de recouvrir les roues d'un tube de caoutchouc enfermé dans une enveloppe de textile : il met ainsi au point la première chambre à air. En 1888, il en dépose le brevet en remplaçant le textile par un caoutchouc plus résistant. En 1889, il créera une manufacture de caoutchouc utilisant le latex amazonien ; il contribuera ainsi au développement de l'automobile à la fin du siècle.

James Ensor, peintre visionnaire

Ostende, 1888
Le groupe des Vingt, dont il a été en 1884 l'un des fondateurs, refuse d'exposer la dernière toile de James Ensor, *L'Entrée du Christ à Bruxelles*, trop personnelle pour faire école. Par ce tableau, Ensor règle ses comptes avec la société ostendaise : « Abominable prurigo d'idiotisme, tel est l'esprit de la population. » La texture rugueuse et le coloris discordant du masque de carnaval permettent au peintre d'innover dans les dissonances harmoniques et les outrances expressives.

James Ensor. « L'Entrée du Christ à Bruxelles ». 1888. Détail. Une des œuvres maîtresses de l'artiste.

1889

Hainsfeld, Autriche, 1ᵉʳ janvier
Victor Adler et Karl Kautsky rassemblent en congrès les différentes tendances social-démocrates autrichiennes.

Arles, 7 janvier
Van Gogh peint son *Autoportrait à l'oreille coupée*.

France, 27 janvier
Le général Boulanger est élu triomphalement à Paris. →

Mayerling, Autriche, 30 janvier
L'archiduc Rodolphe, héritier de l'Empire, de tendance libérale, se suicide en compagnie de sa maîtresse Mary Vetsera.

Japon, 11 février
L'empereur Mutsu-Hito publie une Constitution. →

Etats-Unis, 4 mars
Benjamin Harrison élu 23ᵉ président.

Serbie, 6 mars
Après avoir multiplié les erreurs politiques et les gaspillages financiers, Milan Obrénovitch abdique en faveur de son fils Alexandre, âgé de douze ans.

Ethiopie, 2 mai
Les Italiens envoyés en Abyssinie ont occupé la ville de Saati ; après la disparition du négus Jean, mort en combattant les mahdistes, ils soutiennent pour successeur, Ménélik, roi de Choa, avec lequel ils signent le traité d'Uccialli qui reconnaît leur protectorat sur la région.

Paris, 6 mai
Inauguration de la tour Eiffel lors de l'Exposition universelle. →

Allemagne, mai
Grève générale des 90 000 mineurs du bassin de la Ruhr : tandis que Bismarck veut faire intervenir la troupe, Guillaume II est favorable au compromis. En août, les sociaux-démocrates fondent un syndicat des mineurs.

Iles Samoa, Pacifique, 14 juin
A la suite d'un conflit d'influence entre l'Allemagne et les Etats-Unis, les deux pays et la Grande-Bretagne signent un traité qui garantit l'indépendance et la neutralité des îles sous la surveillance des puissances signataires et le retour du chef Malietoa.

Allemagne, 22 juin
Loi sur l'assurance sociale contre l'invalidité et la vieillesse.

Paris, 14-21 juillet
Tenue de deux congrès socialistes internationaux, rivaux et parallèles. L'un rassemble « possibilistes » français et trade-unions anglais, de l'autre naîtra la IIᵉ Internationale. →

Londres, 19 août-14 septembre
La grève des 30 000 dockers suscite un grand mouvement de solidarité internationale.

France, 6 octobre
Les républicains rassemblés par le danger boulangiste remportent les législatives avec 366 sièges contre 210 aux conservateurs et aux révisionnistes. Les socialistes, divisés en plusieurs tendances, obtiennent une douzaine de sièges.

Allemagne, 20 octobre
Gerhardt Hauptmann présente sa pièce *Avant le lever du soleil*, qui annonce un nouveau réalisme.

Afrique australe, 29 octobre
Cecil Rhodes reçoit la concession du Bechuanaland. →

Brésil, 15 novembre
L'empereur Pedro II abdique. →

Autriche
La romancière pacifiste Bertha von Suttner connaît un important succès avec *Bas les armes !*

Grande-Bretagne
Le leader de la rébellion irlandaise est acquitté à la suite du procès qui lui est intenté pour sa participation à l'attentat de Phœnix Park.

Jerome K. Jerome publie *Trois Hommes dans un bateau*. →

France
Pionnier de l'endocrinologie, Brown-Séquard découvre le rôle des glandes à sécrétion interne.

Bergson publie son *Essai sur les données immédiates de la conscience*.

Chicago
Adler et Sullivan construisent l'*Auditorium Building*.

Italie
Gabriele D'Annunzio publie *L'Enfant de volupté*, premier volume du « cycle des romans de la rose ».

Giosuè Carducci achève la publication de ses *Odes barbares*.

Elberfeld, Allemagne
Felix Hoffman (Laboratoires Bayer) fabrique de l'aspirine à l'état pur et stable.

La tour Eiffel, vedette de l'Expo

Paris, 6 mai 1889
L'Exposition universelle a rassemblé 33 millions de visiteurs. La galerie des machines mais surtout la tour Eiffel, haute de 300 m, large de 65 m, ont emporté un grand succès populaire. Les 1 968 287 visiteurs de la tour ont apporté une recette de 5 919 884 francs ; record battu le lundi de Pentecôte : 23 202 visiteurs. Gustave Eiffel a résolu le problème des ascenseurs (pour éviter de gravir les 1 710 marches) en mettant en compétition trois compagnies et trois systèmes. Roux, Combaluzier et Lepape ont construit les deux ascenseurs inclinés qui relient le sol au premier étage dans les piliers est et ouest ; Otis a édifié les ascenseurs des piliers nord et sud desservant le deuxième étage, tandis qu'Edoux a assuré le transport du deuxième étage au sommet par un ascenseur double à cabines s'équilibrant. L'ascenseur Roux, Combaluzier et Lepape transporte 90 personnes à la vitesse de 60 m à la minute ; les ascenseurs Otis, 42 personnes à 54 m à la minute. Le succès de la tour Eiffel suscite des envieux : chaque ville veut avoir sa tour, mais tous les projets échouent. Seule Lyon construira la tour de Fourvières en 1893 ; conçue par Colonges, elle mesurera 80 m. En 1890, Saint-Pétersbourg élèvera une tour Eiffel de glace de 60 m de hauteur !

La Tour Eiffel en voie d'achèvement : le 12 février 1889 et, un mois plus tard, le 22 mars.

La France échappe à la dictature boulangiste

Paris, 27 janvier-1ᵉʳ avril 1889
Fort de ses précédents succès électoraux (il vient d'être élu dans quatre départements), Georges Boulanger se présente aux élections du 27 janvier, où il est triomphalement élu : l'opinion croit qu'il va prendre le pouvoir. Mais, malgré la pression de ses partisans (Déroulède, Naquet, Rochefort, qui viennent de créer la Ligue des patriotes) Boulanger, sous l'influence de sa maîtresse Mᵐᵉ de Bonnemain, renonce à marcher sur l'Elysée, ce qui laisse au gouvernement le temps de prendre des mesures contre lui. Le ministre de l'Intérieur, Constans, menace de l'arrêter et dissout la Ligue. Boulanger s'enfuit le 1ᵉʳ avril à Bruxelles ; condamné par contumace à la déportation, il est rendu inéligible le 14 août, et une loi du 17 juillet interdit les candidatures multiples. Il se suicidera en 1891 sur la tombe de sa maîtresse.

Boulanger écrasant la République.

Fondation de la IIᵉ Internationale

Paris, 14-21 juillet 1889
En ce temps où se développent les grosses industries et où se structure le mouvement ouvrier, il n'existe plus d'organisation internationale depuis la dissolution de l'AIT par le congrès de Philadelphie en juillet 1876. Ce 14 juillet, pour le centième anniversaire de la prise de la Bastille, le congrès de Paris réunit salle Pétrelle, à l'initiative du plus important parti socialiste, le parti social-démocrate allemand de Liebknecht et Babel, du parti ouvrier français de Jules Guesde et des blanquistes d'Edouard Vaillant, les socialistes de vingt-trois pays. A l'ordre du jour : l'abolition des armées et la mise à l'étude d'une législation internationale du travail. Liebknecht exalte la puissance du prolétariat et Lafargue appelle au dépassement des intérêts nationaux. Mais dans ce débat où intervinrent l'Allemand Bernstein, l'Autrichien Adler, le Belge Vandervelde, le Hollandais Nieuwenhuis et le Russe Plékhanov, le congrès rejeta l'idée d'une direction centralisée trop puissante et retint la solution d'une fédération de partis nationaux autonomes.

Le Japon se donne une constitution libérale

Tokyo, 11 février 1889

Si c'est à partir de 1868 que le nouveau régime Meiji se lance dans une politique visant à détruire l'ancien ordre féodal et à moderniser le pays, ce n'est qu'en 1889 que le Japon se dote d'une constitution. Itô Hirobumi, homme fort du régime dans les années 1880 et « père » de la Constitution, prépara le texte législatif pendant plusieurs années, après s'être rendu auprès des grands spécialistes européens de droit constitutionnel, en particuler allemands. Itô est convaincu de la nécessité de limiter les pouvoirs du Parlement et veut un texte autoritaire affirmant surtout les pouvoirs de l'empereur. Poussés d'une part par le Mouvement pour la liberté et les droits du peuple, partisan d'un régime libéral, et contraints d'autre part de se donner une respectabilité aux yeux de la communauté internationale afin de renégocier les traités inégaux, Itô Hirobumi et les dirigeants japonais finissent par se laisser convaincre de promulguer une constitution. Celle-ci n'existe que par la grâce de l'empereur qui l'octroie à ses sujets. Les ministres ne sont responsables que devant lui et non devant le Parlement élu au suffrage censitaire. Cette Constitution restera en vigueur jusqu'en 1945.

Au Brésil, l'armée instaure la république

Rio de Janeiro, 15 novembre 1889

Un coup d'Etat militaire, dirigé par le maréchal Manuel Deodoro da Fonseca, renverse l'empereur Pedro II. La république est proclamée ; inscrivant sur son drapeau la devise positiviste « Ordre, amour et progrès », elle se veut progressiste. En fait, c'est l'oligarchie qui, rassemblée dans le parti républicain, contrôle le pays. Les grands propriétaires terriens du Sud qui se sentaient lésés par l'absence d'indemnisation lors de l'abolition de l'esclavage (13 mai 1888) sont satisfaits. Deodoro da Fonseca est un héros de la guerre du Chaco. Il avait pris la tête du mouvement rénovateur qui agitait l'armée depuis la victoire contre le Paraguay. Après l'adoption d'une Constitution fédérale (24 février 1891), il sera élu président des Etats-Unis du Brésil. Promue par des admirateurs d'Auguste Comte, cette république écrasera dans le sang la révolte de Canudos (5 octobre 1893), mouvement social des affamés du Nord-Est.

Van Gogh en proie à la folie de peindre

Arles, mars 1889

Souffrant d'hallucinations après sa dispute avec Gauguin et son automutilation (*Autoportrait à l'oreille coupée*, 7 janvier 1889), Van Gogh est interné en mars 1889 à l'hôtel-Dieu d'Arles, où il reçoit la visite de Signac. Il se fait de nouveau hospitaliser à l'asile de Saint-Rémy-de-Provence, de mai 1889 à mai 1890. Cette période abonde néanmoins en œuvres très abouties. La longue série de ses autoportraits est un véritable constat clinique qui permet de suivre le terrible combat du peintre contre la psychose, finalement résolu en faveur de l'œuvre. Réfugié en mai 1890 à Auvers-sur-Oise, où le Dr Gachet l'accueille, Van Gogh réalise des toiles d'un style heurté témoignant des hallucinations qui le poursuivent et dont il se libère d'un coup de revolver le 27 juillet.

Vincent van Gogh. « Enclos au soleil couchant, vu de l'asile de Saint-Rémy ». 1889. Ancienne collection Florence Gould.

Une nouvelle colonie pour Cecil Rhodes

Afrique australe, 29 octobre 1889

Cecil Rhodes, puissant homme d'affaires et député de la colonie du Cap depuis 1881, ambitionne d'étendre la domination britannique du Cap jusqu'au Caire et de faire échec au Portugal, qui veut réunir ses possessions du Mozambique et de l'Angola. Depuis 1885, l'Angleterre a établi son protectorat sur le Bechuanaland, mais au nord le Matabeleland échappe encore à son hégémonie. Le 11 février 1888, Rhodes se fait octroyer par le roi Lo Bengula un droit de préemption sur le Matabeleland ; et le 29 octobre 1889, une charte accordée par le Premier ministre anglais à la British South Africa Chartered Company dote Rhodes de larges pouvoirs. La persistance des troubles avec les autochtones fait d'abord tomber les actions de la nouvelle société de trois livres à douze shillings. Mais la signature d'accords territoriaux avec le Portugal, en 1890, et la pacification des territoires permettent en 1895 d'unifier le Bechuanaland et le Matabeleland sous le nom de Rhodésie.

Cecil Rhodes (1898) par G. F. Watts.

"Trois Hommes dans un bateau" de J.K. Jerome

Angleterre, 1889

Après avoir été employé au chemin de fer, journaliste, maître d'école et comédien, l'humoriste Jerome Klapka Jerome obtient un vif succès en publiant les *Pensées paresseuses d'un paresseux* et surtout *Trois Hommes dans un bateau, sans compter le chien*, dont le comique s'inspire des petits faits quotidiens. Trois amis, Harris, George et l'auteur, décident de prendre des vacances sur la Tamise, partageant une vie fruste dans un bateau. Ils arrivent à Oxford mais, lors du voyage de retour, des pluies torrentielles les contraignent à regagner Londres par le train. Les anecdotes, les détails imprévus confèrent toute sa vitalité au récit, où l'on peut assister à une laborieuse fermeture de valises ou à des tentatives désespérées pour ouvrir une boîte d'ananas. J.K. Jerome se fait l'observateur d'un monde moderne dans lequel toutes les valeurs sont inversées. Son humour, très britannique, rencontre un immense intérêt à l'étranger.

Jerome K. Jerome.

Un nouvel art graphique : la bande dessinée

France, 31 août 1889

Un nouvel art d'expression qui allie texte écrit et composition graphique vient de faire son apparition. Précurseur de la bande dessinée, Rodolphe Töpffer avait créé en 1827 *Les Amours de Monsieur Vieux-Bois*, en intégrant dans un ballon le texte de son illustration. Le 31 août 1889, *Le Petit Illustré* publie sous forme de feuilleton les aventures de *La Famille Fenouillard* de Georges Colomb, sous-directeur du laboratoire de botanique de la Sorbonne, qui imagine des histoires pittoresques, signées du nom de Christophe. Il présente les pérégrinations d'Artémise, de Cunégonde, de M. et Mme Fenouillard à travers le monde, qui découvrent à leurs dépens les contrées sauvages et les peuples zoulous ou indiens. L'humour tient au décalage entre l'écriture et les illustrations. D'abord destinée aux enfants, la bande dessinée connaîtra un essor remarquable avec *Les Pieds-Nickelés* de Louis Forton, en 1908.

La famille Fenouillard vue par le dessinateur Christophe. 1889.

1890

Allemagne, 20 février
Les législatives sont marquées par un échec du cartel conservateur qui perd un tiers de ses sièges au profit des libéraux, des sociaux-démocrates et surtout du parti catholique.

Berlin, 15-28 mars
Première Conférence internationale sur la protection du travail.

Allemagne, 20 mars
Le chancelier Bismarck est remplacé par le comte Leo von Caprivi. →

Allemagne, 27 mars
Le traité de contre-assurance entre l'Allemagne et la Russie est dénoncé par la partie allemande et définitivement abandonné le 4 juin.

Paris, 1er mai
Grèves et manifestations ouvrières. →

Italie, 17 mai
Le compositeur Pietro Mascagni devient célèbre avec son opéra en un acte : *Cavalleria rusticana*.

Afrique, 1er juillet
Après avoir abandonné la Russie, l'Allemagne veut se rapprocher de la Grande-Bretagne. Les deux pays signent le traité Héligoland-Zanzibar. L'Allemagne récupère l'île d'Héligoland au large de l'Elbe, obtient la bande de territoire dite de Caprivi qui relie l'Afrique allemande du Sud-Ouest au Zambèze, mais renonce au sultanat de Witu et aux côtes somaliennes.

Etats-Unis, 14 juillet
John Sherman fait adopter une loi contre les trusts. William McKinley, champion du protectionnisme douanier, fait voter une loi établissant des droits de douane très élevés.

Afrique, 5 août
La France et la Grande-Bretagne signent une convention coloniale qui reconnaît le protectorat français sur Madagascar en échange de la reconnaissance du protectorat britannique sur Zanzibar. En Afrique occidentale, la France abandonne le bas Niger et conserve les territoires désertiques du Sahara.

Allemagne, 30 septembre
Les lois antisocialistes sont levées. Les syndicats libres se constituent

en une Commission générale des syndicats d'Allemagne.

Paris, 9 octobre
Clément Ader (1841-1925) fait voler le premier engin à moteur. →

Châtellerault, octobre
Au congrès socialiste, les partisans de la grève générale avec Jean Allemane l'emportent sur les possibilistes, partisans de la Ligue réformiste de Paul Brousse

Russie, 4 novembre
Première du *Prince Igor* de Borodine.

Algérie, 12 novembre
S'adressant à une assemblée d'officiers de marine, le cardinal Charles Lavigerie invite, à la demande du pape Léon XIII, les catholiques français à rallier le régime républicain.

Luxembourg, 23 novembre
A la suite de la mort du roi des Pays-Bas, Guillaume III, le Luxembourg devient indépendant sous la souveraineté du duc Adolphe de Nassau, tout en demeurant dans l'union douanière allemande. →

Allemagne
Emil von Behring découvre les virus de la diphtérie et du tétanos.

Le poète symboliste Stefan George publie *Hymnes*. →

Etats-Unis
Le poète Walt Whitman publie l'œuvre de sa vie : *Les Feuilles d'herbe*. →

Air conditionné à New York : la McLeod American Pneumatic Compagny installe un système de circulation, pour avoir chaud l'hiver et froid l'été.

Grande-Bretagne
Le mathématicien John Venn réalise un diagramme qui facilite la manipulation des ensembles.

Alfred Marshall publie ses *Principes d'économie politique*. →

Le métro londonien utilise désormais la traction électrique.

France
Le physicien Edouard Branly invente un radioconducteur ou « cohéreur » à limaille. →

Toulouse-Lautrec peint ses œuvres sur Montmartre. →

Norvège
La Faim rend Knut Hamsun célèbre. →

A Berlin, le chancelier Bismarck démissionne

Berlin, 20 mars 1890
Depuis deux mois, une crise ouverte oppose le chancelier Bismarck au jeune empereur Guillaume II, qui veut réellement gouverner. Avant les élections prévues pour février, Guillaume II voudrait faire un geste en direction des ouvriers alors que le chancelier, inquiet des développements du mouvement social-démocrate, voudrait renforcer les lois antisocialistes. Au Conseil de la couronne du 24 janvier, les deux hommes s'affrontent et ce différend pose immédiatement la question de savoir qui gouverne réellement, Bismarck ou Guillaume II. Déjà isolé par sa politique autoritaire, même parmi les conservateurs, Bismarck voit petit à petit ses soutiens disparaître. Les élections du 20 février, marquées par une défaite du cartel de droite au profit des sociaux-démocrates, des libéraux et des catholiques, achèvent d'affaiblir ses positions. Le 4 mars, l'empereur interdit au Parlement d'aggraver les lois antisocialistes.

"Tête d'or" révèle un dramaturge de vingt ans : Paul Claudel

Paris, février 1890
Paul Claudel, qui a connu la révélation de la foi pendant la messe de Noël 1886, dévoile avec *Tête d'or* une puissance d'inspiration et un souffle lyrique rares chez un auteur aussi jeune. Cette œuvre dramatique est en réalité antérieure à ses grands drames d'inspiration catholique. Stimulé par la fréquentation du cénacle de Mallarmé, le jeune Claudel s'en-

Edouard Branly pose les bases de la TSF

Paris, 1890
De 1885 à 1890, Edouard Branly effectue des expériences qui prennent la suite des travaux de Hertz. Ayant constaté une variation de conductibilité du courant électrique des poudres métalliques sous l'influence d'une étincelle provoquée à distance, il détermine le rôle de la lumière ultraviolette sur les métaux. Il construit en 1890 un petit tube rempli de limaille de fer qui se comporte comme une résistance dans un circuit électrique mais peut devenir conducteur lorsqu'il est soumis à des ondes électromagnétiques : Branly vient de créer le premier détecteur d'ondes pouvant être introduit dans un récepteur. Ce tube est très vite utilisé par tous ceux qui travaillent sur l'application des ondes hertziennes : son radioconducteur ou « cohéreur » à limaille constitue le principal organe des appareils de réception de la télégraphie sans fil.

Malgré ce camouflet, le vieux chancelier veut se maintenir au pouvoir jusqu'à ce que Guillaume II lui demande de démissionner, le 19. Fait duc de Lauenbourg, meurtri, il se retire dans ses terres de Poméranie pour y mourir en 1898. Auparavant, il avait conseillé à Guillaume de prendre pour lui succéder le comte Leo von Caprivi (1831-1899).

« Bismarck abandonnant le navire ».

gage avec une extraordinaire force verbale dans ce drame placé sous la triple invocation d'Eschyle, de Shakespeare et de Wagner, et sensiblement influencé par *Ainsi parlait Zarathoustra* de Nietzsche : jeune et blond conquérant assoiffé de gloire, Tête d'or apparaît comme une figure rimbaldienne dans sa frénétique recherche de l'absolu. Claudel, qui vient d'achever un autre drame, *La Ville* (1890), est bientôt reçu au concours des Affaires étrangères : s'engageant dans la carrière diplomatique, son premier poste sera New York, en 1893.

Marshall renouvelle la pensée économique

Cambridge, 1890
Les *Principes d'économie politique* d'Alfred Marshall (1842-1924) renouvellent la réflexion économique. Cet ouvrage s'attache à développer l'analyse marginale de la valeur, étudiée depuis 1870 par l'Autrichien Carl Minger (1840-1921), le Français Léon Walras (1834-1910) et le Britannique Stanley Jevons (1835-1882). S'appuyant sur une solide connaissance des sciences les plus modernes, Marshall établit l'utilité marginale de la monnaie et construit une théorie de l'équilibre particulier. Marshall est le maître de l'école de Cambridge. Son élève, John Maynard Keynes, voit dans cet ouvrage le début de « l'âge moderne de la science économique britannique ». L'influence de Marshall sera considérable et s'étendra durant tout le premier quart du XXe siècle, défini par les historiens de l'économie comme l'« âge de Marshall ».

Henri de Toulouse-Lautrec. « La Danse au Moulin Rouge ». 1890. Collection Henri P. Mac Ilhenny, Philadelphie.

Liberté du trait et intensité expressive chez Toulouse-Lautrec

Paris, 1890
Henri de Toulouse-Lautrec (1864-1901) est né à Albi d'une famille de la vieille noblesse occitane. Atteint d'un mal osseux incurable, qui fait de lui un nain difforme et douloureux, Henri de Toulouse-Lautrec surmonte son infirmité en s'acharnant au travail : vivement influencé par Manet et les impressionnistes, il se lie d'amitié avec Van Gogh, qu'il fréquente régulièrement de 1886 à 1888 et dont il laisse un magnifique portrait au pastel (1887). Se détachant vers 1890 de l'impressionnisme triomphant, il se lie avec les Nabis et Degas, et trouve son inspiration la plus intense dans les beuglants et les maisons closes de Montmartre : *Jane Avril dansant* (1891), *La Goulue* (1891), *Au Moulin-Rouge* (1892). L'intensité expressive de ses aplats colorés et la force du graphisme influenceront Gauguin, les Nabis et le jeune Picasso.

Succès immédiat de "La Faim" de Hamsun

Norvège, 1890
Après deux années en Amérique, Knut Hamsun (1859-1952) devient célèbre du jour au lendemain avec un roman qui fait sensation, *La Faim*. Sans indiquer l'origine de la pauvreté de son personnage ni orienter son récit vers un réquisitoire social, Hamsun se concentre sur la description minutieuse des effets physiologiques et psychologiques de la faim : « Ce qui m'intéresse, c'est l'infinie variété des mouvements de ma petite âme, l'étrangeté originale de ma vie mentale, le mystère des nerfs dans un corps affamé ! »

Le symbolisme gagne l'Allemagne avec le poète Stefan George

Allemagne, 1890
Le poète Stefan George (1868-1933) quitte l'Allemagne en 1888 pour vivre à Paris, où il fréquente les milieux symbolistes qui l'aident à forger sa propre conception de la poésie. Son lyrisme se caractérise par la rigueur formelle et un symbolisme ésotérique, qui s'opposent au naturalisme germanique et à la littérature sociale. De retour en Allemagne, il publie un recueil de poèmes marqués par sa recherche du divin et son idéal de perfection : *Hymnes* (1890). Il traduit en allemand Mallarmé, Baudelaire, Verlaine, Rimbaud, Dante, Shakespeare. En 1891, il fonde avec Hofmannsthal une revue littéraire, *Les Feuilles pour l'art*, et publie *Pèlerinages*. Dans *Le Tapis de la vie* (1899), le poète formulera une esthétique prophétique, aristocratique et patriotique.

Nature et démocratie chez Walt Whitman

New Jersey, 1890
Walt Whitman (1819-1892) poursuit à Camden où il s'est retiré depuis 1873, ses méditations sur la nature et l'homme : sa vie se confond avec un livre, *Les Feuilles d'herbe*, qu'il révise à chaque édition. La dernière comprend 411 poèmes : « Je chante le Moi, une personne simple, séparée. Néanmoins, je prononce le mot Démocratique, le mot En Masse. » Barde enthousiaste et optimiste de la démocratie, de la France de 1793 et des Etats-Unis, Whitman fait montre d'un mysticisme spontanéiste et individualiste.

Envol d'un engin plus lourd que l'air

Paris, 9 octobre 1890
Pour décoller sans utiliser de gaz plus léger que l'air, il faut une puissance ascensionnelle qui, selon l'hypothèse de Clément Ader, peut être fournie par une machine à vapeur. Aussi construit-il un engin qu'il appelle « avion », sur lequel il fixe une chaudière à tubes qui entraîne une hélice en bambou. Deux ailes articulées constituent la réplique des membranes de la chauve-souris. Cet engin de 300 kg, qu'il baptise *Eole*, décolle effectivement, se soulevant de 20 cm sur une distance de 60 m. La voie est ouverte : le principe de la puissance ascensionnelle que Ader fait valoir est juste, en dépit du caractère peu spectaculaire de la démonstration.

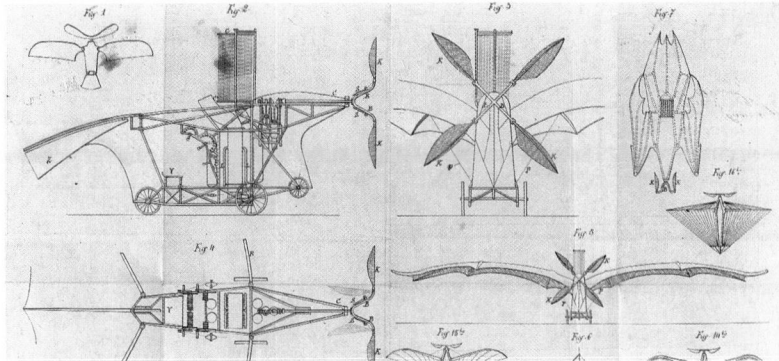

Brevet de l'« Eole » déposé par Clément Ader en avril 1890.

Première célébration de la fête du Travail

Paris, 1er mai 1890
Au moment de sa constitution en 1889, la IIe Internationale avait adopté le principe d'une journée internationale revendicative le 1er mai, reprenant la décision des trade-unions américains d'appliquer unilatéralement la journée de huit heures à partir du 1er mai 1886. En France, la première célébration du 1er Mai donne lieu à de nombreuses grèves.

La maison de Nassau à la tête du Luxembourg

Luxembourg, 23 novembre 1890
Le Luxembourg est devenu neutre, sous la protection des grandes puissances, par le traité de Londres du 11 mai 1867. Le 23 novembre 1890, Guillaume III, roi des Pays-Bas et grand-duc de Luxembourg, meurt sans laisser de fils : le duc Adolphe de Nassau (de la branche aînée, dite « lignée de Walram ») reçoit le grand-duché par acte successoral.

Construction en Ecosse du pont le plus long

Firth of Forth, 1890
Afin de permettre au chemin de fer de traverser l'embouchure de la Forth, dans l'est de l'Ecosse, deux ingénieurs, John Fowler et Benjamin Baker ont été engagés en 1883 par quatre compagnies anglaises pour construire un pont métallique long de 1 600 m avec une travée centrale de 521 m d'ouverture indépendante et soutenue à ses extrémités par des porte-à-faux dépassant des quatre piliers principaux.

Le pont de Firth of Forth. Ingénieurs : John Fowler et Benjamin Baker.

1891

Brésil, 24 février
L'Assemblée constituante adopte une constitution analogue à celle des Etats-Unis : le président est élu pour quatre ans et deux Chambres disposent du pouvoir législatif ; une fédération regroupe les différents Etats, qui peuvent adopter des constitutions particulières si elles ne contreviennent pas aux dispositions fédérales.

Munich, Pâques
Première de *L'Eveil du printemps* de Frank Wedekind. →

France, 1er mai
Massacre de Fourmies. →

Allemagne, 6 mai
La Triplice entre l'Allemagne, l'Autriche et l'Italie est reconduite de manière anticipée et les trois traités de 1887 sont fondus ensemble.

Vatican, 15 mai
Léon XIII publie l'encyclique *Rerum novarum.* →

Afrique, 11 juin
La Grande-Bretagne et le Portugal règlent les dissensions nées de leurs expansions concurrentes, l'une d'ouest en est, l'autre du sud au nord. Le 12 janvier 1890, les Anglais avaient adressé au Portugal un ultimatum exigeant l'évacuation des territoires du Makoko et des Machonas au sud du lac Nyassa, la présence lusitanienne les empêchant de relier Le Cap au Caire. Le gouverneur portugais ayant été fait prisonnier, Lisbonne cède à la Grande-Bretagne.

Kronstadt, Russie, 23 juillet
Début de la visite d'amitié de la flotte de guerre française.

Russie, 27 août
La France et la Russie signent, par courriers secrets, une entente cordiale qui prévoit des positions communes sur toutes les questions internationales.

Bruxelles, août
Le deuxième congrès de la IIe Internationale exclut les anarchistes.

Allemagne, 14-20 octobre
Le parti social-démocrate adopte un nouveau programme à son congrès d'Erfurt. →

Marseille, 10 novembre
Mort d'Arthur Rimbaud. →

Europe centrale, 23 novembre
Accord avec l'Autriche et la Hongrie pour défendre le *statu quo* contre une offensive russe.

Allemagne, 14 décembre
Parution du premier numéro du *Berliner Illustrirten,* le plus célèbre magazine illustré allemand, auquel partipera le photographe Erich Salomon.

Russie
Début de la construction d'une ligne de chemin de fer transsibérienne qui reliera l'Oural au port de Vladivostok. La ligne ne sera achevée qu'en 1906.

Allemagne
Le jeune philosophe Edmund Husserl publie *La Philosophie de l'arithmétique.*

Grande-Bretagne
Oscar Wilde publie son unique roman intitulé *Le Portrait de Dorian Gray.*

Conan Doyle donne les premières *Aventures de Sherlock Holmes.*

Hardy publie *Tess d'Uberville.* →

France
Paul Gauguin part s'installer définitivement en Océanie.

Claude Monet expose la série des *Meules.*

L'inventeur et dessinateur Emile Reynaud ouvre au musée Grévin son « Théâtre optique ». →

Georges Seurat termine de peindre *Le Cirque* avant de mourir.

La société d'automobiles Panhard et Levassor construit la première voiture à essence en utilisant le brevet de Daimler.

Charles Terront remporte la première course cycliste française Paris-Brest (550 km) en utilisant un pneu démontable réalisé par les frères André et Edouard Michelin.

Chercheurs et mondains se pressent aux présentations de malades que fait Jean-Martin Charcot à la Salpêtrière. →

Jean Rey et Jules Carpentier inventent le périscope, permettant au sous-marin de naviguer.

Mise au point du premier fer à repasser électrique et du premier ventilateur.

Jeune Indien sur un mustang devant une tente. Photographie d'époque.

Les Indiens massacrés à Wounded Knee

Dakota du Sud, 1891
Il apparaît, en ce début d'année 1891, que la guerre indienne est désormais finie : avec le massacre de 120 guerriers indiens et de 230 femmes et enfants à Wounded Knee, le 29 décembre 1890, la résistance indienne a vécu. Après avoir encerclé le camp de Wounded Knee, l'ancien régiment de Custer, le 7e de cavalerie, hisse, à 8 heures du matin, le drapeau blanc ; un parlementaire transmet aux Indiens l'ordre de rendre toutes leurs armes ; il n'obtient que deux fusils. Un sorcier, Yellow Bird, avertit les guerriers que si on les désarme, c'est qu'on veut les massacrer. Les soldats américains reçoivent l'ordre de fouiller les tentes et de prendre toutes les armes qu'ils trouveront. C'est l'instant décisif : Yellow Bird s'interpose, ramasse une poignée de sable et la jette en l'air. Le signal est donné. Les mitrailleuses ouvrent le feu sur les Indiens : 50 tombent dès la première rafale ; les autres guerriers s'emparent de leurs carabines, leurs couteaux et leurs tomahawks cachés sous des couvertures. Lutte du désespoir. La rage meurtrière des soldats américains n'a pas de limites ; poursuivant femmes et enfants dans leur fuite, ils les égorgent jusqu'au dernier en hurlant : « Souvenez-vous de Custer ! »

La troupe réprime la grève des mineurs à Fourmies

Fourmies, 1er mai 1891
Des centaines de grévistes de l'usine La Sans-Pareille défilent dans les rues de Fourmies, mais ils se heurtent à l'armée. La troupe, qui expérimente le fusil Lebel, tire faisant neuf morts dont deux enfants et une soixantaine de blessés. Il s'ajoutent à la liste des martyrs du mouvement ouvrier : depuis les manifestations de Chicago en 1866, de nombreux ouvriers sont morts pour l'obtention de la journée de huit heures. L'indignation des ouvriers du Nord se traduira peu après par l'élection de Paul Lafargue, gendre de Karl Marx, comme député de Lille.

La fusillade de Fourmies le 1er mai 1891. Gravure de « L'Illustration ».

Wedekind à l'aube de l'expressionnisme

Munich, Pâques 1891
Tenu pour un débauché, Frank Wedekind, qui a vingt-six ans, crée un beau scandale avec *L'Eveil du printemps*, « tragédie enfantine » en cinq actes évoquant l'éveil de la sexualité. Dans cette pièce « qui intéresse l'histoire de la civilisation et des mœurs, la question est sans doute celle qui naît de la curiosité infantile pour la sexualité : d'où viennent les enfants ? » note Freud. Déterminé à provoquer le scandale dans un dessein de contestation de la société bourgeoise et de ses tabous sexuels, Wedekind emprunte tout à la fois au naturalisme et au symbolisme, au lyrisme et au burlesque, au drame et au cirque : « Pendant dix ans, de 1891 à 1901 environ, la pièce en général – le petit nombre qui sut l'apprécier excepté – a passé pour une immense cochonnerie. Je serais étonné si je vois le jour où on prendra enfin cette œuvre comme je l'ai écrite voici vingt ans, pour une peinture ensoleillée de la vie, dans laquelle j'ai cherché à fournir à chaque scène autant d'humour insouciant qu'on pouvait en faire. »

Frank Wedekind.

Adoption du programme d'Erfurt par la social-démocratie allemande

Erfurt, 14-20 octobre 1891
Fondé en 1869 à Eisenach, le jeune parti social-démocrate allemand, qui est réprimé depuis dix ans par des lois antisocialistes, se trouve réuni pendant une semaine à Erfurt pour un congrès dont l'enjeu est décisif. August Bebel (1840-1913), fondateur et chef incontesté du parti, doit se garder sur sa gauche comme sur sa droite : s'opposant aux jeunes, qui avaient préconisé une politique antiparlementaire au congrès de Halle (1890), il doit également combattre les propositions réformistes du Bavarois Georg von Vollmar, qui voudrait rallier les classes moyennes au socialisme. Le congrès adopte finalement un programme qui remplace celui de Gotha en 1875 ; rédigé par Edouard Bernstein et Karl Kautsky, il s'aligne sur les analyses économiques de Marx.

Première encyclique sur la question sociale

Vatican, 15 mai 1891
Elu en 1878, Léon XIII s'efforce de substituer à l'attitude intransigeante de son prédécesseur l'image d'une Eglise plus attentive aux problèmes de son temps : jamais jusqu'à présent la papauté ne s'était prononcée sur la question sociale. Jetant les bases d'un catholicisme social, son encyclique *Rerum novarum* condamne les inégalités engendrées par le développement industriel d'un libéralisme trop peu soucieux de la juste répartition des biens ; mais il réfute aussi le socialisme qui prône la haine entre les classes sociales et l'abolition de la propriété privée. Ses initiatives valent à Léon XIII le surnom de « pape des ouvriers ».

Thomas Hardy publie "Tess d'Uberville"

Angleterre, 1891
Publié en feuilleton dans le *Graphic*, le dernier roman de Thomas Hardy (1840-1928), *Tess d'Uberville*, paraît. Séduite par Alec d'Uberville qui l'abandonne avec un enfant mort-né, Tess épouse Angel, qui la quitte en découvrant sa faute. Accablée de douleur pour avoir perdu la possibilité de se réconcilier avec son mari, Tess tue Alec et sera condamnée à mort. Ce roman est imprégné de ce profond fatalisme qui traverse toute l'œuvre de Hardy. *Tess d'Uberville* termine avec *La Bien-Aimée* (1892) et *Jude l'Obscur* (1895) son œuvre de romancier. A la fin de sa vie, Hardy se consacrera exclusivement à la poésie. Il se révèle un maître dans les descriptions de la nature et donne naissance à cette fameuse « couleur locale », dont beaucoup d'écrivains se recommanderont par la suite.

Thomas Hardy.

Le dessin animé acquiert ses lettres de noblesse

Paris, 1891
Reprenant les recherches de l'Anglais Paris et du Français Plateau sur la persistance rétinienne, Emile Reynaud conçoit le « praxinoscope », qui permet de projeter les dessins dont il est l'auteur en les faisant défiler avec l'apparence du mouvement. Le succès de ce jouet le convainc de réaliser un « Théâtre optique ». En 1891, il montre au musée Grévin, devant une foule nombreuse, une série de dessins qu'il a lui-même peints à la gouache. Ces premiers « dessins animés », inspirés de la pantomime classique, s'intitulent : *Un bon bock* ou *Pauvre Pierrot*. De 1892 à 1900, il donne plus de 10 000 représentations ; mais il est détrôné par le cinéma forain et peu à peu son invention est oubliée. Témoin du succès du dessin animé cinématographique, il meurt dans la misère en 1918.

Mort tragique de Rimbaud à Marseille

Marseille, 10 novembre 1891
Jean Nicolas Arthur Rimbaud (né en 1854) vient de mourir à l'hôpital de la Conception à Marseille. Le poète avait cessé d'écrire depuis la publication à Bruxelles d'*Une saison en enfer* (1873), qui se terminait par un « Adieu ». En 1876, il s'était engagé dans l'armée hollandaise pour gagner Java, où il déserte à peine arrivé. Revenu en Europe, il séjourne en Autriche et en Allemagne ; puis il se rend à Chypre et, enfin, à partir de 1880, gère un comptoir commercial tantôt à Aden (en Arabie), tantôt au Harar (en Abyssinie) : on met alors vingt jours pour gagner cette ville à travers le désert. Au bout de dix ans, ses affaires deviennent prospères lorsque, atteint d'une tumeur au genou, il doit rentrer en France pour se faire soigner. Amputé d'une jambe, il est sans doute converti au catholicisme par sa sœur avant de mourir.

Charcot médecin de la pathologie nerveuse

Paris, 1891
Jean Martin Charcot (1825-1893) contribue au développement de la pathologie nerveuse en ouvrant en 1882 un service de neurologie à la Salpêtrière. Les étudiants se pressent à ses présentations de malades : Janet, Binet et, en 1885, Freud, qui traduira plusieurs de ses *Leçons* en allemand. Il s'intéresse à la définition des maladies nerveuses afin de leur donner une origine anatomique. Il localise ainsi de nombreux centres cérébraux responsables de fonctions spécifiques, tout en étudiant au moyen de l'hypnose une maladie alors mal connue : l'hystérie. Il donne aux crises d'hystérie leur statut scientifique de maladie à part entière, en fournissant une description clinique précise. Par ses observations, il a, en partie, jeté les bases de la psychanalyse, tout en donnant ses assises à la psychiatrie moderne. En 1891, ses élèves publient les *Leçons du mardi de la Salpêtrière*, qui recueillent ses cours des années 1873-1884.

"La Revue blanche" et le groupe des Nabis

Paris, 1891
Les successeurs symbolistes de Gauguin, qui se donnent le nom de Nabis (d'un mot hébreu signifiant « prophètes »), sont aussi remarquables par leurs talents de créateurs que par leur habileté à justifier les objectifs des post-impressionnistes. Créé en 1888, sous l'impulsion de Paul Sérusier, par Maurice Denis, Paul Ranson et Pierre Bonnard, le groupe des Nabis accueillera Valadon, Vuillard, Desvallières et Maillol. Le manifeste nabis, formulé par Maurice Denis (*Art et Critique*, 1890), deviendra celui de toute la peinture moderne : « Un tableau – avant d'être un cheval de guerre, un nu féminin ou quelque anecdote – est essentiellement une surface plane recouverte de couleurs en un certain ordre assemblées. » Le sujet reste capital mais ils abandonnent la suppression du modelé qui devait rendre à la peinture sa fonction décorative. Les Nabis collaborent avec Proust, Apollinaire et Mallarmé à *La Revue blanche*, fondée en 1891 par les frères Thadée et Alexandre Natanson, qui existera jusqu'en 1903.

Affiche de Toulouse-Lautrec pour « La Revue blanche ». 1895.

1892

Egypte, 7 janvier
Abbâs Hilmî II succède à son père comme khédive.

France, janvier
Le député Jules Méline fait adopter sa proposition de tarifs douaniers protectionnistes, instituant des droits de douane sur les produits importés.

Vatican, 16 février
Léon XIII publie l'encyclique *Au milieu des sollicitudes (Inter sollicitudines)* en faveur du ralliement des catholiques aux gouvernements laïques.

Saint-Etienne, 8 février
Dix Bourses du travail sur quatorze, réunies en congrès, fondent la Fédération nationale des Bourses du travail de France. →

France, 2 avril
Quelques jours avant le procès de l'anarchiste François Koenigstein, dit Ravachol, ses amis font sauter le restaurant Véry. Ravachol sera exécuté le 11 juillet.

Milan, 21 mai
Ruggero Leoncavallo présente son opéra, destiné à connaître un succès mondial, *Paillasse*. →

Paris, 22 mai
Les délégués des chambres syndicales ouvrières de la capitale s'installent dans l'immeuble de la Bourse centrale du travail, rue du Château-d'Eau. →

Pennsylvanie, 29 juin
Une grève aux aciéries de Pittsburgh dégénère en bataille sanglante avec 300 détectives de l'agence Pinkerton. →

Russie, 17 août
Convention militaire avec la France, organisant la riposte contre une éventuelle guerre commune avec l'Allemagne.

Carmaux, Tarn, août
Trois mille ouvriers en grève à l'occasion du licenciement d'un ajusteur, Calvignac, connu pour ses idées socialistes.

Gênes, août
Scission au Congrès des travailleurs italiens : d'un côté les socialistes, de l'autre les anarchistes antilégalistes.

France, septembre
Le journal *La Libre Parole*, dirigé par le journaliste antisémite Edouard Drumont, dénonce le scandale financier autour de la construction du canal de Panama.

Dahomey, 17 novembre
Le général français Alfred Dodds est chargé d'une expédition dirigée contre le roi Béhanzin et occupe la capitale Abomey. Béhanzin résistera jusqu'en 1894 et sera déporté en Martinique puis en Algérie, où il mourra. →

Russie, 18 décembre
Première de *Casse-Noisette*, ballet de Piotr Tchaïkovski.

Soudan français
Les hostilités reprennent entre les Français et le chef de l'empire du Ouassoulou, Samory Touré, qui appartient à une famille de Sarakollé (du groupe mandingue). Les deux Etats avaient signé un traité de paix en mars 1886, Samory Touré envoyant son fils comme ambassadeur en France et sollicitant le protectorat français.

France
Claude Monet commence la série des *Cathédrales de Rouen* (1892-1904).

Le chimiste Henri Moissan construit un four électrique à arc industriel qui permet la fusion de nombreux oxydes métalliques.

Le mathématicien Henri Poincaré publie *Les Méthodes nouvelles de la mécanique céleste*.

Représentations triomphales de Sarah Bernhardt. →

Première de *Pelléas et Mélisande* de Maurice Maeterlinck. →

François Hennebique invente le béton armé par des tiges de fer.

Allemagne
La militante sociale-démocrate Clara Zetkin fonde le journal socialiste féminin *L'Egalité*.

L'ingénieur-mécanicien Rudolf Diesel dépose un brevet pour le premier moteur à combustion interne. Dans les prochaines années, il intéressera Krupp et la firme Maschinenfabrik Augsburg.

Gerhardt Hauptmann fait scandale avec son drame social *Les Tisserands*. →

Grande-Bretagne
Publication de *L'argent n'a pas d'odeur* de Bernard Shaw. →

Bruxelles
Victor Horta construit l'hôtel Tassel. →

Le théâtre symboliste de Maurice Maeterlinck

Paris, 1892
Maurice Maeterlinck (né en 1862) est à ses débuts un poète symboliste : ses deux premiers recueils, *Les Serres chaudes* (1889) et *Quinze Chansons* (1896) expriment une poignante mélancolie. En ressuscitant, dans une athmosphère d'étrangeté et de mystère, la fatalité du drame antique, sa pièce *Pelléas et Mélisande* (1892) enrichit le théâtre d'un drame symboliste d'une grande sensibilité. Dans un style volontairement naïf, Maeterlinck décrit l'obscure attirance des deux amants vers un destin tragique. Il poursuivra à travers *La Mort de Tintagille* (1894), *Aglavaine et Sélysette* (1896), *Ariane et Barbe-Bleue* (1902), ou *Monna Vanna* (1902) l'évocation symboliste de personnages évoluant entre le rêve et la réalité. Il développera pendant quarante ans une méditation philosophique de nature métaphysique : *La Vie des abeilles* (1901), *L'Intelligence des fleurs* (1907), *La Mort* (1913), *La Vie des fourmis* (1930) et *Avant le grand silence* (1934). Maurice Maeterlinck avait été rendu célèbre du jour au lendemain par un article dithyrambique d'Octave Mirbeau, paru dans le *Figaro* du 24 août 1890 et consacré à *La Princesse Maleine*. Son œuvre sera récompensée par le prix Nobel de littérature, qu'il reçoit en 1911.

Maurice Maeterlinck.

Les Bourses du travail s'installent rue du Château-d'Eau

Paris, 22 mai 1892
Nées d'un besoin de solidarité locale pour réunir les ouvriers de métiers différents, les Bourses du travail se développent à partir des années 1880, grâce à l'aide des municipalités. A Paris, depuis 1886, les syndicats utilisaient un immeuble situé rue Jean-Jacques Rousseau. C'est en 1892 qu'ils s'installent dans le grand bâtiment de la rue du Château-d'Eau, près de la place de la République. Le 8 février 1892 s'ouvre à Saint-Etienne le Ier Congrès constitutif de la Fédération des Bourses du travail. Outre celle de Paris, sont représentées neuf autres Bourses des grandes villes de province. La Fédération proclame son indépendance vis-à-vis de l'Etat et de la politique. Elle est en fait sous l'influence des possibilistes, socialistes adversaires du guesdisme. Fernand Pelloutier, secrétaire à partir de 1894, jouera un rôle essentiel dans l'animation et le développement de la Fédération des Bourses du travail.

Fernand Pelloutier.

L'agence Pinkerton, briseuse de grèves

Pittsburgh, 29 juin 1892
Une nouvelle fois, c'est à l'agence Pinkerton qu'une grande société industrielle fait appel pour briser la grève. Agence de détectives privés, police secrète au service des puissants industriels américains, l'agence Pinkerton, fondée en 1850 par Allan Pinkerton, lui-même détective, est spécialisée dans ce genre de travail. H.C. Frick, magnat de l'acier qui dirige les usines Carnegie à Homestead, en Pennsylvanie, ayant ordonné une réduction des salaires, les ouvriers se sont mis en grève. Frick a réagi en mobilisant un corps de trois cents gardes de l'agence Pinkerton qu'il a envoyés de nuit, en bateau, par la rivière. Les grévistes alertés les ont attaqués les gardes dès leur arrivée. Au cours de la bagarre, neuf ouvriers et trois gardes ont été tués. Au bout de 13 heures, les gardes se sont rendus. La garde nationale de Pennsylvanie est alors intervenue ; elle a pénétré dans les usines et a fait rentrer sous sa protection des briseurs de grève. Après cette défaite, l'Association des travailleurs du fer, de l'acier et de l'étain réunis reçoit un coup presque mortel : perdant ses membres dans beaucoup d'autres usines, elle voit le nombre de ses adhérents tomber de 24 000 en 1891 à moins de 10 000.

G.B. Shaw dénonciateur du pouvoir de l'argent

Angleterre, 1892

Les publications de l'Irlandais George Bernard Shaw (1856-1950) révèlent un tempérament de pamphlétaire indigné par les injustices sociales. Il devient membre d'un groupe d'intellectuels socialistes, la société Fabienne, dont il rédige le manifeste en 1884. S'il ne connaît guère de succès comme essayiste politique et comme romancier, Shaw devient célèbre comme dramaturge : c'est là qu'il exprime le mieux les idées généreuses qu'il tient à faire promouvoir. Satire de l'usure, *L'argent n'a pas d'odeur* (1892) est la première d'une série de pièces virulentes dénonçant les vices de la société victorienne, son puritanisme, son hypocrisie et son avidité pécuniaire : *La Profession de Mme Warren* (1893), dénonçant le commerce de la prostitution, *Le Héros*

George-Bernard Shaw.

et le Soldat (1894), dérision de l'héroïsme et du conformisme social britannique, *Commandant Barbara* (1905), moquant le pouvoir des marchands de canons, ou *Pygmalion* (1912), satire des préjugés sociaux.

Les Français abattent le royaume d'Abomey

Dahomey, 17 novembre 1892

Les troupes françaises sont entrées dans Abomey, la capitale du royaume du Dahomey, et le général Dodds a aussitôt proclamé le protectorat. Cependant, le roi Béhanzin, qui a opposé une résistance acharnée à la progression des Français, a réussi à s'enfuir après avoir incendié sa capitale avant qu'elle ne tombe entre leurs mains. Ce n'est qu'en janvier 1894 qu'il fera sa soumission à Dodds, avant d'être assigné à résidence en Martinique. Ainsi la colonisation française met-elle fin à l'indépendance du puissant et original royaume d'Abomey, qui avait eu son apogée sous le règne du roi Ghézo (1818-1858). Cet Etat très structuré disposait d'une puissante armée, célèbre notamment pour ses redoutables amazones. L'activité dominante

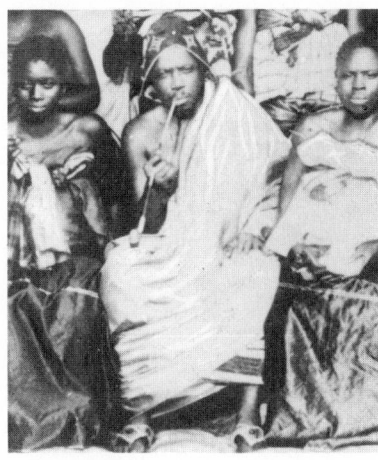

Le roi Behanzin déporté à La Martinique.

avait longtemps été la traite des esclaves, mais Ghézo avait su réorienter l'économie vers la production d'huile de palme, très recherchée par les savonneries.

Victor Horta, un maître de l'Art nouveau

Bruxelles, 1892

A la charnière de deux siècles, Victor Horta (1861-1947) réagit contre l'architecture académique. Il est, avec Henry Clemens van de Velde, le principal créateur du style Art nouveau. Il affirme que « l'architecture ne se recopie pas plus que la peinture ». Pionnier de l'architecture moderne, il est partisan de la transparence. On retrouve la plupart des éléments caractéristiques de son style dans l'hôtel Tassel, qu'il construit en 1892-1893 et dont il crée aussi la décoration intérieure : emploi du verre, du fer et de matériaux colorés, structure apparente, plan inattendu, goût de la symétrie, de la ligne incurvée et d'un décor végétal exhubérant et onduleux aux formes dites en « coup de fouet » qui rappelle Louis Henry Sul-

livan. Intégrant le décor à la structure, Horta saura développer son souci du fonctionnalisme. Sa maison du Peuple (1896-1900) apparaît comme l'un des chefs-d'œuvre de l'architecture moderne.

Victor Horta. L'hôtel Tassel, Bruxelles.

Gerhardt Hauptmann à Berlin en 1892. Un maître du théâtre naturaliste.

Le naturalisme social de Gerhardt Hauptmann

Allemagne, 1892

Le dramaturge Gerhardt Hauptmann (1862-1946) s'inspire du naturalisme social d'Emile Zola et d'André Antoine dans *Les Tisserands*, drame mettant en scène avec témérité des images de révolte et d'émeute. Rédigée en dialecte silésien, l'œuvre dépeint la misère et l'humiliation des masses prolétariennes en lutte contre le capitalisme. L'évocation du vieux tisserand Baumert, affaibli par la faim, est particulièrement poignante, tandis que le déchaînement de la foule contre le patron Dreissinger, dont la demeure est saccagée, surprend par sa violence. Au moment où la troupe charge les ouvriers, le vieux tisserand Hilse s'interroge sur l'utilité de ce déferlement de haine. Hauptmann prolongera avec *Le Voiturier Henschel* l'esthétique naturaliste au théâtre. Gerhardt Hauptmann obtiendra le prix Nobel de littérature en 1912.

L'école vériste à l'opéra avec "Paillasse"

Milan, 21 mai 1892

Le musicien Ruggero Leoncavallo (1858-1919) est l'homme d'une œuvre : c'est avec son opéra *Paillasse* qu'il connaîtra un succès mondial. Rompant avec toute conception romantique, cette œuvre qui s'inspire de la vie quotidienne représente la première création lyrique du vérisme : de la même façon que l'école réaliste en France, l'école italienne du vérisme revendique, dans le domaine de la création littéraire et musicale, le droit de représenter la réalité sans idéalisation. S'inspirant en l'occurrence d'un fait divers authentique, *Paillase* se libère de la référence au *bel canto*. Pendant une représentation, le chef d'une troupe de comédiens tue Arlequin, incarné par l'amant de sa femme. Les autres ouvrages lyriques de Leoncavallo ne resteront pas au répertoire.

Sarah Bernhardt, étoile du théâtre mondial

Paris, 1892

La comédienne Sarah Bernhardt (1844-1923) accomplit depuis plus de dix ans d'importantes tournées à l'étranger. En 1880, elle remportait un immense triomphe aux Etats-Unis, où elle donnait *Adrienne Lecouvreur* et *Froufrou*. L'année suivante, Sarah Bernhardt effectuait une tournée triomphale en Russie et dans divers pays européens, où elle fut couverte de cadeaux princiers. C'est en 1883 qu'elle achète le théâtre de la porte Saint-Martin à Paris, où son interprétation de *La Dame aux camélias* est demeurée fameuse. Deux ans après son retour à la Comédie-Française, en 1874, la grande tragédienne avait connu avec *Phèdre* l'un de ses plus grands succès, que prolongeront encore *Hernani* en 1877 et *Ruy Blas* en 1879. « Jamais un spectacle aussi étrange que celui de cette vie mouvementée et hasardeuse n'a été donné au public. »

Sarah Bernhardt, une actrice adulée et fêtée dans le monde entier.

1893

Grande-Bretagne, 13 janvier
Keir Hardie (1856-1915) fonde l'*Independant Labour Party*, qui regroupe l'ensemble des tendances socialistes du pays. Le programme prône la journée de 8 heures, diverses réformes économiques et sociales, et la « propriété collective des moyens de production, de distribution et d'échange ». →

Iles Hawaï, 17 janvier
Après la déposition de la reine Liliuokalani, la république est proclamée. →

Italie, 9 février
Première de l'opéra de G. Verdi, *Falstaff*.

Paris, 16 février
José Maria de Heredia publie *Les Trophées*. →

Paris, 20 mars
Scandale de Panama : le député Baïhaut est condamné pour corruption. →

Belgique, 18 avril
Le gouvernement instaure le suffrage universel plural.

New York, 24 mai
Première de la *Symphonie du Nouveau Monde*, du Tchèque Anton Dvorak. →

Zurich, Suisse, 6-12 août
Le troisième congrès de la IIe Internationale confirme l'exclusion des anarchistes. Il définit à quelles conditions une organisation pourra s'affilier : admettre la lutte des classes et la nécessité de socialiser les moyens de production et accepter les bases des congrès internationaux socialistes.

Aigues-Mortes, août
Des travailleurs italiens sont assassinés, victimes de la tension politique franco-italienne.

France, 3 septembre
Marquées par le scandale de Panama, les élections législatives voient grossir le chiffre des abstentions et la volonté de l'électorat de changer de têtes : plus de 50 % de nouveaux élus. Les républicains modérés l'emportent avec les voix des catholiques « ralliés », tandis que les socialistes, toutes tendances confondues, peuvent constituer un groupe parlementaire.

Grande-Bretagne, septembre
Revenu au pouvoir à la faveur des élections en 1892, Gladstone

dépose une nouvelle fois un projet de loi de *Home Rule* pour l'Irlande. Adopté par les Communes, il est refusé par la Chambre des lords. Toutefois, en 1891, la loi sur le rachat des terres, puis en 1892 la réforme des conseils de comtés, qui fait passer l'administration locale des landlords à celles des paysans irlandais, transforment profondément le paysage politique et social irlandais.

Siam, Thaïlande, 3 octobre
Le Siam cède à la France tous les territoires à l'est du Mékong et reconnaît le protectorat de la France sur le Laos.

Toulon, 13-29 octobre
La flotte militaire russe séjourne à Toulon.

Russie, 28 octobre
Première de la *Symphonie pathétique*, sixième symphonie de Piotr Tchaïkovski.

Autriche, 29 octobre
Le comte Edouard von Taaffe (1833-1895), président des ministres d'Autriche, démissionne à la suite du refus de la Chambre de voter sa proposition d'instauration du suffrage universel.

Italie
A Reggio Emilia, les socialistes fondent le parti socialiste des travailleurs italiens, tandis qu'en Sicile des responsables socialistes avec De Felice forment des faisceaux de travailleurs.

Allemagne
Première cellule photo-électrique. →

A Berlin, Edvard Munch peint *Le Cri*. →

France
Anatole France publie *La Rôtisserie de la reine Pédauque*. →

Georges Courteline publie un roman, *Messieurs les ronds-de-cuir*.

Le poète Stéphane Mallarmé publie un recueil intitulé *Vers et Proses*.

Etienne Marey construit le premier projecteur cinématographique. →

Grande-Bretagne
Le philosophe Francis Bradley publie *Apparence et Réalité*.

Etats-Unis
Le constructeur Henry Ford (1863-1947) réalise sa première automobile.

Ratification par le tsar de l'alliance franco-russe

Saint-Pétersbourg, 27 déc. 1893
La convention militaire qui avait été signée au mois d'août 1892 par la France et la Russie vient d'être ratifiée par le tsar et devient ainsi exécutoire. Depuis l'accueil triomphal reçu par la flotte russe lors de sa visite à Toulon en octobre 1893, on savait que les dernières hésitations du tsar étaient tombées. Cette alliance satisfait beaucoup Paris qui la désirait depuis longtemps, mais l'autocrate qu'est Alexandre III restait réticent à s'allier avec une république : son inquiétude devant l'évolution de la diplomatie allemande et la perspective d'importants investissements français en Russie ont finalement été déterminantes.

Le tsar assistant au carrousel donné lors de l'Exposition universelle de 1889.

Succès triomphal des "Trophées" de Heredia

Paris, 16 février 1893
Ce recueil de sonnets, qui témoigne, par son écriture ciselée, frappée comme une médaille antique, d'une esthétique de « l'art pour l'art », suscite un tel enthousiasme que l'édition est épuisée en quelques heures. José Maria de Heredia (né en 1842 à Cuba) y rassemble 118 sonnets, dont *Les Conquérants*, un des plus significatifs, qui commence par ce quatrain : « Comme un vol de gerfauts hors du charnier natal – Fatigués de porter leurs misères hautaines – De Palos, de Moger, routiers et capitaines – Partaient, ivres d'un rêve héroïque et brutal. » Avec cette publication qui joint à un rare talent d'évocation une impeccable métrique, Heredia fait figure de maître de l'école parnassienne.

José Maria de Heredia. 1895. Etude peinte de Paul Chabas.

Invention de la cellule photo-électrique

Allemagne, 1893
L'effet photo-électrique, c'est-à-dire l'émission d'un courant électrique par certains métaux frappés par des rayons lumineux, a été découvert en 1887 par Hertz. Dès 1888, cette émission est identifiée à des charges négatives, mais ce phénomène reste inexpliqué. Deux physiciens allemands, Julius Elster et H.F. Geitel, auteurs de travaux sur l'électrification des corps chauds, mettent au point en 1893 une première cellule photo-électrique en utilisant du zinc amalgamé sensible à la lumière visible. Or, cet effet n'étant pas compatible avec la théorie ondulatoire de la lumière, il suscite la curiosité attentive des physiciens.

Hawaï devient protectorat américain

Iles Hawaï, 17 janvier 1893
Les Blancs, voulant conforter leur influence dans les îles Hawaï où ils ont pris les meilleures terres, renversent la reine Liliuokalani et demandent l'annexion aux Etats-Unis. Le président Harrison admet ce projet, mais il est battu aux élections de 1892. Son successeur démocrate, Cleveland, se contente de laisser proclamer la république le 17 janvier 1893. Mais le succès du parti républicain aux élections de 1896 entraînera finalement l'annexion en 1897 des îles Hawaï aux Etats-Unis après une entente avec le Japon. Cette solution, adoptée pour des raisons stratégiques et économiques, ne fera que ratifier une situation de fait.

Le scandale de Panama déconsidère les députés

Paris, 20 mars 1893
En 1888, la Compagnie du canal de Panama, en difficulté, avait voulu émettre des obligations à lot. La Compagnie versa à des « chéquards », députés et sénateurs, des pots-de-vin pour obtenir l'autorisation du Parlement. En dépit de quoi, la société dut malgré tout déposer son bilan en janvier 1889. Une instruction judiciaire fut ouverte contre les administrateurs en mai 1891. La presse dénonça les parlementaires compromis en novembre 1892, et de Lesseps est arrêté le 16 décembre : inculpé d'escroquerie, il est condamné à une peine légère, que la Cour de cassation annule. Le procès des parlementaires, poursuivis pour corruption, aboutit à une seule condamnation : Baïhaut, l'ancien ministre des Travaux publics, le seul qui ait avoué.

« Clemenceau ou le pas du commandité ». Caricature du « Petit Journal ».

A Londres, fondation du parti travailliste indépendant

Bradford, 13 janvier 1893
La multiplication des organisations ouvrières à partir des années 1850 a contribué à la diffusion des idées marxistes. En fait, c'est la Société Fabienne, fondée en 1884, qui donne à cette idéologie ses cadres conceptuels, en élaborant un socialisme réformiste. Le leader du parti travailliste écossais, député à la Chambre des communes, James Keir Hardie, crée le parti indépendant du travail *(Independant Labour Party)* dont le premier congrès du 13 janvier 1893 fixe l'objectif : constituer un grand parti ouvrier. Mais le mouvement, fondé sur une stratégie double, prônant à la fois la propagation du socialisme et le succès électoral, a du mal à s'imposer en milieu prolétarien. Grand déçu des élections de 1895, le parti indépendant du travail recrute essentiellement dans les classes moyennes ou auprès des ouvriers spécialisés, séduits par le prestige des leaders, comme le journaliste James Ramsay MacDonald. La création de ce parti consacre l'essor politique des socialistes qui se démarquent désormais du vieux parti libéral.

Achèvement du canal de Corinthe

Grèce, 1893
Après dix ans de travaux à travers l'isthme de Corinthe sur 6 300 m de longueur, le canal que les Romains envisageaient déjà sous Néron pour relier la mer Ionienne à la mer Égée, est enfin achevé en 1893. Il évite désormais aux navires la circumnavigation du Péloponnèse. Large de 22 m et profond de 8 m, ses mesures, de loin inférieures aux canaux de Panama ou de Suez, interdisent l'accès aux navires de commerce international de gros tonnage.

Le canal de Corinthe permet d'éviter la circumnavigation du Péloponnèse.

Installé en Amérique, Anton Dvorak célèbre le Nouveau Monde

New York, 24 mai 1893
Le compositeur tchèque Anton Dvorak (1841-1904), directeur du conservatoire de New York, présente sa *Symphonie du Nouveau Monde*, en mi mineur. Les thèmes principaux de l'œuvre s'inspirent de mélodies entendues dans les quartiers noirs de New York. Des épisodes calmes et très mélodiques alternent avec des passages à prédominance rythmique, tel le scherzo du troisième mouvement. Quant au thème du finale, *allegro con fuoco*, net et répété, il utilise librement des mélodies indiennes. Cette année, Dvorak compose aussi un *Te Deum*. Il a déjà écrit de la musique religieuse : un *Stabat Mater* en 1877 et un *Requiem* en 1890. En 1901 Dvorak retournera en Bohême pour diriger le conservatoire de Prague.

Anatole France, moraliste à la Voltaire

Paris, 1893
Anatole France publie *La Rôtisserie de la reine Pédauque*, roman satirique dont l'action se déroule au début du XVIIIe siècle. Le narrateur, surnommé Tournebroche, y fait la connaissance de l'abbé Jérôme Coignard, esprit raffiné, amateur de jolies femmes, qui l'initie au latin aussi bien qu'à la débauche. Un cabaliste, M. d'Astarac, les prend en charge et leur enseigne que Jéhovah n'est que l'un des génies créateurs de l'univers, et encore l'un des moins doués. L'abbé Coignard, le « bon maître », affirme par ailleurs son scepticisme quant à la valeur de l'honnêteté quand la seule justice est la justice divine. Les lecteurs, surpris d'abord par les sarcasmes de l'auteur à l'encontre de la vertu et de la religion, seront séduits par la philosophie souriante de l'ouvrage autant que par son ironie toute voltairienne. Notre candide rôtisseur réapparaîtra, en 1908, dans *Les Contes de Jacques Tournebroche*, d'une philosophie désenchantée et sage.

Anatole France.

Le Français Marey invente un projecteur pour le cinéma

Paris, 1893
Après des recherches sur l'activité cardiaque, Etienne Marey, médecin et physiologiste, étudie la décomposition du mouvement. En 1892, il réalise la chronophotographie en mettant au point un fusil photographique où le barillet est remplacé par une plaque circulaire, puis par une bande de papier sensible qui permet d'enregistrer le mouvement. En 1893, il réalise une projection sur film transparent ; les images restent floues car il n'utilise pas la perforation latérale qui permettra un entraînement régulier. C'est une étape importante vers le cinéma.

Edvard Munch, peintre de l'angoisse

Berlin, 1893
Edvard Munch, né en Norvège en 1863, se mêle très jeune au mouvement artistique de « la bohème de Christiania ». Son œuvre, très tôt significative de l'univers morbide, l'agonie, la désolation et la solitude, réalise une concentration très expressive de la forme, que sature une couleur généralement sourde. Installé à Berlin depuis que l'exposition de cinquante-cinq de ses œuvres ait révolutionné la vie artistique berlinoise (1892), Munch a inauguré la période la plus féconde de sa carrière : la tension de son art si vive dans *Soir rue Karl-Johann à Oslo* (1892) et accentuée dans *Angoisse* (1894) a atteint son point culminant avec *Le Cri* (1893).

Edvard Munch. « Le Cri ». 1893. Expression de l'angoisse.

1894

Paris, 4 janvier
Après le tsar, le 27 décembre dernier, c'est au tour du gouvernement français de ratifier la convention militaire franco-russe.

Paris, 12 février
L'anarchiste Emile Henry (né en 1872) lance une bombe au café Terminus de la gare Saint-Lazare, pour protester contre l'exécution d'Auguste Vaillant, qui avait lancé en décembre 1893 une bombe à la Chambre des députés. Arrêté, il sera guillotiné le 21 mai.

Afrique, 15 mars
L'Allemagne et la France signent un traité délimitant leurs zones respectives en Afrique tropicale, au Cameroun et le long du fleuve Chari.

Etats-Unis, avril-mai
9 000 cheminots en grève. Le mouvement gagne les employés des wagons-lits Pullmann.

Hong-Kong, 20 juin
Yersin, ancien collaborateur de Pasteur, découvre le bacille de la peste. →

Lyon, 24 juin
L'anarchiste italien Santo Caserio (né en 1874) assassine le président Sadi Carnot d'un coup de poignard.

France, 27 juin
Jean Casimir-Perier (1847-1907) est élu à la présidence.

Japon, 16 juillet
Le Japon, qui se modernise, négocie l'abolition des « traités inégaux » avec les pays occidentaux. Un accord est signé avec la Grande-Bretagne qui prévoit la suppression des tribunaux consulaires, l'ouverture du pays et l'établissement de droits de douane de 5 % à 14 %.

Ethiopie, 17 juillet
Le négus Ménélik, qui a refusé le protectorat italien décrété sur son pays en 1893, voit arriver un corps expéditionnaire venu occuper l'Abyssinie.

Rouen, 22 juillet
Première course automobile : la distance Paris-Rouen est couverte à une vitesse moyenne de 21 km/h.

France, 29 juillet
« Lois scélérates » contre les anarchistes. →

Japon, 31 juillet
Les relations sino-japonaises s'aggravant en Corée, le Japon déclare la guerre à la Chine et débarque sur le continent. →

Allemagne, 26 octobre
A la suite de dissensions entre l'empereur et le chancelier sur la question du maintien de l'ordre intérieur, Léo von Caprivi est congédié et remplacé par le prince Chlodwig de Hohenlohe-Schillingsfürst (1819-1901).

Moscou, 1er novembre
Nicolas II, fils du tsar Alexandre III, succède à son père. Il épouse le 26 novembre la princesse Alice.

Allemagne, 3 novembre
Des junkers fondent l'Ostmarkverein (Association de la marche orientale), afin d'accélérer la germanisation des terres orientales aux dépens des Polonais.

Chine, novembre
Les Japonais prennent Port-Arthur.

Madagascar, 12 décembre
Le conflit entre les Français et le Premier ministre Rainilairanivony provoque l'évacuation de Tananarive le 27 octobre par les civils français.

Paris, 22 décembre
Le capitaine Alfred Dreyfus est condamné pour espionnage. →

Première de *Prélude à l'après-midi d'un faune* de Claude Debussy. →

Niger
Le chef Samory défait une colonne française près de la ville de Kong. Les Français repoussent sa proposition de paix.

France
Le bactériologiste Emile Roux met au point le premier sérum antidiphtérique. →

Rodin achève le groupe monumental *Les Bourgeois de Calais*.

Gustave Lanson publie son *Histoire de la littérature française*.

Paul Valéry publie *L'Introduction à la méthode de Léonard de Vinci*. →

Les frères Charles et Emile Pathé ouvrent la première fabrique française de phonographes utilisant des cylindres de cire durcie.

Italie
Gabriele D'Annunzio publie *Le Triomphe de la mort*.

Le Japon déclare la guerre à la Chine
Japon, 31 juillet 1894
C'est à propos de la suzeraineté chinoise sur la Corée qu'un conflit éclate entre la Chine et le Japon. Des troubles violents ayant éclaté dans la péninsule, les autorités coréennes font appel à la Chine, mais les Japonais s'estiment aussi en droit d'intervenir et envoient également des troupes pour rétablir l'ordre. En fait, ces troupes se heurtent à celles envoyées par Pékin qu'elles refoulent au nord de la rivière Yalou. Les Japonais atteignent Port-Arthur en novembre et occuperont Liao-Yang en Manchourie en mars 1895. En avril, un traité sino-japonais sera signé à Shimonoseki : vainqueur, le Japon impose ses conditions qui inquiètent les Occidentaux (indépendance de la Corée, des indemnités de guerre qui serviront à bâtir une industrie lourde, avantages commerciaux, et contrôle de Formose). Allemands, Français et Russes contraignent le Japon à évacuer la péninsule du Liao-Dong afin de préserver la paix.

La résistance désespérée des Chinois. Estampe japonaise.

Adoption en France des "lois scélérates"
Paris, 29 juillet 1894
Le Sénat a adopté le projet de loi antiterroriste voté le 26 juillet par la Chambre des députés. Visant les « actes de propagande anarchiste », cette loi fait suite à celles des 12 et 18 décembre 1893 condamnant l'apologie des crimes et les associations de malfaiteurs. Cet arsenal juridique a pour but de mettre fin à la vague d'attentats qui secoue la France depuis deux ans. Après les bombes de Ravachol (mars 1892), d'Auguste Vaillant (9 décembre 1893) et d'Emile Henry (12 février 1894), un anarchiste italien, Caserio, a assassiné le président Sadi Carnot (24 juin 1894). Les anarchistes dénoncent ces « lois scélérates » et en appellent à la « propagande par le fait » pour venger les victimes des brutalités policières du 1er mai 1891.

Attentat d'Emile Henry.

Roux met au point un vaccin antidiphtérique
Paris, 1894
Guidé par Alexandre Yersin, Emile Roux, élève de Pasteur, découvre dès 1889 la toxine responsable d'une terrible maladie infantile : la diphtérie. Dès lors, il pense utiliser cette toxine pour lutter contre ce mal. Mais ses expériences sont bientôt interrompues par la maladie. En 1894, il reprend ses travaux et met au point la sérothérapie antidiphtérique en utilisant le cheval comme fournisseur de sérum. Le vaccin est immédiatement donné aux hôpitaux parisiens et, en quelques mois, la mortalité des enfants atteints s'effondre, passant de 34 % à 12 %.

Dreyfus condamné pour espionnage

Paris, 22 décembre 1894
Le procès du capitaine Alfred Dreyfus, ouvert le 19 décembre 1894 devant le premier conseil de guerre de Paris, se déroule à huis clos. Le 22, à l'unanimité, il est déclaré coupable d'espionnage au profit de l'Allemagne et condamné à la déportation à vie dans une enceinte fortifiée. Le 5 janvier 1895, il subira l'humiliante cérémonie de la dégradation militaire et sera envoyé le 21 février au bagne de l'île du Diable, près des côtes de Guyane. Dreyfus avait été arrêté le 15 octobre 1894, sur ordre du commandant Mercier du Paty de Clam, à la suite d'une expertise en écriture. En effet, en septembre de la même année, Hubert Joseph Henry, commandant de la section de statistiques du Grand Etat-Major, se trouve en possession d'un bordereau non signé, contenant une liste de secrets militaires et adressé à l'atta-ché militaire allemand en poste à Paris, le lieutenant-colonel Maximilien von Schwartzkoppen. Officier brillant, mais d'origine juive, Dreyfus apparaît comme un coupable idéal, d'autant qu'une grande partie de l'opinion française, excitée par la propagande antisémite, considère que châtier un Juif est un acte de patriotisme.

La dégradation d'Alfred Dreyfus.

Scandale à Zurich autour du "Concile d'amour" de Panizza

Zurich, 1894
Dédiée à Ulrich von Hutten, chevalier du XVIe siècle célèbre pour ses polémiques avec l'Eglise catholique, la pièce *Le Concile d'amour* provoque un énorme scandale dès sa parution. L'œuvre se déroule à la fois au ciel et à Rome (à la cour du pape Alexandre VI). A cause de la débauche des Italiens, Dieu décide de punir les hommes. Convoquant un concile pour trouver le châtiment exemplaire, il finit par charger le Diable lui-même de transmettre la syphilis aux Borgia et par suite à toute l'humanité. L'auteur, Oskar Panizza (né en 1853), est un médecin aliéniste. La réaction des autorités bavaroises, conservatrices et catholiques, ne se fait pas attendre devant cette représentation de Dieu sous les traits d'un vieillard gâteux, de la Vierge vue comme une créature vicieuse et d'un Christ atteint de débilité mentale. Le livre est immédiatement saisi : Panizza comparaît devant le tribunal royal de Munich en avril 1895. Condamné à un an de prison pour blasphème, il sombre dans le délire et, interné à plusieurs reprises, meurt à Venise en 1921.

Valéry, un maître de la rigueur intellectuelle

Paris, 1894
Paul Valéry, qui se fixe cette année à Paris, a vingt-trois ans. Il a déjà publié des textes importants : un essai sur l'architecture, et cette année *L'Introduction à la méthode de Léonard de Vinci*. Il vient de commencer, lors d'un séjour à Montpellier, chez son frère aîné, *La Soirée avec Monsieur Teste*. Cette œuvre majeure, publiée en 1895, pose avec une acuité extrême l'articulation du général et de l'individuel. A vingt ans, Valéry a connu une décisive crise intellectuelle : la « nuit de Gênes ».

Paul Valéry.

Yersin découvre le bacille de la peste

Hong Kong, 20 juin 1894
Après des études de médecine à Paris et une collaboration active à l'Institut Pasteur, Alexandre Yersin s'engage en 1890 sur la ligne Saigon-Manille et explore l'Annam. En 1894, il étudie une épidémie de peste en Chine et découvre le bacille (*Yersinia pestis*) responsable de cette maladie. Revenu à Paris, il met au point avec Calmette la sérothérapie antipesteuse, s'attaquant à l'une des plus graves et des plus anciennes maladies. De retour en Annam, il multiplie les vaccinations contre la peste humaine et bovine tout en étudiant le choléra et le tétanos.

Un poème symphonique de Claude Debussy

Paris, 22 décembre 1894
Claude Debussy présente le *Prélude à l'après-midi d'un faune*, poème symphonique inspiré de l'œuvre de Stéphane Mallarmé : « Cette musique prolonge l'émotion de mon poème et en situe le décor plus passionnément que la couleur », note Mallarmé. Le thème initial du faune, énoncé à la flûte, suave et lumineux, constitue un fil conducteur dans la succession des moments très divers qui constituent la pièce et traduisent des impressions chatoyantes, semblables aux taches de soleil dans un sous-bois. Au-delà de l'argument proprement littéraire, le poème symphonique de Debussy s'ouvre à tout un jeu de correspondances entre la « vie du poème » et l'élément musical. En 1912, Serge de Diaghilev confiera à Nijinski la chorégraphie du *Prélude à l'après-midi d'un faune*, qui sera l'une des grandes créations des Ballets russes. Volontiers inspiré par la littérature, Debussy, qui a déjà composé *Cinq Poèmes de Baudelaire* (1890), prolongera avec *Trois Ballades de François Villon* (1910) et *Trois Poèmes de Mallarmé* (1913) sa vision impressionniste, et l'on retrouvera tout son univers, mouvant et diapré, dans *La Mer* (1905), son chef-d'œuvre.

Le musicien Claude Debussy.

A Chicago, Burnham et Root construisent le "Reliance Building"

Chicago, 1894
Un des chefs-d'œuvre de l'architecture commerciale, le *Reliance Building*, immeuble de bureaux, est construit par D.H. Burnham en 1894-1895. L'ossature en acier commande ici l'aspect général de l'édifice. La minceur des piliers et l'étroitesse des bandes horizontales suggèrent que les éléments extérieurs ne sont plus porteurs : le mur est dématérialisé au profit de la structure.

Le Reliance Building à Chicago.

Paris-Rouen : Ire course automobile

France, 22 juillet 1894
En avril 1894, *Le Petit Journal* organise une compétition de « voitures sans chevaux » : plus de 200 inscriptions. Toutefois, certains véhicules n'existent qu'à l'état de projet et, de fait, 26 concurrents seulement prennent part à l'épreuve préliminaire le 18 juillet, et 17 d'entre eux partent de Paris le 22 pour rejoindre Rouen. Une foule nombreuse accueille les arrivants éreintés par le choc des pavés. Les grands gagnants sont les marques rivales Peugeot et Panhard qui ont semé les malchanceux équipés de véhicules moins performants.

Les préparatifs de la course Paris-Rouen. « Le Petit Journal » du 6 août 1894 a fait sa « une » sur la première compétition de « voitures sans chevaux ».

1895

France, 22 mars
Les frères Lumière tournent *La Sortie des usines Lumière*.

Japon, 17 avril
Le traité de Shimonoseki met fin à la guerre sino-japonaise, mais les Européens contraindront les Japonais à évacuer la péninsule de Liao-Dong le 24 avril. Le 8 novembre, une convention sino-japonaise sera signée à Pékin, la Chine devant payer une indemnité de 30 millions de taëls, qu'elle devra emprunter à un consortium franco-russe.

Munich, 30 avril
L'auteur de la pièce *Le Concile d'amour*, Oskar Panizza, est condamné à un an de prison.

Moscou, mai
Couronnement de Nicolas II.

Afrique, 16 juin
La France regroupe ses colonies de l'Ouest africain dans une unité administrative : l'Afrique occidentale française (AOF). →

Allemagne, 21 juin
Inauguration après huit ans de travaux du canal qui relie la Baltique à la mer du Nord : le canal Empereur Guillaume.

Londres, 5 août
Mort de Friedrich Engels. →

Limoges, 23-28 septembre
Congrès constitutif de la Confédération générale du travail (CGT). →

Empire ottoman, 30 septembre
Les massacres d'Arméniens par les Turcs et les Kurdes s'étendent de l'Anatolie orientale à Constantinople. La Grande-Bretagne interviendra en décembre pour faire cesser la tuerie.

Madagascar, 1ᵉʳ octobre
A la suite de sa capitulation le 30 septembre, la reine Ranavalona signe un traité avec la France, dont elle reconnaît le protectorat.

Allemagne, 5 novembre
Première de *Till Eulenspiegel* de Richard Strauss.

Allemagne, 27 novembre
Après les ouvriers, ce sont les patrons qui s'organisent en fondant une Association des industriels.

Paris, 23 décembre
Première séance publique du ci-nématographe des frères Lumière. Dans le salon indien du Grand Café, au 14 boulevard des Capucines, dix petits films sont présentés : *L'Arroseur arrosé*, *Le Repas de bébé*, *La Mer*, etc. →

Afrique australe, 29 décembre
Poussé par Cecil Rhodes, un agent de sa compagnie, Leander Starr Jameson (1853-1917), envahit la République boer à la tête de 500 hommes pour renverser Krüger, mais il est vaincu, arrêté et condamné.

Vienne
En collaboration avec Joseph Breuer, Sigmund Freud publie *Etudes sur l'hystérie* et rédige en français *Obsessions et Phobies. Leur mécanisme psychique et leur étiologie* pour la *Revue neurologique* à Paris.

Allemagne
Le physicien Wilhelm Röntgen (1845-1923) découvre les rayons X. →

Pays-Bas
Le physicien Hendrik Lorentz (1853-1928) émet une théorie qui lui permet d'expliquer les propriétés de la lumière par l'existence d'électrons renfermés dans la matière.

France
Le physicien Jean Perrin (1870-1942) réalise une expérience montrant que les rayons cathodiques sont formés de particules chargées d'électricité négative.

Armand Peugeot (1849-1915) met au point un moteur à essence et fonde la Société des automobiles Peugeot.

Paul Cézanne achève sa série des *Joueurs de cartes* et onze études de *La Montagne Sainte-Victoire*.

Exposition de l'Art nouveau au Champ-de-Mars.

Emile Durkheim publie *Les Règles de la méthode sociologique*.

Belgique
Emile Verhaeren publie *Les Villes tentaculaires*. →

Grande-Bretagne
Oscar Wilde fait paraître *De l'importance d'être constant*. Il est condamné à deux ans de travaux forcés pour homosexualité. →
H.G. Wells publie *La Machine à explorer le temps*. →

Etats-Unis
Rudyard Kipling publie *Le Second Livre de la jungle*. →

Fondation de la CGT à Limoges

Limoges, 23-28 septembre 1895
Une partie importante des organisations ouvrières existant légalement depuis 1884 se réunit à Limoges dans le but de se regrouper. Les 28 fédérations professionnelles, 18 bourses du travail et 126 chambres syndicales qui participent à ce congrès décident de créer une organisation unitaire : la Confédération générale du travail. Celle-ci se structure d'une façon très souple, laissant de larges initiatives aux groupes qui la composent et qui sont de types très divers. Depuis le congrès de Nantes qui, en septembre 1894, avait réuni la Fédération nationale des syndicats et les bourses du travail, la voie était libre pour un regroupement purement syndical. En effet, les militants guesdistes, favorables à l'engagement proprement politique de l'activité des syndicats ouvriers, ont quitté la salle : l'indépendance syndicale s'affirme nettement par rapport aux partis politiques.

Suite à l'échec de la « propagande par le fait » (attentats à la bombe), les anarchistes décident de rentrer dans ces organisations ouvrières et, prônant l'idée d'un syndicalisme révolutionnaire (anarcho-syndicalisme), accentuent la distance qui les sépare des partis politiques.

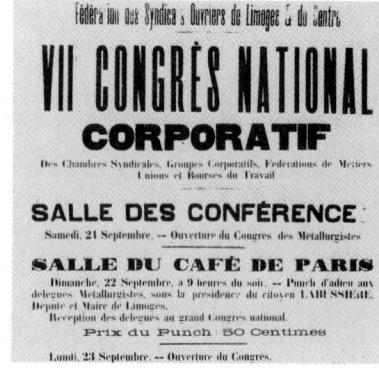

Premier congrès corporatif national qui donnera naissance à la C.G.T.

L'Allemand Röntgen découvre les rayons X

Allemagne, 1895
Après des études sur l'électricité et sur les rayonnements cathodiques, Wilhem von Röntgen (1845-1923) observe, dans son laboratoire de Würzburg, des rayons invisibles qui se propagent à l'extérieur d'une ampoule recouverte de papier noir et sont capables de provoquer la luminescence d'un écran. Il appelle rayons X ce rayonnement inconnu, qui impressionne une plaque photographique et ionise l'air qui l'entoure. En montrant ensuite que ces rayons sont capables de pénétrer à travers des épaisseurs importantes de matière et sont davantage absorbés par les éléments de poids ato-

mique élevé, cette découverte permet d'envisager la radiographie des os à l'intérieur du corps humain.

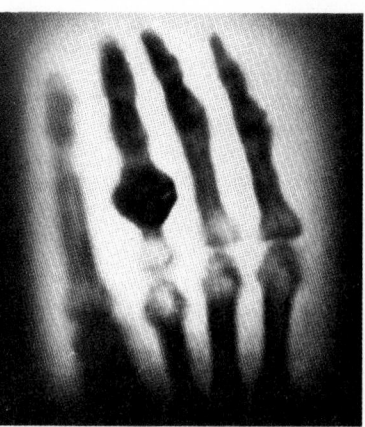

Première radiographie aux rayons X.

Oscar Wilde condamné pour homosexualité

Angleterre, 1895
L'auteur du *Portrait de Dorian Gray* (1891), dont l'homosexualité a été publiquement dénoncée par le marquis de Queensberry qui l'accuse de corrompre son fils Lord Alfred Douglas, vient d'être condamné à deux ans de travaux forcés pour détournement de mineur. L'effondrement de sa réputation marque pour Oscar Wilde le début d'une déchéance morale et sociale dont il ne se relèvera pas. Il écrira en prison la *Ballade de la geôle de Reading* (1898) et se réfugiera à Paris, où il mourra dans une tragique solitude en 1900.

Oscar Wilde.

Verhaeren, poète des villes tentaculaires

Belgique, 1895
Emile Verhaeren (né à Saint-Amand en 1855) publie *Les Villes tentaculaires*, un recueil qui fait suite aux *Campagnes hallucinées*. Il y témoigne du bouleversement d'un monde où la révolution industrielle ébranle l'accord profond de l'homme avec la terre. « La Plaine » évoque les sillons abandonnés, les églises pareilles à des sépulcres, tandis que « Le Port », ou « Les Usines », dépeignent la souffrance, l'espoir et la folie sécrétées par les grandes villes. « Vers le futur » célèbre cependant, en un élan d'optimisme, la vocation sacrée des villes dans lesquelles l'homme gagne une conscience plus aiguë du monde. Verhaeren, qui affirmera sa foi dans un socialisme fraternel, publiera une œuvre abondante, notamment *Les Forces tumultueuses* et *Les Heures claires*.

Engels, fondateur du marxisme, disparaît

Londres, 5 août 1895

Depuis la mort de Marx (qu'il avait rencontré en 1844 et avec lequel il entretint une très importante correspondance), Friedrich Engels avait resserré ses liens avec la social-démocratie allemande, appuyant notamment la formation de la IIe Internationale et la lutte contre les anarchistes. Faisant valoir la supériorité politique et organisationnelle du marxisme, il entreprit d'en élargir les assises théoriques en le transformant en doctrine. Alors que Marx avait dit : « Tout ce que je sais, moi, c'est que je ne suis pas marxiste » (rapporté par Engels lui-même dans une lettre à Paul Lafargue), Engels visa à faire du marxisme une science du socialisme par opposition aux utopies sociales antérieures. En 1877, du vivant de Marx, il a voulu, avec *L'Anti-Dühring*, fonder le système général du matérialisme historique et dialectique. Cherchant à relier le marxisme à la tradition intellectuelle d'avant 1848, en particulier à la critique de l'hégélianisme, il écrivit *Feuerbach et la Fin de la philosophie classique allemande* (1888). Dans ses dernières années, il s'intéressa tellement aux questions militaires que les filles de Marx l'appelaient « le général ».

Friedrich Engels.

"La Machine à explorer le temps" de H.G. Wells

Angleterre, 1895

Le biologiste Herbert George Wells (1866-1946) publie coup sur coup deux romans d'anticipation, genre où il s'impose d'emblée comme un maître : *La Visite merveilleuse* et *La Machine à explorer le temps* dont le héros, inventeur d'un appareil capable de le faire voyager dans les époques passées et à venir, découvre la région londonienne de l'an 802 701. Les étranges créatures qui la peuplent forment une société scindée en deux : elles s'apparentent soit aux « Eloïs », insouciants et faibles oisifs, soit aux « Morlochs », gnomes des profondeurs de la terre qui ont réussi par leur travail et leur ténacité à maîtriser des conditions de vie nouvelles. Wells, membre de la Société Fabienne, présente en fait une satire de la société capitaliste. Il pose la question de la survie de l'humanité en des termes pessimistes.

Herbert George Wells.

Paris crée l'Afrique occidentale française

Paris, 16 juin 1895

Jusqu'en 1895, les différents territoires conquis par la France dans l'ouest de l'Afrique ne constituaient pas un tout. L'objectif du décret du 16 juin 1895 est de leur conférer une unité politique, administrative et financière en créant un gouvernement général de l'Afrique occidentale française. Le grandand animateur du « parti colonial », l'influent député d'Oran Eugène Etienne, a joué un rôle capital dans l'élaboration de ce texte. Il s'est beaucoup inspiré du statut de l'Indochine, dont la mise en place remonte à 1887. L'AOF a donc à sa tête un gouverneur général, dont la résidence est fixée à Saint-Louis, au Sénégal. Il dispose de pouvoirs considérables, puisqu'il est l'ordonnateur du budget, le chef de l'administration et des forces militaires et que les lois et décrets français ne sont applicables dans son secteur que s'il décide de les promulguer. Après un certain nombre de tâtonnements, l'AOF est finalement divisée en huit territoires : Sénégal, Soudan, Haute-Volta, Mauritanie, Guinée, Côte-d'Ivoire, Niger, Dahomey. A la tête de chacun d'eux, se trouve un gouverneur. Enfin, à l'échelon local, l'autorité est détenue par un commandant « de cercle » ; ses pouvoirs sont très étendus et c'est à lui qu'ont directement affaire les populations.

"Le Livre de la jungle" de Rudyard Kipling

Etats-Unis, 1895

Né à Bombay en 1865, Kipling est issu d'un milieu anglo-indien très cultivé (son père était conservateur du musée de Lahore). L'habileté de ses nouvelles, son art du récit lui valent une réputation immédiate : *Simples contes des collines*, *Trois Troupiers* (1888), *Blanc et Noir*, *Le Rickshaw fantôme* (1889). Grand voyageur, c'est aux Etats-Unis qu'il se fixe le temps d'écrire *Le Livre de la jungle* (1894) et *Le Second livre de la jungle* (1895), qui mettent en scène un « petit d'homme », Mowgli, perdu dans la forêt indienne, recueilli et élevé par une louve. Enlevé par une tribu de singes, il est délivré par Baloo, l'ours brun et Bagheera, la panthère noire. Protégeant à son tour ses amis, Mowgli s'empare de Shere Khan, le tigre félon aux yeux jaunes. Devenu jeune homme, il prend conscience qu'il est un « petit d'homme » et quitte ses compagnons pour descendre vers le pays des humains. A mi-chemin, entre Tarzan et Robinson, Mowgli exalte les mérites de la race élue en transposant le sentiment de supériorité du colonialisme. *Kim* (1901) contera les aventures d'un petit garçon vivant dans un Bombay pittoresque. Les récits de Kipling mettent en lumière une morale quasi militaire, exaltant les vertus mythiques de la nature sauvage, de l'énergie, du désintéressement et la dimension aventurière de l'impérialisme. On retrouve le même souci pédagogique dans ses poèmes, dont le célèbre *If* (« Si »).

Rudyard Kipling, par Ph. Burne-Jones.

Le cinématographe des frères Lumière

Paris, 23 décembre 1895

Ce jour-là, au Grand Café, boulevard des Capucines à Paris, les frères Lumière projettent devant un public étonné et angoissé six petits films dont *L'Arroseur arrosé*. Pour en arriver à cette première projection du cinématographe, il a fallu plusieurs décennies de recherches. En déposant leur brevet, le 13 février 1895, les frères Lumière apportent une solution définitive au problème de l'enregistrement et de la restitution des images en mouvement. Reprenant les travaux de Marey et la découverte des pellicules en celluloïd sur film perforé, leur caméra enregistre puis projette les images. Elle a pour caractère essentiel d'agir « par intermittence sur un ruban régulièrement perforé, de manière à lui imprimer des déplacements successifs séparés par des temps de repos pendant lesquels s'opère soit l'impression, soit la vision des épreuves ». Leur appareil arrive donc à entraîner le film de manière synchrone avec son passage devant l'objectif. Un opérateur peut agir seul, en tournant la manivelle qui entraîne le film à environ vingt images par seconde.

Scène de « L'Arroseur arrosé », un des premiers films des frères Lumière.

1896

Siam, 15 janvier
Les Anglais et les Français signent un accord sur leurs influences respectives dans le Sud-Est asiatique. La France confirme l'indépendance du Siam et se voit reconnaître en contrepartie le protectorat sur le Laos.

Munich, janvier
Création de la revue *Jugend* (jeunesse), qui défendra l'Art nouveau.

Turin, 1er février
Première de *La Bohème* de Puccini. →

Adoua, Ethiopie, 1er mars
Le négus Ménélik triomphe de l'armée italienne du général Barattieri. →

Soudan, mars
Une armée anglo-égyptienne est confiée à Horatio Kitchener (1850-1916) qui s'empare de la ville de Dongola et remonte dans des conditions extrêmement difficiles la vallée du Nil pour combattre les mahdistes.

Athènes, avril
Premiers Jeux olympiques modernes. →

Empire ottoman, avril
Le sultan promet des réformes en Macédoine afin de calmer l'Organisation révolutionnaire intérieure macédonienne, fondée en 1893, qui multiplie les actes de violence, soutenue par la Bulgarie.

Chine, 22 mai
La Russie est autorisée à prolonger le Transsibérien jusqu'à Vladivostok en traversant la Mandchourie.

France, 12 juin
Marcel Proust publie un recueil de poésies intitulé *Les Plaisirs et les Jours*, préfacé par Anatole France.

Allemagne, 10 août
L'ingénieur Otto Lilienthal se tue à bord d'une machine volante de sa fabrication dans la banlieue de Berlin. Il réalisa plus de 2 000 tentatives entre 1890 et 1896. Sa meilleure performance fut un vol de 350 m.

Canada, 17 août
Ruée vers l'or du Klondike. →

Madagascar, 26 septembre
Abolition de l'esclavage dans l'île devenue colonie française par une loi du 6 août. Le général Gallieni débarque le 28 septembre, pour moderniser le pays. →

Tunisie, 28 septembre
Convention franco-italienne : les Italiens peuvent installer des écoles et conserver leur nationalité, mais perdent tout privilège d'extraterritorialité ; l'Italie reconnaît le protectorat français.

Paris, 5-8 octobre
Visite officielle du tsar Nicolas II.

Saint-Pétersbourg, 17 octobre
La première de *La Mouette* de Tchekhov suscite un véritable tollé. →

Ethiopie, octobre
L'Italie renonce au protectorat sur l'Ethiopie ainsi qu'à ses visées sur la région du Tigré, mais garde l'Erythrée.

Paris, 3 décembre
Création posthume de la pièce d'Alfred de Musset, *Lorenzaccio*, au théâtre Sarah-Bernhardt.

Paris, 10 décembre
La pièce d'Alfred Jarry *Ubu roi* provoque un scandale. →

France
Bergson publie *Matière et Mémoire*. →

Siegfried Bing ouvre la galerie « L'Art nouveau », où expose Munch, de retour à Paris.

Henri Becquerel découvre la radioactivité de l'uranium. →

Le trajet Paris-Marseille-Paris est réalisé par un véhicule Panhard à 25 km/h de moyenne.

Perse
Le shâh Nâsir ed-Dîr (né en 1831) est assassiné. Son règne a été marqué par l'abandon de l'Afghânistân aux Anglais et de Merv aux Russes. Son fils Muzaffar ed-Din (1853-1907) lui succède.

Paris
L'écrivain juif hongrois Theodor Herzl publie *L'Etat juif*, d'une tentative pour une solution moderne de la question juive.

Munich
Fondation du journal satirique *Simplicissimus* par l'éditeur Albert Langen et par le dessinateur Thomas Heine.

Wassily Kandinsky quitte Moscou pour s'installer à Munich.

Espagne
Le romancier Vicente Blasco Ibañez publie *Terres maudites*.

Puccini, maître du théâtre lyrique

Turin, 1er février 1896
Le compositeur Giacomo Puccini (1858-1924), auteur de *Manon Lescaut*, représenté à Turin le 1er février 1893, donne aujourd'hui *La Bohème*, sur un livret de Luigi Illica et Giuseppe Giacosa. Le compositeur y exploite la valeur sentimentale d'une intrigue qui réunit, autour de deux femmes, Mimi et Musette, quatre protagonistes masculins : un poète, un musicien, un peintre et un philosophe. L'action se déroule à Paris au Quartier Latin : la rencontre entre Rodolphe et Mimi, la querelle entre Marcel et Musette, la fin pathétique de Mimi, autant d'épisodes où se côtoient la joie, le désespoir et l'amour, révélés par Puccini dans une musique vibrante. Avec *La Bohème*, *La Tosca* (1900) et *Madame Butterfly* (1904),

Puccini a incontestablement créé trois chefs-d'œuvre du vérisme, qui connaîtront tous trois une extraordinaire popularité. *Turandot* sera achevé par F. Alfano en 1926.

« La Bohème », opéra-comique de Puccini. Dessin de G. Amato.

Henri Bergson (1911).

Alfred Jarry engendre un monstre satirique

Paris, 10 décembre 1896
Ubu roi est représenté pour la première fois au théâtre de l'Œuvre dirigé par Lugné-Poe. La vivacité des réactions du public rend la soirée mémorable : la pièce va connaître un immense succès au grand étonnement de l'auteur lui-même. Jarry (1873-1907) n'avait que quinze ans quand il a participé à cette création collective des potaches de la classe de première du lycée de Rennes. Reprenant le personnage que les lycéens avaient imaginé pour les marionnettes du théâtre des Phynances en parodiant un de leurs infortunés professeurs et qui s'appelait d'abord Heb ou Ebé, Jarry lui donna une existence littéraire en créant Ubu, qui représente « tout le grotesque qui fût au monde », souverainement méchant et lâche, avide et imbécile, bardé de titres mirifiques et ridicules (« roi de Pologne et d'Aragon », « docteur en Pataphysique »), proférant des jurons incongrus : « Merdre !, Cornegidouille ! ». Ubu deviendra, avec un effet de rupture indéniable dans la dramaturgie et dans la littérature française (Antonin Artaud fondera le théâtre Alfred-Jarry), le centre d'une geste théâtrale : *Ubu*

Henri Bergson publie "Matière et Mémoire"

Paris, 1896
Matière et Mémoire étudie la relation de l'esprit et de la matière, sur un exemple précis, celui de la mémoire dont Bergson distingue deux formes : la mémoire-habitude pro-active et la mémoire-pure. Il montre que la mémoire, loin de résulter d'une accumulation de souvenirs dans le cerveau, est la matérialisation, au contact d'une perception présente, de la « durée », succession d'états de la conscience.

enchaîné (1900), *Ubu sur la butte* (réduction d'*Ubu roi* en deux actes pour marionnettes, 1901), *Ubu cocu* (posthume, 1944), à quoi s'ajoutent deux *Almanachs du père Ubu* (1899 et 1901). Ubu représente, selon le constat de Jarry, le « double ignoble » dans lequel le public refuse de se reconnaître. Ne voir en Ubu qu'une satire de la bourgeoisie est une interprétation banale démentie par son insuffisance même.

Dessin d'Alfred Jarry illustrant le programme d'« Ubu roi ». 1896.

Découverte de la radioactivité de l'uranium

Paris, 1896
Les travaux d'Henri Becquerel portent sur les effets photographiques des substances phosphorescentes à la suite de ceux de Röntgen. Becquerel fait des expériences sur ces corps et en particulier sur les sels d'uranium en les exposant au soleil pour les rendre fluorescents. Un jour, par manque de soleil, il les laisse dans un tiroir au voisinage d'une plaque photographique. Le lendemain, il prend le soin de la développer et découvre qu'elle est impressionnée. Multipliant les expériences, il voit qu'il n'y a aucun lien entre la fluorescence et cette impression. Il montre alors que les « rayons uraniques » sont capables comme les rayons X de rendre conducteur l'air qui les entoure. En étudiant l'uranium métallique, il établit que tous ses composés émettent un rayonnement du même type, mais il n'arrive pas à l'identifier. L'année suivante, les Curie reprendront, à leur tour, l'étude de ce phénomène.

La France annexe Madagascar

Madagascar, 6 août 1896
Le traité de protectorat de 1895 ayant suscité la révolte de l'île, la France impose l'annexion en 1896. L'arrivée du général Gallieni comme résident général marque l'ouverture d'une ère nouvelle. Gallieni a une longue expérience d'officier colonial, acquise au Tonkin et au Soudan. S'il ne néglige pas de faire sentir sa poigne en exécutant ou exilant une partie des dignitaires de la monarchie, il s'efforce d'affermir la domination française par une politique d'occupation progressive du territoire. Estimant que le progrès économique permettra l'assimilation de la population, il développe les routes, les chemins de fer, les ports, ainsi que les cultures commercialisables.

Gallieni, gouverneur général de Madagascar (1896-1905) à une cérémonie.

Anton Tchekhov présente sa nouvelle pièce : "La Mouette"

Saint-Pétersbourg, 17 octobre 1896
La première représentation de *La Mouette*, drame en quatre actes d'Anton Tchekhov, provoque un véritable tollé malgré la présence sur scène de la jeune actrice Komissarjevskaïa qui sera par la suite adulée du public. Reprise en 1898 à Moscou par le théâtre d'Art de Stanislavski, la pièce connaîtra un succès triomphal et l'auteur se liera avec l'actrice Olga Knipper qui interprète le rôle d'Arkadina. Le sujet de ce drame date d'un jour de printemps de 1892 où Tchekhov, chassant avec un ami, vit tomber à ses pieds un oiseau qu'ils avaient involontairement blessé. Le printemps, le jardin de Melikhovo (propriété de l'auteur aux environs de Moscou), les nuits de lune, les invités, la musique, les promenades, la mort de l'oiseau innocent, tout cela se retrouve dans *La Mouette*. Rongés par la mélancolie, les héros de Tchekhov sont des êtres avides de nouveauté mais incapables de réaliser concrètement leurs aspirations. N'ayant pas de prise sur une réalité qui leur échappe, ces personnages typiques de la bourgeoisie provinciale russe de la fin de ce siècle sentent que leur vie n'est qu'un songe. C'est le drame de Nina qui, abandonnée par Trigorine, l'écrivain célèbre qu'elle a suivi à Moscou, revient désillusionnée, solitaire, sur les lieux de son enfance. Tchekhov rénove le théâtre russe en alliant le symbolisme au réalisme : aux tableaux sociaux s'ajoutent toutes les nuances de l'émotion rendant sensible l'approche de fragments de vie pris au piège de l'érosion du temps.

Les troupes italiennes vaincues en Ethiopie

Adoua, 1er mars 1896
Tard venue dans la course à l'expansion coloniale, l'Italie affiche de plus en plus nettement ses ambitions, notamment depuis l'accession au pouvoir de Francesco Crispi, qui dirige le pays de manière presque ininterrompue de 1887 à 1896 et souhaite mener une politique étrangère de prestige et d'expansion territoriale. L'Afrique, que les autres puissances se sont déjà partagée sans vergogne, n'offre plus beaucoup de possibilités de conquêtes. C'est pourquoi le colonialisme italien se tourne vers un des derniers Etats indépendants du continent : l'Ethiopie. Les premières incursions s'étant soldées par des échecs, les Italiens décident en 1889 de soutenir l'un des prétendants à la succession du négus Jean, le ras de Choa, Ménélik. En Ethiopie, le pouvoir du négus était en effet constamment contesté par de puissants féodaux, les ras. En partie grâce au soutien italien, Ménélik parvint à battre le fils du négus Jean et à succéder à celui-ci sur le trône éthiopien. C'est alors que ses relations avec les Italiens se tendent : ceux-ci font valoir que le traité d'Ucciali par lequel ils lui avaient apporté leur soutien impliquait en contrepartie que l'Ethiopie devienne un protectorat italien. Ménélik refusant cette interprétation, une armée italienne l'attaque à Adoua le 1er mars 1896. Mais le négus, qui dispose d'armes fournies naguère par les Italiens, inflige une sévère défaite aux troupes du général Barattieri : 4 000 Italiens sont tués, dont presque la moitié des officiers. Le retentissement de la bataille d'Adoua est considérable et entraîne la chute du gouvernement Crispi et l'abandon de cette politique de « grandeur ».

De l'or dans le lit du Klondike, au Canada

Canada, 17 août 1896
Moins spectaculaire que d'autres, à cause de la rigueur du climat, la ruée vers l'or au Canada est tout de même remarquable par l'ampleur des fortunes qui s'y sont créées. En 1880, on découvre de l'or alluvionnaire dans plusieurs rivières tributaires du fleuve Yukon, à la frontière de l'Alaska. Mais c'est le 17 août 1896 qu'est mis à jour le gisement le plus riche dans le cours du Klondike, affluent du Yukon. En quelques mois, de nombreux prospecteurs arrivent dans la vallée. Une nouvelle ville, Dawson City, érigée au confluent des deux fleuves, compte 4 000 habitants en 1897 ; on évalue cependant à plus de 5 000 le nombre des mineurs attachés à l'exploitation aurifère, dans des conditions de vie particulièrement dures.

Les premiers Jeux olympiques de l'ère moderne

Athènes, avril 1896
« Il faut internationaliser le sport, il faut créer de nouveaux Jeux olympiques », déclare le Français Pierre de Coubertin (1863-1937) en novembre 1892. Le 23 juin 1894, il réunit à la Sorbonne un congrès olympique où quatorze pays sont représentés. L'assemblée fonde le Comité international olympique, présidé par Pierre de Coubertin, et décide que les premiers Jeux se dérouleront à Athènes en mémoire de la tradition antique. Grâce à une souscription publique, et avec l'aide financière d'un riche Grec, l'ancien stade de Périclès est reconstruit en 1895. En avril 1896, 285 athlètes de nationalités et de disciplines diverses confrontent leurs performances devant une assemblée princière.

Le comité des Jeux. A gauche, Pierre de Coubertin.

Le départ du 100 m aux Jeux olympiques de 1896.

1897

Crète, janvier-mars
Les troubles intercommunautaires entre chrétiens et musulmans s'aggravent. →

Madagascar, 28 février
Le gouverneur Gallieni abolit la fonction royale.

Autriche, 5 et 22 avril
La décision prise par le ministre-président, le comte Casimir von Badeni (1846-1909), d'accorder l'égalité des langues au tchèque et au morave à côté de l'allemand en matière judiciaire et administrative provoque des troubles parmi la population allemande. Le 28 novembre, von Badeni est contraint à démissionner.

Turquie, 10 avril
Les troupes grecques attaquent la Turquie.

Paris, 4 mai
Incendie tragique du Bazar de la Charité, rue Jean-Goujon. →

Grande-Bretagne, 14 mai
Le physicien Guglielmo Marconi (1875-1937) établit la première communication par télégraphie sans fil. →

France, mai
Le jeune André Gide fait paraître *Les Nourritures terrestres.* →

La revue *Cosmopolis* publie *Un coup de dés jamais n'abolira le hasard,* de Stéphane Mallarmé. →

Bâle, 29-31 août
Theodor Herzl fonde le sionisme. →

Ile Blanche, 6 octobre
L'explorateur Salomon Andrée trouve la mort avec son équipe. →

France, 14 octobre
Clément Ader réalise à Satory le premier vol avec un passager. →

Chine, 14 novembre
Une escadre allemande s'empare de la ville de Chiao-Chou, dans la presqu'île du Shantoung à la suite de l'assassinat d'un missionnaire.

Allemagne, 26 novembre
Le nouveau secrétaire d'Etat à la Marine, le vice-amiral Alfred von Tirpitz, déclare en faisant voter un important programme de construction navale : « Nous ne voulons porter ombrage à personne, mais nous exigeons notre place au soleil. »

Istanbul, 4 décembre
Après l'armistice du 3 juin, traité de paix gréco-turc.

France, 28 décembre
Triomphe d'Edmond Rostand avec *Cyrano de Bergerac.*

Etats-Unis
Le physicien Henry Rowland établit une table des longueurs d'ondes du spectre solaire.

Egypte
Le pionnier de l'interprétation moderne de l'islam, l'écrivain Muhammad Abduh, publie son *Epître.*

Grande-Bretagne
Le physicien Joseph John Thomson découvre que l'atome émet des particules très petites, chargées négativement : les électrons.

H.G. Wells publie *L'Homme invisible.*

France
Les manufactures d'armes mettent au point le canon de 75 mm, qui tire 20 coups à la minute avec une portée de 5 km.

Allemagne
Rudolf Diesel met au point un moteur alimenté par des sous-produits du pétrole. →

Afrique
Les Matébélés, qui ont repris les armes contre les Anglais en 1896, signent un traité de paix avec Cecil Rhodes.

Les Britanniques s'emparent de Bénin, la capitale des peuples Edo à l'est du Dahomey.

La Grande-Bretagne profite des querelles de succession à la mort du sultan de Zanzibar, Seyyid Ahmed, en 1896 pour renforcer son implantation. Elle fait bombarder le palais du sultan et impose Seyyid Hamoud qui régnera jusqu'en 1911 au détriment de Seyyid Khaled. Le nouveau sultan confirme le protectorat britannique signé le 4 novembre 1890 et abolit l'esclavage à Zanzibar et à Pemba.

Vienne
Gustav Mahler est nommé directeur de l'Opéra. →

Tahiti
Paul Gauguin peint *D'où venons-nous ? Que sommes-nous ? Où allons-nous ?* →

Russie
Maxime Gorki publie *Les Vagabonds.* →

Le navire de l'explorateur polaire Andrée au départ de Göteborg.

L'attrait du pôle Nord fatal à Salomon Andrée

Ile Blanche, 6 octobre 1897
A la fin du siècle, seuls les pôles restent inexplorés. Depuis 1845-1850, les marins recherchent un passage maritime, mais il faut attendre 1895 pour que le pôle fasse l'objet d'une véritable expédition. Après avoir exploré le Spitzberg en 1882-1883, en utilisant un ballon libre, le Suédois Salomon August Andrée fait une tentative en direction du pôle cette année. Il met au point son expédition avec un ballon libre accompagné de Nils Stringberg et K. Fraenkel. Ils quittent l'île des Danois dans le Spitzberg le 11 juillet 1897 à bord de l'*Oernen*. Les seules nouvelles que l'on reçoit de leur voyage parviennent à leur point de départ deux jours après, apportées par un pigeon voyageur. Mais dans les heures qui suivent, leur ballon s'immobilise sur la banquise par 82° 55' 77 de longitude. Leur voyage a duré 75 heures. Les trois hommes gagnent péniblement l'île Blanche, marchant jusqu'au 28 septembre ; ils succombent de faim et de froid le 6 octobre. Leurs cadavres congelés seront retrouvés le 6 août 1930 par des chasseurs de phoques.

"Un coup de dés jamais n'abolira le hasard"

Paris, mai 1897
Le poète Stéphane Mallarmé (né à Paris en 1842) publie dans la revue *Cosmopolis* un poème jugé très hermétique : *Un coup de dés jamais n'abolira le hasard*. Fortement influencé par la musique, l'auteur y cherche une transposition, par la valeur sonore mais aussi les résonances subtiles des mots, des timbres propres aux instruments. Mallarmé pousse cette préoccupation jusque dans le choix des caractères typographiques et leur disposition sur la page blanche, prolongement spatial de la vie intérieure du poème. Semblable à un organisme dont tous les éléments sont interdépendants, celui-ci constitue un premier état du grand œuvre auquel pense l'auteur, ce « Livre » qui doit révéler dans toute sa valeur initiatique le caractère spirituel de la poésie ; il s'apparente à une liturgie, et le langage à la magie évocatoire. D'un accès sans doute difficile, les *Poésies* de Mallarmé traduisent la volonté de l'auteur de saisir, par un processus d'abstraction, la réalité dans son essence.

Mahler, directeur de l'Opéra de Vienne

Vienne, 1897
Disciple et protégé de Bruckner, Gustav Mahler fait, à juste titre, figure de dernier grand compositeur de la lignée romantique. Contraint, après l'échec de sa cantate dramatique *Das Klagende Lied* (1880), d'embrasser la carrière de chef d'orchestre, il y affirme des dons si éclatants qu'ils ont trop souvent pour effet d'éclipser ses mérites de compositeur. Converti au catholicisme en 1897, il est nommé directeur de l'opéra de Vienne, avant d'être appelé à New York. Se consacrant à l'interprétation des chefs-d'œuvre, il s'attache à unifier tous les éléments du spectacle lyrique.

Gustav Mahler. 1902. Dessin d'Emil Orlik.

Récits d'un écrivain vagabond en Russie

Russie, 1897

Issu d'un milieu pauvre, Maxime Gorki (ce pseudonyme signifie en russe « l'amer ») commence sa vie comme apprenti cordonnier. Mille métiers, mille misères, puis il devient clerc dans un cabinet d'avocat. Il publie en 1892 sa première nouvelle, *Makar Tchoudra*, qui obtient un vif succès. Le jeune écrivain établit sa réputation en publiant, en 1895, dans une revue influente une autre nouvelle, *Tchelkach*. Il écrit plusieurs contes réalistes (*Malva, Mon compagnon*) sur l'homme au travail, qu'il réunit dans un recueil, *Les Vagabonds*, publié en 1897. Ecrivain romantique et réaliste, Gorki décrit des personnages qu'une sourde révolte contre leur déclassement social habite. La célébrité mondiale lui sera apportée

par sa pièce *Les Bas-Fonds* (1902) et son roman *La Mère* (1907). Gorki est sans doute le premier écrivain « social » russe qui ait eu une influence sur la littérature mondiale.

Portrait gravé de Maxime Gorki. Vers 1900.

L'incendie du Bazar de la Charité

Paris, 4 mai 1897

Les ventes de charité attirent dans le local aménagé rue Jean-Goujon 1 200 personnes ce 4 mai 1897. Soudain, pendant un film, une étincelle jaillit de la cabine de projection, et le feu se propage rapidement le long des charpentes de l'immeuble. On se précipite vers les portes, on se piétine, et la panique a tôt fait de créer une bousculade meurtrière. Les femmes, gênées par l'ampleur de leurs robes, sont les plus touchées par le drame. Malgré l'arrivée immédiate des pompiers, on dénombre 160 corps, dont 155 femmes. Dans la ruée, certains se sont battus pour échapper aux flammes, plusieurs morts le sont des coups reçus. La France, bouleversée, célèbre le 8 mai un service solennel à Notre-Dame. Une chapelle commémorative sera bâtie sur les lieux du drame.

"Les Nourritures terrestres", de Gide

Paris, mai 1897

Parti en convalescence en Algérie, André Gide y traverse une crise spirituelle déterminante : prônant désormais la légitimité d'un bonheur humaniste (« Rien que la terre ») et le refus de l'éducation ou des impératifs moraux, l'écrivain exalte la « ferveur » et l'ivresse du plaisir sensuel dans *Les Nourritures terrestres* (1897), dont l'influence sur la jeunesse sera considérable. Dans ce livre, à la fois lyrique et didactique, Ménalque prescrit au jeune Nathanaël le culte de la disponibilité, de la spontanéité et du sensualisme, qui n'exclut pas une haute exigence personnelle : « Que l'importance soit dans ton regard, non dans la chose regardée. » La sincérité de l'auteur, l'appel au don total de soi impressionnent.

Production du moteur Diesel

Allemagne, 1897

Ingénieur frigoriste, Rudolf Diesel (1858-1913) a imaginé en 1893 un moteur avec suppression du carburateur et de l'allumage et avec une très forte compression (plus de 30 kg au cm) qui enregistre un rendement appréciable. Ce moteur est capable de brûler des combustibles lourds dérivés du pétrole comme le fuel. Krupp s'intéresse à ce projet et le premier Diesel fonctionne en 1897. L'année suivante, Diesel fonde une société pour exploiter son brevet.

Theodor Herzl réunit le premier congrès sioniste

Bâle, 29-31 août 1897

Theodor Herzl, écrivain et journaliste autrichien (1860-1904), est le fondateur du sionisme, dont il fait un mouvement politique organisé. Le but du sionisme, qui tire son nom d'une colline de Jérusalem, Sion, est de constituer un Etat juif en Palestine. La montée des aspirations nationales durant tout le XIXe siècle explique le réveil d'un nationalisme juif qui rejette l'assimilation. Le déchaînement des pogroms en Russie à partir de 1881 avait représenté le stimulant décisif pour la fondation de villages de pionniers en Palestine. Mais ce sont les explosions d'antisémitisme lors de l'affaire Dreyfus en France qui donnent le vrai départ théorique et organisationnel de l'activité sioniste. Avec son opuscule sur l'Etat juif, dans *La Nouvelle Revue française internationale* (numéros de décembre 1896 et janvier 1897), Herzl, qui est correspondant d'un important journal viennois, entend sensibiliser l'opinion juive à son plan pour la restauration d'un Etat juif. Lors de

Theodor Herzl, fondateur du sionisme et promoteur d'un Etat juif.

la réunion du premier congrès qu'il convoque à Bâle, il cherche à faire triompher cette idée. Mais, parmi les Juifs assimilés d'Europe occidentale, le sionisme suscite peu d'intérêt. Par contre, les Juifs d'Europe orientale apportent massivement leur soutien à la cause nationaliste : sur un total de deux cents délégués présents à ce premier congrès, quatre-vingts viennent de Russie.

Révolte des Crétois contre les Ottomans

Crète, 1897

Une insurrection générale éclate, avec l'appui de la Grèce qui fait débarquer ses troupes dans l'île. La victoire des Ottomans est totale, mais les puissances européennes imposent un compromis. La Grèce renonce à toute ambition sur la Crète.

Celle-ci, bien que demeurant sous suzeraineté ottomane, reçoit un statut de principauté autonome. Les troupes turques évacueront l'île l'année suivante et l'administration sera confiée au prince Georges de Grèce. Déjà, en 1866, un soulèvement des Crétois avait été durement écrasé, mais avait contraint Constantinople à accorder une certaine autonomie à l'île en 1868.

Le testament pictural de Gauguin

Tahiti, 1897

Après un court séjour en Europe où il liquide lamentablement son atelier parisien, Gauguin est reparti à Tahiti en mars 1895. Malade, sans le sou, solitaire, il est atteint d'une dépression profonde qu'aggrave encore la mort de sa fille Aline. Cherchant plus que jamais à résoudre l'effroi intérieur par la solidité plastique et le rythme équilibré de sa peinture, il réalise, avant un suicide manqué par le poison, une large composition, qu'il considère comme son testament artistique : *D'où venons-nous ? Que sommes-nous ? Où allons-nous ?* Le thème métaphysique de cette toile typiquement symboliste par l'allégorie des trois âges se retrouve souvent dans l'œuvre de Gauguin qui affirme, conscient de son rôle d'initiateur : « J'ai voulu établir le droit de tout oser. »

Paul Gauguin. « D'où venons-nous ? Que sommes-nous ? Où allons-nous ? » 1897. Détail.

Judaïsme et sionisme

XIXᵉ-XXᵉ siècle

C'est un congrès peu ordinaire qui se réunit à Bâle le 29 août 1897. Pour la première fois, des délégués des communautés juives du monde entier sont rassemblés et, à l'instigation de Theodor Herzl, se donnent pour but « la création en Palestine d'un foyer pour le peuple juif », qui retrouverait ainsi, par-delà deux mille ans d'histoire, sa patrie d'origine. Pour œuvrer dans ce sens naquit ce que l'on appela très officiellement l'Organisation sioniste mondiale. Mais, à vrai dire, le thème du « retour à Sion » n'était pas nouveau et toute la littérature juive s'en était nourri depuis l'exil qu'avaient connu les Juifs déportés en Mésopotamie en 587 av. J.-C. Ce qui était nouveau, c'était que cette revendication, dans le contexte du « réveil des nationalités » qui caractérise le XIXᵉ siècle, était appelée à donner naissance à un mouvement politico-social qu'un antisémitisme récurrent ne pouvait que nourrir. Le mouvement sioniste apparaît, en effet, dans un premier temps comme une réponse aux pogromes répétés qui frappaient les communautés juives de Russie, surtout depuis 1881. Pour parer à ces odieuses et meurtrières attaques, des mouvements s'étaient organisés, prenant l'« amour de Sion » comme emblème. L'un de ces mouvements, le *Bilu*, allait jouer un rôle décisif : créé par des étudiants de Kharkov en 1882, il incita la jeunesse juive à aller s'installer en Palestine pour y fonder des colonies agricoles.

Theodor Herzl (1860-1904)

C'est à Theodor Herzl que revient le mérite d'avoir su donner un contenu politique à ces mouvements et d'avoir cristallisé dans l'idée d'un Etat qui leur appartiendrait l'aspiration millénaire des Juifs. Président de l'Organisation sioniste mondiale jusqu'à sa mort, Herzl en fut le principal animateur. Juriste, journaliste, il avait été élevé à Vienne dans un milieu juif assimilé. Mais, alors qu'il séjournait en France comme correspondant d'un grand journal autrichien, il fut témoin de la vague d'antisémitisme qui se développa à la faveur de l'affaire Dreyfus. Cette expérience le persuada de l'impossibilité qu'il y avait pour les Juifs de parvenir à une réelle assimilation. Activant ses réflexions théoriques, il publia en 1896 *L'Etat juif*, où il se proposait, comme l'indique le sous-titre, d'apporter « une solution moderne à la question juive ». Expliquant ce que devait être l'organisation de son entreprise, il décrivait l'ensemble des moyens à mettre en œuvre pour aboutir à la réalisation de l'idéal sioniste. Il fit de celui-ci un outil politique efficace et mit en place des congrès mondiaux, fonctionnant à la manière d'un parlement. Multipliant les démarches diplomatiques, il chercha notamment à négocier avec le sultan Abdül-Hamid et les puissances européennes la fondation d'un Etat juif en Palestine, où des colons essayaient déjà, grâce à l'appui financier du baron Edmond de Rothschild, de rendre fertiles plusieurs zones arides ou marécageuses. L'adhésion de la Sublime Porte à ce projet devait être acquise grâce à la prise en charge d'une partie de sa dette publique.

Un projet minoritaire

En fait, la situation internationale était peu favorable au projet de Herzl ; l'implantation même du sionisme au sein de la communauté juive (200 000 membres pour une communauté éminemment dispersée de 11 millions de personnes) était fragile. Si les Juifs d'Europe de l'Est originaires de Galicie, de Russie ou des provinces orientales de l'Empire austro-hongrois apportèrent en grand nombre leur soutien aux idées de Herzl, en Europe occidentale le sionisme n'eut qu'une audience limitée. Malgré les poussées d'antisémitisme qui se manifestaient plus ou moins régulièrement, la communauté juive de France continua, comme ses consœurs occidentales, à chercher son salut dans la politique d'assimilation au nom des principes de 1789 sur les Droits de l'homme. Outre les assimilationnistes qui étaient influencés par la grande bourgeoisie et les instances religieuses, bon nombre d'autres refusaient d'exalter leur spécificité sur le plan national. Tous ceux, en particulier, qui militaient dans des organisations ouvrières pensaient que l'avènement d'une révolution sociale internationale amènerait la disparition de l'antisémitisme en mettant fin à ses causes, la première d'entre elles étant la société capitaliste. A la suite de Marx dans *La Question juive* (1843), ils critiquaient la revendication d'une nationalité chimérique, produite par une ségrégation multiséculaire. Au sein du mouvement ouvrier en Europe de l'Est, des socialistes s'organisèrent dès 1897 sur la base du particularisme juif. Sans être sioniste ni nationaliste, le *Bund* (Union générale juive des travailleurs de Lituanie, Pologne et Russie) revendiqua une expression culturelle autonome dans le cadre de la lutte sociale pour l'émancipation des travailleurs.

Un enjeu international

Une situation nouvelle, beaucoup plus favorable, se présenta pour le mouvement sioniste à la fin de la Première Guerre mondiale, due en particulier aux visées stratégiques de l'Angleterre sur le Proche-Orient dans la perspective d'une dislocation de l'Empire ottoman. Le 2 novembre 1917, le ministre des Affaires étrangères britannique, Lord Balfour, faisait une déclaration dont le retentissement allait être considérable : la Grande-Bretagne envisageait favorablement l'établissement d'un foyer national pour le peuple juif en Palestine, à condition toutefois que les droits politiques et religieux des populations non juives soient respectés. Mais, peu de temps auparavant, la Grande-Bretagne avait garanti au chérif de La Mecque, Husayn ibn Ali, la constitution d'un royaume arabe national, incluant la Palestine. Les Britanniques furent contraints d'assumer cette contradiction lorsque la Société des Nations leur attribua un mandat sur cette région. En 1929, la part de la population juive en Palestine avoisinait les 15 % et les Britanniques ne purent faire face aux conflits opposant Juifs et Arabes. La colère et l'inquiétude des populations locales ne cessaient de croître au fil des achats massifs de terres effectués par les Juifs. L'antagonisme fut aggravé par l'arrivée de nouveaux immigrants, poussés par la crise en Europe, qui porta la part de la population juive à près de 30 %. Pris entre les revendications des uns et des autres, soucieux d'enrayer les flambées de violence alimentées par un nationalisme arabe naissant, les Anglais décidèrent en 1939 de verrouiller strictement l'immigration (mesure qui continua d'être appliquée après 1945 aux survivants du génocide juif qui tentaient de rejoindre Israël). En réponse à l'attitude anglaise, des attentats terroristes juifs, dus au groupe Stern et à l'Irgoun, se multiplièrent : en 1947, la Grande-Bretagne se voyait quasiment contrainte de remettre son mandat sur la Palestine à l'ONU. L'Assemblée générale décidait au mois de novembre de diviser la Palestine en deux Etats : un Etat arabe de 11 500 km² et un Etat juif de 14 100 km², Jérusalem étant placée sous administration internationale. Accepté par les Juifs, ce plan fut repoussé par les Arabes. Le soir précédant le départ définitif des Britanniques, le 14 mai 1948, l'Etat d'Israël fut proclamé et aussitôt reconnu par les deux grandes puissances, les Etats-Unis et l'URSS. Craignant les conséquences de la proclamation d'Israël et les actes de terrorisme, 850 000 Palestiniens devaient fuir les territoires du nouvel Etat juif. Réfugiés dans certaines zones, comme la bande de Gaza et la Cisjordanie, les Palestiniens furent contraints de se soumettre. Après une éclipse durant les années 50, le mouvement national palestinien, avec l'appui des Etats arabes, finit par se doter d'organismes représentatifs tout en se militarisant progressivement. Par la suite, la « génération des camps » radicalisa la « question palestinienne », qui demeure le problème politique majeur de l'Etat d'Israël.

Lumières et ombres du passé

A l'origine de cette longue errance, la Bible nous rapporte l'histoire de tribus nomades qui seraient venues de Mésopotamie, au XIVe siècle avant notre ère, et se seraient fixées au « pays de Canaan », tandis que d'autres auraient gagné l'Egypte. Vers 1200, fuyant cette terre d'asile où ils étaient maintenus en esclavage, leurs descendants s'en retournèrent vers la « terre promise » sous la conduite d'un homme répondant au nom égyptien de Moïse. Les nouveaux venus portaient le message d'un dieu, Yahvé, qui s'était révélé à Moïse sur l'Horeb et lui avait enjoint de libérer son peuple. Guerroyant contre les tribus voisines, ces nouveaux venus finirent par fonder un royaume à la fin du XIe siècle, qui profita de l'absence mo-

mentanée des grandes puissances dans la région (l'Egypte et l'Assyrie étant alors politiquement affaiblies) pour se consolider et étendre son territoire. A la mort de Salomon en 928 av. J.-C., les conflits internes étaient si grands dans le royaume d'Israël qu'ils entraînèrent sa dislocation. Seul le royaume de Juda parvint à se maintenir au sud, tandis que l'expansion assyrienne entraînait la conquête du royaume du nord, en 722-721. Le royaume de Juda fut, quant à lui, rayé de la carte en 587, après la destruction de Jérusalem par Nabuchodonosor ; sa population fut déportée à Babylone. Le retour des Juifs en Israël fut autorisé par Cyrus II le Grand en 538, qui leur permit également la reconstruction du Temple à Jérusalem. L'époque de la « captivité » fut décisive dans l'évolution de la religion juive, qui prit alors conscience de son identité profonde et resserra son unité autour de quelques règles fondamentales. La religion s'avéra également essentielle quand il fut question de maintenir le contact avec les Juifs restés à Babylone. C'est alors qu'Esdras, le législateur, et Néhémie « codifièrent » les Livres saints, la *Torah* : à ce titre ils peuvent être considérés comme les fondateurs du judaïsme. Sous l'Empire perse et sous le règne d'Alexandre le Grand comme sous la souveraineté des Ptolémée (320-198 av. J.-C.), les Juifs ne furent pas inquiétés. Après l'incorporation de la Palestine dans le Royaume séleucide, par contre, ils durent faire face à des persécutions et s'opposer à une hellénisation croissante. C'est à cette époque que commença de s'ancrer dans le peuple la croyance, tirée des Ecritures, en la venue d'un messie (*mashiah*), un sauveur qui libérerait Israël et instaurerait le règne de Yahvé. En 167 av. J.-C. commença une lutte de libération, conduite par la famille des Maccabée, fondateurs de la dynastie des Asmonéens. La politique romaine en Orient, qui favorisait alors l'éclosion de multiples petits Etats, permit à l'Etat juif, entre 135 et 63, de jouir d'une certaine autonomie. La manière perfide et sanglante dont Hérode le Grand mit fin à la dynastie asmonéenne et régna avec la complicité des Romains empêcha le peuple juif de se reconnaître en lui, bien qu'il ait tenu à restaurer le Temple avec une magnificence sans égal. C'est pour de toutes autres raisons que son règne est important : il correspond à une époque où le judaïsme connaît quelques grandes querelles théologiques : ainsi les sadducéens, plus tard alliés au pouvoir romain, prêchaient le respect absolu de la lettre des Ecritures, mais ne croyaient pas à l'immortalité individuelle, contrairement aux pharisiens, chez qui cette idée fit des adeptes et qui assumèrent, par ailleurs, la survie de la Loi en l'adaptant aux conditions nouvelles. La secte des esséniens, quant à elle, représentait un courant proche de ce que dut être le christianisme primitif, mais refusait le principe de l'incarnation divine : Dieu est unique, il a créé le

monde et scellé avec son peuple une alliance exclusive ; sa grâce ne dépend que du respect strict de la Loi.

Persécutions et discrimination

L'expansion de l'Empire romain finit par inclure la Palestine : en 6 av. J.-C., la Judée était rattachée à la province romaine de Syrie. Une révolte causée par des impôts trop élevés éclatait en 66. En fait, il s'agissait pour les insurgés de rétablir la souveraineté juive et de mettre fin à leur allégeance envers Rome. Cette guerre, dont Flavius Josèphe a laissé le récit, devait se terminer quatre ans plus tard par la prise de Jérusalem et la destruction du Temple. Une seconde révolte (132-135), sous la conduite de Bar-Kokhba, fut de même réprimée par un bain de sang. Les survivants furent vendus comme esclaves et dispersés dans les provinces de l'empire. Ayant perdu sa terre, le peuple juif commença son errance ; le sentiment communautaire fut préservé à travers la *diaspora* par la force des traditions et des croyances religieuses. Leurs ennemis les plus acharnés furent alors les chrétiens, qui leur reprochaient la mort du Christ ; leur existence était présentée comme une leçon édifiante de la Sagesse divine, montrant aux fidèles un peuple dispersé et déchu, parce que rejeté par Dieu. Aux époques de tolérance succédaient des périodes de persécutions systématiques, comme en Rhénanie au début de la Ire Croisade, en 1096, ou dans toute l'Europe lors de la grande peste de 1348. Les rumeurs précédant les violences contre les Juifs faisaient le plus souvent état de profanations d'hosties, de sacrifices rituels d'enfants ou d'empoisonnements des fontaines. Alors que les communautés juives étaient rarement inquiétées dans les pays musulmans, leur sécurité dépendait en Occident d'une protection spéciale accordée par les seigneurs ; ils devaient payer un impôt pour être tolérés dans des quartiers réservés, le plus souvent misérables (*ghettos*). L'époque des Lumières vit se produire un retournement de tendance radical avec le mouvement d'émancipation, qui affirmait que les conditions faites aux Juifs les contraignaient à devenir ce qu'il leur était précisément reproché d'être. C'est la Révolution française qui introduisit en Europe l'égalité des droits pour les Juifs ; celle-ci se généralisa au cours du XIXe siècle. Mais il apparut bientôt que cette égalité, loin d'apaiser les haines anciennes, contribuait dans certaines circonstances à les raviver, si bien que des esprits clairvoyants pouvaient au début du XXe siècle ne voir de solution au problème que dans la création d'un Etat juif indépendant. Celle-ci n'intervint pourtant qu'à grand-peine, après les persécutions et le génocide commis par les nazis au cours de la Deuxième Guerre mondiale, qui coûtèrent la vie à six millions de Juifs.

1898

France, 13 janvier
Dans *L'Aurore*, Emile Zola publie « J'accuse », pour défendre le capitaine Dreyfus. →

Alger, 18-25 janvier
Vague de pogroms.

Cuba, 15 février
Le navire américain *Maine* explose dans la rade de La Havane, faisant de nombreuses victimes. L'accident sert de prétexte aux Américains pour exiger le départ des Espagnols de la région. Déclarée le 25 avril, la guerre se termine par le traité de Paris le 10 décembre. →

Pékin, 6 mars
La Chine cède pour 99 ans le port de Qingdao à l'Allemagne, ainsi que des gisements miniers. La Russie obtient, le 27 mars, pour 25 ans la base de Port-Arthur, rendue par le Japon. La France obtiendra pour 99 ans le bail sur Guang Zhou Wan. Quant à la Grande-Bretagne, elle se fera accorder un droit de préemption sur le bassin du Yang-tsé le 1er juillet avec la souveraineté sur le port de Wei-hai-wei.

Milan, 6-9 mai
Emeute populaire provoquée par la situation économique et la défaite d'Abyssinie : l'état de siège est proclamé.

France, 22 mai
Les législatives sont gagnées par la gauche, en particulier les radicaux-socialistes. La droite monarchiste continue de décliner.

Chine, 30 mai
Le jeune empereur Guangxu tente de moderniser le pays en s'appuyant sur deux intellectuels ouverts à l'Occident, Kang You-wei (1858-1927) et Liang Qichao (1873-1929).

Afrique, 14 juin
Une convention franco-britannique met fin aux litiges frontaliers du golfe de Guinée et place la rive occidentale du lac Tchad dans la zone d'influence française.

Iles Hawaï, 6 juillet
Les Etats-Unis profitent de la guerre qu'ils mènent dans le Pacifique contre les Espagnols pour annexer l'archipel, déjà sous protectorat.

Angola, 30 août
En cas d'impossibilité pour le Portugal de payer ses dettes, la Grande-Bretagne et l'Allemagne décident de se partager les recettes douanières des colonies portugaises d'Afrique.

Soudan, 2 septembre
Lord Kitchener défait les mahdistes à Omdourman.

Suisse, 10 septembre
Lors d'une promenade au bord du lac Léman, à Genève, l'impératrice d'Autriche Elisabeth est assassinée par l'anarchiste italien Luigi Luccheni.

Empire ottoman, octobre
Guillaume II en visite à Istanbul assure le sultan Abdul Hamid II de son soutien.

Crète, 6 novembre
Les troupes ottomanes évacuent l'île.

Fachoda, Soudan, 7 novembre
L'ultimatum britannique adressé à la France met la paix en péril. La mission du capitaine Marchand, rejointe par Kitchener en juillet, reçoit finalement de Paris l'ordre d'évacuer Fachoda. →

Paris, 10 décembre
Traité de paix entre les Etats-Unis et l'Espagne, qui renonce à ses colonies. →

Paris, 26 décembre
Pierre et Marie Curie découvrent le polonium et le radium. →

Paris
Rodin inaugure enfin son *Monument à Balzac*. →

Durkheim fonde *L'Année sociologique*. →

Pierre Puvis de Chavannes termine sa *Sainte Geneviève veillant sur Paris endormi*, avant de mourir.

Espagne
Une génération d'intellectuels, Miguel de Unamuno, José Ortega y Gasset et José Martinez Ruiz, dit Azorin (1873-1967), prend conscience, à la faveur de la défaite, des retards de la société espagnole ; cette « génération de 1898 » appelle à une renaissance intellectuelle et morale.

Belgique
Institution du bilinguisme : la loi De Vriendt-Coremans fait du flamand une langue officielle.

Angleterre
Marconi réalise la télégraphie sans fil. →

Zola fait rebondir l'affaire Dreyfus

Paris, 13 janvier 1898
Afin d'être poursuivi en cour d'assises et de pouvoir débattre du cas de Dreyfus devant l'opinion, Emile Zola publie dans *L'Aurore* une lettre au président de la République Félix Faure sous un titre foudroyant : *J'accuse*, inspiré par Georges Clemenceau, éditorialiste du journal. Il y dénonce l'erreur judiciaire, la justice militaire et les intrigues pour étouffer les tentatives de révision de la condamnation inique de 1894. L'article paraît le surlendemain de l'acquittement du commandant Es-terhazy accusé par Mathieu Dreyfus, frère aîné du condamné, d'être l'auteur de la principale pièce à charge dans l'accusation d'espionnage, le fameux bordereau. Avec cette publication, les passions se déchaînent, divisant même les familles : la France se coupe en deux camps (dreyfusards et antidreyfusards) où l'on retrouve, grosso modo, les clivages politiques. Le 23 février, Zola est condamné à un an de prison, mais il a réussi à donner un retentissement exceptionnel au cas de Dreyfus qui est devenu l'Affaire.

Publiée dans « L'Aurore » du 13 janvier 1898, la lettre accusatrice de Zola ouvre l'affaire Dreyfus.

« Vive Zola, le Vengeur ! ». Carte postale. L'engagement de Zola renforça le camp des partisans de la révision.

A Fachoda, Marchand cède devant les Anglais

Fachoda, Soudan, 7 novembre 1898
Le ministre des Affaires étrangères, Théophile Delcassé, s'incline devant les exigences britanniques et donne l'ordre d'évacuer Fachoda, ville du Soudan, sur le cours supérieur du Nil, où le capitaine Marchand avait hissé le drapeau tricolore le 10 juillet 1898, poussé par le précédent ministre, Gabriel Hanotaux, qui cherchait à étendre les possessions françaises d'Afrique vers l'est. Mais le rêve d'une liaison Dakar-Djibouti se heurte aux intérêts de l'Angleterre qui entend pour sa part réaliser la jonction Le Cap-Le Caire. Après la victoire d'Omdurman sur les derviches, l'armée anglo-égyptienne commandée par Lord Kitchener remonta le Nil et parvint à Fachoda le 19 septembre 1898. Ses troupes étant beaucoup plus nombreuses que celles de Marchand, l'Anglais somma le Français de quitter la région. La guerre semblait inévitable quand la France, peu désireuse de soutenir un conflit, décida de céder.

La mission Marchand, partie du Congo en direction du Haut Nil.

Stanislavski fonde le théâtre d'Art de Moscou

Moscou, 1898
Constantin Stanislavski crée avec Vladimir Némirovitch Dantchenko le théâtre d'Art de Moscou qui a pour objectifs l'expression naturaliste et la rigueur dans la recherche scénique. Fils d'un industriel, Stanislavski a eu dès l'enfance un goût prononcé pour le théâtre et est entré à l'école dramatique de Moscou. Il devint, à vingt-cinq ans, un disciple avoué d'André Antoine, fondateur du « théâtre libre ». En 1890, il est devenu célèbre grâce à ses mises en scène réalistes des œuvres de Tolstoï et de Dostoïevski. Il a la chance de rencontrer un auteur de génie, Anton Tchekhov, dont il interprétera les principales œuvres. Plaçant de plus en plus l'accent sur l'intériorité et la vérité du jeu, il adjoindra à son théâtre un studio expérimental (1905) pour la formation des acteurs, dont il s'attache à étudier méthodiquement les phénomènes psychiques, cherchant à donner au jeu théâtral l'authenticité de la vie. S'il se tourne un moment vers le symbolisme de Maeterlinck, c'est pour concevoir finalement un réalisme synthétique.

L'Espagne perd ses dernières colonies

Paris, 10 décembre 1898
Par le traité de Paris, l'Espagne renonce à l'île de Cuba qui devient indépendante, et vend les Philippines ainsi que Porto Rico aux Etats-Unis contre un dédommagement de 20 millions de dollars. Depuis 1895, Cuba s'était soulevée contre le régime colonial espagnol. Jouant sur l'indignation à l'égard d'une répression très violente, les hommes d'affaires américains avaient poussé le président William McKinley à rompre avec le gouvernement de Madrid. Ils possédaient de gros intérêts dans l'île où ils avaient investi environ 50 millions de dollars. L'explosion d'un navire américain, le *Maine*, dans le port de La Havane, fut le prétexte au déclenchement d'une guerre éclair. Deux flottes espagnoles, l'une devant Manille aux Philippines, l'autre devant Santiago de Cuba, furent coulées. A la suite du protocole d'accord du 12 août 1898, la médiation de la France a permis la signature du traité de paix. Les Etats-Unis, appliquant la « doctrine Monroe », entrent en conflit d'intérêt avec les puissances européennes dans leur aire d'expansion « naturelle » : l'Amérique Centrale et le bassin du Pacifique.

L'impératrice Ci Xi stoppe le mouvement des réformes

Chine, 21 septembre 1898
L'impératrice Ci Xi (Ts'eu-Hi) met fin aux « cent jours de réformes » : depuis le 11 juin, un petit groupe d'intellectuels, Kang Youwei à sa tête, imposait au gouvernement une série de réformes : modernisation des concours de recrutement, réforme de l'administration, création d'un ministère de l'Economie... En septembre, Ci Xi réagit violemment : six des réformistes sont exécutés. Leur leader Kang Youwei est contraint de s'enfuir au Japon. Ci Xi annule les réformes et favorise les sociétés secrètes violemment xénophobes.

L'impératrice de Chine Ci Xi.

L'Italien Marconi réalise la première transmission radio

Angleterre, 1898
Utilisant les travaux de Hertz et de Branly sur les ondes électromagnétiques, de nombreux physiciens songent à transmettre des informations par les ondes dès 1892-1893. L'Américain Nicolas Tesla découvre en 1893 le transformateur à haute fréquence ; l'Anglais Oliver Lodge perfectionne en 1894 le récepteur en y introduisant un appareil Morse afin d'enregistrer les signaux, et en Russie Popov augmente la sensibilité de son récepteur en le reliant à une longue tige verticale en métal, créant ainsi la première antenne. L'Italien Gugliemo Marconi construit à Londres un émetteur très puissant en combinant l'antenne de Popov et l'oscillateur de Hertz. En 1896, il réussit à émettre sur 12 km. Mais c'est en 1898 qu'il réalise la première transmission d'information par radio-télégraphe : assurant le reportage en direct de la régate de Kingston, il envoie plus de 700 radio télégrammes pour le *Dublin Express*. Il continue ses travaux essentiellement pour augmenter la puissance des émetteurs et, en 1899, il émettra au-dessus de la Manche. Il créera alors une société afin d'exploiter le brevet de son invention de 1896.

Pierre et Marie Curie découvrent le radium

Paris, 26 décembre 1898
Marie Curie, sur les conseils de son époux, entreprend des recherches sur l'énergie émise par les sels d'uranium. Elle s'aperçoit que ce rayonnement est spécifique de l'atome d'uranium. Continuant ses travaux avec l'aide de Pierre Curie, elle découvre d'autres minéraux plus actifs que l'uranium ; mais il reste à les isoler. En mars 1898, ils découvrent ensemble le polonium et à la fin de l'année le radium, dans des conditions de recherches particulièrement précaires. Pour convaincre les savants, il leur faut ensuite en obtenir une certaine quantité, ce qu'ils font en juillet 1902 avec 100 mg de radium pur, après quatre ans de travail.

Scandale autour du "Balzac" de Rodin

Paris, 1898
Longtemps rejeté par la Société des gens de lettres qui l'avait commandé, *Le Monument à Balzac*, la création la plus osée de Rodin, n'a pas dépassé le stade du plâtre pendant de nombreuses années. L'artiste a fait sept esquisses, jusqu'au jour où, jetant sa propre houppelande sur le dos de la sculpture d'argile, Rodin a inventé la technique de l'« assemblage ». Enfin coulée dans le bronze, la figure témoigne, par sa présence écrasante de monolithe habité par une fièvre intérieure, des conflits et du triomphe de l'art et du créateur.

Augustin Rodin. Le monument de Balzac. Montparnasse, Paris.

Emile Durkheim fonde "L'Année sociologique"

Paris, 1898
Cette revue se propose de rendre compte des recherches menées dans les diverses sciences sociales proches de la sociologie. Ce numéro contient deux articles importants : l'un de Georg Simmel, « Comment les formes sociales se maintiennent », et l'autre d'Emile Durkheim, « La prohibition de l'inceste et ses origines ». Dans son article, Durkheim s'appuie sur l'idée que la loi d'exogamie qui caractérise les clans est la forme primitive de la prohibition de l'inceste. Les deux phénomènes sociaux s'expliqueraient par la conjugaison de trois faits : le caractère généralement tabou de ce qui a trait au sang, la peur du sang menstruel et la croyance primitive en une consubstantialité de tous les membres du clan. Les travaux de Durkheim ont surtout porté sur le registre moral de la vie sociale. Il est connu pour *les Règles de la méthode sociologique* (1894) et une étude sur *Le Suicide* (1897).

Le premier dirigeable de Santos-Dumont

Paris, 1898
D'origine brésilienne, l'ingénieur Alberto Santos-Dumont (1873-1932) vient en France pour expérimenter un modèle révolutionnaire de ballon dirigeable équipé par un moteur à explosion, ce qui en accroît la maniabilité. Santos-Dumont démontre ainsi la fiabilité du dirigeable et favorise l'essor de l'aérostation.

Le dirigeable de Santos-Dumont sortant du hangar de Saint-Cloud.

1899

Soudan, 19 janvier
A la suite du contrôle britannique sur Fachoda, l'Egypte et la Grande-Bretagne établissent un condominium commun sur le pays. La France, définitivement évincée de la vallée du Nil par l'accord de mars avec l'Angleterre, reçoit en compensation la région de l'Ouadaï et quelques territoires du Soudan tchadien.

Philippines, 4 février
Après avoir déclaré leur indépendance en septembre 1898, les Philippins se révoltent contre les Américains qui veulent annexer le pays.

Allemagne, 18 avril
La publication de *Réforme sociale ou Révolution ?* de Rosa Luxemburg relance la querelle révisionniste au sein de la social-démocratie allemande. →

Autriche, avril
Karl Kraus fait paraître le premier numéro de sa revue *Die Fackel*.

Pays-Bas, 18 mai-9 juillet
A La Haye, la conférence de la paix proposée par le tsar Nicolas II en octobre 1898 publie une résolution demandant la limitation des armements, et prévoit la constitution d'un tribunal d'arbitrage.

Afrique orientale, 15 juin
Après la victoire du capitaine Behte à Ishangi, l'Allemagne contrôle les régions à l'est du lac Kivu.

Afrique du Centre, 18 juillet
Depuis bientôt quinze ans, Rabah érige un vaste Etat occupant le Baguirmi, le Bornou, allant du lac Tchad au Bar-el-Ghazal. Le 18 juillet 1899, il détruit un poste français et tient en échec le général Gentil à Kouno, le 29 octobre. Les deux armées se replient en direction du fort Archambaud et du lac Tchad. C'est là que le 22 avril 1900, l'armée de Rabah sera écrasée par trois missions françaises à Kousseri.

Rennes, 7 août
La découverte de faux documents ajoutés au dossier et le suicide du colonel Henry imposent le 3 juin la révision du procès de Dreyfus, rapatrié de Cayenne le 30 juin. Un conseil de guerre réuni à Rennes condamne de nouveau Dreyfus le 7 août.

Chine, 6 septembre
Mécontents de l'accord anglo-russe sur le partage de la Chine signé en avril, les Etats-Unis exigent clairement la « porte ouverte » en Chine.

Paris, 19 septembre
Le président Loubet signe la grâce de Dreyfus. →

Afrique australe, 12 octobre
Les républiques boers du Transvaal et du Natal rejettent les demandes anglaises de naturalisation des résidents britanniques. Après un échange de notes sévères, rupture des relations diplomatiques.

Moscou, 26 octobre
Première d'*Oncle Vania* de Tchekhov, au théâtre d'Art.

Iles Samoa, 14 novembre
L'Angleterre cède ses possessions à l'Allemagne et aux Etats-Unis contre des concessions au Togo et dans les îles Salomon.

Afrique australe, 11-16 déc.
En cinq jours, les Boers infligent trois défaites aux Anglais.

Afrique orientale
En Somalie, qui est sous protectorat anglais depuis le 20 juillet 1887, un Somali Darod, Muhammad ibn Abdullah Hassan, surnommé le Mullah fou, s'est proclamé *Mahdi* et a déclaré la guerre sainte.

Allemagne
Adolf von Bayer commercialise l'aspirine. →

France
Paul Signac se fait le défenseur du néo-impressionnisme dans son ouvrage *De Delacroix au néo-impressionnisme*.

Henri Poincaré publie ses travaux sur *La Théorie de Maxwell et les Oscillations hertziennes*.

Henri Bergson publie *Le Rire*.

Le Douanier Rousseau écrit *La Vengeance d'une orpheline russe*. →

Le cinéaste Georges Méliès réalise *L'Affaire Dreyfus*.

Maxime Laubeuf met au point le premier sous-marin. →

Egypte
Un des représentants du nationalisme égyptien, Mustafa Kamel, fonde le journal *Al-Liwa*. Au Caire, Kassim Amin publie *L'Emancipation de la femme*.

Rosa Luxemburg contre le révisionnisme d'Eduard Bernstein

Berlin, 18 avril 1899
Avec la publication de sa brochure *Réforme sociale ou Révolution ?*, la jeune représentante de l'aile gauche radicale de la social-démocratie allemande critique les thèses révisionnistes d'Eduard Bernstein, formulées dans *Les Prémisses du socialisme et les Tâches de la social-démocratie*. Ce représentant de l'aile droite du parti allemand affirme que le capitalisme est capable de s'adapter, que ses crises ne sont pas inéluctables et que la lutte des classes est un phénomène en voie de disparition. Il préconise un socialisme basé sur des compromis pacifiques entre les nations et les classes. Son réformisme est résumé par la formule : « Le but final n'est rien, c'est le mouvement qui est tout. » Dépassant la simple orthodoxie marxiste du « centre » représenté par Karl Kautsky, Rosa Luxembourg établit, au contraire, que l'évolution du capitalisme n'en résout pas les contradictions : elle conclut sur la nécessité d'intensifier la lutte des classes pour s'attaquer à la racine du système.

Eduard Bernstein. Dessin. 1914.

Rosa Luxemburg en 1912.

Un architecte de génie, le Catalan Gaudi

Barcelone, 1899
A la fois urbaniste, sculpteur, peintre, musicien, ferronnier et mathématicien, l'architecte Antonio Gaudi (1852-1926) est lié aux milieux intellectuels de la « renaissance catalane », partageant leur admiration pour le gothique et leur attachement aux traditions populaires. Esprit profondément religieux, marqué par Ruskin et Viollet-le-Duc, il révèle sa personnalité hors du commun par la réalisation insolite du palais Güell (1885-1899) : refusant l'académisme néo-classique, il élabore un style éclectique très personnel, usant librement de citations de l'art médiéval, byzantin, musulman et gothique, et mélangeant les contrastes de matériaux et de textures. Refusant la symétrie et la ligne droite, il innove en adoptant des motifs inspirés d'éléments naturels, organiques et végétaux, visant « à concevoir la construction de manière qu'elle soit l'expression des forces qui agissent en elle ». La Sagrada Familia est son œuvre la plus complète où il invente une nouvelle forme de voûtes mieux adaptées aux poussées et aux tractions. Dans la chapelle qu'il construisit pour la Coloni Güell (1898-1914), il reprend ce même principe. Dans la crypte, les piliers obliques et l'asymétrie des voûtes donnent une impression de vertige déroutant.

Antonio Gaudi. Porche de l'église de la Colonia Güell, Barcelone. 1898-1912.

Il faut désormais respecter un Code de la route pour conduire

Paris, 1899
Avec le développement des courses automobiles (Paris-Rouen en 1894, Paris-Bordeaux en 1895), l'accroissement du nombre de véhicules (près de 3 000 à la fin du siècle) et de la vitesse, il devient nécessaire de réglementer la circulation. Ainsi, en 1899, une ordonnance de police stipule que la circulation des « tricycles à pétrole » est réglementée à Paris en fonction d'une ébauche de Code de conduite. De plus, les conducteurs devront pouvoir présenter un certificat de « capacité » délivré par le préfet de Police de Paris, sous peine de contravention.

Georges Sorel : pour un marxisme indépendant

Paris, 1899
La *Revue de métaphysique et de morale* publie un article de Georges Sorel : « Y a-t-il de l'utopie dans le marxisme ? » Sorel est en France l'un des meilleurs connaisseurs de l'œuvre de Marx. Venu au socialisme à 46 ans, marqué par le libéralisme, c'est un esprit original. Dans le débat entre le marxisme orthodoxe et le révisionnisme, il se range du côté du révisionniste Bernstein, selon lequel la théorie de la catastrophe, l'idée qu'un passage brutal au socialisme est une nécessité inscrite dans le développement capitaliste, est bien une utopie. Le socialisme doit s'identifier au mouvement d'organisation « éthique et économique » du prolé-

tariat. En 1906, ses *Réflexions sur la violence* réévalueront cette notion de catastrophe révolutionnaire, y découvrant un mythe proche de l'idée de grève générale.

Georges Sorel.

Le "Narval", premier sous-marin

France, 1899
De 1896 à 1899, Maxime Laubeuf prépare les plans du premier submersible. Le *Narval* comprend une double coque, l'externe est adaptée à la surface, la coque interne est ren-

forcée pour tenir en profondeur. En surface, un moteur thermique à essence propulse le navire et recharge les accumulateurs, qui servent pour le moteur électrique utilisé en immersion.

Le « Narval », premier sous-marin dû à Maxime Laubeuf.

Commercialisation de l'aspirine par Bayer en Allemagne

Allemagne, 1899
Dès 1856, Gehrard découvre l'acide salicylique que Stricker identifie en 1876 comme un puissant analgésique. Mais il faut attendre 1899 pour que Dreser mette au point un procédé simple de fabrication de l'aspirine en faisant réagir 270 g d'anhydride acétique sur cet acide. La firme Bayer, spécialisée dans la production de colorants de synthèse commercialise immédiatement ce médicament : en plus de ses propriétés analgésiques, il peut rapidement faire tomber la fièvre. Cette invention marque la naissance de l'industrie pharmaceutique.

Dreyfus, rejugé, est gracié par Loubet

Paris, 19 septembre 1899
Le 31 août 1898, le colonel Henry, chef du Renseignement, s'est suicidé : accusé par le nouveau ministre de la Guerre, Cavaignac, d'avoir fabriqué un faux document contre Dreyfus, il avait été contraint d'avouer. La révision semblait certaine mais les anti-dreyfusards, en particulier les antisémites comme Drumont, n'ont pas désarmé. Des bagarres ont lieu dans les rues. De plus, parmi les autorités politiques et judiciaires, on conspire toujours pour empêcher cette révision. Ce n'est que le 3 juin 1899 que la cour casse le jugement de 1894 et renvoie Dreyfus à Rennes devant un nouveau conseil de guerre, qui le condamne encore à dix ans de détention, en dépit de circonstances atténuantes. Si le président de la République, Emile Loubet, finit par signer sa grâce le 19 septembre, il faudra attendre le 12 juillet 1906 pour que la cour, cassant sans renvoi le jugement de Rennes, réhabilite Dreyfus.

Jeu de l'affaire Dreyfus et de la Vérité (jeu de l'oie politique).

Le Douanier Rousseau peintre naïf et savant

Paris, 1899
Henri Rousseau, dit le Douanier, qui écrit cette année un drame, *La Vengeance d'une orpheline russe*, est fils de ferblantier. Employé à l'Octroi de Paris, il s'est mis à la peinture en autodidacte, dès qu'il fut à la retraite. En 1884, il obtenait une carte de copiste au Louvre. Son idéal, qu'il ne réalisa heureusement jamais, est la peinture académique de Bouguereau. C'est grâce à Signac qu'il expose au Salon des Indépendants depuis 1886. Son manque de formation artistique l'entraîne à créer un mode de figuration nouveau. Malgré sa gaucherie, le dessin, soutenu par une composition savante, a une grande netteté. Dans la *Bohémienne endormie* exposée en 1897, il s'inspire d'un tableau de Gérôme qui devient exotique et onirique. C'est Alfred Jarry, Picasso et Delaunay qui lanceront, à partir de 1906, cet artiste de génie : « Demandez aux peintres, tous sont unanimes, ils admirent », dit Apollinaire en 1910.

Le Douanier Rousseau. « La Guerre ou la Chevauchée de la Discorde ».

1900

Irlande, 5 janvier
Le chef nationaliste unioniste irlandais John Edward Redmont appelle au soulèvement contre la Grande-Bretagne.

Allemagne, 13 février
Le Reichstag ratifie les traités avec l'île de Tonga et les îles Samoa. La Grande-Bretagne, les Etats-Unis et l'Allemagne se partagent les différentes îles de Polynésie.

Pays-Bas, 14 mars
Le botaniste Hugo de Vries redécouvre les lois de Mendel sur l'hérédité.

Crète, 19 mars
Début des fouilles à Cnossos par l'archéologue britannique Sir Arthur John Evans. Découverte sensationnelle le 30 : tablettes minoennes recouvertes de caractères datant de 2 000 ans avant J.-C.

Paris, 1er avril
Parution de *Claudine à l'école*, signé par Willy, mais écrit en fait par sa femme Colette.

Grèce, 1er avril
Le prince Georges est nommé prince souverain de Crète.

Belgique, 2 avril
Instauration de la scolarité obligatoire.

Etats-Unis, 16 avril
Edition du premier carnet de timbres-poste.

France, 21 avril
La photo couleur à la portée de tous grâce au procédé Dugardin.

Paris, 2 mai
Publication du *Rire* de Bergson.

Berlin, 4 mai
Rendant visite à Guillaume II, l'empereur François-Joseph réaffirme l'alliance austro-allemande.

Paris, 14 mai
Début des championnats du monde amateurs, dits Jeux olympiques.

Chine, 21 mai
La Russie annexe la Manchourie en profitant de l'agitation des Boxers. →

Paris, 23 juin
Le dôme du Sacré-Cœur est inauguré.

Australie, 9 juillet
Adoption du *Commonwealth of Australia Act* : la grande île devient un Etat fédéral.

Paris, 19 juillet
La première ligne de métro (Maillot-Vincennes) est inaugurée (architecte Fulgence Bienvenüe ; entrées dessinées par Hector Guimard).

Italie, 29 juillet
Le roi Umberto Ier est victime d'un attentat anarchiste à Monza.

Paris, 31 août
Les mauvais garçons de Belleville et Ménilmontant alimentent la chronique : le journaliste Victor Moris vient de les baptiser « Apaches » dans *Le Matin*.

Afrique du Sud, 1er septembre
Guerre des Boers : victoire anglaise. →

Rome, 20 septembre
Dissolution des Etats de l'Eglise. Léon XIII publie le 1er novembre l'encyclique *De Redemptore*.

Paris, 23-27 septembre
Congrès international socialiste, où s'opposent Jules Guesde et Jean Jaurès.

Vienne, 14 octobre
Freud commence l'analyse d'une patiente, célèbre dans l'histoire de la psychanalyse sous le nom de Dora. Son identité ne sera révélée qu'en 1978 : il s'agit d'Ida Bauer, sœur du fameux leader du parti socialiste et théoricien de l'austro-marxisme, Otto Bauer. →

Yang-Tsé, 16 octobre
Accord anglo-allemand : si la souveraineté de la Chine s'exerce bien sur les terres, les côtes et le fleuve sont ouverts à toutes les nations.

Etats-Unis, 7 novembre
William McKinley est réélu président. →

Paris, 23 novembre
Monet expose ses premiers *Nymphéas* à la Galerie Durand-Ruel.

Berlin, 14 décembre
Max Plank présente sa théorie des quanta.

Rome
Un chef-d'œuvre du « vérisme » : *La Tosca* de Giacomo Puccini.

Exécution publique après le meurtre de l'ambassadeur allemand von Ketteler.

La révolte des Boxers face au monde

Pékin, 14 juin 1900
Fondée en 1896, la secte *I ha tu an* (Milice de la justice de la concorde), qui pratique la boxe sacrée, s'insurge contre la dynastie manchoue et les missionnaires chrétiens. L'impératrice Cixi (Tseu-hi) transforme leurs sentiments antidynastiques en un puissant sursaut xénophobe et le prince Tuan les nomme « gardes impériaux ». Les Boxers, qui ont rassemblé 20 000 hommes autour de Pékin, massacrent le 14 juin les membres des légations étrangères ; l'ambassadeur allemand von Ketteler est abattu le 20 juillet en pleine rue. Les légations sont libérées le 14 août par le corps expéditionnaire de l'amiral Seymour. Les Européens imposeront à la Chine une forte indemnité de guerre (traité du 7 septembre 1901).

Exécutions massives de Boxers. Photo d'époque.

Le roi Umberto Ier assassiné à Monza

Monza, 29 juillet 1900
L'anarchiste italien Bresci, venu des Etats-Unis, prétend « venger » le bain de sang qui a réprimé les émeutes ouvrières de Milan en 1898. Il est à craindre que cet événement ne renforce, chez le nouveau roi Victor-Emmanuel III des sentiments antiparlementaires et antilibéraux.

Assassinat du roi d'Italie Umberto Ier, 30 juillet 1900.

L'armée britannique face aux Boers du Transvaal et de l'Etat libre d'Orange.

Les pavillons des Nations vus de la Seine, Exposition universelle, 1900.

Les Anglais affrontent les Boers

Afrique du Sud, 1er sept. 1900
Depuis le milieu du XIXe siècle, la République boer et l'Etat libre d'Orange et du Transvaal résistaient à l'influence anglaise prépondérante dans les Etats voisins. Les Boers rassemblent 100 000 hommes ; les Britanniques en ont 360 000. Le président du Transvaal, Paul Kruger, ouvre les hostilités le 11 octobre 1899. Après des échecs initiaux, les Anglais annexent l'Etat libre d'Orange le 24 mai, puis le Transvaal le 1er sep-

tembre. Sous la direction des généraux de Wet et de la Rey, les Boers prolongent leur guérilla en multipliant les attaques surprise. Lord Kitchener riposte par la tactique de la terre brûlée. Violant les Droits de l'homme, les Anglais incendient les fermes et créent des camps de concentration, où les Boers sont parqués dans des conditions si dures que 20 000 détenus trouvent la mort ; des prisonniers sont internés à Ceylan et à Sainte-Hélène.

Exposition universelle à Paris

Paris, 14 avril-12 nov. 1900
L'ouverture de cette fête des techniques nouvelles est marquée par l'inauguration du pont Alexandre III, du Petit et du Grand Palais. La « fée électricité » illumine un monumental palais de verre grâce à 12 000 lampes. Magie que la « Rue de l'avenir », premier trottoir roulant ; magie encore que le « Cinéorama », où le visiteur

est placé sur une nacelle de ballon sous laquelle dix appareils de projection fonctionnent simultanément. Magie toujours que l'écran géant (25 m sur 15 m) où sont projetés les films de Louis Lumière et de Georges Méliès. La peinture est marquée par le triomphe de l'impressionnisme et du symbolisme. 50 470 440 spectateurs ont admiré ces merveilles...

Sigmund Freud publie "La Science des rêves"

Vienne, 1900
Postdaté par l'éditeur, *La Science des rêves* avait été mise en librairie le 14 novembre 1899 ; il faudra neuf ans pour épuiser le premier livre de Freud, imprimé à 600 exemplaires. Le rêve, que Freud définit comme « la voie royale qui conduit à l'inconscient », est la première des productions signifiantes qu'il isole sous le terme des « formations de l'inconscient » : transfert, système neurotique (Dora, dans *Cinq psychanalyses*), lapsus et actes manqués (*Psychopathologie de la vie quotidienne*), et *Le Mot d'esprit*, où les pulsions inconscientes se structurent en termes de langage (déplacement et substitution). La découverte de Freud est que la vérité du sujet gît dans le désir refoulé et que son décryptage a des effets curatifs sur la souffrance humaine.

Oscar Wilde, poète et prince de l'humour

Paris, 1900
Par son élégance, sa subtilité et son esthétisme raffiné, cet Irlandais fut le plus fêté des écrivains anglais. Auteur de poèmes, de contes (*Le Prince heureux*), il avait écrit un unique roman, *Le Portrait de Dorian Gray* (1891), dont l'impudeur souleva le scandale. La haute société avait aussi fêté le dramaturge qui renouvelle la comédie avec un éclatant succès et compose une *Salomé* en français, créée par Sarah Bernhardt. Condamné pour détournement de mineur (1895), Wilde avait vu sa réputation s'effondrer sous le coup de la dénonciation publique de ses mœurs. Il publia la *Ballade de la geôle de Reading*, poignants poèmes de captivité et s'exila à Paris où il meurt, en prince déchu, dans une tragique solitude (malgré la sollicitude d'André Gide), à l'âge de 44 ans.

Le dirigeable de Ferdinand von Zeppelin dans son hangar, lac de Constance.

Premier vol du dirigeable Zeppelin

Constance, 20 juillet 1900
Pour le comte Ferdinand von Zeppelin, général de brigade en retraite, le vol du dirigeable *LZ I* au-dessus du lac de Constance couronne les tra-

vaux auxquels il se consacre depuis 1874. Ce « cigare volant » mesure 128 m de long et 14 m de diamètre. A 400 m d'altitude, il parcourt 6 km en 17 minutes 30 secondes. La formule du dirigeable rigide avait été inventée et brevetée en 1873 par le Français Spiess.

Les USA remportent la première Coupe Davis

Newport, 8-10 août 1900
En 1899, le champion américain Dwight Filley Davis propose la création d'un tournoi de tennis annuel par équipes, ouvert à toutes les nations. Il le dote d'une coupe en argent massif haute de 33 cm, qui pèse 6 kg. La première Coupe Davis se joue entre les Etats-Unis et la Grande-Bretagne, et c'est Davis et les Américains qui l'emportent.

Convertibilité du dollar en or

Washington, 14 mars 1900
Les Etats-Unis sont attachés au bimétallisme. En 1895, les découvertes d'or en Afrique du Sud écartent le risque de pénurie d'or, argument des partisans du maintien d'une monnaie argent. Elu président en 1896 contre son rival « argentiste », McKinley, partisan de l'or, promulgue le *Gold Standard Act* qui instaure l'étalon-or.

Sigmund Freud (1856-1939).

Oscar Wilde (1856-1900).

1901

France, 23 janvier
Soixante-dix-sept femmes exercent la médecine : Mme Francillon est la première reçue à l'internat des hôpitaux de Paris.

Moscou, 31 janvier
Première des *Trois Sœurs* d'Anton Tchekhov.

Paris, 31 janvier
Abolition des peines corporelles dans l'armée et la marine.

Suisse, 21 février
Albert Einstein devient citoyen zurichois. Il sera fonctionnaire à l'Office confédéral des brevets.

Cuba, 21 février
La république est proclamée, mais le pays reste occupé par les Américains.

Paris, 15 mars
Inauguration du champ de courses de Saint-Cloud.

Rétrospective Van Gogh à la galerie Bernheim Jeune (71 peintures).

Manchester, 25 mars
Premier moteur Diesel à deux temps.

Royaume-Uni, 1er avril
On recense 37 093 436 Britanniques et 4 400 000 Irlandais.

Paris, 21 avril
Grand Palais : le *Victor Hugo* de Rodin soulève une polémique.

Bruxelles, 1er mai
La Vie des abeilles de Maurice Maeterlinck.

Washington, 12 juin
Amendement Platt : Cuba devient indépendante ; les Américains conservent un protectorat leur permettant d'installer des bases sur l'île.

Paris, 21-23 juin
Naissance du parti radical.

Paris, 24 juin
Première exposition Pablo Picasso, à la galerie A. Vollard.

Henri Becquerel rend compte de ses travaux sur le radium le 12 devant l'Académie des sciences.

Berlin, juin
Course automobile Paris-Berlin : 74 km/h de moyenne.

France, 1er juillet
Loi sur les associations à but non lucratif : toute association doit être déclarée. L'article 13 (aucune congrégation religieuse ne peut se former sans autorisation) est destiné à contenir le cléricalisme. Les congrégations qui en ont refusé les termes s'exilent le 3 octobre.

Paris, 13 juillet
Le Brésilien Santos-Dumont, à bord d'un dirigeable, vole autour de la tour Eiffel, mais s'écrase à Boulogne. Second échec le 8 août : son ballon reste accroché à une cheminée de la rue de Passy : il est délivré par les pompiers. Il remporte le 19 octobre le prix Deutsch-de-la-Meurthe pour avoir réalisé un aller-retour de Saint-Cloud à la tour Eiffel.

Bridgeport, USA, 14 août
Premier vol devant témoins d'un engin à moteur conçu par les frères Wright : élévation de 12 m sur 900 m.

Pékin, 7 septembre
Signature du protocole de paix mettant fin à la guerre des Boxers.

France, 13 septembre
Un décret rend obligatoire l'immatriculation des véhicules, qui ne doivent pas dépasser 30 km/h.

France, 30 septembre
Max Decagis remporte le premier championnat européen de « lawn-tennis » à Paris.

Le préfet de Paris, Louis Lépine, crée un concours destiné à récompenser les jouets les plus ingénieux.

Edimbourg, 25 octobre
Joseph Chamberlain justifie l'enfermement des Boers dans des camps de concentration : le 23 mars, le monde avait appris que des femmes et des enfants mouraient de faim dans les camps britanniques du Transvaal.

Etats-Unis, 2 décembre
K. C. Gillette dépose le brevet d'un rasoir à lames interchangeables.

Bavière, 4 décembre
Le Landtag fixe un quota aux Juifs dans la magistrature.

Norvège, 21 décembre
Première participation des femmes aux élections communales.

Vienne
Freud publie *Psychopathologie de la vie quotidienne*.

La télégraphie sans fil de Marconi "passe" l'océan Atlantique

Poldhu, 12 décembre 1901
A partir d'un émetteur situé à Poldhu en Cornouailles et d'une antenne d'une hauteur de 50 m, un signal en morse a pu être transmis outre-Atlantique jusqu'en Nouvelle-Angleterre. L'auteur de cet exploit est le physicien italien Guglielmo Marconi qui, le 29 mars 1899, avait déjà émis des messages télégraphiques sans fil de Douvres à Calais. En 1909, Marconi obtiendra le Nobel de physique pour l'ensemble de ses travaux.

Guglielmo Marconi et son appareil de télégraphie sans fil.

Henri Becquerel présente du radium

Paris, 18 juin 1901
Après avoir découvert la radioactivité de l'uranium, le physicien Becquerel travaille avec les Curie et produit des sels de radium. Leur luminosité n'est pas le résultat d'une réaction chimique, mais d'une transformation atomique libérant des radiations qui « semblent traverser les corps comme un flux de poussière traversant un treillage. Il obtiendra le prix Nobel de physique en 1903, avec les Curie.

Henri Becquerel.

Toulouse-Lautrec meurt à trente-six ans

Malmoré, Gironde, 9 sept. 1901
Dans l'œuvre de Toulouse-Lautrec, l'élément graphique est dominant, mais il fait aussi un usage audacieux et sobre de la couleur, choisie surtout en fonction de sa valeur expressive, ce qui le fait admirer des Fauves et des expressionnistes. A la suite de deux chutes de cheval, il resta nain et estropié. A partir de 1882, il travailla à Paris et s'installa à Montmartre, où il se lia avec Vincent van Gogh. Il commença par peindre des scènes hippiques et militaires. Il fréquenta assidûment les bals, les beuglants et les maisons closes, monde qui le fascinait et dont il a immortalisé le reflet.

Henri de Toulouse-Lautrec. L'actrice Marcelle Lender, 1895. Lithographie.

Mort de Fukuzawa, le "moderniste"

Tokyo, 3 février 1901
Avec Fukuzawa Yukichi s'éteint l'intellectuel qui a le plus contribué à rapprocher le Japon de l'Occident. Cadet d'une famille de samouraï pauvres, il s'est initié seul à l'anglais et à la médecine occidentale. A 25 ans, il s'embarqua pour San Francisco, puis parcourut l'Europe dont il étudia le système politique, économique et éducatif. A son retour, il crée à Tokyo l'université Keio sur le modèle anglais et publie ses récits de voyage : écrits dans un style accessible à tous, ils montrent que les nations sont à égalité de chances et peuvent atteindre l'indépendance en assimilant le savoir de leur époque.

Fukuzawa Yikichi, un modernisateur du Japon.

Les "Buddenbrooks" de Thomas Mann

Allemagne, 1901

La première grande œuvre de T. Mann est un roman « social ». Cependant, en décrivant le déclin d'une grande famille, il se montre surtout sensible aux symptômes et à la psychologie de la décadence, dont il se fait le « chroniqueur et l'analyste ». L'inadéquation de l'esprit à la vie, l'inaptitude de la sensibilité à l'activité, l'affinité de l'art et de la mort : tel est le thème profond de l'œuvre de T. Mann. L'« esthète attiré par l'abîme » qu'il fut se profile derrière le portrait de Hanno, être exalté et douloureux de cette saga familiale. Selon son frère Heinrich, T. Mann « représente davantage que lui-même : un pays et sa tradition ; plus : toute une civilisation, une conscience supranationale de l'homme ».

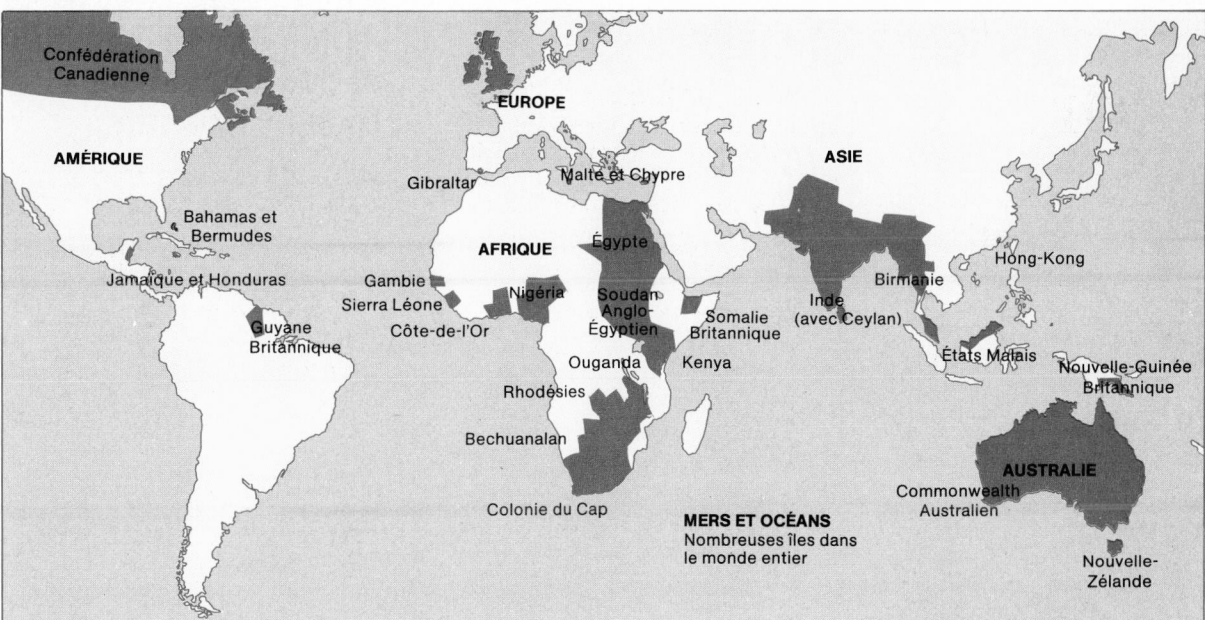

Couverture de la 1re édition des « Buddenbrooks » de Thomas Mann.

L'empire de la reine Victoria

Osborne, 22 janvier 1901

Après avoir présidé pendant soixante-trois ans à la destinée de l'Empire britannique, Victoria, reine d'Angleterre et impératrice des Indes, s'est éteinte au château d'Osborne, dans l'île de Wight, à l'âge de quatre-vingt-un ans. Si les femmes occupent rarement le trône du Royaume-Uni, la reine Elisabeth Ire, au XVIe siècle, et Victoria ont démontré que, sous leur règne, l'Angleterre pouvait connaître une prodigieuse expansion. Nommée impératrice des Indes en 1876, Victoria lègue à son pays un empire sans équivalent dans l'histoire. Du Canada à l'Australie, de Gibraltar à la Guyane, des Indes au Cap, il s'étend sur les cinq continents. Le redressement de la situation militaire britannique dans la guerre des Boers laisse présager un prochain rattachement du Transvaal et de l'Etat libre d'Orange (Afrique du Sud). Elle a su exercer une influence réelle tout en respectant les formes parlementaires. Sous Victoria, l'Angleterre est devenue la première puissance économique du monde. Son règne restera celui de l'apogée de la bourgeoisie britannique. La livre sterling, convertible en or, s'est imposée comme instrument universel des échanges internationaux. La vie politique s'est démocratisée à la faveur d'une série de réformes électorales. D'une grande rigueur morale, elle a donné le nom de victorienne à une morale bourgeoise marquée par un puritanisme de surface. Son fils aîné lui succède sous le nom d'Edouard VII.

La reine Victoria au bras de son Premier ministre Disraeli.

Les "Wandervögel", une organisation pour la jeunesse allemande

Berlin, 4 novembre 1901

L'étudiant Karl Fischer a fondé au collège de Steglitz le mouvement des « Oiseaux migrateurs » avec des camarades de classe. Les *Wandervögel*, qui font rapidement de nombreux adeptes, cherchent à retrouver le contact avec la nature lors d'excursions en commun hors des grandes villes, occasion de se réunir pour entonner les vieux chants populaires. Réaction contre l'autorité de la génération parentale, mais aussi contre la civilisation des grandes cités, le mouvement puise ses racines dans les traditions romantiques de la société allemande.

Wilhelm Röntgen.

Henri Dunant.

Frédéric Passy.

La fondation Nobel remet ses prix pour la première fois

Stockholm-Oslo, 10 déc. 1901

C'est la première fois que sont décernés les prix (dotés de 150 800 couronnes) qu'a fondés par testament le chimiste suédois Alfred Nobel (1833-1896), inventeur de la dynamite en 1866. Tandis qu'à Oslo le Parlement norvégien décerne le Nobel de la paix, partagé entre le Suisse Henri Dunant (promoteur de la Croix-Rouge) et le Français Frédéric Passy, le roi de Suède reçoit les autres lauréats : le Français Sully Prudhomme (littérature), les Allemands Emil von Behring (médecine) et Wilhelm Röntgen (physique), le Néerlandais Jacobus Van't Hoff (chimie).

Un groupe de jeunes « Wandervögel » en promenade dans la nature.

1902

Chine, 8 janvier
La cour impériale réintègre la Cité interdite de Pékin et l'impératrice reprend en main le gouvernement.

Angleterre, 31 janvier
Premier match d'une équipe française de football outre-Manche.

Paris, 2 février
Le chef des « Apaches » de Belleville, Manda Peigneur, est arrêté à la suite d'affrontements meurtriers avec la bande des Orteaux.

Paris, 9 février
Le docteur Doyen sépare les deux petites sœurs siamoises du cirque Barnum : une seule survivra plus d'un an.

Berlin, 15 février
Mise en service du métro, aérien et souterrain.

Etats-Unis, 25 février
Hubert Cecil Booth fonde une société pour construire des aspirateurs.

Paris, 26 février
La mise à jour du cadastre révèle que plus de 30 % des immeubles ne sont pas encore dotés du tout-à-l'égout.

Après 42 ans de service, l'omnibus Hôtel de Ville-Porte Maillot, tiré par des chevaux, cesse de fonctionner, victime de la concurrence du métro.

Chine et Russie, 8 avril
Signature d'un traité entre les deux pays. La Russie s'engage à quitter la Manchourie dans les dix-huit mois.

Cuba, 20 mai
Après le départ des troupes d'occupation américaines, Tomas Estrada Palma devient le premier président.

Afrique du Sud, 31 mai
Le traité de Vereeniging met fin à la guerre des Boers. Le Transvaal et l'Etat libre d'Orange deviennent colonies britanniques. →

Paris, 1er juin
L'Immoraliste d'André Gide.

Paris, 4 juin
Ouverture, au Louvre, du musée des Arts décoratifs.

Larzac, 9 juin
L'aménagement du camp militaire est achevé.

France, 27 juin
Décret Combes. →

Allemagne, 9 juillet
Dépôt d'un brevet décrivant le processus qui permet d'obtenir l'acide barbiturique, base des futurs somnifères.

Venise, 14 juillet
Le campanile de Saint-Marc s'écroule.

Londres, 9 août
Couronnement d'Edouard VII.

Etats-Unis, 23 août
Buffalo Bill est nommé responsable de la sauvegarde des bisons, qui ne sont plus que 1 024.

Paris, 5 octobre
Obsèques d'Emile Zola, mort le 29 septembre, à l'âge de 62 ans. Anatole France conclut son oraison funèbre par ces mots : « Il fut un moment de la conscience humaine. »

Paris, 16 octobre
Alphonse Bertillon se sert pour la première fois des empreintes digitales pour régler une affaire judiciaire.

Italie, 12 novembre
L'enregistrement sur disque de l'air *Vesti la Gubbia*, interprété par Caruso, s'est vendu à plus d'un million d'exemplaires.

Paris, 23 novembre
Inauguration du *Balzac* de Rodin : la Société des gens de lettres, qui lui avait passé commande, avait refusé la statue en 1897.

Egypte, 10 décembre
Inauguration du premier barrage d'Assouan, large de 2 km.

Paris, 11 décembre
Ouverture du musée des Beaux-Arts au Petit Palais.

Paris, 27 décembre
Fermeture du bal du Moulin-Rouge.

Zanzibar, océan Indien
Un des derniers bastions de l'esclavage vient de tomber dans cette petite île, occupée par les Anglais depuis 1890 : il leur a fallu dix ans pour venir à bout de ce commerce, dans cette île dont le nom signifie « pays des esclaves ».

Paris
La Sciences et l'Hypothèse du mathématicien Henri Poincaré.

Russie
Les Bas-Fonds de Maxime Gorki.

Les Boers capitulent devant les Anglais

Prétoria, 31 mai 1902
A l'issue d'une guerre de deux ans et demi, les Etats boers du Transvaal et d'Orange signent, le 31 mai 1902, à Prétoria un traité dit *de Vereeniging* avec le Royaume-Uni. Les conditions sont dures pour les Afrikaners : ils doivent renoncer à l'indépendance de leurs républiques et deviennent des sujets britanniques. Les *uitlanders*, ces colons venus de Grande-Bretagne afin de prospecter l'or et auxquels Prétoria refusa naguère les droits civiques, pourront revenir en force. Toutefois, les Anglais promettent un « gouvernement responsable » et ne ferment pas la porte à une réconciliation. Le néerlandais, langue officielle des Boers, pourra être enseigné et aura droit de cité devant les tribunaux. En outre, Londres affectera trois millions de livres sterling à la réparation des dommages de guerre. En 1906, un « gouvernement responsable » sera effectivement reconnu à l'Orange et, en 1907, au Transvaal.

Combes fait fermer les écoles religieuses

France, 27 juin 1902
Le président radical du Conseil, Emile Combes, docteur en théologie et ancien séminariste passé à l'anticléricalisme militant, décrète la fermeture des établissements scolaires créés sans autorisation, en vertu de la loi Waldeck-Rousseau du 1er juillet 1901 sur les associations. Le fait que les locaux scolaires aient été prêtés aux congrégations par des particuliers semblait constituer une immunité. Mais, en janvier 1902, le Conseil d'Etat a établi que toute école où enseigne un seul congréganiste sera considérée comme propriété de ladite congrégation et devra obtenir une autorisation gou-

Caricature d'Emile Combes.

vernementale. La fermeture de 3 000 écoles catholiques réveille une guerre scolaire apaisée depuis la fin des années 1880.

Accord anglo-japonais contre la Russie

Angleterre, 30 janvier 1902
La politique expansionniste de l'Empire russe en direction de l'Asie inquiète à la fois le Japon et la Grande-Bretagne. Lord Landsowne et le prince Ito, soucieux d'empêcher la Russie d'annexer la Manchourie, décident de signer, le 30 janvier 1902, un traité d'alliance.

Essor de l'industrie automobile

Occident, 1902
Depuis 1896, les firmes européennes se multiplient, ainsi que les courses disputées par les Panhard, De Dion, Bouton, Peugeot et Daimler. Ce phénomène sportif est l'apanage des classes aisées. Il existe cent clubs automobiles aux Etats-Unis.

Affiche publicitaire De Dion Bouton. La concurrence est déjà acharnée entre les diverses marques.

Affiche publicitaire pour la firme allemande Opel.

Theodore Roosevelt face au malaise social

Etats-Unis, 1902

Sous la pression croissante du mouvement progressiste, le président T. Roosevelt doit mener une politique de réformes pour maintenir la paix sociale. Les défenseurs les plus influents du progrès social sont alors, grâce au développement de la presse, des journalistes et des écrivains, que Roosevelt a surnommés les *muckrakers* (« ramasseurs de boue »). Le magazine *McClure's*, mais aussi les romanciers Jack London et Upton Sinclair, ont des centaines de milliers de lecteurs. Roosevelt, qui n'aime pas « la race des amasseurs d'argent », entend contrôler les grandes sociétés « pour les subordonner au bien public ». Lors de la grève des mineurs de Pennsylvanie, il impose aux patrons son arbitrage. De même poursuit-il la *Northern*

Portrait du président Théodore Roosevelt. Peinture de John Singer Sargent.

Securities Company, gigantesque holding regroupant depuis 1901 trois grandes compagnies de chemin de fer, afin d'en obtenir la dissolution.

Alphonse XIII monte sur le trône d'Espagne

Madrid, 17 mai 1902

Alphonse XIII monte sur le trône d'Espagne, mettant fin à la régence de sa mère, la reine Marie-Christine. Fils posthume du roi Alphonse XII, mort en 1885, il est né en 1886 à Madrid. S'il se montre de prime abord respectueux des mécanismes de la monarchie constitutionnelle, Alphonse XIII soutiendra cependant le coup d'Etat fomenté en 1923 par le général Primo de Riviera. Quand celui-ci quittera l'Espagne en 1930, la monarchie s'en trouvera affaiblie. Les élections municipales d'avril 1931 marqueront la victoire des républicains. Le 14 avril, la République espagnole sera officiellement procla-

Alphonse XIII, roi d'Espagne. Il abdiquera en 1941.

mée. Alphonse XIII quittera alors l'Espagne. Il mourra à Rome en 1941.

"Le Voyage dans la Lune" de Méliès

Paris, 10 mai 1902

De Georges Méliès, ce géant du cinéma, il fallait tout attendre. Ne parvint-il pas en 1896 à tourner 80 films la même année ? Avec le film intitulé *Le Voyage dans la Lune*, Georges Méliès donne un second souffle au nouvel art. Cette œuvre, qui est un film à grand spectacle, a été tournée à Montreuil. Ici, Méliès utilise tous les truquages existants. Dans cette veine du fantastique scientifique, il nous donnera *Vingt mille lieues sous les mers* et *La Conquête du pôle*.

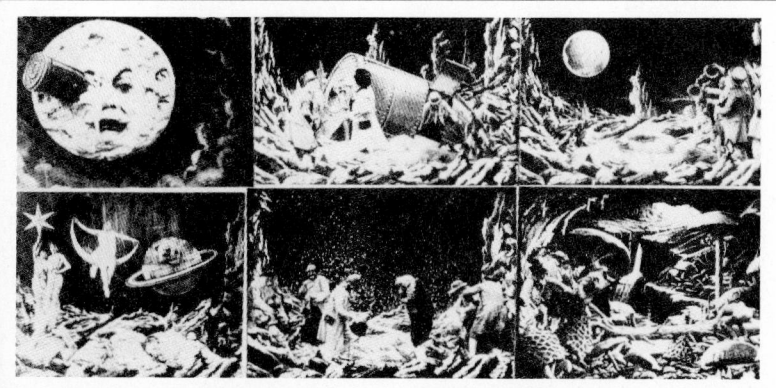

Quelques plans du « Voyage dans la Lune », film de Méliès au succès considérable.

Beatrix Potter crée "Peter the Rabbit"

Angleterre, 1902

La naissance de *Peter the Rabbit* est tout à fait anecdotique : ne sachant quoi écrire à un certain petit Noël, Beatrix Potter invente l'histoire de quatre petits lapins : Flopsaut, Trotsaut, Queue de Coton et le très désobéissant Peter. Une vingtaine de petits livres aisément maniables suivront. Les dessins à l'aquarelle représentent tout un peuple de canards, de hérissons, de souris, de chats ou de lapins dodus et engoncés dans leur vêtements, évoluant dans des décors simples et familiers : potagers, intérieurs douillets, forêts.

Illustration de « Peter the Rabbit », création de Beatrix Potter.

Première mémorable de "Pelléas et Mélisande"

Paris, 27 avril 1902

La première de *Pelléas et Mélisande* à l'Opéra-Comique suscite beaucoup de chahut : cris, lazzi, insultes et rires. En dépit de l'incompréhension bornée de la critique qui n'y voit « ni rythme ni mélodie », cette œuvre au lyrisme intemporel finira par s'imposer. Composé en réaction à la fois contre l'esthétique wagnérienne et la tradition italienne, cet opéra marque l'aboutissement du symbolisme. Par son dépouillement, Claude Debussy exprime un retour à la simplicité classique.

L'"Art nouveau" renouvelle le décor

Partout en Europe, les nouvelles conceptions artistiques métamorphosent la physionomie des villes. De Barcelone à Glasgow, de Vienne à Paris, l'urbanisme et l'architecture témoignent de changements décisifs et parfois contradictoires. La *Casa Milà* de Gaudi, à Barcelone, s'oppose, par l'exubérance de son décor, aux lignes pures et rigoureuses de la *Maison Steiner* construite à Vienne par Adolf Loos. L'acier et le verre utilisés par Frantz Jourdain pour l'immeuble de La Samaritaine semblent renier les mosaïques colorées dont Otto Wagner recouvre les façades de ses œuvres viennoises. La diversité du « modern style » est la preuve d'une effervescence extraordinaire dont surgira toute l'architecture du siècle, marquée par la rigueur, mais tempérée de fantaisie.

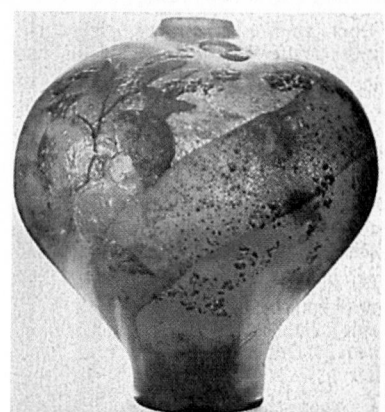

Vase aux grenades d'Emile Gallé. Verre soufflé irisé.

Hector Guimard. Entrée d'une station de métro, Paris. 1899-1904.

Gustav Klimt. « Le Baiser ». 1909. Détail. Carton d'une mosaïque.

1903

Paris, 12 janvier
Première réunion de l'académie Goncourt. Le premier prix sera attribué le 21 décembre à Eugène Torquet, dit John-Antoine Nau, pour *La Force ennemie*.

Etats-Unis, 3 mars
Nouvelle loi sur l'immigration, instaurant une taxe à l'entrée du pays, qui est interdit aux anarchistes. Mais aucune qualification professionnelle n'est exigée.

Kichinev, Russie, 16 avril
Dimanche de Pâques : énorme pogrom.

France, 29 avril
Apogée des mesures anticléricales : la Grande-Chartreuse est évacuée par la troupe.

Paris, 1er mai
Visite d'Edouard VII, roi d'Angleterre.

Atuona, îles Marquises, 8 mai
Mort du peintre Paul Gauguin.

Rome, 23 mai
Première liaison téléphonique avec Paris.

Russie, 4 juin
Décret sur le statut des Juifs : il leur est interdit de posséder des immeubles ou des terres hors de leur zone de résidence.

Belgrade, 11 juin
Le roi Alexandre Ier de Serbie et son épouse Draga sont assassinés par des officiers libéraux. L'Assemblée nationale désigne à l'unanimité le prince Pierre Karageorgevitch, qui prend le nom de Pierre Ier le 24 et déclare son intention de respecter la Constitution. →

Berne, Suisse, 19 juin
La police fiche un étudiant italien, qui fréquente les milieux révolutionnaires et lit Karl Marx et J. Proudhon : Benito Mussolini.

Souabe, Allemagne, juin
Cyclisme : le mécanicien Ernst Sachs invente la roue libre.

Irlande, 11 juillet
Première course au monde de bateaux à moteurs organisée par le *Royal Cork Yacht Club* entre Cork et Glamine (13,6 km).

Paris, 19 juillet
Arrivée du 1er Tour de France. →

Macédoine, 20 juillet
Soulèvement révolutionnaire contre les Turcs le jour de la Saint-Eloi.

Grande-Bretagne, 25 août :
Bilan de la guerre des Boers : la commission d'enquête estime les pertes britanniques à 100 000 hommes.

France, 1er septembre
Parution du dernier numéro de *La Fronde*, quotidien entièrement réalisé par des femmes.

Etats-Unis, 21 septembre
Kit Carson : western de 21 minutes, comportant onze tableaux.

France, 1er octobre
La Morale et la Science des mœurs de Lucien Lévy-Bruhl.

Etats-Unis, 7 octobre
Samuel Pierpont Langley essaie de faire voler son avion en le lançant avec une catapulte.

Chine, 8 octobre
Traité commercial avec le Japon, garantissant l'ouverture des ports manchous.

France, 12 novembre
A bord de leur dirigeable long de 58 mètres, les frères Lebaudy établissent un record de distance : 55 km. A bord d'un aérostat, La Vaube a rallié le 28 septembre Paris à Hall (Grande-Bretagne).

Panama, 18 novembre
Signature du traité Hay-Bunau-Varilla avec les Etats-Unis, qui ont reconnu l'indépendance de la république de Panama proclamée le 3 : les Américains s'octroient le droit de construire, gérer et protéger le canal.

Chine, 24 novembre
Ouverture du port de commerce de Port-Arthur.

Stockholm, 10 décembre
Prix Nobel de physique à Pierre et Marie Curie. →

Bruxelles, 11 décembre
Débat à la Chambre sur l'utilité de l'enseignement obligatoire (le ministre y est défavorable).

Caroline du Nord, 17 décembre
Premier vol d'un appareil à hélices : *Flyer*, le biplan des frères Wright, décolle. →

France
L'anticonformisme de *La Physique de l'amour* de Remy de Gourmont fait scandale.

Le *Modern style* fait fureur. →

Les époux Curie reçoivent le Nobel

Stockholm, 10 décembre 1902
A la suite de la découverte par Henri Becquerel du phénomène de la radioactivité, auquel Marie Curie donna ce nom, elle découvrit avec son mari le polonium et le radium (1898).

Ils partagent cette année le Nobel de physique avec Becquerel. Pierre Curie a découvert, cette année aussi, avec Laborde, l'important dégagement de chaleur spontané produit par le radium.

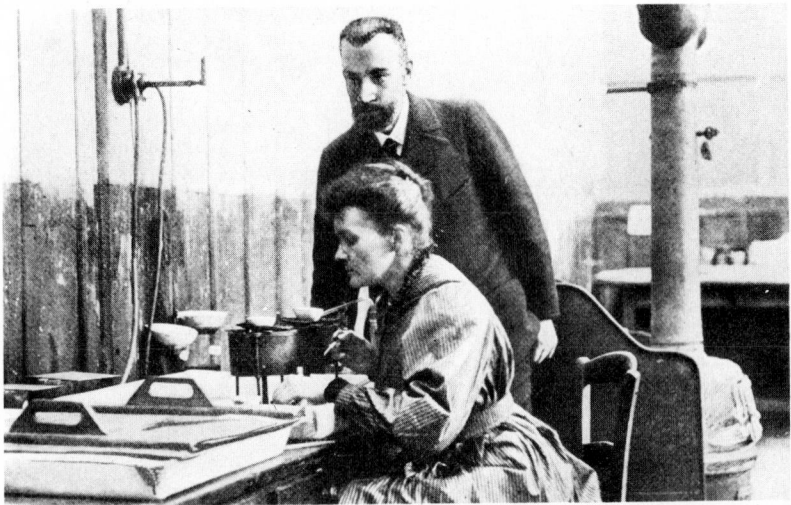

Marie et Pierre Curie dans leur laboratoire à Paris.

Le cardinal Sarto succède à Léon XIII sous le nom de Pie X

Vatican, 4 août 1903
Le 20 juillet 1903, le conclave réuni pour désigner le successeur de Léon XIII choisit le cardinal Sarto, patriarche de Venise, proclamé pape le 4 août sous le nom de Pie X. D'origine rurale, le nouveau souverain pontife est étranger aux grandes querelles politiques.

Le pape Pie X.

Le premier Tour de France à bicyclette

Paris, 19 juillet 1903
Après 2 428 km effectués en 94 h 33 mn, à la moyenne de 25,579 kmh, le Français Maurice Garin a gagné. Le Tour, créé par Henri Desgrange, du journal *Auto*, comportait six étapes de Paris à Paris *via* Lyon, Marseille, Toulouse, Bordeaux et Nantes. Sur les 60 participants, 20 seulement sont au classement général. Garin devance de trois heures son compatriote Pothier, lequel a tout de même gagné quatre étapes. Le vélo de Garin, un « Française diamant », équipé de pneus Dunlop, pèse 16 kg.

Sur le chemin du premier Tour de France, à l'une des six étapes. Juillet 1903.

Les frères Wright ont volé 57 secondes

Kitty Hawk, 17 décembre 1903
Orville et Wilbur Wright, naguère éditeurs d'un petit journal puis fabricants de bicyclettes, prennent dès à présent place aux côtés du Français Clément Ader parmi les pionniers du ciel. Leur biplan *Flyer*, d'une envergure de 12,34 m et d'un poids de 275 kg, a par deux fois décollé au-dessus de la dune de Kitty Hawk. Cet appareil est un pur produit de l'artisanat.

Le biplan « Flyer » des frères Wright lors de son premier vol, 17 décembre 1903.

Ford fonde sa firme automobile à Detroit

Detroit, 1903
Henry Ford (1863-1947) construisit seul sa première automobile en 1892. La commercialisation de ses voitures lui permet de créer avec un capital de 100 000 dollars une usine à Detroit. La Ford Motor Compagny débute en juin 1903 et vend dès le mois de juillet. Ford crée huit modèles avant de dessiner une voiture qui permettra de standardiser la production.

Création de l'usine de conserves "Le Géant vert"

Le Sueur, Minnesota, 1903
La décision de créer une usine de conserverie est prise par 14 marchands de produits agricoles sous la conduite du sénateur du Minnesota, Carson Nesbitt Cosgrove. L'usine produit des boîtes de maïs puis des petits pois de grosse taille, d'où l'idée de les commercialiser sous le label « Géant vert » à partir de 1925.

Le béton comme matériau esthétique

Paris, 1903
Auguste Perret vient d'édifier au 25 bis de la rue Franklin un immeuble où est utilisée pour la première fois une ossature apparente en béton armé, système novateur qui fera fortune.

Auguste Perret. L'immeuble de la rue Franklin, Paris. 1903.

Les souverains serbes sont assassinés

Belgrade, 11 juin 1903
Conduits par Dragutin Dimitrijevic, des officiers font irruption dans le palais royal de Belgrade. Ils abattent le roi Alexandre Ier, sa femme, l'impopulaire Draga Maschin, le Premier ministre et le ministre de la Guerre, dans la poche duquel on trouve une lettre non décachetée qui donnait tous les détails de la conjuration. La Chambre désigne le prince Pierre Karageorgevitch, ancien saint-cyrien et traducteur de Stuart Mill, pour lui succéder. Devenu Pierre Ier de Serbie, il rapproche son pays de la Russie et de la France.

Assassinat du couple royal de Serbie, Alexandre Ier et sa femme Draga Maschin.

Lutte de tendances entre bolcheviks et mencheviks en Russie

Londres, 1903
C'est à un schisme qu'aboutit le IIe congrès du Parti ouvrier social-démocrate de Russie. Lénine depuis *Que faire ?* (1902) prône un parti de « révolutionnaires professionnels » tenant compte des spécificités russes (bourgeoisie et élite ouvrière peu nombreuses, masses paysannes innombrables et dispersées). Les thèses léninistes obtiennent la majorité *(bolchinstvo)*, tandis que Martov, Plekhanov, Trotski, mis en minorité *(menchinstvo)*, quittent le congrès pour Genève, jugeant, au regard du marxisme, que la révolution doit partir des pays industrialisés.

Le peintre Camille Pissarro est mort

Paris, 12 novembre 1903
Le peintre est mort à l'âge de 73 ans. Né aux Antilles, il est le fils d'un riche commerçant juif originaire de Bordeaux et d'une créole. Lorsqu'il vint s'installer à Paris en 1855, il se lia avec Corot et Courbet. En 1857, à l'Académie suisse, il devint l'ami de Monet, Renoir et Cézanne, et fréquenta avec eux les réunions des futurs impressionnistes. En Angleterre (1870), il subit l'influence de Constable et de Turner : sa peinture se fit alors plus aérée et plus claire, se rapprochant du style de Monet. Il travailla souvent à Louveciennes, puis à Pontoise, notamment avec Cézanne (1872-1874). Esprit ouvert et actif, il fut un ardent polémiste et un généreux animateur ; grâce à lui, Gauguin, puis Signac et Seurat purent exposer avec les impressionnistes. Ses nombreux paysages de campagne demeurent célèbres. Il a exécuté aussi des portraits et des natures mortes. Vers 1885, il adopta la technique divisionniste de Seurat, puis évolua vers une facture moins systématique. Après 1890, il réalisa de nombreuses vues plongeantes des rues de Paris et de Rouen, qui, par leur mise en page et leur facture déliée, comptent parmi ses meilleures œuvres.

Camille Pissarro. « Enfants à la ferme ». 1887. Collection particulière. Une œuvre représentative de sa période « pointilliste ».

1904

Sud-Ouest africain, 2 janvier
Révolte des tribus hereros contre les colons allemands. Berlin envoie des troupes, qui matent le soulèvement le 11 août.

Chine, 13 janvier
Traité avec les Etats-Unis ouvrant les ports manchous et la ville de Moukden au commerce étranger.

Port-Arthur, 8 février
Attaque japonaise contre les Russes. →

Springfield, USA, 3 mars
La Garde nationale stoppe un « pogrom » contre les Noirs.

France, 17 mars
Inauguration de la première Foire de Paris.

Etats-Unis, 22 mars
Première photo en couleurs publiée dans un quotidien, le *Daily Illustrated Miror*.

France, 1er avril
Les crucifix sont enlevés des prétoires.

Grande-Bretagne, 8 avril
Entente cordiale avec la France. →

Paris, 18 avril
Jean Jaurès publie le premier numéro du quotidien socialiste *L'Humanité*.

Australie, 26 avril
Premier ministre socialiste. →

Paris, 9 mai-4 juin
Claude Monet expose *Trente-sept Vues de la Tamise à Londres* à la galerie Durand-Ruel.

Paris, 2 juin
Exposition Henri Matisse à la galerie A. Vollard.

France, 7 juillet
Fermeture des écoles religieuses : loi interdisant l'enseignement à toutes les congrégations (elle entre en vigueur le 3 janvier 1905).

Moscou, 28 juillet
Le ministre de l'Intérieur, Viatcheslav Plehve, est victime d'un attentat à la bombe.

France et Vatican, 29 juillet
Rupture des relations diplomatiques.

Vladivostok, 10 août
Les Japonais détruisent la flotte russe.

Liao Yang, Chine, 17-24 août
A la suite d'une bataille meurtrière, les Russes reculent devant les Japonais.

Russie, 1er septembre
Un décret impérial (qui vient compléter celui du 4 juin 1903) définit les droits de séjour des Juifs.

Tibet, 7 septembre
Traité avec la Grande-Bretagne, faisant du Tibet un vassal. La Chine proteste officiellement.

Maroc, 7 octobre
Accord franco-espagnol, assurant la souveraineté de l'Espagne sur le Rif et reconnaissant à la France le droit de « surveiller et assister » le sultan.

Chine, 18 octobre
La bataille de treize jours sur le fleuve Cha-ho se termine par une victoire des Russes sur les Japonais au prix d'énormes pertes (40 000 hommes).

Dogger Bank, 21 octobre
Tragique méprise en mer du Nord : une escadre russe croyant rencontrer des Japonais fait feu sur des chalutiers anglais.

Paris, 24 octobre
Premières voitures électriques mises en service pour les Postes.

Paris, 7 novembre
Bergson est nommé au Collège de France.

Washington, 8 novembre
Réélection du président T. Roosevelt qui déclare, le 6 décembre, que les Etats-Unis se considèrent comme le gendarme de l'Amérique latine, complétant ainsi la doctrine Monroe de 1823.

Stockholm, 10 décembre
Frédéric Mistral et José Echegaray se voient attribuer conjointement le Nobel de littérature.

Pavlov, Nobel de médecine. →

France, 16 décembre
Loi abrogeant l'article 298 du Code civil qui interdisait, en cas d'adultère, d'épouser son partenaire.

Paris
Première exposition d'Aristide Maillol.

Italie
Madame Butterfly de G. Puccini.

Chine
Sun Yat-Sen fonde le Kuo-mintang. Il publie *La Vraie Solution de la question chinoise*.

L'épreuve du saut du tonneau aux IIIe Jeux olympiques à Saint Louis en 1904. C'est l'unique fois où cette épreuve fut retenue.

Les Jeux olympiques de Saint Louis

Saint Louis, 1er juillet 1904
Onze pays participent aux troisièmes Jeux olympiques, regroupant 496 participants, qui ont lieu dans le cadre d'une Exposition universelle (inaugurée le 30 avril). On ne compte que deux mille spectateurs. Les Américains remportent 23 des 24 épreuves d'athlétisme. Quelques tricheries, comme celle de Forz qui dans le marathon fait la moitié de la course en automobile, marquent ces Jeux qui n'ont pas encore séduit le grand public.

Entente cordiale franco-britannique

France et Angleterre, 8 avril 1904
En dépit de rivalités coloniales anciennes, la France et l'Angleterre négocient pendant plus d'un an une alliance, encouragée par le roi Edouard VII, le président Loubet et son ministre Delcassé. Elle est signée le 8 avril 1904, et prévoit trois conventions pour régler les litiges en suspens, au Maroc et en Egypte en particulier. Face aux alliances allemandes, l'Entente cordiale est née.

Le président Loubet et le roi Edouard VII. 1ere rencontre à Paris, mai 1903.

L'achèvement du Transsibérien

Omsk, juillet 1904
La nouvelle ligne Tcheliabinsk-Vladivostok comporte 8 314 km de voie unique à écartement de 1,52 m. Plus d'un millier de gares s'échelonnent et des voies de dérivation permettent le croisement des convois. En 4 ans le nombre de voyageurs est passé de 417 000 à un million, tandis que triplait le volume des marchandises

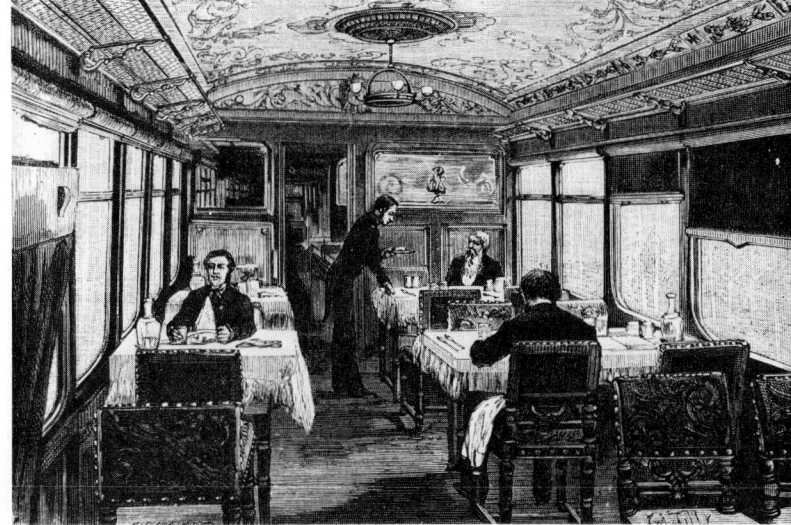

Le luxueux wagon-restaurant du Transsibérien.

Navires russes en rade de Port-Arthur endommagés par la flotte japonaise en février 1904.

Australie : les socialistes accèdent au pouvoir

Australie, 26 avril 1904
Depuis décembre 1903, la Chambre comprend 25 socialistes du *Labour Party*, contre 26 conservateurs protectionnistes et 24 libéraux partisans du libre-échange. En avril 1904, après le vote d'un amendement socialiste à l'*Arbitration Bill*, le Premier ministre conservateur Alfred Deakin démissionne. Avec John Christian Watson, qui n'a que 37 ans, le Labour est appelé à former le premier gouvernement socialiste qui ait jamais existé dans un pays parlementaire.

Attaque surprise des Japonais en rade de Port-Arthur

Port-Arthur, 8 février 1904
L'expansion russe en Manchourie contrariait les projets du Japon, en proie à une vigoureuse croissance démographique (20 millions d'habitants supplémentaires entre 1860 et 1905) et dépourvu de matières premières industrielles. Après huit mois d'infructueuses négociations avec les Russes sur une délimitation des zones d'influence en Manchourie, les Japonais, excédés, ouvrent les hostilités sans déclaration de guerre, en torpillant trois navires russes en rade de Port-Arthur, le 8 février 1904. La guerre russo-japonaise tourne rapidement à l'avantage des Japonais dont la flotte, dirigée par l'amiral Tojo, domine la mer Jaune.

L'infanterie japonaise veillant à la frontière sud de la Manchourie.

Nouvel exploit des frères Wright

Dayton, Ohio, 20 septembre 1904
L'aéronef construit par Orville et Wilbur Wright, *Flyer 2*, accomplit le premier vol en circuit fermé. C'est là une importante victoire qui démontre qu'il est possible de s'élever dans les airs mais aussi de s'y diriger. Après des années d'essais, Orville Wright avait réussi, le 17 décembre précédent, son premier vol. Allongé sur le ventre au centre de la voilure inférieure du premier *Flyer*, il avait actionné le démarreur lui-même et, faisant monter le régime du moteur, avait détaché le câble d'arrimage : *Flyer* avait alors décollé, restant en l'air pendant 12 secondes, sur plus de 70 m.

Rachat du canal de Panama par les Etats-Unis

Colombie, 16 novembre 1904
Bogota ratifie le traité Hay-Bunau-Varilla, qui accorde aux Etats-Unis tous les droits concernant la construction, la gestion et la protection du canal. Les Etats-Unis et Panama ont déjà signé ce traité le 18 novembre 1903 : désormais, Washington, qui a obtenu une concession de 100 ans, exercera sa souveraineté sur le canal, dont les accès sont déclarés neutres, et versera à la Colombie d'importantes indemnités pendant dix ans. Après la faillite de Ferdinand de Lesseps (1889), la Compagnie française du canal propose le rachat des actions aux Américains. Dès 1902, le Congrès avait chargé T. Roosevelt d'acquérir les droits pour une somme énorme : 40 millions de dollars. Panama en a profité pour faire sécession d'avec la Colombie le 3 novembre 1903. Washington a reconnu la république de Panama trois jours plus tard.

Pavlov reçoit le Nobel de médecine

Stockholm, 10 décembre 1904
Ivan Petrovitch Pavlov, professeur à l'académie militaire de Saint-Pétersbourg, travaille sur la physiologie de la digestion. Ses études sur le réflexe salivaire chez les animaux l'ont conduit à formuler la notion de « réflexe conditionné », ou réflexe acquis, « provoqué en l'absence de l'excitant normal, par un excitant qui lui a été préalablement associé ». Les expériences de Pavlov consistaient à apporter à un chien de la nourriture seulement après lui avoir fait entendre le son d'une cloche. Par la suite, ce seul son suffisait à le faire saliver, et cette sécrétion salivaire se produisait encore six mois plus tard : la preuve était faite qu'on se trouvait bien devant un comportement acquis. On peut dire que ces travaux sont à l'origine de la psychologie « comportementaliste » américaine (béhaviorisme).

Ivan P. Pavlov.

Le compositeur Anton Dvorak est mort

Prague, 1er mai 1904
Le compositeur tchèque Anton Dvorak vient de s'éteindre à 62 ans (il était né en 1841 à Nelahozeves). Après des débuts comme altiste, il devint organiste et obtint en 1875 une bourse de l'Etat autrichien. Soutenu par Brahms, il fit à travers le monde de nombreuses tournées qui consacrèrent sa réputation. Membre honoraire de la *Philharmonic Society* de Londres en 1884, il dirigea entre 1892 et 1895 le conservatoire de New York, puis prit la tête en 1901 de celui de Prague. Son œuvre s'inspire du folklore tchèque et accuse la double influence de Brahms et de Liszt. On lui doit plusieurs opéras (dont *Rusalka*, 1901), de la musique religieuse (*Te Deum*, 1893), de nombreux concertos pour piano et violon et cinq symphonies, dont la plus célèbre est la *Symphonie du Nouveau Monde* (1893).

Anton Dvorak.

Mort d'Anton Tchekhov à Badenweiler

Badenweiler, 15 juillet 1904
Atteint de tuberculose, l'écrivain russe Anton Tchekhov meurt à 44 ans. Petit-fils d'un serf libéré, fils d'un épicier qui fit faillite, il devint médecin et resta toujours attaché à l'exercice de sa profession. Hanté par la misère et la souffrance humaines, il se rendit, alors qu'il était déjà un écrivain connu, au bagne de Sakhaline, dont il rapporta un accablant récit : *L'Ile de Sakhaline* (1894). Conteur de talent (*L'Anniversaire*, 1888 ; *La Dame au petit chien*, 1899), c'est toutefois comme dramaturge qu'il acquit la célébrité : *La Mouette* (1896), *Oncle Vania* (1897) et *La Cerisaie* (1903). Miroir fidèle d'une société qui se trouvait au seuil des plus grands bouleversements de l'histoire, son œuvre dramatique compte, par sa vérité psychologique et sa lucidité, parmi les chefs-d'œuvre du théâtre moderne.

Anton Tchekhov.

1905

Port-Arthur, 2 janvier
Le général russe Anatoli Stoessel se rend aux Japonais.

Washington, 7 janvier
Premier Noir haut fonctionnaire : M. Gran, soutenu par Roosevelt contre l'avis du Sénat.

Levallois, 22 janvier
Emouvantes obsèques de Louise Michel.

Saint-Pétersbourg, 22 janvier
Les répercussions du « dimanche rouge » se feront sentir tout au long de l'année. Jacqueries, mutineries, attentats, création de soviets. →

Paris, 28 janvier
Un magazine féminin, *Vie heureuse*, crée un prix littéraire pour les femmes : le Fémina.

Paris, 4 février
Parution du premier numéro de *La Semaine de Suzette*, où figurent les aventures de Bécassine.

Russie, 17 février
Assassinat du grand-duc Serge, oncle du tsar et gouverneur de Moscou.

Chine, 21 février
Début de la bataille de Moukden entre Japonais et Russes : ceux-ci doivent abandonner la ville le 10 mars (92 000 Russes et 50 000 Japonais tués).

Simplon, 25 février
Fin de percement du tunnel.

Russie, 27 février
Emprisonné le 27 janvier, Maxime Gorki est libéré sous caution et exilé à Riga.

Russie, 4 mars
Révoltes paysannes dans tout le pays.

Berlin, 1er avril
Liaison téléphonique avec Paris.

Meudon, 25 mai
L'aéroplane de Ferber réalise le premier vol en Europe. Gabriel Voisin expérimente sur la Seine le 8 juin un appareil à flotteurs tracté par un canot à moteur.

Japon, 27 mai
La flotte russe est détruite. →

Dresde, 7 juin
Les peintres E. Heckel, E. L. Kirchner et K. Schmidt-Rottluff fondent le groupe *Die Brücke*.

Lodz, Pologne russe, 25 juin
60 000 ouvriers s'affrontent avec l'armée : 500 morts. Grèves à Varsovie et Czestochowa. A la suite de la grève générale, le gouverneur russe de la Pologne décrète le 22 août l'état d'urgence.

Odessa, Ukraine, 27 juin
L'équipage du cuirassé *Potemkine* se mutine et hisse le drapeau rouge. Emeutes dans tous les ports russes le 29 : pillages, destructions de bateaux ; la répression militaire fait des centaines de morts. Le *Potemkine* se rend aux autorités roumaines à Constantza et obtient le droit d'asile pour motif politique.

Paris, 3 juillet
Le Parlement ratifie la loi de séparation de l'Eglise et de l'Etat (adoptée par le Sénat le 6 décembre). La veille, entrée en vigueur d'une loi limitant la durée du travail des mineurs à 9 heures.

Björkö, 24 juillet
Traité germano-russe. →

Belgique, 15 août
Loi sur le repos dominical.

Portsmouth, 5 septembre
Le traité russo-japonais marque la fin de la guerre. Les pertes japonaises se chiffrent à 457 035 hommes. →

Dayton, Ohio, 4 octobre
Les frères Wright réalisent un vol de 33 minutes 15 secondes. Le lendemain, ils font sur leur *Flyer III* 38 minutes et 3 secondes.

Saint-Pétersbourg, 13 octobre
« Conseil ouvrier » créé à l'initiative des typographes. Le vice-président en est Léon Trotski. Le conseil est dissous le 16 décembre et ses membres sont arrêtés.

Berlin, 9 décembre
Création de la *Salomé* de R. Strauss.

Stockholm, 10 décembre
Prix Nobel pour trois Allemands : Robert Koch (médecine), Philipp Lenard (physique), Adolf von Baeyer (chimie).

Vienne, 30 décembre
La Veuve joyeuse de Franz Lehar.

Vienne
Sigmund Freud publie *Le Mot d'esprit et ses rapports avec l'inconscient*, *Trois Essais sur la théorie de la sexualité* et *Dora*.

Berlin
Travaux d'Albert Einstein sur la relativité restreinte. →

Le discours de Tanger accentue la tension franco-allemande

Maroc, 31 mars 1905
Le « coup de Tanger » s'inscrit dans un contexte de tension croissante entre deux systèmes d'alliances antagonistes. L'Allemagne s'inquiète de l'ingérence des Français dans les affaires intérieures marocaines, craignant l'établissement progressif d'un protectorat : Guillaume II prononce un discours retentissant dans lequel il déclare vouloir défendre la liberté du Maroc. Dans un premier temps, ce coup d'éclat est un succès car la menace de guerre contraint à la démission Delcassé, artisan du système d'alliances français dirigé contre l'Allemagne. Cependant, lors de la conférence d'Algésiras, en janvier 1906, l'Angleterre et la Russie soutiendront fermement la position française. Même si l'acte final fait du

La visite de Guillaume II à Tanger.

Maroc un pays ouvert à tous les intérêts étrangers, l'Allemagne se retrouve isolée face à une Triple-Entente renforcée.

Nicolas II en conversation avec Guillaume II (pantalon blanc) sur son yatch privé.

Rapprochement germano-russe à Björkö

Golfe de Finlande, 24 juillet 1905
C'est lors d'une entrevue secrète à bord de son yacht que le tsar Nicolas II amorce un rapprochement avec le Kaiser Guillaume II. Après sa défaite face au Japon, allié des Anglais, on peut craindre de voir la Russie, militairement liée à la France, mettre à mal l'Entente cordiale franco-anglaise. Guillaume II qualifiera cette entrevue de « tournant dans l'histoire européenne ».

IWW : syndicat révolutionnaire aux USA

Chicago, 1905
Sous la présidence d'Eugène V. Debs, le parti socialiste américain fonde l'*Industrial Workers of the World*. Se posant en rival de l'AFL, syndicat modéré, l'IWW s'affiche comme un syndicat révolutionnaire luttant pour le renversement du capitalisme. En dépit de ses divisions, de sa faible importance et de sa mauvaise image, l'IWW exercera bientôt une forte influence sur le syndicalisme américain.

Le socialisme français s'unifie : la SFIO

Paris, 26 avril 1905
En août 1904, le congrès d'Amsterdam de l'Internationale socialiste condamne la collaboration parlementaire et gouvernementale avec les partis « bourgeois », adoptant ainsi les thèses de Jules Guesde contre celles de Jean Jaurès, et impose l'unité aux diverses tendances. Le congrès d'unification tenu dans la salle du Globe crée le Parti socialiste unifié-Section française de l'Internationale ouvrière (PSU-SFIO).

La Norvège se sépare de la Suède

Oslo, 18 novembre 1905

La montée du sentiment national, liée au renouveau littéraire incarné par Ibsen, se traduit par une affirmation de la spécificité norvégienne au sein du monde scandinave. Le *Storting* (Parlement norvégien) décide en juin de rompre les liens qui unissaient la Norvège à la Suède depuis le traité de Kriel de 1814. Cette décision est plébiscitée par 80 % des électeurs. Le pays s'exprime depuis 1898 par le suffrage universel. Le Storting choisit pour roi le second fils de Frédéric VIII de Danemark, qui prend le nom d'Haakon VII. Celui-ci se réfugiera en Angleterre en juin 1940 et rentrera en 1945.

Einstein expose la relativité restreinte

Berlin, 1905

C'est dans les *Annales de physique* de Berlin que le jeune savant Albert Einstein (1879-1955) publie son fameux *Mémoire sur la relativité restreinte*, qui allait bouleverser les conceptions de la physique moderne. D'origine allemande, installé en Suisse depuis 1896, il travaille à l'Office fédéral des inventions à Berne. Il n'a que 26 ans lors de cette découverte cruciale. Remettant en cause les lois de la mécanique newtonienne, la relativité restreinte pose comme principe fondamental l'équivalence de la masse et de l'énergie, équivalence formulée par une équation aussi révolutionnaire que simple.

Henri Matisse. « La Femme au chapeau ». 1905. Cette toile figurait au Salon d'automne de 1905.

Les Fauves exposent au Salon d'automne

Paris, octobre 1905

Ce Salon d'automne marque la naissance du fauvisme. Frappé par la violence colorée des toiles au milieu desquelles tranche un torse italianisant du sculpteur Albert Marque, le critique d'art Louis Vauxelles écrit dans le *Gil Blas* du 17 octobre : « La candeur de ce buste surprend au milieu de l'orgie des tons purs : Donatello parmi les fauves ! » Ce mot, qui fit fortune, désignait différents peintres qui s'étaient connus dans l'atelier de Gustave Moreau : Henri Matisse, Albert Marquet, Charles Camoin, Georges Rouault, auxquels s'étaient joints un indépendant, le Hollandais Kees van Dongen, et deux artistes, habitant Chatou, André Derain et Maurice de Vlaminck.

Le Japon anéantit la flotte russe

Iles Tsushima, 27 mai 1905

Après l'attaque surprise des Japonais à Port-Arthur, les Russes se trouvent en état d'infériorité, tant en Mandchourie que sur mer. Leur flotte, répartie en deux escadres, est pour une part affaiblie à Port-Arthur, pour l'autre part immobilisée par les glaces à Vladivostok. Les Japonais débarquent en Corée et en Mandchourie. Ils obligent les soldats russes à se replier sur Moukden. Port-Arthur subit l'assaut des forces japonaises. Après une défense héroïque au cours de laquelle ils perdent 7 700 soldats, les Russes évacuent Port-Arthur. Pour rétablir la situation, le tsar envoie en mer de Chine l'escadre de la Baltique. Après un long périple par le cap de Bonne-Espérance, elle atteint le détroit de Corée en mai 1905. Elle est écrasée par la flotte de l'amiral Tojo aux îles Tsushima. La paix est signée le 29 août 1905 à Portsmouth (Etats-Unis), la Russie reconnaissant aux Japonais la liberté d'action en Mandchourie et en Corée. Pour la première fois, un Etat d'Orient impose sa suprématie à une nation « blanche ».

Japanisches Bravourstück.
La Russie domptée. Caricature allemande.

La troupe et les manifestants devant le palais d'Hiver, 22 janvier 1905.

La révolution de 1905 en Russie

Russie, 1905

Le malaise social provoqué en Russie par la coexistence d'une masse rurale retardataire et d'une industrialisation rapide des grandes villes alimentait un mécontentement croissant. Une opposition libérale réclamait un parlement représentatif pour contrebalancer les pouvoirs du tsar, isolé du pays et tributaire des intrigues de son entourage. Des groupes révolutionnaires tentaient depuis 1901 de soulever les paysans toujours assujettis aux *mirs* (communautés villageoises traditionnelles). De leur côté, Lénine et les sociaux-démocrates multipliaient les grèves dans les centres industriels pour affaiblir le tsarisme. Le 25 décembre 1904, Nicolas II avait annoncé des réformes administratives sans se résoudre à convoquer une assemblée nationale. En janvier 1905, l'annonce des revers militaires russes en Mandchourie face aux Japonais avive le malaise. Le dimanche 22 janvier 1905, une foule d'ouvriers conduits par le pope Gapone se dirige pacifiquement vers le palais d'Hiver de Saint-Pétersbourg pour présenter au tsar une pétition de 135 000 signatures, réclamant une réforme agraire et politique. Mais la troupe tire pour les disperser ; on relève 2 000 tués ou blessés lors de ce « dimanche rouge ». Il s'ensuit dans tout le pays une série de grèves, de jacqueries et de mutineries dont celle du cuirassé *Potemkine* à Odessa (juin 1905). Soumis, le tsar annonce, par le « Manifeste du 19 août », la convocation d'une assemblée consultative, la *Douma*, élue par toutes les classes sociales.

Le « Borodino » coulé lors du combat naval de Tsushima le 27 mai 1905.

1906

France, 7 janvier
Deux sénateurs socialistes sont élus dans le Midi.

France, 17 janvier
Armand Fallières est élu président : victoire du Bloc des gauches, confirmée par les législatives du 20 mai.

France, 4 mars
Recensement : 39 252 245 habitants (dont 1 009 415 étrangers). Paris : 2 763 393 habitants ; Marseille : 517 498 habitants.

Finlande, 7 mars
Droit de vote aux hommes et femmes de plus de 24 ans, imposables.

Courrières, 10 mars
Explosion dans la mine : 1 200 morts sur les 1 800 mineurs.

Russie, 11 avril
Le pope Gapone, organisateur de la manifestation lors du dimanche rouge de 1905, est assassiné par les révolutionnaires qui le soupçonnent d'être un agent provocateur.

Paris, 1er mai
Affrontements sévères entre les manifestants et l'armée. Georges Clemenceau a mobilisé la troupe et le préfet Louis Lépine procède à de nombreuses perquisitions et arrestations. Le Conseil municipal se prononce le 6 juin pour que le 1er Mai soit férié.

Hambourg, 1er mai
6 000 ouvriers qui ont voulu fêter le 1er Mai sont licenciés.

Paris, 4 mai
Entente cordiale : le président Fallières reçoit le roi d'Angleterre Edouard VII.

Simplon, 19 mai
Inauguration du tunnel le plus long du monde, reliant Brigue (Suisse) à Iselle (Italie).

Berlin, 26 mai
Première ascension d'un dirigeable simple, le *Perceval* : long de 48 m, il contient 2 500 m³ de gaz et est alimenté par un moteur à essence de 90 CV.

Le Mans, 27 juin
Premier Grand Prix automobile de France (1 250 km), remporté par la Renault 90 CV du Hongrois Ferenc Szisz à une moyenne de 101 km/h.

Paris, 10 juillet
Le Sénat vote la loi instituant le repos hebdomadaire obligatoire.

France, 21 juillet
Le capitaine Alfred Dreyfus est réintégré dans l'armée et décoré de la Légion d'honneur. Le jugement du Conseil de guerre de Rennes condamnant Dreyfus a été cassé le 12 par la Cour de cassation.

Paris, 30 juillet
Gabriel Lippmann présente devant l'Académie des sciences un procédé de reproduction photographique des couleurs.

Russie, juin-juillet
Pogroms à Bialystok (14 juin) et à Odessa (23 juillet).

Paris, 5 août
Echec de la manifestation annuelle des libres penseurs, qui ne rassemble que 1 500 personnes.

Danemark, 12 septembre
Jakob Ellehammer accomplit le premier vol européen motorisé, sur une distance de 42 m.

Berlin, 3 octobre
Première conférence de télégraphie sans fil qui décide d'adopter le signal SOS comme signal d'alarme.

Paris, 12 octobre
Première jeune fille reçue à l'Ecole normale supérieure en sciences.

France, 23 octobre
L'aéronaute brésilien Santos-Dumont effectue à Bagatelle un vol de 60 m (à une hauteur de 3 m) à bord de son aéroplane *14 bis*. Le 12 novembre, il détient le premier record du monde avec un vol de 220 m d'une durée de 21 secondes.

Russie, 2 novembre
Léon Trotski est condamné à la déportation à vie en Sibérie.

Paris, 5 novembre
Marie Curie inaugure son cours à la Sorbonne.

Billancourt, novembre
Gabriel et Charles Voisin fondent la première usine aéronautique.

Terre-Neuve, 24 décembre
Le Canadien Reginald Aubrey Fessenden réalise la première transmission sans fil de la voix humaine.

Vienne
Architecture moderne : *la Caisse d'épargne* d'Otto Wagner.

La crise marocaine stabilisée par la conférence d'Algésiras

Algésiras, 7 avril 1906
Pour apaiser la tension franco-allemande au Maroc, une conférence réunit, près de Gibraltar, des représentants de Belgique, Allemagne, France, Italie, Pays-Bas, Autriche-Hongrie, Portugal, Russie, Suède, Espagne et Etats-Unis. Le sultan du Maroc accepte l'internationalisation économique de son pays, où la France et l'Espagne sont investies d'un droit de police. L'Allemagne sort diplomatiquement isolée de cette conférence dont elle avait demandé la convocation après le conflit diplomatique ouvert par le discours de Tanger.

L'officier français à l'officier allemand : « Vous maintenez vos positions ? » Caricature du « Punch ».

Victoire des libéraux anglais

Grande-Bretagne, 12 janvier 1906
Depuis 1900, l'opinion publique hésite à soutenir les conservateurs. En décembre 1905, le Premier ministre Balfour démissionne. Le leader libéral Sir Henry Campbell-Bannerman lui succède. Les élections du 12 janvier lui donnent une large majorité : les libéraux emportent 377 sièges contre 157 aux conservateurs unionistes. Les nationalistes irlandais, solidement organisés, obtiennent 83 sièges. Mais la nouveauté qui fait sensation, c'est l'entrée à la Chambre de 53 travaillistes, dont le futur leader du *Labour Party*, Ramsay Macdonald. La remarquable victoire libérale témoigne du discrédit jeté sur les leaders conservateurs, Joseph Chamberlain et Balfour. Mais la progression du parti travailliste ne peut désormais s'accomplir qu'aux dépens des libéraux, qui dans certaines circonscriptions n'ont pas opposé de candidat à celui du Labour, mais ont cependant les mains libres pour mettre en œuvre leurs réformes, régler le problème irlandais et achever la démocratisation de la vie politique anglaise.

Incidents lors des inventaires des biens de l'Eglise, Saint-Pierre-du-Gros-Caillou, Paris.

Troubles en France autour de la question religieuse

France, 1906
La loi de séparation de l'Eglise et de l'Etat prévoit l'attribution des biens ecclésiastiques à des associations culturelles. Les biens mobiliers de l'Eglise doivent faire l'objet d'inventaires. Cette dernière disposition, appliquée aux mois de février et mars 1906, et la condamnation de la loi de séparation par l'encyclique *Vehe-menter nos* du 11 février provoquent une résistance parfois violente des fidèles qui s'opposent aux agents d'un Etat tenu pour persécuteur. Le 6 mars, après un accident mortel survenu dans les Flandres, le gouvernement Rouvier est contraint de se démettre. Le 16 mars, Clemenceau, ministre de l'Intérieur dans le nouveau cabinet Sarrien, invite les préfets à suspendre les inventaires, si ceux-ci doivent se faire par la force. Cette attitude conciliante, alliée à la volonté d'apaisement du clergé, ramène bientôt le calme.

Révolution libérale et nationale en Iran

Téhéran, juin 1906

En ne tenant pas ses promesses, le shah Muzaffar al-Din mécontente à la fois les commerçants, les religieux et les progressistes. En juin 1906, deux religieux influents sont chassés de Téhéran : émeutes et grèves se déclenchent alors dans la capitale. Le shah décide de congédier son impopulaire Premier ministre et de mettre en place une Assemblée nationale consultative. Des élections ont lieu dès septembre. L'Assemblée, ouverte le 7 octobre, rédige et vote très rapidement une Loi fondamentale signée par le shah le 30 décembre. Cette révolte aboutit donc à une importante réforme politique.

Création d'une Douma et réforme agraire en Russie

Saint-Pétersbourg, 10 mai 1906

La réunion de la Douma, promise en octobre 1905, illustre le désir du tsar de limiter les concessions libérales que les événements l'ont contraint de faire. La première session donne lieu à un affrontement entre l'Assemblée et des ministres qui ne sont pas responsables devant elle. Ce refus du tsar d'engager une expérience constitutionnelle réellement parlementaire débouche logiquement sur le renvoi de la Douma le 22 juillet. Dès lors, le gouvernement de Stolypine agit seul et, par l'*ukase* (édit impérial) du 22 novembre 1906, autorise le démantèlement des communes rurales en donnant aux paysans la pleine propriété de leur lot. Ce début de réforme agraire vise à désarmer l'opposition paysanne au régime et à les opposer aux turbulentes classes urbaines.

San Francisco en ruines après le tremblement de terre du 18 avril 1906.

San Francisco détruite par un tremblement de terre

San Francisco, 18 avril 1906

Un tremblement de terre d'une magnitude de 8,25 sur l'échelle de Richter a lieu à 5 h 35, heure locale. Les corniches des immeubles tombent, puis des bâtiments entiers s'effondrent. La terre se soulève à plusieurs reprises, transformant la ville en un vaste champ de ruines. Le séisme rompt des canalisations de gaz et provoque un gigantesque incendie dans le quartier commercial, où 28 000 immeubles sont carbonisés. 452 personnes périssent et 250 000 sans-abri sont recueillis dans le parc du Golden Gate. Ce désastre fait la fortune d'A. Giannini, fondateur de la Banque italienne de San Francisco.

Piotr Arkadievitch Stolypine.

Kellog commercialise les "corn flakes"

Battle Creek, Michigan, 1906

Au sanatorium de Battle Creek (Michigan), travaillaient à la fin du XIXe siècle les deux frères Kellog. Adventistes du 7e Jour, ils étaient végétariens et tentèrent des expériences pour améliorer la saveur des menus à base de céréales servis aux malades. Ils découvrirent ainsi les céréales soufflées. Le cadet, William Kellog, fonda en 1906 la *Battle Creek toasted corn flake company*, qui connaîtra un grand essor commercial.

Paul Cézanne meurt à Aix-en-Provence

Aix-en-Provence, 22 octobre 1906

La peinture de Cézanne rend indissociables le dessin et la couleur. Débarrassé de toute référence réaliste, la toile fait valoir son organisation interne. Son œuvre, à peine appréciée de son vivant, toujours refusée par les instances officielles, connaît la gloire posthume, étant considérée comme la grande rupture depuis la Renaissance et le départ des recherches picturales de tout le XXe siècle.

Le dramaturge Henrik Ibsen.

Le Norvégien Ibsen meurt à Christiania

Christiania, 1906

Henrik Ibsen a puisé son inspiration dans une intransigeance morale qui tourna à l'occasion au mysticisme. De *Peer Gynt* à la *Maison de poupée*, son œuvre, poétique et tourmentée, en fait l'une des figures majeures de l'histoire du théâtre.

La charte d'Amiens fixe la stratégie syndicale française

Amiens, 11-13 octobre 1906

La Confédération générale du travail rassemble les principales tendances syndicales françaises. La charte votée lors de son congrès d'Amiens, du 11 au 13 octobre 1906, précise les objectifs d'une CGT dominée par la tendance du « syndicalisme révolutionnaire ». Elle vise à l'émancipation des travailleurs grâce à la disparition du salariat et du patronat et à l'établissement d'une société sans classes, fondée sur les associations ouvrières de production, dans l'esprit de Proudhon. Elle affirme également l'autonomie du syndicalisme et en particulier son indépendance à l'égard des partis politiques, interdisant par là même la création d'une social-démocratie en France.

Paul Cézanne. « Le Cabanon de Jourdan ». 1906. Collection Riccardo Jucker, Milan. Une des toiles de l'artiste peintes peu avant sa mort.

1907

France, 1er janvier
La loi d'assistance aux vieillards indigents entre en vigueur.

France, 2 janvier
La loi sur l'Eglise entre en vigueur : elle interdit le maintien des crucifix dans les classes.

Saint-Pétersbourg, 20 février
Première de *La Cité invisible de Kitège* de Rimski-Korsakov.

Prusse, 1er mars
Le ministre des Cultes décide de mater la grève des écoliers polonais.

Espagne, 1er mars
Un décret royal supprime le mariage civil.

Belgique, 2 mars
La Chambre se prononce pour l'annexion du Congo.

Autriche, 8 mars
Les Landtag décident d'établir le vote général et obligatoire.

Bulgarie, 11 mars
Le ministre-président Nicolas Petkov est victime d'un attentat anarchiste. Il est remplacé par Joseph Gudev.

Finlande, 15 mars
Premières femmes élues dans un Parlement.

Maroc, 20 mars
Les troupes de Lyautey occupent Oudja, après l'assassinat d'un médecin français à Marrakech.

Billancourt, 30 mars
Gabriel Voisin vole sur 60 m.

Maroc, 1er avril
Les puissances européennes décident d'installer un réseau de téléphone sans fil.

Manchourie, 8 avril
Départ des troupes japonaises.

Paris, 11 avril
Les ouvriers boulangers se mettent en grève, bientôt suivis par les garçons de café. Clemenceau réprime durement ce mouvement. Les garçons de café obtiennent le droit de porter la moustache.

Vatican, 15 avril
Condamnation de la séparation de l'Eglise et de l'Etat en France.

Etats-Unis, 18 avril
Intervention pour imposer la paix entre Honduras et Nicaragua.

Paris, 1er mai
Un anarchiste russe, Jacob Law, est arrêté pour avoir tiré des coups de feu contre les cuirassés qui réprimaient la manifestation.

Allemagne, 11 mai
Accord avec la France sur la protection de la propriété intellectuelle.

Moscou, 14 mai
Arrestation de 26 personnes, après la découverte d'une conjuration militaire contre Nicolas II, qui dissout la Douma le 16 juin.

Chine, 10 juin
Convention franco-japonaise assurant l'indépendance du pays et la liberté du commerce. Traité sino-russe le 30 juillet, garantissant l'intégralité du territoire et la liberté commerciale.

Paris, 10 juin
Auguste Lumière présente son procédé de photographie en couleurs.

France, 22 juin
Conséquence de la révolte des vignerons : une loi réprime la chaptalisation. →

Chine, 2 août
La Chine ouvre sept villes de Manchourie au commerce international.

Saint-Pétersbourg, 31 août
Triple-Entente. →

Russie, 7 septembre
Progrom à Odessa.

Nouvelle-Zélande, 25 sept.
Le statut de dominion assure l'indépendance au pays.

Allemagne, 1er octobre
L'armée achète le dirigeable Zeppelin.

Stockholm, 10 décembre
Rudyard Kipling reçoit le Prix Nobel de littérature.

Paris, 12 octobre
La tour Eiffel indique l'heure grâce à un tableau lumineux.

Paris, 8 novembre
Premières images transmises par câble jusqu'à Londres.

Paris
Naissance des éditions Bernard Grasset.

L'Illustration publie depuis le 7 septembre *Rouletabille* de Gaston Leroux.

Robert Baden-Powell.

Baden-Powell crée le mouvement scout

Dorset, 29 juillet 1907
En anglais, *scout* signifie éclaireur. Ce mouvement est né lors d'un camp d'été sur l'île de Brownsea, dans le Dorset : le but du colonel Robert Baden-Powell (né à Londres en 1857) est d'enseigner aux jeunes garçons les « règles de survie » en pleine nature tout en développant « l'esprit chevaleresque des temps nouveaux ».

La pédagogue Maria Montessori.

Maria Montessori ouvre sa maison des enfants

Italie, janvier 1907
Première femme à devenir médecin en Italie, Maria Montessori se consacre à l'éducation des jeunes enfants. L'ouverture de la Maison des enfants lui permet de mettre en pratique de nouvelles méthodes pédagogiques fondées sur le respect de la liberté et le développement des sens par le maniement d'objets didactiques.

La Vigne et le Vin se révoltant contre un buveur d'eau. Caricature, juillet 1907.

La révolte du Midi viticole en France

Béziers, 22 juin 1907
Déjà éprouvés de 1875 à 1885 par l'épidémie du phylloxéra, les viticulteurs de l'Aude pâtissent depuis 1905 d'un effondrement des cours.

A l'appel de Marcelin Albert, ils multiplient les manifestations devant les préfectures et menacent de faire la grève de l'impôt. Des centaines de maires ruraux sont solidaires du mouvement. Le 17e régiment de ligne, envoyé pour mater la révolte, « met la crosse en l'air » le 22 juin.

La Triple-Entente est formée en Russie

Saint-Pétersbourg, 31 août 1907
L'accord anglo-russe tranche les litiges et rivalités en Asie : la Perse est partagée en zones d'influences, le Tibet neutralisé et l'influence britan-

nique reconnue sur l'Afghanistan. Les traditionnelles conventions franco-russes et l'Entente cordiale franco-britannique (1904) impliquaient un rapprochement anglo-russe, qui débouche sur une Triple-Entente, pendant de la Triple-Alliance germano-austro-italienne.

"L'Evolution créatrice" d'Henri Bergson

Paris, 1er mai 1907

Critiquant les théories mécanistes et finalistes de l'évolution, *L'Evolution créatrice* leur oppose une conception de l'élan vital, force créant de façon imprévisible des formes toujours plus complexes. Voyant dans l'instinct animal et l'intelligence humaine deux voies différentes suivies par l'évolution, Bergson (1859-1941) affirme que « l'intelligence de l'homme est destinée à assurer l'insertion parfaite de notre corps dans son milieu et à penser la matière ». Selon Bergson, l'intelligence humaine est inapte à comprendre la vie et la durée que seule l'intuition nous permet de saisir. Hostile à l'intellectualisme formaliste ainsi qu'au positivisme scientiste et matérialiste, sa philosophie, qui veut être un « retour conscient et réfléchi aux données de l'intuition », ouvre une voie à un nouveau spiritualisme. Philosophie de la compréhension, attentive à l'expérience immédiate (proche en ceci de la phénoménologie), le bergsonisme aura une grande influence jusqu'à la Deuxième Guerre mondiale.

Maurice Barrès sous la Coupole

Paris, 17 janvier 1907

Maurice Barrès prononce son discours de réception à l'Académie française. Il a été élu au siège de José Maria de Heredia au premier tour par 22 voix contre 8, le 26 janvier 1906. Il est depuis 1906 député de Paris. Rendant hommage à la « belle gaieté » de son prédécesseur, Barrès centre comme d'habitude son discours sur la doctrine nationaliste. Sa carrière littéraire commence à peu près en même temps que sa vie politique. Il est élu député boulangiste de Nancy (1889) au moment où il publie sa trilogie : *Le Culte du moi* (*Sous l'œil des barbares*, 1888 ; *Un homme libre*, 1889 ; *Le Jardin de Bérénice*, 1891). Antidreyfusard, défenseur de l'armée, préoccupé par la menace germanique, il expose les principes de son nationalisme dans une nouvelle trilogie : *Le Roman de l'énergie nationale* (*Les Déracinés*, *L'Appel au soldat*, *Leurs figures*, 1897-1902). Conscient de la nécessité de s'engager dans l'action, il ne cessera d'exalter le patriotisme de la revanche et sera un des champions de l'Union sacrée.

Pablo Picasso. « Les Demoiselles d'Avignon ». Juillet 1907.

Le philosophe Henri Bergson. Prix Nobel de littérature en 1927.

Maurice Barrès, père du nationalisme français.

Le cubisme naît au Bateau-Lavoir

Montmartre (Paris), juillet 1907

Nom donné par Max Jacob (« les lieux tellement instables font penser aux fragiles bateaux-lavoirs : les soirs d'orage, cela bouge... ») à un ensemble d'ateliers habités par Max Jacob, Salmon, Van Dongen, Reverdy, Modigliani, Gris, Picasso et fréquentés par Apollinaire (qui présente Braque à Picasso en 1907), c'est là que Picasso peignit (hiver 1906-juillet 1907) les monumentales *Demoiselles d'Avignon* : cette œuvre inachevée et composite rompt, sous l'influence de l'art nègre, avec l'espace perspectif et le clair-obscur. Cet attentat à la vraisemblance provoque une profonde stupeur et marqua l'éclosion du cubisme. Traitant comme Cézanne « la nature par le cylindre, la sphère et le cône », Picasso échelonne les volumes cubiques, construisant les formes par plans angulaires contrastés et multipliant les points de vue pour représenter un même objet.

De Paris à Pékin en automobile: 13 000 km

Paris, 10 août 1907

Au volant de son Itala de 45 chevaux, le prince Scipione Borghèse arrive à Paris 61 jours après avoir quitté Pékin (10 juin). Le prince Borghèse devance de 10 jours les deux De Dion-Bouton et la Spyker. Contal de Pons, sur le tricycle Motori Contal, a abandonné en Chine.

L'« Itala » de 45 ch, la voiture avec laquelle le prince Borghese remporta l'épreuve « Paris-Pékin ».

Pie X condamne le modernisme

Vatican, 1907

Au sens strict, le modernisme constitue une tentative de conciliation entre la théologie catholique et la pensée positiviste, rationaliste et scientiste du XIXe siècle. Il est un effort d'adaptation de l'Eglise à la société moderne, une lutte des réformateurs contre les traditionalistes. Le décret *Lamentabili sane exitu* du 4 juillet, puis l'encyclique *Pascendi* du 8 septembre condamnent les différentes thèses promues par la « crise » moderniste qui s'étend à toute l'Europe, menaçant les fondements du catholiscisme.

Léon Blum préconise le "mariage à l'essai"

Paris, 1er septembre 1907

Du mariage, nourri d'anecdotes réelles et d'observations, expose des théories très nouvelles sur la vie sexuelle. Le préjugé de la virginité des filles, hypocrite et frustrant, devrait disparaître ; dès 16 ans initiées à l'amour, les jeunes filles connaîtraient de multiples expériences, choisissant à leur guise un amant ou un époux. Plus libre charnellement

Léopold II donne le Congo à la Belgique

Bruxelles, 6 décembre 1907

Ce pays de 2 345 000 km² englobe la majeure partie du bassin du Congo et comporte 15 627 000 habitants. L'Etat avait été fondé par le roi Léopold II, avec l'aide de l'explorateur Stanley qui l'avait sillonné de 1879 à 1884. La conférence de Berlin (1885) avait reconnu au Congo sa qualité d'Etat indépendant, gouverné, à titre personnel, par le roi des Belges. Cette cession accroît le rôle de l'Etat, au détriment des sociétés privées. Une mise en valeur plus rationnelle et peut-être plus humaine du pays est désormais possible.

Léopold II, roi des Belges.

et moralement, mariages d'amour et divorces se multiplieraient. Cet essai qui suscite un beau scandale est le deuxième de ce normalien, connu pour ses chroniques littéraires. Il avait publié, en 1901, les *Nouvelles Conversations de Goethe avec Eckermann*.

1908

France, 1er janvier
Plaques d'immatriculation pour vélos. Premières corbeilles à papier place de l'Opéra.

France, 12 janvier
Première liaison radiotélégraphique à longue distance à partir de la tour Eiffel.

Londres, 2 mars
Conférence internationale sur le désarmement.

Maroc, 4 mars
Paris envoie des troupes pour pacifier la région de Chaouïa.

France, 21 mars
Léon Delagrange et Henri Farman : premier vol avec passager, sur un biplan G. Voisin.

L'Action française devient un quotidien.

Danemark, 14 avril
Suffrage universel pour les femmes et hommes imposables de plus de vingt-cinq ans.

Salzbourg, 27 avril
Premier congrès international de psychanalyse : les Amis de la science nouvelle se sont réunis autour de Freud à l'hôtel Bristol.

Paris, 3 mai
Les suffragettes réclament le droit de vote : Jeanne Laloë se présente aux élections municipales.

Maroc, 8 mai
Louis Hubert Lyautey est nommé haut commissaire du gouvernement.

Etats-Unis, 12 mai
Les frères Orville et Wilbrun Wright déposent le brevet de leur « machine volante ».

Allemagne, 15 mai
La loi sur l'unité de l'empire entre en vigueur.

Paris, 19 mai
Serge de Diaghilev révèle Feodor Chaliapine (1873-1938) à l'Opéra dans *Boris Godounov* de Modest Moussorgski.

Paris, 4 juin
Transfert des cendres d'Emile Zola au Panthéon. Au cours de la manifestation, le capitaine Alfred Dreyfus est blessé au bras de deux coups de feu.

Brazzaville, 25 juin
Constitution de l'Afrique équatoriale française. →

1er juillet
Adoption d'un signal international de détresse : en morse SOS.

France, 8 juillet
Thérèse Peltier, première femme en avion.

Turquie, 24 juillet
Les Jeunes-Turcs s'emparent du pouvoir. →

Perse, 27 juillet
Le nouveau shah dissout le Parlement et suspend la Constitution.

Villeneuve-Saint-Georges, 30 juillet
G. Clemenceau envoie l'armée à Draveil-Vigneux contre des grévistes : plusieurs morts. Le 1er août, six dirigeants de la CGT sont arrêtés.

Detroit, 12 août
Le premier modèle « T » sort de la chaîne de Henry Ford. Cette voiture sera construite jusqu'en 1927. →

Illinois, 12 août
Emeutes raciales à Springfield.

Bruxelles, 19 août
La Chambre vote l'annexion du Congo belge, cédé au pays par le roi Léopold II.

Cologne, 21 septembre
Dans une communication *Espace et Temps*, le mathématicien Hermann Minkowski définit le temps comme la quatrième dimension.

Lucerne, 29 septembre
Conférence internationale interdisant le travail industriel nocturne aux moins de quatorze ans.

France, 10 octobre
Le parti radical rompt avec les socialistes.

Allemagne, 14 novembre
Premier rapport d'Albert Einstein sur les quanta de lumière.

Paris, 15 novembre
Premier numéro de *La Nouvelle Revue française* (qui publiera dès février 1909 un extrait de *La Porte étroite* d'André Gide) chez Gallimard. →

Londres
Rolls-Royce sort « la meilleure voiture du monde » : la *Silver Ghost*.

Russie
La Mère de Maxime Gorki.

La révolution des Jeunes-Turcs ébranle l'Empire ottoman

Turquie, 24 juillet 1908
La décomposition de l'Empire ottoman entre dans une nouvelle phase à l'été de 1908. Le 24 juillet, à Istanbul, les Jeunes-Turcs du parti des réformes s'emparent du pouvoir sans effusion de sang. Le sultan rétablit la Constitution de 1876 et convoque, le 17 décembre 1908, un Parlement élu. L'instabilité créée par la révolution profite cependant aux ennemis traditionnels de l'empire : le 5 octobre, la Bulgarie proclame son indépendance. Le même jour, l'Autriche-Hongrie annexe la Bosnie-Herzégovine, qu'elle occupait depuis trente ans.

Campagne de promotion du journal « Votes for Women » par les suffragettes anglaises.

Les suffragettes passent à l'action

Londres, 21 juin 1908
Depuis 1905, le mouvement des suffragettes interrompt les meetings tenus par les libéraux en clamant le slogan, « Vote pour les femmes » *(Votes for women)*. Le 21 juin 1908, à l'appel de la WSPU *(Women's Social and Political Union)* et de ses dirigeantes, Emmeline Pankhurst et sa fille Christabel, 250 000 suffragettes manifestent à Hyde Park.

Pie X centralise l'Eglise catholique

Vatican, 1908
Les Eglises nationales sont soumises à Rome notamment en France où la suppression du Concordat lève les derniers obstacles à l'exercice de l'autorité pontificale. L'épiscopat ne sera plus consulté pour les nominations d'évêques et la Congrégation consistoriale exercera un contrôle accru sur la vie des diocèses.

Le sultan Abdûl-Hamid II. Sous la pression des Jeunes-Turcs, il rétablira la Constitution de 1876.

Rattachement de la Crète à la Grèce

Héraklion, 6 octobre 1908
Depuis le compromis de 1898 entre l'Empire ottoman et les grandes puissances, la Crète était autonome. Si les Grecs avaient dû renoncer à toute revendication à son sujet, les troupes turques devaient en échange évacuer l'île. Ancien député à l'Assemblée crétoise, Venezilos avait pris la tête de l'insurrection de 1905 et obtenu la révocation du prince Georges de Grèce, haut commissaire des grandes puissances. Prolongeant l'action ainsi entreprise, il prend une part active dans le mouvement qui conduit en 1908 les autorités crétoises à quitter l'Empire ottoman pour s'unir à la Grèce. Mais l'opposition des puissances de tutelle empêche cette union, qui ne devient effective qu'en 1913.

Henri Poincaré entre à l'Académie française

Paris, 28 juin 1908
Cousin du président de la République Raymond Poincaré, Henri Poincaré (1854-1912) fut major de Polytechnique en 1873. Il a développé les équations différentielles, la mécanique céleste et la topologie algébrique.

Le mathématicien Henri Poincaré.

Création de "La Nouvelle Revue française"

Paris, 15 novembre 1908
Trois écrivains créent *La Nouvelle Revue française* : André Gide, Jacques Copeau et Jean Schlumberger. Revue mensuelle à vocation littéraire, la *NRF* acquiert influence et prestige en se situant au cœur de l'avant-garde parisienne. A partir de 1911, la *NRF* édite chez Gallimard des ouvrages qui constitueront un véritable panorama de la vie intellectuelle française.

Crapo-Durant crée la General Motors

Etats-Unis, 1908
Fondateur de la compagnie Buick, William C. Durant regroupe une dizaine de compagnies en 1908 pour créer la General Motors. Son noyau est constitué de Buick, Cadillac et Oldsmobile. Durant ne peut acheter la Ford, mais sa politique financière audacieuse fragilise la firme. En 1910, Buick, concurrencée par Ford, connaît des difficultés financières qui se répercutent sur General Motors. Durant doit alors céder la direction à un cartel de banques.

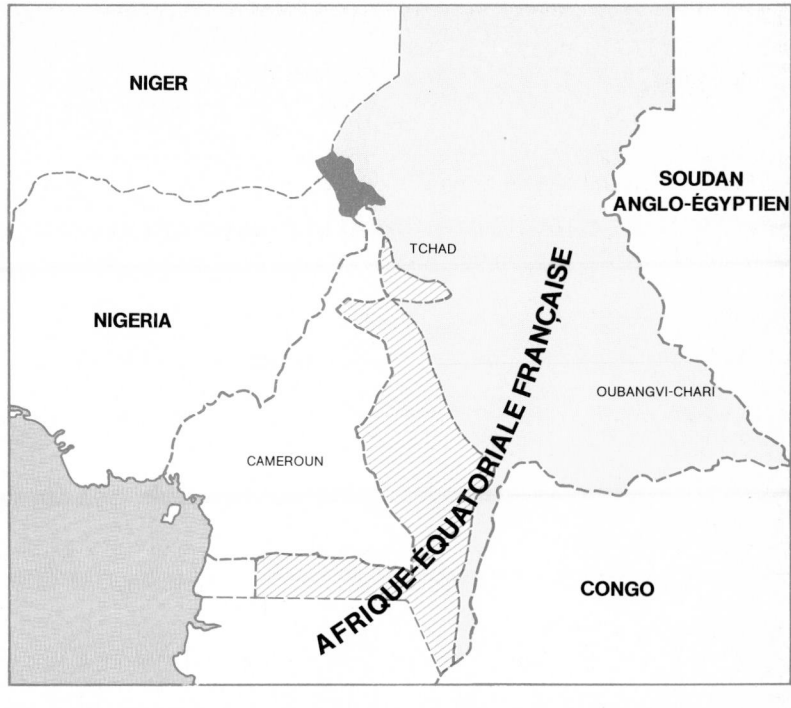

Une scène de « L'Assassinat du duc de Guise », film de Le Bargy et Calmettes.

"L'Assassinat du duc de Guise" au cinéma

Paris, 17 novembre 1908
Projeté salle Charras, à Paris, *L'Assassinat du duc de Guise* est l'un des premiers films de l'histoire du cinéma, et le premier « film d'art » français. Interprété par des acteurs du Théâtre-Français, sous la direction du célèbre comédien Charles Le Bargy (1858-1936), qui joue lui-même un des rôles principaux, il a remporté le plus vif succès. Les autres interprètes sont Albert Lambert, Gabrielle Robinne et Berthe Bovy. Le scénario a été payé quatre cents louis d'or à Henri Lavedan (1859-1940), de l'Académie française, romancier *Le Bon Temps* (1906) et dramaturge *Le Duel* (1905) alors en vogue. La société productrice, Le Film d'Art, entendait lutter contre la médiocrité et la mécanisation d'un certain cinéma populaire en proposant au public des films de prestige dont les scénarios seraient signés par des écrivains de renom et dont les rôles seraient tenus par des vedettes de la scène. Paris avait aussi vu, le 17 août, la première projection d'un dessin animé réalisé par Emile Cohl.

L'Afrique équatoriale française est née

Brazzaville, 25 juin 1908
Avec la constitution de l'AEF (Afrique équatoriale française), l'administration française est désormais présente dans tout l'Ouest et le Centre africains. Le nouvel ensemble territorial, dont la capitale sera Brazzaville (350 000 habitants), sur la rive nord du Stanley Pool, compte environ trois millions d'habitants et rassemble les territoires du Gabon (274 870 km² et 400 000 habitants), du Moyen-Congo (240 000 km² et 700 000 habitants), de l'Oubangui-Chari (493 000 km² et 1 200 000 habitants) et du Tchad (1 248 000 km² et 1 200 000 habitants). Ces possessions s'ajoutent à celles de l'Afrique occidentale française (Sénégal, Mauritanie, Mali, Niger, Dahomey) et du Maghreb pour former un bloc relativement compact s'opposant à l'Empire britannique qui s'étend dans l'Est africain du Cap au Caire.

L'immigration japonaise stoppée aux Etats-Unis

Washington, 18 février 1908
Par un accord amiable, signé en août 1900, le Japon s'était engagé à une limitation volontaire du nombre de ses ressortissants candidats à l'immigration. Pourtant, la croissance de la population japonaise en Californie suscitait des tensions. Une *Association pour l'exclusion des Japonais et des Coréens* s'était formée le 7 mai 1905. Sous sa pression, la Direction des affaires scolaires de San Francisco avait prescrit en octobre 1906 que les enfants chinois, japonais et coréens seraient scolarisés dans des écoles spéciales. En mars 1907, le président Theodore Roosevelt obtenait que cette mesure discriminatoire soit rapportée en échange d'une réaffirmation par les Japonais d'une limitation volontaire de leur immigration (*gentleman's agreement* de 1908).

La Ford modèle T, fruit d'une véritable révolution industrielle.

La Ford modèle "T" pour 850 dollars

Detroit, 12 août 1908
Henry Ford (1863-1947), fondateur en 1903 de la Ford Motor Company de Detroit, a lancé un nouveau modèle d'automobile, la Ford T. Il a standardisé les pièces, en vue d'une production en série. 15 millions de Ford T seront vendues entre 1908 et 1927. Les méthodes tayloriennes de montage à la chaîne permettent de réduire le prix de vente. Celui-ci passe de 850 dollars en 1908 à 265 en 1922. Les clients peuvent choisir leur Ford T « de n'importe quelle couleur, pourvu que ce soit noir » !

Henry Ford et son fils.

1909

Panama, 5 janvier
Indépendance reconnue par la Colombie.

Paris, 9 janvier
Première de *Gaspard de la nuit* de Maurice Ravel.

Paris, 28 janvier
Henri Poincaré reçu à l'Académie française.

Maroc, 9 février
Accord franco-allemand reconnaissant la prépondérance de la France sur le pays.

Paris, 20 février
Manifeste futuriste de Filippo Tommaso Marinetti. →

Balkans, 24 février
Crise austro-serbe. →

Brighton, 24 février
Projection publique de films en couleurs.

Paris, 25 février
Escaliers mobiles dans le métro.

France, 17 mars
La grève des postiers, qui dure jusqu'au 22 mai, donnera l'occasion de vérifier la dureté de G. Clemenceau, surnommé le « fusilleur de la classe ouvrière » depuis la répression de Villeneuve-Saint-Georges (30 juillet 1908).

Pôle Nord, 6 avril
Conquête par l'Américain R.E. Peary. →

Londres, 9 avril
La Widness Corporation lance les autobus à impériale couverts.

Vatican, 18 avril
Béatification de Jeanne d'Arc. Le 21, encyclique *Communium Rerum* en l'honneur de saint Anselme. Le 20 mai, béatification de Klemen Hofbauer.

Londres, 19 avril
Le « budget du peuple » de Lloyd George. →

Turquie, 27 avril
Les Jeunes-Turcs déposent Abdul-Ahmid. Mohammed V lui succède.

Bulgarie, 27 avril
La Triplice reconnaît l'indépendance du royaume.

Paris, 14 mai
La Chambre refuse le droit de grève aux fonctionnaires.

Paris, 18 mai
Premier spectacle des Ballets russes de Serge de Diaghilev : chorégraphies de Michel Fokine, avec le danseur étoile Vaslav Nijinski : *Le Pavillon d'Armide, Le Festin*, et *Les Danses polovtsiennes du prince Igor, Les Sylphides* et *Cléopâtre*. →

Fès, 4 juin
Le sultan interdit aux Juifs de monter sur leurs terrasses car ils ne doivent pas voir son palais. Ordre est donné de tirer sur les contrevenants.

Tokyo, 1er juillet
Vita sexualis de Mori Ogai. →

Crète, 13 juillet
L'Empire ottoman s'élève contre la décision de la France, l'Italie, la Russie et la Grande-Bretagne qui retirent leurs troupes tout en maintenant leurs prérogatives ; il craint que ce retrait ne favorise l'annexion de l'île par la Grèce.

Paris, 15 juillet
Conférence du docteur Alexis Carrel sur les greffes d'organes qu'il a réalisées sur des animaux.

France, 25 juillet
Blériot traverse la Manche en avion. →

Moscou, 7 octobre
Opéra : *Le Coq d'or* de Nicolaï Rimski-Korsakov.

Maroc, 10 octobre
Les Berbères du Nord se soumettent aux Espagnols.

Barcelone, 14 octobre
Exécution de Francisco Ferrer. →

Finlande, 15 octobre
Un édit impérial dispense les Finlandais de faire leur service militaire dans l'armée russe.

Iles Hawaï, 11 novembre
Les Etats-Unis installent une base navale à Pearl Harbor.

France, 28 novembre
Loi autorisant les femmes en couches à interrompre pendant huit semaines leur travail sans être congédiées. Le 7 décembre, une loi fixe les salaires et les conditions de paiement des employés.

Bruxelles, 17 décembre
Mort de Léopold II. →

Etats-Unis
Martin Eden de Jack London.

Robert Edwin Peary au pôle Nord

Pôle Nord, 6 avril 1909
L'explorateur américain Robert Edwin Peary (1856-1920) a planté la bannière étoilée sur le pôle Nord. Succès contesté par le New-Yorkais Frederik A. Cook qui prétend, abusivement semble-t-il, avoir découvert le Pôle le premier. A trente ans, il avait déjà tenté une première traversée du Groenland. L'année suivante, avec sa femme et quatre compagnons, il avait hiverné sur la côte nord-ouest de l'île. Deux ans plus tard, il atteignit le cœur du Groenland, mais le froid l'obligea à rebrousser chemin. Embarqué à bord du *Roosevelt*, il navigua en 1909 sur l'océan Glacial au milieu des icebergs. Cette victoire estompe le tribut payé en 1889 : sept orteils gelés et amputés.

L'explorateur américain Robert Edwin Peary lors d'une de ses expéditions dans l'Arctique.

En Belgique, Albert Ier succède à Léopold II

Bruxelles, 17 décembre 1909
Léopold II, second roi des Belges, s'est éteint au château de Laeken à 74 ans des suites d'une intervention chirurgicale. Monté en 1865 sur le trône, il se montra habile. Sous son règne, le suffrage devint universel (1894) et la parité des langues française et néerlandaise fut établie (1898). Il fonda l'Association africaine internationale et finança l'explorateur anglais Stanley. Ce dernier prit possession d'un empire de 23 000 000 km² devenu propriété personnelle de Léopold II en 1885. En 1908, le roi avait donné à la Belgique cet Etat du Congo. N'ayant pas eu d'héritier mâle et son frère Philippe, comte de Flandres, ayant renoncé à la succession, c'est le fils de ce dernier qui, sous le nom d'Albert Ier, accède au trône.

Le roi Albert Ier de Belgique prêtant serment devant le Parlement le 23 décembre 1909.

Le "budget du peuple" du libéral Lloyd George

Londres, 19 avril 1909
Lloyd George, chancelier de l'Echiquier depuis 1908, a engagé d'audacieuses réformes (assurances sociales, retraites) et un coûteux programme naval. Son « budget du peuple », surtaxant les hauts revenus, généralisant l'impôt progressif et fiscalisant les plus-values immobilières, est repoussé par les Lords le 30 novembre 1909.

Révélation des Ballets russes à Paris

Paris, 18 mai 1909

Le souvenir de cette soirée parisienne sera attaché à l'éblouissement premier provoqué par les Ballets russes de l'impresario Serge de Diaghilev (1872-1929). Cette révélation de l'art russe obtient un véritable triomphe et exercera une profonde influence dans tous les domaines du spectacle en Occident. Les 70 spectacles donnés en Europe et en Amérique avec un retentissement sans précédent sont le lieu de rencontre de tous les courants modernes de l'art. Ces chefs-d'œuvre ont contribué à libérer le ballet en forgeant la référence esthétique des générations à venir. Diaghilev réunit une troupe prestigieuse (A. Pavlova, I. Rubinstein, T. Karsavina, V. Nijinski et sa sœur B. Nijinska, A. Bolm) sous la direction du génial chorégraphe Michel Fokine (1880-1942) : c'est avec ce grand réformateur de la danse académique que naît le ballet moderne. Les Ballets russes virent les débuts des danseurs M. Massine, G. Ballanchine, S. Lifar, A. Dolin et des danseuses A. Markova, O. Spessivtseva ; ils révélèrent les livrets de J.-L. Vaudoyer et J. Cocteau, les partitions de I. Stravinski, S. Prokofiev, C. Debussy, M. Ravel, E. Satie, D. Milhaud, F. Poulenc, G. Auric, représentées dans des décors et costumes de A. Benois, L. Bakst, M. Larionov, N. Gontcharova, A. Derain, P. Picasso, G. Braque, H. Matisse, G. Rouault, M. Laurencin, J. Gris, J. Miro, G. De Chirico.

Nijinski dans «Shéhérazade» (1910)

Le Japonais Ogai publie "Vita sexualis"

Tokyo, 1er juillet 1909

Mori Ogai (1862-1922) a mené parallèlement une carrière de chirurgien militaire et d'écrivain. En 1909, il est médecin chef de la garde impériale et auteur de douze œuvres littéraires remarquées. En réaction contre le naturalisme à la Maupassant, il publie *Vita sexualis*, évocation très maîtrisée de l'éveil sexuel d'un adolescent. Le livre est censuré.

La première crise balkanique profite à l'Autriche-Hongrie

Belgrade, 24 février 1909

A partir de 1903, la tension était montée dans les Balkans avec l'avènement du roi Pierre Ier de Serbie. Les nationalistes serbes, invoquant la « solidarité yougoslave », suscitaient en Bosnie des mouvements de résistance à l'administration provisoire qu'y exerçait l'Autriche. Pour y mettre fin, l'empereur François-Joseph décida, le 5 octobre 1908, d'annexer définitivement la Bosnie-Herzégovine ; il signe le 24 février 1909 un accord avec l'Empire ottoman, renonçant à ses droits sur cette région. La Serbie, soutenue par la Russie, se mobilise dès le 24 février et menace d'annexer la Dalmatie, la Croatie, la Slavonie et la Bosnie-Herzégovine. Lâchée par son allié français et mise en demeure par l'Autriche d'accepter le fait accompli, la Russie du tsar Nicolas II ne songe désormais qu'à prendre sa revanche sur les Autrichiens.

Exécution de Francisco Ferrer à Barcelone. Peinture de C. Flavio.

Francisco Ferrer exécuté à Monjuich

Barcelone, 14 octobre 1909

L'exécution de Francisco Guardia Ferrer, fusillé près de Barcelone, soulève des réactions de protestation à travers toute l'Europe. Cet anarchiste, né en 1859, était secrétaire du chef des républicains radicaux, Ruiz Zorrilla. Tenu pour l'inspirateur des émeutes anticléricales survenues lors de la guerre du Maroc de 1909, il se trouvait en fait à Londres au moment de ces événements. Le gouvernement espagnol cherchait depuis longtemps à neutraliser ce pédagogue considéré comme subversif. A Paris, 50 000 personnes protestent devant l'ambassade d'Espagne.

Louis Blériot atterrissant à Douvres après la traversée de la Manche.

Blériot traverse la Manche en avion

Londres, 25 juillet 1909

« L'Angleterre a cessé d'être une île », titre l'*Observer*. L'aviateur français Louis Blériot, parti des environs de Calais à 4 heures 35 aux commandes de son *Blériot XI*, a atteint Douvres à 5 heures 12. Il a parcouru 48 km à une vitesse horaire de 75 km. Immortalisé à 37 ans, Blériot a gagné sous les ovations les locaux du *Daily Mail* pour y recevoir les 25 000 francs promis en récompense.

Le "Manifeste futuriste" de Marinetti

Paris, 20 février 1909

Contre ce qu'il appelle le « passatisme », l'Italien Filippo Tommaso Marinetti part en guerre d'une façon fulgurante. Son manifeste, publié dans *Le Figaro* le 20 février 1909 explose comme une bombe. Condamnation sans appel des nostalgiques du passé, ce texte annonce l'aurore des temps modernes. Il exalte la lutte et le danger, la violence et la guerre. Il célèbre les vertus viriles, contre les mollesses des « décadents ». La poésie doit désormais s'inspirer du mouvement et de la vitesse, nouveaux dieux de ce siècle naissant.

L'écrivain Selma Lagerlöf.

Selma Lagerlöf prix Nobel de littérature

Stockholm, 10 décembre 1909

La Suédoise Selma Lagerlöf (1858-1940) restitue dans son œuvre la pureté primitive des sagas légendaires. Familière de l'enfance par son métier d'institutrice, elle sait intégrer le merveilleux dans ses récits. *La Saga de Gösta Berling*, *Jérusalem*, *Les Légendes du Christ* et le fameux *Merveilleux Voyage de Nils Holgersson* l'on rendue populaire et lui ont valu le prix Nobel en 1909.

1910

Etats-Unis, 12 janvier
Loi interdisant la traite des blanches.

Belgique, 13 janvier
Vives réactions contre l'interdiction de travailler en France.

Paris, 13 février
Ouverture du « Vel'd'Hiv ».

Tibet, 25 février
Devant la menace chinoise, le dalaï-lama se réfugie aux Indes.

Etats-Unis, 3 mars
John D. Rockefeller crée une fondation destinée à promouvoir la science.

Paris, 5 mars
Accord avec le sultan du Maroc.

Espagne, 8 mars
Le roi autorise les femmes à poursuivre leurs études.

Norvège, 9 mars
Le Parlement décide de verser des indemnités à ses membres.

Chine, 10 mars
Abolition de l'esclavage.

Paris, 17 mars
Sens giratoire installé place de la Concorde. Le hall des magasins du Printemps inauguré le 1er avril.

Washington, 21 mars
Le Sénat attribue à l'ancien président T. Roosevelt une rente annuelle de 10 000 dollars.

Sibérie occidentale, 2 avril
Envoi de 50 000 colons pour exploiter les ressources de la région, qui sera reliée par voie ferrée à Irkutsk et Moscou.

Suède, 25 avril
Les impôts sur les héritages augmentent de 200 %.

Bruxelles, 27 avril
Le Parlement repousse la proposition socialiste du suffrage universel.

Europe, 11 mai
Annoncé à grand fracas, le passage de la comète de Halley reste invisible. A Vienne, on attendait la fin du monde.

Nicaragua, 20 mai
Intervention militaire américaine. Plainte le 28 juillet auprès de l'Europe. Le président W. Taft retire ses troupes le 2 janvier

1911, après avoir reconnu le régime de José Estrada.

Maroc, 25 mai
Les troupes françaises occupent le sud et, le 3 décembre, le port d'Agadir.

Vatican, 26 mai
L'encyclique à la mémoire de Charles Borromée, qualifie la Réforme de « rébellion et de perversion de la foi ». Pie X condamne le 25 août le mouvement social le Sillon du Français Marc Sangnier, qui se soumet ; il ouvre le 9 novembre une boulangerie coopérative, où le travail de nuit est supprimé.

Paris, 6 juin
Arrivée triomphale du Dr Charcot et de ses compagnons du *Pourquoi-pas ?* après leur expédition dans l'Antarctique.

Espagne, 11 juin
Alphonse XIII proclame la liberté de conscience et de croyance.

Russie, 22 juillet
Léon Tolstoï perd de nombreux manuscrits dans l'incendie de sa propriété de Poliana, près de Pola. Il meurt le 20 novembre.

Union sud-africaine, 15 septembre
Premières élections au Parlement après que le pays ait reçu le statut de dominion (1er juillet) : majorité aux nationalistes boers.

Portugal, 5 octobre
Proclamation de la république. → La noblesse est abolie le 17 et la famille royale chassée.

Palestine, 9 décembre
L'armée ottomane réprime violemment un soulèvement arabe.

Paris, 27 décembre
Léon Gaumont présente son gramophone. Ouverture le 28 de l'hôtel Lutécia, boulevard Raspail : « le dernier mot du confort moderne ». Par ailleurs, la Gauloise (qui devait d'abord s'appeler la Française !) apparaît dans les bureaux de tabac.

Barcelone
Antonio Gaudi achève la *Casa Mila*, où l'angle droit est aboli ainsi que la ligne droite au profit de l'ondulation des murs.

Vienne
Adolf Loos achève la *Maison Steiner* : le béton armé est pour la première fois l'unique matériau de construction.

Manuel II du Portugal ayant été chassé par un coup d'Etat militaire, la République est proclamée le 5 octobre 1910.

La république est proclamée au Portugal

Lisbonne, 5 octobre 1910
Le 5 octobre 1910, à la suite d'un soulèvement, la République portugaise est proclamée. Ce soulèvement sanctionne l'échec de la monarchie : en 1908, Charles Ier, qui avait laissé s'instaurer une dictature, est mort dans un attentat ; quant à Manuel II, monté depuis lors sur le trône, il en a été chassé par un coup d'Etat militaire. Depuis longtemps, la bourgeoisie urbaine, soucieuse de la modernisation du pays, s'est ralliée au parti républicain. Le soulèvement de 1910 marque donc sa victoire sur les éléments conservateurs du Portugal, armée, Eglise et ruraux. Victoire fragile dans un pays où la paysannerie demeure encore largement majoritaire.

Le Japon annexe la Corée après la mort du prince Ito

Corée, 24 juin 1910
La Corée devient la province de Chosen. En 1905 déjà, un traité de protection avait été imposé à la Corée par le Japon, victorieux des Russes. Le 4 juillet 1910, la Russie entérinera l'invasion et le Japon laissera les mains libres aux Russes en Manchourie. Malgré l'opposition de la population, la Corée restera japonaise jusqu'en 1945.

Pancho Villa et Zapata déclenchent une révolution au Mexique

Mexique, 18 novembre 1910
En novembre 1910, Francisco Madero soulève le Mexique contre la dictature de Porfirio Diaz. Il a pour lieutenants deux inconnus : Emiliano Zapata, paysan métis de la province du Morelos, et Pancho Villa, ancien bandit venu du nord du pays. Issus du peuple, ils deviennent les héros d'une révolution qui, pendant dix ans, bouleversera le Mexique.

Paris envahie par la Seine : la gare Saint-Lazare, janvier 1910.

Inondations catastrophiques à Paris

Paris, 20 janvier 1910
Après une longue période de pluies, la France est sous les eaux : inondations en Seine-et-Marne, dans l'Est, le Loiret, en Normandie, dans les Alpes, en Bretagne et à Paris, où la Seine a débordé. Les Parisiens improvisent des ponts de planches et chaussent des bottes. On a même vu des députés en barque.

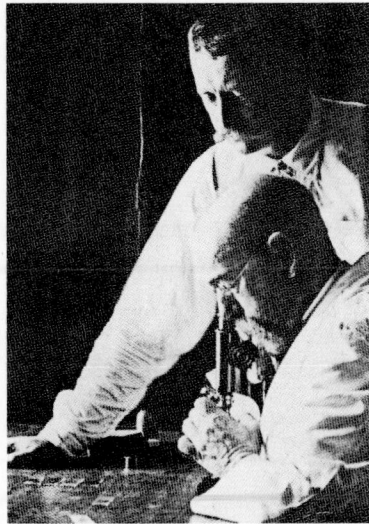

Le bactériologiste Robert Koch.

Le bactériologiste Robert Koch est mort

Baden-Baden, 27 mai 1910
Mort à soixante-sept ans, ce médecin allemand avait publié en 1902 des études sur la tuberculose et sur le bacille auquel son nom reste attaché. Il réussit à le cultiver hors de l'organisme, et à inoculer la maladie à des animaux. Il découvrit également les spores de la bactéridie charbonneuse, l'agent microbien du choléra et réalisa la préparation de la tuberculine. Robert Koch avait reçu le prix Nobel de médecine en 1905.

Florence Nightingale (à droite).

Florence Nightingale au service des autres

Angleterre, 14 août 1910
Née en 1820, Florence Nightingale se consacre très tôt au métier d'infirmière. Après avoir fondé à Londres un hospice pour dames invalides, elle part organiser l'intendance d'hôpitaux militaires de campagne, notamment pendant la guerre de Crimée. Son acharnement triomphe du conservatisme des pouvoirs publics : elle obtient la réforme du service médical de l'armée et la création de la première école moderne d'infirmières en 1860. Elle laisse à sa mort, le 14 août 1910, le souvenir d'un dévouement et d'un courage exemplaires.

Kandinsky, pionnier de l'art abstrait

Paris, 1910
Le peintre Wassily Kandinski (1866-1944), d'origine russe mais naturalisé Allemand puis Français, est parvenu à une simplification très personnelle des formes, assortie de couleurs denses. Sa peinture débouche sur une abstraction que caractérisent un espace arbitraire, des éléments graphiques et des couleurs autonomes. Son œuvre s'accompagne d'écrits fondamentaux. *Du spirituel dans l'art* fonde la liberté inventive et le lyrisme sur « la nécessité intérieure » dont l'*Almanach* du Blaue Reiter, en 1912, présentera divers exemples.

Wassily Kandinsky. «Improvisation X ». 1910. Collection Ernst Beyeler, Bâle.

La chanteuse Mae Murray avec une formation de jazz.

La Nouvelle-Orléans, capitale du jazz

La Nouvelle-Orléans, 1910
Né dans le sud des Etats-Unis à la fin du XIXᵉ siècle, le jazz trouve, au début du XXᵉ, sa patrie d'élection à la Nouvelle-Orléans. C'est dans cette ville, où se côtoient la tradition française du quadrille et la tradition noire du *Spasm-band,* et plus précisément dans les bars et les dancings du quartier de Storyville, que s'élabore, aux alentours de 1910, le jazz moderne. C'est là que naît le *ragtime* et que s'illustrent le trompettiste Buddy Bolden ou le cornettiste Freddy Keppard. En 1917, Storyville sera fermée par ordre du gouverneur. Ce sera alors l'exil du jazz vers Chicago.

"L'Oiseau de feu" révèle Stravinski

Paris, 25 juin 1910
La création de *L'Oiseau de feu* à l'Opéra de Paris apporte la célébrité à Stravinski. Diaghilev lui avait confié la composition de ce ballet tiré d'un vieux conte russe. La synthèse entre l'exotisme, les rythmes empruntés au folklore russe et le chromatisme presque atonal, la rutilance et l'éclectisme remportent un grand succès.

Costume de Léon Bakst pour « L'Oiseau de feu ».

Titre mondial pour un champion noir

Reno, Nevada, 4 juillet 1910
Jack Johnson, 32 ans, restera dans l'histoire de la boxe le premier champion noir à avoir conquis, en 1908, un titre mondial. Deux ans après ce succès, Johnson défend son titre à Reno devant Jim Jeffries, qu'il bat par K.O. à la quinzième reprise. En soulevant l'enthousiasme des populations noires, sa victoire déclenche des affrontements raciaux qui font plusieurs morts.

Jack Johnson.

Création de l'Union sud-africaine

Le Cap, 31 mai 1910
Après les violences de la guerre du Transvaal (1899-1902), il fallait rétablir la paix entre les communautés d'Afrique du Sud. L'Union sud-africaine est créée. Les provinces, administrées par un gouverneur et une assemblée locale, gèrent les affaires sociales et scolaires. L'Union est régie par un Parlement bicaméral, un gouverneur général désigné par Londres et un Premier ministre.

1911

Londres, 3 janvier
700 policiers assiègent une maison de Sidney Street, où sont barricadés des anarchistes russes qui périront dans l'incendie du bâtiment.

France, 10 mars
Adoption de l'heure du méridien de Greenwich, en usage dans toute l'Europe occidentale.

Chine, 17 mars
Loi interdisant les fumeries d'opium ainsi que les mauvais traitements aux prisonniers.

Portugal, 6 avril
Les militaires obtiennent le droit de vote. La cour constitutionnelle décide le 30 que les femmes ont le droit de participer aux élections. Le premier président de la République, Manuel Arriaga, est élu le 24 août. Il est âgé de 75 ans.

France, 11 avril
Le ministre de la Guerre, Maurice Berteaux, présente aux parlementaires les nouveaux uniformes gris et réséda.

Londres, 12 avril
Premier vol depuis Paris sans escale.

Champagne, 12 avril
Violentes émeutes viticoles contre la concurrence des vins mousseux d'Epernay et d'Ay. Le 7 juin, les vignobles de l'Aube sont classés dans la Champagne deuxième zone.

Mexique, 15 avril
30 000 soldats américains passent le Rio Grande pour combattre l'insurrection de Zapata contre Porfirio Diaz, qui s'exile à Paris le 21 juin. Francisco Madero élu président le 2 octobre.

Islande, 8 mai
Le nouveau code en vigueur dans la colonie danoise garantit aux femmes le droit de vote à égalité avec les hommes.

Chine, 10 juin
On dénombre 451 millions d'habitants.

Paris, 13 juin
Après Le Spectre de la rose (19 avril), les Ballets russes présentent un autre chef-d'œuvre de Michel Fokine, Petrouchka (Stravinski).

Londres, 18 juin
Couronnement de George V.

France, 3 juillet
Loi sur les retraites ouvrières.

Paris, 22 août
On a volé La Joconde. Le plus célèbre tableau du monde avait été acheté à Léonard de Vinci par François Ier. Le Louvre rouvre ses portes le 29. L'enquête conduit à tort à Guillaume Apollinaire qui est arrêté et inculpé de recel.

Empire ottoman, 28 septembre
Déclaration de guerre de l'Italie, qui a décidé d'annexer la Tripolitaine et la Cyrénaïque (5 novembre). On attribue au lieutenant Gavotti le largage de la première bombe aérienne sur les Turcs, dans la région de Tripoli.

Pays-Bas, 30 septembre
L'obligation de célibat pour les institutrices est abolie.

France, 10 novembre
La population diminue : au premier semestre, les décès ont dépassé les naissances de 21 189 unités. Le 5 mars, on recense 39 601 509 habitants : accroissement de 350 000 habitants depuis 1906, le plus faible d'Europe.

Italie, 17 novembre
L'Italie recense 34 686 653 habitants, soit une hausse de 6,81 % en dix ans.

Rome, 14 décembre
La France achète le palais Farnèse 3,3 millions de francs pour y abriter son ambassade.

Pôle Sud, 14 décembre
Le Norvégien Roald Amundsen est le premier homme à atteindre le pôle Sud. Il a battu de vitesse l'Anglais Robert Scott, qui l'atteindra le 17 janvier 1912. →

Munich, 18 décembre
Première exposition du groupe Blaue Reiter (Cavalier bleu) qui jouera un rôle déterminant dans l'art moderne (Kandinsky, Marc, Kubin, Macke).

Luxembourg, 31 décembre
Le Luxembourg compte 260 400 habitants.

Nouvelle-Zélande
Lord Ernest Rutherford un physicien anglais, rejette les thèses de Thomson et découvre la structure de l'atome.

Bruxelles
Le peintre viennois Gustav Klimt décore le palais Stoclet, chef-d'œuvre de l'architecte autrichien Joseph Hoffman.

Crise marocaine : la "Panther" à Agadir

Maroc, 1er juillet 1911
La question marocaine, objet de litige entre la France et l'Allemagne, semblait avoir été réglée par l'acte d'Algésiras de 1906. Mais le droit de police reconnu à la France et à l'Espagne sur les côtes marocaines avait avivé les rancœurs de l'Allemagne, désireuse d'exercer aussi son influence au Maroc, dont elle convoite les ressources. A la demande du sultan (20 avril) qui est menacé par les tribus insurgées et demande protection pour lui-même et pour les ressortissants français, Paris envoie le général Charles Nimier pacifier Fès, qu'il occupe sans combattre le 18 mai. L'Allemagne n'émet pas de protestation contre cette violation des accords d'Algésiras qui lui donne toute liberté de manœuvre : Guillaume II envoie le 1er avril la canonnière Panther dans la rade d'Agadir. Cette pression est vivement critiquée par la France et la Grande-Bretagne. Avec l'accord de la France, l'Espagne occupe la ville d'Ifni le 2 septembre. D'âpres discussions entre Paris et Berlin aboutissent finalement à un accord le 4 novembre : l'Allemagne renonçant à ses prétentions au Maroc, reconnaît le protectorat français en échange d'un territoire de 275 000 km² au Congo avec une po-

La «Panther», canonnière allemande, au large de la forteresse d'Agadir.

pulation d'un million d'habitants (mais c'est une région marécageuse envahie par le paludisme) et un petit territoire au Tchad (le « Bec de canard »). Si le conflit a été évité, l'hostilité subsiste.

La division des tâches selon F. W. Taylor

Etats-Unis, 1911
Quaker d'origine irlandaise, Frederick Taylor (1856-1915) publie à 55 ans ses Principes d'organisation scientifique (Principles of scientific management). Il y systématise les conceptions exposées en 1903 dans Shop management (organisation des ateliers). Ancien champion de tennis, Taylor a concentré son attention sur l'efficacité des gestes. Consultant en organisation dans la sidérurgie, il analyse l'outillage, les temps et les mouvements. Il en dégage « la meilleure méthode de travail » (« the one best way ») qui résulte de la stricte division des tâches de conception et d'exécution.

Marie Curie pour la seconde fois prix Nobel en 1911.

Marie Curie reçoit un second prix Nobel

Stockholm, 10 décembre 1911
Le savant franco-polonais reçoit une consécration sans précédent : après le prix de physique en 1903 (partagé avec son mari Pierre Curie et Henri Becquerel), elle se voit attribuer le Nobel de chimie pour sa découverte du radium et du polonium. Le 23 janvier, après un laborieux débat sur l'éligibilité des femmes, l'Académie des sciences de Paris lui avait préféré Henri Becquerel. Elle sera la première femme nommée professeur à la Sorbonne.

Marie Curie dans son laboratoire de la Faculté. Vers 1905.

La révolution du Double-Dix en Chine

Wou-Han, 10 octobre 1911

L'opposition à la monarchie impériale est essentiellement constituée par la Ligue jurée fondée en 1904 à Tokyo par Sun Yat-sen, qui exige l'instauration d'une démocratie parlementaire d'inspiration socialiste. Le 10 octobre (10.10 : double-dix), des militaires insurgés s'emparent du palais du gouverneur à Wou-Han. La république de Chine du Sud est proclamée dès le 12. Les révolutionnaires prennent Nankin le 10 novembre. Fin novembre, les insurgés contrôlent les deux tiers du territoire. Comme de nombreux Chinois réfugiés aux Etats-Unis, Sun Yat-sen rentre en toute hâte. Il est élu président le 29 décembre à Shangai. Le 7 décembre, on autorise tous les Chinois à couper leur natte. Le 1er janvier 1912 devient le jour de naissance de la république.

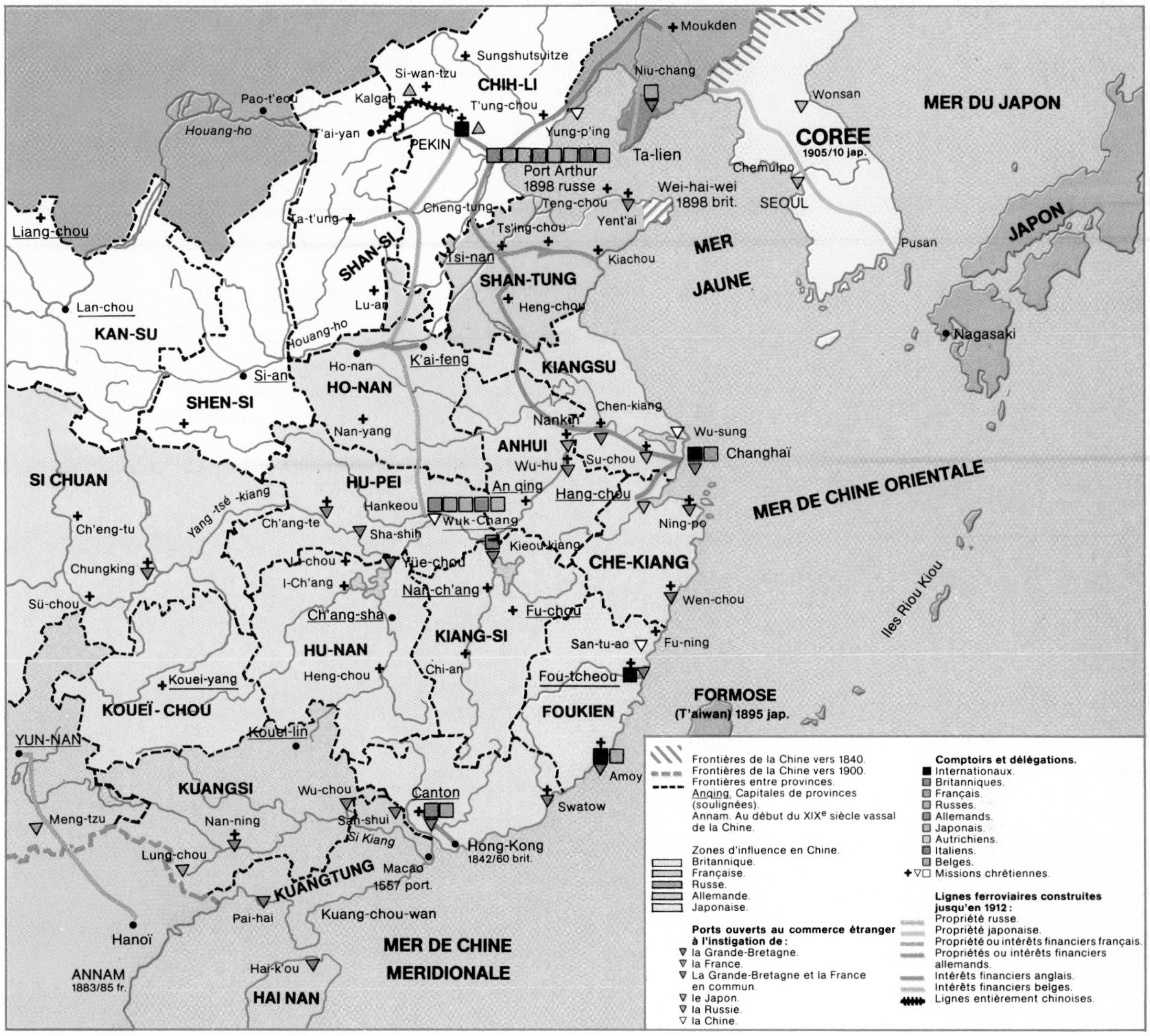

Drapeaux de la république de Chine.

Stolypine assassiné au théâtre de Kiev

Kiev, 14 septembre 1911

Le Premier ministre Piotr Stolypine est assassiné par Dimitri Bogrov, un avocat anarchiste devenu agent de la police secrète. La Russie perd le réformateur de la société rurale.

L'athlète Jean Bouin.

Record de Jean Bouin pour le 10 000 mètres

Colombes, 16 novembre 1911

Jean Bouin établit le premier record du monde officiel du 10 000 mètres, sur piste cendrée et sous une pluie battante, en 30' 58'' et 4/5. Son record ne tombera qu'en 1921.

Gustav Mahler.

Mort du compositeur Gustav Mahler

Vienne, 18 mai 1911

Gustav Mahler, le « compositeur le plus métaphysique depuis Beethoven », vient de mourir. Sa huitième symphonie, baptisée *Symphonie des mille*, avait connu un triomphe à Munich le 12 septembre 1910. Mahler laisse quelque soixante lieder, une cantate et dix symphonies. Directeur de la Philharmonique de Vienne, il a apporté aux grands classiques des « retouches » qui ont déchaîné contre lui la critique. C'est à partir de 1902, lorsqu'il achève sa Cinquième Symphonie, que son œuvre de compositeur est reconnue. Adulé ou controversé Mahler a dirigé le Metropolitan Opera de New York avant d'être appelé à Vienne.

Roald Amundsen atteint le pôle Sud

Pôle Sud, 14 décembre 1911

Le Norvégien Roal Amundsen est le premier homme a atteindre le pôle. Parti le 28 octobre de la base *Little America* avec quatre compagnons et 115 chiens de traîneau, il a pris de vitesse son concurrent, Robert Falcon Scott, qui est parti quatre jours plus tôt de Cap Evans, muni de traîneaux à moteur, doit parcourir 60 miles de plus et n'atteindra le pôle que le 17 janvier 1912. A travers ces deux hommes, c'est la Norvège qui triomphe de la Grande-Bretagne.

L'explorateur norvégien Roald Amudsen au pôle Sud.

1912

France, 1er janvier
Le chèque barré acquiert une existence légale.

Etats-Unis, 6 janvier
Le Nouveau-Mexique devient le 47e Etat ; le 14 février, l'Arizona devient le 48e Etat. A New York, le 9 janvier, 4 milliards de dollars d'actions partent en fumée dans l'incendie de l'immeuble des assurances Equitables.

Paris, 13 janvier
Ministère de Raymond Poincaré.

Paris, 29 janvier
Une délégation féministe menée par Marguerite Durand et Séverine se rend le 29 au Palais-Bourbon pour obtenir le vote des femmes.

Chine, 13 février
L'empire devient une république. → Droit de vote proclamé le 6 décembre, aux conditions suivantes : avoir 21 ans, posséder au moins 500 dollars de biens et avoir fait des études supérieures.

Zurich, 20 février
Les institutrices qui se marient doivent démissionner.

Londres, 4 mars
Les suffragettes détruisent les vitres du domicile de plusieurs hommes politiques.

Chili et Bolivie, 6 mars
Inauguration de la voie ferrée Arica (côte Pacifique) La Paz (Bolivie) qui franchit les Andes à 4 264 m d'altitude.

Rome, 14 mars
Un ouvrier anarchiste blesse grièvement de deux coups de feu le roi Victor-Emmanuel III.

Au large de Terre-Neuve, 15 avril
Naufrage du *Titanic*. →
La commission d'enquête conclura le 3 juillet à la responsabilité par négligence du capitaine.

Choisy, 27 avril
Le célèbre anarchiste Jules Bonnot, dont la maison a été dynamitée par la police, est abattu de plusieurs balles.

Maroc, 28 avril
Le général Louis Hubert Lyautey est nommé résident général.

Union soviétique, 5 mai
Premier numéro du journal bolchevique *La Pravda*.

Mongolie, 24 juillet
Le territoire devient un protectorat russe.

Paris, 1er août
Inauguration du service postal aérien avec Londres.

Nicaragua, 14 août
Débarquement des Marines américains pour prévenir une intervention européenne. Les banques américaines se portent garantes du règlement des dettes du pays.

Empire ottoman, 17 octobre
Déclaration de guerre de la Bulgarie, la Serbie, la Grèce et le Monténégro. →

Empire ottoman, 18 octobre
La Turquie, vaincue par l'Italie, signe la paix. →

Espagne, 12 novembre
Le président du Conseil Canejas est assassiné par un anarchiste.

Maroc, 27 novembre
Convention entre la France et l'Espagne délimitant leur zone d'influence respective.

Egypte, 7 décembre
Découverte du buste de la reine Néfertiti, qui sera conservé au musée de Berlin.

France, 11 décembre
Pour la première fois depuis 1910, le nombre des naissances excède celui des décès pour le premier semestre de l'année.

Etats-Unis, 18 décembre
Le Congrès interdit l'accès du pays aux immigrants analphabètes.

Paris, 21 décembre
Première de *L'Annonce faite à Marie*, de Paul Claudel. Cette année, les Ballets russes ont créé *Daphnis et Chloé* de Maurice Ravel et *Prélude à l'après-midi d'un faune* de Claude Debussy qui a provoqué un beau scandale. L'importante exposition de la Section d'or cubiste (F. Picabia, F. Léger, A. Gleizes, J. Metzinger, etc.) s'est ouverte le 9 octobre à la galerie La Boétie.

Venise
La place Saint-Marc a enfin retrouvé son aspect séculaire : le célèbre campanile, qui s'est écroulé il y a dix ans, est reconstruit *com'era, dov'era* (comme il était, là où il était).

Vienne
Totem et Tabou de Sigmund Freud.

La guerre éclate dans les Balkans

Sofia, 17 octobre 1912
Profitant de la défaite turque face à l'Italie, une ligue balkanique s'était constituée entre les Etats chrétiens des Balkans (Bulgarie, Serbie, Grèce et Monténégro). Forte du patronage de la Russie, elle déclara la guerre à l'Empire ottoman. En trois semaines d'une offensive foudroyante, les Bulgares battent les Turcs à Kirk-Kilissé (aujourd'hui Kirklareli) et à Lulé-Burgas, obligeant les Turcs à se replier sur Catalca, pour protéger Istanbul. Les Serbes prennent Kumanovo et Istip. Les Grecs entrent à Salonique le 8 novembre. Le 3 décembre, le gouvernement turc demande un armistice. Il durera deux mois. Le 14 janvier 1913, les hostilités reprennent. Mais la chute d'Andrinople (26 mars 1913) décide le sultan turc à négocier. Le traité de Londres (31 mai) retire aux Turcs la Crète et les territoires à l'ouest de la ligne Enos-Midia. Le 30 juin 1913, une seconde guerre balkanique éclate. Elle oppose les Bulgares à leurs anciens alliés, à propos de la répartition des territoires conquis. Les troupes bulgares sont vite menacées d'écrasement. Le traité de Bucarest (10 août 1913) répartit entre les Etats balkaniques les territoires abandonnés par la Turquie ; la part de la Bulgarie y est réduite à la portion congrue.

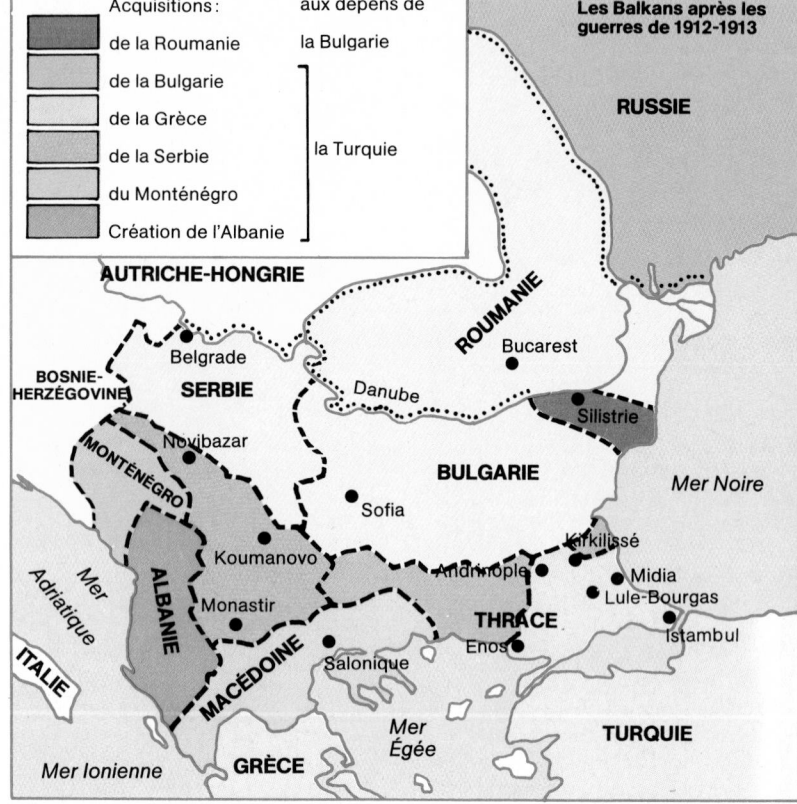

Les Balkans après les guerres de 1912-1913

L'Italie conquiert la Libye au traité d'Ouchy

Lausanne, 18 octobre 1912
La Turquie et l'Italie, en guerre depuis septembre 1911, ont signé la paix à Ouchy, près de Lausanne. Le conflit avait eu pour origine un différend commercial. Des marchands italiens s'étant plaint des entraves mises à leur activité, le gouvernement italien avait demandé à l'Empire ottoman la liberté de transactions en Tripolitaine. Devant le refus ottoman, l'Italie avait déclaré la guerre et envoyé des troupes en Libye. Elles s'étaient aisément emparé de la ville de Tripoli et avaient occupé la côte de Cyrénaïque, sans pénétrer à l'intérieur des terres. Le gouvernement turc, éprouvé par ses revers militaires, cède la Tripolitaine et la Cyrénaïque.

Le démocrate Wilson élu 28e président

Washington, 5 novembre 1912
Woodrow Wilson est élu 28e président des Etats-Unis devant Roosevelt. Le futur signataire du traité de Versailles fera l'objet d'un livre de Freud.

Thomas Woodrow Wilson.

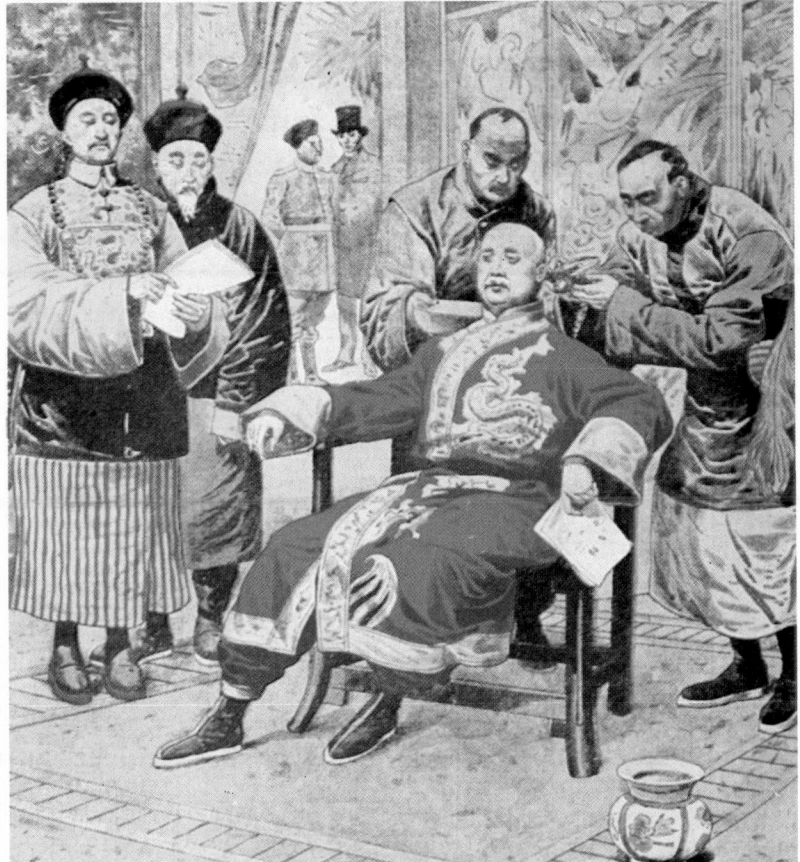

Yuan Shih-kai, président de la république de Chine, se fait couper sa natte pour montrer symboliquement qu'une ère nouvelle est commencée.

Yuan Shih-kai maître du pouvoir en Chine

Pékin, 13 février 1912

Depuis la révolution du Double-Dix (10 octobre 1911), la Chine centrale est sous le contrôle des républicains de Sun Yat-sen. Le chef des armées impériales, Yuan Shih-kai, a depuis 1905 assis son autorité personnelle sur l'armée du Nord, dite armée Beiyang, qui comporte plusieurs officiers révolutionnaires. Aussi engage-t-il une riposte sans ardeur lorsque la cour impériale lui ordonne de réprimer le mouvement républicain ; une trêve signée le 1er décembre 1911 inaugure des pourparlers entre les révolutionnaires, le gouvernement de Pékin et Yuan Shih-kai qui, disposant de sympathies dans les deux camps, se pose en médiateur. Lorsque Sun Yat-sen devient président provisoire du régime républicain de Nankin, la Chine a deux gouvernements. Mais la cause de l'empereur est perdue : il abdique le 13 février. Sachant que seule une guerre civile pourrait démettre Yuan Shih-kai, Sun Yat-sen lui offre, le 15 mars, la présidence de la République chinoise. Le nouveau président s'installe le 20 mars à Pékin, où le Parlement le rejoint au début du mois d'avril.

Le naufrage du « Titanic ».

"Titanic" sombre à son premier voyage

Atlantique, 15 avril 1912, 2 h 30

Lors de sa première traversée, de Southampton à New York, *Titanic*, le plus grand paquebot du monde (269 m) paraît devoir remporter le Ruban bleu. Mais il heurte un iceberg, à 150 km au large de Terre-Neuve. Le bloc de glace éventre la proue, à tribord, en dessous de la ligne de flottaison. La double cale est déchirée sur 90 m. Malgré le travail des pompes, le bâtiment coule en deux heures et demie. 2 224 personnes se trouvaient à bord, mais les canots de sauvetage ne pouvaient accueillir que 1 178 passagers. Seuls les femmes et les enfants furent autorisés à s'embarquer. 1 513 personnes périrent dans les eaux glacées. A la suite de cette catastrophe, une convention internationale pour la sauvegarde des vies fut convoquée à Londres en 1913. Elle obligea les compagnies à prévoir des embarcations de sauvetage capables d'accueillir l'ensemble des passagers.

Alexis Carrel prix Nobel de médecine

Stockholm, 10 décembre 1912

Le médecin français Alexis Carrel (1873-1944) a reçu le prix Nobel de médecine. Physiologiste et chirurgien, il a réalisé d'importants travaux sur la suture des vaisseaux sanguins, les greffes de tissus et d'organes, la survie des cellules, des tissus et des organes en dehors du corps. Son livre spiritualiste, *L'Homme, cet inconnu*, lui vaudra en 1936 une large notoriété.

Alexis Carrel.

L'explorateur anglais Robert Scott ne survivra pas à son expédition.

L'explorateur Scott vaincu par le pôle Sud

Pôle Sud, 17 janvier 1912

Parti en 1910, Robert Falcon Scott (né en 1868) avait atteint le pôle Sud peu après Roald Amundsen. Il perdit au retour deux membres de son expédition. Une équipe envoyée à son secours l'a trouvé mort, à côté des corps de ses deux derniers compagnons. Il était assis au milieu de la tente gelée, la tête encore penchée sur le journal où il consignait le récit de son entreprise.

L'écrivain suédois Strindberg est mort

Stockholm, 14 mai 1912

Dramaturge, romancier et essayiste, August Strindberg (1849-1912) fait dans son œuvre le rigoureux constat d'échec d'une civilisation qui a atteint le temps de la décadence. Tour à tour mystique, positiviste, athée, antiféministe et occultiste, Strindberg laisse des œuvres souvent cruelles : *Le Songe*, *Inferno* et *Mademoiselle Julie*.

August Strindberg en 1891.

Premier syndicat ouvrier au Japon

Japon, 1er août 1912

Suzuki Bunji, un chrétien fervent, passant outre la loi de 1900 qui interdit aux Japonais toute activité syndicale, fonde le Yuaikai (Société de l'amitié). Ce syndicat prône la coopération entre patrons et ouvriers. Recrutant surtout parmi les fabricants de tatamis, il affiche des positions légalistes. Sa modération lui évite les poursuites. En 1917, il comptera 32 sections regroupant plus de 27 000 ouvriers.

L'Armée du salut a perdu son fondateur

Londres, 1912

Né en 1829, William Booth passe son adolescence dans un quartier pauvre de Nottingham et devient pasteur de l'Eglise méthodiste. En 1878, il transforme sa mission chrétienne, fondée en 1865, en une Armée du salut dont il est le général. Mouvement voué à la conversion des pauvres et des déviants, l'Armée du salut est organisée sur un mode paramilitaire selon la hiérarchie de l'armée anglaise. Par ses œuvres charitables, elle prépare le terrain à l'évangélisation et met l'accent sur la pratique des vertus chrétiennes. Dans *In darkest England*, paru en 1890, Booth expose un plan de réforme sociale par le travail.

William Booth.

1913

Vatican, 13 janvier
Le pape interdit la projection de films dans les églises, et qu'ils aient un contenu religieux.

France, 17 janvier
Raymond Poincaré, président. →

Istanbul, 21 janvier
Coup d'Etat des Jeunes-Turcs.

New York, 2 février
Inauguration de la gare la plus vaste du monde : Grand Central Terminal.

Paris, 3-27 février
Procès des survivants de la bande à Bonnot : quatre condamnations à mort. Exécutions le 21 avril.

Londres, 24 février
Arrestation de la suffragette Emmeline Pankhurst, après le sabotage de la ligne téléphonique Londres-Glasgow par les féministes le 8 et un attentat à la bombe le 19 dans la résidence du leader libéral.

Paris, 2 avril
Inauguration du théâtre des Champs-Elysées, « le plus beau théâtre du monde ». Ce jour-là, sur la Seine, navigue la planche à voile ou plutôt le vélivole de Martin d'Estreaux. Jacques Copeau ouvre le théâtre du Vieux-Colombier le 23 octobre.

Berlin, 17 avril
Nouvelle victoire de l'aviation : deux Français ont relié Paris Berlin en 12 heures.

Toulon, 22 avril
On dénombre 163 fumeries d'opium dans le port. La drogue provient de fabriques financées par l'Etat en Indochine.

Paris, 9 mai
Sortie d'un film à épisodes : *Fantomas*, de Louis Feuillade. Après avoir créé le 15 *Jeux* de Claude Debussy, les Ballets russes de Diaghilev font scandale le 29 avec *Le Sacre du printemps* d'Igor Stravinski. *Alcools* de Guillaume Apollinaire paraît le 1er juin. Premier match en France de *catch as catch can* le 8 juin.

Istanbul, 12 juin
Le grand vizir est assassiné.

Balkans, 29 juin
Seconde guerre balkanique, à laquelle met fin la paix de Bucarest le 10 août.

Norvège, 29 juin
Le Parlement décide à l'unanimité d'accorder aux femmes le droit de vote, sans restriction.

Russie, 12 août
Paris restitue la cloche de Sébastopol pesant 3 tonnes et accrochée à une tour de Notre-Dame.

Los Angeles, 14 août
Inauguration de la plus longue conduite d'eau du monde : 410 km.

France, 24 août
Les lignes de chemins de fer du Midi sont électrifiées.

Paris, 1er septembre
Coco Chanel impose la marinière.

Allemagne, 8 septembre
Le plus gros Zeppelin, le *LZ*, mesure 160 m de long, 16 m de large ; il est équipé de quatre moteurs de 205 CV.

Paris, 1er octobre
Les ordures ménagères seront désormais enlevées au moyen de camions automobiles. Le 4 février, on a installé des kiosques-vigies avec téléphone.

Russie, 21 novembre
Vingt-deux manuscrits de Léon Tolstoï sont détruits sur ordre de la justice de Saint-Pétersbourg. Mikhaïl Larionov publie cette année à Moscou le *Manifeste rayonniste*.

Paris, 1er décembre
Parution du *Grand Meaulnes* d'Alain-Fournier. Cette année paraît *La Prose du transsibérien* de Blaise Cendrars, texte de 2 m de long, illustré par Sonia Delaunay.

Florence, 13 décembre
La Joconde est retrouvée : le voleur, Vincenzo Perugia, qui est peintre, vient d'essayer de la vendre à un antiquaire florentin.

Etats-Unis
Malgré les menaces du trust Edison, dont les intérêts sont concentrés à New York, Cecil B. de Mille tourne *The Squaw Man* dans la banlieue de Los Angeles : Hollywood devient la capitale du cinéma. Par ailleurs, Lee De Forest invente la lampe à triode, qui permettra la radiophonie et la radiodiffusion.

Allemagne
Hans Geiger met au point le compteur de particules qui porte son nom.

Dès 1910 (date de cette affiche annonçant une exposition), une campagne active a été menée en Allemagne en faveur d'une flotte de guerre puissante.

Course aux armements en Europe

Paris, 20 décembre 1913
Depuis 1901, chacune des grandes puissances dépense annuellement de 1 à 2 milliards de francs pour s'armer. En Allemagne, le Reichstag vote une loi portant la mobilisation en temps de paix à 863 000 hommes et à plus de 5 millions en cas de conflit. L'armée, grâce aux aciéries Krupp et Thyssen, dispose d'une puissante artillerie lourde. Du côté français, on utilise depuis 1885 le fusil Lebel et les canons de 75, qui tirent quinze obus à la minute. La Belgique, quoique neutre, a instauré le 28 mai le service militaire obligatoire. Sur les océans, l'Angleterre conserve la maîtrise : 63 bateaux de ligne achevés, 15 en chantier, 42 cuirassés, 70 sous-marins, alors que pour l'Allemagne ces chiffres sont respectivement de 33, 8, 13 et 23. La Russie, grâce à l'aide française, a modernisé son matériel. L'armée austro-hongroise compte 1 400 000 hommes. Grâce à Skoda, elle a développé une puissante industrie d'armement et produit un excellent canon de 88.

Pays	Bateaux de ligne achevés	en construction	Croiseurs cuirassés achevés	en construction	Navires de guerre achevés	en construction	Sous-marins achevés	en construction
Grande-Bretagne	63	15	42	2	27	11	70	25
États-Unis	33	6	15	–	8	6	30	20
Allemagne	33	8	13	3	15	11	23	?
France	27	10	22	–	8	10	60	15
Japon	16	4	14	3	5	7	13	2
Russie	12	7	6	4		11	30	25
Italie	14	8	10	–	1	8	20	4
Autriche-Hongrie	14	2	3	–	2	2	6	2

Raymond Poincaré est élu Président de la France

Paris, 17 janvier 1913
Raymond Poincaré (1860-1934), lorrain originaire de Bar-le-Duc, travailleur acharné, républicain patriote, esprit précis et hautement cultivé, était membre du Conseil de l'Ordre des avocats (depuis 1907), académicien (depuis 1909), président du Conseil (depuis janvier 1912). Le 17 janvier 1913, les deux Chambres réunies en « Assemblée nationale » l'élisent président de la République par 483 voix contre 296 au ministre de l'Agriculture radical Pams.

La loi de trois ans pour les conscrits français votée au Parlement

Paris, 16 juillet 1913
La loi établissant le service militaire de trois ans est adoptée à la quasi-unanimité par la Chambre des députés, avant d'être votée le 7 août sans modifications par le Sénat. Proposée d'abord par le gouvernement Briand, puis par Louis Barthou, la loi de trois ans participe d'une ferme volonté de défense nationale face à la montée des tensions extérieures. Combattue par les socialistes et une partie des radicaux, elle fait néanmoins l'objet d'un large consensus.

Roland Garros traverse la Méditerranée

Tunis, 23 septembre 1913
L'aviateur Roland Garros relie Saint-Raphaël à Bizerte (Tunisie) en 7 heures et 53 minutes. Il a couvert 730 km dont 500 au-dessus de la mer. Là réside son exploit, puisqu'aucun atterrissage n'était possible. Parti à 6 heures du matin, il aperçut vers midi les côtes africaines. La visibilité était parfaite, mais les vents du sud lui étaient contraires. Le vol a été effectué à une altitude de 2 500 m. Son appareil, un monoplan Morane-Saulnier G, a un poids en charge de 529 kg, une longueur de 6,4 m et une envergure de 9,2 m. Il est équipé d'un moteur Gnome rotatif de 60 CV. En arrivant à Bizerte, Garros a fait le plein avant de repartir pour Tunis.

L'exposition de l'Armory Show fait un scandale à New York

New York, 13 février-15 mars 1913
Date mémorable dans l'histoire de l'art : l'Armory Show introduit pour la première fois l'art moderne en Amérique. Quelque 300 000 visiteurs ont l'occasion de prendre connaissance de l'évolution de l'art européen, qui s'impose avec une évidente suprématie. Le public découvre d'un coup 1 600 tableaux et sculptures soigneusement sélectionnés : Ingres, Delacroix, Courbet, mais aussi les impressionnistes, les fauves, les symbolistes, les cubistes et les premières peintures abstraites. Le futurisme de Picabia scandalise, mais l'événement est, sans contredit, le *Nu descendant un escalier* (1912) de Marcel Duchamp, dont la décomposition prismatique du mouvement provoque sarcasmes et hostilité.

Manteau de soirée de Paul Poiret. 1912. Lithographie de Georges Lepape. B.N., Paris

L'impôt sur le revenu établi aux Etats-Unis

Washington, 1913
Les Etats-Unis, conformément à l'esprit du 16e amendement récemment ratifié, instituent un impôt sur le revenu. Par cette décision, Woodrow Wilson cherche à compenser la perte fiscale consécutive à la diminution des droits de douane résultant de l'application du tarif *underwood*. L'imposition des revenus reste cependant très faible et ne touche que les contribuables disposant de ressources supérieures à 4 000 dollars par an. Le prélèvement est de 1 % sur les revenus inférieurs à 20 000 dollars, de 2 % sur les revenus compris entre 20 000 et 50 000 dollars, de 3 % entre 50 000 et 100 000 dollars, de 4 % enfin sur les revenus supérieurs à 100 000 dollars.

Francis Picabia. « Udnie ». 1913. Détail. C'est une toile de la même série que Picabia exposa à l'Armory Show.

Paul Poiret, un grand créateur de mode

Paris, 1913
Né en 1879, le grand couturier et décorateur Paul Poiret occupe une place essentielle dans le mouvement artistique français du début du siècle. Dès 1905, il propose une nouvelle silhouette féminine en supprimant le traditionnel corset et en créant une mode épurée, souple et vive. De ses voyages, il retient les influences allemandes et autrichiennes. Enthousiasmé par la danseuse Isadora Duncan, il l'invite à se produire lors des superbes présentations de ses collections. Admirateur des Fauves et des cubistes, il travaille avec de Vlaminck et Dufy. En 1911, il ouvre l'école et la maison Martine dont les tissus, les tapis et les papiers peints aux grands décors fleuris sont, pour l'époque, très novateurs, voire choquants.

Chaîne de montage dans un des ateliers de la Ford Motor Company à Detroit.

Le travail à la chaîne dans les usines Ford

Detroit, 16 août 1913
Henry Ford expérimente le montage à la chaîne, fondé sur la parcellisation du travail. L'ouvrier reste à son poste tandis que les pièces défilent devant lui. L'assemblage se réduit de ce fait à une série de gestes simples et répétitifs. Cette méthode qui permet de multiplier la productivité par quatre abaisse le temps de montage de la Ford « T » de 6 h à 1 h 30 dès le 12 janvier 1914. Tandis que les salaires des ouvriers augmentent, le prix de la « T » tombe de 950 à 290 dollars.

André Siegfried pose les jalons de la sociologie politique

Paris, 1913
André Siegfried (1875-1959) s'est consacré à l'histoire des mentalités et des comportements politiques et religieux. Fils d'un ministre du Commerce de la IIIe République, il devient professeur à l'Ecole libre des sciences politiques en 1911, au Collège de France en 1933 et entre à l'Académie française en 1944. Dans son célèbre *Tableau politique de la France de l'Ouest* qui « envoûta » Montherlant, il jette les bases de la sociologie électorale : il y montre l'existence des tempéraments politiques déterminés, pour chaque région, par le mode de peuplement, les conditions de l'exploitation, le régime de la propriété, l'origine ethnique, la hiérarchie des classes, la tradition économique. Ce voyageur attentif aux « petits faits vrais » note que les pays du monde se divisent en deux groupes : « ceux où les hommes portent la chemise sur le pantalon » (l'Orient) et « ceux qui la portent sous le pantalon » (l'Occident).

Proust publie "Du côté de chez Swann"

Paris, 1913
Ce premier des sept volumes de *A la recherche du temps perdu* réévalue l'expérience de la littérature. L'ampleur du style et sa charge métaphysique en font un des jalons principaux de l'histoire littéraire universelle.

En Afrique du Sud, Gandhi prône la non-violence

Durban, 6 novembre 1913
En 1893, le gouvernement du Natal frappe les populations indiennes travaillant dans les plantations de canne à sucre de mesures discriminatoires, combattues pacifiquement par un jeune avocat, Gandhi, qui fonde le Native Indian Congress.

Statistiques des espérances de vie en Europe

50 ans	2 mois	Suède et Norvège
48 ans	2 mois	Danemark
48 ans	1 mois	Irlande
45 ans	5 mois	Angleterre
44 ans	11 mois	Belgique
44 ans	4 mois	Suisse
44 ans		Hollande
43 ans	7 mois	Russie
43 ans	6 mois	France
39 ans	10 mois	Italie
39 ans	4 mois	Prusse
36 ans		Portugal
35 ans	11 mois	Roumanie
35 ans	4 mois	Grèce
34 ans	2 mois	Autriche
33 ans	7 mois	Bulgarie
33 ans	5 mois	Turquie
32 ans	4 mois	Espagne

1914-1918 : la grande césure

La guerre de 1914-1918 clôt le XIX⁰ siècle qui, rétrospectivement, apparaît comme une période de stabilité. A part l'intervention française en Espagne de 1823, la guerre de Crimée de 1855-1856, la guerre franco-allemande de 1870 et les affrontements suscités périodiquement par la « question d'Orient », le XIX⁰ siècle n'a pas connu de grand conflit militaire international. Cet équilibre des relations planétaires a favorisé l'essor de l'Europe qui, en 1914, connaît une apogée sereine : c'est la « Belle Epoque ».

1914 : l'Europe triomphante

La primauté européenne tient d'abord à sa vitalité démographique. Avec 450 000 000 d'habitants, l'Europe de 1914 représente le quart de l'humanité et constitue le continent le plus densément peuplé. Les rapides progrès de l'alimentation, de la médecine et de l'hygiène prolongent la durée de la vie humaine. Il en résulte un fort accroissement naturel, en raison du maintien d'un taux de fécondité élevé. L'Europe de 1914 domine l'industrie, la finance et le commerce mondiaux. Elle assure les trois-quarts de la production industrielle et a glané l'ensemble des prix Nobel scientifiques décernés avant 1914. Banquier du monde, elle fournit les quatre-cinquièmes des capitaux investis dans les autres continents et renfloue les budgets d'Etats en difficulté, tels l'Empire ottoman ou l'Egypte. En 1914, le Royaume-Uni, la France et l'Allemagne sont les trois premiers investisseurs mondiaux. Les Etats-Unis sont leur débiteur. L'Europe contrôle les grands moyens de communication (lignes maritimes, cables télégraphiques transocéaniques, agences de presse) et contrôle les trois-quarts du commerce international.

Le partage du monde

En 1914, la domination coloniale de l'Europe s'impose à la majeure partie de l'Asie et surtout de l'Afrique où seulement deux pays conservent leur indépendance : le Liberia et l'Ethiopie. Les territoires coloniaux européens couvrent plus du quart des terres émergées et rassemblent le tiers de l'humanité. En superficie, l'Empire britannique re-

présente cent fois la Grande-Bretagne et l'Empire français, vingt fois la France. En effectifs, les populations coloniales de la Grande-Bretagne représentent le décuple de la population anglaise, notamment en raison du poids démographique de l'immense Empire des Indes. Les populations des colonies françaises ne représentent, en revanche, qu'un 1,4 fois l'effectif des Français de métropole.

L'Europe exerce aussi une influence sur les pays d'Amérique latine, politiquement indépendants mais commercialement tributaires de l'Europe pour l'écoulement de leurs monoproductions (caoutchouc, café, cacao, produits d'élevage). L'Empire ottoman, en pleine décomposition politique, est convoité par l'Allemagne, l'Angleterre et la Russie. Il en va de même de la Chine, à laquelle les pays européens ont imposé des « traités inégaux » qui restreignent sa souveraineté diplomatique et tarifaire. Les nationalismes européens exacerbent les rivalités coloniales et multiplient les frictions internationales en Europe même. L'Europe balkanique et les détroits turcs sont l'objet d'une âpre rivalité entre la Russie, protectrice traditionnelle des populations slaves de l'Europe du Sud, et l'Allemagne qui rêve d'étendre son influence le long d'une ligne reliant Berlin-Istanbul-Bagdad. L'antagonisme du panslavisme et du pangermanisme, avivé par la course aux armements et la logique des systèmes d'alliances (Triple Alliance contre Triple Entente), conduit à l'engrenage de la Première Guerre mondiale.

Une guerre longue et tragique

Lors de la mobilisation générale d'août 1914, les belligérants des deux camps s'attendent à « une guerre fraîche et joyeuse ». Illusion vite déçue : tant par sa durée qui rappelle celle des guerres napoléoniennes que par son extension géographique insolite, le premier conflit mondial prend d'emblée des proportions jamais atteintes jusqu'alors. La mobilisation massive des troupes coloniales (560 000 soldats africains ou asiatiques aux côtés de la France), le recours systématique aux chars, aux bombardements aériens et aux gaz asphyxiants, le rationnement autoritaire, le rôle de la propa-

gande officielle font de ce conflit la première « guerre totale » de l'histoire. Elle sert aussi de champ d'expérimentation sans précédent, jouant le rôle d' « accélérateur de l'histoire » (Lénine). De nouveaux produits apparaissent sous la pression des nécessités : aciers spéciaux, matériaux de synthèse et succédanés comme la saccharine, aviation de chasse, mise au point de prothèses pour les amputés, développement de la chirurgie des nerfs et de la face, essais de greffes osseuses, progrès de l'anesthésie...

Une nouvelle géopolitique

La guerre de 1914-1918 bouleverse en profondeur la physionomie des rapports internationaux. La seule année 1917 est marquée par l'affirmation de trois nouveaux acteurs, dont le rôle mondial restera décisif jusqu'à nos jours. Les Etats-Unis d'Amérique, jusqu'alors puissance régionale, entrent en guerre, inaugurant un engagement mondial désormais irréversible. La même année, la Russie devient le premier Etat socialiste et suscite des mouvements révolutionnaires en Allemagne. Enfin, la génèse du lancinant conflit israëlo-palestinien remonte au 2 novembre 1917, date à laquelle la Grande-Bretagne s'engage, par la déclaration Balfour, à créer en Palestine un foyer national juif. Les fils qui tisseront l'histoire de la France du XX⁰ siècle se sont noués en 1917. La paix de 1918-1919 consacre la disparition des grands empires qui depuis 1815 assuraient l' « équilibre européen » : Empire allemand, Empire russe, Empire austro-hongrois, Empire ottoman. Des dynasties séculaires sont détrônées : les Romanov dès 1917, les Hohenzollern, les Habsbourg, les Osmanlis. La république s'installe en Allemagne, en Autriche, le droit de suffrage est élargi en Grande-Bretagne et en Italie.

Les redécoupages de frontières aboutissent à un morcellement de l'Europe centrale. L'Empire austro-hongrois fait place à une mosaïque d'Etats successeurs (Hongrie, Tchécoslovaquie, Yougoslavie...) farouchement jaloux de leur indépendance, mais stratégiquement indéfendables. Dans les années 1930, ils seront une proie toute désignée des ambitions hégémoniques de Hitler qui se souviendra du vieil adage diplomatique du

XIXe siècle : « Qui tient Vienne et Prague tient l'Europe ».

Au plan des acquis positifs, la paix de 1918 esquisse une organisation internationale des Etats. La Société des Nations, conçue pour garantir la sécurité collective, est une œuvre de conciliation et de réconciliation qui a joué un rôle utile dans l'harmonisation des législations et qui, par le système des mandats, a préparé graduellement l'émancipation de nombreux territoires coloniaux. De même, le mouvement pan-européen, actif dans les années 1920, sème les germes de la construction européenne des années 1950.

Une commotion humaine

Mais ces initiatives généreuses n'ont pas porté pleinement leurs fruits en raison de l'hémorragie des élites occasionnée par la guerre. Cinquante ans après le conflit, Jean Guéhenno écrit dans *La mort des autres* : « Un titre singulier de cette génération dont nous sommes est qu'elle compte sans doute plus de morts qu'aucune autre ». neuf millions de morts, dix-sept millions de blessés dont un tiers d'invalides, quatre millions de veuves, le double d'orphelins, tel est le bilan humain d'un conflit dont les pertes affectent à 95 % l'Europe. Jamais depuis la peste noire du milieu du XIVe siècle l'Europe n'avait subi une telle hémorragie. En Allemagne comme en France, la population active est lourdement amputée.

A terme, c'est toute la vitalité démographique de l'Europe qui se trouve compromise : l'absence des pères a désorganisé les familles et accusé le déficit des naissances. Des « classes creuses » apparaissent dans la pyramide des âges, accentuant, particulièrement en France, le vieillissement de la population.

Mutations sociales

La guerre a aussi ébranlé la stabilité des monnaies, des fortunes et des positions sociales. Le financement du conflit a été partiellement assuré par l'émission de papier-monnaie alors que le rationnement contribuait à l'inflation, en restreignant l'offre. Par rapport à l'indice 100 en 1913, les prix français atteignent l'indice 364 en 1919 et 520 en 1920. La flambée des prix touche l'ensemble des pays européens : entre 1913 et 1919, le pouvoir d'achat a diminué de 25 % en Italie et en Allemagne. Les détenteurs de revenus fixes comme les retraités ou les petits rentiers voient leurs ressources fondre. Les épargnants qui avaient souscrit aux emprunts russes se retrouvent ruinés lorsque le gouvernement bolchevique refuse d'honorer les dettes de l'Etat tsariste. Les classes moyennes salariées ont le sentiment d'être spoliées et se tournent soit vers les syndicats (en Europe, comme au Japon, l'après-guerre est marquée par une vive poussée des taux de syndicalisation), soit vers les partis extrémistes ou les mouvements préfascistes.

Les années 1919-1921 sont dominées par la difficile réinsertion des soldats qui, après quatre années de privations et de souffrances, découvrent, non sans amertume, la vie opulente des « nouveaux riches » : fabricants d'armes ou intermédiaires dont la guerre a assuré la fortune. « La réussite matérielle de cette catégorie d'industriels de guerre, de marchands qui ont spéculé, trafiqué, remet en cause les croyances traditionnelles dans la supériorité du travail, la vertu de l'épargne, ébranle la stabilité des valeurs qui constituaient le décalogue de la morale libérale et bourgeoise du XIXe siècle » (René Rémond).

La civilisation en crise

La « génération du feu » sort psychiquement traumatisée des années de guerre. Certains aspirent à revenir à une société stable fondée sur les corps intermédiaires et les valeurs de la culture gréco-latine : c'est le cas d'une large fraction de l'élite intellectuelle française qui, dans les années 1920, incline vers le monarchisme doctrinal de Charles Maurras, fondateur en 1899 du mouvement *L'Action française*. D'autres rêvent de perpétuer en temps de paix la solidarité des tranchées : des mouvements d'anciens combattants (*Croix de Feu* en France, *American Legion* aux Etats-Unis...) se forment et poussent les gouvernements à défendre avec vigilance l'intérêt national. Les horreurs de la guerre ont renforcé parmi les intellectuels le courant pacifiste : Romain Rolland, Alain, Marc Sangnier ou Aristide Briand dénoncent l'absurdité des passions nationalistes et proposent de construire la paix sur l'humanisme et la sécurité collective.

Chez d'autres, l'absurdité des souffrances endurées suscite le désarroi, la révolte et le rejet violent de toutes les valeurs établies. « Nous ruinerons cette civilisation qui vous est chère, où vous êtes moulés comme des fossiles dans le schiste », menace Louis Aragon. Des avant-gardes littéraires et artistiques, volontiers outrancières et provocatrices, veulent, avec Tristan Tzara, « détruire les tiroirs du cerveau et ceux de l'organisation sociale » (*Manifeste Dada*, 1918). Surréalisme et dadaïsme en France, expressionnisme en Allemagne tentent de libérer les forces créatrices en brisant les conventions esthétiques. Les philosophies de l'instinct, de la force et de l'élan vital s'imposent avec Ortega y Gasset en Espagne, D'Annunzio en Italie, Gide en France ou Kipling en Grande-Bretagne. La libération des pulsions et la quête anticonformiste de la spontanéité sont une composante majeure de l'esprit des « années folles » (1920-1930). La recherche du plaisir et des distractions, l'engouement pour la modernité traduisent une réaction de compensation aux tensions physiques et affectives supportées pendant le conflit.

L'émancipation des femmes

La mobilisation des hommes a favorisé l'accès des femmes aux responsabilités économiques, sociales et familiales. Si beaucoup cessent d'exercer une profession après la démobilisation, elles revendiquent leurs droits politiques. Le vote des femmes est accordé aux Russes et aux Hollandaises en 1917, aux Anglaises en 1918, aux Suédoises, aux Polonaises et aux Allemandes en 1919, aux Américaines et aux Autrichiennes en 1920, aux Tchèques en 1921... Peu à peu disparaissent les barrières qui écartaient les femmes des universités et des professions libérales. La protection maternelle se développe, notamment par la création d'allocations pré-natales.

Ce vaste mouvement ne touche que les femmes des sociétés industrialisées. Le *harem* subsiste dans le monde arabe ; le *purdah* (réclusion des femmes) se maintient en Inde ; le bandage des pieds des petites filles se perpétue en Chine. L'analphabétisme recule très lentement : en 1939, un tiers des femmes soviétiques ne savent encore ni lire, ni écrire.

L'essor des pays neufs

Outre ses contrecoups politiques et sociaux, la Première Guerre mondiale amorce une redistribution des pôles d'influence et une percée des continents extra-européens. En 1920, le géographe Albert Demangeon publie *Le déclin de l'Europe*. De banquier du monde, l'Europe est devenue importatrice nette de capitaux. Ses exportations ont fléchi. La même année, le philosophe allemand Oswald Spengler écrit *Le déclin de l'Occident* : sa vision cyclique de l'histoire le convainc que chaque culture passe par une phase de croissance, de maturité et de décadence. Déjà, l'irrésistible ascension économique des Etats-Unis et du Japon se profile au détriment de la vieille Europe.

Le revenu national américain a doublé à la faveur de la guerre et la conférence monétaire internationale de Gênes (1922) consacre l'accession du dollar au rang de monnaie de réserve internationale, au même titre que la livre sterling. La même année, la conférence de Washington confirme la suprématie navale américaine. Entre 1913 et 1917, l'excédent commercial sextuple et les biens de consommation américains supplantent les produits anglais et allemands.

Le Japon, a triplé son produit national au cours de la guerre et s'est emparé des possessions allemandes en Chine et en Océanie. Il a profité du conflit pour s'implanter sur les marchés latino-américains et répandre ses produits dans le bassin du Pacifique. Une nouvelle géopolitique planétaire s'esquisse déjà.

1914

Londres, 8 janvier
L'hôpital Middlessex utilise le radium pour soigner le cancer.

Russie, 14 janvier
Maxime Gorki autorisé à rentrer, après huit ans d'exil.

Paris, 25 janvier
Le nombre de chevaux est passé de 98 000 à 63 000 depuis 1900.

Allemagne, 8 février
A bord d'un biplan, l'aviateur Karl Ingold établit un nouveau record de durée en vol : 16 h 20 mn.

Paris, 14 février
Jean Cocteau signe un *Hymne au général Joffre*. Election du philosophe Henri Bergson le 12 à l'Académie française. Sarah Bernhardt a reçu le 14 janvier la Légion d'honneur.

Londres, 15 février
Les suffragettes radicalisent leurs actions. Emmeline Pankhurst est libérée après avoir entamé une grève de la faim et de la soif, tandis que Mary Richardson reste en prison où elle est nourrie de force.

Chine, 21 février
Des bandes de pillards mettent à sac la ville de Lintchouan, assassinant plus de 1 000 personnes.

Paris, 4 mars
Le Dᵣ Filliâtre sépare deux sœurs siamoises. Le 2, ouverture de l'Ecole pratique de police ; le 6, installation du premier tribunal pour enfants.

Londres, 5 mars
Course aux armements : Winston Churchill obtient une augmentation du budget militaire, qui passe de 625 000 livres à 29 millions. Le 17, la Russie décide de porter le nombre de soldats en temps de paix de 460 000 à 1 700 000. Le ministre français de la Guerre exige une rallonge budgétaire de 754 millions de francs.

Paris, 16 mars
Mᵐᵉ Caillaux, femme du ministre des Finances, tue de quatre coups de revolver Gaston Calmette, directeur du *Figaro*, qui a lancé une campagne de diffamation contre son mari : membre du parti radical, il veut introduire un impôt progressif sur le revenu, projet rejeté finalement adopté par le Sénat le 3 juillet. Caillaux assure que, sans

le scandale causé par sa femme, il aurait été président du Conseil à la place de Viviani, homme sans caractère qui laissa agir Poincaré.

Paris, 21 avril
Entente cordiale : visite officielle du couple royal britannique, George V et la reine Mary.

Munich, 24 avril
L'Etat de Bavière achète à la ville la vieille pinacothèque.

France, 10 mai
Succès de la gauche aux législatives, encouragé par l'accord électoral entre Caillaux et Jaurès.

Londres, 2 juin
Archibald Low présente un appareil qui permet la transmission de photos à grande distance : 1 500 images à la minute pour cette première télévision.

Paris, 6 juin
Création de *L'Otage* de Paul Claudel. En mai, les Ballets russes ont présenté *Le Coq d'or* de Nicolaï Rimski-Korsakov.

Panama, 7 juin
Le canal est ouvert aux transatlantiques géants. →

Sarajevo, Bosnie, 28 juin
Assassinat de l'archiduc François-Ferdinand. →

France, 2 juillet
L'armée adopte un uniforme gris bleuté, moins voyant.

New York, 3 juillet
Liaison téléphonique avec San Francisco.

Allemagne, 5 juillet
Guillaume II et le chancelier déclarent leur fidélité inconditionnelle à l'alliance avec l'Autriche-Hongrie. Celle-ci lance un ultimatum à la Serbie le 23. La Russie fait savoir le 25 qu'elle n'admettra aucune atteinte à la souveraineté serbe. Rupture serbo-bulgare le 26. L'Autriche-Hongrie déclare la guerre le 28 à la Serbie ; la Russie mobilise le 29 ; le 31, l'Allemagne lance un ultimatum à la France et à la Russie.

France, 16 juillet
Sur proposition de Jaurès, le congrès du parti socialiste préconise la grève générale contre la guerre.

André Gide publie *Les Caves du Vatican* aux éditions Gallimard : le héros Lafcadio se fait le champion de l'« acte gratuit », signe d'une liberté absolue.

Arrestation sur place de l'assassin de l'archiduc d'Autriche à Sarajevo.

L'archiduc d'Autriche assassiné à Sarajevo

Sarajevo, Bosnie, 28 juin 1914
L'archiduc François-Ferdinand, héritier du trône austro-hongrois, et son épouse, la duchesse de Hohenberg, en visite officielle à Sarajevo, sont tués d'une balle par un étudiant de dix-neuf ans, Cavrilo Princip. Ce dernier, membre de la société secrète la Main noire, a préparé l'attentat avec le colonel Dimitrievitch, directeur des renseignements de l'Etat-Major serbe. Adepte de la force, cette société n'a jamais accepté l'annexion de la Bosnie-Herzégovine par l'Autriche en 1908. Elle mène des actions de harcèlement pour obtenir la formation d'un Etat slave du Sud (Yougoslavie) englobant la Bosnie et la Croatie.

Les alliances politiques en Europe

Europe, août 1914
Lorsqu'éclate la Première Guerre mondiale, les belligérants se répartissent en deux blocs antagonistes : la Triple-Alliance ou Triplice opposée à la Triple-Entente. La Triple-Alliance unit les empires centraux (Allemagne et Autriche-Hongrie) ainsi que l'Italie. L'Empire ottoman et la Bulgarie se rattachent à ce système d'alliance qui forme ainsi un axe reliant Berlin, Vienne, Rome et Istanbul. La Triple-Entente prend cet axe en tenailles : elle associe la France, l'Angleterre et la Russie. La Triple-Entente résulte d'une série d'accords bilatéraux signés entre 1893 et 1907 : accords franco-russes (1893), franco-anglais (1904) et anglo-russes (1907). Ce système englobe la Serbie et le Portugal, allié traditionnel de la Grande-Bretagne. L'Entente sera bientôt renforcée par le concours du Japon, soucieux de s'approprier les colonies allemandes du Pacifique et, en 1915, par l'Italie.

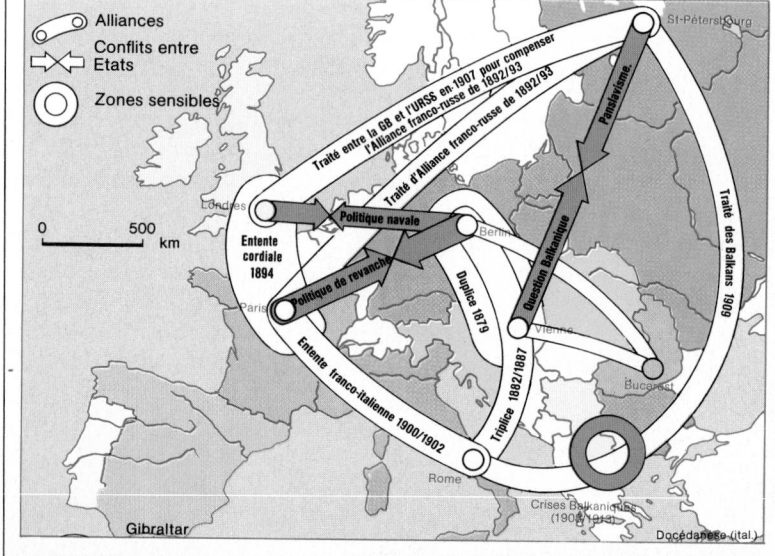

Un régiment de highlanders écossais arrive en France, après la déclaration de guerre à l'Allemagne.

Le leader socialiste français Jean Jaurès, la « bête noire » des nationalistes. Il fut assassiné par l'un d'entre eux, Raoul Villain, le 31 juillet 1914.

L'Europe se précipite dans la guerre

Europe, août 1914

L'attentat de Sarajevo détruit l'équilibre politique et économique maintenu jusqu'alors en Europe. L'Autriche-Hongrie, pressée par l'empereur d'Allemagne Guillaume II, déclare la guerre à la Serbie. La Russie, protectrice des peuples slaves, décrète une mobilisation partielle contre l'Autriche, afin de soutenir les Serbes. Dès lors, la logique des alliances provoque une cascade de réactions en chaîne. Le 1er août, l'Allemagne déclare la guerre à la Russie. Le lendemain, elle envahit le Luxembourg et adresse un ultimatum à la Belgique neutre. Le 3 août, elle déclare la guerre à la France et pénètre en Belgique, où le roi Albert a devancé de trois jours l'ordre de mobilisation générale. Le 4 août, la Grande-Bretagne, choquée de la violation de la neutralité belge (qualifiée par le chancelier allemand Guillaume II de « chiffon de papier »), déclare la guerre à l'Allemagne, en application de l'Entente cordiale qui la lie à la France depuis 1904. Seule l'Italie surprend en proclamant sa neutralité, alors que son appartenance à la Triple-Alliance aurait dû la conduire à soutenir l'Allemagne et l'Autriche. La mobilisation s'opère sans difficultés : l'« union sacrée » l'emporte, même dans les courants pacifistes. Dans les deux camps, les conscrits se préparent à une « guerre fraîche et joyeuse ». L'Allemagne prévoyait une « guerre éclair ». Le Kaiser assurait à ses troupes qu'elles seraient « de retour avant la chute des feuilles ». Le plan Schlieffen prévoit d'encercler l'armée française par un vaste mouvement tournant. L'Allemagne espérait ensuite regrouper toutes ses forces pour attaquer la Russie, ce « colosse aux pieds d'argile », très lente à mobiliser ses forces. Du 7 au 23 août, les Allemands, contenus à Liège, puis à Namur et à Charleroi, gagnent Mons ; de là, ils engagent la bataille des frontières françaises. Ils remportent en Lorraine plusieurs victoires, du 20 au 23 août. Ils obligent les forces françaises et l'armée britannique du général French à battre en retraite sur l'Aisne, puis au sud de la Marne. Paris semble menacée et le gouvernement français se replie sur Bordeaux. C'est alors que le général Joffre (1852-1931), conseillé par Gallieni (1849-1916), le gouverneur de Paris, contre-attaque du 5 au 13 septembre. Ils remportent la victoire de la Marne qui arrête net la progression allemande. La « guerre éclair » a échoué et la zone d'affrontement se stabilise sur une ligne de 750 km, reliant la mer du Nord à la Suisse.

A Prague, comme partout dans cette Europe qui sombre vers la guerre, on se presse devant les bureaux des journaux dans l'attente anxieuse d'informations.

De jeunes recrues dans les rues de Vienne. Le bouquet coloré, les feuilles de chêne et les boules de verre au chapeau montrent que l'intéressé a été déclaré apte au service.

A Paris, des volontaires regagnent les unités auxquelles ils ont été affectés. Le potentiel militaire français représente 12,6 % de la population.

Des habitants de Budapest, la capitale hongroise, lisant l'appel de l'empereur François-Joseph : « A mes peuples ! », annonçant la mobilisation générale du 1er août.

1914

→

France, 31 juillet
Jean Jaurès est assassiné par Raoul Villain, 24 ans, qui reproche au leader socialiste son antimilitarisme : « J'ai voulu faire justice à cet antipatriote. » Les obsèques ont lieu le 4 août.

Belgique, 31 juillet
Albert Ier convoque le Conseil des ministres. Contre l'avis de ceux-ci, il décide la mobilisation générale.

France, 1er août
Ordre de mobilisation générale.

Allemagne, 1er août
Déclaration de guerre à la Russie ; à la France le 3. L'armée allemande pénètre en Belgique : le cavalier Fonck est la première victime. Les forts de Liège tombent le 16. →

Etats-Unis, 5 août
Proclamation de neutralité.

Autriche-Hongrie, 6 août
Déclaration de guerre à la Russie. La Serbie déclare la guerre à l'Allemagne. La France et l'Angleterre déclarent la guerre à l'Autriche-Hongrie le 12.

Japon, 23 août
Déclaration de guerre à l'Allemagne.

Russie, 30 août
Défaite russe à Tannenberg. →

France, 2 septembre
Gallieni organise la défense de Paris, tandis que le gouvernement se transporte à Bordeaux ; il reviendra à Paris le 20 décembre.

Empire ottoman, 2 août
Mobilisation générale. → Attaque contre les ports russes le 28 octobre.

France, 6-12 septembre
Contre-offensive sur la Marne ; les populaires taxis Renault sont réquisitionés. Les Allemands conquièrent Maubeuge le 7, mais le 9 le général en chef Helmuth von Moltke donne l'ordre à son armée de se retirer sur l'Aisne. Il est remplacé le 14 par le général von Falkenhaym. → La cathédrale de Reims est gravement endommagée le 20 par un bombardement allemand. Offensive allemande dans la forêt d'Argonne.

Pologne, 4 octobre
Les troupes allemandes et autri-chiennes avancent jusqu'à la Vistule.

Belgique, 9 octobre
Après douze jours de siège, les Allemands prennent Anvers. Le gouvernement se replie à Sainte-Adresse, près du Havre.

Lyon, 1er novembre
Usines du Rhône commercialisent l'aspirine.

Allemagne, 14 novembre
Paul von Hindenburg est nommé haut-commandant en chef du front oriental.

Grande-Bretagne, 1er novembre
L'escadre allemande du comte Maximillian von Spee coule 2 croiseurs britanniques devant les côtes chiliennes (l'escadre de von Spee sera coulée le 8 décembre). L'Allemagne a aussi engagé les hostilités sous les mers. → Le 3 novembre, Londres annonce que toute la mer du Nord devient un champ de bataille. La Grande-Bretagne, la France et la Russie déclarent le 5 la guerre à l'Empire ottoman. Occupation britannique de Chypre le 5.

Chine, 11 novembre
les Japonais prennent la colonie allemande de Ching-Tao après un siège (18 septembre). →

France, 14 novembre
Début de la guerre des tranchées.

Belgique, 3 décembre
Le pays est placé sous administration militaire allemande.

Italie, 5 décembre
Déclaration de neutralité approuvée par le Parlement.

Egypte, 16 décembre
Les Britanniques proclament leur protectorat sur le pays.

Allemagne, 24 décembre
577 874 soldats alliés passeront Noël en Allemagne. 134 700 soldats allemands sont prisonniers des Russes.

Etats-Unis
Le premier soutien-gorge est dessiné par Mlle Caresse Crosby. Premiers feux de circulation (route et vert) à Cleveland ; le feu orange apparaîtra un peu plus tard à New York.

Paris
Premier *Calligrammes* de Guillaume Apollinaire. Raymond Roussel publie *Locus Solus*.

Les forts de Liège ont tenu douze jours

Belgique, 16 août 1914
Avec la chute des forts de Flémalle et de Hollogne s'achève la bataille des forts de Liège. C'est la fin d'une résistance héroïque qui a duré douze jours et a marqué la première grande bataille de cette guerre. Conformément au plan du général Helmut von Moltke (1848-1916), les Allemands ont violé la neutralité belge, le 4 août au petit matin. Les troupes du général von Emmich se sont heurtées à la place forte de Liège, défendue par les douze bastions qui la ceinturent, tandis que le génie belge faisait sauter les ponts permettant de franchir la Meuse. Pour que les troupes allemandes puissent traverser le fleuve, il fallait à tout prix anéantir les batteries, enfouies dans les casemates. Ne parvenant pas à approcher les forts, le général Ludendorff décide, dès le 8, de faire donner l'artillerie lourde, avec des mortiers de 420. Le fort de Barchon tombe le jour même. Celui d'Evegnée, frappé de 2 000 projectiles, se rend le 11. Pontisse, Embourg et Chaudfontaine doivent capituler le 13. Liers et Fléron cessent le combat le 14. Le général belge Gérard Leman (1851-1920) se trouvait au fort de Loncin lorsque, le 15, un obus frappa directement la poudrerie, faisant sauter la fortification. Peu de temps après, les forts de Boncelles et de Lantin se rendaient. Pendant ce temps, 20 000 allemands franchissaient la Meuse, à Lixhe, sur des ponts de péniches, et déferlaient sur la Belgique. En arrivant à Namur, quelques jours plus tard, le souvenir des lourdes pertes subies à Liège, incite les Allemands à éviter les combats de troupes et à disposer immédiatement l'artillerie à portée des forts. Les puissants mortiers ont raison en sept jours des neuf forts de la place de Namur, malgré le renfort du 1er corps de cavalerie français commandé par le général Sordet. Cette bataille du confluent de la Sambre, oppose 120 000 Allemands à 60 000 Alliés. Le 20 août, les Allemands sont à Bruxelles, le 24, à Dinant et le 28 à Malines. La violation du territoire belge qui expose directement les côtes anglaises est la principale cause de l'entrée en guerre de la Grande-Bretagne.

Une des coupoles du fort de Loncin, près de Liège, après un bombardement allemand.

Victoire allemande sur les Russes en Prusse Orientale

Tannenberg, 27-30 août 1914
L'armée russe, forte de 1 500 000 hommes, auxquels se sont joints trois millions de réservistes dès le premier août, est équipée de matériel français. Dès le quinzième jour, elle prépare, en accord avec la France, une attaque en Prusse orientale, afin de soulager le front occidental. La VIIIe armée allemande du général Maximilian von Prittwit (1848-1917) a reculé sous la pression d'une double offensive russe ; les généraux allemands von Hindenburg (1847-1934) et Ludendorff (1865-1937) décidèrent alors de concentrer leurs efforts sur une seule des deux armées russes, celle du général Alexandre Samsonov ; celui-ci est écrasé le 30 août à Tannenberg, petit village où avait eu lieu en 1410 un mémorable combat entre les Polonais et les chevaliers teutoniques. Le 9 septembre, les Russes essuient une autre défaite aux lacs Mazures où ils perdent 45 000 prisonniers et 150 canons. Le nombre de leurs blessés et des tués s'élève à 90 000 hommes. En Galicie, les Russes remportent en revanche des succès ; ils s'emparent de Lvov le 3 septembre, obligeant les Austro-Hongrois à se replier sur les Carpates où, à partir du 3 novembre, le front se stabilise. Les Russes l'emportent aussi en Serbie, où les Austro-Hongrois, partout repoussés, doivent évacuer Belgrade le 13 décembre.

Front de l'Europe orientale : une unité d'infanterie russe en position.

Le canal de Panama est ouvert

Panama, 7 juin 1914

Le paquebot américain *Alliance* est le premier transatlantique géant qui traverse le canal de Panama. Long de 79,6 km, d'une largeur variant entre 90 et 300 m, le canal relie la mer des Antilles au golfe de Panama, dans le Pacifique. Trois écluses doubles permettent de compenser une dénivellation de 26 m entre les deux océans. Grâce à ce canal, le trajet de New York au Japon, se trouve raccourci de 7 000 milles marins. Les travaux débutèrent en 1879 sous la direction de Ferdinand de Lesseps (1805-1894) et dont la faillite provoqua en 1889 un des graves scandales politiques de la IIIe République qui aboutit, en 1903, au rachat par les Américains des droits de construction.

Artistes et écrivains meurent en soldats

Décembre 1914

La liste est longue des artistes morts au champ d'honneur. Charles Péguy (né en 1873) est tué à la bataille de la Marne. En 1900, il avait fondé les *Cahiers de la quinzaine* ; il laisse une œuvre de poète mystique et d'essayiste. Mort encore d'Alain-Fournier (né en 1886) ; en 1913, la *Nouvelle Revue française* a publié *Le Grand Meaulnes* ; le conteur animalier Louis Pergaud, meurt à 32 ans, près de Verdun. Le peintre Auguste Macke (né en 1887) est tué en Champagne. Il avait participé à la première manifestation du *Blaue Reiter* et contribué à *L'Almanach*, publié par Kandinsky et Franz Marc. Comme d'innombrables soldats, beaucoup d'artistes rentreront mutilés. Engagé dans la légion étrangère, blessé au bras droit, Blaise Cendras sera amputé en 1915.

Les Japonais occupent Ching-Tao

Chine, 11 novembre 1914

La colonie allemande a capitulé après 54 jours de siège. Dès le 15 août, mettant à profit la belligérance de l'Allemagne en Europe, le gouvernement impérial japonais avait adressé à Berlin un ultimatum : « Pour assurer une paix solide et durable en Asie orientale », il invitait l'Empire allemand a remettre au Japon, le 15 septembre au plus tard, tout le territoire de Kiao-Tchéou et son port de Ching-Tao, enclave germanique en Chine. Yoshi-Hito déclare la guerre au Reich le 23 août, et reçoit la déclaration de guerre de l'Autriche le 25. En dépit de la proposition de médiation américaine (5 septembre), les Japonais commencent le siège de Ching-Tao dès le 18 septembre, ouvrant ainsi les hostilités sur le front d'Extrême-Orient.

Les Allemands lancent la guerre sous-marine

Londres, 15 octobre

Quatre jours après qu'un sous-marin allemand ait coulé le cuirassé russe *Palada*, un U9 torpille dans la Manche le croiseur anglais *Hawke*. Un nouveau front est ouvert. Le sous-marin, depuis l'invention du périscope, est devenu redoutable : on en compte près de 400 dans les différentes marines du monde. D'emblée, les Allemands utilisent les sous-marins contre la marine marchande anglaise ou américaine. En quatre ans, ils détruiront plus de 11 millions de tonnes de navires de commerce. Mais la décision, le 31 janvier 1917, d'engager la guerre sous-marine à outrance contre les bâtiments ennemis provoquera l'entrée en guerre des États-Unis.

Les Allemands arrêtés sur la Marne, à 45 km de Paris

Paris, 13 septembre

Les généraux Joffre et Gallieni ont pu contenir sur la Marne l'invasion des troupes allemandes, à 45 km de Paris. Ils ont ainsi mis en échec la « guerre-éclair » envisagée par l'Allemagne. Fin août, les armées alliées battaient en retraite sur la ligne Somme-Verdun. Pour disposer du recul nécessaire, Joffre décida de poursuivre le repli jusqu'à la Seine, et de protéger Paris par une nouvelle armée, mise à la disposition de Gallieni. C'est alors qu'il apprit par des reconnaissances d'aviation et de cavalerie, que la Ire armée allemande du général von Kluck, avait perdu le contact avec la IIe armée de von Bulow (à l'Est), parce qu'elle avait infléchi sa marche. En fait, von Kluck, désobéissant aux ordres de Moltke, avait décidé de couper la retraite des Alliés, pour les encercler et les anéantir. Le 4 septembre, Joffre ordonna un « demi-tour offensif ». Le 5 septembre, les armées de Gallieni, grossies de troupes venues de Paris en taxi (les célèbres « taxis de la Marne ») ont attaqué victorieusement le flanc de l'armée de von Kluck. Du 6 au 13 septembre, l'offensive alliée se développa sur tout le front. Les succès remportés au nord-est de Paris, sur les deux Morins, sur l'Ourcq, aux marais de Saint-Gond, à Vitry-le-François et en Argonne contraignirent Moltke à ordonner le repli général de l'aile droite allemande, consacrant ainsi l'échec du plan de guerre de Berlin.

Les Turcs aux côtés des empires centraux

Istanbul, 19 octobre 1914

L'Allemagne, soucieuse de se ménager des possibilités d'action en Méditerranée orientale, disposait d'une mission militaire à Istanbul. Le

« C'est l'heure maintenant de les battre ». Carte postale allemande reprenant une phrase d'un discours de Guillaume II.

Unité d'infanterie allemande en position d'attaque.

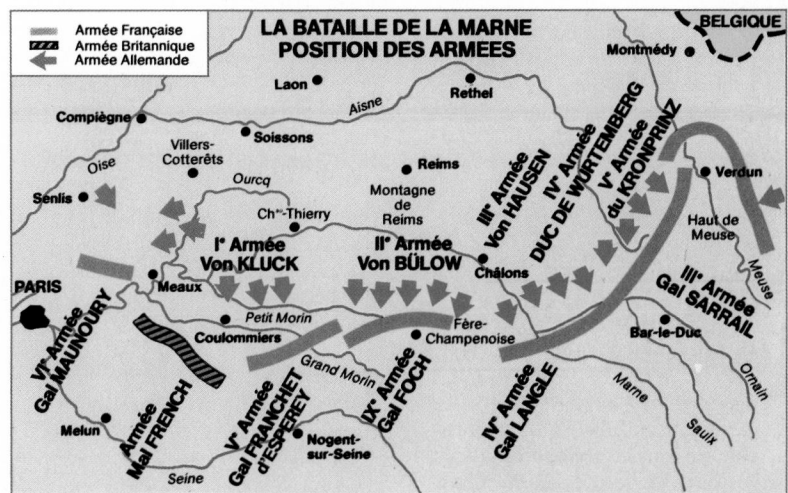

2 août 1914, Berlin avait conclu un traité d'alliance secret avec la Turquie, qui proclamait le lendemain sa neutralité tout en engageant discrètement des préparatifs militaires avec l'aide d'instructeurs allemands. Après la bataille de la Marne et les échecs autrichiens en Serbie et en Galicie, l'Allemagne pressa la Turquie d'entrer en guerre pour forcer la Russie à étoffer sa présence militaire au Caucase. Le 29 octobre 1914, la flotte turque attaque la flotte russe en mer Noire. Aussitôt, Russie, France et Grande-Bretagne déclarent la guerre au sultan.

1915

Soissons
Après de sévères bombardements allemands, évacuation de la ville.

Helgoland, 24 janvier
Bataille navale au large de l'île d'Helgoland : les Anglais coulent le cuirassé *Blücher*.

New York, 3 mars
A sa sortie, le film de David W. Griffith, *Naissance d'une nation*, fait scandale. →

Turquie, 18 mars
Une expédition navale franco-britannique organisée par Churchill, premier lord de l'Amirauté, tente en vain d'ouvrir le détroit des Dardanelles. Après des succès contre les premiers ports en février, c'est l'échec : l'expédition perd un tiers des bâtiments engagés.

Paris, 22 mars
Un Zeppelin bombarde de nuit la gare Saint-Lazare et la gare du Nord.

Ypres, Belgique, 22 avril
Utilisation pour la première fois de gaz asphyxiants par les Allemands sur le front de l'Ouest. C'est du lieu où ils furent utilisés que ces gaz tirent leur nom (Ypérite). →

Turquie, 25 avril
Débarquement réussi d'un corps expéditionnaire aux Dardanelles, dans la presqu'île de Gallipoli.

Londres, 26 avril
Signature d'un accord secret entre la Grande-Bretagne, la France et l'Italie, lui donnant droit à des compensations territoriales si elle se range aux côtés des Alliés. →

Au large de l'Irlande, 7 mai
Torpillage du *Lusitania*. →

Rome, 23 mai
Entrée en guerre de l'Italie contre l'Autriche-Hongrie. →

Turquie, 30 mai
Un décret ordonne la déportation de tous les Arméniens. C'est le début de nombreux massacres (→ juin 1916).

Haïti, 29 juillet
Débarquement des Marines américains, à la suite de l'assassinat du président haïtien. L'île passe sous protectorat américain. →

Pologne, 26 août
Varsovie prise le 5 août, les Allemands atteignent Brest-Litovsk. L'ensemble de la Pologne est entre leurs mains. →

Zimmerwald, Suisse, 5-8 septembre
Conférence réunissant les socialistes de gauche européens. →

Paris, 17 septembre
Mort de l'essayiste Remy de Gourmont (né en 1858).

Champagne, 25 septembre
Vaste offensive française, qui se soldera par des gains minimes de territoire. →

Bulgarie, 5 octobre
Entrée en guerre de la Bulgarie aux côtés des Empires centraux.

Grèce, 5 octobre
Débarquement des Alliés à Salonique, avec l'accord du Premier ministre grec Venizelos. Celui-ci est aussitôt démis de ses fonctions par le roi Constantin, qui refuse de s'associer aux puissances alliées. →

Balkans, 10 octobre
Belgrade est prise par les troupes austro-allemandes.

Bruxelles, 12 octobre
L'infirmière Edith Cavell est fusillée par les Allemands pour avoir aidé des blessés anglais et belges à gagner la Hollande.

France et Angleterre, 14-20 octobre
Les deux pays déclarent la guerre à la Bulgarie. →

Paris, 14 novembre
Encouragé par Aristide Briand, Thomas Masaryk annonce la création d'un « Conseil national », qui se considère comme le représentant légal d'un futur Etat tchécoslovaque.

Stockholm, 10 décembre
Prix Nobel de littérature à Romain Rolland pour l'ensemble de son œuvre. La même année, il a publié *Au-dessus de la mêlée*. →

Dardanelles, 12 décembre
Echec de l'opération alliée ; l'évacuation des Dardanelles est commencée.

Pétrograd, décembre
Exposition « 0.10 » : Kasimir Malevitch y présente trente-sept peintures abstraites, dont un *Carré noir sur fond blanc*, qui consacrent la naissance officielle du suprématisme.

Un sous-marin coule le "Lusitania"

Atlantique, 7 mai 1915
Un sous-marin allemand, le *U-20*, a torpillé le *Lusitania*, paquebot britannique, alors qu'il arrivait en vue des côtes sud-est de l'Irlande. Dix-huit minutes plus tard, le bateau coulait avec ses 1 959 passagers. Parmi les 1 198 disparus, il y avait 128 Américains : le président des Etats-Unis, Woodrow Wilson, a protesté énergiquement, insistant pour que l'Allemagne reconnaisse avoir violé le droit international et verse un dédommagement. Le gouvernement allemand a rejeté cette protestation, alléguant que le bateau était un navire de guerre, puisqu'il amenait de New York à Liverpool, outre des passagers, des munitions. Ce torpillage a donné lieu à de vives manifestations antiallemandes aux Etats-Unis. L'opinion publique pèsera de tout son poids lorsque les Etats-Unis entreront en guerre (→ 6.4.1917).

Naufrage du « Lusitania » torpillé par un sous-marin allemand le 7 mai 1915.

Scandale à New York autour de "Naissance d'une nation"

New York, 3 mars 1915
La sortie du film *The Birth of a Nation* est un triomphe : c'est le premier long métrage (trois heures) de David Griffith. Il avait déjà réalisé auparavant de nombreux courts métrages, mais c'est ici que son génie éclate véritablement : emploi pour la première fois d'une caméra mobile, préparation du découpage, utilisation rationnelle des décors de studio, alternance des plans généraux et des gros plans. S'il fut un triomphe, le film fit aussi scandale : on crut y voir du racisme dans la présentation de la guerre de Sécession et certains partis pris en faveur des Sudistes.

Congrès socialiste à Zimmerwald

Zimmerwald, 5-8 septembre 1915
La conférence socialiste qui s'est réunie le 5 septembre dans le village suisse de Zimmerwald, près de Berne, rassemble trente délégués de dix-sept pays. Elle a adopté un manifeste rédigé par Trotski en faveur d'une paix sans annexion et affirmant le droit des peuples à disposer d'eux-mêmes. Mal accueilli par la minorité révolutionnaire, qui le trouve insuffisant, et par les partis socialistes d'Allemagne, de Belgique et de France, ce texte va néanmoins renforcer le courant hostile à la guerre.

L'île d'Haïti passe sous le protectorat des Etats-Unis

Port-au-Prince, 13 novembre 1915
En mars 1914, une révolution avait porté au pouvoir Vibrun Guillaume Sam, favorable aux Etats-Unis. Le 28 juillet 1915, le président Sam est assassiné. Le président américain décide une intervention armée pour protéger les intérêts financiers des USA. Les Marines débarquent et, le 15 août, l'ordre est rétabli. Des élections portent au pouvoir Sudre Dartiguenave, qui signe avec Washington un traité faisant d'Haïti, à partir du 13 novembre, un protectorat américain. Cette situation s'accompagne d'une occupation militaire et d'un contrôle financier et économique du pays.

Romain Rolland : "Au-dessus de la mêlée"

Lausanne, 1915
L'écrivain français Romain Rolland (1866-1944) publie *Au-dessus de la mêlée*, un appel à la paix qui provoque l'indignation de part et d'autre du Rhin. Romain Rolland y développe les thèses pacifistes qui constituaient déjà la trame de son œuvre principale, *Jean-Christophe* (1903-1912) : les Allemands et les Français sont des Européens, que rien ne doit pouvoir séparer. Le 10 décembre, Romain Rolland obtient le prix Nobel de littérature, choix qui surprend les Français.

Les gaz, nouvelle arme de la terreur

« Les Ravages de la guerre des gaz ». Détail. Tableau du peintre américain John Singer Sargent.

Ypres, 22 avril 1915
Malgré la déclaration de La Haye du 29 juillet 1899, par laquelle les pays signataires (dont l'Allemagne) s'interdisent « d'employer des projectiles qui ont pour but unique de répandre des gaz asphyxiants », les Allemands ont employé ces gaz sur le front de l'ouest, sans projectiles, il est vrai, puisque le gaz chloré était comprimé dans des fûts. Le vent étant favorable, il a suffi d'ouvrir les vannes, à cinq heures du matin ; quelques instants plus tard, entre Langemarck et Ypres, une épaisse fumée jaune, haute de quelques mètres, montait des tranchées allemandes, s'étendant sur le sol comme un tapis, sur une largeur de 6 km. Un grand nombre de soldats français et britanniques sont morts sur le coup. Quelques-uns parvinrent à s'enfuir, mais furent rejoints par le nuage toxique : ils se mirent à cracher du sang et moururent aussitôt. Les Allemands, manquant de masques à gaz ne purent véritablement tirer parti de l'épouvante ainsi provoquée. Cette nouvelle arme sera réemployée au cours de la guerre.

Effondrement du front serbe – les Alliés débarquent à Salonique

Belgrade, 14 octobre 1915
La Bulgarie a déclaré la guerre à la Serbie, deux semaines après que des soldats bulgares aient envahi la Macédoine. Mais l'armée serbe ne peut résister aux troupes germano-autrichiennes et à quatre divisions bulgares ; elle doit se retirer en Albanie.

La ville de Belgrade est prise le 9. D'autre part, le 5 octobre, violant la neutralité grecque, des troupes françaises et britanniques avaient débarqué dans le port de Salonique, occupant la ville avec le consentement, il est vrai, du président du Conseil, Eleuthérios Venizelos. Celui-ci toutefois sera contraint à démissionner, le roi Constantin souhaitant conserver la plus stricte neutralité, en dépit de l'engagement qu'avait pris la Grèce de venir au secours de son voisin serbe en cas de guerre.

Les Alliés débarquant du matériel lourd dans le port de Salonique. Octobre 1915.

Bouleversement des alliances

Rome, 3 mai 1915
L'Italie quitte la Triple-Alliance (appelée aussi « Triplice »), dans laquelle elle était entrée en 1882 aux côtés de l'Allemagne et de l'Autriche-Hongrie. Depuis quelques temps, la Triple-Alliance s'était relâchée par suite de l'opposition croissante des politiques autrichienne et italienne en Orient. L'Italie, libérée de ses engagements, entrera en guerre le 23 mai contre l'Autriche, respectant ainsi la promesse que le président du Conseil, Antonio Salandra, avait faite, en avril, à la France et à la Grande-Bretagne au cours d'accords secrets pris à Londres. Les Alliés ont promis à l'Italie, après la victoire, certains territoires qu'elle convoite depuis longtemps : le Tyrol du Sud, l'Istrie, avec le port de Trieste, ainsi qu'une partie de la Dalmatie. L'Italie, entrant en guerre aux côtés des Alliés, obtiendrait donc plus en cas de victoire que ne lui promettait l'autre camp. La Triple-Alliance prévoyait que, dans le cas où l'Autriche s'agrandirait dans les Balkans, elle céderait à l'Italie le Tyrol du Sud, Gorizia et Gradisca, mais elle conserverait l'Istrie. L'entrée en guerre de l'Italie provoque une crise ministérielle, Salandra étant contraint de donner sa démission, que le roi refuse d'accepter. A Rome, l'écrivain Gabriele D'Annunzio (1863-1938) est un des plus fougueux partisans de l'intervention italienne, tandis qu'à Milan le socialiste Benito Mussolini (1883-1945) a menacé le roi d'une révolution si l'Italie n'entre pas en guerre.

Offensive française en Champagne

Paris, 25 septembre 1915
Devant les nouvelles alarmantes qui proviennent du front oriental, où les Russes ont dû abandonner plusieurs villes aux troupes allemandes, le gouvernement français décide une nouvelle offensive sur le front occidental pour voler au secours de son allié en obligeant les Allemands à dégarnir le front russe de quelques divisions. Le général Joffre a arrêté, dès le 12 juillet, un plan d'action en Champagne qui prévoit une offensive comportant une attaque principale flanquée de deux attaques secondaires à l'est et à l'ouest. Pendant quelques heures, à Chantilly, le 6 octobre, Joffre peut croire qu'il touche au but : une brèche d'une centaine de mètres a pu être ouverte à Suippes. Mais les réserves allemandes viennent combler ce vide dans leurs lignes, réduisant à néant les illusions françaises. Pour une progression de 4 km et 25 000 prisonniers, les armées franco-britanniques auront perdu, du 25 septembre au 30 octobre, plus de 135 000 hommes.

Explosion d'une mine lors de l'offensive française en Champagne.

Percée des Allemands sur le front russe

Varsovie, 5 août 1915
La ville de Varsovie est tombée aux mains de la 9e armée allemande, qui s'emparera, deux semaines plus tard, du cœur de la défense russe, près de Modlin, sur la Vistule. Le 26 août, la ville de Brest-Litovsk sera occupée. L'armée allemande, après avoir attaqué les Russes le 1er mai près de Tarnov et de Gorlice, avait réussi à percer le front russe. Depuis lors, toute l'armée russe de l'ouest chancelle. L'offensive allemande, lancée en juillet sur un front de 2 000 km (de Dniestr jusqu'en Courlande), a permis la conquête, en moins de six semaines, de la Pologne et de la Lituanie. Au cours de la première année de guerre, trois millions de soldats russes ont été tués ou faits prisonniers. Le tsar continue néanmoins de refuser les offres de paix allemandes.

1916

Atlantique, 1er janvier
Le *Persia*, paquebot anglais, torpillé par un sous-marin allemand.

Angleterre, 3 février
Institution du service militaire obligatoire.

Zurich, 6 février
Naissance du mouvement dada.

Verdun, 21 février
Début de la bataille de Verdun : le 26, les Allemands prennent le fort de Douaumont. Le 25, Pétain a été nommé commandant de la 2e armée française avec, pour mission, de « tenir par tous les moyens ». →

Londres, 26 février
Mort du romancier américain Henry James (né en 1845).

Verdun, 6-10 mars
Combats du Mort-Homme et de la Côte 304. →

Atlantique, 24 mars
Torpillage du *Sussex*, paquebot anglais, par un sous-marin allemand.

Allemagne, 24 mars
Les socialistes opposés à la guerre, dont Karl Liebknecht, fondent le mouvement spartakiste.

New York, 18 avril
Le président Wilson menace de rompre les relations diplomatiques avec l'Allemagne, si celle-ci ne cesse pas la guerre sous-marine à outrance.

Irlande, 24 avril
Pâques sanglantes à Dublin. →

Turquie, 24 avril
Massacres des Arméniens par les Turcs. →

Kienthal, Suisse, 24 avril-1er mai
Deuxième conférence socialiste internationale : les clivages s'accentuent entre partisans de l'Union sacrée et partisans de la paix.

Jutland, 31 mai
Importante bataille navale. →

Front oriental, 4 juin
Offensive de Broussilov : 200 000 Autrichiens seront faits prisonniers.

Verdun, 6 juin
Chute du fort de Vaux.

Arabie, juin
Lawrence déclenche l'insurrection du Hijaz. →

Front de l'Ouest, 1er juillet
Début de l'offensive franco-anglaise sur la Somme. →

Roumanie, 28 août
A la suite de pourparlers secrets avec les Alliés, la Roumanie déclare la guerre à l'Empire austro-hongrois.

New York, septembre
Présentation du film de David W. Griffith : *Intolérance*.

Près de Cambrai, 15 septembre
Première utilisation des chars par les Britanniques. →

Balkans, 22 septembre
Offensive germano-bulgare contre les Roumains.

Grèce, 18 octobre
Venizelos établit un gouvernement dissident à Salonique.

Verdun, 24 octobre
Reprise du fort de Douaumont. →

Verdun, 1er novembre
Reprise du fort de Vaux.

Arabie, 4 novembre
Hussein proclamé roi du Hijaz.

Schönnbrunn, 21 novembre
François-Joseph, empereur d'Autriche et roi de Hongrie, meurt à 86 ans. Il régnait sur la monarchie danubienne depuis 1848.

Rouen, 27 novembre
Le poète belge Emile Verhaeren (né en 1855) meurt, écrasé par un train.

Bucarest, 6 décembre
La ville tombe aux mains des armées austro-hongroises.

Front de l'Ouest, décembre
Premiers combats aériens. →

Pétrograd, 29 décembre
Assassinat de Raspoutine. →

Lyon
Le stade olympique (20 000 personnes) de Tony Garnier est achevé.

France
Henri Barbusse : *Le Feu.*

Italie
Luigi Pirandello : *Chacun sa vérité.*

Prague
Franz Kafka : *La Métamorphose.*

Tank anglais « Mark V » avec camouflage adapté au terrain.

Une arme nouvelle et redoutable : le tank,

Plateau de Thiepval, 15 septembre 1916

Cette journée marque une date dans l'histoire de la guerre puisque, pour la première fois, des véhicules blindés à chenilles, appelés tanks par les Anglais, ont été utilisés au combat. Employant plusieurs dizaines de ces engins, les Britanniques sont parvenus à enfoncer de 10 km les lignes allemandes, sur le plateau de Thiepval. Mais l'effet de surprise - et de terreur -provoqué par cette arme nouvelle sera de courte durée. Les Allemands reprendront vite l'avantage.

Combat aérien sur le front occidental au printemps 1917.

Autre nouveauté : les combats aériens

France et Allemagne, décembre 1916

Les premiers combats aériens ont eu lieu cette année. D'emblée, certains aviateurs se sont mis en vedette et, dès le 29 janvier 1917 (→), l'aviateur français Georges Guynemer (1894-1917) dont la devise est « faire face », avait abattu son trentième avion allemand. Son escadrille, la N-3 des « Cigognes », avait détruit 83 avions allemands. La guerre allait révéler l'énorme importance que pouvait jouer l'aviation dans les conflits modernes. De 1914 à 1918, l'industrie française fabriqua 52 000 appareils.

Engagement naval au Jutland

Jutland, 31 mai 1916

Terrible engagement naval, au large des côtes du Jutland du Nord, entre trente-sept navires de guerre britanniques et vingt et un bâtiments de la flotte allemande de haute mer. Bien que moins nombreux, les Allemands ont pu éviter l'encerclement et sont même parvenus à prendre le dessus, contraignant l'amiral britannique John Jellicoe à interrompre le combat et à se replier en mer du Nord. 6 784 fusiliers-marins britanniques ont perdu la vie dans ce combat, contre 3 039 Allemands.

Le « Queen Mary » envoyé par le fond lors de la bataille du Jutland.

Echec des troupes allemandes devant Verdun

Verdun, 15 décembre 1916
Deux contre-offensives victorieuses ont permis aux Français de reprendre une partie du terrain perdu dans l'enfer de la bataille de Verdun, la plus terrible bataille qu'ait jamais livrée la France. Le 24 octobre, le fort de Douaumont a été repris. Il était tombé le 25 février, quatre jours après que les Allemands eurent lancé contre le saillant de Verdun une offensive de rupture, appuyée par des moyens exceptionnels d'artillerie. Les Allemands s'étaient engagés profondément dans le système défensif français lorsqu'ils furent retenus à la côte du Poivre, et que le général Joseph Joffre (1852-1931) confia au général Philippe Pétain la responsabilité d'enrayer la progression allemande. Ce dernier organise la logistique de la bataille et fait face à l'extension de la bataille sur la rive gauche de la Meuse. L'échec d'une poussée d'ensemble (9 et 10 avril) sur les deux rives, qui visait à la conquête de la ceinture des forts de deuxième ligne, contraint les Allemands à passer à une guerre d'usure. Pétain laisse apparaître alors sa confiance et lance son fameux ordre du jour (10 avril) : « On les aura ! » Mais il considère une contre-offensive prématurée. Joffre, qui considère Pétain inefficace, préfère confier la IIᵉ armée à Robert Nivelle (1856-1924). L'offensive que celui-ci lance le 22 mai, avec le mot d'ordre : « Ils ne passeront pas », est un échec total. Ce n'est qu'à la fin octobre, lorsque la bataille de la Somme fait sentir ses effets, que les Français peuvent parler de victoire. Mais ils ont perdu, à Verdun, plus de 250 000 hommes. La région ne sera complètement dégagée que lors de l'offensive du 23 août 1917.

Le fort de Douaumont. Vue aérienne (février 1916). Par la suite, le fort sera dévasté.

Offensive alliée sur la Somme

Front de la Somme, 1ᵉʳ juillet 1916
L'armée française monte à l'assaut au sud de la Somme, en même temps que deux corps d'armées britanniques sur sa gauche. Au cours des premières journées, les Français connaissent d'incontestables succès. La première phase de la bataille s'achève le 10 juillet par une réussite tactique, mais le front allemand n'est pas rompu. La bataille va dégénérer en une longue guerre d'usure. Les généraux Joseph Joffre et Ferdinand Foch (1851-1929) peuvent encore nourrir quelque espoir le 3 septembre. Les Français se lancent en avant, capturant 12 000 Allemands et sept canons en 24 heures. Ils sont arrêtés devant le village de Bapaume, et le front se stabilise. La bataille de la Somme est terminée. Foch, qui l'a conduite, et Joffre, qui l'a décidée, seront écartés de leurs commandements. Pour une avance de 9 km, la France a perdu 205 000 hommes.

Cette route ravagée témoigne de la dureté des combats dans la Somme.

Massacre des Arméniens par les Turcs

Constantinople, 24 avril 1916
Après une très brève période de fraternisation entre les peuples de l'Empire ottoman, les Turcs organisèrent de nouveaux massacres en Arménie. A Adana, en 1909 (→) il y eut 30 000 morts. Depuis lors, la politique de « turquification » n'a cessé de s'amplifier. Les grandes puissances avaient imposé un plan de réformes en faveur de l'Arménie, mais la Première Guerre mondiale empêcha son application. Le gouvernement Jeune-Turc, à la tête duquel se trouvait le triumvirat Talâ-Enver-Djamâl, en profita pour tenter d'en finir avec la question arménienne. Depuis le début de l'année, l'armée se venge ainsi sur la population arménienne de ses revers militaires. Les Arméniens incorporés dans l'armée ottomane, suspectés de trahison, sont désarmés et fusillés par groupes de cent. Les 24 et 25 avril, l'élite politique et intellectuelle de Constantinople est massacrée. Le 27 mai, l'armée turque est autorisée à « réprimer toute résistance et à déporter tout suspect ». Commencent alors déportation et massacre systématiques : sur les 2 300 000 Arméniens qui vivaient dans l'Empire ottoman, il y aura plus d'un million et demi de morts. Les rescapés de ce génocide se réfugient dans le Caucase, en Iran, en Syrie ou en Occident. L'Arménie occidentale est vidée des Arméniens. Le Traité de Sèvres (1920) prévoyant une Arménie indépendante ne sera pas appliqué.

Pâques sanglantes à Dublin

Dublin, 24 avril 1916
1 200 membres des « Irish Volunteers », une armée irlandaise clandestine, indépendantiste au point de rêver d'aider l'Allemagne à venir ouvrir chez eux un nouveau front contre l'Angleterre, se révoltent le lundi de Pâques. Mais les Allemands, préoccupés par Verdun, ont délaissé leur projet irlandais. Les Anglais, par contre, envoient à Dublin 20 000 soldats qui soumettent la ville et les révoltés au feu de leur artillerie. Soixante insurgés et cent cinquante soldats anglais tombent, mais ce sera la population civile qui, avec trois cents morts et deux mille blessés, sera le plus durement touchée. Le dirigeant ouvrier James Connolly et quinze autres chefs des insurgés seront passés par les armes.

Victoire de l'Empire ottoman

Dardanelles, 8 janvier 1916
Les troupes turques ont su tenir tête, dans les Dardanelles, aux attaques franco-britanniques. Convaincu de la nécessité d'ouvrir une liaison avec la Russie, Winston Churchill avait imaginé un plan destiné à mettre hors de combat l'Empire ottoman. Il a échoué. Les Ottomans résisteront encore aux opérations de Mésopotamie (1915-1917) et à l'insurrection arabe (1916). Ils mettront même à profit l'effondrement russe (en 1917) pour reprendre pied en Transcaucasie. Le 19 septembre 1918, le front de Palestine sera rompu par les Anglais. Lorsque, le 29 septembre 1918, les Bulgares capituleront, un nouveau gouvernement signera (30 octobre 1918) l'armistice de Moudros. L'empire morcelé sera occupé par les Alliés.

Raspoutine assassiné par un noble russe

Petrograd, 29 décembre 1916
Afin de « débarrasser la Russie du réseau d'intrigues criminelles qui l'entoure », le prince Ioussopov, le grand-duc Dimitri Pavlovitch et le député Pourichkevitch ont ourdi un complot pour éliminer définitivement l'aventurier Grigori Raspoutine. Celui-ci, en effet, après avoir soigné plusieurs fois avec succès le tsarévitch Alexis atteint d'hémophilie, avait vu son influence grandir auprès de l'impératrice Alexandra. La souveraine le considérait comme un saint homme, qui avait été capable de sauver son fils et ne manquerait pas de sauver la Russie. Les diverses démarches entreprises pour faire comprendre à Nicolas II les risques que ses relations avec Raspoutine faisaient courir au régime avaient été vaines.

1917

Russie, 9 janvier
Grèves et manifestations s'amplifient tant à Petrograd et Moscou qu'à Bakou ou à Nijni-Novgorod pour protester contre la poursuite de la guerre et l'incapacité du régime à doter le pays d'un gouvernement qui ait la confiance de la Douma (le Parlement) et du peuple.

Berlin, 16 janvier
Dans un télégramme secret (qui sera décodé par la marine britannique et transmis au gouvernement américain), l'Allemagne propose une alliance au Mexique, au cas où les Etats-Unis entreraient en guerre.

Allemagne, 31 janvier
Vers une intensification de la guerre sous-marine, avec le lancement de 950 nouveaux sous-marins.

Etats-Unis, 3 février
Rupture des relations diplomatiques avec l'Allemagne après le torpillage du bateau américain *Housatonic*.

Berlin, 27 février
L'Allemagne décide de se livrer à une guerre sous-marine à outrance. →

Washington, 3 mars
Une réforme de l'*Organic Act* par le Congrès fait des Porto-Ricains des citoyens américains.

Petrograd, 8 mars
200 000 ouvriers en état de grève insurrectionnelle, la troupe refuse de tirer et fraternise. →

Berlin, 8 mars
Mort du comte Ferdinand von Zeppelin (né en 1838), inventeur du dirigeable.

Empire ottoman, 11 mars
Les Anglais s'emparent de Bagdad.

Pskov, 15 mars
Sous la pression de l'Etat-Major, le tsar Nicolas II abdique après avoir nommé un libéral, le prince Lvov, à la tête du gouvernement. Ne voyant aucune possibilité de rétablir l'ordre, le grand-duc Michel, choisi par le tsar pour lui succéder, renonce au trône.

Washington, 2 avril
Le Congrès vote l'entrée en guerre des Etats-Unis aux côtés des Alliés. →

Front de l'Ouest, 9-16 avril
Début de l'offensive Nivelle en Artois et en Champagne, où commence la bataille du Chemin des Dames. Le 19, c'est l'échec : arrêt des opérations.

Petrograd, 16 avril
Venant de Suisse, Lénine arrive en Russie. Le lendemain, il publie ses fameuses *Thèses d'avril*, où il demande le transfert de tous les pouvoirs aux soviets (conseils de délégués ouvriers et soldats). →

Paris, 28 avril
Publication de *La Jeune Parque*, poème de Paul Valéry.

Nomination de Pétain à la tête de l'Etat-Major au ministère de la Guerre.

Paris, 18 mai
Représentation au théâtre du Châtelet par la troupe des Ballets Russes de Diughiler de *Parade*, ballet de Léonide Massine sur un argument de Jean Cocteau avec une musique d'Erik Satie. Le rideau de scène, les décors et les costumes (dont ceux des fameux « Managers ») sont de Picasso. La représentation se termine dans le tumulte et les protestations.

Russie, 19 mai
Le gouvernement russe provisoire propose « une paix sans sanction ni annexion ».

Front de l'Ouest, mai
Un vent de mutinerie gagne le 16e corps d'armée. En certains endroits, soldats français et soldats allemands fraternisent. Nivelle est remplacé le 15 mai par Pétain, qui prend des mesures draconiennes et envoie les mutins devant le tribunal militaire : 412 condamnations à mort sont prononcées. →

Grèce, 12 juin
Abdication du roi Constantin sous la pression des Alliés. Lui succède son deuxième fils, Alexandre. Le Premier ministre Venizelos engage la Grèce dans la guerre aux côtés des Alliés.

Etats-Unis, 17 juin
Charlot émigrant, court métrage de Charlie Chaplin.

Londres, 19 juin
Droit de vote pour les femmes de plus de trente ans. →

Saint-Nazaire, 26 juin
Arrivée des premières troupes américaines en France.

Soviet des travailleurs et des soldats, créé le 27 février 1917, siégant dans la salle de la Douma à Petrograd.

La révolution de Février en Russie

Petrograd, février 1917
Le mécontentement qui n'a cessé de grandir en Russie, depuis l'entrée en guerre en 1914 aux côtés des Alliés, débouche sur une révolution politique : le tsar Nicolas II abdique le 15 mars sur le conseil de ses généraux. Depuis le début de février, la situation sociale dans la capitale, Petrograd, est devenue explosive : la hausse des prix des denrées alimentaires a provoqué une grève aux usines Putilov, les plus importantes de la ville, grève suivie de la fermeture des usines. Dès le lendemain, les manifestations se succèdent, les slogans devenant politiques : « A bas la guerre ! A bas l'autocratie », sous l'impulsion notammment des bolcheviks qui appellent à la grève générale. L'armée, où la désertion est massive, refuse de tirer sur la foule et s'allie aux insurgés le 27 février. Elle libère les prisonniers et se place sous les ordres de la Douma d'Empire, qui se charge désormais du pouvoir exécutif, nomme un gouvernement choisi parmi les opposants, et dirigé par un noble libéral, le prince Lvov. En fait, l'avocat Alexandre Kerensky en est l'homme fort. L'élection d'une assemblée constituante au suffrage universel est annoncée ; et les libertés individuelles sont rétablies : les révolutionnaires, dont Lénine, peuvent rentrer d'exil ou de Sibérie. De leur côté, ouvriers et soldats, à qui rien n'a été accordé, se dotent de structures politiques autonomes.

Naufrage d'un transport de troupes alliées en Méditerranée.

Guerre sous-marine à outrance

Berlin, 27 février 1917
A la suite du développement du blocus de haute mer par les Alliés, qui prive l'Allemagne de ses approvisionnements en matières premières industrielles et en denrées alimentaires, l'Etat-Major allemand décide la guerre sous-marine à outrance, y compris contre les navires des Etats-Unis, principaux fournisseurs « neutres » des économies alliées.

Enlisement sur tous les fronts

Europe, 1917

En France, les Allemands, qui ont abandonné tout espoir d'une offensive terrestre décisive, ont raccourci leurs lignes dès février. Le général Robert Nivelle souhaite débloquer le front en France par une grande offensive : c'est l'échec tragique du Chemin des Dames, le 16 avril ; l'attaque lancée sur la Somme le 8 mai se heurte à des positions désertées : l'état-major allemand ayant eu vent de l'offensive a en effet replié l'angle droit de son front autour de Noyon. Les échecs répétés et la lassitude déterminent une grave crise dans l'armée et dans l'opinion : Nivelle est remplacé par Pétain le 15 mai. Celui-ci réussit par l'attaque du 20 août à Verdun à occuper les deux rives de la Meuse ; l'attaque de la Malmaison en octobre constitue un petit succès. Au prix de très lourdes pertes, l'offensive sur le front britannique autour d'Ypres, lancée le 31 juillet et soutenue par quatre cents chars, permet de faire reculer les lignes allemandes vers Gand, Mons et Sedan. La crise politique en France entraîne en novembre la nomination de Georges Clemenceau au gouvernement. Le front russe s'est effondré, parallèlement aux troubles politiques qui sévissent en Russie : la volonté du prince Lvov et de Kerenski de poursuivre la lutte aux côtés des Alliés n'empêche pas la défaite de la Bucovine en juillet ni la prise de Riga par les Allemands, le 3 septembre. Les négociations ouvertes par le gouvernement révolutionnaire de Lénine dès son arrivée au pouvoir, le 7 novembre, aboutissent le 15 décembre à la signature de l'armistice séparé de Brest-Litovsk, qui met fin à l'hémorragie russe, mais laisse en plan les problèmes frontaliers. Sur le front italien, les résultats encourageants obtenus par les Italiens lors de la bataille de l'Isonzo sont remis en cause par l'intervention des Allemands aux côtés des Autrichiens, épuisés et ébranlés par une offre de paix séparée. L'offensive austro-germanique se solde par la défaite de Caporetto, le 24 octobre : contraints de se replier sur la Piave, les Italiens se reprennent grâce au soutien du corps franco-britannique du général Emile Fayolle.

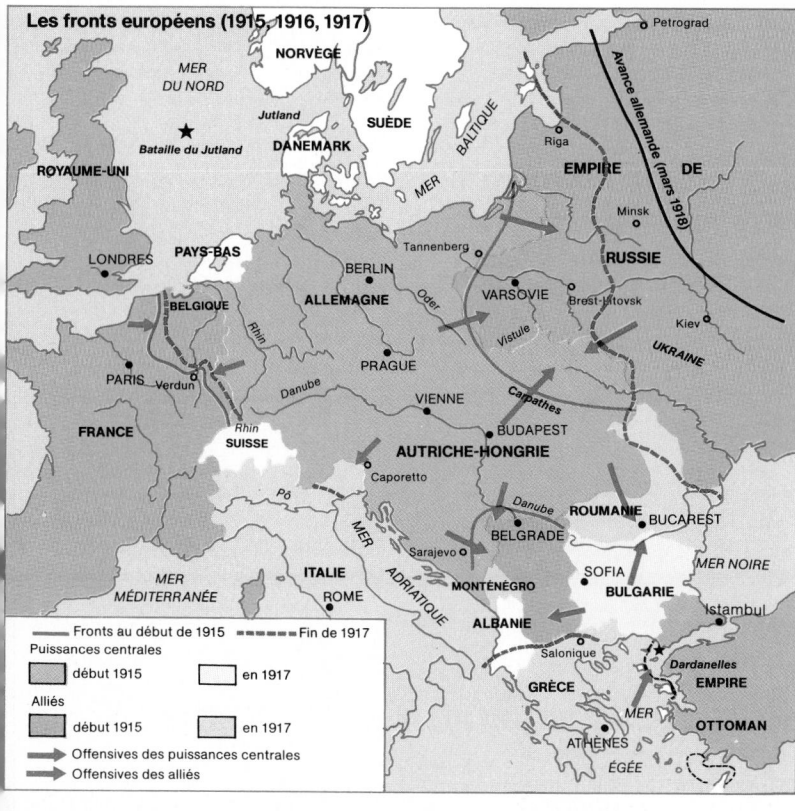

Les fronts européens (1915, 1916, 1917)

Trois vaines tentatives de paix

Europe, 1917

Entre mars et août 1917, les « trois B » (Bourbon-Parme, Briand et Benoît XV) proposent tour à tour l'arrêt des hostilités. Aucune de leurs tentatives n'aboutit. Le prince Sixte de Bourbon-Parme était le beau-frère de l'empereur Charles Ier d'Autriche. Par son entremise, Charles Ier propose à la France d'arrêter la guerre moyennant un accès à l'Adriatique pour la Serbie et le retour de l'Alsace-Lorraine à la France. L'opposition de l'Allemagne fait échouer cette initiative. En juin, des contacts sont noués entre le diplomate allemand Lancken et Briand ; mais le président du Conseil Ribot s'oppose à une entrevue entre les deux hommes. Le 14 août 1917, le pape Benoît XV suggère le retour au *statu quo* territorial, mais il n'est pas écouté.

Crise morale et relève politique chez les belligérants

Europe, 1917

1917 a été appelée « l'année trouble ». Les pays de la Triple-Entente sont éprouvés par une série de revers militaires qui créent une situation de crise. Des grèves éclatent à Paris et en province. Un vent de mutinerie touche seize corps d'armées. En plusieurs endroits, soldats français et soldats allemands fraternisent. En juin, deux régiments tentent de « marcher sur Paris » qu'ils tiennent pour un repaire d'« embusqués » et d'incapables. Pétain remplace alors Nivelle au haut commandement et prend des mesures énergiques : les révoltés sont traduits devant un tribunal militaire qui prononce cent cinquante condamnations à mort dont vingt-trois seront exécutées. Une amélioration du ravitaillement et du régime des permissions redonne courage aux soldats. En septembre, les socialistes quittent le gouvernement Painlevé qui mène une existence précaire jusqu'à l'automne. Le 16 novembre, Clemenceau forme un nouveau ministère qui se montre impitoyable envers les défaitistes et tend toutes les énergies vers la victoire. Le libéral Lloyd George constitue en Grande-Bretagne un ministère associant conservateurs et travaillistes ; il gouverne sans consulter le Parlement, avec un cabinet de guerre limité à cinq membres. Il combat l'opposition des syndicats au service militaire obligatoire. Le front russe, travaillé par la propagande pacifiste des bolcheviks, est gagné par un vent de désertions. L'Allemagne est confrontée à une série de mutineries dans la flotte et de grèves dans les usines de munitions : le chancelier Bethmann-Hollweg est remplacé par Michaelis, plus docile à l'Etat-Major. En Italie, la défaite de Caporetto aboutit à la formation d'un nouveau gouvernement.

Fraternisation entre soldats russes et allemands à l'annonce de l'armistice.

De Zurich, Lénine expose ses "Thèses d'avril"

Zurich, 17 avril 1917

De Zurich, Lénine reproche aux bolcheviks de Petrograd d'appuyer le gouvernement du prince Lvov. Il leur adresse des articles à publier dans la *Pravda* : ces *Thèses d'avril* tracent une ligne intransigeante destinée à donner le pouvoir aux bolcheviks : arrêt immédiat de la guerre, aucun soutien au gouvernement Lvov, tout le pouvoir aux soviets.

Degas, peintre de la modernité, disparaît

Paris, 1917

Degas, qui vient de mourir à l'âge de 83 ans, sut, plus que tout autre, saisir l'âme des choses. En effet, que ce soit dans les portraits qu'il fit de son entourage, dans ses scènes de la vie quotidienne, ou dans l'intimité des coulisses de l'Opéra, il s'attacha toujours à ce que pouvait révéler le tempérament des individus, évoquer une ambiance, ou rendre sensibles et palpables des étoffes, des matières ou des chairs. A l'affût de la nouveauté, il a compris ce que l'art japonais ou la photographie pouvaient apporter aux techniques traditionnelles, et sut intégrer ces apports avec un rare bonheur.

Edgar Degas. « Danseuses bleues ». Vers 1890. Musée d'Orsay, Paris.

1917

Portugal, 17 juillet
La Vierge serait apparue à trois enfants du village de Fatima.

Russie, 25 juillet
Formation du gouvernement provisoire Alexandre Kerenski.

Belgique, 31 juillet
Offensive alliée à Ypres et à Langemark. Les Allemands reculent vers Gand, Mons et Sedan.

Allemagne, juillet-août
Mutineries dans la marine.

Rome, 1er août
Le pape Benoît XV lance à tous les belligérants un appel pour la paix.

Canton, août
Le révolutionnaire nationaliste Sun Yat-sen installe un gouvernement militaire et contrôle les provinces du sud de la Chine.

Finlande, août
Réfugié en Finlande à la suite de la répression organisée en juillet par le gouvernement provisoire contre les bolcheviks accusés d'avoir fomenté des manifestations armées, Lénine y écrit *L'Etat et la Révolution*.

Russie, 9 septembre
Arrestation du général Kornilov à la suite d'une tentative de coup d'Etat avortée. Kerenski le remplace comme généralissime à la tête des armées.

Poelkapelle, Belgique, 26 septembre
Disparition du capitaine Guynemer au cours d'un combat aérien. Titulaire de cinquante-quatre victoires, il commandait la célèbre escadrille des « Cigognes ».

Vincennes, 15 octobre
Accusée d'espionnage au profit de l'Allemagne, la danseuse d'origine hollandaise Mata-Hari (Margareta Gertruida Zelle, dite) est fusillée.

Petrograd, 21 octobre
Revenu incognito de sa retraite finlandaise, Lénine assiste à une réunion du Comité central du parti bolchevik, qui décide sur sa proposition de passer à l'insurrection armée.

Vallée de l'Isonzo, 24 octobre
Bataille de Caporetto : le front italien est rompu par les forces austro-hongroises, qui font 293 000 prisonniers.

Front de l'Ouest, 26 octobre
La VIe armée française conquiert le fort de Malmaison, à l'ouest du Chemin des Dames.

Londres, 2 novembre
Déclaration Balfour proposant la création d'un « Foyer national juif » en Palestine. →

Petrograd, 6 novembre (ou 25 octobre ancien style)
Les « gardes rouges », sous la direction de Léon Trotski, prennent d'assaut le palais d'Hiver, siège du gouvernement. Après huit jours de combats, Moscou tombera également aux mains des Bolcheviks.

Petrograd, 7 novembre (26 octobre)
Dans le cadre du IIe Congrès des soviets, mise en place d'un nouveau gouvernement sous le nom de Conseil des commissaires du peuple, avec Lénine comme président et Trotski aux Affaires étrangères.

Paris, 15 novembre
Mort du sociologue Emile Durkheim.

Paris, 16 novembre
Constitution du ministère Clemenceau. Intervenant à un moment décisif de la guerre, Clemenceau, par son énergie et sa résolution, conduira le pays à la victoire.

Meudon, 17 novembre
Mort du sculpteur Auguste Rodin.

Kiev, 20 novembre
L'Ukraine se proclame indépendante.

Jérusalem, 9 décembre
Les troupes anglaises du général Allenby entrent dans la ville.

Brest-Litovsk, 15 décembre
Armistice entre les puissances centrales et la Russie, tandis que commencent des pourparlers pour une paix séparée.

Vienne, Autriche
Sigmund Freud : *Introduction à la psychanalyse*.

Bourg-la-Reine, 3 novembre
L'écrivain Léon Bloy meurt, dans le dénuement et l'abandon le plus total. Jusqu'au bout (jusqu'au 20 octobre), il aura tenu son journal, qui couvre vingt-cinq années de sa vie littéraire et religieuse. Mais il se fit surtout connaître comme violent polémiste.

Arrivée des forces américaines en Europe.

L'entrée en guerre des Etats-Unis

Etats-Unis, 2 avril 1917
Le 4 août 1914, le président T. Woodrow Wilson avait proclamé la neutralité des Etats-Unis, au nom de la tradition isolationniste établie en 1823 par Monroe. A l'automne 1916, lors de sa campagne présidentielle, Wilson avait promis de tenir son pays à l'écart du conflit. Mais la guerre sous-marine à outrance déclarée par l'Allemagne le 31 janvier 1917 modifie la situation : elle paralyse le commerce américain et compromet le principe de « liberté des mers » cher à Wilson. De surcroît, le télégramme Zimmermann, décodé par les services secrets anglais, révèle que l'Allemagne cherche à négocier avec le Mexique une alliance dirigée contre les Etats-Unis. C'est pourquoi le Congrès américain déclare la guerre à Berlin le 2 avril 1917.

Un espoir pour le peuple juif

Londres, 2 novembre 1917
L'activité des organisations sionistes en faveur de la création d'un Etat national pour les Juifs trouve pour la première fois un écho : la fondation d'un « foyer national juif » en Palestine est annoncée par Lord Balfour, ministre anglais des Affaires étrangères. Cette volonté est à replacer dans le contexte des négociations franco-britanniques concernant le sort des possessions ottomanes au Moyen-Orient. Il est en effet prévu que tous les pays arabes du Croissant fertile cesseront d'être turcs et passeront sous contrôle franco-britannique. La présence d'importantes quantités de pétrole dans la région n'est pas étrangère aux appétits alliés. La création de ce foyer juif peut apparaître contradictoire avec la nécessité, pour les Occidentaux, de s'entendre avec la puissante famille hachémite, à la tête dès 1916 des révoltes contre l'occupation turque.

Lord Balfour.

Zurich, foyer culturel de l'Europe

Zurich, 1917
Alors que le premier conflit mondial fait rage, la Suisse demeure fidèle à sa neutralité. Situation qui fait de Zurich un carrefour des avant-gardes esthétique, scientifique et politique partageant un commun credo pacifiste. Lénine y dirige de son exil le parti bolchevique. Le mouvement Dada, dont les fondateurs, Tzara, Arp, montrent l'absurdité d'un conflit qu'ils ont fui, y dénonce de façon iconoclaste le vieux monde et ses valeurs. Au Polytechnicon, le physicien A. Einstein, pacifiste convaincu, achève de mettre au point sa théorie de la relativité générale.

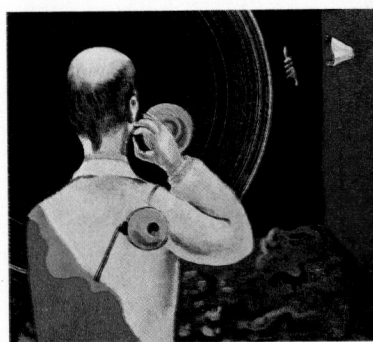
Max Ernst. Sans titre (Dada). Vers 1922. Détail. Collection Thyssen-Bornemisza, Lugano.

« Petrograd ne se rendra pas ». Affiche exaltant l'union des classes révolutionnaires dans un même combat.

Gardes rouges en embuscade à proximité du palais d'Hiver, siège du gouvernement provisoire.

Prise du palais d'Hiver de Petrograd dans la soirée du 25 octobre 1917 par les gardes rouges sous la conduite de Trotski.

Le coup d'Etat bolchevique d'octobre

Russie, octobre 1917

Depuis l'été 1917, le chef du gouvernement provisoire, Kerenski, est aux prises avec une anarchie généralisée résultant du noyautage des soviets par les Bolcheviks. Après leurs échecs de février et juillet 1917, ceux-ci préparent une nouvelle insurrection. Fin septembre, Trotski, rentré de l'étranger, devient président du soviet de Petrograd. Il organise une milice populaire de gardes rouges composée d'ouvriers bolcheviques ; ses militants réussissent à infiltrer la garnison de Petrograd. L'éloquence persuasive de Trotski lui assure, en outre, un fort ascendant sur les marins de Kronstadt, le port militaire de Petrograd. Lénine, rentré clandestinement de Finlande, fait adopter par le comité central du parti bolchevique, le 23 octobre 1917, la décision d'insurrection. Elle est votée par dix voix contre deux, celles de Kamenev et Zinoviev. Dans la nuit du 24 au 25 octobre (calendrier russe, dit julien, ce qui correspond aux 6 et 7 novembre de notre calendrier grégorien), dix mille bolcheviks, commandés par Trotski, s'emparent de la poste de Petrograd et des ministères. Kerenski a rassemblé des élèves-officiers et des bataillons de femmes pour protéger le palais d'Hiver, siège du gouvernement. Mais la nuit suivante, appuyés par les tirs du croiseur *Aurora*, les bolcheviks enlèvent sans difficulté le palais. Kerenski prend la fuite. Le soir du 25 octobre, le IIe Congrès panrusse des soviets se réunit : les bolcheviks y détiennent une majorité de 390 membres sur 650. Le Congrès désigne un gouvernement exclusivement composé de bolcheviks qui prend le nom de Conseil des commissaires du peuple. Lénine en est président, Trotski est aux Affaires étrangères et Staline s'occupe des nationalités. Dès le lendemain, le nouveau pouvoir promulgue quatre décrets destinés à rallier la population au nouveau régime. Le décret sur la paix annonce la demande d'un armistice : il sera signé le 15 décembre. Un décret sur la terre déclare les terres « patrimoine national » et en accorde la jouissance aux paysans. Le décret sur les entreprises industrielles place les usines sous le contrôle de représentants élus des ouvriers, mais préserve dans l'immédiat le principe de la propriété privée. Enfin, le décret sur les nationalités reconnaît la souveraineté des populations allogènes et leur accorde le droit de former des Etats indépendants. Simultanément, le gouvernement de Lénine établit sa dictature : il suspend par décret la liberté de la presse (10 novembre), autorise la réquisition des logements (11 novembre) et interdit la grève qualifiée de « crime contre le peuple ».

Les stratèges de la Révolution

Vladimir Ilitch Oulianov, dit Lénine.

Lev Bronstein, dit Léon Trotski.

Russie, 1917

Né à Simbirsk, Vladimir Ilitch Oulianov, dit Lénine, est le fils d'un inspecteur des collèges tsaristes. Bouleversé par l'exécution de son frère aîné impliqué dans un complot contre le tsar, il se tourne vers le marxisme. Etudiant en droit, puis avocat, il anime des cercles d'opposants. De 1897 à 1900, il est déporté en Sibérie. En 1903, il prend la tête de la tendance bolchevique (ce qui signifie majoritaire) du Parti ouvrier social-démocrate russe. Il préconise un parti fort et discipliné. En 1914, il s'installe en Suisse. En avril 1917, il rentre en Russie et tente en juillet une révolution, qui échoue. Replié en Finlande, il revient en octobre et organise le coup d'Etat bolchevique qui lui donne le pouvoir avec le titre de président du Conseil des commissaires du peuple.

Né en Ukraine, dans une famille de la moyenne bourgeoisie israélite, Léon Bronstein étudie le droit à Odessa et adhère au mouvement socialiste. Déporté en Sibérie pour ses activités militantes (1898), il s'évade et gagne l'Angleterre en 1902, sous le nom de Trotski. A Londres, il fait la connaissance de Lénine mais, contrairement à lui, opte pour la fraction *menchevik* (ce qui signifie minoritaire) du Parti ouvrier russe. En 1905, il dirige le soviet de Saint-Pétersbourg, lors de la première révolution russe. Il formule sa théorie de la révolution permanente, puis se réfugie à Vienne où il fonde la *Pravda*. Rentré en Russie en 1917, il rallie les bolcheviks.

La famille du tsar est exécutée

Moscou, 17 juillet 1918

Après la révolution de février, Nicolas II abdique et se retire à Tsarkoetselo. Mais Kerenski ordonne le transfert de la famille impériale à Tobolsk, en Sibérie. En octobre, les soviets victorieux envisagent de juger le tsar à Moscou et exigent que les Romanov soient installés à Iekaterinbourg. En juillet, face à la menace militaire blanche et l'impossibilité de transférer le tsar à Moscou, le soviet régional décide d'exécuter l'ensemble de la famille impériale devant un minimun de témoins. Quelques jours plus tard, Iekaterinbourg est prise par les troupes du général Koltchak.

Le tsar Nicolas II avec la tsarine Alexandra en habits du couronnement.

1918

Washington, 8 janvier
Le président Woodrow Wilson présente au Congrès son plan de paix en quatorze points. →

Vienne, Autriche, 6 février
Mort du peintre Gustav Klimt (né en 1862).

Brest-Litovsk, 3 mars
Signature de la paix entre les puissances centrales et le gouvernement des soviets. →

Russie, 8 mars
Léon Trotski démissionne de ses fonctions de commissaire du peuple aux Affaires étrangères.

Russie, 9 mars
Le siège du gouvernement est transféré de Petrograd à Moscou.

Front de l'Ouest, 21 mars
Offensive allemande sur la Somme. Rupture du front anglais, Saint-Quentin est pris.

Doullens, Somme, 26 mars
Conférence anglo-française à l'issue de laquelle Foch est nommé général en chef des armées alliées.

Paris, 15 avril
Le poète Guillaume Apollinaire publie *Calligrammes*.

Russie, 11 mai
Piotr Krasnov, chef des Cosaques du Don, contrôle, avec l'armée du général « blanc » Denikine, le territoire compris entre la ligne du front allemand et la Volga, coupant ainsi l'approvisionnement en vivres de Moscou. C'est le début de la guerre civile.

Champagne, 26-27 mai
Offensive allemande dans le secteur du Chemin des Dames. Soissons est pris le 29, Château-Thierry le 31.

Front de la Marne, 9 juin
Poursuivant leur offensive, les Allemands atteignent Compiègne et ne sont plus qu'à 70 km de Paris.

Champagne, 15 juillet
Une dernière offensive allemande échoue.

Iekaterinbourg, 17 juillet
Le tsar Nicolas II, avec sa femme et ses cinq enfants, est exécuté. →

Front de l'Ouest, 8-21 août
Offensives victorieuses des Anglais sur la Somme et des Français sur l'Aisne. Repli des Alle-

mands sur toute la ligne du front (15-30 septembre).

Paris, 16 septembre
Du 24 mars à ce jour, la ville a été vingt-quatre fois bombardée par la « Grosse Bertha ».

New York, 20 octobre
Charlot soldat, soixante-troisième court métrage de Charlie Chaplin. →

Syrie, 30 octobre
Entrée à Damas des troupes du général Allenby. Les Britanniques sont maîtres du pays.

Front de l'Ouest, 4 novembre
Retraite allemande sur la ligne Anvers-Meuse.

Berlin, 9 novembre
Abdication de Guillaume II. La République est proclamée.

Paris, 10 novembre
Mort du poète Guillaume Apollinaire.

Rethondes, 11 novembre
Signature de l'armistice. L'Allemagne capitule. Les combats doivent cesser à 11 heures. La Bulgarie avait déjà demandé l'armistice le 29 septembre, suivie par la Turquie le 30 octobre. Le cessez-le-feu était entré en vigueur sur le front italien le 4 novembre.

Prague, 14 novembre
Réunion d'une Assemblée tchécoslovaque.

Bruxelles, 21 novembre
Rentrée triomphale d'Albert Ier dans son pays.

Stockholm, 10 décembre
Max Planck, prix Nobel de physique.

Pays baltes, 22 décembre
Après avoir occupé l'Estonie le 8 décembre, la Lituanie le 20, les bolcheviks s'emparent de la Lettonie.

Berlin, 28 décembre
Rupture entre les spartakistes et les sociaux-démocrates. Noske, gouverneur de Berlin.

Russie, décembre
Les Français débarquent à Odessa et en Crimée. Petlioura tente de constituer une république ukrainienne : ses lieutenants, les atamans, se livrent à de nombreux pogroms, tuant les Juifs par milliers.

Allemagne
Oswald Spengler : *Le Déclin de l'Occident*.

Le plan de paix en 14 points de Wilson

Etats-Unis, 1918
Le 8 janvier 1918, le président Wilson présente au Congrès américain un plan en 14 recommandations. Toutes tendent à une régulation des relations internationales reposant sur quatre principes : liberté, égalité, sécurité et participation. La liberté sera reconnue à tous les peuples : liberté des mers, du commerce et liberté pour chaque nationalité de se constituer en un Etat souverain et indépendant (Pologne, Serbie, Hongrie...). Le point 14 prévoit l'égale représentation de tous les Etats au sein d'une association générale des nations. Il s'agit de mettre fin au « directoire des grandes puissances » qui, avant 1914, arbitrait les questions européennes. La sécurité collective sera garantie par des rencontres multilatérales assurant « le triomphe du droit sur la force ». Enfin, Wilson veut associer les opinions publiques à la conduite de la politique internationale. Les citoyens pourront se prononcer par référendum sur le sort des territoires contestés.

Woodrow Wilson, auteur d'un plan de paix en quatorze points.

Les « 14 points » de Wilson
1. Négociations de paix publiques.
2. Liberté de navigation maritime.
3. Liberté du commerce international.
4. Limitation concertée des armements.
5. Règlement impartial des questions coloniales.
6. Evacuation de la Russie.
7. Evacuation et restauration de la Belgique.
8. Retour de l'Alsace-Lorraine à la France.
9. Rectification des frontières italiennes selon les limites des nationalités.
10. Indépendance des peuples de l'Empire austro-hongrois.
11. Evacuation de la Roumanie, de la Serbie et du Monténégro.
12. Limitation de la souveraineté ottomane aux seules régions turques.
13. Création d'un Etat polonais avec libre accès à la mer.
14. Création d'une société des nations.

Signature de la paix de Brest-Litovsk

Russie, 3 mars 1918
L'adoption du décret sur la paix par le Congrès des soviets permet aux bolcheviks de signer, le 15 décembre 1917, l'armistice avec les puissances centrales. La signature du traité de paix à Brest-Litovsk le 3 mars 1918, après quatre mois de négociations orageuses entre les différents pays, est un succès pour Lénine, partisan de la « paix à tous prix ». Par ce traité, la Russie renonce à la Fin-

lande, aux Pays baltes, à la Pologne et doit reconnaître l'indépendance de l'Ukraine. Elle perd le quart de sa population, la moitié de ses aciéries et les deux tiers de ses réserves de houille. Mais la longueur des négociations n'ont pas permis à l'Allemagne de redisposer rapidement ses troupes sur le front occidental. Ce traité est annulé par l'armistice de novembre, puis par le traité de Versailles.

Signature de la paix à Brest-Litovsk entre les puissances centrales et le gouvernement des Soviets.

Victoire des suffragettes

Grande-Bretagne, 19 juin 1917
La Grande-Bretagne a élargi graduellement son corps électoral. La loi de 1867 accordait le droit de vote aux hommes aisés des zones urbaines, celle de 1884 aux ruraux. Les virulentes revendications des suffra-

gettes (→ 1908) sont restées sans résultats jusqu'à la guerre de 1914-1918. Mais l'extension des responsabilités féminines au cours du conflit conduit la Chambre des Communes à accorder dès juin 1917 les droits civiques aux femmes de plus de trente ans (loi définitive le 6 février 1918). Le droit de vote à 21 ans leur sera reconnu le 9 décembre 1928.

Le 11 novembre, l'armistice de Rethondes consacre la victoire des Alliés

Compiègne, 11 novembre 1918
Dans la nuit du 10 au 11, le président de la délégation allemande, Matthias Erzberger, signe l'armistice entre son pays et les puissances alliées en forêt de Compiègne, dans le wagon-salon qui sert de quartier général au maréchal Foch, et qui a été arrêté au carrefour de Rethondes. Après la série d'armistices signés par la Bulgarie, la Turquie et l'Autriche-Hongrie, après l'abdication précipitée du kaiser Guillaume II, le 10 novembre devant le déclenchement de la révolution des Conseils, le haut état-major allemand et le gouvernement du chancelier Max de Bade se sont ralliés à cette solution. En fait, il n'y a pas eu de réelles négociations puisque, selon le mot de Foch, l'Allemagne est « à la merci des vainqueurs ». Elle s'est vu imposer la livraison de 5 000 canons, 25 000 mitrailleuses, 1 700 avions, de tous ses sous-marins et de sa flotte de haute mer. En attendant la conclusion d'un traité de paix, la rive gauche du Rhin doit être évacuée et des têtes de pont occupées en rive droite par les armées alliées.

Signature de l'armistice. Du côté allié : l'amiral Wemyss, Foch et Weygand. Du côté allemand : Matthias Erzberger.

Lawrence d'Arabie, champion de l'indépendance arabe, un des artisans de la victoire anglaise au Proche-Orient.

Redistribution des cartes au Moyen-Orient

Moyen-Orient, 1918
En 1916, la Grande-Bretagne a promis au shérif de La Mecque, Hussein, l'indépendance des territoires arabes de l'Empire ottoman (lettres de Mac Mahon, haut-commissaire anglais au Caire) ; mais en même temps, elle a négocié secrètement avec la France et la Russie un partage de cette région (accords Sykes-Picot de 1916). D'autre part, la déclaration Balfour de 1917 a fait naître de vives tensions entre sionistes et Palestiniens. Ceci permet aux Anglais d'obtenir en 1920 la tutelle de la Palestine et de l'Irak, dont ils détachent la Transjordanie.

Crise économique et disette au Japon

Japon, 1918
Pendant la guerre, le Japon s'était implanté sur les marchés asiatique et sud-américain délaissés par l'Europe. Son commerce extérieur était devenu excédentaire et ses industries avaient prospéré. Mais en 1918, la conjoncture économique s'inverse : une crise s'installe. Une forte poussée d'inflation érode le pouvoir d'achat de la population. Entre 1914 et 1918, les prix de gros ont doublé, alors que les salaires n'ont été multipliés que par 1,6. De surcroît, la récolte céréalière de 1918 est mauvaise et, à la suite d'émeutes, le gouvernement doit organiser des distributions de riz.

"Charlot soldat", film antimilitariste

Etats-Unis, 20 octobre 1918
En 1918, alors que les Etats-Unis sont en guerre et que l'heure est aux élans patriotiques, Charlie Chaplin réalise *Charlot soldat*. Mêlant les descriptions très réalistes du front (la solitude du soldat, la boue des tranchées) à des scènes purement oniriques (une partie de l'histoire est un rêve), Charlie Chaplin signe un film à la fois tendre et satirique. S'attaquant également aux chefs militaires et civils, aux alliés et aux ennemis, refusant les passions cocardières, son film est à la fois un témoignage émouvant sur la vie du soldat et une violente critique de la guerre.

La grippe espagnole fait plus de morts que la guerre

La grippe dite « espagnole » se révèle plus meurtrière que n'importe quelle autre épidémie. Au total, près de 20 millions de morts en 1918 ventilés, au début de l'année 1919, ainsi : France, 200 000 ; Allemagne, 187 000 ; Grande-Bretagne, 112 000 ; Italie, 270 000 ; Etats-Unis, 550 000 ; Afrique et Asie, 13 à 20 millions de victimes. A quoi il faut ajouter les pertes en Russie, impossibles à chiffrer car cumulées avec celles de la guerre civile. En regard, les pertes humaines de la Première Guerre mondiale sont les suivantes : France, 1 300 000 ; Allemagne, 1 600 000 ; Grande-Bretagne, 950 000 ; Italie, 600 000 ; Etats-Unis, 100 000 ; Russie, 2 300 000 ;

L'Europe centrale en ébullition

Allemagne et Autriche, 1918
Avant même la victoire des Alliés, les deux grandes monarchies impériales d'Europe centrale étaient ébranlées : la révolution populaire en Russie a secoué et chassé ses autocrates. Le président américain Woodrow Wilson, dans cette effervescence, a joué un rôle déterminant : dans son discours du 27 septembre, il avait clairement posé sa doctrine : refus absolu de négocier avec les régimes qui « fondent leur politique sur la force ». Il est impossible de négliger le rôle joué par l'URSS dans les événements révolutionnaires : la saisie à Berlin le 4 novembre de tracts soviétiques appelant les ouvriers allemands à la révolte le montre à l'évidence. Le 21 octobre, l'empereur d'Autriche, Charles Ier, publiait son *Manifeste des peuples* appelant à la constitution de conseils nationaux. Le Conseil national tchèque proclamait la république le 28, en relation avec le gouvernement en exil à Paris de Tomas Masaryk. En Hongrie, le même jour, les émeutes de Budapest ont porté le Conseil national du comte Karolyi au pouvoir ; la république est proclamée le 16 novembre ; tout lien avec l'Autriche est rompu. Dans les Balkans, un mouvement révolutionnaire conduit à la formation d'un Conseil national unitaire des Slovènes, Serbes et Croates : réuni à Agram (Zagreb), il proclame le Ier décembre l'unification et l'indépendance de tous les territoires yougoslaves, à l'exception de l'Albanie. En vingt-quatre heures, les 10 et 11 novembre, le kaiser Guillaume II puis l'empereur d'Autriche-Hongrie Charles Ier abdiquent et s'enfuient. Le 9, la révolution a éclaté en Allemagne, les comités ouvriers et de soldats ont pris le pouvoir dans les grandes villes : un nouveau gouvernement est formé par les six Mandataires du peuple. Le gouvernement social-démocrate a dû céder le 20 décembre devant les marins mutinés de Berlin, encourageant le mouvement communiste des spartakistes.

1919

Munich, 5 janvier
Fondation du parti national-socialiste allemand des travailleurs (NSDAP) par Anton Drexler.

Berlin, 6-12 janvier
La « Semaine rouge ». Les troupes gouvernementales écrasent l'insurrection. Karl Liebknecht et Rosa luxemburg, fondateurs du Parti communiste allemand (1er janvier), sont arrêtés et assassinés le 15 janvier. →

Weimar, 11 février
La première Assemblée nationale élit Friedrich Ebert comme président de la République allemande.

Pologne, 20 février
La Diète polonaise confirme Pilsudski dans ses pouvoirs.

Moscou, 2 mars
Fondation de la IIIe Internationale (Komintern). →

Budapest, 21 mars
Bela Kun met en place une république des soviets.

Rome, 23 mars
Avec quelques *arditi* (combattants d'élite de l'armée italienne), Mussolini fonde les « Faisceaux de combat », début du mouvement fasciste.

Russie, mars
Après avoir installé une dictature militaire à Omsk (Sibérie occidentale), l'amiral Koltchak, soutenu par les Alliés, occupe l'Oural et la région de la Volga.

Egypte, mars
Agitation anti-anglaise et éveil du nationalisme avec la fondation du Wafd par Sa'd Zaghlûl.

Mer Noire, 19-21 avril
Mutinerie des marins de l'escadre française.

Weimar, 25 avril
Fondation du Bauhaus par Walter Gropius.

Genève, 28 avril
Fondation de la Société des Nations (SDN). →

Belgique, 28 mai
Les villes d'Eupen, Moresnet et Malmédy rattachées à la Belgique.

Brésil, 29 mai
L'astronome anglais Arthur Stanley Eddington vérifie, à la faveur d'une éclipse totale de Soleil, la courbure des rayons lumineux des étoiles au voisinage d'un corps de grande masse comme le Soleil et apporte ainsi une des premières confirmations de la théorie d'Einstein sur la relativité générale, théorie qu'il contribua à diffuser en publiant, cette même année, *L'Espace, le Temps et la Gravitation.*

Atlantique nord, 15 juin
Premier vol au-dessus de l'Atlantique : les Britanniques John William Alcock et Arthur Brown relient Terre-Neuve à l'Irlande.

Ecosse, 21 juin
Plutôt que d'être remise aux Alliés (comme le veut le traité de Versailles), la flotte allemande prisonnière à Scapa Flow préfère se saborder.

Versailles, 28 juin
Signature du traité de paix par la délégation allemande.

Budapest, 3 août
Bela Kun en fuite, la ville est prise par les troupes roumaines.

Paris, 4 août
Inauguration du musée Rodin.

France, 10 septembre
Traité de Saint-Germain entre les Alliés et l'Autriche, dont le rattachement à l'Allemagne est interdit sans le consentement de la SDN.

Italie, 12 septembre
Coup de main de l'aviateur Gabriele d'Annunzio sur Fiume.

Russie, octobre
Nombreux succès de l'armée rouge dans la guerre civile : l'armée de Youdenitch qui menaçait Petrograd est repoussée jusqu'en Estonie ; en Russie centrale, les troupes de Denikine sont mises en déroute ; l'amiral Koltchak doit abandonner l'Oural aux soviétiques.

Washington, 19 novembre
Le Sénat refuse de ratifier le traité de Versailles.

Cagnes, 3 décembre
Mort du peintre Auguste Renoir.

Paris, 10 décembre
Prix Goncourt à Marcel Proust.

Allemagne
Le Cabinet du docteur Caligari, film de Robert Wiene.

France
Roland Dorgelès : *Les Croix de bois.*

Débuts chaotiques de la république de Weimar

Allemagne, 6-12 janvier 1919
La république, proclamée en Allemagne deux jours avant l'armistice du 11 novembre, est d'emblée confrontée à une intense agitation. A Berlin, ouvriers et soldats forment des conseils inspirés des soviets russes et occupent les bâtiments publics. Dès l'abdication de Guillaume II, Ebert avait formé un nouveau ministère pour endiguer la poussée révolutionnaire. Il renvoie le préfet de police de Berlin, suspect de complaisance. Dans les jours suivants, le groupe Spartakus, constitué depuis fin décembre 1918 en parti communiste allemand, déclenche une révolution. Lors de la « semaine

R. Luxemburg et K. Liebknecht.

sanglante », du 6-12 janvier le ministre de la Guerre, le social-démocrate Noske réprime l'insurrection dont les chefs, Rosa Luxemburg et Karl Liebknecht, sont exécutés le 15.

La guerre civile embrase l'Irlande

Irlande, 21 janvier 1919
Depuis les Pâques sanglantes de 1916, de nombreux indépendantistes irlandais restaient emprisonnés. Mais aux élections législatives anglaises de 1918, les Irlandais avaient choisi les deux tiers de leurs députés parmi les membres du mouvement nationaliste Sinn Fein. La plupart des élus étaient sous les verrous ; les autres refusèrent de se rendre au parlement de Westminster et formèrent à Dublin un contre-parlement : le Dail. Réuni le 21 janvier 1919, le Dail adopta une Constitution irlandaise provisoire et une déclaration d'Indépendance qui réclamait « l'évacuation du pays par les garnisons anglaises ». Le 3 février 1919, le leader nationaliste Eamon

Les spartakistes devant le journal « Vormärts » à Berlin.

De Valera s'échappa de prison et le 1er avril, il fut élu président du Dail tandis que l'IRA engageait une guerre d'embuscade contre la police et l'armée britanniques.

Les généraux "blancs" contre l'Armée rouge

URSS, 1919
La Russie bolchevique doit affronter une série de grandes offensives dirigées par des généraux de l'ancien régime, à la tête d'armées baptisées « blanches » par antinomie. La fin du premier conflit mondial leur apporte l'appui logistique et humain des Alliés franco-britanniques, qui débarquent dans le Caucase par la mer Caspienne, à Odessa en mer Noire, ainsi qu'à Mourmansk et Arkhangelsk sur la mer Blanche. Les généraux Ioudenitch, Miller, Krasnov, Dénikine et Wrangel, ainsi que l'amiral Koltchak font converger leurs troupes (700 000 hommes) sur Moscou. Réduite à un triangle appuyé sur les villes de Petrograd, Moscou et Tsarytsine, la citadelle bolchevique assiégée réagit en créant l'Armée rouge sous la direction de Trotski, commissaire du peuple à la Guerre, dont les effectifs se montent à 1 500 000 hommes. Pour la diriger, il est fait appel à d'anciens cadres de l'armée tsariste. Au cours de 1919, l'étreinte peu à peu se relâche, même si à l'extrême est les troupes japonaises à Vladivostok et celles du baron blanc Ungern-Sternberg en Mongolie restent maîtresses du terrain.

Marcel Proust, Prix Goncourt pour son œuvre « A l'ombre des jeunes filles en fleurs ».

Les nouvelles frontières de l'Europe

Europe, 1919

En redécoupant l'Europe, les vainqueurs s'inspirent de conceptions divergentes. Le président Wilson veut fonder la paix sur « le droit des peuples à disposer d'eux-mêmes » tandis que Clemenceau cherche surtout à préserver la France d'une revanche allemande par la création d'Etats-tampons. L'Angleterre de Lloyd George voit au contraire dans l'Allemagne une cliente de l'industrie britannique et un rempart contre le bolchevisme. Le remodelage de l'Allemagne, de l'Autriche et de la Bulga-

Mais des populations allemandes subsistent en Tchécoslovaquie, dans les Sudètes, et on compte de nombreux Hongrois en Roumanie. En Yougoslavie cohabitent neuf groupes ethniques différents. Sur le plan économique, la multiplication des frontières gêne les courants d'échange traditionnels et des régions complémentaires se trouvent séparées (Bohême industrielle et Hongrie agricole). La Pologne, qui avait disparu depuis le XVIIIᵉ siècle, est reconstituée par amputation de l'Allemagne, de l'Autriche et de la

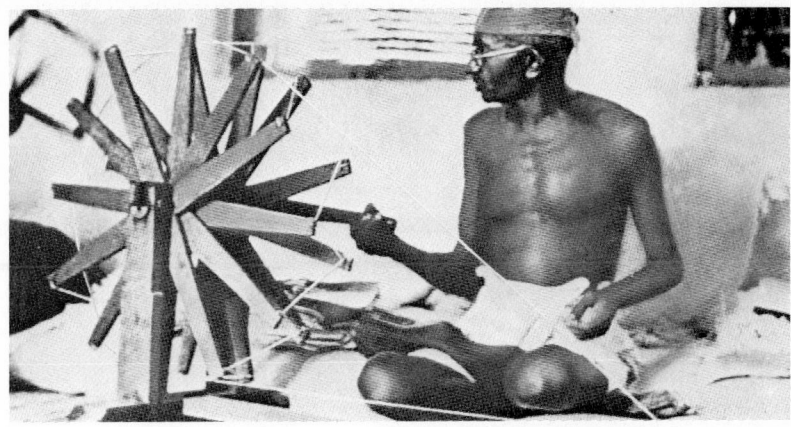

Le mahatma Gandhi, apôtre de la « non-violence active » prêcha le boycott des produits anglais et demanda à chaque Indien de tisser ses propres vêtements.

Frontières de 1914 — Frontières 1921-1923
Territoires perdus par :
l'Allemagne — la Russie — la Bulgarie
Zones démilitarisées — ★ Ville libre
Zones soumises à plébiscite
Empire austro-hongrois en 1914
Voies d'eau internationalisées : Rhin, Elbe, Danube

rie bouleverse la carte de l'Europe. Les grands empires séculaires font place à une poussière d'Etats nouveaux : Tchécoslovaquie, Roumanie, Yougoslavie, pays Baltes, etc. Cette « balkanisation », assortie de transferts de population, réduit les minorités ethniques assujetties à une tutelle étrangère : 30 millions de personnes en 1919 contre 60 en 1914.

Russie. Mais les nouvelles frontières polonaises constituent une source de tension permanente avec ses voisins. Dans le nord, la Pologne dispose, en vertu du traité de Versailles, d'un débouché sur la mer Baltique : le couloir de Dantzig. Cette bande territoriale soulève l'indignation allemande et son annexion sera un des objectifs d'Hitler.

Le siège de la SDN établi à Genève

Genève, 28 avril 1919

La conférence de la paix adopte le projet Wilson de Société des Nations. Le siège est fixé à Genève et Sir James Eric Drummond est désigné comme secrétaire général. Issu du Foreign Office, il a pour adjoint Jean Monnet, le futur instigateur de

la construction européenne. Les commissions spécialisées se mettent en place dès 1919 : elles réunissent 120 fonctionnaires. L'effectif passera à 347 en 1921 et à 700 en 1931, originaires de 50 pays. L'Assemblée générale comprend 3 délégués au plus par Etat membre et tient sa session chaque année en septembre. Le Conseil compte 5 membres permanents qui se réunissent 3 fois par an.

Création à Moscou du Komintern

Moscou, 2 mars 1919

Après la révolution bolchevique d'octobre 1917, Lénine invite 39 partis socialistes à tenir une conférence communiste internationale. Réunie à Moscou le 2 mars 1919, cette as-

semblée se constitue en internationale communiste ou Komintern. L'instance supérieure est le congrès mondial, convoqué au moins tous les deux ans. Dans l'intervalle, la direction est assurée par un comité exécutif. Chaque parti communiste national doit se soumettre aux directives des délégués du Komintern.

Répression anglaise à Amritsar en Inde

Inde, 13 avril 1919

1919 marque la dégradation des rapports anglo-indiens. Pourtant, en octobre 1917, le secrétaire d'Etat pour l'Inde, Montagu, avait déclaré que la politique anglaise visait à acheminer le pays vers l'autonomie. En 1919, le vice-roi, Lord Chelmsford, annonce une nouvelle Constitution qui instaure une dyarchie, partage du pouvoir entre Indiens et Britanniques. Les diverses communautés indiennes sont représentées dans des

assemblées provinciales et centrale élues au suffrage censitaire ; mais le pouvoir exécutif et les finances restent aux mains des Anglais. Ces derniers espèrent désamorcer l'agitation qui se développe. En 1917, un juge anglais, Justice Rowlatt, chargé par Londres d'enquêter sur les violences, fait adopter en 1919 les lois Rowlatt qui permettent de juger sans garanties les agitateurs. Il en résulte des grèves et des manifestations. Celle d'Amritsar, le 13 avril 1919, est violemment réprimée par le général Dyer : on compte 379 morts et 1 200 blessés.

En Chine, agitations nationalistes

Chine, 4 mai 1919

Depuis la fin du XIXᵉ siècle, la Chine était une semi-colonie dominée par les intérêts occidentaux et japonais. En 1915, les 21 demandes du Japon à la Chine avaient suscité la rancœur de ceux qui refusaient de voir les centres économiques du pays passer sous le contrôle japonais. A la conférence de la paix de Versailles, les Japonais, représenté par Makino, se font transférer les privilèges détenus par les Allemands au Shandong.

Cette décision soulève une immense déception en Chine où les milieux nationalistes espéraient récupérer les concessions allemandes. A Pékin, le 4 mai 1919, des manifestations éclatent et se propagent dans les grandes villes. En Chine du Sud, marchands et ouvriers se mettent en grève et décident de boycotter les produits japonais. Leurs slogans, à la fois nationalistes (« Défendons les droits de la Chine ! ») et hostiles aux traditions (« A bas la boutique Confucius ! »), réclament l'assouplissement du carcan familial et l'émancipation des femmes.

Premier congrès panafricain

Paris, 1919

En 1900 était apparu le mot « panafricanisme » forgé par un afro-américain, William E. Burghard Du Bois. Docteur en philosophie de l'université de Harvard, il s'était spécialisé dans la sociologie des Noirs américains et animait une association pour la promotion des gens de couleur aux Etats-Unis. En 1919, les déclarations du président Wilson en faveur du « droit des peuples à disposer d'eux-mêmes » l'incitent à donner une dimension internationale à son action. Il réunit en 1919 à Paris le premier congrès panafricain dont les 57 délégués demandent, dans une pétition à la SDN, que les colonies allemandes soient confiées à une gestion internationale.

Découverte du proton par Rutherford

Grande-Bretagne, 1919

En 1919, au laboratoire Cavendish de Cambridge, Sir Ernest Rutherford (1871-1937) réussit la première transmutation. En bombardant de l'azote par des rayons il voit apparaître un isotope de l'oxygène et surtout des ions hydrogène émis par le noyau qu'il identifie aux protons. Déjà en 1911, il avait mis en évidence l'existence du noyau atomique en bombardant des lames de métal par des rayons. Cette découverte est à l'origine du premier modèle atomique : un noyau lourd autour duquel gravitent des électrons. En 1919, il apporte plus de précision dans la description du noyau composé de protons. Rutherford avait reçu le prix Nobel de chimie en 1908.

1920

Washington, 16 janvier
Le Sénat s'oppose à l'adhésion des Etats-Unis à la SDN. →

Paris, 17 janvier
Les groupes républicains de l'Assemblée ayant préféré comme président de la République Paul Deschanel à Georges Clemenceau, celui-ci démissionne de son poste de Premier ministre et se retire de la vie politique.

Paris, 25 janvier
Mort du peintre italien Amedeo Modigliani (né en 1848). →

Irkoutsk, 7 février
Fait prisonnier par les bolcheviks, l'amiral Koltchak est fusillé.

Damas, 8 mars
Fayçal proclamé roi de Syrie.

Berlin, 12-25 mars
Echec du putsch contre la République de Wolfgang Kapp, soutenu par les corps francs.

Paris, 26 mai
Festival Dada à la salle Gaveau.

Prague, 27 mai
Thomas Masaryk élu président de la République tchécoslovaque. Le nouvel Etat tchèque, dont l'indépendance a été proclamée le 28 octobre 1918, compte 7 millions d'Allemands des Sudètes, des Hongrois et des Ruthènes.

Versailles, 4 juin
Traité de Trianon entre les Alliés et la Hongrie.

Sèvres, 10 août
Traité de paix avec la Turquie, qui consacre le démembrement de l'Empire ottoman. Celui-ci perd toutes ses possessions européennes, à l'exception de la région de Constantinople, et toutes ses provinces du Proche-Orient : la Syrie revient à la France, la Palestine et l'Irak passent sous mandat britannique, l'Italie hérite de Rhodes. En Turquie même, Smyrne est cédée à la Grèce (au bout de cinq ans, un plébiscite fixera le sort des populations). Est prévue, en outre, la création d'une Arménie indépendante (clause qui ne sera jamais appliquée). Les détroits enfin passent sous contrôle international. Ce traité aviva la révolte de Mustafa Kemal, qui refusa d'en reconnaître les termes.

Varsovie, 15 août
Rejetant les troupes polonaises hors de Russie, l'Armée rouge commandée par Toukhatchevski se trouve, à la suite d'une campagne-éclair, aux portes de Varsovie, où elle sera stoppée.

Italie, 20-27 août
Grèves insurrectionnelles dans le Piémont et en Lombardie. →

Beyrouth, 1er septembre
En application du traité de Sèvres, la France dote le Liban d'un statut particulier.

Inde, 8 septembre
Le Congrès national indien adopte le programme de Gandhi : lutte non-violente pour l'indépendance, désobéissance civile, boycott des marchandises anglaises.

New York, 12 octobre
Georges Carpentier, champion du monde de boxe poids mi-lourd.

Paris, 25 octobre
Première représentation des Ballets Suédois, de Rolf de Maré, à la Comédie des Champs-Elysées.

Russie, 16 novembre
La défaite du général « blanc » Wrangel met fin à la guerre civile et à la contre-révolution.

Stockholm, 10 décembre
Le romancier norvégien Knut Hamsun Prix Nobel de littérature.

Londres, 23 décembre
L'Irlande sera séparée en deux territoires autonomes, dotés chacun d'un Parlement et d'une administration. Cette décision est aussitôt contestée par Dublin.

Tours, 25-30 décembre
Congrès du Parti socialiste : la scission entre partisans de la IIe Internationale et partisans de la IIIe Internationale aboutit à la création de deux partis, la SFIO (Section française de l'Internationale ouvrière) ou parti socialiste, et la Section française de l'Internationale communiste (SFIC) ou parti communiste. →

Angleterre
John Maynard Keynes : *Les Conséquences économiques de la paix.* →

Paris
André Breton et Philippe Soupault : *Les Champs magnétiques*, premiers textes où fut mise en œuvre l'écriture automatique que prôneront, par la suite, les surréalistes ; Henry de Montherlant : *La Relève du matin.*

Mise en place de la IIIe Internationale

URSS, 19 juillet 1920
Fondée en mars 1919 à Moscou à l'initiative de Lénine, la IIIe Internationale, dite Komintern, s'organise véritablement lors de son deuxième congrès. Celui-ci s'ouvre à Petrograd le 19 juillet 1920, alors que l'Europe paraît être sur le point de basculer dans la révolution, et réunit des délégués représentant plus de 35 nations. La principale résolution est l'adoption des « 21 conditions » qui seront désormais exigées de tout parti candidat à l'affiliation ; les points essentiels sont les suivants lutte contre le réformisme et la social-démocratie, épuration systématique des appareils qui doivent être contrôlés par des communistes, mise en œuvre au sein des partis du centralisme démocratique, noyautage des organisations syndicales, participation effective à la lutte anticoloniale, soutien inconditionnel à la Russie soviétique et obéissance absolue aux décisions du Komintern. Dans les mois suivants, les 21 conditions sont discutées au sein de tous les partis socialistes et il en résulte généralement la naissance d'un parti communiste autonome.

Au congrès de Tours, les communistes quittent la SFIO

Tours, 25 décembre 1920
En 1905, les socialistes s'étaient regroupés au sein de la SFIO. Mais la création par Lénine en 1919 d'une internationale communiste (Komintern) relance la vieille querelle entre réformistes et révolutionnaires. A son XVIIIe congrès, à Tours, la SFIO débat de son adhésion au Komintern. Les 21 conditions énoncées par Zinoviev exigent l'évolution vers un parti structuré de type léninien. Cachin et Frossard y sont favorables. Longuet et Faure émettent des réserves. Blum, Bracke et Sembat rejettent les 21 conditions et refusent le « centralisme démocratique ». Finalement, la majorité des congressistes opte pour l'adhésion et forme la SFIC (Section française de l'Internationale communiste) tandis que Blum, attristé, maintient la SFIO.

La salle du Congrès de Tours qui consacra la scission entre communistes et socialistes.

Le Sénat américain rejette la Société des Nations

Etats-Unis, 16 janvier 1920
Le 14 février 1919, lorsque Wilson présente le Pacte de la Société des Nations à la conférence de la paix, c'est un triomphe personnel. Pourtant, un an après, le même Pacte est rejeté au Sénat américain par 49 voix contre 35. Les raisons sont multiples. L'absence prolongée de Wilson pendant son séjour en Europe (décembre 1918 à juin 1919), puis sa crise d'hémiplégie en septembre 1919 l'ont peu à peu coupé de l'opinion américaine. Une partie des Américains reproche à Wilson de s'être trop mêlé des querelles européennes et d'avoir laissé le Japon étendre son influence en Asie. C'est pour le désavouer que le Sénat (républicain depuis novembre 1918) rejette la SDN. Wilson reçoit la même année le Nobel de la paix.

L'économiste Keynes souligne les dangers d'une paix léonine

Grande-Bretagne, 1920
John Maynard Keynes (1883-1946) économiste délégué du gouvernement britannique à la conférence de Paris, avait démissionné en juin 1919. Cinq mois plus tard, il publie *Les Conséquences économiques de la paix* pour expliquer les raisons de son départ. Dans ce petit ouvrage, Keynes dénonce l'intransigeance à courte vue de la France. Selon lui, le traité de Versailles, en appauvrissant l'Allemagne, menace de récession l'ensemble de l'économie européenne. Privée de sa flotte, de ses colonies, du charbon sarrois et du minerai de fer lorrain, l'Allemagne, limitée dans ses capacités de production et d'exportation, ne pourra payer les réparations. Keynes propose donc de réviser « ce traité désastreux » et nuisible au redressement français.

Le sport reprend ses droits

Le sergent Georges Carpentier, qui avait déjà obtenu l'année précédente, le titre de champion d'Europe des poids mi-lourds en battant l'Anglais Joe Beckett, devient champion du monde. Le match s'est disputé à New York devant des milliers de spectateurs, et la France en délire fête son héros. Le cyclisme aussi passionne les foules : déjà vainqueur en 1913 et 1914, le Belge Philippe Thys vient de renouer avec la victoire au cours du Tour de France qui a consacré la supériorité du cyclisme belge. L'arrivée de Thys au Parc des Princes a été triomphale : la foule a envahi la piste pendant le tour d'honneur effectué aux accents de l'hymne

Le boxeur Georges Carpentier (à gauche), champion du monde.

belge ! Enfin, c'est une française de vingt et un ans, Suzanne Lenglen, la nouvelle étoile du tennis, qui vient de gagner pour la deuxième fois, le championnat d'Angleterre de Wimbledon.

Les problèmes de la reconversion

Europe, Etats-Unis, Japon, 1920
La guerre a désorganisé les économies : 20 000 usines et 3 millions d'hectares de terres arables sont inutilisables en France et en Belgique. Les balances commerciales des pays belligérants accusent un déséquilibre. Cependant, une amélioration survient en 1919 : les achats différés par la guerre et la reconstruction

suscitent un gonflement de la demande. Cette reprise éphémère fait place dès 1920 à une récession. Les courants commerciaux d'exception nés de la guerre se contractent, mettant en difficulté les pays qui en avaient bénéficié. Au Japon les exportations de soie s'effondrent et le chômage apparaît. L'Europe, lourdement endettée, diminue ses achats aux Etats-Unis où le nombre des chômeurs quintuple en deux ans. Partout, c'est la hausse du coût de la vie.

Grèves insurrectionnelles dans le Piémont

Piémont, août 1920
Une grève éclate à Milan à la suite de la rupture des négociations entamées entre la direction d'Alfa-Roméo et le syndicat des métallurgistes. Les ouvriers occupent l'usine et le mouvement

gagne rapidement la région. Bientôt, dans toute l'industrie du nord de l'Italie, les ouvriers organisent la production, conformément à leur principale revendication : le contrôle ouvrier sur l'entreprise. Affolé, le patronat accepte de signer un accord. Les usines sont évacuées mais l'accord ne sera pas appliqué. Reste que le patronat a subi un échec qu'il met sur le compte d'un Etat incapable de garantir l'ordre.

Troupes de la Garde royale à Milan pendant la grève générale d'août 1920.

Trois médailles d'or pour Paavo Nurmi

Anvers, 14 août 1920
Après une interruption de huit ans, due à la guerre, les Jeux olympiques ont repris à Anvers. Le coureur de fond finlandais Paavo Nurmi a créé

la plus grande sensation en obtenant trois médailles d'or (les 10 000 mètres en 32'45''8, le cross-country de huit km par équipes et le cross-country individuel).

L'Armée rouge arrêtée devant Varsovie

Pologne, 14 août 1920
Dès la fin de 1918, la jeune Pologne doit défendre ses frontières contre ses voisins. Les Alliés ayant fait pression sur l'Allemagne, c'est contre les Soviétiques qu'à partir du printemps 1919, porte l'effort des Polonais. Effort couronné de succès puisqu'en mai 1919, la Pologne occupe une vaste zone qui s'étend jusqu'à Minsk. L'Union soviétique propose alors la paix mais elle est rejetée comme est rejetée la ligne « Curzon », projet occidental d'une frontière passant par Brest-Litovsk. L'offensive reprend donc en avril 1920 et, rapidement, elle tourne à la déroute : à l'été, les Soviétiques sont devant Varsovie ; le 22 juillet, la Pologne demande l'armistice. Un mois après, pourtant, aidé par la France, la Pologne reprend le combat et repousse les So-

Le maréchal Józef Pilsudski, qui sauva Varsovie de l'armée rouge.

viétiques de 400 km. La frontière sera finalement établie le 18 mars 1921 à 150 km à l'est de la ligne Curzon (traité de Riga).

L'URSS réunit à Bakou un Congrès des peuples opprimés

Caucase, 1er septembre 1920
Un Congrès des peuples de l'Orient se réunit à Bakou sous la présidence de Zinoviev, commissaire du peuple de Russie. Les bolcheviks y dénoncent l'« impérialisme des puissances coloniales », en particulier de l'Angleterre. Cette offensive idéologique fait suite à la proposition soviétique à l'Iran de renoncer aux privilèges, créances et concessions russes dans ce pays, où l'Armée rouge est pourtant entrée au début de l'année pour poursuivre les Russes blancs de Dénikine en fuite. L'Angleterre, de son côté, a en effet tenté d'imposer un véritable protectorat aux Iraniens : le traité d'août 1919 lui attribue la responsabilité d'organiser l'armée et les finances du pays.

Les Montparnos en deuil : Modigliani est mort

Paris, 25 janvier 1920
Amedeo Modigliani vient de succomber à la tuberculose et à l'absinthe : il avait 36 ans. A son arrivée à Paris, en 1906, ce jeune Juif livournais fait la connaissance de Cézanne et Picasso, mais ne leur emprunte que ce qui lui permet d'obtenir une ligne toujours plus pure et sobrement expressive. Après s'être consacré, de 1909 à 1914, au dessin et à la sculpture, il peint, en cinq ans, plus de 200 portraits. Ses personnages, assis, les mains croisées, le plus souvent, ont tous une silhouette serpentine et un regard vide, comme Paul Guillaume. La couleur sans épaisseur souligne le dessin et le relief n'est obtenu que par l'effet plastique des lignes.

Une pédagogie de pointe expérimentée aux Etats-Unis

Etats-Unis, 1920
Les années vingt sont marquées par l'émergence de courants pédagogiques visant à développer l'autonomie et la responsabilité des élèves. John Dewey (1859-1952), instituteur rural devenu professeur de psychopédagogie à l'université de Chicago, pense qu'on apprend en agissant (learning by doing). Dans son école expérimentale de Chicago, les enfants font du jardinage, de la cuisine, de la menuiserie afin de s'initier concrètement à la botanique, à la physique ou aux mathématiques. En 1920, ses idées inspirent le plan Dalton. La directrice de l'école mixte de Dalton (Massachusetts), Miss Parkhurst, crée un enseignement individualisé.

Amedeo Modigliani. « Nu assis ». Vers 1917. Courtauld Institute, Londres.

1921

Livourne, Italie, 15 janvier
Création du PCI.

New York, 5 février
The Kid : premier long métrage de Charlie Chaplin.

Dmitrov, 8 février
Mort du prince Pierre Kropotkine, théoricien de l'anarchisme : *Paroles d'un révolté* (1885) ; *L'Entraide* (1906).

Téhéran, 22 février
Reza khan prend le pouvoir afin de restaurer l'indépendance de la Perse à l'égard des Soviétiques.

Ruhr, 8 mars
Occupation franco-belge. →

Madrid, 8 mars
Assassinat du président du Conseil, Eduardo Dato, par des anarchistes.

Moscou, 12 mars
Pour lutter contre la famine, Lénine fait adopter la NEP. →

Mer Baltique, 18 mars
La paix est signée à Riga entre la Russie et la Pologne qui annexe quatre millions d'habitants.

Kronstadt, 18 mars
Sur l'ordre de Trotski, l'Armée rouge envahit la ville et massacre les marins du *Petropavlousk,* qui avaient lancé, le 28 février, la révolte contre le pouvoir soviétique.

Belgique, 24 avril
Communales : premier vote des femmes et premier suffrage universel.

Haute-Silésie, 2 mai
Devant le résultat indécis du référendum du 20 mars, troisième soulèvement des partisans polonais contre l'Allemagne. Médiation française sollicitée par les Polonais : les Alliés opéreront le partage le 20 octobre.

Paris, 2 mai
André Breton expose les collages du peintre allemand Max Ernst. Les dadaïstes sont présents.

Etats-Unis, 19 mai
Premières lois sur les quotas d'immigration.

Paris, 30 mai
Visite du prince Hiro-Hito.

Paris, 6-30 juin
Salon dada au Studio des Champs-Elysées.

Paris, 18 juin
Après la création de *l'Homme et son Désir* (6 juin) de Paul Claudel et Darius Milhaud, les Ballets suédois font scandale avec *Les Mariés de la tour Eiffel* de Jean Cocteau.

Chine, 1er juillet
Fondation du parti communiste. Président : Ch'en Tu-Hsiu. Parmi les membres fondateurs : Mao-Ze dong.

Paris, 18 juillet
Premier BCG. →

Maroc espagnol, 23 juillet
Abd el-Krim écrase les troupes espagnoles à Anoual et proclame, le 19 septembre, l'indépendance de la république du Rif.

Allemagne, 29 juillet
Hitler devient président du NSDAP.

Bruxelles, 31 juillet
Une loi reconnaît le flamand comme langue administrative à l'égal du français.

Turquie, 5 août
Mustafa Kemal reçoit les pleins pouvoirs pour lutter contre les Grecs.

Belgrade, 16 août
Alexandre Ier, succédant à Pierre Ier de Serbie, devient roi des Serbes, Croates et Slovènes. Il interdit le parti communiste.

Irak, 23 août
Proclamé roi le 11 juillet, l'émir Fayçal est couronné.

Rome, 7 novembre
Les « Faisceaux de combat » deviennent le parti nationaliste fasciste, dont Mussolini devient le « Duce ».

Versailles, 1er décembre
Henri Landru est condamné à mort. Le « Barbe-Bleue de Gambais » sera exécuté le 25 février 1922.

Irlande, 6 décembre
Le pays est partagé par un traité. →

Stockholm, 10 décembre
Prix Nobel de physique à Albert Einstein et de littérature à Anatole France. →

Vienne
L. Wittgenstein publie un traité de philosophie du langage antimétaphysique : *Tractatus logico-philosophicus.*

Chine
Lu-Xun publie le premier grand roman moderne. →

« A l'aide ! ». 1921. Affiche de Dimitri S. Moor. Suite à la guerre civile et à de mauvaises récoltes, la famine sévit en URSS.

La famine en URSS et l'adoption de la NEP

URSS, 12 mars 1921
La guerre mondiale puis civile et les mesures radicales d'étatisation du « communisme de guerre » ont entraîné une désorganisation complète de l'économie russe. La famine s'aggrave et l'hiver 1920-1921 est particulièrement rude dans les villes, où l'on manque de tout. Les prélèvements en nature imposés aux campagnes pour tenter d'assurer le ravitaillement des villes provoquent la colère des paysans. Pour mettre un terme à une coupure grandissante entre le pouvoir politique et le monde agricole, Lénine fait adopter

Progrès décisifs dans les techniques de transmission par câble

France, 1921
Avec le développement de l'électricité et du télégraphe électrique, de nombreux ingénieurs s'intéressent à la transmission des images. Le problème que pose la téléphotographie (transmission à distance des photographies) est résolu par un ingénieur français, Edouard Belin (1876-1963), en 1907. Il invente le bélinographe, capable d'analyser les images, de les convertir en signaux électriques transmis à distance et reconvertis à leur arrivée. Ce système se développe après la guerre de 1914-1918 et est employé par la presse dans les années trente. Reste que son emploi est conditionné par une liaison par fil. En 1921, Belin met au point un dispositif de transmission d'images par ondes radio. Il emploie à l'émission un oscillographe qui transforme les variations d'amplitude du courant électrique en variations de durée qui peuvent être transmises par les ondes. A la réception, il suffit de procéder à l'opération inverse pour restituer l'image.

Enfants affamés en Union Soviétique.

le 15 mars 1921, lors du Xe congrès du parti communiste, une série de mesures qui marquent les débuts de la Nouvelle Politique économique (NEP). Le remplacement des réquisitions par un impôt progressif et la restauration partielle de la liberté du commerce représentent une véritable entorse à la doctrine. Mais cette relative libéralisation économique n'est qu'une pause dans la construction du socialisme.

Marie Stopes introduit la contraception en Grande-Bretagne

Grande-Bretagne, 1921
Au cours des années vingt, la jeune femme à la mode (*flapper*) s'émancipe et pratique la contraception. En 1921, un professeur de l'université de Manchester, Marie Stopes (1880-1958), ouvre à Londres la première clinique de *birth control* et lance en faveur de la contraception une campagne vivement combattue par les catholiques et les anglicans.

Marie Stopes.

La guerre civile aboutit au partage de l'Irlande

Irlande, 6 décembre 1921

En mai 1914, le Parlement vote le *Home Rule*, qui accorde à l'Irlande une large autonomie. Or, cette solution apparaît déjà caduque face au durcissement des revendications dans le nord de l'île : la population à majorité protestante refuse toute sécession avec l'Angleterre ; par ailleurs, les nationalistes du *Sinn Fein* demandent à présent l'indépendance complète. L'armée clandestine, l'*Irish Republican Brotherhood* (IRB), déclenche la « révolte de Pâques » (23 au 29 avril 1916), écrasée par les troupes anglaises. Mais le *Sinn Fein* accroît son audience, triomphant aux élections de novembre 1918 ; en janvier 1919, il proclame l'indépendance de l'Etat d'Irlande présidé par De Valera. Après trois ans de guerre civile s'ouvre une conférence de paix à Londres, le 21 octobre ; le traité du 6 décembre 1921 partage le pays : le Sud (l'Eire, composée de vingt-six comtés) devient un dominion in-

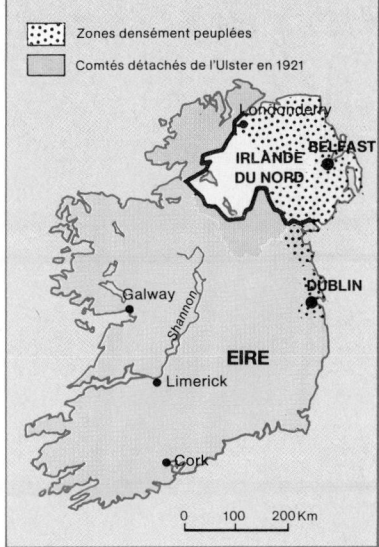

Zones densément peuplées

Comtés détachés de l'Ulster en 1921

dépendant ; le Nord-Est (l'Ulster, composé de six comtés) reste partie intégrante de la Couronne. Accepté par les nationalistes modérés Griffith et Collins, mais refusé par De Valera, ce traité sera ratifié par Dublin le 8 janvier 1922 ; le même jour, Griffith redevient président, après la démission de De Valera.

La ville de Dublin gravement endommagée après trois ans de guerre civile. 1921.

Calmette et Guérin mettent au point un vaccin antituberculeux

Paris, 1921

Le bactériologiste français Albert Calmette (1863-1933) et le vétérinaire Camille Guérin (1872-1961) ont mis au point, à l'Institut Pasteur de Paris, une méthode de vaccination préventive de la tuberculose par le vaccin bilié Calmette-Guérin, le BCG. Il s'agit d'un vaccin inoffensif et efficace, obtenu par culture d'un ba-

cille d'origine bovine, une souche de *mycobacterium bovis*, sur milieux contenant de la bile. Ce bacille perd totalement sa virulence tout en conservant ses propriétés antigéniques et immunisantes. Il est utilisé sous forme de suspension de germes vivants comme vaccin antituberculeux, par voie intradermique ou par scarification (incision superficielle). Le BCG deviendra l'une des vaccinations systématiquement administrées aux jeunes enfants à titre prophylactique. Il sera également utilisé en immunothérapie anticancéreuse non spécifique.

Lu-Xun décrit les conditions de vie de la paysannerie chinoise

Chine, 1921

Romancier réaliste, Lu-Xun (1881-1936) est le premier écrivain de la Chine moderne. *La Véritable Histoire d'Ah Q* décrit avec un humour sardonique la misère des paysans. Souffre-douleur d'un village dont il effectue tous les menus travaux, Ah Q ne possède pas même un nom ; il mange rarement à sa faim et endure le mépris de tous.

Lu-Xun, un des initiateurs du mouvement littéraire du 4 mai 1919.

Anatole France, prix Nobel de littérature

Stockholm, 10 décembre 1921

Par son épicurisme délicat, la pureté de son style et son goût pour le raffinement du XVIIe siècle, A. France incarne, comme son nom le suggère, un esprit très français. Sa prose limpide et sûre séduit par son ironie voltairienne et son dilettantisme érudit. Son récit historique *L'Ile des pingouins* (1908) et son roman *Les dieux ont soif* (1912) sont significatifs de sa défiance envers tout dogmatisme.

Anatole France. Peinture de Pierre-Victor Galland.

A Londres, accord sur le montant des réparations allemandes

Londres, 1921

Le traité de Versailles impose le principe des réparations de guerre, dont le montant est fixé à 226 milliards de marks or par la conférence de Paris (25-29 janvier 1921). A la conférence interalliée de Londres (27 février), les Allemands dénoncent la politique de « la main au collet » prônée par Aristide Briand et proposent la somme de 50 milliards, inacceptable pour les Alliés, qui ont eux-mêmes une très lourde dette à rembourser aux Etats-Unis. L'Allemagne rompt les négociations le 7 mars. Représailles dès le lendemain : les troupes franco-belges occupent la Ruhr (qui sera évacuée le 30 septembre). La conférence interalliée modifie, le

Manifestation contre le traité de Versailles en mars 1921 dans le Lustgarten de Berlin.

27 avril, ses exigences : le Reich paiera 132 milliards comptant et 122 par un emprunt. Après un ultimatum des Alliés, le 5 mai, un accord a lieu le 7 octobre.

Le pédagogue Neill fonde à Summerhill une école libre

Grande-Bretagne, 1921

Acquis au socialisme lorsqu'il était jeune instituteur, Alexander S. Neill s'en détache peu à peu. En 1921, il fonde à Summerhill, près de Londres, une école autogérée à petit effectif et à recrutement sélectionné. Ici, chaque enfant peut faire ce qui lui plaît tant qu'il ne viole pas la liberté des autres. L'enfant travaille pour lui et les cours sont facultatifs. Chaque semaine, l'assemblée générale de l'école réunit maîtres et élèves. Elle légifère sur « tout ce qui a rapport à la vie du groupe, punitions incluses ». Disciple du psychanalyste viennois Wilhem Reich, Neill estime que « les enfants n'ont pas de culpabilité sexuelle » : il autorise donc la masturbation comme antidote à l'agressivité.

"Six personnages en quête d'auteur" de Luigi Pirandello

Rome, 1921

La pièce de Luigi Pirandello, *Six personnages en quête d'auteur,* est la première d'une trilogie (*Comme ci ou comme ça,* 1924 et *Ce soir, on improvise,* 1930) tout entière consacrée au thème du « théâtre dans le théâtre ». Ce drame, ordonné autour du thème du dédoublement, illustre avec logique et humour le divorce du théâtre et de la réalité, l'altérité du récit et de sa mise en scène... Sur la scène, un théâtre, où six acteurs interprètent le rôle de comédiens qui confient à leur metteur en scène la difficulté qu'ils éprouvent à jouer le rôle de leur personnage. Ce rigoureux système du double présente, bien avant Brecht, la réflexion critique la plus élaborée sur les conditions de toute représentation.

1922

Cannes, 6 janvier
Ouverture, à l'initiative de Lloyd George et Briand, d'une conférence interalliée, qui accorde à l'Allemagne des délais de paiement. Mais Briand est contraint le 12 de démissionner ; un nouveau gouvernement est formé le 15 par Poincaré, le plus dur partisan d'une application stricte des traités. W. Harding dira de lui : « Ce n'est pas un chef de gouvernement, c'est un chef de contentieux. »

Toronto, 11 janvier
Premier malade sauvé par l'insuline. →

Paris, 20 janvier
Les Ballets suédois créent *Skating-Rink*, premier ballet de Fernand Léger, musique d'A. Honegger.

Washington, 6 février
Accord naval entre les cinq Grands. →

Moscou, 6 février
Police politique : la Guépéou remplace la Tchéka tsariste.

La Haye, 15 février
Installation de la Cour internationale de justice.

Le Caire, 28 février
L'Egypte devient indépendante. →

Berlin, 5 mars
Nosferatu de W. Murnau.

Inde, 18 mars
Gandhi, qu'on appelle depuis 1915 Mahatma (la Grande Ame), est condamné à six ans de prison par l'autorité britannique. Mais il sera libéré le 4 février 1924.

Moscou, 2 avril
Staline secrétaire du parti. →

Gênes, 10 avril
Conférence pour la reconstruction économique. →

Paris, 12 avril
Monet : acte de donation de dix-neuf *Nymphéas* à la France. →

Genève, 15 mai
La conférence germano-polonaise ouverte le 14 février aboutit à un accord sur le nouveau tracé frontalier : l'Allemagne cède la Haute-Silésie à la Pologne.

Londres, 22 juin
Deux républicains irlandais assassinent Sir Wilson, chef de l'état-major britannique et député d'Irlande du Nord.

Berlin, 24 juin
Deux officiers nationalistes assassinent le ministre des Affaires étrangères Rathenau.

Dublin, 22 août
Michael Collins, chef de l'Etat libre d'Irlande, est assassiné par l'IRA : après leur défaite aux élections du 16 juin, De Valera et les extrémistes républicains ont déclenché, le 28 juin, une guerre civile contre les partisans du traité de partage.

Smyrne, 9 septembre
Les nationalistes turcs chassent de cette région les Grecs, installés depuis l'Antiquité. →

Berlin, 15 septembre
Le chancelier Joseph Wirth déclare : « D'abord le pain, ensuite les réparations. » Grèves, émeutes, famine et chômage : l'inflation est phénoménale.

Berlin, octobre
Le constructiviste russe El Lissitsky expose six cents œuvres, panorama de l'art russe depuis le début du siècle, à la galerie Van Diemen. L'exposition sera ensuite présentée à Amsterdam.

Rome, 28 octobre
Mussolini marche sur Rome. →

Louxor, 5 novembre
Découverte de la tombe de Toutânkhamon.

Paris, 18 novembre
Mort de Marcel Proust : *A la recherche du temps perdu* est un des plus beaux monuments de la littérature mondiale. Né le 10 juillet 1871, il rédigeait depuis vingt ans son chef-d'œuvre.

Angleterre, 6 décembre
Le roi George V proclame solennellement la création de l'Etat libre d'Irlande.

Moscou, 30 décembre
Le Congrès des soviets fonde l'Union des républiques socialistes soviétiques : la Russie devient l'URSS. La Constitution fédérale sera promulguée le 6 juillet de l'année suivante : cette date sera désormais jour férié.

Paris
Premier écrivain en analyse : André Gide, sur le divan d'Eugénie Sokolnicka, que l'on retrouve dans *Les Faux Monnayeurs*.

Ulysse de James Joyce. →

Réforme du système monétaire à la conférence de Gênes

Gênes, 10 avril-19 mai 1922
Pour financer leur effort de guerre, les belligérants ont dû émettre une quantité de billets excédant l'encaisse or qui leur servait de gage. Ils ont donc été conduits à suspendre la libre convertibilité des billets en or. De plus, la vente de matériel militaire a drainé vers les Etats-Unis une partie de l'or européen : en 1920, ils détiennent près du tiers du stock d'or mondial. La conférence de Gênes rassemble du 10 avril au 19 mai 1922 les délégués de trente-quatre pays. Elle établit le *Gold Exchange Standard* (étalon de change or) : seules certaines monnaies sont convertibles en or ; c'est le cas du dollar. Mais elle échoue à normaliser les relations entre la Russie et l'Europe, qui exige au préalable le recouvrement des « emprunts russes » contractés par le tsar. Seule l'Allemagne signe un traité séparé (Rapallo, 16 avril) : première reconnaissance diplomatique de la Russie soviétique.

Lloyd George et Louis Barthou, président de la Commission des réparations, en compagnie d'autres délégués à la conférence de Gênes.

Le diabète vaincu par l'insuline

Toronto, 11 janvier 1922
C'est la première fois qu'un diabétique est efficacement soigné par un nouveau médicament, qui lui sauve la vie : l'insuline. Deux chercheurs canadiens, le médecin Frederick Banting (1891-1941) et Charles Best (1899-1978) ont isolé le 27 juillet 1921 cette hormone protéique sécrétée par le pancréas, qui permet la régulation de la glycémie et par là même celle de la nutrition. Cette découverte bouleverse le pronostic du diabète, maladie métabolique très répandue et trop souvent mortelle.

Le Creole Jazz Band de King Oliver, dont fit partie dès 1922 Louis Armstrong. Photo d'époque.

L'Egypte accède à l'indépendance

Egypte, 28 février 1922

Par un acte unilatéral, les Britanniques proclament la fin du protectorat institué en 1914. Le 15 mars, le sultan Fouad Ier se proclame roi : l'Egypte devient un royaume indépendant. Toutefois, la rivalité opposant Fouad au parti nationaliste, le Wafd, permet aux Britanniques de conserver leurs positions économiques dans le pays, en particulier la maîtrise du canal de Suez.

Le roi d'Egypte Fouad Ier (au centre) en visite officielle en Allemagne.

La Grèce perd ses positions en Turquie

Turquie, 9 septembre 1922

La conquête de Smyrne par Mustafa Kemal abolit de fait le traité de Sèvres (1920) et met fin à la guerre d'indépendance contre les Grecs, qu'il vient d'écraser le 26 août à Afyon (l'armistice sera signé le 11 octobre à Mudanya). Les Grecs rapatriés (plus de 800 000) exigent l'abdication de Constantin Ier qui cède, le 27 septembre, la couronne à son fils, Georges II.

Défaite de l'armée grecque face aux troupes turques de Mustafa Kemal. Juillet 1922.

Monet fait don à l'Etat des "Nymphéas"

Paris, 12 avril 1922

A l'instigation du président Georges Clemenceau, Claude Monet (1840-1926) donne à l'Etat dix-neuf *Nymphéas* qui seront installés dans deux salles de l'Orangerie spécialement aménagées (inaugurées en 1927). Ainsi sera recréé cet univers de ciel et d'eau qu'il aimait. Depuis les premiers *Nymphéas*, vers 1900, l'art de Monet tend vers l'abstrait, attentif à la seule lumière. Le paysage et les contours disparaissent, se fondant en une apothéose de couleurs, de reflets et de contrastes.

L'une des dix-neuf Nymphéas de Monet : Paysage d'eau. 1904. Musée de l'Impressionnisme, Paris.

La marche sur Rome de Mussolini

Rome, 28 octobre 1922

Après l'échec (31 juillet) de la grève générale lancée par les communistes contre le mouvement fasciste, Mussolini exige de devenir chef du gouvernement. Il mobilise ses milices le 24 octobre et organise, le 27, une gigantesque parade militaire à Naples : 40 000 Chemises noires mal armées, à qui le Duce, caché à Milan, ordonne le soir-même de marcher sur Rome. Défendue par 28 000 soldats, la capitale n'est pas vraiment en danger. Faiblesse ou complicité ? Au lieu de faire face, le roi Victor-Emmanuel III appelle Mussolini le 29 octobre à constituer un gouvernement (composé, dès le lendemain, de quatre ministres fascistes et neuf nationalistes). Le 31, les Chemises noires défilent dans Rome.

Mussolini et les « Chemises noires » lors de la marche sur Rome le 28 octobre 1922.

Niels Bohr reçoit le prix Nobel de physique

Stockholm, 1922

Le Danois Niels Bohr (1885-1962) reçoit le Nobel de physique pour ses travaux sur la structure de l'atome. On peut dire que la « théorie quantique » est née de l'importante activité de ce chercheur, qui élaborera, en 1933, une théorie des phénomènes de désintégration nucléaire. Réfugié au Etats-Unis pendant la Seconde Guerre mondiale, il participera à la fabrication des premières bombes atomiques.

Joseph Staline devient secrétaire général du parti bolchevik

Moscou, 27 mars-2 avril 1922

Au XIe congrès du parti bolchevik, qui se tient en présence de Lénine, Staline, qui vient de s'illustrer comme commissaire politique aux armées pendant la lutte contre les Blancs, est, avec l'aide notamment de Zinoviev, élu secrétaire général du parti. Ce poste technique, considéré alors comme peu important, permet en fait à Staline, premier directeur de la *Pravda*, d'avoir la haute main sur le recrutement des cadres du parti.

"Ulysse" de Joyce brave la censure anglo-saxonne

Paris, 1922

Interdite pour obscénité, cette « cathédrale de prose » n'a pu être publiée qu'à Paris : elle sera saisie par la douane anglaise et brûlée aux Etats-Unis. Ce voyage initiatique dans le vaste univers de Dublin est composé de « dix-huit livres et dix-huit langages ». La technique du « monologue intérieur » permet à l'écriture d'imiter l'émergence d'une pensée spontanée. Cette savante parodie de l'*Odyssée* exige un véritable décryptage.

Affiche de propagande en faveur des ouvrières des kolkhozes.

Le traité de Washington consacre la suprématie navale des Anglo-Saxons

Washington, 6 février 1922

Traité entre Etats-Unis, Grande-Bretagne, France, Japon et Italie : la construction de navires de guerre est arrêtée pour dix ans et un quota limite la flotte de chaque pays. De plus, les sphères d'influences des quatre Grands dans le Pacifique sont entérinées ; renonçant à leur sphère d'influence particulière en Chine, neuf Etats reconnaissent l'indépendance de cette région. Le Japon restitue Chantoung à la Chine.

1923

Ruhr, 11 janvier
Occupation franco-belge. →

Munich, 27-29 janvier
Premier congrès national-socialiste : défilé des SA et discours de Hitler pour réclamer l'annulation du traité de paix. Condamné le 14 mars par la Cour de justice allemande pour atteinte à la sureté nationale, le NSDAP organise le 1er mai une manifestation paramilitaire à Munich.

Paris, 1er mars
Mort de la tragédienne Sarah Bernhardt (née en 1844).

Moscou, 9 mars
Une deuxième crise d'hémiplégie contraint Lénine, qui gardera sa lucidité jusqu'au bout, à quitter le pouvoir.

Le Caire, 19 avril
Fouad Ier promulgue la Constitution du royaume.

Rome, 23 avril
Les ministres appartenant au parti populaire (catholique) quittent le gouvernement de Mussolini (qui a fait arrêter le 5 février des centaines de socialistes).

France, 26 mai
Première course des 24 Heures du Mans.

Berlin, 29 juillet
Einstein participe à une manifestation pacifiste.

Washington, 2 août
Mort du président Warren Gamaliel Harding. →

Berlin, 13 août
Inflation galopante. →

Weimar, 15 août
Le Bauhaus inaugure une exposition rétrospective de quatre années de travaux.

Tokyo, 1er septembre
Un tremblement de terre détruit la ville. →

Grande-Bretagne, 12 sept.
Annexion de la Rhodésie du Sud.

Madrid, 13 septembre
Putsch militaire. →

Bavière, 26 septembre
L'état d'urgence est instauré.

Corfou, 27 septembre
Mussolini fait évacuer l'île grecque, occupée depuis le 6 septem-

bre à la suite du meurtre de six de ses officiers.

Paris, 29 septembre
Début de l'ère des mass media : la TSF émet à l'échelle internationale.

Aix-la-Chapelle, 21 octobre
Des séparatistes proclament l'indépendance de la « république rhénane ».

Hambourg, 24 octobre
Echec du soulèvement communiste.

Paris, 25 octobre
La Création du monde : ballet nègre de Blaise Cendrars, musique jazz de Darius Milhaud, décors cubistes de Fernand Léger.

Turquie, 29 octobre
Proclamation de la république. →

Canton, octobre
Rapprochement sino-soviétique. →

Munich, 8 novembre
Suivi par le général Erich Ludendorff, Hitler déclenche le putsch dit « de la brasserie », qui échoue le lendemain devant la réaction de la droite nationaliste : Ludendorff est arrêté et Hitler le sera deux jours plus tard. Il y aura seize morts. Le général Hans von Seeck, qui s'était opposé le 3 novembre à l'envoi de la troupe contre le gouvernement de Munich, se voit confier le pouvoir exécutif du Reich.

Paris, 16 novembre
Raymond Poincaré déclare : « L'occupation de la Ruhr a coûté 691 milliards de francs à la France et lui a rapporté 520 millions. » Le 13 novembre, Paris accepte le principe d'une commission d'experts financiers qui se réunira à partir du 30 novembre sous la présidence de Charles Dawes pour préciser les modalités des réparations.

Stockholm, 10 décembre
Prix Nobel de littérature à l'Irlandais William Butler Yeats.

Paris, 12 décembre
Mort, à l'âge de vingt ans, de Raymond Radiguet, qui vient de publier *Le Diable au corps*.

Vienne
Freud publie *Le Moi et le Ça*. →

Suisse
Mort du sociologue Vilfredo Pareto. →

L'entrée des troupes françaises à Essen lors de l'occupation de la Ruhr e. janvier 1923.

Les Français occupent la Ruhr

Ruhr, 11 janvier 1923
Les troupes françaises et belges pénètrent dans le bassin de la Ruhr, concrétisant les menaces brandies depuis plusieurs mois par le président du Conseil français Poincaré, suite au non-paiement des réparations imposées à l'Allemagne par le traité de Versailles (28 juin 1919). Arguant de sa faillite économique, le Reich a demandé dès 1922 un moratoire, que Poincaré est prêt à accepter le 30 juillet 1922, sous réserve d'un « gage productif » constitué par les mines de la Ruhr. Les Anglais s'y opposent d'emblée, mais réclament au même moment le paiement des dettes de guerre françaises. Poincaré a beau jeu de lier les deux problèmes. Il saisit le premier prétexte, en l'occurrence la non-livraison d charbon et de poteaux télégraphiques en bois, pour décider l'occupation par 60 000 soldats. Wilhelm Cuno appelle à la résistance passive. En riposte, les autorités d'occupation adoptent des mesures radicales le 1er mars, elles décident de sanctionner le sabotage des trains par la peine de mort. Deux soldats françai sont assassinés le 12 mars ; le 31, u officier français fait tirer sur les gré vistes de l'usine Krupp à Essen treize morts. Un officier allemand Leo Schlageter, est fusillé à Dussel dorf le 26 mai pour sabotage. Un barrière douanière sera instituée le 13 juin entre la Ruhr et le reste d pays et 180 000 Allemands seron expulsés de la zone occupée.

Effondrement de l'économie allemande : la foule se pressant devant le bureaux de la Reichsbank à Berlin.

Primo de Rivera prend le pouvoir en Espagne

Espagne, 13 septembre 1923
Alors que l'Espagne est troublée par une succession de crises ministérielles, Miguel Primo de Rivera, capitaine général de Catalogne, met en place un gouvernement militaire, avec l'accord du roi Alphonse XIII. Ce coup d'Etat ne rencontre pratiquement aucune opposition de la part d'une population accablée par la misère et la défaite militaire face aux tribus berbères du Rif. La Constitution est suspendue, les par tis supprimés, la censure établie. Un politique économique sage, un programme de grands travaux et l'appui de socialistes comme Largo Caballero rendront le dictateur assez populaire. Sa chute, en 1930, sera due à la désaffection des classes dirigeantes.

Primo de Rivera

La région de Tokyo anéantie par un séisme

Tokyo, 1er septembre 1923
Un séisme d'une ampleur exceptionnelle (8,2 sur l'échelle de Richter) a soufflé la quasi-totalité de la capitale : il semble que cette secousse sismique soit la plus forte jamais enregistrée au Japon. Immeubles de béton et maisons de bois se sont écroulés à perte de vue et le feu fait de terribles ravages. Le palais impérial est en feu, mais le prince régent Hiro-Hito a échappé à la mort. Toutes les lignes téléphoniques et les conduites d'eau sont détruites. L'Impérial Hôtel, achevé l'année précédante (1916-1922) par le célèbre architecte américain Frank Lloyd (1867-1959) est l'une des rares constructions qui ait résisté au tremblement de terre grâce à un système de dalles en porte à faux. Le bilan de la catastrophe, qui s'est étendue au port de Yokohama, est effroyable.

Vue de la ville de Tokyo ravagée par le séisme du 1er septembre 1923 et les incendies qui s'ensuivirent.

Mustafa Kemal proclame la République turque

Ankara, 29 octobre 1923
Dotant la Turquie d'institutions laïques (contre l'influence de l'islam) et républicaines (contre le pouvoir monarchique du sultan), Mustafa Kemal abolit le sultanat le 1er novembre 1922, afin de négocier seul avec les Alliés et signer la paix avec la Grèce (Lausanne, 24 juillet 1923). Ayant ainsi fait reconnaître l'indépendance de la Turquie, il se fait élire président de la République turque le 29 octobre et fixe sa capitale à Ankara. Le 4 mars 1924, il abolira le califat, dernier vestige religieux de l'ancien Empire ottoman.

Mustafa Kemal, le libérateur de la Turquie, et son épouse.

La "crise des ciseaux" provoque un débat idéologique

URSS, 1923
La Nouvelle Politique économique (NEP) décidée en 1921 par Lénine permet un redressement de la production agricole et industrielle de l'URSS. Mais elle creuse les disparités entre ouvriers et paysans : l'intervention de l'Etat maintient les prix industriels alors que les prix agricoles baissent du fait de l'accroissement de l'offre. En 1923, la courbe des prix agricoles et celle des prix industriels s'écartent comme les deux branches d'une paire de ciseaux. Cette évolution suscite une controverse. L'économiste Preobrajenski pense qu'en pressurant la paysannerie, l'URSS dégagera les ressources nécessaires au développement de l'industrie lourde. Boukharine, lui, recommande de ménager les paysans.

La mission Borodine-Joffé scelle l'amitié sino-soviétique

Canton, octobre 1923
Deux accords successifs établissent puis renforcent les liens entre l'URSS et le gouvernement nationaliste de Sun Yat-Sen, qui contrôle le sud de la Chine. Adolf Joffé est envoyé par Lénine en janvier, puis Mikhail Borodine en octobre pour aider Sun Yat-Sen à réformer les structures du parti nationaliste chinois. Des instructeurs soviétiques encadrent l'armée chinoise.

Prospérité américaine : l'ère Coolidge-Mellon

Washington, 2 août 1923
La mort du président Harding porte à la Maison-Blanche son vice-président, Calvin Coolidge. Issu d'une famille de fermiers puritains, cet ancien gouverneur du Massachusetts observe une double ligne de conduite : ne rien dire et ne rien faire. Libéral convaincu, il affirme que « la grande affaire du peuple américain, ce sont les affaires », dans lesquelles l'Etat fédéral doit intervenir le moins possible. Afin de favoriser l'investissement, son secrétaire d'Etat au Trésor, Andrew Mellon, diminue à quatre reprises le taux de l'impôt sur le revenu, contribuant ainsi à l'euphorie des années vingt. La prospérité lui dissimule les dangers de son libéralisme économique.

Piaget explore la psychologie de l'enfant

Neuchâtel, 1923
En publiant *Le Langage et la Pensée chez l'enfant*, le psychologue suisse Jean Piaget renouvelle les hypothèses concernant l'acquisition du langage. Contrairement à Henri Wallon, il admet que le développement de l'enfant se fait de façon continue et graduelle dans le sens d'une « socialisation progressive ». Sa « psychanalyse génétique » est liée à des recherches en logique, sémiotique et épistémologie.

Emeutes en Allemagne : les folies du mark

Berlin, 13 août 1923
Le président du parti populiste Gustav Streseman devient chancelier : il remplace Wilhelm Cuno, chassé par la déroute politique et économique qu'il n'est pas en mesure de résoudre. Grèves, chômage, émeutes et famine : l'inflation fait des ravages. Trois chiffres : le 7 août, un dollar ne vaut pas moins de 3,3 milliards de marks ; le 21 octobre, le dollar est côté 12 milliards de marks, le lendemain, il en vaut 40 milliards. Les ménagères descendent faire les courses avec des valises bourrées de billets pour rentrer avec une maigre pitance : le 6 novembre, la baguette de pain coûte 140 milliards de marks ! Pour la première fois dans l'histoire du Parlement allemand, le 13 octobre, la Chambre vote les pleins pouvoirs au gouvernement. Mais le nouveau chancelier est contraint, le 23 novembre, de démissionner après le départ des ministres sociaux-démocrates le 2 novembre. Cependant, se fondant sur la loi des pleins pouvoirs, le gouvernement institue le 15 novembre une monnaie de transition, le *rentemark*, dont la garantie repose sur l'agriculture et l'industrie et marque la fin de l'inflation.

A. W. Mellon.　*Calvin Coolidge.*

La sociologie en deuil de Vilfredo Pareto

Coligny, Suisse, 1923
Cet ingénieur, qui a d'abord publié une thèse sur *L'Elasticité des corps solides*, a conduit ensuite une double carrière à l'université de Lausanne, où il a enseigné l'économie puis la sociologie. L'économie politique n'est pour lui qu'une partie de la sociologie, science des actions humaines qui doit distinguer entre les actions logiques et non logiques. Les couches sociales qui savent symboliser ces dernières constituent les élites.

Sigmund Freud définit le "ça"

Vienne, 1923
En publiant *Le Moi et le Ça*, le fondateur de la psychanalyse introduit un terme : le « ça », qui désigne « ce qu'il y a de non-personnel et, pour ainsi dire, de nécessaire par nature dans notre être ». Freud entend souligner que « ce que nous appelons notre moi se comporte dans la vie d'une façon toute passive et que nous sommes "vécus" par des forces inconnues et immaîtrisables ». Ce qui correspond, dans le discours des patients, à des expressions spontanées du langage courant : « *Ça* m'a échappé », « *C'*était plus fort que moi », etc. Ce terme, que Freud distingue de ce qu'il a appelé en 1900 l'« inconscient », introduit dans la clinique un remaniement théorique (« seconde topique »). Il faudra attendre l'enseignement de Jacques Lacan (*Ecrits*, 1966 ; *Le Séminaire*), pour saisir quelle visée le grand thérapeute viennois fixait désormais à la cure : « Là où *c'*était, là comme sujet dois-*je* advenir. » Sous le signe d'un « retour à Freud », Lacan (1901-1981) établit ce fait : la psychanalyse est une science possible si, et si seulement, l'inconscient freudien est structuré comme un langage.

1924

Washington, 1er janvier
Interdiction de l'immigration japonaise. →

Moscou, 22 janvier
Une « troïka » formée de G. Zinoviev, L. Kamenev et J. Staline prend la succession de Lénine, mort la veille. →

Londres, 22 janvier
Premier cabinet travailliste. →

URSS, 26 janvier
Petrograd est rebaptisée Leningrad. →

Rome, 27 janvier
Pacte italo-yougoslave : l'Italie annexe Fiume.

Union soviétique, 1er février
Reconnaissance diplomatique par la Grande-Bretagne, bientôt suivie par l'Italie, la Norvège, l'Autriche ; par la France le 28 octobre et par le Japon le 20 janvier 1925 (traité de Pékin).

Carson City, Nevada, 8 février
Premier condamné à mort exécuté dans une chambre à gaz.

New York, 12 février
Rhapsody in blue de George Gershwin (1896-1937).

Canton, 1er mars
Les communistes sont admis au Kuo-min-tang. →

Munich, 1er avril
Clôture du procès ouvert le 26 février contre Hitler, condamné au minimum de la peine pour haute trahison : 5 ans de prison (en fait, il sera libéré le 20 décembre). Ludendorff est acquitté.

Rome, 6 avril
Législatives : victoire fasciste.

Athènes, 13 avril
Un référendum confirme le vote de l'Assemblée nationale du 25 mars : la république est instituée.

Berlin, 4 mai
Législatives : chute spectaculaire du SPD, qui reste néanmoins le principal parti.

Paris, 11 mai
Victoire du Cartel des gauches. →

Moscou, 23 mai
XIIIe congrès du parti : condamnation de Trotski, qui sera relevé de ses fonctions de commissaire

du peuple à la Guerre le 17 janvier 1925.

Washington, 2 juin
Reconnaissance des droits civiques des Indiens (*Native Americans*).

Vienne, 3 juin
L'écrivain tchèque Franz Kafka meurt à 40 ans. *Le Procès* paraîtra le 26 avril 1925.

Rome, 10 juin
Assassinat de Matteotti. →

Afrique du Sud, 17 juin
Les nationalistes remportent les élections.

Grande-Bretagne, 3 août
Mort de Joseph Conrad, auteur de *Lord Jim* (1900), *Au cœur des ténèbres* (1902), *Typhon* (1903).

Londres, 16 août
Acceptation du plan Dawes. Pacte signé par la France et la Belgique le lendemain : dès le 18 commence l'évacuation de la Ruhr. Les 180 000 Allemands expulsés peuvent rentrer dès le 7 septembre. →

Géorgie, 10 septembre
L'Armée rouge, commandée par Ordjonikidze, écrase dans le sang une révolte populaire à Tbilissi et exécute sommairement de nombreux sociaux-démocrates.

Canton, 17 octobre
Révolte des « volontaires-marchands » contre Sun Yat-Sen.

Soudan, 19 novembre
Assassinat du gouverneur anglais.

Paris, 27 novembre
Les Ballets suédois présentent *Entr'acte* de René Clair. →

Berlin, 28 novembre
Thomas Mann : *La Montagne magique*. →

Weimar, 26 décembre
Fermeture définitive du Bauhaus.

Hollande
Publication de l'ultime numéro de la revue *De Stijl* (« Le Style »), fondée en 1917 par Theo van Doesburg et Piet Mondrian.

Bordeaux
Mouton-Rothschild : le baron Philippe institue la mise en bouteille au château.

Paris
André Breton : *Premier Manifeste du surréalisme*. →

Mussolini élimine ses opposants : assassinat du député Matteotti

Rome, 10 juin 1924
Giacomo Matteotti, secrétaire général du parti socialiste, est enlevé sur le chemin du Parlement, puis assassiné. Il avait, quelques jours auparavant, prononcé à l'Assemblée un violent réquisitoire contre les malversations fascistes constatées durant la campagne électorale. Le 15 août, son corps est retrouvé, enterré dans un terrain vague situé à 25 km de Rome. Un témoin ayant vu passer la voiture, on retrouve les auteurs de l'enlèvement : des hommes de main d'un groupe fasciste, commandés par Amerigo Dumini et connus pour travailler sous la direction du général De Bono, directeur de la Sûreté. Cet assassinat provoque une profonde émotion en Italie : dès le 13 juin, 127 députés de l'opposition marquent leur réprobation en se « retirant sur l'Aventin » : ils refusent de participer aux travaux parlementaires tant que les responsabilités n'auront pas été éclaircies et veulent contraindre le roi Victor-Emmanuel III à renvoyer le Duce. Le pouvoir de Mussolini en est ébranlé : niant pour sa part toute responsabilité, le Duce doit éliminer de son gouvernement un certain nombre de responsables extrémistes, et faire

traduire en justice de hauts dignitaires fascistes, parmi lesquels De Bono. Pendant quelques semaines, le régime semble être sur le point de s'effondrer. Certains députés quittent le parti pendant que d'anciens collaborateurs de Mussolini dénoncent ses méthodes dans la presse. Le régime, pourtant, ne s'effondre pas. C'est que la tactique de l'opposition, qui du reste est divisée, la prive de tribune officielle et de moyens de pression sur le gouvernement. A partir de la fin de l'année, Mussolini reprend peu à peu la situation en main, avec l'aide de Farinacci, promu secrétaire général du parti fasciste. Le 24 décembre, il devient chef du gouvernement et le 3 janvier 1925, après avoir déclaré « accepter la responsabilité de tous les événements », il promulgue les « lois fascissimes » établissant la toute-puissance du parti sur la vie nationale : le parti fasciste devient parti unique et le Duce s'octroie les pleins pouvoirs. Le procès de Dumini et de ses complices, qui s'ouvrira en janvier 1926, se terminera par l'acquittement de deux des accusés et par la condamnation à six ans de prison des trois autres ; ils seront libérés au bout de deux années. Quant à De Bono, traduit en Haute Cour, il sera acquitté pour insuffisance de preuves. Dans les mois qui suivent, le régime fasciste s'installe plus solidement en Italie.

Le premier cabinet travailliste en Grande-Bretagne

Londres, 22 janvier 1924
Les élections de décembre 1923 ont donné le pouvoir aux travaillistes. Leur chef est un ancien instituteur écossais d'origine paysanne : James Ramsay Macdonald. Il a publié en 1905 *Socialisme et Société*, où il compare la société à un organisme biologique appelé à évoluer très progressivement vers le socialisme. Il forme un cabinet modéré. Nouvelles élections le 29 octobre : écrasante victoire des conservateurs.

Le testament de Lénine disqualifie Staline

Gorki, 21 janvier 1924
Lénine meurt à 54 ans dans un sanatorium, près de Moscou. Dans un post-scriptum à son « testament » qu'il avait adressé au comité central le 4 janvier 1923, il avait recommandé de destituer Staline, qu'il juge « excessivement brutal, défaut intolérable chez celui qui occupe les fonctions de secrétaire général ». Cette lettre destinée à être lue aux délégués du XIIIe congrès qui s'ouvre le 17 avril n'empêche pas Staline de prononcer l'oraison funèbre de Lénine et de former la « troïka » dirigeante.

James Ramsay Macdonald. Il s'illustra dans la lutte contre le chômage.

Staline (à droite) venant rendre visite à Lénine en 1923 au sanatorium de Gorki près de Moscou.

André Breton lance le manifeste du surréalisme

France, 1924

Issu du dégoût suscité par l'absurdité d'une guerre, précédé et annoncé par le dadaïsme, c'est en 1924 que le mouvement surréaliste prend son vrai départ avec la publication du *Manifeste du surréalisme*. L'auteur, André Breton, qui se dresse contre toutes les formes d'ordre et de conventions logiques, morales, sociales, leur oppose les valeurs du rêve, du désir et de la révolte. Le surréalisme tend à « l'automatisme psychique pur par lequel on se propose d'exprimer, soit verbalement, soit par écrit, soit de toute autre manière, le fonctionnement réel de la pensée ». L'écriture automatique, l'humour et la poésie sont autant de moyens d'accéder à ce que refoule la raison : au-delà de cette recherche esthétique se profile un humanisme exi-

« Le Rendez-vous des amis ». 1922. Détail. Portrait collectif des membres du mouvement surréaliste par Max Ernst.

geant. Le premier numéro de la revue *La Révolution surréaliste* paraît le 1er décembre 1924 et la première exposition surréaliste a lieu le 14 septembre 1925 à la galerie Pierre Loeb.

Les Etats-Unis se ferment à l'immigration

Washington, 1er janvier 1924

L'immigration s'est intensifiée aux Etats-Unis depuis la fin du XIXe siècle. Après une interruption lors de la Première Guerre mondiale, elle reprend en 1918. Les transferts de population liés au redécoupage territorial de l'Europe centrale et la misère incitent de nombreuses familles à s'expatrier vers les Etats-Unis. Les populations slaves et latines représentent 77,2 % des immigrants au cours de la décennie 1910-1920. Les Anglo-Saxons et les Scandinaves, prépondérants jusqu'en 1890, sont désormais minoritaires. Les populations américaines d'ancienne souche et de tradition protestante redoutent que les nouveaux arrivants, souvent catholiques, s'assimilent difficilement. La loi du 26 mai fixe un quota annuel d'entrées.

Le plan Dawes allège les réparations allemandes

Londres, 16 août 1924

Le plan présenté par le banquier américain Charles Dawes vient d'être adopté par la conférence des experts alliés réunie à Londres depuis le 16 juillet : il doit remédier aux difficultés catastrophiques de l'économie allemande. Le plan entrera en application le 1er septembre ; il prévoit une réduction des versements des réparations allemandes pendant quatre ans, l'évacuation de la Ruhr par la France et, surtout, un prêt des banques américaines d'un montant de 800 millions de marks or.

Charles Dawes.

Ecrasante victoire du Cartel des gauches

Paris, 11 mai 1924

En mars 1924, le climat inflationniste a contraint Poincaré à freiner la demande intérieure par des mesures de rigueur : il a augmenté de 20 % les impôts. Cette mesure, baptisée le « double décime », a entamé la popularité de la droite libérale à deux mois des législatives. Les radicaux et les socialistes, regroupés en un « Cartel des gauches » animé par le maire radical de Lyon, Edouard Herriot, font campagne contre la politique fiscale et militaire de Poincaré. La droite, qui forme depuis 1919 le

« Bloc national », est vigoureusement soutenue par le président de la République Alexandre Millerand. Le 11 mai, le Cartel enlève 328 sièges contre 226 pour le Bloc. La nouvelle majorité contraint le président Millerand, qu'elle accuse d'avoir manqué à la réserve présidentielle en soutenant ostensiblement les candidats de droite, à démissionner ; il est remplacé le 13 juin par le souriant président du Sénat, Gaston Doumergue. Edouard Herriot, qui forme le 14 juin un ministère radical homogène auquel Léon Blum apporte le soutien des socialistes, met fin dès le 17 juin à la « politique des otages » allemands dans la Ruhr.

Les communistes chinois rallient le Kuo-min-tang

Canton, 1er mars 1924

En 1924, les communistes chinois ne représentent qu'un groupuscule. Dès 1922, le Hollandais Maring, délégué de l'Internationale communiste (Komintern) en Chine, avait imposé aux communistes chinois d'adhérer à titre individuel au parti nationaliste de Sun Yat-Sen, le Kuo-min-tang, mieux implanté dans les villes. De son côté, Sun Yat-Sen décide de s'allier aux communistes : en associant la bourgeoisie libérale acquise au Kuo-min-tang et le prolétariat ouvrier contrôlé par les communistes, il espère créer un mouvement de masse contre les Seigneurs de la guerre, qui règnent en maîtres dans les provinces.

Thomas Mann publie "La Montagne magique"

Berlin, 28 novembre 1924

L'Allemand Thomas Mann a écrit *La Montagne magique* entre 1912 et 1924, qui s'est enrichie au contact des différents événements historiques survenus durant cette période. C'est, dans le cadre du sanatorium suisse de Davos, une fresque de la civilisation européenne au lendemain de la Première Guerre mondiale, en même temps qu'une méditation sur la mort et le temps. Il avait écrit *La Mort à Venise* en 1910. A l'inverse de son frère Heinrich (1871-1950), Thomas (1875-1955) a d'abord adhéré au nationalisme allemand lors de la Première Guerre ; mais, dès 1933, les deux frères réconciliés quitteront l'Allemagne nazie pour l'exil.

"Entr'acte" de René Clair

Paris, 27 novembre 1924

Tourné pour *Relâche*, ballet de Francis Picabia et Erik Satie, *Entr'acte* de René Clair (1898-1981) représente la première intervention du cinéma dans un spectacle de danse. Cette suite de visions rapides et hardies se présente comme un manifeste moderniste : « L'image détournée de son devoir de signifier naît à une existence concrète. » Le cinéma est désormais un art à part entière, avec une esthétique originale.

Allégorie du Franc, debout sur le rocher de la fortune nationale, en butte aux attaques du dollar et de la livre sterling.

La scène de l'enterrement dans le film de René Clair : « Entr'acte » (scénario de Francis Picabia, musique d'Erik Satie). 1924.

1925

Norvège, 1er janvier
La capitale, Christiania, est rebaptisée Oslo.

Etats-Unis, 1er janvier
Un rapport établit qu'il existe 22 768 006 automobiles dans le monde.

Rome, 3 janvier
Le parti fasciste devient parti unique. Mussolini se voit confier les pleins pouvoirs. →

Munich, 12 février
Levée de l'état de siège et de l'interdiction du NSDAP.

Paris, 22 février
Rigueur laïque : Herriot obtient la suppression de l'ambassade auprès du Vatican (dont le rétablissement venait d'être décidé le 16 avril 1921). Le Saint-Siège n'en canonisera pas moins cette année Thérèse de Lisieux.

Mongolie extérieure, 7 mars
Occupation par l'Armée rouge.

Canton, 12 mars
Mort de Sun Yat-Sen. Chiang Kai-shek devient président du Kuo-min-tang.

Turquie, 16 avril
Fin du soulèvement déclenché par les Kurdes le 25 février contre Kemal.

Rif, 23 avril
Abd el-Krim envahit le Maroc français. →

Berlin, 26 avril
Le maréchal Paul von Hindenburg élu président du Reich.

Paris, 29 avril
L'exposition des Arts-Déco, le plus grand événement artistique de l'après-guerre, consacre le luxe et l'« esprit nouveau » des Années folles. →

Sonia Delaunay y présente, avec Jacques Heim, sa « Boutique simultanée » sur le pont Alexandre III. La même année, elle réalise aussi la première automobile peinte.

Chypre, 1er mai
L'île devient colonie britannique.

Norvège, 18 juin
Retour de l'explorateur Roald Admunsen, parti en expédition le 21 mai au pôle Nord.

Wimbledon, 4 juillet
C'est la première fois qu'un pays obtient une telle victoire : la France remporte quatre championnats sur cinq. Suzanne Lenglen est trois fois championne ; René Lacoste remporte le simple messieurs devant Jean Borotra.

Allemagne, 18 juillet
Mein Kampf de Hitler. →

Ruhr, 31 juillet
Départ des dernières troupes d'occupation.

Washington, 8 août
Premier congrès national du Ku Klux Klan.

Paris, 7 octobre
Rolf de Maré, qui a dissous les Ballets suédois le 17 mars, révèle Joséphine Baker dans la *Revue nègre*.

Locarno, 16 octobre
Fin de la conférence ouverte le 5 octobre pour réviser le traité de Versailles. →

Bulgarie, 22 octobre
Entrée des troupes grecques, dont la SDN obtient le retrait le 26.

Ecosse, 30 octobre
John L. Baird réussit la première transmission télévisée.

Rome, 5 novembre
Les partis de gauche sont interdits par le pouvoir fasciste, avec lequel les libéraux font alliance deux jours plus tard.

Allemagne, 9 novembre
Fondation des SS, « équipes de protection » du NSDAP.

Paris, 26 novembre
Eclatement du Cartel des gauches.

Rhénanie, 1er décembre
Sept mille soldats anglais évacuent Cologne qu'ils occupaient depuis sept ans.

Perse, 12 décembre
Reza Khân devient shâh.

Moscou, 18 décembre
XIVᵉ congrès : Staline fait triompher la thèse du « socialisme dans un seul pays » sur celle de la révolution mondiale défendue par Trotski. Zinoviev et Kamenev rompent avec Staline pour se rapprocher de Trotski.

Proche-Orient, 23 décembre
Ibn Saoud conquiert l'Arabie. →

Churchill restaure la livre mais ruine l'économie britannique

Londres, 13 mai 1925
Le conservateur Stanley Baldwin revenu au pouvoir le 4 novembre 1924, après l'intermède travailliste de 1924, forme un cabinet avec Joseph Chamberlain et Winston Churchill comme ministre des Finances. Partisan d'une monnaie forte, ce dernier fait voter la loi sur l'étalon or (*Gold Bullion Standard Act*) du 13 mai 1925. La livre sterling, monnaie de référence universelle jusqu'en 1914, redevient convertible en or au même taux qu'avant la guerre : 7,32 gr par livre. Seule différence : la convertibilité se limite aux lingots de 400 onces (12,54 kg). Mais la masse de billets en circulation a beaucoup augmenté pendant la guerre et il faudrait en résorber une partie. De plus, la livre sterling, en redevenant une monnaie forte, handicape l'exportation, d'autant que les produits britanniques sont concurrencés par les denrées américaines. Aussi l'économiste John Keynes dénonce-t-il la surévaluation de la livre dans un violent pamphlet : *Les Conséquences économiques de la politique de M. Churchill.*

Difficultés françaises en Syrie et au Maroc

Rif, 23 avril 1925
Au Maroc, le cadi de Melilla, Abd el-Krim, déjà maître des montagnes du Rif dans la zone espagnole au nord, décide d'envahir le protectorat français et se proclame chef d'une « République riffaine », s'appuyant sur le nationalisme islamique des Berbères. La France fera alliance avec l'Espagne le 22 juin pour effectuer une riposte commune. D'autres montagnards musulmans, en Syrie, troublent l'ordre français : Alaouites et Druzes se révoltent le 20 juillet contre la récente intégration de leurs territoires à l'Etat unifié de Syrie par le général Weygand.

L'exposition des Arts-Déco de 1925

Paris, 29 avril 1925
L'exposition consacrée aux arts « décoratifs et industriels modernes » marque le triomphe de l'Art-Déco. Elle ouvre ses portes aux objets des décorateurs traditionnels (Louis Süe, E.J. Rulmann) et modernes (Le Corbusier, Melnikov).

Les plaisirs de la danse au temps des Années folles. Aquarelle de Lut. Ehrenberger. Vers 1925.

Première couverture de « Mein Kampf » (1925) d'Adolf Hitler, homme politique encore peu connu.

Hitler publie "Mein Kampf"

Allemagne, 18 juillet 1925
C'est pendant les huit mois passés à la forteresse de Landsberg, en Bavière (après son putsch manqué), que Hitler a dicté à son secrétaire Rudolph Hess *Mein Kampf* (« Mon combat »). Dans cet exposé qui se veut autobiographique, Hitler développe l'« Ordre nouveau » qu'il entend imposer et ses conceptions de l'homme et du monde en un lourd amalgame d'idées souvent contradictoires et de violentes diatribes. L'auteur dédie ce programme de restauration nationale glorifiant l'hégémonie germanique à la vingtaine de ses compagnons morts. 9 473 exemplaires seront vendus dans l'année.

"Olav Audunssön", une saga norvégienne

Oslo, 1925
En une vaste fresque, la romancière Sigrid Undset (1882-1949) vient de reconstituer le Moyen Age norvégien : les amours tourmentées d'Olav et Ingunn se déroulent dans ce XIIIe siècle scandinave qui oscille encore entre paganisme et christianisme, au milieu des rivalités de clans marqués par l'honneur et la culpabilité, tandis que l'Eglise tente de jouer un rôle humanisateur. Sigrid Undset, qui obtiendra le prix Nobel en 1928, s'était d'abord attachée à décrire, en de courtes nouvelles, la vie de la femme au travail (elle refuse une émancipation qui se ferait au détriment de l'enfant et du foyer).

La romancière norvégienne Sigrid Undset, prix Nobel de littérature en 1928.

Le suffrage universel introduit au Japon

Tokyo, 2 mars 1925
Le Japon, qui jusque-là avait un suffrage censitaire, adopte le suffrage universel pour les hommes. Cette loi, promulguée le 5 mai, quadruple le nombre des électeurs. A cette occasion, le journal *Asahi* organise un concours d'affiches. Le dessin sélectionné représente un bateau que chaque rameur fait avancer avec son bulletin de vote.

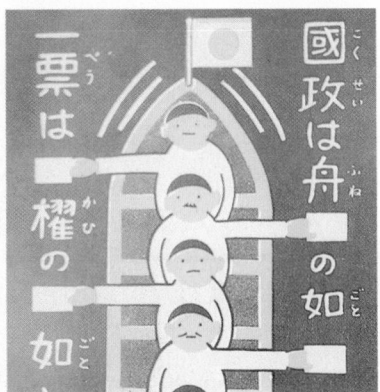

Affiche sélectionnée pour les élections de 1925.

Fondamentalistes et darwinistes s'affrontent à Dayton

Etats-Unis, mars 1925
L'Etat du Tennessee, inspiré par le fondamentalisme de William Bryan, promulgue une loi interdisant l'enseignement des théories de Darwin. En juillet, un professeur nommé John Scopes est poursuivi pour avoir fait un cours sur l'évolutionnisme darwinien. Le procès voit s'affronter deux philosophies : d'un côté, la liberté de pensée défendue par l'avocat de Scopes ; de l'autre, l'intolérance représentée par Bryan. Scopes est condamné mais Bryan, défenseur de l'obscurantisme, mettra un point d'arrêt à la vague fondamentaliste.

Signature du traité de Locarno, le 16 octobre 1925, entre la France, l'Angleterre, la Belgique, l'Italie et l'Allemagne.

Euphorie internationale à la conférence de Locarno

Suisse, 16 octobre 1925
Le traité signé à Locarno par la France, l'Angleterre, l'Allemagne, la Belgique et l'Italie redonne confiance et espoir : l'Allemagne reconnaît les frontières fixées en 1919 et exclut le recours à la guerre.

"Le Cuirassé Potemkine" révèle un grand cinéaste

Moscou, 21 décembre 1925
Réalisé par un metteur en scène de 27 ans, Serguei Eisenstein (1898-1948), *Le Cuirassé Potemkine* est construit comme une tragédie classique. Il sera considéré comme l'un des meilleurs films du monde.

Affiche pour le lancement du « Cuirassé Potemkine » de Serguei Eisenstein. 1925. Un des grands classiques du cinéma.

Mussolini engage la "bataille du blé"

Rome, 3 janvier 1925
Ayant reçu les pleins pouvoirs, Mussolini va pouvoir développer à grand renfort de propagande une politique nationaliste dans le domaine économique. Avec le souci de rendre le pays indépendant à l'égard des importations, il engage l'Etat fasciste dans la « bataille du blé ». La bonification des régions marécageuses s'accompagne d'une importante augmentation de la production agricole.

Le « duce » Benito Mussolini portant l'uniforme des « Chemises noires ».

Les Saoudiens évincent les Hachémites

Hedjaz, 23 décembre 1925
Sans un coup de feu, Abd al-Azîz ibn Saoud s'empare de Djeddah, après avoir conquis en 1924 la ville sainte de Médine et La Mecque, berceau du Prophète. L'Hachémite Husayn ibn Ali, qui fut l'instigateur du mouvement nationaliste pan-arabe avec le soutien des Anglais, abdique en faveur de son fils, qui doit, à son tour, abdiquer. Le 8 janvier 1926, Ibn Saoud est proclamé roi du Hedjaz (Arabie Saoudite).

Ibn Sa'ûd.

1926

Rome, 3 janvier
Mussolini cumule les ministères des Affaires étrangères, de la Guerre, de la Marine et de la Navigation aérienne. A partir du 30, il gouverne par décrets-lois. Après un attentat manqué contre lui, le 7 avril, il déclare : « Le fascisme est l'antithèse nette, catégorique, décidée du monde démocratique tout entier. » Son parti devient parti d'Etat unique le 7 octobre. Calendrier fasciste instauré le 15 décembre.

Berlin, 10 janvier
Fritz Lang présente son film monumental : *Metropolis*.

Moscou, 7 avril
Refus de participer à la conférence de Genève sur le désarmement.

Moscou, 24 avril
Signature d'un pacte d'amitié avec l'Allemagne.

Syrie, 9 mai
Le général Maurice Gamelin fait bombarder Damas. Fin du soulèvement du djebel Druze le 25 juillet.

Varsovie, 12 mai
Coup d'Etat militaire. →

Maroc français, 25 mai
Fin du soulèvement du Rif : Abd el-Krim se rend au maréchal Pétain.

Lisbonne, 28 mai
Putsch militaire : le général Manuel Gomes da Costa prend le pouvoir. Le général Antonio Carmona le remplace le 9 juillet comme Premier ministre.

Barcelone, 7 juin
L'architecte Antonio Gaudi meurt, laissant inachevée l'église de la Sagrada Falmilia.

Nancy, 2 juillet
Mort du docteur Emile Coué. →

Weimar, 4 juillet
Premier congrès du NSDAP depuis sa reconstitution. Hitler passe ses hommes en revue, en saluant pour la première fois le bras tendu.

Hollywood, 16 juillet
Sortie du *Fils du cheik*, dernier film de Rudolph Valentino, qui meurt le 23 août.

Paris, 23 juillet
Crises ministérielles en chaîne : 4ᵉ cabinet Poincaré. →

URSS, 1ᵉʳ août
Les propriétaires terriens payent en valeur les taxes qu'ils payaient jusqu'à présent en nature.

Paris, 7 août
Adhésion au *Gold Exchange Standard*.

Perse, 20 août
Le Sud-Est se révolte contre le shah.

Athènes, 22 août
Le putsch militaire de Georges Condylis met fin à la dictature de Théodoros Pangalos.

Afrique du Sud, 22 août
Découverte des plus importants gisements diamantifères de toute l'histoire à Johannesburg, où 50 000 personnes affluent.

Genève, 8 septembre
L'Allemagne entre à la SDN. →

Madrid, 11 septembre
Référendum en faveur de la dictature de Primo de Rivera.

Vienne, 1ᵉʳ octobre
Premier congrès de l'Union paneuropéenne. →

Londres, 19 octobre
Conférence de l'Empire britannique. →

Berlin, 1ᵉʳ novembre
NSDAP : J. Goebbels chef de district.

Bruxelles, 10 novembre
Mariage du prince Léopold et de la princesse Astrid de Suède.

Nicaragua, 12 novembre
Le président Adolfo Diaz demande aux Etats-Unis de l'aider à réprimer le soulèvement dirigé par le parti libéral. Fin de la guerre civile le 7 mai 1927 ; le 14 juin, traité d'assistance : les Etats-Unis peuvent intervenir en cas de troubles.

Dessau, 4 décembre
Installation du Bauhaus, chassé de Weimar. →

Tokyo, 25 décembre
Hiro-Hito empereur. →

Paris
Essor des mouvements d'action catholique. →

Vatican
Le pape condamne l'Action française.

Etats-Unis
La Prohibition engendre la guerre des gangs. →

Briand introduit l'Allemagne à la SDN

Genève, 8 septembre 1926
L'Assemblée générale de la Société des Nations (SDN) a décidé à l'unanimité d'admettre l'Allemagne en son sein. L'entrée du ministre allemand des Affaires étrangères Gustav Stresemann, le 10 septembre, dans la salle de l'Assemblée, déclenche une tempête d'applaudissements. Son discours inaugural affirme la volonté d'ouverture et de compréhension de l'Allemagne. Aristide Briand, ministre français des Affaires étrangères, partisan de la paix, répond aux vœux allemands : « Arrière les fusils, les canons et les mitrailleuses !... Place à la négociation et à la paix ! » L'optimisme qui entoure l'événement n'est suivi par aucune décision concrète, entraînant rapidement un certain découragement.

Aristide Briand, fervent partisan d'une politique de paix et de collaboration internationale.

Le Commonwealth consacré à Londres

Londres, 19 octobre 1926
Trois ans après que le droit de conclure des traités a été consenti aux dominions, une nouvelle conférence impériale se réunit à Londres. Elle adopte à l'unanimité une motion rédigée par Lord Balfour, aux termes de laquelle est reconnue l'indépendance des dominions et le terme de *commonwealth* (communauté) substitué à celui d'empire. Désormais, le Canada, la Fédération australienne, l'Union sud-africaine, l'Irlande, la Nouvelle-Zélande et Terre-Neuve ont, au même titre que la Grande-Bretagne, le statut de « communautés autonomes ». Bien qu'unies par une allégeance commune envers la Couronne, ces nations sont égales en droit et chacune est souveraine en matière de politique intérieure et étrangère. Une période de transition est toutefois prévue avant l'application de ce nouveau statut : la Grande-Bretagne conservera pendant quelque temps la responsabilité de la défense et de la politique extérieure.

Coudenhove-Kalergi lance le mouvement paneuropéen à Vienne

Vienne, 1ᵉʳ octobre 1926
En démantelant les grands empires, la paix de Versailles a accentué le compartimentage de l'Europe. Pour y remédier, le comte Richard de Coudenhove-Kalergi (1894-1972) lance le mouvement paneuropéen. Né à Tokyo d'une mère japonaise et d'un diplomate austro-hongrois, il est autrichien de naissance, devient tchèque en vertu du traité de Saint-Germain-en-Laye créant la Tchécoslovaquie, avant de se faire naturaliser français en 1939 ! Comme Montesquieu, il pense que « l'Europe est un seul Etat composé de plusieurs provinces ». Réuni à Vienne le 1ᵉʳ octobre 1926, le congrès paneuropéen rassemble les représentants de vingt-huit nations.

Coudenhove-Kalergi, un des premiers défenseurs de l'unité européenne.

Le Japon inaugure l'ère de la "paix rayonnante"

Japon, 25 décembre 1926
Au Japon, chaque empereur inaugure une nouvelle ère. 1926 est marquée, le 25 décembre, par la mort de l'empereur Yoshi-Hito qui avait choisi de nommer son règne *Taisho* (la grande justice). Son fils qui lui succède, Hiro-Hito, appelle son règne *Showa* (la paix rayonnante).

Le jeune empereur Hiro-Hito monte sur le trône le 25 décembre 1926.

Descente des agents du FBI dans une distillerie clandestine à l'époque de la prohibition. 1926.

La Prohibition engendre la guerre des gangs

Etats-Unis, 1926
Depuis 1919 et le vote du XVIIIe amendement à la Constitution, la fabrication et la vente d'alcool sont interdites aux Etats-Unis. Immédiatement, à l'heure de la prospérité économique et du développement explosif des banlieues, fleurissent les *bootleggers* et les *speakesies*, fabricants et bars clandestins. Le trafic, aux mains de la Mafia, engendre une lutte sans merci entre les gangs. L'Amérique traditionnelle s'effraie : le Ku Klux Klan renaît dans le Sud, des quotas réduisent l'immigration.

Al Capone, dit Scarface.

Le Bauhaus transféré de Weimar à Dessau

Allemagne, 4 décembre 1926
En 1925, l'hostilité des autorités de Weimar contraint le Bauhaus à émigrer vers un lieu plus ouvert au progrès : Dessau. Walter Gropius, le chef de file de ce mouvement, y réalise un ensemble de bâtiments pour installer son école et loger professeurs et élèves. Un lotissement modèle, destiné aux ouvriers avec lesquels ces artistes travaillent en étroite collaboration, est construit tout à côté. Ce vaste projet est inauguré le 4 décembre 1926. C'est certainement l'œuvre la plus significative de ce « fonctionnalisme » dont le Bauhaus a fait son mot d'ordre. De grandes baies vitrées ouvrent l'édifice central aux lumières du ciel et de la ville. Selon la formule de Gropius, dans une communauté démocratique, « les maisons sont de verre ». Les ateliers sont reliés au bloc d'habitation par une passerelle : symbole de cette volonté de ne pas séparer la vie personnelle et la création collective.

Les bâtiments du Bauhaus à Dessau, construits par Walter Gropius, directeur de cette école.

Coup d'Etat du maréchal Pilsudski en Pologne

Varsovie, 12 mai 1926
Le maréchal Joszef Pilsudski, qui ne cessait depuis sa « retraite » politique de critiquer l'instabilité de la démocratie parlementaire, s'empare du pouvoir. Le héros du « miracle de la Vistule » (août 1920), qui avait vaincu l'Armée rouge et ressuscité un Etat polonais agrandi, peut compter sur la fidélité de quelques régiments, mais aussi sur son charisme personnel. Sa tactique ressemble fort à celle de Mussolini en 1922. Mais non les alliances : Pilsudski s'appuie sur de puissantes grèves ouvrières et rencontre l'opposition d'une partie des classes dirigeantes, notamment celle des nationaux-démocrates de R. Dmovski. Il fait élire le 1er juin Ignacy Moscicki à la présidence de la République, mais conserve tous les pouvoirs dictatoriaux. Cumulant désormais les fonctions de chef de l'Etat et de chef du gouvernement, il paraît incarner un rempart contre les appétits territoriaux soviétiques à l'est, allemands à l'ouest.

Le maréchal Joszef Pilsudski dans son bureau à Varsovie.

Essor de l'action catholique ouvrière

France, 1926
Le développement des mouvements d'action catholique correspond à une volonté de donner aux laïques une part plus grande dans la vie de l'Eglise en les chargeant d'évangéliser leurs propres milieux sociaux. Face à une déchristianisation croissante, l'élargissement du champ des engagements spirituels paraît en effet indispensable, ce qui explique le soutien de l'épiscopat aux associations catholiques corporatistes. En France, après la CFTC fondée en 1919, la première de ces organisations, la Jeunesse ouvrière chrétienne (JOC), naît en 1926 sur le modèle du mouvement belge créé en 1924 par le père Cardijn.

Les optimistes en deuil : le docteur Coué est mort

France, 2 juillet 1926
Le docteur Emile Coué de la Châtaigneraie, né à Troyes en 1857 d'une vieille famille bretonne, fut pharmacien dans cette ville. A partir de 1885, il s'intéresse à la dimension psychologique de certaines maladies. Retiré en 1910 à Nancy, il ouvre une clinique libre où il prescrit aux malades l'autosuggestion consciente : « Chaque jour, à chaque instant, je me porte de mieux en mieux. » Il guérit ainsi gastrites, ulcères, asthmes, dépressions, paralysies locales, troubles de la parole, insomnies... Ses livres sont traduits en vingt langues. Lors d'un voyage, il réussit à guérir du mal de mer les passagers du *Majestic*.

Poincaré stabilise l'économie française

France, 23 juillet 1926
Rappelé au pouvoir alors que le franc s'effondre, Raymond Poincaré rétablit l'équilibre budgétaire et stabilise le franc, en supprimant plusieurs sous-préfectures et tribunaux, et en majorant les impôts indirects.

Poincaré le sauveteur du franc. Dessin de Sennep, B.N., Paris.

Naissance de la BBC et de la NHK

Grande-Bretagne et Japon, 1926
Créée en 1923 par six compagnies privées, la BBC (British Broadcasting Corporation) devient une radio de service public. La redevance et une présidence générale puissante la mettent à l'abri des influences commerciales. Elle diffuse un programme de qualité : dramatiques, variétés et informations libres. Huit émetteurs desservent la population (171 postes pour 1 000 hab.). Créées en 1925, les stations japonaises de Tokyo, Osaka et Nagoya connaissent le même sort. L'Etat fonde le NHK dont le ministère de la Communication fixe les programmes, moins suivis que ceux de la BBC (30 postes pour 1 000 hab.).

1927

Etats-Unis, 13 janvier
Mobilisation de 400 000 Marines pour obliger le Mexique à payer sa dette extérieure à l'égard des compagnies pétrolières américaines.

Paris, 15 janvier
Inauguration du boulevard Haussmann.

Allemagne, 31 janvier
Fin du contrôle militaire interallié.

Paris, 6 février
Concert du violoniste américain Yehudi Menuhin, âgé de 10 ans.

Lisbonne, 9 février
Fin de la guerre civile : le soulèvement militaire du 3 février contre Antonio Carmona est violemment réprimé.

Shanghai, 12 février
Arrivée du corps expéditionnaire parti de Londres le 19 janvier pour protéger les « concessions » britanniques. Les Chinois ripostent le 19 février en déclarant la grève générale insurrectionnelle.

Etats-Unis, 5 avril
Le nageur Johnny Weissmuller établit trois records du monde dans la journée.

Etats-Unis, 7 avril
Première retransmission publique de télévision.

Paris, 7 avril
Abel Gance projette *Napoléon* à l'Opéra sur un triple écran.

Paris, 12 avril
Code de la route : un décret institue la priorité à droite.

Rome, 21 avril
La Charte du travail fasciste fait de l'Italie un Etat corporatiste. Suppression du système parlementaire le 11 novembre.

Australie, 9 mai
La ville de Canberra est choisie comme nouveau siège du gouvernement.

Royaume-Uni, 20 mai
Le traité de Djeddah reconnaît l'indépendance de l'Arabie Saoudite.

Paris, 21 mai
L'aviateur Lindbergh traverse l'Atlantique en solitaire. →

Londres, 24 mai
Rupture des relations diplomatiques avec Moscou.

Djakarta, 4 juin
Création du parti nationaliste. →

France, 1er juillet
Recensement : sur les 42 250 000 habitants, 2 544 000 étrangers.

Paris, 6 juillet
Fondation du cartel des Quatre : Louis Jouvet, Charles Dullin, Georges Pitoëff et Gaston Baty.

Dublin, 10 juillet
Kevin O'Higgins est assassiné par des dissidents de l'IRA.

Vienne, 15-16 juillet
Emeutes antinazies : incendie du palais de justice. La police tue 89 personnes.

Moscou, 19 août
L'Eglise orthodoxe reconnaît la légitimité de l'Etat des soviets.

Boston, 23 août
Sacco et Vanzetti exécutés. →

Nice, 14 septembre
L'Américaine Isadora Duncan, qui a créé la « danse libre », meurt étranglée par son écharpe prise dans les rayons d'une roue d'automobile.

Nicaragua, 19 septembre
Un combat à Las Flores marque le début de l'offensive sandiniste.

Hollywood, 6 octobre
Premier film parlant : *Le Chanteur de jazz*. →

Yougoslavie, 11 novembre
Le pacte d'amitié avec la France renforce les positions yougoslaves dans les Balkans.

Moscou, 15 novembre
L. Trotski et G. Zinoviev exclus du parti (leur exclusion du comité central avait eu lieu le 23 octobre. Trotski et Kamenev avaient d'abord été exclus du bureau politique le 23 octobre 1926). →

Fès, 18 novembre
Moulay Hamada est proclamé sultan du Maroc.

Canton, 14 décembre
Chiang Kai-shek écrase le soulèvement communiste. →

Allemagne
M. Heidegger : *L'Etre et le Temps*.

Viêt-nam
Création du parti communiste. →

Japon
Suicide d'Akutagawa. →

Faillites bancaires. →

Chiang Kai-shek, entouré de deux compagnons d'armes, à l'époque où il s'empare de Shanghai.

Troubles en Chine : Chiang Kai-shek élimine les communistes

Canton, 14 décembre 1927
Devenu président du parti nationaliste (Kuo-min-tang) à la mort de son beau-frère Sun Yat-Sen en 1925, Chiang Kai-shek s'inquiète de l'agitation révolutionnaire que les communistes entretiennent dans les campagnes par le biais d'unions paysannes. Les grèves se multiplient dans les ports. En mars 1927, il expulse Borodine et ses conseillers soviétiques de Canton, et s'empare de Shanghai le 21, et de Nankin le 24. Le 12 avril, il écrase dans le sang un soulèvement communiste à Shanghai. Etablissant sa capitale à Nankin, il forme un gouvernement le 18 avril. Certains meneurs parviennent à s'enfuir, comme Zhou Enlai. Dans le sud-est et le nord de la Chine, des événements analogues surviennent. Le parti communiste se réfugie dans la clandestinité. Le 11 décembre, quatre mille communistes tentent d'organiser une « commune révolutionnaire » à Canton avec le renfort d'envoyés spéciaux de Staline. Le 14 décembre, cinquante mille soldats nationalistes écrasent le mouvement. Les relations diplomatiques entre la Chine et la Russie soviétique sont rompues dès le 6 juillet.

Ouvriers et militants communistes dans le cadre de la « commune révolutionnaire » de Canton en décembre 1927.

Charles Lindbergh traverse l'Atlantique

Le Bourget, 21 mai 1927
Charles Lindbergh, jeune Américain de vingt-cinq ans, réussit l'exploit : il traverse l'Atlantique en avion dans le sens New York-Paris (5 805 km) en 33 h 29 mn, sans radio, uniquement « aux instruments ». Après l'échec dramatique de Nungesser et Coli, disparus dans l'Atlantique Nord quelques jours plus tôt, la traversée de Lindbergh couronne les progrès réalisés par l'aviation civile depuis la fin du premier conflit mondial. Les constructeurs disposent là d'un énorme marché potentiel. Significativement, la Fédération internationale retient le vol en ligne droite comme nouveau critère de la distance record parcourue.

Charles Lindbergh après sa traversée de l'Atlantique (New York-Paris) en avion.

Caricature illustrant la situation faite à Léon Trotski au moment du XVᵉ Congrès du PCUS en décembre 1927.

Disgrâce de Trotski et collectivisation des terres en URSS

Moscou, 15 novembre 1927

Léon Trotski et ses partisans au sein du PCUS ne peuvent plus se faire entendre en URSS : le XVᵉ congrès, qui s'ouvre le 2 décembre, exclut du parti une centaine d'opposants de gauche, tout en proposant de réintégrer ceux qui accepteraient de se soumettre publiquement ; conditions acceptées par Grigori Zinoviev et Lev Kamenev. Cette mesure met un terme à la lutte entamée dès le décès de Lénine au sein du comité central du parti, et consacre le triomphe de Staline. La controverse sur les orientations à donner à la révolution n'en demeure pas moins puisque, au même moment, le gouvernement accélère la collectivisation des terres, prenant ainsi à son compte les critiques de Trotski contre les tendances « libérales » de la NEP. La multiplication des fermes collectives, les kolkhozes, et des coopératives de production, la création de la première MTS (station de machines et tracteurs) dans le cadre d'une ferme d'Etat modèle, un sovkhoze, constituent la réponse à une série de très mauvaises récoltes.

Sacco et Vanzetti, les deux anarchistes italiens condamnés à mort sans preuves.

Emotion internationale autour de l'exécution de Sacco et Vanzetti

Boston, 23 août 1927

L'exécution des deux anarchistes italiens, condamnés sans preuves véritables en 1921 pour hold-up et meurtre, apparaît en réalité comme l'ultime avatar de la « terreur rouge » qui a frappé les Etats-Unis dans l'immédiat après-guerre. Le puissant mouvement d'opinion publique et les appels du pape et de Mussolini sont restés vains. La nouvelle provoque une intense émotion dans le monde et de grands rassemblements de protestation. A Paris, les manifestations du 27 août tournent à l'affrontement violent avec la police.

Henri Bergson reçoit le prix Nobel

Stockholm, 8 décembre 1927

Professeur au Collège de France de 1900 à 1921, élu à l'Académie française en 1914, maître à penser de toute une génération d'intellectuels, le philosophe Henri Bergson (1859-1941) reçoit en 1927 le prix Nobel de littérature. Dans l'*Essai sur les données immédiates de la conscience* (1899), Bergson met en avant deux concepts majeurs : la durée et l'intuition.

Début du cinéma parlant : "Le Chanteur de jazz"

Hollywood, 6 octobre 1927

La compagnie Warner Bros présente le premier film parlant, *Le Chanteur de jazz (The Jazz Singer)* avec Al Johnson, un ancien chanteur de synagogue, artiste de cirque et de music-hall, devenu entrepreneur de spectacles, et Myrna Loy. Ce film, qui eut un succès prodigieux, raconte la propre vie de Al Johnson, né à Saint-Pétersbourg en 1883. Le réalisateur est Alain Grasland. Techniquement le son est produit par des disques synchronisés avec le projecteur. En mai, la compagnie rivale, la Fox, présentera *Le Septième Ciel (Seventh Heaven)*, où le son est enregistré sur piste optique. Ce second procédé l'emporte définitivement. Bientôt, des actualités sonores seront présentées en première partie. Le cinéma devient l'art majeur du XXᵉ siècle.

Affiche pour « Le Chanteur de jazz ».

La crise débute au Japon par une succession de faillites bancaires

Japon, 1927

La crise mondiale a débuté au Japon dès 1927, avant même le krach américain d'octobre 1929. Les années vingt, marquées par la vaine recherche de débouchés extérieurs, ont été sombres pour le Japon. L'archipel s'accroît alors de près d'un million d'habitants chaque année et encourage par tous les moyens l'expatriation. Le tremblement de terre de 1923 a détruit une grande partie de la région de Tokyo-Yokohama et laisse des séquelles financières durables. Pour accélérer la reconstruction des zones sinistrées, les banques ont multiplié les crédits. La banque de Taiwan, qui avait renfloué le grand groupe textile et sidérurgique Suzuki, cesse ses paiements en 1927. Sa déconfiture entraîne celle du groupe Suzuki et de plusieurs autres banques. Les épargnants, inquiets, se pressent de retirer leurs dépôts et le marasme s'installe.

Ouvrières d'une usine textile de Tokyo en grève : la crise s'installe.

Hô Chi Minh fonde le parti communiste vietnamien

Viêt-nam

La fondation du parti communiste vietnamien confirme l'existence d'un puissant mouvement nationaliste en Asie du Sud-Est, ainsi que l'activité du Komintern. Nguyên Ai Quôc, dit plus tard Hô Chi Minh, militant du parti socialiste durant son séjour en France et cofondateur du PCF au congrès de Tours, poursuit son activité révolutionnaire dans son pays, où il crée d'abord l'Association de la jeunesse révolutionnaire vietnamienne. Pour renverser la domination coloniale française et « libérer la patrie », le PCV peut compter sur les paysans du Tonkin, mais aussi sur des intellectuels formés en France et une bourgeoisie nationaliste excédée par les entraves mises par la France au développement autonome de l'économie du pays.

Soekarno crée le parti national indonésien

Djakarta, 4 juin 1927

D'anciens réfugiés politiques revenus dans leur pays fondent le parti nationaliste, dont ils confient la présidence au docteur Soekarno, jeune intellectuel de vingt-six ans. Deux objectifs sont assignés à l'organisation : lutter contre le colonialisme néerlandais et créer un gouvernement démocratique.

Le conteur Akutagawa se donne la mort à trente-cinq ans

Japon, 1927

Akutagawa Ryûosuke (1892-1927) a composé à vingt-trois ans *Rashômon (La Porte de l'enfer)*, évocation d'un ancien quartier de Tokyo qu'immortalisera en 1951 le cinéaste Kurosawa.

1928

Afrique occidentale, 1er janvier
215 000 esclaves du protectorat anglais de la Sierra Leone recouvrent leurs droits d'hommes libres.

Saint-Siège, 3 janvier
L'encyclique *Mortabum animos* rejette le principe d'une conférence œcuménique des Eglises chrétiennes. Le 25 mars entre en application le décret pris l'an dernier par Pie XI condamnant le mouvement royaliste, Action française : les sacrements sont refusés aux adhérents. Sa Sainteté désapprouvera, le 8 mai, la tenue de compétitions féminines à Rome.

Moscou, 10 janvier
Expulsé avec trente opposants de la capitale, Trotski est déporté à Alma-Ata (Sibérie).

La Havane, 20 février
Clôture de la VIe conférence panaméricaine. →

Proche-Orient, 20 février
Soutenu par les Anglais qui reconnaissent l'indépendance du nouvel Etat, l'émir Abd al-Allâh ibn Husayn, roi du Hedjaz, fonde la Transjordanie (capitale Amman).

Munich, 5 mars
Le NSDAP devient majoritaire.

Malte, 12 mars
L'île devient un dominion britannique.

Lisbonne, 27 mars
Antonio Salazar devient ministre des Finances. →

Paris, 28 mars
Téléphone : inauguration de la liaison avec New York ; la liaison avec Alger a été inaugurée le 20. Un nouveau service public le 2 avril : « Danton-Police » (police-secours).

Paris, 5 avril
Promulgation de la loi sur les assurances sociales obligatoires. Entrée en vigueur : 1er juillet 1930.

Paris, 20 avril
La Passion de Jeanne d'Arc de Carl Dreyer, avec Renée Falconetti.

Pékin, 8 juin
Succès de l'« expédition du Nord », lancée par Chiang Kai-shek qui a franchi le fleuve Bleu le 1er avril : il occupe la capitale et entend unifier désormais le pays en éliminant les communistes et les « Seigneurs de la guerre », dont le chef, Tchang Tso-lin, a succombé la veille des suites d'un attentat par les Japonais le 4 juin.

Etats-Unis, 25 juin
Le pays compte 2 millions de chômeurs.

Varsovie, 27 juin
Démission du maréchal J. Pilsudski.

Paris, 13 juillet
Loi Loucheur réglementant les habitations à bon marché (HBM).

Mexico, 17 juillet
Le général Alvaro Obregon, élu président pour la deuxième fois le 1er juillet, est assassiné de cinq balles de revolver par un jeune mystique.

Albanie, 1er septembre
Ahmed Zogou devient roi d'Albanie. →

Moscou, 1er septembre
VIe congrès du Komintern : « classe contre classe ». →

Paris, 14 septembre
Création du ministère de l'Air.

Paris, 1er octobre
Première au studio des Ursulines : *Un chien andalou* de Luis Buñuel et Salvador Dali.

Nankin, 6 octobre
Chiang Kai-shek, président de la République. Nouvelle Constitution. Le 28 septembre, les Etats-Unis avaient déjà reconnu le gouvernement de Nankin. Renvoi des conseillers soviétiques de l'armée et de l'administration le 22 octobre. Le 7 mai 1929, Chiang Kai-shek deviendra président du Conseil central suprême de la République. Les grandes puissances reconnaissent l'autonomie douanière de la Chine le 22 décembre.

Paris, 9 octobre
Topaze de Marcel Pagnol.

Boston, 12 octobre
Premier emploi d'un poumon d'acier.

Moscou, 26 novembre
Recrudescence de l'antisémitisme.

France
Les Conquérants d'André Malraux. *Hécate* de Pierre Jean Jouve.

Le jeune Antonio Salazar entre au gouvernement

Lisbonne, 27 mars 1928
Les militaires portugais qui se succèdent au pouvoir par une série de putschs depuis une dizaine d'années demeurent désemparés face aux problèmes économiques. Le nouveau président de la République, le général Antonio Carmona, qui a remporté la veille les élections présidentielles où il était candidat unique, appelle à la fonction de ministre des Finances un jeune professeur d'économie, Antonio Salazar (1899-1970). Cet ancien séminariste et ancien député (élu en 1921, il démissionna par aversion pour le parlementarisme) réussira à stabiliser la monnaie et à équilibrer le budget. Président du Conseil en 1932, il fondera un « Nouvel Etat » sur la base d'un régime dictatorial et corporatif à parti unique, qui durera quarante-huit ans.

Signature du pacte Briand-Kellogg le 27 août 1928 dans le salon de l'Horloge au ministère des Affaires étrangères à Paris.

Le pacte Briand-Kellogg : 63 Etats déclarent "la guerre à la guerre"

Paris, 27 août 1928
Quinze nations, bientôt rejointes par près de cinquante autres, signent à Paris un pacte de renonciation à la guerre, appelé « pacte Briand-Kellogg », du nom de ses promoteurs, le ministre français des Affaires étrangères et son homologue américain. Condamnant de manière solennelle le « recours à la guerre pour le règlement des différends internationaux », ce pacte évacue le problème de la légitime défense et reste muet sur les sanctions éventuelles à l'égard des contrevenants. Accueilli avec enthousiasme, il marque l'apogée de la foi en la sécurité collective qui, depuis la conférence de Locarno (16 octobre 1925), domine les relations internationales.

La Havane : conférence panaméricaine

La Havane, 16 janv.-20 fév. 1928
A la VIe conférence, réunissant Amériques du Nord et du Sud, les nations latino-américaines accentuent leur pression sur les Etats-Unis en faveur d'un règlement pacifique des conflits dans la zone concernée. Bien qu'ils refusent, les Etats-Unis considèrent l'Amérique latine comme vitale et acceptent de condamner le principe de l'agression contre un Etat voisin.

Le président Hoover promet aux Américains une ère d'abondance

Washington, 6 novembre 1928
Le républicain Herbert Clark Hoover devient le 31e président des Etats-Unis en battant le démocrate Alfred Smith. Né dans l'Iowa d'une famille de modestes quakers, il avait accompli de brillantes études puis parcouru le monde en qualité d'ingénieur des Mines. Compétent et proche des milieux d'affaires, il promet aux Américains « un poulet dans chaque marmite et deux automobiles dans chaque garage ». Dans son discours d'acceptation d'août 1928, il déclare : « Nous autres Américains, sommes aujourd'hui plus proches du triomphe définitif sur le paupérisme que jamais auparavant dans l'histoire d'aucun pays. » Ce bel optimisme lui vaut d'être élu par 21 392 190 voix contre 15 016 443 à Smith.

L'Albanie devient une monarchie

Tirana, 1er septembre 1928
Ahmed Zogou, président de l'Albanie depuis 1925, prend le titre de roi des Albanais sous le nom de Zog Ier, avec la pleine approbation de l'Italie mussolinienne dont il est le protégé depuis le « pacte d'amitié et de sécurité » de 1926 entre les deux pays, renforcé à Tirana en 1927. Le rôle croissant des Italiens dans les Balkans renforce encore l'inquiétude des Yougoslaves.

L'URSS à l'heure des sovkhozes et des plans quinquennaux

Moscou, 1er octobre 1928
Les liens entre vie politique et économie se renforcent en URSS : après l'élimination de l'opposition trotskiste, la collectivisation des terres est accélérée sous la forme des sovkhozes, en même temps qu'une campagne contre les koulaks est déclenchée. Ces moyens propriétaires refusent en effet de livrer leurs céréales, jugeant le prix d'achat du gouvernement insuffisant. Staline consacre ainsi l'abandon des principes libéraux de la NEP et fait triompher, contre « l'opposition de droite » menée par Boukharine, la priorité à l'industrialisation. Elle doit être obtenue par la mise en place d'un plan général de cinq ans, dont le point de départ officiel est fixé au 1er octobre. Grâce au matériel statistique, des objectifs précis de production sont fixés à des entreprises d'Etat dotées d'un outillage moderne et recevant 78 % des investissements industriels. L'industrie lourde (charbon, pétrole, électricité, sidérurgie) est prioritaire et bénéficie de la collaboration étrangère, notamment américaine, en matériel et techniciens. L'URSS s'engage dans une voie totalement nouvelle.

La construction du barrage de Dnieprostroï. 1931. Peinture de Nicolaï Dormidontov. Galerie Trétiakov, Moscou.

Le Komintern adopte la tactique "classe contre classe"

Moscou, 1er septembre 1928
Le VIe congrès du Komintern, sous la présidence de Boukharine, adopte la tactique « classe contre classe », qui ne sera officiellement remise en cause qu'en 1935. Elle consiste à considérer le monde politique comme divisé en deux blocs antagonistes, les communistes et les autres, entre lesquels aucun accord n'est envisageable. Les socialistes eux-mêmes (« sociaux-démocrates ») sont désormais assimilés à des « sociaux-fascistes » avec lesquels tout compromis est possible. Expérimentée pour la première fois aux élections législatives de 1928, cette tactique conduit à l'effondrement du PCF.

Alexander Fleming découvre la pénicilline

Londres, 1928
Le médecin et bactériologiste anglais Fleming (1881-1955), étudiant les propriétés d'une moisissure, le *Penicillium notatum*, observe par hasard qu'elle sécrète une substance très diffusable et inhibitrice pour le streptocoque, la pénicilline. Mais il ne dispose pas des moyens nécessaires pour poursuivre des recherches chimiques d'extraction. Il faudra attendre 1939 pour que la pénicilline soit isolée chimiquement et que puisse être introduit industriellement cet antibiotique.

Sir Alexander Fleming.

Walt Disney crée pour le cinéma le personnage de Mickey Mouse

Hollywood, 19 septembre 1928
Première apparition de Mickey Mouse à l'écran, dans le dessin animé sonore *Steamboat Willie*. La petite souris anthropomorphe, avec ses grandes oreilles, est l'œuvre du dessinateur Walt Disney (1901-1966). En 1930, elle verra sa notoriété s'accroître encore par l'intermédiaire, cette fois, des *comics* de la presse américaine.

La publication de "L'Amant de lady Chatterley" fait scandale

Londres, 1928
Lady Chatterley's Lover (L'Amant de lady Chatterley), roman de David Herbert Lawrence (1885-1930), obtient un succès de scandale par son thème même : la peinture de l'amour physique. Faisant de l'émotion la pierre de touche de la vie et de l'art, Lawrence exalte le libre épanouissement de toutes les forces vitales, y compris la sexualité ; il dénonce l'intellectualisme et les religions inhibitrices qui altèrent les instincts profonds de l'homme. Dans *L'Amant de lady Chatterley*, il raconte comment l'épouse d'un lord malade découvre, en compagnie du garde-chasse, les joies d'un amour violent et dévastateur. Réquisitoire contre toutes les conventions, le livre sera interdit pour obscénité jusqu'en 1960.

Première de "L'Opéra de quat'sous" de Bertolt Brecht

Berlin, 31 août 1928
C'est au Theater am Schiffbauerdamm que le public a pu découvrir *L'Opéra de quat'sous* de Bertolt Brecht (1898-1956). Il s'agit de sa septième pièce, qui est une adaptation de *L'Opéra des gueux* de John Gay, mise en musique par Kurt Weill (1900-1950). Brecht entend présenter avec cette œuvre parodique et lyrique la première entreprise de « littérarisation » du théâtre. Son système dramatique bannit du spectacle tous les éléments qui en faisaient traditionnellement le pittoresque et la magie, pour lui assigner en premier lieu un rôle didactique : par un constant souci dialectique de « distanciation », par le biais du réalisme ou au contraire de l'allégorie ou de la parabole, de la musique et de la chanson, le théâtre de l'ère scientifique doit hâter chez le public une prise de conscience qui le conduira à l'action politique immédiate. Cette œuvre très vaste (*Mère Courage et ses enfants*, 1941) a exercé une influence déterminante sur toute la dramaturgie moderne.

« Mickey » Mouse avec son créateur, Walt Disney. 1928.

Ravel crée le "Boléro" pour la danseuse Ida Rubinstein

Paris, 1928
La danseuse russe Ida Rubinstein (1880-1960) a créé à l'Opéra de Paris, sur une chorégraphie de Bronislava Nijinska, le *Boléro* qu'elle avait commandé au compositeur français Maurice Ravel (1875-1937). La forme et la construction harmonique de l'œuvre sont très simples. Du *pianissimo* initial, on passe graduellement au *forte* par la superposition progressive des divers instruments de l'orchestre.

Création de l'Opus Dei en Espagne

Espagne, 1928
Organisation catholique, fondée par un prêtre, Escriva de Balaguer, mais dont les adhérents sont essentiellement des laïques. L'objet de « l'œuvre de Dieu » est de promouvoir un « idéal de perfection chrétienne et de diffuser les messages du christianisme ». L'Opus Dei est très hiérarchisé. Les dirigeants sont des universitaires de haut niveau devant consacrer le plus clair de leur temps à l'organisation. Elitisme et esprit de corps permettront dans les années soixante une mainmise des « opuseistas » sur la haute administration.

CASINO DE PARIS
Affiche de Charles Kiffer pour un spectacle de Maurice Chevalier au Casino de Paris.

1929

Yougoslavie, 5 janvier
L'unité du pays étant mise en péril par le problème des nationalités, Alexandre Ier instaure un gouvernement autoritaire.

Bruxelles, 10 janvier
Hergé : *Tintin au pays des soviets.* →

Paris, 15 janvier
Histoire : premier numéro des *Annales d'histoire économique et sociale.* →

Berlin, 31 janvier
Erich Maria Remarque (1898-1970) publie son roman pacifiste : *A l'ouest rien de nouveau.*

Rome, 11 février
Signature des accords du Latran : création de la cité du Vatican. →

Allemagne, 15 février
3,5 millions de chômeurs.

Paris, 21 février
L'asile politique est refusé à Trotski, expulsé d'URSS en janvier. Refus allemand le 11 avril. Son permis de séjour en Turquie expire le 1er mai.

Mexico, 3 mars
Soulèvement des *cristeros* (catholiques) contre le nouveau président Portes Gil.

Washington, 3 mars
Début du mandat du 31e président, le républicain Herbert Hoover (élu le 6 novembre 1928).

Rome, 19 avril
Le faisceau, symbole fasciste, est incorporé aux armoiries nationales.

Berlin, 1er mai
Heurts entre communistes et policiers : 8 morts et 140 blessés.

Chine, 21 mai
Les Japonais évacuent la province du Shandong.

Portugal, 13 juin
A Fatima, au couvent des Carmélites, sœur Lucie affirme avoir vu apparaître la Vierge.

Berlin, 17 juin
Congrès mondial sur le travail des femmes.

Moscou, 11 juillet
Douze touristes américains sont arrêtés : on les accuse d'espionnage.

Paris, 26 juillet
Le président du Conseil R. Poin-

caré, malade, démissionne : les crises ministérielles vont de nouveau se succéder.

Genève, 28 juillet
Convention entre 48 nations sur les prisonniers de guerre.

Londres, 5 août
Décès de Millicent Fawcett, une pionnière du féminisme. →

Jérusalem, 24 août
Violents affrontements entre Juifs et Arabes devant le mur des Lamentations.

Paris, 11 septembre
Inauguration de la nouvelle gare de l'Est : 15 quais et 30 voies.

Allemagne, 30 septembre
Premier vol avec un « moteur-fusée » de Fritz von Opel.

Grande-Bretagne, 3 octobre
Reprise des relations diplomatiques avec l'URSS.

Afghanistan, 17 octobre
Nâdir Shâh est couronné.

Paris, 20 octobre
Première exposition de Salvador Dali, organisée par André Breton.

Manchourie, 21 octobre
Fin des hostilités qui avaient éclaté le 17 juillet entre l'URSS et la Chine à propos du chemin de fer manchou. Le 18 octobre, les Soviétiques avaient occupé le nord de la région, qu'ils évacuent le 22 décembre.

New York, 24 octobre
« Jeudi noir » à la Bourse. Début de la crise économique mondiale. →

Stockholm, 10 décembre
Prix Nobel de physique à Louis de Broglie, et de littérature à Thomas Mann.

Inde, décembre
Ultimatum du Mahatma Gandhi réclamant à l'Angleterre un statut de dominion pour l'Inde.

Allemagne
Logique formelle et logique transcendantale de E. Husserl.
Alfred Doblin publie *Berlin Alexanderplatz*, roman dont l'écriture savante mêle monologue intérieur et montage de textes publicitaires, de rapports de police et de conversations.

Pékin
Découverte du sinanthrope (fossile du pliocène) à Zhoukoudian (Chou Kou-tien). Pierre Teilhard de Chardin participe aux fouilles.

Signature des accords du Latran entre Pie XI et Mussolini

Rome, 11 février 1929
Depuis la prise de Rome en 1870, l'Etat italien était en désaccord avec le Saint-Siège. Mais Mussolini a intérêt, à l'instar de Napoléon, à une réconciliation qui renforcerait son prestige et son autorité ; Pie XI, qui apprécie ses principes d'ordre, n'y est pas opposé. Après trois ans de négociations, les accords du Latran créent la cité du Vatican (Etat indépendant) et offrent une compensation financière à la papauté pour la perte de ses Etats lors de l'unité italienne. Un concordat reconnaît le catholicisme comme religion officielle ; le mariage religieux a force de loi ; le divorce est interdit ; l'enseignement religieux est obligatoire ; enfin, le pape nomme les évêques. L'alliance de « la crosse et du faisceau » reste pourtant fragile. Dès 1931, un désaccord grave survient au sujet des mouvements de jeunesse que Mussolini veut annexer en totalité. Déçu, Pie XI regrette d'avoir accordé au régime « une faveur et une confiance excessives ».

Ratification des accords du Latran entre le Saint-Siège et l'Italie fasciste.

Le plan Young et la dette de guerre allemande

La Haye, 2-31 août 1929
Du 11 février au 7 juin, un comité d'experts réuni à Paris et présidé par O.D. Young fixe le rééchelonnement des dettes allemandes qui est adopté à La Haye le 31 août et remplace le plan Dawes de 1924. La dette, estimée à 109,8 milliards de marks or, est répartie en 59 annuités, dont une fraction « différable » supprimée en cas d'annulation des dettes européennes par les Américains. Les Alliés s'engagent à retirer leurs troupes d'occupation au plus tard le 1er juillet 1930. Accord confirmé par la seconde conférence de La Haye (3-20 janvier 1930).

Réunion à Paris des experts financiers du plan Young.

Aristide Briand, défenseur du projet d'union européenne.

Briand propose une union européenne

Genève, 5 septembre 1929
Le ministre des Affaires étrangères français, Aristide Briand, présente devant la Société des Nations un projet d'union européenne. Il y propose l'établissement d'une « sorte de lien fédéral » entre les Etats européens, dans le respect de leurs souverainetés, ainsi que l'extension du système de sécurité des accords de Locarno. Mais ce plan visant à contenir le révisionnisme allemand n'a jamais connu d'application concrète.

Le 24 octobre 1929, « Jeudi noir » à la Bourse de New York.

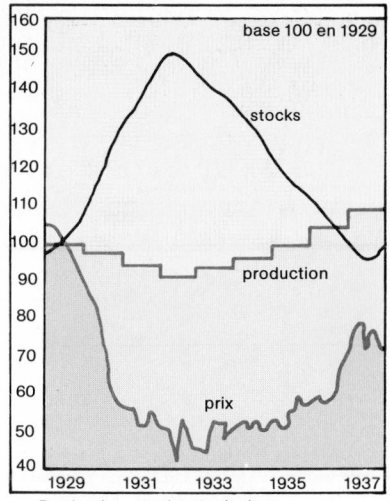

Production, stocks et prix des matières premières dans le monde

Les conséquences de la dépression économique.

L'école des "Annales" rénove la conception de l'histoire de France

Paris, 15 janvier 1929

En 1929, Marc Bloch et Lucien Febvre, professeurs à l'université de Strasbourg, fondent les *Annales d'histoire économique et sociale.* Cette revue donne bientôt son nom à une école qui, en s'appuyant sur les acquis des jeunes sciences sociales, rénove profondément la méthode historique. Préférant à l'étude des événements politiques et des grands hommes celle des lentes évolutions de la société, l'école des *Annales* ouvre à l'histoire un champ jusqu'alors négligé, celui de la vie quotidienne d'une société.

Marc Bloch.   Lucien Febvre.

Le krach boursier de Wall Street brise la prospérité

New York, 24 octobre 1929

Durant l'année 1929, la bourse de Wall Street, sensible à la bonne marche des affaires et au climat de confiance qui règne alors aux Etats-Unis, connaît une ascension vertigineuse, avec plus de 31 % de hausse en dix mois. Mais, le 24 octobre, à la suite d'une série d'avertissements lancés par des économistes, se produit un brusque renversement de tendance qui tourne à la panique : 13 millions d'actions sont vendues dans un marché qui s'effondre. Le mardi suivant, la débandade s'accroît encore : ce sont 16 millions d'actions qui sont échangées et les pertes atteignent le total de 50 milliards de dollars. Des millions d'épargnants qui avaient tenté leur chance à la Bourse se retrouvent ruinés. C'est le cas également de nombreuses banques qui, ayant spéculé, ne disposent plus, compte tenu de la chute brutale des valeurs, des liquidités nécessaires au paiement de leurs échéances et doivent déposer leur bilan. Le blocage du système bancaire entraîne une cascade de faillites ; en quelques semaines, la production industrielle se réduit de 20 % et le chômage augmente de façon brutale. L'appauvrissement d'une partie de la population entraîne une baisse de la consommation qui se répercute elle-même sur la production. Pendant trois ans, celle-ci connaîtra une baisse continue.

Emotion et attente anxieuse devant la Bourse de New York.

L'annonce du krach boursier dans l'édition du « Boston Daily Globe » du 25 octobre 1929.

Mort de la féministe Millicent Fawcett

Londres, 5 août 1929

Une grande figure du féminisme anglais s'est éteinte à Londres. Née dans le Suffolk le 11 juin 1847, Millicent Garrett Fawcett était la septième d'une famille de dix enfants. A dix-neuf ans, elle épouse Henry Fawcett, professeur d'économie à Cambridge qui milite pour les causes politiques avancées. Il soutient toute sa vie l'engagement de Millicent qui, en retour, aide son époux à compenser le handicap de sa cécité. Elle entreprend son combat pour le suffrage féminin en 1868. Elle le poursuit sans relâche cinquante années durant. En 1897, elle devient présidente de l'Union nationale des associations de suffragettes. Sa ténacité est récompensée en 1918, quand la loi sur la représentation populaire accorde le droit de vote à six millions de femmes britanniques de plus de trente ans. Elle contribue à la création à Cambridge d'une faculté ouverte aux femmes (1871) et rédige un manuel d'initiation économique, *Political Economy for beginners.*

Le premier héros de la bande dessinée

Bruxelles, 10 janvier 1929

Tintin, un journaliste à toupet, enquête pour le *Petit Vingtième,* annexe du quotidien belge *Vingtième siècle.* La bande dessinée s'affiche, elle sort du ghetto des revues spécialisées pour enfants. Le tremplin de la presse à grand tirage va lui permettre d'accroître sa diffusion. Après les honneurs du cinéma, Tarzan, l'homme singe, le héros imaginé par le romancier Rice Burroughs, a désormais une bande *(comic-strip)* dans la presse américaine. Un autre héros américain, celui que l'on appelle Popeye, le marin dessiné par Elzie Ségar, naît le 1er juillet.

Spud.   Popeye

Le camping-car fait son apparition

France, septembre 1929

Venue des Etats-Unis, une nouveauté va bouleverser les vacances : la « caravane », sorte de logis tractable par automobile, qui permet, en quelque sorte, d'emmener n'importe où sa maison avec soi.

Une révolution dans l'art des loisirs : le camping-car.

Tintin.   Dickie Dare.

1930

Lahore, 2 janvier
Fin du Congrès national indien, ouvert le 21 décembre 1929. Une campagne de désobéissance civile est prévue pour le 12 mars. →

Madrid, 28 janvier
Démission du dictateur Primo de Rivera. Berenguer lui succède au ministère.

Vatican, 8 février
Réquisitoire contre la persécution des chrétiens en URSS.

Paris, 2 mars
Crises ministérielles : renversé le 17 février, Tardieu est remplacé le 20 par Camille Chautemps, qui démissionne le 21. Rappelé le 2 mars, Tardieu forme un nouveau gouvernement. →

Paris, 3 mars
Terribles inondations dans le Midi. Montauban est isolée, Massiac est détruite. Plus de 200 morts, des milliers de sinistrés.

Paris, 15 mars
Premier numéro de *Cercle et Carré* avec Piet Mondrian et Michel Seuphor.

Villejuif, 17 mars
Inauguration de l'Institut du cancer.

Chine, 16 avril
Offensive des rebelles nordistes du général Yen Hsi-chan contre les troupes nationalistes de Nankin.

Inde, 18 avril
« Marche du sel » : la campagne de désobéissance lancée le 12 mars par Gandhi dégénère en émeutes (Chittagong, puis Peshawar le 23). Le Mahatma est arrêté à Bombay le 5 mai. Enfreignant le principe de non-violence, les nationalistes prennent d'assaut le dépôt de sel de Vatala les 18 et 19 mai. Tentative de règlement par une table ronde à Londres (du 12 novembre au 19 janvier 1931).

Birmanie, 6 mai
Un séisme fait 6 000 morts.

Buenos Aires, 14 mai
Paris-Atlantique Sud : Jean Mermoz vient de réaliser la liaison aéropostale en moins de cinq jours.

Syrie, 22 mai
Constitution promulguée par la France.

Massachusetts, 6 juin
Six épiciers mettent en vente des aliments surgelés par Clarence Birdeye.

Roumanie, 8 juin
Le roi Michel Ier ayant abdiqué le 6, le Sénat et le Parlement mettent sur le trône le fils du roi Ferdinand, Carol II, rentré de son exil munichois.

Moscou, 26 juin
Staline justifie les épurations au XVIe congrès du parti.

Rhénanie, 30 juin
Evacuation anticipée ordonnée par A. Tardieu le 17 mai : départ des dernières troupes françaises d'occupation.

Bagdad, 30 juin
Les Britanniques reconnaissent l'indépendance de l'Irak.

Vatican, 2 août
L'Etat italien donne l'autorisation de battre monnaie jusqu'à concurrence d'un million de lires par an.

Arequipa, Pérou, 22-27 août
Coup d'Etat révolutionnaire : le gouvernement péruvien est renversé par une junte.

Paris-New York, 1er-2 septembre
Dieudonné Costes réussit, avec Maurice Bellonte, la première liaison aérienne sans escale Paris-New York sur le Bréguet XIX *Point-d'Interrogation*. L'année précédente (les 27-29 septembre), les mêmes aviateurs avaient battu le record du monde de distance en ligne droite sur 7 905 km de Paris à Tsitsihar, en Chine.

Etats-Unis, 6 septembre
Arrêt total de l'immigration.

Buenos Aires, 7 septembre
Putsch du général Uriburu.

Chine, 1er octobre
Les Britanniques évacuent Weihaiwei. Le 24, Chiang Kai-shek se convertit au christianisme.

Addis-Abeba, 2 novembre
Le ras Tafari Makkonen est couronné roi des rois sous le nom de Haïlé Sélassié Ier.

URSS
L'année aura été marquée par toutes sortes d'émeutes paysannes s'opposant à la collectivisation forcée des terres. →

Vienne
Malaise dans la civilisation de Sigmund Freud.

Elimination brutale des koulaks en URSS

Moscou, 28 janvier 1930
Le 5 janvier, un décret du commissariat du peuple à l'Agriculture prescrit la transformation des exploitations « petites et moyennes » en fermes collectives : ces coopératives de production agricole s'appellent kolkhozes. Accélérant le processus de disparition du secteur privé, un décret du 28 « sur la réorganisation socialiste de l'agriculture et sur la lutte contre les koulaks » estime que paysans pauvres et moyens sont « mûrs » pour se rallier aux kolkhozes, l'adhésion devant demeurer un acte volontaire. Mais les koulaks, c'est-à-dire les paysans riches, dont il n'existe aucune définition officielle, sont jugés comme des adversaires irréductibles et, puisqu'il faut, selon le mot de Staline, passer « de la limitation des tendances exploiteuses des koulaks à la liquidation des koulaks en tant que classe », ils sont privés de leurs biens et déportés

« Le sectarisme est l'emblème du koulak ». Affiche soviétique de Cheremmykh.

en Sibérie, où se trouvaient déjà les bagnes (goulags) du tsar : 240 000 familles, soit plusieurs millions de personnes, vont mourir dans ces camps de la mort.

Maïakovski, poète de la révolution, se donne la mort

Moscou, 14 avril 1930
A Moscou, le poète futuriste Maïakovski, incapable de supporter plus longtemps le hiatus croissant entre avant-garde artistique et avant-garde politique, se suicide. L'ancien épigone du régime soviétique fut pourtant un des animateurs de la revue *Art de la Commune*, ainsi qu'un infatigable rédacteur et dessinateur d'affiches politiques. En 1923, il adhère au LEP (Front de gauche de l'art), aux côtés de Pasternak et Eisenstein. Cependant, l'esthétique officielle sous Staline prend un tour vériste et édifiant. Maïakovski est en disgrâce.

Vladimir Maïakovski, un des fondateurs de la poésie russe moderne.

Ambitieuses réformes sociales de Tardieu

Paris, 2 mars 1930
En accédant à la présidence du Conseil le 3 novembre 1929, André Tardieu (1876-1945) apporte dynamisme et modernisme dans la vie politique française. Reçu premier à l'Ecole normale supérieure et au concours des Affaires étrangères, ce grand bourgeois a mené parallèlement une triple carrière de député de Seine-et-Oise, de journaliste au *Figaro* et au *Temps*, et de professeur à l'Ecole des sciences politiques. Sa vigueur intellectuelle, sa personnalité brillante et son fume-cigarette l'ont fait surnommer « le mirobolant ». Admirateur des Etats-Unis, il stimule l'économie par un programme d'équipements routiers, d'électrification des campagnes et instaure la gratuité de l'enseignement secondaire.

Getulio Vargas, président du Brésil

Rio de Janeiro, 3 nov. 1930
Ministre des Finances de Washington Luiz de 1928 à 1930, puis candidat malheureux aux élections présidentielles, Getulio Vargas déclenche le 24 octobre le coup d'Etat qui abat le régime républicain. Président provisoire (il ne sera élu qu'en 1934), il centralise tous les pouvoirs : d'abord au détriment des Etats fédérés (Constitution de 1934), puis du Parlement (coup d'Etat de 1937 fondant l'*Estado Novo*). Afin de sauvegarder l'économie, souffrant de la mévente du café, monoculture d'exportation, il impose la destruction des récoltes excédentaires pour soutenir les cours. Dans la tradition du populisme, il lance une politique sociale qui lui vaudra le surnom de Père des pauvres. Il institue un régime à rapprocher du péronisme argentin.

Répondant à l'appel de Gandhi, les Indiens manifestent, tout en restant fidèles au principe de la non-violence.

Gandhi lance sa campagne de désobéissance civile

Inde, 12 mars 1930
Gandhi, leader du parti du Congrès, lance une nouvelle campagne de désobéissance civile, afin que l'Inde obtienne, par la non-violence, le statut de dominion, doté d'un *self government*. Les fonctionnaires hindous dé- sertent leurs postes, le Mahatma et ses partisans brisent symboliquement le monopole britannique sur le sel, en évitant les violences qui marquèrent la campagne de 1929. Le 12 novembre, Ramsay Macdonald ouvre à Londres une conférence à la- quelle le Congrès refuse de partici- per et qui se termine sur un échec le 19 janvier. Le Mahatma, qui refuse le maintien du régime des castes, signera le 4 mars un accord avec le vice-roi des Indes, Lord Edward W. Irving.

Sherlock Holmes est orphelin

Angleterre, 7 juillet 1930
C'est à Crowborough, dans le Sus- sex, que meurt à l'âge de 71 ans Sir Arthur Conan Doyle, laissant derrière lui l'un des héros les plus populaires de la littérature policière. Né dans une famille d'artistes, le jeune Doyle devient médecin en 1882. Son premier livre, *La Tache écarlate*, est un échec commercial en 1887. La parution, à partir de 1891, des *Aventures de Sherlock Holmes* connaît un succès fulgurant. Sher- lock Holmes, aidé de son ami le Dr Watson, résout toutes les énigmes grâce à son sens de l'observation et de la déduction. Excédé par un succès qu'il juge démesuré, Conan Doyle fait mourir son héros en 1893. A la demande générale, il ressuscite en 1903 et poursuit ses aventures jusqu'en 1927. Mais Conan Doyle ne fut pas qu'un écrivain à succès. Il participa comme médecin à la guerre des Boers, puis s'engagea politique- ment aux côtés de Joseph Chamber- lain. A la fin de sa vie, il se consacra au spiritisme.

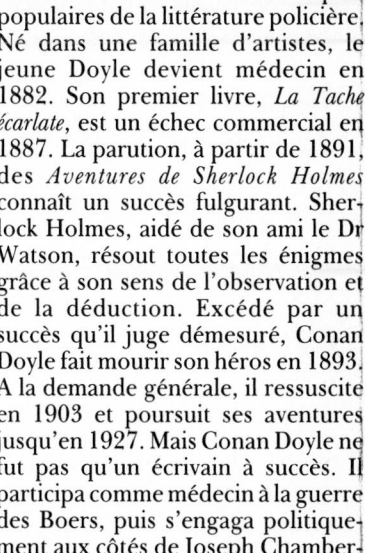

"L'Ange bleu" révèle Marlène Dietrich

Allemagne, 1er avril 1930
A vingt-huit ans, Marlène Dietrich obtient son premier grand rôle dans *L'Ange bleu* de Joseph von Sternberg. L'Ange bleu, Lola, chanteuse de « beuglant », est un personnage sen- suel et fascinant dont un éminent professeur tombe amoureux. Avec sa voix rauque, sa chanson *Je suis amou- reuse de la tête aux pieds*, son appétis- sante fraîcheur, Marlène crée un nouveau style de « vamp » qu'elle incarnera trente ans durant.

Marlène Dietrich dans « L'Ange bleu », film de Joseph von Sternberg.

Adolf Hitler et les 107 députés du NSDAP réunis à Berlin après les élections du 14 septembre 1930.

107 députés nazis au Reichstag

Berlin, 13 octobre 1930
Les députés du NSDAP élus le 14 septembre font scandale en venant à la séance inaugurale en uniforme, dont le port est interdit en Alle- magne. Leur immunité parlemen- taire les protège cependant des poursuites. Le parti nazi, qui ne comptait que quatorze députés en 1928, devient la deuxième formation du Reichstag, derrière le SPD. Cette progression doit beaucoup au chô- mage, qui touche 22,5 % de la popu- lation active. Face au chancelier Brü- ning, dont la politique déflationniste accroît le marasme, et aux troubles opposant les fascistes du *Stahlhelm* et les SA aux communistes, le NSDAP promet ordre et emploi.

"L'Homme sans qualités" de Musil

Vienne, 1930
Robert Musil publie la première par- tie de *L'Homme sans qualités*: *Voyage au bord du possible*. La deuxième paraîtra en 1932 : *Le Millénium*, mais cette œuvre demeurera inachevée. Ce ro- man, souvent considéré comme un manifeste de la littérature moderne, est une critique, d'une ironie subtile mais profondément pessimiste, de la monarchie austro-hongroise dans les années 1914 et des valeurs du monde moderne. Cette démystifica- tion de la modernité met en question la possibilité même d'écrire un ro- man avec une ironie réévaluée par une interrogation religieuse : « Mon roman est un livre religieux du point de vue de l'incroyant. »

Le cyclotron, nouvel outil de la physique

Etats-Unis, 1930
Dès les premiers travaux sur les transmutations, il paraît intéressant d'accélérer des particules pour les projeter sur des corps à étudier. En 1930, à l'université de Californie, Lawrence et Livingston posent le principe du cyclotron. Il suffit d'accé- lérer des protons soumis à une haute tension, appliquée un grand nombre de fois, pour obtenir des vitesses très rapides. Le prototype de 1932 inau- gurera une série d'accélérateurs de particules qui permettront l'étude des réactions nucléaires.

Première Coupe du monde de football

Montevideo, 13-30 juillet 1930
Victoire de l'Uruguay, à Montevideo, en finale de la première Coupe du monde de football, avec treize équipes dont quatre européennes. Malgré tout le talent du meneur de jeu argentin Monti, les Uruguayens l'ont emporté par 4 à 2, dans un stade en liesse. L'équipe de France n'a quant à elle pu passer le cap des quarts de finale. La Tchécoslovaquie obtient la troisième place.

Première Coupe du monde de foot- ball : l'un des buts de Iriarte, qui donna l'avantage à l'Uruguay.

1931

Paris, 23 janvier
Pétain à l'Académie française.

Paris, 27 janvier
Suite du krach de Wall Street : crises ministérielles incessantes. Premier gouvernement Pierre Laval.

Moscou, 11 février
Mobilisation des spécialistes de l'agriculture, qui travailleront deux mois gratuitement sur les terres collectivisées.

Allemagne, 24 février
4 765 000 chômeurs. →

Allemagne, 17 mars
L'évêque de Paderborn condamne les catholiques membres du NSDAP.

Lisbonne, 6 avril
Putsch de Funchal, qui ordonne l'état d'urgence à Madère et l'état de guerre aux Açores.

Allemagne, 11 avril
Découverte d'un important réseau d'espionnage industriel communiste.

Madrid, 14 avril
A la suite des élections favorables aux partis républicains, Alphonse XIII quitte l'Espagne. Cette victoire s'accompagne d'un sursaut de violences contre l'Eglise et ses institutions. →

Etats-Unis, 19 avril
Les Etats-Unis, qui dénombraient 19 700 millionnaires le 30 novembre 1930, comptent 7 millions de chômeurs.

Chine, 30 avril
Chiang Kai-shek doit combattre simultanément les troupes rebelles qui occupent Canton et l'insurrection communiste.

Turquie, 4 mai
L'Assemblée nationale réélit Mustafa Kemal à la présidence après la victoire écrasante de son parti aux législatives (20 avril).

Vincennes, 6 mai
Ouverture de l'Exposition coloniale internationale. →

Berlin, 11 mai
M. le Maudit de Fritz Lang. →

Paris, 13 mai
Paul Doumer, président de la République. Second cabinet Pierre Laval.

Vatican, 15 mai
Encyclique *Quadragesimo Anno* sur les questions sociales. →

Shanghai, 17 juin
Hô Chi Minh, fondateur du parti communiste indochinois, est arrêté par les Britanniques.

Grande-Bretagne, 29 juin
On dénombre 2 665 000 chômeurs.

Allemagne, 13 juillet
Crise financière : les banques sont fermées au public. Elles réouvriront le 5 août.

Allemagne, 27 août
Premier vol transatlantique commercial : avec ses douze moteurs, le « Dornier-X » peut transporter cent passagers à 240 km/h.

Londres, 21 septembre
La Banque d'Angleterre dévalue la livre sterling et supprime l'étalon or. →

Allemagne, 11 octobre
« Front de Harzburg » : Hitler, qui s'est assuré le soutien du président von Hindenburg le 9 juillet, constitue avec les nationalistes un front d'« opposition nationale », provoquant des crises ministérielles avec l'intention explicite de renverser le régime démocratique.

Chicago, 24 octobre
Al Capone est condamné à onze ans de prison pour fraude fiscale.

Téhéran, octobre
Epidémie de choléra en Perse. Plus de mille victimes.

Göttingen, 19 novembre
Première production de cristaux de vitamine D1.

Allemagne, 12 décembre
5 349 000 chômeurs. →

Paris
L'Homme approximatif de Tristan Tzara, vaste poème épique d'inspiration proche du surréalisme.

Regards sur le monde actuel de Valéry. →

Le Million et *A nous la liberté*, deux films pleins d'humour de René Clair.

Jacques Schiffrin lance « La Pléiade » avec les *Œuvres complètes* de Charles Baudelaire.

Etats-Unis
Sanctuaire roman de William Faulkner.

Des habitués de la Bourse de Berlin attendent, inquiets, les décisions qui vont être prises à la suite de la faillite de plusieurs banques.

Faillite du Crédit Anstalt de Vienne

Vienne, 11 mai 1931
La plus grande banque privée autrichienne a annoncé des pertes s'élevant à 140 millions de schillings. Liée aux plus importantes industries autrichiennes et européennes, la banque sera sauvée par un prêt international. L'inquiétude est vive dans le monde économique européen : le schilling doit être soutenu par dix nations. Des experts de la BRI (Banque internationale des règlements) ont été dépêchés à Vienne.

La déflation Brüning accroît le chômage en Allemagne

Allemagne, 24 février 1931
Le nombre de chômeurs atteint le chiffre accablant de 4 765 000 à la fin de février. Depuis qu'il a été nommé chancelier, en mars 1930, le démocrate-chrétien Heinrich Brüning tente de lutter contre ce fléau par des mesures d'austérité que le Reichstag refuse de voter. Aussi a-t-il recours aux ordonnances. Le crédit est restreint ; les salaires, les loyers et les prix sont diminués autoritairement ; l'impôt sur le revenu est majoré de 5 %. Les ressources ainsi dégagées servent à verser des subventions aux entreprises. Pour enrayer la chute des exportations, les droits de douane sont relevés et un strict contrôle des changes est établi. Ces mesures échouent en raison du tassement de la consommation intérieure.

Révisions politiques déchirantes pour la Grande-Bretagne

Londres, 21 septembre 1931
La montée du chômage et les difficultés financières exigent des mesures d'urgence. Le 25 août, le roi George V invite à former un cabinet d'union nationale en rappelant le travailliste Ramsay Macdonald, qui avait démissionné la veille. Macdonald s'entoure de ministres de toutes les tendances et, le 21 septembre, suspend la convertibilité de la livre sterling en or, symbole de la suprématie économique anglaise. Dans les semaines qui suivent, la livre se déprécie de 30 % sur le marché des changes, ce qui avantage les produits britanniques. Le 20 novembre, le Royaume-Uni renoncera à 85 années de libre-échange en adoptant des mesures protectionnistes, qui se révéleront efficaces dès 1934.

Le chancelier Heinrich Brüning tenta de sauver l'économie allemande.

La livre se maintient avec peine sur le marché des changes. Caricature.

Le Japon laisse flotter le yen et occupe la Manchourie

Mukden, 18 septembre 1931

Depuis sa victoire sur la Russie en 1905, le Japon contrôlait le sud de la Manchourie et le chemin de fer par lequel les produits de la Chine du Nord arrivaient jusqu'à Port-Arthur. Périodiquement, les troupes de Chiang Kai-shek tentaient de rétablir leur autorité sur cette région. Pour parer à toute attaque, les Japonais entretenaient une garnison permanente de 30 000 soldats le long de la voie ferrée. Le 18 septembre, l'explosion d'une bombe chinoise sur la ligne de chemin de fer fournit aux Japonais un prétexte pour occuper toute la Manchourie. Les sociétés nationalistes et militaristes, florissantes au Japon depuis les années 1920 (Société du fleuve Amour, Bannière de l'empire, Fraternité du sang), voient ainsi leurs visées expansionnistes prendre corps. La Chine porte plainte auprès de la Société des Nations et ordonne le boycott immédiat des produits japo-

nais. Cette décision aggrave la chute déjà catastrophique des exportations. Au cours de la seule année 1930, la valeur du commerce extérieur japonais a baissé de 42 %. L'ancien Premier ministre Takahashi est rappelé à 77 ans pour rétablir la situation : le 14 décembre, il suspend la convertibilité en or du yen, pour relancer les exportations.

Takahashi Korekiyo, ministre des Finances japonais.

Le Mahatma Gandhi de nouveau à Londres, le 14 septembre 1932, pour une table ronde au palais St. James.

Les Anglais tentent un compromis avec le Mahatma Gandhi

Londres, 1931

Après les troubles de l'année 1930, marquée par la campagne de « désobéissance civile », l'arrestation de Gandhi et l'échec de la première conférence, 1931 semble s'annoncer sous de meilleurs auspices. Dès le

25 janvier, Gandhi est libéré et le parti du Congrès reconnu. Le Mahatma et le vice-roi concluent un accord sur l'amnistie des prisonniers politiques et certaines concessions sur le monopole du sel. Le 7 septembre, Gandhi est reçu à Londres pour une seconde table ronde ; mais elle se solde aussi par un échec. L'agitation reprend ; Gandhi sera à nouveau emprisonné le 3 janvier 1932 et commencera une grève de la faim.

"Regards sur le monde actuel" de Valéry

France, 1931

Paul Valéry publie ses considérations sur la civilisation : *Regards sur le monde actuel*. Il constate la décadence de l'Europe qui, inférieure par la dimension, a propagé, souvent par profit, sa culture, sa technique, son armement et ses contradictions.

Paul Valéry (debout) avec son frère.

Manuel Azaña rendant les honneurs au drapeau républicain.

La république proclamée en Espagne

Madrid, 14 avril 1931

La montée de la gauche contraint Alphonse III à s'enfuir. La proclamation de la république déclenche des émeutes séparatistes à Barcelone, où l'armée établit un gouvernement catalan provisoire. Aux législatives du 28 juin, nouvelle victoire de la gauche ; les Cortès adoptent des mesures hostiles à l'Eglise, provoquant la rupture entre le modéré Alcala Zamora et le socialiste Manuel Azaña qui le remplace en octobre à la tête du gouvernement. Le droit de vote

est étendu aux femmes le 1er octobre. Zamora devient président et proclame la Constitution le 10 décembre. La Chambre accorde le statut d'autonomie à la Catalogne et exproprie les grands latifundiaires d'Estrémadure et d'Andalousie. Les attaques de la droite fédérée autour de Gil Robles et de Lerroux et la menace de la Phalange (JONS), à l'extrémisme paramilitaire, ont raison d'Azaña, renversé à l'automne 1933. La lutte politique va bientôt dégénérer en guerre civile.

Pie XI précise la doctrine sociale de l'Eglise catholique

Rome, 15 mai 1931

Pie XI s'efforce de rapprocher l'Eglise de la société moderne et de

réconcilier les catholiques avec les régimes républicains, dans l'optique d'un « second ralliement ». Quarante ans après *Rerum novarum*, l'encyclique *Quadragesimo Anno* réaffirme et enrichit les grandes orientations du catholicisme social, qui se veut conscient des réalités de son temps.

Succès de l'Exposition coloniale à Vincennes

Vincennes, 6 mai 1931

L'Exposition coloniale ouvre ses portes à l'orée du bois de Vincennes. En novembre, elle aura reçu près de 34 millions de visiteurs attirés notamment par les reconstitutions des principaux monuments des colonies : le temple d'Angkor, le palais du Maroc, une mosquée soudanaise. Organisée par le maréchal Lyautey, cette exposition marque l'apogée de l'idée coloniale en France.

Peter Lorre est « M. le Maudit ».

"M. le Maudit", un chef-d'œuvre de Fritz Lang

Berlin, 11 mai 1931

Inspiré par un fait divers, ce film devait s'appeler à l'origine *Les Assassins parmi nous*. Dans une grande ville, un sadique assassine les petites filles. Devant l'échec des policiers, c'est la pègre qui découvre le meurtrier et le condamne à mort. Véritable œuvre « d'architecte » où les décors ont un rôle prépondérant, ce film permet à Peter Lorre de s'imposer. Ce chef-d'œuvre du début du cinéma sonore constitue le dernier grand film allemand de Fritz Lang avant son départ pour les USA.

Programme de l'Exposition coloniale, Vincennes, mai-novembre 1931.

1932

Inde, 3 janvier
Gandhi de nouveau incarcéré, commence une grève de la faim le 20 septembre. A Londres, troisième table ronde (17 novembre-24 décembre).

Paris, 9 janvier
A. Briand, malade, démissionne (il meurt le 7 mars). Valse des ministères : P. Laval le 13, P. Poincaré le 19 février.

Allemagne, 15 février
6 126 000 chômeurs.

Manchourie, 18 février
Occupation par les Japonais. →

Dublin, 9 mars
Edmond De Valera, président.

Paris, 11 mars
Les caisses de compensation en faveur des travailleurs chargés de famille deviennent obligatoires.

Allemagne, 10 avril
Présidentielles : réélection de Paul von Hindenburg, qui devance Hitler. Mesures d'urgence : le 13, un décret-loi sur « la sécurité et l'autorité de l'Etat » dissout les 40 000 SA et les 100 000 SS, auxquels Hitler ordonne de rentrer dans les rangs du parti.

Ethiopie, 17 avril
Haïlé Sélassié abolit l'esclavage.

Paris, 23 avril
Nouveau Parc des Princes.

Paris, 6 mai
Paul Gorguloff assassine le président Doumer. (Il sera condamné à mort le 27 juillet). Le 10, Albert Lebrun est élu président.

Etats-Unis, 12 mai
On retrouve le corps du fils de Charles Lindbergh, enlevé le 2 mars. Son assassin sera exécuté le 3 avril 1936, à Trenton dans le New Jersey.

Belgique, 22 mai
La liaison téléphonique avec le Congo est établie.

Berlin, 2 juin
Nouveau cabinet dirigé par Franz von Papen, après le départ (30 mai) du chancelier H. Brüning, en conflit avec Hindenburg. Dissolution du Parlement le 4 juin.

Paris, 4 juin
A la suite d'élections générales qui ont eu lieu en mai, Edouard Herriot est appelé à former le gouvernement.

Santiago du Chili, 17 juin
Fin de la « République socialiste » proclamée le 4 : Marmaduke Grove et Eduardo Matte déportés à l'île de Pâques.

Lisbonne, 5 juillet
Antonio de Oliveira Salazar nommé président du Conseil.

Allemagne, 31 juillet
Elections législatives : suprématie des nazis. →

Venise, 6 août
Premier festival du cinéma.

Grande-Bretagne, 9 août
R. S. Willows invente, à Glossop, le tissu infroissable.

Italie, 14 août
Radio à ondes courtes mise au point par le physicien G. Marconi.

Ottawa, 20 août
Dominions : conférence impériale. →

Berlin, 30 août
Hermann Goering devient président du Parlement.

Madrid, 9 septembre
Les Cortès votent l'autonomie de la Catalogne. Le 6, abolition de la peine de mort et de la détention à perpétuité.

Irak, 3 octobre
Proclamation de l'indépendance.

Moscou, 9 octobre
Staline purge le parti. →

Londres, 27 octobre
Marche des chômeurs. →

Paris, octobre
Thèse de Jacques Lacan : *De la psychose paranoïaque dans ses rapports avec la personnalité.*

Washington, 8 novembre
Franklin D. Roosevelt, président. →

Paris et Moscou, 29 novembre
Signature d'un pacte de non-agression entre les deux pays.

Paris, 7 décembre
Prix Renaudot pour le roman de Louis-Ferdinand Céline : *Voyage au bout de la nuit.*

Union soviétique, 12 décembre
Rétablissement des relations diplomatiques avec le Japon.

New York
L'Empire State Building (102 étages, 6 400 fenêtres et 448 m de haut) est achevé.

La Chine grignotée par les Japonais

Mukden, 18 février 1932
Depuis septembre 1931, la SDN demande au Japon de retirer ses troupes de Manchourie et envoie une commission d'enquête présidée par Lord Lytton. Un Cabinet extrémiste se constitue au Japon avec le général Araki, un nationaliste virulent, comme ministre de la Guerre. Dès lors, la pénétration en Chine s'étend rapidement. Le 19 janvier 1932, cinq Japonais sont attaqués à Shanghai par des Chinois ; l'un deux, un moine bouddhiste, est tué : le 28, les Japonais prennent Shanghai. Le 5 février, ils occupent Kharbin, seconde ville de Manchourie, et créent le 18 février l'Etat satellite du Manchukuo, à la tête duquel ils placent le prince Pu Yi, ancien empereur de Chine déposé en 1912, à l'âge de six ans. Après l'armistice (mars), les Japonais évacuent Shanghai le 5 mai, certains d'avoir consolidé leur mainmise sur le continent.

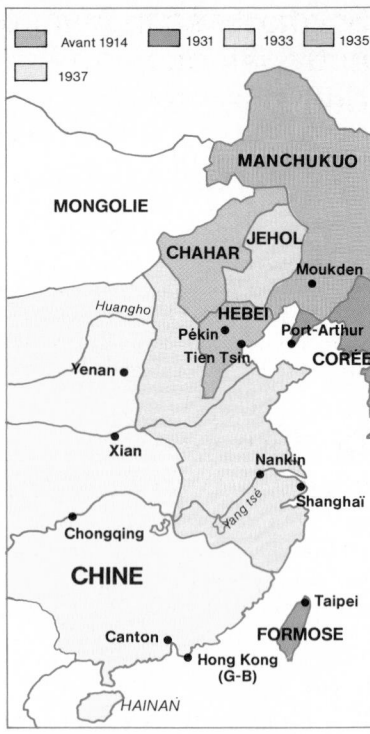

Occupation par les troupes japonaises de la Manchourie. Septembre 1931.

Staline accentue sa dictature en URSS

Moscou, 9 octobre 1932
Staline exclut du parti une vingtaine de hauts dignitaires, dont L. Kamenev et G. Zinoviev, compagnons de Lénine. Complétant la théorie du « socialisme dans un seul pays » par la thèse selon laquelle les progrès du socialisme dévoilent ses adversaires et aiguisent la lutte des classes, il justifie ainsi la répression et la concentration du pouvoir entre ses mains. Le développement du « carriérisme » et la forte croissance des effectifs du parti (de 1,3 million en 1928 à 3,1 en 1932) ont provoqué un rajeunissement certain des cadres et isolé les vieux bolcheviks antistaliniens. Les membres du parti qualifient le secrétaire général de « Lénine d'aujourd'hui », tandis que la police politique, la Guépéou, traque les derniers trotskistes ou « droitistes » pouvant troubler la célébration du nouveau culte, celui du « grand architecte du socialisme ».

« Exaltation de l'ouvrier ». Affiche soviétique. 1930.

Solidarité économique entre les pays du Commonwealth

Ottawa, 20 août 1932

La crise accentue le déficit commercial anglais. L'excédent de la balance des paiements (593 millions de dollars en 1928) a fait place en 1931 à un lourd déficit (471 millions). Pour y remédier, une conférence des pays membres du Commonwealth est réunie. Ils signent le 20 août les accords d'Ottawa, conclus pour une durée de cinq ans et renouvelables par tacite reconduction. Ils établissent une zone de « préférence impériale » entre la Grande-Bretagne, le Canada, Terre-Neuve, l'Inde, l'Australie, la Nouvelle-Zélande, l'Union sud-africaine et la Rhodésie. La Grande-Bretagne admettra en franchise les produits de l'empire, à condition que leurs prix n'excèdent pas les cours mondiaux. En contrepartie, les produits anglais sont admis à des conditions préférentielles.

Dollfuss devient chancelier d'Autriche

Vienne, 20 mai 1932

Ministre de l'Agriculture du cabinet de Karl Buresch (qui a démissionné le 6), Dollfuss, catholique fervent et militant du parti social-chrétien de M. Seipel, devenu chancelier, ne parvient pas à remplacer les partis par un front patriotique ; il interdit les organisations nazies.

Le chancelier Engelbert Dollfuss.

James Chadwick découvre le neutron

Stockholm, 1932

C'est à des travaux sur l'étude de la charge des noyaux et la désintégration artificielle des éléments par les particules alpha que s'est consacré le chercheur britannique James Chadwick, spécialiste de physique nucléaire. En 1932, en expérimentant le rayonnement anormal du béryllium au laboratoire Cavendish à Cambridge, il découvre que ce rayonnement est constitué par l'émission de particules nucléaires neutres, les neutrons. C'est après avoir obtenu du deutérium (eau lourde) par les rayons gamma et découvert l'effet photo-électrique nucléaire qu'il parvient à les isoler et à en reconnaître la valeur. Modèle exemplaire des synergies existant entre les différentes recherches, sa réussite doit beaucoup au travail des Joliot-Curie sur la radioactivité artificielle.

"Le Fil de l'épée" du colonel de Gaulle

Paris, 1932

Paraissant huit ans après les *Dialogues sur le commandement* d'André Maurois, *Le Fil de l'épée* est un manuel pour la conduite des hommes. Le colonel de Gaulle reprend le texte de trois conférences prononcées en avril 1927 (il a alors 37 ans) à l'Ecole supérieure de guerre. Le ton est altier, parfois cynique, le style étincelant, l'écriture sobre et cadencée. On décèle l'influence de Clausewitz, de Bergson et du colonel Ardant du Picq, théoricien militaire tué en 1870. Pour de Gaulle, « la préparation à la guerre est avant tout celle des chefs ». La qualité d'un chef tient à son caractère, à son prestige (le don façonné par le métier) et à l'empirisme avec lequel il joue des circonstances.

Le succès électoral du nazisme se confirme

Berlin, 31 juillet 1932

Les élections législatives allemandes confirment le résultat atteint par Adolf Hitler, chef du parti national-socialiste, aux élections présidentielles d'avril (36,8 % au second tour) : le parti nazi devient, avec 230 députés, la première force politique du Reich. La campagne a été marquée par de violents incidents.

« Notre dernier espoir : Hitler ». Affiche pour les élections de 1932.

Emmanuel Mounier.

Emmanuel Mounier lance la revue "Esprit"

France, octobre 1932

Jeune agrégé de philosophie d'inspiration chrétienne, Emmanuel Mounier publie avec un groupe d'amis le premier numéro de la revue *Esprit*. L'influence de Mounier déborde très largement les limites de l'Eglise catholique. Son initiative s'inscrit en effet dans le mouvement des « non-conformistes » des années 1930, jeunes intellectuels qui prennent conscience d'une crise des valeurs de la civilisation. Mounier entend ainsi travailler à « la rupture entre l'ordre chrétien et le désordre établi » en trouvant une troisième voie entre capitalisme et collectivisme.

Marche de chômeurs pour présenter leurs revendications au congrès des Trade Unions.

Marche des chômeurs britanniques à travers l'Angleterre

Londres, 27 octobre 1932

L'année 1932 est très sombre pour les ouvriers anglais : 20 % sont au chômage, sans compter ceux qui échappent aux décomptes statistiques. Depuis le début de l'année, les manifestations de chômeurs se multiplient : de vives bagarres ont eu lieu à Bristol le 23 février. Des manifestations houleuses se sont déroulées à Belfast, le 11 octobre, et à Londres, le 18. Les « marcheurs de la faim », partis du nord de l'Angleterre, arrivent à Londres le 27 octobre. Dans les jours suivants, ils provoquent des bagarres suivies de pillages. Le 1er novembre, le chef du mouvement, Hammington, est arrêté.

Le président Franklin D. Roosevelt.

Tournant politique aux Etats-Unis : Roosevelt président

Etats-Unis, 8 novembre 1932

L'élection triomphale du démocrate Franklin Delano Roosevelt, cousin de l'ancien président Théodore Roosevelt et gouverneur de l'Etat de New York, marque un complet renversement des rapports de force politiques et assure à la présidence une majorité de gouvernement aux deux Chambres. Avec 57 % des suffrages, il l'emporte dans 42 Etats sur le président sortant, le républicain Herbert Hoover. « Technicien de la prospérité », ce dernier est d'abord battu par la crise économique qui a débuté à l'automne 1929 et à laquelle il n'a pas su apporter de solutions efficaces (plus de 14 millions de chômeurs, le pouvoir d'achat des paysans diminué de moitié). Les troubles sociaux de l'année 1932 témoignent de son impopularité. Au libéralisme orthodoxe, Roosevelt oppose un *New Deal* : une nouvelle donne économique et sociale. Préparé par un *brain trust* dont font partie les universitaires Berle, Tugwell et Moley, le programme de Roosevelt n'en est pas moins empirique et empreint d'idéalisme social, proposant aux Américains une mystique rénovée de la démocratie.

Le Belge Degrelle fonde le rexisme

Belgique, 1932

Ancien militant de la Jeunesse catholique wallonne, Léon Degrelle crée en 1932 un mouvement religieux dédié au Christ-roi (*Christus rex*), drainant rapidement 200 000 membres. Influencé par la montée des nationalismes européens, le rexisme se radicalise. Son chef invective les « scandaleux de la finance » et traite les banquiers de « spoliateurs des petits épargnants » dans son magazine *Vlan*. Se présentant aux élections législatives de 1936, le mouvement obtient 21 sièges. Quant au très fasciste Degrelle, il deviendra très normalement, après un bref exil en France, le responsable de la politique de collaboration dans la Belgique occupée, allant jusqu'à accompagner la Wermacht sur le front de l'Est, à partir de 1943.

1933

Berlin, 27 janvier
Incendie du Reichstag. On obtient les aveux d'un suspect, Marinus Van der Lubbe qui sera condamné à mort le 23 décembre. Une enquête internationale conclut que les nazis sont les seuls responsables de l'incendie. Le 28, Bertolt Brecht et Henrich Mann fuient en exil.

Berlin, 30 janvier
Le président Hindenburg nomme Hitler chancelier.

Allemagne, 5 mars
Nouvelles élections : les nazis gagnent 93 sièges et totalisent 45 % des voix.

Berlin, 23 mars
Hitler se fait accorder les pleins pouvoirs. →

Berlin, 1er avril
Journée officielle antisémite : mesures de boycott des magasins juifs. Dès le 3 juillet, les Juifs seront exclus de la fonction publique.

Berlin, 2 mai
Démantèlement des syndicats. Le 28, les biens du parti communiste sont confisqués.

Dublin, 3 mai
Edmond De Valera abroge le serment de fidélité à la couronne britannique. Le 28 janvier, il obtient la majorité absolue aux législatives.

Allemagne, 10 mai
Dans de nombreuses villes, les bibliothèques sont expurgées ; de vastes autodafés publics sont organisés.

Inde, 29 mai
Gandhi, qui avait commencé une grève de la faim le 8, obtient satisfaction : les Anglais interviennent en faveur des « Intouchables ». Mais, le 4 juillet, il est condamné à un an de prison.

Chine, 31 mai
Armistice sino-japonais.

Hollywood, 1er juin
Mariage secret de Charlie Chaplin avec l'actrice Paulette Godard.

Paris, 1er juin
Création d'une revue d'avant-garde éditée par Albert Skina, *Le Minotaure*, qui aura 12 numéros. Couverture de Picasso, contributions de S. Dali, A. Breton, P. Eluard, P. Reverdy, A. Masson, M. Leiris, R. Crevel, et un article de J. Lacan sur *Le Problème du style*.

New Jersey, 6 juin
Premier cinéma *drive in* à Camden, pour 4 000 voitures.

Rome, 7 juin
A l'initiative de Mussolini, un accord est conclu entre la France, l'Angleterre, l'Allemagne et l'Italie prévoyant que les quatre puissances examineraient entre elles toutes les propositions concernant d'éventuelles rectifications de frontières : c'est le « Pacte à quatre ».

Paris, 19 juin
Autorisation de séjour à Trotski, qui arrive à Marseille avec sa femme le 25 juillet.

Allemagne, 14 juillet
Le parti nazi est proclamé parti unique.

Japon, 20 juillet
Y. Shimizu invente une nouvelle mitrailleuse pouvant tirer jusqu'à 1 000 coups à la minute.

Vatican, 20 juillet
Concordat avec l'Allemagne.

Cuba, 3 octobre
Après avoir destitué le dictateur Gerardo Machado le 12 août, le nouveau président, Fulgencio Batista, déloge 400 militaires « machadistes » retranchés dans l'hôtel *Nacional* : 119 morts.

Chicago, 12 novembre
Fin de l'Exposition universelle : 22,3 millions de visiteurs.

Washington, 17 novembre
Relations diplomatiques établies avec Moscou.

Etats-Unis, 5 décembre
Fin de la prohibition.

Paris, 7 décembre
La Condition humaine d'André Malraux reçoit le prix Goncourt. →

Rome, 31 décembre
Constatant l'échec du Pacte à quatre (l'Allemagne s'étant retirée de la SDN, la France refusa de le soumettre aux Chambres), Mussolini déclare : « C'est sa majesté le canon qui parlera. »

Pennsylvanie
Henri Matisse achève sa peinture murale, *La Danse*, à la fondation Barnes. Au cours des travaux préparatoires (1932), il utilise pour la première fois des papiers gouachés découpés.

Londres
Aldous Huxley : *Le Meilleur des mondes*.

Le Japon et l'Allemagne quittent la SDN

Genève, 27 mars et 14 oct. 1933
Le Japon et l'Allemagne quittent la SDN alors qu'ils n'ont pas respecté le traité de Versailles de 1919. Le Japon, accablé par les conclusions d'une commission d'enquête après l'invasion de la Chine du Nord par ses troupes, quitte l'organisation le 27 mars. En Allemagne, Hitler est au pouvoir et envisage déjà un plan de réarmement, malgré les protestations de la France. Le chancelier décide de quitter la SDN le 14 octobre. Il fait approuver sa décision par référendum le 12 novembre et par là même proclame l'an I du nazisme. Une fois de plus, les rivalités entre Etats auront eu raison des résolutions prises par la SDN.

Retraite aux flambeaux du NSDAP de la porte de Brandebourg à la Chancellerie.

Hitler installe la dictature nazie

Allemagne, 23 mars 1933
La mise au pas de l'Allemagne ne prend que cinq mois et demi. Entre la nomination d'Hitler à la chancellerie (30 janvier 1933) et la proclamation du parti nazi comme parti unique (14 juillet 1933), les mesures coercitives successives referment inexorablement l'étau sur une société allemande partagée entre l'enthousiasme sincère, l'attentisme dubitatif et le « suivisme » apeuré. Dans les premières semaines, Hitler tente de rassurer l'opinion et d'élargir ses soutiens. Il se contente de deux ministres nazis : Goering à l'Air et Frick à l'Intérieur. Il annonce le surlendemain de son arrivée au pouvoir une restauration des valeurs familiales et chrétiennes, en vue d'un « redressement national ». Les milieux catholiques se laissent séduire. Mais, simultanément, une épuration administrative place ses sympathisants aux postes clés. Le 4 février 1933, un décret « pour la sauvegarde du peuple allemand » autorise le préfet de police à contrôler la presse et les réunions des opposants. A partir du 22 février, la police fait appel à des volontaires pour étoffer ses effectifs jugés insuffisants. Au lendemain de l'incendie du Reichstag (27 février), les libertés de presse, de réunion et d'association sont supprimées et les premiers camps de concentration sont créés : Heinrich Himmler ouvre Dachau le 20 mars. Le 23 mars, Hitler obtient les pleins pouvoirs.

Soldat des SA (Sections d'assaut) devant un magasin juif.

L'incendie criminel du Reichstag, le 27 février 1933, servit de prétexte pour éliminer l'opposition communiste.

Franklin D. Roosevelt annonçant la politique du « New Deal ».

Le New Deal : une nouvelle donne pour le peuple américain

Washington, 16 juin 1933
Proclamant : « Je vous engage et je m'engage à une nouvelle donne pour le peuple américain », Roosevelt soumet au Congrès une série de mesures d'urgence destinées à briser le cercle vicieux de la dépression. Certains textes sont établis, présentés, discutés, votés et signés dans la même journée. Le 4 mars, jour où il prête serment, une loi accorde aux institutions financières un moratoire pour le règlement de leurs dettes. Un embargo sur l'or est décrété le 10, Wall Street rouvre le 15. L'étalon or est abandonné le 19 avril, le dollar finit par se stabiliser. Le 12 mai, une loi subventionne les exploitants qui acceptent de réduire leurs emblavures. Le *Reciprocity Trade Agreement Act* adopté le 12 juin marque un recul du protectionnisme. La loi industrielle du 16 relève les salaires et réglemente la durée du travail.

Roosevelt en déplacement.

Le dollar se stabilise. Photomontage.

La stérilisation au service de la "race aryenne"

Berlin, 26 juillet 1933
A Berlin, un décret pris en Conseil des ministres rend obligatoire la stérilisation des meurtriers, des débiles mentaux et des pervers sexuels. La mesure est exécutoire sans l'accord des intéressés. Prise au nom de la défense de la race aryenne, elle est une des premières applications de l'eugénisme : « Par cette loi, l'Allemagne témoigne de sa volonté consciente de perfectionner physiquement la qualité de la race. Elle met fin à la politique libérale de repopulation. » Depuis la fin du XIXe siècle et les travaux de l'anthropologue anglais Francis Galton sur l'hérédité du génie, de doctes groupuscules s'interrogent sur la part de l'inné et de l'acquis, autrement dit sur l'influence respective de la génétique et de l'environnement dans le développement de l'intelligence. Dévots du progrès de l'espèce, ils ne cachent pas leur envie d'émasculer les anomalies de la nature.

Purges et famines en Union soviétique

URSS, 1933
Malgré des chiffres officiels triomphalistes concernant la collectivisation quasi intégrale des terres, l'hiver 1932-1933 voit réapparaître la famine, notamment en Ukraine. Staline décide alors le renforcement des mesures de prélèvement : les paysans doivent à nouveau livrer leurs céréales aux bas prix fixés par l'Etat et ils préfèrent souvent les détruire, ainsi que leur cheptel. L'achat de blé américain est nécessaire pour permettre la « soudure » que l'intensification de la répression contre les agriculteurs rend impossible. Cet échec de la collectivisation, comparé aux succès industriels, s'explique par des facteurs naturels, mais aussi techniques : insuffisance des engrais et de l'outillage, faux pas dans les méthodes nouvelles introduites par les conseillers étrangers. Significativement, le procès d'avril 1933 les concerne : les ingénieurs de la compagnie anglaise Metro-Vickers sont condamnés à de lourdes peines comme « ennemis du socialisme ».

Le poète grec Cavafis est mort à Athènes

Athènes, 1933
Le poète grec Cavafis vit à Alexandrie que contrôlent les Anglais ; des revers de fortune le contraignent à devenir un modeste fonctionnaire. Homosexuel dans une société de moralité victorienne, il est un perpétuel marginal solidaire de tous les opprimés. Passionné d'histoire, il établit des analogies entre le monde hellénistique d'hier et celui d'aujourd'hui, entre l'impérialisme britannique et l'Empire romain. Il fustige dans ses *Poèmes* toutes les formes d'oppression, dans une langue très épurée, précise, suggestive, rigoureuse. Ce ne fut qu'à partir de 1910 que ce génial avant-gardiste connut le succès.

L'"Eloge de l'ombre" du Japonais Tanizaki

Tokyo, 1933
Ecrivain non conformiste, Tanizaki Junichiro (1886-1965) livre dans *Eloge de l'ombre* ses réflexions sur la conception japonaise du beau. A l'intensité aseptisante des éclairages occidentaux, il oppose le goût japonais pour les lieux ombreux « où se savoure la poignante mélancolie des choses ».

Heisenberg et Morgan reçoivent le Nobel

Stockholm, 10 décembre 1933
Le prix Nobel de physique, qui n'avait pas été attribué en 1932, vient d'être remis rétrospectivement au physicien allemand Werner Heisenberg. C'est à Copenhague, où il travaillait à l'Institut dirigé par Niels Bohr, qu'il publia en 1925 un article exposant les bases du formalisme matriciel de la théorie quantique. Professeur à Leipzig, Werner Heisenberg a assisté à la remise des prix en même temps que le Britannique Paul Dirac et l'Autrichien Erwin Schrödinger, inventeur de la mécanique ondulatoire, lauréats du prix Nobel de physique 1933. Auteur d'une théorie chromosomique de l'hérédité, le biologiste américain Thomas Hunt Morgan a reçu le prix Nobel de médecine.

King Kong et Fay Wray.

"La Condition humaine" d'André Malraux

Paris, 7 décembre 1933
La révolution pour André Malraux n'est pas la promesse d'une libération collective mais la participation individuelle à l'histoire en train de se faire, l'action est un geste de volonté face à la mort. *Le Temps du mépris* (1936) dénoncera le totalitarisme nazi, et *L'Espoir* (1937) le fascisme espagnol.

"King Kong" conquiert les salles obscures

Hollywood, 1933
La fragile Fay Wray dans la grosse patte du singe géant perché au sommet de l'*Empire State Building* : le film de E.B. Schœdsack renouvelle le mythe de la Belle et la Bête.

Naissance d'Air France

Paris, 7 octobre 1933
Concentration dans l'aviation civile : avec le rachat de la SCECLA, sur l'initiative du gouvernement, Air France devient la seule compagnie internationale française. La SCECLA était née, il y a trois mois, de la fusion de la Société générale des transporteurs aériens, de la Compagnie internationale de navigation et d'Air Orient. Bien que la nouvelle compagnie dispose déjà de 259 appareils, pour un réseau de 38 000 km, son président souhaiterait le moderniser. Cette création répond aux vœux du gouvernement, qui subventionne le secteur aéronautique depuis 1932. L'Etat a choisi de parachever une nationalisation de fait.

La flotte d'Air France.

1934

Berlin, 26 janvier
Accord de non-agression germano-polonais.

Paris, 6 février
Les ligues marchent sur la Chambre des députés. Emeute et fusillade place de la Concorde. →

Belgique, 17 février
Mort accidentelle du roi Albert Ier. Léopold III lui succède le 23.

Managua, 21 février
Assassinat du chef des guérilleros nicaraguayens, Cesar Sandino.

Manchourie, 1er mars
Le couronnement du régent Pu Yi ressuscite l'empire, grâce aux Japonais qui, occupant dès 1931 le pays, le déclarèrent indépendant.

Estonie, 12 mars
Le président de l'Assemblée générale K. Prats instaure la dictature.

Allemagne, 21 mars
Hitler emploie les chômeurs à construire des autoroutes.

Saragosse, 11 avril
Etat d'urgence, du fait de la grève générale lancée en mars par les anarcho-syndicalistes de la CNT.

France, 17 avril
Expulsion de Trotski.

France, 10 mai
Ses longs séjours en sanatorium seront pour Roland Barthes l'occasion de rédiger ses premiers articles qui constitueront *Le Degré zéro de l'écriture*.

Lettonie, 15 mai
Putsch du leader agrarien Ulmanis.

Bulgarie, 19 mai
Putsch militaire.

Paris, 2 juin
Inauguration du zoo de Vincennes.

Allemagne, 14 juin
La Banque centrale décide de ne plus honorer ses dettes internationales.

Venise, 16 juin
Fin des trois jours d'entrevue entre Hitler et Mussolini.

Allemagne, 29-30 juin
Elimination physique des SA : c'est la « Nuit des longs couteaux ». →

Allemagne, 9 juillet
H. Himmler prend la direction des camps de concentration, à la tête desquels il place ses SS.

Vienne, 25 juillet
Tentative de putsch nazi : E. Dollfuss, qui avait échappé à un attentat nazi le 17 février, est assassiné. Le 29, Kurt von Schuschnigg devient chancelier.

France, 11 août
Hélène Boucher devient l'« aviatrice la plus rapide du monde » avec une moyenne de 445 kmh. Elle avait déjà remporté un record d'altitude. Elle s'écrasera en vol le 1er décembre.

Berlin, 19 août
Depuis la mort, le 2 avril, du maréchal Hindenburg, Hitler cumule les fonctions de chancelier et de président du Reich. Ayant décidé de faire confirmer ses nouvelles prérogatives par un vote, il organise des élections au cours desquelles 38 millions de ses concitoyens (soit 89,93 %) lui renouvellent leur confiance. Il est désormais le maître absolu de l'Allemagne.

Tunisie, 3 septembre
Habib Bourguiba, qui a fondé le parti Néo-Destour le 2 mars, est en résidence surveillée.

Genève, 17 septembre
Admission de l'URSS à la SDN.

Marseille, 9 octobre
Assassinat d'Alexandre de Yougoslavie et du ministre Louis Barthou.

Etats-Unis, 15 octobre
10,8 millions de chômeurs.

Espagne, 18 octobre
L'insurrection des Asturies (5 octobre) est écrasée ; celle de Catalogne a échoué le 7 et le statut d'autonomie dont jouissait la province est suspendu le 19 décembre.

Chine, 6 novembre
Mao Zedong entame la « Longue Marche ». →

Leningrad, 1er décembre
Serge Kirov, secrétaire du parti pour la ville de Leningrad, nouvellement élu au secrétariat du comité central, est assassiné. →

Perse, 27 décembre
Le pays s'appellera désormais l'Iran.

France
Les Origines du caractère chez l'enfant d'Henri Wallon.

6 février : les ligues à l'assaut de la IIIe République

Paris, 6 février 1934
Au début de l'année, le scandale politique et financier de l'affaire Stavisky réactive l'agitation antiparlementaire entretenue par les ligues. Le radical Edouard Daladier, succédant à Camille Chautemps à la présidence du Conseil, est décidé à réprimer cette opposition dirigée contre un régime que ses adversaires jugent corrompu et incapable. Saisissant le prétexte du renvoi du préfet de police Chiappe, compromis avec l'extrême droite, les ligues (Action française, Jeunesses patriotes, Croix de feu), les associations d'anciens combattants (dont celle du parti communiste, l'ARAC) et des conseillers municipaux manifestent devant le Palais-Bourbon le jour de la présentation du nouveau gouvernement à la Chambre. Ce rassemblement protéiforme, réunissant d'authentiques fascistes encouragés par les événements européens et de petites gens écœurés par les scandales et désespérés par la crise, dégénère en émeute : 1 policier et 16 manifestants tués et 1 000 blessés. Le 9, la contre-mani-

Manifestation d'anciens combattants place de la Nation, février 1934.

festation du PC et de la CGT fait 9 morts. Le même jour, Daladier démissionne et Gaston Doumergue met en place un gouvernement d'union nationale qui exclut le PCF et la SFIO, disloquant ainsi la majorité du Cartel de 1932. L'émotion provoquée par l'émeute du 6 février dans les rangs de la gauche, qui l'interprète comme une tentative de coup de force fasciste, est un des ferments de la future coalition du Front populaire.

Les émeutes du 6 février 1934, place de la Concorde à Paris.

Climat de guerre civile en Autriche

Vienne, 16 février 1934
L'insurrection sociale-démocrate déclenchée le 1er février, à la suite de brutalités policières, est écrasée par l'armée qui tire sur les militants de la LPR (Ligue de protection de la république), branche armée du parti social-démocrate. De nombreux fonctionnaires sont arrêtés, notamment Seitz, le maire de Vienne, et Renner, ancien chancelier et actuel président du Parlement. La loi martiale est proclamée, et le PSD est interdit ainsi que les organisations et syndicats qui en émanent. Le bilan dressé par la préfecture de police est sévère et fait état de 297 morts et 802 blessés, parmi lesquels on dénombre 193 victimes dans les rangs de la LPR.

Deux victimes des affrontements du 16 février 1934 à Vienne.

La Longue Marche des communistes chinois

Chine, 6 novembre 1934
Harcelées par les troupes nationalistes du gouvernement central de Nankin, les troupes communistes, qui ont fondé en 1931 la « République soviétique chinoise », sont obligées de se replier. Maîtres de la région de Kiangsi (au sud-est de la Chine), les communistes doivent abandonner la province à l'automne 1934 après les défaites successives subies par leur général, Chu Teh, et sont poursuivis par les troupes d'élite de Chiang Kai-shek. Responsable de la section politique au sein du parti communiste, Mao défend la thèse d'une révolution paysanne plutôt que prolétarienne. Il prend la route de la province de Chensi, située à 12 000 km plus au nord, où il espère disposer d'un soutien actif de la population. C'est le début, pour environ 130 000 personnes, de la

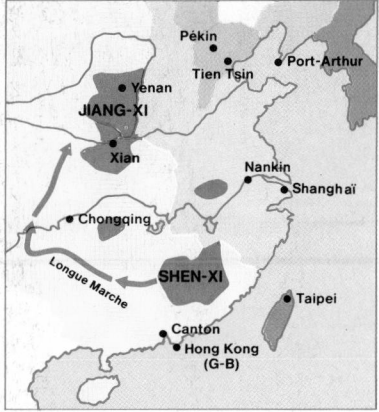

La Longue Marche pour 130 000 communistes chinois.

Longue Marche, dont le succès entrera dans la légende de Mao Zedong, et affermira son rôle de chef du mouvement communiste révolutionnaire chinois. De cette épreuve, tant militaire qu'humaine, sortiront les futurs cadres de la Chine.

Zhou Enlai, Mao Zedong et Zhu De, chefs historiques du PC chinois.

Hitler liquide les SA lors de la "Nuit des longs couteaux"

Berlin et Munich, 29-30 juin 1934
Alors qu'Hitler envisage de prendre la succession du président Hindenburg, la formation des SA devient une opposition gênante. Véritable mouvement de masse (plus de 3 millions d'adhérents), elle représente un formidable espoir de promotion sociale pour les déclassés et les chômeurs qu'elle rassemble. L'ambition de son chef, Ernst Röhm, est d'en faire le noyau de la future armée allemande et le fer de lance de la « seconde révolution » nationale-socialiste. Face à ces prétentions susceptibles de lui aliéner le soutien de l'armée et des milieux conservateurs, Hitler décide une purge générale du NSDAP. Dans la nuit du 29 au 30 juin 1934, la répression, sous la conduite de Goering et Himmler, frappe les chefs SA dont Röhm, les membres du « complot de gauche » Schleicher et Strasser, et ceux de l'opposition conservatrice, Klausener et von Kahr.

Purges staliniennes après l'assassinat de Kirov à Leningrad

Leningrad, 1er décembre 1934
Serge Kirov, secrétaire du parti pour la ville de Leningrad, qui venait d'être élu au secrétariat du comité central, est assassiné par le jeune communiste Nicolaïev dans les couloirs mal gardés de l'Institut Smolny. Or, le responsable de la sécurité périt le lendemain, circonstance qui donne à penser que Staline a fait exécuter par le NKVD (commissariat du peuple à l'Intérieur) un rival trop populaire et inattaquable du fait de son orthodoxie. Cet attentat servira à justifier la première grande épuration des opposants politiques et les procès qui débuteront en 1935. Le soir même, Staline institue une procédure expéditive de condamnation à mort grâce à laquelle, quatre années durant, au rythme de la découverte de prétendus « centres comploteurs », il pourra « purger » le parti. La répression est immédiate : 85 exécutions ont lieu en décembre.

Johnny Weissmuller dans le rôle de Tarzan. 1934.

Johnny Weissmuller incarne Tarzan

Hollywood, 2 décembre 1934
Tarzan, l'homme singe, est incarné par Johnny Weissmuller, le sensationnel champion olympique de natation. Le film est parlant : les spectateurs entendent, enfin, le cri du héros imaginé par le romancier Edgar Rice Burroughs, un savant mixage mêlant une vocalise de ténor au chant tyrolien.

Le roman policier vu par Agatha Christie

Londres, 1934
Le dernier livre d'Agatha Christie (1891-1976), *Le Meurtre de l'Orient-Express*, illustre bien sa conception du roman policier ; seule l'énigme importe et le dénouement, dû au brillant Hercule Poirot, serre de près la fin du récit. Le savoir-faire de l'auteur déroute le lecteur avant de le surprendre : tous sont coupables.

Agatha Christie.

Bachelard : "Le Nouvel Esprit scientifique"

Paris, 1934
Analysant les conditions de la connaissance scientifique, Gaston Bachelard (1884-1962) soutient qu'elle ne progresse que par une victoire sur les obstacles épistémologiques successifs. Lorsqu'elle est ainsi capable d'intégrer les grandes révolutions du savoir, la philosophie des sciences devient un rationalisme appliqué.

Bachelard.

Fascisme et sexualité : l'analyse de W. Reich

Lucerne, 26 août 1934
Au congrès de l'Association internationale de psychanalyse, Wilhelm Reich rompt avec Sigmund Freud. Si ses idées politiques et scientifiques l'éloignaient de plus en plus du fondateur de la psychanalyse, il n'en a pas moins été exclu du parti communiste pour cause de freudisme l'année précédente. Cherchant à orienter la psychanalyse dans le sens d'une subversion sociale, il fonde à Berlin la ligue pour une politique sexuelle prolétarienne, « Sexpol ». Il publie *La Psychologie de masse du fascisme* (1933), *Qu'est-ce que la conscience de classe ?* (1934). Etabli aux Etats-Unis, il développera, durant le maccarthysme, un délire paranoïaque à thème mystique et cosmogonique.

Affiche de lancement de la Citroën 7 CV. Ses multiples qualités sont dues notamment à la traction avant, qui constitue alors une grande nouveauté.

1935

Rome, 1er janvier
Libye : nom donné à la fusion des colonies italiennes de Cyrénaïque, Tripolitaine et Fezzan. Le 7, un accord avec Pierre Laval laisse les mains libres à Mussolini en Ethiopie.

Sarre, 13 janvier
Le référendum organisé conformément aux clauses du traité de Versailles est dépourvu de toute ambiguïté : 90,8 % des électeurs se prononcent pour le rattachement à l'Allemagne, ce qui représente pour Hitler un succès significatif.

Moscou, 17 janvier
Arrestation de Grigori Zinoviev et Lev Kamenev, ainsi que de plusieurs autres responsables communistes, à la suite du meurtre de Kirov.

Londres, 24 janvier
Le *British India Act* donne un statut fédéral à l'Inde.

Paris, 15 mars
Service militaire doublé de 12 à 24 mois.

Allemagne, 16 mars
Rétablissant le service militaire obligatoire, Hitler décide de réarmer la nation.

Italie, 11 avril
Conférence de Stresa. →

Allemagne, 12 avril
Les non-Aryens sont exclus de la Chambre des écrivains et interdits d'activité littéraire.

Genève, 17 avril
La SDN condamne à l'unanimité le réarmement allemand.

Paris, 2 mai
Pacte d'assistance mutuelle franco-soviétique, en réaction au réarmement allemand.

New York, 3 juin
Première traversée du *Normandie*. →

Union soviétique, 9 juin
Adoption de principe de la responsabilité familiale en matière pénale.

Paraguay, 12 juin
Fin de la « guerre du Chaco » avec la Bolivie.

Paris, 14 juillet
Important rassemblement populaire de la Bastille à la Nation, où se retrouvent côte à côte socialistes et communistes.

France, 16 juillet
Mesures déflationnistes du gouvernement Laval. →

Washington, 31 août
Premier *Neutrality Act*.

Allemagne, 15 septembre
Lois racistes de Nuremberg. →

Genève, 29 septembre
Haïlé Sélassié annonce à la SDN la mobilisation générale en Ethiopie, envahie dès le 3 octobre. →

Athènes, 10 octobre
Abolition de la république. L'Assemblée nationale rétablit la monarchie. Plébiscite le 3 novembre : 95 % des électeurs approuvent le retour du roi, Georges II.

Allemagne, 12 octobre
La « musique nègre de jazz » est interdite.

Chine, 20 octobre
Fin de la Longue Marche de Mao à Yenan : de 130 000 hommes, l'armée est réduite à 30 000, mais continue son combat contre le régime de Nankin.

Union soviétique, 21 novembre
Stakhanov, premier héros du travail. →

Chine, 1er décembre
Chiang Kai-shek est élu président de la République.

Paris, 9 décembre
Premières émissions de télévision sur un écran de 21 x 18 cm.

Stockholm, 10 décembre
Prix Nobel de chimie aux Joliot-Curie. →

Etats-Unis, 17 décembre
Premier vol du DC-3. →

Brésil
Claude Lévi-Strauss (né en 1908), en poste à l'université de Sao Paulo, accomplit ses premières expéditions chez les Indiens d'Amazonie, missions ethnologiques qui lui fourniront la matière de *Tristes Tropiques* (1955).

Londres
Avec les *Penguin Books*, Allen Lane invente le livre de poche.

Paris
La guerre de Troie n'aura pas lieu de Jean Giraudoux.

Princeton
Découverte des « virus filtrants » par le biochimiste Wendell-Meredith Stanley.

Les ambitions d'Hitler condamnées à Stresa

Stresa, 11 avril 1935
Encouragé par le succès du plébiscite sur le rattachement de la Sarre à l'Allemagne (13 janvier), Hitler poursuit sa politique de réarmement. Les Européens restent sans réaction jusqu'à la décision allemande du 16 mars rétablissant le service militaire. Le 11 avril, une conférence franco-anglo-italienne, présidée par Mussolini, s'ouvre à Stresa, au bord du lac Majeur. Les trois participants y condamnent les violations délibérées du traité de Versailles par l'Allemagne. Cette déclaration restera d'ailleurs dépourvue du moindre effet. Et bientôt la crise italo-éthiopienne va briser ce fragile accord. D'ailleurs, dès juin, sans consulter ni la France ni l'Italie, l'Angleterre signera avec l'Allemagne un accord acceptant que celle-ci reconstruise une marine de guerre.

L'empereur d'Ethiopie, Haïlé Sélassié Ier entouré de ses dignitaires.

Les troupes italiennes envahissent l'Ethiopie

Ethiopie (Abyssinie), 3 oct. 1935
Les troupes italiennes envahissent l'Ethiopie, sous le prétexte d'un incident survenu près d'un an auparavant (5 décembre 1934) à Ual-Ual, à la frontière de la Somalie italienne et de l'Ethiopie. Mais l'invasion, préparée de longue date, résulte en fait de la volonté de Mussolini de venger la défaite subie en 1896 à Adoua et de doter l'Italie d'un empire colonial. Ayant rejeté toutes les propositions d'arbitrage, Mussolini a, depuis le 5 février, massé en Somalie et en Erythrée près de 400 000 hommes équipés en chars, aviation, artillerie et armes chimiques. N'ayant en face d'eux que des troupes vaillantes mais totalement dépourvues d'armement moderne, les Italiens, prenant en tenaille le territoire éthiopien, remportent rapidement une série de victoires.

Capitulation des chefs éthiopiens.

La Chine du Nord annexée par le Japon

Chine du Nord, 1935
Dès 1931, prétextant quelques incidents, le Japon annexe la Manchourie et l'érige en un prétendu Etat indépendant sous le nom de Manchukuo. En 1933, malgré les résolutions de la SDN, les Japonais continuent leur expansion en Chine du Nord (province du Jehol). Le Kuomin-tang, sous la direction de Chiang Kai-shek, ne répond que faiblement à l'agression. Le gouvernement chinois, manquant de moyens et plus préoccupé par la lutte contre les troupes communistes de Mao Ze dong, est incapable de s'opposer à l'invasion nippone. Très rapidement, l'attitude du Kuo-min-tang est condamnée par une partie de l'opinion chinoise. Certains milieux étudiants et bourgeois manifestent contre la guerre civile et pour la formation d'un front uni avec les communistes. Profitant de l'absence relative des puissances européennes dans la région, le Japon a voulu développer sa politique de « grignotage » à l'égard de son voisin. Il aura en fait permis à la Chine de refaire, momentanément, son unité devant le danger. Ce sera le début d'un « front uni » contre l'envahisseur nippon.

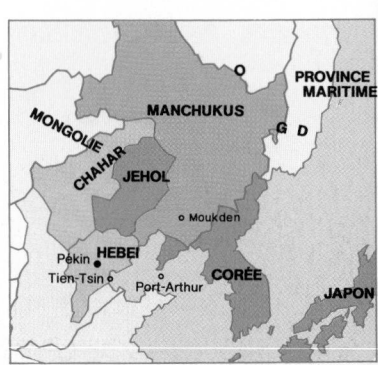

Expansion japonaise en Chine du Nord (province du Jehol).

L'étendard personnel d'Adolf Hitler.

L'esplanade de Nuremberg.

Dévaluation réussie en Belgique

Belgique, 1935
L'entrée de la Belgique dans la crise correspond à l'avènement de Léopold III en février 1934. Le ministre des Finances Camille Gutt tente une inutile déflation dans l'espoir de préserver la convertibilité en or du franc belge. La fuite des capitaux oblige le gouvernement à démissionner. Le roi appelle un technicien de réputation internationale, Paul Van Zeeland (1893-1973). Il n'hésite pas à dévaluer le franc belge de 28%. Les capitaux rentrent et l'activité économique reprend.

Echec de la déflation Laval en France

Paris, 16 juillet 1935
Président du Conseil pour la quatrième fois le 7 juin, Pierre Laval est confronté au cercle vicieux de la dépression économique : la production a baissé de 25 % par rapport à 1929, les salaires de 20 % et les exportations de 60 % ! Il cherche à redresser la balance par une rigoureuse déflation. Des décrets-lois abaissent de 10% le traitement des fonctionnaires et augmentent les impôts. Inefficaces car elles aggravent la sous-consommation, ces mesures favorisent l'union des gauches.

Antisémitisme et lois racistes en Allemagne

Nuremberg, 15 septembre 1935
L'obsession raciale est un des fondements de la doctrine nationale-socialiste. Dès l'arrivée au pouvoir d'Hitler, le régime nazi applique une législation essentiellement antisémite dont les lois de Nuremberg, promulguées le 15 septembre 1935 lors du congrès du NSDAP, constituent le sommet. La loi « sur la citoyenneté allemande » supprime les derniers droits civiques dont disposent encore les Juifs, les excluant de la communauté nationale. La loi « sur la sauvegarde du sang et de l'honneur allemands » interdit les mariages et les relations extraconjugales entre Juifs et Allemands, les unions déjà contractées étant dissoutes, et défend aux Juifs d'employer à leur service des femmes allemandes de moins de quarante-cinq ans. Ces lois consacrent les persécutions dont est victime la communauté juive depuis 1933 ; elles annoncent les mesures de 1938 qui interdiront toute activité professionnelle aux Juifs et précipitent leur émigration vers les pays démocratiques.

Prix Nobel à Irène et Frédéric Joliot-Curie

Stockholm, 10 décembre 1935
L'Académie royale de Stockholm décerne le prix Nobel de chimie à un couple de scientifiques français, Irène et Frédéric Joliot-Curie, pour leurs travaux sur la radioactivité artificielle. Leurs recherches ont, en outre, permis d'isoler le neutron, premier pas vers les découvertes de l'Anglais Chadwick, qui vient de recevoir le prix Nobel de physique. Pour Irène, le Nobel est une tradition familiale. Ses parents, Pierre et Marie Curie, se le virent attribuer en 1903 et 1911.

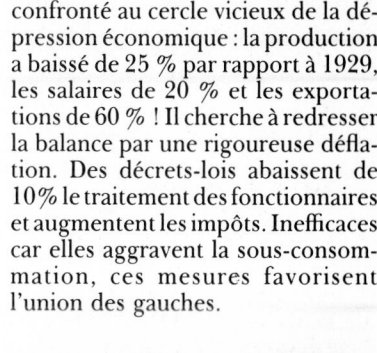

Les célèbres savants Irène et Frédéric Joliot-Curie.

Stakhanov, héros du travail en URSS

URSS, 21 novembre 1935
Une grande campagne de presse fait connaître au monde ébloui les « faits héroïques » d'un jeune mineur du bassin du Donets : Alexeï Stakhanov (né en 1906) est parvenu à extraire, en 6 heures, 102 puis 227 tonnes de charbon d'un même filon, le travail d'un mineur moyen étant cinq fois moindre. Cet exploit est dû à la nouvelle organisation du travail en équipe, inspirée du taylorisme. Dans toutes les entreprises, les ouvriers travaillent devant le portrait de ce « héros du travail » qui ouvre la voie à des performances stimulées par un système de récompenses.

Alexeï Stakhanov (au premier plan) parmi les mineurs du Donets.

L'avion vedette des années 30 : le DC-3

Etats-Unis, 17 décembre 1935
Pour le 32ᵉ anniversaire du premier vol des frères Wright, Donald Douglas lance son DC-3 qui servira au transport militaire et deviendra après-guerre le type même de l'avion de ligne. Les DC-3 sont encore utilisés : certains totalisent 80 000 heures de vol.

Le DC-3, le nouvel avion américain lancé par Donald Douglas.

Le paquebot « Normandie » dans le port de New York.

"Normandie" remporte le Ruban bleu

New York, 3 juin 1935
Le paquebot français remporte le Ruban bleu récompensant le navire le plus rapide sur la traversée de l'Atlantique. Dans la concurrence qui l'oppose au *Queen Mary* britannique, il s'adjuge une manche capitale. Les deux géants (80 000 tonnes chacun) font assaut de luxe et de vitesse pour gagner une clientèle huppée. Aussi le grand vainqueur du défi est-il le financier du *Normandie*.

Le premier sondage d'opinion par Gallup

Etats-Unis, 1935
Alors que le « vote de paille », organisé par le *Litterary Digest*, se trompait en donnant Landon vainqueur des présidentielles, l'institut de sondages privé Gallup a su prévoir la victoire de Roosevelt. C'est aussi la victoire du sondage scientifique, respectueux de la loi des grands nombres et de la représentativité des échantillons, sur les estimations empiriques.

1936

Washington, 6 janvier
La Cour suprême déclare l'*Agricultural Adjustment Act* (AAA) non conforme à la Constitution. →

Paris, 17 janvier
Fin du procès Stavisky : neuf politiciens condamnés, onze acquittés.

Angleterre, 20 janvier
Mort du roi George V.

Buenos Aires, 21 janvier
Traité de paix mettant fin à la guerre du Chaco : la plus grande partie des territoires contestés revient au Paraguay.

Londres, 11 février
Les Temps modernes de Charlie Chaplin.

Madrid, 16 février
Victoire électorale du *Frente popular*, coalition de gauche. Gouvernement du républicain Manuel Azana, que les Cortès proclameront chef de l'Etat le 10 mai.

Tokyo, 26 février
Tentative de coup d'Etat militaire : assassinat du président du Conseil Okada.

Allemagne, 26 février
Hitler inaugure à Fallerslebe (Basse-Saxe) la première usine Volkswagen.

Londres, février
John Maynard Keynes publie *Théorie générale de l'emploi, de l'intérêt et de la monnaie.* →

Rhénanie, 7 mars
Hitler répudie les accords de Locarno. Les troupes de la Wehrmacht pénètrent dans la zone démilitarisée. →

Palestine, 21 avril
Sévères affrontements entre Juifs et Arabes. →

Egypte, 28 avril
Mort de Fouad Ier (né en 1868). Son fils Farouk lui succède.

France, 3 mai
Victoire électorale du Front populaire. →

Ethiopie, 5 mai
Les troupes italiennes pénètrent dans Addis-Abeba. L'empereur Haïlé Sélassié se réfugie à Djibouti et partira en exil à Londres le 28 juin. Le roi d'Italie Victor-Emmanuel III est proclamé le 9 mai empereur d'Ethiopie.

France, 11 mai
Les ouvriers de la métallurgie et de l'aviation inaugurent les premières « grèves sur le tas », c'est-à-dire avec occupation des usines. Le 27, ces grèves se sont généralisées dans tout le pays et paralysent complètement l'économie.

France, 8 juin
Signature des accords de Matignon entre patronat et syndicats ouvriers : institution de la semaine de 40 heures et de deux semaines de congés payés par an.

France, 18 juin
Dissolution des ligues d'extrême droite.

France, 24 juin
Une loi est votée, instituant les conventions collectives.

Espagne, 13 juillet
L'assassinat de José Calvo Sotelo, chef du parti monarchiste, va fournir aux militaires d'extrême droite le prétexte pour déclencher un coup d'Etat contre la République.

Espagne, 17 juillet
Début de la guerre civile. →

Berlin, 1er août
Hitler ouvre les XIe Jeux olympiques. →

Grèce, 4 août
Dictature de Ioannis Metaxas. →

France, 9 août
Loi sur la scolarité obligatoire jusqu'à quatorze ans. Le 11, nationalisation des usines d'armement.

Chine, 11 août
Chiang Kai-shek s'empare de Canton.

Nicaragua, 12 août
Tacho Somoza élu président

Union soviétique, 19 août
Ouverture du premier procès de Moscou, dit le « procès des Seize ». Accusés d'avoir eu des contacts avec Trotski, mais aussi avec la Gestapo allemande, des vieux compagnons de Lénine comme Grigori Zinoviev et Lev Kamenev se « reconnaissent coupables » et seront fusillés le 25 août.

Espagne, 19 août
Assassinat de Lorca. →

Suez, 26 août
Accord anglo-égyptien : les Britanniques pourront occuper le canal pendant vingt ans.

La SDN impuissante face aux tensions internationales

Le 19 mars, la réoccupation militaire de la Rhénanie par l'Allemagne ne donne lieu qu'à une condamnation solennelle. En mai, la conquête de l'Ethiopie par Mussolini n'entraîne aucune réaction si ce n'est, le 15 juillet, l'abandon officiel des sanctions contre l'Italie (qui s'est retirée de la SDN le 12 mai). Durant l'été, enfin, la SDN se montre impuissante face aux interventions étrangères en Espagne. Dans ces trois cas, son incapacité à maintenir la paix et à faire respecter ses propres décisions est totale. Elle a pour conséquence d'encourager les Etats agresseurs, sûrs de leur impunité, et d'éloigner de la SDN les nations pacifiques qui ne s'y sentent

Haïlé Sélassié à la tribune de la SDN, à Genève en 1936.

plus protégées. Désormais, il n'y aura plus de sécurité collective. Pour dénoncer le nazisme devant la SDN, Stephen Lux, journaliste juif allemand, se suicide le 3 juillet en pleine séance.

Affrontements judéo-arabes dans le quartier juif de Jaffa.

L'Angleterre face au conflit judéo-arabe

Palestine, 21 avril 1936
Les quartiers juifs de Jaffa et de Tel-Aviv sont incendiés : les Arabes réclament l'arrêt complet de l'immigration des Juifs, la plupart fuyant l'Allemagne nazie, et s'opposent à l'achat de terres. Depuis la guerre, le nombre de colons est passé de 50 000 à 400 000, dont 60 000 pour la seule année 1935. Ces implantations, financées par le Fonds national juif et certaines banques américaines, sont accompagnées d'achats de terres en Judée et dans le Néguev, vendues par les grands propriétaires arabes. Les fellahs sans terre se sentent floués par les « envahisseurs ». Débat aux Communes le 19 juin : la Grande-Bretagne envisagerait un partage du territoire, qui est sous son mandat. Cette solution, acceptable pour les colons juifs, déchaîne la colère de la communauté arabe : la « révolte arabe » éclate le 12 octobre. C'est le début d'une longue série d'attentats terroristes antisionistes et antibritanniques.

Edouard VIII renonce au trône

Londres, 10 décembre 1936
La crise dynastique mobilise l'opinion britannique tout au long de l'année 1936 : trois rois se succèdent à Buckingham Palace. En janvier, George V s'éteint. En mai, son fils aîné, le prince de Galles, est couronné sous le nom d'Edouard VIII. Mais, bientôt, il annonce son intention d'épouser une Américaine deux fois divorcée, Mrs. Wallis Simpson. La nouvelle indigne les conservateurs et l'Eglise anglicane. Le Premier ministre Baldwin le presse d'abandonner son projet de mariage : « On ne baldwine pas avec l'amour... », titre *Le Canard enchaîné* ! Le 10 décembre, dans un message radiodiffusé, le roi annonce son abdication. Le duc d'York lui succède, sous le nom de George VI.

Edouard VIII scandalise l'Angleterre.

14 juillet 1936, place de la Nation : Blum, Thorez, Salengro, Viollette et Cot.

Victoire du Front populaire

Paris, 3 mai 1936

Divisées depuis le congrès de Tours de 1920, les forces de gauche se sont rapprochées à l'occasion du défilé unitaire du 14 juillet 1935 : Blum, Thorez et Daladier se sont retrouvés en tête du cortège. Le 7 mars 1936, au congrès de Toulouse, l'unité syndicale est rétablie par la fusion de la CGT (alors dans la mouvance socialiste) et de la CGTU (proche des communistes). L'élément nouveau est le changement de tactique du parti communiste. Depuis le VII⁰ congrès de l'Internationale communiste d'août 1935, il a renoncé à la ligne « classe contre classe » qui l'isolait des autres partis de gauche. Il tente de se rapprocher de toutes les forces antifascistes et « tend la main » aux catholiques. Lors des élections législatives des 26 avril et 3 mai 1936, communistes, socialistes et radicaux conservent leur propre programme mais dégagent des thèmes communs : lutte contre le fascisme et contre la déflation Laval. La gauche distance la droite de cent soixante sièges. Léon Blum forme le gouvernement le 4 juin.

Joan Miró : pour la république.

Affiche de propagande du gouvernement républicain espagnol.

Les grévistes des usines Lavalette à Saint-Ouen écoutant un discours à la TSF.

Le général Franco entouré des généraux Calvalcanti et Mola.

Trotski dénonce la "révolution trahie"

Turquie, 1936

De Turquie où il a dû fuir la vindicte de Staline, Trotski commente le récent développement des événements en URSS, où l'ère des grandes purges est inaugurée par le « procès des Seize ». Il juge que les principes léninistes ont été abandonnés au profit de la dictature de Staline. Pour lutter contre lui et dénoncer ses crimes, Trotski propose de former une nouvelle organisation révolutionnaire, une « IV⁰ Internationale ».

Retour d'URSS, Gide dit sa déception

France, novembre 1936

André Gide, jusqu'alors compagnon de route du parti communiste, publie *Retour de l'URSS*. Pour la première fois, un intellectuel dépourvu de malveillance à l'égard du communisme dit sa déception et sa crainte devant un régime qui asservit l'individu. Paraissant au moment où arrive en France la nouvelle du procès de Moscou, ce livre a un grand retentissement et avive les tensions au sein du Front populaire.

La guerre civile éclate en Espagne

Espagne, 18 juillet 1936

Le 13 juillet 1936, le député monarchiste Calvo Sotelo, adversaire déclaré du gouvernement du Front populaire, est assassiné. Le 17, une rébellion militaire, préparée de longue date, éclate dans les territoires marocains et aux Canaries. Le 18 et le 19, elle s'étend à l'Espagne ; un gouvernement rebelle, dirigé par le général Franco, est établi le 25 juillet à Burgos. Très vite, la plus grande partie de l'armée de terre et de la marine rejoignent la rébellion, tandis que l'aviation, la police et la garde d'assaut restent en majorité fidèles au gouvernement. Très vite également, il apparaît que le coup d'Etat n'a pas pleinement réussi : si les rebelles occupent en effet l'ouest et le nord de l'Espagne, le gouvernement maintient son autorité au Pays Basque, en Catalogne et en Nouvelle-Castille et contrôle les deux grandes villes du pays, Madrid et Barcelone. Le 1er août, le gouvernement Léon Blum adopte le principe de la non-intervention dans la guerre d'Espagne. Adopté ensuite par l'ensemble des pays européens, il ne sera jamais réellement appliqué, en particulier par Hitler et Mussolini (aux côtés des nationalistes) et l'URSS (au profit du PC espagnol).

1936

Paris, 9 septembre
Traités accordant dans les trois ans l'indépendance à la Syrie et au Liban, actuellement sous mandat français.

Tolède, 11 septembre
L'Alcazar, tenu par les nationalistes, est assiégé par les républicains pendant plus de deux mois : le palais est aux trois quarts détruit par les bombardements.

Nuremberg, 14 septembre
VIIIe congrès du parti nazi. Le « parti de l'honneur » décide de prolonger la durée du service militaire et donne à Hermann Gœring mission de renforcer le réarmement dans les quatre ans et d'améliorer le recensement de la jeunesse en appliquant la nouvelle loi sur le « service national du travail » : 300 000 jeunes travailleront pour le Reich pendant six mois, avant de rejoindre l'armée.

Groenland, 16 septembre
Message radio annonçant le naufrage du *Pourquoi pas ?*.

Tolède, 28 septembre
Francisco Franco, qui vient d'être nommé commandant en chef des forces nationalistes, s'empare de l'Alcazar.

Madrid, 3 octobre
Nouveau gouvernement républicain avec, pour la première fois, quatre ministres anarchistes. Le 7, les républicains forment à Guernica un gouvernement autonome basque. Le 6 novembre, le gouvernement républicain fuit Madrid bombardée par Franco et s'installe à Valence.

Manche, 13 octobre
Première liaison Paris-Londres assurée par un train transporté de nuit par bateau.

Bruxelles, 14 octobre
Le roi Léopold II préside son premier Conseil de la couronne : son discours confirmant la neutralité de la Belgique équivaut à renier ses obligations envers la France.

France, 16 octobre
Nationalisation des sociétés de construction aéronautique.

Bombay, 17 octobre
Trois jours d'affrontements entre musulmans et hindous : 42 morts.

Berlin, 23 octobre
Envoi par Hitler de la légion Condor en Espagne pour soutenir Franco.

Bagdad, 29 octobre
Putsch kémaliste (proturc) et probritannique.

Berlin, 1er novembre
Création de l'axe Rome-Berlin. Après avoir reconnu le 24 octobre Victor-Emmanuel III comme empereur d'Ethiopie, Hitler signait le lendemain un protocole d'amitié et de coopération avec l'Italie. Les deux pays reconnaissent le 18 novembre le gouvernement nationaliste de Burgos comme celui de l'Etat espagnol.

Hambourg, 4 novembre
Le « général rouge » Edgar André, leader de la Ligue des combattants rouges, est exécuté à la hache.

Lille, 18 novembre
Suicide au gaz de Roger Salengro, ministre de l'Intérieur, victime d'une campagne calomnieuse de la presse d'extrême droite.

Etats-Unis, 23 novembre
Premier tube au néon.

Berlin, 25 novembre
Pacte antikomintern avec le Japon, qui reconnaît le 28 Victor-Emmanuel III comme empereur d'Ethiopie.

New York, 9 décembre
Alfred Barr organise l'exposition *Fantastic Art, Dada and Surrealism*, où le *Déjeuner en fourrure* de Meret Oppenheim (1913-1985) fait sensation.

Londres, 10 décembre
Edouard VIII abdique pour se marier. →

Chine, 26 décembre
Prisonnier des communistes depuis le 12, Chiang Kai-shek est libéré contre la promesse de mener un combat unifié contre l'envahisseur japonais. →

Paris
Henry de Montherlant : *Les Jeunes Filles* et *Pitié pour les femmes* ; *Mort à crédit* de L.-F. Céline ; *César* de Marcel Pagnol ; *Les Beaux Quartiers* d'Aragon ; *Journal d'un curé de campagne* de Georges Bernanos ; première des *Bas-Fonds* de Jean Renoir.

Angleterre
Création du premier service public de la télévision par la BBC.

Roosevelt désavoué par les juges et plébiscité par les électeurs

Washington, 6 janvier 1936
Les cent jours du premier *New Deal*, marqués par le vote rapide de quelques lois très importantes, ont provoqué la vive opposition des milieux conservateurs et de la plupart des hommes d'affaires. Les principales de ces lois, l'*Agricultural Adjustement Act* et le *National Industrial Recovery Act*, ont été annulées par les juges de la Cour suprême, les « neuf vieillards » qui, selon Roosevelt, « foraient et sapaient » la Constitution. A la veille des élections présidentielles, l'opposition à Roosevelt s'organise au sein de son propre parti. Mais les démocrates ne tardent pas à le reconduire face au candidat républicain Alfred Lauson. La cam-

« *Frank Murphy veut courir* » et conduit F. D. Roosevelt à la victoire.

pagne est sans suspense et l'issue sans surprise : Roosevelt l'emporte par 523 suffrages électoraux contre 8, avec une majorité de 9 millions de voix. Ce vote massif entérine clairement le New Deal et incite le président à poursuivre l'expérience. Son pouvoir sort ainsi victorieux de cette lutte d'influence.

Gary Cooper et Jean Arthur dans une scène de « L'Extravagant Mr. Deeds », film de Frank Capra. 1936.

"Mr. Deeds"... ou la multiplication des sandwichs

Etats-Unis, 1936
Le réalisateur Frank Capra donne avec *L'Extravagant Mr. Deeds* une comédie de mœurs doublée d'une fable moralisatrice et bien pensante. Mr. Deeds, in-

carné par Gary Cooper, est un riche héritier qui distribue sa fortune aux chômeurs et aux déshérités. Bien entendu, sa famille, catastrophée par cette générosité « folle », tente de le faire interner. Dans la même veine des comédies pleines de bons sentiments face à la crise américaine, Capra réalisera *Vous ne l'emportez pas avec vous, Mr. Smith au Sénat*, etc.

Keynes, économiste du siècle

Londres, février 1936
John Maynard Keynes (1883-1946) était connu pour ses positions non conformistes sur les traités de paix. Il fit sensation en publiant le 31 décembre 1933 dans le *New York Times* une lettre ouverte pressant Roosevelt de recourir au déficit budgétaire massif pour juguler la crise américaine. En février 1936, Keynes publie à Londres sa *Théorie générale de l'emploi, de l'intérêt et de la monnaie* qui révolutionne la pensée économique. Il y montre que le niveau de l'emploi dépend de la demande globale, c'est-à-dire de la consommation des ménages et des investissements des entreprises. Pour soutenir la consom-

John Maynard Keynes.

mation, il recommande une intervention sociale et fiscale de l'Etat en faveur des ménages les plus pauvres ainsi qu'une action souple sur les taux d'intérêt.

Assassinats et putsch manqué au Japon

Tokyo, 26 février 1936
Depuis le début des années 1930, un groupe d'officiers extrémistes japonais multiplie les assassinats politiques : deux Premiers ministres trouvent la mort dans des attentats. Le 26 février 1936, deux divisions armées investissent les bâtiments publics et assassinent plusieurs ministres, dont Takahashi. L'empereur fait lancer au-dessus de Tokyo un ballon rouge auquel est attachée une pancarte ordonnant aux insurgés de renoncer à leur entreprise. Des haut-parleurs installés à proximité des lieux occupés par les rebelles diffusent un message de l'empereur : « Soldats, mes enfants, cessez immédiatement toute résistance, vous serez pardonnés ! » Trois jours plus tard, les insurgés se rendent.

Message de l'empereur à l'armée dans le ciel de Tokyo après le putsch manqué de 1936.

Front uni antijaponais en Chine

Xian, 26 décembre 1936
L'avancée japonaise en Chine ne donne lieu à aucune riposte de la part du gouvernement de Chiang Kai-shek. Ce dernier consacre tous ses efforts à la lutte contre les communistes. De jeunes officiers patriotes aspirent à mettre un terme à la guerre civile et à constituer un front uni de tous les Chinois contre l'envahisseur japonais. Le 12 décembre 1936, Chiang Kai-shek est à Xian, dans le Shanxi, pour lancer une nouvelle « campagne d'annihilation » contre les communistes : il est arrêté par ses propres généraux et retenu quinze

jours en captivité. Le guet-apens a été organisé par l'Association pour le salut national contre les Japonais, animée par la veuve de Sun Yat-Sen. L'opération a d'autre part été appuyée par les communistes, inquiets de l'alliance que le Japon vient de signer avec l'Allemagne le 25 novembre 1936 (pacte antikomintern). Au bout de quinze jours, Chiang Kai-shek est libéré, grâce à Zhou Enlai. Il a dû promettre d'arrêter toute opération de guérilla contre les communistes, de les intégrer à l'armée régulière et de durcir la résistance contre les Japonais.

Mermoz, pionnier de l'Aéropostale, disparaît

Atlantique Sud, 6 décembre 1936
Le 6 décembre 1936, à trente-cinq ans, l'aviateur français Jean Mermoz disparaît dans l'Atlantique Sud à bord de son hydravion *Croix-du-Sud*. Pilote de grand talent, il a ouvert de nombreuses lignes aériennes. Après un passage dans l'aviation militaire (1920-1924), il s'engage dans la Compagnie Latécoère. Le 10 octobre 1927, il réalise la première liaison directe de la France avec le Sénégal. Affecté en Amérique du Sud, il vole de nuit au-dessus de la cordillère des Andes et réalise les 12 et 13 mai 1930 la première liaison postale aérienne directe entre la France et l'Amérique du Sud.

Jean Mermoz.

La vieille garde bolchevique éliminée

Moscou, 24 août 1936
Staline lance une série de procès spectaculaires pour « activités contre-révolutionnaires » : seize cadres du parti sont mis en accusation, parmi lesquels Zinoviev, Kamenev, ancien président de l'Internationale

communiste, et Iagoda, ancien chef de la Guépéou. Ces procès, accompagnés de milliers d'arrestations, marquent le début des grandes purges qui se poursuivront jusqu'en 1938 et permettront à Staline d'éliminer ses adversaires.

L'idéal sportif perverti aux JO de Berlin

Berlin, 16 août 1936
C'est dans un contexte politique lourd de menaces que se sont déroulés à Berlin les XIᵉ Jeux olympiques. Dès la cérémonie d'ouverture, un certain malaise parcourt les tribunes lorsque plusieurs équipes, y compris l'équipe française, choisirent de faire devant Hitler le salut nazi plutôt que le salut olympique. Les nombreuses victoires remportées par les athlètes allemands (33 médailles d'or) comblèrent d'aise le Fürher et le public tout entier. Mais la déconvenue d'Hitler fut grande lorsque l'extraordinaire athlète noir américain Jess Owens, déjà détenteur de cinq records du monde, ravit la médaille d'or de saut en longueur à l'Allemand Long. Fort dépité, le Führer quitta la tribune officielle, afin de ne pas avoir à serrer la main d'un homme de couleur. Jess Owens fut d'ailleurs le héros incontesté de ces Jeux : il y gagna quatre médailles

Jess Owens, quatre fois champion olympique aux Jeux de Berlin. 1936.

d'or, enlevant le 100 mètres, le 200 mètres et le relais 4 x 100 mètres exploit qui restera dans les annales du sport.

La « Wolkswagen », conçue par Ferdinand Porsche, née en février 1936.

La Volkswagen, une voiture pour tous

Allemagne, 26 février 1936
Hitler inaugure l'usine dont sortiront les Volkswagen (« voitures du peuple ») conçue par Ferdinand Porsche. Elles ne coûteront que 990 marks. On en construira plus de vingt millions.

Metaxas instaure sa dictature en Grèce

Grèce, 4 août 1936
Rentré en Grèce en novembre 1935, le roi Georges II choisit pour successeur au Premier ministre décédé le général Metaxas. Sa politique autoritaire provoque des troubles sociaux de plus en plus graves. Le 4 août, en accord avec le roi, Metaxas abolit la Constitution et impose sa dictature sous prétexte d'agir contre la menace communiste. Il annihile toute opposition. Admirateur de l'Allemagne hitlérienne, il mène une politique sociale conforme au modèle fasciste. L'*Antigone* de Sophocle est proscrite à cause de ses idées démocratiques. La Grèce entre ainsi dans le réseau des Etats totalitaires d'Europe.

Frank Lloyd Wright. Kaufmann House (La « Maison sur la cascade »), à Bear Run en Pennsylvanie. 1936.

"La maison sur la cascade" de F. L. Wright

Bear Run (Pennsylvanie), 1936. Cette habitation « organique » aux lignes dépouillées, totalement intégrée au paysage, il-

lustre bien le sens et la nouveauté des recherches de Frank Lloyd Wright, dont les travaux révolutionneront toute l'architecture.

La crise et la montée des totalitarismes

L'affirmation des masses est le trait dominant des années 1920 et 1930. De la mobilisation générale de 1914 aux grandes manifestations de masse qui scandent la vie politique des années de crise, tout concourt à accentuer le poids des acteurs collectifs sur l'histoire. Les progrès de l'instruction, l'extension du droit de vote, l'amélioration des transports contribuent à élargir le cercle des curiosités de chacun et à briser les anciennes solidarités tribales, villageoises ou communautaires. L'exode rural, l'essor de l'automobile et de la radio entraînent la disparition progressive des cultures populaires traditionnelles.

L'essor des sociétés de masse

Dialectes et patois régressent au profit d'une culture de masse à dominante urbaine dont les vecteurs sont les magazines, la radio et le cinéma. Avec l'essor des mouvements de jeunesse dans les années 1920, les congés payés dans les années 1930, se développent les distractions de masse et les grandes migrations estivales de loisirs. Au plan économique, le réseau diversifié des entreprises familiales, des petits ateliers et des échoppes subit la concurrence des firmes géantes : Ford, Renault, Citroën, Unilever, Datsun symbolisent l'ère de la grande série. A l'investissement et à la production de masse doivent correspondre la distribution et la consommation de masse. Les magasins populaires inaugurés en 1909 par Frank Woolworth en Grande-Bretagne, essaiment en Allemagne, tandis qu'en France, les Nouvelles Galeries créent en 1928 les premiers Uniprix. La même année, Michael Cullen ouvre dans l'Illinois le premier supermarché. Parallèlement, le développement de nouveaux matériaux de construction contribue au développement de l'habitat collectif standardisé : c'est également en 1928 que la loi Loucheur lance en France les H.B.M. (Habitations à bon marché, ancêtres des H.L.M.)

La spirale déflationniste

En 1929, la spéculation boursière est aussi devenue un phénomène de masse aux Etats-Unis. Dans le climat de prospérité des « années folles », les classes moyennes salariées ont pris l'habitude d'investir leurs économies en valeurs mobilières. Souvent les dividendes perçus sont immédiatement réinvestis, tandis que les biens de consommation du ménage (radio, automobile, appareils ménagers) sont achetés à crédit. La hausse rapide des actions entretient l'euphorie générale et renforce la confiance dans les vertus du libéralisme économique. Mais le climat change brutalement le jeudi 24 octobre 1929, lors du krach boursier de Wall Street. Une spirale de dépression s'enclenche inexorablement. Les ventes massives d'actions font baisser les cours ; inquiets, tous les porteurs de titres s'empressent de vendre pour limiter leurs pertes. Les anticipations à la baisse remplacent celles à la hausse des dix années précédentes, amorçant un processus cumulatif de dépression qui gagne bientôt tous les pays. Ruinés par la dépréciation de leurs titres, de nombreux Américains retirent leur épargne des banques. Celles-ci rapatrient massivement les fonds qu'elles avaient placés en Europe, provoquant des faillites en cascade. Elles restreignent aussi leur crédit aux entreprises qui cessent d'investir et aux ménages qui réduisent leur consommation. Les stocks invendus s'accumulent, les faillites se multiplient, les échanges internationaux languissent, partout le chômage augmente. Les dirigeants assistent impuissants au grippage général de l'économie mondiale.

La pharmacopée du Dr Keynes

Pour enrayer la paupérisation et le mécontentement, les économistes préconisent d'abord des remèdes classiques. De ruineuses politiques de déflation sont tentées aux Etats-Unis par Hoover, en Grande-Bretagne par Macdonald, en Allemagne par le chancelier Brüning, en France par Pierre Laval, au Japon par Inoue. Elles consistent à abaisser le taux d'escompte et à diminuer les salaires pour reconstituer les marges des entreprises. Les Etats confrontés à une baisse du rendement de l'impôt s'efforcent de limiter le déficit budgétaire en réduisant les traitements des fonctionnaires, amputant ainsi davantage les capacités de consommation. L'inefficacité de ces mesures conduit l'économiste britannique John Maynard Keynes (1883-1946) à opérer une révision radicale des postulats de l'économie classique formulés par Adam Smith un siècle et demi plus tôt. Pour ranimer la demande, il préconise une vigoureuse intervention redistributrice de l'Etat en faveur des ménages modestes et des investisseurs.

Vers l'Etat « providence »

La Théorie générale de l'emploi, de l'intérêt et de la monnaie, publiée par Keynes en 1936, révolutionne la pensée économique et annonce un renforcement sans précédent du rôle des Etats. Roosevelt et son *new deal*, Van Zeeland en Belgique, Léon Blum en France, le Docteur Schacht en Allemagne, Takahashi au Japon s'inspirent à des degrés divers des conceptions keynésiennes. Tous ces pays engagent des politiques de relance par la consommation populaire et par les équipements collectifs. Le contrôle par l'Etat des grands équilibres économiques s'appuie sur une meilleure connaissance statistique de l'évolution de la production et des échanges : la régulation conjoncturelle est née. Parallèlement, des mécanismes de protection sociale se développent : en 1928, le Français André Tardieu crée les Assurances sociales ; aux Etats-Unis, le *Social security Act* de 1935 institue un système fédéral d'assurances contre le chômage, la vieillesse et l'invalidité ; des lois similaires interviennent en Allemagne en 1934 et au Japon en 1938. Partout des mécanismes de soutien des cours garantissent le revenu des agriculteurs. Des conventions collectives de travail contractualisent les rapports professionnels (*Wagner Act* de 1935 aux Etats-Unis ; accords Matignon de 1936 en France ; accords suédois de Saltjösbaden généralisant les procédures paritaires de règlements des conflits du travail). Ainsi, la grande crise, source immédiate d'âpres luttes sociales, permet-elle, à terme, d'humaniser et de stabiliser les rapports sociaux dans les pays industriels.

La montée des nationalismes

En revanche, la crise détériore durablement les relations internationales. Les Etats vaincus en 1918 (Allemagne, pays d'Europe centrale) connaissent un malaise moral aggravé par les bouleversements sociaux liés aux poussées inflationnistes des années 1920. Un climat de déception nationaliste y favorise l'éclosion de groupes paramilitaires revenchards ou bellicistes. En Italie, le thème de la « victoire mutilée », en Allemagne le slogan du « coup de poignard dans le dos » sont le cri de ralliement des premiers fascistes et des premiers nazis. La crise de 1929 donne soudain une large audience à ces mouvements minoritaires, auxquels s'agrègent de nombreux chômeurs idéologiquement disponibles. La reconquête des territoires perdus en 1918 et l'expansionnisme prôné par les dictateurs offrent un exutoire mobilisateur aux rancœurs des déclassés. En 1933, l'Allemagne et le Japon quittent la SDN, consacrant la faillite de « l'esprit de Genève » et d'une sécurité collective fondée sur la concertation internationale. La même année, deux rencontres internationales échouent : la conférence du désarmement à Genève et la conférence monétaire de Londres qui visait à coordonner les efforts de lutte contre la crise économique.

La contagion fasciste

Dès lors, se reconstituent des blocs monétaires plus ou moins autarciques (zone sterling, zone dollar, zone franc, zone mark...). Au plan politique, l'Allemagne hitlérienne, l'Italie mussolinienne et l'Espagne franquiste suscitent des émules : Front noir aux Pays-Bas, Rexistes en Belgique, Garde de fer en Roumanie, Croix fléchées en Hongrie, Oustachis en Yougoslavie, Francisme de Marcel Bucard en France. Des régimes d'inspiration paternaliste et autoritaire s'installent au Portugal, en Chine, au Japon.
Le fascisme se présente comme une synthèse idéologique entre un nationalisme expansionniste (thème de l'« espace vital » des nazis ; de la Méditerranée « lac italien » selon les mussoliniens) et une ambition révolutionnaire visant à l'instauration d'un nouvel ordre social unitaire et antimarxiste. Répudiant la démocratie parlementaire et l'individualisme libéral, les fascismes entendent rassembler la nation en un seul peuple (*Ein Volk*), formant un seul Etat (*Ein Reich*), derrière un seul chef (*Ein Führer*). Constitué au départ d'anciens combattants regroupés en « faisceaux » (*fasci italiani di combattimento*), les mouvements fascistes attirent bientôt une clientèle hétéroclite où se côtoient bourgeois anticommunistes, prolétaires anticapitalistes, anciens combattants, chômeurs, membres des classes moyennes... Les régimes fascistes exaltent les valeurs guerrières et entendent modeler un nouveau type d'homme dévoué au parti unique, capable de discipline et de sacrifices. La devise des jeunes fascistes italiens est : « Croire, obéir, combattre ». Des mouvements de jeunesse d'inspiration paramilitaire assurent une socialisation politique précoce : les Jeunesses hitlériennes, créées en 1925, regroupent en 1938 huit millions de membres, soit les deux tiers de la jeunesse allemande. En Italie, les Fils et Filles de la louve, puis les Ballilas exercent enfants et adolescents au maniement des armes. Les manuels scolaires sont contrôlés par le parti dont l'idéologie imprègne l'information, les arts et l'ensemble de la vie sociale. Mussolini affirme : « Je prends l'homme au berceau et je ne l'abandonne qu'au moment de sa mort où je le rends au pape ».

Stalinisme et tradition russe

Au même moment, Joseph Staline, secrétaire général du parti communiste depuis 1922, établit sur la Russie une implacable dictature. En 1927 (XVᵉ Congrès du parti), il liquide l'expérience semi-libérale de la NEP. Son dirigisme s'appuie sur de solides racines historiques. Pierre le Grand a établi au XVIIIᵉ siècle un Etat tutélaire en fondant une noblesse de service, le *Tchin* (la Table des rangs), qui annonce à certains égards la *nomenklatura* (liste des postes dirigeants du parti communiste). Lénine, mort en 1924, a créé le Parti-guide, conçu comme une avant-garde disciplinée de révolutionnaires professionnels. Installé aux postes de commande avec l'appui des soviets de paysans, d'ouvriers et de soldats, le parti bolchevik a éliminé l'Eglise orthodoxe et s'est assuré le monopole du pouvoir et de l'idéologie.
En 1930, Staline - l'« homme d'acier » - entreprend la collectivisation des campagnes. Le transfert des terres et du cheptel aux fermes collectives suscite la résistance de millions de paysans qui sont exécutés ou déportés par trains entiers vers les camps de travail sibériens : « Jamais on n'avait rien vu de comparable dans toute l'histoire de la Russie. C'était une véritable migration des peuples, une catastrophe ethnique » (Soljenitsyne). La dictature s'appesantit aussi sur les ouvriers qui, à partir de juillet 1932 peuvent être transférés sans leur consentement d'une entreprise à une autre. Le 27 décembre 1932, l'Etat soviétique interdit à quiconque de se déplacer en URSS sans passeport. Les églises, fermées au culte depuis les années 1920, sont transformées en « musées antireligieux ». En 1936, commencent les purges sanglantes qui « renouvellent » l'essentiel des cadres du parti et de l'armée. Au cours des deux années 1937 et 1938 sont exécutés les neuf dixièmes des généraux de corps d'armée, les deux tiers des généraux de division, la moitié des généraux de brigade et 35 000 officiers.

Le viol des foules

L'Europe des années 1930 marque le triomphe de la propagande politique et de la manipulation des opinions publiques. Si, aux Etats-Unis, George Gallup tente de connaître l'opinion de l'homme moyen, en effectuant en 1935 le premier sondage électoral, en Allemagne, en Italie et en Russie soviétique, les autorités s'attachent d'abord à modeler l'opinion. Le psycho-sociologue Serge Tchakhotine a montré dans *Le Viol des foules* les mécanismes sur lesquels reposent les propagandes de masse : manichéisme simpliste opposant sans nuance aux « éléments sains » (aryens en Allemagne, héros du travail et militants en URSS) des boucs émissaires (Juifs en Allemagne, koulaks et pays capitalistes en URSS) ; exploitation des vieilles rancunes collectives (antisémitisme, anticléricalisme, xénophobie) ; multiplication des défilés, des manifestations gymniques ainsi que des symboles graphiques et musicaux à forte résonance émotive. Alternant avec les purges politiques et les persécutions raciales, les techniques de propagande instaurent un climat de peur qui brise les résistances individuelles et entame la cohésion des groupes sociaux. D'où l'exode massif des intellectuels qui, au début des années 1930, fuient l'Allemagne et les pays d'Europe centrale pour gagner les Etats-Unis ou les démocraties de l'Europe du Nord-Ouest.

Les messianismes conquérants

Les Etats totalitaires de l'entre-deux-guerres ont en commun le culte du chef, le monocratisme du pouvoir, la dictature par l'idéologie, la militarisation des élites et les visées hégémoniques. Multipliant les références au passé, ils se veulent dans le « sens de l'histoire » et s'affirment comme les pionniers d'une ère nouvelle. Hitler annonce un « Reich de mille ans » et Mussolini entend construire la « Troisième Rome », après celle des empereurs et celles des papes. Hitler renoue avec les traditions pangermanistes, Staline avec le slavisme ; les militaires qui dirigent le Japon des années 1930 invoquent le *kokutai* (le génie national japonais) et vouent un culte sans réserve à l'empereur réputé d'essence divine. L'éthique guerrière est réactivée et le *hagakure*, (recueil de préceptes samouraï du XVIIᵉ siècle) officiellement remis à l'honneur. Ainsi les totalitarismes mêlent à la politisation de la société une dramatisation de la vie quotidienne : chaque geste, chaque engagement acquiert une résonance exceptionnelle, dès lors que l'idéologie omniprésente l'inscrit dans un vaste projet collectif de caractère messianique.

1937

Rome, 9 janvier
Le Conseil des ministres italien interdit le mariage entre Blancs et Noirs dans les colonies africaines.

Espagne, 8 février
Franco prend Malaga. Le 20 avril, il proclame la Phalange parti unique.

Nankin, 23 février
Fin du congrès de Kuomintang, qui refuse l'éventualité d'une action commune avec Mao contre les Japonais. Chiang Kai-shek a été mis en difficulté le 6 février par la rébellion des généraux du Nord qui devaient combattre les communistes.

Allemagne, 9 mars
2 000 « criminels invétérés ou individus attentant aux bonnes mœurs » sont déportés dans les camps.

Vatican, 14 mars
Encyclique antinazie : *Mit brenender Sorge.* → Le 21, encyclique contre le communisme athée : *Divini redemptoris.*

Paris, 16 mars
Tuerie à Clichy : la police tire sur des manifestants antifascistes : 5 morts et 300 blessés.

Paris, 5 avril
Premier lundi de fermeture des magasins.

Guernica, 26 avril
Bombardements allemands. → Le 31 mai, les Allemands bombarderont Almeria.

San Francisco, 27 avril
Inauguration du plus grand pont suspendu du monde : le *Golden Gate.*

Barcelone, 3-7 mai
Sanglant coup de force du gouvernement catalan contre les milices anarcho-syndicalistes.

Paris, 24 mai
Exposition internationale, jusqu'au 25 novembre. →

Etats-Unis, 5 juin
Henry Ford instaure la semaine de 32 heures dans ses usines.

Bagnoles-de-l'Orne, 9 juin
« La Cagoule » assassine les frères Nello et Carlo Rosselli, dirigeants de l'organisation antifasciste « Justice et Liberté ». Le 23 novembre, une perquisition

chez Eugène Deloncle permettra de démanteler la « Cagoule ».

Espagne, 19 juin
Franco prend Bilbao, puis Santander le 26 août.

Paris, 21 juin
Démission du cabinet de Front populaire de Léon Blum. Camille Chautemps formera le 102ᵉ ministère de le IIIᵉ République.

Chine, 8 juillet
Le Japon envahit le pays. →

Allemagne, 19 juillet
Les nazis purgent la culture allemande des artistes « étrangers à l'espèce » et détruisent les œuvres de « l'art dégénéré » (Entartete Kunst) : P. Klee, O. Kokoschka, O. Dix, W. Kandinsky... Deux ou trois milliers d'œuvres sont brûlées ou vendues aux enchères à l'étranger.

Zurich, 11 août
Le congrès mondial sioniste s'oppose au plan britannique de partage de la Palestine, publié le 6 juillet.

Nankin, 21 août
Pacte de non-agression entre l'URSS et la Chine.

Paris, 31 août
Décret-loi fondant la SNCF.

Allemagne, août
Ouverture du camp de Buchenwald.

Chine, 23 septembre
Un front antinippon réunissant les communistes et les nationalistes de Nankin est enfin réalisé.

Berlin, 25 septembre
Visite de Mussolini.

Genève, 6 octobre
La SDN assure la Chine de son appui moral. Pendant ce temps, les Japonais, qui ont enfoncé le front chinois, marchent sur Nankin.

Shanghai, 9 novembre
La ville est aux mains des Japonais, qui s'emparent de Nankin le 13 décembre et installent un gouvernement à Pékin le lendemain.

URSS, 12 décembre
Premières élections générales depuis la Révolution. Triomphe du parti communiste, grâce au système du candidat unique.

Varsovie
Ferdydurke, de Witold Gombrowicz.

Avec cette œuvre, Pablo Picasso a dénoncé à jamais le raid de terreur de l'aviation nazie sur le village basque de Guernica.

Raid de terreur sur Guernica

Pays Basque, 26 avril 1937
Le 26 avril 1937, une escadrille de la légion allemande Condor, engagée en Espagne aux côtés des rebelles, bombarde la petite ville de Guernica, siège du gouvernement autonome basque. Ce bombardement, dépourvu d'objectifs militaires, a pour but essentiel de semer la terreur parmi la population civile. Mais la destruction complète de Guernica et les mille cinq cents morts qu'elle cause provoquent surtout une vague d'indignation contre les méthodes de l'aviation allemande. Le martyre de Guernica inspire à Pablo Picasso une de ses œuvres maîtresses qui, présentée à l'Exposition universelle de Paris, porte témoignage des horreurs de la guerre civile.

Soldats japonais à Nankin, l'ancienne capitale du gouvernement chinois nationaliste, qu'ils viennent de conquérir (décembre 1937).

L'incident du "Triple 7" déclenche la guerre sino-japonaise

Pékin, 7 juillet 1937
Les 4 080 soldats de l'armée japonaise qui stationnaient dans la région de Pékin et de Tianjin (T'ien-tsin) avaient l'habitude de faire des manœuvres à proximité du célèbre pont Marco-Polo. Le 7.7.37 (triple 7), vers 23 h 40, la 37ᵉ division de la 19ᵉ armée chinoise ouvre le feu sur quelque 150 soldats japonais en manœuvres. Les Japonais déclenchent les hostilités dès le lendemain. Le 9 juillet, Chiang Kai-shek envoie en Chine du Nord quatre divisions et des forces aériennes. Dans les jours suivants, les Japonais marchent vers le Sud et investissent Shanghai.

Le pape Pie XI condamne l'idéologie nazie

Vatican, 14 mars 1937
L'encyclique *Dans ma poignante inquiétude,* publiée par le pape Pie XI, dénote le souci qu'éveillent à Rome les procédés employés par le régime nazi contre les catholiques d'Allemagne, ainsi que ses violations répétées du Concordat. L'idéologie nazie, assimilée à une idolâtrie, est condamnée. La Gestapo fait respecter dans le Reich l'interdiction de diffusion de l'encyclique.

Le pape Pie XI, dont l'encyclique condamnant le nazisme fut censurée à la radio allemande.

La guerre d'Espagne inspire André Malraux et Georges Bernanos

France, 1937
En pleine guerre d'Espagne, Malraux, homme d'action séduit par le communisme, publie *L'Espoir*. Bernanos, humaniste de droite, publie *Les Grands Cimetières sous la lune*. Tous deux, conscients des enjeux de l'affrontement féroce entre fascisme et démocratie, tentent de mobiliser l'opinion.

André Malraux. G. Bernanos.

Allâl al-Fâsî fonde au Maroc un nouveau parti : l'Istiqlâl

Fès, 1937
Le refus par la France de prendre en considération le plan de réforme élaboré par le comité d'Action marocaine provoque une scission au sein de cette organisation. L'aile radicale forme le parti national (Istiqlâl).

L'Anglais Butlin crée les loisirs organisés

Grande-Bretagne, été 1937
Treize ans avant la fondation du club Méditerranée, c'est en Grande-Bretagne qu'apparaissent les premiers camps de vacances. Créés par Sir Billy Butlin (né en 1899), ils accueillent surtout des employés. Tout est organisé collectivement : repas, jeux, spectacles. Le logement est assuré dans des maisonnettes de bois.

Epuration des cadres de l'Armée Rouge

Moscou, 11 juin 1937
Après la condamnation à mort le 30 janvier de treize responsables du parti (Radek, Piatakov, Sokholnikov...), le 6 mars Rykov et Boukharine sont exclus. Les commissaires politiques sont restaurés le 17 mai auprès de l'Armée Rouge : le 11 juin, sept généraux sont condamnés et exécutés avec le maréchal Toukhatchevski et, d'ici la fin de l'année, plusieurs milliers d'officiers disparaîtront.

L'Italie quitte la SDN et se rapproche de l'Allemagne

Rome, 11 décembre 1937
A partir de la fin de 1936, la diplomatie italienne, sous l'influence notamment de la guerre d'Espagne, s'éloigne des démocraties et esquisse un net rapprochement avec l'Allemagne nazie. Annoncé dès le mois de novembre 1936 par la création de l'axe Rome-Berlin, ce rapprochement se concrétise véritablement durant l'année 1937. L'épisode le plus spectaculaire en est la visite triomphale que Mussolini effectue à Munich et à Berlin en septembre. Deux mois plus tard, le 6 novembre, l'Italie adhère au pacte antikomintern, déjà signé par le Japon et l'Allemagne ; le 11 décembre, enfin, elle annonce qu'elle quitte la SDN. Plus important encore est le changement d'attitude de l'Italie vis-à-vis de la question autrichienne ; en novembre, Mussolini annonce aux Allemands que l'Italie s'en désintéresse désormais et qu'en cas de crise elle n'interviendra pas. Ainsi est levé le principal obstacle mis à l'Anschluss.

L'avenue Unter den Linden à Berlin, brillamment décorée pour la venue de Mussolini. En encadré : Hitler et le Duce.

Une des scènes de « Blanche-Neige et les sept nains », dessin animé de Walt Disney. 1937.

Blanche-Neige revue par Walt Disney

Neuf ans après le succès de *Mickey*, Walt Disney réussit à adapter le conte de Grimm, *Blanche-Neige et les Sept Nains*. Il réalise là le premier dessin animé long métrage en technicolor (83 min). trois ans de travail, 750 collaborateurs, 250 000 dessins retenus, un budget de 2 millions de dollars et surtout, un prodigieux succès commercial !

Polaroïd, le Nylon et la photocopie sont nés

Etats-Unis, 1937
La firme Polaroïd est fondée par Edwin Land. Etudiant en optique à Harvard, il découvre à dix-huit ans un procédé de polarisation de la lumière utilisable pour les lunettes de soleil. En 1937 également, un commissaire aux brevets de New York, Chester Carlson, fonde un petit laboratoire pour développer le procédé de photocopie qu'il vient de mettre au point : dix ans plus tard, il créera la firme Xerox. C'est encore en 1937 qu'un chimiste de la firme Dupont de Nemours, Wallace Carothers, invente le Nylon, initiales d'un défi au Japon producteur de soie (*Now You Loose Old Nippon* : maintenant, vous avez perdu, vieux Japon). Le 24 février 1938 seront commercialisés les premiers produits en Nylon : des brosses à dents.

L'Exposition internationale de Paris

Paris, 24 mai 1937
« L'Exposition internationale des arts et techniques dans la vie moderne », qui réunit 52 pays invités, est inaugurée : le palais de Chaillot n'est pas encore achevé. Deux pavillons colossaux face à face, la victoire soviétique et l'aigle allemand, et deux tableaux monumentaux, le *Guernica* de Pablo Picasso et *La Fée Electricité* de Raoul Dufy, attirent des milliers de Parisiens.

Vue de l'Exposition internationale de 1937 à Paris. Au premier plan, se faisant face les Pavillons de l'URSS et de l'Allemagne.

1938

Moscou, 17 janvier
Mikhaïl Kalinine élu président du présidium du Soviet suprême. Viatcheslav Molotov forme un nouveau Conseil des commissaires du peuple.

Moscou, 2 mars
Staline engage le procès du « bloc des droitiers et des trotskistes » : 21 vétérans révolutionnaires, dont Nikolaï Boukharine et Kristian Rakovski, sont au banc des accusés ; tous seront condamnés le 15 mars ; certains seront exécutés sur-le-champ.

Espagne, 9 mars
Franco promulgue la « Charte du travail » à Burgos. Il fait bombarder Barcelone les 17 et 18 mars et prend Lérida le 3 avril.

Allemagne, 11 mars
Hitler, qui a pris le 4 février le commandement suprême des armées, envahit l'Autriche. Un plébiscite ratifie cette annexion par 99 % des voix dans les deux pays.

France, 24 mars
30 000 ouvriers occupent les usines Citroën. Le 13 avril : 213 usines automobiles occupées par 157 000 ouvriers en grève, qui obtiendront satisfaction le 19.

Vatican, 4 mai
Reconnaissance du gouvernement de Franco.

Bruxelles, 13 mai
Pour la première fois, un Premier ministre socialiste : Paul Henri Spaak.

Paris, 18 mai
Sortie du film de Marcel Carné : *Quai des brumes*, scénario de Jacques Prévert d'après le roman de Mac Orlan, avec Michèle Morgan, Jean Gabin et Michel Simon.

Allemagne, 28 mai
Hitler fortifie les frontières de l'Ouest. Le 1er juin, le chef SS Reinhart Heydrich lance une vague d'arrestations d'éléments « asociaux ». Le 2 juin, loi sur la confiscation des œuvres « d'art dégénéré ».

Paris, 4 juin
Sigmund Freud, sur la route de l'exil, passe la journée chez la princesse Marie Bonaparte. Le lendemain, le psychanalyste se réfugie à Londres, où il mourra le 23 septembre 1939.

Espagne, 28 juin
Retrait des Brigades internationales.

Palestine, 6 juillet
Une bombe explose à Haïfa. Le 12, l'imam de la mosquée d'Omar à Jérusalem est assassiné.

Manchourie, 10 juillet
Les troupes soviétiques franchissent la frontière. Armistice entre Japon et URSS le 10 août.

France, 3 septembre
Création de la IVe Internationale (trotskiste) à Périgny.

Munich, 30 septembre
Conférence rassemblant Daladier et Chamberlain d'un côté, Hitler et Mussolini de l'autre, à l'issue de laquelle la France et la Grande-Bretagne, par crainte d'un conflit, donnent leur aval à l'annexion des Sudètes par Hitler.

Tchécoslovaquie, 1er octobre
Début de l'occupation du territoire des Sudètes par Hitler. Le 5, le président Edvard Benes démissionne. Josef Tiso forme un gouvernement slovaque autonome à Bratislava.

Palestine, 14 octobre
Puissance mandataire, la Grande-Bretagne suspend pour deux ans toute immigration juive.

Chine, 21 octobre
Prise de Canton par les Japonais, qui prendront le 25 Hankeou, siège provisoire du gouvernement chinois.

Paris, 14 novembre
Première représentation des *Parents terribles* de Jean Cocteau.

Moscou, 1er décembre
Alexandre Nevski, film de S. M. Eisenstein.

Moscou, 20 décembre
Institution du livret de travail obligatoire.

Paris
André Citroën fabrique le prototype de la 2 CV.

La Bête humaine, film de Jean Renoir, d'après le roman de Zola.

La Femme du boulanger, film de Marcel Pagnol, d'après Jean Giono, avec Raimu.

Grand succès de librairie pour *La Nausée*, premier roman d'un jeune écrivain : Jean-Paul Sartre.

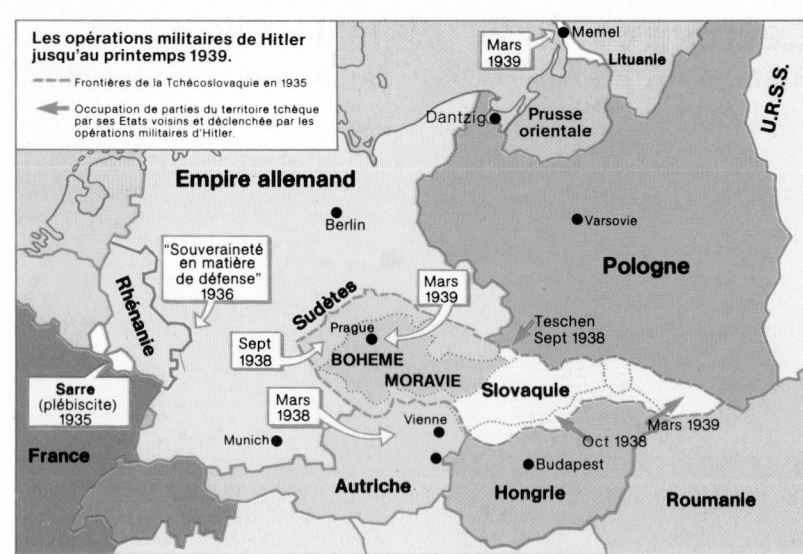

Les opérations militaires de Hitler jusqu'au printemps 1939.
- – – – Frontières de la Tchécoslovaquie en 1935
- ← Occupation de parties du territoire tchèque par ses États voisins et déclenchée par les opérations militaires d'Hitler.

De l'Anschluss aux accords de Munich

Allemagne, 1938
Le 12 février 1938, Hitler reçoit à Berchtesgaden le chancelier autrichien Schuschnigg. Il lui remet un ultimatum prévoyant notamment la nomination comme ministre de l'Intérieur du nazi Seyss-Inquart. Schuschnigg accepte mais, le 9 mars, il annonce qu'un plébiscite portant sur la question de l'autonomie autrichienne sera organisé le 13. Hitler décide alors de régler l'affaire par la force. Le 11 mars, il exige coup sur coup l'abandon du plébiscite, la démission de Schuschnigg et la nomination de Seyss-Inquart au poste de chancelier. Toutes les exigences sont satisfaites et, au soir du 11 mars, Seyss-Inquart est chancelier. Durant la nuit, il demande l'intervention des troupes allemandes et celles-ci franchissent la frontière dans la matinée du 12. Le 13 mars, une loi réunit officiellement l'Autriche au Reich. Le coup de force a réussi, l'Anschluss est réalisé ; la communauté internationale n'a pas bronché. Il est dès lors évident que le prochain objectif d'Hitler est la Tchécoslovaquie. Ce petit pays est en effet désormais enserré entre l'Allemagne et l'Autriche et la population allemande qui vit sur ses contours – les Sudètes – exige depuis longtemps une plus grande autonomie. Le 12 septembre, Hitler prononce à Nuremberg un discours véhément dans lequel il évoque pour la première fois l'hypothèse d'un rattachement des Sudètes à l'Allemagne. Trois jours plus tard, le 15, lors d'un entretien avec Chamberlain, l'annexion des Sudètes fait l'objet d'un ultimatum. Sous la pression des Français et des Britanniques, qui déclarent qu'en cas de conflit ils mobiliseront leurs troupes contrairement aux engagements pris, le gouvernement tchécoslovaque, dirigé par Edvard Benes, propose de céder, le 21 septembre, les territoires peuplés de plus de 50 % d'Allemands. Mais, le 22, Hitler refuse tout compromis. La guerre semble devoir éclater lorsque Mussolini propose la tenue d'une conférence. Celle-ci se réunit le 29, à Munich. Elle rassemble Allemands, Anglais, Italiens et Français. Le 30, l'annexion des Sudètes y est acceptée. Seule concession d'Hitler : les Tchèques auront jusqu'au 10 octobre pour évacuer les territoires annexés.

L'accueil enthousiaste de Vienne à Hitler après le rattachement de l'Autriche à l'Allemagne.

Le pogrom de la "Nuit de cristal"

Reich allemand, 9 novembre 1938
Les mesures antisémites se sont succédé : le 14 juin, enregistrement obligatoire des entreprises juives ; le 22 juillet, carte d'identité spéciale pour les Juifs ; le 7 octobre, les Juifs doivent rendre leur passeport. Les conditions du pogrom sont réunies lorsqu'un jeune juif, désespéré par les persécutions, tue à Paris le conseiller d'ambassade von Rath. Hitler déclenche les massacres : les SA tuent 91 personnes, incendient 101 synagogues et pillent 7 500 magasins ; 35 000 Juifs sont internés dans des camps. Hermann Goering met au point un « racket » : seuls les Juifs qui « lèguent » leurs biens au Reich ou payent des « rançons » peuvent quitter le pays. De plus, il inflige cyniquement une amende d'un milliard de marks à la communauté juive en dédommagement des troubles provoqués par cette nuit d'horreur.

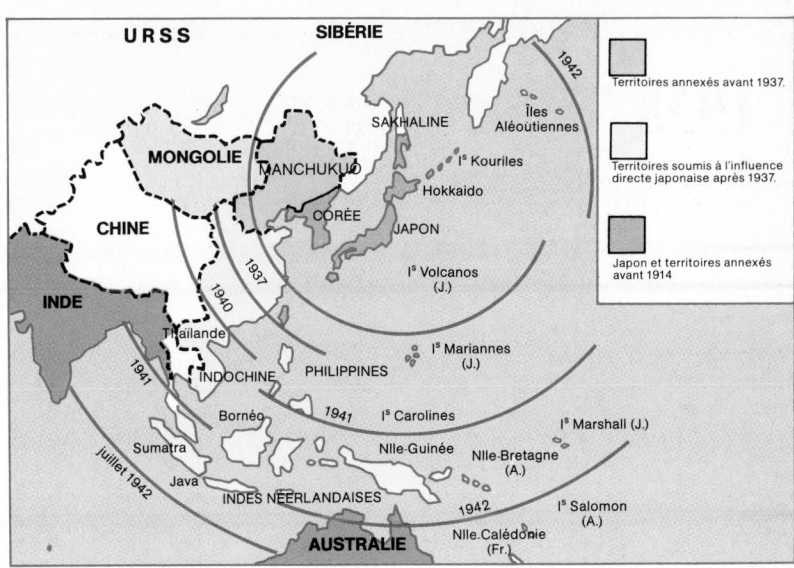

Magasin juif dévasté à Berlin après la « Nuit de cristal ».

Vers un "ordre nouveau en Asie"

Tokyo, 3 novembre 1938
Au moment où les Franco-Anglais reculent devant Hitler à Munich, la Chine se laisse grignoter par les armées japonaises. La prise de Canton et de Hankeou en octobre 1938 permet aux Japonais de contrôler toute la « Chine utile ». C'est dans ce contexte que, le 3 novembre 1938, dans un discours radiodiffusé, le Premier ministre japonais Konoe préconise l'instauration d'un « ordre nouveau en Asie orientale ». Cette expression fait fortune : elle vise à affirmer l'autonomie de l'Asie face à la menace communiste et aux impérialismes occidentaux. Assorti de propositions de paix à l'égard de la Chine, ce projet dissimule en fait l'espoir du Japon d'établir une tutelle sur la Chine, le Manchukuo et l'ouest du Pacifique. D'où le rejet de ce plan par Chiang Kai-shek, le 26 décembre 1938.

Première Exposition internationale du surréalisme à Paris

Paris, 17 janvier 1938
La galerie des Beaux-Arts accueille 70 surréalistes venus de 14 pays. Le décor fait sensation : sous un ciel chargé de 1 200 sacs de charbon, le public est accueilli par une haie d'étranges mannequins, tandis que des draps en désordre se reflètent dans les eaux d'un petit étang. Salvador Dali présente sa composition *Taxi pluvieux* : une femme échevelée, constellée de coquilles d'escargots.

Mannequin réalisé par Maurice Henry pour l'Exposition internationale du Surréalisme à Paris.

Otto Hahn formule la théorie de la fission de l'uranium

Berlin, 22 décembre 1938
Le physicien allemand Otto Hahn vient de publier le résultat de ses recherches concernant la possibilité de la fission atomique, premier pas vers la libération de l'énergie atomique. Hahn et ses collaborateurs avaient découvert, au cours de leurs travaux, des corps plus lourds que l'uranium, les « transuraniens », découverte confirmée par les Joliot-Curie.

La nationalisation des pétroles mexicains

Mexique, 18 mars 1938
L'art. 27 de la constitution de 1917 affirmait la propriété de l'Etat sur le sous-sol, mais était resté sans effet. Le président Cardenas veut mettre fin au contrôle des compagnies étrangères sur la richesse minière. Devant leur refus d'accorder des droits aux ouvriers, la grève éclate en mai 1937. Le conflit est tranché par l'expropriation annoncée le 18 mars. L'Angleterre rompt aussitôt ses relations diplomatiques et organise, en vain, un boycott du pétrole mexicain. En suscitant dans le pays un immense élan de nationalisme, Cardenas obtient la réorganisation politique qu'il recherchait depuis 1934.

Spirou dans « Radar le Robot » (1976). Page de garde.

Superman, personnage inventé en 1938 par Jerry Siegel et Joe Shuster.

Superman et Spirou entrent en scène

Belgique et Etats-Unis, 1938
Le 21 avril paraît le premier numéro du *Journal de Spirou*, premier hebdomadaire de bande dessinée en langue française. Spirou est un groom d'hôtel « jeune, gai et débrouillard », créé par Rob Vel (Robert Velter). Le 1er juin, Superman, redresseur de torts volant, apparaît dans *Action Comics* aux Etats-Unis, en collant bleu et cape rouge.

"Introduction à la philosophie de l'histoire" de R. Aron

France, 1938
Le philosophe Raymond Aron publie en 1938 l'*Introduction à la philosophie critique de l'histoire*. Dans cet essai sur les limites de l'objectivité, il remet en cause la notion d'objectivité historique. Le passé n'a de sens que dans la conscience des hommes qui l'étudient. C'est à la lumière du présent que le passé prend sens. L'historien peut donc facilement tirer des conclusions idéologiques de l'objet de son travail. Pour Aron, la subjectivité ne se situe pas dans le contenu, mais bien dans la démarche de l'étude historique. « L'homme n'est pas seulement dans l'histoire, mais il porte en lui l'histoire qu'il explore. »

1939

Etats-Unis, 5 janvier
La Grande Illusion de Jean renoir reçoit l'Oscar du meilleur film étranger. →

Allemagne, 30 janvier
Hitler annonce « une solution au problème des Juifs en Allemagne ».

Belgique, 9 février
Opposition des Flamands et des Wallons : l'affaire du Dr Maertens est la cause d'une crise ministérielle. Elections générales du 2 avril : défaite du rexisme.

Vatican, 10 février
Pie XI meurt. Pie XII lui succède le 2 mars.

Prague, 15 mars
Entrée des troupes allemandes. →

Paris, 18 mars
Après le coup de force allemand en Bohême le 15, les pleins pouvoirs sont votés à E. Daladier.

Lituanie, 22 mars
Hitler contraint la Lituanie à lui céder Memel.

Madrid, 28 mars
Fin de la guerre civile. → Les républicains se réfugient en France. Washington établit des relations diplomatiques le 22 avril, après Paris et Londres (28 février). Mais l'Espagne se retire de la SDN le 7 mai.

France, 28 mars
Nouvelle Peugeot : la 202, quatre places.

Bagdad, 4 avril
Mort accidentelle du roi d'Irak. L'émir Fayçal II, âgé de 4 ans, lui succède.

France, 5 avril
Albert Lebrun, réélu président.

Albanie, 7 avril
Invasion italienne. →

Paris, 13 mai
L'humoriste Pierre Dac lance un journal loufoque : *L'Os à moelle.*

Paris, 20 mai
André Gide est le premier écrivain vivant à être publié dans la collection « La Pléiade » avec son *Journal 1889-1939*.

Berlin, 22 mai
Pacte d'Acier : accord d'assistance mutuelle entre l'Allemagne et l'Italie.

Moscou, 12-21 août
Mission militaire franco-anglaise à Moscou, mais n'ayant pas réellement les moyens de négocier un accord.

Moscou, 23 août
Pacte germano-soviétique. →

Londres, 25 août
Pacte d'assistance anglo-polonais.

Allemagne, 29 août
Ultimatum à la Pologne sur le « couloir de Dantzig ». Le 30, mobilisation générale en Pologne.

Pologne, 1er septembre
Les troupes nazies franchissent la frontière.

Paris, 1er septembre
Ordre de mobilisation générale.

Londres et Paris, 3 septembre
La Grande-Bretagne, puis la France déclarent la guerre à l'Allemagne.

Varsovie, 9 septembre
Les Allemands sont devant la ville, qu'ils encerclent le 16. La Pologne capitule le 26. →

France, 5-10 octobre
Trente-trois parlementaires communistes sont incarcérés ; une information « pour intelligence avec l'ennemi » est ouverte contre eux ; ils seront condamnés (2 à 5 ans de prison) le 4 avril 1940.

Allemagne, 28 octobre
Les Juifs allemands doivent porter l'étoile jaune.

Munich, 8 novembre
Attentat à l'explosif contre Hitler : 6 morts et 63 blessés.

Finlande, 30 novembre
L'URSS attaque la Finlande et bombarde la ville d'Helsinki.

Hollywood, 15 décembre
Immense succès pour *Autant en emporte le vent* de Victor Flemming avec Vivian Leigh et Clark Gable.

Paris
Jean-Paul Sartre publie *Le Mur*, recueil de nouvelles parmi lesquelles se distingue « L'Enfance d'un chef ».

James Joyce publie *Finnegans Wake*.

Etats-Unis
Charles Goodyear invente le premier plastique semi-synthétique : l'ébonite, obtenue par vulcanisation du caoutchouc.

Les Allemands entrent à Prague

Prague, 15 mars 1939
La conférence de Munich (29-30 sept. 1938) avait admis les exigences allemandes : les territoires où la population germanique était majoritaire (les Sudètes) avaient été annexés au Reich. Tandis que la Slovaquie accédait à l'autonomie, la satisfaction des exigences hongroises et polonaises achevait de disloquer l'Etat tchécoslovaque. Lorsque l'armée allemande entre à Prague le 15 mars 1939, Hitler place les pays tchèques (Bohême et Moravie) sous son protectorat sans rencontrer la moindre résistance du président ni de la population (la ville est conquise avec un coup de feu : il s'agit d'une victoire politique plus que militaire) ; la Slovaquie devient un Etat indépendant placé sous la protection du Reich et la Hongrie annexe la Ruthénie subcarpatique. Le 17, la Tchécoslovaquie a cessé d'exister.

Entrée des troupes allemandes à Prague, ville plongée dans la stupeur, l'effarement et l'impuissance.

Signature du pacte germano-soviétique

Moscou, 23 août 1939
Hitler a atteint l'un de ses buts les plus importants : la couverture d'un éventuel front Est du Reich. Joachim von Ribbentrop et Viatcheslav Molotov ont signé un pacte de non-agression entre l'Allemagne et l'Union soviétique. Les conséquences de l'accord ne se font pas attendre : le 25, Hitler donnait l'ordre d'attaque contre la Pologne. Surpris par la nouvelle de la conclusion d'un pacte d'assistance entre Varsovie et Londres, garantissant à la Pologne le soutien militaire britannique en cas d'agression, Hitler annulait l'ordre. La France et la Grande-Bretagne, qui semblaient avoir pris conscience de la menace allemande (manœuvres militaires d'août), s'étaient trouvées bloquées dans leurs négociations avec Staline par leur indécision quant au danger le plus pressant, le communisme ou le nazisme.

Signature à Moscou du pacte germano-soviétique par Viatcheslav Molotov et Joachim von Ribbentrop en présence de Staline.

Mussolini fait envahir l'Albanie et se rapproche du Reich

Italie, 7 avril 1939
Les troupes italiennes envahissent l'Albanie, sanctionnant militairement une situation de quasi-protectorat qui date de 1926. Mais cette annexion, postérieure d'un mois à celle de la Tchécoslovaquie par l'Allemagne, marque le fait que l'Italie vient de franchir un nouveau seuil dans sa politique de rapprochement avec Hitler. La solidarité de fait existant entre les deux pays les conduit, le 22 mai, à signer le pacte d'Acier. Traité d'alliance offensif, celui-ci prévoit que tout signataire, même agresseur, impliqué dans un conflit, recevra immédiatement l'appui de l'autre signataire. L'Italie se met ainsi sous la dépendance de l'Allemagne.

Affiche italienne célébrant le Pacte signé entre Hitler et Mussolini.

Le savant suisse Paul Müller invente le DDT

Bâle, 1939
En 1940, dans les laboratoires de la firme Geigy, Paul Müller (1899-1965) observe les effets toxiques sur les insectes de la dichloro-diphényl-trichlorétane (DDT). Immédiatement utilisé par les militaires alliés, en particulier, en Asie du Sud-Est pour lutter contre la malaria, le DDT sera introduit dans le civil après la guerre. Son emploi transforme les conditions de lutte contre les insectes : auparavant, seuls les poisons minéraux pouvaient être utilisés, mettant parfois en danger les cultures. Müller obtiendra le prix Nobel de de médecine en 1948.

"La Règle du jeu" du cinéaste Jean Renoir

France, 1939
Marcel Dalio, Nora Gregor, Roland Toutain, Mila Parely, Carette et Paulette Dubost : tout le monde triche et personne n'observe la moindre « règle du jeu ». Le conflit entre l'aviateur Jurieux, romantique et sincère, et son ami Octave (que joue Jean Renoir), faible et qui accepte tout, met en scène une société qui veut sauver les apparences.

Scène de « La Règle du jeu » entre Nora Gregor et Jean Renoir (acteur dans son propre film).

La guerre d'Espagne s'achève par la victoire de Franco

Espagne, 28 mars 1939
Longtemps immobilisées, les troupes du général Franco reprennent l'offensive. Le 26 janvier 1939, Barcelone tombe et les gouvernementaux, isolés en Nouvelle-Castille, perdent du terrain. Le 28 février, la France et la Grande-Bretagne, en échange d'une promesse de neutralité en cas de conflit, reconnaissent le gouvernement de Burgos. Le 28 mars, la reddition de Madrid met fin à la guerre civile qui, en trois ans, aura fait plus de 400 000 morts. L'intervention allemande aura permis à Hitler de tester son matériel militaire.

Le général Franco.

Invasion de la Finlande par l'Armée Rouge

Finlande, 30 novembre 1939
Depuis le début du mois, la Finlande résiste aux menaces de Staline, qui veut obtenir une modification des frontières au moment où il assure ses positions dans les Balkans. Les Soviétiques envahissent le pays sans déclaration de guerre et bombardent Helsinki et Viborg. L'invasion, qui s'avère bien moins aisée que prévu, provoque l'indignation de l'opinion occidentale : des volontaires se rassemblent pour partir en Finlande. A Genève, la SDN condamne l'URSS pour cette agression et ordonne son exclusion. La résistance héroïque des Finlandais stoppera l'invasion soviétique le 22 décembre.

Soldats allemands s'apprêtant à franchir la frontière polonaise le 1er septembre 1939 : c'est le début de la Seconde Guerre mondiale.

La Pologne écrasée par le Reich

Pologne, septembre-octobre 1939
Les troupes allemandes sont entrées en Pologne le 1er septembre à 4 h 45 du matin. Dantzig est aussitôt annexée au Reich. Hitler espère que les puissances occidentales ne réagiront pas. Le 3 septembre, la Grande-Bretagne et la France entrent en guerre. Dès le 4 septembre, au lendemain de la déclaration de guerre, les troupes françaises entrent en Sarre. Leur avancée sera stoppée dès le 12 septembre. Sur le front de l'Est, à partir du 16, les nazis encerclent Varsovie où est cantonné l'essentiel des troupes polonaises. Varsovie capitule le 27 septembre. La chute de la capitale marque la fin de la résistance polonaise, balayée par la *Blitzkrieg* de la Wehrmacht. L'Armée Rouge avait envahi l'est de la Pologne le 17 ; une ligne de démarcation entre les armées soviétique et allemande, fixée le 22, est confirmée par un nouveau pacte Hitler-Staline le 29 septembre. La Pologne a disparu ; les troupes françaises sont à la frontière sarroise, la Grande-Bretagne annonce un blocus maritime de l'Allemagne.

La cavalerie polonaise se révélera impuissante devant une Wehrmacht motorisée.

La France et l'Angleterre en guerre

Europe, 3 septembre 1939
A partir du 20 août 1939, les préparatifs de guerre allemands s'intensifient brusquement et les incidents se multiplient à la frontière polonaise. Le 23 août, le pacte germano-soviétique est signé. Le 25 août, la Grande-Bretagne signe avec la Pologne un traité d'alliance défensif prévoyant une intervention automatique en cas d'agression. Le lendemain, Mussolini, compte tenu de la faiblesse militaire de son pays, fait savoir à Hitler que l'Italie ne pourra pas intervenir dans le conflit avant plusieurs années. La France et la Grande-Bretagne essayent alors de renouer le fil des négociations en organisant une rencontre entre von Ribbentrop et Lipski, ambadeur de Pologne à Berlin. L'entretien, qui a lieu le 31 août, échoue et, le lendemain à l'aube, les troupes allemandes pénètrent en Pologne. Le jour même, la France et la Grande-Bretagne décrètent la mobilisation générale. Le 2, les crédits militaires sont votés. Le 3 septembre, l'ambassadeur de Grande-Bretagne à Berlin apporte un ultimatum à von Ribbentrop : la guerre sera déclarée si l'Allemagne ne donne pas l'assurance de retirer immédiatement ses troupes de Pologne. Un ultimatum identique est apporté par l'ambassadeur de France. Les ultimatums ayant été rejetés, les deux pays déclarent le jour même la guerre à l'Allemagne.

1940

France, 15 janvier
On estime que le métro pourrait servir d'abri à 300 000 personnes.

Moscou, 12 mars
Traité de paix russo-finlandais.

Col du Brenner, 18 mars.
Rencontre entre Mussolini et Hitler.

Auschwitz, 27 mars
Himmler ordonne la construction d'un camp de concentration.

Danemark et Norvège, 9 avril
Ces deux pays sont envahis par les troupes allemandes. →

Belgique et Hollande, 10 mai
Invasion de ces deux pays, ainsi que le Luxembourg, par les troupes d'Hitler. La Hollande capitule le 15 et la Belgique le 27.

France, 17 mai
Brillante, mais vaine offensive des tanks du colonel de Gaulle dans l'Aisne. Le front français est, entre-temps, enfoncé à Sedan.

Dunkerque, 25 mai-3 juin
Rembarquement des troupes franco-anglaises encerclées dans la poche de Dunkerque. Pertes importantes.

Italie, 10 juin
Mussolini déclare la guerre à la France.

Paris, 14 juin
Entrée des Allemands dans une capitale désertée par ses habitants.

Bordeaux, 15 juin
Démission de Paul Reynaud. Formation par Philippe Pétain d'un cabinet favorable à la capitulation.

Tours, 16 juin
Les Allemands franchissent la Loire.

Londres, 18 juin
De Gaulle lance un appel aux Français. →

France, 22 juin
L'armistice avec l'Allemagne signé à Rethondes entre en vigueur le 25 (la France versera 400 millions de francs par jour pour l'entretien de la Wehrmacht). Armistice avec l'Italie le 24.

Mers el-Kébir, 3 juillet
Refusant de remettre ses navires à l'Angleterre, l'amiral Darlan ordonne à la flotte française de résister. Pétain rompt les rela-tions diplomatiques avec Londres le lendemain.

Vichy, 10 juillet
Investi des pouvoirs constituants par l'Assemblée nationale, Pétain fonde un nouvel État français.

Vichy, 16 juillet
Les Juifs naturalisés sont déchus de la nationalité française.

Vichy, 2 août
De Gaulle condamné à mort par contumace.

Alsace-Lorraine, 6 août
Ces deux provinces sont annexées par l'Allemagne.

Londres, 7 août
Accord Churchill-De Gaulle sur l'organisation des Forces françaises libres (FFL).

Londres, 12 août
Début de la bataille d'Angleterre.

Vichy, 13 août
Pétain met en œuvre la « Révolution nationale ».

Coyoacan, Mexique, 20 août
Trotski est assassiné.

Etats-Unis, 16 septembre
Introduction du service militaire obligatoire.

Tonkin, 23 septembre
Arrivée des troupes japonaises dans les bases cédées par Vichy le 29 août.

Berlin, 27 septembre
Pacte d'alliance tripartite : Italie, Allemagne et Japon.

Italie, 28 septembre
Le Duce fait envahir la Grèce.

Montoire, 24 octobre
Entrevue Hitler-Pétain. →

Vichy, 30 octobre
Pétain appelle les Français à la « collaboration » avec l'occupant.

Vichy, octobre
Vingt-trois personnalités sont déchues de la nationalité française (René Clair, Pierre Lazareff...).

Varsovie, 15 novembre
350 000 Juifs sont enfermés dans le ghetto.

Paris, 23 décembre
Jacques Bonsergent, premier Français fusillé dans la capitale.

Paris
Le groupe « polycéphale » Nicolas Bourbaki, formé en 1933, publie *Eléments de mathématiques*.

Parachute de soldats allemands en Norvège lors de l'attaque surprise du 9 avril 1940.

Le Danemark et la Norvège envahis par les Allemands

Scandinavie, 9 avril 1940
L'offensive de Hitler ne rencontre aucune résistance au Danemark, qui capitule le jour même. Avec l'appui des Alliés, la Norvège décide de se battre et réussit à couler trois croiseurs. La bataille de Narvik, où les Alliés débarquent le 15, coûte 10 destroyers au Reich, qui subit là sa plus grosse perte maritime mais qui s'assure cependant le contrôle les airs : les Alliés évacuent Narvik le 6 juin. La Suède, neutre, ne sera pas entraînée dans le conflit.

Défilé de troupes allemandes avenue de la Grande Armée dans un Paris vidé de ses habitants, début juillet 1940.

Débâcle de la France, Pétain au pouvoir

Vichy, 10 juillet 1940
Dès le mois de juin, la défaite militaire est acquise, malgré une résistance éparpillée. Dans le désordre le plus complet, l'exode jette sur les routes les populations du Nord et de la région parisienne. Près de huit millions de civils fuient l'avance de la Wehrmacht. P. Reynaud ayant démissionné le 16, Philippe Pétain, vice-président du Conseil, forme un cabinet favorable à la capitulation avec C. Chautemps, M. Weygand, J. Ybarne Garay et les socialistes Rivière et Février. Après l'armistice, le gouvernement s'installe à Vichy le 1er juillet ; le 10, le maréchal Pétain fonde le nouvel Etat français : la IIIe République a vécu. La nouvelle devise nationale est « Travail, Famille, Patrie ». La francisque est le nouvel emblème national.

Dès le 15 juillet 1940, Pétain met en œuvre la « Révolution nationale ».

Bataille d'Angleterre : attaque aérienne d'un convoi allemand.

La cathédrale de Coventry détruite par les raids des bombardiers allemands.

Bataille d'Angleterre : résistance acharnée derrière Churchill

Londres, 4 septembre 1940

Le 16 juillet, Hitler décide d'envahir l'Angleterre et déclenche le 1er août une série d'attaques aériennes. La Luftwaffe se heurte à une puissante défense. Le 4 septembre, les attaques se concentrent sur Londres. Mais la détermination de la RAF, possédant pourtant moins d'appareils, oblige Hitler à renoncer le 10 décembre à l'invasion. « J'aime mieux voir Londres en ruine que souillée par une ignoble servitude » : Winston Churchill, Premier ministre depuis le 10 mai, traduit là le sentiment de toute la nation.

La Belgique capitule dans la confusion

Bruxelles, 27 mai 1940

Le roi Léopold III proclame depuis 1936 sa neutralité et refuse l'assistance militaire des Alliés. Mais le 10 mai, Hitler lance une grande offensive contre la Hollande, le Luxembourg, la France et la Belgique. Les troupes alliées appuient la résistance belge, qui recule cependant après la percée des blindés du général Heinz Guderian, le 15 à Sedan. La reddition décidée par le roi, qui ne consulte pas ses alliés, laisse un front de 50 km à découvert. Les réactions du Premier ministre belge Hubert Pierlot, de Winston Churchill et de Paul Reynaud contre la « trahison de Léopold » sont extrêmement violentes.

Sur les routes de Belgique, la confusion : Léopold III vient de capituler.

Les instruments de la guerre

Le chasseur britannique Spitfire Mk 1 (1938). Monoplace, armé de huit mitrailleuses, il atteint une vitesse de 571 km/h à une altitude de 5 800 m.

Le Stuka (Ju 87), avion de combat allemand. Armé de trois mitrailleuses et de 500 kg de bombes pour les attaques en piqué, il a un rayon d'action de 800 km.

Le Messerschmitt 110 C-1 (1939). Chasseur-bombardier allemand, pour un équipage de deux ou trois membres, armé de cinq mitrailleuses et de deux canons de 20 mm.

Rotterdam anéantie par les raids aériens

Rotterdam, 14 mai 1940

Alors même que les troupes néerlandaises enfermées dans Rotterdam négocient avec l'Allemagne, la ville est pilonnée par les bombardiers de la Luftwaffe : 900 civils périssent dans les flammes et la ville est détruite. L'armée hollandaise parviendra pourtant à résister encore cinq jours avant d'être contrainte à la capitulation. La reine Wilhelmine avait dû quitter le pays le 10 mai, pressée par la progression très rapide des troupes allemandes : la chute de Rotterdam marque la défaite des Pays-Bas.

Pilonnée sans répit par l'aviation allemande, Rotterdam est rasée.

De Gaulle lance un appel à la résistance

Londres, 18 juin 1940

Le 17 juin 1940, le nouveau gouvernement français remet aux Allemands une demande d'armistice et Philippe Pétain déclare à la radio : « C'est le cœur serré que je vous dis aujourd'hui qu'il faut cesser le combat. » Le lendemain, le général de Gaulle lance aux Français, sur les ondes de la BBC, un appel à poursuivre la lutte, évoquant les ressources des colonies et l'appui fourni par les Anglo-Saxons dans un conflit de caractère mondial. Ce discours est le premier d'une série qui engage les Français à la résistance.

L'entrevue de Montoire entre Pétain et Hitler

France, 24 octobre 1940

Après avoir rencontré Franco à Hendaye, Adolf Hitler rencontre Philippe Pétain : l'entrevue, mise au point par Pierre Laval, a lieu dans la gare de Montoire, le 24 octobre 1940. Elle pose le principe de la collaboration franco-allemande, symbolisée par une poignée de main entre les deux chefs d'État. Cependant le vainqueur de Verdun refuse de céder à toutes les exigences de l'occupant : il exclut de déclarer la guerre à l'Angleterre et s'oppose à la conclusion d'une paix séparée entre la France et l'Allemagne.

1941

Rome, 13 janvier
Ezra Pound, sans conteste le plus grand poète américain, commence une série de violentes émissions de propagande fasciste à la radio.

France, zone occupée, 21 janvier
L'officier de marine, Honoré Estienne d'Orves, envoyé par de Gaulle pour organiser un réseau clandestin de renseignements, est arrêté par les Allemands. Il sera fusillé le 29 août au mont Valérien.

France, 1er février
Marcel Déat fonde le Rassemblement national populaire. Robert Brasillach publie le 7 le premier numéro de son hebdomadaire *Je suis partout*.

Libye, 12 février
Arrivée à Tripoli de l'Afrikakorps de Rommel.

Pays-Bas, 25 février
Grève générale contre la persécution des Juifs : première population à manifester ouvertement sa résistance au nazisme.

Vichy, 1er mars
Pétain instaure le corporatisme.

Vichy, 29 mars
Création du Commissariat général aux questions juives, confié à Xavier Vallat. Promulgation d'un second statut des Juifs, d'une sévérité accrue, le 2 juin.

Yougoslavie et Grèce, 6 avril
Les Allemands envahissent la Yougoslavie et se portent au secours des Italiens en difficulté avec les Grecs.

Grèce, 27 avril
Le drapeau nazi flotte sur l'Acropole.

Abyssinie, 9 mai
Après la capitulation des Italiens, les Anglais rendent Addis-Adeba à Hailé Sélassié.

France, zone occupée, 14 mai
La police française livre 1 000 Juifs étrangers aux Allemands, qui les déportent aussitôt.

France, zone occupée, 20 mai
Gabriel Péri, député communiste et résistant, est arrêté par les Allemands. Il sera exécuté le 15 décembre, en même temps que 100 otages.

Vichy, 25 mai
Pétain instaure la fête des Mères.

Crète, 27 mai
Après cinq jours de combats, l'île est aux mains des Allemands.

Syrie, 10 juin
Les troupes alliées, arrivées le 8, repoussent les vichystes et proclament l'indépendance le 4 juillet au nom de la France libre.

URSS, 22 juin
Hitler attaque l'URSS.

Vichy, 15 juillet
Chaque Français reçoit un numéro d'identité national. Un serment de fidélité à Pétain est imposé à tous les fonctionnaires.

Vichy, 24 juillet
Le gouvernement français cède aux Japonais plusieurs bases militaires en Indochine.

Philippines, 26 juillet
MacArthur, commandant des forces américaines en Extrême-Orient.

Terre-Neuve, 14 août
Rencontre secrète Churchill-Roosevelt : la charte de l'Atlantique est signée. →

Paris, 21 août
Premier officier allemand abattu par la Résistance : Alphonse Moser, au métro Barbès. Le même jour, 5 000 Juifs sont internés au camp de Drancy, inauguré la veille. La police avait déjà, le 14 mai, livré 1 000 Juifs étrangers aux Allemands, qui les ont déportés.

Auschwitz, 3 septembre
Premiers gazages massifs.

Indochine, 9 septembre
Hô Chi Minh fonde le Viêt-minh.

Londres, 23 septembre
Création du Conseil national français de la Résistance.

Vichy, 29 septembre
Accord franco-japonais pour « la défense en commun de l'Indochine ».

Tokyo, 18 octobre
Arrestation de l'espion soviétique Richard Sorge.

URSS, 8 novembre
Après avoir pris Kiev (le 19 septembre) et Kharkov (le 24 octobre), les Allemands commencent la bataille pour Moscou. Leur avancée sera définitivement stoppée le 11 décembre.

Pearl Harbor, 7 décembre
Attaque japonaise. →

Rommel mène la guerre des sables

Libye, 14 février 1941
L'armée italienne, repoussée par les Anglais jusqu'à El-Agheila, au fond du golfe de Syrte, demande l'aide de l'Allemagne. Quoique peu intéressé par la Méditerranée (il prépare l'invasion de la Russie), Hitler dépêche Erwin Rommel, qui débarque à Tripoli le 14 février avec l'Afrikakorps. Tandis que Philippe Leclerc conquiert, avec une colonne des Forces françaises libres, le fort de Koufra (mars), les Anglais reculent en trois semaines de 650 km et, le 12 avril, le front se stabilise dans la région de Marsa-Matrouh, en territoire égyptien. Seule résiste en zone allemande une division canadienne encerclée dans le port de Tobrouk. Pendant des mois, Britanniques et Allemands lancent, sans succès, une série d'offensives et de contre-offensives. La situation ne se débloque véritablement qu'à partir de l'opération « Crusader », que les Anglais lancent le 18 novembre. Forts de leur supériorité en chars (700 contre 300) et en avions (700 contre 350), ils avancent, en deux mois, d'environ 600 km, délivrent Tobrouk et, le 20 décembre, stabilisent le front, à une cinquantaine de kilomètres à l'est d'El-Agheila.

L'aviation allemande en Afrique.

Le général Rommel en Tripolitaine.

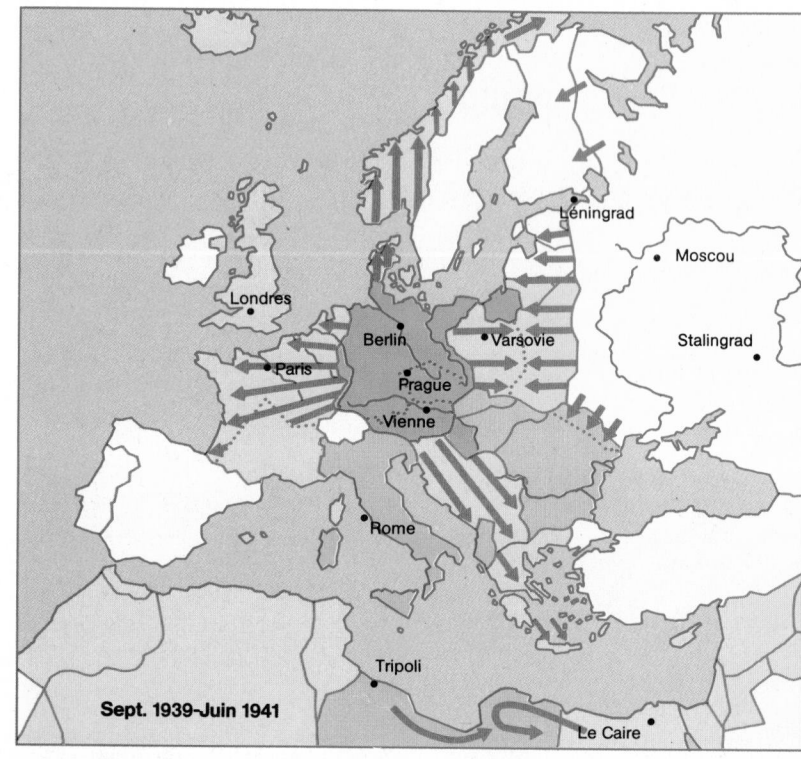

Sept. 1939-Juin 1941

Le Reich occupe la Grèce et la Yougoslavie

Grèce, 23 avril 1941
Les troupes allemandes lancent le 6 avril une offensive éclair contre la Yougoslavie et la Grèce. Le 10 avril, les troupes yougoslaves déposent les armes. Josip Broz Tito refuse la capitulation et rassemble ses partisans. Les troupes grecques opposent une farouche résistance aux Italiens et aux Allemands, tenant la ligne Metaxas jusqu'au 18 avril. La capitulation survient le 23 avril. Le corps britannique se replie sur la Crète et l'Egypte, abandonnant toutes ses armes lourdes.

Mort de l'ethnologue écossais James Frazer

Cambridge, 7 mai 1941

Professeur d'anthropologie sociale au Trinity College de Cambridge, James Frazer laisse une œuvre en douze volumes intitulée *Le Rameau d'or*. Le titre fait allusion au rameau d'or qu'Enée dut cueillir pour pénétrer dans le lac Averne où Virgile situe l'entrée des Enfers. Cette histoire de la pensée humaine montre le passage de la mentalité magique à la mentalité religieuse, puis à la mentalité scientifique.

Le plan "Barbarossa" : Hitler attaque l'URSS

URSS, 22 juin 1941

Près de 150 divisions allemandes viennent de franchir la frontière par surprise. Selon les espérances d'Hitler, l'Armée Rouge doit être vaincue, par une offensive éclair, avant l'hiver. L'écrasement du bolchevisme et l'expansion allemande vers l'est constituent depuis toujours les buts avoués d'Hitler, qui ordonne l'assassinat de tous les commissaires politiques de l'Armée Rouge. Il entend faire de l'URSS une sorte de colonie allemande, exploiter sans limites ses ressources humaines, agricoles, minières et pétrolifères. Prise au dépourvu, désorganisée par les purges, l'armée soviétique ne réussit à stopper l'offensive allemande qu'en novembre, devant Moscou. Les Soviétiques obtiennent des Alliés un soutien politique (pacte d'assistance

Orson Welles incarne "Citizen Kane"

Etat-Unis, 1941

Un film monument signé par l'enfant terrible et génial du cinéma américain : Orson Welles. Regard implacable sur une certaine société américaine, *Citizen Kane* se présente comme une enquête journalistique sur un magnat de la presse et comprend même de fausses bandes d'actualité. Un montage très élaboré, une technique à la fois délirante et maîtrisée en font une œuvre novatrice, l'union du talent et de la provocation.

mutuelle avec Londres, le 12 juillet) et militaire (les Etats-Unis envoient du matériel dès le 2 août), mais la famine fera des ravages : 3 700 morts à Leningrad dans la seule journée du 25 décembre.

Les troupes allemandes dans la plaine ukrainienne, juillet 1941.

La rencontre secrète de Franklin D. Roosevelt et de Winston Churchill sur le « Prince of Wales » au large de Terre-Neuve le 14 août 1941.

Roosevelt et Churchill signent la charte de l'Atlantique

Terre-Neuve, 14 août 1941

Le président américain Franklin D. Roosevelt et le Premier ministre britannique Winston Churchill ont signé au cours d'une rencontre secrète en mer la charte de l'Atlantique. Le traité contient huit principaux points d'accord :
- aucune modification territoriale, sans l'accord des populations concernées ;
- renoncement à toute expansion territoriale ;
- autodétermination des peuples libérés ;
- libre accès aux matières premières ;
- collaboration économique ;
- abolition de la famine et de la terreur ;
- liberté des mers ;
- désarmement des Etats agresseurs.

La charte, rapprochant les USA et la Grande-Bretagne, prend les puissances de l'Axe par surprise : le secret avait été bien gardé. Roosevelt montait, le 8 août, à bord du *Prince of Wales* pour une partie de pêche, trompant les services secrets ennemis. Bien qu'ils se tiennent militairement éloignés du conflit, les USA ont rassuré Churchill quant à la nature politique de leur éventuel engagement en faveur du monde libre.

Un sage s'éteint : Rabindranâth Tagore

Calcutta, 1941

L'Offrande lyrique, *La Maison et le Monde*, *Religion du poète* et *Vers l'homme universel* ont valu à Rabindranâth Tagore, écrivain indien (1861-1941), le prix Nobel, l'admiration générale et l'amitié d'hommes tels que Bergson, Rolland, Nehru ou Gandhi. Peintre, poète, musicien, homme politique (favorable à l'indépendance de l'Inde), il a su garder de sa culture brahmane le style métaphorique et de l'Occident le goût de l'universel.

Rabindranâth Tagore. Prix Nobel de littérature en 1913.

La base américaine de Pearl Harbor sous l'attaque japonaise.

F. D. Roosevelt annonçant l'entrée en guerre des Etats-Unis.

Le Japon attaque Pearl Harbor : les Etats-Unis en guerre

Hawaï, 7 décembre 1941

La principale base navale américaine dans le Pacifique a été détruite par une attaque surprise de l'aéronavale japonaise. La flotte japonaise se composait de six porte-avions et d'une imposante escorte de 423 avions et 27 sous-marins. Aucune mesure particulière de protection n'avait été prise sur la base US : la veille, les radars n'opérant qu'entre 4 et 7 heures du matin, la flotte japonaise s'est approchée de l'archipel sans être décelée. La première vague d'assaut accomplissait son travail de destruction sans être inquiétée, la seconde vague se heurtant à une faible résistance. 2 000 marins américains ont été tués, et toute la flotte US du Pacifique, sauf trois porte-avions, est hors de combat. Avec les Etats-Unis, la Grande-Bretagne et la Hollande déclarent la guerre au Japon le jour même, tandis que l'Italie et l'Allemagne déclarent les hostilités aux Etats-Unis le 11, le conflit achevant ainsi de devenir mondial.

1942

Singapour, 15 février
Après Manille (le 7 janvier), c'est au tour de Singapour de tomber aux mains des Japonais.

France, 28 mars
Création des Francs-Tireurs et Partisans (FTP).

Vichy, 15 avril
Suspension *sine die* du procès de Riom (commencé le 19 février) contre les « responsables » de la guerre : L. Blum, P. Reynaud, E. Daladier, M. Gamelin, etc.

Tokyo, 18 avril
Premier bombardement américain.

Vichy, 18 avril
Pétain, qui s'est officiellement réconcilié le 18 janvier avec Laval, le rappelle au gouvernement.

Philippines, 16 mai
Fin de la résistance américaine.

Mont-Valérien, 25 mai
Georges Politzer et d'autres résistants sont fusillés.

Prague, 27 mai
Assassinat de Heydrich.

France, zone occupée, 29 mai
Les juifs porteront l'étoile jaune.

Allemagne, 30 mai
Intense bombardement de Cologne par la RAF.

Paris, mai
Publication clandestine du poème de Paul Eluard « J'écris ton nom, Liberté » dans *Poésie et Vérité 1942.*

Pacifique, 3-7 juin
Victoire américaine à Midway. →

Tchécoslovaquie, 10 juin
Massacre du village de Lidice par les Allemands (1 357 tués) après l'assassinat d'un de leurs officiers.

Libye, 10 juin
Les Forces françaises libres quittent Bir Hakeim après un combat héroïque. La bataille, commencée le 28 mai, a immobilisé deux divisions allemandes, dont la fameuse 15e division blindée de Rommel.

Etats-Unis, 11 juin
Extension du prêt-bail à l'URSS.

France, 16 juin
« Je souhaite la victoire de l'Allemagne... », déclare Pierre Laval, qui accepte le principe de la re-

lève : des Français iront travailler en Allemagne en échange de la libération de prisonniers de guerre ; les premiers libérés arrivent le 11 août à Compiègne.

Paris, 16-17 juillet
Arrestation par la police parisienne de 13 000 Juifs, rafle dite du Vel'd'Hiv où ils sont ensuite rassemblés.

Pologne, 22 juillet
Début du transport des Juifs de Varsovie vers le camp de Treblinka.

Iles Salomon, Pacifique, 7 août
Débarquement américain. Contre-offensive japonaise le 16 octobre.

Dieppe, 18 août
Echec d'un raid anglo-canadien.

Alsace-Lorraine, 25 août
Incorporation obligatoire dans l'armée allemande.

Bruxelles, 31 août
Démantèlement du réseau de renseignements « l'Orchestre rouge ».

URSS, 10 septembre
Début de la bataille de Stalingrad. →

Libye, 3 novembre
Victoire décisive de Montgomery sur Rommel à El Alamein. Les Alliés prennent Tobrouk le 12. →

Afrique du Nord, 8 novembre
Débarquement allié en Algérie. Rupture des relations diplomatiques entre les Etats-Unis et le gouvernement de Vichy.

France, 11 novembre
La zone libre est occupée par les Allemands. Pétain, qui a destitué Darlan, donne le 17 les pleins pouvoirs à Laval.

Tunisie, 14 novembre
Débarquement allemand. Le 16, le pays est contrôlé par la Wehrmacht.

Toulon, 27 novembre
La flotte française se saborde.

Pacifique, 30 novembre
Après quatre mois de combats acharnés, les Américains se sont rendus maîtres de Guadalcanal.

Paris, 4 décembre
Les Visiteurs du soir de Marcel Carné.

France
Albert Camus publie, coup sur coup, *L'Etranger* et *Le Mythe de Sisyphe.*

A Surabaya (Java), pour familiariser la population avec la langue des occupants, des syllabaires japonais sont peints sur les murs.

Les Japonais occupent la Birmanie et Java

Asie du Sud-Est, janvier-avril 1942
Le 20 janvier 1942, les troupes japonaises, venant de Thaïlande, envahissent la Birmanie. Moulmein tombe le 31 janvier, Rangoon le 8 mars et, à la fin avril, toute la Birmanie est occupée et les Indes britanniques sont ainsi menacées. Les Japonais lancent au même moment une autre offensive contre les Indes néerlandaises. Débutant le 11 janvier, elle se termine le 28 février par la prise de Java. Le 9 mars, les Hollandais capitulent. En quatre mois, le Japon a conquis l'Asie du Sud-Est.

Victoire américaine à la bataille de Midway

Iles Midway, 3-7 juin 1942
La bataille des îles Midway rend aux Américains la maîtrise du Pacifique. L'offensive de l'amiral Yamamoto en direction d'Hawaï est stoppée par l'amiral William Nimitz. La première attaque japonaise contre Midway s'était soldée par la destruction des 121 appareils américains stationnés sur l'île : l'arrivée de quatre porte-avions américains, venus du Pacifique Sud dans le temps record de deux semaines, surprenait les Japonais, dont la victoire semblait certaine : ils perdent quatre porte-avions. L'amiral Yamamoto, qui se trouve à découvert, ordonne la retraite.

La France totalement occupée, la flotte se saborde à Toulon

Toulon, 27 novembre 1942
Après le succès de l'opération Torch, le débarquement anglo-américain en Afrique du Nord le 8 novembre, l'armée allemande, franchissant la ligne de démarcation, envahit la zone libre du territoire français, le 11 novembre 1942. De fait, l'Etat français devient un satellite du IIIe Reich et Vichy perd le contrôle des colonies. En effet, bien que désavoué par Pétain, l'amiral Darlan, se prévalant de « l'accord intime du maréchal », rallie les Américains avec l'armée d'Afrique qui avait ordre de les combattre aux côtés de l'Axe. Le 27 novembre, Hitler déclenche l'opération Lila qui désarme et démobilise les dernières troupes de l'Etat français en métropole. Les forces de l'Axe tentent alors de s'emparer de la flotte de haute mer dans le port de Toulon, mais celle-ci choisit de se saborder.

Les "U-Boot" maîtres de la guerre sous-marine dans l'Atlantique

Atlantique, 1er août 1942
Comme en 1914-1918, l'Allemagne livre une guerre sous-marine aux convois alliés. Cette « guerre de l'Atlantique », qui dura tout le temps de la guerre, connaît sa phase culminante en 1942 : 8 millions de tonnes sont coulées par les sous-marins allemands U-Boot. Progressivement, en 1941, les Etats-Unis étendent leur « zone de sécurité » dans l'Atlantique, s'associant à la Grande-Bretagne pour les questions stratégiques à l'échelle mondiale, et assurent la livraison du matériel qu'ils fournissent. En mars 1941, Roosevelt a fait voter la loi « prêt-bail » (en remplacement de la clause *cash and carry*) : les Etats-Unis fournissent aux Alliés du matériel payable seulement après la guerre. Ce n'est qu'à partir de mars 1943 que le tonnage lancé par les Alliés dépassera le tonnage perdu.

Reconquête de l'Afrique du Nord par les Alliés

Afrique du Nord, novembre 1942
Le 30 juin 1942, Rommel a atteint El Alamein, à une centaine de kilomètres d'Alexandrie. Il n'ira pas plus loin. A cette date, la situation se renverse et, en quelques mois, les Alliés vont reconquérir toute l'Afrique du Nord. Cette reconquête se déroule en deux temps. A l'est, les Anglais, sous le commandement du général Montgomery, remportent en août la bataille d'Alam Halfa et en novembre d'El Alamein et Tobrouk et contraignent Rommel à la retraite ; à la fin de l'année, le front se stabilise à Bouerat, près de la Tunisie. A l'ouest, le grand événement est le débarquement, le 8 novembre, en Algérie et au Maroc, de troupes anglo-saxonnes commandées par le général Eisenhower. Après quelques combats opposant Français et Alliés, l'amiral Darlan donne, le 10 novembre, l'ordre de cesser le feu et signe un armistice. Reconnu par les Américains comme la seule autorité française, il est assassiné le 24 décembre et remplacé par le général Giraud qui se rallie officiellement aux Alliés. A la fin de l'année, seule la Tunisie est encore occupée par l'Axe.

Char anglais lors d'une offensive contre l'Afrikakorps en 1942.

Détachement de la 6e armée de von Paulus progressant aux abords d'un village russe.

Le projet "Manhattan" rassemble des chercheurs atomistes

Chicago, 2 décembre 1942
Le physicien italien Enrico Fermi vient de réaliser une pile atomique à uranium et graphite, réussissant la première fission artificielle de l'atome. Le projet Manhattan rassemble dans plusieurs centres (Los Alamos, Oak Ridge, Hanford) les savants (dont Robert Oppenheimer) chargés aux Etats-Unis de la mise au point secrète d'une arme atomique.

Stalingrad, tournant de la guerre

Stalingrad, sept.-déc. 1942
Le 23 juillet, Hitler transmet à la 6e armée de Freidrich von Paulus et à la 4e armée blindée de Feder von Bock l'ordre d'attaquer la ville de Stalingrad. Le 10 septembre, les troupes de choc de von Paulus réussissent à pénétrer dans les faubourgs de la ville. Les défenseurs soviétiques, et surtout la 62e armée du général Tchouikov, livrent des batailles acharnées pour chaque rue et chaque maison. Fin octobre, les nazis occupent la plus grande partie de la ville, mais les Soviétiques les empêchent de franchir la Volga. Une contre-offensive lancée le 19 novembre par Joukov, à laquelle prennent part Rokossouvki au nord et Iérémenko au sud, se termine par l'encerclement des divisions de von Paulus (25 novembre). En désaccord avec les ordres d'Hitler concernant ces opérations, Bock démissionne. Erich Manstein contre-attaque pour dégager les troupes encerclées (12-16 décembre), mais sa tentative aboutit à un échec. En janvier 1943, la ville en ruine (36 000 immeubles anéantis par l'artillerie) est reconquise quartier par quartier par les Soviétiques. Von Paulus, nommé maréchal par Hitler le 29 janvier, capitule le 2 février. La bataille de Stalingrad a coûté aux Allemands 91 000 prisonniers, dont 27 généraux, et 200 000 tués.

Les Editions de Minuit clandestines publient "Le Silence de la mer"

Paris, 20 février 1942
Vercors (Jean Bruller) crée avec Pierre de Lescure les Editions de Minuit. Le récit sobre, d'une grande pureté formelle, qu'il publie clandestinement, souligne l'impossibilité de toute fraternisation entre personnes proches culturellement mais ennemies.

Femmes juives avec leurs enfants conduites à la chambre à gaz pour y être exterminées.

Une file d'enfants juifs, portant l'étoile jaune, sur le chemin du camp de concentration.

Schumpeter dégage les grandes lignes de l'économie du XXe siècle

Londres, 1942
Joseph Schumpeter (1883-1950), universitaire et ministre des Finances d'Autriche après la Première Guerre mondiale, s'est fixé aux Etats-Unis en 1935 pour enseigner à Harvard. Déjà connu pour son histoire des doctrines et des méthodes (1914), il publie en 1942 une vaste fresque économique intitulée : *Capitalisme, socialisme et démocratie*. Ce livre prophétique annonce la baisse de la fécondité liée au déclin des modes de vie bourgeois, l'affaiblissement du goût du risque et de l'esprit d'entreprise, la montée des bureaucraties industrielles, le développement du socialisme centralisateur, les gaspillages engendrés par les luttes pour le pouvoir politique.

La "solution finale" de la question juive organisée par Heydrich

Berlin, 20 janvier 1942
C'est au siège d'Interpol que s'est réunie la conférence de Wannsee. Bien que le mot de « liquidation » n'ait pas été prononcé, tous les participants ont approuvé le plan présenté par Reinhard Heydrich, chef des services de sécurité hitlériens, sur l'extermination des Juifs, qui doivent être déplacés dans les territoires de l'Est. Ceux qui auront survécu au transport seront utilisés pour construire des routes ou seront simplement éliminés. Déja en vigueur depuis longtemps, cette politique a coûté à cette date la vie à 368 888 Juifs. Le 1er mai 1941, 168 972 Juifs vivaient encore en Allemagne ; 131 823 le 1er janvier 1942 ; 51 257 le 1er avril 1942.

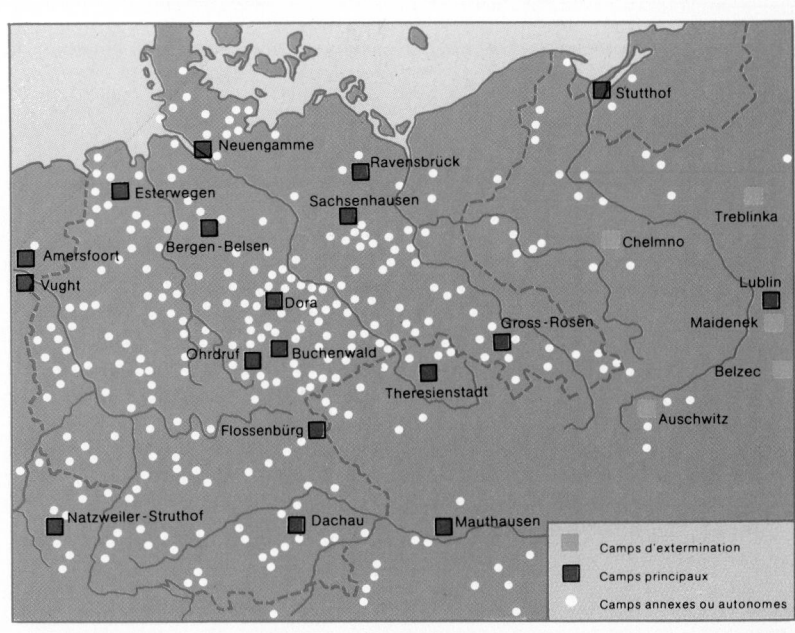

1943

Libye, 13 janvier
Jonction entre les troupes de la France libre de Leclerc et les Britanniques de Montgomery, qui prennent Tripoli le 23.

France, 26 janvier
Création du MUR (Mouvements unis de Résistance) regroupant les mouvements Combat, Libération et Francs-Tireurs, sous la présidence de Jean Moulin.

Allemagne, 28 janvier
Après que Hitler ait ordonné le 13 la « guerre totale », toute personne âgée de 16 à 65 ans est mobilisable.

Vichy, 30 janvier
Joseph Darnand crée la milice.

Stalingrad, 31 janvier
Von Paulus capitule. →

Guadalcanal, 9 février
Les Américains sont totalement maîtres des îles Salomon. →

Union Soviétique, 16 février
Après Koursk et Rostov, l'Armée Rouge reprend Kharkov.

France, 16 février
Création du Service du travail obligatoire (STO) pour les hommes nés entre le 1er janvier 1920 et le 30 décembre 1922.

Katyn, URSS, 13 avril
Découverte d'un charnier contenant les corps de 4 123 officiers polonais. → Moscou rompt le 25 avec le gouvernement polonais de Londres.

Varsovie, 19 avril
Himmler entreprend de liquider le ghetto. →

Tunisie, 7 mai
Les armées anglaises libèrent Bizerte et Tunis.

Alger, 3 juin
De Gaulle fonde le Comité Français pour la Libération Nationale (CFLN) dont la co-présidence est confiée, à la demande des Américains, au général Giraud. Celui-ci sera évincé dès novembre.

Argentine, 4 juin
Juan Perón participe à un coup d'État militaire et devient ministre du Travail.

Allemagne, 7 juin
Expériences pseudo-médicales sur les déportés à Ravensbrück et Auschwitz.

Union Soviétique, 10 juin
Staline dissout le Komintern.

Caluire, France, 21 juin
Arrestation de Jean Moulin ; torturé par Klaus Barbie à Lyon, il est emmené à Paris sous escorte. Nul ne le reverra plus.

Union Soviétique, 5-19 juillet
La bataille de Koursk met en présence 2 millions d'hommes, 4 000 blindés et 4 000 avions. C'est une défaite allemande.

Sicile, 10 juillet
Débarquement allié. Palerme sera prise le 23 juillet. L'île sera entièrement libérée le 17 août avec la prise de Messine.

Hambourg, 24-30 juillet
« Tempête de feu » : les bombardiers alliés font 30 000 morts.

Rome, 25 juillet
Mis en minorité au Grand Conseil fasciste, Mussolini est destitué et arrêté. Le général Badoglio constitue un gouvernement sans ministres fascistes.

Italie, 6 août
Déferlement des troupes allemandes. Rome déclarée « ville ouverte » le 13.

Italie, 3 septembre
Armistice avec les Alliés, rendu public le 8. Déclaration de guerre à l'Allemagne le 13 octobre.

Abruzzes, Italie, 12 septembre
Mussolini est libéré par un commando allemand. Il fonde le 18, à Salo, une « République sociale ».

France, 30 septembre
Le journal clandestin *Défense de la France* publie les premières photos des camps de concentration.

Corse, 13 septembre-4 octobre
Les Alliés libèrent l'île.

New York, 9 novembre
Exposition de Jackson Pollock, chez Peggy Guggenheim.

Paris, 25 novembre
Première du *Soulier de satin* de Paul Claudel.

Côte Atlantique
Le « mur de l'Atlantique » destiné à empêcher le débarquement des Alliés comprend 3 700 ouvrages défensifs sur les 15 000 prévus. Il a exigé la réquisition de 175 000 ouvriers.

France
Jean-Paul Sartre publie *L'Être et le Néant*.

Après avoir signé l'acte de capitulation, le feld-maréchal Friedrich von Paulus est conduit en détention par des officiers soviétiques.

La 6e armée capitule devant Stalingrad

Stalingrad, 31 janvier 1943

Le maréchal von Paulus, dont la 6e armée (300 000 hommes) est encerclée à l'ouest de Stalingrad depuis fin novembre 1942, signe l'acte de capitulation, malgré l'interdiction formelle de Hitler. Sur le plan militaire, il consacre ainsi le succès de la contre-offensive soviétique mise au point par les généraux Joukov et Vassilevski, qui ont su convaincre Staline qu'il fallait à cet endroit et à ce moment rassembler le maximum de troupes, briser l'assaut allemand et lancer la contre-attaque. Déclenché le 19 novembre, le « dispositif Uranus » perce le front allemand au nord et au sud de la ville ; isolé, von Paulus tient encore deux mois. La bataille a coûté à l'Axe 800 000 hommes ; 120 000 sont prisonniers. Elle met fin au mythe de l'invincibilité allemande et connaît immédiatement un immense écho international. Il s'agit du véritable tournant de la guerre en Europe, dont les conséquences se font immédiatement sentir sur le terrain : au sud, les armées allemandes du Caucase reculent de 600 km en quelques jours pour éviter l'encerclement.

« Les Allemands, dehors ! ». 1943. Affiche de propagande américaine en Italie.

Débarquement anglo-américain en Sicile

Italie, 10 juillet 1943

L'opération Husty débute à 3 heures du matin. La 8e armée britannique du général Bernard Montgomery débarque entre Syracuse et le cap Passero, et la 7e armée américaine du général George Patton entre le cap Passero et Licata, le long de la côte sud-ouest. Treize divisions sont engagées, soit 160 000 hommes, transportés par 3 266 navires, sous la protection de 1 000 avions. L'effet de surprise joue à plein : la nécessité d'improviser est fatale au commandement germano-italien.

Après la Sicile, les troupes américaines progressent en Italie.

Rencontre au sommet à Téhéran : Joseph Staline, Franklin D. Roosevelt et Winston Churchill.

Les "trois grands" se concertent à Téhéran

Téhéran, 28-29 novembre 1943
Après une rencontre entre Roosevelt et Churchill le 14 janvier à Casablanca, la conférence de Téhéran, première rencontre au sommet entre Staline, Churchill et Roosevelt, est marquée par l'atmosphère cordiale qui règne entre les trois hommes. La principale décision prise est d'ouvrir un second front à l'ouest, que Staline a instamment réclamé dans une lettre à Roosevelt, le 16 mars ; malgré la préférence de Churchill pour une attaque dans les Balkans, les Anglo-Saxons confirment à Staline qu'ils débarqueront en Normandie en mai 1944. Les discussions portent également sur la carte future de l'Europe ; Staline demande que la frontière occidentale de la Pologne soit fixée à l'Oder et les trois grands s'accordent sur le principe d'un démembrement de l'Allemagne. Enfin, c'est à Téhéran que Roosevelt présente à ses alliés les grands traits de la future Organisation des Nations Unies.

Reconquête du Pacifique par les Américains

Pacifique, 9 février 1943
La victoire de Guadalcanal, le « Verdun américain », redonne aux troupes de MacArthur l'initiative dans les îles Salomon et en Nouvelle-Guinée. Un nouveau porte-avions,

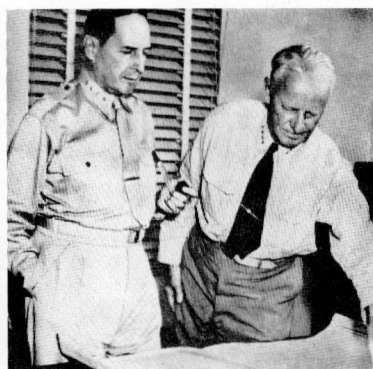

L'amiral Chester Nimitz (à droite) et le général Douglas MacArthur.

l'*Essex*, permet aux USA de rompre l'équilibre des forces à leur profit. La tactique « des sauts de puce » permet à MacArthur de reconquérir les îles de l'Amirauté, la base de Biak, les îles Salomon et enfin de débarquer aux Philippines. Les puissances de l'Axe sont désormais sur la défensive.

Jean Moulin unifie la Résistance française

France, 27 mai 1943
Dès la fin de 1941, l'ex-préfet Jean Moulin, représentant de la France libre en zone sud, est chargé par le général de Gaulle de réunir les mouvements de résistance sous l'autorité du Comité français de Londres. Ses efforts aboutissent à la création du Conseil national de la Résistance qu'il préside lors de sa première réunion, le 27 mai 1943.

Jean Moulin, président du CNR, arrêté par les nazis le 21 juin 1943.

Le soulèvement du ghetto de Varsovie : arrestations par les SS.

Soulèvement du ghetto de Varsovie

Varsovie, 19 avril-16 mai 1943
Les 60 000 survivants du ghetto institué par les Allemands en 1940 pour regrouper la population juive et dont plus de 400 000 habitants ont déjà été déportés dans les camps d'extermination se soulèvent contre les nazis. L'insurrection a été préparée en grand secret sous le commandement de Mordekhaï Anilewicz, leader du mouvement sioniste-socialiste *Hashomer Hatsair*. Faiblement armés, abandonnés à la fois par l'armée soviétique et par la Résistance polonaise non juive, les insurgés engagent une lutte désespérée contre des chars et une artillerie lourde. Ils ré-

Tout espoir est perdu pour cette famille juive du ghetto de Varsovie.

sistent cependant près d'un mois à la contre-offensive des nazis, défendant chaque immeuble et chaque maison. C'est le 16 mai seulement que la révolte est écrasée. Les derniers combattants sont exterminés, et le ghetto entièrement rasé.

La découverte du charnier de Katyn

Forêt de Katyn, 13 avril 1943
L'armée allemande découvre un charnier contenant les corps de 4 143 officiers polonais. Il s'agit d'exécutions perpétrées, semble-t-il, en mai 1940 par la police politique soviétique, le NKVD ; ces officiers avaient été arrêtés à la suite de l'invasion de la Pologne dans le cadre du protocole secret du pacte germano-soviétique.

Exhumation des corps de 4 143 officiers polonais de la fosse commune découverte en avril 1943 dans un bois près de Katyn.

1944

Verone, Italie, 11 janvier
Sous la pression des Allemands, Mussolini fait juger et condamner les membres du Grand Conseil fasciste qui avaient voulu traiter avec les Alliés en juillet 1943. Cinq d'entre eux seront exécutés dont son gendre le comte Ciano.

Allemagne, 20 janvier
La RAF lance 2 300 tonnes de bombes explosives sur Berlin.

France, 20 janvier
Institution de cours d'exception pour juger les « terroristes ».

Leningrad, 21 janvier
Après 900 jours de siège, les Soviétiques brisent l'encerclement.

Pacifique, 31 janvier
Les troupes américaines s'emparent des îles Marshall.

Londres, 1er février
De Gaulle rassemble toutes les forces de la Résistance sous le nom de FFI : Forces Françaises de l'Intérieur.

Haute-Savoie, 13 février
A Glières, premier parachutage d'armes au maquis. L'armée allemande et la milice anéantiront ce maquis au mois de mars. 465 résistants y trouveront la mort.

France, 21 février
Arrêtés en novembre 1943, les 23 membres du groupe de Missak Manouchian, qui fut un des réseaux les plus actifs de la Résistance, sont fusillés par les Allemands.

Camp de Drancy, 5 mars
Le poète Max Jacob meurt.

Irlande, 10 mars
L'Irlande, neutre, refuse de rompre ses relations diplomatiques avec les pays de l'Axe.

Hongrie, 15-19 mars
Hitler envahit le pays, qui tentait un rapprochement avec les Alliés, et destitue l'amiral Horthy pour le remplacer par Szalasi qui intensifiera la guerre et organisera la déportation des Juifs hongrois vers Auschwitz.

Rome, 23-24 mars
Les Allemands massacrent 335 otages civils aux fosses Ardéatines.

Grèce, 26 mars
Rupture au sein de la Résistance entre communistes et non-communistes.

Caroline du Sud, 13 avril
Malgré un arrêt de la Cour suprême, l'administration refuse le droit de vote aux Noirs.

Espagne, 2 mai
Franco s'engage à une stricte neutralité. Il a retiré ses troupes du front russe le 19 janvier.

Sébastopol, 9 mai
Les Soviétiques ont repris la Crimée aux Allemands.

Italie, 18 mai
Commencée le 15 février, la bataille de Monte Cassino s'achève : les Allemands battent en retraite. Les Alliés, ayant réalisé la jonction avec leur tête de pont d'Anzio et de Nettuno (débarquement du 22 janvier), marchent enfin sur Rome, où ils entreront le 4 juin.

Paris, 27 mai
Première de *Huis clos* de Sartre.

Alger, 3 juin
De Gaulle élève le Comité français de libération nationale au rang de Gouvernement provisoire de la République française (GPRF). Les FFI seront intégrés à l'armée le 9.

Normandie, 6 juin
Débarquement allié : 619 000 hommes, 95 000 véhicules, 218 000 tonnes de matériel. →

Bruxelles, 7 juin
Le roi Léopold III, fait prisonnier, est déporté à Dresde.

Limousin, 10 juin
Les SS assassinent 643 personnes à Oradour-sur-Glane, après le massacre de Tulle le 8, où ils ont exécuté 98 otages.

Trévoux, France, 16 juin
L'historien et résistant Marc Bloch est assassiné par la Gestapo.

Molles, France, 20 juin
Jean Zay, ancien ministre du Front populaire, est enlevé et assassiné par la Milice française.

Forêt de Fontainebleau, 7 juillet
Livré aux Allemands par le gouvernement de Vichy, Georges Mandel, ancien ministre, est abattu par les miliciens.

Ratenburg, Prusse, 20 juillet
L'attentat à la bombe du colonel comte von Stauffenberg contre Hitler échoue et les conjurés sont fusillés le soir même.

Ile de Guam, 21 juillet
Les Américains prennent l'île.

Débarquement de blindés américains sur une plage normande.

Guetteurs allemands sur la côte.

Débarquement allié en Normandie

France, 6 juin 1944
Organisée par les Alliés, l'opération Overlord est destinée à détruire le point fort du dispositif allemand. Transportées par 4 000 bâtiments, eux-mêmes encadrés par 700 navires de guerre, et appuyées par 10 000 avions, les troupes alliées doivent débarquer sur les plages normandes entre l'Orne et la Vire. Or Hitler attend l'attaque alliée sur les côtes du Pas-de-Calais, seul endroit bien défendu par le barrage fortifié du « mur de l'Atlantique ». Après une série de bombardements aériens visant à paralyser les voies de communication, les premiers contingents prennent pied en Normandie à l'aube du 6 juin 1944, sous le commandement du général Eisenhower. Grâce à la maîtrise de l'air et à l'engagement massif de l'artillerie et des blindés, les Alliés parviennent à créer une solide tête de pont entre Caen et Cherbourg, alimentée par le port artificiel d'Arromanches.

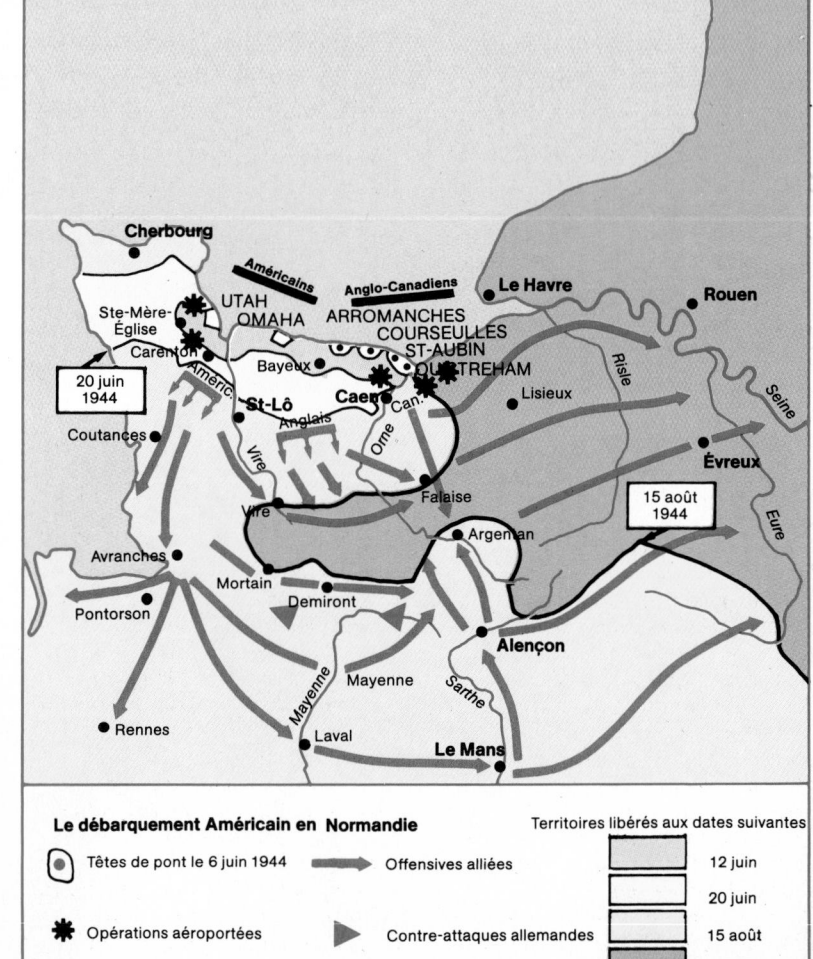

Le débarquement Américain en Normandie

Têtes de pont le 6 juin 1944
Opérations aéroportées
Offensives alliées
Contre-attaques allemandes

Territoires libérés aux dates suivantes
12 juin
20 juin
15 août
30 août

Les Japonais refoulés dans le Pacifique

Philippines, 22-25 octobre 1944
Commandés par l'amiral Nimitz dans le Pacifique central et par le général MacArthur dans le Pacifique sud-ouest, les Américains progressent en direction du Japon grâce à la technique du « saut-de-mouton ». Négligeant la plupart des îles occupées par les Japonais, ils attaquent seulement les bases stratégiques indispensables pour avancer par bonds successifs. Chaque débarquement de Marines est précédé de formidables bombardements aériens. Dès le 31 janvier, ils prennent d'assaut les îles Marshall ; au printemps, les îles Mariannes : Saipan et Guam sont récupérées ; en septembre, les Américains s'emparent des îles Carolines, isolant la base japonaise de Truk ; en octobre, la reconquête des Philippines commence à Leyte, où une grande partie de la flotte japonaise est détruite. Une telle tactique nécessite une organisation minutieuse des services de l'aéronavale, dont l'ampleur caractérise l'intervention américaine dans le Pacifique : plus des trois quarts des effectifs sont des non-combattants.

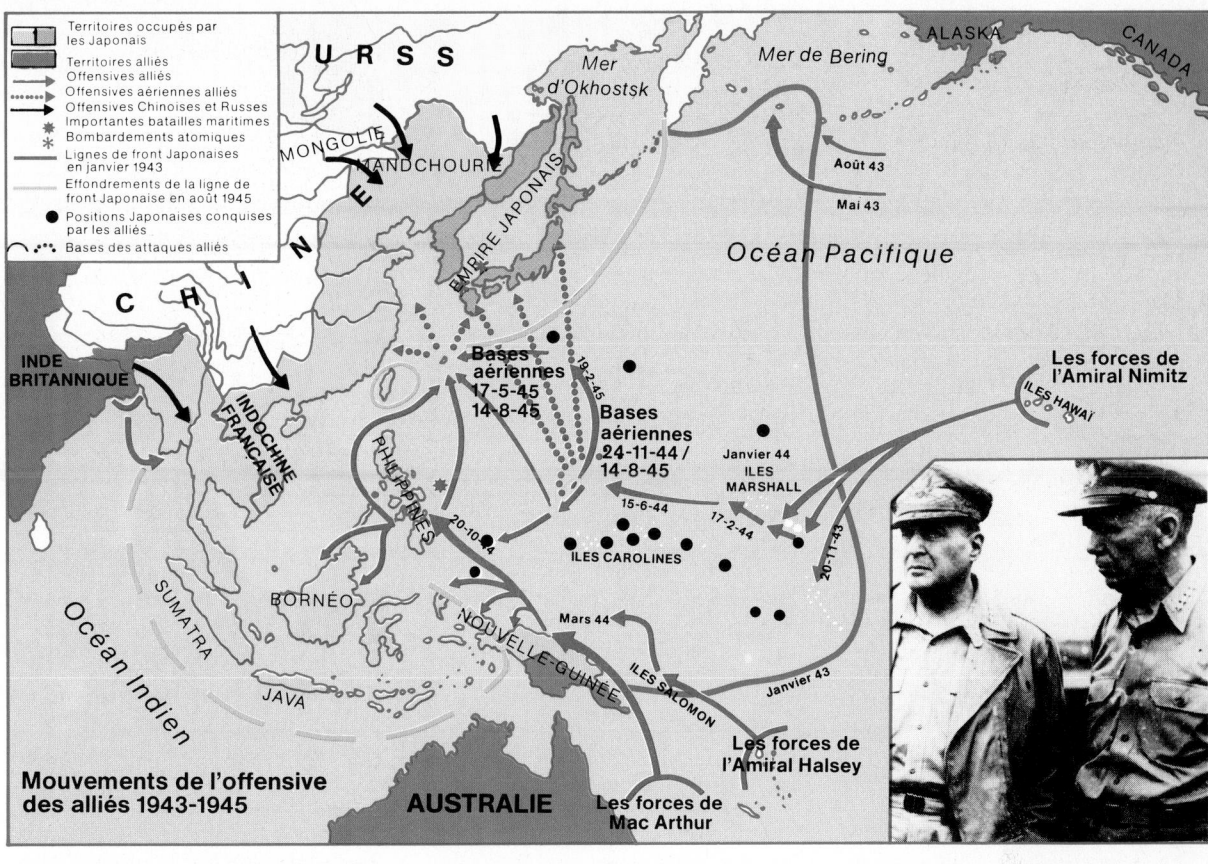

Mouvements de l'offensive des alliés 1943-1945

Vol d'essai d'une fusée de type V2 sur la base expérimentale de Peenemünde en Poméranie.

Les V2, "arme miracle" de l'Allemagne nazie

Londres, 8 septembre 1944
Les Allemands avaient mis au point en juin 1944 les premières bombes volantes autopropulsées, ressemblant à de petits avions sans pilote (les V1). Quelques mois plus tard, apparaissent les fusées V2 (« Vengeance 2 »). Ces missiles propulsés par une fusée à l'oxygène liquide transportent près de 1 000 kg d'explosif sur une distance de plus de 350 km et à une vitesse de plus de 600 km/h qui les rend invulnérables. Du 8 septembre 1944 au 27 mars 1945, les 1 000 V2 lancés sur Londres feront près de 3 000 morts, mais ne pourront sauver le régime nazi.

Le laboratoire de recherche à Oak Ridge, dans le Tennessee, où sera mise au point la bombe atomique.

L'arme atomique mise au point aux Etats-Unis

Los Alamos, Nouveau-Mexique, 1944
Réaliser une bombe atomique suppose résolu le problème de la fission de l'atome. Dès 1938, les recherches se multiplient, et c'est le 2 décembre 1942 que l'Italien Enrico Fermi (opposé à Mussolini, il avait émigré aux Etats-Unis en 1939) réalise et maîtrise la première réaction en chaîne à partir de l'uranium en le bombardant avec des neutrons. En 1943, sous la direction d'Oppenheimer, s'installe à Oak Ridge le laboratoire de recherche qui mettra au point l'arme atomique et la fera exploser le 16 juillet 1945 dans le désert du Nouveau-Mexique, à Los Alamos.

Saint-Exupéry est porté disparu au large de la Corse

France, 31 juillet 1944
L'appareil 233 de la 33e escadrille piloté par Antoine de Saint-Exupéry, qui a décollé de Bastia vers 8 h 30, est porté disparu. Abattu par la défense anti-aérienne allemande ou victime d'une panne ? L'auteur de *Courrier-Sud*, de *Vol de nuit*, de *Terre des hommes* et du *Petit Prince* avait quarante-quatre ans.

La théorie des jeux révolutionne la pensée stratégique

Etats-Unis, 1944
Esquissée au XVIIIe siècle par Condorcet, la théorie des jeux est formulée par Johannes von Neumann et Oskar Morgenstern dans *Théorie des jeux et du comportement économique*. Distinguant entre jeux à somme nulle (les gains égalant les pertes) et à somme non nulle, elle révolutionne économie, diplomatie et stratégie.

Accords monétaires de Bretton Woods

New Hampshire, 1er-22 juillet 1944
L'inconvertibilité des monnaies décidée pendant la guerre paralyse les échanges internationaux. Pour y remédier, une conférence monétaire réunit 44 Etats, dont l'URSS. La thèse de Keynes (création d'une monnaie internationale, le bancor) est supplantée par celle de l'Américain White. Le dollar devient la devise de référence et un Fonds monétaire international est créé.

Conférence monétaire de Bretton Woods (New Hampshire) en juillet 1944 rassemblant 44 Etats, dont l'URSS.

1944

Etats-Unis, 22 juillet
Signature des accords de Bretton-Woods. →

Vercors, France, 31 juillet
Faute d'armes, pourtant promises, le maquis du Vercors qui regroupe 3 500 hommes est dispersé et anéanti par les troupes allemandes épaulées par la Milice.

Drancy, 31 juillet
Dernier convoi pour Auschwitz.

France, 31 juillet
Disparition de Saint-Exupéry. →

Pologne, 1er août-3 août
Liquidation de 4 000 Tziganes à Auschwitz-Birkenau.

Provence, 15 août
Débarquement allié. Tout le littoral est libéré le 29.

France, 20 août
Pétain, embarqué par les Allemands, est conduit à Belfort.

Paris, 25 août
Capitulation de la garnison allemande : de Gaulle défile dans la capitale libérée, où la 2e DB de Leclerc est entrée la veille, après que le général Jacques Chaban-Delmas, délégué militaire national, ait conclu une trêve le 20 avec le gouverneur allemand von Choltitz. L'insurrection avait commencé dès le 16.

Roumanie, 31 août
L'Armée Rouge entre à Bucarest.

France, 3 septembre
Lyon est libérée.

Belgique, 3 septembre
Bruxelles est libérée.

Aix-la-Chapelle, 11 septembre
Arrivée de la Ire armée américaine en Allemagne. La ville tombera le 21 octobre.

France, 12 septembre
Jonction des armées alliées du nord et du sud. Discours de De Gaulle au palais de Chaillot sur la nécessité morale, politique et économique des nationalisations.

Europe de l'Est, 15 septembre
L'Armée Rouge entre dans Sofia et atteint les faubourgs de Varsovie.

Hollande, 17-26 septembre
L'opération aéroportée des Alliés sur Armheim est un échec.

Varsovie, 3 octobre
Commencé le 1er août à l'instiga-

tion de l'Armée secrète polonaise, l'insurrection de Varsovie est durement réprimée. C'est dans une ville de 120 000 habitants (contre 1 250 000 avant guerre) que l'Armée Rouge fera son entrée le 17 janvier 1945.

Paris, 3 octobre
Au Salon d'automne, exposition Picasso (74 toiles), Miro, Ernst...

Proche-Orient, 7 octobre
Constitution de la Ligue arabe.

Yougoslavie, 18 octobre
Josip Broz Tito est reconnu comme chef du gouvernement. Le 20, Belgrade est libérée.

Philippines, 22 octobre
Débarquement américain sous la direction du général MacArthur. →

France, 22 octobre
Reconnaissance du Gouvernement provisoire de la République française par les Alliés.

France, 28 octobre
Une ordonnance exige le désarmement des combattants de la Résistance.

Auschwitz-Birkenau, 2 nov.
Fin des gazages : 1,5 millions de Juifs ont été exterminés.

France, 15 novembre
Le Conseil des ministres décide de nationaliser les usines Renault sans indemnités.

Strasbourg, 23 novembre
La ville est libérée.

Paris, 27 novembre
Amnistié par de Gaulle, Maurice Thorez est rentré d'URSS.

Grèce, 4 décembre
Guerre civile : les communistes refusent l'ordre de désarmement donné par le gouvernement. Pour Churchill, le pays, stratégiquement important, ne doit pas passer sous influence soviétique.

France, 8 décembre
Création des 70 premières Compagnies républicaines de sécurité (CRS).

Moscou, 10 décembre
De Gaulle, arrivé le 5, signe un traité d'alliance avec l'URSS.

Indochine, 22 décembre
Vô Nguyên Giap fonde l'armée populaire vietnamienne.

Ardennes, 16-28 décembre
Contre-offensive allemande.

La libération de Strasbourg par les troupes de Leclerc le 23 novembre 1944.

Relève politique dans la France libérée

France, été 1944
L'été 1944 est dominé par les « impératifs du provisoire » : la France, tout en achevant de se libérer, doit installer de nouveaux pouvoirs et restaurer son autorité tant sur la scène internationale qu'aux colonies. La libération du territoire progresse à partir des débarquements alliés en Normandie (6 juin) et en Provence (15 août). A l'intérieur, les réseaux de Résistance constitués dans la clandestinité intensifient leurs actions de harcèlement, s'exposant à d'impitoyables représailles allemandes. Ainsi, le 10 juin, en Haute-Vienne, dans le village d'Oradour-sur-Glane, un détachement de la division SS « Das Reich » massacre 643 personnes dont 500 femmes et enfants qui périssent dans l'église volontairement incendiée. Du 17 au 23 juillet se déroule la bataille du Vercors. Dans cette forteresse naturelle située entre l'Isère et la Drôme, 3 500 maquisards harcelaient les troupes allemandes, afin de les empêcher de rejoindre le front de Normandie. En trois jours, les Allemands exterminent 650 maquisards parmi lesquels le romancier Jean Prévost. Cependant, les Américains réussissent leur percée à Avranches (31 juillet), libèrent Rennes (5 août) et atteignent Pa-

ris. A Vichy, le dernier Conseil des ministres se tient le 17 août. Le 25, Paris libérée par l'insurrection et les blindés de Leclerc, acclame les généraux de Gaulle, Kœnig et Leclerc qui descendent triomphalement les Champs-Elysées aux côtés de Georges Bidault, président du Conseil national de la Résistance. Grâce au consul de Suède, le général von Choltitz n'exécuta pas l'ordre de détruire la capitale. Le 9 septembre, de Gaulle forme un gouvernement provisoire associant toutes les forces politiques de la Résistance, communistes inclus.

La reconstruction est à l'ordre du jour.

Le général de Gaulle, entouré de Le Trocquer et Georges Bidault ; au second rang : les généraux Kœnig et Leclerc, dans Paris libéré le 25 août 1944.

La jonction historique des troupes américaines et soviétiques à Torgau, sur l'Elbe.

Jonction historique sur l'Elbe

Torgau, 25 avril 1945

Depuis l'hiver 1944-1945, l'étau militaire se resserre sur le Reich. A l'ouest, le 23 mars, les Alliés attaquent sur le Rhin, qu'ils franchissent en force le 24. Les troupes anglo-canadiennes traversent l'Allemagne du Nord en direction de Brême, Hambourg et Kiel. Au sud, les Français s'avancent jusqu'au lac de Constance. Les Américains progressent en Allemagne centrale, libérant les camps de concentration. Dans le même temps, les troupes soviétiques investissent la Pologne, la Hongrie, la Tchécoslovaquie puis la Prusse orientale. Le 25 avril 1945 à 16 heures, la 69e division de la Ire armée américaine rencontre sur l'Elbe, à 50 km au nord-est de Leipzig, à Torgau, la 58e division de la garde ukrainienne de Koniev. Dans les jours suivants, la jonction réalisée à Torgau entre le front oriental et celui de l'ouest s'étendra tout le long de l'Elbe, tandis que Berlin est encerclée.

Mussolini fusillé par les partisans

Dongo, lac de Côme, 28 avril 1945

Mis en minorité par le Conseil fasciste et arrêté le 25 avril 1943, puis délivré le 12 septembre 1943 par un coup de main SS, Mussolini a fondé au nord du Pô, à Salo, une « République sociale italienne » qui n'est en fait qu'un satellite du IIIe Reich. Le 27 avril 1945, les forces allemandes d'Italie font retraite vers l'Autriche et acceptent de prendre dans un de leurs camions Mussolini, dissimulé sous l'uniforme allemand, avec un casque et de grosses lunettes fumées. Arrêté par des partisans, il est fusillé le lendemain avec sa maîtresse. Leurs cadavres sont ensuite transportés à Milan et exposés une journée entière sur la place Loreto.

Les cadavres de Mussolini et de Clara Petacci, ainsi que deux fidèles.

Harry Truman succède à Franklin D. Roosevelt

Washington, 12 avril 1945

Le vice-président Truman est promu président des Etats-Unis à la mort de Roosevelt. Fils d'un maquignon et d'une baptiste rigide, il a servi en Argonne pendant la guerre de 1914. Juge de paix, après avoir été cheminot et employé de banque, il est devenu sénateur démocrate du Middle West en 1935. Il a pour devise : « Faites toujours le bien : ça contentera certains et ça stupéfiera les autres ».

Harry S. Truman.

Effrondement du Troisième Reich

Berlin, 30 avril 1945

Depuis l'échec de l'offensive des Ardennes, à la mi-décembre 1944, les blindés allemands ne cessent de perdre du terrain. En janvier 1945, ils subissent des revers en Alsace et en Prusse orientale où Rokossovski et Tcherniakhovski opèrent une percée décisive. Dès lors commence l'exode de centaines de milliers d'Allemands vers les ports. En février 1945, les Alliés intensifient la guerre aérienne : une attaque sur Berlin fait 22 000 morts le 3 février. Les 13 et 14 février, Dresde, capitale de la Saxe, est pilonnée par les « Lancaster » britanniques et canadiens.

fièvre obsidionale. Une organisation secrète de jeunes Allemands, la *Werwolf*, multiplie attentats et sabotages dans les zones contrôlées par les Alliés. Les troupes allemandes d'Italie, en pleine débandade, capitulent. Le 21 avril 1945, les Soviétiques ont atteint les faubourgs de Berlin. 500 000 Berlinois, mobilisés à la hâte, adolescents du *Volkssturm* et vieillards, ont ordre de résister jusqu'au bout. Le 30 avril, alors que l'Armée Rouge s'empare du Reichstag, Hilter rédige son testament : « Je meurs le cœur joyeux en songeant aux incomparables faits et prouesses de nos soldats au front...

Les dernières troupes levées par Hitler (un million d'Allemands) en septembre 1944 comprenaient des vieillards et des enfants.

Un incendie ravage une zone de 20 km². Le centre historique et le vieux château sont détruits tandis que 250 000 civils trouvent la mort dans cette apocalypse. En mars, les blindés américains franchissent le Rhin. Dans l'entourage de Hitler et le Haut Etat-Major se développe une ainsi qu'aux exploits héroïques de la jeunesse qui porte mon nom. » A 15 h 30, douze ans et trois mois après son accession à la Chancellerie, Hitler se donne la mort d'un coup de revolver dans la bouche tandis que sa maîtresse Eva Braun s'empoisonne.

Signature de la capitulation sans condition de l'Allemagne par le général Jodl, le 7 mai 1945, au QG des forces alliées à Reims.

1945

Pologne, 5 janvier
L'URSS reconnaît le Comité de Lublin, au détriment du gouvernement en exil à Londres.

Prusse, 12 janvier
Les Soviétiques déclenchent, plus tôt que prévu, une grande offensive pour soulager le front ouest.

Auschwitz, 27 janvier
Le camp est libéré par l'Armée Rouge : seulement 5 000 survivants. A l'approche des Soviétiques, les SS ont fui, emmenant 65 000 prisonniers à pied. Peu survivront.

Belgique, 4 février
Evacuation des dernières troupes allemandes.

Yalta, Crimée, 4-11 février
Conférence interalliée qui, déjà, définit l'après-guerre. →

Colmar, 9 février
Avec la prise de la ville, l'Alsace entière est libérée.

Dresde, 14 février
La « Florence du bord de l'Elbe » est bombardée : 250 000 morts.

France, 23 février
Arrivée de l'aide alimentaire américaine aux civils européens.

Iwo-Jima, 16 mars
Victoire américaine après un mois de combats meurtriers ; 216 prisonniers Japonais sur les 21 000 soldats occupant l'île. Les Américains ont auparavant conquis Manille (16-25 février) et Corregidor (23 février) où seuls 26 Japonais sur les 4 000 combattants ont été faits prisonniers.

Birmanie, 20 mars
Les Anglais reprennent Mandalay.

Etats-Unis, 12 avril
A la mort de Roosevelt, Truman devient Président.

Autriche, 14 avril
Les Soviétiques occupent Vienne.

Allemagne, 18 avril
Dachau est libéré, après Bergen-Belsen et Buchenwald.

Elbe, 25 avril
Les troupes américaines et soviétiques font leur jonction.

France, 29 avril
Les femmes votent pour la première fois.

Italie, 29 avril
Les forces allemandes de la péninsule capitulent.

Berlin, 30 avril
Hitler se suicide.

Reims-Berlin, 7-8 mai
L'Allemagne, brisée, capitule sans condition. →

Algérie, 8 mai
Emeutes sanglantes à Sétif.

Tokyo, 26 mai
La ville est à moitié détruite par les bombardements.

Ile d'Okinawa, 22 juin
La résistance japonaise cède après 82 jours de combat acharnés.

Grande-Bretagne, 26 juillet
Aux élections, les conservateurs sont battus : Attlee remplace Churchill.

Postdam, 17 juillet-2 août
Staline, Truman, Churchill puis Attlee se rencontrent en Allemagne pour régler le sort du monde.

Japon, 6 août
Bombe atomique sur Hiroshima. Le Haut Etat-Major japonais ne peut comprendre de quoi il s'agit et tergiverse.

Japon, 9 août
Bombe atomique sur Nagasaki.

Paris, 14 août
Après trois semaines de procès, Pétain est condamné à mort. Il sera gracié et emprisonné.

Japon, 2 septembre
Le Japon capitule sans condition.

Paris, 15 octobre
Exécution de Pierre Laval. Darnand a été fusillé le 10.

Buenos Aires, 17 octobre
Marche des *descaminados* (sans chemises) et triomphe de Perón.

Stockholm, 12 novembre
Nobel de médecine à Sir Alexander Fleming pour la découverte de la pénicilline en 1941.

Allemagne, 14 novembre
Ouverture du procès de Nuremberg. →

France, 2 décembre
Nationalisation des quatre plus grandes banques de dépôt.

Palestine, 27 décembre
Vague d'attentats sionistes contre les installations britanniques.

Un soldat soviétique hisse le drapeau rouge sur le Reichstag le 30 avril 1945.

Capitulation allemande sans condition

Reims, 7 mai 1945
Les Soviétiques hissent le drapeau rouge au sommet du Reichstag, puis exigent une capitulation sans condition. Goebbels se donne la mort après avoir tué ses six enfants. C'est donc l'amiral Dönitz, que Hitler a désigné pour successeur dans son testament, qui regroupe les forces allemandes et engage le processus de capitulation, signée à Reims le 7 mai à 2 h 45 au quartier général d'Eisenhower et ratifiée le 8 à Berlin, au quartier général de Joukov. Ainsi s'effondre exsangue le Reich qui devait « durer mille ans ».

Tito : de la Résistance à la prise du pouvoir

Josip Broz, dit Tito.

Belgrade, 7 mars 1945
Issu d'une famille paysanne croate de seize enfants, Josip Broz, dit Tito, a d'abord travaillé comme serveur de restaurant puis comme serrurier, ce qui le conduit à adhérer au syndicat des métallurgistes proche du parti social-démocrate. Prisonnier des Russes en 1915, il participe à la révolution de 1917 et, à son retour, en 1920, adhère au parti communiste yougoslave. Devenu membre du comité central, délégué du Komintern (Internationale communiste) puis chef du parti en 1939, il dirige la Résistance à partir de 1941.

Anne Frank meurt à Bergen-Belsen

Allemagne, 12 mars 1945
Fille d'un banquier juif de Francfort, Anne Frank avait fui avec ses parents les persécutions nazies aux Pays-Bas en 1933. Cachée à Amsterdam pendant l'occupation, sa famille est arrêtée le 6 septembre 1944 : Anne, âgée de quinze ans, est déportée. Son *Journal*, de 1942 à 1944, est un pudique et émouvant témoignage sur la détresse juive de ces sombres années.

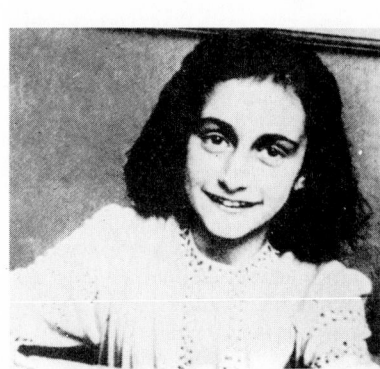

La jeune Anne Frank.

Des millions de déportés trouvèrent la mort dans les camps de concentration nazis.

Le monde découvre les camps nazis

Dachau, 29 avril 1945

Les Américains libèrent les survivants de Dachau. L'élimination systématique des Juifs, accélérée par Heydrich à partir du 20 janvier 1942 (conférence de Wannsee), consistait à introduire les détenus dans des chambres d'extermination camouflées en salles de douches, où un gaz mortel était insufflé par des moteurs Diesel. Comme l'oxyde de carbone n'opérait pas assez rapidement, on utilisa après 1942 des produits plus toxiques, tels que l'acide prussique et le zyklon B. L'historien des camps Eugen Kogon estime que 7 820 000 personnes passèrent par les « camps de la mort » et que 700 000 seulement survécurent. Aux Juifs s'ajoutaient les adversaires politiques du nazisme, les homosexuels, les objecteurs de conscience, les Témoins de Jéhovah. Une quarantaine de médecins SS attachés aux camps pratiquaient sur les détenus des expériences pseudo-médicales d'une insoutenable cruauté, destinées à éprouver la résistance du corps humain (chambres étanches où l'on faisait varier la pression atmosphérique, immersion prolongée dans des bains glacés, absorption massive d'eau de mer, inoculation de maladies infectieuses variées : choléra, typhus, etc.).

Victimes de la guerre

URSS	20 000 000	Italie	480 000
Chine	13 500 000	Royaume-Uni	380 000
Allemagne	5 600 000	Etats-Unis	300 000
Pologne	5 000 000	Hollande	210 000
Japon	2 200 000	Grèce	160 000
Yougoslavie	1 500 000	Canada	42 000
France	630 000		**50 002 000**

Juifs victimes des camps

Pologne	2 400 000	Grèce	60 000
URSS	700 000	Autriche	58 000
Tchécoslovaquie	218 000	Yougoslavie	55 000
Roumanie	200 000	Belgique	26 000
Hongrie	180 000	Italie	9 000
Allemagne	160 000	Bulgarie	5 000
Pays-Bas	104 000	Norvège	700
France	63 000	Danemark	70
			4 238 770

(Sources : W. Rings ; L. Poliakov).

La bombe atomique détruit Hiroshima

Hiroshima, 6 août 1945

Les *kamikaze* font des ravages parmi les Marines et le Japon refuse la capitulation. Aussi Truman ordonne-t-il au général Carl Spaatz, chef de l'aviation américaine dans le Pacifique, d'employer l'arme atomique contre une ville très peuplée. Le 6 août 1945, le pilote Paul Tibbets reçoit l'ordre, à 8 h 13, de larguer sur Hiroshima une bombe à uranium de type « Little Boy ». L'engin explose à 600 m au-dessus de la ville, provoquant une fulguration puis, autour d'une boule de feu centrale, un vaste cercle incandescent. Bientôt, ses franges de flammes enveloppent la ville entière, « comme si un énorme abat-jour écarlate de 4 km de diamètre était posé sur la cité ». Hiroshima devient une fournaise qui détruit toute vie dans un rayon de 1 km ; dans un rayon de 2 km, la population est décimée, écorchée, atteinte d'hémorragies, diarrhées et fractures caractéristiques de l'irradiation atomique. On recensera 78 150 décès, 13 939 disparus, 9 284 blessés graves ; plus de 20 000 soldats ont également péri. Il reste que, selon Lequiller, historien du Japon, « en provoquant ainsi une panique décisive chez les dirigeants japonais, Truman a sauvé de très nombreuses vies américaines et alliées, sans compter les vies japonaises ».

L'empereur du Japon Hiro-Hito dans Tokyo dévastée par les bombardements américains.

Explosion de la bombe atomique sur Nagasaki le 9 août 1945.

Les bases de l'après-guerre posées à Yalta et à Potsdam

Yalta, 4-11 février 1945
Potsdam, 17 juillet-2 août 1945

Dès 1941, les Alliés s'étaient concertés dans des rencontres au sommet : la conférence de l'Atlantique entre Roosevelt et Churchill (août 1941) avait abouti à la Charte de l'Atlantique. A partir de 1943, les conférences interalliées se sont multipliées (à Washington, en mars 1943 ; au Caire, puis à Téhéran, en novembre 1943 ; à Dumbarton Oaks en septembre 1944 pour la mise en place de l'ONU). Les deux grandes conférences interalliées de 1945 se tiennent à Yalta et à Potsdam. A Yalta, en Crimée, du 4 au 11 février 1945, Roosevelt, Churchill et Staline préparent la restructuration de l'Europe d'après-guerre. L'occupation de l'Allemagne fait l'objet d'âpres discussions entre Staline qui refuse que la France y prenne part et les Anglo-Saxons qui estiment que « la stabilité en Europe est inconcevable sans une France forte et influente ». Un compromis est finalement trouvé : la zone d'occupation française en Allemagne sera prélevée sur les zones britannique et américaine. Le sort de la Pologne constitue une autre pomme de discorde : Roosevelt et Staline souhaitent que les frontières orientales de l'Etat polonais reviennent à la ligne Curzon de 1919, alors que Churchill aurait voulu une frontière plus orientale. Devant le refus catégorique de Staline, l'accord se fait sur la ligne Curzon, moyennant une compensation territoriale à l'ouest, au détriment de l'Allemagne orientale. Le choix du futur gouvernement polonais est encore plus litigieux : Staline soutient le Comité de Lublin, composé principalement de communistes ; Roosevelt et Churchill appuient le gouvernement polonais exilé à Londres. On tombe finalement d'accord sur un élargissement du Comité de Lublin par adjonction de quelques membres du gouvernement réfugié à Londres. Une « déclaration sur l'Europe libérée » prévoit l'organisation de gouvernements démocratiques par la voie d'élections libres organisées sous contrôle allié tripartite. En Extrême-Orient, Roosevelt obtient de Staline que l'URSS s'engage à entrer en guerre contre les Japonais deux à trois mois après la capitulation allemande. En contrepartie, l'URSS récupérera les territoires que le Japon lui avait ravis lors de sa victoire navale de 1905 : le sud de Sakhaline, l'archipel des Kouriles, le contrôle des chemins de fer de Mandchourie et la base de Port-Arthur. Ces dernières dispositions restaient subordonnées à l'accord du maréchal Chiang Kaï-shek. La conférence de Potsdam (juillet-août 1945) est assez tendue. Truman a succédé à Roosevelt et Attlee remplace Churchill le 28 juillet. Il est convenu que l'URSS prélèvera les réparations sur sa propre zone d'occupation en Allemagne. Arguant de

l'occupation de la Grèce par les Britanniques, Staline refuse tout contrôle des Occidentaux sur les élections en Pologne, Bulgarie, Roumanie et Hongrie où s'organise le noyautage du pouvoir par les communistes. Staline réclame aussi, mais sans succès, un droit de tutelle sur la Libye et les Détroits turcs. Churchill et Roose-

velt avaient été obligés de reconnaître les positions acquises de l'Union soviétique en Europe centrale et orientale ; les pays satellisés par l'Allemagne le seront désormais par les Soviétiques. Ainsi l'opposition entre les deux grands vainqueurs américain et soviétique se matérialise-t-elle dans la division de l'Europe.

Rencontre de Churchill, Roosevelt et Staline à Yalta en février 1945.

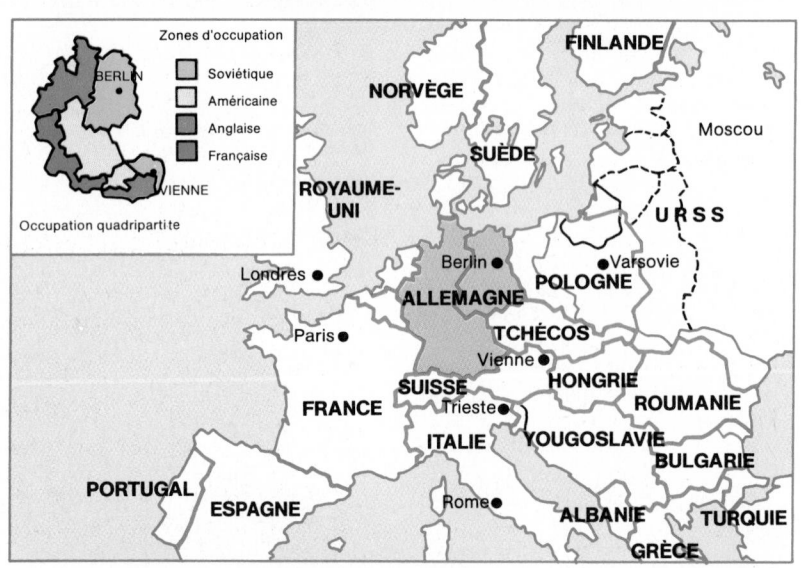

Conférence de Potsdam en juillet-août 1945 : Clement Attle, Harry Truman et Joseph Staline.

Fondation au Caire de la Ligue arabe

Le Caire, 22 mars 1945

L'idée de promouvoir la solidarité arabe apparaît dès le 2 avril 1936 dans le Traité de fraternité et d'alliance arabe signé entre l'Arabie Saoudite et l'Irak. Les deux pays s'engagent à « unifier la culture islamique et arabe et les organisations militaires dans leurs pays respectifs ». Ils invitent les autres Etats arabes à renforcer leur unité. En mai 1936, un traité rapproche l'Arabie Saoudite et l'Egypte. Le Yémen signe à son tour un accord d'amitié avec les Saoudiens, en avril 1937. Avec l'appui du ministre anglais des Affaires étrangères Anthony Eden, le Premier ministre égyptien Nahhas Pacha réunit en juillet 1943 une première conférence. Le 22 mars 1945, six pays réunis au Caire fondent la Ligue arabe, affirmant les droits des Arabes sur la Palestine.

L'indépendance des Etats africains à l'ordre du jour

Paris et Manchester, 1945

Ce conflit mondial entraîne les puissances coloniales à envisager un réaménagement de leurs relations avec l'Afrique. Après la conférence de Brazzaville (1944) concernant l'avenir des populations africaines francophones, deux conférences sont réunies fin 1945 : tandis qu'à Paris les francophones tentent d'obtenir l'égalité de statut entre Blancs et Noirs, à Manchester les anglophones recherchent la fin immédiate de la domination coloniale, accompagnée de profondes transformations sociales. Le Ghanéen Kwame Nkrumah s'impose comme le chef incontesté du mouvement panafricain.

Procès des criminels nazis à Nuremberg

Nuremberg, 20 novembre 1945

Un tribunal militaire international juge 24 membres du parti nazi et 8 organisations pour crimes de guerre et crimes contre l'humanité. Le verdict du 1er octobre 1946 condamnera à la pendaison : Goering (qui se suicidera la veille de son exécution), Ribbentrop, Rosenberg, Frank, Frick, Steicher, Sauckel, Jodl, Kaltenbrunner, Keitel et Seyss-Inquart ; à la prison : Dönitz, Funk, Hess, Neurath, Raeder, Schirach et Speer. Furent acquittés : Fritsch, Papen et Schacht. Seront condamnés à titre collectif : le NSDAP, la Gestapo, les SS et le SD. Ne comparurent pas : Robert Ley (suicidé le 25 octobre 1945), Bormann (« en fuite », probablement mort en mai 1945) et Gustav Krupp (cas disjoint pour raison de santé)

MacArthur soumet et réforme le Japon

Rade de Tokyo, 2 septembre 1945
Au terme d'une farouche résistance, le Japon capitule. Le 28 juillet, le Premier ministre Suzuki avait rejeté l'ultimatum par lequel les Alliés, réunis à Potsdam, exigeaient le désarmement du Japon et sa renonciation à toute possession coloniale. Les

La capitulation japonaise est signée à bord du « Missouri », dans la rade de Tokyo.

bombes atomiques lancées sur Hiroshima (6 août) et Nagasaki (9 août) suscitèrent de vifs débats au sein du haut commandement japonais : les partisans de la lutte à outrance (Anami, Toyoda, Umezu) l'emportaient sur les adeptes d'une négociation avec les Etats-Unis (le diplomate Togo, soutenu par l'empereur) quand, dans la nuit du 14 au 15 août, l'empereur enregistra sur disque le discours par lequel il annonçait la capitulation du pays. Un complot tenta vainement de s'emparer du document pour empêcher sa diffusion. Celle-ci eut lieu sur les ondes de la radio nationale le 15 août, à midi. Suzuki démissionna, aussitôt remplacé par le prince impérial. Dix-huit jours plus tard, le 2 septembre au matin, le général MacArthur, chargé par Truman d'organiser l'occupation, reçoit en rade de Tokyo, à bord du cuirassé *Missouri*, la capitulation des autorités japonaises. Dès lors commence une occupation exemplaire qui se prolon-

gera jusqu'en 1951, sans la moindre violence de part et d'autre. MacArthur et ses adjoints s'efforcent de comprendre la mentalité japonaise grâce au japonologue Edwin Reischauer (futur ambassadeur de Kennedy à Tokyo) et à l'anthropologue Ruth Benedict. Ils gagnent ainsi rapidement la confiance des populations qui estiment avoir été abusées par le fanatisme des officiers nationalistes.

L'empereur, symbole de l'unité nationale, est maintenu, moyennant renonciation à ses « origines divines ». Pour extirper le militarisme, l'administration est épurée, la Constitution révisée et l'enseignement réformé. Le pluralisme des partis politiques est reconstitué.

MacArthur à bord du « Missouri ».

Vers un nouvel enjeu au Viêt-nam ?

Hanoi, 2 septembre 1945
Le 8 septembre 1941, Hô Chi Minh avait créé le Viêt-minh (ligue pour l'indépendance du Viêt-nam). Aussitôt connue la capitulation japonaise, le Viêt-minh s'empare du pouvoir et, après avoir contraint l'empereur Bao Daï, nommé par les Japonais, à abdiquer, proclame la République démocratique du Viêt-nam. Mais Paris a déjà désigné un nouveau haut-commissaire chargé de reprendre le contrôle du pays.

Hô Chi Minh.

Naissance de l'ONU à San Francisco

San Francisco, 25 avril-25 juin 1945
Préparée par la conférence de Dumbarton Oaks, aux Etats-Unis (septembre 1944), l'Organisation des Nations Unies naît officiellement à San Francisco. Son but est de « préserver les générations futures du fléau de la guerre qui, deux fois en l'espace d'une vie humaine, a infligé à l'humanité d'indicibles souffrances ». Les signataires s'engagent à « régler leurs différends internationaux par des voies pacifiques ». L'ONU comporte une Assemblée générale composée de délégués de tous les Etats membres. L'URSS dispose en fait de trois voix, les républiques d'Ukraine et de Biélorussie étant représentées. Un Conseil de sécurité, formé de onze membres dont cinq permanents, a pour tâche de proposer des médiations en cas de conflits internationaux. Chacun des membres permanents du Conseil de sécurité (Etats-Unis, URSS, France, Grande-Bretagne, Chine) dispose d'un droit de veto. L'article 27 de la charte des Nations Unies subordonne toute décision internationale à l'assentiment unanime des cinq membres permanents. Ainsi se

Le sigle de l'ONU : pour la paix mondiale.

trouve reconstitué sur un plan mondial le « directoire des grandes puissances » qui avait dirigé l'Europe du XIXe siècle. Les décisions du Conseil de sécurité sont exécutoires dès lors qu'elles sont adoptées par une majorité de sept voix, dont les cinq voix des membres permanents. Tous les Etats membres de l'ONU s'engagent à respecter et à exécuter les décisions du Conseil de sécurité. L'ONU comporte en outre un Conseil économique et social, dont dépendent de multiples organismes financiers et techniques spécialisés : Fonds monétaire international (FMI), Banque internationale pour la reconstruction et le développement (BIRD), Organisation pour l'alimentaion et l'agriculture (FAO), Organisation pour l'éducation, la science et la culture (UNESCO), Organisation internationale des réfugiés, Organisation de l'aviation civile. L'Organisation internationale du travail (OIT) hérite des structures du Bureau international de la Société des Nations.

Discussion des principaux articles de la Charte de l'ONU. Séance du 29 mai 1945 à San Francisco.

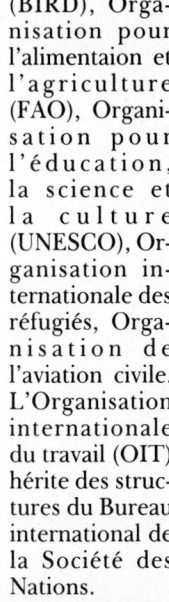

Edward Stettinius, chef de la délégation américaine, signant l'acte de fondation de l'ONU.

Chronique des années 1946-1986

Au terme d'un ouvrage dont l'objectif a été de retracer les grands moments de l'histoire universelle, il était pour le moins aventureux de vouloir y inclure les événements les plus récents, au regard desquels il n'est pas de critères valables de sélection. En effet, on quitte ici l'histoire pour entrer dans l'actualité avec toutes les incertitudes et les aléas qui s'y attachent.

C'est pourquoi nous nous sommes résolus à interrompre notre chronologie au lendemain de la Seconde Guerre mondiale. La césure que celle-ci représente est suffisamment nette pour qu'il n'y ait pas lieu de s'interroger sur le choix de cette date, quels que soient les liens, visibles ou secrets, que l'on puisse faire valoir entre le monde actuel et celui de l'entre-deux guerres.

Ces limites étant posées, encore convenait-il de ne pas ignorer l'actualité (ce qu'on aurait pu légitimement nous reprocher) et laisser le lecteur sans points de repère. D'où cette chronologie "à grands pas", où sont consignées quelques-unes des dates essentielles des quarante dernières années, en introduction à un survol de notre époque visant à en dégager, avec prudence, les grandes lignes de force.

Pour ceux qui souhaitent s'informer davantage, il leur suffira de se reporter à l'ouvrage intitulé *Chronique du XXe siècle* (paru dans la même collection) : conçus selon des principes identiques, des éphémérides y relatent, non plus année par année, mais jour après jour et mois par mois, les événements de tous ordres qui ont tissé en France et dans le monde l'histoire du monde contemporain.

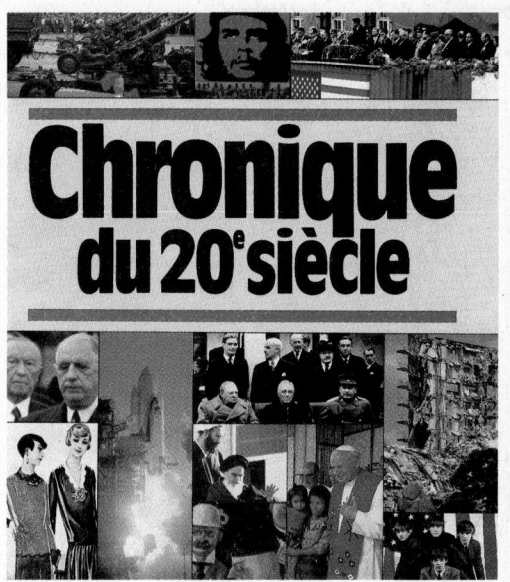

1946

Moyen-Orient, avril à août
Le Liban, la Syrie et la Jordanie deviennent indépendants.

1947

Etats-Unis, Harvard, 5 juin
Lancement du plan Marshall pour reconstruire l'Europe.

Inde, 15 août
Partition de l'Inde en deux Etats indépendants : l'Union indienne et le Pâkistân.

Extrême-Orient, octobre et décembre
Accession à l'indépendance de la Birmanie et de l'Indonésie.

1948

Bruxelles, 1er janvier
Création du Benelux par l'entrée en vigueur de l'union douanière entre la Belgique, les Pays-Bas (Nederland) et le Luxembourg.

Inde, 30 janvier
Assassinat du Mahâtma Gandhi.

Tchécoslovaquie, 21-25 février
Le « coup de Prague » consacre la mainmise communiste sur la Tchécoslovaquie.

Moyen-Orient, 14 mai
Ben Gourion proclame l'Etat d'Israël. Le 15, début de la première guerre israélo-arabe (armistice le 20 juillet 1949).

Berlin, 24 juin
Début du blocus de la ville par l'URSS (il durera jusqu'au 12 mai 1949).

Belgrade, 28 juin
Rupture Tito-Staline : « schisme yougoslave ».

Grèce, 20 août
Défaite des troupes communistes du général Markos dans les monts Grammos.

ONU, 10 décembre
Déclaration universelle des Droits de l'Homme.

1949

Moscou, 25 janvier
Création du COMECON, organisation de coopération économique regroupant les pays de l'Est.

Etats-Unis, 4 avril
Fondation, par douze Etats, de l'Organisation du Traité de l'Atlantique Nord (OTAN).

Bonn, 8 mai
Vote de la Loi fondamentale de la RFA (République Fédérale d'Allemagne).

Union Soviétique, 14 juillet
L'URSS possède la bombe atomique.

Hongrie, 24 septembre
Condamnation à mort du communiste Lázló Rajk, à la suite d'un procès commencé le 16 septembre.

Chine, 1er octobre
Proclamation à Pékin de la République populaire chinoise.

Berlin-Est, 7 octobre
Création de la RDA.

1950

France, 9 mai
Robert Schuman lance l'idée d'une Communauté européenne du charbon et de l'acier.

Corée, 25 juin
La Corée du Nord attaque la Corée du Sud. Sous l'égide de l'ONU, les Américains interviennent le 15 septembre.

1951

Iran, 15 mars
Le Premier ministre, Mossadegh, entreprend, contre l'avis du shâh, la nationalisation des pétroles iraniens.

Paris, 18 avril
Traité de Paris instituant la CECA (Communauté européenne du charbon et de l'acier).

Etats-Unis, San Francisco, 8 septembre
Quarante-huit Etats signent la paix avec le Japon.

1952

Etats-Unis, Nevada, 23 avril
Explosion de la première bombe à hydrogène.

Prague, 3 décembre
Exécution de Slansky et de Clementis, respectivement ancien secrétaire général du Parti communiste tchèque et ancien ministre des Affaires étrangères.

1953

Union soviétique, 5 mars
A la mort de Staline, partage du pouvoir entre Malenkov, Premier ministre, et Khrouchtchev, secrétaire général du parti.

RDA, Berlin-Est, 17 juin-11 juillet
Soulèvement ouvrier et intervention soviétique.

Corée, Pan-Mun-Jom, 27 juillet
Armistice : fin de la guerre de Corée. La frontière se retrouve fixée au 38e parallèle.

1954

Indochine, 3 février-7 mai
Bataille de Diên Biên Phu.

Egypte, 25 février
Le colonel Nasser écarte du pouvoir le général Néguib.

Indochine, 20 juillet
Porté à la présidence du Conseil le 18 juin pour mettre fin à la guerre d'Indochine, Pierre Mendès-France signe les accords de Genève, qui mettent fin à l'intervention militaire française et consacrent le partage du Viêt-nam en deux Etats, au nord et au sud du 17e parallèle. Les Américains vont prendre la relève.

Philippines, Manille, 6 septembre
Signature du pacte de l'OTASE, pendant de l'OTAN pour les pays d'Asie du Sud-Est.

Algérie, 1er novembre
Début de l'insurrection algérienne.

1955

Indonésie, Bandung, 18-24 avril
Vingt-neuf pays d'Afrique et d'Asie affirment leur volonté de neutralisme vis-à-vis de l'Est et de l'Ouest.
L'année suivante sera crée le sommet des Non-Alignés.

Pologne, Varsovie, 14 mai
L'URSS signe avec sept pays de l'Est européen un pacte de défense réciproque : le Pacte de Varsovie.

1956

Union soviétique, 14-25 février
Lors du XXe congrès du PC, Khrouchtchev dénonce les méthodes de gouvernement de Staline et le « culte de la personnalité ».

Maghreb, mars
Accession à l'indépendance du Maroc et de la Tunisie.

Pologne, 28 juin
Soulèvement ouvrier à Poznán avec, comme conclusion, le retour au pouvoir de Gomulka le 19 août.

Hongrie, 23 octobre
Insurrection en Hongrie. Intervention de l'Armée soviétique du 4 au 12 novembre.

Egypte, 29-31 octobre
A la suite de la nationalisation du canal de Suez par Nasser le 26 juillet, intervention conjointe franco-anglo-israélienne.

1957

Italie, 25 mars
Signature du traité de Rome créant la Communauté économique européenne (CEE) et l'Euratom.

Union soviétique, 4 octobre
Lancement du premier satellite artificiel : Spoutnik 1. Le mois suivant, la chienne Laïka sera le premier être vivant de l'espace.

1958

France, 28 septembre
Adoption par référendum de la Constitu-

tion de la Ve République. Le général de Gaulle en sera élu Président le 21 décembre.

1959

Cuba, 1er janvier
Le dictateur Fulgencio Batista en fuite, Fidel Castro est maître de Cuba.

Europe du Nord, 20 novembre
La Grande-Bretagne forme avec six autres pays l'Association européenne de libre-échange (AELE).

1960

Afrique, mai-juillet
Les pays d'Afrique francophone deviennent indépendants.

Caracas, 14 septembre
Création de l'Organisation des pays exportateurs de pétrole (OPEP).

1961

Union soviétique, 12 avril
Premier vol orbital d'un Soviétique (Youri Gagarine).

Algérie, 22-26 avril
Putsch des généraux.

Berlin, 12-21 août
Construction du mur de Berlin.

Europe, 30 septembre
L'OECE devient l'OCDE.

1962

Bruxelles, 14 janvier
Définition d'une politique agricole commune aux pays de la CEE.

Etats-Unis, 20 février
Premier vol orbital d'un Américain (John Glenn).

Evian, 18 mars
Les accords d'Evian mettent fin à la guerre d'Algérie. Un référendum d'autodétermination est prévu pour le 1er juillet.

Algérie, 3 juillet
Proclamation de l'indépendance.

Vatican, 11 octobre
Ouverture du concile de Vatican II.

Cuba, 18-28 octobre
Crise des fusées soviétiques à Cuba.

1963

Vatican, 11 avril
Encyclique *Pacem in terris* de Jean XXIII.

Afrique, 25 mai
Création de l'OUA (Organisation de l'Unité Africaine).

Chine-URSS, 14 juin
Rupture sino-soviétique : lettre en 25 points.

Etats-Unis, 22 novembre
Assassinat du président John F. Kennedy à Dallas.

1965

Union soviétique, 18 mars
A. Leonov, premier piéton de l'espace.

1966

Chine, 18 avril
Mao Zedong lance la « révolution culturelle ».

1967

Grèce, 21 avril
Coup d'Etat militaire des « colonels ».

Afrique, 30 mai
Déclaration d'indépendance unilatérale du Biafra. Le Nigeria se trouve dès lors engagé dans une guerre civile, qui durera jusqu'en janvier 1970.

Moyen-Orient, 5-10 juin
Troisième conflit israélo-arabe : la guerre des Six Jours.

Afrique du Sud, 3 décembre
Première greffe cardiaque (Dr Barnard).

1968

Tchécoslovaquie, 21 août
L'intervention des troupes du Pacte de Varsovie met fin au Printemps de Prague.

Etats-Unis-Europe-Japon, printemps-été
Contestation étudiante mondiale.

1969

Amérique, 21 juillet, 3 heures 56
Les astronautes américaines Armstrong et Aldrin foulent le sol lunaire.

1971

Pâkistân, 28 mars
Début d'une guerre civile au Pâkistân oriental, qui aboutira en décembre à l'indépendance du Bangladesh.

Etats-Unis, 15 août
Le Président Nixon dévalue le dollar et met fin à sa convertibilité en or.

1973

Europe, 1er janvier
Elargissement de la CEE à la Grande-Bretagne, à l'Irlande et au Danemark : l'Europe des Neuf.

Paris, 2 mars
Le traité de Paris consacre le retrait américain du Viêt-nam. Le 29 mars, le dernier soldat américain aura quitté le Viêt-nam.

Chili, 11 septembre
Coup d'Etat du général Pinochet, qui élimine le gouvernement de Salvador Allende.

Moyen-Orient, 6 octobre-11 novembre
Le quatrième conflit israélo-arabe (guerre du Kippour) entraîne un brutal renchérissement du pétrole : c'est le premier choc pétrolier.

1974

Portugal, 25 avril
Renversement par les militaires de l'Etat corporatiste créé par Salazar : c'est la « révolution des œillets ».

Grèce, 24 juillet
Fin du régime des colonels et abolition, le 8 décembre, de la monarchie.

1975

Cambodge, 17 avril
Prise du pouvoir par les Khmers rouges.

Viêt-nam, 30 avril
L'armée du Sud Viêt-nam capitule. Installation à Saïgon d'un gouvernement procommuniste.

U.S.A.-U.R.S.S., 17-19 juillet
Mission spatiale américano-soviétique (Apollo-Soyouz).

Helsinki, 1er août
Signature des accords sur la sécurité en Europe.

Espagne, 20 novembre
Mort de Franco. Juan Carlos, roi d'Espagne.

1976

Chine, 9 septembre
Mort de Mao Zedong.

1979

Etats-Unis, Camp David, 26 mars
Signature d'un traité du paix entre Israël et l'Egypte (Bégin, Sadate).

Iran, 30 mars
Proclamation de la République islamique. En février le régime du shâh s'est effondré. Bientôt l'ayatollah Khomeiny et ses partisans vont s'emparer de la totalité du pouvoir.

Afghânistân, 26 décembre
L'Union soviétique envahit l'Afghânistân.

1980

Pologne, 22 septembre
Grève des chantiers navals de Gdansk et fondation du syndicat « Solidarité ».

Moyen-Orient, 22 septembre
L'Irak attaque et envahit l'Iran.

1982

Argentine, 2 avril
Guerre des Malouines. La défaite argentine entraîne le discrédit de la junte militaire et le retour à la démocratie en octobre 1983.

Moyen-Orient, 6 juin
Israël envahit le Liban. L'OLP chassée du Liban en août. Massacres de Palestiniens à Sabra et Chatila en septembre.

Chine, Pékin, 1er-11 septembre
Le XIIe congrès du PC marque la volonté d'ouverture et de modernisation du pays.

1986

CEE, 1er janvier
La CEE s'élargit à l'Espagne et au Portugal.

Philippines, 25 février
Chute de Marcos. Mme Aquino présidente.

Tchernobyl, URSS, 28 avril
Le plus grave accident jamais intervenu dans une centrale nucléaire.

Les lendemains douloureux

Le diplomate anglais Neville Chamberlain avait déclaré à Kettering, le 3 juillet 1938 : « A la guerre, il n'y a pas de gagnants, il n'y a que des perdants ». La dévastation des Etats belligérants en 1945 en apporte une confirmation. L'acharnement dans l'élimination méthodique de populations entières, l'exploitation militaire des progrès scientifiques (eux-mêmes stimulés par la guerre), l'étendue des moyens humains et matériels mis en œuvre ont abouti à un degré de destruction jamais atteint dans l'histoire de l'humanité. On dénombre 60 millions de morts, dont 9 millions dans les camps de concentration. L'Europe orientale a été particulièrement éprouvée : un Polonais sur six et un Russe sur dix ont péri. La sous-alimentation, le froid, le manque de médicaments ont entraîné le décès de nombreux civils.

De la guerre à la reconstruction

Les ruines matérielles s'accumulent. Le Japon et l'Allemagne sont de vastes champs de ruines. Des villes entières ont été rasées : Rotterdam, Stalingrad, Varsovie, Hambourg, Coventry, Dresde, Caen, Le Havre, Amiens... En Yougoslavie, une habitation sur cinq n'existe plus. Les moyens de communication doivent être remis en service. Les populations sinistrées éprouvent un profond désarroi moral, assorti d'un désir de renouveau. Le monde découvre, atterré, l'horreur des camps de concentration nazis. Depuis Hiroshima et Nagasaki (6 et 9 août 1945), chacun mesure le danger de l'arme atomique. Six années de violences, de massacres, d'actes de sadisme attestés par les anciens déportés créent un malaise général : « L'homme est désormais sans illusion sur le fauve qui dormait en lui » (R. Grousset). La Libération s'accompagne de règlements de comptes parfois mal contrôlés. Les responsables nazis de l'holocauste des Juifs sont jugés à Nuremberg pendant 315 jours par un tribunal militaire interallié. L'instruction s'appuie sur des documents officiels du Reich et sur les témoignages de nombreux rescapés des camps. Onze condamnations à mort sont prononcées (dont celle de Göring qui se suicide la veille de son exécution). La notion de crime contre l'humanité est retenue comme chef d'accusation. A Tokyo, les chefs militaires sont jugés en 1948. Mais la justice rendue n'efface pas le sentiment de l'absurde. Une philosophie et un cinéma profondément pessimistes traduisent l'ébranlement des esprits : Sartre, Camus et Simone de Beauvoir dominent la vie intellectuelle européenne, Rossellini et Vittorio de Sica le cinéma.

Pourtant, les forces de reconstruction sont à l'œuvre. Un renouveau démocratique s'amorce en Europe avec le retour aux libertés publiques. Mais l'Espagne de Franco et l'Europe centrale, tombée dès 1947-1948 sous le double joug du parti unique et de la tutelle soviétique, restent à l'écart du renouveau général. En France, en Grande-Bretagne, en Italie, en Allemagne et au Japon, les réformes de structure se multiplient. De nouvelles constitutions restaurent le parlementarisme et garantissent le pluralisme. L'économie est restructurée sous l'égide de l'Etat qui nationalise des pans entiers de l'industrie, engage une planification souple (le plan Monnet en France), développe la Sécurité sociale (plan Beveridge en Grande-Bretagne, plan Laroque en France), contrôle les salaires et les prix et maintient, jusqu'au début des années 1950, des mesures de rationnement dictées par la pénurie. Espoir pour l'avenir, la démographie reprend sa courbe ascendante : en France, le « baby boom » bat son plein en 1946. « La France s'est déridée en pouponnant » (Jean-Pierre Rioux). Mais, dans les pays les plus touchés par les destructions, la reprise de la natalité pèse sur les ressources : ainsi au Japon, où les troupes d'occupation américaines doivent imposer en 1948 une « loi eugénique » qui favorise la contraception et l'avortement.

Un nouvel ordre international

Un nouvel ordre mondial s'ébauche dans le sillage de la conférence de Yalta (février 1945). « Il y a aujourd'hui sur la terre deux grands peuples qui, partis de points différents, semblent s'avancer vers le même but : ce sont les Russes et les Anglo-Américains... Chacun d'eux semble appelé par un dessein secret de la Providence a tenir un jour dans ses mains les destinées de la moitié du monde. » Cette prophétie formulée en 1835 par le Français Alexis de Tocqueville (1805-1859), dans son livre *La Démocratie en Amérique*, se trouve réalisée dès le début des années 1950. L'Union soviétique et les Etats-Unis président aux rectifications de frontières de l'après-guerre et disposent d'une supériorité militaire incontestée : Washington détient l'arme atomique en 1945, Moscou en 1949. L'Europe occidentale cesse d'être le centre d'impulsion de la planète. Bientôt, la « grande alliance russo-américaine » des années de guerre se désagrège. En 1947, le monde entre dans l'ère de l'affrontement bipolaire Est-Ouest : le « grand schisme » est consommé.

La guerre froide (1946-1962)

La « guerre froide » durcit jusqu'au milieu des années 1960 le climat des relations internationales. Elle résulte de la volonté de Staline d'étendre la sphère d'influence soviétique en Méditerranée et en Europe centrale. Après des efforts infructueux pour s'implanter en Iran et en Turquie, les Soviétiques empêchent le déroulement d'élections libres en Europe danubienne et balkanique. Sous couvert de participer à des gouvernements de coalition (stratégie dite du « cheval de Troie ») les dirigeants communistes de l'Europe de l'Est infiltrent les rouages de l'administration, puis éliminent les autres partis (« stratégie du salami »). En février 1948, le « coup de Prague » évince Mazarik et Benes du pouvoir, tandis que Petkov, Premier ministre agrarien de Bulgarie, est exécuté. En Roumanie, Iuliu Maniu, dirigeant agrarien de premier plan, est condamné à la détention perpétuelle en 1947. La même année, Staline a créé le Kominform (Bureau communiste d'information) pour contrôler étroitement les neuf partis communistes d'Europe, à l'exception de la Yougoslavie de Tito qui fait sécession en 1948. La consolidation du « glacis » soviétique en Europe centrale s'accompagne de retentissants procès politiques, tel le procès Slansky en Tchécoslovaquie ou celui de Rajk en Hongrie.

Pour endiguer l'expansion soviétique, les Occidentaux signent le pacte Atlantique en 1949 et soutiennent avec vigueur les Etats frontaliers des régimes soviétiques. La guerre froide multiplie ainsi le nombre des pays divisés en deux entités idéologiquement rivales : deux Allemagnes (RFA et RDA), deux Chines (le continent et Taiwan), deux Corées (Nord et Sud) et deux Viêtnams (1954) sont les avant-postes de l'affrontement entre les Etats-Unis et l'Union soviétique. De juin 1948 à mai 1949, Staline organise le blocus de Berlin dans l'espoir de contraindre les Américains à renoncer à la zone d'occupation dont ils disposent dans cette ville. Les Occidentaux ripostent par un pont aérien ininterrompu. En 1950, les troupes communistes de la Corée du Nord attaquent la Corée du Sud, déclenchant une guerre meurtrière de trois années. Au Viêt-nam débute en 1945 une guerre d'émancipation contre la tutelle coloniale française. Le dirigeant communiste Hô Chi Minh y incarne la résistance nationale.

La décolonisation

La Seconde Guerre mondiale a érodé le prestige des pays colonisateurs qui, pour se ménager la fidélité de leur empire, ont dû promettre des concessions et des réformes. Partout, les mouvements nationaux, plus ou moins anciens, reprennent vigueur : parti du Congrès en Inde, Néo-Destour en Tunisie, Istiqlal au Maroc... Les élites urbaines les animent. Leurs chefs sont issus soit de la moyenne bourgeoisie (Nehru en Inde, Houphouët-Boigny en Côte-d'Ivoire), soit de l'armée (Nasser en Egypte), soit du mouvement étudiant (Soekarno en Indonésie, Hô Chi Minh au Viêt-nam, Julius Nyerere au Tanganyika), soit du syndicalisme (Sékou Touré en Guinée), parfois de l'aristocratie (Mohammed V au Maroc). Ils bénéficient de soutiens actifs dans leurs propres pays, mais aussi dans les métropoles où des intellectuels, tel Jean-Paul Sartre en France, épousent leur cause. S'y ajoute l'appui de pragmatiques qui jugent excessif le coût des colonies : en France, Raymond Cartier, journaliste à *Paris-Match*, incarne ce courant. Pour des raisons différentes mais convergentes, les Etats-Unis comme l'Union soviétique sont en 1945 favorables à l'émancipation des peuples colonisés. Les Etats-Unis donnent l'exemple en accordant, en 1946, l'indépendance totale aux Philippines. Ils appuient à l'ONU l'accession à l'indépendance de l'Inde et du Pakistan (1947), de la Birmanie (1947), de l'Indonésie (1947) et de la Libye (1951). Toutefois, le fait que l'indépendance des anciens pays colonisés se soit faite dans le cadre de frontières souvent arbitraires, nées du partage colonial, n'a pas été sans poser de graves problèmes et s'est accompagné parfois de la renaissance de sentiments ethniques ou religieux, voire nationaux qui, pour avoir été ignorés ou bafoués, ont été et sont encore à l'origine d'affrontements entre Etats (Inde-Pakistan) ou de guerres civiles (Biafra, Bangla Desh, Congo, Indonésie).

La conférence de Bandung

Mais les nations sous tutelle aspirent à conduire leur propre destin. En 1955, la conférence de Bandung rassemble vingt-neuf Etats africains et asiatiques. Derrière Nasser, Nehru, Soekarno et Zhou Enlai, ils affirment leur volonté de se tenir à l'écart des deux grands blocs géopolitiques formés par les Etats-Unis et l'URSS. Le tiers-mondisme et le neutralisme s'affirment. En juillet 1956, cette orientation est confirmée par la réunion, à l'île Brioni, d'un sommet des Non-Alignés qui rassemble Nasser, Nehru et Tito. En moins de trois décennies, se réalise la prophétie de l'économiste Paul Leroy-Beaulieu (1843-1916) : « Le XIXᵉ siècle aura été l'âge héroïque de la nouvelle colonisation européenne. Il se pourrait que le XXᵉ siècle en fût l'âge critique. » Entre 1943 et 1955, treize pays asiatiques accèdent à l'indépendance, soit 700 millions d'hommes. Le sort des pays de la péninsule indochinoise (Viêt-nam, Laos, Cambodge) constitue une exception : le processus d'émancipation y exige vingt années d'une guerre meurtrière contre la France (Diên Biên Phû, 1954), puis contre les Etats-Unis (1954-1975) et aboutit, au-delà d'une indépendance formelle, au passage de ces trois pays sous une nouvelle tutelle : celle de l'Union soviétique.

Vers la souveraineté africaine

La « décennie africaine » de la décolonisation couvre les années 1956-1968 : trente-huit pays africains accèdent alors à l'indépendance, parfois par la violence comme le Congo ou l'Algérie, mais plus souvent par un accord amiable avec les métropoles. A travers une évolution cahotante, une conscience africaine se dégage peu à peu. Au milieu des années 1980, les seuls pays africains à demeurer dépendants sont l'Afrique du Sud, où le pouvoir blanc perpétue le régime de l'apartheid, et les anciennes colonies portugaises d'Angola et de Mozambique qui, parvenues tardivement à l'indépendance (1975), se sont placées, avec l'Ethiopie du colonel Mengitsu, dans le sillage de l'Union soviétique. Au milieu des années 1980, ce dernier pays entretient des conseillers militaires dans douze pays africains. Comme les Etats-Unis au Viêt-nam au cours des années 1960, l'URSS poursuit depuis 1979 contre l'Afghânistân une guerre meurtrière dans laquelle elle s'enlise.

L'interdépendance planétaire

L'accession à l'indépendance de nombreux pays colonisés a augmenté le nombre d'Etats souverains représentés à l'ONU. Ils sont passés de 51 en 1945 à 154 en 1983. Les liaisons interétatiques se sont donc multipliées. Au XIXᵉ siècle, la France n'avait que dix ambassades dans le monde : le nombre de relations possibles entre les onze Etats ainsi reliés diplomatiquement était de 55 liaisons. Aujourd'hui, avec 154 Etats représentés à l'ONU, le nombre des liaisons inter-Etats dépasse les 10 000. Une conscience planétaire est en train de naître. Parallèlement, le développement des transports réduit les distances et permet un brassage sans précédent des peuples et des cultures. En 1960, un Français sur quatre voyage à l'étranger. Dans l'aviation, les progrès décisifs sont le franchissement du mur du son, en 1947, et le perfectionnement des gros porteurs à long rayon d'action : la Caravelle en 1955, le Bœing 747 en 1970, le Concorde en 1977. Entre 1946 et 1977, le temps de transport entre New York et Paris a été ramené de 23 h 45 à 3 h 20, tandis que le nombre de passagers par vol était multiplié par huit. Des compagnies de charters mettent les voyages à longue distance à la portée des budgets modestes.
Au même moment, les transports terrestres se modernisent avec l'apparition des trains à grande vitesse (*Shindansen* japonais en 1964, TGV français en 1981). Les télécommunications sont révolutionnées par les satellites qui, à partir de 1962, transmettent des images télévisées. Une avancée majeure intervient en 1960, avec l'invention par le

Français Alfred Kastler du rayon laser (sigle de *Light amplifier by stimulated emission of radiation*), suivie par la révolution des fibres optiques dans les années 1970. Jamais, depuis Gutenberg, la transmission et la capacité de stockage des informations n'avaient réalisé un tel bond. Selon l'expression du sociologue canadien Marshall Mac Luhan, la planète devient un « village global » dans lequel les mass media supplantent peu à peu l'influence de la civilisation du livre qu'il baptise la « galaxie Gutenberg » (titre d'un ouvrage publié en 1962).

La révolution informatique

La télématique, issue du couplage de la télévision et de l'informatique tend à développer, depuis les années 1970, une société interactive en « temps réel ». Elle est l'aboutissement de quarante années de perfectionnements continus. Dès 1941, les premiers ordinateurs militaires américains (*Mark I* du professeur Aiken de l'université Harvard) sont utilisés pour les calculs balistiques. Ils pèsent plus de 30 tonnes et contiennent des milliers de lampes radio. En 1948, Brattain et Bardeen réalisent aux Etats-Unis le premier transistor (contraction de *transconductance resistor*) : ce composant électronique peu encombrant est une étape décisive vers la miniaturisation. Les capacités de stockage d'informations connaissent un fort développement avec les mémoires à ferrite mises au point en 1951. En 1956, apparaissent les premiers « circuits intégrés » qui combinent sur une simple pastille de silicium de multiples transistors et leurs connexions. Dès lors, les capacités de calcul connaissent une progression exponentielle : les ordinateurs de la seconde génération (1959) travaillent en microsecondes, ceux de la troisième génération (1965) ont une vitesse de calcul qui s'évalue en nanosecondes (milliardième de seconde). Leur poids et leur encombrement diminuent sans cesse.

De la puce à la robotique

Une innovation décisive survient en 1972 : l'Américain Robert Noyce invente le microprocesseur, circuit à large intégration (LSI : Large Scale Integrated), bientôt baptisé « puce » électronique. L'unité centrale de la machine se trouve ainsi réduite à un centimètre carré. Les ordinateurs de la quatrième génération sont nés. Mais déjà, les Japonais préparent les ordinateurs de la cinquième génération qui, couplés à des robots, sauront s'adapter à certaines variations de leur environnement. L'intelligence artificielle s'élabore dans les laboratoires de Tsukuba, capitale des recherches de pointe japonaises, et dans la Silicon Valley californienne.

Avec le développement des robots, une discipline nouvelle, fondée en 1948 par le physicien américain Norbert Wiener (1894-1964), la cybernétique, prend son essor. Elle étudie les mécanismes de communication et de contrôle dans les systèmes complexes. L'accroissement rapide du parc de robots conditionne désormais largement le développement économique. En 1985, on comptait 41 265 robots en service au Japon, contre 9 400 aux Etats-Unis, 4 800 en République fédérale allemande et 2 010 en France.

La course à l'espace

L'âpre compétition scientifique entre les grandes puissances se traduit par la mobilisation de moyens financiers croissants. Les Etats industriels consacrent en moyenne entre 2 et 5 % de leur revenu national à la « recherche-développement ». Les chercheurs, regroupés en de véritables « usines à penser » (*think tanks*), travaillent en symbiose avec les gouvernements et les entreprises. Aux Etats-Unis, la NASA (*National aeronautics and space administration*) dirige, depuis sa création en 1958, un ambitieux programme spatial destiné à faire face aux Soviétiques qui, dès 1957, ont lancé *Spoutnik 1*, le premier satellite artificiel. L'avance soviétique se confirme au milieu des années 1960. *Luna 3* prend, en 1959, les premières photos de la face cachée de la Lune, et en 1961 le Russe Gagarine est le premier homme envoyé dans l'espace.

Mais, en 1969, les Etats-Unis reprennent l'avantage. Le lundi 21 juillet 1969, à 3 h 56, pour la première fois, un homme marche sur la Lune. Il est américain et s'appelle Neil Armstrong. A 4 h 14, c'est le tour de son compagnon Eldwin Aldrin. Cet extraordinaire exploit technique, suivi en mondiovision par 600 millions de téléspectateurs, a été minutieusement préparé par les techniciens du centre de recherches astronautiques de Houston. Partie du Cap Canaveral, la capsule spatiale *Apollo XI* était arrimée à un engin lanceur, *Saturn V*, d'une puissance de 155 millions de chevaux. Le retour s'opère sans incident, le 24 juillet 1969, à 17 h 51, dans le Pacifique. Depuis lors, l'avance américaine se maintient : envoi sur la planète Mars, en 1976, de la sonde *Viking* ; lancement, en 1981, du premier véhicule aérospatial réutilisable : la navette *Columbia*, mise au point dans le cadre du programme *Skylab*.

La biologie, science de pointe

Grâce aux perfectionnements du microscope électronique inventé en 1932, la connaissance de l'organisme humain est révolutionnée. En 1969, des chercheurs de l'université Harvard (Etats-Unis) parviennent pour la première fois à photographier un gène, segment élémentaire porteur de l'hérédité. Les outils d'investigation clinique ou médicale se perfectionnent et se diversifient : endoscopie, artériographie, lymphographie, scintigraphie, échographie, scanographie permettent un affinement des diagnostics et un meilleur dépistage des pathologies. Parallèlement, des micromanipulateurs, comme le rayon laser, permettent d'agir sélectivement sur certaines parties de l'organisme et d'intervenir au niveau de la cellule.

Les progrès décisifs se situent en biochimie avec la découverte, en 1946, de la cortisone, hormone qui intervient dans la distribution du sucre et de l'albumine dans l'organisme. Les acides nucléiques, matière constituante des gènes, sont explorés par les Américains Crick et Watson qui découvrent en 1953 la structure en double hélice de l'ADN (Acide désoxyribonucléique), véritable vecteur de l'information génétique. Les Français Lwoff, Monod et Jacob reçoivent en 1965 le prix Nobel pour leurs travaux sur les acides nucléiques. La biologie moléculaire ouvre la voie en 1973 aux manipulations génétiques sur les animaux. En 1981, l'Américain Thomas Wagner réussit à greffer un gène de lapin dans un embryon de souris. Plus ambitieux, le génie génétique s'oriente vers l'infléchissement volontaire du patrimoine génétique et vers la reproduction de copies multiples d'une même cellule (clonage). En 1968, à Cambridge, un œuf humain est fécondé artificiellement dans un tube à essai. Dix ans plus tard, en 1978, naît en Grande-Bretagne le premier « bébé-éprouvette » viable. 1984 marque la naissance du premier bébé issu d'un embryon congelé. Ces possibilités nouvelles de la biologie placent les savants en face de responsabilités morales écrasantes et conduisent l'homme à s'interroger sur sa destinée.

Vers un renouveau religieux ?

André Malraux affirmait que le XXIᵉ siècle serait religieux ou ne serait pas. Depuis 1945, trois faits dominent l'évolution religieuse : la modernisation de l'Eglise catholique, les progrès de l'Islam et l'essor des sectes.

Confrontées à des mutations socio-économiques majeures (avènement de la société de consommation dans les pays industrialisés, montée du tiers-monde, diffusion des procédés de contraception), les églises chrétiennes s'efforcent de moderniser leurs structures et leur pastorale. Le concile de Vatican II, convoqué par le pape Jean XXIII, se réunit de 1962 à 1965. Il tente un *aggiornamento* (mise à jour) de l'Eglise catholique. Le principe de « collégialité » accroît le pouvoir des évêques. L'administration pontificale s'ouvre aux prélats extra-européens pour tenir compte du poids croissant des communautés chrétiennes africaines ou latino-américaines. La liturgie est réformée, le rôle des laïcs renforcé. Ces décisions alimentent les controverses entre tenants de la modernisation et traditionalistes. La diversité des options politiques des chrétiens s'élargit : leurs choix s'étalent du conservatisme le plus strict à l'engagement révolutionnaire le plus radical. Une partie du clergé latino-américain participe aux luttes sociales au nom de la « théologie de la libération ». La papauté s'efforce d'assurer la coexistence amiable d'un éventail très ouvert d'interprétations de l'Ecriture sainte. Tout en affirmant le droit de tous les hommes au progrès social (encyclique *Mater et Magistra* de Jean XXIII, 1961) et en défendant inlassablement le respect de la dignité humaine (encyclique *Redemptor hominis* de Jean-Paul II, 1979), les papes post-conciliaires (Paul VI de 1963 à 1978 et Jean-Paul II depuis 1978) condamnent le recours à la violence révolutionnaire et la tentation de faire prévaloir l'esprit de parti sur l'amour fraternel dû à tout être humain. Depuis la création en 1948 du Conseil œcuménique des églises, les diverses confessions chrétiennes se rapprochent.

Les 600 millions de musulmans répartis dans le monde subissent l'influence croissante de courants intégristes. Propagés par la communauté des Frères musulmans en Egypte et en Syrie, par le clergé chiite en Iran et en Irak, ces courants s'affirment depuis la prise de pouvoir du colonel Kadhafi en Libye (1969) et plus encore depuis la révolution islamique conduite depuis 1979 en Iran sous l'égide de l'ayatollah Khomeiny. Bien qu'intervenant avec force dans toutes les activités de l'homme, dont il conditionne parfois étroitement les comportements, l'islam n'en offre pas moins des visages extrêmement variés selon les régions et les pays et ne saurait être réduit, sous peine de simplification abusive, à une seule image.

La prolifération des sectes

L'éclosion des sectes depuis les années 1960 apparaît dans bien des cas comme un phénomène de compensation aux divers malaises engendrés par l'urbanisation accélérée, l'angoisse nucléaire, la vie mécanisée, le matérialisme des comportements, l'insécurité affective et économique des jeunes. Certaines sont anciennes (Mormons, Témoins de Jéhovah), d'autres récentes (la secte Moon est fondée en 1951, la secte Krishna ou AICK date de 1966, la Scientologie remonte à 1950). Mêlant, en proportions variables, millénarisme, syncrétisme, orientalisme, éléments charismatiques et mystiques, ces sectes sont devenues de véritables puissances financières susceptibles d'agir, d'une manière souvent occulte, sur le terrain politique s'assurant, en l'occurrence, parfois une emprise totalitaire sur leurs adeptes : ainsi, le 18 novembre 1978, en Guyana, 923 membres de la secte du Temple du peuple se suicident collectivement à l'appel de leur chef Jim Jones. Parmi les cadavres, on relève 180 enfants de moins de 15 ans.

La révolte des jeunes

La reprise de la natalité dans les pays développés à partir de 1945 se traduit au milieu des années 1960 par un rajeunissement de la population et une « explosion scolaire » sous-estimée par les gouvernements. Depuis le succès aux Etats-Unis de la méthode d'éducation sans contraintes du docteur Spock (1943), les adolescents acquièrent une grande autonomie par rapport au milieu familial et scolaire. Au même moment, les mouvements de jeunesse perdent de leur influence tant à cause de leurs dérives totalitaires des années 1930 qu'en raison de l'individualisme engendré par la société de consommation. La conjonction d'une maturité physiologique plus précoce, d'un pouvoir d'achat plus élevé et d'une éducation plus libre creuse le fossé entre la jeunesse et les générations adultes. Sous l'influence idéologique de philosophes pétris de freudisme et de marxisme (Wilhem Reich, Herbert Marcuse, Erich Fromm), une partie du monde étudiant américain invente une contre-culture antitechnocratique qui rêve d'expérimenter de nouveaux modes de vie fondés sur la convivialité et la libération des tabous. Des troubles universitaires éclatent en 1964 à Berkeley en Californie où un mouvement pour la liberté d'expression (*Free speech movement*) affirme : « Ne faites jamais confiance aux plus de 30 ans ! ». La vague contestataire s'amplifie et gagne l'université de Columbia en 1968, ainsi que l'Allemagne, la France, l'Italie et le Japon. Outre la critique du « mandarinat » universitaire, les « soixante-huitards » proposent, à l'appel de Theodore Roszak (*Vers une contre-culture*, 1968), de réinventer de nouvelles relations sociales par des voies spontanéistes et non-organisationnelles. Les *hippies* revendiquent le *flower power* et défendent le droit à la différence : les minorités ethniques, religieuses, sexuelles sont reconnues et valorisées. Les *beatniks* et leur leader Jack Kerouac rejettent les structures d'autorité et la course à la croissance économique. Le travail et la réussite sont désacralisés au profit de valeurs telles que le détachement, l'amitié et l'imagination. En France, le mouvement de 1968 a des contrecoups politiques : le pouvoir du général de Gaulle paraît ébranlé pendant un mois. Dans les années qui suivent, de nouveaux comportements sociaux se développent : au plan syndical, les revendications qualitatives (conditions de travail, autogestion) prennent souvent le pas sur les tradi-

tionnelles revendications quantitatives (rémunérations). Dans les années 1970 et 1980, les mouvements écologistes et alternatifs incarnent la postérité de 1968.

Les « Trente Glorieuses »

La contestation de 1968 survient après deux décennies d'une croissance économique exceptionnelle. De 1944, date de la conférence monétaire internationale de Bretton Woods qui reconstruit le système monétaire international, à 1974 où se manifestent les effets dépressionnistes du premier choc pétrolier, le produit mondial brut triple alors qu'il avait seulement doublé au cours des cinquante années antérieures. Pour certaines productions, la croissance est encore plus rapide : multiplication par 5 pour l'acier, par 10 pour les automobiles et le pétrole, par 12 pour l'électricité. Ces trente années de prospérité ont été baptisées par l'économiste Jean Fourastié les « Trente Glorieuses ». Elles marquent le retour à la stabilité monétaire. Le Fonds monétaire international, créé à la suite de la conférence de Bretton Woods, vient en aide aux pays qui traversent des difficultés de balance des paiements. Il doit avaliser toute modification de parités monétaires. Le maintien entre 1945 et 1971 de taux de changes fixes entre les principales devises ramène la confiance internationale et favorise le développement des transactions. Le libre-échange, abandonné dans les années 1930, est rétabli dès 1947 par l'Accord général sur les Tarifs et le Commerce (GATT), tandis qu'une zone libre de circulation des produits se forme en Europe occidentale avec le Benelux (1948), le pool charbon-acier (1951), puis le Marché commun (25 mars 1957).

Pour accélérer la reconstruction de l'Europe, les Etats-Unis, détenteurs des deux tiers du stock d'or mondial, lancent en 1947 le plan Marshall. D'une durée de cinq ans, ce dernier accorde 12 milliards de dollars de crédits quasi gratuits aux pays européens. La Grande-Bretagne en recueille 26 %, la France 20 %, l'Allemagne 12 %, l'Italie 10 %, les Pays-Bas 9 %, la Belgique 5 %. Dans le même temps, les Américains sauvent le Japon de la famine par des livraisons quotidiennes de céréales.

La rapide reprise de l'investissement permet le redressement spectaculaire de l'Allemagne, de l'Italie et du Japon, qui avec des taux de croissance annuelle moyenne oscillant entre 5 % et 10 %, connaissent de véritables « miracles économiques ». Le libre-échange se généralise grâce aux accords commerciaux du *Dillon round* (1961-1962), du *Kennedy round* (1963-1967) et aux unions régionales (CEE, 1957 ; AELE, 1959 ; Association latino-américaine de libre-échange, 1960 ; ASEAN ; Association des Nations du Sud-Est asiatique en 1967).

L'économie mieux maîtrisée

La croissance économique des années 1945-1974 repose sur le faible coût du pétrole et des matières premières. Elle doit aussi beaucoup à la compétence économique des dirigeants politiques : Jean Monnet en France, le chancelier Ludwig Erhard en RFA, le Premier ministre Ikeda Hayato au Japon symbolisent une nouvelle génération de gestionnaires compétents, pragmatiques et libéraux. Le développement du secteur public, notamment en France et en Grande-Bretagne, favorise une rationalisation des investissements. Les progrès de la comptabilité nationale et de l'économétrie permettent de mieux suivre et d'anticiper l'évolution des variables clés de l'économie. La planification indicative et l'aménagement du territoire évitent l'apparition de déséquilibres structurels.

Les entreprises occidentales, animées d'un esprit d'innovation, s'ouvrent dès les années 1950 aux méthodes américaines de gestion : direction participative par objectifs, méthode PERT d'échelonnement et d'évaluation des tâches. L'ergonomie et la sociologie du travail améliorent la vie professionnelle. A partir des années 1980, ce sont les méthodes japonaises de gestion (cercles de qualité, entreprises de troisième type, décision par consensus) et les nouvelles techniques psychosociologiques comme l'analyse transactionnelle du docteur Eric Berne (1910-1970) qui exercent l'influence décisive. La valorisation de la « ressource humaine » (François Perroux, Samuel Pisar) devient la condition de la constante adaptation sociotechnologique à un environnement économique mouvant.

Développement de l'urbanisation

La croissance économique modifie en profondeur la répartition des secteurs d'activité. L'exode rural massif des années 1960 aboutit, dans les pays développés, à un délestage du secteur primaire. Le secteur secondaire se maintient aux alentours du tiers des effectifs employés, tandis que le secteur tertiaire explose avec l'essor des services financiers, du commerce et des loisirs. Les gains de productivité permettent un allongement de la durée de la scolarité et une réduction par paliers de la durée légale du travail. En France, la troisième semaine de congés payés est accordée en 1956, la quatrième en 1962, la cinquième en 1982. La durée hebdomadaire du travail passe de 40 heures en 1936 à 39 heures en 1981. La « civilisation des loisirs » fait apparaître un tourisme de masse à la recherche des « quatre S » (*sand, sea, sun, sex*). En 1950, douze ans après les camps de loisirs anglais de Sir Billy Butlin, un ex-champion de natation belge, Gérard

Blitz, fonde le Club Méditerranée, bientôt animé par l'ex-militant Gilbert Trigano. De nouvelles formes de distribution (hypermarchés, coopératives d'achat, entreprises de vente par correspondance) répondent aux besoins des classes moyennes salariées des grandes métropoles. Le remodelage des horaires de travail et l'américanisation des habitudes alimentaires entraînent le développement de la restauration rapide (*fast food*). En 1955, Ray Kroc et les frères Maurice et Richard Mac Donald ouvrent leur premier restaurant. La même année, un colonel de 66 ans, Harland Sanders, fonde la chaîne « Kentucky fried chicken ». Parallèlement, le développement des banlieues et de l'automobile conduit à l'implantation d'un nouveau type d'hôtels péri-urbains au confort standardisé : le premier hôtel « Holiday Inn » est ouvert à Memphis, aux Etats-Unis, en 1952 par Kemmons Wilson, agent immobilier doublé d'un baptiste convaincu. Cette firme devient bientôt la première chaîne hôtelière mondiale et suscite des émules (Novotel en France). Le besoin d'information entraîne le développement de la presse écrite (pour laquelle le Japon détient les records absolus de tirage avec les journaux *Asahi, Mainichi, Yomiuri*) et de la presse audiovisuelle ainsi que l'essor des agences de publicité.

La construction européenne

Le rapprochement des modes de vie européens favorise l'émergence d'institutions communes. Depuis le mouvement paneuropéen lancé en 1923 par l'Autrichien Coudenhove-Kalergi, la volonté de dépasser les nationalismes a gagné du terrain. En 1945, l'idée européenne reprend vie. Elle s'inspire de trois préoccupations : préserver une identité européenne menacée par l'hégémonie des "deux Grands" ; reconstruire l'économie des vaincus et des vainqueurs dans un esprit de réconciliation : resserrer la cohésion des démocraties libérales face à la pression soviétique qui impose des régimes de parti unique à l'Europe centrale. Le 19 septembre 1946, Churchill déclare à Zurich : « Il faut que la famille européenne renoue ses liens, de telle manière qu'elle puisse se développer dans la paix, dans la sécurité et dans la liberté. Il nous faut ériger quelque chose comme les Etats-Unis d'Europe ». Coudenhove-Kalergi, rentré des Etats-Unis où il avait séjourné pendant la guerre, fonde une Union parlementaire européenne. En mai 1948, le congrès européen de La Haye réunit 800 personnalités parmi lesquelles Churchill, Paul-Henri Spaak, Alcide De Gasperi, Konrad Adenauer, Paul van Zeeland. Il aboutit à la création du Conseil de l'Europe qui regroupe des parlementaires issus de divers pays européens. Véritable "laboratoire d'idées", le Conseil de l'Europe favo-

rise l'éclosion de diverses institutions européennes. Ainsi, la CECA (Communauté Européenne du Charbon et de l'Acier), proposée par le ministre démocrate-chrétien français Robert Schuman, et inspirée par Jean Monnet, scelle la réconciliation franco-allemande. C'est la première institution supranationale : elle perçoit directement un impôt européen des firmes de charbon et d'acier. Jean Monnet, un négociant en cognac au tempérament pragmatique et aux idées vastes, consacre jusqu'à sa mort, en 1979, toute son énergie à créer une solidarité européenne fondée sur des réalisations économiques concrètes, poursuivies pas à pas. Si le projet de CED (Communauté Européenne de Défense) échoue en 1954, la CEE (Communauté Economique Européenne) naît, le 25 mars 1957, de la signature du traité de Rome. Formée d'abord de six pays (Benelux, France, Allemagne, Italie), elle s'élargit à neuf en 1973 (Royaume-Uni, Irlande, Danemark), à dix en 1981 (Grèce) et à douze en 1986 (Espagne et Portugal). Elle se dote d'une politique agricole commune (1962) ; d'un système monétaire et d'un parlement élu au suffrage universel (1979) et d'une politique scientifique harmonisée (programme Esprit, 1985).

Forte de 320 millions d'habitants, la CEE réalise en 1986 le tiers des exportations mondiales. Peu à peu se réalise la prophétie de Montesquieu : « L'Europe est un Etat composé de plusieurs provinces ».

Le Moyen-Orient déchiré

Tandis que l'Europe s'unit, le monde arabe, sitôt émancipé des tutelles coloniales, s'entre-déchire. La Grande-Bretagne s'est retirée d'Irak dès 1932, d'Egypte en 1936. Elle évacue la Transjordanie en 1946, la Palestine en 1948 et le Soudan en 1953. La France renonce en 1945 à son mandat sur la Syrie et le Liban, accorde en 1956 l'indépendance à la Tunisie et au Maroc, en 1962 à l'Algérie. En revanche, les Etats-Unis conservent une influence en Turquie, en Arabie Saoudite et à Bahreïn. Les Soviétiques, après avoir tenté de s'implanter en Iran (1941-1946), aident financièrement l'Afghanistan (1954), l'Egypte et la Syrie (1956) ainsi que l'Irak de Kassem (1958). Carrefour de communications terrestres et maritimes, le Moyen-Orient devient un enjeu stratégique et économique (hydrocarbures) de premier plan. Mais l'instabilité de la région résulte moins des ambitions des puissances que des rivalités qui opposent Israël à ses voisins arabes et les pays arabes entre eux.

Le 14 mai 1948, lorsque Londres renonce à son mandat sur la Palestine, David Ben Gourion, en tant que président du Conseil national juif, proclame la création de l'Etat d'Israël. Dès le lendemain, les pays arabes voisins (qui n'avaient pas accepté le plan de

partage de la Palestine décidé par l'ONU en novembre 1947) envahissent le nouvel Etat hébreu. C'est le premier d'une série de conflits israélo-arabes. La guerre de 1948 tourne à l'avantage militaire d'Israël et s'achève par l'armistice de Rhodes (1949). D'autres affrontements suivent : guerre de Suez, en octobre 1956, qui ébranle le prestige des Anglais et des Français, alliés d'Israël ; guerre des Six Jours, en juin 1967 ; guerre du Kippour en octobre 1973 ; guerre du Liban en 1982.

Le nœud de ces affrontements est le problème palestinien, population non-juive de Palestine tenue de s'expatrier dans les pays arabes à la suite de la formation de l'Etat hébreu. Parqués dans des camps, ils s'organisent en mouvements de résistance à Israël (Al Fath en 1956 ; OLP en 1964 ; FPLP en 1967) et adoptent en 1968 la Charte nationale palestinienne dont l'article 20 affirme : « Les Juifs ne constituent pas un peuple avec une personnalité propre ». Cette position intransigeante s'accompagne de méthodes violentes : des combattants palestiniens armés (fedayin), dont le groupe Septembre Noir, multiplient les attentats terroristes, les détournements d'avions et les attaques d'ambassades. Lors des Jeux olympiques de 1972, des athlètes israéliens sont assassinés à Munich. Les Palestiniens ont aussi des relations conflictuelles avec les pays arabes qui, après leur avoir offert l'asile, les rejettent. L'OLP est expulsée de Jordanie en 1970 et du Liban en 1983. Depuis les années 1970, les conflits interarabes s'exacerbent : la guerre civile libanaise (depuis 1975) cumule les horreurs d'un double affrontement entre chrétiens et musulmans et entre Israéliens et Palestiniens. La guerre entre l'Iran et l'Irak ravive, depuis 1980, des rivalités séculaires. Depuis 1969, le colonel Kadhafi développe en Libye une idéologie explosive associant un panarabisme mystique et un nationalisme volontiers expansionniste. Proche de l'OLP et de l'URSS, Kadhafi a des conflits avec le Soudan, l'Egypte et la Tunisie. Il commandite des opérations terroristes contre les intérêts américains dans le monde. Le Moyen-Orient, qui dans les années 1950 et 1960, servit de cadre à l'affrontement Est-Ouest, est devenu un partenaire imprévisible dont les déchirements internes peuvent désormais déstabiliser économiquement (crise pétrolière) et politiquement (terrorisme) l'Occident.

1973 : le grand tournant

La guerre israélo-arabe du Kippour (octobre 1973) se transforme d'emblée en guerre économique. Les pays arabes, pour détacher l'Occident d'Israël, quadruplent le prix du pétrole brut. Dans les années suivantes, une crise économique d'un type nouveau frappe les pays industrialisés. Leur commerce extérieur devient déficitaire ; d'où la nécessité, dans un premier temps, de s'endetter auprès des pays exportateurs de pétrole dont les avoirs en « pétrodollars » ne cessent de croître, puis, dans un second temps, de reconvertir leur industrie vers les créneaux porteurs et à forte valeur ajouté (télématique, biotechnologies, etc.), sources de recettes d'exportation. En attendant, les taux de croissance chutent de moitié et la « stagflation » s'installe : la stagnation de l'activité s'accompagne du maintien d'une forte inflation.

Vers un monde multipolaire

Les contrecoups géopolitiques sont considérables : un monde quadripolaire prend la relève du monde bipolaire des années 1960. Face au duopôle américano-soviétique, émergent de nouveaux pôles de puissance : la CEE élargit et consolide ses assises ; les pays fournisseurs de pétrole, regroupés au sein de l'OPEP (Organisation des pays exportateurs de pétrole), affectent leur surcroît de ressources soit au surarmement (Libye), soit à la modernisation accélérée de leur société, au risque de provoquer une réaction de rejet née de la tradition religieuse (révolution islamique de Khomeyni en Iran, 1979). En Asie, s'affirme le groupe des Nouveaux Pays Industrialisés (NPI). La Corée du Sud, Taiwan, Hong-Kong, Singapour, surnommés les « quatre dragons », forment, en symbiose avec le Japon et la Chine continentale (en plein renouveau depuis 1982) une zone de haute croissance économique et de développement culturel accéléré. Depuis 1972, le resserrement des liens politiques entre ces pays fait du bassin du Pacifique un des centres stratégiques du monde actuel.

Ce panorama dynamique comporte toutefois des zones d'ombre, sources potentielles de déséquilibres graves ou même de conflits. Une forte croissance démographique, née de la persistance de comportements traditionnels et conjointement des progrès de la médecine, se heurte en effet, dans certaines parties de la planète, à une croissance économique insuffisante. Que ce soit pour des raisons climatiques ou techniques, d'éducation ou de structures sociales archaïques, un déficit des possibilités nutritionnelles entraîne la famine dans des régions entières. A l'heure où la planète n'est plus qu'un « grand village », ces situations sont ressenties tout à la fois comme un scandale et comme un échec, tant il est bien évident que le généreux élan d'entraide que suscitent ces situations ne saurait constituer en soi une solution.

Et les Droits de l'homme ?

Dans le sillage de la Seconde Guerre mon-

diale, le climat de « guerre froide » prédispose les Etats à l'autoritarisme et au raidissement idéologique. Le pluralisme démocratique recule dans le monde et les dictatures se multiplient. Le régime de parti unique et de syndicat unique essaiment au gré de l'avancée de l'Union soviétique au cœur de l'Europe centrale : entre 1945 et 1948 huit nouveaux Etats s'alignent sur le régime soviétique (Pologne, Tchécoslovaquie, Roumanie, Bulgarie, Hongrie, Yougoslavie, Albanie et République démocratique allemande). Le communisme s'étend ensuite à l'Asie : Chine et Corée du Sud en 1949 ; Viêt-nam du Nord en 1954 ; Cuba en 1960. Jusqu'à la mort de Staline en 1953, l'intransigeance doctrinale règne en Union soviétique et dans les démocraties populaires. Une certaine détente intervient après le XXe Congrès du Parti communiste de l'URSS en 1956, au cours duquel Khrouchtchev dénonce les crimes de Staline et le « culte de la personnalité ». Cependant, les procès politiques, les mesures antisémites et les internements d'opposants dans des hôpitaux psychiatriques continuent sous Khrouchtchev (1953-1964), Brejnev (1964-1982) et leurs successeurs. Les écrivains, comme Boris Pasternak et Alexandre Soljenitsyne, les savants comme Andreï Sakharov sont condamnés à l'exil intérieur ou à l'expatriation. En dépit des accords d'Helsinki de 1975 garantissant le respect des Droits de l'homme, les camps du *goulag* subsistent : on estime à 2 millions la population des détenus au début des années 1980. Chaque année, 500 citoyens soviétiques en moyenne sont condamnés à mort, dont environ une centaine pour délits économiques (vols dans les entreprises, corruption). Le régime des camps de rééducation par le travail s'étend au Viêt-nam après 1975. Au Cambodge, entre 1975 et 1978, le régime communiste khmer de Pol Pot multiplie les exécutions sommaires : 3 millions de Cambodgiens trouvent la mort en trois ans : c'est le plus grand génocide du XXe siècle après le massacre des Juifs par le régime nazi.

En revanche, les années 1970-1980 sont marquées par la chute de nombreuses dictatures de droite. La démocratie politique et les libertés renaissent au Portugal en 1974 (à la faveur de la « révolution des œillets »), en Grèce en juillet 1974 (chute du régime des colonels), en Espagne (après la mort de Franco en 1975), en Argentine en 1983 grâce au président Raúl Alfonsin, aux Philippines et en Haïti en 1986.

La crise des idéologies

Depuis 1973, les grandes idéologies « globalisantes » reculent dans les pays développés. Elles font place à des aspirations pragmatiques et décentralisatrices. La critique de l'Etat s'amplifie et les politiques

économiques d'inspiration keynésienne, apparues pendant la crise des années 1930, sont délaissées au profit d'un regain de libéralisme. L'Etat « providence », qui draine près de 50 % de la richesse nationale des nations développées, semble de plus en plus tentaculaire et inefficace. En 1973, le grand économiste austro-américain Friedrich von Hayek publie son livre clef, *Droit, législation, liberté*, où il prend le contrepied des conceptions interventionnistes. La même année, E.F. Schumacher publie *Small is beautiful* (Petit c'est beau !) et Ivan Illich fait paraître *La Convivialité*. Ce sont autant de plaidoyers pour une société pluraliste et décentralisée, fondée sur la tolérance mutuelle et le droit à la différence. Au plan philosophique, le structuralisme (Lévi-Strauss, Foucault, Jakobson), triomphant dans les années 1950 et 1960, cède du terrain devant l'approche systémique (Prigogine, Francisco Varela, Edgar Morin, David Easton, Joël de Rosnay) qui éclaire les analogies entre les phénomènes de la nature, de la culture et de la communication. Elle tente de rendre compte d'une « société en temps réel », celle des télécommunications et des interdépendances, dans laquelle chacun peut infléchir en permanence le comportement d'autrui. L'initiative privée, la vie associative, le renouvellement des compétences et des savoir-faire sont valorisés. L'économie non-marchande (bénévolat, secteur coopératif), plus fluide et plus proche de l'humain, retrouve une nouvelle faveur.

Les Etats industrialisés entreprennent à partir des années 1980 de réduire le champ des interventions de l'Etat : Margaret Thatcher Premier ministre britannique (à partir de 1979), Ronald Reagan élu président des Etats-Unis en 1980, Nakasone chef du gouvernement japonais en 1982, Jacques Chirac Premier ministre français depuis 1986 tentent de réduire le montant des prélèvements obligatoires (impôts, charges d'entreprises et cotisations sociales) et de privatiser certains secteurs d'activité. Ils engagent des politiques de redéploiement industriel afin de réduire le chômage et de rééquilibrer les échanges. Le redressement économique des pays développés commande la survie du tiers monde et le maintien d'accords commerciaux qui, comme celui de Lomé, offrent aux pays d'Afrique, des Caraïbes et du Pacifique des débouchés garantis vers le Marché commun. D'où l'importance prise par certaines institutions supranationales comme la Banque mondiale ou le Fonds monétaire international (FMI), dont le rôle s'accroît face aux développements de la crise financière (négociations de la dette des pays en voie de développement), d'où l'émergence enfin de l'idée qu'un développement conjugué des économies (Conférence Nord-Sud) est une des données essentielles de l'avenir. Plus que jamais, l'équilibre international exige la maîtrise des ressources économiques et financières.

Atlas

Les Etats de la Terre

Le Proche-Orient ancien

Sumer et Akkad

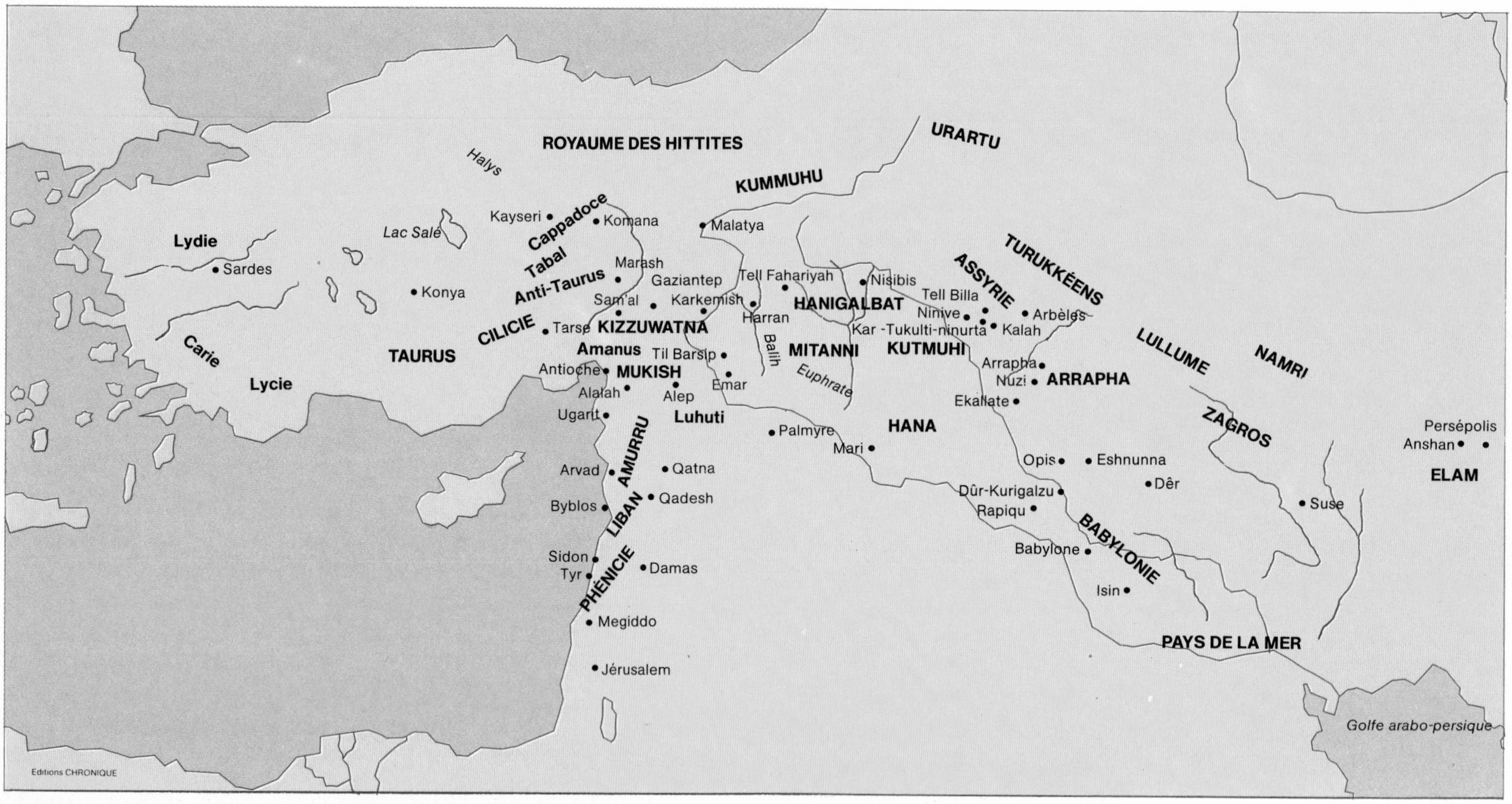

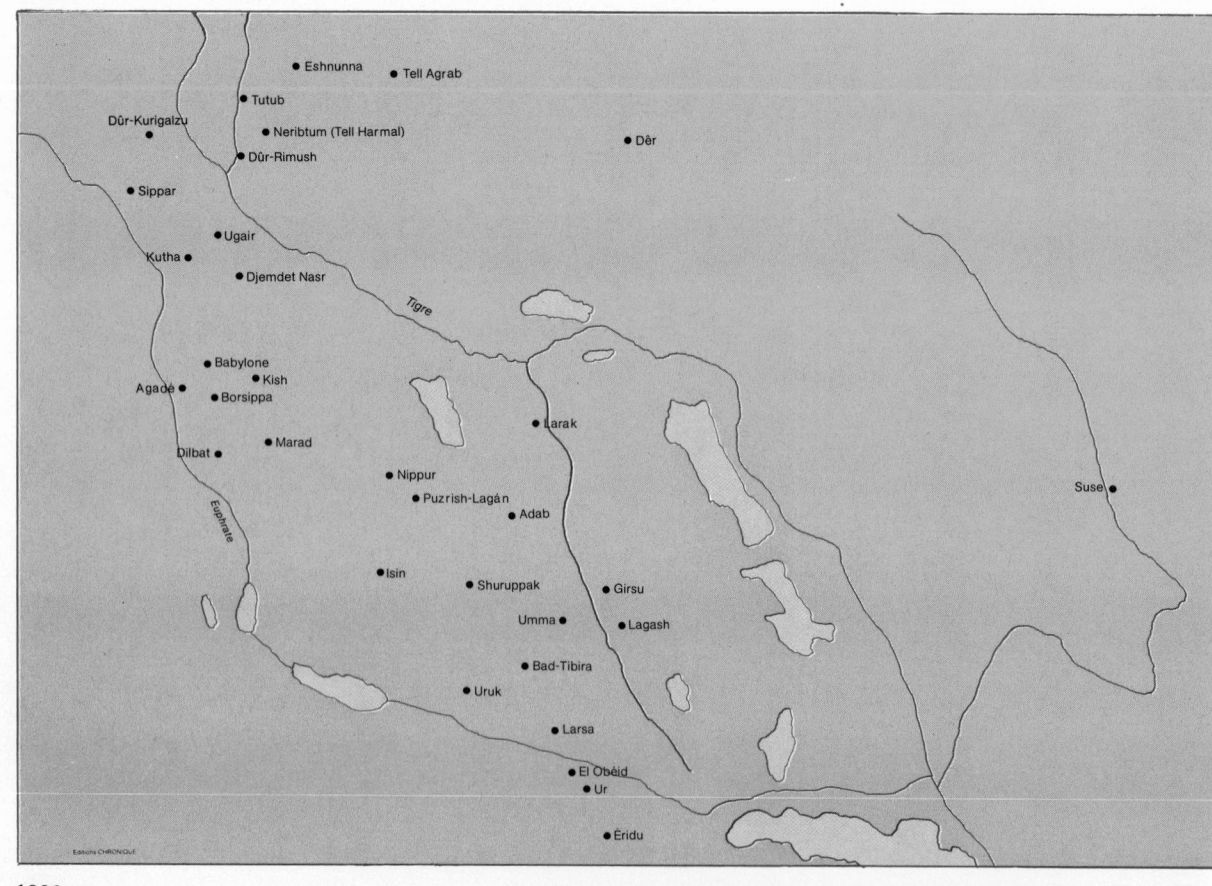

Carte supérieure:

ROYAUME DES HITTITES

URARTU

KUMMUHU

Halys

Lydie
Sardes

Lac Salé

Kayseri
Cappadoce
Komana
Malatya

Tabal
Anti-Taurus
Marash
Gaziantep
Tell Fahariyah
Nisibis
ASSYRIE
TURUKKĒENS

Konya
Sam'al
Karkemish
HANIGALBAT
Tell Billa
Ninive
Arbèles
LULLUME
NAMRI

Carie
CILICIE
Tarse
KIZZUWATNA
Harran
Kar -Tukulti-ninurta
Kalah

Lycie
TAURUS
Amanus
Til Barslp
MITANNI
KUTMUHI
Arrapha
ARRAPHA
ZAGROS

Antioche
MUKISH
Emar
Euphrate
Nuzi

Alalah
Alep
Ekallate

Ugarit
Luhuti
Palmyre
HANA
Persépolis
Anshan

Arvad
AMURRU
Qatna
Mari
Opis
Eshnunna
ELAM

Byblos
LIBAN
Qadesh
Dûr-Kurigalzu
Dêr
Suse

Sidon
PHÉNICIE
Rapiqu
BABYLONIE

Tyr
Damas
Babylone

Megiddo
Isin

Jérusalem
PAYS DE LA MER

Golfe arabo-persique

Éditions CHRONIQUE

Carte inférieure:

Eshnunna
Tell Agrab

Tutub

Dûr-Kurigalzu
Neribtum (Tell Harmal)
Dêr

Dûr-Rimush

Sippar

Ugair

Kutha
Djemdet Nasr

Tigre

Babylone
Kish

Agade
Borsippa
Larak

Dilbat
Marad

Nippur
Suse

Puzrish-Lagán
Adab

Isin
Shuruppak
Girsu

Umma
Lagash

Bad-Tibira

Uruk

Larsa

El Obèid
Ur

Éridu

Euphrate

Éditions CHRONIQUE

La Grèce pré-hellénique

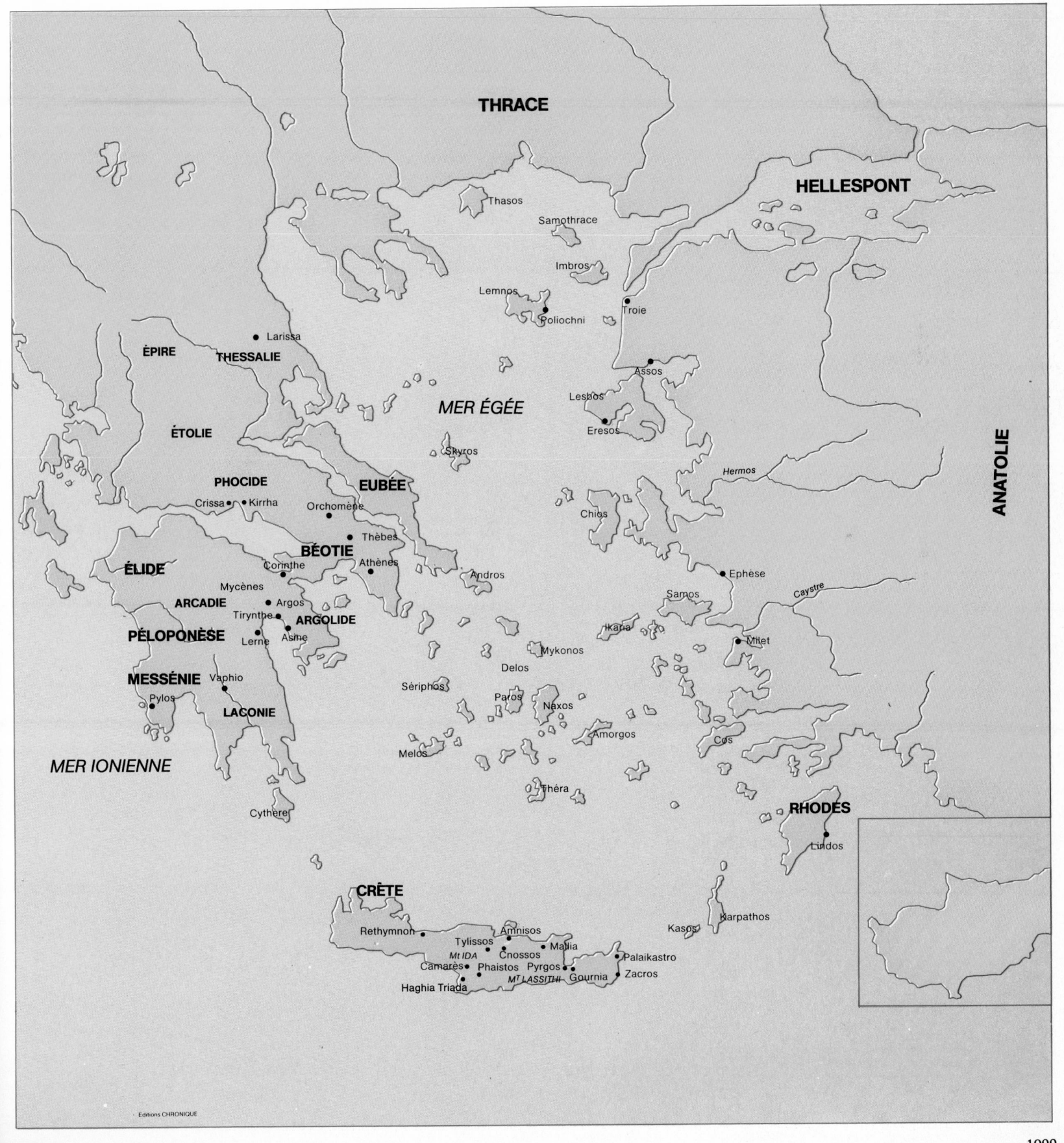

THRACE

HELLESPONT

Thasos

Samothrace

Imbros

Lemnos

Troie

Poliochni

Larissa

ÉPIRE THESSALIE

Assos

Lesbos

MER ÉGÉE

ÉTOLIE

Eresos

Skyros

ANATOLIE

PHOCIDE EUBÉE

Hermos

Crissa Kirrha

Orchomène

Chios

Thèbes

BÉOTIE

ÉLIDE Corinthe Athènes

Andros

Ephèse

Mycènes

Samos Caystre

ARCADIE Argos

Tirynthe ARGOLIDE

Ikaria

PÉLOPONÈSE Lerne Asine

Milet

Mykonos

MESSÉNIE Vaphio

Delos

Pylos

Sériphos Paros

LACONIE

Naxos

Melos Amorgos Cos

MER IONIENNE

Théra

Cythère

RHODES

Lindos

CRÈTE

Karpathos

Kasos

Rethymnon Amnisos

Tylissos Mallia

Mt IDA Cnossos

Camarès Phaistos Pyrgos Palaikastro

Haghia Triada Mt LASSITHI Gournia Zacros

1099

Carte 1 : L'Assyrie et les peuples environnants

URARTU

GORDION · CAPPADOCE

PHRYGIE · ANATOLIE

LYDIE · CAPPADOCE

Sardes · CARIE

TAURUS · LICIE

LYCIE

Kanesh · Melia · Markash · Tushpa · L. de Rezayé (d'Ourmia) · MER CASPIENNE · Mt Demavend

L. de Van

TABAL · Markash · (Khorsabad) · Ninive · Imgur-Enlil (Balawat) · Kergavar

Tyane · Karkémish · Harran · Kalhu

Cyhistra · Til Barsip · Assur · ASSYRIE

Alep · Terqa · Euphrate · Tigre

Qarqar · Hama · Sippar · ELAM

IATNANA (Chypre) · Arvad · Tadmor (Palmyre) · Babylone · AKKAD · Suse

Byblos · CHALDÉENS

MER MÉDITERRANÉE · Sidon · Damas

Tyr · PHÉNICIENS

Samarie · Ur · PAYS DE LA MER · PERSES

Gaza · Jérusalem · NABATÉENS · ARABES · GOLFE ARABO-PERSIQUE

Raphia · JUDA · DILMUN

Saïs

DELTA · Memphis · Sinaï

ÉGYPTE · Teima

Carte 2 : L'Empire achéménide

Scythes · Mer d'Aral · Sogdiane

Olbia · Tanais · Choresmie · Maracande

Taras · Méotis · Oxus

Pantikopaïon · Chersonèse · Mer Caspienne (hyrcanienne) · Bactres

Mer Noire (Pont-Euxin) · Phasis · Margiane · Bactriane

Gètes · Sinope · Trapézonte · Margos

Thraces · Byzance · Hérakla · ARMÉNIE · CASPIENS · Hurcanie

Macédoine · Abydos · Ancyra · Cappadoce · Parthie · Arie

Épire · Lesbos · Route royale · Médie · Arachosie

Delphes · Phocée · Sardes · Phrygie · Comana · Arbèles · Ecbatane

Corinthe · Chios · Lydie · Éphèse · Bisutun

Athènes · Samos · Milet · Pamphylie · Cilicie · ASSYRIE · Harran · Sagartie

Olympie · Sparte · Naxos · Lycie · Alep · Thapsakos · COSSÉENS · Pasagardes

Rhodes · Salamine · Tadmor (Palmyre) · Opis · Persépolis

Crète · Chypre · Cition · PHÉNICIENS · Damas · Euphrate · Tigre · Suse · Perse · Drangiane

Méditerranée · Sidon · BABYLONIE · SUSIANE

Tyr · Samarie · Babylone

Barca · Cyrène · Athéniens · Jérusalem

Libyens · Naucratis · Gaza · NABATÉENS · Golfe arabo-persique

Pélusion · Pétra · ARABIE · Makran

Ammonion · Memphis

Petite oasis · Égypte · Nil

Coptos · Thèbes · Mer Rouge

Grande oasis · Syrne

I. Éléphantine

Royaume de Kuch ou d'Éthiopie

© Éditions CHRONIQUE

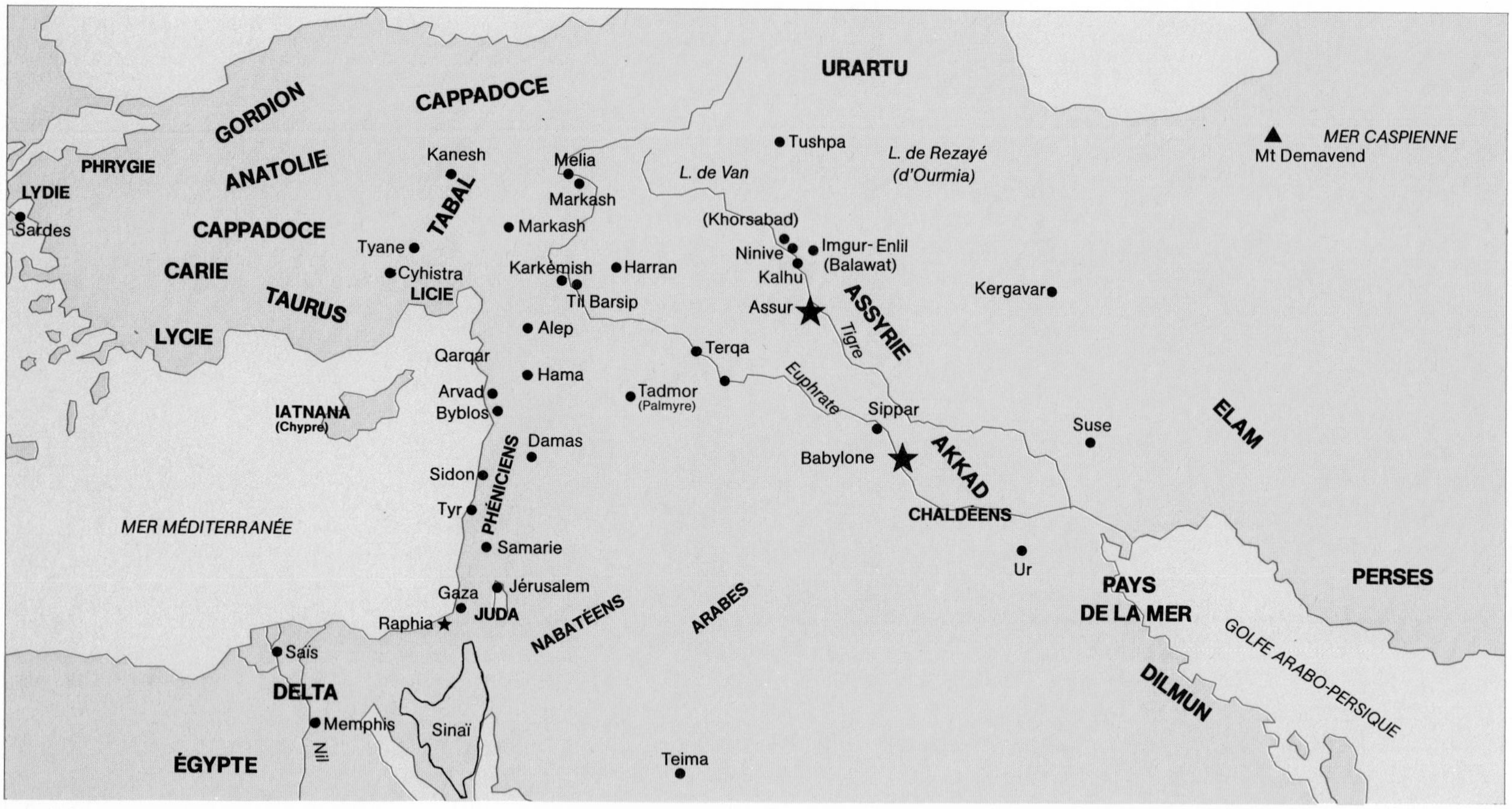

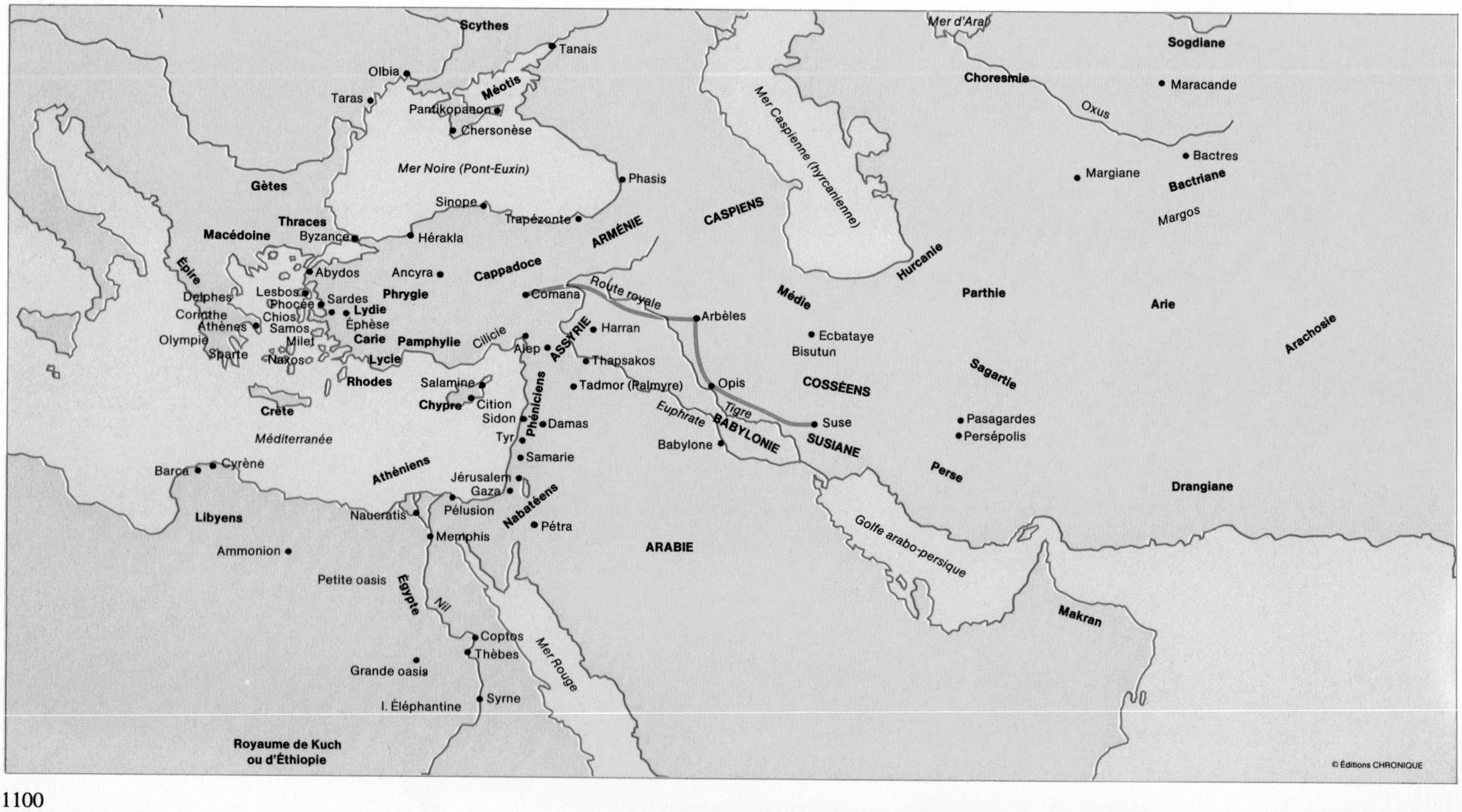

La Phénicie et Israël biblique

L'expansion phénicienne

TAURUS
Tarse
Ura
Sam'al
Karkemish
Til Barsip
BIT-AGUSHI
BIT-ADINI
AMANUS
HATTINA
Antioche
Alep
Euphrate
Oronte
LAASH
Qarqar
Arvad
Homs
Palmyre
Tripoli
Byblos
Beyrouth
LIBAN
SOBAH
B. REHOB
Sidon
Damas
Tyr
MAACAH
monts de Galilée
Lac Hulé
Lac de Tibériade
Nazareth
Mont Carmel
Megiddo
HAURAN
Jourdain
Samarie
AMMON
Bet-Horon
Amman
Baalah
Gezer
Asdod
Jérusalem
Bethleem
Gaza
Lakish
Hebron
Mer Morte
MOAB
Bersheba
Tamar
EDOM
NEGUEB
W. el-Araba
Petra
Eylath
Aqaba
MADIAN
© Éditions CHRONIQUE

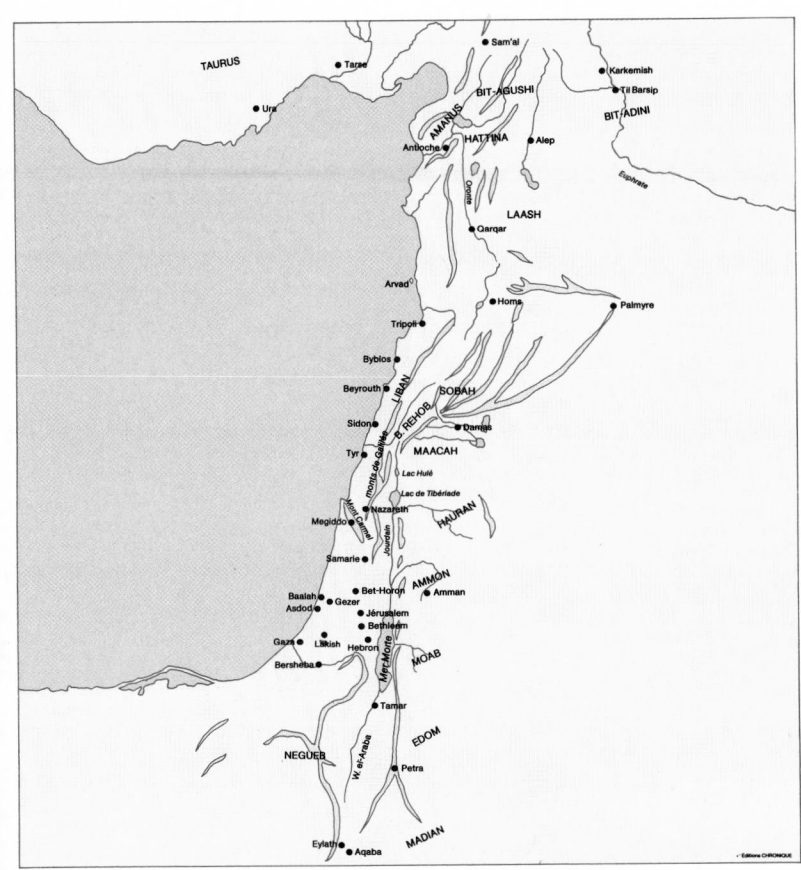

CELTES
LIGURES
Nice
(Nikaea)
Marseille
(Massilia)
Étrusques
ITALIQUES
ILLYRIENS
Mer Noire (Pont-Euxin)
Corse
IBÈRES
Sardaigne
Carthagène
Kaine
Tingis
Abyle
Lixos
MAURES
NUMIDES
Hippo Diarrhytos
Hippo Regius
Utique
Motye
Himère
Kossyre
Carthage
Hadrumète(s)
Leptis
Thapsos
Achulla
Usilla
Malte
EUBÉE
LYDIE
Milet
CILICIE
Rhodes
Idation
Chypre
Soloi
Amathus
Paphos
Arados
Byblos
Beyrouth
Sidon
Tyr
PHÉNICIENS
Méditerranée
Sabrata
Oea
Leptis
Cyrène
ÉGYPTE
LIBYENS
Naucratis
© Éditions CHRONIQUE

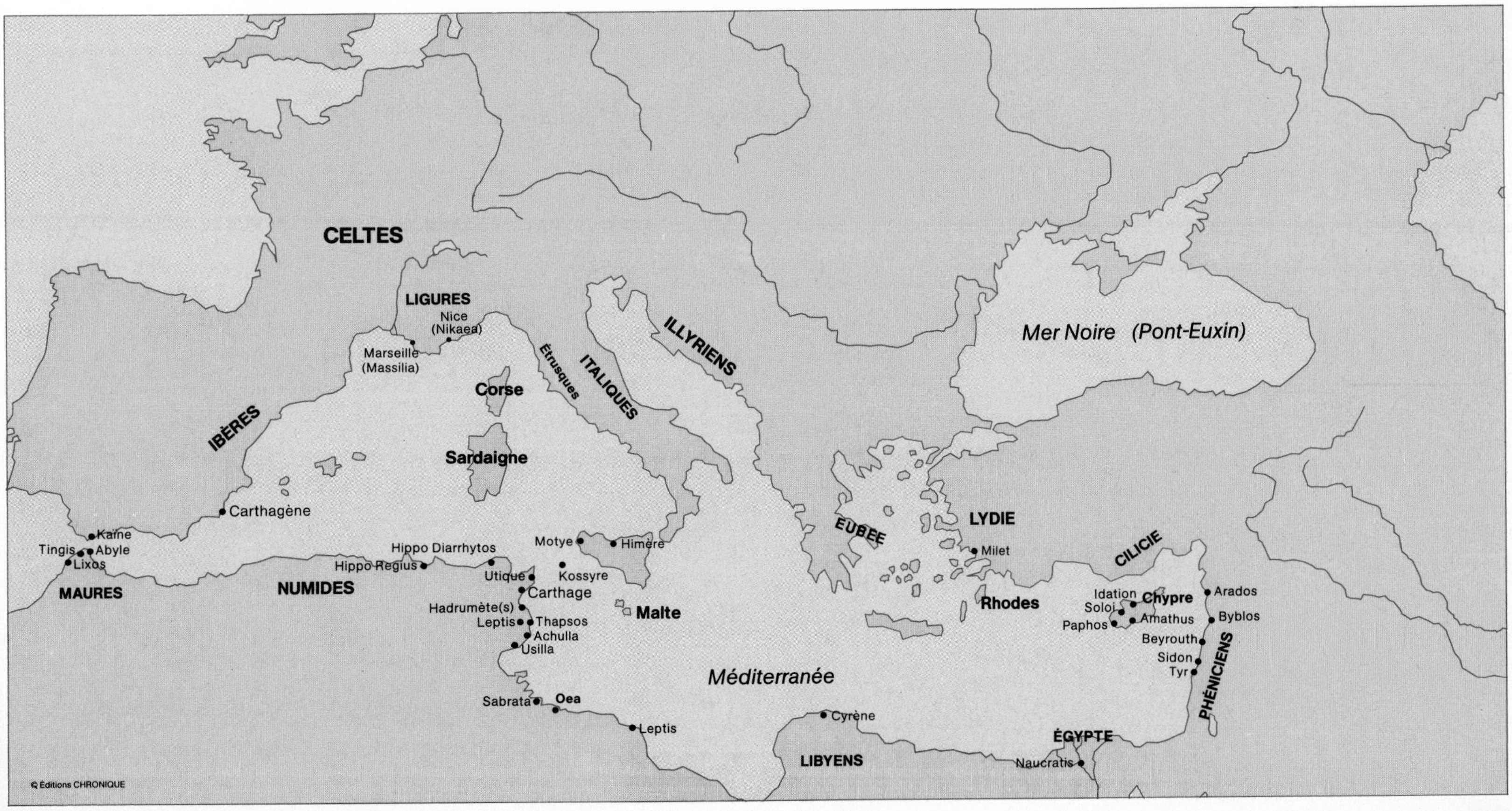

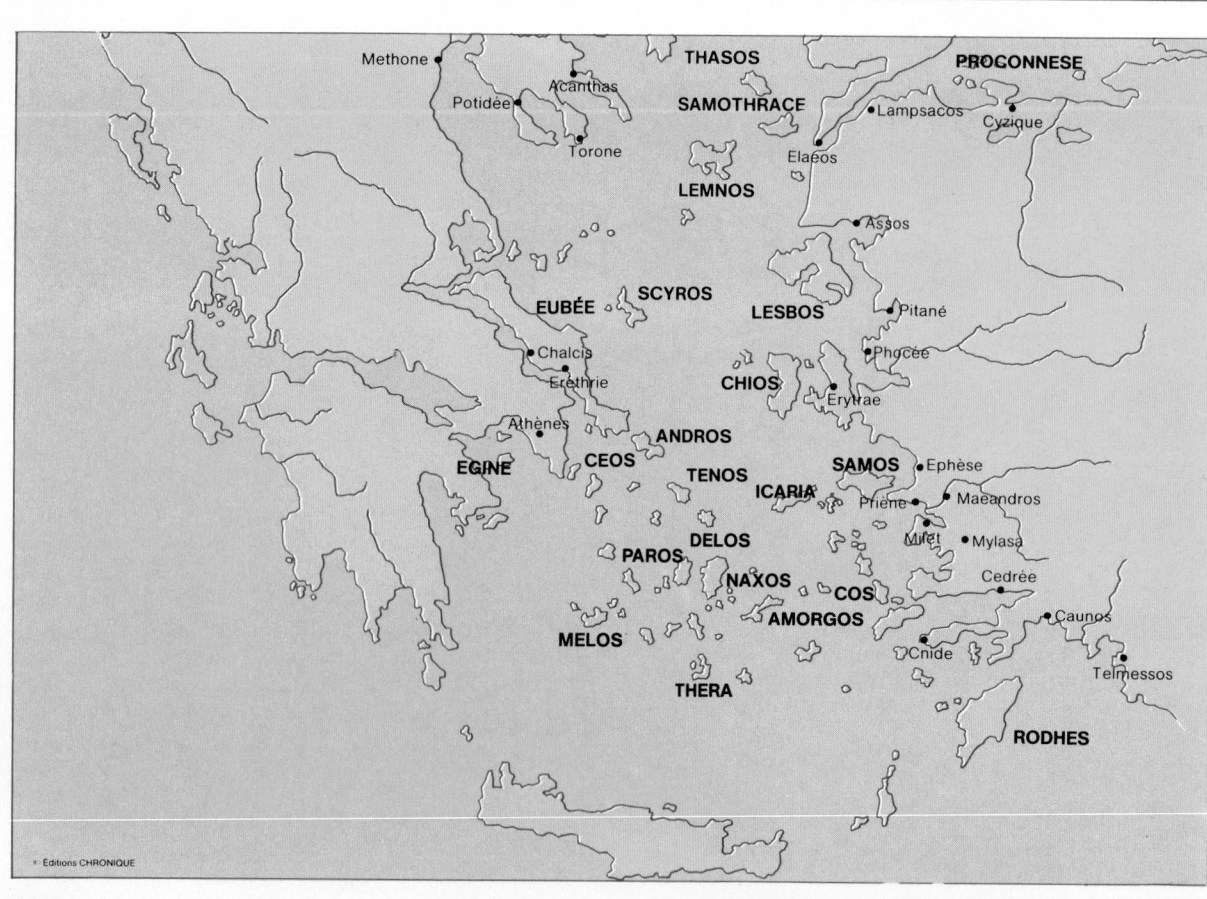

Les courants de colonisation grecque en Méditerranée

La Grèce au temps de Périclès

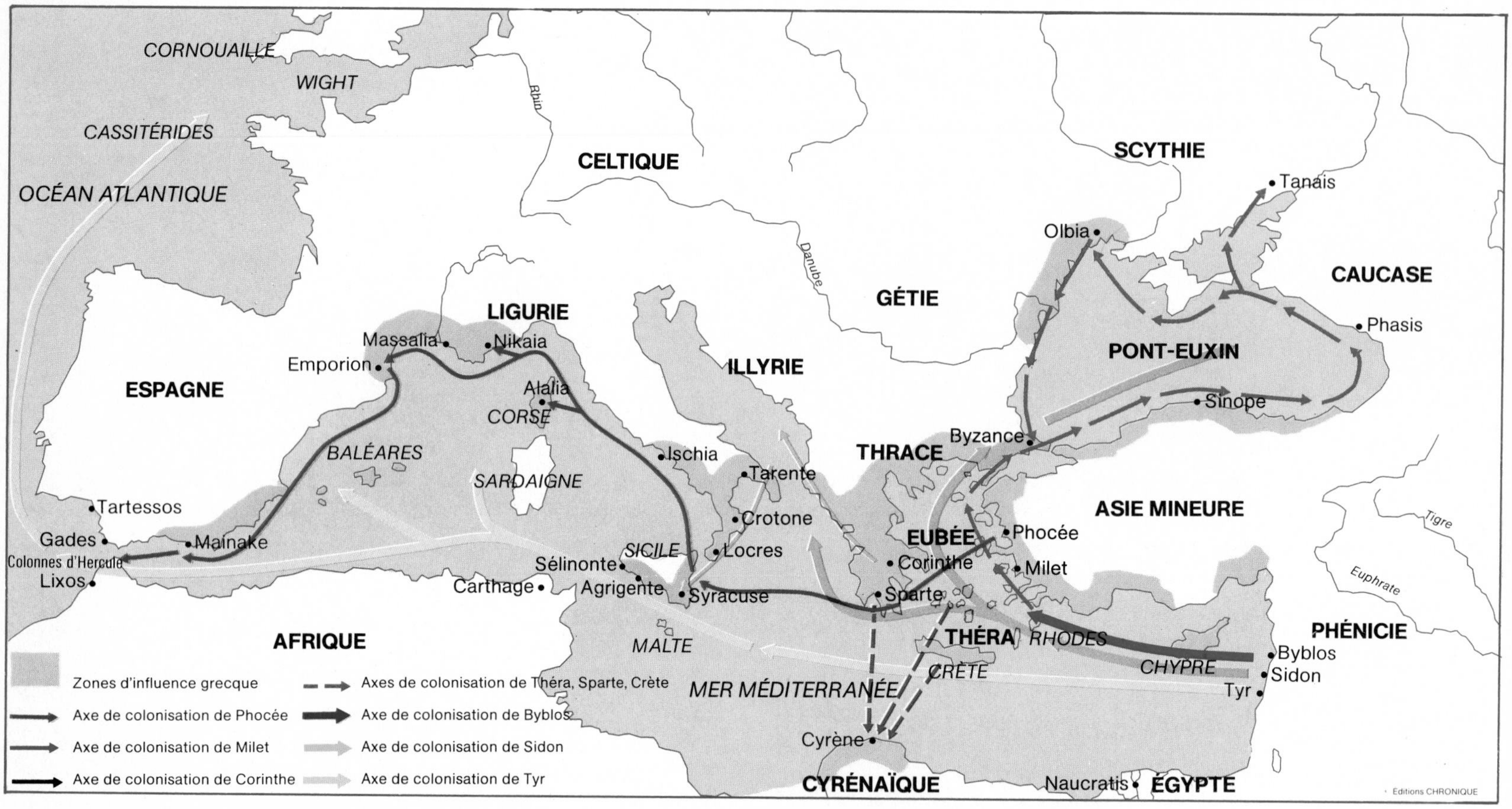

OCÉAN ATLANTIQUE

CORNOUAILLE
WIGHT
CASSITÉRIDES

CELTIQUE

SCYTHIE
• Tanaïs

Olbia •

CAUCASE
• Phasis

ESPAGNE

LIGURIE
Massalia • • Nikaia
Emporion •
Alalia •
CORSE

GÉTIE

ILLYRIE

PONT-EUXIN
• Sinope

Byzance •

THRACE

ASIE MINEURE

• Tartessos
BALÉARES
SARDAIGNE
• Ischia
• Tarente

Gades •
• Maïnake
Colonnes d'Hercule
Lixos •

SICILE
Sélinonte •
Carthage •
Agrigente •
Syracuse •

• Crotone
• Locres

EUBÉE
• Corinthe

• Phocée
• Milet

PHÉNICIE
• Byblos
• Sidon
Tyr •

• Sparte

THÉRA *RHODES*
CRÈTE
CHYPRE

AFRIQUE

MALTE
MER MÉDITERRANÉE

Cyrène •

Naucratis • **ÉGYPTE**

CYRÉNAÏQUE

Rhin
Danube
Tigre
Euphrate

	Zones d'influence grecque		Axes de colonisation de Théra, Sparte, Crète
→	Axe de colonisation de Phocée	→	Axe de colonisation de Byblos
→	Axe de colonisation de Milet	→	Axe de colonisation de Sidon
→	Axe de colonisation de Corinthe	→	Axe de colonisation de Tyr

Éditions CHRONIQUE

Methone •
THASOS
PROCONNESE

Acanthas •
Potidée •
SAMOTHRACE
• Lampsacos
• Cyzique

Torone •
Elaéos •

LEMNOS

• Assos

EUBÉE
SCYROS
LESBOS
• Pitané

Chalcis •
Erétrie •
Athènes •
CHIOS
• Phocée
• Erytrae

ÉGINE
ANDROS
CEOS
TENOS
ICARIA
SAMOS
• Ephèse
Priène •
• Maeandros

DELOS
Milet •
• Mylasa

PAROS
NAXOS
COS
• Cedrée

AMORGOS
• Caunos

MELOS
• Cnide
• Telmessos

THERA

RODHES

Éditions CHRONIQUE

1102

Les grands royaumes hellénistiques

Le processus d'urbanisation

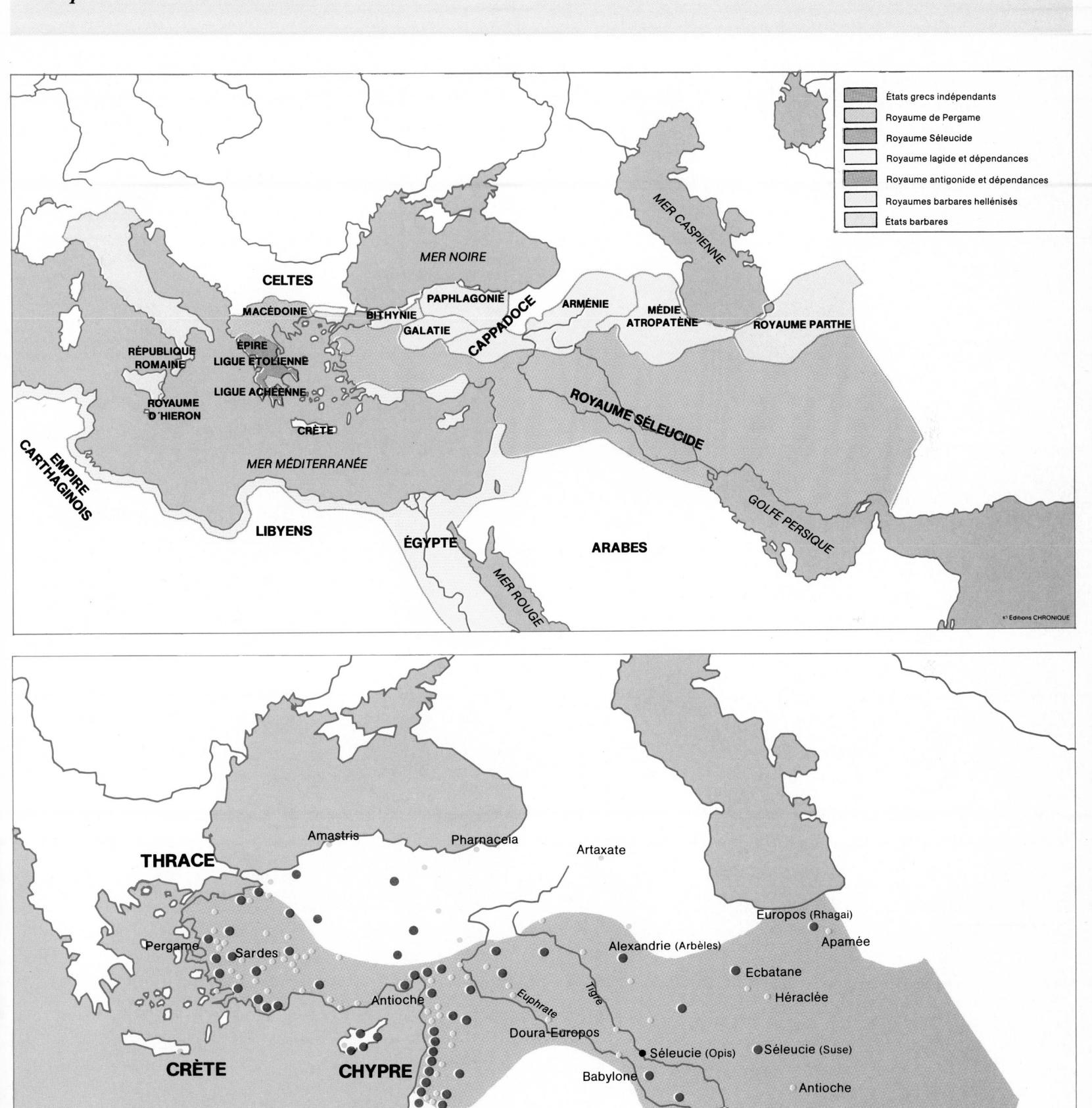

Carte du haut :

Légende :
- États grecs indépendants
- Royaume de Pergame
- Royaume Séleucide
- Royaume lagide et dépendances
- Royaume antigonide et dépendances
- Royaumes barbares hellénisés
- États barbares

CELTES

MER NOIRE

MER CASPIENNE

MACÉDOINE
BITHYNIE
PAPHLAGONIE
GALATIE
ARMÉNIE
MÉDIE ATROPATÈNE
ROYAUME PARTHE

RÉPUBLIQUE ROMAINE
ÉPIRE
LIGUE ÉTOLIENNE
LIGUE ACHÉENNE
ROYAUME D'HIERON
CRÈTE

CAPPADOCE

ROYAUME SÉLEUCIDE

MER MÉDITERRANÉE

EMPIRE CARTHAGINOIS

LIBYENS

ÉGYPTE

MER ROUGE

ARABES

GOLFE PERSIQUE

© Éditions CHRONIQUE

Carte du bas :

THRACE

Amastris
Pharnacela
Artaxate

Pergame
Sardes

Antioche

Euphrate
Tigre

Europos (Rhagai)
Alexandrie (Arbèles)
Apamée
Ecbatane
Héraclée

CRÈTE
CHYPRE

Doura-Europos

Séleucie (Opis)
Séleucie (Suse)
Babylone
Antioche
Alexandrie

Philadelphie

Raphia
Alexandrie
Arsinoé

Légende :
- Villes Hellénisées
- Villes Hellénistiques
- Royaume des Séleucides vers 250

Éditions CHRONIQUE

1103

Première guerre punique

Deuxième guerre punique

Carte du haut : Première guerre punique

Légende :
- Combats
- Batailles navales
- Expédition de Regulus en Afrique en − 256/− 255
- Pertes subies par Carthage après la première guerre punique de − 241 à − 237
- Messine, occupée par Carthage en − 269, prise par Rome en − 264
- Carthage et les régions soumises à son influence en − 264
- Rome et les régions soumises à son influence en − 264

1. Îles Lipari
2. Mt Eryx
3. Mt Heirkté
C. Camarine
H. Himère
L. Lilybée (− 250)

CORSE — Aléria
ÉTRURIE
ROME
LATIUM — CAMPANIE — Capoue
SARDAIGNE — Olbia
LUCANIE — Tarente
Cap Palinure
GRANDE GRÈCE
Myles — 260
Panorme — 254
Drepanum — 249
Messine — 264
Aegates — 241
Rhegiôn
SICILE
Agrigente — 262
Syracuse
CARTHAGE
Clupea
Ecnome — 256
PANTELLERIA
MALTE
GOZO

Éditions CHRONIQUE

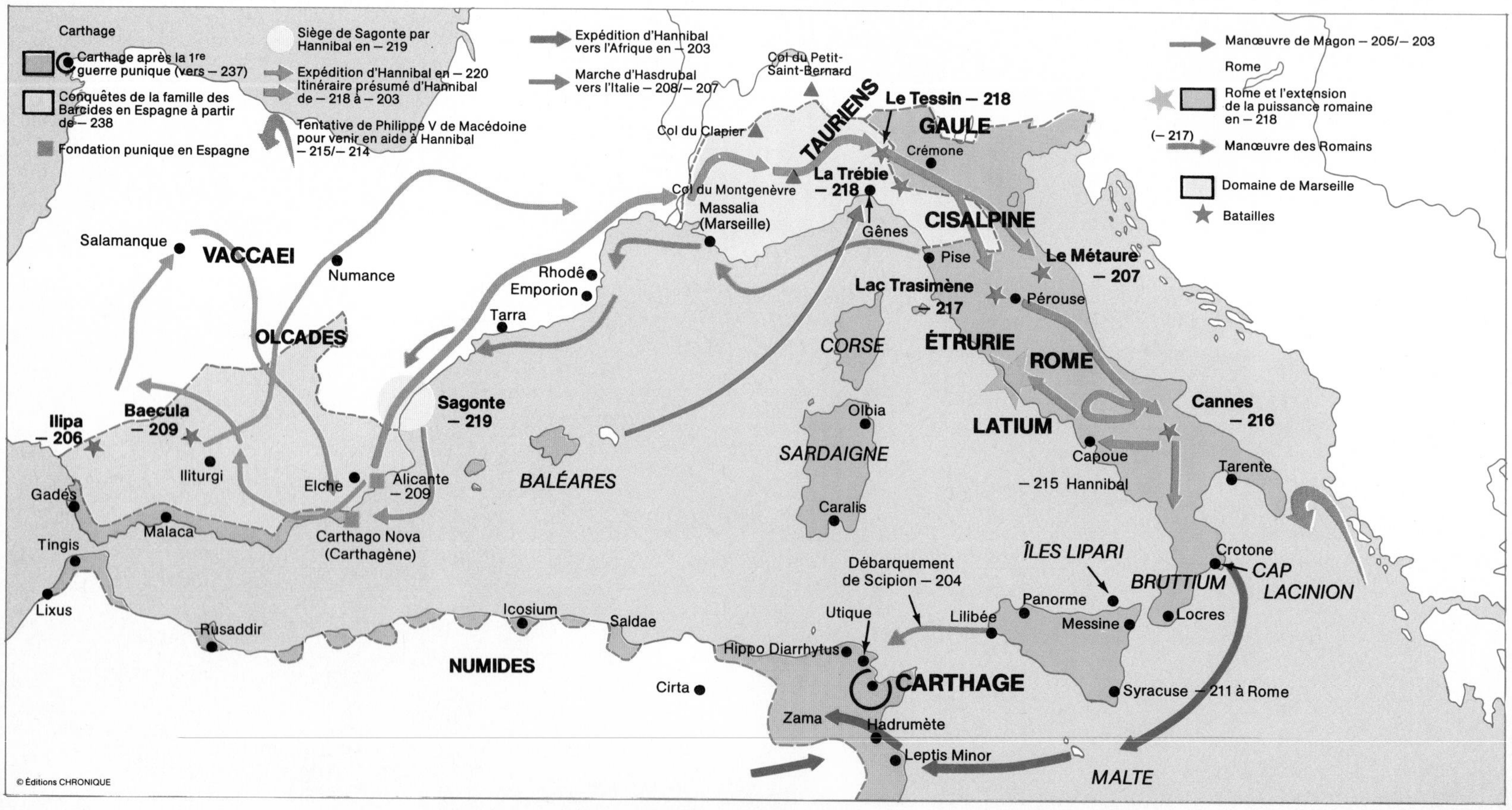

Carte du bas : Deuxième guerre punique

Légende :
- Carthage
- Carthage après la 1re guerre punique (vers − 237)
- Conquêtes de la famille des Barcides en Espagne à partir de − 238
- Fondation punique en Espagne
- Siège de Sagonte par Hannibal en − 219
- Expédition d'Hannibal en − 220 Itinéraire présumé d'Hannibal de − 218 à − 203
- Tentative de Philippe V de Macédoine pour venir en aide à Hannibal − 215/− 214
- Expédition d'Hannibal vers l'Afrique en − 203
- Marche d'Hasdrubal vers l'Italie − 208/− 207
- Manœuvre de Magon − 205/− 203
- Rome
- Rome et l'extension de la puissance romaine en − 218
- (− 217)
- Manœuvre des Romains
- Domaine de Marseille
- Batailles

Salamanque
VACCAEI
Numance
OLCADES
Ilipa — 206
Baecula — 209
Iliturgi
Gadés
Tingis
Lixus
Malaca
Rûsaddir
Elche
Alicante — 209
Carthago Nova (Carthagène)
Sagonte — 219
Rhodê
Emporion
Tarra
Massalia (Marseille)
Col du Montgenèvre
Col du Clapier
Col du Petit-Saint-Bernard
TAURIENS
Le Tessin — 218
GAULE
Crémone
La Trébie — 218
Gênes
Pise
CISALPINE
Le Métaure — 207
Lac Trasimène — 217
Pérouse
ÉTRURIE
ROME
Cannes — 216
LATIUM
Capoue
− 215 Hannibal
Tarente
BALÉARES
CORSE
Olbia
SARDAIGNE
Caralis
ÎLES LIPARI
Crotone
BRUTTIUM
CAP LACINION
Panorme
Locres
Messine
Syracuse — 211 à Rome
Débarquement de Scipion − 204
Utique
Lilibée
Hippo Diarrhytus
CARTHAGE
NUMIDES
Cirta
Zama
Hadrumète
Leptis Minor
MALTE
Icosium
Saldae

© Éditions CHRONIQUE

1104

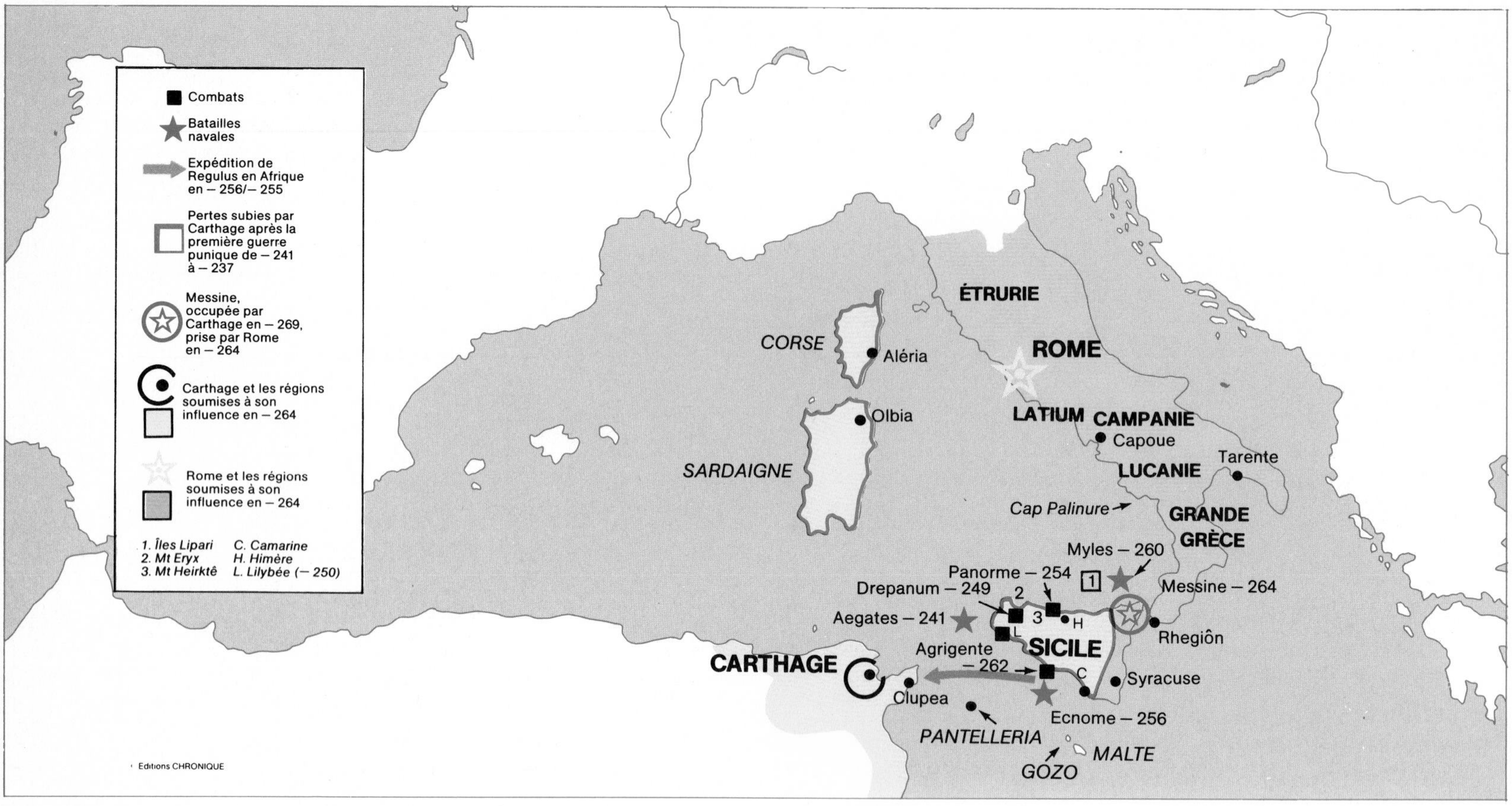

L'Europe celtique

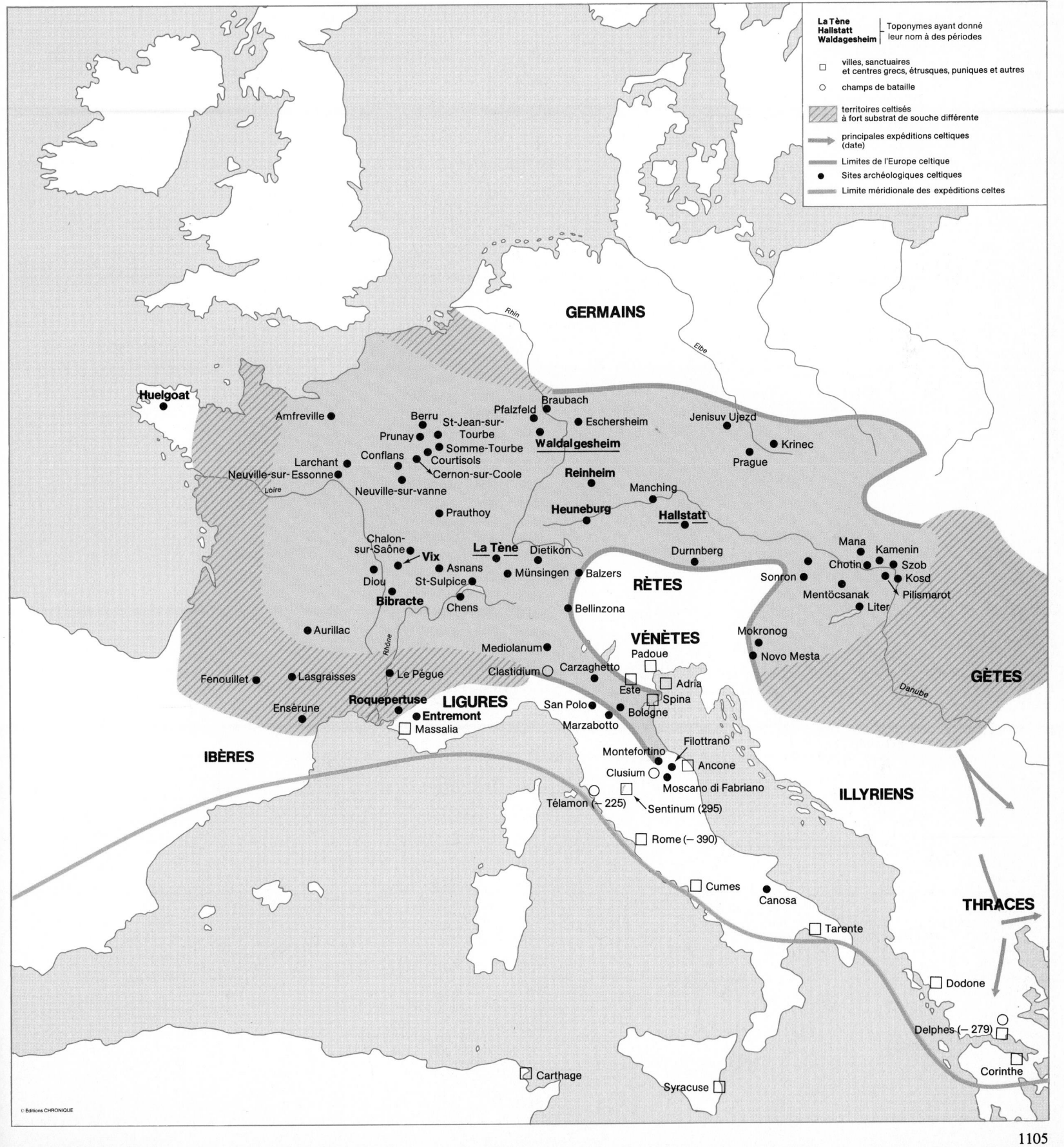

La Tène
Hallstatt
Waldagesheim | Toponymes ayant donné leur nom à des périodes

☐ villes, sanctuaires et centres grecs, étrusques, puniques et autres

○ champs de bataille

▨ territoires celtisés à fort substrat de souche différente

→ principales expéditions celtiques (date)

━ Limites de l'Europe celtique

● Sites archéologiques celtiques

━ Limite méridionale des expéditions celtes

GERMAINS

Rhin

Elbe

Huelgoat

Amfreville

Berru
St-Jean-sur-Tourbe
Prunay
Somme-Tourbe
Conflans
Courtisols
Cernon-sur-Coole
Larchant
Neuville-sur-Essonne
Neuville-sur-vanne

Pfalzfeld
Braubach
Eschersheim
Waldalgesheim
Reinheim
Manching

Jenisuv Ujezd
Krinec
Prague

Loire

Prauthoy

Heuneburg

Hallstatt

Mana
Kamenin
Chotin
Szob
Kosd
Pilismarot
Liter
Sonron
Mentöcsanak

Chalon-sur-Saône
Vix
La Tène
Dietikon
Asnans
Münsingen
Balzers
Durnnberg

RÈTES

Diou
St-Sulpice
Bibracte
Chens
Bellinzona

Rhône

Aurillac

Mokronog
Novo Mesta

VÉNÈTES

Mediolanum
Padoue

Clastidium
Carzaghetto
Este
Adria
Spina

GÈTES

Danube

Fenouillet
Lasgraisses
Le Pégue
Ensérune
Roquepertuse
Entremont
Massalia

LIGURES

San Polo
Bologne
Marzabotto

Montefortino
Filottranò
Ancone
Clusium
Moscano di Fabriano
Télamon (– 225)
Sentinum (295)

ILLYRIENS

IBÈRES

Rome (– 390)

Cumes
Canosa

THRACES

Tarente

Dodone

Delphes (– 279)

Corinthe

Carthage

Syracuse

© Editions CHRONIQUE

1105

GERMANIE

BRETAGNE

BATAVES

SICAMBRES

MÉNAPIENS

ADUATUCI

UBIENS

Portus Itius ○

MORINS

NERVIENS

Aduatuca ○

Gesoriacum ○
(Boulogne-sur-M.)

ÉBURONS

ATRÉBATES

CONDRUSES

Nemetocenna ○

BELGIQUE

TRÉVIRES

AMBIANI

VÉROMANDUENS

VANGIONS

Samarobriva ○
(Amiens)

RÈMES

MÉDIOMATRICES

VELIOCASSES

BELLOVAQUES ○

Noviodunum S. ○
(Soissons)

Durocortorum
(Reims)

Divodurum (Metz) ○

UNELLES

SUESSIONES ○

LEXOVIENS

SILVANECTES

Les Jogasses ●

VIDUCASSES

Lutecia ○
(Lutèce)

MELDES

LEUCES

AULERQUES

OSISMIENS

ABRINCATUENS

ÉBUROVICES

PARISII

TRIBOQUES

Huelgoat ●

CORIOSOLITES

TRICASSES

SUÈVES

Camp d'Artus ●

AUL.
CENOMANTES

CARNUTES

SEINE

Agedincum ○
(Sens)

ARMORIQUE

SENONES

VÉNÈTES

REDONS

AUL.
DIABLINTES

Cenabum ○
(Orléans)

Vix ●

RAURACI

ANDECAVES

Alésia ●
(Alise-Ste-R.)

NAMNÈTES

LOIRE

Avaricum ○
(Bourges)

MANDUBIENS

Vesontio ○
(Besançon)

Condivicnum ○
(Nantes)

TURONS

BITURIGES CUBI

Bibracte ●
(Mt-Beuvray)

SÉQUANES

HELVÈTES

PICTONES

Nevirnum ○
(Nevers)

ÉDUENS

Cabillonum ○
(Châlon-S/S.)

Limonum ○
(Poitiers)

CELTIQUE

Matisco ○
(Macon)

RHÔNE

AMBARRES

Octodurus ○
(Martigny)

SANTONES

LEMOVICES

Gergovia ○
(Gergovie)

SEGUSIAVI

Vienna ○
(Vienne)

ALLOBROGES

GAULE
CISALPINE

BITURIGES
VIVISCI

PÉTROCORIENS

Uxellodunum ○
(Puy d'Issolud)

VELLAVES

ALPES

Burdigala ○
(Bordeaux)

Anderitum
(Javols)

HELVIENS

CARNUTES Peuples celtes
Avaricum Nom ancien
(Bourges) Nom moderne

GARONNE

BOIENS

CADURQUE

GABALES

Alba ●

VOCONCES

PROVINCE

■ Colonie de citoyens romains
● Principaux sites archéologiques
   préromains

COCOSATES

NITIOBRIGES

Arausio ○
(Orange)

ÉLUSATES

RUTÈNES

ROMAINE

Nicaea ○
(Nice)

TARBELLES

AQUITAINE

Tolosa ○
(Toulouse)

VOLCES
ARECOMICI

Nemausus ○
(Nîmes)

Arelate ○
(Arles)

Entremont ●

Antipolis ○
(Antibes)

AUSCII

VOLCES
TECTOSAGES

Aquae Sextiae (Aix-en-Provence) ○

ESPAGNE

SIBUSATES

CONVÈNES

Agatha ○
(Agde)

Roquepertuse ●

SALYENS

LIGURES

Lugdunum Convenarum
(St-Bertrand-de-C.)

Enserune ●

Massalia ●
(Marseille)

Narbo Martius ■
(Narbonne)

Olbia ○

SORDONES

Illiberis (Elne) ○

Les conquêtes romaines sous la République

Les conquêtes romaines sous l'Empire

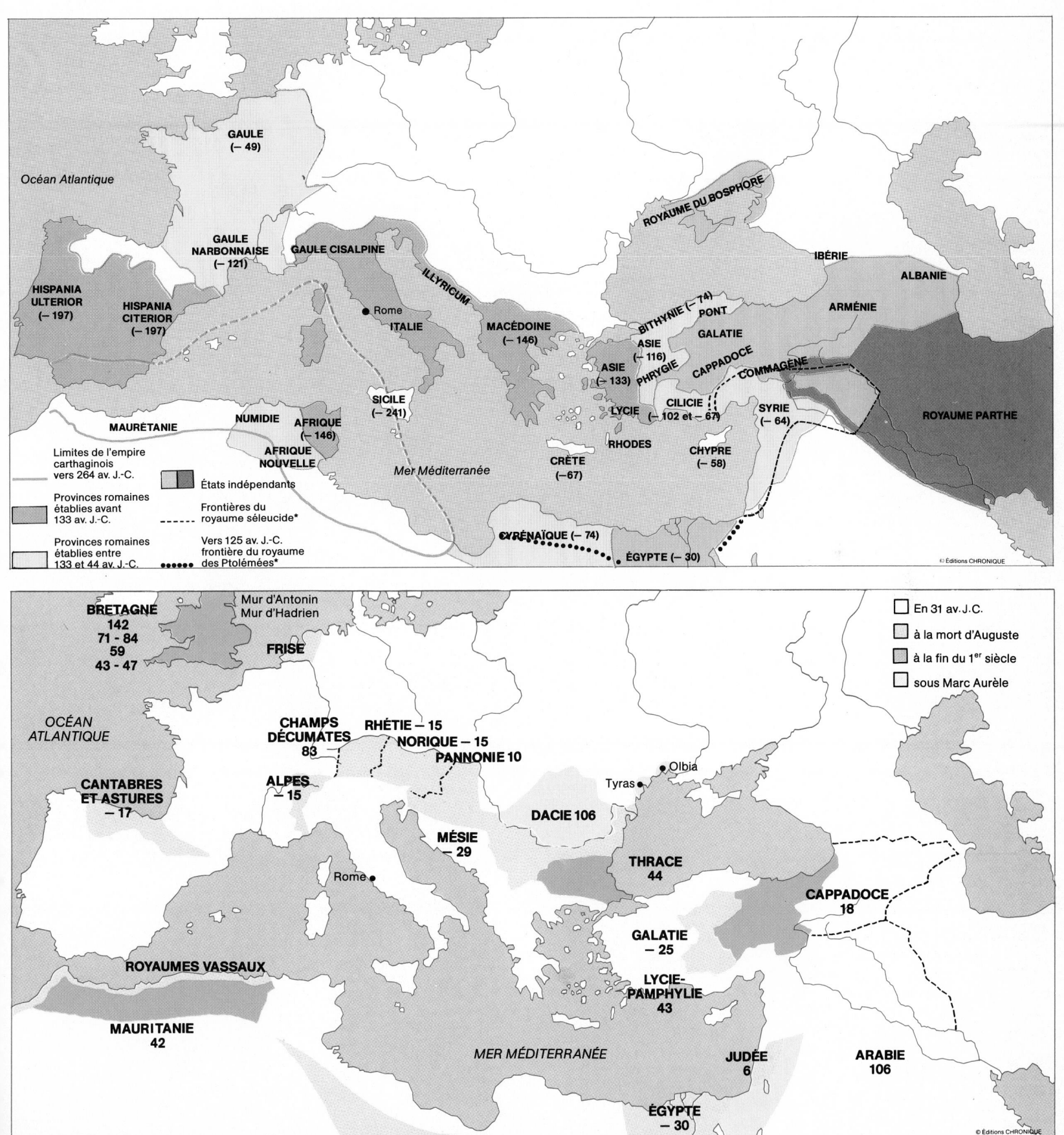

Les conquêtes romaines sous la République

Océan Atlantique

GAULE (− 49)

GAULE NARBONNAISE (− 121)

GAULE CISALPINE

ROYAUME DU BOSPHORE

IBÉRIE

ALBANIE

HISPANIA ULTERIOR (− 197)

HISPANIA CITERIOR (− 197)

ILLYRICUM

● Rome

ITALIE

ARMÉNIE

BITHYNIE (− 74)

PONT

MACÉDOINE (− 146)

GALATIE

ASIE (− 116)

CAPPADOCE

COMMAGÈNE

ASIE (− 133)

PHRYGIE

SICILE (− 241)

LYCIE

CILICIE (− 102 et − 67)

SYRIE (− 64)

ROYAUME PARTHE

MAURÉTANIE

NUMIDIE

AFRIQUE (− 146)

RHODES

CHYPRE (− 58)

AFRIQUE NOUVELLE

CRÈTE (−67)

Mer Méditerranée

Limites de l'empire carthaginois vers 264 av. J.-C.

États indépendants

Provinces romaines établies avant 133 av. J.-C.

Frontières du royaume séleucide*

Provinces romaines établies entre 133 et 44 av. J.-C.

Vers 125 av. J.-C. frontière du royaume des Ptolémées*

CYRÉNAÏQUE (− 74)

ÉGYPTE (− 30)

© Éditions CHRONIQUE

Les conquêtes romaines sous l'Empire

BRETAGNE 142 71 - 84 59 43 - 47

Mur d'Antonin Mur d'Hadrien

FRISE

En 31 av. J.C.

à la mort d'Auguste

à la fin du 1er siècle

sous Marc Aurèle

OCÉAN ATLANTIQUE

CHAMPS DÉCUMATES 83

RHÉTIE − 15

NORIQUE − 15

PANNONIE 10

CANTABRES ET ASTURES − 17

ALPES − 15

Olbia

Tyras ●

DACIE 106

MÉSIE − 29

THRACE 44

CAPPADOCE 18

Rome ●

GALATIE − 25

ROYAUMES VASSAUX

LYCIE-PAMPHYLIE 43

MAURITANIE 42

MER MÉDITERRANÉE

JUDÉE 6

ARABIE 106

ÉGYPTE − 30

© Éditions CHRONIQUE

L'Empire au temps d'Auguste

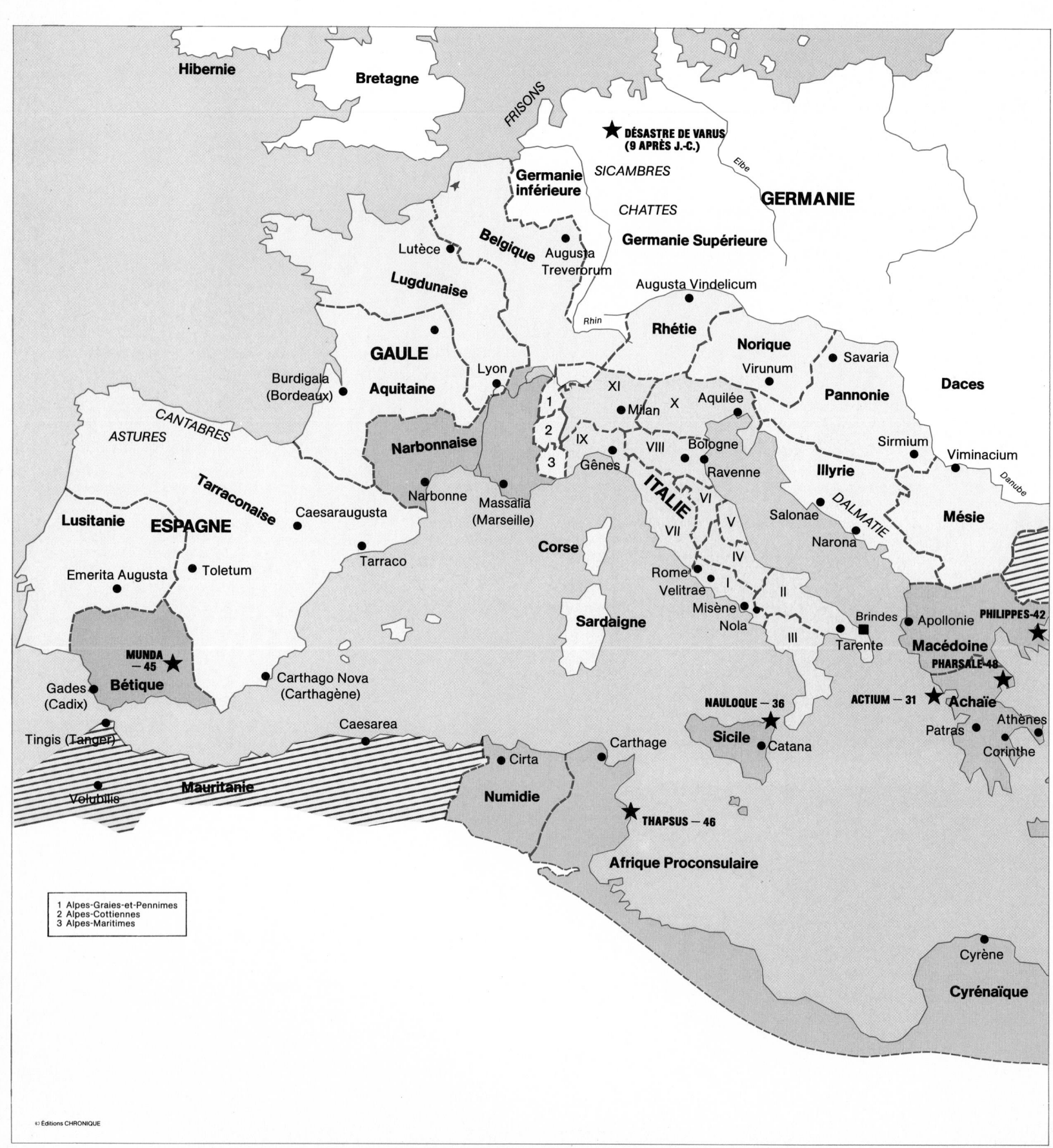

Hibernie

Bretagne

FRISONS

★ DÉSASTRE DE VARUS
(9 APRÈS J.-C.)

Germanie
inférieure

SICAMBRES

Elbe

GERMANIE

CHATTES

Belgique

Augusta
Treverorum

Germanie Supérieure

Lutèce

Lugdunaise

Augusta Vindelicum

GAULE

Lyon

Rhin

Rhétie

Norique

Savaria

Burdigala
(Bordeaux)

Aquitaine

Virunum

Pannonie

Daces

1

XI

X

Aquilée

CANTABRES

2

Milan

IX

VIII

Bologne

Sirmium

Viminacium

ASTURES

Narbonnaise

3

Gênes

Ravenne

Illyrie

Danube

Tarraconaise

Narbonne

Massalia
(Marseille)

VI

V

Salonae

DALMATIE

Mésie

Lusitanie

ESPAGNE

Caesaraugusta

Corse

ITALIE

VII

IV

Narona

Emerita Augusta

Toletum

Tarraco

Rome

I

II

Velitrae

Misène

Brindes

Apollonie

PHILIPPES–42 ★

MUNDA
—45 ★

Bétique

Nola

III

Tarente

Macédoine

PHARSALE–48 ★

Gades
(Cadix)

Carthago Nova
(Carthagène)

Sardaigne

NAULOQUE — 36 ★

ACTIUM — 31 ★

Achaïe

Athènes

Tingis (Tanger)

Caesarea

Carthage

Sicile

Catana

Patras

Corinthe

Volubilis

Mauritanie

Cirta

Numidie

THAPSUS — 46 ★

Afrique Proconsulaire

Cyrène

1 Alpes-Graies-et-Pennimes
2 Alpes-Cottiennes
3 Alpes-Maritimes

Cyrénaïque

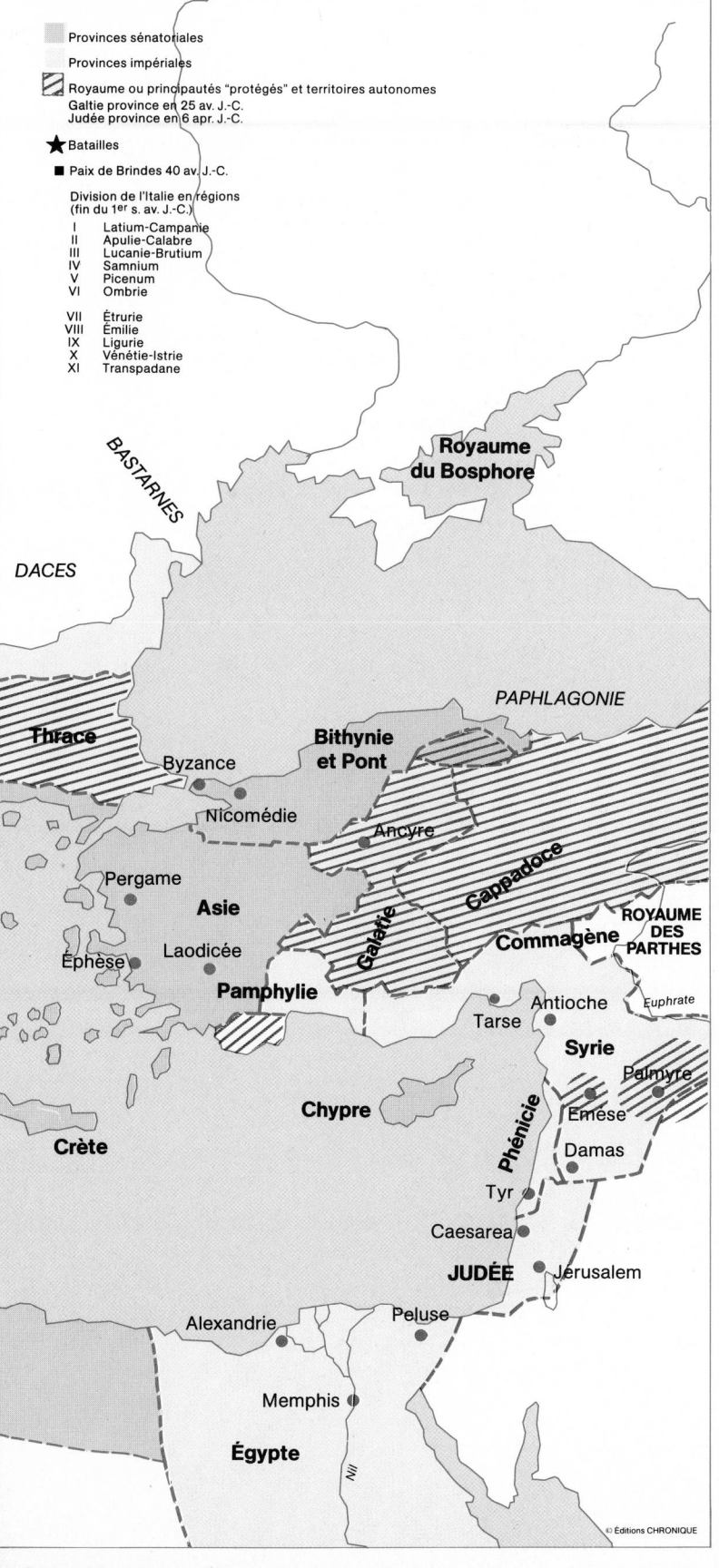

Provinces sénatoriales

Provinces impériales

Royaume ou principautés "protégés" et territoires autonomes
Galtie province en 25 av. J.-C.
Judée province en 6 apr. J.-C.

★ Batailles

■ Paix de Brindes 40 av. J.-C.

Division de l'Italie en régions
(fin du 1er s. av. J.-C.)
I   Latium-Campanie
II   Apulie-Calabre
III   Lucanie-Brutium
IV   Samnium
V   Picenum
VI   Ombrie

VII   Étrurie
VIII Émilie
IX   Ligurie
X   Vénétie-Istrie
XI   Transpadane

BASTARNES

DACES

Royaume
du Bosphore

PAPHLAGONIE

Thrace

Byzance

Bithynie
et Pont

Nicomédie

Ancyre

Pergame

Asie

Galatie

Cappadoce

ROYAUME
DES
PARTHES

Commagène

Éphèse

Laodicée

Pamphylie

Antioche

Tarse

Euphrate

Syrie

Palmyre

Chypre

Phénicie

Émèse

Crète

Damas

Tyr

Caesarea

JUDÉE

Jérusalem

Alexandrie

Peluse

Memphis

Égypte

Nil

© Éditions CHRONIQUE

1109

La diffusion du christianisme dans l'Empire romain jusqu'en 395

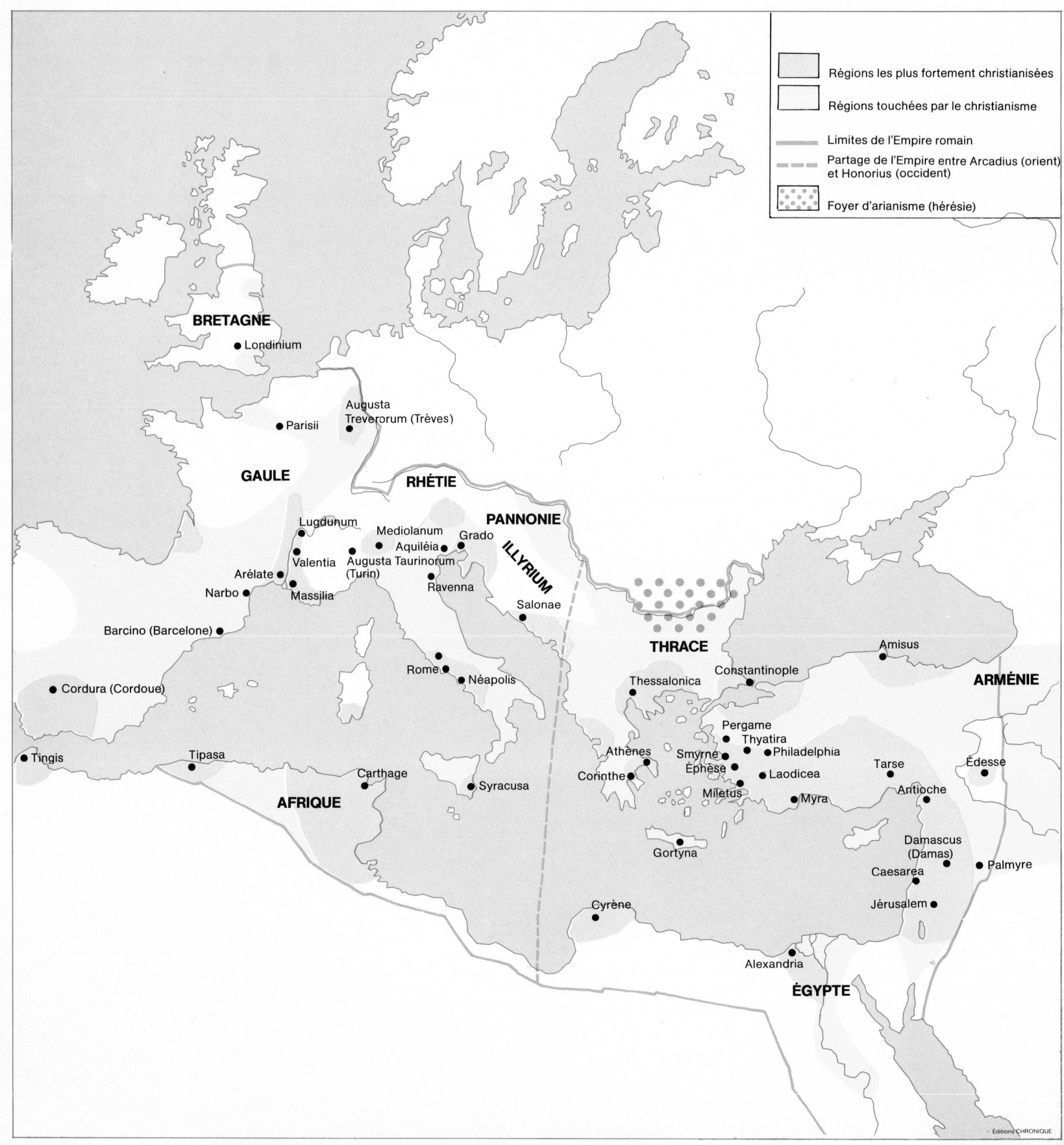

Légende:
- Régions les plus fortement christianisées
- Régions touchées par le christianisme
- Limites de l'Empire romain
- Partage de l'Empire entre Arcadius (orient) et Honorius (occident)
- Foyer d'arianisme (hérésie)

BRETAGNE
- Londinium

GAULE
- Parisii
- Augusta Treverorum (Trèves)
- Lugdunum
- Valentia
- Arélate
- Narbo
- Massilia

RHÉTIE

PANNONIE
- Mediolanum
- Aquiléia
- Augusta Taurinorum (Turin)
- Grado
- Ravenna

ILLYRIUM
- Salonae

Barcino (Barcelone)

Cordura (Cordoue)

- Rome
- Néapolis

Tingis

Tipasa

Carthage

Syracusa

AFRIQUE

Cyrène

THRACE
- Constantinople
- Thessalonica

Athènes
- Corinthe
- Pergame
- Thyatira
- Smyrne
- Philadelphia
- Éphèse
- Laodicea
- Miletus
- Myra
- Gortyna

ARMÉNIE
- Amisus
- Tarse
- Édesse
- Antioche
- Damascus (Damas)
- Palmyre
- Caesarea
- Jérusalem

ÉGYPTE
- Alexandria

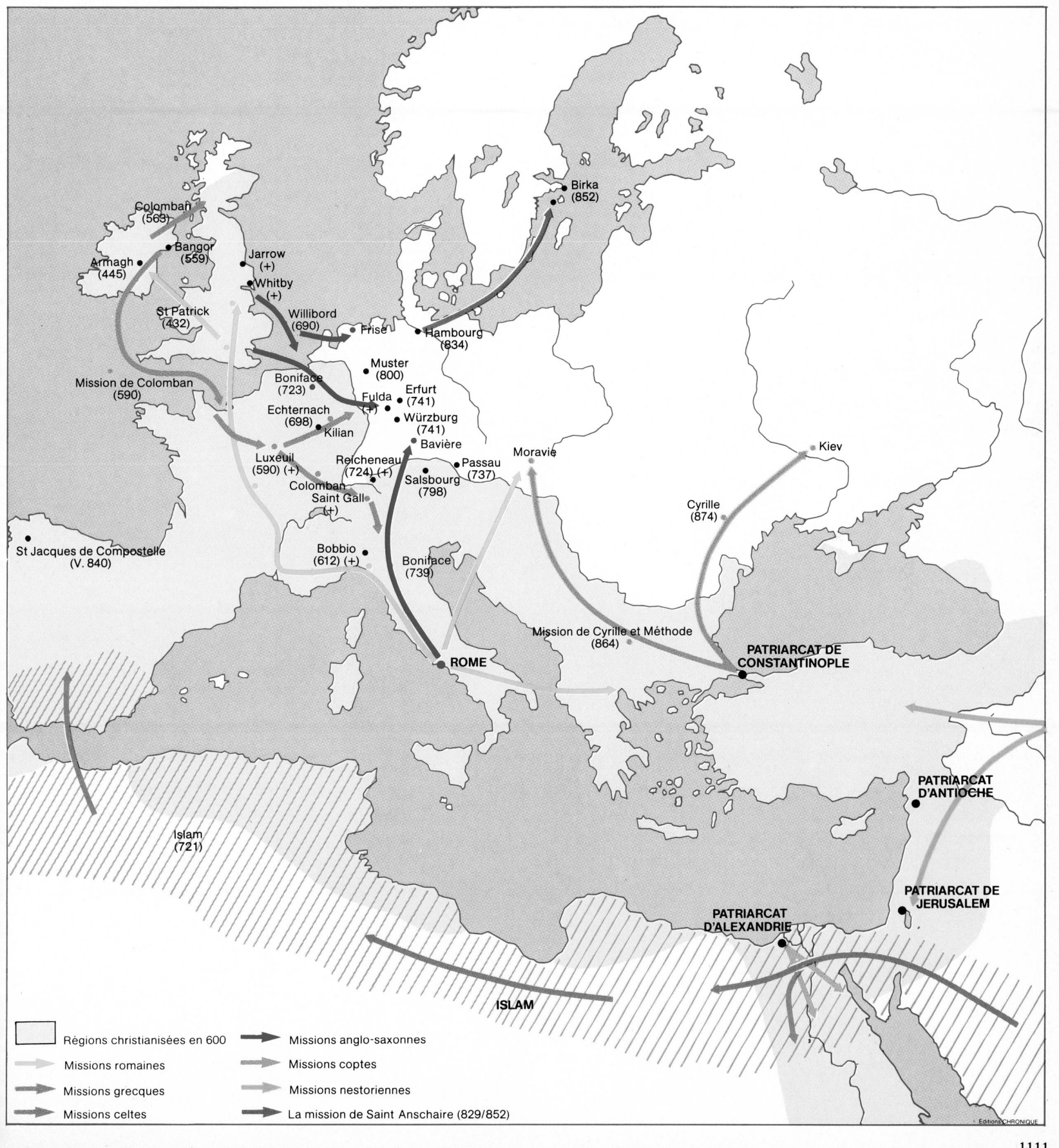

L'expansion du christianisme du VIIᵉ au IXᵉ siècle

Colomban (563)

Armagh (445)

Bangor (559)

St Patrick (432)

Jarrow (+)

Whitby (+)

Willibord (690)

Frise

Mission de Colomban (590)

Boniface (723)

Muster (800)

Echternach (698)

Fulda (+)

Erfurt (741)

Würzburg (741)

Kilian

Bavière

Luxeuil (590) (+)

Reicheneau (724) (+)

Colomban Saint Gall (+)

Salsbourg (798)

Passau (737)

Moravie

Kiev

Cyrille (874)

St Jacques de Compostelle (V. 840)

Bobbio (612) (+)

Boniface (739)

Mission de Cyrille et Méthode (864)

Hambourg (834)

Birka (852)

PATRIARCAT DE CONSTANTINOPLE

ROME

PATRIARCAT D'ANTIOCHE

Islam (721)

PATRIARCAT DE JERUSALEM

PATRIARCAT D'ALEXANDRIE

ISLAM

▭	Régions christianisées en 600	→	Missions anglo-saxonnes
→	Missions romaines	→	Missions coptes
→	Missions grecques	→	Missions nestoriennes
→	Missions celtes	→	La mission de Saint Anschaire (829/852)

Éditions CHRONIQUE

L'Inde d'Asóka vers 250 av. J.-C.

L'Inde des Gupta à la fin du IVᵉ siècle

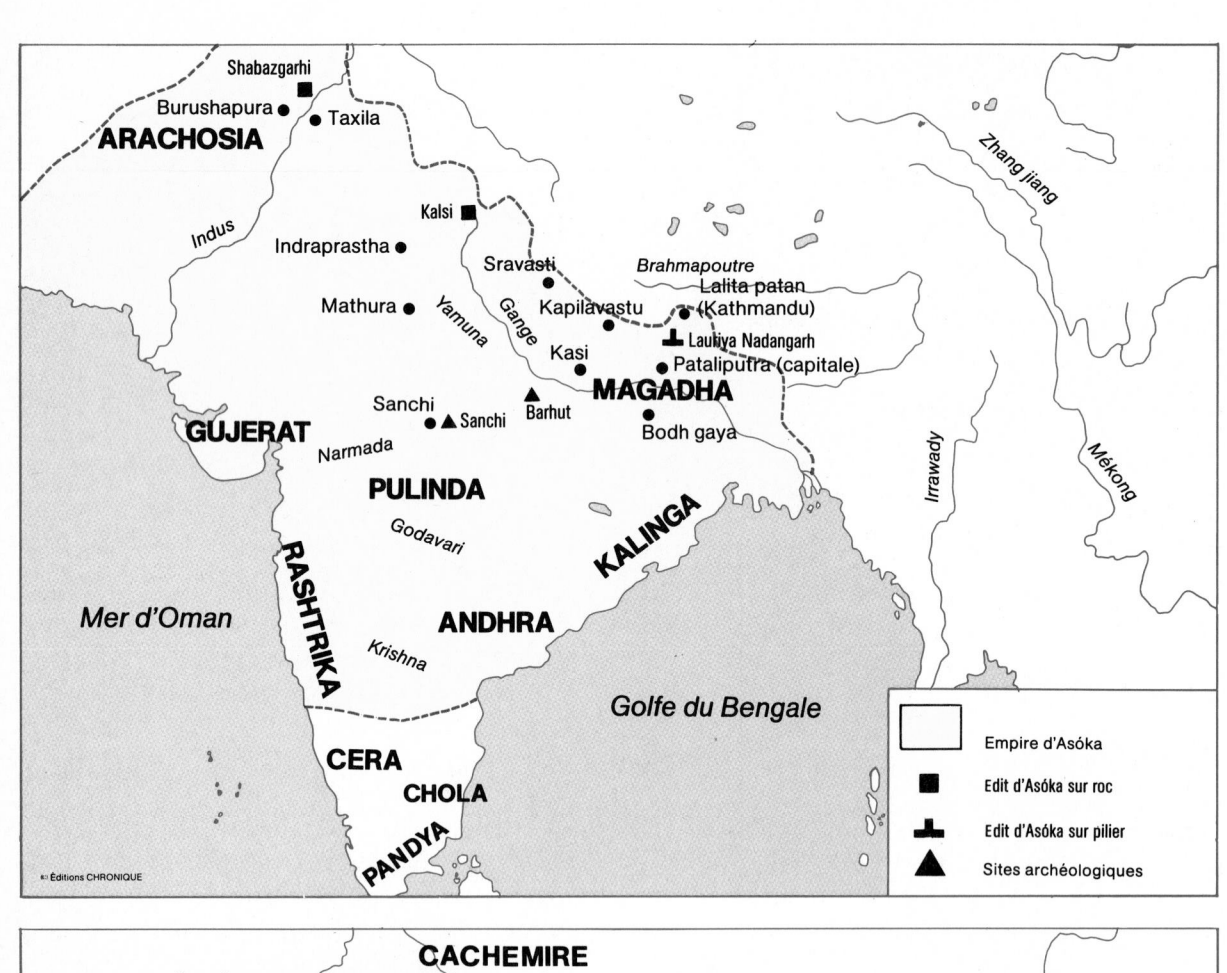

- Shabazgarhi
- Burushapura
- Taxila
- **ARACHOSIA**
- *Indus*
- Kalsi
- Indraprastha
- Sravasti
- *Brahmapoutre*
- Lalita patan (Kathmandu)
- Mathura
- *Yamuna*
- *Gange*
- Kapilavastu
- Lauliya Nadangarh
- Kasi
- Pataliputra (capitale)
- **MAGADHA**
- Sanchi ▲ Sanchi
- ▲ Barhut
- Bodh gaya
- **GUJERAT**
- *Narmada*
- **PULINDA**
- *Godavari*
- **KALINGA**
- **RASHTRIKA**
- **Mer d'Oman**
- **ANDHRA**
- *Krishna*
- **Golfe du Bengale**
- *Zhang jiang*
- *Irrawady*
- *Mékong*
- **CERA**
- **CHOLA**
- **PANDYA**

Légende :
☐ Empire d'Asóka
■ Edit d'Asóka sur roc
⊥ Edit d'Asóka sur pilier
▲ Sites archéologiques

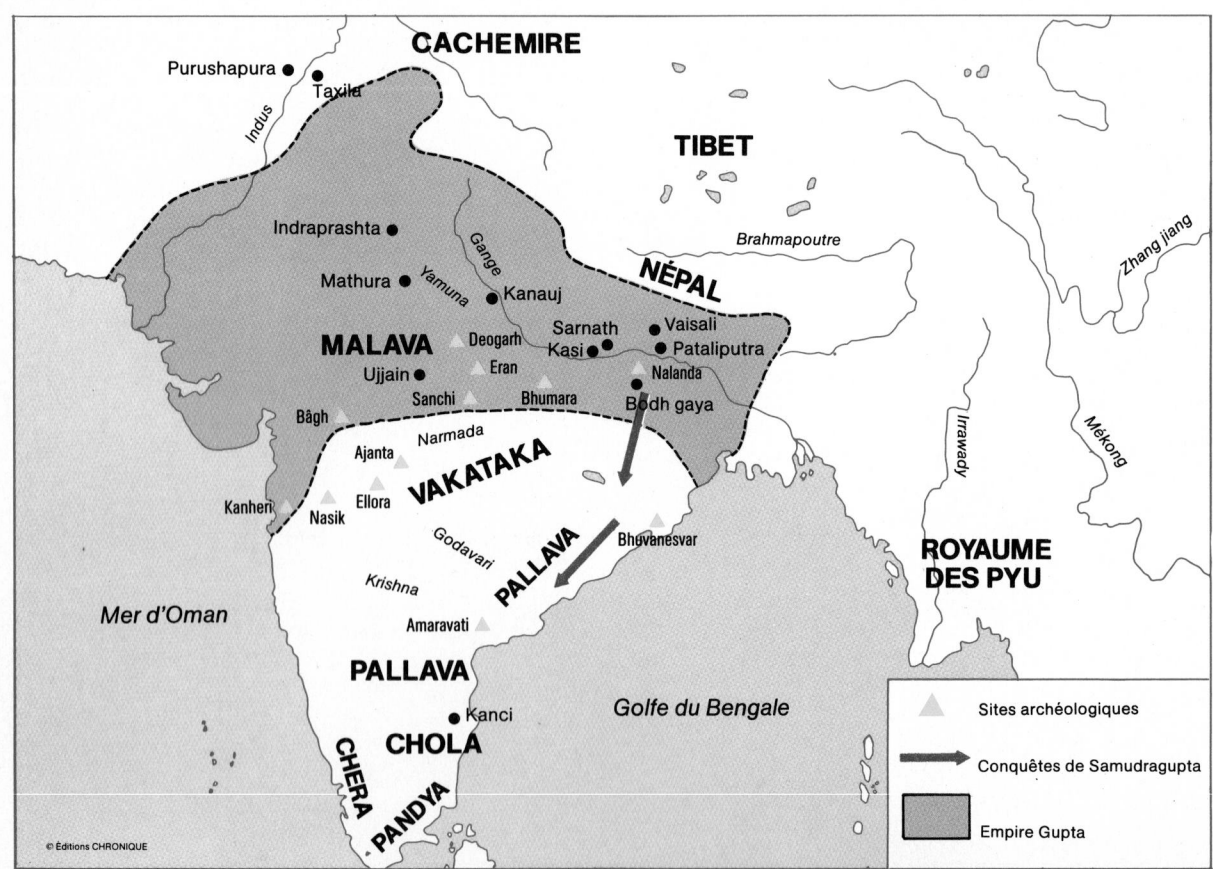

- Purushapura
- Taxila
- **CACHEMIRE**
- *Indus*
- **TIBET**
- Indraprashta
- *Gange*
- *Brahmapoutre*
- **NÉPAL**
- Mathura
- *Yamuna*
- Kanauj
- Sarnath
- Vaisali
- **MALAVA**
- Deogarh
- Kasi
- Pataliputra
- Ujjain
- Eran
- Nalanda
- Sanchi
- Bhumara
- Bodh gaya
- Bâgh
- *Narmada*
- Ajanta
- **VAKATAKA**
- Kanheri
- Ellora
- Nasik
- *Godavari*
- **PALLAVA**
- Bhuvanesvar
- **ROYAUME DES PYU**
- *Krishna*
- Amaravati
- **Mer d'Oman**
- **PALLAVA**
- Kanci
- **Golfe du Bengale**
- *Zhang jiang*
- *Irrawady*
- *Mékong*
- **CHERA**
- **CHOLA**
- **PANDYA**

Légende :
▲ Sites archéologiques
→ Conquêtes de Samudragupta
▨ Empire Gupta

La civilisation grecque

La civilisation romaine

Carte 1 — La civilisation grecque

Mer Adriatique

Mer Méditerranée

Mer Ionienne

Mer Égée

THRACE — Byzance, Philippes
MACÉDOINE — Pella, Olynthe, Thasos, Samothrace, Poliochni, Lemnos
Mt Olympe
ÉPIRE — Corcyre, Dodone
THESSALIE
PHRYGIE — Troie, Assos
ÉOLIDE — Pergame, Lesbos, Myrina
LYDIE — Chios, Clazomènes, Éphèse, Magnésie, Samos, Priène, Aphrodisias, Milet
CARIE — Halicarnasse, Cos
LYCIE — Trianda, Xanthos
RHODES

ACARNANIE — Ithaque
PHOCIDE — Delphes, Gla, Ptoion
EUBÉE — Thèbes, Marathon, Éleusis
Corinthe, Mégare, Mycènes, Athènes
ÉLIDE — Argos, Le Pirée
Zakyntos, Olympie, Tirynthe, Égine
Bassae, Épidaure
MESSÉNIE — Sparte
Pylos
LACONIE
Cythère

Cyclades
Théra (Santorin)

CRÈTE — Tylissos, Mokhlos, Praisos, Aghia Triadha, Gortyne

GRANDE GRÈCE — Cumes, Ischia, Paestum, Tarente, Métaponte
SICILE — I. Lipari, Milazzo, Catane, Gela, Syracuse
Malte

CHYPRE — Salamine, Kition

Carte 2 — La civilisation romaine

Légende :
- ▲ Sanctuaires
- ✳ Théâtres et odéons
- ● Amphithéâtres
- ☐ Basiliques
- ✱ Cirques, stades, gymnases
- ◆ Thermes
- ◆ Aqueducs
- ■ Autres monuments, arcs, portes, mausolées

BRETAGNE — Caerleon, Colchester
GAULE — Valognes, Lillebonne, Amiens, Senlis, Jublains, Paris, Reims, Metz, Bavay, Champlieu, Neuss, Cologne, Coblence, Mayence, Trèves, Alise-Ste-Reine, Besançon, Sanxay, Drevant, Évaux-les-B., Lyon, Bordeaux, Périgueux, Montcaret, Rodez, Orange, Vienne, Aoste, Nîmes, Arles, Vich (Ausa), St-Rémy-de-Provence, Cimiez, Fréjus
Loire, Rhin, Save, Danube, Ebre, Tage

ESPAGNE — Lugo (Lucus), Clunia, Osma, Pont d'Alcantara, Ségovie, Bilbilis, Tolède, Mérida, Augustobriga, Barcelone (Barcino), Tarragone (Tarraco), Sagonte, Italica, Ossonoba, Ronda la Vieja (Acinipo), Malaga

Vérone, Velleia, Libarna, Padoue, Assise, Ancone, Téramo, Rimini, Aléria, Cagliari
ROME — Liternum, Cumes, Naples, Herculanum, Pompei, Bénévent

DALMATIE — Split (Spalatum), Solin (Salona), Durresi (Dyrrachium), Apollonia, Butrinti
Szombathely (Savaria), Budapest (Aquincum), Poetovio
DACIE — Sarmizegetusa, Turnu-Severin (Drobeta), Nikopol (Nicopolis Minor)
Plovdiv (Trimontium)
THRACE — Istanbul (Constantinople)

ACHAIE — Delphes, Corinthe, Olympie, Athènes, Sparte, Rhodes
ASIE — Pergame, Izmir (Smyrne), Éphèse

MAURITANIE — Cherchell (Caesarea), Tipasa, Volubilis, Skikda (Rusicade), Annaba (Hippo Regius), Carthage, Djemila (Cuicul), Timgad, Thuburgo, Zaghouan, El Djem, Piazza Armerina, Taormina, Catane, Syracuse

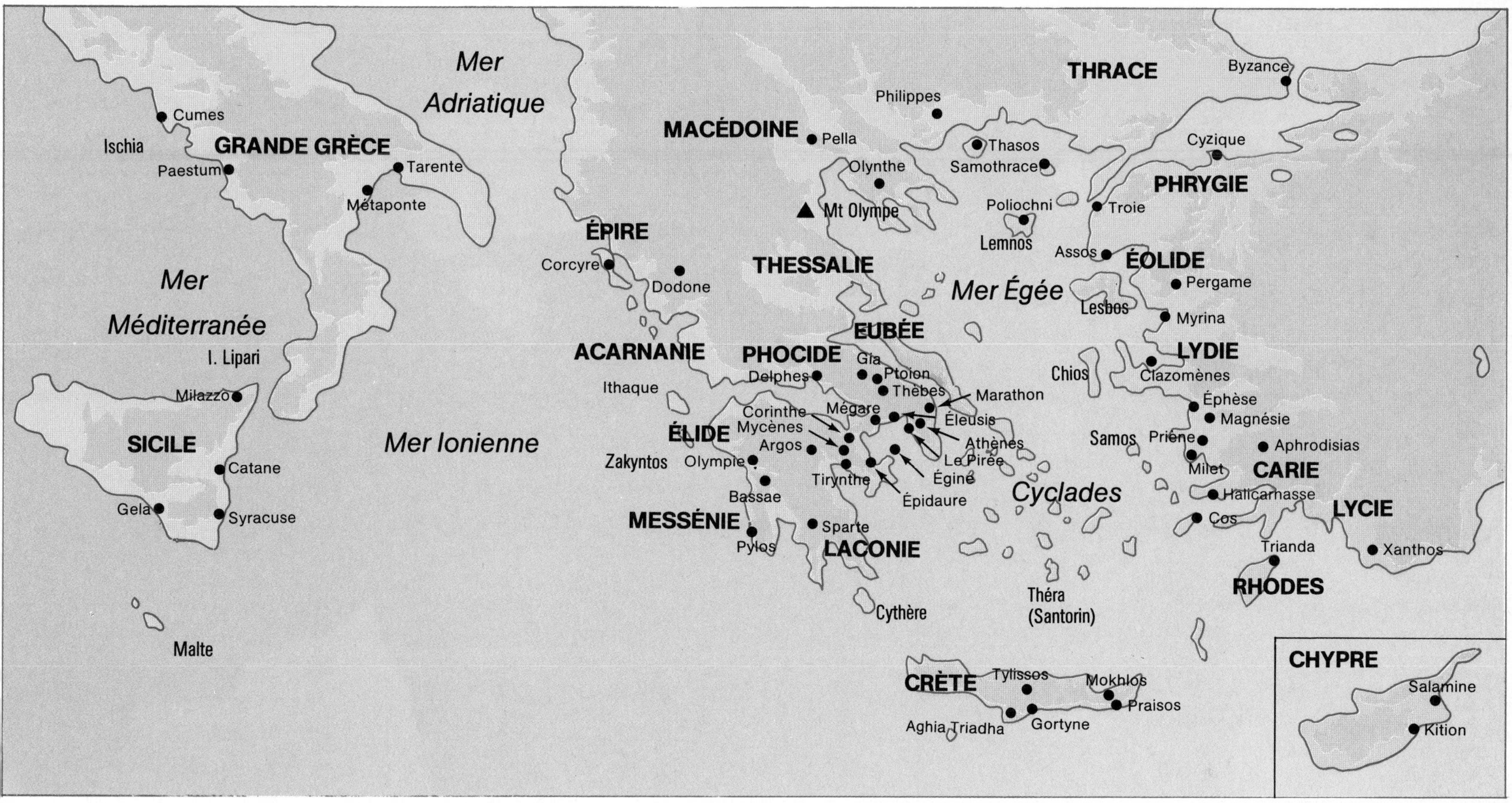

L'Empire romain à la veille des invasions barbares (début du IVe siècle)

L'Europe en 476 (1ere vague d'invasions et fondation des 1er royaumes barbares)

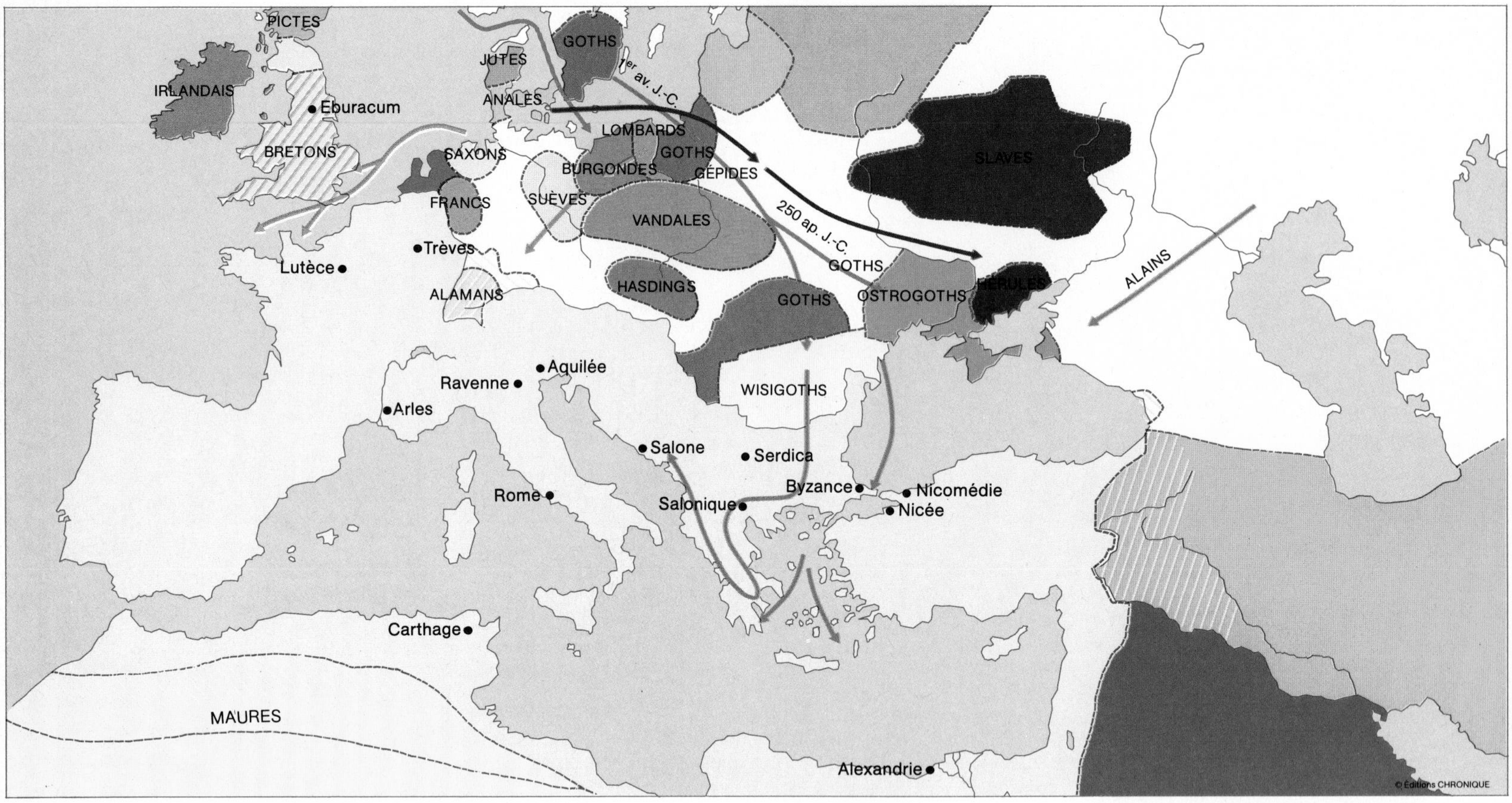

PICTES
IRLANDAIS
• Eburacum
BRETONS
SAXONS
FRANCS
JUTES
ANALES
GOTHS
LOMBARDS
GOTHS
BURGONDES
GÉPIDES
SUÈVES
VANDALES
SLAVES
1er av. J.-C.
250 ap. J.-C.
ALAINS
GOTHS
OSTROGOTHS
HÉRULES
HASDINGS
GOTHS
• Trèves
Lutèce •
ALAMANS
WISIGOTHS
Ravenne • • Aquilée
Arles •
• Salone
• Serdica
Rome • Salonique • Byzance • • Nicomédie
• Nicée
Carthage •
MAURES
Alexandrie •
© Éditions CHRONIQUE

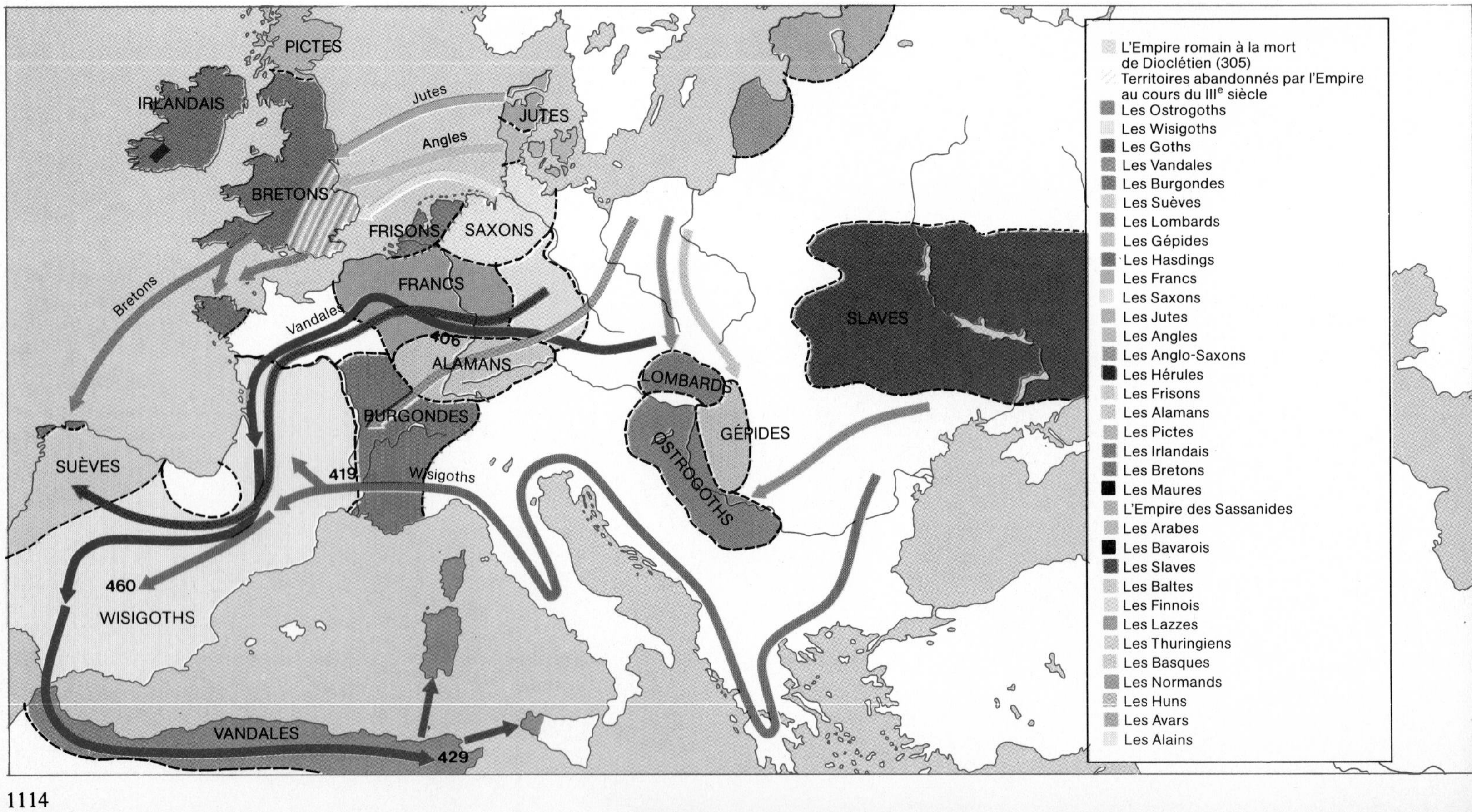

PICTES
IRLANDAIS
Jutes
JUTES
Angles
BRETONS
FRISONS
SAXONS
Bretons
FRANCS
Vandales
406
ALAMANS
SLAVES
BURGONDES
LOMBARDS
SUÈVES
GÉPIDES
419
OSTROGOTHS
Wisigoths
460
WISIGOTHS
VANDALES
429

Légende

- L'Empire romain à la mort de Dioclétien (305)
- Territoires abandonnés par l'Empire au cours du IIIe siècle
- Les Ostrogoths
- Les Wisigoths
- Les Goths
- Les Vandales
- Les Burgondes
- Les Suèves
- Les Lombards
- Les Gépides
- Les Hasdings
- Les Francs
- Les Saxons
- Les Jutes
- Les Angles
- Les Anglo-Saxons
- Les Hérules
- Les Frisons
- Les Alamans
- Les Pictes
- Les Irlandais
- Les Bretons
- Les Maures
- L'Empire des Sassanides
- Les Arabes
- Les Bavarois
- Les Slaves
- Les Baltes
- Les Finnois
- Les Lazzes
- Les Thuringiens
- Les Basques
- Les Normands
- Les Huns
- Les Avars
- Les Alains

Les royaumes barbares face aux Slaves et aux Huns (V^e et VIe siècles)

Les invasions hongroises, normandes et sarrasines

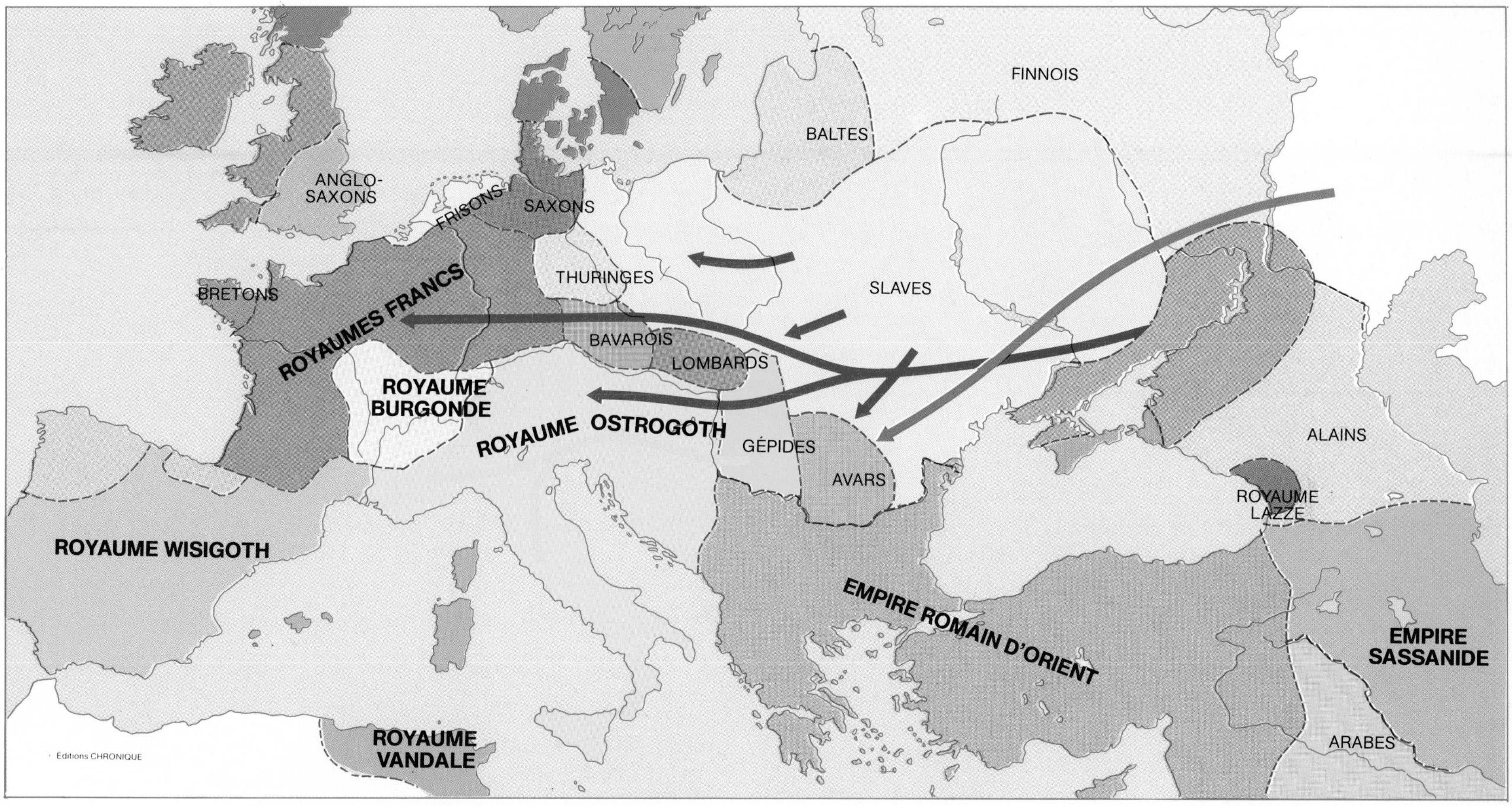

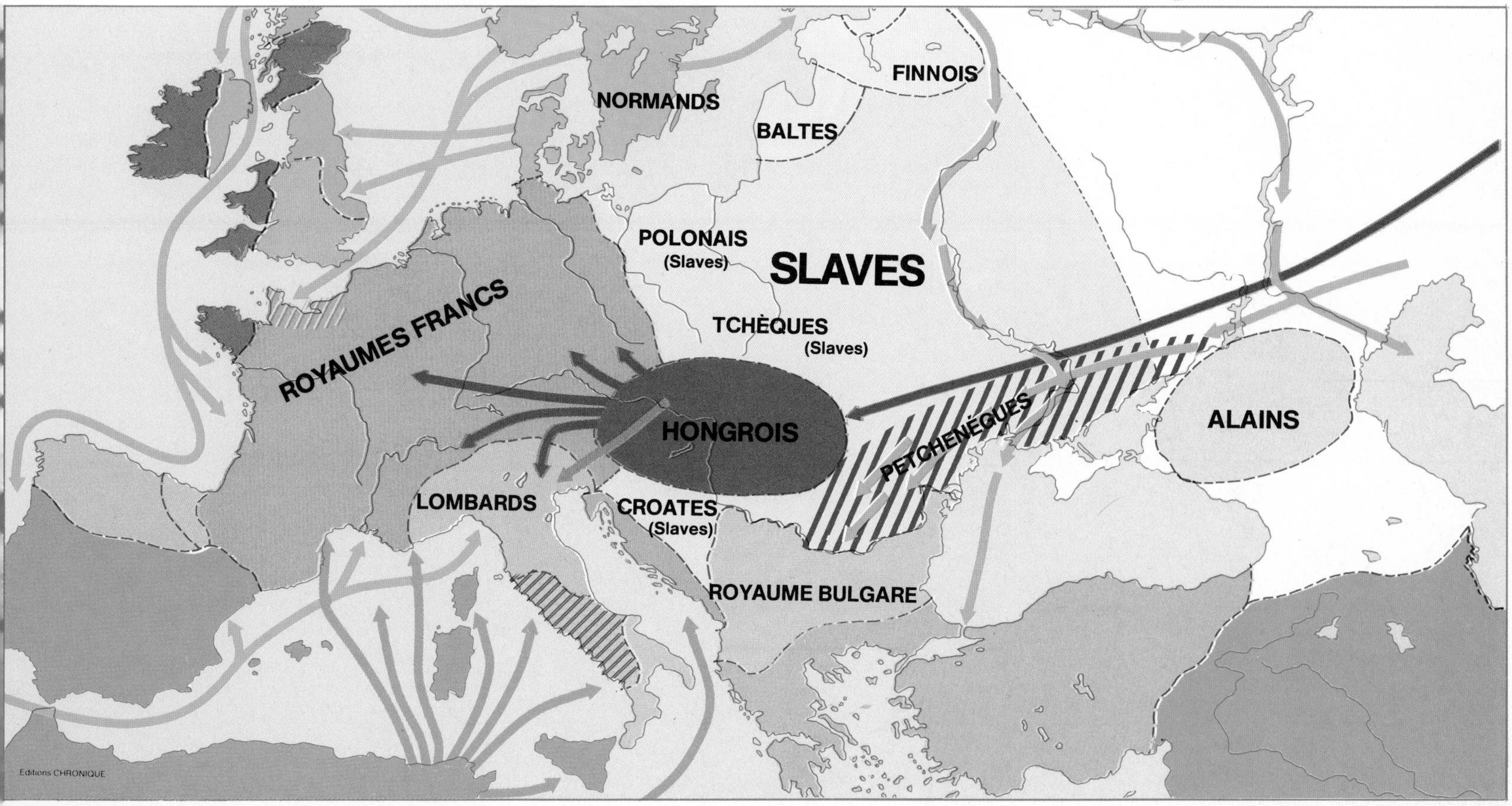

Carte du haut :

FINNOIS
BALTES
ANGLO-SAXONS
FRISONS
SAXONS
SLAVES
BRETONS
THURINGES
ROYAUMES FRANCS
BAVAROIS
LOMBARDS
ROYAUME BURGONDE
ROYAUME OSTROGOTH
GÉPIDES
AVARS
ALAINS
ROYAUME LAZZE
ROYAUME WISIGOTH
EMPIRE ROMAIN D'ORIENT
EMPIRE SASSANIDE
ARABES
ROYAUME VANDALE
Éditions CHRONIQUE

Carte du bas :

FINNOIS
NORMANDS
BALTES
POLONAIS (Slaves)
SLAVES
TCHÈQUES (Slaves)
ROYAUMES FRANCS
HONGROIS
PETCHENÈGUES
ALAINS
LOMBARDS
CROATES (Slaves)
ROYAUME BULGARE
Éditions CHRONIQUE

1115

L'Empire d'Orient en 395

L'Empire d'Orient à la mort de Justinien (565)

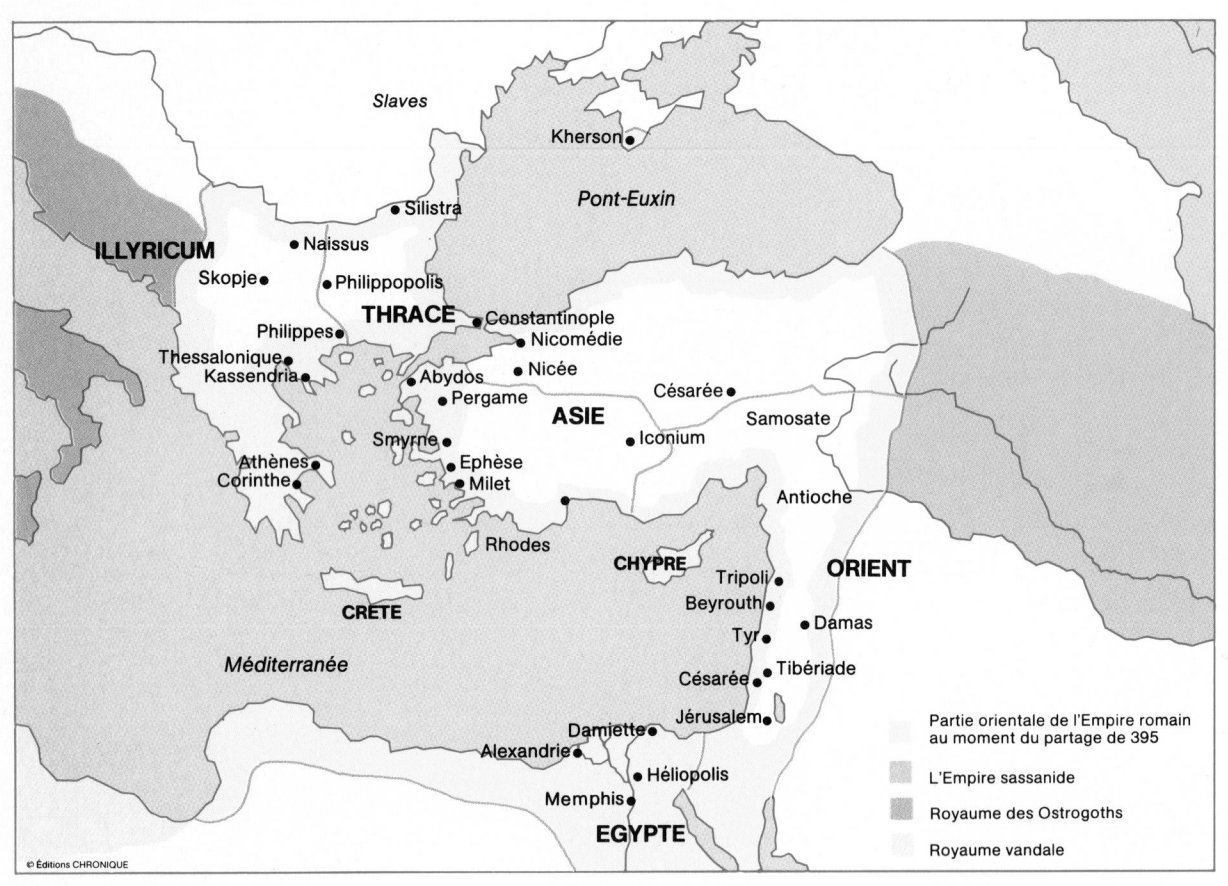

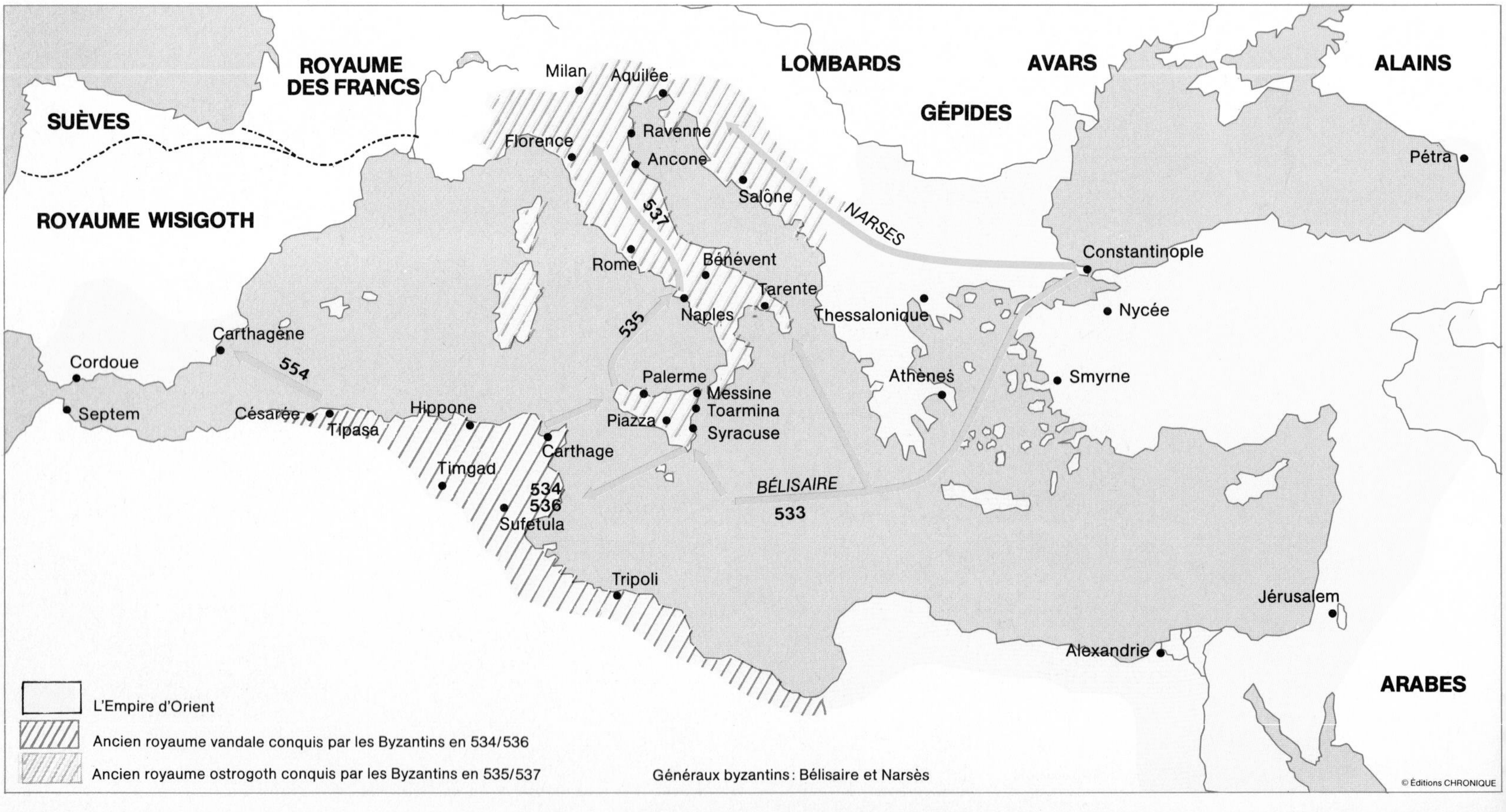

Slaves

Kherson

Pont-Euxin

Silistra

ILLYRICUM

Naissus

Skopje

Philippopolis

Philippes

THRACE

Constantinople

Nicomédie

Thessalonique

Abydos

Nicée

Kassendria

Césarée

Pergame

ASIE

Samosate

Smyrne

Iconium

Athènes

Ephèse

Corinthe

Milet

Antioche

Rhodes

CHYPRE

Tripoli

ORIENT

CRÈTE

Beyrouth

Damas

Tyr

Méditerranée

Césarée

Tibériade

Jérusalem

Damiette

Alexandrie

Héliopolis

Memphis

EGYPTE

© Éditions CHRONIQUE

Partie orientale de l'Empire romain
au moment du partage de 395

L'Empire sassanide

Royaume des Ostrogoths

Royaume vandale

**ROYAUME
DES FRANCS**

Milan

Aquilée

LOMBARDS

AVARS

ALAINS

SUÈVES

Ravenne

GÉPIDES

Florence

Ancône

Pétra

ROYAUME WISIGOTH

537

Salône

NARSÈS

Rome

Bénévent

Constantinople

535

Tarente

Naples

Thessalonique

Nycée

Carthagène

554

Palerme

Messine

Athènes

Smyrne

Cordoue

Toarmina

Septem

Césarée

Hippone

Piazza

Syracuse

Tipasa

Carthage

Timgad

534
536

BÉLISAIRE

Sufetula

533

Tripoli

Jérusalem

Alexandrie

ARABES

L'Empire d'Orient

Ancien royaume vandale conquis par les Byzantins en 534/536

Ancien royaume ostrogoth conquis par les Byzantins en 535/537

Généraux byzantins : Bélisaire et Narsès

© Éditions CHRONIQUE

L'Empire d'Orient vers l'an 1000

La Méditerranée orientale en 1204

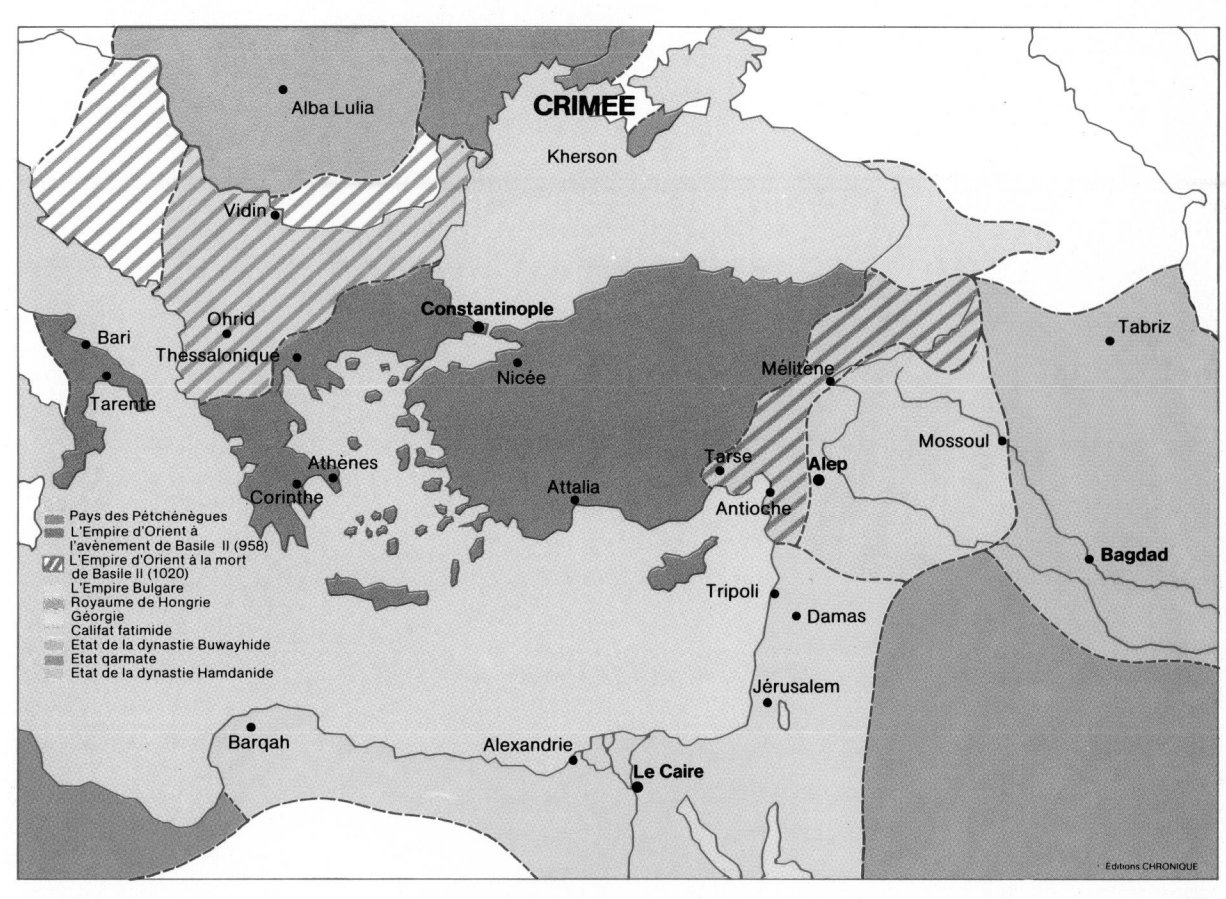

Pays des Pétchénègues
L'Empire d'Orient à l'avènement de Basile II (958)
L'Empire d'Orient à la mort de Basile II (1020)
L'Empire Bulgare
Royaume de Hongrie
Géorgie
Califat fatimide
Etat de la dynastie Buwayhide
Etat qarmate
Etat de la dynastie Hamdanide

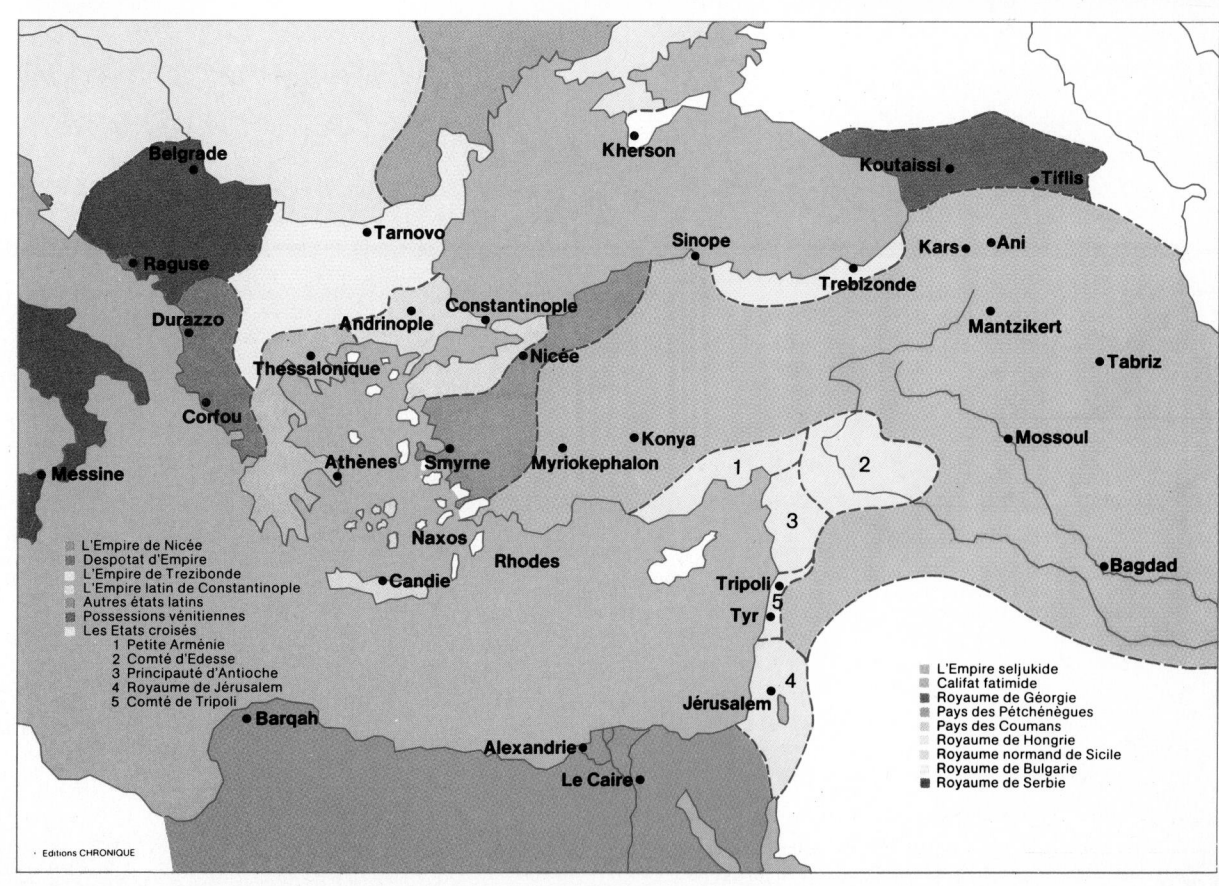

L'Empire de Nicée
Despotat d'Empire
L'Empire de Trezibonde
L'Empire latin de Constantinople
Autres états latins
Possessions vénitiennes
Les Etats croisés
  1 Petite Arménie
  2 Comté d'Edesse
  3 Principauté d'Antioche
  4 Royaume de Jérusalem
  5 Comté de Tripoli

L'Empire seljukide
Califat fatimide
Royaume de Géorgie
Pays des Pétchénègues
Pays des Coumans
Royaume de Hongrie
Royaume normand de Sicile
Royaume de Bulgarie
Royaume de Serbie

La Chine des Han au début de l'ère chrétienne

La Chine des Tang

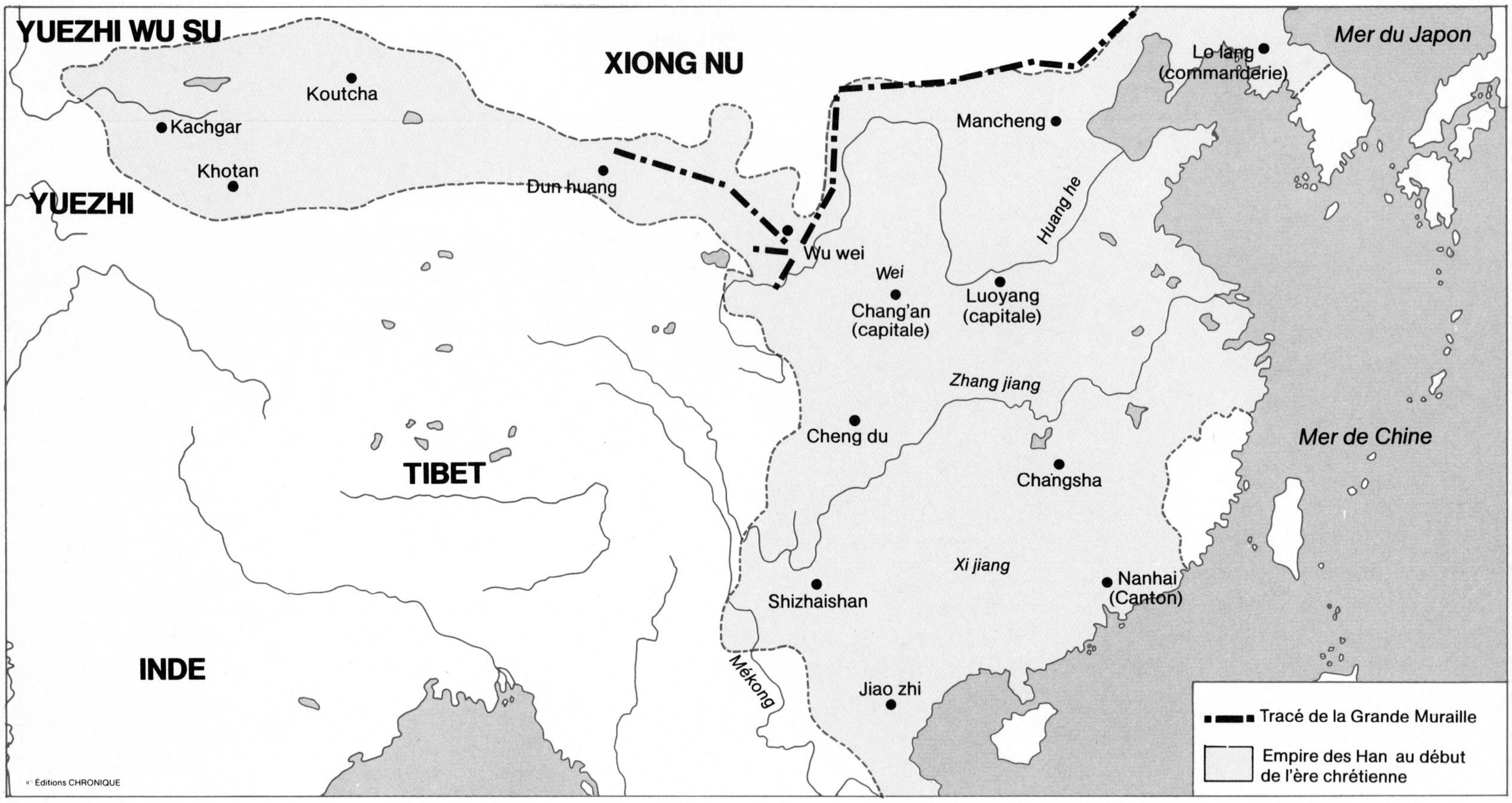

Carte 1 : La Chine des Han au début de l'ère chrétienne

YUEZHI WU SU

XIONG NU

Mer du Japon

Koutcha

Kachgar

Khotan

YUEZHI

Dun huang

Manch-eng

Lo lang
(commanderie)

Wu wei

Wei

Chang'an
(capitale)

Luoyang
(capitale)

Huang he

Zhang jiang

TIBET

Cheng du

Changsha

Mer de Chine

Xi jiang

Shizhaishan

Nanhai
(Canton)

INDE

Mékong

Jiao zhi

Tracé de la Grande Muraille

Empire des Han au début
de l'ère chrétienne

© Éditions CHRONIQUE

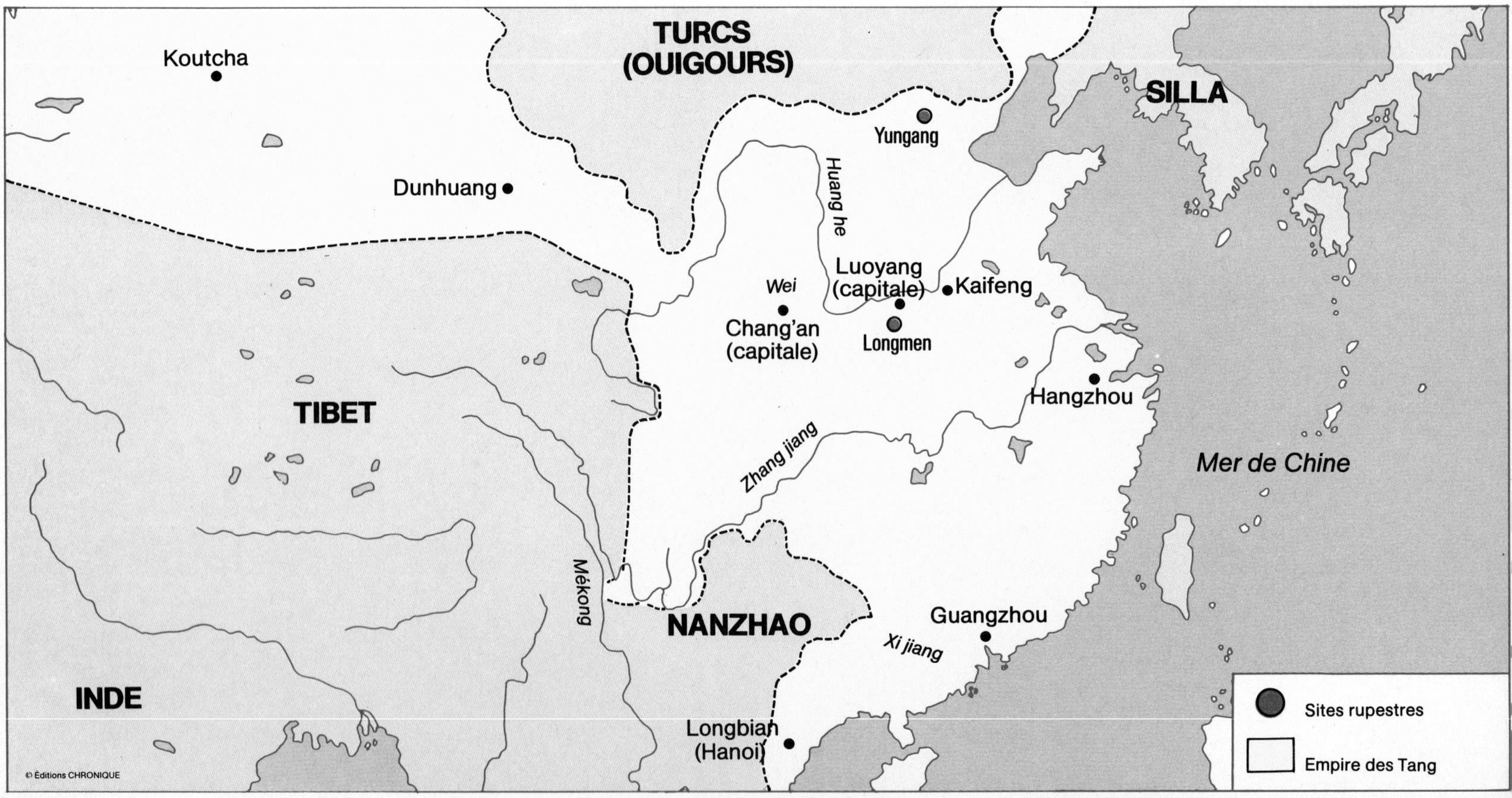

Carte 2 : La Chine des Tang

Koutcha

TURCS
(OUIGOURS)

SILLA

Yungang

Dunhuang

Huang he

Wei

Luoyang
(capitale)

Kaifeng

Chang'an
(capitale)

Longmen

TIBET

Hangzhou

Zhang jiang

Mer de Chine

Mékong

NANZHAO

Guangzhou

Xi jiang

INDE

Longbian
(Hanoi)

Sites rupestres

Empire des Tang

© Éditions CHRONIQUE

L'Afrique (Xᵉ-XVIᵉ siècles)

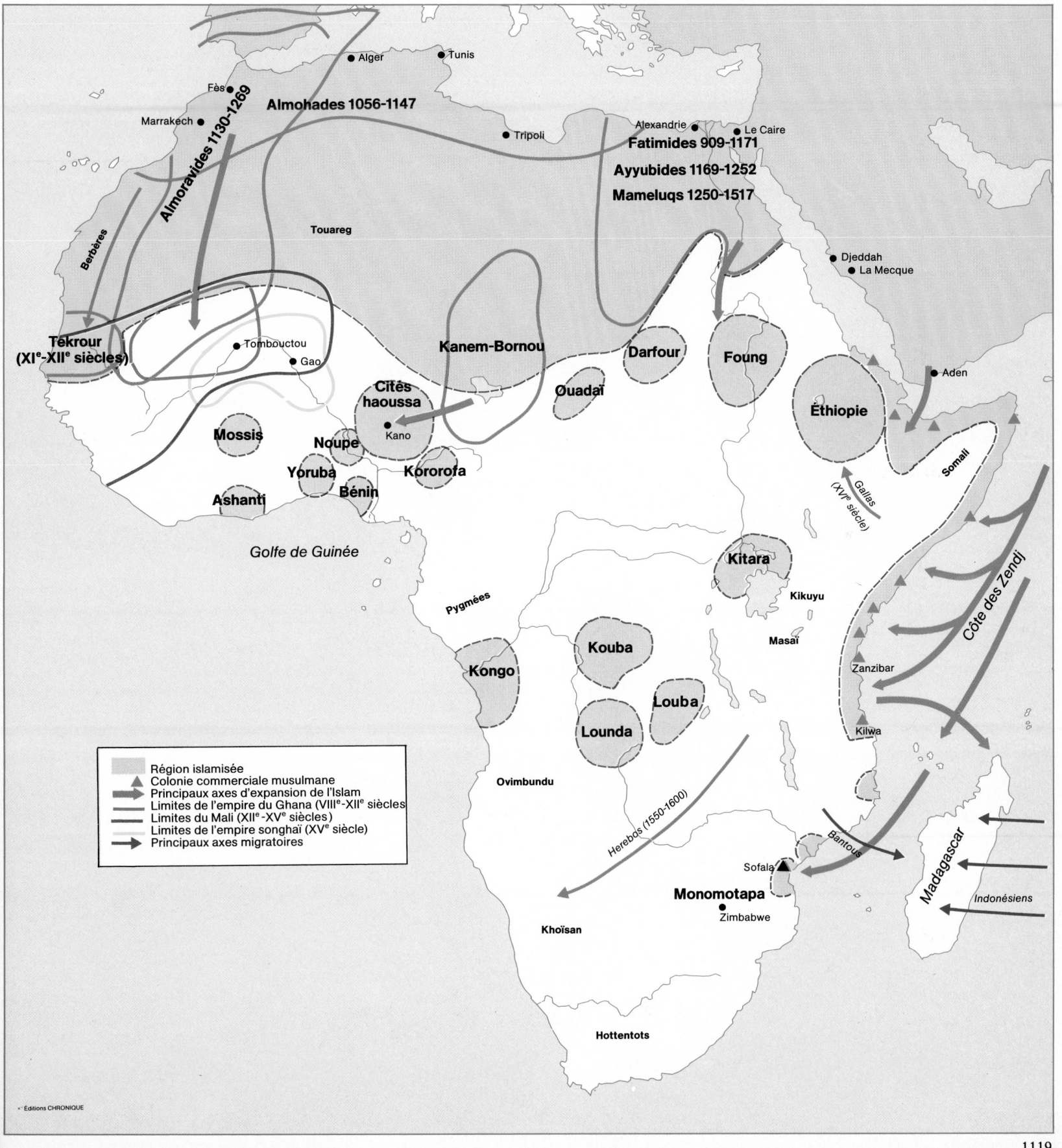

Alger
Tunis
Fès
Marrakech
Almohades 1056-1147
Almoravides 1130-1269
Almoravides 1130-1269
Tripoli
Alexandrie
Le Caire
Fatimides 909-1171
Ayyubides 1169-1252
Mameluqs 1250-1517
Berbères
Touareg
Djeddah
La Mecque
Tékrour
(XIᵉ-XIIᵉ siècles)
Tombouctou
Gao
Kanem-Bornou
Darfour
Foung
Aden
Ouadaï
Éthiopie
Cités
haoussa
Kano
Mossis
Somali
Noupe
Yoruba
Kororofa
(Gallas
(XVᵉ siècle)
Ashanti
Bénin
Golfe de Guinée
Kitara
Côte des Zendj
Pygmées
Kikuyu
Masaï
Kouba
Zanzibar
Kongo
Louba
Lounda
Kilwa
Ovimbundu
Madagascar
Herebos (1550-1600)
Bantous
Indonésiens
Sofala
Monomotapa
Zimbabwe
Khoïsan

Région islamisée
Colonie commerciale musulmane
Principaux axes d'expansion de l'Islam
Limites de l'empire du Ghana (VIIIᵉ-XIIᵉ siècles)
Limites du Mali (XIIᵉ-XVᵉ siècles)
Limites de l'empire songhaï (XVᵉ siècle)
Principaux axes migratoires

Hottentots

La Gaule à l'avènement de Clovis

Partage de la Gaule à la mort de Clotaire Ier (561)

La Gaule sous le règne de Dagobert Ier (629-639)

La Gaule à l'avènement de Charles Martel (714)

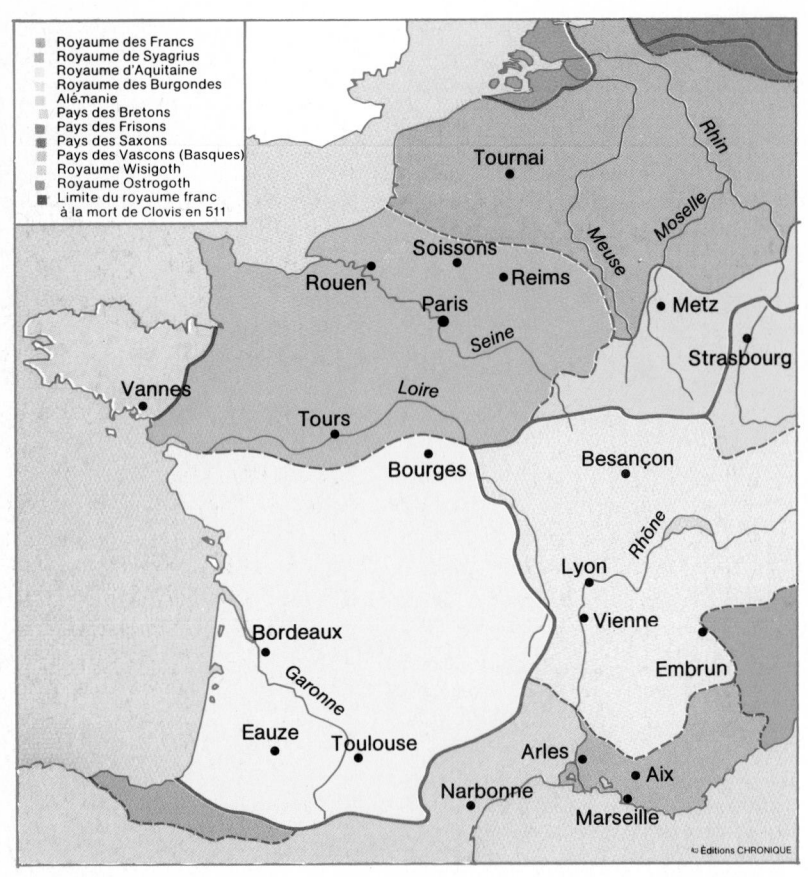

Royaume des Francs
Royaume de Syagrius
Royaume d'Aquitaine
Royaume des Burgondes
Alémanie
Pays des Bretons
Pays des Frisons
Pays des Saxons
Pays des Vascons (Basques)
Royaume Wisigoth
Royaume Ostrogoth
Limite du royaume franc à la mort de Clovis en 511

Tournai
Soissons
Reims
Rouen
Paris
Metz
Seine
Strasbourg
Rhin
Meuse
Moselle
Vannes
Loire
Tours
Bourges
Besançon
Rhône
Lyon
Vienne
Bordeaux
Garonne
Embrun
Eauze
Toulouse
Arles
Aix
Narbonne
Marseille

© Éditions CHRONIQUE

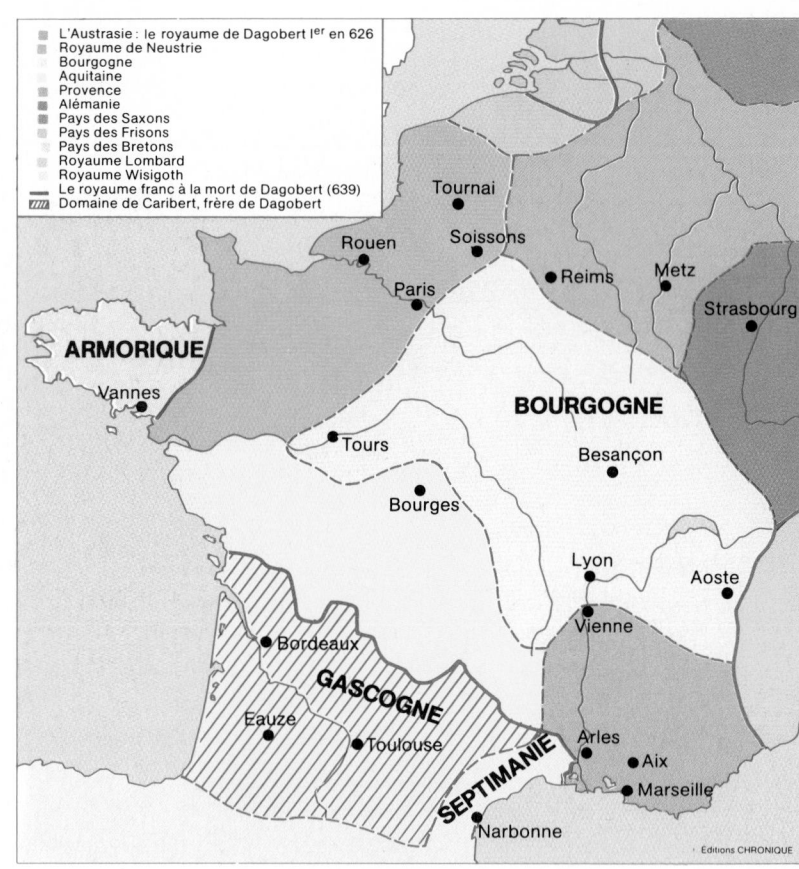

L'Austrasie : le royaume de Dagobert Ier en 626
Royaume de Neustrie
Bourgogne
Aquitaine
Provence
Alémanie
Pays des Saxons
Pays des Frisons
Pays des Bretons
Royaume Lombard
Royaume Wisigoth
Le royaume franc à la mort de Dagobert (639)
Domaine de Caribert, frère de Dagobert

ARMORIQUE
Tournai
Rouen
Soissons
Paris
Reims
Metz
Strasbourg
Vannes
Tours
BOURGOGNE
Besançon
Bourges
Lyon
Aoste
Vienne
Bordeaux
GASCOGNE
Eauze
Toulouse
Arles
Aix
Marseille
SEPTIMANIE
Narbonne

Éditions CHRONIQUE

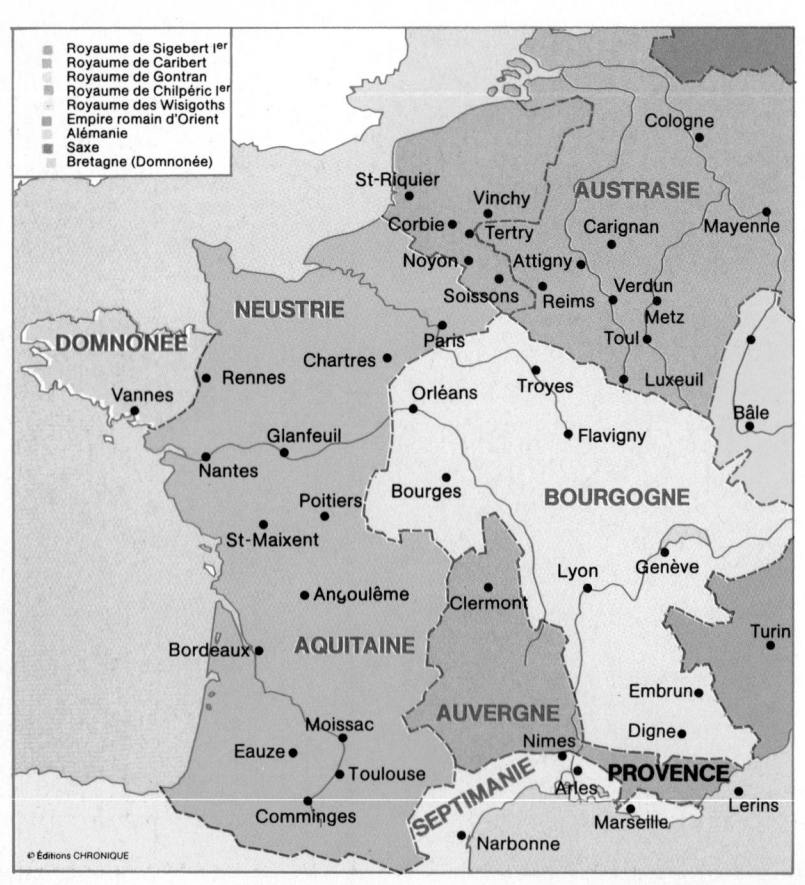

Royaume de Sigebert Ier
Royaume de Caribert
Royaume de Gontran
Royaume de Chilpéric Ier
Royaume des Wisigoths
Empire romain d'Orient
Alémanie
Saxe
Bretagne (Domnonée)

Cologne
St-Riquier
Vinchy
AUSTRASIE
Corbie
Tertry
Carignan
Mayenne
Noyon
Attigny
Verdun
Soissons
Reims
Metz
NEUSTRIE
Paris
Toul
DOMNONÉE
Chartres
Luxeuil
Rennes
Orléans
Troyes
Bâle
Vannes
Glanfeuil
Flavigny
Nantes
Bourges
BOURGOGNE
Poitiers
St-Maixent
Lyon
Genève
Angoulême
Clermont
Turin
Bordeaux
AQUITAINE
AUVERGNE
Moissac
Embrun
Eauze
Nîmes
Digne
Toulouse
Arles
PROVENCE
Comminges
Lerins
SEPTIMANIE
Narbonne
Marseille

© Éditions CHRONIQUE

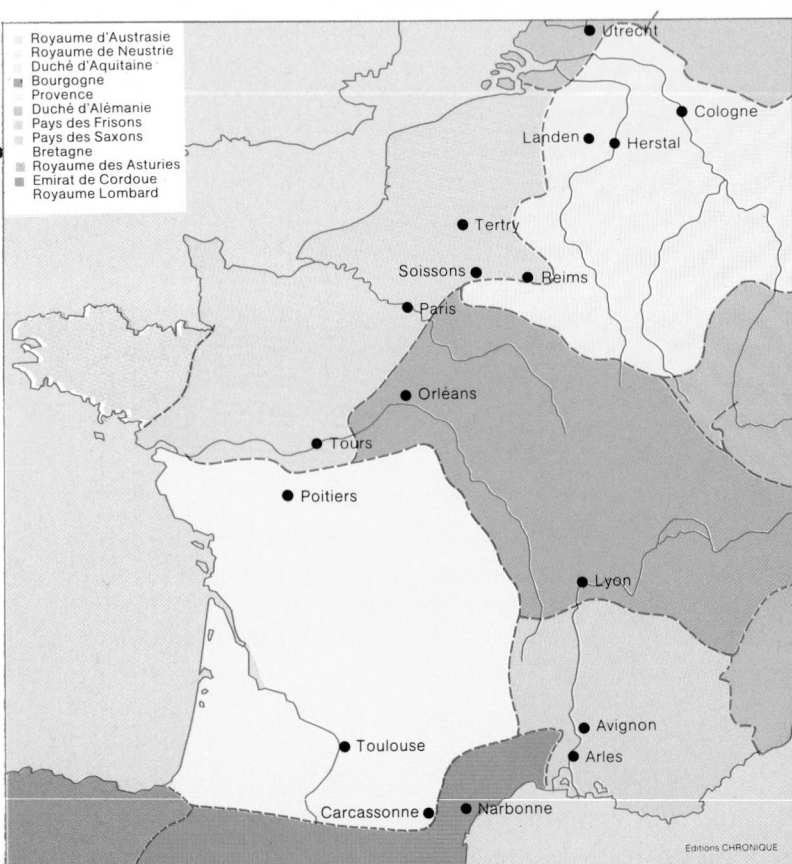

Royaume d'Austrasie
Royaume de Neustrie
Duché d'Aquitaine
Bourgogne
Provence
Duché d'Alémanie
Pays des Frisons
Pays des Saxons
Bretagne
Royaume des Asturies
Émirat de Cordoue
Royaume Lombard

Utrecht
Cologne
Landen
Herstal
Tertry
Soissons
Reims
Paris
Orléans
Tours
Poitiers
Lyon
Avignon
Arles
Toulouse
Carcassonne
Narbonne

Éditions CHRONIQUE

La Gaule sous Pépin le Bref (751-768)

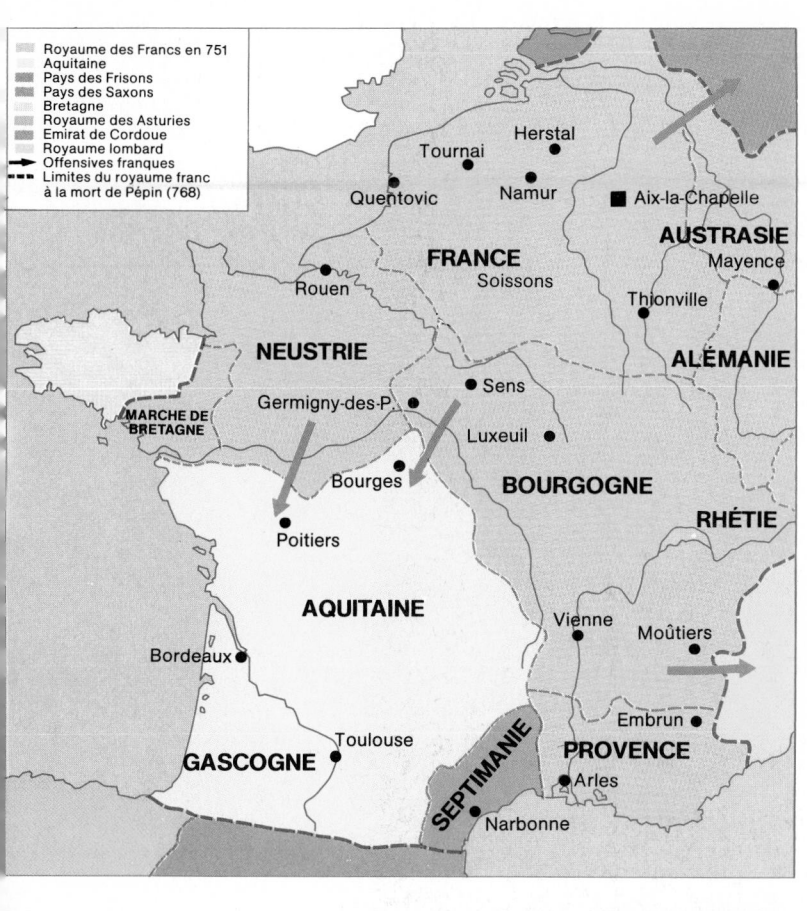

Légende :
- Royaume des Francs en 751
- Aquitaine
- Pays des Frisons
- Pays des Saxons
- Bretagne
- Royaume des Asturies
- Émirat de Cordoue
- Royaume lombard
- Offensives franques
- Limites du royaume franc à la mort de Pépin (768)

Tournai — Herstal — Namur — Quentovic — Mayence — Aix-la-Chapelle — AUSTRASIE — FRANCE — Soissons — Thionville — Rouen — ALÉMANIE — NEUSTRIE — Sens — Germigny-des-P. — Luxeuil — MARCHE DE BRETAGNE — Bourges — BOURGOGNE — RHÉTIE — Poitiers — AQUITAINE — Vienne — Moûtiers — Bordeaux — Toulouse — Embrun — GASCOGNE — SEPTIMANIE — PROVENCE — Arles — Narbonne

La Gaule vers 882

Légende :
- Francie orientale : Louis le Jeune (+ 882)
- Neustrie : Louis III (+ 882)
- Aquitaine : Carloman (+ 884)
- Gascogne : Carloman (+ 884)
- Provence : Boson (+ 887)
- Alémanie : Charles le Gros, roi d'Italie, empereur
- Bretagne
- Marche d'Espagne
- Royaume des Asturies

Aix-la-Chapelle — Quentowik — SAXE — Reims — Paris — NEUSTRIE — Langres — Bâle — Tours — ALÉMANIE — Poitiers — Limoges — AQUITAINE — Lyon — Bordeaux — PROVENCE — GASCOGNE — Arles — Pampelune

Partage de l'empire de Louis le Pieux au traité de Verdun (843)

Légende :
- Royaume de Charles le Chauve
- Royaume de Lothaire
- Royaume de Louis le Germanique
- Bretagne
- Califat de Cordoue
- Royaume des Asturies

SAXE — Aix-la-Chapelle — Quentowik — AUSTRASIE — LORRAINE — FRANCE — Reims — Paris — ARMORIQUE — NEUSTRIE — Tours — Langres — ALÉMANIE — Bâle — Poitiers — BOURGOGNE — Limoges — Lyon — Bordeaux — AQUITAINE — PROVENCE — LOMBARDIE — GASCOGNE — Arles — SEPTIMANIE — NAVARRE — Pampelune — MARCHE D'ESPAGNE

La France à l'avènement de Hugues Capet (987)

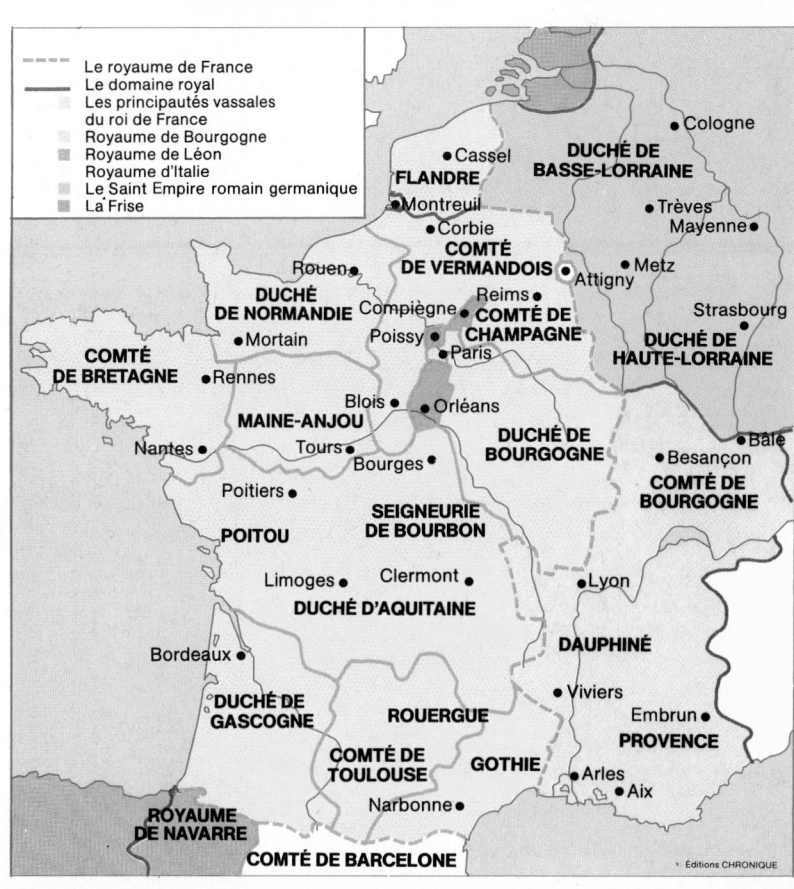

Légende :
- Le royaume de France
- Le domaine royal
- Les principautés vassales du roi de France
- Royaume de Bourgogne
- Royaume de Léon
- Royaume d'Italie
- Le Saint Empire romain germanique
- La Frise

Cologne — Cassel — DUCHÉ DE BASSE-LORRAINE — FLANDRE — Montreuil — Trèves — Corbie — Mayenne — COMTÉ DE VERMANDOIS — Metz — Rouen — Attigny — DUCHÉ DE NORMANDIE — Compiègne — Reims — Strasbourg — Mortain — Poissy — COMTÉ DE CHAMPAGNE — DUCHÉ DE HAUTE-LORRAINE — COMTÉ DE BRETAGNE — Paris — Rennes — Blois — Orléans — Bâle — MAINE-ANJOU — Besançon — Nantes — Tours — DUCHÉ DE BOURGOGNE — COMTÉ DE BOURGOGNE — Bourges — Poitiers — SEIGNEURIE DE BOURBON — POITOU — Lyon — Limoges — Clermont — DUCHÉ D'AQUITAINE — DAUPHINÉ — Bordeaux — Viviers — DUCHÉ DE GASCOGNE — ROUERGUE — Embrun — PROVENCE — COMTÉ DE TOULOUSE — GOTHIE — Arles — Aix — ROYAUME DE NAVARRE — Narbonne — COMTÉ DE BARCELONE

© Éditions CHRONIQUE

L'Arabie pré-islamique

L'Arabie islamique (622-661)

L'expansion de l'Islam à l'époque Umayyade (661-750)

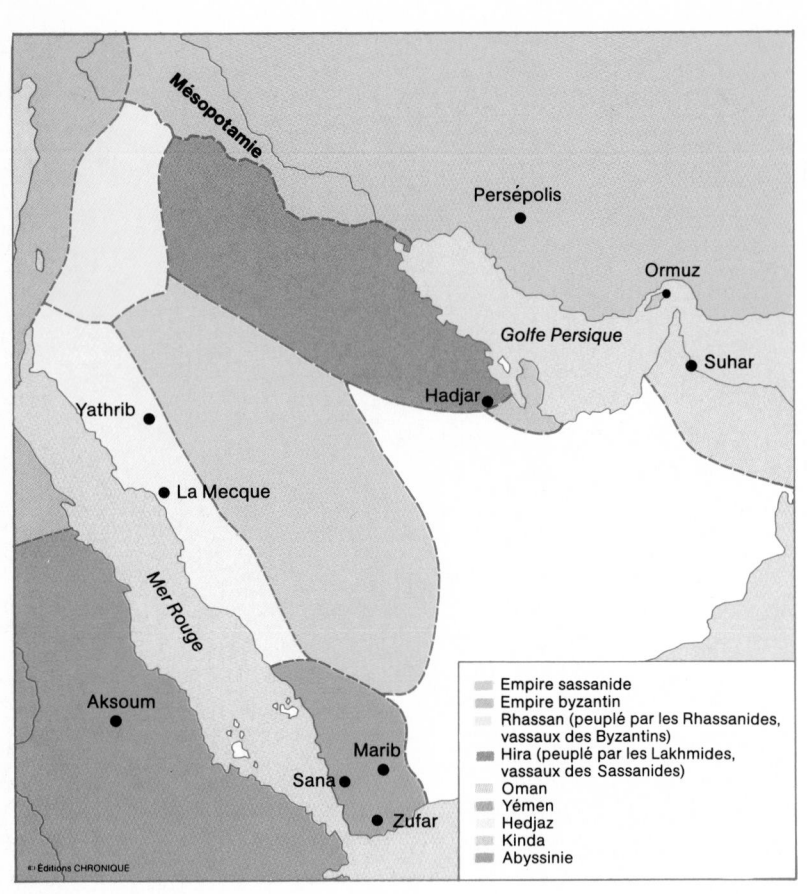

Mésopotamie

Persépolis

Ormuz

Golfe Persique

Suhar

Yathrib

Hadjar

La Mecque

Mer Rouge

Aksoum

Marib

Sana

Zufar

Empire sassanide
Empire byzantin
Rhassan (peuplé par les Rhassanides, vassaux des Byzantins)
Hira (peuplé par les Lakhmides, vassaux des Sassanides)
Oman
Yémen
Hedjaz
Kinda
Abyssinie

© Éditions CHRONIQUE

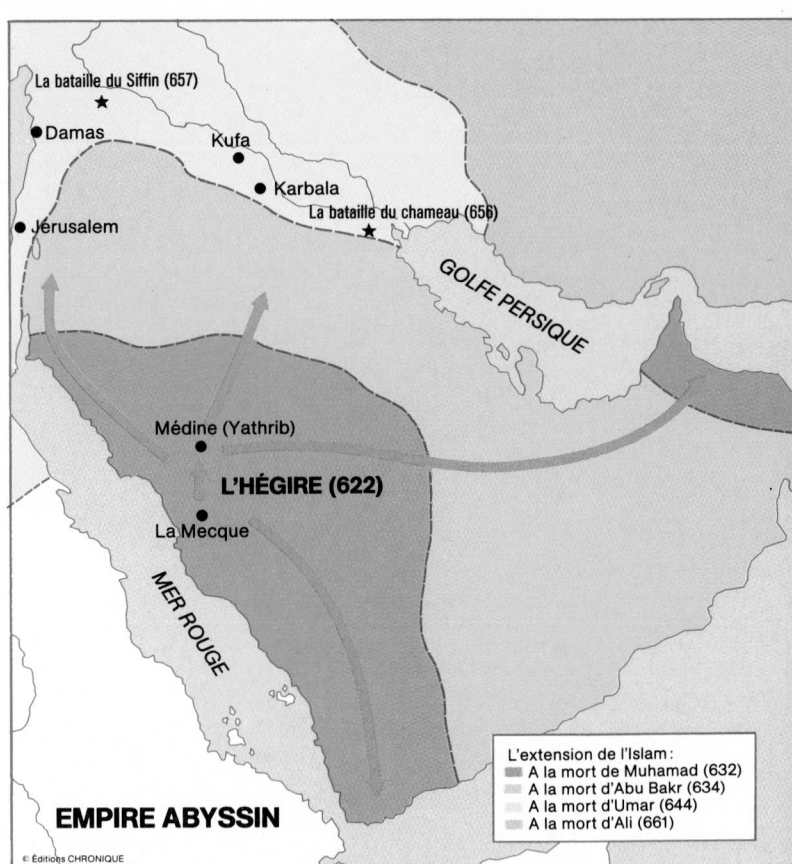

La bataille du Siffin (657)

Damas

Kufa

Karbala

La bataille du chameau (656)

Jérusalem

GOLFE PERSIQUE

Médine (Yathrib)

L'HÉGIRE (622)

La Mecque

MER ROUGE

EMPIRE ABYSSIN

L'extension de l'Islam :
A la mort de Muhamad (632)
A la mort d'Abu Bakr (634)
A la mort d'Umar (644)
A la mort d'Ali (661)

© Éditions CHRONIQUE

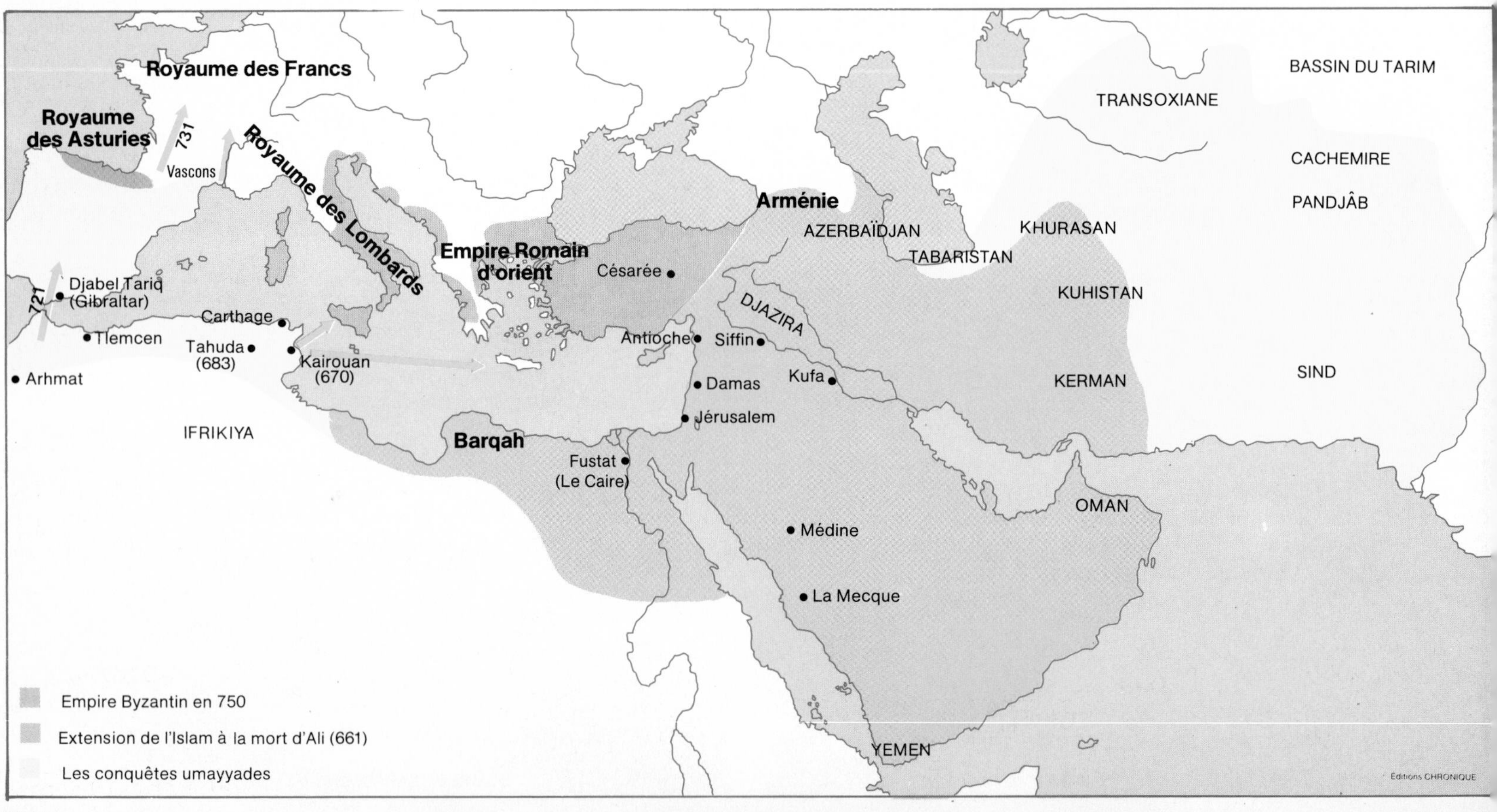

Royaume des Francs

BASSIN DU TARIM

TRANSOXIANE

Royaume des Asturies

731

Vascons

Royaume des Lombards

CACHEMIRE

PANDJÂB

Arménie

AZERBAÏDJAN

KHURASAN

TABARISTAN

Empire Romain d'orient

Césarée

Djabel Tariq (Gibraltar)

721

DJAZIRA

KUHISTAN

Tlemcen

Carthage

Tahuda (683)

Antioche

Siffin

Kairouan (670)

Damas

Kufa

KERMAN

SIND

Arhmat

Jérusalem

IFRIKIYA

Barqah

Fustat (Le Caire)

OMAN

Médine

La Mecque

Empire Byzantin en 750

Extension de l'Islam à la mort d'Ali (661)

Les conquêtes umayyades

YEMEN

Éditions CHRONIQUE

Le monde musulman vers l'an 1000

La péninsule ibérique au XIe siècle

La péninsule ibérique à la fin du XVe siècle

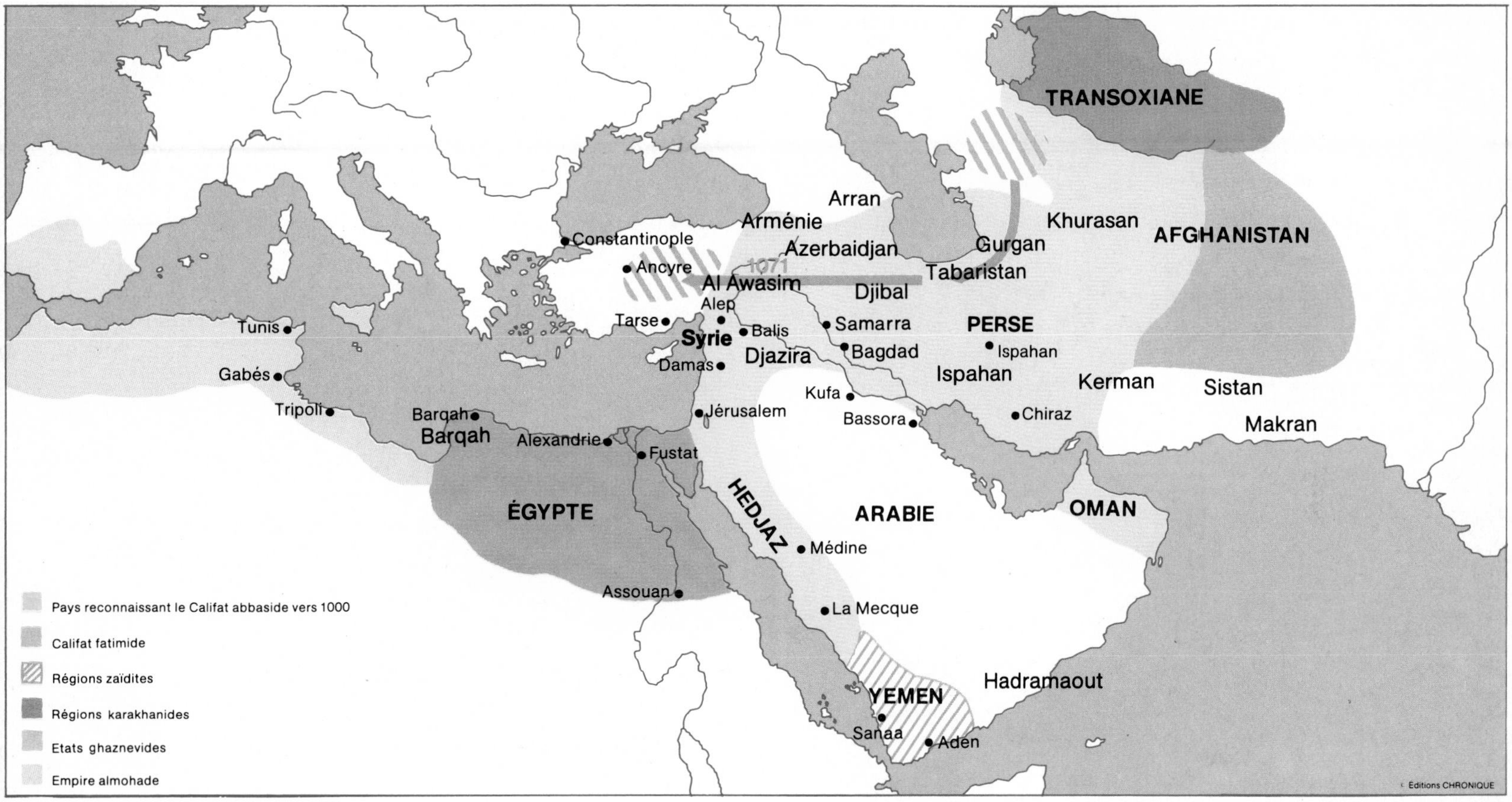

Le monde musulman vers l'an 1000

TRANSOXIANE

Arran
Arménie
Azerbaidjan
Khurasan
AFGHANISTAN
Gurgan
Tabaristan
• Constantinople
• Ancyre
Al Awasim
Djibal
PERSE
Tarse•
Alep
• Samarra
• Ispahan
Syrie
• Balis
Bagdad
Ispahan
Damas•
Djazira
• Bagdad
Kerman
Sistan
Tunis •
Kufa•
Chiraz
Makran
Gabès •
Jérusalem
• Bassora
Tripoli •
Barqah
Barqah
Alexandrie •
Fustat
HEDJAZ
ARABIE
OMAN
ÉGYPTE
• Médine
Assouan •
• La Mecque
Hadramaout
YEMEN
Sanaa •
• Aden

Pays reconnaissant le Califat abbaside vers 1000

Califat fatimide

Régions zaïdites

Régions karakhanides

Etats ghaznevides

Empire almohade

© Éditions CHRONIQUE

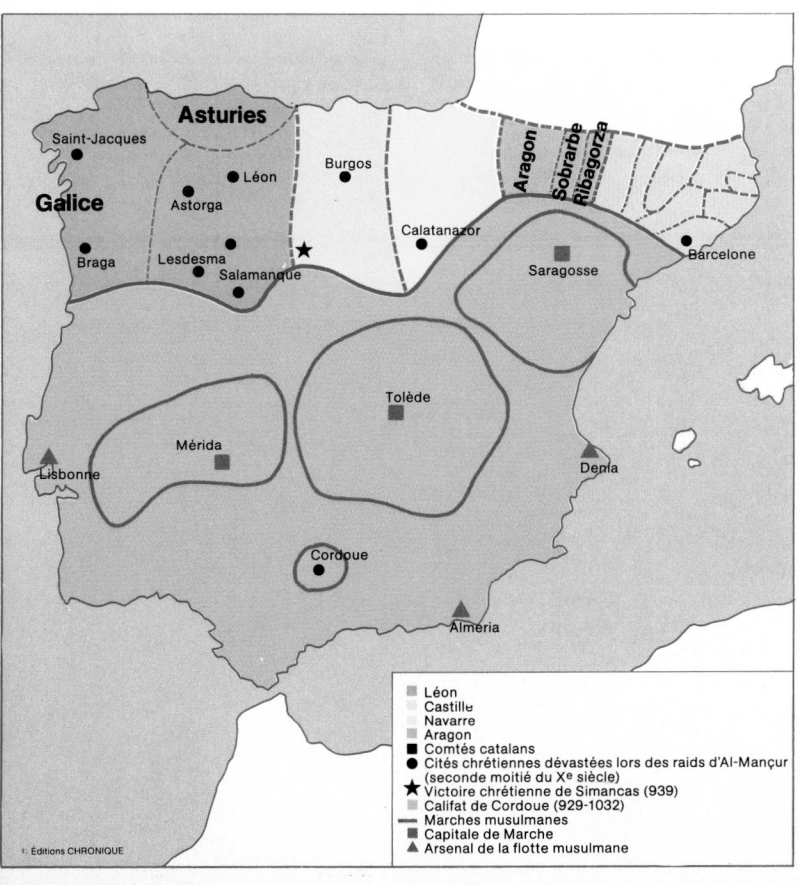

© Éditions CHRONIQUE

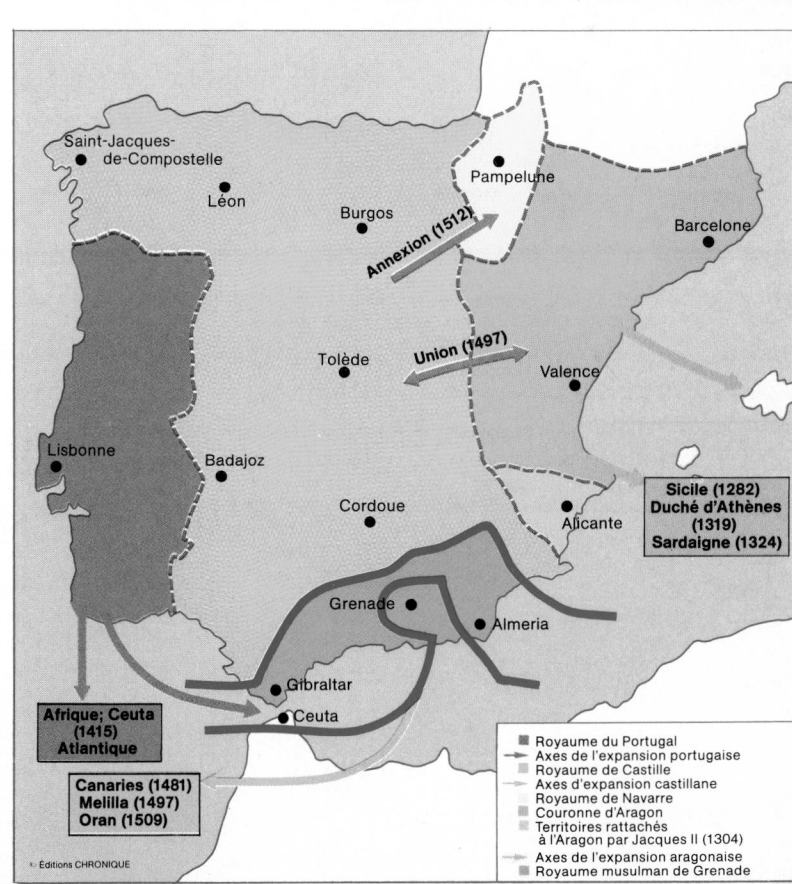

© Éditions CHRONIQUE

L'Europe au XIe siècle

L'Europe au milieu du XIVe siècle

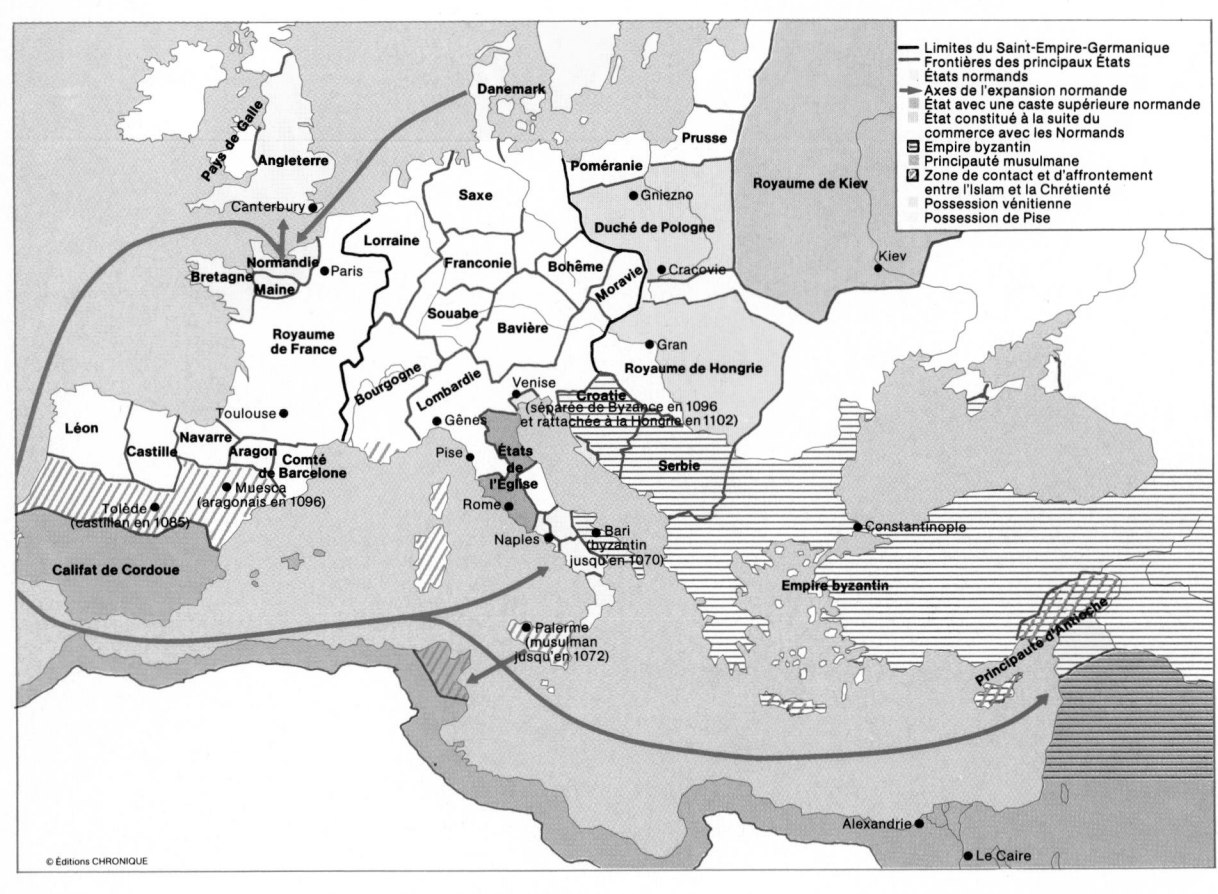

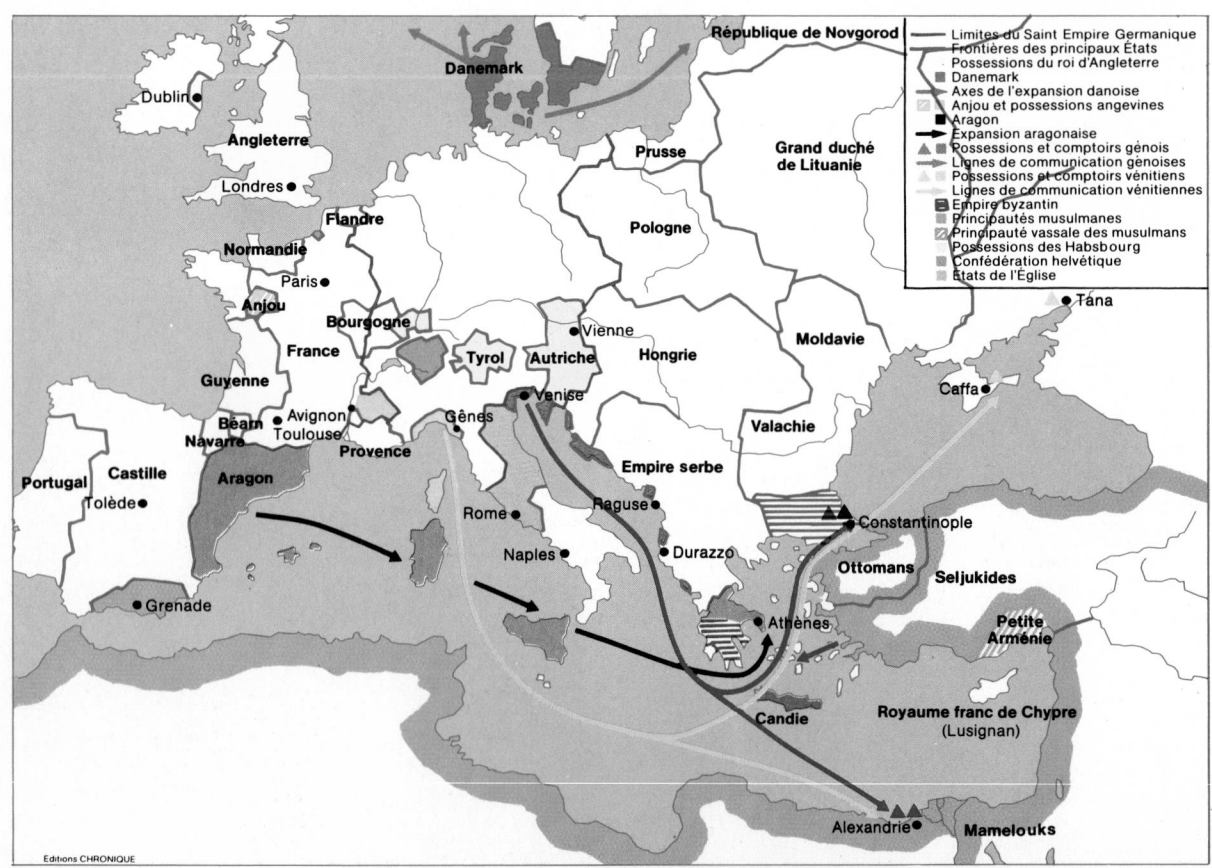

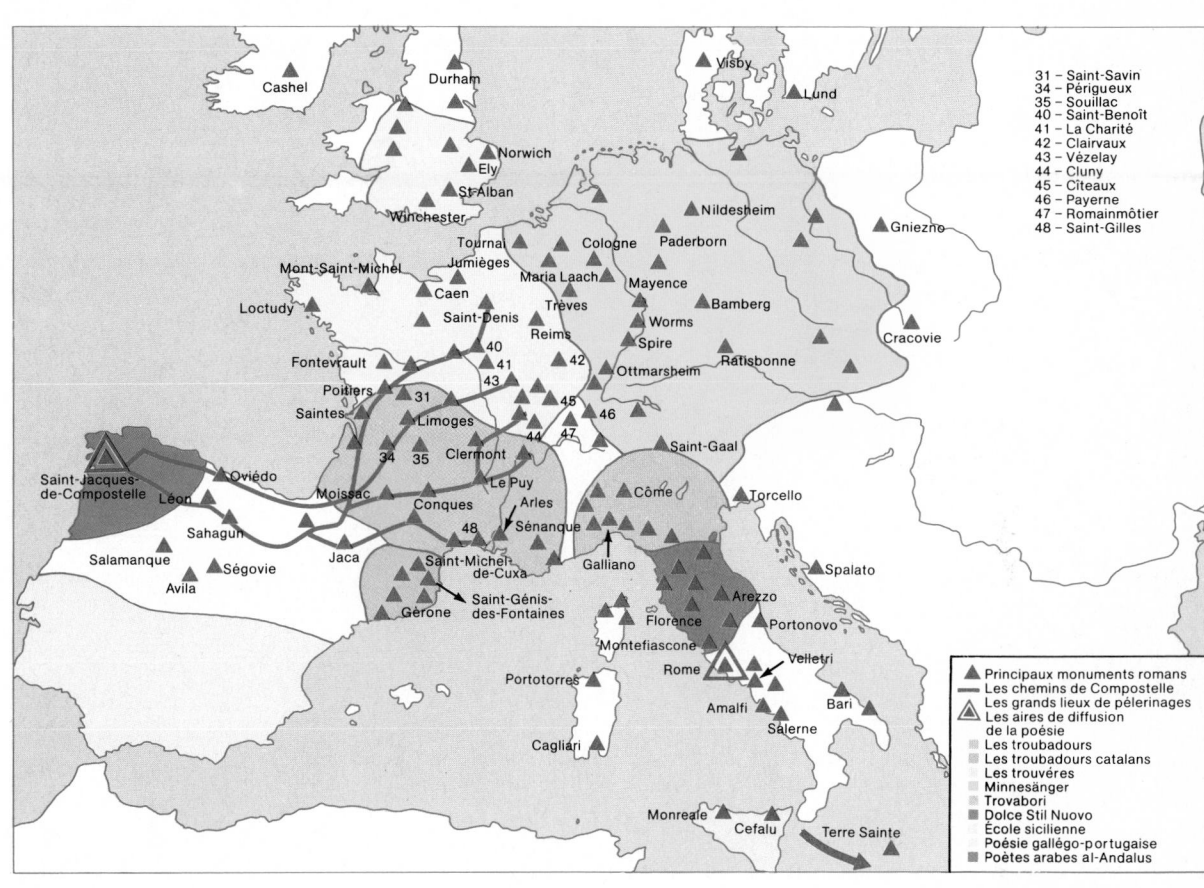

31 – Saint-Savin
34 – Périgueux
35 – Souillac
40 – Saint-Benoît
41 – La Charité
42 – Clairvaux
43 – Vézelay
44 – Cluny
45 – Cîteaux
46 – Payerne
47 – Romainmôtier
48 – Saint-Gilles

Cashel
Durham
Visby
Lund
Norwich
Ely
St-Alban
Winchester
Nildesheim
Gniezno
Tournai
Cologne
Paderborn
Jumièges
Mont-Saint-Michel
Maria Laach
Mayence
Caen
Bamberg
Loctudy
Saint-Denis
Trèves
Cracovie
Reims
Worms
Spire
Ratisbonne
Fontevrault
40
42
Ottmarsheim
Poitiers
41
Saintes
43
31
45
46
Limoges
44
47
34 35
Clermont
Saint-Gaal
Le Puy
Saint-Jacques-de-Compostelle
Oviédo
Côme
Torcello
Léon
Moissac
Conques
Arles
Sénanque
Sahagun
48
Spalato
Galliano
Salamanque
Ségovie
Jaca
Saint-Michel-de-Cuxa
Arezzo
Avila
Gérone
Saint-Génis-des-Fontaines
Florence
Portonovo
Montefiascone
Velletri
Rome
Portotorres
Amalfi
Bari
Salerne
Cagliari
Monreale
Cefalu
Terre Sainte

▲ Principaux monuments romans
— Les chemins de Compostelle
△ Les grands lieux de pèlerinages
△ Les aires de diffusion
de la poésie
   Les troubadours
   Les troubadours catalans
   Les trouvéres
   Minnesänger
   Trovabori
   Dolce Stil Nuovo
   École sicilienne
   Poésie gallégo-portugaise
   Poètes arabes al-Andalus

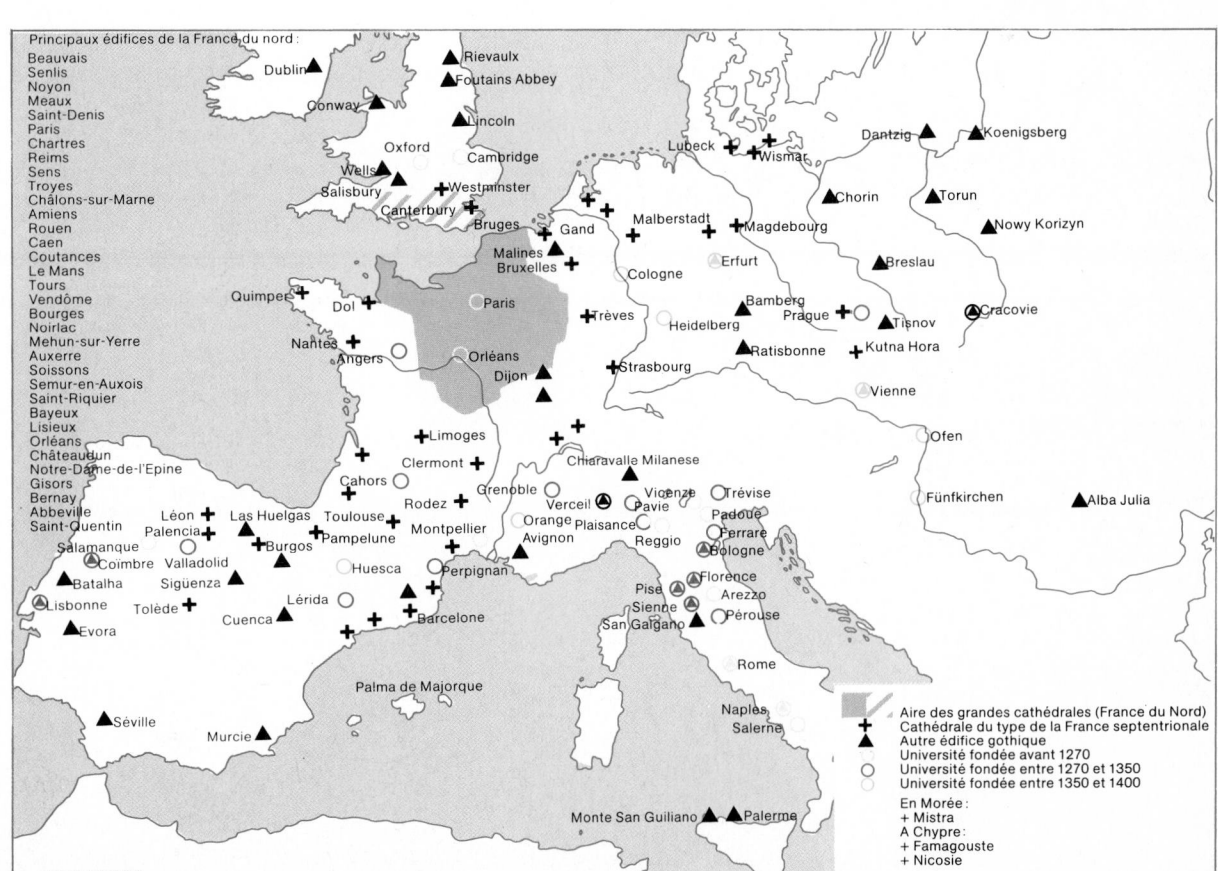

Principaux édifices de la France du nord :
Beauvais
Senlis
Noyon
Meaux
Saint-Denis
Paris
Chartres
Reims
Sens
Troyes
Châlons-sur-Marne
Amiens
Rouen
Caen
Coutances
Le Mans
Tours
Vendôme
Bourges
Noirlac
Mehun-sur-Yerre
Auxerre
Soissons
Semur-en-Auxois
Saint-Riquier
Bayeux
Lisieux
Orléans
Châteaudun
Notre-Dame-de-l'Epine
Gisors
Bernay
Abbeville
Saint-Quentin

Rievaulx
Dublin
Foutains Abbey
Conway
Lincoln
Koenigsberg
Oxford
Cambridge
Lubeck
Dantzig
Wismar
Wells
Westminster
Chorin
Torun
Salisbury
Malberstadt
Magdebourg
Breslau
Nowy Korizyn
Canterbury
Bruges
Gand
Malines
Erfurt
Quimper
Bruxelles
Cologne
Bamberg
Prague
Tisnov
Dol
Paris
Trèves
Heidelberg
Cracovie
Nantes
Angers
Orléans
Ratisbonne
Kutna Hora
Strasbourg
Vienne
Dijon
Limoges
Chiaravalle Milanese
Clermont
Vicenze
Trévise
Ofen
Cahors
Grenoble
Pavie
Rodez
Verceil
Padoue
Fünfkirchen
Léon
Las Huelgas
Orange
Plaisance
Ferrare
Alba Julia
Palencia
Toulouse
Pampelune
Montpellier
Avignon
Reggio
Bologne
Salamanque
Burgos
Huesca
Perpignan
Florence
Coimbre
Valladolid
Pise
Arezzo
Batalha
Sigüenza
Sienne
Pérouse
Lisbonne
Tolède
Lérida
Cuenca
San Galgano
Evora
Barcelone
Rome
Palma de Majorque
Naples
Salerne
Séville
Murcie
Monte San Guiliano
Palerme

Éditions CHRONIQUE

Aire des grandes cathédrales (France du Nord)
✝ Cathédrale du type de la France septentrionale
▲ Autre édifice gothique
△ Université fondée avant 1270
○ Université fondée entre 1270 et 1350
○ Université fondée entre 1350 et 1400

En Morée :
+ Mistra
A Chypre :
+ Famagouste
+ Nicosie

Les Seldjûkides (XIᵉ-XIIᵉ siècles)

Les Mongols (1206-1368)

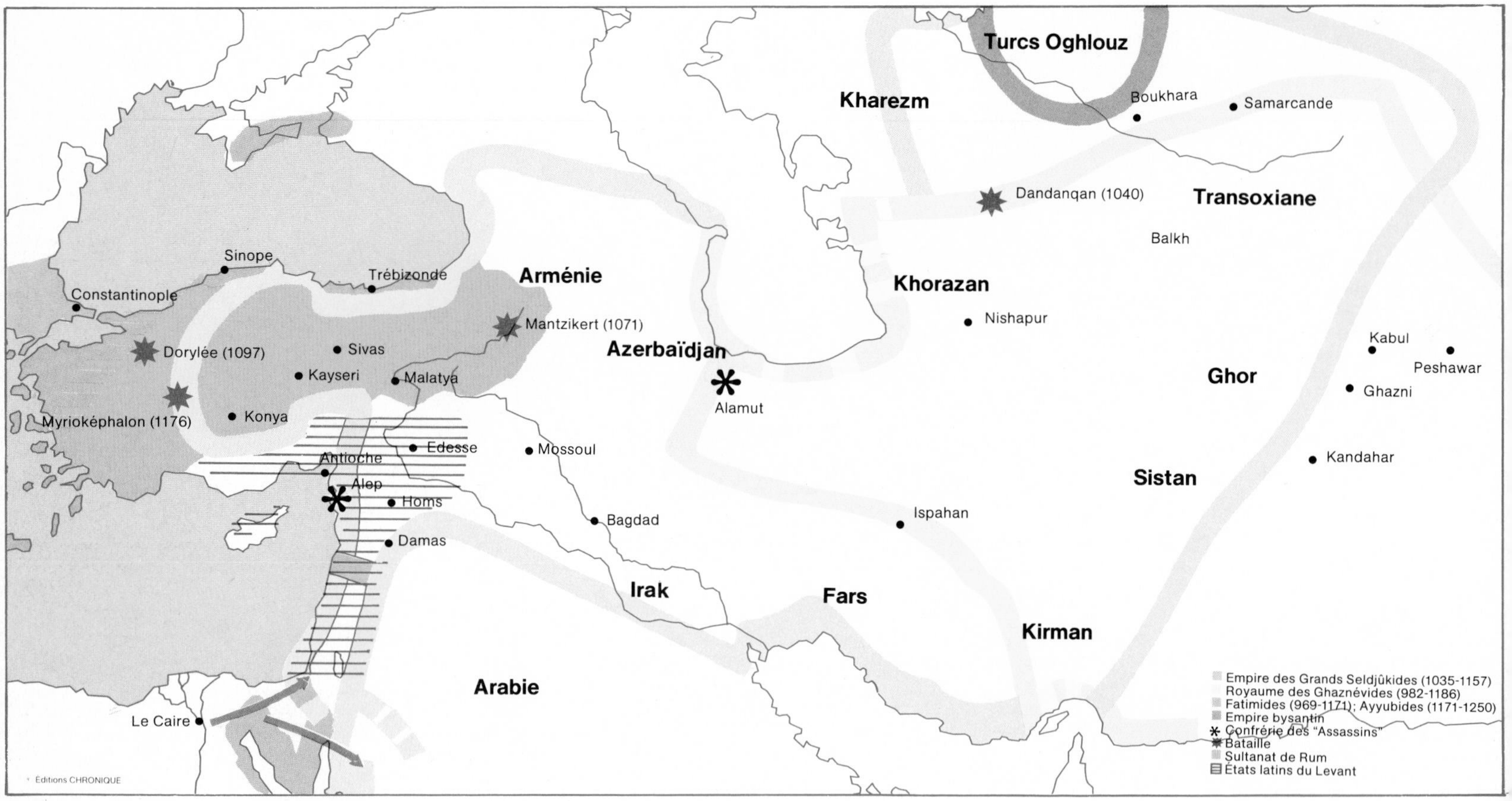

Turcs Oghlouz

Kharezm

Boukhara • • Samarcande

Dandanqan (1040) ✦ Transoxiane

Balkh

Sinope Armén ie Khorazan

Trébizonde Nishapur

Constantinople

Dorylée (1097) Mantzikert (1071) Kabul Peshawar

Sivas Azerbaïdjan Ghor Ghazni

Kayseri Malatya Alamut

Myrioképhalon (1176) Konya Kandahar

Antioche Edesse Mossoul Sistan

Alep Homs Ispahan

Damas Bagdad Kirman

Irak Fars

Le Caire Arabie

Éditions CHRONIQUE

Empire des Grands Seldjûkides (1035-1157)
Royaume des Ghaznévides (982-1186)
Fatimides (969-1171) ; Ayyubides (1171-1250)
Empire byzantin
✱ Confrérie des "Assassins"
✦ Bataille
Sultanat de Rum
États latins du Levant

Principautés russes/1237   Bulgares de la Kama/1236

Liegnitz   Kiev (1240)
(1241)

Saraï   Karakoroum

Bulgarie   Pékin   1273-1274

Byzance   Géorgie   1218   Japon

Seldjûkides de Rum   Xi-Hia   Jin/1215   1281
1209

Kharezm/1241   1268-1277

Abbasides/1258   Tibet

Mamaluqs   Aïn-Djalout   Song du sud/1279
(1260)

Ta-lo (1285)
Delhi (1299)   Annam/1294   1283
Pagan (1287)   Champa

Sultanat de Delhi   Mien/1297   Chaban
Chen-la

États hindous   1292-1293

Java   Éditions CHRONIQUE

✦ Empire de Gengis Khan (1227)
✦ Empire du Grand Khan (1260-1294)
Khanat de Djagataï
Royaume des Ilkhans (1268-1336)
Khanat de la Horde d'Or (1251)
➤ Principales expéditions
☐ État sujet des Mongols
☐ État vassal des Mongols

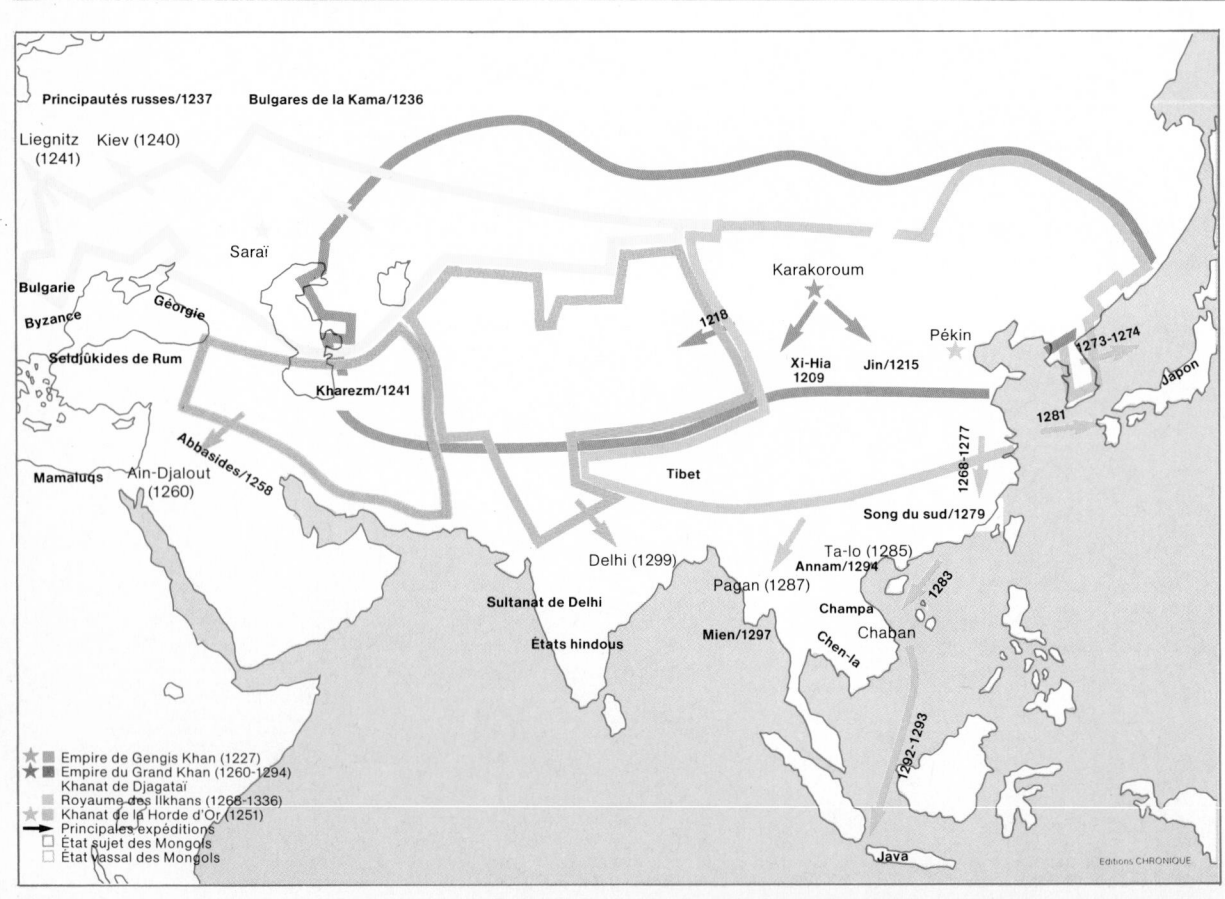

Le Japon au XIVe siècle, pendant la période des cours rivales du nord et du sud

Le Japon au XIVe siècle, pendant la période des cours rivales du nord et du sud

RUSSIE

Hokkaido

CHINE

Honshu

Mer du Japon

● Edo

● Kamakura

● Nagoya

Kyoto ● Nara

Himeji ● ● Ise

Osaka

Izumo ●

CORÉE

Shikoku

Nagasaki ●

Deshima ● Kyûshu

Océan Pacifique

Partisans de la cour du sud
Partisans de la cour du nord
Neutres

© Éditions CHRONIQUE

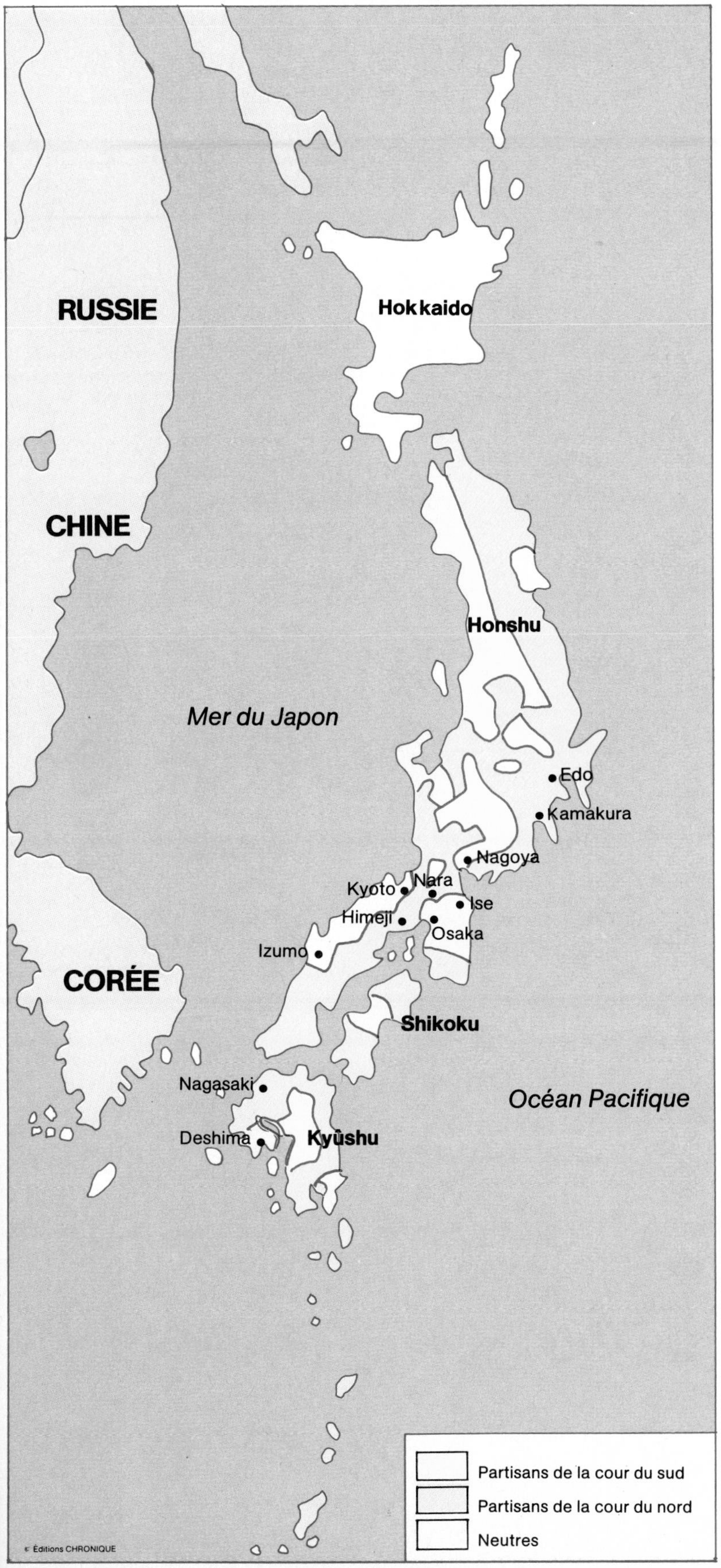

Le Japon dans le dernier quart du XVIe siècle

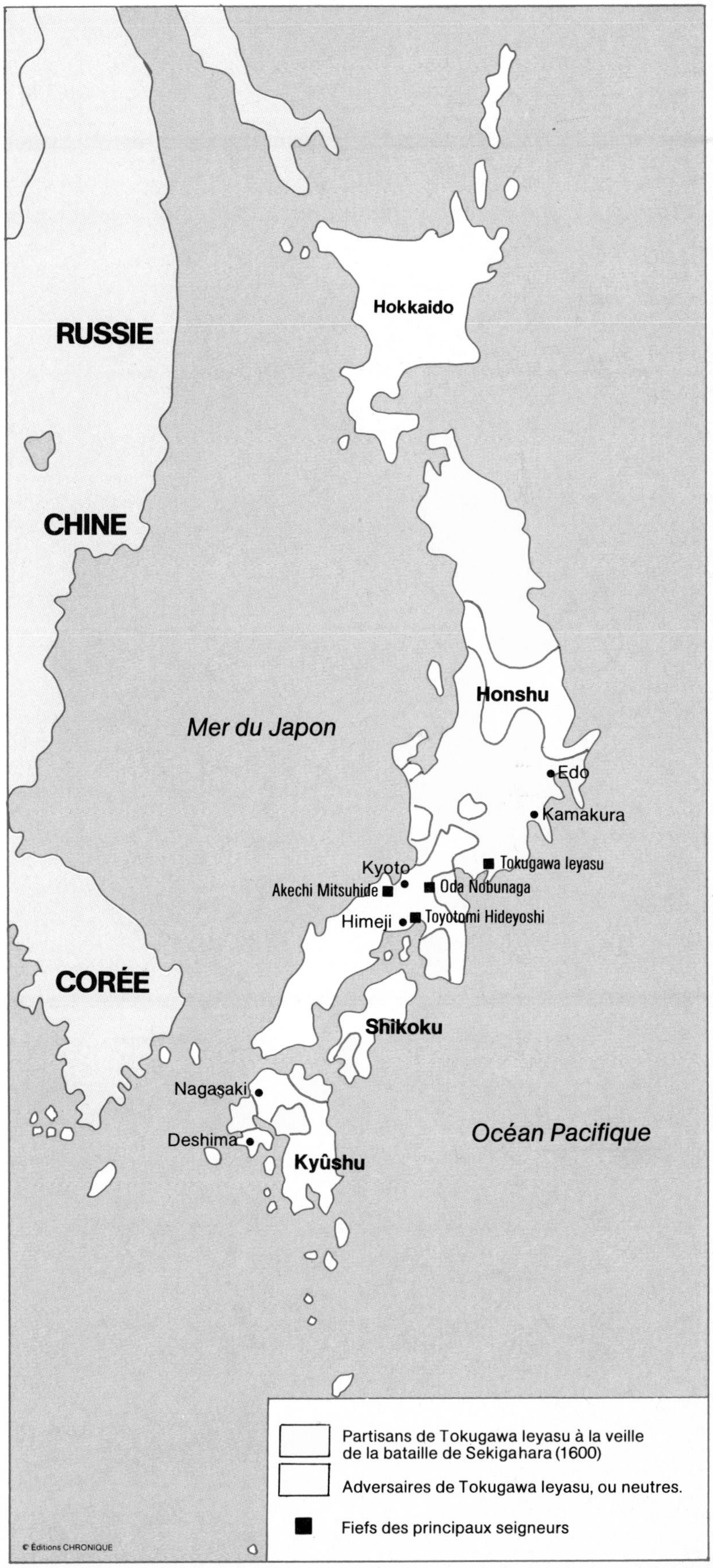

RUSSIE

Hokkaido

CHINE

Honshu

Mer du Japon

● Edo

● Kamakura

■ Tokugawa Ieyasu

Kyoto

Akechi Mitsuhide ■ ■ Oda Nobunaga

Himeji ■ Toyotomi Hideyoshi

CORÉE

Shikoku

Nagasaki ●

Deshima ● Kyûshu

Océan Pacifique

Partisans de Tokugawa Ieyasu à la veille de la bataille de Sekigahara (1600)

Adversaires de Tokugawa Ieyasu, ou neutres.

■ Fiefs des principaux seigneurs

© Éditions CHRONIQUE

L'Europe de la Renaissance

Légende:

▲ Premières imprimeries en Europe (avant 1471)
 Grands axes de la diffusion de l'imprimerie
○ Principaux centres humanistes
 Foyers artistiques italiens
→ Axes de diffusion de la Renaissance italienne
● Centres de la peinture hollandaise
● Centres de la peinture flamande
● Centres de la peinture rhénane
● Autres sites de référence de la Renaissance
 Européenne

Kalmar
Kronborg
Wollaton Hall
Burghleigh House
Cambridge
Londres
Amsterdam
Wismar
Dantzig
Bruges
Utrecht
Hildesheim
Wittemberg
Posen
Leyde
Anvers
Louvain
Erfurt
Malines
Cologne
Görlitz
Breslau
Rouen
Chantilly
Eltville
Mayence
Cracovie
Saint-Germain-en-Laye
Ecouen
Bamberg
Pilsen
Prague
Gaillon
Anet
Fontainebleau
Heidelberg
Nuremberg
Vendôme
Nantes
Amboise
Blois
Colmar
Strasbourg
Ingolstadt
Budapest
Azay
Chambord
Schaffhouse
Augsbourg
Albertinelli Benedetto da Maiano
Fontenay-le-Comte
Chenonceaux
Bâle
Genève
Beromünster
Lyon
Vérone
Nérac
Auch
Milan
Mantoue
Venise
Pau
Gênes
Ferrare
Miraflores
Montpellier
Parme
Pistoïa
Prato
Bologne
Tomar
La Tour d'Aygues
Saragosse
Rimini
Lisbonne
L'Escorial
Pardo
Florence
Urbino
Palais vénitiens
Raguse
Evora
Rome
Alcala de Henares
Subiaco
Valence
Architectes liguriens
Séville
Gandia
Naples
Grenade
Artistes génois
Palerme

Floravente au Kremlin de Moscou

© Éditions CHRONIQUE

L'Europe de la Réforme

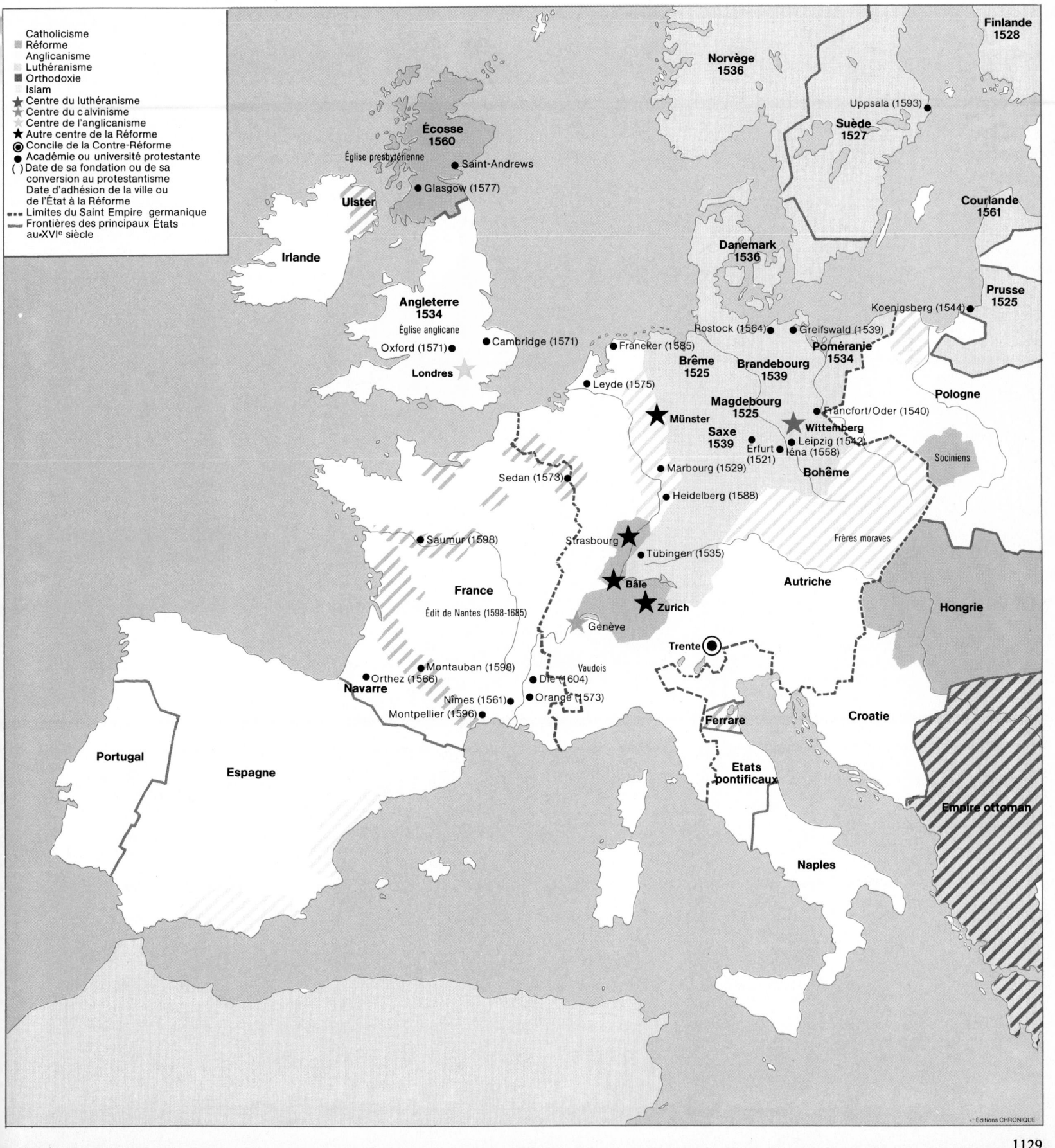

Catholicisme
Réforme
Anglicanisme
Luthéranisme
Orthodoxie
Islam
★ Centre du luthéranisme
★ Centre du calvinisme
★ Centre de l'anglicanisme
★ Autre centre de la Réforme
◉ Concile de la Contre-Réforme
● Académie ou université protestante
( ) Date de sa fondation ou de sa conversion au protestantisme
Date d'adhésion de la ville ou de l'État à la Réforme
--- Limites du Saint Empire germanique
— Frontières des principaux États au·XVIe siècle

Finlande
1528

Norvège
1536

Uppsala (1593) ●

Suède
1527

Courlande
1561

Écosse
1560
Église presbytérienne
● Saint-Andrews
● Glasgow (1577)

Ulster

Irlande

Danemark
1536

Prusse
1525

Angleterre
1534
Église anglicane
Oxford (1571) ●   ● Cambridge (1571)
Londres ★

● Franeker (1585)

Koenigsberg (1544) ●

Rostock (1564) ●   ● Greifswald (1539)

Brême
1525

Brandebourg
1539

Poméranie
1534

Pologne

Leyde (1575) ●

Magdebourg
1525

Francfort/Oder (1540) ●

★ Münster

Saxe
1539

★ Wittemberg

Sociniens

● Marbourg (1529)

Erfurt   Leipzig (1542) ●
(1521)   Iéna (1558)

Bohême

Sedan (1573) ●

● Heidelberg (1588)

Frères moraves

● Saumur (1598)

Strasbourg ★
● Tübingen (1535)

★ Bâle

Autriche

France

★ Zurich

Édit de Nantes (1598-1685)

★ Genève

Trente ◉

Hongrie

● Montauban (1598)

Vaudois

● Orthez (1566)

● Die (1604)

Ferrare

Croatie

Navarre

Nîmes (1561) ●   ● Orange (1573)

Montpellier (1596) ●

États
pontificaux

Portugal

Espagne

Empire ottoman

Naples

Éditions CHRONIQUE

1129

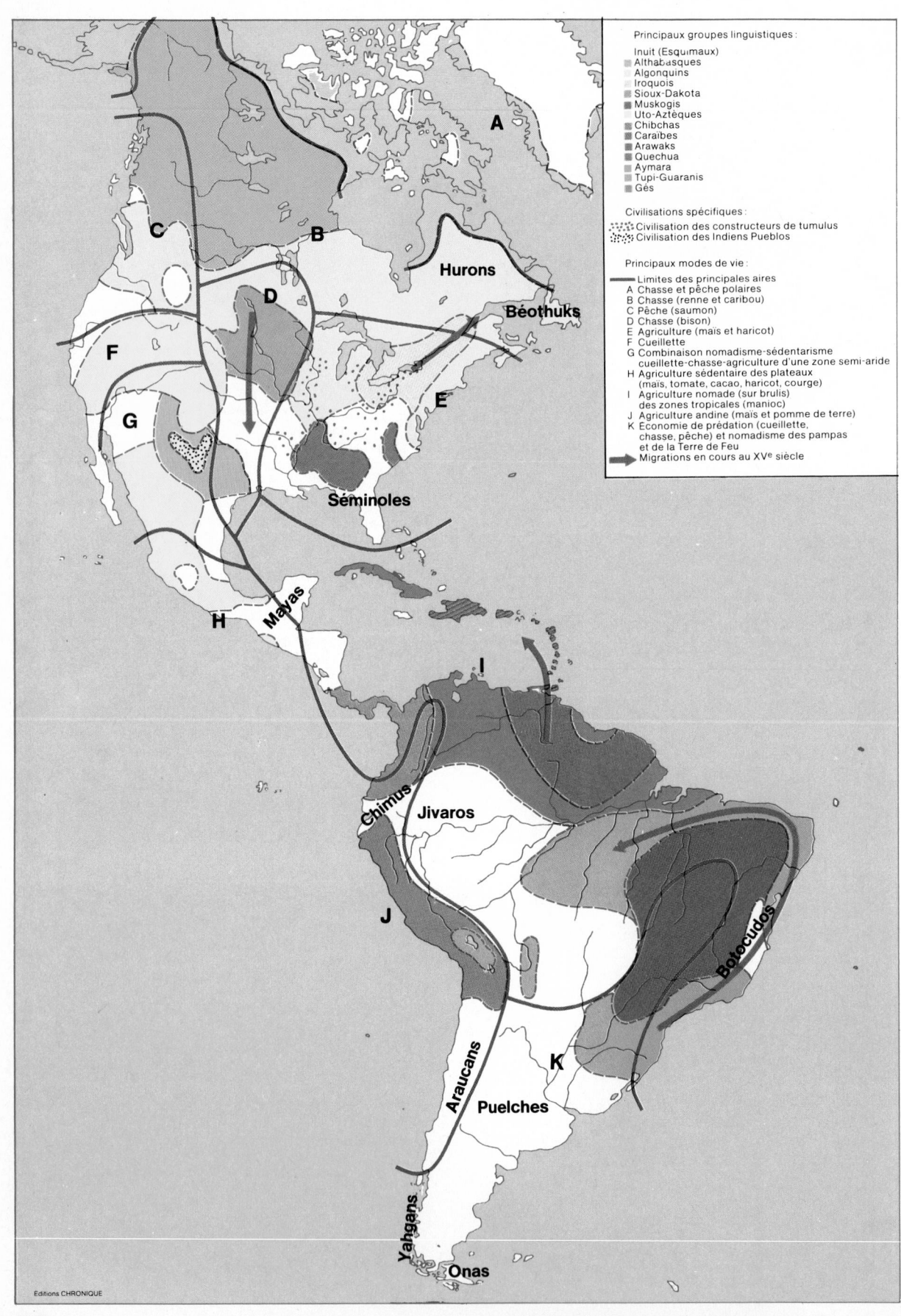

Principaux groupes linguistiques :

Inuit (Esquimaux)
Althabasques
Algonquins
Iroquois
Sioux-Dakota
Muskogis
Uto-Aztèques
Chibchas
Caraïbes
Arawaks
Quechua
Aymara
Tupi-Guaranis
Gés

Civilisations spécifiques :

Civilisation des constructeurs de tumulus
Civilisation des Indiens Pueblos

Principaux modes de vie :

Limites des principales aires
A Chasse et pêche polaires
B Chasse (renne et caribou)
C Pêche (saumon)
D Chasse (bison)
E Agriculture (maïs et haricot)
F Cueillette
G Combinaison nomadisme-sédentarisme
   cueillette-chasse-agriculture d'une zone semi-aride
H Agriculture sédentaire des plateaux
   (maïs, tomate, cacao, haricot, courge)
I Agriculture nomade (sur brûlis)
   des zones tropicales (manioc)
J Agriculture andine (maïs et pomme de terre)
K Economie de prédation (cueillette,
   chasse, pêche) et nomadisme des pampas
   et de la Terre de Feu
Migrations en cours au XVe siècle

Hurons
Béothuks
Séminoles
Mayas
Chimus
Jivaros
Botocudos
Araucans
Puelches
Yahgans
Onas

Éditions CHRONIQUE

L'Empire aztèque (XVe-XVIe siècles)

Les Mayas

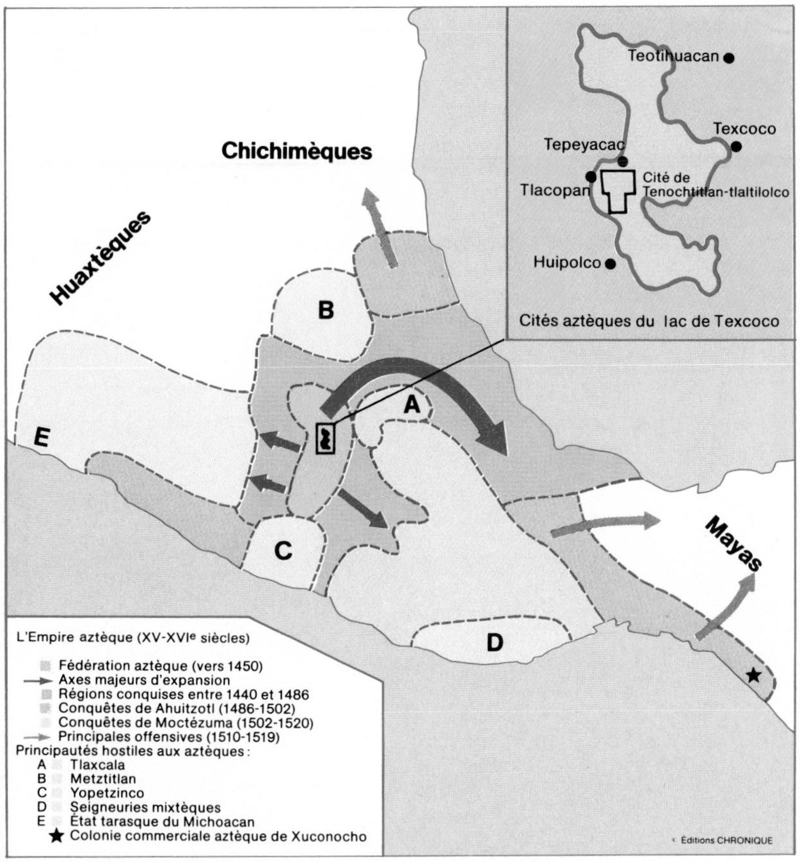

L'Empire inca vers 1530

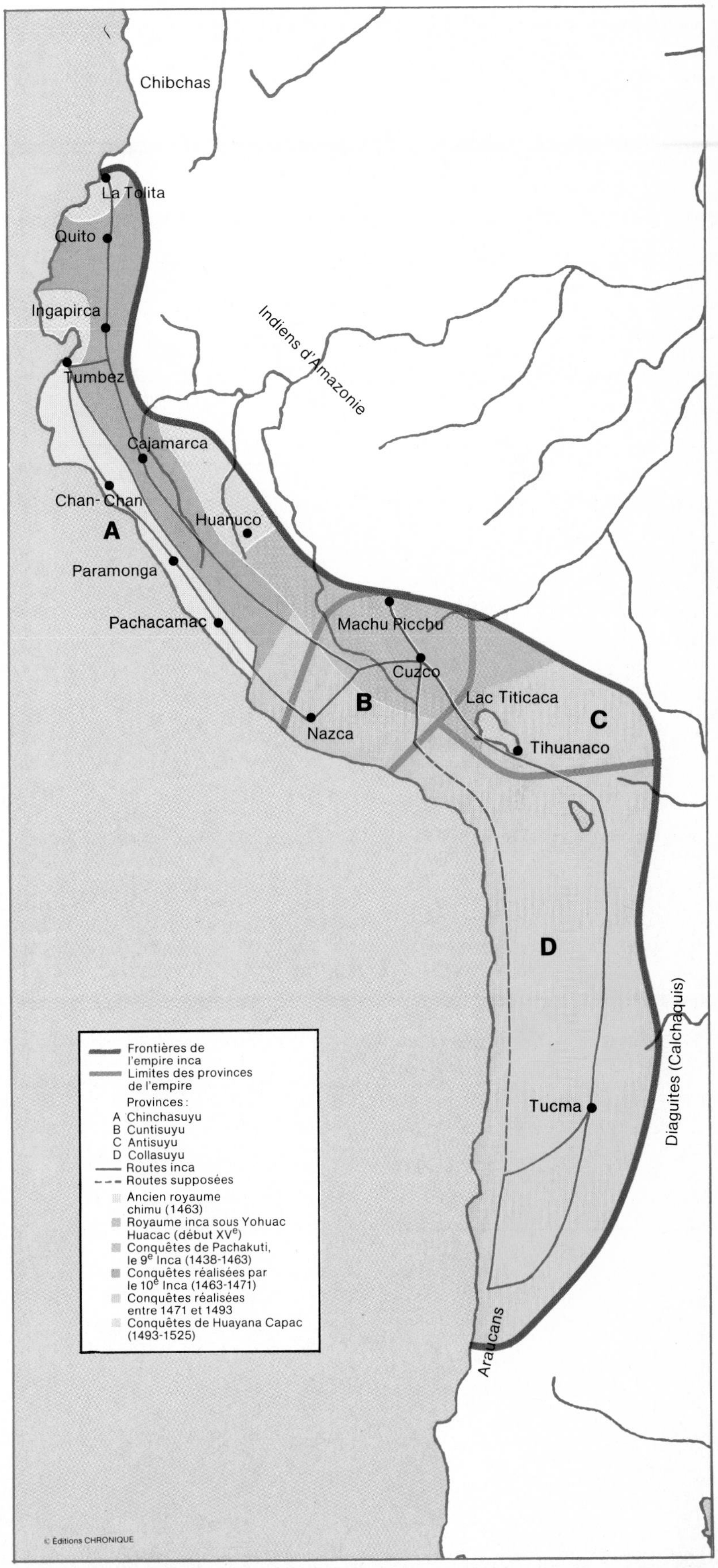

Chichimèques

Huaxtèques

Teotihuacan

Tepeyacac

Texcoco

Tlacopan

Cité de
Tenochtitlan-tlaltilolco

Huipolco

Cités aztèques du lac de Texcoco

B

A

E

C

D

Mayas

L'Empire aztèque (XV-XVIe siècles)
- Fédération aztèque (vers 1450)
- → Axes majeurs d'expansion
- Régions conquises entre 1440 et 1486
- Conquêtes de Ahuitzotl (1486-1502)
- Conquêtes de Moctézuma (1502-1520)
- → Principales offensives (1510-1519)

Principautés hostiles aux aztèques :
- A Tlaxcala
- B Metztitlan
- C Yopetzinco
- D Seigneuries mixtèques
- E État tarasque du Michoacan
- ★ Colonie commerciale aztèque de Xuconocho

Éditions CHRONIQUE

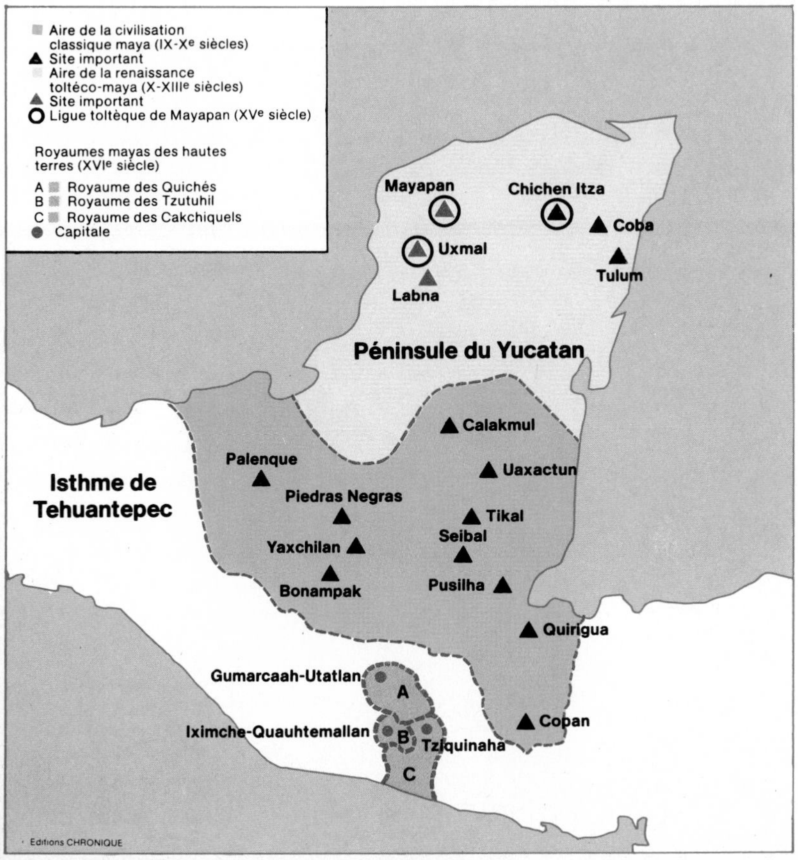

- Aire de la civilisation
  classique maya (IX-Xe siècles)
- ▲ Site important
- Aire de la renaissance
  toltéco-maya (X-XIIIe siècles)
- ▲ Site important
- ○ Ligue toltèque de Mayapan (XVe siècle)

Royaumes mayas des hautes
terres (XVIe siècle)
- A Royaume des Quichés
- B Royaume des Tzutuhil
- C Royaume des Cakchiquels
- ● Capitale

Mayapan   **Chichen Itza**
Coba

Uxmal

Tulum

Labna

Péninsule du Yucatan

**Isthme de
Tehuantepec**

Calakmul

Palenque   Uaxactun

Piedras Negras

Yaxchilan   Tikal
                Seibal

Bonampak   Pusilha

Quirigua

Gumarcaah-Utatlan
                    A

Iximche-Quauhtemallan
              B Tziquinaha
              C

Copan

Éditions CHRONIQUE

Chibchas

La Tolita

Quito

Indiens d'Amazonie

Ingapirca

Tumbez

Cajamarca

Chan-Chan

Huanuco

A

Paramonga

Pachacamac

Machu Picchu

Cuzco

B   Lac Titicaca

Nazca   C

Tihuanaco

D

Tucma

Diaguites (Calchaquis)

Araucans

Légende (empire inca)
- ─ ─ Frontières de
  l'empire inca
- ── Limites des provinces
  de l'empire

Provinces :
- A Chinchasuyu
- B Cuntisuyu
- C Antisuyu
- D Collasuyu
- ── Routes inca
- ─ ─ Routes supposées
- Ancien royaume
  chimu (1463)
- Royaume inca sous Yohuac
  Huacac (début XVe)
- Conquêtes de Pachakuti,
  le 9e Inca (1438-1463)
- Conquêtes réalisées par
  le 10e Inca (1463-1471)
- Conquêtes réalisées
  entre 1471 et 1493
- Conquêtes de Huayana Capac
  (1493-1525)

© Éditions CHRONIQUE

L'Empire de Philippe II

Les Antilles au XVIIᵉ siècle

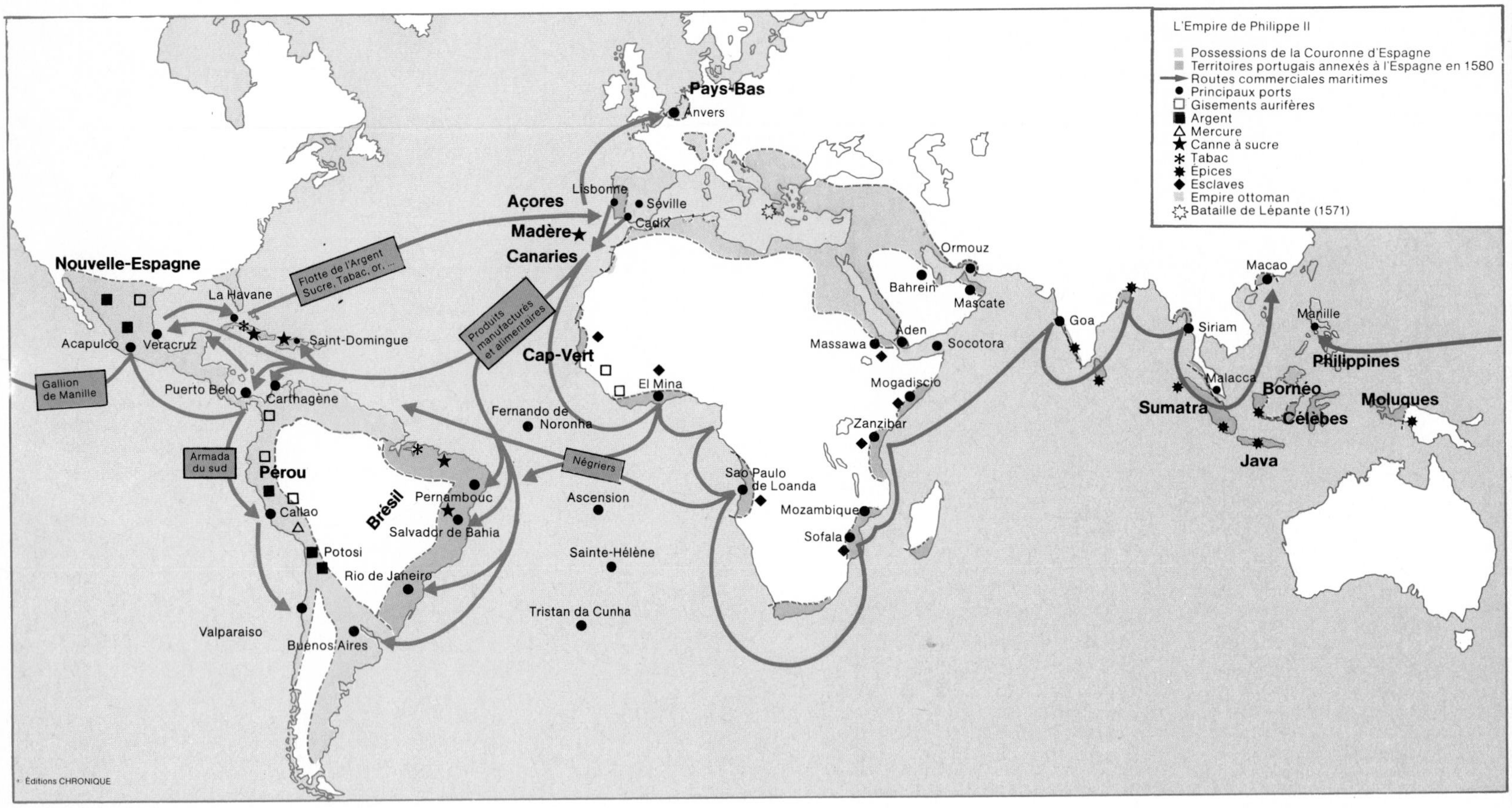

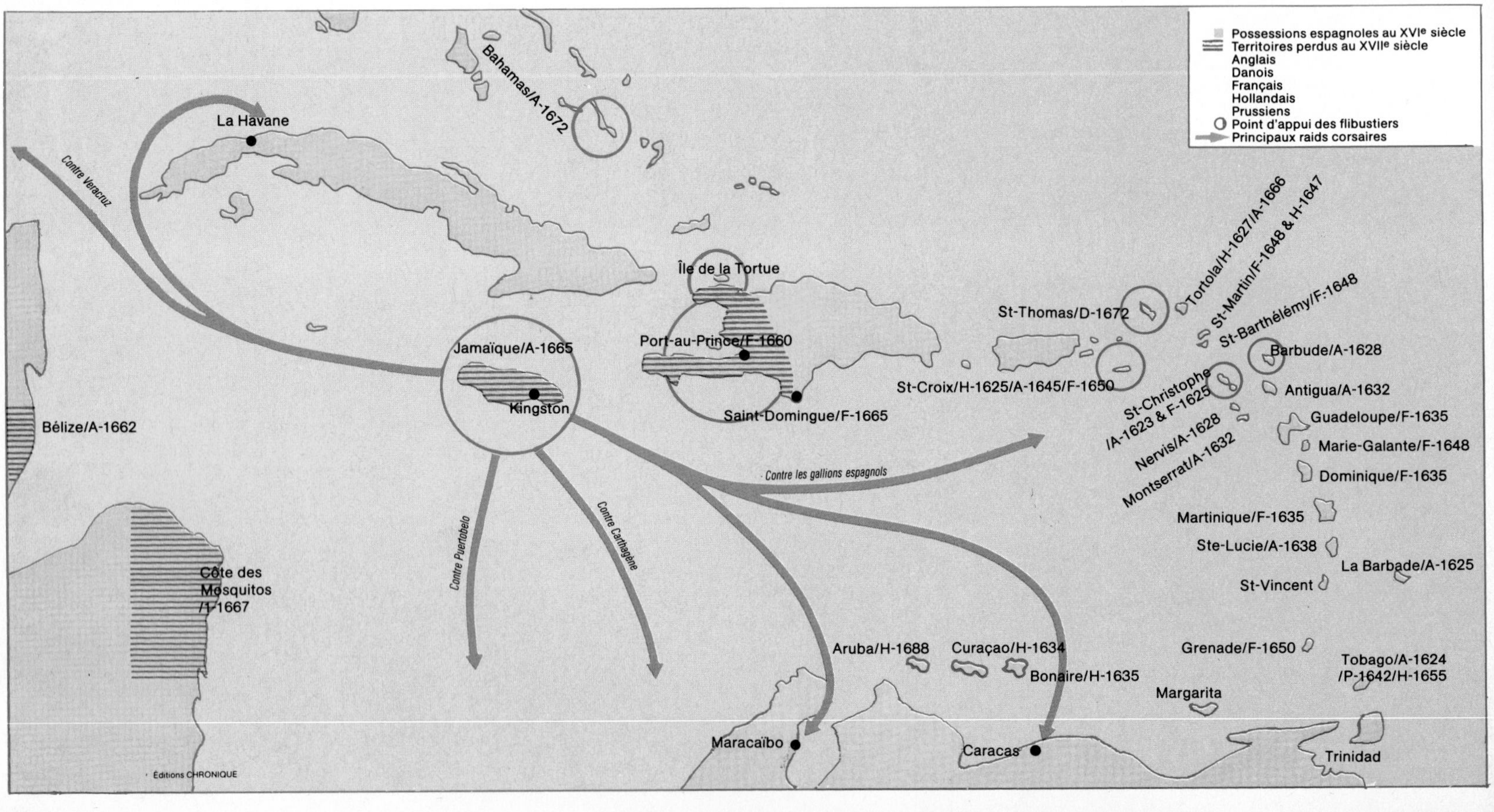

L'Empire de Philippe II
- ☐ Possessions de la Couronne d'Espagne
- ☐ Territoires portugais annexés à l'Espagne en 1580
- → Routes commerciales maritimes
- ● Principaux ports
- ☐ Gisements aurifères
- ■ Argent
- △ Mercure
- ★ Canne à sucre
- ✳ Tabac
- ✱ Épices
- ◆ Esclaves
- ☐ Empire ottoman
- ✺ Bataille de Lépante (1571)

Pays-Bas — Anvers
Açores — Lisbonne — Séville — Cadix
Madère ★ — Canaries
Nouvelle-Espagne
Flotte de l'Argent Sucre, Tabac, or.
Produits manufacturés et alimentaires
La Havane
Acapulco — Veracruz — Saint-Domingue
Gallion de Manille
Puerto Belo — Carthagène
Cap-Vert
Armada du sud
Pérou
Callao — Brésil
Potosi — Pernambouc
Salvador de Bahia
Rio de Janeiro
Valparaiso — Buenos Aires
Fernando de Noronha
Négriers
Ascension
Sainte-Hélène
Tristan da Cunha
El Mina
Sao Paulo de Loanda
Mozambique
Sofala
Zanzibar
Mogadiscio
Massawa — Socotora
Aden — Bahrein — Mascate
Ormouz
Goa — Siriam
Malacca
Macao — Manille
Philippines
Sumatra — Bornéo — Célèbes — Moluques
Java

Éditions CHRONIQUE

- ☐ Possessions espagnoles au XVIᵉ siècle
- ☰ Territoires perdus au XVIIᵉ siècle
   - Anglais
   - Danois
   - Français
   - Hollandais
   - Prussiens
- ◯ Point d'appui des flibustiers
- → Principaux raids corsaires

Bahamas/A-1672
Contre Veracruz
La Havane
Île de la Tortue
Jamaïque/A-1665
Port-au-Prince/F-1660
Kingston
Bélize/A-1662
Saint-Domingue/F-1665
Contre Puertobelo
Contre Carthagène
Contre les gallions espagnols
Côte des Mosquitos /I-1667
St-Thomas/D-1672
Tortola/H-1627/A-1666
St-Martin/F-1648 & H-1647
St-Barthélémy/F-1648
Barbude/A-1628
St-Croix/H-1625/A-1645/F-1650
St-Christophe/A-1623 & F-1625
Antigua/A-1632
Nervis/A-1628
Guadeloupe/F-1635
Montserrat/A-1632
Marie-Galante/F-1648
Dominique/F-1635
Martinique/F-1635
Ste-Lucie/A-1638
La Barbade/A-1625
St-Vincent
Aruba/H-1688
Curaçao/H-1634
Grenade/F-1650
Tobago/A-1624 /P-1642/H-1655
Bonaire/H-1635
Margarita
Maracaïbo
Caracas
Trinidad

Éditions CHRONIQUE

L'expansion coloniale hollandaise au XVIIe siècle

L'expansion européenne au début du XVIIIe siècle

Carte 1 : L'expansion coloniale hollandaise au XVIIe siècle

A la recherche d'un passage nord-est vers la Chine, Barentz découvre la Nouvelle-Zemble (1594) et le Spitzberg (1596-1597)

Fondation de la Banque d'Amsterdam (1609)

Urup/1643

Nouvelle-Amsterdam/1612
Fort Nassau/1623

Compagnie hollandaise des Indes occidentales (1621)

Ispahan/1623
Shiraz/1623
Bandar Abbas/1623
Hirado/1610
Deshima/1641

Fort Zeelandia/1624

Calcutta/1600
Pippli/1637
Masulipatam/1605
Bhatkal/1637
Siriam/1635
Ayuthaya/1607

Santa Cruz/1625
Saint-Martin/1647
Grenade /1655
Aruba/1688
Curaçao/1634
Bonaire/1635
Stabroek
Niew-Middelburg/1658
Berbice/1627
Vallée de l'Essequibo/1602
Surinam/1667
Paramaribo/1613

Gorée/1617
Arguin/1634

Quilon/1661
Colombo/1656
Pont de Galle/1640
Pondichéry/1693
Malacca/1641
Padang/1659
Sukadana/1699
Moluques/1601
Palembang/1619
Célèbes/1648
Amboine/1599
Bantam/1596
Batavia/1610
Timor/1655

El Mina/1637
Maranhao/1641
Ceara/1637
Frederiksted /1634
Récife/1630
Maurisstad/1637
Sergipe/1637
Porto Calvo/1636
Fort Maurits/1637

Principe/1598
Sao Tomé/1641

Compagnie hollandaise des Indes orientales (1602)

Sao Paulo de Loanda/1641
Benguella/1641

Ile Maurice/1638

Apogée du Brésil hollandais avec le statthalter Jean Maurice de Nassau (1636-1644)

Sainte-Hélène/1673

A la recherche d'un hypothétique continent austral, Tasman découvre la "Terre de van Diemen" (Tasmanie), les îles Tonga et Fidji et contourne l'Australie (1642-43)

Le Cap/1652

© Éditions CHRONIQUE

Carte 2 : L'expansion européenne au début du XVIIIe siècle

Kamtchatka /1703
Iakoutsk/1632
St-Pétersbourg
Okhotsk/1649
Moscou
Nertchinsk/1689
Irkoutsk/1652

Fort Rupert/1668
Fort Albany/1674
Sault-Ste-Marie/1689
Québec/1608
Montréal/1642
St-Louis/1682
Boston/1630
Crèvecœur/1680
Philadelphie/1682
Jamestown/1607
Maurepas/1689

Minorque/1708
Gibraltar/1704
Açores
Madère
Shiraz/1690
Chandernagor/1676
Hooghly/1640
Macao
Ahmadabad/1612
Ormuz
Surat/1618
Calcutta/1698
Canaries
Arguin/1678
Vallée du Sénégal
St-Louis/1638
Mascate
Bombay/1661
Marianes
Cap-Vert
Diu
Goa
Gorée/1674
Fort James/1618
Accra/1672
Fort St-André/1664
Cape Coast/1664
Madras/1639
Carolines
Apollonia/1672
Fernando Poo
Principe
Socotora
Cormantine/1632
Sao Tomé
Ceylan
Benkulen/1685
Georgetown
Cayenne/1634
Manaus/1674
Angola
Recife
Bahia
Ile de France/1712
Bantam/1603
Timor
Minas Gerais
Mato Grosso
Ascension
Mozambique
Sao Paulo
Rio de Janeiro
Fort Dauphin/1644
Ste-Hélène
Tristan da Cunha
Le Cap
Sacramento/1650

Possessions européennes et axes de pénétration

- France
- Angleterre
- Espagne
- Portugal
- Russie
- Hollande
- Empire ottoman
- "Réductions" jésuites

© Éditions CHRONIQUE

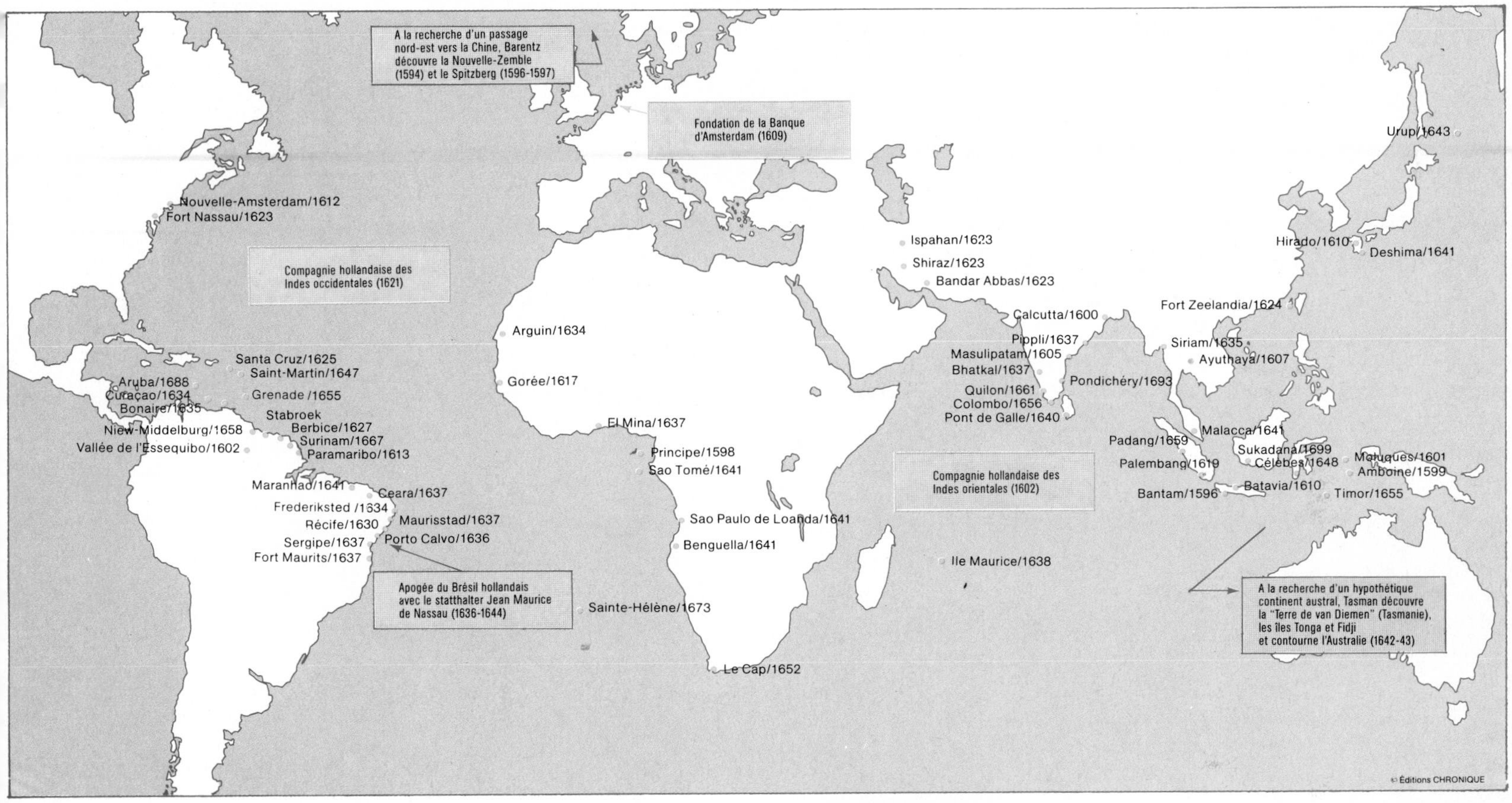

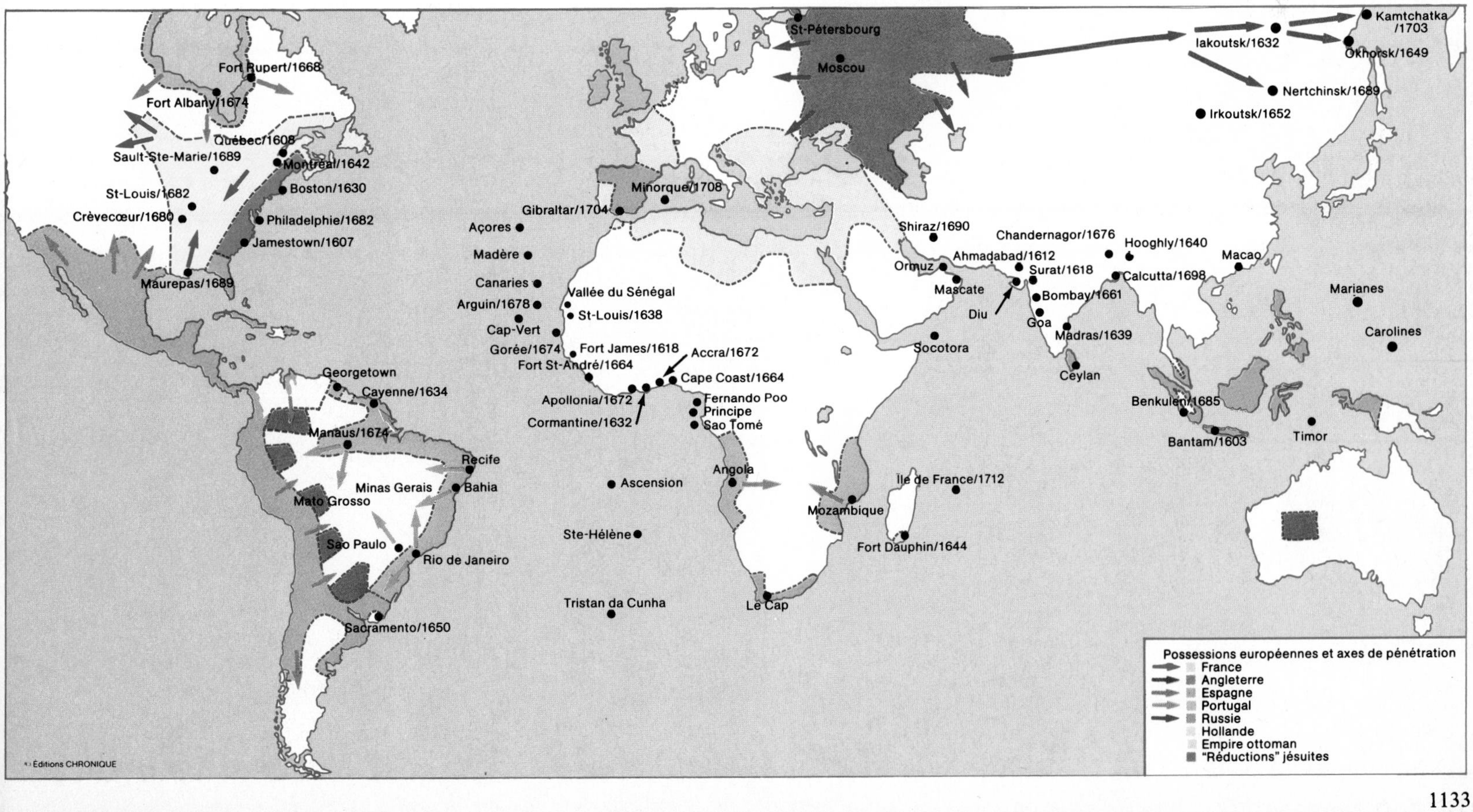

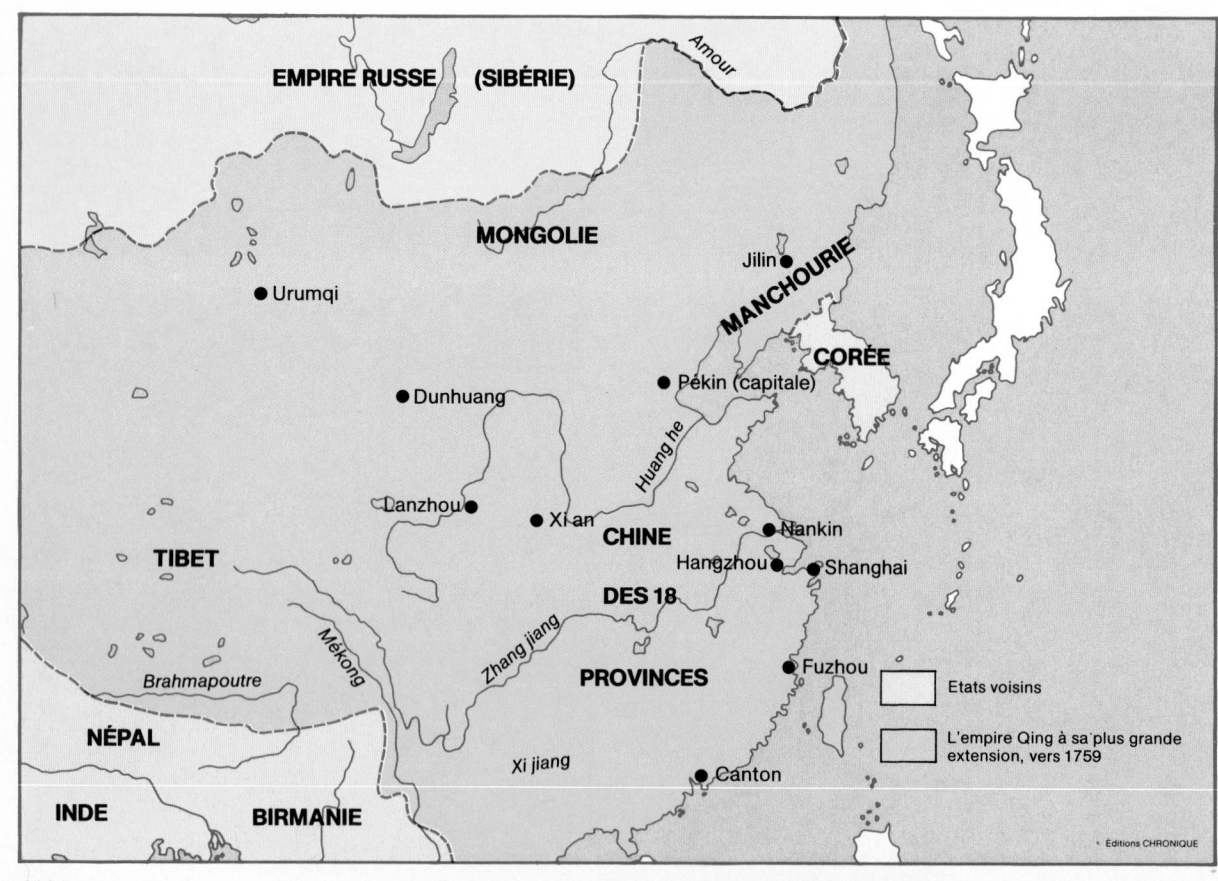

La Chine des Qing à sa plus grande extension, vers 1759

La Chine des Song du sud au début du XIIᵉ siècle

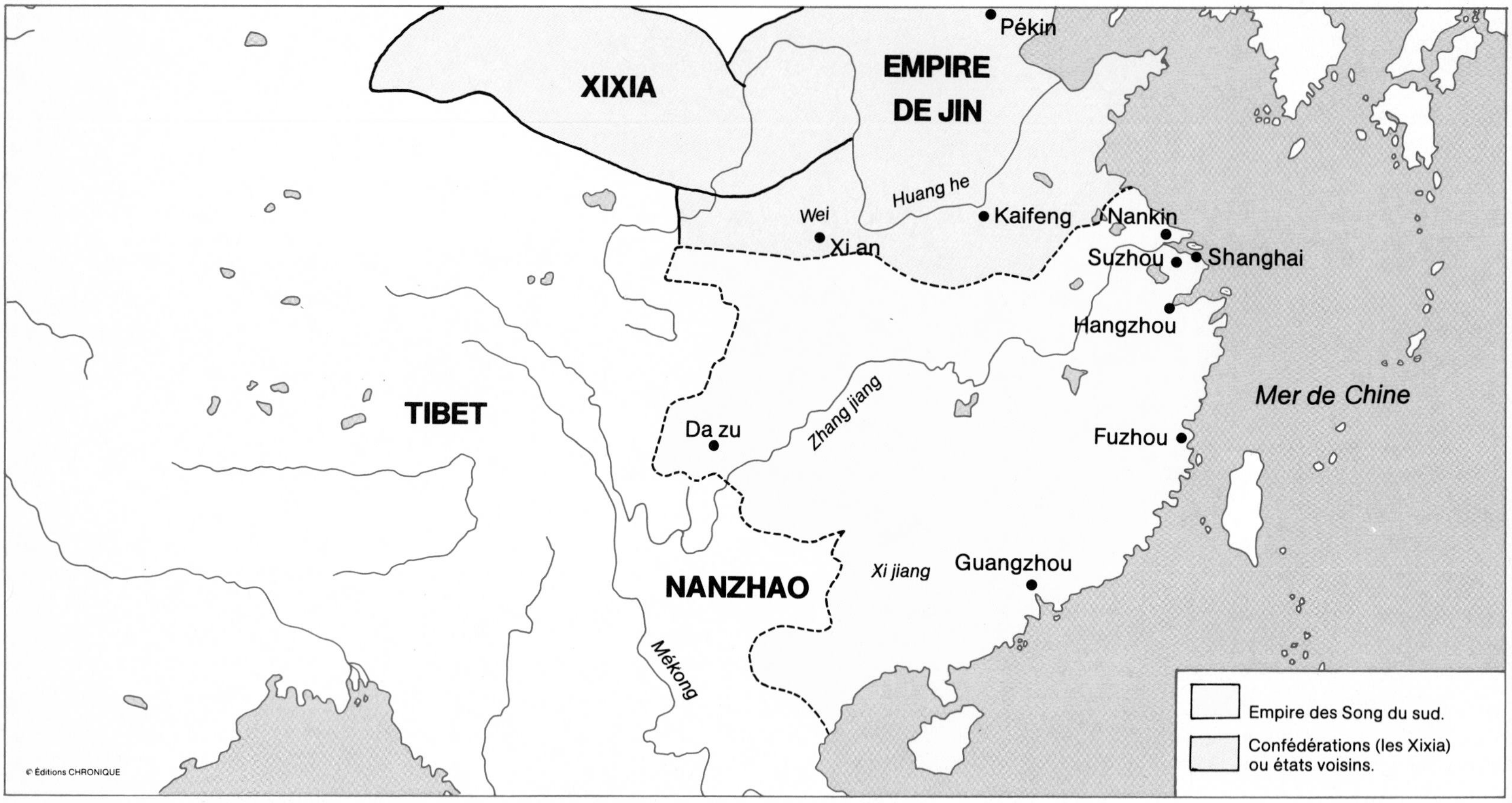

XIXIA

EMPIRE DE JIN

● Pékin

Wei

Huang he

● Kaifeng

● Xi'an

● Nankin

Suzhou ● Shanghai

Hangzhou

TIBET

Mer de Chine

● Da zu

Zhang jiang

● Fuzhou

NANZHAO

Xi jiang

● Guangzhou

Mékong

© Éditions CHRONIQUE

Empire des Song du sud.

Confédérations (les Xixia) ou états voisins.

EMPIRE RUSSE (SIBÉRIE)

Amour

MONGOLIE

Jilin ●

MANCHOURIE

● Urumqi

CORÉE

● Dunhuang

● Pékin (capitale)

Huang he

Lanzhou ●

● Xi'an

CHINE

Nankin ●

Hangzhou ● ● Shanghai

DES 18

TIBET

Zhang jiang

Mékong

PROVINCES

● Fuzhou

Brahmapoutre

NÉPAL

Xi jiang

● Canton

INDE

BIRMANIE

© Éditions CHRONIQUE

Etats voisins

L'empire Qing à sa plus grande extension, vers 1759

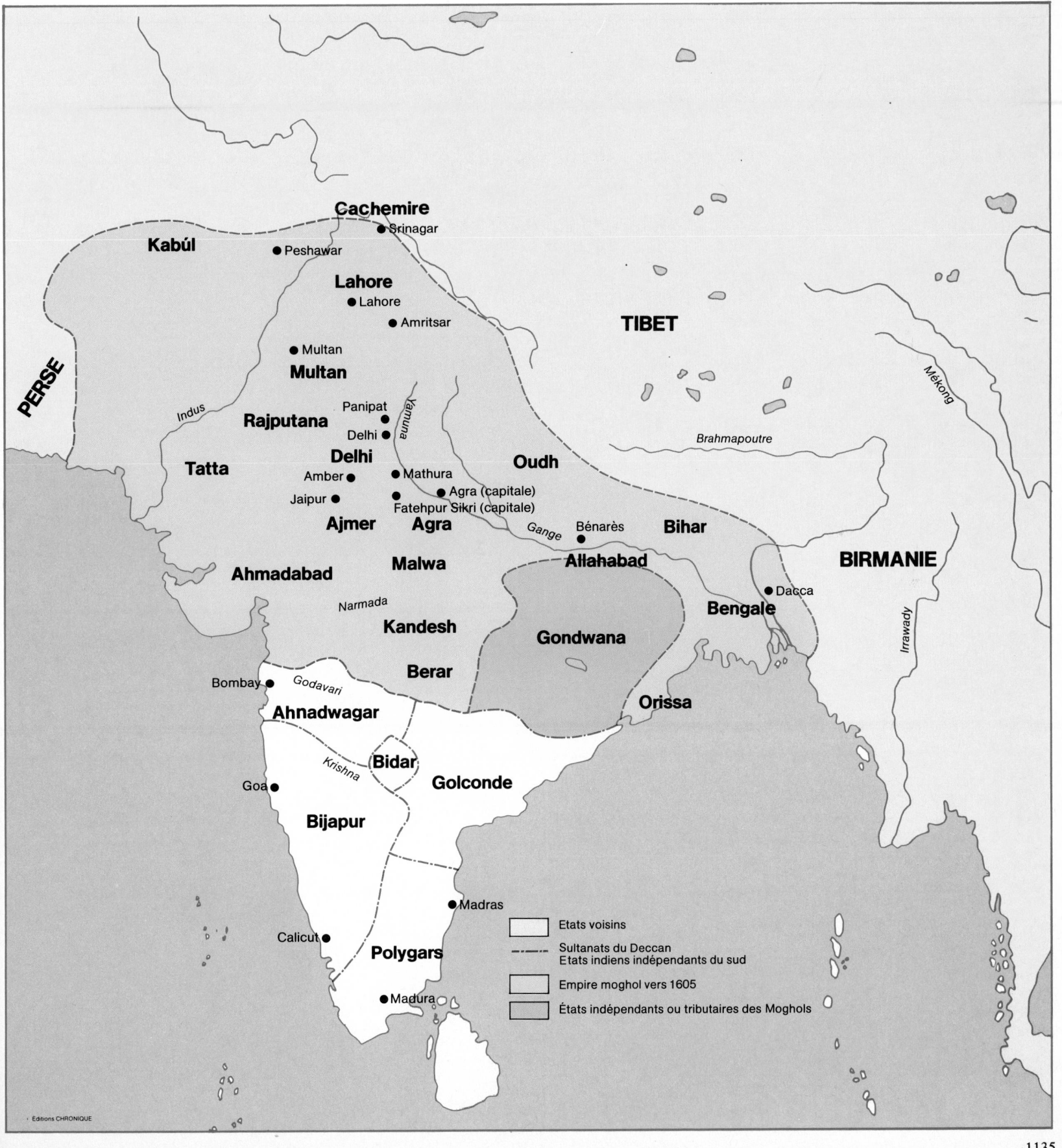

L'Inde moghole au début du XVIIᵉ siècle

Cachemire
● Srinagar

Kabúl
● Peshawar

PERSE

Lahore
● Lahore
● Amritsar

TIBET

● Multan
Multan

Indus

Yamuna

Panipat ●
Rajputana
Delhi ●

Tatta

Delhi
Amber ● ● Mathura
Jaipur ● ● Agra (capitale)
● Fatehpur Sikri (capitale)

Oudh

Brahmapoutre

Mékong

Ajmer   Agra

Gange   ● Bénarès   Bihar

BIRMANIE

Ahmadabad

Malwa

Allahabad

Narmada

Gondwana

Bengale
● Dacca

Kandesh

Irrawady

Berar

Bombay ● *Godavari*

Orissa

Ahnadwagar

Krishna   Bidar

Golconde

Goa ●

Bijapur

Madras ●

Calicut ●

Polygars

● Madura

	Etats voisins
–·–·–	Sultanats du Deccan Etats indiens indépendants du sud
	Empire moghol vers 1605
	États indépendants ou tributaires des Moghols

Editions CHRONIQUE

1135

Royaume suédois
Possessions des Habsbourg d'Autriche
Possession des Habsbourg d'Espagne
Limite du Saint Empire romain germanique

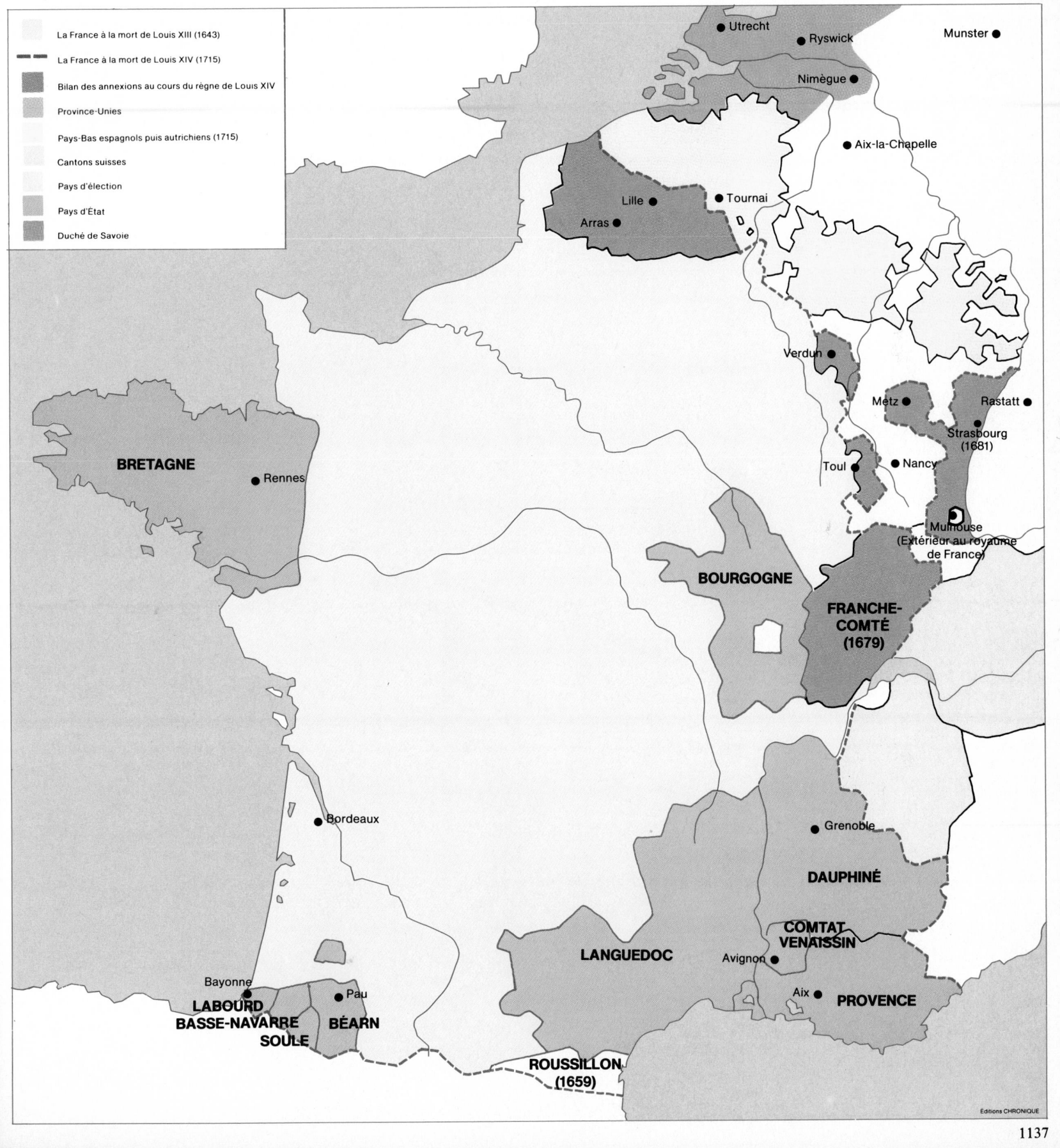

La France sous Louis XIV

Légende :

- La France à la mort de Louis XIII (1643)
- La France à la mort de Louis XIV (1715)
- Bilan des annexions au cours du règne de Louis XIV
- Province-Unies
- Pays-Bas espagnols puis autrichiens (1715)
- Cantons suisses
- Pays d'élection
- Pays d'État
- Duché de Savoie

Utrecht ● · Ryswick ● · Munster ●

Nimègue ●

Aix-la-Chapelle ●

Lille ● · Tournai ●

Arras ●

Verdun ●

Metz ● · Rastatt ●

Strasbourg (1681)

Toul ● · Nancy ●

Mulhouse (Extérieur au royaume de France)

BRETAGNE
Rennes ●

BOURGOGNE

FRANCHE-COMTÉ (1679)

Bordeaux ●

Grenoble ●

DAUPHINÉ

COMTAT VENAISSIN

LANGUEDOC
Avignon ●

Aix ● · **PROVENCE**

Bayonne ●
LABOURD
BASSE-NAVARRE
SOULE · Pau ● · **BÉARN**

ROUSSILLON (1659)

Éditions CHRONIQUE

Le monde en 1763 au traité de Paris

Le commerce triangulaire

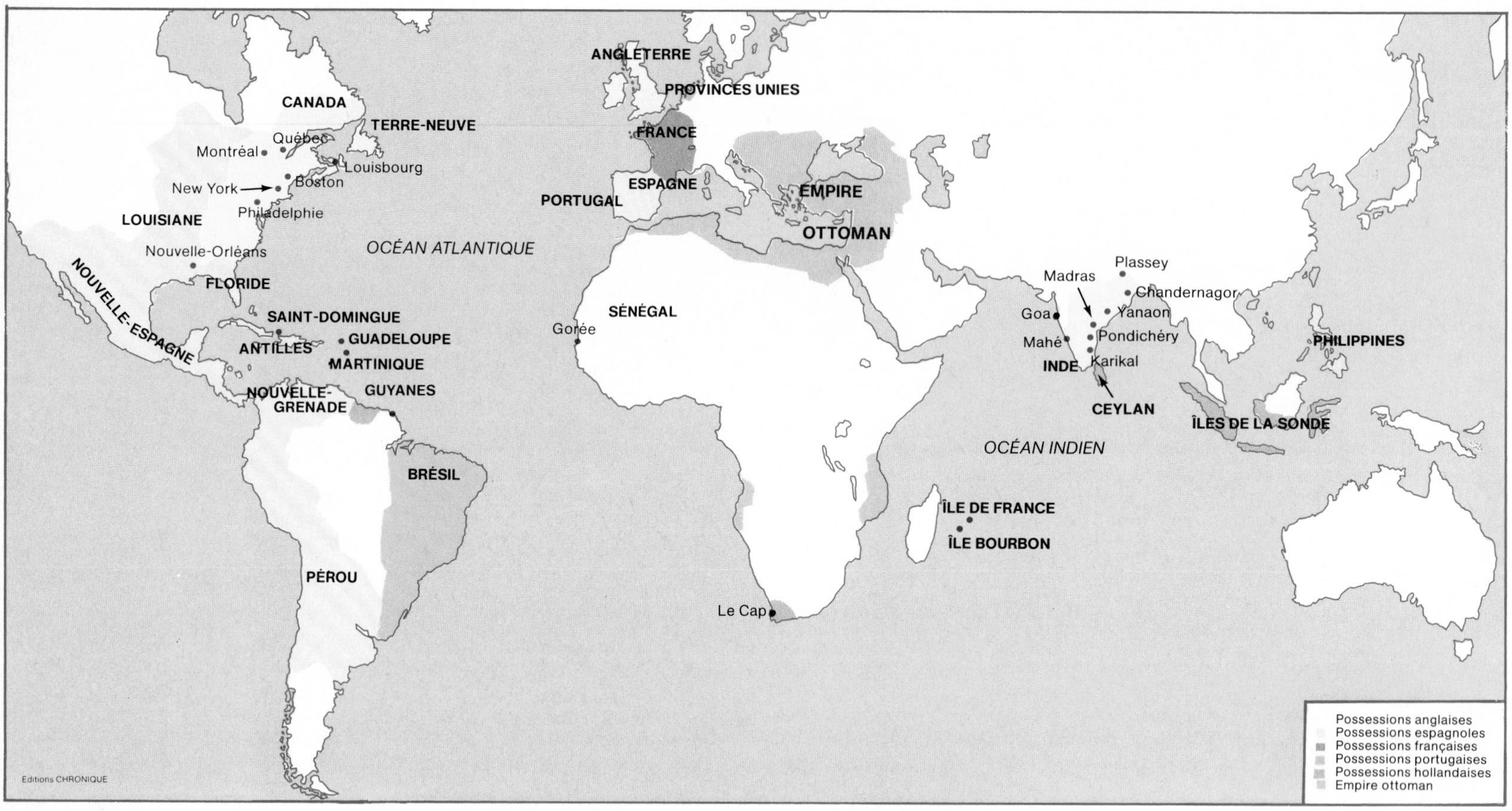

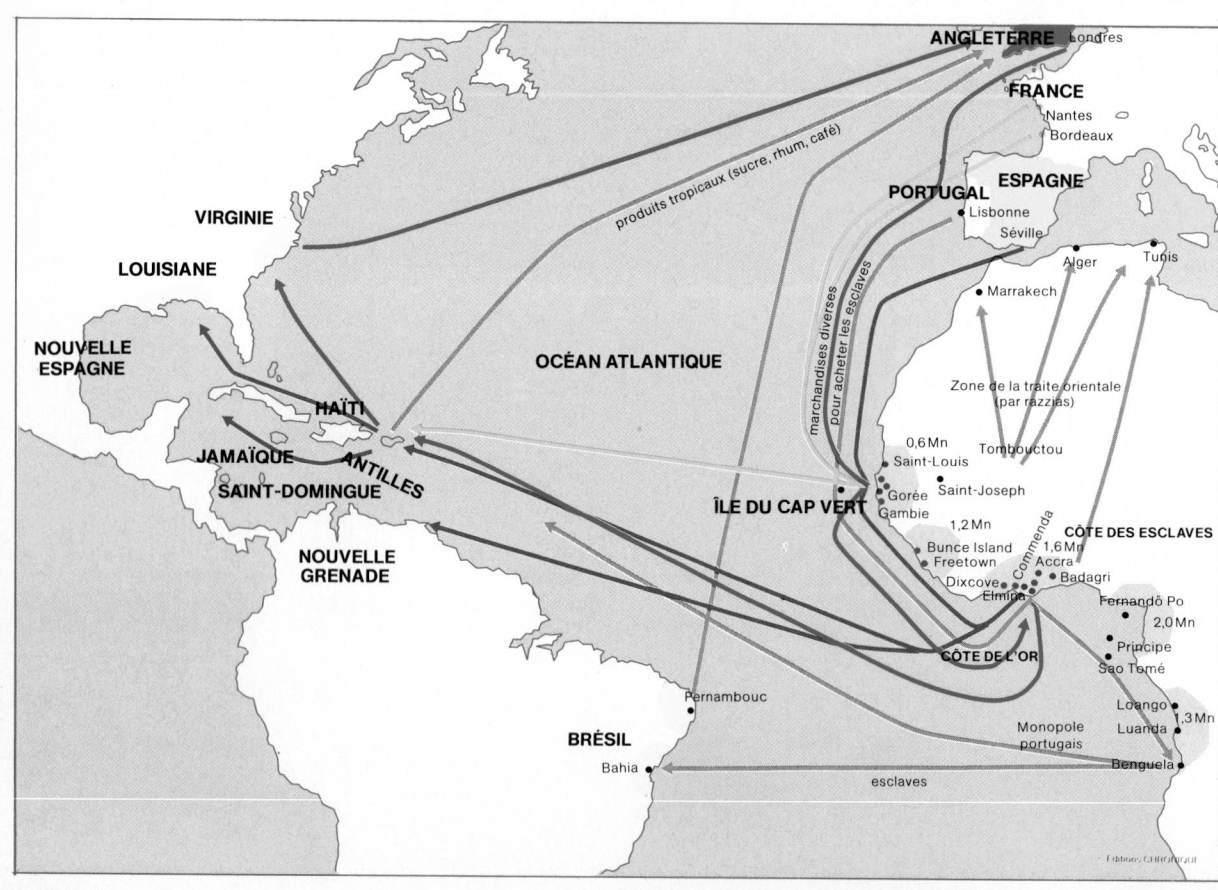

Carte supérieure

ANGLETERRE

PROVINCES UNIES

FRANCE

ESPAGNE

PORTUGAL

EMPIRE OTTOMAN

CANADA
TERRE-NEUVE
Montréal
Québec
Louisbourg
New York → Boston
LOUISIANE
Philadelphie
Nouvelle-Orléans
FLORIDE
OCÉAN ATLANTIQUE
NOUVELLE-ESPAGNE
SAINT-DOMINGUE
ANTILLES
GUADELOUPE
MARTINIQUE
NOUVELLE-GRENADE
GUYANES
BRÉSIL
PÉROU

SÉNÉGAL
Gorée

Le Cap

OCÉAN INDIEN

Madras
Plassey
Goa
Chandernagor
Yanaon
Mahé
Pondichéry
INDE
Karikal
CEYLAN

ÎLE DE FRANCE
ÎLE BOURBON

PHILIPPINES

ÎLES DE LA SONDE

Editions CHRONIQUE

Possessions anglaises
Possessions espagnoles
Possessions françaises
Possessions portugaises
Possessions hollandaises
Empire ottoman

Carte inférieure

ANGLETERRE — Londres
FRANCE
Nantes
Bordeaux
PORTUGAL
ESPAGNE
Lisbonne
Séville

VIRGINIE
LOUISIANE
NOUVELLE ESPAGNE
HAÏTI
JAMAÏQUE
ANTILLES
SAINT-DOMINGUE
NOUVELLE GRENADE

OCÉAN ATLANTIQUE

produits tropicaux (sucre, rhum, café)

marchandises diverses pour acheter les esclaves

Alger
Tunis
Marrakech

Zone de la traite orientale (par razzias)

0,6 Mn
Saint-Louis
Tombouctou
Gorée
Saint-Joseph
Gambie
1,2 Mn
Bunce Island
Freetown
Accra
Commenda
Dixcove
Elmina
Badagri
CÔTE DES ESCLAVES
1,6 Mn
CÔTE DE L'OR
Fernando Po
2,0 Mn
Principe
Sao Tomé

Pernambouc
BRÉSIL
Bahia

Monopole portugais
Loango
Luanda
1,3 Mn
Benguela

esclaves

Editions CHRONIQUE

L'Europe baroque

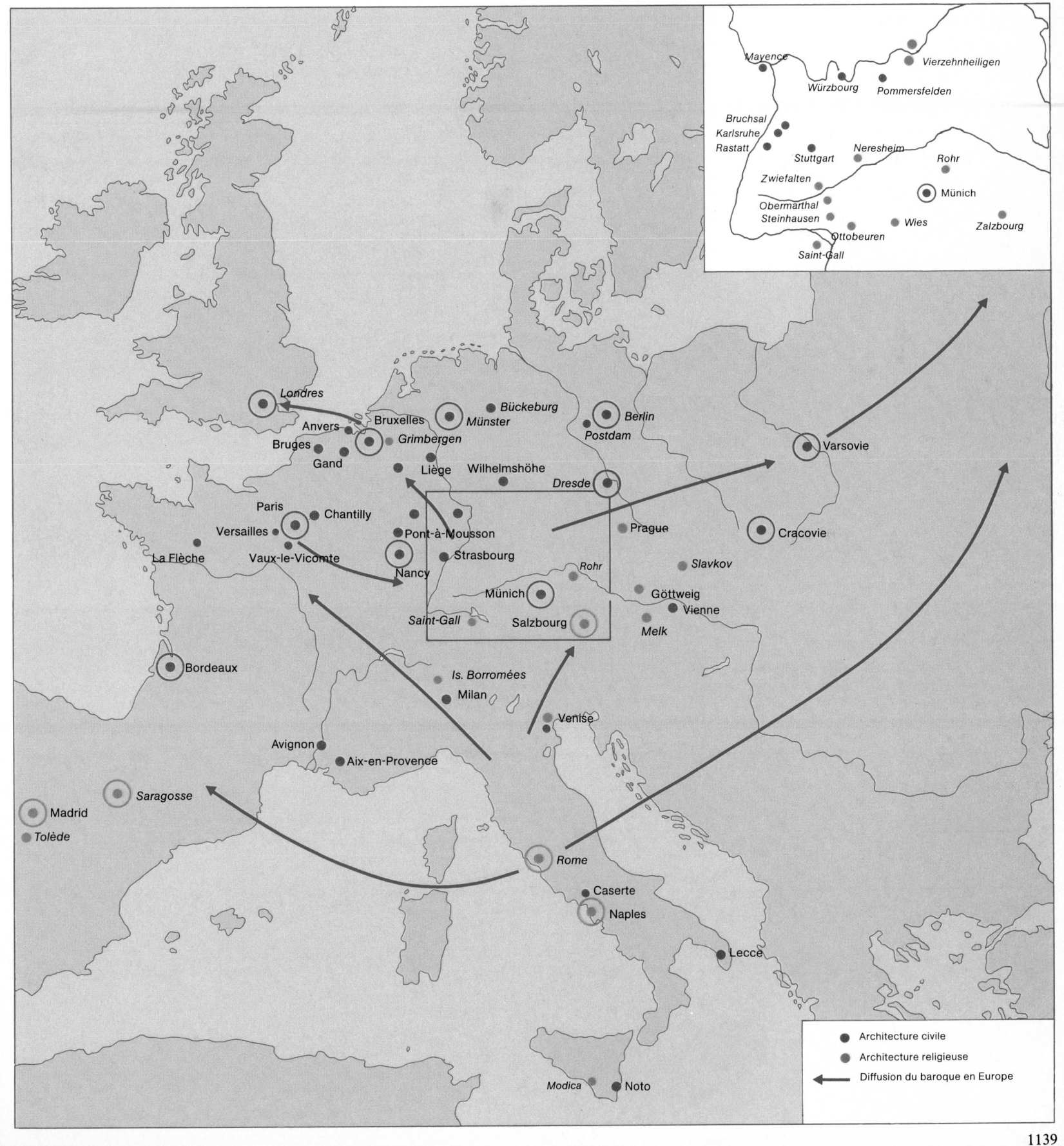

Mayence
Vierzehnheiligen
Würzbourg
Pommersfelden
Bruchsal
Karlsruhe
Rastatt
Stuttgart
Neresheim
Rohr
Zwiefalten
Münich
Obermarthal
Steinhausen
Wies
Zalzbourg
Ottobeuren
Saint-Gall

Londres
Bückeburg
Münster
Berlin
Anvers
Bruxelles
Postdam
Varsovie
Bruges
Grimbergen
Gand
Liège
Wilhelmshöhe
Dresde
Paris
Chantilly
Prague
Cracovie
Versailles
Pont-à-Mousson
La Flèche
Vaux-le-Vicomte
Strasbourg
Rohr
Slavkov
Nancy
Münich
Göttweig
Vienne
Saint-Gall
Salzbourg
Melk
Bordeaux
Is. Borromées
Milan
Venise
Avignon
Aix-en-Provence
Saragosse
Madrid
Tolède
Rome
Caserte
Naples
Lecce
Modica
Noto

● Architecture civile
● Architecture religieuse
← Diffusion du baroque en Europe

1139

La révolution agraire en Angleterre

La révolution industrielle en Angleterre

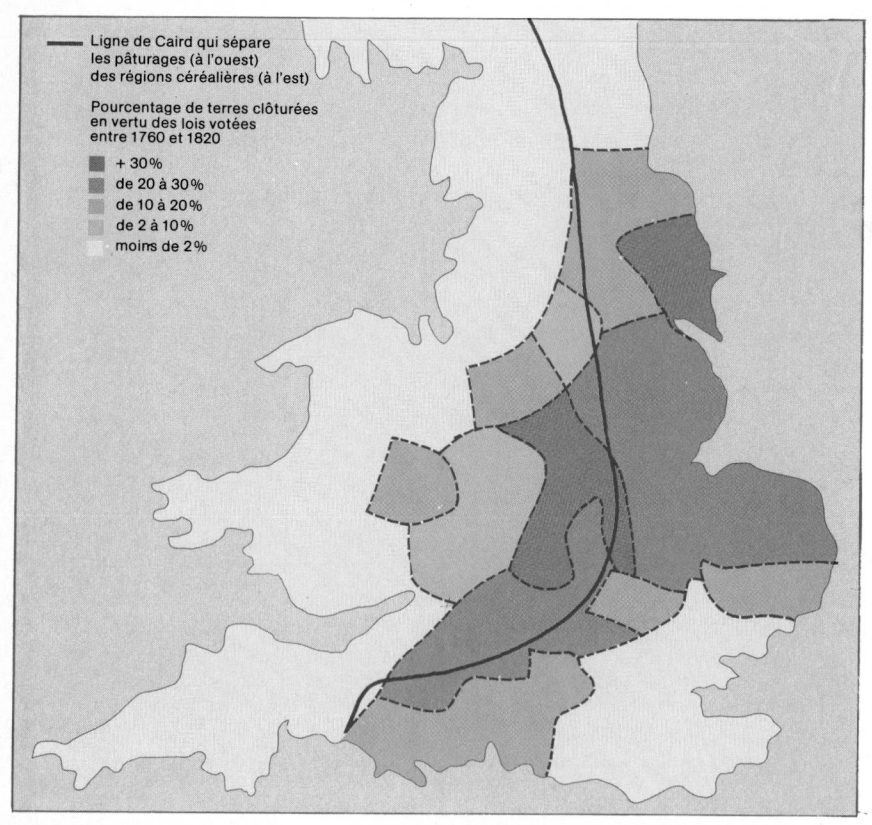

Ligne de Caird qui sépare
les pâturages (à l'ouest)
des régions céréalières (à l'est)

Pourcentage de terres clôturées
en vertu des lois votées
entre 1760 et 1820

+ 30 %
de 20 à 30 %
de 10 à 20 %
de 2 à 10 %
moins de 2 %

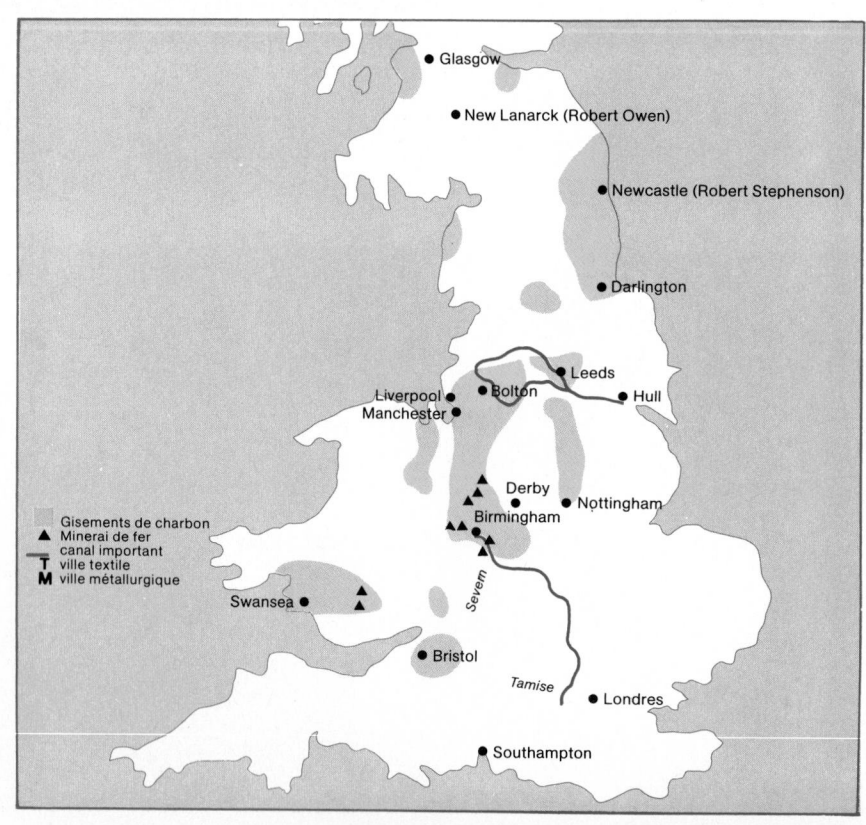

Glasgow

New Lanarck (Robert Owen)

Newcastle (Robert Stephenson)

Darlington

Leeds
Bolton
Hull
Liverpool
Manchester

Derby
Birmingham
Nottingham

Gisements de charbon
Minerai de fer
canal important
T ville textile
M ville métallurgique

Severn

Swansea

Bristol

Tamise

Londres

Southampton

L'Europe en 1815

ROYAUME DE NORVÈGE
(Union en 1814/1815)
ROYAUME DE SUÈDE

Saint-Pétersbourg

MER BALTIQUE

EMPIRE DE RUSSIE

ROYAUME DE GRANDE-BRETAGNE
ET D'IRLANDE

Royaume de Danemark

Amsterdam

Londres

Hambourg
Berlin

POLOGNE

VOLHYNIE

Bruxelles

Paris

Elbe

Oder

Vistule

Bug

Dniepr

Niémen

ROYAUME DE FRANCE

Prague

BOHÊME

MORAVIE

GALICIE

Tarnopol

BESSARABIE

Duché de Neuchâtel

Suisse

Münich

Salzbourg

Bratislava

HONGRIE

Budapest

Empire d'Autriche

BUCOVINE

Iassy

Rhône

TYROL

LOMBARDIE

ROYAUME DE
SARDAIGNE

Turin

Milan

VÉNÉTIE

Pô

Venise

TRANSYLVANIE

BANAT

VALACHIE

Rhin

ROYAUME DU PORTUGAL

Lisbonne

ROYAUME D'ESPAGNE

Madrid

Marseille

Duché de Modène
Bologne

Duché de Parme
Duché de Lucques

Grand Duché de
Toscane

Florence

ÉTATS DE L'ÉGLISE

DALMATIE

BOSNIE

Belgrade

PRINCIPAUTÉ
DE SERBIE

NOVI-BAZAR

HERZÉGOVINE

Danube

BULGARIE

MER
NOIRE

ROUMÉLIE

CORSE

Rome

ROYAUME DE
NAPLES ET DES DEUX-SICILES

PRINCIPAUTÉ DU
MONTÉNÉGRO

Constantinople

SARDAIGNE

MER MÉDITERRANÉE

EMPIRE OTTOMAN

GRÈCE

1. Grand duché de Mecklembourg
2. Grand duché d'Oldenbourg
3. Royaume de Saxe
4. Royaume de Bavière
5. Royaume de Wurtemberg
6. Grand duché de Bade
7. Palatinat
8. Duché de Nassau
9. Duché de Hesse
10. États de Thüringe
11. Royaume de Hanovre

— Confédération germanique
▮ Limite de l'Empire Russe
▮ Royaume de Prusse
▮ Empire d'Autriche
▮ Royaume de Danemark
▮ Royaume des Pays-Bas

© Éditions CHRONIQUE

La crise de l'Empire Ottoman : indépendances et protectorats

L'unité allemande

L'unité italienne

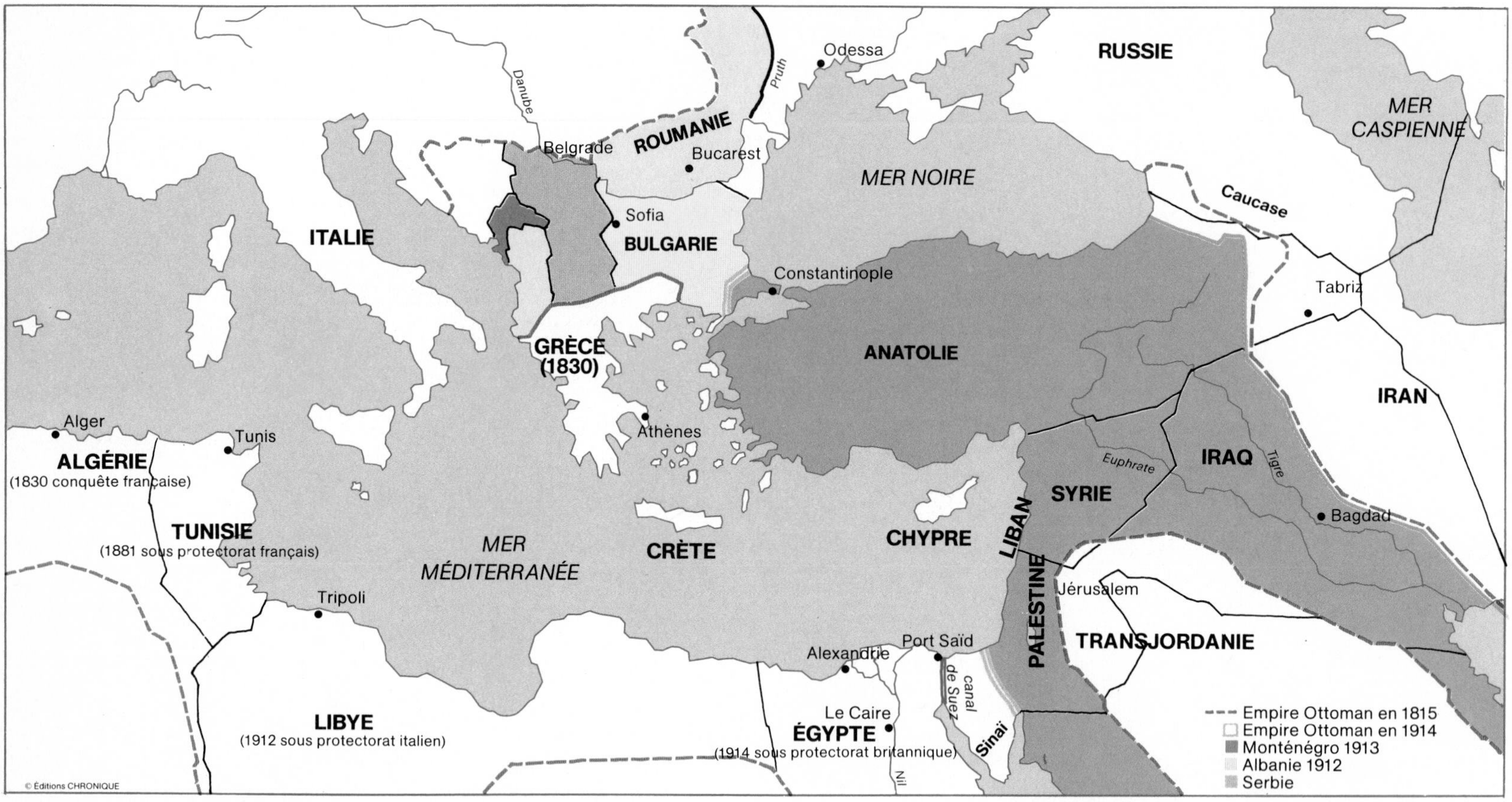

Odessa
RUSSIE
MER
CASPIENNE
Danube
Pruth
Belgrade
ROUMANIE
Bucarest
MER NOIRE
Caucase
ITALIE
Sofia
BULGARIE
Constantinople
Tabriz
GRÈCE
(1830)
ANATOLIE
IRAN
Alger
Athènes
ALGÉRIE
(1830 conquête française)
Tunis
Euphrate
IRAQ
Tigre
SYRIE
TUNISIE
(1881 sous protectorat français)
MER
MÉDITERRANÉE
CRÈTE
CHYPRE
LIBAN
Bagdad
Tripoli
PALESTINE
Jérusalem
TRANSJORDANIE
Alexandrie
Port Saïd
canal de Suez
LIBYE
(1912 sous protectorat italien)
Le Caire
ÉGYPTE
(1914 sous protectorat britannique)
Sinaï
Nil

© Éditions CHRONIQUE

- - - Empire Ottoman en 1815
Empire Ottoman en 1914
Monténégro 1913
Albanie 1912
Serbie

DANEMARK
MER
DU NORD
MER BALTIQUE
SCHLESWIG-
HOLSTEIN
Kiel
Königsberg
OLDENBOURG
Hambourg
PRUSSE
ORIENTALE
Brême
LAUENBOURG
MECKLEMBOURG
PAYS-BAS
BRANDEBOURG
HANOVRE
RUSSIE
LIPPE
Berlin
Posen
BRUNSWICK
Cologne
ANHALT
Elbe
BELGIQUE
Cassel
Oder
Breslau
Élect. DE
HESSE
SILÉSIE
THÜRINGE
SAXE
LUXEMBOURG
HESSE
Francfort
PALATINAT
BAVIÈRE
ALSACE
Stuttgart
LORRAINE
BADE
WURTEMBERG
Danube
EMPIRE
FRANCE
Münich
D'AUTRICHE

Union douanière Prussienne (1828)
Fondation de l'union douanière
Allemande (1834)
Adhésions en (1854)
Intégrations consécutives au règlement
de la question des Duchés (1867)

© Éditions CHRONIQUE

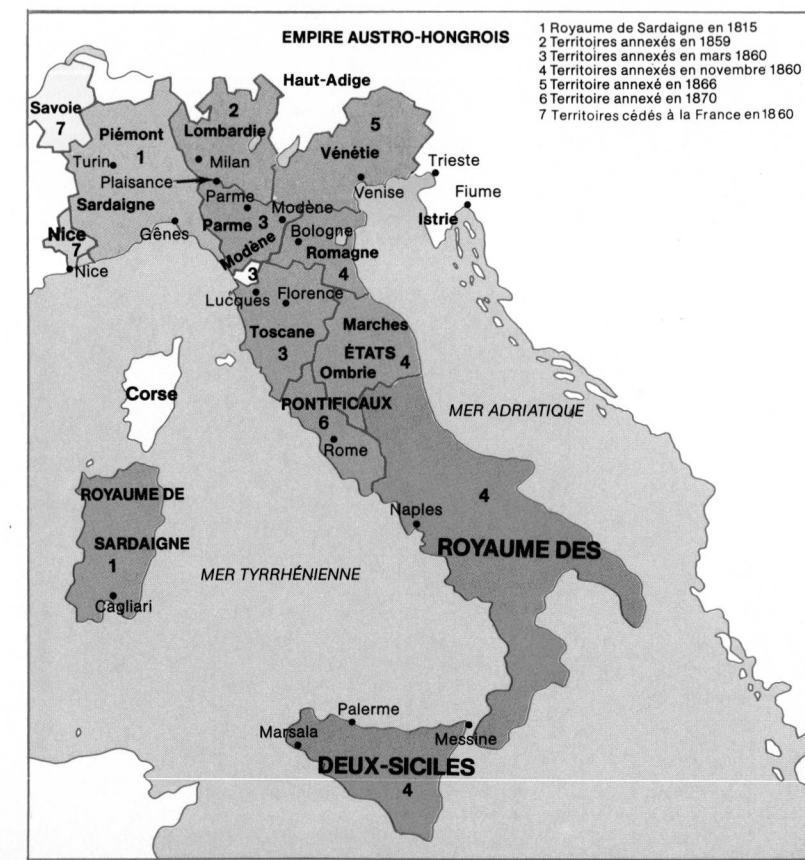

EMPIRE AUSTRO-HONGROIS
1 Royaume de Sardaigne en 1815
2 Territoires annexés en 1859
3 Territoires annexés en mars 1860
4 Territoires annexés en novembre 1860
5 Territoire annexé en 1866
6 Territoire annexé en 1870
7 Territoires cédés à la France en 1860
Haut-Adige
Savoie
7
Piémont
2
Lombardie
5
Vénétie
Turin
1
Milan
Trieste
Plaisance
Parme
Venise
Fiume
Sardaigne
Parme
3
Modène
Istrie
Nice
Gênes
Modène
Bologne
7
Romagne
Nice
3
4
Lucques
Florence
Toscane
Marches
Corse
3
ÉTATS
4
Ombrie
PONTIFICAUX
MER ADRIATIQUE
ROYAUME DE
6
Rome
SARDAIGNE
Naples
1
4
ROYAUME DES
Cagliari
MER TYRRHÉNIENNE
Palerme
Marsala
Messine
DEUX-SICILES
4

1142

Les indépendances américaines

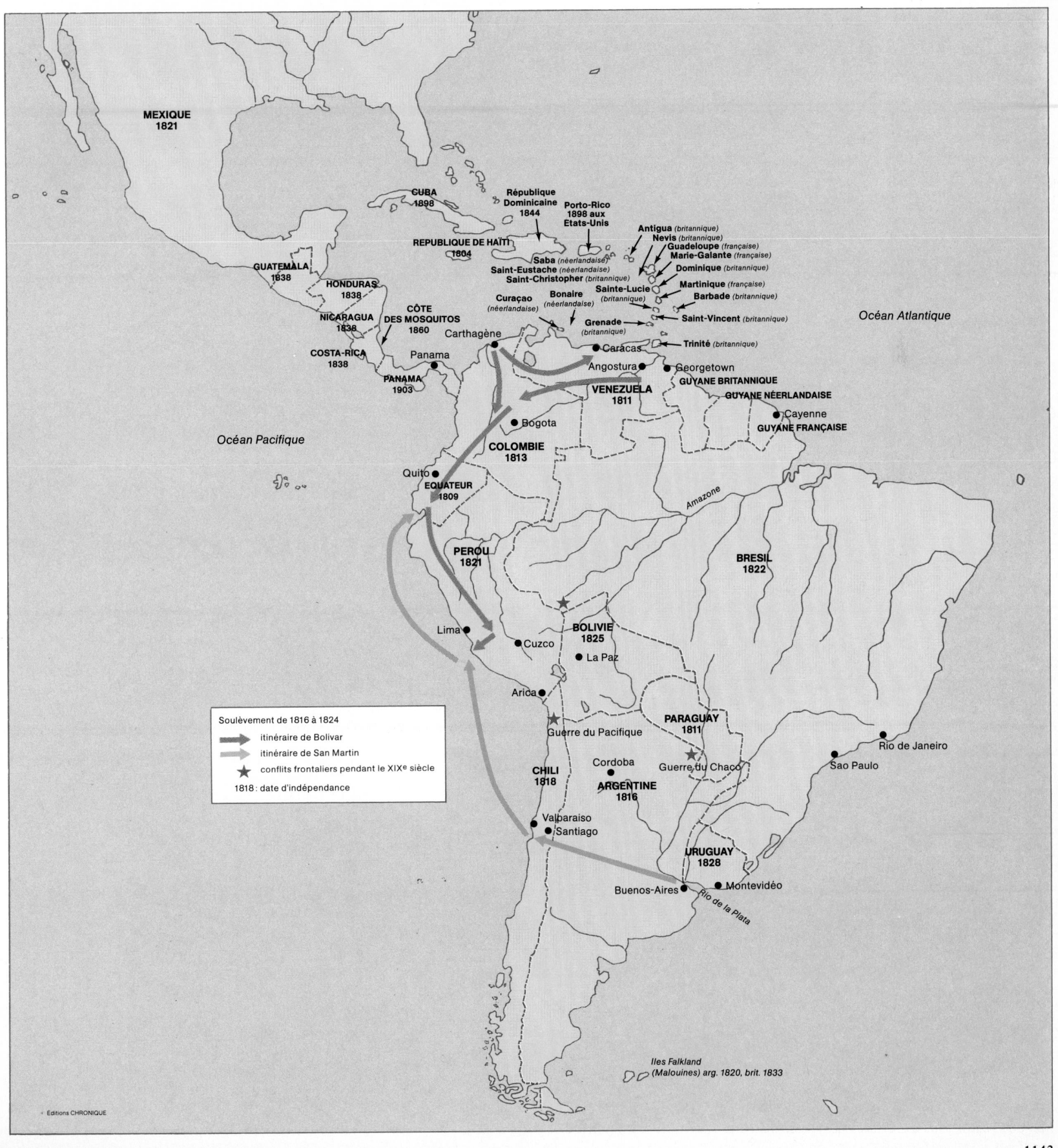

MEXIQUE
1821

CUBA
1898

République
Dominicaine
1844

Porto-Rico
1898 aux
Etats-Unis

REPUBLIQUE DE HAÏTI
1804

Antigua (britannique)
Nevis (britannique)
Guadeloupe (française)
Marie-Galante (française)
Dominique (britannique)
Martinique (française)
Barbade (britannique)
Saint-Vincent (britannique)
Trinité (britannique)

Saba (néerlandaise)
Saint-Eustache (néerlandaise)
Saint-Christopher (britannique)
Sainte-Lucie
(britannique)

GUATEMALA
1838

HONDURAS
1838

NICARAGUA
1838

CÔTE
DES MOSQUITOS
1860

Curaçao
(néerlandaise)

Bonaire
(néerlandaise)

Grenade
(britannique)

COSTA-RICA
1838

Carthagène

Caracas

Angostura

Georgetown

GUYANE BRITANNIQUE

Panama

PANAMA
1903

VENEZUELA
1811

GUYANE NÉERLANDAISE

Cayenne

GUYANE FRANÇAISE

Bogota

Océan Pacifique

COLOMBIE
1813

Océan Atlantique

Quito

EQUATEUR
1809

Amazone

PEROU
1821

BRESIL
1822

Lima

BOLIVIE
1825

Cuzco

La Paz

Arica

PARAGUAY
1811

Rio de Janeiro

Guerre du Pacifique

Cordoba

Guerre du Chaco

Sao Paulo

Soulèvement de 1816 à 1824

itinéraire de Bolivar

itinéraire de San Martin

★ conflits frontaliers pendant le XIXe siècle

1818 : date d'indépendance

CHILI
1818

ARGENTINE
1816

Valparaiso
Santiago

URUGUAY
1828

Buenos-Aires

Montevidéo

Rio de la Plata

Iles Falkland
(Malouines) arg. 1820, brit. 1833

Éditions CHRONIQUE

1143

Les nationalités en 1914

Les nationalités en 1945

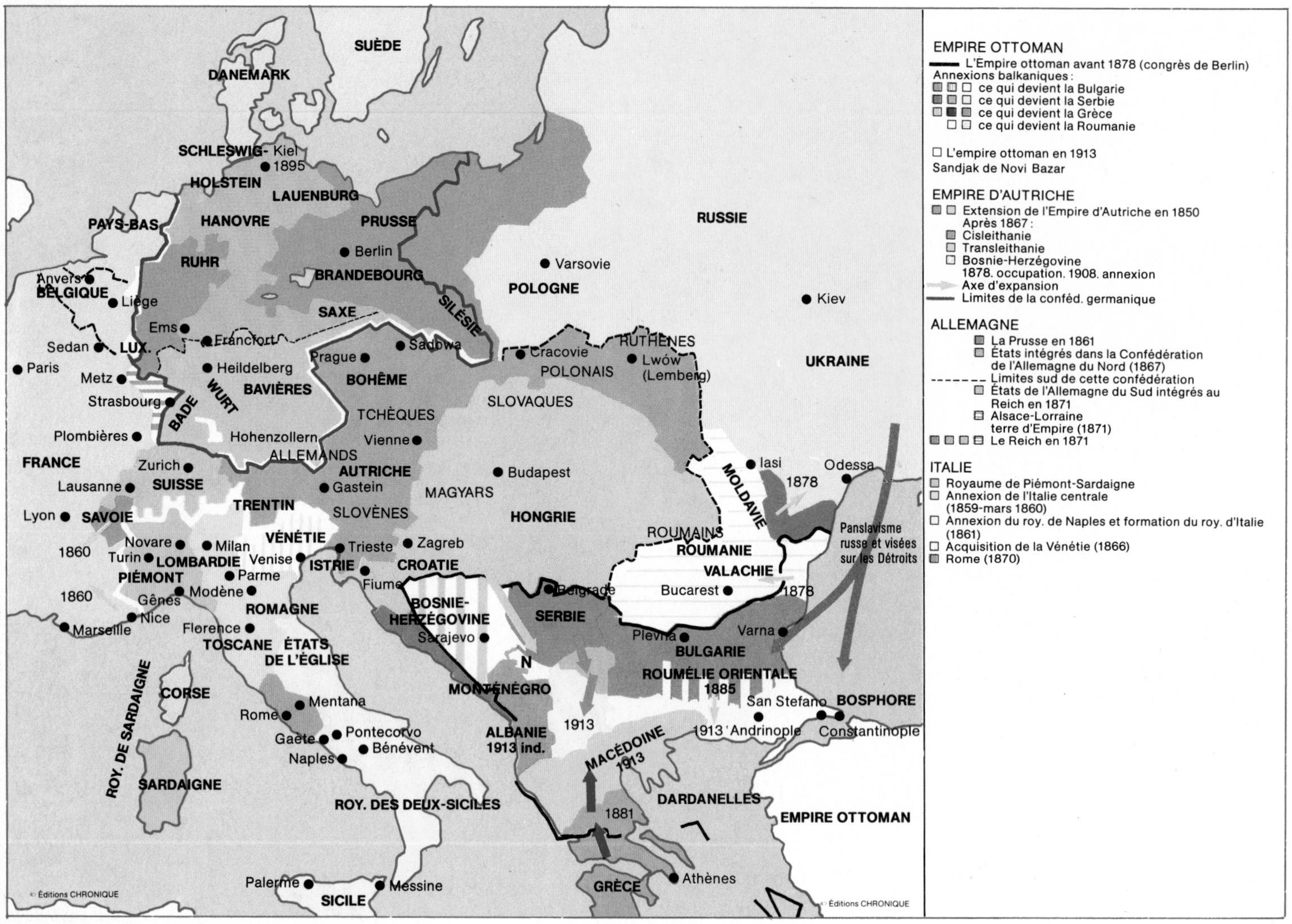

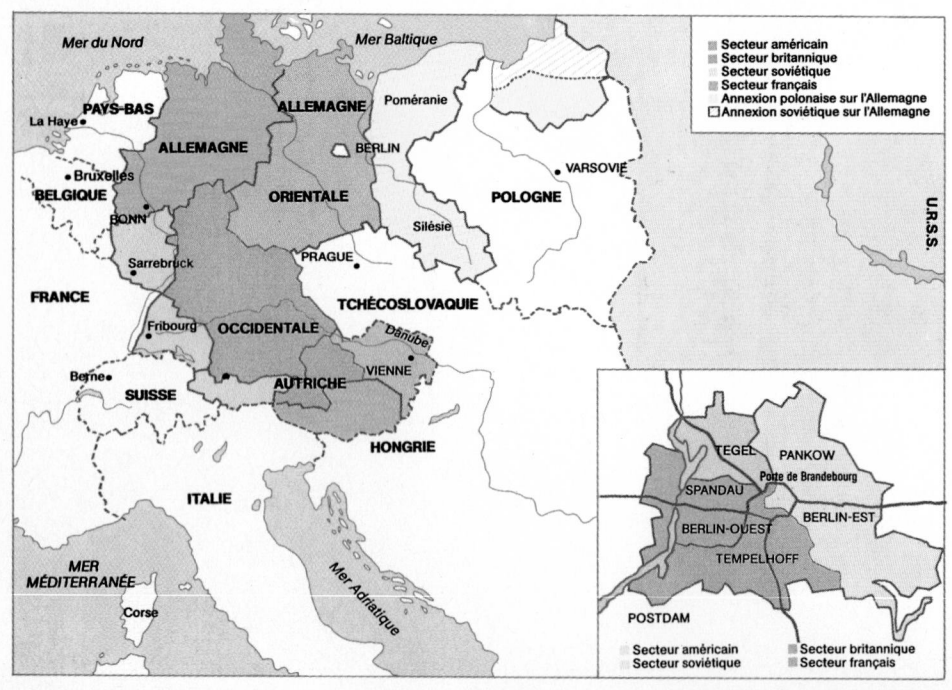

Afrique : exploration et conflits

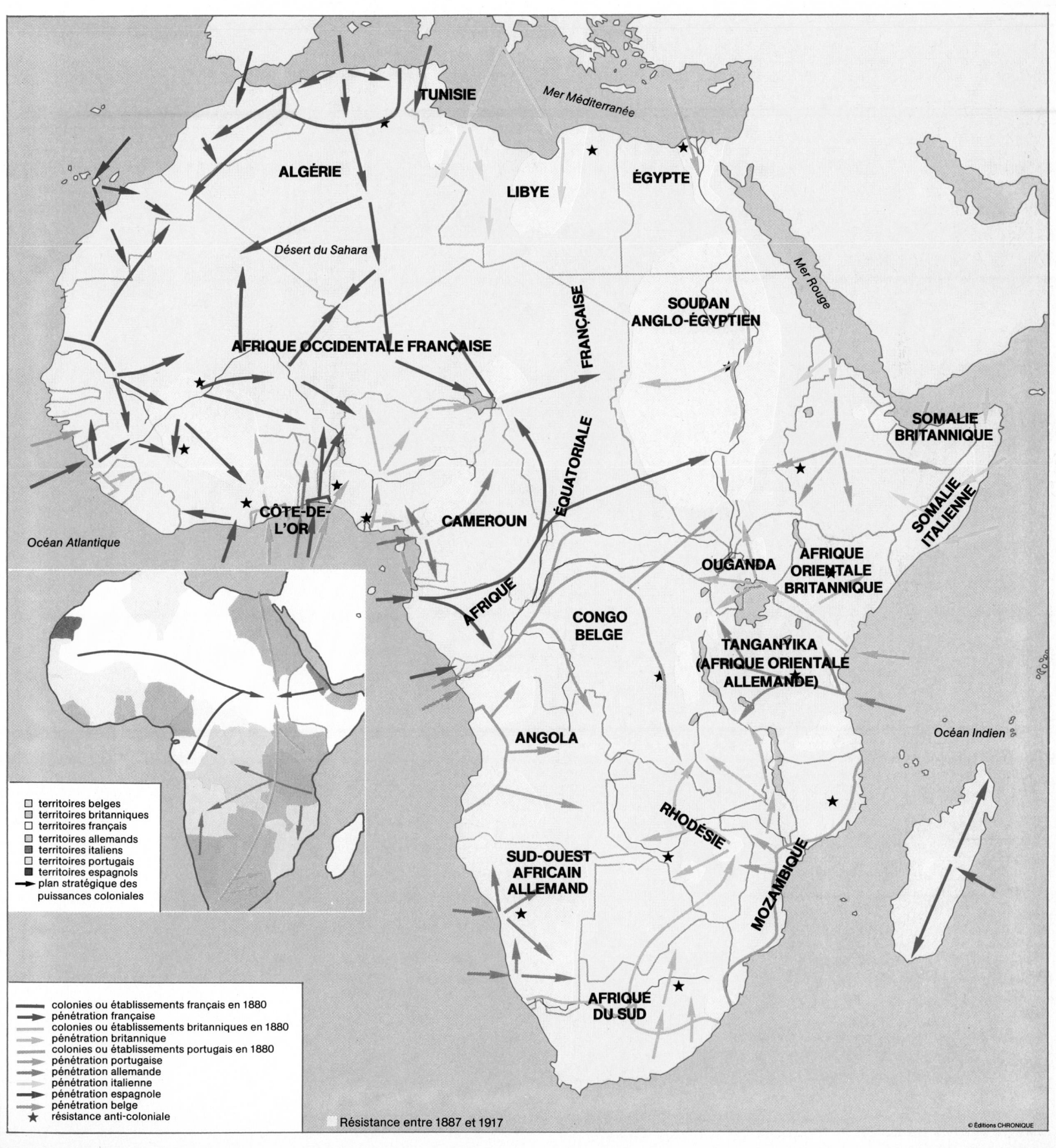

TUNISIE

Mer Méditerranée

ALGÉRIE

LIBYE

ÉGYPTE

Désert du Sahara

Mer Rouge

SOUDAN
ANGLO-ÉGYPTIEN

AFRIQUE OCCIDENTALE FRANÇAISE

AFRIQUE ... FRANÇAISE

SOMALIE
BRITANNIQUE

ÉQUATORIALE

CÔTE-DE-L'OR

CAMEROUN

SOMALIE
ITALIENNE

Océan Atlantique

AFRIQUE

OUGANDA

AFRIQUE
ORIENTALE
BRITANNIQUE

CONGO
BELGE

TANGANYIKA
(AFRIQUE ORIENTALE
ALLEMANDE)

Océan Indien

ANGOLA

RHODÉSIE

MOZAMBIQUE

SUD-OUEST
AFRICAIN
ALLEMAND

AFRIQUE
DU SUD

☐ territoires belges
☐ territoires britanniques
☐ territoires français
☐ territoires allemands
■ territoires italiens
☐ territoires portugais
■ territoires espagnols
→ plan stratégique des
  puissances coloniales

— colonies ou établissements français en 1880
→ pénétration française
— colonies ou établissements britanniques en 1880
→ pénétration britannique
— colonies ou établissements portugais en 1880
→ pénétration portugaise
→ pénétration allemande
→ pénétration italienne
→ pénétration espagnole
→ pénétration belge
★ résistance anti-coloniale

☐ Résistance entre 1887 et 1917

© Éditions CHRONIQUE

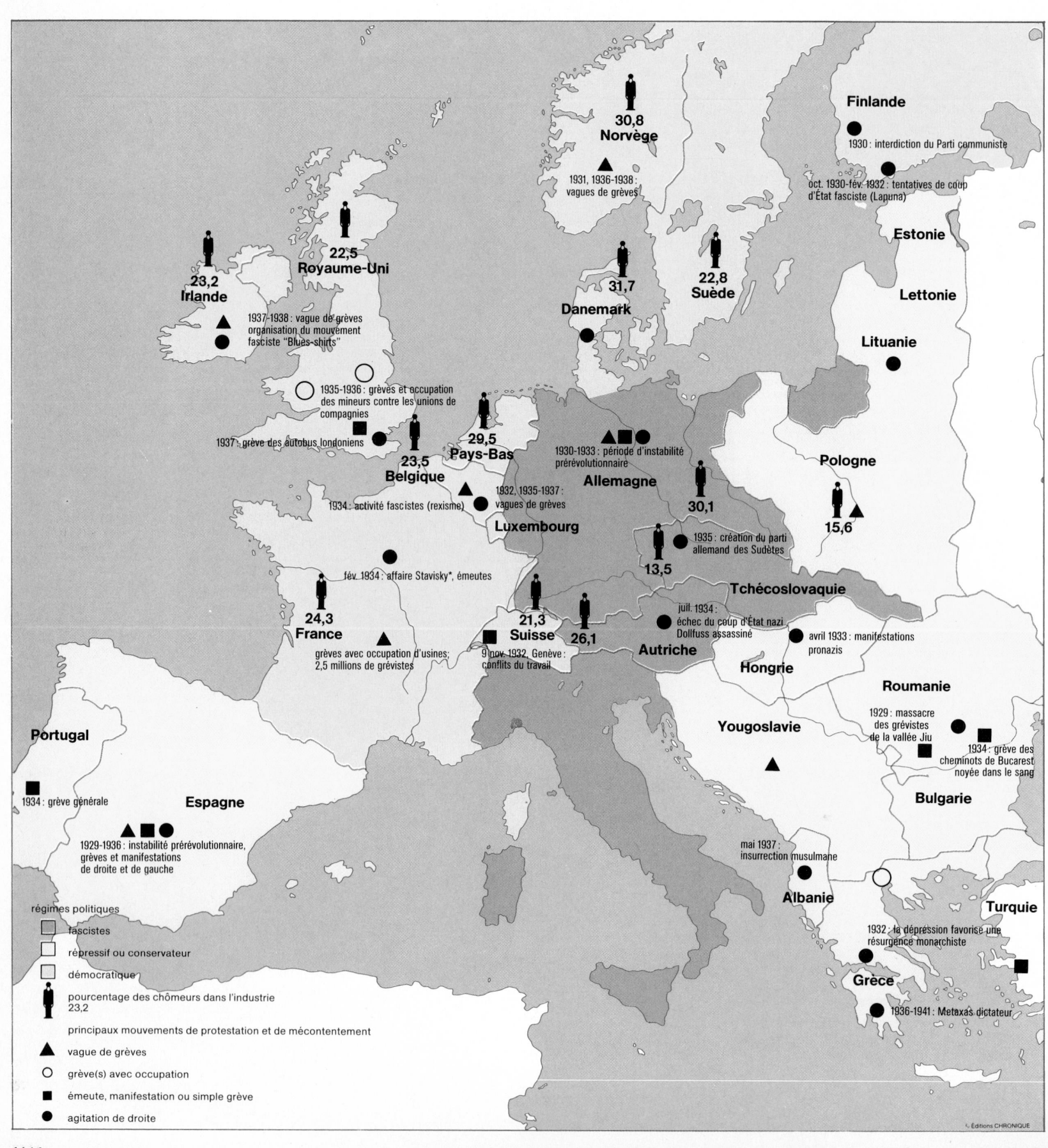

30,8
Norvège

Finlande
1930 : interdiction du Parti communiste

oct. 1930-fév. 1932 : tentatives de coup d'État fasciste (Lapuna)

Estonie

1931, 1936-1938 : vagues de grèves

Lettonie

22,5
Royaume-Uni

23,2
Irlande

31,7
Danemark

22,8
Suède

Lituanie

1937-1938 : vague de grèves organisation du mouvement fasciste "Blues-shirts"

1935-1936 : grèves et occupation des mineurs contre les unions de compagnies

1937 : grève des autobus londoniens

29,5
Pays-Bas

23,5
Belgique

1934 : activité fascistes (rexisme)

1932, 1935-1937 : vagues de grèves

Allemagne

1930-1933 : période d'instabilité prérévolutionnaire

Pologne

30,1

Luxembourg

1935 : création du parti allemand des Sudètes

15,6

13,5

Tchécoslovaquie

24,3
France

fév. 1934 : affaire Stavisky*, émeutes

grèves avec occupation d'usines; 2,5 millions de grévistes

21,3
Suisse

9 nov. 1932, Genève : conflits du travail

26,1

Autriche

juil. 1934 : échec du coup d'État nazi Dollfuss assassiné

avril 1933 : manifestations pronazis

Hongrie

Roumanie

1929 : massacre des grévistes de la vallée Jiu

1934 : grève des cheminots de Bucarest noyée dans le sang

Portugal

Yougoslavie

Bulgarie

1934 : grève générale

Espagne

1929-1936 : instabilité prérévolutionnaire, grèves et manifestations de droite et de gauche

mai 1937 : insurrection musulmane

Albanie

Turquie

1932 : la dépression favorise une résurgence monarchiste

Grèce

1936-1941 : Metaxas dictateur

régimes politiques

☐ fascistes

☐ répressif ou conservateur

☐ démocratique

pourcentage des chômeurs dans l'industrie
23,2

principaux mouvements de protestation et de mécontentement

▲ vague de grèves

○ grève(s) avec occupation

■ émeute, manifestation ou simple grève

● agitation de droite

Éditions CHRONIQUE

Evolution d'Israël et de la Palestine

Le Moyen-Orient en 1920

Le Moyen-Orient en 1985

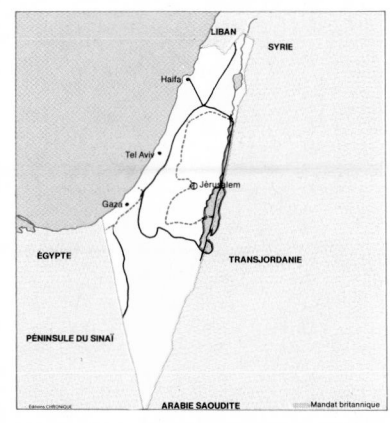

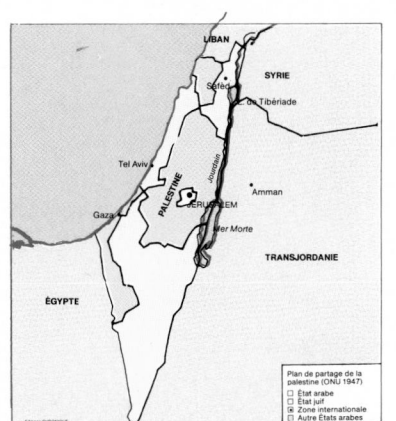

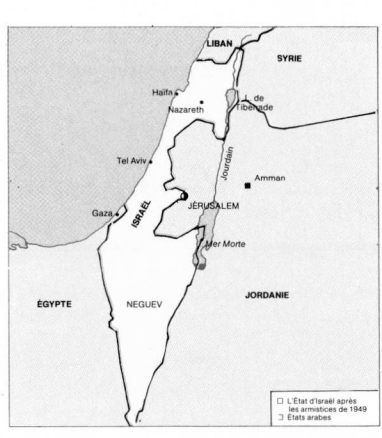

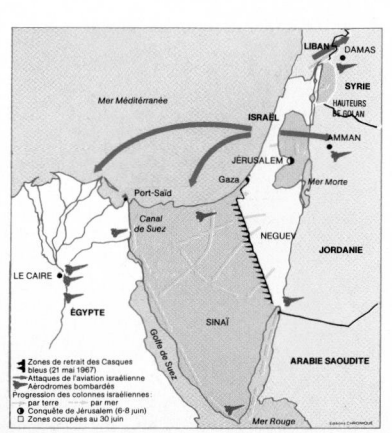

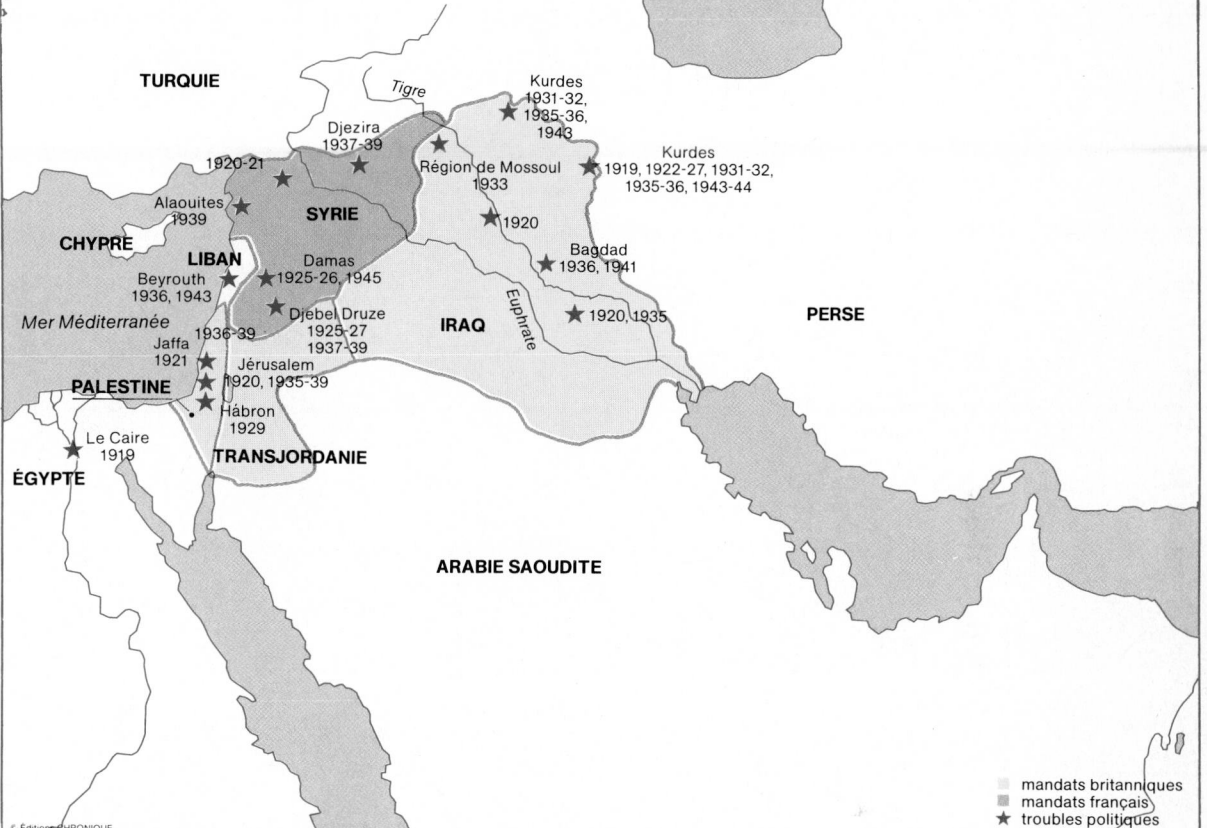

Le Moyen-Orient en 1920

TURQUIE

Tigre

Kurdes
1931-32,
1985-36,
1943

Djezira
1937-39

1920-21

Région de Mossoul
1933

Kurdes
1919, 1922-27, 1931-32,
1935-36, 1943-44

Alaouites
1939

SYRIE

1920

CHYPRE

LIBAN

Damas
1925-26, 1945

Bagdad
1936, 1941

Beyrouth
1936, 1943

PERSE

Mer Méditerranée

Djebel Druze
1925-27
1937-39

IRAQ

1920, 1935

Euphrate

Jaffa
1921

1936-39

Jérusalem
1920, 1935-39

PALESTINE

Hábron
1929

Le Caire
1919

TRANSJORDANIE

ÉGYPTE

ARABIE SAOUDITE

mandats britanniques
mandats français
★ troubles politiques

© Éditions CHRONIQUE

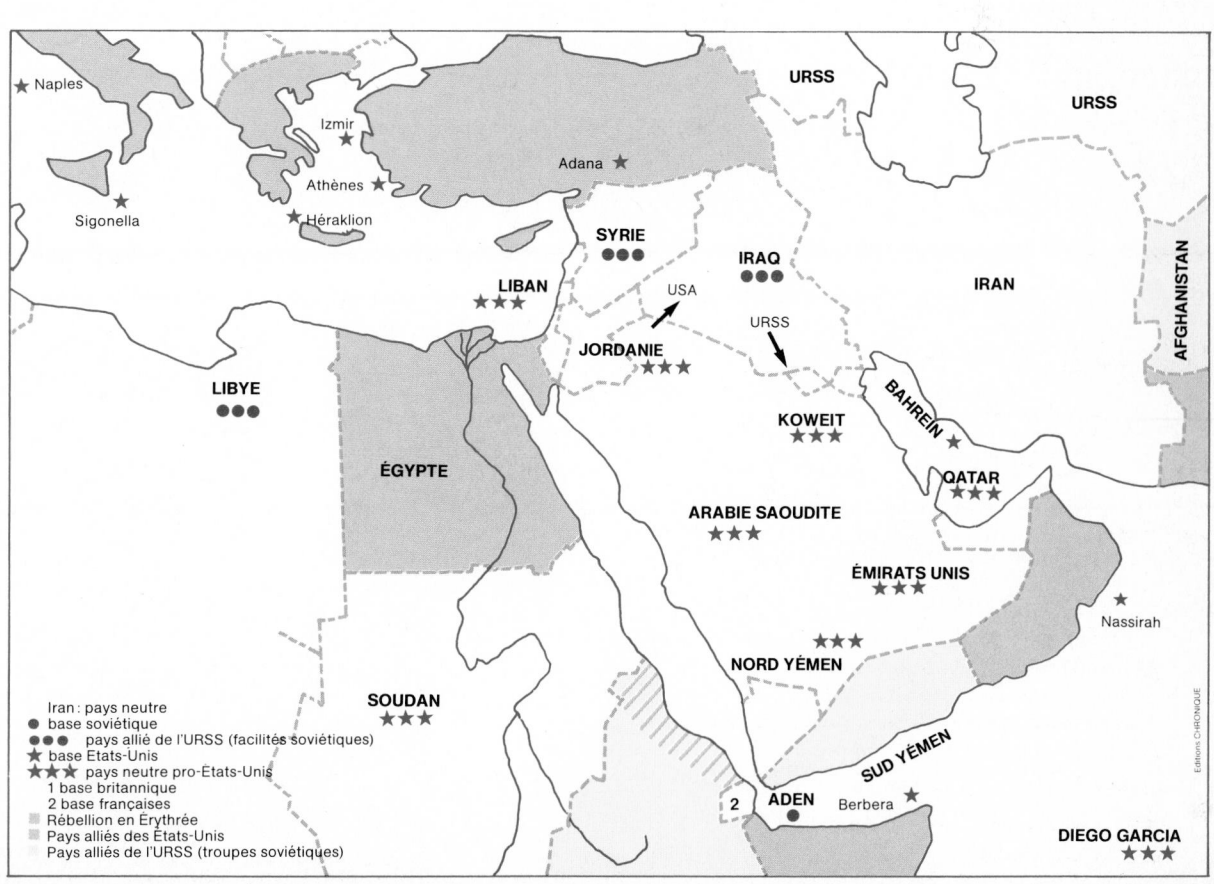

Le Moyen-Orient en 1985

Naples

URSS

URSS

Izmir

Adana

Athènes

SYRIE

IRAQ

Sigonella

Héraklion

LIBAN

USA

IRAN

AFGHANISTAN

JORDANIE

URSS

LIBYE

BAHREÏN

KOWEIT

ÉGYPTE

QATAR

ARABIE SAOUDITE

ÉMIRATS UNIS

Nassirah

NORD YÉMEN

SOUDAN

Iran : pays neutre
● base soviétique
●●● pays allié de l'URSS (facilités soviétiques)
★ base Etats-Unis
★★★ pays neutre pro-Etats-Unis
1 base britannique
2 base françaises
Rébellion en Érythrée
Pays alliés des États-Unis
Pays alliés de l'URSS (troupes soviétiques)

2 ADEN

Berbera

SUD YÉMEN

DIEGO GARCIA

Éditions CHRONIQUE

1147

Les constructions européennes

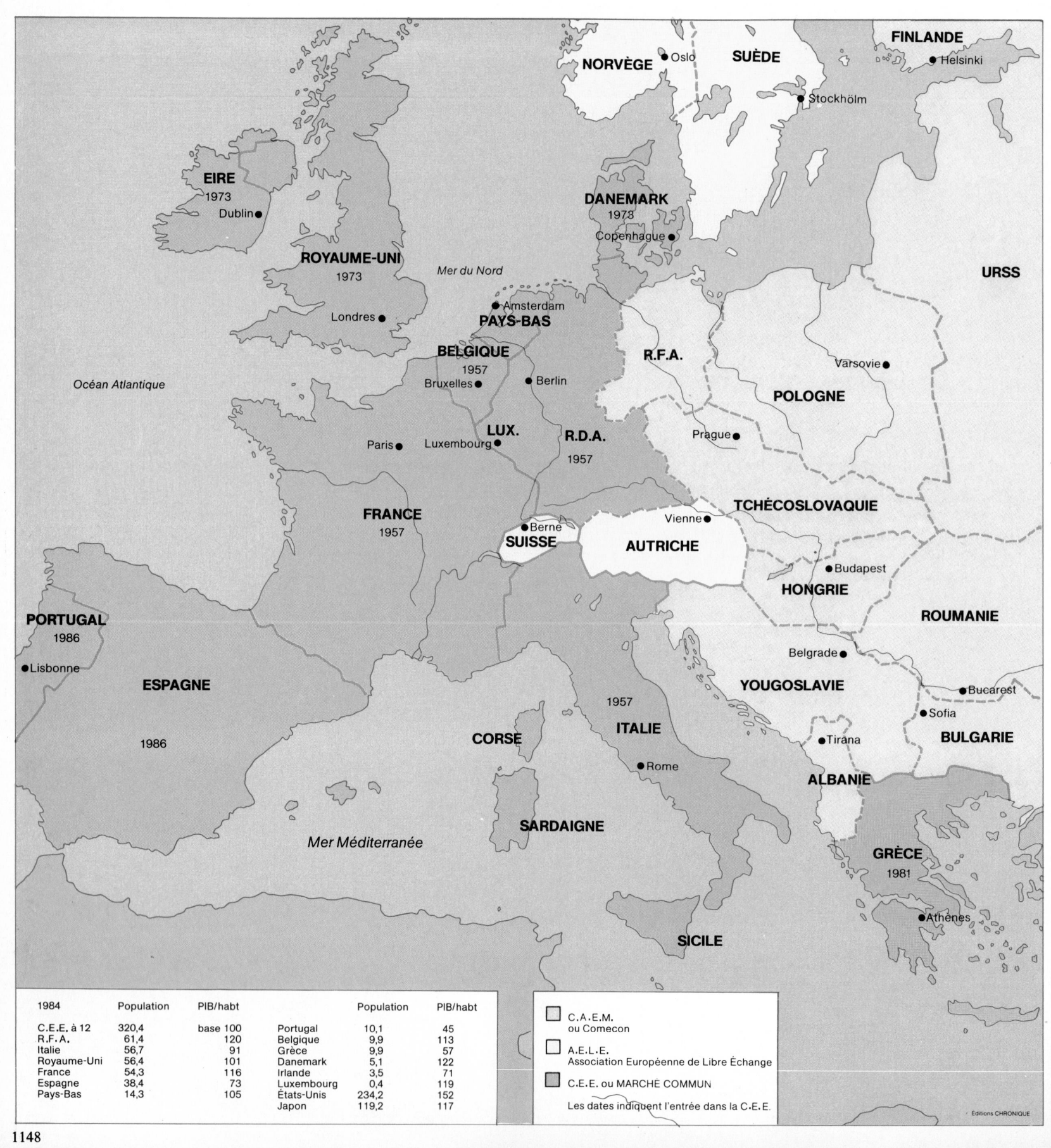

1984	Population	PIB/habt		Population	PIB/habt
C.E.E. à 12	320,4	base 100	Portugal	10,1	45
R.F.A.	61,4	120	Belgique	9,9	113
Italie	56,7	91	Grèce	9,9	57
Royaume-Uni	56,4	101	Danemark	5,1	122
France	54,3	116	Irlande	3,5	71
Espagne	38,4	73	Luxembourg	0,4	119
Pays-Bas	14,3	105	États-Unis	234,2	152
			Japon	119,2	117

C.A.E.M.
ou Comecon

A.E.L.E.
Association Européenne de Libre Échange

C.E.E. ou MARCHÉ COMMUN

Les dates indiquent l'entrée dans la C.E.E.

Éditions CHRONIQUE

Les Etats-Unis : formation des états

Le problème noir aux Etats-Unis

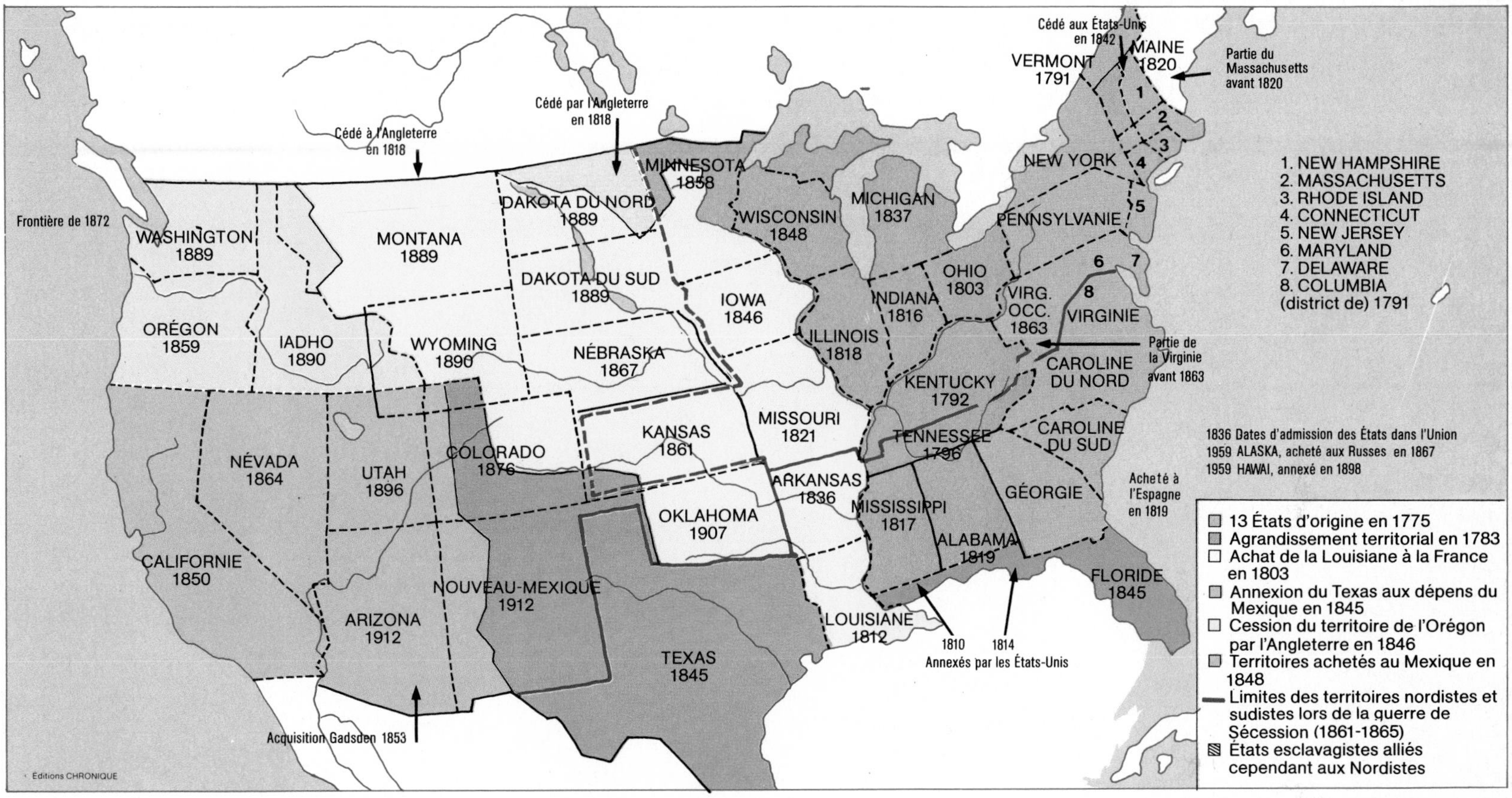

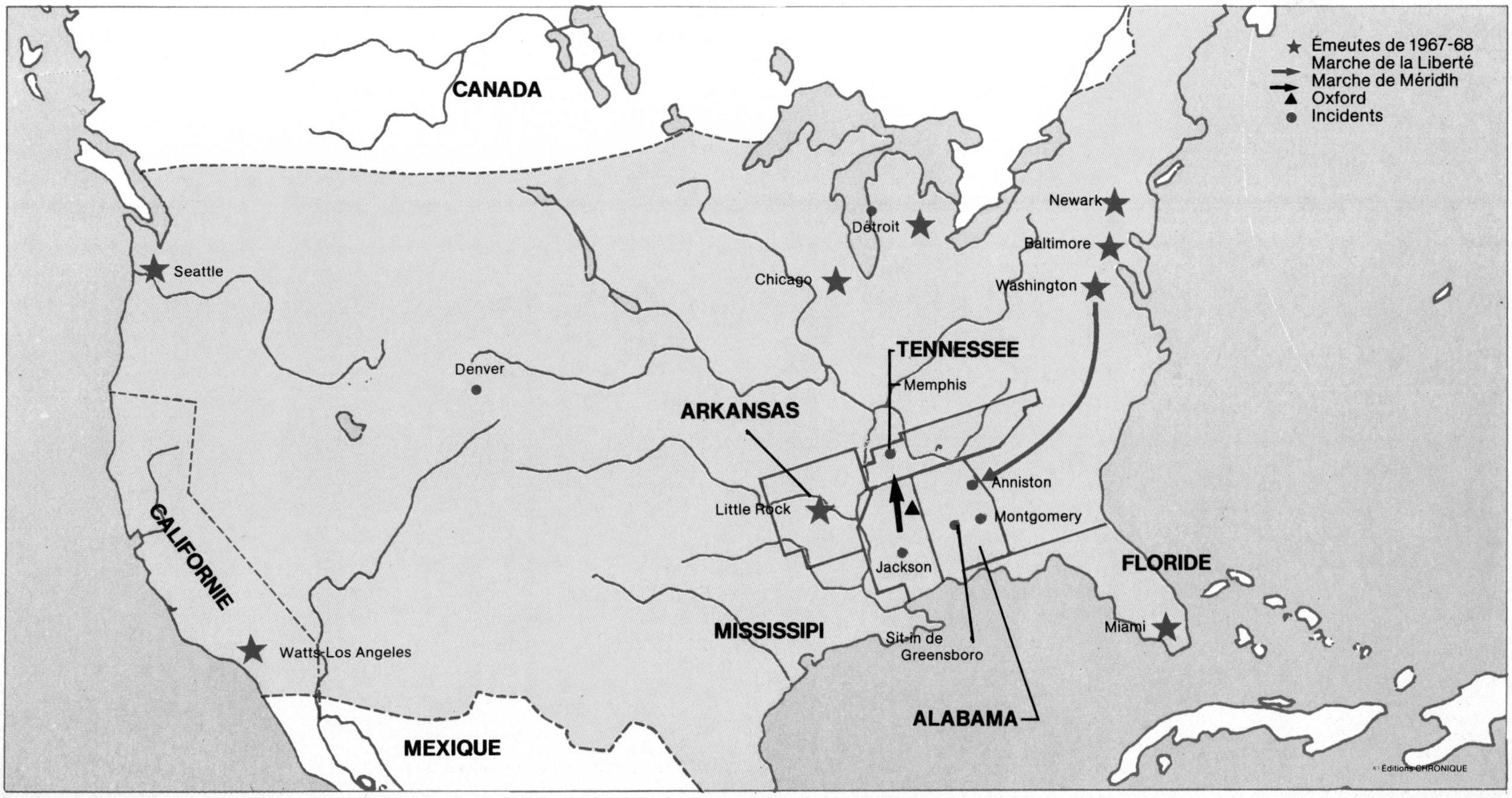

Cédé aux États-Unis en 1842

VERMONT 1791
MAINE 1820
Partie du Massachusetts avant 1820

Cédé à l'Angleterre en 1818

Cédé par l'Angleterre en 1818

MINNESOTA 1858

NEW YORK

1. NEW HAMPSHIRE
2. MASSACHUSETTS
3. RHODE ISLAND
4. CONNECTICUT
5. NEW JERSEY
6. MARYLAND
7. DELAWARE
8. COLUMBIA (district de) 1791

Frontière de 1872

WASHINGTON 1889

MONTANA 1889

DAKOTA DU NORD 1889

WISCONSIN 1848

MICHIGAN 1837

PENNSYLVANIE

ORÉGON 1859

IADHO 1890

DAKOTA DU SUD 1889

WYOMING 1890

IOWA 1846

INDIANA 1816

OHIO 1803

VIRG. OCC. 1863

VIRGINIE

NÉBRASKA 1867

ILLINOIS 1818

CAROLINE DU NORD

Partie de la Virginie avant 1863

NÉVADA 1864

UTAH 1896

COLORADO 1876

KANSAS 1861

MISSOURI 1821

KENTUCKY 1792

TENNESSEE 1796

CAROLINE DU SUD

CALIFORNIE 1850

ARKANSAS 1836

GÉORGIE

Acheté à l'Espagne en 1819

OKLAHOMA 1907

MISSISSIPPI 1817

ALABAMA 1819

1836 Dates d'admission des États dans l'Union
1959 ALASKA, acheté aux Russes en 1867
1959 HAWAI, annexé en 1898

NOUVEAU-MEXIQUE 1912

FLORIDE 1845

ARIZONA 1912

LOUISIANE 1812

TEXAS 1845

1810 1814
Annexés par les États-Unis

- 13 États d'origine en 1775
- Agrandissement territorial en 1783
- Achat de la Louisiane à la France en 1803
- Annexion du Texas aux dépens du Mexique en 1845
- Cession du territoire de l'Orégon par l'Angleterre en 1846
- Territoires achetés au Mexique en 1848
- Limites des territoires nordistes et sudistes lors de la guerre de Sécession (1861-1865)
- États esclavagistes alliés cependant aux Nordistes

Acquisition Gadsden 1853

Éditions CHRONIQUE

★ Émeutes de 1967-68
→ Marche de la Liberté
▲ Marche de Méridih Oxford
● Incidents

CANADA

Seattle

Détroit ★ Newark ★

Baltimore ★

Chicago ★

Washington ★

Denver

TENNESSEE

Memphis

ARKANSAS

Little Rock ★

Anniston

Montgomery

CALIFORNIE

Jackson

FLORIDE

Miami ★

MISSISSIPI

Sit-in de Greensboro

Watts-Los Angeles ★

ALABAMA

MEXIQUE

Éditions CHRONIQUE

L'extension du bloc communiste

Les goulags

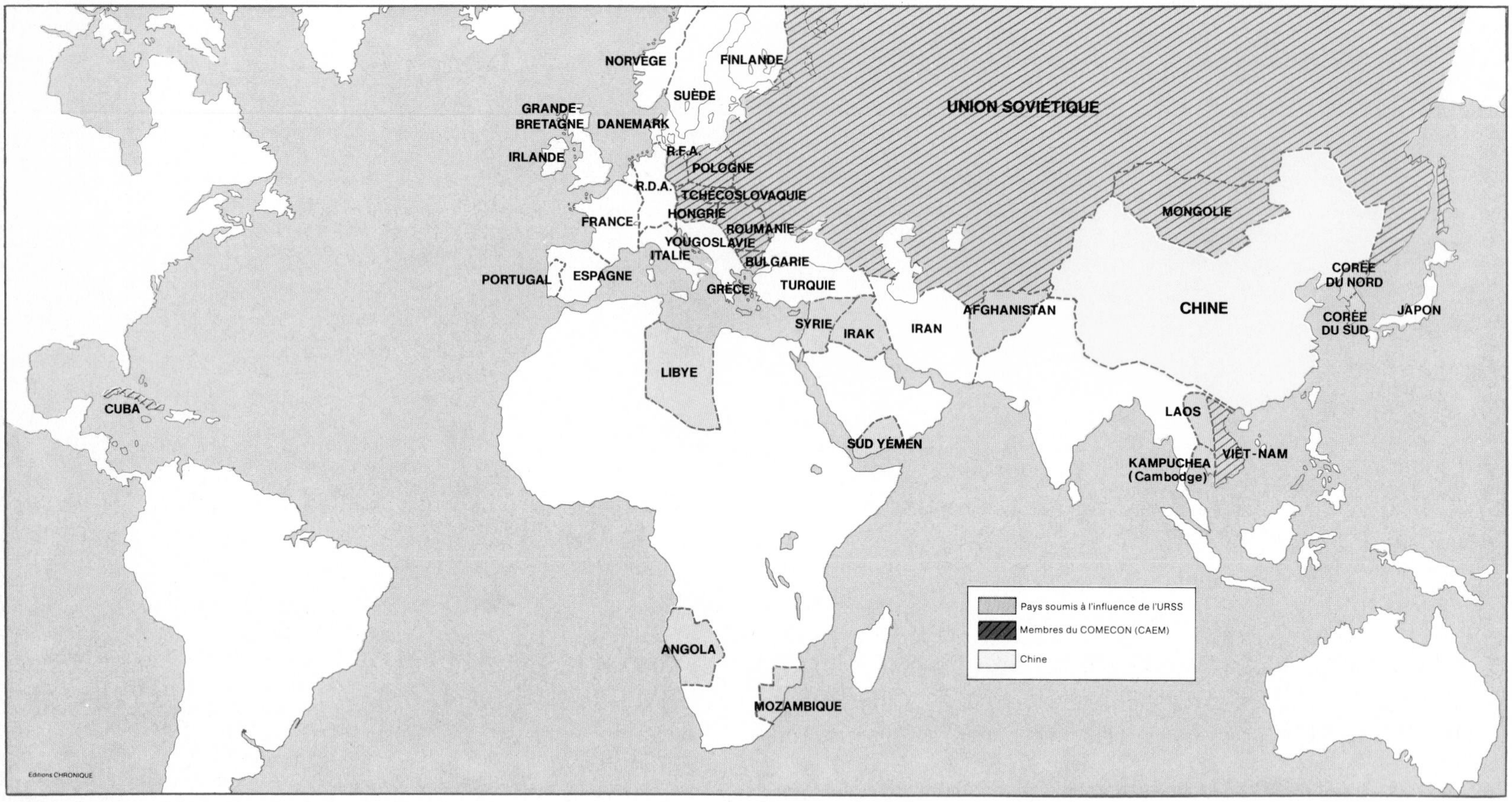

Carte 1 — L'extension du bloc communiste

NORVÈGE · FINLANDE · SUÈDE · GRANDE-BRETAGNE · DANEMARK · IRLANDE · R.F.A. · POLOGNE · R.D.A. · TCHÉCOSLOVAQUIE · HONGRIE · FRANCE · ROUMANIE · YOUGOSLAVIE · ITALIE · BULGARIE · PORTUGAL · ESPAGNE · GRÈCE · TURQUIE · SYRIE · IRAK · IRAN · LIBYE · AFGHANISTAN · CUBA · SUD YÉMEN · ANGOLA · MOZAMBIQUE · UNION SOVIÉTIQUE · MONGOLIE · CHINE · CORÉE DU NORD · CORÉE DU SUD · JAPON · LAOS · VIÊT-NAM · KAMPUCHEA (Cambodge)

Pays soumis à l'influence de l'URSS
Membres du COMECON (CAEM)
Chine

Éditions CHRONIQUE

Carte 2 — Les goulags

SUÈDE · FINLANDE · POLOGNE · BOUKHOVO · IVANOVOCH · SARNY · KATYN · LENINGRAD · SMOLENSK · SAFONOVO · KARGOPOL · ARKHANGELSK · KOZHYM · VOLOGDA · OUST VYM · Kiev · ORCHA · OMITROV · NARIAN MAR · Moscou · KOTLAS · KOURSK · KOKHMA · PETCHORA · SYKTYVKAR · SALEKHARD · NORILSK · KHATANGA · KOLYMA · INDIGUIRKA · NIJNI ATOURIAKH · KRASNODON · KHARKOV · RIAZAN · IVDEL-LAG · DOUDINKA · STAROBELSK · TCHOUVACHKAIA · IGARKA · OUST-NERA · MAGADAN · ROSTOV · OIMIAKON · Stalingrad · BLAGOVECHTCHENSK · SVERDLOVSK · IAKOUTSK · SIBÉRIE · PETROVSKOE · TCHELIABINSK · TABAGA · LTCHIK · TBILISSI · KARABASH · OMSK · KEMEROVO · SALIANS · TOMSK · KRASNOYARSK · UBOVKA · NOVOSIBIRSK · TASSEIEVO · BAKOU · EKIBASTOUZ · PAVLODAR · KANSK · KOMSOMOLSK · SPASSK · KARAGANDA · BARNAUL · DJEZKAZGAN · KINGIR · IRKOUTSK · MAEVKA · SVOBODNY · KHABAROVSK · OUST'KAMENOGORSK · NOVOTCHOUNKA · Oulan Oude · Turkmenistan · Ouzbekistan · DJAMBOUL · FROUNZE · IRAN · BEKABAD · CHINE · MONGOLIE · CHINE · TACHKENT · AFGHANISTAN

La décolonisation en Afrique

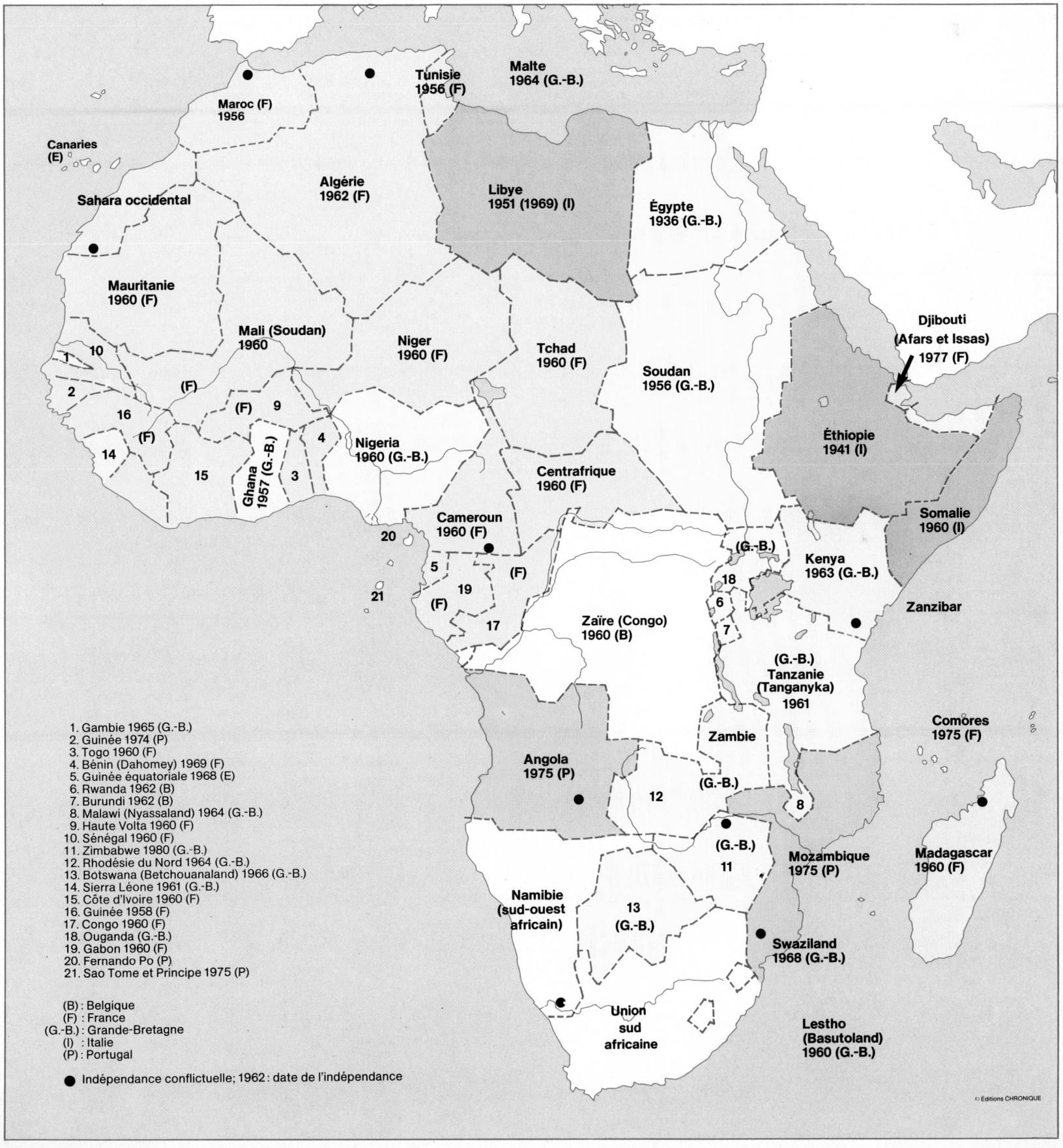

Maroc (F) 1956

Tunisie 1956 (F)

Malte 1964 (G.-B.)

Canaries (E)

Algérie 1962 (F)

Libye 1951 (1969) (I)

Égypte 1936 (G.-B.)

Sahara occidental

Mauritanie 1960 (F)

Mali (Soudan) 1960

Niger 1960 (F)

Tchad 1960 (F)

Soudan 1956 (G.-B.)

Djibouti (Afars et Issas) 1977 (F)

Éthiopie 1941 (I)

Nigeria 1960 (G.-B.)

Centrafrique 1960 (F)

Ghana 1957 (G.-B.)

Cameroun 1960 (F)

Somalie 1960 (I)

Kenya 1963 (G.-B.)

Zanzibar

Zaïre (Congo) 1960 (B)

Tanzanie (Tanganyka) 1961

(G.-B.)

Comôres 1975 (F)

Angola 1975 (P)

Zambie

(G.-B.)

Mozambique 1975 (P)

Madagascar 1960 (F)

Namibie (sud-ouest africain)

(G.-B.)

Swaziland 1968 (G.-B.)

Union sud africaine

Lestho (Basutoland) 1960 (G.-B.)

1. Gambie 1965 (G.-B.)
2. Guinée 1974 (P)
3. Togo 1960 (F)
4. Bénin (Dahomey) 1969 (F)
5. Guinée équatoriale 1968 (E)
6. Rwanda 1962 (B)
7. Burundi 1962 (B)
8. Malawi (Nyassaland) 1964 (G.-B.)
9. Haute Volta 1960 (F)
10. Sénégal 1960 (F)
11. Zimbabwe 1980 (G.-B.)
12. Rhodésie du Nord 1964 (G.-B.)
13. Botswana (Betchouanaland) 1966 (G.-B.)
14. Sierra Léone 1961 (G.-B.)
15. Côte d'Ivoire 1960 (F)
16. Guinée 1958 (F)
17. Congo 1960 (F)
18. Ouganda (G.-B.)
19. Gabon 1960 (F)
20. Fernando Po (P)
21. Sao Tome et Principe 1975 (P)

(B) : Belgique
(F) : France
(G.-B.) : Grande-Bretagne
(I) : Italie
(P) : Portugal

● Indépendance conflictuelle; 1962 : date de l'indépendance

© Éditions CHRONIQUE

1151

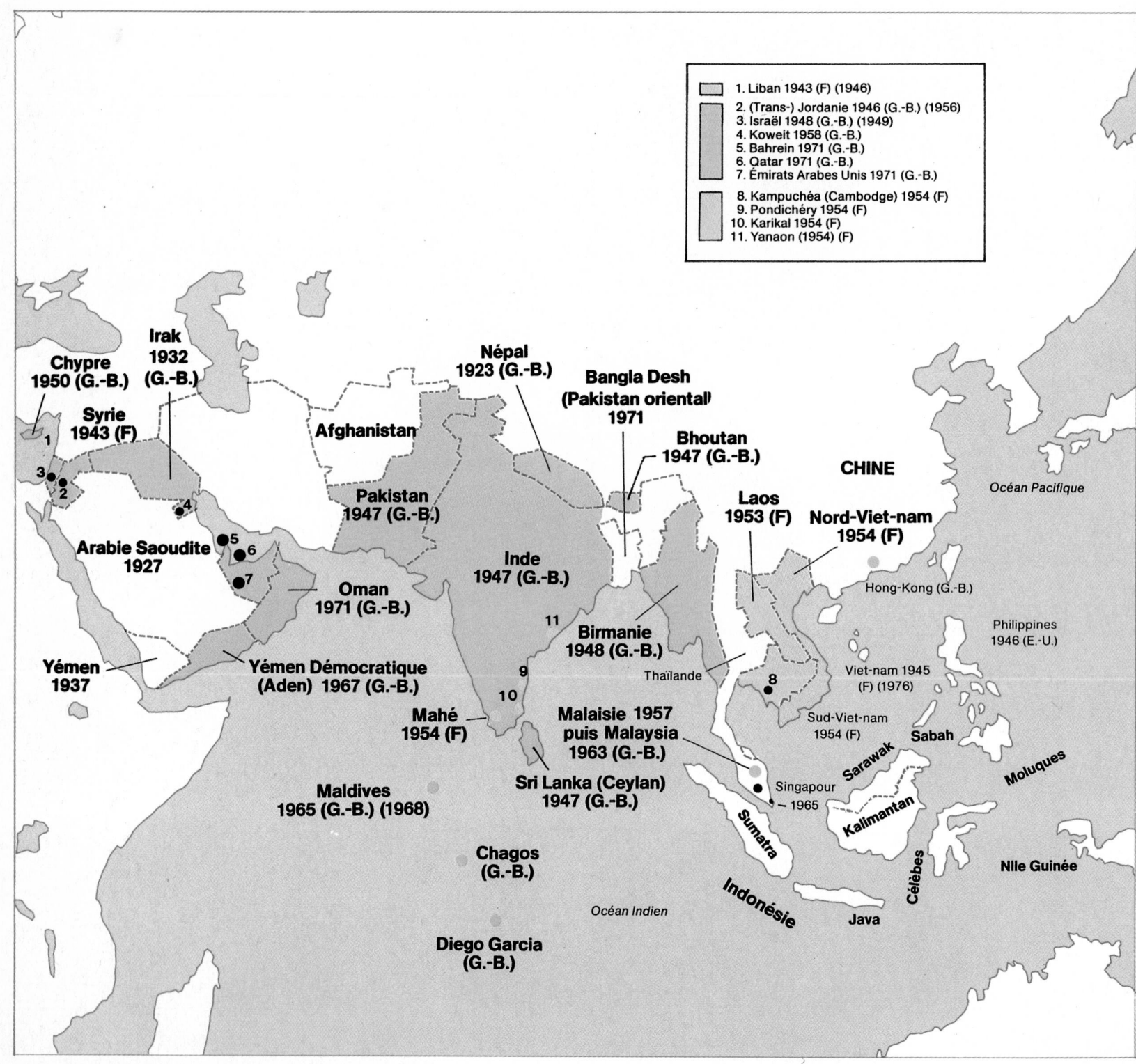

La décolonisation en Asie

1. Liban 1943 (F) (1946)
2. (Trans-) Jordanie 1946 (G.-B.) (1956)
3. Israël 1948 (G.-B.) (1949)
4. Koweit 1958 (G.-B.)
5. Bahrein 1971 (G.-B.)
6. Qatar 1971 (G.-B.)
7. Émirats Arabes Unis 1971 (G.-B.)
8. Kampuchéa (Cambodge) 1954 (F)
9. Pondichéry 1954 (F)
10. Karikal 1954 (F)
11. Yanaon (1954) (F)

Chypre 1950 (G.-B.)

Irak 1932 (G.-B.)

Syrie 1943 (F)

Népal 1923 (G.-B.)

Bangla Desh (Pakistan oriental) 1971

Bhoutan 1947 (G.-B.)

CHINE

Océan Pacifique

Afghanistan

Pakistan 1947 (G.-B.)

Laos 1953 (F)

Nord-Viet-nam 1954 (F)

Arabie Saoudite 1927

Inde 1947 (G.-B.)

Hong-Kong (G.-B.)

Oman 1971 (G.-B.)

Birmanie 1948 (G.-B.)

Philippines 1946 (E.-U.)

Viet-nam 1945 (F) (1976)

Yémen 1937

Yémen Démocratique (Aden) 1967 (G.-B.)

Thaïlande

Sud-Viet-nam 1954 (F)

Sabah

Mahé 1954 (F)

Malaisie 1957 puis Malaysia 1963 (G.-B.)

Sarawak

Moluques

Maldives 1965 (G.-B.) (1968)

Sri Lanka (Ceylan) 1947 (G.-B.)

Singapour 1965

Kalimantan

Célèbes

Nlle Guinée

Chagos (G.-B.)

Sumatra

Indonésie

Océan Indien

Java

Diego Garcia (G.-B.)

Les Etats de la Terre

« Les Etats de la Terre » présente un panorama historique de l'ensemble des Etats indépendants du globe, de leurs origines à nos jours. La nécessité de présenter l'ensemble des événements fondamentaux de l'histoire de chaque pays nous a fait renoncer à en évoquer les aspects économiques et culturels. Le « panorama historique » permet notamment de situer rapidement dans un contexte national et international les principaux événements développés dans la première partie de l'ouvrage.
Les articles sont présentés par ordre alphabétique, ils suivent un déroulement chronologique et mentionnent les peuples et les cultures qui, au delà des frontières actuelles, ont marqué de leur influence tout ou partie des Etats contemporains.
L'orthographe des noms propres et des noms de lieux est conforme à l'usage et respecte le plus souvent celle employée dans les pays intéressés. Pour la transcription des noms chinois a été utilisé le système chinois ou pin-yin, en voie de généralisation : l'orthographe traditionnelle de certains noms propres ou géographiques est toutefois mentionnée.

Les données générales présentent pour chaque pays en tête d'article : un schéma de situation géographique ; le drapeau national ; la ou les lettres utilisées pour marquer la nationalité des véhicules automobiles (par exemple : CH pour la Suisse) ; la superficie ; les chiffres de la population totale et de la capitale (1985) ; les organisations internationales dont chaque Etat est membre ; la ou les langues officielles, les principales religions pratiquées. .
Ces données générales s'achèvent par la date d'accession de l'Etat considéré à l'indépendance ou par la date d'entrée en vigueur de la Constitution qui lui donne son régime politique actuel. Les « homelands » formés par (→) l'Afrique du Sud en 1971 (Bophuthatswana, Ciskei, Transkei et Venda) n'ont pas été décrits en tant que nations souveraines, n'étant pas reconnus par la communauté internationale.
L'histoire contemporaine de chaque Etat du globe fait de même l'objet d'un article de synthèse dans les « suppléments annuels » des « Chroniques ».

Afghanistan

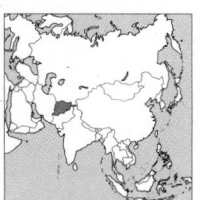

AFG
Asie centrale
647 497 km²
17,1 M hab.
ONU

Capitale : Kaboul (1 million hab.)
Langues officielles : pachto, dari (persan)
Religions : musulmans sunnites (99 %)
Régime polit. : rép. populaire, depuis le putsch du 27 avril 1978

L'Afghanistan, au nord-ouest du subcontinent indien fut tout au long de son histoire un territoire disputé. Occupé au milieu du IIe millénaire av. J.-C. par des tribus iraniennes, il fut conquis au VIe siècle av. J.-C. par Cyrus II le Grand, roi de Perse. Alexandre le Grand l'occupa lors de sa campagne asiatique entre 329 et 327 av. J.-C. A sa mort, le pays connut des souverains d'origines diverses et fut soumis aux invasions de plusieurs peuples asiatiques. Les Arabes islamisèrent le pays au VIIe siècle av. J.-C. ; une dynastie locale ne réussit à s'imposer qu'en 962 avec la dynastie des Rhaznévides. Le Mongol Timur Lang (Tamerlan) soumit et ravagea l'Afghanistan en 1381. Aux XVIe et XVIIe siècles, le nord du pays était sous la domination des souverains turcs de la dynastie des Grands Moghols, le sud sous celle de la Perse des Séfévides ; l'est du pays, en guerre, était revendiqué par plusieurs puissances. Une nouvelle période d'indépendance commença en 1747, avec la fondation de la dynastie Durrani par l'émir Ahmad Khan. La capitale afghane, Kabul, était occupée par les Britanniques en 1839 : c'était le début du long combat des Afghans pour l'indépendance. Le traité de paix de 1879 avec la Grande-Bretagne garantit à l'Afghanistan son autonomie. En 1919 Aman Allah appela à la guerre sainte contre les Britanniques : l'armistice de Rawalpindi le 8 août 1919 et le traité de paix de Kabul du 22 novembre 1921 consacrèrent la victoire et l'indépendance afghanes. La politique de réformes d'Aman Allah, qui s'était proclamé roi en 1926, lui valut l'hostilité de l'opposition religieuse et conservatrice. Il fut renversé en 1929. Le pays s'ouvrit dès 1933 avec le règne de Zaher Chah à l'étranger (adhésion à la SDN en 1934). Le prince Mohammad Da'ud, premier ministre de 1953 à 1963 puis président mena une politique prudente de coopération avec l'URSS et proclama la république en juillet 1973, contraignant Zaher Chah à l'exil. Da'ud fut chassé du pouvoir le 27 avril 1978 par un putsch militaire. Le gouvernement du conseil révolutionnaire fut aussitôt reconnu par l'URSS : un pacte d'amitié de vingt ans fut conclu en août 1978 entre les deux pays. Le soulèvement populaire de septembre 1979, qui fit plusieurs dizaines de milliers de morts, s'acheva le 27 décembre 1979 par l'intervention des troupes soviétiques, au nom du traité de « protection » de 1978. Babrak Karmal est installé au pouvoir. Malgré les réactions hostiles du monde musulman, les résolutions de protestation de l'ONU et les mesures de boycott des Etats occidentaux (boycott des Jeux Olympiques de Moscou en 1980, embargo américain sur les céréales en 1980-1981), les Soviétiques n'ont toujours pas retiré leurs troupes, qui appuient les forces gouvernementales contre la guérilla menée par la résistance afghane.

Afrique du Sud

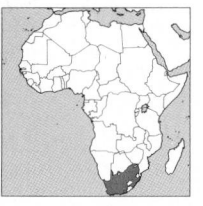
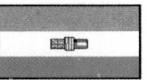

ZA
Afrique australe
1 124 584 km²
27,9 M hab.
ONU

Capitale : Pretoria (580 000 hab.)
Langues officielles : afrikaans, angl.
Religions : prot., cath., musulm., anim.
Régime polit. : rép. féd. parl. Indépendance proclamée le 31 mai 1961

Les premiers habitants du sud de l'Afrique furent les Bochimans puis les Namas (Hottentots) au XIIe siècle, peu à peu repoussés par les tribus bantoues dès le XVIe siècle. La pointe sud de l'Afrique, le cap de Bonne-Espérance, fut franchie en janvier 1488 par Bartolomeu Diaz, à la recherche de la route des Indes. Ni les Portugais ni les Anglais, qui ont planté l'Union Jack au sud de l'Afrique n'y établissent de colonie : le premier établissement fixe sera fondé au Cap en 1652 par le médecin néerlandais Jan Van Riebeeck pour le compte de la Compagnie des Indes. Les premiers colons néerlandais, des paysans – Boers –, pour la plupart, se trouvent en conflit avec les intérêts commerciaux de la Compagnie des Indes. L'arrivée de protestants français, chassés par la révocation de l'Edit de Nantes en 1685, accrut la lutte pour la conquête des terres. L'esclavage se développant, la première « guerre cafre » éclate en 1779 contre les Xhosas (Cafres). La disparition de la Compagnie des Indes en 1791 ouvre le pays aux Britanniques, qui s'imposent après le traité de 1814.

Le « Grand Trek », la guerre des Boers
Exaspérés par l'interdiction de l'esclavage par les Britanniques en 1833, les Boers abandonnent la colonie du Cap vers le Natal, dans une migration (trek) colorée de mysticisme et conduite par Piet Retief. La bataille de Bloedrivier met fin en 1838 à la lutte contre les Zoulous et leur ouvre le Natal. La province est conquise par les Anglais en 1843. Les Etats boers, ceinturant et protégeant la colonie du Cap, se voient progressivement accorder leur indépendance dès 1852 (Transvaal). « Parents pauvres » des Britanniques, les Boers se révoltent en 1880 à l'appel de Pretorius, Joubert et Kruger, après l'annexion du Transvaal (1873). Leur victoire à Majuba Hill (1881) contraint l'Angleterre à reconnaître l'indépendance des républiques boers. L'apparition d'aventuriers, les *uitlanders*, appâtés par la découverte de diamants en 1870 dans les montagnes Kree puis dans le Griqualand-Ouest (mine de Kimberley) en 1871, favorisait les intérêts économiques de la toute-puissance compagnie *Chartered* britannique, dirigée par Cecil Rhodes. La richesse grandissante du Transvaal et de l'Orange, où l'on a découvert des mines d'or (1885) et où fleurissent les villes nouvelles (Johannesburg, fondée en 1887), conduit Cecil Rhodes, devenu en 1890 Premier ministre de la colonie du Cap, à tenter un coup de force contre

Afrique du Sud

le Transvaal. L'échec du « raid de Jameson » l'incite à provoquer la guerre, qui éclate le 11 octobre 1899. L'opinion européenne est très largement favorable aux Boers. La guerre s'achève en 1902 par le traité de Vereeniging, qui supprime les Etats boers. La réunion des colonies sud-africaines (Le Cap, Natal, Orange et Transvaal) est réalisée en 1910 par le *South African Act* : Londres nomme un gouverneur général à Pretoria, un Premier ministre représente la majorité politique de l'Union, le premier sera l'Afrikaner Louis Botha (1910-1919).

De 1914 à l'indépendance
La guerre est déclarée à l'Allemagne en

août 1914 : l'Afrique du Sud-Ouest allemande est conquise en 1915. Les premières mesures discriminatoires à l'endroit des Noirs sont prises dès 1922, après la grève des ouvriers blancs des mines, qui réclament un salaire dix fois plus élevé que celui des ouvriers noirs. Le parti nationaliste développe ses thèses d'apartheid et les impose dès 1933 sous la pression du parti nationaliste du docteur Malan. La pression ségrégationniste s'accroît après la Deuxième Guerre mondiale : les Indiens du Natal sont privés du droit de vote (1948). Parallèlement, la politique d'annexion en Afrique australe se poursuit. La politique du docteur Malan, au pouvoir de 1948 à 1954, est accentuée

par ses successeurs à la tête du parti nationaliste et marquée par la répression du « mouvement de défi » lancé par le Congrès national africain de Albert John Luthulli dès 1952.

Indépendance et isolement
Le 31 mai 1961, la République d'Afrique du Sud devient indépendante et rompt ses liens politiques avec le Commonwealth. La condamnation du régime de Prétoria par l'Assemblée des Nations unies en 1962, par l'OUA en 1964 et les mesures de boycottage préconisées ne sont pas suivies d'effet : la puissance militaire de l'Afrique du Sud s'accroît parallèlement à l'intensification de l'apartheid (exclusion des métis

de l'Assemblée en 1968). Au pouvoir depuis 1966, le Premier ministre B.J. Vorster met en place la politique des bantoustans, visant à créer des Etats noirs « indépendants », conduit en fait à priver les Noirs des homelands des droits inhérents à leur nationalité. L'indépendance de l'Angola et du Mozambique en 1975 accroît l'engagement militaire de l'Afrique du Sud au nord-est. Les émeutes sanglantes de Soweto en juin 1976, ne constituent que l'un des épisodes de la longue série d'émeutes et de morts provoquées par la politique d'apartheid poursuivie, malgré des pressions internationales inefficaces, par Pieter Willem Botha depuis août 1978.

Albanie

AL
Europe du Sud-Est
28 748 km²
2,8 M hab.
ONU

Capitale : Tirana (200 000 hab.)
Langue officielle : albanais
Religions : interdites
Régime politique : rép. pop. social., proclamée le 11 janvier 1946

L'Albanie, colonisée par les Doriens et les Illyriens et sur la côte par les Grecs, fut intégrée à l'Empire romain. Conquise par les Bulgares en 861, elle était reprise en 1041 par l'Empire byzantin sous Basile II, devenant le despotat d'Epire. En 1252 l'intérieur du pays fut conquis par l'Empire de Nicée, alors que les villes côtières restèrent sous influence vénitienne et sicilienne. Le

prince serbe Etienne Dusan occupa de 1331 à 1355 une grande partie de l'Albanie ; mais son empire se désintégra à sa mort, laissant plusieurs principautés qui, sous la conduite de Georges Castriota, dit « Skandenberg », résistèrent entre 1443 et 1468 à l'Empire ottoman. Devenue province turque après la défaite de Skandenberg, l'Albanie islamisée disposa d'une certaine autonomie. Le pays se souleva sans succès avec Mehmet Bushati en 1760 puis sous son petit-fils Mustapha en 1831. Ali Pacha, qui s'était rendu indépendant à Janina était battu par les Turcs en 1822. Pour la première fois en 1878 se forma un mouvement nationaliste albanais, qui ne fut pourtant couronné de succès qu'en 1912 alors que l'Empire ottoman était affaibli par le déclenchement de la première guerre des Balkans. Ismaël Kemal Vlorë proclamait l'indépendance le 28 novembre 1912. Les grandes puissances européennes la reconnurent le 29 juillet

1913. Théâtre d'opérations pendant la Première Guerre mondiale, l'Albanie ne retrouva son indépendance qu'en 1921 après l'expulsion des Italiens et l'abandon de territoires à la Yougoslavie et à la Grèce. Premier ministre en 1922 et renversé par les démocrates, Ahmed Zog instaurait dès 1924 grâce à l'aide de la Yougoslavie une dictature de fer. Président en 1925, roi en 1928, Zog Ier devait fuir devant l'invasion fasciste, le 7 avril 1939. La fusion des troupes communistes du maquis était réalisée dès 1941 par Enver Hoxha. Entrées en Albanie en septembre 1943, les troupes allemandes étaient chassées par les partisans en 1944. La République populaire était proclamée par Enver Hoxha le 11 janvier 1946. La rupture entre Staline et Tito en juin 1948 entraîna la fin de l'alignement albanais sur la Yougoslavie . La politique de déstalinisation de Kroutchev, qui visitait l'Albanie, fidèle allié, en 1959, marqua la rupture avec l'URSS

en 1961. L'Albanie se rapproche de la Chine : la collectivisation du pays s'intensifie. En 1960, Hoxha décrétait « la mort de Dieu » : mosquées et églises servent d'entrepôts. L'Albanie se retire du pacte de Varsovie après l'invasion de la Tchécoslovaquie en août 1968. La rupture avec les régimes communistes, qualifiés de « révisionnistes », est totale. L'aide technique et militaire chinoise s'accroît jusqu'à la mort de Mao Zedong. Fidèle au stalinisme, Hoxha reproche à la Chine l'abandon du maoïsme et son rapprochement des USA : la rupture a lieu en juillet 1978, lors de l'entrée des troupes chinoises au Viêt-nam. Le « suicide » de Mehmet Shehu, Premier ministre depuis 1954, en décembre 1981 puis la mort de Enver Hoxha après le plus long règne (40 ans) d'un dirigeant communiste, le 14 avril 1985, portent Ramiz Alia de la tête du gouvernement à celle du parti et de l'Etat. L'Albanie semble depuis tenter une discrète ouverture vers ses voisins.

Algérie

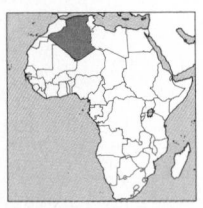

DZ
Afrique du Nord
2 381 741 km²
20,5 M hab.
ONU, LA, OUA, OPEP

Capitale : Alger (2,5 millions hab.)
Langue officielle : arabe
Religions : musulm.
Régime politique : rép. pop. dém. Indépendance proclamée le 3 juillet 1962

Des origines à 1830
Les Phéniciens établirent des bases portuaires dans le Maghreb central dès la fin du IIe millénaire av. J.-C. Les rivages de l'« Algérie » sont contrôlés par les Carthaginois après la fondation de Carthage par les Tyriens (814-813 av. J.-C.).

Après la destruction de Carthage (146 av. J.-C.), la défaite du roi numide Jugurtha (105 av. J.-C.), les Romains s'imposent en Numidie par la victoire de César à Thapsus (46 av. J.-C.). Le pays se romanise et connaît une grande prospérité, surtout agricole, jusqu'à l'invasion des Vandales (429), repoussés par les troupes byzantines de Bélisaire en 533. En 720, l'invasion arabe, commencée en 647, soumettait tout le Maghreb, malgré la résistance des Berbères. La reconnaissance à la fin du XIe siècle de la souveraineté abasside par la dynastie Hammadide de Bougie entraîne l'invasion bédouine des « hilalienne », provoquée en réaction par les Fatimides : les Berbères sont repoussés par les nomades arabes dans les montagnes. L'unité du Maghreb est temporairement réalisée à la fin du XIIe siècle par Abd al-Mu'min, premier calife de la dynastie des Almohades, qui

conquiert l'Ifriqiya et une partie des ports tenus par les Normands. L'Algérie acquiert une certaine unité avec l'arrivée en 1514 des corsaires turcs (Barbaresques), qui la placent sous protectorat du sultanat de Constantinople. Les pirates font dès lors la fortune des ports algériens, malgré les expéditions de Charles Quint puis de Louis XIV. En 1711, le remplacement du pacha d'Alger, nommé par le sultanat ottoman, par le dey donne une certaine autonomie à l'Algérie.

L'occupation française
Charles X et Polignac décident en 1830, pour faire diversion aux problèmes de politique intérieure, d'intervenir en Algérie, exploitant un contentieux financier privé remontant à 1798. Débarqués le 14 juin 1830, les 36 000 hommes du général de Bourmont prennent Alger le 5 juillet. La révolte de Abd el-Kader,

émir de Mascara, et du bey de Constantine en 1832 est suivie d'une reprise des hostilités en 1835, contraignant le général Bugeaud, après plusieurs revers, à reconnaître à Abd el-Kader, par le traité de la Tafna (1837), la souveraineté sur tout le pays à l'exception des ports. Abd el-Kader, qui a rassemblé une armée de 50 000 hommes, déclare la guerre à la France le 18 novembre 1839, qui décide la conquête de l'Algérie. Réfugié au Maroc, Abd el-Kader poursuit la lutte jusqu'en 1847, où il est contraint de se rendre. Le Second Empire poursuit la conquête et organise la colonisation, recourant au cantonnement des populations locales. Le voyage de Napoléon III en Algérie en septembre 1860 le convainc de renoncer à la colonisation. Le relais est pris par la colonisation capitaliste (Compagnie genevoise à Sétif). La révolte de la Kabylie, le 14 mars 1871, est écrasée, la conquête se poursuit, facilitée par l'accord franco-britannique de 1890. Les mouvements nationalistes, fondés entre les deux guerres par Ali Abd el-Kader et Messali Hadj, trouvent leur expression finale dans le *Manifeste du peuple algérien*, publié le 10 février 1943 par Ferhat 'Abbas, fondateur en 1938 de l'Union populaire algérienne (UPA). Après le débarquement allié, le 8 novembre 1942, l'Algérie devient la capitale politique de la France en guerre jusqu'à la libération de Paris. L'autonomie promise à la conférence de Brazzaville (1944) n'étant pas accordée, des insurrections éclatent en Kabylie et dans le Constantinois en mai 1945 : la répression est sévère. Un mouvement nationaliste révolutionnaire clandestin (CRUA), destiné à préparer l'insurrection est constitué par Aït Ahmed, Ben Bella et Khider en avril 1954. La révolte, partie des Aurès et des Nemencha éclate dans la nuit du 31 octobre au 1er novembre 1954. La France, méconnaissant l'ampleur de l'insurrection, est contrainte d'envoyer des renforts en Algérie (rappel des disponibles le 19 mai 1955), de décréter l'état d'urgence le 28 août. L'ordre n'est rétabli dans les villes début 1957 qu'avec l'appui de 400 000 hommes. Ebranlée par la crise d'Algérie, la France rappelle le général de Gaulle au pouvoir le 2 juin 1958. Sa proclamation du droit à l'autodétermination des Algériens du 16 septembre 1959 conduit, malgré la réaction hostile des Français d'Algérie (« semaine des barricades » de janvier 1960), à la rencontre officielle avec le FLN (Front de libération nationale, créé en 1955) de Melun, en juin 1960. L'annonce de négociations à Evian provoque la rébellion d'une partie de l'armée, dirigée par les généraux Challe, Jouhaud, Salan et Zeller (22 avril 1961). L'échec de la sédition conduit à la formation de l'OAS (Organisation armée secrète), qui s'engage dans l'engrenage du terrorisme. Les modalités de l'accord sur l'autodétermination survenu à Evian le 18 mars 1962 sont mises en place, malgré l'insurrection européenne de la fin mars.

L'Algérie indépendante

L'indépendance est officiellement acquise le 3 juillet 1962, après le référendum sur l'autodétermination. Les 900 000 Français d'Algérie sont contraints de quitter le pays. Après s'être imposé face à Ben Khedda, Ben Bella est désigné comme chef du gouvernement le 29 septembre 1962. L'Algérie est admise à l'ONU le 8 octobre. Le régime personnel de Ben Bella, qui doit faire face à de multiples oppositions, est renversé par les militaires le 19 juin 1965, qui instituent un Conseil de la révolution dirigé par le colonel Houari Boumediene. Ben Bella ne sera libéré de prison qu'en 1979. Une nouvelle constitution, adoptée par référendum le 19 novembre 1976, légitimise le pouvoir issu du coup d'Etat. Après la mort de Houari Boumediene, le 27 décembre 1978, le colonel Chadli Ben Djedid, candidat unique à l'élection présidentielle du 7 février 1979, devient chef de l'Etat, après avoir repris la direction du FLN. L'Algérie accorde son soutien depuis sa création à l'OLP : elle envoya en octobre 1973 un contingent participer à la guerre contre Israël et s'opposa à l'initiative de paix du président égyptien Sadate en 1977. Les efforts qu'elle déploie en faveur de la coopération maghrébine, concrétisés par l'accord de juin 1972 avec le Maroc sont compromis par l'appui total qu'elle offre au front Polisario, opposé au Maroc sur la question du Sahara occidental. La signature de l'accord du 9 avril 1985 avec la Mauritanie devrait permettre de résoudre la question saharaouie. Membre actif de l'organisation des pays non-alignés et de l'OPEP, l'Algérie doit faire face, malgré la nationalisation (1971) des productions d'hydrocarbures, à des difficultés économiques, dues à une démographie galopante et à l'insuffisance de la production agricole propre. Les grands projets de politique intérieure, scolarisation et arabisation, conduisent à la répression des mouvements berbères de Kabylie. L'assouplissement des relations de l'Algérie avec la France s'est traduit par une certaine ouverture économique réciproque.

Allemagne (RDA)

DDR
Europe centrale
108 179 km²
16,7 M hab.
ONU,
COMECON, PV

Capitale : Berlin-Est (1,18 M hab.)
Langue officielle : allemand
Religions : prot. (59 %), athées (32 %)
Régime polit. : rép. socialiste, proclamée le 7 octobre 1949

La République démocratique allemande (RDA) est issue de la division du Reich allemand après l'effondrement de l'Allemagne hitlérienne. La Chambre du Peuple provisoire de l'Allemagne, sous contrôle soviétique, décidait le 7 octobre 1949 de constituer cette zone en Etat indépendant, sa capitale était fixée à Berlin-Est. La zone soviétique avait été divisée après la conférence de Potsdam (2 août 1945) en onze régions, dans lesquelles était lancée, dès le mois de septembre, une vaste réforme agraire. Les soviétiques encourageaient dès avril 1946 la constitution du parti socialiste unitaire d'Allemagne (SED), rassemblant communistes et sociaux-démocrates. Le début de la « guerre froide » entraîna en juin 1948 le blocus des trois secteurs occidentaux de Berlin par les forces soviétiques, afin d'empêcher leur rattachement à l'Etat allemand en voie de création à l'ouest. Le pont aérien mis en place par les Alliés permit le ravitaillement de Berlin-Ouest, bloquée jusqu'en mai 1949, quelques jours avant la création de la République fédérale d'Allemagne (RFA), le 23 mai. Le chef du premier gouvernement de RDA, le social-démocrate Otto Grotewohl et son premier président, le communiste Wilhelm Pieck, préparèrent l'intégration progressive de la RDA au bloc soviétique : à l'accord signé avec la Pologne en juin 1950 fixant la nouvelle frontière de l'Oder-Neisse succéda, le 29 septembre, l'adhésion au COMECON. La création de l'armée nationale populaire de RDA (NVA) poursuivait le processus entrepris dès 1952 lors de la reconstitution d'unités policières quasi militaires. L'instauration d'une nouvelle loi socialiste (accroissement des quotas de productivité) provoqua, dans un difficile après-guerre, l'explosion du mécontentement populaire lors de l'insurrection généralisée des 17 et 18 juin 1953. L'intervention, en particulier à Berlin-Est, des troupes soviétiques, mit fin à la révolte et renforça le pouvoir du secrétaire-général du parti communiste, Walter Ulbricht. Premier secrétaire du Comité central du parti en 1954, Ulbricht mena à bien dès 1956 l'élimination de l'opposition interne du parti dans le cadre de la « déstalinisation ». La collectivisation agricole et industrielle achevée, le problème majeur qui se posait au gouvernement de RDA était l'émigration massive de ses citoyens vers l'Allemagne de l'Ouest : 2,7 millions de réfugiés jusqu'en 1961. Le 13 août 1961 commençait la construction d'un « mur » isolant les trois secteurs occidentaux de Berlin. Le « mur anti-fasciste » de la frontière interallemande devait permettre de tarir définitivement l'émigration. Le plan économique et industriel mis en place par le VIe Congrès du SED de 1963, accordant plus de place à l'initiative des unités de production permit à la RDA de devenir la seconde puissance économique du bloc soviétique. Le 8 avril 1968 était promulguée la nouvelle Constitution de la RDA : le pouvoir appartient institutionnellement aux travailleurs, regroupés au sein du Front national, ensemble des partis et organisations de masse. L'emprise du SED sur la vie politique et l'appareil d'Etat est totale. L'organe suprême des institutions est la Chambre du peuple *(Volkskammer),* élue au suffrage universel, qui désigne le Conseil d'Etat, dont le président est chef de l'Etat. Fidèle allié de l'URSS, la RDA envoyait des troupes lors de l'invasion de la Tchécoslovaquie par l'Armée rouge en mai 1968. L'élection (octobre 1969) en RFA du socialiste Willy Brandt, partisan de l'*Ostpolitik* (ouverture à l'Est), et ses deux rencontres de 1970 avec le président du Conseil est-allemand Willi Stoph allaient permettre la signature du traité du 26 mai 1972 sur la libre-circulation de RFA vers Berlin-Ouest et le traité de normalisation du 21 décembre de la même année, mettant fin à une période de relations très tendues entre les deux Allemagnes. Contribuant à ce climat nouveau, l'arrivée de Erich Honecker, le 3 mai 1971 au poste de premier secrétaire du SED, où il remplaçait Walter Ulbricht. L'admission des deux républiques allemandes à l'ONU (18.09.1973) et une certaine ouverture internationale de la RDA étaient pourtant suivies par l'éviction de toute mention d'une réunification allemande dans la nouvelle constitution de RDA, adoptée le 7 septembre 1974. Un remaniement au sein des institutions conduisait en 1976 Willi Stoph, président du Conseil d'Etat depuis la mort de Walter Ulbricht (1973), à prendre la tête du gouvernement, tandis que Erich Honecker le remplaçait au Conseil d'Etat : ce dernier détient toujours le pouvoir réel au sein du SED et du gouvernement. Souhaitant amener la RFA à se détacher de l'OTAN, Honecker facilitait dès lors un certain rapprochement entre les deux républiques allemandes mais durcissait simultanément la position de la RDA à l'égard des autres pays occidentaux. Malgré la visite du chancelier Helmut Schmidt, fin 1981, lors des troubles de Pologne, l'attitude de la RDA se durcit, entraînant l'augmentation du change obligatoire pour se rendre à l'Est et la restriction des autorisations de visite. La tension politique suscitée en 1984 par la question du stationnement des missiles américains en Europe provoqua, outre le boycott des Jeux Olympiques par la RDA, l'ajournement de la rencontre Kohl-Honecker : celle-ci aura lieu en 1985, lors des obsèques à Moscou de Constantin Tchernenko. Les échanges économiques entre les deux Allemagnes, facilités par les importants crédits sans intérêts octroyés par la RFA, représentaient en 1985 un montant de près de 50 milliards de francs. Les relations politiques interallemandes sont régulièrement perturbées par les nombreuses affaires d'espionnage découvertes par les services secrets de RFA, y compris au sein de leur propre direction. L'infiltration de la RFA est aisée pour les agents venus de l'Est : les deux peuples séparés par le « mur de Berlin » parlent toujours la même langue.

Allemagne (RFA)

D
Europe centrale
248 852 km²
61,05 M hab.
ONU, CEE, CE,
OTAN, OCDE

Capitale : Bonn (289 000 hab.)
Langue officielle : allemand
Religions : cath. (43 %), prot. (42 %)
Régime polit. : rép. féd., parlement. et dém.,
proclamée le 23 mai 1949

Au Vᵉ siècle av. J.-C. des tribus celtes s'implantaient à l'est du Rhin ; au IIᵉ siècle av. J.-C. des tribus germaniques venues du nord les repoussaient vers le sud. Vers 15 av. J.-C. les légions romaines atteignaient le Danube puis le Rhin. Leur défaite dans la forêt du Teutoburg en l'an 9 les contraignait à abandonner leur plan de conquête de toute la « Germania ». En 145 les Romains avaient érigé une ligne de fortifications (le limes) de 600 km du Danube au Rhin. La frontière rhénane, menacée par les tribus germaniques dut être abandonnée en 401.

Naissance du royaume allemand
Au cours de l'importante migration contemporaine de la décadence de l'Empire romain, plusieurs tribus germaniques s'installèrent entre la mer du Nord et les Alpes. Le royaume franc y imposa peu à peu sa suprématie, partant de Gaule, sous Clovis et ses successeurs mérovingiens. Sous Charlemagne (768-814), couronné empereur à Rome en 800, la Gaule et les régions franques du Rhin moyen et inférieur, la Thuringe, l'Alémannie, la Bavière et la Saxe furent soumises. Après la mort de Charlemagne son empire fut plusieurs fois partagé entre ses descendants. La frontière (valable jusqu'en 1648) entre la future France et la Germanie fut tracée par les traités de Verdun (843), de Meerssen (870) et de Ribémont (880). Malgré ces partitions, l'idée d'unité du royaume franc subsista jusqu'à l'extinction des Carolingiens orientaux en 911, où les princes du royaume franc oriental élurent comme roi l'un des leurs, Conrad Iᵉʳ († 918). Lors de l'élection du roi Henri Iᵉʳ († 936) en 919 le royaume oriental franc prit pour la première fois le nom de *Regnum teutonicum.* C'est sous le règne de son fils, Othon Iᵉʳ le Grand (936-973) que la puissance royale allemande commença à se développer.

Le grand Empire allemand
Menacé par des soulèvements, Othon Iᵉʳ s'allia à l'Eglise pour établir sa domination. Sa victoire sur la Hongrie au Lechfeld en 955 assura la frontière orientale de l'empire. Lors de sa deuxième campagne en Italie, Othon se fit couronner empereur (*Imperator*

Romanorum) à Rome en 962, marquant sa volonté hégémonique sur l'Occident. L'Italie joue un rôle déterminant dans la politique allemande du Moyen Age. Les successeurs d'Othon ne purent constituer l'empire universel dont il rêvait. Les ducs allemands défendaient âprement leur indépendance contre le roi et l'empereur, le pape se révéla souvent un partenaire difficile. Henri IV, de la dynastie des Saliens (parvenue au pouvoir en 1024) en fit la dure expérience : le 28 janvier 1077, il dut se soumettre à Canossa au pape Grégoire VII, qui l'avait excommunié. La querelle des Investitures entre l'empereur et le pape, qui se poursuivit sous les successeurs d'Henri, prit fin en 1122 avec le concordat de Worms : le souverain allemand obtint un droit d'intervention pour la nomination des évêques allemands, mais l'influence des princes et l'indépendance des évêques furent simultanément renforcées.

Hohenstaufen et Habsbourg
Le deuxième empereur Hohenstaufen, Frédéric Iᵉʳ Barberousse (1152-1190) voulait assurer son influence en Allemagne et en Italie. Il renforça l'indépendance de la couronne allemande vis à vis du pape et consolida ses positions italiennes en gagnant, par l'union de son fils, le royaume normand de Sicile. Après sa mort en croisade en 1190, son fils Henri VI porta la puissance des Hohenstaufen à son apogée. Sa mort prématurée précipita l'empire dans une grave crise en 1197. Frédéric II, le dernier roi important de la dynastie des Staufen, accéda au trône : son intérêt pour l'Italie affaiblit la puissance de l'administration royale, renforçant l'influence des princes régionaux d'Allemagne. Les sept princes électeurs, évêques et ducs, élisent en 1257 deux rois d'Allemagne : Richard de Cornouailles et Alfonse X de Castille. Aucun d'entre eux ne réussissant à s'imposer, le pays connaît une période de troubles, qui ne prit fin qu'avec Rodolphe Iᵉʳ de Habsbourg (1273-1291). Après la domination de la maison de Luxembourg-Bohême (1346-1438), le règne de Frédéric III (1440-1493) marque le début de la domination des Habsbourg sur le Saint Empire romain germanique, qui durera jusqu'en 1806. La puissance de la royauté allemande était limitée par son mode électif : ses prétendants devaient s'assurer la bonne volonté des princes. Dans les villes d'Allemagne naquit une bourgeoisie sûre d'elle, réunie au nord dans de vastes organisations maritimes (la Hanse) et au sud (Augsbourg) par de puissantes corporations. De puissantes familles de marchands comme les Fugger et les Welser acquièrent une grande influence politique grâce à leur rôle de banquiers. Charles V de Habsbourg dut son élection au trône allemand en 1519 aux crédits de la maison Fugger.

Réforme et Contre-Réforme
La propagation fulgurante après 1517 des 95 thèses religieuses réformistes élaborées par le moine Martin Luther à Wittenberg marque le début du mouvement de la Réforme, qui mit rapidement en danger l'unité de l'empire. La critique de Luther quant aux manquements de l'église trouvèrent un large écho en Allemagne, dans la noblesse et dans le peuple : les paysans, serfs exploités par leurs maîtres, virent dans la nouvelle doctrine le signal de la révolte pour leur libération. Elle fut écrasée en 1525. Le conflit entre les princes protestants et catholiques prit fin pour un temps en 1555 avec la paix d'Augsbourg. La religion luthérienne était reconnue et la foi des sujets devait être la même que celle de leur maître *(cujus regio, ejus religio).* La Contre-Réforme menée par le pape réussit partiellement à endiguer la montée de la foi réformée. Les conflits religieux, doublés d'un conflit pour le trône impérial déclenchèrent la guerre de Trente Ans (1618-1648). Le conflit entre l'Union protestante sous la direction du Palatinat et la Ligue catholique menée par la Bavière se transforma bientôt en un combat pour la domination en Europe. L'Allemagne fut dévastée, un tiers de la population de l'empire mourut. Le Danemark et la Suède, protestants depuis – respectivement – 1625-1629 et 1530, ainsi que la France s'allièrent contre la maison catholique des Habsbourg. L'empire perdit définitivement la Suisse, les Pays-Bas, les territoires de la côte baltique en Poméranie, l'Alsace et la Lorraine lors de la paix de Münster et d'Osnabrück de 1648. Avec la guerre de Trente Ans, le Saint Empire romain germanique avait cessé d'être une puissance européenne.

Disparition du Saint Empire
Avec la défaite des Ottomans devant Vienne (1683), l'Autriche s'affirma peu à peu comme grande puissance indépendante. Les Habsbourg régnaient certes officiellement sur le Saint Empire romain germanique, mais les princes régionaux étaient de plus en plus puissants : le prince Electeur de Saxe devint roi de Pologne en 1697, la maison de Hanovre accéda au trône d'Angleterre en 1714. Le Grand Electeur Frédéric Guillaume (1640-1688) fit de la Prusse-Brandebourg la plus grande puissance d'Allemagne du Nord, encore renforcée (annexion de la Silésie en 1740) sous Frédéric II le Grand (1740-1786), dont les réformes posèrent les bases de la grandeur prussienne. L'opposition entre la Prusse et l'Autriche, qui se manifesta d'abord par la guerre de Sept Ans (1756-1763), continua de marquer la politique allemande durant le XIXᵉ siècle ; la Prusse ne l'emportait qu'en 1866 sur le champ de bataille. L'empire s'effondra avec l'invasion des troupes françaises et la création de la

Confédération du Rhin sous le protectorat de Napoléon. François II de Habsbourg, empereur du Saint Empire romain germanique, abdiqua et devint François Iᵉʳ, empereur d'Autriche. Après l'échec de la campagne de Russie de Napoléon en 1812 et la défaite de Waterloo, la Prusse et l'Autriche déterminèrent le destin de l'Europe au Congrès de Vienne, en 1815. Les Etats créés par Napoléon furent conservés ; les quelque 1700 territoires plus ou moins grands existant avant 1803 furent en grande partie intégrés aux nouveaux Etats. Les Etats allemands constituèrent la Confédération germanique, une union assez lâche des divers Etats. La création en 1834 d'une zone économique allemande sous la direction de la Prusse, l'Union douanière allemande, dont l'Autriche se tint éloignée, marqua une étape importante vers l'unification. Le mouvement unitaire et démocratique avait déjà conduit à l'adoption de constitutions dans différents Etats du centre et du sud de l'Allemagne dans les années 1820 ; il donna lieu à d'importantes manifestations populaires (fête de Hambach, 1832). La révolution de février 1848 en France fut suivie en mars du soulèvement révolutionnaire en Allemagne : l'Assemblée nationale de Francfort était formée en mai 1848. Le Parlement proposa une constitution au printemps 1849, mais le roi de Prusse Frédéric Guillaume IV fit réprimer les soulèvements démocratiques en Saxe, en Bade et au Palatinat.

La domination prussienne
Otto von Bismarck devint Premier ministre de Prusse en 1862. Il enlevait au Danemark le Schleswig-Holstein en 1864, battait l'Autriche en 1866, mettant fin à la Confédération germanique. Elle fut remplacée en 1867 par la Confédération d'Allemagne du Nord, réunissant 22 Etats, les trois villes de la Hanse et les villes libres au nord du Main sous la tutelle prussienne. La guerre de 1870 contre la France et la victoire sur Napoléon III permirent de réaliser l'unité allemande : l'Empire allemand naquit le 18 janvier 1871 lors de l'entrée des Etats allemands du Sud dans la Confédération d'Allemagne du Nord, le roi de Prusse Guillaume Iᵉʳ devint le premier empereur allemand. L'Allemagne unifiée, identifiée à la Prusse, devint une puissance hégémonique en Europe centrale. L'empire avait certes un parlement, dont les socialistes avaient été rejetés par une loi d'exception, mais le chancelier n'était responsable qu'envers le Kaiser. Bismarck se retira en 1890, l'empereur (depuis 1888) Guillaume II menant une politique de plus en plus personnelle et impérialiste : le traité signé par Bismarck avec la Russie est dénoncé en 1890. Un vaste programme d'équipement de la flotte lance en 1898 la rivalité navale avec la

Grande-Bretagne. La politique brutale et hésitante de Guillaume II provoque l'isolement diplomatique de l'Allemagne.

La Première Guerre mondiale

L'Allemagne, alliée à l'Autriche-Hongrie, déclarait la guerre à la Russie, à la France et l'Angleterre début août 1914, après avoir envahi la Belgique et le Luxembourg. L'offensive en France se transforma dès septembre 1914 en une guerre de positions ; ce n'est qu'à l'est que les chefs de l'armée – le feld-maréchal Paul von Hindenburg et son chef d'état-major Erich Ludendorff – obtinrent des succès spectaculaires ; en tant que chefs de la 3e armée tous deux gouvernèrent de fait en Allemagne dès août 1916. Après l'entrée en guerre des Etats-Unis en 1917, la supériorité en hommes et en matériel de leurs adversaires s'imposa, Hindenburg et Ludendorff préconisèrent la paix. La défaite de novembre 1918 avait coûté à l'Allemagne près de deux millions de morts, le pays était intact mais profondément démoralisé.

La République de Weimar

Fin septembre 1918, l'insatisfaction et la lassitude avaient entraîné l'entrée des sociaux-démocrates dans le gouvernement du prince Max de Bade. Lorsqu'il fut clair que la monarchie ne pourrait être sauvée face aux troubles révolutionnaires, Max de Bade répandit la nouvelle de l'abdication de Guillaume II et remit le pouvoir aux sociaux-démocrates. Par le traité de Versailles, signé le 28 juin 1919, le Reich perdit l'Alsace et la Lorraine, de nombreux territoires à l'est ainsi que toutes ses colonies. Les partis ouvriers n'obtinrent pourtant pas la majorité espérée lors des élections de janvier 1919. Le parti socialiste (SPD) dut former une coalition avec les partis bourgeois. Les partis de la « coalition de Weimar » (SPD, libéraux, centre) perdaient la majorité dès l'année suivante. Le SPD n'obtint une majorité gouvernementale qu'en Prusse, « bastion rouge » (jusqu'en 1932), qui restait, malgré les amputations territoriales succédant à la défaite, le plus grand Etat d'Allemagne. En 1923 la France occupa la Ruhr pour compen-

ser le non-paiement des réparations de guerre exigées par les Alliés. La monnaie allemande s'effondra. La République connut une brève période de stabilité économique et politique entre 1924 et 1929 : la crise mondiale et le chômage qui touchait 6 millions de personnes en 1932 la plongèrent de nouveau dans une grave crise politique. Depuis 1930 le chancelier n'était plus soutenu par le Parlement et ne disposait que de la confiance du président de la République (depuis 1925), le vieux maréchal von Hindenburg, qui demandait le 30 janvier 1933 à Adolf Hitler, chef du parti nazi (NSDAP, parti ouvrier national-socialiste allemand) de constituer un nouveau gouvernement.

Dictature de Hitler et effondrement

La situation politique intérieure allemande se métamorphosa dans l'espace de quelques mois. Les partis autres que le NSDAP furent interdits, l'opposition social-démocrate et communiste fut poursuivie, le système parlementaire suspendu et l'Allemagne transformée en un « Etat mené par un chef » (Führer). Moins d'un mois après sa nomination comme chancelier, Hitler mettait à profit l'incendie du Reichstag (27 février 1933) pour ouvrir les premiers camps de concentration, où sont envoyés communistes, socialistes, chrétiens et juifs. Le Reichstag accordait à Hitler les pleins pouvoirs le 24 mars, le parti nazi étant le seul autorisé : l'Allemagne est devenue une dictature, dont une redoutable police politique, la Gestapo, assure les bases. Hitler étend encore ses pouvoirs en 1934 : élimination des extrémistes de son parti (« Nuit des longs couteaux »), le 30 juin, accession au poste de chef de l'Etat, après la mort de Hindenburg (août). La restauration de la puissance allemande dans deux domaines vitaux est l'objectif essentiel de Hitler : sur le plan économique, encadrement des syndicats, accession à l'autarcie et concentration industrielle (konzerns) : sur le plan militaire, abolition de toutes les clauses limitatives du traité de Versailles, réalisée de facto après la réoccupation de la Rhénanie (1936), réarmement, facilité sur le plan naval par l'accord anglo-allemand de 1935.

La persécution des Juifs allemands commença en 1938 ; plus de 6 millions de juifs furent victimes de la haine raciste du nazisme jusqu'en 1945. L'Autriche était occupée (Anschluss) en 1938, la Tchécoslovaquie en 1938-1939. L'attaque de la Pologne le 1er septembre 1939 déclencha la Deuxième Guerre mondiale. Après les succès initiaux (occupation de la Pologne, du Danemark, de la Norvège, de la Belgique, du Luxembourg, de la France, de la Yougoslavie et de la Grèce), l'entrée en guerre des Etats-Unis en décembre 1941 et l'offensive désastreuse contre l'Union soviétique, interrompue devant Moscou en décembre 1941, la défaite de Stalingrad (1943), modifièrent le cours de la guerre. La contre-offensive alliée, la capitulation des troupes allemandes en Afrique, le débarquement des Britanniques et des Américains en Italie (1943) et en France (6.6.1944), l'avancée de l'Armée rouge sur Berlin aboutirent à la capitulation de la Wehrmacht les 7 et 9 mai 1945. Hitler s'était suicidé le 30 avril 1945.

L'Allemagne occupée

Les quatre vainqueurs (USA, URSS, Grande-Bretagne, France) partagèrent l'Allemagne en quatre zones d'occupation. Les zones britannique et américaine fusionnèrent en une bizone, la réforme monétaire dans les zones occidentales et à Berlin-Ouest (20 juin 1948) et dans la zone soviétique (23 juin) coupèrent de fait l'Allemagne en deux. Deux Etats allemands furent constitués en 1949 : la RFA le 23 mai, après l'adoption de la constitution dans les trois zones occidentales, la RDA le 7 octobre.

La République fédérale d'Allemagne

L'Union démocrate chrétienne (CDU) arriva en tête des premières élections de RFA (14.8.1949) : son président, Konrad Adenauer, forma un gouvernement de coalition et mena une politique d'étroite coopération avec les puissances occidentales. En 1951 la France, l'Italie, la Belgique, les Pays-Bas et le Luxembourg formèrent avec l'Allemagne la CECA et en 1957 la CEE. La jeune République devint membre du Conseil européen en 1951 et entra dans

l'OTAN en 1955. Le « miracle économique » fit de l'Allemagne une grande puissance. La confiance dans le gouvernement d'Adenauer, qui avait obtenu la majorité absolue en 1957, commença à s'effriter après la construction du mur de Berlin en août 1961. Adenauer se retira après la conclusion du traité d'amitié franco-allemand en janvier 1963. Son successeur, Ludwig Erhard, ne put se maintenir au pouvoir que jusqu'en novembre 1966. Les sociaux-démocrates étaient représentés pour la première fois au gouvernement lors de la « grande coalition » dirigée par le chancelier Kurt Georg Kiesinger (CDU) dès 1966. Après les élections parlementaires de septembre 1969, Willy Brandt (SPD) devint le chancelier de la coalition social-démocrate et libérale ; il fut encore vainqueur lors des élections anticipées de novembre 1972 et se retira en avril 1972 après le scandale de l'affaire d'espionnage Guilleaume. C'est pendant son gouvernement qu'apparut la « nouvelle politique de l'Est » tentative de normalisation et d'ouverture à l'égard des pays de l'Est, RDA en tête. Son successeur, Helmut Schmidt (SPD), dut faire face lors de son arrivée au pouvoir à une situation économique compromise par le choc pétrolier. La succession d'attentats terroristes de l'automne 1977, le détournement du Boeing de la Lufthansa vers Mogadiscio et l'intervention policière qui le dénoua troublèrent profondément l'opinion allemande. Les problèmes de politique intérieure, la montée rapide du chômage, et extérieure, renforcement de l'arsenal nucléaire européen de l'OTAN, furent la cause le 17 septembre 1982 de la rupture de la coalition gouvernementale. Le président de la CDU, Helmut Kohl, succédait le 1er octobre 1982 à Helmut Schmidt. Sa coalition gouvernementale sortit renforcée des élections du 6 mars 1983. La RFA, enjeu stratégique pour l'Europe et première puissance économique de la CEE n'agit qu'avec hésitation dans ces deux domaines, gênée par un fort mouvement « alternatif » pacifiste populaire et par une prospérité économique qui n'est sans doute pas inébranlable.

Andorre

AND
Europe du Sud-Ouest
465 km²
40 000 hab.

Capitale : Andorra la Vella (13 900 hab.)
Langue officielle : catalan
Religions : catholique (99 %)
Régime polit. : principauté, gouvernée depuis 1278 par la France et l'Espagne.

Le système politique de la principauté d'Andorre remonte à un accord (les paréages) intervenu en 1278 entre le comte de Foix et l'évêque espagnol d'Urgel : la principauté est ainsi placée sous la suzeraineté de deux co-princes. Les droits des comtes de Foix passèrent en 1608 à la France. Les relations de la France et de la principauté furent organisées en 1806 par Napoléon Ier, qui installa un délégué permanent en Andorre. Du côté espagnol, les droits de l'évêque d'Urgel sont exercés de fait par le gouverneur civil de la province de

Lérida. Le conseil général d'Andorre se réunissait pour la première fois en 1868 : ses membres sont élus pour une période de quatre ans parmi les chefs des 625 familles possédant le droit de vote. Bien que ne possédant pas de pouvoirs législatifs, le Parlement andorran a pu, grâce à l'imprécision de la Constitution, s'attribuer progressivement des pouvoirs de plus en plus étendus. La première visite officielle d'un co-prince français, le général de Gaulle, eut lieu en 1967. L'introduction du suffrage universel en 1970 puis l'établissement d'une consti-

tution en 1981, après la première rencontre des deux co-princes, ont contribué à la politisation de la vie publique andorrane. Un Premier ministre était élu pour la première fois en Andorre en 1982. Oscardo Ribas Reig a entrepris une vaste réforme des institutions : le Premier ministre andorran possède maintenant de facto les pouvoirs d'un chef d'Etat. Ayant perdu depuis la loi d'août 1983 son attrait de paradis fiscal et bancaire, Andorre vit surtout du tourisme, sollicité par le prix particulièrement intéressant des marchandises vendues en Andorre.

Angola

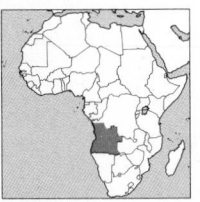

Afrique du Sud-
Ouest
7,2 M hab.
1 246 700 km²
ONU, OUA

Capitale : Luanda (474 000 hab.)
Langue officielle : portugais
Religions : anim. (45 %), chrét. (40,5 %)
Régime polit. : rép. soc. populaire, depuis le
11 novembre 1975

Le navigateur portugais Diego Cao débarqua en 1483 à l'embouchure du fleuve Congo et y fonda la colonie de Sao Salvador (Mbanza). Le roi du Congo, Nzinga Nkuwu, régnait alors sur l'Angola : il envoya un ambassadeur à Lisbonne et noua des relations d'égal à égal avec le Portugal. Il se fit baptiser et ses successeurs pratiquèrent une politique de coopération avec les Portugais, qui se limitaient à des activités côtières. Ils commencèrent la conquête de l'inté-rieur du pays en 1576, après la fonda-tion de Sao Paolo Luanda, dont il nommaient l'arrière-pays « Angola » du nom du chef local, le Ngola. Les Portugais avaient besoin d'esclaves, qu'ils envoyaient vers le Brésil. Un contingent néerlandais, débarqué en 1641, fut repoussé par des troupes portugaises envoyées du Brésil en 1648. Entré en conflit avec le roi du Congo à propos de Luanda, le Portugal obli-geait le Congo à reconnaître sa suzerai-neté. Le royaume du Congo disparu, les Portugais continuèrent d'utiliser le pays comme réserve d'esclaves pour le Brésil. Interdite en 1836, la traite des Noirs n'en continua pas moins jusqu'en 1869. En remplacement, le travail forcé fut introduit en Angola, où il demeura la règle jusqu'en 1910. Les frontières actuelles de l'Angola et la souveraineté portugaise furent reconnues par la conférence franco-germanique du Congo à Berlin, en 1885. La politique coloniale du Portugal et l'implantation de ses colons se heurte durant la pre-mière moitié du XXᵉ siècle à la résis-tance des tribus angolaises. Province d'outre-mer en 1951, l'Angola obtenait le 1ᵉʳ janvier 1964 une autonomie limitée.

Guerre pour l'indépendance
L'UPA (Union des populations de l'Angola), formée dès 1954, provoque le soulèvement nationaliste du nord du pays, en 1961. Le mouvement rival de l'UPA, le MPLA (Mouvement popu-laire de libération de l'Angola), fondé par Mario de Andrade et Agostinho Neto en 1956, se replie après le soulève-ment de 1961 au Congo-Brazzaville, tandis que l'UPA de Roberto Holden se réfugie à Léopoldville (Kinshasa). L'UPA devient en 1965 le FNLA (Front national de libération de l'An-gola), dont se scinde l'UNITA (Union nationale pour l'indépendance totale de l'Angola) de Jonas Savimbi. Le Portu-gal est contraint, face à la guérila, d'envoyer plus de 55 000 soldats en Angola jusqu'en 1973. L'autonomie an-golaise est reconnue par le président Antonio de Spinola le 11 juin 1974. Les divers mouvements indépendantistes, cessant les combats, s'unirent pour former un gouvernement provisoire le 14 janvier 1975.

Accession à l'indépendance
Appuyé par le Portugal, le MPLA, marxiste, expulse l'UNITA et le FNLA et proclame l'indépendance, le 11 no-vembre 1975, Agostinho Neto est élu président : c'est le début d'une guerre civile. Aidé par un contingent cubain et matériellement par l'URSS, le MPLA prend le contrôle du pays en février 1976. L'UNITA, réfugiée dans le sud-est du pays et soutenue par l'Afrique du Sud, constitue depuis 1981 une menace pour l'Angola, qui s'efforce de parvenir à un accord avec Pretoria. La popula-tion angolaise appartient à plus de 100 tribus bantoues distinctes, la plu-part des 500 000 colons portugais ont quitté le pays. Succédant au président Neto, décédé en 1979, le président Eduardo dos Santos tente de juguler la menace militaire et économique que fait peser la guérila sur l'Angola.

Antigua et Barbuda

Amérique
centrale
442km²
78 000 hab.
ONU, OEA, CA-
RICOM, CW

Capitale : Saint John's (25 000 hab.)
Langue officielle : anglais
Religions : anglic. (85 %), cath.
Régime polit. : monarch. parlement. In-dépendance obtenue le 1ᵉʳ novembre 1981

Antigua, petite île des Antilles, fut découverte par Christophe Colomb lors de son deuxième voyage vers les Améri-ques, en 1493 : il lui donna le nom de l'église Santa Maria de la Antigua à Séville. En 1632, Antigua, Barbuda et l'île volcanique de Redonda étaient occupées et colonisées par les Britanni-ques. Antigua fut une importante base de la flotte anglaise lors des guerres franco-britanniques des XVIIᵉ et XVIIIᵉ siècles : Les Français ne réussi-rent à occuper temporairement Anti-gua qu'une seule fois, en 1966. La rade de English Harbour y était achevée en 1764, Lord Nelson et sa flotte y séjour-nèrent à plusieurs reprises. Les esclaves de l'île furent officiellement libérés en 1834 ; en 1871, Antigua entrait dans la ligue britannique des îles Leeward, dis-soute en 1951. Antigua et Barbuda avaient déjà acquis une certaine auto-nomie lorsqu'elles adhérèrent en 1953 à la Fédération des Indes occidentales. Dissoute en 1962, celle-ci comprenait (→), outre Antigua et Barbuda, la Barbade, Trinité et Tobago, la Jamaï-que, St.Christophe et Nevis ainsi que les îles Windward (→ : Dominique, Sainte-Lucie, Saint-Vincent et la Grenade). En 1967, Antigua et Barbuda obtenaient le statut d'Etat associé à la Grande-Bretagne, l'indépendance était acquise en 1981, en tant que membre du Commonwealth britannique des na-tions. Maître des destinées du pays depuis 1960, le parti travailliste (Labour) poursuit une politique conser-vatrice pro-américaine et suspecte de corruption aux yeux de l'opposition. Le tourisme représente la princi-pale source de revenus d'Antigua et Barbuda (la moitié du PNB) : il ne suffit cependant pas à y faire reculer la pauvreté et le chômage.

Arabie Saoudite

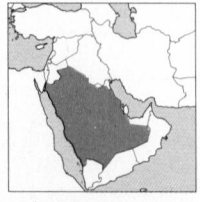

Proche-Orient
2 149 690 km²
10,4 M hab.
ONU, LA, GCC,
OPEP

Capitale : Er Riyad (1,25 M hab.)
Langue officielle : arabe
Religions : musulmans (98 %)
Régime polit. : monarchie héréd. islam. fondée
en 1932

L'Arabie fit sa première apparition sur la scène historique mondiale avec le prophète Mahomet (Muhammad), qui naquit à La Mecque en 570. Le calen-drier arabe commence en l'an 622 avec l'émigration du prophète et de ses parti-sans de La Mecque à Yathrib (Médine), qui marque le début de l'hégire. Maho-met unifia les différentes tribus, souvent ennemies, d'Arabie et en fit une puis-sance de dimension nationale, destinée à combattre pour l'islamisation. A sa mort, en 632, Mahomet laissait un pays unifié politiquement et religieusement. Ses successeurs, les califes, soumirent l'ensemble du Proche-Orient et l'Afri-que du Nord puis, au VIIIᵉ siècle, l'Espagne. La conquête islamique de l'Europe ne fut stoppée que par les victoires de Charles Martel à Poitiers et Tours en 732. L'Asie centrale fut islamisée au Xᵉ siècle, la domination musulmane sur l'Inde débutait au XIᵉ siècle. Les règles de la société musulmane s'appuient jusqu'à nos jours sur le code institué par le Coran, le livre saint de l'Islam.

Constitution de l'Arabie Saoudite
La plus grande part de l'Arabie fut soumise au XVIᵉ siècle par l'Empire ottoman. Mohammed Ibn Al Wahhad, fondateur au début du XVIIIᵉ siècle de la secte islamique des Wahhabites, qui effectue un retour à la pureté originelle de l'Islam, donna aux tribus saou-diennes l'impulsion nécessaire à la reconquête de l'intérieur de la pénin-sule arabique. Le mouvement fut défait en 1818 par Méhémet-Ali à la tête des troupes turques. L'émir Abd al-Aziz ibn Saud entreprit à partir du Koweit dès 1902 la reconquête du royaume wahhabite. Il unifia les tribus d'Arabie centrale et prit La Mecque en 1924, menaçant la Syrie et l'Irak. Le mouvement national arabe fut soutenu contre l'Empire ottoman par les Britanniques, représentés par T.E. Lawrence, au cours de la Première Guerre mondiale. Proclamé roi du Nadjd et du Hedjaz en 1926, Ibn Saud devenait roi d'Arabie Saoudite en 1932.

Le royaume d'Arabie Saoudite
Le roi d'Arabie Saoudite est un monar-que absolu : son pouvoir est héréditaire et n'est limité que par le droit coutumier des tribus. La législation n'est utile que pour les domaines de la vie sociale qui ne sont pas déjà déterminés par le Coran. Les premiers gisements pétroli-fères étaient découverts en 1930 : exploités dès 1933 par la Standard Oil de Californie, la concession produisait régulièrement après 1935. Peu avant sa mort, Ibn Saud instituait un conseil des ministres, composé des membres de la famille royale : son fils Saud ibn Abd al-Aziz lui succède. La dégradation de

l'économie, de plus en plus liée aux Etats-Unis, entraîne en 1958 le retrait de Saud en faveur de son frère Fayçal, président du Conseil et ancien vice-roi du Hedjaz. Ouvert à l'Occident, Fayçal entreprit la construction des premières écoles et des premiers hôpitaux du royaume et prend des mesures d'austérité et de déflation : ces réformes et l'opposition attisée par le conflit latent avec l'Egypte du colonel Nasser conduisent à son éviction en 1960. Rappelé au pouvoir après la déposition de Saud, le 2 novembre 1964. Fayçal Iᵉʳ garantit à plusieurs Etats arabes une aide économique après la guerre de juin 1967 contre Israël. Le conflit avec Nasser à propos du Yemen-Nord et pour le rôle de chef de file du monde

arabe est réglé à la conférence de Khartoum (1ᵉʳ septembre 1967) L'Arabie Saoudite créait avec la Libye et le Koweit un organisme interarabe des pétroles en juin 1968. Une nouvelle tentative d'assassinat dirigée contre Fayçal en 1969 précède de peu le conflit frontalier avec la République populaire du Yémen du Sud. Fayçal est assassiné par l'un de ses neveux le 25 mars 1975. Le pays, qui bénéficie depuis deux ans de la manne consécutive à la hausse du prix du pétrole (dont il possède 30 % des réserves mondiales), a su l'employer utilement tout en maintenant la rigueur des valeurs islamiques. Son frère, l'émir Fahd ibn Musaid Khalid lui succède, puis son demi-frère, l'émir Fahd, en juin 1982. Le prince héritier est le

commandant de la garde nationale, Abdallah ibn Abd al-Aziz. Malgré des tensions épisodiques (embargo pétrolier de 1973-1974, accords de Camp David en septembre 1978), les relations entre les Etats-Unis et l'Arabie Séoudite sont très étroites et fondées sur une coopération économique, en raison des considérables investissements saoudiens aux Etats-Unis, et militaire, renforcée après les accords de 1974, le début de la guerre irano-irakienne et l'invasion soviétique de l'Afghanistan. L'attitude du royaume face à Israël et à l'Egypte s'est durcie après la signature du traité de paix israélo-égyptien de mars 1979 : l'Arabie Saoudite participe aux décisions prises à l'encontre de l'Egypte (rupture des relations diplo-

matiques en mars 1979) par le « Front de la fermeté » créé à Bagdad en novembre 1978. Jouant un rôle de modérateur au Proche-Orient, garant de la sécurité du golfe arabo-persique et de la mer Rouge face aux puissances régionales, et au sein de l'OPEP, l'Arabie Saoudite était confrontée à la pression de l'intégrisme musulman lors de l'attaque de la Grande Mosquée de La Mecque en novembre 1979 : 244 personnes y avaient été tuées, 63 des « rebelles » étaient décapités le 9 janvier 1980. Le premier Saoudien à avoir volé dans l'espace, le prince Salam al-Saudi, accompagnait le premier astronaute français lors du vol de la navette américaine « Discovery », le 18 juin 1985.

Argentine

RA
Amérique du Sud
2 776 889 km²
29,6 M hab.
ONU, ALADI, OEA

Capitale : Buenos Aires
Langue officielle : espagnol
Religions : cath. (90 %)
Régime polit. : république. Indépendance proclamée le 9 juillet 1816

Les plus anciennes traces de la population qui précéda les Européens en Argentine remontent à 10 000 av. J.-C. : elle vivait de la chasse et de la cueillette, au nord-ouest et au sud, en Patagonie et sur la Terre de Feu. L'espagnol Juan Diaz de Solis fut le premier à explorer la côte argentine : il était tué en 1516 lors d'un combat contre les Indiens, à l'embouchure du Rio de la Plata. Les premières tentatives de colonisation échouèrent : Buenos Aires, fondée en 1536, était reprise par les indigènes quatre ans plus tard.

La colonisation espagnole

Elle ne commença réellement qu'après la deuxième fondation de Buenos Aires, en 1580, par des immigrants venus du Pérou. L'essor économique de l'Argentine se faisait attendre : seuls deux navires par an quittaient Buenos Aires pour l'Espagne. La constitution en 1776 de la vice-royauté du Rio de la Plata, qui comprenait l'Argentine actuelle mais aussi le Paraguay → et la Bolivie → (contemporains) et la suppression deux ans plus tard des limitations commerciales donnèrent à l'Argentine et, surtout, à Buenos Aires sa première signification économique. Après la tentative manquée des Britanniques de prendre pied en Argentine (1806-1807), le développement des idées indépendantistes conduisit en 1810 à une révolte ouverte contre l'Espagne.

Combats pour l'indépendance

Le 25 mai 1810, le vice-roi espagnol était déposé, un Conseil (Cabildo Albierto) était établi à Buenos Aires, une junte de gouvernement national provisoire du Rio de la Plata prenait la tête de l'insurrection nationale. Au cours des combats pour l'indépendance, le Paraguay (1811), l'Uruguay (1814-1828) et la Bolivie (1825) faisaient sécession de l'ancienne vice-royauté du Rio de la Plata et se déclaraient indépendants. L'armée mise sur pied par l'Espagne était repoussée par les milices commandées par le général José San Martin. Le Rio de la Plata fut la seule colonie d'Amérique du Sud à échapper à la reconquête espagnole et loyaliste : des missions envoyées en Europe et chargées d'obtenir la reconnaissance de l'indépendance par Ferdinand VII d'Espagne échouaient. Le 9 juillet 1816, le Congrès de Tucumán proclamait l'indépendance des Provinces-Unies de l'Amérique du Sud : les troupes argentines de San Martin donnaient au Chili (1818) et au Pérou (1821) leur indépendance.

Guerre civile et essor économique

Les Provinces-Unies sont divisées dès la déclaration de la souveraineté nationale entre unitaires et fédéralistes : l'anarchie règne. La bourgeoisie des villes, de Buenos Aires en particulier, réclame un gouvernement centralisé et fort, les *latifundiaires*, les grands éleveurs et les gouverneurs des provinces, les *caudillos*, lui préfèrent des gouvernements fédéralistes provinciaux. Les fédéralistes l'emportent en 1827 : Juan Manuel de Rosas impose aux commerçants de Buenos Aires une dictature impitoyable. Après sa chute (1852), une constitution républicaine est proclamée (1853) : la guerre civile durera pourtant jusqu'en 1880. Cette-année-là aussi, la Patagonie est colonisée, au prix de l'extermination de ses habitants. L'immigration européenne s'est accélérée au cours de la deuxième moitié du XIXᵉ siè-

cle : la colonisation de la pampa et du sud est facilitée par la construction (dès 1856) d'un réseau ferré, la culture des céréales s'impose avec l'élevage comme la principale activité économique de l'Argentine. C'est sous la présidence de Hipolito Yrigoyen (1916-1922 et 1928-1930) que le pays connaît un véritable boom économique, conséquence de la Première Guerre mondiale, stoppé par la crise de 1929. La crise économique entraîne d'importants troubles politiques : le gouvernement civil est renversé par les militaires en 1930, puis en 1943, l'armée étant hostile à l'entrée en guerre de l'Argentine aux côtés des Alliés.

L'ère Perón

Déjà membre du gouvernement militaire de 1943, dont il était évincé en 1945, le général Juan Domingo Perón est rappelé en 1946 par une manifestation de masse des *descamisados* (sans chemise) : il gagne les élections contre l'union de tous les autres partis avec 56 % des voix. Le nouveau président de la République dispose pour mettre en place sa politique populiste du soutien de son parti (justicialiste), des syndicats et des classes moyennes ainsi que de celui de sa femme, Eva Duarte. Economiquement épuisée par les réformes sociales, l'Argentine connut une grave crise : délaissé (Eva Perón est morte en 1952), en butte à l'hostilité de l'Eglise à cause d'une tentative de libéralisation du divorce, Perón est renversé le 19 septembre 1955 par un putsch et doit s'exiler en Espagne.

Militaires et civils au pouvoir

Le gouvernement militaire cédait en 1958 la place au gouvernement civil du président Arturo Frondizi : ni lui ni ses successeurs José Maria Guido (1962-1963) et Arturo Ilia (1963-1966) ne purent apporter à l'Argentine l'équilibre politique et économique. Le putsch militaire du 28 juin 1966 éliminait les institutions civiles : une troisième junte, dirigée par Alejandro Lanusse, prenait

les rênes du pouvoir le 23 mars 1971 et préparait le retour à un gouvernement civil. Le péroniste Hector Campora était élu le 25 mai 1973 : rentré d'exil, Perón était réélu à la présidence le 12 octobre 1973. A sa mort, le 1ᵉʳ juillet 1974, c'est sa troisième femme, Isabel, qui lui succéda. Incapable de faire face aux troubles intérieurs du pays, elle est renversée par un nouveau putsch le 24 mars 1976.

Une nouvelle junte au pouvoir

La junte, formée des commandants des trois armes et dirigée par le général Jorge Videla, réussit à redresser l'économie argentine, notamment grâce à l'ouverture de nouveaux marchés commerciaux avec l'URSS. La poursuite systématique et l'élimination de l'opposition politique, qui coûta la vie à plusieurs milliers de « disparus », discrédita le régime de la junte. Le 30 mars 1981, Videla était remplacé par le général Roberto Viola, puis par le général Leopoldo Galtieri, en décembre. La défaite argentine contre la Grande-Bretagne lors de la « guerre des Malouines » en avril 1982 entraîna la chute de Galtieri et son remplacement par l'ex-général Reynaldo Bignone.

Retour à la démocratie

Après huit années de dictature militaire, l'Argentine retrouvait un régime civil avec l'élection à la présidence le 31 octobre 1983 de Raul Alfonsin. Le nouveau gouvernement devait faire face à une situation économique très dégradée et à un climat politique tendu par le procès des responsables de la terreur organisée par la junte militaire. Un plan de rigueur, inspiré par les mesures préconisées par le FMI, devrait permettre à l'Union radicale du président Alfonsin, malgré l'opposition syndicale, de redresser la situation économique difficile de l'Argentine.

Australie

AUS
Océanie
7 686 420 km²
15,4 M hab.
ONU, ANZUS,
CW, OCDE

Capitale : Canberra (251 000 hab.)
Langue officielle : anglais
Religions : chrét. (98,9 %)
Régime polit. : mon. parl. Constitution en vigueur depuis le 1er janvier 1901.

Les premiers habitants de l'Australie, les aborigènes, sont probablement originaires d'Asie : ils auraient atteint l'Australie par les îles d'Indonésie il y a près de 40 000 ans. La colonisation a entraîné une réduction importante de leur nombre. Environ 250 000 en 1700, les aborigènes ne sont plus que 50 000 aujourd'hui : ils ont conservé leur mode ancestral de vie, leur organisation tribale, et se nourrissent toujours par la chasse et la cueillette, ne s'étant que très partiellement intégrés à la société australienne. Le premier Européen à toucher l'Australie fut le Portugais Godinho de Eredia en 1601. Les explorations suivantes furent menées par les Néerlandais : le navigateur Abel Janszoon Tasman, mandaté par le gouverneur de Batavia Anton van Diemen, accomplissait en 1642 le tour de l'Australie et découvrait l'île de « Tasmanie » ou « Terre de van Diemen ». James Cook atteignait l'Australie en 1770 à Botany Bay, prenant possession pour les Britanniques de la côte sud-est du continent qu'il nomma *New South Wales* (Nouvelle-Galles du Sud).

Les Britanniques en Australie
Deux événements précipitèrent la colonisation britannique de l'Australie (dont le nom est dû au britannique Matthew Flinders en 1802-1803) : l'intérêt de la France pour le nouveau

continent et la perte des colonies d'Amérique après la Guerre d'Indépendance (1775-1783). Les anciens bagnes d'Amérique du Nord furent transférés en Australie : le 26 janvier (jour de la fête nationale australienne) 1788, les premiers *convicts*, 750 prisonniers, débarquaient à Botany Bay et fondaient sous la conduite du capitaine Arthur Philip la ville de Sydney. L'immigration pénitentiaire se poursuivra jusqu'en 1853, parallèlement à l'immigration de colons libres, commencée en 1793. En 1797, l'élevage du mouton était introduit par J. MacArthur. La reconnaissance de l'intérieur du pays progresse très lentement : les montagnes Bleues ne seront franchies qu'en 1813. En 1851, les premiers gisements aurifères sont décelés dans la colonie de Victoria, tout juste détachée de la Nouvelle-Galles du Sud, entraînant une vague d'immigration sans précédent. La population franchissait le cap du million en 1861. L'essor économique de l'Australie, reposant essentiellement sur l'exportation de laine, se poursuivit jusqu'en 1873 : touchée de plein fouet par la crise européenne de 1873, l'Australie connaît une grave récession. Les troubles sociaux qui s'ensuivirent entraînèrent la fondation en 1891 du parti travailliste australien.

L'Australie devient un Etat fédéral
La Grande-Bretagne avait déjà accordé en 1850 à ses colonies australiennes une large autonomie assortie d'une constitution ; en 1900, des pourparlers étaient entamés afin d'en réaliser l'union. Contesté par la population, le projet de constitution rédigé par les parlementaires coloniaux était approuvé. Melbourne devenait capitale, remplacée en 1927 par Canberra. L'Australie obtenait en 1907 le statut de dominion britannique. La direction politique du pays fut le résultat jusqu'à la Première Guerre mondiale d'un compromis libéraux et travaillistes : la politique protectionniste des libéraux fut ainsi

soutenue par le Labor en échange d'une révision des lois sociales et du travail. L'*Immigration restriction bill* de 1901, interdisant l'immigration de couleur fit de l'Australie une « terre blanche ». 330 000 Australiens prirent part à la Première Guerre mondiale, 59 000 d'entre eux furent tués : ils s'engagèrent dans les Dardanelles et dans les Flandres, ainsi que dans le Pacifique, conquérant la Nouvelle-Guinée allemande. La crise économique de 1929 frappe durement l'Australie, encore dépendante de son exportation lainière. Arrivés au pouvoir en 1929, les travaillistes ne parviennent guère à améliorer la situation : en 1933, un tiers de la population australienne active était au chômage. Inquiet de la rapide extension de la puissance japonaise dans le Pacifique depuis les années 20, l'Australie se rapproche des USA et met sur pied une armée de métier, la conscription ayant été abolie en 1929. Malgré la politique pacifiste menée par l'Australie, un corps expéditionnaire est envoyé en Europe aux côtés des Britanniques le 3 septembre 1939. L'entrée en guerre du Japon, le 9 décembre 1941, fait de l'Australie et de ses possessions du Pacifique une nouvelle ligne du front. Sauvée par la bataille de la mer de Corail, l'Australie servira ensuite de base de départ à la reconquête alliée du Pacifique.

Après la Deuxième Guerre mondiale
Membre fondateur de l'ONU en 1945, l'Australie obtenait sous mandat d'administration l'ancienne Nouvelle-Guinée britannique et allemande. Déjà Premier ministre sous les couleurs du parti *United Australia* de J. A. Lyons jusqu'en 1941, Robert Gordon Menzies et le parti libéral gagnent en 1949 les élections contre les travaillistes, auteurs d'une politique économique dirigiste depuis 1945. Menzies restera au pouvoir jusqu'en 1966. L'Australie connaît sous le gouvernement travailliste un essor économique considérable, favo-

risé par la politique d'ouverture aux investissements (américains et japonais après 1956), l'ouverture du pays à l'immigration (100 000 personnes par an de 1945 à 1972) et le retour à une économie libérale (dénationalisations). Parallèlement, la politique des libéraux s'aligne de plus en plus sur les Etats-Unis. De 1966 à 1970, un corps australien participait à la guerre du Viêt-nam. Le retour des travaillistes au pouvoir en 1972 marqua un changement sensible de la politique extérieure australienne : le Premier ministre, Gough Withlam, noua des rapports diplomatiques avec la Chine populaire puis avec le Nord-Viêt-nam, en 1973. Les protestations antinucléaires à l'égard de la France se firent plus nettes. Le 16 septembre 1975, il octroyait à la Papouasie-Nouvelle-Guinée son indépendance. La grave crise économique, l'inflation et les scandales financiers qui touchent les milieux gouvernementaux entraînent en octobre le limogeage de Whitlam par le gouverneur-général sir John Kerr (nommé par la reine d'Angleterre) : le libéral Malcolm Fraser lui succède, remportant une large majorité aux élections de décembre 1975. L'impossibilité d'améliorer la situation économique et les querelles au sein de la coalition gouvernementale entraînent la défaite des libéraux aux élections anticipées du 5 mars 1983. Le nouveau Premier ministre travailliste, Robert Hawke, mène une politique « sud-pacifiste », prenant ses distances à l'égard des Etats-Unis (dénonciation du « pacte ANZUS » en 1985) et se rapprochant des Etats du sud-est asiatique, notamment du Japon sur le plan économique. L'accueil de plus de 30 000 *Boat-people* vietnamiens entre 1975 et 1980, une tentative de solution (avant le bicentenaire de 1988) du problème toujours latent des aborigènes marquent une ouverture de l'Australie, au-delà de la sacro-sainte politique de la *White Australia Policy*.

Autriche

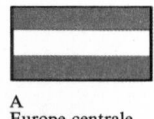

A
Europe centrale
83 855 km²
7,55 M hab.
ONU, EFTA,
CE, OCDE

Capitale : Vienne (1,5 M hab.)
Langue officielle : allemand
Religions : cath. (89 %), prot. (6,2 %)
Régime polit. : rép. féd. dém. et parl. La IIe République était reconnue le 15 mai 1955.

Les régions alpines furent occupées par l'homme dès le paléolithique (600 000

à 10 000 av. J.-C.). La civilisation du Hallstatt se développa sur l'actuel territoire autrichien de 800 à 400 av. J.-C.. Les Romains firent leur apparition dans la région, alors sous domination celte, vers 15 av. J.-C., et l'annexèrent, en faisant la province de Noricum. La christianisation et la romanisation de ses populations, qui débuta après l'Ier siècle, fut mise en danger par l'invasion des tribus germaniques venues du nord, en particulier par les Lombards. Des tribus slaves et les Avars, d'origine turque, les suivirent, venant de l'est, et s'implantèrent en Autriche vers 570. Ils furent battus par Charlemagne, roi des Francs, qui annexa le pays en 803 et lui donna le nom de Marche des Avars. La

Marche fut perdue en 907 et intégrée au royaume magyar. La Marche des Avars fut reconquise par Othon Ier après sa victoire contre les Hongrois au Lechfeld, en 955. Le pays prend alors le nom de Ostarrichi. Le margrave Luitpold Ier de Babenberg annexa la région en 976, qui devint la Marche bavaroise orientale. La domination des Babenberg, étendue par l'acquisition de plusieurs fiefs, durera jusqu'en 1246, lors de la mort du dernier roi de la dynastie, Frédéric le Batailleur, tué lors des combats contre les Hongrois. Premysl Ottokar II, roi de Bohême, conquérait l'Autriche en 1251, puis la Styrie en 1261, la Carinthie et une partie de la Carniole en 1269.

Les Habsbourg au pouvoir
Le roi d'Allemagne Rodolphe Ier de Habsbourg battait Ottokar II en 1278 à la bataille du Marchfeld. La souveraineté des Habsbourg en Autriche qui commence allait durer six siècles. Les Habsbourg parvinrent au cours des deux siècles suivants à s'assurer, par une politique d'unions habilement menée et la revendication de plusieurs successions, la maîtrise de tous les territoires du sud-est germanique, à l'exception de la Bavière. L'Autriche prospère grâce à son commerce et à ses mines de sel et de métaux. Le mariage de Maximilien Ier de Habsbourg avec Marie de Bourgogne, fille du duc Charles le Téméraire, en 1477, firent

tomber les Pays-Bas et la Franche-Comté aux mains de la dynastie allemande, qui détenait dès lors les atouts nécessaires pour devenir la plus puissante d'Europe. C'est également par un mariage politique que la dynastie s'assura la souveraineté sur l'Espagne. A l'accession de Charles Quint au trône du Saint Empire romain germanique, en 1519, il était possible de dire que « le soleil ne se couchait jamais » sur l'empire des Habsbourg. Charles Quint confia l'Autriche, berceau de la dynastie, en 1521 à son frère Ferdinand Iᵉʳ. Le mariage de ce dernier lui rapporta en outre la Bohême, la Moravie, la Hongrie occidentale et la Croatie. L'héritage des Habsbourg est alors divisé entre les deux lignées d'Autriche et d'Espagne. Lorsque Charles Quint abdiqua, en 1556, Ferdinand Iᵉʳ revêtit la dignité royale et impériale du Saint Empire.

L'ascension de l'Autriche
Les Turcs occupèrent Vienne pour la première fois en 1529. Les guerres ottomanes reprirent au début du XVIIᵉ siècle. Vienne était une nouvelle fois assiégée en 1683. Le 12 septembre, les troupes impériales réussissaient une spectaculaire libération de la capitale. Assiégée depuis le 14 juillet par près de 250 000 hommes, Vienne, dont les défenses avaient été sérieusement entamées, fut délivrée par un contingent constitué par Léopold Iᵉʳ avec des troupes impériales, un corps de secours d'Allemagne du Sud et des troupes polonaises envoyées par son allié, le roi Jean III Sobieski, victorieux au Kahlenberg. Le financement de l'expédition de secours avait reçu une importante participation du pape Innocent XI, qui considérait la libération de Vienne comme cruciale dans la lutte religieuse contre l'Islam. Les troupes ottomanes écrasées, le 12 septembre, les Habsbourg devenaient maîtres avec droit de succession royale de la Hongrie, conquise par les Turcs depuis la Slovénie et la Transylvanie en 1699. La victoire marquait un changement décisif de la politique de la Sublime Porte, définitivement battue en Autriche, et, simultanément, le début de l'ascension politique et militaire autrichienne. Liée à Rome, la maison d'Autriche se fait alors la championne de la Contre-Réforme : le luthéranisme est étouffé dans les Etats autrichiens, le mouvement protestant tchèque était écrasé et la Bohême annexée par Ferdinand II en 1620 après la bataille de la Montagne Blanche, qui marquait le début de la guerre de Trente Ans. L'Autriche perd l'Espagne et ses colonies par le traité de Rastatt, à l'issue de la guerre de Succession d'Espagne, qui l'avait opposée à la France, en 1714. Elle annexe en échange les Pays-Bas, le Milanais, Naples et la Sardaigne.

Le règne de Marie-Thérèse
Les quarante années du règne mouvementé de Marie-Thérèse d'Autriche marquent l'un des apogées de la puissance des Habsbourg. L'empereur Charles VI n'ayant pas de successeur mâle, il avait de son vivant réglé sa succession par la Pragmatique Sanction, qui devait permettre à sa fille Marie-Thérèse de régner sur l'Empire autrichien. A sa mort, en 1740, les puissances européennes retirèrent leur garantie sur la succession, Marie-Thérèse devait s'imposer par les armes contre les revendications de la Prusse-Brandebourg, de la Bavière, de la France, de la Saxe et de l'Espagne. L'appui de l'Angleterre et des Pays-Bas lui permit tout d'abord de consolider sa position : elle perdit toutefois la province la plus riche de l'empire, la Silésie, qu'elle fut contrainte de céder à la Prusse après les guerres de Silésie (1740-1742 et 1744-1745). A la mort de l'impératrice, en 1780, son fils Joseph II, co-régent et empereur romain-germanique depuis 1764-1765, lui succédait. Il poursuivit la politique d'absolutisme éclairé, menée par Marie-Thérèse, mais se rendit profondément impopulaire par une série de réformes, qu'il dût pratiquement toutes abandonner avant sa mort, en 1790.

L'Autriche et Napoléon Iᵉʳ
Les armées de Bonaparte pénétrèrent en 1797 en Autriche, progressant jusqu'en Styrie : Vienne tombait en 1805. L'Autriche était contrainte d'abandonner par la paix de Presbourg en 1805, plusieurs territoires, dont la Dalmatie à la France, la Vénétie et l'Istrie à l'Italie, le Voralberg (Tyrol) à la Bavière. L'empereur François II, après qu'il ait adopté deux ans plus tôt le titre d'empereur d'Autriche, déposait en 1806 la couronne impériale germanique. L'Autriche se coalisait de 1813 à 1815 avec la Prusse et la Russie pour abattre Napoléon. La défaite de l'Empire français à Waterloo provoqua la réunion à Vienne d'un congrès international, regroupant les princes et hommes d'Etat de l'Europe, afin de régler le nouvel ordre européen. Placé sous la présidence du chancelier d'Etat autrichien, le prince Klemens Wenzel von Metternich, le Congrès décida de restituer à l'Autriche ses frontières de 1805. Metternich, qui contribua par les relations diplomatiques qu'il noua avec les principales puissances européennes à la stabilité politique de l'empire, mena une politique très conservatrice, réprimant sévèrement toute atteinte à l'absolutisme monarchique.

Du Congrès de Vienne à 1918
Le système politique mis en place par Metternich ne put résister aux mouvements libéraux, sociaux et nationaux apparus au cours des années 1840. L'existence de la monarchie du Danube, ensemble hétérogène de peuples, était particulièrement menacée par les mouvements nationalistes. La révolution qui éclatait à Vienne le 13 mars 1848 contraignit Metternich à la fuite :

il se réfugia en Grande-Bretagne. L'empereur Ferdinand dût abdiquer, son neveu, François Joseph Iᵉʳ, montait sur le trône. Le nouvel empereur dut faire face à une alliance franco-piémontaise : les défaites de Magenta et de Solférino (24 juin 1859) contraignaient l'Autriche à évacuer le Piémont. La guerre contre la Prusse et l'Italie et la défaite de Sadowa (3 juillet 1866) contraignaient l'Autriche à renoncer à toute ambition allemande. Le règne de François Joseph (1848-1916) vit la fondation de la double-monarchie austro-hongroise en février 1867, rendue nécessaire par les revendications nationalistes hongroises, qui n'avaient cessé de croître depuis la révolution de 1848. La Hongrie devint la Transleithanie, le reste de l'Empire autrichien, la Cisleithanie. La création du royaume de Hongrie, qui demeurait administré par les Habsbourg ne résolut pas le problème des nationalités, qui s'aggrava après l'annexion de la Bosnie-Herzégovine (1908) et la première guerre balkanique (1912) et conduisit finalement le 28 juin 1914 à l'attentat de Sarajevo. L'héritier du trône autrichien, l'archiduc François-Ferdinand, et son épouse sont assassinés par le nationaliste serbe Gavrilo Princip, l'événement provoque l'éclatement de la Première Guerre mondiale. Les premières défaites succèdent rapidement à l'entrée en guerre : contre la Russie, contre les Serbes. Le front italien s'ouvrait en 1915, tandis que les troupes impériales entraient en Pologne et en Serbie. Le gouvernement indépendantiste tchèque constitué à Londres par Tomas Masaryk était reconnu par les Alliés. A la mort de François-Joseph (21 novembre 1916), son neveu, l'archiduc Charles, devient empereur. Les pourparlers qu'il entame avec les Alliés en 1917 pour conclure une paix séparée échouent. L'imminence de la défaite contraignait Charles Iᵉʳ le 16 octobre 1918 à promettre par un manifeste la transformation de l'Autriche-Hongrie en un Etat fédéral. Les minorités se scindent en octobre-novembre : la République de Hongrie, qui vient d'être fondée, tente en vain une négociation séparée avec les Alliés. L'empereur, sans pourtant abdiquer, renonçait à toute participation aux affaires de l'Etat, le 13 novembre 1918. L'Empire des Habsbourg s'écroule, la double-monarchie est dissoute et l'Autriche est réduite aux territoires germanophones. La République d'Autriche allemande est proclamée le 12 novembre 1918.

La Première République
Sous la pression des Alliés, la nouvelle république abandonne toute référence à l'Allemagne et prend en juillet 1919 le nom d'Autriche. Les premières élections générales de 1919 donnent la victoire aux sociaux-démocrates. Après le vote de la Constitution, le 1ᵉʳ octobre 1920, les chrétiens-sociaux, vainqueurs des élections, forment un nouveau gouvernement : l'opposition entre slaves et germanophones, citadins et conserva-

teurs des campagnes, conduisait à la création de nombreuses ligues paramilitaires : milice ouvrière des *Republikanischer Schutzbund,* milices nationalistes *(Heimwehren)* et pro-nazies. Le chancelier Engelbert Dollfuss, au pouvoir depuis 1932, instaura un régime autoritaire après la dissolution du parlement et l'interdiction du parti communiste et du parti nazi (1933). Dollfuss était assassiné par les nazis lors de la tentative de coup d'Etat du 25 juillet 1934, qui échouait en raison de l'opposition de Mussolini. Le régime fut néanmoins maintenu sous la conduite du chancelier Kurt Schuschnigg jusqu'à l'annexion de l'Autriche par Hitler, en mars 1938. La Première République avait vécu, l'Autriche est intégrée au Reich hitlérien et est divisée en deux « districts des Alpes et du Danube » appartenant à la « grande Allemagne ».

L'Autriche après 1945
La partie orientale de l'Autriche était occupée après la victoire des Alliés par les troupes soviétiques depuis mars 1945. La IIᵉ République d'Autriche y avait été proclamée par le chef du parti social-démocrate, Karl Renner, ainsi que par le parti socialiste (SPÖ) et le parti communiste autrichiens, qui avaient constitué un gouvernement provisoire. Le 4 juillet 1945, l'Autriche était divisée en quatre zones d'occupation, américaine, britannique, soviétique et française. Les élections de novembre 1945 virent la victoire du parti populiste autrichien (ÖVP) : Karl Renner était élu président fédéral de la République. Le traité d'Etat du 15 mai 1955, par lequel l'Autriche décidait de respecter une stricte neutralité, mettait fin à l'occupation alliée, qui avaient évacué l'ensemble du pays le 15 octobre 1955. Après son admission au sein de l'ONU en 1955, l'Autriche fut admise au sein du Conseil de l'Europe en 1960 et entrait la même année au sein de l'association européenne du libre-échange (EFTA). L'Autriche chercha à jouer un rôle de médiateur en Europe sous les gouvernements successifs du chancelier socialiste Bruno Kreisky (SPÖ), de 1970 à 1983, où il était remplacé par un léger recul électoral par le socialiste Fred Sinowatz, qui constituait un gouvernement de coalition socialo-libéral. La vie politique autrichienne a été ébranlée depuis lors par plusieurs scandales politiques (démission du ministre de la Défense, Wilhelm Frischenschlager en janvier 1985) ou financiers (démission du ministre Karl Sekanina en février), par le scandale des vins frelatés, découvert en avril 1985. La situation économique du pays apparaît également préoccupante, notamment les déficits considérables accumulés par les nombreuses entreprises nationalisées. Les révélations concernant le passé militaire de l'ancien secrétaire général de l'ONU Kurt Waldheim, candidat à l'élection présidentielle du 4 mai 1986, ont suscité une vive controverse dans l'opinion publique autrichienne.

Bahamas

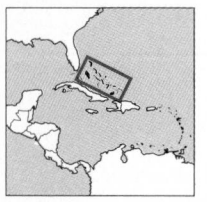

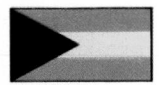

BS
Amérique
centrale
13935 km²
220 000 hab.
ONU, ANZUS,
OEA, CW, OCDE

Capitale : Nassau (140 000 hab.)
Langue officielle : anglais
Religions : chrét. (61 %)
Régime polit. : mon. parlement. Indépendance obtenue le 10 juillet 1973

Les Bahamas furent découvertes le 12 octobre 1492, lorsque Christophe

Colomb arriva en vue de l'île de San Salvador. N'y ayant pas trouvé d'or, les Espagnol se contentèrent de déporter les populations indiennes (Arawaks) vers l'île de Saint-Domingue, où ils furent utilisés comme esclaves dans les mines des montagnes. Les 20 000 à 40 000 habitants des Bahamas disparurent en quelques années, si bien que les Britanniques trouvèrent les îles totalement inhabitées à leur arrivée, en 1629. Un groupe de nobles britanniques arriva en 1670, le premier gouverneur fut élu en 1671. Le gouverneur nommé par le roi d'Angleterre en 1718 avait pour mission de chasser les boucaniers et flibustiers qui infestaient les eaux des Bahamas, où ils avaient établi leurs repaires. Colonie de la Couronne britannique dès lors, les Bahamas furent défendues contre les incursions successives des Américains (1776) et des Espagnols (1782-1783). La victoire américaine dans la guerre d'Indépendance amena aux Bahamas nombre de loyalistes britanniques. En 1834, un édit libérait les esclaves noirs. L'indépendance de 1973 avait été précédée par l'octroi en 1841 d'une Assemblée législative élue et, en 1964, d'une constitution autonome. Le premier chef de gouvernement de couleur fut Lynden O. Pindling, élu en 1968. La population des Bahamas vit essentiellement sur les deux îles de Grand Bahama et de New Providence : le tourisme et l'implantation de sociétés étrangères favorisée par la fiscalité constituent la principale richesse de l'archipel. Les Bahamas, premier point du Nouveau-Monde atteint par Christophe Colomb, est composé de 700 îles et prend son origine au nord-ouest à 80 kilomètres au large de la Floride et s'étend sur 1 200 kilomètres vers le sud-est jusqu'à Haïti. La pauvreté des sols et l'absence de grandes industries ont contribué à orienter l'activité éconimique des Bahamas vers le tourisme et les activités financières. Paradis pour les touristes, les Bahamas sont aussi un paradis fiscal et un important centre financier pour les banques américaines.

Bahreïn

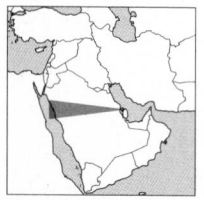

BRN
Proche-Orient
622 km²
400 000 hab.
ONU, LA,
GCC

Capitale : Manama (150 000 hab.)
Langue officielle : arabe
Religions : musulm. (91 %)
Régime polit. : émirat, indépendant de la Grande-Bretagne depuis le 15 août 1971

L'archipel de Bahreïn aurait été dès le IIIᵉ millénaire avant notre ère une importante place commerciale entre Sumer et la vallée de l'Indus : cette hypothèse est étayée par la découverte de plusieurs sites paléolithiques et néolithiques, contenant les ruines de deux temples datant du IIIᵉ millénaire av. J.-C.. La découverte d'une cité préhistorique où furent retrouvées de nombreuses poteries mais surtout des sceaux ronds comparables à ceux existant à la même époque à Sumer et dans l'Indus ont apporté la preuve du rôle commercial de Bahreïn au IIIᵉ millénaire. Tombé aux mains des Arabes au VIIᵉ siècle, puis des Portugais entre 1515 et 1612, l'archipel fut ensuite soumis, jusqu'en 1782, à la domination perse. Arrivée au pouvoir en 1783, la dynastie des Khalifa doit faire appel au XIXᵉ siècle à l'aide des Britanniques pour maintenir sa souveraineté contre ses voisins. Protectorat britannique en 1867, les Anglais commencèrent à Bahreïn en 1932 l'exploitation des premiers gisements pétrolifères du golfe Persique. Résidence du gouverneur britannique du golfe jusqu'en 1958, les troupes anglaises évacuaient l'émirat en 1971 après la proclamation de l'indépendance. La première élection d'un parlement au suffrage universel ayant vu en 1973 une forte poussée de la gauche, le conflit qui éclatait en décembre 1974 entre l'émir Isa ibn Salman al Khalifa et l'Assemblée à propos de la loi sur la Sécurité s'achevait par la dissolution du Parlement, le 27 août 1975. La Constitution est depuis lors suspendue, l'émir et les membres de sa famille mono-polisant le pouvoir. Membre de la Ligue Arabe depuis 1971, l'économie de Bahreïn repose sur la production et le raffinage de produits pétroliers, mais aussi sur son rôle de plaque tournante financière internationale du Moyen-Orient. L'Etat de Bahreïn dispose d'un système de protection sociale très avancé (gratuité des soins) : sur le plan culturel, l'influence britanique fait de l'émirat, un Etat libéral et progressiste (formation scolaire, rôle des femmes dans la société). L'un des problèmes majeurs qui se posent au Bahreïn est l'importance de sa croissance démographique (10% par an), essentiellement due à une immigration très importante, en provenance d'Oma, d'Inde, du Pakistan, d'Iran, du Yémen, d'Angleterre et des Etats-Unis.

Bangladesh

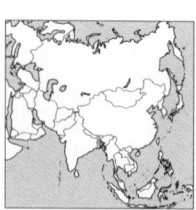

BD
Asie du Sud
143 998 km²
94,6 M hab.
ONU, CW

Capitale : Dacca (3,4 M hab.)
Langue officielle : bengali
Religions : musulm. (85 %)
Régime polit. : rép. pop. présidentielle, depuis le 26 mars 1971

La partie orientale du Bengale fut annexée vers 350 par le royaume Gupta : la principale religion du pays demeura le bouddhisme jusqu'à la conquête musulmane de 1202. Le Bengale appartint de 1576 à 1740 au royaume moghol. Dacca, l'actuelle capitale du Bangladesh fut capitale du Bengale oriental de 1608 à 1639 puis de 1660 à 1704 : plusieurs puissances maritimes (Grande-Bretagne, Hollande et Portugal) y possédaient des comptoirs commerciaux. L'important port de Chittagong, sur la côte orientale, était pris par les Portugais en 1583 : la ville ne fut reconquise par le royaume mognol qu'en 1666. En 1765, la Compagnie des Indes orientales britannique était chargée de l'administration du pays par l'empereur moghol Shah Alam. Intégrés à l'Empire britannique, la province et sa capitale, Calcutta, reçoivent en 1854 un gouverneur général. Lors du retrait des troupes britanniques d'Inde en 1947, le Bengale occidental revient à l'Union indienne, le Bengale oriental, à majorité musulmane, est rattaché au Pakistan. Les deux parties du Pakistan, éloignées de 1 500 kilomètres, n'étaient en fait unies que par leur religion commune, l'islam : les habitants du Pakistan oriental se considéraient avant tout comme des Bengalis et supportaient mal d'être politiquement soumis au Pakistan occidental, moins peuplé et économiquement plus faible. Les premiers troubles suscités par les mouvements séparatistes éclataient en 1968. Un raz de marée catastrophique provoqua en 1970 la mort de plusieurs milliers d'habitants du delta du Bengale : à l'automne, la ligue Awami du cheikh Mujibur Rahman remportait les élections parlementaires. Le refus du président pakistanais Yahya Khan de convoquer l'Assemblée entraîne l'explosion des troubles du printemps 1971. Emprisonné, Rahman ne sera libéré que le 22 décembre 1971 par le nouveau président pakistanais, Zulkikar Ali Bhutto. Les combats au Pakistan oriental avaient entraîné la fuite de plusieurs millions de Bengalais vers l'Inde : la guerre éclate entre l'Inde et le Pakistan. Après la capitulation des troupes pakistanaises, Mujibur Rahman put rentrer (janvier 1972) au Bangladesh : il conduisit son parti, la ligue Awami, à une victoire absolue lors des élections de 1973 (293 sièges sur 300). Après l'instauration de l'état d'urgence en décembre 1974, il abolit le système parlementaire et devint président, à la tête d'un parti unique. Rahman est tué lors du putsch militaire du 15 août 1975 : le Bangladesh devient une république islamique. Le général Ziaur Rahman prend le pouvoir. Elu président au suffrage universel le 3 juin 1978, Ziaur Rahman est assassiné lors du putsch manqué de mai 1981. Après un intermède civil, le pouvoir est repris par les militaires le 24 mars 1982. Le nouveau président, le général Hussain Mohammed Ershad, instaure la loi martiale et dissout l'Assemblée. Le Bangladesh est l'un des pays les plus pauvres du globe : il ne dispose pratiquement pas de ressources naturelles en matières premières et l'agriculture, qui dispose de conditions climatiques exceptionnelles (jusqu'à trois récoltes annuelles), ne suffit pas à nourrir une population qui s'accroît d'au moins deux millions de personnes par an.

Barbade

BDS
Amérique
centrale
431 km²
270 000 hab.
ONU, CW, CA-
RICOM, OEA

Capitale : Bridgetown (10 000 hab.)
Langues officielles : anglais, français
Religions : anglicans (70 %)
Régime polit. : monarch. parl. et dém., in-
dépendante depuis le 30 novembre 1966

La Barbade fut découverte par les Portugais en 1536. Lorsque les premiers
colons britanniques arrivèrent sur l'île,
en 1627, la plus grande partie de la
population indienne avait été déportée
en esclavage par les Espagnols. Les
Britanniques amenaient avec eux des
esclaves africains, utilisés pour l'exploitation de la canne à sucre. En 1639, un
droit de gouvernement autonome était
reconnu aux habitants de la plus ancienne colonie anglaise des Caraïbes. La
libération officielle des esclaves de 1834
à 1838 ne modifia en rien leur sort. La
chute des cours du sucre provoqua en

1937 une révolte de la population noire :
les profondes réformes sociales et
économiques qui s'ensuivirent aboutirent à l'octroi du droit de vote aux Noirs
en 1950. De 1958 à 1962, la Barbade
(Barbados) appartenait à la Fédération
des Indes occidentales, formée par les
anciennes colonies britanniques des Antilles. Premier ministre depuis 1961,
Errol Walton Barrow, chef du *Demo-
cratic Labour Party,* demeura au gouvernement après l'indépendance de
1966, jusqu'aux élections de 1976 où
son parti est battu par le *Barbados
Labour Party* de John M. G. Adams.

Bernard St. John lui succède en 1985.
La Barbade, couverte dès le XVIIe siècle
de plantations de canne à sucre, en tire
encore de nos jours l'essentiel de ses
revenus (80 %). La canne occupe 50 %
de la surface de l'île mais appartient
pour 80 % à quelques propriétaires
anglais, les petits paysans noirs se partageant le reste. Peuplée aujourd'hui à
90 % d'une population noire, la Barbade possède l'une des plus hautes
densités de population du globe
(580 hab./km²). Le tourisme et une
exploitation pétrolière naissante contribuent à la croissance économique.

Belgique

B
Europe de
l'Ouest
30 513 km²
9,86 M hab.
ONU, CEE, CE,
OTAN, OCDE

Capitale : Bruxelles (989 877 hab.)
Langues officielles : franç., néerl., allem.
Religions : cath. (plus de 95 %)
Régime polit. : monarch. const. Indépendance
proclamée le 4e octobre 1830

Avant la conquête par Jules César (57-
51 av. J.-C.), la « Gaule Belgique » était
habitée par des tribus celtiques et s'étendait de la Seine au Rhin. Organisée en
province sous Auguste, la *Gallia belgica*
a pour capitale Reims. Les Francs saliens s'installent au nord du pays vers
350, d'où ils conquièrent toute la Gaule
(vers 500). Partagée entre les royaumes
de France et de Lotharingie par le traité
de Verdun en 843, la Belgique voit ses
régions orientales attribuées à la Germanie en 880, dont les frontières atteignent
alors l'Escaut. Aux XIIIe et XIVe siècles,
les villes de Bruges, Gand et Ypres, sous
souveraineté française, connaissent une
grande prospérité économique grâce à
leur production textile. La révolte de
1302 contre leurs suzerains français, qui
voulaient limiter leurs privilèges,
s'achève victorieusement à la bataille
des « Éperons d'or », près de Courtrai.
État puissant et indépendant entre la
France et le Saint Empire, le duché de
Bourgogne devenait maître en 1385 de
l'actuelle Belgique, à l'exception de la
principauté ecclésiastique de Liège.

Les Habsbourg en Belgique
Le mariage (1477) du fils et héritier du
duc d'Autriche, le futur Maximilien Ier
avec Marie de Bourgogne, fille et héritière de Charles le Téméraire, apporta
aux Habsbourg l'héritage bourguignon.
Couronné empereur en 1519, Charles
Quint tenta de réaliser l'union des Dix-
sept provinces de Bourgogne (soit les ac-

tuels → Pays-Bas, Belgique, Luxembourg). Après son abdication, en 1556,
la branche espagnole des Habsbourg hérita des provinces néerlandaises. La politique de catholicisation menée par le
roi d'Espagne Philippe II conduisit en
1568 à la révolte des Sept provinces septentrionales des Pays-Bas. Alors que les
catholiques wallons se rapprochent du
gouverneur espagnol Alexandre Farnèse (Confédération d'Arras, 1579), les
rebelles du nord forment l'Union
d'Utrecht (1579), entraînant la naissance des Provinces-Unies et la rupture
de l'unité des Pays-Bas. L'Espagne était
contrainte de renoncer définitivement
au nord des Pays-Bas par la paix de
Westphalie en 1648. Les Pays-Bas espagnols demeurèrent en guerre pendant la
deuxième moitié du XVIIe siècle, enjeu
de la politique expansionniste de Louis
XIV (1638-1715) comme de la guerre de
Succession du trône espagnol (1701-
1713). La France reçoit alors l'Artois
(1659), la Flandre et le Hainaut français
(1668, 1678). Par la paix d'Utrecht de
1713, les Habsbourg d'Autriche reprennent le contrôle des provinces du sud. La
guerre de Succession d'Autriche entraîne l'occupation des Pays-Bas autrichiens par la France (1744-1748). Les
mesures réformistes prises par l'empereur Joseph II (édit de tolérance religieuse de 1781) provoquent la révolte du
Brabant en 1789-1790. Les « États belges unis » proclament leur indépendance le 11 janvier 1790. Des divisions
internes permettent aux Autrichiens de
réoccuper le pays : ils en sont chassés par
les Français (Jemmapes, 1792) puis y
reviennent de 1793 à 1794 (Neerwinden-
Fleurus). Le traité de Campoformio, le
17 octobre 1797, consacre la reconnaissance par l'Autriche de l'annexion française. Le régime français unifie administrativement la Belgique, qui est divisée
en neuf départements ; les principes révolutionnaires de liberté et d'égalité y
sont introduits, de même que le Code
civil napoléonien. Le blocus continental
mis en place par Bonaparte entraîne la
prospérité des industries belges du
textile et de l'acier, qui deviennent au

début du XIXe siècle les premières du
continent. La défaite de Napoléon à Waterloo (15 km au sud de Bruxelles) entraîna la constitution par le Congrès de
Vienne du Royaume-Uni des Pays-Bas,
réunissant la Belgique aux Pays-Bas
(21 juillet 1814).

La Belgique indépendante
Libéraux et catholiques formaient en
1828 un mouvement d'opposition au roi
Guillaume Ier des Pays-Bas, dont la politique privilégiait les provinces calvinistes du nord et tentait d'imposer le
néerlandais comme langue officielle.
Bruxelles s'insurge le 25 août 1830, encouragée par la réussite de la révolution
de juillet en France. L'indépendance est
proclamée le 4 octobre 1830, après que
les troupes néerlandaises aient évacué
(27 septembre) le pays sauf Anvers. Une
conférence des puissances européennes
réunie à Londres reconnaît le 20 janvier
1831 le nouvel État de Belgique et en
garantit l'indépendance. La Couronne
belge est proposée après un compromis
franco-anglais à Léopold de Saxe-Cobourg-Gotha, qui prête serment à la
Constitution, le 21 juillet 1831. L'entrée
des troupes néerlandaises en Belgique
quelques jours plus tard provoque l'intervention de la France. Le roi des Pays-
Bas ne reconnaîtra l'indépendance de la
Belgique qu'en 1839, après que Maastricht, le Limbourg néerlandais et le
Luxembourg germanophone lui aient
été retirés (1831). La Belgique, qui
compte alors 5 millions d'habitants,
connaît après 1860 un intense développement économique, sous l'impulsion
du libre-échange. Les premières décennies du royaume de Belgique ont été
politiquement dominées par la rivalité
entre le parti catholique (fondé en 1868)
et le parti libéral (fondé en 1846), à
propos notamment de la question scolaire et de l'opposition linguistique entre
Wallons et Flamands. L'enseignement
religieux était rendu obligatoire en 1895,
le néerlandais était placé en 1898 au
même rang que le français. Devenu propriété personnelle de Léopold II en
1885, le Congo provoquait une querelle

entre la Belgique et la France, l'Angleterre et le Reich allemand d'autre part :
les droits sur le Congo étaient attribués
en 1908 à l'État belge, ce qui mit fin au
conflit.

Les deux guerres mondiales
L'invasion allemande de la Belgique,
neutre, surprend le pays en pleine prospérité économique : le pays est submergé, malgré la résistance du roi Albert
Ier (depuis 1909) et la suspension des
rivalités politiques. La Belgique fut soumise pendant la plus grande partie de la
guerre à l'administration allemande. Un
mouvement de résistance, soutenu par
l'Église, notamment par le cardinal
Mercier, archevêque de Malines, tenta
de s'opposer aux démontages industriels
et au recrutement forcé de travailleurs.
L'ouest du pays demeura en lutte avec le
roi à sa tête. Le traité de paix de Versailles valut à la Belgique le rattachement d'Eupen et Malmédy, qui s'associa
à l'occupation française de la Ruhr en
1923, abandonnant sa politique neutra-
liste. La querelle linguistique fut désar-
morcée en 1923 par l'instauration du
néerlandais comme langue administrative. Le roi Léopold III succéda sur le
trône à Albert Ier, mort tragiquement en
1934. L'audience des partis de droite,
rexistes wallons et mouvement nationaliste flamand diminua au cours des années 30. La Belgique, qui avait retrouvé
sa neutralité, était envahie le 10 mai
1940 par les troupes hitlériennes. Le
gouvernement s'enfuit à Londres, d'où
Hubert Pierlot dirige la résistance
belge ; le roi Léopold III fut retenu prisonnier au château de Laeken. Délivrée
par les Alliés en septembre 1944, la
Belgique fut gouvernée jusqu'en 1950
par le prince Charles, frère de Léopold
III, qui assuma la régence.

La Belgique depuis 1945
Seul pays européen créancier des États-
Unis, qui avaient intensément utilisé le
port d'Anvers, à la fin de la guerre, la
Belgique, dont la politique (admission à
l'ONU 1945) est alors en particulier marquée par Paul Henri Spaak, procède à son

Belgique

redressement industriel. Le gouvernement chrétien-démocrate élu en 1950 rappela le roi Léopold III, rentré en 1945 d'Allemagne et suspect de collaboration. Les socialistes, organisant une grève générale, obtinrent en 1951 son abdication en faveur de son fils, Baudouin Ier, mettant fin à la question royale. L'aide financière attribuée par les Etats-Unis dans le cadre du plan Marshall (1947) permit la rapide reconstitution de l'économie, aidée par ailleurs par les richesses en provenance du Congo. Après la conclusion de l'union douanière avec les Pays-Bas et le Luxem-

bourg dans le cadre du Benelux (1948), la Belgique favorisa la création d'une Union européenne occidentale : entrée dans l'OTAN (1948), au Conseil de l'Europe (1949), dans la CEE et EURATOM (1957). L'indépendance du Congo était effective le 30 juin 1960. Après la résolution d'une nouvelle crise scolaire (1958), le gouvernement Eyskens (1958-1961) doit faire face à l'agitation ouvrière en Wallonie, qui défend ses intérêts économiques (fermeture des mines de charbon) face à la Flandre. La question linguistique est ravivée par l'affaire des communes de l'agglomération

bruxelloises (1963), qui entraîne le changement de région linguistique de plusieurs zones (Mouscron, Fourons). La réforme constitutionnelle de 1970 crée quatres régions linguistiques (néerlandaise, française, allemande et Bruxelles, franco-néerlandaise, bien qu'elle soit à 80 % francophone) et trois régions (Flandre, Wallonie et Bruxelles) disposant d'une certaine autonomie administrative, renforcée par le « Pacte d'Egmont » (24 mai 1977). La régionalisation constituait l'objectif essentiel du gouvernement formé par le social-chrétien Léo Tindemans (1974-1978),

confronté par ailleurs aux difficultés économiques consécutives au choc pétrolier. Les gouvernements se succèdent jusqu'à la formation du gouvernement de coalition (sociaux-chrétiens et libéraux) de Wilfried Martens (1981), qui fait face à la récession par des mesures de rigueur, déclenchant les grèves des fonctionnaires de septembre 1983. La démission de six ministres libéraux, après l'émeute (38 morts) du stade du Heysel du 29 mai 1985, provoque les élections anticipées du 13 octobre, qui donnent la majorité à la coalition sortante ; Wilfried Martens reste Premier ministre.

Belize

BH
Amérique centrale
22 963 km²
162 000 km²
ONU, CA-RICOM, cw

Capitale : Belmopan (2930 hab.)
Langue officielle : anglais
Religions : cath. (67 %), prot. (30 %)
Régime polit. : monarch. parl. et dém. Indép. obtenue le 21 septembre 1981

Jusqu'à sa destruction par Hernan Cortès en 1524, le territoire du Belize actuel appartint au cœur de l'Empire maya. Flibustiers français et anglais se disputent la région au XVIIe siècle. La Grande-Bretagne y envoie un surintendant avant d'en faire une colonie (1862) puis une colonie de la Couronne (1871). Le Guatemala voisin ne cessa dès lors de revendiquer la souveraineté sur ce qui était alors le Honduras britannique, l'imprécision du traité frontalier de 1859 ouvrant la voie à des interprétations divergentes. Cette rivalité conduit aux incidents militaires de 1972, 1975

puis 1977. Le Belize dispose depuis 1960 d'un gouvernement formé par le Parti uni du peuple (PUP), auquel fut reconnu en 1964 une certaine autonomie. Le pays prend en 1970, à l'initiative du Premier ministre George Price, le nom de Belize. Le processus d'indépendance, qui devait aboutir en 1976, était retardé par les revendications du Mexique et du Guatemala sur le territoire du Belize. A la suite d'un accord intervenu entre la Grande-Bretagne et le Guatemala et suivant les résolutions de l'ONU de 1975 et 1980, le Belize se voyait reconnaître en 1981 sa totale

souveraineté. Le pays, très pauvre, est régulièrement dévasté par des catastrophes naturelles (1931, 1961, 1978 et 1980). Le conservateur Manuel Esquivel succédait après les élections de janvier 1985 à George Price. Le Belize, dont le nom provient d'un mot maya signifiant « eau trouble », tire l'essentiel de ses ressources des plantations. Canne à sucre et citronniers ont remplacé l'exploitation, prépondérante autrefois, des essences rares de bois. La propriété foncière est inégalement répartie : 1,2 % des propriétaires, Anglais et Américains, possèdent 85 % des terres.

Bénin

DY
Afrique de l'Ouest
122 622 km²
3,7 M hab.
ONU, CEDEAO, OEA

Capitale : Porto-Novo (132 000 hab.)
Langue officielle : français
Religions : animistes (70 %), musulm.
Régime polit. : rép. soc. pop., le Dahomey devenait indép. le 1er août 1960

Le royaume Fon du Dahomey (ou Dan Homé) fut fondé vers 1625 par un prince de la famille royale d'Allada, qui régnait sur le royaume du même nom fondé vers 1575 par la tribu des Adjas. Le roi du Dahomey Agadja (1708-1732) annexait en 1724 le royaume d'Allada puis celui de Ouidah en 1727. Vaincu en 1730 par le royaume d'Oyo, le Dahomey en restera tributaire pendant un siècle. La principale ressource du pays est alors la traite des esclaves, facilité par les autorités du royaume. Le Dahomey sera libéré de l'emprise d'Oyo par Guézo (1818-1858), qui signait en 1851 un traité

d'amitié avec la France. Son successeur, le roi Glé-Glé, s'opposa à la France après l'établissement du protectorat sur Porto-Novo en 1883. La conquête militaire française commence en 1892 et ne s'achèvera qu'au cours de la Première Guerre mondiale. Les Etablissements français du golfe du Bénin, créés en 1883, devenaient en 1894 la colonie du Dahomey. Le Dahomey obtenait en 1956 l'autonomie interne puis, en 1960, son indépendance. Le premier président de la République, Hubert Maga, est confronté à de graves difficultés économiques : le général Soglo s'empare du pouvoir en 1963 puis 1965.

Après plusieurs tentatives démocratiques, où Sourou Migan Apithy, originaire de Porto-Novo, Hubert Maga, appartenant aux Baribas et Justin Ahomadegbé, représentant des Fons d'Abomey, ne réussirent pas à surmonter leurs rivalités gouvernementales, le pays est de nouveau gouverné, après le putsch du 27 octobre 1972, par les militaires. Le général Mathieu Kérékou instaure un conseil national révolutionnaire d'inspiration marxiste-léniniste : le Dahomey devient le Bénin le 30 novembre 1975. Le pays est depuis gouverné par un parti unique, vainqueur et seul candidat des élections de novembre 1979.

Bhoutan

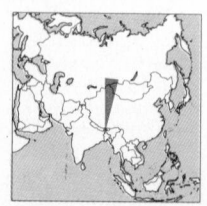

Asie du Sud
47 000 km²
1,4 M hab.
ONU

Capitale : Thimbu (20 000 hab.)
Langue officielle : tibétain
Religions : bouddh. (75 %), hind.
Régime polit. : mon. const. La dynastie Wangchuk règne depuis le 17 décembre 1907

L'histoire du Bhoutan (en dzong-ka, Drug Yul, « pays du dragon »), situé

au sud-est du haut-plateau himalayen, est déterminée par la religion et par l'état de la frontière entre la Chine et l'Inde. Sous domination tibétaine depuis le IXe siècle, le pays conquérait son indépendance en 1557 sous le règne du lama Shabdung Ier. Le « Pays du dragon » était alors soumis à une double autorité spirituelle, représentée par le Dharma raja, et temporelle, celle du Deb raja. Le pouvoir de ce dernier tombait à la fin du XIXe siècle aux mains du gouverneur de Tsongsa, de la famille des Wangchuk, alors que le Bhoutan passait, en 1865, sous domination indo-britannique. Les Wangchuk devenaient

rois en 1907, soutenus par les Britanniques, qui s'attribuaient en 1910 le contrôle des relations extérieures du pays, contrôle transmis en 1949 à l'Inde. Depuis 1953 existe une Assemblée nationale (Tsogdu), contre les décisions de laquelle le roi ne dispose plus depuis 1968 du droit de veto et doit solliciter tous les trois ans la confiance des députés. L'annexion du Tibet par la Chine en 1959 provoqua l'arrivée d'un flux important de réfugiés au Bhoutan : le roi Jigme Dorji Wangchuk († 1972) approuvait en 1960 la rupture des relations diplomatiques avec la Chine et le Tibet. Le problème des

réfugiés conduisait à la tentative de putsch de 1976, conduite par des Tibétains. Le roi Jigme Singye Wangchuk (* 1955), au pouvoir depuis 1972, favorise une prudente ouverture du pays (tourisme) et tente de s'affranchir (bien que le Bhoutan soit membre de l'ONU depuis 1971) de l'Inde dans sa politique extérieure ainsi que par la création d'une monnaie nationale. Le lamaïsme tibétain, sous l'autorité du jey khempo, continue de jouer un rôle important dans la vie du pays, marquée par la rivalité politique constante entre les deux grandes familles des Wangchuk et des Dorji.

Birmanie

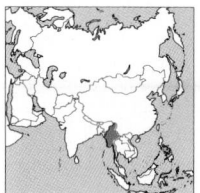

BUR
Asie du Sud-Est
676 552 km²
35,3 M hab.
ONU

Capitale : Rangoon (3,9 M hab.)
Langue officielle : birman
Religions : bouddh. (85 %), musulm.
Régime polit. : rép. social., indépendante depuis le 4 janvier 1948

Une peuplade tibéto-birmane, les Pyus, s'installait au début de notre ère sur le territoire de l'actuelle Birmanie. Les Pyus servaient de relais à la civilisation indienne et au bouddhisme, implanté par le roi Anoratha (1044-1077 ?). Le royaume birman de Pagan, fondé au IXᵉ siècle, réussit sous son règne à soumettre, au sud, le royaume des Môns. L'arrivée des hordes mongoles de Kubilay entraîne la destruction de Pagan (1287), qui est de nouveau détruite par les Chans, d'origine thaïe. Morcelé, le pays ne retrouve son unité qu'avec le règne de Alaungpaya, qui fonde le troisième Empire birman en 1752. La dynastie d'Alaungpaya favorisa les arts : le roi Bodawpaya (1782-1819) fit mettre en chantier une pagode gigantesque et inachevée à Mingun. La dynastie Konbaung, qu'il fonde, ne cessera d'étendre son empire jusqu'en 1885, où elle sera déposée par les Britanniques. La première apparition de troupes britanniques en Birmanie remonte à 1612 : trois guerres successives (1824-1826, 1852-1853, 1885) permettaient à la Grande-Bretagne de transformer la Birmanie en province de l'Empire des Indes (1886). Séparée en 1937 des Indes britanniques sous l'impulsion du parti nationaliste des Thakins (fondé en 1929 par Aung San et U Nu) et en voie d'autonomie, la Birmanie était occupée en 1942 par les troupes japonaises. Délivrée au prix de durs combats par les troupes britanniques de Mountbatten, l'Union birmane accédait à l'indépendance le 4 janvier 1948. Assassiné en juillet 1947, Aung San, le premier chef du gouvernement, est remplacé par U Nu. Confronté à la guerre civile provoquée par les revendications indépendantistes des Karens et des Kachins et par la guérilla menée par le parti communiste, le gouvernement démocratique est renversé en septembre 1958 par un putsch militaire. Premier ministre, le général Ne Win est remplacé par U Nu, qui revient au pouvoir après les élections de février 1960. Le projet d'autonomie mis au point par les minorités réunies à Taunggyi en 1961 étant approuvé par le Parlement, les militaires reprennent le pouvoir en 1962. Le général Ne Win met en place une structure socialiste centralisée : le parti du programme socialiste birman (BSPP) devient parti unique en 1964. Les résultats catastrophiques de l'économie socialiste conduisent à plusieurs révoltes, entretenues par le parti communiste pro-chinois du « drapeau blanc », qui a constitué un maquis anti-gouvernemental. Les violentes manifestations anti-chinoises de Rangoon en juin 1967 conduisent à la rupture des relations avec la Chine. La coopération économique sino-birmane reprend après 1970 : la Birmanie est très riche en matières premières. Les obsèques de U Thant, l'ancien secrétaire général des Nations unies, sont l'occasion de nouvelles émeutes en décembre 1974, qui entraînent la proclamation de la loi martiale. Les exactions commises par l'armée contre les musulmans, les Rohingyas, entraînent en 1978 dans des conditions dramatiques la fuite de 200 000 d'entre eux au Pakistan : ils seront rapatriés après l'intervention de l'ONU en 1979. Le général Ne Win se retire en 1981 de la présidence de la République mais reste à la tête du BSPP ; il est remplacé par U San Yu. La poursuite de la résistance armée des mouvements indépendantistes conduit en mars 1984 à un incident avec la Thaïlande, des soldats birmans à la poursuite de rebelles Karens en ayant franchi la frontière.

Bolivie

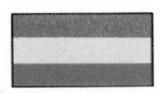

BOL
Amérique du Sud
1 098 581 km²
6,1 M hab.
ONU, AILA, OEA

Capitale : Sucre (110 000 hab.)
Langues officielles : espagnol, quechua, aymara
Religions : cath. (93 %)
Régime polit. : rép. prés. Indépendance proclamée le 6 août 1825

Le royaume de Tiahuanaco se développa entre 600 av. J.-C. et 1200 ap. J.-C. sur le haut-plateau andin central. La ville de Tiahuanaco constituait le centre culturel et économique d'un territoire immense, qui comprenait la dépression du lac Titicaca et une vaste région côtière du Pacifique. L'organisation centralisée du royaume se disloqua vers 800, si bien que les diverses tribus aymaras et quechuas furent rapidement soumises par l'inca Pachacutec en 1460.

La domination espagnole
L'actuelle Bolivie et le Pérou furent inclus dans la vice-royauté espagnole après la destruction de l'Empire inca par les expéditions des conquistadors de 1533 et 1535. Sucre (Chuquisaca), actuelle capitale constitutionnelle, était fondée en 1538, La Paz, siège du gouvernement bolivien, en 1548. Le Haut-Pérou prend une importance considérable après la découverte des mines d'argent du Potosi, en 1544 : la nécessité de ravitailler la plus riche métropole minière du monde provoqua le développement intensif de l'agriculture de la région (les territoires pré-andins de l'Argentine). La production des mines du Potosi ne commencera à décroître qu'à partir de 1610. Les Etats actuels de Bolivie, du Paraguay, de l'Uruguay et l'Argentine étaient unifiées en 1776 dans la vice-royauté du Rio de la Plata. La Bolivie servit ensuite aux Espagnols de base à leur tentative de reconquête de l'Argentine. L'état de dépendance active auquel est réduite la population indienne conduit à la vaine révolte de 1781, menée par Tupac Amaru II. La Bolivie demeurera loyaliste face aux attaques argentines jusqu'en 1824 ; les armées de Bolivar, commandées par le général Sucre, donnent au pays son indépendance en 1825 : la nouvelle République du Haut-Pérou adopte le nom de son premier président, Bolivar.

Indépendance et richesses minières
Le général Santa Cruz, qui impose sa dictature en 1829, échoue dans sa tentative de constituer une confédération péruvo-bolivienne après l'intervention du Chili et la défaite de Yungay (1839). Le pays, où les Indiens sont toujours maintenus dans un état de servage, se révoltent de nouveau en 1870-1871, souffre jusqu'en 1880 de l'anarchie causée par le pouvoir des *caudillos barbares*. La Bolivie est mise en coupe réglée au fil des opérations spéculatives sur la quinine, puis le nitrate (guano), l'argent et l'étain (après 1890). Alliée au Pérou dans la « guerre du salpêtre » contre le Chili, la Bolivie perd en 1879 la province d'Atacama et son accès à la mer. La guerre civile de 1898-1899 porte les libéraux au pouvoir : un traité de paix avec le Chili est signé en 1904, alors que la Bolivie perdait la région d'Acre, après la guerre de 1903-1904 contre le Brésil. Le commerce de l'étain, monopole de quelques individus, et la production minière connaissent leur apogée en 1920, après l'arrivée au pouvoir du parti républicain, nouvellement formé, et l'accroissement des investissements américains.

De 1929 à la révolution de 1952
La crise économique de 1929 aggrave les disparités entre les riches régions minières et le reste du pays, à dominante agricole. L'économie bolivienne fut totalement brisée par la guerre du Chaco de 1932-1935, contre le Paraguay. Le pays perdit la plus grande partie de la province du Chaco et, avec elle, l'accès aux fleuves menant à l'Atlantique. La dictature militaire qui s'empare du pouvoir après la guerre tente de redresser la situation : nationalisation de la Standard Oil américaine, création de syndicats de mineurs, mais de nouveaux partis, dont le Mouvement nationaliste révolutionnaire (MNR) canalisent le mécontentement. La révolution de 1952, suivant la stabilisation des cours de l'étain aux Etats-Unis en 1951, porte Victor Paz Estenssoro, chef du MNR, au pouvoir.

Dictature et retour de la démocratie
Les réformes sociales du MNR : suppression de l'armée, remplacée par des milices ouvrières et paysannes, restitution aux Indiens de leurs terres, sont acceptées par les USA mais conduisent au putsch militaire de 1964. Le régime militaire se maintient malgré les mouvements d'opposition et la guérilla castriste menée par Che Guevara, qui est tué en 1967. Destitué après les élections irrégulières de 1978, le général Hugo Banzer Suarez est remplacé par le général Pedra Asbun, auquel succèderont après trois putschs d'autres généraux, jusqu'à la remise du pouvoir aux civils, en 1982. Elu à la présidence en octobre, Siles Suazo, chef de l'Union démocratique et populaire (UDP), et son gouvernement sont incapables de faire face à la catastrophe financière qui atteint la Bolivie : la grève générale lancée par le syndicat de gauche COB, en mars 1985, permet d'obtenir une augmentation des salaires de 350 %, (l'inflation se monte à 8216 %). Les élections présidentielles anticipées du 5 août 1985 sont remportées par Victor Paz Estenssoro, chef du MNR. Une politique de rigueur financière et économique est mise en place. L'Etat bolivien est en faillite, la lutte contre le trafic de drogue et le marché noir est intensifiée. La Bolivie dispose de ressources naturelles importantes, mais ses réserves en minerais apparaissent limitées. Le pays compte parmi les plus importants producteurs mondiaux d'étain, bismuth, cuivre, plomb, zinc, or et argent. Le riche gisement de fer d'El Mutún est en voie d'exploitation. Les réserves d'hydrocarbures permettent de couvrir les besoins énergétiques nationaux.

Botswana

RB
Afrique australe
600 372 km²
1,01 M hab.
ONU, CW, OUA

Capitale : Gaborone (63 000 hab.)
Langues officielles : anglais, tswana (bantou)
Religions : animistes, prot.
Régime polit. : rép. présid. Indépendance obtenue le 30 septembre 1966

Repoussées par les tribus Matebele, tribus bantoues vivant en bordure du désert du Kalahari, les tribus tswanas demandèrent l'appui des Britanniques, qui cherchaient à réaliser la jonction coloniale Le Cap-Le Caire. La création du protectorat du Bechuanaland par les Britanniques en 1885 répondait à la nécessité de créer une zone de sécurité près des colonies allemandes du sud-ouest africain. L'Etat du Botswana était constitué en 1966 par la réunion de deux secteurs de la province du Cap et de l'ancien protectorat du Bechuana-

land. Son premier président était Seretse Khama, fils d'un chef de tribu qui avait été contraint de s'exiler après avoir épousé une Britannique et n'avait été autorisé à rentrer au pays, en 1956, qu'après avoir renoncé à sa dignité de chef. Le parti de Seretse Khama (BDP : *Botswana Democratic Party*) remportait les élections de 1969 contre le parti du peuple (BPP), hostile à l'Afrique du Sud. Le Botswana, qui accueille les réfugiés sud-africains et dénonce la politique d'apartheid, a des liens économiques très étroits avec l'Afrique du

Sud : la seule voie d'exportation du pays est la voie ferrée qui mène à Pretoria. Le BDP renforce sa suprématie lors des élections de 1974 et 1979 (29 sièges sur 32). Une monnaie nationale, le pula, était créée en 1977 afin de remplacer le rand sud-africain. A la mort de Seretse Khama, en juillet 1980, le vice-président, Quett Masire, était élu par le Parlement pour lui succéder. Les troupes sud-africaines attaquaient au Botswana le 11 juin 1985 un camp de l'ANC *(African National Congress)*, qui lutte contre l'apartheid.

Brésil

BR
Amérique du Sud
8 511 965 km²
130 M hab.
ONU, AILA, OEA

Capitale : Brasilia (1,2 M hab.)
Langue officielle : portugais
Religions : cath. (92 %), prot.
Régime polit. : rép. féd. Indépendance proclamée le 7 septembre 1822

Les premiers témoignages d'un habitat humain au Brésil remontent à environ 8000 av. J.-C.. Le développement ultérieur du pays accentue la différence culturelle entre le sud du pays et le bassin de l'Amazone, au nord.

De la découverte à l'indépendance
Le premier européen à atteindre les côtes brésiliennes fut l'Espagnol Vicente Yanez Pinzon, en janvier 1500. Quelques mois plus tard, en avril, le Portugais Pedro Alvares Cabral, qui commandait, après la découverte de la route des Indes par Vasco de Gama, la deuxième flotte portugaise vers les Indes, atteignait le Brésil, dont il prenait possession pour le Portugal le 3 mai 1500. Les nouveaux territoires s'appellent alors la « Terre de la Vraie Croix » et appartiennent au Portugal, conformément au traité de Tordesillas de 1494. La revendication portugaise ne sera cependant reconnue par l'Espagne que par le traité de Badajoz, en 1522. La colonisation se limite au XVIe siècle à quelques établissements isolés, en particulier au nord-est (nordeste), autour de Bahia (Salvador) et de Pernambouc (Recife), où la canne à sucre est exploitée depuis 1532 grâce à l'importation d'esclaves africains. Dépourvu d'or, le Brésil a tout d'abord été divisé par le roi du Portugal en fiefs, attribués à des « capitaines-donataires ». Les grandes exploitations sucrières se constituent autour de la maison du seigneur, la *casa grande*. Le roi du

Portugal Jean III envoie cependant en 1548 un gouverneur au Brésil, résidant à Bahia, chargé de maintenir la cohésion des treize capitaineries. Les missions de jésuites entament dès 1554, à partir de Sao Paolo, la christianisation des Indiens. Les tentatives d'implantation françaises de Villegaignon à Guanabara (1555-1560) et de La Ravardière à Sao Luis do Maranhao (1594-1615) sont repoussées. L'implantation néerlandaise à Bahia et à Pernambouc est anéantie après la révolte des colons portugais en 1654. La découverte de l'intérieur du pays est menée par des *bandeirantes* attirés par la découverte de filons aurifères dans les Minas Gerais (1694) et dans le Mato Grosso (1718) ainsi que de mines de diamants (Sabara, 1699). L'extraction de minerais précieux se fait au détriment de la population indienne, pourchassée et réduite en esclavage, et de l'exploitation agricole des grandes exploitations, les *fazendas*. Favorisée par sa situation plus favorable pour l'écoulement des minerais, Rio de Janeiro supplante Bahia comme capitale en 1763. Après la prédominance de l'exploitation sucrière puis minière, l'élevage s'étend à la fin du XVIIIe siècle. La colonisation se poursuit à partir du nordeste puis du sud, faisant appel aux colons des Açores. La signature par le Portugal en 1703 du traité de Methuen, qui garantit à la Grande-Bretagne l'exclusivité du commerce avec le Brésil entraîne une intervention française : Duguay-Trouin s'empare de Rio en 1711. Le conflit avec l'Espagne sur les territoires du Sud s'achève en 1777 par le traité de San Ildefonso : l'Espagne obtient les territoires des missions jésuites de l'actuel Uruguay, dont les Portugais avaient été chassés par la révolte des Indiens de 1750, provoquée par les jésuites. Malgré l'essor économique du Brésil, où plusieurs cultures ont été introduites (riz, tabac, plantes tinctoriales, coton, cacao), l'apparition d'un mouvement révolutionnaire à la fin du XVIIIe siècle (exécution de Tiradentes, 1792) met en évidence l'exploitation des métis et mulâtres, nouveau type d'homme issu du

brassage des populations. Réprimé par les grands propriétaires et l'influence modératrice de quelques intellectuels créoles ou métis, le sentiment révolutionnaire donne naissance au nationalisme brésilien, renforcé par l'arrivée à Rio de Janeiro de la famille royale portugaise en 1808. Le Portugal est en effet occupé par les troupes napoléoniennes et le roi Jean VI devra séjourner au Brésil, accompagné de 15 000 émigrés, jusqu'en 1821. Le Brésil était élevé au rang de royaume associé au Portugal le 16 janvier 1815. La réorganisation du Brésil se heurta toutefois à une opposition intérieure (révolte de Pernambouc en 1817) et, sur le plan économique, à la totale dépendance du pays vis-à-vis de l'Angleterre, renforcée par le traité de 1810. Rentré au Portugal après la révolution de 1820, Jean VI laissa à son fils dom Pedro la régence du Brésil. Gagné aux idées nationalistes brésiliennes, dom Pedro accepte l'indépendance proclamée lors du « cri d'Ipiranga » (7 septembre 1822) et devient empereur du Brésil sous le nom de Pierre Ier le 12 octobre 1822.

De l'Empire à la République
Les troupes portugaises abandonnent le Brésil en 1823, sous la menace d'une escadre britannique. Lorsque Pierre Ier annonce, en 1826, son intention de rentrer à Lisbonne pour succéder à son père, une émeute le contraint à abdiquer en faveur de son fils, Pierre II, âgé de cinq ans. Régnant à partir de 1840, celui-ci favorisera l'expansion économique et notamment la culture extensive du café, partie de la Guyane. Sa politique à la fois réformiste (octroi du suffrage universel, abolition complète de l'esclavage en 1888, laïcisation de l'état civil) et autoritaire et la puissance grandissante de l'armée après la guerre contre le Paraguay (1865-1870) conduisent à la révolution, menée par les militaires, et à la proclamation de la République, le 15 novembre 1889.

La République fédérale du Brésil
La Constitution brésilienne du 24 février 1891 met en place un Etat laïque et fédé-

raliste, et, avec le soutien des militaires, démocratique. Le pouvoir est en fait étroitement dépendant des oligarchies possédantes (les « *coronels* ») : le développement de la culture du café a favorisé le développement d'influence politique et économique de l'Etat de Sao Paolo au détriment du nordeste. Un recrutement gouvernemental essentiellement pauliste explique le soutien massif accordé par les autorités brésiliennes aux producteurs de café lors de la crise de surproduction de 1906. Parallèlement au développement du pays vers le sud, l'exploration de l'Amazonie se poursuit. En 1914, le Brésil est la plus grande puissance d'Amérique latine : son économie, production de blé et de caoutchouc notamment, bénéficie de la guerre, dans laquelle elle entre avec les Etats-Unis. La disparition du monopole brésilien du caoutchouc (essentiel pour l'industrie automobile) avec l'apparition de la concurrence du sud-est asiatique, la crise économique de 1929 jointe à la chute vertigineuse des prix du café en 1930 entraînent une grave récession, qui se traduit politiquement par l'arrivée au pouvoir du chef des libéraux, Getulio Vargas, qui abroge la Constitution de 1891 et forme un gouvernement dictatorial. Sa dictature est officialisée par un plébiscite en 1937 : les partis politiques sont supprimés, le Congrès dissout. Le régime de Vargas s'appuie sur la bourgeoisie et le peuple contre les grands propriétaires fonciers et met en place la politique de l'*Estado novo*. Le Brésil envoie en 1942 un contingent de 25 000 hommes aux côtés des Alliés. Vargas, auquel les Etats-Unis sont hostiles, est renversé le 30 octobre 1945 par un groupe de généraux. Une nouvelle Constitution démocratique est adoptée en 1946. Le mouvement des *marmiteiros* (analogues aux *descamisados* péronistes d'Argentine) porte de nouveau Vargas à la présidence lors des élections de 1951. Sa politique, hostile aux intérêts étrangers, se radicalise : la violente campagne lancée contre lui par l'opposition provoque son suicide, le 24 août 1954. Les successeurs de Vargas poursuivront sa politique extérieure d'indépendance à l'égard des Etats-Unis et favoriseront sur le plan intérieur la décentralisation au profit des Etats fédéraux, symbolisée par la naissance de Brasilia, en avril 1960, dont la construction a représenté un lourd effort financier pour l'économie nationale. Membre de l'opposition et élu en 1960, le président Janio Quadros doit démissionner en août 1961 sous la pression des militaires, en raison de sa politique d'ouverture vers les pays de l'Est et du tiers monde. Son successeur, Joao Goulart, est déposé par les militaires en avril 1964.

Dictature et retour à la démocratie
La mise en place d'un régime militaire se traduit par l'amendement de la Constitution de 1946, la suppression du pluralisme politique et l'institution d'un parti officiel, le parti ARENA (*Aliança Renovadora Nacional*). L'ambitieuse politique d'équipements menée sous les généraux aggrava les disparités sociales, faisant apparaître en périphérie des grandes villes d'immenses quartiers miséreux. La période de stabilisation économique ouverte par la réussite du plan économique de 1965 fut compromise après 1973. Les premières élec-

tions libres depuis 1965 eurent lieu en novembre 1982, succédant à la libéralisation introduite sous le président Figueiredo en 1979. Le parti ARENA et le seul parti d'opposition toléré, le MDB (*Movimento Democratico Brasileiro*) disparaissaient. Le nouveau parti issu de l'ARENA, le PDS (*Partido Democratico Social*) reculait face aux partis d'opposition. L'introduction du suffrage universel pour l'élection présidentielle de janvier 1985 est repoussée par les militaires : les manifestations géantes de Rio de Janeiro et de Sao Paolo en avril 1984 entraînent la

proclamation de l'état d'urgence. Le candidat du PDS fut pourtant battu le 15 janvier 1985 lors de l'élection présidentielle par Tancredo Neves. Gravement malade, celui-ci meurt le 21 avril, quelques jours après avoir prêté serment. Le vice-président José Sarney lui succède et inaugure le retour à la démocratie par un vaste plan de rigueur économique et une profonde réforme agraire : le Brésil est le pays le plus endetté du monde, le chômage atteint 40 % dans certains Etats, 25 % des Brésiliens vivent sous le seuil de la misère.

Brunei

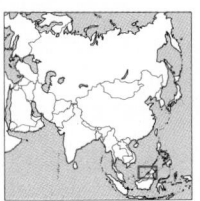

BRU
Asie du Sud
5 765 km²
250 000 hab.
ONU, CW,
ASEAN

Capitale : Bandar Segi Begawan (75 000 hab.)
Langue officielle : malais
Religions : musulm.
Régime polit. : sultanat, indépendant depuis le 1er janvier 1984

Situé sur la côte nord-ouest de Bornéo, Brunei était déjà, il y a mille ans, un important port de commerce, en relation avec l'Inde et la Chine : une mission portant tribut à l'empereur de Chine quittait Brunei en 977. Intégré à l'Empire javanais de Majapahit, le royaume de Brunei s'étendit rapidement après la chute de ce dernier à Bornéo et dans les Philippines. Pigafetta, l'historien de l'expédition de Magellan, fait escale à Brunei en 1521, de même, semble-t-il, que le Portugais Fernando Magalhaes. L'islamisation commence à la même époque et le royaume devient un sulta-

nat. L'aventurier anglais James Brooke se taillait un domaine au Sarawak en 1841 : La Grande-Bretagne signait en 1847 un traité commercial avec Brunei, qui devenait un protectorat en 1888. L'exploitation du pétrole, découvert en 1903, ne commença vraiment qu'après 1929. Le sultanat se voyait accorder en 1959 une certaine autonomie interne, mais le parti du peuple du cheikh Azahari organisait en décembre 1962 un bref soulèvement nationaliste, soutenu par l'Indonésie. Le sultan Omar Ali Saiffudin décidait en 1963 de ne pas rejoindre la fédération de Malaysia et abdiquait en

faveur de son fils, Hassan al-Bolkiah, couronné en 1968. Suivant un accord conclu avec Londres en 1979, et sous la pression de l'ONU, le sultanat, l'un des pays les plus riches du monde devenait indépendant en 1984. Le sultanat, peuplé par des Malais et des Chinois, est divisé en deux parties au nord par une étroite bande de territoire appartenant à l'Etat de Sarawak (Malaysia). La surface de l'Etat est recouverte à 80 % par des forêts, l'agriculture y est peu développée. La richesse pétrolière permet au Brunei de disposer d'une législation sociale particulièrement favorable.

Bulgarie

BG
Europe du Sud-Est
110 912 km²
8,9 M hab.
ONU,
COMECON, PV

Capitale : Sofia (1,1 M hab.)
Langue officielle : bulgare
Religions : athées (60 %), orthod., musulm.
Régime polit. : rép. populaire socialiste depuis le 15 septembre 1946

La partie orientale de la presqu'île balkanique fut investie au début du IIᵉ millénaire av. J.-C. par les Thraces. Les Grecs commencèrent à coloniser le littoral vers le VIᵉ siècle av. J.-C., le pays était annexé par la Macédoine un siècle plus tard. Conquise par les Romains au Iᵉ siècle av. J.-C., la Thrace fut divisée en deux provinces sous Domitien, les Mésie supérieure et inférieure. Après la pénétration progressive, au début du Vᵉ siècle de tribus slaves, le nord de la Bulgarie fut conquis vers 680 par des tribus turco-tatares : leur khan, Asparuh, contraignait l'Empire byzantin en 681 à reconnaitre l'indépendance des territoires compris entre le Danube et la chaîne du Balkan. Les khans bulgares : Tervel (702-718) puis Krum (814) assiègent Constantinople et

étendent leur territoire jusqu'à l'Albanie.

Les deux Empires bulgares
Le roi Boris Iᵉʳ (852-889), converti au christianisme en 864, favorisa l'extension de l'alphabet cyrillique, inventé en 855 par les frères Cyrille et Methode. Le fils de Boris, Simeon Iᵉʳ (893-927), conquiert la Macédoine, l'Albanie et les territoires serbes et met le siège devant Constantinople en 897, imposant à l'empereur un tribut. La Bulgarie connaît son premier apogée sous le tsar Pierre Iᵉʳ (927-969), fils de Siméon : son empire s'étend de l'Egée à l'Adriatique. Après avoir signé la paix avec l'empereur de Constantinople, il en épouse la fille. L'empire s'affaiblira sous ses successeurs, qui devront faire face au mouvement socio-religieux des bogomiles et ne pourront empêcher sa désagrégation. Les Russes puis les Byzantins (972) occupent le pays . Mais, huit ans après sa conquête par les Byzantins, la Bulgarie se soulevait : dirigée par un noble, Samuel, l'insurrection nationale connaît plusieurs victoires, permettant à Samuel de reconstituer de 986 à 995 un puissant Etat bulgare, de la Thessalie à la Bosnie, Cette série de victoires était brutalement stoppée au Sperchios (996) et surtout à la Strumica (1014), où l'empereur byzantin Basile II (le Bulgaroctone), faisait aveugler 15 000 prisonniers bulgares, qu'il

renvoyait à Samuel : celui-ci mourait quelques jours plus tard, la Bulgarie était totalement investie par les Byzantins en 1018. La Bulgarie ne se soulevait à nouveau contre le joug byzantin qu'après plus d'un siècle et demi, lors de la mort de l'empereur Manuel Comnène (1180). Menée par deux seigneurs, Pierre et Jean Asen, la révolte permettait de reconstituer un embryon d'Etat bulgare, dont la capitale était fixée à Tarnovo. Les Bulgares poursuivaient leur reconquête vers la Thrace et la Macédoine, atteignant la mer de Marmara : l'assassinat des frères Asen ne ralentissait pas le processus. Les Bulgares reconstituent leur empire et fixent leur capitale à Tarnovo sous le tsar Jean II Kalojan (1197-1207). Kalojan, qui a conclu une alliance avec les croisés, rompt ses relations avec Constantinople en 1205 : il atteint la mer Egée l'an suivant, mais est assassiné à Salonique. Son héritier, Jean III Asen II chasse l'usurpateur Boromil en 1218 et règne jusqu'en 1241. Tarnovo, la capitale de l'empire, était encore sous son règne un pôle culturel très important. L'invasion mongole de 1272, l'arrivée au pouvoir du porcher Ivajlo lors de l'insurrection populaire de 1277 et, enfin, les revendications territoriales des boyards parachèvent la ruine de l'empire. En 1330, la Serbie de Etienne Dusan annexe le pays pour vingt-cinq ans.

La domination ottomane
Après avoir conquis Sofia (1382), Tarnovo (1393) et Vidin (1396), les Turcs annexent définitivement la Bulgarie après la défaite des croisés à Nicopolis. Plusieurs insurrections nationales ont lieu au XVIIᵉ siècle, des bandes armées de paysans, les *haïduks*, regroupés dans les montagnes, poursuivent la lutte. L'idée nationaliste renaît à la fin du XVIIIᵉ siècle, propagée par les monastères (le moine Paisij de Hilendar publie en 1762 une *Histoire des Slaves bulgares*). Des volontaires bulgares s'engagent aux côtés de la Russie dans la guerre russo-turque de 1768-1774, et participent aux guerres de libération nationale des Grecs et des Serbes. Un Comité central de la révolution bulgare créé par Vasil Levski (1837-1873) pose les bases de l'insurrection patriotique du 20 avril 1876. La Russie déclare la guerre à la Turquie en 1877. La défaite ottomane conduit à la création d'une grande Bulgarie autonome par le traité de San Stefano, le 3 mars 1878, qui est cependant démantelé par le traité de Berlin, en juillet. Le nord de la Bulgarie est placé sous tutelle de la Sublime Porte, le sud (la Roumélie orientale) devient province turque. La révolte des patriotes de Roumélie, conduits par Zahari Stojanov, conduit en septembre 1885 au rattachement de la province à la principauté. Stefan Stambolov, président du Conseil de régence fait couron-

Bulgarie

ner à la tête du nouveau royaume de Bulgarie Ferdinand de Saxe-Cobourg en juillet 1887. Après la démission de Stambolov, en 1894, Ferdinand se rapproche de la Russie et doit faire face à d'importants troubles sociaux. La révolution jeune-turque, en octobre 1908, lui donne l'occasion de rompre ses liens de vassalité à la Turquie.

Le temps des guerres
Convoitant les territoires balkaniques encore turcs, la Bulgarie, la Serbie et la Grèce forment la Ligue balkanique et déclarent la guerre à la Turquie en octobre 1912. La victoire bulgare (paix de Londres, mai 1913) provoque des tensions entre les alliés de la veille : la deuxième guerre balkanique allie la Serbie, la Grèce, la Roumanie et la Turquie contre la Bulgarie, qui est vaincue (paix de Bucarest, 10 août 1913). Les hostilités reprennent lors de

la Première Guerre mondiale : alliée aux empires centraux, la Bulgarie écrase la Serbie mais est battue par les troupes de Franchet d'Esperey et doit signer l'armistice de Salonique, le 29 septembre 1918. Ferdinand abdique en faveur de son fils, Boris III, le 3 octobre. Aleksandar Stambolijski (1879-1923), fondateur en 1899 de l'Union agrarienne, prend les rênes du pouvoir et élimine l'opposition communiste. Il est assassiné lors du coup d'Etat organisé par Alexandar Cankov en juin 1923. Celui-ci instaure une dictature sanglante inspirée de l'exemple fasciste italien mais est renversé à son tour, en 1934, par le groupe Zveno (l'anneau), qui rassemble des officiers et des intellectuels. Le roi Boris III instaure une dictature personnelle et se rapproche des puissances de l'Axe. L'alliance avec Hitler permet à la Bulgarie de reprendre (septembre 1940) la Dobroudja du

Sud à la Roumanie et d'occuper la Macédoine. Boris III meurt dans des circonstances mystérieuses le 28 août 1943. L'URSS déclare la guerre à la Bulgarie le 5 septembre 1944. Le front intérieur anti-nazi, créé par le parti communiste en juillet 1942, prend le pouvoir au soir du 9 septembre. La Bulgarie déclare la guerre au Reich hitlérien.

La démocratie populaire
Les élections législatives du 18 novembre 1945 permettent au gouvernement du colonel Kimon Georgiev, chef du Zveno, de rester en place. La monarchie est abolie par plébiscite le 8 septembre 1946, la République est proclamée le 15. Les nouvelles élections du 27 octobre 1946 portent au pouvoir le chef historique du parti communiste, Georgi Dimitrov. La paix de Paris, le 10 février 1947, restreint la Bulgarie à ses fron-

tières de 1941 mais ne la contraint pas au paiement de réparations de guerre. L'exécution en septembre 1947 du chef du parti agrarien, Petkov, ouvre la voie à l'hégémonie du parti communiste. Une profonde réforme agraire est instituée, l'économie est collectivisée. Après l'adhésion au COMECON et la mort de Dimitrov, en 1949, la direction du parti communiste sera soumise jusqu'en 1962 à plusieurs vagues d'épurations. Todor Zivkov cumulera alors les fonctions de premier secrétaire du parti et de président du Conseil. Les troupes bulgares participent en août 1968 à l'invasion de la Tchécoslovaquie. La nouvelle Constitution de 1971 entraîne la nomination, le 7 juillet, de Zivkov au poste de chef de l'Etat. Le problème de l'assimilation forcée de la minorité turque de Bulgarie provoquait dès 1985 la résistance des populations concernées et les protestations de la Turquie.

Burkina Fasso (Haute-Volta)

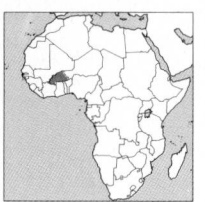 

Afrique de l'Ouest
274 200 km²
7,2 M hab.
ONU, CEDEAO, OUA

Capitale : Ouagadougou (300 000 hab.)
Langue officielle : français
Religions : animistes (70 %), musulm., chrét.
Régime polit. : rép. présid. Indépendance proclamée le 5 août 1960

L'ethnie des Mossis, venue du Dagomba, arriva au XIᵉ siècle sur le territoire de l'actuel Burkina Fasso. Leur cavalerie leur permit de s'imposer aux ethnies rivales et les descendants de Ouédraogo, petit-fils du roi du Dagomba, fondèrent le royaume de Ouagadougou (vers 1200) et celui de

Yatenga. Nassegué, naba de Yatenga, prenait Tombouctou ; son successeur, Nasseré, s'emparait en 1480 de Oualata mais était vaincu en 1483 par les Songhaïs. Les royaumes des nabas vivaient essentiellement d'une agriculture vivrière : quelques courants commerciaux existaient cependant, important du sel et exportant des cotonnades. Tandis que l'essentiel de la communauté mossi demeurait réfractaire à l'islam, des commerçants islamisés d'origine mandé s'installaient dans les centres urbains : ils laissèrent une descendance, les Yarsés. A côté des royaumes des nabas apparut au XVIIᵉ siècle à Bodo-Dioulasso un Etat dioula (malinké), intégrant les envahisseurs mossis. Au XVIIIᵉ siècle, le Yatenga s'opposait avec succès à la poussée des Bambaras vers l'est. Les premières missions européennes apparurent à la fin du XIXᵉ siècle (1890) : elles furent repoussées par le morho-naba (Ouagadougou). Ce n'est

qu'en 1895 que le capitaine Destenave, envoyé du Soudan, parvenait à signer un traité avec le naba du Yatenga ; il échouait auprès du morho-naba. Une nouvelle mission (capitaine Voulet) entrait à Ouagadougou le 1ᵉʳ septembre 1896 et en chassait le morho-naba. Parties du Soudan, les troupes françaises occupaient le pays en 1897. La Haute-Volta est séparée du Haut-Sénégal-Niger en 1919 puis divisée entre le Soudan, la Côte d'Ivoire et le Niger jusqu'à sa réunification, le 4 septembre 1947. La Haute-Volta devient une république autonome de la Communauté française après le référendum de 1958. La vie politique du pays est dominée depuis 1946 par le Rassemblement démocratique africain (RDA) de Ouezzin Coulibaly, auquel succède à sa mort, en 1958, Maurice Yaméogo. Après la proclamation de l'indépendance, le 5 août 1960, le pays est admis à l'ONU, le 20 septembre. Le mécontentement po-

pulaire entraîne la prise du pouvoir par les militaires, le 3 janvier 1966 et l'arrivée du colonel Sangoulé Lamizana. Après un bref épisode démocratique (1971-1975), Lamizana reprend le pouvoir. Le conflit frontalier avec le Mali est réglé en 1975 également par un traité. Réélu en mai 1977 après l'instauration d'une nouvelle Constitution qui renforce les pouvoirs présidentiels, le colonel Lamizana est renversé en novembre 1980. Après un nouveau putsch en 1982, celui d'août 1983 porte le capitaine Thomas Sankara au pouvoir : la Haute-Volta devenait le 4 août 1984 le Burkina Fasso (Pays de la dignité). Un nouveau et violent conflit frontalier avec le Mali éclatait fin 1985 pour les supposées richesses minières du désert d'Aguacher : un cessez-le-feu était signé grâce à l'entremise des pays africains par le président malien Traoré et le président Sankara le 30 décembre.

Burundi

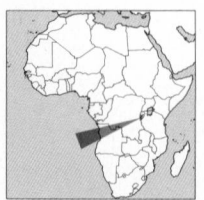 

RU
Afrique de l'Est
27 834 km²
4,5 M hab.
ONU, OUA

Capitale : Bujumbura (160 000 hab.)
Langues officielles : kirundi, franç.
Religions : cath. (60 %), animistes
Régime polit. : rép. présid. depuis le 28 novembre 1966

Le royaume de Burundi a été fondé d'après la tradition au XVIIᵉ siècle par Ntare Ruhatsi. Le Burundi atteignit ses

frontières actuelles sous le règne de Ntare IV Rugamba (vers 1796-1852), au début du XIXᵉ siècle. Le royaume fut affaibli par les luttes entre le roi Mwezi Gisabo (vers 1852-1908) et ses frères et la menace des Zanzibarites, vers 1880. La conquête allemande commence en 1896, contraignant Mwezi à se soumettre en 1903. Les troupes belges attaquent le Burundi en 1916 par le nord : numériquement inférieurs, les Allemands se replient. Le Ruanda-Urundi est placé sous mandat belge par la convention Orts-Milner de mai 1919. Ce mandat était renouvelé sous l'égide de l'ONU en 1946. Après l'accession à l'autonomie interne, en 1959, les élections de septembre 1961,

sous contrôle de l'ONU, portent au pouvoir le parti de l'unité et du progrès national dirigé par Louis Rwagasore, fils du roi qui est assassiné le 13 octobre. L'indépendance est acquise le 1ᵉʳ juillet 1962. La vie du pays est alors dominée par la rivalité entre deux ethnies, les Hutus (citadins) et les Tutsis (paysans) : les massacres se multiplient, le Premier ministre Pierre Ngendandunwe, modéré, est assassiné dès son retour au pouvoir, en janvier 1965. Après une tentative de putsch, le 18 octobre 1965, le mwami (roi) Mwambutsa IV est détrôné par l'un de ses fils, Charles Ndizeye, le 8 juillet 1966. Devenu roi sous le nom de Ntare V, il est déposé par son Premier ministre, le colonel

Michel Micombero, un Tutsi, qui proclame la République le 28 novembre 1966. La révolte des Hutus d'avril 1972 conduira au massacre de plus de 100 000 d'entre eux. Au même moment Ntare V, rentré de son exil ougandais, meurt après son arrestation dans des circonstances non éclaircies. Micombero est renversé par un putsch le 1ᵉʳ novembre 1976, le lieutenant-colonel Jean-Baptiste Bagaza lui succède. Une partie des 50 000 Hutus réfugiés en Tanzanie et au Ruanda commençaient à rentrer au Burundi en 1978. L'année 1985 a été marquée par l'arrestation et l'expulsion de plusieurs prêtres et missionnaires catholiques, idéologiquement contestés.

Cameroun

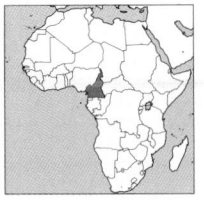

Afrique
équatoriale
475 442 km²
9,1 M hab.
ONU, OUA

Capitale : Yaoundé (500 000 hab.)
Langues officielles : franç., ang.
Religions : animistes (70 %), musulm.
Régime polit. : rép. présid. Indépendance obtenue le 1ᵉʳ janvier 1960

Le peuple des Saos, installé au nord-est de l'actuel Cameroun, connut son apogée vers le Xᵉ siècle. Les Tikars apparaissent dans le massif de l'Adamaoua vers le XVIᵉ siècle et s'intègrent aux populations Mboums et Chambas. Succédant à l'apogée chamba, le royaume bamoum est fondé à la fin du XVIIᵉ siècle par une dynastie d'origine tikar : entré en conflit avec les Bamilékés, arrivés par le sud-ouest du pays, il sera également confronté à la fin du XVIIIᵉ siècle aux Peuls du Banyo, sous le règne de Mbwé-Mbwé. Plus au nord, le royaume de Mandara, après avoir été conquis par les Bornouans au XVIᵉ siècle, est progressivement conquis par les Peuls, notamment sous le modibo Adama au début du XIXᵉ siècle. Le nord du pays fut conquis en 1806 par Ousmane dan Fodio, qui s'était constitué un royaume islamique au nord du Nigéria actuel. Les côtes camerounaises furent visitées en 1472 par le Portugais Fernando Poo : les tribus doualas servirent d'intermédiaire dans le commerce de l'ivoire et des esclaves. Les Britanniques y créèrent des missions et des comptoirs à la fin du XVIIIᵉ siècle, les Allemands intervenaient après 1860. Le territoire côtier fut annexé par l'Allemagne en 1884 après la signature de plusieurs traités avec les chefs indigènes par l'explorateur Gustav Nachtigal. Yaoundé est fondée en 1887. Après une difficile conquête, le traité franco-allemand de 1911 étend le Cameroun jusqu'au Congo. Le pays sous contrôle allemand fut conquis après maintes difficultés au début de 1916 (prise de Yaoundé et Mora) par les troupes franco-britanniques. Le pays est partagé le 4 mars 1916 entre la Grande-Bretagne, qui reçoit un étroit territoire au nord, et la France, qui occupe la plus grande part du pays. Le partage est confirmé à l'issue de la guerre par la SDN, qui les place sous mandat des deux puissances. Le Cameroun sous mandat français rallie la France libre le 26 août 1940 : le mandat est remplacé après 1945 par la tutelle, exercée au nom de l'ONU. L'UPC (Union des populations du Cameroun), fondée en 1948 par Um Nyobé, mène une campagne nationaliste jusqu'à son interdiction, en 1955. Um Nyobé est tué en 1958. A l'autonomie interne de 1959 succède l'indépendance, le 1ᵉʳ janvier 1960. La partie sud du territoire britannique se rattachait en octobre 1961 au Cameroun, la partie nord restait intégrée au Nigéria. L'UPC poursuit une lutte armée clandestine jusqu'à l'arrestation de Ernest Ouandié, qui est condamné à mort en décembre 1970. Chef de l'Union nationale camerounaise depuis 1958 et président de la République depuis mai 1960, Ahmadou Ahidjo restera à la tête de l'Etat jusqu'à son retrait, en 1982 : le Premier ministre, Paul Biya, lui succédait, conformément à l'amendement constitutionnel de 1979. La tentative de putsch d'avril 1984, dirigée par le colonel Saleh Ibrahim conduisait à l'exécution en mai de 47 personnes ainsi qu'à une dure répression. L'économie camerounaise est considérée comme l'une des plus stables d'Afrique : elle est essentiellement agricole (cacao, café, bois) et le développement industriel en cours se concentre surtout dans le sud du pays. La découverte d'importantes réserves pétrolières en 1977 au large de Victoria permettait en 1979 de couvrir les besoins nationaux. Le Cameroun dispose de faibles ressources minières, mais la production de bauxite permet d'exporter 50 000 tonnes d'aluminium par an.

Canada

CDN
Amérique du
Nord
9 976 139 km²
25 M hab.
ONU, OTAN,
OCDE

Capitale : Ottawa (717 000 hab.)
Langues officielles : angl., franç.
Religions : cath. (46,2 %), United Church
Régime polit. : monarchie const. Indépendance obtenue en 1931

Le Canada actuel fut tout d'abord peuplé par des tribus indiennes, disséminées de l'Atlantique au Pacifique. Des Irlandais, chassés d'Islande, s'implantaient à la fin du IXᵉ siècle sur la rive nord du golfe du Saint-Laurent. Des Islandais venus du Groenland les suivaient au XIᵉ siècle et s'installaient sur le littoral de Terre-Neuve et du Labrador. A la recherche de la Route des Indes, plusieurs navigateurs européens atteignaient le Canada vers 1500. En 1524, le florentin Verrazzano, naviguant pour François Iᵉʳ, donne au pays le nom de Nouvelle-France. Jacques Cartier aborde le « pays de Canada » en 1534 ; il remonte le Saint-Laurent au cours de son deuxième voyage, en 1535-1536, jusqu'aux futurs emplacements de Montréal et Québec. Une première tentative de colonisation échoue : il en va de même lors de la troisième expédition (1541-1542), où Jacques Cartier est accompagné de vingt laboureurs. Samuel de Champlain est le géographe de l'expédition qui arrive au Canada en 1603 : il fonde Québec en 1608. Richelieu crée en 1627 la Compagnie des Cent-Associés, qui possède le pays et se trouve chargée de sa colonisation, confiée à Champlain. Prise en 1629 par les Anglais, Québec est reprise en 1632. La seule ressource de Québec est le commerce de la fourrure, ses habitants doivent faire face aux attaques des Iroquois. Louis XIV réintègre en 1663 le Canada dans le domaine royal et fonde la Compagnie des Indes occidentales. Des émigrants sont envoyés pour accélérer la difficile colonisation. La colonie atteint 10 000 âmes en 1680 (2000 en 1660) et se développe le long du Saint-Laurent. Les attaques anglaises (1690) contre Québec et les Indiens sont repoussées : le traité de Ryswick (1697) maintient la colonie, les Iroquois signent la paix en 1701. L'Acadie par contre tombe aux mains des Anglais lors du traité d'Utrecht, en 1713. A partir de 1750, la Nouvelle-France, qui ne compte que 70 000 habitants et reçoit très peu d'immigrants, devient un objectif prioritaire de la Grande-Bretagne, dont les colonies comptent 1,5 million habitants. Trois ans de suite, Montcalm résistera à l'offensive anglaise. Battu en 1759 aux plaines d'Abraham, il trouve la mort dans la bataille, comme son adversaire, l'Anglais Wolfe. La Nouvelle-France capitule à Montréal le 8 septembre 1760 : elle est définitivement cédée à l'Angleterre par le traité de Paris, en 1763. Pendant ce temps, l'Acadie, rebaptisée Nouvelle-Ecosse, est intensivement colonisée : lorsque la population acadienne refuse, en 1755, de servir contre la France, le gouverneur anglais fait capturer près de 6000 Acadiens, qu'il déporte dans les colonies américaines : le reste des quelques 16 000 Acadiens réussit à échapper au « grand dérangement ».

La domination anglaise
Les Canadiens de la nouvelle province britannique de Québec obtiennent la libre pratique de leur langue et de leur religion. Les lois françaises sont remises en vigueur par l'Acte de Québec, le 22 juin 1774 : le gouverneur britannique est assisté d'un conseil législatif où figurent des Canadiens français. Le Canada est attaqué par les troupes américaines lors de la révolte des colonies anglaises d'Amérique. Les miliciens québécois, d'origine française, contribuent à la victoire anglaise contre les troupes américaines de Montgomery, en 1775. Près de 40 000 colons américains loyalistes émigraient au Canada après la reconnaissance de l'indépendance des Etats-Unis par le traité de Versailles en 1783. Les nouveaux arrivants réclamant des institutions britanniques, l'Acte constitutionnel du Canada (10 juin 1791) partage les provinces canadiennes en Haut et Bas-Canada (français). La guerre anglo-américaine de 1812-1814 met le Canada aux prises avec les troupes américaines, qui évacuent le pays après le traité de Gand. Les changements qui suivent en Angleterre la révolution industrielle provoquent un afflux considérable d'immigrants : 120 000 entre 1827 et 1832. Cet apport de main-d'œuvre favorise le développement de l'agriculture et d'une petite industrie. La pression populaire s'accroît progressivement pour exiger une représentation active au gouvernement. Toutes les tentatives échouant face aux intérêts des éléments conservateurs, le mouvement populaire s'enflamme dans le Haut-Canada : Mackenzie marche en décembre 1837 sur Toronto. Au Bas-Canada, où 120 000 Canadiens français sont dominés par 10 000 Britanniques protestants, la révolte éclate, déclenchée par Papineau et ses « patriotes ». Après l'échec des deux révoltes, les deux provinces sont réunies dans le Canada-Uni par l'Acte d'Union de 1840. La responsabilité des ministres devant la Chambre représentative n'est acquise que plus tard dans les Provinces maritimes : en 1848 en Nouvelle-Ecosse, en 1851 dans l'île du Prince-Edouard et en 1852 au Nouveau-Brunswick. L'agriculture canadienne connaît un vif essor après le doublement du prix du blé consécutif à la guerre de Crimée (1854), l'industrie est stimulée par le traité de réciprocité commerciale signé avec les USA la même année. C'est lors de la crise économique qui paralyse la croissance du pays entre 1860 et 1870 et provoque une grave instabilité politique que naît l'idée d'une union des cinq provinces, jusqu'alors indépendantes. La loi de fédération des provinces, promulguée par la reine Victoria, entre en vigueur le 1ᵉʳ juillet 1867.

La Confédération canadienne
La nouvelle Constitution canadienne crée quatre provinces : Québec, Ontario, Nouveau-Brunswick et Nouvelle-Ecosse. La province de Manitoba est constituée en 1870 par des territoires rachetés à la Compagnie de la baie

Canada

d'Hudson. Les territoires à l'ouest des Rocheuses, revendiqués par Vancouver depuis 1792, adhèrent à la Confédération en 1871 et deviennent la Colombie britannique. L'île du Prince-Edouard la suit en 1873. Les gouvernements conservateurs qui se succèdent jusqu'en 1896 organisent le considérable essor économique du pays. Le gouvernement libéral de Wilfrid Laurier (1896-1911) renforce l'autonomie politique du Canada : sa population continue de croître à un rythme accéléré (5,7 millions d'habitants en 1901, 7,2 millions en 1911). Deux nouvelles provinces sont créées en 1905 : l'Alberta et le Saskatchewan. Le Canada fournit un important corps militaire lors de la Première Guerre mondiale (600 000 hommes, pour la plupart volontaires). Le Canada est devenu une puissance tant économique que politique reconnue internationalement. Les élections de 1921 (auxquelles les femmes participèrent) ramenèrent le parti libéral au pouvoir. La crise de 1929, succédant à une période de prospérité économique, paralysait l'agriculture et l'industrie :

rappelés au pouvoir en 1930, les conservateurs devaient mener une politique sociale qui permit au Canada de se redresser.

Le Canada indépendant

Ce sont les conservateurs, rappelés au pouvoir en 1930, qui verront le Canada accéder, dans le cadre du Commonwealth, à une indépendance de fait après la promulgation du Statut de Westminster, en 1931. Les accords économiques avec la Grande-Bretagne et les Etats-Unis sont renouvelés en 1938 par le gouvernement libéral, qui signe en outre avec son voisin américain un pacte militaire de défense mutuelle (pacte d'Ogdensburg) le 18 août 1940. La déclaration de guerre du Canada, une première dans son histoire, à l'Allemagne projette le pays dans une intense activité industrielle et agricole pour le soutien de la Grande-Bretagne. Le parti libéral restera au pouvoir avec Louis Saint-Laurent de 1948 à 1957 et le retrouvera après la chute du gouvernement conservateur de John George Diefenbaker (juin 1957-février 1963).

Terre-Neuve était devenue province canadienne en 1949. L'accession à la souveraineté totale est symbolisée par l'adoption d'un nouveau drapeau par le Parlement canadien le 15 décembre 1964. L'autonomie de la « Belle Province », le Québec, est renforcée vis à vis d'Ottawa depuis 1944 par le gouvernement conservateur de Maurice Duplessis puis par les libéraux avec Jean Lesage (1960-1966). L'évocation du « Québec libre » par le général de Gaulle lors de sa visite de juillet 1967 exacerbe le débat des nationalités linguistiques. Le parti libéral est vainqueur des élections fédérales du 25 juin 1968, maintenant Pierre Elliott Trudeau à la tête du gouvernement, et des élections provinciales du Québec d'avril 1970, où le parti québécois de René Lévesque n'obtient que 6,5 % des sièges. Le triomphe des libéraux aux élections du Québec en 1973 marque la désapprobation de la population face aux actes de terrorisme indépendantistes (assassinat du ministre du Travail québécois Pierre Laporte en octobre 1970). Confronté aux séparatismes, à la

première grève générale canadienne (14 octobre 1976) et à l'élection au Québec de René Lévesque (15 novembre), Pierre Elliott Trudeau est désavoué aux élections du 22 mai 1979. Le conservateur Joe Clark, mis en minorité, démissionne en décembre 1979. Trudeau reprend la tête du gouvernement après la nette victoire des libéraux aux élections générales du 18 février 1980. Les Québecois rejettent lors du référendum de mai 1980 le projet de « souveraineté-association » présenté par René Lévesque (réélu en avril 1981). L'intégration fédérale du Québec sera au contraire favorisée par le rapatriement de la Constitution, approuvé par Londres le 29 mars 1982. Après la démission de Trudeau, en juin 1984, et la victoire des conservateurs aux élections anticipées du 4 septembre, Brian Mulroney devient Premier ministre. L'économie canadienne commence à retrouver une certaine croissance. Trois ministres conservateurs sont contraints de démissionner après des scandales en 1985 ; les libéraux retrouvent la majorité dans l'Ontario en juillet.

Cap-Vert (Iles du)

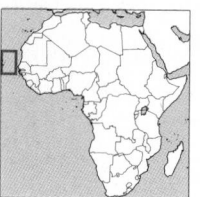

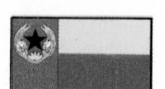

Afrique de l'Ouest
4 033 km²
340 000 hab.
ONU, CEDEAO, OUA

Capitale : Praia (40 000 hab.)
Langue officielle : portugais
Religions : cath. (90 %)
Régime polit. : république. Indépendance proclamée le 5 juillet 1975

La quinzaine d'îles volcaniques qui composent l'archipel du Cap-Vert furent découvertes en 1456 par les Portugais Ca'da Mosta et Usodimare. Inhabitées, les îles furent colonisées par des commerçants portugais dès 1462. Importante escale maritime, le Cap-Vert devint officiellement colonie portugaise par le traité de Tordesillas (1494). Le Cap-Vert se développa en une véritable plaque tournante du commerce des esclaves : les îles furent ruinées par l'abolition de l'esclavage, en 1870. La souveraineté portugaise fut confirmée par la conférence de Berlin sur le Congo (1884-1885). Les îles

n'obtenaient qu'à ce moment un véritable statut colonial. L'activisme séparatiste, représenté par le Parti africain de l'indépendance de la Guinée et du Cap-Vert (PAIGC) fondé par Amilcar Cabral, se développa à partir des années 1950. Le combat mené contre les Portugais, limité d'abord au continent, se propagea aux îles. Le mouvement aboutit à la proclamation de l'indépendance, en juillet 1975. Une loi sur « l'organisation politique de l'Etat », incluant un projet d'union avec la Guinée-Bissau (administration commune par le PAIGC), est abrogée après le coup

d'Etat guinéen, en novembre 1980, qui se solde par l'éviction de plusieurs dirigeants capverdiens. L'Assemblée nationale populaire adopte peu après la première Constitution de l'archipel. Le PAIGC devenait en janvier 1981 le Parti africain de l'indépendance du Cap-Vert (PAICV). Aristides M. Pereira préside aux destinées du Cap-Vert depuis l'indépendance de 1975 et mène une politique socialiste, progressivement plus modérée. Les îles, d'origine volcanique récente, ne disposent d'aucune ressource propre permettant de faire face à leur surpopulation.

Chili

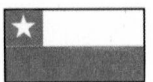

RCH
Amérique du Sud
756 945 km²
11,7 M hab.
ONU, AILA, OEA

Capitale : Santiago (3,8 M hab.)
Langue officielle : espagnol
Religions : cath. (90 %), prot.
Régime polit. : rép. présid. Indépendance proclamée le 1er janvier 1818

La région de l'Atacama, au nord de l'actuel Chili, présente des traces d'occupation humaine remontant à environ 12 000 ans av. J.-C., notamment sur le site précéramique de San Vicente de Tagua-Tagua. Le Chili austral présente également de nombreuses vestiges an-

ciens de la présence humaine, remontant à 8000 av. J.-C. environ. La céramique d'El Molle dans le centre du pays, dont la fabrication se poursuivit jusqu'au VIe siècle, présente de remarquables récipients à formes variées, humaines et animales. La peuplade principale du Chili ancien, celle des Araucans, subit successivement l'invasion des Incas vers 1480 puis celle des Espagnols, commencée avec Diego de Almagro à partir du territoire péruvien en 1535. La deuxième expédition, envoyée à la conquête du pays par Pizarre en 1540, permit à Pedro de Valdivia de repousser les Araucans au sud du rio Bio-Bio ; il fonda Santiago en 1541, Concepcion en 1550. Les révoltes générales des Araucans se succèdent : celle dirigée par Lautaro et Caupolican s'achève en 1557 à la bataille de Mataquito, celle de 1598 repousse les Espagnols de l'autre côté du rio Bio-Bio, qui

sera reconnu comme frontière lors de la signature de la paix de Negrete, en 1726, qui garantit de fait l'indépendance des Araucans. Des révoltes étendues eurent pourtant lieu jusqu'en 1773 et des îlots de résistance indienne subsisteront jusqu'à la fin du XIXe siècle. Les éphémères implantations britanniques et néerlandaises sur la côte chilienne, entre 1587 et 1623, ne purent résister au harcèlement des Araucans. Ce climat d'insécurité empêcha le développement économique colonial du Chili, de 1544 à 1778 simple province, la « Nouvelle Estrémadure », de la vice-royauté du Pérou. Les ports péruviens importants, Concepcion ou Valparaiso étaient contrôlés au début du XVIIIe siècle par les armateurs français, servant d'escales vers le Pérou, plus riche. Le Chili ne commença à se développer qu'après 1778, où l'Espagne en fit un capitanat-général, libre de

commercer avec l'Espagne. L'économie repose alors sur l'agriculture, organisée par de grandes haciendas appartenant à de riches propriétaires : les produits sont essentiellement exportés vers le Pérou, la main-d'œuvre indigène est exploitée selon le système de l'*encomienda*, abolie vers 1790. Le rôle croissant joué par les Britanniques au Chili et l'occupation de l'Espagne par Napoléon (1808) jetèrent le pays dans la lutte indépendantiste.

L'indépendance chilienne

L'assemblée gouvernementale constituée par la municipalité de Santiago le 18 septembre 1810 revendique des droits politiques souverains : elle proclame notamment l'ouverture du Chili au commerce international (1811). L'armée des insurgés chiliens est défaite par les troupes envoyées du Pérou à Rancagua, en 1814 ; son chef, Bernardo

O'Higgins, rejoignait en Argentine les troupes indépendantistes de José San Martin, et rentrait à ses côtés au Chili, le 3 février 1817. Leur victoire contre les royalistes à Chacabuco, le 12 février, permettait la proclamation de la République chilienne. Le sud du pays fut libéré après la victoire du rio Maipo (5 avril 1818). Après la dictature de O'Higgins (1817-1823) et de Freire (1823-1826), une constitution conservatrice était établie et promulguée, le 25 mai 1833. L'Espagne reconnaissait officiellement l'indépendance chilienne en 1844. A la guerre contre l'Espagne et le Pérou de 1866 succéda la guerre du Pacifique, en 1879. Le conflit, qui avait éclaté à propos des richesses en nitrates du désert d'Atacama, s'achevait à l'avantage du Chili tout d'abord contre le Pérou (1883) puis contre la Bolivie (1884), qui perdait son accès à la mer ; le Chili conservera la province de Tarapaca et la ville d'Arica. La croissance économique (richesses en cuivre et en salpêtre) et l'apparition d'une classe moyenne désireuse de maîtriser le pouvoir provoquèrent la révolution de 1891, dont le pouvoir parlementaire sortit renforcé. Le conflit avec l'Argentine à propos du tracé frontalier andin fut résolu en 1904 grâce à la médiation du roi Edouard VII d'Angleterre.

Tentatives de réformes sociales
La Première Guerre mondiale avait profité au Chili grâce à sa richesse en nitrates : la crise d'après-guerre provoqua l'arrivée au pouvoir d'Arturo Alessandri, chef du parti de l'Alliance libérale. Renversé par un coup d'Etat militaire en 1924 puis rétabli par une autre faction de l'armée en 1925 et voyant sa politique réformiste bloquée par le Congrès, Alessandri fit rétablir le régime présidentiel. La réforme sociale fut encore plus profonde sous les trois gouvernements successifs du Front populaire, de 1938 à 1952. Fait unique en Amérique du Sud, des ministres communistes participèrent au gouvernement, jusqu'à l'interdiction du parti communiste chilien, en 1948. La Seconde Guerre mondiale permit de nouveau au Chili de connaître une période d'expansion économique grâce à ses ressources en matières premières. A l'achèvement de son mandat présidentiel (1952-1958), Carlos Ibanez del Campo n'avait pas réussi à juguler la crise économique, marquée par une inflation et un chômage très importants. Battant le candidat socialiste, Salvador Allende, aux élections présidentielles, le conservateur Jorge Alessandri menait de 1958 à 1964 une politique d'austérité financière, soutenue par les Etats-Unis. Les élections du 3 novembre 1964 virent la victoire, de nouveau contre le socialiste Allende, du démocrate-chrétien Eduardo Frei : son plan de « révolution dans la liberté », réforme agraire et début de la prise de contrôle de l'industrie minière du cuivre, entièrement aux mains de compagnies américaines, n'apporta pas les résultats escomptés. Aucun candidat n'atteignant la majorité absolue aux élections du 4 septembre 1970, Salvador Allende Gossens, candidat de l'Union populaire, était désigné à la présidence le 24 octobre par le Congrès chilien. Les mines et plusieurs banques étaient nationalisées et les grandes exploitations agricoles transformées en coopératives. A une période d'euphorie succéda une profonde crise économique : les crédits étrangers disparurent. Des troubles sociaux agitant le pays (grèves de 1972 et 1973), Salvador Allende est contraint à plusieurs remaniements ministériels et doit faire entrer des militaires au gouvernement. La chute brutale des cours mondiaux du cuivre et la paralysie croissante de l'économie, à laquelle les services secrets américains de la CIA ne furent pas étrangers, provoquèrent le coup d'Etat militaire du 11 septembre 1973, au cours duquel le président Allende fut assassiné.

La dictature militaire
La junte militaire, dirigée par le général Augusto Pinochet Ugarte, fait interdire toute activité politique, dissout le Parlement et restitue l'économie aux capitaux privés. La situation économique est stabilisée en 1979 au prix de mesures très strictes d'encadrement. « Chef suprême de la nation » depuis 1974, le général Pinochet fixait par la Constitution du 11 septembre 1980 les prochaines élections au mois de mars 1989. Au maintien au pouvoir de la junte, qui dispose pour ce faire de « pouvoirs spéciaux », s'oppose ouvertement depuis 1983 un large courant populaire, attisé par l'état précaire de l'économie chilienne.

Chine

TJ
Asie
9 560 779 km²
1,024 milliard hab.
ONU

Capitale : Pékin (Beijing) (9,3 M hab.)
Langue officielle : chinois
Religions : bouddh., confuc., taoïstes
Régime politique : rép. populaire, proclamée le 1er octobre 1949

Les découvertes faites en Chine à partir de 1920 ont permis de retrouver certains des plus anciens vestiges humains connus, notamment un homo erectus remontant au Pléistocène moyen (vers 600 000 ans), retrouvé en 1964 dans le Shaanxi. L'époque protohistorique est marquée par la présence, du IVe au IIe millénaire, de poteries peintes (culture de « Yangshao », Henan, Gansu). La civilisation du bronze apparut au IIe millénaire av. J.-C., comme en témoignent les fonderies de bronze retrouvées à Zhengzhou, première capitale Shang au Henan.

Dynastie Shang (1766-1122 av. J.-C.)
Après la dynastie légendaire des Xia, dont la capitale aurait été Anyi, dans le Shanxi (début du IIe millénaire), la première dynastie historique de Chine est celle des Shang, qui s'épanouit dans leur seconde capitale, Anyang (Henan), et sur les cours moyen et inférieur du fleuve Jaune. L'art du bronze y atteint déjà une maîtrise remarquable.

Dynastie Zhou (1122-221 av. J.-C.)
La dynastie Shang est renversée en 1122 par le roi Wu Wang, chef de la principauté occidentale de Zhou, dans la vallée de la Wei. Le changement politique est contemporain d'un bouleversement religieux, le dieu T'ien (le ciel) remplaçant le dieu Shangti. La notion de « vertu » (Te) fonde alors la capacité du souverain à gouverner. La capitale des Zhou demeurera à Wei jusqu'en 771 av. J.-C. : l'invasion de nomades septentrionaux les oblige à la déplacer à Luoyang (Henan). L'ère des Zhou orientaux (771-448) voit l'extension du système féodal : les royaumes du Milieu (Zhongguo) sont entourés de principautés barbares, dont cinq jouent un rôle de plus en plus important : Qin (Shaanxi), Jin (Shanxi), Qi (Shandong), Chu (Hubei) et Song (Henan). Confucius (551-479) enseigne dans la ville de Lu (Shandong)) sa leçon de la vertu de l'homme supérieur, reposant sur l'équilibre, et transmise par écrit dans le « Lunyu ». La dernière période des Zhou, dite des « Royaumes combattants » (481-221 av. J.-C.) voit l'ouverture d'une guerre d'annexion généralisée : les princes s'attribuent le titre de « wang » (roi) et parmi les sept principautés deux sortent agrandies des conflits : Qin et Zhou. Les armées des princes de Qin gagnent peu à peu toute la Chine.

Dynastie Qin (221-206 av. J.-C.)
La conquête du pays de Qi par le prince de Qin en 221 av. J.-C. marque le début de la dynastie Qin. Le prince de Qin se fait proclamer empereur de Chine (Shi Huangdi) et ordonne la construction de la Grande Muraille pour protéger l'empire contre les Xiongnu (Huns de l'Asie orientale probablement). Qin Shi Huangdi supprime le règne des principautés féodales et unifie l'empire : l'administration est centralisée et renforcée, la lutte contre l'ancien système social entraîne la persécution des confucéens et la destruction des livres classiques. L'écriture, les poids et mesures sont unifiés, la Chine est pourvue de frontières. A la mort de Qin Shi Huangdi (210), le pays est ébranlé par plusieurs révoltes : c'est un riche propriétaire terrien, Liu Bang, qui réussit à s'imposer et monte sur le trône en 202, fondant la dynastie des Han.

Les Han (206 av. J.-C.-220 ap. J.-C.)
Liu Bang, monté sur le trône sous le nom de Han Gaozu († 195), rétablit l'unité de l'empire. C'est sous l'empereur Wudi, qui règne de 140 à 87 av. J.-C., que le confucianisme est réhabilité ; les fonctionnaires sont choisis par concours, le mandarinat fait son apparition. L'expansion territoriale de l'empire se poursuit : les Xiongnu sont battus en 119 av. J.-C., la Chine est maîtresse de la Route de la soie et annexe de vastes territoires dans le sud, s'impose en Indochine, en Corée (108 av. J.-C.) au Turkestan et pousse jusqu'au Pamir. Après le règne de l'usurpateur Wang Mang (9-23 ap. J.-C.), la dynastie Han est rétablie après la révolte paysanne des « Sourcils rouges », Guang Wudi monte sur le trône (23 ap. J.-C.). La capitale des Han est transférée de Chang'an (Shaanxi) à Luoyang (Henan). Les nomades sont pacifiés à la fin du Ier siècle, au moment où les premières communautés bouddhiques font leur apparition dans la capitale chinoise. Le commerce, les sciences et les arts (le papier fait alors son apparition) sont en plein essor. La révolte des « Turbans jaunes », d'inspiration taoïste, éclate en 184 : les trois généraux qui la répriment se partagent l'empire.

Les invasions barbares (220-581)
La Chine est divisée en trois royaumes, Wei au nord, Shu Han dans le Sichuan et Wu au sud. La dynastie Xi Jin est fondée en 265 à Wei par le prince Sima Yan et réussit à restaurer en 280 une fragile unité chinoise, qui ne résiste pas à l'invasion des Barbares du Nord : l'empereur Xi Jin est capturé en 311, la dynastie se réfugie dans le Sud, à Nankin. Les Xianbei (Tabghatch) envahissent le nord de la Chine en 349 et fondent le royaume de Bei Wei, qui subsistera jusqu'en 507. Les dynasties se succèdent au sud, le bouddhisme s'impose cependant à Wei (386) comme à Nankin (502).

Dynastie Sui (581-618)
La dynastie Sui annexe les royaumes du Sud et rétablit la suprématie de l'empire en Asie centrale contre les royaumes turcs mais elle est vaincue en Corée, les Tujue attaquent le Nord et l'empereur Yangdi († 616) est fait prisonnier.

Chine

Dynastie Tang (618-907)

La Chine retrouve sa puissance et sa prospérité sous le règne de Taizong (Li Shimin) [627-649] : le commerce du thé est en plein essor, l'usage de la monnaie s'est généralisé, l'imprimerie est inventée. Le bouddhisme retrouve la faveur impériale, notamment après le voyage du moine Xuan Zang en Inde (629) [le premier pélerin chinois en Inde avait été Fa Xian, en 399]. A la mort de Gaozong, fils de Taizong, en 683, le trône est usurpé par l'impératrice Wu Zetian († 705). Les grands poètes Du Fu, Li Bo ou Han Yu écriront sous le règne de Xuanzong (712-755) ; le domaine d'influence chinois s'étend à travers l'Asie mineure jusqu'à Samarkand et à la Bactriane. Les armées chinoises sont battues par les Arabes en 751. La révolte de An Lushan en 755, protégé de la favorite impériale Yang Guifei, met fin au règne de Xuangzong. La fin de la dynastie Tang est marquée par l'aggravation de la condition des paysans, asservis et grevés d'impôts. Le dernier empereur Tang est détrôné en 907.

Les Song (960-1279)

Après une période d'anarchie d'un demi-siècle, Zhao Guang-yin a fondé la dynastie Song en 960 et reconstitue l'unité de l'empire en conquérant jusqu'en 979 l'ensemble des royaumes chinois, à l'exception du royaume Khitan de Pékin. Les institutions civiles sont restaurées. De nombreuses inventions voient le jour entre 1000 et 1050 (boussole, poudre à canon, caractères mobiles d'imprimerie), l'essor du commerce répond à la stabilité politique. Le nord de la Chine a été érigé en 1115 en royaume indépendant, dominé par la dynastie Jin, qui sera balayée par l'invasion turco-mongole menée par Gengis Khan en 1215 et disparaîtra sous ses successeurs en 1234. L'empire des Song disparaîtra lors de la prise de leur capitale Lin'an (Zehjiang) par Kubilay Khan en 1276.

Dynastie Yuan (1280-1368)

Kubilay Khan se fit proclamer empereur de Chine en 1280, fondant la dynastie Yuan, dont la capitale est Khanbalik (Pékin). C'est à Khanbalik que Kubilay reçut en 1275 Marco Polo lors de son premier voyage. Les tentatives mongoles de redresser l'empire, dévasté, échouent face à la misère croissante des masses paysannes, qui provoque dès 1325 plusieurs soulèvements, qui se transforment en une véritable révolte nationale après les crues du Fleuve Jaune de 1351. La révolte des « Turbans rouges », à laquelle s'associent les classes privilégiées, aboutit à la chute de la dynastie Yuan, en 1368.

Dynastie Ming (1368-1644)

Un paysan, Zhu Yuanzhang, s'empare du pouvoir et fonde la dynastie Ming sous le nom de Hongwu († 1398). Le règne (1403-1424) le plus fastueux de la dynastie commence avec l'arrivée sur le trône de Yongle, qui dote Pékin, sa capitale, de la plupart des palais splendides que l'on peut voir de nos jours. La restauration de l'agriculture et des ouvrages d'irrigation ne profite guère à la paysannerie, exploitée par une nouvelle classe de fonctionnaires. Les pirates japonais dévastent les côtes du Sud et de l'Est, les Portugais fondent leur premier établissement commercial à Macao en 1514. L'empereur Wanli autorise en 1582 les premières missions de jésuites en Chine ; c'est à la fin de son règne (1620) que se constitue la première ligue de tribus mandchoues. Les Mandchous constituent leur premier royaume, dont la capitale est Moukden (Shenyang), puissance rivale de l'empire.

Dynastie Qing (1644-1844)

Appelés à l'aide pour mâter une rébellion, les Mandchous refusent de quitter Pékin et installent Shunzhi, fils du dernier roi mandchou, sur le trône impérial. L'aristocratie mandchoue, déjà familiarisée avec la civilisation chinoise, se greffe sur la structure administrative de l'empire. La civilisation chinoise se trouve lors du début du règne de Kangxi, fils de Shunzhi, en 1662, sur un plan d'égalité avec la civilisation d'Occident. C'est sous son règne que les jésuites, conseillers à la Cour, disposeront de leur plus grande influence. La signature du traité de Nertchinsk en 1689 avec la Russie fixe la frontière entre les deux Etats sur le fleuve Amour. Taïwan était annexée en 1683, un protectorat était établi sur la Mongolie en 1696, une première expédition au Tibet échouait la même année (l'annexion aura lieu en 1720). Le grand et long règne de Kangxi s'achevait en 1722. La reconstruction des palais Ming de Pékin et l'embellissement (parcs et palais d'été) de la ville se poursuit sous le règne (1736-1796) de son successeur, Qianlong, qui refusera en 1793 l'ouverture de relations commerciales et diplomatiques avec l'Angleterre. A la mort de Qianlong, l'Empire chinois a retrouvé ses dimensions de l'époque Han ou Tang, mais la décadence de la dynastie commence. Les révoltes du Lotus blanc (s'achève en 1804) et de l'Ordre céleste (1813), une autre société secrète, mettent en danger l'empereur lui-même. Les étrangers n'ont alors plus droit de cité en Chine, les jésuites sont définitivement expulsés en 1830. Les seuls ports ouverts au commerce avec l'Occident sont Canton, où les Britanniques obtiennent le thé et la soie et Macao, colonie portugaise. Important marché à Canton de l'opium des Indes, les Britanniques interviennent à plusieurs reprises dès 1834 pour protéger leur trafic, qui est interdit en 1839. La riposte britannique (bombardement de Canton en 1841) entraîne la signature du traité de Nankin (1842), qui octroie aux Britanniques l'ouverture de cinq ports et Hongkong, déjà occupée.

Pénétration européenne (1844-1894)

La faiblesse militaire chinoise, démontrée par la première « guerre de l'opium », provoque la signature de traités commerciaux avec la France et les Etats-Unis et l'intervention des puissances étrangères dans la révolte sociale de 1846, menée par le mystique Hong Xiuquan, qui contrôle Nankin en 1853 et établit dans plusieurs provinces centrales l'Empire céleste de la Grande Paix. La seconde guerre de l'opium éclate en 1856, Européens, Russes et Américains interviennent en 1858 puis en 1860. Les armées chinoises vaincues à Palikao (Baliqiao), Pékin est saccagée, le palais d'été est incendié. Contrainte et forcée, la Chine s'ouvre à l'étranger et concède de nombreux avantages commerciaux et plusieurs concessions. L'Empire de Hong Xiuquan, le Taiping, est battu en 1864, Hong Xiuquan se suicide. L'influence étrangère croît rapidement sous Tongzhi († 1874) et Guangxu, menaçant l'unité de la Chine, qui doit renoncer au Tonkin après la guerre contre la France (1884-1885).

Fin de la dynastie Qing (1894-1911)

Le Japon obtient après la première guerre sino-japonaise (1894-1895) la péninsule de Liaodong et Taïwan. Inquiètes, les puissances occidentales obligent le Japon à rétrocéder Liaodong et se partagent la côte chinoise en zones d'influence, les « territoires à bail ». Les puissances étrangères s'implantent autour des chemins de fer en construction : la Russie construit le transmandchourien et obtient Port-Arthur (1896-1898), l'Allemagne s'implante à Qingdao, la France construit un chemin de fer au Yunnan, l'Angleterre obtient le bassin du Yangzi où elle construit les chemins de fer partant de Shangai. La Chine devient un terrain d'affrontement pour les capitaux occidentaux. L'ex-Régent Cixi réagit en 1899 contre l'européanisation, et fait prisonnier l'empereur Guangxu ; une révolte populaire s'ensuit, organisée par la société secrète Yihetuan, dont l'emblème est un poing fermé. Des Européens sont tués. L'intervention européenne met fin à la révolte des Boxeurs (Boxers) : une indemnité considérable est imposée à la Chine à titre de sanction. L'emprise occidentale croît, favorisant le mécontentement et les forces révolutionnaires naissantes. A la mort de Cixi et de Guangxu (1908), c'est un enfant de trois ans, Puyi, qui devient empereur. La dynastie Qing s'éteint en 1911.

Révolution et République (1911-1949)

Le Guomintang, fondé par Sun Yatsen, organise les troubles qui éclatent dans la vallée du Yangzi le 10 octobre 1911. Le succès des idées républicaines s'affirme le 29 décembre lors de l'élection de Sun Yat-sen comme président de la République le 29 décembre par une assemblée de délégués des provinces. Yuan Shikai devient président de la République en 1912 après l'abdication du dernier empereur. Le Japon impose son protectorat en 1915 après s'être emparé des colonies allemandes de Chine. A la mort de Yuan Shikai (1916), qui a tenté de rétablir la monarchie à son profit, la Chine du Nord est plongée dans la guerre civile entre les généraux (dujun), Sun Yat-sen prend au Sud la tête du gouvernement républicain de Canton. Le mouvement révolutionnaire et intellectuel du 4 mai 1919 est conduit par des hommes comme Li Dazhao et Chen Duxiu, qui fonderont le parti communiste chinois à Shanghai en 1921. Le Guomindang est réorganisé en 1923 par Sun Yat-sen et les soviétiques. Le parti se scinde à la mort de Sun Yat-sen (1925), le modéré Chiang Kaï-chek l'emporte en 1926 : il entame la reconquête du nord du pays et lutte au sud contre les communistes, qui rentrent dans la clandestinité (1927). La République soviétique chinoise est proclamée par Mao Zedong (Mao Tsé-tung) dans le Jiangxi en 1931, alors que les Japonais envahissent la Mandchourie et en font un Etat satellite, gouverné par Puyi, le dernier empereur mandchou. Attaqués par les troupes nationalistes, les communistes atteignent le Shaanxi après la Longue Marche (1934-1935). L'invasion japonaise de 1937 provoque l'unification de la résistance communiste et nationaliste. La lutte entre les deux partis reprend en 1946 après la défaite du Japon. L'armée populaire de libération, partant du nord et soutenue par les masses paysannes, les modérés et l'URSS l'emporte en 1949. Chiang Kaï-chek se réfugie à Taïwan le 8 décembre, la République populaire de Chine avait été proclamée par Mao Zedong à Pékin le 1er octobre.

La République populaire après 1949

Un traité d'amitié est signé avec l'URSS en 1950 : la collectivisation se fait en Chine sur le modèle soviétique. Le Tibet est annexé en 1951, la Chine contribue à la victoire de la Corée du Nord lors de la guerre de Corée (1953) puis accorde son soutien au Viêt-minh en Indochine. Pour faire face à l'opposition au sein du Parti, Mao lance en 1956 la campagne révolutionnaire des « Cent Fleurs » puis celle du « Grand Bond en avant », en 1958. La rupture avec l'URSS « révisionniste », en 1960, accélère le processus de dégradation de l'économie. La rivalité entre Mao et Liu Shao-ch'i, chef de l'Etat, éclate lors de la Révolution culturelle lancée en 1966 : Mao réorganise et épure le parti, s'appuyant sur la jeunesse, les « Gardes rouges ». Le retour à l'ordre est à peu près obtenu lors de l'éviction de Liu Shao-ch'i, en octobre 1968. La prédominance de la tendance centriste, représentée par Zhou Enlai (Chou En-Laï), s'affirme par le voyage du président américain Richard Nixon en 1972 et la signature d'un premier traité avec le Japon en 1974 après la normalisation des rapports en 1972. Une politique de modernisation est menée par Deng Xiaoping, revenu à la direction du parti en 1973. Cette politique moderniste et modérée s'oppose au mouvement radical mené par Jiang Qing, épouse de Mao Zedong, et le « groupe de Shangai », qui prennent le contrôle du bureau politique du parti communiste à la fin de 1975. A la mort de Zhou Enlai (8.1.1976), Hua Guofeng devient Premier ministre, Deng Xiaoping est destitué de ses fonctions. Mao Zedong meurt le 9 septembre 1976, Hua Guofeng provoque l'arrestation des ra-

dicaux et de la « Bande des Quatre » avec Jiang Qing (condamnée à mort avec sursis en 1981). La pensée de Mao est remise en cause dès 1978, Deng Xiaoping est réhabilité. Les rapports se tendent avec le Viêt-nam après l'invasion par celui-ci du Cambodge, où les Khmers rouges bénéficiaient du soutien chinois. La visite de Deng Xiaoping aux Etats-Unis en 1979, où il propose une

alliance contre l'Union soviétique, marque un changement radical de l'attitude extérieure de la Chine, qui s'ouvre aux capitaux étrangers ; la démaoïsation s'accentue. Hua Guofeng est écarté du pouvoir en 1980 ; il est remplacé au secrétariat général du parti par Hu Yaobang, proche de Deng Xiaoping. Zhao Ziyang devient Premier ministre. La réorganisation de l'administration et de l'armée se

poursuit, priorité est donnée au développement économique. Pour la première fois depuis la destitution de Liu Shao-ch'i (1968). L'Assemblée élisait en 1983 un président de la République, Li Xiannan. Le rapprochement avec les Etats-Unis s'accentuait après la visite du président Reagan en Chine en avril 1984, où un accord de coopération nucléaire dans le domaine civil était signé.

Chine (Taiwan)

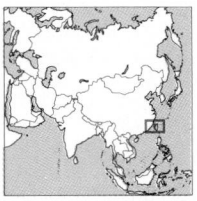

RC
Asie orientale
35 981 km²
18,8 M hab.

Capitale : Taibei (2,28 M hab.)
Langue officielle : chinois
Religions : bouddh. (50 %), confuc., taoïstes
Régime polit. : république, proclamée le 1er mars 1950

Occupée à l'origine par une population malaise et polynésienne, l'île est colonisée au XIIe siècle par les Chinois. Les Portugais la découvrent en 1590 et lui donnent le nom de Ilha Formosa (Formose). Colonisée par les Hollandais, qui fondent Anping (1624), Taiwan est conquise par le pirate chinois Koxinga, qui en fait une principauté autonome (1661). Reconquise par la Chine en 1683, la France occupe Jilong lors de la guerre du Tonkin (1884) et l'île est annexée par le Japon en 1895. Devenue

le refuge des troupes nationalistes du Chiang Kai-chek après la proclamation de la République populaire de Chine en 1949, Taiwan est officiellement restituée par le Japon en 1951. S'étant fixé comme objectif la reconquête de la Chine continentale, Chiang Kai-chek bénéficie d'un très important soutien militaire américain et représente la Chine à l'ONU jusqu'à son expulsion, le 25 octobre 1971 ; Taiwan se trouvait progressivement diplomatiquement isolée. Le fils de Chiang Kai-chek,

Jiang Jingguo lui succédera à sa mort (1975) à la tête du Guomindang puis à la présidence de la République (1978). Yu Guohua était nommé Premier ministre en 1984. L'économie de Taiwan, en croissance constante depuis 1950, connait depuis 1980 une grave récession, malgré la poursuite du soutien économique américain ; Taiwan entretient des rapports commerciaux non-officiels avec la Chine. Le Japon et les États-Unis demeurent les principaux partenaires économiques de l'île.

Chypre

CY
Europe/Asie
Mineure
9251 km²
650 000 hab.
ONU, CW, CE

Capitale : Nicosie (122 000 hab.)
Langues officielles : grec, turc
Religions : orthod. (80 %), musulm. (18 %)
Régime polit. : rép. présid., indépendante depuis le 14 décembre 1959

Peuplée depuis le VIIe millénaire av. J.-C., Chypre développe son commerce avec la mer égée au cours du IIe millénaire, exportant surtout du cuivre et du bois. L'île développe une culture autonome et possède vers le XVe siècle av. J.-C. une écriture (syllabaire chypro-minoen) qui n'a pas été déchiffrée. Dévas-

tée par les Peuples de la Mer au XIIIe siècle, Chypre accueille de nombreux réfugiés mycéniens et connaît une grande prospérité commerciale au XIIe siècle. Après une période de déclin succédant à plusieurs graves séismes au XIe siècle, Chypre devient un véritable carrefour de peuples à partir du IXe siècle, où prédominent les influences grecques et égyptiennes. Les divers royaumes cypriotes sont dominés par l'Assyrie puis l'Egypte, les Perses (525-332 av. J.-C.) puis par la dynastie égyptienne des Ptolémée. Province romaine en 58 av. J.-C., Chypre demeure sous l'autorité des Ptolémée jusqu'en 27 av. J.-C. L'île appartient ensuite à l'Empire romain d'Orient. Conquise par Richard Cœur de Lion lors de la Troisième croisade, Chypre est vendue à Gui de Lusignan en 1192. Devenue un royaume en 1197, l'île devient un important centre de culture européenne. L'ordre Teutonique s'y installe au XIIIe siècle. Connaissant une

prospérité commerciale exceptionnelle, Chypre devient l'enjeu d'une lutte entre Gênes, qui possède Famagouste depuis 1383, et Venise, qui s'impose en 1489. Chypre est conquise en 1570 par les Ottomans, dont la domination dure jusqu'en 1878, lorsque les Britanniques obtiennent le droit d'administrer l'île, qui demeure sous souveraineté ottomane. Annexée lorsque la Turquie entre en guerre aux côtés de l'Allemagne en 1914, Chypre devient colonie britannique en 1925. L'administration britannique se heurte à une guerre civile menée par l'EOKA (Organisation nationale des combattants chypriotes), dirigée par le colonel Ghrivas et bénéficiant de l'appui de l'Eglise orthodoxe et de la population, favorable dans son ensemble à l'*Enôsis*, à l'union avec la Grèce. Face à la résistance de la minorité turque de l'île, Chypre devient finalement indépendante après les accords de Londres (19.2.1959). La Grande-Bretagne con-

serve des bases militaires à Chypre, le premier président de la République est Mgr Makarios, associé à un vice-président turc, Fazil Küçük, élus fin 1959. Les tensions entre les deux communautés s'exarcerbent, des forces internationales doivent être maintenues sur l'île. Réélu en 1973, Makarios est renversé le 15 juillet 1974 par un coup d'Etat de la garde nationale : un gouvernement favorable à l'Enôsis est constitué. Les forces turques débarquent le 20 juillet : la guerre civile reprend après une nouvelle intervention militaire turque, le 14 août. La population grecque doit se réfugier dans le sud de l'île. Le 13 février 1975, les Chypriotes turcs proclament l'indépendance de la partie turque de l'île, dirigée par Rauf Denktas. Spyros Kiprianou succède à Mgr Makarios à la mort de ce dernier (3.08.1977) ; la partition de l'île devient effective, malgré la poursuite des négociations, en novembre 1983.

Colombie

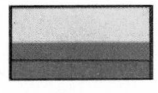

CO
Amérique du Sud
1 138 914 km²
28,8 M hab.
ONU, ALADI, OEA

Capitale : Bogotá (4,08 M hab.)
Langue officielle : espagnol
Religions : cath. (plus de 90 %), prot. (5 %)
Régime polit. : rép. présid., depuis la Constitution de 1886

La période coloniale
Le premier européen à atteindre les côtes de Colombie fut l'Espagnol Alonso de Ojeda en 1499. A ce moment existe encore en Colombie un grand foyer culturel indien, celui des Muiscas, sur les hauts plateaux de l'Est. Les voyages se multiplièrent ensuite, à la recherche des métaux précieux de l'Eldorado. Bacatá, la future Bogotá, était fondée le 6 août 1538, qui devenait rapidement un important centre commercial. La Nouvelle-Grenade, créée en 1547 par l'Espagne, rassem-

blait les actuels Colombie, Panamá, Equateur et Venezuela. La principale richesse de la Nouvelle-Grenade, qui produit du sel gemme et des émeraudes, est agricole : de grands domaines, l'Eglise en possède plusieurs, exploitent la main-d'œuvre indienne puis les esclaves noirs, à partir de la côte nord de Colombie. Rattachée jusqu'en 1717 à la vice-royauté de Lima, la Nouvelle-Grenade devient une vice-royauté autonome après 1739 avec Bogotá pour capitale ; elle commerce librement avec le Pérou après 1778. La

conscience créole qui s'affirme dès la fin du XVIIIe siècle conduit à la révolte des *comuneros* de Socorro de 1781. L'occupation de l'Espagne stimule les revendications indépendantistes : une junte gouvernementale est constituée à Bogotá le 20 juillet 1810. La fédération des provinces de Nouvelle-Grenade se déclare indépendante de l'Espagne un an plus tard. La brutale répression espagnole, achevée en 1817, relance le combat indépendantiste, mené par Simon Bolivar et ses lieutenants Páez et Santander.

Colombie

L'indépendance

La victoire de Bolivar à Boyacá en 1819 entraîne la proclamation la même année d'une République de Grande-Colombie, intégrant la Colombie, le Venezuela, puis le Panamá et l'Equateur (1821-1822). L'union ne survivra pas à Bolivar, le « libérateur des Andes » : le Venezuela et l'Equateur font sécession en 1830, le rêve d'une fédération panaméricaine d'Etats a vécu. La République de Nouvelle-Grenade voit dès lors l'affrontement des deux tendances libérale fédéraliste et conservatrice centraliste, qui conduit à la guerre civile de 1854 et à la dictature de Melo. Revenus au pouvoir, les libéraux donnent en 1863 aux « Etats-Unis de Colombie » une constitution fédéraliste. La République de Colombie naît en 1886 après la guerre civile de 1876 ; elle est dotée par les conservateurs, alliés à l'Eglise catholique, d'une constitution centraliste, encore en vigueur pour l'essentiel. Les partisans du fédéralisme organiseront plusieurs soulèvements, en particulier celui de la « guerre des Mille Jours » (1899-1903).

Le XXᵉ siècle

La Colombie est au début du XXᵉ siècle un Etat au réseau de transport très peu développé et dont l'économie repose essentiellement sur la culture de café. L'indépendance de Panamá, favorisée par les Etats-Unis, retire au pays le contrôle du commerce interocéanique. L'indemnisation américaine, jointe à la stabilité politique qui règne sous le gouvernement du général Rafael Reyes (1904-1909) permettent d'entreprendre des travaux d'équipement économique. L'essentiel des secteurs économiques est cependant entre les mains de compagnies américaines : le café, les plantations bananières et l'exploitation du pétrole (dès 1925). La crise de 1929, qui touche durement la Colombie, provoque le retour au pouvoir des libéraux, qui mettent en place avec Alfonso López Pumajero (1934-1938) un vaste programme de réformes sociales et anticléricales ; revenu au pouvoir en 1942, López devait démissionner en 1945. Le courant libéral se radicalise après la guerre sous l'influence de Jorge Eliecer Gaitán, qui est assassiné le 9 avril 1948 ; l'évènement provoque une insurrection généralisée : la répression inaugure une période de guerre civile larvée, qui fera jusqu'en 1953 près de 200 000 morts. Le coup d'Etat du 13 juin 1953, organisé par le général Rojas Pinilla, interrompt le processus de la *violencia*. Des grèves éclatent lorsque Pinilla veut, en 1957 se faire réélire, entraînant également l'alliance des libéraux et des conservateurs lors du pacte de Sitges et la constitution d'un Front national. Le système politique alors mis au point conduit à l'alternance régulière des deux partis au pouvoir jusqu'en 1974. Les élections présidentielles portèrent successivement deux libéraux, Alfonso López Michelsen (1974) et Julio César Turbay Ayala (1978). Le conservateur Belisario Betancur Cuartas était élu en août 1982. La Colombie est le siège depuis 1948 d'une guérilla intérieure, alimentée par la pauvreté des masses paysannes et d'inspiration castriste et communiste : les « Forces armées révolutionnaires de Colombie » (FARC) étaient créées en 1966, le mouvement de guérilla urbaine « M 19 », pro-sandiniste, est responsable de plusieurs actions violentes : prise d'otages à l'ambassade de la République Dominicaine en 1980. Les négociations entreprises par le président Betancur avec la guérilla en 1984 conduisirent à la suspension des combats par les FARC, qui devenaient en mars 1985 le parti politique officiellement reconnu de l'Union patriotique. Le « M 19 », dont l'un des responsables, Carlos Toledo Plata, était assassiné en août 1984, dénonçait le cessez-le-feu en juin 1985 et attaquait début novembre le palais de justice de Bogotá, où il prenait 300 personnes en otage. L'assaut, décidé par le président Betancur coûta la vie à 115 personnes, dont 35 terroristes. La Colombie, qui doit faire face sur le plan intérieur à une situation économique difficile et au trafic de drogue, participe au groupe de Contadora, médiateur dans la crise du Nicaragua. Le café représente encore, avec 70 % des exportations, la principale ressource de la Colombie.

Comores

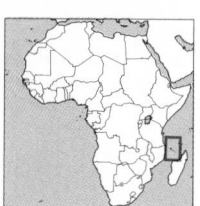

F
Afrique orientale
1797 km²
297 000 hab.
ONU, OUA

Capitale : Moroni (25 000 hab.)
Langues officielles : français, arabe
Religions : musulm. (95 %)
Régime polit. : rép. féd. islamique, indépendante depuis le 6 juillet 1975

Les Comores font partie d'un archipel de quatre îles et comprennent à l'exclusion de Mayotte les trois îles de Ngazidja (Grande Comore), Moili (Mohéli) et Ndzouani (Anjouan). Fréquenté dès le XIᵉ siècle par des navigateurs arabes, l'archipel reçoit également des Perses venus de Chiraz au XVᵉ siècle ; Malgaches et Arabes y fondent des sultanats rivaux. La première, Mayotte est rattachée à la Réunion, en 1843, les autres îles la suivent en 1886. Devenu colonie française en 1912, l'archipel est rattaché à Madagascar jusqu'en 1946, lorsqu'il obtient son autonomie administrative. Devenues territoire d'outre-mer après le référendum de 1958, les Comores réclament leur indépendance à partir de 1972 : le référendum du 22 décembre 1974 donne une large majorité en faveur de l'indépendance (sauf à Mayotte). Artisan de l'indépendance, Ahmed Abdallah, un commerçant d'Anjouan, proclame l'indépendance unilatéralement le 6 juillet 1975 ; il est renversé quelques jours plus tard par un coup d'Etat militaire. Ali Soilih exerce alors une sanglante dictature socialisante, jusqu'au retour au pouvoir de Ahmed Abdallah après le coup d'Etat du 13 mai 1978 ; ce dernier était élu président à la fin de l'année, après l'adoption de la Constitution de la nouvelle République fédérale islamique des Comores. Ahmed Abdallah devenait également, en janvier 1985, chef du gouvernement comorien. L'activité économique de l'île repose sur les cultures vivrières ; parmi les produits d'exportation, les plantes aromatiques représentent 70 % des matières premières utilisées par l'industrie française du parfum.

Congo

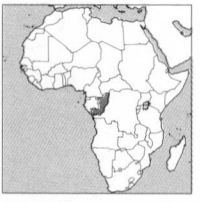

RCB
Afrique
équatoriale
342 000 km²
1,65 M hab.
ONU, OUA

Capitale : Brazzaville (400 000 hab.)
Langue officielle : français
Religions : chrét. (50 %) animistes (45 %)
Régime polit. : rép. pop. depuis janvier 1970 ; indépendance obtenue le 15 août 1960

Les royaumes de la savane au nord du Congo sont dominés, d'après les témoignages portugais du XVIᵉ siècle, par le royaume tyo (ou téké). Chef spirituel (Maître de la pluie) et temporel, le roi téké, le Makoko, intervient peu dans la structure tribale des ethnies ; le royaume dispose du monopole de la traite d'esclaves, dont le commerce est progressivement remplacé au XIXᵉ siècle par celui de l'ivoire. Inaugurée par les explorations de Savorgnan de Brazza en 1875, la présence française s'affirme au Congo par le traité Makoko de 1880. le Congo devient colonie en 1866 et obtient son autonomie administrative en 1903 ; le gouvernement de l'Afrique équatoriale française installait son siège à Brazzaville en 1910. De graves abus provoquent plusieurs soulèvements, en 1913, lors de la construction du chemin de fer Congo-Océan, de 1921 à 1934 ; le matswanisme, mouvement fondé par André Matswa, entretient l'agitation jusqu'à la mort de son fondateur en prison, en 1942. Le Congo devient territoire d'outre-mer après la création de l'Union française, en 1946. La vie politique congolaise est alors dominée par trois personnalités : Jean Félix Tchicaya, chef du Parti progressiste congolais (PPC), adhérent du Rassemblement démocratique africain (RDA) ; le socialiste J. Opangault et l'abbé Fulbert Youlou, qui crée l'Union démocratique de défense des intérêts africains (UDDIA). Le référendum de 1958 ayant approuvé l'autonomie, le Congo devient une république autonome, dont le gouvernement est dirigé par F. Youlou. Celui-ci est élu président de la République en novembre 1959 ; la République du Congo devient indépendante le 15 août 1960. Le président Youlou est contraint de démissionner après les grèves et les émeutes d'août 1963. Face à l'agitation le nouveau gouvernement, dirigé par le président Massamba-Débat instaure un parti unique, le Mouvement national révolutionnaire (MNR) et radicalise sa politique, resserrant ses liens avec l'URSS, la Chine et Cuba. Une première tentative de putsch dirigé par le commandant Marien Ngouabi échoue en juin 1966 ; la crise de 1968 contraint le président Massamba-Débat à remettre le pouvoir au Conseil national de la révolution de Ngouabi : ce dernier est élu président de la République en janvier 1969. Un an plus tard, le Congo-Brazzaville devient la République populaire du Congo ; le parti unique, le Parti congolais du travail (PCT), qui a remplacé le MNR, doit faire face à plusieurs tentatives de déstabilisation. Le président Ngouabi est assassiné le 18 mars 1977 : accusé du meurtre, l'ancien président Massamba-Débat est exécuté avec six co-inculpés le 25 mars. Exclu du PCT en février 1979, le président Joachim Yhombi-Opango est remplacé par le colonel Denis Sassou Nguesso. La Constitution du 8 juillet 1979 réaffirme l'orientation socialiste du gouvernement et la prépondérance du PCT. La coopération économique avec la France n'en est pas moins régulièrement poursuivie. Un réseau de transport insuffisant limite les exportations.

Corée du Nord

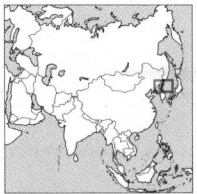

Asie orientale
120 538 km²
19,2 M hab.

Capitale : Pyongyang (1,5 M hab.)
Langue officielle : coréen
Religions : essentiellement bouddh.
Régime polit. : rép. dém. pop., proclamée le 9 septembre 1948

La partie de la Corée située au nord du 38ᵉ parallèle était occupée après la défaite japonaise par les troupes soviétiques. Secrétaire du parti communiste coréen en 1945, Kim Il-sung devenait en 1946 secrétaire général du parti du travail, rassemblement du parti communiste et du parti démocratique. De profondes réformes d'inspiration marxiste sont mises place. Kim Il-sung devient en 1947 chef du gouvernement élu par l'Assemblée populaire, elle-même issue d'une convention des comités populaires, réunie en février 1947. Le 25 juin 1950, les troupes nord-coréennes envahissaient la Corée du sud. Les négociations de paix de Panmunjon aboutissaient le 27 juillet 1953, rétablissant la frontière entre les deux Etats au 38ᵉ parallèle. Les troupes chinoises, qui étaient intervenues aux côtés de la Corée du Nord, se retiraient en 1958. Sévèrement touchée par la guerre, l'économie nord-coréenne fut restaurée en grande partie en 1961. S'étant éloignée de l'URSS après le xxᵉ Congrès du parti communiste soviétique en 1956, la Corée s'est rapprochée de la Chine et tentait à partir de 1966 de ménager un équilibre dans ses relations avec ses deux grands voisins. Kim Il-sung abandonnait le 27 décembre 1972 son poste de Premier ministre et devenait chef de l'Etat ; une nouvelle constitution renforçait simultanément le rôle prépondérant du parti du travail en Corée. L'ouverture du pays sur l'extérieur, notamment les contacts économiques avec le Japon, était facilitée par son admission en tant qu'observateur à l'ONU, en juin 1973. C'est en 1973 également, après la reprise du dialogue avec la Corée du Sud en 1972, que Kim Il-sung s'engageait à ne pas tenter de nouvelle invasion de la Corée du Sud. La partition coréenne demeure cependant le problème politique majeur du pays. La tension entre les deux Corée est régulièrement renouvelée par des incidents : espionnage maritime par des navires américains, percement de tunnels dans la zone démilitarisée et découverts en 1974 et 1975. La proposition du président américain Jimmy Carter d'entamer des négociations tripartites à propos de la réunification furent repoussées par la Corée du Nord en 1979. Le fils de Kim Il-sung, Kim Jong-il, apparaît depuis 1983 comme le second personnage de l'Etat et semblait destiné à succéder à son père, malgré le peu d'enthousiasme manifesté par la Chine pour cette succession héréditaire. La Corée du Nord, l'Etat le plus puissamment industrialisé de l'Asie communiste, souhaitant éviter une trop étroite dépendance vis à vis de la Chine, esquissait un rapprochement avec l'URSS par le voyage de Kim Il-sung à Moscou, le premier depuis vingt ans, en mai 1984. La livraison de 100 000 tonnes de ciments, de grandes quantités de riz et de textiles par la Corée du Nord à la Corée du Sud après les inondations catastrophiques de septembre 1984, qui ont fait plus de 200 000 sans-abris, a constitué un geste d'apaisement dans les relations intercoréennes ; le mois suivant, la Corée du Nord annonçait qu'elle était prête à reprendre avec la Croix Rouge les négociations permettant aux familles coréennes, séparées depuis 30 ans, de se rencontrer. Malgré de nouveaux incidents, des pourparlers avec Séoul sont en cours afin de partager les épreuves des Jeux Olympiques de 1988.

Corée du Sud

ROK
Asie orientale
98 484 km²
40,5 M hab.

Capitale : Séoul (9,4 M hab.)
Langue officielle : coréen
Relig. : bouddh. (36 %), confuc. (22 %), prot.
Régime polit. : rép. présid. depuis le 15 août 1948

La Corée avant la division de 1945
L'histoire légendaire de la Corée remonte à la fondation du pays de Choson, dans le bassin du Tä-dong, par Tangun, fils d'une ourse métamorphosée en femme. Les Chinois s'imposent en Corée au Iᵉʳ siècle av. J.-C. après avoir vaincu la dynastie qui aurait été fondée par le Chinois Kija en 1122 av. J.-C.. Les commanderies chinoises disparaissent au Iᵉʳ siècle, remplacées par trois dynasties locales. Le royaume de Koguryo, dont Pyongyang est la capitale, est vaincu par le royaume de Silla, au sud-est ; allié aux Chinois celui-ci conquiert ensuite (668) le royaume de Paikche, allié aux Japonais. La péninsule coréenne est unifiée par le royaume de Silla en 735. L'influence chinoise marque la culture coréenne, confucianisme et bouddhisme s'y développent. Le royaume de Silla, dont la capitale est Kyongju, disparaît en 935 sous l'assaut des Khitans au nord, et de la dynastie Koryo au sud, fondée en 918. La menace des Khitans ne sera définitivement écartée qu'en 1019 avec l'aide des Djurtchets. La capitale de Kä-song est prise en 1231 par les Mongols ; à la chute de la dynastie mongole des Yuan (1368), les Ming ne peuvent s'opposer à la fondation de la dynastie coréenne des Li par le rebelle Lisungkei (1355-1408), en 1392. La capitale de la nouvelle dynastie, qui se maintiendra jusqu'en 1910, est fixée à Séoul. Des marins portugais naufragés échouent en 1582 sur les côtes coréennes. L'invasion japonaise de 1592 échoue face à la détermination de l'amiral Li Sun-shin ; les troupes du dictateur Toyotomi Hideyoshi se retirent en 1598. Après avoir conquis la Chine, les Mandchous imposent leur suzeraineté à la Corée en 1637. L'influence européenne ne commence à se faire sentir qu'au xviiiᵉ siècle : le catholicisme est interdit en 1786. Ayant obtenu au début du xixᵉ siècle l'ouverture des ports coréens, les Occidentaux sont refoulés en 1864 par le régent Taewon : des démonstrations militaires française et américaine provoquent la chute de Taewon en 1873. Un courant réformiste, soutenu par le Japon, incite à l'ouverture du pays de 1876 à 1886. Le Japon élimine en 1895 la suzeraineté chinoise sur la Corée, qui recherche l'alliance de la Russie, qui est vaincue à son tour en 1905. La Corée est annexée par le Japon en 1910. Le régime de terreur imposé par le Japon provoque un vaste soulèvement en 1919 ; les dirigeants nationalistes coréens se réfugient dans la concession française de Shanghai. La politique plus libérale menée (équipements industriels) après 1920 par le Japon est menée de pair avec une tentative d'élimination de la culture coréenne propre. Libérée après la capitulation japonaise, la Corée se trouve divisée en deux, du fait de la présence de troupes soviétiques et américaines sur son sol de part et d'autre du 38ᵉ parallèle. L'hostilité entre les deux grandes puissances provoque la naissance de la République de Corée, le 15 août 1948, dirigée par Syngman Rhee, et de la République populaire de Corée, le 9 septembre 1948, dirigée par Kim Il-sung.

La Guerre de Corée
L'invasion des troupes nord-coréennes en Corée du Sud, le 25 juin 1950 prenait totalement au dépourvu les forces sud-coréennes. Trois jours après avoir franchi le 38ᵉ parallèle, les troupes nord-coréennes prenaient Séoul. Le 27 juin, le Conseil de sécurité de l'ONU faisait appel aux Etats membres pour porter assistance à la Corée du Sud. Les divisions américaines basées au Japon intervenaient dès le 30 juin, sous le commandement du général MacArthur. Après un repli général, les troupes américaines et sud-coréennes se maintiennent sur le Naktong. Le débarquement surprise effectué par MacArthur à Inchon, sur les arrières nord-coréens, le 15 septembre 1950, permettait de renverser la situation : Séoul était reprise. Les Nord-Coréens se repliaient au-delà du 38ᵉ parallèle le 1ᵉʳ octobre. MacArthur franchit à son tour la frontière et entame la conquête du Nord, ayant la réunification pour but. Mais l'intervention chinoise, le 26 novembre, allait tout remettre en question : les troupes du Sud réussissent de justesse à se replier. Le président Truman est contraint de remplacer MacArthur par Ridgway (avril 1951) puis par Clark en 1952. Le front se stabilise de nouveau, après plusieurs mois de durs combats, sur le 38ᵉ parallèle. Des négociations de paix, basées sur le statu-quo, s'ouvrent à Panmunjon en 1951. Elles dureront deux ans, pendant lesquelles les combats ne cesseront pas, et n'aboutiront que le 27 juillet 1953, après la mort de Staline.

La République de Corée
La Corée du Sud, dont l'économie a été très gravement atteinte par la guerre, tente de se redresser. La situation politique est tendue : le régime autoritaire de Syngman Rhee provoque le soulèvement de mars 1960, au cours duquel il est renversé. La dégradation de la situation entraîne la prise du pouvoir par une junte militaire, le 16 mai 1961. Le chef de la junte est remplacé au mois de juillet par le général Park Chung-hee. Après l'institution d'un régime présidentiel, en décembre 1962, Park Chung-hee est élu à la présidence en décembre 1963. Un traité de normalisation des relations avec le Japon est signé à Séoul le 21 février 1965. Le gouvernement, qui s'appuie sur le parti démocratique républicain, fait procéder en 1967 à l'arrestation de plusieurs membres du nouveau parti démocrate, créé en février par Yun Po-son. Park Chung-hee remporte pourtant la même année les élections présidentielles, son parti sort largement majoritaire des élections législatives, entachées de vastes fraudes électorales. Un troisième mandat, anti-constitutionnel mais approuvé par le référendum de 1969, est accordé à Park Chung-hee le 27 avril 1971. Un accord signé avec la Corée du Nord le 4 juillet 1972 met fin à l'état de belligérance entre les deux Corée. Une nouvelle constitution renforce l'autoritarisme

du régime en décembre 1972. La répression contre l'opposition se durcit, le principal chef de l'opposition, Kim Daechung, est arrêté en 1974. Réélu en 1978, Park Chung-hee est assassiné le 26 octobre 1979. Après un bref espoir de libéralisation, les militaires reprennent les rênes du pouvoir : le général Chon Tuhwan est désigné à la tête de l'Etat en août 1980. La nouvelle Constitution d'octobre 1980 renforce la structure autoritaire du pouvoir. Un rapprochement des deux grandes puissances économiques du Sud-Est asiatique était concrétisé par la visite historique du président Chon Tuhwan à Tokyo, en septembre 1984. Le choix de Séoul comme hôte des Jeux Olympiques de 1988 contraint le régime sud-coréen à consentir une apparente ouverture libérale. L'échange de visiteurs entre Séoul et Pyongyang marquait en septembre 1985 le premier relâchement du blocus absolu des communications établi entre les deux Corée.

Costa Rica

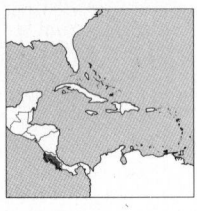

CR
Amérique centrale
50 700 km²
2,4 M hab.
ONU,
CARICOM,
OEA

Capitale : San José (272 000 hab.)
Langue officielle : espagnol
Religions : cath. (95 %), prot.
Régime polit. : rép. présid. Indépendance obtenue le 15 septembre 1821

Les côtes orientales du Costa Rica étaient reconnues par Christophe Colomb en 1502, lors de son quatrième voyage vers les Amériques. L'explorateur espagnol Gonzáles Dávila menait vingt ans plus tard une expédition vers l'intérieur du pays. La conquête militaire ne commença pourtant qu'en 1561. En 1563 Juan Vásquez de Coronado fondait la ville de Cartago, qui demeurera capitale du Costa Rica jusqu'en 1823. Plusieurs révoltes indiennes eurent lieu tout au long de la période coloniale, mais surtout dans la région de Talamanca, en 1709 en particulier. Rattaché à la capitainerie de Guatemala, le Costa Rica vit essentiellement de l'élevage des mules, destinées au trafic interocéaniques des marchandises du Panamá. Le Costa Rica était intégré en 1821 à l'Empire du Mexique lors de son indépendance ; il constituait après 1823 un Etat indépendant de la Confédération centraméricaine et abolissait alors l'esclavage. La fédération éclatait en 1838 et le Costa Rica proclamait son indépendance comme république le 3 août 1848. La culture du café était prépondérante sous le gouvernement de Braulio Carillo (1835-1842), la première concession pour l'exploitation de bananeraies sur la côte atlantique était accordée à l'*United Fruit Company* américaine en 1871 par le président Minor C. Keith. La vie politique costaricienne, relativement paisible sur le plan intérieur, n'est troublée que par le conflit frontalier avec le Nicaragua, résolu en 1889. L'Etat se modernisait et commençait à intervenir dans la vie économique, totalement dominée par les compagnies américaines, sous la présidence de Gonzáles Flores (1914-1917). La dictature du général Tinoco (1917-1919) mettait temporairement fin à l'expérience libérale et constituait la première rupture légale des institutions depuis 1882. L'ancien conflit frontalier avec le Panamá était réglé en 1944 par le traité de David. La victoire du libéral Otilio Ulate aux élections présidentielles de 1948 provoquait un putsch militaire : la guerre civile qui s'ensuivait voyait la victoire de la « Légion des Caraïbes », dirigée par José Figueres Ferrer, qui succédait au président Ulate en novembre 1953. Les événements de 1948 ont entraîné l'adoption d'une nouvelle Constitution, le 7 novembre 1949. Le Costa Rica renonçait à posséder des forces militaires mais conservait toutefois une garde civile armée. La présidence de Figueres, jusqu'en 1958, était marquée par plusieurs incidents frontaliers sérieux avec le Nicaragua du dictateur Somoza et, sur le plan intérieur, par une politique réformiste mais résolument « anticommuniste » : la toute puissante United Fruit devait concéder des conditions d'exploitations plus avantageuses pour le pays. Bien que perdant les élections présidentielles de 1958, 1966 et 1978, le parti de libération nationale n'en continue pas moins de dominer la scène politique costaricienne avec la réélection de José Figueres en 1970, de Daniel Oduber en 1974 et de Luis Alberto Monge en 1982. Le Costa Rica est directement mêlé depuis 1984 au conflit nicaraguayen, la guérilla anti-sandiniste, soutenue par les Etats-Unis, ayant établi des bases sur son territoire.

Côte d'Ivoire

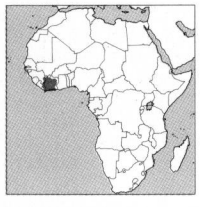

CI
Afrique de l'Ouest
322 463 km²
9,3 M hab.
ONU, CEDEAO, OUA

Capitale : Yamoussoukro (70 000 hab.)
Langue officielle : français
Religions : animistes (65 %), musulm. (23 %)
Régime polit. : rép. présid., indépendante depuis le 8 août 1960

Les rivages de la « Côte des Dents », difficiles d'accès, furent reconnus par les navigateurs portugais dès le XIVᵉ siècle, mais le premier établissement y fut fondé par les Français à Assinie en 1687, qui fut abandonné en 1705. Deux postes sont de nouveau créés en 1842, Assinie et à Grand-Bassam, servant de base à une exploration de l'intérieur des terres. La traite des Noirs abolie, c'est le commerce de l'huile de palme qui devient l'activité principale des établissements, très peu actifs jusqu'en 1886, où arrivait la mission du Dr Bayol. Une série de traités de protectorat fut dès lors signée, de Grand-Bassam à Kong. L'occupation de la côte, entre Grand-Lahou et le Cavally s'effectue pacifiquement jusqu'en 1889. Le décret du 10 mars 1893 faisait de la Côte d'Ivoire une colonie autonome. La conquête de l'intérieur du pays se heurte pourtant à une vive résistance, notamment des Gouros et des Baoulés. Au nord, le chef Somory Touré s'oppose âprement à la conquête jusqu'à son arrestation, en 1898. La résistance se poursuit en fait jusque pendant la Première Guerre mondiale. Rattachée au gouvernement de l'Afrique équatoriale française depuis 1899, la Côte d'Ivoire connaît un développement économique rapide, fondé sur la culture du cacao et du café et l'exploitation des palmeraies et des forêts. De grands travaux sont entrepris entre les deux guerres : aménagement du port d'Abidjan et creusement du canal de la lagune, achevés en 1950, construction des chemins de fer Abidjan-Bobo-Dioulasso. Devenue territoire d'outre-mer en 1946, la Côte d'Ivoire devient une république en décembre 1958. Le pays accède en 1960 à l'indépendance sous l'impulsion de Félix Houphouët-Boigny, fondateur en 1946 de la section ivoirienne du Rassemblement démocratique africain (RDA) et membre du gouvernement français de 1956 à 1959. Sitôt l'indépendance, la Côte d'Ivoire devient le centre du Conseil de l'Entente, regroupant en outre la Haute-Volta, le Niger et le Dahomey. Le président Houphouët-Boigny tentait de rassembler les Etats africains hostiles au socialisme en intégrant la Côte d'Ivoire à l'Organisation commune africaine et malgache (OCAM), qui succédait en 1965 à l'OAMCE, créée en 1961. Une tension naît en 1966 entre la Côte d'Ivoire et la Guinée, qui avait accueilli le président ghanéen Kwame Nkrumah après sa chute. La visite du président Senghor à Abidjan en 1971 inaugurait un rapprochement avec le Sénégal. Réélu sans cesse à la tête de l'Etat depuis sa fondation, le président Houphouët-Boigny s'appuie politiquement sur un parti unique, le Parti démocratique de Côte d'Ivoire (PDCI) : l'opposition politique apparaît peu organisée, le parti communiste est interdit depuis 1963 et l'agitation étudiante a cessé après 1970. La croissance économique du pays a favorisé le développement d'une politique sociale et culturelle équilibrée. Capitale ivoirienne depuis 1934, Abidjan était remplacée en 1983 par Yamoussoukro.

Economie

L'économie ivoirienne, l'une des mieux équilibrées d'Afrique noire, repose encore essentiellement sur l'agriculture : celle-ci contribue pour un tiers au revenu national, mais fait vivre 75 % de la population du pays. Outre les indispensables cultures vivrières (igname, manioc, taro, patates douces, mil et sorgho entre autres), l'agriculture industrielle destinée à l'exportation a été considérablement développée : la Côte d'Ivoire est le premier producteur mondial de cacao, le troisième (derrière le Brésil et la Colombie) de café. Ces plantations, qui représentent une part essentielle de la richesse ivoirienne, n'ont été introduites par quelques colons qu'à la fin du XIXᵉ siècle. Une politique agricole définie sur le plan national permettait au pays d'accéder dans les années 1970 aux tous premiers rangs mondiaux des producteurs d'huile de palme. La diversification des productions s'est poursuivie dans le domaine des agrumes, des fruits (ananas, bananes), de la canne à sucre, des légumes (riz), du tabac et de l'hévéaculture, dont les plantations sont en pleine extension. L'industrie de transformation des matières premières agricoles : le bois constitue la troisième richesse de Côte d'Ivoire : l'exploitation en est soutenue mais l'industrie de transformation traite moins de 20 % de la production total. Le pays dispose de peu de ressources minérales mais toutefois de pétrole, dont l'exploitation débute. Un important potentiel d'énergie hydroélectrique est déjà en partie exploité. Le commerce extérieur ivoirien est nettement excédentaire, la France demeure son principal partenaire.

Cuba

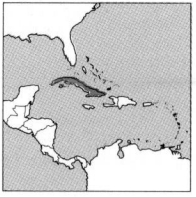

C
Amérique
centrale
114 524 km²
10 M hab.
ONU,
COMECON,
OEA
(observateur)

Capitale : La Havane (2 M hab.)
Langue officielle : espagnol
Religions : cath. (plus de 90 %)
Régime polit. : république socialiste depuis le
1er janvier 1959

La domination espagnole

La côte orientale de Cuba est découverte par Christophe Colomb lors de son premier voyage en 1492. L'île est conquise entre 1511 et 1513 par Diego Velásquez. La population indienne, qui compte alors environ 50 000 âmes, est rapidement décimée. L'île sert aux Espagnols de base pour la conquête du continent américain. Cortés partait de Cuba en 1519 pour sa conquête du Mexique. La colonie se développe très rapidement : élevage, exploitation des plantes tinctoriales et du tabac sont ses premières ressources. Les Indiens sont employés de force dans d'immenses plantations : la population indienne atteignait environ 5000 âmes en 1544. Le début de la culture de la canne à sucre autour de Santiago, en 1548, provoqua l'arrivée massive d'esclaves noirs. La population de l'île dépassait 50 000 personnes en 1700. Cuba fut au cours des XVIIe et XVIIIe siècles un enjeu convoité par les pirates et les

puissances européennes : les Anglais occupaient La Havane en 1762-1763 puis la libéraient en échange de la Floride. Ayant obtenu en 1765 le droit de commercer avec l'Espagne, les Cubains profitent de l'effondrement de l'économie de Saint-Domingue, colonie française. Devenue un important centre de traite d'esclaves, la population cubaine, en majorité noire, atteignait 150 000 personnes en 1763, 1,3 million en 1860. L'accroissement du nombre des esclaves provoque au début du XIXe siècle des mouvements de révolte (soulèvement dans l'Oriente en 1812), entretenus par les Etats du Sud des Etats-Unis. Les nombreuses tentatives américaines de rachat de l'île échouaient. Le soulèvement en 1868 de Carlos Manuel de Céspedes, qui libère ses esclaves, ouvre la « Guerre des Dix Ans ». Partie de l'Est, la révolte indépendantiste ne parvient pas à s'étendre à l'ensemble de l'île. L'espagne promet par la paix de Zanjón (1878) un ensemble de réformes et une certaine autonomie. L'esclavage est aboli en 1880. Un nouveau soulèvement, dirigé en 1895 par le poète José Marti conduit à la proclamation de la République : la répression brutale de l'insurrection entraîne une intervention américaine. La guerre est provoquée par l'explosion accidentelle du cuirassé *Maine* en rade de la Havane (février 1898). Vaincue, l'Espagne renonce à Cuba par le traité de Paris (10.12.1898). Un gouvernement militaire est imposé à Cuba par les Etats-Unis, dont les intérêts, notamment sucriers, sur l'île sont considérables.

L'indépendance

Cuba devient indépendante le 1er jan-

vier 1899. Les Etats-Unis retirent leurs troupes en 1902 et accordent des avantages douaniers aux produits cubains en échange de l'établissement d'un protectorat sur l'île et de la cession de deux bases navales. Premier président de la République en 1902, Tomás Estrada Palma se représente aux élections de 1906. Les soulèvements des libéraux de José Miguel Gómez provoquent de nouvelles interventions des Etats-Unis en 1906 et 1917. Les liens avec les Etats-Unis sont renforcés, la parité du peso et du dollar est instituée en 1914, Cuba devient un « champ de canne à sucre ». La crise économique qui frappe l'île après la Première Guerre mondiale conduit à la dictature du général Gerardo Machado (1925-1933). Un coup d'Etat, dans lequel le sergent Fulgencio Batista joue un rôle de premier plan, met fin à la dictature : la réaction anti-américaine bat son plein, les Etats-Unis renoncent à leur droit d'intervention en 1934. La vie politique de Cuba est alors menée par Batista, devenu général, bien qu'il ne soit directement au pouvoir que de 1940 à 1944 puis après le 10 mars 1952. L'arbitraire du régime et la corruption rejettent les opposants hors des partis traditionnels : une première révolte, (prise de la caserne de la Moncada à Santiago de Cuba) le 26 juillet 1953, est réprimée ; son chef, Fidel Castro Ruz, est arrêté. Amnistié, Castro se réfugie au Mexique : il débarque le 2 décembre 1956 avec 80 hommes dans la province de l'Oriente mais seuls quelques uns, dont « Che » Guevara, réussissent à prendre le maquis dans la Sierra Maestra, où Castro organise une guérilla rurale. Les Etats-Unis ayant suspendu

l'envoi d'armes à Batista, l'offensive des insurgés de Noël 1958 renverse la dictature. La République socialiste de Cuba était proclamée le 1er janvier 1959.

Le régime castriste

Le problème majeur qui se pose à Cuba est le quasi-monopole des sociétés américaines sur l'exploitation de la canne à sucre : les raffineries de sucre puis celles de pétrole sont nationalisées en 1959. Le soutien de l'URSS à Cuba entraîne l'établissement d'un embargo américain sur les produits cubains en octobre 1960. Le débarquement manqué des exilés cubains à la Baie des Cochons en avril 1961 contribue à renforcer la position de Castro. L'installation de fusées offensives soviétiques à Cuba provoque en octobre 1962 une grave crise internationale, qui s'achève après l'attitude ferme du président J.F. Kennedy par le démantèlement des fusées. Le socialisme se radicalise, provoquant une nouvelle vague d'émigration (1970) : 600 000 Cubains ont quitté le pays depuis la Révolution. Cuba pratique une politique de soutien aux mouvements révolutionnaires d'Amérique centrale (Nicaragua à partir de 1979) mais, malgré une amélioration des relations avec les Etats-Unis après 1977, le régime demeure isolé et essentiellement soutenu par l'URSS. Malgré une certaine réussite sur les plans sociaux et économiques, la concentration de plus en plus importante des pouvoirs entre les mains de Castro conduit au départ en 1980 de 100 000 Cubains. Fidel Castro semble céder une partie de ses pouvoirs à son frère Raúl, qui est reçu en URSS par Mikhail Gorbatchev en mars 1985 lors des obsèques de Constantin Tchernenko.

Danemark

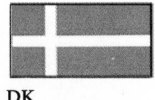

DK
Europe du Nord
43 074 km²
5,1 M hab.
ONU, EFTA,
CEE, CE,
OTAN, CN,
OCDE

Capitale : Copenhague (638 000 hab.)
Langue officielle : danois
Religions : évang.-luthériens (97 %)
Régime polit. : mon. const. d'après la Constitution du 5 juin 1953

Le Danemark connaît au IXe siècle une explosion démographique ; ses habitants, qui possèdent une excellente technique de construction navale, se lancent dans des expéditions vers l'Europe. Les invasions de Vikings en Angleterre et en France dureront 200 ans : un royaume danois est fondé en Angle-

terre et reconnu par Alfred le Grand vers 890. Les Danois et les Francs se heurtèrent sous le règne de Charlemagne : une frontière est établie entre le royaume franc et les Danois sur l'Eider, au nord de l'Allemagne. Le véritable fondateur du royaume danois est Gorm l'Ancien († vers 950), dont le fils Harald Blâtand (« Dent bleue ») poursuivra l'oeuvre († vers 986), étendant le royaume à la Norvège et à la Poméranie ; la christianisation du Danemark commence sous son règne. Les expéditions des Vikings les conduisent alors vers le Groenland (vers 982) puis vers l'Amérique du Nord (vers 1000). Après la conquête de toute l'Angleterre par Sven Ier à la Barbe fourchue († 1014), son successeur Knud le Grand († 1035) règne sur un immense royaume, qui se disloque à sa mort.

Une grande puissance nordique

Valdemar Ier le Grand (1157-1182) crée les conditions d'une monarchie

forte, centralisée et s'appuyant sur l'aristocratie féodale et l'Eglise. Il entame l'expansion le long de la mer Baltique, conquérant l'île de Rügen et plusieurs points d'appui sur la côte poméranienne. Copenhague est fondée en 1165. Le règne de Valdemar II le Victorieux (1202-1241) constitue l'apogée du Danemark médiéval : le commerce est florissant (pêche du hareng et élevage des chevaux) ; les lois sont codifiées. La côte baltique est conquise jusqu'en Estonie, où la ville de Reval est fondée (1219). Mais la défaite danoise face aux Allemands du Holstein à Bornhöved (1227) marque le début d'une période de troubles, marquée par le déclin du pouvoir royal face à la noblesse et l'influence grandissante des Allemands. La monarchie danoise se redresse sous Valdemar IV Atterdag (1340-1375), qui combat victorieusement la Suède et les villes de la Hanse. Mais la réaction d'une ligue de 75 villes hanséatiques donne à la Hanse la supré-

matie (traité de Stralsund, 1370) sur le Sund. A la mort du roi Haakon VI Magnusson de Norvège, en 1380, son épouse, Marguerite, devient régente de Norvège. Fille de Valdemar IV, Marguerite était déjà régente du Danemark depuis 1375. Reine des deux Etats en 1387, Marguerite réalise l'union du Danemark, de la Norvège et de la Suède à Kalmar en 1397 : les pays scandinaves s'unissent avant tout contre leur ennemi commun, les Allemands. L'Union de Kalmar se maintiendra jusqu'à la proclamation de Gustave Vasa comme roi de Suède, en 1523.

Perte de la suprématie

Les 200 années qui suivent sont marquées par de constants conflits avec la Suède : les troubles ne cessent qu'après la mort de Charles XII de Suède et la paix de Frederiksborg, en 1720. Le Danemark retrouve sa prospérité sous Christian VI (1730-1746), Frédéric V (1746-1766) puis Christian VII (1766-

Danemark

1808). Des colonies sont fondées (Canton, îles Vierges, Afrique), une habile politique de neutralité favorise l'essor économique. Ministre de Christian VII, Johann Friedrich Struensee met en place d'importantes réformes sociales : abolition du servage, reconnaissance des libertés individuelles et de la presse, tolérance religieuse. Mais Struensee est renversé et exécuté en 1772. Cette politique est poursuivie de manière plus modérée après le coup d'Etat libéral de 1784 par Andreas Peter Bernstorff.

Le XIXᵉ siècle et les deux guerres
Appartenant à la ligue des Neutres en 1800, le Danemark s'engage contre l'Angleterre, qui bombarde Copenhague (1801 et 1807) et détruit la flotte danoise. Allié à la France, le Danemark perd par le traité de Kiel (1814) la Norvège mais Frédéric VI (régent depuis 1784, roi de 1808 à 1839) reçoit en échange les duchés allemands du Schleswig et du Holstein. Le règne de Christian VIII (1839-1848), qui

commence par l'octroi d'une constitution, est pacifique et prospère, mais troublé vers la fin par les progrès de l'agitation allemande dans les duchés. Son successeur, Frédéric VII (1848-1863), doit faire face au soulèvement des duchés lorsqu'il promulgue, en 1852 une constitution démocratique. La conférence de Londres décide la même année de faire de Christian de Glücksburg (Christian IX, 1863-1906) l'héritier de Frédéric VII. Alliée à l'Autriche, la Prusse attaque le Danemark en 1864. La Guerre des Duchés s'achève (traité de Vienne, 30.10.1864) par la perte pour le Danemark des trois duchés de Schleswig, Holstein et Lauenburg ainsi que de la ville de Kiel, soit un tiers de sa superficie. Deux chambres parlementaires, le Landsting et le Folketing (Chambre populaire) sont instituées en 1866. L'évolution libérale et sociale de la monarchie se poursuit : des caisses de retraite sont instituées en 1891, des caisses de maladie et de chômage en 1892. Un premier gouvernement de gauche modérée

est appelé par le roi en 1901. La SDN décide en 1920 de rendre au Danemark, qui est resté neutre pendant le premier conflit mondial, le Schleswig septentrional. La crise de 1929 est combattue par le gouvernement social-démocrate de Thorwald Stauning par d'importantes lois de progrès social. L'invasion allemande de 1940 (9 avril), malgré un traité de non-agression, conduit le gouvernement à céder aux exigences nazies. Mais un mouvement de résistance intérieure se fait jour, appelé depuis Londres par John Christmas. Le roi Christian X (1912-1947) est assigné à résidence, le gouvernement démissionne le 29 août 1943, la flotte danoise se saborde.

Le Danemark après 1945
Le régime de monarchie constitutionnelle est remis en place après la guerre, Frédéric IX devient roi en 1949. L'Islande avait proclamé son indépendance en 1944, les îles Féroé reçoivent leur autonomie interne en 1948 (l'union avec le Danemark est confirmé par les

élections de 1955) et le Groenland deviendra province danoise en 1953 (l'autonomie interne est effective depuis 1979). Ayant accepté en 1948 l'aide du plan Marshall, le Danemark adhère à l'alliance atlantique en 1949. La Constitution de 1953 institue une chambre parlementaire unique, le Folketing. Membre du conseil nordique depuis 1951, le Danemark adhérait à l'Association européenne de libre-échange en 1960 et signait la convention de coopération des Etats nordiques à Helsinki en 1962 ; l'entrée du Danemark dans le Marché commun, effective en 1973, a suscité de vifs débats politiques, en raison des importants changements structurels de l'économie qu'elle impliquait. Les gouvernements de coalition entre sociaux-démocrates, libéraux et conservateurs qui se succèdent depuis 1960 poursuivent la politique d'« Etat-providence » qui provoque un important déficit du budget national. Première reine du Danemark depuis 1412, Marguerite II succédait à son père Frédéric IX le 14 janvier 1972.

Djibouti

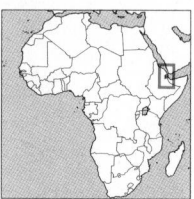

Afrique orientale
22 000 km²
330 000 hab.
ONU, LA, OUA

Capitale : Djibouti (70 000 hab.)
Langues officielles : français et arabe
Religions : musulm. (plus de 90 %), chrét.
Régime polit. : rép. présid. Indépendance obtenue le 27 juin 1977

Le détroit de Bab et Mandeb, à l'entrée de la mer Rouge, constitua dès l'Antiquité un lieu de passage aisé pour les

migrations et le commerce entre l'Arabie et l'Afrique. Les territoires des Afars, islamisés, donnèrent le jour dès le IXᵉ siècle à des sultanats. Les tribus somalis des Issas repoussèrent ensuite progressivement les Afars. Tout d'abord occupé par les marchands arabe et portugais, le territoire de Djibouti voit s'établir en 1862 un premier poste français à Obock, transformé en base navale d'appui. Les premières conventions étaient passées avec les chefs afars et somalis en 1884 ; Djibouti était créée en 1888, son territoire était déclaré protectorat la même année. Les territoires d'Obock et Tagoura étaient unifiés en 1896, prenant le nom de Côte

française des Somalis. Rallié à la France libre en 1942, Djibouti devenait Territoire français d'outre-mer en 1946. Revendiqué par l'Ethiopie et la Somalie, Djibouti reçoit en juillet 1957 un parlement autonome. De graves émeutes éclatent en 1966 après le voyage du général de Gaulle, opposant les Afars, partisans du maintien de l'intégration à la France, et les Somalis issas, partisans du rattachement à la Somalie britannique, indépendante depuis 1960. Le maintien est confirmé par le référendum de mars 1967. Devenue la même année Territoire des Afars et des Issas, Djibouti porte Ali Aref, leader des Afars, à la tête de son gouvernement en

1968. En 1972 est constituée la Ligue populaire africaine pour l'indépendance (LPAI), qui intègre le mouvement indépendantiste issa de Hassan Gouled Aptidon. Le mouvement pour l'indépendance se trouve renforcé par les difficultés sociales, dues notamment à la fermeture du canal de Suez depuis 1967. Hassan Gouled Aptidon devenait président de la République de Djibouti, proclamée en juin 1977 et admise le 3 septembre au sein de la Ligue arabe ; la LPAI est remplacée en mars 1979 par le parti du rassemblement populaire pour le progrès. Hassan Gouled Aptidon était réélu à la présidence en juin 1981.

Dominique

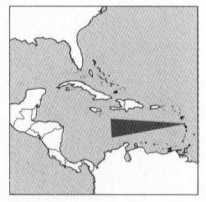

WD
Amérique
australe
751 km²
82 000 hab.
ONU, CA-
RICOM, OEA

Capitale : Roseau (20 000 hab.)
Langue officielle : anglais
Religions : cath. (80 %)
Régime politique : république, indépendante depuis 3 novembre 1978

Découverte par Christophe Colomb le dimanche 3 novembre 1493 (d'où son nom de « Dominica »), l'île fut pendant plusieurs siècles l'enjeu d'une rivalité entre Français et Anglais. Les indi-

gènes opposèrent une farouche résistance à l'invasion européenne : leur milieu naturel, forêts impénétrables et montagne, leur permit d'éviter une extermination complète. Les derniers descendants des premières populations caraïbes sont aujourd'hui environ 500, ils vivent dans une réserve créée à l'est de l'île en 1903 par la reine Victoria. L'île obtenait un statut de neutralité par le traité d'Aix-la-Chappelle en 1748 et des colons français s'y installaient. Occupée par les Britanniques en 1759, la Dominique leur était concédée lors du traité de Paris, en 1763. Les combats pour la souveraineté se poursuivirent néanmoins jusqu'aux guerres napoléoniennes, que les Anglais mirent à profit pour s'imposer définitivement à la Dominique. La principale activité de l'île, les plantations, avaient entraîné l'introduction

d'une importante main-d'œuvre d'esclaves noirs, dont les descendants forment l'essentiel de la population dominicaine actuelle. Devenue colonie de la Couronne en 1898, l'île obtenait en 1956 le statut de colonie autonome puis devenait, le 1ᵉʳ mars 1967, un Etat associé à la Grande-Bretagne. L'indépendance était proclamée le 3 novembre 1978, jour anniversaire de la découverte de l'île et jour de la fête nationale. La Dominique devenait une république parlementaire : son premier gouvernement était formé par les travaillistes, qui durent faire face à la catastrophe provoquée par le passage du cyclone « David », en août 1979, l'économie de l'île reposant sur l'exportation de produits agricoles (cacao, bananes et agrumes). Ebranlé par des scandales financiers, le parti travailliste perdait le pouvoir après les pre-

mières élections législatives du 21 juillet 1980. Vainqueur, le *Dominica Freedom Party* (conservateur) plaçait Mary Eugenia Charles au poste de Premier ministre. La première femme chef de gouvernement dans les Caraïbes appartint en octobre 1983 aux initiateurs de l'invasion de l'île voisine de la Grenade par les troupes américaines et caraïbes. Remplaçant Aurelius Marie, Clarence A. Seignoret devenait en 1984 président de la République. Le niveau de vie de la population dominicaine est, comparé aux Etats voisins des Caraïbes, très bas ; un taux de natalité élevé (2,7 % par an) entraîne un surpeuplement de l'île et une importante émigration. Près du quart des habitants sont regroupés dans la capitale, Roseau, 30 % sont encore analphabètes : ces conditions expliquent l'importance des troubles sociaux.

Egypte

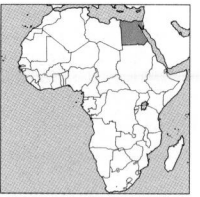

ET
Afrique orientale
1 001 000 km²
45,7 M hab.
ONU, LA, OUA,
OPEP

Capitale : Le Caire (5,9 M hab.)
Langue officielle : arabe
Religions : musulm. (93 %), coptes (6,8 %)
Régime polit. : république présidentielle depuis
le 18 juin 1953

L'époque néolithique a laissé en Egypte ses principales traces, gravures rupestres, poteries incisées, dans la région de Khartoum, au sud et, au nord, dans la régharao Narmer réalisa vers 3200 av. J.-C. la première unification des royaumes de Haute et de Basse-Egypte et de la capitale de Haute-Egypte, Héracléopolis, Narmer associait la couronne blanche du Sud à la couronne rouge de Basse-Egypte, qui formèrent la double-couronne, le *pschent,* symboles des trente dynasties égyptiennes qui se succéderont pendant trois millénaires sur le trône égyptien. Ces débuts historiques de l'Egypte sont également ceux de l'écriture hiéroglyphique. Les bases de l'économie agricole et une administration centralisée sont déjà posées à cette époque, dite thinite, du nom de This, près d'Abydos, capitale de Narmer. L'Ancien Empire connut son apogée vers 2778 sous le règne de Djoser, pour lequel l'architecte Imhotep réalisa la pyramide à degrés de Saqqarah, haute de 60 mètres ; les pharaons qui succédèrent à Djoser immortalisèrent leurs noms, Kheops, Khephren, Mykerinus : leurs immenses pyramides dominent le désert de Giseh. L'Egypte connut une nouvelle ère de grandeur sous le Moyen Empire, après 2134 : les souverains égyptiens soumirent la Nubie, la péninsule du Sinaï et le sud de la Palestine. Le dieu Amon fait son apparition et gagne en

faveur contre le dieu solaire Rê. L'Egypte tomba vers 1650 sous la domination des Hyksos, peuplades étrangères elles mêmes repoussées par les migrations indo-européennes. Le Nouvel Empire commence lorsqu'ils sont chassés par le pharaon Ahmosis, en 1551. L'Egypte devint la plus grande puissance de l'espace méditerranéen sous Thoutmosis Iᵉʳ (1505-1494) : l'expansion impérialiste de l'Egypte fut freinée par la révolution mystique et culturelle introduite après 1364 par Aménophis IV, devenu Akhénaton après avoir remplacé le culte d'Amon par celui, monothéiste, d'Aton. Gagné par l'anarchie, l'empire perdit ses provinces et ne retrouva sa stabilité que sous Ramsès II († 1224), qui renoua avec la grande tradition de l'architecture monumentale. La conquête de l'Egypte en 525 par Cyrus II le Grand, fondateur de l'Empire perse, marquait la décadence du pouvoir monarchique égyptien. L'Egypte devenait une satrapie : la domination perse ne prit fin qu'avec la conquête du pays par Alexandre le Grand, en 332. A la mort du conquérant macédonien (323), l'un de ses généraux fondait la dynastie des Lagides sous le nom de Ptolémée Iᵉʳ Soter. Ses descendants se maintinrent 300 ans sur le trône, jusqu'à la défaite de Cléopâtre VII († 30) contre les Romains, qui firent de l'Egypte l'une de leurs provinces.

Débuts de l'ère islamique
L'Egypte était intégrée lors de la division de l'Empire romain, en 395 ap. J.-C. à l'Empire romain d'Orient ; elle était conquise en 642 par les Arabes. L'islamisation rapide la lie au sort des califes Umayyades puis Abassides. Des esclaves sont organisés en 868 en un corps de mercenaires, les mamelouks, qui permettent à la dynastie des Tulunides de se rendre maître du pays jusqu'en 905. Conquise par la dynastie chi'ite des Fatimides en 969, l'Égypte est de nouveau contrôlée par les mamelouks en 1250, jusqu'à leur défaite devant le sultan ottoman Sélim à Alep, en 1516. Les mame-

louks continuèrent cependant d'exercer une certaine influence dans le pays : ils furent battus aux Pyramides par Bonaparte, le 21 juillet 1798. Réussite scientifique, la campagne d'Egypte s'achève sur la capitulation de l'armée devant les Turcs et les Anglais, le 30 août 1801. Un officier turc, Méhémet Ali, se fait reconnaître en 1805 comme pacha d'Egypte par le sultan après avoir fait massacrer plusieurs centaines de mamelouks et introduit un certain nombre de réformes inspirées de l'Occident. L'Egypte retrouve une certaine prospérité sous les successeurs de Méhémet Ali, Sa'id (1854-1863) et Isma'il (1863-1879). Accordée à Ferdinand de Lesseps par Sa'id en 1856, la concession de Suez permet le percement du canal, qui est inauguré le 17 novembre 1869. C'est sous l'impulsion française que se poursuivent alors la construction des chemins de fer.

La domination britannique
Inquiète des progrès de l'influence française en Egypte, l'Angleterre rachète en 1879 les actions de Suez possédées par le khédive Isma'il, ruiné, et prend en charge avec la France l'administration égyptienne ; un soulèvement nationaliste provoque une intervention militaire anglaise en 1882 : l'Egypte était placée sous l'autorité d'un gouverneur général britannique. La guerre ayant éclaté contre la Turquie en 1914, l'Angleterre place l'Egypte sous protectorat. Le pays réclamait son indépendance dès 1918, le parti Wafd s'organise : devant les troubles, l'Angleterre renonce au protectorat en 1922 mais conserve le contrôle des armées et du canal de Suez. La monarchie parlementaire fut introduite avec le roi Fu'ad Iᵉʳ (1868-1936).

L'Egypte retrouve l'indépendance
L'hostilité persistante à la présence britannique conduit à l'indépendance, le 26 août 1936 ; les Britanniques continuent d'occuper militairement Suez. L'échec des pays arabes lors de la guerre contre Israël (mai 1948-février 1949) provoque

des troubles en Egypte où le roi Farouk (1937-1952) appelle Nahhas Pacha, chef du Wafd depuis 1927, à la tête du gouvernement. L'agitation nationaliste, propagée par les Frères musulmans, continue de croître et conduit à la destitution de Farouk après les émeutes de 1952.

Proclamation de la République
Au pouvoir depuis le 23 juillet 1952, le général Néguib, à la tête d'un groupe d'officiers, supprime les partis politiques et proclame la République le 18 juin 1953. Néguib est remplacé le 14 novembre 1954 par le colonel Gamal Abd el-Nasser, véritable instigateur de la révolution. L'annonce de la nationalisation du canal de Suez, le 26 juillet 1956 provoque une intervention franco-britannique, qui suit l'attaque israélienne. La crise s'achève en novembre sous la pression de l'ONU. Nasser obtenait en 1967 le départ des observateurs de la ligne d'armistice israélo-égyptienne et fermait le détroit de Tiran, seul accès israélien au golfe d'Aqaba. Malgré la défaite lors de la guerre des Six jours (juin 1967), le pouvoir de Nasser se renforce avec l'aide soviétique : à sa mort (28 septembre 1970), Anouar el-Sadate lui succède.

Traité de paix avec Israël
La guerre de 1973 avec Israël s'achevait par un cessez-le-feu. Le rapprochement avec les Etats-Unis facilitait les négociations avec Israël ; la visite de Anouar el-Sadate à Jérusalem (novembre 1977) aboutissait à la signature du traité de paix de Washington, le 26 mars 1979, après la conclusion des accords de Camp David. La politique de réconciliation et le durcissement de la politique intérieure de Sadate provoquèrent l'attentat qui lui coûta la vie en octobre 1981. Le vice-président Hosni Moubarak lui succédait. Conformément au traité de paix, Israël évacuait le Sinaï en avril 1982. Le président Moubarak se trouvait confronté à la montée de l'islam intégriste et à la nécessité de faire réintégrer à l'Egypte le camp du monde arabe.

El Salvador

ES
Amérique
centrale
21 041 km²
5,2 M hab.
ONU, OEA,
SELA

Capitale : San Salvador (430.000 hab.)
Langue officielle : espagnol
Religions : cath. (plus de 85 %)
Régime polit. : rép. présid. Indépendance proclamée le 15 septembre 1821

Les premières populations du Salvador

en furent chassées vers 100 ap. J.-C. par l'éruption du volcan Ilopango et contraintes d'émigrer en partie dans les territoires mayas. La colonisation du pays ne reprit que vers 1000 ap. J.-C. avec l'arrivée du peuple mexicain des Pipil.

La colonisation espagnole
Envoyé par Cortés, le conquistador espagnol Pedro de Alvarado commençait la conquête du pays en 1524. Les Indiens furent vaincus après de durs combats en 1547. Le pays est divisé en trois provinces, rattachées à l'audiencia de Guatemala : ses principaux produits sont le cacao et le « baume du Pérou ».

Les créoles de San Salvador provoquaient le 5 novembre 1811 le soulèvement de la ville qui fut, comme celui du 24 janvier 1814, réprimé par les Espagnols. Après la proclamation de l'indépendance de l'Amérique centrale (1821), la décision du Guatemala d'intégrer l'Empire du Mexique provoqua la constitution d'un gouvernement salvadorien autonome.

L'indépendance du El Salvador
Le Salvador était intégré le 1ᵉʳ avril 1823 aux Provinces-Unies d'Amérique centrale en tant que province autonome. Le premier président de la Fédération fut le Salvadorien M. J. Arce. Un

conflit à propos de la forme constitutionnelle de l'Etat et de la place de l'Eglise provoquait la scission du Guatemala et l'éclatement de la Fédération en 1839. La République de El Salvador, qui reçoit son nom en 1841, poursuivra ses interventions en faveur d'une fédération centraméricaine : l'union réalisée en 1842 avec le Guatemala, le Nicaragua et le Honduras sera dissoute en 1847, de nouveau en raison de l'opposition des conservateurs. La seconde moitié du XIXᵉ siècle voit se poursuivre la lutte entre libéraux et conservateurs, qui se succèdent au pouvoir. Le pouvoir politique réel demeurait pourtant aux mains des familles de riches proprié-

El Salvador

taires fonciers et de planteurs. La crise économique de 1929 retentit sur la culture du café : le grand soulèvement paysan qui éclate en 1931 est brutalement réprimé par le général Maximiliano Hernández Martínez, parvenu au pouvoir après avoir renversé le président civil Arturo Araujo. La répression, qui se poursuit en 1932, fait au moins 10 000 morts. Le retrait de Mártinez, obtenu grâce à la grève générale de 1944, entraîna jusqu'en 1949 une rapide succession des gouvernements. S'appuyant sur le Parti révolutionnaire d'unification démocratique (PRUD), qu'il avait fondé en 1950, le colonel Óscar Osorio assura la stabilité politi-

que du Salvador jusqu'en 1956. Son successeur, le colonel José Maria Lemus, fut renversé en 1960 par une junte militaire de gauche. Une junte de droite, soutenue par les Etats-Unis, prenait à son tour le pouvoir l'an suivant. Julio Rivera Carballo, candidat du Parti de conciliation nationale (PCN), qui succédait au PRUD, était élu à la présidence. Candidat du PCN, soutenu par les grands propriétaires et les militaires, Fidel Sánchez Hernández lui succédait après les élections de 1967. Ayant envahi le Honduras le 14 juillet 1969 lors de la « guerre du football », le Salvador était contraint de retirer ses troupes un mois plus tard sous la pression de l'OEA.

La guerre civile
La victoire de Arturo Amando Molina aux élections de 1972, due à une fraude électorale massive, fut suivie d'une tentative de coup d'Etat de l'opposition. Les militaires intervenaient directement en 1974 dans le conflit opposant paysans et propriétaires. C'est sous le gouvernement de la junte militaire du général Humberto Romero, au pouvoir depuis le putsch de 1979, que Oscar Arnulfo Romero, archevêque de San Salvador et connu pour ses prises de position critiques à l'égard de la junte fut assassiné (mars 1980). L'événement provoqua l'union de l'opposition au sein du Front démocratique révolutionnaire (FDR).

Parvenu au pouvoir en décembre 1980, le chrétien-démocrate José Napoléon Duarte, bénéficiant du soutien américain, proclamait la loi martiale en octobre 1981. Réélu en mai 1984 après avoir perdu les élections de mars 1982 au profit d'une coalition de droite, le président Duarte entamait des négociations de paix avec les principaux mouvements de guérilla (FDR et Front Farabundo Marti pour la libération nationale, FMLN). Le café demeure en valeur le principal produit économique du pays : 40 % du revenu national sont redistribués à 5 % de la population, les riches propriétaires. La densité de la population est la plus élevée d'Amérique centrale.

Emirats Arabes Unis

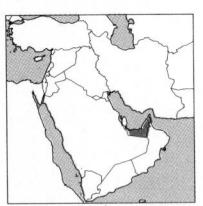

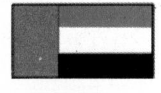

Asie antérieure
83 600 km²
1,17 M hab.
ONU, LA, GCC, OPEP

Capitale : Abu Dhabi
Langue officielle : arabe
Religions : musulm. (97 %)
Régime polit. : féd. de 7 émirats. Indépendance proclamée le 2 décembre 1971

La côte des Emirats du golfe persique

était connue au XIXᵉ siècle sous le nom de « Côte des pirates ». Cette activité et le commerce des esclaves représentaient un des seuls débouchés de la population, vivant dans un milieu aride. La Compagnie des Indes orientales britannique mit fin à la piraterie en 1820 et imposa aux habitants de la côte en 1853 une « paix maritime éternelle ». Le protectorat de la Grande-Bretagne, qui assure dès lors le contrôle des affaires étrangères, était officiellement reconnu par les émirats, les « Etats de la Trêve » en 1892. La découverte de pétrole dans les émirats de Abu Dhabi, de Dubayy et de Chardja allait modifier

la situation : le pétrole est exploité à Abu Dhabi depuis 1962. Six émirats : Abu Dhabi, Dubayy, Chardja, Fudjayra, 'Adjman et Umm al-Qaywayn s'unissaient en 1968 en une fédération qui proclamait son indépendance en 1971, et était rejointe en 1972 par l'émirat de Ra's al-Khayma. Simultanément à la création de la fédération, la Grande-Bretagne avait annoncé son intention d'évacuer pour 1971 toutes ses bases « à l'est de Suez ». Les systèmes militaire, judiciaire et monétaire (création du dirham) étaient unifiés, un gouvernement fédéral fut mis en place à Abu Dhabi. Son premier prési-

dent, Zayid ibn Sultan al-Nahyan, était réélu pour cinq ans en 1976. Les Emirats furent reconnus par l'Arabie Saoudite (1974) et par l'Iran (1975) après que ces deux Etats aient procédé à leur avantage à des modifications territoriales. Le projet de Zayid d'une unification plus poussée, suppression des frontières intérieures par exemple, provoqua une grave crise intérieure en 1979 qui conduisit à la nomination de l'émir Rachid al-Maktum, souverain de Dubai et opposé au projet, au poste de Premier ministre. Le pétrole demeure la principale richesse, limitée dans le temps, des Emirats.

Equateur

EC
Amérique du Sud
283 561 km²
9,25 M hab.
ONU, AILA, OEA

Capitale : Quito (919 000 hab.)
Langue officielle : espagnol
Religions : cath. (85 %)
Régime polit. : rép. présid. Indépendance proclamée le 11 mai 1811

L'Equateur fait partie des premiers territoires colonisés d'Amérique du Sud. Les traces de cultures remontant à 8000 av. J.-C. ont été retrouvées à El Inga. Le pays fut dominé jusqu'au début du XVᵉ siècle par un royaume indépendant : les haut-plateaux fut conquis par les Incas sous l'Inca Túpac Yupanqui entre 1463 et 1471, le territoire côtier était définitivement annexé en 1493.

La colonisation espagnole
Affaibli par des luttes internes, le royaume inca succombe en Equateur aux troupes espagnoles entre 1531 et 1533. Le dernier général d'Atahualpa

Yupanqui est battu par le conquistador Sebastián de Belalcázar en 1534. La même année, ce dernier fondait les villes de San Francisco de Quito et de Santiago de Guayaquil, qui constituèrent les centres de la colonisation espagnole. Devenu en 1563 l'audiencia de Quito, l'Equateur est intégré à la vice-royauté du Pérou puis, en 1739, à la vice-royauté de Nouvelle-Grenade. Quito devenait pendant ce temps l'un des principaux centres de la colonisation espagnole en Amérique du Sud. La peinture de « l'Ecole de Quito », avec Miguel de Santiago, s'acquérait plus tard une grande réputation.

L'indépendance
La première étape du long combat pour l'indépendance fut la conspiration du 10 août 1809, la dernière, la bataille du Pichincha (24 mai 1822) : la victoire du général Sucre (Antonio José de Sucere y de Alcalá) marquait la victoire des patriotes. L'Equateur se joignit sous l'impulsion de Simón Bolivar à la République de Grande-Colombie, qui ne survécut pas aux guerres avec le Pérou. L'Equateur se proclamait République indépendante le 11 mai 1830. Le pays fut cependant troublé par de constants conflits politiques depuis la première présidence du général Juan

José Flores (1830-1834) jusqu'à l'instauration d'un régime autoritaire par le conservateur Gabriel Garcúa Moreno de 1861 jusqu'à son assassinat, en 1875. Sous l'influence de l'extrémisme religieux, l'Equateur devenait la République du Sacré-Coeur. Le conflit politique est alors lié aux conditions économiques. Les libéraux des villes côtières gagnaient en influence lorsque le marché international favorisait les exportations, surtout le cacao ; une chute des exportations favorisait l'économie des haut-plateaux et l'influence politique des conservateurs. Le rapprochement des deux régions géographiques de l'Equateur fut facilité au début du XXᵉ siècle par la création d'une infrastructure ferroviaire et routière. Divisé intérieurement, l'Equateur était également menacé par ses voisins. Le pays a perdu depuis le début du XXᵉ siècle près de 500 000 km² de territoire au profit du Brésil et de la Colombie (300 000 km² en 1904 et 1916) et du Pérou (1942). Les îles Galapagos furent annexées de fait par les Etats-Unis, qui en firent une base navale en 1941.

L'ère Velasco Ibarra.
N'appartenant pas au système politique traditionnel et jouissant de la faveur populaire, José Maria Velasco Ibarra

était élu pour la première fois à la présidence en 1934. Sa tentative de résoudre les conflits sociaux par une politique de réformes modernistes fut contrecarrée par les milieux conservateurs et les militaires, qui le renversèrent à plusieurs reprises. Velasco Ibarra fut cinq fois élu à la présidence (1934-1935, 1944-1947, 1952-1956, 1960-1961, 1968-1972), dont une seule ne fut pas interrompue par un putsch militaire. Après le dernier, en 1972, Velasco Ibarra dut s'exiler en Argentine.

Domination des militaires
La junte « nationaliste, militaire et révolutionnaire » du général Guillermo Rodriguez Lara (1972-1976) tenta de renverser les anciens rapports politico-économiques par une politique nationaliste et réformiste. Le putsch de janvier 1976, mené par le vice-amiral Poveda Urbano, ne modifia pas la politique poursuivie. Le nouveau régime promit un retour à la démocratie et présenta le 15 janvier 1978 un projet de constitution prévoyant l'élection d'un président au suffrage universel.

Retour à la démocratie
Les élections libres du 29 avril 1979 virent la victoire de Jaime Roldós, candidat chrétien-démocrate de la Dé-

mocratie populaire (DP). Des querelles internes à la DP, un conflit avec le Parlement et le conflit armé avec le Pérou (1981) ne permirent pas au président Roldós d'imposer ses réformes avant sa mort accidentelle, le 24 mai 1984. Le vice-président Osvaldo Hurtado Larrea lui succédait. Le conflit frontalier avec le Pérou à propos des territoires pétrolifères situés entre le Rúo Maranon et le Rúo Putumayo se poursuivait. La chute des prix du pétrole depuis 1981 et la régression de la demande dans les autres domaines d'exportation ont depuis aggravé les difficultés économiques de l'Equateur. Le conservateur León Febres Cordero était élu président de la République en mai 1984 : il mettait en place une politique de libéralisation économique et d'ouverture aux capitaux étrangers et tentait de résoudre le problème social, toujours préoccupant, avec 50 % de chômeurs.

Espagne

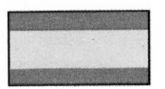

E
Europe du Sud-Ouest
504 782 km²
38,2 M hab.
ONU, EFTA, CE, OTAN, OCDE

Capitale : Madrid (3,8 M hab.)
Langue officielle : espagnol
Religions : cath. (près de 100 %)
Régime polit. : monarchie parl., depuis la constitution de décembre 1978

Peuplée depuis le paléolithique, dont témoignent les cultures d'Altamira et du Levant espagnol, la péninsule ibérique est peuplée au néolithique par les Ibères, venus d'Afrique selon la tradition antique.

L'Antiquité
La côte espagnole participe au commerce méditerranéen dès la fin du IIᵉ millénaire : les Grecs et les Phéniciens y recherchent les métaux précieux mais surtout l'étain, rare en Orient. La côte sud voit s'implanter des comptoirs phéniciens et carthaginois de Gadir (Cadix) à Lucentum (Alicante), les colonies grecques de Phocée et de Massalia au nord-est puis à l'est, de Emporion à Tartessos. Alors que les civilisations orientales marquent de leur influence les régions côtières, les territoires de l'intérieur sont progressivement infiltrés par les Celtes. Carthage entreprend la conquête de l'Espagne après sa défaite dans la première guerre punique. Hamilcar Barca, mort en 229 av. J.-C. devant Elche, conquiert le pays jusqu'à Barcelone, qu'il fonde. C'est la prise de Sagonte, alliée de Rome, par Hannibal qui déclenche en 219 la deuxième guerre punique. Scipion « l'Africain » conquiert pour Rome toute l'Espagne carthaginoise en 206. La soumission de l'Espagne par les Romains se révélera très difficile : soulèvement de Viriathe (147-139), siège de Numance (133). Le nord de la péninsule ne sera pacifié que sous Auguste, en 19 av. J.-C.. Foyer de rébellions, celle de Sertorius († 72 av. J.-C.), des fils de Pompée (jusqu'en 44 av. J.-C.), celle de Galba, en 68 av. J.-C., l'Espagne verra naître plusieurs empereurs romains, Trajan et Hadrien. L'Espagne se compose sous Dioclétien, à la fin du IIIᵉ siècle, de cinq provinces : Lusitanie, Bétique, Galice et Asturies, Tarraconaise et Carthaginoise, et enfin Mauritanie Tingitane (Maroc). L'Es-

pagne est prospère économiquement, surtout grâce à ses gisements métallifères, et culturellement : elle donne naissance à Sénèque et à Martial. Apparu au IIᵉ siècle, le christianisme est fortement implanté dans le pays au IVᵉ siècle. La paix se maintient plus longtemps en Espagne que dans le reste de l'empire ; elle est troublée dès 409 par des invasions barbares.

Le Moyen Age et la domination arabe
Le pays est dévasté jusqu'à la fin du Vᵉ siècle. Malgré les tentatives romaines de reconquête, les Vandales s'installent en Bétique puis envahissent l'Afrique sous Geiséric (428-435), les Alains, les Suèves et les Wisigoths s'implantent à travers tout le pays. Les Wisigoths, à l'origine implantés en Aquitaine et chassés de Gaule par Clovis, finissent par soumettre l'ensemble de l'Espagne après l'annexion des territoires suèves en 585. Leur domination durera deux siècles. Léovigild (573-586) unifie l'administration et centralise le pouvoir royal mais les différences ethniques et culturelles entre Wisigoths et Hispano-latins ne permettent pas l'homogénéisation des peuples. La conversion du roi Reccared (587) ouvre une ère de domination religieuse, les conciles de Tolède élisent les rois jusqu'à l'invasion arabe de 711. Il ne faudra que deux ans aux Maures de Tariq ibn Ziyad pour soumettre l'Espagne après la défaite du roi Rodrigue à Guadalete (19-26 juillet 711). L'Espagne devient un émirat, soumis à Musa ibn Nusayr, gouverneur du Maghreb dépendant du califat. Après le coup d'arrêt donné à l'expansion des Maures en Gaule à Poitiers en 732, ceux-ci se replient sur la péninsule au cours des années suivantes. En 756 était fondé l'émirat indépendant de Cordoue par le dernier survivant de la dynastie Unayyade, Abd al-Rahman Iᵉʳ. Devenue califat, Cordoue connaîtra un véritable âge d'or culturel et économique et préservera son indépendance jusqu'en 1031. Les Espagnols acceptent la présence arabe : nombreux sont ceux qui se convertissent à l'Islam, les conquérants permettent aux Mozarabes, fraction non islamisée de la population, d'exercer le culte chrétien. Le nord-ouest et le nord de l'Espagne ont toutefois échappé à la domination arabe. La *Reconquista*, commence modestement après la première victoire symbolique du royaume des Asturies à Covadonga, en 718. Les premiers carolingiens s'efforcent de constituer une Marche d'Espagne, entre les Pyrénées et l'Ebre (785-811). Le premier

royaume chrétien à apparaître est la Navarre (852), les autres, León, Castille et Aragon se constituent vers l'an 1000. La destruction de Saint-Jacques-de-Compostelle par al-Mansur en 997 impose la reconquête de l'Espagne aux yeux de l'Occident chrétien. Mais l'Espagne musulmane est divisée en une vingtaine de royaumes de *taifas* : leurs rivalités sont mises à profit par le Cid Campeador, qui se taille un Etat à leurs dépens dans la deuxième moitié du XIᵉ siècle. La prise de Tolède par Alphonse VI de Castille en 1085 paraît décisive, mais sa défaite l'an suivant devant les Almoravides, qui arrivent à ce moment en Espagne, stoppe la reconquête. L'arrivée des Almohades à la fin du XIIᵉ siècle provoque une coalition des souverains espagnols, appuyés par des croisés, qui écrasent les Almohades à Las Navas de Tolosa en 1212. Cordoue est conquise en 1236, Séville en 1248 par Ferdinand III le Saint, roi de Castille, tandis que Jacques Iᵉʳ le Conquérant, roi d'Aragon, reprend les Baléares puis Valence (1238). Les musulmans ne possèdent plus que le royaume de Grenade, qui résistera jusqu'en 1492. L'Aragon possède au XVᵉ siècle un important empire maritime méditerranéen. Les royaumes sont déchirés par des rivalités dynastiques et des révoltes féodales jusqu'au rapprochement de la Castille et de l'Aragon sous les rois catholiques. Isabelle la Catholique (1474-1504) et Ferdinand d'Aragon (1479-1516) achèvent la Reconquista et imposent l'autorité royale dans leurs royaumes.

L'Espagne puissance maritime
La Castille dispute la maîtrise des mers aux Portugais : les deux Etats se partagent leurs futures conquêtes du traité de Tordesillas, en 1494. L'arrivée de Christophe Colomb, deux ans plus tôt, dans l'île de Guanahani (San Salvador) ouvrait les portes du Nouveau-Monde. Les affaires coloniales sont centralisées en Castille en 1503 par la *Casa de Contratación*. Fille des rois catholiques, Jeanne la Folle est dépossédée de la Castille par son fils Charles Iᵉʳ, qui proclame l'union des deux royaumes et se fait couronner le 13 mars 1516. Charles Iᵉʳ est élu empereur romain-germanique après la mort de son grand-père, Maximilien de Habsbourg, sous le nom de Charles V (Charles Quint). Plus néerlandais qu'espagnol, l'empereur mène une politique européenne ambitieuse, s'opposant notamment au roi de France François Iᵉʳ. Les moyens de cette politique

lui sont fournis par les trésors et les mines du Nouveau-Monde conquis par les Castillans, Cortés et Pizarro. Charles Quint abdique, son fils Philippe II (1556-1598) lui succède. L'Espagne devient sous son règne la première puissance culturelle, économique et militaire d'Europe. Mais le financement des guerres lie les intérêts espagnols à ceux des grands banquiers génois ou allemands. L'annexion du Portugal en 1580 permet aux Néerlandais d'étendre leurs colonies d'Orient, la destruction de l'Invincible Armada (1588) renforce la puissance maritime de l'Angleterre, qui organise la contrebande (interlope) sur les côtes américaines. Les efforts entrepris par Philippe IV ne lui permettent pas d'empêcher l'indépendance des Pays-Bas (traité de Münster, 1648) ; la France annexe l'Artois et le Roussillon après le traité des Pyrénées et Philippe IV doit accepter le mariage de l'infante Marie-Thérèse avec Louis XIV. Trois soulèvements, en Catalogne, au Portugal (qui retrouve son indépendance), à Naples et en Sicile avaient ébranlé la monarchie entre 1640 et 1646. Philippe IV parviendra à redresser la situation, notamment au Nouveau-Monde, à la fin de son règne (1665). Son successeur, Charles II, lègue ses « vingt-deux royaumes » après avoir abandonné une partie de la Flandre et la Franche-Comté à Louis XIV, au petit-fils du roi de France, Philippe V (1700-1746). Le règne de Charles III (1759-1788), son fils cadet, est marqué par l'acquisition de la Louisiane, remise en dédommagement de la perte de la Floride par Louis XV après la guerre de Sept Ans (1763) ; la Floride redeviendra espagnole en 1783, après la guerre d'Indépendance américaine, où l'Espagne s'est engagée contre l'Angleterre. Monarque éclairé, Charles III engage le redressement et la modernisation économique de l'Espagne, il fait expulser les jésuites (1767) et réduit les pouvoirs de l'Inquisition. Charles IV (1788-1808) est dominé par le favori de la reine Marie-Louise, Manuel Godoy. Entré en guerre contre la France en 1793 sous la Convention, Charles IV s'allie avec le Directoire par le traité de San ildefonso (1796), ce qui conduira à la destruction de la flotte espagnole à Trafalgar en 1805. Charles IV et son fils sont déposés en 1808 par Napoléon, qui impose son frère Joseph Bonaparte sur le trône espagnol. Cette mesure provoque l'insurrection du Dos de Mayo et la répression du Tres (2-3 mai 1808). La révolte s'organise et une junte prend la tête du mouvement de résistance à

Séville. La défaite des armées françaises de Dupont à Bailén (21 juillet 1808) et de Junot à Sintra au Portugal (30 août) contre Wellington conduit Napoléon à restituer le trône à Ferdinand VII (1813). Wellesley, duc de Wellington franchit les Pyrénées en 1814, contribuant à la défaite de Napoléon. Les troubles de métropole ont favorisé l'émergence du mouvement révolutionnaire et indépendantiste des colonies d'Amérique du Sud, mené par Bolivar, San Martin et Iturbide. L'Empire colonial américain de l'Espagne a cessé d'exister. La politique maladroite de Ferdinand VII provoque l'éclatement de la révolution de 1820 qui le contraint à reprendre la Consitution libérale établie en 1812 par les Cortes de Cadix. Sa position est rétablie par l'envoi du corps expéditionnaire français du duc d'Angoulême (1823). Privée de l'essentiel de ses colonies, l'Espagne est mal préparée à l'ère industrielle qui s'ouvre : cette cette crise structurelle se double à la mort de Ferdinand VII d'une crise de succession, don Carlos, frère de Ferdinand revendiquant le trône contre Isabelle, fille de ce dernier. Malgré la défaite du parti carliste en 1839, Isabelle ne régnera qu'après 1843. Le complot militaire du général Prim met fin en 1868 à une ère d'instabilité politique sous les gouvernements progressistes, la reine est destituée. Le bref règne de Amédée de Savoie (1870-1873) s'achève sur la proclamation de la République, le 11 février 1873. Débordée par l'anarchie fédéraliste, la République s'oriente vers l'autoritarisme. Le pronunciamiento de Sagonte (29 décembre 1874) restaure la monarchie et place un Bourbon, Alphonse XII, sur

le trône ; il doit faire face à une nouvelle révolte carliste, en 1876 et meurt en 1885, laissant la régence à son épouse, Marie-Christine. L'Espagne perd ses dernières colonies, Cuba, Porto Rico et les Philippines après sa défaite en 1898 contre les Etats-Unis. Le règne personnel de Alphonse XIII dès 1902 n'améliore guère la situation : les cabinets se succèdent, le président du Conseil des ministres Eduardo Dato est assassiné en 1921 ; la guerre se poursuit au Maroc contre les Berbères, la Catalogne revendique son autonomie.

L'ère des dictatures
Le général Miguel Primo de Rivera, capitaine-général de Catalogne, conduisait le coup d'Etat de 1923 et instituait la dictature : le Parlement est dissous, la Constitution abrogée, les partis politiques sauf un parti unique sont interdits en 1925. Sous la pression de la crise sociale, Primo de Rivera démissionne en 1930. Le pacte de San Sebastian marquait la même année l'alliance des partis conservateurs et socialistes, qui se fixaient pour objectif la chute de la monarchie. Les élections municipales de 1931 donnèrent la victoire aux républicains dans les grandes villes. La République était proclamée dans quelques villes le 14 avril 1931, le roi Alphonse XIII quittait l'Espagne sans abdiquer officiellement. Les élections pour l'Assemblée constituante donnèrent une victoire écrasante aux républicains et aux socialistes ; Alcalá Zamora constituait un gouvernement de coalition, auquel succédaient des gouvernements de plus en plus marqués à droite. L'Espagne recevait une constitution libérale le 9 décembre 1931. Mais les

élections du 16 février 1936 sont remportées par la gauche unie, le *Frente popular* ; Azaña forme un nouveau gouvernement. Le putsch militaire qui éclatait en 1936 dans les garnisons du Maroc s'étendit à l'Espagne, provoquant l'éclatement de la guerre civile. le général Francisco Franco était proclamé généralissime et chef du gouvernement national espagnol anti-républicain. Les nationalistes reçurent un soutien direct de l'Italie fasciste et de l'Allemagne nazie, les républicains obtinrent le soutien des Brigades internationales, composées de volontaires des pays démocratiques. La guerre civile, particulièrement acharnée, s'acheva le 1er avril 1939 par la victoire des insurgés nationalistes de Franco. Son gouvernement, qui avait déjà été reconnu par les puissances de l'Axe, déclarait sa neutralité au début du second conflit mondial. L'Espagne est isolée à la fin de la guerre ; le principe de la succession monarchique au régime franquiste était approuvé en 1947. La reconnaissance internationale du régime fut initiée en 1953 par la signature d'un concordat avec Rome, qui garantit plusieurs privilèges à l'Eglise espagnole. La même année, un accord économique et militaire était signé avec les Etats-Unis, prévoyant en particulier l'installation de bases militaires américaines en Espagne. L'admission à l'ONU en 1955 consacrait le processus.

Monarchie et démocratie
Le lendemain de la mort de Franco (20.11.1975), Juan Carlos de Bourbon était proclamé roi d'Espagne. Le roi et le Premier ministre, Adolfo Suárez conduisent le retour à la démocratie ;

libertés publiques et individuelles sont restaurées. Les premières élections législatives libres en 1977 voient la victoire de l'Union du centre démocratique de Adolfo Suárez. Un référendum approuvait en 1978 la nouvelle Constitution . Un putsch de la garde civile échouait en 1981 face à la détermination du roi. Le parti socialiste remportait la majorité absolue aux élections législatives de 1982 ; son secrétaire général, Felipe Gonzalez Marquez formait le nouveau gouvernement. La prépondérance du parti socialiste se confirma lors des élections municipales de 1983, améliorant son score de 1979 (28 %) en obtenant 43 % des suffrages. Les troubles du pays basque, continus depuis la création de l'ETA (*Euzkadi ta Azkatasuna*, « pays basque et liberté »), connaissaient un nouvel épisode politique lorsque le parti national basque (PNV) refusa de se distancier des méthodes terroristes de l'ETA (attitude qui changea en 1985), provoquant le départ des socialistes du parlement régional basque. Deux questions de politique étrangère ont dominé le débat politique espagnol : le maintien de l'Espagne dans l'OTAN (participation depuis 1981) et l'entrée dans la CEE. Le gouvernement de Felipe González défendait les deux projets : l'Espagne entrait dans la CEE le 1er janvier 1986, le maintien dans l'OTAN était approuvé lors du référendum de février 1986. L'entrée de l'Espagne, qui compte 23 % de chômeurs, dans la CEE rend nécessaire l'adaptation de son industrie. Après avoir rompu son isolement politique, l'Espagne est en voie de rompre son isolement économique international.

Etats-Unis d'Amérique

USA
Amérique du Nord
9 363 123 km²
233,9 M hab.
ONU, OTAN, OEA, OCDE

Capitale : Washington (685 000 hab.)
Langue officielle : anglais
Religions : prot.(55,7 %), cath.(36,7%), juifs
Régime polit. : rép. féd. prés. depuis la Constitution du 17 septembre 1787

L'origine des premiers habitants de l'Amérique du Nord demeure encore incertaine : il s'agirait de peuplades asiatiques parvenues sur le continent en plusieurs vagues à partir de 30 000 av. J.-C., profitant de la glaciation du détroit de Béring. Les premières traces de ces habitants sont datées entre 12 000 et 8 000 av. J.-C.. Succédant aux chasseurs, les chasseurs-cueilleurs apparurent entre 7000 et 5000. Alors que les cultures d'Amérique centrale et du Sud

développaient de brillantes cultures, les peuplades du Nord demeurèrent essentiellement nomades et non agricoles. Le peuple des Iroquois semble avoir développé une structure sociale dépassant le stade tribal. Le navigateur norvégien Leif Eriksson fut jeté vers l'an 1000 ap. J.-C. sur les côtes nord-américaines (Labrador) par une tempête alors qu'il faisait route vers le Groenland. La date historique de la découverte de l'Amérique est celle de l'arrivée de Christophe Colomb en vue de l'île de Guanahani (Watling ?), le 12 octobre 1492. Giovanni (John) Caboto, au service de l'Angleterre, atteignait en 1498 les côtes de la future Nouvelle-Angleterre. Ponce de León reconnaissait en 1513 la côte de Floride. Le Mississippi était découvert en 1539 par Hernando de Soto. L'Espagnol Vásquez de Coronado explora de 1540 à 1542 le territoire de l'Arkansas. La première colonie fixe européenne fut installée sur l'actuel territoire américain en 1565 : Pedro Menéndez de Avilés s'installait avec 600 colons près de Saint Augustine, en Floride. Le nord du continent se trouva

partagé jusqu'au milieu du XVIIIe siècle entre l'Angleterre, la France, l'Espagne et la Russie.

Les treize colonies anglaises
Après plusieurs échecs successifs au cours du XVIe siècle, des colons anglais purent s'implanter en 1607 à Jamestown (Virginie), première implantation durable des Britanniques en Amérique. La Virginie devenait dès 1624 colonie de la Couronne britannique. C'est en 1620 que le *Mayflower*, ayant à son bord 120 émigrants puritains (Pilgrim Fathers) venus d'Angleterre, aborda au cap Cod, près de l'actuelle Princetown (Massachussets). Les nouveaux arrivants s'accordèrent dans le *Mayflower Compact* pour que chacun d'eux soit en droit d'attendre un traitement juste de la part du gouvernement qui serait établi. Le Mayflower Compact demeure le symbole dans l'histoire américaine de la première entente entre des hommes libres conduisant à la fondation d'un gouvernement autonome. Outre la Virginie apparurent jusqu'au milieu du XVIIIe siècle les colonies de New York

(où les Néerlandais sont installés depuis 1623), du New Hampshire, du Massachussetts, du Maryland, du Connecticut, de Rhode Island, de New Haven, du Delaware, de Caroline du Nord, du New Jersey, de Caroline du Sud, de Pennsylvanie et de Géorgie. L'extension territoriale, réalisée par les colons les plus pauvres, était marquée par des luttes incessantes, souvent cruelles, contre les peuples indiens. En 1700, les colonies du Nord, en Nouvelle-Angleterre, comptent 94000 habitants, leurs activités principales sont une agriculture et un élevage variés, le commerce (et la contrebande) du bois, de la mélasse et du rhum, les villes s'y développent rapidement. Le Sud (Maryland, Virginie, Carolines, Géorgie), compte 108 000 habitants en 1700 et son économie se développe à partir des grandes plantations de tabac, de riz et d'indigo, exploitant la main-d'œuvre noire renouvelée par la traite. Dans le Centre, New York, New Jersey, Delaware, Pennsylvanie, la population compte 53 000 habitants en 1700, à majorité non anglophone, Français (huguenots), Néerlandais, Suédois. Le Centre joue un rôle charnière entre le Nord puritain et le Sud anglican, dont les structures sociales et culturelles se différencient nettement. Parallèlement au développement des colonies anglaises, les Français s'implantaient également sur le continent nord-américain : le Canada était devenu colonie de la Couronne en 1663, Detroit était fondée en 1701 par des Français, la Louisiane devenait colonie en 1731. Les colonies anglaises étaient ainsi prises en tenaille au nord et à l'ouest par les Français, auxquels s'ajoutaient au sud les colonies espagnoles. La rivalité franco-anglaise culmina lors de la guerre de Sept Ans (1756-1763).

Lutte pour l'indépendance

Les tensions entre les colonies britanniques et la métropole s'aggrava après la guerre de Sept Ans. L'Angleterre, ne voyant dans ses colonies que des sources de matières premières, durcit les mesures limitant depuis le XVIIᵉ siècle leur liberté de produire des biens d'artisanat et de commercer : à ces mesures s'en ajoutèrent d'autres, politiques, destinées à limiter l'autonomie des colons. Le point critique fut atteint lors de la promulgation de la loi du timbre de 1765 : le Premier ministre anglais George Grenville imposa aux colonies du Nord un impôt sur les documents et imprimés de toutes sortes (journaux, livres,...). Les colons répliquèrent à cette loi qu'étant citoyens britanniques libres, ils ne pouvaient être soumis à un impôt sans qu'il ait été auparavant discuté avec leurs représentants élus. Après une vague de protestations et de manifestations violentes, des représentants de neuf des treize colonies exigèrent le retrait de la loi du timbre. Sous la pression, le Parlement britannique abrogeait la loi en 1766, réaffirmant toutefois son droit d'imposer des lois aux Colonies : les *Townshend Acts* introduisaient l'an suivant une augmentation des droits de douane sur les produits les plus utilisés. Les Colonies décidèrent de boycotter les produits britanniques. Les taxes douanières étaient supprimées en 1770, à l'exception de la taxe sur le thé, symbolique de l'autorité du Parlement britannique. Le massacre de Boston eut lieu la même année : une bataille de rue entre colons et soldats de la garnison britannique provoqua la mort de cinq Bostoniens. Samuel Adams, chef des colons de Boston et du Massachussets, mit sur pied des comités anti-britanniques, les « Comités de correspondance ». C'est Adams qui organisait en 1773 la *Tea-Party* de Boston : déguisés en Indiens, des Bostoniens assaillaient des navires de la Compagnie des Indes orientales et jetaient 342 caisses de thé par dessus bord. Londres décidait en janvier 1774 de fermer le port de Boston jusqu'au remboursement des dégâts, décrétait la dissolution de la Chambre haute du Massachussets et renforçait ses troupes. La tentative des troupes britanniques de contrôler les environs de Boston provoqua le premier affrontement avec des milices américaines à Lexington, en 1775. Les troupes britanniques investirent sitôt après la ville de Concord, à 30 km au nord-ouest de Boston, afin d'y détruire des manufactures d'armes. Les soldats anglais devaient se retirer après avoir subi de lourdes pertes. Les Comités de correspondance répandirent la nouvelle de la victoire à travers toutes les colonies, la guerre d'Indépendance commençait. Le Deuxième Congrès continental réunissait à Philadelphie en mai 1775 les délégués de douze colonies, à l'exception de ceux de la Géorgie : il proclamait la constitution d'une armée continentale à partir des milices et plaçait George Washington à sa tête. Le Parlement britannique proclama le blocus des Colonies américaines, le roi George III déclara les Colonies en état de « rébellion ». Le publiciste anglais Thomas Paine, immigrant anglais, publiait en 1776 à Philadelphie son texte *Bon sens : adressé aux habitants d'Amérique*, dans lequel il adjurait le « Continent » d'exploiter la première chance qui fût donnée à l'humanité de fonder une société indépendante sur les principes de la Raison et du Droit. Le Deuxième Congrès de Philadelphie proclamait le 4 juillet 1776 l'indépendance des colonies nord-américaines. Malgré de nombreux succès, les troupes de métier britanniques ne purent se rendre maîtres des civils américains, essentiellement en raison de leur mauvaise connaissance du terrain et de l'étendue du pays. L'espoir des Britanniques de se voir efficacement soutenus par des colons loyalistes fut déçu. En raison du manque de volontaires, les Anglais durent engager jusqu'en 1783 près de 30 000 mercenaires allemands. Washington ne disposait que de 17 000 volontaires au maximum, mal formés et insuffisamment équipés, ce qui le contraignit à éviter tout engagement en bataille rangée. Mais les milices américaines connaissaient leur pays et s'y déplaçaient librement ; elles reçurent le concours de volontaires venus d'Europe. La victoire américaine de Saratoga (1777) incita la France à s'engager directement aux côtés des Américains en 1778 ; elle était rejointe en 1779 par l'Espagne, qui refusait pourtant de reconnaître les Etats-Unis. Le général anglais Charles Cornwallis capitulait le 19 octobre 1781 devant les troupes franco-américaines. La guerre d'Indépendance s'achevait officiellement après le traité de Paris de 1783 : la Grande-Bretagne reconnaissaitl'indépendance des treize Etats d'Amérique.

Consolidation et expansion

La convention de Philadelphie établit en 1787 la Constitution des Etats-Unis, qui devenaient une association d'Etats au sein d'un Etat fédéral. La Constitution entra en vigueur en 1788, après ratification par l'ensemble des Etats fédérés. George Washington devenait en 1789 le premier président des Etats-Unis. Washington, fondée en 1790, était choisie comme capitale fédérale. Dix articles constitutionnels supplémentaires, le *Bill of Rights*, étendaient dès 1791 le domaine des libertés publiques (liberté de la presse, d'expression, religieuse) et individuelles. Le dollar devenait la monnaie nationale en 1792. L'ingénieur Eli Whitney inventait en 1793 l'égreneuse à coton, qui permit à l'industrie américaine du coton de devenir la première du monde. Washington déclarait en 1793 la neutralité des Etats-Unis dans le conflit qui opposait l'Europe coalisée à la France révolutionnaire, interdisant tout acte hostile à l'égard de l'un ou l'autre des belligérants. Les restrictions apportées au commerce pendant la quatrième guerre de coalition européenne provoquèrent des tensions entre l'Angleterre et les Etats-Unis : ceux-ci interdisaient en 1806 l'importation de plusieurs produits anglais. Les Etats-Unis tentèrent en vain en 1812 de chasser les Anglais d'Amérique du Nord en attaquant le Canada. La guerre se terminait en 1814 par le traité de Gand sur la base du statu quo. Afin de prévenir toute intervention des puissances européennes en Amérique du Sud, alors troublée par les mouvements indépendantistes, le président James Monroe fit clairement connaître la volonté des Etats-Unis de ne pas tolérer l'immixtion de l'Ancien-Monde dans les affaires du Nouveau-Monde, de même que les Etats-Unis s'interdisaient toute intervention dans les affaires européennes (doctrine Monroe). Le territoire américain tripla de superficie entre 1780 et 1860 ; 23 nouveaux Etats se joignirent jusqu'en 1865 aux treize colonies d'origine. La Louisiane avait été achetée à la France en 1803. La conquête des territoires de l'Ouest s'accompagna de combats incessants contre les Indiens. La construction du réseau de transports (routes, canaux, navires à vapeur dès 1807, chemins de fer dès 1826) facilita la conquête des nouveaux territoires. Après la levée de la main-mise britannique sur l'économie américaine, l'ensemble des producteurs américains exigèrent de leur pouvoir législatif des mesures protectionnistes face à la fermeture du marché européen. L'économie américaine devint ainsi à demi privée et libérale, à demi interventionniste et protectionniste. L'agriculture et les transports maritimes étant les deux principales activités du pays, il lui était nécessaire de conquérir des marchés à l'exportation : le gouvernement devait garantir les routes commerciales de l'Atlantique ainsi que vers l'Ouest. Le problème de l'esclavage conduisit rapidement à des divisions au sein de l'Union. Afin d'éviter la prépondérance des Etats esclavagistes ou des Etats abolitionnistes au sein du Sénat, les nouveaux Etats étaient reçus en alternance, en fonction de leur attitude face à l'esclavage. Le conflit s'exacerba après la guerre contre le Mexique. Les Etats-Unis avaient annexé le Texas en 1845, Mexico était prise en 1847. Le Mexique était contraint, moyennant indemnité, de céder tous les territoires au nord du Rio Grande, soit la moitié de sa superficie totale. La querelle portant sur la nature – esclavagiste ou non – des nouveaux territoires aboutit à la promulgation du *Kansas-Nebraska Bill* de 1854, qui attribuait à la compétence des nouveaux Etats la question de l'esclavage. Le parti républicain, hostile à l'esclavage, était fondé la même année. La Cour suprême rendait en 1857 un arrêt refusant au Congrès le droit d'abolir l'esclavage dans tout territoire des Etats-Unis. Lorsque le républicain Abraham Lincoln remporta les élections de 1860, les Etats du Sud, se sentant économiquement menacés par une éventuelle abolition de l'esclavage, se retirèrent de la Fédération, déclenchant la guerre de Sécession. Les Etats du Sud formèrent en 1861 une confédération, élisant Jefferson Davis comme président. La guerre s'achevait en 1865 par la victoire des Etats du Nord, l'esclavage était aboli dans tous les Etats-Unis. Lincoln était assassiné la même année par un fanatique originaire du Sud.

Reconstruction et impérialisme

La guerre de Sécession avait été la première guerre à opposer des armées dépassant un million d'hommes : le bilan s'éleva à 617 000 tués. La guerre avait ruiné le Sud : le monopole cotonnier des États du Sud dans le monde était définitivement perdu, les États d'Europe, brutalement privés de coton, avaient trouvé d'autres sources d'approvisionnement. La tentative de Napoléon III de constituer un empire catholique au Mexique (guerre du Mexique, 1861-1867) répondait aussi à la nécessité de briser le monopole cotonnier américain. La mort de Lincoln (14 avril 1865) avait empêché, avec l'élection du démocrate sudiste Andrew Johnson, l'application du plan de reconstruction et d'apaisement prévu par les républicains. Redoutant une alliance du Sud et de l'Ouest, un mouvement radical dirigé par les industriels (Thaddeus Stevens, Jay Cooke) tentait d'imposer des conditions de paix beaucoup plus rigoureuses : égalité raciale absolue, protectionnisme douanier renforcé. Le *Reconstruction Act* du 2 mars 1867, confiait l'administration des États du Sud à des gouverneurs militaires. L'élection à la présidence du général Grant (1869-1877) renforçait la pression radicale du Nord. Les *carpetbaggers* (aventuriers nordistes) et les *scalawags* (sudistes favorables aux Noirs) s'emparaient du pouvoir dans les États du Sud. Les planteurs se rassemblaient en sociétés secrètes (Ku Klux Klan, fondé en 1866, chevaliers du Camélia blanc). Utilisant des méthodes d'intimidation pour empêcher la population noire de voter, les sudistes, qui ont bénéficié d'une loi d'amnistie en 1872, reconquéraient le pouvoir dans leurs

États en 1874. Malgré les graves difficultés monétaires et financières qui succédèrent à la guerre (faillite de la banque Jay Cooke de Philadelphie et de plusieurs milliers de maisons de commerce en 1873), l'expansion économique reprenait après 1875 : la reconstitution des plantations était rendue possible par l'octroi de nouveaux statuts (métayage) aux Noirs, l'immigration entretenait l'essor du pays. Le *Homestead Act* (1862) allouait un terrain de 160 acres à toute personne qui l'aurait cultivé pendant au moins cinq ans : les États-Unis accueillaient trois millions d'immigrants entre 1870 et 1880, huit millions entre 1890 et 1900. Le massacre de 200 Indiens sioux, en majorité des femmes et des enfants, à Wounded Knee en 1890 marqua le tragique apogée du combat contre les peuples indiens. La phase impérialiste de la politique américaine commença en 1898, lorsque les Etats-Unis prirent parti, au nom de leurs intérêts économiques, dans les combats pour l'indépendance cubaine, annexant au cours de la guerre contre l'Espagne, Hawaï et l'île Wake ; Porto Rico, Guam et les Philippines devenaient des protectorats de fait. Les Etats-Unis devinrent une grande puissance navale sous la présidence de Theodore Roosevelt, s'assurant le territoire du canal de Panama et affirmant leur droit de police dans les affaires sud-américaines. Les deux principales méthode de l'impérialisme américain étaient alors la « diplomatie du dollar » (pressions économiques sur un pays suivies d'un chantage politique) et la méthode du *Big Stick* (« Gros gourdin ») : partout où éclataient des troubles politiques, les USA intervenaient militairement, se justifiant par la nécessité de protéger la sécurité de leurs citoyens.

Les USA au XXe siècle
L'intervention américaine de 1917, sous le mandat du président Woodrow Wilson, joua un rôle décisif dans l'issue de la Première guerre mondiale. Woodrow Wilson rendit public en 1918 son programme des « Quatorze points », destiné à régler le conflit. Fondement des propositions américaines, le droit des peuples à l'auto-détermination et la mise en place d'un désarmement à l'échelle mondiale. Les gouvernements européens étaient sommés de constituer une société des nations, qui permettrait de résoudre pacifiquement les conflits internationaux. Les idéaux américains ne réussissant pas à s'imposer, les Etats-Unis refusèrent de signer le traité de Versailles (1919) ainsi que d'adhérer à la SDN, ce qui initia leur retrait isolationniste au cours des années vingt. La loi de prohibition, adoptée malgré le veto du président Wilson entrait en vigueur en 1920 : le transport, la fabrication et la vente d'alcool étaient interdits. Un changement important survint avec l'élection du président Franklin D. Roosevelt : il renoua les relations diplomatiques avec l'URSS en 1933 et imposa en raison de la crise économique mondiale déclenchée après le krach boursier de 1929 son programme du *New Deal* : abandon de la politique économique libérale et reprise d'une politique sociale fédérale et dirigiste. A la fin de la Deuxième Guerre mondiale, les Etats-Unis étaient devenues la première puissance mondiale. Membre fondateur des Nations unies en 1945, les USA y jouent un rôle essentiel. La guerre froide vit se dérouler plusieurs conflits localisés (guerre de Corée 1951-1953, crise de Taiwan en 1958) et culmina sous les présidences de Harry S. Truman et de Dwight D. Eisenhower avec la vague du maccarthysme. Un renversement de l'opinion publique américaine permettait à John Fitzgerald Kennedy de devenir en 1961 le premier président catholique des Etats-Unis. Sur le plan intérieur, John F. Kennedy tenta de mettre en place une politique plus juste à l'égard de la minorité noire et des pauvres ; il tenta sur le plan extérieur de parvenir à un équilibre militaire avec l'URSS en initiant des négociations de désarmement, mais dut affronter deux crises importantes à Cuba après le débarquement de la baie des Cochons (avril 1961) et après l'installation de bases de missiles nucléaires soviétiques, dont le président américain exigea le démantèlement (28 octobre 1962) ; la crise de Berlin, après la construction du mur (août 1961) et le pont aérien organisé par les puissances occidentales, s'était achevée dans l'intervalle par un succès de John F. Kennedy. Après sa disparition tragique à Dallas (22 novembre 1963), ses successeurs Lyndon B. Johnson et Richard M. Nixon durent affronter la crise de la guerre du Viêtnam. C'est une fusée américaine qui permettait à Neil Armstrong d'être le premier homme à poser le pied sur la Lune, le 21 juillet 1969. Les relations se détendirent simultanément avec la Chine populaire (février 1972) et l'URSS. Le président Nixon fut contraint de démissionner en 1974 après le scandale du Watergate. La présidence de Jimmy Carter (1975-1980) commença sous les auspices d'une détente internationale (traité de paix israélo-égyptien de 1979) mais sa politique fut réduite à néant par l'invasion de l'Afghanistan par les troupes soviétiques (décembre 1979).

Retour à une politique volontariste
L'arrivée du président Ronald Reagan à la Maison Blanche en 1981 marquait le retour à une politique plus affirmée des Etats-Unis. Dans son message sur l'état de l'Union en janvier 1983, le président Reagan marquait son intention de renforcer la puissance militaire des Etats-Unis. La politique présidentielle devait toutefois se heurter à l'opposition du Congrès et d'une fraction de l'opinion publique, favorables à une détente Est-Ouest : elle conduisait à la suspension des négociations soviéto-américaines sur le désarmement de Genève, à l'installation de fusées Pershing-2 en Europe face aux SS-20 soviétiques. L'intervention américaine sur l'île caraïbe de la Grenade (octobre 1983), le soutien ouvert apporté aux rebelles anti-sandinistes opérant à partir du Honduras contre le Nicaragua marquèrent l'intention retrouvée des Etats-Unis de faire régner l'ordre dans leur sphère d'influence. Parallèlement, l'économie américaine marquait depuis décembre 1982 un redressement spectaculaire sous l'influence de la politique libérale du nouveau gouvernement, au prix toutefois d'une surévaluation du dollar. L'intention du président Reagan de lancer la réalisation d'un système de défense antimissiles stationné dans l'espace (SDI) était annoncée dans son discours du 29 mars 1983. Le président Reagan, jouissant d'une exceptionnelle popularité, était triomphalement réélu le 6 novembre 1984. Malgré la rencontre Reagan-Gorbatchev à Genève en novembre 1985, chacune des deux grandes puissances se maintient sur ses positions, la politique de fermeté du président Reagan ferme la porte à un certain dialogue avec l'URSS. Les Etats-Unis intervenaient directement à plusieurs reprises en Méditerranée en 1985 et 1986 : détournement de l'appareil égyptien transportant les pirates de l'*Achille Lauro* (10.10.1985) et attaques contre la Libye (24.03 et 14.04 1986).

Ethiopie

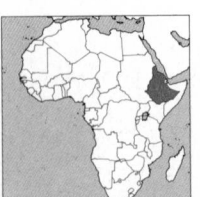

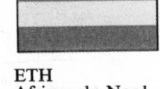

ETH
Afrique du Nord-Est
1 221 900 km²
33,6 M hab.
ONU, OUA

Capitale : Addis-Abeba (1,5 M hab.)
Langues officielles : amharique, galla
Religions : chrét.(55 %), musulm.(35 %)
Régime polit. : rép. pop. social. depuis le 12 septembre 1974

La tradition éthiopienne fait descendre les empereurs d'Aksoum de Menelik Ier, descendant de Salomon et de la reine de Saba, qui aurait fondé le royaume d'Ethiopie vers 1000 av. J.-C. Les souverains de la dynastie porteront (jusqu'en 1974) le titre de négus (Negusa Nagast, roi des rois) et de « Lion de Juda ». Le royaume d'Aksoum atteignit son apogée sous le règne de l'empereur Azana (300-350), qui favorisa l'implantation du christianisme. L'arrivée des Arabes, en 642, mit fin à la suprématie d'Aksoum ; la dynastie des Zagwe et le roi Lalibela réintroduisaient le christianisme au XIIe siècle. Ce n'est qu'en 1270 que Yekouno Amlak put rétablir une dynastie issue de Salomon sur le trône d'Ethiopie. Le centre du pouvoir politique se déplaça vers le sud, à Tegoulet, dans le Choa. Le royaume d'Amhara ne dut sa sauvegarde face à la menace des populations islamisées qu'à l'aide de mercenaires portugais. Une tentative de conversion des populations par les jésuites provoqua un soulèvement populaire en 1622. L'empereur Fasiladas (1632-1667) dont la capitale est Gondar interdit l'Ethiopie à tous les prêtres catholiques. Les puissances européennes tentent de s'implanter en Ethiopie au cours du XIXe siècle ; les Britanniques intervenaient en 1868, provoquant la chute de l'empereur Théodoros II (1855-1868), usurpateur du trône. La France s'installait à Obock (1881) et à Djibouti (1885) en réponse aux implantations italiennes. La tentative italienne de conquête échouait en 1896 face aux troupes de l'empereur Menelik II (1889-1907), qui écrasaient les troupes du général Baratieri à Adoua (1er mars). L'empereur établit sa capitale à Addis Abeba et tenta de moderniser le pays et ses infrastructures : plusieurs campagnes militaires lui permirent d'étendre ses territoires. Neveu de Menelik, le ras Tafari accédait au trône en 1930 sous le nom de Hailé Sélassié. Les Italiens envahissaient de nouveau l'Ethiopie en 1935 et occupaient l'ensemble du pays, malgré la résistance acharnée de troupes éthiopiennes sous-équipées. Hailé Sélassié se réfugiait à Londres jusqu'à la libération du pays par les troupes anglo-françaises en 1941. L'empereur réorganisa le système administratif du pays et accordait en 1955 une constitution d'inspiration libérale. L'Organisation pour l'unité africaine (OUA), créée à Addis-Abeba en 1963, y fixa son siège. Les premières élections libres eurent lieu en 1967. Crise économique et famine entraînèrent en 1974 le renversement de la monarchie par un putsch : l'économie était nationalisée, une réforme agraire radicale mise en place. Arrêté, Hailé Sélassié mourait le 27 août 1975. Des troubles internes à la junte portaient Hailé Mariam Mengistu au pouvoir le 11 février 1977. Un nouveau conflit, après celui de 1978, éclatait avec la Somalie en 1982. Durement touché par la sécheresse, qui fait des centaines de milliers de victimes, le pays, soutenu par les Etats socialistes, est déchiré par les guerres d'Ogaden (jusqu'en 1978) et d'Erythrée.

Fidji

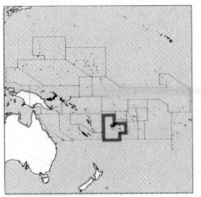

FJI
Océanie
18 274 km²
672 000 hab.
ONU, CW

Capitale : Suva (80 000 hab.)
Langues officielles : anglais, fidji
Religions : chrét. (50 %), hind. (40 %)
Régime polit. : mon. parlem. et dém. Indépendance obtenue le 10 octobre 1970

C'est une population qui sera à l'origine des Polynésiens qui effectua le premier peuplement des Fidji, vers 1500 av. J.-C. A cette première population se mêleront par la suite des Mélanésiens, venus de l'ouest. Le nord de l'archipel des Fidji fut reconnu en 1643 par le Néerlandais Abel Janszoon Tasman, le sud par James Cook en 1774. Dumont d'Urville l'explorait à son tour en 1827. Les premiers colons, des Britanniques, ne s'installaient dans l'archipel, qui présentait peu d'attraits commerciaux, qu'au début du XIXᵉ siècle. Le prince Cakobao réussissait en 1858, avec l'aide militaire du roi de Tonga, à constituer un royaume fidji indépendant, après être venu à bout des rivalités tribales. Il obtenait le soutien britannique par le traité d'amitié du 10 octobre 1874, qui faisait des Fidji une colonie. L'arrivée d'une main-d'œuvre indienne pour l'exploitation de la canne à sucre à partir de 1879 modifia progressivement la structure ethnique des îles : la population mélano-polynésienne recula jusqu'à ce que la population d'origine indienne représente 50 % du peuplement. Les troubles entre les deux communautés culminèrent lors des affrontements de décembre 1959. Après que les Fidji aient obtenu en 1966 leur autonomie administrative, elles devenaient indépendantes dans le cadre du Commonwealth le 10 octobre 1970. Le pays est depuis gouverné par le Premier ministre Ratu Sir Kamisese Kapaiwai Tuimacilau Mara, chef du parti fidjien de l'Alliance, opposé au parti indien de la Fédération nationale, malgré les gains électoraux importants réalisés par celui-ci aux élections de 1977 et 1982.

Finlande

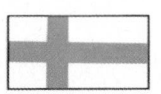

SF
Europe du Nord
337 032 km²
4,9 M hab.
ONU, CN, OCDE

Capitale : Helsinki (484 000 hab.)
Langues officielles : finnois, suédois
Religions : évang.-luthér. (91,5 %)
Régime polit. : rép. parl. et dém. depuis l'indépendance, le 15 novembre 1917

Les premières populations de Finlande sont finno-ougriennes et originaires des territoires compris entre la Volga et l'Oural. Les premiers colons suédois débarquaient en Finlande vers 1200 ; la Suède conquérait à l'est en 1293 la Carélie. La Finlande, reconnue à la Suède par le royaume de Novgorod, devenait un duché en 1353. L'expansion territoriale des colons suédois provoqua plusieurs guerres avec la Russie (1555-1557, 1570-1595, 1609-1617). La Réforme s'implanta en 1527 grâce à l'évêque Pietari Särkilahti. La Finlande était constituée en 1581 en grande-principauté au sein du royaume de Suède. Occupée par la Russie (1713-1721) pendant la deuxième guerre du Nord, la Finlande perdait après la paix de Nystad (1721) la Carélie du Sud-Ouest. Après une nouvelle guerre, de 1741 à 1743, la Russie annexait la totalité de la Carélie. La Finlande était reconnue appartenant à la sphère d'influence russe par la brève alliance (1807) entre le tsar Alexandre Iᵉʳ et Napoléon. Les troupes russes occupaient le pays en 1808, qui était déclaré grand-duché russe en 1809. L'ancienne Constitution suédoise était maintenue en vigueur par le tsar. La politique de russification menée par le tsar Nicolas II provoqua après son manifeste de février 1899 le soulèvement autonomiste finlandais. L'agitation révolutionnaire et les troubles, au cours desquels le gouverneur russe Bobrikov était assassiné (1904), contraignirent le tsar à revenir sur ces mesures en 1905. Le Parlement finlandais proclamait l'indépendance de la République de Finlande le 15 novembre 1917. Malgré la Révolution, les garnisons russes restaient en place. La guerre civile opposa les troupes de la garde rouge bolchevique aux gardes civiques organisés par les conservateurs et soutenus par un corps expéditionnaire allemand. La victoire allemande permettait au gouvernement légal de restaurer son autorité. Une Constitution républicaine était adoptée le 21 juin 1919. Les 23 gouvernements qui se succédèrent jusqu'à la guerre avec l'URSS en 1939 ne permirent pas de résoudre les graves problèmes économiques consécutifs à la guerre civile ni les rivalités entre populations d'origine finnoise et suédoise. Malgré le pacte de non-agression signé avec l'URSS en 1932, la Finlande perdait un dixième de son territoire en 1940. S'étant retournée avec l'Allemagne contre l'URSS en 1941, la Finlande abandonnait cette alliance le 19 septembre 1944. La Finlande perdait au traité de Paris (1947) la Carélie, le district minier de Petsamo et le port de Porkkala sur la Baltique. Elle récupérait la base navale en 1956 après l'amélioration rapide des relations avec l'URSS : un pacte d'amitié et de non-agression était signé en 1948, sans cesse renouvelé depuis. Cette habile politique de neutralité fut maintenue sous les présidences de Juho Paasakivi (1946-1956) et de Urho Kekkonen (1956-1982) : un accord de coopération économique avec le COMECON était signé en 1973, de même qu'un accord de libre-échange avec la CEE, la même année. Les négociations pour les accords SALT eurent lieu à Helsinki, de même qu'une conférence pour la sécurité et la coopération en Europe (CSCE, 1973-1975). Le social-démocrate Mauno Koivisto dirige la Finlande depuis 1982 ; une scission au sein du parti communiste se dessinait après le Congrès de mai 1984.

France

F
Europe de l'Ouest
547 026 km²
55,1 M hab.
ONU, CEE, CE, OCDE, OTAN
(statut spécial)

Capitale : Paris (2,2 M hab.)
Langue officielle : français
Religions : cath. (90 %), musulm., prot.
Régime polit. : rép. parlem. et dém., selon la Constitution du 28 septembre 1958

Les premières traces d'occupation humaine retrouvées en France datent de 400 000 ans. Les Celtes y firent leur apparition vers 700 av. J.-C.

Des Romains aux Carolingiens
César conquit la Gaule à la tête des légions romaines entre 58 et 51 av. J.-C. Les invasions des tribus germaniques des Alamans et des Francs commencèrent à repousser les Romains de Gaule au IIIᵉ siècle ap. J.-C. Les Francs unifièrent la Gaule sous le règne de Clovis (486-511), qui se faisait baptiser en 498. A la mort de Charlemagne, en 814, le Royaume franc s'étendait bien au-delà des frontières de la France actuelle : il fut divisé après le règne de Louis Iᵉʳ le Pieux (814-840) par le traité de Verdun (843). Charles II le Chauve obtenait un territoire limité à l'est par la ligne Escaut-Saône-Meuse, préfigurant la future France. La dynastie carolingienne ne put imposer le pouvoir monarchique face aux grands seigneurs féodaux.

Affermissement du pouvoir royal
Cette situation changea après l'accession au trône en 987 de Hugues Capet, élu par une assemblée de féodaux. Le fondateur de la dynastie des Capétiens imposa le principe de succession héréditaire en faveur de son fils, Robert II. Le rapprochement du pape et de la monarchie permit à celle-ci d'imposer progressivement un pouvoir centralisé. Philippe II Auguste (1180-1223) réussit à étendre considérablement les domaines royaux et sa puissance en mettant sur pied une armée à sa solde et en exploitant habilement le droit féodal lors des mariages des veuves ou des filles de ses vassaux. C'est sous le règne de Saint Louis (Louis IX, 1226-1270) que la Couronne acquit plusieurs régions du Sud de la France. La politique d'expansion des rois de France se poursuivit sous Philippe IV le Bel (1285-1314), au détriment des grands Etats féodaux voisins. L'exil du pape en Avignon en 1309 permit aux souverains français de profiter des avantages de sa proximité jusqu'en 1376. La dynastie des Capétiens s'éteignit après 300 ans de règne avec Charles IV, en 1328. Une période de troubles intérieurs et extérieurs s'ouvrait, qui ne prendra fin qu'avec l'accession de Louis XI au trône, en 1461.

La guerre de Cent Ans
La succession des Capétiens, qui ne laissaient que des filles, était assurée d'après la loi Salique par les Valois, une branche cadette de la Maison. Les droits du premier Valois, Philippe VI (1328-1350), furent cependant contestés par Edouard III, roi d'Angleterre et petit-fils de Philippe le Bel par sa mère, Isabelle de France. La guerre de Cent Ans commençait en 1337. Les Anglais infligèrent plusieurs défaites aux troupes royales dès les premières années : Crécy, 1346 ; Maupertuis, où Jean le Bon était fait prisonnier, en 1356. La trêve obtenue par Charles V

France

(1364-1380) à Bruges en 1375 lui permit avec l'aide de Du Guesclin de régler le conflit qui opposait la noblesse à la bourgeoisie. Les querelles reprirent sous son successeur Charles VI (1380-1422, devenu le Fou en 1392) : les Armagnacs, conduits par le duc d'Orléans, s'opposaient aux Bourguignons, conduits par le duc de Bourgogne. Les Bourguignons s'allièrent en 1419 au roi d'Angleterre, Henri V, qui avait infligé en 1415 une écrasante défaite aux troupes françaises à Azincourt. Henri V épousait Catherine, fille de Charles VI, en 1420 et devenait héritier du trône de France par le traité de Troyes, la même année. Henri V mourait deux mois avant Charles VI, en 1422 : son fils, Henri VI, mineur, était proclamé roi de France. Mais un changement décisif dans la guerre intervenait dès 1429 sous l'impulsion de Jeanne d'Arc, malgré son mort précoce à Rouen, en 1431. La guerre prenait fin en 1453 : à l'exception de Calais, les Anglais avaient perdu leurs possessions françaises.

La Renaissance

Lorsqu'il accède au trône, en 1461, Louis XI est maître d'un royaume aux finances assainies, doté d'une armée puissante. Il doit tout d'abord faire face à la révolte des grands seigneurs, unis au sein de la ligue du Bien public, en 1465. L'extension du domaine royal commençait avec l'acquisition en 1481 des domaines de la maison d'Anjou, Provence, Maine et Anjou ; l'ennemi le plus puissant du roi, le duc de Bourgogne, Charles le Téméraire, avait réussi à allier sa fille, Marie de Bourgogne, à la maison de Habsbourg. Les revendications autrichiennes sur les domaines de Bourgogne ne cessèrent pas après l'acquisition de cette dernière par Louis XI, en 1482. Roi de France depuis 1483, Charles VIII préparait l'annexion de la Bretagne par son mariage avec Anne de Bretagne. Appartenant à l'héritage d'Anjou, Naples était revendiquée par le roi, qui entreprenait en 1494 une aventureuse campagne en Italie. Son successeur, Louis XII, connut un sort identique en Italie, dont il devait se retirer peu avant la fin de son règne (1515). Le règne de François Ier, qui commence alors, est d'emblée marqué par la reconquête du Milanais, après la victoire de Marignan. La « paix perpétuelle » était signée avec les Cantons suisses l'année suivante, permettant au roi de France de recruter des mercenaires suisses. Mais le couronnement de Charles de Habsbourg comme empereur romain germanique sous le nom de Charles Quint déclenchait la lutte de François Ier contre l'Autriche, dont les possessions encerclent la France. Prisonnier à Pavie en 1525, le roi parvenait par la paix des Dames (1529) à conserver la Bourgogne. Sa politique d'équilibre (alliance avec les Ottomans) échouait cependant avec l'Angleterre (1520). Le Concordat conclu avec le pape Léon X en 1516 à Bologne faisait de l'Eglise catholique l'un des piliers de la monarchie française. François Ier lutta pendant les dix dernières années de son règne contre la propagation de la Réforme : Jean Calvin devait fuir Paris en 1534. Les conflits religieux s'aggrava profondément sous ses successeurs.

Les guerres de Religion

L'attaque des huguenots organisée à Vassy par les catholiques du parti de Guise en mars 1562 ouvrait les guerres de Religion, qui se prolongèrent jusqu'en 1598. La réconciliation qui était en bonne voie entre Charles IX et le chef des huguenots, l'amiral de Coligny, connut une fin brutale avec la nuit de la Saint-Barthélemy, en 1572, où les habitants protestants de Paris furent massacrés par des catholiques. La guerre reprit avec plus d'acharnement après l'assassinat d'Henri III, en 1589. L'accession au trône du chef du parti huguenot, Henri de Navarre, permit seule la réconciliation. Henri IV se convertissait au catholicisme le 25 juillet 1593 à Saint-Denis et garantissait la liberté de confession par l'édit de Nantes en 1598. Le fondateur de la dynastie des Bourbons était assassiné par Ravaillac en 1610 : la régence était exercée pour son fils Louis XIII, âgé de neuf ans, par la reine Marie de Médicis. Les complots répétés de la noblesse ne prirent fin qu'après l'appel par Louis XIII, déclaré majeur en 1614, de Armand Jean du Plessis, cardinal puis duc (en 1631) de Richelieu, à la tête du Conseil, en 1624. Richelieu et son successeur à partir de 1643, Mazarin, firent de la France la plus grande puissance européenne de leur temps. Lorsque Louis XIV prit personnellement en mains le gouvernement en 1661, après la mort de Mazarin, il héritait d'un pays aux frontières sûres et fortifiées, d'une administration parfaitement rodée, de finances en bon état et de plusieurs armées bien organisées.

L'ère du Roi-Soleil

Louis XIV (1643-1715) mena à son terme le principe de l'absolutisme monarchique. Ses méthodes de gouvernement, le style du régime, sa cour et ses palais devinrent le modèle des souverains européens contemporains. Il favorisa l'essor du commerce et de l'industrie avec l'aide de son ministre Jean-Baptiste Colbert, partisan des principes du mercantilisme : l'Etat et la France s'enrichirent. Pourtant, tous ces résultats furent compromis par les guerres hégémoniques entreprises par le roi en Europe. La dette de l'Etat atteignait deux milliards de livres, la faillite menaçait. La magnificence, l'essor des arts et des sciences qui ont marqué le règne ne peuvent masquer la décadence progressive de la monarchie absolue. La situation financière de la France continua de s'aggraver sous les règnes de Louis XV (1715-1774) et de Louis XVI (1774-1792) : la dette croissante de l'Etat entraîna l'augmentation des impôts frappant les paysans et les artisans. La paix de Paris mettait fin en 1763 à la guerre de Sept Ans, qui avait éclaté en 1756 : la France y perdait le Canada au profit de l'Angleterre, perdant simultanément sa signification comme grande puissance coloniale. Louis XV laissait à sa mort une dette d'Etat de quatre milliards de livres ; Louis XVI ne put la réduire. La crise financière ouverte contraignait le roi à convoquer les Etats généraux, pour la première fois depuis 1614 : cette dernière tentative d'effacer l'échec de la monarchie française allait échouer.

La Révolution

Les Etats généraux se réunissaient à Versailles le 5 mai 1789. Devant l'impossibilité d'aboutir à des mesures concrètes de réforme, le tiers-état se réunissait en Assemblée nationale et s'engageait (le serment du Jeu de paume (20 juin) à rédiger une constitution. La prise de la Bastille, le 14 juillet, marquait la volonté du peuple de Paris d'en finir avec les symboles de l'autorité monarchique ainsi que le début de la Révolution. L'Assemblée nationale abolit nombre de privilèges de la noblesse mais restait, dans l'ensemble, favorable à la monarchie. La fuite manquée du roi et de sa famille et son retour à Paris en juin 1791 renforcèrent le courant révolutionnaire. Devant les provocations prussiennes et la menace contre-révolutionnaire, les Girondins, la gauche de l'Assemblée, l'emportait et déclaraient la guerre aux deux puissances d'Europe centrale. Les premiers revers à l'extérieur précipitèrent l'évolution politique : l'aile gauche de la Gironde, la Montagne, prit le dessus. La radicalisation provoqua la proclamation de la République, le 22 septembre 1792, puis l'exécution de Louis XVI (1793). La Terreur, sous Maximilien de Robespierre (1758-1794), organise par la violence l'effort de lutte à l'intérieur (répression du soulèvement vendéen, 1793) et à l'extérieur. La victoire de Fleurus (26 juin 1794) et la reconquête de la Belgique rendirent confiance à la Convention, qui se débarrassa de Robespierre (9 et 10 thermidor, 27 et 28 juillet 1794). Une nouvelle Constitution, la troisième, était établie, un Directoire de cinq membres prenait la tête du gouvernement en 1795. De retour d'Egypte, le général Bonaparte, auréolé de ses victoires en Italie contre l'Autriche et la Sardaigne, effectuait un coup d'Etat contre le Directoire les 18 et 19 brumaire an VIII (9 et 10 novembre 1799) et le remplaçait par le Consulat, dont il occupait la fonction de premier Consul.

L'ère napoléonienne

La nouvelle Constitution établie par Bonaparte était approuvée par plébiscite en décembre 1799 : la Constitution de l'an VIII conférait au premier consul la réalité du pouvoir. La création d'un corps préfectoral accompagnait en février 1800 une profonde réforme centralisatrice de l'administration. Le système judiciaire était à son tour réformé en mars, l'élection des juges était supprimée, une hiérarchie introduite dans l'ordre judiciaire et des cours d'appel instituées. La réorganisation générale de l'administration des impôts, commencée en 1799, s'achevait en 1801, la Banque de France avait été créée en 1800, le paiement des impôts simplifié et centralisé. La réforme scolaire survenait enfin en mai 1802 ; les lycées remplaçaient les écoles centrales. Sur le plan intérieur, Bonaparte mène une politique d'apaisement mesurée : amnistie des chouans et des émigrés sous certaines conditions : 52 000 d'entre eux rentraient en France après la loi d'octobre 1800. L'attentat de la rue Saint-Nicaise et celui de Cadoudal provoquaient une répression plus dure : le duc d'Enghien était exécuté le 21 mars 1804. La pacification religieuse était partiellement obtenue grâce au Concordat de 1801, Bonaparte y ajoutant cependant certains articles pour désarmer l'opposition jacobine. Parallèlement, sur le plan extérieur, Bonaparte enregistrait plusieurs succès importants : signature de la paix de Lunéville avec l'Autriche (la France récupérait les territoires italiens perdus en 1799) et signature, un an plus tard, de la paix d'Amiens avec l'Angleterre (1802), maintenant isolée sur le plan international. L'évolution des institutions se poursuivait avec l'approbation par plébiscite de la Constitution de l'an XII, en 1804 : la France devenait un empire, Napoléon Ier était sacré par le pape à Notre-Dame de Paris le 2 décembre 1804. Le maintien de certaines institutions formellement démocratiques (assemblées élues) n'empêchait pas l'évolution monarchique du régime. La centralisation de l'administration, la mise sous tutelle de la justice et l'existence d'une police (Fouché) omniprésente garantissaient le pouvoir de l'empereur. Dominée par la guerre, l'économie en subissait les conséquences : le Blocus continental, s'il entraînait la création et l'extension des cultures betteravières, provoquait la ruine du commerce maritime atlantique (Bordeaux, Nantes) et méditerranéen (Marseille). La bourgeoisie se développe néanmoins, mais la misère réapparaissait avec les mauvaises récoltes de 1811. Inquiète des visées coloniales de la France, l'Angleterre rompait la paix d'Amiens un an après sa signature. Les préparatifs d'invasion de l'Angleterre réalisés par Napoléon à Boulogne précipitaient la formation d'une troisième coalition. Vaincue par l'Angleterre à Trafalgar (octobre 1805), la France se retournait contre les alliés de l'Angleterre sur le continent : Autrichiens et Prussiens étaient vaincus à Austerlitz le 2 décembre. L'Autriche se trouvait exclue de la confédération du Rhin, Napoléon en devenait le protecteur. Les républiques sœurs étaient transformées en royaumes à travers l'Europe : lui-même roi d'Italie, Napoléon établissait les membres de sa famille sur les trônes des pays conquis. Mais les coalitions se succédaient malgré les défaites, entretenues par l'Angleterre, maîtresse des mers : quatrième coalition, vaincue en 1807 après Iéna et Auerstedt (1806), Eylau et Friedland ; cinquième coalition, défaite en 1809 (Wagram). Malgré la paix de Tilsit (1807) avec la Russie, la menace du tsar demeurait intacte ; la guerre d'Espagne, qui débute en 1808, et le traitement infligé au pape Pie VII après l'occupation de Rome, constituent les germes de la crise de l'empire au moment où il atteint son apogée, avec le mariage de Napoléon et de Marie-Louise d'Autriche (1810). L'empire s'étend de la mer du Nord à l'Adriatique et compte 130 départements. La campagne de Russie, déclenchée en 1812 après le refus du tsar d'appliquer le Blocus continental (établi depuis 1806), s'arrêtait après la prise de Moscou. L'immense armée napoléonienne, Français et soldats de toutes nationalités, disparaissait totalement dans la tourmente de l'hiver russe. La nouvelle coalition qui se reconstituait en 1813 lançait contre la France toutes les armées européennes : Napoléon capitulait et abdiquait (6 avril 1814) à l'issue de la campagne de France. Le premier traité de Paris (30 mai 1814), signé par les représentants de la monarchie restaurée, ramenait la France à ses frontières de 1792. Exilé sur l'île d'Elbe, Napoléon mit à profit le profond mécontentement suscité en France par la restauration des privilèges de la noblesse émigrée et de l'Eglise pour tenter de reconquérir son trône. Il débarquait le 1er mars 1815 à Golfe-Juan et atteignait Paris après avoir été reçu triomphalement tout au long de son trajet. Louis XVIII, frère de Louis XVI et nouveau roi de France devait s'enfuir. L'aventure des Cent-Jours trouvait son épilogue face à une nouvelle coalition européenne sur le champ de bataille de Waterloo (Belgique). Napoléon abdiquait pour la seconde fois quatre jours plus tard, le 22 juin 1815. L'empereur mourra sur l'île de Sainte-Hélène, captif des Anglais. La France est envahie, le second traité de Paris (20 novembre 1815) lui retire de nouveaux territoires.

Restauration et république

Lors du congrès de Vienne (1814-1815), la France fut représentée par Charles Maurice de Talleyrand, qui réussit à la faire admettre comme partenaire aux négociations. La France retrouvait la dynastie des Bourbons : Louis XVIII octroya au pays une Charte constitutionnelle. Monarchie constitutionnelle, la France était représentée par deux Chambres élues au suffrage restreint. A la mort de Louis XVIII, en 1824, son frère Charles X lui succédait. Influencé par les ultras, le pouvoir se durcissait : le retour à une monarchie autoritaire provoqua l'éclatement de la révolution de 1830. Charles X était contraint d'abdiquer, Louis-Philippe d'Orléans, « Philippe Egalité », accédait au trône. Le

« roi bourgeois » attribua les postes administratifs les plus importants à des représentants de la grande bourgeoisie de la finance. L'industrialisation en plein essor faisait surgir des tensions sociales nouvelles et un prolétariat urbain : des révoltes ouvrières éclataient dans tout le pays et en particulier à Lyon, avec les révoltes des soyeux de 1831 et 1834. Les troubles s'accrurent encore après la crise économique des années 1840. L'interdiction du banquet réformiste de Paris faisait éclater une nouvelle révolution et entraînait l'abdication de Louis-Philippe, le 24 février 1848. La IIe République était proclamée, socialistes et républicains formaient un gouvernement qui décidait aussitôt la création d'ateliers nationaux, permettant aux chômeurs de trouver un emploi immédiat. La fermeture des ateliers nationaux, après la victoire des républicains modérés en juin, provoqua un soulèvement ouvrier à Paris, réprimé de manière sanglante. Le neveu de Napoléon Ier, le prince Louis Napoléon Bonaparte, était élu président de la République le 10 décembre 1848.

Le Second Empire

Le coup d'Etat du 2 décembre 1851 rendait Louis Napoléon Bonaparte seul maître des institutions ; le prince-président était proclamé empereur le 2 décembre 1852 après que le rétablissement de l'empire ait été approuvé à une large majorité par plébiscite. Vu de l'étranger, le règne de Napoléon III paraît marqué par la réussite : dans le domaine extérieur, guerre de Crimée contre la Russie (1853-1856), conquêtes de nouveaux territoires en Afrique du Nord et fondation de la puissance coloniale française en Indochine ; dans le domaine intérieur, les expositions universelles de Paris de 1855 et 1867 imposaient l'image d'une France politiquement stable. L'échec de l'expédition mexicaine après l'exécution (1867) de l'empereur Maximilien du Mexique, soutenu par la France, révélait pourtant la fragilité du régime. La guerre éclatait en 1870 entre la France et l'Empire allemand à cause d'un conflit de prestige diplomatique : la candidature d'un prince allemand au trône espagnol.

La IIIe République

La défaite de Sedan (2 septembre 1870) puis la reddition de l'armée de Mac Mahon entraînaient l'abdication de l'empereur puis la proclamation de la IIIe République à Paris. Les négociations pour un armistice commencèrent le 28 janvier 1871. Nommé chef du gouvernement après les élections de février, Adolphe Thiers signait la paix à Francfort-sur-le-Main le 10 mai 1871. La France perdait l'Alsace et la Lorraine et devait verser une indemnité de guerre de cinq milliards de francs. La Commune de Paris succombait en mai également : la première tentative de constitution d'un Etat socialiste était anéantie par les troupes gouvernementales de Versailles. Plus de

20 000 partisans de la Commune furent tués ; sa défaite marquait l'exclusion temporaire des partis de gauche de la vie politique. La conquête du pouvoir opposait dès lors la grande bourgeoisie conservatrice et les républicains convaincus. Des réformes libérales furent mises en place dès le début des années 1880, la question de la laïcisation des écoles alimenta longtemps un vif débat politique. Plus encore que le scandale de la société du canal de Panama, en 1893, l'affaire Dreyfus ébranlait l'opinion, menant à des oppositions irréconciliables entre partisans de la gauche et de la droite. La France ne surmontait le choc de la Première Guerre mondiale que grâce au rassemblement de toutes les énergies de la nation. L'offensive allemande était arrêtée par Joffre et Gallieni sur la Marne (9.1914) : la guerre s'enlisait dans les tranchées. Après avoir repoussé l'offensive allemande de 1916 à Verdun, l'entrée en guerre des Etats-Unis permettait aux Alliés de reprendre l'offensive en 1917 (Chemin des Dames) et en 1918 (offensive de Foch en Champagne). La reprise en main des affaires gouvernementales par Clemenceau apporta l'unité politique indispensable à la victoire. L'Alsace et la Lorraine étaient retrouvées après les négociations de paix de Versailles en 1919. La politique d'équilibre des puissances imposée par la Grande-Bretagne et les Etats-Unis empêcha un affaiblissement décisif de la puissance allemande. La France de l'entre-deux-guerres fut marquée par l'aggravation constante des problèmes économiques et une crise financière persistante. La gauche, qui s'était scindée en communistes et socialistes en 1920, s'alliait aux radicaux en 1936 et remportait les élections de mai. Le gouvernement formé par Léon Blum après la victoire du Front populaire introduisait un ensemble de nouvelles lois sociales. Le cabinet Blum était contraint de se retirer en 1938 après des divisions au sein du Front populaire et sous la pression de la droite, qui se reconstituait. Le nouveau gouvernement formé par Edouard Daladier déclarait la guerre à l'Allemagne hitlérienne après l'invasion de la Pologne par la Wehrmacht, le 3 septembre 1939. L'armée française s'effondrait très vite sous le choc de l'offensive allemande, le 10 mai 1940. Le nouveau chef de l'Etat, le maréchal Philippe Pétain, signait un armistice avec l'Allemagne. La France, jusqu'alors divisée en deux zones, était totalement occupée après le débarquement allié en Afrique du Nord (11.1942). Les mouvements de résistance étaient unifiés en mai 1943 alors qu'une armée française (FFL) se reconstituait en Angleterre et en Afrique : les FFL participèrent aux combats de la Libération en France après le débarquement des forces alliées en juin 1944. Le général de Gaulle, qui présidait le Comité français de libération nationale créé à Alger en juin 1943, formait un gouvernement provisoire après l'entrée des Alliés dans Paris, le 25 août 1944.

La IVe République

Le général de Gaulle, ne pouvant faire prévaloir ses vues quant à la Constitution à établir, démissionnait de son poste de président du Conseil après les élections d'octobre 1945. La IVe République naissait de la Constitution approuvée par le référendum du 13 octobre 1946. Alors qu'une croissance économique tendait à s'affirmer après l'aide apportée par le plan Marshall, la IVe République fut ébranlée par les crises coloniales : la France se retirait d'Indochine après la défaite de Dien Bien Phu, en 1954. L'expédition franco-anglaise de Suez, destinée à protéger les intérêts des deux pays en Egypte, échouait fin 1956 face à l'opposition des Etats-Unis et de l'URSS. La crise politique atteignit son apogée avec le soulèvement des mouvements indépendantistes en Algérie (13 mai 1958) : de Gaulle paraissait seul en mesure de redresser la situation.

La Ve République

La Constitution de la Ve République, destinée à empêcher l'instabilité ministérielle qui avait caractérisé la IVe République, était adoptée par référendum le 28 septembre 1958 : le président de la République retrouvait des pouvoirs institutionnels significatifs. De Gaulle mettait en œuvre un vaste plan de redressement économique (création du franc lourd, plan de modernisation) et social. L'Algérie retrouvait son indépendance en 1962, le général de Gaulle dotait alors la France d'une puissance nucléaire autonome afin de garantir son indépendance face aux Etats-Unis mais accentuait le rapprochement franco-allemand. Les troubles étudiants et ouvriers de Mai 1968 et l'échec du référendum plébiscitaire du 27 avril 1969 marquant l'évolution de l'opinion publique à son égard, le général de Gaulle démissionnait. La politique gaulliste, hostile à un Marché commun (créé en 1957) élargi, évoluait progressivement sous la présidence de Georges Pompidou. A sa mort, en 1974, le républicain indépendant Valéry Giscard d'Estaing était élu président de la République : il devait faire face à la crise économique induite par les crises monétaire et pétrolière. La coalition de droite et du centre réunie par le président parvenait à remporter les élections législatives de 1978 mais le candidat de l'Union de la gauche socialiste et communiste, François Mitterrand, remportait les élections présidentielles de mai 1981 ; la gauche remportait également les élections de juin. Une politique de réformes sociales et de nationalisations était mise en place, dans une conjoncture économique défavorable. L'électorat se montra réticent face à la politique engagée, jusqu'aux élections législatives de mars 1986, qui furent remportées par une coalition de droite. Une situation nouvelle sous la Ve République, président de la République et Premier ministre devaient cohabiter au sein du pouvoir exécutif.

Gabon

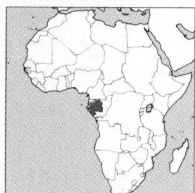
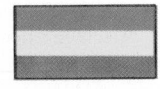

Afrique équat.
267 667 km²
700 000 hab.
ONU, OUA,
OPEP

Capitale : Libreville (350 000 hab.)
Langue officielle : français
Religions : musulm. (85 %), chrét. (7,5 %)
Régime polit. : rép. présid. Indépendance obtenue le 17 août 1960

L'histoire ancienne du Gabon demeure mal connue : le groupe des peuples myènès constituait lors de l'arrivée des Portugais, vers 1470, l'essentiel des ethnies côtières (Mpongwés, Oroungous) et de l'arrière-pays. Les deux raisons essentielles de la présence européenne au Gabon demeurèrent jusqu'au XVIIIᵉ siècle la traite des esclaves et le commerce de l'ivoire. Le commerce, pratiqué par les Portugais, les Anglais, les Hollandais, les Français et les Espagnols, se limitait à des comptoirs côtiers. Afin de lutter contre la traite des esclaves, le major français Louis Edouard Bouet-Willaumez fondait en 1839 Fort Aumale, sur l'estuaire du fleuve Gabon, et concluait des traités de protectorat avec les rois mpongwés Denis et Louis. C'est près de ce fort que les Français fondèrent en 1839 Libreville, « ville libre » qui offrit refuge aux esclaves libérés venus du Congo. C'est de Libreville que Savorgnan de Brazza partit pour son expédition au Congo. Le Gabon était officiellement annexé par la France en 1885. Brazza était nommé l'année suivante commissaire du gouvernement pour le Gabon et le Congo français, qui obtinrent le statut de colonies. Les peuples Fang, repoussant les Mpongwés, atteignaient la côte atlantique vers 1900. Le pays était rattaché en 1910 à l'Afrique équatoriale française ; sa pacification ne s'acheva qu'en 1929. Deux partis étaient fondés en 1946 : l'Union démocratique et sociale gabonaise (UDSG) et le Bloc démocratique gabonais (BDG) Léon M'Ba, qui devenait le premier président de la République du Gabon en 1961. Ayant interdit l'UDSG, Léon M'Ba fut renversé le 18 février 1964 par un coup d'Etat fomenté par le chef de l'UDSG, Jean Hilaire Aubame. L'intervention des troupes françaises permettait au président M'Ba de reprendre la situation en mains. A la mort du président M'Ba (18.11.1967), Omar Albert-Bernard Bongo lui succédait. Le président Bongo s'appuie sur le parti unique qu'il avait créé en 1967, le PDG (Parti démocratique gabonais).

Gambie

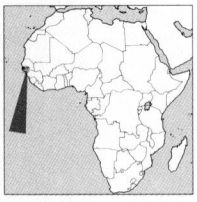
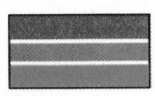

WAG
Afrique
de l'Ouest
11 295 km²
635 000 hab.
ONU, CW, OUA

Capitale : Banjul (Bathurst, 50 000 hab.)
Langue officielle : anglais
Religions : musulm. (85 %), chrét. (7,5 %)
Régime polit. : rép. présid. Indépendance obtenue le 18 février 1965

Etendu le long du fleuve Gambie, le pays fut soumis à la domination de l'Empire de Gana au cours des Xᵉ et XIᵉ siècle, avant de tomber sous l'influence de l'Empire du Mali jusqu'au XVᵉ siècle. Les Portugais reconnaissaient en 1447 l'estuaire du fleuve Gambie et y installèrent des comptoirs commerciaux, bientôt suivis par les britanniques, qui imposaient leur suprématie par les armes et dominaient le commerce dès 1589. Les comptoirs de Gambie servent de lieu de transit pour l'or du Bambouk. Le roi Mamadou II du Mali appela la Gambie à l'aide en 1535 pour combattre Koli Tengella, qui avait fondé un royaume indépendant sur le cours supérieur de la Gambie. La Gambie constituant une base de départ idéale pour accéder à l'intérieur du continent, l'estuaire du fleuve fut âprement disputé au cours des siècles suivants entre les puissances européennes. Les combats se poursuivirent entre Français et Anglais après l'éviction des Portugais, des Espagnols et des Néerlandais. L'expansion britannique, à partir du principal point d'appui de l'île St-James, près de la rive sud de l'estuaire, se poursuivit en aval de la Gambie. La colonisation ne débuta vraiment qu'après la fondation en 1816 de la ville de Bathurst (devenue Banjul), sur l'île Mary, qui accueillit aussitôt des esclaves libérés. L'île obtenait en 1843 un statut colonial et le conservait après l'instauration d'un protectorat sur toute la Gambie en 1888. La Gambie reçut son indépendance au sein du Commonwealth le 18 février 1965. La république était proclamée le 24 avril 1970 par Daouda Kairaba Jawara, le chef du principal parti gambien, le *People's Progress Party* (PPP). D.K. Jawara était élu à la présidence de la République. La coopération avec le Sénégal voisin s'intensifia dans les années 1970, après la visite du président Senghor en avril 1967. Une grave crise éclatait fin octobre 1980 : l'armée sénégalaise était appelée à intervenir contre les éléments extrémistes. La confédération de Sénégambie naissait officiellement le 1ᵉʳ février 1982 : le président sénégalais Abdou Diouf et D.K. Jawara en étaient respectivement président et vice-président.

Ghana

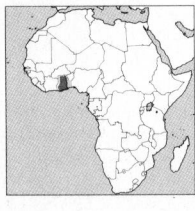

GH
Afrique
de l'Ouest
238 537 km²
12,2 M hab.
ONU, CW,
CEDEAO, OUA

Capitale : Accra (1,1 M hab.)
Langue officielle : anglais
Religions : animistes (60 %), chrét., musulm.
Régime polit. : république, indépendante depuis le 6 mars 1957

Osai Tutu (1695-1731), souverain des Achantis, tribu appartenant au peuple des Akans, fondait un royaume dans l'actuel Ghana et fixait sa capitale à Koumassi. Après avoir vaincu les tribus environnant leur royaume, les Achantis atteignaient la côte, où ils entraient en contact avec les commerçants européens. Des échanges basés sur le troc se développèrent, les Achantis fournissant de l'or et de l'ivoire, ce qui valut à leur territoire le nom de « Côte de l'Or ». Ce sont les Portugais qui abordèrent les premiers, en 1471, les côtes ghanéennes : ils y créaient en 1482 le comptoir fortifié de Sao Jorge da Mina. Ils en furent chassés par les Néerlandais en 1637, tandis que plusieurs puissances maritimes tentaient de s'installer. Des comptoirs destinés à la traite des esclaves, jusqu'à son interdiction, en 1807, s'implantèrent tout au long de la *Gold Coast*. La Grande-Bretagne prenait en main les affaires du Ghana après qu'il soit devenu colonie de la Couronne, en 1821. Après la conquête des derniers comptoirs danois et néerlandais, en 1874, le Ghana devenait un protectorat britannique. Le territoire des Achantis ne put être conquis qu'au prix de durs combats après plusieurs années. L'UGCC *(United Gold Coast Convention),* fondée en 1947, réclamait l'indépendance. Mais le mouvement, constitué d'intellectuels et de commerçants, ne paraissait pas assez radical à Kwame Nkrumah, qui avait fait ses études aux Etats-Unis : celui-ci quittait l'UGCC et créait en 1949 le *Convention's People Party* (CPP). Le but du CPP n'était pas seulement l'indépendance, mais aussi la disparition du pouvoir des chefs, qui permettrait de surmonter les oppositions tribales. Le CPP remportait triomphalement les élections de 1951, alors que le pays était encore sous domination coloniale. Le CPP sortait également vainqueur des élections de 1956. Nkrumah formait le premier gouvernement autonome du Ghana en août 1956. La « Gold Coast » obtenait son indépendance le 6 mars 1957 et devenait le Ghana, premier Etat colonisé d'Afrique à accéder à l'indépendance. La république était proclamée le 1ᵉʳ juillet 1960, Nkrumah était élu à la présidence. Son régime dictatorial fut marqué par un panafricanisme ambitieux : la nationalisation de l'économie provoqua une croissance rapide des dettes de l'Etat. La popularité du président s'en ressentit : Nkrumah était renversé par un putsch militaire le 24 février 1966 pendant qu'il se trouvait en voyage en Chine. Le nouveau gouvernement, le Comité national de libération, poursuivit une politique ouverte à l'Occident. La vie politique normale reprenait en 1969 et le chef du parti progressiste, le Dr Kofi Abrefa Bousia devenait Premier ministre après les élections du mois d'août. Le CPP de Nkrumah était interdit, les liens privilégiés qui avaient été noués avec la Chine et le bloc soviétique sous son régime étaient interrompus. Le régime civil ne parvenait pas non plus à résoudre les difficultés économiques : un nouveau putsch militaire intervenait en 1972, portant le colonel Ignatius Kutu Acheampong au pouvoir. Celui-ci démissionnait en juillet 1978. Le capitaine Jerry John Rawlings, d'origine britannique, menait le putsch du 4 juin 1979 : les généraux Acheampong et Akuffo, alors chef de l'Etat, étaient exécutés. Les élections qui eurent lieu comme prévu le 18 juin furent remportées par le *National People's Party* (NPP) du Dr Hilla Limann, qui devenait président de la République. La corruption et la mauvaise gestion du pays se poursuivant, le capitaine Rawlings renouvelait son putsch le 31 décembre 1981, les partis politiques étaient interdits. Le régime pouvait faire échec en mars 1984 à une nouvelle tentative de putsch, que le Togo et la Côte-d'Ivoire voisins furent accusés d'avoir soutenu : la frontière avec la Côte-d'Ivoire, fermée depuis 20 mois, n'en était pas moins réouverte fin mai 1984.

Grande-Bretagne et Irlande du Nord

GB
Europe
de l'Ouest
244 046 km²
55,8 M hab.
ONU, CW, CEE,
CE, OTAN,
OCDE

Capitale : Londres (2 M hab.)
Langue officielle : anglais
Religions : anglic., prot., cath.
Régime polit. : monarch. parl. et dém. : Elisabeth II, reine depuis le 6 février 1952

Une peuplade d'origine ibérique érigeait au IIIe millénaire des mégalithes sur les côtes sud et ouest de l'archipel britannique, qui possède déjà plusieurs peuples individualisés. Les Celtes arrivent dans les îles vers 800 av. J.-C., leur influence s'avère plus marquée après 400 av. J.-C. Ils rassemblèrent sous leur autorité de plus en plus de tribus, gouvernées monarchiquement. Les Romains commençaient la conquête des îles au Ier siècle av. J.-C. Les dernières troupes romaines quittaient l'Angleterre en 407 ap. J.-C., sans avoir pu occuper ni l'Irlande ni l'Ecosse, chassés par des révoltes de plus en plus fréquentes. Des peuplades germaniques, les Angles, les Saxons, les Jutes, débarquaient à leur tour au-delà de la Manche. Après des luttes féroces, ils parvenaient à créer sept royaumes en Angleterre du Centre et de l'Est : le Kent, le Sussex, l'Essex, le Wessex, l'Ostanglie, la Mercie et la Northumbrie. Les populations celtes furent repoussées dans les Cornouailles, le pays de Galles ou bien passaient en Irlande ou en Armorique. Les Anglo-Saxons se convertirent au catholicisme dès la fin du VIe siècle ap. J.-C. Saint Augustin, missionnaire envoyé par Rome en 601, devenait archevêque de Canterbury : la ville devenait le centre religieux de l'île. Parmi plusieurs tentatives d'unification des royaumes, celle d'Alfred le Grand, roi du Wessex (871-899), réussit dans le domaine anglo-saxon. Lui-même et ses successeurs eurent à repousser les raids meurtriers des Danois. Ceux-ci finirent par conquérir l'Angleterre avec le roi Knut le Grand en 1016. Le rattachement de l'Angleterre au royaume scandinave fut abandonné par les successeurs de Knut le Grand. Guillaume le Conquérant, duc de Normandie, débarquait au sud de l'Angleterre en 1066 : sa victoire à Hastings contre le roi Harold lui ouvrit le pays. L'influence franco-normande allait dominer l'Angleterre pendant un siècle. L'élément essentiel de la structure du royaume, divisé en vastes domaines, est un système féodal très strict, dont le roi constitue la tête. Guillaume le Conquérant faisait établir en 1086 le *Domesdy Book,* qui établissait un relevé précis

des possessions en terres et lui permettait dès lors d'établir un impôt direct et juste. Henri Ier devenait roi à la mort de son père, en 1087. La maison d'Anjou-Plantagenêt demeurera ensuite au pouvoir de 1154 à 1399. Henri II (1154-1189) possédait de vastes territoires à l'ouest et au sud-ouest de la France : le roi d'Angleterre était le plus puissant vassal du roi de France. Il conquérait l'Irlande en 1171 et imposait le système féodal en Ecosse et au pays de Galles. Un conflit opposa après sa mort ses fils Richard Cœur de Lion (1189-1199) et Jean Sans Terre (1199-1216) aux barons féodaux : les rapports se détériorèrent également avec la France, provoquant la guerre de Cent Ans.

La guerre de Cent Ans

Edouard III, couronné en 1327, fit valoir ses droits sur la couronne de France : la guerre éclatait entre les deux pays en 1339, elle ne s'achèverait qu'en 1453, l'Angleterre avait perdu toutes ses possessions continentales, à l'exception de Calais. La guerre avec la France renforça le sentiment national anglais, l'influence culturelle française subit un net recul et une langue anglaise écrite se constituait au XIVe siècle. Le Parlement subit également un changement important : les représentants des villes et la petite noblesse s'allièrent et formèrent la Chambre des communes, qui se séparait de la Chambre des lords. L'Angleterre était secouée à la fin de la guerre de Cent Ans par une grave crise intérieure, politique et économique. En 1455 éclatait un conflit pour le trône entre les maisons d'York et de Lancastre, toutes deux branches de la dynastie des Plantagenêt. La victoire d'Henri VII (1485-1509), un Tudor, contre Richard III d'York mettait fin à la guerre des Deux-Roses. Le mariage d'Henri III avec Elisabeth d'York mettait fin aux revendications des deux familles.

La dynastie des Tudor

Henri VII réussit à assurer et à étendre son pouvoir. Le règne de son fils Henri VIII (1491-1547) vit la scission anglicane surgir d'une querelle avec le pape, qui avait refusé d'annuler le mariage du roi, toujours sans héritier, avec Catherine d'Aragon. Le roi prenait en 1534 la tête de l'Eglise anglicane indépendante. A la mort d'Henri VIII, en 1547, son fils Edouard VI n'avait que neuf ans. La régence fut exercée par le duc de Somerset, puis, après 1549, par le duc de Northumberland. Le *Common Prayer Book,* devenait le fondement du protestantisme modéré anglican. A la mort d'Edouard VI, sa sœur, Marie Tudor, devenait reine : elle tenta en vain de réintroduire le catholicisme dans le royaume. La France tenta vainement à la mort de Marie Tudor, en 1558, de placer Marie Stuart, fille du roi

d'Ecosse, sur le trône anglais. Elisabeth Ire, fille d'Henri VIII et d'Anne Boleyn, s'imposa : elle résista aux revendications de la France et de l'Espagne, dont elle brisait la puissance en détruisant l'Invincible Armada, en 1588. L'Angleterre était placée sur la voie qui la mènerait à l'hégémonie mondiale. L'Eglise anglicane avait été restaurée par la reine en 1559. Son règne, l'« ère élisabéthaine », qui allait durer jusqu'en 1603, fut une époque de prospérité économique et culturelle. Le commerce maritime connut un essor considérable, la Virginie, première colonie anglaise d'Amérique du Nord, naissait en 1584, la Compagnie des Indes orientales apparaissait en 1600.

Guerre civile sous les Stuart

Les affinités anglicanes du roi s'affirmaient dès 1604, lors de l'assemblée de Hampton Court : la conspiration des *Poudres,* complot catholique mené par Guy Fawkes et Robert Catesby, était découverte un an plus tard. Le roi s'entoure de favoris dès 1612 ; Robert Carr, comte de Somerset dès 1613, joue un rôle essentiel au gouvernement. Les parlements convoqués par le roi en 1614 et 1621 en raison de ses difficultés financières étaient aussitôt dissous. George Villiers, futur duc de Buckingham, remplaçait Somerset comme favori en 1616. En paix avec l'Espagne depuis 1604, Jacques Ier refusait de rompre avec Madrid lors du déclenchement de la guerre de Trente Ans en 1618. Mais Buckingham, dont l'influence sur le roi devient prépondérante dès 1624, oriente la diplomatie anglaise contre l'Espagne : l'expédition de la flotte anglaise à Cadix, sous le règne de Charles Ier (1625-1649), s'achève en 1625 par un désastre. Les relations avec la France se tendaient dès 1626, malgré le mariage du roi avec Henriette-Marie, fille d'Henri IV. Une expédition anglaise menée par Buckingham au secours des protestants français retranchés à la Rochelle s'achevait en 1627 par le fiasco de l'île de Ré. Buckingham était assassiné un an plus tard. Charles Ier avait déjà dissous deux Parlements : il devait concéder au troisième (1628-1629) la *Petition of Right* (Pétition de droit), la situation financière du royaume étant désastreuse. L'instauration d'un nouvel impôt, extrêmement impopulaire *(ship money)* en 1634, devait permettre au roi de reconstituer sa marine. Le livre de prières de Laud, hostile aux puritains, était imposé au royaume en 1637 : une véritable persécution se développe à l'encontre des puritains, qui sont nombreux à émigrer en Amérique du Nord. Mais l'Ecosse se soulevait contre les mesures épiscopalistes de Laud : le roi ne pouvait en venir à bout et devait accepter le traité de Berwick (1639). Charles Ier réunissait une nouvelle armée contre les Ecossais, qui étaient vainqueurs à Newburn (août

1640). Le roi n'a plus qu'un moyen pour financer une nouvelle campagne : convoquer le Parlement. Celui-ci, le *Long Parlement,* se réunit en novembre. Le Parlement envoie d'emblée Laud à la Tour de Londres et le comte de Strafford, l'un des principaux conseillers du roi, à l'échafaud ; le ship money est supprimé. Les mesures excessives prises par le Parlement rassemblent un fort parti anglican modéré autour de Charles Ier, qui se s'aliène pourtant par de graves fautes politiques (négociations avec les catholiques irlandais). Le Parlement soumet au roi en juin 1642 les « Dix-Neuf Propositions », véritable ultimatum qui lui ôte tout pouvoir. Le refus de Charles Ier déclenche la guerre civile. L'armée parlementaire remportait plusieurs victoires en 1643 et 1644 : Oliver Cromwell jouait un rôle déterminant dans la victoire de Marston Moor (2 juillet 1644). L'alliance du Parlement avec l'Ecosse le rangeait sous la bannière du presbytérianisme. Les Ecossais capturaient le roi en mai 1646 et le remettaient aux Anglais, mais un conflit éclatait entre Cromwell et les presbytériens, qui étaient exclus du Parlement après avoir été écrasés à la bataille de Preston (août 1648). Mis en accusation, Charles Ier était condamné et exécuté, le 30 janvier 1649. Cromwell devait ensuite pacifier l'Irlande puis l'Ecosse, ralliée à Charles II Stuart, fils de Charles Ier. Le Long Parlement était dissous en 1653 et Cromwell faisait publier, le 16 décembre, *L'instrument of Government,* première Constitution écrite de Grande-Bretagne, qui établissait le protectorat unissant Angleterre, Ecosse et Irlande. Déclenchée par la promulgation du *Navigation Act* en 1651 (interdiction aux navires étrangers de commercer avec les colonies anglaises), la guerre avec les Provinces-Unies s'achevait à l'avantage de Cromwell en 1654. Alliée à la France, l'Angleterre battait l'Espagne et gagnait Dunkerque après la victoire des Français aux Dunes (1658). Cromwell mourait le 3 septembre 1658 : son fils Richard le remplaçait, mais il abandonnait ses fonctions en mai 1659 : Victorieux, le général George Monk rappelait Charles II, qui rentrait à Londres en mai 1660 ; il était remplacé par son frère Jacques II en 1685. L'autoritarisme du régime provoqua une nouvelle rébellion du Parlement, qui appela son gendre et neveu Guillaume d'Orange à l'aide. Celui-ci débarquait en Angleterre en 1688, Jacques II se réfugiait en France. Devenu roi, Guillaume III reconnaissait dans le *Bill of Rights* les droits du Parlement et régnait sur la Hollande et l'Angleterre en union personnelle. La dynastie des Stuart avait définitivement perdu le trône anglais.

L'Angleterre, puissance mondiale

Le XVIIe siècle vit l'apparition de deux

partis politiques nettement distincts, les tories, opposés à la république, et les whigs, qui tentaient de limiter la puissance royale. La reine Anne (1702-1714) mourait sans héritier, la Grande-Bretagne était gouvernée en union personnelle avec l'électorat de Hanovre. Le roi George Ier, prince-électeur du Hanovre, laissa la charge des affaires à son cabinet, dirigé par Robert Walpole de 1721 à 1742. Il réforma la structure administrative du pays, pratiqua une politique commerciale avantageuse et restaura les finances de l'Etat. Une nouvelle guerre contre la France éclatait en 1755 : le ministre des Affaires étrangères William Pitt le Vieux réussit à retirer à la France toutes ses possessions d'Amérique du Nord, y compris le Canada, et ses territoires de l'Inde du Sud. Le traité de Paris mettait fin à la guerre de Sept Ans en ajoutant à ces pertes en 1763 le Sénégal et une série d'îles des Petites Antilles. L'Angleterre n'avait plus de rivale à la surface du globe. Elle devait pourtant reconnaître en 1783 la perte de ses colonies nord-américaines (sauf le Canada) et leur indépendance. Le développement de la révolution industrielle provoqua un nouveau choc, bientôt suivi de celui causé par la Révolution française. De nombreux mouvements radicaux se développaient en Grande-Bretagne dans les centres industriels : le gouvernement réagit violemment pour rester maître de la situation, compte tenu de la menace de plus en plus vive représentée par la France révolutionnaire. La Grande-Bretagne participa aux quatre coalitions contre Napoléon ; sur mer, elle détruisait la flotte franco-espagnole à Trafalgar en 1805. L'échec du blocus continental mis en place par Napoléon précéda de peu celui de la campagne de Russie.

La révolution industrielle

Elle se développa en Grande-Bretagne entre 1750 et 1850, parallèlement à une croissance démographique sans précédent. L'expansion du commerce et de l'artisanat, les découvertes dans le domaine mécanique et leurs applications industrielles modifièrent radicalement les habitudes de vie traditionnelles. La modernisation et la rationalisation menées simultanément dans le domaine agricole conduisit à un exode massif des campagnes vers les villes. L'industrie textile fut la première à s'adapter aux nouvelles techniques, mettant fin au travail domestique et provoquant le regroupement des activités ouvrières dans les agglomérations industrielles. L'attitude politique adoptée par le gouvernement britannique fut celle du laissez-faire libéral, si bien que les crises se répétaient périodiquement, accompagnées de leur cortège de faillites et de chômage de masse. Les conséquences négatives sur le plan humain du capitalisme, chômage, exploitation, provoquèrent des troubles et des grèves dont l'importance répétée imposa vers le

milieu du siècle les premières mesures d'une politique sociale nationale. La journée de dix heures était imposée par la loi en 1850. Après la réforme parlementaire de 1832, la bourgeoisie accédait au pouvoir politique. Mais les couches les plus pauvres de la population ne disposaient toujours pas du droit de vote. Le premier congrès des trade-unions se réunit en 1868. Le parti whig était devenu le parti libéral, les tories étaient devenus les conservateurs. William Gladstone, chef du parti libéral, fut quatre fois au pouvoir entre 1868 et 1894 : il introduisit l'école obligatoire pour tous, réforma l'armée et rendit un nouveau souffle à l'économie par des réformes monétaires et fiscales. Le conservateur Benjamin Disraeli fut Premier ministre de 1874 à 1880 : il favorisa le processus de démocratisation et fit adopter la loi de 1867 octroyant un droit de vote identique à tous les Britanniques. C'est également sous sa direction que la politique impérialiste britannique prit tout son sens, l'Inde devenant en 1876 un empire. Compte tenu de sa croissance économique, la Grande-Bretagne abandonna sa politique protectionniste. L'époque de la liberté de commerce durera, à l'exception d'une interruption due à la Première Guerre mondiale, jusqu'en 1932.

Le XXe siècle des deux guerres

La politique impérialiste du gouvernement conservateur en Afrique du Sud provoquait en 1899 la guerre des Boers, qui étaient vaincus en 1902, le Transvaal et l'Orange étaient annexés. Un sentiment d'incertitude se développait en Grande-Bretagne, au fur et à mesure que la concurrence d'autres nations, industrialisées plus tardivement, se faisait plus ressentir. A la mort de la reine Victoria après un règne de 64 ans, en 1901, Edouard VII (1901-1910) lui succédait : son règne était marqué par une querelle au sein du parti conservateur quant à la nécessité de mesures protectionnistes. Les libéraux revenaient au pouvoir en 1905 : d'importantes lois sociales et fiscales permirent de soutenir les couches sociales défavorisées. Lorsque la Chambre des lords s'opposa au budget présenté en 1911 par le gouvernement, le *Parliament Bill* lui retirait son droit de veto. George V était couronné en 1910 : le conflit politique continua de s'aggraver sous son règne (jusqu'en 1936). C'est dans ces conditions qu'éclatait la Première Guerre mondiale. La Grande-Bretagne déclarait la guerre à l'Empire de Guillaume II après que les troupes allemandes aient envahi la Belgique, neutre. La Grande-Bretagne recevait par le traité de Versailles (1919) quelques colonies allemandes et plusieurs territoires de l'Empire ottoman vaincu sous mandat de la Société des Nations. Environ un quart des surfaces émergées du globe appartenaient alors à la Grande-Bretagne. La guerre avait changé la

société britannique et ses partis politiques : le droit de vote était accordé en 1918 à tous les hommes âgés de plus de 21 ans payant des impôts ainsi qu'à toutes les femmes âgées de plus de 30 ans dont le mari payait des impôts. La réforme permettait le renforcement du parti travailliste : le Labour formait un gouvernement pour la première fois en 1924. La crise économique mondiale de 1929 touchait durement le pays : tout juste revenu au pouvoir, la coalition travailliste-libérale devait faire face à une diminution de 50 % des exportations britanniques en un an, à une progression brutale du chômage (2 500 000 personnes). Le gouvernement d'union nationale formé en 1931 prit des mesures sévères d'encadrement de l'économie. L'Empire britannique devenait la même année par le statut de Westminster le Commonwealth des Nations, communauté de nations rassemblées par une tradition commune et liées par une interdépendance économique. Les dominiums les plus importants, le Canada, l'Australie, la Nouvelle-Zélande, Terre-Neuve et l'Afrique du Sud devenaient indépendants. La mort de George V (1936) était suivie de l'avènement d'Edouard VIII, qui abdiquait aussitôt : George VI montait sur le trône. Le développement de la politique nazie en Allemagne fut accueilli par la Grande-Bretagne avec un désir de temporisation qui facilita la conclusion des accords de Munich (1938). La garantie accordée par la Grande-Bretagne et la France à la Pologne entraînait le pays dans le conflit européen en septembre 1939. La Grande-Bretagne, conduite par Winston Churchill (1940-1945), réussit à maintenir son effort de guerre sous les bombardements allemands (bataille d'Angleterre, automne 1940) et à s'assurer du soutien matériel des Etats-Unis avant leur entrée en guerre. La victoire britannique en Libye à El Alamein (23 octobre 1942) sur les troupes allemandes de Rommel rendit l'espoir au pays. La Deuxième Guerre mondiale marquait la fin définitive de la suprématie britannique en Europe et au-delà des mers. Les colonies britanniques obtinrent leur indépendance dans les années suivant la victoire de 1945 et demeurèrent pour la plupart au sein du Commonwealth, qui regroupait avec la Grande-Bretagne 48 Etats indépendants en 1983.

Depuis 1945

Le parti travailliste remportait les élection de 1945. Le gouvernement de Clement Attlee nationalisait les branches les plus importantes de l'économie britannique : les nationalisations étaient annulées lors du retour au pouvoir des conservateurs et de Winston Churchill, en 1951. Les deux partis devaient s'allier dans les années 1970 pour affronter la récession et l'inflation. Lorsque le gouvernement conservateur d'Edward Heath tombait, en 1974, les travaillistes

de Harold Wilson remportaient les élections anticipées. Le gouvernement de James Callaghan, qui succéda à Harold Wilson, était renversé en 1979 par un vote de défiance du Parlement. Ni l'un ni l'autre des gouvernements travaillistes n'avait pu faire face efficacement à la crise, le taux de chômage était le plus élevé depuis la fin de la guerre (1977). Les élections de mai 1979 portaient le parti conservateur au pouvoir, Margaret Thatcher devenait la première femme Premier ministre de Grande-Bretagne. Une politique libérale, relance des entreprises, dénationalisations, est mise en place : Margaret Thatcher tentait en vain de renégocier le traité d'adhésion à la CEE de 1971. Une scission du parti travailliste conduisait à la naissance, le 16 mars 1981, du parti social-démocrate (SDP), partisan du maintien de la Grande-Bretagne dans la CEE et d'un système économique mixte. Succès de prestige coûteux pour la Grande-Bretagne, sa victoire dans la guerre des Malouines : les forces argentines capitulaient dans l'Atlantique Sud le 14 juin 1982 après avoir occupé par surprise, le 2 avril, les îles Falkland. Une importante flotte britannique avait été envoyée pour maintenir la souveraineté britannique sur les îles. L'occupation par les Etats-Unis de l'île de la Grenade (membre du Commonwealth) le 25 octobre 1983 provoqua une certaine émotion en Grande-Bretagne, qui n'avait pas été consultée avant l'intervention. Le parti conservateur remportait la majorité des sièges (395/650) aux élections législatives de juin 1983. Sur le plan intérieur, Margaret Thatcher poursuit une politique de fermeté en Irlande du Nord et, malgré l'apport des revenus pétroliers (depuis novembre 1975) et la politique de rigueur menée par le gouvernement, le nombre des chômeurs (3 millions) est le plus élevé depuis un demi-siècle. L'attentat de Brighton, où le congrès du parti conservateur était réuni le 12 octobre 1984, était revendiqué par l'Armée républicaine secrète irlandaise (IRA) et conduisait au renforcement accru des mesures de police en Irlande du Nord. L'économie britannique était secouée par la grève des mineurs qui débutait le 12 mars 1984 et ne s'achevait, sans résultats pour les grévistes, que le 5 mars 1985. Après l'accord conclu avec la République populaire de Chine pour la restitution en 1997 de la colonie de Hong Kong (2.8.1984), un accord avec l'Espagne permettait le 5 février 1985 la réouverture de sa frontière avec Gibraltar. Pour la première fois depuis la division de l'Irlande (1922), un accord signé en novembre 1985 permettait à la République d'Irlande d'apporter un avis consultatif dans les affaires d'Ulster. L'accord provoquait un durcissement des fronts politiques en Irlande du Nord où le Sinn Féin, aile politique de l'IRA, est devenu le quatrième parti politique.

Grèce

GR
Europe
du Sud-Est
131 944 km²
9,8 M hab.
ONU, CEE, CE,
OTAN, OCDE

Capitale : Athènes (885 000 hab.)
Langue officielle : grec
Religions : grec-orthod. (96,8 %), musulm.
Régime polit. : rép. parlem. et dém. depuis le 7 juin 1975

C'est en Crète et à Mycènes qui naquirent l'histoire et la culture grecques. Des peuples probablement originaires d'Asie Mineure atteignaient la Crète vers 7000 av. J.-C. La culture crétoise connut un brillant développement entre 2600 et 2000 av. J.-C. Le rayonnement de la culture crétoise est attesté par les contacts commerciaux qu'elle entretenait avec des régions lointaines de Méditerranée et la fondation des premiers palais, après 2000. Cinq d'entre eux ont été retrouvés : Cnossos, Kato Zakros, Malia, Phaistos et Hagia Triada. Les vastes installations des palais constituaient le centre de la vie religieuse, politique et économique des régions crétoises. L'île était ravagée vers 1700 par plusieurs séismes, ses palais étaient réduits en cendres. Ils furent reconstruits, agrandis et embellis, par les Minoens – ainsi nommés d'après le légendaire roi Minos –, leur puissance commerciale s'étendit. La Crète atteignit l'apogée de sa civilisation vers 1600. Les Minoens possédaient des comptoirs commerciaux à Egine, Cos, Cythère, Melos, Rhodes, à Théra et à Milet. Les derniers grands palais furent incendiés pour des raisons inconnues vers 1400, la civilisation minoenne disparaissait, remplacée par la civilisation mycénienne. Les Mycéniens, nommés d'après leur ville principale, Mycènes, dans le Péloponnèse, dominaient depuis 1400 le sud de la Grèce. Ils étaient présents en Crète depuis 1450, en recevant les influences culturelles et la supplantant progressivement dans le domaine maritime. Les tombeaux des princes de Mycènes, exhumés par l'Allemand Heinrich Schliemann, montrent la richesse de la cité guerrière, dont la culture n'atteignait cependant ni la finesse ni l'élégance de la culture minoenne. Les principaux centres de la puissance mycénienne sur le continent grec étaient, outre Mycènes elle-même, Phylos, Thèbes, Tirynthe, Athènes, Iolchos et Orchomène. L'hégémonie de Mycènes était totale vers 1300, elle cessait pourtant un siècle plus tard. La puissance des Mycéniens s'effondra brutalement vers 1100, la plus grande partie de la Grèce tombait sous la domination des Doriens, envahisseurs venus du nord et du nord-ouest, colonisant l'essentiel de la Grèce centrale ainsi que le nord et le nord-ouest du Péloponnèse.

L'époque classique

Les cités grecques développèrent leur puissance après la chute de Mycènes ; leur surpopulation les contraignit à établir de nombreuses colonies dans toute la Méditerranée. C'est ainsi que naquirent les ports de Syracuse, Marseille, Naples, Trapézonte et Nice. Les micro-Etats grecs et leurs colonies étaient le plus souvent gouvernés autocratiquement par des tyrans ou oligarchiquement par les familles dominantes. Les épopées homériques, qui naissent à cette époque, et les Jeux olympiques, les premiers ont eu lieu à Olympie en 776, contribuent à forger un sentiment croissant de communauté de civilisation à travers les multiples Etats grecs. L'ascension du royaume perse de Cyrus II le Grand, depuis le milieu du VIᵉ siècle, mit les Grecs pour la première fois en face d'un dangereux rival. Les Perses avaient érigé à la fin du VIᵉ siècle un empire colossal et régnaient également sur les cités grecques d'Asie Mineure, soumises après de longs combats. Une révolte désespérée des cités grecques ioniennes d'Asie Mineure éclatait vers 500 ; elle était écrasée. Milet était détruite en 494. Mais les cités mères entraient dans le combat : Athènes dépêcha des renforts aux colonies ioniennes. Les Athéniens remportaient en 490 à Marathon une victoire décisive contre les Perses de Darius Iᵉʳ. Les Perses repartaient à l'assaut de la Grèce dix ans plus tard sous Xerxès Iᵉʳ. Les Spartiates, renommés pour leur bravoure et leur génie tactique, tentèrent en vain de retenir l'armée perse aux Thermopyles ; celle-ci fut cependant vaincue par les forces grecques dans la bataille navale de Salamine (480) et sur terre à Platée (479). Le rôle clé joué par Athènes dans la lutte contre les Perses lui permit bientôt de devenir la plus importante cité grecque. La cité d'Athéna atteignit le summum de sa puissance sous le démocrate Périclès (461-429). C'est également sous son gouvernement, l'« âge d'or de Périclès », que l'Acropole acquit sa physionomie classique. L'apogée de la culture grecque peut être situé à ce moment (vers 440), Athènes est une ville riche et magnifique, son système démocratique permet à tout citoyen d'accéder aux magistratures, son rayonnement intellectuel est considérable, les auteurs tragiques y font représenter des chefs-d'œuvre. L'hégémonie d'Athènes attira bientôt contre elle l'hostilité des cités voisines : une ligue de cités dirigées par Corinthe l'attaquait au cours de la guerre du Péloponnèse (431-404). La suprématie maritime d'Athènes ne trouvait son équivalent sur terre qu'à Sparte, sa grande rivale, quasiment invincible. Il semblait impossible qu'une bataille puisse décider du sort de la guerre. La peste éclatait à Athènes en 429, Périclès lui-même y succombait. Ses successeurs poursuivirent la guerre sans avoir son talent politique. La paix était conclue en 421 sur la base du statu quo. Mais les hostilités reprirent bientôt : la victoire spartiate était totale en 405, la flotte athénienne était détruite, Sparte prenait la tête de la Grèce. Cette victoire, Sparte la devait cependant à la conclusion d'un accord avec les Perses, qui lui accordèrent généreusement leurs subsides en échange de la livraison des villes grecques d'Asie Mineure. Revenant sur leurs promesses, les Spartiates perdirent leur suprématie au fil des troubles qui éclatèrent en Asie Mineure et en Grèce continentale. Après avoir été vaincue par le Thébain Epaminondas à Leuctres (371), Sparte était définitivement battue en 362 par la deuxième ligue du Péloponnèse.

La suprématie macédonienne

Rivalités et guerres se poursuivirent en Grèce, préparant la voie au roi Philippe II de Macédoine (382-336) pour sa conquête de la Grèce. La victoire qu'il remportait à Chéronée en 338 grâce à l'utilisation de la tactique militaire de la phalange lui ouvrait les portes de la Grèce. Succédant à son père, Alexandre le Grand poursuivit son œuvre de conquête en Asie Mineure : il battait les armées du roi de Perse Cyrus III en 333 à Issos puis en 331 à Gaugamèles. Maître de l'Empire perse, Alexandre le Grand se dirigeait vers l'est et atteignait l'Indus. Sa mort, en 323, livrait son immense empire aux querelles de ses généraux, les diadoques. Ceux-ci fondèrent leurs propres dynasties à travers l'empire : Ptolémée Iᵉʳ, Antigonos Iᵉʳ, Lysimaque, Seleukos Iᵉʳ et Cassandre prenaient en 306-305 le titre de rois et tentaient de reconstituer l'empire d'Alexandre aux dépens de leur rivaux. Seules trois dynasties parvinrent à maintenir leur royaume après la guerre des diadoques : la Macédoine (jusqu'en 168 av. J.-C.), l'Egypte (jusqu'à 30 av. J.-C.) et le Royaume séleucide (jusque vers 30 av. J.-C.). Le règne de minorités grecques favorisa l'extension de la culture grecque dans l'Orient méditerranéen, l'hellénisation des peuples hétérogènes de l'empire d'Alexandre. Les Antigonides, au pouvoir en Macédoine depuis 276, maintenaient également leur hégémonie en Grèce.

L'époque romaine et byzantine

Rome s'intéressa dès les débuts de son expansion (début du IIIᵉ siècle av. J.-C.) à la Macédoine et à la Grèce. Rome intervient tout d'abord contre la Macédoine, vaincue par Flamininus à Cynoscéphales en 197, la Grèce retrouve une autonomie factice. La victoire des Romains en 168 contre Persée, fils de Philippe V de Macédoine, au cours de la troisième guerre macédonienne, leur permit d'annexer le royaume, dès lors divisé en quatre provinces romaines. Libre en principe mais soumise au contrôle politique de Rome, la Grèce se joignait à la Macédoine lors de la révolte de 149-148, écrasée par les Romains. Corinthe était détruite en 146. La Grèce était intégrée avec la Macédoine dans une unique province romaine, la Macedonia, créée en 148. La tentative de Mithridate de libérer l'Asie Mineure et la Grèce (88-84 av. J.-C.) s'achevait par un échec, Athènes était prise par Sulla après un siège difficile. Epuisée après les guerres civiles, où elle avait soutenu le rival de César, Pompée, la Grèce redevenait une province autonome sous l'empereur romain Auguste († 14 ap. J.-C.), l'Achaïe, avec Corinthe pour capitale. Après la chute de l'Empire romain d'Occident, la Grèce était rattachée à l'Empire romain d'Orient où son importance ne cessa plus de diminuer. Au fil du temps, l'idée impériale romaine finit par perdre sa prépondérance et la culture grecque s'imposa à travers l'empire byzantin. La Grèce byzantine eut à souffrir de plusieurs invasions après les grandes invasions barbares (Wisigoths, Ostrogoths, Huns, Slaves, Avars) des IVᵉ et Vᵉ siècles : les Arabes conquéraient la Crète en 826 (reprise en 961), les Bulgares sont battus aux Thermopyles en 996, les Normands ravagent l'Epire, l'Eubée et l'Attique au cours du XIᵉ siècle. Constantinople, capitale de l'Empire byzantin, était prise par les Vénitiens lors d'une croisade en Terre sainte en 1204. Croisés et Vénitiens étaient maîtres de la Grèce.

La domination ottomane

Constantinople était détruite par les Ottomans en 1453 : les Etats des Croisés et la Grèce (Athènes était prise le 4 juin 1456) tombaient sous le contrôle du sultanat ottoman. La Crète, possession vénitienne depuis 1212, était à son tour conquise en grande partie par les Ottomans en 1669. La Grèce conserva sa langue et sa religion mais devait payer tribut à ses nouveaux maîtres, qui étaient mieux acceptés que les Latins ou les Vénitiens en particulier. De nombreux artistes et savants grecs se réfugièrent en Italie, où ils provoquèrent une renaissance de la culture et des arts helléniques. Revanche sur l'histoire, les Grecs acquirent une liberté de commerce de plus en plus grande au fil des guerres entre les puissances européennes et l'Empire ottoman et remplacent les Vénitiens en Méditerranée orientale dès le XVIIᵉ siècle. Appuyée par la Russie depuis le soutien accordé par la tsarine Catherine II en 1768-1774, la Grèce bénéficie d'un important courant de sympathie européen (mouvement philhellénique) dès le début du XIXᵉ siècle. L'insurrection éclate en mars 1821 ; le congrès d'Epidaure,

Grèce

présidé par Alexandre Mavrocordatos proclame l'indépendance en janvier 1822. La répression turque est féroce (massacres de Chio, avril 1822), la Grèce est reprise après deux ans de combats acharnés par les troupes de Méhémet-Ali, pacha d'Egypte. La Grèce est sauvée par l'intervention des puissances européennes contre la Turquie (bataille de Navarin, 1827) puis par celle du tsar Nicolas Ier, en 1828. La Grèce retrouvait la liberté et était déclarée monarchie héréditaire par le premier protocole de Londres, le 3 février 1830 ; elle devenait en 1832 un royaume indépendant.

La Grèce moderne
D'abord limité à la Grèce du Sud et Centrale, le royaume s'étendit progressivement. Le régime monarchique fut maintenu depuis le règne d'Otton Ier jusqu'en 1974, à l'exception des années 1924-1935 et 1936-1945. Le régime autoritaire d'Otton Ier, qui tenta d'abolir la Constitution, provoqua son renversement en 1862. Guillaume de Danemark lui succédait sous le nom de George Ier, son règne allait durer jusqu'en 1913. La Grèce, qui conserva une attitude de neutralité au début de la Première Guerre mondiale, se joignit aux Alliés en juin 1917 et obtint à l'issue des traités de Neuilly et de Sèvres (1919-1920) l'Albanie du Sud puis Smyrne (Izmir) en Asie Mineure et la Thrace occidentale. La guerre qui éclatait alors avec la Turquie s'achevait sur

la défaite grecque devant les troupes de Mustafa Kemal et la restitution de Smyrne et de la Thrace. La paix de Lausanne (1923) fixait la frontière, inchangée depuis lors, entre la Grèce et la Turquie. Plus d'un million de Grecs devaient émigrer d'Asie Mineure vers la Grèce d'Europe. La république était proclamée le 25 mars 1924 après la victoire électorale des partisans de Eleuthérios Venizélos. Mais le pays sombrait dans l'anarchie et la république était abolie après le coup d'Etat militaire de mars 1935. Le roi Georges II, rappelé par un plébiscite, rentrait d'exil en novembre 1935. Quelques mois plus tard (4 août 1936), le coup d'Etat du général Ioannis Metaxás lui permit d'instaurer une dictature militaire qui se maintint jusqu'à l'invasion italienne de 1940. Occupée par les troupes germano-italiennes jusqu'en 1944, la Grèce fut libérée par les troupes britanniques. Une guerre civile éclatait en 1946 entre les anciens résistants communistes, qui refusent de se rallier à la royauté, et le gouvernement légal, soutenu par les Anglais puis par les Américains. Le gouvernement ne réussissait à se rendre maître de l'insurrection qu'en 1950. Une modification de la Constitution faisait de la Grèce une monarchie constitutionnelle en 1952. Constantin II montait sur le trône en 1964 à la mort de son père, Paul Ier, au pouvoir depuis 1947. Le roi décidait brusquement l'année suivante de renvoyer le Premier ministre Gheórghios

Papandréou, lui reprochant de vouloir accentuer le contrôle du pouvoir civil sur les militaires. La crise de Chypre (indépendante depuis 1959) ébranlait les gouvernements suivants, alors que l'URSS se rapprochait des thèses turques concernant l'île.

La dictature militaire
Un groupe d'officiers renversait le 21 avril 1967 le gouvernement civil et instituait un gouvernement à dominante militaire, qui prêtait serment au roi. Des mesures répressives visant les partis de gauche étaient aussitôt appliquées. Le gouvernement de Konstandinos Kollias devait, sous la pression politique de la Turquie, retirer les troupes grecques stationnées à Chypre. Le roi Constantin, qui tentait un contre-coup d'Etat le 13 décembre 1967, devait quitter la Grèce et se réfugiait à Rome avec sa famille. Le colonel Papadopoulos prenait la tête du gouvernement. La Constitution promulguée en 1968 fixait le principe de la prééminence de l'armée dans l'Etat. L'opposition politique est muselée à l'intérieur, l'opposition en exil, bien que divisée, s'unifie par l'accord de Stockholm du 2 avril 1969. Une vague d'épurations touche les syndicats, l'Eglise, l'administration et même l'armée ; la liberté de la presse était totalement suspendue en 1970. Une tentative de libéralisation en 1971 précédait la reconnaissance du régime par les Etats-Unis. Papadopoulos concentrait de plus en plus le pouvoir entre ses

mains et prenait le contrôle total de l'Etat après mars 1972. Craignant le retour du roi, il proclamait la république le 1er juin 1973 et devenait chef de l'Etat après le référendum du 29 juillet. La révolte des étudiants athéniens, le 14 novembre 1973, était violemment réprimée ; Papadopoulos était renversé quelques jours plus tard par le général Phaidon Ghizikis, qui intensifiait la répression. L'aggravation de la tension à Chypre en juillet 1974 provoqua le rappel d'un gouvernement civil, constitué par l'ancien Premier ministre Constantin Caramanlis.

Retour à la démocratie
Les élections de novembre étaient remportées par le parti de Constantin Caramanlis, la « Démocratie nouvelle ». La Constitution adoptée en juin 1975 donnait à la Grèce un régime de république parlementaire et démocratique. Des négociations étaient simultanément poursuivies pour résoudre la crise de Chypre. L'année de l'entrée de la Grèce dans la CEE, 1981, fut également celle de la victoire électorale du parti socialiste (PASOK). Le Premier ministre, Andreas Papandreou, prenait ses distances à l'égard de l'OTAN et des Etats-Unis, accusés de favoriser la Turquie au détriment de la Grèce. L'élection du juge Christos Sartsetakis à la présidence, le 29 mars 1985, constitua avec sa victoire aux élections anticipées de juin un double succès pour le PASOK.

Grenade

WG
Amérique centrale
344 km²
116 000 hab.
ONU, CW, CA-RICOM, OEA

Capitale : Saint George's (30 000 hab.)
Langue officielle : anglais
Religions : chrét. 70 % (cath. essent.)
Régime polit. : monarch. parlem. Indépendance obtenue le 7 février 1974

L'île de Grenade, appartenant aux Petites Antilles, fut découverte en 1498 par Christophe Colomb, qui la nomma « Concepción ». Acquise par le gouvernement de la Martinique en 1650, puis par la Compagnie française des Indes occidentales (1665), la Grenade était colonisée sous contrôle de la Couronne après 1674. Les plantations de coton, de café et de cacao y furent développées à partir de 1714 : la population indigène ayant été décimée, la main-d'œuvre était fournie par des es-

claves noirs amenés d'Afrique, dont la mortalité était effroyable, compte tenu des mauvaises conditions de travail. Prise par l'Angleterre en 1762, l'île lui revient définitivement après le traité de Versailles (1783), trois ans après avoir été reprise par le comte d'Estaing. L'exploitation coloniale se poursuit dans les mêmes conditions jusqu'à l'abolition de l'esclavage, en 1834. Devenue colonie de la Couronne britannique en 1877, la Grenade appartint de 1958 à 1962 à la Fédération des Indes

occidentales. Elle avait obtenu en 1960, sous le gouvernement du Premier ministre Eric Gairy, son autonomie interne. L'indépendance au sein du Commonwealth était acquise en 1974. Le régime autoritaire de Gairy était renversé le 13 mars 1979 par le mouvement *New Jewel* de Maurice Bishop. L'exécution de ce dernier, le 20 octobre 1983, entraînait l'intervention des troupes américaines, le 25. Chef du nouveau parti national, Herbert Blaize remportait les élections du 3 décembre 1984.

Guatemala

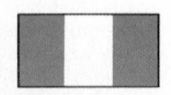

GCA
Amérique centrale
108 889 km²
7,9 M hab.
ONU, OEA, SELA

Capitale : Ciudad de Guatemala (1,4 M hab.)
Langue officielle : espagnol
Religions : cath. (96 %), prot. (1,4 %)
Régime polit. : rép. présid. Indépendant de l'Espagne depuis 1821, rép. depuis 1839

Les premiers habitants du Guatemala furent des chasseurs, dont on retrouve les traces à partir de 10 000 av. J.-C. Les premiers villages d'agriculteurs apparaissent après 2000 sur la côte pacifique puis, vers 1000 av. J.-C., dans les hautes-terres, à Kaminaljuyú. La période classique (250-950) voit l'épanouissement de la culture maya. Principal centre politique du pays, Kaminaljuyú est dominée entre 400 et 700 par des immigrants mexicains en provenance de Teotihuacán. Après la chute

de l'Empire de Teotihuacán et celle de l'Empire des Toltèques (fin du XIIe siècle), des tribus guerrières venues du nord, les Quichés ou les Cakchiquels, fondent plusieurs royaumes rivaux, qui restèrent maîtres des hautes terres jusqu'en 1524.

La colonisation espagnole
Envoyé par Cortés, le conquistador espagnol Pedro de Alvarado arrivait au Guatemala au début du mois de février 1524. Il réussissait en 1537 à conquérir

le nord du pays après avoir vaincu le Royaume quiché. L'Amérique centrale formait en 1542 la capitainerie générale de Guatemala, rattachée à la vice-royauté du Mexique. Les missionnaires s'avancèrent au cours des XVIe et XVIIe siècles encore profondément dans le nord du Guatemala. L'*audiencia* de Guatemala regroupait en 1570 les territoires de Chiapas, du Guatemala, du Honduras, d'El Salvador, du Nicaragua et du Costa Rica : elle fut maintenue sous cette forme jusqu'en 1821.

L'indépendance

Le Guatemala suivait le Mexique dans son indépendance vis-à-vis de l'Espagne en 1821 et s'en dissociait après la chute de l'Empire d'Iturbide en 1823. Appartenant à la fédération des Provinces-Unies d'Amérique centrale (novembre 1824), le Guatemala se libère de la dictature du Hondurien Morazán en 1839 par la révolte des Indiens menée par Raffael Carrera. La fédération se disloque et Carrera, conservateur catholique, règnera autoritairement jusqu'en 1865. La guerre civile qui s'ensuit voyait la victoire du libéral Justo Rufino Barrios, qui restera à la tête du gouvernement de 1873 à 1885. La politique anticléricale de Barrios provoqua une vive résistance des milieux conservateurs, mais sa politique économique conduisait à l'essor du Guatemala. Ouvert aux investissements étrangers, les plantations de café sont dominées par des capitaux allemands, le Guatemala se dote d'une infrastructure de transports. Après la fin de la guerre pour l'unité centraméricaine (1885), le combat reprenait entre libéraux et conservateurs, favorisant l'apparition de dictatures au cours du XXᵉ siècle.

Le XXᵉ siècle

La longue dictature de Manuel Estrada Cabrera (1898-1920) voyait le renforcement des intérêts commerciaux américains dans le pays et la constitution de l'empire bananier de l'*United Fruit Company*, qui se mêla de plus en plus, de même que le gouvernement américain, des affaires intérieures du Guatemala. Le général Jorge Ubico exerçait le pouvoir de 1931 à 1944, il était renversé par un coup d'État de l'Action sociale révolutionnaire. Une nouvelle Constitution entrait en vigueur en 1945. La réforme agraire poursuivie par le colonel Jacobo Arbenz Guzmán après son élection à la présidence en novembre 1950 conduisait à l'expropriation des terres incultes de l'*United Fruit* en 1953. Une armée d'exilés armés et entraînés par les services secrets américains (CIA) entrait au Guatemala en 1954 et contraignait Arbenz Guzmán à s'exiler. La réforme agraire était annulée par le colonel Castillo Armas, qui prenait le pouvoir le 8 juillet 1954 ; il était assassiné deux ans plus tard. Coups d'État et contre-coups d'État militaires se succédaient jusqu'à l'adoption d'une nouvelle Constitution, le 15 septembre 1965. Un président civil, Julio César Méndez Montenegro, prenait la tête de l'État (1966-1970), mais l'armée conservait de fait le pouvoir. Des groupes révolutionnaires castristes s'opposant à des groupes terroristes d'extrême droite entretenaient depuis 1961 une guérilla rurale entraînant la proclamation de l'état de siège en 1970 et l'élection du colonel Carlos Araña Osorio en 1970. L'économie guatemaltèque était affectée par les conséquences de l'important séisme de 1976. La victoire des sandinistes au Nicaragua en 1979 stimulait la guérilla révolutionnaire mais renforçait la répression, qui a déjà fait plusieurs dizaines de milliers de victimes au cours des vingt dernières années. Au pouvoir depuis le putsch du 23 mars 1982, le général Efraín Ríos Montt était à son tour renversé le 8 août 1983 par le général Oscar Humberto Mejía Víctores, qui pratiquait une politique identique à celle de ses prédécesseurs. Mejía Víctores poursuivait la répression systématique de l'opposition politique et des minorités indiennes. La guérilla, qui s'est unie en 1984 au sein de l'Union révolutionnaire nationale du Guatemala (URNG) et tente d'obtenir une répartition plus juste des terres, subit d'importants revers face à l'armée et aux groupes paramilitaires des « escadrons de la mort ». Les élections pour l'Assemblée constituante du 1ᵉʳ juillet 1984, marquées par des affrontements sanglants et une importante abstention, sont remportées par une coalition d'extrême droite. Sous la pression de l'aggravation de la situation économique et des réactions internationales face aux violations des droits de l'hom-me (7,7 millions de personnes ont fui le pays et la terreur organisée par l'armée), des élections se tenaient, en l'absence des partis radicaux de gauche, le 3 novembre 1985. Le chrétien-démocrate Vinicio Cerezo était élu à la présidence le 8 décembre, mais les rapports avec les militaires demeurent problématiques.

Guinée (République de)

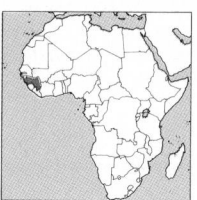
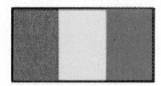

Afrique
de l'Ouest
245 857 km²
5,4 M hab.
ONU, CEDEAO, OUA

Capitale : Conakry (750 000 hab.)
Langue officielle : français
Religions : musulm. (65 %), animistes (30 %)
Régime polit. : rép. présid. social., proclamée le 2 octobre 1958

Le territoire de l'actuelle République de Guinée appartenait au royaume mandingue, vassal du IIIᵉ au IXᵉ siècle du grand royaume soudanais de Gana. Les régions côtières étaient reconnues en 1445 par les navigateurs portugais, qui donnèrent au pays le nom de Guinée. Les Français succédèrent aux Portugais en Guinée ; la France pouvait sauvegarder ses intérêts commerciaux en Guinée après la paix de Paris, en 1814. Les comptoirs commerciaux côtiers des « Rivières-du-Sud » sont regroupés avec les comptoirs de Côte-d'Ivoire et du Gabon entre 1854 et 1859 puis placés sous administration du Sénégal. Les traités de protectorat de 1880 et 1881 permirent de commencer en 1890 la construction du chemin de fer Conakry-Niger. Le pays devenait colonie française en 1891, prenait le nom de Guinée française en 1893 et était intégré à l'Afrique occidentale française en 1895. Les régions montagneuses du sud du pays, où Samory Touré constituait un royaume dioula, résistaient à la pénétration française jusqu'à la défaite de Samory, en 1898. L'Entente cordiale permettait en 1904 d'obtenir de la Grande-Bretagne les îles de Los, en face de Conakry. L'économie du pays reste dominée avant la Deuxième Guerre mondiale par les plantations bananières et reste pauvre. L'exploitation des mines de bauxite (Fria, Boké) et de fer commençait après 1945. Petit-fils de Samory Touré, le jeune syndicaliste Sékou Touré devenait en 1952 secrétaire général du Parti démocratique de Guinée (PDG), section du Rassemblement démocratique africain (RDA). Le PDG, victorieux des élections de mars 1957, réorganisait l'administration du pays. La Guinée refusait l'intégration à la Communauté française lors du référendum du 28 septembre 1958 et devenait une république indépendante sous la direction de Sékou Touré et du PDG, qui appliquent un « socialisme démocratique ». Soutenu par les pays socialistes, la Guinée s'isole peu à peu de ses voisins modérés et de la France. Réélu le 1ᵉʳ janvier 1968, Sékou Touré radicalise son régime : deux anciens ministres et onze co-inculpés sont exécutés en mai 1969. L'intervention à Conakry de Guinéens hostiles à Sékou Touré et aidés par les Portugais (22 novembre 1970) est maîtrisée par l'armée. Des exécutions politiques ont de nouveau lieu en 1971, plusieurs remaniements ministériels et une épuration au sein du parti unique consolident la position de Sékou Touré. La population fuit le pays, les relations avec les pays européens sont au plus mal. Réélu en 1974, Sékou Touré met le port et l'aéroport de Conakry à la disposition de l'URSS et de Cuba lors de la guerre d'Angola, en 1975. Réélu en 1978 et en 1982, il poursuivit une politique autoritaire et répressive. Après sa mort (26 mars 1984), les militaires prennent le pouvoir et restaurent l'essentiel des libertés démocratiques. Le nouveau chef de l'État, le colonel Lansana Conté, parvenait à faire échouer le putsch mené par Diarra Traoré, ministre de l'Éducation, le 4 juillet 1985.

Guinée-Bissau

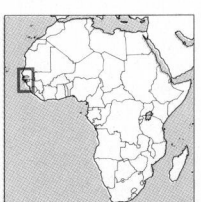
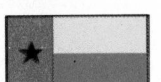

Afrique
de l'Ouest
36 125 km²
860 000 hab.
ONU, CEDEAO, OUA

Capitale : Bissau (109 000 hab.)
Langue officielle : portugais
Religions : animistes (60 %), musulm.
Régime polit. : rép. présid. Indépendance proclamée le 24 septembre 1973

Les côtes de l'actuelle Guinée-Bissau furent découvertes en 1446 par le Portugais Nuno Tristão: le pays devint rapidement un important centre de traite d'esclaves. Les Peuls de Labé dominaient le pays en 1867. La Guinée-Bissau devenait province autonome en 1879, colonie en 1927 puis de nouveau province en 1951. Fondée au XVIIᵉ siècle, Bissau devenait capitale administrative en 1941. Le Cap-Verdien Amilcar Cabral fondait en 1956 le Parti de l'indépendance de la Guinée et des îles du Cap-Vert (PAIGC) : la guérilla anti-portugaise était menée à partir de Conakry après l'indépendance de la Guinée, en 1963. Cabral était assassiné à Conakry en janvier 1973, mais le PAIGC avait été reconnu par l'ONU un an plus tôt. L'indépendance était proclamée le 24 septembre 1974, après que Lisbonne l'ait acceptée (accord d'Alger, 26 août) ; le frère de Amilcar Cabral, Luis de Almeida Cabral, devenait le premier président de la République de Guinée-Bissau. L'orientation marxiste du régime était marquée par un étroit rapprochement avec les pays socialistes en 1977. Le président Cabral était renversé le 14 novembre 1980 par un putsch militaire qui portait au pouvoir un conseil révolutionnaire dirigé par le général Joao Bernardo Vieira, qui devenait secrétaire général du PAIGC. Le conseil révolutionnaire était remplacé après les élections du 31 mars 1984 par un Conseil d'État dirigé par Joao Bernardo Vieira. La Guinée-Bissau est l'un des pays les plus pauvres du monde.

Guinée équatoriale

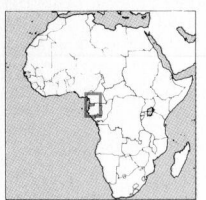

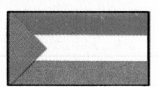

Afrique
équatoriale
28 051 km²
380 000 hab.
ONU, CEDEAO,
OUA

Capitale : Malabo (33 000 hab.)
Langue officielle : espagnol
Religions : cath. (80 %)
Régime polit. : rép. présid. Indépendance obtenue le 12 octobre 1968

Les Portugais découvraient au début de l'année 1471 les îles Formosa et Annobón, qui prenaient par la suite le nom de son découvreur, Fernando Póo (actuellement, Bioco). Les îles ainsi que le territoire côtier possédés par les Portugais devenaient espagnols après le traité du Pardo (1778). Les îles étaient occupées par l'Angleterre de 1827 à 1845. L'Espagne intervenait en 1843 pour rétablir sa souveraineté : de nombreux chefs ndowés du continent se ralliaient à l'Espagne, suivis par Annobón en 1843. Le territoire devenait colonie espagnole avec l'arrivée du premier gouverneur envoyé par Madrid, en

1858, puis prenait le nom de Guinée espagnole en 1885. Un conflit pour les territoires continentaux opposait l'Espagne à la France jusqu'au traité de Paris, en 1900, par lequel l'Espagne dut limiter ses possessions continentales au Rio Muni (actuel Mbini). L'occupation espagnole du Rio Muni ne devint totale qu'en 1926. La colonie devenait province espagnole en 1959, ses habitants obtenaient la citoyenneté espagnole. Le mouvement indépendantiste trouvait son expression politique avec la fondation en 1962 du Mouvement national de libération de Guinée équatoriale (MONALIGE). La Guinée obtenait son

autonomie interne le 1er janvier 1964. La république était proclamée le 12 octobre 1968 après un référendum constitutionnel. L'Espagne devait intervenir militairement en février 1969 pour évacuer ses ressortissants. La dictature de Macias Nguema entraînait l'exode du tiers de la population guinéenne, 40 000 personnes périrent sous la terreur. Le départ des Espagnols contraignait Nguema à faire appel à l'aide de l'URSS et de la Chine. Nguema était exécuté en 1979, le conseil militaire du lieutenant-colonel Teodoro Obiang Nguema Mbasogo renouait des relations économiques avec l'Espagne et l'Occident.

Guyana

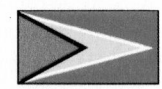

GUY
Amérique du Sud
214 969 km²
920 000 hab.
ONU, CA-
RICOM, CW

Capitale : Georgetown (183 000 hab.)
Langue officielle : anglais
Religions : chrét. (57 %), hind. (33 %)
Régime polit. : rép. présid. Indépendance obtenue le 26 mai 1966

Situé sur la côte nord-est de l'Amérique du Sud, l'actuel Guyana était découvert en 1498 par Christophe Colomb. Les Espagnols y débarquaient l'an suivant. Le pays leur semblant de peu d'intérêt, ils laissaient les Néerlandais, Français et Anglais s'y installer à partir du XVIe siècle. Français et Néerlandais chassaient les Anglais du pays vers le milieu du XVIIe siècle. Un siècle plus tard, en 1796, les Britanniques revenaient et occupaient les territoires néerlandais du Guyana. En partie repoussés, ils en devenaient définitivement maîtres en 1814 : le territoire

néerlandais était divisé entre les deux puissances et le Surinam, appartenant alors au Guyana, revint aux Pays-Bas. Le Guyana devenait colonie britannique en 1831. L'abolition de l'esclavage, en 1833, entraîna l'arrivée jusqu'en 1917 de plusieurs centaines de milliers de familles en provenance des Indes. L'importance de cette population indienne allait depuis jouer un rôle crucial dans l'histoire guyanaise. Le conflit qui naît au cours de la deuxième moitié du XIXe siècle entre les planteurs et le parti progressiste du docteur Jagan provoquait d'importants troubles politiques.

Le Guyana obtenait en août 1961 son autonomie interne et devenait totalement indépendant le 26 mai 1966. La vie politique du pays est dominée par l'opposition entre le *People's National Congress* (PNC), représentant la population noire, et le *People's Progressive Party* (PPP), représentant la population d'origine indienne et gagnant en influence. Elu en 1980, Lindon Forbes Burham, premier président du pays, mourait en août 1985; il était remplacé par le Premier ministre, Hugh Desmond Hoyte, auquel succédait au gouvernement Hamilton Green.

Haïti

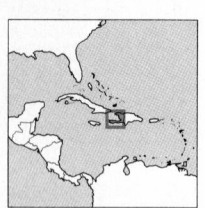

RH
Amérique
centrale
27 750 km²
5,3 M hab.
ONU, OEA,
SELA

Capitale : Port-au-Prince (800 000 hab.)
Langue officielle : français
Religions : cath. (plus de 70 %), prot. (10 %)
Régime polit. : rép. présid. Indépendance proclamée le 1er janvier 1804

C'est en décembre 1492 que Christophe Colomb découvrait l'île d'Hispaniola, qui devenait le point de départ de l'empire espagnol des Indes occidentales. L'extermination des populations amérindiennes (Arawaks) conduisit au début du XVIe siècle à l'importation d'une main-d'œuvre d'esclaves noirs. L'occupation progressive de la partie occidentale de l'île par des flibustiers et boucaniers français dès le début du XVIIe siècle est reconnue par l'Espagne après le traité de Ryswick (1697), qui attribue à la France le tiers occidental de Saint-Domingue. La colonisation de l'île était déjà favorisée par Colbert

depuis 1665. L'exploitation de la canne à sucre puis celle du café (depuis 1726) font la richesse de la colonie. De graves émeutes se produisent de 1720 à 1723 et reprennent de 1763 à 1770. Un soulèvement général des Noirs, dirigés par Toussaint Louverture, éclatait en 1791. Sur une population totale de 570 000 habitants, la colonie compte plus de 500 000 esclaves noirs. L'économie de Saint-Domingue est totalement ruinée. La proclamation de l'abolition de l'esclavage par la Convention (février 1794) permettait la pacification de l'île et l'expulsion des Anglais, qui tentaient de l'occuper depuis 1793. La soumission de Louverture permettait d'imposer aux Espagnols l'annexion de l'est de Saint-Domingue (traité de Bâle, 1795). Mais Louverture instaurait une dictature et proclamait l'indépendance en 1801. Une expédition envoyée par Bonaparte mettait fin à la sécession, Louverture était déporté en France, où il mourait. Les Français étaient chassés de l'île en 1803 par Jean-Jacques Dessalines ; Saint-Domingue reprenait son ancien nom de Haïti. Dessalines se proclamait empereur (Jacques Ier) le 1er janvier 1804, mais était assassiné en 1806. Les Espagnols reconquéraient l'est de l'île en 1808. Au sud et à

l'ouest, le mulâtre Alexandre Pétion fondait une république, le Noir Henri Christophe érigeait au nord un royaume sur lequel il faisait régner la terreur sous le nom de Henri Ier. Après son suicide, en 1820, le pays était réunifié par le successeur de Pétion, Jean-Pierre Boyer. La partie espagnole de Haïti, qui s'était proclamée indépendante en 1821 (Santo Domingo) était conquise par Boyer deux ans plus tard. Un an après la mort de Boyer (1843), la partie orientale de l'île faisait sécession sous l'impulsion de la population blanche, majoritaire, et devenait la République domicaine. Devenu empereur (Faustin Ier) en 1849, Faustin Soulouque persécute les mulâtres et fait du culte vaudou la religion d'Etat. La république est de nouveau proclamée après son renversement, en 1859. Les Etats-Unis intervenaient militairement à Haïti en 1915 après l'assassinat du président Vilbrun Guillaume Sam (26 juillet) et quittaient l'île en 1934, conservant toutefois le contrôle de l'administration des finances. Les conseillers financiers américains ne se retiraient qu'en 1947, après que Haïti ait réglé ses dernières dettes extérieures. Après plusieurs dictatures, le docteur François Duvalier (« Papa Doc »), candidat des propriétaires

noirs, des classes moyennes et de l'armée, remportait les élections générales du 22 septembre 1957 et prenait la tête de l'Etat. Il se faisait nommer président à vie en avril 1964, excluait les mulâtres, jusqu'alors dominants, du gouvernement et instaurait une dictature. Le pouvoir de Duvalier reposait avant tout sur le parti-milice des « tontons macoutes », le Mouvement de Rénovation nationale. Il réussit encore à se rendre maître de plusieurs révoltes et tentatives de putsch avant sa mort, en 1971. Désigné comme héritier par son père, Jean-Claude Duvalier (« Baby Doc ») devenait à 19 ans président à vie de la République haïtienne. Après une timide tetative de libéralisation, il reprit les méthodes autoritaires de son père. Environ un million d'Haïtiens ont déjà quitté le pays, fuyant la répression et la faim. Haïti demeure le pays le plus pauvre d'Amérique. Les troubles qui éclataient le 28 novembre 1985 après le meurtre de manifestants par la police se répandaient à travers tout le pays; sous la pression populaire, Jean-Claude Duvalier quittait précipitamment Haïti le 7 février 1986. La junte militaire dirigée par le général Henri Namphy qui s'emparait du pouvoir promettait des élections pour novembre 1987.

Honduras

Amérique
centrale
112 088 km²
4,09 M hab.
ONU, OEA

Capitale : Tegucigalpa (500 000 hab.)
Langue officielle : espagnol
Religions : cath. (plus de 90 %)
Régime polit. : rép. présid. Indépendant depuis
1821, rép. depuis 1838

Des traces (céramiques) d'une civilisation semblable à celle du nord de l'Amérique centrale et datant environ de 2000 av. J.-C. ont été retrouvées au nord-est de l'actuel Honduras. Les ruines de la ville maya de Cópan témoignent du degré de civilisation atteint à l'ouest du pays vers 600 av. J.-C. Christophe Colomb découvrait l'île de Guanaja le 30 juillet 1502 et foulait pour la première fois le sol américain au cap Honduras le 14 août. La colonisation européenne, appâtée par la richesse du pays en métaux précieux, commençait en 1524, l'éradication des populations indiennes était entreprise. Devenu colonie espagnole en 1525, le Honduras était rattaché de 1539 à 1821 à la capitainerie générale de Guatemala. Indépendant de l'Espagne en 1821, le Honduras appartenait jusqu'en 1823 à l'Empire mexicain puis, avec la Guatemala, le Salvador, le Nicaragua et le Costa Rica aux Provinces-Unies d'Amérique centrale. République indépendante en 1838, le pays connaissait la plus grande instabilité politique de la région. Les Etats-Unis intervenaient à plusieurs reprises après 1911, soutenant les intérêts économiques de l'*United Fruit Co.* La première grève générale dans les bananeraies n'eut lieu qu'en 1954. Le Salvador occupait le pays en 1969 («guerre du football») après l'expulsion de plusieurs milliers de Salvadoriens, immigrés illégalement au Honduras. L'état de guerre entre les deux pays ne prenait fin qu'avec le traité de paix du 30 octobre 1980. Un nouveau putsch avait dans l'intervalle porté le général Policarpo Paz Garcia à la tête de l'Etat hondurien (1978). Le processus de démocratisation mis en place par ce dernier aboutissait à la victoire inattendue des libéraux aux élections du 29 novembre 1981. Le candidat libéral à la présidence, le docteur Roberto Suazo Córdova, était élu à la présidence et à la tête du gouvernement en janvier 1982. La menace d'une guerre avec le Nicaragua était écartée fin mars 1984 par le président Córdova, qui remplaçait le commandant en chef des armées et tentait de se distancier des Etats-Unis, qui imposent au Honduras la présence des «contras», opposés au régime nicaragayen. L'aggravation de la tension entre les Etats-Unis et le Nicaragua en novembre 1984 provoquait l'arrivée de parachutistes américains au Honduras et la reprise des manœuvres militaires communes. Le FBI annonçait simultanément avoir déjoué en Floride un complot visant le président Córdova. Victorieux lors des élections législatives du 24 novembre 1984, le parti libéral perdait pourtant les élections présidentielles qui s'étaient déroulées simultanément. Rafael Calleja, le candidat victorieux à la présidence du Parti national était écarté grâce à une nouvelle loi par José Azcona Hoyo, le candidat libéral.

Hongrie

H
Europe centrale
93 030 km²
10,65 M hab.
ONU,
COMECON, PV

Capitale : Budapest (2,1 M hab.)
Langue officielle : hongrois
Religions : cath. (54 %), prot. (24 %)
Régime polit. : république populaire socialiste
depuis le 20 août 1949

Des tribus celtes s'implantaient vers 400 av. J.-C. dans les territoires danubiens à l'ouest de l'actuelle Hongrie. Les Romains les soumettaient en 10 av. J.-C. et constituaient la province de Pannonie entre les Alpes orientales, la Save et le Danube. Les Goths, les Gépides et les Lombards s'implantaient dans le pays à l'époque des grandes invasions barbares, vers 400 ap. J.-C. Les régions centrales de la Hongrie appartenaient en 445 à l'Empire d'Attila, qui s'étendait du Rhin au Caucase. Après la défaite des Huns à la bataille des champs Catalauniques (près de Troyes) en 451 et la mort d'Attila, en 453, les Gépides battaient les fils d'Attila à la bataille du Nedao et fondaient un royaume entre le Danube, la Tisza, l'Olt et les Carpates. Après leur défaite en 562 devant le roi franc Sigebert Iᵉʳ près de Regensburg, les Avars se repliérent vers la Hongrie, où il repoussèrent les Lombards. Des tribus slaves s'implantèrent dans le pays tout au long de la domination des Avars, jusqu'à la fin du VIIIᵉ siècle. C'est vers 896 que les Magyars, conduits par leur chef Árpád, franchissaient les Carpates et entraient en Pannonie. La dynastie des Árpád restera au pouvoir en Hongrie jusqu'en 1301. Les Hongrois écrasaient en 906 le grand royaume morave puis, en 907, les Bavarois : l'Empire franc perdait sa marche orientale. Le roi allemand Henri Iᵉʳ mettait fin aux incursions des Hongrois par le paiement d'un tribut (926) avant de les battre en 933 à Riade. La bataille décisive avait toutefois lieu au Lechfeld en 955 où l'empereur Othon le Grand stoppait définitivement l'expansion des Hongrois vers l'ouest.

Le royaume de Hongrie
Etienne Iᵉʳ le Saint (997-1038), de la dynastie des Árpád, réussissait à s'imposer aux chefs de clans et favorisait l'essor du christianisme. Il reçoit du pape Silvestre II la couronne (« couronne d'Etienne ») qui lui permet de devenir en 1001 roi de Hongrie. Le pouvoir royal continua de se renforcer sous ses successeurs, le pays s'agrandissait de la Transylvanie, de la Slovénie, de la Croatie et d'une partie de la Dalmatie, conquise sur Byzance. André II obtenait en 1058 le renoncement du Saint Empire romain germanique à tout droit de souveraineté sur la Hongrie. Le roi André II devait en 1211 faire appel à l'ordre des chevaliers teutoniques du grand-maître Hermann von Salza pour repousser une invasion de la peuplade turco-mongole des Coumanes en Transylvanie. L'Ordre ayant tenté après son intervention de se constituer des Etats indépendants, il était expulsé en 1225. A la mort du dernier Árpád, André III, en 1301, le pouvoir des féodaux devenait prépondérant. Diverses dynasties se succédaient pendant deux siècles sur le trône. Le roi Louis le Grand (1342-1382), de la maison d'Anjou, conquérait la Valachie, la Serbie, la Bosnie et la Bulgarie et associait par union personnelle la Hongrie à la Pologne. Vladislas Iᵉʳ Jagellon II, roi de Hongrie et de Po- logne (1440-1444), était battu à la tête d'une armée de croisés en 1444 à Varna, sur la mer Noire, par le sultan Murad II. Cette victoire des Ottomans préludait à la prise de Constantinople (1453) puis à l'invasion de la Serbie, en 1459. La victoire du régent János Hunyadi devant Belgrade en 1456 permettait de bloquer l'avance ottomane en Europe. La Hongrie atteignait sa plus grande étendue sous le règne brillant de Mathias Iᵉʳ Corvin (1458-1490), qui conquérait la Moravie, la Silésie et Vienne.

Perte de l'indépendance
Le sultan ottoman Süleyman Iᵉʳ le Législateur (Soliman le Magnifique) battait à Mohács en 1526 le roi de Bohême et de Hongrie Louis II, qui mourait pendant la bataille. Süleyman avançait vers Vienne. Louis II ne laissant pas d'héritier, le trône revenait selon les accords du traité de Vienne-Presbourg de 1515 à l'archiduc d'Autriche Ferdinand. Les Habsbourg régnaient sur l'Autriche, la Bohême et la Hongrie. Mais un contre-roi était élu par les Hongrois : Jean Zápolya, voïvode de Transylvanie, s'alliait aux Ottomans et conquérait la majeure partie du pays. Le domaine des Habsbourg se réduisait à la Slovaquie et à une étroite bande de territoire à l'ouest du pays. Un partage fut effectué entre les Habsbourg (nord et ouest), les Ottomans (centre) et la Transylvanie, qui devenait une principauté autonome. La Hongrie perdait son indépendance pour quatre siècles et devenait le front de la conquête européenne des Ottomans. Les régions sous souveraineté habsbourgeoise furent dévastées par plusieurs soulèvements nationaux et religieux (répression de la Contre-Réforme). Lorsque les Habsbourg parvinrent à chasser les Ottomans de Hongrie, la paix de Karlo- witz (1699) intégrait la Hongrie, la Transylvanie, la Slovénie et la Croatie en partie à l'Empire autrichien. La Hongrie se soulevait toute entière entre 1703 et 1711 sous la conduite de François II Rákoczi. Malgré leur victoire, les Habsbourg devaient accorder une constitution et reconnaître les privilèges de la noblesse hongroise par le traité de Szatmár (1711). La recolonisation des territoires orientaux, dépeuplés pendant la présence ottomane, provoqua un renversement des rapports ethniques : les Magyars devenaient minoritaires au sein de la population, l'allemand était imposé comme langue administrative. Un mouvement national réformiste conduit par Lajos Kossuth tentait vers 1840 d'obtenir une libéralisation du régime. Sous l'influence de la révolution française de février 1848 et celle de Vienne en mars, une révolution éclatait en 1848 à Pest, sous la conduite de Sándor Petöfi. Le Parlement hongrois proclamait en 1849 la déchéance des Habsbourg, la République de Hongrie était née (14 avril). Vaincus, les Autrichiens devaient se retirer mais faisaient appel aux troupes du tsar Nicolas Iᵉʳ. Lajos Kossuth prenait la tête du gouvernement mais les troupes hongroises étaient battues par les austro-russes à Villágos (13 août 1849). Une dure répression s'ensuivait. La défaite de l'Autriche contre la Prusse en 1866 avait d'importantes conséquences pour la Hongrie : l'Empire des Habsbourg était divisé en deux monarchies seulement réunies par leur monarque, l'empereur d'Autriche, François-Joseph (1830-1916), étant aussi roi de Hongrie. La Double-Monarchie était divisée par la Leitha : Cisleithanie à l'ouest (Autriche), Transleithanie à l'est (Hongrie). La politique extérieure, la guerre et les finances relevaient de ministères communs.

Hongrie

Retour à l'indépendance

La République de Hongrie était de nouveau proclamée après la Première Guerre mondiale, le 16 novembre 1918. Après la manifestation sanglante du 20 février 1919, le parti communiste était dissous par le gouvernement du comte Mihaly Károlyi puis reprenait le pouvoir (21 mars) pour une éphémère république des Conseils (soviets) qui ne durait que 133 jours. Elu régent, le contre-amiral Miklós Horthy devait entériner la perte de la Slovaquie au profit de la Tchécoslovaquie, de la Croatie-Slovénie pour la Yougoslavie, du Banat séparé entre la Yougoslavie et la Roumanie, qui recevait en outre la Transylvanie. Le traité de Trianon (4 juin 1919) faisait donc perdre à la Hongrie les deux tiers de sa superficie.

Régent, Horthy pratiquait une politique tournée vers l'Italie fasciste et l'Autriche puis, après 1933, vers l'Allemagne hitlérienne. La Hongrie entrait dans la Seconde Guerre mondiale en 1941 aux côtés des puissances de l'Axe. Après l'échec de sa tentative de négociations séparées avec les Alliés, Horthy abdiquait en 1944. Le pouvoir revenait au parti fasciste des Croix-Fléchées, qui entraînait le pays dans la guerre.

La Hongrie communiste

La totalité de la Hongrie était occupée en avril 1945 par l'Armée rouge. A la reconstitution du parti communiste succédait une réforme agraire redistribuait les terres aux paysans. Malgré la résistance d'une partie de la population, illustrée par l'opposition du primat de Hongrie, le cardinal Mindszenty (condamné à la prison perpétuelle en février 1949), la proclamation de la République populaire de Hongrie (20 août 1949) confirmait l'instauration du socialisme. Après la mort de Staline, en 1953, un processus de libéralisation portait Imre Nagy au pouvoir. La révolte anticommuniste de 1956 était réprimée par les troupes soviétiques (24 octobre 1956), Nagy était arrêté et exécuté (en 1958 ?). Le pays retrouvait la paix intérieure avec János Kádár entre 1956 et 1965 et menait une politique de prudente libéralisation. L'amélioration des rapports avec l'Ouest est facilitée par l'accord de 1969 signé avec le vatican et rétablissant la hiérarchie catholique ainsi que par la libération du cardinal Mindszenty en 1971. Respon-

sable de la réforme économique de 1968, Jenö Kock était remplacé à la tête du gouvernement en 1975 par György Lázár ; János Kádár restait premier secrétaire du parti communiste. Le système des prix était libéré en 1984 afin d'obéir aux lois du marché, les subventions d'Etat étaient supprimées pour les biens autres que les produits de première nécessité. L'importance de la dette extérieure entraîne une limitation de la consommation intérieure, destinée à favoriser les exportations. Malgré l'accroissement du commerce avec l'Occident (12%) des exportations, la dépendance de la Hongrie vis-à-vis de l'URSS (importations pétrolières) demeure très importante. Le sommet des pays du Pacte de Varsovie du 10 juin 1986 s'est tenu à Budapest.

Inde

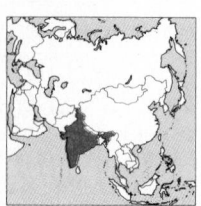
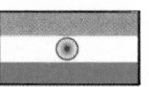

IND
Asie du Sud
3 287 782 km²
730 M hab.
ONU, CW

Capitale : New Delhi (6,2 M hab.)
Langues officielles : hindi, anglais
Religions : hind. (82 %), musulm. (11 %)
Régime polit. : féd. parlem. et dém. Indépendance obtenue le 15 août 1947

Les premiers villages du sous-continent indien apparurent probablement au IVᵉ millénaire avant notre ère dans le bassin de l'Indus, où s'épanouissait la civilisation de Harappa, qui possédait déjà une écriture vers 2000 av. J.-C. environ. Des tribus indo-européennes nomades pénétraient en Inde par le nord et dans l'est de la vallée du Gange au début du IIᵉ millénaire, donnant naissance à une civilisation qui utilisait comme langue le sanscrit. La structure de cette société est très hiérarchisée, préfigurant le système ultérieur des castes indiennes : les castes de guerriers, de prêtres et de paysans y sont constituées, les populations soumises forment une classe à part. Des principautés rivales se développaient au cours des siècles suivants. L'apparition du bouddhisme, au VIᵉ siècle av. J.-C., marque le début de l'histoire de l'Inde. La rédaction des textes védiques, contemporains de ces origines historiques, semble avoir été achevée vers le milieu du Iᵉʳ millénaire. Le Bouddha (Siddhartha Gautama), fondateur de la principale religion de l'Inde, aurait vécu entre 560 et 480 av. J.-C.

La dynastie des Maurya

Alexandre le Grand franchissait l'Indus entre 327 et 325 av. J.-C. mais ne poursuivait pas sa conquête. Quelques années plus tard, vers 320, Candragupta fondait le premier Empire indien et la dynastie des Maurya. Son petit-fils,

Piyadasi, surnommé Asoka, faisait graver ses édits, imprégnés de bouddhisme, à travers l'empire. Celui-ci s'effondrait à la mort d'Asoka et se divisait en principautés autonomes. Les tribus scythes qui pénétraient en Inde depuis le Iᵉʳ siècle av. J.-C. furent suivies des Kushâns qui réussirent sous le règne du roi Kaniska et après une brève période de domination des Parthes à établir leur propre empire de l'Asie centrale à Bénarès (milieu du Iᵉʳ siècle après J.-C.). Le début du IVᵉ siècle vit l'ascension de la dynastie des Gupta, qui réussirent à s'imposer sur tout le nord de l'Inde. La domination des Gupta est contemporaine d'un important essor de la littérature sanscrite. Leur domination cesse vers 500 avec l'arrivée des Huns Hephtalites. Le nord de l'Inde éclate en un ensemble de petits royaumes rivaux.

Arrivée de l'Islam

La première conquête musulmane en Inde eut lieu en 712 : les Arabes de Muhammad ibn al-Qasim s'installaient au Sind. Mahmud de Ghazni conquérait vers l'an Mil des territoires étendus au nord-ouest. Mais une implantation musulmane durable n'eut lieu qu'après la prise de Delhi par le lieutenant du sultan Muhammad de Ruhr, Qutb al-Din Aybak, en 1192. Ce dernier se rendait indépendant du sultan et fondait le sultanat de Delhi, dont l'extension vers le sud sera poursuivie par ses successeurs. L'Empire musulman s'effondrait au début du XIVᵉ siècle. La famine provoqua une révolte des populations indiennes contre le sultanat, qui tombait finalement devant les Mongols de Timur Lang en 1398. De petits Etats musulmans se constituaient à travers le pays. Les premiers navigateurs européens atteignaient alors l'Inde : Vasco de Gama en atteignait les côtes occidentales à Calicut en 1498, les Portugais s'emparaient de Goa en 1510. Un descendant de Timur Lang, Babur, fondait en 1526 la dynastie moghole. C'est sous son petit-fils Akbar que l'Empire moghol connut sa plus grande expansion et

son unité : Akbar avait unifié l'Afghanistan, le Cachemire, l'Hindoustan et les pays de l'Indus. La tolérance d'Akbar à l'égard des hindous conduisit à l'intégration pacifique des deux cultures musulmane et hindoue au sein de l'Empire moghol. La chute de l'empire au cours du XVIIIᵉ siècle provoqua l'apparition de plusieurs Etats hindous et musulmans hostiles les uns aux autres. L'Empire moghol disparut officiellement après la révolte des cipayes de 1857, lorsque les Britanniques exileront le dernier khan moghol en Birmanie où il mourait (1858).

La colonisation de l'Inde

Les Britanniques succédèrent aux Portugais aux Indes : la Compagnie des Indes orientales créait des comptoirs à Surat, Madras, Bombay et Calcutta. La Compagnie des Indes orientales française était créée par Colbert en 1664. Les Français s'installent à Madras puis à Pondichéry (1674), qui sera prise par les Hollandais et restituée en 1699. Les rivalités franco-britanniques en Inde éclatent en 1746 : les succès de Dupleix sont annulés par le traité d'Aix-la-Chapelle (1748). Réouvertes en 1751 puis en 1758, les hostilités s'achèvent par la prise de Pondichéry, en 1761. Malgré la restitution de la ville, deux ans plus tard, les Français ne gêneront plus la colonisation britannique. Après que la Compagnie des Indes orientales britanniques ait réussi à conquérir d'importants territoires, le Bengale en particulier, elle fut placée en 1784 sous le contrôle d'un administrateur royal. La domination britannique s'était imposée pour l'essentiel après la défaite des Gurkhas (1816) et des Marathes (1818) ; le Sind était annexé en 1843, le royaume sikh du Pendjab en 1849. En 1857 éclatait la révolte des cipayes, soldats hindous de l'armée de la Compagnie des Indes orientales : craignant de voir leurs traditions culturelles effacées par les Européens, les cipayes s'étaient acquis le soutien de plusieurs maharajas dont les Etats avaient été

annexés. La « mutinerie » fut écrasée après 14 mois de combats. L'Inde était soumise directement à la Couronne britannique en 1858. Un gouverneur portant le titre de vice-roi régnait sur plus de 500 principautés. La reine Victoria était proclamée impératrice des Indes, constituées en empire en 1876. Le gouvernement des Indes britanniques fixa son siège à Calcutta, remplacée en 1911 par Delhi. Le système administratif mis en place en Inde était le même qu'en Grande-Bretagne, l'anglais fut imposé comme langue administrative et diffusé par le système scolaire, lui aussi sur le modèle britannique. L'entrée du système juridique anglais marqua la fin de l'esclavage et de coutumes traditionnelles comme la mise au bûcher des veuves. Le réseau ferroviaire, dont la construction avait commencé en 1869, était à la fin du XIXᵉ siècle avec 56 000 kilomètres de voies le plus développé d'Asie. Issus des classes moyennes, des Indiens fondaient en 1885 le Congrès national indien et demandaient à participer au gouvernement et à l'administration de leur pays. Le refus opposé par les autorités britanniques entraîna la scission du parti en une branche modérée, pensant pouvoir atteindre ses objectifs par voie légale, et une branche radicalisée, révolutionnaire. La fondation de la Ligue musulmane à Dacca en décembre 1906 contribuait à creuser le fossé entre hindous et musulmans. Les mesures prises par le vice-roi britannique, lord Curzon, et le partage du Bengale provoquaient en 1905 des troubles à travers toute l'Inde. Les Indiens décidaient de boycotter toutes les marchandises étrangères, les textiles britanniques en particulier. La poursuite du mouvement contraignait les Britanniques à accorder en 1909 un droit réduit de participation aux représentants indiens et à réunifier le Bengale en 1912.

Le combat de Gandhi pour la liberté

C'est après la Première Guerre mondiale que Mohandas Karamchand

Gandhi prit la tête du parti du Congrès. Le Mahatma (« grande âme ») Gandhi, dont l'action est imprégnée de spiritualisme, impose l'idée de la résistance passive dans le combat pour l'indépendance et appelle à la grève générale. La grève générale au Pendjab s'achevait en avril 1919 dans un bain de sang : les troupes britanniques avaient encerclé des manifestants rassemblés dans le temple d'Amritsar et ouvert le feu sur la foule. 379 Indiens avaient été tués, plus de 1200 blessés. Le massacre provoqua un changement radical dans l'attitude de Gandhi, persuadé jusqu'alors de la possibilité d'un travail commun avec les Britanniques : il exigea l'indépendance totale de l'Inde. Sous l'impulsion de Gandhi, le Congrès devint un grand parti de masses. L'un de ses plus proches collaborateurs, Jawaharlal Nehru, devenait président du Congrès en 1929. Sous la pression de la campagne de désobéissance civile, le gouvernement britannique concéda en 1937 des parlements à quelques provinces indiennes. Malgré le principe de non-violence (Ahimsa) prêché par Gandhi, les troubles sanglants ne cessaient de se répéter, surtout entre hindous et musulmans. Dans la dernière période du mouvement d'indépendance la Ligue musulmane de Muhammad 'Ali Jinnah prit ses distances par rapport au Congrès et exigea la création d'un Etat musulman indépendant. Les négociations entamées par les travaillistes britanniques pour accorder son autonomie à un Etat indien uni ne purent aboutir. L'Inde était divisée après la Seconde Guerre mondiale en deux Etats indépendants, l'Inde et le Pakistan : le dernier vice-roi britannique, lord Mountbatten, espérait que l'indépendance, le 15 août 1947, mettrait fin à la quasi-guerre civile qui opposait les deux communautés.

L'Inde indépendante
La guerre civile s'étendit au contraire dès l'indépendance : les combats entre hindous et musulmans faisaient 600 000 morts au seul Pendjab. 14 millions de personnes se croisaient sur la route de l'exode de chaque côté de la frontière indo-pakistanaise. Le flux important de réfugiés hindous en provenance du Pakistan s'ajoutait pour l'Inde aux difficultés nées du conflit pour le Cachemire. Gandhi était assassiné le 30 janvier 1948 par un brahmane fanatique. Les 562 principautés furent intégrées dans l'Union indienne, dont la première Constitution entrait en vigueur le 26 janvier 1950. L'Inde devenait une république fédérale et parlementaire, avec Nehru comme Premier ministre. La modernisation du pays et l'abolition du système de castes furent ses premiers objectifs : des installations industrielles furent créées, mais le système rural restait prisonnier des méthodes traditionnelles. Sur le plan extérieur, Nehru mena tout d'abord une politique de non-alignement, jusqu'au conflit frontalier qui éclatait avec la Chine en 1962. Battue militairement, l'Inde recherchait des alliés. Un traité de défense aérienne commune était signé en 1963 avec la Grande-Bretagne et les Etats-Unis. Nehru mourait en mai 1964, Lal Bahadur Shastri lui succédait et devait affronter une nouvelle crise avec le Pakistan à propos de l'ancienne principauté du Cachemire. Le conflit cessait grâce à une médiation soviétique, après le traité de Tachkent, en janvier 1966. L'influence soviétique en Inde ne cessait de croître : un traité d'amitié de 20 ans était signé en août 1971, suivi en novembre 1973 d'un traité de coopération économique.

De Indira à Rajiv Gandhi
Indira Gandhi, fille de Nehru, succéda à Shastri à la tête du gouvernement à la mort de ce dernier, en janvier 1966. Malgré d'importants différends au sein du Congrès, elle réussit à obtenir une majorité parlementaire aux élections de 1967 et 1971. Après plusieurs incidents armés, l'Inde entrait en guerre avec le Pakistan le 3 décembre 1971. Les troupes indiennes entraient au Pakistan oriental pour y soutenir la minorité hindoue opprimée. La guerre cessait dès le 16 décembre mais elle avait provoqué la division du Pakistan et la création du Bangladesh. Dix millions d'hindous avaient fui le Pakistan vers l'Inde pendant les hostilités, pesant très lourdement sur l'économie indienne. La popularité d'Indira Gandhi baissait régulièrement, les critiques se faisaient plus vives contre son régime. Indira Gandhi proclamait l'état d'urgence en 1975 et obtenait les pouvoirs spéciaux pour son gouvernement, la censure de la presse était établie, 100 000 personnes étaient emprisonnées. L'Inde annexait la même année la principauté himalayenne du Sikkim. Les mesures d'exception étaient assouplies en 1977, peu avant l'annonce de nouvelles élections. Le Congrès subissait une très grave défaite électorale en mars face au parti Janata, créé par Morarji Desai le 20 janvier, le lendemain de sa libération de prison. Morarji Desai devenait Premier ministre et mettait en œuvre une politique intérieure d'information – à l'exclusion de tout moyen de contrainte – dans le domaine de la régulation des naissances et une politique d'alphabétisation accrue. Le parti du Congrès, divisé depuis les élections, se scindait en janvier 1978, de même que le parti Janata, en juillet 1979. Morarji Desai démissionnait le 15 juillet 1979 ; il était remplacé par Charan Singh. Les élections de janvier 1980 ramenaient au pouvoir Indira Gandhi, dont une partie du Congrès s'était pourtant distancée. Le gouvernement se dotait de nouveau un septembre des pouvoirs spéciaux pour venir à bout des troubles qui sévissent dans plusieurs Etats (Assam). Les troubles s'aggravaient en Assam lors des élection régionales de février 1983 et faisaient plus de 3 500 morts. Les hindous refusent en effet le droit de vote aux réfugiés venus du Bangladesh. Le conflit qui opposait hindous et sikhs au Pendjab depuis deux ans culminait le 5 juin 1984 avec l'assaut par l'armée du Temple d'or d'Amritsar, occupé par des extrémistes sikhs : 650 sikhs et soldats avaient été tués. Indira Gandhi était assassinée par l'un de ses gardes du corps sikhs le 31 octobre 1984 : une vague de violences déferlait à travers le pays sur la minorité sikh, des unités sikhs de l'armée se révoltaient. Le nouveau Premier ministre indien, Rajiv Gandhi, succédait à sa mère quelques heures après son assassinat. Les élections de décembre 1984 donnèrent au Congrès sa plus grande victoire électorale depuis l'indépendance indienne et consacraient le rôle clé joué par Rajiv Gandhi à la tête du parti et de l'Etat. Il poursuivait sa politique de pacification religieuse. Des élections étaient organisées en 1985 au Pendjab, placé sous tutelle du gouvernement de New Delhi après juin 1984. Malgré la défaite du Congrès, un Premier ministre sikh prêtait serment le 29 septembre et l'Etat recouvrait son autonomie. Un accord (15 août) était de même conclu avec les autorités de l'Assam, aux prises avec le problème des réfugiés bengalis. Au Gujarat, où les troubles provoqués par une loi d'intégration des « Intouchables » et des castes défavorisées (70 % de la population) avaient fait plusieurs centaines de morts, l'état d'urgence devait être proclamé. Rajiv Gandhi tente d'introduire sur le plan économique une libéralisation, destinée à favoriser l'investissement, notamment étranger. Le premier voyage à l'étranger du Premier ministre le menait en mai 1985 à Moscou. L'URSS demeure le principal fournisseur de l'Inde (70% de ses équipements). Quelques jours plus tard, Rajiv Gandhi était reçu à Washington, où il concluait un contrat pour la livraison de matériels de haute technologie.

Indonésie

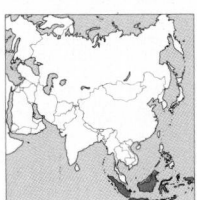
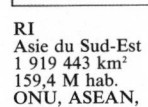

RI
Asie du Sud-Est
1 919 443 km²
159,4 M hab.
ONU, ASEAN, OPEP

Capitale : Jarkarta (6,5 M hab.)
Langue officielle : indonésien
Religions : musulm. (91,3 %), chrét. (5,8 %)
Régime polit. : rép. présid. Indépendance proclamée le 27 août 1949

L'Indonésie est constituée de 13 700 îles ; les plus importantes d'entre elles sont Sumatra, Java, Bali, les archipels des Célèbes et de la Sonde, appartenant en partie à l'Indonésie, Bornéo et la Nouvelle-Guinée.

Les premières civilisations
L'archipel indonésien fut peuplé par des vagues successives de peuples malayo-polynésiens à partir de 2000 av. J.-C. Ces peuples ont laissé de sanctuaires en terrasses à degrés portant des pyramides ; ils savaient produire et travailler le bronze et le fer. Ensemble de petits royaumes, la région voit apparaître au VIIᵉ siècle ap. J.-C. un premier royaume important dans le sud de Sumatra, le royaume bouddhiste de Srivijaya. Son domaine d'influence s'étendait à Java et à la péninsule malaise, peut-être jusqu'au Cambodge et au Sri Lanka. La suprématie de Srivijaya se heurte dès le Xᵉ siècle aux rois de la partie orientale de Java, Airlanga (1039-1049) en particulier. La puissance du royaume de Singasari s'affirme après la mort de Airlanga ; son dernier souverain, Kertanagara (1268-1292), provoque une expédition envoyée par la Chine alors dominée par l'empereur mongol Kubilay. L'échec de l'expédition mongole, dont les rescapés formeront l'embryon de la colonie chinoise de Java, permet au gendre de Kertanagara, Raden Vijaya de fonder l'empire maritime de Majapahit, qui entrait en concurrence avec le royaume de Srivijaya ce dernier était définitivement conquis par le royaume de Majapahit en 1377. Majapahit parvenait entre 1522 et 1525 à imposer sa domination sur la majeure partie de l'actuelle Indonésie. La chute de l'Empire de Majapahit est due à deux facteurs : la puissance sans cesse croissante de Malacca, qui devenait le plus grand centre commercial de l'Asie du Sud-Est d'une part et, d'autre part, l'arrivée de l'islam, transmis par les marchands indiens et perses. Des commerçants étrangers s'étaient déjà fixés à la fin du XIIIᵉ siècle dans le nord de Sumatra. Deux siècles plus tard, la plupart des princes javanais s'étaient convertis à l'islam, ce qui leur fournit motif à rejeter la tutelle de Majapahit, « infidèle ». L'Empire de Majapahit s'effondrait au début du XVIᵉ siècle, le bouddhisme et l'hindouisme étaient en recul dans toute l'Indonésie.

La pénétration des Européens
Après la découverte de la route des Indes, les Portugais avaient appris par les marchands indiens l'origine des épices tant convoitées, quasi-monopole des marchands arabes. Albuquerque s'emparait en 1511 de Malacca, sur la presqu'île malaise, puis créaient leurs premiers comptoirs fortifiés sur la côte nord de Sumatra. D'autres implantations suivaient, à Timor et aux Molu-

Indonésie

ques. Après l'annexion du Portugal par l'Espagne (1580), les Hollandais, ne pouvant plus s'approvisionner à Lisbonne, vont chercher les épices en Indonésie. Ils s'installent en 1596 à l'ouest de Java. La Compagnie néerlandaise des Indes orientales était créée en 1602. Les Portugais perdent progressivement leurs comptoirs, Amboine (1621), Malacca (1641) au profit des Hollandais, qui ont réussi à écarter les Britanniques d'Indonésie. Des plantations d'épices sont installées dans les petites Moluques puis à Java, entièrement colonisée après la défaite du sultanat de Mataram. Mais la Compagnie hollandaise disparaissait, ruinée, en 1798. Alliée de la France depuis 1795, la République batave perd son domaine colonial au profit de l'Angleterre, qui occupe les Moluques puis Batavia (1811). La colonisation hollandaise ne commence vraiment qu'après la restitution des territoires occupés par les Anglais, en 1816. Le système administratif et économique colonial (cultures forcées) conduit à plusieurs révoltes à Sumatra (1817-1837) et sur les autres îles. La politique coloniale ne se fera plus libérale qu'après 1870, les indigènes pourront pratiquer les cultures vivrières indispensables. La colonisation ne s'étendra à Bornéo qu'après 1900. La culture des épices cédait progressivement la place depuis le XVIIIe siècle à celle du café, du thé, du tabac ; les ressources minérales, étain, pétrole, commencent à être exploitées, entraînant l'importation d'une abondante main-d'œuvre, surtout chinoise.

La lutte pour l'indépendance

Le nationalisme se développe au début du XXe siècle, plusieurs partis indépendantistes sont fondés : le Budi Otoma, parti modéré, est fondé le 20 mai 1908 par des intellectuels, le Sarekat Islam, mouvement national religieux, est fondé en 1911 par des commerçants musulmans. Les deux premiers partis s'opposèrent aux partis plus radicaux créés après 1920 : le parti communiste d'Indonésie (1920) puis le parti national indonésien, fondé en 1927 par le Dr Ahmed Sukarno. Les revendications nationalistes furent obstinément repoussées par les autorités coloniales néerlandaises. Ahmed Sukarno par exemple passa les années 1929-1942 en prison ou en exil, à l'exception de deux années de liberté. Les Indes orientales néerlandaises étaient occupées en 1942 par le Japon. Les Japonais libérèrent les dirigeants nationalistes, dont ils reçurent l'appui. Dès la capitulation du Japon, l'indépendance (17 août 1945) puis la république (18 août) étaient proclamées, Sukarno prenait la tête du nouvel Etat. Reconnaissant la république mais souhaitant la limiter à Java, La Haye envoyait des troupes. Les combats se poursuivaient jusqu'en octobre 1946. Un accord créant une Union néerlando-indonésienne était signé le 15 novembre 1946. Mais les Pays-Bas intervenaient de nouveau en 1947 et 1948 sur le territoire de la République indonésienne. Le Conseil de sécurité de l'ONU ayant imposé l'arrêt des hostilités, les Néerlandais devaient abandonner leur souveraineté sur l'Indonésie, à l'exception de la Nouvelle-Guinée occidentale (qui sera intégrée en 1969), après la conférence de La Haye (août 1949). Sukarno devenait président des seize Etats confédérés des Etats-Unis d'Indonésie.

La République d'Indonésie

Plusieurs soulèvements marquent l'opposition de plusieurs îles au pouvoir central de Java. La Constitution transitoire de 1950 répondait aux troubles en faisant de l'Indonésie une république unitaire. L'union avec les Pays-Bas était dénoncée en 1954. Les premières élections parlementaires virent la victoire du parti nationaliste de Sukarno. Les révoltes reprenaient après la proclamation par Sukarno d'une « démocratie dirigée » en février 1957. La loi martiale était proclamée, un gouvernement d'urgence était constitué alors qu'un gouvernement révolutionnaire rebelle était constitué à Padang (Sumatra). La Constitution présidentielle de 1945 était rétablie par Sukarno en 1959, le Parlement était dissous un an plus tard, Sukarno se faisait nommer président à vie en 1963, s'appuyant sur une Assemblée qui ne comptera jusqu'en 1965 que des membres du Front national au pouvoir. Confronté à une grave crise économique, Sukarno poursuivait sur le plan extérieur une politique anti-occidentale : resserrement des liens avec l'URSS et avec la Chine ; l'influence du parti communiste ne cesse de se renforcer à l'intérieur du pays. Après le coup d'Etat du chef de la garde présidentielle, le 30 septembre 1965, le général Kemusu Suharto intervenait à Jakarta et rétablissait la situation. Une campagne anti-communiste se développait à travers toute l'Indonésie, les « communistes » sont massacrés. La violence de la répression, militaire et populaire, fera environ 500 000 morts. Le chef du parti communiste (PKI), Aidit, était arrêté et exécuté en novembre. Toujours au pouvoir, le président Sukarno devait s'effacer devant l'armée et était contraint le 11 mars 1966 de signer une déclaration remettant les pleins pouvoirs au général Kemusu Suharto.

La présidence de Suharto

Après l'incarcération de plusieurs ministres de Sukarno, celui-ci est privé de la présidence à vie, Suharto devient « président par intérim » le 20 février 1967, le président Sukarno est placé en résidence surveillée, il meurt le 21 juin 1970. Le changement est radical sur le plan extérieur : les relations avec les pays socialistes sont « gelées », les conflits avec le Malaysia et Singapour sont réglés, l'Indonésie réoccupe son siège à l'ONU, l'ASEAN est créée (1967). La lutte pour la restauration de l'économie fait appel à une politique technocratique et libérale : l'amélioration économique est importante mais l'endettement extérieur croît considérablement. Les élections de 1971 répondent à l'attente de Suharto : le parti officiel, le Golkar, obtient avec les militaires, qui sont largement intégrés aux pouvoirs civils administratifs et économiques, une large majorité. Le régime se libéralise, les prisonniers politiques sont en partie libérés, la situation économique s'améliore, favorisée par la production pétrolière. L'accession à l'indépendance de la colonie portugaise de Timor-Oriental provoque son invasion (7 décembre 1975) par les troupes indonésiennes puis son rattachement comme 27e province à l'Indonésie (17 juillet 1976) : la guérilla, la répression et la famine auront fait plusieurs dizaines de milliers de victimes. Le Golkar remporte de nouveau les élections du 2 mai 1977 et Suharto est réélu le 22 mars 1978. Le même processus se renouvelle en mai 1982 et mars 1983, tandis que les facteurs de troubles traditionnels persistent : agitation anti-chinoise, rivalités au sein de l'armée. La répression à Timor-Oriental et la poursuite de la guérilla conduisent en octobre 1984 à un accord entre l'Indonésie et la Papouasie Nouvelle-Guinée destiné à rendre la frontière plus hermétique. Un plan de déplacement de populations touchant d'ici à la fin du siècle 65 millions d'habitants de Java, surpeuplée, est rendu public fin 1984.

Iran

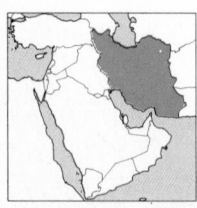

IR
Proche-Orient
1 648 000 km²
42,1 M hab.
ONU, OPEP

Capitale : Téhéran (4,7 M hab.)
Langue officielle : persan
Religions : musulm. (plus de 95 %)
Régime polit. : république islamique depuis le 1er avril 1979

Les premières cultures préhistoriques agricoles apparurent sur le haut-plateau iranien vers le VIIe millénaire avant notre ère ; la céramique apparaissait, caractéristique des différentes cultures villageoises. La métallurgie du cuivre fondu puis des autres métaux faisait son apparition au Ve millénaire et suscitait des courants d'échanges vers l'Indus ou la Mésopotamie. Parallèlement à l'évolution mésopotamienne se développe à partir de 3500 av. J.-C. en Susiane une civilisation protoétatique développant un système d'écriture propre. L'apparition d'une nouvelle culture, probablement aryenne, au cours du IIe millénaire, permet l'éclosion de cultures régionales brillantes où domine une aristocratie guerrière. Les peuples des Mèdes et des Perses, divisés en plusieurs petits royaumes, sont soumis à leurs puissants voisins Assyriens, Scythes ou Elamites du Zagros. Le royaume d'Elam est détruit par les Assyriens vers 646 av. J.-C. mais l'Assyrie succombe à son tour en 612 devant les Babyloniens et les Mèdes. Les Mèdes, sur lesquels règne alors Cyaxare, étendent leur royaume à l'ouest, hors d'Iran, jusqu'au fleuve Halys.

L'Empire perse

C'est en 559 av. J.-C. que Cyrus II, de la dynastie des Achéménides, s'emparait du Royaume mède et de son roi, Astyage. L'Empire perse conquit sous son règne l'Assyrie, l'Asie Mineure et Babylone. Fils de Cyrus, Cambyse (550-522) étendait encore l'empire en conquérant l'Egypte. Darios Ier (522-486) donnait à l'empire sa plus grande extension, atteignant le Danube à l'ouest, l'Iaxarte (Syr-Daria) au nord, l'Indus à l'est et incluant l'Egypte au sud. La tentative de conquête de la Grèce continentale de son successeur Xerxès Ier (486-465) échouait d'abord face aux Athéniens à Marathon (480) puis face aux Grecs à Salamine et à Platée (479). La défaite perse suscita des révoltes à travers l'empire, en Egypte et à Babylone ; la puissance achéménide ne cessa de diminuer.

Des Séleucides aux Sassanides

L'Empire achéménide fut définitivement abattu après la victoire d'Alexandre le Grand sur Darios III à Gaugamèles, vers 331. Les Séleucides s'emparaient du pouvoir sur la Perse à la mort d'Alexandre. Des tribus parthes en provenance du nord-est envahissaient vers 250 le haut-plateau iranien. L'un de leurs chefs, Arsacès, fondait la dynastie des Arsacides (247), qui parvenait à conquérir l'Empire séleucide après 150 ans de combats. L'Empire arsacide connut sa plus grande extension sous Mithridate Ier (171-138), qui conquit la Bactriane et plusieurs régions de l'Inde. Les efforts des Romains pour venir à bout des Arsacides furent vains, l'empereur Auguste (14 ap. J.-C.) devait reconnaître l'Euphrate comme frontière romaine. C'est la dynastie perse des Sassanides qui réussira à vaincre les souverains parthes. Le roi Ardachêr battait le dernier Arsacide, Ardevan V, en 224 ap. J.-C. La dynastie sassanide réussit à rendre à la Perse ses frontières de la dynastie achéménide, malgré plusieurs expéditions romaines.

L'Iran islamisé

Les Arabes mirent fin à la dynastie

sassanide en 637, sous le califat umayyade de 'Umar. Une révolte nationale partie du Khorasan et conduite par Abu Muslim mettait fin au califat umayyade en 750. Abu al-Abbas accédait au califat et fondait la dynastie des Abassides dont la capitale était Bagdad. Les tribus turques commençaient à s'étendre en Perse à la fin du Xᵉ siècle. Les Turcs Seldjoukides sont accueillis en libérateurs par le calife de Bagdad en 1055 et battent les Byzantins en 1071. Un royaume turco-iranien est fondé en Anatolie (sultanat de Rum). Soumis à la pression des croisés et des Etats latins d'Orient, les Seldjoukides doivent reculer sur tous les fronts. Ils seront vaincus en 1194 par les Turcs iranisés du Kharezm alliés aux Mongols Kara Kitay. Les Mongols de Gengis Khan (1227) occupaient l'ensemble de l'Iran après avoir écrasé le Kharezm et les Kara Kitay en 1220. Le califat de Bagdad était détruit en 1258. La poussée mongole était arrêtée par les sultans mameluks d'Egypte en 1258. La domination mogole s'affaiblit progressivement, des dynasties perses se rendent de nouveau indépendantes (les Mozzafarides), jusqu'à l'arrivée en 1360 des hordes turco-mongoles de Tamerlan. Son immense empire, dont Samarkand est le centre, ne lui survivra pas.

Des Séfévides aux Qadjars
Descendant du calife 'Ali, la dynastie des Séfévides s'était imposée autour d'Ardabil, en Azerbaïdjan. Le Séfévide chah Ismaïl prenait le titre de chah de Perse en 1502 après avoir battu les tribus turkmènes des Akkoyunlu. Les Séfévides renouvellent l'Empire des Sassanides, s'appuyant comme eux sur le nationalisme iranien, dont le symbole devient la religion chi'ite. Mais le Royaume séfévide se heurte au sultanat ottoman, qui lui enlève en 1514 le Kurdistan puis la Mésopotamie, la Géorgie et même l'Azerbaïdjan. La Perse séfévide connaîtra son apogée sous le règne d'Abbas Iᵉʳ (1587-1629) qui reconquiert temporairement plusieurs territoires (Bagdad) sur les Otto-

mans. Il rétablissait l'ordre et les voies commerciales et faisait d'Ispahan, sa capitale, le témoin de la splendeur séfévide. La domination des Séfévides cessait en 1722 après la prise d'Ispahan par les Afghans sunnites de l'émir Mir Mahmud de Kandahar. Huit ans plus tard, Nader Shah entrait à Ispahan à la tête de ses bandes venues des confins du Korasan. En quelques années, il chasse les Afghans, reprend aux Ottomans la Mésopotamie, l'Azerbaïdjan, l'Arménie et aux Russes les provinces caspiennes. En 1738, il est en Inde où il bat les armées du Grand Moghol à Panipat (1738). Nader Shah est assassiné en 1747, son empire est morcelé. Agha Mohammad Khan se proclame roi en 1786 à Téhéran, qui devient la capitale, après avoir unifié les tribus turco-mongoles des Qadjars. Il était assassiné en 1797 avant d'avoir pu reconstituer l'empire. L'Iran est l'enjeu au XIXᵉ siècle des luttes des puissances européennes : après avoir dû céder plusieurs provinces sous Fath 'Ali Shah (1797-1839) à la Russie, l'Iran se rapprochait de l'Angleterre, que ses intérêts portaient à protéger l'accès aux Indes. Un accord « de désinteressement » survenait en 1844 entre l'Angleterre et la Russie, mais la rivalité des deux puissances ne cessa de croître jusqu'à la fin du XIXᵉ siècle. Grâce à l'entremise de la France, l'accord colonial du 31 août 1907 partageait l'Iran, sur lequel règne alors Mozzafar al-Din, en deux zones d'influence, soviétique et britannique. Après la révolution nationaliste de 1909, l'enfant de 11 ans qui monte sur le trône, Ahmad, ne peut s'opposer à la présence étrangère.

Les Pahlavis
Le chef du régiment iranien de cosaques, Reza Khan, provoquait le 21 février 1921 un coup d'Etat. Il signait un traité à l'URSS, qui renonçait à toute prétention en Iran. Devenu Premier ministre en 1923, Reza Khan se faisait proclamer roi en 1925 et couronner sous le nom de Reza Shah

Pahlavi le 25 avril 1926. Le shah négociait en 1933 un nouvel accord avec l'*Anglo-Iranian Oil Company,* plus favorable à l'Iran. Poursuivant une politique de rapprochement avec l'Allemagne, l'Iran était occupé en 1941 par la Grande-Bretagne et l'URSS, qui contraignaient Rezah Shah Pahlavi à abdiquer en faveur de son fils, Mohammed Rezah Shah Pahlavi. L'influence des Etats-Unis se renforça considérablement en Iran occupé durant la Seconde Guerre mondiale. A l'issue de la guerre, une émeute nationaliste porte au pouvoir le chef du parti du Front national, Mohammed Mossadegh : celui-ci nationalise les pétroles iraniens et entreprend une politique anti-britannique. Le shah démettait Mossadegh de ses fonctions le 13 août 1953 mais le soulèvement de la population le contraignait à l'exil. Soutenu par les Etats-Unis, le shah revenait quelques jours plus tard et faisait arrêter Mossadegh. Le shah entreprenait en 1961 un vaste programme de réformes économiques et sociales, financées par les recettes pétrolières. Industrialisation, campagne d'alphabétisation, réforme agraire, octroi de droits aux femmes : ces différentes mesures heurtaient toutefois la tradition religieuse chi'ite. A cette opposition religieuse s'ajoutait une opposition politique qui reprochait au régime ses méthodes autoritaires. Les premières manifestations hostiles au shah avaient lieu en 1963. La politique du shah, qui s'était couronné empereur en 1967, rencontra une résistance plus vive dans les années 1970, qui ne fut pas désarmée par la promesse d'une amnistie politique et de la levée partielle de la censure sur la presse. Les mollahs et les ayatollahs, prêtres et dignitaires chi'ites, appelaient à des manifestations de masse, réprimées de manière sanglante par la Savak, la police secrète du shah. Mohammed Rezah Pahlavi était contraint de quitter l'Iran le 16 janvier 1979.

La République islamique
Le chef spirituel de la communauté

chi'ite, l'ayatollah Khomeyni, exilé depuis 1963, rentrait triomphalement à Téhéran le 1ᵉʳ février 1979. Mehdi Bazargan était nommé chef du gouvernement révolutionnaire provisoire par le Conseil islamique organisé par Khomeyni et remplaçait le dernier Premier ministre du shah, Chahpur Bakhtiyar, qui s'exilait en France. Des tribunaux révolutionnaires étaient rassemblés à travers tout le pays et les anciens partisans du shah sommairement jugés et exécutés. Une grave crise éclatait avec les Etats-Unis en novembre 1979 après la prise en otage de 52 membres de l'ambassade américaine. Une opération militaire de libération organisée par les Etats-Unis échouait en avril 1980 (les otages seront libérés en janvier 1981). Sous la pression intérieure, luttes entre factions religieuses rivales, tentatives de sécession des minorités kurdes et extérieure, avec l'offensive des troupes irakiennes du Khuzestan en septembre 1980, le régime se durcit. L'armée iranienne parvenait à résister à l'offensive irakienne puis à porter les combats en Iraq même (juillet 1982). La répression qui se poursuit en 1984 contre l'opposition politique aurait fait depuis milieu 1981 plus de 40 000 morts selon l'organisation des « Moudjahidines du Peuple » de Ma'sud Radjavi. Le régime chi'ite, dont le pouvoir s'est consolidé, modérait ses mesures les plus extrémistes. Le chef de l'Etat, Seyed Ali Khamenei, élu en 1981, était réélu en août. L'ayatollah Hussein Ali Montezari était désigné en novembre 1985 comme successeur de l'ayatollah Khomeyni, âgé de 85 ans. Malgré les énormes pertes en vies humaines dues à la guerre et la chute de près de moitié des exportations pétrolières, l'Iran se refuse à envisager l'arrêt des hostilités. L'offensive de février 1986 permettait aux forces iraniennes, où se trouvent de très jeunes soldats, d'effectuer une percée au Kurdistan et de s'emparer du port irakien de Fao, sur le golfe Persique. Les raids aériens contre les capitales des deux Etats et contre les pétroliers du Golfe se poursuivent.

Iraq

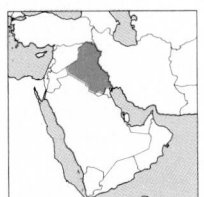

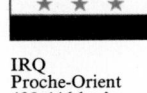

IRQ
Proche-Orient
438 446 km²
14,6 M hab.
ONU, LA,
OPEP

Capitale : Bagdad (450 000 hab.)
Langue officielle : arabe
Religions : musulm. (93 %), chrét. (5 %)
Régime polit. : rép. présid. social. depuis le 14 juillet 1958

C'est au IVᵉ millénaire avant notre ère qu'apparut en Mésopotamie, entre le Tigre et l'Euphrate, la première grande

civilisation de l'humanité. On doit aux Sumériens, qui arrivèrent dans le sud de la Mésopotamie au début du IIIᵉ millénaire, l'invention de l'écriture. Ils édifièrent plusieurs villes puissantes, Ur, Uruk, Lagash ou Kish. Le roi sémite Sargon mettait fin vers 2230 à la prédominance sumérienne et fondait au nord le royaume d'Akkad. Le royaume se dissocia à sa mort (2295 av. J.-C.) et la Mésopotamie ne fut réunifiée que vers 1700 par le roi Hammurabi de Babylone. Le royaume d'Assyrie se développa au XIIIᵉ siècle av. J.-C. sur le cours supérieur du Tigre, devenant la première puissance militaire d'Asie antérieure. L'Assyrie connut son apogée sous le règne d'Assurbanipal (669-627), qui étendit sa domination jusqu'à

l'Egypte. L'Empire assyrien était vaincu en 612 par les Babyloniens de Nabuchodonosor II et les Mèdes. Le dernier royaume babylonien ne put se maintenir qu'un siècle : il était conquis en 539 par le roi perse Cyrus II le Grand. Conquise par Alexandre le Grand en 331, la Mésopotamie tombait en 141 sous la domination des Parthes. Le pays était ensuite dévasté par les guerres constantes des Romains, qui tentaient de dépasser l'Euphrate, contre les Parthes puis les Sassanides. La Mésopotamie était conquise en 637 ap. J.-C. par les Arabes et devenait l'Iraq. Bagdad succédait en 762 à Damas comme siège du califat musulman. Soumis par les Mongols entre 1258 et 1534, l'Iraq était ensuite annexé à l'Empire

ottoman et demeura province turque jusqu'au début du XXᵉ siècle.

Le XXᵉ siècle
Après l'effondrement de l'Empire ottoman à l'issue de la Première Guerre mondiale, les Britanniques, qui avaient pris Bagdad en mars 1917, obtenaient de la Société des Nations un mandat sur l'Iraq. L'émir hachémite Faysal ibn Husayn était couronné roi d'Iraq en 1921. A l'expiration de leur mandat, en 1932, les Britanniques conservèrent leur prépondérance sur le pays. L'Iraq devenait membre de la Ligue arabe et de l'ONU en 1945 et participait deux ans plus tard sans succès à la guerre contre Israël. La position irakienne au sein de la Ligue arabe était résolument

Iraq

hostile à l'Egypte socialiste depuis 1945. La monarchie était renversée par le coup d'Etat du général Kassem, le 7 juillet 1958. Le roi Faysal II était assassiné, la république était proclamée le 14 juillet. L'autoritarisme du régime du général Kassem provoqua à plusieurs reprises d'importants troubles, aggravés par le conflit qui éclatait en 1961 au nord-est du pays avec les Kurdes. Constituant la plus importante minorité irakienne, les Kurdes ont réussi à obtenir depuis 1970 une certaine autonomie. Le régime irakien tentait dans les années 1980 de mettre en place un système de régions autonomes afin de résoudre le problème kurde. Le général Kassem était ren-

versé le 8 février 1963 puis exécuté. Le colonel Abdul Salam Aref et les pronassériens prenaient le pouvoir. Après la défaite irakienne lors de la guerre des Six Jours contre Israël, en 1967, un nouveau putsch portait le général Ahmad Hassan al-Bakr à la tête de l'Etat. Le parti nationaliste Baath s'est maintenu depuis au pouvoir. Le parti Baath mène une politique pro-soviétique et panarabe. Un accord d'exploitation pétrolière était conclu avec l'URSS en 1969, suivi d'un traité d'amitié, en 1972. Après les accords égypto-israéliens de Camp David de 1978, l'Iraq prenait la tête de l'opposition arabe à Israël et signait une « Charte d'action commune » avec la Syrie. Le général

al-Bakr démissionnait en juillet 1979 de toutes ses fonctions, Saddam Husayn lui succédait à la tête du parti Baath et de l'Etat. Les relations avec la Syrie se dégradaient de nouveau en août. La révolution islamique iranienne remet à l'ordre du jour les revendications irakiennes concernant le Chatt al-'Arab et la province pétrolière du Khuzestan. La guerre entre les deux Etats éclatait en septembre 1980. Une vague d'épuration anti-iranienne et anti-chi'ite est alors organisée en Iraq, où le régime s'appuie essentiellement sur la minorité sunnite. Après ses succès initiaux, l'armée irakienne, moderne et massivement soutenue financièrement par les pays arabes modérés, marquait le pas puis devait

combattre en Iraq même. La guerre, responsable de pertes humaines considérables, a provoqué une chute catastrophique des exportations de pétrole. Les offres de paix faites par l'Irak depuis 1982 furent repoussées par l'Iran. Près de 500 000 hommes sont face à face sur un front qui s'étend sur plus de 1000 km, les économies des deux belligérants sont sévèrement touchées par le poids financier et humain de la guerre : la part de la main-d'œuvre féminine avait augmenté de 30 % en Iraq en 1985. L'offensive iranienne de février 1986 se soldait pour les troupes irakiennes par la perte de positions au Khuzestan et de la ville portuaire de Fao, sur la frontière du Koweït.

Irlande (République d')

IRL
Europe
de l'Ouest
70 283 km²
3,51 M hab.
ONU, CEE, CE, OCDE

Capitale : Dublin (598 000 hab.)
Langues officielles : irlandais (gaélique), anglais
Religions : cath. (94 %), anglic. (4 %)
Régime polit. : rép. parlem. et dém. Indépendance obtenue le 6 décembre 1921

C'est entre 500 et 200 av. J.-C. que des peuplades celtiques, les Gaëls, s'implantèrent en Irlande, repoussant les populations autochtones. Cinq royaumes importants se constituèrent très tôt : Ulster, Leinster, Munster, Connacht et Meath. Enlevé comme esclave par des pirates Scots en 401, l'évêque britonnique saint Patrick revenait en Irlande en 432 : l'île était évangélisée à sa mort, en 461. Attaquée

puis colonisée par les Norvégiens de 795 à 1014, l'Irlande l'était ensuite par les Normands (Richard de Pembroke, 1169). Le roi Henri II d'Angleterre établissait la souveraineté anglaise en 1171 : l'aristocratie irlandaise est supplantée par une féodalité étrangère, les paysans irlandais sont asservis. Henri VIII tenta en vain en 1541 d'imposer sa réforme de l'Eglise : il réprima violemment les révoltes anti-anglaises, confisqua les propriétés catholiques et entreprit la colonisation du nord de l'île (Ulster) par des anglicans. Après plusieurs autres révoltes infructueuses, l'Irlande était intégrée au Royaume-Uni de Grande-Bretagne et d'Irlande en 1801 : aucun représentant catholique n'était toutefois admis au Parlement de Londres. Les Irlandais catholiques n'obtinrent le droit de vote qu'en 1829. Le mouvement nationaliste ne cessa de s'amplifier au cours du XIXᵉ siècle : le Premier ministre britannique William Gladstone avait introduit en 1870 la réforme du *Homerule* (autonomie). Mais le refus de la réforme par l'Ulster protestant déclencha la révolte

de Pâques 1916. Les nationalistes du *Sinn Féin,* dont les dirigeants avaient été condamnés à mort en 1916 et, pour certains, grâciés, remportent les élections de 1918. Un Parlement *(Dáil)* et une armée (IRA) indépendants sont organisés et, après deux ans de guérilla, l'Etat libre d'Irlande est reconnu par Londres en 1921. Mais les six comtés du Nord (Ulster, capitale Belfast) demeurent rattachés à Londres. L'aile républicaine du Sinn Féin refusant la séparation, le parti se scindait en 1922. Une sanglante guerre civile éclatait (1922-1923). Le parti républicain *(Fianna Fáil)* de Eamon de Valera remportait les élections de 1932. Les relations avec la Grande-Bretagne étaient rompues en 1937, une constitution républicaine était adoptée et l'Etat libre d'Irlande devenait l'Eire, qui ne fut reconnue par Londres qu'en 1945. L'Eire devenait officiellement une république le 21 décembre 1948 et sortait du Commonwealth. L'Eire entrait dans la CEE en 1973. De violents troubles éclataient entre catholiques et protestants en Irlande du Nord en 1969, qui

culminèrent lors du « dimanche sanglant » de Londonderry (30.1.1972). Jack Lynch, Premier ministre républicain du Fine Gael, opposé à la lutte armée contre Londres, faisait arrêter et juger en 1972 le chef de la branche « dure » de l'IRA. Défaits aux élections de 1973, les conservateurs revenaient au pouvoir en 1977 ; allié aux travaillistes, Garrett Fitzgerald devenait Premier ministre en 1982. Bien que tous deux attachés à la réunification de l'Irlande, le Fianna Fáil et le Fine Gael (conservateur) sont opposés quant aux méthodes pour y parvenir. Malgré une industrialisation récente, l'économie irlandaise demeure fragile. La population avait diminué de moitié après la famine de 1846-1848 en raison d'une émigration considérable. L'Irlande, malgré un taux de croissance démographique élevé, est globalement moins peuplée aujourd'hui qu'en 1841 (8,2 millions). La politique de rigidité menée à Londres par Margaret Thatcher depuis 1979 n'a permis qu'en novembre 1985 la constitution d'une commission consultative tripartite sur les problèmes irlandais.

Islande

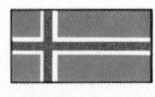

IS
Europe du Nord
103 000 km²
238 175 hab.
ONU, OCDE, OTAN, CN, CE

Capitale : Reykjavik (86 000 hab.)
Langue officielle : islandais
Religions : évang.-luthér. (96,7 %)
Régime polit. : rép. parlem. et dém. Indépendance proclamée le 17 juin 1944

Après avoir reçu la visite de moines irlandais, l'Islande fut colonisée au IXᵉ siècle de notre ère par les Vikings, qui

constituaient en 930 une assemblée d'hommes libres, le Althing, actuel Parlement islandais et le plus vieux parlement du monde. Christianisée vers l'an Mil, l'Islande s'associa au royaume de Norvège en 1262 puis devint danoise après l'union entre le Danemark et la Norvège en 1397. L'Islande perdait les deux tiers de sa population lors de l'épidémie de peste de 1402 à 1404. L'île était de nouveau ruinée au XVIIIᵉ siècle par une épidémie de variole et plusieurs éruptions volcaniques. Les revendications nationalistes se développèrent surtout au XIXᵉ siècle, si bien que le Danemark devait concéder une autonomie restreinte à l'Islande en 1874. L'île devenait en 1918 un royaume associé au Danemark par union personnelle. Devenue république indépen-

dante après le plébiscite du 23 mai 1944, l'Islande entrait à l'ONU en 1946 et dans l'OTAN en 1949. Un conflit, la « guerre de la morue », éclatait en 1958 avec la Grande-Bretagne lorsque l'Islande décidait de repousser la limite de ses eaux territoriales de 3 à 12 milles marins. La nouvelle limite était reconnue par la Grande-Bretagne en 1961, mais un conflit de pêche éclatait à nouveau en 1972 après l'extension des eaux territoriales à 50 milles, intéressant cette fois plusieurs pays européens. Lorsque la zone de pêche islandaise fut étendue en 1975 à 200 milles, Londres envoyait des bâtiments de la Royal Navy pour protéger les pêcheurs britanniques. Reykjavik rompait ses relations diplomatiques avec la Grande-Bretagne en février 1976. Un accord mettait fin

en juin au conflit, Londres reconnaissant les conditions islandaises et notamment les contingentements sur la morue et le hareng. Les partis de gauche remportaient les élections de 1978 ; après le retrait des sociaux-démocrates de la coalition, le nouveau gouvernement de centre-gauche formé par le conservateur Gunnar Thoroddsen perdait la majorité en août 1982. Un gouvernement de centre-droit était formé par Steingrimur Hermannsson, chef du parti agrarien après les élections anticipées d'avril 1983 : le nouveau gouvernement parvenait en 1984 grâce à un plan d'austérité à ramener l'inflation de 150 % à 15 %. Vigdis Finnbogadóttir est depuis le 29 juin 1980 la première femme présidente de la République.

Israël

IL
Proche-Orient
20 770 km²
4,05 M hab.
ONU

Capitale : Jérusalem (429 000 hab.)
Langue officielle : hébreu
Religions : juifs (84 %), musulm. (12%), chrét.
Régime polit. : rép. parlem. Indépendance proclamée le 14 mai 1948

L'histoire du peuple juif

C'est sous la conduite d'Abraham, vers 1800 av. J.-C., que les premiers Hébreux s'installaient au pays de Canaan, correspondant à l'actuel Israël. Emmenés en Égypte, les Hébreux furent libérés de leur esclavage par Moïse, vers 1220 av. J.-C. Leur retour vers le pays de Canaan dura une quarantaine d'années. C'est pendant cette période que se développa le culte du dieu Iahvé, dont Moïse aurait reçu sur le mont Sinaï, selon la tradition de l'Ancien Testament, les Dix Commandements. Gravés sur les Tables de la Loi, les préceptes divins devenaient le fondement de la religion juive, l'alliance des Hébreux avec Iahvé était symbolisée par l'Arche. Les Hébreux conservèrent à Canaan leur ancienne structure sociale tribale. Les tribus israélites ne s'unifièrent que sous Saül, lors des combats contre les Philistins et les Ammonites, vers 1020 av. J.-C. Succédant à Saül, David (1004-965) conquit Jérusalem et en fit la capitale de son royaume. Le royaume d'Israël connut un grand essor culturel et l'apogée de sa puissance sous le règne de Salomon (965-926), fils de David. Salomon mit en place une politique fort et centralisé, s'appuyant sur une importante administration. Ayant épousé la fille du pharaon, Salomon fit construire une flotte ; il entretenait une armée puissante et donna à Jérusalem un temple et un palais. A la mort de Salomon, le royaume d'Israël se scindait (vers 931) en deux royaumes et fut pendant plus de 200 ans la proie de guerres intestines : au sud, le royaume de Juda (931-587 av. J.-C.) avait Jérusalem pour capitale ; au nord, le royaume d'Israël (931-722) établissait sa capitale après plusieurs changements à Samarie, fondée par le roi Omri (885-874). Le royaume du Nord était conquis en 722 par le roi assyrien Sargon, l'élite de la population israélite était déportée en Mésopotamie. Le royaume de Juda était conquis 135 ans plus tard par le roi babylonien Nabuchodonosor II. Jérusalem était détruite, les israélites étaient déportés à Babylone. La « Captivité » de Babylone ne cessa qu'avec la prise de la ville par Cyrus II le Grand, roi des Perses, en 539, qui autorisa le retour des Juifs vers Juda et la recons-

truction du temple de Jérusalem. Israël fut successivement dominée au cours des siècles suivants par les Perses, les Macédoniens, les Ptolémées et les Séleucides. La domination étrangère prit fin en 167 av. J.-C. avec la révolte des Maccabées, d'après le nom de son chef, Judas Maccabée. La dynastie des Maccabées était renversée en 63 par les Romains. La Judée fut gouvernée par des rois dépendants de Rome. C'est sous le règne de l'un d'entre eux, Hérode Antipas, que vécut Jésus de Nazareth. La révolte qui éclatait en 66 ap. J.-C. conduisait à la destruction (70) de Jérusalem par le futur empereur romain Titus. Des révoltes importantes furent également réprimées par les Romains entre 132 et 135. De nombreux Juifs furent déportés de Palestine et formèrent une communauté disséminée en Europe, poursuivant le phénomène de la « dispersion », la Diaspora, commencée au IXᵉ siècle av. J.-C. Après la division de l'Empire romain, en 395, la Palestine appartint à l'Empire romain d'Orient, Byzance. Conquise par les Arabes islamisés en 636, la Palestine vit la constitution en 1099 du royaume de Jérusalem, État des croisés, qui se maintenait jusqu'en 1291. La Palestine appartint de 1518 à 1918 à l'Empire ottoman.

Le mouvement sioniste

Le premier Congrès sioniste fut réuni en août 1897 à Bâle sous l'impulsion du journaliste juif Theodor Herzl, originaire de Budapest. Les nationalistes juifs demandaient la « création d'un foyer national juif en Palestine, garanti par le droit public international ». Près de 60 000 Juifs émigraient en Palestine entre 1882 et 1914. La Palestine fut conquise par les Britanniques au cours de la Première Guerre mondiale : ils l'administrèrent sous mandat international de 1918 à 1948. Le ministre des Affaires étrangères britannique Arthur Balfour avait déjà garanti en 1917 par la « Déclaration Balfour » la constitution d'un foyer national juif. Mais cette déclaration était contradictoire à la promesse faite antérieurement aux dirigeants arabes de faire de la Palestine un État arabe indépendant. L'immigration juive en Palestine s'accéléra dans les années 1930, notamment après l'arrivée des nazis au pouvoir en Allemagne. Le conflit avec les populations arabes de Palestine ne cessa plus dès lors de s'aviver, conduisant à l'hostilité irréductible qui est toujours d'actualité. Les différents plans (décision de l'ONU de novembre 1947 entre autres) visant à diviser la Palestine en un État juif et en un État arabe ne purent être appliqués.

La fondation de l'État d'Israël

C'est le 14 mai 1948, quelques heures avant l'expiration du mandat britannique sur la Palestine, que l'État d'Israël était proclamé par le Conseil national

juif. David Ben Gourion présidait le premier gouvernement israélien. L'État se dotait d'institutions : le Parlement, la Knesset, était élu le 25 janvier 1949, le premier président de la République, Chaïm Weizmann, était désigné le 17 février. L'État d'Israël était déclaré ouvert aux Juifs du monde entier dès le 15 mai 1948. Deux jours plus tard, des troupes arabes, syriennes et égyptiennes attaquaient Israël, qui put stopper leur offensive et engager une contre-offensive après juillet 1948, qui lui permit d'agrandir son territoire de près de moitié. La plupart des voisins arabes d'Israël signaient un armistice à la fin de l'année 1948. L'ONU tentait par une résolution de 1949 de résoudre le grave problème posé par la population arabe palestinienne réfugiée, dont l'exode massif (700 000 à 900 000 personnes) avait commencé au début de 1948. Menacée sur tous les fronts, Israël n'avait dû son salut qu'à l'aide militaire des pays socialistes et au soutien des grandes puissances. Aggravée par le conflit de Suez, la tension israélo-arabe conduisait Israël à prendre le 29 octobre 1956 l'initiative d'une nouvelle guerre contre l'Egypte : la déroute des troupes égyptiennes permit à Israël d'occuper Gaza et le Sinaï, qu'elle devait évacuer sous la pression de l'ONU en 1958. Israël conservait pourtant avec le port d'Elath, dans le golfe d'Aqaba, un accès à la mer Rouge. La scène politique israélienne est dominée par la rivalité entre parti travailliste et coalition conservatrice. Dirigé par Ben Gourion, le parti travailliste (MAPAI) se divisait en mai 1965 sous l'impulsion de jeunes hommes politiques, Moshe Dayan et Shimon Peres. Le MAPAI demeurait cependant majoritaire et conservait la direction des affaires (Levi Eshkol), face à la coalition du Herout et du parti libéral. A ce moment commencent à apparaître au sein de la population israélienne des tensions entre ses différents groupes : la majorité juive, d'origine africaine et asiatique, revendique des fonctions jusqu'alors occupées par les Juifs d'origine européenne. Alors que l'économie israélienne était ébranlée depuis 1965 par une grave crise, le blocus d'Elath par l'Egypte le 23 mai 1967 déclenchait la guerre de Six Jours (troisième guerre israélo-arabe), à l'issue de laquelle Israël occupait de nouveau le Sinaï, Gaza, la Cisjordanie, la partie arabe de Jérusalem et le Golan syrien. C'est le 6 octobre 1973, jour de la fête juive du Yom Kippour, que l'Egypte et la Syrie déclenchèrent une violente attaque surprise, repoussée après de lourdes pertes initiales par Israël : un cessez-le-feu était signé le 24 octobre, le Premier ministre, Mᵐᵉ Golda Meir, avait été remplacé lors des premiers revers par le général Itzhak Rabin. Les positions égyptiennes conquises par les Israéliens

étaient évacuées pacifiquement en janvier-février 1974. Le chef du Likoud, le conservateur Menahem Begin, devenait Premier ministre après sa victoire électorale de mai 1977. De difficiles et courageuses négociations provoquaient un rapprochement égypto-israélien, favorisé par le président américain Jimmy Carter et aboutissant à la signature des accords de Camp David entre Menahem Begin et Anouar al-Sadate puis au traité de paix de Washington, le 26 mars 1979. Israël s'engageait à retirer ses troupes du Sinaï (retrait achevé le 25 avril 1982) tandis que l'Egypte ouvrait le canal de Suez aux navires israéliens. Israël poursuivait pourtant, malgré les protestations internationales, sa politique de colonisation des territoires occupés. Jérusalem était proclamée capitale d'Israël par la Knesset en 1980 ; les principaux pays étrangers refusaient cependant de la reconnaître en tant que telle et laissèrent leurs ambassades à Tel-Aviv-Jaffa. Les troupes israéliennes envahissaient le Sud-Liban le 6 juin 1982 afin d'en chasser les Palestiniens de l'OLP. Le retrait des Palestiniens s'effectua sous contrôle international. La guerre du Liban pesa d'un poids considérable sur une économie israélienne (le budget militaire est, relativement, le plus important du monde) déjà touchée par une grave crise, marquée par une inflation supérieure à 150 %. Le retrait de Menahem Begin, le 15 septembre 1983, provoquait une grave crise politique résolue par la constitution le 11 octobre d'un gouvernement de coalition du centre-droit dirigé par Itzhak Shamir. Ce gouvernement était remplacé le 13 septembre 1984 par un gouvernement de coalition nationale dirigé par Shimon Peres, dont le parti, le Maarakh (travailliste), était devenu le premier parti de la Knesset après les élections du 23 juillet. Le gouvernement de Shimon Peres devait affronter plusieurs graves difficultés : une inflation se montant à 400 %, le retrait des troupes israéliennes du Sud-Liban et la poursuite des implantations de colons israéliens en Cisjordanie notamment. Le processus de normalisation des relations israéliennes avec les pays arabes, qui passe par un rapprochement israélo-jordanien, était stoppé après l'attaque du quartier général de l'OLP à Tunis par l'aviation israélienne, le 1ᵉʳ octobre 1985. Les dernières troupes militaires israéliennes avaient évacué le Sud-Liban le 10 juin. La gravité persistante de la crise économique conduisait, malgré une aide américaine portée en 1985 à 2,6 milliards de dollars, à plusieurs hausses officielles des prix (100 % sur les services publics), des dévaluations successives du shekel, la monnaie nationale, et à la création d'une nouvelle unité monétaire (nouveau shekel), le 4 septembre 1985.

Italie

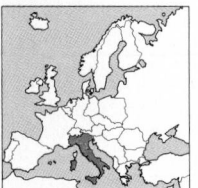

I
Europe du Sud
301 252 km²
57,1 M hab.
ONU, CEE, CE,
OTAN, OCDE

Capitale : Rome (2,9 M hab.)
Langue officielle : italien
Religions : cath. (plus de 99 %)
Régime polit. : rép. parlem. et dém. depuis le
référendum du 2 juin 1946

Le premier peuplement de l'Italie résulte de la pénétration progressive de plusieurs peuples, venus du nord, de l'est (Illyriens) ou du sud. Les Etrusques font leur apparition sur la côte occidentale de la péninsule vers le VIIIᵉ siècle av. J.-C. et étendent rapidement leur domaine d'influence aux Apennins puis à la plaine du Pô, sans toutefois jamais atteindre la côte adriatique. Simultanément aux Etrusques, les Grecs établissaient leurs premières colonies (Cumes) au sud-est, du golfe de Tarente à la Campanie. Les Etrusques, menacés par l'extension des colonies grecques, s'allient aux Carthaginois, auxquels ils laissent le contrôle de la Sicile et de la Sardaigne après la défaite de la flotte grecque de Massalia à Alalia, en Corse (vers 540 av. J.-C.). La poussée étrusque vers le sud de l'Italie est toutefois stoppée par leur défaite à Cumes (524) et le soulèvement des populations latines. Les Celtes envahissent l'Italie au cours du Vᵉ siècle, submergent les Etrusques et parviennent jusqu'à Rome au IVᵉ siècle. Rome, dont la fondation remonte traditionnellement à 753 av. J.-C. et qui fut dominée jusqu'en 510 par les rois étrusques, profite du recul de la puissance étrusque pour conquérir progressivement la péninsule italienne entre le IVᵉ et le IIᵉ siècle, imposant aux populations italiotes et grecques une langue, le latin, et des institutions communes. L'expansion romaine au sud de l'Italie se heurtait à la puissance carthaginoise. Rome et Carthage entamaient en 264 une guerre (guerres puniques) qui se poursuivit jusqu'en 146, jusqu'à la destruction de la grande cité africaine. Maîtres de la Sicile, les Romains avaient soumis en 222 les tribus celtiques de la vallée du Pô et poursuivi leur conquête sur la presqu'île balkanique. L'expansion des légions romaines ne connut plus de frein pendant plusieurs siècles et conquit d'immenses territoires au sud, l'Asie Mineure, la Syrie, l'Egypte, l'Afrique du Nord et au nord, de la Manche au Rhin et au Danube. Plusieurs guerres civiles éclataient à Rome entre 133 et 59 av. J.-C., jusqu'à la nomination de Caius Julius Caesar, général et homme politique, comme dictateur à vie. La République romaine

disparaissait à l'apparition des Césars. Petit-neveu de César, Octave prenait le nom d'Auguste en 27 av. J.-C. et devenait le premier empereur romain. Son règne inaugurait une période de paix et de bien-être qui allait durer deux siècles à travers l'Empire romain. La décadence de Rome s'engageait au début du IIIᵉ siècle ap. J.-C., avec les règnes des premiers empereurs-soldats. L'Empire s'épuisait au fil d'une crise économique constante et des combats à ses lointaines frontières. Les invasions barbares se succédaient depuis 250 : à l'est, les tribus des Goths en provenance de la mer Noire, au nord, les tribus des Francs et des Alamans bousculaient la frontière du Rhin, en Asie Mineure, le nouveau royaume perse des Sassanides enregistrait d'importants succès. L'empereur Dioclétien réussit en 284 à assainir les finances de l'Empire par une réforme générale des impôts. Il tenta de rendre l'immense Empire gouvernable en divisant son administration en deux. Le christianisme devint la religion officielle de l'empire et Constantinople sa capitale sous le règne de Constantin le Grand (324-337). L'Empire romain se scinda définitivement en une partie occidentale et une partie orientale à la mort de Théodose Iᵉʳ (395). Le dernier empereur romain d'Occident, Romulus Augustulus, était déposé en 476 par le chef germanique odoacre. Odoacre, qui s'était proclamé roi, était renversé en 493 par le chef ostrogoth Théodéric. Les Romains d'Orient parvinrent jusqu'au milieu du VIᵉ siècle à reconquérir et à se maintenir dans des régions étendues d'Italie, à Rome, Ravenne, et sur plusieurs bandes de territoires côtiers, pendant que se constituait au nord le royaume lombard avec Pavie comme capitale et les duchés de Spolète et de Bénévent. La puissance croissante de la papauté permit au pape Grégoire le Grand (590-604) de faire du Saint-Siège le centre d'un pouvoir politique décisif. Le royaume des Lombards était conquis en 774 par Charlemagne, roi des Francs. Le jour de Noël de l'an 800, Charlemagne se faisait couronner empereur par le pape Léon III, il succédait ainsi aux empereurs romains à la tête de la plus grande puissance occidentale, maîtresse de l'Italie. Mais ni Charlemagne ni ses successeurs ne purent maintenir leur souveraineté en Italie. Les Sarrasins conquéraient en grande partie la Sicile en 827, les Normands s'y implantaient à leur tour et fondaient avec le roi Roger Iᵉʳ le royaume normand de Sicile. Le roi de Germanie Otton Iᵉʳ se faisait couronner empereur à Rome par le pape Jean XII en 962, marquant l'acte de naissance du Saint Empire romain germanique. L'Allemagne et l'Italie sont liées. Otton Iᵉʳ affermissait sa tutelle sur l'Eglise, choisissant et déposant les papes. Mais le pape Nicolas II, s'assurant du soutien du roi normand Robert

Guiscard et du marquis de Toscane, supprime le contrôle des rois germaniques sur l'élection papale après 1059.

La formation des cités
Plusieurs cités se constituèrent en Italie au cours du Moyen Age, ces Etats-cités demeurant liés à leur suzerain, l'empereur, par les liens de la féodalité. Chaque cité possédait son propre chef, sa milice bourgeoise et des fortifications puissantes lui assurant une importante capacité d'autodéfense. Les plus riches et les plus puissantes de ces cités étaient alors Venise, Milan, Vérone et Florence. Tandis que les cités grandissaient, la rivalité entre les papes et l'empereur pour la suprématie politique et spirituelle dans la péninsule s'accusait. L'empereur et roi d'Allemagne Frédéric Iᵉʳ Barberousse détruisait Milan, qui avait pris la tête de la ligue lombarde, en 1162. Les villes d'Italie du Nord se soulevaient de nouveau dix ans plus tard contre Frédéric Barberousse, qui devait leur concéder d'importants privilèges. Son petit-fils Frédéric II, héritier de Sicile, était à son tour couronné empereur en 1220. La puissance des Etats d'Italie du Nord et centrale ne cessa de se renforcer au cours du XIVᵉ siècle. La Florence des Médicis conquit une place prépondérante en Europe dans la fabrication des tissus et les activités bancaires. Milan, réputée pour ses étoffes de laine et de soie, contrôlait le passage des Alpes, c'est à dire l'accès aux marchés commerciaux d'Europe de l'Ouest et du Nord. Venise, dont le premier doge avait été élu en 697, tirait sa richesse du commerce maritime. Les richesses commerciales de ces cités leur permettaient d'entretenir une armée de mercenaires et de maintenir les villes voisines sous leur tutelle. Florence contrôlait toute la Toscane, Milan et Venise luttaient pour la suprématie dans la plaine du Pô. Naples, conquise en 1442 par le roi Alphonse d'Aragon, et la Sicile demeuraient des Etats féodaux. Les cinq puissances moyennes d'Italie : Florence, Milan, Venise, Naples et la Sicile s'alliaient en 1454 aux Etats de l'Eglise au sein de la Ligue italienne afin de constituer une puissance d'un poids politique suffisant face aux appétits de leurs voisins européens. La Renaissance s'épanouissait alors à travers ces puissantes cités italiennes.

Domination étrangère et Risorgimento
L'Italie allait devenir pendant plus d'un demi-siècle le champ clos de l'affrontement des puissances européennes : le conflit s'élargissait à l'Europe après l'élection de Charles Quint à l'Empire romain germanique (1519). Invoquant les droits hérités de la maison d'Anjou en 1481, le roi de France Charles VIII revendiquait Naples. Il entrait en Italie en septembre 1494. L'artillerie française, utilisant des boulets de fer, vint

rapidement à bout des fortifications italiennes. Les succès français suscitèrent la création par le pape de la Sainte Ligue, rassemblant l'Autriche et l'Espagne. Les Français étaient battus à Naples en juillet 1496. Le royaume était reconquis par Louis XII en 1501 et partagé avec l'Espagne. La nouvelle coalition rassemblée par le pape contraignait Louis XII à évacuer le Milanais en 1513. François Iᵉʳ reconquérait la province contre les Suisses à Marignan (13-14 septembre 1515). L'Espagne imposait sa domination sur l'Italie en 1559. La souveraineté des Habsbourg d'Espagne, qui cesse en 1713, après la guerre de Succession d'Espagne, laissera l'Italie affaiblie commercialement et culturellement : la population italienne atteint 11,5 millions d'habitants en 1700, soit moins qu'en 1500 ; l'essor de la Renaissance a été brutalement stoppé par la répression associée à la Contre-Réforme et l'Inquisition. La domination des Habsbourg d'Autriche ouvre en 1713 une période plus paisible, marquée par l'influence libérale de « l'esprit des Lumières » dans le domaine politique. La Révolution française suscite en Italie une certaine sympathie dans les milieux intellectuels, qui facilite l'intégration des régions annexées par la France en Italie du Nord. Les rapports de force changeaient complètement en Italie après la campagne victorieuse de Bonaparte : après la conquête de la Lombardie (1796), le traité de Campoformio en 1797 ne laissait à l'Autriche que Venise ; des républiques sont créées en Lombardie, à Rome, à Gênes, Naples. Napoléon se faisait couronner roi d'Italie en 1805. Le pape refusant d'appliquer le Blocus continental, Napoléon faisait annexer Rome en 1807 : le pape Pie VII était arrêté et exilé à Savone. L'Autriche retrouvait après 1814 sa souveraineté en Italie, où seuls trois Etats indépendants (Naples, Etats pontificaux et royaume de Piémont-Sardaigne) lui échappaient. L'opposition libérale commençait à se regrouper dans les principales villes italiennes. Une révolution éclatait à Naples en 1820 à l'instigation de la Charbonnerie et s'étendait à Turin, en Lombardie : les troupes autrichiennes intervenaient partout, appelées par les souverains, et écrasaient la révolte. De nouveaux soulèvements, vite réprimés, éclataient en Italie du Nord en 1831. Une véritable révolution nationale n'éclatait qu'en 1848, après deux années de grave crise économique. Milan se soulevait contre l'Autriche en janvier, la Sicile suivait en février : les révoltes de Paris et de Vienne étendent le mouvement à toute l'Italie. Acquis au libéralisme, le roi Charles-Albert de Piémont répondait à l'appel des Lombards. Sans soutien international, il sera battu par les Autrichiens à Custoza en juillet puis à Novare le 23 mars 1849. Le roi de Piémont abdiquait, les souverains rentraient dans leurs Etats derrière les troupes autrichiennes, sauf le pape, qui rentrait à Rome occupée depuis juillet 1849 par les Français. La tutelle autrichienne favorisa la renaissance d'un sentiment nationaliste et unitaire italien. Les chefs de ce « Risorgimento », Giuseppe Mazini, Camillo Benso di Cavour et Giuseppe Garibaldi reconnurent bientôt que l'unité italienne ne pourrait se faire que grâce à une intervention venue de l'extérieur : ils s'allièrent à la France. Napoléon III envoya en 1859 une armée, dont les victoires à Magenta et Solférino contraignirent les Autrichiens à se retirer de Lombardie. Pendant ce temps, Garibaldi conquérait à la tête de l'expédition des Mille la Sicile et Naples. Victor-Emmanuel II de Sardaigne devenait le 14 mars 1861 le premier roi d'Italie. Venise et Rome, où le pape maintenait son autorité sous la protection des troupes françaises depuis 1849, demeuraient toutefois indépendantes. Venise était annexée par Victor-Emmanuel II en 1866 après la défaite de l'Autriche contre la Prusse (Sadowa). Les Français devaient évacuer Rome au cours de la guerre franco-allemande (1870-1871) : la ville était prise par les troupes italiennes le 20 septembre 1870. Victor-Emmanuel II faisait son entrée solennelle le 31 décembre 1870 à Rome, qui devenait la capitale du royaume d'Italie. L'unité italienne n'était pourtant pas achevée, plusieurs provinces « irredente » (Trente et Trieste) demeuraient sous souveraineté autrichienne.

Etat national et fascisme

L'alliance traditionnelle avec la France, dont les intérêts coloniaux en Afrique du Nord s'opposaient aux visées italiennes sur l'Ethiopie et la Tunisie, était abandonnée en 1881. Le nouveau roi d'Italie, Humbert Ier, concluait une alliance, la Triplice, avec l'Allemagne et l'Autriche (mai 1882). La rupture des relations commerciales avec la France aggravait la misère et les difficultés économiques du royaume, qui conduisaient à plusieurs révoltes en Sicile et à Milan (1898) : la répression contre socialistes et démocrates-chrétiens fut brutale. Humbert Ier était assassiné le 29 juillet 1900 par un anarchiste. L'accession au trône de Victor-Emmanuel III est contemporaine de l'arrivée au gouvernement de Giovanni Giolitti, qui occupera la présidence du Conseil jusqu'en 1914. Cette période est marquée par un rapprochement avec la France, une reprise de l'activité économique et la mise en place de réformes politiques libérales. Politiquement divisée, l'Italie entre en guerre contre les empires centraux en 1915-1916. Mal préparée, l'armée italienne est défaite à Caporetto (24 octobre 1917) avant de reprendre l'offensive avec l'aide des Alliés. L'Italie s'agrandit après la victoire des Alliés vers le nord et le nord-est, Trieste, l'Istrie, mais aussi plusieurs territoires (en Dalmatie) à majorité slave. Déçue, l'Italie est en proie à une grave crise économique et politique. La fondation par Benito Mussolini des Faisceaux italiens de combat (23 mars 1919) est suivie en 1921 de la fondation du parti communiste italien par Gramsci et Togliatti. L'essor du parti communiste conduit les grands propriétaires et industriels à soutenir le parti fasciste, qui contraint le roi à lui confier le gouvernement après la « marche sur Rome » d'octobre 1922. Le régime fasciste, redoutant un éventuel rapprochement austro-allemand, rassure tout d'abord les démocraties européennes en signant le pacte à Quatre de juin 1933. L'intervention de Mussolini, qui massait les troupes italiennes à la frontière autrichienne après l'assassinat du chancelier Dollfuss, en 1934, permettait au complot nazi d'échouer. Mais, irrité de l'opposition de la SDN à l'invasion en Ethiopie, le « Duce » se rapprochait de l'Allemagne, quittait la SDN et signait avec Hitler le pacte d'Acier en 1939. Les troupes italiennes, soutenues par les troupes allemandes, subissaient plusieurs échecs après 1940 en Grèce et en Afrique du Nord et ne pouvaient s'opposer au débarquement allié de Sicile, le 10 juillet 1943. Le roi et un nouveau gouvernement faisaient arrêter Mussolini et concluaient un armistice avec les Alliés. Mais l'Italie demeurait en grande partie occupée par les troupes allemandes, qui libérèrent Mussolini et s'opposèrent farouchement à l'avance alliée, soutenue par les partisans italiens. Rome n'était libérée que le 4 juin 1944. Arrêté par des résistants, Mussolini était exécuté près de Côme le 28 avril 1945. Le roi Victor-Emmanuel III abdiquait le 9 mai 1946 en faveur de son fils, Humbert II, qui s'exilait quelques jours plus tard, après le référendum du 2 juin 1946.

La République d'Italie

République depuis juin 1946, l'Italie est dotée d'une Constitution depuis le 1er janvier 1948. La démocratie-chrétienne, qui avait atteint la majorité absolue aux élections de 1948, la perdait en 1953 et devait constituer des gouvernements de coalition qui se succédèrent rapidement, confrontés à un renforcement du parti communiste, mais aussi des mouvements extrémistes, néofascistes et d'extrême-gauche. L'agitation sociale, les scandales politiques – démission du président Giovanni Leone en juin 1978 –, la nécessité de mettre fin aux crises ministérielles répétées face à l'importance des réformes sociales et économiques indispensables, conduisent à un compromis progressif des partis du centre et de droite avec les communistes (depuis le 4 juillet 1977). Mais l'enlèvement puis l'assassinat d'Aldo Moro, président de la démocratie-chrétienne par l'un des nombreux groupes armés révolutionnaires, les Brigades rouges, en mars-mai 1978, provoque l'échec du « compromis historique » avec les communistes. La vague de terreur extrémiste culminait en août 1980 avec l'attentat revendiqué par des extrémistes de droite contre la gare de Bologne. Le républicain Giovanni Spadolini devenait en juillet 1981 le premier chef de gouvernement non démocrate-chrétien : son gouvernement tombait en novembre 1982 sur une question de politique économique. Après les élections du 26 juin 1983, où les chrétiens-démocrates enregistrèrent un recul de 6 % de leurs voix, un nouveau gouvernement de coalition était constitué par le socialiste Bettino Craxi qui, malgré plusieurs scandales – affaire de la loge « P-2 », affaire « Sidona » –, pouvait fêter le 14 novembre 1985 la plus longue durée d'existence (834 jours) d'un gouvernement italien depuis 1945. Le gouvernement Craxi doit sans doute sa stabilité à l'amélioration des résultats économiques, le taux d'inflation, 20 % en 1984, étant descendu en 1985 à 8,8 %.

Jamaïque

JA
Amérique centrale
10 991 km²
2,36 M hab.
ONU, OEA, CW, CARICOM

Capitale : Kingston (169 800 hab.)
Langue officielle : anglais
Religions : prot. (78 %), cath. (8 %)
Régime polit. : monarchie parl. et dém. Indépendance obtenue le 6 août 1962

La Jamaïque, l'une des Grandes Antilles, était découverte par Christophe Colomb en 1494, qui en prenait possession au nom de l'Espagne. Les colons espagnols développèrent à Xaymaca des plantations de canne à sucre, les indigènes arawaks en fournissant la main-d'œuvre. Le traitement infligé aux Arawaks était tel qu'il fallut bientôt aux Espagnols importer des esclaves d'Afrique. Oliver Cromwell envoyait en 1655 une expédition vers la Jamaïque, chargée de chasser les Espagnols et d'occuper l'île. Après le départ des Espagnols, en 1660, la Jamaïque obtenait en 1662 une Constitution et une assemblée populaire élue. L'Espagne reconnaissait en 1670 par le traité de Madrid la souveraineté anglaise sur l'île. La Jamaïque devient un centre du commerce de contrebande anglais à destination de l'Amérique espagnole puis de la traite d'esclaves lorsque l'Angleterre en obtient le monopole, en 1713 (traité d'Utrecht). Les combats contre les Noirs révoltés et réfugiés dans les montagnes du centre duraient jusqu'en 1739, jusqu'à ce que le gouverneur anglais leur garantisse l'autonomie de leurs territoires. L'économie de la Jamaïque atteignit son apogée au milieu du XVIIIe siècle, tirant sa richesse de l'exportation de sucre, d'indigo et de cacao. Après la révolte des esclaves de 1831, l'abolition de l'esclavage, en 1833, et la chute des prix du sucre provoquaient la ruine des plantations. Après la révolte de Morant Bay, l'île était placée sous administration directe de Londres comme colonie de la Couronne entre 1865 et 1884. Les décennies suivantes voient l'installation, dans un calme retrouvé, des grandes compagnies étrangères, *United Fruit* pour la banane et *West Indies Sugar Company* pour le sucre. Le mouvement nationaliste se développait au cours des années 1940 sous l'impulsion du syndicaliste Alexander Bustamante et de son cousin, l'avocat Norman Washington Manley. Une constitution ouvrant la voie à l'autonomie entrait en vigueur en 1953 et la Jamaïque quittait par référendum la Fédération des Indes occidentales en 1961, après la victoire du parti de Bustamante.

Depuis l'indépendance

Tout en restant membre du Commonwealth, la Jamaïque devenait indépendante le 6 août 1962. Les travaillistes restaient au pouvoir avec Bustamante jusqu'en 1967 puis jusqu'en 1972 avec Hugh Lawson Shearer. La victoire du *People's National Party,* conduit par Michael Norman Manley (fils du précédent), aux élections législatives de 1972 portait les socialistes au pouvoir. La Jamaïque s'associait en 1973 avec la Barbade, le Guyana et Trinité et Tobago pour fonder la CARICOM, Communauté économique des Caraïbes. La politique sociale et procastriste du gouvernement Manley, qui, en imposant une taxe sur les exportations de bauxite, provoqua de la part des entreprises productrices une réduction de près de moitié de l'exploitation, entraîna une grave crise économique et politique : le produit national brut avait diminué depuis 1972 de 25 %, le chômage touchait 35 % de la population active. Les élections anticipées d'octobre 1980 entraînaient le retour des travaillistes au pouvoir. Le nouveau Premier ministre, Edward P. Seaga, tentait d'initier grâce au retour à une économie libérale de marché – selon l'exemple portoricain – le passage d'une économie essentiellement rurale à une économie industrialisée, dominée par l'exploitation de la bauxite (qui représente en valeur 70 % des exportations) mais pénalisée par une dette extérieure très lourde. Le gouvernement Seaga, qui bénéficie du soutien des Etats-Unis, devait faire face en 1985 à de graves

troubles sociaux : émeutes sanglantes après la hausse des prix des carburants en janvier, grève générale en juin. Le gouvernement favorise le tourisme, qui rapporterait à la Jamaïque selon les

chiffres officiels près de la moitié de ses rentrées en devises étrangères. On estime cependant que le trafic illégal de marijuana aurait rapporté 200 millions de dollars en 1984. Les difficultés ren-

contrées sur les marchés de la bauxite et de l'aluminium ont provoqué une perte du pouvoir d'achat moyen estimée à près de 50 % depuis l'arrivée au pouvoir des travaillistes en Jamaïque.

Japon

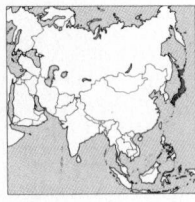
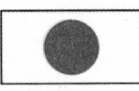

J
Extrême-Orient
377 728 km²
118 M hab.
ONU, OCDE

Capitale : Tokyo (8,35 M hab.)
Langue officielle : japonais
Religions : bouddhistes, shintoïstes
Régime polit. : monarch. parlem. et dém.
d'après la Constitution promulguée en nov. 1946

Les îles du Japon, les principales étant du nord au sud Hokkaido, Honshu, Shikoku, et Kyushu, furent peuplées avant le VIIIᵉ millénaire par des populations en provenance du continent nord-asiatique. A la culture mésolithique tardive (période Jomon) succède à partir du IIIᵉ siècle av. J.-C. la culture yayoi. Les Yayoi, probablement en provenance du sud de la Chine, apportaient avec eux la technique de la culture du riz, les métallurgies du bronze et du fer. A la même époque mais au nord apparaissent les Aïnous, peuple venu de Sibérie qui se mêle aux Jomon. Les Yayoi sont organisés en communautés agricoles, dominées par un chef-grand-prêtre. Les guerriers coréens qui font leur apparition au sud du Japon à la fin du IIIᵉ siècle imposent facilement leur domination aux populations yayoi rurales grâce à leurs chevaux, leurs arcs et leurs armes de fer. Les Yayoi sont regroupés en clans dont l'importance ne cesse de croître au fil des conquêtes, jusqu'à former des royaumes, également rivaux. Les « aristocrates » coréens se font inhumer dans de grands tumulus caractéristiques. Le clan du Yamato, qui parvient à assurer sa domination à partir de Kyoto et prétend à l'hégémonie, donne à son roi le titre de tenno (titre chinois d'empereur). La légende attachée aux premiers tennos est connue par deux ouvrages rédigés tardivement (vers 715), le *Kojiki* et le *Nihon Shoki*.

Le Japon jusqu'au shogunat
Le Japon n'entre dans l'histoire qu'avec l'introduction du bouddhisme à la cour impériale en 538 ap. J.-C. La faveur accordée au bouddhisme par le Yamato et ses alliés provoque une guerre contre les clans partisans des cultes indigènes, le shinto. Les clans bouddhistes finissent par l'emporter (587). Le Japon s'ouvre alors aux idées (confucianisme) et aux techniques venues de Chine avec le bouddhisme : un code de lois est

promulgué à la fin du règne de l'impératrice Suiko (593-628). Le clan Nakatomi, qui impose sa suprématie en 645, étend le modèle chinois à la vie sociale du Japon par le code Taika. Le code Taiho le remplacera en 711, réformant la distribution des terres et les codes sociaux. Un an plus tard, la cour impériale choisissait Nara, important centre religieux bouddhique, comme résidence fixe. L'ordre donné par l'empereur Shomu en 741 de construire des temples bouddhiques à travers tout le Japon lui permit de reprendre le contrôle des seigneurs féodaux, dont l'autonomie n'avait cessé de se renforcer. L'empereur Kammu tenta de mettre fin à l'influence considérable des moines bouddhistes de Nara en construisant une nouvelle capitale à Heiankyo (Kyoto), inaugurée en 794. Le retour de Chine des moines bouddhistes japonais Saicho et Kukai marquait en 806 le début d'un bouleversement culturel d'où allaient surgir une nouvelle écriture proprement japonaise et une nouvelle doctrine religieuse combinant les influences bouddhiques, confucéennes, taoïstes et shintoïstes. Le règne du clan Fujiwara, qui détient le titre de kampaku (régent) est une période où la paix favorise le développement d'une brillante culture japonaise et la pénétration du bouddhisme, jusqu'alors réservé à une élite, au sein du peuple. Les clans Taira et Minamoto créent vers 950 de puissants Etats, rivaux de l'empire, et soutiennent les empereurs contre les Fujiwara, alors divisés en factions rivales. Mais les Taira et les Minamoto s'affrontent ouvertement : une première bataille à Kyoto même donne la victoire aux Taira en 1060. Les luttes incessantes entre les deux clans jettent le pays dans la misère, la famine et le banditisme. La bataille décisive avait lieu près de Shimonoseki en 1185 : la flotte Taira détruite, Yamamoto, chef du clan Minamoto, se retournait contre les Fujiwara, dont il conquérait en 1189 les territoires du Honshu. S'appuyant sur un système de féodalité fondé sur la prééminence du guerrier, le samurai, Yoritomo étend son pouvoir de proche en proche à travers l'empire et impose à l'empereur en 1192 un régent. Le tenno perd tout pouvoir, Minamoto no Yoritomo prend le titre de shogun (dictateur militaire). Le pays tout entier, ruiné, se rallie au plus puissant seigneur du Japon.

Le règne des shoguns
A la mort de Yamamoto, le clan des Hojo finit par imposer sa suprématie et

détient le régence (shikken) du gouvernement militaire (bakufu) institué par Yoritomo à Kamakura. Les shoguns sont choisis dans la famille impériale, mais les Hojo sont les véritables maîtres du bakufu. Empereur de Chine, Kubilay Khan déclare en 1266 son intention d'envahir le Japon. Des défenses côtières sont établies au nord de Kyushu. L'attaque de la flotte mongole et coréenne, forte de 30 000 hommes, a lieu en 1274. Mais la flotte se retire inexplicablement la nuit suivant l'attaque, le bakufu fait prier à travers le Japon pour remercier les dieux. L'année suivante, une nouvelle ambassade de Kubilay est exécutée, le bakufu fait construire une puissante flotte et un mur de pierre sur la côte nord de Kyushu. Deux flottes mongole et coréenne comptant plus de 140 000 hommes parviennent en 1281 à prendre pied en deux points de Kyushu. Ce sont les forces de la nature qui sauveront cette fois les Japonais, sur le point d'être submergés : un typhon détruit une partie des flottes ennemies, provoquant un rembarquement immédiat d'une partie des forces mongoles, le reste sera massacré par les samurais. La fin de la mobilisation des samurai, à la mort de Kubilay Khan, en 1294, signifie pour plusieurs d'entre eux la ruine, pour les marchands enrichis par la guerre l'acquisition à bon marché de nombreuses terres, malgré l'interdiction de vente faite par le bakufu. Aidé par un Minamoto rebelle, Ashikaga Takauji, et un soulèvement général des seigneurs contre le bakufu, l'empereur Daigo II parvenait à détruire Kamakura en 1333 et restaurait le pouvoir impérial. Ashikaga Takauji s'étant fait nommer shogun par Daigo II et ayant instauré un bakufu à Kyoto, une guerre civile s'ouvre, au cours de laquelle Kyoto sera quatre fois prise et quatre fois détruite jusqu'à 1392, lorsque les shoguns Ashikaga réussiront à s'imposer face à l'empereur. Confrontés à la menace des pirates Wako, le Japon, la Chine et la Corée renouent des relations amicales après 1400. Le Japon est la proie du banditisme : samurai-brigands et paysans chassés par la famine forment des bandes de pillards. C'est dans cette atmosphère qu'éclate en 1467 la guerre civile de « l'ère Onin » avec l'affrontement de 160 000 hommes dans la vallée de Kyoto, appartenant à plusieurs clans qui se disputent la succession du shogun. Une guerre sans enjeu s'étend à travers le pays : les paysans se révoltent en 1486 pour faire cesser la guerre des seigneurs, les daimyos ; des gouvernements locaux sont constitués dans les campagnes et dans les villes, le

pouvoir impérial est dominé par l'un ou l'autre des daimyos. Après le naufrage de marins portugais sur l'île de Tanegashima, au sud de Kyushu, l'usage des armes à feu se répand à travers tout le Japon, les marchands portugais, hollandais et espagnols commercent quelques années plus tard avec le Japon. Un petit seigneur du nord, Oda Nobunaga, parvient à unifier le Japon sous sa tutelle en 1580. Renversé en 1582, un de ses généraux, Toyotomi Hideyoshi, lui succède, bat en 1590 les derniers daimyos indépendants, fait détruire leurs châteaux et les oblige à lui construire un immense palais-château à Osaka. L'expédition qu'il envoie en Corée en 1592, renforcée par 100 000 hommes en 1597, s'achève par un désastre en 1598. Le second général de Oda Nobunaga, Tokugawa Ieyasu, s'impose à la mort de Hideyoshi et établit sa capitale à Edo (Tokyo). L'œuvre de Ieyasu, qui meurt en 1616, est considérable : les relations amicales renouées avec la Chine et les relations avec les Européens permirent l'essor commercial et maritime du Japon, qu'il dota d'un gouvernement stable. Les règnes de son fils et de son petit-fils, Tokugawa Iemitsu (1624-1651), étaient marqués par des persécutions contre les prêtres chrétiens, la fermeture totale des ports japonais aux étrangers, sauf aux Chinois et aux Hollandais, qui ont accès à une partie du port de Nagasaki. Les navires japonais eux-mêmes devaient être titulaires d'une autorisation spéciale pour pouvoir se rendre à l'étranger. La classe des marchands et des citadins, les chonin, prend une importance de plus en plus grande au début du XVIIIᵉ siècle, le pouvoir des daimyos cède parfois le pas à celui de l'argent du commerce. Accablés d'impôts et touchés par une disette larvée, les paysans se révoltent à plusieurs reprises entre 1735 et 1773. La prospérité ne reparaît qu'à la fin du siècle, avant tout dans les villes, les bateaux russes commencent à commercer avec l'Hokkaido en 1792. Les puissances étrangères commencent à manifester au début du XIXᵉ siècle leur impatience devant la fermeture des ports japonais : l'amiral russe N.P. Retzanov attendra six mois dans le port de Nagasaki une invitation à se rendre à Edo qui ne viendra pas ; un navire anglais menace en 1808 de bombarder Nagasaki alors qu'on lui refuse son approvisionnement en vivres et en eau. Le shogun Ienari ordonne en 1825 de détruire tout navire étranger mouillant dans un port japonais. L'ouverture des ports japonais est finalement obtenue par la force par l'Américain Perry qui, ayant apporté en 1853 un message du président des Etats-Unis, revenait en chercher la réponse l'année suivante à la tête de quatre navires de guerre. L'indignation suscitée par les accords avec les « barbares » provoque le soulèvement d'une partie du pays en 1858. Après plusieurs incidents et la prise du port de Shimonoseki par une escadre internationale en 1863, une révolte des partisans de l'empereur bat les troupes du bakufu : les shoguns Tokugawa doivent se soumettre au tenno en 1865, l'empereur Mutsuhito assume le pouvoir en 1868 et transfère sa capitale à Edo, rebaptisée en Tokyo, marquant le début de l'ère Meiji.

De l'ère Meiji à l'ère de Shôwa
Une profonde réforme est engagée par l'empereur Mutsuhito, dans l'esprit du « gouvernement éclairé » (Meiji). La structure administrative et sociale du Japon est profondément remaniée, les paysans deviennent légalement propriétaires des terres, dont l'achat et la vente sont de nouveau libres (1871). Tandis que des universités sont créées, les samurais perdent leur droit au sabre, le gouvernement est modernisé et la liberté du commerce extérieur établie (1873). L'armée impériale, créée en 1871, ne viendra à bout de la révolte conduite depuis 1874 par Saigo Takamori et Eto Shimpei qu'après trois ans de durs combats. Le Conseil impérial est remplacé en 1885 par un cabinet sur le modèle occidental et présidé par Ito Hirobumi. Le processus d'occidentalisation se poursuit dans tous les domaines : octroi le 11 février 1889 d'une Constitution instituant deux chambres parlementaires, modernisation du système judiciaire, de l'armée, de la marine, institution du service militaire obligatoire et début avec les chemins de fer (1870) de l'industrialisation. L'invasion de la Chine par les troupes japonaises en 1894 s'achève en 1895 (traité de Shimonoseki) par une victoire totale, militaire et diplomatique, consacrant la prépondérance japonaise en Corée. Une alliance avec les pays occidentaux se dessine lors de la répression commune de la révolte des Boxers en Chine (1900), l'alliance nippo-britannique de 1902 est avant tout dirigée contre la Russie. Après l'envoi par le tsar Nicolas II de troupes en Mandchourie, le Japon attaque la flotte russe basée à Port-Arthur et débarque une armée en Corée et au Liaodong (1904). La capitulation de Port-Arthur puis la destruction dans le détroit de Tsushima de la flotte russe de la Baltique envoyée en secours permettent aux troupes japonaises de s'installer en Mandchourie et en Corée ; la Russie en outre cède au Japon la moitié sud de l'île de Sakhaline. En fait annexée, la Corée est littéralement colonisée par le Japon, qui lui impose sa langue et organise la modernisation du pays. Les deux guerres victorieuses et les ressources tirées des protectorats de Chine et de

Corée avaient provoqué un essor considérable de l'économie japonaise. Un an avant la mort de Mutsuhito, en 1912, la fraction politique militariste avait fini par l'emporter sur les libéraux. La mort de Mutsuhito, auquel succédait son fils Yoshihito, marquait la fin de l'ère Meiji. Le Japon, gouverné par l'amiral Yamamoto, entrait en guerre aux côtés des Alliés contre l'Allemagne en 1914. Mais le Japon s'intéresse surtout à la Chine, qui doit céder à l'ultimatum japonais de 1915. Le gouvernement provisoire des soviets ne reconnaissant pas les accords signés par le régime tsariste, les troupes japonaises pénétraient en Sibérie en 1918. Après la défaite de l'Allemagne, le Japon recevait, pour prix d'une participation modeste aux combats, l'ensemble des colonies allemandes de Chine et du Pacifique au nord de l'équateur. La révolte nationaliste des Coréens, conduits par Syngman Rhee, était noyée dans le sang en 1919 par l'armée japonaise. La mort de l'empereur Yoshihito (Taishotenno) en 1926 et l'accession au trône de son fils Hirohito mettaient fin à un règne dont les dernières années avaient été marquées par le tremblement de terre cataclysmique qui avait détruit Tokyo et Yokohama en 1923 et un retour sur le plan politique aux traditions et à la xénophobie.

Le règne de Hirohito
Le nouveau tenno (dont le règne allait durer plus de 60 ans), choisissait de nommer son règne « ère de Shôwa », « ère de la paix rayonnante ». Solidement établis au pouvoir, les militaristes décidaient d'étendre par la force la présence japonaise en Chine. La Mandchourie était envahie contre l'avis de l'empereur en 1931 ; contraints de se retirer de Chine sous la pression américaine, les Japonais constituaient pourtant la Mandchourie en un Etat satellite, le Mandchoukuo, à la tête duquel ils plaçaient le dernier empereur de Chine, Puyi. Les militaristes japonais utilisent désormais l'assassinat pour éliminer leurs opposants politiques, l'assassinat d'Inukai met fin au régime parlementaire en 1932. Le Japon, qui a envahi la Chine du Nord, dénonce en 1934 les accords internationaux de désarmement qu'il avait ratifiés, l'URSS doit lui céder en 1935 le réseau de chemin de fer de l'est de la Chine. Arrivés au pouvoir en 1936, les ultra-nationalistes provoquent l'intensification de la guerre impérialiste contre la Chine. Malgré la résistance des troupes communistes et nationalistes chinoises, la progression japonaise s'accélère. Les Japonais créaient en 1937 un gouvernement chinois fantoche à Nankin, Wang Jingwei, général du Gomindang opposé à Chiang Kai-chek en prenait la tête. Les troupes nationalistes se repliaient en 1938 à Chongqing, tandis que les troupes communistes parvenaient à enrayer partiellement l'avance japonaise. La défaite de la France face à l'Allemagne en 1940 permettait au Japon

d'adresser un ultimatum au gouvernorat-général d'Indochine, exigeant le libre-passage de ses troupes. Dirigés par Konoe Fuminaro, les nationalistes poursuivaient leur politique belliqueuse en signant avec l'Angleterre un accord dirigé contre Chiang Kai-chek, en soutenant les revendications thaïlandaises sur le Cambodge, en exigeant des Pays-Bas les pétroles des Indes néerlandaises et en concluant enfin un accord tripartite avec les puissances de l'Axe, le 27 septembre 1940. Un accord de non-agression était signé avec Staline en 1941, tandis que les rapports se tendaient avec Washington après le blocage des avoirs japonais aux Etats-Unis. Konoe devait démissionner sous la pression des militaristes ; le général Tojo prenait la tête du gouvernement. La fin de l'année voyait l'entrée en guerre des Etats-Unis contre le Japon, après l'attaque surprise de Pearl Harbor, le 7 décembre, où fut détruite une grande partie de la flotte américaine du Pacifique. L'absence des Américains permettait aux Japonais de s'emparer en 1942 de la quasi-totalité de l'Asie et du Pacifique. La flotte anglaise était détruite et Hong-kong prise en décembre 1941 ; Manille tombait le 2 janvier 1942. La réaction américaine se fit attendre jusqu'au 18 avril, date du premier raid sur Tokyo. La contre-offensive américaine dans le Pacifique commençait après la défaite navale des Japonais aux îles Midway, en juin 1942. Guadalcanal était reprise le 8 février 1943. La difficile progression des troupes américaines les menait pourtant encore en 1943 en Nouvelle-Guinée et aux Salomon. La contre-offensive anglaise en Birmanie commençait la même année. Le Japon avait perdu en 1944 la quasi-totalité des îles du Pacifique : le général Tojo devait démissionner ; il était remplacé par Koiso Kuniaki, également militariste. La bataille de Leyte permettait aux Américains de reprendre les Philippines : une situation militaire de plus en plus difficile contraignait dès lors l'état-major japonais à recourir aux avions-suicide (kamikaze). Les troupes américaines débarquaient sur l'île d'Okinawa, dans le sud du Japon, le 1er avril 1945 tandis que le bombardement des villes s'intensifiait. Bien que leurs stocks de pétrole soient quasiment épuisés, les troupes japonaises poursuivaient les combats : l'empereur faisait en vain des offres de paix à l'URSS, réitérés par l'amiral Suzuki Kantaro, successeur de Koiso. La résistance japonaise était définitivement brisée par les premiers bombardements atomiques de l'histoire, qui anéantissaient Hiroshima, le 6 août, et Nagasaki, le 9 août. L'URSS avait officiellement déclaré la guerre au Japon le 8 août : l'empereur Hirohito décidait le 14 août la capitulation sans conditions du Japon. La reddition officielle avait lieu le 14 septembre, à bord du cuirassé *Missouri* : elle était reçue par le général américain MacArthur, chargé de l'ad-

ministration militaire du Japon occupé. 1 800 000 Japonais avaient péri au cours de la guerre, 40 % des villes nipponnes n'étaient plus que décombres, le Japon avait perdu ses possessions étrangères, son économie était ruinée. Le général Tojo et 700 autres criminels de guerre étaient condamnés à mort en 1946, Konoe s'étant suicidé en décembre 1945. La nouvelle Constitution japonaise, inspirée par le général MacArthur, entrait en vigueur en 1947 et faisait du Japon une monarchie constitutionnelle de type britannique. Une politique de réforme générale était mise en place, la population japonaise était sensibilisée aux notions démocratiques. Les premiers gouvernements – socialistes – du Japon se succédaient rapidement jusqu'en 1952. La guerre de Corée (1950-1951) réveillait une économie japonaise en léthargie ; le Japon retrouvait sa souveraineté nationale après le traité de San Francisco (1951) le 28 avril 1952, mais la reconstitution d'une force militaire lui demeurait interdite. Les élections d'octobre 1952 faisaient entrer au Parlement plus de 200 députés écartés de la vie politique par l'administration d'occupation américaine. L'intégration du Japon au monde occidental, qui commence dès 1954 avec l'accord d'aide mutuelle signé avec les Etats-Unis, se poursuit parallèlement à un taux de développement économique qui est le plus rapide du monde (1960-1964). Au pouvoir depuis 1964, le libéral-démocrate Sato Eisaku s'y maintenait, malgré une pression de gauche liée à un anti-américanisme particulièrement actif lors de la guerre du Viêt-nam, jusqu'en 1972. Le choc pétrolier de décembre 1973 touchait gravement l'économie japonaise, conduisant le gouvernement à appliquer l'état d'urgence. La normalisation des relations avec la Chine conduisait à la signature d'un traité de paix et d'amitié entre les deux puissances asiatiques, le 12 août 1978. Au pouvoir depuis novembre 1982, le Premier ministre social-démocrate Nakasone Yasuhiro devait convoquer des élections législatives anticipées (18 décembre 1983) après l'accusation de l'ancien Premier ministre (1972-1974) Tanaka Kakuei dans le cadre du scandale financier de la firme américaine Lockheed. Le Japon entreprenait en 1984 une vaste politique de réconciliation en Asie, qui culminait avec la visite du président sud-coréen au Japon, en novembre. L'économie japonaise enregistrait en 1984 un excédent commercial dépassant de plus de 50 % celui de 1983. La vie politique japonaise était dominée en 1985 par la question de l'éventuel maintien au pouvoir de Nakasone au-delà du délai normal (automne 1986) et l'importance du budget militaire prévisionnel présenté par son gouvernement, qui dépasserait (1986-1990) la barre des 1 % du PNB. Le déséquilibre des échanges extérieurs demeurait le principal problème économique posé par l'économie japonaise.

Jordanie

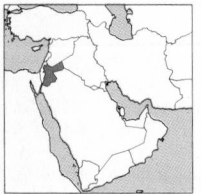

HKJ
Proche-Orient
97 740 km²
3,48 M hab.
ONU, LA

Capitale : Amman (730 000 hab.)
Langue officielle : arabe
Religions : musulm. (plus de 90 %), chrét.
Régime polit. : monarchie (depuis le 24.1.1949) const. (Constitution de 1952)

Le territoire de l'actuelle Jordanie, au confluent de l'Afrique et de l'Asie, subit pendant plusieurs millénaires la domination de royaumes étrangers : l'Egypte, l'Assyrie, Babylone, la Perse et la Macédoine y imposèrent successivement leur souveraineté. Un royaume indigène, le royaume des Nabatéens, s'individualisa pourtant entre le IVᵉ siècle av. J.-C. et 106 ap. J.-C. Sa capitale, Pétra, dans le sud du pays, en demeure un vestige impressionnant. La richesse des Nabatéens provenait essentiellement du commerce de l'encens, précieux et recherché, venu du Yémen par les routes caravanières et de marchands nabatéens vendaient à travers l'Empire romain. Occupé par les Ro-

mains en 106, le territoire nabatéen était conquis par les Arabes islamisés au VIIᵉ siècle. Tombée pendant une brève période sous l'autorité du royaume latin de Jérusalem, la Jordanie était intégrée après 1187 au royaume des mamelouks d'Egypte. Vaincus par les Ottomans en 1517, les mamelouks leur abandonnaient la Jordanie, qui demeura sous l'autorité du sultan de Constantinople jusqu'à la Première Guerre mondiale. Passée sous mandat britannique avec la Palestine en 1922, la Jordanie en était séparée pour constituer l'émirat autonome de Transjordanie avec à sa tête 'Abd Allah ibn al-Husayn. Le 22 mars 1946, les Britanniques accordaient son indépendance à l'émirat, qui devenait le royaume hachémite de Transjordanie. Lorsque le mandat britannique sur la Palestine vint à expiration, la proclamation de l'Etat d'Israël provoquait la première guerre israélo-arabe : le roi 'Abd Allah occupait les territoires à l'ouest du Jourdain et Jérusalem-Est. Le royaume hachémite prenait le nom de Jordanie en 1949, après l'annexion de la Cisjordanie. Au roi 'Abd Allah, assassiné le 20 juillet 1951, succédait son fils Talal puis son petit-fils Husayn, un an plus tard. La Jordanie, par l'intermédiaire du gouvernement Nabulsi, rompait ses relations avec la

Grande-Bretagne (1956) et se rapprochait de l'Egypte et de la Syrie, prosoviétiques. Husayn II réagissait et réussissait à imposer un rapprochement avec l'Arabie Saoudite et les Etats-Unis : les rapports avec l'Egypte nassérienne étaient rompus en décembre 1966. 800 000 réfugiés palestiniens vivaient alors en Cisjordanie : leur révolte contre le régime fin 1966 entraînait la fermeture par Husayn du bureau de l'OLP à Jérusalem. L'ensemble de la Cisjordanie était occupé par les troupes israéliennes le 5 juin 1967 (guerre de Six Jours) : le territoire représente 6 % de la superficie de la Jordanie mais 30 % des surfaces fertiles. L'opposition des fedayin reprenait et conduisait à un affrontement direct avec l'armée jordanienne le 13 février 1970 ; après un compromis, l'armée jordanienne prenait l'offensive en juin contre les camps palestiniens. La crise culminait avec l'entrée de troupes syriennes pro-palestiniennes en Jordanie au mois de septembre, qui se retiraient après la conférence du Caire (27 septembre). Les derniers camps palestiniens étaient investis par l'armée jordanienne en juillet 1971, le mouvement national palestinien se transportait au Liban. Les droits de souveraineté jordaniens sur la Cisjordanie et Jérusalem-Est, occupées par

Israël, étaient officiellement remis par Husayn à l'OLP en octobre 1974 à Rabat. Une nouvelle guerre civile éclatait en septembre 1977 (Septembre noir) après la signature par la Jordanie des accords de cessez-le-feu israélo-arabe. Le roi Husayn refusait de se joindre au traité de paix israélo-égyptien de mars 1979, le traité ne reconnaissant pas le droit des Palestiniens à l'auto-détermination. Les rapports avec la Syrie, proiranienne, se tendaient de nouveau après l'éclatement en 1980 de la guerre Iran-Iraq. Un plan jordano-américain prévoyant l'autonomie de la Cisjordanie occupée au sein d'une confédération avec la Jordanie était refusé en 1982 par l'OLP, qui persiste à exiger la création d'un Etat palestinien. Le roi Husayn annonçait le 10 avril 1983 qu'il cessait ses efforts pour une initiative de paix au Proche-Orient. La Jordanie renouait ses relations avec l'Egypte en 1984, tandis que les rapports diplomatiques avec la Libye étaient rompus. L'aggravation de la tension israélo-arabe après le bombardement du quartier général de l'OLP à Tunis et le détournement du paquebot *Achille Lauro* en octobre 1985 mettaient de nouveau fin au projet jordanien de réunion d'une conférence internationale sur la question du Proche-Orient.

Kampuchéa (Cambodge)

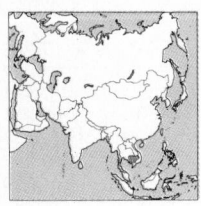

K
Asie du Sud-Est
181 035 km²
6,9 M hab.
ONU

Capitale : Phnom Penh (80 000 hab.)
Langue officielle : khmer
Religions : bouddh. (90 %), musulm. (1 %)
Régime polit. : république populaire depuis janvier 1979

C'est au début de notre ère qu'apparut dans le delta et le moyen Mékong le royaume hindouisé de Funan. Il dominait l'Asie du Sud-Est jusqu'au milieu du VIᵉ siècle, où il fut conquis par les Khmers, qui s'étaient installés au Funan depuis le IIIᵉ siècle. Le royaume de Tchen-la se scindait en deux vers 750, avant d'être réunifié en 802 par Jayavarman II, qui installait sa capitale à proximité d'Angkor. L'Empire angkorien connaissait l'apogée de sa puissance sous le règne de Suryavarman II (1113-vers 1144), bâtisseur d'Angkor Vat. Le royaume de Champa prenait Angkor quelques années plus tard et la mettait à sac (1177). Le royaume siamois d'Ayuthia, fondé en 1350, menaçait de plus en plus la puissance khmère

déclinante : Angkor, qui était prise en 1431 et dont les habitants étaient emmenés en captivité, était abandonnée par les souverains khmers, qui s'installaient près de l'actuelle Phnom Penh. L'histoire du Cambodge est ensuite dominée jusqu'au XIXᵉ siècle par sa lutte contre le Siam et l'Assam, ses deux plus puissants voisins, qui le dépouilleront progressivement de l'essentiel de ses territoires. Le Cambodge, envahi en 1835, était annexé par l'Annam en 1841 : la vietnamisation du pays déclenchait une révolte, soutenue par le Siam. Mais l'Annam et le Siam se partageaient de nouveau le Royaume khmer. Le roi Norodom plaçait en 1863 le pays sous protectorat de la France, et l'intervention de 1867 contraignait le Siam à reconnaître la souveraineté du Cambodge. La tutelle coloniale provoquait une révolte en 1886, dont les troupes françaises ne pouvaient venir à bout : le pouvoir royal était restauré. L'occupation du Cambodge par les troupes japonaises provoquait une attaque de la Thaïlande, qui s'emparait de deux provinces en 1941, puis la proclamation de l'indépendance par le roi Norodom Sihanouk, soutenu par les Japonais, le 12 mars 1945. Mais la France ne concédait au Cambodge après la défaite japonaise qu'une autonomie limitée au sein de l'Indochine,

jusqu'à la reconnaissance de son indépendance lors de la conférence de Genève, en 1954. Un an plus tard, le roi abdiquait et devenait Premier ministre, chef du parti populaire socialiste. A la politique de neutralité et d'indépendance menée par Sihanouk succédait une politique de méfiance à l'égard des Etats-Unis, qui soutenaient les revendications territoriales de leur allié sudvietnamien. Sihanouk était renversé en mars 1970 par le général Lon Nol, soutenu par les Etats-Unis, et fondait un gouvernement en exil à Pékin. L'« armée nationale de libération » soutenue par la Chine renversait le régime de Lon Nol en 1975 et mettait en place un régime de terreur, organisé par les Khmers rouges de Pol Pot. On estime que la terreur a coûté la vie à près d'un million de personnes. Arrivé au pouvoir en avril 1975, Pol Pot avait pour objectif l'élimination de tous les « intellectuels » : il vida les villes de leurs habitants, les envoyant travailler le sol dans les campagnes, les écoles furent toutes fermées, les entreprises privées nationalisées. La moitié de la population cambodgienne disparut entre 1975 et 1978. L'invasion vietnamienne mettait fin au régime sanguinaire des Khmers rouges le 10 janvier 1979. La République populaire du Kampuchéa était proclamée quelques

jours plus tard, son président, Heng Samrin, et le véritable titulaire du pouvoir, le ministre de la Défense et chef du parti communiste, Pen Sovan, étaient mis en place par les Vietnamiens. La vie du pays se normalisait progressivement sous l'occupation vietnamienne. Les partisans khmers rouges, retirés près de la frontière thaïlandaise, poursuivaient une guérilla contre les troupes vietnamiennes, parallèlement au Front national de libération du Kampuchéa, unifié sous la présidence de Sihanouk en 1982. La grande offensive d'avril 1984 menait les troupes vietnamiennes jusque sur le territoire thaïlandais : un grand camp de réfugiés, chassés par la misère toujours persistante au Cambodge, était pris. L'ensemble des points d'appui de la résistance le long de la frontière thaïlandaise étaient pris ou détruits par les forces vietnamiennes au début de 1985 ; le retrait probablement forcé de Pol Pot de ses fonctions à la tête du mouvement de résistance des Khmers rouges en septembre 1985 laissait entrevoir une éventuelle disposition de la Chine à faciliter des négociations. Totalement ruinée sous le régime de Pol Pot, l'économie cambodgienne, essentiellement agraire, doit nourrir plus de 150 000 soldats vietnamiens et dispose d'une aide soviétique mesurée.

Kenya

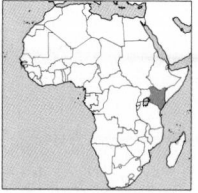

EAK
Afrique orientale
582 646 km²
18,7 M hab.
ONU, CW, OUA

Capitale : Nairobi (850 000 hab.)
Langue officielle : swahili
Religions : animistes (40 %), prot. (35 %), cath.
Régime polit. : rép. présid. Indépendance obtenue le 12 décembre 1963

Les premières populations du Kenya semblent avoir été proches des Bochimans et vivaient de chasse et de cueillette ; l'agriculture était introduite au cours du Iᵉʳ millénaire av. J.-C. par des populations venues d'Ethiopie. Les vagues de migration suivantes amenèrent surtout des peuples bantous (dont les Kikuyus) puis les Kalenjins, d'origine nilotique, et, beaucoup plus tard (XVIIᵉ siècle), les Turkanas et les Samburus mais surtout les Masaïs, qui occupent tout le centre du Kenya entre le lac Victoria et la côte de l'océan Indien. Les marchands arabes fondaient plusieurs comptoirs commerciaux où s'échangeaient l'ivoire, l'or, le cuivre ou les esclaves sur les côtes de l'actuel Kenya au cours des VIIᵉ et

VIIIᵉ siècles, à Lamu, Malindi ou Mombasa. Les comptoirs arabes de la côte orientale de l'Afrique tombaient en 1505 aux mains des Portugais, présents au Kenya depuis que Vasco de Gama y avait débarqué, en 1498. Les Arabes ne parvinrent qu'en 1729 à retrouver leurs anciennes possessions et à chasser les Portugais. Les sultans d'Oman conquéraient entre 1737 et 1784 Zanzibar et la côte kenyane. Les puissances européennes commencèrent à s'intéresser au Kenya au début du XIXᵉ siècle. Après des pasteurs allemands, qui avaient pour la première fois pénétré en 1844 assez loin à l'intérieur du pays, les Anglais fondaient leur premier comptoir au Kenya. La Compagnie britannique d'Afrique orientale obtenait en 1888 une concession exclusive pour l'exploitation du Kenya, de l'Ouganda et de Zanzibar, devenu un sultanat indépendant. L'ensemble de ces territoires étaient administrés directement par Londres à partir de 1895 : la construction d'un chemin de fer destiné à relier l'Ouganda voisin au port de Mombasa était entreprise. Ces travaux entraînèrent l'arrivée d'une importante main-d'œuvre indienne et de nombreux Européens, qui s'installèrent surtout sur les fertiles hauts plateaux du sud-ouest. Déclaré colonie de la Couronne en 1920, le Kenya était le théâtre

d'affrontements de plus en plus violents entre les différents groupes de populations au cours des années suivantes. Les Africains se dressaient contre l'exploitation blanche, les Indiens réclamaient une égalité sociale et politique, les colons britanniques réclamaient une administration autonome. Les revendications noires, organisées depuis 1925 par la Kikuyu Central Association (KCA) fondée par Jomo Kenyatta et Joseph Kangethe, éclataient entre 1954 et 1956 lors de la révolte des Mau-Mau, des Kikuyus, sous la conduite de leur chef, Jomo Kenyatta. Les combats coûtèrent la vie à 63 Européens, mais 11 503 Kikuyus furent tués. Plus de 25 000 partisans Mau-Mau furent arrêtés et internés en camps de concentration. L'état d'urgence n'était levé qu'en 1960. Libéré de geôle en 1961, Jomo Kenyatta fondait la même année le *Kenya African National Union* (KANU), qui atteignit la majorité lors des élections de mai 1963 contre son principal rival, le *Kenyan African Democratic Union* (KADU) de Ronald Ngala. Kenyatta devenait le premier président du Kenya, constitué en république le 12 décembre 1964. Politiquement, le Kenya s'alignait sur la Grande-Bretagne et les Etats-Unis. La tentative de création d'une Communauté est-africaine avec la Tanzanie et l'Ouganda

échouait. L'africanisation du pays se poursuivit rapidement : de nombreux Européens et Indiens quittèrent le pays après l'expropriation de leurs biens en 1968. L'opposition politique intérieure fut éliminée après l'assassinat de Tom Mboya, dauphin de Kenyatta, en juillet 1969 : le KANU devenait parti unique, le dirigeant de son aile gauche dissidente *(Kenyan Peoples Union),* Odinga, était arrêté. (Il sera exclu du KANU en 1981 après avoir purgé une longue peine). Bien que de structure essentiellement agricole, l'économie kenyane possède l'industrie la plus développée d'Afrique de l'Est. Dépendant du pétrole, le pays met en place une politique énergétique nationale en favorisant le développement de l'énergie hydro-électrique. Le vice-président Daniel Arap Moi, appartenant à l'ethnie minoritaire des Kalenjins, devenait chef du parti unique et président de la République à la mort de Jomo Kenyatta, le 22 août 1978. Le durcissement du régime, qui instituait officiellement le système du monopartisme en juin 1982, était suivi d'une tentative de coup d'Etat en août. Le Kenya détenait en 1984 le taux de natalité le plus élevé du monde (4,1 %). Des troubles provoqués par les forces de sécurité au nord-est du pays auraient fait plusieurs centaines de morts parmi les tribus nomades.

Kiribati

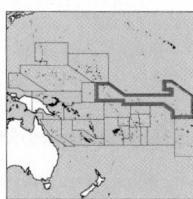

Océanie
886 km²
61 000 hab.
ONU, CW

Capitale : Bairiki (22 000 hab.)
Langue officielle : anglais
Religions : prot. (51 %), cath. (30 %)
Régime polit. : rép. présid. Indépendance obtenue le 12 juillet 1979

Le Kiribati est formé de 28 atolls et îles dispersés sur une très large superficie dans l'océan Pacifique. L'île de Nikunau fut découverte en 1765 par le navigateur anglais John Byron. Les autres îles des Gilbert furent découvertes en 1788 par les capitaines Gilbert et Marshall. Certaines des îles Ellice furent aperçues par les Espagnols dès 1568 ; l'île Christmas était découverte par James Cook le 24 décembre 1777. Les premiers Européens ne s'installèrent toutefois sur les archipels qu'au

XIXᵉ siècle. Les îles Gilbert, les îles Ellice (aujourd'hui le Vanuatu) et les îles de la Ligne étaient déclarées protectorat britannique en 1892 : l'île corallienne d'Océan les rejoignait en 1900. Colonie de la Couronne en 1916, le territoire s'agrandissait encore en 1937 des îles Phoenix (12 atolls isolés). Les deux principaux archipels étaient partiellement occupés par les Japonais au début de la Deuxième Guerre mondiale puis reconquis par les Américains (batailles de Makin, 10.11.1943, et de

Tarawa, 21.11.1943). Les Ellice décidaient en 1975 de constituer un Etat indépendant, l'Etat de Kiribati voyait le jour en 1979. Hormis une brève interruption, il est gouverné depuis l'indépendance par Jeremia Tabia, à la tête d'un Conseil de dix ministres, représentants de clans familiaux bien plus que de partis. La signature d'un traité de pêche avec l'URSS le 18 août 1985, réaction contre le non-respect des quotas de pêche par la flotte américaine, éveillait quelques inquiétudes d'ordre stratégique.

Koweït

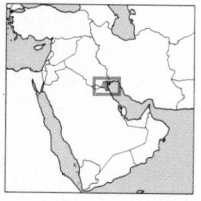

KWT
Proche-Orient
17 818 km²
1,7 M hab.
ONU, LA, GCC, OPEP

Capitale : Koweït (182 000 hab.)
Langue officielle : arabe
Religions : musulm. (plus de 90 %), chrét.
Régime politique : émirat, indépendant depuis le 19 juin 1961

Les Portugais s'implantaient temporairement sur la côte du Koweït (ou Kuwait) au XVIᵉ siècle. Fondée au XVIIᵉ siècle, la ville de Koweït s'étendait rapidement et devenait en 1756 la capitale d'un émirat, dirigé par le cheikh Sabbah. La prise de Bassora par les Perses en 1776 déplaçait la route commerciale des Indes vers Koweït, dont l'importance attire dès lors les Britanniques. Lorsque le cheikh de Koweït soutenait en 1895 Abd al-Rahman ibn Sa'ud, chassé de Riyad, contre le sultanat ottoman, il reçut l'appui des Anglais ; lorsqu'en 1899 la Grande-Bretagne, inquiète des

projets de construction du chemin de fer de Bagdad, souhaita renforcer sa présence dans la région, le cheikh Mubarak ibn-Sabbah accepta de signer un traité de protectorat. Le premier champ pétrolier était découvert en 1938, l'exploitation par les compagnies anglo-américaines commençait en 1946. Koweït devenait l'un des plus importants et l'un des plus riches producteurs arabes de pétrole. Le traité de protectorat de 1899 était annulé en 1961, mais le cheikh Abd Allah al-Salim al-Sabbah recevait de nouveau l'appui de la Grande-Bretagne contre les prétentions territoriales de l'Iraq. En-

gagé depuis 1961 dans une voie démocratique et moderne, le Koweït connaissait en 1976 une crise politique qui conduisait à la dissolution de l'Assemblée nationale. Les libertés démocratiques étaient rétablies par le nouvel émir, le cheikh Djabir al-Ahmad al-Djabir al-Shabbah et des élections avaient lieu de 23 février 1981. Solidaire des pays arabes dans leur politique pétrolière ou à l'égard d'Israël, le Koweït doit faire face au différend frontalier avec l'Iraq, bloqué depuis 1981. Les élections de février 1985 montraient un recul des intégristes chi'ites et un sensible progrès de la gauche arabe.

Laos

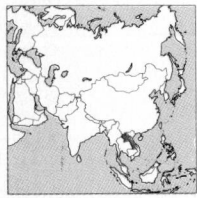

LAO
Asie du Sud-Est
236 800 km²
4,2 M hab.
ONU, Comecon
(observateur)

Capitale : Vientiane (200 000 hab.)
Langues officielles : lao et français
Religions : bouddh. (plus de 90 %)
Régime polit. : république populaire démocratique depuis le 2 décembre 1975

Le Laos appartint jusqu'au XIIIᵉ siècle au royaume indo-khmer du Cambodge. Le royaume thaï de Sukhotai occupait le pays à la fin du XIIIᵉ siècle jusqu'à Luang Prabang et Vientiane (Vieng Chan). Le premier royaume laotien indépendant était constitué en 1353 par le roi Fa Ngum, qui favorisait l'introduction du bouddhisme. Le Laos, occupé par l'Annam, retrouvait sa souveraineté sous le roi Pothisarat (1520-vers 1548) : le bouddha d'émeraude, qu'il avait ramené du Lan Na, était installé à Vientiane, nouvelle capitale en 1563. Les premiers Européens, Gerrit Van Wusthoff et le jésuite italien Leria, atteignaient le Laos en 1641, sous le règne de Suliyavongsa (1637-1694), dont la mort ouvre une période de deux siècles de divisions : trois royaumes se constituent en 1707 autour de Vientiane et Luang Prabang, auxquels s'ajoute le Champassak : ils tombaient progressivement sous l'influence du royaume du Siam (1778), qui occupait l'ensemble du pays en 1827. Mais, rival des Thaïs, l'empire d'Annam étendait son influence au nord-est du pays khmer au cours de la première moitié du XIXᵉ siècle. L'expédition du Français Henri Mouhot atteignait Luang Prabang en 1861. Le nouveau roi du Laos, Oun Kham, demandait l'aide de la France contre le Siam, qui doit renoncer à la rive gauche du Mékong et doit reconnaître le protectorat français sur le Laos en 1893, puis en 1902 et 1904, sous le règne de Zakarine (1895-1904). Son fils, Sisavang Vong, règnera jusqu'en 1959. Le Laos était intégré à l'Indochine française en 1917. Les Japonais, qui occupaient le pays pendant la Seconde Guerre mondiale, poussaient le roi à proclamer l'indépendance le 8 avril 1945. Sisavang Vong devait abdiquer, les nationalistes, avec à leur tête le prince Pethsarath, son frère Souvanna Phuma et son demi-frère Souphanouvong, lié au Viêt-minh, proclamaient l'Etat du Laos (Pathet Lao). Vientiane était reprise par les Français le 24 avril 1946, le Laos devenait autonome la même année puis indépendant le 19 juillet 1949. Les troupes du Pathet Lao de Souphanouvong et du Viêt-minh occupaient le nord du Laos après la défaite française dans la guerre d'Indochine (1953). Le Viêt-minh évacuait le pays après les accords de Genève (21 juillet 1954). Les Américains et les Thaïlandais renforçaient aussitôt leur présence à Vientiane. Une coalition gouvernementale formée par Souvanna Phuma, modéré, et Souphanouvong, éclatait en 1959 ; la guerre civile reprenait. Le Pathet Lao prenait le contrôle de la moitié du pays jusqu'au cessez-le-feu du 11 mai 1961. Un nouveau gouvernement d'union nationale était constitué en juin 1962 après la conférence des Quatorze à Genève. Un putsch de droite soutenu par les Etats-Unis renversait le gouvernement le 19 avril 1964, les Américains commençaient le bombardement des zones contrôlées par le Pathet Lao, dont l'importance est vitale pour Hanoï dans les combats qui s'intensifient au Viêt-nam. Les troupes du Pathet Lao franchissaient la ligne de cessez-le-feu de 1961 en 1970 : les négociations, qui reprenaient en 1972, conduisaient à la conclusion d'un accord de paix, le 21 février 1973. Les troupes américaines (une mission est maintenue à Vientiane) et thaïlandaises se retiraient, un gouvernement d'union nationale était mis en place le 5 avril 1974, réunissant de nouveau les princes Souvanna Phouma et Souphanouvong. La chute de Saïgon permettait aux comités révolutionnaires de prendre le contrôle de l'ensemble du pays. Un Congrès national abolissait la monarchie le 2 décembre 1975, Souphanouvong devenait le premier président de la République populaire démocratique du Laos, Kaysone Phomvihane, chef du parti communiste (PPRL), Premier ministre. La guérilla entretenue par les mouvements de droite et l'« armée secrète » miao entraînait l'exode de plus de 100 000 personnes jusqu'en 1977. La socialisation se poursuit, les liens avec le Viêt-nam se renforcent, en particulier après la chute des Khmers rouges au Cambodge. La résistance, soutenue par la Chine, ne menace pas la politique de libéralisation progressive du régime (10 000 prisonniers politiques étaient libérés en 1979) et la reconstruction de l'économie, essentiellement agraire et collectivisée.

Lesotho

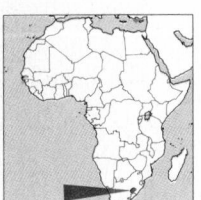

LS
Afrique australe
30 355 km²
1,4 M hab.
ONU, CW, OUA

Capitale : Maseru (45 000 hab.)
Langue officielle : sesotho
Religions : chrét. (75 %)
Régime polit. : monarchie const. Indépendance obtenue le 4 octobre 1966

Les premiers habitants de l'actuel Lesotho furent des Bochimans. Les guerres zoulous de 1822 entraînaient la dispersion puis le rassemblement des populations sothos, appartenant au groupe des Bantous, dans la région montagneuse comprise entre l'Etat d'Orange, le nord de la province du Cap et le Natal. Dirigés par leur chef, Moshesh, les Sothos parvenaient à défendre leur indépendance contre les Anglais du Cap (1852) et les Boers de l'Etat d'Orange. Moshesh se plaçait en 1868 sous la juridiction britannique, le pays, devenu le Basutoland, était administré depuis Le Cap jusqu'en 1875, où le pays, qui refusait de rendre ses armes, se soulevait. La guerre faisait passer le Basutoland sous administration directe de Londres en 1884. Doté en 1940 d'un Conseil national aux pouvoirs élargis en 1960, le Basutoland devenait le royaume indépendant du Lesotho, membre du Commonwealth, en 1966. Le Lesotho, totalement enclavé, est économiquement dépendant de l'Afrique du Sud. Le roi Moshoeshoe II partageait le pouvoir après l'indépendance avec le Premier ministre, le chef Leabua. Un conflit violent éclatait entre eux en 1966 et le roi et ses partisans remportaient les élections de 1970. Leabua déposait en juin le roi, qui s'exilait et rentrait au Lesotho en décembre après que Leabua ait reculé devant la menace d'une guerre civile. Le soulèvement populaire de janvier 1974 entraînait une dure répression de l'opposition, qui s'inspire du mouvement panafricain. Il n'y a pas encore eu d'élections au Lesotho, le roi nommant les membres de l'Assemblée nationale.

Liban

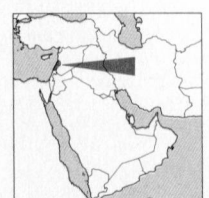

RL
Proche-Orient
10 452 km²
3,2 M hab.
ONU, LA

Capitale : Beyrouth (700 000 hab.)
Langue officielle : arabe
Religions : musulm. (58 %), chrét. (41 %)
Régime polit. : rép. parlemen., souveraine depuis le 23 décembre 1945

Après avoir donné le jour à la civilisation phénicienne, le territoire de l'actuel Liban, au confluent des civilisations d'Egypte, de Mésopotamie et de Grèce, fut dominé par les Assyriens, les Perses et les Grecs avant d'être conquis par les Romains, en 67 av. J.-C. Christianisé dès le Iᵉʳ siècle, le Liban demeura en grande partie chrétien après la conquête musulmane, au VIIᵉ siècle. Les émirs du Liban disposèrent sous la domination ottomane (1516-1918/1920) d'une grande autonomie. La révolte de 1840 contre le régime de Méhémet Ali, qui avait conquis le pays en 1831, marquait le premier sursaut national libanais : le pays était divisé la même année à l'issue de la révolte en deux districts, druze et maronite. La guerre civile qui éclatait après le massacre de chrétiens maronites par des druses musulmans entraînait en août 1860 l'intervention d'un corps français. Les accords internationaux négociés par la France (1861 et 1864) garantissaient l'autonomie du « Mont-Liban ». La France obtenait de la SDN en 1920, après l'effondrement de l'Empire ottoman, un mandat d'administration sur le Liban, qui était alors séparé de la Syrie. La Constitution de 1926 faisait du Liban une république parlementaire et présidentielle. L'indépendance est garantie en 1936 par un pacte franco-libanais qui, n'étant pas ratifié par le Parlement français, entraînait en 1939 la suspension de la Constitution. Des troubles liés aux appartenances confessionnelles avaient déjà constitué de manière irréversible le fondement d'un conflit politique. Alors que les chrétiens acceptaient la présence européenne, un nationalisme syro-arabe se développait parmi les musulmans. Les deux communautés fondaient leurs premières milices en 1936. L'indépendance, reconnue en 1941 par le général Catroux, délégué du général de Gaulle, était retardée compte tenu de la guerre et devait prendre effet le 1ᵉʳ janvier 1944. Mais la présence de troupes françaises et anglaises déclenchait de graves troubles en 1944 et 1945. L'accord intervenu entre Paris et

Londres le 23 décembre 1945 décidait de l'évacuation des forces militaires. Les rapports se normalisaient rapidement avec la France (1947) mais se tendaient avec la Syrie, aboutissant à la rupture de l'union douanière et économique en 1950.

Le temps des guerres civiles
L'opposition musulmane s'élevait de plus en plus vivement contre la politique pro-occidentale menée par le président Camille Chamoun, au pouvoir depuis 1952, et soutenu par la Phalange de Pierre Gemayel. La guerre civile qui éclatait avant les élections présidentielles de 1958 entraînait l'intervention de troupes américaines. Le gouvernement de Rachid Karamé, composé de maronites et de sunnites, parvenait à restaurer l'unité nationale et se consacrait à l'équipement et à la modernisation du pays. Les combattants palestiniens, les fedayin, s'étaient installés très nombreux au Liban : l'intervention israélienne du 28 décembre 1968 contre l'aéroport de Beyrouth aggravait le conflit entre partisans et adversaires de la résistance palestinienne. Le nouveau gouvernement formé par Rachid Karamé le 15 janvier 1969 affirmait son soutien aux Palestiniens mais instaurait

à leur encontre des mesures de contrôle : les émeutes d'avril entraînent la chute du gouvernement. L'insoluble problème palestinien entraînait une nouvelle démission de Karamé le 4 octobre 1970. La politique d'équilibre entre l'Occident et les pays arabes menée par le président Soleiman Frangié, élu le 17 août 1970, était remise en question par l'intervention d'un commando israélien à Beyrouth les 9 et 10 avril 1973, qui exécutait plusieurs dirigeants palestiniens. Après les combats qui s'ensuivent entre l'armée libanaise et les Palestiniens (2-17 mai), la Syrie et l'Iraq rompent leurs relations avec le Liban. La situation, que les gouvernements successifs ne parvenaient plus à contrôler, était aggravée par plusieurs raids israéliens et des attentats palestiniens en 1974 et 1975. L'embuscade tendue à Beyrouth par des miliciens à des Palestiniens en avril 1975 déclenchait une guerre civile qui s'étendait à tout le pays, opposant Palestiniens et gauche libanaise aux phalangistes. Le retour de Rachid Karamé à la tête du gouvernement, le 28 mai, ne modifiait pas la situation. L'intervention des troupes syriennes le 31 mai 1976 contre les combattants du Mouvement national libanais de Kamal

Joumblatt et les Palestiniens provoquait la réunion d'une conférence arabe au Caire, le 25 octobre 1976. Une force arabe de dissuasion (FAD), essentiellement composée de forces syriennes, devait garantir l'application d'un cessez-le-feu général. De violents combats reprenaient pourtant au Sud-Liban entre phalangistes et Palestiniens. Un renversement d'alliances opposait après 1977 la Syrie alliée à la gauche libanaise et aux Palestiniens aux phalangistes, qui recevaient un appui renforcé d'Israël. L'invasion israélienne du Sud-Liban en mars 1978 provoquait l'intervention d'une Force intérimaire des Nations Unies (FINUL). Israël retirait ses troupes en juin, conservant toutefois le contrôle du territoire libanais frontalier par l'intermédiaire des milices chrétiennes. Des combats violents se poursuivaient jusqu'en 1982, opposant la Syrie au parti national libanais, les Israéliens aux Palestiniens dans le sud. Israël envahissait le Liban, malgré la présence de la FINUL, le 6 juin 1982, et encerclait Beyrouth le 3 juillet. Un accord international permettait l'évacuation par mer des fedayin et des troupes de la FAD entre le 21 août et le 1er septembre. Les Israéliens envahissaient pourtant Beyrouth-Ouest après

l'assassinat le 14 septembre du président Bachir Gemayel (élu le 23 août), chef des milices chrétiennes. C'est sous les yeux des troupes israéliennes qu'était commis le massacre de plusieurs centaines de civils des camps palestiniens de Sabra et Chatila, les 16 et 17 septembre. 211 soldats américains, 58 soldats français étaient tués le 23 octobre 1983 dans des attentats revendiqués par une milice shi'ite, entraînant le retrait des forces américaines de la FINUL. Elu le 21 septembre 1982 en remplacement de son frère, le président Amine Gemayel négociait le retrait des troupes israéliennes par l'accord du 17 mai 1983, tandis qu'une guerre ouverte se poursuivait dans le Chouf entre les druzes, soutenus par la Syrie, et les phalangistes. Un gouvernement d'union et de réconciliation nationales était formé par Rachid Karamé en avril 1984 alors que des combats éclataient pour la première fois à Tripoli en mai entre milices musulmanes rivales. Plusieurs otages français, américains et soviétiques étaient enlevés par différents groupements en 1985 ; malgré le retrait des troupes israéliennes (juin), toutes les tentatives de paix au Liban semblent vouées à l'échec.

Liberia

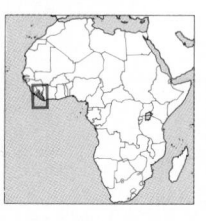

LB
Afrique
de l'Ouest
111 369 km²
2,1 M hab.
ONU, CEDEAO, OUA

Capitale : Monrovia (300 000 hab.)
Langue officielle : anglais
Religions : animistes (70 %), musulm. (20 %)
Régime polit. : rép. présid. Le Libéria était fondé le 26 juillet 1847

Découverte par les Portugais au XVe siècle, la Côte du Poivre était ensuite fréquentée par les commerçants européens. En 1816 était fondée aux

Etats-Unis la Société américaine de colonisation, anti-esclavagiste, et qui s'était fixé pour but de faciliter le retour des esclaves noirs d'Amérique vers l'Afrique. La Société achetait à cette fin des terres à l'embouchure du Mesurado et l'île de Providence, et y installait d'anciens esclaves à partir de 1822, malgré l'opposition des tribus indigènes. L'importance de l'immigration permit à l'établissement de s'étendre : il proclamait son indépendance en 1847. Doté d'une constitution de type américain, le Liberia devenait une république dont la capitale prenait le nom de Monrovia, en l'honneur du président américain James Monroe. Le Liberia, qui fusionnait en 1857 avec le Maryland, établissement similaire, comptait quelques 22 000 anciens es-

claves à la fin du XIXe siècle et demeurait étroitement dépendant sur le plan économique des associations et entreprises américaines qui le soutenaient. Washington ne reconnaissait officiellement le Liberia qu'en 1861. L'intégration des Noirs venus d'Amérique à la population indigène n'alla pas sans difficultés, les descendants d'esclaves (originaires en majorité de la côte ouest de l'Afrique) s'étant adaptés à une civilisation citadine et agricole où les rapports tribaux sont inconnus. Les indigènes furent repoussés vers l'intérieur du pays, dont l'exploitation ne commença qu'après 1925, lorsque la Firestone Company développa d'immenses plantations d'hévéas. Le caoutchouc, supplanté par le minerai de fer, demeura jusqu'en 1961 la principale

exportation libérienne. Les Libéro-Américains constituant une classe privilégiée, le président William Tubman (1944-1971) tentait d'effectuer un rééquilibrage entre les deux populations noires. Malgré la poursuite de cet effort par son successeur, William Tolbert, un putsch militaire mit fin le 12 avril 1980 à la domination des Libéro-Américains. Le président Tolbert était tué lors du putsch, qui portait au pouvoir un « Conseil populaire de rédemption » dirigé par le sergent-chef Samuel Kanyon Doe, élu à la présidence le 15 octobre 1985. Un mois après les élections, une tentative de putsch échouait, son responsable, l'ancien chef de l'armée Thomas Quiwongkpa, était exécuté avec plusieurs autres personnes le 15 novembre.

Libye

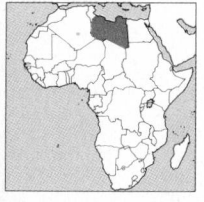

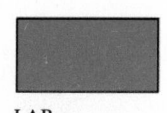

LAR
Afrique du Nord
1 759 540 km²
3,4 M hab.
ONU, LA, OUA, OPEP

Capitale : El-Beida (50 000 hab.)
Religions : musulm. (97,2 %), chrét. (2,4 %)
Régime polit. : rép. pop. social. Déclarée indépendante le 24 décembre 1951

L'actuelle Libye fut colonisée au IXe siècle av. J.-C. par les Phéniciens, qui y fondèrent trois villes : ces trois cités donnèrent leur nom au pays, la Tripolitaine, « pays des trois cités ». La Cyrénaïque fut colonisée par les Grecs. Les deux régions tombèrent sous la domination des Romains, qui les organisèrent en deux provinces nommées Tripolitana et Libya Superior. L'invasion des Vandales mit fin au Ve siècle à la souveraineté romaine. Les Byzantins furent à leur tour chassés par les Arabes en 643. La Cyrénaïque et la

Tripolitaine demeurèrent séparées et ne furent vraiment colonisées, à l'exception de l'arrière-pays, par les Arabes qu'au XIe siècle. Après un bref épisode (1145-1180) où elles furent conquises par les Normands, les deux provinces devenaient espagnoles en 1510 puis soumises au califat ottoman en 1551. La confrérie musulmane des Senousis se rendait maître de la Cyrénaïque en 1843. La Libye devenait protectorat italien après l'invasion de 1911. Les Italiens ne purent toutefois vaincre les Senousis qu'en 1934 : la Tripolitaine, la

Cyrénaïque et le Fezzan étaient annexés à l'Italie fasciste sous le nom de Libia. La Libye était placée après la Seconde Guerre mondiale sous administration franco-britannique. Devenue indépendante après une décision de l'ONU en 1951, la Libye devenait une monarchie, le chef des Senousis accédait au trône sous le nom de Idris Ier. Le roi menait une politique nationaliste visant l'évacuation des troupes britanniques et américaines stationnées en Libye. Sa politique conservatrice provoquait le putsch militaire du 1er septembre 1969.

Libye

La république était proclamée par le Conseil de la révolution, dirigé par le colonel Kadhafi. L'évacuation des bases britanniques et américaines (décembre 1979) était suivie de la nationalisation des principales branches économiques du pays et des compagnies pétrolières. Le colonel Kadhafi, dont les pouvoirs ont été accrus, définissait par son discours de Zawara (16 avril 1973) les principes de la « révolution culturelle » qu'il entendait mettre en place. La loi coranique, la chari'a, redevenait prépondérante ; des comités populaires étaient chargés à tous les degrés du contrôle de la vie du pays. Kadhafi transmettait en avril 1974 ses fonctions officielles à l'exception de la présidence de l'Etat au commandant Jalloud. Une

nouvelle Constitution était promulguée en mars 1977 et fondait la *Djamahiriyya* libyenne (« Etat des masses ») qui attribuait un rôle politique plus important au Congrès du peuple. Les dirigeants issus du Conseil de la révolution, y compris Kadhafi et Jalloud, cédaient la place à des personnalités issues de l'Union socialiste arabe (USA) et du Congrès : Abdul Ati al-'Ubaydi prenait la présidence du secrétariat général du Congrès et Djadallah 'Azuz Talhi la présidence du Comité populaire général. La Libye s'est tournée en 1974 vers l'URSS, qui lui fournit dès 1975 un armement très important, disproportionné par rapport aux besoins réels du pays, qui soutient directement les mouvements révolutionnaires du

Proche-Orient et d'Afrique ainsi que la résistance palestinienne. Les étroites relations soviéto-libyennes conduisent les Etats-Unis à durcir leur attitude face à Kadhafi : les ressortissants américains et les sociétés américaines (Exxon) étaient invités à quitter la Libye en 1981. Les bonnes relations avec l'Egypte – la création d'un Etat unique était prévue – prenaient fin avec le conflit armé de juillet 1977. Les relations avec la Tunisie subissent de même plusieurs crises (attaque de Gafsa en janvier 1980). La Libye soutenait le front Polisario au Sahara occidental contre le Maroc, l'Iran dans sa guerre contre l'Iraq, revendiquait la région de l'Aïr au Niger et occupait la bande d'Aozou au Tchad en 1973. Les troupes

libyennes, qui auraient dû se retirer du Tchad après l'accord intervenu entre les deux Etats le 17 juin 1980, restaient stationnées dans le nord du pays et soutenaient de nouveau une offensive des rebelles tchadiens en juin 1983. Elles se heurtaient à une intervention française. Les difficultés économiques rencontrées par la Libye en raison de l'effondrement de ses exportations pétrolières conduisaient en 1985 à l'expulsion de près de 70 000 travailleurs étrangers, arabes pour la plupart. La tension avec les Etats-Unis, aggravée par plusieurs attentats terroristes mêlant la Libye, conduisait en 1986 à l'affrontement du golfe de la Grande Syrte, le 24 mars, puis au bombardement de Tripoli, le 14 avril.

Liechtenstein

FL
Europe centrale
160 km²
26 680 hab.
EFTA, CE

Capitale : Vaduz (4 900 hab.)
Langue officielle : allemand
Religions : cath. (85,2 %), prot. (8,7 %)
Régime polit. : monarchie const. Principauté depuis le 23 janvier 1719

Appartenant à la province romaine de Rétie, le territoire de l'actuel Liechtenstein était envahi au Vᵉ siècle par les Alamans, dont l'actuelle population descend. La seigneurerie de Vaduz s'isolait de la Rétie, devenue comté sous Charlemagne. Vaduz obtenait l'immédiateté impériale en 1396 et se voyait adjoindre en 1434 la seigneurerie de Schellenberg. Les princes de Liechtenstein achetaient Schellenberg en 1699 puis le comté de Vaduz, au comte de Hohenembs, en 1712. Le Liechtenstein était élevé au rang de principauté impé-

riale par l'empereur romain germanique Charles VI en 1719. Indépendant lors de son adhésion à la Ligue du Rhin en 1806, le Liechtenstein se liait à l'Autriche par une union monétaire et douanière après 1852 puis à la Suisse en 1921 (union postale et monétaire). L'union douanière de 1923 permit au Liechtenstein d'augmenter de 27 % ses rentrées en devises, sans qu'il lui faille entretenir une administration des douanes. Le Liechtenstein est étroitement intégré à la Suisse sur le plan économique et possède quelques indus-

tries propres (usines Hilti) mais attire surtout des entreprises étrangères en raison des facilités fiscales qu'il leur accorde. Le prince François-Joseph II transmettait en 1984 ses pouvoirs après 46 ans de règne à son fils, le prince Franz Adam. Un mois plus tôt, en juillet, les femmes obtenaient le droit de vote. L'Etat est une monarchie parlementaire et démocratique depuis la Constitution (Loi fondamentale) de 1921 : le prince dispose d'un droit de veto face au Parlement, mais celui-ci peut faire appel au peuple par voie de référendum.

Luxembourg

L
Europe
de l'Ouest
2586 km²
368 000 hab.
ONU, CEE, CE,
OTAN, OCDE

Capitale : Luxembourg (80 000 hab.)
Langues offic. : français, luxemb., allem.
Religions : cath. (95 %)
Régime polit. : monarchie parlem. et dém. Indépendance obtenue le 11 mai 1867

Sigefroi, fils cadet d'un comte mosellan, acquérait en 963 le site où il faisait ériger le château de Lutzelbourg. La lignée masculine des Lutzelbourg s'éteignit en 1136 et le comté revint aux comtes de Namur puis, par mariage, à Walram de Limbourg en 1214. L'arrière-petit-fils de ce dernier était élu roi d'Allemagne sous le nom d'Henri VII en 1308, son fils Jean Iᵉʳ l'Aveugle devenait roi de Bohême. Le comté de Luxembourg perdit de son importance lorsque la famille régnante germanique cessa d'y résider. Le fils de Jean Iᵉʳ, Charles IV, empereur romain germanique et roi de Bohême, accordait au

Luxembourg en 1354 le statut de duché indépendant, qu'il confiait à son frère Venceslas. Celui-ci unissait le duché au Brabant en 1355 et mourait sans héritier en 1383 : son neveu, le roi d'Allemagne Venceslas, fils de Charles IV, héritait du Luxembourg qu'il baillait à Jobst de Moravie en 1388 puis au duc Antoine de Brabant et Limbourg en 1411. La femme du duc Antoine, Elisabeth de Görlitz, qui connaissait quelques difficultés d'argent, devait vendre ses droits sur le duché en 1443 au duc Philippe le Bon de Bourgogne. Les Habsbourg héritaient donc du Luxembourg avec la Bourgogne en 1477. Les Habsbourg d'Espagne, qui le recevaient en 1555, l'incorporaient aux Pays-Bas espagnols. Mais les liens du Luxembourg à la Bourgogne le maintenaient dans la sphère d'influence du Saint Empire. Le sud du duché devenait français en 1659, le reste de son territoire était encore amputé par l'Autriche en 1714 puis par la France révolutionnaire qui absorbait le reste en 1795 et en faisait l'essentiel de son département « des Forêts ». Le partage de l'Europe réalisé par le congrès de Vienne en 1815 restaura l'intégrité du Luxembourg, qui devenait grand-duché membre de la Ligue allemande administré toutefois

en union personnelle par le roi des Pays-Bas. La Belgique occupait en 1830 la moitié ouest, wallone, du Luxembourg après son soulèvement contre Guillaume Iᵉʳ des Pays-Bas : l'annexion était approuvée par les grandes puissances en 1839. Le grand-duché intégrait en 1843 l'Union douanière allemande. Lorsque la Ligue allemande se dissout, en 1866, Napoléon III tenta d'acquérir le Luxembourg auprès de la Couronne néerlandaise. La crise qui s'ensuivit aboutit à l'indépendance du Luxembourg, qui devenait un Etat neutre, lors du traité de Londres (mai 1867). La forteresse qui abritait une garnison prussienne était rasée. L'application à partir de 1877 du procédé Thomas et Gilchrist à l'industrie allait permettre l'essor de la métallurgie, qui restera longtemps l'une des principales activités économiques du Luxembourg. La lignée masculine de la dynastie néerlandaise des Orange-Nassau s'éteignant en 1890, la souveraineté grand-ducale revenait à la branche walramienne des Nassau. Le Luxembourg était envahi en 1914 et occupé jusqu'en 1918 par l'Allemagne. La grande-duchesse Marie-Adélaïde devait abdiquer en janvier 1919 en raison de son attitude proallemande en faveur de sa sœur Char-

lotte, qui dotait le pays d'une constitution démocratique. L'invasion allemande de 1940 contraignait la grande-duchesse à se réfugier en Grande-Bretagne, le Luxembourg était annexé à la région mosellane du Reich hitlérien et résistait à la politique de germanisation mise en place. Libéré, le Luxembourg se joignait au Benelux en 1947, abandonnait sa neutralité en un plus tard et adhérait à l'OTAN en 1949. Le Luxembourg participe à la construction de la CEE depuis l'Europe des Six de 1950. Arrivé au pouvoir en 1959, le chrétien-social Pierre Werner y demeurait jusqu'en 1974 mais était réélu en 1979, succédant au démocrate libéral Gaston Thorn. L'actuel souverain, le grand-duc Jean, avait succédé à sa mère après son abdication, le 12 novembre 1964. Vainqueurs des élections du 17 juin 1984, les socialistes formaient un gouvernement de coalition dirigé par Jacques Santer avec les chrétiens-sociaux. L'agriculture, prédominante au début du siècle, n'occupe plus actuellement que 6 % de la population : extrêmement mécanisée, elle permet au pays de couvrir ses besoins. L'industrie sidérurgique constitue l'essentiel des exportations, dirigées à 90 % vers les pays appartenant à la Communauté européenne.

Madagascar

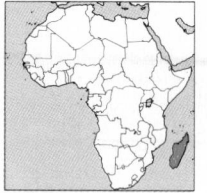

RM
Afrique
du Sud-Est
587 041 km²
9,7 M hab.
ONU, OUA

Capitale : Antananarivo (820 000 hab.)
Langues officielles : français, malgache
Religions : animistes (61 %), chrét. (28 %)
Régime polit. : rép. dém. Indépendance obtenue le 14 octobre 1958

L'île de Madagascar fut probablement peuplée à partir de la côte orientale de l'Afrique. Plusieurs vagues de peuplement malayo-polynésien atteignaient l'île au cours du Iᵉʳ millénaire. La langue malgache est apparentée à l'indonésien. Des marchands arabes établissaient des comptoirs sur la côte nord-ouest au Xᵉ siècle. D'autres vagues d'immigrants arabes s'établissaient au sud vers le XIVᵉ siècle et se mélangeaient aux populations noires : de cette union naquit le royaume d'Antemoro. Les Merinas, d'origine indonésienne, s'implantaient au même moment sur le haut-plateau central. Marco Polo évoquait déjà Madagascar, où le Portugais Diogo Diaz débarquait en 1500. Les Portugais effectuèrent tout au long du XVIᵉ siècle de fréquentes razzias sur les établissements musulmans. Les Français fondaient en 1643 Fort-Dauphin, au sud-est, mais les colons abandonnaient l'île en 1674. A la fin du XVIIᵉ et au début du XVIIIᵉ siècle, les seuls Européens fréquentant l'île étaient des pirates, qui y avaient établi les bases de leurs raids dans l'océan Indien. La tentative de la France d'étendre ses établissements dans l'île au moment de la colonisation de la Réunion et de l'île Maurice, au XVIIIᵉ siècle, échouait face aux Anglais. Plusieurs royaumes apparurent à Madagascar entre 1500 et 1800 ; ils s'approvisionnaient en armes à feu auprès des Européens en les échangeant contre des esclaves. Le royaume d'Imerina s'était constitué autour de sa capitale Tananarive à la fin du XVIᵉ siècle : il se scindait au XVIIIᵉ siècle en quatre royaumes, qui furent réunis par le grand roi Andrianampoinimerina (1787-1810) en 1797. Le roi Radama Iᵉʳ, qui lui succédait, soumit la majeure partie de l'île, invita des spécialistes européens et des missionnaires. Sa veuve, Ranavalona Iʳᵉ (1828-1861), renoua avec une politique isolationniste. La modernisation du pays reprit sous ses successeurs. La reprise de l'expansion française déclenchait en 1883 une guerre avec les Merinas. La Grande-Bretagne reconnaissait le protectorat français sur Madagascar en 1890. La conquête française était achevée en 1898 : toute la période coloniale, jusqu'en 1945, fut marquée par de violents soulèvements. La révolte de 1947 faisait 11 000 morts. L'indépendance était obtenue en 1958, après le référendum du 28 septembre. Philibert Tsiranana occupait la présidence de la République jusqu'en octobre 1972. L'agitation étudiante de mai 1972, dirigée contre la coopération avec la France, provoquait la constitution d'un gouvernement dirigé par le général Ramanantsoa et l'abrogation de la Constitution de 1959. La République démocratique de Madagascar était proclamée le 31 décembre 1975 ; le capitaine Didier Ratsiraka prenait la tête de l'Etat, où une vaste réforme d'inspiration socialiste et marxiste était mise en place.

Malawi

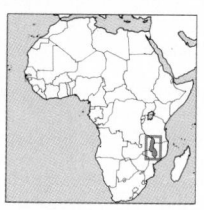

MW
Afrique orientale
118 484 km²
6,4 M hab.
ONU, CW, OUA

Capitale : Lilongwe (103 000 hab.)
Langues officielles : anglais, chichewa
Religions : animistes (40 %), chrét. (40 %)
Régime polit. : république présidentielle depuis le 6 juillet 1966

Il existe des traces vieilles de 50 000 ans des premiers habitants du Malawi, apparentés aux Bochimans. Les tribus bantoues, qui font leur apparition dans la région au Iᵉʳ siècle ap. J.-C., l'occupaient complètement au XIIIᵉ siècle. Une deuxième vague de Bantous, dont l'invasion est rapportée par une riche tradition orale, survenait jusqu'au XVᵉ siècle. Les nouvelles tribus fondaient vers 1480 le royaume de Marawe, qui conquérait jusqu'au milieu du XVIIᵉ siècle les régions méridionales et centrales de l'actuel Malawi et présentait pour la première fois une structure centralisée, non tribale, qui fut reprise par les royaumes voisins. L'évolution économique de ces sociétés, prospères grâce aux cultures de riz et de maïs, était perturbée à la fin du XVIIIᵉ siècle par la traite des esclaves. Les razzias des marchands d'esclaves portugais et arabes prélevèrent un lourd tribut humain. Des tribus parlant le swahili pénétraient entre 1830 et 1860 au Malawi, repoussées par l'extension au sud du Royaume zoulou : les nouveaux arrivants jouaient rapidement un rôle important dans la traite et formaient une aristocratie. L'influence européenne augmentait à la fin du XIXᵉ siècle, David Livingstone explorait le pays entre 1859 et 1863. La Grande-Bretagne établissait un protectorat sur le Malawi en 1891 et mettait fin au trafic d'esclaves avec des troupes indiennes, en 1895. Devenu colonie, le Malawi prenait en 1907 le nom de Nyassaland. L'équipement du pays permettait une exploitation agricole dirigée vers l'exportation, favorable aux intérêts européens. La décision d'unir le Nyassaland à la Rhodésie en 1951 souleva une violente opposition. Doté d'une Constitution en 1960, indépendant en 1964 et devenu le Malawi, le pays devenait une république en 1966 : il est depuis lors dirigé par le président Hastings Kamuzu Banda. La construction de la nouvelle capitale malawienne, Lilongwe, inaugurée en 1975, était en grande partie financée par l'Afrique du Sud.

Malaysia

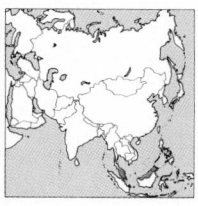

MAL
Asie du Sud
329 749 km²
15,3 M hab.
ONU, ASEAN, CW

Capitale : Kuala Lumpur (1,1 M hab.)
Langue officielle : malais (bahasa)
Religions : musulm. (50 %), chrét., bouddh.
Régime polit. : monarchie élective const., constituée le 16 septembre 1963

La presqu'île malaise a vu se développer avant le IVᵉ millénaire plusieurs civilisations néolithiques. Une culture indomalaise succédait au IIᵉ siècle ap. J.-C. à une culture du bronze développée. La presqu'île demeurait sous domination indienne au cours du millénaire suivant. Près de 30 Etats indépendants virent le jour sur la côte ouest pendant cette période et furent dominés par l'Ayutthaya (Thaïlande) ou les royaumes khmers, de Sumatra ou de Java. Vers 1400, le prince javanais Paramesvara tentait de rendre sa capitale, Tumasik (Singapour), indépendante de l'Ayutthaya : la ville fut détruite, le prince se réfugiait à Malacca. Soutenu par les Chinois, qui cherchaient à contenir l'expansion de l'Ayutthaya, il fit du village de pêcheurs un important centre de commerce, dont la puissance ne cessa de s'affirmer au cours du XVᵉ siècle. Peu avant sa mort, Paramesvara se convertit à l'islam, qui se répandit très vite en Malaisie et devint le lien culturel d'une population très hétérogène. L'arrivée des Portugais marqua en 1511 la fin de la puissance de Malacca, qui s'était étendue jusqu'à Sumatra. Les Portugais poursuivirent le commerce mais ne purent se maintenir face aux Hollandais, qui assiégeaient la ville en 1633 et la prenaient en 1641. Les tentatives des Hollandais pour restaurer l'économie échouant, ils préférèrent concentrer leurs activités à Java. Malacca était prise par les Britanniques en 1795 et devenait colonie de la Couronne en 1867. La presqu'île était occupée par les Japonais en 1941 et revendiquait son indépendance après 1945. Les fréquents soulèvements prolongèrent l'état d'urgence jusqu'en 1960. L'indépendance était acquise en 1963. La fédération de Malaysia devenait une monarchie élective et parlementaire, constituée des anciennes colonies britanniques de Malaya, Sabah, Sarawak et Singapour, qui se rendait indépendant en 1965. Le chef du mouvement d'indépendance, Tunku Abdul Rahman, devenait Premier ministre, le roi était élu parmi les neuf sultans des Etat fédéraux pour une durée de cinq ans. Le Sabah se trouve sur Bornéo et entretenait des rapports commerciaux avec la Chine dès le VIIᵉ siècle, exclusivement avec les Philippines. Le navigateur britannique Alexander Dalrymple y débarquait en 1759, le Sabah revenait à la Compagnie des Indes orientales en 1763. Occupé par le Japon en 1942, le territoire, faiblement peuplé, devenait colonie britannique en 1946 et se joignit en 1963 à la Fédération de Malaysia. Le Sarawak fut annexé au XVᵉ siècle par le sultanat de Brunei puis remis à l'aventurier britannique James Brooke en 1841. Colonie de la Couronne en 1946, Sarawak entrait en 1963 dans la Fédération de Malaysia. Le pays est gouverné depuis 1981 par Mahathir bin Mohammad, dirigé depuis 1984 par le sultan Mahmoud Iskandar.

Maldives

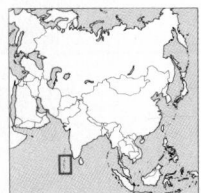

Asie du Sud
298 km²
170 000 hab.
ONU

Capitale : Malé (45 000 hab.)
Langue officielle : maldévien (divehi)
Religions : musulm. (98 %)
Régime polit. : rép. présid. Indépendance obtenue le 26 juillet 1965

Les Maldives, dix-neuf atolls regroupant plus d'un millier d'îles, furent peuplées à partir de Sri Lanka vers le VIᵉ siècle ap. J.-C. Les premiers colons des îles pratiquaient le bouddhisme. L'introduction de l'islam, au XIIᵉ siècle, connut un rapide succès : le bouddhisme était définitivement abandonné en 1153. Les Portugais faisaient en 1558 une tentative de colonisation : ils conquéraient Malé, y construisaient une forteresse et y installaient un sultan chrétien qui devait gouverner en leur nom. La forteresse était prise d'assaut et les Portugais chassés par les indigènes en 1573. Les Maldives furent par la suite surtout fréquentées par les pirates et faisaient appel pour s'en défendre aux Néerlandais installés à Sri Lanka, qui instauraient un protectorat dès 1645. Lorsque les Britanniques conquéraient Sri Lanka (1796), il recevaient la charge du protectorat maldivien. Un protectorat formel ne fut pourtant instauré qu'en 1887, après un accord avec la dynastie Didi, qui régnait sur le sultanat. Une Constitution démocratique entrait en vigueur en 1932, la monarchie devenait élective. Proclamée en 1953, la république était abolie la même année. Les îles les plus au sud tentaient de se rendre indépendantes mais réintégraient le sultanat après médiation britannique. Après l'indépendance, en 1965, les Maldives accordaient aux Britanniques l'usage de la base aérienne de Gan jusqu'en 1986. Les Maldives devenaient de nouveau une république le 11 novembre 1968 : plusieurs îles sont en fait indépendantes du gouvernement central. Le président Amir Ibrahim Nasir écartait en 1975 son Premier ministre du gouvernement et dirigeait seul le pays jusqu'à sa démission, en 1978. Il était remplacé par Maumoon Abdul Gayoom.

Mali

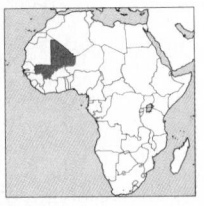
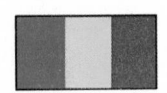

MM
Afrique
de l'Ouest
1 240 142 km²
7,7 M hab.
ONU, CEDEAO,
OUA

Capitale : Bamako (600 000 hab.)
Langue officielle : français
Religions : musulm. (75 %), chrét. (10 %)
Régime polit. : rép. présid. Indépendance proclamée le 20 août 1960

L'Empire du Ghana apparut en Afrique de l'Ouest au IVᵉ siècle ap. J.-C. Il atteignait l'apogée de sa puissance au VIIIᵉ siècle. L'Empire du Ghana profitait du commerce saharien : le sel en provenance du nord était échangé contre l'or et l'ivoire en provenance du sud. Les Arabes achevaient vers 700 la conquête de l'Afrique du Nord : leurs commerçants transmirent très loin en Afrique noire les influences culturelles arabes et musulmanes. L'Empire du Ghana s'effondrait au XIᵉ siècle sous les coups des Berbères almoravides. L'Empire du Mali, créé vers l'an Mil, se détachait de l'empire du Ghana : la victoire remportée par Sundyatta à Kirina en 1235 permettait au Mali d'imposer sa suprématie en Afrique occidentale jusqu'au XVIᵉ siècle. Les peuples soumis se révoltèrent au XVᵉ siècle : Gao se soulevait en 1400, les Touaregs s'emparaient en 1431 de Tombouctou, centre culturel et commercial depuis plusieurs siècles. Les Ouolofs et les Mossis, dans le nord de l'actuel Burkina Fasso, conquirent également leur indépendance. Le Mali avait perdu sa prépondérance en 1550 ; l'ascension de l'Empire songhaï, à Gao et sur le moyen Niger, commençait. Les Songhaïs disposaient d'une armée permanente et d'une administration bien organisées. Ils maîtrisaient depuis longtemps la voie de communication la plus importante pour le commerce, le Niger, et en tiraient leur richesse économique. Mais Gao fut conquise par le Maroc en 1591. Une troupe de 4 000 hommes équipés d'armes à feu s'emparait des villes les plus importantes, Gao, Tombouctou et Djenné, et établissait un royaume militaire qui se maintint jusqu'au XVIIIᵉ siècle. Mais le commerce transsaharien, aux mains des tribus nomades, échappait aux Marocains. Les Touareg les soumettaient à un tribut et prenaient Tombouctou en 1770. L'empire peul du Macina, musulman, succédait au début du XIXᵉ siècle à l'empire des Bambaras mais ne pouvait s'opposer à la conquête française. Les Français occupaient Tombouctou en 1893. La résistance des Touaregs se poursuivit jusque vers 1920. La souveraineté française s'exerçait indirectement, par la nomination des chefs. Mais le pays était pauvre, peu peuplé, les anciennes voies commerciales sahariennes avaient disparu : la tentative d'implantation de monocultures du coton et de l'arachide destinées à l'exportation échoua ; des cultures vivrières pour le Sénégal les remplacèrent. La France provoquait un référendum dans toutes ses colonies d'Afrique occidentale le 28 septembre 1958. L'accession à l'autonomie interne et le maintien dans la Communauté française furent partout acceptés, sauf en Guinée. L'ancienne colonie du Soudan, devenue république indépendante associée au Sénégal dans la fédération du Mali, entrait en 1959 dans la Communauté. La fédération éclatait un an plus tard, le Soudan prenait le nom de Mali et se distanciait de la France, le président Modibo Keita instaurait une politique d'inspiration socialiste puis se rapprochait en 1965 de la France. Modibo Keita était renversé lors du putsch du 19 novembre 1968. Le Comité militaire de libération nationale était présidé par le lieutenant Moussa Traoré. Un parti unique d'inspiration socialiste était institué. Les difficultés économiques conduisaient le général Traoré à entreprendre en février 1981 la libéralisation de l'économie. Le conflit frontalier qui oppose le Mali à la Haute-Volta (Burkina Fasso) depuis 1974 éclatait en une brève guerre le 26 décembre 1985.

Malte

M
Europe du Sud
316 km²
380 000 hab.
ONU, CW, CE

Capitale : La Valette (25 000 hab.)
Langues officielles : maltais, anglais
Religions : cath. (98 %)
Régime politique : république. Indépendance obtenue le 21 septembre 1964

La culture mégalithique qui se développa à Malte fut l'une des plus anciennes de Méditerranée ; de grands temples étaient bâtis sur l'île dès le IIIᵉ millénaire av. J.-C. Colonie phénicienne au début du Iᵉʳ millénaire, Malte devenait possession carthaginoise. Perdue au profit des Romains en 218 av. J.-C., l'île obtenait rapidement son autonomie administrative. La tradition rapporte que l'apôtre Paul fit naufrage en 60 ap. J.-C. sur les côtes maltaises, lançant le processus de christianisation. Malte était attribuée à Byzance après le partage de l'Empire romain en 395. Les Vandales de Geiséric, maîtres de l'île, en étaient chassés par les Ostrogoths en 498. Byzance rétablissait sa souveraineté en 553. La conquête musulmane, menée par l'émir de Kairouan, avait lieu en 870, jusqu'à la conquête du roi normand Roger de Sicile en 1090. L'île était donnée en fief en 1530 par Charles Quint, empereur romain germanique, à l'ordre des Hospitaliers, chassé de Rhodes. Les chevaliers faisaient de l'île la base fortifiée de leurs combats contre les Ottomans. La Valette était en vain assiégée par une flotte turque en 1565. Bien qu'ayant peu de contacts avec la population de Malte, les Hospitaliers en marquèrent la culture de manière décisive par leur cosmopolitisme et les bâtiments prestigieux qu'il y firent élever. L'ordre, rebaptisé en ordre de Malte, en fut chassé en 1798 par Bonaparte. Les Français furent chassés en 1800 par des troupes anglo-napolitaines. Malte devenait colonie britannique après le traité de Paris de 1814. Les Britanniques firent de l'île une base navale mais durent faire face à l'opposition de la population, au soulèvement déclenché par l'instauration de l'anglais comme langue administrative par exemple. La Constitution octroyée à Malte en 1887 était suspendue en 1903. Il en advint de même de celle de 1921, prévoyant une autonomie limitée, suspendue en 1930 après d'importants troubles. Les Maltais retrouvaient leur autonomie en 1939. L'échec des attaques aériennes des forces de l'Axe, les empêcha de prendre pied à Malte. Malte obtenait son autonomie complète en 1947, son indépendance au sein du Commonwealth en 1964 et se proclamait république en 1974. Le véritable chef de l'exécutif maltais est le chef du parti travailliste, Dom (Dominic) Minthoff. Au pouvoir de 1955 à 1958, il reprenait la tête du gouvernement de 1971 jusqu'à sa démission, le 22 décembre 1984. Carmelo Mifsud Bonnici, son « dauphin » et ministre de l'Education, confronté au conflit scolaire avec l'Eglise, lui succédait.

Maroc

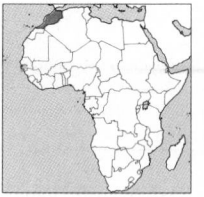

MA
Afrique
du Nord-Ouest
446 550 km²
21,2 M hab.
ONU, LA

Capitale : Rabat-Salé (841 000 hab.)
Langue officielle : arabe
Religions : musulm. (95 %)
Régime polit. : monarchie const. Indépendance obtenue le 7 avril 1956

Le territoire de l'actuel Maroc recèle des traces d'implantations humaines remontant au paléolithique ; des dessins rupestres datant du néolithique ont été retrouvés dans le Haut Atlas. Ses habitants y avaient constitué au début du Iᵉʳ millénaire une civilisation agricole et sédentaire. Le Maroc était alors une région fertile et très boisée. Les Phéniciens, dont les routes commerciales longeaient les côtes marocaines, y avaient établi leurs premiers comptoirs au IIᵉ millénaire. Les Romains succédèrent aux Carthaginois, le Maroc constituait avec l'ouest de l'actuelle Algérie en 40 av. J.-C. la province de Mauritanie tingitane. Les tribus berbères, nomades, échappèrent à la domination romaine en se retirant dans l'arrière-pays d'où ils menaient des raids contre les établisse-

ments romains. Le désert s'étendit très rapidement à cette époque, la nappe phréatique se réduisit, les Romains pratiquant la même exploitation forestière aveugle qu'en Italie. Le Maroc ne possède plus aujourd'hui qu'un tiers de surfaces cultivables. Les Vandales envahissaient le pays au Vᵉ siècle ap. J.-C. et constituaient un royaume oligarchique qui s'intégra rapidement à la population berbère. Le Maroc tombait sous la domination de Byzance au VIᵉ siècle.

L'islamisation

Les Arabes islamisés commençaient à partir de l'actuelle Arabie Saoudite à la conquête de l'Afrique du Nord en 640. Une première tentative de soumission du Maroc, en 681, échouait deux ans plus tard. La conquête fut reprise avec succès entre 705 et 708. Les Arabes rencontrèrent pourtant au Maroc les mêmes difficultés que leurs prédécesseurs romains : bien que converties à l'islam, les tribus berbères restaient politiquement indépendantes. Les révoltes berbères qui éclataient en 740 ne purent être maîtrisées par le calife. Insoumis au califat, le roi Idris Iᵉʳ fondait en 789 un royaume dont Fez devenait la capitale. Les califes de Cordoue pénétraient au Xᵉ siècle au Maroc pour lutter contre l'expansion des Fatimides. Les dynasties des Almoravides et des Almohades régnaient sur le Maroc et la péninsule ibérique, qui

demeurèrent unifiés entre 1061 et 1269, date à laquelle les berbères conquéraient Marrakech, alors capitale des Almohades. La dynastie des Wattasides parvenait à imposer leur domination entre 1420 et 1554. C'est pendant leur règne que les marchands portugais et espagnols purent s'implanter dans les régions côtières. Les Portugais étaient cependant chassés pour la plupart en 1578, après la victoire marocaine d'Alcazar-Quivir.

L'impérialisme européen

L'influence européenne sur le Maroc ne cessa de croître à partir du XVIIIᵉ siècle : les sultans ratifièrent de nombreux traités commerciaux avec l'Angleterre et la France, dont la prépondérance s'affirmait définitivement après l'accord franco-britannique de 1904. L'Allemagne protestait en 1911 contre la politique française au Maroc en envoyant à Agadir la canonnière *Panther*. La crise internationale qui éclatait s'achevait par l'instauration d'un protectorat français sur le Maroc en 1912. L'Allemagne obtenait la garantie de ses intérêts commerciaux, l'Espagne obtenait les territoires du Rif et Tanger était internationalisée. La révolte des Kabyles du Rif, qui éclatait en 1919, se poursuivait jusqu'en 1926. Conduits par l'émir Abd el-Krim, les Kabyles infligeaient une écrasante défaite aux armées coloniales espagnoles en 1921 :

la République du Rif était proclamée en 1922. Après l'extension de la révolte aux zones contrôlées par la France, celle-ci intervenait et Abd el-Krim devait se rendre en 1926. Les courants nationalistes et islamiques se renforcèrent après la Première Guerre mondiale. La tentative faite par la France après 1930 pour isoler politiquement les Berbères provoquait de nouveaux troubles, aggravés par l'accroissement de l'immigration européenne. Le sultan Muhammad V prenait la tête du mouvement nationaliste dès 1944 ; il était déposé puis banni en 1953. Les Marocains obtenaient sa restauration en 1955. Les protectorats français puis espagnol devaient être definitivement abandonnés en 1956.

L'indépendance

Le roi Hasan II gouverne depuis 1961 le Maroc, qui devenait en 1962 une monarchie constitutionnelle, devenue démocratique après la Constitution de 1972. La confrontation née en 1975 de la décolonisation du Sahara espagnol avec le front Polisario entraînait le départ du Maroc de l'OUA en novembre 1984. Le pays, très pauvre, était secoué en janvier par les « émeutes du pain », qui faisaient au moins cent morts. Le conflit du Sahara semblait en voie de résolution après la conclusion d'une Union arabo-africaine avec la Libye (31 août 1984).

Maurice

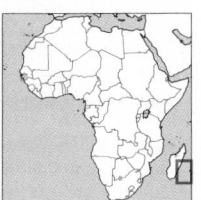

MS
Afrique
du Sud-Est
2045 km²
969 000 hab.
ONU, CW

Capitale : Port-Louis (146 000 hab.)
Langue officielle : anglais
Religions : hind. (54 %), chrét. (30 %)
Régime polit. : monarch. parlem. Indépendance obtenue le 12 mars 1968

L'île Maurice était connue dès le Xᵉ siècle par les navigateurs arabes et africains. Les premiers Européens, les Portugais de la flotte d'Afonso de Albuquerque, débarquaient en 1510 sur l'île elle recevait en 1598 son nom de « Mauritius », donné par l'amiral néerlandais Wijbrand Van Warwijck, qui en prenait possession pour la Compagnie néerlandaise des Indes orientales. Les Néerlandais tentaient sans succès à deux reprises de coloniser les îles, inhabitées jusqu'alors, en 1638-1658 et 1664-1710.

Ils y furent remplacés par des pirates. L'île Maurice, baptisée île de France en 1715, était occupée en 1721 par la Compagnie française des Indes orientales. Port-Louis, aménagé en base navale, devenait capitale de l'archipel. Passée sous administration royale en 1767, l'île de France connaissait un important essor économique avec l'intendant Pierre Poivre. L'Angleterre, dont les intérêts se trouvaient depuis longtemps menacés par les corsaires basés sur l'île, en prenait possession après le traité de

Paris (1814). Une importante main-d'œuvre d'origine indienne était introduite pour la culture de la canne à sucre. Plusieurs modifications de la Constitution de 1947 ne suffisant pas à apaiser les troubles nationalistes, l'Angleterre accordait l'indépendance après la victoire du parti de l'Indépendance de Seewoosagur Ramgoolam aux élections de 1967. Le pays, où le créole est demeuré la langue usuelle, est gouverné depuis juin 1982 par Aneerood Jugnauth, jusqu'alors chef de l'opposition.

Mauritanie

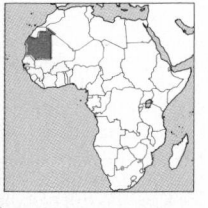

RIM
Afrique
du Nord-Ouest
1 030 700 km²
1,8 M hab.
ONU, LA,
CEDEAO, OUA

Capitale : Nouakchott (150 000 hab.)
Langues officielles : arabe, français
Religions : musulm. (99 %)
Régime polit. : république présidentielle depuis le 28 novembre 1958

Les régions désertiques de l'actuelle Mauritanie recèlent plusieurs témoignages rupestres datant du néolithique. Les populations indigènes étaient repoussées au IIIᵉ millénaire par les invasions des nomades berbères, venus du nord. Comme le Maroc, la Mauritanie possédait jusqu'à l'époque romaine une vaste forêt. La conquête arabe, au VIIᵉ siècle, permettait l'islamisation des Berbères : la population arabo-berbère issue de l'intégration des deux cultures, les Maures, représente aujourd'hui 80 % de la population mauritanienne.

La dynastie maure des Almoravides étendit au XIᵉ siècle sa domination sur le Maroc et l'Espagne au nord, jusqu'au Niger à l'est. L'Empire almoravide s'effondra en 1147 : le nord, où se trouvent essentiellement des populations nomades indépendantes, demeura lié au Maroc, le sud fut intégré au royaume du Mali. Les siècles suivants furent marqués par des luttes constantes entre le Mali et les Arabes, qui progressèrent vers le sud à la fin du XIIIᵉ siècle. Les combats culminèrent lors de la guerre du Shar Buba,

entre 1644 et 1677 : la population sédentaire noire, mais non les Berbères, du sud de la Mauritanie était soumise par les Arabes. Les Portugais étaient installés sur la côte, près du cap Blanco, depuis 1448. Arguin, où ils avaient construit un fort, attira les commerçants espagnols, anglais, néerlandais et français, qui y cherchaient surtout la gomme « arabique ». Installés au Sénégal depuis le XVIIIᵉ siècle, les Français concluaient leurs premiers traités de protectorat avec les tribus du désert en 1858. Ils revendiquaient la

Mauritanie

Mauritanie dès 1904 mais devaient affronter une révolte des Maures dès l'année suivante : la « pacification » durera quinze ans. Devenue colonie en 1920, la Mauritanie était ensuite intégrée, à l'Afrique de l'Ouest française, il ne fut pacifié qu'en 1934. Devenue territoire d'outre-mer en 1946, la Mauritanie devenait république autonome le 28 novembre 1958 sous la présidence de Mok-

tar Ould Daddah. L'indépendance était acquise en 1960 ; une nouvelle capitale, Nouakchott, était alors construite. Les accords de coopération avec la France étaient dénoncés en 1973, les mines de fer étaient nationalisées. Le Front Polisario menait une guérilla contre la Mauritanie après la décolonisation du Sahara espagnol (novembre 1975). Moktar Ould Daddah se rapprochait de la

France et du Maroc mais il était renversé par un coup d'Etat militaire le 10 juillet 1978. Membre du Comité militaire de salut national (CMSN) et nommé Premier ministre en mai 1979, le colonel Mohammed Ould Haidalla destituait le chef de l'Etat le 4 janvier 1980 et s'emparait de tous les pouvoirs. La Mauritanie avait renoncé par l'accord d'Alger (7 août 1979) à toute revendication sur

le Sahara occidental. Le régime du colonel Haidalla, accusé de corruption et de gaspillage, était renversé le 12 décembre 1984. Le colonel Ahmed Ould Taia prenait la tête de l'Etat, les membres du CMSN en place depuis 1978 conservaient leurs postes. La Mauritanie, touchée par la sécheresse du Sahel, est dépendante de l'étranger à 90 % pour ses besoins alimentaires.

Mexique

MEX
Amérique
centrale
76 M hab.
1 972 547 km²
ONU, ALADI,
OEA, SELA

Capitale : Ciudad de Mexico (9 M hab.)
Langue officielle : espagnol
Religions : cath. (95 %)
Régime polit. : rép. présid. Indépendance proclamée en février 1821

Le Mexique était habité dès le XXᵉ millénaire av. J.-C. Plusieurs civilisations se développaient au Mexique tandis que le reste du continent vivait encore à l'âge de pierre. Les Olmèques, dont l'apogée se situe entre 1100 et 400 av. J.-C. environ, furent des maîtres sculpteurs : ils nous ont laissé de minuscules figurines de jade comme des statues de granit de plusieurs mètres de haut et furent les premiers à bâtir des temples-pyramides. La civilisation de Teotihuacán succéda aux Olmèques de 400 av. J.-C. à 200 ap. J.-C. environ. Simultanément se développaient les civilisations maya et zapothèque. Des villes importantes apparurent, une aristocratie émergea au sein des empires rivaux. Teotihuacán contrôlait la quasi-totalité de l'Amérique centrale vers 400 ap. J.-C. Son empire succomba vers 650, après l'invasion des Mixtèques, venus du nord. D'importantes modifications climatiques contribuèrent également à la chute des grandes civilisations américaines.

Mayas et Aztèques
La civilisation maya, qui avait développé à un haut degré l'architecture, l'astronomie et les mathématiques, connut son apogée du VIIᵉ au Xᵉ siècle. Les Mayas quittèrent leurs territoires à la fin de cette période pour des raisons inexpliquées. Les Toltèques succédèrent aux Mayas de 900 à 1200, jusqu'à la conquête aztèque. Les deux peuples construisirent également de grandes cités, centres culturels et économiques ; leurs relations commerciales s'étendaient très loin. Favorisée par le climat, l'agriculture prospérait, l'artisanat était florissant, couvrant les besoins des Mayas, par exemple, et permettant l'exportation. D'importants gisements métallifères étaient exploités, l'or était avant tout utilisé pour les besoins des cultes. Les Aztèques étaient originellement un peuple nomade, venu du nord vers 1200. Leur empire dont la capitale, Tenochtitlán, résidence des souverains, avait été fondée en 1385, s'établit vraiment à partir de 1430 et domina alors la plus grande part du Mexique. Les prêtres jouaient un rôle très important dans l'Etat, la croyance exigeant des sacrifices humains pour perpétuer l'existence du soleil et de l'empire.

La conquête espagnole
Francisco Fernández de Córdoba découvrait le Mexique en 1517 ; Hernán Cortés y débarquait en 1519. Les Espagnols furent reçus par les Indiens comme des « dieux blancs ». Mais les « dieux » étaient des guerriers, l'empereur aztèque Moctezuma II était capturé et assassiné, en 1521, après que des rançons colossales en or aient été

obtenues pour sa libération. L'aristocratie aztèque avait été décimée en 1520. En 1521, l'ensemble du Mexique était conquis, à l'exception de la presqu'île du Yùcatán qui résista jusqu'en 1547. Le Mexique devenait la vice-royauté de Nouvelle-Espagne, qui sera gouvernée et exploitée pendant trois siècles de manière féodale. La population indigène fut en grande partie exterminée, le reste réduit en esclavage, les grandes civilisations indiennes ne laissèrent que leurs ruines.

Le Mexique indépendant
Les idées révolutionnaires trouvent un écho au Mexique à la fin du XVIIIᵉ siècle. Les créoles exigèrent leur indépendance. Le roi Charles III d'Espagne libéralisa son régime, mais les troubles reprirent sous son successeur, Charles IV. Le bas clergé s'associa au mouvement révolutionnaire. La révolution espagnole de 1820 déclenchait la révolution mexicaine, qui proclamait l'indépendance en 1821. Agustín de Itúrbide était proclamé empereur en 1822, la capitainerie-générale de Guatemala rejoignait l'empire du Mexique, qui regroupait toute l'Amérique centrale sauf Panama. La Fédération éclatait en 1823, lorsque le général Santa Anna prenait le pouvoir (il y restera jusqu'en 1855) et proclamait la République. La première Constitution mexicaine entrait en vigueur en 1824. Après la déclaration d'indépendance des colons nord-américains du Texas, en 1836, le Mexique perdit la moitié de son territoire (Texas, Nouveau-Mexique, Californie) lors de la guerre de 1846-1848 contre les Etats-Unis. La France du

Second Empire intervenait lors de la guerre civile de 1858 et faisait proclamer empereur l'archiduc Maximilien d'Autriche, qui était exécuté en 1867. Le conservateur Benito Juárez prenait le pouvoir. Porfirio Diaz installait en 1876 une dictature qui allait durer jusqu'en 1911. La guerre civile, qui avait commencé en 1910 avec la révolution mexicaine conduite par Francisco Madero, s'achevait en 1917 par la victoire des révolutionnaires du président Venustiano Carranza contre les soulèvements paysans de Pancho Villa et Emiliano Zapata. La Constitution qui entrait en vigueur faisait du Mexique une république présidentielle, dirigée depuis 1928 par les présidents issus du Parti révolutionnaire institutionnel (PRI). La réforme agraire est achevée en 1936, après la fin de la guerre civile déclenchée par le conflit avec l'Eglise. Après la nationalisation des compagnies pétrolières (1938), le Mexique poursuivait après la Seconde Guerre mondiale une politique d'industrialisation ouverte vers l'étranger. L'arrivée au pouvoir de Luis Echeverria (1970-1976) marquait un tournant à gauche : une nouvelle réforme agraire était instituée, les mines de cuivre étaient nationalisées. La découverte de nouveaux gisements pétroliers sous la présidence de José López Portillo (1976-1982) ne suffit pas au Mexique pour stabiliser son économie. Après la nationalisation des banques et l'instauration d'un contrôle des changes en septembre 1982, le nouveau président élu en décembre, Miguel de la Madrid, doit mettre en place une politique de rigueur qui accroît les tensions sociales.

Monaco

MC
Europe
du Sud-Est
1,95 km²
27 000 hab.

Capitale : Monaco (2 000 hab.)
Langue officielle : français
Religions : cath. (90 %)
Régime polit. : monarchie constitutionnelle, non parlementaire, depuis 1911

La cité monégasque fut fondée au Vᵉ siècle av. J.-C. par les Phéniciens. Annexé par Marseille au Iᵉʳ siècle, le Rocher était annexé par les Génois en 1162. La seigneurie et son château, construit en 1215, étaient conquis en 1297 par François Grimaldi. La souveraineté des Grimaldi ne put s'imposer définitivement qu'en 1419 ; elle était reconnue par la France en 1512. Après l'occupation espagnole de 1605, la France établit un protectorat en 1641. La famille Grimaldi s'éteint en 1731 avec Antoine Iᵉʳ,

mais le nom est repris par l'époux de sa fille, le comte de Goyon-Matignon. La Révolution annexe la principauté et ses territoires français le 3 janvier 1793. Après la restauration des Grimaldi, en 1814, la Sardaigne imposait son protectorat. Menton et Roquebrune étaient cédées en 1861 à la France, avec laquelle était créée une union douanière (1865). Le développement des établissements de jeux permettait en 1869 la suppression des impôts et la construction du casino de Monte-Carlo par

Garnier (1879). L'octroi de la Constitution de 1911 inaugurait la libéralisation du régime et précisait que la principauté tombait sous protectorat français en cas d'extinction des Grimaldi. Le prince Louis II n'ayant pas d'héritier légitime, sa fille Charlotte épousait le comte Pierre de Polignac (devenu Grimaldi en 1920) et leur fils Rainier III succédait en 1949 à Louis II. Le prince épousait en 1956 l'actrice américaine Grace Kelly († 1982) et libéralisait la Constitution monégasque (1962).

Mongolie

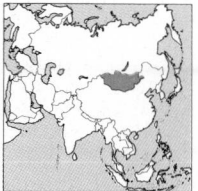
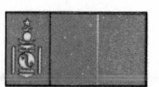

Asie centrale
1 565 000 km²
1,8 M hab.
ONU,
COMECON, PV
(observateur)

Capitale : Ulan Bator (418 000 hab.)
Langue officielle : khalkha
Religions : bouddh.-lamaïstes
Régime polit. : république populaire, proclamée le 26 novembre 1924

Ce sont des chroniques chinoises du IIᵉ millénaire av. J.-C. qui font pour la première fois mention de tribus mongoles. Les Mongols, les Toungouses et les Huns étaient des peuples de cavaliers nomades, se déplaçant sur de grands espaces avec leurs troupeaux. Les Huns fondèrent au IVᵉ siècle av. J.-C. un empire étendu, dont l'organisation reposait sur la structure tribale. Les combats contre la Chine durèrent des siècles. L'empire des Huns se divisa, quelques tribus méridionales se soumirent aux Chinois, plusieurs tribus septentrionales entamèrent une migration vers l'ouest. Elles atteignaient l'Europe, unifiées par Attila, au Vᵉ siècle ap. J.-C. Les territoires

abandonnés par les Huns en Asie centrale furent occupés par des peuplades turco-mongoles. La tribu altaïque des Avars prenait à son tour le chemin de l'Europe au VIIIᵉ siècle et fut vaincue et dispersée en Bulgarie par Charlemagne. Les peuples turco-mongols du nord se libérèrent au VIIᵉ siècle de la tutelle chinoise et se rendirent maîtres de toute la Mongolie, se sédentarisant progressivement : les seigneurs se firent construire des palais fortifiés, une aristocratie apparut. Les rapports culturels et politiques avec la Chine se développèrent. La tribu des Khitans assura au Xᵉ siècle sa domination sur la Mongolie, le nord de la Chine et la Mandchourie, mais fut chassée par les Djurtchets, une tribu toungouse alliée au Tatars, vers 1120. Repoussés à l'ouest, les Khitans, devenus les Kara Kitay, se rendirent maîtres des steppes à l'est de l'Aral. Temüdjin réussit en 1206 par une habile politique d'alliances exploitant les rivalités tribales à unir les tribus mongoles : il prenait le nom de Gengis Khan et envahissait le nord de la Chine en 1207. Il entrait à Peking (Pékin) en 1215. A sa mort, en 1227, les Mongols régnaient sur toute l'Asie orientale jusqu'à l'ouest de la Perse. Ses fils poursuivirent la conquête : le royaume des Djurtchets à l'est était annexé en 1234, la Corée

en 1236, les principautés russes, la Pologne, la Hongrie étaient dévastées lors de la campagne de 1236-1242 par le petit-fils de Temüdjin, Batu, chef de la Horde d'or. Kubilay Khan soumettait entièrement la Chine en 1279, le Tibet en 1293. Mais les trois principaux khanats s'intégrèrent aux populations soumises ou furent vaincus : le dernier khan de Perse mourait en 1353 sans héritiers, le khanat se morcelait ; la Chine était reconquise par la dynastie Ming en 1367, les princes moscovites écrasaient la Horde d'or en 1380. L'ascension des Mandchous commença au XVᵉ siècle. Ils soumettaient la Mongolie intérieure, intégrée depuis longtemps à la Chine, entre 1628 et 1636 puis la Mongolie extérieure en 1691. Leur souveraineté ne fut réellement assurée qu'en 1759, alors que leur empire était déjà entré en décadence, politiquement et économiquement. Après la guerre russo-japonaise de 1904-1905, la Russie établissait un protectorat sur la Mongolie-Extérieure. Après la révolution chinoise de 1911, la Mongolie-Extérieure proclamait son indépendance, le 21 décembre. La Russie, souhaitant conserver le contrôle du pays, intervenait militairement. Un accord intervenu en 1915 avec la Russie et la Chine garantissait l'autonomie de la Mongolie. La Chine annexait pour-

tant en 1919 la Mongolie-Intérieure, toujours province chinoise. L'Armée rouge envahissait la même année la Mongolie-Extérieure, qui servait de base aux armées anti-bolcheviques soutenues par le Japon. La conquête est achevée en juillet 1921, un traité d'amitié était signé avec l'URSS : le Bogdo Gegen, chef religieux (le bouddha vivant d'Ourga), prenait la tête d'un gouvernement provisoire communiste. A la mort du Bogdo Gegen, en 1924, la République populaire de Mongolie était proclamée. Les chefs historiques communistes, Tchoibalsan et Sükhe-Bator, prenaient la tête du gouvernement, un « grand Khural » (équivalent du Soviet suprême) était institué et la socialisation radicale du pays, commencée dès 1921, poursuivie. L'invasion japonaise en Mongolie-Intérieure, en 1935, puis l'invasion du pays en août 1939 purent être contenues grâce à l'aide soviétique. L'indépendance et la République étaient confirmées par le référendum de 1945 et reconnues par la Chine en 1946. Les liens avec l'URSS sont renforcés par l'adhésion au COMECON (1962) et un nouveau traité d'amitié (1965). Tsedenbal succédait à Tchoibalsan en 1952 et restait au pouvoir jusqu'à sa destitution, le 23 août 1984. Jambyn Batmounkh, formé à Moscou, lui succédait.

Mozambique

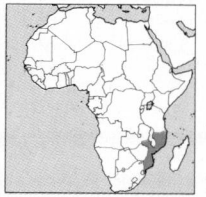

Afrique du Sud-Est
799 380 km²
13,3 M hab.
ONU, OUA

Capitale : Maputo (760 000 hab.)
Langue officielle : portugais
Religions : animistes (65 %), chrét. (23 %)
Régime polit. : rép. pop. social. Indépendance obtenue le 25 juin 1975

Le sud de l'Afrique est considéré comme l'une des premières régions où apparut l'homme : des êtres humains y vivaient il y a trois millions d'années. C'est au IVᵉ siècle av. J.-C., à l'âge du Fer, que les populations bantoues s'étendirent : elle forment aujourd'hui l'essentiel du peuplement africain austral. Les Bantous sont issus d'un regroupement d'ethnies différentes mais unies par des langues semblables. Les Grecs et les Romains commerçaient déjà avec les populations côtières de l'actuel Mozambique aux premiers siècles de notre ère. Ils y furent remplacés au VIIIᵉ siècle par les marchands arabes, qui en visitaient régulièrement les ports pour se procurer de l'or et du cuivre. Sofala (Nova Sofala) devenait au cours des deux siècles suivants un

important centre du commerce de l'or. Près de 40 villes furent fondées du XIᵉ au XVᵉ siècle : des routes reliaient les côtes à l'intérieur du continent, vers les actuels Zimbabwe, Zambie et Malawi. Le Mozambique était l'une des plaques tournantes du commerce de l'océan Indien. La principale préoccupation des Portugais au XVᵉ siècle était de trouver une route maritime des Indes en contournant l'Afrique, le commerce avec les Indes par voie terrestre étant totalement aux mains des marchands arabes. Le navigateur portugais Vasco de Gama atteignait le Mozambique en 1498 : en moins de huit années, les Portugais s'emparaient de tous les ports importants de la côte est-africaine, Sofala, Kilwa et Mombasa. Ces conquêtes leur permirent de dominer le commerce de l'or, de l'ivoire et des esclaves entre l'Afrique, l'Arabie et l'Inde. La richesse des cités africaines, qui avait étonné les Portugais eux-mêmes, disparut rapidement. Mais l'étendue même de ce domaine, qu'ils devaient défendre contre les tribus des Swahilis et les Européens, conduisit les Portugais à le perdre. Les Néerlandais et les Anglais avaient entrepris des expéditions vers l'intérieur des terres au XVIᵉ siècle pour s'assurer de nouvelles sources d'exploitation : ces tentatives se révélaient de plus en plus difficiles, ils se

limitèrent au domaine côtier à partir du XVIIIᵉ siècle. L'intention portugaise était de relier le Mozambique à l'Angola, sur la côte Ouest. L'intérieur du pays fut seulement conquis au cours du XIXᵉ siècle. Le Mozambique n'obtenait ses frontières définitives qu'en 1912. L'exploitation des ressources du pays fut confiée sur de vastes concessions à des sociétés privées. La construction des chemins de fer s'avéra d'une importance cruciale, surtout pour les Britanniques, dont les colonies avaient besoin d'être reliées à la côte. Le Mozambique devenait en 1951 province portugaise d'outre-mer, tandis que les mouvements nationalistes se développaient. Trois mouvements indépendantistes se rassemblaient en 1962 pour constituer le FRELIMO *(Frente de Liberaçao de Moçambique)*, dont Eduardo Monlane prit la direction. D'inspiration politique modérée, l'organisation se tournait vers le marxisme. A partir de 1964, le FRELIMO mena des actions de guérilla, surtout au nord du pays. Soutenue par la Tanzanie, la guérilla obtint d'importants succès militaires. Les Portugais tentaient par une vaste offensive en 1970 de reprendre les choses en main. L'échec militaire contraignait Lisbonne à octroyer au Mozambique en 1972 un statut d'autonomie. Le Mozambique obtenait

son autonomie interne le 1ᵉʳ janvier 1973. La chute de la dictature au Portugal accélérait le processus d'indépendance, qui était acquise en 1975. La République populaire socialiste du Mozambique était proclamée : président du FRELIMO, Samora Machel devenait président de la République. La tendance marxiste s'imposa au sein du FRELIMO, qui prenait le nom de *Partido de Vanguarda* (Parti de l'avant-garde), parti unique. Le processus de nationalisation de l'industrie et la réforme agraire étaient mis en place. Le gouvernement ratifiait un traité d'amitié avec l'URSS, sur laquelle il s'aligne sur le plan extérieur, et soutenait la guérilla contre le gouvernement de Rhodésie. La répression du soulèvement blanc entraînait l'exode massif des Portugais, provoquant un déséquilibre économique qui contraignait le gouvernement à nouer des relations économiques étroites avec l'Afrique du Sud. La collectivisation agricole se heurtait dès 1975 à une résistance paysanne. La guérilla anticommuniste menée par le mouvement de Résistance nationale du Mozambique (RNM), soutenu par l'Afrique du Sud, se développait à partir de 1979, tandis que le Mozambique, où se trouvent de nombreux conseillers cubains et des pays socialistes, soutient l'ANC dans sa lutte contre le régime sud-africain.

Namibie

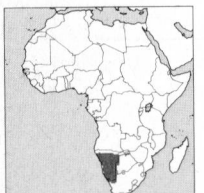

ZA
Afrique australe
823 168 km²
1,6 M hab.

Capitale : Windhoek (96 000 hab.)
Langues officielles : afrikaans, anglais, allemand
Religions : prot. (45 %), cath. (15 %), animistes
Régime polit. : Etat occupé illégalement depuis le 27 octobre 1966 par l'Afrique du Sud

Les premiers débarquements européens en Namibie, ceux de Diogo Cao en 1484 et de Bartolomeu Diaz en 1488 ne furent suivis d'aucune réelle tentative de colonisation. Elle ne se fit qu'au XIXᵉ siècle, à partir de la colonie du Cap : des missionnaires anglais et allemands tentaient de mettre fin aux combats entre Hottentots et Hereros. La Grande-Bretagne déclarait en 1878 les environs de Walvis Bay colonie de la Couronne. Après l'achat de la baie d'Angra Pequeña par un commerçant allemand,

Bismarck établissait un protectorat allemand sur le territoire en 1884. L'Allemagne prenait directement en charge la colonie après 1892, succédant à la Société coloniale. Les troupes allemandes menaient de 1904 à 1906 une guerre d'extermination des Hereros, mais la colonie était conquise en 1915 par l'Union sud-africaine. Ayant obtenu un mandat de la SDN sur la Namibie en 1920, l'Afrique du Sud refusait après la Deuxième Guerre mondiale de remettre son mandat à l'ONU. Plusieurs déci-

sions de la Cour internationale de justice condamnaient dès 1950 l'annexion de fait par Pretoria, qui étend l'apartheid en Afrique du Sud-Ouest. Pretoria refusait la décision de l'assemblée générale de l'ONU du 27 octobre 1966 lui retirant son mandat et menaçait de riposter par les armes à toute tentative de la faire appliquer. Le principal parti d'opposition, la SWAPO, représentant légal de Namibie, se heurte, malgré les négociations, à l'opposition de Pretoria à toute indépendance.

Nauru

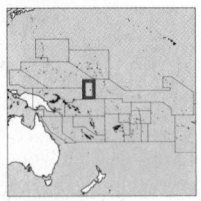

Océanie
21,4 km²
8 000 hab.
CW

Capitale : Yaren (4 000 hab.)
Langues officielles : anglais, nauruanien
Religions : essentiellement prot.
Régime polit. : rép. parlem. Indépendance obtenue le 31 janvier 1968

L'atoll du Pacifique occidental était déjà peuplé de Polynésiens lorsqu'il fut découvert en 1798 par le navigateur britannique John Hunter. Accueilli de façon particulièrement agréable par les indigènes, Hunter donnait donnait à l'île le nom de *Pleasant*. Nauru servit essentiellement au cours du XIXᵉ siècle de point d'attache et de relais aux pêcheurs de baleines. L'Empire allemand proclamait simultanément son protectorat sur l'atoll et sur les îles Marshall, voisines, en 1888. Placée sous

mandat de la SDN à l'issue de la Première Guerre mondiale, Nauru fut administrée conjointement par la Grande-Bretagne, la Nouvelle-Zélande et l'Australie. Occupée par les Japonais de 1942 à 1945, Nauru était de nouveau placée sous mandat international en 1947 et l'ONU en déléguait l'administration à l'Australie. Au pouvoir depuis 1956, le chef Hammer de Roburt devenait après l'accession à l'indépendance, le 31 janvier 1968, le premier président de la République de Nauru. La République

de Nauru devenait membre l'an suivant du Commonwealth britannique. Le président de Roburt était réélu en 1971. L'économie de Nauru repose essentiellement sur la production de phosphates, exportés principalement vers l'Australie, la Nouvelle-Zélande, le Japon et la Grande-Bretagne (production annuelle variant de 1 à 2 millions de tonnes). Le niveau de vie des habitants de Nauru est l'un des plus hauts du monde ; on estime cependant que les gisements de phosphates seront épuisés en 1995.

Népal

Asie du Sud
140 797 km²
15,7 M hab.
ONU

Capitale : Katmandou (395 000 hab.)
Langue officielle : nepali (pahari)
Religions : hind. (78 %), bouddh. (18%)
Régime polit. : monarchie constitutionnelle depuis février 1951

Selon la légende, c'est le roi Naia Muni qui fut à l'origine du Népal en asséchant la vallée de Katmandou, qu'il peupla

ensuite de ses descendants. Les écrits classiques indiens indiquent que le Népal entretenait dès le VIᵉ siècle av. J.-C. des relations politiques avec la vallée du Gange. Le Bouddha naquit au Népal en 563 av. J.-C., à Lumbini, dans la vallée du Terai. Alors que le bouddhisme était déjà répandu en Inde, l'empereur Asoka effectua un pèlerinage au IIIᵉ siècle à Lumbini, où il fit ériger une colonne. Les premières populations du Népal étaient des montagnards mongols, auxquels se mêlèrent des Tibétains et des Indiens. Du IVᵉ au VIIIᵉ siècle ap. J.-C., le Népal appartint au royaume gupta et l'apparition de l'aristocratie militaire des Kas suivait l'arrivée massive d'Indiens au VIIIᵉ siècle. Le Népal entretenait des

rapports économiques et culturels très étroits avec le Tibet et devint le principal centre spirituel et commercial entre l'Asie centrale et l'Asie du Sud. La dynastie Mallava prenait le pouvoir au Xᵉ siècle et devait le conserver huit siècles. Des complications dynastiques provoquèrent la division du royaume en 1450 : trois royaumes principaux et plusieurs principautés demeuraient maîtres des routes commerciales entre l'Inde et le Tibet. La principauté des Gurkhas conquérait tout le Népal en 1769. Les années 1775-1951 furent marquées par des rivalités perpétuelles entre les souverains et la noblesse : les rois mineurs ou faibles qui se succédèrent entre 1775 et 1832 ne purent gouverner. La famille

Thapa exerça le pouvoir réel entre 1806 et 1837, la famille Rana entre 1846 et 1951. La configuration actuelle du Népal apparut au fil des nombreuses conquêtes effectuées entre 1740 et 1850 par la Chine et les Tibétains. Le Népal faisait appel à l'aide britannique en 1816, un résident permanent s'établissait à Katmandou et obtenait le droit de recruter des Népalais pour les régiments de Gurkhas. La Grande-Bretagne reconnaissait l'indépendance du Népal en 1923 et quittait le pays en même temps que l'Inde en 1947. Les Rana étaient chassés du pouvoir en 1951 par le coup d'Etat du roi Tribhuvana Bir Bikram. Son fils Mahendra lui succédait en 1955, son petit-fils Birendra montait sur le trône en 1972.

Nicaragua

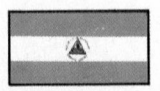

NIC
Amérique
centrale
130 000 km²
3,06 M hab.
ONU, OEA,
SELA

Capitale : Managua (820 000 hab.)
Langue officielle : espagnol
Religions : cath. (90 %), prot.
Régime polit. : république. Indépendance proclamée en 1838

La période proto-historique de l'actuel Nicaragua est peu connue : une population d'agriculteurs sédentaires y vivait vers 1500 av. J.-C. et fabriquait des objets de céramique. Un peuple venu du Mexique 2500 ans plus tard s'installait au Sud-Ouest. Leur succédant en 1500 ap. J.-C. et également venus du Nord, les Nicarao, qui s'installèrent aux environs du Lago de Managua, disparurent complètement quelques années plus tard. A l'Est, une autre culture érigeait vers l'an 1000 des statues de pierre monumentales, pouvant atteindre quatre mètres de haut. Christophe Colomb

atteignait en 1502 le cap Gracias a Dios. Mais la conquête espagnole partit de Sud de la côte pacifique. Hernández de Cordoba fondait en 1524 les villes de Granada, qui devint un important centre de commerce, et de León, autour de laquelle se concentra l'exploitation agricole. Les différents conquérants espagnols étant rivaux, leurs territoires changèrent fréquemment de mains. Le pays était également dévasté lors des révoltes indiennes. Santa María de Esperanza, qui devenait la capitale de l'or, était fondée en 1527. Les villes devinrent riches, grâce à l'or et au cacao. La

main-d'œuvre utilisée dans les mines et les plantations était fournie par les survivants des Amérindiens réduits en esclavage. Au milieu du XVIIᵉ siècle, le Nicaragua subit la présence des pirates qui infestaient alors les Caraïbes : ils s'attaquaient non seulement aux cargaisons d'or et aux navires de commerce mais aussi parfois à des villes entières. Les Espagnols se heurtèrent de plus en plus aux Britanniques, présents sur la côte Est depuis 1740 et qui avaient conclu plusieurs traités de protectorat avec les Indiens. Un soulèvement indépendantiste partait de Granada en

1811 : la révolte était écrasée un an plus tard. Le Nicaragua et plusieurs régions de la capitainerie générale de Guatemala proclamaient leur indépendance en 1821 et se joignaient à l'Empire du Mexique. L'indépendance était proclamée pour la seconde fois en 1823 lorsque le Nicaragua, abandonnant le Mexique, entrait dans la Confédération centraméricaine aux côtés du Guatemala, du El Salvador, du Honduras et du Costa Rica. Le pays devenait réellement indépendant en 1838. Les troubles se poursuivirent pourtant : la population indienne se souleva, la Grande-Bretagne intervenait militairement en 1848 et occupait la côte des Mosquitos, qu'elle ne rétrocéda qu'en 1860. Le

conflit politique commun à l'Amérique centrale faisait ses ravages, opposant libéraux et conservateurs. Les libéraux prenaient à leur service en 1855 l'aventurier américain William Walker, qui conquérait tout le pays avec son armée privée. Walker se proclama président en 1856 mais fut chassé par les conservateurs un an plus tard. Le dictateur José Santos Zelaya prenait le pouvoir en 1893 et favorisait le développement des chemins de fer et des plantations de caféiers, soutenu par l'*United Fruit Company* qui obtint en échange des privilèges considérables. Sa politique agressive à l'égard de ses voisins et des Etats-Unis provoquèrent sa chute lors de la guerre civile de 1909. Celle-ci se

poursuivant, les troupes américaines intervenaient en 1912 et occupaient le pays avec une brève interruption jusqu'en 1933. Le chef de la guérilla contre l'occupation américaine, César Augustino Sandino, était assassiné en 1934. Anastasio Somoza García, chef de la garde nationale, devenait grâce à l'appui américain le candidat unique des élections présidentielles de 1936. Il demeura au pouvoir jusqu'à son assassinat, en 1956. Son fils, Luis Somoza Debayle, lui succédait. Le redressement économique du Nicaragua permit à un autre membre du clan, Anastasio Somoza Debayle d'accéder à la présidence en 1967, lors d'élections marquées par d'importants troubles et plusieurs

assassinats. Il abrogeait en 1972 la Constitution, les troubles ne firent que s'amplifier. Il devait quitter le pays, dont il possédait la moitié, en juillet 1979. Les sandinistes arrivaient au pouvoir : leur radicalisation socialiste provoquait une menace d'intervention des Etats-Unis, qui soutient la guérilla anti-gouvernementale. Le régime sandiniste durcissait progressivement son attitude face aux libéraux, une censure de la presse était établie *de facto*. Le taux de croissance démographique du Nicaragua est très élevé (3,5% par an) ; la moitié de la population est âgée de moins de quinze ans, plus d'un quart vit à Managua, la capitale. La densité globale de population reste cependant faible.

Niger

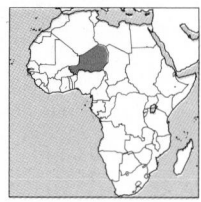

RN
Afrique
de l'Ouest
1 267 000 km²
5,8 M hab.
ONU, CEDEAO,
OUA

Capitale : Niamey (362 000 hab.)
Langue officielle : français
Religions : musulm. (85 %) animistes (14 %)
Régime polit. : rép. présid. Indépendance obtenue le 30 août 1958

Les cultivateurs sahariens se déplacèrent vers le sud avec l'assèchement progressif du Sahara, vers 5000 av. J.-C. Les Haoussas arrivèrent dans l'ouest de l'actuel Niger au XIIᵉ siècle et y constituèrent plusieurs royaumes rivaux. Ces royaumes tombèrent au

XVIᵉ siècle sous la domination de l'Empire musulman des Songhaïs, dirigé par l'Askia Mohammed. Après l'effondrement de l'Empire des Songhaïs après leur défaite devant les Marocains à la bataille de Tondibi (1591), un Etat songhaï fut reconstitué au Diamaré grâce à l'aide des Djermas. Le pays tombait progressivement sous la domination des Peuls (XIXᵉ siècle). Les cités haoussas furent conquises au XIXᵉ siècle par les Peuls de Ousmane da Fodio. Son fils, Mohammed Bello (règne de 1817 à 1867), étendit sa domination au nord du Nigeria. Au nord, des conflits opposaient constamment les populations noires aux Touaregs. Les troupes coloniales françaises, venant du Dahomey, occupaient le Niger en 1890. L'ouest du Niger était rattaché au Haut-Sénégal-et-Niger en 1899, le reste du pays est rattaché au Dahomey. La lutte au nord contre les Touaregs se

poursuivait au prix de lourdes pertes jusqu'en 1906, mais une nouvelle révolte, menée par les Senoussis, ne s'achevait qu'après la défaite de Firhoun à Andéramboukane, le 9 mai 1916. Devenue « territoire du Niger » en 1921, la région devenait colonie en 1922. Niamey en devenait la capitale en 1926. Les derniers mouvements de rebelles du Nord étaient définitivement vaincus par un corps expéditionnaire en 1932. Le parti sawaba de Djibo Bakari gouvernait à partir de 1956. Après le référendum de 1958 et la victoire électorale du Rassemblement démocratique africain (RDA), le Niger devenait indépendant le 30 août 1958. Hamani Diori, chef du RDA, était élu président de la République le 9 novembre. Le parti progressiste nigérien, parti unique, était créé et Hamani Diori était réélu le 30 septembre 1965 et le 1ᵉʳ octobre 1970. D'étroites relations sont

maintenues avec la France. La sécheresse du Sahel entraînait une diminution catastrophique des ressources alimentaires. Pour mettre fin à la corruption de Hamani Diori et de son gouvernement, le chef d'état-major de l'armée, le lieutenant-colonel Seyni Kountché prenait le pouvoir lors du coup d'Etat du 15 avril 1974. Les partis politiques étaient interdits, le Parlement dissous. De bons rapports étaient maintenus avec la France, principal exploitant des minerais à faible teneur des gisements d'uranium découverts dans les années 1970 dans la région d'Arlit. Le régime se libéralisait après la tentative de putsch de 1976 et à partir de 1980 ; Hamani Diori et Djibo Bakari étaient libérés de prison. L'influence française semble à partir de 1986 céder le pas devant l'influence des Etats-Unis, qui fournissent une aide militaire et des crédits économiques.

Nigeria

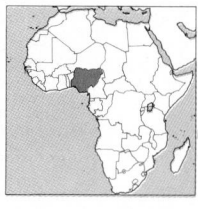

WAN
Afrique
de l'Ouest
923 768 km²
89 M hab.
ONU, CEDEAO,
CW, OUA,
OPEP

Capitale : Lagos (1,1 M hab.)
Langue officielle : anglais
Religions : animistes (40 %), musulm., chrét.
Régime polit. : rép. féd. présid. Indépendance obtenue le 1ᵉʳ octobre 1960

La première civilisation connue ayant occupé le territoire de l'actuel Nigeria fut celle de Nok, implantée sur le plateau Bauchi de 500 av. J.-C. à 200 ap. J.-C. environ. Un important brassage de populations conduisit du VIIᵉ au XIᵉ siècle à l'établissement de tribus haoussas au nord, yorubas au sud-

ouest, tandis que les populations autochtones étaient repoussées sur le plateau de Jos ou dans les forêts marécageuses de l'est. Lorsque commença l'islamisation de l'actuel Niger, en 1085 ap. J.-C., des agglomérations haoussas, Kano, Katsina et Zaria s'étaient déjà constituées (vers l'an Mil) en importants centres de commerce et d'artisanat. Le royaume de Kanem-Bornou se développait au XIIIᵉ siècle à partir des régions centrales du Soudan vers le nord-est du Nigeria. Cette expansion se poursuivit jusqu'au XVIᵉ siècle vers l'ouest. Les Peuls, tribu guerrière et nomade, s'étaient implantés dès le XIVᵉ siècle dans les régions haoussas et y avaient rapidement acquis une importante influence. Conduits par leur chef Ousmane da Fodio, il entreprirent au début du XIXᵉ siècle la conquête systématique des royaumes haoussas. Au sud-ouest, les Yorubas avaient établi depuis le XIᵉ siècle plusieurs royaumes et principautés, dont les deux principaux était ceux d'Oyo et de Bénin.

Le centre religieux de leur civilisation se trouvait à Ife, dont l'art de la sculpture atteignait son apogée au XIVᵉ siècle. Les côtes du Bénin étaient reconnues par les Portugais dès 1472. Des relations commerciales s'établissaient dès 1486. Le commerce des esclaves atteignait son essor maximal au cours des XVIIᵉ et XVIIIᵉ siècles. Les royaumes yorubas étaient conquis et islamisés en 1811 par les Peuls.

La colonisation britannique
Les établissements portugais avaient été détruits par les Anglais en 1553. Les Britanniques gardèrent l'exclusivité de la traite d'esclaves dans le golfe du Biafra jusqu'au XIXᵉ siècle. Le premier consul britannique, chargé d'explorer les territoires de l'intérieur et de contrôler le commerce d'esclaves, était nommé à Fernando Poo en 1849. Lagos était occupée en 1851 et devenait colonie, agrandie par plusieurs annexions côtières, en 1861. La *Royal Niger Company* britannique, créée en 1879,

supplantait rapidement toutes ses rivales étrangères, en particulier françaises. La compagnie était chargée d'exploiter tous les territoires placés sous protectorat, de Lagos au Cameroun et sans cesse étendus vers le Niger au nord. Un accord avec la France fixait en 1897 les frontières communes. Les territoires du Nord et du Sud étaient officiellement déclarés protectorat en 1900 et furent réunis en 1914 sous le nom de colonie du Nigeria. Le Nord musulman du pays continuait à être administré par des souverains indigènes sous contrôle britannique, l'essentiel des intérêts commerciaux étant regroupés sur la côte. Un mouvement national apparut après la Première Guerre mondiale dans les tribus nigérianes, en particulier chez les Ibos. Le premier parti politique nigerian n'était cependant fondé qu'en 1944 par Nnamdi Azikiwe. Les Constitutions de 1945 et de 1951 confirmaient la participation d'élus africains au gouvernement. Après des négociations, difficiles

Nigeria

en raison des problèmes tribaux, les régions Est et Ouest obtenaient leur autonomie complète le 8 août 1957, le Nord en mars 1959. Le Nigeria, dont la division en trois régions se marquait nettement sur le plan politique, obtenait son indépendance complète le 1er octobre 1960.

Depuis l'indépendance
Le premier gouverneur général de la Fédération était le Dr. Azikiwe, le chef du *Northern People's Congress,* Abubakar Tafawa Balewa, au pouvoir depuis les élections de 1959, devenait Premier ministre fédéral. La république était proclamée le 1er octobre 1963, le Nigéria restant membre du Commonwealth. Les rivalités politiques régionales constituèrent un frein important au développement économique national, pourtant favorisé par l'existence d'importants gisements pétroliers exploités depuis 1958 autour de Port Harcourt. Un groupe d'officiers ibos renversait le

15 janvier 1966 le président Azikiwe et portait au pouvoir le général Aguiyi-Ironsi, qui mettait en place une politique d'unification nationale. Ironsi était tué la même année (29 juillet) lors du contre-putsch organisé par les nordistes. Le colonel Yakubi Gowon, un chrétien, annulait les mesures d'unification et faisait libérer les dirigeants politiques de l'Ouest. Mais les massacres d'Ibos, qui avaient commencé dans le nord au début de l'année se poursuivaient avec l'accord du nouveau gouvernement, faisant environ 30 000 morts. Gowon annonçait le 27 mai 1967 la disparition des trois régions et la création de douze Etats fédéraux. Le gouverneur militaire de la région pétrolière orientale, le colonel Ojukwu, refusait le découpage prévu et proclamait deux jours plus tard l'indépendance du Biafra. Une terrible guerre civile éclatait le 6 juillet. Le conflit durait jusqu'au 12 janvier 1970 et s'achevait par la capitulation du Biafra.

La guerre aurait coûté la vie à plus d'un million et demi de personnes. Les douze Etats fédéraux, regroupés en trois Etats principaux, étaient créés au sein de la Fédération. La reconstruction du pays et la réconciliation étaient initiées par le général Gowon, qui était renversé le 29 juillet 1975 et remplacé par le général haoussa Murtala Ramat Mohammed. Il créait sept nouveaux Etats fédéraux. Assassiné le 13 février 1976, le Conseil militaire suprême désignait le général Olusegun Obasanjo pour lui succéder. Un plan de retour au pouvoir civil était proposé, l'état d'urgence était levé et les partis politiques de nouveau autorisés en 1978. Une nouvelle constitution nigériane entrait en vigueur après les élections du 11 août 1979, remportées par le *National Party of Nigeria.* Son chef, Shehu Shagari, devenait président de la République. Malgré la grave crise économique succédant à la hausse des prix du pétrole décidée par l'OPEP et la chute des exportations qui

s'ensuivit, Shagari parvenait à remporter de nouveau les élections d'août 1983. Les troubles déclenchés par les accusations de fraude électorale provoquaient un nouveau putsch des militaires le 1er octobre suivant, le général Mohammed Buhari prenait le pouvoir. Afin de lutter contre « la corruption et le manque de discipline », la peine de mort était introduite pour réprimer des délits mineurs. Une politique économique de rigueur était mise en place pour compenser la chute des revenus pétroliers. Le général Buhari était renversé le 27 août 1985 par le chef des armées, Ibrahim Babangida, déjà directement mêlé au putsch de 1983. Le coup d'Etat résulte de la crise économique mais aussi de la rivalité qui opposait l'armée à la police secrète constituée par Buhari : cette dernière était dissoute, une centaine de prisonniers politiques, détenus dans une prison secrète, étaient libérés. Le nouveau gouvernement promettait une libéralisation du régime.

Norvège

N
Europe du Nord
324 219 km²
4,1 M hab.
ONU, EFTA,
CE, OTAN, CN,
OCDE

Capitale : Oslo (450 000 hab.)
Langue officielle : norvégien
Religions : prot. (87,8 %)
Régime polit. : monarchie const. Indépendance proclamée le 7 juin 1905

Au début de notre ère, l'actuelle Norvège est peuplée au nord par les Lapons, au sud et au sud-ouest de Scandinaves. La société scandinave repose sur le paysan propriétaire de ses terres et maître d'une petite communauté d'esclaves, de pauvres et d'affranchis. Chaque vallée de paysans élit son roi. L'époque des Vikings commence au IXe siècle : des paysans pauvres vont coloniser les îles Féroé, Orcades ou Shetland. Les propriétaires commercent avec les îles britanniques puis les pillent et s'emparent du nord de l'Ecosse, de l'île de Man, des Hébrides et de plusieurs ports irlandais. Des seigneurs exilés colonisent à la tête des Normands l'Islande et le Groenland. Selon la tradition, c'est le roi Harald Ier Harfager qui réalisait en 972 la première unification de la Norvège. A sa mort, ses fils se partagent le royaume, dont le sud est conquis par les Danois. L'unité est rétablie sous Olav Tryggvesson (995-1000) qui fonde la capitale de Nidaros et favorise l'extension du christianisme. Son successeur Olav II Haraldsson est tué en 1030 à la bataille de Stiklestad par les Danois de Knud le

Grand, roi du Danemark et d'Angleterre et dont le fils, Sven, prend la couronne norvégienne. Chassé par les Norvégiens en 1035, c'est le fils de saint Olav, Magnus (1035-1047), qui est appelé à lui succéder. Les conquêtes vikings se poursuivront sous Harald Hardrade (1047-1066), le fondateur d'Oslo, et les Norvégiens partiront en croisade sous la conduite du roi Sigurd (1103-1130). A la mort de Sigurd, le pouvoir royal s'affaiblit au profit de l'Eglise et de la noblesse. Magnus V Erlingsson est le premier roi de Norvège à être sacré (1164). L'autorité royale est en grande partie restaurée par son successeur, Sverre Sigurdsson (1180-1202), qui réduit l'opposition de la noblesse et des clercs. Son œuvre est poursuivie sur le plan intérieur par son petit-fils, Haakon Haakonsson (1217-1263), ce qui lui permet de reprendre un grand nombre d'îles perdues sous les règnes précédents : les Orcades, les Shetland, le Groenland et l'Islande. Il est tué lors d'une bataille contre le roi d'Ecosse, les Hébrides et l'île de Man sont perdues par son successeur, Magnus VI le Législateur (1263-1280). Celui-ci doit concéder à l'aristocratie et au haut clergé des privilèges féodaux : la société norvégienne s'organisait peu à peu sur le modèle de la féodalité. Le roi favorisait également l'arrivée des marchands germaniques. Les privilèges obtenus par la ligue des villes allemandes de la Hanse lui permettent de maîtriser totalement le commerce et l'économie norvégiens à la fin du XIIIe siècle. Le pays perd les deux tiers de sa population lors de la grande peste noire de 1349, des colons danois, suédois et allemands envahissent la Norvège.

L'Union scandinave
Une première union de la Norvège et

de la Suède était effectuée et se rompait après quelques années sous le règne de Haakon V Magnusson (1299-1319). Le mariage du roi Haakon VI, héritier de la Suède en 1359, et de Marguerite, fille du roi Valdemar IV Atterdag du Danemark allait permettre l'union des trois royaumes scandinaves. Régente du Danemark en 1375 et régente de Norvège et de Suède à la mort de Haakon VI (1380), Marguerite faisait reconnaître à Kalmar son petit-neveu Erik de Poméranie comme souverain des trois royaumes. L'Union de Kalmar (1397) ne profitait pas à la Norvège, qui perdait plusieurs îles et se trouvait placée sous administration danoise. Traitée comme une véritable colonie par les Danois, la Norvège demeura sous tutelle après la rupture de l'Union, lorsque Gustave Vasa rendait son indépendance à la Suède (1523). L'affaiblissement du Danemark ne se traduisit que par la perte de plusieurs régions novégiennes au profit de la Suède : Jämtland en 1645, Bohuslän et Trondheim en 1658. Plusieurs réformes agraires, la naissance d'un commerce purement norvégien et l'apparition d'une élite intellectuelle permettaient au pays de se redresser au cours des XVIIe et XVIIIe siècles. Affamée par les représailles anglaises lors du Blocus continental, la Norvège était retirée au Danemark par Bernadotte, régent de Suède, par le traité de Kiel (janvier 1814). L'invasion suédoise de 1815 n'empêchait pas la pays de conserver la Constitution libérale de 1814, qui confiait l'essentiel du pouvoir à un parlement élu, le Storting, le roi ne disposant que d'un simple veto suspensif. La Norvège retrouve à la fin du XIXe siècle une grande prospérité, sa flotte commerciale accédait au troisième rang mondial.

La Norvège indépendante
Le Storting prononçait la déchéance du roi Oscar II le 7 juin 1905. La Suède acceptait l'indépendance et le Storting choisissait après un référendum le prince Charles de Danemark comme roi. Haakon VII devenait roi de Norvège en novembre. La Norvège, qui a très tôt institué le suffrage universel (1898) et le vote des femmes (1913), demeurait neutre au cours de la Première Guerre mondiale, ce qui favorisa un rapide essor de son économie. Après avoir perdu l'Islande et les Féroé en 1814, la Norvège abandonnait le Groenland au Danemark en 1933. Bien que pacifiste et neutre, la Norvège était envahie par les troupes allemandes le 9 avril 1940 : le roi Haakon VII donnait l'ordre de résister. Hitler convoitait le port de Narvik, débouché du fer suédois. La Norvège résistait avec l'aide d'une expédition franco-anglaise jusqu'au 9 juin 1940, le roi et le gouvernement étaient partis pour Londres le 7 juin. La résistance norvégienne sera d'un secours précieux aux Alliés lors de la bataille de l'eau lourde, en 1944. Déjà au pouvoir avant la guerre (1935), le parti travailliste conserva la majorité jusqu'en 1965. La production pétrolière offshore commençait en 1971. Les Norvégiens se prononçaient par référendum en 1972 contre l'entrée de la Norvège dans la CEE et, en 1976 et à une large majorité contre l'abolition de la monarchie. Le roi Olav V règne depuis la mort de Haakon VII, en 1957. Les conservateurs revenaient au pouvoir en 1981 : le gouvernement minoritaire formé par Kaare Isaachsen Willoch était élargi par une coalition avec le centre en 1983. L'économie norvégienne est extrêmement dépendante des revenus pétroliers (50 % des revenus de l'exportation).

Nouvelle-Guinée-Papouasie

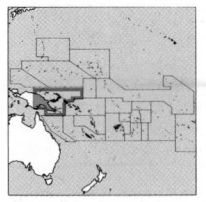

PNG
Océanie
461 961 km²
3,19 M hab.
ONU, CW

Capitale : Port Moresby (122 000 hab.)
Langue officielle : anglais
Religions : chrét. (62 %), animistes (38 %)
Régime polit. : monarchie parlem. Indépendance obtenue le 16 septembre 1975

Le peuplement de l'île de Nouvelle-Guinée eut probablement lieu simultanément au peuplement de l'Australie, il y a 50 000 ans. Les premières traces d'habitants sédentaires et pratiquant l'agriculture et l'élevage datent de 6000 av. J.-C. La population, originellement australoïde, se compose de Papous (du malais *papuwah*, signifiant « cheveux crépus ») et de Mélanésiens, divisés en plus de 700 tribus aux langages distincts et vivant encore d'une manière primitive. Au carrefour géographique des civilisations d'Asie du Sud-Est et polynésiennes, la Nouvelle-Guinée en est restée isolée. Les marchands malais y effectuèrent pendant plusieurs siècles des razzias d'esclaves. Les Européens découvrirent l'île en 1526, alors que l'expédition du Portugais Jorge de Meneses naviguait vers les Moluques. La première tentative de colonisation fut effectuée par les Britanniques en 1793, lorsque John Hayes débarquait à l'Ouest de l'île, dans la partie actuellement indonésienne. Les Néerlandais revendiquaient l'Ouest en 1828 et l'intégraient à leurs colonies des Indes orientales. L'actuelle Papouasie-Nouvelle-Guinée, à l'Est, fut explorée en 1870 par le Britannique John Moresby. Des planteurs européens commençaient l'exploitation agricole vers 1880. La Grande-Bretagne annexait en 1884 le quart sud-est de l'île, la compagnie allemande de Nouvelle-Guinée obtenait le quart nord-est, qui était placé sous administration directe de Berlin en 1899. La Nouvelle-Guinée britannique était administrée en 1906 par l'Australie, qui obtenait un mandat de la SDN sur le territoire allemand en 1921. En partie occupée de 1942 à 1945 par les Japonais qui voulaient en faire la base de leur conquête de l'Australie, les deux régions occidentales étaient unifiées sous mandat australien en 1946. La partie australienne de l'île connut une croissance économique meilleure que dans la partie néerlandaise, rattachée à l'Indonésie en 1969. La Nouvelle-Guinée-Papouasie obtenait son autonomie interne complète le 1er décembre 1973, son indépendance le 16 septembre 1975. Des élections libres avaient eu lieu en 1968 et 1972 sous administration australienne.

Nouvelle-Zélande

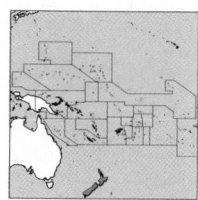

NZ
Océanie
268 677 km²
3,2 M hab.
ONU, CW,
OCDE, ANZUS

Capitale : Wellington (134 000 hab.)
Langue officielle : anglais
Religions : chrét. en majorité
Régime polit. : monarchie parlem. et dém. Indépendance obtenue en 1931

Les Maoris, peuple polynésien, arrivèrent en nouvelle-Zélande en plusieurs vagues à partir de 1300 ap. J.-C. Le Néerlandais Abel Tasman découvrait l'île en 1642. Son rapport d'expédition demeura de longues années dans les archives et les Néerlandais n'entreprirent aucune colonisation. La nouvelle découverte de l'île fut britannique : James Cook, à la recherche du légendaire continent sud-australien, débarquait en Nouvelle-Zélande en 1769. L'exploration systématique qu'il entreprit dura jusqu'en 1777. Les premiers colons européens, en partie des évadés des colonies pénitentiaires australiennes mais aussi des colons chassés de Grande-Bretagne par la misère, la surpopulation et la répression politique, s'installaient sur la côte à partir de 1792. Ils pratiquaient essentiellement la chasse à la baleine et aux phoques et l'élevage. Les baleiniers français, anglais et américains possédaient des bases sur l'île. La colonisation du pays était effectuée par la *New Zealand Company*, qui souhaitait y reconstituer le modèle britannique. Après une hostilité initiale, les Maoris fournirent la colonie en denrées essentielles, obtenant en échange des armes qui servaient à régler leurs violentes querelles tribales. Les indigènes furent progressivement repoussés par l'arrivée massive de nouveaux colons et succombèrent en masse aux maladies importées : ils ne représentent plus aujourd'hui que 9 % de la population néo-zélandaise. Londres décidait en 1838 d'annexer la Nouvelle-Zélande : nommé gouverneur en 1841, William Hobson négociait depuis 1839 avec les Maoris, obtenant l'île du Nord et le droit d'explorer l'île du Sud. Les Maoris acceptaient le protectorat britannique sur les deux îles en 1840 par le traité de Waitangi : la possession de leurs terres leur était garantie mais n'était pas respectée. Une guerre éclatait aussitôt avec les colons, qui ne s'achevait qu'en 1847. Les colons s'attaquèrent également au gouvernement colonial, exigeant d'y être représentés. Une première constitution était accordée en 1852, la première Assemblée générale avait lieu deux ans plus tard, les Maoris y disposaient de quatre sièges. Un flux massif d'immigrants se dirigea vers l'archipel après la découverte d'or à Otago en 1861 : la population atteignait 500 000 âmes vers 1880. L'essor économique fut brutalement stoppé par la crise des années 1890, entraînant des troubles sociaux et politiques. Les libéraux arrivaient au pouvoir en 1891 et le conservèrent jusqu'en 1912 : ils introduisirent de nombreuses réformes sociales. Les femmes néo-zélandaises furent les premières du monde à obtenir le droit de vote, en 1893. La colonie obtenait le statut de dominion en 1907 : la prospérité chuta sensiblement avant la Première Guerre mondiale. Les troupes néo-zélandaises s'engagèrent dans les deux guerres mondiales aux côtés de la Grande-Bretagne, qu'elle ravitaillait en denrées et en laine. La SDN confiait à la Nouvelle-Zélande, représentée par une délégation autonome à Versailles, un mandat sur l'ancienne colonie allemande des Samoa occidentales en 1919. L'entrée du pays au sein de la SDN marquait la quasi-souveraineté de la Nouvelle-Zélande, qui ne fit cependant rien pour obtenir son indépendance et resta même totalement passive lors de la conférence qui aboutit au Statut de Westminster et à l'indépendance en 1931. Cette attitude ne se modifia qu'après la Seconde Guerre mondiale, la Nouvelle-Zélande distendant ses liens au Commonwealth pour se rapprocher militairement et économiquement des États-Unis et des États d'Asie du Sud-Est : adhésion à l'ANZUS en 1951, envoi de troupes lors des guerres de Corée et du Viêt-nam. Les Samoa occidentales se libéraient de la tutelle néo-zélandaise et devenaient un État indépendant en 1962. La tension diplomatique avec la France en raison de ses essais nucléaires aériens connut son paroxysme entre 1972 et 1974. Les conservateurs prenaient le pouvoir en 1975 et tentaient en vain de mettre fin à la crise qui mettait en péril le *Welfare State* depuis l'entrée de la Grande-Bretagne dans la CEE et le choc pétrolier de 1973. Les travaillistes de David Lange remportaient les élections de juillet 1984. La politique radicalement hostile des socialistes aux armements nucléaires conduisait en 1985 à de graves tensions avec les États-Unis et la France.

Oman

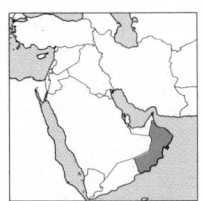

Asie occidentale
212 457 km²
1,13 M hab.
ONU, LA, GCC

Capitale : Mascate (30 000 hab.)
Langue officielle : arabe
Religions : musulm. (99 %)
Régime polit. : sultanat. Sous ce nom depuis le 23 juillet 1970

Oman fut islamisé vers 630 et demeura placé sous l'autorité des premiers califes jusqu'à la fin du VIIe siècle. La secte kharijite des Ibadites reprenait ensuite le pouvoir et Oman devenait un imamat indépendant de fait au IXe siècle. Les villes portuaires et côtières restèrent sous la domination d'Ormuz du XIIIe au XVIe siècle avant sa conquête par les Portugais en 1509. La ville de Mascate devint l'une des plus importantes places-fortes portugaises. Le sultan d'Oman chassait les Portugais en 1650 et s'emparait également de leurs possessions côtières d'Afrique orientale au nord du Mozambique. Oman devenait l'une des puissances les plus importantes de l'océan Indien et atteignit son apogée au cours de la première moitié du XIXe siècle. La résidence du sultan fut transportée à Zanzibar après sa conquête en 1840. La chute du sultanat de Mascate et Oman commençait après la perte de Zanzibar en 1856 : des conflits d'héritage et des combats pour la succession affaiblirent le sultanat. Les Britanniques imposaient leur protectorat en 1891. La découverte de terrains pétrolifères provoquait en 1949 un conflit avec l'Arabie Saoudite : l'exploitation du pétrole ne commençait cependant vraiment qu'en 1967. Le sultan Sa'id ibn Taymur devait abdiquer après le coup d'État effectué par son fils, Qabus ibn Sa'id le 23 juillet 1970. Les dernières troupes britanniques se retiraient en 1977. Approuvant les accords de Camp David, Oman signait un accord de coopération avec les États-Unis en 1980.

Ouganda

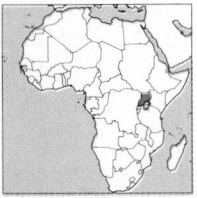

EAU
Afrique de l'Est
236 036 km²
14,6 M hab.
ONU, CW, OUA

Capitale : Kampala (460 000 hab.)
Langues officielles : anglais, swahili
Religions : animistes (40 %), cath., prot.
Régime polit. : rép. présid. Indépendance obtenue en 1962

Plusieurs tribus d'éleveurs himas pénétraient sur le territoire de l'actuel Ouganda au cours des XVIᵉ et XVIIᵉ siècles, soumettant dans plusieurs régions les populations sédentaires bantoues. L'Empire des Himas comprenait à la fin du XVIIᵉ siècle les royaumes de Bouganda, Toro, Bunyoro et Ankole. Le plus important d'entre eux, le Bouganda, atteignit entre 1860 et 1884 l'apogée de sa puissance sous le règne de Mtesa Iᵉʳ. A la recherche des sources du Nil, les explorateurs Speke et Grant atteignaient le Bouganda en 1862. Le commerce avec l'Arabie prit un nouvel essor, des missionnaires chrétiens furent autorisés à pénétrer dans le pays et le Bouganda se dota d'une armée permanente. La mort de Mtesa Iᵉʳ marqua le début d'un conflit opposant des groupes musulmans, protestants et catholiques, représentant en fait les intérêts de puissances étrangères. L'accord de Heligoland-Zanzibar intervenu en 1890 entre la Grande-Bretagne et l'Allemagne répartissait les intérêts des deux puissances en Afrique orientale. Les royaumes himas étaient attribués à la Grande-Bretagne, qui plaçait l'Ouganda sous protectorat en 1896. Une importante main-d'œuvre indienne arriva dès 1900 lors de la construction des chemins de fer : les Indiens devaient par la suite jouer un rôle clé dans le commerce.

Conquête de l'indépendance
Alors que les préparatifs d'accession à l'indépendance étaient déjà avancés, le roi Mtesa II de Bouganda exigea en 1953 une accélération du processus. Les autorités britanniques décrétèrent l'état d'urgence dans tout le pays, Mtesa II était banni. Sous la pression populaire, les Britanniques devaient laisser le roi rentrer en Ouganda en 1955. Le Bouganda faisait sécession du protectorat d'Ouganda en 1960 mais devait renoncer à l'indépendance sous la pression des autres provinces du protectorat, défavorisées sur le plan économique. L'indépendance était accordée en 1962, la reine Elisabeth II demeurait chef de l'Etat et Milton Obote devenait premier ministre. La république était proclamée l'an suivant, le roi Mtesa II devenait président de la République. Les institutions ougandaises tentaient de concilier monarchie et république, Etat unitaire et fédéral. Milton Obote, qui menait une politique d'inspiration socialiste, effectuait en 1966 un coup d'Etat qui lui permettait de prendre la tête de l'Etat et de dissoudre les royaumes himas. La Constitution de 1967 faisait de l'Ouganda une république présidentielle unitaire. Le coup d'Etat de 1971 portait au pouvoir le chef des armées, Idi Amin Dada. La Constitution était abrogée, les partis politiques interdits. Le président Obote réussissait à se réfugier en Tanzanie. Un conflit armé éclatait en 1972 avec la Tanzanie, accusée d'avoir soutenu les partisans de Obote. La même année, Idi Amin Dada expulsait d'Ouganda tous les citoyens britanniques d'origine asiatique. 40 000 d'entre eux quittèrent l'Ouganda jusqu'en 1973. Les entreprises britanniques avaient simultanément été nationalisées. L'effondrement de l'économie fut encore aggravé par plusieurs conflits avec les pays voisins, en particulier avec le Kenya. Les massacres organisés sous le régime Amin Dada avaient déjà coûté la vie à 300 000 personnes lorsque la Grande-Bretagne rompait, en 1976, ses relations diplomatiques avec l'Ouganda. Les troupes ougandaises envahissaient la Tanzanie en 1978. Un an plus tard, des Ougandais exilés et les Tanzaniens formaient un gouvernement provisoire dirigé par Youssouf Lule après avoir pris Entebbe et Kampala. Idi Amin Dada s'enfuyait. Une commission militaire dirigée par Paulo Muwanga organisait les élections de 1980, remportées par Milton Obote : victoire douteuse, ayant été annoncée peu de temps après la fin du scrutin par Muwanga. La situation politique demeurait fragile, les massacres se poursuivant et plusieurs mouvements de résistance luttant contre le gouvernement Obote contrôlent près d'un tiers du pays. Malgré l'octroi de crédits étrangers, Obote ne parvenait pas à redresser la situation économique du pays. Il était renversé lors d'un nouveau putsch le 29 juillet 1985 et remplacé par Tito Okello, chef des armées. Le nouveau président parvenait à un accord de paix avec le mouvement de résistance MRA le 17 décembre 1985.

Pakistan

PAK
Asie du Sud
803 943 km²
92,9 M hab.
ONU

Capitale : Islamabad (201 000 hab.)
Langues officielles : urdu et anglais
Religions : musulm. (97,2 %), hind. (1,5 %)
Régime polit. : république islamique fédérale depuis le 29 février 1956

La vallée de l'Indus abrita l'une des plus anciennes civilisations de l'humanité : à la civilisation de l'Indus, apparue au IIIᵉ millénaire, succédèrent au IIᵉ millénaire av. J.-C. plusieurs civilisations, celle de Harappa en particulier. Les tribus aryennes envahissaient la région vers 1500 av. J.-C. Alexandre le Grand conquérait la riche vallée en 327 av. J.-C. mais devait renoncer à poursuivre sa marche vers l'Est. Le royaume du Sind était conquis en 712 par les musulmans : tout le nord de l'Inde tombait sous leur domination au cours des XIᵉ et XIIᵉ siècles. Le pouvoir des sultans s'effondrait en 1398 après la prise de Delhi par les Mongols de Timur Lang. Plusieurs petits royaumes et principautés se reconstituaient à partir du sultanat. Babur, un petit-fils de Timur Lang, fondait en 1526 le royaume des Grands Moghols, qui put maintenir sa souveraineté jusqu'au XVIIᵉ siècle.

La conquête britannique
La Compagnie des Indes orientales britannique était fondée en 1600 et possédait en 1747 de nombreux établissements en Inde. Les Britanniques réussissaient à prendre pied sur le territoire de l'actuel Pakistan en 1840. La population, redoutant de voir les envahisseurs s'attaquer à ses traditions, opposa une résistance farouche à la pénétration britannique. Un soulèvement général avait lieu en 1857, les Britanniques ne purent le réprimer qu'à grand-peine. Le dernier Grand Moghol était destitué en 1876 par les Anglais, qui créaient l'Empire des Indes. Le Premier ministre anglais, Benjamin Disraeli, insista auprès de la reine Victoria pour qu'elle devienne impératrice des Indes. L'opposition entre les deux principaux groupes religieux de l'Inde, les musulmans et les hindous conduisait en 1906 à la fondation de la Ligue musulmane, destinée à représenter les intérêts politiques des musulmans face à ceux des hindous, défendus depuis 1885 par le parti du Congrès. La revendication d'un Etat musulman indépendant fut émise pour la première fois en 1940 par 'Ali Jinnah, chef de la Ligue musulmane depuis 1916.

Indépendance et division
Lors de l'accession de l'Inde à l'indépendance, en 1947, les Britanniques acceptèrent la création d'un Etat musulman autonome. 'Ali Jinnah devenait gouverneur-général de l'Etat du Pakistan. Le tracé des frontières indo-pakistanaises provoqua l'exode de 6 millions d'hindous vers l'Inde et de 6 à 7 millions de musulmans vers le Pakistan. Mais le pays est lui même divisé en deux régions, séparées par 1700 kilomètres, le Pakistan oriental se trouvant à l'est de l'Inde et ayant une frontière commune avec la Birmanie. Un conflit de souveraineté sur le Cachemire déclenchait deux conflits indo-pakistanais, en 1947 et 1965. L'accord du cessez-le-feu de 1965 maintenait le statu quo, la séparation du Cachemire en une zone pakistanaise et une zone indienne. Les problèmes entraînés par la division du Pakistan aboutissaient en 1971 à la proclamation de l'indépendance de la moitié orientale du pays, qui prenait le nom de Bangladesh. La guerre entre les deux Pakistan prenait fin en décembre 1971 après l'intervention militaire de l'Inde, qui contraignait l'armée pakistanaise de l'Est à capituler. L'Inde reconnaissait le Bangladesh le 6 décembre 1971. Quelques jours plus tard, le Premier ministre pakistanais, le général Yahya Khan démissionnait : il était remplacé par le ministre des Affaires étrangères et chef du parti du peuple, Ali Bhutto. Une nouvelle constitution pakistanaise entrait en vigueur le 12 avril 1973, donnant au Pakistan un statut de république fédérale. Le Pakistan reconnaissait officiellement le Bangladesh en 1974 et les deux Etats renouaient des relations diplomatiques un an plus tard. Ali Buttho était renversé le 4 juillet 1977 lors d'un coup d'Etat soutenu par les milieux conservateurs et intégristes. Le chef d'état-major, le général Zia ul-Haq devient président de la République en septembre 1978. Le processus d'islamisation poursuivi par le nouveau régime masque en fait l'instauration d'une dictature militaire sanglante. Le Coran et la sunna sont proclamés « loi suprême » du Pakistan le 10 février 1979. Ali Bhutto était exécuté le 4 avril 1979. Toute activité politique est interdite et la Constitution provisoire du 24 mars 1981 proclame la suprématie des tribunaux militaires sur toute autre juridiction. L'invasion soviétique en Afghanistan (1979) provoquait un afflux massif de réfugiés afghans au Pakistan mais aussi un accroissement de l'aide des Etats-Unis. Le référendum sur la politique d'islamisation de décembre 1984, transformé en plébiscite, devait permettre à Zia ul-Haq de maintenir la dictature au pouvoir pour cinq années supplémentaires. La modification constitutionnelle qui entrait en vigueur le 3 mars 1985 étendait ses pouvoirs.

Palau

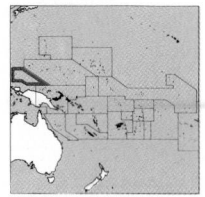

Océanie
487 km²
15 000 hab.

Capitale : Koror (8 000 hab.)
Langues officielles : micronésien, anglais
Religions : prot., cath.
Régime polit. : rép. ass. aux Etats-Unis, indépendante depuis le 1er janvier 1981

L'île de Palau est la principale de l'archipel du même nom, appartenant aux îles Carolines, principal archipel de Micronésie, au sud des Mariannes et à l'est des îles Marshall. L'archipel de Palau comprend plus de 200 îles volcaniques ou coralliennes, pour la plupart inhabitées. Découvert par le navigateur espagnol Villalobos en 1543, l'archipel était également visité au cours du XVIᵉ siècle par les Portugais puis par les Anglais. Les Espagnols ne revendiquaient officiellement la possession de l'archipel qu'en 1875 : ils devaient le conserver jusqu'en 1899. L'Empire allemand achetait les îles à l'Espagne en 1899 puis les perdait après la Première Guerre mondiale au profit du Japon, qui les obtenait en mandat de la SDN. Le Japon en resta maître de 1919 à 1945. Stratégiquement importantes pour l'OTAN, les îles étaient placées sous administration américaine par le *trusteeship* de 1947. L'archipel obtenait son indépendance, en fait une semi-indépendance, et devenait une républi-que le 1er janvier 1981. La population de Palau se prononça avec une majorité d'à peine 60 % lors du référendum populaire de février 1983 pour le maintien du statut de libre-association avec les Etats-Unis, qui demeurent seuls compétents en matière de défense. L'économie de l'archipel repose essentiellement sur l'exportation de produits de la pêche, poissons et coquillages. Haruo I. Remeliik est président de la République et chef du gouvernement de Palau depuis 1981.

Panamá

PA
Amérique centrale
75 650 km²
2,09 M hab.
ONU, OEA, SELA

Capitale : Ciudad de Panamá (500 000 hab.)
Langue officielle : espagnol
Religions : cath. (93 %), prot. (6 %)
Régime polit. : rép. présid. Indépendance proclamée le 3 novembre 1903

Des traces de l'activité de pêcheurs datant pour les plus anciennes de 4850 av. J.-C. ont été retrouvée autour de la baie de Parita. Des tombes retrouvées à Venado Beach montrent l'existence vers 500 ap. J.-C. d'une culture développée dont les pratiques religieuses impo-saient de nombreux sacrifices humains. Les cultures qui coexistent de 800 à 1525 attestent d'une grande maîtrise de l'art de la céramique et de l'orfèvrerie (Coclé, Veraguas). Les Espagnols trouvèrent à leur arrivée des populations d'Indiens chibchas. Rodrigo de Bastidas explorait la côte centraméricaine en 1501, Christophe Colomb lui succédait au cours de son quatrième voyage en 1502. La première implantation, Santa María la Antigua, apparaissait en 1510 dans le golfe d'Urabá. Vasco Núñez de Balboa en partait en 1513 pour réussir la première traversée de l'isthme américain. Le conquistador Gaspar de Espinosa soumettait entre 1516 et 1520 l'essentiel des peuples indiens. De nombreux établissements étaient créés, Panamá avait été fondée en 1519. La ville était reconstruite et déplacée en 1673 après avoir été détruite par le flibustier anglais Morgan (1671). L'audiencia de Panamá était rat-tachée à la vice-royauté de Nouvelle-Grenade lors de sa création, en 1739, puis à la Grande-Colombie indépendante en 1819. Panamá, après plusieurs tentatives de sécession, était réduit au rang de province par la Constitution de 1886. Après l'échec d'une tentative française d'assurer l'autonomie en 1889, peu après la création de la compagnie chargée de creuser le canal par Ferdinand de Lesseps, les Etats-Unis intervenaient en 1902, mais la Colombie refusait le projet américain de doter le canal d'un statut spécial. L'indépendance était proclamée lors de la révolte du 3 novembre 1903 et la nouvelle république de Panamá ratifiait le traité demandé par les Etats-Unis. La zone du canal leur était louée « pour une durée illimitée » et pour un montant mensuel de 250 000 dolars : une avance de dix millions de dollars accompagnait la ratification. Commencé en 1906, le canal était achevé en 1914. La Consti-tution de 1904 accordant aux Américains un droit d'intervention à Panamá, ceux-ci l'utilisèrent en 1908, 1912 et 1918. La Colombie ne reconnaissait la souveraineté du Panamá qu'en 1921. Les concessions faites par les Etats-Unis en 1936 ne remettaient pas en question leur souveraineté sur la zone du canal et leur accordaient en outre plusieurs bases militaires. Les Etats-Unis reconnaissaient formellement la souveraineté panaméenne sur le canal en 1960, mais elle ne doit pas, d'après les accords de 1974, devenir effective avant l'an 2000 : le canal devra d'ici-là avoir été amélioré. Les militaires détiennent la vie politique du Panamá depuis le coup d'Etat de 1968 contre le président Arnulfo Arias qui avait porté au pouvoir le général Torrijos, qui le conserva jusqu'à sa mort. R. de la Espriella lui succédait en 1982. Eric Arturo Delvalle prenait la tête de l'Etat et du gouvernement en 1985.

Paraguay

PY
Amérique du Sud
406 752 km²
3,47 m hab.
ONU, ALADI, OEA, SELA

Capitale : Asunción (482 000 hab.)
Langues officielles : espagnol, guarani
Religions : cath. (93 %) prot. (2 %)
Régime polit. : rép. présid. Indépendance proclamée en 1811

Les premiers habitants de l'actuel Paraguay furent les Indiens guaranís, qui s'y implantèrent vers 8000 av. J.-C. Contrairement aux autres Etats andins, le Paraguay ne présente que peu de traces de civilisations anciennes. Le premier Européen à toucher le pays fut l'Espagnol Alejo García, en 1525. Le navigateur italien Sebastian Caboto le suivait en 1527. Les Espagnols s'étaient rendus maîtres du territoire en 1535/1536 et une expédition fondait en 1537 l'actuelle capitale d'Asunción. Le gouverneur Hernando Arias de Saavedra, né à Asunción, favorisait en 1609 l'installation d'une mission de jésuites destinée à l'évangélisation des Guaranís. Les jésuites constituèrent un véritable Etat modèle. Ils rassemblèrent les Indiens en vastes communautés dans des réserves disposant d'une grande autonomie administrative et économique, bien qu'elles fussent nominalement toujours placées sous l'autorité du gouverneur espagnol. Trente établissements de cette sorte furent constitués par les missionnaires : outre l'enseignement religieux, les Indiens apprirent de nouvelles techniques artisanales et agricoles ainsi qu'à développer une certaine conscience politique. L'Etat des jésuites parvint rapidement à un réel bien-être économique, malgré les incessantes attaques auxquelles il était exposé. Une armée de missionnaires battait en 1641 une troupe de chasseurs d'esclaves brésiliens, qui venaient régulièrement effectuer leurs razzias au Paraguay. Des tribus guerrières des territoires non reconnus du Gran Chaco poussaient parfois leurs incursions jusqu'à Asunción. Un conflit permanent entre autorités spirituelles et temporelles aggravait l'instabilité. L'Espagne cédait en 1750 toutes ses possessions à l'est de l'Uruguay au Portugal. Se refusant à perdre leur indépendance, les jésuites s'opposèrent aux deux puissances coloniales. La guerre des Guaranís qu'il provoquaient en 1753 devait empêcher l'annexion du Paraguay au Brésil. Mais les jésuites étaient définitivement expulsés en 1768. Les établissements des missionnaires furent détruits, les Indiens retournèrent à la forêt vierge. Le Paraguay était intégré en 1776 à la vice-royauté du Río de la Plata (Argentine) et soumis à l'administration civile espagnole de Buenos Aires. Lorsque l'Argentine proclamait son indépendance, le 25 mai 1810, le Paraguay fit sécession : les troupes argentines l'envahissaient le 4 décembre. Battue le 19 janvier 1811, l'Argentine ne pouvait s'opposer à la proclamation d'indépen-dance paraguayenne, le 14 mai 1811. La dictature de José Gaspar Rodríguez de Francia, de 1814 à sa mort, en 1840, marquait une période d'isolement diplomatique pour le Paraguay. Ses successeurs faisaient de l'Etat un appareil militariste. Le Paraguay tentait d'utiliser la guerre civile qui éclatait en Uruguay en 1862 pour obtenir un accès à la mer. Un nouveau conflit, qui éclatait en 1864 contre le Brésil, l'Argentine et l'Uruguay se terminait en 1870 par une défaite écrasante : la population paraguayenne passait de 1,1 million de personnes à 300 000, dont seulement 30 000 hommes. La guerre déclenchée en 1932 contre la Bolivie à propos du Chaco Boreal s'achevait victorieusement pour le Paraguay en 1935. La Constitution de 1967 faisait du Paraguay, qui toujours été gouverné jusqu'à présent par des dictateurs, une république présidentielle. Le général Alfredo Stroessner, soutenu par les Etats-Unis et le Brésil, gouverne le pays depuis 1954 : sa dictature (32 ans) est la plus ancienne d'Amérique latine.

Pays-Bas

NL
Europe
de l'Ouest
33 814 km²
14,4 M hab.
ONU, CEE, CE,
OTAN, OCDE

Capitale : Amsterdam (940 000 hab.)
Langue officielle : néerlandais
Religions : cath. (40 %), prot. (32,9%)
Régime polit. : monarch. const. depuis les modifications constitutionnelles de 1848

Les premières traces des cultures présentes aux actuels Pays-Bas sont des mégalithes (dolmens). L'ère du bronze commença vers 1600 av. J.-C., le passage à l'ère du fer s'effectua vers 650 av. J.-C. Lors de la conquête des Gaules par Jules César (57 av. J.-C.), le pays est habité par les tribus germaniques, les Bataves au Sud et les Frisons au Nord, qui se révoltent à plusieurs reprises malgré les alliances conclues avec les Romains. Lorsque les Romains se retirent, au IIIᵉ siècle ap. J.-C., les Saxons et les Francs s'installent aux Pays-Bas. Les souverains carolingiens, originaires des régions entre Rhin et Meuse, favorisent l'essor et la christianisation du pays. Charlemagne (768-814) divisait l'administration de son royaume en comtés, les comtes étant soumis au contrôle des *missi dominici* impériaux. Lors de la division de l'Empire franc, en 843, les territoires au sud de l'Escaut revenaient au royaume franc occidental et les Pays-Bas proprement dits à la Lorraine (Lotharingie), dont le roi germanique Henri Iᵉʳ devenait en 925 le suzerain. Le pouvoir impérial s'affaiblissant, plusieurs comtés accroissent leur puissance en toute indépendance, en particulier les comtés de Hollande et de Flandre : les comtes constituent même une menace pour le roi de France Philippe Auguste, leur premier suzerain. L'essor des villes au cours du XIIIᵉ siècle, en particulier des ports de la mer du Nord est remarquable. Les villes des Pays-Bas constituent d'importants centres de commerce entre l'Angleterre et la Baltique, leurs draps renommés sont exportés à travers toute l'Europe ; leurs habitants arrachent aux seigneurs des chartes et constituent des conseils nommant les échevins responsables de la vie de la cité. Les comtes de Flandre recherchent l'alliance de la France pour lutter contre le mouvement « communier ». Leur défaite à Courtrai (1302) marque la victoire du mouvement d'émancipation bourgeoise, bientôt remise en cause par la défaite des milices gantoises à Rozebeke, en 1382. Le comte de Mâle retrouve sa suprématie sur la Flandre. Sa fille unique Marguerite ayant épousé Philippe le Hardi, duc de Bourgogne, celui-ci hérite des Flandres à la mort du comte, en 1384.

Les dominations étrangères

Les successeurs de Philippe le Hardi, en particulier son petit-fils Philippe le Bon (1419-1467) étendent leurs possessions aux Pays-Bas, par achats, mariages et contrats. Philippe le Bon hérite ainsi en 1433 des comtés de Hollande et de Zélande. Charles le Téméraire, dernier duc de Bourgogne, devait réprimer en 1468 une violente révolte de Liège et annexait la Gueldre en 1472. A sa mort, en 1477, sa fille Marie devait jurer aux états généraux de respecter les « Grands Privilèges » des cités des Pays-Bas. Mais Marie de Bourgogne avait épousé l'archiduc d'Autriche Maximilien de Habsbourg, futur empereur romain germanique, qui rétablissait l'autorité des princes aux Pays-Bas (qui comprennent l'actuelle Belgique). L'empereur Charles Quint portait à dix-sept le nombre des provinces néerlandaises en (re)conquérant la Frise, la Groningue et la Gueldre entre 1524 et 1543. Il remettait la souveraineté des Pays-Bas à son fils, Philippe II d'Espagne, en 1556. La Réforme avait trouvé aux Pays-Bas un terrain d'élection : Philippe II, catholique rigoriste, poursuivait sans pitié la répression contre le protestantisme, favorisant l'éclosion d'une révolte ouverte des provinces néerlandaises.

Combat pour l'indépendance

Les sept provinces protestantes du Nord, Gueldre, Hollande, Zélande, Utrecht, Frise, Overijssel et Groningue s'unissaient en 1579 à Utrecht et entamaient une guerre de dix ans contre l'Espagne, à laquelle s'étaient ralliées les provinces du sud des Pays-Bas. Les sept provinces proclamaient en 1581 leur indépendance et leur union en une « République des Pays-Bas-Unis », placée sous l'autorité du prince d'Orange Guillaume le Taciturne, qui était assassiné en 1584. Le stathouder Frédéric-Henri de Nassau (1625-1647) permettait à l'Union de reconquérir ses principales villes contre les Espagnols, qui devaient accepter de reconnaître la république par le traité de Münster en 1648. Les Pays-Bas se retiraient simultanément de l'alliance germanique. Les provinces loyalistes du Sud demeurèrent espagnoles jusqu'en 1717.

Ascension de la puissance coloniale

La République des Provinces-Unies connaissait au XVIIᵉ siècle un essor économique et culturel considérable. La Compagnie néerlandaise des Indes orientales était fondée en 1602, la Compagnie des Indes occidentales en 1614. Une Bourse avait été créée à Amsterdam dès 1609. Les établissements néerlandais se multiplièrent aux Amériques de même qu'aux Indes orientales. La puissance maritime et coloniale des Provinces-Unies provoqua un accroissement des tensions avec la Grande-Bretagne, qui éclatait en

une guerre en 1652. Deux autres guerres maritimes la suivirent entre 1664 et 1674 dont les Néerlandais sortirent vainqueurs. Les Pays-Bas devenaient entre 1793 et 1795 le théâtre des affrontements révolutionnaires suivant la Révolution française. Conquis par le général Charles Pichegru en 1795, les Pays-Bas étaient constitués en une République batave. La république cédait la place en 1806 au royaume de Hollande, dont Napoléon confiait le trône à son frère Louis Bonaparte. Le royaume fut annexé par la France en 1810 puis retrouva son indépendance après la défaite napoléonienne. Les provinces du Nord et du Sud (l'actuelle Belgique) étaient réunies en 1815 et formaient sous la souveraineté de Guillaume Iᵉʳ d'Orange le Royaume-Uni des Pays-Bas. La révolution qui éclatait à Bruxelles le 25 août 1830 et son extension aux provinces catholiques contraignait les troupes hollandaises à évacuer la Belgique, qui proclamait son indépendance le 4 octobre 1830 et appelait Léopold de Saxe-Cobourg à monter sur le trône. Le royaume de Belgique n'était reconnu par Guillaume Iᵉʳ qu'en 1839. Guillaume Iᵉʳ, qui avait grandement soutenu le rétablissement économique des Pays-Bas, abdiquait en 1840 en faveur de son frère Guillaume II. Le nouveau roi devait, après la grave crise et la misère qui touchaient le pays entre 1845 et 1848, réunir une commission chargée de réviser dans un sens libéral la Constitution. La nouvelle Constitution étendait les pouvoirs parlementaires et ministériels. L'activité commerciale et industrielle du pays se développait à la fin du XIXᵉ siècle, appuyée par le développement des grands ports, Amsterdam et Rotterdam. L'agriculture céréalière, soumise à une difficile concurrence étrangère devait se reconvertir vers l'élevage et les produits agricoles industriels. Les questions religieuses, cristallisées sur la question scolaire (écoles confessionnelles), dominaient la vie politique, paralysant fréquemment l'activité gouvernementale (la question ne sera résolue qu'en 1920).

La période des deux guerres

La multiplication des partis politiques rendant impossible la constitution d'un gouvernement, la reine Wilhelmine (1890-1948) devait former en 1913 un gouvernement extraparlementaire. Les Pays-Bas réussirent à maintenir leur neutralité au cours de la Première Guerre mondiale, qui provoqua pourtant un accroissement de la misère. Après l'échec en 1918 de la révolution socialo-communiste menée par Troelstra, un gouvernement de coalition était constitué, le premier à être dirigé par un catholique. Ruys de Beerenbrouck se maintenait au pouvoir jusqu'en 1926 et retrouvait la présidence du Conseil de 1929 à 1933, période pendant la-

quelle il dût affronter la crise économique mondiale. Les idées nazies rencontrant peu d'écho aux Pays-Bas, ceux-ci accueillaient de nombreux réfugiés politiques ou juifs d'Allemagne. Les troupes hitlériennes envahissaient les Pays-Bas le 10 mai 1940. La répression nazie s'installe aux Pays-Bas, qui perdront 100 000 citoyens. Un mouvement de résistance se dessine, soutenue par plusieurs grèves générales (1941, 1943). La libération du pays survenait, après une première tentative en septembre 1944 (Arnhem), le 5 mai 1945. La famille royale et le gouvernement rentraient de leur exil londonien.

Depuis 1945

La reine Wilhelmine abdiquait en 1948 en faveur de sa fille, la reine Juliana. L'ensemble des colonies néerlandaises, à l'exception des Antilles néerlandaises, obtenaient leur indépendance : l'Indonésie en 1949. Une Union était formée avec l'Indonésie, le Surinam et les Antilles néerlandaises, dont l'Indonésie se retirait en 1956, les Pays-Bas maintenant leur souveraineté sur l'Irian. La suppression des colonies contraignait l'industrie néerlandaise à une vaste reconversion, toujours favorisée par l'importance des ports. La politique traditionnelle de neutralité ayant été abandonnée en 1949, les Pays-Bas devenaient membres de l'OTAN en 1957 et rejoignaient la même année le marché commun. Les deux partis politiques qui s'imposent depuis la libération sont le parti du travail, socialiste, et le parti populaire catholique : le premier conservait le pouvoir jusqu'en 1958. Les catholiques, qui devenaient après les élections de 1963 le premier parti du pays, gouvernaient jusqu'à la grande crise ministérielle de 1971. Les socialistes reprenaient le pouvoir en 1973 et le conservaient jusqu'à la constitution d'un gouvernement de coalition de centre droit en décembre 1977. Un gouvernement de centre droit fut de nouveau constitué par Rudolph Lubbers après sa victoire aux élections du 8 septembre 1982. La reine Juliana avait abdiqué le 30 avril 1980 en faveur de sa fille, la reine Beatrix. La Constitution néerlandaise était modifiée en 1983, renforçant la protection de l'ensemble des droits individuels. Le gouvernement de Ruud F.M. Lubbers, au pouvoir depuis 1982, acceptait le 1ᵉʳ novembre 1985 le stationnement de 48 missiles *Cruise* américains, malgré les protestations de l'opposition et la remise, une semaine plus tôt, d'une pétition opposée aux missiles et regroupant 3,7 millions de signatures. Le gouvernement avait décidé un mois plus tôt de s'associer au programme de défense spatiale américain (IDS). Malgré une amélioration de la situation économique, les Pays-Bas doivent encore compter avec l'un des taux de chômage les plus élevés d'Europe (15 %).

Pérou

PE
Amérique du Sud
1 285 216 km²
18,7 M hab.
ONU, ALADI,
OEA, SELA

Capitale : Lima (4,6 M hab.)
Langues officielles : espagnol, quechua
Religions : cath. (75 %), animistes (21 %)
Régime polit. : rép. présid. Indépendance proclamée le 28 juillet 1821

Les premiers témoignages de l'activité humaine au Pérou, des outils de pierre rudimentaires, datent de 26 000 ans av. J.-C. Agriculture et élevage s'y généralisaient vers 8000 av. J.-C., les premiers temples apparaissaient entre 2500 et 1800 av. J.-C. La première civilisation développée fut celle de Chavin, associée à un culte des félins, au début du premier millénaire avant notre ère. Plusieurs cultures locales se différencient après 200 av. J.-C. La civilisation de Moche (200 av. J.-C.-800 ap. J.-C.) possédait un artisanat hautement raffiné et construisait des temples importants, des fortifications et des systèmes d'irrigation perfectionnés. La pêche en haute mer fournissait d'abondantes ressources alimentaires. La civilisation de Huari-Tiahuanaco submergeait à partir de 600 les autres cultures et atteignait son apogée vers 800, avant de disparaître pour des raisons mal connues : catastrophes naturelles, guerres ou abandon des cités comme Tiahuanaco, qui comptait de 5 000 à 10 000 habitants, pour des raisons religieuses. Le sud du Pérou, centre de la culture huari, demeura très peu peuplé jusqu'à l'arrivée des Incas. L'unification des cultures péruviennes, réalisée par les Huaris comme par les Chavins, était de nouveau rompue, de nombreuses cultures locales se développèrent. L'une d'entre-elles, celle des Chimú s'étendit progressivement au cours du XIIᵉ siècle : l'Empire chimú ne formait pas une unité politique mais un ensemble d'Etats-cités relativement indépendants. Le cœur du territoire chimú se trouvait dans les régions déser-tiques du nord du Pérou, leurs villes se succédaient dans les vallées-oasis de la côte. Les Chimú mirent au point des techniques sophistiquées de cultures en terrasses, savamment irriguées ; ils développèrent également un réseau remarquable de routes.

L'Empire inca
La civilisation inca apparut sur les hauts-plateaux centraux du Pérou, où il fondèrent leur capitale, Cuzco, au XIIᵉ siècle. Leur conquête des territoires voisins commençait au début du XVᵉ siècle. Ils conquirent l'Empire chimú, trop attaché à ses vallées, sans rencontrer de véritable résistance. L'Empire inca atteignait sa plus grande extension vers 1530 : il s'étendait au long de la côte occidentale d'Amérique du Sud, de l'Equateur aux régions centrales du Chili (actuels) et comprenait de vastes régions d'Argentine et de Bolivie. Contrairement à l'Empire chimú, privé d'organisation centrale du pouvoir, l'Empire inca était un organisme à la structure rigoureuse et centralisée. Les Incas régnaient sur une population d'environ 12 millions d'individus, parlant 20 langues différentes. L'histoire du peuple inca, qui n'utilisait pas de système d'écriture, est relativement mal connue par la tradition orale, enregistrée par les Espagnols. Pour l'administration, les Incas utilisaient des kipus, des cordelettes portant des nœuds de couleurs différentes représentant des nombres. L'administration comme les communications de l'empire étaient particulièrement efficaces : les Incas utilisèrent les anciennes grandes routes des Huaris et des Chimú et les agrandirent. Un système de courriers informait l'Inca des moindres événements des régions les plus lointaines de l'empire et lui permettait d'exercer un contrôle direct et efficace sur ses sujets. L'Inca était tout puissant et possédait toutes les terres, exploitées par des serfs. Les produits de l'agriculture étaient redistribués en fonction des besoins de chaque communauté ; lorsque l'un de ses membres qui n'était pas endetté tombait dans le besoin, à cause d'une maladie ou d'une mauvaise récolte, les moyens de survivre et de repartir lui étaient donnés. Les punitions infligées par contre à celui qui faisait un mauvais usage des biens impériaux étaient d'une extrême rigueur.

La conquête espagnole
L'Empire inca fut brutalement brisé à son apogée après un siècle de suprématie. Les Espagnols s'en emparèrent en 1532, sans rencontrer de résistance importante. Le conquistador Francisco Pizarro (Pizarre) poursuivit l'exploration à partir de ses bases au Panamá. Il atteignait en 1527 Tumbes, et prenait possession des régions côtières du Nord. Nommé Adelantado du Pérou en 1529, il ne s'en emparait qu'en 1532 : parti le 24 septembre à la tête d'une expédition vers l'intérieur, il atteignait Cajamarca, où se trouvait l'Inca Atahualpa, le 15 novembre. L'empire était alors la proie d'une guerre civile, dans laquelle les Espagnols s'immiscèrent habilement en négociant avec les deux partis en présence, les dressant l'un contre l'autre. Ils envoyèrent un ambassadeur qui assura à Atahualpa, méfiant, qu'ils le reconnaissaient comme empereur légitime. La rencontre eut lieu le 16 novembre, Atahualpa fut fait prisonnier par traîtrise. Malgré le versement d'une rançon colossale pour sa libération et son acceptation du baptême, Atahualpa était empoisonné quelques mois plus tard. Les Espagnols s'allièrent aux anciens adversaires de l'Inca pour écraser ses partisans. Lorsque l'Inca Huascar, demi-frère d'Atahualpa, reconnut le danger présenté par ceux qui lui avaient offert le trône, il souleva ses dernières troupes. La révolte fut écrasée. Des combats éclataient bientôt entre les conquistadors, Pizarro était assassiné en 1541. La premier vice-roi espagnol, nommé en 1544, promulguait la loi des *encomienda*, limitant considérablement la propriété personnelle des terres conquises par les conquistadors. Les colons, conduits par Gonzalo, le fils de Pizarro, se soulevèrent contre le vice-roi. Pizarro conquit toute l'Amérique du Sud occidentale, ses partisans se rendirent maîtres de Panamá. Battu en 1548, il était exécuté. Le Pérou était soumis définitivement en 1572, après la défaite des derniers Incas, qui s'étaient réfugiés dans les montagnes de Vilcabamba. Le Pérou demeura colonie espagnole jusqu'en 1821, son or contribua grandement à financer les entreprises de l'Espagne. Réduits en esclavage, les Amérindiens moururent par centaines de milliers dans les mines des montagnes. L'agriculture, qui avait été riche, fut abandonnée, la culture indienne fut systématiquement détruite.

L'indépendance
Le combat pour l'indépendance partit des autres pays d'Amérique latine : José de San Martín entrait au Pérou à la tête de ses troupes argentines et chiliennes en 1820 et proclamait l'indépendance en 1821. Simón Bolivar écrasait les troupes espagnoles à Ayacucho en 1824. Le Pérou fut annexé à la Bolivie de 1836 à 1839 et l'Espagne ne reconnut l'indépendance qu'en 1879, après plusieurs tentatives de reconquête entre 1862 et 1866. Une guerre pour les gisements de salpêtre du désert de l'Atacama éclatait en 1879 avec le Chili et la Bolivie, qui annexait en 1883 plusieurs territoires. La dictature érigée par Augusto Leguúa y Salcedo en 1908 dura avec quelques interruptions jusqu'en 1930, s'achevant sur un putsch militaire. Les militaires reprenaient le pouvoir trois ans après les élections de 1945. Après un nouveau putsch en 1968, le retour à la démocratie était initié en 1978. Le régime démocratique du président Alán García Perez, au pouvoir depuis le 28 juillet 1985, paraît menacé tant par la guérilla maoïste du « Sentier lumineux » que par l'armée. Le principal problème que doit cependant résoudre le gouvernement social-démocrate est la crise économique : un programme d'urgence était mis en place, comprenant un doublement du salaire minimal, un gel du prix des principales denrées, une hausse moyenne des salaires de 18 %. Le Pérou refusait d'appliquer la politique préconisée par le FMI et décidait de ne régler annuellement que 10 % des intérêts de sa dette extérieure.

Philippines

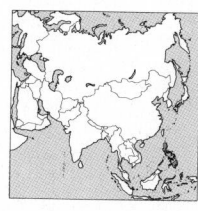

RP
Asie du Sud-Est
300 000 km²
51,96 M hab.
ONU, ASEAN

Capitale : Manille (5,9 M hab.)
Langue officielle : tagalog (Pilipino)
Régime polit. : rép. présid. Indépendance obtenue le 4 juillet 1946
Religions : cath. (81 %), prot. (5 %)

L'archipel des Philippines (plus de 7 000 îles), était peuplé au début du Iᵉʳ millénaire av. J.-C. par des populations venues en plusieurs vagues du continent sud-asiatique. Les immigrants malayo-polynésiens repoussèrent les premiers habitants vers l'intérieur. Ces différentes tribus nouvelles avaient très peu de contacts entre elles et ne se rassemblèrent jamais en une culture unique. Les îles demeuraient également isolées de l'Asie, bien que des marchands chinois y aient établi des comptoirs depuis le Iᵉʳ millénaire avant notre ère. Des contacts eurent lieu plus tard avec la Malaisie, mais ni le bouddhisme ni l'hindouisme ne purent s'implanter aux Philippines. Au XVᵉ siècle, la majorité des habitants des îles étaient encore des chasseurs-cueilleurs non sédentaires. Venus de Brunei, des musulmans commençèrent à répandre l'islam au XVᵉ siècle : la nouvelle religion entraîna un bouleversement des structures sociales et politiques. Deux sultanats apparaissaient au milieu du XVIᵉ siècle. Cette évolution était interrompue par l'arrivée des Espagnols. Le navigateur portugais Fernao de Magalhaes débarquait aux Philippines en 1521 et en prenait possession au nom de l'Espagne. Il était tué lors de l'exploration et trois autres expéditions échouèrent. Le premier établissement fixe espagnol était fondé à Cebu en 1565 par Miguel López de Legazpi. Manille, sur l'île Luçon, était fondée en 1571. Les Espagnols contrôlaient à la fin du XVIᵉ siècle l'essentiel de Luçon et le nord de l'île de Mindanao. Les régions montagneuses, d'accès difficile, demeu-rèrent longtemps insoumises. La domination espagnole fut contestée par plusieurs autres puissances maritimes : une flotte hollandaise était battue à Corregidor en 1646, la Grande-Bretagne occupait les Philippines entre 1762 et 1764. Important centre commercial entre l'Europe et les Amériques, les Espagnols en conservèrent longtemps le contrôle : des galions partaient encore régulièrement d'Espagne pour Acapulco en 1811. Le monopole espagnol disparut progressivement : les marchands étrangers pouvaient commercer librement à Manille dès les années 1830. L'activité commerciale des Philippines connut un regain d'activité avec l'ou-

verture du canal de Suez (1869). Les mouvements nationalistes apparurent à la fin du XIXᵉ siècle. Une révolte éclatait à Cavite en 1872. Andres Bonifacio créait en 1892 une organisation nationaliste secrète, la Katipunan. La révolution qu'elle déclenchait en août 1896 ne put être réprimée qu'après plusieurs mois. La guerre hispano-américaine éclatait en 1898 : les Philippins ayant reçu l'assurance des Etats-Unis de se voir accorder l'indépendance, ils se rangèrent à leurs côtés. Les espoirs philippins furent déçus, l'Espagne cédant les îles aux Etats-Unis par le traité de Paris (1898). Une guérilla de résis-

tance se développait et durait plusieurs années. Un Parlement philippin était élu en 1902, ses pouvoirs étaient élargis en 1916. L'autonomie était accordée en 1934, l'indépendance promise pour 1946. Occupées par les Japonais en 1941, les Philippines furent reconquises par les troupes américaines entre octobre 1944 et mai 1945. L'indépendance était octroyée en 1946. Le traité signé en 1947 et garantissant aux Etats-Unis des bases militaires pour 99 ans était modifié en 1959 et limité à 25 ans. La guérilla, la corruption et une situation économique désastreuse contraignaient le gouvernement philippin à remettre en

1950 aux Etats-Unis la responsabilité complète du commerce, de l'industrie et de la politique financière. De profondes réformes furent mises en place. Elu en 1965, le président Ferdinando Marcos exerçait avec sa femme Imelda une politique autoritaire marquée par la corruption. La loi martiale, en vigueur de 1972 à 1981, permettait au régime de se maintenir. Les responsables de l'assassinat (21 août 1983) du principal chef de l'opposition, Benigno Aquino, ayant été innocentés en décembre 1985, un soulèvement populaire portait au pouvoir sa veuve, Cory Aquino. Marcos était contraint de fuir le 25 février 1986.

Pologne

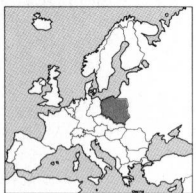
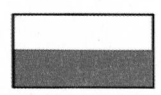

PL
Europe de l'Est
312 677 km²
36,6 M hab.
ONU,
COMECON, PV

Capitale : Varsovie (1,63 M hab.)
Langue officielle : polonais
Religions : cath. (95 %)
Régime polit. : rép. pop. social. depuis la Constitution du 22 juillet 1952

Des tribus slaves commencèrent à s'installer sur le territoire de l'actuelle Pologne au IXᵉ siècle av. J.-C. : elles formèrent de petites fédérations soumises à l'autorité de chefs élus. Une aristocratie émergea à partir du VIIᵉ siècle ap. J.-C., les populations se sédentarisèrent autour de châteaux et de villes fortifiées. Plusieurs tribus s'unifièrent au Xᵉ siècle : le premier souverain polonais historique, Mieszko Iᵉʳ (vers 960-992), fondait la dynastie des Piast. Sa tentative d'étendre son duché vers le nord-ouest était stoppée en 963 par les armées du margrave Gero. Il se convertissait au christianisme après de longues négociations avec Rome et Byzance et bénéficia dès lors de l'appui de l'empereur romain germanique. Il entreprit une modernisation du royaume et l'agrandit en soumettant la Poméranie, les Slaves de l'Elbe et les tribus de Silésie, dépendantes des souverains przemyslides de Bohême. Son fils, Boleslas Iᵉʳ le Vaillant, annexait en 1018 la Lusace, la Moravie, les pays tchèques et la Slovaquie mais devait abandonner Prague et Kiev. Il devenait en 1025 le premier roi de Pologne. Mais le royaume était divisé, les princes silésiens prêtaient hommage à la Bohême à la fin du XIIIᵉ siècle. L'essor culturel de la Pologne fut brisé par l'invasion des Tatars, qui dévastèrent la Petite-Pologne et la Pologne centrale en 1241. Malgré les rivalités internes, la Pologne avait trouvé son identité nationale.

L'ascension du royaume de Pologne
La colonisation occidentale de la Pologne, peu peuplée, avait commencé au XIIᵉ siècle : des paysans d'origine germanique s'y installèrent en grand nombre, essentiellement en Basse-Silésie et en Poméranie. L'immigration, favorisée par les princes religieux et temporels, culminait aux XIIIᵉ et XIVᵉ siècles. Le duc Conrad Iᵉʳ de Mazovie, un Piast, faisait appel en 1225 aux chevaliers Teutoniques pour lutter contre les invasions prussiennes. L'Ordre allemand s'implantait à Torun, et constituait un Etat indépendant et puissant ; il était battu en 1331 mais obtenait la Poméranie. Elue reine de Pologne en 1384, Hedwige, fille du roi Louis de Hongrie et de Pologne (1370-1382), était contrainte d'épouser le grand-duc de Lituanie Jagellon en 1386. Sous le nom de Ladislas II celui-ci unifiait la Pologne et la Lituanie. La Pologne-Lituanie devenait au XVᵉ siècle la plus grande puissance d'Europe orientale. Les chevaliers Teutoniques étaient vaincus en 1410 à la bataille de Tannenberg et lors de la « guerre des villes » (1454-1466), donnant à la Pologne l'accès à la Baltique. L'Etat germanique était sécularisé en 1525, devenant sous suzeraineté polonaise le duché de Prusse. La Courlande et la Livonie étaient annexées en 1561. La lignée mâle des Jagellons s'étant éteinte en 1572, la monarchie polonaise devenait élective. Chaque élection permit aux puissances européennes d'intervenir dans le choix du candidat en fonction de leurs intérêts. La puissance polonaise diminua constamment au cours des deux siècles suivants. Les guerres de succession contre la Suède furent ininterrompues entre 1601 et 1660. La Pologne était en grande partie occupée par les Suédois en 1655 : elle perdait la Livonie et l'Ukraine au profit de la Russie par les traités de paix d'Oliva (1660) et d'Androussovo (1667). La Prusse avait acquis son indépendance. L'hostilité entre les magnats et la noblesse affaiblissaient l'Etat, qui dut faire appel à des forces étrangères.

Les partages de la Pologne
La Prusse, la Russie et l'Autriche intervenaient dans la guerre civile qui éclatait en Pologne en 1768. Les trois puissances retiraient à la Pologne lors du premier partage près de 30 % de son territoire. La Russie et la Prusse intervenaient à nouveau en 1793, un second partage intervenait la même année. Ce qui restait alors de la Pologne était trop épuisé pour être économiquement ou politiquement viable. La révolte qui éclatait contre les occupants en 1794 s'achevait par la disparition complète de la Pologne souveraine. La conscience nationale des Polonais empêcha toutefois l'intégration complète au sein des divers territoires annexés. La défaite de la Prusse devant Napoléon en 1806 permit la constitution du duché de Varsovie, qui était agrandi au détriment des territoires acquis par l'Autriche lors du troisième partage. Le congrès de Vienne ramena en 1815 le duché de Varsovie, à des proportions plus modestes. Devenu royaume de Pologne, le duché était rattaché par union personnelle avec le tsar à la Russie, qui entamait une brutale russification. Toutes les tentatives, elles furent nombreuses, de restauration de l'unité polonaises furent réprimées. La Pologne, qui devenait une république, ne retrouva son indépendance qu'après la Première Guerre mondiale (1918).

La République de Pologne
Le premier problème que devait résoudre Jósef Pilsudski, le premier président de la République, était celui de la fixation des frontières. Les régions du Nord-Est avec Vilna et la Galicie orientale étaient annexées en 1919. Le traité de Versailles accordait également à la Pologne la Prusse occidentale et la province de Poznan ; la Haute-Silésie était divisée après référendum avec l'Allemagne. A l'Est, Pilsudski lançait en mai 1920 une offensive contre l'Armée Rouge : sa victoire lui permettait en août d'annexer une bande de territoire de 200 km à l'Est de la ligne Curzon. La nouvelle frontière orientale de la Pologne était reconnue par les Alliés en 1923. L'instabilité des institu-

tions démocratiques conduisait Pilsudski à démissionner puis à reprendre le pouvoir grâce à un coup d'État, deux ans plus tard (12-14 mai 1926). Il ajournait la Diète et, muni des pleins pouvoirs, épurait l'armée et l'administration : la Constitution du 23 avril 1935 établissait un régime autoritaire. Deux armées envahissaient la Pologne en septembre 1939 : la Wehrmacht à l'Ouest, l'Armée Rouge à l'Est. Hitler et Staline partageaient la Pologne en deux zones d'occupation. Le gouvernement polonais, qui s'était réfugié en Roumanie, y était emprisonné. Le général Vladislav Sikorski constituait le 30 septembre à Paris un gouvernement d'exil. Un gouvernement d'union nationale dirigé par les communistes rentrés de Moscou était formé après la libération, le 28 juin 1945. La conférence de Potsdam fixait le 2 août 1945 la frontière occidentale de la Pologne sur la ligne Oder – Neisse (reconnue par la RDA en 1950 et acceptée par la RFA en 1970). A l'Est, la frontière polonaise était fixée en accord avec l'URSS sur la ligne Curzon, le conflit frontalier avec la Tchécoslovaquie à propos de la Silésie était réglé le 10 mars 1947. Le déplacement de 100 à 200 km de la frontière occidentale entraîna de même qu'en Prusse l'exode de centaines de milliers d'Allemands, de Polonais et de Russes. Après la nationalisation de l'industrie, des banques et des transports, une économie planifiée était instaurée en 1948, la collectivisation des terres était achevée en 1949. Les troubles populaires de 1970 et 1980, dus aux insuffisances alimentaires et du logement provoquèrent une grave crise politique au sein du régime. Le syndicaliste Lech Walesa fondait en 1980 un mouvement syndical populaire indépendant et bénéficiant du soutien de l'Eglise catholique, « Solidarité ». Le gouvernement réagissait en proclamant en 1981 la loi martiale, qui ne sera suspendue qu'en 1983. Malgré l'arrestation de plusieurs dirigeants de Solidarité et la répression policière, le général Jaruzelski, au pouvoir depuis 1981, ne parvenait pas à résoudre les crises économique et politique.

Portugal

P
Europe
du Sud-Ouest
92 082 km²
10,1 M hab.
ONU, EFTA,
CE, OTAN,
OCDE

Capitale : Lisbonne (830 000 hab.)
Langue officielle : portugais
Religions : cath. (98 %)
Régime polit. : rép. parlem. et dém. depuis la Constitution du 2 avril 1976

L'actuel Portugal est habité depuis le néolithique. Des relations avec les cultures méditerranéennes sont établies vers 500 av. J.-C. Les marchands phéniciens, carthaginois et grecs fréquentaient régulièrement les côtes portugaises. La conquête romaine commença en 154 av. J.-C. La tribu celte des Lusitaniens opposa au Sud une vive résistance aux légions romaines jusqu'à l'assassinat de leur chef, Viriathus, en 139 av. J.-C. Les peuples du Portugal ne furent définitivement soumis que sous le règne d'Auguste, leurs territoires étaient constitués en province de Lusitania. Lorsque les barbares bous-

culèrent la frontière romaine du Rhin, en 406 ap. J.-C., la tribu germanique des Suèves traversa la Gaule et s'implanta au Portugal où elle fondait un royaume. Les Wisigoths, qui constituaient un royaume en Espagne, conquirent en 469 les territoires suèves. L'ensemble de la péninsule ibérique passait sous domination maure. Les Wisigoths tentèrent en vain de résister à l'invasion arabe, les autres tribus se rendirent. Le Portugal était intégré à l'émirat de Cordoue. A l'extrême nord-ouest de la péninsule, quelques royaumes chrétiens (Asturies, León) parvinrent à se maintenir, constituant le foyer de départ de la *Reconquista*, reconquête de la péninsule sur les Maures. Le roi Alphonse VI de Castille et de León donnait le duché de Portugal en apanage à son gendre, Henri de Bourgogne, en 1095. Le Portugal était encore occupé par les Maures : les Bourguignons achevaient sa reconquête en 1249 et se rendaient de plus en plus indépendants de la souveraineté castillane. Le roi Denis fixait en 1297 les frontières avec l'Espagne, faisant ainsi du Portugal le premier Etat européen à réaliser son unité territoriale. Le Portugal connut un important essor culturel et économique sous son règne : il avait fondé en 1290 la première université portugaise

à Lisbonne, les relations commerciales, soutenues par la construction d'une flotte importante, s'étendirent rapidement. La maison de Bourgogne était évincée du trône en 1385 après plusieurs années de luttes par la maison apparentée des Aviz. Jean Iᵉʳ (1385-1433) renforça la flotte de commerce, tandis que Lisbonne devenait l'un des plus importants centres commerciaux d'Europe. La prise de la ville marocaine de Ceuta, enrichie par son commerce, ouvrait au Portugal les portes de l'Afrique. Fils de Jean Iᵉʳ, le roi Henri le Navigateur organisa méthodiquement les expéditions de reconnaissance. Jean II (1481-1495) poursuivit cette politique maritime, axée sur la recherche de la route des Indes : Vasco de Gama la découvrait trois ans après sa mort. Les colonies s'ajoutèrent les unes aux autres : Goa, Malacca, Macao, le Brésil, Luanda, le Mozambique, l'Angola, dont les richesses affluaient au Portugal. Mais cette fortune ne fut pas employée pour le développement de l'économie portugaise : on empêchait même la création et le développement des entreprises artisanales. Le Portugal oublia de créer les bases d'une économie qui aurait survécu à l'époque coloniale. Les derniers rois de la dynastie Aviz, Sébastien et Henri, mouraient en 1578

et 1580. Le Portugal, qui conservait son autonomie, fut gouverné jusqu'en 1640 par les rois d'Espagne. Jean IV fondait la dynastie de Bragance et faisait garantir par plusieurs traités l'indépendance du Portugal (1640). Le pays retrouva une grande prospérité sous le règne de Jean V (1707-1750). Jean VI fut contraint par les Cortes en 1822 d'accepter une constitution. Mais le Parlement restait sous contrôle étroit de la monarchie et le parti républicain se développait rapidement après 1870. La monarchie était renversée et la république proclamée en 1910 ; la situation économique et politique du pays demeura instable jusqu'à l'arrivée au pouvoir du dictateur António de Oliveira Salazar, en 1928. La révolution de 1974 chassait Salazar et une nouvelle constitution était adoptée en 1976. Le nouveau régime menait une politique socialiste, nationalisant les banques et les principales entreprises : les résultats catastrophiques de cette politique conduisaient le gouvernement à mener une politique plus libérale après 1980. L'étonnante défaite des socialistes aux élections anticipées du 6 octobre 1985 entraînait la formation d'un gouvernement social-démocrate dirigé par Annibal Caraco Silva. L'accord d'entrée dans la CEE était signé le 12 juin.

Qatar

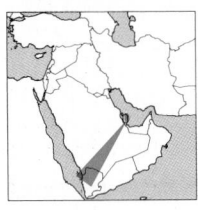
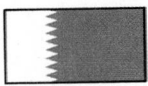

Q
Proche-Orient
11 427 km²
280 000 hab.
ONU, LA, CCG,
OPEP

Capitale : al-Dawha (209 000 hab.)
Langue officielle : arabe
Religions : musulm. (96 %)
Régime polit. : émirat. Indépendance proclamée le 1ᵉʳ septembre 1971

Après avoir été l'enjeu de luttes entre Perses et Arabes pendant plusieurs siècles, l'histoire du Qatar commence au XVIIIᵉ siècle, lorsque la famille al-Thani émigra d'Arabie pour s'installer sur la péninsule de Qatar. Les Britanniques, qui contrôlaient la région côtière du golfe persique depuis le milieu du XIXᵉ siècle, soutinrent l'ascension des al-Thani, qui s'engagèrent à ne laisser s'implanter aucune autre puissance au Qatar. Les traités de protectorat de 1868 étaient renouvelés en 1916. Lorsque la Grande-Bretagne annonça en

1968 son intention de se retirer du golfe, elle entreprit des négociations afin de constituer une fédération indépendante des émirats arabes. Mais le Qatar préféra son indépendance, acquise le 1ᵉʳ septembre 1971. Au pouvoir depuis 1970, le cheikh Khalifa ibn Ahmad al-Thani devenait Premier ministre du Qatar indépendant et ratifiait deux jours plus tard un nouveau traité de coopération avec la Grande-Bretagne ; le pays était admis au sein de la Ligue arabe et de l'ONU. L'émir Ahmed ibn Ali al-Thani était renversé lors du coup

d'Etat du 22 février 1972 par son Premier ministre et cousin Khalifa ibn Ahmad al-Thani, qui bénéficia du soutien de la famille royale. Le nouvel émir poursuivait la politique de modernisation du pays et prenait en 1974 le contrôle de toutes les sociétés pétrolières implantées au Qatar. La richesse en pétrole et en gaz naturel (exploités depuis 1949) ont favorisé une importante arrivée de main-d'oeuvre étrangère, iranienne et pakistanaise en particulier : les immigrés représentent 80 % de la population du Qatar.

République Centrafricaine

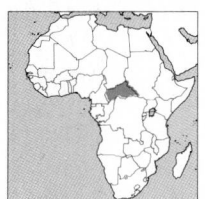
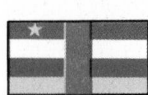

RCA
Afrique centrale
622 984 km²
2,4 M hab.
ONU, OUA

Capitale : Bangui (187 000 hab.)
Langue officielle : français
Religions : animistes (60 %), chrét., musulm.
Régime polit. : république président. depuis le 1ᵉʳ décembre 1958

Les populations les plus anciennes de l'actuelle République Centrafricaine fu-

rent des pygmées, les Babingas, et des tribus bantoues. Les trois royaumes bandas furent créés au début du XIXᵉ siècle par l'association des Bandas et des Zandés. Le pays fut la proie pendant plusieurs siècles d'une intense chasse aux esclaves, qui se renforça au XIXᵉ siècle. Le Haut-Oubangui passait en 1875 sous contrôle administratif de l'Egypte. Les Français, implantés dans le bassin du Congo, commençaient la conquête du Nord en 1885. Bangui était fondée en 1889. Après l'échec de la mission Marchand (1898), la France devait évacuer le bassin du Nil et le Bahr el-Ghazal. L'Oubangui-Chari devient colonie en 1905 et est associé aux

colonies du Congo et du Tchad pour former l'Afrique-Equatoriale française. L'exploitation forcenée du pays par les compagnies concessionnaires provoqua l'éclatement de plusieurs révoltes dont une expédition militaire ne venait à bout qu'en 1911. L'Oubangui-Chari devenait en 1946 territoire d'outre-mer au sein de l'Union française : Barthélemy Boganda, leader du mouvement indépendantiste, représentait le pays à l'Assemblée nationale française. Il fondait en 1950 le Mouvement économique et social de l'Afrique noire (MESAN). L'Oubangui-Chari obtenait en 1956 un statut d'autonomie interne puis proclamait la République Centrafricaine, le

1ᵉʳ décembre 1958. Après la mort accidentelle de Boganda (mars 1959), son cousin David Dacko prenait la tête de l'Etat. L'indépendance officielle était acquise en 1960. LE MESAN devenait parti unique en 1962. Le putsch militaire du 31 décembre 1965, dirigé par le colonel Jean Bedel Bokassa, cousin de Dacko, mettait fin à un régime qui n'avait pas su endiguer une misère croissante. Bokassa abrogeait la Constitution et dissolvait le Parlement : secrétaire général du MESAN, il se nommait président à vie en 1972, menant une répression impitoyable contre toute forme d'opposition à la dictature. La république devenait une monarchie en

République Centrafricaine

décembre 1976 et Bokassa Iᵉʳ se sacrait en 1977 empereur de Centrafrique. Ayant pris prétexte d'un complot pro-chinois lors de son putsch, Bokassa rompait toute relation diplomatique avec la Chine en 1966; s'étant séparé du Zaïre et du Tchad, la République Centrafricaine se rapprochait du Gabon et du Congo en intégrant l'Union douanière et économique de l'Afrique centrale (UDEAC). La réconciliation avec le Zaïre du président Mobutu n'avait lieu qu'en 1970, alors

que le pays se rapprochait des pays socialistes. L'opposition en exil s'unissait en un front commun en 1979. Bokassa Iᵉʳ était renversé alors qu'il séjournait en Libye par David Dacko, avec l'appui de la France. Dacko rétablissait aussitôt la république, dont il prenait la présidence, mais n'admettait que très peu de représentants de l'opposition politique en exil dans le gouvernement qu'il formait. Il remportait les élections présidentielles de mars 1981 avec 50,23 % des voix.

Mais un nouveau coup d'Etat militaire le contraignait le 1ᵉʳ septembre à céder la place au chef d'état-major de l'armée, le général André Kolingba. L'Assemblée était dissoute, le Comité militaire pour la reconstruction nationale présidé par Kolingba remplaçait le gouvernement. Un coup d'Etat militaire soutenu par le Mouvement de libération du peuple centrafricain (MLPC) échouait en 1982. Kolingba annonçait à l'occasion du premier anniversaire de son putsch

un retour progressif en trois ans à un régime démocratique. L'opposition politique demeurait néanmoins en exil, principalement en France, où elle dispose de nombreux sympathisants. Accusé de complot, l'ancien recteur de l'université de Bangui, Abel Goumba, était condamné en 1983 à cinq ans de prison et dix ans de privation de ses droits civiques. Goumba était gracié en août 1983 lors de l'amnistie accordée à 64 prisonniers politiques.

République Dominicaine

DOM
Amérique centrale
48 734 km²
6 M hab.
ONU, OEA

Capitale : Saint-Domingue (1,5 M hab.)
Langue officielle : espagnol
Religions : cath. (98 %)
Régime polit. : rép. présid. Indépendance proclamée le 27 février 1844

Le territoire de l'actuelle République Dominicaine correspond à la partie orientale de l'île caraïbe d'Hispaniola (Saint-Domingue). La première colonisation d'Hispaniola eut probablement lieu entre 5000 av. J.-C. et 2500 av. J.-C. Venant du Venezuela, des Amérindiens Arawaks colonisaient l'île vers 700 ap. J.-C. et y introduisaient l'agriculture.

Colonisation et indépendance
L'île était découverte par Christophe Colomb en 1492. La colonisation euro-

péenne commença dès l'an suivant : la population indienne fut décimée et remplacée par des esclaves noirs. Les Français conquéraient l'île en 1695 mais n'en conservèrent que la partie occidentale (Haïti) après le traité de Ryswick (1697). L'Espagne cédait ses territoires à la France révolutionnaire en 1795 mais une révolte des créoles hispanophones en chassait les Français en 1808. L'actuel territoire de la République Dominicaine était reconquis contre les Espagnols par les Haïtiens en 1821, mais l'indépendance dominicaine était proclamée en 1844. L'Espagne parvenait à reprendre pied sur l'île entre 1861 et 1865. Après avoir recouvré son indépendance, la république demeura très instable politiquement : les Etats-Unis prenaient en 1905 en échange d'un prêt de 20 millions de dollars le contrôle des douanes dominicaines puis, de 1907 à 1940, le contrôle total des finances nationales. Les troupes américaines intervenaient en 1916 et n'évacuaient la République Dominicaine qu'en 1924.

La dictature de Trujillo
Rafael Leónidas Trujillo, commandant

en chef de l'armée formée par les Etats-Unis, prenait par son coup d'Etat de 1930 le contrôle du pays : lui et sa famille prirent au sens propre possession du pays et l'exploitèrent sous un régime de terreur jusqu'en 1962. Trujillo, tout d'abord soutenu par les Etats-Unis, devint l'un des hommes les plus riches du monde. Washington se détourna du dictateur sous la pression des protestations des Etats d'Amérique latine. Bien que Trujillo ait confié le pouvoir à son frère Hector en 1952, ce n'est que vingt ans plus tard que purent se tenir les premières élections libres. La guerre civile qui éclatait après l'assassinat de Trujillo, le 30 mai 1961, réussit à contraindre le clan Trujillo à la fuite.

Guerre civile et démocratisation
Juan Bosch, candidat du Parti révolutionnaire dominicain (PRD), remportait les élections du 20 décembre 1962. Il était renversé par un putsch militaire le 25 septembre 1963 : son successeur et chef de la junte militaire, Reid Cabral, était à son tour renversé le 24 avril 1965 par les partisans de Bosch. Soutenues par plusieurs autres pays

d'Amérique latine, les troupes américaines intervenaient le 28 avril et imposaient, le 19 mai, un cessez-le-feu dans la guerre civile. Les élections de juin 1966 étaient remportées par le conservateur Joaquin Balaguer, qui remportait également celles de mai 1970, malgré l'appel au boycottage lancé par le PRD. Bosch refusait en effet la modification constitutionnelle permettant le renouvellement du mandat présidentiel quadriennal. Balaguer était réélu pour la deuxième fois en 1974. Les élections de 1978 étaient toutefois remportées par le PRD. Devenu chef du PRD après le retrait de Bosch en 1973, Antonio Guzmán Fernández devenait président de la République. Les garanties constitutionnelles étaient rétablies. Salvador Jorge Blanco, également membre du PRD, devenait président en août 1982. Essentiellement exportatrice de matières premières agricole (sucre, café, cacao), l'économie dominicaine est extrêmement dépendante de ses importations pétrolières : la mise en place du plan de redressement prévu par le FMI provoquait en 1984 et 1985 d'importants troubles sociaux.

Roumanie

RO
Europe du Sud-Est
237 500 km²
22,7 M hab.
ONU,
COMECON, PV

Capitale : Bucarest (2,2 M hab.)
Langue officielle : roumain
Religions : roumains-orthod. (80 %)
Régime polit. : république socialiste populaire proclamée le 30 décembre 1947

Les régions balkaniques sont peuplées depuis l'époque paléolithique (200 000 à 100 000 av. J.-C. environ) : l'une des plus anciennes cultures européennes y vit le jour vers 7000 av. J.-C. Des peuples d'éleveurs nomades venant des steppes russes migrèrent progressivement vers l'Ouest (v. 3500 av. J.-C.). Des tribus thraces, les Daces, arrivaient vers 2000 av. J.-C. dans les Carpates :

les steppes du Sud et de l'Est furent successivement occupées par les Cimmériens (v. 1200-700 av. J.-C.), les Scythes (v. 700-300 av. J.-C.) et les Sarmates (v. 700 av. J.-C.-200 ap. J.-C.). Des Celtes arrivaient également dans la région au IIIᵉ siècle av. J.-C. : la chute de l'Empire macédonien, à la fin de ce siècle, marquait le début de l'expansion romaine vers l'Est. Les ancêtres des Roumains purent défendre leur indépendance jusqu'en 106 ap. J.-C., lorsque l'empereur romain Trajan soumit le pays à l'issue de la guerre des Daces et l'annexa sous le nom de province de Dacie à l'Empire romain. L'empereur Aurélien était contraint d'abandonner la Dacie en 271 sous la pression des Barbares (Goths) et ne conservait que la Dobroudja, qui appartiendra à Byzance jusqu'au VIIᵉ siècle. Les empereurs d'Orient Constantin Iᵉʳ et Justinien Iᵉʳ tentèrent en vain de reconquérir la Dacie. Les légions romaines s'étaient heurtées en 214 sur la frontière dace aux Goths, que leur migration avait poussés

jusqu'à la péninsule balkanique. Les Romains avaient dû se retirer, submergés par la poussée barbare. Le royaume érigé par les Goths put se maintenir pendant deux siècles : il était dévasté au cours des IVᵉ et Vᵉ siècles par les Gépides puis par les Huns ; les Avars l'envahissaient au VIᵉ siècle et maintinrent leur domination pendant deux siècles également. Parallèlement, les Slaves arrivèrent en Dacie au cours des VIᵉ et VIIᵉ siècle, se mêlant à la population romanisée. Les envahisseurs qui succédèrent aux Romains formaient une aristocratie politique mais ne marquèrent guère de leur influence la culture locale, qui conserva l'essentiel de ses traits originaux.

Les principautés roumaines
Les tribus se regroupèrent du Xᵉ au XIIIᵉ siècle en principautés autonomes, les voïévodies. La Transylvanie fut envahie au cours des Xᵉ et XIᵉ siècles par les Magyars puis accueillit vers 1150 des paysans mosellans saxons, appelés

par le roi Géza Iᵉʳ. Plusieurs principautés danubiennes autonomes apparaissaient au XIVᵉ siècle : la Valachie en 1310, la Moldavie en 1352/1353. La Transylvanie tombait en 1541 sous le joug ottoman mais conserva une certaine autonomie interne ; elle passait sous la domination de la maison autrichienne des Habsbourg en 1691. La Moldavie et la Valachie ne furent pas occupées par les Ottomans mais furent soumises à un tribut. Le sultanat tenta constamment mais vainement de conquérir les principautés roumaines. La résistance à la pression ottomane connut ses heures de gloire sous les règnes des princes valaques Mircea le Grand (1386-1418) et Vlad Tepes, dit Dracula (« l'Empaleur », 1456-1462, 1476), héros national roumain, ainsi que sous le règne du prince moldave Étienne le Grand (1457-1504). Le prince valaque Michel le Brave battait les Ottomans en 1595 à Calugareni et réussissait à les chasser définitivement en 1598. La Valachie annexait la Transylvanie en 1599 puis la Moldavie l'an suivant, unissant pour la première fois les trois principautés roumaines. Mais cette union est aussitôt vaincue par les Habsbourg. Les voïévodes se tournent alors vers Constantinople. Afin de briser la résistance des principautés, les Turcs leur imposèrent à partir du début du XVIIIᵉ siècle des souverains issus de la noblesse grecque : en Moldavie en 1711, en Valachie en 1716. Ce système fut maintenu jusqu'en 1822, tandis que l'influence russe sur les principautés danubiennes ne cessait de se renforcer. La Russie s'imposa après le traité de Kutchuk-Kaïnardji (1774) comme la puissance protectrice des populations orthodoxes des principautés, substituant progressivement sa tutelle politique à celle de la Porte. L'ensemble du territoire roumain était occupé par les Russes de 1828 à 1834. Le protectorat de la Russie ne prit fin qu'en 1856 avec sa défaite lors de la guerre de Crimée. L'Empire ottoman recouvrait sa souveraineté sur les principautés danubiennes, par ailleurs placées sous protectorat des sept puissances signataires du traité de Paris. La révolte organisée par les princes roumains en 1848 fut

vaincue par une coalition russe, autrichienne et ottomane. Bien que les principautés aient été gouvernées de manière autonome depuis plusieurs siècles, un sentiment national roumain avait pu se former. Les principautés ne se battaient plus seulement au début du XIXᵉ siècle pour leur autonomie, mais aussi pour leur unification. Les puissances du protectorat étaient divisées à ce sujet : la Turquie, la Russie, l'Autriche et la Grande-Bretagne impérialistes s'y opposaient, tandis que la France, la Prusse et la Sardaigne soutenaient les revendications roumaines. Le traité de Paris avait prévu des élections en Valachie et en Moldavie ; il fut décidé en 1858 qu'elles devraient élire des princes et des parlements distincts. Mais les deux assemblées parlementaires choisirent en 1859 un candidat commun pour le trône, Alexandru Cuza.

La Roumanie unifiée

Alexandru Cuza (1859-1866) unifiait les deux principautés le 23 décembre 1861 ; le nouvel Etat prenait le nom de Roumanie et sa capitale était fixée à Bucarest. La Roumanie proclamait son

indépendance le 9 mai 1877, décision entérinée par le congrès de Berlin en 1878. Cédant aux instances russes, la Roumanie demeura tout d'abord neutre au cours de la Première Guerre mondiale mais déclarait finalement la guerre à l'Autriche-Hongrie le 27 août 1916 dans l'intention de reprendre à la Hongrie la Transylvanie, de population roumaine. Les traités de paix de 1919-1920 lui donnèrent satisfaction sur ce point. La Roumanie adhérait en 1934 à l'Entente balkanique, comprenant également la Grèce, la Yougoslavie et la Turquie, dont le but était la défense des frontières acquises. L'invasion italienne en Yougoslavie et en Grèce fit éclater l'Entente. Alliée à la France au début de la Deuxième Guerre mondiale, la Roumanie se rapprochait des puissances de l'Axe après la défaite française et entrait en guerre aux côtés de l'Allemagne le 22 juin 1941. Le régime pronazi était renversé par la Résistance en 1944 ; la Roumanie capitulait sans conditions et était occupée par l'Armée rouge. Le roi Michel abdiquait le 30 décembre 1947, la République populaire de Roumanie était proclamée le même jour.

La République populaire

Il avait été interdit aux partis opposés à la coalition de gauche de prendre part aux élections de 1946 : ils furent interdits et leurs principaux dirigeants arrêtés en 1947. La Constitution du 13 avril 1948 préparait la transition politique vers un régime communiste. Les banques, les transports et l'industrie furent nationalisés en 1948, la collectivisation forcée des terres commençait en 1949 et ne s'achevait qu'en 1962. La Roumanie adhérait en 1949 au COMECON, en 1955 au Pacte de Varsovie et à l'ONU. L'occupation soviétique prenait fin en 1958 et le comité central du parti communiste mettait en place en 1964 une politique de « la voie roumaine », autonome par rapport à l'URSS. La République socialiste populaire de Roumanie était proclamée le 21 août 1965. En dehors des pays du bloc socialiste, la Roumanie entretient des rapports politiques et commerciaux avec la Yougoslavie, la Chine, les pays occidentaux européens, les Etats-Unis et, seul parmi les pays socialistes, avec Israël. Nicolae Ceaucescu, à la tête du parti depuis le 19 mars 1965, est également à la tête de l'Etat depuis le 9 décembre 1967.

Rwanda

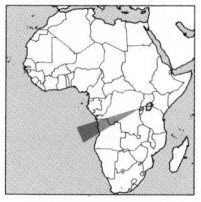

RWA
Afrique orientale
26 338 km²
5,7 M hab.
ONU, OUA

Capitale : Kigali (155 000 hab.)
Langues officielles : français, kinyarwanda
Religions : animistes (50 %), cath., prot.
Régime polit. : rép. présid. Indépendance proclamée le 1ᵉʳ juillet 1962

L'actuel Rwanda (ou Ruanda) est peuplé depuis la préhistoire mais n'entre véritablement dans l'histoire qu'avec

l'apparition de la dynastie banyiginya, au XIVᵉ siècle. Les rois Banyiginya étendirent leur domination au-delà des actuelles frontières rwandaises : leur Etat était divisé en districts abritant chacun une résidence royale et gouverné par un représentant de chacune des deux principales ethnies, les Hutus et les Tutsis. Un Hutu était responsable des terres, un Tutsi des pâturages. Les Tutsis, peuple d'éleveurs, s'étaient implantés plus tard que les Hutus et leur chef Ruganzu Bwimba fonda au XVᵉ siècle un royaume très étendu. Les Hutus furent progressivement soumis, ils constituent encore aujourd'hui une classe dominée. Les premiers contacts avec les Européens ne survinrent

qu'après 1890. Passé sous domination allemande, le Rwanda devenait résidence autonome en 1908. Des combats opposent de septembre 1914 à mai 1916 Belges et Allemands, qui doivent se replier sur l'Urundi. La Belgique obtient le 21 avril 1919 un mandat de la SDN sur le Rwanda-Urundi. Mais l'autorité du roi sur les chefferies disparaissait progressivement : le roi Musinga était déposé en 1931 et remplacé par son fils, Mutara III. Les élections organisées sous contrôle de l'ONU en 1952 profitaient surtout aux Tutsis, qui éliminent les Hutus des postes-clé. Le parti de l'émancipation du peuple hutu (Parmehutu) s'emparait du pouvoir à la mort du roi Mutara, en 1959. L'élite

tutsi devait fuir. Le gouvernement provisoire créé par Grégoire Kayibanda proclamait la république le 28 janvier 1961 puis l'indépendance, le 1ᵉʳ juillet 1962, simultanément au Burundi, issu comme le Rwanda du Rwanda-Urundi et séparé du Congo belge depuis 1960. La réaction contre les Tutsis se poursuivit jusqu'au coup d'Etat du général Juvénal Habyarimana, en juillet 1973. Une nouvelle constitution était adoptée par référendum le 17 décembre 1978 et le général Habyarimana était élu à la présidence de la République le 24 décembre : il mettait en place une politique d'apaisement national sur le plan intérieur et mène sur le plan extérieur une politique de non-alignement.

Sahara

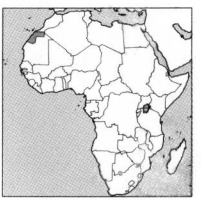

DARS
Afrique du Nord
266 000 km²
140 000 hab.
OUA

Capitale : El Aaioun (20 000 hab.)
Langues officielles : arabe, espagnol
Religions : musulm. (99 %)
Régime polit. : république arabe démocratique proclamée le 27 février 1976

Le Sahara est habité par l'homme depuis la préhistoire. Les Phéniciens établirent dès le IVᵉ siècle av. J.-C. des

comptoirs sur ses côtes, sans toutefois entretenir de contacts réguliers avec les habitants de l'arrière-pays. Les Romains entrèrent également en contact avec les peuples du Sahara. Le pays était conquis au Moyen Age par les Berbères, qui furent soumis en 640 par des Arabes musulmans. Les Portugais débarquaient en 1346 sur les côtes sans entreprendre l'exploration de l'intérieur. Des marchands écossais et espagnols s'aventuraient au-delà des côtes vers le milieu du XIXᵉ siècle. Après la ratification d'accords entre les tribus côtières et les Espagnols en 1884, le Sahara devenait protectorat espagnol. Le Sahara espagnol se limitait en fait à la région côtière, l'intérieur étant menacé par des

tribus rebelles et par la présence française en Mauritanie. Colonie espagnole jusqu'en 1958, le Sahara devint ensuite province. Lorsque l'Espagne se décida à décoloniser la région, en 1974, la Mauritanie et le Maroc s'unirent pour partager l'ancien Sahara espagnol. Mais ces visées furent combattues par le Front Polisario (pour la libération de la Saguia El Hamra et du Rio de Oro), créé en mai 1973 et soutenu par l'Algérie. Le Maroc annexait la Saguia El Hamra, riche en phosphates, en novembre 1975. Le Polisario proclamait l'indépendance du Sahara le 27 février 1976 et entamait avec 12 000 combattants une guerre de libération contre la Mauritanie et le Maroc. L'indépendance était reconnue

par l'ONU et l'OUA. Après plusieurs interventions marocaines et française, un accord de paix était signé avec la Mauritanie en août 1979. Le Maroc réagissait par une contre-offensive et la construction d'un « mur » de 1100 km entre montagne et mer, protégé électroniquement et isolant les zones économiques annexées. L'accord d'union intervenu entre le Maroc et la Libye le 31 août 1984 privait le Polisario d'un appui important ; il enregistrait par contre un important succès en novembre, ses représentants en exil ayant été invités à participer à la conférence de l'OUA à Addis Abbeba : le Maroc se retirait alors en signe de protestation de l'organisation.

Saint Kitts et Nevis

Amérique
centrale
267 km²
60 000 hab.
ONU, CW,
CARICOM

Capitale : Basseterre (16 000 hab.)
Langue officielle : anglais
Religions : cath., prot.
Régime polit. : monarchie const. Indépendance obtenue le 19 septembre 1983

Saint Kitts (ou Saint Christopher) fut découverte ainsi que Nevis dans les Petites Antilles par Christophe Colomb en 1493. Des colons anglais s'y implantaient dès 1623, l'île constituant le premier établissement colonial durable des Indes occidentales. Les Français arrivaient deux ans plus tard, l'île était partagée entre les colons des deux puissances. Les plantations de canne à sucre et de coton constituaient l'essentiel de l'activité économique de Saint Kitts et de Nevis, où une colonie s'était

également implantée avec succès en 1628. La France reconnaissait par le traité de Versailles de 1783 la souveraineté de la Grande-Bretagne sur les deux îles. L'île d'Anguilla était annexée et rattachée administrativement à Saint Kitts et Nevis en 1882. Les deux îles formaient à partir du 27 février 1967 un Etat indépendant associé à la Grande-Bretagne au sein du Commonwealth. La population d'Anguilla s'estimant lésée par l'accord proclamait son indépendance en mai 1967. La Grande-

Bretagne intervenait sur l'île en 1969, rétablissant sa souveraineté en 1971. Anguilla obtenait en 1976 une constitution autonome mais restait intégrée à Saint Kitts et Nevis, avant de s'en séparer de nouveau en 1980, tout en restant dépendante de la Grande-Bretagne. Saint Kitts et Nevis accédait à l'indépendance le 19 septembre 1983 puis était admis à l'ONU : la reine Elisabeth II demeure le chef de l'Etat, le chef du gouvernement est, depuis 1980, Kennedy Alphonse Simmonds.

Saint-Marin

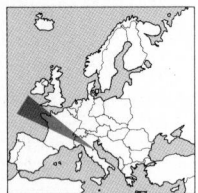

RSM
Europe du Sud
61 km²
22 000 hab.

Capitale : San Marino (4700 hab.)
Langue officielle : italien
Religions : cath.
Régime polit. : république parlementaire depuis la Constitution de 1569

C'est au IVᵉ siècle qu'un ermite chrétien, Marinus, se réfugia selon la tradi-

tion sur le monte Titano, au Sud de Rimini. La petite communauté qui s'était rassemblée s'élargissait en une commune laïque qui se fortifiait pour résister aux attaques des Normands et des Sarrasins. La première mention du Saint-Marin, nommé *Castellum Sancti Marini* apparaît en 754 dans le traité entre Pépin le Bref et le pape Etienne II. Saint-Marin prenait au XIIIᵉ siècle le nom de « république » et s'affranchissait de la tutelle vaticane lors des combats entre Urbino et Rimini. Les frontières définitives de la république étaient fixées en 1462. La Constitution de 1569, établissant un Grand Conseil

de 60 membres représentant par tiers la noblesse, la bourgeoisie et les paysans, faisait de Saint-Marin la première république et le plus petit Etat du monde. Son indépendance était reconnue par Rome en 1549 et 1631. La vie politique de Saint-Marin était troublée au cours des XVIIᵉ et XVIIIᵉ siècles par des luttes entre oligarchies dominantes et les revendications étrangères, notamment celles des papes, sur son territoire. L'indépendance de la république était reconnue par Bonaparte en 1797, qui proposa même d'en étendre le territoire, et, enfin, par le congrès de Vienne en 1815. Le Saint-Marin fut le seul Etat

qui conserva son indépendance lors de l'unification italienne en 1862. Un traité d'amitié (renouvelé en 1897, 1939, 1953 et 1971) était signé avec le royaume d'Italie, liant les deux Etats par une union douanière. Les frontières entre le Saint-Marin et l'Italie ne sont soumises à aucun contrôle, l'essentiel des fonctionnaires du petit Etat, qui ne peut les former, sont italiens. Le Grand Conseil est renouvelé par élection tous les quatre ans et présidé par deux capitaines-régents qui assurent le gouvernement par alternance tous les six mois. Le pays vit essentiellement du tourisme.

Saint Vincent

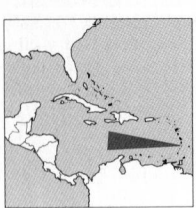

WV
Amérique
centrale
389 km²
123 000 hab.
ONU, OEA,
CARICOM, CW

Capitale : Kingstown (32 000 hab.)
Langue officielle : anglais
Religions : prot. en majorité
Régime polit. : monarchie const. Indépendance obtenue le 27 octobre 1979

L'île de Saint Vincent fut découverte en 1493 par Christophe Colomb. Plusieurs tentatives d'implantation britannique, française et hollandaise échouèrent face à la résistance des indigènes caraïbes. Ce n'est qu'en 1763 que les Britanniques réussirent à y établir une colonie durable. La France reconnaissait la souveraineté de la Grande-Bretagne sur l'île par le traité de Versailles de 1783, mais une révolte générale des indigènes, soutenue par les Français, éclatait en 1795. Les Britanniques réussirent à la réprimer. La population caraïbe fut déportée sur l'île de la

Bahía, face au Honduras. Un nouveau soulèvement provoquait en 1817 une nouvelle déportation, cette fois vers Roatán. L'abolition de l'esclavage en 1834 ayant durement touché l'économie de l'île, reposant sur les plantations (bananes, noix de coco), des colons portugais furent appelés dès 1846 pour remplacer la main-d'œuvre agricole. Des colons indiens les suivirent après 1861. Saint Vincent obtenait en 1969 le statut d'Etat associé à la Grande-Bretagne puis, le 27 octobre 1979, son indépendance au sein du Commonwealth. L'archipel est entièrement vol-

canique et l'île principale abrite au nord le volcan de la Soufrière : l'éruption de 1902 avait coûté la vie à 2000 personnes, l'éruption de 1978 a détruit l'ensemble des bananeraies. L'Etat de Saint Vincent comprend l'île de Saint Vincent elle-même ainsi que plusieurs îles appartenant aux Grenadines, dans les Petites Antilles. Le Nouveau parti démocratique (NDP) battait le parti travailliste de Robert Milton Cato et remportait une victoire surprenante lors des élections du 27 juillet 1984 : chef du NDP, James Mitchell prenait la tête du gouvernement.

Sainte-Lucie

WL
Amérique
centrale
616 km²
60 000 hab.
ONU, OEA,
CW, CARICOM

Capitale : Castries (45 000 hab.)
Langue officielle : anglais
Religions : cath. (90 %), prot. (10 %)
Régime polit. : monarchie parlem. Indépendance obtenue le 22 février 1979

L'île de Sainte-Lucie (en anglais *Saint Lucia*) est l'une des Petites Antilles, au Sud de la Martinique. Elle fut découverte en 1502 par Christophe Colomb, qui l'aperçut au cours de son quatrième voyage, probablement le jour de la Sainte-Lucie (18 juin). Les deux tentatives que firent des colons anglais pour s'implanter sur l'île, en 1605 et 1638, échouèrent face à la croyance des indigènes selon laquelle ces hommes blancs étaient un cadeau des dieux, dignes donc d'être consommés selon les pratiques cannibales rituelles. Les Français

réussissaient à s'établir en 1650. L'île changea plusieurs fois de maître au cours des guerres franco-anglaises et tomba définitivement sous souveraineté anglaise en 1814 après la défaite napoléonienne. L'influence française n'en reste pas moins profondément marquée : la majeure partie de la population est catholique, le français demeura longtemps la langue la plus pratiquée par le peuple. Les Britanniques ont développé d'importantes plantations de monocultures (bananes, canne à sucre, agrumes, cacao), pour lesquelles furent

importés de nombreux esclaves noirs, si bien que la majorité de la population de Sainte-Lucie est aujourd'hui noire ou mulâtre. La colonie obtint en 1967 un statut d'autonomie interne, la Grande-Bretagne conservant le contrôle de la politique étrangère et de la Défense. L'indépendance était acquise le 22 février 1979 au sein du Commonwealth, Sainte-Lucie était admise peu de temps après au sein de l'ONU. John Compton est depuis mai 1982 chef du gouvernement de l'île, qui vit de l'agriculture et du tourisme.

Salomon

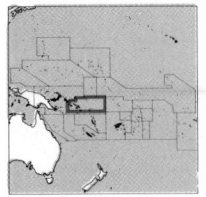

Océanie
28 446 km²
258 000 hab.
ONU, CW

Capitale : Honiara (23 000 hab.)
Langue officielle : anglais
Religions : prot. en majorité, cath. (16 %)
Régime polit. : monarchie parlem. Indépendance obtenue le 7 juillet 1978

L'archipel des Salomon fut découvert en 1568 par le navigateur espagnol Alvaro de Mendaña de Neira, parti du Pérou pour une expédition de reconnaissance. Il considéra les îles comme étant le légendaire pays d'Ophir du roi Salomon. Les îles ne furent cependant colonisées qu'après leur redécouverte par Philippe Carteret, en 1767. Bougainville passait au large de leurs côtes à peu près à la même époque. Des missionnaires et des marchands les fréquentèrent au XIXᵉ siècle. Les indi-

gènes, des Mélanésiens, furent soumis à de fréquents raids de chasseurs d'esclaves. L'Allemagne plaçait les îles les plus au nord sous son protectorat en 1885, mais la Grande-Bretagne étendait en 1893 sa domination à tout l'archipel, à l'exception de Buka et de Bougainville, à la suite d'un échange avec Samoa. La souveraineté anglaise était confirmée en 1900. Après la défaite allemande au cours de la Première Guerre mondiale, les deux îles étaient placées en 1921 sous mandat australien

par la SDN. Occupé en 1942 par les Japonais, l'archipel fut difficilement reconquis en quatorze mois par les Américains (Guadalcanal en 6 mois, 1942/1943). Une constitution, faisant une large place aux us et coutumes traditionnels, était accordée aux Salomons en 1960 puis l'autonomie interne, en 1976. L'indépendance était acquise le 7 juillet 1978. Peter Kenilorea, qui avait démissionné de son poste de Premier ministre en 1981 succédait à Solomon Mamaloni en octobre 1984.

Samoa occidentales

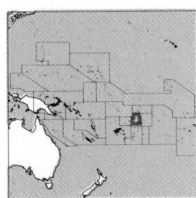

WS
Océanie
2842 km²
160 000 hab.
ONU, CW

Capitale : Apia (33 000 hab.)
Langues officielles : amoanien, anglais
Religions : prot. (75 %), cath. (23 %)
Régime polit. : monarchie élective et parlem.
Indép. obtenue le 1ᵉʳ janvier 1962

Le peuplement polynésien des îles Sa-

moa est d'origine très ancienne. Elles furent découvertes par le Néerlandais Jocob Roggeveen en 1722. Visitées par Bougainville en 1768 et par La Pérouse en 1787, les Samoa étaient christianisées à partir de 1830 par la *London Missionary Society.* Des commerçants américains, anglais et allemands s'intéressaient aux îles, escale sur la route de la Chine. Les Etats-Unis installaient en 1889 une base navale à Pago Pago, dont ils utilisaient le port depuis 1872. L'administration des îles était effectuée en commun par un condominium des trois puissances mais des conflits répétés entraînaient en 1898 un partage : les

Etats-Unis obtenaient les Samoa à l'est du 171ᵉ degré de longitude, l'Allemagne les îles à l'ouest. La Grande-Bretagne était dédommagée par Tonga et une partie des Salomon. Les Samoa orientales restèrent jusqu'à aujourd'hui sous souveraineté américaine. Les îles allemandes, occupées par la Nouvelle-Zélande depuis 1914, étaient placées en 1920 sous mandat néo-zélandais par la SDN. Les Samoa occidentales tombaient en 1947 sous la tutelle *(trusteeship)* de l'ONU. Constituées de deux îles principales, Savaii et Upolu, les Samoa occidentales obtenaient leur indépendance le 1ᵉʳ janvier 1962 et deve-

naient membres du Commonwealth en 1970, de l'ONU en 1976. La Constitution de 1962 conserve pour l'Etat la structure tribale très hiérarchisée de la population polynésienne : lorsque Malietoa Tanumafili II, le dernier des deux chefs élus à vie à la tête de l'Etat mourra, son successeur sera élu pour une durée de cinq ans par un Parlement représentant les chefs de villages. De nombreux Samoans occidentaux cherchent du travail aux Samoa américaines, dont le niveau de vie est plus élevé. Les principaux produits d'exportation sont le coprah et le cacao, la pêche contribue pour une part appréciable à l'économie.

Sao Tomé et Principe

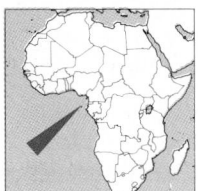

Afrique
de l'Ouest
964 km²
90 000 hab.
ONU, OUA

Capitale : Sao Tomé (17 000 hab.)
Langue officielle : portugais
Religions : cath. (90 %)
Régime polit. : rép. dém. Indépendance obtenue en juillet 1975

Lorsque l'île de Sao Tomé fut décou-

verte, en 1471, par Joao de Santárem et Pédro Escobar, elle était probablement vide d'habitants. L'île devenait après 1475 une colonie où furent exilés des prisonniers, des Juifs et des esclaves, amenés des côtes africaines voisines. D'immenses plantations furent constituées, la plus grande d'entre elles représente aujourd'hui 10 % de la surface de l'île. Aux plantations de canne à sucre s'ajoutèrent des plantations de cacaoyers et de caféiers, après le développement considérable de la canne à sucre au Brésil, à la fin du XVIᵉ siècle. Des plantations de palmiers permettaient également une importante production

de coprah et d'huile de palme. Sao Tomé devint au début du XVIIIᵉ siècle une importante place du commerce des esclaves, capturés sur la côte occidentale de l'Afrique (surtout sur l'ancienne « côte des esclaves » correspondant aux actuels Togo, Bénin et Nigéria) par des chasseurs d'esclaves arabes et noirs. Achetés en Afrique par des marchands européens, les esclaves étaient transportés à Sao Tomé, dont toute évasion était quasiment impossible. L'abolition de l'esclavage mit fin à ce commerce en 1876. L'économie de l'île s'adapta en accroissant les plantations de café et de cacao, exploitées par une main-d'œu-

vre moins abondante et rémunérée. L'importance des monocultures contraignait l'île à importer en grande part les denrées essentielles. Les révoltes furent nombreuses au cours de l'histoire de l'île, celle de 1953 au sein de la main-d'œuvre des plantations fut brutalement réprimée par les Portugais. Sao Tomé et Principe obtenaient leur autonomie interne en 1973 puis l'indépendance en juillet 1975 après la fin de la dictature au Portugal. Les plantations ont été nationalisées à 90 % peu après l'indépendance, le pays est gouverné depuis lors par Manuel Pinto da Costa.

Sénégal

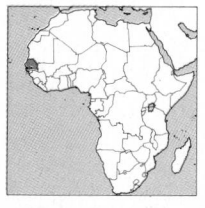

SN
Afrique
de l'Ouest
196 192 km²
6,32 M hab.
ONU, CEDEAO,
OUA

Capitale : Dakar (550 000 hab.)
Langues officielles : français, ouolof
Religions : musulm. (75 %), chrét. (5 %)
Régime polit. : république présidentielle. Indépendance proclamée le 20 août 1960

Plusieurs témoignages, notamment des mégalithes (au Sine-Saloum) attestent de la présence de civilisations disparues à l'époque préhistorique dans l'actuel Sénégal. Les populations riveraines du fleuve Sénégal furent soumises très tôt, au cours du IXᵉ siècle, à la poussée des Maures islamisés. Tandis que l'empire du Ghana exerçait probablement son influence sur les régions du sud-est, les royaumes de Tekrour et de Namandirou (riverain de la Falémé), le royaume Dyolof se développait au nord dès le début du XIVᵉ siècle après sa fondation

par Ndiadian Ndiaye. Quelques années avant la chute du royaume Dyolof (vers 1549) se développait le royaume fondé dans la vallée du Sénégal par Koli Tenguela, d'origine peule et mandingue, et dont l'expansion se poursuivra jusqu'au XVIIIᵉ siècle. Le Vénitien Ca'da Mósto, au service du Portugal, atteignait le Cap Vert en 1460. Les Portugais établissaient plusieurs comptoirs sur la côte. Les Hollandais prenaient pied en 1617 à Gorée, où ils construisaient deux forts, tandis que le delta du Sénégal était fréquenté par les

Anglais et les Français, qui fondaient en 1659 Saint-Louis, important centre du commerce d'esclaves. Les Français se rendaient maîtres de Gorée en 1677 mais l'Angleterre s'en emparait ainsi que de Saint-Louis en 1758. Restituées par le traité de Versailles en 1783. Gorée (en 1800) et Saint-Louis (1809) étaient reconquises par la France sous la Révolution et l'Empire.

L'époque coloniale

La France se voyait reconnaître la possession du Sénégal par le traité de

Sénégal

Vienne (1816) et abolissait la traite. La confédération toucouleur établie en 1776 sur le Bas-Sénégal conserva son indépendance jusqu'en 1854, où elle fut battue par les troupes du gouverneur Protet. L'influence française s'étend au nord contre les Maures, au sud jusqu'à la Casamance, qui ne sera pacifiée qu'au début du XXᵉ siècle : les frontières du Sénégal actuel sont atteintes en 1890, excluant l'enclave de Gambie défendue par les Anglais. Fondée en 1857, Dakar devient en 1895 le siège du gouvernement général de l'AOF (Soudan français, Mali, Dahomey, Bénin, Côte d'Ivoire). La modernisation du pays s'accompagne du développement de la culture de l'arachide, du nord vers le sud, qui a commencé à se substituer à la gomme au début du XIXᵉ siècle. L'Union progressiste sénégalaise (UPS), dirigée par Léopold Sédar Senghor devient après 1945 le principal interlocuteur des autorités coloniales. Le Sénégal obtenait en 1946 le statut de territoire d'outre-mer au sein de l'Union française puis, en 1955, son autonomie interne. La République autonome du Sénégal était fondée en 1958 et se joignait en 1959 au Soudan pour constituer au sein de la Communauté française la Fédération du Mali. A sa dissolution, le Sénégal devenait indépendant et Léopold Sédar Senghor son premier président en septembre 1960.

Depuis l'indépendance

Devenue le Parti socialiste démocratique (PSD) en 1958, l'UPS disposait depuis l'indépendance de l'ensemble de la représentation parlementaire. Senghor faisait arrêter le Premier ministre Mamadou Dia en 1962 : la nouvelle constitution de 1963 transformait le pays en une république présidentielle dotée d'un parti unique, la fonction de chef du gouvernement était confondue avec celle de chef de l'Etat. Le régime présidentiel était abandonné en 1970 et Abdou Diouf nommé Premier ministre. Réélu en 1973, Léopold Sédar Senghor amnistiait plusieurs prisonniers politiques, dont Mamadou Dia. La fonction de Premier ministre était renforcée en 1976 par une nouvelle réforme constitutionnelle inaugurant une période de libéralisation. Quelques partis politiques autorisés purent, au côtés du Parti socialiste sénégalais (PSS, nouveau nom du PSD depuis 1977), présenter des candidats aux premières élections libres de 1978, où Senghor remporta 82 % des suffrages. Le président Senghor démissionnait le 1ᵉʳ janvier 1981 et Abdou Diouf lui succédait. Une tentative de putsch à Banjul entraînait une nouvelle intervention sénégalaise en Gambie puis la création, le 17 décembre 1981, de la Confédération de Sénégambie, présidée par le président Diouf et réalisant une union militaire, économique et monétaire des deux Etats. Entrée en vigueur en février 1982, l'union rencontre de nombreuses difficultés. La position de Abdou Diouf était renforcée par les élections de 1983 (83,5 % des suffrages). Le Sénégal doit faire face sur le plan intérieur aux mouvements séparatistes de Casamance et entretient sur la plan extérieur de bonnes relations avec la France et les pays occidentaux. L'économie sénégalaise repose encore pour l'essentiel sur l'exportation d'arachides et des produits dérivés. Le gouvernement sénégalais tente de développer parallèlement à cette monoculture des cultures vivrières (riz, légumes), en favorisant notamment l'irrigation de nouvelles terres (vallée du fleuve Sénégal). Les plantations tropicales sont développées dans le sud du pays (ananas, palmiers, bananiers, canne à sucre). La pêche joue un rôle de plus en plus important (exportations et marché intérieur).

Seychelles

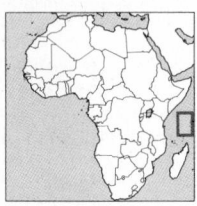
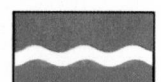

SY
Afrique de l'Est
380 km²
70 000 hab.
ONU, CW, OUA

Capitale : Victoria (23 000 hab.)
Langues officielles : créole, angl., franç.
Religions : cath. (90 %), anglic. (7,5 %)
Régime polit. : rép. présid. Indépendance proclamée le 28 juin 1976

Les Seychelles, composées de 92 îles et îlots de l'océan Indien, au nord de Madagascar, furent sans doute reconnues par les marchands arabes en 851 : ils les visitèrent régulièrement jusqu'à leur reconnaissance par les Portugais, en 1502. Reconnues par Lazare Picot (1742-1744), qui les baptise d'après le nom de Jean Moreau de Séchelles, contrôleur général des Finances, elles sont annexées par la France le 1ᵉʳ novembre 1756. Les premiers colons n'y arrivent qu'en 1770 et introduisent la culture des épices. Occupées par les Anglais en 1811, les Seychelles passent sous leur contrôle en 1814. Florissante, l'économie de l'île s'effondre en 1822 après l'abolition de la traite ; les plantations de coton sont remplacées après l'abolition de l'esclavage (1839) par des plantations de cocotiers. La prospérité fut retrouvée sous souveraineté britannique grâce au coprah, à la cannelle et à la vanille et dura jusqu'à la Première Guerre mondiale. Administrées avec Maurice, les Seychelles étaient directement rattachées comme colonie à Londres en 1903. Lorsque les Etats-Unis durent en 1964 fermer leur station d'observation de satellites de Zanzibar, la Grande-Bretagne les autorisa à la transférer sur l'île de Mahé (Mahé de La Bourdonnais, gouverneur des Mascareignes, qui envoya Lazare Picot aux Seychelles en 1742). Plusieurs îles des Seychelles étaient constituées en 1965 en une colonie autonome *(British Indian Ocean Territory)*, louée aux Etats-Unis pour une durée de 50 ans comme zone militaire stratégique. L'accession à l'autonomie interne (1970) était de la proclamation d'indépendance, le 28 juin 1976, après accord des deux principaux partis, le *Seychelles Demo-cratic Party* (SDP) de James R. Mancham et le *Seychelles People's United Party* (SPUP) de France-Albert René. Elu président de la République, James R. Mancham était renversé par son Premier ministre, France-Albert René, le 5 juin 1977. Le SPUP, devenu le SPPF *(Seychelles People's Progressive Front)*, était érigé en parti unique et une nouvelle constitution de type socialiste entrait en vigueur. Réélu en 1979, le président René réussissait à faire avorter le coup d'Etat du 25 novembre 1981 et la mutinerie d'août 1982. Seuls 59,3 % de la population participèrent aux élections parlementaires de 1983. La construction de l'aéroport de « Pointe Larue » en 1971 sur Mahé a permis l'essor du tourisme, devenu en 1976 la principale économique du pays.

Sierra Leone

WAL
Afrique de l'Ouest
71 740 km²
3,67 M hab.
ONU, CEDEAO, CW, OUA

Capitale : Freetown (280 000 hab.)
Langue officielle : anglais
Religions : animistes (65 %), musulm., chrét.
Régime polit. : rép. présid. Indépendance obtenue le 27 avril 1961.

Des gisements archéologiques datant du IIᵉ millénaire av. J.-C. ont été retrouvés sur le territoire de l'actuel Sierra Leone. Les côtes de la péninsule étaient reconnues en 1447 par le navigateur portugais Alvaro Fernandez. Un autre Portugais, Pedro et Cinto, nommait le pays en 1462 « Sierra Leone » (la montagne du lion) en raison de la forme du promontoire de Freetown. Le pays était dominé du XIIᵉ au XVIᵉ siècle par les grands royaumes soudanais. Un siècle par les grands royaumes soudanais. Un siècle après l'arrivée des Portugais, l'intérieur du pays était envahi par des guerriers d'origine mandé, les Manés entre autres, qui commencèrent à vendre leurs captifs aux marchands d'esclaves européens. Les Anglais installaient leur premier comptoir en 1651. Le gouvernement britannique acceptait d'envoyer à partir de 1787 des esclaves libérés sur la côte de l'estuaire de Sierra Leone, sous l'égide d'une société philanthropique. Des Noirs de Nouvelle-Angleterre arrivaient en 1792, des Noirs créoles de Jamaïque en 1800. Des établissements commerciaux anglais existaient sur la côte depuis le XVIIᵉ siècle et la péninsule de Freetown devenait une base navale, déclarée colonie de la Couronne en 1808. Les Britanniques conquirent ensuite les îles situées au large de Freetown puis l'essentiel de l'arrière-pays, placés sous protectorat en 1896. La révolte qui éclatait en 1898 contre les créoles et les Britanniques, était sévèrement réprimée. La Constitution de 1947 donnait au protectorat une représentation double de celle de la colonie, provoquant la colère des créoles. Les chefs du protectorat fondaient alors le *Sierra Leone's People's Party* (SLPP), dirigé par Milton Margai. L'autonomie interne était acquise en 1958, l'indépendance en 1961. Le SLPP et Albert Margai, frère du précédent, étaient battus aux élections de 1967 par le *All People's Congress* (APC) de Siaka Stevens, qui était aussitôt écarté du pouvoir par un putsch militaire avant d'y être ramené en 1968 par un autre putsch ; il devenait en 1971 le premier président de la République du Sierra Leone et était réélu en 1973. Une réforme constitutionnelle faisait du Sierra Leone une république présidentielle, l'APC devenant parti unique. Les élections de 1982 donnaient lieu à des troubles sanglants, tandis que la principale organisation syndicale était dissoute. Agé de 80 ans, le président Siaka Probyn Stevens se retirait le 28 novembre 1985 après avoir désigné Joseph Momoh pour lui succéder : celui-ci déclarait vouloir combattre l'influence néfaste des entrepreneurs privés sans moralité. La nomination de Joseph Momoh à la tête de l'Etat et du gouvernement était approuvée par 99% de *oui* lors d'un référendum national.

Singapour

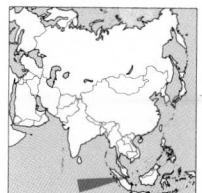

SGP
Asie du Sud-Est
618 km²
2,5 M hab.
ONU, ASEAN,
CW

Capitale : Singapour (2,5 M hab.)
Langues officielles : anglais, malais
Religions : en maj. bouddh., taoïstes, confuc.
Régime polit. : rép. parlement. Indépendance proclamée le 9 août 1965

La ville de Singapour (*Tumasik* la « cité des Lions » en Malais), établie sur une île située à l'extrémité de la presqu'île de Malacca, était déjà une importante ville commerciale au XIIIᵉ siècle ; elle fut détruite par les Javanais en 1365 et demeura longtemps inhabitée. Les Portugais s'y implantaient en 1511. Le Britannique Sir Thomas Raffles, appartenant à la Compagnie des Indes orientales, débarquait à Singapour en 1819, fit construire un comptoir commercial à l'emplacement de l'ancienne ville : il rachetait l'établissement en 1824. La position géographique de l'île, une immigration et un développement rapide des installations portuaires en faisaient dès 1832 le principal port de la région et une importante base stratégique britannique, malgré l'acquisition de Hong-kong en 1842. Le développement de la ville s'accrut encore après l'apparition des navires à vapeur et l'ouverture du canal de Suez, en 1869. L'île était occupée par les Japonais de février 1942 à septembre 1945. Devenue colonie en 1946, Singapour obtenait son autonomie interne en 1958. Les élections de 1959 étaient remportées par le Parti d'action populaire (PAP), dirigé par l'avocat Lee Kuan Yew. Singapour entrait au sein de la fédération de Malaysia le 16 septembre 1963. L'Indonésie restera hostile à la Fédération jusqu'à la chute de Sukarno, en 1966. Singapour, qui compte 75 % de Chinois, reprenait son indépendance le 9 août 1965. Devenue un centre industriel, financier et commercial considérable, Singapour devait gagner plusieurs dizaines de kilomètres carrés sur la mer. Le pouvoir réel appartient depuis l'indépendance à Lee Kuan Yew.

Somalie

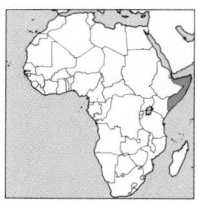

SP
Afrique orientale
637 657 km²
5,3 M hab.
ONU, LA, OUA

Capitale : Muqdisho (460 000 hab.)
Langue officielle : somali
Religions : musulm. (99 %)
Régime polit. : république. Indépendance obtenue le 26 juin 1960

Le territoire de l'actuelle Somalie était connu depuis 1500 av. J.-C. par les Egyptiens, les Phéniciens et les Grecs comme le « pays de l'encens ». Des peuplades d'éleveurs nomades, les Somalis, venus du sud de la péninsule arabique, pénétraient en Somalie du Xᵉ au XIVᵉ siècle ap. J.-C. Les ports somaliens, Berbera, Mait ou Zeila commerçaient depuis le Xᵉ siècle avec les marchands arabes et perses. Le pays se divisa après l'arrivée de l'islam en de multiples petits sultanats : le plus important d'entre-eux, celui d'Adal, qui tombait en 1420 sous la domination de l'Abyssinie chrétienne. Adal était reconquis en 1542 par les musulmans sous la conduite du héros national somalien Ahmed ibn Ibrahim Al-Gurey. Les Somalis poursuivirent leur poussée vers le Sud mais furent stoppés vers le nord sur la côte d'Oman par les Ottomans. L'Egypte occupait de 1874 à 1884 Zeila et Berbera entre autres, mais elle était remplacée par les Anglais, installés à Aden, qui plaçaient la Somalie sous protectorat en 1887. L'Italie, présente en Erythrée, signait à partir de 1889 plusieurs traités de protectorat, obtenant plusieurs ports, dont Mogadishu (maintenant Muqdisho). La Somalie italienne devenait colonie en 1905 ; plusieurs territoires éthiopiens, dont l'Ogaden, lui étaient annexés après la guerre d'Ethiopie (1934). L'ensemble de la Somalie était reconquise par les Britanniques en 1941, qui l'administreront jusqu'en 1950. Les deux Somalies réunies devenaient indépendantes en 1960 et revendiquaient aussitôt plusieurs territoires appartenant à l'Ethiopie et au Kenya. Les militaires prenaient le pouvoir en 1969 : la Somalie devenait en 1976 une république socialiste. La guerre avec l'Ethiopie (1977-1978) conduisait l'URSS à rompre ses relations avec la Somalie, où le conflit provoqua une grave crise économique. Le président Ziyad Barre conduit depuis 1969 la politique du « socialisme scientifique » somalien. Un nouveau conflit limité éclatait avec l'Ethiopie en juillet 1982.

Soudan

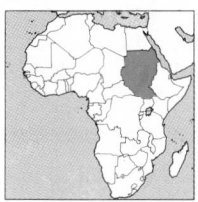

Afrique
du Nord-Est
2 505 813 km²
20,4 M hab.
ONU, LA, OUA

Capitale : Khartoum (560 000 hab.)
Langue officielle : arabe
Religions : musulm. (67 %), animistes (28 %)
Régime polit. : rép. présid. Indépendance proclamée en janvier 1956

L'actuel Soudan était colonisé par les Egyptiens jusqu'à la quatrième cataracte du Nil sous le Moyen Empire (vers 2000 av. J.-C.). Les tribus nubiennes étaient soumises au tribut des pharaons. Au VIIIᵉ siècle av. J.-C. apparut le royaume de Koush, dont la capitale fut Napata (puis Méroé). Les rois de Koush dominèrent l'Egypte de 750 à 663 av. J.-C. (XXVᵉ dynastie) : Koush succomba au début de notre ère aux attaques des Romains et des tribus sémitiques d'Aksoum. Les trois royaumes issus de Méroé, Nobatia, Makouria et Aloa étaient convertis au christianisme au VIᵉ siècle. Des tribus de Bédouins arabes pénétraient au Soudan à partir du VIIᵉ siècle, les royaumes du Nord durent payer tribut aux Arabes islamisés après l'invasion de 852. La période suivante est mal connue jusqu'au début du XIXᵉ siècle. Méhémet-Ali, gouverneur ottoman d'Egypte, commençait en 1820 la conquête du nord du Soudan et fondait en 1821 une nouvelle capitale, Khartoum ; le sud du pays était conquis en 1874 par le khédive égyptien Ismaïl Pacha. Muhammad Ahmad ibn Abd Allah se proclamait le Mahdi (le rénovateur de l'islam à la fin des temps pour les musulmans) en 1881. Il prit la tête de la révolte contre l'Egypte et réussissait à prendre Khartoum en 1885. Les insurgés continuèrent la lutte après la mort du Mahdi, la même année, et résistèrent aux troupes anglo-égyptiennes jusqu'à la prise de Khartoum par Horatio Herbert Kitchener en 1898. L'échec de la mission Marchand à Fachoda (près des sources du Nil) en 1898 laissa la Grande-Bretagne et l'Egypte maîtres du Soudan. Kitchener y était promu gouverneur-général, le pays était officiellement administré à partir de 1899 par un condominium anglo-égyptien mais le gouverneur-général britannique nommait l'ensemble des autorités civiles et militaires. Le roi Farouk d'Egypte devenait brièvement en 1951 roi du Soudan, mais Neguib et Nasser préféraient laisser au pays le choix entre l'indépendance ou le rattachement à l'Egypte. L'indépendance de la République du Soudan était proclamée après un référendum en 1956. Une guerre civile sanglante opposant les populations arabes et musulmanes du Nord aux tribus africaines et chrétiennes du Sud éclatait aussitôt. L'arrivée au pouvoir du général Djafar al-Nimayri après le putsch de 1969 permettait de conclure en 1972 un accord de paix avec les partisans séparatistes du Sud. Une nouvelle constitution était établie en 1973, renforçant le pouvoir personnel du général Nimayri : celui-ci, qui avait été une première fois déposé en 1969, devait faire face à un nouveau putsch en juillet 1976, qui échouait après une nouvelle intervention de l'armée égyptienne. De nouveaux accords d'assistance étaient signés avec l'Egypte en octobre 1976 et en janvier 1977. Réélu à la présidence de la République en avril 1977, le général Nimayri effectuait une purge au sein de la direction du parti officiel, l'Union socialiste soudanaise (USS) après une nouvelle tentative de coup d'Etat en août 1979. La guerre civile, qui avait été résolue en 1972 par l'octroi d'une certaine autonomie au Sud, était rallumée par sa division en trois régions en 1983. Les combats s'intensifiaient après la proclamation en septembre de la loi islamique : les populations, animistes et chrétiennes, refusent la politique d'islamisation mise en place par Khartoum. La détérioration des rapports avec l'Egypte depuis 1979 s'accentuait à la fin de l'année, le Soudan décrétant la mobilisation générale. L'aggravation des troubles intérieurs, crise économique, famine dans le Sud (6 millions de personnes menacées), poursuite de la guerre civile et extérieure, tensions avec la Libye, provoquaient la chute du général Nimayri, le 6 avril 1985. Le nouveau Conseil militaire présidé par l'ancien ministre de la Défense, Abd al-Rahman Hassan Suvar al-Dahab promettait un retour à la démocratie et mettait en place un gouvernement civil transitoire. Des élections étaient prévues pour 1986, mais les problèmes du Soudan restaient entiers : situation économique catastrophique, question de l'islamisation et guerre civile du Sud. Le chef de l'armée populaire de libération du Sud, John Garang, proposait en octobre 1985 l'ouverture de nouvelles négociations de paix.

Sri Lanka

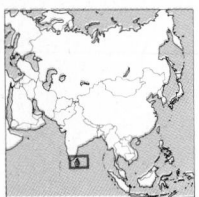

CL
Asie du Sud
65 610 km²
15,4 M hab.
ONU, CW

Capitale : Sri Jayawardenepura (0,1 M hab.)
Langue officielle : cinghalais
Religions : bouddh. (70 %), hind. (14%), chrét.
Régime polit. : rép. présid. Indépendance obtenue le 4 février 1948

Les premières traces d'occupation humaine retrouvées sur l'île datent de 10 000 av. J.-C. Les premiers habitants de Ceylan, les Veddas (il en reste aujourd'hui à peine 2000), étaient repoussés au cours du Vᵉ siècle av. J.-C. par l'invasion d'Aryens venus du nord de l'Inde, les Sinhalas, conduits par le prince Vijaya. Venus du sud de l'Inde, les Tamouls s'implantaient également sur l'île au cours des siècles suivants : l'hostilité entre Cinghalais et Tamouls provoquait des conflits quasi constants. L'unification de Ceylan était réalisée par le roi Devanampiya Tissa (250-210 av. J.-C.), qui fit de Anuradhapura sa capitale et introduisit le bouddhisme. Ceylan était connue des marchands grecs, qui la nommaient « Taprobane ». La suprématie cinghalaise ne fut rétablie sur l'île qu'après la victoire de Dutthagamani sur le roi tamoul Elara, vers 100 av. J.-C. La monarchie cinghalaise régna pendant un millénaire depuis Anuradhapura, jusqu'à la conquête de l'île, en 993, par le roi cola Rajaraja. La résistance cinghalaise

réussissait à chasser l'occupant en 1070 : le prince Vijayabahu établissait la nouvelle capitale cinghalaise à Polonnaruwa. Mais la ruine du royaume cinghalais commençait sous le règne de Parakramabahu Iᵉʳ (1153-1186) : les populations devaient reculer devant les Tamouls, envahisseurs venus du continent indien. Les Tamouls, dont la pénétration s'intensifiait dès le XIIᵉ siècle, fondèrent probablement le premier royaume tamoul indépendant de Ceylan dans le nord de l'île en 1234. La capitale du royaume cinghalais devait être transportée à Kandy. Une incursion permit aux Chinois en 1410 de faire prisonnier le roi cinghalais Vira Alakeshvara. Son successeur, Parakramabahu VI, parvenait à reconquérir la totalité de Ceylan en 1415 mais le royaume cinghalais éclatait à sa mort, en 1467. Les Portugais, qui débarquaient à Colombo en 1505, conquirent au cours du XVIᵉ siècle le nord de l'île et les zones côtières occidentales, y pratiquant le commerce des épices. Ils étaient chassés en 1656 par les rois de Kandy, appuyés par les Hollandais. Repliée dans l'intérieur du pays, la monarchie cinghalaise abandonnait les côtes aux Hollandais, qui étaient chassés en 1796 par les Anglais. L'arrivée des Britanniques, qui prennent Kandy en 1815, modifiait profondément l'économie ceylanaise : la culture du théier se développait tandis qu'une importante main-d'œuvre tamoule était importée d'Inde. La colonisation se heurte toutefois à plusieurs révoltes, en 1818 et 1848 notamment. Après l'important développement d'un mouvement nationaliste au début du XXᵉ siècle, le parti du Congrès national obte-

nait en 1919 l'introduction du suffrage universel, Londres accordait à Ceylan son autonomie interne en 1931. Les divergences apparues au sein du Congrès provoquaient l'apparition de plusieurs partis : parti socialiste en 1935, parti communiste en 1943, *United National Party* (UNP) en 1946. L'indépendance était obtenue le 4 février 1948. Le premier gouvernement était formé par l'UNP, pro-occidental. Solomon W.R.D. Bandaranaike, qui avait quitté l'UNP en 1951 pour fonder le *Sri Lanka Freedom Party* (SLFP), nationaliste de gauche, remportait les élections de 1956. Bandaranaike était assassiné en 1959 par un extrémiste bouddhiste, tandis que l'opposition des Tamouls à l'introduction du cinghalais comme langue officielle provoquait de violents troubles. La veuve de Solomon Bandaranaike, Sirimavo, prenait la tête du gouvernement et devenait la première femme du monde Premier ministre en 1960. L'échec de sa politique économique nationaliste et de non-alignement était sanctionné par les élections de mars 1965. Dudley Senanayake, chef de l'UNP, la remplaçait et menait une politique plus libérale, soutenue par les pays occidentaux : le tamoul était également reconnu comme langue nationale. Revenue au pouvoir à la tête d'une coalition de gauche incluant les communistes pro-soviétiques en 1970, Sirimavo Bandaranaike prenait des mesures de nationalisation radicales qui précipitaient la ruine de l'économie : la répression qu'elle instaura en 1971 pour faire face aux troubles sociaux fit plusieurs milliers de morts. Intégrée au Commonwealth depuis l'indépendance, Ceylan proclamait

sa totale indépendance le 22 mai 1972, devenant la République de Sri Lanka. L'UNP qui s'était réorganisé et donné un nouveau président, Junius Richard Jayawardene, remportait triomphalement les élections de 1977. Le SLFP obtenait moins de voix que le parti tamoul, le *Tamil United Liberation Front* (TULF). Une nouvelle constitution de type présidentiel entrait en vigueur le 7 septembre 1978, faisant du Sri Lanka une république démocratique socialiste. Accusés d'abus de pouvoir, plusieurs des principaux dirigeants, dont Mme Bandaranaike, sont déchus de leurs droits civiques pour sept ans en 1979. Une réforme décentralisatrice est mise en place pour tempérer les revendications indépendantistes tamoules. La politique économique s'oriente vers une libéralisation poussée, des zones franches sont créées autour de la capitale, Colombo. Réélu le 20 octobre 1982, Jayawardene faisait voter en décembre une reconduction automatique de son mandat pour six ans. Les violences ethniques qui avaient repris en 1980 et 1981 s'aggravaient brutalement en 1983 : 362 personnes avaient été tuées après l'attentat commis par des séparatistes tamouls contre des policiers. Plusieurs centaines de prisonniers avaient été exécutés sommairement dans les prisons. Le TULF était interdit. Les Tamouls, 20 % de la population ceylanaise, vivent surtout au nord et à l'est de l'île et réclament la création d'un Etat indépendant, le *Tamil Eelam*. Les négociations entreprises à l'initiative de l'Inde entre gouvernement et Tamouls échouaient en août 1985 : la violence s'était accrue tout au long de l'année, culminant lors de plusieurs massacres.

Suède

S
Europe du Nord
449 964 km²
8,3 M hab.
ONU, EFTA, CE, CN, OCDE

Capitale : Stockholm (651 000 hab.)
Langue officielle : suédois
Religions : prot. (99 %)
Régime polit. : monarchie parlem. et dém. d'après la Constitution du 1ᵉʳ janvier 1975

Des traces d'habitation humaine néolithiques datant de 4000 ans av. J.-C. ont été retrouvées en Suède. L'usage du cuivre, en relation avec le commerce de l'ambre vers la Méditerranée, apparaissait vers 1800 av. J.-C. De nombreuses tribus germaniques occupaient le pays au début de notre ère. L'historien romain Tacite évoquait au Iᵉʳ siècle ap.

J.-C. le peuple des Svears, dans la région de Mälaren, gouverné par des rois. Les Goths, qui ont formé au Sud de petits royaumes, étaient vaincus par les Svears à Brvalla au IVᵉ siècle. Le royaume de Suède, Svearike, était fondé, constitué de régions autonomes disposant d'assemblées d'hommes libres, les *thing*, qui débattent des affaires publiques. Le centre politique du royaume est Uppsala mais son centre commercial est Birka. L'unité du royaume était acquise définitivement en 1100, après la conquête des îles de Gotland et d'Oland. Sillonnée par des missionnaires chrétiens depuis le IXᵉ siècle, la Suède se convertissait rapidement après le baptême (1008) du roi Olof Skötkonung (v. 994-v. 1021). Mais les combats entre les Svears, païens, et les Goths christianisés se poursuivirent jusqu'à la fondation de l'évêché d'Uppsala (1164). La croisade entreprise par le roi Erik IX le Saint contre les Finnois en 1156 lui permet-

tait de conquérir la Finlande, un an plus tard. Tandis que l'influence de l'Eglise, qui se fait accorder d'importants privilèges, se renforce, celle des Allemands (Lübeck) s'impose dans les domaines économiques à la fin du XIIᵉ siècle.

Des Folkung à l'Union de Kalmar
Birger Jarl, beau-frère du roi Erik Eriksson, fondait sa propre dynastie, les Folkung, en 1250 : il faisait élire son fils, Valdemar Birgersson. Epuisée par les luttes dynastiques qui avaient opposé au cours des siècles précédents les familles de Stenkil, de Sverker et d'Erik, la Suède allait restée unifiée sous une dynastie pendant un siècle. Régent jusqu'en 1266 pour Valdemar, Birger Jarl assurait la souveraineté suédoise sur la Finlande et nouait de bonnes relations avec le Danemark et la Norvège. Ayant fondé la capitale de Stockholm, il y constitua une puissante administration, unifia le droit agraire et favorisa le commerce, appuyé par les

villes hanséatiques. La Suède atteignit sa plus grande extension territoriale au Moyen Age sous le règne de Magnus VII Eriksson (1319-1363), qui acquit par héritage la couronne de Norvège. Lorsque Magnus Eriksson tenta de renforcer la puissance royale face aux grands féodaux, ceux-ci s'allièrent au duc Albert de Mecklembourg, qui renversait la dynastie des Folkung en 1364. Albert de Mecklembourg était capturé lors de l'intervention des troupes danoises en Suède, en 1389. Régente de Norvège par son mariage avec le dernier Folkung en 1364, la reine Marguerite Iʳᵉ de Danemark devenait régente de Suède, unissant pour la première fois les quatre peuples scandinaves. Ayant choisi comme héritier son petit-neveu Erik de Poméranie, Marguerite de Danemark le faisait proclamer roi de Norvège (1389) puis roi de Suède et du Danemark (1396). La politique de la régente était approuvée lors de la constitution de l'Union de

Kalmar par les représentants des trois Etats en 1397. L'Union de Kalmar allait durer formellement jusqu'en 1523.

Naissance de la nation suédoise

Un mouvement qui prit naissance au cours du XVe siècle au sein de la noblesse réclamait une monarchie nationale suédoise. Les troupes suédoises dirigées par Sten Sture l'Ancien battaient en 1471 à Brunkeberg les troupes de Christian Ier d'Oldenbourg, nommé roi de Suède par les Danois en 1448 : la Suède obtenait une plus large autonomie au sein de l'Union de Kalmar. Le roi Christian II de Danemark et de Norvège tentait de restaurer son autorité en Suède et battait Sten Sture au lac Esunden en 1520. Appelé en Suède par l'archevêque d'Uppsala, Gustav Trolle, Christian II lui donnait satisfaction en provoquant le « bain de sang de Stockholm » (novembre 1520). Gustave Vasa, qui avait échappé au massacre, prenait la tête d'une révolte populaire à laquelle se ralliait la noblesse. Les Danois étaient chassés en 1523, l'Union de Kalmar avait vécu. Proclamé roi sous le nom de Gustave Ier, le fondateur de la dynastie des Vasa introduisait en 1527 la Réforme dans ses Etats. La confiscation des biens du clergé lui permit de régler ses dettes à Lübeck, dont l'aide avait été précieuse contre les Danois, et de faire construire une importante flotte qui mettait à la portée de la Suède la domination de la mer Baltique.

Lutte pour la suprématie en Baltique

La première tentative d'établir cette domination échouait. La guerre de Sept Ans qui éclatait en 1563 fut provoquée par le maintien par le roi Christian III de Danemark des trois couronnes suédoises dans les armoiries danoises. Le Danemark, Lübeck et la Pologne enlevaient à la Suède l'île de Gotland et la contraignaient à reconnaître la liberté commerciale en Baltique. Roi de Pologne depuis 1587, Sigismond III Vasa devenait également roi de Suède en 1592, unissant personnellement les deux Etats. Accusé de sacrifier les intérêts suédois au profit de la Pologne et de mener une politique de Contre-Réforme, il était destitué par le Riksdag en 1600. A la mort de Charles IX (1611), qui avait poursuivi la guerre contre la Pologne (conquête de la Livonie), la Russie (prise de Moscou) et le Danemark, la noblesse et le Riksdag élisaient Gustave II Adolphe roi après l'avoir déclaré majeur (il a alors 17 ans) et obtenaient qu'il leur accorde de vastes privilèges ainsi que les charges les plus élevées de l'Etat.

La Guerre de Trente Ans

Gustave II Adolphe poursuivait l'objectif de ses prédécesseurs : faire de la Baltique un « lac suédois ». La paix de Stolbova lui permettait en 1617 de retirer à la Russie tout accès à la mer

Blanche en obtenant la Carélie orientale et l'Ingrie. La Livonie était définitivement conquise sur la Pologne en 1621 et la Suède intervenait en Poméranie en 1630 aux côtés des protestants dans la troisième phase de la guerre de Trente Ans (jusqu'en 1635). Recevant depuis le traité de Bärwalde (1631) des subsides de la France, catholique, et allié à l'Electorat de Saxe, il battait la Ligue catholique à Breitenfeld et poursuivait sa progression vers le sud de l'Allemagne. Les protestants avaient orienté décisivement la guerre à leur avantage après la bataille de Lützen, au cours de laquelle pourtant Gustave II Adolphe fut tué. Sa fille Christine, âgée de six ans, montait sur le trône : la régence était assurée jusqu'en 1644 par le chancelier Axel Oxenstierna. La déclaration de guerre de l'empereur romain germanique François II en 1635 à l'alliance franco-suédoise marquait le début de la phase la plus cruelle de la guerre de Trente Ans (jusqu'en 1648). La paix de 1645 à Brömsebro marquait la fin de la suprématie danoise dans le Nord : outre de nombreux territoires, les Danois devaient concéder à la Suède le libre-passage dans le Sund. Par les traités de Westphalie, qui mettaient fin à la guerre de Trente Ans, la Suède obtenait la confirmation de sa suprématie sur la Baltique et plusieurs territoires et villes en Poméranie.

La Suède grande puissance

La reine Christine abdiquait en 1654 en faveur de son cousin Charles X Gustave et se convertissait au catholicisme. La même année, Charles X Gustave débarquait en Poméranie pour s'assurer les possessions suédoises face à la Pologne, déclenchant la Première Guerre nordique, qui impliqua aussi la Russie, le Danemark et le Brandebourg. Les victoires suédoises aboutissaient à de nouvelles pertes importantes pour le Danemark (paix de Roskilde, 1658) et à la reconnaissance des intérêts suédois en Poméranie, Estonie et Livonie par la Pologne (paix d'Oliva, 1660). La guerre suédo-brandebourgeoise s'achevait en 1675 à Fehrbellin par une sévère défaite pour Charles XI : le Grand Electeur Frédéric Guillaume de Brandebourg dut cependant restituer toutes ses conquêtes par le traité de Saint-Germain-en-Laye (1679), dicté par Louis XIV. La puissance suédoise commença à décliner sous le règne de Charles XII avec la Deuxième Guerre nordique (1700-1721), opposant la Suède à la Saxe-Pologne et à la Russie. Ecrasé par les armées russes à Poltava en 1709, Charles XII se réfugiait à Constantinople. La Suède renonçait par la paix de Nystad (1721) à toutes ses possessions baltiques continentales et cédait le pas à la puissance russe en mer Baltique. C'est à cette époque de décadence politique que se développa en Suède le rudbeckianisme (Olof Rudbeck, 1630-1702) théorie mystico-philosophique et nationaliste, officialisée,

assimilant l'Atlantide de Platon à la Suède, berceau et apogée de la culture et de la civilisation. La monarchie fut considérablement affaiblie à l'intérieur par le pouvoir de la noblesse, à l'extérieur par les défaites subies lors de la Grande Guerre nordique contre la Russie (1741-1743) et lors de la guerre de Sept Ans (1757-1763). Le coup d'Etat de 1772 permit à Gustave III de restaurer l'autorité royale contre le Conseil, le Riksdag et la noblesse, mais il était assassiné en 1792. Il avait restauré l'absolutisme mais, monarque éclairé, il accordait l'égalité d'accès aux nobles et non-nobles aux fonctions publiques et engagea le pays dans le courant intellectuel et scientifique du Siècle des lumières.

La monarchie constitutionnelle

Après avoir combattu Napoléon (1805-1807), Gustave IV faisait face en 1808 à la Russie, Alexandre Ier ayant envahi et annexé la Finlande. Après une série de désastres, le Riksdag déposait le roi (1809) : son oncle, Charles XIII, était élu au trône et devait accorder une constitution (en vigueur jusqu'en 1974). Cette constitution, qui prenait comme référence dans le domaine juridique le Code de Lois de 1734, introduisait l'institution originale de l'*Ombud* : élue par le Parlement pour une durée de quatre ans : ses membres sont chargés du contrôle de l'administration et de la juste application de la Loi aux personnes. La Suède se joignait en 1813/1814 à la coalition contre Napoléon : elle obtenait du Danemark la Norvège par la paix de Kiel (1814) en compensation de la perte de la Finlande : l'union des deux Etats se maintiendra jusqu'en 1905. A la mort de Charles XIII, en 1818, c'est Jean-Baptiste Bernadotte, maréchal de l'Empire, qui montait sur le trône suédois sous le nom de Charles XIV Jean. Bernadotte, qui avait été choisi comme successeur à Charles XIII depuis 1810, fondait la dynastie qui porte son nom et qui règne toujours en Suède : il initiait une politique de neutralité et devait concéder aux libéraux par la réforme constitutionnelle de 1840, la transformation du Conseil d'Etat en un cabinet ministériel. L'industrialisation du pays se développa à partir des années 1840 : la liberté d'entreprise était reconnue en 1846 et la première ligne de chemin de fer était inaugurée en 1851. Vers 1850 également, libéraux et conservateurs formèrent leurs partis politiques. Constitué jusqu'alors des représentants des quatre ordres, le Riksdag devenait bicaméral en 1866 et voyait ses pouvoirs augmentés. A. Posse, chef du plus important parti du Riksdag, le *Lantmanna* (parti des agriculteurs), devenait Premier ministre en 1880. Les premiers syndicats apparaissaient vers 1870 et le parti social-démocrate des travaillistes était fondé en 1889, suivant de peu l'adoption des premières réformes sociales importantes.

La Suède au XXe siècle

Pratiquement 100 % des Norvégiens ayant approuvé l'indépendance lors du référendum de 1905, la Norvège, unie à la Suède depuis 1814, obtenait son indépendance. La délégation parlementaire norvégienne à Stockholm avait provoqué la crise en se retirant, ôtant ainsi au roi de Suède et de Norvège la possibilité de gouverner constitutionnellement en Norvège. Le prince Charles de Danemark accédait la même année au trône norvégien sous le nom de Haakon VII. Sous l'influence des sociaux-démocrates, les conservateurs devaient prendre au début du siècle un ensemble de mesures sociales : suffrage universel (1909), assurance vieillesse (1913), journée de huit heures (1919), vote des femmes (1921). La Suède conserva sa neutralité au cours de la Première Guerre mondiale. Le premier gouvernement social-démocrate était formé en 1920 par Hjalmar Branting : le parti social-démocrate allait rester jusqu'à nos jours le principal parti suédois. Malgré le maintien de son statut de neutralité au cours de la Seconde Guerre mondiale, la Suède fournissait une aide importante en matériel à la Finlande, attaquée par l'URSS en 1939/1940. La Suède devait accorder à Hitler le passage de ses troupes lors de l'invasion de la Norvège (juin 1940) puis, de nouveau, lors du passage des Allemands en Finlande (juillet 1941) ; elle devait également lui accorder des livraisons de minerai de fer. La Suède put par contre préserver son droit d'asile et recueillit de nombreux réfugiés allemands, danois ou norvégiens. La Suède poursuivit après 1945 son activité diplomatique originale : elle entrait à l'ONU en 1946 mais refusait d'adhérer au pacte de l'Atlantique. La Suède fournissait dans l'après-guerre plusieurs médiateurs diplomatiques internationaux : le comte Folke Bernadotte, neveu du roi Gustave V (1907-1950), après avoir tenté en 1945 une médiation entre l'Allemagne et les Alliés était chargé par l'ONU en 1948 d'une mission de médiation entre Arabes et Israéliens. Il était assassiné par des extrémistes juifs. Dag Hammarskjöld fut Secrétaire général de l'ONU de 1953 à 1961. La Constitution de 1974 entrait en vigueur en 1975, limitant les fonctions et prérogatives du roi, Charles XVI Gustave depuis 1973, au domaine représentatif. Premier ministre de 1970 à 1976, le social-démocrate Olof Palme revenait au pouvoir en septembre 1982 : la crise internationale le contraignait à adopter des mesures de rigueur contre l'inflation et le chômage. La Suède, avec un taux de chômage de 3 %, absorbait toutefois bien le choc économique, malgré d'importantes grèves, y compris dans la fonction publique, dans les années 1980. Olof Palme était assassiné en plein centre de Stockholm le 28 février 1986, le Vice-Premier ministre Ingvar Carlsson lui succédait.

Suisse

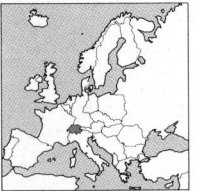

CH
Europe centrale
41 293 km²
6,48 M hab.
EFTA, CE,
OCDE

Capitale : Berne (142 000 hab.)
Langues officielles : allem., franç., ital.
Religions : cath. (47,6 %), prot. (44,3 %)
Régime polit. : confédérat. rép. et parlem.
d'après la Constitution du 29 mai 1874

Les plus anciens sites occupés par l'homme dans les cavernes du Jura et des Alpes remontent au paléolithique, datant de 50 000 av. J.-C. La civilisation du néolithique a laissé les traces d'implantations lacustres. Les Celtes commencèrent à s'implanter sur le territoire de l'actuelle Suisse au VIIIᵉ siècle av. J.-C., arrivant du nord et poussés par les tribus germaniques. La tribu celte des Helvètes s'implanta en Suisse centrale. Leur poussée vers le sud les mettait en contact avec Jules César, qui les battait à Bibracte en 58 av. J.-C. Retirés en Suisse, les Helvètes s'ouvrirent peu à peu à la culture latine. Après la soumission des Rètes d'Helvétie orientale, le pays était divisé en 15 av. J.-C. en deux provinces romaines : la Rétie et la Gaule celtique (future Germanie supérieure). Plusieurs établissements plus ou moins importants apparaissaient pendant la domination romaine : Geneva, Lousanna et Basilia (Bâle) entre autres. Une route passant par le Grand Saint-Bernard était ouverte en 47 ap. J.-C. Les grandes migrations barbares qui entraînèrent la chute de Rome amenèrent en Helvétie plusieurs tribus germaniques. Le général romain Flavius Aetius implantant en 443 en Savoie les Burgondes, chargés de s'opposer à la progression des Alamans : ceux-ci parvenaient au VIᵉ siècle au centre de l'Helvétie. L'apparition du christianisme suivit de peu la conquête du pays par les Francs, au VIᵉ siècle. Des cloîtres étaient fondés, celui de Saint-Gall, fondé vers 612 sur l'emplacement de l'ermitage de saint Gallus, ou celui de Reichenau (724), sur le lac de Constance, qui devinrent rapidement d'importants centres de rayonnement culturel. Après la tripartition de l'Empire franc, en 843, l'Helvétie orientale et la Rétie furent rattachées au royaume franc d'Orient. Lorsque l'empereur romain germanique Conrad II hérita en 1033 de la Bourgogne, l'Helvétie était complètement intégrée dans l'Empire germanique.

L'indépendance de la Confédération
Les familles comtales des Zähringen, des Kybourg, des Savoie puis des Habsbourg (originaires de l'Argovie) se constituent des Etats féodaux à partir du XIᵉ siècle. Simultanément se développaient autour des cloîtres et des évêchés des agglomérations : Berne et Fribourg en Uchtland furent ainsi les deux agglomérations les plus importantes apparues au XIIᵉ siècle. Villes et seigneurs se livraient d'incessants combats : associées aux villes, les communautés rurales tentaient d'obtenir les garanties accordées par l'immédiateté impériale. Les villes de Zurich, Berne et Soleure devenaient libres après l'extinction de la famille de Zähringen. Uri achetait son émancipation à l'empire en 1231, suivi de Schwyz et Unterwald ; Obwald les rejoignait plus tard. Les deux centres les plus importants de la lutte pour l'indépendance, avant tout dirigée contre les Habsbourg, étaient Berne et Zurich. Rodolphe de Habsbourg, empereur romain germanique et maître de la Suisse centrale et occidentale, mourait dans des circonstances légendaires (Guillaume Tell) en 1291. La même année, les cantons forestiers de Schwyz, Uri et Unterwald prêtaient le « serment de Rütli » et s'alliaient par un pacte perpétuel (1ᵉʳ août), jetant les bases de la Confédération helvétique. Ils décidèrent d'assurer en commun leur défense et de constituer leurs propres tribunaux. La victoire des trois cantons contre une armée autrichienne du duc Léopold Iᵉʳ à Morgarten le 15 novembre 1315 leur permit de renouveler la charte fédérale de 1291, à laquelle fut ajoutée la réunification des politiques étrangères de chaque canton. L'alliance s'élargissait peu après aux cantons de Lucerne, Zurich, Zoug, Glaris et Berne (1332-1353) pour former le groupe des « Huit Vieux Cantons ». Alliée à plusieurs villes rhénanes et souabes, la Confédération écrasait en 1386 à Sempach une armée des Habsbourg commandée par le duc Léopold III, qui était tué dans la bataille. Les Habsbourg devaient abandonner leurs possessions en Suisse et reconnaître l'indépendance de la Confédération par le traité de « paix perpétuelle » de Constance (1474).

Expansion de la Confédération
La réconciliation de la maison de Habsbourg et de la Confédération permit à celle-ci d'accroître sa puissance : elle s'allia au roi de France Louis XI dans sa politique contre Charles le Téméraire, le duc de Bourgogne. Les Suisses espéraient obtenir l'Alsace pour prix de leur participation à la guerre. Charles le Téméraire était tué devant Nancy en 1477 lors d'une bataille contre la Confédération. Le rôle important joué par les Suisses dans la destruction du grand Etat bourguignon accrut leur réputation militaire : la Garde suisse allait être constituée par le pape en 1506. Après de nouveaux succès au cours de la guerre de Souabe, l'empereur Maximilien Iᵉʳ reconnaissait par la paix de Bâle (1499) l'indépendance de fait de la Confédération par rapport à l'empire. Les cantons ne prenaient en effet plus part aux diètes d'empire depuis 1471 et réglaient leurs affaires par des assemblées propres. Le combat pour l'indépendance s'était intensifié après les décisions d'unification politique et juridique de l'empire prises par la diète de Worms en 1495. La guerre avait éclaté avec l'empire après le ralliement de Constance à la ligue de Souabe, union de la noblesse et des villes du sud-ouest de l'empire. La Confédération obtenait à Bâle de n'être plus soumise ni aux impôts ni à la justice de l'empire, qui ne reconnut toutefois officiellement l'indépendance suisse qu'en 1648, aux traités de Westphalie. La participation de mercenaires suisses aux guerres d'Italie conduisait la Confédération au début du XVIᵉ siècle à tenter d'y jouer un rôle politique propre. Les Suisses battaient en 1513 à Novare les Français et les Vénitiens, contraignant Louis XII à retraverser les Alpes. La politique de grande puissance de la Suisse en Italie fut brisée après sa défaite contre François Iᵉʳ à Marignan (1515). Aux huit anciens cantons s'étaient joints Fribourg, Soleure, Bâle et Schaffhouse ainsi que Appenzell, constituant une confédération de treize cantons sans gouvernement central comprenant en outre plusieurs « lieux rattachés » comme Saint-Gall ou le Haut-Valais. Des délégués des cantons débattaient toutefois des questions communes et conflictuelles lors des diètes.

Réforme et guerres de religion
Le programme réformiste de Huldrych Zwingli était adopté à Zurich en 1523 et s'étendait rapidement à plusieurs autres cantons. L'expansion de la Réforme provoqua un conflit entre cantons catholiques et protestants : deux batailles eurent lieu à Kappel, Zwingli fut tué au cours de la seconde (1531), à l'issue de laquelle la division confessionnelle des cantons était reconnue, laissant à chacun le choix de sa religion. Le troisième grand mouvement religieux du XVIᵉ siècle partait de Genève, qui avait adopté en 1541 la réforme calviniste. L'unité théologique et cléricale des réformés était réalisée en 1566.

Constitution de l'Etat fédéral
Le pouvoir politique se constitua de manière différente dans les cantons au cours des XVIIᵉ et XVIIIᵉ siècles : le patriciat l'emporta à Berne, Lucerne, Soleure et Fribourg, tandis que les corporations dominaient à Zurich, Bâle, Schaffhouse et Saint-Gall. Le conflit entre cantons citadins et ruraux éclatait parallèlement à la Révolution française lors des révoltes dans le Bas-Valais et au pays de Vaud en 1789. Le parti révolutionnaire était vainqueur à Genève et à Bâle en 1792. La République helvétique était proclamée après l'entrée des troupes françaises en 1798 et se dotait de sa première constitution : celle-ci, démocratique, était réformée par Bonaparte qui promulgait en 1803 l'« Acte de médiation ». La Suisse se voyait reconnaître par le congrès de Vienne en 1815 un statut de neutralité perpétuelle et se donnait la même année une nouvelle constitution, le « pacte fédéral », reconnaissant l'autonomie des cantons mais y renforçant toutefois le principe aristocratique. Après la révolution de Juillet en France (1830), le parti libéral de la « régénération » prenait le pouvoir dans la plupart des cantons. Les libéraux tentaient d'instaurer un Etat dont les institutions reposeraient sur la souveraineté du peuple et l'égalité juridique de ses citoyens. Douze cantons avaient renversé leurs aristocraties en 1831. Une lutte indécise entre conservateurs et libéraux se poursuivit au cours des années suivantes. Les cantons catholiques conservateurs formaient en 1845 le *Sonderbund*, une alliance défensive séparée, qui était vaincue et dissoute en 1847. La Constitution de 1848 dotait la Confédération d'institutions fédérales et demeurait en vigueur pour l'essentiel jusqu'à nos jours.

La Suisse, Etat fédéral neutre
La Confédération devait affronter sa première épreuve en 1856, lors de la tentative de putsch royaliste du canton de Neuchâtel : les insurgés avaient pour ambition de restaurer la souveraineté du roi de Prusse, également prince de Neuchâtel. Ce dernier, Frédéric Guillaume IV, tenta en vain de faire libérer le chef de la rébellion. La Prusse subissait en 1857 un grave échec diplomatique lorsqu'elle devait renoncer à tout droit sur Neuchâtel. La Suisse établit sa politique de neutralité armée sur un système de bonnes relations économiques et diplomatiques avec la plupart des autres Etats ; la fondation à Genève de la Croix Rouge en 1863, suivie de la création d'un ensemble d'instituts internationaux achevait de donner à la Suisse sa vocation internationale. La neutralité suisse fut respectée au cours des deux guerres mondiales et Genève devenait (après avoir été celui de la SDN) le siège de l'ONU, à laquelle la Suisse n'adhère pourtant pas. Le Jura, rattaché au canton de Berne depuis 1815, voyait se développer dans les années 1960 un mouvement autonomiste. Le Rassemblement jurassien échouait lors du référendum sur l'autodétermination de 1959. Ce n'est qu'en juin 1974 qu'un nouveau référendum permettait la création d'un vingt-troisième canton, limité cependant aux trois districts catholiques du nord. Le nouveau canton était officiellement créé le 1ᵉʳ janvier 1979.

Surinam

SME
Amérique du Sud
163 265 km²
490 000 hab.
ONU, OEA,
SELA

Capitale : Paramaribo (200 000 hab.)
Langue officielle : néerlandais
Religions : prot. (30 %),, hind. (27 %), musulm.
Régime polit. : république. Indépendance obtenue le 25 novembre 1975

Le Surinam était découvert en 1499 par les conquistadors espagnols Alonso de Ojeda, Amerigo Vespucci et Juan de la Cosa. Le pays demeura inoccupé, y compris après la prise officielle de possession espagnole, en 1594. Les premières tentatives d'implantation ne furent effectuées qu'au cours de la première moitié du XVIIᵉ siècle par les Hollandais, les Britanniques et les Français. Le premier établissement durable était fondé sur le fleuve Surinam en 1651 par l'Anglais Hugh Willoughby. La colonie était reconnue par une lettre de donation du roi d'Angleterre Charles Iᵉʳ en 1662 et se renforça après l'implantation de nouveaux colons juifs (marranes). Les Néerlandais obtenaient le Surinam en 1667 après un échange lors du traité de Breda avec la Nouvelle-Amsterdam (New York). La Société Privilégiée du Surinam était constituée en 1683 : elle développait les plantations (canne à sucre) de la colonie en s'appuyant sur une main-d'œuvre d'esclaves, qui se révoltait à plusieurs reprises. Le congrès de Vienne confirmait officiellement en 1815 la souveraineté des Pays-Bas sur la colonie du Surinam (Guyane néerlandaise). Dès avant l'abolition de l'esclavage, en 1863, une importante main-d'œuvre chinoise, indienne et indonésienne y fut établie. L'exploitation de la bauxite, la principale ressource du pays, commençait en 1938. L'accession à l'autonomie, en 1954, conduisait au pouvoir les partis conservateurs, hindous ou créoles, puis le parti progressiste dont le chef, Henck Arron, négociait avec les Pays-Bas l'indépendance (1975). Arron demeurait Premier ministre jusqu'en février 1980, où il fut renversé par un coup d'Etat militaire. Un Conseil militaire de huit membres prenait le pouvoir puis suspendait la Constitution et proclamait l'état d'urgence après la tentative de contre-putsch d'août 1980, organisée par des mercenaires étrangers. Bien que ne figurant pas parmi les dirigeants officiels, le sergent – puis colonel – Desi Bouterse détenait les clés du pouvoir et devenait président de la République en 1982. Le régime se durcissait après une nouvelle tentative de putsch en mars 1982, destiné à restaurer un régime démocratique et parlementaire. Les Pays-Bas suspendaient leur aide économique (un tiers du budget national) en 1983, conduisant le Surinam à conclure un accord avec le Brésil, qui s'engageait à lui accorder une aide économique ainsi que des livraisons d'armements.

Swaziland

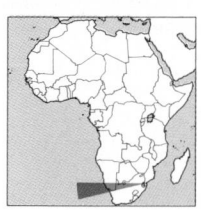

SD
Afrique
du Sud-Est
17 363 km²
610 000 hab.
ONU, CW,
OUA

Capitale : Mbabane (25 000 hab.)
Langue officielle : anglais
Religions : animistes (51 %), chrét.(40 %)
Régime polit. : monarchie const. Indépendance proclamée le 6 septembre 1968

Proche des Zoulous, le peuple bantou des Amangwanes occupe au XVIᵉ siècle la région comprise entre le Natal et le Mozambique : il prend alors le nom de son roi, Mswazi. Les Zoulous prennent au début du XIXᵉ siècle le contrôle du sud du pays et, en 1820, du roi Sobhuza Iᵉʳ (1815-1836). Celui-ci est remplacé par Mswazi II, qui constitue une armée permanente et s'appuie sur les Européens auxquels il accorde plusieurs concessions. Les Britanniques et les Boers rivalisaient depuis 1850 pour renforcer leur influence au Swaziland. Le Transvaal imposait sa suprématie sur le pays en 1895 mais la Grande-Bretagne en prenait le contrôle après la guerre des Boers, en 1902, et le plaçait sous protectorat en 1906. L'Union douanière de 1910 plaçait le Swaziland politiquement et économiquement sous le contrôle total de l'Afrique du Sud. Après l'institution en 1963 d'un Conseil législatif mixte, européen et swazi, le pays obtenait en 1967 son autonomie interne. Le roi Sobhuza II proclamait l'indépendance en 1968 mais décrétait l'abolition de la Constitution et la dissolution des partis politiques en 1978. A la mort du roi, en 1982, la régence est exercée pour le prince Makhosemvlo, âgé de onze ans, par la reine Ntombi. Le Swaziland, très dépendant économiquement de Pretoria, l'est également sur le plan politique : un accord secret de lutte contre les combattants de l'*African National Congress* existe entre les deux Etats depuis 1982, entraînant en 1984 l'arrestation et l'expulsion de plusieurs partisans de l'ANC. Le Swaziland dispose de peu de ressources naturelles. L'abondance des précipitations lui permet de vendre de l'eau et de l'énergie hydro-électrique à la région de Johannesburg.

Syrie

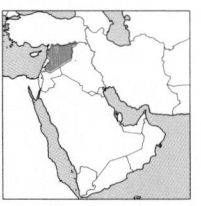

SYR
Proche-Orient
185 180 km²
10,4 M hab.
ONU, LA

Capitale : Damas (1,2 M hab.)
Langue officielle : arabe
Religions : musulm. (80 %), chrét. (10 %)
Régime polit. : rép. présid. Indépendance effective depuis avril 1946

Les plus anciens gisements archéologiques retrouvés en Syrie datent du paléolithique (terrasses du Nahr al-Kabir, vers 800 000 av. J.-C.). Bien que géographiquement située de manière remarquable entre la Mésopotamie, l'Anatolie et la Méditerranée, ce qui lui conféra dans l'Antiquité une position commerciale clé, la Syrie ne donna jamais le jour à un Etat propre. Après avoir subi les invasions du royaume d'Akkad, des Egyptiens, des Hittites, des Assyriens, des Babyloniens et des Perses, la Syrie fut intégrée à l'Empire macédonien par Alexandre le Grand en 333-332 av. J.-C. Divisée après la mort d'Alexandre, elle appartint pour l'essentiel au royaume séleucide (à partir de 301 av. J.-C.) avant d'être conquise par les Romains, en 63 av. J.-C. Intégrée à l'Empire romain d'Orient (Byzance) en 395 ap. J.-C., la Syrie était conquise par les Arabes (633-640) puis par l'Empire ottoman, en 1516. La domination ottomane s'effondrait au cours de la Première Guerre mondiale : la France et la Grande-Bretagne se divisaient le Proche-Orient en zones d'influence par l'accord secret Sykes-Picot de 1916. Les Britanniques obtenaient la Mésopotamie, la Palestine et la Jordanie, les Français la Syrie. Le front ottoman était rompu à Jaffa lors de la guerre de Palestine et les Britanniques s'engageaient avec les troupes arabes jusqu'à Alep, Damas et Beyrouth. Le Congrès national syrien proclamait en mars 1920 l'indépendance de la Syrie, incluant le Liban et la Palestine et choisissait comme roi l'émir Faysal, fils de Husayn, roi du Hedjaz (Arabie). Mais Faysal était chassé en juillet par les Français, qui avaient obtenu un mandat de la SDN sur la Syrie à la conférence de San Remo. Une révolte nationale éclatait en 1925 dans le djebel druze : une répression brutale n'en vint à bout qu'en 1927. Des institutions démocratiques et républicaines étaient peu à peu mises en place et une délégation syrienne obtenait à Paris en 1936 l'accession à l'indépendance après une période probatoire de trois ans ; l'accord ne fut cependant pas ratifié par le Parlement français. L'autorisation donnée par le gouvernement de Vichy à l'aviation allemande d'utiliser les aérodromes syriens pour soutenir l'Iraq contre les Britanniques entraînait l'intervention de forces britanniques et françaises libres (juin 1941). L'indépendance syrienne était formellement proclamée le 1ᵉʳ janvier 1944 mais le pays restait occupé sous un condominium franco-britannique jusqu'au départ des troupes françaises sous la pression des troupes britanniques, en avril 1946. Les premières années de l'indépendance furent marquées par une alternance de dictatures et de putschs. Les socialistes du parti Baath favorisaient l'accord d'union entre la Syrie et l'Egypte au sein de la République arabe unie (RAU), le 1ᵉʳ février 1958, placée sous la présidence de l'Egyptien Nasser. La RAU éclatait en septembre 1961 après un soulèvement militaire en Syrie. Le Baath prenait le pouvoir après le coup d'Etat militaire de 1963. L'aile marxiste du parti effectuait un nouveau coup d'Etat en 1966, portant Nur al-Din al-Atasi à la présidence de la République. Le général Hafiz al-Asad, commandant en chef de l'armée de l'air et représentant du courant pragmatiste du Baath renversait al-Arasi en 1970. Il était confirmé à la tête de l'Etat par le suffrage universel en 1971. La nouvelle constitution préparée par l'Assemblée du peuple et qui entrait en vigueur en janvier 1973 ne proclamait pas l'islam religion d'Etat, provoquant l'hostilité des milieux musulmans sunnites (Frères musulmans). La Syrie devenait une république arabe démocratique et populaire. Après être intervenues contre Israël en mai 1948 et juin

1967, les troupes syriennes intervenaient à nouveau en octobre 1973 : après ses premiers succès dans le Golan, l'armée syrienne devait reculer mais harcelait l'armée israélienne jusqu'à l'accord du 31 mai 1974 qui rendait à la Syrie la moitié des territoires occupés depuis 1967. Les relations avec l'Egypte se tendirent après l'intervention des troupes syro-arabes dans la guerre civile libanaise, en 1976. La Syrie s'appuya alors sur la Libye, avec laquelle un accord d'union (non appliqué) était conclu en 1980 et sur l'URSS, par la signature d'un traité d'amitié et de coopération. Après l'attentat manqué contre le président Asad, en juin 1980, plusieurs centaines de prisonniers de la prison de Palmyre étaient massacrés en représailles ; le soulèvement de la ville de Hama en février 1982 était réprimé après plusieurs semaines de combats qui firent plusieurs milliers de victimes civiles. Le soutien militaire accordé par la Syrie à l'Iran dans la guerre qui l'oppose à l'Iraq depuis 1980 provoquait une détérioration des relations syro-jordaniennes. Se repliant au nord et à l'est du Liban après l'intervention israélienne de 1982, la Syrie refusait d'entériner l'accord libano-israélien de 1983 et soutenait au Liban les dissidents palestiniens après avoir expulsé en juin 1983 Yasir Arafat, chef de l'OLP. L'aggravation de la situation au Liban et le bombardement de positions syriennes par l'aviation américaine en novembre 1983 conduisaient l'URSS à réaffirmer son soutien à Hafiz al-Assad, qui décrétait la mobilisation générale. La Syrie s'opposait à la normalisation des relations israélo-libanaises et soutenait l'opposition libanaise (milice Amal) au président Gemayel. Réélu pour la troisième fois en février 1985 (99,97 % des suffrages), le président Asad poursuivait la politique qui confère à la Syrie un rôle clé dans les conflits du Proche-Orient et un rôle de médiation important dans le dénouement de plusieurs prises d'otages occidentaux au Liban.

Tanzanie

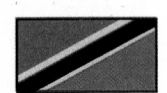

EAT
Afrique de l'Est
945 087 km²
20,4 M hab.
ONU, CW, OUA

Capitale : Dodoma (158 000 hab.)
Langue officielle : swahili
Religions : animistes (40 %), musulm., cath.
Régime polit. : rép. féd. présid. Indépendance obtenue le 9 décembre 1961

Le territoire de l'ancien Tanganyika possède des traces humaines qui comptent parmi les plus anciennes découverte jusqu'à présent et remontant à plus de trois millions d'années. Les tribus namas, proches des Bochimans, s'y installèrent au néolithique : des tribus bantoues apparaissaient en plusieurs vagues à partir du Iᵉʳ millénaire av. J.-C. Les côtes tanzaniennes avec les îles de Zanzibar, Pemba, Mafia et Kilwa commercèrent très tôt dans l'Antiquité avec l'Arabie et l'Inde. Zanzibar et la zone côtière, colonisées depuis l'Arabie du Sud et le golfe Persique au VIIᵉ siècle, devenaient le plus important marché d'esclaves de l'Afrique orientale. Fondée à la fin du Xᵉ siècle, la ville de Kilwa soumettait les autres villes côtières et devenait la capitale d'un sultanat africain qui atteignait au XIIIᵉ siècle le territoire de l'actuel Mozambique. La rencontre des deux cultures arabe et africaine permettait dès cette époque la constitution d'une langue issue des dialectes bantous et de l'arabe, le swahili. Les Portugais, qui conquéraient en 1503 Zanzibar et le sultanat furent repoussés par les Arabes en 1652. Ahmad ibn Said, imam de Masqat (Oman), fondait en 1741 la dynastie qui allait régner à Zanzibar jusqu'en 1964. Les puissances coloniales passaient à partir du milieu du XIXᵉ siècle de Zanzibar au Tanganyika. La Compagnie allemande d'Afrique orientale était chargée en 1885 par Guillaume Iᵉʳ de la conquête du Tanganyika et obtenait en 1888 du sultan de Zanzibar la zone côtière du Tanganyika. L'Allemagne instaurait son protectorat sur l'Afrique de l'Est allemande en 1891 après l'accord conclu avec la Grande-Bretagne en 1890, lui attribuant Zanzibar et délimitant les zones d'influence respectives. La colonie allemande était divisée après la Première Guerre mondiale entre le Portugal, qui obtenait une bande de territoire au sud, la Belgique qui obtenait un mandat sur le Rwanda-Urundi et la Grande-Bretagne qui en recevait l'essentiel (Tanganyika) et le conservait en tant que *trusteeship* de l'ONU après 1945, avec pour mission de la conduire à l'indépendance. Le mouvement nationaliste conduisait à la formation en 1954 de l'Union nationale africaine du Tanganyika (TANU) par Julius Kambarage Nyerere. L'indépendance était acquise au sein du Commonwealth en 1961 ; Julius Nyerere devint Premier ministre puis président de la République après sa proclamation, le 9 décembre 1962. Le sultanat de Zanzibar accédait à son tour à l'indépendance le 10 décembre 1963 et devenait une république après la révolution menée contre le sultan par les nationalistes noirs d'inspiration marxiste. La République populaire de Zanzibar et de Pemba s'unissait au Tanganyika le 26 avril 1964 : le nouvel Etat, dirigé par Nyerere, prenait le nom de Tanzanie. Le programme socialiste de développement et de cohésion sociale *(ujamaa)* présenté par Nyerere en 1967 ne put être appliqué qu'en partie. La TANU et le parti zanzibarite de l'Afro-Shirazi fusionnaient en 1977 et devenaient le Parti révolutionnaire de Tanzanie *(Chama Cha Mapinduzi*, CCM). L'incident frontalier créé en 1978 par les troupes ougandaises conduisait la Tanzanie à intervenir à Kampala, dont Idi Amin Dada était chassé. Julius Nyerere se retirait du pouvoir lors des élections d'octobre 1985, l'ancien chef du gouvernement de Zanzibar, Ali Hassan Mwingyi, lui succédait.

Tchad

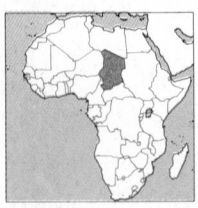
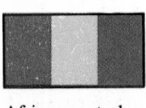

Afrique centrale
1 284 000 km²
4,79 M hab.
ONU, OUA

Capitale : N'Djamena (300 000 hab.)
Langues officielles : français, arabe
Religions : musulm. (52 %), anim. (43%), chrét.
Régime polit. : rép. présid. Indépendance proclamée le 11 août 1960

Les gravures rupestres retrouvées dans la région du lac Tchad datent du néolithique et sont donc postérieures à la phase de désertification qui commença vers 7000 av. J.-C. Le royaume Kanem fut fondé au IXᵉ siècle par la dynastie des Sef, d'origine nomade. Islamisé, le Kanem s'effondrait au XIIIᵉ siècle devant les Boulalas du Bahr el-Ghazal. Réfugiés au Bornou, les Sef réussissaient à reconquérir le Kanem au XVIᵉ siècle. Le sultanat de Baguirmi fut conquis entre 1892 et 1894 par Rabah, lieutenant du négrier arabe Zubayr, et intégré à son immense royaume, s'étendant à l'est jusqu'au Darfour, au nord à Kanem et à l'Ouaddaï, au sud jusqu'à l'Adamaoua et bien au-delà du lac Tchad à l'ouest. Après avoir éliminé plusieurs colonnes françaises, Rabah était vaincu et tué le 22 avril 1900. Le territoire du Tchad fut progressivement conquis et constitué en tant que colonie du Tchad en 1920, après avoir appartenu à l'Afrique-Équatoriale française (Oubangui-Chari-Tchad). Le Tchad était la première colonie française à se rallier à la France libre, en août 1940 et servait de base aux opérations en Libye jusqu'en 1943. Le Tchad obtenait en 1946 le statut de territoire d'outre-mer puis son autonomie comme république en 1958 au sein de la Communauté française : le pays restait intégré à la Communauté après l'accession à l'indépendance, en août 1960. Le premier président tchadien était François Tombalbaye, chef du Parti progressiste tchadien (PPT), élu en avril 1962. Enclavée au cœur de l'Afrique, la jeune république tentait de nouer des liens économiques en Afrique ou avec l'Europe (association à la CEE en 1962). Tombalbaye devait faire face dès 1967 à une rébellion partie du nord, islamisé, et soutenue par la Libye. Après l'intervention française (1969), les rebelles du FROLINAT se regroupaient au Soudan. Tombalbaye rompait avec Tripoli en 1971, deux ans après le coup d'État du colonel Kadhafi. Le putsch de 1975 portait au pouvoir le général Félix Malloum, les Français devaient quitter le pays. Les préparatifs libyens pour une nouvelle campagne conduisaient le gouvernement à conclure en 1978 un cessez-le-feu avec les rebelles musulmans du Tibesti (Toubous). Leur chef, Hissène Habré, devenait Premier ministre. Mais les combats reprenaient l'an suivant, le président Malloum s'exilait au Nigeria. Le nouveau président, le musulman Goukouni Oueddei ne parvenait pas à mettre fin aux troubles et Hissène Habré s'emparait de N'Djamena en juin 1982, Oueddei trouvait refuge en Algérie et constituait en octobre un gouvernement en exil à Bardai, en zone occupée par la Libye (bande d'Aozou). Les rebelles prenaient Faya Largeau en juin 1983, entraînant l'octroi immédiat d'une aide et d'une assistance américaines à Hissène Habré. La France intervenait en août 1983 (opération « Manta »), les combats cessaient. Un accord Paris-Tripoli prévoyait en septembre 1984 un retrait conjoint des forces, les Libyens restèrent cependant en place au nord du 16ᵉ parallèle. La conférence de réconciliation tchadienne de Brazzaville échouait en novembre. Une nouvelle offensive des rebelles du GUNT et des Libyens, déclenchée le 10 février 1986, était stoppée après le raid aérien français sur Ouadi-Doum, le 16 février. Epuisé par plus de dix années de guerre et par la sécheresse, le Tchad a besoin de la paix pour pouvoir reconstituer son économie.

Tchécoslovaquie

CS
Europe centrale
127 869 km²
15,4 M hab.
ONU, PV,
COMECON

Capitale : Prague (1,19 M hab.)
Langues officielles : tchèque, slovaque
Religions : cath. (80 %), prot., hussites
Régime polit. : rép. social. féd. depuis la réforme constit. du 28 octobre 1968

Les Celtes boiens se retiraient en 193 av. J.-C. vers la Bohême après leur défaite contre Rome en Italie du Nord. Il s'implantèrent dans la région, à laquelle il prêtèrent leur nom, « Boihaemum ». Les Boiens étaient vaincus en 10 av. J.-C. lors de l'invasion des tribus germaniques des Marcomans. C'est vers 500 ap. J.-C., lors des grandes migrations, que des Slaves commencèrent à s'installer en Bohême, Moravie et Slovaquie. Chef de l'une des tribus slaves, Cech, donnait son nom aux « Tchèques » ; l'une de ses descendantes, Libuse, épousa selon la tradition un laboureur nommé Premysl. Chef des Slaves, le marchand franc Sámo battait en 632 le roi franc Dagobert Iᵉʳ à Vogatisburg et obtenait l'indépendance de la Moravie. Il y constitua à la tête des Wendes et autres tribus slaves un puissant royaume qui ne lui survécut cependant pas (660). Le duc Borivoj, premier prince premyslide historiquement connu, réalisait vers 850 l'unification des tribus tchèques et établissait sa capitale à Prague, où il faisait construire la résidence du Hradcany. La Bohême devenait de fait partie de l'Empire romain germanique. En Moravie, la dynastie fondée par le prince Mojmír unissait vers 830 diverses tribus slaves et fondait le royaume de Grande-Moravie, qui comprenait au cours du dernier tiers du IXᵉ siècle la Moravie, la Bohême, la Slovaquie, les régions du haut Oder, de haute Vistule ainsi qu'une partie de la Basse-Pannonie et de Basse-Autriche. Afin de lutter contre l'influence franque, le successeur de Mojmír, Rotislav, se convertissait au christianisme et appelait des missionnaires byzantins, Cyrille et Méthode : ceux-ci commencèrent l'évangélisation en 864, mais la tentative d'ériger en Grande-Moravie une Eglise autonome échoua. Le royaume était détruit en 906 par les Hongrois et le territoire de l'actuelle Slovaquie demeura jusqu'en 1918 intégré à l'Autriche-Hongrie. La Grande-Bohême était définitivement intégrée à l'Empire romain germanique par Otton Iᵉʳ le Grand en 950.

Duché et royaume de Bohême

L'évêché de Prague était fondé au sein de l'archevêché de Mayence en 973, sous le règne du duc Boleslav II. Les ducs de Bohême mirent à profit les rivalités apparues au sein de l'empire pour conquérir progressivement leur autonomie : Vratislav II obtenait en 1085 la dignité royale à titre personnel ; de même le duc Vladislav Iᵉʳ en 1158, tandis que la Bohême devenait margraviat d'empire. Le duc Premysl Otakar Iᵉʳ obtenait enfin l'hérédité de la monarchie en 1198. Le roi Otakar II annexa temporairement à partir de 1253 l'Autriche, la Styrie, la Carinthie et la Carniole : candidat à l'élection royale germanique, il fut battu par Rodolphe de Habsbourg, et tué lors de la bataille de Dürnkrut (1278) par les troupes rassemblées par Rodolphe. Son fils, Venceslas III, réunira sous une seule couronne la Bohême, la Pologne et la Hongrie, mais son assassinat marquait en 1306 la disparition de la dynastie des Premysl. La Bohême était devenue sous les derniers premyslides le pays le plus développé économiquement et juridiquement d'Europe : la monnaie émise à Prague en 1300 était particulièrement recherchée. Le roi allemand Albert Iᵉʳ obtenait en 1307 la couronne de Bohême pour son fils Rodolphe, tandis que la riche province de Courlande tombait aux mains des Habsbourg. La mort soudaine de Rodolphe mettait fin la même année aux ambitions germaniques. La lutte pour la succession prenait fin en 1310, avec l'arrivée sur le trône de Jean Iᵉʳ de Luxembourg : les Luxembourg régneront jusqu'en 1437. Charles, roi de Bohême, était élu roi germanique sous le nom de Charles IV en 1347 puis empereur en 1355. La Bohême devenait sous son règne le centre de l'Empire romain germanique et s'agrandissait de la Moravie et de la Silésie. Nouvelle capitale impériale, Prague s'enrichissait de splendides bâtiments, ce qui lui valut l'appellation de « Rome du Nord ». La *Bulle d'Or* promulguée par Charles IV en 1356 fixait la prééminence des rois de Bohême en tant que princes électeurs allemands. Une réaction nationale, tout d'abord religieuse, s'étendait sous le règne de son fils, Venceslas IV (1378-1419). Inspiré de l'Anglais Wycliffe, le mouvement de réforme conduit par Jan Hus obtenait du roi en 1409 la restriction des privilèges des universités allemandes et tchèques. Malgré un sauf-conduit impérial, Hus était arrêté et brûlé comme hérétique en 1415 pendant le concile de Constance. Sa mort déclencha un mouvement de révolte nationale et anticléricale tchèque : à la mort de Venceslas, en 1419, la foule prenait d'assaut l'hôtel de ville de Prague, libérait des hussites emprisonnés et défenestrait deux conseillers catholiques. Cette première défenestration de Prague déclenchait la Première Guerre hussite : le pape Martin V appelait en 1420 à une croisade contre la révolte hussite. L'empereur Sigismond, qui tentait de s'imposer sur le trône de Bohême, subit plusieurs graves défaites. Les troupes hussites, dirigées par Prokop le Petit et Prokop le Grand, dévastaient en 1426 la Franconie, la Bavière, la Silésie et le Brandebourg : l'ampleur de leurs victoires était telle qu'un impôt spécial dut être levé en 1427 à travers l'empire pour financer une nouvelle armée. La guerre ne prenait fin qu'en 1436 après l'accord des *Compactata* survenu entre les représentants de Bohême, ceux du concile de Bâle et l'empereur Sigismond, qui était reconnu roi de Bohême. Georges de Podebrady, représentant de la noblesse tchèque, était élu roi de Bohême en 1458 : déclaré hérétique par le pape Paul III en 1466, il n'en renforçait pas moins l'indépendance tchèque. A sa mort, en 1471, la noblesse nationaliste faisait appel aux Jagellon de Pologne pour défendre la Bohême contre Mathias Corvin et la noblesse catholique qui l'avait proclamé roi. Les Jagellon, Ladislas II et Louis II, réunirent les couronnes de Hongrie et de Bohême, dont les états appelaient en 1526 un Habsbourg sur le trône.

Le règne des Habsbourg

Lorsque Louis II Jagellon mourait, sans descendance, les dispositions du traité de Vienne-Presbourg de 1515 entraient en vigueur : l'archiduc (et futur empereur) autrichien Ferdinand Iᵉʳ devenait roi de Hongrie et de Bohême. Les Habsbourg étaient maîtres d'un immense empire. Le catholicisme connut un regain de faveur en Bohême et en Hongrie, mais l'empereur Rodolphe II garantissait en 1609 par une lettre de majesté aux Etats de Bohême la liberté du culte. L'acte n'étant pas appliqué, la population praguoise se soulevait à nouveau : la seconde défenestration de Prague, où deux conseillers impériaux catholiques étaient ostensiblement défenestrés dans le Hradcany, déclenchait en 1618 la guerre de Trente Ans, qui embrasait l'Europe. Les troupes impériales et de la Ligue catholique écrasaient les Tchèques à la bataille de la Montagne Blanche en 1620 : les dirigeants de la révolte étaient exécutés en 1621, tandis que les persécutions s'étendaient à travers tout le pays. La guerre de Trente Ans marqua profondément la Bohême, dont une grande part de la population émigra, Prague perdit son rayonnement culturel et économique. La monarchie de Bohême et de Moravie devenait héréditairement liée aux Habsbourg par les édits de 1627-1628. Le réveil national des Tchèques, soumis à une intense politique de germanisation, ne survit qu'au début du XIXᵉ siècle avec l'industrialisation et la démographie croissantes du pays. La population augmenta de 60 % en Bohême entre 1780 et 1840, pour atteindre six millions de personnes. Les radicaux tchèques se soulevaient en 1848, mais la révolution était écrasée par les troupes autrichiennes. L'état d'urgence fut proclamé en Bohême pendant toute la durée de la Première Guerre mondiale.

La Tchécoslovaquie indépendante

L'effondrement de la double monarchie danubienne entraîna la proclamation à Prague en 1918 de la République de Tchécoslovaquie. Tomás Masaryk en devenait le premier président. Conglomérat de nationalités, la Tchécoslovaquie fut rapidement menacée par les mouvements séparatistes tchèque, slovaque, allemand, hongrois et polonais. L'accord de Munich entre Hitler, la France, la Grande-Bretagne et l'Italie permettait en 1938 le rattachement de la région des Sudètes, fortement germanophone, à l'Allemagne. Un nouveau pas était franchi après l'invasion des Sudètes lorsque Hitler exigeait que la Tchécoslovaquie renonce aux régions polonaises et hongroises. Poussé par l'Allemagne, Mgr Tiso proclamait le 14 mars 1939 l'indépendance de la Slovaquie, entraînant deux jours plus tard l'intervention de l'Allemagne, qui plaçait la Bohême et la Moravie sous son protectorat. Eduard Benes constituait un gouvernement en exil à Londres en 1940. Un gouvernement provisoire était constitué le 4 avril 1945 par Zdenek Fierlinger, Benes devenant président de la République. Le pays était libéré par les Soviétiques, les Américains ayant reçu l'ordre de s'arrêter à Plzen. 2,4 millions d'Allemands étaient expulsés du pays, auxquels s'ajoutaient 500 000 Hongrois. Le coup d'Etat légal des communistes en 1948 faisait du pays une république populaire dont Klement Gottwald devenait le président. La tentative du chef de l'Etat, le général Svoboda, et du chef du parti communiste, Alexander Dubcek, de lancer une politique du « socialisme à visage humain » (Printemps de Prague), connaissait une fin brutale avec l'intervention en août 1968 des troupes de cinq Etats du Pacte de Varsovie : des mouvements spontanés de résistance et des grèves désorganisaient la pays et la crise ne s'achevait qu'après l'accord mettant fin au « Printemps » survenu à Moscou entre Svoboda et les autorités soviétiques. Emmené à Moscou avec les principaux dirigeants communistes, Dubcek était remplacé à la tête du parti communiste par Gustav Husák en 1969 (chef de l'Etat en 1975). La publication de la *Charte 77* par un mouvement de défense des droits de l'individu reconnus par la Constitution conduisait à une brutale répression politique (mort de Jan Patocka, condamnation en 1979 de Václav Havel).

Thaïlande

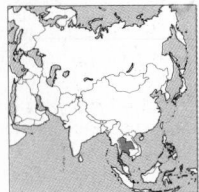

THA
Asie du Sud-Est
514 000 km²
49,46 M hab.
ONU, ASEAN

Capitale : Bangkok (5 M hab.)
Langue officielle : thaï
Religions : bouddh. (95 %), musulm. (3,8 %)
Régime polit. : monarchie const. d'après la
Constitution du 22 octobre 1976

Les vestiges archéologiques retrouvés sur le territoire de l'actuelle Thaïlande attestent un peuplement dense et ancien. La première mention de la région, nommée *Suvannabhumi* (« Terre de l'or »), apparaît dans des textes bouddhiques datant de 250 av. J.-C. environ. Un grand royaume de population môn, Dvaravati, semble avoir eu un important rayonnement avant l'arrivée des tribus thaïs, au VIII⁰ siècle ap. J.-C. Venues du sud de la Chine (mais non d'origine chinoise) et pénétrant le pays par le bassin du Ménam, celles-ci soumirent les Môns et les Khmers et fondaient au XIII⁰ siècle le royaume de Sukhotai. Des rivalités entre les différentes principautés thaïs au sud de Sukhotai émergeait vers 1350 le royaume de Siam (du peuple thaï des « Syams »), lorsque le prince d'U Thong se faisait couronner roi sous le nom de Ramadhipati et établissait sa capitale à Ayuthia, sur une île du Ménam. Le royaume d'Ayuthia s'emparait d'Angkor (1431), mettant fin à la puissance khmère, du royaume de Sukhotai et étendait sa domination

jusqu'au Cambodge et à Malacca. Entré en conflit avec les Birmans, le Siam était conquis en 1569 (prise d'Ayuthia) : il était reconquis par Naruesen en 1592. Les premiers traités avec les puissances étrangères étaient signés en 1516 avec les Portugais. Après les Espagnols, les Hollandais et les Anglais, les Français obtenaient en 1686 des droits commerciaux et le droit de stationner des troupes grâce à l'influence de l'aventurier grec Constantin Phaulkon, promu surintendant du commerce extérieur par le roi Narayana (1657-1688). La mort du souverain marquait le début d'une réaction nationaliste : le pays fut interdit aux Européens jusqu'au début du XIX⁰ siècle, notamment aux missionnaires, dont l'activité se heurtait aux croyances bouddhiques. Dominée par la rivalité avec le royaume d'Annam (Viêt-nam) au Laos et au Cambodge puis par une nouvelle offensive birmane (1759), la première moitié du XVIII⁰ siècle est pourtant marquée par un vif essor culturel et économique. Ayuthia était prise et détruite en 1767 mais la reconquête rapide sous l'impulsion des généraux Phya Tak et Phya Chakri permettait de restaurer la souveraineté du royaume thaï dès 1770.

Restauration de la puissance du Siam
Phya Chakri devait rentrer du Cambodge où il avait rétabli la domination thaï pour mettre un terme aux désordres causés par Phya Tak, devenu fou. Chakri se faisait couronner roi du Siam sous le nom de Rama Iᵉʳ et établissait sa nouvelle capitale à Bangkok (1782). La dynastie Chakri, qu'il fondait demeure encore de nos jours souveraine en Thaïlande. La volonté du roi

Rama IV d'ouvrir son pays aux puissances occidentales conduisit en 1855 à la signature d'un accord commercial avec la Grande-Bretagne, suivi de traités identiques avec la France, les Etats-Unis et la Prusse entre autres. Cette politique permit au Siam d'être le seul Etat d'Asie du Sud-Est à conserver son indépendance face aux puissances coloniales. Son successeur, Rama V, poursuivit jusqu'en 1910 une importante œuvre réformatrice : modernisation de l'Etat et de ses institutions, des infrastructures du pays sur le modèle occidental, abolition de l'esclavage et du servage. Protégé en outre de l'emprise colonialiste par la rivalité franco-anglaise, le Siam devait pourtant concéder à la France les villes de Vientiane, Luang Prabang, Battambang et Siem Reap en 1893, à la Grande-Bretagne en 1909 les quatre villes malaises du Nord de Kedah, Perlis, Kelantan et Trengannu.

La Thaïlande
Un groupe d'officiers formés en Occident et d'intellectuels groupés autour de Pridi Phanomyong, un juriste, contraignaient le roi Rama VII (1925-1935) à accepter l'instauration d'une constitution, prévoyant l'introduction progressive du suffrage universel. Le roi abdiquait en 1935, son successeur, Ananda Mahidol, était âgé de dix ans : un Conseil de régence exerçait le pouvoir, accordant de plus en plus de poids à l'armée. Le major Pibul Songgram, au pouvoir depuis 1938, instaurait une politique nationaliste : le royaume de Siam devenait en 1939 la Thaïlande. Soutenu par le Japon pendant la Seconde Guerre mondiale, Songgram ten-

tait de constituer un grand-royaume de Thaïlande aux dépens des possessions françaises et britanniques ; il était renversé en 1944 par la résistance, dirigée par Pridi Phanomyong, qui démocratisait le pays. Pourtant, Songgram effectuait un coup d'Etat en 1947 et instaurait une dictature militaire tout en conservant la monarchie. Partis politiques et syndicats étaient interdits en 1952. L'influence des Etats-Unis supplanta sous la dictature celle de la Grande-Bretagne : l'accord intervenu en 1950 permettait aux Etats-Unis d'implanter des bases militaires sur le sol thaïlandais, aux compagnies américaines d'exploiter ses ressources. La Thaïlande devenait en 1954 le seul membre sud-asiatique avec les Philippines de l'OTASE, chargée d'organiser la coopération économique et militaire avec l'Australie, les Etats-Unis, la France, la Nouvelle-Zélande et le Pakistan. Après le renversement de Songgram, en 1957, le pays restait gouverné jusqu'en 1973 grâce à la répression et au maintien de l'état d'urgence par les militaires, qui soutinrent la politique américaine au Viêt-nam et s'opposèrent aux mouvements communistes thaïlandais. Une brève période démocratique où tous les accords avec les Etats-Unis furent dénoncés s'achevait sur un nouveau putsch, en 1976. Le général Prem Tinsulanond arrivait au pouvoir en février 1980 et s'y maintenait, malgré l'importance des tensions politiques intérieures (l'Assemblée nationale est dissoute en mars 1983) et extérieures : accrochages à la frontière cambodgienne avec les troupes vietnamiennes. Une nouvelle tentative de putsch militaire échouait en septembre 1985.

Togo

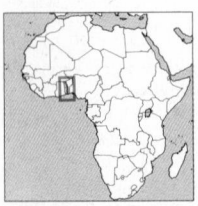

TG
Afrique
de l'Ouest
56 785 km²
2,7 M hab.
ONU, CEDEAO,
OUA

Capitale : Lomé (340 000 hab.)
Langue officielle : français
Religions : animistes (51 %), chrét., musulm.
Régime polit. : rép. présid. Indépendance proclamée le 27 avril 1960

La côte togolaise, longue de 50 km, était visitée vers 1470 par les Portugais, auxquels succédait un protectorat de fait des Danois. Appartenant à la « Côte des esclaves », le Togo fut un important réservoir d'hommes et ne reçut guère jusqu'au XIX⁰ siècle que la visite des marchands d'esclaves. Le commerce de

l'huile de palme se substitua lentement à la traite. En 1852 arrivaient de Brême des missionnaires de la Société d'Allemagne du Nord. L'explorateur allemand et commissaire impérial Gustav Nachtigal débarquait en 1884 près d'Anécho, signait plusieurs traités de protectorat avec les chefs tribaux et nommait le pays « Togo », d'après un petit village côtier. L'Allemagne annexait la côte et partageait l'intérieur du pays avec la Grande-Bretagne et la France. La rivalité avec la France, directe depuis 1885, cessait après la fixation de la frontière du Dahomey lors du traité de Paris de 1897. Tout le territoire de l'actuel Togo était en 1901 sous domination allemande. La Grande-Bretagne obtenait en 1919 le Togo occidental (partie de l'actuel Ghana), la France le Togo oriental (actuel Togo). Le mandat de la SDN était transformé en 1946 en un mandat de l'ONU, confié également à la France.

Le rattachement de la partie nord du pays, le territoire éwé jusqu'alors coupé en deux, à la *Gold Coast* britannique était décidé par le référendum de 1956, contrôlé par l'ONU. Le Togo accédait à l'autonomie en 1956 dans le cadre de l'Union française puis à l'indépendance en 1960. Le premier président de la République du Togo était Sylvanus Olympio, chef du Comité d'union togolaise (CUT) : il était assassiné lors d'un putsch, le 13 janvier 1963. Son successeur, Nicolas Grunitzky, déjà Premier ministre de 1956 à 1958, instaurait un régime démocratique qui était renversé par un putsch militaire le 13 janvier 1967. Le lieutenant colonel Gnassingbé Eyadéma s'imposait dès avril et suspendait toutes les institutions démocratiques. Un parti unique, le Rassemblement du peuple togolais, était créé en 1969 et Eyadéma se faisait confirmer dans ses fonctions par le plébiscite du 9 janvier 1972. La politique pro-occi-

dentale du pays ne fut pas modifiée, le Togo restant fidèle à ses principales adhésions internationales (statut d'associé à la CEE en particulier). Une politique d'africanisation, favorable aux compatriotes de Eyadéma, originaire du nord, était mise en place parallèlement à la nationalisation de l'exploitation des phosphates, pour l'essentiel aux mains de firmes françaises (1974). L'état d'urgence, proclamé en 1967, était levé après la ratification en décembre 1979 d'une constitution de type présidentiel. Plusieurs milliers de Togolais étaient expulsés du Nigeria en 1983 et devaient rentrer au pays. La visite du président français François Mitterrand à Lomé en janvier 1983 coïncidait avec le vingtième anniversaire de l'assassinat du président Olympio : quelques heures avant l'arrivée de son hôte, Eyadéma annonçait qu'un complot des fils du président Olympio, bannis du Togo, avait été déjoué.

Tonga

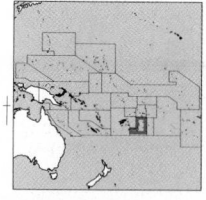
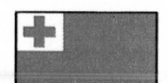

Océanie
699 km²
101 000 hab.
CW

Capitale : Nukualofa (25 000 hab.)
Langues officielles : tonga, anglais
Religions : prot. (81 %), cath. (15 %)
Régime polit. : monarchie const. Indépendance obtenue le 4 juin 1970

Les ancêtres des premiers habitants polynésiens des Tonga furent probablement des navigateurs venus des Samoa il y a environ un millénaire. Les origines des dynasties des chefs de certaines des îles, l'archipel corallien et volcanique en compte plus de 150, remonteraient aux IXᵉ et Xᵉ siècles de notre ère. Les premiers Européens à poser le pied sur l'archipel des Tonga furent des Néerlandais : Le Maire en 1616 puis Tasman en 1643. Le navigateur britannique James Cook, qui y débarquait en 1773 et 1777, donnait à l'archipel son nom d'îles des Amis. Un premier débarquement des méthodistes de la *London Missionary Society* en 1797 se soldait par un échec. Le chef Taufah'ahau Tupou se faisait baptiser en 1831 et unifiait les Tonga avec le soutien des Britanniques, se couronnant roi sous le nom de George Tupou Iᵉʳ. Des institutions parlementaires et gouvernementales constitutionnelles (1875) étaient mises en place. Les Tonga devenaient protectorat britannique en 1900, renforcé par l'accord de 1905 et élargi en 1959. A la reine Salote Tupou III (1918-1965) succédait son fils, Taufa'ahau Tupou IV. Les Tonga sont devenues depuis 1970 une monarchie constitutionnelle indépendante dans le cadre du Commonwealth. Fatafehi Tu'ipelehake, frère du roi, est Premier ministre depuis 1970. L'archipel vit surtout de l'agriculture vivrière (igname, taro) et de l'exportation du coprah : une partie de la population doit émigrer vers la Nouvelle-Zélande.

Trinité et Tobago

TT
Amérique du Sud
5128 km²
1,19M hab.
ONU, OEA, CW, CARICOM

Capitale : Port of Spain (66 000 hab.)
Langue officielle : anglais
Religions : cath. (36 %), prot. (30 %), hind.
Régime polit. : rép. présid. Indépendance obtenue le 31 août 1962

Christophe Colomb découvrait les deux îles de la Trinité et de Tobago en juillet 1498. Déclaré possession espagnole en 1532, l'archipel servit surtout, comme de nombreuses îles des Petites Antilles, de refuge aux flibustiers. Les Britanniques s'emparaient en 1763 de Tobago puis, en 1797, de la Trinité. L'essor économique des îles commença avec l'arrivée de colons français d'Haïti et la colonisation britannique, qui permirent le développement des plantations sucrières. Du pétrole était découvert en 1866, l'exploitation des hydrocarbures est aujourd'hui la principale branche économique de Trinité et Tobago. L'abolition de l'esclavage, en 1838, provoquait l'afflux de nombreux ouvriers étrangers : en majorité Indiens, ils représentent aujourd'hui 40 % de la population. Trinité et Tobago étaient réunies et devenaient colonie de la Couronne en 1888. Les Etats-Unis obtinrent en 1941 un bail de 99 ans pour leurs bases navales et aériennes. La plupart des colonies des Indes occidentales britanniques, parmi lesquelles Trinité et Tobago, la Barbade, la Jamaïque, les îles Windward et Leeward se réunissaient en 1958 pour former la Fédération des Indes occidentales, dissoute en 1962. Lors de l'indépendance (août 1962), le pouvoir est exercé par le Dr Eric Williams, appartenant au *People's National Movement*, représentant la communauté noire. Plusieurs raffineries, traitant surtout du pétrole vénézuélien, étaient implantées au sud de la Trinité. Un soulèvement des *Black Panthers*, auxquels se ralliait une partie de la garde civile, échouait en 1970. Trinité et Tobago devenait une république après l'entrée en vigueur d'une nouvelle constitution en 1976. A la mort de Eric Williams en 1981, George Chambers (PNM) devenait Premier ministre. Les rapports avec la Barbade et la Jamaïque, tendus depuis la guerre économique des Caraïbes du printemps 1983, se détérioraient brutalement après l'invasion américaine de la Grenade, vivement condamnée par Trinité et Tobago.

Tunisie

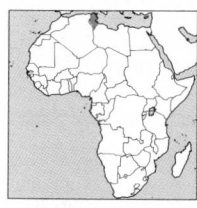

TN
Afrique du Nord
163 610 km²
6,89 M hab.
ONU, LA, OUA

Capitale : Tunis (874 000 hab.)
Langue officielle : arabe
Religions : musulm. (96 %)
Régime polit. : rép. présid. Indépendance obtenue le 20 mars 1956

Les premiers établissements phéniciens de la côte tunisienne datent de 1100 av. J.-C. environ. Les colons de la ville phénicienne de Tyr fondaient en 814 av. J.-C. un établissement sur la presqu'île qui fait face à l'actuelle Tunis. Carthage (« nouvelle ville ») devenait l'un des plus importants ports de transit pour les navires phéniciens se rendant en Hispanie. La puissante Carthage était détruite par les Romains à l'issue de la Troisième Guerre punique, en 146 av. J.-C. La région, intégrée à la province d'Africa, devenait le grenier à blé de l'Empire romain. Carthage était conquise en 439 ap. J.-C. par Geiseric, qui en fait la capitale du royaume des Vandales, dont la flotte parvint de manière éphémère à dominer l'ensemble de la Méditerranée. Bélisaire, général de Byzance, détruisit le royaume vandale en 534 et l'actuelle Tunisie était intégrée à l'Empire romain d'Orient.

Dominations arabe et ottomane
Les Arabes conquéraient le pays et détruisaient définitivement Carthage, dernier bastion romain en Afrique, en 698. Les tribus berbères opposèrent une farouche résistance à la conquête arabe jusqu'à leur soumission, au IXᵉ siècle. L'arabisation et l'islamisation du pays ne connurent dès lors plus d'obstacle. Ibrahim ibn al-Arhlab fondait en 800 la dynastie arabe des Arhlabides, qui établit sa capitale à Kairouan, dans le centre de la Tunisie, et put étendre son emprise en Ifriqiya malgré son rattachement au califat de Bagdad. Plusieurs dynasties se succédaient ensuite : les Fatimides, à partir du milieu du Xᵉ siècle, les Almohades (milieu du XIIᵉ siècle) et les Hafsides (début du XIIIᵉ siècle). Les Ottomans conquéraient le pays en 1547 et plaçaient à sa tête un pacha, le pouvoir étant de fait exercé par les chefs militaires, les deys et les beys. La dynastie beylicale des Husaynides était fondée en 1705 par Husayn ibn Ali et devait régner jusqu'en 1957. La souveraineté ottomane n'existait plus dès lors que de manière fictive. La Tunisie devenait de plus en plus dépendante de l'Europe au cours du XIXᵉ siècle : les beys eurent recours à des emprunts auprès des banques européennes pour leurs réformes : modernisation de l'armée, extension de la scolarisation et introduction d'une constitution (1861). La vie dispendieuse menée à la cour et la corruption entraînaient en 1869 la faillite du royaume : une commission mixte franco-italienne se chargeait de son administration financière. Après la reconnaissance par la Grande-Bretagne des intérêts français en Tunisie lors du congrès de Berlin de 1878, la France contraignait le bey Muhammad al-Saduq à lui confier la responsabilité de la politique étrangère tunisienne (traité du Bardo, 12 mai 1881). Le pays devenait en 1883 protectorat français : le bey conservait officiellement la tête de l'Etat, le résident français (Paul Cambon) détenait le pouvoir réel. La première organisation nationaliste tunisienne apparaissait en 1907 avec le parti des Jeunes-Tunisiens. Le parti Destour, libéral et constitutionnel, était créé en 1920 et se scindait sous l'influence de Habib Bourguiba, qui créait en 1934 le parti néo-destourien, radicalement indépendantiste.

La Tunisie indépendante
Porté au pouvoir en avril 1956, peu après l'indépendance, Bourguiba proclamait la république le 25 juillet 1957 et écartait le dernier bey, Mohammed VIII al-Amine. Après une phase de planification économique collectiviste dans les années 1960, un retour à une politique libérale était amorcé après les révoltes paysannes de 1969. Le conflit frontalier avec l'Algérie était clos après la signature d'un traité d'amitié et de coopération entre les deux Etats en 1983. L'augmentation de 115 % du prix du pain et la levée des subventions sur les denrées de base provoquaient en janvier 1984 de violents troubles qui firent plusieurs dizaines de morts. L'expulsion de plus de 20 000 travailleurs tunisiens de Libye et les menaces du colonel Kadhafi provoquaient la rupture des relations diplomatiques entre Tunis et Tripoli. Habib Achour, leader du principal syndicat, l'UGTT, était arrêté en août 1985, le président (à vie depuis 1975) Bourguiba reprenait en mains les affaires du pays : le Premier ministre, Mohammed Mzali, était remplacé par Rachid Sfar en juillet 1986.

Turquie

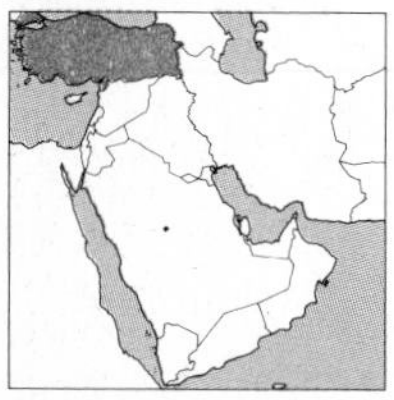

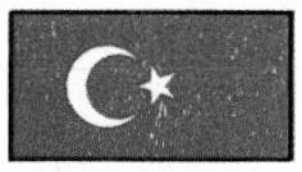

TR
Asie antérieure
780 576 km²
47,28 M hab.
ONU, CE,
OTAN, OCDE

Capitale : Ankara (2,23 M hab.)
Langue officielle : turc
Religions : musulm. (98 %)
Régime polit. : république, proclamée le 29 octobre 1923

La ville de Çatal Höhük, en Anatolie du Sud, est l'une des plus anciennes cités du monde : les hommes qui y vivaient aux VIIe et VIe millénaires av. J.-C. ont laissé les témoignages d'une civilisation néolithique hautement développée. Dans le flux des migrations indo-européennes, au début du IIe millénaire av. J.-C., les Hittites s'installaient en Anatolie et le roi Labarnas Ier fondait le premier empire hittite, établissant sa capitale à Kussara. Son fils Hattusil Ier transféra la capitale hittite à Hattusas et entreprit des campagnes qui le conduisirent jusqu'en Syrie (vers 1650 av. J.-C.). Le nouvel empire hittite, fondé vers 1440 av. J.-C., connut son apogée sous le règne de Suppiluliuma Ier, qui conquérait au XIVe siècle toute l'Asie Mineure et le royaume de Mitanni, sur l'Euphrate, et repoussait les pharaons de Syrie. L'Empire hittite céda vers 1200 av. J.-C. sous l'assaut des « peuples de la mer ». Les Phrygiens établissaient en 738 av. J.-C. un puissant royaume en Asie Mineure : leur capitale, Gordion, tombait en 680 av. J.-C. aux mains des Lydiens. La cité grecque de Mégare fondait en 658 la colonie de Byzantion (Byzance, Constantinople puis Istanbul) sur la rive thrace du Bosphore. La ville, qui disposait depuis la plus haute Antiquité de remarquables installations portuaires, jouait un rôle clé dans le commerce avec les régions pontiques et maîtrisait le passage stratégique d'Europe en Asie. La majeure partie de l'actuel territoire turc tombait au IVe siècle sous la domination perse puis, peu après, sous celle des Macédoniens et devint enfin province romaine, au IIe siècle av. J.-C.

La domination byzantine
L'empereur romain Constantin le Grand choisissait en 330 ap. J.-C. Byzance, rebaptisée Constantinople en 326, comme résidence impériale pour la partie orientale de l'empire. Contrairement à Rome, païenne, Constantinople devenait capitale chrétienne, *Nova Roma*. Parallèlement à la décadence politique et culturelle de Rome lors des migrations barbares, le rayonnement de Byzance ne cessait de s'étendre : les fortifications de Constantinople, capitale de l'Empire romain d'Orient, résistèrent à toutes les attaques jusqu'en 1453. La ville, centre spirituel de la chrétienté, accueillit plusieurs conciles (381, 553, 680-681, 869-870). Byzance connut son apogée sous le règne de Justinien le Grand (527-565), époux de l'ancienne actrice Théodora, qui tenta de restaurer la puissance mondiale de l'*Imperium Romanum.* Son *Corpus iuris civilis*, fondement du Droit romain, marqua de manière décisive l'histoire du Droit européen. Grand bâtisseur (Hagia Sophia à Constantinople), Justinien restaura en partie la puissance romaine : il détruisit le royaume vandale d'Afrique, le royaume ostrogoth d'Italie et mena plusieurs campagnes victorieuses contre les Sassanides. L'empereur Héraclius Ier imposa l'hellénisation de l'Empire d'Orient et restaura l'autorité impériale face aux querelles religieuses, aux Avars et aux Sassanides : les Perses étaient vaincus en 627 à Ninive et Héraclius arrivait un an plus tard devant Ctésiphon, précipitant la chute de l'empire sassanide. Il renonça au titre romain d'*Imperator*, lui préférant celui, grec, de *Basileus*, et imposa le grec comme langue officielle de Byzance. Léon III l'Isaurien contraignit en 717 l'empereur Théodose III à abdiquer, fondant la puissance impériale syrienne (isaurienne). L'édit promulgué en 730 par Léon III, partisan des iconoclastes, contre les images déclenchait une grave crise au sein de l'empire. La querelle des Images préparait la division de l'Eglise et favorisa le rapprochement des papes et des Francs (Charlemagne, roi des Francs, était couronné empereur romain en 800). Les tribus turques entraient dans l'histoire en 552 lorsqu'elles détruisaient le royaume de Chuan-chuan, en Asie centrale orientale. Alliés, les tribus turques et les Sassanides étaient vainqueurs des Hephthalites (Huns blancs) vers 560 : les Sassanides et les tribus turques occidentales se divisaient leur empire. Les Turcs saljuqides s'emparaient en 1055 de la Mésopotamie. Le sultan saljuqide Alp-Arslan, neveu du fondateur de la dynastie, Togruhl-Beg (1038-1063), écrasait les troupes de l'empereur byzantin Romain IV Diogène lors de la bataille de Manzikert en 1071. L'Anatolie orientale tombait aux mains des Saljuqides. Le sultanat saljuqide, établi à Rum, succombait à la fin du XIIIe siècle sous la poussée mongole. Les tribus turques s'éparpillèrent en Anatolie et l'une d'entre elles, celle des Ottomans, tenta de renouveler l'œuvre des Saljuqides, qui avaient purgé l'Anatolie de l'influence hellénique.

Naissance de l'Empire ottoman
Les Ottomans, tribu apparentée aux Oghouz, refluèrent devant les Mongols et se réfugièrent, partis du Khorasan, en Asie Mineure. Leur chef, Ertogrul, puis son fils, Osman Ier Gazi (1280-1326), mirent à profit la désorganisation de l'Empire saljuqide face à l'invasion mongole pour conquérir d'importants territoires en Anatolie auxquels s'ajoutèrent les conquêtes faites sur Byzance. A la mort du dernier sultan saljuqide, Keykubad III, en 1302, Osman Ier se proclamait bey du royaume ottoman indépendant. La prise de Gallipoli en 1354 ouvrait aux Ottomans la voie de l'Europe. Andrinople (Edirne) devenait capitale ottomane en 1365 sous le règne de Murad Ier, qui prenait officiellement le titre de sultan. Byzance était soumise au tribut en 1371, les Bulgares soumis en 1388, les Serbes écrasés l'an suivant à Kosovo, le sultan était assassiné à l'issue de la bataille. Son fils Bayezid Ier lui succédait et faisait étrangler son frère, pratique dynastique qui fut maintenue jusqu'à la fin du XVIe siècle. Le siège de Constantinople entrepris par Bayezid échouait après l'intervention opportune des Mongols de Timur Lang, (Tamerlan), (1396). Vaincu par Tamerlan, l'Empire ottoman se relevait pourtant et le petit-fils de Bayezid, Mehmed II (1444-1481), prenait Constantinople, marquant la chute de l'Empire romain d'Orient. Constantinople (Istanbul) demeurera jusqu'en 1922 capitale ottomane. Une nouvelle vague ottomane submergeait les Balkans en 1459, occupant la Bosnie (1463), l'Herzégovine (1483) et imposant une suprématie incontestée sur l'ensemble de la région. Le Péloponnèse byzantin était entièrement occupé en 1460 et le dernier bastion chrétien en Orient, le royaume de Trapézonte, était conquis en 1461. Le sultan était renversé en 1511 par les janissaires après la révolte socio-religieuse d'Anatolie : son fils Sélim Ier (1512-1520) battait les Mameluks, dont il annexait l'empire, de Syrie en Egypte ; le shah séfévide subissait le même sort et Sélim annexait l'Azerbaïdjan. Après la conquête des lieux saints islamiques du Hedjaz, Sélim Ier prenait en 1516 le titre de calife (successeur du Prophète). La dimension atteinte par l'Empire ottoman en faisait dès lors une puissance mondiale : il atteint l'apogée de sa puissance et de son rayonnement culturel sous le règne de Soliman le Magnifique (1520-1566). Il chassait en 1522 l'ordre des Hospitaliers de Rhodes et tournait ses efforts vers l'Europe. Conquise en 1521, Belgrade devenait la principale base de la conquête ottomane vers le nord et vers l'ouest. Soliman écrasait à Mohács en 1526 les armées du roi Louis II de Hongrie et de Bohême et mettait le siège devant Vienne en 1529. La conquête se poursuivait également en Asie, où l'Arménie et la Mésopotamie étaient prises à la Perse, en Afrique, où Alger tombait définitivement aux mains du sultanat en 1529. A la mort de Soliman le Magnifique, en 1566, l'empire avait déjà cessé d'accroître sa puissance. Les puissances chrétiennes de Méditerranée, unies sous le commandement de don Juan d'Autriche détruisaient la flotte turque lors de la bataille de Lépante (1571). Les Ottomans perdaient leur suprématie maritime. La défaite fut suivie d'une grave crise politique et militaire, les soldats se plaignant de l'insuffisance des butins, et économique, aggravée par la découverte de la route des Indes, qui retirait à l'Asie Mineure sa position commerciale clé entre l'Europe et l'Inde, aggravée également par la dépréciation de l'argent qui suivit son importation massive des Amériques. L'empire connut toutefois une nouvelle phase d'expansion sous le règne de Mehmed IV avec la conquête de la Transylvanie et d'une partie de la Hongrie en 1664, que l'Autriche fut contrainte de reconnaître. Après 25 ans de guerre contre Venise, la Crète était conquise en 1669 et le sultan assiégeait de nouveau Vienne en 1683. Une armée polonaise et germanique délivrait la ville et repoussait les Ottomans vers la Hongrie : ils étaient écrasés en 1687 à Mohács par les Autrichiens, qui reprenaient la Transylvanie. Les troupes impériales poursuivaient leur avance jusqu'en Hongrie, dont ils chassaient les troupes du sultan.

Fin de la politique d'expansion
L'échec du siège de Vienne en 1683 et la défaite de Mohács marquèrent l'arrêt définitif de l'expansion ottomane en Europe de l'Ouest. Les janissaires, corps d'élite de l'armée ottomane et véritable Etat dans l'Etat, renversèrent Mehmed IV et portèrent Soliman III au pouvoir. La paix de Karlowitz sanctionnait en 1699 les nouvelles victoires autrichiennes : les Habsbourg obtenaient la Hongrie, la Transylvanie, d'importantes régions de Slovénie et de Croatie et la maison d'Autriche devenait la première puissance européenne. Les Ottomans étaient rejetés dans le sud-est européen. Le prince Eugène de Savoie prenait Belgrade en 1717, la Porte devait abandonner l'an suivant le Banat de Temesvar, la Bosnie du Nord, la Serbie du Nord avec Belgrade et la Petite Valachie à l'Autriche. L'autre grand rival qui s'opposa dès la fin du XVIIe siècle à l'empire ottoman était la Russie. La flotte russe, soutenue par les Britanniques, détruisait en 1770 la flotte turque à Çesme, sa plus grave défaite depuis Lépante. La Russie obtenait par la paix de Kutchuk-Kaïnardji (1774) Azov, le littoral du Dniepr au Boug ainsi que la suzeraineté du khanat de Crimée. La Russie se proclamait simultanément protecteur des chrétiens orthodoxes des Balkans. Le sultan Sélim III tenta en vain d'enrayer la décadence de l'empire en instaurant un système administratif et financier sur le modèle français. La Grande-Bretagne atteignait son principal objectif, le libre-passage aux Dardanelles, en 1799, la

France obtenait le même droit en 1802 lors de la paix d'Amiens.

Décadence de l'Empire ottoman

L'unité de l'Empire ottoman était menacée depuis le début du XIXᵉ siècle par les tentatives indépendantistes des gouverneurs régionaux, en particulier en Egypte sous Méhémet-Ali. Les victoires russes ranimèrent les mouvements de libération balkaniques. Une révolte nationale éclatait en Serbie en 1804 sous la conduite de George Karadjordje. La Russie obtenait par la paix de Bucarest en 1812 la Bessarabie et la Moldavie orientale. Une nouvelle révolte permettait à la Serbie en 1817 d'obtenir une large autonomie interne ; la lutte des Grecs pour l'indépendance commençait en 1821. La bataille navale de Navarin, sur la côte sud-ouest du Péloponnèse, permit à la flotte alliée franco-anglo-russe de détruire les escadres ottomanes de Ibrahim Pacha (1827). Les troupes russes arrivaient l'an suivant à Andrinople : la Porte devait reconnaître l'autonomie grecque (1829) puis, par le protocole de Londres (1830), la souveraineté russe sur l'embouchure du Danube et une part importante de l'Arménie. Les principautés de Moldavie et de Valachie restaient placées sous administration militaire russe et la Grèce devenait un royaume indépendant dont l'intégrité était garantie par la France, la Grande-Bretagne et la Russie. Méhémet-Ali, gouverneur ottoman de l'Egypte, déclarait la guerre au sultanat en 1831 et occupait la Syrie. Il battait les troupes du sultan lors d'une deuxième guerre à Nezib (1839). Le soutien accordé par la France à Méhémet-Ali entraînait l'intervention de la Prusse, de l'Autriche, de l'Angleterre et de la Russie, qui formaient à Londres en 1840 la Quadruple-Alliance et apportaient leur soutien à Constantinople. Leur intervention contraignait Méhémet-Ali à se retirer de Syrie (1841), mais il conservait à titre héréditaire le pachalik d'Egypte. L'exigence russe d'accorder à tous les sujets chrétiens de l'empire le droit de faire appel à la protection des tsars conduisait le sultan à déclarer la guerre à la Russie en 1853. La guerre de Crimée, au cours de laquelle la France et l'Angleterre s'alliaient au sultan, s'achevait par la paix de Paris (1856) : les sujets chrétiens de l'Empire ottoman étaient placés sous la protection de l'ensemble des grandes puissances. Plusieurs révoltes éclataient en 1875 en Bosnie et en Herzégovine : la Serbie et le Montenegro les soutenaient bientôt, des troubles éclataient en Bulgarie et en Macédoine. La répression féroce de la rébellion provoquait une nouvelle intervention russe en 1877 : le traité de San Stefano, revu la même année (1878) à Berlin, modifiait profondément l'équilibre des forces dans les Balkans. La Roumanie, la Serbie et le Montenegro obtenaient leur indépendance, l'Autriche occupait la Bosnie et l'Herzégovine, la Russie renonçait à son protectorat de Grande-Bulgarie et l'Angleterre recevait Chypre.

La Révolution des Jeunes-Turcs

Une société secrète composée d'intellectuels et de jeunes officiers était constituée en 1865. Les « Jeunes-Ottomans » revendiquaient l'instauration d'une monarchie constitutionnelle, l'éviction des influences étrangères et le développement de l'industrie. Ils obtenaient du sultan Abdülhamid II (1876-1909) en 1876 l'octroi d'une constitution, qui fut suspendue deux ans plus tard. Succédant aux Jeunes-Ottomans, les Jeunes-Turcs déclenchaient la révolution de 1908. Abdülhamid II devait restaurer la Constitution, garantir l'amnistie des prisonniers politiques, lever la censure et limoger les hommes politiques réactionnaires des postes importants. L'empire devenait une monarchie constitutionnelle et les Jeunes-Turcs, qui s'étaient emparés du pouvoir, exigeaient en 1909 l'abdication de Abdülhamid en faveur de son frère, Mehmed V, à l'autorité fictive face aux dirigeants jeunes-turcs, Enver Pacha et Tal'at Pacha. L'Autriche-Hongrie proclamait sitôt après la révolution l'annexion de la Bosnie-Herzégovine ; la Bulgarie proclamait son indépendance. Les annexions autrichiennes étaient reconnues par Constantinople en 1909 moyennant paiement d'une forte somme. La guerre éclatait en 1911 avec l'Italie, qui avait envahi la Tripolitaine et la Cyrénaïque puis, en 1912, le Dodécanèse. Le sultanat renonçait à tous territoires conquis par l'Italie lors de la paix de Lausanne (1912). Les guerres des Balkans de 1912-1913 mettaient un terme à la présence ottomane en Europe, à l'exception d'une bande de territoire autour de Constantinople. L'Empire ottoman entrait dans la Première Guerre mondiale aux côtés de l'Allemagne et éclatait définitivement après le cessez-le-feu de Mudros en 1918. Le traité de Sèvres (1920) réduisait l'immense empire à l'Asie Mineure et à Istanbul, les Dardanelles étaient internationalisées.

La République de Turquie

Le mouvement nationaliste issu du mouvement jeune-turc s'opposait à l'occupation grecque et aux conditions consenties par le sultan ottoman à Sèvres. Une Assemblée nationale était convoquée à Ankara en 1920 et désignait Mustafa Kemal (devenu *Atatürk*, « Père des Turcs » en 1934) à la tête d'un contre-gouvernement nationaliste. Mehmed VI abdiquait en 1922, la République de Turquie était proclamée le 23 juillet 1923 après la ratification du traité de Lausanne, qui prévoyait le retrait de toutes les troupes étrangères de Turquie. Mustafa Kemal devenait président de la République et le siège du gouvernement transféré d'Istanbul à Ankara (à Angora jusqu'en 1930). Mustafa Kemal entreprenait une vaste campagne de modernisation du pays, l'islam perdait par la réforme constitutionnelle de 1928 son rang de religion d'Etat, le port du fez fut interdit aux hommes, tandis que les femmes obtenaient avec le droit de vote celui de se promener à visage découvert ; les tribunaux islamiques étaient abolis, la Justice était organisée sur le modèle occidental et l'alphabet latin remplaçait l'écriture arabe. A la mort de Kemal Atatürk, en novembre 1938, Ismet Inönü prenait la tête de l'Etat, qui permit à la Turquie de rester à l'écart de la Deuxième Guerre mondiale, hormis une déclaration de guerre symbolique à l'Allemagne en 1945. La Turquie conserva après la fin de la guerre des rapports privilégiés avec l'Occident, adhérant au plan Marshall (1948) puis à l'OTAN (1952).

Les militaires au pouvoir

Le président Adnan Menderes, au pouvoir depuis 1950, était renversé et exécuté lors du putsch militaire du général Kemal Gürsel, en 1960. Les militaires prenaient de nouveau le pouvoir en 1971, renversant le gouvernement de Süleyman Demirel. Un régime quasi dictatorial était institué, caractérisé par de très importants troubles politiques et sociaux. Le putsch de 1980 (deuxième renversement de Demirel) portait le général Kenan Evren au pouvoir, qui suspendait toutes les institutions démocratiques et faisait poursuivre l'opposition. Une nouvelle constitution de type présidentiel était imposée en 1982, le général Kenan Evren devenait président de la République. Le conservateur Turgut Özal devenait Premier ministre après les élections de 1983 où seuls trois partis furent autorisés. La loi martiale était partiellement levée en novembre 1985. Elle ne demeure ainsi appliquée que dans neuf des soixante-sept provinces du pays. Ces régions, au sud-est, sont le théâtre d'affrontements perpétuels entre l'armée et les séparatistes kurdes. La commission d'enquête réunie par l'Assemblée nationale turque en septembre 1984 après les accusations de violation des droits de l'homme adressées par les pays d'Europe occidentale rendait ses conclusions en novembre. Le rapport reconnaît que la torture continue d'être pratiquée fréquemment, mais non de manière systématique. L'union des deux principaux partis de gauche, le parti populiste (HP) et le parti de la social-démocratie (SODEP) marquait à la fin de l'année un important tournant politique. Le SODEP n'avait pas été autorisé à prendre part aux élections législatives de 1983, mais les suffrages qu'il avait obtenus lors des élections municipales du printemps 1984 permettent d'estimer le potentiel de voix de la nouvelle union de gauche à environ 30 % : le HP est représenté au Parlement (400 sièges) par 109 députés. Le gouvernement de Turgut Özal tente de poursuivre le processus de démocratisation de la vie politique du pays, sous le contrôle vigilant du Conseil national de sécurité, qui regroupe les principaux chefs militaires.

Tuvalu

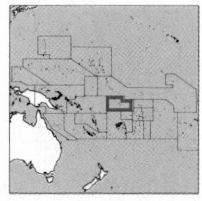

Océanie
24,6 km²
7 300 hab.
ONU, CW

Capitale : Funafati (2 100 hab.)
Langues officielles : anglais, tuvalu
Religions : prot. en majorité
Régime polit. : monarchie parlement. Indépendance obtenue le 1ᵉʳ octobre 1978

Tuvalu, l'un des plus petits Etats du monde, est un archipel peuplé de Polynésiens et constitué de 9 atolls au centre du Pacifique. Les îles Tuvalu étaient découvertes en 1586 par le navigateur espagnol Alvaro de Mendaña de Neyra. Les îles reçurent au début du XIXᵉ siècle leur nom d'îles Ellice ; la Grande-Bretagne les annexait et instaurait son protectorat en 1892. Réunies aux îles Gilbert en 1915, les Ellice étaient intégrées à la colonie de la Couronne des Gilbert-et-Ellice. Le mouvement indépendantiste se développait particulièrement après 1960 et réussissait à obtenir après le référendum de 1975 la séparation d'avec les îles Gilbert : les Ellice prenaient alors le nom de Tuvalu – les îles Gilbert deviendront indépendantes en 1979 (→ Kiribati). Le statut d'indépendance était accordé par la Grande-Bretagne au sein du Commonwealth en 1978, le chef de l'Etat demeure la reine Elisabeth II ; la politique extérieure et la Défense – Tuvalu ne possède pas de forces armées – continuent d'être prises en charge par Londres. Une constitution entrait en vigueur en 1978. Tomasi Puapua est chargé du gouvernement depuis 1981. Les maigres ressources locales, pêche, cultures vivrières et exportation de coprah contraignent une population trop dense à s'expatrier. Surpeuplé, l'Etat de Tuvalu connaît un grave problème de ravitaillement en eau douce : il tire ses principaux revenus de sa main d'œuvre expatriée ainsi que de l'émission de timbres de collection.

URSS

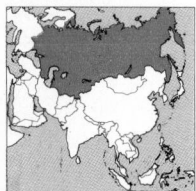

URSS
Eurasie
22 402 200 km²
277,4 M hab.
ONU, PV,
COMECON

Capitale : Moscou (8,5 M hab.)
Langue officielle : russe
Religions : orthod., musulm.
Régime polit. : fédération de républiques so-
cialistes depuis le 30 décembre 1922.

Les premières traces de présence humaine sur le territoire de l'actuelle
URSS ont été retrouvées en Transcau-
casie et dans le Caucase au paléolithique. Les régions d'Ukraine
et de la Moldau (Vlatva) recèlent des
implantations plus tardives. Il y a
30 000 ans, une grande partie de la
grande plaine d'Europe orientale, de
l'Oural et de la Sibérie étaient habitées
par des hommes qui maîtrisaient le feu
et façonnaient des outils de corne et
d'os. Tandis que les tribus du Nord
restaient au stade de chasseurs-cueilleurs, les tribus méridionales, au nord
de la mer Noire, dans le Caucase et dans
les régions fertiles d'Asie centrale pratiquaient dès les IVᵉ/IIIᵉ millénaires
l'élevage et l'agriculture. Des tribus
d'éleveurs nomades s'installaient au
cours du Iᵉʳ millénaire dans les déserts
et les steppes du Kazakhstan et d'Asie
centrale, plus tard dans les régions au
nord de la mer Noire et de la Caspienne.
Le peuple des cavaliers scythes paraît
dominer ces régions dès le VIIᵉ siècle av.
J.-C. Le territoire des Scythes fut envahi au IIIᵉ siècle av. J.-C. par les
Sarmates, peuplade venue des régions
de la Volga. Les peuples slaves mi-
graient depuis le VIᵉ siècle de leurs
territoires situés entre le Dniepr et la
Vistule vers l'est.

Le royaume de Kiev
Les petits Etats du nord-ouest de la
Russie faisaient appel au cours de leurs
querelles à des tribus scandinaves de
mercenaires vikings (Varègues) depuis
le VIIᵉ siècle ap. J.-C. Pénétrant le long
de la Klaïpeda (Memel), de la Dvina
ou du Volkhov, les Vikings se constituèrent autour de leurs comptoirs
commerciaux de petits Etats, dont ils
soumirent les populations. Le nom
de « Russe » vient du nom de *Rhos*
donné aux Suédois (Varègues) par les
Grecs. L'histoire écrite de la Russie
commence en 852 avec la *Chronique
des temps passés*, où son nom appa-
rait pour la première fois. Le Varègue
Riourik, qui dominait depuis Novgorod
le nord de la Russie, fondait en 862 la
dynastie riourikide et un royaume qui
subsisteront jusqu'en 1598. Oleg le
Sage, l'un de ses descendants, unifiait
le nord et le sud de la Russie et

déplaçait sa capitale de Novgorod à
Kiev. Le prince de Kiev Vladimir le
Saint se faisait baptiser en 988 selon le
rite orthodoxe et obtenait la dignité
de grand-prince. Bien que Kiev demeu-
rât politiquement indépendante de
Byzance, elle dépendait de l'Eglise
byzantine qui en fit le point de départ
de l'évangélisation de la Russie. Le
déclin du royaume de Kiev commença
après la mort de Iaroslav le Sage (1019-
1054), grand bâtisseur et grand législateur : son habile politique matrimoniale lui avait permis d'allier la dynastie
riourikide aux grandes familles princières d'Europe et Kiev était devenue
sous son règne un brillant centre spirituel et culturel. Il ordonna la rédaction
de la *Russkaïa Pravda*, un Code de
droit mêlant le droit écrit romain
(byzantin) et le droit coutumier slave.
Kiev était devenue en 1037 le siège
d'un métropolite (archevêque), la
même année commençait la construction de l'église Sainte-Sophie, qui
contient les plus anciennes fresques et
mosaïques de l'art russe. Le plus ancien
cloître russe, un monastère rupestre,
s'établissait en 1051 près de Kiev. Le
grand-prince Vladimir II Monomaque
réussissait à rétablir la souveraineté de
Kiev sur tout son territoire entre 1113
et 1125, mais le morcellement du
royaume en principautés autonomes
reprit après sa mort. La couronne de
Vladimir II, la « couronne de Monomaque », deviendra la couronne des
tsars de Russie.

Les Mongols et l'ascension de Moscou
Les Mongols détruisaient en mai 1223
près de la Kalka une armée des princes
russes coalisés. Les cavaliers nomades
n'exploitèrent pas leur victoire et se
retirèrent vers l'est. Mais le chef mongol Batu Khan prenait Kiev en 1240 et
soumettait toutes les principautés du
sud-ouest de la Russie. Batu Khan
s'était déjà emparé en 1236 du royaume
des Bulgares de la Kama et de la Volga,
en 1237 de l'ancienne principauté russe
de Riazan et de Moscou et en 1238 de
la principauté de Vladimir. Novgorod
demeura épargnée par la horde mongole mais dut lui payer tribut et reconnaître sa souveraineté. La domination mongole isola la Russie de l'Europe
au cours des décennies suivantes, pendant que Novgorod et Pskov devaient
se défendre contre les attaques des
Suédois, des Lituaniens et des ordres
germaniques : le prince russe Alexandre
Nevski arrêtait en 1242 une armée des
chevaliers Teutoniques sur les glaces du
lac Peïpus. Batu Khan fondait en 1243
sur la basse Volga Saraï, capitale de la
Horde d'Or. L'Empire mongol domina
l'Europe orientale et la Sibérie occidentale jusqu'en 1480. Les princes russes
durent faire acte d'allégeance à la
Horde d'Or ; leur titre de prince leur
était accordé par un édit des khans,
dont les envoyés étaient chargés de

contrôler la politique des principautés.
Le khan de la Horde d'Or élevait en
1328 le prince moscovite Ivan Kalita à
la dignité de grand-prince. Ivan avait
utilisé en 1327 la révolte des populations de Tver contre l'impôt mongol
pour éliminer la seule rivale de Moscou
susceptible d'acquérir les droits d'une
grande-principauté. L'expédition punitive des Mongols, à laquelle les troupes
d'Ivan s'étaient associées, marqua la
ruine définitive de Tver. Le déplacement du siège permanent du métropolite de « Kiev et de toute la Russie »
de Kiev à Moscou, en 1325-1326 contribua également à établir la domination
moscovite. Le grand-prince Dimitri
Donskoï refusait en 1380 de verser le
tribut de Moscou à la Horde, qu'il
écrasait lors de la bataille de Koulikovo,
sur le Don. Malgré la reconquête mongole par le khan Tuktamich (1382),
Moscou devenait le symbole de l'unité
russe et de la lutte nationale pour
l'indépendance. Les divisions de la
Horde d'Or permirent un siècle plus
tard au grand-prince Ivan III le Grand
de libérer les principautés de la suzeraineté mongole. Ivan III faisait de
Moscou la principale puissance d'Europe orientale et faisait construire le
Kremlin, achevé en 1530 sous le règne
de Vassili III, forteresse, symbole de la
puissance politique et religieuse de la
principauté moscovite.

Le tsar Ivan, le temps des troubles
Le grand-prince de Moscou Ivan IV le
Terrible se faisait couronner en 1547
tsar « de toute la Russie ». Il s'emparait des khanats tatars et musulmans de
Kazan et d'Astrakhan et commençait
l'exploration et la conquête de la Sibérie. Mais le pays était ruiné par les
guerres, les paysans écrasés d'impôts et
soumis au régime de terreur du tsar. La
vaine guerre contre la Suède et la
Pologne pour l'accès à la mer Baltique
précipita le déclin de la puissance russe
après la mort de Ivan IV, en 1584. Le
gouvernement fut exercé sous le règne
de son fils Fédor Iᵉʳ, insane, par Boris
Godounov, couronné tsar en 1598 à la
mort de Fédor, le dernier Riourikide.
Le tsar avait élevé en 1589 le métropolite de Moscou, Iov, au rang de patriarche : l'indépendance de l'Eglise orthodoxe russe avait été reconnue par le
synode de Constantinople, le patriarcat
de Moscou élevé au cinquième rang
après Jérusalem. N'étant pas originaire
de la haute noblesse, Boris Godounov
dut affronter les intrigues de l'aristocratie, en particulier celles fomentées par
la future famille impériale des Romanov. Son fils Fédor II Borisovitch, qui
lui succédait en 1606, était assassiné
quelques semaines après son couronnement. L'armée moscovite, conduite par
Vassili Chouiski, faisait couronner le
« faux Dimitri », un Russe catholique
qui se fit passer en Pologne à partir de
1604 pour le fils du tsar Ivan IV, mort

en 1591 dans des circonstances mystérieuses. Le faux Dimitri, soutenu par les
Polonais et par une armée de cosaques
mécontents, était parvenu jusque devant Moscou. Un second faux Dimitri
apparaissait en 1608 après la mort du
premier : également soutenu par une
armée polonaise, il constituait à Tu-
chino, près de Moscou, un contre-
gouvernement. Les combats pour le
trône durèrent jusqu'à l'élection en
1613 par les états généraux russes
(zemski sobor) de Michel Fedorovitch
Romanov comme tsar. Agé de 16 ans,
Michel Romanov était issu d'une famille non princière de boyards. La
dynastie Romanov allait donner à la
Russie tous ses tsars jusqu'en 1762.

Pierre le Grand et Catherine II
Le tsar Pierre Iᵉʳ le Grand, âgé de
17 ans, envoyait sa sœur Sophie, régente depuis 1682, dans un couvent
moscovite et prenait les rênes du pouvoir en lieu et place de son demi-frère
débile, le tsar Ivan V. Pierre Iᵉʳ entamait
en 1697 son premier voyage européen,
qui le conduisit par la Courlande, la
Prusse et la Hollande en Angleterre.
Les réformes qu'il imposait sur le modèle européen dès son retour ne laissèrent intact aucun domaine de la société
russe. La monarchie absolue et le pouvoir de la noblesse étaient imposés, la
bourgeoisie et le commerce furent favorisés, les paysans plus soumis au servage
que jamais. Le premier journal russe
était publié en 1703, Saint-Pétersbourg
devenait en 1713 capitale de la Russie,
la première Bourse de changes et de
commerce y était ouverte la même
année. Le tsar imposait une nouvelle
écriture, l'« écriture bourgeoise »,
combinaison des alphabets cyrillique et
latin. La paix de Nystad mettait fin la
même année (1710) à la guerre nordique, qui opposait depuis 1700 la Suède
à la Russie, qui obtenait un accès à la
mer Baltique et y remplaçait la Suède
comme puissance dominante. Pierre le
Grand prenait en 1721 le titre d'empereur de Russie. Elisabeth Petrovna, fille
adultérine de Pierre le Grand, prenait
le pouvoir lors d'une révolution de
palais en 1741 et montait sur le trône
sous le nom de Catherine Iʳᵉ. Elle
choisissait pour successeur son neveu
Pierre de Holstein-Gottorp, qu'elle mariait en 1745 avec la princesse Sophie
d'Anhalt-Zerbst, la future impératrice
Catherine II la Grande. Le règne de
Elisabeth fut marqué par la vie dispendieuse de la cour, où régnaient les
favoris : le pays connut plusieurs graves
crises économiques. C'est sous son règne que la Russie s'inséra dans le
système des alliances européennes. Elle
approuva en 1775 le projet de fondation
de la première université russe à Moscou (actuelle université Lomonossov).
Catherine la Grande (1762-1796) participa aux trois partages de la Pologne,
qui perdait définitivement son indépen-

dance en 1795. La paix du Kutchuk Kaïnarji (1774) lui permit de mettre fin à la guerre qui avait éclaté contre l'Empire ottoman en 1768 : la Russie obtenait les embouchures du Don, du Dniepr et le Boug et devenait puissance protectrice des chrétiens des Balkans. La Crimée était annexée en 1783, le sultan devait encore céder par la paix de Iasi le littoral de la mer Noire compris entre le Boug du Sud et le Dniestr. Le règne de Catherine II marqua aussi une aggravation considérable de la condition des paysans et des serfs. La révolte paysanne qui éclatait en 1773, dirigée par Iémélian Pougatchev, reçut l'appui de cosaques tombés dans la misère et de croyants traditionnalistes. Le manifeste de Pougatchev, réclamant l'abolition du servage, leva un grand mouvement de soutien en sa faveur. Capturé, Pougatchev était exécuté en 1775 sur la place Rouge de Moscou.

Réformes et impérialisme

Le tsar Alexandre Ier annexait la Finlande en 1808, au cours des guerres napoléoniennes. La Grande Armée franchissait en 1812 sans déclaration de guerre la Klaïpeda et s'enfonçait en Russie. La campagne de Russie s'achevait sur un désastre, face à l'immensité des territoires, face à la politique de la terre brûlée appliquée par le commandant en chef russe, Michel Koutousov. L'une des conséquences de la « guerre patriotique » décrétée par Alexandre Ier fut la fondation de sociétés secrètes libérales, recrutant essentiellement ses membres parmi les jeunes officiers de la garde impériale que les combats en Europe avaient mis en contact avec les principes libéraux. Ils s'étaient fixé pour buts essentiels le remplacement de l'autocratie tsariste par une monarchie constitutionnelle et l'abolition du servage. Les conjurés, les « Décabristes », profitèrent de la mort soudaine d'Alexandre Ier pour tenter un soulèvement, réprimé dans le sang par Nicolas Ier (décembre 1825). Celui-ci poursuivit l'offensive contre l'Empire ottoman, qui abandonnait en 1829 (paix d'Andrinople) la plus grande partie du delta du Danube et de vastes régions d'Arménie ainsi que les principautés de Moldavie et de Valachie. La guerre reprenait entre les deux empires en 1854, déclenchée par l'exigence russe de voir accorder aux sujets chrétiens des Balkans le droit de faire appel à la protection de la Russie. La guerre de Crimée, où la France et la Grande-Bretagne s'allièrent au sultan, prit fin après la prise de Sébastopol (1855) : le traité de Paris de 1856 contraignait la Russie à abandonner ses droits de suzeraineté sur les principautés danubiennes et à remettre le delta du Danube et la Bessarabie du Sud à la Moldavie. La fin de la guerre et l'arrivée sur le trône de Alexandre II marquèrent le début d'une nouvelle phase de réformes. L'échec du système du « concert des puissances » provoqua

un remaniement des alliances européennes : la Russie, en conflit avec l'Autriche dans les Balkans, se rapprochait de la France. Sur le plan intérieur, le tsar promulguait en 1861 son manifeste sur la libération des paysans : près de 22 millions de sujets russes se voyaient officiellement libérés, sans que, pour autant, leurs liens économiques soient modifiés. En Pologne, réunie par union personnelle à la Russie depuis 1815 (« Pologne du Congrès »), éclatait en 1863 la révolte de Janvier, dernière tentative indépendantiste du peuple polonais au XIXe siècle. La révolte était écrasée par les troupes russes en 1864. L'attentat manqué de 1866 contre Alexandre II provoqua un retournement conservateur de la politique intérieure russe, jusqu'alors plutôt libérale. Les trois empires d'Allemagne, d'Autriche-Hongrie et de Russie s'alliaient de manière informelle par un accord suscité par le chancelier allemand Otto von Bismarck. L'accord était remplacé en 1881 par le « traité des Trois Empereurs », qui réaffirmaient leur solidarité face à la « Révolution » et aux idées démocratiques. La police secrète russe commençait dès 1877 à démanteler le mouvement Narodniki, d'inspiration socialiste. Le premier procès de masses contre les membres des sociétés secrètes eut lieu la même année : 193 membres du mouvement « Liberté pour le Peuple » étaient condamnés. Le lendemain de la fin du procès, la révolutionnaire Véra Sasoulitch blessait mortellement le chef de la police de Saint-Pétersbourg. En 1878 s'achevait une nouvelle guerre contre l'Empire ottoman, qui avait éclaté l'année précédente : le pré-traité de paix de San Stefano agrandissait les possessions arméniennes de la Russie et lui rendait les régions de Bessarabie perdues en 1856. Les avantages conquis par la Russie dans les Détroits provoquaient la révision du traité à Berlin, à l'instigation de la Grande-Bretagne. La Roumanie, la Serbie et le Monténégro devenaient indépendants, l'Autriche occupait la Bosnie et l'Herzégovine, la Grande-Bretagne obtenait Chypre et la Russie devait abandonner son protectorat de Grande-Bulgarie. Le règlement de l'affaire, où Bismarck avait joué un rôle important, provoqua une grave tension russo-allemande : l'Allemagne et l'Autriche concluaient un pacte d'alliance séparé en 1879. L'attaque des Japonais sur la ville russe de Port-Arthur, à la pointe méridionale de l'île de Liaodong, ouvrait en 1904 la guerre russo-japonaise : le conflit entre les deux puissances, dont les intérêts se heurtaient en Mandchourie et en Corée, était devenu inévitable. Les défaites russes entraînaient le déclenchement de la Révolution de 1905. L'armée ouvrait le feu sur des manifestants lors du « Dimanche sanglant de Saint-Pétersbourg ». Mutineries et émeutes se répandirent à travers toute la Russie, contraignant le tsar Nicolas II à garan-

tir l'octroi d'une constitution, d'un parlement et des libertés individuelles. La réforme s'avéra factice, le mouvement révolutionnaire finissait par l'emporter en février 1917 : Nicolas II abdiquait après une nouvelle vague de troubles et de grèves généralisés. Un gouvernement provisoire modéré était constitué par le prince Lvov puis par Alexandre Fiodorovitch Kerenski.

L'arrivée au pouvoir des soviets

Le 7 novembre 1917 (25 octobre pour le calendrier russe), les bolcheviks renversaient le gouvernement provisoire et prenaient le pouvoir. Vladimir Illich Oulianov, dit Lénine, devenait président du Conseil des commissaires du peuple (chef du gouvernement). Le IIIe congrès des soviets proclamait le 18 (31) janvier 1918 la République socialiste fédérative soviétique de Russie. Les bolcheviks ne contrôlent cependant que la Russie centrale et quelques grandes villes : la Révolution n'est pas reconnue par l'Ukraine, le Caucase et l'opposition intérieure qui se constitue est soutenue par les Alliés. La paix de Brest-Litovsk mettait fin aux conditions très dures pour le gouvernement soviétique à la participation de la Russie dans la Première Guerre mondiale (3 mars 1918). Les troupes blanches, partant des pays baltes, de l'Ukraine, de Crimée, du Caucase, de l'Oural et de Sibérie (amiral Koltchak) convergeaient à la fin de l'année 1918 vers Moscou. Mais l'Armée rouge parvenait à redresser la situation en mai 1919 et sortait définitivement vainqueur de la guerre civile en novembre 1920. L'Union des Républiques socialistes soviétiques était proclamée le 30 décembre 1922. A Lénine, qui mourait en 1922, succédait un collège de trois hommes : Zinoviev (Grigori Ievseïevitch Apfelbaum), Léon Trotski (Lev Davidovitch Bronstein) et Staline (Joseph Vissarionovitch Djougachvili). Staline éliminait du pouvoir ses deux partenaires en 1927 et gouvernait avec des pouvoirs dictatoriaux (épurations, procès de masses, vagues d'exécutions, surtout dans les années 30). Aux pouvoirs illimités de Staline s'ajouta après la victoire soviétique contre l'Allemagne hitlérienne un véritable culte de la personnalité. Staline domina jusqu'à sa mort chaque domaine de la vie de la société soviétique, totalement planifiée.

Ascension au rang de superpuissance

Alliée au Reich hitlérien au début de la Deuxième Guerre mondiale, l'URSS mit à profit l'invasion de la Pologne en 1939 pour en occuper la partie orientale. Les pays baltes, la Finlande et la Roumanie cédaient devant l'URSS. Malgré le renouvellement du pacte germano-soviétique, Hitler envahissait l'URSS, le 22 juin 1941. Après une première avance rapide, les troupes allemandes subissaient au cours de l'hiver la contre-offensive russe. La résistance héroïque de Stalingrad, où le

maréchal von Paulus capitulait en février 1943, marquait le tournant de la guerre. La victoire de l'URSS et des Alliés permit à Staline de constituer après l'effondrement du Reich hitlérien un réseau d'Etats satellites de l'URSS. Les deux blocs qui s'étaient définis, Est et Ouest, évitèrent toute confrontation directe (époque de la guerre froide). La course à la puissance et aux armements militaires commença. Le Pacte de Varsovie était créé en 1955, le premier objet libéré de l'attraction terrestre, Spoutnik, créait en 1957 un choc dans l'opinion publique internationale. Staline mourait en 1953 : un collège reprit la direction du pays. L'arrivée de Nikita S. Khrouchtchev au pouvoir marquait le début d'une politique de « dégel » vis-à-vis de l'Occident : les abus de pouvoir et le culte de la personnalité qui avaient marqué l'époque stalinienne furent dénoncés, la personnalité de Lénine fut remise à l'avant-plan et une politique de « déstalinisation » était inaugurée après le XXe congrès du parti en 1956. Le contrôle sur les Etats satellites fut relâché, jusqu'à la révolte hongroise de 1956, écrasée par l'Armée rouge. Après la crise de Berlin, 1958-1959, Khrouchtchev lançait la « coexistence pacifique » entre l'Est et l'Ouest. Pourtant, une crise aiguë éclatait en 1962, lorsque les Etats-Unis exigeaient le démantèlement d'une base de missiles soviétiques installée à Cuba. Le conflit était résolu en 1963. Leonid Brejnev succédait à Khrouchtchev en 1964 à la tête du parti et à la tête de l'Etat en 1977. Parallèlement à l'établissement d'une politique de « détente » avec l'Ouest, un important effort d'équipement militaire était entrepris et l'opposition intérieure muselée et réprimée (déportation ou expulsion des auteurs d'opinions critiques à l'égard du régime ou « dissidents »). Les tentatives de libéralisation à l'intérieur des Etats socialistes furent durement réprimées, directement (invasion de la Tchécoslovaquie en 1968) ou indirectement (pressions sur la Pologne en 1980). L'invasion de l'Afghanistan par les troupes soviétiques (décembre 1979) et l'installation de fusées nucléaires (SS-20) dirigées contre l'Europe occidentale pendant les négociations sur le désarmement de Genève mirent un terme à la politique de détente. Les négociations de Genève étaient rompues par le successeur de Brejnev (décédé en 1982), Youri Andropov, après que l'OTAN ait concrétisé sa décision de compenser le déséquilibre des forces en Europe. L'arrivée de Mikhaïl Gorbatchev (54 ans) au secrétariat général du parti (11 mars 1985) après la mort de Constantin Tchernenko initiait un large renouvellement des cadres du parti et une politique intérieure plus pragmatique. La rencontre entre Mikhaïl Gorbatchev et le président américain Ronald Reagan à Genève les 19-20 novembre suivant marquait le changement de ton de la nouvelle équipe dirigeante soviétique.

Uruguay

ROU
Amérique du Sud
177 508 km²
2,97 M hab.
ONU, ALADI,
OEA

Capitale : Montevideo (1,3 M hab.)
Langue officielle : espagnol
Religions : cath. (99 %)
Régime polit. : rép. présid. depuis la Constitution du 24 août 1966

L'Espagnol Juan Díaz de Solis découvrait en 1515 le Río de la Plata, mais les faibles ressources en métaux précieux du territoire de l'actuel Uruguay et la présence hostile des Indiens Charrúas dissuadèrent les Espagnols de s'y implanter. La colonisation espagnole et portugaise commençait au début du XVIIᵉ siècle. Les Charrúas furent exterminés ou assimilés, la population indigène primitive a aujourd'hui disparu. Les premiers colons européens furent, après l'introduction du bétail (1603) des éleveurs nomades, les gauchos. Les Espagnols fondaient en 1724 Montevideo, sur la côte atlantique, l'avant-poste de la lutte contre les Portugais. La région, nommée Banda Oriental, était rattachée en 1776 à la vice-royauté espagnole du Río de la Plata (Argentine). Après le renversement des autorités espagnoles au Río de la Plata, en 1810, le chef des gauchos de la Banda Oriental, José Gervasio Artígas (héros national uruguayen), prit la tête de la lutte contre la suprématie de Buenos Aires et s'emparait en 1814 de Montevideo, où il formait (1815) un premier gouvernement national. La ville était occupée en 1817 par les Portugais, le mouvement indépendantiste se retournait contre le Brésil, qui annexait le pays en 1821 *(Provincia cisplatina).* L'insurrection contre le Brésil (1825) est organisée par les « Trente-Trois Immortels », venus d'Argentine et dirigés par Lavelleja. La République orientale (Uruguay) était proclamée en 1828 après que la Grande-Bretagne ait imposé son indépendance au Brésil et à l'Argentine à l'issue de la guerre de 1825-1827 (traité de Rio de Janeiro). L'Uruguay se donnait en 1830 une constitution unitaire. L'histoire de l'Uruguay fut totalement dominée au XIXᵉ siècle par la rivalité constante du Brésil et de l'Argentine pour la conquête du pays et la rivalité des libéraux (rouges : *colorados*) et des conservateurs (blancs : *blancos*). L'Uruguay ne connut une certaine stabilité politique que sous les présidences de José Batlle y Ordóñez (1903-1907 et 1911-1917), qui posa les fondements de l'Uruguay moderne et dont les réformes contribuèrent à apaiser la vie sociale et stimulèrent la vie économique de la république. Le régime du président Gabriel Terra, en exercice lors de la crise économique des années 30, se transformait après la réforme constitutionnelle de 1933 en une dictature qui dura jusqu'en 1938. L'économie du pays fut dominée au cours de la Seconde Guerre mondiale par la Grande-Bretagne et les Etats-Unis. Un Conseil national établi sur le modèle helvétique gouverna de 1952 à 1956. L'instauration de l'état d'urgence en 1965 répondait aux actions de guérilla menées par les Tupamaros, un régime présidentiel était rétabli en 1966 pour faire face à la situation. La dévaluation de 20 % du peso en 1968 marquait le début d'une grave crise économique : 90 % des Urugayens vivaient en 1970 sous le seuil de pauvreté. La lutte contre la guérilla était confiée à l'armée en 1971 par le président Pacheco Areco. Le gouvernement civil du président Bordaberry était renversé en 1976 par les militaires, et remplacé par un Conseil de la Nation, régime transitoire dirigé par Aparicio Mendez. Une constitution proposée par la junte était repoussée par les électeurs en 1980, les protestations s'amplifièrent jusqu'à la manifestation la plus importante de l'histoire urugayenne : 400 000 manifestants se rassemblaient à Montevideo en novembre 1983, réclamant le départ de la junte. Le chef du parti colorado, Julio Maria Sanguinetti, remportait les élections présidentielles libres du 25 novembre 1984, marquant le retour aux institutions démocratiques.

Vanuatu

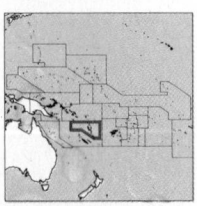

Océanie
14 763 km²
125 000 hab.
ONU

Capitale : Port Vila (17 000 hab.)
Langues officielles : bichlamar, anglais, français
Religions : prot. en majorité
Régime polit. : république. Indépendance proclamée le 30 juillet 1980

L'actuel Vanuatu est un archipel de Mélanésie composé d'environ 60 îles : peuplé de Mélanésiens et de Polynésiens, il fut reconnu en 1606 par le Portugais P. Fernandes de Queirós puis par Bougainville en 1768 et James Cook en 1774, qui lui attribuait le nom de Nouvelles-Hébrides. De nombreux colons français venus de Nouvelle-Calédonie s'y installaient au XIXᵉ siècle, provoquant l'inquiétude des colons australiens : la France et la Grande-Bretagne garantissaient l'indépendance de l'archipel en 1878. Les rivalités entre anglophones et francophones se poursuivant, un condominium franco-britannique était établi en 1906. Une importante main-d'œuvre vietnamienne était introduite dans les années 20 dans les plantations (café, cacao, coprah). Les autorités franco-britanniques accordaient une autonomie de plus en plus grande aux Nouvelles-Hébrides, en vue de l'accession à l'indépendance (juillet 1980). Les rivalités politiques, cristallisées par l'anglo- ou la francophilie, conduisaient dès avant l'indépendance à la menace de sécession de l'île de Espiritu Santo. La fragile majorité anglophone du pasteur Walter Hadye Lini, élue en novembre 1979, était reconduite aux élections de novembre 1983. La République de Vanuatu est l'un des chefs de file du mouvement antinucléaire dans le Pacifique-Sud et refusait même de signer l'accord antinucléaire de Rarotonga du 6 août 1985, ratifié par l'Australie, la Nouvelle-Zélande et dix autres Etats de la région. La production agricole de Vanuatu ne suffit pas à couvrir sa consommation propre ; la pêche se développe.

Vatican

V
Europe du Sud
0,44 km²
1000 hab.

Capitale : cité du Vatican (1000 hab.)
Langues officielles : latin, italien
Religions : catholicisme.
Régime polit. : monarchie. Souveraineté reconnue depuis le 11 février 1929

L'évêque de Rome était déjà au VIᵉ siècle le plus grand propriétaire terrien d'Italie, à la suite de multiples cadeaux et octrois dus à la générosité des empereurs et des membres de l'aristocratie. La puissance temporelle des papes fut réellement établie par le pape Grégoire le Grand (590-604), qui agrandit considérablement les Etats de l'Eglise et y imposa une administration commune. Le réel propriétaire de ces territoires n'était pas le pape mais l'apôtre Pierre, dont le chef de l'Eglise est le représentant, entraînant l'appellation de *Patrimonium Petri* pour les possessions de l'évêque de Rome.

Fondation de l'Etat pontifical
Pépin le Bref, roi des Francs, promettait au pape Etienne II en 754 (traité de Quierzy) de lui garantir la possession des territoires du duché byzantin de Rome (entre Gaeta, le Tibre et Todi). Pépin contraignait en 756 le roi des Lombards Aistolf à abandonner plusieurs régions de l'ancien exarchat byzantin de Ravenne, de la Romagne et de la Pentapolis (Rimini, Pesaro, Fano, Senigallia et Ancône), et les remettait au pape. Ce « cadeau » ouvrait l'ère de l'Etat de l'Eglise, les papes se détournaient de Byzance et s'attachaient aux destinées du royaume franc. Charlemagne confirmait en 774 la légitimité du traité de Quierzy mais tint les Etats de l'Eglise après son couronnement comme empereur romain germanique pour un territoire privilégié mais d'appartenance impériale et l'évêque de Rome pour le premier évêque impérial. La « fausse donation de Constantin » apparut entre 750 et 800 : l'empereur Constantin le Grand aurait transmis au pape Sylvestre Iᵉʳ (314-335) la souveraineté impériale sur Rome et toutes les provinces d'Italie et d'Occident. Le faux permit aux papes de revendiquer jusqu'au XVᵉ siècle la souveraineté sur tous les territoires indépendants de l'empire et le premier rang dans la hiérarchie des souverains temporels. Les papes ne réussirent à se soustraire aux influences rivales des rois et des empereurs germaniques, des familles nobles de Rome et d'Italie qu'au XIᵉ siècle. La lutte entre le pape et l'Empire romain germanique atteignit un premier apogée sous le pontificat de Grégoire VII, qui imposa sa volonté à l'empereur dans la question des Investitures en interdisant l'investiture des évêques par les rois et empereurs. Les Etats de l'Eglise connurent leur plus grande expansion sous Innocent III (1198-1216), tuteur du roi allemand Frédéric II. Il annexa en réponse à des promesses prétendûment non tenues de nombreux territoires impériaux et royaux et réussit à quasiment doubler l'étendue de ses Etats. Il acquit définiti-

vement l'héritage, la Toscane et plusieurs villes importantes de Lombardie, de la marquise Mathilde de Toscane (léguées au Saint-Siège en 1077) en 1201. Elu empereur, Frédéric II reconnaissait les acquisitions du pape par la Bulle d'Or d'Eger, en 1213. Les Etats de l'Eglise avaient obtenu leur reconnaissance officielle, ils se maintinrent tels quels sept siècles, jusqu'à leur dissolution, en 1870. Le Saint-Siège tomba au XIVᵉ siècle sous l'influence des rois de France, qui emmenèrent les papes en Avignon (1309-1377). Le schisme ouvert par leur retour à Rome entraîna à certains moments l'existence simultanée de trois papes concurrents : la querelle n'était résolue que par le concile de Constance, en 1415. Dotés d'une administration et d'une armée, les Etats de l'Eglise furent gouvernés de manière absolutiste durant les XVᵉ et XVIᵉ siècles. Leur mécénat attira à la cour des papes au cours de la Renaissance les plus prestigieux artistes et savants, architectes et ingénieurs. Le début de la Réforme (1517) fut suivi,

dix ans plus tard, de la mise à sac de Rome par les troupes impériales de Charles Quint. Les papes tentèrent de reconstituer l'unité de leurs Etats, tombés sous la souveraineté de dynasties locaux. L'influence politique de Rome recula de manière constante après la guerre de Trente Ans, l'Italie devint le théâtre des rivalités des puissances européennes. Les Habsbourg assuraient leur domination sur l'Italie après la Guerre de succession d'Espagne (1700-1714). Les rapports entre Rome et les principales puissances furent réglés par plusieurs concordats. Des soulèvements éclataient dans les Etats de l'Eglise après la Révolution française : la République romaine était fondée (1798) sous l'occupation française, le pape emmené en captivité en France. Les Etats de l'Eglise étaient annexés sous l'empire (1809) puis restaurés par le congrès de Vienne en 1815. Le pape retrouva sa souveraineté, garantie par la présence de troupes françaises, qui réprimèrent la révolution de 1849. Les troupes italiennes s'emparaient de

Rome après le départ des Français, au cours de la guerre de 1870. Rome était proclamée capitale du royaume unifié d'Italie. Le pape conservait la souveraineté du Vatican, du Latran et de Castel Gandolfo, dotés d'un statut d'extraterritorialité. Sa souveraineté et le libre-exercice de ses fonctions religieuses lui étaient garantis par une loi.

Traités avec l'Italie
Pour protester contre l'occupation de Rome, les papes se déclarèrent «prisonniers du Vatican» : la «question romaine» ne fut résolue que par les accords du Latran de 1929. Signés par le pape Pie XI et Benito Mussolini, les accords contenaient la renonciation formelle du pape aux Etats de l'Eglise issus du Moyen Age et la reconnaissance de Rome comme capitale romaine. L'Etat fasciste reconnaissait de son côté la souveraineté de l'Etat de la Cité du Vatican et dédommageait l'Eglise de la perte de ses Etats par une indemnisation financière et en bons d'Etat. Le concile Vatican II, réuni sous le pontifi-

cat de Jean XXIII (1958-1963) modifia profondément l'Eglise, son organisation, une partie du dogme et du culte afin d'adapter sa mission aux autres religions et confessions ainsi qu'aux Etats et organisations internationaux. L'Eglise se fixait pour but de contribuer à mettre un terme à la guerre froide et de faciliter la paix et la réconciliation des peuples par une politique plus ouverte et tolérante. Succédant au bref (33 jours) pontificat de Jean-Paul Iᵉʳ, l'archevêque de Cracovie, Karol Wojtyla, devenait en 1978 le premier pape non italien depuis 1523. Jean-Paul II était grièvement blessé lors de l'attentat de la place Saint-Pierre, le 13 mai 1981. Des relations diplomatiques, rompues depuis plus d'un siècle, étaient renouées en janvier 1984 avec les Etats-Unis. Un nouveau concordat était signé avec l'Etat italien un mois plus tard. Le Vatican dispose d'importants avantages douaniers : ses habitants sont exemptés d'impôts ; ses ressources principales sont les dons des fidèles et les revenus financiers de ses investissements.

Venezuela

YV
Amérique du Sud
912 050 km²
15,1 M hab.
ONU, ALADI, OEA, OPEP, CELA

Capitale : Caracas (3 M hab.)
Langue officielle : espagnol
Religions : cath. (90 %), prot. (2 %)
Régime polit. : rép. présid. Indépendance proclamée le 5 juillet 1811

Christophe Colomb découvrait la côte de l'actuel Vénézuéla en 1498, lors de son troisième voyage aux Amériques. L'expédition de l'Espagnol Alonso de Ojeida commençait l'an suivant l'exploration du pays. De Ojeida atteignait le lac Maracaibo et donnait au pays son nom actuel en voyant des cases sur pilotis construites par les Amérindiens (« Petite Venise »). La seule richesse alors exploitée par les Espagnols étant les perles (îlot de Cubagua), Charles Quint octroyait en 1528 une concession sur l'arrière-pays à la compagnie allemande des Welser, qui explorait le pays à la recherche de l'Eldorado. La véritable colonisation du Venezuela ne commençait qu'après le départ des Allemands (1556), les plantations (tabac, cacao puis thé et coton) et le commerce assurant un développement rapide des colonies. Les trois colonies espagnoles de Venezuela (à l'ouest), de Nueva Andalucía (à l'est) et Trinidad-Orinoco (au sud), constituées au cours du XVIᵉ siècle, étaient réunies en 1777 pour former la capitainerie générale de

Venezuela. A la fin du XVIIIᵉ siècle apparaissait une aristocratie créole, les *Mantouans*. L'un de ses représentants, Francisco de Miranda, provoquait le soulèvement de 1806 après avoir vainement plaidé la cause de l'indépendance vénézuélienne en Europe.

L'indépendance
Après l'échec du premier soulèvement vénézuélien, le combat pour l'indépendance de l'Amérique du Sud reprenait en 1810 avec le soulèvement de Caracas, conduit par Simón Bolivar et Miranda. Le congrès rassemblé par Bolivar à Caracas en 1811 proclamait l'indépendance de la république du Venezuela. La Iʳᵉ République était aussitôt battue par les Espagnols, la IIᵉ République était proclamée en 1813. Après que Bolivar ait réussi à libérer définitivement la Nouvelle-Grenade par sa victoire de Boyacá (1819) contre les Espagnols, l'union du Venezuela et de la Nouvelle-Grenade était proclamée en décembre 1819 par le congrès d'Angostura. Bolivar devenait le premier président de la république de Grande-Colombie. Le Venezuela faisait sécession en 1831 et proclamait la IIIᵉ République, dont le général José Antonio Paez devenait le premier président.

Les militaires au pouvoir
L'histoire vénézuélienne est marquée jusqu'au début du XXᵉ siècle par une grande instabilité politique, causée par les rivalités profondes opposant libéraux et conservateurs : les dictatures militaires suivaient rapidement l'instauration de régimes civils. Le pays connut une relative stabilisation politi-

que et un essor économique modéré dû à la découverte de ressources pétrolières sous la dictature du général Juan Vincente Gómez (1908-1935). L'agriculture ayant été négligée au profit de l'exploitation pétrolière, le Venezuela demeura dépendant de l'étranger sur le plan alimentaire : les firmes américaines et anglo-néerlandaises contrôlaient l'essentiel de l'activité économique du pays. L'armée resta au pouvoir après la mort de Gómez, en 1936 : le général Eleazar López Contreras faisait adopter en 1936 une constitution d'inspiration socialiste. Le Venezuela se tint aux côtés des Alliés durant la Seconde Guerre mondiale, mais le président Isaias Medina Angarita n'engagea réellement le pays dans le conflit qu'en février 1945. Le parti de l'Action démocratique arrivait au pouvoir en 1945 mais il était renversé dès 1948 par un putsch militaire. Un nouveau coup d'Etat portait en 1952 le colonel Marcos Pérez Jiménez au pouvoir, dont le régime devenait dès 1953 une dictature absolue. Souhaitant, contre la constitution, prolonger son mandat en 1958, il était renversé après une grève générale et un soulèvement populaire. Un gouvernement militaire provisoire se maintenait au pouvoir jusqu'à l'élection en décembre de Rómulo Betancourt, leader de l'Union démocratique. Bien que soutenu par les partis de gauche lors de son élection à la présidence, Betancourt se retourna rapidement contre eux et instaurait en 1961 une nouvelle constitution supprimant un certain nombre de libertés fondamentales.

Retour à la démocratie
Le premier candidat de l'opposition à parvenir au pouvoir de manière démo-

cratique fut Rafael Caldera, qui tentait dès 1969 d'enrayer les activités clandestines des communistes et mettait en place une politique d'apaisement à l'égard des partis de gauche. La loi de nationalisation sans compensation financière de tous les avoirs des compagnies pétrolières était votée par le Parlement vénézuélien en 1971 et devait être appliquée en 1983. Les prix d'exportation du brut furent considérablement réévalués et le Venezuela se dotait dès 1972 d'une flotte nationale de pétroliers. Le social-démocrate Carlos Andrés Pérez Rodríguez était élu à la présidence en 1974 : le gouvernement annulait la même année les concessions minières des sociétés américaines US Steel et Bethlehem Steel. La nationalisation de l'industrie pétrolière survenait dès 1976. La présidence du chrétien-social (COPEI) Luis Herrera Campins (élu en 1979) vit la situation économique s'aggraver de manière dramatique. Le recul des revenus pétroliers et l'exode massif des capitaux contraignaient le gouvernement à fermer le marché des devises en février 1983, à instaurer un bloquage général des prix et à suspendre par un moratoire le paiement de la dette extérieure. L'Action démocratique remportait une victoire d'ampleur inattendue aux élections présidentielles et législatives de la fin de l'année. La première priorité fixée au gouvernement par le président Jaime Lusinchi était la lutte contre la crise économique : le problème de la dette extérieure, considérable, devait être résolu sans appliquer le programme d'austérité présenté par le FMI, la richesse pétrolière du Venezuela lui permettant de conclure des accords directs avec ses créanciers.

Viêt-nam

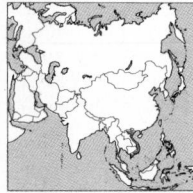

VN
Asie du Sud-Est
329 556 km²
57,18 M hab.
ONU,
COMECON

Capitale : Hanoï (2,6 M hab.)
Langue officielle : vietnamien
Religions : bouddh. en majorité, cath.
Régime polit. : rép. pop. communiste, réunifiée le 2 juillet 1976

La première dynastie historiquement connue de l'actuel Viêt-nam est celle du royaume d'Aulac, fondé en 257 av. J.-C. dans le delta du fleuve Rouge, dans la région d'Hanoï. La dynastie Trieu succéda en 208-209 av. J.-C. à la dynastie Phuc ; elle était renversée en 111 av. J.-C. par l'empereur chinois Wudi, de la dynastie Han. La région fut annexée par la Chine, qui la divisa en trois commanderies : Quê Lam, Nam Hai et Tuong Quân. Le bouddhisme pénètre profondément le pays à partir du IIᵉ siècle ap. J.-C. Une aristocratie féodale se développait sur le modèle chinois, tandis que le pays était ébranlé par des soulèvements répétés contre les Chinois et par les invasions du Champa (vers 780) et du Yunnan, qui prenait Hanoï en 863.

Premières dynasties
Les Vietnamiens, dirigés par un paysan, Ngô Quyên, chassaient les Chinois en 939 : la dynastie des Ngô (939-968) fondait un royaume annamite qui demeurait pourtant soumis au tribut chinois. Le royaume prenait en 968 sous le règne de Dinh Bô Linh le nom de Dai Cô Viêt et le bouddhisme devenait religion d'Etat. Ly-cong-Uan, premier roi de la dynastie des Ly (1010-1225), établissait sa capitale à Thang-Long (actuelle Hanoï). Le royaume s'étendait et acquérait une véritable conscience nationale sous la dynastie des Trân (1225-1413), plusieurs invasions mongoles étaient repoussées. Les Chinois mettaient à profit les troubles entraînés par plusieurs révoltes paysannes pour envahir en 1406 le Dai-Viêt. L'indépendance était reconquise en 1428 par un paysan, Lê Loi, qui fondait la dynastie des Lê postérieurs (1428-1527 et 1533-1789). Les Lê s'emparaient en 1479 du royaume champa (centre de l'actuel Viêt-nam) : Lê Thanh Tông (1460-1497) donnait au pays une organisation administrative et juridique définitive et imposait sa suzeraineté aux royaumes Lao du Mékong. La rivalité des familles Nguyên et Trinh, appartenant toutes deux à la noblesse de cour, conduisit à une division politique du pays, le Nord étant acquis aux Trinh, le Sud aux Nguyên.

La colonisation française
Marchands et missionnaires néerlandais, portugais et français s'imposaient au Dai-Viêt au cours du XVIᵉ siècle : les livraisons d'armes servirent à attiser les rivalités entre les Nguyên et les Trinh. Les plus actifs parmi les missionnaires, les jésuites français, finirent par imposer leur influence. La révolte populaire décisive éclatait en 1773 dans le Sud, conduite par les trois frères Tay Son. Soutenue par la majorité des populations la révolte aboutit en 1778 à la chute des familles Nguyên et Trinh puis à la chute de la dynastie Lê elle-même. Les frères se partagèrent le Dai-Viêt en Annam, Cochinchine et Tonkin. Mais les Tay Son étaient renversés en 1802 par Nguyên Anh, soutenu par les Français. C'est sous le règne de Gia Long, de la dynastie des Nguyên, que le Dai-Viêt, réunifié, recevait son nom de la Chine, sollicitée d'accorder son investiture au nouvel empire (Viêt-nam, 1803). Après plusieurs persécutions de chrétiens et parce qu'ils ne parvenaient pas à obtenir de concessions territoriales, les Français envahissent le Viêt-nam en 1858 et occupent la Cochinchine après la prise de Saigon (1859). La dynastie Nguyên capitulait en 1862 et concédait la Cochinchine, la plus riche province (ky) vietnamienne par le traité de Saigon. Après la signature d'un accord de protectorat avec le royaume khmer (Cambodge) de Norodom Iᵉʳ, en 1863, l'invasion du Nord du pays commençait en 1873 avec l'expédition de Francis Garnier au Tonkin. Le Tonkin et l'Annam devenaient protectorats en 1883. Les protectorats d'Annam, du Tonkin, du Cambodge et la colonie de Cochinchine étaient réunis en 1887 pour former l'Union indochinoise. La défaite française au cours de la Deuxième Guerre mondiale et l'occupation du Viêt-nam par les Japonais provoqua un soulèvement nationaliste du pays : Hô Chi Minh proclamait en 1945 la République démocratique du Viêt-nam (RDV). Les Français réoccupaient pourtant Saigon après la défaite japonaise. Malgré l'accord conclu en 1946 avec la RDV, selon lequel elle obtenait le statut d'un Etat libre au sein de l'Union française, la France entamait la recolonisation, se heurtant à la résistance militaire et politique du Viêt-minh (guerre d'Indochine, 1946-1954).

La guerre du Viêt-nam
L'offensive du Viêt-minh, devenu en 1951 le Liên-Viêt (Front national uni, ouvert aux non marxistes), aboutissait à la capitulation des troupes françaises à Diên Biên Phû (7 mai 1954). L'accord de cessez-le-feu conclu à Genève (20 juillet) partageait le pays de part et d'autre du 17ᵉ parallèle, en fait de part et d'autre de la rivière Ben Hôi. Les troupes françaises évacuaient Hanoï le 9 octobre, Hô Chi Minh y établissait la capitale du Nord-Viêt-nam communiste, tandis que la république était proclamée à Saigon par le catholique Ngô Dinh Diêm, qui instaurait un régime dictatorial, soutenu par les Etats-Unis (1955). Les mouvements de résistance au régime sud-vietnamien se rassemblaient en 1960 au sein du Front national de libération (FLN), incluant le Viêt-cong (Viêt-nam Cong San, communistes vietnamiens). Ngô Dinh Diêm était assassiné en 1963 lors d'un putsch militaire, plusieurs gouvernements militaires se succédaient jusqu'en 1965. Le général Nguyên Van Thiêu devenait chef de l'Etat en 1965. Après l'incident du golfe du Tonkin, où deux destroyers américains furent bombardés après avoir provoqué à plusieurs reprises les unités navales nord-vietnamiennes (1964), les Etats-Unis intervenaient militairement aux côtés du Sud. Des bombardements systématiques du Nord-Viêt-nam furent entrepris. L'offensive conjointe du Têt, réunissant le Viêt-cong et les troupes nord-vietnamiennes conduisait en 1968 à l'effondrement militaire américain. Pendant les négociations de paix de Paris, le président américain Richard Nixon étendait le conflit au Cambodge (1970) et au Laos (1971) et provoquait une « vietnamisation » du conflit par un soutien massif à l'armée du Sud. Les Etats-Unis se retiraient de la guerre par l'accord de Paris, en 1973. Saigon était prise le 30 avril 1975, le GRP (Gouvernement révolutionnaire provisoire, formé en 1969) prenait le pouvoir.

La République socialiste du Viêt-nam
Le Viêt-nam était réunifié en 1976 et Tôn Duc Thang, ancien président de la République démocratique était élu président de la République socialiste du Viêt-nam. La restructuration de l'économie et de l'agriculture provoquaient en 1977 le transfert de plusieurs millions de personnes. Le Viêt-nam était admis à l'ONU en 1978. Un conflit éclatait en 1977 avec le Kampuchéa démocratique de Pol Pot, soutenu par la Chine : les troupes vietnamiennes entamaient leur offensive le 25 décembre 1978, prenaient Phnom Penh un mois plus tard et renversaient le régime des Khmers rouges. La guerre qui éclatait en février avec la Chine, entraînait la suspension de l'aide économique des pays occidentaux (sauf la Suède et la France), contraignant le Viêt-nam à se replier sur le soutien soviétique. L'occupation du Cambodge, malgré un retrait partiel de ses troupes, conditionne les rapports du Viêt-nam avec tous ses voisins (pays de l'ASEAN en particulier).

Yémen du Nord

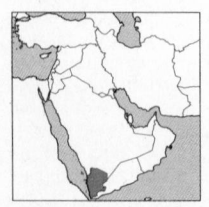

Proche-Orient
195 000 km²
6,2 M hab.
ONU, LA

Capitale : San'a (160 000 hab.)
Langue officielle : arabe
Religions : musulm. (99 %)
Régime polit. : république islamique depuis octobre 1962

Le premier des quatre royaumes de Saba qui se succédèrent au Yémen fut constitué au VIIᵉ siècle av. J.-C. : les royaumes de Saba durent leur richesse à leur production de parfums et à la situation géographique du Yémen, entre la mer Rouge et l'océan Indien. Conquis au IVᵉ siècle ap. J.-C. par le royaume d'Aksoum (Abyssinie), le Yémen tombait ensuite sous domination éthiopienne (VIᵉ siècle) puis perse (vers 570), devenant une simple satrapie. Les Bédouins y introduisent l'islam vers 630. Les dynasties arabes locales doivent accepter à partir de 1517 la tutelle ottomane, mais le pays, prospère, retrouve vite son autonomie avec les imams zaydites (1635). L'Egypte et la Grande-Bretagne, qui contrôlent le pays depuis le début du XIXᵉ siècle contribuent à la restauration de l'autorité turque (1862). Après l'effondrement de l'Empire ottoman, à l'issue de la Première Guerre mondiale, l'Asir est rattaché à l'Arabie Saoudite (1926), l'imam zaydite parvient à préserver son indépendance mais doit reconnaître la frontière du protectorat britannique d'Aden (1934). Le Yémen entame une coopération avec les pays communistes (1956) et se rapproche de l'Egypte : la tentative d'intégration à la RAU (1958) échouait en 1961. La république était proclamée lors de la guerre civile qui suivait la mort de l'imam Ahmad (septembre 1962). Soutenu par l'Arabie Saoudite, son héritier légitime, Muhammad al-Badr poursuit la lutte contre le régime républicain jusqu'en 1969. La vie politique du Yémen est marquée par les relations avec Aden, du conflit armé de février 1979 à l'échec du projet d'unification de janvier 1980, repris en 1982.

Yémen du Sud

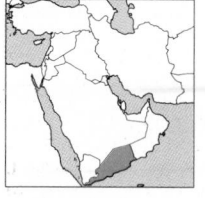

ADN
Proche-Orient
332 968 km²
2,1 M hab.
ONU, LA,
COMÉCON
(observateur)

Capitale : Aden (300 000 hab.)
Langue officielle : arabe
Religions : musulm. (97 %)
Régime polit. : république populaire, proclamée le 30 juillet 1967

Le territoire de l'actuel Yémen du Sud se détache historiquement du reste du Yémen lors de sa conquête en 1839 par la Compagnie britannique des Indes Orientales, qui administrera l'Arabie du Sud depuis l'Inde jusqu'en 1937. Devenu colonie britannique autonome en 1947, le pays était secoué dès 1963 par de violents troubles nationalistes : la lutte du Front national de libération (FNL) aboutissait à la proclamation de l'indépendance et au départ des Britanniques, en 1968. Un gouvernement était formé par le FNL : le président Qahtan al-Cha'bi était renversé en juin 1969 par l'aile gauche du FNL, qu'il avait en vain tenté d'éliminer. Le nouveau régime signait plusieurs accords de coopération avec les pays socialistes. L'Arabie annexait la même année après un violent conflit la région pétrolifère d'al-Wadiyya. La politique du FNL se radicalisait après l'éviction en 1971 du Premier ministre, Muhammad Ali Haytham et le congrès du FNL de mars 1972. Parallèlement à la réconciliation avec le Yémen du Nord, la République populaire affirmait son soutien aux mouvements révolutionnaires de la péninsule arabique. Le chef de l'Etat, Salim Ali Rubayyi, jugé trop modéré, était exécuté en 1978 et remplacé à la présidence par Ali Nasir Muhammad : les rapports avec Riyad et San'a s'envenimaient et une guerre inter-yéménite éclatait en février 1979. Cumulant dès octobre 1980 les principales fonctions de l'Etat, Ali Nasir Muhammad confirmait les liens du pays aux Etats arabes socialistes (Ethiopie, Libye) mais initiait une politique d'apaisement à l'égard des Etats voisins.

Yougoslavie

YU
Europe
du Sud-Est
255 804 km²
22,9 M hab.
ONU, OCDE
(statut spécial)

Capitale : Belgrade (1,45 M hab.)
Langues off. : serbo-croate, slovène, macédonien
Religions : grec-orthod. (42 %), cath., musulm.
Régime polit. : rép. socialiste fédérale, proclamée le 29 novembre 1945

Le territoire de l'actuelle Yougoslavie appartint de 700 av. J.-C. jusqu'au début du VIᵉ siècle à l'espace grec, avant d'être intégré à l'Empire romain. Les populations des montagnes furent peu à peu repoussées dès 620 par l'invasion de tribus slaves (Serbes). Après avoir conquis contre l'empire byzantin la Macédoine et plusieurs régions de Grèce, les Serbes se rendaient indépendants sous la dynastie des Nemanjides (1180) et imposaient leur domination sur les Balkans sous le règne de Etienne IX Douchan (1331-1355). Leur défaite devant l'armée ottomane à Kosovo (1389) marquait le début d'une domination qui allait durer jusqu'au XIXᵉ siècle, jusqu'en 1918 pour une part importante de la Yougoslavie actuelle. La Serbie était totalement soumise et devenait un pachalik turc en 1459. Un grand soulèvement national serbe était déclenché en 1804 par Karadjordje : il s'emparait de Belgrade et se proclamait prince de Serbie (1808-1813). L'indépendance serbe et croate ne fut toutefois officiellement reconnue que par le congrès de Berlin de 1878. L'Empire ottoman conservait la Macédoine, l'Autriche-Hongrie imposait sa souveraineté en Slovénie et sur la majeure partie de la Croatie. La double-monarchie habsbourgeoise annexait en outre en 1908 la Bosnie et l'Herzégovine. La Serbie menait au début du XXᵉ siècle le combat pour l'indépendance slave : elle annexait la Macédoine après ses victoires sur la Turquie et la Bulgarie en 1912 et 1913.

Le royaume de Yougoslavie
La lutte nationaliste des Balkans culminait avec l'assassinat à Sarajevo de l'archiduc héritier d'Autriche par un nationaliste serbe, Princip, appartenant à la société secrète de « la Main noire » (28 juin 1914). L'Autriche-Hongrie puis la Bulgarie déclaraient la guerre à la Serbie le 28 juillet, le jeu des alliances entraînait le monde dans la guerre. Après la défaite allemande, autrichienne et turque, le roi de Serbie, Pierre Iᵉʳ Karadjordjvic (1903-1918) proclamait le 1ᵉʳ décembre 1918 le royaume des Serbes, Croates et Slovènes (SHS). Le royaume SHS est bientôt la proie de rivalités nationalistes internes : l'existence d'importantes minorités, Allemands, Hongrois, Turcs et Albanais s'ajoutait aux différences culturelles, religieuses et économiques des Slaves. Alexandre Iᵉʳ, qui succédait à Pierre Iᵉʳ en 1921, instaurait une dictature en janvier 1929 et changeait le nom du royaume SHS en Yougoslavie. Le Parlement était supprimé en 1931. Le roi était assassiné (octobre 1934) par l'Oustacha, société secrète nationaliste croate et macédonienne. La régence était exercée pour Pierre II, âgé de onze ans, par le prince Paul. L'influence des puissances de l'Axe ne cessa de se renforcer en Yougoslavie au cours des années 1930. L'accord germano-yougoslave de mars 1941, signé par le prince Paul, provoquait le soulèvement de Belgrade : Pierre II, qui prenait alors le pouvoir, signait un pacte avec l'URSS (avril), les troupes allemandes envahissaient la Yougoslavie, qui capitulait sans conditions le 17 avril. Le pays était occupé par l'Allemagne, l'Italie, la Hongrie et la Bulgarie. Un mouvement de résistance se constituait : le général Draza Mihailovic rassemblait ses *tchetniks*, tandis que Josip Broz Tito, secrétaire du parti communiste, organisait ses « partisans ». L'armée de libération yougoslave remporta, malgré une terrible répression, d'importants succès. L'Armée rouge et les partisans libéraient Belgrade le 20 octobre 1944. Le Comité national de libération constitué par Tito en 1943 forma en mars 1945 avec le gouvernement royaliste en exil à Londres le premier gouvernement de la Yougoslavie libérée. Mais les ministres royalistes quittaient rapidement le gouvernement ; les élections de novembre donnaient 90 % des voix au Front populaire, dirigé par les communistes, seul parti présentant des candidats. La nouvelle assemblée proclamait la république le 29 novembre 1945.

La République de Yougoslavie
La Constitution du 31 janvier 1946 faisait de la Yougoslavie une république populaire fédérative. L'opposition était éliminée en 1946. La Yougoslavie retrouvait ses frontières de 1919 et les territoires enlevés par l'Italie en 1920. Le régime mettait une place une vaste réforme agraire et nationalisait les branches essentielles de l'économie. Mais Tito refusait de s'aligner sur une stricte politique stalinienne, souhaitant faire de la Yougoslavie un Etat socialiste neutre, indépendant de l'URSS. Celle-ci rompait ses relations avec Belgrade et instaurait un blocus économique en 1948. Tito réagit en entamant des négociations avec les pays occidentaux, dont il acceptait l'aide. Les relations avec l'Italie s'amélioraient après l'abandon des revendications sur Trieste, de même que celles avec la Grèce et la Turquie (alliance de Bled, 1954). Le processus d'autogestion des grandes communes du pays par des conseils ouvriers se poursuivait, tandis que Tito éliminait l'opposition communiste interne : expulsion de Milovan Djilas du comité central en 1954. Les relations avec l'URSS reprenaient peu après la mort de Staline, alors que Tito multipliait les initiatives au sein du mouvement des Non-Alignés, dont il était l'un des principaux fondateurs. La Yougoslavie devenait après la réforme constitutionnelle libérale de 1963 la République socialiste fédérative de Yougoslavie, composée des six Républiques fédérées de Slovénie, Croatie, Bosnie et Herzégovine, Montenegro, Serbie et Macédoine, auxquelles s'ajoutent deux provinces autonomes. Tito était réélu à l'unanimité et pour la cinquième fois, contrairement aux règles constitutionnelles, en mai 1967. De nouvelles mesures de libéralisation étaient annoncées par Tito en 1970 : une présidence collégiale de 22 membres (réduite à 9 en 1974) devait exercer collectivement le gouvernement après la mort du maréchal. Cette politique provoquait un renouveau des tentatives séparatistes croates. Les troubles qui éclataient à Zagreb en 1971 dégénéraient en une véritable émeute. Les nationalistes croates et les libéraux serbes furent éliminés des instances dirigeantes du parti. Tito était élu président à vie de l'Etat et du parti en mai 1974, peu après la promulgation d'une nouvelle constitution. Le rapprochement initié avec Moscou, qui acceptait finalement la doctrine titiste de la non-ingérence, aboutissait à l'important accord économique de 1972 : les relations avec la RFA et la Bulgarie, tendues avec cette dernière en raison de ses revendications sur la Macédoine, étaient respectivement améliorées et renouées. A la mort de Tito, le 4 mai 1980, sa succession s'organisait suivant le principe de collégialité : les présidents de la présidence collégiale se succédaient par périodes d'un an. Ils sont confrontés à une situation économique alarmante (importance de la dette extérieure) et à des troubles persistants dans le Kosovo. Un projet visant à annuler l'extrême décentralisation des unités économiques (introduite par Tito après 1970) ainsi qu'un projet tendant à limiter les pouvoirs des Républiques dans les décisions fédérales (actuellement prises selon le principe du consensus) étaient en voie de discussion dès 1985. Le pays doit affronter une situation économique difficile : endettement considérable vis-à-vis de l'étranger, chute du pouvoir d'achat de 40 % en trois ans ; un tiers de la population vit sous le seuil de pauvreté.

Zaïre

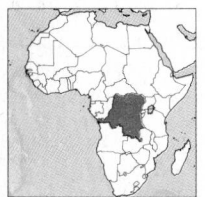

ZRE
Afrique centrale
2 345 409 km²
31,1 M hab.
ONU, OUA

Capitale : Kinshasa (2,4 M. hab.)
Langue officielle : français
Religions : cath. (42 %), animistes (40 %), prot.
Régime polit. : rép. présid. Indépendance obtenue le 30 juin 1960

Les plus importants royaumes précoloniaux du Congo furent celui de Kouba, apparu au VIᵉ siècle ap. J.-C. dans la région comprise entre le cours inférieur du Sankuru et le Kasaï et que les Belges ne parvenaient à détruire qu'en 1904 ; le royaume du Kongo, fondé au XIIIᵉ siècle et qui atteignit l'apogée de sa puissance trois siècles plus tard, et, enfin, les royaumes louba et lounda. Mandaté par le roi de Belgique Léopold II, l'Anglais Henry Morton Stanley commençait dès 1879 l'exploration du Congo, qui devenait, après la signature de plusieurs traités de protectorat avec les tribus, propriété personnelle de Léopold II. L'Etat indépendant du Congo était reconnu par la conférence du Congo de Berlin, en 1884-1885. Léopold II était contraint en 1908 d'abandonner contre dédommagement sa souveraineté sur le Congo à l'Etat belge, après qu'eurent été rendues publiques les méthodes employées à l'égard des indigènes. Lorsque la Belgique accordait à la colonie du Congo son indépendance, en 1960, la République démocratique du Congo était proclamée, Joseph Kasavubu en devenait le président, Patrice Lumumba le Premier ministre. Une vague d'émeutes, de grèves et d'affrontements se répandait à travers le pays, la riche province minière du Katanga proclamait son indépendance avec Moïse Tschombé ; les conseillers belges devaient quitter rapidement le pays. Mais Lumumba était destitué la même année et assassiné (janvier 1961) après le coup d'Etat du colonel Mobutu, qui ne reste au pouvoir que quelques mois. La sécession katangaise et la guerre civile ne prenaient fin qu'après l'intervention (1962) des troupes de l'ONU. Premier ministre depuis 1962, Tschombé était destitué par Kasavubu en 1965 ; Mobutu reprenait le pouvoir un mois plus tard, suspendait les institutions, se proclamait président de la République et mettait en place une politique d'africanisation du pays. Le Congo belge devenait en 1971 le Zaïre, république socialiste et démocratique depuis 1978. Des troupes venues d'Angola et formées de membres du Front national de libération congolais (anciens « gendarmes katangais ») envahissaient le Shaba (ancien Katanga) : l'attaque était repoussée grâce à des contingents marocains et au soutien de la France. Une nouvelle attaque conduisait à une intervention directe franco-belge à Kolwezi en 1978. Les relations du Zaïre avec l'Angola, très tendues en raison du soutien accordé par Kinshasa à l'UNITA, essentiellement soutenue par l'Afrique du Sud. Le rapprochement zaïro-israélien concrétisé en 1983 et l'intervention de troupes zaïroises dans le conflit du gouvernement tchadien la même année provoquaient de vives critiques de l'OUA à l'égard de Kinshasa. Mobutu était réélu en 1984.

Zambie

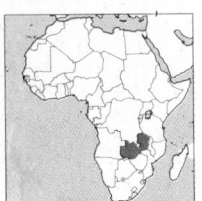

Z
Afrique australe
752 614 km²
6,2 M hab.
ONU, CW, OUA

Capitale : Lusaka (641 000 hab.)
Langue officielle : anglais
Religions : animistes (60 %), cath. (20 %), prot.
Régime polit. : rép. présid. Indépendance proclamée le 24 octobre 1964

L'actuelle Zambie possède les traces d'une culture vieille de 100 000 ans. L'âge du fer ne succéda à l'âge de pierre que vers le Xᵉ siècle, à l'époque où les langues bantoues commençaient à se répandre. Riche en cuivre et en or, la Zambie attirait les commerçants arabes dès le VIIIᵉ siècle : ceux-ci se limitèrent tout d'abord à la fréquentation des côtes, où 37 villes furent fondées entre le XIᵉ et XVᵉ siècle. Des routes les conduisirent progressivement vers l'intérieur des terres. Les Portugais, qui arrivaient au début du XVIᵉ siècle, prirent le contrôle direct du commerce de l'or : ils démantelèrent le commerce de l'ivoire au nord du Zambèze, provoquant une grave crise au sein du royaume Marawe (→ Malawi). Des tribus zimbas du Zambèze commencèrent leurs attaques contre les établissements portugais et le Marawe vers 1580. Un Etat apparut au XVIIᵉ siècle en Zambie occidentale, le royaume rotse, les tribus du nord-est, poursuivies par les chasseurs d'esclaves arabes, ne parvinrent pas à s'unifier. La constitution au début du XIXᵉ siècle d'un royaume zoulou au sud provoquait la migration des tribus bantoues vers le nord : les Kololos s'emparaient en 1840 du royaume rotse, qui préserva ensuite son indépendance jusqu'en 1865. L'explorateur britannique David Livingstone reconnaissait le pays rotse (Barotse) entre 1851 et 1855, le nord-est du pays entre 1866 et 1871. Les agents de la *British South Africa Company* (BSAC) de Cecil Rhodes concluaient plusieurs accords de protectorat avec les chefs tribaux et le roi lozi, Lewanika (1887). Le Barotse devenait protectorat britannique en 1891 ; la BSAC fondait en 1901 le protectorat de Rhodésie du Nord-Est, uni avec le Barotse en 1911 pour former la Rhodésie du Nord, qui devient colonie de la Couronne en 1924, au moment de la découverte d'importants gisements de cuivre. La Grande-Bretagne constituait en 1953 la Fédération centrafricaine, réunissant les Rhodésies et le Nyassaland, dotée d'une constitution et d'un premier gouvernement noir en 1961. La Rhodésie du Nord se retirait de la Fédération en 1963 et devenait la République indépendante de Zambie après la victoire électorale de Kenneth Kaunda, chef de l'*United National Independence Party* (UNIP). Le système du parti unique était institué par Kaunda en 1972, qui s'efforce depuis de soutenir les mouvements nationalistes de la région (Rhodésie-Zimbabwe, qui fermait ses frontières en 1973, Mozambique, Afrique du Sud) mais se rapprochait de l'Afrique du Sud lors de la crise économique de 1982, la Zambie étant dépendante de ses voisins (énergie, transports).

Zimbabwe

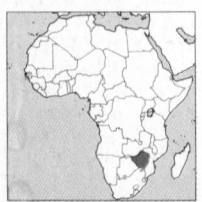

ZW
Afrique australe
390 580 km²
7,7 M hab.
ONU, CW

Capitale : Harare (627 000 hab.)
Langue officielle : anglais
Religions : animistes (65 %), chrét. (34 %)
Régime polit. : rép. parlement. Indépendance proclamée le 18 avril 1980 .

Cecil Rhodes, propriétaire de mines de diamant en Afrique du Sud, obtenait de Londres en 1890 les territoires au nord et à l'ouest du Transvaal. Le peuple des Ndebele y était soumis en 1894. La Grande-Bretagne prenait en 1923 le contrôle direct des Rhodésies du Nord et du Sud : les deux colonies étaient unies au Nyassaland en 1953 pour former la Fédération centrafricaine (→ Zambie, Malawi), dominée par la Rhodésie du Sud, où la minorité blanche était la mieux implantée, pratiquant une discrimination sur le modèle sud-africain. Le mouvement nationaliste et indépendantiste africain s'organisait au sein de l'*African National Congress* (ANC) de Josuah Nkomo : il obtenait finalement la dissolution de la Fédération. La Rhodésie du Sud se déclarait unilatéralement indépendante en novembre 1965, le régime du Premier ministre Ian Smith se maintenait malgré la pression internationale et l'opposition africaine intérieure. Le principe de la séparation des races était inscrit dans la Constitution de 1969 et la République de Rhodésie confirmait légalement son indépendance. La libération de l'Angola en 1974 renforça les mouvements africains et l'Afrique du Sud souhaitant l'établissement d'une « zone pacifiée » à ses frontières (et retirant son soutien militaire), le régime de Smith se trouva soumis à une pression accrue. Josuah Nkomo (ZAPU) et Robert Mugabe (ZANU) unissaient leurs mouvements nationalistes, d'inspiration marxiste, au sein du *Patriotic Front*. Smith dut accepter de négocier (Genève, 1976) le principe d'un gouvernement noir : il faisait cependant adopter la « solution interne » après avoir conclu un accord avec Abel Muzorewa, chef de l'ANC et le fondateur de la ZANU, Ndabaninghi Sithole. Les Blancs conservaient une minorité de blocage parlementaire sur les questions constitutionnelles. Muzorewa devenait Premier ministre en 1979, mais le processus n'était pas reconnu internationalement. Après une nouvelle conférence (Londres), Robert Mugabe remportait les élections de 1980 et constituait un gouvernement issu de la ZANU, de la ZAPU et du Front rhodésien. Londres reconnaissait l'indépendance du Zimbabwe la même année. L'ancienne capitale rhodésienne, Salisbury, prenait en 1982 le nom de Harare.

Index

Index des noms propres

Martini, Simone (Simone di Martino ; v. 1282-1344) 396, 397

Martov (Jouli Ossipovitch Zederbaum ; 1873-1923) 989

Marwan II, calife umayyade (règne : 744-749) 297

Marx, Karl (1818-1883) 860, 864, 866, 868, 873, 874, 880, 894, 904, 910, 911, 929, 938, 940, 942, 946, 949, 976, 988

Masaccio, Tommaso di Ser Giovanni (1401-1428) 418, 419, 429

Masaniello (Tommaso Aniello ; 1620-1647) 598

Masaryk, Thomas Garrigue, pdt tchécoslovaque (1918 à 1935) 1016, 1025, 1028, 1091

Mascagni, Pietro (1863-1945) 960

Maspéro, Gaston (1846-1916) 79

Masséna, André (1756-1817) 758, 764, 765, 768, 776, 784, 788, 800

Massenet, Jules (1842-1912) 948

Massina, roi numide (IIe s av. J.-C.) 180, 181

Massine, Léonide (1896-1979) 1020

Massys, Quentin (→ Metsys, Quentin)

Mata-Hari (Margareta Gertruida Zelle ; 1876-1917) 1022

Matabei (1578-1650) 600

Mathias Ier Corvin, roi de Hongrie (règne : 1458-1490) 428, 433, 440

Mathias II, empereur germanique (règne : 1612-1619) 554, 558, 560, 562

Mathieu, Philippe (1808-1865) 892

Mathieu d'Arras (XIVe s) 396

Mathilde, imp. allemande, reine d'Angleterre (1102-1167) 350, 352, 353, 356

Mathilde, sainte, reine de Germanie (?-968) 345

Matisse, Henri (1869-1954) 990, 993, 1054

Matsuo Munefusa (→ Bashô)

Matthieu, apôtre 214, 217

Maupassant, Guy de (1850-1893) 940, 942, 944, 952

Maupéou, rené de (1714-1792) 690, 692, 694, 695

Maupertuis, Pierre Louis Moreau de (1698-1759) 668, 678, 679

Maurepas (Jean Frédéric Phélypeaux, comte de ; 1701-1781) 673, 676, 696, 705

Mauriac, François (1885-1970) 1054

Maurice, empereur byzantin (règne : 582-602) 276, 278, 280

Maurice de Nassau, prince d'Orange (1567-1625) 530, 566, 572, 573

Maurras, Charles (1868-1952) 1011

Mausole, satrape de Carie (règne : 377-353 av. J.-C.) 152

Mavrocordatos, Alexandre (1791-1865) 829

Maxence, usurpateur romain (règne : 306-312) 250

Maxim, sir Hiram Stevens (1840-1916) 949

Maxime, usurpateur romain (règne : 383-388) 256

Maximien, empereur romain (règne : 286-305) 248, 249

Maximilien, empereur du Mexique (règne : 1832-1867) 902, 904, 908, 910, 911

Maximilien de Bade (1867-1929) 1025

Maximilien Ier, duc et Electeur de Bavière (1573-1651) 566

Maximilien Ier, empereur germanique (règne : 1493-1519) 434, 435, 436, 437, 440, 442, 443, 452, 454, 455, 457, 458, 460, 548, 556, 464, 472

Maximilien Ier Joseph, roi de Bavière (règne : 1806-1825) 694

Maximilien II, empereur d'Allemagne (1527-1576) Mathias de 522

Maximilien II Joseph, roi de Bavière (règne : 1848-1864) 866

Maximilien III (Joseph de Wittelsbach ; 1727-1777) 704

Maximin Ier le Thrace, empereur romain (règne : 235-238) 240, 241, 243

Maximin II Daïa, empereur romain (règne : 305-313) 250, 251

Maxwell, James Clark (1831-1879) 904, 905

Mayenne (Charles de Lorraine, duc de ; 1554-1611) 534

Mayhew, Henry (1812-1887) 852

Mayow, John (1640-1679) 628

Mazarin, Jules (Giulio Mazarini ; 1602-1661) 578, 588, 590, 594, 596, 598, 600, 602, 604, 612, 613

Mazeppa, Ivan Stepanovitch (1644-1709) 654

Mazzini, Giuseppe (1805-1872) 832, 833, 836, 838, 844, 859, 872, 882, 890

Mbuembue, roi du Cameroun (règne : 1820-1840) 730

Mc Adam, John Loudon (1756-1836) 842

Mc Kinley, William , président des U.S.A (1896 à 1901) 979, 982, 983

Me-bara-si, roi de Kish (règne : v. 2600 av. J.-C.) 46

Me-salim, roi de Kish (règne : v. 2550 av. J.-C.) 49

Mécène (Caius Cilaius Mæcenas ; 69-8 av. J.-C.) 202, 209

Médicis, Alexandre de, duc de Florence (v. 1510-1537) 486, 490, 491

Médicis, Cosme de (1389-1464) 430

Médicis, Cosme Ier de (1519-1574) 491

Médicis, Jean Gaston de (1671-1737) 670

Médicis, Julien de (1453-1478) 430, 434

Médicis, Julien de, duc de Nemours (1478-1516) 486, 487

Médicis, Laurent de (1449-1492) 430, 434, 440, 456

Médicis, Pierre II de (1471-1503) 442

Médicis, Pierre le Goutteux de (1414-1469) 430

Medina Sidonia (Alonso Pérez de Guzman, duc de ; 1550-1619) 533

Mégaclès l'Alcméonide, chef athénien (v. 561 av. J.-C.) 108

Mégasthènes (IIIe s av. J.-C.) 163

Mehmet Aga (XVIIe s) 564

Mehmet-Ali (→ Muhammad Ali)

Mehmet Ier Celebi, sultan ottoman (règne : 1413-1421) 416

Mehmet II, sultan ottoman (règne : 1444-1446 ; 1451-1481) 434, 540

Mehmet II le Conquérant, sultan ottoman (règne : 1451-1481) 424, 425, 426, 427

Mehmet III, sultan ottoman (règne : 1595-1603) 559

Mehmet IV, sultan ottoman (règne : 1648-1687) 642

Mehmet Köprülü, grand vizir d'Istanbul (1575 ?-1661) 608, 612

Mehmet V, sultan ottoman (règne : 1909-1918) 1000

Mehul, Etienne (1763-1817) 780

Meiji-Tenno (Mutsuhito), empereur du Japon (règne : 1867-1912) 639, 910, 912, 921, 958

Mélanchthon (Philipp Schwarzerd ; 1497-1560) 464, 470, 484, 485, 491, 508

Melas, Michaël, baron von (1729-1806) 766

Melbourne (William Lamb, vicomte ; 1779-1848) 840, 931

Méliès, Georges (1861-1938) 980, 987

Meline, Jules (1838-1925) 964

Melo, Francisco Manuel de (1611-1667) 620

Melville, Hermann (1819-1891) 878, 879

Memling, Hans (v. 1433-1494) 436, 442

Ménandre, roi de Panjâb et de Bactriane (règne : 155-130 av. J.-C.) 180

Ménandre (v. 342-v. 292 av. J.-C.) 160, 165

Menchikov, Alexandre (1787-1869) 882

Mendaña de Neyra, Alvaro de (1541-1595) 514, 540

Mendel, Johann (1822-1884) 906, 907, 982

Mendeleïev, Dimitri (1834-1907) 915

Mendelssohn, Moses (1729-1786) 714, 764

Mendelssohn-Bartholoy, Félix (1809-1847) 822, 826, 837

Mendès, Catulle (1841-1909) 909

Mendès-France, Pierre (1907-1982) 1089

Mendoza, Antonio de, vice-roi de Nle-Espagne (1490-1552) 488, 490

Mendoza, Iñigo Lopez de (marquis de Santillana ; 1398-1458) 428

Mendoza, Pedro de (1487-1537) 490, 526

Ménélik II, empereur d'Éthiopie (règne : 1889-1913) 958, 968, 972, 973

Menendez de Aviles, Pedro (XVIe) 512, 514

Ménès, pharaon (règne : v. 3000 av. J.-C.) 38, 42, 76

Meng Tzu, chef thaï (XIIIe s) 385

Mengli-Ghiray , khân de Crimée (règne : 1466-1514) 448

Menou, Jacques François, baron de (1750-1810) 767, 768, 770

Mentouhotep, pharaon (règne : v. 2130 av. J.-C.) 52

Mentouhotep III, pharaon (règne : v. 2000 av. J.-C.) 77

Menuhin, Yehudi (1916) 1042

Mercati, Michele (1541-1593) 12, 530

Mercator, Gerardus (Gerhard Kremer ; 1512-1594) 514, 540

Mercoeur (Philippe-Emmanuel de Lorraine, duc de ; 1558-1602) 543

Merda, Charles André (1775-1812) 753

Mergenthaler, Otto von (1854-1899) 948

Merici, Angela, fond. ordre des Ursulines (1474-1540) 492

Mérimée, Prosper (1803-1870) 820, 826, 850, 860

Merlin de Douai (Philippe Antoine Merlin, comte ;1754-1838) 748, 749, 761

Merlin de Thionville (Antoine Christophe Merlin ;1762-1833) 754

Mermoz, Jean (1901-1936) 1048, 1063

Mérodach-Baladan, roi de Babylone (règne : 721-710 av. J.-C) 93

Mérovée, roi des Francs saliens (règne : v. 447-458) 267

Mes-kalam-du, roi d'Ur (règne : v. 2600 av. J.-C.) 46

Meshrop (v. 400) 258

Mesmer, Frantz Anton (1734-1815) 713

Messaline, impératrice romaine (?-48) 212

Metaxás, Ioannis (1871-1941) 1063, 1960

Metellus Quintus Caecilius (IIe s av. J.-C.) 182

Metellus Scipion (Q. C. Metellus Pius Scipion ; ?-46 av. J.-C) 194

Méterzeau, Clément II (1581-1652) 564

Méthode, saint (v. 825-885) 311, 314, 316

Methuen, John (1650-1706) 651

Metsys, Quentin (1465 ou 1466-1530) 484

Metternich (Klemens Wenzel Nepomuk, prince de ; 1773-1859) 784, 785, 790, 792, 794, 805, 810, 811, 812, 834, 836, 840, 853, 866, 868

Meusnier de la Place, Jean-Baptiste (1754-1793) 712

Meyerbeer, Giacomo (Jakob Liebmann Beer ; 1791-1864) 842

Mézeray, François Eudes de (1610-1683) 594, 620

Mi Fou (→ Mi Fu)

Mi Fu (Mi Fou ; 1051-1107) 348

Michaux, Ernest (1842-1882) 899, 912

Michaux, Pierre (1815-1883) 899, 912

Michel, Louise (1830/1833-1905) 992

Michel-Ange (Michelangelo Buonarroti ; 1475-1564) 446, 449, 450, 452, 454, 457, 475, 478, 486, 487, 488, 489, 494, 495, 498, 503, 506, 510, 511

Michel Fedorovitch, tsar de Russie (règne : 1613-1645) 545

Michel Ier, roi de Portugal (règne : 1828-1834) 822, 824, 838, 845

Michel Ier, roi de Roumanie (règne : 1927-1930 ; 1940-1947) 1048

Michel Ier Ange Comnène, despote d'Epire (règne : 1205- ?) 368

Michel Ier Rangabé, empereur byzantin (règne : 811-813) 306

Michel II le Bègue, empereur byzantin (règne : 820-829) 306

Michel III l'Ivrogne, empereur byzantin (règne : 842-867) 278, 311, 314, 315

Michel le Brave, prince de Valachie (?-1601) 549

Michel Obrenovitch, prince des serbes (1839-1842 ; 1860-1868) 854, 894, 912

Michel Romanov, tsar de Russie (règne : 1613-1645) 560, 561, 562

Michel VII D. Parapinakès, empereur byzantin (règne : 1071-1078) 344

Michel VIII Paléologue, emp. byzantin (règne : 1261-1282) 378, 379, 381

Michel VIII Paléologue, empereur byzantin (règne : 1258-1282) 279

Michel Wisniowiecki, roi de Pologne (règne : 1669-1673) 622

Michele di Lando (1343-1401) 404

Michelet, Jules (1798-1874) 666, 836, 862, 864, 865

Michelin, André (1853-1931) 960

Michelin, Edouard (1859-1940) 960

Michelozzo di Bartolomeo (1396-1492) 429

Michelson, Albert (1852-1931) 954

Mickiewicz, Adam (1798-1855) 832, 838, 839, 850

Midas, roi légendaire de Phrygie (VIIIe s av. J.-C.) 92

Middleton, Thomas (1570-1627) 535

Midhat Pacha (1822-1884) 930

Mierolawski, Ludwig (1814-1878) 866

Mieszko Ier, prince de Pologne (règne : 960-992) 326

Mieszko II l'indolent, roi de Pologne (règne : 1025-1034) 338, 339

Mignard, Pierre (1612-1695) 608, 646

Mikon (Ve s av. J.-C.) 128

Milan Obrenovitch, prince des serbes (règne : 1882-1889) 912, 958

Milhaud, Darius (1892-1974) 1030, 1034

Milinda (→ Ménandre)

Milioutine, roi des Serbes (règne : 1275-1321) 391

Militiade, stratège athénien (540-489 av. J.-C.) 128

Mill, John Stuart (1806-1873) 856, 871, 906

Millais, John Everett (1829-1896) 870

Millerand, Etienne Alexandre (1859-1943) 1037

Millet, Jean-François (1814-1875) 861, 890, 891, 910

Miloch Obrenovitch, prince des serbes (règne : 1817-1839) 774, 802, 804, 828, 892, 894

Milon, h. politique romain (T. A. P. Milo ; v. 95-48 av. J.-C) 192, 193

Miltiade (v. 540-v. 489 av. J.-C.) 118, 119

Milton, John (1608-1674) 596, 604, 620

Minamoto-no-Yoritomo, guerrier japonais (1147-1199) 360, 362

Minamoto-no-Yoshitsune, guerrier japonais (1159-1189) 360

Mineptah, pharaon (règne : v. 1230 av. J.-C.) 74

Ming Di, empereur chinois (règne : 57-75) 214, 218, 221

Minger, Carl (1840-1921) 960

Minine, Kouzma (XVIIe s) 560

Minkowski, Hermann (1864-1909) 998

Minnewit (→ Minuit, Peter)

Minos, roi légendaire de Cnossos (XVIe-XVe s av. J.-C.) 62

Minuit, Peter (v. 1580-v. 1640) 576

Miollis, Sextius Alexandre François, comte de (1759-1828) 794

Mique, Richard (1728-1794) 708

Mir Jaffar (1691-1765) 689

Mirabaud, pseudonyme du baron d'Holbach 692

Index iconographique

384b, 385b, 386a, 386b, 387a, 389a, 389b, 389c, 39a, 39b, 390a, 390b, 391b, 392b, 393b, 393c, 394a, 394b, 394c, 397b, 398b, 400a, 400b, 402b, 403b, 403c, 405a, 405b, 409b, 412a, 413a, 413b, 415b, 416a, 416b, 416c, 417b, 417d, 418a, 418b, 419a, 42a, 423b, 425b, 426a, 426b, 427a, 427b, 427c, 428a, 428b, 429b, 429c, 432b, 433d, 435b, 437a, 44a, 440a, 441b, 441c, 443b, 444a, 445a, 447a, 447c, 448a, 449a, 449b, 45a, 45d, 450a, 451a, 451b, 451e, 452a, 452b, 459b, 46a, 460a, 461b, 461c, 463a, 463b, 463c, 463d, 464a, 464b, 464c, 464d, 467b, 467d, 467e, 470a, 470b, 470c, 471c, 474b, 475c, 477b, 479a, 481f, 483b, 483e, 484b, 485a, 487b, 489d, 49b, 49d, 490b, 491a, 494b, 496a, 497b, 497c, 499a, 50b, 502a, 503a, 503b, 503c, 504a, 51b, 510b, 513d, 514b, 517a, 517b, 517c, 520a, 521a, 521c, 522a, 525c, 529a, 529b, 529d, 53a, 531b, 531c, 534a, 537a, 538a, 542a, 543a, 549a, 550a, 551b, 551c, 553a, 553c, 554a, 556a, 56a, 560a, 561c, 562a, 562b, 565b, 567a, 567c, 569a, 569c, 573a, 573b, 58a, 581a, 582a, 582b, 59a, 591a, 592b, 595a, 598a, 60b, 600a, 602a, 612a, 613c, 614a, 614b, 615a, 615b, 617a, 617b, 618a, 619c, 62a, 623d, 625b, 625c, 625d, 627a, 629a, 629b, 63b, 632a, 633a, 633b, 633d, 634a, 637b, 637c, 637d, 637e, 641a, 641c, 641d, 643b, 649b, 649d, 650b, 651b, 651c, 653b, 654c, 654d, 655a, 655b, 659a, 659b, 66a, 661b, 663a, 663c, 663d, 663e, 665e, 668a, 669b, 669c, 670a, 671a, 671b, 671c, 674a, 678a, 679a, 68b, 680a, 683a, 683b, 686a, 686b, 687b, 689a, 689b, 689c, 689d, 69b, 69c, 690a, 691a, 692b, 693b, 696a, 6o, 70a, 700a, 700b, 700c, 701b, 703b, 704a, 705a, 706a, 707a, 707d, 708a, 709a, 71a, 71b, 710a, 711a, 711b, 714a, 715b, 715d, 716a, 721b, 721d, 722a, 722b, 723b, 724a, 725a, 725c, 725d, 728a, 728b, 729b, 729c, 73a, 73c, 731a, 731b, 735a, 735c, 737a, 738a, 738b, 739a, 74a, 740a, 741a, 746a, 748a, 748b, 749a, 750b, 750c, 753a, 757a, 757b, 758a, 759c, 759d, 760b, 761a, 762b, 763a, 764a, 765d, 766a, 767c, 771b, 775c, 776b, 777b, 778a, 778c, 778d, 778e, 778f, 778g, 779a, 780a, 780b, 781a, 781b, 781c, 782a, 784a, 784b, 785a, 786a, 787b, 787c, 788b, 788b, 79b,

79c, 790a, 791c, 792a, 792b, 793b, 794a, 795b, 796a, 797d, 798b, 799b, 799d, 80a, 800b, 802a, 803b, 804a, 81a, 810a, 810c, 811b, 811c, 813c, 814a, 814b, 816b, 817a, 819b, 819d, 82a, 820a, 821a, 822a, 823b, 823c, 823d, 825c, 828b, 83a, 83b, 83c, 830a, 831a, 831b, 831c, 831d, 832a, 834a, 837a, 839a, 839d, 841b, 841d, 845a, 845b, 845d, 847a, 847b, 847d, 849a, 85a, 85b, 850a, 851a, 851b, 855b, 859a, 86b, 861a, 861d, 862a, 862c, 865a, 865c, 865f, 867a, 868a, 868b, 868c, 869a, 869b, 870a, 871a, 871b, 871c, 871d, 873a, 873b, 873c, 876a, 878a, 88a, 881e, 883d, 884a, 885a, 885b, 885d, 886a, 889a, 889b, 889c, 89a, 89b, 89c, 890a, 893b, 894b, 895c, 896a, 897a, 898a, 898b, 898c, 898d, 898e, 90a, 90b, 900a, 901a, 901d, 902a, 903c, 904a, 904b, 906a, 908a, 91a, 911a, 911b, 912a, 914a, 914b, 917b, 917d, 918a, 919a, 919b, 92a, 92b, 921a, 921c, 922a, 922c, 922d, 924b, 926a, 926b, 927c, 928a, 929c, 93a, 93b, 93c, 930a, 931b, 931d, 932a, 932b, 933d, 935a, 935b, 94a, 94b, 941c, 942b, 943b, 943c, 944a, 945a, 945c, 945d, 946a, 947b, 947c, 947d, 948a, 95a, 95b, 95c, 951a, 951d, 953a, 956b, 96a, 960a, 961c, 962a, 965e, 968a, 97a, 97c, 970c, 971a, 971c, 973b, 973c, 974a, 975c, 978a, 98b, 982é, 982c, 983a, 983b, 983c, 983e, 984a, 985b, 985d, 985e, 985f, 986c, 987a, 987d, 99a, 991a, 991b, 991b, 991c, 991d, 991e, 993c, 995b, 998b, 999b, 999d
HARLINGUE 969b, 995c
HELD André 216a, 257c
HELD Suzanne 385a
HETIER Michel 355c
HOLMES LEBEL 589a, 873d, 950c
ILLUSTRATION 1035d, 863a, 899c
JACQUES René 372a
IPS 229e, 854b
KERSTING 536a
KARBINE TAPABOR 969c
LE JAPON MEDIEVAL 583a, 903b
KOHLER 193b
KEYSTONE 1040c, 1053d, 1061a, 1076a, 1084b, 935c
L.L 496b, 811d, 975a
LAROUSSE 1007c, 1007f, 1015b, 1040b, 1047h, 1051b, 1057c, 1081d, 1085a, 1087c, 19a, 210a, 213a, 219g, 220a, 220c, 221a, 230c, 234b, 237c, 244c, 255a, 26c, 27c, 31c, 345b, 350a, 361a, 367d, 369d, 409a, 453a, 460b, 494a, 505a, 509c, 511a, 529c, 53a, 555a, 557b, 566a, 567b, 568b, 569b, 571a, 571c, 572b, 583b,

583c, 583d, 585a, 585c, 586b, 587a, 590b, 591e, 597b, 597c, 601c, 603a, 603c, 605a, 608a, 611a, 613b, 615c, 616a, 617d, 621d, 622a, 624b, 625a, 631a, 631b, 641e, 641f, 646a, 648b, 649c, 651a, 657d, 675a, 676a, 677c, 681c, 693d, 702a, 715c, 761b, 768a, 770b, 773a, 785d, 804b, 807a, 813d, 815e, 817d, 819a, 820b, 821c, 825a, 826a, 829b, 835c, 840b, 843a, 846a, 848b, 857c, 858b, 859b, 863d, 877b, 877c, 879b, 879c, 880b, 881a, 881b, 883c, 887a, 887b, 891c, 895b, 902b, 903a, 905b, 905c, 906b, 907a, 907c, 907d, 909b, 910a, 915a, 915b, 915c, 918b, 919c, 920a, 920b, 921b, 922b, 923c, 925a, 925b, 925c, 927a, 927b, 927d, 929a, 929d, 930b, 931a, 932c, 933b, 939a, 941b, 946b, 955d, 964b, 965a, 965b, 969a, 969e, 972c, 979a, 979b, 981b, 987b, 987c, 988c, 990c, 994a, 995a, 996c, 259b, 396a, 397a, 466b, 626a, 633c, 657c, 727a, 743a, 751d, 753c, 756b, 779b, 785b, 789c, 803c, 804a, 839b, 839c, 840a, 842a, 843c, 853b, 859d, 864a, 865e, 867a, 867c, 869c, 877a, 879a, 880a, 899a, 901b, 934b, 939c, 940b, 942a, 947a, 951c, 954a, 955c, 956a, 958b, 962b, 966a, 967b, 968b, 973a, 978b, 978c, 981c
LAUROS 1075a, 571d, 649a, 827b, 847c, 899b, 949c, 959d, 961b
LENARS 897c
LEVASSORT 391e, 424a, 564a, 647b, 79a
LOIRAT 237b, 442a
LEAKEY (Docteur) 19c
MAGNUM/BARBEY 355d
MAGNUM/HAN SWJIN 594c
MAGNUM/LESSING 30b, 35c, 43c, 955a, 974b
MAGNUM/VANCE 21b
MAS 414b, 453c
MANUEL 1037d, 967c
MALVAUX 965c
MINISTERE DE L'EDUCATION DU VENEZUELA 788a
MUSEE ARCHEOLOGIQUE DE JORDANIE 31b
MUSEE DE LA MARINE 981a
MUSEE HISTORIQUE D'ETAT A MOSCOU 601b, 1055e
MUSEE DE L'HOMME 12a, 13b, 17c, 19b, 22b, 23a, 25a, 26a
MUSEE DE L'HOMME/ BEGOUEN 13a
MUSEE DE L'HOMME/ DESTABLE 34a, 34c
MUSEE DE L'HOMME/OSTER 16b, 18a, 24a, 24b, 25c, 25d, 25e, 28a, 29a, 2o, 2o
MUSEE DE L'HOMME/ PONSARD 23c, 27a
MUSEE DE L'HOMME/ WINDELS 12d
MUSEE DE L'HOMME/de LUMLEY 21a
MUSEE GUIMET 388a, 642b, 692a, 706b
NASA 10a
NANTET Bernard 446b

NATIONAL PORTRAIT GALLERY 486a, 508a, 526a, 541a, 568a, 601d, 643a, 664a, 815a, 826b, 897b, 971d
OJIEDA 346b
PEQ COLOR 806b, 543b
PERCHERON 30a
PHEDON — SALOU 211c, 211d, 459a
PHOTO X 1045c, 1050c, 1051c, 1055d, 1056a, 1063b, 16a, 192a, 229a, 296a, 333b, 341c, 36a, 36b, 37b, 37d, 39c, 43d, 663b, 674b, 69d, 751b, 767b, 783c, 833b, 843b, 849c, 872a, 883a, 893a, 895d, 908b, 911d, 913b, 933a, 944b, 957c, 984d
PHOTO REPRODUCTIONS 277c, 303c, 704b, 73b
PHOTOTHEQUE DE DRESDE 852a, 34ü
PHOTOTHEQUE PRESSES DE LA CITE 1007d, 1039f, 252b, 303b, 315a, 334b, 347c, 351b, 403d, 415d, 440b, 45b, 481a, 511c, 520b, 594a, 594b, 605c, 613a, 618b, 627b, 658a, 662a, 662b, 665c, 682a, 691b, 693a, 695c, 697b, 701c, 705c, 709c, 727c, 729a, 741c, 741d, 741e, 742a, 743b, 746b, 747a, 747c, 747d, 750a, 751e, 751f, 752a, 753b, 754a, 754b, 755a, 755d, 755e, 756a, 757d, 767a, 767d, 768b, 769a, 771a, 774a, 775b, 777a, 789b, 797a, 803a, 805d, 836b, 851d, 863b
PHOTOTHEQUE PRESSES DE LA CITE/J.DA CUNHA 425a, 477c, 481b, 481c, 481d, 481e, 513c, 535d, 551a, 557b, 594e, 635b, 705b, 727b, 732b, 745a, 766b, 776a, 783a
PIX 499c, 650a
RADIO TIMES PICTURE LIBRARY 836a
PICTURE POINT 226a
POTER BEATRIX 987e
RAPHO 204b, 221b, 297c, 335d, 365b, 377d, 505c, 515d, 57a, 915d
RAPHO/BERNHEIM 419c
RAPHO/CHARLIAT 407a
RAPHO/BRIAN BRAKE 48a, 57b, 67c
RAPHOT/DOISNEAU 375a
RAPHO/BRIGHT 330a
RAPHO/EVERTS 254c, 321b, 471a, 579b
RAPHO/FABRICE ROULAND 291a
RAPHO/GERSTER 253d, 485c
RAPHO/GOURBEIX 266c, 326b
RAPHO/JESSICA 68a
RAPHO/KOCH 325c, 685a
RAPHO/LAWSON 196a, 227e
RAPHO/MAINBOURG 67b
RAPHO/MICHAUD 288a, 289a, 322a, 337a, 338b, 384a, 521d, 588a
RAPHO/MORTIMER 234a
RAPHO/RONIS 348b, 319b
RAPHO/SERRAILLIER 319a
RAPHO/SILBERSTEIN 67a
REINERTH 42b
REUNION DES MUSEES NATIONAUX 593a, 593b, 761b, 776c
RICCIARINI 833d

RIJKSMUSEUM 592a
ROBILLARD 509a
ROGER VIOLLET 1026c, 1029a, 1043d, 1047g, 1048a, 1053c, 1057d, 1059f, 1062c, 1067b, 1071b, 12b, 12c, 13d, 20b, 22a, 379c, 461a, 519c, 523c, 595b, 601a, 635a, 643c, 645a, 645b, 677b, 695a, 695b, 697a, 697c, 730a, 737d, 739d, 759b, 763b, 791d, 797b, 807b, 811a, 813a, 816a, 818b, 821e, 841a, 849b, 853a, 853d, 860b, 861c, 865b, 882a, 885c, 893c, 903d, 907b, 915e, 933c, 938a, 940a, 949b, 949d, 957a, 967a
ROGER VIOLLET/ANDERSON 489a
ROGER VIOLLET/HARLINGUE 939b
ROGER VIOLLET/BOYER 23b, 734a, 815b
ROSS JOHN 517d
ROL 881c
SACRE SMITH 964a
SCALA 1001a, 221c, 229d, 233c, 261a, 287a, 350b, 373c, 381b, 391d, 399b, 407b, 419b, 423d, 444b, 444c, 451b, 455a, 455b, 456b, 465b, 467a, 478a, 478b, 482b, 487a, 488a, 488b, 491b, 491c, 493c, 521b, 523a, 527a, 530a, 553b, 581b, 582c, 589c, 595d, 647a, 733a
SCHUBERT 232a
SHOGAKUKAN 399d, 528a, 571b
SIPA PRESS 33a, 33b
SIPAPRESS/HIOGLU 33d
SIROT (collection) 878b
SOARES Mario 525a
SYGMA/ILLUSTRATION 860a, 950a, 972a
TALLANDIER/DUBOUT 970b
TALLANDIER 1032b, 950b, 952a
TETREL 263a, 292a
THIERRY Nicole 353a, 353b
TOP 227a
TOP/DESJARDINS 851c
TOP/CHARBONNIER 294a, 359b
TOP/HINOUS 47a
TOP/IONESCO 355b
TOP/MAZIN 679b
TOP/ROQUES 66b
TOSO 679c, 325a
UNIVERSITE DE CHICAGO 100b
USIS 1035e, 879d, 890b, 941a
VAERING 967d
VANDERMEERSCH B. 25b
VASARI 791b
VAUTIER-DECOOL 653c
VERTUT Jean 24c, 28b, 28d, 29e, 45c
VIE DU RAIL 773b, 797c, 827d, 844b
WALT DISNEY PRODUCTION 1067d
WICIZWA Adams 499b
ZANGHERI GINO 362a
ZYGMUNT CANISKI 472a, 22ü

Nous remercions également pour leur collaboration les Éditions Mazenod et la SNL Le Robert.

LA TERRE Population

Vancouver · Winnipeg
Seattle
Portland · Minneapolis · Montréal
Milwaukee · Detr · Tor
Denver · Chicago · Boston
San Francisco · Kansas · Cl · Phil · New York
St-Louis · Cin · Baltimore
Memphis · Washington
Los Angeles · Phoenix · Dallas · Atlanta
San Diego · Houston · New Orleans · Jacksonville
Monterrey · San Antonio · Miami
Tampa
Guadalajara · La Havanë
Mexico · San Juan
Puebla · Saint-Domingue
Guatémala
Bar. · Caracas
Medellin · Mar.
Bogota
Cali
Quito
Guayaquil · Belém
Fortaleza
Recife
Lima · Salvador
La Paz · Brasilia
Belo Horizonte
Rio de Janeiro
Sao Paulo
Curitiba
Cordoba · Porto Alegre
Santiago · Rosario · Montevideo
Buenos Aires

Glasgow
Dublin
Londres
Paris
Porto
Lisbonne · Md · Alge
Casablanca
Dakar
Conakry
Abidjan · Accra

Tropique du Cancer
Équateur
Tropique du Capricorne
Cercle polaire antarctique
Long. ouest

Habitants/km²

| inhabité | inf. à 1 | 1-10 | 10-25 | 25-50 | 50-100 | 100-200 | plus de 200 |

Grandes villes (agglomérations)

· 500 000-1 000 000   ○ 1 000 000-5 000 000   ☐ plus de 5 000 000 hab.

Abréviations

A. = Amsterdam
Barc. = Barcelone
Bar. = Barranquilla
Belg. = Belgrade
Bir. = Birmingham
B. = Bruxelles
Bu. = Budapest
Buc. = Bucarest
Cin. = Cincinnati

Cl. = Cleveland
D. = Dacca
Dam. = Damas
Detr. = Detroit
Dni = Dniepropetrovsk
Do. = Donetsk
Ind. = Indianapolis

Kit. = Kitakyushu
K. = Kobe
Mar. = Maracaibo
Mil. = Milan
Md. = Madrid
Od. = Odessa
Phil. = Philadelphie
Pi. = Pittsburg

P. = Prague
T. = Tientsin
Tor. = Toronto
Ts. = Tsingtao
V. = Vienne
Z. = Zheng zh